S0-BIL-268

E. BÉNÉZIT

DICTIONNAIRE
critique et documentaire
DES PEINTRES SCULPTEURS DESSINATEURS ET GRAVEURS

E. BÉNÉZIT

DICTIONNAIRE
critique et documentaire
DES PEINTRES SCULPTEURS DESSINATEURS ET GRAVEURS

de tous les temps et de tous les pays
par un groupe d'écrivains spécialistes
français et étrangers

•

NOUVELLE ÉDITION
entièrement refondue
sous la direction de Jacques BUSSE

•

TOME 14
VALENTIN- ZYW

GRÜND
1999

Éditions précédentes: 1911-1923, 1948-1955, 1976

ISBN: 2-7000-3010-9 (série classique)
ISBN: 2-7000-3024-9 (tome 14)

ISBN: 2-7000-3025-7 (série usage intensif)
ISBN: 2-7000-3039-7 (tome 14)

ISBN: 2-7000-3040-0 (série prestige)
ISBN: 2-7000-3054-0 (tome 14)

Dépôt légal mars 1999

NOTES CONCERNANT LES PRIX

Tous les prix atteints en ventes publiques par les œuvres des artistes répertoriés dans le Bénézit sont indiqués :

- dans la monnaie du pays où a eu lieu la vente (*cf* abréviations ci-dessous) ;
- dans la monnaie au jour de la vente.

Afin de permettre au lecteur d'évaluer ce que représentent en valeur actualisée les transactions précitées, nous donnons dans le tome 1 :

- un tableau retraçant l'évolution du pouvoir d'achat du franc depuis 1901 (page 8) ;
- un tableau donnant les cours à Paris du dollar américain et de la livre sterling depuis la même année (page 10).

Ainsi pourra-t-on estimer par un double calcul la valeur d'une transaction effectuée par exemple à Londres en 1937, à New York en 1948, etc., et par une simple lecture à Paris en 1955.

DÉSIGNATION DES MONNAIES SELON LA NORME ISO

ARS	Peso argentin	**HKD**	Dollar de Hong Kong
ATS	Schilling autrichien	**HUF**	Forint (Hongrie)
AUD	Dollar australien	**IEP**	Livre irlandaise
BEF	Franc belge	**ILS**	Shekel (Israël)
BRL	Real (Brésil)	**ITL**	Lire (Italie)
CAD	Dollar canadien	**JPY**	Yen (Japon)
CHF	Franc suisse	**NLG**	Florin ou Gulden (Pays-Bas)
DEM	Deutsche Mark	**PTE**	Escudo (Portugal)
DKK	Couronne danoise	**SEK**	Couronne suédoise
EGP	Livre égyptienne	**SGD**	Dollar de Singapour
ESP	Peseta (Espagne)	**TWD**	Dollar de Taïwan
FRF	Franc français	**USD**	Dollar américain
GBP	Livre sterling	**UYU**	Peso uruguayen
GRD	Drachme (Grèce)	**ZAR**	Rand (Afrique du Sud)

Jusqu'aux années 1970, les prix atteints lors des ventes en Angleterre étaient indiqués indifféremment en livres sterling ou en guinées. Lorsque tel a été le cas, l'abréviation GNS a été conservée.

PRINCIPALES ABRÉVIATIONS UTILISÉES

Rubrique muséographique

Les abréviations correspondent au mot indiqué et à ses accords.

Acad.	Académie
Accad.	Accademia
Assoc.	Association
Bibl.	Bibliothèque
BN	Bibliothèque nationale
Cab.	Cabinet
canton.	cantonal
CNAC	Centre national d'Art contemporain
CNAP	Centre national des Arts plastiques
coll.	collection
comm.	communal
Contemp.	Contemporain, contemporary...
dép.	départemental
d'Hist.	d'Histoire
Fond.	Fondation
FNAC	Fonds national d'Art contemporain
FRAC	Fonds régional d'Art contemporain
Gal.	Galerie, Gallery, Galleria...
hist.	historique
Inst.	Institut, Institute
Internat.	International
Libr.	Library
min.	ministère
Mod.	Moderne, Modern, Moderna, Moderno...
mun.	municipal
Mus.	Musée, Museum
Nac.	Nacional
Nat.	National
Naz.	Nazionale
Pina.	Pinacothèque, Pinacoteca...
prov.	provincial
région.	régional
roy.	royal, royaux

Rubrique des ventes publiques

abréviations des techniques

/	sur
acryl.	acrylique
alu.	aluminium
aquar.	aquarelle
aquat.	aquatinte
attr.	attribution
cart.	carton
coul.	couleur
cr.	crayon
dess.	dessin
esq.	esquisse
fus.	fusain
gche	gouache
gché	gouaché
gchée	gouachée
gchées	gouachées
gches	gouaches
grav.	gravure
h.	huile
h/cart.	huile sur carton
h/pan.	huile sur panneau
h/t	huile sur toile
inox.	inoxydable
isor.	Isorel
lav.	lavis
linograv.	linogravure
litho.	lithographie
mar.	marouflé, marouflée...
miniat.	miniature
pan.	panneau
pap.	papier
past.	pastel
peint.	peinture
photo.	photographie
pb	plomb
pl.	plume
reh.	rehaussé, rehaut, rehauts...
rés.	résine
sculpt.	sculpture
sérig.	sérigraphie
synth.	synthétique
tapiss.	tapisserie
techn.	technique
temp.	tempera
t.	toile
vinyl.	vinylique

VALENTIN Henry
Né en 1820 à Allarmoint (Vosges). Mort en 1855 à Paris. XIXe siècle. Français.
Illustrateur.
Il collabora à *L'Illustration* et dessina à la manière de Gavarni.

VALENTIN Henry Augustin
Né le 11 juin 1822 à Yvetot (Seine-Maritime). Mort le 23 août 1886 à Paris. XIXe siècle. Français.
Graveur à l'eau-forte, peintre et lithographe.
Élève de David d'Angers et de F. Rude. Il débuta au Salon de 1845. Ce peintre-graveur s'est plus attaché à l'eau-forte de reproduction qu'à l'eau-forte originale. Il a gravé d'après Mazaud et d'après les sculptures de Duret.

VALENTIN J. M.
Né au XIXe siècle à Bourg-des-Comptes (Ille-et-Vilaine). XIXe siècle. Français.
Sculpteur.
Il figura au Salon des Artistes Français ; mention honorable en 1888.

VALENTIN Jean ou **Jean de Boulogne** ou **de Boullongne** ou **Boullogne**, dit **Moïse Valentin**
Né le 3 janvier 1591 à Coulommiers (Seine-et-Marne). Mort en 1632, enterré le 20 août à Rome. XVIIe siècle. Français.
Peintre d'histoire, compositions religieuses, scènes de genre, intérieurs.
La connaissance de la vie de Valentin est relativement récente et encore incomplète. Son père aurait été maître verrier à Coulommiers. La famille aurait compté d'autres artistes. En 1862, Anatole Dauvergne le rattacha à la célèbre famille des Boullongne ou Boullogne, dont on ne sait exactement si elle est originaire de Boulogne ou de Bologne. On ne sait si Valentin de Boulogne reçut une formation à Paris, ou bien peut-être à Fontainebleau ? Il se rendit certainement très jeune à Rome, sans doute vers 1612, d'où lui viendrait le prénom de Moïse qui lui est parfois attribué, et qui ne serait autre qu'une corruption du mot de « monsu » par lequel les Italiens désignaient alors les Français. On ignore à peu près tout de ses débuts à Rome. L'Allemand Sandrart le dit avoir été élève de Vouet, ce qui de toute façon est très vraisemblable. Si l'on connaît mal sa vie, une indication précieuse nous est fournie avec la connaissance de son affiliation à la compagnie des « Bentvögels », société rivale de la très officielle Académie Saint-Luc, dite familièrement la « Bent », dont les membres étaient surtout des Nordiques et Allemands, jouissant d'une joyeuse réputation concrétisée dans leur devise : « Bacco, Tabacco e Venere » (à Bacchus, au tabac et à Vénus). Valentin devait tenir honorablement sa place dans la compagnie, où il avait mérité le surnom de l'« Inamorato » (l'amoureux). A partir de 1627, sa vie est mieux connue en raison de ses succès d'artiste : désormais célèbre, il était surtout protégé par la famille Barberini.
À l'exemple de Vouet, il adopta la manière sombre, à laquelle il restera fidèle durant toute sa courte carrière, se plaçant parmi les plus intéressants continuateurs du Caravage, dont il ne put recevoir qu'indirectement la leçon, soit de Vouet, soit à travers les œuvres de Manfredi, duquel il se rapproche le plus. Valentin connut également Douffet, avec qui il partageait un logement en 1620. Pour des raisons de contemporanéité, il connut probablement aussi le mystérieux Cecco del Caravaggio. Au Caravage et à Manfredi, il empruntait l'éclairagisme caractéristique, simplifiant les formes jusqu'à la géométrie par l'opposition des ombres et des éclats de lumière, ainsi que les sujets composés de personnages en général à mi-corps, scènes de cabaret, scènes bibliques dont les protagonistes sont vus comme des contemporains de la vie quotidienne. La peinture se regarde et ne se décrit pas ; s'il fallait cependant essayer de dire ce qui fait la qualité des œuvres de Valentin par rapport à de nombreux caravagesques mineurs, on invoquerait la justesse et la force des contre-jours et des clairs-obscurs, la qualité générale de la lumière, la sonorité particulière des couleurs dans les ombres, et, naturellement, l'éloquence psychologique et l'intériorité des personnages. Pour la famille Barberini, il peignit de nombreuses œuvres, dont beaucoup ont disparu, notamment un *David*, la *Décollation de Jean Baptiste*, un *Portrait de Francesco Barberini* ; heureusement la célèbre *Allégorie de Rome* nous est parvenue. En 1629, il connut l'insigne honneur, que seuls Français avec lui connurent Vouet et Poussin, de la commande pour la basilique Saint-Pierre du *Martyre des saints Procès et Martinien*. Il semble que les amateurs s'arrachaient alors ses œuvres, entre autres le riche Cassiano del Pozzo, protecteur de Poussin qu'il dut connaître et dont il reçut une certaine influence dans la dernière période de son activité. Les auteurs récents ont tenté une chronologie de l'ensemble de l'œuvre du Valentin : un groupe de peintures, caractérisées par le traitement sculptural des volumes et la franchise de la couleur largement brossée, sont attribuées à sa jeunesse, environ 1618-1620, avec *Le Tricheur* de Dresde, directement inspiré d'un tableau du Caravage, auquel il fut autrefois attribué, avec encore un *Saint Jean Baptiste* d'une collection privée, dans lequel on a voulu voir un autoportrait, *Jésus et la Samaritaine* et *Noli me tangere* de Pérouse, le *Saint Jérôme* de Turin, le célèbre *Jésus chassant les marchands du Temple* de la Galerie Corsini de Rome, dont le caravagisme tumultueux évoque les peintures de Saint-Louis-des-Français. La tragique *Judith* du Musée des Augustins de Toulouse, la *Réunion dans un cabaret* du Louvre, indiquent une évolution ; les coloris sont plus clairs, plus gais, le modelé plus souple dessine des personnages plus familiers. A l'époque de la maturité sont attribués : *La Cène* de la Galerie Corsini, dans laquelle les compagnons du Christ sont représentés, à l'exemple du Caravage, par des hommes du peuple et non plus par des protagonistes mythifiés, parmi lesquels éclate la note tendrement humaine et si quotidienne du saint Jean qui s'est endormi de fatigue sur la table ; la belle et froide *Judith* du Musée de Malte, qui tranche sans émotion la tête d'Holopherne ; le très complet *Concert* du Louvre, ainsi que *La diseuse de bonne aventure* du même musée ; un *Joueur de luth* d'une collection particulière. On attribue à la dernière période de sa vie les peintures les plus expressives : *Saint Jean Baptiste* et *Saint Jérôme*, peintures tardivement découvertes dans une petite église de Camerino, dans les Marches ; *Le Christ et la Samaritaine* d'une collection privée ; *L'Allégorie de Rome* de l'Institut Finlandais de Rome ; le tragique *Sacrifice d'Isaac* de Montréal ; la *Réunion avec une diseuse de bonne aventure* de Pommersfelden, qui fut peut-être la dernière peinture qu'il exécuta. Le peintre Baglione, qui écrivit des biographies de peintres, raconte qu'à l'âge de quarante et un ans, Valentin, après une nuit d'août passée à boire, plongea la tête dans une fontaine glacée pour se rafraîchir les idées, en retira un refroidissement dont il mourut peu de jours plus tard. Ainsi le Valentin fut-il le seul caravagesque français à n'avoir plus quitté Rome. D'ailleurs, peut-on considérer sa peinture comme française, ou bien est-il justifié de le classer parmi les caravagesques de stricte obédience italienne ? Certains auteurs s'accordent à reconnaître à ses personnages une vérité humaine du quotidien qui les rattache au psychologisme caractéristique des peintres français du début du XVIIe siècle, Vouet, Sébastien Bourdon ou surtout les frères Le Nain. Il semble qu'il n'eut qu'un seul élève : Nicolas Tournier, qui devait se fixer à Toulouse. Alors que chez beaucoup de caravagesques, la peinture des bas-fonds ne donne lieu qu'à l'expression du pittoresque, pittoresque qui ne va cesser de se dégrader dans les bambochades, dans les peintures du Valentin, les soldats, les vieillards négligés, les enfants égarés, les jeunes gens rêveurs, les filles des rues aussi, témoignent d'une humanité mélancoliquement poétique. ■ Jacques Busse

M Valentin.

Bibliogr. : A. Dauvergne : *Le Valentin, peintre, né à Coulommiers-en-Brie*, Paris, 1862 – A. Dauvergne : *Le Valentin*, Gazette des Beaux-Arts, Paris, 1879 – C. de Saint-Aymour : *Les Boullongne*, Paris, 1919 – Hermann Voss : *Die Malerei des Barock in Rom*, 1925 – Catalogue de l'exposition *Les peintres de la Réalité en France au XVIIe siècle*, Musée de l'Orangerie, Paris, 1934 – Catalogue de l'exposition *Caravaggio e Caravaggeschi*, Musée de Milan, 1951 – R. Longhi : *A propos de Valentin*, Revue des Arts, Paris, 1958 – M. Hoog : *Attributions anciennes à Valentin*, Revue des Arts, Paris, 1960 – Catalogue de l'exposition *Le Caravage et la peinture italienne du XVIIe siècle*, Musée du Louvre, Paris, 1965 – Catalogue de l'exposition *Valentin et les caravagesques français*, Gal. Nat. du Grand Palais, Paris, 1974 – B. Nicolson : *Le mouvement Caravaggesque International*, 1979.

Musées : Aix : *Joueurs de cartes – Compagnie musicienne* – Amiens : *Les Passions* – Auch : *La flûte et la rose* – Avignon : *La diseuse de bonne aventure* – Berlin : *La diseuse de bonne aventure* – Besançon : *Querelle de joueurs* – Budapest : *Société à table* – Calais : *Ménagère tenant un chou – Berger jouant du chalumeau* – Cologne : *Joueurs de cartes* – Copenhague : *Joueurs de cartes* – Dijon : *Saint Jean – Saint Pierre et l'ange* – Dresde : *Le vieux violoniste – Le tricheur* – Dunkerque : *Joueur de guitare* – Florence (Gal. Nat.) : *Homme jouant de la guitare – La paille et la poutre* –

LILLE : *Soldats jouant aux dés la tunique du Christ* – *Jésus insulté par les soldats* – LONDRES : *Musiciens* – LONS-LE-SAULNIER : *Danseuse* – LUDWIGSBOURG : *Judith* – *Daniel dans la fosse aux lions* – MADRID (Mus. du Prado) : *Martyre de saint Laurent* – MADRID (Mus. Cerralbo) : *Joueurs* – LE MANS : *Saint Jean écrivant l'Apocalypse* – MARSEILLE (Mus. des Beaux-Arts) : *Les cinq sens* – MONTAUBAN : *Deux chanteurs* – MOSCOU (Mus. Pouchkine) : *Le reniement de saint Pierre* – MUNICH : *Couronnement d'épines* – *Erminie et les bergers* – NANTES : *Souper des pèlerins d'Emmaüs* – NAPLES (Mus. mun.) : *Bohémiennes et soldats* – OSLO : *Portrait présumé de Claude Lorrain* – PARIS (Mus. du Louvre) : *L'innocence de Suzanne reconnue* – *Le jugement de Salomon* – *Le denier de César* – *Concert* – *La diseuse de bonne aventure* – *Cabaret* – *Réunion de buveurs* – POMMERSFELDEN : *Société faisant de la musique* – PORTO : Deux paysages – ROME (Borghèse) : *Explication des songes de Pharaon* – *Saint Jean dans le désert* – *Christ à la colonne* – *Retour de l'enfant prodigue* – ROME (Doria Pamphily) : *Saint Jean Baptiste ascète* – *Charité romaine* – ROME (Vatican) : *Martyre de saint Processe et de saint Martin* – ROUEN : *Conversion de saint Matthieu* – SAINT-OMER : *Musicien jouant de la viole* – *Musicien tenant un vidrecome* – SAINT-PÉTERSBOURG : *Jésus chasse les marchands du temple* – *Reniement de saint Pierre* – STRASBOURG : *Musiciens et soldats* – TOULOUSE : *Judith* – TOURS : *Soldats jouant aux dés* – *Les quatre évangélistes* – *Saint Antoine relisant sa lettre à Constantin en faveur de saint Athanase* – TURIN : *Le Christ à la colonne* – VALENCIENNES : *Trois musiciens à l'auberge* – VERSAILLES : *Les quatre évangélistes*, plafond de la chambre de Louis XIV – VIENNE (Gal. Czernin) : *Sainte Cécile, deux saintes femmes et un ange* – VIENNE (Gal. Liechtenstein) : *Musiciens* – VIENNE (Mus. Nat.) : *Moïse*.

VENTES PUBLIQUES : PARIS, 1767 : *Un soldat romain* : **FRF 501** – PARIS, 1865 : *Cinq joueurs de dés se querellant* : **FRF 1 650** – PARIS, 1869 : *Le Reniement de saint Pierre* : **FRF 4 000** – PARIS, 1892 : *Intérieur de cabaret* : **FRF 2 850** – NEW YORK, 21 mars 1906 : *Joueurs de cartes* : **USD 625** – LONDRES, 16 juin 1911 : *Concert* : **GBP 43** ; *Joueurs de cartes* : **GBP 53** ; *Le Banquet* : **GBP 42** – PARIS, 20 mars 1944 : *Joueurs de cartes*, genre de J. V. : **FRF 34 000** – LONDRES, 4 oct. 1946 : *Cavalier* : **GBP 73** – NEW YORK, 24 oct. 1962 : *La partie de musique* : **USD 3 500** – LONDRES, 27 mars 1968 : *Scène de cabaret* : **GBP 1 100** – COPENHAGUE, 30 avr. 1974 : *Soldats jouant aux dés* : **DKK 210 000** – PARIS, 1er avr. 1987 : *Saint Jérome*, h/t (132x152) : **FRF 1 650 000** – PARIS, 28 juin 1988 : *Les Quatre Évangélistes : saint Mathieu, saint Jean, saint Marc, saint Luc*, quatre h/t : **FRF 6 250 000** – PARIS, 11 déc. 1989 : *Les Tricheurs*, t. (121x152) : **FRF 22 500 000** – NEW YORK, 9 oct. 1991 : *David avec la tête de Goliath*, h/t (139x103) : **USD 88 000** – LONDRES, 6 juil. 1994 : *Jeune berger coiffé d'une couronne de laurier et tenant une flûte*, h/t (75,7x60,5) : **GBP 133 500** – PARIS, 12 déc. 1995 : *Saint Jérôme*, h/t (132x152) : **FRF 1 300 000** – NEW YORK, 11 jan. 1996 : *La couronne d'épines*, h/t (146,1x107,3) : **USD 882 500**.

VALENTIN Jules Armand
Né le 1er janvier 1802 à Versailles (Yvelines). XIXe siècle. Français.
Peintre de paysages.
Élève de Gros. Il débuta au Salon de 1824. On conserve de lui au Musée de Cambrai *Intérieur de village, vue de l'église de Menil, près de Lillebonne*.

VALENTIN Marcelle
Née au XXe siècle à Autun (Saône-et-Loire). XXe siècle. Française.
Peintre. Abstrait. Groupe musicaliste.
Elle a fait ses études artistiques à Dijon et à Paris où elle expose régulièrement à la Société Nationale des Beaux-Arts. Désirant approfondir son art et le renouveler, elle s'oriente vers l'abstraction. Elle étudie alors à l'Académie Lhote.
Elle expose avec les Musicalistes au Salon des Réalités Nouvelles dès sa fondation. Elle a figuré à l'exposition *Valensi et le Musicalisme* au Musée de Lyon en 1963. Elle travaille ensuite à des œuvres fondées sur le relief et la lumière.

VALENTIN Moïse, appellation erronée. Voir **VALENTIN Jean**

VALENTIN Pierre
Né à Paris. XXe siècle. Français.
Peintre de nus, natures mortes.
Il a peint des nus et des natures mortes, dans un sentiment moderne. Il a figuré, à Paris, au Salon d'Automne.

VALENTIN Suzanne
XXe siècle. Française.
Peintre.
Elle a exposé au Salon des Artistes Français à Paris, y obtenant une mention en 1935 et une médaille d'argent en 1939.

VALENTINA Jacoppo. Voir **VALENCIA**

VALENTINE Albert R. ou **Valentien**
Né le 11 mai 1862 à Cincinnati (Ohio). Mort le 5 août 1925. XIXe-XXe siècles. Américain.
Peintre de fleurs, potier.
Il fut élève de l'Académie de Cincinnati, puis de Duveneck à Florence. Il peignit toutes les espèces de fleurs sauvages de Californie.

VALENTINE Edward Virginius
Né le 12 novembre 1838 à Richmond (Virginie). Mort le 12 novembre 1930 à Richmond. XIXe-XXe siècles. Américain.
Sculpteur de monuments.
Il fit ses études en Europe. Il sculpta des monuments.
MUSÉES : RICHMOND : *Andromaque et Astyanax*.

VALENTINE Henry August, appellation erronée. Voir **VALENTIN Henry Augustin**

VALENTINE Tony
Né le 18 janvier 1939 à Edimbourg (Écosse). XXe siècle. Depuis 1967 actif en France. Britannique.
Peintre.
Il a étudié à l'École d'Art de Glasgow de 1958 à 1964. Il expose dès cette époque à Edimbourg, mais aussi en Angleterre et à Paris. Parmi ses participations à des expositions collectives : 1978, Biennale de Brest. Il montre ses œuvres dans des expositions personnelles, dont : 1980, Chartres.
Sa peinture reste fidèle à une réalité objective.
VENTES PUBLIQUES : PARIS, 10 juin 1990 : *Portrait de Françoise*, h/pan. (100x75) : **FRF 6 500**.

VALENTINELLI Jan
Né en 1913 à Schaerbeek (Bruxelles). XXe siècle. Belge.
Peintre sur porcelaine. Réaliste.
Il peint des paysages et des vues de Belgique.
BIBLIOGR. : In : *Dictionnaire biographique illustré des artistes en Belgique depuis 1830*, Arto, Bruxelles, 1987.

VALENTINER Peter
Né en 1941 à Copenhague. XXe siècle. Actif en France. Danois.
Peintre, sculpteur.
Il a été invité à la Biennale de Paris en 1971, y a reçu une récompense. Il expose aussi au Salon de la Jeune Peinture à Paris. Il vit et travaille à Paris.
Valentiner a associé son nom au début des années soixante-dix à la technique du camouflage, usant de filets, de trames, ou de tissus « léopard » utilisés par l'armée, pour camoufler la réalité et, de ce fait, attirer l'attention et sur cette réalité et sur l'ambiguïté qu'il y a à vouloir la connaître. Il dit lui-même que le camouflage est pour lui une activité à la fois ludique et subversive. On peut aussi la qualifier de symbolique. Son travail est peut-être à rapprocher de celui de Christo. Conservant toujours la grille ou la trame comme point de départ, Valentiner a produit ensuite un travail plus pictural à partir d'empreintes colorées.

VALENTINI
XIXe siècle. Travaillant en 1820. Français.
Peintre.
Il a peint un *Martyre de saint Marcel* dans l'église du même nom de Châlon-sur-Saône.

VALENTINI Alexandre de
XIXe siècle. Actif à Paris. Français.
Peintre.
Il exposa au Salon de 1834 à 1842 des portraits et des scènes du Moyen Age italien.

VALENTINI Antonio
Né à Padoue. XIXe siècle. Actif dans la première moitié du XIXe siècle. Italien.
Graveur au burin, dessinateur.
Élève à l'Académie de Venise. Il grava des costumes et des antiquités. Il grava aussi sur acier.

VALENTINI Ernst von
Né le 23 mars 1759 à Westerburg. Mort le 31 mars 1835 à Detmold (?). XVIIIe-XIXe siècles. Allemand.
Peintre de portraits, de paysages et miniaturiste.
Il fut d'abord libraire et dessina pour se distraire. En 1780, un

portrait qu'il fit attira l'attention et le décida à embrasser la carrière artistique. Il visita l'Italie, et fut élève des Académies de Turin et de Milan. Il eut des succès officiels. A Parme il peignit le duc et sa famille, et en 1787, à Florence, le grand-duc de Toscane Léopold (depuis empereur d'Allemagne). De 1789 à 1794 Valentini alla à Rome. De retour en Allemagne, il s'établit à Œttingen et à Detmold, où il fut peintre de la cour. A la fin de sa carrière, il se consacra surtout à la miniature et au paysage.

VALENTINI Giovanni
Né en 1787 à Rima San Giuseppe. Mort en 1860 à Rima San Giuseppe. XIXe siècle. Italien.
Peintre de sujets religieux et de décorations.

VALENTINI Giuseppe. Voir **ROSETTI Giuseppe**

VALENTINI Gottardo
Né le 18 juillet 1820 à Milan (Lombardie). Mort le 3 septembre 1884 à Milan. XIXe siècle. Italien.
Peintre de sujets de genre, paysages animés.
Il fut élève de la Brera de Milan.
Musées : Milan.
Ventes Publiques : Milan, 14 déc. 1978 : *Berger et troupeau*, h/t (134x99) : **ITL 1 400 000** – Milan, 12 déc. 1991 : *Paysans avec un troupeau dans les environs du lac de Fucino* 1855, h/t (67x97) : **ITL 7 000 000**.

VALENTINI Gustavo
Né à Foggia (Pouilles). XXe siècle. Actif dans la première moitié du XXe siècle. Italien.
Peintre d'histoire, portraits, scènes typiques.

VALENTINI Pietro
XVIIe siècle. Travaillant à Rome en 1691. Italien.
Peintre et graveur au burin.
Élève de G. M. Morandi. Il travailla pour des églises de Rome.

VALENTINI Sebastiano de. Voir **VALENTINIS**

VALENTINI Valentino
Né le 15 mars 1858 à Florence. XIXe siècle. Italien.
Peintre de genre et portraitiste.
Il a surtout fait des scènes de genre, mais on cite aussi de lui des portraits.

VALENTINI Victor
XIXe siècle. Allemand.
Peintre d'architectures et de genre.
Il s'établit à Berlin et y exposa de 1878 à 1898. Mention honorable en 1887.

VALENTINI Walter
Né en 1939. XXe siècle. Italien.
Peintre, technique mixte, créateur d'assemblages. Abstrait.
Il montre une première exposition personnelle de ses œuvres à Paris en 1996 à la galerie Dionne.
Entre peinture, gravure, bas-relief et sculpture, Valentini construit des reliefs dans lesquels la texture des surfaces et les formes en présence sont comme « coiffées » par un réseau de fils tendus qui projettent leurs ombres. Parmi ses séries d'œuvres : *Paysages de la mémoire, Les Pièces du temps* et les environnements du *Temps qui passe*. Il a réalisé une composition murale dans le scriptorium des moines de l'abbaye cistercienne Santa Maria Castagnola à Chiaravalle près d'Ancône.
Bibliogr. : Daniela Palazzoli : *Walter Valentini*, in : *Opus International*, n° 119, mai-juin 1990, Paris.

VALENTINI SALA Irene
Née le 19 juin 1864 à Milan. XIXe siècle. Italienne.
Peintre de genre, de fleurs et d'animaux.

VALENTINIS Sebastiano de ou **Valentini**
Né à Udine. Mort vers 1560. XVIe siècle. Italien.
Peintre et aquafortiste.
Il peignit et grava des sujets religieux et mythologiques.
Ventes Publiques : Londres, 5 déc. 1985 : *Prométhée* 1558, eau-forte (27,8x18,9) : **GBP 3 800**.

VALENTINO Amélie
Née au XIXe siècle à Metz (Moselle). XIXe siècle. Française.
Peintre de portraits.
Élève de Mme Faure et de Rudder, Jacquesson de la Chevreuse, Henner, Carolus Duran et Lebourg. Elle débuta au Salon de 1870 ; médaille de bronze en 1900 (Exposition Universelle).

VALENTINO Antonio
Né en 1814 à Rima San Giuseppe. Mort en 1892 à Rima San Giuseppe. XIXe siècle. Italien.
Peintre.
Il étudia à Pompéi les fresques romaines dont il s'inspira.

VALENTINO Cesare
XVIe siècle. Italien.
Graveur au burin.
Il travailla à Messine en 1571.

VALENTINO Francesco
Mort vers 1664. XVIIe siècle. Italien.
Sculpteur.
Il travailla pour les églises de Naples et sculpta le tombeau d'Alessandro Guindazzi dans la cathédrale de cette ville en 1633.

VALENTINO Giacomo
Né à Orta. XVIIIe siècle. Travaillant au début du XVIIIe siècle. Italien.
Peintre.
Il travailla pour les églises de Varallo.

VALENTINO Gian Domenico
XVIIe siècle. Italien.
Peintre de compositions religieuses, scènes d'intérieur, natures mortes.
Il était actif de 1661 à 1681.
Il s'est spécialisé dans les natures mortes d'ustensiles et objets divers dans des intérieurs de cuisine.
Ventes Publiques : Londres, 8 juil. 1983 : *Intérieur de cuisine*, h/t (98,5x31,4) : **GBP 5 000** – Milan, 30 oct. 1986 : *Natures mortes*, h/t, une paire (67x91) : **ITL 26 000 000** – Londres, 27 oct. 1989 : *Le Christ dans la maison de Marie et de Marthe*, h/t (123x174) : **GBP 8 800** – Monaco, 2 déc. 1989 : *Intérieur de cuisine*, h/t (75x94) : **FRF 38 850** – Londres, 9 avr. 1990 : *Vanité avec des instruments de musique, des livres, des pièces d'orfèvrerie, un astrolabe, etc. sur une draperie*, h/t (122x171) : **GBP 209 800** – Rome, 8 mai 1990 : *Intérieur d'épicerie avec une nature morte de fruits et légumes* 1681, h/t (73x113,5) : **ITL 22 000 000** – Amsterdam, 10 nov. 1992 : *Ustensiles de terre cuite dans un panier renversé avec des bassines de cuivre dans une cuisine*, h/t (40,3x70) : **NLG 6 900** – Sceaux, 13 déc. 1992 : *Intérieur de cuisine*, h/t (96x135) : **FRF 95 000** – Rome, 29 avr. 1993 : *Intérieur de cuisine*, h/t, une paire (46x62) : **ITL 14 000 000** – Monaco, 19 juin 1994 : *Intérieur de cuisine*, h/t (50,2x65) : **FRF 35 520** – Londres, 3 juil. 1996 : *Intérieur de cuisine avec des ustensiles de cuivre et des légumes*, h/t (40,7x51) : **GBP 1 725**.

VALENTINO Giovanni Maria
XVIIe siècle. Italien.
Sculpteur.
Il exécuta des ornements dans la cathédrale de Naples de 1602 à 1637.

VALENTINO Janos ou **Johann**
Né le 1er janvier 1842 à Nagy-Lak. Mort le 25 février 1902 à Nadasd-Ladany. XIXe siècle. Hongrois.
Peintre de genre.
Il fit ses études à Arad avec Csillag et à Budapest avec Van der Venne. Grâce à la protection du comte Nadasdy, il put venir à Paris : il alla ensuite à Munich (1873), passa deux ans en Italie, et se fixa enfin à Nadasd-Ladany. Le Musée de Cardiff conserve de lui *Un mendiant mexicain*. D'autres œuvres de cet artiste se trouvent dans les Musées de Budapest.

VALENTINO di Giacomo
Né à Riva. XVIIe siècle. Italien.
Sculpteur.
Il a sculpté un *Crucifiement avec la Vierge et sainte Madeleine* à Velo en 1668.

VALENTINO da Pietrasanta
XVe siècle. Italien.
Sculpteur sur bois.
Il travailla pour la cathédrale de Pise de 1472 à 1473.

VALENTINO di San Perpetua
XVIIe siècle. Actif à Spolète. Italien.
Sculpteur sur bois.
De l'ordre des Carmes, il a sculpté la chaire et les confessionnaux de l'église Saint-Joseph de Ferrare en 1682.

VALENTINO di Sebastiano da Viterbo
XVe-XVIe siècles. Actif à Viterbo. Italien.

Peintre.
Il a exécuté avec Giustino da Montefiascone la fresque dans l'église de Notre-Dame de Saint-Nicolas à Vitorchiano *(Madone à la chape avec saint Marc et saint Libère).*

VALENTINO da Udine. Voir **PAZZO Valentino**

VALENTINY Janos. Voir **VALENTINO**

VALENZANO Frédéric de
Né à Naples. XIXe siècle. Italien.
Paysagiste.
Élève de J. Pallizzi. Il figura aux expositions de Paris ; mention honorable en 1863. Le Musée de Chambéry conserve de lui *Vue prise à Neuilly*, celui du Havre *Un pont en Normandie*, et celui de Nice, *A Montigny, le passage de la rivière*.
Musées : Chambéry (Mus. des Beaux-Arts) : *Vue prise à Neuilly*.

VALENZIANO Bernardo
Né à Florence. XVIe siècle. Actif à la fin du XVIe siècle. Italien.
Sculpteur.

VALENZUALA PUELMA Alfredo
Né le 8 février 1856 à Valparaiso. Mort le 27 octobre 1909 à Paris. XIXe siècle. Chilien.
Peintre.
Il figura aux expositions de Paris. Mention honorable en 1889. Le Musée de Santiago du Chili conserve de lui *La perle du marché aux esclaves* et *Portrait du peintre Juan Mochi.*

VALENZUELA Francisco, dit **Puntete**
Né en 1831 ? Mort en 1864 ? XIXe siècle. Éc. sud-Américaine.
Portraitiste.
Il travailla à Santiago du Chili.

VALENZUELA Juan de
XVIe siècle. Espagnol.
Sculpteur.
Il a sculpté un *Christ mort* et une *Madone* dans la Chartreuse de Valdechristi.

VALENZUELA LLANOS Alberto
Né le 29 août 1869 à San Fernando (Chili). Mort le 23 juillet 1923. XIXe-XXe siècles. Chilien.
Peintre de paysages. Impressionniste.
Il fut élève de l'Académie de Santiago du Chili.
Musées : Paris (Mus. du Louvre) – Santiago du Chili.
Ventes Publiques : Paris, 26-27 nov. 1996 : *La Place Saint-Marc à Venise* 1900, h/t (60x68) : **FRF 30 000**.

VALEPAGI Johann Adolf ou **Wallepagy**
Né le 30 mai 1698 à Mediasch. Mort le 14 octobre 1754 à Mediasch. XVIIIe siècle. Autrichien.
Portraitiste.

VALEPAGI Stephan Adolf ou **Wallepagy**
Né le 9 juillet 1729 à Mediasch. Mort le 25 septembre 1798 à Mediasch. XVIIIe siècle. Autrichien.
Peintre de portraits, autels.

VALÈRE-BERNARD François Marius
Né le 1er août 1859 à Marseille (Bouches-du-Rhône). Mort le 8 octobre 1936 à Marseille. XIXe-XXe siècles. Français.
Peintre de compositions à personnages, figures, portraits, paysages, sculpteur de figures, graveur, poète. Symboliste.
Il fut élève d'Alexandre Cabanel à l'École des Beaux-Arts de Paris en 1882. Il apprit la gravure à l'eau-forte avec Félicien Rops. En 1888, il se fixa à Marseille. Il a fondé le journal *Zou* avec le poète marseillais Louis Astruc. Il a publié plusieurs romans et recueils de poèmes. Il fut professeur d'esthétique à l'École des Beaux-Arts de Marseille. Chevalier de la Légion d'honneur en 1921.
Il a participé à plusieurs expositions de groupe, dont : Salon de la Société Nationale des Beaux-Arts ; Salon de l'Association des Artistes Marseillais ; Société des Artistes Provençaux ; Salon de la Société d'Art Occitan. Une grande rétrospective au Palais Longchamp à Marseille, en 1981, l'a révélé au public.
Artiste symboliste dans tous les domaines, il travailla chez un chromolithographe, adhéra aux Hydropathes, pratiqua l'occultisme à Montparnasse. Il publia en 1895 : *Guerro*, recueil de 14 eaux-fortes, et *Le Christ aux Enfers*. Il a peint *L'Industrie* pour la mairie de La Ciotat, *La Vie de saint Laurent* pour l'église Saint-Laurent, *La vie de sainte Roseline* pour l'église de la Bédoule. Il a sculpté *Pleureuse corse* pour le cimetière Saint-Pierre à Marseille, un bas-relief en bronze pour l'entrée de l'École des Arts et Métiers à Aix-en-Provence. Il avait fait le projet de construire un orgue de couleur, pour lequel Bérard avait composé une musique en rapport avec les couleurs. Un buste représentant l'artiste et exécuté par son fils Casimir est conservé au Museon Arlaten d'Arles.
Bibliogr. : Gérald Schurr, in : *Les Petits Maîtres de la peinture 1820-1920, valeur de demain*, Les Éditions de l'Amateur, t. V, Paris, 1981.
Musées : Arles : *La Dame del Rat-Penat, la Comtesso*, panneau décoratif – *L'entrée de Pierre Ier à Toulouse*, panneau décoratif – *Phrynné*, marbre, statuette – Marseille (Mus. Cantini) : *Femme au rocher* – *La Source* – Marseille (Palais Longchamp) : *Tête d'Orphée*, marbre et onyx, haut-relief – La collection complète des gravures de l'artiste – Marseille (Mus. du Vieux Marseille) : *La fondation de Marseille* – *Portrait d'Anna Valère Bernard-Boudouresque* – *Autoportrait* – *Les Gueux au Soleil* – *Le débarquement des oranges au Vieux-Port*.
Ventes Publiques : Paris, 1900 : *La voix du lac* : **FRF 250**.

VALERI Domenico
XVe siècle. Actif à Ferrare. Italien.
Peintre.

VALERI Domenico
XVIIIe siècle. Actif à Jesi. Italien.
Peintre.
Il a peint une *Madone avec l'Enfant et des saints* pour l'église de la Mort de Jesi en 1740.

VALERI Pietro ou **Valerii**
XIXe siècle. Italien.
Peintre.
Il a fait ses études à Rome et sculpté les statues des douze apôtres pour la cathédrale de Sulmona.

VALERI Silvestro
Né le 31 décembre 1814 à Rome. Mort en 1902 à Rome. XIXe siècle. Italien.
Peintre d'histoire et de genre.
Élève de l'Académie Saint-Luc. Il débuta vers 1837 à Rome. Il fut professeur à l'Académie Saint-Luc et membre d'honneur de l'Institut des Beaux-Arts d'Urbino.

VALERI Ugo
Né le 22 septembre 1874 à Piove di Sacco. Mort le 27 février 1911 à Venise (Vénétie). XIXe-XXe siècles. Italien.
Peintre, dessinateur, caricaturiste, illustrateur.
Il collabora à plusieurs revues humoristiques.
Musées : Milan (Gal. d'Art Mod.) : plusieurs dessins – Venise (Gal. d'Art Mod.) : *Sensation de cirque* – *Printemps et Automne*.
Ventes Publiques : Milan, 7 nov. 1985 : *Les filles de joie*, cr. aquar. (24x33) : **ITL 1 300 000**.

VALERI di Camerino
XVIIe siècle. Italien.
Peintre.
Il travailla pour les églises et l'Hôtel de Ville de Camerino.

VALERIAN. Voir aussi **VALLELIAN**

VALERIAN Gustave F. P.
Né le 19 décembre 1879 à Oran (Algérie). XXe siècle. Français.
Peintre.
Il a exposé, à Paris, au Salon des Artistes Français en 1906, en 1908, et régulièrement depuis 1931. Il y obtint une médaille d'argent en 1933, une autre, d'or, en 1936.

VALERIANI Domenico
XVIIe siècle. Actif à Naples. Italien.
Peintre.

VALERIANI Domenico
Mort avant 1771. XVIIIe siècle. Italien.
Peintre.
Frère de Giuseppe Valeriani. Ils travaillèrent ensemble jusqu'en 1742.

VALERIANI Giulio Cesare
Né en 1664. Mort en 1724. XVIIe-XVIIIe siècles. Actif à Bologne. Italien.
Peintre, surtout copiste.

VALERIANI Giuseppe, padre
Né à Aquila. XVIe-XVIIe siècles. Actif à Rome vers 1592-1605. Italien.
Peintre d'histoire.
On ne dit pas qui fut son maître. Il paraît s'être surtout inspiré de

Sebastiano del Piombo. A la fin de sa carrière il devint jésuite et peignit des *Scènes de la vie de la Vierge*, dans l'église de son ordre. On cite aussi de lui dans l'église du San Spirito en Sassia *La Transfiguration* et *Descente du Saint Esprit*.

VALERIANI Giuseppe
Mort en 1761 à Saint-Pétersbourg. XVIIIe siècle. Italien.
Peintre.
Frère de Domenico Valeriani. Il travailla d'abord en commun avec son frère, et se rendit à Saint-Pétersbourg en 1742 où il travailla pour la cour. Il exécuta de nombreuses peintures dans les châteaux de cette ville et des environs.
VENTES PUBLIQUES : LONDRES, 13 déc. 1984 : *Escalier d'un palais*, pl./trace de sanguine (15x21,9) : **GBP 800**.

VALERIANO di Silvestro da Bagnaia
XVIe-XVIIe siècles. Italien.
Sculpteur.
Le Musée Municipal de Viterbo conserve de lui un jubé, sculpté en 1599 en collaboration avec Ottaviano Vachini.

VALERIE Berthe
Née au XIXe siècle à Paris. XIXe siècle. Française.
Sculpteur.
Élève de Hegel. Elle débuta au Salon de 1878.

VALERIEN Philippe
XVIIe siècle. Actif à Lille. Français.
Sculpteur.
Il exécuta une statue pour la chapelle du Rosaire de l'église de Linselles (Nord) en 1698.

VALERIO
XVe siècle. Italien.
Peintre.
Il travailla pour les évêques de Trente, de 1477 à 1481.

VALERIO Dawn, née **Forest**
Née le 31 décembre 1930 à Boston (Massachusetts). XXe siècle. Active entre 1956 et 1964 en France. Américaine.
Peintre de paysages. Abstrait-lyrique.
Elle s'est formée à l'École d'Art du Massachusetts et à l'École des Arts Plastiques de Boston. Elle a complété sa formation à l'Art Student's League de New York et à Paris, dans l'atelier d'André Lhote pour la peinture, dans l'atelier de S. W. Hayter en gravure. Elle vit et travaille à San Francisco.
Elle participe à des expositions collectives, au Salon de Mai en France, mais principalement en Californie. Elle montre des expositions personnelles à Boston, Paris et en Californie.
Elle peint des paysages, plutôt leur essence, laissant surgir des formes inspirées, dans une gamme chromatique de tonalité vive.
VENTES PUBLIQUES : PARIS, 26 jan. 1990 : *Storm*, h/t (91,5x61) : **FRF 9 000** – PARIS, 5 fév. 1992 : *Joyous reflexion* 1979, h/t (101x76) : **FRF 3 500** – PARIS, 18 mai 1994 : *Walk in the sunlight* 1979, h/t (76x101) : **FRF 4 000**.

VALERIO Giuseppe
Né le 18 février 1896 à Saint-Gall. XXe siècle. Suisse.
Peintre de figures.
Il fut élève d'Alciati et de Mentesse à l'Académie de Milan. Il peignit des fresques pour des chapelles de cimetière de Sevegno et d'Albairate.

VALERIO Octavio
XVIe siècle. Actif à Malaga dans la seconde moitié du XVIe siècle. Espagnol.
Peintre verrier.

VALERIO Théodore
Né le 18 février 1819 à Herserange (Meurthe-et-Moselle). Mort le 14 septembre 1879 à Vichy (Allier). XIXe siècle. Français.
Peintre de sujets militaires, scènes de genre, graveur à l'eau-forte, lithographe.
Élève de Nicolas Charlet, il voyagea en Allemagne, Suisse, Italie, Hongrie et dans les différentes contrées balkaniques. Il y fit un séjour assez prolongé, notamment en Hongrie. Lors de la guerre de Crimée, il s'engagea dans l'armée turque d'Omer Pacha. Il en rapporta des aquarelles, des croquis qu'il entreprit de graver à son retour à Paris. Il fit un court voyage en Angleterre et acheva sa carrière en Bretagne.
Il débuta au Salon de Paris en 1838, obtenant une médaille de troisième classe en 1859. En 1980, la Galerie Gaubert à Paris, lui a consacré une exposition qui a permis de le redécouvrir.
Il semble qu'il trouva sa voie quand, à l'instigation d'Alexandre de Humbold, il s'engagea dans le genre ethnographique. À travers ses dessins, il se présente comme un maître du noir et blanc.

Cachet de vente

BIBLIOGR. : Gérald Schurr, in : *Les Petits Maîtres de la peinture 1820-1920, valeur de demain*, Les Éditions de l'Amateur, t. V, Paris, 1981.
MUSÉES : AUXERRE : *Au coin du feu* – BAGNÈRES-DE-BIGORRE : Deux aquarelles – BREST – CHÂTEAUROUX : *Chevaux dans une lande bretonne* – METZ : *Famille monténégrine pleurant ses morts* – NICE (Mus. Chéret) : *Une tisseuse dans les Romagnes* – PARIS (Mus. du Louvre) – QUIMPER (Mus. des Beaux-Arts) : *La récolte du goémon* – ROUEN : *Soldat bulgare*.
VENTES PUBLIQUES : PARIS, 1863 : *Musiciens tziganes*, aquar. : **FRF 500** – PARIS, 1873 : *Musiciens tziganes* : **FRF 720** – NEW YORK, 7 mars 1911 : *Famille monténégrine* : **USD 95** – PARIS, 19 nov. 1931 : *Le montreur d'ours*, pl. : **FRF 130** – VIENNE, 27 mai 1974 : *Chevaux se désaltérant* 1872 : **ATS 35 000** – PARIS, 13 mai 1976 : *Cardeuse dans un intérieur de ferme*, h/pan. (53x64) : **FRF 1 900** – PARIS, 26 janv 1979 : *Bohémiens allaitant son enfant* 1863, h/pan. (32,5x24) : **FRF 5 000** – LONDRES, 8 fév. 1984 : *Odalisque assise*, h/t (89x118,5) : **GBP 950** – LONDRES, 13 mars 1986 : *Musiciens Tziganes*, aquar./traits cr. avec touches de gche (29x21) : **GBP 1 700** – LONDRES, 24 juin 1988 : *Guerrier arabe avec son cheval*, aquar. (26,5x19,5) : **GBP 1 540** – PARIS, 15 juin 1990 : *Étude de nu*, cr. noir (32,7x25) : **FRF 6 300** – LONDRES, 17 mai 1991 : *Fillette cousant près de la cheminée* 1860, h/pan. (32x24) : **GBP 3 740** – MONACO, 2 juil. 1993 : *Enfants turcs jouant dans une cour* 1859, h/pan. (34x46) : **FRF 25 530** – LONDRES, 18 nov. 1994 : *Près de la cheminée* 1860, h/pan. (32,5x24,4) : **GBP 5 175**.

VALERIO di Agostino d'Olivieri. Voir **OLIVIERI**

VALERIOLA Edmond de
XIXe-XXe siècles. Belge.
Sculpteur.
Il vécut et travailla à Bruxelles. Il participa à l'Exposition Universelle de Bruxelles en 1910.

VALERIUS Bertha Aurora Valeria Albertina
Née le 21 juin 1824 à Stockholm. Morte le 24 mars 1895 à Stockholm. XIXe siècle. Suédoise.
Portraitiste et peintre de genre.
L'Académie de Stockholm conserve d'elle *Portrait de M. Fahlcrantz*. Sans doute parente d'Adélaïde, baronne Leuhusen.

VALERIUS MAXIMUS de Leipzig, Maître de. Voir **MAÎTRE du LIVRE D'HEURES DE DRESDE**

VALERJ Napoleone Gaetano
Né le 4 août 1810 à Padoue. Mort le 23 juin 1840 à Venise. XIXe siècle. Italien.
Paysagiste et peintre d'histoire.
Élève de l'Académie de Venise. Il a peint un *Saint Paul* pour l'église Saint-Pierre de Padoue.

VALERNE Evariste Bernardi de ou **Valernes**
Né le 24 juin 1816 à Avignon. Mort en 1896. XIXe siècle. Français.
Peintre.
Élève de Delacroix. Il exposa au Salon de 1857 et de 1868. Le Musée d'Avignon conserve de lui *Une sœur de charité*, et celui de Carpentras, *Portrait du docteur Barjavel, Portrait de François Raspail* et *La convalescente*.

VALERO Cristobal
Né à Alboraya. Mort le 18 décembre 1789 à Valence. XVIIIe siècle. Espagnol.
Peintre de genre.
Valero devint peintre après avoir été étudiant en philosophie. Il fut élève d'Evaristo Minôz, puis de Seb-Conca à Rome. De retour en Espagne, il se fit prêtre. Il fut directeur de l'Académie de Santa-Barbara (1754), membre honoraire de l'Académie San Fernando (1762), et directeur de l'Académie San Carlos (1768). Il a laissé de nombreux portraits de prélats au palais archiépiscopal de Valence, et plusieurs tableaux dans les églises de cette ville. Le Musée du Prado, à Madrid conserve de lui : *Don Quichotte soupant à l'hôtellerie* et *Don Quichotte armé chevalier*.

VALERO Roger de
XXe siècle. Français.

Peintre de nus, paysages, fleurs.
Affichiste et artiste publicitaire, il devint peintre. Il peignit souvent des sous-bois.

VALERO Y MONTERO Gonzalo
Né en 1825 à Segorbe. XIXe siècle. Espagnol.
Paysagiste.
Élève de R. Montesino. Lauréat des expositions de Valence de 1855 et de 1867.

VALERY Charles Jean Baptiste
XIXe siècle. Actif à Paris. Français.
Peintre d'histoire et portraitiste.
Il exposa au Salon de 1833 à 1850.

VALÉRY Paul Ambroise
Né le 30 octobre 1871 à Sète (Hérault). Mort le 20 juillet 1945 à Paris, enterré au cimetière marin de Sète. XIXe-XXe siècles. Français.
Poète, peintre, dessinateur, graveur.
Bon élève au Collège de Sète, où il entre en 1878, ses études subissent un fléchissement au Lycée de Montpellier, qu'il fréquente dès 1884. Ses professeurs le jugent « un élève passable plutôt que médiocre », ses notes intimes de cette époque révèlent un profond dégoût des études secondaires et une recherche de lui-même, commune à de nombreux écrivains adolescents de cette époque. Mais, s'il ne suit que distraitement les cours du lycée, il se passionne pour l'architecture. Il dévore le *Dictionnaire* de Viollet-le-Duc et la *Grammaire de l'Ornement* de W. Jones, à la Bibliothèque Fabre de Montpellier. En même temps, poète, il compose quelques vers et s'adonne un peu à la peinture. Venu à Paris pour y suivre les cours de la Faculté de Droit, il se lie avec Rouart, industriel et ami de Degas, qui le présente à ce dernier. Degas le fait travailler, il copie au Musée du Louvre *la Sagesse victorieuse des Vices*, de Mantegna, et *Prédication de saint Étienne à Jérusalem*, de Carpaccio. Sur cette amitié, il laissera un livre de souvenirs et d'anecdotes savoureuses, *Degas, danse, dessin*. C'est également à cette période qu'il approfondit sa connaissance de l'art italien et surtout de Léonard de Vinci. En 1895, il publie comme critique d'art un de ses plus importants ouvrages, *Introduction à la Méthode de Léonard de Vinci*, texte qu'il remania à plusieurs reprises, au cours de son existence. Dans cette importante étude, la peinture de Vinci n'occupe qu'un rôle de second plan. L'hermétisme du Protée renaissant touche beaucoup plus, par son abstraction savante et philosophique, la pensée pythagoricienne de Valéry, que son œuvre picturale proprement dite. De son goût pour l'architecture naîtra *Eupalinos ou l'architecte, « dialogue socratique »*. Malgré ses relations avec les peintres engagés de notre temps, il semble plus attiré par les bâtisseurs ; on sait la part, officieuse et inconsciente, prise par lui dans la construction et l'organisation du Palais de Chaillot. Le dessin l'occupe encore beaucoup, ce sont surtout des études, des esquisses, qui semblent des fragments de ses poèmes, le fameux *serpent-rébus* en témoigne. On cite entre autres ouvrages de cet écrivain, où figurent de ses œuvres graphiques, *Le Cimetière marin, Lettres à Mme C., Narcisse, Rhumbs, Poésies, Une Conquête méthodique*. Dans son œuvre littéraire, figurent de nombreux jugements, aphorismes sur l'art, particulièrement dans les séries de *Variété*, dans *Rhumbs*, dans *Monsieur Teste*. ■ P.-A. T.
Bibliogr. : P. de Man : *Les dessins de Paul Valéry*, Paris, Éditions Universelles, 1948 – Catalogues des expositions *Paul Valéry*, Paris, Bibliothèque Nationale, 1958 et 1971.
Ventes Publiques : Paris, 6 nov. 1970 : *Portrait de femme assise*, aquar. : **FRF 4 800** – Paris, 8 mars 1982 : *La main de l'écrivain en train de dessiner sur une feuille de papier*, aquar. et cr. (17x20) : **FRF 8 300**.

VALESCART Francis. Voir **WALSCHARTZ**

VALESI. Voir **VALESIO**

VALESIO. Voir aussi **VALEGGIO**

VALESIO Dionigi ou **Valesi**
XVIIIe siècle. Actif de 1737 à 1766. Italien.
Peintre et graveur au burin.
Il grava des sujets religieux et des perspectives.
Ventes Publiques : Berne, 21 juin 1985 : *Il Canale Grande alla Riva di Biasio*, grav./cuivre : **CHF 2 300**.

VALESIO Francesco ou **Valeggio** ou **Valegius**
Né vers 1560 à Bologne. XVIe siècle. Italien.
Peintre, graveur au burin, dessinateur et marchand d'objets d'art.
On cite de lui un certain nombre de planches pour l'illustration de livres ; notamment une suite d'ermites pour *Illustrium Anachoretorum Elogio*, du moine bénédictin Jacobus Cavacius, publié à Venise en 1612. On mentionne également de cet artiste des portraits, des vues de ville d'après Pietro Vaccini et autres.

VALESIO Giacomo et **Niccolo** ou **Valeggio** ou **Valegius**
XVIe siècle. Italiens.
Graveurs d'histoire, compositions religieuses, dessinateurs.
Ces deux artistes et marchands d'estampes de Vérone travaillèrent de 1548 à 1587. Ils paraissent parents. Ils ont gravés au burin des sujets d'histoire et des sujets religieux. Giacomo paraît s'être inspiré de la manière de Cornelis de Cort, mais il lui est très inférieur.

VALESIO Giovanni Luigi ou **Valesi**
Né vers 1583 à Coreggio. Mort vers 1650 à Rome. XVIIe siècle. Italien.
Peintre, calligraphe, dessinateur d'ornements, miniaturiste, graveur à l'eau-forte et écrivain.
Fils d'un soldat espagnol, Valesio paraît avoir eu une existence mouvementée. Il fut d'abord danseur, puis décorateur. En 1610, il devint élève de Ludovico Carracci et paraît avoir acquis à cette école son talent de miniaturiste, de fresquiste et de dessinateur. En 1621, on le cite à Rome exécutant de remarquables dessins de broderies pour la comtesse Lodovisi. Il est en même temps secrétaire du cardinal Lodovisi, depuis pape sous le nom de Grégoire XV. A l'avènement de ce souverain pontife notre artiste obtint d'importants travaux. On cite parmi ses ouvrages : à Bologne, *Le Christ*, à l'église San Pietro, une *Annonciation*, *Saint Roch guérissant les pestiférés*, à l'église Saint-Roch, et à Rome, au monastère de la Minerva, *La Religion*. Valesio fut aussi un graveur très distingué. Sa manière se rapproche de celle d'Agostino Carracci. Ses dessins à la plume sont fort intéressants.

Ventes Publiques : Paris, 4 juil. 1929 : *Le joueur de viole*, dess. : **FRF 450**.

VALET Guillaume. Voir **VALLET**

VALETTA Francesco (?) ou **Valletta**
XVIIIe siècle. Italien.
Peintre de décorations et de fresques.
Il travailla à Milan et à Pavie et exécuta des peintures dans plusieurs chapelles de la Chartreuse de Pavie.

VALETTE Étiennette
Née en 1903. Morte en 1941. XXe siècle. Française.
Peintre.
Elle commença à peindre en 1916 et fut élève de Billoul-Chrétien et Scoriel jusqu'en 1923. De 1920 à 1925, elle exposa aux Indépendants à Paris.
Après avoir recherché un lyrisme intimiste proche de Chardin, elle s'essaya à des toiles où s'épanouissent des tons purs.

VALETTE Henri
Né le 31 janvier 1891 à Paris. XXe siècle. Français.
Sculpteur, dessinateur, aquarelliste.
Il a exposé aux Salons des Indépendants à Paris, au Salon des Décorateurs, de même qu'à Londres, New York, Buenos Aires, Vienne, et Prague. Professeur de style à l'École Boulle. Cet artiste semble différent d'Henri Vallette.

VALETTE Henri. Voir aussi **VALLETTE**

VALETTE Jean
Né le 12 juin 1782 à Toulouse (Haute-Garonne). Mort le 17 janvier 1843 à Castres (Tarn). XIXe siècle. Français.
Peintre.
Père de Joseph Charles Adrien Valette.
Musées : Castres : *Autoportrait*.

VALETTE Jean ou **Lavalette**
Né le 30 mai 1825 à Ainay-le-Vieil (Cher). Mort en 1877 ou 1878 à Paris. XIXe siècle. Français.
Sculpteur de figures, groupes, bustes, animalier.
Il fut élève de Bonnassieux et Jouffroy. Il débuta au Salon de 1847 ; médaille de troisième classe en 1861 ; il exposa au Salon jusqu'en 1877. On cite de lui un *Saint Pierre* pour Notre-Dame de Bercy.

Musées : Bourges : *La garde mobile – Le semeur d'ivraie*, statues – *Cujas – Bourdaloue*, bustes – *La Ménade*, groupe – Clamecy : *Buste du général Piat*, plâtre – Paris (Mus. d'Orsay) : *Merlaux – Chat noir couché – Buste du peintre Dauchez*.

VALETTE Joseph Charles Adrien
Né le 25 janvier 1813 à Castres (Tarn). Mort le 18 avril 1888 à Castres. XIXe siècle. Français.
Peintre de portraits, paysages, dessinateur.
Il fut élève de Paul Delaroche et de son père Jean Valette. Il fut pendant une cinquantaine d'année professeur de dessin dans diverses écoles de Castres, notamment au collège de la ville. Érudit, il fit partie de la Société littéraire et scientifique de Castres où il intervint souvent sur des sujets concernant l'art et l'esthétique. Il exposa au Salon de 1859 à 1869. Il remporta une dizaine de médailles dans les salons de province.
Maîtrisant parfaitement le dessin, il usait du fusain et de la mine de plomb. S'il était partisan d'un art du paysage exécuté hors de l'atelier, il n'était pas moins attaché à l'expression de la beauté dans son acception idéaliste.
Bibliogr. : Gaston-Louis Marchal : *À propos de Charles Valette, peintre castrais*, s. e, 1981.
Musées : Castres : *Effet du matin – Vue de la forêt de Fontainebleau*, divers portraits.
Ventes Publiques : Paris, 1890 : *Vue prise à Castres*, fusain : **FRF 125**.

VALETTE Julien
Né à Castres (Tarn). XIXe siècle. Français.
Peintre de paysages.
Élève de son père Joseph Charles Adrien Valette, il débuta au Salon de Paris en 1880.
Ses paysages mélancoliques, aux contours parfois flous, sont relevés par des ombres marquées ou des empâtements clairs.
Bibliogr. : Gérald Schurr, in : *Les Petits Maîtres de la peinture 1820-1920, valeur de demain*, Les Éditions de l'Amateur, t. IV, Paris, 1979.
Musées : Cahors : *La vallée du Lot*.

VALETTE Louis Antoine
Né le 25 décembre 1787 à Paris. Mort le 30 juillet 1830 à Paris, tué par un soldat pendant les journées de juillet 1830. XIXe siècle. Français.
Peintre.
Élève de Guérin et de Chery. Il figura au Salon du Luxembourg en 1830.

VALETTE Paul Bernard Joseph Maurice
Né en 1852 à Toulouse (Haute-Garonne). Mort à Paris. XIXe siècle. Français.
Graveur sur bois.
Élève de Permernaker et de l'École Nationale de dessin. Il débuta au Salon de 1876 ; médaille de troisième classe en 1879.

VALETTE René Gaston
Né à Saint-Lo (Manche). XIXe siècle. Français.
Sculpteur.
Élève de A. Dumont et de Leduc. Il débuta au Salon de 1877.
Ventes Publiques : Paris, 16 déc. 1994 : *Cockers*, aquar. (27,5x38) : **FRF 4 600**.

VALETTE-FALGORES Jean. Voir **PENOT**

VALFASONER Martin
Né à Nassereit. XVIIIe siècle. Actif à la fin du XVIIIe siècle. Autrichien.
Sculpteur.
Il a sculpté *Saint Grégoire et Saint Jérôme* pour l'église Saint-Népomucène de Garmisch vers 1795.

VALFORT Charles
Né à Mâcon (Saône-et-Loire). Mort à Paris. XIXe siècle. Français.
Peintre.
Élève de Gros. Il exposa au Salon entre 1836 et 1857. Il fit un voyage au Maroc et en rapporta de nombreuses études. Ses dessins sont intéressants. Le Musée d'Arras conserve de lui *Scène du Ramadan en Afrique*.
Ventes Publiques : Paris, 12 déc. 1949 : *Vénus et amours* : **FRF 2 000** – Paris, 19 nov 1979 : *Paysage orientaliste*, h/pan. (23x38) : **FRF 4 200**.

VALGAERDEN Jan Van den
Né à Diest. XVe siècle. Travaillant à Malines dans la seconde moitié du XVe siècle. Éc. flamande.
Peintre.
Frère de Simon Van den Valgaerden.

VALGAERDEN Simon Van den
XVe siècle. Actif à Malines. Éc. flamande.
Enlumineur et copiste.
Il reçut un paiement, en 1476, pour un calendrier décoré de figures de saints et de saintes.

VALHAMER Josephus
XVIIIe siècle. Actif dans la seconde moitié du XVIIIe siècle. Hongrois.
Sculpteur et stucateur.
Il a exécuté des sculptures au maître-autel de l'église des Frères Mineurs à Erlau en 1770.

VALI Laszlo ou **Ladislaus**
Né le 29 mars 1878 à Kaschau. XXe siècle. Hongrois.
Paysagiste, restaurateur de tableaux.

VALIAKHMETOV Omir Kousnoulovitch
Né en 1927 à Kazan. XXe siècle. Russe.
Peintre de compositions à personnages, natures mortes. Réaliste.
Il a étudié l'École des Beaux-Arts V. Sourikov de Moscou et fut élève de Georgi Riajski. Artiste du Peuple.
Son art appartient au style néoréaliste caractéristique des années cinquante en URSS.
Musées : Kazan – Moscou.
Ventes Publiques : Paris, 9 déc. 1991 : *Corbeille de fruits* 1959, h/t (109x90) : **FRF 13 000** – Paris, 23 mars 1992 : *Les modélistes*, h/cart. (49x69) : **FRF 7 200** – Paris, 11 avr. 1992 : *Nature morte orientale*, h/pan. (50x65) : **FRF 4 000** – Paris, 14 nov. 1992 : *Vase de tulipes à la fenêtre*, h/t (81x60) : **FRF 3 600**.

VALIANI Bartolomeo
Né à Pistoie. XIXe siècle. Italien.
Peintre.
Élève des Académies de Bologne et de Parme. Il exécuta des fresques pour la cathédrale et diverses églises de Pistoie et des environs.

VALIANI Giuseppe
Né le 26 avril 1731 à Pistoie. Mort le 26 avril 1800 à Pistoie. XVIIIe siècle. Italien.
Peintre.
Élève de V. Meucci à Florence. Élève de l'Académie de Bologne. Il peignit des fresques pour des églises et des palais de Pistoie.

VALIDES Francesco di Andrea
Mort avant 1576. XVIe siècle. Actif à Ferrare. Italien.
Peintre.

VALIÈRE Claire
Née le 17 mai 1892 à Bruniquel (Tarn-et-Garonne). XXe siècle. Française.
Peintre de paysages, fleurs, natures mortes.
Elle exposa au Salon des Indépendants, à partir de 1925, ainsi qu'au Salon des Tuileries, à partir de 1928.
Musées : Grenoble – Marseille – Montauban – Toulouse.
Ventes Publiques : Paris, 24 avr. 1929 : *Fleurs dans un pot* : **FRF 200**.

VALIGNAT
XXe siècle. Français.
Peintre de paysages.
Il a peint des aspects du Bourbonnais et de la Côte d'Azur.

VALINOTTI Domenico
Né le 17 septembre 1889 à Turin (Piémont). Mort à Turin. XXe siècle. Italien.
Peintre de paysages, portraits, figures.
Il n'eut aucun maître. Il exposa à partir de 1913.
Musées : Gênes (Mus. d'Art Mod.) – Rome (Mus. d'Art Mod.).
Ventes Publiques : Rome, 15 nov. 1988 : *La route traversant le village* 1933, h/t (50x60) : **ITL 1 200 000**.

VALIO. Voir **MORLAND Valère Alphonse**

VALK. Voir aussi **VALCK**

VALK Anton Van der, pseudonyme : **Ton Van Tast**
Né le 24 avril 1884 à Delft. XXe siècle. Hollandais.
Peintre de portraits, paysages, sujets orientaux, illustrateur, graveur, lithographe.
Il fut élève des Académies de La Haye, d'Amsterdam et de Paris. Il grava des frontispices et dessina des affiches et des illustrations de revues. Il gravait à l'eau-forte.

VALK Gerrit ou **Gerard Leendertsz.** Voir **VALCK**

VALK H. de ou **Valck**
XVIIe siècle. Hollandais.
Peintre de genre, portraits.
Peut-être est-il le même que le peintre de Haarlem, Hendrik de Valck, qui était dans la gilde en 1693.
On cite de lui les portraits du *Général Baron Hans Villem Van Aylva* et de sa femme *Froufi Van Aylva,* tous deux conservés à Amsterdam. Il traitait aussi des scènes de cabaret et autres « bambochades ».

Ventes Publiques : Lucerne, 28 nov. 1964 : *Scène de cabaret* : **CHF 5 000** – Vienne, 20 sep. 1977 : *Scène de cabaret,* h/pan. (57,5x55) : **ATS 180 000** – Londres, 12 déc. 1980 : *Docteur et paysans* 1692, h/pan. (31,7x4,5) : **GBP 7 000** – New York, 11 avr. 1991 : *Danses paysannes,* h/pan. (18x29) : **USD 30 800** – New York, 10 oct. 1991 : *Salle de classe avec des enfants chahuteurs et des adultes à l'arrière-plan,* h/t (71,1x101) : **USD 28 600** – Paris, 15 juin 1994 : *Les hommes rossés par les femmes,* h/t (85x117,5) : **FRF 50 500** – New York, 5 oct. 1995 : *Villageois jouant aux cartes à l'intérieur d'une cuisine,* h/t (40,3x50,2) : **USD 1 840.**

VALK Hendrik
Né en 1897. Mort en 1986. XXe siècle. Hollandais.
Peintre de genre, scènes typiques, natures mortes, fleurs.
Ventes Publiques : Amsterdam, 23 avr. 1980 : *Scène de rue* 1924, h/cart. (39x52) : **NLG 4 200** – Londres, 16 fév. 1983 : *La Visite du docteur,* h/pan. (33x25,5) : **GBP 4 000** – Amsterdam, 8 déc. 1988 : *Piano* 1927, h/cart. (38,5x35) : **NLG 13 800** – Amsterdam, 24 mai 1989 : *Atelier* 1926, h/rés. synth. (54x64,5) : **NLG 9 200** – Amsterdam, 13 déc. 1989 : *Roses dans un vase* 1925, h/pan. (23,5x17) : **NLG 13 800** – Amsterdam, 12 déc. 1990 : *Bal masqué,* h/cart. (40x60) : **NLG 4 600** – Amsterdam, 21 mai 1992 : *Danseuses espagnoles* 1972, h/cart. (57x52,5) : **NLG 1 955** – Amsterdam, 9 déc. 1992 : *Bronzage sur les quais de la Seine opus 375* 1926, h/pan. (36,5x49,5) : **NLG 2 185** – Amsterdam, 10 déc. 1992 : *Trois hommes sur un pont d'Amsterdam* 1928, h/t/cart. (61x87,5) : **NLG 25 300** – Amsterdam, 26 mai 1993 : *Nature morte de fleurs* 1925, h/cart. (28x22) : **NLG 10 350** – Amsterdam, 7 déc. 1994 : *Vagabonds sur les berges de la Seine,* h/cart. (34,5x47,5) : **NLG 4 600** – Amsterdam, 31 mai 1995 : *Journée ensoleillée opus 421* 1917, h/pan. (47x26,6) : **NLG 3 776.**

VALK Maurits Willem Van der
Né le 16 décembre 1857 à Amsterdam. Mort en 1935. XIXe-XXe siècles. Hollandais.
Peintre de paysages, natures mortes, fruits, graveur.
Il fut élève d'Auguste Allebé. Il figura aux Salons de Paris où il obtint une médaille d'argent en 1900 (Exposition universelle de Paris).
Musées : Amsterdam (Mus. mun.) : *Pommes rouges.*

VALK Peter. Voir **VALCK**

VALK Willem Johann
Né le 22 décembre 1898 à Zoeterwoude près de Leyde. XXe siècle. Hollandais.
Sculpteur de bustes.
Il fut élève de l'Académie de La Haye et de Frans Zwollo. Il vécut à Groningue. Il travailla la pierre, le bois et réalisa des sculptures en terre cuite.
Musées : Groningen : *Portrait de G. Heymans – Portrait de H. D. Guyot.*

VALKAERT Werner Van den. Voir **VALCKAERT**

VALKEMA BLOUW J. P.
Né le 23 octobre 1884 à Haarlem. XXe siècle. Hollandais.
Peintre de paysages, natures mortes, fleurs, graveur.
Il n'eut aucun maître.

VALKEMA HERMANN Mevr. M.
Née le 18 avril 1880 à Soekamadjoe (Java). XXe siècle. Hollandaise.
Peintre de portraits, fleurs.
Elle fut élève de L. Visser et de l'Académie de La Haye. Elle travailla à Arnhem.

VALKENAER Johannes
XVIIe siècle. Hollandais.
Peintre.
Le Musée de la Résidence de Munich conserve de lui *Instruments de musique,* œuvre datée de 1669.

VALKENAUER Hans
Né vers 1448. Mort après 1518. XVe-XVIe siècles. Autrichien.
Sculpteur.
Il fut le maître principal du gothique tardif à Salzbourg. Il sculpta de nombreux tombeaux, statues et bas-reliefs pour des églises de Salzbourg et d'autres villes d'Autriche.

VALKENBORCH Dirk ou **Theodor** ou **Thierry** ou **Gillis.** Voir **VALKENBURG**

VALKENBORCH Frederik Van ou **Friedrich** ou **Falckenburg** ou **Valckenborg** ou **Valckenborch**
Né en 1566 ou 1570 à Anvers. Mort le 28 août 1623 à Nuremberg. XVIe-XVIIe siècles. Éc. flamande.
Peintre d'histoire, compositions religieuses, compositions mythologiques, scènes de genre, paysages, natures mortes. Maniériste.
Fils et élève de Lucas Van Valkenborch. Selon certaines sources, il aurait été citoyen de Francfort en 1597, aurait résidé dès 1602 à Nuremberg, où il peignit un arc de triomphe pour l'entrée de l'empereur dans la ville en 1612. Il alla en Italie et séjourna à Venise, y étudiant les œuvres du Titien, de Tintoretto et des autres grands vénitiens.
Il a peint des tableaux d'histoire, mais surtout des sujets de genre, foires, marchés, vues de ville, dans lesquels il introduisait un grand nombre de personnages. Sa facture « preste », ses effets d'éclats de lumière, en font un précurseur de Magnasco.

Bibliogr. : In : *Diction. de la peinture flamande et hollandaise,* coll. Essentiels, Larousse, Paris, 1989.
Musées : Amsterdam : *Site montagneux,* signé F. V. Falcke – Berlin (Cab. d'Estampes) : *Scène bachique* – Brunswick : *Paysage de montagne* – Coburg (Mus. du château) : *L'orage* – Meaux (Mus. Bossuet) : *Conversion de saint Paul* – Munich (Alte Pina.) : *Le Jugement dernier* – Oslo : *Deux Paysages forestiers* – Sibiu : *Des brigands attaquent des paysans* – Vienne : *Kermesse – Foire – Paysage.*
Ventes Publiques : Paris, 1890 : *Instruments de musiques* : **FRF 1 050** – Munich, 24-25-26 juin 1964 : *Chasse à courre* : **DEM 9 500** – Londres, 16 mars 1966 : *Paysage boisé avec chasseurs – La rue du village* : **GBP 6 600** – Cologne, 26 mai 1971 : *Paysage fantastique* : **DEM 17 000** – Paris, 2 déc. 1974 : *Scène de carnaval* : **FRF 60 000** – Londres, 2 avr. 1976 : *Saint Jean Baptiste dans un paysage,* h/cuivre (41x56) : **GBP 7 000** – New York, 21 nov. 1980 : *Vue d'une ville dans un paysage escarpé,* pl. et lav. (19,5x28) : **USD 5 500** – Amsterdam, 18 nov. 1980 : *Paysage boisé, avec la tentation du Christ* 1857, gche reh. d'or, forme ronde (diam. 11,1) : **NLG 14 500** – Munich, 27 nov. 1980 : *La Chasse au sanglier* 1600, h/pan. (41x78,5) : **DEM 36 000** – Paris, 14 déc. 1987 : *La construction de l'arche de Noé,* h/cuivre (41x59,5) : **FRF 100 000** – New York, 14 jan. 1987 : *Paysage boisé,* pl. et lav./traits de craie noire (19,7x28,6) : **USD 4 750** – Londres, 9 déc. 1987 : *La traversée de la Mer Rouge* 1597, h/t (129x271) : **GBP 24 000** – Amsterdam, 14 nov. 1988 : *Vue d'une ville longeant une rivière,* encre (19,6x27,9) : **NLG 8 970** – Amsterdam, 22 nov. 1989 : *La chute de Troie* 1605, h/t (104x172) : **NLG 34 500** – Londres, 6 juil. 1990 : *La traversée de la Mer Rouge* 1597, h/t (132x274) : **GBP 49 500** – Londres, 1er nov. 1991 : *Le sac de Troie* 1595, h/t (39,7x57,8) : **GBP 6 600** – Paris, 15 déc. 1991 : *L'exploitation d'une mine de fer,* h/cuivre (30x42) : **FRF 220 000** – Paris, 9 déc. 1992 : *Sans titre,* plume et encre avec lav. de noir (19,6x28,3) : **FRF 23 000** – Londres, 7 déc. 1994 : *La fuite en Égypte,* h/pan. (29,2x24,5) : **GBP 3 450** – New York, 11 jan. 1996 : *Scène nocturne de carnaval,* h/t (74x83,5) : **USD 13 800.**

VALKENBORCH Gerhardt ou **Valckenborch**
Né à Louvain. XVIe siècle. Éc. flamande.
Peintre.
Élève de son frère Martin Valkenborch l'Ancien.

VALKENBORCH Gillis ou **Egidius** ou **Aegidius Van**
Né vers 1570 à Anvers. Mort en 1622 à Francfort. XVIe-XVIIe siècles. Éc. flamande.
Peintre.
Fils de Martin Valkenborch l'Ancien. Il fut peut-être le maître de H. Van der Borcht I. Le Musée de Brunswick conserve de lui *La défaite de Sanhérib.*

Ventes Publiques : Londres, 29 juin 1966 : *Le retour de Jephté* : **GBP 1 500** – Vienne, 22 mars 1968 : *L'armée du Pharaon engloutie dans la Mer Rouge* : **ATS 55 000** – New York, 6 juin 1985 : *L'entrée du cheval de bois à Troie* 1598, h/t (124,5x233,5) : **USD 12 000**.

VALKENBORCH Henri Van ou **Quinten Henri Van, Quentin**

xvie siècle. Éc. flamande.

Peintre.

Frère de Lucas Valkenborch. Il faisait partie de la gilde des peintres de Malines en 1560, où il était maître. Il travaillait encore en 1599.

VALKENBORCH Lodewijk Van de. Voir **BOSCH Lodewyck Jansz Van den**

VALKENBORCH Lucas Van ou **Valckenborch**

Né entre 1530 et 1535 à Malines ou Louvain. Mort le 2 février 1597 à Francfort-sur-le-Main. xvie siècle. Éc. flamande.

Peintre de compositions religieuses, scènes de genre, portraits, paysages, miniaturiste.

Frère de Martin Van Valckenborch l'Ancien, il fut élève à Malines en 1560, puis devint maître dans la gilde de cette ville en 1564. Appartenant à la religion protestante, il prit part aux révoltes contre les Espagnols et dut fuir Malines en 1566. Après un séjour à Anvers, où il avait rejoint son frère Martin, et où, croit-on, il étudia avec Pieter Brueghel, il dut se réfugier à Aix-la-Chapelle, puis à Liège et à Francfort. On croit que Lucas revins dans les Pays-Bas, mais que les succès militaires des Espagnols ne lui permirent pas d'y séjourner. En 1570, d'autres sources donnent vers 1580, il travailla à Linz pour l'archiduc Mathieu. En 1593 et 1594, il exécutait des travaux pour l'archiduc Ernest. En 1597, il était à Nuremberg, où il paraît avoir séjourné quelques années.

Surtout peintre de petits formats, il se fit une spécialité de *Tours de Babel*, de *Kermesses villageoises*, ainsi que de *Mois* et de *Saisons*, peuplés de minuscules personnages, dans des paysages dont les détails topographiques sont très pittoresques. Son frère, avec lequel il est parfois confondu, a peint le même genre de sujets.

Bibliogr. : In : *Diction. de la peinture flamande et hollandaise*, coll. Essentiels, Larousse, Paris, 1989 – Alexander Wied : *Lucas und Marten Van Valckenborch, 1535-1597 und 1534-1612 Das Gesamtwerk mit Kritischen Oeuvrekatalog*, Freren, 1990.

Musées : Amsterdam : *Site montagneux* – Anvers : *Paysage* – Berlin : *Paysage* – Brunn : *Paysage* – Brunswick : *Paysage* – Bruxelles : *Paysage* – *Les possédés de Gérasa* – Budapest : *Paysage* – Copenhague : *Noce de paysans* – *Gaieté rustique* – Enschede : *Tentation du Christ* – Francfort-sur-le-Main : *Vue sur Linz* – *Vue d'Anvers* – *Vaches au pâturage* – Göteborg : *Paysage* – Gotha : *Kermesse* – Innsbruck (Ferdinandeum) : *Paysage* – Kiev (Mus. Nat.) : *Crucifiement* – *Paysage* – Lubeck : *Campement de Bohémiens* – Madrid : *Paysage avec ruines* – *Paysage montagneux* – *Paysage avec personnages* – *Le palais des archiducs à Bruxelles* – Mayence : *La Tour de Babel* – *Paysage* – Munich : *Construction de la Tour de Babel* – Münster : *Madeleine repentante* – Nancy : *La moisson* – *La fenaison* – Oldenbourg : *Vue de Linz* – Paris (Mus. du Louvre) : *La Tour de Babel* – Saint-Pétersbourg (Mus. de l'Ermitage) : *Fête de village* – Venise : *Paysage montagneux* – Vienne (Mus. Nat.) : *Bois ombreux et pêcheur à la ligne* – *L'archiduc Mathias* – *Paysages d'été, d'hiver, de printemps, d'automne* – *Paysage de montagnes* – *Taverne de paysans* – Vienne (Gal. Liechtenstein) : *Paysage montagneux*.

Ventes Publiques : Paris, 17 juin 1921 : *La promenade de l'archiduc Mathieu, gouverneur des Flandres* : **FRF 3 020** – Paris, 15 mai 1950 : *La halte en forêt* : **FRF 335 000** – Lucerne, 21-27 nov. 1961 : *La Tour de Babel* : **CHF 6 500** – Amiens, 28 nov. 1970 : *Scène villageoise* : **FRF 26 000** – Londres, 12 déc. 1973 : *Paysage montagneux avec la Tentation du Christ* : **GBP 10 500** – Paris, 4 avr. 1974 : *La Tour de Babel* : **FRF 250 000** – Amsterdam, 15 nov. 1976 : *Pêcheurs à la ligne dans un paysage fluvial boisé*, h/pan. (34x30,5) : **NLG 88 000** – Londres, 12 avr. 1978 : *Les femmes de Macédoine changées en oiseaux* 1598, h/pan. (29x56,5) : **GBP 8 000** – New York, 12 janv 1979 : *La tentation de saint Antoine*, h/pan. (35,5x49,5) : **USD 27 000** – Amsterdam, 18 nov. 1980 : *Paysage montagneux*, pl./trait de craie noire (19,6x28,5) : **NLG 4 400** – Londres, 10 déc. 1980 : *L'archiduc Matthias d'Autriche assistant aux vendanges* 1597, h/pan. (41,5x63,5) : **GBP 110 000** – Cologne, 19 nov. 1981 : *La Tentation du Christ dans un paysage fantastique* 1573, h/pan. (52x79) : **DEM 40 000** – Amsterdam, 14 mars 1983 : *Élégants personnages au bord de l'étang d'Oye, près de Bruxelles* 1597, h/pan. (40,7x64) : **NLG 480 000** – Amsterdam, 26 nov. 1984 : *Paysage montagneux avec une chapelle*, pl. et encre brune/trait de craie noire (20,8x31,2) : **NLG 8 800** – Londres, 6 juil. 1984 : *Paysage montagneux avec une vue de Jérusalem et Christ portant la Croix* 1567, h/pan. (31,1x68) : **GBP 16 000** – New York, 14 jan. 1988 : *Bal sur l'esplanade du palais et couples dans les jardins*, h/pan. (45x146) : **USD 77 000** – Paris, 14 mars 1988 : *Paysage avec ermite lisant*, h/pan. circulaire (diam. 13) : **FRF 49 000** – Milan, 16 mars 1988 : *Marché aux volailles et à la vaisselle dans une ville de Flandres ; Marché aux fleurs et aux légumes dans une ville des Flandres*, h/t, une paire (chaque 112x156) : **ITL 85 000 000** – Paris, 6 nov. 1991 : *Paysage avec un ermite lisant*, h/pan. (diam. 13) : **FRF 14 000** – Stockholm, 10-12 mai 1993 : *Paysage d'hiver animé avec une ville au lointain*, h/pan. (50x70) : **SEK 330 000** – New York, 12 jan. 1995 : *Paysage avec des paysans fuyant une troupe de pillards* 1577, temp./pap./pan. (28,6x42,2) : **USD 321 500** – Londres, 6 déc. 1995 : *Paysage rocheux avec une fonderie à gauche et une large rivière à droite*, h/pan. de chêne (23,5x44) : **GBP 36 700**.

VALKENBORCH Martin

Né avant 1566 à Malines. Mort en 1597 à Vienne. xvie siècle. Éc. flamande.

Peintre.

Il résidait à Francfort-sur-le-Main en 1597.

VALKENBORCH Martin Van, ou **Maarten**, l'Ancien

Né en 1534 ou 1535 à Louvain. Mort en 1612 à Francfort-sur-le-Main. xvie-xviie siècles. Éc. flamande.

Peintre de compositions religieuses, scènes de genre, portraits, paysages.

Frère de Lucas Valkenborch, il fut peut-être son élève. Entré à la gilde de Malines en 1559, il fut maître en 1563, ayant comme élève Gysbrecht Jaspers. On le cite travaillant à Anvers en 1564, où Lucas vint le rejoindre l'année suivante. Il y resta jusqu'en 1572, puis les deux frères allèrent à Liège, à Aix-la-Chapelle, dont Martin devint citoyen en 1573, avant de retourner à Anvers en 1584, et d'aller s'établir définitivement à Francfort en 1586. En 1602, Martin était à Venise et en 1604 à Rome.

Ses sujets religieux se déroulent, le plus souvent, dans des paysages pittoresques. Il y a souvent confusion entre les deux frères : au musée d'Amiens, un paysage, quelquefois attribué à Paul Brill, est donné à Lucas par le catalogue et peut être de la main de Martin, puisque cette peinture est signée des initiales.

■ M. W.

Bibliogr. : In : *Diction. de la peinture flamande et hollandaise*, coll. Essentiels, Larousse, Paris, 1989 – Alexander Wied : *Lucas und Marten Van Valckenborch, 1535-1597 und 1534-1612 Das Gesamtwerk mit Kritischen Werkkatalog*, Freren, 1990.

Musées : Dessau : *Rencontre de Rébecca et d'Éliézer* – Dresde (Gemälde Gal.) : *La Tour de Babel* – Gotha : *Paysage plat* – Poitiers : *Paysage d'hiver* – Rome (Gal. Doria Pamphily) : *Réunion à la campagne* – Vienne (Kunst. Mus.) : *Janvier* – *Février* – *Mars* – *Avril* – *Mai* – *Juin* – *Septembre* – *Octobre* – *Novembre*.

Ventes Publiques : Paris, 11 jan. 1943 : *La Tour de Babel* : **FRF 20 000** – Londres, 30 nov. 1966 : *Jésus sur la route d'Emmaüs* : **GBP 1 600** – Vienne, 30 nov. 1971 : *La Tour de Babel* : **ATS 120 000** – Paris, 8 déc. 1977 : *Paysage d'hiver*, h/pan. (43,5x61) : **FRF 160 000** – Londres, 12 déc 1979 : *La tour de Babel*, h/pan. (35,5x48,5) : **GBP 37 000** – Copenhague, 2 mai 1984 : *Bord du Rhin animés de bergers et vendangeurs*, h/t (88x129) : **DKK 240 000** – Cologne, 15 juin 1989 : *La Tour de Babel*, h/pan. (53x77) : **DEM 3 500**.

VALKENBORCH Martin

Né en 1583 à Anvers. Mort en 1635 à Francfort-sur-le-Main. xviie siècle. Éc. flamande.

Peintre de sujets religieux, paysages, paysages de montagne.

Il résidait à Rome en 1602. Il peignit pour la ville de Francfort.

Ventes Publiques : Bruxelles, 13-14-15 oct. 1965 : *La fuite en Égypte* : **BEF 220 000** – Londres, 19 avr. 1967 : *Paysage montagneux* : **GBP 2 000.**

VALKENBORCH Nicolas ou **Nikolaus** ou **Falkenburg**
xviie siècle. Actif à Nuremberg vers 1632. Allemand.
Peintre.
Peut-être fils de Lucas Valkenborch.

VALKENBORCH Quentin. Voir **VALKENBORCH Henri Van**

VALKENBURCH. Voir **VALKENBORCH**

VALKENBURG Danker Lodewyk Marie
Né en 1827. Mort le 2 mai 1854 à La Haye. xixe siècle. Hollandais.
Peintre d'histoire.

VALKENBURG Dirk ou **Theodor** ou **Thierry** ou **Gillis** ou **Valckenburg** ou **Valkenborch**
Né le 17 février 1675 à Amsterdam. Mort en 1721 ou 1727 à Amsterdam. xviiie siècle. Hollandais.
Peintre de scènes de chasse, natures mortes, peintre à la gouache.
Élève de Cuylenborch, de Michel Van Musscher, de H. von Vollenhoven et de Jan Weenie. En 1696, il partit pour l'Italie, mais s'arrêta chez l'évêque d'Echstadt, travailla pour le duc de Bade et enfin alla à Vienne, appelé par le prince Liechtenstein. Les importants travaux qu'il exécuta dans la capitale de l'Autriche lui permirent d'amasser une petite fortune et le firent renoncer à son projet d'aller à Rome. Il revint à Amsterdam et fut employé par Guillaume III au château de Loo. Il refusa d'aller à Berlin. Des chagrins domestiques l'amenèrent à quitter la Hollande et il émigra à Surinam dans cette ville. Il peignit surtout des natures mortes au gibier.

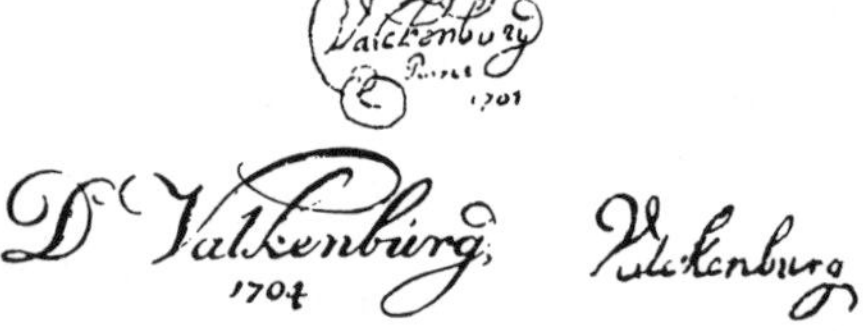

Musées : Amiens : *Nature morte* – Amsterdam : *Oiseaux des Indes Occidentales* – *Gibier* – Copenhague : *Ours luttant avec des chiens* – Dublin : *Volaille et paysage* – Francfort-sur-le-Main : *Butin de chasse* – Hanovre : *Nature morte* – Quimper : *Fruits de Surinam* – Schleissheim : *Lion mort* – Vienne (Harrach) : *Un chat* – *Deux chiens* – natures mortes.
Ventes Publiques : Amsterdam, 1706 : *Une tête de loup* : **FRF 85** – Paris, 1842 : *Fusil, filet et oiseaux morts* : **FRF 220** – Paris, 1872 : *Coq, poules et canards* : **FRF 880** ; *Poule protégeant ses poussins* : **FRF 3 550** – Paris, 15 déc. 1922 : *Oiseaux de basse-cour*, gche : **FRF 390** – Paris, 9 mai 1927 : *Coq et Canards* : **FRF 8 500** – Londres, 14 mai 1965 : *Nature morte au gibier* : **GNS 420** – Munich, 22 mai 1969 : *Nature morte* : **DEM 6 000** – Londres, 28 mars 1979 : *Nature morte aux fleurs et aux fruits*, h/pan. (98,5x75) : **GBP 7 200** – New York, 19 jan. 1982 : *Fruits tropicaux dans des paysages animés fluviaux animés d'indigènes* 1707, h/t, une paire (70x60) : **USD 20 000** – New York, 20 jan. 1983 : *Trophée de chasse*, h/t (90x74,5) : **USD 10 000** – Stockholm, 19 mai 1992 : *Chien de chasse gardant le fusil et les proies dans un paysage*, h/t (173x220) : **SEK 117 000** – Londres, 11 déc. 1996 : *Nature morte au lièvre, geai, perdrix et mousqueton* 1716, h/t (99x77,8) : **GBP 42 200** – Amsterdam, 11 nov. 1997 : *Raisins, pommes, noix, une pêche et des prunes sur un entablement de pierre près d'un vase sculpté, un jardin dans le lointain*, h/t (98x84) : **NLG 138 384.**

VALKENBURG Heinrich von
Né à Augsbourg (?). xviie siècle. Allemand.
Peintre de fleurs.
Il fut élève d'Antonio Vassilacchi.
Musées : Riga : *Fleurs.*

VALKENBURG Hendrik
Né le 8 septembre 1826 à Deventer. Mort le 24 octobre 1896. xixe siècle. Hollandais.
Peintre de scènes de genre, intérieurs, peintre à la gouache, aquarelliste, dessinateur.
Il étudia à l'Académie des Beaux-Arts d'Anvers. Jusqu'en 1883, il fut un modeste professeur de dessin. Ses œuvres furent remarquées tardivement et il prit une place honorable parmi les grands modernes hollandais. Il figura au Salon des Artistes Français de Paris, obtenant une mention honorable en 1889, pour l'Exposition Universelle.

Musées : Amsterdam (Mus. mun.) : *La demande en mariage* – *Intérieur hollandais* – La Haye (Mus. Mesdag) : *Le champ de blé* – Rostock (Mus. mun.) : *Intérieur d'une maison bourgeoise* – Utrecht : *Intérieur d'une maison de pêcheurs.*
Ventes Publiques : New York, 9-10 fév. 1905 : *Intérieur hollandais* : **USD 170** ; *Préparant le déjeuner* : **USD 350** – New York, 15-16 fév. 1906 : *Au logis* : **USD 625** – New York, 1er-2 mars 1906 : *L'heure du repas* : **USD 300** – New York, 14-17 mars 1911 : *Retour au logis* : **USD 125** – Londres, 22 avr. 1911 : *Washing* : **GBP 38** – Londres, 14 juin 1974 : *Maternité* : **GNS 700** – Munich, 25 nov. 1976 : *Jeune femme tricotant près d'une fenêtre*, aquar. (57,5x41,5) : **DEM 1 250** – Amsterdam, 14 juin 1979 : *Mère et enfants dans un intérieur*, h/t (62x83) : **NLG 7 800** – Amsterdam, 19 mai 1981 : *Mère et enfant dans un intérieur*, h/t (52,5x65) : **NLG 14 000** – Amsterdam, 10 fév. 1988 : *Paysanne épluchant des pommes de terre près d'une table*, craie noire, aquar. et gche/pap. (38x51) : **NLG 2 530** – Amsterdam, 19 sep. 1989 : *Mère et enfant dans un intérieur*, encre et aquar./pap. (1.092) : **NLG 1 092** – Amsterdam, 23 avr. 1991 : *Paysanne faisant manger son bébé*, h/t (48x38) : **NLG 9 200** – Amsterdam, 30 oct. 1991 : *Intérieur de cuisine avec une femme cousant près de ses deux enfants autour d'une table* 1884, h/t (52x65,5) : **NLG 9 775** – Amsterdam, 14-15 avr. 1992 : *Scène d'intérieur avec une mère et son enfant*, aquar. (41,5x56) : **NLG 12 650** – Londres, 7 avr. 1993 : *Repas familial* 1880, aquar. (50x70) : **GBP 2 070** – Amsterdam, 19 avr. 1994 : *Deux jeunes garçons dans une cour*, aquar. (49x39) : **NLG 1 725** – New York, 20 juil. 1995 : *Travaux de cuisine*, gche/cart. (43,5x55,9) : **USD 1 840** – Amsterdam, 19-20 fév. 1997 : *Jour de lessive*, aquar. reh. de blanc/pap. (42,5x55) : **NLG 8 649** – Amsterdam, 22 avr. 1997 : *Journée de travail accomplie*, aquar. (51,5x36) : **NLG 17 110.**

VALKENBURG Theodor ou **Thierry**. Voir **VALKENBURG Dirk**

VALKER Agnes
Née le 17 octobre 1879 à Gyor. xxe siècle. Hongroise.
Peintre de natures mortes, autels.
Elle fut élève de Liezen-Mayer.

VALKER Warner von. Voir **VALCKERT Werner Van den**

VALKIES Michèle
xxe siècle. Belge.
Peintre, sculpteur.
Elle a montré un ensemble de ses œuvres à la galerie Beciani à Charleroi en 1995.
Ses peintures et ses sculptures composées d'ustensiles de cuisine, de ressorts et autres objets en ferraille, évoquent sur le mode symbolique des interrogations sur l'homme.

VALL. Voir **WALL, WALLA**

VALLA Domiziano
xviiie siècle. Travaillant en 1782. Italien.
Peintre.
Il a peint des fresques dans l'église Saint-Calire de Penne.

VALLADARES Fernando de
xvie siècle. Actif à Orense dans la première moitié du xvie siècle. Espagnol.
Peintre.
Il peignit des fresques dans l'abbatiale de Monterrey en 1533.

VALLADARES José
xviiie siècle. Guatémaltèque.
Peintre.
Élève de Thomas de Merlo. Il a peint en 1759 un tableau gigantesque représentant la fondation de l'ordre des Mercédariens et se trouvant dans l'église La Merced de Guatemala la Nouvelle.

VALLADOLID Simon de
xvie siècle. Travaillant à Simancas en 1567. Espagnol.
Sculpteur sur bois et doreur.

VALLAERT. Voir **WALLAERT**

VALLAERTS Antoine ou **Wallaerts**
XVIIe siècle. Actif à Gand en 1649. Éc. flamande.
Dessinateur d'ornements.

VALLAIN Nanine, plus tard Mme **Piètre**
XVIIIe-XIXe siècles. Française.
Peintre de genre.
Élève de David et Suvée, elle prit part aux expositions sous le nom de Mme Piètre et exposa au Salon de 1793 à 1810. La National Gallery de Dublin conserve d'elle *Portrait de Laetitia Bonaparte.*

VALLANCE. Voir aussi **VALENCE**

VALLANCE John
Né en 1770 (?) en Écosse. Mort en 1823 à Philadelphie. XVIIIe-XIXe siècles. Américain.
Graveur au burin.
Il s'établit à Philadelphie en 1791. Il grava des portraits, des ex-libris et des billets de banque.

VALLANCE William Fleming
Né le 13 février 1827 à Paisley. Mort le 30 août 1904 à Édimbourg. XIXe siècle. Britannique.
Peintre de marines.
Élève de Robert Scott Lander. Il peignit d'abord des figures puis se consacra à la peinture de la mer sous ses multiples aspects. Il exposa à la Royal Scottish Academy à partir de 1853, en fut nommé associé en 1875 et académicien en 1881. Il prit également une part active aux expositions du Glasgow Institute et de la Royal Academy de Londres.
Musées : Édimbourg : *Lisant les nouvelles de la guerre* – Melbourne (Nat. Gal. of Victoria) : *Le port de Leith – Hould it up, Darling !*
Ventes Publiques : Londres, 2 juil. 1909 : *Le naufrage* : **GBP 5**.

VALLANTE Andrea
Né en 1442. XVe siècle. Actif à Vairano. Italien.
Sculpteur.
Père de Paolo V.

VALLANTE Paolo
Né en 1479. XVIe siècle. Actif à Vairano. Italien.
Sculpteur.
Fils d'Andrea V. Il sculpta des portes et des fenêtres à Vairano en 1508.

VALLANTIN
XVIIIe siècle. Français.
Sculpteur.
Le Musée d'Angers conserve de lui *Femme nue*, bas-relief.

VALLARA Giovanni
XVe siècle. Actif à Parme à la fin du XVe siècle. Italien.
Peintre de compositions religieuses.

VALLARA Giuseppe ou **Valara** ou **Valari**
Né en 1670. Mort en 1723. XVIIe-XVIIIe siècles. Actif à Parme. Italien.
Peintre.
Il a peint *Saint Nicolas et saint Antoine de Padoue* dans l'église Saint-Jean-Baptiste de Parme.

VALLARDI
XIXe siècle. Actif à Paris. Italien.
Peintre de paysages.
Il figura aux expositions du Luxembourg de 1830 et 1831.

VALLARI Nicolas ou **Valleri**
D'origine française. XVIIe siècle. Travaillant en Suède de 1646 à 1670. Suédois.
Peintre.
Il travailla pour la reine Christine de Suède. Il exécuta des peintures allégoriques dans divers châteaux des rois et de la noblesse de Suède.

VALLASTER Jean ou **Vallastre** ou **Fallastre**
Né le 4 novembre 1765 à Bambiederstroff (Moselle). Mort le 31 janvier 1833 à Strasbourg (Bas-Rhin). XVIIIe-XIXe siècles. Français.
Sculpteur.
Il fut sculpteur en chef de la cathédrale de Strasbourg.

VALLAT Gabrielle
Née le 28 mai 1889 à Courthézon (Vaucluse). XXe siècle. Française.
Peintre de paysages.
Elle a exposé au Salon d'Automne à Paris.

VALLATI
XIXe siècle. Actif à Rome. Italien.
Peintre de scènes de chasse et d'animaux.

VALLAYER-COSTER Anne ou **Dorothée Anne**
Née le 21 décembre 1744 à Paris. Morte le 27 février 1818 à Paris. XVIIIe-XIXe siècles. Française.
Peintre de sujets allégoriques, scènes de genre, natures mortes, graveur.
Mariée à Jean-Pierre Sylvestre Coster, elle n'a exposé que sous le nom de Vallayer. Reçue académicienne le 28 juillet 1770, elle commença à exposer au Salon en 1771 et y parut pour la dernière fois en 1817.
À travers ses scènes de genre, portraits, natures mortes, Anne Vallayer-Coster montre sa connaissance de l'art de Chardin et d'Oudry.
Bibliogr. : In : *Diction. de la peinture française*, coll. Essentiels, Larousse, Paris, 1989.
Musées : Berlin – Carcassonne – Dijon – Genève – Le Mans – Nancy – New York (Met. Mus.) – Ottawa (Nat. Gal.) – Paris (Mus. du Louvre) : *Attributs de la Musique – Attributs de la Peinture – Table chargée d'un homard, de différents fruits, de gibier* 1817 – Paris (Mus. Nissim-de-Camondo) – Paris (Mus. des Arts déco.) – Reims – Saint-Jean-Cap-Ferrat – Strasbourg – Toledo, Ohio.
Ventes Publiques : Paris, 1864 : *Bouquet de roses dans un vase* : **FRF 215** – Paris, 1885 : *Une bouquetière ; Marchande de marée*, h/t, une paire : **FRF 2 870** – Paris, 21 avr. 1921 : *Une vestale couronnée de roses et tenant une corbeille de fleurs* : **FRF 43 000** – Paris, 20 nov. 1941 : *Vase de fleurs* : **FRF 90 000** – Paris, 10 juin 1954 : *Vase de fleurs* : **FRF 305 000** – Londres, 26 mars 1969 : *Nature morte aux fruits* : **GBP 2 000** – Paris, 17 avr. 1970 : *La Chocolatière* : **FRF 120 000** – Londres, 24 mars 1976 : *Vase de fleurs* 1797, h/métal, de forme ovale (12,5x9,5) : **GBP 1 300** – Paris, 24 nov. 1977 : *Nature morte au lièvre* 1769, h/t (74,5x61) : **FRF 150 000** – Londres, 12 avr. 1978 : *Nature morte aux coquillages et aux algues* 1769, h/t (130x97) : **GBP 21 000** – Paris, 20 juin 1980 : *Roses et Raisins* 1812, h/t (32x26,5) : **FRF 195 000** – Londres, 20 fév. 1981 : *Nature morte au gibier* 1774, h/t (150,5x133,4) : **GBP 15 000** – Monte-Carlo, 22 fév. 1986 : *Bouquet de fleurs, pêches et raisins*, h/t (64,5x53,5) : **FRF 1 600 000** – Paris, 18 mars 1987 : *Fleurs et Fruits*, cr. noir et aquar. (26x32,2) : **FRF 55 000** – Paris, 12 déc. 1988 : *Roses, boules de neige, pivoines et jacinthes dans un verre*, h/t, de forme ovale (32x27) : **FRF 810 000** – Monaco, 16 juin 1989 : *Portrait d'une jeune violoniste* 1773, h/t (117x94) : **FRF 2 331 000** – New York, 11 jan. 1990 : *Roses dans un verre et raisins*, h/t (32x26,5) : **USD 341 000** – Rouen, 10 mars 1991 : *Trophées de chasse* 1774, h/t (91x73) : **FRF 730 000** – New York, 10 jan. 1991 : *Nature morte avec des poires et du raisin sur une table* 1779, h/t (38x46) : **USD 57 750** – Monaco, 21 juin 1991 : *Vase de Chine avec des coraux, des coquillages et des minéraux* 1776, h/t (129x140,5) : **FRF 2 109 000** – Monaco, 5-6 déc. 1991 : *Faunesse entourée de Bacchantes bébés* 1773, h/t (15x28) : **FRF 122 100** – Paris, 7 juil. 1992 : *Compositions florale, dans une urne sculptée d'amours et de guirlades près d'une corbeille de raisin ; Composition florale dans un grand vase de porcelaine bleue sur un pied de bronze doré en forme de griffes* 1776, h/t, une paire (122x114) : **FRF 4 000 000** – Paris, 14 déc. 1992 : *Panaches de mer, lithophytes et coquillages*, h/t (130x98) : **FRF 3 500 000** – Paris, 25 juin 1993 : *Jeux d'enfants ou Le printemps*, h/t en camaieu à l'imitation d'un bas-relief (25x34) : **FRF 130 000** – Londres, 9 juil. 1993 : *Buste de Minerve avec des pièces d'armure, des mousquets, un tambour, un étendard, un bâton de maréchal, une couronne de laurier et les décorations de l'Ordre de Saint-Louis et du Saint-Esprit* 1777, h/t (114x158,7) : **GBP 117 000** – Paris, 16 juin 1995 : *Allégories de l'Été et de l'Hiver* 1777, h/t en grisaille, une paire (chaque 29x35) : **FRF 380 000** – Paris, 29 nov. 1995 : *Nature morte aux instruments de musique* 1779, past. (24x38) : **FRF 17 500** – New York, 16 mai 1996 : *Nature morte de fleurs dans un vase de céramique bleue*, h/t, de forme ovale (65,1x54,9) : **USD 112 500** – Paris, 25 juin 1996 : *Nature morte aux instruments de musique militaire*, h/t (160x130) : **FRF 1 900 000** – New York, 31 jan. 1997 : *Fleurs dans un vase en céladon et buste de Flore, avec raisins, pêches, plumes et livres sur un bureau Louis-XVI* 1774, h/t (154x130) : **USD 706 500**.

VALLAYER-MOUTET Pauline ou **Vallayer-Mautet**
Née à Paris. XIXe-XXe siècles. Française.
Peintre de scènes de genre, intérieurs.
Elle fut élève de J. Lefebvre, J. P. Laurens et T. Robert-Fleury.

Elle figura au Salon des Artistes Français de Paris, dont elle devint sociétaire en 1901, obtenant une médaille de bronze en 1900 (Exposition Universelle), une mention honorable en 1906, une médaille de troisième classe en 1909.
Ventes Publiques : Paris, 26 fév. 1934 : *La repasseuse* : **FRF 250** – New York, 30 juin 1981 : *Le Repas familial*, h/t (152x117) : **USD 3 500** – Zurich, 10 nov. 1984 : *Les trois sœurs*, h/t (46x56) : **CHF 6 000** – Zurich, 8 juin 1985 : *Les trois sœurs et l'enfant*, h/t (46x55) : **CHF 4 800** – Stockholm, 15 nov. 1988 : *Intérieur avec une jeune femme parlant avec une servante et un enfant*, h. (46x38) : **SEK 12 000** – Versailles, 7 juin 1990 : *Le Repas de la famille*, h/t (81,5x65,5) : **FRF 28 000** – Paris, 26 sep. 1997 : *Les Servantes*, h/t, deux pendants (46x33) : **FRF 7 000**.

VALLCORBA Cayetano
XIXe siècle. Espagnol.
Peintre.
Le Musée de Grenade conserve de lui *La Mort de l'organiste*.
Ventes Publiques : Paris, 6 mars 1950 : *L'aubade du toréador* 1883, aquar. : **FRF 700**.

VALLDEBRIGA Pedro de. Voir **VALLEBRIGA**

VALLDEPERAS Eusebio
Né en 1827 à Barcelone. XIXe siècle. Espagnol.
Peintre d'histoire, portraits.
Il fut élève de l'Académie San Fernando de Madrid et de Léon Cogniet à Paris. Peut-être identique à Eusebio Valdeparas y Merioh.

VALLDOSERA Eulalia
Née en 1963 à Vilafran Penedes. XXe siècle. Espagnole.
Artiste, créateur d'installations.
Elle a participé à l'exposition *Connexions implicites* à l'École des Beaux-Arts de Paris en 1997.
Elle présente des installations dans lesquelles l'ombre de certains objets se rapportant à la féminité telles des bouteilles de produits ménagers, des livres..., est projetée à l'aide d'une source lumineuse sur un mur.

VALLE Alberto Della
XIXe-XXe siècles. Italien.
Peintre, illustrateur.
Connu pour avoir été productif entre 1895 et 1926. Il a illustré un certain nombre de livres, parmi lesquels : de T. Bruna *Storia di una bambina*, 1895 ; de Fata Nix *L'ho scritto io !* ; une quinzaine d'ouvrages de E. Salgari.
Bibliogr. : In : *Dictionnaire des illustrateurs 1800-1914*, Ides et Calendes, Neuchâtel, 1989.

VALLE Amaro do
Né vers 1550. Mort vers 1619 à Lisbonne. XVIe-XVIIe siècles. Portugais.
Peintre.
Il fut peintre à la cour de Philippe II.

VALLE Andrea da, ou **Andres del**, fray
Né le 11 septembre 1612 au Guatemala. XVIIe siècle. Guatémaltèque.
Peintre de sujets religieux.
Il se fixa au Guatemala en 1579. Il peignit des œuvres religieuses empreintes d'une piété mystique.

VALLE Angel della
Né en 1852. Mort le 16 juillet 1903. XIXe siècle. Argentin.
Peintre.

VALLE Antonio, ou **Antonio del** ou **de Leval** ou **Deval Antonio**
D'origine hollandaise. XVIe siècle. Espagnol.
Sculpteur.
Actif dans la première moitié du XVIe siècle. Il exécuta en 1536 et 1537 des sculptures au portail ouest de l'Alhambra de Grenade.

VALLE Antonio della
Né à Verceil. XVIe siècle. Actif dans la première moitié du XVIe siècle. Italien.
Peintre.
Il travailla à Cjieri et à Turin jusqu'en 1531.

VALLE Antonio di
XVIIe siècle. Travaillant à Rome vers 1650. Italien.
Peintre de batailles.
Le Musée des Offices de Florence conserve une peinture de cet artiste.

VALLE Antonio José de. Voir **VALLE José Antonio do**

VALLE Bruno José do
Né à Lisbonne. Mort vers 1780 à Lisbonne. XVIIIe siècle. Portugais.
Peintre.
Frère de José Antonio do V. et élève de J. da Costa-Negreiros. Il travailla pour des églises et la fonderie de Lisbonne.

VALLE Camilla della
Née vers 1748 à Rome. Morte en 1777. XVIIIe siècle. Italienne.
Peintre.
Fille de Filippo della Valle.

VALLE Diego Maria del
Né à Cadix. Mort fin 1859 à Cadix. XIXe siècle. Espagnol.
Peintre de décorations.
Il exécuta des peintures pour la cathédrale de Cadix et des bâtiments publics de la même ville.

VALLE Donato della
Né à Côme (ou à Airolo). XVIe siècle. Travaillant à Rome jusqu'en 1589. Italien.
Sculpteur.
Il sculpta une épitaphe dans l'église de l'Annonciation de Rome en 1583.

VALLE Enéas
Né en 1951. XXe siècle. Brésilien.
Peintre.
Il fait partie d'une génération d'artistes brésiliens apparue au milieu des années quatre-vingt.
Bibliogr. : Damian Bayon, Roberto Pontual : *La peinture d'Amérique latine au XXe siècle*, Mengès, Paris, 1990.

VALLE Ferdinando della
Né en 1796 à Ferrare. Mort en 1815 à Rome. XIXe siècle. Italien.
Peintre.
La Pinacothèque de Ferrare conserve de lui *Massacre des Innocents*, et le Musée de Nancy, sept vues d'Italie.

VALLE Filippo della
Né en 1697 à Florence. Mort le 29 avril 1768 à Rome. XVIIIe siècle. Italien.
Sculpteur et graveur au burin.
Élève de Giambattista Faggini à Florence et de Rusconi à Rome. Un des sculpteurs les plus importants du milieu du XVIIIe siècle. Il sculpta des tombeaux, des statues et des bas-reliefs pour de nombreuses églises de Rome.

VALLE Francisco del
XVIe siècle. Travaillant à Séville en 1534. Espagnol.
Sculpteur sur bois.
Il exécuta des sculptures pour la Salle Capitulaire de Séville.

VALLE Giovanni
XVIIe siècle. Actif dans la seconde moitié du XVIIe siècle. Italien.
Sculpteur sur bois.
Il a sculpté la chaire de l'église de la Visitation de Turin en 1688 et 1689.

VALLE Girolamo de
XVIe siècle. Actif à Crémone en 1576. Italien.
Peintre.

VALLE Giuseppe
XVIIIe siècle. Travaillant à Turin vers 1740. Italien.
Sculpteur sur bois.
Il exécuta des sculptures dans le Palais Royal de Turin.

VALLÉ Henri Louis
XIXe siècle. Actif à Paris. Français.
Peintre de paysages.
Il exposa au Salon de 1839 à 1844.

VALLE Ippolito da
Né à Ferrare. XVIe siècle. Actif dans la seconde moitié du XVIe siècle. Italien.
Miniaturiste.
Il travailla à Rome de 1575 à 1585.

VALLE Jean Étienne
XVIIIe siècle. Travaillant en 1760. Français.
Sculpteur.
Il sculpta, avec François Grobert, trois autels dans l'église des Ursulines à Nozeroy.

VALLE Joannes de. Voir **DALE Hans** ou **Johannes Van**

VALLE José Antonio do
Né le 15 octobre 1765. Mort le 11 avril 1840. XVIIIe-XIXe siècles. Portugais.

Médailleur et tailleur de camées.
Frère de Bruno José do V. Élève d'A. Pichier à Rome. Il travailla pour la Monnaie Royale de Lisbonne.

VALLE José del
XVIIe siècle. Travaillant à Saint-Jacques-de-Compostelle en 1685. Espagnol.
Sculpteur.

VALLE Joseph Alfred Alexis
Né à Nozeroy (Jura). Mort en 1879 à Paris. XIXe siècle. Français.
Peintre de portraits et d'histoire.
Élève de M. Lobrichon. Il débuta au Salon de 1876.

VALLE Juan del
XVIe siècle. Travaillant à Torio avant 1543. Espagnol.
Sculpteur.

VALLE Julian
XXe siècle. Espagnol.
Sculpteur.
Il a montré une exposition personnelle de ses œuvres à la galerie Jorge Alyskewycz à Paris en 1993.
Ses sculptures apparaissent comme des artefacts non identifiables, des sortes de constructions non finies et non fonctionnelles.

VALLE Lodovico della
Né en 1535. Mort en 1595. XVIe siècle. Actif à Parme. Italien.
Graveur au burin et architecte.

VALLE Manuel del
XVIIIe siècle. Actif en Asturies à la fin du XVIIIe siècle. Espagnol.
Sculpteur, peintre.
Il était également architecte.

VALLE Martino de
XVIIIe siècle. Actif à Forli. Italien.
Peintre.
Élève de Carlo Cignani. Il était prêtre.

VALLE Pedro del
Né à Villafranca. XVIIe siècle. Travaillant à Saint-Jacques-de-Compostelle de 1667 à 1673. Espagnol.
Sculpteur de sujets allégoriques, figures.
Il sculpta des anges et des allégories pour la cathédrale de Saint-Jacques-de-Compostelle.

VALLE Pietro Della
XIXe siècle. Actif à Livourne.
Peintre de paysages animés, paysages, paysages d'eau.
Ventes Publiques : Rome, 14 nov. 1991 : *Marine au soleil couchant avec des personnages dansant* 1855, h/t (63x95) : **ITL 19 550 000** – Lugano, 1er déc. 1992 : *Paysage lacustre avec des pêcheurs*, h/t (38x51) : **CHF 5 500**.

VALLE Pietro Giuseppe
XVIIIe siècle. Actif dans la première moitié du XVIIIe siècle. Italien.
Sculpteur.
Il sculpta sur bois, travaillant notamment pour les châteaux de Rivoli et de Turin.

VALLE Stefano
Né en 1807. Mort en 1883. XIXe siècle. Actif à Gênes. Italien.
Sculpteur sur bois et sur marbre.
Il sculpta des statues, des bustes et des tombeaux.

VALLE Y BARCENA Juan del
Né à Mazuela près de Burgos. XVIIe siècle. Espagnol.
Peintre.
Il a peint des patriarches dans le monastère de San Domingo en 1692.

VALLE Y FERNANDEZ QUIROS Evaristo
Né en 1873 à Gijon (Asturies). Mort le 29 janvier 1951. XIXe-XXe siècles. Actif aussi en France. Espagnol.
Peintre de compositions à personnages, figures, portraits, paysages animés, aquarelliste, peintre de compositions murales, dessinateur, illustrateur, lithographe.
En 1898, il fut employé comme lithographe à Paris. Ce n'est qu'en 1902 qu'il se consacra à la peinture à l'huile, se formant principalement au musée du Prado à Madrid ; en France il reçut les enseignements indirects de grands maîtres tels que Paul Gauguin et Toulouse-Lautrec. Il séjourna en Belgique, en Hollande, en Italie, ainsi qu'à Londres, New York, La Havane.
Il figura dans diverses expositions collectives, dont : 1900 Exposition universelle de Paris ; à partir de 1902 Gijon ; 1908 Salon des Indépendants à Paris ; 1928 New York ; 1929 Exposition Universelle de Barcelone ; 1932, 1934, 1936 expositions de la Société Nationale des Beaux-Arts de Madrid, obtenant une troisième médaille en 1932. Un musée portant son nom fut inauguré à Somio en 1983.
Il a réalisé un grand nombre de caricatures et illustrations pour des revues françaises et espagnoles. S'il traite toutes sortes de sujets dans une manière narrative et descriptive qui en fait l'efficacité et le charme, comme dans les deux pendants : *Le songe du berger* et *Le songe de la bergère*, il est plus intensément convaincant lorsqu'il traite des thèmes goyesques, un groupe de *Poissonnières, Le carnaval d'Oviedo*, une *Mascarade*.
Bibliogr. : F. Carantona : *Evaristo Valle*, Fondation du Musée Evaristo Valle, Gijon, 1986 – in : *Cien Anos de pintura en Espana y Portugal, 1830-1930*, Antiqvaria, t. XI, Madrid, 1993.
Musées : Gijon – Oviedo (Mus. des Beaux-Arts des Asturies) – Somio (Mus. Evaristo Valle).
Ventes Publiques : Madrid, 24 fév. 1983 : *Cheval*, h/t (50x65) : **ESP 950 000**.

VALLEBRIGA Pedro de ou **Valldebriga**
XIVe-XVe siècles. Actif à Barcelone de 1360 à 1405. Espagnol.
Peintre.

VALLÉE
XVIIIe siècle. Français.
Peintre de paysages.
Membre de l'Académie de Saint-Luc. Il prit part à ses expositions, notamment en 1774.

VALLÉE Alexandre
Né en 1558 à Bar-le-Duc, à Nancy selon M. Jacquet. Mort après 1618. XVIe-XVIIe siècles. Français.
Dessinateur et graveur au burin et à l'eau-forte.
Il a gravé des portraits et des sujets religieux.

VALLÉE Carl de
Mort pour la France durant la Première Guerre mondiale (1914-1918). XXe siècle. Français.
Peintre.
Il exposait au Salon de la Société Nationale des Beaux-Arts à Paris.

VALLÉE Caroline
XIXe siècle. Français.
Peintre de portraits et de natures mortes.
Les musées du Mans et de Bourg conservent de ses œuvres.

VALLÉE David
XVIIIe siècle. Actif à Tours de 1704 à 1731. Français.
Peintre.

VALLÉE Étienne Maxime
Né à Vitteaux (Côte-d'Or). XIXe siècle. Français.
Peintre de paysages.
Élève d'Auguste Péquégnot, il exposa au Salon de Paris de 1873 à 1881.
Les volumes de ses paysages sont indiqués par de grandes valeurs colorées.
Bibliogr. : Gérald Schurr, in : *Les Petits Maîtres de la peinture 1820-1920, valeur de demain*, Les Éditions de l'Amateur, t. IV, Paris, 1979.
Musées : Chambéry (Mus. des Beaux-Arts) : *Retour de pêche* – Dunkerque : *Paysage*.
Ventes Publiques : Paris, 1883 : *Les moulins* : **FRF 335** – Paris, 16 mai 1924 : *Le port de Bercy* : **FRF 1 200** – Paris, 18 déc. 1946 : *Le maréchal-ferrant* : **FRF 2 800** – Paris, 19 oct. 1950 : *Le moulin à eau* : **FRF 6 000** – Paris, 21-22 déc. 1953 : *Paysage* : **FRF 10 000** – Vienne, 16 mars 1971 : *Paysage boisé* : **ATS 28 000** – Paris, 25 juin 1976 : *Péniches derrière Notre-Dame* 1879, h/t (33x46) : **FRF 3 200** – Vienne, 11 mars 1980 : *La ramasseuse de fagots*, h/t (54x65) : **ATS 45 000** – New York, 25 mai 1984 : *Ramasseurs de fagots dans un paysage boisé*, h/t (74,3x92,7) : **USD 3 500** – Nanterre, 24 avr. 1990 : *Paysage animé* 1916, h/pan. : **FRF 4 800** – Calais, 10 mars 1991 : *Sous-bois aux personnages*, h/t (50x65) : **FRF 8 500** – Paris, 22 mars 1991 : *Dordrecht, les patineurs*, h/t (73x101) : **FRF 17 200** – Le Touquet, 10 nov. 1991 : *Nu dans la forêt*, h/t (48x65) : **FRF 17 000** – Calais, 5 juil. 1992 : *Lecture au jardin* 1909, h/t (45x56) : **FRF 11 000** – Londres, 27 oct. 1993 : *Paysage boisé avec un personnage au bord d'un ruisseau*, h/t (37x45) : **GBP 1 035** – Paris, 8 nov. 1993 : *Paysage au crépuscule*, h/t (65x92) : **FRF 13 000** – New York, 19 jan. 1994 : *Ramasseurs de fagots au bord d'un sentier*, h/t (73,7x92,7) : **USD 3 450** –

Paris, 27 mai 1994 : *Cour de ferme*, h/t (65x91) : **FRF 14 500** – Paris, 26 juin 1996 : *Le Retour des pêcheurs* 1873, h/t (92x119) : **FRF 13 000**.

VALLÉE Euphémie. Voir **FAIVRE-VALLÉE**

VALLÉE François
XVIIe siècle. Actif au Mans, de 1635 à 1639. Français.
Peintre d'histoire et sculpteur.
On cite de lui diverses décorations dans l'église de Saint-Georges de la Coué.

VALLÉE François Louis
XVIIIe siècle. Actif dans la seconde moitié du XVIIIe siècle. Français.
Sculpteur.
Élève de J.-B. Lemoyne. Il travailla à La Rochelle vers 1777.

VALLÉE Georges Auguste
Né au XIXe siècle à Paris. XIXe siècle. Français.
Graveur au burin.
Sociétaire des Artistes Français depuis 1906, il figura au Salon de ce groupement ; mention honorable en 1906.

VALLÉE Jean Baptiste de. Voir **DEVALLÉE**

VALLÉE Jean François
XIXe siècle. Actif aux États-Unis de 1800 à 1826. Américain.
Miniaturiste.
Il se fixa comme émigré à Philadelphie. La Corcoran Gallery de Washington conserve de lui une *Silhouette de Washington*, datée de 1795.

VALLÉE Jehan de La. Voir **LA VALLÉE**

VALLÉE Louis
Mort en 1653 à Amsterdam. XVIIe siècle. Hollandais.
Peintre de compositions à personnages, portraits.
Les renseignements sur cet artiste sont encore peu nombreux. On ne sait rien de sa vie, sinon qu'il fut enterré le 28 mai 1653 à Amsterdam. Certaines de ses œuvres semblent avoir été confondues avec celles de Nicolas Maes, mais aussi de Bartholomeus Van der Helst. Il serait l'auteur d'un portrait, autrefois attribué à Nicolas Maes, représentant un jeune enfant enturbanné, devant lequel se trouve une nature morte aux fruits, et qui, après un nettoyage en 1992, rappelle un autre groupe d'enfants de la famille Druyveteyn, peint et signé par Louis Vallée en 1652. Louis Vallée a d'ailleurs signé d'autres œuvres certaines, entre 1646 et 1652, ce sont pour la plupart des portraits et un tableau représentant *Vertumne et Pomone*.

VALLÉE Louis. Voir **WALLÉE**

VALLÉE Ludovic
Né en 1864 à Paris. Mort en 1939. XIXe-XXe siècles. Français.
Peintre.
Il a exposé, à Paris, aux Salons des Indépendants depuis 1903, de la Nationale et des Tuileries. Il fit quelques toiles à la manière de Signac.

L Vallée

Ventes Publiques : Paris, 6 avr. 1951 : *La femme à l'ombrelle* : **FRF 700** – Paris, 11 mai 1973 : *La plage au pied de la falaise* : **FRF 6 500** – Genève, 25 nov. 1985 : *Promenade au Bois de Boulogne* vers 1900, h/t (56x81) : **CHF 20 000** – Lyon, 3 déc. 1986 : *Les Premiers Pas dans le parc*, h/t (83x103) : **FRF 150 000** – Calais, 13 nov. 1988 : *Promenade au jardin public*, h/t (106x87) : **FRF 275 000** – Paris, 19 juin 1989 : *Paysage animé* 1876, h/t (64x99) : **FRF 20 000** – Calais, 10 déc. 1989 : *Marché aux fleurs devant l'église Saint-Médard*, h/t (54x73) : **FRF 145 000** – Versailles, 29 oct. 1989 : *La lecture dans le jardin* 1909, h/t (45x56) : **FRF 55 000** – Calais, 8 juil. 1990 : *Nature morte aux pêches et aux bouteilles*, h/t (33x41) : **FRF 20 000**.

VALLÉE Marc
Mort le 9 octobre 1672 à Nantes. XVIIe siècle. Français.
Peintre.

VALLÉE Philippe
Né au XIXe siècle à Tours (Indre-et-Loire). XIXe siècle. Français.
Peintre de paysages.
Il débuta au Salon de 1838.

VALLÉE Simon de La. Voir **LA VALLÉE Simon de**

VALLEGIO. Voir **VALESIO**

VALLEJO Alejo
XVIe siècle. Actif à la fin du XVIe siècle. Espagnol.
Sculpteur sur bois.
Il collabora au maître-autel de l'église de la Conception de Tolède de 1591 à 1592.

VALLEJO Alonso de
Mort en 1619. XVIe-XVIIe siècles. Travaillant à Madrid à partir de 1594. Espagnol.
Sculpteur.

VALLEJO Francisco
XVIIIe siècle. Espagnol.
Sculpteur sur bois.
Il sculpta un retable pour l'église Saint-Joseph et une chaire pour l'église Saint-Jacques de Grenade entre 1788 et 1794.

VALLEJO Francisco Antonio
XVIIIe siècle. Mexicain.
Peintre de sujets religieux, fresquiste.
Il peignit de grandes fresques pour des églises de Mexico.
Ventes Publiques : New York, 19-20 mai 1992 : *La Vierge de Guadalupe* 1781, h/t (81,9x54) : **USD 33 000**.

VALLEJO Francisco Pedro
D'origine espagnole. XVIIIe siècle. Travaillant à Bologne dans la seconde moitié du XVIIIe siècle. Italien.
Peintre.
Il a peint *Madone de la Guadeloupe* dans l'église Saint-Benoît de Bologne en 1772.

VALLEJO Jeronimo Vicente
XVIe siècle. Actif en Aragon dans la première moitié du XVIe siècle. Espagnol.
Peintre.
Il peignit des tableaux d'autel pour des églises de Saragosse et de Veruela.

VALLEJO José Antonio
XVIIIe siècle. Mexicain.
Peintre.
Élève de M. Cabrera. Il peignit des tableaux d'autel pour des églises de Mexico.

VALLEJO BERMEJO José
Né en 1928 à Avila (Castille-Léon). XXe siècle. Espagnol.
Sculpteur de figures, bustes.
Il montre ses œuvres dans des expositions collectives et personnelles : 1984 Cadix, 1989 Ségovie et Madrid, 1990 Logrono. On mentionne de lui un buste de *Carlos III* et *Femme étendue*.
Bibliogr. : In : *Catalogue National d'Art Contemporain*, Éditions d'art Iberico 2000, Barcelone, 1990.

VALLEJO Y GABAZO José
Né le 15 août 1821 à Malaga. Mort le 19 février 1882 à Madrid. XIXe siècle. Espagnol.
Peintre de genre, lithographe, aquafortiste et illustrateur.
Élève de l'Académie S. Fernando de Madrid. Il peignit surtout des plafonds de théâtres et de palais.
Musées : Madrid : *Allégorie* – *Allégorie du Bal* – *Vue de Tetuan* – *Paysage*, aquar. – *Étude de tête* – *Allégorie de Don Quichotte*.

VALLELIAN ou **Valerian**
XVe siècle. Travaillant à Gruyère en 1416. Suisse.
Peintre.
Il peignit des fresques et un triptyque dans l'église de Gruyère.

VALLELIAN Loys ou **Louis**
XVIIe siècle. Suisse.
Peintre.
Le Musée de Fribourg conserve de lui un *Saint Nicolas*, daté de 1642.

VALLELUNGA Giovanni
XVIIe siècle. Travaillant à Palerme en 1639. Italien.
Peintre.
Il était moine.

VALLENCE. Voir **VALENCE**

VALLENT Jules
Né au XIXe siècle à Joyeuse (Ardèche). XIXe siècle. Français.
Peintre de paysages et de portraits et sculpteur.
Élève de Ch. L. Muller et de Oliva. Il exposa au Salon de 1867 à 1870. Il vécut surtout en Pologne et en Ukraine et peignit les portraits de beaucoup de personnalités polonaises.

VALLEPORTE Michel Van der. Voir **VALPOERTEN**

VALLERI Nicolas. Voir **VALLARI**

VALLEROY Jacques
XVIe siècle. Actif à Paris. Français.
Sculpteur.
Il a sculpté le tombeau du cardinal Louis de Bourbon de 1530 à 1531 dans la basilique de Saint-Denis.

VALLERS Nicolas
XVe siècle. Français.
Miniaturiste.
Il fut employé par Ferdinand I de Naples.

VALLES Flores
Né en 1948 à Quito. XXe siècle. Equatorien.
Peintre.
Flores Valles garde une certaine unité conceptuelle dans la création de ses figures, peut-être avec une tendance onirique, mais qui exprime sa vérité en face des problèmes et des angoisses d'un peuple sud-américain en voie de développement.

VALLES Gil
XVe siècle. Actif à Saragosse dans la seconde moitié du XVe siècle. Espagnol.
Peintre.
Il fut chargé de la peinture d'un autel dans l'église du monastère des Franciscains à Jaca en 1483.

VALLES Josef et **Juan**
XVIIe siècle. Actifs à Saragosse dans la première moitié du XVIIe siècle. Espagnols.
Graveurs.
Ces deux artistes travaillaient sous le règne de Philippe IV. On cite notamment de Juan un frontispice d'après Juan Martinez pour l'ouvrage de Juan de Ustarroz sur le lieu de naissance de saint Laurent, et de Josef, la page de titre des *Annales d'Aragon*, par Argensola.

VALLES Lorenzo
Né en 1830 ou 1831 à Madrid. Mort le 11 janvier 1910 à Rome. XIXe-XXe siècles. Espagnol.
Peintre d'histoire, de sujets mythologiques, scènes de genre, paysages.
Cet artiste fut élève de l'École de San Fernando à Madrid et visita l'Italie. Il participait à l'Exposition Nationale des Beaux-Arts, 1858 mention honorable, 1864 et 1866 médailles de seconde classe, 1879 médaille de troisième classe. Il exposa aussi à Vienne en 1873, Philadelphie en 1876.
Bibliogr. : In : *Cien Anos de pintura en Espana y Portugal, 1830-1930*, Antiqvaria, t. XI, Madrid, 1993.
Musées : Madrid (Gal. Mod.) : *Folie de Dona Juana de Castille*.
Ventes Publiques : Londres, 27 mai 1901 : *Le peintre d'enseigne* : **GBP 11** – Londres, 3 avr. 1909 : *Une rue en Italie et une toile par E. Holmes* : **GBP 6** – New York, 27 mai 1983 : *Le Jeune Artiste*, h/t (36,2x46,3) : **USD 12 000** – Rome, 29 mai 1990 : *Étude pour une scène de La mandragore*, h/pan. (22x38) : **ITL 4 830 000** – Paris, 25 mars 1993 : *Lavandière ; Homme tirant sa barque*, h/t, une paire (chaque 27,5x41,5) : **FRF 5 800** – Londres, 16 juin 1993 : *Pauline Borghèse dans l'atelier du sculpteur*, h/t (56x74) : **GBP 12 075** – Londres, 13 mars 1996 : *Pauline Borghèse dans l'atelier du sculpteur*, h/t (56x74) : **GBP 11 270.**

VALLES Miguel
XVIe siècle. Travaillant à Séville dans la seconde partie du XVIe siècle. Espagnol.
Peintre religieux et doreur.
Cet artiste a peint plusieurs retables entre autres, celui de l'autel principal de l'église de Médina Sedonia qui porte cette signature : *Valles me fecit 1584*. Ce retable ne manque pas de valeur.

VALLÈS Roman
Né en 1923 à Barcelone (Catalogne). XXe siècle. Espagnol.
Peintre. Abstrait-lyrique.
Il fut élève de l'École des Beaux-Arts de Barcelone, où il devint professeur de dessin. Il a voyagé en France, aux Pays-Bas, en Suisse et Italie, et vit à Barcelone. Il participe à des expositions de groupe. Il a reçu le Prix de Peinture Abstraite en Suisse en 1960, une Médaille de Bronze à l'Exposition Nationale de Barcelone en 1960 également.
Travaillant avec des peintures au latex et des vernis transparents, Vallès pratique une abstraction lyrique, mêlant les effets de matières et une élégante gestualité.
Bibliogr. : B. Dorival, sous la direction de... : *Peintres Contemporains*, Mazenod, Paris, 1964.
Musées : Barcelone – Madrid.
Ventes Publiques : Lucerne, 24 nov. 1990 : *Sans titre*, h/t (100x81) : **CHF 6 500.**

VALLESPIN Tomas
XVIIIe siècle. Espagnol.
Peintre.
Élève de José Luzan Martinez à Saragosse.

VALLESPIN Y SARAVIA Ramon
Né à Madrid. Mort en 1859. XIXe siècle. Espagnol.
Peintre d'histoire et portraitiste.
Élève d'A. Gomez, de Luis Lopez et de l'Académie San Fernando de Madrid. Il exposa dans cette ville en 1858.

VALLESPIR
XVIIIe siècle. Travaillant dans l'Île de Majorque. Espagnol.
Graveur au burin.

VALLET Alexis
Né le 15 septembre 1869 à Verrière (Charente). XIXe siècle. Français.
Peintre.
Il vint à Paris fort jeune et, à partir de 1883, fut élève de Le Chevalier Chevignard, à l'École des Beaux-Arts Décoratifs. En 1887, Vallet entra à l'École des Beaux-Arts, d'abord dans l'atelier de Gustave Boulanger puis dans celui de Bonnat. Il montrait de remarquables qualités de peintre. Cependant il s'adonna presque exclusivement à l'illustration. Il collabora à un nombre considérable de journaux, traitant, d'un crayon alerte et plein d'humour les sujets les plus variés. Il a illustré, notamment *La Petite Mademoiselle*, par Henry Bordeaux et *Le Colonel Ramolot*. Le Musée de Saintes conserve de lui *Portrait de Champlain*.

VALLET Charles
Né au XIXe siècle à Paris. XIXe siècle. Français.
Peintre de paysages et de portraits.
Élève de Picot. Il exposa au Salon de 1840 à 1870.
Ventes Publiques : Vienne, 12 oct. 1983 : *Paysage de printemps*, h/t (32x40) : **ATS 28 000.**

VALLET Charles Robert
XXe siècle. Français.
Peintre de paysages, paysages animés, dessinateur.
Il vit et travaille à Mérignac. Il est sociétaire du Salon d'Automne à Paris. Il dessine à l'encre de Chine.

VALLET Édouard
Né le 12 janvier 1876 à Genève. Mort le 1er mai 1929 à Cressy (Suisse). XIXe-XXe siècles. Suisse.
Peintre de compositions animées, scènes typiques, paysages, aquarelliste, graveur.
Mari de Marguerite Vallet. Ses études terminées, il effectue quelques séjours à l'étranger, avant de se fixer dans un petit village du Valais. Il prit part aux grandes expositions européennes.
Dans le Valais, il peint ce que la nature lui propose : paysages alpestres, scènes de la vie montagnarde. Sa peinture est robuste, voire rude, mais il y remédie par ses fonds clairs où il sait faire vibrer la lumière. Ses personnages, presque toujours des paysans, sont bien vivants, solidement charpentés, ils s'harmonisent avec la rudesse des massifs montagneux. Les eaux-fortes de cet artiste, traitant de sujets analogues, lui assurèrent une juste renommée en Suisse, en France et en Allemagne. Il a également illustré *Jean-Luc persécuté*, de C. F. Ramuz.

Bibliogr. : Hans Graber : *Édouard Vallet. Vollständiges Verzeichnis seiner Radierungen*, Basel, 1917 – Maurice Jean-Petit-Matile, Jean-Charles Giroud : *Édouard Vallet, Maître de la gravure suisse*, Éditions du Verseau, Denges, 1991.
Musées : Aarau (Aargauer Kunsthaus) : *Verkien (Dauphiné)* vers 1900 – *La batteuse de beurre* 1911 – Genève : *Le vieux pressoir*.
Ventes Publiques : Lucerne, 12 juin 1970 : *Paysage près de Genève* : **CHF 9 500** – Berne, 6 mai 1972 : *Dimanche matin en Valais* : **CHF 35 000** – Zurich, 8 nov. 1974 : *Valaisannes* 1913 : **CHF 25 000** – Berne, 22 oct. 1976 : *Le Vieux vannier*, h/t (27,5x35) : **CHF 8 500** – Zurich, 20 mai 1977 : *La promenade* 1896, h/t (56,5x40,4) : **CHF 9 000** – Zurich, 19 mai 1979 : *Paysage d'hiver valaisan* 1912, gche, cr. gras et cr. (50x45,5) : **CHF 6 000** – Zurich, 19 mai 1979 : *Village du Valais, avec paysanne vue de dos* 1911, h/t (110x160) : **CHF 45 000** – Zurich, 12 nov. 1982 : *Pâquerette* 1916, h/t (27x21) : **CHF 8 500** – Genève, 1er nov. 1984 : *Paysanne valaisanne s'habillant* 1912, past. : **CHF 8 000** – Berne, 19 nov. 1984 : *Portrait des deux enfants de l'artiste*, craie de coul./pap. brun (57,5x42,5) : **CHF 11 000** – Zurich, 25 mai 1984 : *La lessive, Sion* 1927-1928, h/t (45x81) : **CHF 12 000** – Zurich, 15 mars 1985 : *Les Granges* 1911, h/t (93x92) : **CHF 25 000** – New York, 3 mai 1989 : *Rue de Chioggia* 1905, h/t (48x38) : **USD 51 060** – Genève, 19 jan. 1990 : *Femme de profil*, sanguine/pap. (42x27) : **CHF 1 500** – Zurich, 9 juin 1993 : *Tourbillons et fumées*, h/t (46x65) : **CHF 46 000** – Zurich, 2 juin 1994 : *Petite fille*, h/cart. (43x25,5) : **CHF 11 500** – Zurich, 25 mars 1996 : *À Riod-Hérémence* 1911, h/t (43x55) : **CHF 46 000** – Zurich, 5 juin 1996 : *Jardin d'autrefois* 1909, h/t (90x113) : **CHF 40 250** – Zurich, 10 déc. 1996 : *Bouquet dans une cruche* 1915, h/t (27,5x22,5) : **CHF 7 475** – Zurich, 14 avr. 1997 : *Paysage près de Genf* 1906, aquar./pap. (33x46) : **CHF 24 150**.

VALLET Émile ou **Jean Émile Pierre**
Né à Riom (Puy-de-Dôme). Mort en 1899 à Bordeaux (Gironde). XIXe siècle. Français.
Peintre de portraits, paysages.
Il fut élève de son père Pierre Jean Vallet. Il exposa au Salon de Paris, de 1857 à 1880.
Musées : Bordeaux (Mus. des Beaux-Arts) : *Souvenir d'avril*.
Ventes Publiques : New York, 28 mai 1992 : *Le bal des Beaux-Arts à l'Opéra de Paris en 1897* 1897, une paire (83,8x67,9 et 68,6x83,8) : **USD 4 400**.

VALLET Guillaume ou **Valet**
Né le 6 décembre 1632 à Paris. Mort le 1er juillet 1704 à Paris. XVIIe siècle. Français.
Graveur au burin.
Père de Jérôme V. Élève de Daret et Carlo Maratta. Reçu académicien le 19 juillet 1664. Il débuta au Salon de 1673. Il grava des sujets religieux et d'histoire.

VALLET Jean Émile. Voir **VALLET Émile**

VALLET Jean Pierre. Voir **VALLET Pierre Jean**

VALLET Jérôme
Né le 18 janvier 1667 à Paris. XVIIe siècle. Français.
Graveur au burin.
Élève de son père Guillaume Vallet. Reçu académicien le 26 août 1702.

VALLET Joseph
Né le 6 août 1841 à Boissière-le-Doré. XIXe siècle. Actif à Nantes. Français.
Sculpteur.
Il figura au Salon des Artistes Français ; mention honorable en 1899.

VALLET Louis
Né le 26 février 1856 à Paris. XIXe-XXe siècles. Français.
Aquarelliste, dessinateur, illustrateur, créateur de costumes de théâtre.
Il exposa au Salon des Artistes Français, fut cofondateur et vice-président de la Société des Humoristes. Il a collaboré à plusieurs journaux illustrés, dont *Charivari ; La Vie parisienne ; Paris illustré*, mais aussi à des magazines anglais et américains : *Graphic ; Vogue ; Ladies Field ; Pick me up*. En 1893, il illustra : *À travers l'Europe, croquis de cavalerie*, et fut l'auteur de deux albums sur le *Chic à cheval*, publiés en 1911. Il a illustré, entre autres : *Le cavalier Miserey* d'Abel Hermant ; *Mademoiselle Fifi*, de Guy de Maupassant ; *La Garde impériale*, de L. Fallou. Il est l'auteur de costumes de théâtre, notamment pour *Béranger* de Sacha Guitry.
Bibliogr. : Gérald Schurr, in : *Les Petits Maîtres de la peinture 1820-1920, valeur de demain*, Les Éditions de l'Amateur, t. VI, Paris, 1985 – in : *Dictionnaire des illustrateurs 1800-1914*, Ides et Calendes, Neuchâtel, 1989.
Musées : Béziers : *Un hussard Chamberand – Chasseur en faction*.
Ventes Publiques : Paris, 27 nov. 1925 : *L'empereur en observation*, aquar. : **FRF 70** – Paris, 7 fév. 1949 : *L'officier et le trottin ; Officier et Marchande de fruits*, aquar., une paire : **FRF 1 050**.

VALLET Marguerite, née **Gilliard**
Née en 1888 à Genève. Morte en 1918. XXe siècle. Suisse.
Peintre de paysages.
Femme d'Édouard Vallet. Elle peignit des paysages et des types du Valais.
Musées : Genève – Schaffhouse.

VALLET Marius. Voir **MARS-VALLET**

VALLET Maurice
Né le 3 février 1908 à Gand. XXe siècle. Belge.
Peintre. Réaliste, puis tendance abstraite.
Il a étudié à l'Académie Royale des Beaux-Arts de Gand. Il a évolué du réalisme vers un art non figuratif.

VALLET Nicolas Jean Baptiste Charles
Né en 1800 à Besançon. Mort le 20 septembre 1848 à Besançon. XIXe siècle. Français.
Peintre.

VALLET Pierre
Né vers 1575 à Orléans (Loiret). Mort après 1657 à Paris. XVIIe siècle. Français.
Graveur.
Il grava au burin des fleurs et des vues de jardins, et fut également brodeur.

VALLET Pierre
Né en 1884 à Melun (Seine-et-Marne). Mort en juillet 1971. XXe siècle. Français.
Peintre de paysages, paysages urbains, figures, nus, portraits, dessinateur, peintre à la gouache, aquarelliste.
Il fut élève à l'École des Arts Décoratifs de Paris, et entra, après la guerre de 1914-1918, à l'Académie de la Grande Chaumière, où il fut massier dans l'atelier de Jean Picart-le-Doux. Il mena une vie solitaire, préoccupé par des questions d'ordre spirituel. Il ne fit, de son vivant, aucune exposition particulière. Après sa mort, la galerie du Cercle à Paris montre régulièrement des ensembles d'œuvres : 1977, 1979, 1987.
Ses nus, figures et portraits ont un caractère sculptural dans l'indication du modelé plutôt esquissé. Il a peint des vues du jardin du Luxembourg, du jardin des Tuileries, et des jardins de Versailles.
Bibliogr. : Gérald Schurr, in : *Les Petits Maîtres de la peinture 1820-1920, valeur de demain*, Les Éditions de l'Amateur, t. VI, Paris, 1985.

VALLET Pierre Jean
Né le 22 février 1809 à Riom (Puy-de-Dôme). Mort le 22 juin 1886 à Tours (Indre-et-Loire). XIXe siècle. Français.
Peintre de portraits.
Élève de Ingres. Il débuta au Salon de 1840.
Musées : Tours : *La mère de l'artiste*.

VALLET Robert, dit aussi **Lapeyre**
Né le 20 mars 1907 à Bordeaux (Gironde). XXe siècle. Français.
Peintre de paysages. Tendance expressionniste.
Il a participé au Salon des Indépendants de Bordeaux à partir de 1928, et expose également à Paris, notamment à la Société Nationale des Beaux-Arts. Il a montré ses œuvres dans des expositions personnelles à Bordeaux à partir de 1945.
Paysagiste, il décrit des atmosphères souvent tragiques. Volontiers expressionniste, il use parfois d'une construction qui synthétise les formes.

VALLET DE VILLENEUVE Clémence
Née au XIXe siècle à Paris. XIXe siècle. Française.
Peintre de portraits.
Elle débuta au Salon de 1841.

VALLET-BISSON Frédérique
Née en 1865 à Asnières (Hauts-de-Seine). XIXe-XXe siècles. Française.

Peintre de genre, figures, portraits.
Élève de Jules Lefebvre, elle fut sociétaire des Artistes Français depuis 1891, figurant régulièrement au Salon de ce groupement. Elle obtint une mention honorable en 1893, une médaille de troisième classe en 1900, une médaille de deuxième classe en 1904. Chevalier de la Légion d'honneur en 1914.
Elle se fit une réputation notable comme peintre de figures d'expression, dont certaines ont été reproduites en chromolithographie, notamment par la maison Champenois, en vue de sujets de publicité commerciale.

Musées : Langres : *Myrte*, past.
Ventes Publiques : Londres, 5 oct 1979 : *Portrait de jeune fille*, h/t mar./cart., haut arrondi (55,4x35,5) : **GBP 450** – New York, 28 fév. 1990 : *Femme en rose*, past./pap./t. (73x60,3) : **USD 16 500** – Paris, 16 déc. 1992 : *Portrait de femme en robe de taffetas rose*, past. (diam. 148) : **FRF 35 000** – Paris, 16 mars 1994 : *Portrait d'enfant*, past. (53x44) : **FRF 15 000** – New York, 19 jan. 1995 : *La robe de bal en taffetas rouge*, h/t (195,6x92,7) : **USD 1 610** – Paris, 31 mai 1996 : *Enfant assis dans un petit canapé*, past. (82x90) : **FRF 19 000** – Paris, 19 déc. 1997 : *Portrait d'enfant*, past., de forme ovale (61x51) : **FRF 5 000**.

VALLET-MARS. Voir **MARS-VALLET Marius**

VALLETTA. Voir **VALETTA**

VALLETTE Henri
Né le 16 septembre 1877 à Bâle. Mort en 1962. xxe siècle. Français.
Statuaire, sculpteur animalier, monuments.
Il a exposé au Salon de la Société Nationale des Beaux-Arts à Paris. Il est l'auteur des Monuments aux Morts de Nogent-le-Rotrou, Valentigney et Champlast. Il semble bien différent d'Henri Valette.
Ventes Publiques : Paris, 16 juin 1982 : *Grand Duc*, bois (H. 70) : **FRF 15 500** – Enghien-les-Bains, 26 juin 1983 : *Grand Duc*, chêne (H. 68) : **FRF 15 000** – Paris, 20 juin 1988 : *Aigle royal*, chêne massif (H. 70, L. 80) : **FRF 16 000**.

VALLETTE Henri. Voir aussi **VALETTE**

VALLETTE Paul Bernard Joseph Maurice. Voir **VALETTE**

VALLETTE Simon
Né en 1790 à Limoges. xixe siècle. Actif à Grenoble. Français.
Peintre.

VALLEZE
xviie siècle. Actif à Rome et à Paris vers 1630. Italien.
Dessinateur.

VALLFOGONA Pedro Juan de. Voir **JUAN** ou **JOHAN Père** ou **Pedro**

VALLGREN Antoinette ou **Vallgreen** ou **Wallgren**
Née en 1855 ou 1858 à Stockholm. Morte le 25 juillet 1911 à Paris. xixe-xxe siècles. Active puis naturalisée en France. Suédoise.
Sculpteur, relieur.
Femme de Villé Vallgren. Elle figura au Salon de Paris. Elle obtint une médaille d'argent en 1900 (Exposition universelle de Paris).
Musées : Beaufort : *Nini*.
Ventes Publiques : Monte-Carlo, 9 oct. 1977 : *Femme à l'arum*, bronze patine brune (H. 21,5) : **FRF 6 200**.

VALLGREN Villé ou **Vallgreen** ou **Wallgren**
Né le 15 décembre 1855 à Borga. xixe siècle. Actif puis naturalisé en France. Roumain.
Sculpteur de sujets religieux, figures, médailleur.
Il figura au Salon des Artistes Français de Paris, obtenant une mention honorable en 1886, une médaille d'or en 1889 (Exposition Universelle), un Grand Prix en 1900 (Exposition Universelle). Il fut promu chevalier de la Légion d'honneur en 1894, puis fait officier en 1901.

Musées : Abo : *Aïno* – *Bretonne* – Arras : *Amour maternel* – Beaufort : *Dans les iris* – Berlin : *Jeunesse* – Béziers : *Christ mourant* – Nancy : *Urne cinéraire* – Paris (Mus. du Louvre) : *Amour maternel* – *Méditation* – Stockholm : *La plainte, jeune femme assise*.
Ventes Publiques : New York, 31 mai 1980 : *1900*, bronze doré (H. 49) : **USD 2 000** – Paris, 30 jan. 1995 : *La Vérité*, bronze (H. 39) : **FRF 35 000**.

VALLI André
Né au xixe siècle à Carrare. xixe siècle. Italien.
Sculpteur.
Il figura aux Salons de Paris ; mention honorable en 1891.

VALLI Antonio
xviiie-xixe siècles. Italien.
Graveur au burin.
Élève de Giovanni Folo. Il grava des paysages d'après Poussin et Rich. Wilson.

VALLI Domenico
Né en 1668. Mort en 1738. xviie-xviiie siècles. Actif à Gubbio. Italien.
Sculpteur sur bois.

VALLIANI. Voir **VALIANI**

VALLIER Antoine
xviie siècle. Travaillant à Nancy de 1602 à 1611. Français.
Médailleur et orfèvre.
Il a gravé une médaille à l'effigie de *François III de Lorraine*.

VALLIER Étienne
Français.
Peintre de natures mortes.
Le Musée de Clamecy, conserve de lui *Chaudron, pâté, homard*.

VALLIER François
Né le 28 octobre 1698 à Nancy. xviiie siècle. Français.
Sculpteur sur bois.
Fils et élève de Jean V. Il travailla pour le théâtre de Lunéville.

VALLIER Jean
Né vers 1665 à Paris. Mort le 14 avril 1752 à Nancy. xviie-xviiie siècles. Français.
Sculpteur sur bois.
Père de François V. Il travailla pour la ville de Nancy et les châteaux de Malgrange et d'Einville.

VALLIER Lina ou **Louisa**
xixe siècle. Active à Paris. Française.
Peintre de portraits.
Elle exposa au Salon de 1836 à 1852. Le Musée de Versailles conserve d'elle *Portrait de Benjamin Constant de Rebecque, président du Conseil d'État*.

VALLIÈRE Joseph, appelé par erreur **Vallier**
xviiie siècle. Français.
Sculpteur, dessinateur de portraits.
Il était actif à Grenoble dans la deuxième moitié du xviiie siècle. Une source privée indique trois ventes publiques le concernant : le 9 mars 1911 : un *Portrait de Marianne Pigalle*, aux deux crayons ; le 19 mars 1987 : un *Portrait d'homme en pied* (comte de Valentinois), de 1762 ; le 6 avr. 1989 : un *Portrait d'homme de profil*, tondo ovale de 10x14 ; mais les annuaires de ventes ne les mentionnent pas.
Musées : Besançon (Mus. des Beaux-Arts) : *Portrait du prince de Montbarrey* 1778, dess. – *Portrait de la princesse de Montbarey* 1779, dess.

VALLIN Jacques Antoine
Né vers 1760 à Paris. Mort après 1831. xviiie-xixe siècles. Français.
Peintre de sujets mythologiques et allégoriques, compositions religieuses, scènes de genre, portraits, paysages, marines, dessinateur.
Son père était ciseleur, quai de la Mégisserie. Jacques Antoine entra à l'école de l'Académie Royale à quinze ans et demi, protégé par Doyen. Il devint élève de Drevet en 1779, puis de Callet en 1786 ; en 1789, il revint dans l'atelier de Drevet ; en 1791, l'année de son début au Salon, il fut élève d'Antoine Renon. Il continua à exposer à Paris jusqu'en 1827. Gobet, en 1831, en parle comme vivant encore.
Vallin s'est inspiré de Mallet et de Prud'hon. Comme on peut le voir dans les titres de ses tableaux, Vallin a traité les genres les plus variés, allant du portrait, du sujet de genre ou mytholo-

gique, au paysage. Son art est un composé adroit du XVIIIe et d'une certaine simplicité empruntée à l'École de David. Il est toujours aimable, gracieux, assez mièvre. Cependant ses petites œuvres sans prétention ont gardé leur charme d'époque, malgré les années ou à cause d'elles justement.

Musées : Abbeville : *Tête de femme - Buste de femme* - Amiens : *Château et parc de Neuilly* - Barnard Castle : *Bacchante* - Bourg : *Rêverie* - Caen : *Bacchus enfant - Trois nymphes* - Châlons-sur-Marne : *Bacchante* - Chartres : *Bacchante* - Cherbourg : *Diane et ses nymphes sur le point de partir pour la chasse - Tentation de saint Antoine - La chaste Suzanne - Henri IV jouant avec ses enfants* - Clamecy : *Cascade de Tivoli - Tivoli* - Darmstadt : *Coucher du soleil près d'un port* - Dijon : *Amours luttant* - Leipzig : *Bélisaire mendiant* - Paris (Mus. du Louvre) : *Tentation de saint Antoine* - Paris (Mus. Marmottan) : *Jeune violoncelliste* - Soissons : *Vénus et l'Amour* - Strasbourg : *Femmes au bain* - Tours : *Bacchante endormie dans un paysage - Baigneuses sur la limite d'une forêt.*

Ventes Publiques : Paris, 1873 : *La tentation de saint Antoine* : **FRF 2 550** - Paris, 1890 : *Portrait de Madame X.* : **FRF 2 050** - Paris, 11 déc. 1908 : *L'Amour conduit par la Folie* : **FRF 800** - Paris, 27-29 avr. 1909 : *Vénus et l'Amour* : **FRF 2 000** - Paris, 8 et 9 fév. 1912 : *Bacchante* : **FRF 750** - Paris, 2-3 juin 1919 : *Buste de jeune fille en bacchante* : **FRF 670** - Paris, 14-15 juin 1920 : *Une bacchante* : **FRF 5 000** - Paris, 14-15 déc. 1922 : *La Tentation de saint Antoine* : **FRF 12 300** - Paris, 3-4 mai 1923 : *Jeux de nymphes* : **FRF 9 250** - Paris, 22-26 nov. 1926 : *Le bain des nymphes* : **FRF 9 700** - Paris, 27-29 mai 1929 : *Erigone* : **FRF 20 500** ; *Le bain des grâces* ; *Le bain des nymphes*, ensemble : **FRF 29 000** - Paris, 14 mai 1936 : *Inauguration de la statue de Louis XV, le 23 juin 1763*, esquisse : **FRF 13 500** - Paris, 31 mars-1er avr. 1941 : *Bacchantes sortant du bain*, deux pendants : **FRF 12 550** - Paris, 18 nov. 1942 : *Nymphes*, deux pendants : **FRF 24 500** - Paris, 8 avr. 1949 : *Vénus enivrant l'Amour* : **FRF 16 300** - Paris, 5 déc. 1949 : *Femmes et amours*, deux pendants : **FRF 60 000** - Paris, 24 mai 1950 : *Bacchante* : **FRF 35 000** - Paris, 14 fév. 1951 : *Scène antique* 1804 : **FRF 16 000** - Paris, 7 déc. 1951 : *Erigone* : **FRF 72 000** - Versailles, 28 mai 1963 : *Fête bacchique* : **FRF 4 100** - Paris, 7 mars 1967 : *Nymphes au bain* : **FRF 4 500** - Versailles, 6 mai 1971 : *La jeune vestale* : **FRF 5 000** - Paris, 23 juin 1976 : *L'Amour en sentinelle*, h/t (80,5x65) : **FRF 2 500** - Neuilly-sur-Seine, 23 nov. 1978 : *Paysage animé* 1821, h/t (53x72) : **FRF 20 000** - Londres, 9 mai 1979 : *Portrait de jeune fille* 1804, h/t (61x50) : **GBP 1 500** - Londres, 7 avr. 1982 : *L'attente interminable*, h/t, de forme ovale (49x59) : **GBP 7 000** - Monte-Carlo, 14 fév. 1983 : *Silène barbouillé de mûres par Églé* 1797, h/t (113x145) : **FRF 75 000** - Paris, 24 juin 1985 : *Jeune bacchante*, h/t (45,7x37,2) : **FRF 30 000** - Monte-Carlo, 20 juin 1987 : *Io aimée par Jupiter sous la forme d'un nuage*, h/t (105x91,5) : **FRF 95 000** - Paris, 11 mars 1988 : *Jeune bacchante*, h/t (70x55) : **FRF 16 000** - Paris, 13 juin 1988 : *Marine* 1795, h/t (101x137) : **FRF 75 000** - Monaco, 16 juin 1989 : *Jeune femme dénudée dans un paysage*, h/pan. (16,5x23,7) : **FRF 31 080** - Paris, 30 juin 1989 : *Bacchante et Nymphe*, pan. (33,5x49) : **FRF 32 000** - Londres, 21 juil. 1989 : *Une bacchante*, h/t (129,8x97,8) : **GBP 9 900** - Paris, 12 déc. 1989 : *Le culte à Pan ; Les Nymphes*, h/t, deux pendants (39,5x32) : **FRF 65 000** - Paris, 25 avr. 1990 : *Nymphes au bain*, h/t (50,5x61) : **FRF 48 000** - Paris, 26 juin 1990 : *Bacchante tenant une grappe de raisins*, h/t (130,5x98) : **FRF 80 000** - Paris, 31 jan. 1991 : *Jeune femme nue près d'une rivière*, h/pan. (21x16) : **FRF 16 000** - Paris, 18 avr. 1991 : *Vénus endormie au bord d'un lac*, h/t (57,5x81) : **FRF 48 000** - Paris, 21 juin 1993 : *Jeune enfant tenant une pampre de vigne*, h/t (46x38) : **FRF 16 000** - Paris, 11 mars 1994 : *Jeune femme avec une lyre sur une terrasse*, pierre noire avec reh. de blanc (45x34) : **FRF 4 500** - Paris, 4 oct. 1994 : *Paysage aux baigneuses* 1830, h/t (62,5x97) : **FRF 85 000** - Londres, 21 oct. 1994 : *Bacchus et Ariane*, h/t (40x32,4) : **GBP 2 070** - New York, 19 jan. 1995 : *Le satyre*, h/t, de forme ovale (87,6x62,2) : **USD 10 925** - Paris, 11 avr. 1995 : *Baigneuse à la source*, h/t (130x97) : **FRF 100 000** - Paris, 12 avr. 1996 : *Bacchante*, h/t (47x38) : **FRF 11 500** - New York, 16 mai 1996 : *Trois nymphes courant parmi des roses après avoir volé l'arc et les flèches de Cupidon endormi*, h/pan. (47,6x67,3) : **USD 39 100** - Londres, 13 juin 1996 : *Canal à extérieur à Venise*, h/pan. (53,5x64,8) : **GBP 2 300** - Paris, 28 juin 1996 : *Portrait de jeune femme*, h/pan. (33,5x26) : **FRF 7 000** - Paris, 24 mars 1997 : *La Nymphe Écho*, h/t (40,5x53) : **FRF 18 000** - Paris, 21 avr. 1997 : *Les Offrandes des bacchantes*, h/pan. (40,5x54,5) : **FRF 21 000**.

VALLIN Robert

XIXe-XXe siècles. Français.

Peintre, graveur, illustrateur.

D'une part, une source le fait mourir très précisément tué à Verdun le 6 janvier 1915, d'autre part, une nouvelle source mentionne sa correspondance avec le journaliste et homme de théâtre, Lucien Descaves, jusqu'en 1923.

Il a gravé à l'eau-forte des *Vues du vieux Paris* en 1914. Il a aussi illustré les *Œuvres* de François Villon.

Ventes Publiques : Paris, 3 avr. 1925 : *La Seine au Pont-Marie* : **FRF 190**.

VALLMITJANA Abel

Né vers 1910 à Barcelone (Catalogne). XXe siècle. Depuis 1938 actif au Venezuela. Espagnol.

Peintre, sculpteur, graveur.

Il accomplit ses études artistiques à Barcelone et à l'École des Arts Décoratifs de Paris. Enseignant, il a déployé une considérable activité culturelle.

Il s'est consacré à illustrer les thèmes de la vie des Latino-américains.

Bibliogr. : Catalogue de l'exposition *Abel Vallmitjana*, Gal. Adria, Barcelone, 1971.

VALLMITJANA Y ABARCA Agapito

Né à Barcelone. Mort en 1916 à Barcelone. XXe siècle. Espagnol.

Sculpteur.

Musées : Madrid (Mus. d'Art Mod.) : *Groupe de campagnards*, plâtre.

VALLMITJANA Y BARBANY Agapito

Né à Barcelone. Mort en décembre 1905 à Barcelone. XIXe siècle. Espagnol.

Sculpteur.

Frère de Venancio V. Le Musée de Madrid conserve de lui : *Le Christ gisant* (marbre), *Sainte Elisabeth* (marbre), *La reine Isabelle II tenant le prince des Asturies dans ses bras.*

VALLMITJANA Y BARBANY Venancio

Né en 1830. Mort en 1919 à Barcelone. XIXe-XXe siècles. Espagnol.

Sculpteur.

Frère d'Agapito Vallmitjana y Barbany. Il vécut et travailla à Barcelone.

Musées : Madrid : *La Tradition*, plâtre - *Saint Georges*, marbre - *La régente Marie-Christine et le jeune Alphonse XIII*, marbre.

Ventes Publiques : Madrid, 20 mai 1986 : *Deux souvenirs*, bronze (H. 42,5) : **ESP 225 000**.

VALLOIS. Voir aussi **VALOIS**

VALLOIS Marie

Née au XIXe siècle à Compiègne (Oise). XIXe siècle. Française.

Peintre de genre.

Élève de Mlle Y. Beaury-Laurel.

VALLOIS Nicolas

Né en 1738 à Paris. Mort fin 1790 à Kassel (?). XVIIIe siècle. Français.

Sculpteur sur bois.

Reçu membre de l'Académie de Saint-Luc le 20 février 1750. Il travailla pour le château de Wilhelmshöhe de Kassel.

VALLOIS Nicolas François

Né en 1744 à Paris. Mort le 6 avril 1788 à Paris. XVIIIe siècle. Français.

Sculpteur sur bois.

Frère de Nicolas V. et de Pierre Nicolas V.

VALLOIS Paul Felix

Né à Rouen (Seine-Maritime). XIXe siècle. Français.

Peintre d'intérieurs, paysages.

Élève de Léon Bonnat et d'Arsène Rivey, il exposa au Salon de Paris de 1876 à 1882.

Il peint des ports normands, des bords de Seine, des sous-bois, aux tonalités argentées, dans le style de l'école rouennaise.

Bibliogr. : Gérald Schurr, in : *Les Petits Maîtres de la peinture 1820-1920, valeur de demain*, Les Éditions de l'Amateur, t. III, Paris, 1976.

Musées : Louviers : *Le Bas Samois, environs de Fontainebleau.*

Ventes Publiques : Rome, 29 mai 1990 : *Paysage fluvial avec des péniches* 1895, h/t (33x46) : **ITL 1 725 000** - Londres, 5 oct. 1990 : *Monte-Carlo* 1896, h/t (44,5x72,1) : **GBP 1 870** - New York, 19 jan. 1994 : *La ferme*, h/t (31,8x40,6) : **USD 1 610**.

VALLOIS Pierre Nicolas
Mort avant 1788. XVIIIe siècle. Actif à Langres. Français.
Sculpteur.
Frère de Nicolas et de Nicolas François V.

VALLON Blanche, née **de Landerset**. Voir **LANDERSET**

VALLONE Francesco
XVIIe siècle. Actif à Naples. Italien.
Sculpteur sur bois.
Il travailla pour l'église des Saints-Apôtres de Naples en 1647.

VALLONI Silvio
XVIIIe siècle. Actif à Rome. Italien.
Sculpteur.
Il a sculpté une *Madone* dans l'église Notre-Dame de la Scala.

VALLORSA Cipriano ou **Valorsa**
XVIe siècle. Actif à Grosio, de 1536 à 1597. Italien.
Peintre.
Il exécuta de nombreuses peintures pour les églises de la Valteline.

VALLORSA Giovanni Angelo
Né à Grosio. XVIIe siècle. Italien.
Peintre.
Il a peint un cycle de fresques sur les parois extérieures de l'église de Cogolo.

VALLORY Théodore de, chevalier
XVIIIe siècle. Travaillant de 1760 à 1790. Français.
Graveur à l'eau-forte, amateur.
Cet amateur se fit connaître par de petites eaux-fortes de paysages, d'après Boucher.

VALLOT Alphonse
XIXe siècle. Actif à Fontainebleau (Seine-et-Marne) au milieu du XIXe siècle. Français.
Paysagiste.

VALLOT Charles
Né au XIXe siècle à Paris. XIXe siècle. Français.
Peintre.
Élève de Montfallet. Il débuta au Salon de 1868.

VALLOT Guy
XXe siècle. Français.
Peintre. Lettriste.
Peintre qui débuta en disciple des écrivains « lettristes », tendant à réduire la peinture à une calligraphie expressive.

VALLOT Philippe Joseph Auguste
Né en 1796 à Vienne (Autriche), de parents français. Mort en 1840 à Paris. XIXe siècle. Français.
Graveur au burin et dessinateur.
Élève de Oortman à Paris. Il débuta au Salon de 1838 et obtint une médaille de première classe. Il a gravé des sujets religieux et d'histoire, et des vignettes pour les œuvres de Voltaire, Rousseau, Rabelais, etc.

VALLOTTON Félix Édouard
Né le 28 décembre 1865 à Lausanne. Mort le 29 décembre 1925 à Paris. XIXe-XXe siècles. Actif puis en 1900 naturalisé en France. Suisse.
Peintre de compositions animées, figures, intérieurs, sculpteur, graveur.
Les Vallotton sont de Vallorbe, une petite localité du Jura vaudois, à la frontière française. Cette famille protestante est là depuis longtemps ; en 1495 on trouve déjà son nom dans les registres communaux. Le grand-père de l'artiste, notaire et député, vint à Lausanne en 1849 pour y diriger le pénitencier ; son fils sera droguiste à La Place de la Palud, où son petit-fils Félix naîtra le 28 décembre 1865. Félix Vallotton prend à dix-sept ans la décision d'être peintre et se rend à Paris en 1882 pour étudier le dessin à l'Académie Julian. Il rencontra des difficultés du côté de sa famille, où père et mère furent longtemps inquiets à son propos. Puis vinrent les embarras d'argent qui l'obligèrent à faire des besognes en marge, dans un atelier de restauration de tableaux anciens, par exemple, ou à s'initier à la gravure sur bois auprès de Charles Maurin. Il réalisera ses premières gravures en 1891. Ajoutons à cela les efforts, les luttes qu'il soutint pour acquérir la maîtrise du métier, en même temps que d'amples connaissances artistiques et littéraires ; celles-ci tellement poussées qu'elles l'engageront, le moment venu, à écrire : Vallotton est l'auteur de pièces de théâtre et de romans, dont : *La vie meurtrière* (1906) publication posthume, *L'Homme fort* (1908), et *Cyprien Morus*. Ses rencontres avec les êtres et les choses n'eurent pas que des côtés âpres. En 1889, il se maria avec madame Rodrigues-Henriques, née Bernheim Jeune. Il trouva dans le groupe des Nabis, dont il fut une des personnalités, des amitiés durables, singulièrement celle de Vuillard. Il aima la vie. Il eut des admirations. Et cependant, dès le départ, on le voit jalousement sauvegarder l'intégrité de sa personne, pour que ce soit d'elle seule que l'œuvre vienne. En 1913, il voyagea à Saint-Pétersbourg et à Moscou. En 1915, la guerre lui inspira des compositions symboliques, en 1917, il se rendit sur le front. Il a enseigné avec Vuillard et Bonnard à l'Académie Ranson. Il se retira à la fin de sa vie dans le Midi, puis en Normandie.
Il a accompli un labeur énorme. Il en a relevé les résultats année après année, de 1885 à 1925, dans un « livre de raison » scrupuleusement établi, et qui compte 1.587 peintures et gravures. Il a illustré des ouvrages, parmi lesquels : de J. Bierbaum *Die Schlangendame, Der bunte Vogel von 1897* ; de Dolbeau *Une belle journée* ; de Flaubert *Un cœur simple* (1924) ; de Rémy de Gourmont *Le livre des masques* (1896), *Deuxième livre des masques* (1898) ; de Jules Renard *La maîtresse* (1896), *Poil de carotte* (1903) ; de P. Scheebart *Rakkox der Billionär* (1900) ; d'Octave Uzanne *Rassemblements*. Il a collaboré, dans le domaine de la presse, à la *Revue blanche* de 1894 à sa disparition en 1903, et à *L'Assiette au beurre*.
Il a participé à des expositions collectives, parmi lesquelles : 1885, Salon des Artistes Français pour la première fois, Paris ; 1894, 1900, avec les Nabis, galerie Bernheim Jeune ; 1897, avec les Nabis, galerie Vollard, Paris ; 1899, avec les Nabis, galerie Durand-Ruel, Paris ; 1903, Sécession, Vienne ; 1903, premier Salon d'Automne dont il fut un des membres fondateurs ; 1908, avec le groupe de la Toison d'or, Moscou ; 1909, 1910, au Salon Izdebsky à Odessa, Kiev, Saint-Pétersbourg, Riga ; 1912, Exposition Centennale, Saint-Pétersbourg à l'Institut Français ; 1928, exposition de peinture française, Moscou ; etc. Il est régulièrement représenté à des expositions collectives, d'entre lesquelles : 1979, *Paris Moscou*, Centre Georges Pompidou, Paris ; 1993, *Les Nabis*, Galerie Nationale du Grand Palais, Paris. Il a exposé individuellement : 1909-1910, première exposition personnelle, Kunsthaus, Zurich ; 1910, 1912, 1921, 1923 galerie Druet ; 1914, galerie Berheim Jeune, Lausanne. Parmi les expositions posthumes : 1995, Musée de l'Annonciade, Saint-Tropez ; 1997, *Les nus de Vallotton*, Musée Maillol, Paris.
Jusque vers 1900, Vallotton parcourt son étape analytique. Ses qualités s'y révèlent dans des tableaux où il recueille avec infiniment de docilité, de patience, ce qu'il voit chez les êtres qu'il côtoie, dans le décor qui les entoure, puis dans la rue et le paysage. Cette prise de possession de l'objet surprend par sa diversité, sa pénétration, son acuité – on dirait que rien n'échappe à Vallotton, que rien ne lui est indifférent ; le dessinateur et le peintre s'y affirment avec autorité, et cela malgré des rapprochements qu'il est aisé de relever, et qui sont souvent la conséquence des recherches que Vallotton poursuit parallèlement à celles d'un Maurice Denis, d'un Bonnard ou d'un Vuillard. Il subit certains goûts du moment ; ainsi, comme Gauguin et d'autres, il fut attiré par l'estampe japonaise. Très vite, ces liens avec des expériences voisines seront dominés par une manière de sentir et de s'exprimer qui ne sera qu'à lui seul. Cette originalité, cette façon toute personnelle d'affirmer sa présence va se préciser au cours des six années (1891-1898) pendant lesquelles l'eau-forte, la litho, et surtout la gravure sur bois prennent le pas sur la peinture. Les thèmes et l'esprit en sont des plus variés – de la vie privée à la scène de rue, de l'humeur macabre à l'humour satirique. Elles seront largement répandues dans plusieurs publications et remporteront un grand succès. Elles rapporteront aussi de l'argent, et plus encore : elles donneront à Vallotton, en même temps que le prétexte à s'expliquer moralement, si l'on peut dire, sur les êtres et leurs gestes, la chance d'épurer ses moyens d'expression. Les ressources réduites du noir et blanc, il va les restreindre encore pour en arriver, dans ses meilleures épreuves, à des jeux de taches comme découpées et contrastées, d'où la vie jaillit avec vigueur. Il apprend ainsi à discipliner son langage, à l'orienter vers cette sobriété qui va devenir la caractéristique de son œuvre. Parmi ses séries de gravures, citons *Intimités*, publiée dans *La Revue blanche*.
En effet, quand la peinture, autour de 1898, redevient le centre de l'expérience, aussitôt l'on sent la nécessité que Vallotton éprouve d'écarter tout verbiage, tout développement, toute complaisance de la main, qu'il juge désormais impropres à rendre une signification de l'objet que vont de plus en plus lui

imposer certaines exigences de sa raison, de son intelligence, de son esprit. Ainsi il pourra dominer les effusions des sens, et confier l'œuvre à des valeurs plus aptes à l'élever, à la sublimer. Il poursuivra cet effort jusqu'au bout de sa carrière ; mais, cela est fondamental, sans pour autant renoncer, et également jusqu'à la fin de sa vie, à scruter, à analyser la réalité et à la décrire. Du côté de la réalité décrite, Vallotton proposera une quête toujours plus abondante, avec une ferveur croissante, un engagement total de lui-même, et des moyens sans cesse plus habiles et osés. Ces propositions plastiques ne sont certes pas toujours accessibles au premier regard, car Vallotton, il faut le reconnaître, par son extrême réserve, et surtout par son dédain de la séduction, du goût, du charme pour eux-mêmes, ne met aucune facile complaisance à les rendre évidentes. Mais lorsqu'on a saisi l'esprit qui les anime, passionné et contenu à la fois, tel Vallotton lui-même, elles apportent, souvent dans des chefs-d'œuvre, un monde d'exceptionnelles révélations. Dans les peintures où l'artiste intervient manifestement en créateur, c'est d'abord dans le corps de la femme qu'il a trouvé le prétexte à son ambition la plus haute : créer une figuration qui établisse la suprématie des valeurs plastiques. Dans *La vie meurtrière*, par le truchement de Verdier, une phrase comme celle-ci éclaire son propos : « J'étais vraiment en présence d'une œuvre de plastique pure, et qui n'agissait sur l'esprit que par sa forme, ses volumes, son calibre ». Une telle poursuite devait conduire l'expérimentation à une attitude extrême. À cause de l'émoi que devant le corps de la femme Vallotton se refuse, son interprétation peut paraître sécheresse. Il en va autrement quand l'attitude volontaire, hautaine, s'imprègne de noblesse ; alors les rythmes des lignes et des plans et le balancement des masses retrouvent quelque spontanéité. Vallotton aima la nature, dans les échanges qu'il eut avec elle, on le sent, très profond toujours, très sérieusement engagé, mais quand même détendu par la confrontation, et comme soulagé d'échapper à la présence de l'homme ; si cependant il juge bon faire une allusion à l'être humain, il le réduit aux proportions les plus infimes. Il aima la pleine campagne, les rencontres de la mer et de la terre, celles de l'eau et du ciel, de préférence aux heures où le soleil levant ou couchant les transfigure ; il aima les rivières. Il prit ses thèmes dans le pays de Vaud d'abord, puis au bord de la Seine, en Normandie, en Bretagne, dans le Midi, dans cette France où il passa sa vie, et qui lui fut si chère que, à un moment où il dut se sentir particulièrement redevable envers elle, il la choisit comme seconde patrie.

Il ne subit guère l'influence des artistes du passé qu'il admirait : Raphaël, Léonard, Poussin, Holbein, Ingres. Par contre, Manet l'a orienté à plusieurs reprises dans le choix des thèmes – donc d'une façon tout extérieure. Peu à peu, Vallotton abandonnera le plein air pour peindre en atelier. « Je voudrais reconstruire des paysages sur le seul recours de l'émotion qu'ils m'ont causée. » Les notes accumulées dans ses carnets, les observations innombrables confiées à sa mémoire, lui permettront de ne pas amenuiser le thème, tandis qu'il le soumettra véritablement à une « reconstruction », à coups de transpositions audacieuses dans la couleur, d'abstractions saisissantes dans le graphisme, d'indépendance surprenante dans la lumière. Autant d'interventions propres à éloigner les circonstances momentanées, superficielles, et à les remplacer par des valeurs révélatrices d'une vérité permanente de l'objet. De ce fait, un paysage de Vallotton se situe dans la durée, dans le temps, et son écriture découvre sa spiritualité. Les possibilités que Vallotton a ouvertes à son art – et d'un même coup à l'art en général – il en usa parfois avec une lucidité implacable. L'œuvre se dresse austère, s'autorisant à ce que d'aucuns ressentent comme des outrances : ses roses violacés morbides, ses verts corrosifs, ses jaunes acides, ses rouges stridents. Sans doute fallait-il qu'il en soit ainsi pour que Vallotton, partout où il est allé, dépasse les limites courantes, convenues, et parvienne enfin à laisser ce qu'il appelait « sa trace ». Vallotton avança véritablement seul, « tel qu'en lui-même », en marge des préoccupations de ses amis nabis, de leurs délectables recherches colorées. Combien dut leur paraître ingrate « sa trace » : cette poursuite d'une abstraction qui libère des contingences, cette aspiration vers une plastique monumentale, cette création d'un monde d'espace et de durée.

■ E. Manganel, J. B.

F.VALLOTTON.
F.VALLOTTON

F-VALLOTTON
FV
FV

Bibliogr. : Meier-Graefe : *Félix Vallotton*, Sagot, Paris, 1898 – Paul Budry : *Félix Vallotton*, Pages d'Art, No Spécial, Genève, 1917 – André Thérive : *Félix Vallotton*, L'Amour de l'Art, Paris, 1921 – Hedy Hahnloser : *Vallotton, der Graphiker*, et : *Vallotton, der Maler*, Kunsthaus, Zurich, 1927 et 1928 – *Félix Vallotton*, Aujourd'hui, No Spécial, 13 février 1930 – Charles Fegdal : *Félix Vallotton*, Rieder, Paris, 1931 – Louis Godefroy : *L'œuvre gravé de Félix Vallotton*, Paris, Lausanne, 1932 – Hedy Hahnloser-Bühler : *Félix Vallotton et ses amis*, Sedrowski, Paris, 1936 – Catalogue de l'exposition rétrospective *Félix Vallotton*, Kunsthaus, Zurich, 1938 – Francis Jourdain et Edmond Jaloux : *Félix Vallotton*, Cailler, Genève 1953 – Jacques Monnier : *Félix Vallotton*, Rencontre, Lausanne, s.d. – Maxime Vallotton, Charles Goerg : *Félix Vallotton. Catalogue raisonné de l'œuvre gravé et lithographié*, Éditions de Bonvent, Musée d'Art et d'Histoire, Genève, 1972 – G. L. Mauner in : *Les Nabis : leur histoire et leur art, 1888-1896*, New York, 1978 – Catalogue de l'exposition *Félix Vallotton*, Kunstmus., Winterthur, 1972 – Marina Ducrey : *Félix Vallotton. La vie, la technique, l'œuvre peint*, Édita, Lausanne, 1989 – in : *Dictionnaire des illustrateurs 1800-1914*, Ides et Calendes, Neuchâtel, 1989 – in : *Dictionnaire de l'art moderne et contemporain*, Hazan, Paris, 1992 – in : Catalogue de l'exposition *Les Nabis*, Gal. Nat. du Grand Palais, Paris, 1993 – Manuel Jover : *Vallotton. Drames sur canapé*, in : *Beaux-Arts*, n° 134, Paris, mai 1995.

Musées : Alger : peinture – Bâle : *Le vieux concierge* – Baltimore : plusieurs œuvres – Berne : *L'enlèvement d'Europe* 1908 – *Autoportrait* 1923 – Bulle (Mus. Gruyérien) : *Paysan gruyérien* – Chicago (Art Inst.) : peinture – *Gabriel Vallotton et sa nièce, la chambre rouge* – *Intimités, l'Irréparable* 1898, grav. – Essen (Mus. Folkwang) : *Sable rouge et neige* 1901 – Genève : *Jardins d'orangers à Cagnes* – *Le retour de la mère* – Genève (Mus. d'Art et d'Hist.) : *Femmes nues jouant aux dames* 1897 – *Le Sommeil* 1908 – Genève (Petit Palais) : *Nu couché* 1909 – Glaris : *Vieux pêcheur* – Johannesburg : *Nature morte* – La-Chaux-de-Fonds : cinq œuvres – Lausanne (Mus. canton. des Beaux-Arts) : *Autoportrait* 1885 – *Autoportrait* 1914 – *Les colchiques* – *Nature morte* – *Lac de Géronde à Sierre* – *Vue cavalière de la Cagne* – *Chambre rouge* 1898 – *Nuage au-dessus de Romanel* 1900 – *Le mensonge* 1897, grav. – *Le triomphe* 1898, grav. – *La belle épingle* 1898, grav. – *La raison probante* 1898, grav. – *L'argent* 1898, grav. – *Jeunesse* 1904, ronde-bosse – *Jeune mère (Maternité)* 1904, ronde-bosse – *Baigneuse (Femme retenant sa chemise)* vers 1904, ronde-bosse – *Femme à la cruche* vers 1904, ronde-bosse – Lille : peinture – Londres (Tate Gal.) : *Route de Saint-Paul* – Lucerne : *Le châle noir* 1909 – Lyon : peinture – Nantes : peinture – Neuchâtel : *Nature morte* – New York (Metropolitan Mus.) : *Une rue (coin de rue)* 1895, temp. sur cart. – New York (Mus. of Mod. Art) – New York (Public Library Print Division) : gravures – Paris (Mus. d'Art Mod.) : *Le dîner, effet de lampe* 1899 – *Intérieur, femme se coiffant* 1900 – *La partie de Poker* 1902 – *Nu* 1912 – *Roses rouges* 1920 – *Maison et roseaux* vers 1921 – *La maison au toit rouge* 1924 – *La Roumaine à la robe rouge* 1924 – Paris (Mus. de la Guerre) : *Verdun* 1917 – *Le cratère de Souain* – *Le cimetière militaire de Châlons-sur-Marne* – Paris (Mus. d'Orsay) : *Le ballon* 1899 – *Clair de lune* – *La troisième galerie, au Châtelet* 1895 – *La Partie de poker* 1902 – Paris (Mus. des deux Guerres Mondiales) : *Paysages de guerre, plateau de Bolante* 1917 – Paris (BN) : *La manifestation*, grav. – *La modiste*, grav. – *Le coup de vent*, grav. – *Le bain*, grav. – *La paresse*, grav. – *La flûte*, grav. – Pully : *Le lac et les Alpes vaudoises* – Saint-Germain-en-Laye (Mus. départemental du Prieuré) : *La fillette au chaton*, boîte en marqueterie – Strasbourg : *Nu* – Winterthur (Kunstmuseum) : *Le Pont-Neuf* – *Le repos du modèle* – *Les cinq peintres* – *Route à Menton* – *Femme se baignant dans l'Oise* – Zurich : *Portrait d'un vieillard* 1885 – *Les Sables au bord de la Loire* – autres paysages – *La visite* 1899 –

Intérieur au fauteuil rouge – Fleurs rouges dans un vase vert – Deux Nus – Nature morte avec chou-fleur – Zurich (Kunsthaus) : *Le bain au soir d'été* 1893 – *La Neva gelée* 1913 – *La visite* – *Sable au bord de la Loire* 1923.

Ventes Publiques : Paris, 1895 : *Les Hercule* : **FRF 60** ; *Misère de ce monde* : **FRF 47** – Paris, 24 mars 1900 : *Intimité* : **FRF 270** – Paris, 1900 : *Nocturne* : **FRF 120** – Paris, 22 mai 1909 : *Femme endormie dans un intérieur* : **FRF 270** – Paris, 28 mars 1919 : *Baigneuse* : **FRF 1 500** – Paris, 7 avr. 1924 : *L'Espagnole* : **FRF 2 900** – Paris, 23 avr. 1925 : *Le peignoir blanc* : **FRF 5 100** – Paris, 26 avr. 1926 : *La femme au miroir* : **FRF 14 200** – Paris, 16 mai 1929 : *Femme nue vue de dos* : **FRF 22 500** – Paris, 14 juin 1930 : *Soucis et mandarines* : **FRF 19 000** – Paris, 12 déc. 1932 : *Le repos* : **FRF 13 100** – Paris, 2 déc. 1936 : *Étretat* : **FRF 12 200** – Paris, 4 déc. 1941 : *Entrée du chenal de Honfleur* 1916 : **FRF 40 000** – Paris, 24 juin 1942 : *Nature morte à la bassine de cuivre* 1924 : **FRF 32 000** – Paris, oct. 1945-juil. 1946 : *La Via Appia* 1913 : **FRF 44 000** ; *Baigneuse de dos* : **FRF 26 000** – Paris, 20 juin 1947 : *Vase de fleurs* 1912 : **FRF 59 100** – Genève, 5 nov. 1949 : *La lecture* 1922 : **CHF 3 500** ; *La Seine à Tournedos* 1920 : **CHF 2 700** – Paris, 18 nov. 1950 : *Nu couché au divan rouge* 1918 : **FRF 120 500** – Paris, 12 mai 1950 : *Le repos* 1905 : **FRF 160 000** – Lucerne, 17 juin 1950 : *Intérieur à la femme cousant* 1904 : **CHF 3 000** – Paris, 30 juin 1950 : *Les Andelys* 1917 : **FRF 110 000** ; *Vase de capucines* : **FRF 51 000** – Paris, 28 fév. 1951 : *Œillets d'Inde et livre ouvert* 1920 : **FRF 75 000** – Genève, 10 mars 1951 : *Ruelle à Nice* 1901 : **CHF 3 800** – Paris, 18 mai 1951 : *Jeune modèle posant à l'atelier* : **FRF 73 000** – Paris, 28 juin 1951 : *Baigneuses regagnant le rivage* 1899 : **FRF 52 000** – Paris, 18 juin 1954 : *Vase de fleurs* : **FRF 375 000** – Paris, 20 déc. 1954 : *Voie Appienne* : **FRF 105 000** – Paris, 1er déc. 1959 : *Près de la cheminée*, gche : **FRF 1 200 000** – Paris, 17 juin 1960 : *Nu au miroir* : **FRF 6 200** – Paris, 14 juin 1961 : *Nature morte, fleurs et fruits* : **FRF 8 000** – Genève, 12 mai 1962 : *Nature morte* : **CHF 11 500** – New York, 15 mai 1963 : *La jetée de Honfleur* : **USD 2 500** – Lucerne, 19 juin 1964 : *Marée montante à Houlgate* : **CHF 21 000** – Paris, 10 déc. 1966 : *Nu retenant sa chemise* : **FRF 29 000** – Londres, 27 nov. 1967 : *Intérieur : mère et enfant* : **GBP 4 000** – Londres, 25 avr. 1968 : *Maison de Provence*, past. : **GBP 440** – Versailles, 25 nov. 1968 : *Femmes et enfants au bord d'un lac* : **FRF 40 000** – Genève, 7 nov. 1969 : *Paysage* : **CHF 24 000** – Genève, 24 avr. 1970 : *La guitariste* : **CHF 34 000** – New York, 11 mars 1971 : *Femme se déshabillant*, bronze : **USD 3 000** – Genève, 2 nov. 1971 : *La luxure* : **CHF 55 000** – Berne, 18 nov. 1972 : *Nature morte à l'ananas* : **CHF 40 500** – Paris, 1er déc. 1973 : *Bouquet d'anémones* 1925 : **FRF 50 000** – Paris, 11 juin 1974 : *La guitariste* 1912 : **FRF 115 000** – New York, 26 mai 1976 : *Femme devant la cheminée* vers 1900, temp./cart. (48,8x57,2) : **USD 13 000** – Berne, 10 juin 1976 : *Le Bon Marché* 1893, grav./bois : **CHF 12 400** – Paris, 28 fév. 1977 : *Le bain* 1894, grav./bois : **FRF 7 600** – Zurich, 20 mai 1977 : *Vue du jardin de la maison de Victor Hugo à Guernesey* 1907, aquar. (16,3x24,5) : **CHF 2 400** – Zurich, 23 nov. 1977 : *Femme à la cruche* 1906, h/t (100x73) : **CHF 28 000** – New York, 16 nov. 1978 : *Le bain* 1894, grav./bois (18x22,4) : **USD 4 200** – Zurich, 3 nov 1979 : *Le bain* 1894, grav./bois (18x22,5) : **CHF 4 400** – Londres, 3 juil 1979 : *Rue de village*, cr. gras (32x22) : **GBP 850** – Zurich, 2 nov 1979 : *Lande bretonne, Ploumanach* 1917, h/t (73x100) : **CHF 115 000** – Zurich, 22 mai 1980 : *Roses et une pomme* 1925, gche (27x33,5) : **CHF 24 000** – Zurich, 28 oct. 1981 : *L'Entrée du chenal de Honfleur* 1915, h/t (38x55) : **CHF 100 000** – Berne, 23 juin 1983 : *Le Bain* 1895, grav./bois : **CHF 15 000** – Londres, 6 déc. 1983 : *Femme nue allongée*, cr. (20x33) : **GBP 2 600** – Lyon, 25 mai 1983 : *La Plage à Honfleur* 1925, h/t (54x81) : **FRF 380 000** – Zurich, 21 juin 1985 : *La Seine aux Andelys, brume du matin* 1917, h/t (59x88,5) : **CHF 100 000** – Londres, 3 déc. 1986 : *Le Chemineau à Honfleur* 1909, h/t (73x54) : **GBP 32 000** – Paris, 20 nov. 1987 : *Fin de séance* 1902, h/t (65x50) : **FRF 1 300 000** – Paris, 15 mars 1988 : *Nature morte aux cruches et aux pommes rouges* 1924, h/t (54x65) : **FRF 750 000** – Paris, 15 juin 1988 : *Femme en buste, le chemisier ouvert* 1910, h/t (81,5x65) : **FRF 260 000** – Paris, 23 juin 1988 : *Nature morte au bouquet et au citron*, gche (28x21) : **FRF 50 000** – Paris, 16 déc. 1988 : *Femme nue allongée*, cr. (16,5x30,5) : **FRF 14 500** ; *Baigneuse*, peint./cart. (22,5x16,5) : **FRF 52 000** – Londres, 28 juin 1989 : *Femme écrivant dans un intérieur* 1904, h/pan. (60,5x34,5) : **GBP 77 000** – Londres, 28 nov. 1989 : *Nature morte aux roses* 1920, h/t (46x55) : **GBP 38 500** – New York, 26 fév. 1990 : *Paysage du bois de Boulogne* 1919, h/t (61x45,7) : **USD 104 500** – Paris, 25 nov. 1990 : *Nature morte aux cruches et aux pommes rouges* 1924, h/t (54x65) : **FRF 800 000** – Paris, 25 mai 1991 : *Promenade à Honfleur* 1901, h/cart. (77,5x105,3) : **FRF 550 000** – Paris, 16 juin 1992 : *Le trottoir roulant* 1901, grav. sur bois (12,3x15,6) : **FRF 4 900** – Paris, 22 sep. 1992 : *Environs de Bex en Suisse, défilé de Saint-Maurice* 1909, h/t (37x51,5) : **FRF 75 000** – Paris, 24 fév. 1993 : *Le 1er janvier* 1896, bois gravé : **FRF 29 000** – Zurich, 9 juin 1993 : *Femmes jouant dans un paysage* 1905, h/t (49x65) : **CHF 120 050** ; *Les mouettes* 1920, h/t (54x81) : **CHF 137 000** – Paris, 11 juin 1993 : *La paresse* 1896, bois gravé/vélin : **FRF 118 000** – Paris, 8 avr. 1994 : *Le coup de vent*, h/pan. (24x36) : **FRF 370 000** – Paris, 3 juin 1994 : *La symphonie* 1897, bois (21,8x26,8) : **FRF 75 000** – Zurich, 8 déc. 1994 : *La lecture* 1922, h/t (81x100) : **CHF 80 500** – Londres, 27 nov. 1995 : *Femme faisant lire une petite fille* 1900, h/cart./pan. (58,3x70) : **GBP 177 500** – Paris, 13 déc. 1995 : *Femmes à leur couture* 1901, h/t (42x61) : **FRF 760 000** – Zurich, 25 mars 1996 : *Nu debout*, craie/pap. (30x16) : **CHF 2 530** – New York, 1er mai 1996 : *Torse à l'armoire (Femme nue rousse debout)* 1913, h/t (97,5x78) : **USD 85 000** – Paris, 24 mai 1996 : *Intérieur : chambre gris-vert avec femme en noir, cousant* 1904, h/pan. (62,5 x 84,5) : **FRF 1 500 000** – Paris, 21 nov. 1996 : *Le Bain* 1894, bois gravé (18,1x22,5) : **FRF 72 000** – Zurich, 14 avr. 1997 : *Les Ruines, Villerville* 1913, h/t (55x81) : **CHF 57 500**.

VALLOU DE VILLENEUVE Julien

Né le 12 décembre 1795 à Boissy-Saint-Léger (Seine-et-Oise). Mort le 4 mai 1866 à Paris. xixe siècle. Français.

Peintre, graveur et lithographe.

Élève de Garneray et Millet. Il débuta au Salon de 1814. Les œuvres peintes de Vallou de Villeneuve, sont peu recherchées ; il n'en est pas de même de ses lithographies qui trouvent de nombreux amateurs. Le Musée d'Angoulême conserve de lui *Les deux amies*, et celui de Montpellier, une aquarelle et un dessin.

Ventes Publiques : Gand, 1856 : *Site montagneux avec une jeune fille et ses chèvres* : **FRF 235** – Gand, 4 avr. 1924 : *La laitière*, cr., reh. : **FRF 350** – Gand, 17 fév. 1944 : *Les deux sœurs* : **FRF 2 100**.

VALLOUY Paul Aimé

Né le 19 janvier 1832 à Bex. Mort le 29 août 1899 à Genève. xixe siècle. Suisse.

Peintre de paysages, de natures mortes et de scènes de genre.

Élève de l'École des Beaux-Arts de Paris. Il s'établit à Genève en 1893.

VALLRIBERA Josep

Né en 1937 à Juneda (Leida, Catalogne). xxe siècle. Espagnol.

Peintre, technique mixte. Abstrait.

Fils d'un photographe de Barcelone, il a grandi sur l'île d'Ibiza. Il s'est formé d'abord au métier de photographe, puis, parallèlement a pratiqué la peinture.

Il a exposé pour la première fois ses œuvres en 1966 à Ibiza et a participé ensuite à plusieurs expositions collectives en France, Allemagne et Espagne. Il montre ses œuvres dans des expositions personnelles, notamment à la galerie Athanor à Marseille en 1983 et à la galerie Erik Bausmann à Mayence en 1993 et 1994.

Ses peintures se partagent entre des portraits puisant leur source dans la déformation de la figure pratiquée par Picasso et des œuvres qui se construisent par association de signes graphiques.

Musées : Alzey (Neues Mus. der Stadt) – Béziers – Céret (Mus. d'Art Mod.) – Digne-les-Bains (Mus. de la Ville) – Giessen (Oberhessisches Mus.) – Grenoble – Linz (Mus. der Neuen Gal. der Stadt) – Neustadt (Mus. der Stadt Wiener) – Saint-Étienne (Mus. d'Art et d'Industrie) – Toulon – Wetzlar (Stadtmus.).

VALLS Domingo

xive siècle. Espagnol.

Peintre de sujets religieux.

Il fut élève de Jaime Serra dont il imita le style. Il vécut à Tortosa de 1366 à 1400.

Il travailla pour diverses églises de Catalogne, réalisant notamment un retable pour l'église d'Albocacer, dont l'attribution a été donnée, plus tard, à Pere Lambri, par José y Pitarch.

Bibliogr. : In : *Dictionnaire de la peinture espagnole et portugaise du Moyen Âge à nos jours*, coll. Essentiels, Larousse, Paris, 1989.

Musées : New York – Worcester.

VALLS François Antoine Émile

Né au xixe siècle à Paris. xixe siècle. Français.

Peintre.
Élève de Geoffroy. Il débuta au Salon de 1865. Il a peint, notamment, les bords de l'Oise. Le Musée de Pontoise conserve de lui : *Le Pont des ivrognes, A l'Ermitage (Pontoise), Le Ravin de l'Ermitage, Bords de l'Oise à Epluches.*

VALLS Juan
XVe siècle. Travaillant à Naples en 1471 et à Palerme en 1478. Italien.
Enlumineur.

VALLS Pedro
Né en 1840 à Gualada. Mort en 1886 à Madrid. XIXe siècle. Espagnol.
Peintre de décors.
Élève de l'École des Beaux-Arts de Barcelone. Il travailla pour les théâtres de Madrid. Il y exposa en 1871.

VALLS Ramon ou **Vaills**
XIVe-XVe siècles. Actif à Valence de 1395 à 1417. Espagnol.
Peintre.

VALLS Xavier
Né le 18 septembre 1923 à Barcelone (Catalogne). XXe siècle. Actif en France. Espagnol.
Peintre de paysages, natures mortes, figures, dessinateur, aquarelliste.
En 1936, il a étudié le dessin avec le sculpteur Charles Collet, puis a suivi les cours de l'École des Arts et Métiers Massana, où il apprit la technique de la fresque notamment avec Jaume Busquets en 1939-1940. Entre 1940 et 1942, il a travaillé en tant que dessinateur avec Ramon Sunyer. Il se lia à cette époque avec Manolo, Sunyer, Artigas. Il fut membre fondateur du Cercle Maillol, à Barcelone, en 1946. Il a obtenu, en 1949, une bourse pour un séjour à Paris et a décidé de se fixer dans la capitale française. Chevalier dans l'Ordre des Arts et Lettres en 1979, Officier en 1989.
Il participe à des Salons et à des expositions de groupe, notamment : 1953, Salon des Indépendants, Paris ; 1953, Salon d'Octobre, Barcelone ; 1955, IIIe Biennale Hispano-américaine, Barcelone, où il reçut le premier prix de nature morte ; 1989, *Les paysages dans l'art contemporain*, École des Beaux-Arts, Paris ; 1991, ARCO 91 avec la galerie Claude Bernard (Paris), Madrid.
Il montre ses œuvres dans des expositions personnelles, la seconde répertoriée ayant eu lieu en 1956 à Barcelone Sala Vayreda, puis : 1960, Ascona ; 1963, 1967, 1969, 1972, 1979, 1983, 1985, galerie Henriette Gomès, Paris ; 1974, galerie Théo, Madrid ; 1977, Majorque ; 1979, Centre d'études Catalanes, Paris ; 1981, rétrospective, Musée Ingres, Montauban ; 1985, Musée d'Art Moderne, Barcelone ; 1988, ASB Gallery, Londres. Il a reçu le prix Drouant à Paris en 1980.
Artiste doué d'une grande sensibilité, intéressé par les problèmes de la lumière, il peint surtout des paysages, des natures mortes et des figures. Son œuvre offre une impression de sérénité réfléchie.
Musées : Madrid (Mus. d'Art Contemp.) : *Pêches et pichet* 1974 – Marseille (Mus. Cantini) : un dessin – Paris (Mus. d'Art Mod. de la Ville) : *La Seine.*
Ventes Publiques : Paris, 16 sep. 1996 : *Nature morte à la pomme* 1960, h/cart. (32x40) : **FRF 7 000**.

VALLS BOSCH Ramon
Né en 1938 à Barcelone (Catalogne). XXe siècle. Espagnol.
Peintre de sujets de genre.
Il a pris part à des expositions collectives en Espagne et à l'étranger, obtenant diverses récompenses. Il a exposé personnellement à Barcelone, à L'Hospitalet, Tarragone, Palma de Majorque et Jaen.
Bibliogr. : In : *Catalogue National d'Art Contemporain*, Éditions d'art Iberico 2000, Barcelone, 1990.

VALLY Félix
Né le 3 novembre 1866 à Paris. Mort le 5 mai 1954 à Auxerre (Yonne). XIXe-XXe siècles. Français.
Sculpteur, graveur, peintre.
Élève de Danguin et Bouguereau. Il figura au Salon des Artistes Français, obtint une mention honorable en 1904.
Ventes Publiques : Paris, 23 fév. 1945 : *La cigarette* : **FRF 2 200**.

VALMASEDA Juan de ou **Valmasseda**
Né vers 1488. Mort après 1548. XVIe siècle. Espagnol.
Sculpteur.
Il travailla pour les cathédrales et églises de Burgos, d'Oviedo, de Palencia et de León. Son chef-d'œuvre est le retable de la cathédrale de Palencia.

VALMET Max
XVe siècle. Actif dans la seconde moitié du XVe siècle. Autrichien.
Sculpteur.
Il exécuta des sculptures en 1478 au tombeau de Frédéric III dans la cathédrale de Vienne.

VALMIER Georges
Né le 10 avril 1885 à Angoulême (Charente). Mort le 25 mars 1937 à Paris. XXe siècle. Français.
Peintre de paysages, natures mortes, dessinateur, peintre à la gouache, peintre de collages, illustrateur, lithographe, peintre de décors de théâtre. Cubiste. Groupe Abstraction-Création.
Il fut élève de Luc-Olivier Merson, à l'École des Beaux-Arts de Paris, de 1905 à 1909. En 1914, mobilisé à Toul, il fit toute la guerre. Très bon musicien, il avait gagné sa vie dans des chorales religieuses. En 1932, il adhéra au groupe *Abstraction-Création.*
Il exposa au Salon des Indépendants, à Paris, en 1913 et 1914. Il exposa pour la première fois ses peintures et papiers collés en 1921. En 1930, il figura au Salon des Surindépendants. Après sa mort, il fut représenté, en 1978, à l'exposition *Abstraction-Création 1931-1936*, au Westfälisches Landesmuseum für Kunst and Kulturgeschichte de Münster, et au Musée d'Art moderne de la Ville de Paris. Il a montré ses œuvres dans des expositions personnelles, parmi lesquelles : la première en 1921, puis 1928, galerie L'Effort Moderne, Paris ; 1927, galerie Briant-Robert, Paris. Après sa mort : 1955, galerie Fels, Paris ; 1956, galerie Saint-Augustin, Paris ; 1970, galerie Thot, Avignon ; 1973, galerie Melki, Paris ; 1980, galerie Hérault-Bresson, Paris ; 1986, galerie Séroussi, Paris ; 1990, galerie Pierre Guénégan, Paris.
Lors de sa formation, il fut sensible à la leçon de Cézanne, ce qui le prépara à adhérer aux principes du cubisme, à partir de 1911. Il peignit alors des portraits à décomposition prismatique, puis appliqua cette méthode d'analyse de la forme à des natures mortes, ainsi qu'à des paysages qui ne sont pas sans présenter quelque parenté avec ceux de Feininger. Il reprit après la guerre la peinture où il l'avait laissée. Ses coloris gracieux conféraient un caractère très particulier à sa façon d'aborder le cubisme synthétique. Il dessina en 1921 la couverture de la revue *Bulletin de l'Effort Moderne* de Léonce Rosenberg. Attiré par le futurisme, il exécuta des masques pour le théâtre de Marinetti. Il composa aussi des décors pour d'autres de ses amis écrivains, pour *Tête d'Or* de Claudel, pour *Cyprien ou l'amour à dix-huit ans* de Georges Pillement, pour *Isabelle et Pantalon* de Max Jacob en 1922, pour *Monsieur Le Trouhadec saisi par la débauche* de Jules Romains en 1923. Depuis sa première exposition personnelle de 1921, il fit précéder l'exécution de toutes ses peintures d'esquisses à la gouache et en collages de papiers, ces œuvrettes d'un charme presque mièvre constituant peut-être après coup la part la plus caractéristique de son apport au cubisme tardif. Il orienta sa peinture dans le sens d'une composition de plus en plus détachée des apparences de la réalité, au profit d'un pur jeu de lignes et de courbes, déterminant des agencements de surfaces nettes, colorées en aplats, qui n'étaient pas sans correspondances avec le sens mural de Fernand Léger. A partir de 1919, ses peintures portaient presque toutes des titres musicaux : *Fugue, Scherzo, Improvisation.* En 1929, il se dégagea totalement de l'esthétique cubiste, pour une abstraction totale. « L'invisible est le contraire du néant, puisque c'est l'essence et l'esprit de la vie même », écrivait-il. Dans les dernières années de sa vie, il exécuta la série de gouaches destinées à l'illustration de *Entre la Vie et le Rêve*, de Georges Pillement. Il eut enfin la commande de trois grands panneaux pour le Pavillon de la S.N.C.F., à l'Exposition Internationale de Paris de 1937.
Cet artiste est de ceux qui ne purent accomplir toute leur destinée ; sans doute d'autres que lui eurent à lutter contre la pauvreté, mais l'impécuniosité n'est pas le seul obstacle à la réalisation des plus nobles conceptions. G. Valmier laisse derrière soi un œuvre assez peu considérable, inachevé, bien qu'il ait travaillé énormément, sacrifiant absolument tout à son art, cependant que l'on ne saurait rien évoquer de l'époque dite cubiste, compte tenu de ses variations, sans évoquer l'effort plastique de cet artiste cultivé et sans évoquer aussi la part importante qu'il prit, en tant que théoricien, dans l'évolution de l'art moderne.
■ A. S., J. B.

G. VALMIER.

G. VALMIER

Bibliogr. : Michel Seuphor : *Diction. de la peint. abstr.*, Hazan, Paris, 1957 – B. Dorival : *Les peintres du XXe siècle*, Tisné, Paris, 1957 – José Pierre : *Le Cubisme*, in : *Histoire générale de la peint.*, tome 19, Rencontre, Lausanne, 1966 – Raoul-Jean Moulin, in : *Diction. Univers. de l'Art et des Artistes*, Hazan, Paris, 1967 – in : Catalogue de l'exposition *Abstraction-Création 1931-1936*, Westfälisches Landesmus. für Kunst and Kulturgeschichte, Münster, Musée d'Art moderne de la Ville, Paris, 1978 – in : *L'Art du XXe siècle*, Larousse, Paris, 1991 – in : *Dictionnaire de l'art moderne et contemporain*, Hazan, Paris, 1992 – Denise Bazetoux : *Georges Valmier, Catalogue raisonné*, Paris, 1993.

Musées : New York (Solomon R. Guggenheim Mus.) : *Fugue, Scherzo Improvisation* entre 1919 et 1923 – Otterlo (Rijksmusuem Kröller-Müller) : *Nature morte géométrique* – Paris (Mus. Nat. d'Art Mod.) : *Composition* 1926.

Ventes Publiques : Paris, 25 juin 1927 : *Nature morte*, gche : **FRF 200** – Paris, 26 mars 1928 : *Le vase de fleurs* : **FRF 2 500** – Paris, oct. 1945-juil. 1946 : *Paysage* 1923 : **FRF 8 000** – Paris, 28 fév. 1951 : *Composition* 1931, aquar. : **FRF 2 100** – Paris, 25 fév. 1955 : *Composition*, gche : **FRF 9 500** – Paris, 25 juin 1959 : *Composition* 1929 : **FRF 580 000** – Paris, 31 mars 1960 : *Le couple* : **FRF 4 050** – Paris, 9 mars 1961 : *Composition* : **FRF 4 500** – Versailles, 6 juin 1962 : *Femme au fauteuil* : **FRF 5 800** – Anvers, 11-13 avr.1967 : *Le village* : **BEF 9 000** – Genève, 28 juin 1968 : *Le village* : **CHF 20 000** – Versailles, 7 déc. 1969 : *Composition*, gche : **FRF 7 100** – Versailles, 3 juin 1970 : *Composition en papier journal*, gche et pap. collé : **FRF 7 500** – Paris, 4 déc. 1970 : *Le couple* : **FRF 22 600** – Versailles, 14 mars 1971 : *Composition*, gche : **FRF 8 000** – Paris, 26 nov. 1972 : *Composition cubiste* : **FRF 61 000** – Paris, 27 juin 1973 : *Composition*, gche : **FRF 11 600** – Paris, 31 mai 1974 : *Composition cubiste*, gche : **FRF 19 000** – Paris, 12 juin 1974 : *Nature morte aux bonbons* 1925 : **FRF 88 000** – Versailles, 7 nov. 1976 : *Composition*, gche (22x16) : **FRF 4 000** – Londres, 7 déc. 1977 : *Composition au papier rayé* vers 1921, gche et collage (34x21) : **GBP 1 100** – Versailles, 4 déc. 1977 : *Paysage cubiste* 1912, h/t (50x61) : **FRF 8 000** – Londres, 5 juil 1979 : *Composition cubiste* 1918, gche et collage de journaux (26,5x21,5) : **GBP 2 400** – Versailles, 13 juin 1979 : *Nature morte cubiste* 1922, h/t (73x54) : **FRF 46 000** – Enghien-les-Bains, 24 juin 1981 : *La Fenêtre* 1920, h/t (93x65) : **FRF 150 000** – Paris, 8 déc. 1982 : *Composition : village cubiste*, gche (25x32) : **FRF 25 000** – Londres, 28 mars 1984 : *Nature morte* 1927, gche et collage (27x22) : **GBP 2 200** – Genève, 1er nov. 1984 : *Composition cubiste* 1919, h/t (72,5x54) : **CHF 85 000** – New York, 21 fév. 1985 : *Etude pour Fleurs et fruits* 1924, gche et collage/cart. (28,9x22,8) : **USD 5 500** – Enghien-les-Bains, 23 nov. 1986 : *Jeune homme lisant* 1925, h/t (92x60) : **FRF 410 000** – Bourg-en-Bresse, 25 jan. 1987 : *Composition* 1928, h/t (92x65) : **FRF 590 000** – Paris, 19 juin 1988 : *Nature morte aux bonbons* 1925, h/t (100x72) : **FRF 720 000** – La Varenne-Saint-Hilaire, 23 oct. 1988 : *Les voiliers*, gche (15,5x21) : **FRF 52 000** – Paris, 27 oct. 1988 : *Composition* vers 1920-25, gche (15x18,5) : **FRF 73 000** – Paris, 20 nov. 1988 : *Nature morte* 1911, h/t (50x61) : **FRF 500 000** – Paris, 21 nov. 1988 : *Composition cubiste* 1919, aquar. gche et collage (17x9,5) : **FRF 121 000** – Paris, 2 juin 1988 : *Composition cubiste* 1920, h/t (80x100) : **FRF 650 000** – Paris, 8 avr. 1989 : *Composition cubiste* 1920, h/t (73x54) : **FRF 1 080 000** – Paris, 9 avr. 1989 : *Composition cubiste*, gche (14x8) : **FRF 100 000** – Paris, 18 juin 1989 : *Composition cubiste* 1923, aquar. et gche (17x11.5) : **FRF 98 000** – Londres, 28 juin 1989 : *Paysage* 1920, h/t (59,5x46) : **GBP 66 000** – Paris, 29 sep. 1989 : *Compositions abstraites*, deux pochoirs (18,5x11) : **FRF 9 000** – Paris, 22 oct. 1989 : *Les voiliers*, h/t (15,5x21) : **FRF 83 000** – Londres, 29 nov. 1989 : *Composition abstraite*, h/t (116x82,5) : **GBP 154 000** – Paris, 13 déc. 1989 : *Composition cubiste*, h/t (73x54) : **FRF 1 200 000** – New York, 26 fév. 1990 : *Projet de costume*, collage et gche/cr./pap./cart. (26,1x19,2) : **USD 5 280** – Paris, 31 mars 1990 : *Le Bal musette* 1927, h/t (127x160) : **FRF 1 650 000** – Paris, 8 avr. 1990 : *Personnage*, gche et collage (27x19) : **FRF 125 000** – Paris, 24 avr. 1990 : *Personnage assis* 1924, gche (22x15,5) : **FRF 175 000** – Londres, 26 juin 1990 : *Femme couchée* 1924, h/t (72,5x99) : **GBP 77 000** – Le Touquet, 11 nov. 1990 : *Composition cubiste*, gche (25x19) : **FRF 74 000** – Paris, 26 nov. 1990 : *Jeune fille assise (la fille de l'artiste)* 1926, h/t (100x65) : **FRF 820 000** – Paris, 7 déc. 1990 : *Figure allongée* 1922, gche et collage (27,3x18,7) : **FRF 62 000** – Paris, 20 jan. 1991 : *Marin et bateau* vers 1928, gche/pap. (26x22) : **FRF 80 000** – Amsterdam, 21 mai 1992 : *Sans titre*, gche et collage de pap. (15x11) : **NLG 24 150** – Paris, 24 juin 1992 : *Place de village*, h/t (69,5x95) : **FRF 260 000** – Londres, 1er déc. 1992 : *Nu allongé* 1925, h/t (89,5x116,3) : **GBP 44 000** – Bourg-en-Bresse, 20 déc. 1992 : *Composition géométrique*, gche et collage (18x13) : **FRF 60 000** – Lokeren, 20 mars 1993 : *Nature morte*, gche (38x26) : **BEF 220 000** – Paris, 3 juin 1993 : *Le Paradis terrestre* 1930, h/t (160x130) : **FRF 400 000** – New York, 3 nov. 1993 : *Portrait de la mère de l'artiste*, h/t (64,2x53,7) : **USD 31 050** – Paris, 22 nov. 1993 : *Bouquet de fleurs*, h/t (80,5x59,7) : **FRF 360 000** – Londres, 23-24 mars 1994 : *La main aux fraises*, gche et collage (18x24) : **GBP 5 750** – Paris, 9 juin 1994 : *Composition cubiste* 1922, h/t (81x65) : **FRF 310 000** – Paris, 16 oct. 1994 : *Projet de costume de face pour Coecilia dans Cyprien ou l'amour à 18 ans de G. Pillement* 1923, gche, collage et cr. (23x7) : **FRF 6 000** – New York, 9 nov. 1994 : *Paysage cubiste* 1923, h/t (54x81,3) : **USD 57 500** – Paris, 28 nov. 1994 : *Jeune homme lisant* 1925, h/t (92x60) : **FRF 290 000** – Paris, 7 déc. 1995 : *Nu allongé* 1923, h/t (59,5x91) : **FRF 245 000** – Paris, 31 mai 1996 : *Composition*, gche (27x22) : **FRF 20 000** – Paris, 18 nov. 1996 : *Nature morte devant une fenêtre* vers 1922, h/t (59x73) : **FRF 100 000** – Londres, 4 déc. 1996 : *Nature morte, les pommes* 1927, h/t (65x92) : **GBP 32 200** – New York, 14 nov. 1996 : *Nu allongé* 1923, h/t (50x72) : **USD 34 500** – Paris, 24 mars 1997 : *Nature morte sur une table* vers 1921, gche et collage/pap. (21x27,5) : **FRF 61 000** – Paris, 11 avr. 1997 : *Personnages cubistes* 1924, gche (23x15) : **FRF 42 100** – Paris, 19 juin 1997 : *Petite fille au balcon* 1925, gche/pap. (24,5x16,5) : **FRF 38 000** – Paris, 20 juin 1997 : *Fleurs et fruits* 1926, gche/pap. (21x27) : **FRF 38 000** – Paris, 27 juin 1997 : *Les Bœufs dans la montagne* 1922, h/t (50x73) : **FRF 195 000.**

VALMON Léonie. Voir **BEAUPARLANT Léonie Charlotte**

VALMONT Auguste de

XIXe siècle. Travaillant à Paris de 1815 à 1845. Français.

Dessinateur de caricatures et lithographe.

VALMONT Constance de. Voir **JACQUET Constance**

VALMY de, marquis

XIXe siècle. Actif à Paris. Français.

Peintre de paysages et aquarelliste.

Il débuta au Salon de 1834.

VALNAUD Léonie

Née au XIXe siècle à Paris. XIXe siècle. Française.

Peintre de fleurs.

Élève de Mme Trébuchet. Elle débuta au Salon de 1879.

VALNAY de. Voir **DELAUNAY Nicolas**

VALNAY-DESROLLES Jacques

Né à Moscou, de parents français. XIXe siècle. Français.

Peintre de genre et aquarelliste.

Élève de Lecocq et Boisbaudran.

VALOIS Achille Joseph Étienne

Né le 13 janvier 1785 à Paris. Mort le 17 décembre 1862 à Paris. XIXe siècle. Français.

Sculpteur de monuments, bustes, portraits.

Élève de L. David et de Chaudet. Il débuta au Salon de Paris, en 1814.

Il sculpta la Fontaine Médicis au Jardin du Luxembourg de Paris en 1807.

Musées : Angers : *Buste d'Antoine Denis Chaudet* – Versailles : *Charles V le Sage – François Ier – Godefroy de Bouillon – Le maréchal Richer-Drouet*, deux fois – *Caulaincourt* – *Marie-Thérèse d'Angoulême*.

VALOIS Ambrogio

Né à Jaen. XVIIe siècle. Espagnol.

Peintre de compositions religieuses.

Il fut élève de Seb. Martinez. Il peignit des tableaux d'autel pour l'église des Carmes et Saint-Dominique de Jaen.

VALOIS Jean Chrétien, l'Ancien

XVIIIe-XIXe siècles. Hollandais.

Miniaturiste.

Fils de peintre et frère de Jean François Valois. Il travailla à La Haye.

VALOIS Jean Chrétien, le Jeune

Né le 26 décembre 1809 à La Haye. XIXe siècle. Hollandais.

Miniaturiste.

Fils et probablement élève de Jean Chrétien Valois l'Ancien. Le Musée de Groningue conserve de lui *Le roi Guillaume II des Pays-Bas.*

VALOIS Jean François
Né le 2 août 1778 à Paramaribo. Mort le 7 décembre 1853 à La Haye. XIXe siècle. Hollandais.
Peintre d'architectures, paysagiste.
Élève de son père, un obscur peintre et de Teissier. En 1794, dans la Confrérie de La Haye, on le cite aussi comme professeur de dessin.
Musées : Amsterdam : *Coin de ville – Paysage* – Bruxelles : *Vue de La Haye* – La Haye (comm.) : *Le Mauritshuis.*

VALOKENBORCH. Voir **BOSCH Lodewyck Jansz Van den**

VALON Juan
XVIIe siècle. Actif à Valence au début du XVIIe siècle. Espagnol.
Peintre.
Il a peint les fresques représentant le *Martyre de saint André et de saint Menas* dans l'église du monastère Corpus Christi de Valence en 1603.

VALORE Lucie
Née en mars 1878 à Angoulême (Charente). Morte le 19 août 1965 à Paris. XXe siècle. Française.
Peintre de portraits, paysages, natures mortes.
Après avoir été mariée à l'écrivain belge Pauwels, elle épouse, en 1935, Maurice Utrillo. Durant la Première Guerre mondiale, elle avait publié un livre : *Françoise en Belgique.* Maurice Utrillo, vers 1940, l'encouragea à peindre.
Artiste que l'on peut qualifier de « naïve », elle a peint des compositions presque toujours exécutées dans la maison du Vésinet (route des Bouleaux) où elle vécut quelque vingt ans avec Utrillo.
Ventes Publiques : Paris, oct. 1945-juil. 1946 : *Printemps* : **FRF 3 800** – Paris, 30 juin 1949 : *Chiens dans un jardin* : **FRF 7 000** ; *Palmiers dans un jardin* : **FRF 6 000** – Paris, 27 fév. 1950 : *Portrait d'Utrillo* : **FRF 3 000** – Paris, 28 mars 1955 : *Coin de jardin à la jarre* : **FRF 25 000** – Cologne, 28 mars 1979 : *Nature morte aux fleurs* 1956, h/t (46x55) : **DEM 3 600** – Paris, 6 mai 1988 : *Autoportrait,* h/t (55x46) : **FRF 4 200** – Paris, 28 oct. 1990 : *Le jardin de Maurice et Lucie Utrillo* 1944, h/t (38x46) : **FRF 3 200.**

VALORI de
XVIIIe siècle.
Miniaturiste.
On cite de lui *Portrait de Benjamin Franklin,* daté de 1790.

VALORI Caroline de. Voir **VALORY**

VALORI Henri Zozime de, marquis
Né le 5 juin 1786 à Châteaurenard (Bouches-du-Rhône). Mort le 31 janvier 1859 à Châteaurenard. XIXe siècle. Français.
Sculpteur.
Le Musée d'Avignon conserve de lui *La belle Laure,* et celui de Carpentras, *Laure de Noves.*

VALORI Romano
Né le 28 juin 1886 à Milan (Lombardie). Mort le 24 octobre 1918 à Pavolaro. XXe siècle. Italien.
Peintre.
Il a été élève de la Brera de Milan.
Musées : Milan (Gal. d'Art Mod.) : *Reflets rouges – La broderie.*

VALORI-RUSTICHELLI Charles Ferdinand Louis de, marquis
Né au XIXe siècle à Paris. XIXe siècle. Français.
Peintre de paysages, de genre et d'histoire.
Il exposa au Salon de 1848 à 1870.

VALORSA Cipriano. Voir **VALLORSA**

VALORY Caroline de ou **Valori,** née **d'Ette**
XIXe siècle. Active au début du XIXe siècle. Française.
Peintre et écrivain.
Élève et filleule de Greuze. Elle publia en 1813, un vaudeville intitulé : *Greuze* ou *l'Accordée de village.* Le Musée de Glasgow conserve d'elle *La miniature.*

VALOTTE Octavie
Née au XIXe siècle à Fontenay-le-Comte (Vendée). XIXe siècle. Française.
Peintre de portraits.
Elle débuta au Salon de 1874.

VALOURS Pierre de
XVIe-XVIIe siècles. Actif à Troyes de 1575 à 1612. Français.
Médailleur et orfèvre.

VALPERGA Luigi
Né en 1755 à Turin. Mort après 1819. XVIIIe-XIXe siècles. Italien.
Graveur au burin.
Il grava, à Paris, des portraits et des scènes de genre.

VALPINÇON Paul
Né au XIXe siècle à Paris. XIXe siècle. Français.
Peintre de paysages.
Élève de Palizzi. Il débuta au Salon de 1870.

VALPOERTEN Michel Van der ou **Valleporte**
Mort avant le 5 juillet 1492. XVe siècle. Actif à Louvain. Éc. flamande.
Peintre.

VALPUESTA Pedro de, dit **el Licenciado**
Né en 1614 à Osmo (Castille). Mort en 1668 à Madrid. XVIIe siècle. Espagnol.
Peintre d'histoire.
Élève et imitateur d'Eugenio Caxes à Madrid. Il se fit prêtre. On cite parmi ses œuvres décorant les églises de Madrid : *La Vie de la Vierge,* à San Miguel, *La Sainte famille,* à la chapelle de l'hôpital del Buensuceso, ainsi que des peintures au couvent de Sainte-Claire et de Saint-François.

VALSAMIS Costas
Né le 6 juin 1908 dans l'île de Symi. XXe siècle. Grec.
Sculpteur.
Diplômé de l'École des Beaux-Arts d'Athènes, où il travailla jusqu'en 1945, il continua ses études à Paris, sous la direction de Marcel Gimond. Il fut également élève de Zadkine à l'Académie de la Grande Chaumière.
Il a participé à de nombreuses expositions, entre autres aux Salons d'Automne, des Tuileries, des Artistes Français, de la Jeune Sculpture au Musée Rodin, au Salon Comparaisons, aux Peintres et Sculpteurs Témoins de leur temps, à Paris. Il participe également à des expositions internationales à Londres, Anvers, Bruxelles, Padoue. Il obtint, en 1948 et 1950, une médaille de bronze au Salon des Artistes Français.
Musées : Paris (Mus. Nat. d'Art Mod.) : *Tête d'enfant.*

VALSOLDA, il ou **Valsoldo.** Voir **PARACCA Giacomo**

VALSTAD Otto
Né le 11 décembre 1862 à Asker. XIXe siècle. Norvégien.
Peintre.
Il n'eut aucun maître. Il travailla pour l'église d'Asker et exécuta des illustrations de livres.
Musées : Oslo (Gal. Nat.) : *Paysage* – Rome (Gal. d'Art Mod.) : *Au clair de lune.*

VALT Jan
Né en 1952 à Krompachy (Slovaquie). XXe siècle. Tchécoslovaque.
Peintre.
Il s'est formé à l'École normale à Usti nad Labem. Il fut élève de Selbicky. Il montre ses œuvres dans son pays et en Allemagne.
Musées : Chomutov.

VALTAT Jules Édouard ou **Edoiard**
Né le 6 août 1838 à Troyes (Aube). Mort le 19 janvier 1871 à Troyes (Aube). XIXe siècle. Français.
Sculpteur.
Élève de Duret, Guillaume et Signol. Il débuta au Salon de 1868. Le Musée de Troyes conserve de lui *Oreste, La création d'Ève, Faune et Dryade* et *Œdipe en exil.* Il mourut des suites d'une blessure reçue pendant le siège de Paris.

VALTAT Louis
Né le 8 août 1869 à Dieppe (Seine-Maritime). Mort le 2 janvier 1952 à Paris. XIXe-XXe siècles. Français.
Peintre de nus, paysages, marines, natures mortes, fleurs, graveur. Postimpressionniste.
Il était issu d'une riche famille d'armateurs dieppois. Arrivé jeune dans la région parisienne, il accomplit ses études classiques au Lycée Hoche à Versailles. Encouragé dans sa vocation d'artiste par son père, lui-même peintre amateur, il fut admis, en 1887, à l'École des Beaux-Arts de Paris. Il fréquenta les ateliers de Boulanger, Lefebvre et Harpignies. Il fit dans la suite, mais ce n'est pas certain, un bref passage dans l'Atelier de Gustave Moreau. Il suivit également les cours de l'Académie Julian, où il

connut Bonnard, Vuillard, Georges d'Espagnat et Albert André qui devint un de ses très proches amis. Il voyagea et séjourna beaucoup à l'étranger : en Angleterre en 1894, en Espagne avec Henri de Montfreid en 1895, à Banyuls, à Collioure en compagnie de Maillol, en Italie (Florence et Venise) en 1902, en Algérie en 1903, régulièrement de 1899 à 1913 à Anthéor. En 1913, il quitta Anthéor et se fixa à Paris, puis à partir de 1924 à Choisel (vallée de Chevreuse).

Il a participé à des expositions collectives, parmi lesquelles : depuis 1889, Salon des Indépendants, Paris ; 1903, premier Salon d'Automne, Paris ; 1905, Salon d'Automne, Paris – célèbre pour avoir révélé les Fauves ; Salon des Tuileries, Paris.

Il montra ses œuvres dans des expositions personnelles dans les galeries Vollard et Druet à Paris. Le Salon d'Automne présenta en 1952, organisée par la piété et la clairvoyance de René Demeurisse, une très importante rétrospective de l'ensemble de son œuvre qui révéla à beaucoup et la qualité du talent et la place historique de Valtat. Autres expositions rétrospectives : 1956, Musée Galliera, Paris ; 1969, Fondation Ghez, Genève ; 1995, Musée des Beaux-Arts de Bordeaux.

Il reçut le prix Jauvin d'Attainville dans la section paysage au Salon d'Automne de 1890. Chevalier de la Légion d'honneur.

En 1895, avec Toulouse-Lautrec et Albert André, il exécuta les décors d'un drame hindou *Chariots de terres cuites* joué au théâtre de l'Œuvre. À cette époque, Valtat fréquentait donc très intimement les Nabis qu'il retrouvait au Café Volpini. Il fut perméable aux principes du groupe. Il abandonna la technique pointilliste de ses débuts et adopta une touche plus large ; de généreux cernes noirs délimitent les aplats des tons locaux ; il pratique une utilisation de la couleur en fonction de son effet symbolique détaché de la couleur réelle des objets. Pourtant, il n'était pas inconditionnellement rallié au groupe et conservait son indépendance. Moins intellectuel que les Nabis, en tout cas dans son art, la spontanéité de ses violents contrastes de couleurs est bien éloignée de la spiritualité exprimée par un Maurice Denis. Ces caractéristiques ne feront que s'accentuer dans la suite. Ses séjours dans le Sud, et surtout sa quasi installation à Anthéor, où il se fit construire une maison sur le littoral de l'Esterel, le virent se confronter en permanence avec le choc des rochers rouges et du bleu intense de l'eau. Ils eurent un rôle déterminant sur l'évolution de sa gamme colorée, d'une violence rare en ce temps. Il montra au premier Salon d'Automne, en 1903, des peintures dont la violence colorée était véritablement préfauviste. Ambroise Vollard s'intéressa à lui et lui organisa sa première exposition personnelle, après qu'il eut montré celle de Matisse, mais avant même celle de Van Dongen. Il était tout à fait normal qu'il fît partie de la célèbre salle qui consacra le groupe des Fauves, au Salon d'Automne de 1905, où, avec Matisse et Marquet, il fut des plus remarqués de la critique. À partir de 1913, ce fut plutôt vers la Bretagne et la Normandie qu'il se dirigea, sans pour autant perdre rien de l'agressivité de ses désaccords colorés. Dans une impressionnante unité de style, qui lui vaut aujourd'hui une consécration tardive, il peignit des sujets très divers : des nus, des scènes d'ambiance – comme le *Chez Maxim's* de 1895, ou le très beau *Manège de chevaux de bois* de 1895-1896 qui prouve bien par ses contrastes de plans verts et rouges dans les maisons de l'arrière-plan que Valtat préfigurait le fauvisme, dès cette époque –, mais aussi les paysages des lieux visités lors de ses voyages, beaucoup de natures mortes souvent de fruits, de poissons parfois comme dans *Les rougets* de 1931. Il pratiqua également la gravure « sur bois de fil », participant à son renouveau avec Vallotton et Maillol. Il est évident que les mouvements picturaux ne se déclenchent guère du jour au lendemain et que toute révolution, ici comme ailleurs, se cherche et se trouve des références dans le passé. Les Fauves ont cité Van Gogh et invoqué Cézanne et Gauguin. Il n'empêche que, Van Gogh mort en 1890, en 1895 Valtat était sans doute un des seuls peintres à dessiner par la couleur, à l'appliquer pure, à dégager l'arabesque, tous soucis qui seront bientôt ceux même des Fauves, car il est bien évident qu'une doctrine picturale ne repose pas plus sur un seul théorème mais s'appuie sur des raisons d'autant plus vagues que ce sont des raisons plastiques, donc plus du domaine de la sensation ou de l'émotion que de celui de l'intellect, raisons bien souvent contradictoires et qui prennent chacune leur tour le pas, ainsi en fut-il également du cubisme. Dans les dernières années de sa vie, après 1948, ayant presque complètement perdu la vue, il dut cesser de peindre.

Ce fut un peintre très complet, peintre de précieux petits formats et de très vastes compositions « tenant le mur » parfaitement, à l'inspiration généreuse et variée, au métier robuste et hardi. Au métier hardi et c'est une des raisons pour lesquelles on reconsidère le cas de ce très beau peintre qui est de plus, un précurseur.

■ J. B.

L. Valtat

L. Valtat

L.V

Bibliogr. : Bernard Dorival : *Les peintres du XXe siècle*, Tisné, Paris, 1957 – Georges Peillex, in : *Diction. Univers. de l'Art et des Artistes*, Hazan, Paris, 1967 – Raymond Cogniat : *Valtat*, Ides et Calendes, Neuchâtel, s.d. – Jean Valtat : *Louis Valtat. Catalogue de l'œuvre peint 1869-1952*, Éditions Ides et Calendes, Neuchâtel, 1977 – Raymond Cog : *Louis Valtat peintre fauve*, Editions du Petit Palais, Genève – in : *L'Art du XXe siècle*, Larousse, Paris, 1991 – Philippe Dagen : *Louis Valtat, artiste moderne et figure oubliée du postimpressionnisme*, in : *Le Monde*, Paris, mercredi 9 août 1995.

Musées : Bernay : *La lecture – Coucher du soleil sur la Seine – Falaises à Arromanches* – Bordeaux (Mus. des Beaux-Arts) – Bruxelles (Mus. roy.) – Cahors – Chambéry (Mus. des Beaux-Arts) : *Marine* – Genève : *Porteuses d'eau à Arcachon* 1897 – Le Havre (Mus. des Beaux-Arts) – Helsinki – Nantes – Nîmes – Paris (Mus. Nat. d'Art Mod.) : *Nature morte avec pommes et tulipes – Glaïeuls et aconits – Manège de chevaux de bois* 1895-1896 – Paris (Mus. du Petit Palais) – Paris (Mus. des Arts Décorat.) – Paris (BN) – Paris (Mus. d'Orsay) – Renne – Saint-Denis de la Réunion – Saint-Pétersbourg (Mus. de l'Ermitage, ancienne collection Morossov) – Saint-Tropez.

Ventes Publiques : Paris, 24 fév. 1919 : *Dans les roches d'Agay* : **FRF 1 050** ; *Dahlias et raisins* : **FRF 720** – Paris, 9 avr. 1927 : *Mer argentée* : **FRF 2 250** – Paris, 16 mai 1929 : *Le halage* : **FRF 3 000** ; *La godille* : **FRF 3 800** – Paris, 22 nov. 1930 : *Les roches rouges* : **FRF 2 100** ; *Paysage* : **FRF 950** ; *Anémones* : **FRF 900** – Paris, 11 mai 1942 : *Fleurs* : **FRF 5 500** – Paris, 17 juin 1942 : *Paysage* : **FRF 3 100** ; *Fête au village* : **FRF 3 500** – Paris, 21 déc. 1942 : *Marine : la côte rouge* : **FRF 24 000** – Paris, 2 avr. 1943 : *Paysage de printemps* : **FRF 20 500** ; *Anémones* : **FRF 13 000** – Paris, 15 déc. 1943 : *Femme à l'éventail* 1906 : **FRF 42 000** ; *Dahlias* : **FRF 10 000** – Paris, 27 mars 1944 : *La couseuse* : **FRF 40 000** ; *La dame en noir* : **FRF 20 500** ; *Port breton* : **FRF 14 000** – Paris, 8 déc. 1944 : *Mère et enfant : les devoirs* : **FRF 19 500** ; *Brume sur la rivière* : **FRF 13 000** ; *Les roches rouges (Anthéor)* : **FRF 60 000** ; *Fleurs* : **FRF 32 500** – Paris, oct. 1945-juil. 1946 : *Au fond du jardin* : **FRF 20 000** ; *Anémones* : **FRF 50 000** ; *Vase de fleurs* : **FRF 30 000** ; *Maternité* : **FRF 24 000** – Paris, 29 oct. 1948 : *Femme dans un jardin* : **FRF 65 000** – Paris, 2 mai 1949 : *Vase de fleurs* : **FRF 27 500** ; *Alger la blanche* : **FRF 26 000** – Paris, 18 nov. 1949 : *Fleurs* : **FRF 50 000** – Paris, 28 déc. 1949 : *Saint-Paul-de-Vence* : **FRF 47 000** – Paris, 5 juil. 1950 : *La cabane du douanier, Mont Saint-Michel* 1903 : **FRF 42 500** ; *Femme cousant* : **FRF 40 000** – Paris, 18 déc. 1950 : *Le faisan* : **FRF 38 000** – Paris, 16 fév. 1951 : *Fleurs dans un vase* : **FRF 55 000** ; *La cueillette dans le jardin au bord de la Méditerranée* : **FRF 36 500** – Paris, 30 mai 1951 : *Les pivoines* : **FRF 48 100** – Paris, 27 juin 1951 : *Jeune femme à l'éventail* 1906 : **FRF 60 000** ; *La couseuse* : **FRF 50 000** – Paris, 23 fév. 1954 : *Femme à la mantille* : **FRF 470 000** – Paris, 10 juin 1955 : *Fleurs de printemps* : **FRF 360 000** – New York, 2 mai 1956 : *Nature morte* : **USD 800** – Paris, 19 mars 1958 : *Compotier de fruits* : **FRF 210 000** – New York, 19 mars 1958 : *Femme assise* : **USD 3 750** – New York, 14 jan. 1959 : *Nature morte* : **USD 1 400** – Paris, 8 déc. 1959 : *Fleurs* : **FRF 2 100 000** – New York, 16 mars 1960 : *Portrait de Madame Valtat* : **USD 7 500** – Paris, 31 mars 1960 : *Femme cousant* : **FRF 16 000** – Londres, 20 mai 1960 : *Nature morte de marguerites* : **GBP 525** – Paris, 13 mars 1961 : *Fleurs et fruits* : **FRF 16 500** – New York, 26 avr. 1961 : *Mère et enfant* : **USD 3 250** – New York, 21 mars 1962 : *Femmes au canapé* : **USD 10 000** – Genève, 2 nov. 1963 : *Fleurs* : **CHF 40 000** – Paris, 13 mars 1964 : *Aux courses*, past. : **FRF 15 000** – Paris, 7 déc. 1964 : *Le bal* : **FRF 68 000** – Versailles, 21 nov. 1965 : *Le bar du Moulin Rouge* : **FRF 40 100** – New York, 19 mai 1966 : *Paysage avec personnages*, aquar. et gche : **USD 5 000** – Paris, 10 déc. 1966 : *Danseuse de café-concert* : **FRF 36 000** – New York, 26 oct. 1967 : *La pinède méditerranéenne* : **USD 20 000** – Paris, 20 nov. 1968 : *Au cabaret*, past. : **FRF 40 000** – Paris, 5 déc. 1968 : *Jeux d'enfants* : **FRF 168 000** – New York, 16 avr. 1969 : *Tête de Mme Valtat*, bronze : **USD 3 250** – Genève, 7 nov. 1969 : *Paysage* : **CHF 166 000** – New York, 25 fév. 1970 : *Paysage* : **USD 28 000** – New York, 21 oct. 1971 : *Les roches rouges* : **USD 26 000** – Versailles, 5 déc. 1971 : *Chaumières près de la forêt*, aquar. : **FRF 20 600** – New York, 25 oct. 1972 : *Mère et enfant* : **USD 22 000** – Paris, 26 nov. 1973 : *La baie d'Agay*, aquar. : **FRF 36 000** – Los Angeles, 26 fév. 1974 : *Nature morte aux bouquets de fleurs* 1903 : **USD 25 000** – Paris, 21 mars 1974 : *Femmes assises sur la plage* : **FRF 80 000** – Paris, 7 mai 1976 : *Nu debout*, aquar. (25x18,5) : **FRF 4 200** – Versailles, 4 avr. 1976 : *Nu assis au bonnet*, fus. et sanguine (60x46) : **FRF 3 020** – Versailles, 24 oct. 1976 : *Fruits sur une table* vers 1908, h/t (46x56) : **FRF 40 000** – Versailles, 27 nov. 1977 : *Paris, le Pont-Neuf* 1896, aquar. (25x30) : **FRF 13 000** – Londres, 7 déc. 1977 : *Nature morte aux fleurs et aux fruits* 1902, h/t (80x64) : **GBP 6 500** – Versailles, 16 déc 1979 : *Les meules dans la campagne*, aquar. (30,5x46,5) : **FRF 25 000** – Londres, 4 juil 1979 : *La toilette* vers 1893, h/t (130x97) : **GBP 23 000** – New York, 8 nov 1979 : *Tête de fillette*, bronze (H. 28) : **USD 2 000** – New York, 15 mai 1980 : *La lavandière*, pl. et cr. (31,7x20) : **USD 1 000** – Paris, 22 mai 1981 : *Femme à sa lecture*, cr. coul. (27x19) : **FRF 5 000** – Londres, 22 mars 1983 : *Aux courses*, past. (56,5x47,5) : **GBP 6 500** – Londres, 21 mars 1983 : *La Mère et l'enfant au costume rouge* 1911, h/t (81x100) : **GBP 30 000** – San Francisco, 8 nov. 1984 : *Jeune femme à la tunique bleu*, cr. et lav. (26x20) : **USD 3 000** – New York, 14 nov. 1985 : *Danseuses de la Belle Epoque* vers 1894-1895, past. (58x44) : **USD 22 000** – Paris, 16 avr. 1986 : *Village provençal* 1896, h/t (65x81) : **FRF 340 000** – Enghien-les-Bains, 19 juin 1986 : *La Terrase à Cambo* 1895, h/t (81x100) : **FRF 740 000** – New York, 18 fév. 1988 : *Vase bleu aux œillets* 1942, h/pan. (22,3x16,5) : **USD 9 350** ; *Le bébé* 1909, h/cart. (35,5x33,5) : **USD 17 600** – Londres, 24 fév. 1988 : *Chez Maxim's*, h/cart. (24,5x22) : **GBP 11 000** – Paris, 9 mai 1988 : *Paris, la Seine au Louvre*, h/t : **FRF 160 000** – Versailles, 15 mai 1988 : *Jeune femme assise à la tasse de thé*, aquar. (25x21,5) : **FRF 9 000** – Paris, 14 juin 1988 : *Bouquet de fleurs*, peint./cart. (28,5x28) : **FRF 48 000** – Paris, 15 juin 1988 : *Les champs fleuris* 1909, h/t (26x33) : **FRF 52 000** – Versailles, 15 juin 1988 : *Femme allongée* 1917, h/t (65x81) : **FRF 170 000** – Paris, 22 juin 1988 : *Madame Valtat tricotant* 1913, h/pap./t. (46x60) : **FRF 300 000** – Paris, 23 juin 1988 : *Mère et enfant sur le canapé* 1911, h/t (97x130) : **FRF 255 000** – Londres, 28 juin 1988 : *Œillets au vase jaune*, h/t (51x33,3) : **GBP 14 300** – Londres, 29 juin 1988 : *Vase de fleurs et feuillages d'automne* 1936, h/t (81x65) : **GBP 25 300** – Calais, 3 juil. 1988 : *Maison sous les oliviers*, h/t (45x54) : **FRF 280 000** – New York, 6 oct. 1988 : *Composition, femme à la tunique rose*, h/t (27x22) : **USD 15 400** – Paris, 7 oct. 1988 : *Paysage de bord de mer* ; *Paysage provençal*, aquar./pap., une paire (25x31,5) : **FRF 38 000** – Londres, 19 oct. 1988 : *Vase de tulipes* 1919, h/cart. (27,5x26,5) : **GBP 7 150** – Paris, 19 oct. 1988 : *Vase d'anémones*, h/t (55x42,5) : **FRF 140 000** – Grandville, 30 oct. 1988 : *Sur le bateau* vers 1910, h/t (55x46) : **FRF 102 000** – Versailles, 6 nov. 1988 : *Trois têtes d'enfants*, h/t (38x55,5) : **FRF 28 000** – Paris, 20 nov. 1988 : *Femme et enfant*, h/t (65x81) : **FRF 900 000** – Paris, 22 nov. 1988 : *Anémones*, h/t (60x50) : **FRF 195 000** – L'Isle-Adam, 29 jan. 1989 : *Femmes au tricot*, h/cart. (22x28) : **FRF 64 000** – Paris, 12 fév. 1989 : *Jeté de fleurs*, h/t (46x55) : **FRF 45 000** – New York, 16 fév. 1989 : *Nature morte aux fleurs*, h/t (38,5x46,3) : **USD 26 400** – Londres, 5 avr. 1989 : *Anémones au vase vert*, h/t (38x47) : **GBP 33 000** – New York, 10 mai 1989 : *Fleurs et fruits* 1899, h/t (60x73) : **USD 242 000** – Londres, 27 juin 1989 : *Paysage d'Agay*, h/t (81x100) : **GBP 132 000** – Londres, 25 oct. 1989 : *Vase de fleurs sur fond rose* 1926, h/t (65,5x54) : **GBP 41 800** – Milan, 7 nov. 1989 : *Composition florale* 1916, h/t (48x73) : **ITL 50 000 000** – Calais, 10 déc. 1989 : *Après l'école*, h/t (65x81) : **FRF 400 000** – Amsterdam, 13 déc. 1989 : *Nature morte avec des œillets dans un vase*, h/t (31x29,7) : **NLG 23 000** – New York, 26 fév. 1990 : *Fleurs et pommes* 1938, h/t (65x54) : **USD 93 500** – Calais, 4 mars 1990 : *Baigneuses*, h/t (27x21) : **FRF 60 000** – Paris, 1er avr. 1990 : *Suzanne Valtat et son fils Jean dans le Jardin d'Agay* vers 1970, h/t (81,5x101) : **FRF 1 100 000** – Londres, 3 avr. 1990 : *Feuillage d'automne* 1926, h/t (81x100) : **GBP 104 500** – Paris, 10 avr. 1990 : *La Maison du peintre à Choisel (Vallée de Chevreuse)*, h/t (65x81) : **FRF 190 000** – Paris, 10 mai 1990 : *Trois femmes dans un parc*, aquar. (31,5x27) : **FRF 50 000** – Paris, 13 juin 1990 : *Deux jeunes femmes assises sur un fauteuil* vers 1920, h/t (131x162) : **FRF 450 000** – New York, 3 oct. 1990 : *Le jardin d'Agay au soleil couchant*, h/t (89x116,3) : **USD 181 500** – New York, 10 oct. 1990 : *Mère et enfant*, bronze à patine brune (H. 45,5) : **USD 22 000** – Paris, 25 nov. 1990 : *Au cabaret* 1895, past. (61,5x47,5) : **FRF 130 000** – New York, 15 fév. 1991 : *Grand bouquet de fleurs*, h/t (73x54) : **USD 44 000** – Paris, 17 avr. 1991 : *Maison au fond du jardin* vers 1900, h/t (54x65) : **FRF 181 000** – Londres, 26 juin 1991 : *Groupe de marbre au milieu des fleurs*, h/t (80x100) : **GBP 33 000** – New York, 25 fév. 1992 : *Femme au chat et aux livres* 1905, h/pan. (66,7x51,4) : **USD 40 700** – Lugano, 28 mars 1992 : *Marine*, cr. et aquar./pap. (25,5x33) : **CHF 11 000** – New York, 14 mai 1992 : *Les coquelicots* 1909, h/t (73x92,1) : **USD 66 000** – Paris, 19 mai 1992 : *Suzanne Valtat au jardin*, h/t (73x92) : **FRF 190 000** – New York, 13 mai 1993 : *La maison à Choisel*, h/t (132,3x160,6) : **USD 112 500** – Paris, 23 juin 1993 : *Les rochers rouges : après-midi en bord de mer*, h/t (81x100) : **FRF 680 000** – Paris, 10 mars 1994 : *Madame Valtat à Agay*, h/t (81x100) : **FRF 680 000** – New York, 12 mai 1994 : *Fleurs et fruits* 1899, h/t (60x73) : **USD 112 500** – Londres, 28 juin 1994 : *Fleurs et pommes* 1938, h/t (65x54) : **GBP 43 300** – Montréal, 6 déc. 1994 : *Les fleurs*, h/t (24,7x15,2) : **CAD 4 500** – New York, 14 juin 1995 : *Bouquet de fleurs*, h/t (73x54) : **USD 24 150** – Paris, 15 fév. 1995 : *Trois vases de roses à la draperie*, h/t (81x100) : **FRF 247 000** – Taipei, 15 oct. 1995 : *Vase de fleurs* 1943, h/cart. (24,1x19,1) : **TWD 391 000** – New York, 8 nov. 1995 : *Vase de fleurs et feuillage d'automne* 1936, h/t (81,2x65) : **USD 79 500** – Londres, 28 nov. 1995 : *Bouquet de fleurs*, h/t (55x46) : **GBP 27 600** – Nice, 19-20 déc. 1995 : *Les roches rouges* 1904, h/t (65x80) : **FRF 235 000** – Lyon, 31 mars 1996 : *Paysage à Agay*, h/t (60x73) : **FRF 202 000** – Paris, 10 juin 1996 : *Coquelicots* 1914, h/t (46x55) : **FRF 120 000** – Paris, 19 juin 1996 : *Vase de fleurs, dahlias rouges* 1944, h/t (61x50) : **FRF 100 000** – Londres, 25 juin 1996 : *Promenade au bois de Boulogne* vers 1898, h/t (81x100,5) : **GBP 46 500** – Paris, 20 oct. 1996 : *Paysage d'Aguay, le Saint-Pilon* 1903-1904, h/t (54x65) : **FRF 82 000** – Paris, 25 oct. 1996 : *Portrait de femme de profil*, h/t (65x50) : **FRF 28 000** – Le Touquet, 10 nov. 1996 : *Nature morte aux pipes*, h/t (25x44) : **FRF 23 000** – Paris, 4 déc. 1996 : *Myosotis*, h/cart. (24x19,2) : **FRF 26 500** – Londres, 4 déc. 1996 : *Vue de Rouen au soleil couchant*, h/t (65x81) : **GBP 45 500** ; *Deux Personnages au théâtre*, aquar. et cr. (13,5x10,5) : **GBP 1 150** – Paris, 8 déc. 1996 : *Femme au peignoir orange*, cr., lav. d'encre et aquar./pap. (26x19) : **FRF 11 500** – Paris, 10 déc. 1996 : *Au théâtre, personnages au balcon* vers 1920, h/pan. (34x50) : **FRF 150 000** – New York, 9 oct. 1996 : *Fillettes sur la plage* 1916, h/t (27,3x33,7) : **USD 9 200** – New York, 14 nov. 1996 : *Vase de fleurs* vers 1920, h/t (61x50,5) : **USD 25 300** – Paris, 21 mars 1997 : *Rose dans un vase* 1929, h/t (55x47) : **FRF 70 000** – New York, 13 mai 1997 : *Fleurs* 1920, h/t (46,3x38,1) : **USD 85 000** – Amsterdam, 2-3 juin 1997 : *Arromanches vue de Saint-Côme-de-Fresnes* 1905, h/t (19,1x24) : **NLG 23 600** – Paris, 18 juin 1997 : *Anémones dans un vase*, h/cart. (31,5x26,5) : **FRF 48 000** – Cannes, 8 août 1997 : *Nature morte à la citrouille*, h/pan. (19x24) : **FRF 25 000** – New York, 9 oct. 1997 : *Nature morte aux fleurs* 1918, h/cart./pan. (50,2x31,6) : **USD 10 350**.

VALTELLINA Giovanni Antonio

XVIe siècle. Actif à Rome (?). Italien.

Peintre.

Il a exécuté des tableaux d'autels pour les églises Saint-Barthélemy et Notre-Dame de la Grotte Peinte de Rome.

VALTER Villem ou **Willem**

Né le 29 octobre 1821 à Deventer. Mort le 26 juin 1847 à Deventer. XIXe siècle. Hollandais.

Paysagiste.

Élève de L. Meyer, C. Kruseman et Van der Lande Backhuyzen. La Galerie Liechtenstein de Vienne conserve un dessin de cet artiste.

VALTERO di Alemagna. Voir **GUALTIERO di Alemagna**

VALTHE David Van. Voir **VELTHEM**

VALTIER Gérard

XXe siècle. Français.

Peintre de paysages, paysages urbains.

Il s'est formé à l'École des Beaux-Arts de Reims. Il montre ses œuvres au Salon des Artistes Français à Paris.

Son style relève d'un postimpressionnisme classique.

Ventes Publiques : Reims, 15 mars 1992 : *Le dimanche à la ferme*, h/t (52x72) : **FRF 7 500**.

VALTINER Thomas
XVIIIe siècle. Actif à Lienz de 1744 à 1785. Autrichien.
Peintre.
Il peignit des fresques pour les églises de Lavant et de Rouris.

VALTON Charles
Né le 26 janvier 1851 à Pau (Pyrénées-Atlantiques). Mort le 21 mai 1918 à Chinon (Indre-et-Loire). XIXe-XXe siècles. Français.
Sculpteur animalier.
Il eut pour maîtres Barye et Levasseur. À partir de 1868, il figura au Salon de Paris, puis au Salon des Artistes Français dont il devint sociétaire en 1885. Il obtint une médaille de troisième classe en 1875, une de deuxième classe en 1885, une médaille en 1889 (Exposition Universelle), une autre en 1900 (Exposition Universelle).
Musées : Castres : *Tête de lion* – Constantine : *Lion* – Oran : *Tigre et tigresse* – Paris (Mus. Galliera) : *Loup sur la piste* – Paris (Mus. d'Hist. naturelle) : *Mammouth et ours blanc.*
Ventes Publiques : Bruxelles, 7 oct. 1976 : *Chienne et sa nichée,* bronze (H. 45) : **BEF 22 000** – Lokeren, 17 févr 1979 : *Lionne et lionceaux,* bronze (H. 27, l. 45) : **BEF 48 000** – Lyon, 10 mars 1982 : *La lionne blessée,* bronze patine brune (L. 85) : **FRF 7 500** – Enghien-les-Bains, 26 juin 1983 : *Guerrier méhariste,* bronze patine brun nuancé (H. 32) : **FRF 10 500** – Lokeren, 19 avr. 1986 : *Chien pointer,* bronze patine brune (H. 25) : **BEF 70 000** – New York, 23 fév. 1989 : *Passez au large – dogue enchaîné,* bronze (H. 48,3) : **USD 2 860** – Paris, 6 avr. 1990 : *Lionne et ses lionceaux,* bronze (H. 28, L. 44) : **FRF 9 000** – Paris, 28 oct. 1990 : *Lionne couchée,* bronze à patine brune (H. 13,5, L. 22) : **FRF 7 500** – Paris, 30 mars 1992 : *La lionne blessée,* bronze (H. 30) : **FRF 3 500** – New York, 5 juin 1992 : *Souris en train de grignoter,* bronze et marbre blanc (H. 10,8) : **USD 990** – Paris, 21 déc. 1992 : *Taureau et chien,* bronze (H. 24,5) : **FRF 4 200.**

VALTON Edmond Eugène
Né le 25 septembre 1836 à Paris. Mort en 1910 à Paris. XIXe-XXe siècles. Français.
Peintre de scènes de genre, paysages.
Il fut élève de F. Fossey et de l'École des Beaux-Arts de Paris.
Musées : Grey : *Les Halles de Paris* – Longwy : *La moisson.*
Ventes Publiques : Paris, 23 juin 1900 : *La fin de la journée au faubourg* : **FRF 110** – Paris, 1-3 déc. 1919 : *La jeune mère* : **FRF 400** – Paris, 27 mars 1947 : *Femme cousant* : **FRF 1 000** – Los Angeles, 8 mars 1976 : *Mère et enfant* 1873, h/t (23,5x18,5) : **USD 450** – Paris, 23 mai 1980 : *Portrait du Comte de Chambord en tenue de chasse,* h/t (61x48) : **FRF 7 000** – Toronto, 30 nov. 1988 : *Un mendiant à la porte* 1885, h/t (44,5x37) : **CAD 1 600.**

VALTON Henri ou **Hughes**
Né en 1810 à Troyes (Aube). Mort en 1878 à Terre-Noire (Loire). XIXe siècle. Français.
Peintre de genre.
Élève de Couture. Il exposa au Salon de 1834 à 1857.
Musées : Châlons-sur-Marne : *Portrait de M. Hatat* – Troyes : *M. Morlot – L'abbé Bégat – Restitution de l'ancienne abbaye de Clairvaux.*

VALTON Jean
XVIe siècle. Travaillant à Trèves en 1555. Italien.
Sculpteur sur bois.

VALTORTA Giovanni
Né le 7 avril 1811 à Milan. Mort le 10 août 1882 à Milan. XIXe siècle. Italien.
Peintre.
Il a peint des fresques dans l'église Saint-Charles de Milan. La Galerie d'Art Moderne de cette ville conserve une esquisse de cet artiste.

VALTORTA Luigi
Né le 7 août 1852 à Milan. Mort le 25 septembre 1929 à Milan. XIXe-XXe siècles. Italien.
Peintre.
Il fut élève de G. Bertini et de F. Hayez. Il travailla pour les églises de Seveso, (San Pietro) de Pescapé, de Magenta et de Pagnano.

VALUCHE
XVIIIe siècle. Actif à Bourges en 1729. Français.
Sculpteur sur bois.

VALVANI Claudio
XVIIIe siècle. Italien.
Dessinateur.

VALVASOR Johann Weikhard de, baron
Né le 27 mai 1641 à Ljubljana. Mort le 19 septembre 1693 à Krsko. XVIIe siècle. Autrichien.
Graveur au burin, dessinateur.
Ethnographe et topographe, il a gravé environ 10000 feuillets de cartes, de paysages et des illustrations de livres.

VALVASSORE Giovanni Andrea. Voir **VAVASSORE**

VALVERANE Louis Denis. Voir **DENIS-VALVERANE Louis Jean-Marie**

VALVERDE Joaquin
Né en 1896 à Séville (Andalousie). XXe siècle. Espagnol.
Peintre.
Il fut élève de l'Académie de Madrid et de celle de Rome. Il débuta au Salon en 1932.

VALY Maria, Mme **Peti**
XIXe siècle. Active à Budapest au milieu du XIXe siècle. Hongroise.
Peintre.
Elle peignit les portraits de tous les membres de la famille du poète A. Jokai.

VALYI Gabor ou **Gabriel**
Né en 1899 à Kaposztas-Szentmiklos. XXe siècle. Hongrois.
Sculpteur.
Il vécut et travailla à Budapest.

VAMBELLI Gilles ou **Van Belle**
XVIe siècle. Actif dans la première moitié du XVIe siècle. Éc. flamande.
Sculpteur.
Il travailla vers 1526 au tombeau de Philibert de Savoie dans la cathédrale de Brou.

VAMOSSYNE ELEÖD Korola
Née le 19 janvier 1873 à Budapest. XIXe-XXe siècles. Hongroise.
Peintre de figures, paysages.

VAMPS. Voir **WAMPS**

VAN DE, DEN, DER suivi d'un patronyme. Voir ce patronyme

VANAISE Gustave
Né le 4 octobre 1854 à Gand. Mort le 20 juillet 1902 à Saint-Gilles-lez-Bruxelles. XIXe siècle. Belge.
Peintre d'histoire, portraits, paysages, compositions murales.
Élève de l'Académie de Gand, il voyagea beaucoup en Europe, notamment en Italie et en Espagne, puis s'établit à Paris, aux côtés de ses compatriotes, Alfred Stevens, Wilhem, Jan Van Beers, Lambaux. Il fit aussi de fréquents séjours à Bruxelles.
Il figura régulièrement aux Salons de Paris, obtenant une mention honorable en 1883. Il participa à la fondation du *Cercle des XX.*
Surtout peintre de scènes historiques, il réalisa également des portraits et des compositions murales d'une facture savante et savoureuse.
Musées : Anvers : étude – *Portrait de L. Blommel – Bonheur – Le capitaine Jérôme Becker, explorateur anversois* – Bruxelles : *L'artiste et sa femme – Bacchante – M. et Mme Hobé – Le prince Baudouin de Belgique* – Courtrai : *La légende de saint Martin* – Gand : *Pierre l'Ermite prêche la première croisade – Saint Liévin en Flandres – Vue de Venise – Après le bain – Portrait d'une dame* – Liège : *La dame en rouge.*
Ventes Publiques : Bruxelles, 27 sept 1979 : *Tristesse* 1898, h/t (80x100) : **BEF 55 000** – Lokeren, 21 fév. 1981 : *Nymphes au bord de l'eau,* h/t (90x120) : **BEF 100 000** – Anvers, 4 déc. 1984 : *La lecture,* h/pan. (67x51) : **BEF 160 000** – Lokeren, 23 mai 1992 : *Les photographies,* h/t (58,5x43) : **BEF 55 000** – Amsterdam, 20 avr. 1993 : *Portrait d'un jeune garçon avec sa sœur* 1899, h/t (diam. 61) : **NLG 2 243** – Lokeren, 6 déc. 1997 : *Juliette Wytsman peignant en plein air,* h/t (62x48,5) : **BEF 240 000.**

VANAL ?
XVIIIe siècle. Péruvien.
Peintre.
Le Musée russe de Saint-Pétersbourg conserve de lui les portraits d'*Alexandre Ier* et de *A.S. Protasov.*

VANARSKY Jack
Né en 1936 à Général Roca. XXe siècle. Depuis 1962 actif en France. Argentin.
Sculpteur. Art cinétique.

Il fait d'abord des études d'architecture puis travaille comme caricaturiste et journaliste en Argentine. Il fréquente également les ateliers de peinture puis vient à Paris et s'y fixe.
Il figure aux expositions consacrées au groupe *Automat* et participe à de nombreuses expositions collectives, notamment : 1965, Biennale de Paris ; 1965, *Opinion 65*, Musée d'Art Moderne de Rio de Janeiro ; depuis 1966 et régulièrement, Salon de Mai, Paris. Il participe également aux manifestations vouées à l'art latino-américain. Il a participé au Pavillon français de l'Exposition universelle de Séville en 1992. Depuis 1965, Vanarsky a fait plusieurs expositions particulières à Paris, dont récemment, en 1992, à la galerie de Poche, mais aussi à Amsterdam, Bruxelles.
Peintre d'abord, en 1965 il réalise ses premiers mobiles figuratifs et, en 1968, ses premières sculptures à lamelles mobiles. En effet, il a mis au point une technique de sculpture cinétique très élaborée : les objets sont découpés en tranches fines et régulières qu'une impulsion axiale dissimulée met en mouvement, chaque tranche ayant un mouvement légèrement décalé par rapport à ceux des tranches voisines. Ainsi sculpte-t-il des nus couchés sur un divan, animés de mouvements lents et ondulants, d'un effet en tout cas spectaculaire. Deux tendances paraissent se dessiner dans les œuvres de Vanarsky : un choix satirique dont *Le Bain Turc* offre, si l'on peut dire, le plus vivant exemple et une recherche poétique illustrée, avec un charme envoûtant, dans *Le Masque de nuit*. Le *Livremonde*, sculpture présentée dans le Pavillon français de l'Exposition universelle de Séville (1992), est un livre-objet montrant l'évolution en images et en écritures des sciences, des techniques et des découvertes scientifiques.
Bibliogr. : Damian Bayon, Roberto Pontual : *La peinture d'Amérique latine au xxe siècle*, Mengès, Paris, 1990 – Christine Frerot : *Jack Vanarsky. Autour du Livremonde*, in : *Artension* n° 32, Rouen, avril-mai 1992.
Ventes Publiques : Paris, 6 juil. 1983 : *Le dollar flottant* 1983, objet sculpté mobile (10x22x51) : **FRF 6 500**.

VANASSEN Benedictus Antonio. Voir **ASSEN Van**

VANATORU George
Né en 1905 à Oltenita. xxe siècle. Roumain.
Peintre.
Il fut élève de l'Académie de Bucarest.
Musées : Bucarest (Mus. de Toma Stelian) : vues – natures mortes.

VANBER Gilbert, Albert, ou **Colbert**
Né en 1905 à Lestre (Manche). xxe siècle. Français.
Peintre.
Il fut élève de l'École des Beaux-Arts de Paris, dans les Ateliers Cormon et Pierre Laurens. Il vécut et travailla à Paris.
Il a figuré à Paris au Salon des Réalités Nouvelles, de 1953 à 1957. Il montra une exposition personnelle de ses œuvres, à Paris, en 1953.

VANCANU Barbe Anne ou **Vaucanu**
xviiie siècle. Française.
Peintre et miniaturiste.
Elle fut reçue membre de l'Académie de Saint-Luc à Paris le 29 juillet 1751.

VANCELIS Y PUIGCERCOS Juan
Né à Guixes. xixe siècle. Actif dans la seconde moitié du xixe siècle. Espagnol.
Sculpteur.
Élève de l'Académie de Barcelone. Le Musée d'Art Moderne de Madrid conserve de lui une statue de *Tirso de Molina* (plâtre).

VANCELLS VIETA Joaquin
Né le 29 juin 1866 à Barcelone (Catalogne). Mort le 26 décembre 1942. xixe-xxe siècles. Espagnol.
Peintre de sujets religieux, paysages. Postromantique.
Il étudia à l'École des Beaux-Arts de Barcelone. Il prit part à diverses expositions collectives, obtenant une troisième médaille à l'Exposition Nationale de Madrid en 1892 ; une première médaille à Barcelone en 1894 ; une seconde médaille à la Nationale de Madrid en 1906. Il exposa également à Bruxelles et Amsterdam. En 1891, il réalisa sa première exposition personnelle au Salon Parés de Barcelone.
Entre 1895 et 1897, il collabora à la réalisation de deux toiles pour l'église du monastère de Montserrat, mais il était fondamentalement paysagiste. Tantôt, pour un paysage de vallons forestiers, ou pour un sous-bois en automne, il en dépeint avec virtuosité les détails les plus signifiants, tantôt, pour une évocation « tourmentée », il se situe dans la lignée de Turner, ne gardant du prétexte de paysage que des silhouettes floues noyées de brumes sous des ciels infinis aux éclaircies pathétiques.
Bibliogr. : In : *Cien Anos de pintura en Espana y Portugal, 1830-1930*, Antiqvaria, t. XI, Madrid, 1993.
Ventes Publiques : Barcelone, 16 mars 1981 : *Paysage pyrénéen*, h/t (82x108) : **ESP 300 000**.

VANCHE Costantino
Né à Genève. xviiie siècle. Actif dans la seconde moitié du xviiie siècle. Suisse.
Peintre.
Élève de J. P. Saint-Ours. La Galerie de Parme conserve de lui *Alexandre et son médecin Philippe*.

VANCLAIRE Hennequin, Therrion et **Hennequin Étienne** ou **Vauclaire** ou **Vansoire** ou **Bouclaire** ou **Vouclair**
xive siècle. Actifs dans la seconde moitié du xive siècle. Éc. flamande.
Sculpteurs.
Assistants, tous les trois, de Claus Sluter et de Jean de Marville pour le tombeau de Charles le Téméraire dans la Chartreuse de Campmol.

VANCOLANI Francesco
xixe siècle. Actif à Bassano vers 1807. Italien.
Peintre.

VANCOLANI P.
xixe siècle. Travaillant à Paris de 1790 à 1815. Français.
Paysagiste et peintre de genre.

VANÇON Jean Baptiste
Né le 22 mars 1820 à Épinal (Vosges). Mort le 25 janvier 1870 à Épinal (Vosges). xixe siècle. Français.
Graveur sur bois.
Élève, assistant et successeur de Fr. Georgin pour l'exécution des « images d'Épinal ».

VANCZAK Ferenc ou **Franz** ou **François**
Né le 9 septembre 1908 à Budapest. Mort le 21 septembre 1988 à Perpignan (Pyrénées-Orientales). xxe siècle. Depuis 1934 actif en France. Hongrois.
Sculpteur de monuments. Réaliste.
Il s'est formé à la sculpture à Budapest, a poursuivi sa formation à Munich, Berlin et Vienne. Il fut membre de la Société royale des Arts décoratifs de Hongrie et de la Société des Artistes Français en 1946. Fixé en France, à Paris, en 1937, il est engagé volontaire dans le 21e régiment de marche de volontaires étrangers. Après sa démobilisation en 1940, il se fixa à Perpignan.
Il sculptait en taille directe, cherchait la ligne pure et « moderne ». Parmi ses réalisations : le *Monument à la mémoire des pigeons voyageurs de la Première Guerre mondiale* (1933), œuvre qui a été détruite ; le fronton en céramique du Palais des expositions de Szeged en Hongrie (1934) ; une statuette du roi d'Angleterre George VI (1937) ; une statue de San-Feliu, Llo (1957) ; un chemin de Croix et une statue de saint Joseph à Toulouges (1957) ; le *Monument aux morts de Théza* (1961) ; le *Monument aux Rapatriés*, Perpignan (1971) ; une statue monumentale à Canet-Plage (1973) ; la *Fontaine des Catalans* à Saint-Nazaire (1974) ; le *Monument Jean Jaurès* à Millas ; une fontaine à Canet-Village (1982).

VANDE Amédée
xviiie siècle. Actif à Lyon. Français.
Peintre.
Il copia des portraits d'hommes célèbres pour Michel de Marolles, abbé de Lilleloin.

VANDEBROECK François. Voir **BROECK Van den**

VANDEBROEK Pol
Né en 1887 à Bruxelles. Mort en 1927. xxe siècle. Belge.
Peintre de portraits et de scènes religieuses.
Il fut élève de l'Académie de Bruxelles et reçut le prix Godecharle en 1910.
Bibliogr. : In : *Diction. Biogr. illustré des Artistes en Belgique depuis 1830*, Arto, Bruxelles, 1987.
Ventes Publiques : Bruxelles, 12 juin 1990 : *Paysage impressionniste*, h/t (86x100) : **BEF 38 000**.

VANDEFACKERE Jef
Né en 1879 à Bruges (Flandre-Occidentale). Mort en 1946. xxe siècle. Belge.
Peintre de portraits, figures, natures mortes, fleurs, pastelliste.

Il fut élève de l'Académie des Beaux-Arts de Bruges, où il devint lui-même professeur en 1904. Il a voyagé en Hollande et en France.
Bibliogr. : In : *Diction. Biogr. Illustré des Artistes en Belgique depuis 1830*, Arto, Bruxelles, 1987.
Musées : Bruges.

VANDEGHINSTE Ines
Née le 14 mai 1935 à Gand (Flandre-Orientale). xxe siècle. Belge.
Peintre.
Elle fut élève de l'Académie Royale des Beaux-Arts de Gand et de l'Académie d'Amsterdam. Son travail relève de la néofiguration. L'État belge conserve certaines de ses œuvres.
Musées : Belgrade – Gand.

VANDEKERCKHOVE Hans
Né en 1957 à Coutrai (Flandre-Occidentale). xxe siècle. Belge.
Peintre de figures.
Il vit et travaille à Gand. Il participe à des expositions collectives, parmi lesquelles : 1986, Denise Cade Gallery, New York. Il montre ses œuvres dans des expositions personnelles, dont : 1990, Association du Musée d'Art Contemporain, Gand ; 1993, Fondation Veraneman, Kruishouten, avec José Vermeersch et Eugène Dodeigne. Il peint sur fond neutre, dans des tonalités sourdes, des figures dont les contours, appuyés, architecturent les lignes de force du tableau.
Ventes Publiques : Lokeren, 8 mars 1997 : *Prima materia* 1989, h/t (200x190) : **BEF 65 000**.

VANDEL Jenny
Née le 7 octobre 1852 à Svenborg. Morte le 19 juin 1927 à Copenhague. xixe-xxe siècles. Danoise.
Peintre.
Elle fut élève de V. Kyhn.

VANDEL Joseph Ambroise, dit **Jérôme**. Voir **VANDELLE**

VANDELAN Jehan ou **Vandellan**, dit **de Lalande**
xvie siècle. Actif à Nantes à la fin du xvie siècle. Français.
Peintre.

VANDELAN Estienne ou **Vandellan**
Mort le 30 septembre 1669 à Nantes. xviie siècle. Français.
Peintre.
Il était peut-être parent des peintres du même nom (Vandellant), qui vivaient à Angers aux xvie et xviie siècles.

VANDELLANT Adam
Né en 1546 à Angers. Mort en 1595 à Angers. xvie siècle. Français.
Peintre d'histoire et dessinateur.
Fils de Gilbert Vandellant le Jeune. Il fut chargé en 1578 des préparatifs de l'entrée du duc d'Anjou. Il dessina des vues d'Angers.

VANDELLANT Gilbert I, l'Ancien
D'origine allemande ou suisse. xve-xvie siècles. Travaillant à Angers.
Peintre de sujets religieux.
Il fut amené à Angers par le roi René et exécuta sur ses ordres une peinture pour Saint-Maurice d'Angers sur laquelle les contemporains ne tarissent pas d'admiration. Elle fut détruite en partie pendant la Révolution et complètement repeinte par des mains inexpertes.

VANDELLANT Gilbert II, le Jeune
Né à Angers. Mort en 1559 à Angers. xvie siècle. Français.
Peintre de sujets religieux.
Second fils de Gilbert Vandellant l'Ancien. On cite de lui des tableaux qui figurèrent dans l'église Sainte-Croix d'Angers.

VANDELLANT Gilbert III
Mort en 1565 ou 1566. xvie siècle. Actif à Angers. Français.
Peintre.
Il ne paraît pas avoir été apparenté à la famille des peintres du même nom.

VANDELLANT Gilbert IV ou **Gilbert Adam**
Né vers 1569 à Angers. Mort le 3 novembre 1635 à Angers. xvie-xviie siècles. Français.
Peintre.
Il était fils d'Adam Vandellant. Il travailla aux décorations de l'hôtel de ville. Il fit surtout des portraits.

VANDELLANT Paul
Né le 20 juin 1615 à Angers. xviie siècle. Travaillait encore en 1640. Français.
Peintre.
Il était le neuvième enfant de Gilbert Adam Vandellant. Ce fut le dernier peintre de cette famille.

VANDELLANT Roland
xvie siècle. Actif à Angers. Français.
Peintre.
Fils aîné de Gilbert Vandellant l'Ancien. Il fut accusé d'avoir participé au pillage de Saint-Maurice d'Angers en 1562 et dut prendre la fuite.

VANDELLE Joseph Ambroise, dit **Jérôme** ou **Vandel**
Né en 1792. Mort le 18 novembre 1872. xixe siècle. Actif à Saint-Claude. Français.
Peintre et lithographe.
Élève de Girodet.

VANDEMEST Sabine
xxe siècle. Française.
Illustrateur.
Elle a illustré *Contes de ma mère l'Oie*, de Charles Perrault et *Manon Lescaut* de l'abbé Prévost.

VANDEMORTEL Christine, pseudonyme : **Maye Una**
Née en 1947 à Izegem. xxe siècle. Belge.
Sculpteur d'installations.
Elle crée des espaces clos, qu'elle désigne par « Retranchements ».
Bibliogr. : In : *Dict. biogr. illustré des artistes en Belgique depuis 1830*, Arto, Bruxelles, 1987.

VANDENBERGE Eduard
Né en 1865 à Gand. xixe siècle. Belge.
Peintre.
Élève de G. Guffens et son assistant pour les peintures de l'église Saint-Georges d'Anvers.

VANDENBERGH Raymond John
Né le 22 janvier 1889 à Finchley. xxe siècle. Britannique.
Peintre de figures, paysages, animalier.
Il fut élève d'Arthur Wardle.

VANDENBOSCH Charles Edouard
xixe siècle. Actif à Londres. Britannique.
Sculpteur.
Il exposa à Londres de 1866 à 1871, dix ouvrages à la Royal Academy et deux à la British Institution.

VANDENBRANDEN Guy
Né en 1926 à Bruxelles. xxe siècle. Belge.
Peintre, peintre de compositions murales. Abstrait-géométrique.
Il a étudié à l'Académie libre L'Effort. À Malines, il se lie d'amitié avec Hugues Pernatrh. Il fut membre du groupe Art Abstrait et cofondateur de Formes. Il vit et travaille à Anvers.
Depuis 1950, il a montré plus d'une soixantaine d'expositions personnelles de ses œuvres à Bruxelles, Anvers, Milan, Grenchen, La Haye, etc. Il a obtenu une mention au Prix Hélène Jacquet en 1956, ainsi qu'au Prix de la Peinture Belge en 1957, a obtenu le Prix Hélène Jacquet en 1958.
Il n'a rien voulu conserver de ses œuvres antérieures à 1950, année où il adopta résolument la voie de l'abstraction géométrique, dans l'esprit de De Stijl, mais sans adopter les contraintes strictes du néo-plasticisme de Mondrian. Loin des recherches cinétiques du Bauhaus et de Vasarely, sa recherche concerne les équilibres plastiques de surfaces, les rythmes des lignes, qu'il traite dans des gammes somptueuses de bleus, d'ors et de terres. Il a réalisé plusieurs compositions murales dans les institutions publiques d'Anvers (écoles, hôpitaux...).
Bibliogr. : Michel Seuphor : *Diction. de la peint. abstr.*, Hazan, Paris, 1957 – B. Dorival, sous la direction de... : *Peintres Contemporains*, Mazenod, Paris, 1964 – in : *Dictionnaire biographique illustré des artistes en Belgique depuis 1830*, Arto, Bruxelles, 1987.
Musées : Anvers – Bruxelles (Mus. roy. de Belgique) – Bruxelles (Bibl. roy. Albertine) – Dunkerque – Gand – Ixelles – Liège (Mus. d'Art Wallon) – Malines (Mus. Busleyden) – Schiedam (Pays-Bas) – Verviers (Mus. roy.).
Ventes Publiques : Anvers, 7 avr. 1976 : *Composition*, h/pan. (48x43) : **BEF 20 000** – Lokeren, 21 mars 1992 : *Composition* 1985, h/t (160x120) : **BEF 75 000** – Lokeren, 4 déc. 1993 : *Composition* 1965, h/pan. (80x80) : **BEF 26 000** – Lokeren, 8 oct. 1994 : *Composition* 1981, laque/pan. (140x80) : **BEF 44 000**.

VANDENBROECK Hélène
Née en 1891 à Tournai (Hainaut). xxe siècle. Belge.
Sculpteur, peintre de fleurs.

Elle fut élève à l'Académie de Tournai.
Bibliogr. : In : *Dictionnaire biographique illustré des artistes en Belgique depuis 1830*, Arto, Bruxelles, 1987.
Musées : Tournai.
Ventes Publiques : Bruxelles, 27 mars 1990 : *Bouquet de roses*, h/t (49x60) : **BEF 48 000**.

VANDENBROUCKE Frans
Né en 1884. Mort le 16 juillet 1964. xxe siècle. Belge.
Peintre, architecte.

VANDENBULCKE Roger
Né le 13 janvier 1921 à Paris. xxe siècle. Français.
Peintre de paysages, paysages animés, scènes typiques. Postimpressionniste, tendance expressionniste.
Il figure, à Paris, dans les Salons des Artistes Français, de la Société Nationale des Beaux-Arts, de l'Art Libre, d'Hiver, des Indépendants. Il montre ses œuvres dans des expositions personnelles, parmi lesquelles : 1959, galerie Bernheim-Jeune-Dauberville, Paris ; 1961, 1963, 1967, 1970, 1972, galerie Henaut, Paris ; 1990, galerie Katia Granoff, Paris.
La technique utilisée par Roger Vandenbulcke est celle du travail en pleine pâte. Ses compositions animées possèdent élan et tonalités contrastées.

VANDENDRIESSCHE Lucien. Voir **DRIESSCHE Lucien Van den**

VANDER AUWERA Louis
Né le 1er décembre 1882 à Louvain. Mort le 8 juillet 1965 à Heverlee. xxe siècle. Belge.
Peintre.

VANDERBANK John. Voir **BANCK Johan** ou **Jan Van der**

VANDERBECK Cornelio
Éc. flamande.
Sculpteur.
Il a sculpté *Saint Virgile* et *Sainte Maxence* dans la cathédrale de Trente et *Sainte Marthe* et *Sainte Madeleine* dans l'église Sainte-Marie Majeure de la même ville.

VANDERBILT-WHITNEY Gertrude
Née en 1875 ou 1878 à New York. Morte en 1942. xixe-xxe siècles. Américaine.
Sculpteur de monuments, figures, statues, bustes.
Riche, elle fonda le Whitney Museum of American Art qui fut inauguré en 1914, premier exemple d'une reconnaissance historique de la peinture américaine. Elle sculpta des statues et des monuments commémoratifs.
Musées : New York (Metropolitan Mus.) : *Cariatide* – bronze.
Ventes Publiques : New York, 22 mai 1980 : *Fillette* 1913, bronze patine brun foncé (H. 38,8) : **USD 2 100** – New York, 28 sep. 1983 : *A fashionable gentleman* 1919, bronze patine noir vert de gris (H. 48,2) : **USD 2 800** – New York, 10 mars 1993 : *L'Esprit de la Croix-Rouge* 1920, bronze (H. 45,7) : **USD 6 900** – New York, 31 mars 1993 : *Chinoise*, bronze (H. 35,6) : **USD 4 888** – New York, 22 sep. 1993 : *Giroflée, portrait de Barbara Whitney* 1913, bronze (H. 51,5) : **USD 9 200** – New York, 4 déc. 1996 : *Giroflée, portrait de Barbara Whitney* 1913, bronze (H. 51,5) : **USD 19 550** – New York, 25 mars 1997 : *Aviateur* 1929, bronze patine brun vert (H. 54,6) : **USD 7 475**.

VANDERBURCH Dominique Joseph. Voir **BURCH Van der**

VANDERBURCH Hippolyte ou **Jacques Hippolyte**. Voir **BURCH Van der**

VANDERBURCH Jacques André Edouard. Voir **BURCH Van der**

VANDERCAM Serge
Né le 31 mars 1924 à Copenhague, de père belge et de mère italienne. xxe siècle. Belge.
Peintre, peintre à la gouache, dessinateur, photographe, sculpteur, céramiste. Expressionniste, puis informel, puis tendance figurative.
À l'âge de dix-neuf ans, il fut déporté en Pologne. Après la guerre, il ne faisait pas partie du groupe de peintres COBRA, mais, étant alors photographe, il participa en 1950 à une exposition organisée par le groupe et consacrée à la photographie, rencontre qui l'incita à dessiner puis, à partir de 1953, à peindre. Il a participé à des expositions de groupe consacrées à la jeune peinture belge, et a également montré de nombreuses expositions personnelles de ses œuvres à Berlin, Anvers, Bruxelles, Rotterdam, etc.
Dès 1955, il obtint le Prix Hélène Jacquet, puis en 1956, le Prix de la Jeune Peinture Belge.
Il révéla très vite un tempérament particulièrement fougueux, encouragé par ses nouveaux amis. Ses premières compositions se rattachaient à un expressionnisme viscéral, non sans rapport avec la peinture d'Alechinsky. Il évolua ensuite à une peinture informelle, énergiquement gestuelle, puis eut recours à une figuration très allusive. Les jeux du clair-obscur donnèrent à ses œuvres le mystère d'apparitions mal définies et comme entrevues dans un halo. Cette évocation à peine figurative est assez caractéristique d'un expressionnisme romantique typiquement flamand. Il pratique aussi l'art de l'émail, la céramique, sculpte le grès dès 1959 et le bois.

Serge V

Bibliogr. : B. Dorival, sous la direction de... : *Peintres Contemporains*, Mazenod, Paris, 1964 – *Serge Vandercam*, catalogue d'exposition, Galerie Willy d'Huyner, Knokke, 1990.
Musées : Amsterdam – Anvers – Berlin – La Haye – Ixelles – Liège – Rotterdam – Schiedam – Silkeborg.
Ventes Publiques : Rome, 4 avr. 1974 : *Composition* : **ITL 700 000** – Anvers, 7 avr. 1976 : *Moi et les masques* 1967, h/t (195x130) : **BEF 42 000** – Breda, 26 avr. 1977 : *L'Ombre* 1959, h/t (146x114) : **NLG 2 200** – Bruxelles, 25 oct 1979 : *Oizal Percevable*, h/bois (45x35) : **BEF 50 000** – Anvers, 24 oct 1979 : *Composition*, bois (H. 118) : **BEF 50 000** – Copenhague, 10 mai 1989 : *Visage* 1967, gche (108x70) : **DKK 10 000** – Amsterdam, 24 mai 1989 : *Personnage* 1968, h/t (72,5x50) : **NLG 3 220** – Bruxelles, 13 déc. 1990 : *Coupe feu* 1959, h/t (146x114) : **BEF 96 900** – Lokeren, 15 mai 1993 : *L'alchimiste* 1967, temp./pap. (71,5x108,5) : **BEF 36 000** – Amsterdam, 27-28 mai 1993 : *Composition* 1963, gche et collage de pap./cart. (100x70) : **NLG 3 450** – Lokeren, 12 mars 1994 : *Composition* 1963, h/t (145x114) : **BEF 90 000** – Amsterdam, 1er juin 1994 : *Portrait imaginaire de Yvette Guilbert* 1967, h/t (32,5x24) : **NLG 1 495** – Amsterdam, 8 déc. 1994 : *Me ne je*, h/t (120x142,5) : **NLG 12 650** – Lokeren, 11 mars 1995 : *Le poète* 1967, gche (108x72) : **BEF 44 000** – Lokeren, 7 oct. 1995 : *Forme*, sculpt. de bois (98x35) : **BEF 44 000**.

VANDEREYCKEN Robert
Né le 21 mars 1933 à Hasselt (Limbourg). xxe siècle. Belge.
Peintre de figures, graveur, sculpteur, pastelliste, dessinateur. Expressionniste.
Il fut élève à l'Académie de Liège. Il suit les cours de Paul Delvaux à la Cambre et ceux de l'Académie de Hasselt, dont il deviendra par la suite le directeur. Il a montré un ensemble de ses œuvres à la galerie De Vuyst à Lokeren en 1991.
Bibliogr. : In : *Diction. biogra. illustré des artistes en Belgique depuis 1830*, Arto, Bruxelles, 1987.

VANDERGUCHT Benjamin. Voir **GUCHT Benjamin Van der**

VANDERHAEGHE André
Né le 14 décembre 1932 à Wytschate. xxe siècle. Belge.
Peintre de figures, sculpteur. Figuration-fantastique.
Il vit et travaille à Ypres. Il a figuré au Salon des Artistes Français, à Paris, en 1967 et 1968. Il montre ses œuvres à Courtrai, Bruxelles et Gand.
Il peint dans une gamme vert brun ocre des figures et des portraits dans un décor ésotérique. Il sculpte le métal.

VANDERHAMEN Y LEON Juan de. Voir **HAMEN-LEON Juan Van der**

VANDERHEYDEN J. C. J. Voir **HEYDEN J. C. J. Van der**

VANDERHEYDEN Jaak
Né le 17 juin 1929. xxe siècle. Belge.
Peintre. Abstrait.
Il s'est formé à l'Académie d'Anvers. Il participe à des expositions collectives dans les principales villes de Belgique. Il montre ses œuvres dans des expositions personnelles depuis 1958, parmi lesquelles : 1972, 1975, 1977, 1981, 1984, galerie Jeanne Buytaert, Anvers ; 1987, galerie Aksent, Tielt.
Jaak Vanderheyden peint des formes abstraites d'une grande

sensibilité, flottant dans un espace comme flou et composé par recouvrement de pigment.

VANDERLICK Armand Joseph ou **Lick Armand Van der**

Né le 26 juin 1897 à Molenbeek-Saint-Jean. Mort le 1er octobre 1985 à Gand (Flandre-Orientale). XXe siècle. Belge.

Peintre de figures, intérieurs, paysages, marines, natures mortes.

Il fit ses études à l'Académie des Beaux-Arts de Molenbeek et à l'Académie Royale des Beaux-Arts de Bruxelles. Il séjourna quelques années à Laethem Saint-Martin, puis à Afsner avant de se fixer à Gentbrugge. Sa première exposition personnelle a eu lieu en 1929.

Peintre figuratif, il a acquis, vers 1946, et après une évolution heurtée, un langage pictural fait de surfaces et de volumes délimités et d'éclats assourdis de la couleur. Son art est avant tout composite : une pointe d'impressionnisme, quelques réminiscences cubistes, quelques traits expressionnistes. Mais cet amalgame baigne dans une lumière douce et pétillante, faite de gris et de noirs argentés. Cette douceur pleine de retenues (on parle de « sagesse franciscaine de sa vision ») uniformise tout ce qu'il évoque. Qu'il s'agisse de paysages, de figures, de scènes d'intérieur ou de natures mortes, il fait avant tout du Vanderlick.

A Vanderlick

Ventes Publiques : Lokeren, 13 mars 1976 : *Nature morte*, h/t (50x60) : **BEF 55 000** – Breda, 26 avr. 1977 : *Personnages sur la plage*, h/pan. (45x57) : **NLG 4 000** – Lokeren, 31 mars 1979 : *Nature morte*, gche (37x46) : **BEF 34 000** – Lokeren, 13 oct 1979 : *Jeune Fille en robe jaune*, h/t (60x50) : **BEF 45 000** – Anvers, 27 oct. 1981 : *Nature morte au chapeau* 1951, h/t (133x78) : **BEF 160 000** – Anvers, 3 avr. 1984 : *Homme au veston gris* 1945, h/t (60x49) : **BEF 140 000** – Lokeren, 19 oct. 1985 : *Enfant avec un chien* 1943, h/t (95x68) : **BEF 160 000** – Lokeren, 19 avr. 1986 : *Nature morte à la carafe bleue* 1957, h/t (81x86) : **BEF 220 000** – Lokeren, 21 fév. 1987 : *Jeune femme au chapeau à pompon bleu* 1940, aquar. (51x37,5) : **BEF 70 000** – Lokeren, 28 mai 1988 : *Nature morte*, h/t (65x75) : **BEF 140 000** – Lokeren, 8 oct. 1988 : *Deux dames dans un intérieur* 1936, h/pan. (50x58,5) : **BEF 120 000** – Lokeren, 21 mars 1992 : *Cabines de plage*, h/t (58x65) : **BEF 190 000** – Lokeren, 23 mai 1992 : *Le peintre* 1969, h/t (98x80) : **BEF 140 000** ; *Scène de plage avec un parasol*, h/t (90x110) : **BEF 190 000** – Lokeren, 10 oct. 1992 : *Littoral* 1938, h/pan. (50x58) : **BEF 130 000** – Lokeren, 15 mai 1993 : *Les Ardennes flamandes* 1936, h/t (73x100) : **BEF 110 000** – Lokeren, 9 oct. 1993 : *Nature morte avec une carafe et une coupe de fruits* 1966, h/t (60x78,5) : **BEF 130 000** – Lokeren, 4 déc. 1993 : *Devant la fenêtre* 1938, h/pan. (55x64,5) : **BEF 160 000** – Lokeren, 10 déc. 1994 : *Nature morte avec un éventail et une carafe* 1968, h/t (134x85) : **BEF 230 000** – Lokeren, 11 mars 1995 : *Femme à la lampe*, h/t (50x73) : **BEF 85 000** – Lokeren, 7 oct. 1995 : *Nature morte au pain* 1935, h/t (53x62) : **BEF 130 000** – Lokeren, 9 mars 1996 : *Femme à table avec une carafe* 1975, h/t (90x110) : **BEF 220 000** – Lokeren, 5 oct. 1996 : *La Promenade au parc de Versailles* 1969, h/t (95x110) : **BEF 240 000** – Lokeren, 18 mai 1996 : *Homme dans un intérieur* 1945, h/cart. (19x23,5) : **BEF 38 000** ; *Couple au bord de la mer* 1955, h/t (59x64,5) : **BEF 240 000** – Lokeren, 6 déc. 1997 : *Promenade au lac* 1973, h/t (90x120) : **BEF 190 000**.

VANDERLICK Guy

Né en 1928 à Anderlecht (Brabant). XXe siècle. Belge.

Peintre, pastelliste.

Fils du peintre Armand Vanderlick.

Bibliogr. : In : *Dict. biogr. illustré des artistes en Belgique depuis 1830*, Arto, Bruxelles, 1987.

VANDERLYN John

Né en octobre 1776 à Kingston (Ontario). Mort le 23 septembre 1852 à Kingston. XIXe siècle. Actif aussi en France. Américain.

Peintre d'histoire, portraits, paysages, paysages, panoramas, dessinateur.

Il fut élève d'Archibald Robertson à New York et de Gilbert Stuart à Philadelphie, avant de continuer ses études en France. Après un séjour en Amérique, il revint à Paris, où il fut élève de François Vincent. En 1804, il vécut et travailla à Paris. Il alla ensuite en Italie, en particulier à Rome, puis revint s'établir aux États-Unis en 1815. Il exposa régulièrement au Salon de Paris, obtenant une médaille d'or en 1808. Plusieurs de ses œuvres ont figuré à l'exposition *200 ans de peinture américaine, collection du Musée Wadsworth Atheneum*, présentée à Paris, aux Galeries Lafayette, en 1989.

Après ses études en France, lorsqu'il retourna, pour la première fois, en Amérique, il se fit remarquer par d'intéressants dessins à l'encre faits d'après des gravures, et des paysages, notamment sur les chutes du Niagara. Au moment où il était élève de Vincent, il produisit quelques peintures d'histoire, entre autres : *Le débarquement de Christophe Colomb*, actuellement au Capitole à Washington. À Rome, il peignit le plus important de ses tableaux d'histoire : *Marius parmi les ruines de Carthage*. À partir de 1815, il produisit des panoramas qui eurent beaucoup de succès en Amérique. On lui doit aussi des portraits, non seulement de *Washington* ; *Mourve* ; *Madison* ; *Calhoun* ; *Jackson*, mais aussi d'actrices, telle *La Malibran*.

Bibliogr. : Gérald Schurr, in : *Les Petits Maîtres de la peinture 1820-1920, valeur de demain*, Les Éditions de l'Amateur, t. II, Paris, 1982 – in : *Diction. de la peinture anglaise et américaine*, coll. Essentiels, Larousse, Paris, 1991.

Musées : Cleveland : *Portrait d'Ann Hirlyn* – Hartford (Wadsworth Atheneum Mus.) : *Le Meurtre de Jane McCrea* 1804 – Londres (Nat. Gal.) : *La Malibran* – New York (Metropolitan Mus.) : *Autoportrait* – *John A. Sidell* – *F. L. Wadell* – *La femme et l'enfant du colonel M. Willet* – *Vue du palais et des jardins de Versailles* – New York (Senate House State Historic Site) : *Chutes du Niagara (double vue)* – Philadelphie : *Ariane* – Saint-Louis : *A. Burr* – San Francisco : *Marius sur les ruines de Carthage* – Washington D. C. (Corcoran Gal.) : *Le président Zach Taylor*.

Ventes Publiques : New York, 9 jan. 1991 : *Étude pour Le débarquement de Colomb*, fus. et craie blanche/pap. (58,4x46,3) : **USD 7 150**.

VANDERLYN Nicholas

XVIIIe siècle. Américain.

Peintre.

Il est le fils du peintre Pieter Vanderlyn. Il peignit des enseignes.

VANDERLYN Pieter

Né vers 1687 en Hollande. Mort en 1778 à Kingston. XVIIIe siècle. Américain.

Portraitiste.

Grand-père de John V. Plus de vingt portraits exécutés entre 1720 et 1745 lui ont été attribués sous le pseudonyme de « Gansevoort Limner ». Le Musée de Philadelphie conserve de lui *Portrait de J. Van Vechten*.

Ventes Publiques : New York, 13 oct. 1984 : *Portrait of Mrs. Myndert Myndertse and her daughter*, h/t (100,3x82) : **USD 40 000**.

VANDERMEER. Voir **MEER Van der**

VANDERMERE John

Né en 1743 à Dublin. Mort en 1786 à Dublin. XVIIIe siècle. Irlandais.

Peintre de natures mortes, de paysages et de décors, et acteur.

VANDERMEULEN. Voir **MEULEN Van der**

VANDERMOERE

XXe siècle. Belge.

Peintre. Réaliste.

Il a montré un ensemble de ses œuvres à la Contrast Gallery à Bruxelles en 1993.

Cet artiste peint minutieusement des murs, leur ombre projetée sur les pans de mur adverses, leur blancheur colorée, leurs fissures, les traces du temps. Parfois, il cadre sa composition sur des vieilles portes en bois.

VANDERPLANCKE Fernand

Né le 12 août 1938 à Bruges (Flandre-Occidentale). XXe siècle. Belge.

Sculpteur. Abstrait.

Il a étudié à l'École d'art de Pozan en Pologne. Il participe à des expositions collectives, notamment à *Kunst Beeld Nu'88* à Ostende en 1988. Il a réalisé des sculptures monumentales pour des édifices publiques à Nieuport.

Les formes de ses sculptures en métal ou en bois ont une apparence organique, entre formes abstraites et figuration.

Musées : Bruxellles – Ostende (Stedelijk Mus.) – Ostende (Mus. des Beaux-Arts) : *Het Verstand*.

VANDERPOEL Emily Noyes
Née à New York. XXe siècle. Américaine.
Peintre.
Elle fut élève de R. Swain Gifford et W. Sartain. Membre de la Fédération Américaine des Arts.

VANDERPOEL John H.
Né le 15 novembre 1857 à Haarlemmer-Meer (Hollande). Mort le 2 mai 1911 à Saint Louis (Missouri). XIXe-XXe siècles. Américain.
Peintre.
À l'âge de 11 ans, il vint avec sa famille s'établir à Chicago et fit ses études artistiques dans cette ville. Il fut élève de F. J. Goodkins, Laurence Earle et Henry Espead. Vanderpoel devint professeur à l'art Institute de Chicago. En 1886, il vint à Paris et y étudia deux ans avec Boulanger et J. Lefebvre. Il était membre du New York Water Colour Club et président de la Chicago Society of Artists. Médaille de bronze à Saint Louis en 1904. Quoiqu'il ait produit un certain nombre de tableaux de chevalets et de peintures murales, il fut surtout renommé comme professeur.

VANDERRUSTEN Maurice
Né en 1911 à Uccle. Mort le 8 avril 1965 à Uccle (Brabant). XXe siècle. Belge.
Sculpteur.
Bibliogr. : In : *Dict. biogr. illustré des artistes en Belgique depuis 1830*, Arto, Bruxelles, 1987.

VANDERSTEEN Germain ou **Van der Steen,** parfois **Vandersteen-Germain**
Né le 7 juillet 1897 à Versailles (Yvelines). Mort le 12 avril 1985 à Garches (Hauts-de-Seine). XXe siècle. Français.
Peintre. Naïf.
Marchand de couleurs, il se mit à peindre le soir et la nuit, à partir de 1925. Ayant connu un certain succès, il continua à s'occuper de sa boutique de produits d'entretien, à Paris.
Il a exposé à Paris au Salon d'Automne à partir de 1944, au Salon des Tuileries en 1946, et dans de nombreux groupements internationaux de peintres dits « naïfs ». Il a montré un ensemble de ses œuvres à la galerie Louise à Paris en 1950, exposition préfacée par Anatole Jakosky, une autre en 1951, à la galerie Hutter, à Bâle.
On distingue trois périodes dans sa production : les compositions inspirées de la musique (entre autres : *L'Oiseau de feu* de Stravinsky, *Les Pâques Russes* de Rimsky-Korsakoff, *Le Cygne* de Saint-Saëns, *Le Festin de l'Araignée* d'Albert Roussel) ; les fleurs imaginaires ; enfin les chats. Dans tous les cas, il est un des rares naïfs à s'écarter consciemment de la réalité, pour créer des végétaux ou des animaux résolument fabuleux, disposés de façon à occuper la surface le plus somptueusement possible, à la manière des artisans orientaux.
Ventes Publiques : Versailles, 27 juin 1976 : *Le Bouquet aux feuilles transparentes*, h/cart. (65x54) : **FRF 3 500** – Zurich, 1er nov. 1980 : *Chat sur fond multicolore*, techn. mixte (20,9x13,4) : **CHF 2 200** – Zurich, 7 nov. 1981 : *Un chat*, h/t (65x54) : **CHF 5 000** – Zurich, 9 nov. 1985 : *Le chat sur l'arbre*, h/pan. (65x54) : **CHF 4 600** – Paris, 27 nov. 1987 : *L'oiseau aux ailes de moustique*, h/pan. bois (55x46) : **FRF 5 000** – Sceaux, 11 mars 1990 : *Port en Bessin dans la brume*, h/t (55x46) : **FRF 7 500** – Paris, 14 juin 1991 : *Composition*, gche/pap. (47x62) : **FRF 5 000.**

VANDERSTEIN
XVIIe siècle. Actif à Oxford en 1694 (?). Britannique.
Sculpteur.
Il a sculpté des statues de rois et de reines d'Angleterre sur la façade du Queen's College d'Oxford.

VANDERSTRAETEN Léa
Née le 31 novembre 1929 à Gand (Flandre-Orientale). XXe siècle. Belge.
Peintre de figures, nus, scènes typiques, paysages, fleurs. Tendance expressionniste.
Elle a été élève de Achilles Lammens et de Jules De Sutter à l'Académie de Gand. Elle expose depuis 1955 à la galerie Vyncke-Van Eyck à Gand, mais aussi à Bruxelles. Elle a figuré en 1986 à l'exposition *Paysages et natures mortes des Flandres* à l'Hôtel Hermitage à La Baule. Le Musée Léon De Smet à Deurle a présenté une exposition de cette artiste en 1983.
Les paysages de Léa Vanderstraeten puisent leur source dans la grande tradition des peintres flamands, particulièrement chez Brueghel. Ses scènes de la vie rustique ont été qualifiées d'expressionnistes. Cependant son style varie parfois, passant d'une facture précieuse, à une touche plus déliée, ou encore à un réalisme traditionnel.
Bibliogr. : In : *Dict. biogr. illustré des artistes en Belgique depuis 1830*, Arto, Bruxelles, 1987.
Musées : St-Amandsberg – St-Martens-Latem.
Ventes Publiques : Lokeren, 18 mai 1996 : *Paysage de neige*, h/t (70x80) : **BEF 44 000.**

VANDERTAELEN J.
XVIIIe siècle. Français.
Peintre.
Le Musée de Nantes conserve de lui *Sacrifice à l'Amour*, daté de 1781.

VANDETAR
XIVe siècle. Éc. flamande.
Miniaturiste ou copiste.
On n'a pu reconnaître d'une manière certaine, si cet artiste était réellement le copiste de la superbe Bible qui porte son nom qu'il offrit au roi Charles V en 1372 et dont les miniatures sont attribuées à Jean de Bruges. On pense qu'il fut le père de Guillaume Vandelar « valet de chambre » de Jean II *(Bradley)*.

VANDEVERDONCK François
XIXe-XXe siècles. Belge.
Peintre de sujets allégoriques, animaux, paysages animés, sculpteur.
Ventes Publiques : Londres, 12 fév. 1910 : *Volailles* : **GBP 4** – Paris, 8 fév. 1919 : *Moutons et poules dans une prairie* : **FRF 315** – Paris, 11 juin 1951 : *Moutons* : **FRF 6 800** ; *Coqs et Poules* : **FRF 5 900** – New York, 24 fév. 1994 : *Allégorie de l'Été*, bronze argenté (H. 39,4) : **USD 2 530** – Zurich, 12 nov. 1996 : *Moutons au pâturage* 1861, h/t (69x94) : **CHF 3 000.**

VANDEVIJVERE Bart
XXe siècle. Belge.
Peintre. Abstrait.
En 1992, il exposait un ensemble de ses œuvres sur toile et papier à La Panne.
Quelques pistes graphiques sommaires rappellent la première manière de Tapiès, ce que contredit une polychromie particulièrement délicate.

VANDEVOORDE Georges
Né en 1878 à Courtrai (Flandre-Occidentale). Mort vers 1970. XXe siècle. Belge.
Statuaire.
Il fut directeur de l'Académie des Arts Décoratifs de Molenbeck. Il vécut et travailla à Courtrai.
Musées : Courtrai : *Vieillard en extase*.
Ventes Publiques : Anvers, 22 avr. 1980 : *La mûlatresse*, bronze (H. 103) : **BEF 120 000.**

VANDEWALLE Adriaan
Né le 6 juillet 1907 à Dixmude (Flandre-Occidentale). XXe siècle. Belge.
Peintre de paysages, portraits, natures mortes. Expressionniste.
Il fut élève à l'Académie de Bruges où il fut élève de Flori Aerts, puis d'Oscar Coddron à l'Académie Royale des Beaux-Arts de Gand. Sa peinture est figurative et relève du postexpressionnisme. Il a été lié avec Ensor.
Bibliogr. : In : *Dictionnaire biographique illustré des artistes en Belgique depuis 1830*, Arto, Bruxelles, 1987.

VANDEWATTYNE Jacques
Né en 1932 à Ellezelles. XXe siècle. Belge.
Peintre de scènes typiques, dessinateur, graveur.
Il puise ses sources dans le folklore wallon et flamand.
Bibliogr. : In : *Dictionnaire biographique illustré des artistes en Belgique depuis 1830*, Arto, Bruxelles, 1987.

VANDEWYNCKELE Marie
Née le 5 août 1958 à Caen (Calvados). XXe siècle. Française.
Peintre.
Titulaire d'une agrégation en arts plastiques, elle a enseigné à Montpellier et au Havre. Elle a figuré au Salon des Beaux-Arts de Béziers en 1987.
Elle peint des figures et expérimente diverses techniques : le dessin au bâton, à la plume d'oie, au brou de noix.

VANDEYMANS P. Voir **DEYMANS P.**

VANDI Carlo
Mort en 1768 ou 1769 à Bologne. XVIIIe siècle. Italien.
Peintre.

Élève et imitateur de Fr. Monti. Il peignit des tableaux d'autel pour des églises de Bologne et d'Imola.

VANDI Santo ou **Santi**, dit **Santino de Ritratte**
Né en 1653 à Bologne. Mort en 1716 à Lorette. XVIIe-XVIIIe siècles. Italien.
Portraitiste.
Élève de Cigniani, il fit beaucoup de petits portraits. Il travailla à Bologne, à Mantoue, et dans plusieurs villes de l'Italie centrale.

VANDIERENDONCK Urbain
Né le 19 avril 1932 à Aartrijk. XXe siècle. Belge.
Sculpteur.
Travaillant le fer, la céramique et le verre, il combine volontiers ces différentes techniques dans un amalgame qui n'est pas sans évoquer quelque culture primitive. Il pratique aussi bien l'art monumental que l'art ornemental.

VANDIÈRES Pierre
Né à Fougères (Ille-et-Vilaine). XXe siècle. Français.
Peintre de portraits, scènes de cirque, paysages, fleurs.
Il fut sociétaire, à Paris, du Salon d'Automne de Paris.

VANDIERVORT Louis
Né en 1875 à Anvers. XXe siècle. Éc. flamande.
Peintre.
Il fut élève de l'Académie d'Anvers et de l'École des Beaux-Arts de Paris.

VANDOMA Martin de. Voir **VALDOMA**

VANDOR Miklos. Voir **HAZ Miklos**

VANDORY Emil
Né le 31 janvier 1856 à Budapest. Mort en 1908 à Munich. XIXe-XXe siècles. Allemand.
Paysagiste.
Il fit ses études à Budapest et à Vienne.

VANDRAK Karoly ou **Karl**, l'Ancien
Né en 1803 à Rozsnyo. Mort le 14 juillet 1882 à Budapest. XIXe siècle. Hongrois.
Peintre.
Il fit ses études à Vienne. Il peignit des paysages, des natures mortes et des sujets religieux.

VANDRAK Karoly, le Jeune
Mort en 1858 ou 1860. XIXe siècle. Hongrois.
Peintre.
Fils de Karoly V. l'Ancien.

VANDRAK Samuel
Né le 8 janvier 1820 à Rozsnyo. Mort en 1860 à Budapest. XIXe siècle. Hongrois.
Peintre et fondeur.
Frère de Karoly V. le vieux.

VANDREY Léna
XXe siècle. Française.
Peintre.
Elle utilise les matières les plus hétéroclites pour des compositions figuratives proches de l'art brut. Elle a montré ses œuvres dans une première exposition particulière à Paris en 1974.

VANDRISSE François. Voir **DRIES Franz Van**

VANDUCCI
XVIIe siècle. Travaillant vers 1670. Italien.
Graveur au burin.
Il a gravé un *Saint Jérôme*, d'après L. Carracci.

VANDY
Né en 1952 au Havre (Seine-Maritime). XXe siècle. Français.
Peintre de compositions animées. Postimpressionniste.
Il expose ses œuvres à la galerie Le Breton, à Paris et Pont-Aven. Il a obtenu le prix Othon Friesz.
Touches déliées et couleurs vives caractérisent sa peinture qui se veut résolument celle de la joie de vivre.

VANDYCKE Yvon
Né le 17 mars 1942 à Charleroi (Hainaut). XXe siècle. Belge.
Peintre. Fantastique, tendance expressionniste. Groupe Maka.
Il fut élève de Gustave Camus à l'Académie Royale des Beaux-Arts de Mons. Vandycke a été membre du groupe *Maka*, groupe virulent de remise en question généralisée, puis du groupe *Art cru*. Il enseigne à l'Académie Royale des Beaux-Arts de Mons.
Sa peinture, à tendance expressionniste, relève de l'art fantastique, tendance assez répandue en Flandre. Figurative, elle a un caractère politique et contestataire prononcé.

BIBLIOGR. : Paul Caso : *Vandycke*, Bruxelles, 1977 - in : *Diction. biographique illustré des artistes en Belgique depuis 1930*, Arto, Bruxelles, 1987.

VANE Kathleen Airini, née **Mair**
Née le 22 janvier 1891 en Nouvelle-Zélande. XXe siècle. Britannique.
Peintre de paysages.
Elle a été élève de l'École des Beaux-Arts de Londres. Elle vécut et travailla à Londres. Les Galeries de Dunedin et de Sargent en Nouvelle-Zélande conservent des peintures de cette artiste.

VANEAU Pierre. Voir **VANNEAU**

VANEEPOEL Henri
Né le 13 janvier 1948 à Bruxelles. XXe siècle. Belge.
Peintre, graveur, céramiste, peintre de décors de théâtre.
Il a été élève de l'Académie Royale des Beaux-Arts de Bruxelles. Sa peinture relève de la nouvelle figuration. Il a réalisé des diapositives peintes pour les décors des créations du Ballet du XXe siècle de Maurice Béjart.

VANEGAS Cristobal
XVIe siècle. Actif à Séville. Espagnol.
Peintre.
Il fut chargé de l'exécution de plusieurs statues de saints pour l'église S. Cataline de Triana en 1540.

VANELLI
XVIIIe siècle. Italien.
Peintre de décorations.
Il fut assistant de V. Bigari aux peintures du plafond de la chapelle du château de Clémenswerth vers 1740.

VANELLI Angelo
Né à Davesco. XVIIe siècle. Actif au milieu du XVIIe siècle. Italien.
Sculpteur.
Il sculpta la coquille de la fontaine du Bernin sur la Place Navone de Rome vers 1650.

VANELLI Antonio ou **Vanella** ou **Vanello**
Mort en 1523 à Palerme. XVIe siècle. Actif à Massa Carrara. Italien.
Sculpteur.
Il sculpta des statues et des tombeaux pour des églises et la cathédrale de Patti en Sicile.

VANELLI Domenico
Né à Carrare. XVIe siècle. Travaillant à Messine de 1532 à 1549. Italien.
Sculpteur.

VANELLI Giacomo
XVIIe siècle. Actif de 1615 à 1626. Italien.
Sculpteur et architecte.
Il fut au service des ducs de Savoie.

VANELLI Giacomo
XIXe siècle. Italien.
Sculpteur.

VANELLI Ludovico ou **Luigi**
Né à Lugano. Mort en 1620. XVIIe siècle. Italien.
Sculpteur.
Il travailla pour les palais de Turin et les Jardins de Mirafiori.

VANEMBRAS Arthur Aimé de
Né le 14 mai 1809 à Saint-Vigos-de-Mieux (Calvados). XIXe siècle. Français.
Peintre.
Élève de J. Coignet et d'A. Lapito.

VANENTI Giulio Cesare
Né vers 1609 à Bologne. XVIIe siècle. Italien.
Peintre et graveur à l'eau-forte amateur.
Il a gravé des sujets religieux et historiques, ainsi que des paysages.

VANERMEN Walter
Né le 27 juin 1932 à Anvers. XXe siècle. Belge.
Peintre. Abstrait. Groupe G 58.
Après avoir obtenu une mention au Prix de la Jeune Peinture en 1959, il a reçu le Prix Tallens en 1960.
Autodidacte, il a pratiqué à ses débuts une peinture informelle qui, nuancée dans le détail, tendait néanmoins au monochrome. Il fut, semble-t-il, marqué par les possibilités et les résultats de la

photographie aérienne, changeante, irrégulière, contrastée. On a aussi perçu dans son œuvre l'influence du matiérisme. Vanermen a d'ailleurs été en contact avec toutes ces tendances de l'abstraction au sein du groupe G 58 qui les a introduites et exposées à Anvers. Sa peinture a ensuite évolué vers plus de lyrisme et de dynamisme, usant des possibilités graphiques du geste.

VANERVE Louis ou **Van Nerven**
Né en Hollande. XVIIIe siècle. Actif à Paris vers 1750. Français.
Sculpteur.
Il dessina des carrosses et sculpta des coquillages.

VANES Alexandre de
XVe siècle. Actif à Paris au milieu du XVe siècle. Français.
Sculpteur et graveur au burin.
Il fut chargé de l'exécution de quatre statues d'anges pour le maître-autel de la cathédrale de Chartres.

VANESSAN François
XVIIe siècle. Actif au début du XVIIe siècle à Nancy. Éc. lorraine.
Peintre d'histoire.
Il travailla en 1606 aux préparatifs faits à Nancy pour la réception de la duchesse de Bar. Il fut peintre du duc de Lorraine, Henri II.

VANETTI. Voir aussi **VANNETTI**

VANETTI Pietro
Né en 1667 à Prato. Mort après 1737. XVIIe-XVIIIe siècles. Italien.
Peintre de perspectives.

VANGELIN
XIXe siècle. Français.
Peintre de genre.
Le Musée de Nice conserve de lui *Pierrot malade*, et *Dispute en Carnaval.*

VANGELINI Benigno
XVIIe siècle. Actif à Rome de 1634 à 1655. Italien.
Peintre.
Il peignit un tableau d'autel dans l'église Saint-Jérôme dei Schiavoni à Rome.

VANGELINI Pietro
XVIIIe siècle. Actif à Rome. Italien.
Peintre.
Il a peint vers 1777 quatre saints pour l'abbatiale de Saint-Onufre à Rome.

VANGELISTA ou **Vangelisti**. Voir aussi **EVANGELISTA** et **EVANGELISTI**

VANGELISTI Vincenzio
Né en 1744 (ou 1738) à Florence. Mort en 1798 à Paris. XVIIIe siècle. Italien.
Graveur au pointillé.
Il vint à Paris fort jeune et y fut élève de Ig. Hugford et J. G. Wille. L'empereur Léopold II le fit venir à Milan en 1766. Il y fut professeur à l'Académie et, en 1790, directeur de l'École de gravure fondée par ce prince. Il se donna volontairement la mort. Parmi ses nombreux élèves, on cite Longhi et Andertoni.

VANGJUSH Mio
Né en 1891 à Korçë. Mort en 1957. XXe siècle. Albanais.
Peintre de paysages.
Il a surtout peint sa ville natale.
Musées : Pogradec : *Le lac sous la pluie – Le lac d'Ohrid – Automne à Drenove – La plaine à Korçë – Récoltes de la betterave* – Tirana (Gal. des Arts) : *Une rue à Korçë – Les mûriers de Drenove – Les monts de Morava – Automne – Hiver à Korçë.*

VANGORP Henri Nicolas ou **Van Gorp**. Voir **GORP H. N. Van**

VANGUEILLE. Voir **GHELUWEN Joseph Van**

VANGUER Jean
Né vers 1690 à Blois. XVIIIe siècle. Français.
Graveur.
Il a gravé des fleurs et des sujets d'histoire.

VANGUS Matthias ou **Fongus**
XVIIIe siècle. Travaillant à Graz dans la première moitié du XVIIIe siècle. Autrichien.
Peintre de natures mortes.
Maître de F. Chr. Janneck.

VANHACREN. Voir **HACREN Van**

VANHECKE Arthur. Voir **HECKE Arthur Van**

VANHEERSWYNGHELS Aimé
Né le 10 septembre 1910 à Bruges (Flandre-Occidentale). XXe siècle. Belge.
Sculpteur de figures, monuments. Traditionnel.
Il a étudié à l'Académie des Beaux-Arts de Bruges. Ses sculptures sont figuratives, traditionnelles. Il a sculpté le *Monument de la Paix* de Sainte-Croix, près de Bruges.

VANHESTE George Arthur
Né en 1909 à Ostende. XXe siècle. Belge.
Peintre de marines, paysages.
Il vit et travaille à Ostende. Il peint surtout des paysages côtiers.
Musées : Ostende.

VANHINDEN Pierre
XIXe siècle. Actif à Londres. Britannique.
Sculpteur.
Il exposa à Londres, de 1852 à 1875, dix ouvrages à la Royal Academy et six à la British Institution.

VANHOUTTE Josiane
Née en 1946 à Ostende (Flandre-Occidentale). XXe siècle. Belge.
Sculpteur de figures.
Elle a étudié à l'Académie des Beaux-Arts d'Ostende. Elle participe à des expositions collectives, notamment à *Kunst Beeld Nu'88* à Ostende en 1988.
Elle fait couler en bronze ses sculptures de têtes d'animaux et de torses.

VANICEK Bedrich
Né le 30 mai 1885 à Krahulova, près de Trebice. Mort le 29 juillet 1955 à Trebice. XXe siècle. Tchécoslovaque.
Peintre de figures.
Après avoir étudié les langues modernes, à l'Université Charles de Prague et à la Sorbonne de Paris, de 1906 à 1910, il étudia la peinture à l'Académie Ranson, toujours à Paris, avec Bonnard, Vuillard et Maurice Denis, en 1910-1911. A partir de 1918, il revint à Prague, où il enseigna. Plusieurs villes tchécoslovaques conservent de ses œuvres.
Il a participé à des expositions, en Tchécoslovaquie et dans divers pays étrangers. Il figurait à l'Exposition d'Art Tchécoslovaque, à l'Orangerie des Tuileries de Paris, en 1946.
Surtout peintre de figures, un dessin effleuré, une gamme discrète, témoignent de l'enseignement intimiste qu'il reçut à Paris.
Bibliogr. : Catalogue de l'exposition *50 ans de peinture tchécoslovaque, 1918-1968*, Musées Tchécoslovaques, 1968.
Musées : Prague (Gal. Nat.).

VANIEDER Nicolaus, appelé aussi **Van der Mitter**
XVIe siècle. Travaillant à Salzbourg, pendant le troisième quart du XVIe siècle. Autrichien.
Sculpteur.

VANIER Claude
Né vers 1910 au Havre (Seine-Maritime). XXe siècle. Français.
Peintre.
Il fut élève de l'École des Beaux-Arts du Havre puis des Académies de Montparnasse, tandis qu'il poursuit ses études jusqu'à l'agrégation d'histoire.
Il a exposé dans les principaux Salons parisiens, et a régulièrement montré des ensembles de ses œuvres, depuis sa première exposition en 1929.
Peintre de la mer, il suit l'exemple de Boudin, Jongkind et Friesz, retournant toujours plus à la forme, après avoir subi les séductions de l'impressionnisme, puis de la couleur pure.

VANIER Gabrielle, née **Aoust**
Née au XIXe siècle à Bruxelles. XIXe siècle. Française.
Graveur sur bois.
Elle figura au Salon des Artistes Français ; mention honorable en 1884.

VANIER Girard ou **Vannier**
XIIIe siècle. Travaillant à Saint-Quentin en 1263. Français.
Enlumineur.

VANIER Jean
XVIIe siècle. Actif à Lyon. Français.
Sculpteur.

VANIER Luigi
XVIIe siècle. Actif à Turin. Italien.
Peintre.
Il travailla pour la cour de Turin et surtout pour le Palais Royal de cette ville.

VANIER Martin
Mort en 1685. XVIIe siècle. Actif à Dieppe. Français.
Sculpteur sur ivoire.

VANIERE Georges
Né le 27 juin 1740 à Genève. Mort le 1er septembre 1834 à Genève. XVIIIe-XIXe siècles. Suisse.
Dessinateur.
Élève de Vien à Paris.

VANIEUX Emmanuel. Voir **BAGNIEUX Emmanuel**

VANITELLE Théodore
XIXe siècle. Actif à Paris. Français.
Peintre de portraits.
Il débuta au Salon de 1849.

VANKA Maximilian
Né le 10 octobre 1889 à Zagreb (Croatie). XXe siècle. Yougoslave.
Peintre de portraits, scènes typiques.
Il fut élève de l'Académie de Zagreb et de celle de Bruxelles. Il peignit des portraits, des décors et des scènes populaires de Croatie.

VANLOO Charles André, dit **Carle**. Voir **LOO Charles André**, dit **Carle Van**

VANMOL Juan. Voir l'article **MOL Jean Baptiste**

VANMOUR Jean Baptiste ou **Van Mour** ou **Van Moor**
Né le 9 janvier 1671 à Valenciennes. Mort le 22 janvier 1737 à Constantinople. XVIIe-XVIIIe siècles. Éc. flamande.
Peintre de scènes typiques, portraits, paysages, dessinateur.
On ne dit rien des premières années de la vie de cet artiste ni les circonstances qui l'amenèrent à Constantinople, en 1699. On sait qu'il se fixa dans cette ville, probablement sur les instances de l'ambassadeur de France M. de Ferriol. Il signait J. B. Vanmour P. Vanmour se consacra à la peinture des mœurs turques. Il exécuta pour plusieurs légations et pour des particuliers, des tableaux traduisant avec une grande fidélité la vie orientale au début du XVIIIe siècle, des cortèges, des audiences chez le Sultan, etc. Une collection importante en fut réunie pour M. Cornelis Calkoen, ambassadeur de Hollande à Constantinople (1727-1744) et léguée par son neveu Nicolaas Calkoen à la direction du commerce avec le Levant, à Amsterdam. Depuis 1903, soixante-cinq peintures sont conservées dans une salle particulière du Musée d'Amsterdam.

J.B. Vanmour P.
J B Vanmour
pinxit

Musées : Amsterdam : *Cornelis Calkoen – Hôtel de l'Ambassade de Hollande – Vue de Constantinople et du sérail – Réception solennelle de l'ambassadeur de Hollande Cornelis Calkoen près du sultan Ahmed III, 14 septembre 1737*, trois tableaux – *Le grand vizir traversant la place d'Atmeïdan – Le Tekké à Péra – Repas de derviches – Mariage turc – Mariage arménien – Fiancée grecque au milieu de ses compagnes – Chambre d'accouchée en Turquie – Femmes turques prenant leur repas – Enfant turc allant à l'école pour la première fois – Femmes turques se promenant aux environs de la ville – Fête de dames à Hunkiar Iskêlêei, sur la côte asiatique du Bosphore – Les bends ou réservoirs d'eau dans les bois de Belgrade – Le grand vizir – Dignitaire de la cour – Mehemet Reis Effendi – Couples grecs dansant le Khorra – Arméniens jouant aux cartes – Société libertine – Kabil Patrona – Révolte provoquée par Kalil Patrona – Le sultan ou grand seigneur – Sultane – Mehemet Chiaïa ou le bey Chiaïa – Femme turque – Même sujet – Femme de la côte albanaise – Jeune fille bulgare* – Valenciennes : *Demetrius Cantemir, prince de Moldavie*, attr.
Ventes Publiques : Londres, 29 juin 1973 : *Vue des ruines de Persépolis* : **GNS 7 500** – Londres, 31 mars 1978 : *Ahmed III et sa suite se reposant pendant une partie de chasse*, h/t (146,8x223,6) : **GBP 17 000** – Londres, 2 nov 1979 : *Derviches tourneurs dans le temple de Péra*, h/t (78,7x62,2) : **GBP 1 300** – New York, 10 juin 1983 : *Portrait d'un dignitaire turc*, h/t (36x27,5) : **USD 1 900** – Monte-Carlo, 23 fév. 1986 : *Réceptions à la cour du Pacha*, h/pan., une paire (28x46) : **FRF 100 000** – Londres, 11 déc. 1987 : *Vue panoramique de Jérusalem*, h/t (140x244) : **GBP 80 000** – Paris, 18-19 nov. 1991 : *Femme brodant*, h/t (35x26) : **FRF 39 000** – Paris, 15 déc. 1993 : *Portrait d'un dignitaire turc*, h/t (31,5x23) : **FRF 52 000** – Paris, 25 oct. 1994 : *Personnage turc dans son jardin*, h/t (41x29,5) : **FRF 140 000**.

VANNACCI Giuseppe
Né en 1748. XVIIIe siècle. Actif à Pistoie. Italien.
Peintre.
Élève de Niccolo Lapiccola. Il travailla pour la cathédrale et l'église Saint-Laurent de Pistoie.

VANNE Antoine
XVIIIe siècle. Travaillant à Paris. Français.
Graveur au burin.

VANNEAU Alexandre François
XVIIIe siècle. Actif à Paris. Français.
Sculpteur.
Il fut membre de l'Académie Saint-Luc en 1760.

VANNEAU Pierre
Né le 31 décembre 1653 à Montpellier. Mort le 27 juin 1694 au Puy. XVIIe siècle. Français.
Sculpteur.
Il sculpta un grand monument en l'honneur du roi de Pologne Sobieski et de la libération de Vienne des Turcs ainsi que des statues et des bas-reliefs dans la cathédrale et dans les églises du Puy.
Musées : Paris (Mus. du Louvre) : cinq statues du monument du roi Sobieski – Le Puy-en-Velay : *Deux guerriers – Apothéose de Mgr. de Béthune.*

VANNELIER Mathelin
XVIe siècle. Français.
Sculpteur.
Il a sculpté un tabernacle pour la cathédrale de Bourges en 1513.

VANNELLI Andrea
XVIe siècle. Italien.
Sculpteur.
Il a sculpté les armoiries du pape Grégoire XIII dans la chapelle Grégorienne de Rome en 1579. Il travaillait à Carrare vers 1550.

VANNELLI Donato
Né en 1602 à Massa Carrara. XVIIe siècle. Travaillant à Naples de 1636 à 1650. Italien.
Sculpteur.
Il exécuta des sculptures pour des églises de Naples et sculpta l'escalier de la façade de l'église Jésus et Marie de la même ville.

VANNELLI Francesco
XVIe siècle. Actif à Carrare. Italien.
Sculpteur.
Il sculpta pour l'église Sainte-Claire de Nola en 1559.

VANNELLI Giovanni
XVIIe siècle. Actif à Carrare dans la première moitié du XVIIe siècle. Italien.
Sculpteur.
Il a sculpté, en 1612, deux reliquaires pour la cathédrale de Lucques.

VANNELLI Giuliano
Né à Florence. Mort en 1527 à Monteoliveto. XVIe siècle. Italien.
Enlumineur.
Il travailla dans différents monastères de l'ordre des Olivétains.

VANNETTI Antonio
Né en 1663. Mort en 1753. XVIIe-XVIIIe siècles. Actif à Sienne. Italien.
Peintre et architecte.

VANNETTI Clementino
Né le 14 novembre 1754 à Rovereto. Mort le 13 mars 1795 à Rovereto. XVIIIe siècle. Italien.
Peintre et écrivain.
Élève de Girolamo Costantin. Il peignit surtout des portraits. Le Ferdinandeum d'Innsbruck conserve de lui *L'artiste*.

VANNETTI Marco
XVIIe-XVIIIe siècles. Actif à Loreto. Italien.
Peintre.
Élève de C. Cignani. Il peignit des tableaux de saints pour des églises de Loreto et de Camerano.

VANNI. Voir aussi **GIOVANNI**

VANNI, di. Voir aussi au prénom.

VANNI Arcangelo di Ghese. Voir **ARCANGELO di Cola da Camerino**

VANNI Domenico

XVIIe siècle. Actif à Vellano au début du XVIIe siècle. Italien.

Peintre.

Il a peint l'*Assomption* pour l'église de Cavinana en 1601.

VANNI Francesco Eugenio, cavaliere ou **Vannius**

Né en 1563 ou 1565 à Sienne (Toscane). Mort le 26 octobre 1610 à Sienne. XVIe-XVIIe siècles. Italien.

Peintre d'histoire, compositions religieuses, scènes de genre, peintre à la gouache, graveur, dessinateur.

Sa mère, Battista Morelli, fille d'un orfèvre siennois et veuve d'Eugenio Vanni, avait épousé Arcangiolo Salembeni le 20 avril 1567. Francesco étudia avec son beau-père en compagnie de son beau-frère Ventura Salembeni. Après la mort du premier (1580), il alla d'abord à Bologne, puis à Rome, où il entra dans l'atelier de Giovanni de Becchi. Il reçut aussi des conseils de différents maîtres, notamment de Baroccio, dont il imita la manière. Après un séjour à Sienne, il visita Parme, travailla à nouveau à Bologne et se fixa un certain temps à Rome. Il alla finir sa carrière à Sienne.

Il y exécuta d'importants travaux à Rome, notamment à la Basilique Saint-Pierre, un *Saint Michel*, dans la Sacristie de San Gregorio ; une *Pietà* à Santa Maria in Villacella ; une *Assomption* à San Lorenzo in miranda. On cite de lui à Sienne : *Le mariage de sainte Catherine*, dans la chapelle d'Il refugio, et *Saint Raymond marchant sur les flots*, dans l'église des dominicains. Il a gravé un certain nombre d'eaux-fortes.

Fran Vanni.

MUSÉES : BERLIN (Mus. Kaiser-Friedrich) : *Assomption* – BORDEAUX : *Saint Pierre reniant son maître* – BUDAPEST : *Sainte Famille* – DIJON : *Dispute des saints pères sur le mystère de l'Eucharistie*, grisaille – *Sainte Famille* – DOUAI : *Pomone* – DRESDE : *Sainte famille avec sainte Élisabeth et le petit saint Jean* – FLORENCE (Gal. Nat.) : *Les fils de Jacob* – FLORENCE (Pitti) : *Joseph en Égypte* – *Saint François en extase* – GRENOBLE : *Sainte Famille* – HAMPTON COURT (Palace) : *Sainte Famille avec saint Jean* – MADRID (Prado) : *Rencontre des deux Marie et de saint Jean au retour du sépulcre* – MONTPELLIER : *L'Enfant Jésus porté par les anges* – NANCY : *La Vierge adorée par deux personnages* – NARBONNE : *Tête d'étude* – PARIS (Mus. du Louvre) : *Repos en Égypte* – *Martyre de sainte Irène* – ROCHEFORT : *Martyre de saint Sébastien*, gche – ROME (Borghèse) : *Mariage mystique de sainte Catherine* – *Les trois grâces* – *Sainte Catherine de Sienne* – ROME (Mus. Petriano) : *La chute de Simon le magicien* – SAINT-PÉTERSBOURG (Mus. de l'Ermitage) : *Sainte Agnès* – SIENNE (Pina.) : *L'artiste* – TOULON : deux esquisses en grisaille – TOULOUSE : *Vierge aux anges* – TURIN (Pina.) : *Le Christ en croix et sainte Madeleine* – VIENNE : étude – *Flagellation*.

VENTES PUBLIQUES : PARIS, 1756 : *Jésus chez Simon le Pharisien* : **FRF 860** ; *Religieuse à genoux devant la croix*, pl. et encre de Chine : **FRF 120** – PARIS, 1776 : *Saint François implore la Vierge*, dess. peint. en grisaille : **FRF 280** – PARIS, 1801 : *La glorification de la Vierge* : **FRF 4 500** – PARIS, 1843 : *La Sainte Famille* : **FRF 1 830** – AMSTERDAM, 1849 : *Scène de la peste à Milan*, pl. et bistre, reh. de blanc : **FRF 525** – PARIS, 1855 : *Sainte Cécile* : **FRF 410** – PARIS, 25 avr. 1925 : *Sainte Marthe et la Tarasque*, pl. et lav. : **FRF 230** – PARIS, 20 avr. 1951 : *Jésus remettant les clés à saint Pierre*, sépia : **FRF 2 300** – LONDRES, 28 juin 1979 : *Tête d'homme barbu*, craies de coul. (14,4x14,7) : **GBP 650** – LONDRES, 2 juil. 1984 : *Christ debout*, craies rouge et noire (24x12,5) : **GBP 1 300** – LONDRES, 5 déc. 1985 : *Sainte Catherine de Sienne recevant les stigmates* vers 1590, eau-forte (12x7,7) : **GBP 2 600** – MILAN, 4 déc. 1986 : *Trois têtes de femme*, craies noire et rouge (17,4x16,7) : **ITL 10 500 000** – MILAN, 21 avr. 1988 : *Repos pendant la fuite en Égypte*, h/t (86x114) : **ITL 7 500 000** – PARIS, 10 nov. 1988 : *La Nativité*, sanguine, lav. de sanguine, gche blanche (28,7x19,5) : **FRF 780 000** – LONDRES, 2 juil. 1991 : *Deux femmes et un bébé avec un chat*, craies noire et rouge (22,5x21,9) : **GBP 77 000** – PARIS, 22 nov. 1991 : *Vision de saint François*, cr. noir et sanguine (18x14) : **FRF 5 000** – NEW YORK, 5 oct. 1995 : *Sainte Catherine*, h/t (63,5x53,3) : **USD 19 550** – NEW YORK, 26 fév. 1997 : *Saint François*, h/t (71,8x48,2) : **USD 2 530**.

VANNI Giovanni

XIXe siècle. Actif à Sienne. Italien.

Peintre de compositions religieuses.

Il a peint un *Saint Thomas* dans l'église S. Romain de Lucques.

VANNI Giovanni Battista

Né le 21 février 1599 à Pise ou à Florence (Toscane). Mort le 27 juillet 1660 à Florence. XVIIe siècle. Italien.

Peintre de sujets religieux, architectures, graveur.

Il eut pour maîtres : Empoli, Aurelio Lomi, Matteo Rosselli et Cristoforo Allori.

On cite de lui un *Saint Laurent*, dans l'église de Sainte-Simone à Florence. Il a gravé à l'eau-forte des sujets religieux, notamment les fresques de la coupole de San Giovanni, à Parme, d'après Correggio.

GV 1638.

VENTES PUBLIQUES : PARIS, 1801 : *La Vierge confie l'Enfant Jésus à saint François* : **FRF 4 560** – LONDRES, 8 déc. 1989 : *L'artiste présentant une partition musicale à un jeune violoniste assis près d'une dame caressant un petit chien*, h/t (115x145) : **GBP 44 000**.

VANNI Lippo di

XIVe siècle. Actif entre 1344 et 1375 à Sienne. Italien.

Peintre de compositions religieuses, miniaturiste, fresquiste.

On ne dit pas si ce primitif siennois était parent de son célèbre homonyme contemporain Andrea di Vanni (voir Andrea di Vanni). Vanni di Lippo paraît plus âgé. Il aurait été élève d'un miniaturiste. À Sienne, il est mentionné en 1344, alors qu'il reçoit le paiement de diverses miniatures exécutées pour l'hôpital de Santa Maria della Scala. En 1352, on lui commande un *Couronnement de la Vierge* pour la grande salle du Palazzo Publico. En 1355, il occupe la première place sur la liste des membres de la confrérie des peintres. À Rome, dans l'église Saint-Dominique et Saint-Sixte, il peint un triptyque représentant la *Vierge et l'Enfant*, daté de 1358. En 1360, il est nommé membre de la magistrature suprême de Sienne. En 1372, il peint une *Annonciation* dans un des cloîtres de San-Domenico, dont il existe encore quelques vestiges. En 1373, il est élu à nouveau membre du grand conseil de Sienne, et peint à fresque la *Victoire des Siennois à Val di Chiana* pour la salle de la Mappemonde au Palazzo Publico. Enfin en 1375, on le mentionne encore pour des travaux exécutés à la cathédrale.

BIBLIOGR. : In : *Diction. de la peinture italienne*, coll. Essentiels, Larousse, Paris, 1989.

MUSÉES : ALTENBURG : *Dormition de la Vierge* – BALTIMORE (Walters Art Gal.) – FRANCFORT-SUR-LE-MAIN (Städel Inst.) – GÖTTINGEN : panneaux de prédelle avec le Calvaire – LE MANS : *Madone à l'Enfant* – MINNEAPOLIS (Inst. of Arts) : *Crucifixion* – NEW YORK (Met. Mus.) : *La Madone et des saints* – ROME (Mus. du Vatican) : trois saints Dominique.

VENTES PUBLIQUES : PARIS, 18 juin 1965 : *La Vierge allaitant l'Enfant divin* : **FRF 13 000**.

VANNI Michelangelo

Né en 1583 à Sienne. Mort en 1671 à Sienne. XVIIe siècle. Italien.

Peintre et graveur au burin.

Fils de Francesco Vanni et frère de Rafaello. Il inventa un procédé de peinture sur marbre.

M·V·V.

VANNI Nello di. Voir **BERNARDO di Nello di Giovanni Falconi**

VANNI Niccolo

XVIIIe siècle. Actif à Rome et à Naples de 1750 à 1770. Italien.

Dessinateur et graveur au burin.

Il dessina *Les antiquités d'Herculanum*.

VANNI Pietro

Né le 17 février 1845 à Viterbe. Mort le 30 janvier 1906 à Rome. XIXe siècle. Italien.

Peintre d'histoire et de genre, sculpteur de figurines et aquafortiste.

Ses œuvres furent fort appréciées. On voit de lui au Musée de Liège *Fille à la fontaine* (Rome), à la Pinacothèque du Vatican à Rome *L'enterrement de Raphaël* et *La Peste de Sienne en 1374*, et à la cathédrale de Viterbe une fresque *Funérailles de Raphaël*.

VENTES PUBLIQUES : ROME, 1er déc. 1982 : *La Vierge et l'Enfant et anges musiciens* 1896, h/pan., haut cintré (263x177) : **ITL 1 500 000**.

VANNI Rafaello, dit **il Cavaliere**
Né le 4 octobre 1587 à Sienne. Mort le 29 novembre 1678 à Sienne. XVIIe siècle. Italien.
Peintre d'histoire.
Fils de Francesco Vanni, avec qui il commença ses études. Ayant perdu son père à l'âge de treize ans, il fut envoyé à Rome dans l'atelier d'Antonio Carracci. Il paraît surtout s'être inspiré de Pietro da Cortona. Il fut membre de l'Académie de Saint-Luc, en 1655. On cite de lui, notamment, au Palazzo Spinola à Gênes, *Sainte Catherine de Sienne*, à Rome, au Palazzo Quirinale, *Mort de sainte Cécile*, à l'église San Quirico, à Sienne, *Fuite en Égypte*.

RAF.ASEN.

Musées : Florence (Gal. Nat.) : *La Samaritaine – Jésus chassant les marchands du temple – L'entrée du Sauveur à Jérusalem – Déposition de croix*, gradins d'autel – Florence (Palais Pitti) : *Mariage de sainte Catherine* – Rome (Gal. Borghèse) : *Une sainte*.
Ventes Publiques : Londres, 4 juil. 1986 : *La Foi ; La Charité*, h/t, une paire (117x155) : **GBP 24 000**.

VANNI Samuel, dit **Sam**, pseudonyme de **Besprosvanni**
Né en 1908 à Viborg. XXe siècle. Finlandais.
Peintre. Abstrait.
Il fut élève de l'Académie des Beaux-Arts de Helsinki, en 1927-1928. En 1930 il fut aussi élève du sculpteur W. Aaltonen. Il fit des séjours d'études en France et en Italie à plusieurs reprises. Il vécut et travailla à Helsinki.
Il participe à des expositions de groupe en Finlande, à Paris, Rome, Stockholm, Oslo, Copenhague, Reykjavik, etc. Il a montré des expositions personnelles de ses œuvres, en Finlande. Il obtint le Prix National, en 1938.
Il a évolué à l'abstraction à partir de 1948, puis a pratiqué des recherches cinétiques dans l'esprit de celles de Vasarely.
Bibliogr. : Michel Seuphor : *Diction. de la peint. abstr.*, Hazan, Paris, 1957 – B. Dorival, sous la direction de... : *Peintres Contemporains*, Mazenod, Paris, 1964.

VANNI Turino ou **Giovanni Turino**
Né en 1348 à Rigoli ou Regoli près de Pise (Toscane). Mort en 1438. XIVe-XVe siècles. Italien.
Peintre de compositions religieuses, portraits, peintre à fresque.
Père de Paolo di Turino. Imitateur de Taddeo Bartolo. Il subit l'influence de Barnaba et de l'école de Sienne. On lui attribue un assez grand nombre de peintures dont seulement quelques-unes sont de sa main.
Il travailla pour la cathédrale de Pise de 1390 à 1395. On voit des œuvres de lui dans l'église San-Paolo, à Pise, et au couvent de San-Martino, à Palerme. De 1397 à 1415, il travailla à Gênes, où il peignit le triptyque de la *Madone et ses saints* pour l'église des Arméniens.
Musées : Bourges : *Trois têtes de femmes* – Palerme (Mus. Nat.) : *Madone avec l'Enfant et des saints* – Paris (Mus. du Louvre) : *Madone avec l'Enfant et des anges* – Pise (Mus. mun.) : *Madone dans la gloire – Annonciation – Baptême du Christ – Crucifixion*.
Ventes Publiques : Londres, 21 avr. 1967 : *Sainte Barbe* : **GNS 6 000** – Paris, 11 déc. 1992 : *Sainte Barbe*, peint. à l'œuf/fond or/bois, pan. d'un pilier latéral de retable (49x18,2) : **FRF 105 000** – New York, 31 jan. 1997 : *La Vierge et l'Enfant Jésus trônant avec sainte Lucie, saint Augustin, saint Pierre et sainte Marie-Madeleine*, temp./pan. : **USD 107 000**.

VANNI Violanta
Née vers 1732. Morte en 1776. XVIIIe siècle. Active à Florence. Italienne.
Graveur.
Élève de R. Strange. Elle a gravé des sujets religieux et des portraits.

VANNICCIOLI Giuseppe
XVIIe siècle. Actif à Cingoli au début du XVIIe siècle. Italien.
Peintre.
Il a peint pour les églises Sainte-Thérèse et Sainte-Marie dans *La Gloire de Sanseverino*.

VANNICOLA Gaetano
Né le 16 décembre 1859 à Offida. Mort le 6 avril 1923 à Grottamare. XIXe-XXe siècles. Italien.
Peintre.
Il fut élève de l'Académie de Rome et de C. Maccari. Il résida longtemps en Argentine où il travailla pour les églises de Buenos Aires, de Cordoba et de Rosario.
Musées : Ascoli (Pina.) : *La côte près de Grottamare*.

VANNIER Bernard
Né en 1927 à Québec. XXe siècle. Canadien.
Peintre.
Musées : Montréal (Mus. d'Art Contemp.) : *Déroulement* 1963.

VANNIER Girard. Voir **VANIER**

VANNIER Louis
XVIIe siècle. Français.
Peintre.
Peut-être identique à Luigi Vanier. Il fut peintre à la cour de Savoie de 1662 à 1684.

VANNINI Agostino
XVIe-XVIIe siècles. Actif à Bassano. Italien.
Sculpteur sur bois.
Frère de Marc Antonio. Il travailla aussi à Venise. Il sculpta un crucifix pour l'église Saint-Ubalde de Pesaro.

VANNINI Giovanni
XVIIIe siècle. Actif à Rome. Italien.
Peintre.
Il a peint deux tableaux d'autel pour l'église San-Eligio de' Ferrari de Rome.

VANNINI Marc Antonio
XVIe-XVIIe siècles. Actif à Bassano et à Venise. Italien.
Sculpteur sur bois.
Frère d'Agostino V.

VANNINI Ottavio
Né le 16 septembre 1585 à Florence (Toscane). Mort en 1643 ou 1644 à Florence. XVIIe siècle. Italien.
Peintre de compositions religieuses, portraits, paysages, fresquiste, dessinateur.
Il fut élève de G.-B. Mercati, d'Anastisao Fantebuani et de Cresti dit Passignano. Il aida ce dernier dans des travaux pour des édifices publics. On cite de lui, notamment, à l'église Santa-Anna, à Pise, *La Communion de saint Jérôme*.
Musées : Dresde (Gal.) : *Sainte Marguerite à genoux* – Florence (Gal. Nat.) : *L'artiste – Herminie et Nafino soignant Tancrède* – Florence (Palais Pitti) : *Ecce homo* – Manchester : *Ruines antiques* – Vienne (Mus. des Beaux-Arts) : *Rébecca à la fontaine*.
Ventes Publiques : Milan, 29 mai 1979 : *L'Assomption de la Vierge*, sanguine (42,5x28) : **ITL 1 100 000** – New York, 15 jan. 1988 : *La récolte de la manne*, h/t (202,3x254,5) : **USD 55 000** – Londres, 21 avr. 1989 : *Le Christ et la femme de Samarie*, h/t (141,5x99,5) : **GBP 35 200** – New York, 11 jan. 1991 : *Moïse faisant jaillir l'eau du rocher*, h/t (205x250) : **USD 55 000** – Londres, 3 juil. 1995 : *Étude d'un jeune architecte tenant un rouleau de plans et tête*, sanguine (29,9x26,4) : **GBP 27 600** – Londres, 3 juil. 1997 : *Sainte Monique éduquant son fils saint Augustin*, h/t (176,7x121) : **GBP 51 000**.

VANNIOLLE Antoine
XVIe siècle. Français.
Sculpteur de statues, médailleur.
Il travaillait à Grenoble, au début du XVIe siècle. En 1517 il eut pour élève Martin de Forges (?). Il résidait à Lyon en 1530.

VANNOLA Ignazio
XVIe siècle. Actif à Assise. Italien.
Sculpteur et orfèvre.

VANNOSTRE Jean, dit **Pitre**
Mort le 30 septembre 1654 à Nantes. XVIIe siècle. Français.
Peintre.

VANNOZ François de
Né le 7 juillet 1772. Mort le 22 décembre 1848 à Vannoz (Jura). XVIIIe-XIXe siècles. Français.
Peintre de portraits, peintre de miniatures.
Le Musée de Lons-le-Saunier conserve de lui le portrait d'*Armand Bernard, baron Moreau de la Rochette*.

VANNUCCI Pietro. Voir **PERUGINO il**

VANNUCCIO Francesco ou **Francio di Vannuccio**. Voir **FRANCESCO di Vanni**

VANNUCHI. Voir **SARTO Andrea d'Agnolo** dit **Andrea del**

VANNUCORRI Lodovico
Né à Lucques. XVe siècle. Italien.
Miniaturiste.

VANNUTELLI Giuseppina
Née en 1874 à Rome. XIXe-XXe siècles. Italienne.

Peintre de genre, portraits.
Elle étudia avec Scipione Vannutelli, probablement son parent. Elle eut un prix au concours des « originaux », ouvert par l'Académie de Saint-Luc en 1897. En 1900, elle figura à l'Exposition Alinari avec son tableau *Mater purissima*, et fut mise hors concours.

VANNUTELLI Scipione
Né le 16 novembre 1834 à Genazzano. Mort le 18 mai 1894 à Rome. XIXe siècle. Italien.
Peintre d'histoire, scènes de genre, portraits, paysages.
Élève de C. Wüzingen à Vienne et d'Heilbuth. Il fut longtemps président du Cercle Artistique de Rome et membre correspondant de plusieurs académies. Il exposa en Italie, en France, en Espagne et en Hollande, obtenant une médaille à Paris en 1864.
Musées : Florence (Gal. d'Art Mod.) : *Marie Stuart sur le chemin de l'échafaud* – Milan (Gal. d'Art Mod.) : *Marguerite de Valois* – Rome (Gal. d'Art Mod.) : *Enterrement de Giulietta Capuletti.*
Ventes Publiques : Paris, 17-21 mai 1904 : *Le bal masqué à Rome* : **FRF 610** – Londres, 23 juil. 1976 : *Le Roi Umberto d'Italie*, h/t (146x123) : **GBP 450** – Rome, 20 mai 1987 : *L'intrigue* 1964, h/t (62x134) : **ITL 28 000 000** – Rome, 25 mai 1988 : *L'ancienne abbaye de Montecassino*, h/pan. (28x17) : **ITL 4 800 000** ; *La novice* 1869, h/t (45x105) : **ITL 15 000 000** – Rome, 14 déc. 1989 : *Cloître*, h/pan. (6,5x13) : **ITL 1 035 000** – Rome, 28 mai 1991 : *Sur l'herbe*, h/pan. (11x14,5) : **ITL 2 000 000** – Londres, 28 oct. 1992 : *Lecture d'un poème*, h/t (57,5x42,5) : **GBP 4 290** – Rome, 5 déc. 1995 : *Agréable oisiveté*, h/t (38x51) : **ITL 3 064 000.**

VANOME Henry Edme Christophe
Mort le 14 septembre 1764 à Paris. XVIIIe siècle. Français.
Peintre.

VANONI Giovanni Antonio
Né en 1810 à Aurigeno. Mort en 1886. XIXe siècle. Suisse.
Peintre de sujets religieux et de portraits.
Il fit ses études à Milan et à Rome et s'établit dans la vallée de Maggia. Il exécuta des fresques pour les églises d'Aurigeno, d'Intragne et de Muralto.

VANOSINO Giovanni Antonio
Né à Varese. XVIe siècle. Actif dans la seconde moitié du XVIe siècle. Italien.
Peintre.
Il travailla de 1562 à 1585 dans les Loges du Vatican de Rome.

VANOSSI Matteo
Mort en 1891 à Chiavenna. XIXe siècle. Actif à Chiavenna. Italien.
Peintre d'histoire.
Il peignit des tableaux d'autel pour l'église Saint-Jean de Chiavenna et pour celle de Mese.

VANOTTI Alexandre ou **Alessandro**
Né le 11 janvier 1852 à Milan (Lombardie). Mort le 11 avril 1916 à Bollate Milanese. XIXe-XXe siècles. Italien.
Peintre d'histoire, portraits, scènes de genre, animaux, paysages animés, paysages.
Il a surtout exposé à Milan. Il a peint des membres de la Société milanaise.
Musées : Milan (Gal. Brera) : *Tantale* – *Mère d'émigrés* – Milan (Gal. d'Art Mod.) : *La louve.*
Ventes Publiques : Milan, 12 mars 1991 : *Paysannes dans la cour de maisons rustiques*, h/t (65,5x90) : **ITL 9 000 000.**

VANOTTI Amalie, plus tard Mme **Scjenck**
Née le 1er février 1853 à Constance. XIXe siècle. Allemande.
Peintre.
Élève d'Anton Seder à Constance. Elle peignit des paysages et des fleurs.

VANPAEMEL Jules
Né le 23 février 1896 à Blankenberge (Flandre-Occidentale). Mort le 3 janvier 1968 à Sauvagemont. XXe siècle. Belge.
Graveur. Tendance fantastique.
Il fut élève de l'Académie des Beaux-Arts de Gand sous la direction de G. Minne. Il devint professeur à celle de Mons. Membre de l'Académie royale de Belgique.
Bibliogr. : In : *Dict. biogr. ill. des artistes en Belgique depuis 1830*, Arto, Paris, 1987.
Ventes Publiques : Lokeren, 12 mars 1994 : *L'apothéose de James Ensor* 1939, eau-forte/pap. Japon (77,2x60,3) : **BEF 30 000.**

VANRIET Jan
Né en 1948 à Anvers. XXe siècle. Belge.
Peintre d'histoire, figures, aquarelliste.
Il a suivi les cours de l'Académie Royale des Beaux-Arts. Il participe à des expositions collectives, parmi lesquelles : 1979, Biennale de São Paulo ; 1984, Biennale de Venise ; 1988, exposition d'art contemporain, Jeux Olympiques de Séoul. Il montre ses œuvres dans des expositions personnelles, dont : 1982, 1984, 1986, galerie Isy Brachot, Bruxelles ; 1981, 1984, 1987, 1988, Wenger Gallery, San Diego ; 1983, 1985, 1989, *Propagande* galerie Isy Brachot, Paris.
Ses œuvres, des aquarelles rehaussées de pastel et de fusain, sont hantées, depuis 1980, par la figure du poète russe et soviétique Maïakovski, chantre de la révolution et de la libération du genre humain. Le personnage du poète, figuré ou non, est utilisé comme métaphore de l'artiste « généreux », victime d'une idée enthousiasmante. En effet, Jan Vanriet peint des sortes de scènes de genre politiques comme le seraient les affiches de propagande, mais détournées, où l'homme, travailleur en usine, est dominé par l'implacable propagande politique.
Bibliogr. : *Jan Vanriet. Propagande*, galerie Isy Brachot, Paris, 1989.
Ventes Publiques : Lokeren, 21 mars 1992 : *Crâne et vieux soldat – Joseph Beuys*, aquar. et past. (56x109,5) : **BEF 40 000** – Lokeren, 15 mai 1993 : *Paysage animé* 1969, h/t (100x81) : **BEF 80 000.**

VANROGGER ou **Van Rogger**. Voir **ROGGER Roger Van**

VANSANZIO Giovanni. Voir **VASANZIO**

VANSELAAR Cary
Né en 1941 à Edam. XXe siècle. Hollandais.
Peintre de paysages, aquarelliste, peintre à la gouache.
Cet artiste travaille à l'huile, l'aquarelle et la gouache mais réalise surtout des aérographes.
Ventes Publiques : Singapour, 5 oct. 1996 : *Vue de Tanah Lot à Bali* 1986, aquar. et gche (64x43) : **SGD 2 070.**

VANSEUBE Jacques
XVIIIe siècle. Actif à Lunéville. Français.
Peintre.
Il fut peintre ordinaire du duc de Lorraine et directeur de l'Académie de peinture de Lorraine.

VANSINA Dirk
Né en 1894 à Anvers. Mort en 1967 à Louvain (Brabant). XXe siècle. Belge.
Peintre, dessinateur.
Il fut élève de l'Académie d'Anvers.
Bibliogr. : In : *Dict. biogr. illustré des artistes en Belgique depuis 1830*, Arto, Bruxelles, 1987.

VANSOIRE. Voir **VANCLAIRE**

VANSSAY René de, baron
Mort en 1907. XIXe siècle. Français.
Peintre.
Sociétaire des Artistes Français, il figura au Salon de ce groupement.

VANSTEENKISTE Eugène
Né en 1896 à Wevelgem. Mort en 1963 à Ypres (Flandre-Occidentale). XXe siècle. Actif en Allemagne. Belge.
Peintre de compositions allégoriques, figures, paysages. Tendance symboliste.
Il a vécu à Fribourg (Saxe).
Bibliogr. : In : *Dict. biogr. illustré des artistes en Belgique depuis 1830*, Arto, Bruxelles, 1987.

VANTAGGI Biagio
Né en 1639 à Gubbio. Mort en 1713 à Gubbio. XVIIe-XVIIIe siècles. Italien.
Sculpteur.
Élève de Mucccianti.

VANTILLARD Joseph
Né vers 1836. Mort en novembre 1909 à Paris. XIXe siècle. Français.
Peintre verrier.
Il exécuta des vitraux à Drancy et à Neuilly-sur-Seine.

VANTINI Domenico
Originaire de Brescia. XVIIe-XVIIIe siècles. Travaillant vers 1675-1708. Italien.
Miniaturiste.
La Galerie Royale de Florence conserve un portrait de Domenico Vantini par lui-même.

VANTOLON Pierre ou **Vatalon**
XVIIe siècle. Travaillant à Lyon de 1662 à 1667. Français.
Peintre de fresques.

VANTONGERLOO Georges I
Né en 1861. Mort en 1928. XIXe-XXe siècles. Hollandais.
Peintre de paysages.

VENTES PUBLIQUES : PARIS, 14 nov. 1995 : *Paysage* 1916, h/pan. (35x26) : **FRF 28 000**.

VANTONGERLOO Georges II
Né le 24 novembre 1886 à Anvers. Mort en 1965 à Paris, accidentellement. XXe siècle. Belge.
Peintre, sculpteur, architecte, écrivain. Abstrait, néoplasticiste. Groupe De Stijl, groupe Abstraction-Création.

Il a été élève des académies d'Anvers et de Bruxelles. Mobilisé pendant la guerre de 1914-1918, il fut blessé et évacué sur les Pays-Bas, où il fut interné. Il fit la connaissance de Théo Van Doesburg et adhéra au groupe De Stijl en 1917. Il se fixa à Menton de 1919 à 1927, puis à Paris en 1928, où il noua des amitiés avec Mondrian, Seuphor, ensuite Max Bill et Pevsner. En 1931, avec Herbin, il fonda le groupe Abstraction-Création, dont il fut vice-président jusqu'en 1937.

Il a commencé par exposer aux Salons Triennaux de Belgique, de 1909 à 1914, figurant aussi dans des expositions en Hollande. En 1930, il participa à l'exposition du groupe *Cercle et Carré*, fondé par Seuphor. En 1949, une soixantaine de ses œuvres furent exposées au Kunsthaus de Zurich, dans une exposition partagée avec Pevsner et Max Bill. Après sa mort, il était représenté, en 1977 à *Aspects historiques du constructivisme et de l'art concret*, Musée d'Art Moderne de la Ville de Paris, en 1978 à *Abstraction-Création 1931-1936*, au Westfälisches Landesmuseum für Kunst und Kulturgeschichte de Münster, puis au Musée d'Art moderne de la Ville de Paris.

Il montra ses œuvres dans des expositions personnelles, dont : 1962, rétrospective organisée par Max Bill, Londres ; après sa mort : 1985, rétrospective itinérante, Europe et États-Unis ; 1989, galerie Denise René, Paris.

Jusqu'en 1917, il avait surtout sculpté et peignait des œuvres d'esprit traditionnel. C'est aux Pays-Bas qu'il entra, en 1917, en contact avec les artistes hollandais du groupe *De Stijl* et qu'il créa, dès cette année, ses premières œuvres non figuratives, avec les *Constructions dans la sphère* et des compositions de volumes orthogonaux. Il collabora à la revue de Van Doesburg et de Mondrian : *De Stijl*, après avoir cosigné le manifeste du même titre en 1918, et y publia ses *Réflexions*, entre autres, *Réflexion II : la création, le visible, la puissance* (1918) et *Réflexion II : de l'absolu* (1919). Il devait collaborer à la revue de 1917 à 1920. Il adhéra alors assez strictement aux préceptes sévères du néoplasticisme, tout au moins en ce qui concernait la limitation des lignes aux horizontales et verticales, discipline à laquelle il se pliera pendant une vingtaine d'années, aussi bien dans ses peintures que dans ses sculptures en bois ou en métal. Ce qui le distinguait dans le groupe était le rôle qu'il donnait aux mathématiques dans la conception de ses œuvres d'après des équations : *Composition émanant de l'équation* $y = -ax^2 + b + 18$ *avec accord de vert, orangé, violet et noir* (1930). Dans les années vingt, il s'efforça de démontrer par les mathématiques l'équilibre des formes dans les tableaux de Mondrian, au sujet duquel il est exact que l'on peut s'étonner qu'il n'y ait pas recouru de lui-même, tant il est évident que son art ressortit au calcul des proportions. À Menton il poursuivit ses créations dans le même esprit. Il publia, en 1924, à Anvers, *L'Art et son Avenir*. Ses activités de sculpteur (bois, en nickel ou en fer) et de concepteur étaient importantes. Il réalisa des maquettes pour des projets d'aéroports, pour un pont sur l'Escaut. À partir de 1937, il renonça à la stricte ligne droite du néoplasticisme, pour adopter la courbe, d'abord dans des études graphiques, puis dans des constructions spatiales, avec un fil métallique aux orbes concentriques s'enroulant sur elles-mêmes jusqu'à enserrer souvent un noyau solide en leur centre, comme dans le *Nucleus* de 1946, ces solidifications d'espace étant soutenues comme dans le vide par une infrastructure en plexiglas. ■ J. B.

BIBLIOGR. : A. Barr : *Cubism and Abstract Art*, Museum of mod. Art, New York, 1936 – Georges Vantongerloo : *Paintings, Sculptures, Reflections*, New York, 1948 – Michel Seuphor : *L'Art abstrait, ses origines, ses premiers maîtres*, Maeght, Paris, 1949 – Catalogue de l'exposition *Vantongerloo*, Kunsthaus, Zurich, 1949 – Catalogue de l'exposition rétrospective *De Stijl*, Stedel. Mus. Amsterdam, 1951 – Michel Seuphor : *Diction. de la peint. abstr.*, Hazan, Paris, 1957 – Michel Seuphor : *Le style et le cri*, Seuil, Paris, 1965 – Herta Wescher, in : *Diction. Univers. de l'Art et des Artistes*, Hazan, Paris, 1967 – Francine-Claire Legrand, in : *Nouveau diction. de la sculpt. mod.*, Hazan, Paris, 1970 – Frank Popper : *L'Art Cinétique*, Gauthier-Villars, Paris, 1970 – in : Catalogue de l'exposition *Abstraction-Création 1931-1936*, Westfälisches Landesmus. für Kunst and Kulturgeschichte, Münster, Musée d'Art moderne de la Ville, Paris, 1978 – in : *L'Art du XXe siècle*, Larousse, Paris, 1991 – in : *Dictionnaire de l'Art Moderne et Contemporain*, Paris, 1992.

MUSÉES : AMSTERDAM (Stedelijk Mus.) – NEW YORK (Solomon R. Guggenheim Mus.) : *Composition Vert-Bleu-Violet-Noir n° 105* 1937 – *Composition émanant de l'équation* $y=-ax^2+b+18$ *avec accord de vert, orangé, violet et noir* 1930 – NEW YORK (Mus. of Mod. Art) : *Construction de rapports de volumes* 1921 – PARIS (Mus. Nat. d'Art Mod.) : *Composition* 1917-1918 – ZURICH (Kunsthaus).

VENTES PUBLIQUES : LONDRES, 7 nov. 1962 : *Composition dans un carré circonscrit par un cercle* : **GBP 800** – COLOGNE, 15 juin 1966 : *Femme assise* : **DEM 22 000** – NEW YORK, 20 oct. 1971 : *Circuit fermé no 189* : **USD 12 000** – LONDRES, 4 déc. 1974 : *Fonction de formes et de couleur* 1937 : **GBP 24 000** – VERSAILLES, 7 juin 1978 : *Relation, variation, droites, courbes* 1938, h/pan. (80x37) : **FRF 120 000** – LONDRES, 4 avr. 1978 : *Rapport de volumes* 1919, pierre (H. 23) : **GBP 21 000** – LONDRES, 2 avr 1979 : *Variations de lignes rouges, brunes, verdâtres* 1938, isor. (50,5x81) : **GBP 17 000** – LONDRES, 1er avr. 1981 : *Études* vers 1917, pl., aquar. et gche, suite de dix dessins (chaque 27x20) : **GBP 17 000** – NEW YORK, 4 nov. 1982 : *Fonction de courbes* 1939, h/isor. (32x61,5) : **USD 25 000** – LONDRES, 4 déc. 1984 : *Eclat de rire* 1910, bronze (H. 31) : **GBP 800** – LONDRES, 29 juin 1988 : *Relation-variation, droites-courbes* 1938, h/pan. (81,2x39) : **GBP 37 400**.

VANTORE, de son vrai nom : **Hans Christian Hansen**.
Voir **HANSEN Hans Christian**

VANTORE Mogens Erik Christian, de son vrai nom : **Hansen**
Né le 16 mars 1895 à Copenhague. Mort en 1977. XXe siècle. Danois.
Peintre.

Fils de Hans Christian Hansen (voir au nom). Il n'eut aucun maître. Il vécut et travailla à Roe près d'Ans.

MUSÉES : MARICO : plusieurs peintures.

VENTES PUBLIQUES : GÖTEBORG, 18 oct. 1988 : *L'air de Paris*, h/t (80x65) : **SEK 4 400** – STOCKHOLM, 6 déc. 1989 : *Nature morte avec des tournesols dans une cruche*, h/t (99x84) : **SEK 8 500** – NEW YORK, 23 oct. 1990 : *Un café parisien*, h/t (150,5x120,7) : **USD 20 900** – LONDRES, 22 nov. 1996 : *Un vase de lilas et un tableau sur une table drapée* 1941, h/t (87,7x76,2) : **GBP 2 990**.

VANTOURS Armand
Né le 16 avril 1817 à Poperinghe. Mort le 26 septembre 1843 à Anvers. XIXe siècle. Belge.
Peintre d'histoire.

Élève des Académies d'Ypres et d'Anvers. La ville d'Ypres lui commanda un tableau : *Jésus-Christ remettant les clefs du Paradis à saint Pierre*, mais une mort prématurée ne lui permit pas d'achever cette œuvre, qui faisait partie des collections du Musée d'Ypres.

VANTRIGHT John
XIXe siècle. Travaillant à Dublin de 1856 à 1882. Irlandais.
Paysagiste amateur et aquarelliste.

Il se fixa au Canada.

VANUCCIO ou **Vanuzo**, pseudonyme de **Carlo di S. Giorgio**, dit **Polismagna**
Né à Bologne. Mort avant 1479. XVe siècle. Actif à Ferrare. Italien.
Enlumineur.

Il travailla pour la cour de Ferrare.

VANULLI Girolamo
XVIIIe siècle. Actif à Modène. Italien.
Peintre de sujets religieux et de portraits.

Élève de G. Crespi et de Fr. Monti.

VANVITELLI ou **Vanvittel**, pseudonyme de **Wittel Gaspare Van**, ou **Vittel** ou **Kaspar** ou **degli Occhiali** ou **Pictoors**
Né en 1653 à Utrecht. Mort le 13 septembre 1736 à Rome. XVIIe-XVIIIe siècles. Actif en Italie. Hollandais.

Peintre de sujets de genre, paysages animés, paysages, paysages urbains, paysages d'eau, architectures, dessinateur.

Il fut élève de Matthias Withoos, dont il imita la précision d'exécution. Il vint à Rome très jeune, vers 1674, et italianisa son nom. Il se rendit ensuite à Naples et y fut protégé par le vice-roi espagnol. La Révolution, lui ayant fait perdre ce protecteur, le ramena à Rome, qu'il ne quitta plus.

Il a peint, avec beaucoup de goût et une sûreté de dessin faisant penser à Canaletto, un grand nombre de vues de ruines romaines et de sites pittoresques de la Ville éternelle et de Naples.

Musées : Aix : *Vue de Rome*, deux œuvres – Chartres : *Fête religieuse à Naples – Parade militaire à Naples* – Draguignan : *Vue de Rome* – Florence : *Vue de Rome du côté du Tibre – Villa Médicis à Rome* – Fontainebleau : *Vue de Venise – Noces du doge avec la mer et vue de Venise* – Hanovre : *Paysage* – Madrid (Prado) : *Venise* – Nantes : *Le Château Saint-Ange, autrefois tombeau d'Adrien, à Rome* – Rome (Gal. Doria Pamphili) : *Plusieurs vues de Venise* – Rouen (Mus. des Beaux-Arts) : *Vue de Rome – Le Port de Ripetta à Rome* – Vienne : *Saint-Pierre de Rome*.

Ventes Publiques : Paris, 1737 : *La Place du Peuple à Rome* : **FRF 300** – Paris, 1777 : *Deux vues de Rome avec personnages* : **FRF 1 000** – Paris, 1877 : *La Piazetta et le Quai des Esclavons à Venise* : **FRF 1 020** – Paris, 1900 : *Une place publique à Rome* : **FRF 420** – Paris, 14 et 15 mai 1907 : *Vue de la place du Peuple à Rome* : **FRF 200** – Londres, 25 fév. 1911 : *Vue de Naples* : **GBP 26** – Paris, 31 mai 1919 : *Vue d'une ville* : **FRF 2 200** – Paris, 30 avr. 1924 : *Vue de Rome* : **FRF 2 700** – Londres, 1er juil. 1927 : *Vue de Rome* : **GBP 315** – Paris, 28 fév. 1938 : *Vue de Poggio, San Lorenzo*, pl. et lav. d'encre : **FRF 1 650** – Paris, 13-14 fév. 1941 : *Le Pont Saint-Ange à Rome* : **FRF 112 000** – Paris, 19 mars 1947 : *Fête champêtre*, pl. : **FRF 16 100** – Paris, 10 juin 1949 : *Rue d'un port italien ; Palais italien en bordure d'une rivière* 1712, gche, deux pendants : **FRF 29 500** – Paris, 7 mars 1951 : *La Fête au bord de la rivière*, pl. : **FRF 10 000** – Londres, 27 mai 1960 : *Vue de l'église de Bartholomé de Rome* : **GBP 2 520** – Londres, 19 juil. 1961 : *Vue sur le Tibre* : **GBP 700** – Londres, 5 déc. 1969 : *Piazza et Palazzo Montecavallo, Rome* : **GNS 8 000** – Versailles, 22 fév. 1970 : *Paysages animés*, gche, une paire : **FRF 12 000** – Versailles, 6 mai 1971 : *Intérieur du Colisée ; L'Arc de Septime Sévère* : **ITL 15 000 000** – Londres, 8 déc. 1976 : *Vue de Vérone* 1705, h/t (49,5x67,5) : **GBP 15 000** – Londres, 6 juil. 1976 : *Une église vue à travers les arbres*, aquar. et pl. (13,1x30,8) : **GBP 1 100** – Londres, 13 juil. 1977 : *La baie de Naples*, h/t (82,5x175) : **GBP 10 000** – Amsterdam, 3 avr. 1978 : *Vue du cratère d'un volcan*, aquar. et pl. (27,8x41,2) : **NLG 5 400** – Londres, 30 mars 1979 : *Vue de Venise*, h/t (51,3x100,9) : **GBP 28 000** – Londres, 9 déc. 1980 : *Une ville sur une falaise (recto) ; Homme avec un fusil (verso)*, pierre noire et pl. (28,5x42,8) : **GBP 1 600** – Rome, 28 avr. 1981 : *Vue du château Saint-Ange, Rome*, h/t (80x120) : **ITL 55 000 000** – Londres, 9 déc. 1982 : *Paysage avec une église et un monastère au bord d'un lac*, craie noire, pl. et lav. reh. de blanc/pap. jaunâtre (27,1x41,3) : **GBP 3 300** – Londres, 9 mars 1983 : *Isola Bella, Lago Maggiore*, h/t (43x74) : **GBP 28 000** – Paris, 18 avr. 1984 : *Vue d'un port de mer*, pl. et lav. d'encre de Chine/fond de sanguine (26,5x37,5) : **FRF 40 000** – Milan, 26 nov. 1985 : *Vue des îles Borromée sur le Lac Majeur*, h/t (44x75) : **ITL 125 000 000** – Londres, 4 juil. 1986 : *Piazza S. Pietro, Rome ; Piazza del Popolo, Rome*, h/t, une paire (27,3x64,8) : **GBP 35 000** – Londres, 6 juil. 1987 : *Paysage au pont (recto), Paysage fluvial (verso)*, pl. et lav./traits de craie noire au recto, pl. et lav./traits de craie rouge au verso (27x41,6) : **GBP 6 000** – Londres, 9 déc. 1987 : *Tivoli, vue du temple de Vesta*, h/t (50x97) : **GBP 70 000** – Paris, 11 mars 1988 : *Le Colisée*, h/t (55x108) : **FRF 620 000** ; *La Piazza San Pietro à Rome ; La Piazza del Popolo à Rome*, gche, une paire (23x53,5) : **FRF 1 900 000** – Londres, 20 avr. 1988 : *Rome, le Tibre, vu de la Marmorata*, h/t (97x171) : **GBP 236 500** – Rome, 24 mai 1988 : *Vue d'un port avec une tour*, encre brune reh. d'aquar. (29,5x29,6) : **ITL 8 000 000** – Paris, 24 juin 1988 : *Vue du Colisée*, h/t (22x32) : **FRF 320 000** – Milan, 25 oct. 1988 : *Vue de la Villa Melzi à Vaprio d'Adda*, h/t (62x123) : **ITL 125 000 000** – New York, 11 jan. 1989 : *Ville au bord de la rivière*, encre, aquar. et gche (27,7x42) : **USD 37 400** – Londres, 5 juil. 1989 : *Capriccio de Rome avec Tivoli*, h/t (75x99) : **GBP 143 000** – Monaco, 2 déc. 1989 : *Vue de Naples*, h/t (75x174) : **FRF 6 438 000** – Rome, 8 mai 1990 : *Place Saint-Pierre*, h/t (53x102) : **USD 820 000 000** – Londres, 6 juil. 1990 : *Vue de Caprarola avec la Villa Farnèse et Santa Maria Suburbana*, h/t/cart. (25,3x47,2) : **GBP 71 500** – Monaco, 7 déc. 1990 : *La Tombe de Virgile et la grotte de Pozzuoli*, h/t (62x46,5) : **FRF 410 700** – Londres, 3 juil. 1991 : *Vue de Chiaia sur le versant vers Mergellina à Naples*, h/t (49,5x98,5) : **GBP 253 000** – Milan, 28 mai 1992 : *Vue de la place Saint-Pierre* 1721, h/t (52,5x107) : **ITL 530 000 000** – Monaco, 18-19 juin 1992 : *Vue de la villa Aldobrandini aux environs de Rome*, h./vélin (27,5x41,5) : **FRF 488 400** – Paris, 18 déc. 1992 : *Vue du château Saint-Ange à Rome*, h/t (45x74) : **FRF 160 000** – New York, 13 jan. 1993 : *Vue de Badia Fiesolana avec la rivière Mugnone au premier plan*, sanguine, encre et lav. (21,3x41) : **USD 33 000** – New York, 19 mai 1993 : *Vue de Vaprio et Canonica depuis la rive de l'Adda près du confluent avec le Brembo*, h/t (55,8x110,5) : **USD 123 500** – Paris, 30 juin 1993 : *Vue de la Piazza del Popolo à Rome*, h/t (50x98,5) : **FRF 980 000** – Londres, 9 juil. 1993 : *Rome vue de la Vigna Ciccolini avec le Palais de Latran, l'hôpital et l'église Saint-Jean de Latran et les ruines de l'aqueduc de Claude au fond*, h/t (75x132,8) : **GBP 375 500** – Milan, 31 mai 1994 : *Paysage de la campagne romaine*, cr., pl. et aquar. (17,1x32) : **ITL 26 450 000** – New York, 10 jan. 1995 : *Paysage italien avec des voyageurs sur un pont et une ville à distance*, encre, aquar. et gche (27,9x41,9) : **USD 27 600** – Londres, 3 juil. 1995 : *Vue de Orte*, gche et craie noire (28,1x42,3) : **GBP 24 150** – New York, 12 jan. 1996 : *La grotte de Pozzuoli à Naples* 1702, h/t (49x64,2) : **USD 134 500** – Londres, 5 juil. 1996 : *La Darsena à Naples*, h/t (74x171,8) : **GBP 600 000** – Londres, 13 déc. 1996 : *Le Darsena à Naples* 1711, h/t (50,8x100,5) : **GBP 419 500** – Londres, 2 juil. 1997 : *Vue du Tibre à San Giovanni dei Fiorentini et Via Giulia, Rome* 1713, temp./pan. (28,7x50,1) : **GBP 140 100** – Londres, 4 juil. 1997 : *Le Port du Ripa Grande à Rome* 1690, h/t (51,5x101) : **GBP 617 500** – Londres, 3-4 déc. 1997 : *Naples, vue du Grotto à Pozzuoli avec le tombeau de Virgile* 1701, h/t (72,5x124,5) : **GBP 210 500**.

VANVITELLI Luigi

Né en 1700 à Naples. Mort en 1773 à Naples. XVIIIe siècle. Italien.

Peintre, architecte et graveur à l'eau-forte.

Il fut tout d'abord peintre, mais fit une carrière d'architecte. Son œuvre principale est le Palais royal de Caserte, construit entre 1752 et 1774, pour le roi de Naples Charles III de Bourbon. C'est une sorte de Versailles, mais beaucoup plus monotone dans sa grandeur. Les cascades et fontaines sont alimentées par un aqueduc long de quarante kilomètres, passant par des ouvrages impressionnants.

VANYE Peter ou **Pierre**, dit **Bertrand** ou **Vanyer** ou **Vanier**

XVe-XVIe siècles. Actif à Lyon de 1493 à 1547. Français.

Enlumineur.

Il enlumina le psautier conservé dans la Bibliothèque Bodley, à Oxford ; on lui attribue également l'ornementation d'une bible de grand format.

VANZEVENBERGHEN Georges

Né en 1877 à Molenbeek-Saint-Jean. Mort en 1968 à Saint-Josse-ten-Noode. XXe siècle. Belge.

Peintre de genre, nus, portraits, paysages, natures mortes, aquarelliste. Postimpressionniste.

Il fut élève de l'école de dessin de Molenbeek et de l'Académie des Beaux-Arts de Bruxelles. Parent de Jan Stobbaerts, il reçut ses conseils. Il est devenu professeur à l'Académie de Bruxelles. Il a été élu membre de l'Académie Royale de Belgique.

Bibliogr. : In : *Diction. Biogr. Illustré des Artistes en Belgique depuis 1830*, Arto, Bruxelles, 1987.

Musées : Anvers – Barcelone – Bruxelles – Mons – Riga – Saint-Josse-Ten-Noode (Mus. Charlier).

VANZO Antonio I

Né vers 1763 à Cavalese. XVIIIe siècle. Italien.

Peintre.

Peut-être élève d'Antonio Longo. Il était prêtre et travailla pour l'église de Cavalese.

VANZO Antonio II

Né le 9 décembre 1792 à Cavalese. Mort le 28 janvier 1853. XIXe siècle. Italien.

Peintre.

Fils d'Antonio Francesco Vanzo et son élève. Il a peint des saints

Franciscains dans l'église Sainte-Vigile de Cavalese et une *Mater dolorosa* pour l'église de Creto.

VANZO Antonio Francesco
Né le 14 juin 1754 à Cavalese. Mort le 12 janvier 1836 à Cavalese. XVIIIe-XIXe siècles. Italien.
Peintre.
Il peignit pour plusieurs églises du Trentin des tableaux d'autel et des fresques.

VANZO Carlo
Né le 1er juillet 1824 à Cavalese. Mort le 7 novembre 1893 à Cavalese. XIXe siècle. Italien.
Peintre.
Élève de son père Antonio Vanzo et de l'Académie de Venise. Il peignit des portraits et des tableaux d'autel pour des églises du Trentin.

VANZO Giovanni
Né en 1814 à Milan. Mort le 24 décembre 1886 à Milan. XIXe siècle. Italien.
Peintre et sculpteur.
Élève de la Brera de Milan. La Galerie d'Art Moderne de cette ville conserve de lui *Dame nourrissant un oiseau*.

VANZO Giuseppe
Mort en 1882 à Cavalese. XIXe siècle. Italien.
Graveur au burin et sculpteur.
Élève de l'Académie de Vienne. Il travailla à Milan.

VANZO Giustiniano
XIXe siècle. Actif à Bassano vers 1830. Italien.
Peintre.
Il a peint *Gloire de saint Antoine de Padoue* dans l'église Saint-Jean-Baptiste de Bassano.

VANZO Jacopo da. Voir **AVANZI Jacopo**

VANZO Julio
Né le 12 octobre 1906 à Rosario de Santa-Fé. XXe siècle. Argentin.
Peintre, sculpteur.
Coloriste, il a voyagé en Europe pour se familiariser avec l'art contemporain. En Argentine, ses toiles figurent dans les Musées et il a exécuté les portraits de différentes personnalités.

VANZO Quirino
XIXe siècle. Actif à Cavalese dans la seconde moitié du XIXe siècle. Italien.
Peintre.
Il travailla pour les églises de la vallée de Non dans le Trentin.

VAPOUR Hendrick Arentsen ou **Vapoor** ou **Vapoer**
Mort en 1633 à Soeralli. XVIIe siècle. Actif à Delft et Rotterdam. Hollandais.
Paysagiste.

VAPPEREAU Ghislaine
Née en 1953 à Paris. XXe siècle. Française.
Créateur d'assemblages, installations, graveur.
Elle est titulaire d'un doctorat en arts plastiques et enseigne depuis 1977 à l'École des Beaux-Arts d'Amiens. Elle vit et travaille à Paris.
Elle participe à des expositions collectives, parmi lesquelles : 1981, Biennale de gravure, Ljubljana ; 1983, Biennale de gravure, Baden-Baden ; 1986, Jeune Sculpture, Quai d'Austerlitz ; 1987, galerie Antoine Caudau, Paris ; 1988, *Objeto y realidad*, Valence. Elle montre ses œuvres dans des expositions personnelles : 1980, première exposition personnelle, Maison de la Culture d'Amiens, puis, entre autres : 1980, XIe Biennale de Paris ; 1987, 1988, galerie Antoine Candau, Paris ; 1988, Centre d'arts plastiques, Villefranche-sur-Saône.
Bas-reliefs ou *Sculptures*, les œuvres de Ghislaine Vappereau sont des assemblages de fragments de matériaux liés à la cuisine : mobilier, appareils ménagers, carrelages, linoleum. Les *Bas-reliefs* sont des tableaux-objets éclatés, présentés dans leur rapport à l'espace. Ils reconstruisent un sentiment de perspective. Les *Sculptures* sont plutôt conçues en ronde-bosse à partir d'un élément mobilier, une chaise par exemple, tendant vers une forme abstraite. L'ensemble participe de ce « sentiment de cuisine » que l'artiste cherche à circonscrire.
Bibliogr. : Régis Durand : *Ghislaine Vappereau. Latence de l'objet et du signe*, Art Press, Paris, 1989.

VAPRIO Agostino
Né probablement à Vaprio. XVe-XVIe siècles. Travaillant à Pavie de 1460 à 1501. Italien.
Peintre.
Cet artiste prit le nom de son pays natal. Il travailla principalement à Pavie et l'on y cite, à l'église de San-Primo, un petit tableau d'autel daté de 1498. On mentionne également une peinture de même nature, datée de 1486, à l'église de San-Michele. Il travailla aussi pour l'église San-Giovanni. Six autres membres de la même famille travaillèrent, principalement comme décorateur dans la seconde moitié du XVe siècle.

VAPRIO Costantino degli Zanoni ou **Zenoni, da**
Né probablement à Vaprio. XVe siècle. Italien.
Peintre.
Costantino degli Zanoni da Vaprio est le premier cité de sa famille ; c'est aussi le plus célèbre. Dès 1453, il est au service de Francesco Sforza, duc de Milan et paraît jouir de la faveur de ce prince. Il ne paraît pas être moins bien en cours sous le règne de Galeazzo Maria. En 1469, notre artiste travaille au Castello de Milan ; de 1474 à 1476, on le trouve employé avec Foppa et d'autres peintres à la décoration du Castello de Pavie ainsi que d'une église des environs de cette cité. En 1481, on le cite jouissant de la considération du duc Galeazzo et de son oncle le régent Ludovico il Moro. On le cite également comme un habile poète.

VAPRIO Gabriele degli Zanoni ou **Zenoni, da**
XVe siècle. Italien.
Peintre.
Frère de Raffaele V. Il travaillait à Milan de 1452 à 1481. Il peignit des bannières et des décorations pour les orgues de la cathédrale de Milan.

VAPRIO Giacomo ou **Giacomino**
Mort avant 1481. XVe siècle. Actif à Milan. Italien.
Peintre.
Frère de Giovanni V. Il peignit pour Francesco Sforza, duc de Milan.

VAPRIO Giovanni
XVe siècle. Actif à Milan de 1430 à 1476. Italien.
Peintre.
Père de Costantino V. Il travailla pour la cathédrale de Milan.

VAPRIO Giovanni da, appelé aussi **el Fra da Vaprio**
XVe siècle. Actif à Pavie dans la seconde moitié du XVe siècle. Italien.
Peintre.
Père d'Agostino V. Il travailla à Pavie avec Giovanni da Senago.

VAPRIO Giovanni Andrea da
XVIe siècle. Actif à Vaprio d'Agogna (?) dans la première moitié du XVIe siècle. Italien.
Peintre.
Élève de Sebastiano Bombelli à Gênes.

VAPRIO Raffaele
XVe siècle. Actif à Milan de 1458 à 1481. Italien.
Peintre.
Fils de Giacomo V. Il travailla pour la cathédrale de Milan et la chapelle du château de Pavie.

VAQUER Onofre
XVIIe siècle. Travaillant dans l'île de Majorque. Espagnol.
Sculpteur.
Il a sculpté l'autel du Rosaire dans l'église de Banalbufar en 1664.

VAQUERO PALACIOS Joaquin
Né le 9 juin 1900 à Oviedo (Asturies). XXe siècle. De 1950 à 1966 actif aussi en Italie. Espagnol.
Peintre de paysages, paysages urbains, marines, natures mortes, graveur.
Il peignait déjà lorsqu'il commença des études d'architecture en 1920 à Madrid qu'il termina en 1927 avec une bourse pour les États-Unis. Fixé à New York entre 1928 et 1932, il visita les Caraïbes, plusieurs pays latino-américains, peignit en Jamaïque, séjourna au Salvador, au Brésil et dans la péninsule du Yucatan. Il abandonna petit à petit l'architecture pour se consacrer à la peinture. De retour en Espagne, il s'installa en Asturies. Il s'établit à Rome de 1950 à 1959, irrégulièrement jusqu'en 1966 et fut nommé directeur de l'Académie espagnole des Beaux-Arts à Rome en 1956. Il voyagea en Grèce et en Égypte entre 1959 et 1964. Il devint membre de l'Académie Royale des Beaux-Arts San Fernando en 1969.
Il participe à des expositions collectives, parmi lesquelles : la première, en 1916 à l'Université d'Oviedo, puis à de nombreuses autres présentant la jeune peinture espagnole ; 1956, Biennale

de Venise (invité d'honneur). Il montre ses œuvres dans des expositions personnelles, dont : 1919, Oviedo ; 1926, 1944, Musée d'Art Moderne, Madrid ; 1927, galerie Knoedler, Paris ; 1928, galerie Knoedler, New York ; 1956, Palerme ; 1972, rétrospective, Direction des Beaux-Arts, Madrid ; 1973, rétrospective, Musée de Bilbao ; 1980, rétrospective, Musée d'Oviedo ; 1983, Musée Jovellanos, Gijon ; 1986, galerie Juan Gris, Madrid. Il a obtenu en 1941 une seconde médaille à l'Exposition nationale de Madrid, en 1942 une première médaille.
Impressionniste à ses débuts, sa pratique de l'architecture lui fait souvent préférer les paysages bâtis, de même qu'il traite les paysages naturels avec une grande rigueur constructive. Il a peint des marines au début des années trente en Asturies, quelques tableaux à tendance sociale et des paysages désertiques de la côte espagnole. Qualifiant sa peinture d'« anthropomorphique », son style allie classicisme et modernité. Il a également réalisé des compositions murales et a illustré *New York* de Paul Morand (20 dessins).

PALACIOS
VAQUERO

Bibliogr. : In : *Catalogue National d'Art Contemporain*, Éditions d'art Iberico 2000, Barcelone, 1990 – in : *Cien Años de pintura en España y Portugal, 1830-1930*, Antiqvaria, t. XI, Madrid, 1993.
Musées : Buenos Aires (Mus. des Beaux-Arts) : *Paysage du Nord* 1933 – Gijon – Madrid (Mus. d'Art Mod.) : *Août* – New York (Brooklyn Mus.) : *Église de San Andrés* – Paris (Mus. d'Art Mod. de la Ville) : *Peinture* – Saragosse (Mus. Camon Aznar).
Ventes Publiques : Madrid, 14 mars 1978 : *Vue de Madrid* vers 1925/30, h/t (80,5x65) : **ESP 125 000** – Madrid, 16 juin 1992 : *Paysage*, h/t (53x72,5) : **ESP 550 000**.

VAQUERO SERRAÍMA Julio
Né en 1958 à Barcelone (Catalogne). xxe siècle. Espagnol.
Peintre de figures, nus, technique mixte, dessinateur.
Il montre ses œuvres dans des expositions personnelles : 1989, 1990 Salon Parés à Barcelone.
Bibliogr. : In : *Catalogue National d'Art Contemporain*, Éditions d'art Iberico 2000, Barcelone, 1990.

VAQUERO-TURCIOS Joaquin
Né en 1933 à Madrid. xxe siècle. Espagnol.
Peintre, graveur.
Il s'est d'abord formé en peinture, en Espagne, auprès de son père le peintre Joaquin Vaquero-Palacios, et, parallèlement a suivi ensuite des cours d'architecture à l'Université de Rome. Il a vécu en Amérique latine et aux États-Unis. Il vit et travaille à Madrid. Il a réalisé un certain nombre de peintures murales : 1955, fresque de 800 m^2 l'usine d'électricité de Grandas de Salime (Asturies, Espagne) ; 1962, église de Herrnau (Salzbourg, Autriche) ; 1964, Pavillon espagnol, Exposition universelle, New York ; 1964, église du Père Damian (Madrid) ; 1966, Théâtre Royal, Madrid ; 1969, église de la Ventilla (Madrid) et pour des édifices publiques, principalement à Madrid.
Il participe à des expositions collectives, dont : 1952, 1956, 1958, Biennale de Venise ; 1953, Musée de Santander ; 1954, IIe Biennale Hispano-américaine ; 1958, Exposition universelle de Bruxelles ; 1959, Ve Biennale de São Paulo ; 1962, *Art espagnol contemporain*, Mexico ; IIIe Biennale de Paris ; 1973, *Hommage à Picasso*, galerie Kreiserle, Madrid ; 1982, *Graveurs français et espagnols*, Musée espagnol d'art contemporain.
Il montre ses œuvres dans des expositions personnelles, parmi lesquelles : 1953, galerie Giardino, Lugano ; 1955, Sala Ateneo, Madrid ; 1959, galerie Forma, San Salvador ; 1965, Musée espagnol d'Art Contemporain, Madrid ; 1968, Art Museum, Saint Louis (États-Unis) ; 1975, Biennale de São Paulo (salle personnelle) ; 1983, Palais de Charlottenborg (Copenhague).
Il a obtenu un certain nombre de distinctions : médaille d'or de la Biennale d'art sacré de Salzbourg en 1957 ; Premier prix de peinture à la IIIe Biennale de Paris en 1963.
Cet artiste, qui a été un représentant de l'avant-garde espagnole en peinture, s'est spécialisé dans la réalisation d'immenses fresques et a participé au renouveau de cet art dans les années soixante. Son style se caractérise par un réalisme expressif : rigueur du dessin et emploi de la couleur en tracés libres.
Bibliogr. : In : *Catalogue National d'Art Contemporain*, Éditions d'art Iberico 2000, Barcelone, 1990.
Musées : Aalto (Mus. Alvar) – Bilbao (Mus. des Beaux-Arts) – Buenos Aires (Mus. d'Art Mod.) – Le Cap (South African Nat. Gal.) – Cleveland (Mus. of Art) – Locarno (Mus. Jean Arp) – Madrid (Mus. Espagnol d'Art Contemp.) – Madrid (BN) – Malabo (Mus. d'Art Mod. de Guinée Équatoriale) – Managua (Mus. Nat. des Beaux-Arts) – Oviedo (Mus. des Beaux-Arts) – Paris (Mus. Nat. d'Art Mod.) – Rome (Mus. du Vatican) – San Salvador (Mus. Forma) – Saragosse (Mus. Camon Aznar) – Villafamés (Mus. Populaire d'Art Mod.).

VAQUES Giuseppe
xviiie siècle. Actif dans la première moitié du xviiie siècle. Italien.
Peintre.
Élève de l'Académie de Bologne en 1729.

VAQUEZ Émile Modeste Nicolas
Né en 1841 à Paris. Mort en 1900. xixe siècle. Français.
Peintre de fleurs, peintre à la gouache, aquarelliste.
Il débuta au Salon de 1873.

VARA Guttierrez Augustin
xviie siècle. Actif à Valladolid. Espagnol.
Peintre.
Il apparaît dans un acte public le 24 septembre 1665 à Valladolid. On ne connaît aucune œuvre qu'on puisse lui attribuer avec certitude.

VARADI Albert
Né le 6 octobre 1896 à Nagyvarad. Mort en 1925 à Paris. xxe siècle. Hongrois.
Graveur.
Il fit ses études à Budapest. Il illustra les œuvres de Balzac, de Mörike et de Boccace. Il exposa à Paris en 1923.

VARADY Gyula ou **Jules**
Né le 8 mai 1866 à Saros-Oroszi. Mort le 17 septembre 1929 à Komarom. xixe-xxe siècles. Hongrois.
Peintre de paysages.
Il fit ses études à Munich.

VARADY Kalman ou **Koloman**
Né le 20 avril 1885 à Koloszvar. xxe siècle. Hongrois.
Peintre de figures, natures mortes.

VARADY Lajos ou **Louis**
Né le 10 septembre 1890 à Szaszvaros. Mort en 1929 à Budapest. xxe siècle. Hongrois.
Peintre de paysages.

VARAGNOLO Mario
Né en 1901 à Venise (Vénétie). xxe siècle. Italien.
Peintre.
Il obtint, en 1946, le prix de peinture « Burano ».

VARAKER
xixe siècle. Travaillant en 1819. Britannique.
Peintre de portraits, peintre de miniatures.

VARALE Bartolomeo
Né à Moncalvo. xviiie siècle. Actif dans la seconde moitié du xviiie siècle. Italien.
Sculpteur sur bois.
Il a sculpté la tribune des orgues de la cathédrale d'Asti en style rococo, en 1766.

VARANGOT
xviiie siècle. Travaillant à La Rochelle en 1774. Français.
Sculpteur sur pierre et sur bois.

VARANO Giovanni Battista
Né en 1523. Mort en 1567. xvie siècle. Actif à Parme. Italien.
Peintre d'ornements et de décorations.

VARAUD Serge
Né en 1925 à Villeurbanne (Rhône). Mort en 1956 à Toulon (Var). xxe siècle. Français.
Peintre. Abstrait-géométrique.
Il a vécu et travaillé à Toulon. Il a exposé à Toulon et, surtout, au Salon des Réalités Nouvelles, à Paris, de 1949 à 1955.
Il créa, à partir de son propre atelier, un courant artistique abstrait, lui-même ayant peint ses premières œuvres abstraites en 1948. Ses œuvres, sauf de rares tentatives informelles, se rattachent au géométrisme.
Bibliogr. : Michel Seuphor : *Diction. de la peint. abstr.*, Hazan, Paris, 1957.

VARBANESCO Dimitri
Né le 5 octobre 1908 à Guirgiu (Roumanie). Mort le 2 mai 1963 à Paris, inhumé à Saint-Restitut (Drôme). xxe siècle. Actif en France. Roumain.

Peintre, graveur, dessinateur, aquarelliste, illustrateur. Surréaliste.
Tôt, il manifesta des dons particuliers pour le dessin et s'intéressa aux écrits de Franz Kafka et Karel Capek. Il vint en France pour faire ses études de Droit à Grenoble où il fit la connaissance du conservateur du Musée, Andry-Farcy, qui l'introduisit auprès des peintres dauphinois groupés dans *L'Effort*. Il participa également aux activités du groupe *Témoignage* créé autour de Marcel Michaud. Il y côtoie Jean Bertholle, Jean Le Moal, Étienne-Martin, François Stahly, Louis Thomas... Il est cofondateur en 1936 de la revue *Les Cahiers ligures*. Il vivait et travaillait à Grenoble et dans la Drôme. Il a écrit et illustré : *Enighuren, la sirène polaire* (1934) ; *Papo, Papi, Pori* (1937).
Il a illustré : *Zalacaïn l'aventurier* de Pio Baroja (1936) ; *La vie de Adrian Zografi* de Panait Istrati (1938) ; *Chants de Maldoror* de Lautréamont (1946) et *Oiseaux* d'Aristophane (1946)
Il a participé à des expositions collectives, dont : 1937, 1938, groupe *Témoignage*, Salon d'Automne, Lyon ; 1938, 1939, groupe *Témoignage*, galerie Matières et Formes, Paris ; 1943, groupe *Témoignage*, galerie Folklore, Lyon ; 1955, Biennale de Turin. Expositions posthumes : 1968, Hommage à Varbanesco, exposition *Le Trait*, Musée d'Art Moderne de la Ville, Paris ; 1976, *Groupe Témoignage 1936-1943*, Musée des Beaux-Arts, Palais Saint-Pierre, Lyon.
Il a montré ses œuvres dans des expositions particulières, parmi lesquelles : 1941, galerie Folklore, Lyon ; 1944, L'Hermitage (Plateau d'Assy, Savoie) ; 1945, galerie Saint-Louis, Grenoble ; 1945, 1951, galerie Mai, Paris ; 1947, Guilde du Livre, Lausanne. Expositions posthumes : 1965, rétrospective, Musée de Grenoble ; 1985, Espace Achard, Hôtel de Ville, Grenoble ; 1991, galerie Angle, Saint-Paul-Trois-Châteaux, 1994, *Dimitri Varbanesco. La confusion des règnes*, Musée de Valence.
Si, à ses débuts, Varbanesco a traversé une période cubiste, le sujet, la figure, n'ont jamais totalement abdiqué devant la forme. Surréalisme et fantastique onirique se mêlent dans un travail qui évoque le folklore roumain, la mythologie de l'Antiquité, et les grands mystères de la condition humaine. Les thèmes de la procréation et de la nature accompagnent, tout au long, cette œuvre discrète où figurent des êtres hybrides, notamment le Minautore. Une nature qui est à la fois ravissement dans des compositions à tendance abstraite, mais aussi inquiétude face à l'action de l'homme.
Bibliogr. : Maurice Wantellet : *Deux siècles et plus de peinture dauphinoise*, Maurice Wantellet, Grenoble, 1987.
Musées : Bucarest : donation Suzanne Varbanesco – Grenoble : *Barrage* 1949 – *La Lagune* 1960 – donation Suzanne Varbanesco – Manosque (Bibl. mun.) : dix dessins, illustration du *Chant du monde* de Giono – Valence : donation Suzanne Varbanesco.

VARCHAKOVA Natalia
Née en 1954. xxe siècle. Depuis 1986 active en France. Russe.
Peintre de natures mortes, fleurs.
Elle a étudié à l'École des Beaux Arts V. I. Moukhina de Leningrad (aujourd'hui saint-Pétersbourg), est diplômée en 1976. Elle se fixe à Paris en 1986.
Elle participe, en France, à des expositions collectives à partir de 1988, parmi lesquelles, à Paris : les Salons de Mai, d'Automne, et des Artistes Français. Elle figure également, en 1989, à l'exposition *Peinture Contemporaine Russe*, au Kunsthaus de Cologne et, en 1990, à *Art Russe Contemporain* à Bruxelles et Madrid.
Dans ses peintures d'intérieurs tranquilles et douillets traitées dans une gamme chromatique où dominent les roses délavés et les mauves, le fantastique affleure. Jouets d'enfants et vases de fleurs semblent être ses sujets préférés.
Bibliogr. : In : catalogue de la vente *L'École de Leningrad*, Drouot, Paris, 19 nov. 1990.
Musées : Genève (Petit Palais) – Moscou (min. de la Culture) – Novgorod (Mus. des Beaux-Arts) – Saint-Pétersbourg (Mus. des Beaux-Arts V. I. Moukhina).
Ventes Publiques : Paris, 11 juin 1990 : *Autoportraits*, h/t (55x46) : **FRF 8 000** – Paris, 19 nov. 1990 : *Les jouets*, h/t (60x50) : **FRF 5 000.**

VARCHESI
xviie siècle. Italien.
Peintre.
Élève de Clement Bocciardo. Il exécuta des tableaux d'autel et des fresques pour des églises de Pise dans la seconde moitié du xviie siècle.

VARCHI Benedetto
Né en 1502 à Florence. Mort le 18 décembre 1565 à Monte Varchi. xvie siècle. Italien.
Dessinateur, peintre amateur et écrivain.

VARCHI Giangiacomo ou **Varco**
xviie siècle. Actif dans la première moitié du xviie siècle. Italien.
Peintre.
Il a peint les fresques de l'église Notre-Dame de Collesano en 1635.

VARCO Alonso de
Né en 1645 à Madrid. Mort en 1680 à Madrid. xviie siècle. Espagnol.
Peintre de paysages.
Élève de José Antolinez, dont il adopta la manière. Il travailla pour les couvents et les collections privées de Madrid.

VARCOLLIER Atala, née **Stamaty**
xixe siècle. Française.
Peintre de portraits et lithographe.
Elle exposa au Salon de 1827 à 1835.
Musées : Versailles : *Éléonore d'Autriche, reine de France – La reine Margot – Chilpéric Ier – Le lieutenant général Klein.*

VARCOLLIER Oscar
Né le 11 juillet 1820 à Rome, de parents français. Mort en 1846 à Paris. xixe siècle. Français.
Peintre de portraits.
Élève de Paul Delaroche. Il débuta au Salon de 1845 et obtint une médaille de troisième classe en 1846.

VARDA Salvatore
xviiie siècle. Italien.
Sculpteur.
Il a sculpté une châsse pour l'église San Giovanni in Bragora de Venise.

VARDANEGA Alessandro
Né le 1er septembre 1896 à Possagno, près de Venise. xxe siècle. Italien.
Peintre, illustrateur.

VARDANEGA Gregorio
Né en 1923 à Possagno, près de Venise. xxe siècle. Actif en Argentine, depuis 1959 en France. Italien.
Peintre, sculpteur. Art optico-cinétique. Groupe Arte Concreto-Invencion.
Sa famille émigre en Argentine en 1926. Il fait ses études à Buenos Aires, notamment à l'École des Beaux-Arts (1939-1946). En 1946, il adhère au groupe *Arte Concreto-Invencion* voué à l'abstraction à tendance géométrique, fortement implantée en Amérique latine par l'action de Torrès-Garcia. Il effectue un séjour en Europe, en 1948-1949, notamment à Paris. Il retourne à Buenos Aires, puis se fixe de nouveau à Paris en 1959.
Il participe à de très nombreuses expositions collectives, parmi lesquelles : 1946, groupe *Arte Concreto-Invencion* ; 1949, Salon d'Amérique latine, Paris ; 1950, Salon Jeune Peinture, Paris ; 1957, Biennale de São Paulo ; 1958, Exposition universelle de Bruxelles, Pavillon de l'Argentine, où il obtint une médaille d'or ; 1961, *Art abstrait constructif international*, galerie Denise René, Paris ; 1962, *Trente argentins de la nouvelle génération*, galerie Greuze, Paris ; 1962, *Art abstrait constructif international*, Musée de Leverkusen ; 1967, *Lumière et Mouvement*, Musée d'Art Moderne de la Ville de Paris ; 1967, Biennale de Paris ; 1968, Salon des Réalités Nouvelles, Paris ; 1972, 1978, 1980, 1981, 1982, 1983, Salon Grands et Jeunes d'Aujourd'hui.
Il montre ses œuvres dans des expositions personnelles, la première en 1955, galerie Galatea à Buenos Aires, puis, entre autres : 1969, galerie Denise René, Paris ; 1970, galerie Thelen, Essen (Allemagne) ; 1976, Centre culturel, Sceaux ; 1991, galerie Galarte, Paris.
Parmi ses œuvres situées dans les espaces publics : 1971, 1974, 1978, Centre commercial de Belle Épine, Thiais ; 1974, Centre commercial de Metz Borny ; 1974, 1978, Centre commercial Le Polygone, Montpellier ; C.E.S. Pailleron, Paris.
Parti de peintures sur verre, utilisant les possibilités de démultiplication de l'espace par superpositions de plaques transparentes, puis de constructions sphériques concentriques, il a fini par passer de l'illusion du mouvement, en général créée par les déplacements du spectateur par rapport aux transparences, à l'adoption du mouvement réel, avec de complexes montages en acier chromé et en Plexiglas, mus par des circuits électro-

niques, déclenchant également des effets lumineux. Dans les différentes époques de sa création, il a toujours été fixé sur la forme du cercle, de l'ovale ou de la spirale, symbolique à ses yeux des mouvements cosmiques aussi bien que de l'agitation mécaniste du monde contemporain. Ce furent, en 1946, les constructions cosmiques ; en 1955, les demi-sphères illuminées ; en 1956, l'*Univers électronique* ; en 1962, les cercles sans fin. ■ J. B.

Bibliogr. : Michel Seuphor : *Diction. de la peint. abstr.*, Hazan, Paris, 1957 – Maria-Rosa Gonzalez, in : *Nouveau diction. de la sculpt. mod.*, Hazan, Paris, 1970 – Frank Popper : *L'Art Cinétique*, Gauthier-Villars, Paris, 1970 – Michel Ragon, Michel Seuphor : *L'Art abstrait*, t. III et IV, Édition Maeght, Paris, 1975 – Damian Bayon, Roberto Pontual, in : *La peinture d'Amérique latine au xxe siècle*, Mengès, Paris, 1990 – in : *L'Art du xxe siècle*, Larousse, Paris, 1991.

Musées : Buenos Aires (Mus. Nat. des Beaux-Arts) – Buenos Aires (Mus. d'Art Contemp.) – Buenos Aires (Mus. Sivori) : *Peintures et structures cinétiques* – Buffalo (Albright Knox Gal.) – Le Cap (Rembrandt Art Foundation) : *Structure cinétique* – Melbourne : *Structure cinétique* – Milwaukee : *Structure cinétique* – Paris (Mus. d'Art Mod. de la Ville) – Paris (FNAC) – Recklinghausen : *Lumière, mouvement programmé* – Tel-Aviv – Washington D. C. (Hirshhorn Mus.) : *Structure cinétique*.

VARDAUNIS Edgars

Né le 21 septembre 1910 à Katrina (Vidzeme). xxe siècle. Letton.

Peintre de paysages.

Il fut élève de l'Académie de Riga et de V. Purvitis.

Musées : Helsinki – Londres (Tate Gal.) – Riga.

VARDY John

Né le 17 mai 1765 à Londres. xviiie siècle. Britannique.

Graveur au burin et architecte.

Élève de W. Kent. Il grava des architectures.

Ventes Publiques : Londres, 30 nov. 1983 : *Design for the British Museum*, pl. et lav./deux feuilles jointes (34x46,5) : **GBP 8 500**.

VARÈGE

Probablement d'origine française. xviie siècle. Péruvien.

Peintre de paysages et de figures.

On ne possède aucun détail précis sur cet artiste qui fut un imitateur de Cornelis Poelenburg. Il a peint, principalement sur cuivre, de petits ouvrages animés de personnages.

Ventes Publiques : Paris, 1745 : *Pan et Syrinx* : **FRF 110** ; *Deux paysages* : **FRF 136**.

VAREJAO Adriana

Née à Rio de Janeiro. xxe siècle. Brésilienne.

Peintre, graveur.

Elle vit et travaille à Rio de Janeiro. Elle participe à des expositions collectives depuis 1987 : 1987, Salon national des Arts Plastiques à Rio de Janeiro ; 1988, Stedelijk Museum d'Amsterdam, Fondation Calouste Gulbenkian à Lisbonne ; 1991, Liljevachs Konsthall de Stockholm ; 1993, Musée d'Art moderne de São Paulo ; 1994, Biennale de La Havane, Museum of Modern Art de New York, Biennale internationale de São Paulo ; 1995, Biennale de Johannesbourg, Biennale de Venise, 1996, Institute of Contemporary Art de Boston. Elle montre ses œuvres dans des expositions personnelles depuis 1988 régulièrement à Rio de Janeiro, ainsi que : 1992, São Paulo ; 1992, 1996, Amsterdam ; 1995, New York ; 1997, galerie Ghislaine Hussenot, Paris.

Très connue en Amérique du Sud, elle réalise des peintures qui évoquent l'histoire de son pays, la culture de l'Amérique latine et met en scène les différentes influences, notamment occidentales et asiatiques.

VARELA Abigail

Né en 1948. xxe siècle. Vénézuélien.

Sculpteur de figures, groupes.

Il ne sculpte que des femmes, qu'il traite presque toujours sur le thème et les variations de « la marcheuse ».

Ventes Publiques : New York, 25 nov. 1986 : *Femme assise* 1984, bronze patiné (H. 92) : **USD 5 000** – New York, 21 nov. 1988 : *Marcheuse à la culotte de cheval* 1986, bronze (H. 150) : **USD 11 000** – New York, 17 mai 1989 : *La pause* 1985, bronze (H. 24) : **USD 3 850** – New York, 21 nov. 1989 : *Marcheuse habillée* 1985, bronze à patine brune (H. 100) : **USD 9 900** – New York, 1er mai 1990 : *Les comères* 1986, bronze à patine dorée, une paire (H. 137) : **USD 52 800** – New York, 19-20 nov. 1990 : *Figure regardant l'horizon* 1988, bronze à patine brune (H. 49,6) : **USD 7 700** ; *Marcheuse effrayée*, bronze à patine brune (H. 115) : **USD 22 000** – New York, 15-16 mai 1991 : *La voyageuse*, bronze à patine brun-doré (H. 83) : **USD 24 200** – New York, 19 nov. 1991 : *Extase* 1990, bronze (H. 118) : **USD 46 200** – New York, 18-19 mai 1992 : *Les Commères* 1984, bronze à patine brune (114x78x90) : **USD 44 000** – New York, 24 nov. 1992 : *Marcheuse avec un enfant volant* 1986, bronze (H. 185,5) : **USD 55 000** – New York, 18 mai 1993 : *Femme assise aux bras écartés*, bronze (62,2) : **USD 20 700** – New York, 17 nov. 1994 : *Marcheuse flottante* 1993, bronze (158x146x55,5) : **USD 28 750** – New York, 21 nov. 1995 : *Marcheuse épuisée*, bronze (H. 78,7) : **USD 16 100** – New York, 16 mai 1996 : *Femme au chat sur l'épaule* 1995, bronze (133,5x43,2x42) : **USD 23 000** – New York, 28 mai 1997 : *Femme agenouillée tournée vers le ciel II* 1995, bronze (51x71x61) : **USD 25 300** – New York, 24-25 nov. 1997 : *Todos estamos colgados III*, bronze patine brune (146,1x58,4x29,2) : **USD 27 600**.

VARELA Cybèle

Née le 28 août 1943 à Petropolis (Rio de Janeiro). xxe siècle. Brésilienne.

Peintre, sculpteur.

Elle a vécu quelque temps à Paris.

Elle participe à de nombreuses expositions collectives à São Paulo, Belo Horizonte, Rio et dans toute l'Amérique du Sud. Elle fut invitée à la Biennale de São Paulo en 1967 et 1969, au Salon de Mai en 1975. Elle montre sa première exposition particulière en 1965 à Petropolis, puis : 1968, 1970, 1971, Rio de Janeiro ; 1970, Belo Horizonte ; 1972, Paris.

Fabriquant d'abord des objets, elle a introduit la notion de hasard dans ses compositions. Elle s'est ensuite servie de la photographie pour des paysages sensibles et froids où les jeux d'ombre et de lumière les réduisent à un simple assemblage de plans.

VARELA Francisco ou **Varella**

Né à la fin du xvie siècle à Séville. Mort vers 1656 à Séville. xvie-xviie siècles. Espagnol.

Peintre d'histoire.

Élève de Juan de Ruela. On voit des œuvres de lui dans les églises Saint-Bernardo et S.-Vicente et au couvent de la Morced. En 1618, les Chartreux de Santa Maria de las Cuevas lui firent copier plusieurs des tableaux peints par L. P. Gandin pour la grande chartreuse de Grenoble.

Musées : Séville : *Saint Augustin* – *Saint Jacques* – *Saint Christophe*.

Ventes Publiques : Paris, 1843 : *Tête de saint Paul* : **FRF 48**.

VARELA Miguel

xviiie siècle. Actif à Saint-Jacques de Compostelle, de 1750 à 1770. Espagnol.

Peintre.

VARELA Sebastian

xviie siècle. Actif à Séville de 1627 à 1636. Espagnol.

Peintre.

Assistant de Francisco Terron pour les peintures de l'église de Manzanilla.

VARELIN Jacob Elias Van ou **Varelen**

Né le 9 août 1757 à Haarlem. Mort le 16 mai 1840 à Haarlem. xviiie-xixe siècles. Hollandais.

Peintre, dessinateur, aquafortiste et poète.

Élève de Paul von Liender. Il grava des paysages et des sujets de genre.

VARELLA Antonio

Né vers 1526. xvie siècle. Actif à Vérone. Italien.

Peintre et doreur.

VARELLA Francisco. Voir **VARELA**

VARELST. Voir **VERELST**

VARENA Alessandro Carlo Sebastiano

xviie siècle. Actif à la fin du xviie siècle. Autrichien.

Peintre.

Il a peint une *Trinité* pour l'église de Stoitzendorf en 1695.

VARENNE de. Voir aussi **DEVARENNE**

VARENNE Charles Santoire de

Né en 1763 à Paris ou à Rouen. Mort en 1834 à Paris. xviiie-xixe siècles. Français.

Paysagiste et peintre de marines.

Il fit ses études avec Joseph Vernet, et se consacra aux paysages. Il voyagea en Italie, en Suisse et se rendit à Saint-Pétersbourg ou la Galerie royale acquit quelques-uns de ses tableaux *(L'incendie de Moscou, Vue du château royal à Stockholm).* En 1814, il vint à Varsovie où il fut en 1817, nommé professeur de peinture à l'Université. Pendant son séjour à Varsovie, il fit plusieurs paysages conservés à l'École des Beaux-Arts. En 1815, il fit son grand tableau *L'entrée du Tzar et roi Alexandre Ier à Varsovie.* Il fut décoré de l'ordre de Saint-Stanislas. En 1832, il quitte Varsovie. Malgré son séjour à l'étranger, Varenne exposa à Paris en 1789, en 1804, en 1806, en 1808, en 1814, en 1817 et en 1824. Il avait aussi pris part à une exposition de la jeunesse Place Dauphine en 1789. Le Musée d'Angers conserve un portrait de lui, et le Musée National de Varsovie, *Paysage avec voiture à foin* et *Ermite priant.*

Ventes Publiques : Paris, 18 juin 1920 : *Paysage avec bergers et moutons,* gche : **FRF 6 100** – Paris, 16 et 17 mai 1929 : *Paysage avec torrent,* gche : **FRF 3 600** – Paris, oct. 1945-juil. 1946 : *Personnages orientaux près d'une cascade ; Personnages orientaux dans un paysage montagneux,* aquar. gchées avec reh. de past., formant pendants : **FRF 20 500** – Londres, 22 juin 1982 : *Paysage,* gche (39,5x55,5) : **GBP 900** – Munich, 30 juin 1983 : *Paysage boisé,* h/t, une paire (64x82) : **DEM 13 000** – Paris, 18 mars 1985 : *Vues d'une ville au bord d'une rivière* 1781, gche, une paire (38x54) : **FRF 60 000.**

VARENNE Dorothée Santoire de

Née vers 1804 à Paris. xixe siècle. Française.

Peintre de fleurs et de miniatures, aquarelliste.

Fille de Ch. S. de Varenne et élève de Redouté. Elle figura au Salon de 1824 à 1827.

Ventes Publiques : Paris, 18 déc. 1922 : *Portrait de femme,* miniat. : **FRF 410** – Paris, 30 mai 1980 : *Étude de fleurs* 1828, aquar. (25,5x20) : **FRF 7 500.**

VARENNE Gaston Charles

Né le 11 octobre 1872 à La Roche-sur-Yon (Vendée). xixe-xxe siècles. Français.

Peintre, graveur sur bois, critique d'art.

Il a exposé à Paris aux Salons des Indépendants et d'Hiver. Il fut président du groupe *La Cimaise* en 1909. Chevalier de la Légion d'honneur, Croix de guerre.

VARENNE Henry Frédéric

Né le 3 juillet 1860 à Chantilly (Oise). Mort en mars 1933 à Tours (Indre-et-Loire). xixe-xxe siècles. Français.

Sculpteur de statues, bustes, graveur en médailles.

Il fut élève d'Auguste Dumont. Sociétaire des Artistes Français à partir de 1890, il commença à y exposer en 1886. Il y obtint une mention honorable en 1894, une médaille de troisième classe en 1900. Chevalier de la Légion d'honneur en 1900.

VARENNE Louise Elisa de

Née au xixe siècle à Paris. xixe siècle. Française.

Peintre de portraits.

Elle exposa au Salon de 1835 à 1865. Le Musée d'Angers conserve d'elle *Portrait d'homme.*

VARENNES Ernest de ou **Varenne**

xixe siècle. Français.

Peintre de figures et de portraits.

Le Musée d'Angers conserve de lui un portrait.

Ventes Publiques : Paris, 7 nov. 1949 : *Lavandières* 1852 : **FRF 1 900.**

VARENNES DE GODDES Eugène de

Né le 20 septembre 1829 à Coulommiers (Seine-et-Marne). xixe siècle. Français.

Peintre de paysages amateur.

Fils du marquis A. E. Varennes de Goddes. Élève de Picot et Lavieille. Il débuta au Salon de 1853. On voit de lui au Musée d'Angers *Portraits du Colonel Guillotin Dubignon,* et à celui de Bagnères, *Environs de Coulommiers.*

Ventes Publiques : Paris, 20 et 21 jan. 1928 : *La fenaison* : **FRF 160** – Paris, 15 juin 1951 : *Canal en Hollande* : **FRF 2 100.**

VARESE Antonio

Né vers 1733. Mort le 3 juillet 1786. xviiie siècle. Actif à Gênes. Italien.

Peintre.

VARESE Aurelia Colomba di, appellation erronée. Voir **COLOMBO Aurelio**

VARESE Gabriele Pietro Garibaldi Maria

Né le 6 février 1884 à Palerme (Sicile). xxe siècle. Depuis 1914 actif en France. Italien.

Peintre et sculpteur.

Il vécut et travailla à Paris à partir de 1914. Il exposa, à Paris, au Salon d'Automne, à partir de 1920, y étant l'invité de d'Espagnat et de Laprade. Il exposa ensuite au Salon des Surindépendants, ainsi que dans divers groupes. Pendant vingt ans, il présida l'Association des Artistes Italiens de Paris.

Il a consacré un grand nombre de ses œuvres aux courses de chevaux. L'État a acquis une de ces compositions.

Ventes Publiques : Amsterdam, 24 mai 1989 : *Les courses,* h/t (53x73) : **NLG 2 990.**

VARESE Giacomo

Né le 2 janvier 1892 à Gênes (Ligurie). xxe siècle. Italien.

Peintre de décorations.

Il fut élève de M. Canzio.

VARESE Luigi

Né le 30 décembre 1889 à Porto Maurizio. xxe siècle. Italien.

Peintre de sujets religieux, sujets militaires, paysages.

Il fut élève de Massabo.

VARESME Jeannine

xxe siècle. Active en Tunisie. Française.

Peintre de sujets typiques.

Elle fut élève à l'École des Beaux-Arts de Tunis, elle travailla sous la direction d'Armand Vergeaud. Elle participa régulièrement aux Salons tunisiens, de 1933 aux années soixante. Elle figura également aux Expositions artistiques de l'Afrique française.

Bibliogr. : Catalogue de l'exposition : *Lumières tunisiennes,* Pavillon des Arts, Paris, 1995.

VAREYDA Joaquin

Né vers 1835. xixe siècle. Travaillait à Barcelone et près de Gérone. Espagnol.

Peintre.

Il fut le disciple le plus important du paysagiste réaliste Ramon Marti y Alsina, qui dirigeait l'Académie de Barcelone. Recherchant surtout des effets d'atmosphère, Joaquin Vareyda usait d'une touche légère jusqu'à être floue. Il travailla surtout dans la région de la province de Gérone qui donna son nom à l'École d'Olot. Francisco Gimeno fut d'abord influencé par son œuvre, avant d'évoluer vers une forme plus charpentée.

Bibliogr. : Jacques Lassaigne : *La peinture espagnole, de Vélasquez à Picasso,* Skira, Genève, 1952.

VARGA Albert

Né le 9 mars 1900 à Budapest. Mort en avril 1940 à Paris. xxe siècle. Hongrois.

Peintre de figures.

Il a fait ses études à Budapest, à Munich et à Paris.

VARGA Béla

Né le 13 juin 1897 à Nagyvarad. xxe siècle. Hongrois.

Peintre, céramiste.

Il vécut et travailla à Budapest.

VARGA Émil

Né le 13 avril 1884 à Minkowicz. xxe siècle. Hongrois.

Peintre, sculpteur.

Il vécut et travailla à Budapest.

VARGA Imre

Né en 1923. xxe siècle. Hongrois.

Sculpteur de portraits, statues, statuettes.

Il fut élève de Sandor Mikus à l'Académie des Beaux-Arts, de 1950 à 1956. Il fit des voyages d'études en France, en Italie, en Allemagne, et en Autriche.

Il expose depuis 1959. Il figure régulièrement dans des expositions collectives en Hongrie et à l'étranger : à Graz, Vienne, Oslo, Bergen, Lugano – exposition en plein air de la Fondation Pagani –, et en 1967 à la Biennale Internationale de Sculpture de Middelheim Park à Anvers. Il a montré ses œuvres à Budapest en 1967.

Artiste à l'esprit vif, il expérimente des matériaux divers, des classiques aux modernes, au service de techniques également différenciées, de la sensibilité à fleur de peau du modelage postromantique, à l'intégration d'objets postdadaïstes. Il sculpte également des statues monumentales.

Bibliogr. : Géza Csorba : Catalogue de l'exposition *Art Hongrois Contemporain,* Musée Galliera, Paris, 1970.

VARGA Imre ou **Emerich**

Né en 1863 à Orczyfalva. xixe-xxe siècles. Hongrois.

Caricaturiste.

VARGA Istvan ou **Étienne**

Né le 31 août 1895 à Kunhegyes. xxe siècle. Hongrois.

Peintre.
Il vécut et travailla à Budapest.

VARGA Margit, Mrs **Laszlo Kormendi**
xxe siècle. Américaine.
Peintre. Naïf.
Elle figure aux Expositions de la Fondation Carnegie de Pittsburgh.

VARGA Nandor Lajos ou **Ferdinand Louis**
Né le 1er janvier 1895 à Losonc. xxe siècle. Hongrois.
Graveur, écrivain d'art.
Il fit ses études à Budapest, à Paris et à Londres. Il gravait à l'eau-forte.
Musées : Budapest (Gal. Nat.) – Londres (Mus. Britannique).

VARGA Qszkar
Né le 2 février 1888 à Ujpest. xxe siècle. Hongrois.
Sculpteur de portraits, statues.
Il fit ses études à Budapest et à Bruxelles. Il vécut et travailla à Budapest.
Musées : Budapest (Gal. Nat.) : des portraits et des statues pour tombeaux.

VARGAS Anastasio
xixe siècle. Mexicain.
Peintre de portraits.
Il était actif entre 1860 et 1880. Il a étudié à l'Académie des Beaux-Arts San Carlos à Mexico, où il a exposé pour la première fois en 1869. Il est principalement connu pour avoir peint les portraits des membres de la haute bourgeoisie mexicaine.

VARGAS Andres de
Né en 1613 à Cuenca (Castille-La Manche). Mort en 1674 à Cuenca. xviie siècle. Espagnol.
Peintre de compositions religieuses, graveur.
Il partit jeune pour Madrid, et y fut élève de Francisco Camilo, bien que beaucoup plus âgé. Le maître lui procura des travaux pour les églises. Vergas passa la fin de sa vie dans sa ville natale. Il exécuta des peintures pour la cathédrale de Cuenca. On lui doit également des eaux-fortes.

A de Vargas.

Ventes Publiques : Monaco, 2 déc. 1989 : *Saint Michel*, h/t (120,5x48,5) : **FRF 77 700**.

VARGAS Claudia
Née le 18 septembre 1959 à Bogota. xxe siècle. Depuis 1980 active en France. Colombienne.
Peintre de figures, portraits, compositions à personnages, dessinatrice. Expressionniste.
Après des études aux États-Unis, elle entre à l'École Nationale des Beaux-Arts de Paris en 1979. Depuis, elle participe à des expositions collectives, comme le Salon des Indépendants à Paris en 1987 ; elle a aussi des expositions personnelles, notamment à Paris : 1988 Galerie Bernanos, 1989 Noraby Gallery.
Ses peintures font appel à des couleurs éclatantes et expressives. Parfois, l'absurdité des personnages les rend inquiétants ou burlesques. Quant aux dessins, ils ont souvent l'aspect féroce de la vérité.

VARGAS Francisco de
xviiie siècle (?). Espagnol.
Peintre.
Il a exécuté des peintures dans l'hôpital et l'église Saint-Jean de Dieu de Grenade.

VARGAS Iris
Née le 14 juillet 1953 à San Cristobal. xxe siècle. Depuis 1979 active en France. Vénézuélienne.
Sculpteur de figures, animalier. Tendance abstraite.
De 1970 à 1978, elle fut élève de l'École d'Art Plastique Cristobal Rojas à Caracas ; de 1973 à 1978, de l'École de Sociologie et d'Anthropologie ; de 1979 à 1981, de l'École des Beaux-Arts de Paris. En 1989 à Paris, elle étudia la restauration des monuments historiques. Elle participe à de nombreuses expositions collectives locales, notamment en Suisse et en Allemagne, et, à Paris, aux Salons : en 1988 des Artistes Français ; 1989 d'Automne ; 1990 de la Marine ; 1991, 1992, 1993, 1994 Figuration critique ; 1996 Mac 2000. Elle expose aussi individuellement, notamment à l'Ambassade du Venezuela à Paris, en 1993, 1994 ; à Lausanne, galerie du Chêne en 1995, 1996, 1997, 1998 ; à Heidelberg, galerie Schwartzkopf, en 1997 ; et dans des lieux alternatifs : 1998 Paris, le Toit de la Grande Arche. Elle a bénéficié de commandes publiques, dans la région parisienne et à Caracas.
Par leur exubérance baroque, ses figures échappent à toute ressemblance littérale pour gagner le domaine de la fantaisie, celle de la fête ou celle de l'étrange.

VARGAS Juan de
xve siècle. Actif à Séville. Espagnol.
Peintre.
En 1440, il travaillait avec les peintres Diego Fernandez, Anton et Juan Sanchez qui broyaient les couleurs et Alonso Garcia et Alfonso Sanchez qui peignaient avec lui.

VARGAS Luis de
Né en 1502 à Séville (Andalousie). Mort en 1568 à Séville. xvie siècle. Actif aussi en Italie. Espagnol.
Peintre d'histoire, compositions religieuses, portraits, animaux, natures mortes, fresquiste.
Après avoir commençé ses études dans sa ville natale, il se rendit à Rome, où les œuvres de Perino del Vaga fixèrent particulièrement son attention. Après un séjour de vingt-huit ans en Italie, il revint en Espagne, où il étudia les peintres flamands, Peter de Kempeneer et Ferdinand Sturm, actifs en Andalousie.
En 1555, on le cite peignant une *Nativité* pour le retable de la cathédrale de Séville, où on la voit encore. Il réalisa pour la même cathédrale une *Allégorie de l'Immaculée Conception* 1561, ainsi qu'une *Pietà* 1564, pour l'église Santa Maria la Blanca à Séville. Malheureusement l'artiste peignit surtout à fresque et une notable partie de ses œuvres ont disparu. On mentionne parmi celles qui subsistent : *Le Christ portant sa Croix* et *Le Jugement dernier* à la Casa de Misericordia. On note encore *Adam adorant la Vierge*. Il peignit aussi des portraits.
Bibliogr. : In : *Dictionnaire de la peinture espagnole et portugaise du Moyen-Âge à nos jours*, coll. Essentiels, Larousse, Paris, 1989.
Musées : Philadelphie : *Le Christ est fixé à la Croix* – Séville : *Saint Thomas et sainte Catherine de Sienne* – *Sainte Famille*.
Ventes Publiques : Paris, 1868 : *Triptyque*, petit autel portatif à volets : **FRF 105** – Berlin, 24 jan. 1899 : *L'Adoration des bergers* : **FRF 205** – Londres, 25 oct. 1985 : *La trahison*, h/t (67,3x109,1) : **GBP 6 000**.

VARGAS Mario
Né en 1935. xxe siècle. Français (?).
Peintre de figures, technique mixte.
Ventes Publiques : Neuilly, 26 juin 1990 : *Tendresse*, h/pan. (55x46) : **FRF 11 000** – Paris, 23 oct. 1990 : *Chuchotements*, laque/bois (55x46) : **FRF 11 000** – Neuilly, 3 fév. 1991 : *Réunion*, techn. mixte/pan. (55x46) : **FRF 12 000** – Neuilly, 7 avr. 1991 : *La lumière*, techn. mixte (65x54) : **FRF 12 500** – Neuilly, 20 oct. 1991 : *Le petit chat*, techn. mixte/pan. (46x55) : **FRF 11 000** – Neuilly, 23 fév. 1992 : *La détente*, techn. mixte (46x55) : **FRF 11 000**.

VARGAS Nicolas
xvie siècle. Espagnol.
Dessinateur.
Il dessina le projet du maître-d'autel de l'abbatiale de Guadalupe.

VARGAS Octavio
Né en 1943 à La Paz. xxe siècle. Bolivien.
Peintre, graveur.
Il fut élève en gravure du Centre « Bolivie-Brésil » à La Paz, puis de Hayter à l'« Atelier 17 » à Paris comme boursier de la Fondation Patino en 1966.
Il participe à de nombreuses expositions collectives en Bolivie et en France. Il a participé à la première Biennale de Gravure Latino-américaine de Porto-Rico, a obtenu le Premier Prix de gravure au Salon National Murillo de La Paz et le deuxième prix au Salon de Cochabamba en 1969. Plusieurs expositions individuelles en Bolivie.
Bibliogr. : Catalogue de l'exposition *Peintres Boliviens Contemporains*, Musée d'Art Moderne de la Ville, Paris, 1973.
Ventes Publiques : Versailles, 8 juil. 1990 : *Offrande*, peint./rés. synth. (55x46) : **FRF 9 500**.

VARGAS Pedro
xvie-xviie siècles. Espagnols.
Peintres.
Deux peintres portant ce nom travaillèrent à Séville de 1520 à 1587 et de 1603 à 1622.

VARGAS MACHUCA Cayetano
Né en 1807 à Madrid. xixe siècle. Espagnol.

Graveur au burin.
Élève de l'Académie de Madrid.

VARI Pierre. Voir **VARY**

VARIAN George Edmund
Né le 16 octobre 1865 à Liverpool (Angleterre). Mort le 13 avril 1923 à Brooklyn (New York). XIXe-XXe siècles. Américain.
Peintre, dessinateur, illustrateur.
Il a été élève de l'École d'Art de Brooklyn puis de l'Art Students League de New York. Il a figuré au Salon des Artistes Français en 1907.
On cite de lui *Scènes de rues à Paris*. Il a illustré plusieurs ouvrages dont : *Seen in Germany*, de R. S. Bahers ; *Romance of the Martin Connor*, de Kendall ; *The Tragedy of Pelée*, de G. Kennan ; *Sailing Alone around the world*, de Slocum ; *Buccaneers and Pirates of Our Coast*, de Stockton. Dans le domaine de la presse, il a collaboré à *Lectures pour tous*.
Bibliogr. : In : *Dictionnaire des illustrateurs 1800-1914*, Ides et Calendes, Neuchâtel, 1989.

VARIANA Giovanni Maria
XVIe siècle. Actif à Gênes. Italien.
Graveur au burin.
Il grava des sujets religieux.

VARIGNANA, il. Voir **AIMO Domenico**

VARIGNANA Leonardo di Giovanni di Fiorino
XVe siècle. Actif à Bologne de 1459 à 1463. Italien.
Sculpteur.
Il exécuta des chapiteaux pour l'église Saint-Michel-des-Bois de Bologne.

VARIGNANA Tommaso di Giovanni di Fiorino
XVe siècle. Italien.
Sculpteur.
Frère de Leonardo V. Il exécuta des sculptures pour l'église Saint-Pétronius de Bologne, notamment trois bénitiers, en 1471. Il travaillait dans cette ville depuis 1441.

VARIGNANA Tommaso Filippi da
XVe siècle. Italien.
Sculpteur.
Il sculpta des colonnes et des chapiteaux du Portique Saint-Jacques de Bologne dans la seconde moitié du XVe siècle. À rapprocher des deux frères.

VARILLAT, Mme, née **Tornezy**
XVIIIe-XIXe siècles. Active à Paris. Française.
Peintre de genre et de portraits.
Élève de MM. Regnault et Lethieres. Elle exposa au Salon de 1795 à 1833.

VARIN. Voir aussi **WARIN**

VARIN Achille
Né au XIXe siècle à Paris. XIXe siècle. Français.
Peintre.
Il figura aux Expositions des Artistes Français. Sociétaire depuis 1901 ; mention honorable en 1896.

VARIN Adolphe ou **Pierre Adolphe**
Né le 24 mai 1821 à Châlons-sur-Marne (Marne). Mort le 21 septembre 1897 à Crouttes (Aisne). XIXe siècle. Français.
Graveur au burin et dessinateur.
Fils de Joseph V. le jeune. Élève de Rouargue aîné et de Monvoisin. Il débuta au Salon de 1844.

VARIN Amédée ou **Pierre Amédée**
Né le 21 septembre 1818 à Châlons-sur-Marne (Marne). Mort le 27 octobre 1883 à Crouttes (Aisne). XIXe siècle. Français.
Graveur au burin et peintre.
Fils de Charles Nicolas Varin. Élève de M. Monvoisin. Il débuta au Salon de 1843 et obtint une médaille de troisième classe en 1852.

VARIN Antoine ou **Warin**
XVIIe siècle. Actif dans la première moitié du XVIIe siècle. Français.
Sculpteur.
Il fut chargé de l'exécution de la statue de la fontaine de Loire à Nevers en 1620.

VARIN Charles Nicolas
Né le 29 juillet 1741 à Châlons-sur-Marne (Marne). Mort le 22 février 1812 à Châlons-sur-Marne (Marne). XVIIIe-XIXe siècles. Français.
Dessinateur et graveur au burin.
Fils et élève de Jean-Baptiste Varin. Il fut aussi élève de P. Quentin Chedel. Professeur à l'École Municipale fondée par son père et conservateur du Musée. Charles Nicolas collabora souvent avec d'autres graveurs, notamment, avec Aug. de Saint-Aubin. Il a gravé des sujets de genre et des portraits.

VARIN Claire Éléonore
Née le 13 avril 1820 à Épernay (Marne). XIXe siècle. Française.
Graveur au burin.
Sœur, élève et assistante d'Amédée Varin. Elle grava des vignettes et des illustrations de livres.

VARIN Claude. Voir **WARIN**

VARIN Eugène Napoléon ou **Pierre Eugène**
Né le 15 février 1831 à Épernay (Marne). Mort le 12 avril 1911 à Crouttes (Aisne). XIXe-XXe siècles. Français.
Graveur.
Il fut élève d'Amédée Varin et de l'École des Beaux-Arts. Il débuta au Salon de 1857, devint sociétaire des Artistes Français en 1883. Il y obtint une médaille en 1865, une médaille de deuxième classe en 1879.

VARIN Jacques I
Né vers 1529 à Troyes. Mort le 18 février 1599. XVIe siècle. Français.
Peintre.
Père de Jacques Varin II.

VARIN Jacques II
Né en 1568 à Troyes. Mort le 2 janvier 1633 à Genève. XVIe-XVIIe siècles. Français.
Peintre.
Fils de Jacques Varin I.

VARIN Jean. Voir **WARIN Jean III**

VARIN Jean Baptiste
Né le 9 mai 1714 à Châlons-sur-Marne (Marne). Mort le 5 juin 1796 à Châlons-sur-Marne. XVIIIe siècle. Français.
Graveur sur métal.
Père de Charles Nicolas et de Joseph Varin l'Ancien. Il ouvrit une École de dessin qui devint ensuite l'École Municipale de la ville.

VARIN Joseph, le Vieux
Né le 11 mai 1740 à Châlons-sur-Marne (Marne). Mort le 7 septembre 1800 à Paris. XVIIIe siècle. Français.
Graveur au burin.
Fils de Jean-Baptiste Varin. Élève de P. Q. Chedel et du chevalier de la Touche.

VARIN Joseph, le Jeune
Né le 29 novembre 1796 à Châlons-sur-Marne (Marne). Mort le 6 juin 1843 à Châlons-sur-Marne. XIXe siècle. Français.
Graveur au burin.
Élève de son père Charles Nicolas Varin. Il grava des portraits.

VARIN Lyénin ou **Liévin**
XVe-XVIe siècles. Actif à Troyes de 1473 à 1513. Français.
Peintre verrier.
Il exécuta des vitraux pour les cathédrales de Troyes et de Sens ainsi que pour des églises de Troyes.

VARIN Max
Né le 1er mars 1898 à Bâle. Mort le 13 juin 1931 à Bâle. XXe siècle. Suisse.
Sculpteur de bustes, motifs décoratifs.
Il exposa à Bâle à partir de 1923. Il sculpta des bustes et des ornements.
Musées : Bâle : *Tête d'un ouvrier.*

VARIN Pierre
XVIIe siècle. Actif à Lausanne au début du XVIIe siècle. Suisse.
Sculpteur sur bois.
Il a sculpté le baldaquin de la chaire de l'église Saint-François à Lausanne en 1605.

VARIN Pierre
Mort le 29 novembre 1753 à Paris. XVIIIe siècle. Français.
Sculpteur et fondeur.
Il a sculpté la statue équestre de *Louis XIV* à Bordeaux.

VARIN Pierre Adolphe. Voir **VARIN Adolphe**

VARIN Quentin
Né vers 1570 à Beauvais (Oise), certaines sources donnent 1584. Mort le 27 mars 1634 à Paris, certaines sources donnent 1647. XVIe-XVIIe siècles. Français.

Peintre de compositions religieuses.
On dit qu'il fit ses premières études à Beauvais, puis à Amiens. Il vint ensuite, après 1616, s'établir à Paris et parait y avoir eu un certain succès. Il fut présenté à Marie de Médicis et obtint la commande de travaux pour la décoration du Luxembourg. Sans doute se jugea-t-il indigne de la tâche, car il disparut avant de l'entreprendre. Il est surtout connu pour avoir été le premier maître de Nicolas Poussin.
On cite de lui, à l'église Notre-Dame des Andelys, une *Assomption*, le *Martyre de saint Clair*, le *Martyre de saint Vincent* 1611-1612 ; à Saint-Germain-des-Prés de Paris, une *Présentation au temple*. Il fit preuve d'une fantaisie maniériste dans une autre *Présentation au temple* et une *Flagellation*, exécutées en grisaille vers 1618-1620, aujourd'hui au musée de Beauvais. On voit également de lui, à Paris, à l'église des Carmes, encore une *Présentation au temple* 1624 ; à Saint-Étienne-du-Mont, un *Saint Charles Borromée distribuant des aumônes* 1627.
Son art évolue entre le maniérisme flamand et l'école de Fontainebleau, tout en laissant transparaître les apports de l'Italie du Nord.
Bibliogr. : In : *Diction. de la peinture française*, coll. Essentiels, Larousse, Paris, 1989.
Musées : Beauvais : *Présentation au temple – Flagellation*, grisailles – Paris (Mus. du Louvre) : *L'ensevelissement du Christ* – Rennes : *Noces de Cana*.
Ventes Publiques : Tours, 19 nov. 1953 : *Le Christ aux outrages* : **FRF 60 000** – Paris, 18 juin 1982 : *Jeune femme en buste, la main droite repliée sur la poitrine*, h/t (33x34,5) : **FRF 18 000**.

VARIN Raoul
Né au XIXe siècle à Reims (Marne). XIXe siècle. Français.
Graveur.
Il figura au Salon des Artistes Français à Paris ; mention honorable en 1892.
Ventes Publiques : New York, 17 avr. 1985 : *Views of Old New York*, aquat. en coul., suite de huit (43x57,5) : **USD 3500**.

VARINI Felice
Né en 1952 à Locarno. XXe siècle. Actif en France. Suisse.
Artiste, peintre, créateur d'environnements.
Il figure à des expositions collectives, parmi lesquelles : 1980, Salon Grands et Jeunes d'Aujourd'hui, Paris ; 1982, *Jeune Sculpture*, Quai d'Austerlitz, Paris ; 1983, Musée des Beaux-Arts, Chartres ; 1984, Salon de Montrouge ; 1984, Nouveau Musée, Villeurbanne ; 1985, 1987, Foire internationale d'art contemporain (FIAC) présenté par la galerie Claire Burrus, Paris ; 1988, Biennale de Venise ; 1989, *Réflexion*, Museum Fredericianum, Kassel ; 1989, *Sous le soleil exactement*, Villa Arson, Nice ; 1991, *Valses nobles et sentimentales*, Musée de Strasbourg ; 1991, *Lato Sensu*, Copenhague, Hambourg, Fribourg, Mulhouse ; 1997, château de Fraïssé (Aude), avec Michel Verjux et Krijn de Koning ; 1998, Centre d'art contemporain La Criée, Rennes.
Il montre ses œuvres dans des expositions personnelles, dont : 1981, Usine Pali-Kao, Paris ; 1985, Musée des Beaux-Arts, Sion ; 1986, Arc Musée d'Art Moderne de la Ville de Paris ; 1988, Domaine de Kerguehennec Centre d'art contemporain, Bignan et Kunstmuseum, Winterthur ; 1990, galerie Martina Detterer, Francfort ; 1991, galerie Arnault Lefebvre, Paris ; 1992, galerie Jennifer Flay, Paris ; 1993, La Filature, Scène Nationale, Mulhouse ; 1994, Musée d'Art Moderne de la Ville de Paris ; 1997, Wolfsberg Executive Development Centre, Ermatingen ; 1998 Rennes, dans trois lieux de la ville, dont le Centre d'Art Contemporain de *La Criée*, et Paris galerie Jennifer Flay.
Il intervient à l'intérieur ou à l'extérieur d'espaces en délimitant soit des surfaces précises, mais restreintes, qu'il peint ensuite, soit en peignant des sortes de lignes de force. S'il s'agit de surfaces, les différents plans et niveaux de l'architecture sont à la fois soulignés par des tracés épais, mais aussi unifiés dans une surface plane qui fonctionne comme un leurre en annulant la dimension de la profondeur. S'il s'agit uniquement de tracés, ces derniers peuvent prendre l'allure d'une décomposition inédite de plans qui les met en valeur. Les couleurs choisies, les plus tranchées et vives possible, ont pour logique de créer une opposition visuel entre son dispositif peint et les éléments d'architecture. Le travail de Varini qui est un genre de perspective anamorphique est l'occasion de s'interroger sur le lieu physique et imaginaire où se situe l'image vue.
Bibliogr. : *Felice Varini. Catalogue-vidéo*, Arc-Musée d'Art Moderne de la Ville de Paris, 1994.
Musées : Genève (Mus. d'Art Mod. et Contemp.).

VARION Giovanni Pietro
D'origine française. Mort en 1780. XVIIIe siècle. Italien.
Sculpteur et céramiste.
Il fit ses études à Sèvres et se fixa en Italie où il travailla dans plusieurs Manufactures de porcelaine et de céramique.

VARISCO Grazia
Née en 1937 à Milan (Lombardie). XXe siècle. Italienne.
Artiste, sculpteur. Cinétique. Groupe Gruppo T.
Elle fut membre du Groupe T. Elle figure dans des expositions collectives, parmi lesquelles : 1962, Biennale de Venise. Elle montre ses œuvres dans des expositions particulières : 1962, galerie N, Padoue ; 1964, Musée des Arts Décoratifs, Paris ; 1969, galerie Schwarz, Paris. Elle réalise des objets cinétiques.

VARKONYI Jozsef
Né le 10 décembre 1878 à Csakova. XXe siècle. Hongrois.
Peintre de paysages.

VARLA Félix
Né en 1903 à Tiflis (Géorgie). XXe siècle. Français.
Peintre.
Il a exposé dans les Salons annuels parisiens. Il vit et travaille à Paris.

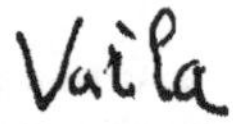

Ventes Publiques : Le Touquet, 12 nov. 1989 : *Le grand rocher*, h/t (65x54) : **FRF 23 000** – Le Touquet, 11 nov. 1990 : *La fenaison*, h/t (46x55) : **FRF 17 000** – Le Touquet, 8 nov. 1992 : *Pêcheur de crustacés*, peint. à l'essence/pap. (32x43) : **FRF 3 500** – Calais, 14 mars 1993 : *Pêcheur de crustacés*, peint. à l'essence/pap. (32x43) : **FRF 4 700** – Saint-Jean-Cap-Ferrat, 16 mars 1993 : *Licorne à Venise*, h/t (45x54) : **FRF 15 000** – Le Touquet, 21 mai 1995 : *Fenaison*, h/t (65x81) : **FRF 8 000**.

VARLAJ Vladimir
Né le 25 août 1895 à Zagreb. XXe siècle. Yougoslave.
Peintre de paysages.

VARLAMOV Alexei
Né en 1920. XXe siècle. Russe.
Peintre, peintre de compositions à personnages.
Ancien élève de l'École des Beaux-Arts de Nijni Novgorod. Artiste du Peuple. Il peignit : *Lénine parmi les jeunes*.
Ventes Publiques : Paris, 23 mars 1992 : *La foire de Novgorod*, h/t (195x240) : **FRF 31 000** – Paris, 5 nov. 1992 : *L'invité d'honneur (F. Chaliapine)*, h/t (90x130) : **FRF 15 000** – Paris, 12 déc. 1992 : *Les montreurs d'ours*, h/t (81x115) : **FRF 10 500** – Paris, 20 mars 1993 : *Le marchand de brochettes*, h/t (100x120) : **FRF 6 500**.

VARLE Gioacchino
Né en 1734 à Rome. Mort en 1806 à Ancône. XVIIIe siècle. Italien.
Sculpteur.
Élève de Rusconi. Il travailla pour plusieurs églises d'Ancône.

VARLET
XVIIIe siècle. Travaillant à Paris en 1769. Français.
Peintre de portraits, miniatures.

VARLET Félicie
XIXe siècle. Travaillant à Paris de 1819 à 1822. Français.
Portraitiste.

VARLET Pierre Louis
Né en 1808 à Villers-Cotterets (Aisne). Mort en 1893 à Villers-Cotterets. XIXe siècle. Français.
Peintre.
Le Musée de Soissons conserve de lui : *Tourelle d'un petit parc de Villers-Cotterets* et *La Fontaine de Fleury*, et celui de Béziers, *Marie-Antoinette devant l'échafaud*.

VARLEY Albert Fleetwood
Né en 1804. Mort le 27 juillet 1876 à Brompton. XIXe siècle. Britannique.
Paysagiste et dessinateur.
Fils aîné de John Varley. Le Victoria and Albert Museum, à Londres, conserve une aquarelle de lui.

VARLEY Charles Smith
XIXe siècle. Actif à Londres. Britannique.
Peintre et aquarelliste.
Fils de John Varley. Il exposa à Londres, de 1839 à 1869, trente-huit œuvres à la Royal Academy, quatre à la British Institution et douze à Suffolk Street.

VARLEY Cornelius

Né le 21 novembre 1781 à Hackney. Mort le 2 octobre 1873 à Highbury. XIXe siècle. Britannique.

Peintre de paysages animés, paysages, aquarelliste, graveur, dessinateur, lithographe.

Frère cadet de John Varley, il perdit son père à l'âge de dix ans et fut adopté par un oncle ingénieur constructeur opticien. Cornelius paraissait appelé à suivre la même profession, mais vers 1800, il abandonna la science pour venir travailler aux côtés de son aîné.

Cornelius exposa à Londres à partir de 1803 et jusqu'en 1869 continua à envoyer aux Expositions de la Métropole anglaise, notamment, à la Royal Academy, à la Royal Institution, à Suffolk Street et à la Old Water Colour Society, dont il fut un des membres fondateurs.

Il fit diverses inventions d'instruments d'optique, qui lui valurent des récompenses. On lui doit aussi des eaux-fortes et des lithographies.

Musées : Londres (Victoria and Albert Mus.) : *Paysages*, aquar., cinq œuvres – Nottingham : *Paysages*, aquar., six œuvres.

Ventes Publiques : Londres, 20 juin 1978 : *Bateau et barques* 1823, aquar. et cr. (38,5x35,5) : **GBP 600** – Londres, 13 mars 1980 : *Richmond Hill, crépuscule*, aquar. et cr. (54,5x76) : **GBP 1 200** – Londres, 30 jan. 1991 : *Cottages gallois* 1847, encre et aquar. (22x35) : **GBP 770**.

VARLEY Edgar John

Mort en septembre 1888. XIXe siècle. Britannique.

Peintre de paysages, peintre à la gouache, aquarelliste.

Fils de Charles S. Varley et petit-fils de John Varley. Il fut directeur du Architectural Museum of Westminster.

Il figura dans diverses expositions collectives à Londres : à Suffolk Street, à la Royal Academy, au Royal Institut, entre 1861 et 1887.

Musées : Londres (Victoria and Albert Mus.) : Une aquarelle.

Ventes Publiques : Londres, 20 juil. 1976 : *Chiswick* 1881, aquar. et reh. de blanc (18,5x27) : **GBP 280** – Londres, 27 juil. 1982 : *Enfants au bord d'une rivière* 1870, aquar. et cr. reh. de blanc (44,5x69,5) : **GBP 1 200** – Londres, 1er mars 1984 : *Le petit pêcheur à la ligne* 1870 aquar. reh. de gche (43x68,5) : **GBP 3 800** – Londres, 26 jan. 1987 : *Pêche dans un ruisseau* 1866, aquar. reh. de gche (27x44,5) : **GBP 3 600** – Londres, 25 jan. 1989 : *Bosham dans le Sussex* 1864, aquar. et gche (18x38) : **GBP 385**.

VARLEY Élisabeth. Voir **MULREADY**, Mrs

VARLEY Frederick Horsman

Né en 1881 à Sheffield. Mort en 1969. XXe siècle. Britannique.

Peintre, aquarelliste.

Il fut élève de l'Académie d'Anvers. Il se fixa au Canada en 1912.

Musées : Ottawa (Gal.).

Ventes Publiques : Montréal, 3 mai 1974 : *Artistes dans un paysage* : **CAD 5 000** – Toronto, 17 mai 1976 : *Old lady of the sea*, pl. et lav. (27x36) : **CAD 1 600** – Toronto, 19 oct. 1976 : *Manya*, h/cart. (30x38) : **CAD 6 000** – Toronto, 27 oct. 1977 : *Campement esquimau*, aquar. (22x30) : **CAD 3 000** – Toronto, 9 mai 1977 : *Paysage montagneux*, h/cart. entoilé (30x37,5) : **CAD 5 000** – Toronto, 15 mai 1978 : *Varley Mountain, Kootenay Lake*, h/t (30,5x40,5) : **CAD 8 500** – Toronto, 27 mai 1980 : *L'Arctique en été* 1939, h/t (85x100) : **CAD 170 000** – Toronto, 26 mai 1981 : *Rain Squall, Georgian Bay* vers 1925, h/pan. (21,3x26,3) : **CAD 42 000** – Toronto, 14 mai 1984 : *Belfountain*, aquar. (25x31,3) : **CAD 3 200** – Toronto, 14 mai 1984 : *Fin d'automne*, h/cart. (29,4x37,5) : **CAD 10 500** – Toronto, 28 mai 1985 : *Cheakamus canyon nr. Lynn Valley, B. C. (recto) ; une esquisse (verso)*, h/pan. (30x37,5) : **CAD 9 000** – Toronto, 3 juin 1986 : *The road to Rice Lake, Lynn Valley, B. C.* vers 1937, aquar. (24,1x34,3) : **CAD 3 500** – Toronto, 28 mai 1987 : *Austrian Pine, Belfountain*, aquar. (33x27,3) : **CAD 6 200** – Toronto, 12 juin 1989 : *Kootenay Valley*, fus. (19x29,2) : **CAD 2 800** – Montréal, 19 nov. 1991 : *Les artistes à Whycogomah* 1953, h/pan. (29,2x38) : **CAD 6 000**.

VARLEY John

Né le 17 août 1778 à Hackney. Mort le 17 novembre 1842 à Londres. XIXe siècle. Britannique.

Peintre de paysages animés, paysages, paysages de montagne, paysages d'eau, architectures, aquarelliste, dessinateur.

Les débuts de cet artiste furent difficiles. Ayant perdu son père alors qu'il n'avait que treize ans, il fut tour à tour apprenti chez un orfèvre et petit commis chez un homme de loi. Il travailla le dessin à une école du soir, sous la direction de Joseph Barrow. Il trouva ensuite de l'occupation chez un peintre de portrait. Un de ses amis de cette période le dépeignait plus tard, vêtu d'habits râpés et portant des chaussures attachées par des ficelles, mais toujours le crayon à la main dessinant sans relâche, d'après nature ou d'après les maîtres. Durant les années 1798 et 1799, il voyagea dans le Pays de Galles. John Varley fut aussi un professeur éminent ; parmi ses élèves on mentionne David Cox, Linvell, Turner, d'Oxford, Nulready. Malgré son énorme labeur, il ne parvint pas à assurer la quiétude de sa vieillesse et il connut à la fin de sa vie, comme au début, les vêtements râpés et les souliers lacés de ficelles.

John Varley débuta à la Royal Academy de Londres en 1798 avec une *Vue de la cathédrale de Peterborough* exécutée peu avant au cours d'un voyage avec Barrow. Il prit dès lors une part active aux Expositions anglaises et se classa parmi les chefs de la nouvelle école d'aquarelle anglaise. Il fut, avec son frère Cornelius, un des fondateurs de la old Water Colour Society et, jusqu'en 1843, n'y envoya pas moins de sept cent trente-neuf ouvrages. On le cite également envoyant quarante et un ouvrages à la Royal Academy ; deux à la British Institution et quatre à Suffolk Street.

Il publia, en livraisons, de 1816 à 1821, *A Treatise on the Principles of Landscape Drawing*, et en 1821 *A Pictural Treatise in the art of Drawing in Perspective*. La connaissance de Turner et de Girtin, que l'artiste fit chez le docteur Moorne ne fut probablement pas sans influence sur son œuvre.

Musées : Birmingham : *Snowden vu de Capel Curig* – Le Cap – Cardiff – Dublin – Glasgow – Leeds – Leicester : *Bedgellert* – *Paysage de Pays de Galles* – Liverpool : *Landgate Kent* – *Snowdon* – *Vieux châteaux* – *Vue du Pays de Galles* – Londres (Victoria and Albert Mus.) : *Paysage* – Cinquante-neuf aquarelles – Manchester : Trois aquarelles – Melbourne : *Paysage* – Une aquarelle.

Ventes Publiques : Vienne, 1823 : *Maison de paysan*, aquar. : **FRF 60** ; *Vue du collège d'Eton près de Windsor*, aquar. : **FRF 115** – Londres, 13 fév. 1909 : *Château en ruine* 1839, aquar. : **GBP 5** – Londres, 26 avr. 1909 : *Abbaye de Bolton*, aquar. : **GBP 37** – Londres, 2 juin 1909 : *Paysage montagneux*, aquar. : **GBP 12** – Londres, 23 avr. 1910 : *Bords de rivière et bestiaux*, aquar. : **GBP 36** – Londres, 4 juil. 1910 : *Château*, aquar. : **GBP 25** – Londres, 12 avr. 1911 : *Vue de Malvern* : **GBP 15** – Londres, 11 mars 1927 : *Bedgellert Bridge*, dess. : **GBP 57** – Paris, 7 juil. 1927 : *Paysage avec personnages* : **FRF 1 450** – Londres, 25 mai 1960 : *Eton, près de Windsor* : **GBP 1 850** – Londres, 11 juin 1968 : *La Tamise à Millbank*, aquar. : **GNS 450** – Londres, 17 juin 1969 : *Bamburgh Castle*, aquar. : **GNS 1 100** – Londres, 14 nov. 1972 : *Snowdon*, aquar. : **GNS 1 000** – Londres, 4 juin 1974 : *Tagwin ferry*, aquar. : **GNS 2 600** – Londres, 1er avr. 1976 : *Views of Boston Hall, Lincoln* 1803, aquar., une paire (21x30) : **GBP 1 100** – Londres, 24 nov. 1977 : *Bayswater* 1831, aquar. (22,5x31) : **GBP 1 500** – Londres, 19 mai 1978 : *Windsor Castle*, h/t (41x20,5) : **GBP 1 300** – Londres, 13 déc 1979 : *Saint Alkmund's church, Shrewsbury* 1801 ?, aquar. (36x29,3) : **GBP 6 000** – Londres, 23 nov 1979 : *La Tamise à Chiswick*, h/t (52,6x42) : **GBP 2 800** – Londres, 16 nov. 1982 : *Conway Castle* 1798, aquar. et cr. (48,3x76,8) : **GBP 2 800** – Londres, 20 mars 1984 : *Tegwin ferry with Snowdon in the distance* 1826, aquar. (22x33,6) : **GBP 6 000** – Londres, 8 juil. 1986 : *Ennerdale Water* 1835, aquar. et touches de pl. et encre grise (30x53,6) : **GBP 3 500** – Londres, 12 mars 1987 : *La Tamise depuis Richmond Hill, Surrey*, aquar./traits de cr. (14,5x23,5) : **GBP 5 500** – Londres, 25 jan. 1988 : *Le château de Bamburg dans le Northumberland*, aquar. (14,5x20,5) : **GBP 660** – Montréal, 30 oct. 1989 : *Rivière et paysage* 1827, aquar. (18x28) : **CAD 1 045** – Londres, 31 jan. 1990 : *Le château de Burton dans le Somerset*, aquar. (23,5x36) : **GBP 1 650** – Londres, 25-26 avr. 1990 : *Dolgelly en Galles du Nord* 1834, aquar. et gche (18,5x13) : **GBP 1 760** – Londres, 16 mai 1990 : *Bétail se désaltérant au bord de la rivière au pied d'un château en ruines*, h/cart./pan. (22x26) : **GBP 3 960** – Londres, 9 avr. 1992 : *La Tamise près de Windsor à Berkshire* 1842, aquar. et gche (19x32) : **GBP 2 420** – New York, 14 oct. 1993 : *La porte de Tanger à Tétouan (Maroc)*, h/t (45,2x59) : **USD 5 175** – Londres, 13 avr. 1994 : *Le silence du soir* 1842, h/t, de forme ovale (46x61) : **GBP 3 450** – Londres, 2 juin 1995 : *Nid d'aigle à Killarney*, h/t (35x46) : **GBP 5 520** – New York, 26 fév. 1997 : *Falaises près de Trimmingham, Norfolk* 1822, aquar./pan. (31,1x51,4) : **USD 3 680**.

VARLEY John

Mort avant 1899. XIXe siècle. Britannique.

Peintre de sujets typiques, paysages animés, paysages, paysages d'eau, architectures, aquarelliste. Orientaliste.

Il exposa à Londres de 1870 à 1895, notamment à la Royal Academy, à Suffolk Street, à la New-Society, à Growenor Gallery, etc.
Cet artiste se plut à représenter des scènes d'Égypte.
Bibliogr. : C. Wood : *Dictionnaire des peintres victoriens.*
Musées : Le Cap : Aquarelle - Leicester : *Mosquée de Mohamed Bey au Caire* - Londres (Victoria and Albert Mus.) : Deux aquarelles - Sheffield : *Une rue au Caire.*
Ventes Publiques : New York, 14 au 17 mars 1911 : *Le lac Majeur* : **USD 60** - Londres, 14 avr. 1976 : *Vue du Caire* 1882, h/t (50x68) : **GBP 600** - Londres, 16 mars 1979 : *Bords du Nil*, aquar. (50,2x72,3) : **GBP 500** - Londres, 24 juin 1983 : *Vue du Caire* 1882, h/t (50x68) : **GBP 3 000** - Londres, 8 nov. 1984 : *Voyageurs aux abords du Caire au crépuscule*, aquar. sur trait de cr. (37x54,5) : **GBP 1 100** - Londres, 14 mai 1985 : *Scène de marché, Le Caire* 1877, aquar. reh. de blanc (47,2x67) : **GBP 1 000** - Londres, 25 jan. 1989 : *Les monts de Guistefor vus depuis Boujah* 1941, aquar. (23x33) : **GBP 418** - Montréal, 23-24 nov. 1993 : *Près d'Assouan* 1883, h/t (94x117) : **CAD 6 800** - New York, 17 fév. 1994 : *Le Nil au Caire* 1882, h/t (50,8x38,2) : **USD 4 600.**

VARLEY William Fleetwood
Né en 1785 à Hackney. Mort le 2 février 1858 à Ramsgate. XIXe siècle. Britannique.
Peintre, aquarelliste, dessinateur.
Il est le plus jeune frère de John Varley. La date de 1777 donnée par certains biographes pour sa naissance est évidemment erronée puisque ses aînés, John et Cornelius - et nous ignorons s'il n'y avait pas d'autres enfants entre eux - étaient nés l'un en 1778 et l'autre le 21 novembre 1781. William fit ses études avec son aîné John. Il exposa à Londres de 1804 à 1818, vingt et un ouvrages à la Royal Academy. Il fut surtout professeur de dessin à Bath et à Oxford. Dans cette dernière ville il fut brûlé grièvement par suite de mauvais procédés de ses élèves. Il ne revint jamais à la santé et dut abandonner tout travail. On voit de lui au Victoria and Albert Museum à Londres des aquarelles et des dessins.
Ventes Publiques : Londres, 11 nov. 1982 : *Cader Idris, North Wales*, aquar. et traces de cr. (40,5x59,5) : **GBP 1 000.**

VARLIN Willy, pseudonyme de **Guggenheim**
Né en 1900 à Zurich. Mort en 1977 à Bondo. XXe siècle. Suisse.
Peintre de portraits, caricatures, lithographe.
Fils d'un lithographe, il fit ses études à Saint-Gall, puis à l'École des Arts et Métiers de la ville, se perfectionnant dans la technique de la lithographie. Il fut encore élève, en 1921, d'Emil Orlik, à l'École des Arts et Métiers de Berlin ; de l'Académie Julian, à Paris, en 1922. En France, il collabora au Salon des Humoristes, aux publications satiriques *Candide, Gringoire, Aux Écoutes.* Il vécut jusqu'en 1932 à Montparnasse, étant l'ami de Soutine et Pascin, puis à Zurich.
Il évolua de la caricature au portrait psychologique, restant dans ses périodes successives fidèle à une vision héritée de Toulouse-Lautrec.
Bibliogr. : B. Dorival, sous la direction de... *Peintres Contemporains* Mazenod, Paris, 1964.
Musées : Aarau (Aargauer Kunsthaus) : *Zigeunerjunge in Andalusien* 1959 - Bâle (Kunsthalle) : *Portrait de Max Frisch* 1958 - Montreux (Theatersaal im Palace Hotel) - Zurich (Kunsthaus).
Ventes Publiques : Zurich, 21 oct. 1969 : *La Gare* : **CHF 3 200** - Genève, 24 avr. 1970 : *Château Goddenberg* : **CHF 8 000** - Lucerne, 16 juin 1972 : *Vue du Grand Hôtel de Lucerne* : **CHF 16 500** - Zurich, 16 mai 1974 : *La Terrasse de l'hôtel d'Angleterre, Ouchy* 1942 : **CHF 21 000** - Lucerne, 19 nov. 1976 : *Café du Tunnel*, h/cart. (46x64) : **CHF 6 000** - Berne, 9 juin 1977 : *La salle à manger de l'hôtel à Rheinfelden* 1952, h/t mar./pavatex (70x160,5) : **CHF 33 000** - Zurich, 24 oct 1979 : *Londres* 1955, h/t (114x72) : **CHF 40 000** - Zurich, 7 juin 1980 : *Porto Garibaldi* 1950, fus. (46,5x68) : **CHF 5 500** - Zurich, 10 nov. 1982 : *Birmingham* h/t (67x138) : **CHF 55 000** - Zurich, 9 nov. 1983 : *Le Débarcadère à Lausanne* vers 1942, h/t (58x80) : **CHF 28 000** - Zurich, 7 juin 1986 : *Le Joyeux Cuisinier*, h/t (250x173) : **CHF 55 000** - Milan, 19 déc. 1991 : *Homme dans un fauteuil* 1944, h/t (118x107) : **ITL 45 000 000** - Zurich, 4 juin 1992 : *Coupés à chevaux*, h/t (39x55,5) : **CHF 62 150** ; *Le débarcadère de Bürkliplatz à Zurich*, h/t/rés. synth. (42x45) : **CHF 63 280** - Zurich, 24 nov. 1993 : *L'immeuble gris*, cr. et h/t/rés. synth. (50,5x36) : **CHF 28 750** - Zurich, 2 juin 1994 : *Boucherie à Paris*, h/pan. (29,5x36) : **CHF 26 450** - Zurich, 8 déc. 1994 : *Portrait de Léo Lanz*, fus., dess. et h/pap./t. (223x86) : **CHF 57 500** - Zurich, 30 nov. 1995 : *Omnibus de l'hôtel Schweizerhof à Lucerne*, h./contre-plaqué (71,5x88) : **CHF 80 500** - Zurich, 3 avr. 1996 : *Chat endormi*, past. (31x42,5) : **CHF 2 200** - Zurich, 5 juin 1996 : *Parapluie*, h/t (73x66) : **CHF 37 950** - Zurich, 14 avr. 1997 : *L'Avocat Blum* 1958, fus. et h/t (200,5x150) : **CHF 80 500** - Zurich, 4 juin 1997 : *Pavillon sur la Promenade de Zurich* vers 1937, h/cart. (37x53) : **CHF 28 750.**

VARMING Agnete
Née le 23 février 1897 à Guldager. XXe siècle. Danoise.
Peintre, décorateur.
Elle fut élève de l'Académie de Copenhague.
Musées : Copenhague (Mus. Nat.) : plusieurs mosaïques.

VARNERTAM Francesco. Voir **TAMM F. V.**

VARNI Antonio
Né en 1841 à Gênes (Ligurie). Mort le 27 juin 1908 à Sampierdarena. XIXe siècle. Italien.
Peintre de scènes de genre, paysages, paysages d'eau, marines.
Il fut élève de l'Académie des Beaux-Arts de Gênes. Il participa à toutes les grandes expositions d'Italie de 1855 à 1899.
Ventes Publiques : Milan, 7 nov. 1991 : *Marine avec des cheminées d'usine ; Paysannes sur le rivage*, h/t/cart., une paire (9,5x24 et 11x26,5) : **ITL 13 500 000.**

VARNI Domenico
XIXe siècle. Actif à Gênes. Italien.
Sculpteur.
Neveu et élève de Santo V. L'Académie de Gênes possède de lui un bas-relief *Les trois Maries au tombeau du Christ.*

VARNI Gerolamo
XIXe siècle. Italien.
Peintre.
Élève des Académies de Gênes et de Florence. Il a peint des fresques dans l'église de Corigliano.

VARNI Santo
Né le 1er novembre 1807 à Gênes. Mort le 11 novembre 1885 à Gênes. XIXe siècle. Italien.
Sculpteur et archéologue.
Élève de l'Académie de Gênes et de Giuseppe Gaggini. Il sculpta des statues et des bustes. Le Musée de Gênes conserve de lui *L'Amour domptant la Force* (marbre).

VARNIER Auguste Adolphe. Voir **FROULLE Auguste Adolphe**

VARNIER Jules
Né à Valence (Drôme). XIXe siècle. Français.
Peintre de compositions religieuses, portraits.
Il exposa au Salon de Paris de 1837 à 1850 et obtint une médaille de troisième classe en 1842.
Il traite avec beaucoup de rigueur des portraits de personnalités auxquelles il ne fait aucune concession.
Bibliogr. : Gérald Schurr, in : *Les Petits Maîtres de la peinture 1820-1920, valeur de demain*, Les Éditions de l'Amateur, t. IV, Paris, 1979.
Musées : Valence : *Le général Championnet* - *Job* - *Le Christ au tombeau* - *Diane chasseresse* - *Portrait de Louis-Philippe.*

VARNIER Pierre Henri Léon
Né à Bourg-lez-Valence (Drôme). Mort en 1890. XIXe siècle. Français.
Sculpteur.
Élève de Jouffroy. Il débuta au Salon de 1857 et obtint des médailles de troisièmes classes en 1859, 1861 et 1863. Il prit part à l'Exposition Universelle de 1867. Le Musée de Valence conserve de lui : *Chloris* (marbre), *Brutus* et *Buste de Bonaparte.*

VARNUCCI Bartolomeo
XVe siècle. Italien.
Enlumineur.
Il enlumina un missel pour le couvent Saint-Ambroise de Florence en 1468.

VARO Manuel
XVIIe siècle. Actif à Séville à la fin du XVIIe siècle. Espagnol.
Peintre.

VARO URANGA Remedios ou **Lissaraga**, pseudonyme : **Remedios**
Née en 1900 ou 1908 à Angles (Catalogne). Morte en 1963 à Mexico. XXe siècle. Depuis 1941 active au Mexique. Espagnole.

Peintre, peintre à la gouache, sculpteur. Tendance surréaliste.

Elle fut élève de l'École des Beaux-Arts de Madrid (San Fernando) en 1924. Ayant rencontré Benjamin Perret à Barcelone, en 1936, elle devint sa compagne. Elle passa plusieurs années à Paris, les mettant à profit pour explorer un large éventail de sources surréalistes dans le petit nombre de travaux qu'elle y produisit, qu'elle développa toutefois ensuite dans ses œuvres de la maturité. S'étant fixée au Mexique en 1941, elle évolua à un fantastique onirique d'accent très personnel. Elle a figuré, avec le groupe surréaliste, à l'exposition *Objets et poèmes surréalistes* à Londres en 1937 et à l'*Exposition internationale du Surréalisme* organisée par Breton en 1940 à la Galerie d'Art de Mexico. L'ensemble de son œuvre fit l'objet d'expositions posthumes : 1964, Institut National des Beaux-Arts, Mexico ; 1971, 1983, 1994, Musée d'Art Moderne, Mexico ; 1986, *La science dans le surréalisme, l'art de Remedios Varo*, Académie des Sciences de New York ; 1988, Fondation Banque Extérieure, Madrid.

Entre autres expérimentations, elle pratiqua la technique de la « décalcomanie », non telle que l'avait imaginée Oscar Dominguez, mais plutôt telle que l'avait développée Max Ernst. Elle subit d'abord l'influence de la peinture de Dali. Elle signa certaines de ses œuvres de son nom de jeune-fille : Uranga, notamment deux gouaches : *La pollution de l'eau* et *Typhoïde*, qu'elle peignit pour la publicité de produits pharmaceutiques. Ces gouaches mêlent les éléments naturels, étals de fruits et légumes, plantes, lianes et arbustes, personnages plausibles, à d'autres totalement irréels, la mort en chapeau et masque de Zorro qui déambule paisiblement, la faux sous la cape ou totalement imaginés, des sortes de sculptures ou fontaines de marbre blanc, formées d'animaux ou insectes fantastiques perchés sur d'énormes socles baroques, assez imitées des formes à la fois tarabiscotées, aiguës et molles, fréquentes dans les paysages oniriques de Jérôme Bosch, Dali ou Tanguy. Une peinture représentant une forêt, toute d'imagination, n'est pas sans ressemblances, fortuites ou délibérées ? avec les sortes de jungles que Max Ernst peignit en Amérique dans les années de guerre.

Elle fut surtout connue pour une mystification de type surréaliste qu'elle sut mener très loin. À la suite d'un fait-divers relatant qu'un laboratoire d'anthropométrie avait égaré des ossements préhistoriques, elle écrivit, sous le pseudonyme de Hälikcio von Fuhrängschmidt, un pseudo-traité scientifique sur l'évolution de l'espèce humaine : *L'Homo Rodaus*, dans lequel elle développait la thèse de la transcendance, prônée par certaines théories occultes. En outre, elle illustra ce travail théorique, par une sculpture et par des gouaches représentant le squelette de *L'Homo Rodaus* s'extrayant du magma primordial, encore sans jambes mais terminé par une grande roue à rayons. La sculpture était entièrement réalisée avec des os de poulets et de dindons et des arêtes de poissons. Rarement squelette fut aussi avenant, d'autant que, dans les gouaches le reproduisant, Remedios Varo l'habillait très naturellement de lainages et fourrures, lui conférant des attitudes gracieuses ou très dignes. Par cette manifestation toute d'humour surréaliste, elle exploitait le fait qu'une idée originale, à condition d'être bien gérée, peut semer le doute au cœur des certitudes scientifiques. Le traité de *L'Homo Rodaus* ne parut qu'en 1965, après sa mort. Rien d'étonnant à ce que certains esprits particulièrement curieux aient eu l'attention attirée par cette artiste et son œuvre insolites. ■ M. M., J. B.

Bibliogr. : José Pierre, in : *Le Surréalisme*, in : *Hre gén. de la peinture*, t. XXI, Rencontre, Lausanne, 1966 – Octavio Paz et Roger Caillois : *Remedios Varo*, Mexico, 1966 – J. A. Kaplan : *Voyages inattendus : l'Art et la Vie de Remedios Varo*, Abbeville Press, New York, 1988 – *Remedios Varo*, catalogue d'exposition, Fondation de la Banque Extérieure, Madrid, 1988-1989.

Ventes Publiques : New York, 2 déc. 1981 : *Trasmundo* 1955, h/t (43,5x55) : **USD 47 500** – New York, 7 mai 1981 : *Boîte peinte* 1948, décor d'animaux fermé (40x34) : **USD 15 000** – New York, 27 nov. 1984 : *Sans titre*, temp. (67,4x42,6) : **USD 23 000** – Paris, 11 déc. 1985 : *Objet surréaliste*, peint./cart., collage et cire dans un emboîtage (23x28,5x9) : **FRF 65 000** – New York, 26 nov. 1985 : *Boîte peinte* 1948, h. feuille d'or et miroir/pan. (39,7x34) : **USD 12 000** – New York, 17 nov. 1987 : *Tailleur pour dames* 1957, h/isor. (68x106) : **USD 295 000** – New York, 21 nov. 1988 : *Typhoïde* 1948, gche/pap. (24,5x32) : **USD 33 000** ; *Le centre de l'Univers* 1961, gche/pap. (68,5x53,5) : **USD 46 750** – New York, 17 mai 1989 : *Le vol magique ou La Vielle* 1956, h/rés. synth. et nacre (86x105) : **USD 385 000** – New York, 21 nov. 1989 : *La tisseuse de Vérone*, h/rés. synth. (86x105) : **USD 484 000** – New York, 1er mai 1990 : *Vers la tour* 1961, h/rés. synth. (123x100) : **USD 825 000** – New York, 2 mai 1990 : *Les Rois mages*, gche/cart. (42x31,4) : **USD 28 600** – New York, 19-20 nov. 1990 : *Coïncidence*, h/t (80x55) : **USD 506 000** ; *Les fils du destin* 1957, temp./rés. synth. (60,5x35,5) : **USD 154 000** – New York, 15-16 mai 1991 : *Insomnie*, gche/pap. (28x22) : **USD 48 400** – New York, 19 nov. 1991 : *Microcosme (ou Déterminisme)* 1959, temp./rés. synth. (94,5x89,5) : **USD 605 000** – New York, 18-19 mai 1992 : *L'envol magique* 1956, h. et nacre/rés. synth. (85,7x105) : **USD 440 000** – New York, 24 nov. 1992 : *La tisseuse de Vérone* 1956, h/rés. synth. (86x105) : **USD 528 000** ; *Personnage*, encre et gche/pap. fort (31,8x21,6) : **USD 23 100** – New York, 18 mai 1993 : *La découverte du mutant botanique* 1962, h/rés. synth. (60,2x50,6) : **USD 222 500** – New York, 18 mai 1995 : *Modernité* 1936, gche, h. et cr./cart. (76x49,8) : **USD 23 000** – New York, 14-15 mai 1996 : *Coïncidence* 1959, h/t (80x55,2) : **USD 580 000.**

VAROLI Luigi

Né le 23 septembre 1889 à Cotignola. xxe siècle. Italien.

Peintre.

Il fut élève de Guaccimanni. Il exécuta des peintures pour des ambassades à Rome.

Musées : Bologne (Gal. d'Art Mod.).

VARONE Giovanni ou **Johann Battista** ou **Varrone, Varoni**

Né le 12 janvier 1832 à Milan (Lombardie). Mort le 12 février 1910 à Mödling. xixe siècle. Autrichien.

Peintre de figures, paysages animés, paysages, paysages d'eau, lithographe.

Il fut élève de Höger à l'Académie des Beaux-Arts de Vienne.

NACHLASS J. VARRONE

Cachet de vente

Musées : Innsbruck (Ferdinandeum) : *La Vallée de Nass près de Gastein* – Vienne (Mus. mun.) : *Vues de Vienne.*

Ventes Publiques : Vienne, 18 mars 1969 : *Paysage des environs de Vienne* : **ATS 45 000** – Vienne, 14 juin 1977 : *La cascade dans la vallée de Gastein*, cart. (23x30) : **ATS 45 000** – Vienne, 15 jan. 1980 : *La fontaine*, h/t (85,5x60) : **ATS 13 000** – Munich, 4 juin 1981 : *Vue de Vienne* 1873, aquar. (25x35) : **DEM 4 200** – Milan, 19 mars 1992 : *Pont sur un torrent*, h/pan. (53,5x64) : **ITL 7 500 000** – New York, 20 juil. 1995 : *Les baigneuses* 1855, h/pan. (40x31,8) : **USD 3 220.**

VAROTARI Alessandro, dit **il Padovanese** ou **il Padovanino**

Né le 14 avril 1588 à Padoue (Vénétie). Mort en 1648 à Venise (Vénétie). xviie siècle. Italien.

Peintre d'histoire, scènes mythologiques, compositions religieuses, sujets allégoriques, portraits, dessinateur.

Fils de Dario Varotari. Peut-être reçut-il des conseils de sa sœur aînée, Chiara Varotari ? Il vint à Venise en 1614 et y obtint un rapide succès. Alessandro travailla surtout à Venise et à Padoue. Il peignit, notamment à l'église de S.-Guistina, des scènes de la vie de cette bienheureuse et de celle de S. Magno. On le cite aussi travaillant à Santa-Maria Maggiore et y exécutant un grand tableau d'histoire. Varotari continua la tradition des grands vénitiens : Titien et Paolo Véronèse. Sa couleur est puissante et l'influence de ces illustres maîtres s'y affirme par le style et le coloris. On cite parmi ses ouvrages : à Bergame, à S. Andrea, un plafond, et à Venise, au couvent des Carmes, *Miracle de S. Liberal* ; à San Toma, un tableau d'autel ; à Santa Maria di Saluto, une *Vierge* ; à la Bibliothèque de Saint-Marc, *L'Astrologie.*

Alex° Varot°. ALEXANDRI VAROTARII PATAVINI OPVS

Musées : Bergame (Acad. Carrara) : *Bacchanale – Bacchus et Ariane – Le culte de Vénus – Triomphe de Vénus* – Berlin (Mus. Kaiser Friedrich) : *La Madone et l'Enfant* – Bologne (Pina.) : *Sainte Famille* – Bucarest (Simu) : *Enfant couché* – Budapest : *Vénus* – Capo d'Istria : *L'Amour et Psyché* – Compiègne (Palais) : *Lutte de Jacob avec l'ange* – Dresde : *Judith avec la tête d'Holopherne – Lucrèce – Cléopâtre – Étude* – Dublin : *Artémis apparaît à Énée* – Florence : *Lucrèce* – Gênes : *Madeleine pénitente* – Grenoble : *Vénus endormie et l'Amour* – Hanovre : *Diane* – Helsinki : *Portrait de dame* – Londres (Nat. Gal.) : *Cornélie, mère des*

Gracques – *Garçon avec un oiseau* – MADRID (Prado) : *Orphée* – MOSCOU (Roumianzeff) : *Le Christ de sainte Véronique* – *Mars, Vénus et l'Amour* – NAPLES : *Vénus et Adonis* – PARIS (Mus. du Louvre) : *Vénus et l'Amour* – ROME (Borghèse) : *Portrait de femme* – *Toilette de Minerve* – ROME (Mus. Doria, Pamphily) : *Le Christ déposé au sépulcre* – *Enfant caressant la tête d'un lion* – SAINT-PÉTERSBOURG (Mus. de l'Ermitage) : *Eumène et Roxane* – SCHWERIN : *Adoration des bergers* – SIEMEN : *Enlèvement d'Europe* – STUTTGART : *Judith* – *Vierge et saint Georges* – *Adieux d'Hector et d'Andromaque* – TURIN (Pina.) : *Danaé* – VENISE (Gal. Nat.) : *Les noces de Cana* – *La femme de Darius* – *La vanité* – *Miracle d'un diacre qui recouvre la vue* – *Vierge en gloire* – *Médée* – *Hérodiade* – *Amours* – *Amour et chien* – *Deux amours s'embrassant* – *Orphée et Eurydice* – *Enlèvement de Proserpine* – VENISE (Santa Maria della salute) : *Santa Maria della Salute* – VENISE (SS. Giovanni Paolo) : *Saint Dominique conjurant une tempête* – VENISE (S. Pietro in Castello) : *Martyre de saint Jean l'Évangéliste* – VICENCE : *Lucrèce* – *Portrait de femme* – *Annonciation* – VIENNE (Acad.) : *La femme adultère devant le Christ* – *Judith* – *Sainte Famille* – VIENNE (Czernin) : *Cléopâtre*.

VENTES PUBLIQUES : PARIS, 1865 : *Portrait d'homme*, dess. aux trois cr. : **FRF 29** – PARIS, 1881 : *Mars et Vénus* : **FRF 740** – PARIS, 1894 : *La fille de Jahel tuant Sisarah* : **FRF 320** ; *Judith*, pendant du précédent : **FRF 205** – PARIS, 1er mars 1929 : *Études de têtes*, dess. : **FRF 180** – PARIS, 28 nov. 1934 : *Cléopâtre*, dess. à la pl. : **FRF 170** – LONDRES, 2 juil. 1965 : *Cléopâtre* : **GNS 380** – MILAN, 20 oct. 1970 : *Hercule enfant* : **ITL 1 600 000** – MILAN, 27 oct. 1987 : *Vénus endormie*, h/t (100x170) : **ITL 51 000 000** – MILAN, 13 déc. 1989 : *Vénus*, h/t (61x101) : **ITL 13 000 000** – MILAN, 27 mars 1990 : *Judith et Holoferne*, h/t (137x116) : **ITL 7 000 000** – LONDRES, 31 oct. 1990 : *La cité de Venise remettant le bâton de la victoire au Capitaine Général*, h/t (237x202,5) : **GBP 41 800** – NEW YORK, 18 mai 1994 : *Minerve et Vénus bandant les yeux de Cupidon*, h/t (137,2x147,9) : **USD 40 250** – LONDRES, 17 avr. 1996 : *Vénus à sa toilette avec deux putti*, h/t (129x111) : **GBP 20 700** – ROME, 23 mai-4 juin 1996 : *Satyre poursuivant une nymphe*, h/t (136x159) : **ITL 39 100 000**.

VAROTARI Chiara
Née peut-être à Venise. Morte après 1660. XVIIe siècle. Italienne.
Peintre de portraits et poète.
Fille et élève de Dario Varotari. Elle peignit le portrait avec talent et paraît avoir travaillé surtout à Padoue et à Vérone. On la cite également comme poète. Le Musée Municipal de Padoue conserve son portrait par elle-même. On voit aussi au Musée de Hanovre une *Vierge et Enfant Jésus* qui lui est attribuée.

VAROTARI Dario, l'Ancien
Né en 1539 à Vérone. Mort en 1596 à Padoue. XVIe siècle. Italien.
Peintre, sculpteur et architecte.
D'après Ridolfi, son père Théodorie Varioter ou Weyrother, originaire d'Augsbourg ou de Strasbourg serait venu à Vérone, fuyant les troubles causés par les guerres de religion et y aurait italianisé son nom en celui de Varotari. Dario, passe pour avoir été, très jeune, l'élève de Paolo Caliari. Plus tard, il alla s'établir à Padoue. Il faisait de fréquentes visites à Venise et s'y maria, mais sa santé ne lui permit pas de se fixer dans la ville des doges. À Padoue, il exécuta de nombreux travaux, notamment au Palais Municipal, dans la salle de Podesta, à S. Agatha, à S. Egidio, à la Chiesa delle Grane, au Rosario, à S. Agostino, au couvent des Carmes. Les peintures de S. Egidio subsistent encore. On le cite aussi peignant à Venise les plafonds de l'église de S. Apostoli, dans le palais des Pisani, à Polesine, dans la demeure des Mocenigi à Dolo. Il construit, entre autres, un palais à Battaglia pour son ami le docteur Acquapendente. Tandis qu'il travaillait chez ce médecin, il se blessa et ne put recouvrer la santé. L'Académie des Beaux-Arts de Venise conserve de lui une *Visitation de sainte Élisabeth*.

MUSÉES : PADOUE : *Le Sauveur avec saint Georges et saint Jérôme* – VENISE (Acad.) : *Ecce Homo, saint Jérôme, saint Georges et le donateur*.

VENTES PUBLIQUES : LONDRES, 13 juil. 1977 : *La Vierge et l'Enfant avec St. Jean et un ange*, h/t (84x77) : **GBP 2 000**.

VAROTARI Dario, le Jeune
Né vers 1650 (?) à Vérone. XVIIe siècle. Italien.
Peintre de portraits, graveur.
Fils d'Alessandro Varotari. Il fut surtout médecin et cultiva l'art en amateur, mais il fit preuve, notamment comme peintre de portraits de qualités remarquables. Il grava aussi avec talent, privilégiant l'eau-forte. On cite de lui le portrait de son grand-père *Dario Varotari*. On le connaît aussi comme poète.

VAROTTI Giovanni
XVIIIe siècle. Travaillant à Bologne. Italien.
Peintre.

VAROTTI Giuseppe
Né en 1715 à Bologne. Mort le 12 octobre 1780 à Bologne. XVIIIe siècle. Italien.
Peintre.
Fils de Pier Paolo V. Il peignit de nombreux tableaux d'autel pour des églises de Bologne et des environs.

VAROTTI Pier Paolo
Né en 1686. Mort le 12 juillet 1752. XVIIIe siècle. Actif à Bologne. Italien.
Peintre.
Père de Giuseppe V. et élève d'Aureliano Milano. Il peignit des tableaux d'autel pour des églises de Bologne.

VARRO ou **Varrone**, dit **Beltrame**
Né en 1420. Mort vers 1457. XVe siècle. Actif à Florence. Italien.
Sculpteur.
Il exécuta des encadrements de fenêtres au Vatican et au château Saint-Ange, à Rome.

VARRON Juan
XVIIe siècle. Travaillant dans la province de Guipuzcoa, dans la première moitié du XVIIe siècle. Espagnol.
Peintre.
Il peignit une *Annonciation* et une *Visitation* pour l'abbaye des Franciscains d'Aranzazu en 1626.

VARRONE Johann. Voir **VARONE Giovanni**

VARSANYI Janos ou **Jean**
XIXe siècle. Travaillant à Budapest de 1830 à 1860. Hongrois.
Dessinateur et peintre.
Il dessina des vues de villes et peignit des paysages.

VARSLAVANS Francisks
Né le 10 octobre 1899 à Rezekne (Latgale). XXe siècle. Letton.
Peintre de figures.
Il fit ses études à Saint-Pétersbourg.
MUSÉES : RIGA (Mus. mun.).

VARVARANDE Robert
XXe siècle. Canadien.
Peintre.
En 1956, il a participé à une exposition collective *Quatre Jeunes Canadiens* à Toronto, représentative des nouvelles tendances de l'époque, avec Michael Snow, William Ronald et Gerald Scott. Il pratiquait à l'époque une peinture figurative.
BIBLIOGR. : Dennis Reid : *A Concise History of Canadian Painting*, Oxford University Press, Toronto, 1988.

VARY Elisabeth
Née en 1940 à Cologne. XXe siècle. Allemande.
Peintre, technique mixte, sculpteur. Abstrait.
Elle a étudié à la Kunstakademie de Düsseldorf, puis a poursuivi sa formation grâce à une bourse d'étude à l'Atelier d'art de Worpswede. Elle vit et travaille à Cologne.
Elle montre ses œuvres dans des expositions personnelles, entre autres : 1974, 1989, Artothèque, Cologne ; 1978, Wilhelm Lehmbruck Museum, Duisbourg ; 1986, galerie Koppelmann, Cologne ; 1990, Städtisches Kunstmuseum, Düsseldorf ; 1991, Wilhelm-Hack-Museum, Ludwigshafen ; 1993, Städtisches Museum Abteiberg, Möchengladbach ; 1997, Espace d'Art Contemporain, Demigny (France).
Les œuvres en carton découpé d'Elisabeth Vary se situent entre la peinture et la sculpture. Elles se présentent soit en forme aplatie, soit en volume. Les surfaces sont peintes dans une gamme chromatique homogène à l'aide de « spatules » de sa fabrication découpées dans le même carton que les œuvres.

VARY Pierre ou **Vari** ou **Varye**
XVIIe siècle. Travaillant à Paris de 1625 à 1651. Français.
Peintre.
Ce nom ne semble pas rigoureusement authentique.
Ventes Publiques : Paris, 1896 : *La proue et la poupe du vaisseau de guerre Le Soleil Royal*, gche/vélin, deux dessins : **FRF 1 000**.

VARZELOTO Girolamo ou **Varzelotto**. Voir **GIROLAMO da Murano**

VASA Danielle
Née en 1943 à Ferryville (Tunisie). XXe siècle. Française.
Peintre. Surréaliste, figuration-fantastique.
Elle a étudié dans des écoles d'art à Paris. Elle participe à des expositions collectives, entre autres : 1987, Salon des Artistes Français, Paris ; 1987, 1989, Salon des Indépendants, Paris. Elle montre ses œuvres dans des expositions personnelles, dont : 1982, galerie du Lyon, Paris ; 1987, galerie Ror Volmar, Paris.
Sa fantasmagorie peinte est celle d'un monde d'angoisse, entre genèse et chaos.

VASADI Ferenc ou **François**
Né le 19 septembre 1848 à Budapest. Mort le 12 novembre 1916 à Budapest. XIXe-XXe siècles. Hongrois.
Sculpteur, sculpteur de motifs décoratifs.
Il exécuta des sculptures décoratives dans le Parlement et au château Royal de Budapest.

VASALIO Antonio ou **Vasol** ou **Fasol**
D'origine italienne. Mort le 2 janvier 1614 à Graz. XVIIe siècle. Italien.
Stucateur et architecte.
Il décora de stucatures la chapelle du château de Judenbourg vers 1600.

VASALLI ou **Vasallo**. Voir aussi **VASSALLI** et **VASSALLO**

VASALLI Franz ou **Vasallo**
Né à Riva S. Vitale. XVIIe-XVIIIe siècles. Italien.
Stucateur.
Frère de Joseph V. Il exécuta avec lui des stucatures à Ratisbonne, Munich, Mannheim, Liège et Aix-la-Chapelle.

VASALLI Joseph ou **Vasallo**
Né à Riva S. Vitale. XVIIe-XVIIIe siècles. Italien.
Stucateur.
Frère de Franz V. dont il fut l'assistant.

VASALO Berardino
XVIIe siècle. Actif à Naples en 1601. Italien.
Stucateur.

VASANZIO Giovanni ou **Vansanzio** ou **Jan Van Santen** ou **de Sanctis** ou **Giovanni Fiammingo**
Né vers 1550 à Utrecht, peut-être. Mort le 21 août 1621 à Rome. XVIe-XVIIe siècles. Italien.
Sculpteur sur ivoire et sur bois, architecte.
Il s'établit à Rome probablement vers 1583. Il est surtout connu comme architecte et sculpteur de fontaines à Rome.

VASARELY Victor
Né le 9 avril 1908 à Pecs (Hongrie). Mort le 15 mars 1997. XXe siècle. Depuis environ 1930 actif et depuis 1961 naturalisé en France. Hongrois.
Peintre à la gouache, aquarelliste, peintre de technique mixte, peintre de cartons de tapisseries, lithographe, sérigraphe, dessinateur. Art optique, art cinétique.
Alors qu'il suivait des études de médecine à la Faculté de Budapest, il les délaissa, en 1927, pour la fréquentation de l'Académie Podolini-Volkmann. En 1928 et 1929, il fut ensuite élève de l'Académie Mühely, dirigée par Alexandre Bortnyik, de retour du Bauhaus où il avait été particulièrement marqué par l'enseignement d'Albers, de Moholy-Nagy, ce qui valait à son Académie d'être appelée le « Bauhaus Hongrois ». Alexandre Bortnyik, suivant en cela la vocation fonctionnaliste de l'enseignement du Bauhaus, privilégiait les techniques de la publicité dans son Académie. Ayant obtenu déjà quelques succès à Budapest en tant que publicitaire, Vasarely vint à Paris, où il travailla pour les agences Havas, Draeger, ainsi que pour l'agence Devambez, spécialisée dans les publicités pharmaceutiques. On connaît assez mal ses œuvres personnelles de cette époque, qu'il est difficile de distinguer de ses recherches publicitaires. Après la Seconde Guerre mondiale, il se trouva aussitôt à la fondation de la galerie Denise René qui allait se vouer à la défense de l'abstraction à tendance géométrique sous toutes ses formes, depuis le plasticisme sans rigueur des débuts, jusqu'aux effets optiques des années 60 et 70. Il y montra, en 1944, la première exposition personnelle de ses œuvres, puis très régulièrement. En 1955, il publia le *Manifeste Cinétique* définissant les fondements de l'art cinétique. En 1961, il s'établit à Annet-sur-Marne. En 1970, il a créé, à Gordes dans le Vaucluse, le Musée Didactique, en 1976 s'est ouverte une Fondation Vasarely à Aix-en-Provence, consacrée à la conservation, à la promotion de l'ensemble de son œuvre et à sa continuation à travers ses disciples. La renommée lui a valu de pouvoir réaliser en décorations architecturales certaines de ses conceptions : à l'Université de Caracas (hommage à Malevitch), dans plusieurs bâtiments à Paris, à Meaux, à Flaine (Haute-Savoie) à Knokke-le-Zoute, pour le grand hall de la nouvelle gare de Maine-Montparnasse, pour la Faculté des Lettres de Montpellier, pour le Musée de Jérusalem, au Pavillon Français de l'Exposition Universelle de Montréal de 1967, dans la patinoire moderne de Grenoble, etc.
Vasarely a participé à partir de 1929 à de très nombreuses expositions de groupe dans le monde entier et, notamment, à Paris, régulièrement aux Salons des Surindépendants (1945, 1946...), de Mai (1948...), des Réalités Nouvelles (1947, premier salon), de même que : 1951, 1953, Biennale de Menton ; 1955, aux côtés de Calder, Marcel Duchamp, Agam, Bury, Jacobsen, Soto, Tinguely, galerie Denise René, Paris ; 1959, Documenta II, Cassel ; 1964, Documenta III, Cassel.
Il a montré ses œuvres dans des expositions particulières, parmi lesquelles : 1944, 1949, 1952 et régulièrement, galerie Denise René, Paris ; 1954, 1960, Palais des Beaux-Arts, Bruxelles ; 1958, Musée National des Beaux-Arts, Buenos Aires ; 1959, Musée des Beaux-Arts, Caracas ; 1961, 1962, 1964, Le Point Cardinal, Paris ; 1962, The Pace Gallery, Boston ; 1963, 1966, Musée des Arts Décoratifs, Paris ; 1964, The Pace Gallery, New York ; 1966, 1968, Sidney Janis Gallery, New York ; 1967, Stedelijk Museum, Amsterdam ; 1971, Kunsthalle, Cologne ; 1996, *Hommage à Victor Vasarely*, galerie Lahumière, Paris. Des expositions personnelles lui sont souvent consacrées également dans le monde entier dans des musées. Il reçut plusieurs prix et distinctions : le Prix de la Critique, à Bruxelles ; la Médaille d'or à la Triennale de Milan ; le Prix International de Valencia (Venezuela) ; le Prix International Guggenheim en 1964 ; le Grand Prix de Gravure de Ljubljana en 1965 ; le Grand Prix de la Biennale de São Paulo.
De 1935 à 1938, avec les séries consacrées aux thèmes des *Échiquiers*, des *Zèbres*, des *Tigres*, des *Arlequins*, des *Martiens*, il s'intéressait aux déformations axonométriques qu'il appliquait à des formes appartenant à la réalité sensible, en tirant les effets spectaculaires bien connus depuis l'enseignement du Bauhaus : ce sont les déviations de lignes ou les déformations de surfaces régulières, qui créent l'illusion de formes, de volumes, de représentations, plis, vagues, sphères, zèbres, etc. Il travaillait alors aussi beaucoup sur des feuilles de Cellophane qui donnaient par leur superposition des illusions de profondeur. Dans ce même temps, il prenait une conscience plus complète des œuvres de Malevitch, Mondrian, Sophie Taeuber-Arp, Herbin, Delaunay, Léger. Il partageait avec son époque l'admiration de Cimabue, Uccello, Piero della Francesca, Georges de La Tour, Vermeer. Il semble que ses premières peintures conçues en tant que telles, datent de 1944-1945 : *Le mètre, Sept ans de malheur, Autoportrait*. Les peintures qu'il montra en 1946, préfacées par Prévert, étaient encore figuratives à travers une simplification symboliste. Il n'aboutit à une abstraction relative qu'en 1947, encore que nombre de ses œuvres ultérieures s'inspireront d'éléments de paysages. Vasarely lui-même, suivi en cela par ses commentateurs, a tendance à passer sous silence les œuvres de la période 1947-1955. Il pratiquait alors une abstraction issue directement du plasticisme de Mondrian. Très proche de Magnelli, il limitait la composition spatiale à la délimitation de quelques zones solidement articulées entre elles. Dans un premier temps, ces surfaces étaient traitées en aplats de blancs subtilement différenciés. Ensuite, il usa de couleurs tranchées. Il faut bien remarquer que ces œuvres n'avaient rien à voir avec un géométrisme strict de stéréotypes, encore moins avec les phénomènes gestaltistes d'illusions optiques. Ces œuvres étaient du domaine de l'expression et s'adressaient à la sensibilité. Autour de 1955, Vasarely, évoluant depuis quelques années à une géométrisation croissante des formes, arriva à la conclusion que la peinture était une chose terminée et que le monde moderne requérait une expérimentation syntaxique des formes et des couleurs, scientifiquement contrôlable, et s'adressant essen-

tiellement à la sensation, non exclusive de notions d'harmonie, mais refusant tout contexte psychologique. Dans sa production se sont chevauchés plusieurs thèmes majeurs : en 1948-1960, les *Cristal* et les *Gordes* (inspirés par la construction en imbrication de cubes des maisons du village) ; de 1947 à 1954, les *Belle-Isle*, où il a ramené les formes des galets, des coquillages, des vagues, à la seule ellipse, thème qui, comme le suivant, parti de la période plasticiste se prolongera dans la période optique ; de 1951 à 1958, les *Denfert*, du nom de la station de métro Denfert-Rochereau, dont les carreaux de faïences fêlés lui procuraient des associations d'images obsessionnelles, dont il retrouva une équivalence dans les paysages du Lubéron ; de 1951 à 1963 les *Noir-Blanc*. Après 1955, il se consacra exclusivement à la conception et à l'exploitation d'un vocabulaire et de sa syntaxe de signes et de couleurs, couleurs utilisées à nouveau en 1960. À partir de quelques figures géométriques élémentaires – carré, cercle, rectangle, triangle, ovale –, soumises à quelques déformations progressives, et de quelques (une vingtaine) couleurs pures, dont un petit nombre (six ou huit) sont déclinées du plus clair au plus sombre parallèlement à une gamme étalonnée de gris (séries *Folklore planétaire*, 1960-1964 ; *Permutations et Algorithmes*), il a multiplié une très abondante production. D'une réalisation exceptionnelle – elle fut souvent confiée à des collaborateurs travaillant d'après ses programmations, en utilisant des papiers colorés normalisés. Elle lui a assuré un renom universel, et fut étendue au plus vaste public par les intermédiaires des modes, de la publicité, des disciples et des imitateurs. Dans cette vaste production, certaines œuvres constituent la très solide préfiguration de base pour l'élaboration d'une syntaxe des formes et des couleurs, qui a été reprise et amplifiée par l'ordinateur. Dans cette voie, le travail de Vasarely restera exemplaire. On peut lui faire grief de refuser l'existence à d'autres moyens d'expression que cette exploitation glacée des sensations visuelles. D'autres de ses œuvres, nombreuses, cèdent volontiers au pouvoir raccrocheur des illusions optiques de toutes sortes, quittant le domaine du langage pour celui de l'optique amusante. Continuateur d'Albers, de Moholy-Nagy, de l'esprit fonctionnaliste du Bauhaus, il a redonné une impulsion exceptionnelle à l'art optique par la qualité de ses réalisations. Dans un stade intermédiaire, Vasarely a représenté ce qu'il y avait de mieux sur la voie de la création programmée, juste avant les peintures entièrement exécutées par des ordinateurs. C'est dire si l'homme et son œuvre ont été l'objet de discussions ! D'autant qu'il ajoutait au caractère déshumanisé de son art, l'affirmation dogmatique qu'il était le seul valable dans notre époque, et le souhait au moins impératif de le voir universellement répandu à l'exclusion de tous autres moyens d'expression plastiques décrétés dépassés. Cependant, au long de sa vie et de son travail, Vasarely ne s'est pas toujours montré aussi rigoureusement monolithique.

■ Jacques Busse

Bibliogr. : Jean Dewasne : *Vasarely*, Presses littéraires de France, Paris, 1952 – Léon Degand : *Vasarely*, Art d'Aujourd'hui, série 3, n° 5, Paris, 1952 – Roger Van Gindertael : *Le passage de la ligne*, Art d'Aujourd'hui, série 4, n° 2, Paris, 1953 – Pierre Guegen : *Vasarely, le blanc et le noir*, Aujourd'hui, Paris, janvier 1956 – Michel Seuphor : *Diction. de la peint. abstr.*, Hazan, Paris, 1957 – Guy Habasque : *Vasarely et la plastique cinétique*, Quadrum, n° 3, Bruxelles, 1957 – P. G. : *Vasarely, peintures cinétiques*, Aujourd'hui, n° 24, Paris, 1959 – Michel Hoog, in : *Peintres Contemporains*, Mazenod, Paris, 1964 – M. Joray et V. Vasarely : *Victor Vasarely*, 4 vol., Griffon, Neuchâtel, 1966-1980 – Michel Ragon : *Vingt-cinq ans d'art vivant*, Casterman, Paris, 1969 – Pierre Cabanne, Pierre Restany : *L'avant-garde au XXe siècle*, Balland, Paris, 1969 – Frank Popper : *L'Art Cinétique*, Gauthier-Villars, Paris, 1970 – Jean-Louis Ferrier : *Entretiens avec Vasarely*, Belfond, Paris, 1970 – Christiane Duparc : *Le superman de l'op'art*, Nouvel Observateur, Paris, 9 mars 1970 – Vasarely : *Plasti-cité*, Paris, 1970 – Vasarely : *Esquisse pour une sociologie du multiple*, Opus International, n° 5, Paris, 1970 – Philippe Comte : *Vasarely en question*, Opus International, n° 18, Paris, juin 1970 – Claude Desailly : *Catalogue du Musée Didactique Vasarely*, Gordes, 1971 – in : *Dictionnaire universel de la peinture*, Le Robert, Paris, 1976 – in : *Dictionnaire de l'Art Moderne et Contemporain*, Paris, 1992 – Lydia Harambourg, in : *L'École de Paris 1945-1965. Diction. des Peintres*, Ides et Calendes, Neuchâtel, 1993.

Musées : Aix-en-Provence (Fond. Vasarely) – Amsterdam (Stedelijk Mus.) – Basel (Kunstmuseum) – Belfast (Ulster Mus.) – Bruxelles (Musées roy. des Beaux-Arts) – Budapest (Mus. Nat.) : ensemble important d'œuvres – Budapest (Mus. des Beaux-Arts) – Buenos Aires – Buffalo – Buffalo (Albright-Knox Art Gal.) – Chicago (Art Inst.) – Copenhague (Mus. for Kunst) – Detroit (Art Inst.) – Djarkarta (Indonésie) – Gordes (Mus. Didactique Vasarely) : Ensemble important – Hambourg (Mus. für Kunst und Gewerbe) – La Haye (Gemeente Mus.) – Helsinki (Ateneum) – Jérusalem – Leverkusen (Kunstmuseum) – Lodz – Londres (Tate Gal.) – Marseille (Mus. Cantini) : Peinture vers 1970 – Montevideo – Montréal (Mus. des Beaux-Arts) – Montréal (Mus. d'Art Contemp.) : *Kroa* 1966 – *Mya* 1965 – *Zett* 1966 – Münster (Landesmuseum) – Nantes – New York (Solomon R. Guggenheim Mus.) : *Kandahar* 1950-1952 – New York (Mus. of Mod. Art) – New York (Jewish Mus.) – Ottawa (Gal. Nat. des Beaux-Arts) – Paris (Mus. Nat. d'Art Mod.) – Pécs (Mus. Vasarely) – Pittsburgh (Mus. of Art) – Reykjavik – Rotterdam (Boymansmuseum) – Saint-Étienne – Saint-Louis (City Art Mus.) – São Paulo – Skopje – Stuttgart (Staatsgalerie) – Sydney (Gal. of Contemporary Art) – Tel-Aviv – Tourcoing – Vienne (Kunstmuseum) – Wuppertal (Kunstmuseum).

Ventes Publiques : Londres, 23 nov. 1960 : *Mindoro*, composition en noir et blanc : **GBP 350** – Paris, 21 déc. 1962 : *Erebus* : **FRF 10 000** – New York, 14 avr. 1965 : *Bellatrix* : **USD 9 000** – New York, 24 mars 1966 : *Kantara II* : **USD 8 000** – Londres, 23 juin 1966 : *Jak*, temp. : **GBP 1 600** – Paris, 24 mai 1967 : *« E.G. 1-2 »* : **FRF 29 000** – Genève, 16 nov. 1968 : *Le Grenier* : **CHF 17 500** – New York, 15 oct. 1969 : *Ztt-Z* : **USD 5 250** – Londres, 12 déc. 1969 : *Composition*, gche : **GNS 1 200** – Londres, 15 avr. 1970 : *Sans titre* : **GBP 2 400** – Milan, 26 mai 1970 : *Hold K*, temp. : **ITL 5 000 000** – Londres, 6 juil. 1971 : *Veha blue*, gche : **GNS 3 000** – Londres, 1er déc. 1971 : *Opale* : **GBP 5 000** – Paris, 18 mars 1972 : *Relief en bois*, œuvre unique : **FRF 28 000** – Milan, 18 mai 1972 : *Bellatrix III*, temp. : **ITL 6 000 000** – Londres, 28 nov. 1972 : *Vonal atlo igr* : **GNS 5 500** – Milan, 29 mai 1973 : *Nova-blanc*, temp. : **ITL 5 500 000** – Londres, 5 juil. 1973 : *Maanor* : **GBP 13 000** – Zurich, 16 mai 1974 : *Llile-couple*, gche : **CHF 33 000** – Genève, 8 juin 1974 : *Lacoste W 3* : **CHF 74 000** – Anvers, 19 oct. 1976 : *Mona* 1965, temp./pan. (80x80) : **BEF 300 000** – New York, 21 oct. 1976 : *Manhattan*, h/t (110x115) : **USD 12 000** – Londres, 29 mars 1977 : *Zeta IV* 1957, temp. (31x32,5) : **GBP 1 200** – Zurich, 23 nov. 1977 : *Gyürü-Gyürü* 1972, h/t (100x100) : **CHF 19 000** – Cologne, 19 mai 1979 : *Topaze argent* 1966, sérig. en 11 coul. (40x40 ; 56x50) : **DEM 1 600** – Milan, 26 juin 1979 : *DIA SP 6* 1968, techn. mixte/pan. (46x46) : **ITL 1 800 000** – Londres, 5 déc 1979 : *Ruhr* 1950, h/t (114x195) : **GBP 7 000** – Paris, 21 juin 1979 : *A.A.A. Bleu* 1964/66, bois, relief (75x75) : **FRF 7 800** – Munich, 3 juin 1980 : *Composition* 1950, encre de Chine, cr. et craie (16,3x13,4) : **DEM 1 900** – New York, 12 mai 1981 : *Vega 222* 1970, h/t (200x200) : **USD 28 000** – New York, 10 nov. 1983 : *Tridim-VR* 1968, temp. (119,5x70) : **USD 7 000** – Zurich, 30 nov. 1984 : *Hat-A* 1971, h/t (186x160) : **CHF 60 000** – New York, 7 nov. 1985 : *Bi-Axo-Pal* 1972, temp./pan. (80x160) : **USD 7 000** – Hambourg, 10 juin 1986 : *Cube*, argent et argent doré (H. 15) : **DEM 2 600** – Milan, 11 déc. 1986 : *Loxa (Yablunka)* 1951, h/isor. (100x108) : **ITL 37 000 000** – Londres, 25 fév. 1988 : *Composition*, collage/pap. (27,5x8) : **GBP 1 980** – Paris, 20 mars 1988 : *Tarka – C. C.* 1986, gche et collage (60x60) : **FRF 21 000** – Paris, 18 mai 1988 : *Ensemble de six portes de placard* vers 1953, h/bois, ensemble : **FRF 24 400** – Paris, 20 juin 1988 : *UP 102* 1969, h/t (240x120) : **FRF 100 000** – New York, 8 oct. 1988 : *Beta* 1950, h/cart./pan. (45,5x30,5) : **USD 18 700** – Paris, 28 oct. 1988 : *Sevens* 1948, h/pan. (50x31) : **FRF 56 000** – Rome, 15 nov. 1988 : *Axo-MZ 2* 1974, acryl./t. (60x60) : **ITL 11 000 000** – Paris, 16 nov. 1988 : *Quasar pall* (157x157) : **FRF 58 000** – Paris, 20 nov. 1988 : *Beryll* 1963-1965, h/t (160x160) : **FRF 190 000** – Tel-Aviv, 2 jan. 1989 : *Composition*, carrés d'acryl./cart. (45,5x39,5) : **USD 5 060** – Londres, 23 fév. 1989 : *Pluton* 1972, h/cart. (52x52) : **GBP 7 040** – Londres, 6 avr. 1989 : *Berc* 1967, h/t (170x170) : **GBP 24 200** – Amsterdam, 10 avr. 1989 : *Fugue* 1960, h/cart./pan. (98,5x78,2) : **NLG 78 200** – New York, 4 mai 1989 : *OP*, h/pan. (32x23,5) : **USD 24 200** – Arles, 7 mai 1989 : *Canopus 1-1*, h/t (200x100) : **FRF 360 000** – Copenhague, 10 mai 1989 : *« Davalaghiri »* 1948, h/t (130x81) : **DKK 370 000** – Milan, 6 juin 1989 : *Lethe* 1950, h/rés. synth. (54x106) : **ITL 76 000 000** – Londres, 29 juin 1989 :

Cleo, acryl./t. (130x89) : **GBP 28 600** – New York, 4 oct. 1989 : *Bika-Zett* 1976, h/t (207x207) : **USD 88 000** – Zurich, 25 oct. 1989 : *Zeta IV* 1957, temp./cart. (31x33) : **CHF 20 000** – Paris, 20 déc. 1989 : *Les zèbres*, tapisserie (190x155) : **FRF 215 000** – Paris, 18 fév. 1990 : *Composition* vers 1977-1978, h/pan. (77x77) : **FRF 90 000** – Londres, 22 fév. 1990 : *Togonne* 1981, acryl./cart. (75,6x55,8) : **GBP 16 500** – New York, 27 fév. 1990 : *Cosca* 1977, acryl./t. (84,5x84,5) : **USD 41 250** – Copenhague, 21-22 mars 1990 : *Composition 8* 1945, h/t (42x86) : **DKK 90 000** – New York, 8 mai 1990 : *Tridim J.B.* 1968, temp./bois (116,8x62,8) : **USD 41 800** – Amsterdam, 22 mai 1990 : *Composition abstraite*, cr. et aquar./pap. (13,4x11,2) : **NLG 7 475** – Paris, 13 juin 1990 : *Asslo* 1982, h/t (100x89) : **FRF 185 000** – Paris, 21 juin 1990 : *Silva* 1978, peint./t. (103x103) : **FRF 208 000** – Zurich, 22 juin 1990 : *Tilla II*, h/cart. (53,5x36) : **CHF 46 000** – Londres, 28 juin 1990 : « *Bisoll* » 1978, acryl./t. (145x115) : **GBP 27 500** – Paris, 10 juil. 1990 : *Koer Var* 1955, h/t (110x74) : **FRF 280 000** – Londres, 18 oct. 1990 : *Boreal-F* 1974, acryl./t. (194x194) : **GBP 29 700** – Paris, 29 oct. 1990 : *Meeh* 1985, acryl./t. (190x190) : **FRF 650 000** – Copenhague, 14-15 nov. 1990 : *Oroba* 1951, peint./rés. synth. (67x43) : **DKK 175 000** – Rome, 3 déc. 1990 : *Akka-Kek* 1950, h/pan. (45x43) : **ITL 27 600 000** – Stockholm, 5-6 déc. 1990 : *Kezdi*, bois polychrome (H. 66, l. 63) : **SEK 60 000** – Paris, 5 fév. 1991 : *Tridin M* 1970, techn. mixte/pap. (27x27) : **FRF 60 000** – New York, 15 fév. 1991 : *Beryl* 1965, collage de pap./cart. (50,2x49,8) : **USD 8 800** – Londres, 21 mars 1991 : *Piros-EG* 1972, gche/cart. (75x75) : **GBP 4 620** – Milan, 26 mars 1991 : *Méandre B*, h/pan. (61x81) : **ITL 34 000 000** – New York, 1er mai 1991 : *Koska-kar-va* 1972, h/t (100,3x100,3) : **USD 38 500** – Stockholm, 30 mai 1991 : *Vonal-BIP-1* 1968, temp./pan. (52x52) : **SEK 62 000** – Paris, 30 mai 1991 : *Elbrouz* 1956, h/t (195x130) : **FRF 550 000** – Paris, 19 mars 1992 : *2759 K.S.T.*, acryl./t. (91x91) : **FRF 120 000** – Amsterdam, 21 mai 1992 : *Monnca* 1986, h/t (100x100) : **NLG 40 250** – Londres, 2 juil. 1992 : *Souzon* 1950, h/t (130x97) : **GBP 33 000** – New York, 8 oct. 1992 : *Katax* 1976, acryl./t. (120,7x121,6) : **USD 19 250** – Lokeren, 15 mai 1993 : *Marta*, h/t (78x43) : **BEF 240 000** – Paris, 18 juin 1993 : *Noir-blanc* 1964, relief en bois peint (75x75) : **FRF 47 000** – Copenhague, 3 nov. 1993 : *Composition* 1948, h/t (35x27) : **DKK 92 000** – Milan, 16 nov. 1993 : *Tridim – N* 1968, h/t (194x114) : **ITL 31 050 000** – Stockholm, 30 nov. 1993 : *Kezdi*, bois polychrome (H. 77) : **SEK 27 000** – Lokeren, 28 mai 1994 : *Mécong*, h/t (180x105) : **BEF 700 000** – New York, 1er nov. 1994 : *Cheyt-Rond-Va* 1970, temp./rés. synth. (107,3x101,6) : **USD 10 350** – Paris, 28 nov. 1994 : *L'Aqueduc d'Arcueil* 1948, h/t (72,5x50) : **FRF 32 000** – Lokeren, 11 mars 1995 : *Axo-lila* 1969, collage (40x40) : **BEF 130 000** – Paris, 13 oct. 1995 : *Beryl-RV* 1967, collage/pap. noir (46x33) : **FRF 9 000** – Milan, 26 oct. 1995 : *2221 Torony N* 1970, acryl./pan. (120x79,5) : **ITL 12 075 000** – Paris, 15 nov. 1995 : *Prototype départ* 1952, h/pan. (30x25) : **FRF 30 000** – Londres, 15 mars 1996 : *Ilava* 1956, h/t (194,4x130) : **GBP 21 850** – Paris, 3 mai 1996 : *Serant* 1960, acryl./t. (161x108) : **FRF 55 000** – Paris, 1er juil. 1996 : *Vega-Ot* 1966-1971, acryl./pan. (50x50) : **FRF 80 000** – Milan, 25 nov. 1996 : *Kroa A* 1970, sculpt. en alu. (50x50x50) : **ITL 2 990 000** – Milan, 6 déc. 1996 : *Composition aux cercles* 1972, collage (33x33) : **FRF 17 000** – Paris, 28 avr. 1997 : *Composition*, bois polychrome double face, sculpture (H. 45, l. 20) : **FRF 8 000** – Amsterdam, 4 juin 1997 : *VAD* vers 1964, h. et gche/pan. (50x50) : **NLG 10 955** – Londres, 26 juin 1997 : *Koska-Mez* 1972, acryl./t. (140x140) : **GBP 12 650** – Londres, 27 juin 1997 : *Belle-Isle* 1951, h/cart./pan. (25,5x21) : **GBP 17 250**.

VASARHELYI Emil

Né en janvier 1907 à Marosvasarhély. xxe siècle. Hongrois.

Peintre de figures, paysages.

Il fit ses études à Budapest et à Florence. Il fut aussi écrivain d'art.

VASARI Giorgio, l'Ancien

Mort en 1481. xve siècle. Actif à Arezzo (Toscane). Italien.

Peintre, céramiste, modeleur.

Fils de Lazzaro Vasari et grand-père de Giorgio Vasari le Jeune, il est cité surtout comme céramiste.

VASARI Giorgio, le Jeune

Né le 30 juillet 1511 à Arezzo (Toscane). Mort le 27 juin 1574 à Florence (Toscane). xvie siècle. Italien.

Peintre d'histoire, scènes mythologiques, compositions religieuses, sujets allégoriques, portraits, architectures, dessinateur.

Giorgio Vasari est surtout connu comme écrivain d'art et architecte. Il a droit à la reconnaissance de tous les amateurs d'art pour son magnifique et précieux ouvrage : *Vie des plus éminents peintres, sculpteurs et architectes*. Grâce à cet impérissable titre de gloire, nous possédons sur les maîtres de la Renaissance et sur les artistes italiens qui les ont précédés, une source de renseignements dont la critique moderne a pu contester quelques détails, mais à laquelle il est toujours profitable de revenir. Vasari citait avec orgueil sa parenté avec Luca Signorelli. Alors qu'il était tout enfant, Giorgio fut mené par son père chez l'illustre peintre qui, après avoir examiné ses dessins, lui dit familièrement : « étudie bien, petit cousin ». Le conseil fut religieusement observé. Vasari travailla le dessin avec Guglielmo da Marietta, tout en faisant de sérieuses études classiques. Vers 1523 le cardinal Pesseriné le prit sous sa protection et l'envoya à Florence. Vasari fut placé sous la direction de Michel-Ange, tandis qu'il continuait ses humanités avec Hippolyte et Alexandre de Médicis. Une révolution ayant amené l'exil des Médicis, Vasari quitta Florence pour Arezzo, puis alla à Rome dans la suite du cardinal Hippolyte. Il profita de ce séjour dans la ville éternelle pour poursuivre activement ses études en compagnie de son ami Francesco Salviati. Une maladie causée par l'excès de travail le fit revenir dans sa ville natale, où il recouvra promptement la santé. La situation politique s'était modifiée à Florence : les Médicis étaient revenus au pouvoir. Vasari vint faire sa cour au nouveau duc Alexandre qui l'accueillit fort bien et le plaça dans la maison du duc Octave. Notre artiste, durant cette période s'adonna spécialement à l'étude de l'architecture. L'assassinat d'Alexandre et l'avènement de Cosme changèrent la situation de notre peintre. Il renonça à la vie des cours pour s'adonner exclusivement à l'art. En 1541, il alla à Parme étudier les œuvres de Correggio, puis visita Giulio Romano à Parme, et devint à Venise, l'ami de l'Aretin. L'année suivante, il vécut à Rome dans la maison du riche financier romain Bindo Altovite, dont il était devenu l'ami.

Il commença par peindre une *Descente de Croix* pour Bindo Altovite, à Rome. Vers la même époque le cardinal Farnèse lui commandait une série de fresques pour la cancellaria et, au cours d'un banquet, lui suggérait l'idée de son histoire des peintres. Ce grand travail fut terminé en 1547. Annibale Caro, pour qui Vasari peignit une *Vénus et Adonis* et d'autres amis, le révisèrent et il fut publié en 1550. Il était dédié au duc Cosme de Médicis. Trois années plus tard, notre artiste qui s'était marié et avait exécuté d'importants travaux pour le pape Jules III à sa villa Guilia, entrait définitivement au service du duc de Florence. Dans ses nouvelles fonctions, Vasari donna libre cours à ses talents d'architecte et de décorateur. Il transforma l'ancien palais ducal et couvrit ses murailles de fresques et de peintures. Il construisit le palais des Offices qui devait abriter les bureaux des treize corporations ou magistratures de la Ville, et imagina, entre le Palazzo Vecchio et le fleuve, une cour bordée de deux portiques en vis-à-vis. Pour relier les deux portiques, une loggia sur l'Arno. Vasari transforma également plusieurs églises. Son heureux caractère, son genre facile lui assurèrent la constante faveur de son patron. Une maison lui fut donnée, la charge de gonfalonier d'Arezzo lui fut octroyée avec le droit de se faire remplacer par un substitut. Après quatorze années de ses grands travaux, notre artiste obtint en 1567 d'aller à Rome près du pape Pie V qui voulait le consulter sur les plans de l'église Saint-Pierre. Entre-temps, notre artiste construisait une chapelle à Arezzo et la décorait de fresques. Ce fut là qu'il fut enterré. En 1570 on le retrouve à Rome travaillant au Vatican les décorations de la Sala Regia, qui fut terminée en 1573. Quelques années auparavant, le duc de Florence lui avait commandé la décoration de la Coupole de Santa Maria del Fiore ; notre artiste espérait donner dans cette œuvre la marque définitive de son talent, mais les exigences du souverain pontife pour l'achèvement des travaux du Vatican gênèrent considérablement Vasari. Tiraillé entre le pape et le duc comme refusant, entre-temps l'invitation de Philippe II l'appelant à Madrid, il mourut avant que la coupole fut complètement terminée. Vasari fut un travailleur infatigable et le plus grand reproche qu'on lui puisse faire c'est d'avoir cédé à sa facilité de conception. Il resta surtout enfermé dans un académisme qui se retrouve dans les décorations exécutées en collaboration avec d'autres artistes. Cependant la disposition de la place des Cavalieri à Pise, où le palais présente une façade à angle très ouvert précédée d'un perron légèrement décentré, est plus fantaisiste que l'austère classicisme florentin. Vasari était un artiste sincère et l'on en trouve de multiples témoignages dans sa vie des peintres. Nous croyons volontiers que ce fut peut-être son œuvre préférée. À partir du moment où il l'entreprit, il ne cessa d'y travailler « dépensant, ainsi qu'il le dit, beaucoup de temps et d'argent », pour en réunir les matériaux. La première édition, nous l'avons dit, est en 1550, une seconde fut publiée en 1568. L'ouvrage parut encore en 1648 puis en 1749, à Rome, avec les notes de Bottari ; à Florence en 1832-1838 publié par Passigli, dans la même ville, en 1845-1856, par Le Monner ; à Florence encore en 1878-1885, éditée et annotée par Gaetane Milanesi. Citons aussi l'intéressante traduction française par Lechauché et Jeauron. ■ E. Bénézit

GEORG.ARRET.

Bibliogr. : Roland Le Mollé : *Giorgio Vasari, l'homme des Médicis*, Grasset, Paris, 1995.

Musées : Arezzo : *La Madone et des saints – Saint Roch et les pestiférés – La Madone, l'Enfant et saint Jean – Saint Roch sur le rocher – Saint Roch pèlerin – Saint Jean Baptiste – Apollon et Marsyas – Le Temps et l'Amour – L'artiste – Cosme de Médicis – Mme O. Camaioni* – Avignon : *Ambassadeurs de différentes nations offrant, près du Tibre, des présents au pape Paul III* – Berlin (Mus. Nat.) : *L'Amour et Psyché – Les apôtres saint Pierre et saint Paul bénissant* – Bologne : *Le festin de Grégoire* – Bordeaux : *Sainte Famille* – Budapest : *Les trois Grâces – Les noces de Cana* – Dijon : *Saint Pierre sur les eaux* – Dresde : *La Vierge et Marie-Madeleine devant le corps du Christ* – Florence (Gal. Nat.) : *L'artiste – Allégorie de l'Immaculée Conception – Le prophète Élisée – La forge de Vulcain – Laurent le Magnifique – Alexandre de Médicis* – Florence (Pitti) : *Tentation de saint Jérôme – Nativité – La Patience – Sainte Famille* – Grenoble : *Sainte Famille* – Leipzig : *Sainte Famille* – Lucques : *L'Immaculée Conception – Saint Blaise – Saint Eustache* – Madrid (Mus. Cerralbo) : *Résurrection de Lazare* – Madrid (Prado) : *La Charité caressant des enfants – La Vierge, l'Enfant Jésus et deux anges* – Marseille : *La Passion* – Milan (Brera) : *Triomphe de la Foi* – Munich : *La Vierge, l'Enfant Jésus et le petit saint Jean – La Vierge, l'Enfant Jésus et le petit saint Jean* – Nantes : *Le Christ et la femme adultère* – Naples : *La Justice exalte l'Innocence et punit le vice – Visitation* – Vingt-quatre scènes bibliques – Paris (Mus. du Louvre) : *Annonciation* – Pérouse : *L'ange apparaît à David* – Prato : *Abraham visité par les anges – Naissance de la Vierge – Vision du comte Hugues* – Ravenne : *Descente de Croix* – Rome (Borghèse) : *Lucrèce – Léda et le cygne – Nativité* – Rome (Colonna) : *Figure symbolisant le jour – Figure symbolisant la nuit* – Rome (Doria Pamphili) : *Descente de Croix* – Rome (Vatican) : Trois scènes de la vie de saint Étienne – Sienne : *Résurrection* – Troyes : *La Cène* – Vienne (Mus. Nat.) : *Sainte Famille – Le Christ chassant les marchands du temple.*

Ventes Publiques : Paris, 1775 : *Le pape Léon X armant d'une lance et couronnant Laurent de Médicis duc de saint Urbin*, bistre, reh. de blanc, deux dessins : **FRF 200** – Paris, 1793 : *Les poètes célèbres d'Italie* : **FRF 2 500** – Paris, 1810 : *Sainte Catherine* : **FRF 400** – Paris, 3 mars 1928 : *Décoration de plafond*, pl. et lav. : **FRF 400** – Paris, 28 nov. 1928 : *Figures allégoriques*, dess. : **FRF 2 000** – Paris, 4 déc. 1944 : *Figure de femme*, pl. et lav. : **FRF 3 000** – Londres, 3 juil. 1963 : *Saint Jérôme* : **GBP 3 800** – Londres, 5 déc. 1969 : *Portrait de l'artiste avec son fils* : **GNS 2 000** – Londres, 27 nov. 1970 : *Putti*, deux panneaux : **GNS 2 200** – Londres, 27 mars 1974 : *La Sainte Famille avec saint Jean Baptiste enfant* : **GBP 9 000** – New York, 22 jan. 1976 : *Allégories de l'Automne et de l'Hiver*, deux panneaux (chaque 89x77,5) : **USD 7 000** – Londres, 30 mars 1976 : *L'incrédulité de saint Thomas*, dess., pl. et lav. (21,8x18,6) : **GBP 1 400** – Londres, 18 nov. 1982 : *L'Enlèvement de Ganymède*, pl. et lav./trait de craie noire (23,1x18) : **GBP 11 000** – New York, 5 juin 1986 : *Saint Marc ; Saint Luc*, h/pan., une paire (178x99) : **USD 125 000** – Londres, 8 déc. 1987 : *Dieu le Père entouré d'anges et de Putti*, craie noire, pl. et lav. brun, dess. pour une lunette (27,7x41,7) : **GBP 22 000** – Milan, 27 oct. 1987 : *Rebecca et Eliezer*, h/pan. (169x120) : **ITL 210 000 000** – Londres, 3 juil. 1989 : *Étude pour le plafond de la Salle de Pénélope au Palais Vecchio de Florence*, encre et lav. avec reh. de blanc (40,4x24,3) : **GBP 29 700** – New York, 11 jan. 1990 : *Deux saints, un pape et saint Michel*, lav. et encre, dans un étroit cadre rectangulaire (22,2x10) : **USD 143 000** – Londres, 9 déc. 1992 : *Le Christ dans la maison de Marthe et de Marie*, h./ardoise (28,5x36) : **GBP 9 900** – Paris, 22 mai 1994 : *Bacchanale*, cr. noir et pl. (28x27) : **FRF 170 000** – Londres, 4 juil. 1994 : *Saints Pierre et Paul apparaissant à saint Dominique soutenant les murs de Latran*, encre et lav. (12,6x9,4) : **GBP 5 980** – New York, 10 jan. 1996 : *La lapidation de saint Étienne avec la sainte Trinité au-dessus de lui*, craie noire, encre et lav. (30,5x21,2) : **USD 28 750** – Londres, 2 juil. 1996 : *La mort de saint Pierre*, craie noire et encre (20,4x12,9) : **GBP 8 050** – Londres, 5 juil. 1996 : *Portrait d'un chevalier de Malte en buste, portant une armure et tenant son casque sur une table devant un rideau drapé*, h/pan. (71,7x57) : **GBP 85 000** – Paris, 20 nov. 1996 : *Vierge à l'Enfant entourée de saints*, pl. et encre brune (19,5x16,5) : **FRF 60 000**.

VASARI Lazzaro, dit **Taldi**

Né en 1399 à Arezzo. Mort en 1468 à Arezzo. xve siècle. Italien.

Peintre d'histoire, cartons de vitraux.

Cet artiste arrière-grand-père du célèbre historien des peintres, fut ami et collaborateur de Piero della Francesca. Il paraît avoir d'abord été peintre d'ornements, mais à la fin de sa carrière, il exécuta des fresques à Arezzo et à Pérouse. Il fit aussi des cartons de vitraux, notamment pour le peintre verrier Fabiano Sassali.

VASARINS Vilis

Né le 3 février 1906 à Vaive. xxe siècle. Russe-Letton.

Peintre, sculpteur, céramiste.

Il fut élève de l'Académie de Riga, où il enseigna.

VASARRI Emilio

Né au xixe siècle à Montevarchi. xixe siècle. Italien.

Peintre d'histoire, scènes de genre.

Il fut élève de l'Académie des Beaux-Arts de Florence. Il exposa dans cette ville, à Palerme et à Rome et à Paris où il figura au Salon des Artistes Français ; obtenant une médaille de bronze en 1900, pour l'Exposition Universelle, une mention honorable en 1904.

Musées : Nantes (Mus. des Beaux-Arts) : *Les oies – Joueur de flûte – Le rêve.*

Ventes Publiques : New York, 19 oct. 1984 : *Femmes romaines jouant aux dés*, h/t (160x162,5) : **USD 6 000** – New York, 29 oct. 1986 : *Fête des Fontaines*, h/t (86,3x151,7) : **USD 38 000** – Rome, 14 déc. 1988 : *Sur la plage*, h/t (62x43) : **ITL 2 200 000** – Londres, 4 oct. 1989 : *La procession des gladiateurs*, h/t (74x128,5) : **GBP 15 400** – New York, 17 oct. 1991 : *Femmes de Pompéi*, h/t (87,6x152,4) : **USD 34 100** – Londres, 27 nov. 1992 : *Au bazar*, h/t (74,2x57,2) : **GBP 6 380** – Londres, 26 mars 1997 : *Le Mariage romain*, h/t (85x151) : **GBP 18 975**.

VASAS Mihaly ou **Michel**

Né le 14 mai 1905 à Bekescsaba. xxe siècle. Hongrois.

Peintre de portraits.

Il fut élève de l'Académie de Budapest.

VASCANO. Voir **CANOVAS DEL CASTILLO Y VALLEJO Antonio**

VASCARDO Juan ou **Bascardo**

Mort en 1653 (?). xviie siècle. Espagnol.

Sculpteur.

Il travailla en Guipuzcoa et Rioja. Il sculpta de nombreux autels dans les provinces basques.

VASCELLINI Gaetano ou **Cajetano** ou **Vaccellini**

Né en 1745 à Castello San Giovanni. Mort en 1805 à Florence. xviiie siècle. Italien.

Graveur.

Élève d'Ercole Graziani et de C. Faucci. Il a gravé des portraits de personnages florentins importants et des sujets d'histoire.

VASCILLIER

xixe siècle. Actif à Paris. Français.

Peintre.

Il figura au Salon de 1793.

VASCO

xve siècle. Portugais.

Enlumineur.

Il travailla pour Alphonse V de Portugal à dater de l'année 1455. Peut-être parent de ou identique à EANES (Vasco).

VASCO Eanes. Voir **EANES Vasco**

VASCO Fernandes. Voir **PEREYRA Vasco** et **FERNANDES Vasco**

VASCO Giovanni

xviiie siècle. Actif à Naples au milieu du xviiie siècle. Italien.

Peintre.

Élève de Solimena.

VASCO Giulio

xviie siècle. Italien.

Graveur d'ornements.
Il grava des scènes de l'enterrement de Charles Emmanuel duc de Savoie.

VASCO de Troya. Voir **ALEAS VASCO DE TROYA Leonardo**

VASCO de Vizeu. Voir **FERNANDES Vasco**

VASCO PEREIRA. Voir **PEREYRA Vasco** et **FERNANDES Vasco**

VASCONI Filippo ou **Vasconio**
Né vers 1687 à Rome. Mort le 7 octobre 1730 à Rome. XVIIIe siècle. Italien.
Graveur au burin et architecte.
Il grava des vues de Venise et des environs de Rome et de Turin.

VASCONI Franco
Né en 1920 à Spigno Monfito. XXe siècle. Italien.
Peintre, sculpteur.
Il fit ses études à Milan où il vit et travaille. Il participe à des expositions collectives depuis 1947, date à laquelle il commence à faire des expositions personnelles, essentiellement en Italie.
Sa peinture décrit un espace onirique au sein duquel se devinent des formes peu définies.

VASCONIO Giuseppe
XVIIe siècle. Actif à Rome. Italien.
Peintre.
Imitateur de Guido Reni. Il exécuta des fresques pour des églises de Rome.

VASCOQUIN, appellation erronée. Voir **STOCKEM Jan Van**

VASE Pierre ou **du Vase**. Voir **ESKRICH Pierre**

VASEGNE Girardo di
Né à Bruxelles. XVe siècle. Travaillant à Rome de 1466 à 1467. Éc. flamande.
Sculpteur.

VASEL Thibaud. Voir **VUYSEL**

VASELLI Alessandro
XVIIe-XVIIIe siècles. Actif à Rome. Italien.
Peintre.
Élève de Giacomo Brandi. Il a peint le plafond de S. Giovanni della Malva à Rome.

VASENELDE Liévin de
XVe siècle. Travaillant à Tournai de 1442 à 1459. Éc. flamande.
Peintre.

VASI Giuseppe
Né le 28 août 1710 à Corleone, en Sicile. Mort le 16 avril 1782 à Rome. XVIIIe siècle. Italien.
Peintre, dessinateur, architecte, graveur à l'eau-forte et au burin et archéologue.
Après avoir pratiqué la peinture dans son pays, il vint à Rome et y fut élève de Sébastien Conca, P. L. Ghezzi et Juvara. Il acquit la réputation d'habile graveur et travailla pour d'illustres protecteurs tels que Ferdinand et Charles III, de Naples, Benoît XIV. Il fut graveur de la cour de Naples et fait chevalier. Son œuvre gravé est important. Il exécuta des peintures notamment au Palais Farnèse et au Palais Caprarola. Piranesi fut son élève.
Ventes Publiques : Paris, 30 mai 1973 : *Vues de Rome*, suite de six toiles : **FRF 78 000** – Monte-Carlo, 8 déc. 1984 : *Vues d'Italie* 1753, h/t, six toiles à vues ovales (28,5x21,5) : **FRF 540 000** – Rome, 5 déc. 1985 : *Ponte e Castel Sant'Angelo, S. Maria Maggiore dalle Quatro Fontane*, eaux-fortes, une paire (100x70) : **ITL 1 400 000** – Semur-en-Auxois, 3 nov. 1985 : *L'Arc de Titus* 1750, h/t (29x22) : **FRF 17 000**.

VASICEK Vladimir
Né le 29 septembre 1919 à Mistrin-Kyjov. XXe siècle. Tchécoslovaque.
Peintre, graveur. Expressionniste puis abstrait.
Après des études à Zline de 1940 à 1944, il fut élève de l'Académie des Beaux-Arts de Prague de 1945 à 1949, où il eut, entre autres, pour professeur Nechleby. Il effectua des voyages d'étude en U.R.S.S., Pologne, Bulgarie, etc. Il vit à Mistrin-Kyjov.
Il participe à de très nombreuses expositions collectives, à Prague, à Brno, dans d'autres villes de Tchécoslovaquie, ainsi qu'à l'étranger, et notamment à la Biennale de São Paulo en 1963, à la Biennale de Gravure de Cracovie en 1964, etc.
Venu d'un expressionnisme, très répandu dans l'Europe centrale de l'entre-deux-guerres, il a évolué à une abstraction relative.
Bibliogr. : Catalogue de l'exposition *50 ans de peinture tchécoslovaque, 1918-1968*, Musées tchécoslovaques, 1968.

VASILACCHI Antonio. Voir **VASSILACCHI**

VASILESCO Paul
Né en 1936 à Izvorul Dulce. XXe siècle. Roumain.
Sculpteur de figures, portraits. Polymorphe.
Il fut élève de l'École des Beaux-Arts de Bucarest, où il vit et travaille.
Il pratique en général une figuration empreinte de modernisme, romantique dans l'expression de nombreux portraits. Il recourt à l'abstraction dans des ouvrages à destination architecturale, telle la grande sculpture métallique exécutée pour l'aéroport de Otopeni.
Bibliogr. : Radu Ionesco, in : *Nouveau Diction. de la Sculpt. Mod.*, Hazan, Paris, 1970.

VASILESCU Georg
Né en 1864 à Craïova. Mort en 1897 ou 1898. XIXe siècle. Roumain.
Sculpteur, graveur sur bois et au burin.
Élève de L. Ferrari à Venise et à Rome. Il a sculpté le Monument aux Morts à Ploesti en 1897.

VASILIEFF. Voir **WASILIEFF**

VASILIEV Anatoli
Né en 1917. XXe siècle. Russe.
Peintre de genre, figures, paysages, natures mortes. Réaliste-socialiste.
Il fut élève de l'Académie des Beaux-Arts de Leningrad, aujourd'hui Saint-Pétersbourg (Institut Répine), puis travailla sous la direction de Viktor Orechnikov. Il fut membre de l'Association des Peintres de Leningrad.
Depuis 1947, il expose régulièrement à Moscou et à Leningrad. Moins connu à l'étranger, il figure néanmoins à huit expositions : *L'Art de Leningrad* à Tokyo de 1975 à 1984 et *L'Art de la Révolution d'Octobre* à Osaka en 1986. Les villes de Mourmansk en 1965 et de Leningrad en 1985 lui ont consacré des expositions personnelles.
Musées : Moscou (Gal. Tretiakov) – Mourmansk (Mus. des Beaux-Arts) – Osaka (Gal. d'Art Contemp.) – Saint-Pétersbourg (Mus. Russe) – Saint-Pétersbourg (Mus. acad. des Beaux-Arts) – Saint-Pétersbourg (Mus. central) – Volodimir (Mus. des Beaux-arts).
Ventes Publiques : Paris, 11 juin 1990 : *Débarcadère dans le port* 1953, h/t (40x60) : **FRF 13 500** – Paris, 25 mars 1991 : *Soir d'été* 1965, h/t (86x65) : **FRF 10 500** ; *Le petit déjeuner* 1974, h/t (80x79) : **FRF 11 000** – Paris, 29 mai 1991 : *La maison au bord du lac*, h/t (106x111,5) : **FRF 6 000**.

VASILIU-FALTI V.
Né en 1902 à Falticeni. XXe siècle. Roumain.
Sculpteur de bustes.
Il fut élève de Dimitrie Paciurea, de Jean Boucher, d'Émile Bourdelle et de Charles Despiau à Paris.
Musées : Bucarest (Mus. Toma Stelian) : *Buste du professeur Reglero.*

VASINI Clarice, Mme **Pignoni**
XVIIIe siècle. Italienne.
Peintre et sculpteur.
Élève de F. Balugani, d'A. Pio et de M. Collina. Elle sculpta à Bologne des statues d'inspiration religieuse.

VASKOVITS Erszebet ou **Elisabeth**
Née en 1868 à Szirak. XIXe-XXe siècles. Hongroise.
Peintre de figures.
Elle vécut et travailla à Budapest.

VASLET Lewis
Né en 1742. Mort en novembre 1808 à Bath. XVIIIe siècle. Travailla à York et à Bath vers 1770. Britannique.
Peintre de portraits, miniatures, aquarelliste, pastelliste.
De 1770 à 1780, il exposa dix miniatures à la Royal Academy de Londres.
Ventes Publiques : Londres, 28 nov. 1908 : *Suite de quatre portraits au pastel* : **GBP 7** – Londres, 11 juin 1968 : *The spoil'd child*, suite de six aquarelles : **GNS 950** – Londres, 15 juil. 1983 : *La Famille Mordaunt* vers 1784, h/t (62,2x74,9) : **GBP 4 800** – Londres, 14 mars 1985 : *A gentleman in a blue coat with his horse*, past. (73,5x50,5) : **GBP 700** – York (Angleterre), 12 nov. 1991 :

Portrait de Miss Beatrice Sykes ; Portrait de Miss Elizabeth Sykes, past., une paire (chaque 25x20) : **GBP 1 210** – Londres, 8 avr. 1992 : *Portrait de Elizabeth Maria Chevallier assise devant un écritoire et vêtue d'une robe rose et d'un chapeau noir avec un épagneul à ses pieds*, h/t (42x33,5) : **GBP 5 500** – Londres, 12 nov. 1997 : *Portrait de la famille Danvers de Bath*, h/t (76x92) : **GBP 10 350**.

VASLIN Georges
xxe siècle. Français.
Peintre de scènes typiques, paysages, fleurs.
Autodidacte, il expose à Paris au Salon des Peintres Témoins de leur Temps.
Peintre figuratif, il aime traiter les paysages, les fleurs et les scènes de la vie familière de l'Anjou et de la Charente.
Ventes Publiques : Paris, 24 avr. 1992 : *L'estuaire*, h/t (50x65,5) : **FRF 48 000**.

VASNETSOV Apollinari Michailovitch ou **Apollinarij** ou **Apollinaire** ou **Wassnetzoff**
Né en 1856 à Riabovo, près de Kirov dans le gouvernement de Viatka. Mort en janvier 1933 à Moscou. xixe-xxe siècles. Russe.
Peintre de paysages et décorateur.
Frère de Viktor Vasnetsov, il travailla chez lui à Viatka, puis fut élève de Répine entre 1872 et 1875. À partir de 1878, il fut actif à Moscou. En 1889-1890, il voyagea en France, Allemagne, Italie. En 1900, il fut élu membre de l'Académie des Beaux-Arts. En 1903, il fut l'un des fondateurs de l'Union des Artistes Russes.
À partir de 1893, il a participé à des expositions collectives : celles de la Société des Expositions Artistiques Itinérantes, dont il devint membre en 1888 ; à partir de 1903, celles de l'Union des Artistes Russes ; en 1900 Paris, pour l'Exposition Universelle ; en 1913 Munich ; 1914 Lyon ; 1924 New York, Boston, Baltimore ; 1929 Rome, Venise ; etc. À partir de 1929, il montrait ses œuvres dans des expositions personnelles. En 1979 à Paris, son œuvre était représenté à l'exposition : *Paris-Moscou*, au Centre Georges Pompidou.
Cet artiste s'est attaché, notamment à reproduire le Moscou d'autrefois. On lui doit aussi des décorations de scène.
Bibliogr. : In : catalogue de l'exposition : *Paris Moscou*, Centre Georges Pompidou, Paris, 1979.
Musées : Moscou (Gal. Tretiakov) : *Moscou au xviie siècle*, deux œuvres – *Près des portes de Voskresensky à l'aube* – *Un lac* – *Moscou au xvie siècle* – *Un jour gris* – *Le pays natal* – *Le matin* – *Kama* – *Projets de décorations pour l'opéra Chovantchina* – Saint-Pétersbourg (Mus. Russe) : *Pays septentrionnal* – *Le vieux Moscou*.
Ventes Publiques : Londres, 14 mai 1980 : *Un village de Russie*, h/cart. (42x62,5) : **GBP 550** – Paris, 2 déc. 1991 : *Paysage de plaine russe*, h/t (106x181,5) : **FRF 4 600** – Londres, 14 déc. 1995 : *La construction de Moscou*, aquar. (47,5x48,5) : **GBP 5 750**.

VASNETSOV Viktor ou **Wassnetzoff**
xviiie siècle. Russe.
Peintre de portraits.
Musées : Moscou (Roumianzeff, coll. Doehkoff) : *Le comte Zoroff, précepteur de Pierre Ier* – *Stephan Javorsky, écrivain ecclésiastique* – *Catherine Ire* – *V. G. Belinsky, écrivain* – *A. S. Chomiakoff, écrivain et philosophe* – *L'écrivain K. S. Aksakoff* – *Th. N. Gleiska* – *A. Ch. Vostokoff* – *Le prince P. A. Viasemsky* – *P. F. Ansakoff* – *J. Th. Sisiansky* – *D. S. Borniansky* – *Le métropolite E. Bolchevitinoff* – *Le poète V. J. Maïkoff* – *J. P. Koulibin* – *L'impératrice Élisabeth Alexievna* – *L'empereur Pierre II* – *I. Neplioneff* – *Le fabuliste I. I. Chimitzer* – *Le dramaturge J. B. Kniachine* – *Germogen, deuxième patriarche de toute la Russie* – *Le prince D. M. Pocharsky* – *Le prince V. V. Galytzine, favori de la Tzarine Sophie*.

VASNETSOV Viktor Michailovitch ou **Wassnetzoff**
Né en 1848 à Lopial, région de Kirov au gouvernement de Wiatka. Mort en 1926 à Moscou. xixe-xxe siècles. Russe.
Peintre d'histoire, portraits, décorateur.
Dans les années 1860, il arriva à Moscou. En 1867-68, il fut élève de l'École de Dessin de la Société du Développement des Arts à Saint-Pétersbourg. À partir de 1868, il fut élève de Pavel Tchistiakov, Peter Bassine, Vassili Verechtchaguine, à l'Académie des Beaux-Arts de Saint-Pétersbourg. En 1893, il devint membre de l'Académie des Beaux-Arts de Saint-Pétersbourg, dont il démissionna en 1905.
À partir de 1869, il a participé à des expositions collectives, devenant, en 1878, membre de la Société des Expositions Artistiques Itinérantes, puis d'autres. Il a exposé ses œuvres en 1899 et 1905 à Saint-Pétersbourg, en 1913 et 1927 à Moscou. En 1979 à Paris, son œuvre était représenté à l'exposition : *Paris Moscou*, au Centre Georges Pompidou.
Sembla être prédestiné à la restauration d'un art religieux. L'essentiel de son activité s'est exercé dans l'architecture, notamment pour le projet d'une maison particulière à Moscou, qui est devenu le Musée Viktor Vasnetsov. En 1885-1895, il fit la décoration de l'église *Saint-Vladimir* de Kiev, qui eut des admirateurs enthousiastes. On y retrouvait le style byzantin mais humanisé.
■ J. B.

Bibliogr. : In : catalogue de l'exposition : *Paris Moscou*, Centre Georges Pompidou, Paris, 1979.
Musées : Moscou (Roumianzeff) : *Une préférence* – Moscou (Gal. Tretiakov) : *D'un logis à l'autre* – *Un télégramme militaire* – *Après la bataille entre Igor Sviatoslavitch et les Polovtzy* – *En costume de jongleur* – *Zarevitch Ivan Ier sur un loup gris* – *Le fils de l'artiste* – *Ivan le Terrible* – *Des héros* – *L'épiphanie* – *Christ en Croix* – *Le jugement dernier* – *Vierge et Enfant Jésus* – *Prophètes* – *Saints* – *Petite librairie* – *Marchand* – *Diacre* – *Paysans à table* – *L'étendard pour le tombeau d'Alexandre III* – *L'empereur arrivant à Moscou la nuit* – *Athlète* – *Sur le glaçon* – *Snegourotchka (Blanche-Neige)* – *des esquisses* – Saint-Pétersbourg (Mus. Russe) : *Le Saint Suaire* – *Tréteaux à Paris* – *Combat d'un Russe et d'un Scythe*.
Ventes Publiques : Londres, 14 déc. 1995 : *Jeune fille cueillant des fleurs sauvages dans une forêt* 1876, h/pan. (95x60) : **GBP 21 850**.

VASNETSOV Yury
Né en 1902 à Viatka (Russie). xxe siècle. Russe.
Peintre et illustrateur.
Il fut élève de l'Académie des Beaux-Arts de Moscou.

VASNIER Charles
Né à Caen (Calvados). xixe siècle. Français.
Peintre.
Le Musée de Caen conserve de lui : *Cour d'une maison à Lisieux* (aquarelle).

VASOL Antonio. Voir **VASALIO**

VASOUNS Joannes ou **Vasoens**
Mort le 3 avril 1630. xviie siècle. Actif à Maestricht. Hollandais.
Peintre.
De l'ordre de Saint Dominique, il exécuta des peintures pour le monastère des Dominicains de Maestricht.

VASQUES Pero. Voir **VAZ**

VASQUEZ
xvie siècle. Portugais.
Peintre d'histoire.
Il peignit une *Descente de Croix* et un *Martyre de S. Sébastien* (sur lequel on lit *Vasquez Lusitanus tune incipiebat* (anno 1562) pour l'église de S.-Lucar de Borromeda (Andalousie). On peut peut-être l'identifier avec un autre Vasquez ou Vazquez.

VASQUEZ. Voir aussi **VAZQUEZ**

VASQUEZ Agustin ou **Augustin**
xvie siècle. Actif à Séville en 1580. Espagnol.
Peintre.
Quarante ducats furent comptés à cet artiste pour la peinture et la dorure de deux balcons à la porte Triana, en collaboration avec Miguel Gomez. Ce fait d'avoir peint des balcons ferait croire que Vasquez n'était qu'un ouvrier, mais du moment où il avait pour collaborateur Miguel Gomez, peintre de premier ordre, on doit en conclure qu'il était un artiste.

VASQUEZ Alonso
Né à Belalcazar, dans la province de Cordoue (Andalousie). xvie siècle. Travailla en 1598 à Séville. Espagnol.
Peintre d'histoire, compositions religieuses, restaurateur, doreur.
Il restaura, repeignit à l'huile et redora une fresque représentant *Notre-Dame, entourée d'ornements et des armes de la ville*.

VASQUEZ Alonso ou **Alonzo**
xvie siècle. Espagnol.
Peintre de miniatures, enlumineur.
Actif en 1509. Il enlumina une partie du grand Missel du cardinal Cisnèros, conservé à Tolède.

VASQUEZ Alonso ou **Ildefonso** ou **Vazquez**
Né en 1565 à Ronda ou à Rome. Mort avant le 24 mai 1608 à Mexico. XVIe-XVIIe siècles. Depuis 1603 actif au Mexique. Espagnol.
Peintre d'histoire, sujets religieux, natures mortes, compositions murales, dessinateur.
Il fit ses études à Séville avec Antonio Arflan et fut un des rivaux de Francisco Pacheco, que certains biographes disent son élève. Il s'établit définitivement au Mexique en 1603. Ne serait-ce pas le même artiste que le peintre Alonso Vasquez, de Belalcazar ?
Il fut du nombre des artistes qui collaborèrent au catafalque érigé dans la cathédrale de Séville, en 1598, à l'occasion de la mort de Philippe II. Il peignit divers retables à Séville, dont : la *Résurrection* 1590, à l'église Santa Ana ; l'*Immaculée Conception* 1594, à l'église San Andrès ; les *Évangélistes, Pères de l'Église*, à la chapelle de l'hôpital de la Sangre. Il réalisa une série de peintures sur la *Vie de saint Raymond*, deux scènes sur la *Vie de saint Pierre Nolasque*, une *Madeleine* et une *Pietà*, à l'ancien couvent de la Merci à Séville (aujourd'hui Musée des Beaux-Arts). On cite encore de lui le *Festin du mauvais riche*, que lui commanda le duc d'Alcala. Ses œuvres marquent la transition du Maniérisme du XVIe siècle au Naturalisme du XVIIe siècle.
Bibliogr. : In : *Dictionnaire de la peinture espagnole et portugaise du Moyen-Âge à nos jours*, coll. Essentiels, Larousse, Paris, 1989.
Musées : Budapest – Séville (Mus. des Beaux-Arts) : *Vie de saint Pierre Nolasque, deux scènes – Vie de saint Raymond – Rachat de prisonniers – Cène – Mort de saint Herménegilde – Madeleine – Pietà.*

VASQUEZ Amaro
Mort entre 1628 et 1631 à Séville. XVIIe siècle. Espagnol.
Peintre et sculpteur.
En 1593, il prit part aux travaux du monument de la Semaine Sainte à la cathédrale ; vers 1610, il peignit un retable représentant Jésus ; on retrouve encore son nom en 1627 et en 1631.

VASQUEZ Antonio
Né en 1483 (?). XVIe siècle. Actif à Valladolid. Espagnol.
Peintre de compositions religieuses.
Il est l'un des peintres les plus importants de Valladolid de la première partie du XVIe siècle. Son style reflèta l'influence de Padro Berruguete et de Juan de Borgona et ressembla à celui de Juan Correa de Vivar. Cet artiste travailla beaucoup avec Giralte et modifia peu à peu son style d'après celui du célèbre artiste.
Les œuvres de Vasquez sont très nombreuses ; notamment : un retable pour le monastère de Notre-Dame de la Laura à Tolède, une importante participation au Mausolée que la duchesse d'Albe fit élever à la mémoire de son époux, un retable à San Lucas de Valladolid.
Ventes Publiques : Genève, 21 juin 1976 : *La Présentation au temple*, h/pan. (141x105) : **CHF 160 000** – Londres, 29 mai 1992 : *Christ en Croix enlaçant Saint Bernard au centre, saint Sébastien, sainte Agnès, saint Roch et une cistercienne sur les côtés*, h/pan. à fond or, retable (187,5x169,5) : **GBP 46 200** – Londres, 23 avr. 1993 : *Les Lamentations (au centre), la Crucifixion et la Mise au tombeau (sur les faces internes des ventaux), le Christ devant Pilate (à l'extérieur)*, h/pan., triptyque (en tout 111,5x168,5) : **GBP 67 500** – Londres, 7 déc. 1994 : *Christ en Croix enlaçant Saint Bernard (au centre), Saint Sébastien, Sainte Agnès, Saint Roch et une cistercienne (sur les côtés)*, h/pan. à fond or, retable (187,5x169,5) : **GBP 3 800**.

VASQUEZ Augustin. Voir **VASQUEZ Agustin**

VASQUEZ Carlos, dit aussi **Martinez Vasquez C.**
XIXe-XXe siècles. Espagnol.
Peintre de batailles, paysages, pastelliste.
Ventes Publiques : Paris, 25 avr. 1980 : *Danseuse espagnole*, h/t (176x104) : **FRF 4 500** – Barcelone, 18 déc. 1985 : *Junto al estanque*, h/t (80x131) : **ESP 290 000** – Londres, 23 nov. 1988 : *L'escorte des prisonniers* 1906, past. (64x95) : **GBP 3 300** – Londres, 21 juin 1989 : *Vue d'un pont romain*, h/t (100x183) : **GBP 4 400**.

VASQUEZ Diego
XVIIe siècle. Actif à Valladolid. Espagnol.
Sculpteur.
On croit, sans en avoir la certitude, qu'il était le fils d'Antonio Vasquez. Certains critiques l'identifient à Diego Basoco, mais sans avancer de preuves décisives.

VASQUEZ Gonzalo
XVIe siècle. Actif à Séville. Espagnol.
Peintre et doreur.
Il collabora au retable de la cathédrale de Séville vers 1559.

VASQUEZ Isabel
Née à Ponce. XXe siècle. Portoricaine.
Peintre, graveur.
Elle a figuré à l'exposition : *De Bonnard à Baselitz – Dix ans d'enrichissements du Cabinet des Estampes 1978-1988* à la Bibliothèque nationale à Paris, en 1992.
Musées : Paris (BN) : *Série de fruit érotique* 1978, taille-douce.

VASQUEZ Jéronimo
Né vers 1529. XVIe siècle. Travaillant à Valladolid de 1559 à 1572. Espagnol.
Peintre.
Témoin en faveur de Giralte dans son procès avec Juan de Juni au sujet du retable de Notre-Dame de la Antigua. Il collabora à cet ouvrage. Il fut un artiste sérieux et l'un des meilleurs de son temps.

VASQUEZ Juan Bautista
XVIe siècle. Actif à Valladolid. Espagnol.
Sculpteur.
Il fut un des artistes qui collaborèrent au monument funèbre, élevé à la mémoire du cardinal Tavera, vers 1560. Peut-être y a-t-il parenté avec Antonio ou Diego.

VASQUEZ Juan Bautista
Né à Séville. Mort après 1579. XVIe siècle. Espagnol.
Peintre et sculpteur.
Il étudia avec Diego de la Barrera. En 1568 on le cite peignant un tableau d'autel dans la chapelle de la cour des Orangers à l'Alhambra de Grenade. On le mentionne encore en 1579 travaillant à la cathédrale de Malaga. On le considère comme un des maîtres primitifs ayant le plus contribué au développement de la peinture en Andalousie. Peut-être identique au précédent.

VASQUEZ Juan Bautista, l'Ancien
Originaire de Tolède ou de Séville. Mort en 1589. XVIe siècle. Actif à Séville. Espagnol.
Sculpteur et peintre.
Cet artiste fut chargé au monastère de la Chartreuse de la restauration de douze panneaux sculptés, dont chacun représentait une scène de la vie du Christ ; des personnages, durent être non seulement réparés mais refaits et l'ensemble de l'œuvre ainsi que ses détails en furent profondément modifiés (extrait d'un document du 5 mars 1561). Peut-être identifiable avec un autre des Juan-Bautista Vasquez ou Vazquez.

VASQUEZ Marco
XVIIe siècle. Actif à Séville vers 1621. Espagnol.
Peintre.

VASQUEZ Miguel
XVIIe siècle. Actif à Séville de 1601 à 1605. Espagnol.
Peintre.

VASQUEZ DEL RIO Salvador
Né le 23 juillet 1907 en Galicie. Mort le 18 mars 1967 à Paris. XXe siècle. Actif en France. Espagnol.
Peintre de figures, paysages, natures mortes, dessinateur.
Né dans le voisinage de la cathédrale de Saint-Jacques-de-Compostelle, il manifesta très jeune son goût pour le dessin et la peinture, fit de solides études à l'un des meilleurs collèges des Jésuites d'Espagne, fréquenta l'École des Beaux-Arts et les musées de Madrid et tira les meilleures leçons des chefs-d'œuvre du Prado. Il se lie avec poètes et chanteurs tels que Unamuno, Garcia Lorca, Fleta.
Ses envois aux Indépendants et aux principaux Salons annuels de Paris et de province accrurent sa renommée. Sociétaire de la Nationale des Beaux-Arts, il exposa de grands ensembles à Paris, Bâle et surtout Londres.
L'art du portrait et les sujets religieux l'accaparèrent d'abord, mais simultanément, il fit des natures mortes, des paysages, des marines. Français d'adoption et infiniment sensible à la lumière, il peignit sous tous les ciels de France : notamment en Normandie et dans le Sud-Ouest. Fixé à Paris, on lui doit d'importantes toiles où, assagissant sa palette à dominante dorée, il revint dans les dernières années à des harmonies plus graves, peignit avec passion Notre-Dame et le Vieux Paris. ■ C. R. M.
Musées : Bordeaux (Mus. des Beaux-Arts) : *Bassin d'Arcachon* – Madrid (Mus. Contemp.) – Paris (Mus. d'Art Mod. de la ville) – Saintes.

Ventes Publiques : Paris, 14 mars 1990 : *Les tulipes* 1964, h/pan. (55x44) : **FRF 6 000** – Calais, 12 déc. 1993 : *Paysage du Cap Ferrat*, h/t (54x73) : **FRF 6 500**.

VASQUEZ-BRITO Ramon

Né vers 1918 à Porlamar (Nueva Esparta), 1927 selon divers catalogues de ventes publiques. xxe siècle. Vénézuélien.

Peintre de genre.

Il travailla à l'École des Beaux-Arts de Caracas et participa à de nombreuses expositions collectives.

Ventes Publiques : New York, 19 nov. 1987 : *To the warmth of his Goodness* 1987, h/t (143x193) : **USD 7 500** – New York, 21 nov. 1988 : *Une blessure dans le bleu*, h. et poudre de marbre/t (114,3x162,2) : **USD 6 600** – New York, 17 mai 1989 : *Perdre l'espoir* 1988, h/t (130x195) : **USD 9 350** – New York, 2 mai 1990 : *Arriva l'espérance* 1988, h/t (130x195) : **USD 6 600**.

VASQUEZ DIAZ Daniel ou **Vazquez Diaz**

Né le 15 janvier 1882 à Nerva (Huelva). Mort le 17 mars 1969 à Madrid. xxe siècle. Depuis 1906 actif aussi en France. Espagnol.

Peintre d'histoire, compositions religieuses, scènes de genre, figures, nus, portraits, paysages, natures mortes, peintre de compositions murales. Postcézannien.

De famille bourgeoise, il renonça au commerce, auquel il était destiné par ses études, il peignit contre la volonté de ses parents. En 1903, il se fixa à Madrid, étudiant au Prado les œuvres de Vélasquez, du Greco, de Zurbaran, celui-ci devant exercer sur lui une influence durable. Goya l'intéressa évidemment aussi. En 1906, il alla à Paris, y fréquentant les peintres espagnols, Picasso, Gris, mais aussi Modigliani, Max Jacob, Braque, ainsi que le poète nicaraguayen Ruben Dario et de nombreux écrivains de langue espagnole. Il y collabora avec Bourdelle à des décorations murales. Il resta en France durant quatorze ans, participant aux Salons annuels, obtenant diverses récompenses. Après la fin de la guerre, il travailla de nouveau en Espagne, où il fut professeur à l'école des beaux-arts. Il a participé à de nombreuses expositions en Espagne, notamment à Madrid ; ainsi qu'à Bilbao en 1920, à Lisbonne en 1922, au Musée des Arts Décoratifs de Paris en 1925, où il a obtenu une première médaille, Cadix en 1925, Venise en 1926, Buenos Aires en 1927 et 1947.

Dans un style simple, qui refuse le pittoresque, il a retenu la leçon cézannienne de construction des volumes et de l'espace, ce qui, parfois, l'a amené à une sorte de précubisme, référé à Zurbaran, qu'il contribua à faire connaître. Son œuvre n'a subi l'influence cubiste qu'à travers la conception modérée de son ami Juan Gris. Il a peint des paysages, des portraits de ses amis hommes de lettres, puis, après son retour en Espagne, des portraits de toreros, de femmes, d'enfants, d'ecclésiastiques. Parmi les portraits d'hommes de lettres : Ruben Dario, Unamuno, Pio Baroja, Juan Ramon Jimenez, Azorin. Il a réalisé à la fin des années vingt, des décorations murales d'une grande sobriété pour le monastère franciscain de la Rabida près de Huelva inspirées des épisodes de l'arrivée des Espagnols en Amérique, de la vie de Christophe Colomb qui se réfugia dans ce lieu. ■ J. B.

Vasquez Diaz

Bibliogr. : In : *Catalogue National d'Art Contemporain*, Éditions d'art Iberico 2000, Barcelone, 1990 – in : *L'Art du xxe s.*, Larousse, Paris, 1991 – in : *Cien Anos de pintura en Espana y Portugal, 1830-1930*, Antiqvaria, t. XI, Madrid, 1993.

Musées : Bilbao : *Miguel de Unamuno* – Madrid (Mus. espag. d'Art Contemp.) – Paris (Mus. d'Art Mod.) : *Toréadors*.

Ventes Publiques : Paris, 10 nov. 1943 : *La jeune Bretonne* : **FRF 550** – Paris, oct. 1945-juil. 1946 : *Les marchands d'oranges* : **FRF 360** – New York, 25 mars 1964 : *Le toréador* : **USD 1 300** – Londres, 5 juil. 1973 : *Nature morte aux pommes* : **GBP 1 700** – Londres, 5 juil. 1974 : *Paysage boisé* 1925-1930 : **GNS 3 200** – Madrid, 23 jan. 1979 : *La sortie du cabaret*, h/t (93x60) : **ESP 160 000** – Madrid, 13 déc. 1983 : *Maternidad blanca*, h/t (145x117) : **ESP 1 500 000** – Madrid, 21 mai 1985 : *Deux majas et un mendiant*, h/t (85x90) : **ESP 3 000 000** – Madrid, 16 déc. 1987 : *Antonio de azul y plata*, h/t (82x65) : **ESP 1 200 000** – Madrid, 10 juin 1993 : *Paysage de La Rabida*, h/t (67x75) : **ESP 6 870 000**.

VASQUEZ Y OBEDA Carlos ou **y Ubeda**

Né au xixe siècle à Ciudad Real. xixe-xxe siècles. Espagnol.

Peintre de genre, portraits, dessinateur.

Il fut élève de l'Académie des Beaux-Arts de Madrid, puis de Léon Bonnat à Paris et figura au Salon des Artistes Français ; médaille d'or en 1889 (Exposition Universelle), mention honorable en 1895, médaille d'or en 1900 (Exposition Universelle), médaille de troisième classe en 1907.

Carlos VAZQVEZ.

Musées : Barcelone : *Bénédicité* – Madrid (Mus. d'Art Mod.) – Paris (Mus. d'Orsay).

Ventes Publiques : Paris, 11 mars 1942 : *Sierra Nevada* : **FRF 1 650**.

VASQUEZ SAEZ Raul

Né en 1954 à Panama. xxe siècle. Panaméen.

Peintre.

Artiste autodidacte, il aborda le monde artistique par des voyages en Italie, au Mexique, en Amérique centrale et Amérique du sud. Il vit et travaille à Panama.

Il a participé à des expositions dans le monde entier. En 1994 il fut l'invité d'honneur du Musée d'Art Moderne de la République Dominicaine qui lui consacra une exposition particulière *The Water Spiral*.

Ventes Publiques : New York, 18 mai 1995 : *Le souvenir* 1991, h/t (113,7x112,7) : **USD 9 775**.

VASS Béla

Né le 18 juin 1872 à Szeged. Mort le 2 janvier 1934 à Szombathely. xixe-xxe siècles. Hongrois.

Peintre de figures.

VASS Elemer

Né le 28 juin 1887 à Budapest. xxe siècle. Hongrois.

Peintre de portraits, paysages.

Musées : Budapest (Gal Nat.).

VASS Viktor

Né le 8 mai 1873 à Szombathély. xixe-xxe siècles. Hongrois.

Sculpteur de bustes, monuments.

Il fit ses études à Vienne. Il sculpta, à Budapest, plus de trois cents tombeaux, monuments aux morts et bustes.

VASSAL Jean

Né le 4 août 1902 à Vervins (Aisne). xxe siècle. Français.

Peintre, sculpteur.

Il exposa à Paris au Salon des Indépendants. Il pratiqua la sculpture sur bois.

Ventes Publiques : Paris, 12 nov. 1928 : *Nu d'adolescente* : **FRF 1 110** – Paris, oct. 1945-Juillet 1946 : *Nu assis* : **FRF 6 000** ; *Baigneuses* 1945 : **FRF 7 000** – Paris, 27 nov. 1950 : *Porteuse d'eau* 1945 : **FRF 3 100**.

VASSAL Nicolas Claude

xviiie siècle. Actif à Paris dans la seconde moitié du xviiie siècle. Français.

Peintre de miniatures.

Il exposa de 1774 à 1779. Le Musée Galliera de Paris conserve des œuvres de cet artiste.

Ventes Publiques : Paris, 16 mai 1950 : *Portrait d'homme en cuirasse* 1774, émail : **FRF 27 000** ; *Portrait de femme* 1770, émail : **FRF 25 000**.

VASSALI Luigi ou **Vessalli**

Né le 11 septembre 1867 à Lugano. Mort en 1933 à Lugano. xixe-xxe siècles. Suisse.

Sculpteur.

Il fut élève de l'Académie des Beaux-Arts de Milan. Il participa aux expositions de Paris, notamment en 1900 à l'Exposition Universelle, où il reçut une médaille de bronze.

Musées : Lugano : *Christ mort*.

VASSALLO. Voir aussi **VASALLI**

VASSALLO Antonio Maria

Né à Gênes (Ligurie). xviie siècle. Actif à Gênes vers 1620-1650. Italien.

Peintre de scènes mythologiques, compositions religieuses, sujets de genre, animaux, paysages, fleurs et fruits, graveur.

Il fut élève du peintre combrésien Vincent Malo. Il mourut jeune. On lui doit diverses gravures au burin.

Musées : Florence (Mus. des Offices) : *Circé* – *Berger avec troupeau* – Gênes : *Saint François* – Moscou (Mus. des Beaux-Arts) : *Animaux* – Naples (Pina.) : *Jeune femme avec enfant*, attr. –

Rennes : *Le Christ dans un entourage de fleurs* - *La Vierge dans un entourage de fleurs* - Saint-Pétersbourg (Mus. de l'Ermitage) : *Orphée* - *Cyrus allaité par une chienne*.
Ventes Publiques : Londres, 13 juil. 1962 : *A trial scene* : **GNS 1 100** - New York, 10 jan. 1980 : *Servante, gibier mort, chat et coq*, h/t (113x141) : **USD 13 000** - Londres, 20 nov. 1984 : *Nature morte aux volatiles*, h/t (96x121) : **ITL 18 000 000** - Londres, 9 avr. 1986 : *Oiseaux et animaux dans un paysage*, h/t (198x162) : **GBP 12 000** - Rome, 13 avr. 1989 : *Persée libérant Andromède*, h/t (94x72) : **ITL 24 000 000** - Milan, 30 mai 1991 : *L'antre de la magicienne Circé*, h/t (54,5x85) : **ITL 24 000 000** - Londres, 11 déc. 1992 : *Diane et Callisto*, h/t (31,8x118,2) : **GBP 13 200** - Londres, 6 juil. 1994 : *Le Christ chassant les marchands du Temple*, h/t (109x149) : **GBP 7 820** - Londres, 5 juil. 1995 : *Le Christ chassant les marchands du temple*, h/t (109x149) : **GBP 5 750**.

VASSALLO Giovanni Battista
Mort en 1650 à Gênes. XVIIe siècle. Italien.
Portraitiste.
Élève de Luciano Borzone.

VASSALLO Girolamo
Né en 1771 à Gênes. Mort en 1819 à Milan. XVIIIe-XIXe siècles. Italien.
Médailleur.
Élève de F. J. Salwirk. Il grava des médailles à l'effigie de Napoléon.

VASSALLO Luigi Arnaldo, dit **Gandolin**
Né le 30 octobre 1852 à Gênes. Mort le 10 août 1906 à Gênes. XIXe siècle. Italien.
Peintre de portraits, dessinateur amateur.
Il dessina les portraits de célébrités contemporaines. Le Palais Bianco de Gênes conserve plusieurs œuvres de cet artiste qui fut aussi journaliste.

VASSALLO Nicola
XVIIIe-XIXe siècles. Actif à Naples. Italien.
Sculpteur de crèches.
Frère de Saverio V. et élève de Fr. di Nardo. Les Musées de Munich, de Naples et de Sorrente, conservent des œuvres de cet artiste.

VASSALLO Onofrio
XVIIe siècle. Travaillant à Naples en 1699. Italien.
Sculpteur sur bois.

VASSALLO Saverio
XVIIIe-XIXe siècles. Actif à Naples. Italien.
Sculpteur de crèches.
Frère de Nicola V. et élève de Fr. di Nardo.

VASSANZIO. Voir **VASANZIO Giovanni**

VASSE Abraham Jacques Antoine
Né le 20 janvier 1800 à Dieppe (Seine-Maritime). Mort le 20 décembre 1859 à Dieppe (Seine-Maritime). XIXe siècle. Français.
Dessinateur d'architectures et écrivain.
Il s'établit à Namur en 1838.

VASSÉ Antoine ou **Vassez**
Né vers 1655 à Villers-Bretonneux (Somme). Mort avant 1700 à Seyne-sur-Mer. XVIIe siècle. Français.
Sculpteur.
Il est le père d'Antoine François Vassé. Il fut élève de L. Malœuvre à Paris et de Jean Dubois à Dijon.

VASSÉ Antoine François
Né le 27 octobre 1681 à Toulon (Var). Mort le 1er janvier 1736 à Paris. XVIIIe siècle. Français.
Sculpteur, décorateur.
Il fut agréé à l'Académie des Beaux-Arts en 1723.
On voit de lui, au Palais de Versailles, des consoles en bronze doré. Il travailla aussi pour les Tuileries et la cathédrale Notre-Dame de Paris.

VASSÉ Louis Claude
Né en 1716 à Paris. Mort le 30 novembre 1772 à Paris. XVIIIe siècle. Français.
Sculpteur de monuments, figures, bustes, dessinateur.
Il eut pour maîtres son père Antoine François, ainsi que Puget et Bouchardon. Premier Prix de Rome en 1739, il fut agréé à l'Académie des Beaux-Arts le 31 mai 1748, académicien le 28 août 1751, adjoint à professeur le 29 avril 1758, professeur le 1er août 1761. Il fut sculpteur et dessinateur de l'Académie des Inscriptions et Belles-Lettres. Vassé, par son mauvais caractère, son outrecuidance, se brouilla avec Bouchardon. À la mort de celui-ci, Pigalle étant chargé par le maître d'achever la statue de Louis XV, Vassé publia des mémoires contre ce choix. L'Académie l'obligea à faire des excuses à Pigalle. Il exposa au Salon de Paris, de 1748 à 1771, particulièrement des bustes.
D'entre ses œuvres monumentales, on cite : une *Vénus*, que Louis XV lui commanda pour les jardins de Louveciennes ; une *Diane chasseresse*, commandée en 1769 par Frédéric II de Prusse pour le château de Sans-Souci à Potsdam ; cinq bustes à l'Hôtel de Ville de Troyes ; le *Mausolée de Stanislas Leczinski*, exécuté de 1768 à 1772 par lui, puis terminé par Lecomte en 1774, à l'église Notre-Dame de Bon Secours à Nancy.
Musées : Bernay : *Buste d'enfant* - Paris (Mus. du Louvre) : *Berger endormi* - *La Comédie* - *La Douleur* - *Buste de François Ier* - Troyes : *Pierre Mignard* - *François Girardon* - *Pierre Pithou* - *Charles Le Cointe* - *Jean Passerat* - Versailles : *Stanislas, roi de Pologne* - *La Gloire*.
Ventes Publiques : Paris, 1776 : *Trois feuilles contenant sept sujets et études*, pl. et sanguine : **FRF 85** - Paris, 7 et 8 mai 1923 : *Faune et bacchante*, sanguine : **FRF 2 000** - Londres, 11 déc. 1970 : *Jeune fille en buste*, marbre blanc : **GBP 3 400** - Paris, 9 mars 1972 : *Buste de fillette*, plâtre : **FRF 5 000** - Monte-Carlo, 27 mai 1980 : *Buste d'enfant* 1757, terre cuite (H. 44) : **FRF 16 000** - New York, 30 avr. 1982 : *Vénus et Cupidon*, sanguine (39,1x24,8) : **USD 1 800** - Londres, 15 déc. 1982 : *La comédie* 1765, terre cuite (H. 56) : **GBP 8 000** - Paris, 17 mars 1989 : *Amour sur le bord de la mer rassemblant les colombes*, sanguine (30x18,5) : **FRF 210 000** - Paris, 14 mars 1990 : *La comédie*, sanguine (32,5x21) : **FRF 130 000**.

VASSELIN Jean
Né vers 1815. XIXe siècle. Actif à Rouen. Français.
Peintre de genre et paysagiste.
Il débuta au Salon de 1848.
Ventes Publiques : Paris, 5 fév. 1951 (ancienne collection Deglatigny) : *Le retour des pêcheurs* : **FRF 28 000**.

VASSELON Alice
Née au XIXe siècle à Paris. XIXe siècle. Française.
Peintre de fleurs.
Élève de Marius Vasselon, elle exposa au Salon de 1870 à 1880. Le Musée de Nice conserve d'elle : *Panier de fleurs*.

VASSELON Marie. Voir **CAYRON-VASSELON Marie Rose Marguerite**

VASSELON Marius
Né au XIXe siècle à Saint-Étienne (Loire). XIXe siècle. Français.
Peintre de fleurs et de genre, portraitiste et paysagiste.
Élève de Dessurgey et de Bonnat. Il exposa au Salon de 1863 à 1880 (?). Sociétaire des Artistes Français depuis 1884 ; mention honorable en 1902.
Ventes Publiques : Paris, 20 nov. 1942 : *La jeune fille à la rose* : **FRF 1 500** - Paris, 25 mai 1951 : *Patinage* 1866 : **FRF 5 800**.

VASSELOT Jean Joseph Marie Anatole Marquet de, comte
Né le 16 juin 1840 à Paris. Mort en avril 1904 à Neuilly-sur-Seine. XIXe siècle. Français.
Sculpteur.
Il étudia la peinture avec Lebourg et Bonnat, la sculpture avec Jouffroy. Ce fut pour ce dernier art qu'il se décida. Il débuta au Salon de 1866 avec un médaillon en plâtre : *Liszt*. Parmi ses œuvres les plus remarquables, on peut citer *La Pureté planant au-dessus des Vices* (au Palais des Beaux-Arts de la Ville de Paris), *Rieuse* (au Musée d'Amiens), *Le Christ au tombeau* et le *Buste de Corot* (au Musée de Rouen), *Balzac* (à la Comédie-Française), *Jésus-Christ* (au Musée de Gand), *Scribe* (à l'Hôtel de Ville de Paris), *Lamartine* (au square Lamartine à Passy), *Henri Martin* (à Saint-Quentin), *L'Amiral Mouchez* (à l'Observatoire de Paris), *Poveretto* ! (au Musée de Valenciennes), *Inspiration* (au théâtre d'Aix-les-Bains). Il a obtenu une troisième médaille en 1873 et une deuxième médaille en 1876.

Cachet de vente

Musées : Angers : *Chloé* – Compiègne : *Fillette* – Louviers : *Le docteur Auzoux* – Lyon : *Chloé* – Rouen : *Chloé* – *Corot* – *Christ mort* – Tours : *Balzac* – Valenciennes : *Petit joueur de musette*.

VASSEROT Charles
Né le 14 janvier 1804 à Paris. Mort en 1867 à Paris. XIXe siècle. Français.
Peintre d'architectures et architecte.
Ventes Publiques : Paris, 3 mars 1926 : *Ferme baignée par un cours d'eau*, sépia : **FRF 250** ; *Vue générale de Rome*, aquar. : **FRF 320** ; *Place publique à Valence*, sépia : **FRF 305** – Cologne, 21 mai 1981 : *Paysage à la cascade* 1818, h/t (59,5x41,5) : **DEM 2 400**.

VASSEROT Jean
Né le 4 avril 1769 à Joigny. XVIIIe siècle. Français.
Peintre de paysages, dessinateur et lithographe.
Élève de Valenciennes. Il débuta au Salon de 1793.

VASSEUR. Voir aussi **LEVASSEUR**

VASSEUR Adolphe ou **Ad.**
Né en 1836 à Tournai. Mort en 1907. XIXe siècle. Belge.
Peintre de genre, figures, portraits, aquarelliste, dessinateur.
Il fut élève de l'académie de Tournai.
Bibliogr. : In : *Dict. biogr. illustré des artistes en Belgique depuis 1830*, Arto, Bruxelles, 1987.
Musées : Tournai : *Types de vieux Tournaisiens et de vieilles Tournaisiennes*.

VASSEUR Jean Camille
Né le 29 août 1905 à Amiens (Somme). Mort le 8 octobre 1986 à Amiens. XXe siècle. Français.
Peintre de paysages, paysages d'eau, paysages urbains, architectures, peintre à la gouache, pastelliste, décorateur.
De 1919 à 1923, il fut élève de l'École Régionale des Beaux-Arts d'Amiens, puis, à Paris de Henri Le Sidaner, Pierre Montézin et Désiré Lucas. En 1937, il fut nommé professeur de dessin à l'École des Beaux-Arts d'Amiens, poste qu'il occupa jusqu'en 1974.
Depuis 1921, il a participé à des expositions collectives à Amiens et dans diverses villes, notamment dans le Nord. Depuis 1933, il était sociétaire des Amis des Arts de la Somme. Il a participé à Paris, depuis 1928 au Salon des Indépendants, depuis 1930 au Salon des Artistes Français, dont il était membre sociétaire. Il montrait des ensembles de ses peintures dans des expositions personnelles, surtout à Amiens.
Essentiellement peintre de paysages, il a surtout travaillé en Picardie, notamment dans le vieux Amiens, en Auvergne et dans une partie du Lot.

VASSEUR Louis Jean Baptiste
Né à Paris. XIXe siècle. Français.
Peintre, dessinateur de paysages.
Il débuta à Paris, au Salon de 1848.

VASSEUR Philippe
XXe siècle. Français.
Peintre de compositions animées.
Il montre ses œuvres dans des expositions personnelles à Paris. Il peint un monde mystérieux où des silhouettes de personnages émergent d'atmosphères brumeuses.

VASSEUR-LOMBARD Amédée
Né au XIXe siècle à Vienne-le-Château (Marne). XIXe siècle. Français.
Sculpteur.
Élève de M. J. Feuge. Il débuta au Salon de 1881.

VASSEZ Antoine. Voir **VASSÉ**

VASSILACCHI Antonio ou **Vasilacchi** ou **Vassilacchis**, dit **l'Aliense**
Né en 1556 à Milo. Mort le 13 avril 1629 à Venise. XVIe-XVIIe siècles. Italien.
Peintre.
Il vint à Venise fort jeune et y fut élève de Paolo Caliari. Bien qu'il n'eût que dix-huit ans, il collabora avec son maître et Tintoretto pour les décorations faites à Venise à Henri III, alors roi de Pologne. La part du jeune artiste fut fort appréciée. Vassilacchi visita ensuite Trévise, y travailla avec Benedetto Caliari, puis alla à Padoue où il paraît avoir subi l'influence de Dario Varatori. Notre artiste se rendit ensuite à Rome et son style, après ce voyage, dénote l'étude des peintures de Michel-Ange, à la chapelle Sixtine. Vassilacchi s'inspira aussi de la manière de Tintoretto. Il peignit, notamment des œuvres à San Giorgio, à Vienne et à S. Pietro, à Pérouse.
Musées : Bordeaux : *Adoration des Mages* – Chambéry (Mus. des Beaux-Arts) : *Jupiter et les Titans* – Florence : *L'artiste* – Venise (Palais Ducal) : *Couronnement de Baudouin de Flandre par le doge Henri Dandolo* – *Prise de Tyr* – *Mort du doge Ordelafo Fabiero, 1102* – *Pietro Zani dépose la dignité ducale* – *Une Adoration des Mages* – *La prise de Bergame, 1427* – *Prise de Brescia en 1426* – Vienne : *Allégorie de la Justice et de la Modération*.
Ventes Publiques : Paris, 1840 : *Madone* : **FRF 1 505** – Londres, 16 juil. 1969 : *Scène biblique* : **GBP 1 900** – Londres, 1er juil. 1986 : *David et Goliath*, craies noire et rouge, pl. et lav. (26,9x36,9) : **GBP 900**.

VASSILEV Anatoli
Né en 1940 à Riga. XXe siècle. Russe.
Peintre.
Il fut élève jusqu'en 1967 de l'institut Répine de Saint-Pétersbourg (alors Leningrad), où il vit et travaille.
Il participe à de nombreuses expositions collectives dans son pays, et à l'étranger. Il montre ses œuvres dans des expositions personnelles : 1994 Saint-Pétersbourg.

VASSILEV Marine
Né au XIXe siècle en Bulgarie. XIXe siècle. Bulgare.
Sculpteur.
Formé à Prague, il devint professeur à l'École des Beaux-Arts de Sofia ouverte après la libération de 1878.

VASSILIEFF Danila Ivanovich
Né en 1897 près de Rostov-sur-le-Don (Russie du nord). Mort en 1958. XXe siècle. Depuis 1922 actif en Australie. Russe.
Sculpteur de figures, bustes, peintre de genre, aquarelliste.
Il fut membre de la Contemporary Art Society.
Il réalise des sculptures très découpées, figures primitives de marbre, parmi lesquelles on cite la série de *Stenka Razin*. Ses peintures influencées par l'expressionnisme germanique montrent des scènes populaires dans la périphérie pauvre de Melbourne.
Bibliogr. : In : *Creating Australia – 200 years of art 1788-1988*, Adelaïde, 1988 – in : *L'Art du XXe s.*, Larousse, Paris, 1991.
Musées : Canberra (Australian Nat. Gal.) : *Stenka Razin* 1953.
Ventes Publiques : Sydney, 20 juil. 1977 : *Scène de rue*, h/t (43,5x51) : **AUD 1 200** – Melbourne, 11 mars 1977 : *Figure*, marbre (H. 34,5) : **AUD 1 500** – Armadale (Australie), 11 avr. 1984 : *Moon Series*, gche (27x41) : **AUD 1 100** – Sydney, 20 août 1984 : *A crowd watching me painting in the street*, h/cart. (49x55) : **AUD 3 500** – Londres, 1er déc. 1988 : *Paysage tropical* 1933, h/t (30,5x42,8) : **GBP 1 100** – Sydney, 26 mars 1990 : *Garçon, taureau et chien*, aquar. (28x39) : **AUD 5 500**.

VASSILIEFF Marie ou **Vassilief, Wassilieff**
Née le 12 février 1884 à Smolensk. Morte le 14 mai 1957 à Nogent-sur-Marne (Val-de-Marne). XXe siècle. Depuis 1905 active en France. Russe.
Peintre de compositions religieuses, figures, portraits, sculpteur, décoratrice de théâtre, créateur de mobilier.
À partir de 1902, elle étudia la médecine à Saint-Pétersbourg, qu'elle abandonna bientôt pour l'Académie des Beaux-Arts. Ayant reçu une bourse de voyage, elle arriva à Paris en 1905. Elle y revint en 1907 et s'y installa définitivement. Correspondante de journaux russes, elle était en même temps élève de Matisse. Entre autres, elle connut alors Max Jacob. Ce fut peut-être à la suite de l'article sur Matisse qu'elle publia dans la *Toison d'Or*, à Moscou, que le collectionneur Chtchoukine commença d'acheter de nombreuses œuvres du peintre. En 1908, elle fonda l'Académie Russe, qui n'eut pas une longue existence. En 1909, elle connut Poiret et André Salmon ; elle fonda l'Académie Vassilieff qui devint le rendez-vous de Picasso, Braque, Gris, Matisse, Modigliani, Cendrars, Salmon, Max Jacob, Satie ; Léger y donna une série de conférences, en 1913. De 1909 à 1914, elle effectua des voyages dans les pays scandinaves, en Roumanie, Pologne, Russie. En 1914, elle s'engagea comme ambulancière dans la Croix-Rouge française. De 1915 à 1917, elle augmenta son Académie d'une cantine, destinée à aider ses amis mis en difficulté du fait de la guerre, où l'on retrouvait les habitués de l'Académie et Friesz, Valadon, Picabia, Diaghilev, Gide, Poulenc, T'Serstevens. À la fin de 1917, elle fut placée, comme Russe, en résidence surveillée. Durant la Seconde Guerre mondiale elle résida dans le Sud de la France et revint se fixer à Paris en 1945.

Elle exposa à Saint-Pétersbourg en 1908. Depuis 1909, Marie Vassilieff participait à la plupart des Salons annuels parisiens, Automne, Indépendants, en 1925 au Salon (historique) des Arts Décoratifs où elle présenta un mobilier. Outre ses diverses expositions de groupe, en plein apogée de sa période cubiste-décorative, elle montra des expositions personnelles de ses œuvres : 1915, à New York et Kharbine ; 1920 et 1925 à Londres ; en 1920 à Paris, où Paul Poiret faisait connaître ses « poupées-portraits », d'après des personnalités parisiennes ; 1928, 1930 à Londres ; 1929 en Italie ; 1938 à Cannes, Nice et Cagnes. En 1957, peu après sa mort, lui fut consacrée une exposition rétrospective de l'ensemble de son œuvre dans une galerie de Paris, puis en 1969 et 1971, furent organisées des expositions consacrées à des périodes limitées de ses peintures. En 1979 à Paris, elle était représentée à l'exposition *Paris Moscou* au Centre Georges Pompidou.

L'ensemble de son œuvre se rattache à un cubisme sommaire, fondé sur la fraîcheur de sentiment de l'art populaire russe. Selon les périodes, on y retrouve les influences conjuguées de Léger, de Delaunay. Les thèmes s'y sont succédé au gré des événements, notamment avec les nombreuses compositions à l'enfant, de 1918 à 1922, correspondant à la naissance du sien, ainsi que plus tard les compositions religieuses. Vers 1925, elle peignit deux des plus célèbres piliers de la brasserie *La Coupole* à Montparnasse. Une des parts les plus intéressantes de son œuvre est constituée par les portraits qu'elle peignit de ses amis : Jean Cocteau, Picasso, Matisse, Rolf de Maré, de danseurs, du ministre Maginot. Dans les années vingt, elle créa un mobilier avec des matériaux précieux : laques, feuilles d'or, pour lesquels elle avait dépensé tout ce qu'elle possédait. De 1924 à 1937, elle réalisa des décors et costumes de théâtre, notamment pour les Ballets Suédois de Rolf de Maré, pour le théâtre et les marionnettes de Gaston Baty, pour le théâtre d'Onesse de Claude Dubosc où elle créa un guignol, et, en 1937, les costumes pour le *Sonnet des Voyelles* de Rimbaud, monté au Théâtre d'Essai de l'Exposition Internationale. En 1945, elle ne retrouva pas la place privilégiée qu'elle avait connue entre les deux guerres, n'étant plus qu'un personnage pittoresque, minuscule petite vieille très gaie, d'un Montparnasse oublieux, qu'elle abandonna pour se retirer à la Maison des Artistes de Nogent-sur-Marne. ■ J. B.

MARIE VASSILIEFF

Bibliogr. : Catalogue de l'exposition *Œuvres cubistes de Marie Vassilieff 1908-1915*, Gal. Hupel, Paris, 1969 – Catalogue de l'exposition *Œuvres postérieures au cubisme de Marie Vassilieff de 1920 à 1930*, Gal. Hupel, Paris, 1971 – in : catalogue de l'exposition : *Paris Moscou*, Centre Georges Pompidou, Paris, 1979.

Musées : Chicago (Mus. of Art) – Grenoble : *Picasso et sa bergère* – Paris (Mus. d'Art Mod. de la Ville) – Paris (Mus. des Archives de la Danse) : *Portrait de Rolf de Maré*, sculpt. – *Portrait du danseur J. Borlin*, sculpt. – La Rochelle : *Pietà*.

Ventes Publiques : Paris, 29 oct. 1926 : *Pietà* : **FRF 1 900** – Paris, 28 jan. 1942 : *Les Fiancés* : **FRF 400** – Versailles, 8 mars 1970 : *La femme aux bas noirs* : **FRF 12 900** – Paris, 5 mars 1972 : *Composition à la statue* : **FRF 7 500** – Versailles, 2 déc. 1973 : *Le manège* : **FRF 15 000** – Munich, 27 nov. 1974 : *Nature morte avec figure au verso, Nature morte aux fruits au recto* 1910 : **DEM 16000** – Versailles, 5 déc. 1976 : *La Bête humaine* 1948, h/t (73x100) : **FRF 9 500** – New York, 3 nov. 1978 : *Femme à l'éventail* 1910, h/t (60x72,5) : **USD 15 000** – New York, 12 déc 1979 : *Second Bal de l'AAAA* 1924, litho. en coul. entoilée (103,5x66) : **USD 900** – Hambourg, 6 juin 1980 : *Nature morte à la statuette et compotier* 1910-1912, h/t (64,8x54,3) : **DEM 15 000** – Paris, 23 mai 1981 : *Marie-Madeleine et le Christ* 1926, dess. et collage (17x12) : **FRF 5 500** – Londres, 8 fév. 1984 : *Les Gens du cirque*, h/t (71,2x90,1) : **GBP 4 000** – Paris, 23 oct. 1985 : *Joséphine Baker*, h/t (61x46) : **FRF 23 000** – Paris, 5 déc. 1986 : *Le Manège*, h/t (71x105) : **FRF 160 000** – Paris, 27 mai 1987 : *Nu cubiste*, fus. (20x24,5) : **FRF 7 500** – Calais, 3 juil. 1988 : *Lucifer*, h/t (61x50) : **FRF 42 000** – Paris, 28 oct. 1988 : *Théâtre Baty, décor n° 4*, aquar. et gche (18x31) : **FRF 7 500** – Versailles, 6 nov. 1988 : *Saint-Cesarete* 1954, h/pap. doré, encres de coul./cart. (21x14) : **FRF 5 200** – Paris, 22 nov. 1988 : *Figure de femme* 1934, gche et collage (29x23) : **FRF 38 000** – Londres, 6 avr. 1989 : *Le couple* 1930, h/pan. (46x37,5) : **GBP 8 250** – Paris, 27 avr. 1989 : *Personnage couronné* 1952 (H. 30) : **FRF 15 000** – Paris, 21 nov. 1989 : *Figure de femme* 1934, gche et collage (29x23) : **FRF 28 000** – Paris, 9 déc. 1989 : *Personnage aux animaux* 1947, h/t (68x56,5) : **FRF 50 000** – Paris, 30 mai 1990 : *La Maison des artistes*, collage (20x16) : **FRF 11 500** – Zurich, 7-8 déc. 1990 : *Le Savoir* 1931, h/t (73x60) : **CHF 17 000** – Paris, 29 mai 1991 : *Madone*, assemblage-collage (29,5x22,5) : **FRF 5 000** – Paris, 2 déc. 1991 : *Le modèle nu se reposant*, fus. (29x27) : **FRF 5 200** – Paris, 14 avr. 1992 : *Danseuse aux quatre visages*, aquar. (45x30,5) : **FRF 12 000** – Paris, 13 mai 1992 : *Le modèle à la poitrine nue*, dess. au fus. (H. 29x22) : **FRF 7 500** – Paris, 5 déc. 1992 : *Le couple*, cr. de coul. (27x20) : **FRF 3 700** – Paris, 4 mai 1993 : *Icône* 1935, encre noire et grattage/pap. argent (30x23) : **FRF 3 000** – New York, 29 sep. 1993 : *Madone* 1932, aquar., encre et collage/pap. (30,5x38,1) : **USD 920** – Zurich, 2 déc. 1994 : *La Science* 1931, h/t (73x60) : **CHF 12 000** – Londres, 14 mars 1995 : *Pierrot, sa maman et son chat*, peint. argent, cr. et h/cart. (48x43) : **GBP 2 760** – Paris, 5 avr. 1995 : *L'Enfant au poisson*, h/t (65x54) : **FRF 100 000** – Paris, 24-25 juin 1996 : *Tête de Paul Poiret*, bois garni de parchemin et de passementerie (H. 36) : **FRF 20 000**.

VASSILIEFF Nicolai ou **Vasilieff**

Né en 1892. Mort en 1970. xxe siècle. Russe.

Peintre de figures, natures mortes.

Ventes Publiques : New York, 24 jan. 1989 : *Femme assise* 1931, h/t (85x65) : **USD 1 650** – New York, 4 mai 1993 : *Nature morte à la nappe marron*, h/t (61x50,7) : **USD 2 530** – New York, 24 fév. 1994 : *Nature morte avec des fleurs*, h/t (106,7x71,1) : **USD 1 840**.

VASSILIEV Féodor. Voir **WASSILIEFF**

VASSILIEV Ivan

Né en 1930 à Leningrad (aujourd'hui Saint-Pétersbourg). xxe siècle. Russe.

Peintre de paysages animés.

Il fit ses études à l'Institut Répine de Leningrad. Il fut nommé professeur à l'École des Beaux-Arts Mouchkine.

Musées : Saint-Pétersbourg (Mus. de la Ville).

Ventes Publiques : Paris, 29 mai 1991 : *Le boulevard Bolchoï*, h/t (42x58) : **FRF 7 500** – Paris, 24 sep. 1991 : *Rue animée à Saint-Pétersbourg*, h/t (42x60) : **FRF 6 000** – Paris, 13 mars 1992 : *Les fleurs d'Ukraine*, h/t (79,5x50,2) : **FRF 7 500** – Paris, 7 oct. 1992 : *La rivière Fontanka*, h/t (40,8x58,5) : **FRF 5 000** – Paris, 23 avr. 1993 : *La petite Nevka*, h/t (38,2x55) : **FRF 5 800** – Paris, 13 déc. 1993 : *Les filles à la plage*, h/pap. mar. (58x83,5) : **FRF 10 500** – Paris, 3 oct. 1994 : *La journée d'hiver*, h/t (41,5x53,5) : **FRF 15 000** – Paris, 30 jan. 1995 : *Le quai de la rivière Moyka*, h/t (40,5x55) : **FRF 8 000**.

VASSILIEV Oleg Vladimirovitch

Né en 1931 à Moscou. xxe siècle. Russe.

Peintre, illustrateur.

Il fut élève de l'institut Sourikov de Moscou.

Il a collaboré avec Boulatov à l'illustration de livres pour enfants. Il poursuit une œuvre en marge de toute tendance, à l'écart des modes, dans des peintures murales qui privilégient la lumière dans une perspective universelle.

Bibliogr. : In : *L'Art du xxe s.*, Larousse, Paris, 1991.

Ventes Publiques : New York, 18 nov. 1992 : *Sans titre* 1989, h/t (240x149,9) : **USD 7 150**.

VASSILIEV Piotr

Né en 1909 à Leningrad (aujourd'hui Saint-Pétersbourg). xxe siècle. Russe.

Peintre de paysages, marines.

Il fut élève de Brodski à l'Institut Répine de Leningrad. Il devint membre de l'Union des Artistes d'URSS.

Musées : Novgorod (Mus. des Beaux-Arts) – Saint-Pétersbourg (Mus. d'Hist.).

Ventes Publiques : Paris, 27 jan. 1992 : *Promenade à Venise*, h/t (47,4x68) : **FRF 6 600**.

VASSILIEV Piotr Vassilievitch

Né en 1899. xxe siècle. Russe.

Peintre.

Il a peint un *Portrait de Lénine*.

VASSILIKOTIS

Né à Athènes. xxe siècle. Grec.

Peintre.

VASSILIOU Spyros

Né en 1902 à Galaxidi. xxe siècle. Grec.

Peintre de compositions religieuses, illustrateur, peintre de compositions murales, décorateur de théâtre.

Il fut élève de l'École des Beaux-Arts d'Athènes, où il vit et tra-

vaille. En 1930, il fut nommé professeur à l'École professionnelle Papastratou. Il participe à de nombreuses expositions de groupe. Il montre également des expositions personnelles de ses œuvres en Grèce. En 1930, il reçut le Prix Bénakion, pour sa décoration de l'église Saint-Denis d'Athènes. Tout son œuvre est marqué par l'art byzantin et l'art populaire grec, qui évoluera vers un surréalisme poétique.
Bibliogr. : B. Dorival, sous la direction de... : *Peintres Contemporains*, Mazenod, Paris, 1964.

VASSILTCHENKO Ivan
Né en 1942. xxe siècle. Russe.
Peintre de genre, paysages urbains.
Ventes Publiques : Paris, 29 nov. 1993 : *Avenue Nievsky sous la pluie*, h/t/cart. (19x33) : **FRF 5 400** ; *Le couple d'amoureux*, h/t/cart. (22x33) : **FRF 4 000** – Paris, 4 mai 1994 : *Un peintre sur la plage*, h/t/cart. (22x27) : **FRF 4 000**.

VASSINE Viktor Fiodorovitch
Né en 1919 à Riasan. xxe siècle. Russe.
Peintre d'intérieurs, paysages, natures mortes, fleurs.
Il fut élève de l'Institut Supérieur des Arts et Techniques de Moscou et travailla sous la direction de Vladimir Favorski. Il reçut le titre d'Artiste du Peuple. Il vit et travaille à Moscou.
Il participe à des expositions dans son pays ainsi qu'à Tokyo en 1977. Il peint dans une palette de couleurs chaudes proche du fauvisme.

Musées : Moscou (Gal. Tretiakov) – Moscou (Mus. Russe).
Ventes Publiques : Paris, 23 mars 1992 : *La descente vers la mer*, h/t (112x98) : **FRF 22 800** – Paris, 13 avr. 1992 : *Plage de Crimée* 1962, h/t (48x73) : **FRF 17 500** ; *Les fleurs du jardin* 1956, h/t (74x98) : **FRF 8 800** – Paris, 20 mai 1992 : *Lilas et roses* 1961, h/t (100x110) : **FRF 30 000** – Paris, 17 juin 1992 : *Les marins* 1963, h/t (110x149) : **FRF 33 000** – Paris, 7 oct. 1992 : *Les voiliers*, h/cart. (28x34,5) : **FRF 13 000** – Paris, 5 nov. 1992 : *La balustrade* 1963, h/t (103x85) : **FRF 7 500** – Paris, 16 nov. 1992 : *Printemps en Crimée* 1963, h/t (74x98) : **FRF 20 000** – Paris, 12 déc. 1992 : *Le peintre et son modèle*, gche et temp./pap. (21x24) : **FRF 4 800** – Paris, 20 mars 1993 : *Au soleil couchant* 1961, h/cart. (50x80) : **FRF 19 000** – Paris, 1er déc. 1994 : *La peinture à l'huile*, h/cart. (45x32) : **FRF 7 200**.

VASSINE Vladimir Alexeevitch ou **Vassin**
Né en 1918 à Moscou. xxe siècle. Russe.
Peintre de sujets divers. Postimpressionniste.
Il fut élève de Gorelov, Morozov, Frolov, à l'École d'Art de Moscou, et de l'Institut Cinématographique d'URSS. Il est membre de l'Union des Artistes de l'URSS. Depuis 1943, il enseigne à l'Institut Cinématographique d'URSS.
Il expose ses peintures depuis les années quarante en URSS et à Moscou : 1953, 1955 Salon du Printemps, 1957 *40 Ans de la Révolution d'Octobre*, 1960 *Russie Soviétique*, 1964-1965 *Moscou capitale de l'Union Soviétique* et Salon d'Automne, 1967 *50 Ans de la Révolution d'Octobre*, 1968 *Les Monuments historiques et culturels de l'URSS par les peintres soviétiques*, ainsi qu'à l'étranger : 1973 *La Peinture soviétique* à Tokyo, 1981 Paris... Il a fait une exposition personnelle à Moscou en 1978.
Il peint un peu de tout : des paysages simplement pour le paysage, des paysages animés, qui sont souvent des scènes typiques ou des scènes édifiantes : *La Marchande de soda, La Rentrée des classes, Le Marché de Kassimovo, Lénine et Kroupskaïa entourés d'enfants à Gorki*, des fleurs, des natures mortes. En somme des sujets bien anodins dans une technique attardée qui ne l'est pas moins. ■ J. B.
Musées : Moscou (Gal. Tretiakov) – Moscou (Inst. Cinématographique) – Saint-Pétersbourg (Mus. Russe).
Ventes Publiques : Paris, 18 mars 1991 : *Les petites sœurs*, h/cart. (48x35) : **FRF 4 200** – Paris, 8 avr. 1991 : *Enfants dans le pré* 1980, h/isor. (25x30) : **FRF 4 300** – Paris, 16 nov. 1992 : *Rencontre amoureuse*, h/cart. (34,5x49) : **FRF 7 000**.

VASSORI Auguste
xixe siècle. Actif à Paris. Français.
Peintre de genre.
Il débuta au Salon de 1838.

VASTA Pietro Paolo
Né le 31 juillet 1697 à Arcireale. Mort le 28 novembre 1760 à Arcireale. xviiie siècle. Italien.
Peintre.
Élève de G. Platania à Arcireale, et de L. Garzi à Rome. Il peignit des fresques dans la cathédrale d'Arcireale et des tableaux d'autel pour les églises de cette ville.

VASTAG Géza ou **Vastagh**
Né le 4 octobre 1866 à Klausenburg. Mort le 5 novembre 1919 à Budapest. xixe-xxe siècles. Hongrois.
Peintre d'animaux, paysages.
Il travailla à Budapest, Munich, Londres et à Paris. Il figura à Paris, au Salon des Artistes Français et en 1900 à l'Exposition Universelle où il reçut une mention honorable, puis se fixa à Budapest. Il s'est spécialisé dans la peinture d'animaux, notamment les félins et les volailles.

Musées : Munich (Pina.) : *Canards*.
Ventes Publiques : Paris, 11-13 juin 1923 : *Lion et lionne* : **FRF 4 700** – New York, 13 oct. 1978 : *Lionne et ses petits*, h/t (81x133,5) : **USD 3 500** – Londres, 23 juin 1981 : *Taureau dans un paysage* 1896, h/t (165x224) : **GBP 3 000** – Londres, 4 oct. 1989 : *Volailles dans une meule de paille* 1906, h/t (80x64) : **GBP 2 750** – Londres, 4 oct. 1991 : *Tête de lion* 1892, h/t (101,6x83,7) : **GBP 9 020** ; *Portrait d'une jeune garçon assis sur un sofa recouvert d'une peau de lion* 1895, h/t (150,5x83,8) : **GBP 14 300** – Londres, 19 nov. 1993 : *Tigre dans les roseaux*, h/t (1288x105) : **GBP 18 400** – Londres, 15 nov. 1995 : *Tigre allongé sous les arbres*, h/t (67x104,5) : **GBP 10 925** – Londres, 13 mars 1996 : *Tigre allongé* 1901, h/t (54x114) : **GBP 18 400**.

VASTAG György ou **Georges**, l'Ancien ou **Vastagh**
Né le 12 avril 1834 à Szeged. Mort le 21 février 1922 à Budapest. xixe-xxe siècles. Hongrois.
Peintre de compositions religieuses, scènes de genre, figures, portraits.
Il est le père des peintres Géza et de Giorgio Vastag. Il peignit des types de tziganes, des tableaux d'autel et des portraits.
Ventes Publiques : Vienne, 27 mai 1974 : *La gitane* : **ATS 35 000** – Vienne, 18 mai 1976 : *Portrait d'une jeune gitane*, h/t (53x40) : **ATS 7 000** – Vienne, 10 juin 1980 : *Paysanne et fillette cueillant des fleurs*, h/t (70x60) : **ATS 18 000** – Vienne, 11 sep. 1985 : *Couple d'amoureux* 1871, h/t (136x104) : **ATS 45 000** – Cologne, 23 mars 1990 : *Berger et moutons* 1892, h/t (92x111) : **DEM 3 000** – New York, 1er nov. 1995 : *Portrait de deux enfants avec leur chien* 1891, h/t (142,9x190,5) : **USD 12 650** – Londres, 12 juin 1996 : *Groupe d'enfants canotant*, h/pan. (152x250) : **GBP 4 370**.

VASTAG György ou **Giorgio** ou **Georges**, le Jeune ou **Vastagh**
Né le 18 septembre 1868 à Klausenburg. xixe-xxe siècles. Hongrois.
Peintre, sculpteur.
Il figura aux expositions de Paris et reçut une médaille d'or en 1900 à l'Exposition Universelle.
Musées : Trieste (Mus. Revoltella) : *La Bohémienne*.

VASTAG Janos ou **Jean** ou **Vastagh**
Né en 1821 à Szeged. Mort après 1870 à Vienne. xixe siècle. Hongrois.
Peintre.

VASTAG Laszlo ou **Ladislas** ou **Vastagh**
Né le 25 mai 1902 à Budapest. xxe siècle. Hongrois.
Sculpteur de portraits.
Il est le fils du peintre György Vastag le Jeune.

VASTAG. Voir **VASTAG Géza**

VASTENMONT Jean
xive siècle. Actif dans la seconde moitié du xive siècle. Éc. flamande.
Sculpteur.
Il sculpta une *Madone* pour la Chambre des échevins d'Ypres en 1384 et 1385.

VASTI Francesco
XVIe siècle. Actif à Trente. Italien.
Peintre.
Il travailla pour la ville de Trente en 1549.

VASTI Salvatore
Né à Montepulciano. XVIe siècle. Italien.
Peintre verrier.
Il exécuta les rosaces des cathédrales de Florence et d'Orvieto.

VASTICAR Germaine Antoinette
Née le 30 avril 1880 à Valenciennes (Nord). XXe siècle. Française.
Peintre de paysages.
Elle exposa à Paris aux Salons des Indépendants, d'Automne, à Toulon et Ostende.
Ventes Publiques : Paris, oct. 1945-juil. 1946 : *Paysage* : **FRF 180**.

VASTINE Armand Tranquille
Né le 6 juillet 1818 à Corneilles (Eure). Mort le 15 mars 1852 à Montrouge (Hauts-de-Seine). XIXe siècle. Français.
Peintre de compositions religieuses, portraits.
Il fut élève de Paul Delaroche. Il exposa au Salon de Paris de 1842 à 1852, essentiellement des portraits.

VASZARY Gabor ou **Gabriel**
Né le 1er juin 1897. XXe siècle. Hongrois.
Peintre, illustrateur.
Il vécut et travailla à Budapest. Il fut aussi écrivain.

VASZARY Janos ou **Jean**
Né le 30 novembre 1867 à Kaposvar. Mort le 19 avril 1939 à Budapest. XIXe-XXe siècles. Hongrois.
Peintre de genre, paysages urbains, marines.
Il fut élève de Bertalan Szekely, Janos Greguss, Gabriel Hackl, Leopold Loffler, William Bouguereau et Robert Fleury. Il participa à Paris au Salon et reçut une médaille de bronze en 1900 à l'Exposition universelle.
Il subit l'influence de Puvis de Chavannes. Il peignit des vues de grandes villes le soir et de plages.
Musées : Budapest.
Ventes Publiques : Vienne, 18 mars 1977 : *Bord du Danube à Pest*, past. (31x41) : **ATS 22 000** – Berne, 25 oct 1979 : *Nature morte aux fleurs* 1909, h/pan. (50x40) : **CHF 2 800** – Amsterdam, 4 juin 1996 : *Souvenirs italiens*, h/t (62x100) : **NLG 4 956**.

VASZARY Laszlo ou **Ladislas**
Né le 18 janvier 1876 à Hencse. XXe siècle. Hongrois.
Sculpteur de portraits.
Il fut élève de Aloïs Strobl à Budapest.

VASZKO Odön ou **Edmond**
Né en 1896 à Panscova. XXe siècle. Hongrois.
Peintre de figures, paysages. Postimpressionniste.
Il fit ses études à Budapest, où il vécut et travailla.

VATALON Pierre. Voir **VANTOLON**

VATAN Raoul
Né le 24 avril 1884 à Compiègne (Oise). Mort le 16 mars 1952 à Gouvieux (Oise). XXe siècle. Français.
Peintre.
Le Salon des Indépendants à Paris lui consacra une exposition rétrospective, en 1953.

VÄTE, Maître de. Voir **MAÎTRES ANONYMES**

VATEPIN Jean
Né vers 1530 à Troyes. Mort entre 1588 et 1590 à Troyes. XVIe siècle. Français.
Peintre et enlumineur.

VATIER
XVIIIe siècle. Actif à Nantes dans la seconde moitié du XVIIIe siècle. Français.
Peintre d'histoire.
Il décora en 1781 l'Hôtel de Ville de Nantes de peintures à l'occasion de la naissance du Dauphin. Il fut directeur de l'École gratuite de dessin.

VATINEL Antoine
XVIIe siècle. Actif dans la seconde moitié du XVIIe siècle. Français.
Sculpteur sur bois.
Il fut chargé de l'exécution d'un retable pour l'église de Château-Landon en 1691.

VATINELLE Auguste Julien Simon
Né le 23 mars 1788. Mort le 14 août 1861 à Paris. XIXe siècle. Français.
Peintre verrier.

VATINELLE Ursin ou **Ursin Jules**
Né le 23 août 1798 à Paris. Mort le 16 septembre 1881 à Paris. XIXe siècle. Français.
Sculpteur, médailleur et graveur de camées.
Élève de Gatteaux. Il débuta au Salon de 1831. Chevalier de la Légion d'honneur. Le Musée d'Aix conserve de lui : *Ma Peccorella, La statuaire Giraud, Grilloi*.

VATRIN Gérard ou **Vautrin** ou **Voitrin**
XVIIe siècle. Travaillant de 1642 à 1685. Français.
Sculpteur.
Il travailla pour les châteaux de Saint-Germain-en-Laye et de Marly.

VATTIER
Mort avant 1785. XVIIIe siècle. Français.
Peintre de portraits.
Membre de l'Académie de Saint-Luc ; il figura à son exposition de 1764.

VAUCANU Barbe Anne. Voir **VANCANU**

VAUCHELET Théophile Auguste
Né le 7 mars 1802 à Passy (Paris). Mort le 22 avril 1873. XIXe siècle. Français.
Peintre d'histoire, sujets religieux, portraits, compositions murales.
Élève d'Abel de Pujol et de Hersent, il reçut le Second grand prix de Rome en 1827 et le Premier grand prix en 1829, avec *Jacob refusant l'envoi de Benjamin*. Il débuta au Salon de Paris, en 1831, et continua jusqu'en 1868 à prendre part aux expositions parisiennes. Vauchelet obtint de nombreuses récompenses et fut fait chevalier de la Légion d'honneur.
Il a fait à la chapelle du Sénat, à l'église Saint-Germain-l'Auxerrois et à Saint-Eustache, à Paris, des peintures murales aujourd'hui disparues.
Musées : Amiens : *La charité chrétienne* – Chateau-Gontier : *La Mort de la Vierge* – Châteauroux : *La Vérité – Tête d'ange* – Chaumont : *L'homme soutenu par la religion dans le chemin de la vie* – Rochefort : *Le prince de Joinville* – Versailles : *Capitulation de Magdebourg – Choiseul – Stainville – De Croy – Général Lecourbe – Poniatowski*.
Ventes Publiques : New York, 31 mai 1991 : *Jacob refusant de se séparer de Benjamin*, h/pap./t. (21x26,6) : **USD 19 800** – Monaco, 2 déc. 1994 : *Jacob recevant les linges ensanglantés de Joseph*, h/t (59x89) : **FRF 14 985**.

VAUCHER Constant ou **Gabriel Constant**
Né le 15 juin 1768 à Genève. Mort le 26 avril 1841. XVIIIe-XIXe siècles. Suisse.
Peintre de genre et d'histoire.
Le Musée Rath, à Genève, conserve de lui : *Curius Dentatus refusant les présents des Samnites* et une esquisse, et le Musée de Lausanne. *Mort de Socrate* (dessin).

VAUCHER Paul ou **Pierre Paul** ou **de Vaucher**
Né le 16 septembre 1824 à Lausanne. Mort le 14 février 1885 à Corsinges. XIXe siècle. Suisse.
Paysagiste.
Élève de Fr. Diday.

VAUCHER Pierre
XVIIe siècle. Travaillant à Toulon de 1687 à 1698. Français.
Sculpteur.

VAUCHER-STRÜBING Jean Jacques Ulrich Joseph
Né le 3 août 1766 à Genève. Mort le 12 novembre 1827 à Lausanne. XVIIIe-XIXe siècles. Suisse.
Peintre.

VAUCLAIRE. Voir **VANCLAIRE**

VAUCLEROY Pierre de
Né en 1892 à Bruxelles. Mort en 1969 à Bruxelles. XXe siècle. Belge.
Peintre de figures, paysages, natures mortes, graveur, illustrateur.
Il fut élève de l'Académie de Bruxelles. Obnubilé par l'exemple de Gauguin, il partit pour le Congo, sur les traces du peintre des beaux corps en liberté dans une nature luxuriante. Il s'exerça également à la gravure sur bois et a illustré *Marthe et le Perroquet* de Léon Werth et pratiqué la xylographie et la lithographie.
Bibliogr. : In : *Diction. biogr. ill. des Artistes en Belgique depuis 1830*, Arto, Bruxelles, 1987.

VAUCORBEIL Louise. Voir **RANG-BABUT**

VAUDE Émile

Né en août 1819 à Troyes (Aube). Mort en mai 1884 à Troyes (Aube). XIXe siècle. Français.

Peintre de portraits et de genre, lithographe.

Élève de Léon Cogniet. Il débuta au Salon de 1848. Le Musée de Troyes conserve de lui : *Un bibliophile*.

VAUDECHAMP Joseph ou **Jean Joseph**

Né en 1790 à Rambervillers (Vosges). Mort en 1866. XIXe siècle. Actif aussi aux États-Unis. Français.

Peintre de portraits.

Élève de Girodet. Il se fixa à la Nouvelle-Orléans. Il figura au Salon de Paris, de 1817 à 1848.

Il a peint un *Saint Charles Borromée* pour la chapelle de la Manufacture des tapisseries de Beauvais.

Ventes Publiques : Paris, 15-16 nov. 1918 : *Portrait d'homme* : **FRF 50** – Paris, 21 fév. 1944 : *Portrait de femme* : **FRF 3 300** – Paris, 25 mars 1992 : *Portrait de jeune femme en robe parme* 1832, h/t (81,5x65) : **FRF 30 000**.

VAUDESCAL Henri Ernest

Né au XIXe siècle à Paris. XIXe siècle. Français.

Sculpteur.

Élève de Diebolt, Jouffroy et Eugène Tollier. Il débuta au Salon de 1878.

VAUDET Auguste Alfred

Né le 15 mars 1838 à Paris. Mort le 25 juin 1914 à Vincennes (Val-de-Marne). XIXe-XXe siècles. Français.

Graveur, médailleur.

Il fut élève de Lequen. Il débuta au Salon de 1868 ; médaille en 1880 ; Légion d'honneur en 1912.

Musées : Paris (Mus. du Louvre) : *Buste d'Ajax – Le Départ des volontaires*, camée d'après Rude.

VAUDIAU Raymond

XXe siècle. Français.

Dessinateur de paysages urbains, aquarelliste.

Il travailla de 1955 à 1965. Il s'est spécialisé dans les vues de Paris et de plages de Normandie.

VAUDOU Gaston

Né le 15 juin 1891 à Tours (Indre-et-Loire). Mort en 1957 à Paris. XXe siècle. Actif aussi en Suisse. Français.

Peintre de figures, portraits, paysages, natures mortes, fleurs.

Élève de Fernand Cormon, à l'École des Beaux-Arts de Paris, il partit pour la Suisse, une fois marié, et y resta vingt-cinq ans.

Il exposa à Paris au Salon des Artistes Français à partir de 1920, obtenant une médaille d'argent cette année-là. Il reçut une médaille de bronze à l'Exposition Universelle de 1937.

Il a peint des paysages et des scènes rustiques des bords de Loire, des vignobles suisses, ainsi que des vues de Paris, des figures féminines et des natures mortes.

Bibliogr. : Gérald Schurr, in : *Les Petits Maîtres de la peinture 1820-1920, valeur de demain*, Les Éditions de l'Amateur, t. IV, Paris, 1979.

Musées : Bienne – Lausanne – Paris (Mus. d'Art Mod.) – Tours – Vannes – Vevey.

Ventes Publiques : Versailles, 10 déc. 1989 : *Au bord de la Loire* 1945, h/t (54,5x81) : **FRF 7 200** – Versailles, 21 jan. 1990 : *Roses*, h/t (55x46) : **FRF 4 200** – Versailles, 25 mars 1990 : *Nature morte* 1956, h/t (60x81) : **FRF 8 200**.

VAUDOYER Laurent ou **Antoine Laurent Thomas**

Né le 21 décembre 1756 à Paris. Mort le 27 mai 1846 à Paris. XVIIIe-XIXe siècles. Français.

Peintre d'architectures, aquarelliste, graveur, dessinateur.

Élève de Peyre, il fut premier Grand Prix de Rome en 1783. Il débuta au Salon de Paris, en 1812.

On lui doit diverses gravures au burin.

Ventes Publiques : Paris, 20 juin 1949 : *Palais des Beaux-Arts, salle de l'Institut*, aquar. : **FRF 250** – Paris, 11 avr. 1986 : *Projet de porte de parc*, pl. et lav. gris (64x100) : **FRF 26 000** – Monte-Carlo, 20 juin 1987 : *Projet de porte de parc : élévation et perspective*, lav. gris et aquar. (52x90) : **FRF 95 000** – Paris, 6 déc. 1991 : *Colombier avec laiterie en-dessous* 1800, pierre noire, lav. et aquar. (27x18,5) : **FRF 24 500** – Paris, 12 juin 1992 : *Détail de la porte du temple de Vesta à Tivoli*, pl., cr. noir et encre de Chine (92x63,5) : **FRF 6 500**.

VAUDOYER Léon

Né en 1803. Mort en 1872. XIXe siècle.

Peintre d'architectures, paysages, dessinateur.

Ventes Publiques : Paris, 11 avr. 1986 : *Cathédrale de Marseille : coupe à l'entrée du chœur et coupe du transept* 1855, pl. et lav. gris et rose (46x88) : **FRF 8 000** – Paris, 16 juin 1993 : *Projet pour une cour de cassation*, pl. et lav., élévation de façade (51x231) : **FRF 43 000** – Paris, 5 nov. 1993 : *Vue de Florence*, cr. noir (17x28) : **FRF 9 000**.

VAUDREY Pierre, pseudonyme de **Vaudey**

Né le 16 février 1873 à Lyon (Rhône). Mort le 27 juillet 1951 à Paris. XIXe-XXe siècles. Français.

Sculpteur de monuments, statues, bustes, ornemaniste, restaurateur, peintre de portraits, paysages, natures mortes, fleurs. Art nouveau.

Orphelin à l'âge de quatre ans, il reçut de son grand-père une formation de tailleur de pierre ornemaniste, qu'il compléta dans les cours du soir de l'École des Beaux-Arts de Lyon. Il étudia aussi, en autodidacte, les mathématiques, la mécanique des solides, l'astronomie, la botanique. En 1891, il s'établit à Paris, travaillant comme praticien pour les sculpteurs Eugène Boverie, Henri Pourquet. Installé près du cimetière du Père Lachaise, il commença sa carrière personnelle, vouée en grande partie à la statuaire et à l'ornement funéraires. Il exposait à Paris, au Salon des Artistes Français, dont il était sociétaire.

Vaudrey peignait aussi, autoportraits, paysages, natures mortes. Il a réalisé divers objets décoratifs, des ornementations pour des façades d'immeubles « Art nouveau ». Il a restauré des œuvres célèbres, buste de Musset par Jean Auguste Barre, Muse de Chopin d'Auguste Clésinger. Durant toute sa vie, il a tenu un journal de ses occupations et rencontres diverses, illustré de croquis et caricatures.

À titre privé, il a sculpté des bustes de membres de sa famille. Il a exécuté des statues de parcs, des statues religieuses, des bustes de personnalités, *Buste du général Leclerc*, en 1948 pour la Mairie de Saint-Leu-la-Forêt. Il a créé des Monuments commémoratifs de la Grande Guerre, pour la Chambre de Commerce de Paris, à Ligny-le-Ribault, à Sarcelles ; en 1916 *La Pleureuse de Cayenne* ; en 1930, une grande *Résurrection* pour un richissime Colombien.

L'essentiel de son activité et de son œuvre consiste en une centaine d'œuvres funéraires, dont environ quarante dans les cimetières parisiens et trente dans la région parisienne. Les plus connues sont celles du Père-Lachaise : en 1914 *Le jeune André Nicoud et son chien*, dont la grâce familière semble contredire la mort de l'enfant ; vers 1925 *L'Ange fleurissant* ; en 1934 *La jeune Suzy Latron*, tenant un livre ouvert à la page des vers de Malherbe : « Et Rose, elle a vécu ce que vivent les roses... », gravés dans le marbre.

Très réputé dans sa spécialité de son vivant, Vaudrey est ensuite tombé dans un relatif oubli. Cependant, certains de ses monuments funéraires, *André Nicoud* et *Suzy Latron*, sont souvent cités et reproduits dans les ouvrages, revues et reportages télévisés traitant du caractère pittoresque et poétique du cimetière du Père-Lachaise, et de la statuaire du début de siècle, dont les monuments de Vaudrey sont particulièrement représentatifs. Depuis 1995, une place de Paris porte son nom. ■ J. B.

Bibliogr. : Josette Jacquin-Philippe, in : *Les cimetières artistiques de Paris*, Léonce Laget, Paris, 1993 – Les Amis de Pierre Vaudrey : *Le sculpteur Pierre Vaudrey*, Le Régnicole, Paris, 1996.

VAUGEOIS Jean

Né le 3 mai 1933 à Livarot (Calvados). XXe siècle. Français.

Peintre, technique mixte, peintre de collages.

Il a étudié, à Paris, la taille douce à l'École Boulle, a poursuivi sa formation à l'École des Beaux-Arts de Paris entre 1954 et 1959. Il a obtenu le Premier Second Grand Prix de Rome en 1958 et a été pensionnaire à la Casa Velasquez en 1959-1960 et en 1960-1961.

Il a fondé en 1969 l'Atelier du Mai à Malakoff qui préparait aux concours d'entrée à l'École des Beaux-Arts et à l'École des Arts Décoratifs. Il a collaboré à la revue *Contrordre* créée par Tony Cartano entre 1971 et 1974 et a travaillé à l'Atelier de l'Œuf de 1972 à 1975. Il vit et travaille à Saint-Pol-de-Léon depuis 1975.

Il participe à des expositions collectives, parmi lesquelles : 1960, 1961, 1962, 1963, Salon de la Jeune Peinture, Paris ; 1962, *Bas Normands*, Caen ; 1964, 1965, 1966, groupe *Schèmes*, Paris ; 1964, Salon Comparaisons, Paris ; 1965, galerie Zunini, Paris ; 1965, galerie du Haut Pavé, Paris ; 1965, galerie John Couper, Londres ; 1965, L'Atelier, Toulouse ; 1967, *Peintres contempo-*

rains, Livarot ; 1972, 1975, galerie La Nouvelle Gravure, Paris ; 1992, galerie Le Navire, Centre le Quartz, Brest.
Il montre ses œuvres dans des expositions personnelles, dont : 1961, 1962, 1963, galerie Saluden, Quimper ; 1969, galerie Saluden, Brest ; 1977, Maison des Jeunes, Morlaix ; 1980, Livarot ; 1964 et régulièrement, galerie Domec, Paris ; 1989, Le Navire, Centre le Quartz, Brest.
Depuis quelques années le travail de Jean Vaugeois puise ses sources dans les paysages marins de la côte Bretonne vus selon une perspective aérienne, entre mer et terre, aussi bien qu'entre ciel et terre. Dans la veine d'une abstraction sensible, issue de l'École de Paris, ses œuvres traduisent les échancrures de la côte, le bleu profond ou lumineux de la mer, la découpe des rochers, la blancheur miroitante des écumes. La peinture s'est faite petit à petit relief d'abord par la matière colorée en surface, puis en intégrant du sable, des morceaux de cartons découpés, des éléments de papier, et, récemment, en découpant librement le format des œuvres. Une manière d'appréhender la réalité vue comme la rencontre d'éléments fondateurs, antagonistes mais liés.

VAUGHAN E.
XVIIIe-XIXe siècles. Actif à Londres de 1772 à 1814. Britannique.
Miniaturiste.
Le Musée Victoria et Albert de Londres conserve des miniatures de cet artiste.

VAUGHAN Edith. Voir **CHARLTON**

VAUGHAN Keith
Né le 23 août 1912 à Selsey Bill (Sussex). Mort le 4 novembre 1977 à Londres, par suicide. XXe siècle. Britannique.
Peintre de figures, paysages, illustrateur, dessinateur.
Il s'est formé lui-même à la peinture. Il a beaucoup voyagé, non seulement en Grande-Bretagne, mais en France, en Espagne en 1958, aux États-Unis et au Mexique, en 1959, en Grèce en 1960.
Il participe à de nombreuses expositions de groupe, parmi lesquelles : 1943 National Gallery de Londres ; 1950 académie des beaux-arts de Philadelphie ; 1951 Art Gallery de Vancouver ; 1953 Brooklyn Museum de New York ; 1960 Guggenheim International de New York ; 1961 Biennale de Tokyo ; 1963 Biennale de São Paulo. Il montre de nombreuses expositions personnelles de ses œuvres, notamment : depuis 1944 régulièrement à Londres, notamment à la Whitechapel en 1962 ; depuis 1948 New York ; 1950 musée d'Art moderne de Buenos Aires ; 1956 rétrospective à Newcastle ; 1959 Université d'Iowa.
Directement influencé par Cézanne et Picasso, il est surtout peintre de paysages synthétiquement composés et de compositions à personnages, solidement dessinés d'un trait simple et peints en larges aplats. Ensuite, ces personnages et, en général, les volumes qu'il peint ont été morcelés en facettes aux colorations plus subtiles. Dans la suite de son évolution, il semble avoir été tenté par une abstraction relative, restituant une réalité allusive au travers de la juxtaposition agréable de multiples surfaces vivement colorées. Sa production a souvent été groupée en séries, telles celles des : *Assemblées de personnages* de 1953-1956, ou la série consacrée à *Lazare*, de 1956 à 1959.

Keith Vaughan

Vaughan

Bibliogr. : B. Dorival, sous la direction de... : *Peintres Contemporains*, Mazenod, Paris, 1964.
Musées : Adelaïde (Nat. Gal. of South Australia) – Auckland (Nouvelle-Zélande) – Auckland – Buffalo (Albright-Knox Art Gal.) – Chicago – Hartford (Wadsworth Atheneum) – Lisbonne (Calouste Gulbenkian Fond.) – Londres (Tate Gal.) : *Maisons en ruine à St John's wood* 1953 – *Figure sautant* 1951 – *Petite Assemblée de figures* 1953 – *Rothernite* 1961 – *Baigneur : 4 août 1961* 1961 – Melbourne (Nat. Gal. of Victoria) – Sydney (Nat. Gal. of New South Wales) – Tel-Aviv.
Ventes Publiques : Londres, 18 mars 1965 : *Groupe de pêcheurs, Finistère* : **GBP 360** – Londres, 1er nov. 1967 : *Thésée* : **GBP 400** – Londres, 22 avr. 1970 : *Deux baigneurs* : **GBP 550** – Londres, 26 avr. 1972 : *La maison déserte*, aquar. : **GBP 380** – Londres, 13 juil. 1973 : *Soldats au repos*, gche : **GNS 750** – Londres, 21 nov. 1973 : *Paysage de Valence* : **GBP 700** – Londres, 10 mai 1974 : *Soldats au repos*, gche : **GNS 1 100** – Londres, 11 juin 1976 : *Intérieur* 1950, h/t (53x40) : **GBP 250** – Londres, 16 mars 1977 : *Paysage sous la neige* 1970/71, h/t (100,5x90,5) : **BP 650** – Londres, 14 nov 1979 : *Purbeck, paysage* 1963, h/t (122x91,5) : **GBP 900** – Londres, 25 juin 1980 : *Bûcheron dans un paysage d'hiver* 1951, gche (39x32) : **GBP 650** – Londres, 19 mai 1982 : *Barrack room-sleep I* 1943, pl. et lav. reh. de blanc (62x49,5) : **GBP 1 900** – Londres, 18 juil. 1984 : *Dale cottages, Derbyshire* 1943, gche pl. et encre de Chine (19x25,5) : **GBP 2 600** – Londres, 9 mars 1984 : *Lighthouse II* 1945, pl. et lav. (22,3x29,2) : **GBP 1 500** – Londres, 14 nov. 1984 : *Nu assis*, h/cart. (72,5x58,5) : **GBP 3 200** – Londres, 13 nov. 1985 : *Nu debout* 1950, gche (46x27) : **GBP 2 000** – Londres, 22 juil. 1987 : *Figure* 1960, craie noire (78x57) : **GBP 1 400** – Londres, 11 nov. 1987 : *A World Farm* 1945, h/t (61x81) : **GBP 14 000** – Londres, 9 juin 1988 : *Torse d'homme*, bronze (H. 20,7) : **GBP 1 100** – Londres, 9 juin 1989 : *Personnage et bateau*, aquar., gche, encre et collage (28x36,9) : **GBP 4 180** – Londres, 10 nov. 1989 : *Personnage dans un paysage*, h/cart. (45,2x37,5) : **GBP 6 050** – Londres, 9 mars 1990 : *Quatre personnages dans un paysage*, h/cart. (42x38,2) : **GBP 10 450** – Londres, 24 mai 1990 : *Personnages debout*, h/t (127x102) : **GBP 17 600** – Londres, 8 juin 1990 : *Nature morte de poires* 1949, h/cart. (39,5x48) : **GBP 12 100** – Londres, 20 sep. 1990 : *Paysage de novembre* 1962, h/cart. (43x40,5) : **GBP 1 980** – Londres, 9 nov. 1990 : *Mômes* 1948, h/t (51x63,5) : **GBP 10 450** – Londres, 8 mars 1991 : *Neige à Amana i* 1959, h/cart. (30,5x30,5) : **GBP 2 750** – Londres, 7 juin 1991 : *Deux baigneurs près d'une piscine* 1968, h/cart. (58,5x49,5) : **GBP 4 400** – Londres, 8 nov. 1991 : *Jardin* 1975, h/t (102x91,5) : **GBP 9 350** – Londres, 18 déc. 1991 : *Figure allongée* 1965, gche et cr. de coul. (18x15) : **GBP 528** – Londres, 14 mai 1992 : *Autoportrait* 1932, cr. avec reh. de blanc (53,5x35,5) : **GBP 1 320** – Londres, 11 juin 1992 : *Paysage noir à Purbeck* 1964, h/t (117x86,5) : **GBP 7 700** – Londres, 25 nov. 1993 : *Le pichet vert*, gche (28x35,5) : **GBP 3 450** – Londres, 26 oct. 1994 : *Personnage avec des objets posés sur une table* 1948, cr. de coul. et gche (59x46,5) : **GBP 4 600** – Londres, 25 oct. 1995 : *Cortez au Mexique* 1959, h/t (114,3x152,4) : **GBP 13 800** – Londres, 23 oct. 1996 : *Assemblée de personnages* vers 1975, gche (52x40,7) : **GBP 4 600**.

VAUGHAN Robert
Né vers 1600. Mort vers 1660 ou 1667. XVIIe siècle. Britannique.
Graveur au burin.
Il a surtout produit pour les libraires des portraits, des vues de pays, des cartes géographiques. Durant la Révolution d'Angleterre, Vaughan grava un portrait de *Charles II* avec une légende si violente qu'il fut poursuivi à son sujet après la restauration de ce prince.

VAUGHAN William
XVIIe siècle. Actif à Londres vers 1664. Britannique.
Graveur au burin.
On le croit parent de Robert Vaughan ; dans tous les cas, il entreprit des travaux de même genre, travaillant surtout pour les libraires. On cite notamment une suite de treize planches d'animaux d'après les dessins de F. Barlow, datée de 1664.

VAUGIEN
XVIIIe siècle. Français.
Peintre d'histoire.
Il peignit un retable à Autet en 1728.

VAUGONDY Olivier
XVIe siècle. Actif à Tours en 1531. Français.
Sculpteur sur bois.

VAUGUER Jean, appellation erronée. Voir **VAUQUER Jacques**

VAULATE. Voir **JACOBINUS da Velate**

VAULCHIER DU DESCHAUX Simone de, ou **Louise Marie Simone**
Née le 3 janvier 1779 à Dôle. Morte le 19 avril 1834 à Paris. XIXe siècle. Française.
Peintre.
Élève de Guérin. Elle peignit des tableaux d'autel pour les églises d'Arlay, de Besançon et du Deschaux. Le Musée de Dôle conserve d'elle *Le Sacré-Cœur*.

VAULOT Claude
Né en 1818. Mort en 1842. XIXe siècle. Actif à Paris. Français.

Peintre de portraits et de genre.
Élève de Cogniet. Il débuta au Salon de 1837.
Ventes Publiques : Amsterdam, 30 oct 1979 : *Deux pêcheurs ramenant un noyé* 1840, h/t (88x115,5) : **NLG 4 000**.

VAULTHIER Antoine
XVIIe siècle. Travaillant à Troyes en 1645. Français.
Sculpteur.
Il exécuta des sculptures pour l'église Saint-Pantaléon de Troyes.

VAULTHIER Gaspard
XVIIe siècle. Travaillant à Troyes en 1649. Français.
Sculpteur.

VAULTHIER Louis
XVIIe siècle. Travaillant à Troyes de 1669 à 1685. Français.
Sculpteur.
Il sculpta un *Saint Jean Baptiste*, pour l'église des Cordeliers de Troyes.

VAULTHIER Nicolas
Mort le 19 janvier 1668 à Troyes. XVIIe siècle. Français.
Sculpteur.
Il travailla pour les églises Saint-Benoît et Sainte-Madeleine de Troyes.

VAULTOIN Marie Anne. Voir **SAINT-URBAIN Marie Anne**

VAULX. Voir aussi **DEVAULX** et **DEVAUX**

VAULX Lambert de
XVIe siècle. Actif à Mons. Éc. flamande.
Sculpteur sur pierre et sur bois.
Il sculpta une partie des stalles pour l'église Saint-Germain de Mons.

VAUMARCUS Karl Philipp von Büren de, baron. Voir **BÜREN Karl Philipp**

VAUMORT Edouard
Mort le 3 avril 1886 à Rennes (Ille-et-Vilaine). XIXe siècle. Français.
Peintre sur faïence, peintre de figures, paysages.
Il fut le frère de Jean Vaumort et son collaborateur. Il peignit des figures.
Musées : Rennes : *Fons juventutis – Vue du château de Vitré – Départ à la chasse.*
Ventes Publiques : Berne, 23 oct. 1980 : *Couple et mendiant ; Scène galante*, h/t, une paire (21,5x16) : **CHF 6 500**.

VAUMORT Jean
Né à Angoulême. Mort le 23 avril 1843 à Rennes (Ille-et-Vilaine). XIXe siècle. Français.
Peintre sur faïence et faïencier.
Il exécuta avec son frère Édouard surtout des objets de faïence blanche et les orna de peintures.

VAUMOUSSE Maurice
Né le 30 octobre 1876 à Paris. Mort en 1961. XXe siècle. Français.
Peintre de paysages, marines. Postimpressionniste.
Élève de Joseph Delattre et de Ernest Philippe Zacharie à l'École des Beaux-Arts de Rouen, il exposa au Salon des Indépendants à Paris et à celui des Artistes Rouennais.
À Rouen, où il peint avec prédilection le port, les quais, les docks, sous toutes les lumières du jour, il s'est fait un nom très apprécié dans le groupe des impressionnistes rouennais réunis autour de Joseph Delattre.
Bibliogr. : Gérald Schurr, in : *Les Petits Maîtres de la peinture 1820-1920, valeur de demain*, Les Éditions de l'Amateur, t. IV, Paris, 1979.
Ventes Publiques : Paris, 8 mars 1929 : *Péniches* : **FRF 105** – Paris, 22 avr. 1942 : *Bords de Seine* : **FRF 1 400** – Paris, 10 fév. 1943 : *Vue de Rouen* : **FRF 650** – Paris, 14 déc. 1976 : *Les Quais de Rouen*, h/t (55x46) : **FRF 1 100** – Rouen, 21 juin 1977 : *La Seine à Rouen*, h/cart. (22x33) : **FRF 900** – Rouen, 25 nov 1979 : *Paysage*, h/t mar./cart. (36x45) : **FRF 4 500** – Paris, 19 juin 1989 : *Nature morte aux fleurs*, h/t (40x27) : **FRF 7 000** – Paris, 4 mars 1991 : *Le port de Rouen*, h/cart. (30x60,5) : **FRF 6 800** – Paris, 2 juin 1993 : *Nature morte aux pommes*, h/pan. (16x24) : **FRF 6 500** – Paris, 19 nov. 1995 : *Petit bouquet d'anémones*, h/pan. d'isor. (27x19) : **FRF 4 000**.

VAUQUELIN
XVIIIe siècle. Travaillant à Caen de 1773 à 1779. Français.
Peintre.
Ventes Publiques : Le Touquet, 10 nov. 1996 : *Petite route de montagne*, h/t (37x48) : **FRF 7 000**.

VAUQUELIN Alphonse de
Né au XIXe siècle à Tilly-sur-Seuilles (Calvados). XIXe siècle. Actif de 1836 à 1870. Français.
Peintre de paysages animés, paysages, marines.
Il fut élève de Poitevin. Il exposa au Salon de Paris, entre 1836 et 1870.
Bibliogr. : Lydia Harambourg : *Dictionnaire des Peintres Paysagistes Français du XIXe s.*
Ventes Publiques : Montréal, 1er déc. 1992 : *Campement au clair de lune* 1848, h/t (50,8x81,3) : **CAD 2 500** – New York, 20 juil. 1994 : *Marine*, h/t (54,6x81,3) : **USD 2 760**.

VAUQUELIN Armand
Né au XIXe siècle à Beuzeville (Eure). XIXe siècle. Français.
Peintre de paysages et d'intérieurs.
Élève de Paul Huet. Il figura au Salon de 1865 à 1870.

VAUQUELIN Louis Émile Félix
Né au XIXe siècle à Elbeuf (Seine-Maritime). XIXe siècle. Français.
Peintre de portraits.
Élève de Lequien. Il débuta au Salon de 1879.

VAUQUER Jacques
Né le 11 octobre 1621 à Blois. Mort le 31 août 1686 à Blois. XVIIe siècle. Français.
Graveur, dessinateur de fleurs.
Frère de Robert V. Il grava, d'après ses propres dessins plusieurs planches pour un *Livre des fleurs propres pour orfèvres et graveurs*. Il fut sans doute aussi orfèvre.

VAUQUER Robert ou **Vauquier**
Né le 30 avril 1625 à Blois. Mort le 2 octobre 1670 à Chambon près de Blois. XVIIe siècle. Français.
Peintre sur émail.
Frère de Jacques V. et élève de J. Toutin.
Musées : Paris (Mus. du Louvre) : *Montre ornée de Nativité – Adoration des rois et Annonciation* – Rome (Vatican) : Dix-huit scènes de la vie du Christ peintes sur émail.

VAUQUIÈRE Étienne. Voir **WAUQUIER Étienne Omer**

VAUREAL Henri de, comte
Né à Paris. Mort le 25 novembre 1903 à Paris. XIXe siècle. Français.
Sculpteur de bustes.
Il fut élève de M. Toussaint. Il exposa à Paris, au Salon de 1857 à 1859 ; médaille de troisième classe en 1878.
Musées : Versailles : *Buste du général de Lavarande.*

VAURY Madeleine
Née à La Varenne-Saint-Hilaire (Val-de-Marne). XXe siècle. Française.
Peintre de paysages, fleurs, natures mortes.
Elle exposa à Paris, aux Salons des Tuileries, d'Automne, dont elle fut membre sociétaire.
Musées : Sarlat.
Ventes Publiques : Paris, 31 mars 1954 : *Crique de pêcheurs* : **FRF 10 100**.

VAUSON Hadrian ou **Vaensoen**
XVIe siècle. Travaillant en Écosse en 1594. Britannique.
Peintre.

VAUTHIER
XVIIIe siècle. Actif à Paris. Français.
Peintre de miniatures, pastelliste.
Père d'Antoine Charles et de Jules Antoine V. et élève de Vincent. Il figura à l'Exposition de la Jeunesse en 1781 et la même année au Salon de la Correspondance.

VAUTHIER
XVIIIe siècle. Travaillant à Montpellier en 1783. Français.
Peintre.

VAUTHIER Antoine Charles
Né en 1790 à Paris. Mort après 1831. XIXe siècle. Français.
Peintre d'animaux, dessinateur.
Frère de Jules Antoine V. On doit à ce naturaliste les dessins de la collection des papillons diurnes et crépusculaires de France et de plusieurs autres ouvrages.

VAUTHIER Émile Antoine
Né le 20 mai 1864 à Bruxelles. Mort le 26 novembre 1946 à Bruxelles. XIXe-XXe siècles. Belge.
Peintre de portraits.
Arrière-petit-neveu de Jules Antoine Vauthier, il fut élève de Louis Pion, Chuysenaer et Jean François Portaels à l'académie des beaux-arts de Bruxelles, puis à l'académie de Düsseldorf. Il fut officier des Ordres de Léopold et de la Couronne et directeur de l'École des Arts Décoratifs d'Ixelles.
Il exposa au Salon de Bruxelles à partir de 1890 et à Paris à partir de 1892.
Musées : Cannes : *Portrait de Don Pedro* – Ixelles : *Étude de jeune fille.*

VAUTHIER Jules Antoine
Né le 21 août 1774 à Paris. Mort le 30 octobre 1832 à Paris. XVIIIe-XIXe siècles. Français.
Peintre d'histoire et lithographe.
Frère d'Antoine Charles Vauthier. Gendre du graveur en médailles André Galle. Élève de Regnault. Il figura au Salon de 1802 à 1822. Deuxième grand prix de Rome en 1801. Il est surtout connu par ses dessins pour illustrations. Il mourut du choléra.

VAUTHIER Louis Léger
Né au XIXe siècle à Bergerac (Dordogne). XIXe siècle. Français.
Peintre de portraits.
Élève de Couder. Il figura au Salon de 1870 à 1880.

VAUTHIER Michel
XIXe siècle. Actif dans la première moitié du XIXe siècle. Français.
Peintre et graveur au burin.
Il grava des paysages d'après P. Potter et J. P. Boquet.

VAUTHIER Nicolas
XVIIe siècle. Actif à Troyes dans la seconde moitié du XVIIe siècle. Français.
Sculpteur.
Il exécuta des statues pour les églises Sainte-Madeleine et Saint-Pantaléon de Troyes vers 1666.

VAUTHIER Pierre Louis Léger
Né en 1845 à Pernambuco (Brésil), de parents français. Mort en janvier 1916 à Beauchamp (Val d'Oise). XIXe-XXe siècles. Français.
Peintre de paysages.
Élève de Maxime Lalanne, il débuta au Salon de Paris en 1874 et fut sociétaire des Artistes Français à partir de 1883. Mention honorable en 1884, médaille de troisième classe en 1887, médaille de deuxième classe en 1892, il obtint, par ailleurs, une mention honorable à l'Exposition Universelle de 1889 et une médaille d'argent à celle de 1900. Il fut chevalier de la légion d'honneur en 1895.
Il peint des paysages de la région parisienne, baignés d'une douce lumière, tout en demi-teintes.

Bibliogr. : Gérald Schurr, in : *Les Petits Maîtres de la peinture 1820-1920, valeur de demain*, Les Éditions de l'Amateur, t. II, Paris, 1982.
Musées : Anvers : *Le Bassin de la Villette à Paris* – Bourges : *Saint Denis, la fosse aux Anglais* – Chambéry : *La Seine au pont Solférino* – Draguignan : *La Fête de Saint-Cloud* – Moulins : *Le Boulevard Richard-Lenoir un jour de fête*, past. – Paris (Mus. du Petit Palais) : *Le Pont Henri IV à Paris.*
Ventes Publiques : Paris, 30 juin 1921 : *La Seine à Paris* : **FRF 200** – Paris, 24 mai 1944 : *Chantier au bord de la Seine* : **FRF 4 200** – Los Angeles, 29 nov. 1973 : *La baignade* : **USD 800** – Honfleur, 14 avr. 1974 : *Triel un jour de fête* : **FRF 5 100** – Rouen, 5 déc. 1976 : *Le Verger au printemps*, h/t (100x140) : **FRF 2 800** – Paris, 2 déc. 1977 : *Les quais sous la neige*, h/pan. (27x45,5) : **FRF 6 800** – Amsterdam, 25 nov. 1980 : *14 Juillet aux Invalides*, h/t (29,5x32) : **NLG 5 500** – Zurich, 20 mars 1981 : *Seine et Louvre*, h/t (48,5x65,5) : **CHF 5 300** – New York, 31 oct. 1985 : *Inauguration de la première pierre du pont Alexandre II, à l'occasion de l'Exposition Universelle de 1900*, h/t (170x226) : **USD 50 000** – Paris, 5 juin 1989 : *Personnage au bord de l'eau*, h/t (54x73) : **FRF 14 000** – Amsterdam, 19 sep. 1989 : *Embarcations près d'un pont sur la Seine, une cité à l'arrière-plan*, h/pan. (23x35,5) : **NLG 1 725** – Paris, 29 nov. 1989 : *Pêcheurs en barque*, h/t (24,5x32,5) : **FRF 15 500** – Paris, 4 avr. 1990 : *Pêcheurs au bord de la Seine*, h/t (38x46) : **FRF 39 000** – Paris, 6 juin 1990 : *Péniches et remorqueurs au pont Sully*, h/pan. (23,5x35,5) : **FRF 11 000** – Londres, 4 déc. 1990 : *L'avenue Victoria* 1876, h/t (125x84) : **GBP 13 200** – Le Touquet, 10 nov. 1991 : *Bord de rivière*, h/t (48x65) : **FRF 18 000** – New York, 17 fév. 1993 : *Les Loges* 1892, h/t (37,5x45,7) : **USD 7 475** – Londres, 27 oct. 1993 : *Figures sur un pont de Paris*, h/t (33x46) : **GBP 2 185** – New York, 26 mai 1994 : *Partie de pêche*, h/t (48,3x59,1) : **USD 17 250** – Paris, 28 juin 1995 : *Chemin ensoleillé au bord de la rivière*, h/t (28x46) : **FRF 9 000** – Paris, 22 nov. 1996 : *Oise, hiver 1902*, h/t (32x56) : **FRF 11 000.**

VAUTHIER René
Né au XIXe siècle à Pernambuco, de parents français. XIXe siècle. Français.
Paysagiste.
Élève de Maxime Lalanne. Le Musée du Havre conserve de lui : *Crue de la Seine au pont National* (aquarelle).

VAUTHIER-GALLE André
Né le 2 août 1818 à Paris. Mort le 2 mai 1899 à Paris. XIXe siècle. Français.
Sculpteur et graveur en médailles.
Fils de Jules Antoine Vauthier. Élève d'André Galle, son grand-père, de Petitot et de Blondel. Il figura au Salon de 1852 à 1862 et fut premier Grand prix de Rome en 1839.

VAUTHRIN Ernest Germain
Né en 1900 à Rochefort-sur-Mer (Charente-Maritime). XXe siècle. Français.
Peintre de paysages, marines.
Il a exposé à Paris au Salon de la Société Nationale des Beaux-Arts et a surtout peint en Bretagne.
Ventes Publiques : Paris, 4 déc. 1944 : *Les Voiliers bretons* : **FRF 2 000** – Paris, oct. 1945-juil. 1946 : *Village de Momark (Douarnenez)* ; *La Baie de Concarneau* 1935, ensemble : **FRF 2 000** – Paris, 21 mars 1951 : *Voiliers au port* ; *Yachts à l'ancre* 1928, deux pendants : **FRF 5 900** – Paris, 11 mai 1955 : *Le Croisic* : **FRF 28 500** – Versailles, 8 fév. 1976 : *Le Port de Concarneau* 1910, h/pan. (23,5x33) : **FRF 450 000** – Bourg-en-Bresse, 14 oct 1979 : *Moulin à vent en Vendée*, h/pan. (15x21) : **FRF 8 100** – Brest, 12 déc. 1982 : *Thoniers à Concarneau*, h/t (81x110) : **FRF 18 000** – Paris, 5 juin 1989 : *Voiliers rentrant au port*, h/t (54,5x65) : **FRF 65 000** – Le Touquet, 8 nov. 1992 : *Moulin sur la côte de Vendée*, h/pan. (16x22) : **FRF 5 000** – Calais, 13 déc. 1992 : *Village vendéen*, h/pan. (18x24) : **FRF 4 500** – Paris, 16 déc. 1996 : *Thoniers* 1935, h/t : **FRF 5 500.**

VAUTIER Adolphe Victorin
Né au XIXe siècle à Nantes (Loire-Atlantique). XIXe siècle. Français.
Peintre de paysages et de natures mortes.
Il débuta au Salon de 1870.

VAUTIER Alexis
Né le 20 février 1870 à Grandson. XIXe-XXe siècles. Actif en Tchécoslovaquie. Suisse.
Peintre de portraits, graveur.
Il fut élève de Molin à Lausanne et de Luc O. Merson à Paris. Il s'établit à Prague où il travailla comme portraitiste.
Musées : Montreux : *Vieille Femme de Montreux.*

VAUTIER André
Né le 11 ou 16 juillet 1861 à Paris. Mort en 1941. XIXe-XXe siècles. Français.
Peintre de paysages, dessinateur.
Il fut élève d'Henri Harpignies. Il exposa à Paris, au Salon des Artistes Français.
Musées : Digne : *La Baignoire des dames à Noirmoutier.*
Ventes Publiques : Paris, 12 avr. 1943 : *La ruelle : effet de nuit*, fus. reh. : **FRF 350** – Paris, 27 juin 1947 : *Paysages*, trois toiles : **FRF 2 200** ; *Paysages*, trois dessins : **FRF 380.**

VAUTIER Benjamin
Né le 29 décembre 1895 à Genève. Mort en 1974 à Genève. XXe siècle. Suisse.
Peintre de nus, paysages, natures mortes, fleurs, décorateur.
Il fut élève de l'École des Beaux-Arts de Genève, et de son père Otto Vautier. Il expose dans les principaux Salons suisses et au Salon rhodanien.
Dans ses paysages, il sait admirablement faire jouer la lumière.
Ventes Publiques : Zurich, 16 mai 1980 : *La blanchisseuse*, h/pan. (36x27) : **CHF 14 000** – Zurich, 24 nov. 1993 : *Glaïeuls dans un vase* 1960, h/t (70x50) : **CHF 2 185**.

VAUTIER Benjamin ou **Marc Louis Benjamin**, l'Ancien
Né le 27 avril 1829 à Morges. Mort le 25 avril 1898 à Düsseldorf. XIXe siècle. Allemand.
Peintre de scènes de genre, intérieurs, dessinateur, illustrateur.
Benjamin Vautier est considéré avec les peintres allemands Ludwig Knaus né à Berlin (1819-1910), Franz Deffreger, né à Stonach, dans le Tyrol en 1835, comme l'un des meilleurs peintres de genre de l'école allemande du XIXe siècle. Par le choix des sujets, l'exécution des œuvres, ils offrent entre eux d'étroites parentés. Tous trois connurent de leur vivant un très vif succès près d'un nombreux public, et ce même public leur conserve de nos jours une estime méritée. Bien que classé dans l'école allemande, Benjamin Vautier était suisse d'origine, né à Morges. Il fit de brillantes études, et ses dispositions pour la peinture se révélèrent tôt. Dès l'âge de seize ans il devint l'élève d'Hébert ; par la suite c'est au peintre Lugardon qu'il demanda des conseils qu'il devait compléter à Düsseldorf dans l'atelier de Rodolphe Jordan ; après avoir soumis sans succès ses dessins au sévère Schadow qui lui déclara que son éducation artistique était entièrement à refaire. Les sujets de genre traités par Jordan ne furent pas étrangers au choix que fit Benjamin Vautier de se consacrer à la peinture de mœurs rustiques. En 1853 il fit un voyage dans l'Oberland bernois au cours duquel il recueillit un nombre considérable de documents qu'il utilisa pour ses tableaux. Il y rencontra Karl Girardet. De retour à Genève en 1856, il s'attacha de plus en plus à la représentation de scènes villageoises. À cette date on le retrouve à Paris durant un séjour de six mois où Knaus travaillait déjà. De retour à Düsseldorf en 1858, il s'y maria avec une jeune fille de la ville ; ce qui l'attacha définitivement au milieu allemand. Cependant, chaque année il passait en Suisse quelque temps près de sa famille, il faisait également un voyage d'études dans différentes contrées. Toute sa production fut acquise par des marchands qui réalisaient d'importants bénéfices ; les œuvres de Benjamin Vautier étant très recherchées, elles furent presque toutes éditées en gravures ou en photographies et reproduites ainsi à un nombre immense d'exemplaires ; ce qui assura à l'artiste une grande popularité qui n'a pas cessé.
Benjamin Vautier fut un laborieux d'une conscience méticuleuse, ne négligeant aucuns détails. Sa production annuelle d'environ cinq tableaux de dimensions moyennes exigeait une rigueur méthodique ne laissant rien à l'imprévu. Il est bon de remarquer que s'il a très rarement répété le même sujet, il y introduisait toujours des variantes qui ne permettent pas la confusion avec les copies. Le plus grand nombre de ses sujets est emprunté à la vie rurale de la *Forêt Noire*, ainsi qu'à l'Alsace. Les sujets d'inspiration suisse ne sont guère que de ses débuts. Un de ses biographes Adolphe Rosenberg s'exprime ainsi : « Il saisit mieux qu'aucun allemand, lui, français de race, le caractère des populations germaniques, non pas seulement dans leur aspect extérieur, mais dans ce qu'elles ont de plus intime ; il excelle à placer ses gens dans le cadre le plus convenable, soit comme paysage, soit comme intérieur, donnant à chaque personnage le type propre à sa situation, de façon à ne laisser aucune hésitation sur le rôle, la profession, le caractère de chacun d'eux. Quelles scènes charmantes de gracieuse timidité, d'embarras, de naïf étonnement de la part de paysans ou de paysannes devant des gens de villes, de châteaux, de bureaux, d'administration, etc. ! Nul mieux que lui n'était fait, par la nature de son esprit et de ses dons, pour réussir dans l'illustration. Il suffit, pour en juger, de jeter un coup d'œil sur la collection de douze sujets qu'il composa au crayon, pendant une convalescence, et qui furent reproduits tels quels sous le titre de *KURZWEIL und ZEITVER TREIB.* » Nous donnons ici une liste des tableaux de Benjamin Vautier d'après le classement du Dr Ch. Brun. On retrouve dans les musées certains titres mentionnés à la date de la production ; la chronologie de l'œuvre d'un Maître étant une précieuse documentation pour les amateurs, nous jugeons utile cette répétition. 1853 : Sortie d'école et boules de neige, Enfant s'amusant dans la neige, Sur un bateau à vapeur du Léman, Jeune fille au rouet. – 1857 : À l'église pendant le chant, Après l'école, Une entrée à l'école, Un prétendant embarrassé. – 1860 : École de couture dans la Forêt Noire, Après-midi de dimanche en Souabe (Kunstverein Königsberg). – 1861 : Vente dans un Château. – 1862 : Enfants à table, Amoureux surpris par l'entrée d'une chèvre, Après le sermon, Femmes trouvant leurs maris au cabaret (Musée de Leipzig). – 1863 : Vieille femme portant un chat blessé et accusant trois gamins, Prière avant le repas, Fillettes et curé à la campagne (Musée de Lausanne). – L'Hypocondre, Le vieux laquais rabroué. – 1863 et 1867 : L'Embuscade, Boules de neige. – 1864 : Un modèle complaisant, Repas d'enterrement dans l'Oberland bernois (Musée de Cologne). – 1865 : L'École au village, Courtier et paysan (Musée de Bâle). – 1866 : Dans la maison de deuil (Musée de Cologne). – 1867 : Traversée sur le lac de Brienz, avec cercueil d'enfant. – 1868 : Première leçon de danse (Galerie Nationale, Berlin), Salle de danse au village, Distraction, On en revient toujours à ses premières amours, Deux sœurs, Un bouquet du prétendant, Une lettre de la vallée. – 1869 : La toilette matinale, La rixe apaisée, Le retour de l'école. – 1870 : Toast à la fiancée, La Mutine (Galerie de Düsseldorf). – 1871 : Un dîner de circonstance, Chez l'avocat. – 1872 : Un visiteur embarrassé, Salle de danse dans un village souabe, Une entrevue désagréable, Un Enterrement au village, Une demande en mariage, Condoléances à la veuve. – 1873 : Visite au foyer, Dans l'allée du couvent, La mère malade, L'artiste en voyage d'études, Une leçon à des catéchumènes, Chez le barbier un dimanche matin. – 1874 : Entre joueurs d'échecs. – 1875 : Invitation à la danse, Départ de la fiancée de la maison paternelle, Fête dans un village souabe, La toilette. – 1876 : Devant la montre du marchand ambulant. – 1877 : Avant la séance, Devant l'officier d'état civil, Nourrice et petit frère. – 1878 : Pause de danse (Galerie de Dresde). – Lecture intéressante, La salle de poste. – 1879 : Chez les cousins campagnards, Enfant endormi dans un poulailler, Départ des nouveaux mariés. – 1880 : Une enquête, Retour des jeunes mariés, Zèle au bureau, Abandonné (gamin dans une seille de bain et chèvre), Dans la forêt (jeune fille), Vendangeuse, Vieille femme et enfant endormi dans la forêt, Dans la galerie de tableaux (Musée de Lausanne). – 1881 : L'attente. – 1882 : Susel, La Batelière, Vieux botaniste à la montagne. – 1883 : L'homme noir. – Retour des nouveaux mariés, Botaniste et jeune fille. – 1884 : Devant l'église, L'Escamoteur, Visite de nouvelle année. – 1885 : Retour de l'enfant prodigue (Kunsthalle Hambourg), Un galant professeur (au Kunsthaus Zurich). – 1886 : Le modèle échappé, Mauvaises nouvelles (jeune fille et deux enfants, Un prétendant, Il arrive, le voilà. – 1887 : Sans autorisation de l'auteur, Une arrestation, Vieux amis (joueurs d'échecs) (Galerie de Düsseldorf), Confession involontaire (Musée de Bâle), Heure d'angoisse (Galerie Nationale Berlin), Nouveaux de la ville. – 1888 : Visite à la convalescente, Un nouveau citoyen du monde. – 1889 : Au bain (fillette et garçon). – 1890 : Jeune fille qui tricote et joue avec un chat, Personnage officiel dans une salle d'auberge, Un hôte dans un salon seigneurial (Galerie de Karlsruhe), Paysans à l'audience. – 1891 : Chez le Commissaire, Vagabond devant le juge du village, Montrant son singe. – 1892 : Peintre en voyage et modèle, Lettre de refus (Musée de Breslau). – 1894 : Halte chez un ami. – 1895 : Un modèle complaisant. – 1896 : Après la foire, Au bureau officiel, Fiancés devant le curé. ■ E. Bénézit

Musées : Aix-la-Chapelle : *L'écuyer de cirque* – Bâle : *Paysan endetté qu'on presse de vendre une propriété – Confession involontaire* – Berlin : *Première leçon de danse – Au lit du malade* – Berne : *Prière avant le repas* – Breslau, nom all. de Wroclaw : *Abandonné* – Cologne : *Le repas de funérailles* – Dresde : *Danse pendant la célébration des fiançailles en Alsace* – Düsseldorf : *Le boudeur – Paysan et courtier – Les joueurs d'échecs* – Genève (Ariana) : *Intérieur d'une maison bernoise – Curé assis dans son* *fauteuil après le repas* – GENÈVE (Rath) : *La mère malade – Paysans en procès – L'arrestation – La nourrice* – GRAZ : *Le cordelier et l'homme noir* – HAMBOURG : *Supercherie – Le fils perdu – Le toast à la mariée – Ruse* – KALININGRAD, ancien. Königsberg : *Après-midi du dimanche dans un village de Souabe* – LEIPZIG : *Paysans jouant aux cartes dans la taverne surpris par leurs femmes pendant le service divin* – MAYENCE : *Marchande de fleurs et de fruits de la forêt Noire – Femme de la Forêt Noire* – MUNICH : *Projet de déjeuner à la campagne* – TROPPAU : *Après-midi de dimanche en Souabe.*

VENTES PUBLIQUES : PARIS, 1868 : *La vente à la criée* : **FRF 7 500** – PARIS, 13 mars 1877 : *Un dîner officiel* : **FRF 29 000** – PARIS, 1889 : *La noce alsacienne* : **FRF 40 000** – FRANCFORT-SUR-LE-MAIN, 12 déc. 1892 : *Le dernier voyage* : **FRF 18 750** – PARIS, 1896 : *Le départ des mariés* : **FRF 28 900** – BERLIN, 1898 : *La leçon de couture* : **FRF 19 256** – NEW YORK, 1 et 2 mars 1906 : *Fête de noce* : **USD 275** – PARIS, 15 nov. 1906 : *Les Noces d'or* : **FRF 7 100** – NEW YORK, 6 jan. 1911 : *Attendant la permission* : **USD 600** ; *Danses de paysans* : **USD 3 600** ; *La station de la diligence* : **USD 2 000** – PARIS, 15 juin 1934 : *La fillette au châle* : **FRF 3 150** – COLOGNE, 30 oct. 1937 : *Au lit du malade* : **DEM 7 000** – COLOGNE, 27 avr. 1950 : *Le Contrat de vente* : **DEM 6 700** – LUCERNE, nov. 1950 : *Jeune fille priant dans une église* 1885 : **CHF 5 100** – LUCERNE, 11 juin 1951 : *Le Chemin de l'église* : **CHF 6 200** ; *La lettre* : **CHF 2 900** – BERNE, 27 nov. 1963 : *Le Moment de détente* : **CHF 7 500** – BERNE, 13 nov. 1965 : *Jeune Bernoise se préparant à aller à l'église* : **CHF 8 100** – LUCERNE, 28 juin 1969 : *Paysans dans un intérieur* : **CHF 10 500** – LUCERNE, 12 juin 1970 : *Paysans dans un intérieur rustique* : **CHF 12 500** – COLOGNE, 24 nov. 1971 : *La Punition* : **DEM 38 000** – COLOGNE, 22 nov. 1973 : *Le Banquet* : **DEM 40 000** – ZURICH, 8 nov. 1974 : *La Vente aux enchères sur la place du village* : **CHF 24 000** – NEW YORK, 7 oct. 1977 : *La tasse de thé* 1885, h/t (53x43) : **USD 5 000** – ZURICH, 19 mai 1979 : *Enfants sonnant la cloche* 1883, cr. (28,5x24) : **CHF 8 000** – ZURICH, 19 mai 1979 : *Scène d'auberge* 1890, h/t (72x109,5) : **CHF 46 000** – LUCERNE, 6 nov. 1981 : *Scène de genre* 1867, h/t (21,5x25,5) : **CHF 15 000** – NEW YORK, 27 mai 1983 : *Chez le notaire* 1880, h/t (82,5x129,5) : **USD 18 000** – ZURICH, 4 juin 1992 : *Bavardages dans une cuisine* 1894, h/t (53,5x66) : **CHF 33 900** – ZURICH, 14 avr. 1997 : *Petit enfant au bain* 1889, h/t (46,5x60) : **CHF 69 000**.

VAUTIER Benjamin. Voir **BEN**

VAUTIER Carl ou **Karl**

Né en 1860 à Düsseldorf. XIXe-XXe siècles. Actif en Suisse. Allemand.

Peintre de portraits, pastelliste.

Il fut élève de Jules Lefebvre et Jansen. Il figura aux expositions de Paris, notamment en 1900 à l'Exposition Universelle, où il reçut une médaille d'argent. Il fut fait chevalier de la Légion d'honneur, en 1901.

VENTES PUBLIQUES : PARIS, 1894 : *Fantaisie*, past. : **FRF 150** – PARIS, 16 oct. 1894 : *Pierrette*, past. : **FRF 155**.

VAUTIER D.

XVIIe siècle. Britannique.

Dessinateur ou peintre.

Il exécuta des portraits.

VAUTIER Louis

Né au XIXe siècle à Paris. XIXe siècle. Français.

Sculpteur.

Élève de Richard. Il débuta au Salon de 1869.

VAUTIER Louise

Née au XIXe siècle à Caen (Calvados). XIXe siècle. Française.

Peintre.

Élève de L. Cogniet. Elle débuta au Salon de 1869.

VAUTIER Otto

Né le 9 septembre 1863 à Düsseldorf. Mort le 13 novembre 1919 à Genève. XIXe-XXe siècles. Suisse.

Peintre de genre, figures, portraits, paysages.

Il était le fils du peintre Marc Louis Benjamin Vautier, et eut pour fils les peintres Benjamin et Otto Vautier, et pour petit-fils Ben. Il étudia la peinture à Düsseldorf, puis à Munich, où il subit l'influence de Fritz von Uhde. Il séjourna à Sion, puis dans les régions d'Evolène et de Savièze, avant de se fixer à Genève.

Participant à des expositions dans divers Salons de Paris, il reçut, en 1900, une médaille de bronze à l'Exposition Universelle. Il peignit des paysages alpestres et des scènes villageoises de la région de Savièse. Une fois fixé à Genève, il se consacra à la peinture de genre.

BIBLIOGR. : Gérald Schurr, in : *Les Petits Maîtres de la peinture 1820-1920, valeur de demain*, Les Éditions de l'Amateur, t. VI, Paris, 1985.

MUSÉES : BÂLE : *La source* – GENÈVE (Mus. Rath) : *La liseuse – La femme au chapeau – Valaisanne – L'orpheline – Jeune fille dans une grange* – LAUSANNE : *Mélancolie.*

VENTES PUBLIQUES : ZURICH, 15 mars 1951 : *Nu* : **CHF 750** – GENÈVE, 24 avr. 1970 : *Jeune femme accoudée* : **CHF 10 500** – BERNE, 18 nov. 1972 : *Jeune fille assise*, past. : **CHF 4 000** – GENÈVE, 24 nov. 1972 : *Nu pensif* : **CHF 4 600** – GENÈVE, 28 mars 1974 : *Jeune femme endormie* : **CHF 2 600** – LUCERNE, 25 juin 1976 : *Femme à sa toilette*, h/t (92x70) : **CHF 5 000** – ZURICH, 23 nov. 1977 : *Femme à la robe bleue*, h/t (92x73) : **CHF 4 000** – BERNE, 10 juin 1978 : *Nu assis à la boucle d'oreille* vers 1905, past./pap. mar./cart. (76,5x55) : **CHF 4 800** – BERNE, 22 nov 1979 : *Portrait de femme*, past. (106,5x75,5) : **CHF 3 600** – ZURICH, 31 oct. 1980 : *Quatre jeunes paysannes devant le pressoir*, h/t (120x75) : **CHF 5 000** – ZURICH, 7 nov. 1981 : *Femme à demi nue de dos*, h/t (117x100) : **CHF 4 000** – ZURICH, 13 nov. 1982 : *La Lettre d'amour*, past. (72x50) : **CHF 2 500** – BERNE, 22 oct. 1983 : *Jeune femme se déshabillant*, h/t (79x60) : **CHF 6 000** – CARCASSONNE, 27 oct. 1984 : *Femme assise, tenant un collier de perles*, past. (71x59) : **CHF 2 600** – BERNE, 4 mai 1985 : *Rêverie*, past. (80x110) : **CHF 2 400** – BERNE, 26 oct. 1988 : *Nu debout dans un intérieur*, past. (73x51) : **CHF 3 000** – AMSTERDAM, 24 mai 1989 : *Dame avec une ombrelle dans un jardin* 1916, h/pan. (23,5x17) : **NLG 2 530** – ZURICH, 2 juin 1994 : *Femme assise* 1917, h/t (55x46) : **CHF 4 370** – ZURICH, 13 oct. 1994 : *L'évènement*, past. (60x86) : **CHF 2 000** – ZURICH, 3 avr. 1996 : *Femme pensive*, h/t (93x64,5) : **CHF 4 000**.

VAUTIER Otto

Né en 1894 à Genève. Mort en 1918. XXe siècle. Suisse.

Peintre de paysages.

Ses paysages sont parfois confondus avec ceux de son père Otto Vautier. Cependant, il n'eut pas le temps de peindre beaucoup, étant mort à l'âge de vingt-quatre ans.

BIBLIOGR. : Gérald Schurr, in : *Les Petits Maîtres de la peinture 1820-1920, valeur de demain*, Les Éditions de l'Amateur, t. VI, Paris, 1985.

VAUTIER Renée

Née le 23 février 1900 à Paris. XXe siècle. Française.

Sculpteur, décorateur.

Elle a exposé à Paris, aux Salons des Indépendants, d'Automne à partir de 1926, des Tuileries.

MUSÉES : LE HAVRE (Mus. des Beaux-Arts).

VENTES PUBLIQUES : PARIS, 19 juin 1990 : *Sculpture abstraite* 1965, bronze (H. 105) : **FRF 50 000**.

VAUTRIN, Mlle

XVIIIe siècle. Française.

Peintre sur porcelaine.

VAUTRIN François

XVIe siècle. Français.

Peintre.

Il était moine. Il a travaillé dans l'abbaye de Saint-Martin, près d'Épernay, en 1566.

VAUTRIN Gérard. Voir **VATRIN**

VAUTRON Jérémie

Né vers 1579. Mort le 19 avril 1634 à Genève. XVIIe siècle. Suisse.

Peintre verrier.

Fils de Nicolas V. Le Musée de Genève conserve un vitrail exécuté probablement par cet artiste.

VAUTRON Nicolas

Né vers 1539. Mort le 15 juillet 1609. XVIe siècle. Actif à Genève. Suisse.

Peintre verrier.

VAUTRON Noë

XVIIe siècle. Travaillant en 1645. Allemand.

Peintre.
Le Musée de Dessau conserve de lui quatre scènes militaires.

VAUTROU Nicolas
XVIe siècle. Actif à Angers en 1565. Français.
Peintre.
Il travailla aux préparatifs de l'entrée du roi.

VAUVILLE Armand Xavier
Né le 21 mai 1814 à Varennes (Oise). XIXe siècle. Français.
Peintre.
Élève de L. Cogniet. Le Musée de Reims conserve de lui : *Église Saint-Thomas, à Reims, avec personnages.*

VAUVREY Alexandre Baptiste
Né au Havre. XIXe siècle. Français.
Peintre d'intérieurs.
Il figura au Salon de 1874 à 1877.

VAUX. Voir aussi **DEVAUX**

VAUX Eugène de
Né en 1822 à Tournai. XIXe siècle. Belge.
Peintre de portraits.
Il participa à l'Exposition Universelle de Paris en 1900, avec *Portrait de jeune fille.*
Musées : Bruxelles : *Portrait de femme*, past.

VAUX Louis
Mort fin mars 1918 à Leysin. XXe siècle. Français.
Peintre de compositions murales, illustrateur, décorateur.
Il travailla à Londres et décora le Carlton Theatre avec *Apollon et les Muses.* Il a également illustré *Au loin* de Marthe Defosse de Libermont.

VAUX Marc
Né en 1932 à Swindon (Wiltshire). XXe siècle. Britannique.
Peintre.
De 1957 à 1960, il fut élève de la Slade School of Art, à Londres, où il vit et travaille.
Il participe à des expositions de groupe dans de nombreux pays du monde, notamment en 1970 au IIIe Salon International des Galeries Pilotes, musée cantonal de Lausanne et musée municipal d'Art moderne de Paris. Il a montré des expositions personnelles de ses travaux, à Londres et Cologne.
Il travaille dans le sens de l'exploration systématique de l'espace et de la couleur, autant que possible dans de grandes dimensions, ressortissant à ce que l'on nomme l'« Environmental Art », dans la suite logique de l'exploration du minimal art américain. De petits échantillons de couleurs perdus sur un fond uniforme, la perception de l'un renforçant celle de l'autre, constituent le point de départ de son exploration.
Bibliogr. : *Catalogue du IIIe Salon International des Galeries Pilotes*, Musée Cantonal, Lausanne, 1970.
Musées : Belgrade – Bielefeld – Bochum – Bradford – Essen – Leeds – Leicester – Londres – Munster – Oxford.

VAUX-BIDON Amélie
Née à Périgueux (Dordogne). XIXe siècle. Active dans la seconde moitié du XIXe siècle. Française.
Peintre de portraits et miniaturiste.
Élève de D. de Cool. Elle débuta au Salon de Paris en 1875.

VAUZELLE Jean Lubin
Né le 16 février 1776 à Angerville-la-Gâte. Mort après 1837. XIXe siècle. Français.
Peintre de scènes de genre, paysages, architectures, intérieurs, aquarelliste, illustrateur.
Il eut pour maîtres Perrin et Hubert Robert. Il figura au Salon de Paris, entre 1799 et 1837 ; obtenant une médaille d'or en 1810.
Musées : Montpellier (Mus. Fabre) – Paris (Mus. du Louvre) – Paris (Mus. Carnavalet).
Ventes Publiques : Paris, 1900 : *Quatre vues des salles d'introduction du Musée des Monuments français* : **FRF 1 040** – Paris, 2-4 juin 1920 : *Pavillon Café de Very, au Jardin des Tuileries, terrasse dite Jardin des Feuillants*, aquar. : **FRF 3 320** – Paris, 31 mars-1er avr. 1924 : *Entrée de la Sainte-Chapelle à Paris*, aquar. : **FRF 605** – Paris, 7 mars 1951 : *La Porte Saint-Martin ; La Porte Saint-Denis*, aquar., deux pendants : **FRF 35 000** – Paris, 2 déc. 1971 : *Vue présumée de Versailles ; Vue de Paris*, aquar., une paire : **FRF 8 500** – Paris, 12 mai 1995 : *Chevalier priant dans une église*, aquar. (25,7x19) : **FRF 4 900** – Paris, 30 oct. 1996 : *Promeneurs aux Tuileries*, pl., encre noire et aquar. (11x17) : **FRF 15 000.**

VAVASSEUR
Né en 1731. XVIIIe siècle. Français.
Peintre sur porcelaine.
Il travailla à la Manufacture de Sèvres de 1753 à 1770.

VAVASSEUR. Voir aussi **LE VAVASSEUR**

VAVASSEUR Eugène Charles Paul, pseudonyme : **Ripp**
Né le 25 avril 1863 à Paris. Mort le 6 février 1949 à Clichy. XIXe-XXe siècles. Français.
Dessinateur, illustrateur.
Il fut élève de Cabanel à l'école des beaux-arts de Paris.
Caricaturiste, il travailla pour des revues humoristiques, notamment pour *L'Assiette au beurre* et *Caricature* sous le pseudonyme de Ripp. Il réalisa aussi des affiches et des illustrations, notamment la couverture des *Contes* de Charles Nodier édité par Gründ.
Bibliogr. : In : *Dict. des illustrateurs 1800-1914*, Ides et Calendes, Neuchâtel, 1989.

VAVASSORE Giovanni Andrea ou **Zoan Andrea** ou **Valvassore**, dit **Guadagnino** ou **Vadagnino**
XVIe siècle. Italien.
Graveur sur bois.
Imprimeur et cartographe, il travailla à Venise où il grava d'après Dürer, des sujets religieux et des vues.

VAVILYNA Elena
Née en 1901 à Braïla. XXe siècle. Roumaine.
Peintre de nus, paysages.
Elle fit ses études à Bucarest et à Paris.
Musées : Bucarest (Mus. Toma Stelian) : *Paysage de Dalmatie – Nu.*

VAVIN Eugène
XIXe siècle. Actif à Paris. Français.
Peintre de paysages.
Il figura au Salon de Paris de 1834 à 1842.
Ventes Publiques : Reims, 20 mars 1983 : *La Seine et la ville de Rouen au XIXe siècle*, h/t (92x64) : **FRF 12 000.**

VAVOQUE François
Né en 1761 à Paris. Mort le 4 août 1821 à Paris. XVIIIe-XIXe siècles. Français.
Peintre.
Il débuta au Salon de 1793, mais figurait au Salon de la Correspondance en 1782. Il fut inspecteur de la basse-lisse aux Gobelins.

VAVPOTIC Bruno
XXe siècle. Yougoslave.
Peintre, aquarelliste.
Fils d'Ivan Vavpotic, il vit et travaille à Ljubljana.

VAVPOTIC Ivan
Né le 21 février 1877 à Kamnik. XXe siècle. Yougoslave.
Peintre d'histoire, portraits, paysages, illustrateur.
Il fut élève de l'Académie de Prague. Il peignit des portraits, des paysages et des scènes historiques.

VAVRA Martin. Voir **WAVRA**

VAWGESACK Johann. Voir **VOWSAK**

VAWTER Mary H. Murray, Mrs
Née le 30 juin 1871 à Baltimore (Middlesex). XIXe-XXe siècles. Américaine.
Peintre de portraits, paysages.
Elle fut élève d'Edwin S. Whiteman et d'Irving Wiles. Elle fut membre de la Fédération Américaine des Arts.

VAXILLIER ou **Vaxillières** ou **Vaxcillière**
XVIIIe siècle. Actif dans la seconde moitié du XVIIIe siècle. Français.
Peintre.
Élève de l'Académie Royale de Paris. Il exposa au Salon de 1793.
Ventes Publiques : Paris, 21 avr. 1921 : *Portrait du duc de Penthièvre en costume de grand-amiral* : **FRF 10 000.**

VAY Niklos ou **Nicolai de**, baron
Né le 24 décembre 1828 à Golop. Mort le 28 janvier 1886 à Golop. XIXe siècle. Hongrois.
Sculpteur.
Il sculpta des bustes et des statuettes d'animaux. Le Musée Simu à Bucarest conserve un bronze de lui.

VAYE N. L.
XVIIIe siècle. Travaillant à Saint-Pétersbourg à la fin du XVIIIe siècle. Russe.

Sculpteur sur ivoire.
L'Ermitage de Saint-Pétersbourg conserve des œuvres de cet artiste.

VAYEMBOURG. Voir l'article **JEAN de Nancy**

VAYENBERGHE Van
Né en 1756 (?). Mort le 3 juillet 1793 à Paris. XVIIIe siècle. Français.
Sculpteur.

VAYMER. Voir **WAYMER**

VAYRA Giovanni
Né le 27 septembre 1879 à Turin. XXe siècle. Italien.
Peintre de paysages.
Il fut élève de Paolo Gaidano et de Giacomo Grosso à l'Académie de Turin. Il fut aussi restaurateur de portraits.

VAYRA Martin. Voir **WAVRA**

VAYREDA Francisco
XIXe-XXe siècles. Espagnol.
Peintre de paysages.
Fils du peintre Joaquin Vayreda.

VAYREDA VILA Joachin
Né le 23 mai 1843 à Gérone. Mort le 31 octobre 1894 à Olot. XIXe siècle. Espagnol.
Peintre de genre, paysages animés. Postromantique.
Élève de Ramon Marti y Alsina à l'Académie des Beaux-Arts de Barcelone, il séjourna souvent à Paris. Il figura dans diverses expositions collectives, dont : 1876 Salon Parés, Barcelone ; 1878 Exposition Nationale de Madrid où il reçut une troisième médaille, Exposition Universelle de Paris ; 1882 Vienne ; 1883 Amsterdam. Une rétrospective de son œuvre fut organisée, à titre posthume, à Barcelone en 1922.
Ses paysages montrent une certaine sensibilité aux changements atmosphériques et sont surtout empreints d'un sens pastoral de la nature très proche des peintres de Barbizon.
Bibliogr. : Gérald Schurr, in : *Les Petits Maîtres de la peinture 1820-1920, valeur de demain*, Les Éditions de l'Amateur, t. IV, Paris, 1979 – in : *Cien Años de pintura en España y Portugal, 1830-1930*, Antiqvaria, t. XI, Madrid, 1993.
Musées : Barcelone : *Petites filles dans la campagne* – Gérone : *La leçon de chant.*
Ventes Publiques : Madrid, 24 mai 1977 : *Paysage boisé à la rivière*, h/t (23,5x33) : **ESP 90 000** – Barcelone, 19 déc. 1984 : *Paysage animé de personnages* 1877, h/t (25,5x43) : **ESP 750 000** – Barcelone, 27 mars 1985 : *Paysage des environs d'Olot*, h/t (34x47) : **ESP 1 500 000**.

VAYRON Dominique
Née le 27 juin 1950. XXe siècle. Française.
Peintre. Abstrait.
Elle vit et travaille à Pomerol (Gironde). Elle a participé en 1989 à une exposition organisée par la galerie des beaux-arts de Bordeaux. Elle montre ses œuvres dans des expositions personnelles : 1976, 1978 Bordeaux ; 1977 La Baule et Paris ; 1982 Centre culturel du Carmel à Libourne ; 1987 Saint-Émilion.
Elle réalise des œuvres telluriques, qui parlent de la matière, du temps, de la pluie, de l'air, du feu, toutes en tons subtils, discrets.
Bibliogr. : In : catalogue de l'exposition *Cinq Artistes en 89*, Galerie des Beaux-Arts, Bordeaux, 1989.

VAYSON Paul
Né le 4 décembre 1842 à Gordes (Vaucluse). Mort le 12 décembre 1911 à Paris. XIXe-XXe siècles. Français.
Peintre de genre, sujets rustiques, animalier.
Élève de Charles Gleyre et Jean Laurens, il débuta à Paris au Salon de 1865 et fut sociétaire des Artistes Français à partir de 1883. Il reçut une médaille de troisième classe en 1875, de deuxième classe en 1879, il remporta une médaille d'or à l'Exposition Universelle de 1889 et à celle de 1900. Chevalier de la Légion d'honneur en 1886, il devint officier en 1906.
S'il travaillait en tant que graveur de billets de banque, il fut surtout connu pour ses scènes de foires aux bestiaux, ses troupeaux de moutons, vaches, porcs.

P. VAYSON
P. VAYSON

Bibliogr. : Gérald Schurr, in : *Les Petits Maîtres de la peinture 1820-1920, valeur de demain*, Les Éditions de l'Amateur, t. II, Paris, 1982.
Musées : Avignon : *Le Berger et la Mer – Le Retour du marché de la foire de Saint-Trinit – L'Enfant prodigue gardant les porcs* – Bordeaux : *L'Enfant prodigue* – Carcassonne : *Printemps* – Carpentras : *Dans la forêt de Fontainebleau* – Grenoble : *Gardeuse de moutons* – Marseille : *Taureaux en Camargue – Troupeau de moutons au pâturage – Bergère endormie* – Montpellier : *Le Rêve des bergers* – Mulhouse : *Perdrix dans la neige* – Nantes : *Le Berger et la Mer* – Paris (Mus. du Petit Palais) : *Le Jardin d'acclimatation.*
Ventes Publiques : Paris, 1884 : *Bestiaux au pâturage* : **FRF 600** – Paris, 1891 : *Paysage et animaux* : **FRF 1 850** – Paris, 3 et 4 déc. 1906 : *La gardeuse de moutons* : **FRF 4 300** – Paris, 20 nov. 1925 : *Moutons au pré* : **FRF 680** – Paris, 25 oct. 1943 : *Paysage animé* : **FRF 5 600** – Paris, 17 juin 1949 : *Troupeau dans les Landes* : **FRF 8 200** – Avignon, 4 avr. 1950 : *Intérieur de bergerie* : **FRF 15 000** – New York, 19 juil. 1990 : *Paysanne gardant des dindons*, h/t (38,2x55,2) : **USD 3 300** – Reims, 16 déc. 1990 : *Pot de pensées* 1877, h/t (38x46) : **FRF 13 000** – Londres, 19 juin 1991 : *Chat sauvage guettant des faisans dans la neige*, h/t (89x111,5) : **GBP 2 860**.

VAYSSE Léonce ou **Marie Léonce**
Né le 8 janvier 1844 à Maligny (Yonne). XIXe siècle. Français.
Paysagiste.
Élève de H. Pron et de Jeaniot. Sociétaire des Artistes Français depuis 1894, il figura au Salon de ce groupement ; mention honorable en 1900 (Exposition Universelle). Exposa également à la Société Nationale des Beaux-Arts.
Musées : Langres : *Paysage de Champagne* – Troyes : *Matinée de décembre – Paysage d'octobre.*

VAYSSE Rosalie, née **Lebrun**
Née au XVIIIe siècle à Paris. XVIIIe siècle. Française.
Peintre de portraits, peintre de miniatures.
Élève de J. B. Isabey. Elle figura au Salon de 1799 à 1801.
Ventes Publiques : Paris, 20 juin 1949 : *Jeune femme en costume noir*, miniat. : **FRF 2 800**.

VAZ Annette
Née le 15 décembre 1905 à Paris. XXe siècle. Française.
Peintre de portraits.
Elle fut élève de Bernard Naudin et de Louis François Biloul.

VAZ Diogo
XVIe siècle. Actif dans la première moitié du XVIe siècle. Portugais.
Peintre.
Il exécuta des peintures dans la sacristie de l'abbaye d'Alcobaça en 1538.

VAZ Gaspar
Né vers 1490. Mort vers 1569. XVIe siècle. Portugais.
Peintre de sujets religieux, portraits.
Il étudia à Lisbonne, dans l'atelier de Jorge Afonso. Puis, en 1522, il s'établit définitivement à Viseu, où il reçut les conseils de Vasco Fernandes. À travers l'œuvre de ses deux maîtres, l'artiste connut l'école d'Anvers. Il signa certaines de ses peintures de ce que l'on suppose être son vrai nom : « VELASCU ».
Bibliogr. : In : *Dictionnaire de la peinture espagnole et portugaise du Moyen-Âge à nos jours*, coll. Essentiels, Larousse, Paris, 1989.
Musées : Viseu : divers portraits de saints.

VAZ Joan
XIXe siècle. Portugais.
Peintre de paysages d'eau, marines, intérieurs d'églises, peintre de décors de théâtre.
Il fut élève de l'École des Beaux-Arts de Lisbonne et de Silva Porto. En 1878, il séjourna à Madrid et à Paris. Il fit partie du « groupe de Leon », avec lequel il exposa de 1882 à 1888. Il figura aussi aux expositions de Paris, notamment en 1900 à l'Exposition universelle, où il reçut une mention honorable ; ainsi qu'au Salon de la Société Nationale des Beaux-Arts de Lisbonne, obtenant une première médaille en 1915, une mention honorable en 1916.
Peintre issu du courant naturaliste portugais, il s'est spécialisé dans la représentation des bords de rivière et des fleuves, on mentionne notamment : *Barques sur le Tage.*
Bibliogr. : In : *Cien Años de pintura en España y Portugal, 1830-1930*, Antiqvaria, t. XI, Madrid, 1993.

VAZ Manuel
XVIe siècle. Portugais.
Peintre.
Il travailla pour la cathédrale de Viseu.

VAZ Pero ou **Vasques**
XVe-XVIe siècles. Actif à Lisbonne de 1473 à 1514. Portugais.
Peintre.

VAZ DOURADO Fernao. Voir **DOURADO**

VAZAN William, ou **Bill**
Né en 1933 à Toronto (Ontario). XXe siècle. Canadien.
Peintre, sculpteur. Conceptuel, tendance Land Art.
Il montre ses œuvres dans des expositions personnelles : 1980 musée d'Art contemporain de Montréal.
Son œuvre semble aller dans plusieurs directions, et il est probable que le premier vœu de Vazan soit d'ouvrir au maximum le concept d'art. On y trouve certains éléments se rapprochant de la démarche conceptuelle, d'autres évoquant le Land Art, d'autres le Process Art, mouvements qui sont apparus parallèlement à la fin des années 60. En 1968 il a exécuté sur la plage de l'Ile du Prince Edouard de grands rectangles à même le sable, rectangles vite détruits par la marée et dont Vazan a photographié l'effacement. Le 13 août 1969 Vazan et un ami ont simultanément tracé à Vancouver (Ouest du Canada) et dans l'Ile du Prince Edouard (Est du Canada) un gigantesque arc de cercle, mettant ainsi le Canada entre parenthèses. Il a également disposé un peu partout des *Arcs-en-ciel* de toile, a inscrit sur la neige les coordonnées topographiques exactes des lieux de l'inscription (la redondance est un moyen très utilisé par l'art conceptuel). Avec des moyens plus directement picturaux, il a peint, par petites touches pointillistes, de vastes évocations topographiques.
Bibliogr. : Catalogue de l'exposition : *Les Vingt Ans du musée à travers sa collection*, Musée d'Art contemporain, Montréal, 1985.
Musées : Montréal (Mus. des Beaux-Arts) : *La Baie James* 1971-1972, acryl. – *Sphère visuelle du pont Jacques Cartier* 1975, 156 épreuves en noir et blanc montées sur t. – *Snow-Walk with two eyes* 1975.

VAZEILLE Amédée
Né au XIXe siècle à Paris. XIXe siècle. Français.
Peintre de paysages.
Élève d'Aubert et de Gérome. Il débuta au Salon de 1880.

VAZINE Dimitri
Né en 1917. XXe siècle. Russe.
Peintre d'histoire.
Il fut élève de Viktor Orechnikov à l'Institut Répine de l'Académie des Beaux-Arts de Leningrad (aujourd'hui Saint-Pétersbourg). Il est Artiste du Peuple.
Ventes Publiques : Paris, 13 avr. 1992 : *Pierre le Grand sur le chantier de construction de Saint Pétersbourg* 1949, h/t (50x98) : FRF 10 500.

VAZQUEZ. Voir aussi **VASQUEZ**

VAZQUEZ Antonio
XIXe siècle. Actif de 1800 à 1817. Espagnol.
Graveur de figures, portraits.
Il grava au burin des portraits et des figures d'un traité d'équitation.

VAZQUEZ Antonio, frate
Mort en 1533 à Naples. XVIe siècle. Espagnol.
Peintre et enlumineur.
Il travailla pour le monastère de Monteoliveto Maggiore près de Sienne où il exécuta une *Madone avec l'Enfant* en style byzantin.

VAZQUEZ Bartolomé
Né en 1749 à Cordoue. Mort en 1802 à Madrid. XVIIIe siècle. Espagnol.
Graveur.
Père de José V. Il s'occupa surtout de chromolithographie. Il grava des sujets religieux.

VAZQUEZ Diego
XVIe siècle. Actif à Séville. Espagnol.
Graveur sur bois.
Il travailla pour la cathédrale et pour des églises et monastères de Séville.

VAZQUEZ Diego
XVIe siècle. Travaillant à Tolède en 1571. Espagnol.
Sculpteur sur bois.
Comparer avec Diego VASQUEZ.

VAZQUEZ Francisco
XVIe siècle. Actif à Séville à la fin du XVIe siècle. Espagnol.
Sculpteur.
Il travailla pour le reliquaire de la cathédrale de Séville en 1593.

VAZQUEZ Gabriel
XVIIe siècle. Espagnol.
Sculpteur sur bois.
Il a sculpté les stalles de l'église El Carme à Madrid, de 1644 à 1646.

VAZQUEZ Gregorio
XVIe siècle. Actif à Séville. Espagnol.
Sculpteur.
Il travailla pour la cathédrale de Séville en 1561.

VAZQUEZ Ildefonso. Voir **VAZQUEZ Alonso**

VAZQUEZ José
Né en 1768 à Cordoue. Mort le 27 décembre 1804 à Madrid. XVIIIe siècle. Espagnol.
Graveur au burin.
Fils de Bartolomé V. et élève de l'Académie San Fernando de Madrid. Il grava d'après Ribera, Goya, et d'autres artistes.

VAZQUEZ José Antonio
XVIIe siècle. Actif dans la seconde moitié du XVIIe siècle. Espagnol.
Sculpteur.
Élève de F. Ruiz Gijon à Séville.

VAZQUEZ José Manuel
Né le 28 mars 1697 à Grenade. Mort le 2 avril 1765 à Grenade. XVIIIe siècle. Espagnol.
Sculpteur sur bois et marqueteur.
Il travailla pour la Chartreuse de Grenade.

VAZQUEZ José Maria
XVIIIe-XIXe siècles. Mexicain.
Peintre.
Élève de Rafael Ximeno. Il travailla pour la cathédrale et pour des églises de Mexico. Le Musée National de cette ville conserve de lui *Crucifiement* et *Portrait*.

VAZQUEZ Juan
XVIe siècle. Travaillant à Séville en 1584. Espagnol.
Sculpteur sur bois.
Peut-être identique à Juan Bautista VASQUEZ l'Ancien.

VAZQUEZ Juan Bautista, l'Ancien. Voir **VASQUEZ**

VAZQUEZ Juan, fray
Né le 6 août 1689 à Cordoue. Mort le 22 octobre 1757 à Cordoue. XVIIIe siècle. Espagnol.
Sculpteur.
Il sculpta des statues pour l'hôpital Saint-Jacinthe et l'église Saint-Paul de Cordoue.

VAZQUEZ Luis
XVIe siècle. Travaillant à Cordoue en 1547. Espagnol.
Peintre.

VAZQUEZ Luis
XVIIe siècle. Travaillant à Séville en 1647. Espagnol.
Peintre.

VAZQUEZ Mariano
XVIIIe siècle. Mexicain.
Peintre.
Élève de Miguel de Cabrera. L'Académie San Carlos à Mexico possède plusieurs œuvres de cet artiste, parmi lesquelles *L'Artiste*.

VAZQUEZ Pedro
XVIIIe siècle. Actif à Madrid. Espagnol.
Sculpteur.

VAZQUEZ DE ARCE Y CABALLOS Gregorio
Né en 1638 à Bogota. Mort en 1711. XVIIe-XVIIIe siècles. Colombien.
Peintre.
Il peignit dans le style baroque des scènes religieuses pour la cathédrale et diverses églises de Bogota. On cite de lui quatre cent trois peintures.

VAZQUEZ DE CASTRO Antonio
XVIe-XVIIe siècles. Espagnol.

Peintre.
Il travailla à Saint-Jacques-de-Compostelle et pour plusieurs églises des environs, comme à Betanzos.

VAZQUEZ DE CORDOBA José
XVIIe siècle. Actif dans la seconde moitié du XVIIe siècle. Espagnol.
Sculpteur.
Il sculpta des statues pour l'abbatiale Saint-François de Saint-Jacques-de-Compostelle.

VAZQUEZ DE LA BARREDA Gabriel
XVIe siècle. Actif à Valladolid en 1586. Espagnol.
Sculpteur.
Élève de Juan de Juni.

VAZQUEZ DE LA VEGA Juan
Né à Lucena. XVIe siècle. Actif à la fin du XVIe siècle. Espagnol.
Peintre.

VAZQUEZ ALONSO Pedro
Mort en 1597 ou 1598. XVIe siècle. Actif à Orense. Espagnol.
Peintre de compositions religieuses.
Il travailla pour les églises de Bobadela et de Ribadavia.

VAZQUEZ DIAZ Daniel. Voir **VASQUEZ DIAS**

VAZQUEZ GUERRA Juan
XVIIe siècle. Actif à Saint-Jacques-de-Compostelle dans la première moitié du XVIIe siècle. Espagnol.
Peintre.
Il peignit un autel pour l'église Saint-Benoît de Saint-Jacques-de-Compostelle.

VAZQUEZ Y HERNANDEZ Juan Bautista, le Jeune
XVIe-XVIIe siècles. Actif à Séville entre 1582 et 1601. Espagnol.
Sculpteur.
Il travailla pour les églises de Séville, d'Azuaga et de Belalcazar.

VAZQUEZ UBEDA Carlos
Né le 31 décembre 1869 à Ciudad Real (Castille-La Manche). Mort le 30 août 1944 à Barcelone (Catalogne). XXe siècle. Espagnol.
Peintre de scènes animées, figures, paysages. Post-impressionniste.
Sa mère lui enseigna les rudiments du dessin, puis il fut élève de l'École des Beaux-Arts de Madrid, et de Léon Bonnat à Paris. En 1898, il installa son atelier à Barcelone. Il prit part à diverses expositions collectives : à l'Exposition Nationale de Madrid, de 1890 à 1930, recevant une troisième médaille en 1892, une deuxième médaille en 1899 et 1901 ; au Salon des Artistes Français de Paris, de 1893 à 1914, obtenant une mention honorable en 1890, une troisième médaille en 1904 et une seconde médaille en 1907 et 1910.
Il peint avec simplicité les scènes d'un bonheur de vivre.
Bibliogr. : In : *Cien Anos de pintura en Espana y Portugal, 1830-1930*, Antiqvaria, t. XI, Madrid, 1993.
Musées : Barcelone (Mus. d'Art Mod.) – Madrid (Mus. d'Art Mod.).
Ventes Publiques : Barcelone, 25 oct. 1984 : *Jeune paysanne*, h/t (80x62) : **ESP 200 000** – Londres, 16 juin 1993 : *Deux dames*, h/t (106x135) : **GBP 19 550**.

VEA Ricardo
Né en 1953. XXe siècle. Actif en France. Argentin.
Peintre, pastelliste, peintre de collages, technique mixte.
Il fut élève de l'école des beaux-arts de Cordoba puis étudia les arts plastiques à l'université de la Sorbonne à Paris. Il participe à des expositions collectives : 1987 Salon de Montrouge, Grands et Jeunes d'Aujourd'hui à Paris ; 1989 Salons de la Jeune Peinture et de Mai à Paris. Il montre ses œuvres dans des expositions personnelles depuis 1988 à Paris.
Entre abstraction et figuration, il réalise des œuvres légères, aériennes, constituées de presque rien, de l'instant, d'éclats de lumière, de formes familières (couverts, bijoux, vêtements) hors contexte dont il ne retient que la silhouette, de couleurs tendres et de transparence.
Bibliogr. : Marie Odile Andrade : *Ricardo Vea. Comme un printemps de Vivaldi*, Artension, Rouen, nov. 1990.

VEAL Hayward
Né le 28 janvier 1913 à Eaglemont (Victoria). Mort en 1978. XXe siècle. Australien.
Peintre de figures, intérieurs, paysages urbains.
Il fut élève de Archibald D. Colquhoum et de Max Meldrum.
Musées : Brisbane – Melbourne – Perth.
Ventes Publiques : Londres, 1er déc. 1988 : *Rue de Londres*, h/t (121,8x40,6) : **GBP 2 090** – Londres, 30 nov. 1989 : *Jeune fille en bleu*, h/t (50,8x40,7) : **GBP 495** – Sydney, 2 juil. 1990 : *Dans Central Park*, h/cart. (30x40) : **AUD 750** – Sydney, 15 oct. 1990 : *Les jardins des Tuileries à Paris*, h/t (41x52) : **AUD 950** – Sydney, 2 déc. 1991 : *Chaise dans un intérieur*, h/t (51x35) : **AUD 850**.

VEAU Francesco
Né en 1757 à Pavie (?). Mort en 1798. XVIIIe siècle. Italien.
Peintre de décorations.

VEAU Loys
XVIIe siècle. Actif à Dole en 1605. Français.
Peintre de miniatures.

VEAUX James de
Né en 1813 à Charleston. Mort le 28 avril 1844 à Rome. XIXe siècle. Américain.
Portraitiste.
Élève de J. R. Smith à Philadelphie.

VEBER. Voir surtout **Weber**

VEBER Jean
Né le 13 février 1868 à Paris. Mort le 28 novembre 1928 à Paris. XIXe-XXe siècles. Français.
Peintre de genre, portraits, aquarelliste, dessinateur, caricaturiste, graveur, illustrateur, peintre de compositions murales, décorateur.
Il entra à dix-sept ans dans l'atelier du peintre Maillot, puis deux ans après à l'École des Beaux-Arts de Paris, où il fut élève de Delaunay et de Cabanel. Vers 1890, il travailla également sous la direction de Carrière.
Il débuta au Salon de Paris en 1890, après avoir vainement concouru, pour le prix de Rome. En 1897, sa toile *La Boucherie*, tableau satyrique représentant Bismarck en boucher, devant un étalage de têtes humaines, fut d'abord reçue par le Jury, puis retirée du Salon après quelques jours d'exposition. Cette décision amena Veber à abandonner le Salon des Artistes Français pour celui de la Société Nationale des Beaux-Arts, où il exposa à partir de 1898 et dont il devint membre Sociétaire en 1901. Il a obtenu comme récompenses : une mention honorable en 1890, une médaille de troisième classe en 1894, une médaille d'argent en 1900 à l'Exposition Universelle de Paris et fut fait chevalier de la Légion d'honneur en 1907.
Il est surtout connu du grand public comme caricaturiste. Il a collaboré longtemps au *Rire* et à l'*Assiette au beurre*. Dans le *Rire*, il publia lors du voyage de Guillaume II à Constantinople, un numéro spécial dont son frère Pierre Veber avait écrit le texte et qui fit sensation. Sous la signature commune « Les Vebers » ils ont donné de nombreux feuilletons satyriques au *Journal*, au *Gil Blas*, à l'*Illustration* et publié plusieurs volumes ou albums dont l'un sur la guerre du Transvaal (1901), édité par l'*Assiette au Beurre*, qui fut saisi. Jean Veber fit également quelques portraits parmi lesquels ceux d'Anatole France, Maurice Donnay, Coquelin cadet, René Doumic. Son œuvre lithographique est considérable. Il décora, sur le thème de contes de fées et légendes, le boudoir de Madame Edmond Rostand dans sa propriété de Cambo-les-Bains.

Jean Veber

Bibliogr. : P. Veber et L. Lacroix : *L'œuvre lithographié de Jean Veber*, Floury, Paris, 1931.
Musées : Buenos Aires : *Bismarck* – Lille : *Les Estropiés* – Paris (ancien Mus. du Luxembourg) : *La Petite Princesse* – Paris (Petit Palais) : *Trois Bons Amis*.
Ventes Publiques : Paris, 18 et 19 nov. 1901 : *La tête de l'empereur Guillaume* : **FRF 140** – Paris, 14 juin 1919 : *Les chemineaux*, dess. aquarellé : **FRF 230** – Paris, 15-16 juin 1927 : *L'oiseau bleu* : **FRF 1 600** – Paris, 30 juin 1941 : *Les Joies de la famille*, dess. aquarellé : **FRF 880** – Paris, 21 mai 1943 : *Robinson* : **FRF 2 600** – Paris, 24 nov. 1944 : *Le flirt* : **FRF 24 000** ; *Le monstre* : **FRF 49 000** – Paris, 24 jan. 1945 : *Madame l'Oie* : **FRF 16 000** – Paris, 24 nov. 1948 : *Le soleil luit pour tout le monde*, litho. du tableau jointe : **FRF 68 000** – Paris, 30 juin 1950 : *La Tisane* : **FRF 15 200** – Paris, 6 déc. 1954 : *Scène de ménage* : **FRF 22 500** – Paris, 13 juin 1975 : *Yvette Guilbert*, aquar. (43x58) : **FRF 2 500** – Paris, 15 juin 1978 : *Jeunes femmes dans un jardin*, h/t (97x130) : **FRF 8 500** – Londres, 24 juin 1981 : *L'Oie de la république*, h/t (55x99) : **GBP 2 800** – New York, 13 avr. 1983 : *Le Songe de Badebec, femme de Gargantua*, h/pan. (53,5x65) : **USD 1 400** – Paris,

15 avr. 1986 : *Yvette Guilbert (les souvenirs d'Yvette)* 1898, dess. aquarellé (37x29) : **FRF 5 200** – PARIS, 5 déc. 1990 : *Riquet, Merlin, Tritonet et Percinet*, panneau décoratif (104x462) : **FRF 150 000** – PARIS, 24 juin 1994 : *L'oiseau bleu*, h/pan. (51x62) : **FRF 24 000**.

VECCHI Donato
Né à Bagnoli Irpino. XVIIe siècle. Italien.
Sculpteur sur bois.
Il sculpta une partie des stalles de l'église de l'Assomption dans sa ville natale de 1651 à 1657.

VECCHI Filippo
XVIe siècle. Actif à Ferrare, de 1567 à 1574. Italien.
Peintre de sujets religieux.

VECCHI Francesco Bernardo de. Voir **SANTA CROCE Francesco da**

VECCHI Giovanni
XVIIIe siècle. Italien.
Sculpteur sur bois.
Il a sculpté les stalles de la cathédrale de Fermo.

VECCHI Giovanni del, dit **dal Borgo**
Né en 1536 à Borgo San Sepolcro. Mort le 13 avril 1615 à Rome. XVIe-XVIIe siècles. Italien.
Peintre de compositions religieuses, dessinateur.
Fort jeune il alla à Rome où il fut d'abord élève de Raffaellino dal Colle, puis de Taddeo Zuccheri.
Ce dernier décorant à cette époque le palais de Caprarola propriété du cardinal Alessandro Farnèse. Vecchi y collabora en y exécutant quelques œuvres importantes. Plusieurs églises de Rome possèdent de ses tableaux ; à San Lorenzo in Damaso se trouve un *Martyre de saint Laurent*, et à Santa Maria in Araceli, plusieurs épisodes de la *Vie de saint Jérôme*.
VENTES PUBLIQUES : NEW YORK, 12 jan. 1990 : *La Vierge protégeant un groupe de fidèles agenouillés avec la Trinité au dessus d'elle*, craie blanche et rouge (225x141) : **USD 3 300** – ROME, 9 mai 1995 : *San Girolamo*, h/t (85x74) : **ITL 8 625 000**.

VECCHI Giovanni Battista
XVIIe siècle. Italien.
Peintre de décorations.
Il fut assistant de Luigi Barbieri à Bologne.

VECCHI Stefano de
XVe-XVIe siècles. Actif à Venise. Italien.
Peintre.

VECCHIA Marco et **Piero**. Voir **VEGLIA**

VECCHIETTA, pseudonyme de **Lorenzo di Pietro**
Né à Castiglione di Val d'Orcia, vers 1405 ou 1412 selon d'autres sources. Mort en 1480. XVe siècle. Italien.
Peintre, sculpteur et fondeur en bronze.
On croit qu'il fut élève de Taddeo Batoli pour la peinture et dans ce domaine il suivit les traditions des maîtres primitifs siennois. Avec bien d'autres peintres de son époque, il contribua au passage de l'art gothique au premier art renaissant, surtout sensible à Florence. Entre 1433 et 1439, il travailla avec Masolino à la décoration de la collégiale de Castiglione d'Olona. On voit de lui à la Spedele della Scala à Sienne, une suite de *Scènes de l'Ancien et du Nouveau Testament* exécutées entre 1446 et 1449, qui témoignent de son hésitation entre l'art gothique et renaissant. Le Baptistère de San Giovanni, dans la même ville, conserve une remarquable série de fresques peintes par lui ou par ses élèves, illustrant les *Articles du Credo* et datant de 1450-1453. On cite encore des peintures de lui au Palazzo Publico, à l'Ostituto delle Bella Arti à Sienne et à la Galerie des Uffizi à Florence. Mais ce fut surtout comme sculpteur et fondeur de bronze que Lorenzo mérita ses meilleurs titres de gloire. Le grand tabernacle de bronze de la cathédrale de Sienne, la *Figure du Christ* de l'église de la Spedele della Scala, le buste de *Mariano Soccuro*, à Florence, méritent d'être placés parmi les chefs-d'œuvre de cette époque. Lorenzo s'y montre l'admirateur et le disciple de Donatello. Lorenzo fut aussi un remarquable architecte et un ingénieur militaire.
VENTES PUBLIQUES : LONDRES, 9 mars 1983 : *La Nativité*, h/pan. (25,5x18,5) : **GBP 54 000**.

VECCHIO Beniamino del
XIXe siècle. Actif à Rome dans la première moitié du XIXe siècle. Italien.
Graveur au burin.
Il grava d'après Michel-Ange, A. Carracci et C. Dolci.

VECCHIO Gaspare
XVIIe siècle. Travaillant à Venise en 1688. Italien.
Dessinateur.

VECCHIO Michele
XVIIIe siècle. Actif à Arcireale. Italien.
Peintre.
Élève de P. P. Vasta. Il a peint un *Saint Sébastien* dans l'église du même nom à Arcireale.

VECCHIONI Giuseppe
XVIIIe siècle. Actif à Ferrare en 1725. Italien.
Dessinateur.

VECELLI Tiziano ou **Vecellio**. Voir **TITIEN**

VECELLIO Cesare
Né vers 1521 à Pieve di Cadore. Mort le 2 mars 1601 à Venise. XVIe siècle. Italien.
Peintre, dessinateur d'ornements et graveur.
Il était parent de Tiziano Vecelli (Titien) et paraît avoir été son aide. Cesare accompagna l'illustre maître à Augsbourg en 1548. On cite plusieurs ouvrages importants, notamment une œuvre sur le costume *(Degli Abiti Antichi* e *Moderni)* dont les quatre cnet vingt bois furent gravés par Christopher Chrieger, probablement d'après les dessins de Cesare. En 1592, il publia *Corona delle nobili et Virtuose donne* et en 1594 *Givello*. Le Musée de la Brera, à Milan, conserve de lui une *Trinité*.

VECELLIO Fabrizio
Né à Pieve di Cadore. Mort en 1576, jeune. XVIe siècle. Italien.
Peintre.
Frère de Cesare Vecellio. Il a peint *Allégorie de la Justice, de la Vérité et de la Miséricorde* à l'Hôtel de Ville de Pieve di Cadore.

VECELLIO Francesco ou **Veccellio**
Né vers 1475 ou 1483 à Pieve di Cadore. Mort en 1559 ou 1560 à Pieve di Cadore. XVIe siècle. Italien.
Peintre de compositions religieuses.
Frère et peut-être élève de Tiziano Vecelli (Titien). Il fut soldat et se distingua dans des batailles sous les murs de Vérone et de Vienne. La guerre terminée, il revint reprendre ses pinceaux. Il est probable qu'il ne réussit pas d'une façon suffisante à son gré, car il entreprit le commerce du bois. Il obtint des privilèges à ce sujet de 1534 à 1548. À la fin de sa vie il quitta Venise pour Cadore. Il travailla pour différentes églises, notamment pour San Salvatori, où il peignit les portes des orgues.
MUSÉES : BERLIN (Mus. Nat.) : *Madone avec des saints* – CHAMBÉRY (Mus. des Beaux-Arts) : *Vierge à l'Enfant avec trois saints* – MUNICH : *Vierge et Enfant Jésus* – VENISE : *Annonciation* – VIENNE (Harrach) : *Le Christ et saint Jean enfant*.
VENTES PUBLIQUES : LONDRES, 26 juin 1970 : *La Résurrection* : **GNS 3 800** – MILAN, 4 déc. 1980 : *Vierge à l'Enfant avec saint Jean et un ange*, h/pan. (57x62) : **ITL 10 000 000** – LONDRES, 9 déc. 1992 : *La Sainte Famille avec sainte Catherine*, h/t (68,5x89) : **GBP 12 100**.

VECELLIO Marco, dit **Marco di Tiziano**
Né en 1545 à Venise. Mort en 1611 à Venise. XVIe-XVIIe siècles. Italien.
Peintre d'histoire.
Neveu de Tiziano Vecelli (Titien) et, probablement, fils de Francesco. Il fut élève de Titien et son élève favori. Marco Vecellio montra des qualités artistiques exceptionnelles et approcha par instants de la forme magnifique de son illustre parent. Marco accompagna Titien à Rome et en Allemagne. Il est probable qu'il l'aida dans de nombreux travaux. On cite de lui, notamment d'importantes décorations au Palais des doges et parmi celles-ci une allégorie dans l'antichambre de la Sala del Gran Consiglio et dans la Sala della Bussola. Il travailla aussi pour les églises de Venise, peignant à SS. Giovanni e Paolo le *Christ foudroyant les Pêcheurs*.

MV.

MUSÉES : FLORENCE (Palais Pitti) : *La Vierge de la miséricorde* – VENISE (Palais Ducal) : *Allégories* – *Le pape Alexandre III allant à la rencontre du doge Ziani, vainqueur de Barberousse* – *Traité de Bologne entre Charles Quint et Clément VII* – *Le doge Léon Donato à genoux devant la Vierge* – *Victoire des Vénitiens sur le roi Roger de Sicile* – VENISE (SS. Giovanni Paolo) : *Le Christ foudroyant les pêcheurs*, plafond.

VECELLIO Orazio
Né avant 1525 à Venise. Mort avant le 23 octobre 1576 à Venise, de la peste. XVIe siècle. Italien.
Peintre d'histoire et de portraits.

Fils et élève de Tiziano Vecelli (Titien). Il paraît probable qu'il dut aider son père dans ses travaux, car son œuvre particulier est peu important. On cite, notamment une scène de bataille peinte dans la salle du Grand Conseil, dont Vasari fait l'éloge, et qui fut détruite par le feu en 1577. On le représente surtout comme chargé des intérêts matériels de son illustre père. D'après Ridolfi, il s'occupa d'alchimie et y perdit beaucoup d'argent. Le Musée de Toulouse conserve une *Sainte famille* qui lui est attribuée.
Ventes Publiques : Paris, 31 jan. 1951 : *Portrait d'un sénateur vénitien*, attr. : **FRF 15 000.**

VECELLIO Tiziano. Voir **TITIEN**

VECELLIO Tiziano, dit **Tizianello**
Né vers 1570 à Venise (Vénétie). Mort vers 1650 à Venise. XVIe-XVIIe siècles. Italien.
Peintre de compositions religieuses, portraits.
Il est le fils de Marco Vecellio.
Coloriste de talent, il se fit une bonne réputation, particulièrement comme peintre de portraits. On voit de lui à l'église des Frari plusieurs peintures représentant divers épisodes de la vie de saint Ambroise et de saint Charles Borromée.

VECELLIO Tommaso
Né le 14 décembre 1587 à Pieve di Cadore. Mort en 1629. XVIIe siècle. Italien.
Peintre.
Neveu de Tiziano Vecellio dit Tizianello, et élève de Marco Vecellio. Il peignit deux tableaux d'autel dans l'église S. Maria in Candido de Cadore en 1618.

VECENAJ Ivan
Né en 1920 à Gola. XXe siècle. Yougoslave.
Peintre de compositions animées, scènes typiques. Naïf.
Paysan, il peint sur des matériaux de fortune, représentant des scènes de la vie quotidienne de son village. Comme souvent chez les naïfs, le souci du détail constitue le charme de la composition, dans laquelle le spectateur entre comme dans le monde réel.
Bibliogr. : Dr L. Gans : *Catalogue de la Collection de Peinture Naïve Albert Dorne*, Pays-Bas, s.d. – Oto Bihalji-Merin : *Les peintres naïfs*, Delpire, Paris, s.d.
Ventes Publiques : Paris, 16 sep. 1996 : *La Cène* 1968, aquar./pap. (88,5x99) : **FRF 26 000** – Lucerne, 23 nov. 1996 : *Vaches broutant* 1969, peint. et h/verre (47x53) : **CHF 2 600.**

VECERRA. Voir **BECERRA**

VÉCHARD Lucien
XXe siècle. Français.
Peintre, graveur.
Il fut actif dans la région lyonnaise. Il passe facilement de la stylisation à l'abstraction, souvent dans des compositions ambitieuses.

VECHIOLI Francisco
Né en 1892 à La Plata. XXe siècle. Argentin.
Peintre de portraits, paysages.
Il fit un séjour de quatre ans, de 1918 à 1922, en France et en Espagne, puis il revint en France en 1936.

VECHON Bertrand
XVIe siècle. Actif à Cornavin en 1521. Français.
Médailleur.

VECHT Bernardus Van der
XVIIe siècle. Travaillant à La Haye en 1663. Hollandais.
Peintre.
Élève d'Adr. Hanneman.

VECHTE Antoine
Né en 1799 à Vic-sous-Thil (Côte d'Or). Mort le 30 août 1868 à Avallon (Yonne). XIXe siècle. Français.
Sculpteur et orfèvre.
Il figura au Salon de Paris, de 1847 à 1861. Médaillé de troisième classe en 1847 et de première classe en 1848 ; chevalier de la Légion d'honneur en 1848. Le Musée du Château de Berlin conserve de lui *Combat d'Amazones*, le Musée du Louvre à Paris, *Dieu créateur* et plusieurs vases avec bas-reliefs, et le Vatican, à Rome, une médaille à l'effigie de *La Vierge*.

VECHTEN Alice Van. Voir **BROWN**

VECINIER Louis, dit **Dubreil**
XVIIIe siècle. Actif à Nantes en 1722. Français.
Sculpteur.

VECKEN Pierre
XIVe siècle. Éc. flamande.
Sculpteur.
Il travailla pour l'Hôtel de Ville de Bruges en 1379.

VECOZOLS Imants
Né en 1933. XXe siècle. Russe-Letton.
Peintre de natures mortes. Réaliste-socialiste.
Il termine en 1960 ses études à l'Académie des Beaux-Arts de Lettonie. Il a enseigné pendant quelques années à l'École Rozental de Riga et depuis 1967, est professeur à l'Académie des Beaux-Arts. À partir de 1970 il participe à des expositions nationales et internationales en Suède, aux États-Unis, en Allemagne.
Musées : Londres (Acad. roy.) – Moscou (Gal. Tretiakov) – Riga (Mus. d'Art) – Riga (Fonds des Beaux-Arts).
Ventes Publiques : Paris, 11 juil. 1990 : *Nature morte à la citrouille* 1990, h/t (50x70) : **FRF 8 500.**

VECSEY Fanny
Née en 1855. XIXe siècle. Hongroise.
Paysagiste.
Femme de Tivadar Vecsey.

VECSEY Tivadar ou **Theodore**
Né le 6 avril 1851 à Csany. XIXe siècle. Hongrois.
Paysagiste.
Mari de Fanny Vecsey.

VEDANI Michele
Né le 9 juin 1874 à Milan. XIXe-XXe siècles. Italien.
Sculpteur de monuments.
Il fut élève d'Enrico Butti. Il a sculpté trois tombeaux au Cimetière Monumental de Milan.

VEDDER Elihu
Né le 26 février 1836 à New York. Mort le 29 janvier 1923 à Rome. XIXe-XXe siècles. À partir de 1867 actif aussi en Italie. Américain.
Peintre d'histoire, sujets allégoriques, scènes de genre, portraits, paysages, paysages d'eau, pastelliste, peintre de compositions murales, peintre de cartons de mosaïques, sculpteur, dessinateur, illustrateur, décorateur.
Il fut élève de Tomkins H. Matteson à Sherburne. Il vint ensuite travailler à Paris, chez François-Édouard Picot, il poursuivit ses études à Florence et à Düsseldorf. Il s'établit à Rome, à partir de 1867, mais il revint régulièrement à New York pour répondre à des commandes.
Il fut associé de la National Academy de New York en 1863 et académicien en 1865. Il exposa au Salon des Artistes Français de Paris et en 1889, pour l'Exposition Universelle, où il obtint une mention honorable. Il reçut aussi une médaille d'or à Buffalo en 1901.
Il peignit des toiles à référence littéraires, des figures et des paysages, notamment de nombreuses vues d'Italie, entre romantisme et symbolisme et aborda à diverses reprises le thème de la folie. Il réalisa une mosaïque, *Minerve*, pour la bibliothèque du Congrès à Washington. On lui doit aussi un ouvrage sur l'art et des illustrations, dont le style en fait un précurseur de l'Art nouveau.
Bibliogr. : Regian Soria : *Elihu Vedder : American Visionary Artist in Rome*, Farleigh Dickinson University Press, Rutherford, New Jersey, 1970 – in : *Les Muses*, Grange Batelière, t. XIV, Paris, 1974 – in : *Diction. de la peinture anglaise et américaine*, coll. Essentiels, Larousse, Paris, 1991.
Musées : Boston (Mus. of fine Arts) : *Portrait de miss Kate Field – Paysage italien – Lazare – Le Serpent de mer – Les Questions du Sphinx – Le Pêcheur et les Sirènes* – Chicago (Art Inst.) : *Un Orage en Ombrie* – Cleveland : *Primitif* – Los Angeles (County Mus. of Art) : *Mémoire* 1870 – New York (Metropolitan Mus.) : *La Sentinelle africaine – Les Pléiades – La Folie* 1864-1865 – Pittsburgh (Carnegie Inst.) : *Le Gardien du trésor*.
Ventes Publiques : New York, 7 avr. 1971 : *Crépuscule* : **USD 1 600** – New York, 18 avr. 1974 : *Nymphe*, past. : **USD 1 200** – New York, 16 oct. 1974 : *Jeune Victoire* 1886 : **USD 2 200** – New York, 29 avr. 1976 : *Paysage de Bordighera* 1872, h/pan. (23x42) : **USD 2 200** – New York, 27 oct. 1977 : *Scène de rue à Capri* 1899, h/t (42,5x26) : **USD 1 700** – New York, 24 oct 1979 : *The Fates gathering in the stars*, h/t (44x33,5) : **USD 25 000** – New York, 12 juin 1980 : *La Pléiade perdue* 1888, past. reh. de blanc/pap. bleu (45x24) : **USD 1 000** – Los Angeles, 23 juin 1981 : *Le Sphinx*, h/t

(51x38) : **USD 28 000** – New York, 30 sep. 1982 : *For the lost Pleiades*, cr. et craie/pap. vert (46,7x25) : **USD 2 200** – New York, 18 mars 1983 : *Nu endormi*, cr. et craie blanche (38,9x30,8) : **USD 3 000** – New York, 2 juin 1983 : *Le Dernier Homme* 1886-1891, h/t (91,5x63,5) : **USD 30 000** – New York, 30 sep. 1985 : *Commerce*, past. reh. d'or/pap. gris (31,7x26) : **USD 850** – New York, 24 juin 1988 : *Vue du Tibre près de Orte* 1902, h/t (36,4x40,7) : **USD 2 310** – New York, 30 sep. 1988 : *Les cyprès de San Miniato à Florence*, h/pap. (24,7x16,5) : **USD 3 850** – New York, 25 mai 1989 : *Visages dans la lueur des flammes*, bas-relief de bronze (78,5x56) : **USD 33 000** – New York, 16 mars 1990 : *À la belle étoile* 1909, h/pan. (16,5x29,2) : **USD 5 500** – New York, 24 mai 1990 : *L'âme du tournesol* 1870, h/pan. (30,5x29,2) : **USD 15 400** – New York, 30 mai 1990 : *Réunion musicale* 1871, h/pan. (27,3x45,5) : **USD 8 800** – New York, 26 sep. 1990 : *La nymphe des eaux* 1878, h/t (86,4x53,2) : **USD 18 700** – New York, 26 sep. 1991 : *Le labyrinthe*, fus. et past./pap./cart. (16x22,2) : **USD 1 760** – New York, 23 sep. 1992 : *Le sommeil*, fus. et craie/pap. chamois (39,8x30,8) : **USD 2 860** – Milan, 3 déc. 1992 : *Vue de Capri*, h/t (73x107) : **ITL 2 865 110** – New York, 23 sep. 1993 : *Paysage de la côte méditerranéenne* 1866, h/t (24,8x41,3) : **USD 11 500** – New York, 1er déc. 1994 : *Le Dernier Homme*, h/t (91,4x63,5) : **USD 35 650** – New York, 30 oct. 1996 : *La Danse* 1870, h/cart. (21,6x39,4) : **USD 4 600**.

VEDDER Eva

Née en avril 1872 à Londres. XIXe-XXe siècles. Britannique.

Peintre de portraits.

Femme du peintre Simon Harmon Vedder, elle fit ses études à Paris, où elle fut élève de Colarossi et de Delécluse.

VEDDER Simon Harmon

Né le 9 octobre 1866 à Amsterdam (New York). XIXe-XXe siècles. Américain.

Peintre, sculpteur, illustrateur.

Il commença ses études artistiques à l'École du Metropolitan Museum à New York. Il vint à Paris et fut élève, à l'Académie Julian, de Bouguereau et Robert Fleury, puis à l'École des Beaux-Arts, de Crémone et de Glaize. Il reçut une mention honorable à Paris en 1899, une médaille de deuxième classe au Crystal Palace à Londres.

VEDEL Herman Albert Gude

Né le 1er mars 1875 à Copenhague. Mort en 1948. XXe siècle. Danois.

Peintre de portraits, intérieurs, natures mortes.

Il fut élève de P. H. Kristian Zahrtmann à l'Académie de Copenhague.

Musées : Copenhague : *Portraits de dames.*

Ventes Publiques : Copenhague, 3 mai 1977 : *Après la chasse*, h/t (75x85) : **DKK 11 500** – Copenhague, 20 août 1980 : *Fillette et son chien* 1910, h/t (71x58) : **DKK 7 000** – Londres, 28 nov. 1984 : *Femme avec des fleurs, dans un intérieur*, h/t (72,5x63,5) : **GBP 1 800** – Copenhague, 25 oct. 1989 : *Nature morte sur une table*, h/t (61x76) : **DKK 11 000** – Copenhague, 6 déc. 1990 : *Intérieur avec une jeune fille en robe jaune*, h/t (63x52) : **DKK 7 000** – Copenhague, 10 fév. 1993 : *Intérieur avec une mère et sa fille* 1907, h/t (70x61) : **DKK 5 000**.

VEDEL DE FORGET Louise René

Née au XIXe siècle à Nantes (Loire-Atlantique). XIXe siècle. Française.

Miniaturiste.

Élève de Mme Hortense Richard, Jules Lefebvre et Tony Robert Fleury. Sociétaire des Artistes Français depuis 1895 ; mention honorable en 1900 (Exposition Universelle).

VEDER. Voir aussi **WEDER**

VEDER Alain

Né en 1946 à Elisabethville (Zaïre). XXe siècle. Belge.

Graveur. Expressionniste.

Il fut élève de La Cambre. Il pratique diverses techniques de la gravure : vernis mou, eau-forte, aquatinte, burin (...).

Bibliogr. : In : *Dict. biogr. ill. des artistes en Belgique depuis 1830*, Arto, Bruxelles, 1987.

VEDER Eugène Louis

Né le 1er avril 1876 à Saint-Germain-en-Laye (Seine-et-Oise). Mort en 1976. XXe siècle. Français.

Graveur, dessinateur, illustrateur.

Il exposa à Paris à partir de 1922 au Salon des Artistes Français, dont il fut membre sociétaire. Il reçut une médaille de bronze en 1923, une médaille d'argent en 1925.

Il pratiqua la technique de l'eau-forte. Il a illustré *Promenades pittoresques à Montmartre* de Francis Carco, *Promenades pittoresques sur les bords de la Seine* d'Émile Henriot, *Les Géorgiques* de Virgile, *Paris*, dont il a composé les légendes.

Eug·Veder

Ventes Publiques : Paris, 30 mai 1945 : *Les chiffonniers* 1913, cr. de coul. : **FRF 410** – Paris, 6 mai 1949 : *Arras, porte des Trois Visages* 1916, cr. et aquar. : **FRF 650**.

VEDOVA Emilio

Né le 9 août 1919 à Venise. Mort en 1984. XXe siècle. Italien.

Peintre, peintre de collages, dessinateur, lithographe, sculpteur, peintre de décors et de costumes de théâtre, auteur d'assemblages. Abstrait informel.

Il se forma seul à la peinture. Opposé au régime fasciste, il parcourait l'Italie, vivant dans les milieux prolétariens. En 1942, il accomplit le premier geste important de sa carrière artistique, en adhérant au mouvement *Corrente*, à Milan. À la fin de la Deuxième Guerre mondiale, il prit une part active à la libération de Venise. En 1946, à Venise, il fit connaître l'action du *Fronte Nuovo delle Arti*, auquel il venait d'adhérer, mouvement qui entendait concilier révolution sociale et révolution des expressions artistiques. Il a voyagé et séjourné à Paris, au Brésil, à Vienne, en Allemagne. Il vit à Venise.

Il commença à exposer en 1936. Il participe à des expositions collectives : avec le groupe *Fronte Nuovo delle Arti* à Milan en 1947, à Venise en 1948 ; à partir de 1948 à la Biennale de Venise, où il prit part en 1952 à la manifestation collective du groupe des *Huit Peintres italiens*, ainsi qu'à des salons et manifestations en Italie, France, Allemagne, Amérique Latine, etc. Il a montré depuis des expositions personnelles de ses œuvres : régulièrement dans la plupart des grandes villes d'Italie ; 1982 Stedelijk Van Abbemuseum d'Eindhoven ; 1988 Salzburger Künstlerhaus de Salzbourg ; ainsi qu'à New York, à Munich, etc. En 1960, il reçut le Grand Prix de la Biennale de Venise, acceptant l'ambiguïté d'être reconnu par les instances mêmes qu'il conteste, en 1997 le Lion d'or de la Biennale de Venise.

Il fut à ses débuts influencé par le cubisme, puis l'expressionnisme, admirant Tintoret, Rembrandt, Goya, Delacroix, Picasso. Au milieu des années quarante, il évolua dans le sens d'une peinture de plus en plus gestuelle, s'approchant de l'abstraction lyrique ou expressionnisme abstrait, mais gardant contact sinon avec l'apparence de la réalité du moins avec les sensations reçues à partir de cette réalité et, tout spécialement, avec le sens des relations humaines et sociales, qui constitue l'essentiel de ce que sa peinture veut communiquer. En 1960 encore, il réalisa les décors de l'opéra *Intollerenza 60*, du célèbre compositeur moderne italien Luigi Nono. Dans les années soixante, il utilise dans la série des *Plurismo* pour une même œuvre plusieurs toiles de formats et de formes variables qu'ils emboîtent les unes aux autres, offrant divers angles de vue de ses compositions dynamiques où des taches de couleurs éclatent sur un fond terne.

Le problème pour cette peinture généreuse, qui appartient si évidemment aux années de l'abstraction lyrique, est justement d'arriver à s'en distinguer, d'où de nombreuses gloses de ses laudateurs ou du peintre lui-même. G. C. Argan en écrit : « Pour Vedova, la peinture est une conception du monde, l'image même du conflit éternel de l'être et du non-être, du bien et du mal. Ce ne sont pas les forces primordiales du cosmos qui se rencontrent et qui explosent dans ses peintures, mais les impulsions profondes de l'âme humaine. » Jean Leymarie : « ...il entend préserver la présence diffuse mais inaliénable de l'homme ». Vedova lui-même : « Quand on voit la tension de mes traits, où tout éclate, je suis aussitôt classé : informel : C'est un jugement superficiel. Mes travaux sont pleins de structures – ces structures sont celles de ma conscience. » Et encore : « Vivre dans la conscience signifie vivre dans la tension pour cueillir des instants, des éclaboussures de vérité. » ■ J. B.

Bibliogr. : Mazzariol : *Appunti sulla poetica di Emilio Vedova*, 1/4 Soli, Turin, novembre 1955 – Michel Seuphor : *Diction. de la peint. abstr.*, Hazan, Paris, 1957 – Franco Russoli, in : *Peintres Contemporains*, Mazenod, Paris, 1964 – Pierre Cabanne, Pierre Restany : *L'avant-garde au XXe siècle*, Balland, Paris, 1969 – in : *Les Muses*, Grange Batelière, t. XIV, Paris, 1974 – in : *Dict. univers. de la peinture*, Le Robert, t. VI, Paris, 1975 – Germano

Celant, Ida Gianelli : Catalogue de l'exposition *Emilio Vedova*, Electa, Milan, 1984.
Musées : Berlin (Nat. Gal.) – Florence (Mus. civ. d'Arte Mod.) – Jérusalem (Mus. of Mod. Art) – New York (Mus. of Mod. Art) – Philadelphie (Mus. of Art) – Poznan (Mus. Narodowe) – Rome (Gal. naz. d'Arte Mod. et Contemp.) : *Crucifixion contemporaine* 1953 – São Paulo – Turin (Gal. civ. d'Arte Mod.).
Ventes Publiques : Milan, 27 mars 1962 : *Composition* : **ITL 950 000** – Cologne, 19 déc. 1965 : *Imagine del tempo*, temp. : **DEM 20 000** – Milan, 26 mai 1970 : *Espagne* : **ITL 800 000** – Milan, 4 juin 1974 : *Espace inquiet* 1957 : **ITL 7 000 000** – Zurich, 29 mai 1976 : *Imagine del tempo* 1951, techn. mixte/pap. mar./t. (60x85) : **CHF 4 300** – Rome, 19 mai 1977 : *Ciclo della Natura, n. 6* 1953, h/t (146x190) : **ITL 5 500 000** – Milan, 26 juin 1979 : *Le journal du Brésil, Forêt Vierge* 1954, techn. mixte/t. (130x165) : **ITL 7 000 000** – Rome, 24 mai 1979 : *Sopraffazione n° 2 V* 1960, techn. mixte/t. (145x145) : **ITL 5 500 000** – Hambourg, 13 juin 1981 : *Composition* 1961, encre de Chine, craies coul. et gche (34,8x48) : **DEM 2 200** – Milan, 8 juin 1982 : *Composition* 1940, h/t (47,5x66) : **ITL 4 800 000** – Milan, 14 juin 1983 : *Spagna n° 4* 1959, h/t (120x120) : **ITL 20 500 000** – Milan, 18 déc. 1984 : *Intérieur de cathédrale*, past. (44x32) : **ITL 1 600 000** – New York, 1er oct. 1985 : *Presenza* 1960, h/t (109,3x82) : **USD 7 000** – Rome, 6 mai 1986 : *De America n° 3* 1976, h. et collage/t. (198x207) : **ITL 62 000 000** – Milan, 14 déc. 1988 : *Espagne d'aujourd'hui n° 8* 1960, h/t (120x120) : **ITL 78 000 000** – Milan, 20 mars 1989 : *Convulsions* 1951, h/t (70x100) : **ITL 50 000 000** – Milan, 20 mars 1989 : *ALS OB.* 1983, sable techn. Mixte et h/t (190x300) : **ITL 130 000 000** – Londres, 29 juin 1989 : *Images du temps 4* 1959, h/t (135x170) : **GBP 99 000** – Londres, 26 oct. 1989 : *Saint Marc*, h/t (40,5x45) : **GBP 23 100** – Milan, 8 nov. 1989 : *Cycle de protestation* 1956, h./ et détrempe/t. (210x90) : **ITL 270 000 000** – Londres, 30 nov. 1989 : *ALS OB 83-1* 1983, h/t (200x300) : **GBP 77 000** – Londres, 5 avr. 1990 : *Imagination du moment n° 4* 1958, émulsion/t. (135x170) : **GBP 115 600** – Londres, 18 oct. 1990 : *Hommage à Jaime Gil de Biedma* 1962, h. et gche/pap./t. (35x49,5) : **GBP 9 350** – Rome, 3 déc. 1990 : *Composition (personnages écoutant de la musique)* 1943, h/t (33,5x48,5) : **ITL 40 250 000** – Milan, 26 mars 1991 : *Immanence n. 1* 1977, techn. mixte/pap./t. (101x66) : **ITL 48 000 000** – Rome, 13 mai 1991 : *Le pêcheur*, collage/contre-plaqué (130x60) : **ITL 34 500 000** – Rome, 25 mai 1992 : *Sans titre* 1958, techn. mixte (28x41,5) : **ITL 21 850 000** – Munich, 1er-2 déc. 1992 : *Composition*, sérig. (68,5x98) : **DEM 1 725** – Milan, 6 avr. 1993 : *Journal mars 1985 (où ?)* 1985, h/t (35x50) : **ITL 21 000 000** – Rome, 19 avr. 1994 : *Sans titre* 1950, gche/pap. (20x28) : **ITL 2 415 000** – Amsterdam, 7 déc. 1994 : *Composition abstraite*, cr./pap. (10x14,5) : **NLG 1 265** – Milan, 5 déc. 1994 : *Infini – 3 (Cycle II-Rouge 85)* 1985, h/t (280x280) : **ITL 103 500 000** – Rome, 13 juin 1995 : *Pagina 77 n. 12* 1977, techn. mixte/pap./t. (48,7x35) : **ITL 6 900 000** – Paris, 29-30 juin 1995 : *Rio de Janeiro, carnaval* 1954, lav. d'encre de Chine, h/t (23x31) : **FRF 7 000** – Milan, 20 mai 1996 : *Le Cycle de la protestation ; Fauteuil électrique*, h/t (210x90,5) : **ITL 119 950 000** – Milan, 28 mai 1996 : *Présence* 1959, h/t (120x120) : **ITL 170 800 000** – Milan, 25 nov. 1996 : *Personnages*, cr., temp. et gche/pap. (24,5x33) : **ITL 5 520 000** – Milan, 26 nov. 1996 : *Per la Spagna* 1962, h/t (146x200) : **ITL 131 250 000** – Milan, 10 déc. 1996 : *Emerging IX* 1991, h./contreplaqué (36x51) : **ITL 9 902 000**.

VEDOVA Pietro della
Né en 1831 à Prima San Giuseppe. Mort en 1899. XIXe siècle. Italien.
Sculpteur.
Né de parents très pauvres, cet artiste se rendit en 1815 à Munich pour apprendre le métier de stucateur. L'enfant travaillait et suivait à ses moments perdus quelques cours de dessin. C'est ainsi que les premiers éléments de son art lui furent enseignés par le professeur Schwantaler. En 1853, le jeune homme, ayant économisé une petite somme d'argent, se fit inscrire à l'Académie des Beaux-Arts de Munich, et après un examen, fut accepté comme élève à l'École de sculpture de Wichmann. Là, il travailla jusqu'en 1854, où de retour en Italie, il suivit des cours de l'Academia Albertina et devint professeur de sculpture. En 1868, il sculpta, pour la municipalité de Turin, une statue du Palais Carignano ; en 1871, il exécuta le monument *Toesca Garbiglietti* (cimetière de Turin) et un grand nombre de mausolées. On cite aussi son monument au *Cardinal Palzmani* en Hongrie, celui de *Charles-Emmanuel Ier*, celui de l'*Évêque Ghilardi* et celui élevé pour le compte de la famille royale d'Italie, à la basilique de la Superga, près Turin.

VEDOVATO Pietro
Né en 1774 à Loria. Mort en 1847 à Bassano. XVIIIe-XIXe siècles. Italien.
Graveur.
Élève de Folo, à Rome. Il grava des sujets religieux et d'après de grands maîtres.

VEDRES Mark Weinberger
Né le 14 septembre 1871 à Ungvar. XIXe-XXe siècles. Hongrois.
Sculpteur de nus.
Il figura aux Expositions de Paris, notamment en 1900 à l'Exposition Universelle où il reçut une médaille de bronze.
Il sculpta surtout des nus masculins, influencé par Rodin et par Hildebrand.
Musées : Budapest (Mus. Nat.).

VEDRIANI Giulio
XVIe siècle. Travaillant à Reggio Emilia à la fin du XVIe siècle. Italien.
Sculpteur et architecte.
Il travailla aux portails latéraux de la cathédrale de Reggio Emilia.

VEDRODI Istvan ou **Stefan**
Né le 14 janvier 1879. XXe siècle. Hongrois.
Peintre de paysages.
Il vécut et travailla à Presbourg et à Budapest.

VEDYE Charles
XVIIe siècle. Travaillant à Compiègne vers 1629. Français.
Peintre de décorations.

VEECK Charles
Né à Idar. Mort en 1904. XIXe siècle. Naturalisé en France. Allemand.
Sculpteur de portraits.
Élève de Marcellin et L. Cogniet. Il exposa au Salon de Paris, de 1861 à 1894.

VEECKEN ou **Veeken**. Voir **VEKEN**

VEECKEN Johannes ou **Jean Baptiste Van der**. Voir **VEKEN**

VEELWARD Daniel
Né le 14 août 1766 à Amsterdam. Mort le 27 février 1851 à Amsterdam. XVIIIe-XIXe siècles. Hollandais.
Graveur au burin.
Élève de P. Lourd et J. C. Schutz, pour le dessin. Il se forma seul pour la gravure. Il a gravé notamment des planches d'anatomie. Ses fils furent aussi graveurs au burin : Hermanus (né le 17 août 1790, mort en 1813), Abraham (né le 24 novembre 1792), Daniel (né le 15 décembre 1796), Hermanus II (né le 28 janvier 1814).

VEEN. Voir aussi **VEN**

VEEN Adrien Van de
Né en 1589 à Delft. Mort en 1680 à La Haye. XVIIe siècle. Hollandais.
Peintre et graveur.

Ventes Publiques : Paris, 6 mars 1942 : *L'Adoration des Rois Mages* : **FRF 5 000**.

VEEN Apollonia Van ou **Vaenius** ou **Venius**
Morte en 1635. XVIIe siècle. Hollandaise.
Peintre, dessinateur.
Fille de Peeter Van Veen. Ell était également cantatrice.

VEEN Balthasar Van der
Né vers 1596. Mort après 1657 à Haarlem. XVIIe siècle. Hollandais.
Paysagiste.
Il épousa en 1639 Grietje Heyndricks Schaeffs ; il fit partie de la gilde de Saint-Luc, à Haarlem. Il peignait dans la manière d'Holbein.

Musées : Amsterdam : *Vue d'Haarlem* – Leyde : *Paysage avec une route* – Würzburg : *Paysage avec une cascade*.
Ventes Publiques : Paris, 1870 : *Route avec personnages* : **FRF 800** – Paris, 1898 : *Route avec personnages* : **FRF 1 400**.

VEEN Cornelis Van der ou **Vaenius** ou **Venius**
Né en 1602. Mort en 1687 à La Haye. XVIIe siècle. Hollandais.
Peintre.
Fils de Pieter Van der Veen. Il était juriste.

VEEN Gérard Van der
XVIIIe siècle. Actif à Groningue. Hollandais.
Peintre verrier.
Élève de Joh. Antegnus. Son fils Peter, peintre verrier, mourut après 1750.

VEEN Gerardus Van
XVIIe siècle. Actif dans la seconde moitié du XVIIe siècle. Hollandais.
Dessinateur d'oiseaux.
Le Musée Teyler de Haarlem conserve une aquarelle de cet artiste.
VENTES PUBLIQUES : AMSTERDAM, 14 nov. 1983 : *Une fauvette* 1673, aquar. (13,6x19,6) : **NLG 2 800**.

VEEN Gertrude ou **Geertrunt Van** ou **Vaenius**, Mme **Malo**
Née le 4 juin 1602 à Anvers. Morte le 30 juin 1643 à Anvers. XVIIe siècle. Éc. flamande.
Peintre de portraits.
Fille et élève d'Otto Van Veen. Elle épousa Louis Malo. Elle fit preuve d'un beau talent. Son portrait d'*Otto Van de Veen*, conservé au Musée de Bruxelles, a été gravé par Rucholle.

VEEN Gysbert ou **Gilbert** ou **Gysbrecht Van** ou **Vaenius** ou **Venius**
Né en 1562 à Leyde. Mort en 1628 à Anvers. XVIe-XVIIe siècles. Hollandais.
Peintre, graveur au burin et tailleur de camées.
Frère cadet d'Otto Van Veen. Certains biographes donnent 1566 comme date de sa naissance, mais les faits paraissent contredire cette affirmation. Il fut peut-être élève de Cornelis Cort, dont il imita la manière. Il était à Rome en 1588, à Venise en 1589. Il fut le portraitiste de nombreux princes et fut peut-être intendant de la Monnaie de Bruxelles. Il grava des sujets religieux et d'histoire d'après les maîtres italiens et aussi d'après les dessins de son frère. Le Musée de Bruxelles conserve de lui les portraits de *L'archiduc Albert* et de *L'Archiduchesse Isabelle*.

VENETIS
G.v.f

VEEN Jacob ou **Vaenius** ou **Venius**
Né vers 1608. Mort vers 1640. XVIIe siècle. Hollandais.
Peintre de portraits, paysages animés, fruits, dessinateur.
Fils de Pieter Van der Veer. Il peignit des fruits et des scènes champêtres et dessina des portraits. Il était juriste.

VEEN Jan Van der, appellation erronée. Voir **VEER Johannes de**

VEEN Jan Bapt., appellation erronée. Voir **VEN Anthonie Johannes Van der**

VEEN Karel J. Van der
Né le 23 août 1898 à Rotterdam. Mort en 1988. XXe siècle. Hollandais.
Peintre de compositions religieuses, portraits, intérieurs, paysages, graveur.
Il fut élève de Maasdijk. Il vécut et travailla à Veere.
VENTES PUBLIQUES : AMSTERDAM, 19-20 fév. 1997 : *Clowns de la Comedia dell'Arte* 1956, h/pan. (54x28,5) : **NLG 2 998**.

VEEN Marten Jacobsz Van. Voir **HEEMSKERK Marten**

VEEN Otto ou **Otho** ou **Octavius Van** ou **Vaenius** ou **Venius**
Né en 1556 ou 1559 à Leyde. Mort le 6 mai 1629 à Bruxelles. XVIe-XVIIe siècles. Éc. flamande.
Peintre d'histoire, compositions religieuses, scènes de genre, portraits, paysages, dessinateur.
Il descendait du duc Jean III de Brabant. Il fut élève de J. C. Suanenburgen 1570. En 1572 il accompagna son père, Cornelis Van Veen, partisan de Philippe II, qui dut s'enfuir devant les succès du prince d'Orange, à Anvers, à Aix et enfin à Liège. Dans cette dernière ville, Otto Van Veen fut élève de D. Lampsonius et de Jean Ramey. Il alla en Italie en 1576, grâce à la protection du cardinal Grosbeeck, prince évêque de Liège qui le recommanda au cardinal Madruccio à Rome. Celui-ci l'accueillit fort bien et le logea dans son palais. Otto Van Veen fut pendant cinq ans élève de Fred Zucchero. Revenu à Liège après avoir rempli une mission près de Rodolphe II à Vienne il fut page de l'archevêque Ernest de Bavière et en 1584, retourna à Leyde. En 1585 il fut peintre de la cour d'Alexandre Farnèse, alors gouverneur des Pays-Bas, et vécut à Bruxelles. À la mort de Farnèse (1592) il se rendit à Anvers, y fut maître en 1593, épousa Maria Loets, fut doyen de la gilde en 1602 et peintre de la cour d'Albert et d'Isabelle, ce qui le ramena fréquemment à Bruxelles. En 1612 il fut inspecteur de la Monnaie. Otto Van Veen fut un des maîtres de Rubens et celui qui peut-être impressionna le plus le génie naissant de l'illustre maître d'Anvers.
Poète et lettré délicat, il publia plusieurs ouvrages dont plusieurs illustrés d'estampes gravées d'après ses dessins, par son frère Gysbert, notamment : *L'Histoire de la guerre des Bataves* d'après Tacite, *Emblèmes et Observations* d'après Horace, *Emblèmes de l'amour divin et de l'amour profane*, etc.

OTHO VENIVS L MTĀN 1589

MUSÉES : AMIENS : *Jean de Barle à six ans* – AMSTERDAM : *Douze phases de l'insurrection des Bataves contre les Romains* – ANVERS : *Zachée sur le figuier* – *Vocation de saint Matthieu* – *Charité de saint Nicolas* – *Saint Nicolas sauvant ses ouailles de la famine* – *Jean Miraens quatrième évêque d'Anvers* – *Saint Paul devant le président de Césarée* – AUGSBOURG : *La Paix et la Justice* – BAMBERG : *Le Péché et la Rédemption* – BESANÇON : *Martyre de saint André* – *Le Temps coupe les ailes à l'Amour, la Sagesse calme la douleur de Vénus* – BORDEAUX : *Mariage de sainte Catherine* – BRUNSWICK : *Assomption* – BRUXELLES : *Le Christ entre deux larrons* – *Portement de Croix* – *Mariage mystique de sainte Catherine* – *L'archiduc Albert*, deux œuvres – *L'archiduchesse Isabelle* – *Alexandre Farnèse* – CHAMBÉRY (Mus. des Beaux-Arts) : *La Pentecôte* – *Le Couronnement de la Vierge* – COLOGNE : *Jeunesse* – DARMSTADT : *Mort de saint François* – *Saint Pierre* – GLASGOW : *Mort d'Ananias* – LEYDE : *David avec la tête de Goliath* – MADRID (Prado) : *Portrait d'un magnat* – *Portrait de dame* – MAYENCE : *Le Christ, les pécheurs pénitents, les malfaiteurs, le roi David et l'enfant prodigue* – NANTES : *Vierge et enfant Jésus* – PARIS (Mus. du Louvre) : *L'artiste et sa famille* – SCHLEISSHEIM : *Plusieurs scènes de la vie de la Vierge et du triomphe de la religion catholique* – SIENNE : *Quatre scènes de la vie de la Vierge* – STOCKHOLM : *Allégorie sur les tentations de la jeunesse* – STUTTGART : *Alexandre Farnèse* – VERSAILLES : *Guillaume Barneveldt* – VIENNE : *Portraits des archiducs Albert et Ernes*.
VENTES PUBLIQUES : PARIS, 1777 : *Une femme fait jaillir du lait de ses seins dans le bec de deux pigeons* : **FRF 2 000** – PARIS, 18 avr. 1803 : *Portrait d'un cardinal*, dess. à l'h/pap. : **FRF 136** – MARSEILLE, 10 avr. 1864 : *La Conversion de saint Paul* : **FRF 1 150** – PARIS, 29 jan. 1875 : *La Femme adultère* : **FRF 1 400** – PARIS, 10 fév. 1926 : *Saint en extase*, pl. lavé de bistre : **FRF 55** – LONDRES, 8 déc. 1950 : *Portrait présumé de Rubens et Isabelle Brandt* : **GBP 840** – LONDRES, 21 nov. 1967 : *Triomphe d'un général romain*, grisaille et encre : **GNS 520** – LONDRES, 12 oct 1979 : *La conspiration des Bataves*, h/pan. (36,8x49,5) : **GBP 2 400** – LONDRES, 6 juil. 1983 : *Portrait d'Alexandre Farnèse, duc de Parme*, h/métal (20,5x13) : **GBP 2 400** – AMSTERDAM, 1er déc. 1986 : *Un roi et sa cour, des archevêques et des écclésiastiques agenouillés devant une vision de la Sainte Trinité*, craie noire, pl. et lav. reh. de blanc (18,3x38,1) : **NLG 2 000** – PARIS, 13 avr. 1992 : *Portrait d'enfant sur un lit* 1584, h/pan. (34x29,5) : **FRF 30 000** – NEW YORK, 8 oct. 1993 : *Le Mariage mystique de sainte Catherine*, h/t (111,8x163,8) : **USD 9 775** – LONDRES, 10 déc. 1993 : *Vaste paysage imaginaire avec des constructions à l'italienne près d'une rivière* 1586, h/cuivre (44,5x58) : **GBP 16 100** – VIENNE, 29-30 oct. 1996 : *Minerve donnant à Vénus une bride pour Cupidon, entourée de Cérès, Bacchus et Chronos*, h/pan. (124x94) : **ATS 276 000**.

VEEN P. J. Van
XIXe siècle. Travailla à Amsterdam de 1822 à 1824. Hollandais.
Peintre de vues.

VEEN Pieter ou **Peeter Van**
Né en 1563 à Leyde. Mort le 30 novembre 1629 à La Haye. XVIe-XVIIe siècles. Hollandais.

Peintre d'histoire, compositions religieuses.
Frère cadet d'Otto Van Veen, il fut avocat pensionnaire de la ville de Leyde et échevin de La Haye. Il peignit comme amateur et fit preuve de talent dans cet art.
Musées : Leyde : *Entrée de la flotte à Leyde en 1574 – Le Christ guérit la femme malade – Le Christ et le centurion – Bain de Diane.*
Ventes Publiques : Paris, 11 au 13 nov. 1912 : *Le Christ et la Madeleine* : **FRF 605.**

VEEN Pieter Van
Né en 1667 à Rotterdam. Mort en 1736 à Rotterdam. XVIIIe siècle.
Peintre de compositions mythologiques, sujets allégoriques.
Il travailla vers 1700.
Ventes Publiques : New York, 31 mai 1991 : *Allégorie de la Paix : Cérès détruisant les attributs de la guerre et l'agneau couché auprès du lion*, h/pan. (49,5x36,9) : **USD 30 800** – Paris, 13 juin 1997 : *Vénus et Adonis*, pan. chêne (43x37) : **FRF 85 000.**

VEEN Pieter Van
Né le 11 octobre 1875 à La Haye (Hollande). Mort en 1961. XXe siècle. Américain.
Peintre d'architectures, paysages, paysages d'eau.
Il étudia en Hollande et en France, et fut membre du Salmagundi Club. Il obtint la croix de la Légion d'honneur pour une série de peintures sur les cathédrales de France, en 1929.

Ventes Publiques : Los Angeles-San Francisco, 12 juil. 1990 : *Vagues se brisant sur les rochers* 1923, h/t (63,5x76) : **USD 1 430.**

VEEN Rochus Van
Né vers 1640 à Beverwijk. Mort en 1706 ou 1708 à Haarlem. XVIIe siècle. Hollandais.
Peintre d'animaux.
Frère de Gérard Van Veen, il était en 1668 élève de J. Wiz de Weth à Haarlem. Houbraken dit qu'il eut deux fils dont l'aîné fut peintre. Il s'est spécialisé dans les oiseaux et les insectes.
Ventes Publiques : Londres, 25 juin 1974 : *Papillon, scorpion et autres insectes*, aquar. : **GNS 500** – Amsterdam, 14 nov. 1983 : *Étude de trois oiseaux*, gche (25,3x38,1) : **NLG 3 400** – Amsterdam, 28 nov. 1985 : *Un harle* 1668, aquar. (42,3x48,5) : **NLG 7 400** – Amsterdam, 16 nov. 1993 : *Papillon et trois autres insectes* 1665, aquar. et craie noire (12,5x22,3) : **NLG 14 375** – Paris, 16 nov. 1993 : *Bécasse (Scolopax rusticola) 1681*, aquar. et pl. (23,5x26) : **FRF 7 500.**

VEEN Simon Van der ou **Vaenius** ou **Venius**
Mort en 1661. XVIIe siècle. Hollandais.
Peintre et dessinateur de portraits.
Fils de Pieter Van der V.

VEEN Stuyvesant Van
Né le 12 septembre 1910 à New York. XXe siècle. Américain.
Peintre, illustrateur, graveur.
Il fut élève de Karfunkle et de l'Académie des Beaux-Arts de Philadelphie. Il fut membre de la Fédération Américaine des Arts.

VEEN Timon ou **Thymon Van der** ou **Vaenius** ou **Venius**
XVIe siècle. Travaillant à Leyde en 1594. Hollandais.
Peintre et graveur au burin.
Frère d'Otto, de Gijsbert et de Pieter Van der Veen.

VEENHUYSEN Jan
XVIIe siècle. Travaillant à Amsterdam de 1656 à 1685. Hollandais.
Dessinateur et graveur au burin.
Il exécuta des portraits, des paysages et des architectures.

VEENIS Ary ou **Venis**
Mort le 25 novembre 1781. XVIIIe siècle. Actif à Alkmaar. Hollandais.
Peintre.
Frère de Pieter Veenis.

VEENIS Pieter ou **Venis**
XVIIIe siècle. Travaillant à Alkmaar en 1769. Hollandais.
Peintre.
Frère d'Ary Veenis.

VEER Elisabeth Van der
Née le 23 juin 1887 à Schoonhoven. XXe siècle. Hollandaise.
Peintre, illustrateur.
Elle fut élève de B. A. Bongers.

VEER Johannes de
Né vers 1610 à Utrecht. Mort avant le 24 novembre 1662 à Utrecht. XVIIe siècle. Hollandais.
Peintre.
Il offrit une *Andromède* à l'hôpital Job, en 1642.
Musées : Göteborg : *Portraits d'un homme et d'une femme* – Utrecht : *Cléopâtre – Adoration des bergers.*
Ventes Publiques : Cologne, 4 mai 1937 : *Portrait* : **DEM 4 000.**

VEER R. de
XVIIe siècle. Travaillant à Utrecht en 1674. Hollandais.
Peintre.

VEEREN Anna Maria
Née à Loenen-Vreeland. XIXe siècle. Hollandaise.
Peintre de fleurs et de natures mortes.
Élève de W. Hekking et de H. G. ten Kate.
Ventes Publiques : Londres, 3 oct 1979 : *Nature morte aux fruits et aux fleurs* 1840, h/t (21,5x28,5) : **GBP 600.**

VEERENDAEL Nicolaes Van ou **Verendael**
Baptisé le 19 février 1640 à Anvers. Enterré le 11 août 1691 à Anvers. XVIIe siècle. Éc. flamande.
Peintre de compositions religieuses, paysages, natures mortes, fleurs et fruits.
Il fut élève de son père Willem Veerendael. Il entra en 1657 dans la gilde, épousa en 1669 Catharina fille du sculpteur M. Van Beveren et eut pour élève Jer. Scharenberg.
Ce fut un artiste très apprécié, on préfère, généralement ses fleurs à ses fruits. Ses bouquets offrent des compositions où les fleurs, choisies dans leur plus bel épanouissement, sont disposées selon un équilibre savant, peintes dans des coloris fortement contrastés travaillés par glacis, donnant aux pétales une texture proche de celle de la soie chifonnée. À partir de 1660, il aère davantage ses compositions, et s'il ne repète généralement pas l'organisation de ses bouquets, on y trouve très souvent une branche de mûres qui, en quelque sorte, est une signature. Il est également l'auteur de paysages boisés et de singeries dans la tradition de David Teniers.

Musées : Aix-la-Chapelle : *Roses dans un bocal* – Anvers : *Saint Sacrement de l'autel* – Avignon : *Vase de fleurs* – Cologne : *Fleurs* – Dresde : *Singes à table – Fleurs – Cuisine*, avec Téniers et C. Luckx – Glasgow : *Fleurs et insectes* – Montpellier : *Vase de fleurs* – New York (Metropolitan Mus.) : *Nature morte 1662* – Saint-Pétersbourg (Mus. de l'Ermitage) : *Un dessert – Pomone – Flore – Vase de fleurs et deux enfants* – Schwerin : *Bouquet de fleurs.*
Ventes Publiques : Londres, 27 nov. 1909 : *Fleurs dans un panier* : **GBP 7** – Londres, 18 déc. 1909 : *Sainte Famille*, et une autre toile : **GBP 55** – Paris, oct. 1945-juil. 1946 : *Fleurs dans un vase de pierre ; Fleurs dans un vase de bronze*, deux pendants : **FRF 51 000** – Londres, 14 déc. 1945 : *Fleurs dans un vase* : **GBP 126** – Paris, 22 juin 1950 : *Étude de fleurs* : **FRF 35 000** – Londres, 21 déc. 1950 : *La Sainte Famille avec sainte Élisabeth et saint Jean*, deux pendants : **GBP 231** – Paris, 7 et 8 déc. 1954 : *Vase de fleurs* : **FRF 240 000** – Londres, 8 juil. 1959 : *Nature morte* : **GBP 440** – Londres, 7 déc. 1960 : *Nature morte* : **GBP 3 900** – Londres, 13 mars 1963 : *Nature morte aux fleurs d'été* : **GBP 1 000** – Londres, 29 oct. 1965 : *Bouquet de fleurs sur un entablement* : **GNS 14 000** – Londres, 6 juil. 1966 : *Natures mortes aux fleurs*, deux pendants : **GBP 6 000** – Londres, 4 oct. 1967 : *Nature morte aux fleurs* : **GNS 4 800** – Londres, 16 juil. 1971 : *Nature morte aux fleurs* : **GNS 8 500** – Amsterdam, 30 nov.

1976 : *Nature morte aux fleurs*, h/t (48x37) : **NLG 30 000** – Amsterdam, 24 mai 1977 : *Nature morte aux fleurs*, h/pan. (32,5x23,5) : **NLG 23 000** – Londres, 25 mars 1977 : *Nature morte aux fleurs*, h/t (54,5x42) : **GBP 22 000** – Vienne, 14 mars 1978 : *Vase de fleurs*, h/pan. (30,5x23) : **ATS 200 000** – New York, 11 janv 1979 : *Nature morte aux fleurs et aux fruits* 1689, h/t (81x62) : **USD 40 000** – New York, 14 nov 1979 : *Nature morte aux fleurs*, h/t (35,5x26,5) : **USD 14 000** – Londres, 9 déc. 1981 : *Nature morte aux fleurs*, h/t (43x33) : **GBP 50 000** – New York, 18 juin 1982 : *Nature morte aux fleurs*, h/t (36x26,5) : **USD 38 000** – Londres, 30 nov. 1983 : *Nature morte aux fleurs*, h/t (76x60) : **GBP 64 000** – Londres, 11 déc. 1985 : *Vase de fleurs*, h/t (73,5x100,5) : **GBP 28 000** – Monte-Carlo, 22 fév. 1986 : *Bouquet de fleurs dans un vase en verre*, h/t (43,5x34,5) : **FRF 260 000** – Londres, 22 avr. 1988 : *Nature morte* (78,5x59,5) : **GBP 115 500** – New York, 2 juin 1989 : *Nature morte de fleurs dans un vase de cristal*, h/pan. (38x28) : **USD 165 000** – Londres, 11 avr. 1990 : *Composition florale dans un vase avec un scarabée sur l'entablement*, h/t (39,5x30,5) : **GBP 143 000** – Londres, 5 juil. 1991 : *Vanité avec un crâne, un verre de vin du Rhin, un oiseau mort des fleurs et des fruits sur une table drapée*, h/pan. (63x48,8) : **GBP 7 700** – Londres, 15 avr. 1992 : *Nature morte d'une grande composition florale avec des roses, des œillets, des pivoines, des boules-de-neige, etc... dans un vase avec un papillon*, h/t (43,8x33) : **GBP 35 000** – Stockholm, 30 nov. 1993 : *Nature morte d'une guirlande de fleurs*, h/t (64x50) : **SEK 245 000** – Londres, 10 déc. 1993 : *Guirlande de fleurs suspendue en haut d'une niche*, h/t (65x50) : **GBP 17 250** – Paris, 3 juin 1994 : *Vase de fleurs sur un entablement*, h/t (42x30,5) : **FRF 26 000** – Londres, 8 juil. 1994 : *Guirlande de fleurs entourant un cartouche de pierre*, h/t (85,2x67) : **GBP 23 000** – Londres, 19 avr. 1996 : *Guirlande de fleurs variées avec des insectes dans un cartouche*, h/t (46x67,6) : **GBP 19 550** – Londres, 3-4 déc. 1997 : *Nature morte avec des tulipes et autres fleurs, des papillons jaunes, deux escargots et une chenille*, h/cuivre (40,5x33,7) : **GBP 20 700**.

VEERSSEN Theodor Van
Né vers 1815. XIXe siècle. Travaillant à Bruxelles. Belge.
Paysagiste.

VEESER Franz Anton
XVIIIe siècle. Allemand.
Peintre et stucateur.
Il exécuta des peintures dans les églises d'Andelfingen et de Heiligkreuztal.

VEFVE Jehan
XVIe siècle. Travaillant à Neuchâtel en 1544. Suisse.
Peintre verrier.

VEGA de La. Voir **LA VEGA de**

VEGA Antonio de
XVIe siècle. Travailla de 1506 à 1511 à Ségovie. Espagnol.
Peintre.
Il fut assistant d'Andrés Lopez.

VEGA Francisco de La. Voir **LA VEGA**

VEGA José de la ou **Jorge** ou **La Vega**
Né en 1930. Mort en 1971. XXe siècle. Argentin.
Peintre de figures, animaux, peintre de technique mixte, peintre de collages. Nouvelles figurations.
Il fut membre du groupe *Autre Figuration* fondé en 1961 à Buenos Aires.
Il participa à des expositions collectives à partir de 1952 : 1960, 1961 musée national des beaux-arts de Buenos Aires ; 1962, 1963 musée national de la ville de Paris ; 1963 école nationale des beaux-arts de Lima ; 1963, 1964, 1965, 1967 Institut di Tella, musée des arts visuels de Buenos Aires ; 1964 Solomon R. Guggenheim Musem de New York ; 1965 palais des beaux-arts de Bruxelles ; 1970 musée des beaux-arts de Caracas ; 1975 Corcoran Gallery of Art de Washington ; 1984 centre culturel de la ville de Buenos Aires ; 1987 Museum of Art d'Indianapolis ; 1987 Institut italo-latino-américain de Rome. Il exposa avec le groupe *Autre Figuration* à partir de 1961, notamment en 1963 à la Commission nationale des beaux-arts de Montevideo, en 1965 et 1987 au musée d'art moderne de Rio de Janeiro, 1985 musée national des beaux-arts de Buenos Aires, 1986 musée des beaux-arts de Caracas. Il montre ses œuvres dans des expositions personnelles depuis 1952 très régulièrement à Buenos Aires, notamment en 1976 au musée national des beaux-arts.
Artiste novateur, il travailla sur de vastes toiles, alternant zones vides et espaces tourmentés, agressifs chargés de figures d'animaux, riches en matière, parfois surchargés de collages de chiffon, de paillettes.
Bibliogr. : Damian Bayon, Roberto Pontual : *La Peinture de l'Amérique latine au XXe siècle*, Mengès, Paris, 1990 – Mercedes Casanegra : *Jorge de la Vega*.
Ventes Publiques : New York, 7 mai 1981 : *Chat dans le miroir* 1963, collage et h/t (81x130) : **USD 3 500**.

VEGA José Joaquin
XVIIIe siècle. Actif dans la seconde moitié du XVIIIe siècle. Mexicain.
Peintre.
Élève de Manuel Carcanio. L'Académie San Carlos de Mexico possède de lui *Portrait de San Carlos*.

VEGA Remigio
Né en 1787 à Madrid. XIXe siècle. Espagnol.
Sculpteur et médailleur.

VEGA Y MUNOZ Antonio Maria
Né à Séville. Mort le 12 novembre 1878 à Séville. XIXe siècle. Espagnol.
Sculpteur de bustes.
Il fut élève de l'Académie de Séville. Il sculpta des bustes.

VEGA Y MUNOZ Francisco
Né le 22 février 1840 à Séville. Mort le 2 novembre 1868 à Séville. XIXe siècle. Espagnol.
Peintre.
Frère d'Antonio Maria Vega. Le Musée Provincial de Séville conserve de lui *Jugement Dernier* et *Les saints Servandos et Germain*.

VEGA Y MUNOZ Pedro
Né en 1840. Mort en 1868. XIXe siècle. Actif à Séville dans la seconde moitié du XIXe siècle. Espagnol.
Peintre d'histoire, scènes de genre, portraits, paysages.
Il fut élève de l'Académie des Beaux-Arts de Séville. Il y exposa de 1866 à 1882.
Ventes Publiques : Londres, 5 oct 1979 : *Personnages dans un patio, Séville*, h/t mar./cart. (45x63,5) : **GBP 3 800** – New York, 24 mai 1989 : *Cour de ferme en Espagne*, h/pan. (24,2x32,8) : **USD 4 950** – Londres, 5 oct. 1990 : *Jour de marché à Séville*, h/t (45,8x64,2) : **GBP 4 180**.

VEGEAIS Jean Baptiste
Né au XIXe siècle à Mayence. XIXe siècle. Français.
Peintre de portraits et pastelliste.
Élève de Cogniet. Il figura aux Salons de 1848 à 1865.

VEGERE Baiba
Né en 1948. XXe siècle. Russe-Lettone.
Peintre de portraits.
Elle fit ses études à l'Académie des Beaux-Arts de Lettonie. Depuis 1977, elle enseigne à l'École Rozental de Riga. À partir de 1970, elle a montré ses œuvres dans des expositions personnelles.
Elle s'est spécialisée dans la représentation de fillettes à l'air absent.
Musées : Riga (Fonds des Beaux-Arts).
Ventes Publiques : Paris, 11 juil. 1990 : *Portrait aux fruits rouges* 1976, h/pan. (78x67) : **FRF 5 500**.

VEGETTI Enrico
Né le 31 juillet 1863 à Turin. XIXe siècle. Italien.
Peintre de fresques, graveur, aquafortiste.
Il fut élève de l'académie Brera de Milan.
Il a peint surtout des fresques et réalisé des eaux-fortes.
Musées : Milan (Mus. de l'Acad. Brera) : *Portrait du Corrège* – Milan (Mus. d'Art Mod.) : *Les Maisons dans l'eau*.
Ventes Publiques : Milan, 21 nov. 1990 : *La veuve*, h/t (78,5x100,5) : **ITL 6 500 000**.

VEGEZZI Diego
Né le 9 avril 1957 à Caracas. XXe siècle. Depuis 1979 actif en France. Vénézuélien.
Peintre, illustrateur.
Jusqu'en 1977, il vit à Buenos Aires où il étudie la peinture, le dessin et la gravure, avant de s'installer à Paris en 1979, où il eut pour professeur le peintre Luis Felipe Noe. De 1975 à 1977, il étudia la peinture japonaise. En 1977, il fut illustrateur pour le mensuel *El Expresso Imaginario*.
Il participe à des expositions collectives, depuis 1983 à Paris. Il montre ses œuvres dans des expositions personnelles depuis 1985 à Paris.

Dans la tradition des muralistes sud-américain, il réalise des fresques, des œuvres au pochoir.

VEGGUM Peder Olsen
Né le 11 avril 1768 à Leine i Kvam. Mort en 1836 à Veggum i Sell. XVIIIe-XIXe siècles. Norvégien.
Sculpteur sur pierre et sur bois, peintre et architecte.
Il exécuta des sculptures pour l'église de Roros.

VEGH Gusztav
Né le 5 novembre 1890 à Vac. XXe siècle. Hongrois.
Peintre de genre, graveur, décorateur.
Il séjourna à Berlin et à Paris. Il peignit des scènes de la vie mondaine parisienne et de Montmartre.

VEGLIA Marco et **Piero** ou **Vecchia** ou **Vegia**
XVe-XVIe siècles. Actifs à Venise. Italiens.
Peintres.

VEGLIA Pietro Paolo
XVIIe siècle. Italien.
Peintre.
On cite de lui trente-six portraits des plus belles femmes de son époque qui se trouvent dans le Palais Chigi d'Ariccia.

VEGLIANTE Eugenio
XVIIIe siècle. Actif à Naples de 1740 à 1746. Italien.
Peintre.
Élève de Solimena. Il a peint quatre tableaux pour l'église S. Pierre in Vinculis de Rome.

VEGLIO Benedetto. Voir **VELI**

VEGMAN Bertha
Née le 16 décembre 1847 à Coire. XIXe siècle. Danoise.
Peintre de genre et portraitiste.
Élève de F. F. Helsted et de F. C. Lund à Copenhague. Elle travailla dans cette ville.
Musées : Bergen : *Coquelicots* – Stockholm : *Mère et enfant.*

VEGNI Leonardo Massimiliano
Né vers 1740 à Chianciano. Mort en 1781. XVIIIe siècle. Italien.
Graveur au burin et architecte.

VEGRI Caterina. Voir **VIGRI**

VEHM Zacharias ou **Vehme**. Voir **WEHME**

VEICHTPRUNNER Christian
XVIIIe siècle. Travaillant à Salzbourg en 1709. Autrichien.
Miniaturiste.

VEIEL Marx Theodosius
Né le 11 janvier 1787 à Ulm. Mort le 11 février 1856 à Deux-Ponts. XIXe siècle. Allemand.
Portraitiste et lithographe.
Élève de l'Académie de Munich. Le Musée d'Ulm conserve de lui *Portrait du maire K. L. Wolbach, de sa femme et de son fils.*

VEIGEL Karl. Voir **FEIGL Johann Karl**

VEIGL Anton et **Franz Joseph**. Voir **FEIGL**

VEILANDS Ernests
Né le 12 juillet 1885 à Mitau (nom allemand de Ielgava, Lettonie). XXe siècle. Russe-Letton.
Peintre.
Il fut élève de l'École d'Art de Riga.
Musées : Libau – Riga.

VEILHAN Xavier
Né en 1963 à Lyon (Rhône). XXe siècle. Français.
Peintre, sculpteur, créateur d'installations, dessinateur, photographe.
Il vit et travaille à Paris.
Il participe à des expositions collectives : 1988, galerie Fac Similé, Milan ; 1990, musée Russe, Saint-Pétersbourg ; 1991, Villa Arson, Nice ; 1992, Fonds Régional d'Art Contemporain Poitou-Charentes (FRAC), Angoulême ; 1993, IXe Ateliers internationaux des pays de la Loire, Clisson ; 1994, *Comme rien d'autre que des rencontres*, Mukha d'Anvers ; 1995, avec Jean-Pierre Raynaud, Pascal Pinaud et François Rouan, Paris ; 1995, Biennale de Venise ; 1995, foire de Chicago ; 1996, Espace de l'art concret de Mouans-Sartoux.
Il montre ses œuvres dans des expositions personnelles : 1990, Milan ; 1991, APAC centre d'Art contemporain de Nevers ; 1991, 1992, 1998, galerie Jennifer Flay, Paris ; 1993, Le Consortium, Dijon ; 1993, ARC musée d'Art moderne de la ville de Paris ; 1995, Centre de Création Contemporain (CCC), Tours ; 1995, Centre d'art contemporain, Le Parvis 3, Pau ; 1997, galerie Sandra Gering, New York ; 1998, galerie Jennifer Flay, Paris.
Il met en scène dans des installations, avec des peintures à l'huile (au sujet isolé sur fond blanc) ou des objets en résine monochrome, le monde quotidien (maison Bouygues, objets standardisés), des scènes de la vie courante (le motard et sa moto, douze policiers en faction), des animaux. Son travail se présente comme une déclinaison d'« espèces typologiques » hors contexte, de sujets génériques, par genre (des animaux, notamment la série des *Chiens*, *Vaches*, des *Poissons*) et par forme. Veilhan invite à poser, par énumération, un regard neuf sur notre univers familier, une scène anodine, notamment en perturbant la vision par des changements d'échelle, un chromatisme irréel aux teintes saturées, et à revisiter les conventions pour en saisir l'absurde.
Bibliogr. : Catalogue de l'exposition : *Xavier Veilhan*, Paris-Musées et les Amis du Musée, Paris, 1993 – Cyril Jarton : *Le Rire selon Xavier Veilhan*, Beaux-Arts, n° 131, Paris, févr. 1995 – Éric Troncy : *Xavier Veilhan*, Beaux-Arts, n° 164, Paris, janv. 1998.
Musées : Bordeaux (FRAC Aquitaine) : *Le véhicule* 1995-1996, véhicule à moteur, éléments en bois, calicots, fanions – Dijon (FRAC) : *Sans titre (machine tournante)* 1994 – Marseille (FRAC Alpes-Côtes d'Azur) : *Sans Titre (les policiers)* 1993.

VEILLARD Louis Nicolas
Né en 1788 à Constance. Mort le 16 avril 1864 à Genève. XIXe siècle. Suisse.
Sculpteur sur pierre, sculpteur-modeleur de cire, tailleur de camées.

VEILLAT Jules
Né le 9 mars 1843 à Châteauroux (Indre). XIXe siècle. Français.
Peintre, lithographe.
Élève de Cabat et J. Dupré. Il figura au Salon de Paris, de 1835 à 1857. Le Musée de Bourges possède une peinture : *Abel* et *Caïn* portée au catalogue comme l'œuvre de *Just Veillat*. Cette œuvre ne serait-elle pas de Jules Veillat ? Ce fut aussi un homme de lettres.

VEILLET Alfred
Né en 1882 à Ezy-sur-Eure (Eure). Mort en 1958 à Rolleboise (Yvelines). XXe siècle. Français.
Peintre de paysages, marines. Postimpressionniste.
À l'origine de la vocation de cet enfant du peuple fut la fascination exercée par une œuvre de Corot aperçue dans l'église de Rosny-sur-Seine alors qu'il avait douze ans. Déterminante fut aussi la rencontre de peintres américains, qui résidaient à Rolleboise vers 1900, Knight et Rosseau, qui fournirent au jeune artiste le matériel avec lequel il dut se débrouiller. Veillet fut l'animateur de la société des peintres du Mantois qu'il présida de 1950 à 1958.
Il eut peu d'expositions particulières postérieures à celle de 1910 chez Camentron.
Son nom, comme celui de son maître Maximilien Luce, est lié à Rolleboise, pittoresque village des bords de la Seine, à dix km en aval de Mantes. C'est là, et dans la région du Mantois, imprégnée du souvenir de Corot et de Manet, qu'il trouva le meilleur de son inspiration de paysagiste postimpressionniste. Outre d'innombrables études des rivages de la Seine à Rolleboise, Vétheuil, Freneuse, Méricourt, Jeufosse, on connaît de délicates et frémissantes visions des vallées de la Meuse, de l'Yonne, de la Charente, de la Vienne, de l'Eure. Les sites de La Rochelle, de Carcassonne, d'Avignon, les îles de Ré et de Noirmoutier, ainsi que quelques coins de Savoie, le retiennent également. Spécialiste de l'eau, il sut fort bien traiter aussi des paysages arides. Autodidacte heureusement doué, il sut tirer profit des conseils de quelques aînés tel Abel Lauvray qui l'initia au travail sur nature, Marquet qui passa une saison à Rolleboise et dont il retint la manière d'étaler vivement et largement les tons, Luce qui lui révéla le secret d'accorder à leurs reflets les grandes masses de verdure. Il sut pourtant se dégager très vite de ces influences et donner libre cours à son tempérament. Son art réside dans l'accord rapide et juste d'une main preste et d'un œil à la fois gourmand et tendre. Sa virtuosité lui permet d'atteindre dans une même impression la vérité intime du site sur lequel il a jeté son dévolu et l'effet lumineux. C'est dans les tableaux de petit format qu'il se sent le plus à l'aise. Lorsqu'il peint – en ate-

lier cette fois – des compositions plus importantes destinées aux « Indépendants » ou à la « Samothrace », sa verve se teinte de sérénité, voire de mélancolie. Il s'agit alors de grands plans d'eau où se mirent les coteaux sauvages et les églises de Vétheuil ou de Jeufosse. Signalons qu'Apollinaire fut sensible à la manière alerte et à la délicatesse de Veillet qu'il cita à plusieurs reprises dans « Les soirées de Paris » et qu'il tint à rencontrer.

■ Jean Agamemnon

Musées : Mantes (Mus. Maximilien Luce) : *Rolleboise sous la neige.*

Ventes Publiques : Versailles, 21 jan. 1990 : *Paysage de Provence, Villeneuve-les-Avignon*, h/pan. (50x100) : **FRF 15 500** – Paris, 19 fév. 1996 : *La colline de Bonsecours à Rouen* 1933, h/pan. (36x47) : **FRF 8 100.**

VEILLON Auguste Louis

Né le 29 décembre 1834 à Bex. Mort le 5 janvier 1890 à Genève. xixe siècle. Suisse.

Peintre de sujets typiques, paysages, aquafortiste.

Élève de François Diday en 1857, il fit ses études ensuite à Paris en 1858 et travailla beaucoup au Louvre, d'après Claude Lorrain et Ruysdael. Il visita Rome, la Hollande, la Suisse, l'Égypte, passa deux ans à Venise et se fixa définitivement à Genève.

Il figura au Salon des Artistes Français et obtint une mention honorable à l'Exposition Universelle de 1889.

Ses paysages montrent sa prédilection pour les effets lumineux.

Bibliogr. : Gérald Schurr, in : *Les Petits Maîtres de la peinture 1820-1920, valeur de demain*, Les Éditions de l'Amateur, t. II, Paris, 1982.

Musées : Bâle : *Les lagunes de Venise à la lumière du soir* – Berne : *Matinée de printemps, lac de Brienz* – *Tombeaux des califes en Égypte* – Genève (Mus. Ariana) : *Égyptienne au bord du Nil, près de Philae* – *Café arabe aux environs du Bardo, près de Tunis* – *Lac, château et montagnes*, deux aquar. – Genève (Mus. Rath) : *Lac de Tibériade* – Glarus : *Soirée à la fontaine* – Lausanne : *Un soir à Brummen* – *Le Hertenstein* – Neuchâtel : *Près de La Spezzia* – Soleure : *Au bord du lac d'Uri* – Winterthur : *Matinée d'automne au bord du lac des Quatre Cantons* – *Les sommets de Mythen* – Zurich : *Soirée au bord du lac des Quatre Cantons* – *Le golfe de La Spezzia* – *Prière du matin d'un Arabe.*

Ventes Publiques : Paris, 23 juin 1954 : *Le lac des Quatre Cantons* : **FRF 22 000** – Berne, 23 nov. 1968 : *Le lac de Genève, soleil couchant* : **CHF 3 700** – Berne, 18 mai 1973 : *Vue du lac Léman et des Dents du Midi* : **CHF 7 500** – Lucerne, 25 juin 1976 : *Vue du Lac des Quatre Cantons*, h/cart. (25,5x45) : **CHF 2 100** – Zurich, 12 mai 1977 : *Le Lac de Champex*, h/t (61x96) : **CHF 4 500** – Zurich, 19 mai 1979 : *Paysage au lac, Suisse*, h/t (96,5x164) : **CHF 5 200** – Enghien-les-Bains, 26 juin 1983 : *La Prière du soir*, h/t (55x90) : **FRF 100 000** – Lucerne, 23 mai 1985 : *Vue d'un pont oiental au coucher du soleil*, h/t (50x83) : **CHF 6 000** – Berne, 26 oct. 1988 : *Plage en Egypte*, h/cart. (26x42) : **CHF 1 200** – Paris, 17 mars 1989 : *La prière dans le désert de Syrie*, h/t (52x87) : **FRF 65 000** – New York, 22 mai 1990 : *Pêcheur au bord de la rivière* 1886, h/t (100x150) : **USD 8 250** – Berne, 12 mai 1990 : *Port méditerranéen avec un navire marchand*, h/t (24x43) : **CHF 3 000** – Reims, 9 juin 1991 : *Vue de Venise*, h/t (51x82) : **FRF 18 000** – Paris, 16 nov. 1992 : *Le caravansérail*, aquar. (22x33,5) : **FRF 4 000** – Zurich, 21 avr. 1993 : *Pêcheurs sur la côte près de l'Etna*, h/pan. (27x49) : **CHF 5 000** – Zurich, 8 déc. 1994 : *Les berges du Léman avec des barques et une ramasseuse de bois mort*, h/t (39,5x51,5) : **CHF 17 250** – Zurich, 30 nov. 1995 : *Le matin au bord du lac Genfer*, h/cart. (30x55) : **CHF 4 830.**

VEILLON Betsy Eugénie. Voir **EMERY**

VEILLY Jean Louis de ou **Velly**

xviiie siècle. Français.

Peintre.

Il se fixa en Russie en 1759 et il travailla à Saint-Pétersbourg. L'Académie de cette ville conserve de lui *Portrait du comte I. I. Chouvaloff.*

VEILQUEZ Lazare

xixe siècle. Travaillant en 1844. Français.

Peintre.

Le Musée Vivenel à Compiègne, conserve de lui : *Braconniers surpris par un garde-chasse, paysage au clair de lune.*

VEINTL Martin

xvie siècle. Actif à Salzbourg de 1522 à 1529. Autrichien.

Peintre et verrier.

VEIRIER. Voir **VEYRIER**

VEIT. Voir aussi **VEITH**

VEIT

xve siècle. Autrichien.

Enlumineur.

Il enlumina plusieurs missels dans l'abbaye de Klosterneubourg entre 1424 et 1428.

VEIT

xvie siècle. Actif à Seckau. Autrichien.

Peintre.

Il travailla au château d'Admontbüchel en 1558.

VEIT Johannes, dit **Jonas**

Né le 2 mars 1790 à Berlin. Mort le 18 janvier 1854 à Rome. xixe siècle. Actif aussi en Italie. Allemand.

Peintre d'histoire, sujets religieux, portraits.

Il est le frère aîné de Philippe Veit. Il étudia à l'Académie des Beaux-Arts de Dresde, à celle de Vienne en 1810, puis à Rome en 1811. En 1819, il s'établit à Dresde et retourna en 1822 à Rome.

On cite de lui : *Adoration des bergers*, à la cathédrale de Berlin, et un tableau d'autel à Liège. Ses Madones sont très admirées.

Musées : Karlsruhe (Kunsthalle) : *Portrait de la famille Pulini.*

VEIT Philippe ou **Philipp**

Né le 13 février 1793 à Berlin. Mort le 18 décembre 1877 à Mayence. xixe siècle. Allemand.

Peintre d'histoire et d'architectures.

Frère cadet de Johannes Veit. Il était de parents juifs. Sa mère, une fille du philosophe Mendelssohn, demeurée veuve fort jeune, se remaria avec Friedrich Schlegel. Philippe Veit fut élevé par son beau-père. Il commença ses études à Dresde avec Mouha, puis alla travailler à Vienne. En 1813 il devint soldat et prit part aux dernières guerres napoléoniennes. En 1815 redevenu peintre, on le trouve à Rome. Il y demeura jusqu'en 1830 travaillant avec Overbeek, Cornelius von Schadow et autres préraphaëlites allemands. Il prit part, en collaboration avec ces artistes, à d'importants travaux dans la ville éternelle, notamment aux *Sept années de prospérité* (à la Casa Bartoldi), au *Triomphe de la Religion* (au Vatican), aux *Scènes du Paradis de Dante* (à la Villa Massini). Il peignit aussi avec Koch une *Vierge glorieuse*, à la Santa Trinita dei Monti. En 1830, il revint en Allemagne pour prendre la direction de l'Institut Staedel, à Francfort-sur-le-Main. Il exécuta d'importants travaux dans cette ville et dans la région notamment un *Saint Georges*, à l'église Beusheim, et à l'Institut quatre fresques (*Le triomphe du Christianisme, L'Introduction de l'art en Allemagne par le christianisme, L'Italie* et *L'Allemagne)*. En 1843 il se retira à Sachsenhausen. En 1845, il était nommé membre de l'Académie de Munich. L'année suivante il exécutait une *Assomption de la Vierge*, à la cathédrale de Francfort. En 1853 il alla s'établir à Mayence. Il y prépara un nombre important de fresques sur la *Vie du Christ*, dont la plupart furent exécutées par ses élèves et complétées en 1868. Parmi ces derniers il convient de citer Ed. Steinle et Alfred Rethel.

Musées : Berlin : *Joseph et la femme de Putiphar et les sept années grasses*, fresques – *Les deux Marie au tombeau du Christ* – *Attente de la Justice Universelle* – Darmstadt : *Madone de l'église Trinita dei Monti à Rome* – Francfort-sur-le-Main : *Introduction des arts en Allemagne par le christianisme* – *L'abbé Martin de Noirlieu* – *Repos en Égypte* – *Visitation de Marie* – *Exposition de Moïse sur le Nil* – Leipzig : *Germania* – Mayence : *L'artiste jeune* – *L'artiste à quatre-vingts ans* – *Études de têtes* – *Johannes Veit et Joh. Fr. Overbeek* – Huit cartons pour les fresques de la cathédrale de Mayence – Vingt cartons de fresques sur la vie du Christ, pour la même église.

Ventes Publiques : Paris, 21 mars 1979 : *Vue de Vienne* 1843, aquar. : **FRF 5 200** – Hambourg, 7 juin 1984 : *Jeune fille assise au pied d'un arbre*, fus. reh. de blanc (27,3x22) : **DEM 4 000** – Berlin, 5 déc. 1986 : *Portrait de jeune fille*, cr. (23,2x18,1) : **DEM 6 000.**

VEIT Van de Bronck. Voir **BRONCK Moses Veit Van de**

VEIT-STRATMANN

xxe siècle. Français (?).

Créateur d'installations.

Il montre ses œuvres dans des expositions personnelles : 1992 galerie Jacqueline Moussion à Paris, galerie Jade de Colmar.

Il intègre ses formes minimales à la surface granuleuse dans un

cadre préétabli, la galerie, introduisant par exemple des murs fictifs de verre, des caissons en ciment, des volumes pyramidaux.
Bibliogr. : Ami Barak : *Veit-Stratmann*, Art Press, n° 170, Paris, juin 1992.

VEITER August
Né le 1er août 1869 à Kindberg. XIXe-XXe siècles. Autrichien.
Peintre, graveur.
Il fut élève des Académies de Rome et de Munich. Il exécuta des fresques pour des églises de Carinthie et de Salzbourg et des eaux-fortes.

VEITER Josef
Né le 12 mai 1819 à Matrei-Mitterdorf. Mort le 5 octobre 1902 à Klagenfurt. XIXe siècle. Autrichien.
Peintre et sculpteur.
Père d'August V. Il sculpta environ soixante autels pour des églises de Carinthie et de Styrie.

VEITES José Gonzalez
Né en 1957. XXe siècle. Mexicain.
Peintre. Abstrait.
Sa peinture à tendance géométrique, divisée parfois par des fils traversant le tableau évolue avec des œuvres modulées par plages de tons.
Bibliogr. : Damian Bayon, Roberto Pontual : *La Peinture de l'Amérique latine au XXe siècle*, Mengès, Paris, 1990.

VEITH. Voir aussi **VEIT**

VEITH Eduard ou **Edouard**
Né le 30 mars 1856 à Neutitschein. Mort le 18 mars 1925 à Vienne. XIXe-XXe siècles. Autrichien.
Peintre de genre, portraits, peintre de compositions murales.
Il figura aux expositions de Paris, notamment en 1900 à l'Exposition universelle où il reçut une médaille de bronze.
Il exécuta des peintures murales dans de nombreux bâtiments publics et privés de Vienne, de Prague et de Berlin. Il peignit des personnalités de la haute société viennoise surtout des dames.

E.VEITH

Ventes Publiques : Vienne, 7 nov. 1972 : *La procession* : **ATS 20 000** – Vienne, 13 mars 1974 : *La cueillette d'olives* : **ATS 14 000** – Vienne, 13 avr. 1976 : *Le Bain de Diane* 1915, h/t (73x99) : **ATS 20 000** – Vienne, 14 mars 1980 : *Pluie d'or*, h/t (71x50) : **ATS 32 000** – Lucerne, 2 juin 1981 : *Portrait de fillette*, h/t (53x31,5) : **CHF 10 000** – Londres, 19 juin 1984 : *L'enlèvement d'Europe*, h/t (179x350) : **GBP 15 000** – Londres, 17 juin 1992 : *La procession des violettes sur le Kahlenberg* 1910, h/t (134x150) : **GBP 11 000** – Londres, 20 mai 1993 : *Les Sirènes* 1889, h/t (75x150,5) : **GBP 12 650** – Amsterdam, 5 nov. 1996 : *Portrait d'une jeune fille*, h/pan. (27x20) : **NLG 6 136**.

VEITH Franz
Né en 1795. Mort le 16 septembre 1831. XIXe siècle. Actif à Vienne. Autrichien.
Peintre de portraits.
Ventes Publiques : Londres, 11 mai 1990 : *Jeune beauté*, h/t (80x60) : **GBP 1 760**.

VEITH Franz Michael
Né en 1799 à Augsbourg. Mort en 1846 à Munich. XIXe siècle. Allemand.
Peintre d'histoire, scènes de genre, portraits, lithographe.
Il fut élève de l'Académie des Beaux-Arts d'Augsbourg.

VEITH Johann Martin
Né le 9 mai 1650 à Shaffhouse. Mort le 14 avril 1717 à Shaffhouse. XVIIe-XVIIIe siècles. Suisse.
Peintre.
Il fit ses études en Italie, surtout à Venise où il résida pendant dix ans. Il vint en Pologne, invité par le prince Radzivill, pour lequel il travailla beaucoup. Il fit de nombreux portraits ; on lui doit aussi des tableaux historiques et mythologiques. Le Musée Provincial de Schaffhouse conserve de lui *La conférence des sept localités protestantes à Schaffhouse en 1698*.

VEITH Johann Philipp ou **Philippe**
Né le 8 février 1768 à Dresde. Mort le 18 juin 1837. XVIIIe-XIXe siècles. Allemand.
Peintre de paysages, aquarelliste, dessinateur.
Il fut élève de l'Académie des Beaux-Arts de Dresde, puis, désireux de faire de la gravure il devint l'élève de Zingg. Vers 1799, il partit pour l'Italie et y compléta ses études d'après nature. De retour en Allemagne, il fut nommé membre de l'Académie de sa ville natale, il y fut bientôt professeur.
Il s'adonna d'abord à la peinture de paysage, puis, après son voyage en Italie, il produisit avec succès des estampes de paysages. On catalogue deux cent six planches de lui, réalisées au burin et à l'eau-forte. On cite, notamment, en 1822, sa publication *Vues des environs de Dresde et de Rome*.
Ventes Publiques : Vienne, 1769 : *Vues des environs de Losewitz*, pl. et encre de Chine, deux dessins : **FRF 72** – Munich, 25 nov. 1976 : *Vue du jardin de Dresde*, aquar./trait de pl. (20x32) : **DEM 1 200**.

VEITH Moritz ou **Carl Moritz**
Né le 10 mai 1818. Mort le 13 septembre 1866. XIXe siècle. Allemand.
Dessinateur de portraits et lithographe.
Fils de Johann Philipp Veith et l'élève de l'Académie de Dresde. Les Musées de cette ville et celui de Freiberg conservent des œuvres de cet artiste.

VEITH Philipp. Voir **VEITH Johann Philipp**

VEJARANO Alicia
Née en 1923 à Malaga. XXe siècle. Depuis 1966 active en France. Espagnole.
Peintre, graveur, médailleur.
Elle vit et travaille à Paris. Elle a figuré à l'exposition : *De Bonnard à Baselitz – Dix ans d'enrichissements du Cabinet des Estampes 1978-1988* à la Bibliothèque nationale à Paris, en 1992.

VEJARANO Juan de
Mort après 1656 à Madrid. XVIIe siècle. Espagnol.
Sculpteur.

VEKEN. Voir aussi **VEKENE**

VEKEN Johannes ou **Jean Baptiste Van der** ou **Veecken**
Né à Malines. Mort avant 1628. XVIIe siècle. Éc. flamande.
Peintre verrier.
Il était en 1596 dans la gilde d'Anvers. Il fit en 1616 un vitrail pour la cathédrale et eut pour élève J. Broukhorst.

VEKEN Joseph Van der
Né en 1873. Mort en 1964 à Etterbeek. XIXe-XXe siècles. Belge.
Peintre.

VEKEN Pierre Van der
XVIe siècle. Actif à Malines et à Anvers. Éc. flamande.
Sculpteur.
Il revint à Malines en 1585. Un peintre verrier du même nom, fit un vitrail pour l'église Saint-Jacques à Anvers en 1622.

VEKEN Rombout Van der
Mort le 29 avril 1629 à Anvers. XVIIe siècle. Éc. flamande.
Peintre verrier.

VEKEN Willem Philip Van der
Né le 23 mai 1863 à Anvers. XIXe-XXe siècles. Belge.
Peintre, graveur.
Il pratiqua la gravure au burin.

VEKENE Jean Van der
XVIe siècle. Actif à Malines. Éc. flamande.
Peintre et sculpteur.
Il était en 1574 à Anvers et en 1581 à Malines ; il quitta la ville au moment des troubles et y revint en 1585. Son fils Laurent fut peintre à Anvers en 1604. Malgré la différence d'orthographe, ces artistes nous paraissent parents des Veken, peintres, sculpteurs et verriers.

VEKENE Nicolas Van der ou **Veken**
Né le 20 octobre 1637 à Malines. Mort en 1704 à Malines. XVIIe siècle. Éc. flamande.
Sculpteur sur bois.
Élève de M. Labbé en 1647 et de Faidherbe, doyen de la gilde de Malines en 1680. Il eut pour élèves Cornelis Van der Veken en 1671 et Egidius van der Vekene en 1680. Le Musée Municipal de Malines conserve de lui *Statue de Saint-Ivo*.

VELA. Voir aussi **BELLA**

VELA Antonio. Voir **BELLA Antonio**

VELA Cristobal. Voir **BELLA Cristobal**

VELA Giovanni Battista
XVIIIe siècle. Actif à Naples dans la première moitié du XVIIIe siècle. Italien.

Peintre.
Élève de Solimena.

VELA Juan
XVIe siècle. Actif à Avila. Espagnol.
Peintre.
Il a sculpté les grotesques dans le vestibule de la sacristie de la cathédrale d'Avila.

VELA Juan
XVIe siècle. Actif à Valladolid à la fin du XVIe siècle. Espagnol.
Sculpteur.
Il sculpta les statues d'*Isaïe* et de *Saint Antoine* pour l'église de Villacastin.

VELA Lorenzo
Né en 1812 à Ligornetto. Mort le 10 janvier 1897 à Milan. XIXe siècle. Suisse.
Sculpteur.
Frère de Vincenzo Vela. Il sculpta surtout des animaux et des décorations. Les Musées de Ligornetto, de Mugano *(Chioccia)* et le Musée Poldi Pezzoli, à Milan, conservent des œuvres de cet artiste.
Ventes Publiques : Milan, 18 déc. 1986 : *Enfant avec un panier de poussins* 1846-1847, marbre blanc (H. 60) : **ITL 24 000 000**.

VELA Pascual
XVIIe siècle. Actif à Tolède dans la première moitié du XVIIe siècle. Espagnol.
Sculpteur.
Il a sculpté les têtes des géants pour la cathédrale de Tolède en 1637.

VELA Spartaco
Né le 28 mars 1854 à Turin. Mort le 23 juillet 1895 à Ligornetto. XIXe siècle. Suisse.
Paysagiste et peintre de genre et d'histoire.
Fils du sculpteur Vincenzo Vela. Il a surtout exposé à Milan. Le Musée de Ligornetto conserve des peintures de cet artiste.

VELA Vicente
Né en 1931 à Jerez de la Frontera (Cadix). XXe siècle. Espagnol.
Peintre. Abstrait.
Il fut élève de l'École des Beaux-Arts de Séville. Il a surtout voyagé, en France et en Italie, parachevant seul sa formation.
Il pratique une écriture brillante, tenant encore compte d'un luminisme traditionnel dans le contexte international de l'abstraction.
Bibliogr. : B. Dorival, sous la direction de... : *Peintres Contemporains*, Mazenod, Paris, 1964.

VELA Vincenzo
Né le 3 mai 1820 à Ligornetto. Mort le 3 octobre 1891 à Ligornetto. XIXe siècle. Italien.
Sculpteur de figures, groupes.
Élève de Cacciatari à Milan. On le considère comme l'un des plus grands sculpteurs italiens du XIXe siècle. Il a participé à tous les grands Salons italiens, et il exposa plusieurs fois en France, notamment en 1863 son groupe de *L'Italie reconnaissante à la France*.
Il est surtout connu par la statue de *Spartacus* et son *Napoléon mourant*.
Musées : Bucarest (Mus. Simu) : *Napoléon* – Genève : *Spartacus* – Rome (Mus. Nat.) : *Les victimes de la construction du tunnel du Saint-Gothard* – Versailles : *Napoléon mourant*.
Ventes Publiques : New York, 20 nov. 1982 : *Les derniers jours de Napoléon* 1867, marbre (H. 221, l. 99) : **USD 20 000** – Milan, 11 déc. 1986 : *Les derniers jours de Napoléon* vers 1873-1875, bronze (41,5x23,5x39) : **ITL 10 000 000** – New York, 25 oct. 1989 : *Les derniers jours de Napoléon*, bronze (H. 42,5) : **USD 3 850** – New York, 18-19 juil. 1996 : *Les derniers jours de Napoléon* 1867, bronze (H. 43,2) : **USD 9 200**.

VELAERT Dirk Jacobsz. Voir **FELAERT Dirk Jacobsz**

VELARDE Jorge
Né en 1950 à Guadalajara. XXe siècle. Depuis 1978 actif en France. Mexicain.
Peintre, graveur.
Il a figuré à l'exposition : *De Bonnard à Baselitz – Dix ans d'enrichissements du Cabinet des Estampes 1978-1988* à la Bibliothèque nationale à Paris, en 1992.
Musées : Paris (BN) : *Le Congrès du monde 3* 1981, eau-forte et aquat.

VELARTE Jeronimo
XVIIe siècle. Travaillant à Séville en 1612. Espagnol.
Peintre.

VELASCO
XIe siècle. Espagnol.
Enlumineur et calligraphe.
Il travailla dans le monastère D. Milla, de la Cogolla, de 1014 à 1030. Il enlumina le *Codex Emilianense* conservé à l'Escurial.

VELASCO Bernardo
XVIIIe siècle. Travaillant à Salamanque en 1782. Espagnol.
Sculpteur.

VELASCO Cristobal de
Né en 1578 à Tolède (?). Mort après le 6 décembre 1627 à Valladolid (?). XVIIe siècle. Espagnol.
Peintre d'histoire, de portraits et de paysages.
Fils et élève de Luis de Velasco. Il s'inspira du style paternel sans pouvoir atteindre à sa perfection. On cite de lui un portrait de l'archiduc Albert, qu'il exécuta en 1598. On mentionne aussi, parmi ses ouvrages, sept vues de cités flamandes destinées au rendez-vous de chasse du roi Philippe III dans les bois de Valsain.

VELASCO Diego de, l'Ancien ou **Velasco de Avila**
XVIe siècle. Actif à Tolède de 1539 à 1566. Espagnol.
Sculpteur.
Il sculpta des ornements et des statues pour la cathédrale de Tolède.

VELASCO Diego de, le Jeune
Mort avant le 10 juillet 1593. XVIe siècle. Espagnol.
Sculpteur et architecte.
Fils d'un Diego de Velasco, sans doute l'Ancien. Actif à Tolède. Il exécuta des statues pour le catafalque des funérailles de la reine Anne d'Espagne en 1582, et plusieurs retables et tombeaux pour des églises d'Andalousie.

VELASCO Domingo Antonio de
XIXe siècle. Travaillant à Salamanque et à Madrid au début du XIXe siècle. Espagnol.
Peintre.

VELASCO Francisco de
Né vers 1513. XVIe siècle. Actif à Valladolid. Espagnol.
Sculpteur.
Il collabora au tombeau d'albâtre de Pedro Gonzalez de Alderete dans l'église S. Antolin de Tordesillas.

VELASCO Giuseppe ou **Velasquez**
Né le 10 décembre 1750 à Palerme. Mort le 7 février 1826 à Palerme. XVIIIe-XIXe siècles. Italien.
Peintre.
Élève de G. Mercurio. Il peignit de nombreux tableaux d'autel dans les églises de Palerme et d'autres villes de Sicile.

VELASCO Joao ou **Hanneken** ou **Valasco**
XVIe siècle. Travaillant en 1540. Portugais.
Peintre.
Élève de Jak. Spueribol à Anvers.

VELASCO José
XVIIIe siècle. Espagnol.
Sculpteur.
Il exécuta des sculptures pour les fontaines de Léon de 1785 à 1789.

VELASCO José Maria
XIXe siècle. Actif à Valence au milieu du XIXe siècle. Espagnol.
Peintre d'intérieurs, dessinateur.
Musées : Valence (Mus. prov.) : *Intérieur*.
Ventes Publiques : New York, 18 nov. 1987 : *Le Château de Chapultepec*, gche/pap. (7,6x38,1) : **USD 9 000**.

VELASCO Jose Maria
Né le 6 juillet 1840 à Tematzalcingo (Mexico). Mort le 25 août 1912. XIXe-XXe siècles. Mexicain.
Peintre d'histoire, paysages, aquarelliste, graveur, dessinateur, illustrateur, lithographe.
Éléve d'Eugenio Landesio à l'Académie San Carlos de Mexico, Velasco étudia le paysage plusieurs années avant d'enseigner la perspective à l'Académie à partir de 1868. Un temps attiré par la photographie, il se tourna rapidement vers la lithographie et publia un album consacré à la flore des environs de Mexico en 1870. Il vécut à partir de 1874 tout près de la vallée de Mexico, d'où il devait tirer le meilleur de son inspiration. Ainsi l'une de

ses peintures illustrant ce sujet devait remporter le Prix du Centenaire de Philadelphie en 1876. Pourtant, Velasco, refusant de s'enfermer dans un thème unique, devait évoluer vers la représentation de sites archéologiques et vers la peinture d'histoire. C'est dans cet esprit qu'il présenta, à la tête de la délégation mexicaine, soixante-dix-huit peintures, lors de l'Exposition Universelle de Paris en 1889. Ce séjour en France, suivi de différentes villégiatures en Allemagne, en Italie et en Espagne, finit avec le mal du pays. Celui-ci ramena Velasco à Mexico, où il reprit son enseignement à l'Académie San-Carlos, et qu'il ne devait plus quitter. Il grava des illustrations de livres de botanique. Peintre objectif de la vallée de Mexico, de ses paysages, sa faune et sa flore, il montre sa foi en la modernité.

José M Velasco

Bibliogr. : Damian Bayon, Roberto Pontual : *La Peinture de l'Amérique latine au xxe siècle*, Mengès, Paris, 1990.

Ventes Publiques : New York, 11 mai 1979 : *Vallée de Mexico* 1892, h/t (57x77,5) : **USD 115 000** – New York, 5 mai 1981 : *Paysage au temple* 1891, cr. (26x38,2) : **USD 6 000** – New York, 12 mai 1983 : *Vallée de Mexico*, cr. (21,5x28) : **USD 3 600** – New York, 29 nov. 1983 : *Vallée de Mexico* 1882, h/t (44,5x63,5) : **USD 125 000** – New York, 26 nov. 1985 : *Âne dans un paysage* 1909, h/t (45,7x62) : **USD 42 000** – New York, 17 mai 1989 : *Le matin en Orizaba* 1892, h/t (102x160) : **USD 341 000** – New York, 15-16 mai 1991 : *La vallée de Mexico* 1884, h/t (43,4x62,3) : **USD 374 000** – New York, 18-19 mai 1992 : *La vallée de Mexico* 1887, h/t (43,2x61) : **USD 550 000** – New York, 23 nov. 1992 : *Bananier* 1883, h/cart. (45,7x35,2) : **USD 126 500** – New York, 23-24 nov. 1993 : *Le vieil arbre*, cr. et craie blanche/pap. chamois (42,5x31,2) : **USD 25 300** – New York, 15 nov. 1994 : *Flore de la vallée de Mexico*, aquar./pap. (25x15,5) : **USD 3 450** – New York, 14-15 mai 1996 : *Fuente* 1909, h./carte postale (14x8,9) : **USD 12 650** – New York, 25-26 nov. 1996 : *Pont au-dessus du Macho, Veracruz* 1863, h/t (31,1x41,6) : **USD 85 000** – New York, 29-30 mai 1997 : *Vue de Tacubaya* vers 1895, h/pap./t. (29,2x43,2) : **USD 222 500** – New York, 24-25 nov. 1997 : *Paysage* 1898, h/pan. (15,2x20,3) : **USD 51 750**.

VELASCO Josef Maria. Voir **AGUIRRE HORTÈS DE VELASCO**

VELASCO Lazaro de
Mort en 1585 à Grenade. xvie siècle. Espagnol.
Enlumineur et architecte.
Il était prêtre.

VELASCO Leandro
Né en 1933. xxe siècle. Colombien.
Peintre de genre, figures.
Ses femmes, opulentes, dans un décor de vaudeville, évoquent l'œuvre de Botero.

Ventes Publiques : Lokeren, 10 déc. 1994 : *Dame sur une balançoire* 1991, h/t (169x127) : **BEF 65 000**.

VELASCO Luis de
Mort le 1er mars 1606 à Tolède. xvie siècle. Espagnol.
Peintre d'histoire.
Cet artiste est signalé dès 1564 exécutant plusieurs peintures pour le cloître de la cathédrale de Tolède. En 1581, Luis Velasco fut nommé peintre du chapitre et commençait la même année *l'Incarnation du Christ*, que l'on voit au-dessus de la porte du cloître. Cette peinture et trois tableaux d'autel furent terminés en 1584-1585. On connaît peu d'autres œuvres de cet artiste. Il ne faut pas oublier que Luis de Velasco eut comme concurrent Domenico Theocopuli arrivé à Tolède avant 1577 et la renommée dont il jouissait à côté d'un pareil maître est le plus bel éloge qu'on puisse faire de son talent.

L de Velasco.

VELASCO Matias de
xviie siècle. Actif en Espagne. Espagnol.
Peintre d'histoire.
Fils et élève de Cristobal de Velasco. Il accompagna la cour de Philippe III à Valladolid et peignit des *Scènes de la Vie de la Vierge*, pour le couvent des Carmélites de cette ville.

VELASCO Patricia
Née en 1940 à La Paz. xxe siècle. Bolivienne.
Peintre.

VELASCO DE COIMBRA ou **Velascus**
xvie siècle. Actif dans la première moitié du xvie siècle. Portugais.
Peintre d'histoire.
Le Musée de Budapest conserve de lui une *Nativité*. Peut-être le même artiste que Velasco, cité par le Bryan's Dictionnary, comme ayant travaillé à Vizen de 1530 à 1540. On doit à ce peintre une *Descente du Saint-Esprit*, dans l'église de la Sainte-Croix à Coimbre et on lui attribue plusieurs peintures dans la cathédrale de Vizen. Peut-être identique à Vaz (Gaspar). Voir l'article à ce nom.

VELASCO de Los Dolores Maria
xixe siècle. Espagnol.
Peintre amateur.
Elle était active dans la première moitié du xixe siècle. Membre d'honneur de l'Académie de San Fernando en 1833.

VELASQUEZ. Voir aussi **VELAZQUEZ**

VELASQUEZ Anton
xvie siècle. Actif à Séville. Espagnol.
Peintre.
Cet artiste peignit un plafond pour la salle haute du chapitre et divers accessoires, qui donnèrent lieu à une contestation sur ce qui lui était dû, et ne lui fut entièrement payé qu'en 1572.

VELASQUEZ Cristobal
Mort le 13 juin 1616. xviie siècle. Actif à Valladolid. Espagnol.
Sculpteur sur bois.
Il a sculpté le retable de l'église Notre-Dame de Angustias à Valladolid. Il convient de faire le rapprochement avec les divers Cristobal VELAZQUEZ.

VELASQUEZ Diego Rodriguez da Silva y ou **Velazquez**
Né à Séville, baptisé le 6 juin 1599. Mort le 7 août 1660 à Madrid. xviie siècle. Espagnol.
Peintre d'histoire, compositions religieuses, sujets mythologiques, scènes de genre, portraits, paysages, natures mortes.
Fils de Juan Rodriguez da Silva, d'une bonne famille portugaise établie en Andalousie depuis le début du xvie siècle, et de Geronima Velasquez, on ne nous dit pas pourquoi le peintre choisit de porter le nom maternel. Velasquez, destiné d'abord à une profession libérale, commença son éducation classique. Il fit du latin, étudia les belles lettres et la philosophie. Cependant son goût pour la peinture se manifestant, il devint l'élève d'Herrera l'Ancien. Le terrible caractère du maître, ne permit pas au disciple de demeurer longtemps sous sa direction. En 1611, il passa dans l'atelier de Pacheco. On lui cite un troisième maître, un élève de Domenico Theocopuli, Luis Tristan da Toledo. Cependant il paraît probable par le nombre et le sérieux de ses études qu'il trouva son expression par son observation personnelle des choses. On a de lui des natures mortes, des figures d'expression datant de sa jeunesse et qui sont de précieux témoignages de sa conception du travail. A dix-neuf ans son éducation artistique est assez complète pour qu'il songe à se marier. Il épouse Juana Pacheco, la fille de son ancien maître, union modèle qui après plus de quarante ans de durée laissera les deux époux aussi unis qu'aux premiers jours. Deux filles naquirent de ce mariage, Francisca, en 1620, et deux ans plus tard, Ignacia, qui mourut tout enfant. Jusqu'en 1622, Velasquez exerça sa profession à Séville. Au mois d'avril de cette année-là, il vint à Madrid, probablement recommandé à l'aumônier du roi Philippe IV, don Juan Fonseca, chanoine de Séville. Velasquez fut présenté au comte d'Olivares, premier ministre, mais la démarche n'eut de résultat que l'année suivante.
Il était revenu à Séville quand au début de 1623 il reçut avec cinquante ducats pour ses frais de voyage, une lettre du ministre l'appelant à Madrid. Velasquez avait sans doute pleine confiance dans sa réussite car il emmena sa femme avec lui. Pacheco l'accompagna également. Le portrait de Fonseca fut exécuté dès l'arrivée à Madrid et présenté au roi. Philippe IV en fut enchanté et nomma Velasquez peintre de sa cour, avec un salaire annuel de deux cent quarante ducats. Velasquez commença un portrait du roi, mais par suite de divers incidents et particulièrement la visite du prince royal d'Angleterre, depuis Charles Ier, l'effigie royale ne fut terminée qu'à l'automne de cette année 1623. Ce fut la confirmation de sa faveur : Philippe IV déclara que seul désormais Velasquez le peindrait. Il fit même enlever de son palais les portraits de lui exécutés précédemment par d'autres peintres.

Pacheco bien placé pour le savoir prétend que son gendre avait échangé des lettres avec Rubens avant la visite que celui-ci fit à Madrid en août 1628. Il est certain qu'une grande intimité s'établit entre les deux artistes. Le beau-père de Velasquez prétend que de la part de son gendre elle fut motivée en partie sur l'ordre du duc d'Olivarès. Cette affirmation peut être fondée, mais il est aussi permis de croire que pour deux hommes de la valeur et du caractère de Rubens et de Velasquez un ordre ministériel n'était pas indispensable pour qu'ils prissent plaisir à se fréquenter. Bien que l'influence de Rubens ne paraisse pas dans les œuvres de Velasquez qui suivirent ce contact quotidien de plus de neuf mois, il est indubitable que Velasquez dut en profiter. Il paraît certain que Rubens contribua puissamment à décider le premier voyage de Velasquez en Italie.
Velasquez quitta Barcelone le 29 juin 1629 sur le même navire qu'Ambrosio Spinola le vainqueur de Breda. Sa fréquentation durant le voyage ne fut peut-être pas étrangère à la conception de l'admirable tableau : *La journée des lances*, que le maître peignit en 1647. Velasquez se mettait en route accompagné de son fidèle esclave Pareja, bien muni d'argent, le duc d'Olivares lui ayant donné deux cents ducats pour ses frais de route, et porteur de nombreuses lettres de recommandation. Il aborda d'abord à Venise où sa visite avait été annoncée ; il y copia deux œuvres de Tintoretto : *Une Crucifixion* et *La Cène*. Il se rendit ensuite à Rome, passant par Ferrare, Bologne et Lorette. Un logement lui fut donné à la villa Médicis. Une grosse fièvre qu'il eut peu après son arrivée à Rome, contraria un peu ses travaux. Il fit cependant plusieurs études d'après les maîtres anciens. A la fin de 1630 Velasquez arriva à Naples. Il y fut fort bien accueilli par le vice-roi, le duc d'Alcala et devint l'ami de Ribera. Cette amitié eut plus tard pour conséquence l'acquisition de plusieurs tableaux du Spagnoletto par Philippe IV.
Velasquez était de retour à Madrid au début de 1631. Son absence loin de nuire à son crédit près du roi, semble l'avoir accru. Un atelier communiquant avec les appartements royaux, lui fut donné à l'Alcazar et le souverain lui faisait chaque jour une visite. Velasquez y composa notamment le projet de la statue équestre de Philippe IV, que Pietro Tacca modela à Florence et qui aujourd'hui est érigée devant le palais royal de Madrid. En 1634 l'élève de Velasquez, Juan-Bautista del Mazo-Martinez épousait Francisca la fille aînée du maître, à peine âgée de quatorze ans. Ce mariage approuvé par Philippe IV, valut à del Mazo la charge de peintre du roi que tenait son beau-père et les avantages y afférents. Velasquez fut nommé *Ayuda da guarda ropa*. Velasquez continuait à produire ses chefs-d'œuvre. Il prouva sa fidélité à l'amitié en continuant à voir, comme par le passé le duc d'Olivarès après la disgrâce de ce ministre, survenue en 1643. En 1644, il exécuta le grand portrait équestre du roi. De cette même époque datent ses curieux tableaux de nains, de fous qui faisaient partie de la maison royale.
Au mois de janvier 1649, Velasquez partait pour un second voyage en Italie, accompagné de son esclave Pareja, et dans la suite du duc de Majera. Il devait faire des acquisitions d'œuvres d'art et des moulages de statues antiques, pour la décoration du Palais de l'Alcazar et de l'Académie des Beaux-Arts dont la création était projetée. Velasquez débarqua à Gênes et, après en avoir admiré les chefs-d'œuvre, il partait pour Milan, Padoue et Venise. Dans cette ville il put acheter un Paolo Caliari et trois Tintoretto. Il alla ensuite à Bologne et y engagea pour l'Espagne, Mitelle et Colonna, deux habiles décorateurs. On signale ensuite sa présence à Modène, à Parme, à Florence, à Rome et à Naples. Son séjour dans cette ville lui permit de renouveler connaissance avec Ribera. De Naples il revint à Rome pour y demeurer près d'une année. Il fut fort bien accueilli par le pape Innocent X, dont il peignit le merveilleux portrait conservé au Palais Doria, à Rome. Il peignit aussi un certain nombre de personnalités marquantes de la société romaine, parmi lesquelles on cite Donna Olympia Maldachini, Flaminia Triunfi, Girolamo Bibaldo. Velasquez eut peut-être prolongé son séjour en Italie, mais sachant que le roi marquait un vif désir de son retour, il confia le soin du transport de ses collections au Conde d'Oûata, vice-roi de Naples et s'embarqua à Gênes.
Il atteignit Barcelone en juin 1651. Philippe IV, le 16 février 1652, lui donnait une nouvelle marque de sa faveur en le nommant *Aposentador mayor*, c'est-à-dire grand maréchal du Palais. Cette fonction, si honorable pour l'artiste, comportait malheureusement pour l'art des devoirs absorbant une part du temps de l'artiste. Sa production s'en ressentit tout au moins pour la quantité. Il convient de citer parmi les principales œuvres de cette dernière partie de la vie du peintre *Las Hilanderas, Las Meninas* ou les demoiselles d'honneur (1656) ; *Esope et Menippe* et les derniers portraits de Philippe IV et de sa famille. En 1659, Velasquez fut reçu chevalier de l'ordre de Santiago. Les fêtes à l'occasion du mariage de Louis XIV de France avec l'Infante Marie-Thérèse, fille de Philippe IV, paraissent avoir eu l'influence la plus fâcheuse sur la santé du peintre. Il dut, en compagnie de son gendre del Mazo et d'un nommé José Villaréal, assurer les logements de la cour de Madrid à la frontière, et présider à la décoration qui fut faite à l'île des Faisans, sur la Bidassoa, où eut lieu le mariage par procuration. Velasquez s'acquitta à merveille de ses devoirs, mais il dépassa ses forces et revint à Madrid malade. Il languit quelque temps et s'éteignit. Par son testament, Velasquez laissait toute sa fortune à Juana Pacheco, son épouse ; elle n'en jouit guère et mourut exactement huis jours après lui. Les affaires de Velasquez étaient paraît-il fort dérangées. Le trésor espagnol réclama à ses héritiers 1250000 maravedis. Il fallut six années à del Mazo pour arriver à un arrangement et encore dut-il payer la moitié de la somme. On cite parmi les principaux élèves du maître : Juan-Baptiste del Mazo-Martinez son gendre ; Murillo Carreno de Miranda ; Juan de Pareja ; Juan de Alfar y Gomez ; Juan de la Corte ; Francisco Palacios ; Nicolas de Villacis ; Francisco de Burgos ; Tomas de Agular ; Antonio Puga.
Ses premières œuvres, dont *Les Pèlerins d'Emmaüs* ou le *Christ chez Marthe et Marie* accusent violemment les volumes, les contrastes, les couleurs, donnant une même importance à chacun des détails. Une évolution se fait ressentir au moment de son premier séjour à Madrid, lorsqu'il rencontre Rubens à la Cour de Madrid entre 1628 et 1630 et découvre des œuvres de Titien à la pinacothèque royale. C'est l'époque des *Buveurs ou le triomphe de Bacchus*, où il mêle Bacchus à des paysans traités avec beaucoup de réalisme. Mais c'est surtout son premier séjour en Italie qui va métamorphoser son art : il éclaircit sa palette, aère ses compositions, s'intéresse à l'étude du nu, donne une touche impressionnsite, avant l'heure, à ses portraits, traitant avec une égale liberté, souverains, ménines et nains. *La Vénus au miroir*, sujet exceptionnel dans l'œuvre de Velasquez, suggère une sensualité délicate par cette ligne très sinueuse du corps de la déesse, dont on devine le visage dans le miroir tenu par cupidon, plus qu'on ne le voit, tant il est traité par touches impressionnistes. *Les Ménines*, tableau peint en 1656, est l'un des sommets de l'art de Velasquez et pourrait, à lui seul, rendre compte des qualités du peintre. Cette composition extrêmement complexe montre sa maîtrise de l'espace, dans sa manière de placer autour de l'infante Marguerite, des personnages très divers, dont une naine et un chien, tandis qu'au fond se distinguent les silhouettes du roi et de la reine reflétées dans un miroir accroché à un mur où sont reproduits des tableaux de la collection royale, alors qu'au premier plan, à l'extrême gauche, le châssis de la toile de Velasquez laisse voir l'artiste en arrêt, face à son travail, le regard tourné vers le spectateur. La répartition des couleurs, la subtilité des gris argentés, bruns, noirs et rouges ajoute à la qualité de cette œuvre. La grandeur de Velasquez n'a pas échappé aux plus grands, depuis Manet qui le dit « peintre des peintres », tandis que les impressionnistes et notamment Renoir sont subjugués par l'œuvre de *ce Hollandais en grand, surélevé par la gravité espagnole*, selon la définition d'Émile Bernard. ■ E. Bénézit

D D Velasquez

Bibliogr. : W. Stirling et W. Bürger : *Velasquez et ses œuvres. Avec des notes et Catalogue des tableaux de Velasquez*, Paris, 1865 – G. Cruzada Villamil : *Anales de la vida y de las obras de Diego de Silva Velazquez*, Madrid, 1885 – K. Justi : *Diego Velazquez und sein Jahrhundert*, Bonn, 1888, 1903, 1921, 1933 – P. Lefort : *Velasquez*, Paris, 1888 – R. Stevenson : *Velazquez*, Londres, 1895 – I. O. Picon : *Vida y obras de D. Diego Velazquez*, Madrid, 1898, 1925 – A. Beruete : *Velasquez*, Paris, 1899 – E. Serrano Fatigati : *Bibliografia de Velazquez*, Rev. de Archivos, Madrid, 1899 – Élie Faure : *Velasquez*, Paris, 1903 – W. Gensel : *Velazquez. Des Meisters Gemälde*, Stuttgart, 1905 – A. L. Mayer : *Diego Velazquez*, Berlin, 1923 – Allende-Salazar : *Velazquez*, Klassiker der Kunst, Stuttgard, 1925 – A. L. Mayer : *Velazquez. A catalogue raisonné of the pictures and drawings*, Londres, 1936 – A. L. Mayer : *Velasquez*, Paris, 1941 – E. Lafuente : *Velazquez. Introduction. Catalogue*, Oxford, 1943 – E. Lafuente : *Velazquez*, Biblioteca de Arte Hispanico, Barcelone, 1944 – Léon-Paul

Fargue : *Velasquez*, Les demi-dieux, Paris, s.d. – Ortega y Gasset : *Papeles de Velazquez y de Goya*, Madrid, 1951 – E. Lafuente-Ferrari : *Velasquez*, Skira, Genève, 1960 – Casa de Velazquez, Madrid : *Velazquez, son temps, son influence*, Arts et Métiers Graphiques, Paris, 1963 – M. Sérullaz : *Velazquez*, Nouvelles Éditions Françaises, Paris, 1966 – P. M. Bardi, Miguel Angel Asturias : *L'Œuvre complet de Velazquez*, Rizzoli, Milan, 1969 – José Lopez-Rey : *Velazquez. Un Catalogue raisonné de son œuvre*, La Bibliothèque des Arts, Paris-Lausanne, 1979 – José Lopez-Rey : *Velazquez. Artsite et créateur avec un catalogue raisonné de son œuvre intégral*, La Bibliothèque des Arts, Paris-Lausanne, 1981 – José Lopez-Rey : *Velazquez : catalogue raisonné*, 2 vol., Benedikt Taschen, Cologne, 1996.

Musées : Amsterdam (Rijksmus.) : *Nature morte* – Angers : *Fruits* – Bagnères-de-Bigorre : *Portrait d'une dame espagnole* – Barcelone : *Saint Paul* – Berlin : *Marie-Anne, sœur de Philippe IV* – *Portrait de dame* – *Les trois musiciens* – *Le général italien Alessandro del Bono*, incertain – Besançon : *Dame en jaune à qui des enfants apportent des fleurs* – Boston : *Le poète Luis de Gongora* – *Baltasar Carlos et son nain* – Budapest : *Le repas des paysans* – Chicago : *Saint Jean assis dans un paysage* – *Pèlerins d'Emmaüs* – Dresde : *Portrait présumé de Juan Mateos, chef des chasseurs du roi* – *Vieillard en noir* – *Le comte d'Olivarès* – Édimbourg (Nat. Gal.) : *La vieille femme faisant frire des œufs* – Épinal : *Portrait d'enfant* – Florence (Gal. Nat.) : *Philippe IV à cheval* – *Deux portraits de l'artiste* – Florence (Pitti) : *Trois portraits d'hommes* – *Philippe IV d'Espagne* – Francfort-sur-le-Main : *Le cardinal Gaspard Borgia* – *L'infante Marie-Thérèse* – Genève (Ariana) : *L'archiduchesse Anne-Marie d'Autriche, enfant* – Genève (Rath) : *Philippe IV* – *La reine Marie-Anne d'Autriche* – Glasgow : *Philippe IV* – La Haye : *L'Infant Charles Balthazar* – Londres (Nat. Gal.) : *Philippe IV chassant le sanglier sauvage* – *Deux portraits de Philippe IV* – *Christ à la colonne* – *L'amiral espagnol Pulido Parejo* – *Le Christ chez Marthe et Marie* – *L'Immaculée* – *Esquisse d'un duel sur le Prado* – *Fiançailles* – *Vénus au miroir* – Londres (Wallace Coll.) : *Don Baltasar au manège* – *Don Baltasar Carlos enfant* – *La femme à l'éventail* – Madrid (Prado) : *Adoration des Mages* – *Le Crucifix* – *Couronnement de la Vierge* – *Saint Antoine abbé visitant saint Paul ermite* – *Groupe de buveurs dit Los bebedores* – *La force de Vulcain* – *Reddition de Breda, tableau dit Las lanzas* – *Les fileuses* – *Mercure et Argus* – *Portrait équestre de Philippe IV* – *Portraits équestres de Marguerite d'Autriche, femme de Philippe III, de Philippe IV, d'Isabelle de Bourbon, première femme de Philippe IV, du prince Baltasar Charles, et du comte duc d'Olivarès* – *Philippe IV jeune*, deux fois – *Portrait présumé de l'infante Marie, reine de Hongrie, sœur de Philippe IV* – *L'infant Charles, second fils de Philippe III* – *Philippe IV en costume de chasse* – *L'infant Fernand d'Autriche, frère de Philippe IV* – *Le prince, Baltasar Charles à l'âge de six ans* – *Marianne d'Autriche, seconde femme de Philippe IV* – *La même* – *Philippe IV, âgé* – *Sa fille, l'infante Marie-Thérèse* – *Dona Juana Pacheco, femme de Velasquez* – *D. Antonio Alonso Pimentel, comte de Bénevent* – *Le sculpteur Martinez Montanes* – *Portrait d'un bouffon de Philippe IV, appelé Pablillos de Valladolid* – *Pernia, autre bouffon, dit Barboraja* – *Bouffon de Philippe IV, appelé don Juan d'Autriche* – *Portrait d'un nain appelé el Primo* – *Nain anglais* – *L'enfant de Vallecas* – *Le bouffon de Coria (Bobo)* – *Mère Jeronima de la Fuente* – *Esope* – *Menipe* – *Mars* – *Portrait d'homme* – *Deux vues de la villa Médicis à Rome* – *L'arc de Titus à Rome* – *Rue de la Reine à Aranjuez* – *Vue du Buen Retiro* – *Vue d'une procession royale* – *Études* – Mayence : *Portrait d'un cardinal* – Modène : *François II d'Este* – Montauban : *Portrait de jeune femme* – Munich : *L'artiste* – *Jeune Espagnol* – *L'infante Marguerite* – Nancy : *Philippe IV* – New York (Mus. Metropolitain) : *Les disciples d'Emmaüs* – *Philippe II avec la requête* – *Le comte-duc d'Olivares à cheval* – *Juan de Pareja* – Nice : *Portrait de Pareja* – Orléans : *Saint Thomas* – Paris (Mus. du Louvre) : *L'infante Marie-Marguerite, fille de Philippe IV* – *Deux portraits de Philippe IV* – *Réunion de treize personnages parmi lesquels on reconnaît Velasquez et Murillo* – *L'infante Marie-Thérèse* – *Portrait de jeune femme* – *Don Pedro Moscoso de Altamira, doyen de la chapelle royale de Tolède, et plus tard cardinal* – Rome (Doria Pamphily) : *Le pape Innocent X* – Rouen : *Pablillos de Valladolid, bouffon de Philippe IV, dissertant sur la mappemonde* – Saint-Pétersbourg (Mus. de l'Ermitage) : *Innocent X* – *Philippe IV*, deux fois – *Le comte d'Olivarès, duc de San Luca*, deux fois – *Le déjeuner* – *Jeune garçon riant* – *Vieillard lisant* – *Paysage*, douteux – Séville (Mus. des Beaux-Arts) : *Cristobal Suarez* – Tolède : *L'homme au verre de vin* – Vienne : *La reine Marie-Anne* – *Philippe IV*, deux fois – *L'infant Philippe-Prosper* – *L'étudiant rieur* – *L'infante Marguerite Marie*, quatre fois – *L'infant Baltasar Charles* – *L'infante Marie-Thérèse*, deux fois – *La reine Isabelle d'Espagne* – Vienne (Czernin) : *Tête de garçon* – Vienne (Harrach) : *Un prince espagnol*.

Ventes Publiques : Paris, 1772 : *Mars et Vénus sur un lit, des Amours jouent avec le casque et le bouclier du dieu* : **FRF 1 115** – Paris, 1793 : *Loth et ses filles* : **FRF 12 500** – Paris, 1843 : *Dame à mi-corps, tenant un éventail* : **FRF 12 950** – Paris, 1850 : *Philippe IV et le duc d'Olivarès*, deux pendants : **FRF 38 850** – Londres, 1853 : *Adoration des bergers* : **FRF 51 250** ; *Portrait de l'infant Don Balthazar Carlos* : **FRF 42 000** – Paris, 1865 : *Portrait d'une infante* : **FRF 51 000** – Paris, 1867 : *Sainte Claire, enfant* : **FRF 38 000** ; *Portrait d'une dame* : **FRF 98 000** – Paris, 1877 : *Portrait de l'infante Marguerite* : **FRF 45 000** – Londres, 1882 : *Portrait de Philippe IV* : **FRF 157 400** – Londres, 1893 : *Marie Anne d'Autriche* : **FRF 107 620** ; *Isabelle de Bourbon* : **FRF 65 600** – Londres, 1895 : *Portrait d'une infante* : **FRF 112 860** – Londres, 9 juil. 1909 : *Portrait de la reine, Marie-Anne d'Autriche* : **GBP 2 415** – Paris, 19 et 20 oct. 1909 : *Le Martyre de saint Quiriace* : **FRF 40 000** – Paris, 26 et 27 mai 1919 : *Le dindon* : **FRF 45 000** – Londres, 6 juil. 1923 : *Deux princesses* : **GBP 2 205** – New York, 10 avr. 1930 : *Philippe IV d'Espagne* : **USD 6 100** – Paris, 18 juin 1934 : *Jeune gentilhomme* : **FRF 61 000** – Londres, 26 juin 1936 : *Mariana d'Autriche* : **GBP 5 880** – Paris, 19 déc. 1941 : *Marie-Anne d'Autriche*, attr. : **FRF 386 000** – New York, 17 oct. 1942 : *Vintager* : **USD 15 500** – Paris, 18 juin 1943 : *L'homme à la cruche*, attr. : **FRF 300 000** – New York, 25 oct. 1945 : *Portrait de jeune fille* : **USD 30 000** – Londres, 21 juin 1950 : *Portrait de la reine Isabelle en robe richement brodée d'or* : **GBP 1 500** – Paris, 23 mai 1951 : *Saint Simon* : **FRF 1 000 000** – Londres, 19 mars 1965 : *Portrait de Don Juan Calabazas* : **GNS 170 000** – Londres, 27 nov. 1970 : *Portrait de Juan de Pareja* : **GNS 2 200 000**.

VELASQUEZ Giuseppe. Voir **VELASCO**

VELASQUEZ José Antonio

Né en 1906 à Caridad (Honduras). Mort en 1985. XXe siècle. Hondurien.

Peintre de compositions animées, scènes de genre, scènes typiques, paysages. Naïf.

Il fut d'abord télégraphiste, ensuite coiffeur et est devenu maire du bourg du Honduras San Antonio de Oriente, où il vit.

Il a exposé à Madrid en 1951, à l'occasion de la Biennale Hispano-Américaine. En 1954, il a montré une exposition personnelle de ses œuvres, organisée par la Pan American Union, à Washington. Cette même année, il a reçu un des Prix Hallmark, pour un projet de cartes de Noël.

Il a commencé à peindre en 1933, représentant les paysages de sa région, des décorations d'autels et des étendards de processions. Il peint avec la minutie des anciens miniaturistes, qui caractérise maintenant ces artistes que l'on dit naïfs, qui ont le souci primordial de n'oublier aucun détail. Son monde est celui de l'Amérique latine encore hispanisée, catholique et paysanne, ayant gardé la nostalgie de la Castille d'où provenaient les conquistadors.

Bibliogr. : Oto Bihalji-Merin : *Les peintres naïfs*, Delpire, Paris, s.d.

Ventes Publiques : New York, 20 déc. 1980 : *Scène de rue avec cathédrale* 1952, h/t (40,7x30,5) : **USD 2 600** – New York, 30 mai 1984 : *Visita* 1972, acryl./t. (122x119,5) : **USD 21 000** – New York, 27 nov. 1985 : *San Antonio de Oriente* 1977, h/t (63x78,5) : **USD 6 000** – New York, 21 nov. 1988 : *Sans titre* 1978, h/t (52,7x44,8) : **USD 3 300** – New York, 21 nov. 1989 : *Dimanche des rameaux* 1965, h/t (47x64) : **USD 7 150** – New York, 1er mai 1990 : *Le chemin de l'église à San Antonio de Oriente* 1958, h/rés. synth. (53,4x74,4) : **USD 6 050** – New York, 2 mai 1990 : *San Antonio de Oriente* 1965, h/t (69,8x90,2) : **USD 11 000** – New York, 20-21 nov. 1990 : *Le fil à linge à San Antonio Oriente* 1955, h/t. cartonnée (45x52,5) : **USD 3 300** – New York, 15 mai 1991 : *San Antonio Oriente* 1962, h/t/pan. (36x53) : **USD 3 520** – New York, 19 mai 1992 : *L'école* 1952, h/t (46x34) : **USD 2 750** – New York, 25 nov. 1992 : *San Antonio Oriente* 1965, h/t (51x69) : **USD 3 300** – New York, 26 fév. 1993 : *San Antonio de Oriente* 1951, h/t (52,1x72,4) : **USD 3 220** – New York, 18 mai 1993 : *San Antonio Oriente* 1971, h/t (48,3x61,5) : **USD 4 830** – New York, 16 nov. 1994 : *San Antonio de Osuna* 1969, h/t (49,5x67,6) : **USD 3 737** – New York, 16 mai 1996 : *San Antonio de Oriente* 1965, h/t (52x72,5) : **USD 2 530** – New York, 28 mai 1997 : *La Cathédrale de Comayagua* 1962, h/t (144,2x109,6) : **USD 16 100**.

VELASQUEZ-CUETO Lola
XXe siècle. Mexicaine.
Peintre de genre, scènes typiques, peintre de cartons de tapisserie.
Il appartient à cette école mexicaine qui, ayant emprunté quelques éléments d'expression à l'art français le plus moderne, s'attache à la traduction de l'esprit national le plus soumis à la tradition indienne. L'artiste a exécuté beaucoup de tapisseries, d'après ses propres cartons : *Motif Maya, Motif Aztèque, La Patronne du Mexique, Marché de Xochilmico*, etc., ainsi que *La Chasse au Tigre* (d'après H. Rousseau, dit le Douanier, dont la légende veut qu'il ait été musicien de ligne lors de la campagne du Mexique), *La Fête du maïs* d'après Diego Rivera, *Pastoras de Chalma* d'après Jean Charlot.

VELASQUEZ MINAYA Francisco
XVIIe siècle. Travaillant à Madrid vers 1630. Espagnol.
Peintre amateur.
Il fut chevalier de l'ordre de Santiago.

VELAULE
Français.
Peintre de batailles, sujets militaires.
MUSÉES : LA FÈRE : *Combat d'infanterie – Grenadiers de la garde repoussant une charge de cavalerie.*

VELAY Amédée Joseph
Né au XIXe siècle à Laval (Mayenne). XIXe siècle. Français.
Peintre et sculpteur.
Élève de Lalanne et Vasselot. Il débuta au Salon de Paris en 1877. Le Musée de Caen conserve de lui *Émile Augier*, médaillon bronze.
VENTES PUBLIQUES : PARIS, 17 mai 1943 : *Pêcheur au bord d'une rivière*, fusain : **FRF 130**.

VELAY Dorance
Née en 1927 à Paris. XXe siècle. Depuis 1984 active aussi en Suisse. Française.
Peintre, peintre de cartons de tapisserie, graveur.
Elle partage son temps entre la Suisse et la France. Elle a figuré à l'exposition : *De Bonnard à Baselitz – Dix ans d'enrichissements du Cabinet des Estampes 1978-1988* à la Bibliothèque nationale à Paris, en 1992.
MUSÉES : PARIS (BN) : *Paysage de neige* 1982, aquat. et empreinte en coul.

VELAZEO Francisco de
XVIe siècle. Travaillant en Castille. Espagnol.
Sculpteur.
Témoin dans le grand procès qui se produisit entre Berruguette et Gonzalez. Il travailla avec Giralte en 1546. Témoin dans le procès entre Giralte et Juan de Juni. Artiste d'un mérite véritable.

VELAZQUEZ Antonio Gonzalez. Voir **GONZALEZ VELAZQUEZ Antonio**

VELAZQUEZ Cosme
Né vers 1755 à Logrono. XVIIIe siècle. Espagnol.
Sculpteur.
Élève de Pierre et de Robert Michel à l'Académie de Madrid. Il sculpta des statues de saints pour les églises de Cadiz, de Santander et de Buenos Aires.

VELAZQUEZ Cristobal
XVIe-XVIIe siècles. Espagnol.
Sculpteur.
Artiste de médiocre renom, dont on ignore les œuvres. Il fut le collaborateur assidu de Valentin Dicez dans la plupart de ses grandes œuvres.

VELAZQUEZ Cristobal
XVIIe siècle. Travaillant à Valladolid en 1624. Espagnol.
Sculpteur sur bois.
Il a sculpté avec son frère Juan le maître-autel de la cathédrale de Plasencia.

VELAZQUEZ Diego
XVIIe siècle. Actif à Valladolid. Espagnol.
Sculpteur.
Artiste moyen auquel on attribue diverses œuvres, sans pouvoir affirmer qu'elles sont siennes.

VELAZQUEZ Diego de
XVIe siècle. Actif à Séville en 1534. Espagnol.
Sculpteur.

VELAZQUEZ Diego de Silva
XVIe-XVIIe siècles. Actif à Valladolid. Espagnol.
Peintre.
Peintre sans grande notoriété dont on ne cite aucune œuvre particulière et qui travailla constamment à l'exécution des œuvres des grands maîtres.

VELAZQUEZ Francisco
XVIe-XVIIe siècles. Actif à Valladolid. Espagnol.
Sculpteur et architecte.
Il sculpta une partie des stalles et du maître-autel de l'église Saint-Paul de Valladolid.

VELAZQUEZ Francisco
XVIIe siècle. Actif à Saint-Jacques-de-Compostelle. Espagnol.
Peintre.

VELAZQUEZ Juan
XVIIe siècle. Travaillant à Valladolid en 1624. Espagnol.
Sculpteur sur bois.
Frère de Cristobal V.

VELAZQUEZ Juan Ramon
Né en 1950 à Rio Piedras. XXe siècle. Portoricain.
Peintre de figures, intérieurs, dessinateur.
Autodidacte, il fit des études d'administration. Il participe à des expositions collectives dans son pays et à l'étranger, notamment : 1977 Biennale de dessin de New York ; 1980 Biennale de dessin de Rijeca (Yougoslavie) ; 1987 Biennale de dessin et gravure de Cali (Colombie), Biennale de Valparaiso (Chili)... Il montre ses œuvres dans des expositions personnelles depuis 1973 très régulièrement à San Juan et à Porto Rico : 1974 musée de l'université ; 1976, 1981 Ponce Art Museum ; aux États-Unis : 1977 Museum of Latin-American Art de Washington.
Dans des compositions aux réminiscences cubistes, aux teintes terreuses et à la surface rugueuse qui évoque la fresque, il peint un univers flou baigné dans une lumière diffuse où des êtres nus, évoluent démunis, solitaires, entourés d'un mobilier quotidien, table, chaise.

VELAZQUEZ Luis
XVIIIe siècle. Actif à Madrid. Espagnol.
Peintre.
Il a peint les fresques dans les lunettes de la coupole de l'église Saint-Gaétan de Madrid. Sans doute identique à Luis GONZALEZ-VELAZQUEZ.

VELAZQUEZ Zacarias Gonzalez. Voir **GONZALEZ VELAZQUEZ Zacarias**

VELAZQUEZ DE ESPINOSA Bernabé
XVIe-XVIIe siècles. Travaillant à Séville de 1596 à 1602. Espagnol.
Peintre et doreur.

VELAZQUEZ QUEROL Vicente
XIXe siècle. Actif à Valence dans la première moitié du XIXe siècle. Espagnol.
Peintre.
Le Musée de Séville possède de lui *Portrait de don Nicolo Tap.*

VELBACHER Niklas
Mort après 1448. XVe siècle. Actif à Admont. Autrichien.
Sculpteur et architecte.
Il travailla pour l'abbaye d'Admont.

VELCESCU Cornelia
Née le 14 avril 1934 à Bucarest. XXe siècle. Depuis 1982 active en France. Roumaine.
Sculpteur de compositions mythologiques, sculpteur d'intégrations architecturales, peintre, peintre de cartons de mosaïques.
Diplômée de philosophie, elle fut élève de l'Institut d'Arts Plastiques N. Grigorescu de Bucarest en 1968. Elle fut membre de l'Union des Artistes plastiques en Roumanie de 1970 à 1982. Elle vit et travaille à Paris depuis 1982.
Elle participe à des expositions collectives, en Roumanie, France, Allemagne, Pologne, Italie... Elle montre ses œuvres dans des expositions personnelles : à partir de 1969 à Bucarest notamment en 1970 au musée d'Art et d'Histoire.
Elle réalise des sculptures monumentales, où les mythes, les symboles, les traditions populaires tiennent une place essentielle : « J'ai ressenti le besoin d'une compréhension cosmique de la forme. Le modeleur affectif par excellence en matière de courbes, d'ovoïdes, de sphères n'est autre que le cosmos » (C. Velcescu). Ses formes en pierre, en plâtre, verticales, évoquent quelques statues primitives, totems, érigés à la gloire des éléments, de la nature. Elle a également réalisé des peintures d'icônes sur verre.

Bibliogr. : Ionel Jianou et autres : *Les Artistes roumains en Occident*, American Romanian Academy of Arts and Sciences, Los Angeles, 1986.
Musées : Bucarest (Mus. Nat. d'Hist.).

VELDE Abraham G. Van. Voir **VELDE Bram Van**

VELDE Adriaen Van de
Baptisé à Amsterdam le 30 novembre 1636. Mort le 21 janvier 1672 enterré à Amsterdam. xviie siècle. Hollandais.
Peintre de sujets militaires, scènes de genre, paysages, aquafortiste, sculpteur.

Fils et élève de Willem I Van der Velde, plus tard élève de Jan Wynants et Ph. Wouwerman à Haarlem. Il épousa en 1657 Maria Oudekerk. Peut-être alla-t-il en Italie. Il vécut la plupart du temps à Amsterdam où sa femme tenait une blanchisserie.
Il peignit des scènes de genre et des batailles, mais s'affirma surtout remarquable paysagiste. Il peignit des figures dans les tableaux de plusieurs peintres contemporains, notamment pour Hobbema, Van der Heyden, Hakkert, Wynants, Verboom, Moucheron, etc. Il eut pour élèves Dirk Van Bergen, Johannes Inneveld, Jacob, Koninck, Johannes Van der Beut, Simon Van der Does. Ce fut aussi un habile graveur et il fit de la sculpture.

Musées : Amsterdam : *Site accidenté – Le passage du bac – L'artiste et sa famille – Partie de chasse – La cabane – Site montagneux avec bétail – Le repos*, Autres tableaux en collaboration avec Hackaert, Van der Heyden, F. Moucheron et Wynants – Anvers : *Paysage : les Plaisirs de l'hiver – Joueur de cornemuse* – Berlin : *Vaches dans la prairie – Paysage avec fleuve – La ferme* – Besançon : *Taureau agacé par un chien* – Bruxelles : *Figures et animaux dans plusieurs tableaux de J. Van Ruysdael, V. Van Vries Wynants* – Budapest : *Paysage avec troupeau* – Calais : *Paysage* – Dresde : *Troupeaux de vaches et vachère – Femme buvant – Bêtes à cornes, moutons et l'artiste dans les ruines – Troupeau – Divertissement sur la glace – Vaches auprès d'arbres dénudés* – Édimbourg : *Troupeau et gardien* – La Fère : *Animaux au repos* – Florence : *Paysage avec figures et animaux – Paysage avec animaux* – Francfort-sur-le-Main : *Au puits – Lumière dans un bois – Chasse au cerf* – Genève (Ariana) : *Scène de chasse à la lisière d'un bois* – Glasgow : *L'heure de la traite – Femme avec bestiaux – Moutons* – Hambourg : *Paysage avec bergers* – La Haye : *Bestiaux – Plage hollandaise, vue des dunes* – Karlsruhe : Trois tableaux – Kassel : *La plage de Scheveningue – Voyageurs guidés par un paysan* – Leipzig : *Trois cavaliers devant une auberge – Pastorale* – Lille : *Scène champêtre* – Londres (Nat. Gal.) : *Le gué – Scène sur la glace – Scène de forêt – Cheval bai – Paysage avec bétail – Paysage avec chèvre et chevreau* – Londres (Wallace Coll.) : *Départ de Joseph pour l'Égypte – Le repos de midi* – Montpellier : *Paysage avec animaux* – Munich : *Berger et troupeau de vaches – Paysage italien – Idylle, paysage avec mouton et vaches – Berger assis près d'une fontaine Renaissance, chien buvant – Vaches, moutons, chèvres, poussés dans l'eau* – Naples : *Vaches et une paysanne à cheval* – Paris (Mus. du Louvre) : *Plage de Scheveningen – Quatre paysages avec animaux – La famille du pâtre – Canal glacé – Vache au repos*, sculpt. – Rotterdam : *La forge – Bestiaux dans la prairie* – Saint-Pétersbourg (Mus. de l'Ermitage) : *Troupeau* – Schwerin : *Passeur romain – Saint Jérôme – Troupeau près d'un ruisseau* – Stockholm : *Berger endormi* – Strasbourg : *Traversée d'un fleuve* – Venise : *Nombreux paysages* – Vienne : *Paysage avec animaux – Paysage avec troupeau – Figures dans deux paysages de Fr. Moucheron* – Vienne (Czernin) : *Vaches et moutons près des saules*.

Ventes Publiques : Amsterdam, 1706 : *Personnages et bêtes dans un paysage* : **FRF 620** – Paris, 1737 : *La Fuite de Jacob* : **FRF 3 000** – Paris, 1777 : *Paysage avec pêcheurs et animaux* : **FRF 20 000** – Londres, 1807 : *Paysans et bestiaux* : **FRF 47 240** – Paris, 1822 : *La Cabane* : **FRF 16 400** – Londres, 1840 : *Le Passage du gué* : **FRF 19 945** – Paris, 1841 : *Le Départ pour la chasse* : **FRF 28 850** – Paris, 1846 : *La Fuite de Jacob* : **FRF 49 500** – Paris, 1876 : *Mercure et Argus* : **FRF 30 500** – Londres, 1879 : *Pacage d'animaux* : **FRF 29 000** – Londres, 1892 : *Vue en Hollande* : **FRF 251 250** ; *Paysage hollandais par un beau jour d'été* : **FRF 249 600** – Londres, 1895 : *Ruisseau à travers un bois* : **FRF 19 950** – Anvers, 1898 : *Entrée d'une ville hollandaise*, en collaboration avec Van der Heyden : **FRF 18 000** – Paris, 25-28 mai 1907 : *Troupeau dans un marécage* : **FRF 3 525** – Londres, 21 fév. 1910 : *Cavaliers, chevaux et personnages* : **GBP 73** – Paris, 16 mai 1911 : *Charge de cavalerie* : **FRF 3 800** – Paris, 16-19 juin 1919 : *La Promenade sur la plage de Scheveningen* : **FRF 24 000** – Paris, 8-10 juin 1920 : *Paysage animé*, lav. : **FRF 3 350** ; *Les Deux Bergers*, pl. : **FRF 6 200** – Londres, 22 mai 1925 : *Rendez-vous de chasse* : **GBP 840** ; *La Fenaison* : **GBP 441** – Paris, 23 nov. 1927 : *L'Abreuvoir* : **FRF 15 100** – Londres, 7 déc. 1933 : *Vaches et moutons dans un pré* : **GBP 399** – Londres, 22 juil. 1937 : *Paysage avec un berger et son troupeau* : **GBP 460** – Paris, 6 mars 1942 : *Halte de cavaliers* : **FRF 90 000** – Londres, 16 juil. 1943 : *Mercure, Argus et Io* : **GBP 399** – Londres, 19 jan. 1945 : *Paysage avec troupeau* : **GBP 273** – Amsterdam, 21 nov. 1950 : *Amusements d'hiver* : **NLG 775** – Paris, 9 mars 1951 : *Le Cheval blanc* 1669 : **FRF 190 000** – Amsterdam, 13 mars 1951 : *Paysage couvert de neige et animé de personnages* : **NLG 2 000** – Lochem, 29 mai 1951 : *Portrait de femme* : **NLG 1 500** – Amsterdam, 12 juin 1951 : *Personnages sur une route bordée d'arbres* : **NLG 1 900** – Paris, 27 juin 1951 : *Pâturage* : **FRF 45 000** – Londres, 23 mars 1960 : *Paysage avec Argus, Mercure et Io* : **GBP 800** – Londres, 27 mars 1963 : *Paysage d'été avec champ de blé* : **GBP 6 200** – Paris, 9 juin 1964 : *Paysage d'hiver* : **FRF 60 600** – Londres, 19 mars 1965 : *Les Deux Chiens de chasse* : **GNS 3 000** – Amsterdam, 21 mai 1968 : *Paysage fluvial* : **NLG 40 000** – Londres, 26 juin 1970 : *Paysage d'hiver avec patineurs* : **GNS 4 000** – Londres, 28 juin 1974 : *Paysanne et troupeau dans un paysage* 1659 : **GNS 7 500** – Amsterdam, 26 avr. 1976 : *La Plage de Scheveningen animée de personnages* 1670, h/t (39,5x50) : **NLG 75 000** – Amsterdam, 18 avr. 1977 : *Nu assis*, pierre noire reh. de blanc/pap. gris (26,5x19,5) : **NLG 16 000** – Londres, 25 mars 1977 : *Berger et bergère dans un paysage* 1663, h/t (47x61) : **GBP 12 000** – Amsterdam, 29 oct 1979 : *Personnifications d'Europe et Asie*, pl. et lav. (12x11,6) : **NLG 11 000** – Amsterdam, 17 nov. 1980 : *Paysanne avec ses enfants et troupeau au bord d'un étang* 1662, h/t (39,5x44,5) : **NLG 120 000** – Amsterdam, 15 nov. 1983 : *Étude de jeune femme lavant ses pieds et deux têtes*, sanguine (15,6x14,5) : **NLG 28 000** – New York, 22 mars 1984 : *Bergers et troupeau dans un paysage du Midi* 166 ?, h/t (36x42) : **USD 26 000** – Monte-Carlo, 22 juin 1985 : *Pastorale*, h/t (25x35) : **FRF 80 000** – Londres, 11 avr. 1986 : *Vaches et moutons dans un paysage boisé* 1670, h/t (33,6x38,1) : **GBP 12 000** – New York, 15 jan. 1987 : *Berger et troupeau dans un paysage*, h/t (35,5x41,5) : **USD 31 000** – Troyes, 16 oct. 1988 : *Paysage avec troupeau* 1670, h/t (68x55) : **FRF 80 000** – Amsterdam, 14 nov. 1988 : *Nu masculin assis*, encre et craie (24x18,4) : **NLG 2 300** – Monaco, 16 juin 1989 : *Bergers et bergères au bord d'une rivière*

1670, h/t (69x55) : **FRF 166 500** – PARIS, 30 juin 1989 : *Bergers dans un paysage hollandais*, h/t (71x91) : **FRF 85 000** – LONDRES, 21 juil. 1989 : *Paysans et bétail dans une cour de ferme* 1668, h/t (50,5x62,3) : **GBP 7 700** – LONDRES, 8 déc. 1989 : *Bergers et leur troupeau dans un paysage avec une église en ruines au fond* 1661, h/t (31x43,2) : **GBP 44 000** – NEW YORK, 5 avr. 1990 : *Deux vaches et quatre moutons dans un paysage*, h/pan. (21,5x19) : **USD 4 400** – LONDRES, 2 juil. 1990 : *Nu féminin assis*, craie noire avec reh. de blanc/pap. gris (30,3x19,3) : **GBP 48 400** – PARIS, 15 juin 1990 : *Étude de femme nue et croquis*, sanguine sur esq. à la pierre noire, reh. de blanc (31x25) : **FRF 240 000** – LONDRES, 19 avr. 1991 : *Cavalier demandant sa route à des bergers gardant du bétail près d'une rivière* 1662, h/t/pan. (57x49,3) : **GBP 14 300** – LONDRES, 2 juil. 1991 : *Étude d'un adolescent portant un chapeau*, craie rouge (15,6x18,6) : **GBP 9 350** – LONDRES, 1er avr. 1992 : *Couple de bergers avec leurs animaux dans un paysage classique*, h/t (50,5x38) : **GBP 5 500** – LONDRES, 23 avr. 1993 : *Paysans faisant la pose dans un champ pendant la fenaison*, h/t (31x37) : **GBP 276 500** – AMSTERDAM, 10 mai 1994 : *Une lavandière conversant avec un berger faisant passer la rivière à son bétail* 1671, encre et lav. sur craie noire (16,8x19,9) : **NLG 25 300** – NEW YORK, 18 mai 1994 : *Paysage avec une paysanne gardant ses bêtes et faisant téter un bébé, un garçonnet embrassant son chien* 1672, h/pan. (40x45,5) : **USD 96 000** – LONDRES, 8 juil. 1994 : *Laitière avec une vache devant une ferme*, h/pan. (21x26) : **GBP 9 430** – PARIS, 28 oct. 1994 : *Troupeau dans la campagne*, encre brune et lav. gris (15x20) : **FRF 24 000** – NEW YORK, 12 jan. 1995 : *Chevaux blanc et bai avec du bétail dans un vaste paysage*, h/pan. (22,2x29,2) : **USD 6 900** – PARIS, 31 mars 1995 : *Scène pastorale*, h/pan. de chêne (20,5x17) : **FRF 60 000** – LONDRES, 13 déc. 1996 : *Deux Épagneuls près d'une mare, le chasseur se reposant*, h/t (83,2x101,6) : **GBP 25 300** – LONDRES, 3-4 déc. 1997 : *La Plage de Scheveningen un jour de pêche*, h/t (76,3x104,6) : **GBP 100 500**.

VELDE Anthony I Van de

Né vers 1557 à Anvers. XVIe siècle. Éc. flamande.

Peintre.

Père d'Esaias I et frère de Jan I Van de Velde.

VELDE Anthony II Van de

Né le 22 octobre 1617 à Haarlem. Mort le 11 juillet 1672 enterré à Amsterdam. XVIIe siècle. Hollandais.

Peintre de natures mortes.

Il se remaria à Amsterdam en 1662. Un autre peintre du même nom, né vers 1557, se maria en 1590 et fut bourgeois d'Amsterdam en 1591.

MUSÉES : SCHLEISSHEIM : *Fruits et gibier.*

VELDE Bram Van, pour **Abraham**

Né le 19 octobre 1895 à Zoeterwoude (près de Leyde). Mort le 28 décembre 1981 à Grimaud (Var). XXe siècle. Depuis 1925 actif en France. Hollandais.

Peintre de portraits, natures mortes, peintre à la gouache, lithographe, dessinateur, illustrateur. Expressionniste abstrait.

Deuxième des quatre enfants d'une famille pauvre. Son frère, Geer, devint peintre aussi ; la plus jeune sœur, Jacoba, écrivain. Autodidacte, Bram Van Velde fut attiré très jeune vers la peinture. Dès l'âge de douze ans, il entra comme apprenti dans l'entreprise de peinture et décoration Kramers. En 1922, il semble que ce fut son patron qui l'envoya à Worpswede, village côtier de l'Allemagne du Nord, où s'étaient regroupés bon nombre des peintres de l'expressionnisme allemand, puis à Paris. Ce fut peut-être toujours grâce à son employeur qu'il put venir se fixer à Paris, en 1924-1925, pour se livrer entièrement à la peinture, séjournant régulièrement en Hollande. En 1930, il résida en Corse pendant une année. La crise monétaire internationale fut sans doute la cause de la cessation du soutien que son employeur lui avait assuré jusque-là. En 1932, il quitta Paris pour Majorque, où la vie était bien meilleur marché. La guerre civile espagnole, au cours de laquelle son épouse périt tragiquement, le chassa de Majorque, en 1936. Il regagna Paris, poursuivant sa peinture dans une méconnaissance totale, partageant sa vie difficile avec l'écrivain Marthe Arnaud.

À partir de 1926, il participa à des expositions collectives à Paris : dès 1929 annuellement au Salon des Indépendants ; aux Surindépendants, recevant quelque attention des critiques, et notamment de Paul Fierens ; 1933 à La Haye, avec son frère Geer ; 1961 Salon de Mai à Paris.

Il montra ses œuvres dans des expositions personnelles : 1946 première exposition d'ensemble de ses peintures à Paris organisée par Edouard Loeb qu'il avait rencontré l'année précédente. Alors âgé de cinquante ans, si cette première exposition, pas plus que les suivantes, ne lui apporta aucun succès matériel, elle lui valut l'estime immédiate des quelques personnes qui lui resteront totalement fidèles, surtout Samuel Beckett, qui lui consacra un article dans les *Cahiers d'Art*, et qui présenta son exposition suivante, à Paris et New York, en 1948. En 1952, eut lieu une nouvelle exposition de ses œuvres. Malgré les moyens de persuasion d'une puissante galerie, l'insuccès persistait. En 1957 une exposition à Paris rencontra peut-être plus d'audience mais son véritable succès vint avec sa première rétrospective, organisée à la Kunsthalle de Berne par Franz Meyer, et fut suivie de nombreuses manifestations : 1959 Stedelijk Museum d'Amsterdam ; 1960 Turin ; 1961 Rome et Paris ; 1962 New York, Genève ; 1964 exposition itinérante organisée par la galerie Knoedler de New York présentée notamment au Walker Art Center de Minneapolis ; 1965 San Francisco Museum of Art et Colorado Springs Fine Art Center ; 1966 Wallraf-Richartz Museum de Cologne, Munich, Copenhague ; 1967 Kunstnernes Hus d'Oslo ; 1968 Albright-Knox Art Gallery de Buffalo ; 1970 musée national d'Art moderne de Paris ; 1973 Fondation Maeght de Saint-Paul-de-Vence ; 1979 musée de Cracovie ; 1980 musée Granet d'Aix-en-Provence ; 1989 musée national d'Art moderne, centre Georges Pompidou à Paris ; 1996 musée Rath à Genève, etc.

Seul, il peignait dès son plus jeune âge quelques tableaux naturalistes, influencés par Breitner. Son séjour à Worpswede eut une influence certaine sur les figures et les paysages de cette époque. À Paris, après ses débuts marqués par l'expressionnisme il reçut l'influence des fauves et surtout de Matisse, dans des natures mortes, des peintures de fleurs, des paysages, cependant insérés dans un espace dont la notion s'oppose à tout naturalisme et préfigure le champ matériel et pourtant irréel de la toile où viendront s'inscrire plus tard les scories colorées de ses tensions intérieures. Des gouaches de 1940 matérialisaient déjà une conception de l'espace très personnelle, des couleurs vives, cloisonnées dans des formes aux contours souples s'articulant les unes aux autres, créant un jeu multiple de plans s'offrant aux cheminements du regard du spectateur. Le médium à l'eau utilisé dès 1936 car moins cher que l'huile puis préféré, car « ça coule davantage. J'ai plus de souplesse et de liberté » (Bram Van Velde), le force à se plier à une rapidité d'exécution alors que le mûrissement de l'œuvre a été long et apporte une fluidité à son travail, donne une transparence lumineuse à la composition.

Devant l'insuccès, la presque misère, les événements dramatiques de la Seconde Guerre mondiale, Bram Van Velde cessa complètement de peindre de 1940 à 1944. Dès qu'il recommença à peindre, en 1944-1945, il se trouva en pleine maîtrise du langage plastique qui caractérisa ensuite l'ensemble de son œuvre, n'évoluant plus guère que vers une toujours plus grande immatérialité. En 1945, environ vingt-cinq peintures et gouaches constituaient la presque totalité de ce qu'il avait peint, depuis les natures mortes fluidement matissiennes de 1928, en passant par les compositions plus lourdes et plus carrées de 1937, jusqu'aux pures effusions d'arabesques et de transparences colorées, dégagées de toute attache avec le réel, des dernières peintures. Il faut préciser que Bram Van Velde n'a jamais eu qu'une production minime – son œuvre totale n'atteindra peut-être pas deux cents numéros – incompatible avec les exigences des tournées d'expositions et de l'établissement d'un marché et d'une côte. À la fin des années soixante, il développe une activité importante de lithographe, technique où il se distinguera. Auprès de ses amis de la première heure, notamment les écrivains Charles Juliet, Samuel Beckett et le marchand Jacques Putman, et auprès de peintres toujours plus nombreux, l'estime grandissait pour ce peintre de l'impossible, ne se rattachant à aucun courant défini, peignant sans projet, sur des formats souvent carrés, faisant seulement de formes colorées, sans profondeur ni relief, articulées sans règles, d'« itinéraires gainées de blanc ou de clair » (Michel Conil-Lacoste), la projection visuelle directe de ses tourments intérieurs. Leur éthique expérimentale lui valut l'admiration des peintres de *Cobra*, d'Alechinsky, de Jorn ; ainsi que des expressionnistes abstraits américains, de De Kooning ; de « paysagistes intérieurs » tel Messagier. On sait aussi que Bonnard, peu attiré par les nouvelles expressions, en aimait les accords fluides, l'espace immatériel. ■ Jacques Busse

Bibliogr. : Samuel Beckett, Cahiers d'Art, Paris, 1945-1946 – Samuel Beckett : *Catalogue de l'exposition Bram Van Velde*, Maeght, Paris, 1948 – Georges Duthuit : *Catalogue de l'exposition Bram Van Velde*, Maeght, Paris, 1952 – Georges Duthuit, in : *Bilan de l'Art Actuel*, Soleil Noir, Paris, 1954 – Marcel Brion : *L'Art Abstrait*, Albin Michel, Paris, 1957 – Michel Seuphor : *Diction. de la peint. abstr.*, Hazan, Paris, 1957 – Franz Meyer : *Catalogue de l'exposition Bram Van Velde*, Kunsthalle, Berne, 1958 – Samuel Beckett, Georges Duthuit, Jacques Putman : *Bram Van Velde*, Musée de Poche, Paris, 1958 – Raoul-Jean Moulin, in : *Diction. Univers. de l'Art et des Artistes*, Hazan, Paris, 1967 – Rainer Michael Mason, Jacques Putman : *Bram Van Velde. Les Lithographies 1923-1973*, 3 vol., Musée d'Art et d'Histoire, Genève, 1973-1984 – Charles Juliet, Jacques Putman : *Bram Van Velde*, Maeght, Paris, 1975 – Yves Peyré : *Bram Van Velde*, Repères nº 15, galerie Lelong, Paris, 1984 – Bernard Ceysson, Jacques Putman : *Bram Van Velde*, Musée d'Art et d'Industrie, Saint-Étienne, 1985 – Catalogue de l'exposition : *Bram Van Velde*, Centre Georges Pompidou, Paris, 1989 – Claire Stoullig : *Bram Van Velde/Willem de Kooning et la tradition hollandaise*, Artstudio, nº 18, Paris, aut. 1990 – in : *Dictionnaire de l'Art Moderne et Contemporain*, Paris, 1992 – Lydia Harambourg, in : *L'École de Paris 1945-1965. Diction. des Peintres*, Ides et Calendes, Neuchâtel, 1993.

Musées : Amsterdam (Stedeljik Mus.) : *Le Semeur, Worpswede 1922-1923 – Nature morte au panaïs, Corse* 1930 – *Sans Titre, Paris, rue des Grands Augustins* 1961 – Bilbao (Mus. des Beaux-Arts) : *Sans titre, Genève* 1970 – Genève (Mus. d'Art et d'Hist.) : importante donation – Grenoble – Humlebaek (Louisiana Mus.) : *Sans titre, Carouge* 1973 – Montréal (Mus. des Beaux-Arts) : *Composition avec vert* 1968 – *Composition* 1966 – *Composition* 1974 – *Sans Titre* 1974 – Paris (Mus. Nat. d'Art Mod.) : *Sans titre, Montrouge* 1937 – *Fenêtre, Montrouge* vers 1937-1938 – *Sans Titre, Paris, rue Gît-le-Cœur* 1962, gche – *Sans Titre, Paris, boulevard Edgar Quinet* 1965 – Pittsburgh (Carnegie Mus. of Art) : *Sans titre, Genève* 1970 – Saint-Étienne (Mus. d'Art et d'Industrie) : *Sans Titre, Majorque* vers 1932, h/t – *Sans Titre, Paris, boulevard de la Gare* 1956 – Stuttgart (Staatsgalerie) : *Sans Titre, Montrouge* 1939.

Ventes Publiques : Paris, 14 juin 1967 : *Composition* : **FRF 36 000** – Paris, 30 nov. 1970 : *Sandgrube* : **FRF 23 000** – Paris, 23 nov. 1971 : *Portrait*, gche : **FRF 10 000** – Paris, 29 mai 1972 : *Composition*, gche : **FRF 42 000** – Paris, 18 nov. 1972 : *Composition* : **FRF 55 000** – Paris, 25 juin 1974 : *Composition* 1960 : **FRF 270 000** – Paris, 2 déc. 1976 : *Composition* 1969, gche (140x154) : **FRF 97 000** – Zurich, 25 nov. 1977 : *Fenêtre*, h/t (92x73) : **CHF 20 000** – Paris, 10 déc 1979 : *Composition en rouge et bleu*, gche mar./t. (125x120) : **FRF 50 000** – Paris, 10 déc. 1981 : *Composition*, h/t double face (98x80) : **FRF 60 000** – Paris, 31 mai 1983 : *Composition*, h/t (100x81) : **FRF 70 000** – Paris, 24 mars 1984 : *Sans titre* 1976, gche (102x73) : **FRF 70 000** – Paris, 6 déc. 1985 : *Moon and space* 1966, gche (122x126,5) : **FRF 210 000** – Paris, 13 déc. 1986 : *Composition* 1949, h/t (100x81) : **FRF 428 000** – Paris, 13 déc. 1986 : *Composition* 1949, h/t (100x81) : **FRF 428 000** – Paris, 24 nov. 1987 : *Moon and Space* vers 1966, gche (122x126,5) : **FRF 290 000** – Paris, 28 mars 1988 : *Sans titre*, aquar. (29x21,5) : **FRF 60 000** – Londres, 30 juin 1988 : *Nature morte*, h/t (73x92) : **GBP 33 000** – New York, 3 mai 1989 : *Nature morte florale*, h/t (65,5x46) : **USD 19 800** – Amsterdam, 24 mai 1989 : *Autoportrait tenant sa palette face à son chevalet*, h/t (108x78) : **NLG 19 550** – Londres, 26 oct. 1989 : *Composition*, gche/pap. (57,5x41,5) : **GBP 20 900** – Amsterdam, 10 avr. 1990 : *Sans titre* 1957, gche/pap./t. (132x150) : **NLG 977 500** – Paris, 19 juin 1990 : *Composition*, gche/pap./t. (122x127) : **FRF 1 870 000** – Paris, 12 oct. 1991 : *Sans titre*, gche/pap./t. (90x56) : **FRF 210 000** – Amsterdam, 11 déc. 1991 : *Sans titre*, gche/pap. (63x48) : **NLG 55 200** – Amsterdam, 19 mai 1992 : *Nature morte de fleurs dans un pot de pierre*, h/t (90x65) : **NLG 12 650** – Paris, 12 juin 1992 : *Composition* 1964, gche/pap./t. (117x124) : **FRF 900 000** – Paris, 16 nov. 1992 : *Sans titre* 1979, litho. coul. (87,2x62,3) : **FRF 7 000** – Londres, 24 juin 1993 : *Sans titre*, aquar. et gche/pap. (51,5x71,5) : **GBP 7 475** – Paris, 23 nov. 1993 : *Sans titre*, h/t (92x73) : **FRF 830 000** – Londres, 2 déc. 1993 : *Sans titre* 1970, h/t (129,5x195) : **GBP 100 500** – Amsterdam, 31 mai 1994 : *Paysage*, h/t (85x100) : **NLG 43 700** – Paris, 29 juin 1994 : *Sans titre* 1969, gche (65x45) : **FRF 150 000** – Paris, 15 déc. 1994 : *Nature morte*, h/t (100x81) : **FRF 480 000** – Copenhague, 8-9 mars 1995 : *Composition* 1948, h/t (81x100) : **DKK 460 000** – Lokeren, 20 mai 1995 : *Nord* 1981, litho. coul. (100,2x56,5) : **BEF 40 000** – Amsterdam, 5 juin 1996 : *Sans titre*, aquar./pap. (24x18) : **NLG 13 800** – Londres, 27 juin 1996 : *Sans titre (La Chapelle-sur-Carouge)* 1976, gche/pap. (136x150) : **GBP 78 500** – Londres, 5 déc. 1996 : *Sans titre*, encre de Chine et gche/pap. (65x50) : **GBP 8 625** ; *Sans titre* 1960, h/t (130x162) : **GBP 144 500** – Copenhague, 15 mars 1997 : *Composition* 1975, litho. coul. : **DKK 4 700** – Paris, 3 oct. 1997 : *Composition*, gche (24x28,5) : **FRF 20 000** – Londres, 23 oct. 1997 : *Sans titre* 1972, gche et aquar./pap. (71x50) : **GBP 9 775**.

VELDE Charles William Meredith Van de

Né le 4 décembre 1818 à Leeuwarden. Mort le 20 mars 1898 à Menton (Alpes-Maritimes). xixe siècle. Hollandais.

Peintre de paysages, aquarelliste, dessinateur.

Il peignit des paysages d'Orient et d'Extrême-Orient.

Musées : Haarlem (Mus. Teyler) : Six aquarelles.

Ventes Publiques : Cologne, 21 mai 1984 : *Vue de Menton*, aquar. sur trait de cr. (24,5x36,5) : **DEM 2 500** – Amsterdam, 23 avr. 1996 : *Paysage montagneux avec une rivière*, aquar. (27,5x40) : **NLG 7 080**.

VELDE Claes Van de ou **Nicolas**

xviie siècle. Actif à Ypres. Éc. flamande.

Peintre d'histoire.

On citait de cet artiste, avant la guerre de 1914, une *Cène*, à l'église de Poperinghe. Descamps mentionnait aussi un *Saint Martin* à l'église de ce saint, à Ypres, mais l'œuvre est disparue.

VELDE Cornelis Van de

xviiie siècle. Actif à Londres de 1699 à 1729. Britannique.

Peintre de marines, dessinateur.

Fils de Willem II. Walpole mentionne un *Cornelis Van de Velde*, frère de Willem I, qui travailla pour le roi Charles II d'Angleterre.

Ventes Publiques : Londres, 12 nov. 1980 : *Bateaux de guerre anglais en mer*, h/t (57,5x88,5) : **GBP 1 500** – Chester, 24 juin 1982 : *Une frégate anglaise par forte mer*, h/t (96,5x107) : **GBP 1 000** – Londres, 13 mars 1985 : *Bateaux en mer*, h/t (53x85,5) : **GBP 4 200** – New York, 7 avr. 1988 : *Combat naval de vaisseaux hollandais*, h/t (41x54,5) : **USD 5 500**.

VELDE Esaias I Van de, l'Ancien

Né vers 1590 ou 1591 à Amsterdam. Mort le 18 novembre 1630 enterré à La Haye. xviie siècle. Hollandais.

Peintre de batailles et aquafortiste.

Frère de Willem I. Peut-être élève de G. V. Coninxloo. Il épousa en 1611 à Haarlem Cateleyne Maertens, fut membre de la gilde en 1612, de la Chambre de rhétorique de Wyngaardranken en 1617, de la gilde de La Haye en 1618. Il fut peintre de la cour des princes Maurice et Frédéric Henri et eut pour élèves P. de Neyn et Jan Van Goyen. Esaias fut souvent employé par des peintres de son époque pour la peinture de personnages dans leurs tableaux. On peut le considérer comme un des fondateurs de l'École des peintres de genre hollandais. Quelques portraits sont teintés de caravagisme. Il fut surtout peintre de paysages maritimes sous des ciels bas. C'est dans ce dernier domaine qu'il fut le plus important, influençant l'art d'un Seghers, par son souci de rendre simplement la nature, avec sa propre sensibilité, sans s'embarrasser des règles traditionnelles venues du paysage flamand. Il a gravé quelques estampes. Ses dessins sont d'un réalisme fort intéressant.

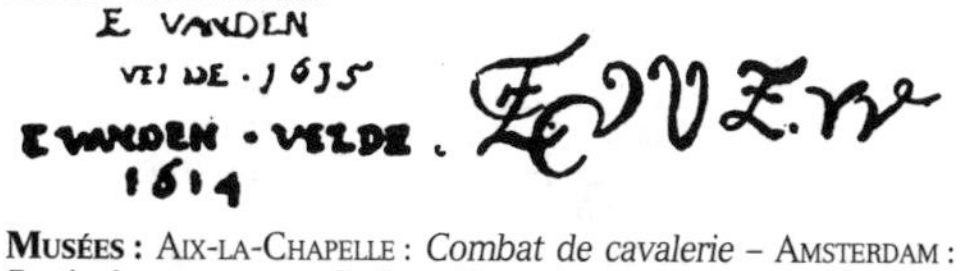

Musées : Aix-la-Chapelle : *Combat de cavalerie* – Amsterdam : *Partie de campagne – Le lac – Vue prise dans les dunes* – Berlin : *Le bastion près du canal* – Bonn : *Les cavaliers* – Copenhague : *Été – Hiver* – Glasgow : *Escarmouche* – Haarlem : *Les trois arbres* – La Haye : *Le dîner* – Kassel : *Paysage d'hiver* – Leipzig : *Paysage d'hiver avec patineurs – Paysage d'hiver* – Munich : *Divertissement sur la glace* – Nuremberg : *Attaque d'un convoi* – Oslo : *Paysage avec constructions* – Prague : *Paysage* – Rotterdam : *Combat nocturne entre cavaliers hollandais et soldats espagnols* – Vienne : *Combat de cavalerie* – Vienne (Schonborn Buchheim) : *Siège de Bois-le-Duc*.

Ventes Publiques : Paris, 1800 : *Le Campo Vaccino* : **FRF 688** – Paris, 1884 : *Le passeur* : **FRF 750** – Paris, 1888 : *Vue d'un village en Hollande* : **FRF 2 312** – Londres, 16 avr. 1910 : *Sac d'une ville* : **GBP 42** ; *Ville sur une rivière glacée* : **GBP 52** – Londres, 28 jan. 1911 : *Cavaliers et soldats près d'une ferme* : **GBP 24** – Londres, 28 et 29 juil. 1926 : *Paysage* : **GBP 115** – Londres, 19 nov. 1926 : *Le prince d'Orange* : **GBP 236** – Paris, 1er juin 1927 : *Paysage avec personnages* : **FRF 3 900** – Paris, 13-15 mai 1929 : *Le cavalier à Leyderdrop ; Les pêcheurs*, deux dessins : **FRF 13 000** – Bruxelles, 25 et 26 mars 1938 : *Soldats pillant un village* : **BEF 6 000** – Cologne, 22 mai 1951 : *Bords de canal* : **DEM 2 100** – Londres, 4 avr. 1962 : *Paysage fluvial* : **GBP 850** – Londres, 19 mars 1965 : *Paysage fluvial animé de pêcheurs* : **GNS 1 000** – Lucerne, 15 et 16 juin 1967 : *Le camp militaire* : **CHF 14 500** – Londres, 10 juil. 1968 : *Paysage d'hiver* : **GBP 2 800** – Londres, 26 mars 1969 : *Soldats pillant un village* : **GBP 4 000** – Londres, 6 déc. 1972 : *Soldats pillant un village* : **GBP 4 000** – Londres, 8 déc. 1973 : *Voyageur dans un paysage ; Paysage d'hiver avec patineurs* 1615, deux panneaux (chaque 17,5x26,5) : **GBP 23 000** – Amsterdam, 9 juin 1977 : *Un village en hiver*, h/pan. (27x44,5) : **NLG 130 000** – Amsterdam, 29 oct 1979 : *Couple à cheval partant pour la chasse* 1629, pierre noire et lav. de coul. (18,7x14,2) : **NLG 25 000** – Amsterdam, 23 avr 1979 : *Paysage d'hiver animé de personnages*, h/pan. (33,7x50) : **NLG 56 000** – Londres, 10 avr. 1981 : *Jésus et les femmes de Canaa* 1617, h/t (39,5x57,8) : **GBP 28 000** – Paris, 6 juil. 1983 : *Paysage d'hiver avec patineurs* 1623, h/pan. (12x20) : **FRF 232 000** – Londres, 27 juin 1984 : *Paysage avec maisons et cascades*, eau-forte (10,5x14,1) : **GBP 1 700** – Amsterdam, 26 nov. 1984 : *Deux chevaux près d'une chaumière* 1629, craie noire et lav. (20,2x32,4) : **NLG 5 400** – New York, 15 jan. 1985 : *Cavaliers au repos au bord d'une rivière, dans un paysage boisé* 1619, h/pan. (38x48,3) : **USD 42 000** – Londres, 17 juil. 1986 : *Ruines romaines au bord d'un torrent* 1630, h/pan. (19,6x29) : **GBP 16 000** – Londres, 10 juil. 1987 : *Paysage d'hiver avec patineurs* 1616, h/pan. (38,5x46,5) : **GBP 70 000** – Londres, 20 avr. 1988 : *Charge de cavalerie*, h/pan. circulaire (diam. 18,5) : **GBP 26 400** – Stockholm, 15 nov. 1989 : *Canal gelé avec des patineurs sous les murailles d'une ville*, h. (24x31) : **SEK 57 000** – Paris, 12 déc. 1989 : *Un pont de bois sur un cours d'eau*, panneau de chêne (9x13) : **FRF 185 000** – Paris, 9 avr. 1990 : *Scène de brigandage à la sortie d'un village hollandais*, h/pan. (35x54,5) : **FRF 530 000** – Paris, 24 avr. 1991 : *Les moissonneurs*, pierre noire (26x18,5) : **FRF 22 000** – Amsterdam, 14 nov. 1991 : *Le baptême de l'eunuque*, h/pan. (12,7x18,9) : **NLG 13 800** – Londres, 6 juil. 1992 : *Rue d'un village dans les dunes avec une charrette approchant d'une barque amarrée dans une anse* 1628, craie noire et lav. (20x31,7) : **GBP 3 850** – Londres, 10 juil. 1992 : *Paysage boisé avec une maison près d'un pont et des voyageurs sur le chemin* 1624, h/pan. (33,5x49) : **GBP 104 500** – Londres, 9 déc. 1992 : *Escarmouche de cavalerie dans un paysage*, h/pan. (31,8x53,1) : **GBP 27 500** – New York, 13 jan. 1993 : *Étude d'un paysan à cheval conversant avec deux autres sur un chemin près d'un chien*, craie noire (6,2x9,4) : **USD 3 738** – Paris, 26 avr. 1993 : *Repas galant sur la terrasse d'un parc*, h/pan. de chêne (diam. 28) : **FRF 75 000** – Amsterdam, 17 nov. 1993 : *Paysage rocheux avec un voyageur et son chien approchant d'un pont de bois*, encre/pap. rosé (7,5x17,2) : **NLG 46 000** – New York, 11 jan. 1994 : *Vaste paysage avec des figures près des maisons*, encre (7,6x17,2) : **USD 5 750** – New York, 14 jan. 1994 : *Patineurs sur une rivière gelée près de deux maisons et un palan au premier plan*, h/pan. (29,2x40,6) : **USD 68 500** – Amsterdam, 10 mai 1994 : *Paysage d'hiver avec des paysans sur une route près d'un village* 1625, craie noire et lav. (19,2x14,2) : **NLG 11 500** – Londres, 6 déc. 1995 : *Paysage hivernal* 1629, h/pan. (16,2x24,2) : **GBP 54 300** – Amsterdam, 11 nov. 1997 : *Paysage avec des paysans sur une route devant une ferme* 1616, craie noire et cire (20,1x31,6) : **NLG 5 900** – New York, 30 jan. 1997 : *L'infanterie attaquant la cavalerie à la lisière d'un bois* 1630, h/pan. (64,8x106,7) : **USD 46 000** – Londres, 16-17 avr. 1997 : *Joueur de luth adossé à un muret*, craie noire reh. de craie blanche/pap. bleu (22,6x15,2) : **GBP 862** – Londres, 4 juil. 1997 : *Un bouvier sur un chemin près d'un pont, une ferme dans le lointain ; Un carosse sur un chemin près d'un château* 1619, h/pan., une paire, de forme ronde (chaque diam. 17,7) : **GBP 62 000** – Amsterdam, 11 nov. 1997 : *Paysans dans une embuscade sur une route champêtre* 1622, h/pan. (25,9x43,9) : **NLG 74 958** – Londres, 3 déc. 1997 : *Paysage rocheux avec des voyageurs sur un chemin, une église au sommet d'une montagne ; Paysage rocheux avec des voyageurs sur un chemin* 1623, h/pan., une paire de forme ronde (Diam. 16,9) : **GBP 54 300**.

VELDE Esaias II Van de, ou **Isaie**, le Jeune

Né le 5 novembre 1615 à Haarlem. XVIIe siècle. Hollandais.

Peintre.

Fils d'Esaias I, il se maria en 1640 et en 1671.

Ventes Publiques : Milan, 25 oct. 1988 : *Cavaliers en embuscade dans une forêt*, h/pan. (38x43) : **ITL 12 000 000**.

VELDE Franciscus Van de

XVIe siècle. Travaillant à Gand. Éc. flamande.

Peintre de sujets religieux, d'architectures, sculpteur, dessinateur.

Architecte et géographe, il dessina des architectures et sculpta et peignit pour l'abbaye Saint-Pierre près de Gand.

VELDE Geer Van

Né le 5 avril 1898 à Lisse. Mort le 5 mars 1977 ou 1978 à Cachan (Val de Marne). XXe siècle. Depuis 1925 actif en France. Hollandais.

Peintre, aquarelliste, peintre à la gouache, dessinateur, lithographe. Postcubiste, tendance abstraite.

Frère de Bram Van Velde, il se forma également seul travaillant d'abord dans une entreprise de décoration. Contrairement à Bram, qui cherchait sa personnalité dans la suite de Matisse, Geer Van Velde fut d'emblée sensible à la leçon cubiste, surtout en ce qu'elle avait été humanisée par le groupe de la Section d'Or, autour de Jacques Villon. En 1925, alors qu'il était venu à Paris, où résidait son frère, pour visiter l'exposition des Arts décoratifs, il s'y installe et décide de devenir peintre. En 1937, il se lie avec Samuel Beckett. À partir de 1936, il voyagea en Irlande, Grèce, Italie, Algérie et Jérusalem. De 1939 à 1945, il vécut à Cagnes-sur-Mer, puis s'installa définitivement dans son atelier de Cachan. Dans les années d'après-guerre, il séjourne régulièrement en Hollande.

À Paris, dans les années trente, il participait au Salon des Indépendants entre 1928 et 1932. Dans les années de l'après-guerre, de nouveau à Paris, il participa aux Salons d'Automne, des Tuileries, de 1949 à 1971 de Mai, des Réalités Nouvelles et exposa dans des manifestations collectives consacrées notamment à l'école de Paris en France et à l'étranger : 1946 *Le noir est une couleur* à la galerie Maeght à Paris ; 1949 musée d'Art moderne de São Paulo ; 1951 Ire Biennale de Menton ; 1951 Royal Academy of Art de Londres ; 1952 musée de Lausanne ; 1952 Kunsthaus de Zurich ; 1952 Kunsthalle de Bâle ; 1953 Stedelijk Museum d'Amsterdam ; 1954, 1959, 1960 galerie Charpentier à Paris ; 1958 Kunsthalle de Manheim ; 1962 Tate Gallery de Londres.

En 1938, il eut une exposition personnelle à Londres à la galerie Guggenheim Jeune, puis : 1942 galerie Muratore à Nice ; 1946, 1952 galerie Maeght à Paris ; 1948 Kootz Gallery à New York, avec son frère Bram Van Velde ; 1966 musée Galliera à Paris ; 1972 château de Ratilly ; et à titre posthume : 1979 Museum de Dordrecht, Bonnefantenmuseum de Maastricht ; 1982 musée d'Art moderne de la ville de Paris ; 1982, 1989 galerie Louis Carré à Paris ; 1985 musée d'Art et d'Industrie de Saint-Étienne ; 1986 musée Toulouse-Lautrec à Albi ; 1990 IVAM de Valence et centre d'Art Reine Sofia de Madrid ; 1991 *Dessins* au musée national d'Art moderne, centre Georges Pompidou à Paris ; 1991 rétrospective au LAC (Lieu d'Art contemporain) à Sigean (Aude) ; 1992 musée Tavet à Pontoise.

Dans les années 1925-1930, il a peint des natures mortes, dans lesquelles on a pu voir la préfiguration de celles que De Staël peindra dans sa dernière période d'Antibes. Art d'équilibre, de sérénité. Dès les années 30, il fut remarqué à Paris pour la délicatesse de ses pastels aux espaces transparents. À partir de 1948, il a mené sa carrière seul. S'écartant du chemin suivi par son frère, Geer Van Velde s'est totalement intégré à l'école de Paris, pratiquant avec une grande délicatesse de tons gris, une abstraction post-cubiste, parente de la vision des Villon, Borès, Beaudin, ordonnée d'abord par un réseau de lignes délimitant les plans, puis, les lignes disparaissant, par une succession d'aplats colorés qui révèlent une longue réflexion sur la lumière. Sur lui, on a écrit : « L'univers de Geer Van Velde s'ouvre comme une fenêtre sur un matin aux reflets d'argent. Sa peinture est le fruit d'une sagesse à laquelle il est parvenu au moyen d'une calme méditation sur un décor naturel aux multiples aspects. »

Bibliogr. : Michel Seuphor : *Diction. de la peint. abstr.*, Hazan, Paris, 1957 – B. Dorival, sous la direction de... : *Peintres Contemporains*, Mazenod, Paris, 1964 – Sarane Alexandrian, in : *Diction. Univers. de l'Art et des Artistes*, Hazan, Paris, 1967 – Germain Viatte : *Geer Van Velde*, Cahiers d'Art, Paris, 1989 – in : *Dictionnaire de l'art moderne et contemporain*, Hazan, Paris, 1992 – Lydia Harambourg, in : *L'École de Paris 1945-1965. Diction. des Peintres*, Ides et Calendes, Neuchâtel, 1993.

Musées : La Haye (Gemeentemus.) – Nantes (Mus. des Beaux-Arts) – Paris (Mus. Nat. d'Art Mod.) : important ensemble d'œuvres – Pontoise (Mus. Tavet) : *Composition* 1949.

Ventes Publiques : Paris, 29 mars 1962 : *L'atelier, Méditerranée* : **FRF 6 500** – Amsterdam, 25 avr. 1966 : *Paysage* : **NLG 5 200** – Paris, 1er déc. 1972 : *Bord de mer* : **FRF 25 000** – Paris, 6 juin 1974 : *Composition* 1964 : **FRF 32 000** – Paris, 7 mai 1976 : *La Table garnie*, h/t (100x81) : **FRF 11 000** – Versailles, 13 fév. 1977 : *Tête de femme bleu nuit*, h/t (78x64) : **FRF 14 000** – Zurich, 30 mai 1979 : *Deux hommes*, gche (68x53) : **CHF 2 000** – Amsterdam, 29 oct. 1980 : *Composition* 1957, h/t (72x62) : **NLG 8 200** – New York, 25 fév. 1981 : *La Nouvelle Mariée*, h/t (99x81) : **USD 4 500** – Paris, 5 déc. 1983 : *Composition*, h/t (60,5x50) : **FRF 62 000** – Paris, 14 oct. 1984 : *Composition*, gche (27x21) : **FRF 21 000** – Paris, 9 déc. 1985 : *Composition* vers 1940-1941, gche (41x27) : **FRF 10 800** – Paris, 12 oct. 1986 : *Composition*, h/t (81x100,5) : **FRF 88 000** – Versailles, 21 déc. 1986 : *Composition – sans titre* vers 1955-1958, h/t (62x72,5) : **FRF 138 000** – Paris, 27 nov. 1987 : *Sans titre* vers 1950, h/t (55x46) : **FRF 78 000** – Paris, 23 mars 1988 : *Composition*, gche/pap. (19x19) : **FRF 25 000** – Paris, 16 oct. 1988 : *Composition* vers 1965-70, gche (20x20) : **FRF 20 000** – Amsterdam, 24 mai 1989 : *Composition abstraite*, craie noire et aquar./pap. (46x45) : **NLG 25 300** – Neuilly, 6 juin 1989 : *Femme harmonie bleue*, h/t (82x100) : **FRF 340 000** – Paris, 9 oct. 1989 : *Intérieur*, gche (47x31) : **FRF 75 000** – Amsterdam, 13 déc. 1989 : *Composition n° 17*, h/t (50x50) : **NLG 46 000** – Paris, 17 déc. 1989 : *Composition* vers 1960, aquar. et cr. (28x28) : **FRF 45 000** – Amsterdam, 10 avr. 1990 : *Composition*, h/t (100x81) : **NLG 143 750** – Paris, 23 avr. 1990 : *Composition abstraite*, aquar. (20x20) : **FRF 61 000** – Amsterdam, 22 mai 1990 : *Marin*, cr. et aquar./pap. (62x43) : **NLG 5 520** ; *Composition, à l'atelier*, h/t (65x81) : **NLG 138 000** – Paris, 25 juin 1990 : *Femme au compotier*, gche (20x26) : **FRF 29 000** – Cannes, 20 août 1990 : *Composition* 1950, h/t (100x81) : **FRF 750 000** – Amsterdam, 12 déc. 1990 : *Composition* 1967, h/t (92x73) : **NLG 109 250** – Amsterdam, 22 mai 1991 : *Nature morte avec un pichet et des fruits sur un entablement*, h/t (81,5x100,5) : **NLG 59 800** – Paris, 2 juin 1991 : *Composition* 1950, h/t (46x55) : **FRF 170 000** – Paris, 12 oct. 1991 : *Goûter sur la terrasse*, h/t (80,5x100) : **FRF 320 000** – Amsterdam, 12 déc. 1991 : *Intérieur-extérieur 1950*, h/t (100x100) : **NLG 109 250** – Paris, 15 juin 1992 : *Personnage dans un intérieur*, gche (16,8x16,8) : **FRF 12 000** – Paris, 26 nov. 1992 : *Composition*, h/t (81x100) : **FRF 180 000** – Amsterdam, 10 déc. 1992 : *Composition*, h/t (100x81) : **NLG 71 300** – Paris, 14 déc. 1992 : *Les Cosmonautes*, h/t (56x46) : **FRF 120 000** – Amsterdam, 26 mai 1993 : *Composition abstraite*, h/t (130x162) : **NLG 126 500** – Paris, 18 juin 1993 : *Composition*, h/t (72x92) : **FRF 175 000** – Paris, 23 nov. 1994 : *Terrasse devant la mer à Cagnes-sur-mer*, gche/pap. (20,5x26,5) : **FRF 28 000** – Amsterdam, 31 mai 1995 : *Nature morte à la fenêtre* 1940, h/t (91x64,5) : **NLG 68 440** – Paris, 7 oct. 1995 : *Composition abstraite*, h/t (65x81) : **FRF 80 000** – Amsterdam, 5 juin 1996 : *Composition*, h/t (73x60) : **NLG 48 300** – Paris, 5 oct. 1996 : *Composition* 1953, h/t (133x146) : **FRF 380 000** – Amsterdam, 10 déc. 1996 : *Nature morte à la table*, h/t (115x115) : **NLG 51 894** – Paris, 28 avr. 1997 : *Composition* vers 1950, h/t (81x100) : **FRF 168 000** ; *Composition* 1950, h/t (104x121) : **FRF 405 000** – Amsterdam, 2-3 juin 1997 : *Sans titre* vers 1944-1945, h/t (81x100) : **NLG 41 300** – Paris, 18 juin 1997 : *Femme dans un intérieur*, h/t (65x92) : **FRF 100 000** – Paris, 20 juin 1997 : *Sans titre*, h/cart. mar./t. (65x81) : **FRF 110 000**.

VELDE H. Van de

Né vers 1744 à Sneck. Mort après 1822. XVIIIe-XIXe siècles. Hollandais.

Peintre de vues et paysagiste.

VELDE Henry Clemens Van de ou **Henri**

Né en 1863 à Anvers. Mort en 1957 à Zurich. XIXe-XXe siècles. Belge.

Peintre de genre, figures, portraits, paysages, graveur, dessinateur.

Essentiellement connu en tant qu'architecte, Van de Velde commença une carrière de peintre avant de prendre assez brusquement la décision de se consacrer à l'art décoratif et à l'architecture. Van de Velde était un homme attiré par toutes les formes d'art : musique, littérature, peinture, architecture, art décoratif. En 1881, il est inscrit à l'Académie des Beaux-Arts d'Anvers, où il étudie la peinture, puis il entre dans l'atelier de Carolus Duran, à Paris, en 1884. À cette époque, il entre en relation avec les poètes symbolistes Mallarmé et Verlaine, et est particulièrement sensible à l'art de Seurat. En 1886, de retour à Anvers, il participe à la fondation du cercle culturel *Als ik Kan* (la devise des Van Eyck), puis à celle de *l'Art Indépendant* qui regroupe des peintres néo-impressionnistes, avant de rejoindre le fameux groupe des *Vingt*, à Bruxelles, en 1889. À partir de 1900, Van de Velde fait carrière en Allemagne où il entreprend une tournée de conférences, aménage le Folkwang Museum de Hagen (1900-02). Il devient, en 1901, le « conseiller artistique du Grand-Duc de Saxe Weimar », ce qui lui donne un champ d'action considérable. Au moment de la Première Guerre mondiale, il avait quitté l'Allemagne, était passé en Suisse en 1917 et s'était réfugié ensuite en Hollande, en 1921. En 1925, il retourne en Belgique et fonde, en 1926 à Bruxelles, l'Institut des Arts Décoratifs de La Cambre, ce qui lui permet de formuler des idées qu'il avait commencées à exprimer à Weimar et qui ouvrent la voie au Bauhaus. Il devient professeur d'architecture à l'Université de Gand où il conçoit la tour-bibliothèque (1936). Il termine sa vie en Suisse où il s'installe à partir de 1947 et écrit ses Mémoires.

Vers 1885 il pratique alors un art qui relève plus de la minutie que de l'inspiration et adopte une technique proche de Seurat dans des paysages et des portraits. À la fin des années quatre-vingt, il s'initie au synthétisme et à l'art de Gauguin. C'est en 1890 qu'il produit une ornementation dans un style proche de celui de Gauguin pour une revue à laquelle il collabore : *Van Nu en Straks*, et pour laquelle il a trouvé une mise en page et une typographie tout à fait nouvelles. En même temps, il découvre les mérites de William Morris qui, en Angleterre, prône un art social ; c'est une sorte de coup de foudre et en 1893, il abandonne la peinture pour se consacrer aux métiers d'art. Il passe du tissage au mobilier pour arriver à l'architecture, domaine dans lequel il pourra se réaliser pleinement. Il commence par construire, en 1895, sa propre maison, le *Bloemenwerf* a Uecle-les-Bruxelles, qu'il conçoit comme un ensemble cohérent, dessinant aussi bien l'architecture elle-même que les meubles, les tapis, les appareils de chauffage, les lampes, la vaisselle, les ustensiles de cuisine. L'ensemble répond à une conception rationnelle de l'art, éliminant toutes fioritures et s'attachant à la fonction et à la logique dans l'emploi des matériaux. Cette recherche s'était également exprimée à travers ses écrits tels que *Déblaiement d'art* (1894), *L'Art futur* (1895), *Aperçu en vue d'une synthèse d'art* (1895). Van de Velde ne pouvait cependant pas se détacher d'un certain romantisme germanique qui le poussait vers des lignes encore ondoyantes. Son état d'esprit nouveau, révolutionnaire même, lui a valu l'admiration du marchand Siegfried Bing qui lui confie, en 1896, l'installation de quatre pièces dans le magasin qu'il ouvre à Paris à l'enseigne de *L'Art Nouveau*. Il s'efforce, dans son enseignement, de faire appel à l'invention sans références au passé, mais se basant sur les principes rationnels des formes. L'aboutissement de sa recherche constante de pureté, de prise de conscience très nette de la relation espace-volume, est la construction du Théâtre du Werkbund (1914) à scène tripartite. Mais cet ensemble reste encore assez lourd à côté du musée commandé par la famille Kröller-Müller à Otterlo, pour lequel il atteint la perfection dans l'harmonie des formes alliée au fonctionnalisme. Cette construction, compte tenu de ses divers remaniements, s'est déroulée de 1937 à 1954. Avant cette réussite, il avait été consulté, en 1911, pour établir les plans du théâtre des Champs-Élysées, mais après bien des péripéties et des démêlés, parfois sordides, les frères Perret exécutèrent leur projet. ■ Annie Jolain

Bibliogr. : Karl Ernst Osthaus : *Henry Van de Velde. Leben und Schaffen des Kunstlers*, Hagen, 1920 – J. Mesnil : *Henry Van de Velde et le théâtre des Champs-Élysées*, Bruxelles – Maurice Casteels : *Henry Van de Velde*, Bruxelles, 1932 – Herman Teirlinck : *Henry Van de Velde*, Bruxelles, 1959 – Henry Van de Velde : *Geschichte meines Lebens*, Munich, 1962 – in : *L'Art du XXe s.*, Larousse, Paris, 1991 – in : *Dictionnaire de l'Art Moderne et*

Contemporain, Hazan, Paris, 1992 – Henri Van de Velde : *Récit de ma vie*, Flammarion, Paris, 1996.

Musées : Anvers (Mus. roy. des Beaux-Arts) : *Femme à la fenêtre* – Brême (Kunsthalle) – Bruxelles (Mus. roy. des Beaux-Arts) – Munich (Staatsgal.) – Otterlo (Kröller-Müller Mus.) – Zurich (Kunsthaus).

Ventes Publiques : Versailles, 11 juin 1965 : *La Vieille paysanne*, past. : **FRF 10 000** – Londres, 12 nov. 1970 : *Portrait de la mère de l'artiste* : **GBP 2 000** – Zurich, 26 mai 1978 : *Paysanne aux champs* vers 1884, h/t (61x88) : **CHF 10 000** – Bruxelles, 19 mars 1980 : *Portrait de la mère de l'artiste tricotant devant la fenêtre* 1887, h/t (43x59) : **BEF 150 000** – Londres, 6 déc. 1983 : *Paysan endormi* 1890, past./pap. (21x29) : **GBP 800** – Lokeren, 20 oct. 1984 : *Jeune fille dans un intérieur* 1884, h/t (92x68) : **BEF 95 000** – Lokeren, 1er juin 1985 : *Deux hommes vus de dos*, fus. (23x29) : **BEF 46 000** – Londres, 28 juin 1988 : *Soleil d'hiver* 1892, h/t (44x60,5) : **GBP 77 000** – Amsterdam, 22 mai 1991 : *Maison à la campagne* 1903, craie noire/pap. (29,5x45,5) : **NLG 5 750** – Amsterdam, 8 déc. 1994 : *Soleil sur la mer*, cr./pap. (23,7x31,7) : **NLG 48 300** – Lokeren, 10 déc. 1994 : *Plage et rouleaux sur la côte belge*, cr. (14x22) : **BEF 100 000** – Lokeren, 20 mai 1995 : *Villa dans un parc, le Belvédère de Weimar* 1903, cr. noir (29x45) : **BEF 240 000** – Amsterdam, 31 mai 1995 : *Ferme avec des meules*, cr. noir et coul./pap. (35,5x60) : **NLG 4 248** – Lokeren, 7 oct. 1995 : *Les dunes à Moserboden* 1909, cr. noir (30x45,3) : **BEF 110 000** – Lokeren, 9 mars 1996 : *Les dunes*, craie noire (22x28,5) : **BEF 85 000**.

VELDE Herman Van de
Probablement d'origine flamande. xviie siècle. Travaillant à Wolfenbüttel vers 1600. Allemand.
Sculpteur.

VELDE J. Van de
Né vers 1814 à Anvers. xixe siècle. Éc. flamande.
Peintre d'histoire et de genre.
Élève de Nicol. de Keyser.

VELDE Jacob I Van de
xviie siècle. Éc. flamande.
Graveur au burin.
Élève de Jacob Neeff en 1644.

VELDE Jacob II Van de
xviiie siècle. Travaillant vers 1770. Hollandais.
Dessinateur et graveur au burin amateur.

VELDE Jan Justus Van de
Né le 5 mai 1689, baptisé à Paris. xviiie siècle. Français.
Peintre.
Fils de Justus Van de Velde.

VELDE Jan I Van de ou **Hans**
Né vers 1568. Mort en 1623 à Haarlem. xvie-xviie siècles. Hollandais.
Dessinateur, calligraphe.
Père de Jan II Van de Velde.

VELDE Jan II Van de, le Jeune
Né vers 1593 à Rotterdam ou à Delft. Mort en 1641 à Enkhuyzen ou à Haarlem. xviie siècle. Hollandais.
Peintre de genre, animalier, paysages, dessinateur, graveur.
Fils du calligraphe Jan I et père de Jan Jansz III, il fut élève de Jan Matham à Haarlem en 1613. Membre de la gilde de cette ville en 1614, il se serait rendu en Italie en 1617 et est mentionné en 1618 à Enkhuyzen, où il épousa Styntje Frederixdr. Il était commissaire de la gilde en 1635. Il eut pour élèves : Cornelis Goutsbloem et Th. Thsz. Joncker en 1635.

Bibliogr. : D. Franken, J.-Ph. Van der Kellen : *L'œuvre de Jan Van de Velde décrit par*, Muller, Amsterdam, 1883 – in : *Diction. de la peinture flamande et hollandaise*, coll. Essentiels, Larousse, Paris, 1989.

Musées : Amsterdam (Rijksmus.) : *Paysage d'hiver* – Nantes : *Le bon Samaritain*, attr.

Ventes Publiques : Zurich, 6 mai 1966 : *Rue de village enneigée* : **CHF 11 000** – Londres, 16 mai 1980 : *La sorcière*, grav./cuivre (21,5x28,6) : **GBP 550** – Londres, 7 déc. 1984 : *The pancake woman*, eau-forte (18,7x13) : **GBP 2 800** – New York, 4 déc. 1987 : *La sorcière*, eau-forte (21,6x28,9) : **USD 2 200** – Amsterdam, 14 nov. 1988 : *Le port de Tholen*, encre (15,9x15,8) : **NLG 14 375** – Amsterdam, 25 nov. 1991 : *Tour en ruines près d'un pont sur une rivière avec une ville au lointain*, encre et aquar. (14x40,9) : **NLG 89 700** – Amsterdam, 12 nov. 1996 : *Vue d'un village*, cr., encre brune et lav. (14x40,4) : **NLG 47 200**.

VELDE Jan III Van de ou **Jansz**
Né vers 1620 à Haarlem. Mort en 1662 à Amsterdam. xviie siècle. Hollandais.
Peintre de paysages, natures mortes.
Fils de Jan II, il se maria en 1643. Il a essentiellement travaillé à Haarlem. Ses natures mortes, sur fonds unis, sont exécutées avec beaucoup de savoir-faire et montrent une influence de Pieter Claesz.

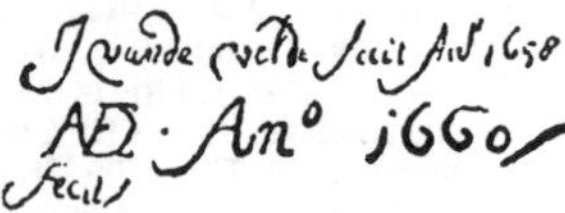

Bibliogr. : In : *Diction. de la peinture flamande et hollandaise*, coll. Essentiels, Larousse, Paris, 1989.

Musées : Amsterdam (Rijksmus.) : *Deux Natures mortes* 1647 et 1651 – Bruxelles : *Nature morte* – Budapest : *Nature morte* – *Le verre de Venise et l'orange coupée* – Haarlem (Mus. Frans Hals) : *Nature morte* 1657 – La Haye (Mauritshuis) : *Nature morte* 1660 – Londres (Nat. Gal.) : *Étude de nature morte* – Nancy : *Nature morte* 1660 – Oslo : *Paysage hollandais avec bétail* – *Paysage* – Oxford (Ashmolean Mus.) : *Trois Natures mortes* 1651, 1653 et 1658 – Rotterdam (Mus. Boymans Van Beuningen) : *Deux Natures mortes* 1657 et 1658.

Ventes Publiques : Londres, 11-12 mai 1911 : *Orange, citron, assiette et verre* : **GBP 18** – Londres, 2 juil. 1937 : *Paysage* : **GBP 210** – Londres, 5 mai 1939 : *Nature morte* : **GBP 420** – Zurich, 17 nov. 1972 : *Nature morte* : **CHF 85 000** – Londres, 13 juil. 1977 : *Nature morte* 1647, h/pan. (20,5x27) : **GBP 13 500** – Londres, 7 juil. 1978 : *Nature morte*, h/pan. (59x47) : **GBP 10 000** – Londres, 6 juil. 1984 : *Vin de verre vénitien et cerises sur un entablement* 1655, h/pan. (33,4x31,5) : **GBP 35 000** – Amsterdam, 10 nov. 1992 : *Nature morte avec un roemer géant, un citron pelé avec un couteau dans une assiette d'étain, une orange, une pipe et un pot à tabac et des noix sur une table*, h/t (41,7x54) : **NLG 195 500**.

VELDE Jan IV Van de ou **Johan**
Mort en 1686 à Haarlem. xviie siècle. Hollandais.
Graveur au burin, orfèvre.
Il grava le portrait de la reine Christine de Suède et des vues du château de Stockholm.

VELDE Justus Van de
xviie siècle. Actif à Paris de 1686 à 1695. Français.
Peintre.
Il épousa en 1687 à Paris Marie Anne Garnier.

VELDE Louis Van de
Né le 10 mars 1872 à Lille (Pas-de-Calais). xixe-xxe siècles. Français.
Peintre de genre, figures.
Il fut élève de Bonnat et de Winter pour la figure et de Guillemet pour le paysage. Il fut officier de l'Instruction publique.
Il commença à exposer, à Paris, en 1897, au Salon des Artistes Français, dont il fut membre sociétaire et obtint une mention honorable en 1898.

Musées : Avranches : *Orpheline, souvenir des inondations* – Bailleul (Nord) : *Le Viatique* – Doullens : *Funérailles à bord* – *Les commères* – Gray : *Anniversaire patriotique* – Mont-Saint-Michel : *Une rue au Mont-Saint-Michel*.

Ventes Publiques : Paris, 28 déc. 1949 : *Le Pont sous la neige* : **FRF 3 200**.

VELDE Nicolas Van de. Voir **VELDE Claes Van de**

VELDE Peter Van de ou **Kampener**. Voir **CAMPANA Pedro**

VELDE Peter Van den
Né le 27 février 1634 à Anvers. Mort après 1687 à Anvers. xviie siècle. Éc. flamande.
Peintre de marines.
Maître en 1654. Il épousa en 1672, la fille du sculpteur Sebastian de Neve et peut-être alla en Angleterre. Il fut le maître de A. Van Blommen. Il ne faut pas confondre ce peintre avec Peter Kampe-

ner, connu sous le pseudonyme de Pedro Campana (voir ce nom) que l'on appelle aussi parfois Peter Van de Velde.

P. V. V.

PVV

Musées : Amsterdam (Mus. Historique) : *L'incendie de la flotte anglaise près de Chatham – Bataille navale dans le Sund en 1658* – Kiew (Mus. Nat.) : *Port* – Lille : *Marine* – Prague (Nostitz) : *Mer agitée* – Saint-Pétersbourg (Mus. de l'Ermitage) : *Château au bord d'une rivière* – Sibiu (Mus. Brukenthal) : *Deux marines* – Stockholm : *Paysage boisé – Tempête.*

Ventes Publiques : Paris, 29 jan. 1943 : *Marine* : **FRF 150 000** – Versailles, 6 mai 1971 : *Navires en vue d'un port* : **FRF 25 000** – Versailles, 13 mai 1973 : *Navires en vue d'un port* : **FRF 42 500** – Royaumont, 11 déc. 1983 : *Vue d'un port de la Méditerranée (Rhodes ?)*, h/t (83x120) : **FRF 35 000** – Londres, 30 mars 1989 : *Côte méditerranéenne surplombée d'une forteresse avec une galiote hollandaise au large*, h/t (47x56,5) : **GBP 2 420** – Londres, 19 mai 1989 : *Estuaire avec une barque doublant la jetée et d'autres embarcations naviguant au large par tempête*, h/cuivre (25,4x34,6) : **GBP 4 840** – Londres, 5 juil. 1989 : *Navigation au large des côtes par mer houleuse*, h/pan. (23,5x38,5) : **GBP 5 720** – Amsterdam, 28 nov. 1989 : *Le passeur approchant du débarcadère d'une ville au bord d'un fleuve*, h/t (76,5c108,5) : **NLG 18 400** – Londres, 26 oct. 1990 : *Port du Levant avec des galères et un vaisseau de guerre*, h/t/pan., une paire (chaque 49x56,5) : **GBP 4 950** – Amsterdam, 13 nov. 1990 : *Navire marchand et autres embarcations sur une rivière par légère brise avec un ville à l'arrière plan*, h/t (52,8x82,8) : **NLG 9 775** – Londres, 14 déc. 1990 : *Navigation sur l'Escaut au large d'Anvers ; Le reflux*, h/t, une paire (chaque 57,7x83,2) : **GBP 15 950** – Londres, 21 nov. 1991 : *Une caravelle hollandaise au large d'une jetée par temps calme ; Bâtiment de guerre tirant une salve devant un fort*, h/pan., une paire (13,5x22 et 13,8x22,5) : **GBP 4 950** – Rome, 25 mars 1992 : *Un port avec des dignitaires chinois dans une chaloupe rejoignant un important bâtiment*, h/t (97x133,5) : **ITL 29 900 000** – Paris, 26 juin 1992 : *Galère ottomane sortant d'un port*, h/t (83x121) : **FRF 70 000** – Amsterdam, 10 nov. 1992 : *Capriccio d'une ville au bord d'une rivière avec la barque du passeur approchant du quai*, h/t (76,5x108,5) : **NLG 9 200** – New York, 15 jan. 1993 : *Navigation au large des côtes hollandaises*, h/t (81,6x122,6) : **USD 14 950** – Paris, 26 avr. 1993 : *Vaisseaux hollandais dans un port méditerranéen*, h/t, une paire (chaque 39x58) : **FRF 62 000** – Londres, 9 juil. 1993 : *Bateaux de pêche au large d'une jetée par mer calme ; Bâtiment de guerre hollandais tirant une salve d'honneur au large d'un fort où flotte le drapeau de Livourne*, h/pan., une paire (13,5x22 et 13,8x22,5) : **GBP 11 500** – Paris, 6 oct. 1993 : *Navires près du port*, h/t (51x60) : **FRF 18 000** – Amsterdam, 9 mai 1995 : *Navigation dans la brise au large de la côte*, h/t (28,5x20) : **NLG 6 375** – New York, 6 oct. 1995 : *Port oriental avec des bâtiments turcs et hollandais et des marins*, h/t (81,9x117,5) : **USD 8 912** – Amsterdam, 7 mai 1997 : *Trois-mâts battant pavillon hollandais approchant d'un port par temps agité*, h/t (41,6x49) : **NLG 14 991** – Paris, 26 sep. 1997 : *Vaisseau de haut-bord à l'entrée du port*, t., deux pendants (33,5x41,5) : **FRF 27 000** – Londres, 3-4 déc. 1997 : *Vue du château d'Helsingor sur le Skagerak, Danemark*, h/pan. (34,3x40,8) : **GBP 10 350.**

VELDE Sophie Van der

Née le 27 avril 1937. xxe siècle. Française.

Peintre de portraits, animaux, paysages, marines, natures mortes, aquarelliste. Postcubiste.

Elle fut élève de l'école des arts décoratifs à Paris. Elle vit et travaille à Reims.

Elle participe à des expositions collectives : 1987 Salon d'Automne à Paris. Elle montre ses œuvres dans des expositions personnelles en France et en Allemagne.

Elle pratique une abstraction régie par les lignes, les formes et les couleurs, privilégiant les teintes pastel.

VELDE Willem I Van de, l'Ancien

Né vers 1611 à Leyde. Mort le 13 décembre 1693 à Greenwich (Londres). xviie siècle. Hollandais.

Peintre d'histoire, sujets militaires, marines, paysages, dessinateur.

On le dit frère d'Esaias Van de Velde. Kranum prétend qu'il en était le fils. La première affirmation paraît la plus plausible, Esaias ayant épousé Catheleyne Maertens à Haarlem en 1611. Il fut d'abord marin, mais il dut aussi travailler le dessin et la peinture fort jeune, car avant sa vingtième année, sa réputation artistique était assez bien établie pour que les États de Hollande missent à sa disposition un petit vaisseau pour qu'il pût peindre d'après nature les batailles navales. Il pratiquait avec prédilection la peinture en grisaille. En 1631, il épousa à Leyde Judith Adriende Van Leeuven. En 1653, il était sur la flotte de l'amiral Tromp. En 1556, il prenait part à la bataille du Sund contre la flotte suédoise. Il était de retour à Amsterdam en 1662. En 1665, il prenait part à la guerre contre l'Angleterre. En 1672, il alla en Angleterre, avec son fils Willem le Jeune, comme peintre du roi Charles II, titre qu'il conserva sous le règne de Jacques II. Une collaboration intime existait entre le père et le fils. En 1674, le roi d'Angleterre allouait à Willem le Jeune une pension de : £ 100 pour peindre en grand les sujets dessinés par Willem l'Ancien. Willem l'Ancien fut enterré avec honneur à l'église Saint-James, Piccadilly et une inscription marque la place de sa tombe.

Bibliogr. : Michael Strang Robinson : *Van de Velde. Un Catalogue des peintures des Willem Van de Velde*, deux volumes, National Maratime Museum, Greenwich, 1990.

Musées : Amsterdam : *Combat naval des quatre journées, 11-14 juin 1666* – Nombreux dessins à la plume sur toile – Édimbourg : *Vaisseau de guerre hollandais* – Genève (Ariana) : *Marine avec vaisseau de guerre* – Rotterdam : *Marine avec embarcations* – Vienne (Czernin) : *Mer calme et vaisseaux de guerre* – Vienne (Mus. Harrach) : *Vue de Malte.*

Ventes Publiques : Paris, 8-10 juin 1920 : *Marines*, deux dessins : **FRF 2 600** ; *Marine*, dess. : **FRF 2 750** ; *Marine*, pierre noire : **FRF 2 804** – Londres, 24 nov. 1924 : *Charles Ier abordant en Hollande* : **GBP 157** – Londres, 16 avr. 1937 : *Bataille navale* : **GBP 225** – Londres, 30 avr. 1937 : *Estuaire d'une rivière* : **GBP 2 100** – Londres, 9 juil. 1937 : *Bords de la mer* : **GBP 378** – Paris, 15 mars 1944 : *Flotte à l'appareillage*, dess. à la pl. et peint. sur pan. : **FRF 215 000** – New York, 22-25 mai 1946 : *Bateaux de pêche* : **USD 1 550** – Londres, 26 juin 1946 : *Bateaux de pêche à l'ancre* : **GBP 780** – Paris, 10 juin 1949 : *Marine*, encre de Chine : **FRF 3 800** – Paris, 6 mars 1951 : *Vue du port d'Anvers* : **FRF 70 000** – Paris, 25 avr. 1951 : *La Tempête* : **FRF 76 000** – Londres, 27 mars 1963 : *La flotte de Guillaume d'Orange se dirigeant vers l'Angleterre* : **GBP 2 800** – Londres, 2 juil. 1965 : *Marine* : **GNS 12 500** – Londres, 3 déc. 1969 : *Bateaux de guerre au large d'une côte escarpée* : **GBP 5 000** – Londres, 29 mars 1974 : *Bateaux de guerre, barques et autres embarcations en pleine mer*, grisaille : **GNS 3 200** – Londres, 5 avr. 1977 : *La flotte hollandaise en mer* 1665, cr. et lav./3 feuilles de pap. (20,8x100,1) : **GBP 4 500** – Amsterdam, 29 oct 1979 : *La Flotte hollandaise en mer*, craie noire, lav. et touches d'encre brune (25,6x42) : **NLG 11 500** – Londres, 16 avr. 1980 : *Bateaux de guerre au port*, h/pan., en grisaille (70x92,5) : **GBP 22 000** – Amsterdam, 16 nov. 1981 : *La Bataille de Scheveningen*, pl. et lav. (19x39,7) : **NLG 8 600** – Amsterdam, 19 avr. 1982 : *Voiliers hollandais et autres bateaux à l'ancre*, lav. de gris/craie noire (24x43,4) : **NLG 29 000** – Paris, 4 mai 1984 : *Bateau*, pl./parchemin (22,3x19) : **FRF 18 000** – Amsterdam, 18 nov. 1985 : *Le déchargement du bateau* vers 1650, pl. et lav./trait de craie noire (21x32,2) : **NLG 19 000** – Amsterdam, 1er déc. 1986 : *Une revue militaire* 1687, craie noire, pl. et lav. (30x86,3) : **NLG 52 000** – Londres, 19 fév. 1987 : *La Flotte hollandaise en mer* vers 1672, craie noire et lav. de gris avec touches de pl. et encre brune (24,5x41) : **GBP 4 400** – New York, 31 mai 1989 : *Le flotte à Bergen en Norvège le 12 août 1665* 1668, grisaille/t. (103x146) : **USD 462 000** – New York, 8 jan. 1991 : *Côte fortifiée en Hollande près de Helder avec une flotte au large*, craie noire et lav. (16,4x32) : **USD 1 925** – Amsterdam, 25 nov. 1991 : *Bâtiment de guerre hollandais et deux yachts par mer calme*, mine de pb et lav. (23,5x40,2) : **NLG 8 625** ; *Flotte militaire hollandaise en mer*, mine de pb et lav. (19,8x47,3) : **NLG 13 800** – Londres, 13 déc. 1991 : *Bâtiment de guerre hollandais ancré au large d'une jetée par temps calme*, h/pan. (69,5x91) : **GBP 82 500** – Amsterdam, 15 nov. 1995 : *Scène de port animé avec de nombreux vaisseaux et des fortifications à gauche*, encre/vélin (29,5x48,5) : **NLG 271 400** – Paris, 24 nov. 1995 : *Voiliers à l'entrée d'un port*, encre noire (17,5x14) : **FRF 5 500** – Londres, 8 déc. 1995 : *Les flottes anglaise et hollandaise échangeant des salves en mer, les vaisseaux Prince et Gouden Leeuw au premier plan*, h/t (159,8x214) : **GBP 309 500** – Amsterdam, 11 nov. 1997 : *Navire de guerre anglais sous la brise*, craie noire (29x20,5) : **NLG 8 260.**

VELDE Willem Van de, le Jeune

Né le 18 décembre 1633, baptisé à Leyde. Mort le 6 avril 1707 à Greenwich (Londres). xviie siècle. Britannique.

Peintre d'histoire, sujets militaires, marines, dessinateur.

Fils aîné et élève de Willem I Van de Velde. Il travailla aussi avec Simon de Vlieger, en 1652.

Du fait de la transmission d'un savoir-faire, les œuvres de Willem le Jeune peuvent être confondues avec celles de son père. Pour les cas où le doute a subsisté, une liste des prix obtenus en ventes publiques par ces peintures non attribuées a été ajoutée après celles authentifiées de Willem le Jeune, retenu plutôt que son père dont la production fut plus rare.

En 1662, il épousait à Amsterdam Petronella Le Maire, en 1656 il contractait un nouveau mariage avec Magdelena Walraven. En 1672 il accompagna son père en Angleterre. Deux ans plus tard le roi Charles II lui allouait une pension de 100 livres sterling et, en 1677, il était peintre du roi. En 1685, après la mort de Charles II, il revint en Hollande, mais ce fut pour un court séjour, car il était bientôt rappelé à la cour de Jacques II. Il y demeura jusqu'à la chute de ce prince. Il fut enterré à l'église Saint-James, à Londres, près de son père. Il eut pour élèves ses fils Cornelis et Willem III et le peintre Jersiaes Peter Monamy.

On a dit que Willem Van de Velde le Jeune avait beaucoup peint d'après les dessins de son père, mais fut lui-même un extraordinaire dessinateur. Ses croquis sont admirables de vérité et de caractère et extrêmement nombreux. On affirme que de 1778 à 1780 on n'en vendit pas moins de huit mille aux enchères publiques à Londres.

Les peintres hollandais sont, à la différence des Italiens, plus attachés à la réalité qu'à l'imagination, ils représentent volontiers les objets visibles, les peintres de paysages ou de marines s'y attachent comme les autres. Il ne faut pas oublier que Willem Van de Velde fut toute sa vie un peintre officiel chargé le plus souvent de retracer fidèlement des événements récents. De ce fait sa liberté de conception et d'exécution se trouvait fatalement très limitée. Malgré ces conditions peu favorables, sa nature artistique s'impose dans toutes ses œuvres. Ses fonctions officielles l'ont évidemment contraint à se créer une technique propre personnelle qui, tout en conservant les caractères de minutie et d'exactitude, favorisait chez lui son souci de liberté artistique ; ce sont là les secrets de sa palette. Si dans ses œuvres on constate une certaine analogie avec les peintres de marines antérieurs, Willem Van de Velde a su disposer d'importantes masses sans se montrer lourd, compact, empâté. La mer était pour lui l'objet d'une continuelle étude. Il en aimait les caprices, la mobilité fantasque et parfois la fureur. Toutefois son tempérament lui faisait préférer les moments de tranquillité. Ses eaux sont alors transparentes et vraies ; jaunâtres ou blondes comme les mers du Nord. Les ciels sont légers, argentins ; le ciel n'est plus alors un « rideau » mais une illusion sphérique et respirable, ainsi que l'atmosphère elle-même. La lumière, l'eau, le ciel, voilà les vrais « sujets » de ses tableaux. On ne saurait lui appliquer le nom « d'impressionniste », mais, comme pour Van Goyen, on admire dans ses peintures un charme rare de vérité. Ces deux artistes du XVIIe siècle, ainsi que Corot le fera plus tard, recherchent avant tout, avec science et naïveté, la fraîcheur de sensation propre à la réalité. ■ E. C. Bénézit

Bibliogr. : Michael Strang Robinson : *Van de Velde. Un Catalogue des peintures des Willem Van de Velde*, deux volumes, National Maratime Museum, Greenwich, 1990.

Musées : Amsterdam : *L'Y devant Amsterdam*, deux œuvres – *Combat naval des quatre journées 11 à 14 juin 1666* – *Calme*, trois œuvres – *Vue prise dans un port* – *A la côte* – *Temps de bourrasques* – *Mer agitée*, deux œuvres – *Le coup de canon* – *Le coup de vent* – *Plage* – *Combat naval près de Solebay, 7 juin 1672* – Anvers : *Marine, temps calme* – Besançon : *Petit port* – Bruxelles : *Vue du Zuyderzée* – Budapest : *Eau calme avec bâtiments de guerre* – Chantilly : *Mer calme* – Cologne : *Tempête* – Dresde : *Bateaux sur mer agitée* – Dublin : *Vaisseau de guerre hollandais sur mer* – *Vaisseau de guerre anglais exécutant un salut* – Dunkerque : *Marine* – Édimbourg : *Bateaux par un temps calme* – Francfort-sur-le-Main : *Mer agitée* – *Vent doux* – Genève (Ariana) : *Matelot déchargeant des marchandises* – Glasgow : *Deux marines* – *Frégate, le canon du soir* – Graz : *Mer tranquille* – Grenoble : *Une escadre* – Hambourg : *Marine* – Hanovre : *Bataille navale de Solebay* – Le Havre : *Vaisseau appareillant* – *Mer agitée* – *Barque au bord d'une plage* – La Haye : *Eau calme avec bâtiments de guerre* – *Eau calme avec des navires* – *Prise du Royal Prince, au cours de la bataille navale des quatre journées, les 11 et 14 juin 1666* – *Mer calme, coucher de soleil* – Kassel : *Mer calme* – *Scène sur le rivage* – *Marine* – *Scène sur une plage* – *Petite marine avec vaisseau brûlant la nuit* – Lille : *Marine* – Londres (Nat. Gal.) : *Mer calme*, deux œuvres – *Fraîche brise* – *Bateaux sur mer calme* – *Scène de côte, calme* – *Vaisseaux au loin* – *Côte de Scheveningen* – *Brise légère* – *Deux marines* – *Scène de rivière* – *Vaisseaux* – *Tempête* – *Salut de vaisseaux hollandais* – Londres (Wallace Coll.) : *Combat naval* – *Le coup de canon* – *Scène au bord de la mer, barques de pêche* – *Navire dans le calme* – *Embarquement du prince d'Orange* – *Coup de vent* – *Scène au bord de la mer et navire* – *Débarquement de navires de guerre* – Lyon : *Mer calme à marée basse* – *Escadre hollandaise* – Montpellier : *La petite flotte* – Montréal (Learmont) : *Bateaux, côte hollandaise* – Munich : *Marine, approche de la tempête* – *Mer calme, frégate* – Nantes : *Mer calme* – Nottingham : *Marine* – Nuremberg : *Marine* – Orléans : *Combat naval dans la mer du Nord* – Paris (Mus. du Louvre) : *Marine* – Prague : *Mer agitée* – Reading : *Vaisseaux à l'ancre* – Rotterdam : *Le port de Texel* – Rouen : *Combat naval* – Saint-Étienne : *Marine* – Saint-Pétersbourg (Mus. de l'Ermitage) : *Une rade* – *Mer calme* – Stockholm : *Bateaux de pêche* – *Brise fraîche* – *Bateaux de pêche à voiles* – *Bateau de pêcheurs dans un bas fond* – Strasbourg : *Marine* – Valenciennes : *Marine* – Venise : *Marine, barques mettant à la voile* – Weimar : *Mer calme avec bateaux* – *Revue de flotte* – *Bateaux sur une mer agitée*.

Ventes Publiques : Paris, 1702 : *Quatre batailles navales : Flottes hollandaises contre flottes française et anglaise*, quatre tableaux : **FRF 1 900** – Londres, 1770 : *Marine* : **FRF 7 870** – Paris, 1773 : *Vue de la flotte des États, au Texel*, dess. lavé à l'encre de Chine : **FRF 630** – Paris, 1777 : *Mer calme* : **FRF 8 051** – Londres, 1803 : *Bataille navale* : **FRF 10 762** – Londres, 1807 : *Calme avec escadre à l'ancre* : **FRF 24 910** – Londres, 1819 : *Flotte en pleine mer* : **FRF 19 000** – Londres, 1831 : *Vue du Zuyderzée* : **FRF 20 000** – Paris, 1832 : *Vue du Zuyderzée* : **FRF 20 000** – Londres, 1840 : *Mer calme : bateaux de guerre à l'ancre* : **FRF 25 700** – Paris, 1842 : *Flotte en rade*, dess. à la pl. lavé : **FRF 641** – Londres, 1846 : *Calme, navire de guerre à l'ancre* : **FRF 44 100** – Paris, 1852 : *Marine, temps calme* : **FRF 18 500** – Paris, 1865 : *Marine* : **FRF 35 000** – Paris, 18 avr. 1868 : *Marine par temps clair* : **FRF 68 000** – Amsterdam, 1872 : *Marine* : **FRF 92 800** ; *Marine* : **FRF 85 050** – Londres, 1876 : *Temps calme* : **FRF 58 000** – Londres, 1891 : *Départ du roi Charles II* : **FRF 49 080** – Londres, 1895 : *Rivière par temps calme* : **FRF 21 265** – Paris, 4-7 déc. 1907 : *Marine* : **FRF 10 400** – Paris, 30 nov. 1908 : *La flotte hollandaise* : **FRF 25 500** – Londres, 3 déc. 1908 : *Vaisseaux par gros temps* : **GBP 33** – Londres, 9 avr. 1910 : *Vaisseau par temps calme* : **GBP 399** – Londres, 10 déc. 1910 : *Embarquement 1665*, grisaille : **GBP 94** – Paris, 16-19 juin 1919 : *La Galère royale* : **FRF 48 000** – Londres, 3 fév. 1922 : *Vaisseaux de guerre en vue d'une côte* : **GBP 126** – Londres, 21 avr. 1922 : *Vaisseaux de guerre tirant une salve* : **GBP 86** – Londres, 4-7 mai 1923 : *Bataille navale* : **GBP 735** – Londres, 6 juil. 1923 : *Marine* : **GBP 1 050** – Paris, 27 oct. 1926 : *Navires et bateaux au mouillage*, pl. et lav. : **FRF 240** – Londres, 6 mai 1927 : *Bataille navale : flotte hollandaise contre les flottes anglaise et française* : **GBP 1 837** – Paris, 19 avr. 1928 : *Voilier en mer et autres embarcations* : **FRF 4 300** – Paris, 13-15 mai 1929 : *Vue de la rivière l'Y à Amsterdam*, dess. : **FRF 15 000** ; *Combat naval*, dess. : **FRF 12 100** – Londres, 28 juin 1929 : *La bataille de Solebay* : **GBP 1 680** – Paris, 11 déc. 1934 : *Marine, mer calme* : **FRF 43 200** – Londres, 26 juin 1936 : *Entrée au port* : **GBP 1 627** – Londres, 19 avr. 1937 : *Bateaux par temps calme* : **GBP 2 100** – Paris, 8 déc. 1938 : *Les voiliers*, pierre noire, pl. et lav. d'encre de Chine : **FRF 6 000** – Londres, 16 fév. 1940 : *Vaisseaux en vue de la côte* : **GBP 231** – Londres, 26 juil. 1940 : *Voiliers par temps calme* : **GBP 441** – New York, 4 et 5 déc. 1941 : *Bateaux de pêche en vue* *de la côte* : **USD 12 200** – Londres, 19 déc. 1941 : *Bateaux de pêche au calme* : **GBP 315** – Paris, 31 mars 1943 : *Vue d'une rade* 1690, pierre noire et lav. d'encre : **FRF 9 250** – Nice, 24 fév. 1949 : *Marine animée de personnages* : **FRF 163 000** – Bruxelles, 30 jan. 1950 : *Combat naval dans la Mer du Nord* : **BEF 48 000** – Paris, 22 mars 1950 : *Étude de voilier*, pl. et lav. : **FRF 18 500** – Paris, 25 mai 1950 : *Navire en haute mer 1685* : **FRF 32 000** – Londres, 12 juin 1950 : *Navire de guerre par temps calme* : **GBP 651** – Londres, 19 juil. 1950 : *Le retour de William et Mary aux Pays-Bas en 1677* : **GBP 650** – Paris, 7 déc. 1950 : *Marine par temps calme* : **FRF 5 500 000** – Londres, 19 jan. 1951 : *Navires de guerre et barques de pêche au large des côtes* : **GBP 787** – Paris, 27 juin 1951 : *Combats sur mer*, cr. noir et reh., six dessins : **FRF 45 200** – Paris, 24 mai 1955 : *Marine : mer calme* : **FRF 5 700 000** – Londres, 2 juil. 1958 : *Bateaux de pêche à l'ancre* : **GBP 5 500** – New York, 6 déc. 1958 : *Une flotte à l'ancre par temps calme* : **USD 42 500** – Londres, 22 juil. 1960 : *Un soldat hollandais* : **GBP 1 155** – Londres, 21 juin 1961 : *Paysage avec bateaux de pêche au large de la côte* : **GBP 1 200** – Londres, 3 juil. 1963 : *Voiliers par temps calme* : **GBP 9 000** – Londres, 29 oct. 1965 : *La flotte anglaise* : **GBP 2 600** – Londres, 29 oct. 1965 : *La flotte anglaise* : **GNS 2 600** – Londres, 19 avr. 1967 : *Voiliers à quai* : **GBP 6 000** – Londres, 21 juin 1968 : *Voiliers et bateaux de guerre par mer calme* : **GNS 15 000** – Londres, 5 déc. 1969 : *Bateaux et barques en pleine mer* : **GNS 26 000** – Londres, 11 juin 1971 : *Barques de pêche à l'ancre* : **GNS 8 000** – Londres, 23 mars 1973 : *Barques de pêche et pêcheurs* : **GNS 28 000** – Londres, 28 juin 1974 : *Bateaux de pêche en mer* : **GNS 30 000** – Londres, 2 juil. 1976 : *Bateaux en mer*, h/t (129,5x189) : **GBP 65 000** – Amsterdam, 9 juin 1977 : *Bateaux par temps calme*, h/t (52x66) : **NLG 420 000** – Londres, 3 mai 1979 : *Le bateau Porsmouth*, cr. et lav. (28,3x49,2) : **GBP 2 800** – Londres, 12 déc 1979 : *Bateaux à l'ancre*, h/t (56x63,5) : **GBP 120 000** – Paris, 21 avr. 1982 : *Vaisseaux*, pl. et lav./préparation à la mine de pb (22x37) : **FRF 36 000** – Londres, 19 nov. 1982 : *The Royal Charles ; The Royal James* 1676, h/t, une paire : **GBP 10 000** – Amsterdam, 15 nov. 1983 : *Bateaux à l'ancre et flotte hollandaise au large de la côte* vers 1666, craie noire et lav. et touches de pl. et encre brune (15,9x35,2) : **NLG 8 800** – Amsterdam, 14 mars 1983 : *La Bataille navale de Solebay* 1676, h/t (127x152) : **NLG 110 000** – New York, 17 jan. 1985 : *Un bateau anglais et autres bâtiments en mer*, h/t (32x42) : **USD 15 000** – Londres, 8 juil. 1987 : *Bateaux de guerre hollandais et autres bâtiments par forte mer*, h/t (56,5x71) : **GBP 150 000** – New York, 14 jan. 1988 : *Bateaux hollandais sur la mer houleuse*, h/t (26,5x32) : **USD 49 500** – Londres, 7 Juil. 1989 : *Les poternes sur le Amstel à l'extérieur d'Amsterdam avec trois hommes dans une barque se dirigeant vers une embarcation à voiles* 1655, h/t (31,8x44,8) : **GBP 154 000** – Troyes, 19 nov. 1989 : *Marine*, pierre noire (15x22,5) : **FRF 19 000** – New York, 12 jan. 1990 : *Bateaux hollandais dans une baie*, encre (16,3x19,2) : **USD 7 700** – Amsterdam, 12 juin 1990 : *La bataille des quatre jours, 2 juin 1666*, h/t (78,5x123,5) : **NLG 66 700** – Stockholm, 14 nov. 1990 : *Bataille navale entre les flottes anglaise et hollandaise*, h/pan. (88x121) : **SEK 58 000** – Paris, 30 jan. 1991 : *Naufrage de vaisseaux anglais pendant une tempête*, h/t (37,5x58,5) : **FRF 36 000** – Londres, 2 juil. 1991 : *Vaisseau à deux-ponts anglais tirant une salve d'honneur avec d'autres embarcations*, mine de pb et lav. gris (29,5x42,3) : **GBP 24 200** – Londres, 3 juil. 1991 : *Un bâtiment de la Compagnie des Indes par légère brise*, h/t (108x176) : **GBP 52 800** – York (Angleterre), 12 nov. 1991 : *La flotte hollandaise en mer*, lav. gris sur craie blanche (25x46) : **GBP 3 740** – New York, 15 jan. 1992 : *La flotte*, craie noire, encre et lav. (22,8x83,2) : **USD 15 400** – Amsterdam, 25 nov. 1992 : *Navigation près d'une jetée*, encre (diam. 17,5) : **NLG 9 200** – Londres, 23 avr. 1993 : *Bâtiments de la flotte hollandaise toutes voiles dehors sur une large rivière par brise légère*, h/t (43x68,5) : **GBP 84 000** – Londres, 8 déc. 1993 : *Garde-côtes hollandais par mer calme tirant une salve avec un violoneux sur le pont*, h/pan. (37x32) : **GBP 177 500** – New York, 19 mai 1994 : *Barque de pêche et goélette toutes voiles dehors*, h/t (50,8x66) : **USD 200 500** – Londres, 7 déc. 1994 : *Une frégate battant pavillon hollandais venant jeter d'ancre près de la côte par brise légère*, h/t (66,1x84,5) : **GBP 353 500** – Amsterdam, 15 nov. 1995 : *Bateaux à l'ancrage* 1665, craie noire et lav. (16,6x13,2) : **NLG 3 540** – Londres, 3 juil. 1996 : *Barque de pêche à l'ancre avec un vaisseau de guerre anglais à l'arrière-plan*, h/pan. de chêne (50,8x45,5) : **GBP 1 376 500** – New York, 29 jan. 1997 : *Départ en mer de trois vaisseaux de l'escadron central de la flotte hollandaise et autres vaisseaux dans le lointain*, craie noire et lav. gris/deux feuilles de pap. jointes (19,1x48,9) : **USD 25 300** – Londres, 18 avr. 1997 : *Navires de guerre en eau calme*, h/t (81,2x115,3) : **GBP 45 500** – Paris, 25 avr. 1997 : *Marine*, lav. gris (14,5x40) : **FRF 13 000** – Paris, 13 juin 1997 : *Navires hollandais en pleine mer* 1663, t. (33,5x39,5) : **FRF 3 100 000** – Londres, 4 juil. 1997 : *Un bâtiment de guerre anglais et un smalschip en mer agitée*, h/t (61x90,8) : **GBP 24 150** – Londres, 3 déc. 1997 : *Un yacht et autres bateaux en mer calme ; Le Gouden Leeuw par grand vent*, h/t/pan., une paire (33,7x41,2) : **GBP 155 500**.

VELDE Willem Van de

Né le 4 septembre 1667, baptisé à Amsterdam. XVIIe-XVIIIe siècles. Hollandais.

Peintre de marines.

Élève de son père Willem Van de Velde le Jeune. Il vivait à Londres en 1708.

VELDEN Adolf Van den

Né le 24 décembre 1853 à Francfort-sur-le-Main. XIXe siècle. Allemand.

Paysagiste.

Le Musée de Weimar conserve de lui : *A l'Oderbruch*.

VELDEN Franz Xaver

Né à Graben. XVIIIe siècle. Actif dans la seconde moitié du XVIIIe siècle. Allemand.

Peintre.

Élève de G. des Marées. Le Musée Municipal d'Augsbourg conserve de lui *Portrait de Joh. Th. Lippert*.

VELDEN Georg Van de

XVIe siècle. Actif à la fin du XVIe siècle. Éc. flamande.

Graveur au burin.

Il grava des portraits et des sujets religieux.

VELDEN Paulus ou **Petrus Van der**

Né le 5 mai 1837 à Rotterdam. Mort vers 1915 à Christchurch. XIXe-XXe siècles. Hollandais.

Peintre de genre, aquarelliste.

Il fut son propre maître et travailla à Moordwyk et à Christchurch. On cite particulièrement ses aquarelles.

Musées : Amsterdam : *Double-blanc* – Dordrecht : *Portrait d'A. C. Loffelt* – Groningen : *Le fumeur* – La Haye (comm.) : *Violoncelliste* – *Village de pêcheurs le soir* – Rotterdam (Mus. Boymans) : *Vieux pêcheur* – Sydney : *Désillusionné*.

Ventes Publiques : Londres, 3 juin 1910 : *Le jeune Musicien*, aquar. : **GBP 16**.

VELDEN Petrus Carel Van den

Né à Utrecht. Mort en 1830, jeune. XIXe siècle. Hollandais.

Peintre, dessinateur et lithographe.

Élève de C. Kramm.

VELDENAER Johann ou **Veldener**, dit **Giovanni di Westfalia**

Mort après 1501. XVe siècle. Actif en Allemagne et en Hollande de 1447 à 1483. Allemand.

Dessinateur, graveur sur bois, imprimeur et éditeur.

Les renseignements précis manquent sur ce primitif. Certains biographes le classent parmi les graveurs hollandais ; d'autre part le surnom de *Giovanni di Westfalia*, que lui donnent certains écrivains italiens, ferait plutôt penser à une nationalité allemande ? Dans tous les cas, il ne faut pas oublier qu'au Moyen Âge le Rhin était la principale voie commerciale entre les Pays-Bas et la basse Allemagne ; que marchands d'estampes, libraires, orfèvres graveurs, fréquentaient les foires et marchés des cités rhénanes, de l'embouchure du fleuve aux régions de la haute Alsace. Veldenaer dut être dans ce cas et le fait de sa résidence dans des villes allemandes peut avoir motivé le sobriquet des Italiens. Les critiques ont discuté aussi s'il était réellement l'auteur des dessins et des bois illustrant les ouvrages publiés par lui. Il était à Cologne en 1473, à Louvain l'année suivante et y imprimait le *Fasciculus Temporum*, orné de gravures sur bois, et en 1476, *Caroli Virtuti formulae Salvationis*. On le cite aussi à Utrecht en 1480. Il publie vers cette date une édition in-folio le *Speculum Humanae Salvationis* et en fit aussi, à Culembourg, en 1483, une deuxième édition in 4. La même année, dans la même ville, il publiait aussi *Historia Sanclae Crucis*.

VELDERS Louis ou **Jan**. Voir **VOLDERS**

VELDHEER Jacob Gerard

Né le 4 juin 1866 à Haarlem. XIXe siècle. Hollandais.

Graveur de paysages, marines.

Il fut élève de l'Académie de La Haye. Il grava des vues et des marines.

VELDHOVEN Hendrik Van. Voir **VELTHOVEN**

VELDHOVEN Paulus Van
Né vers 1735 à Utrecht. Mort en 1827 à Utrecht. XVIIIe-XIXe siècles. Hollandais.
Peintre de portraits.
Fils et probablement élève, de Hendrik Velthoven.

VELDMAN Wybrand
Né en 1742 à Groningen. Mort en 1800 à Groningen. XVIIIe siècle. Hollandais.
Miniaturiste et portraitiste.
Élève de Petrus Camper.

VELDMANN Hermann. Voir **VELTMANN**

VELE d'Assise, Maître des. Voir **MAÎTRES ANONYMES**

VELEHRADSKY Bernard Bonaventura Wilhelm
Mort le 22 juin 1729 à Olmutz. XVIIIe siècle. Autrichien.
Peintre.
Il travailla pour l'évêque d'Olmutz.

VELEHRADSKY Franz
XVIIe-XVIIIe siècles. Actif à Kremsier. Autrichien.
Peintre.

VELESCU-ILIE Viorica
Née le 29 mars 1924 à Braila. XXe siècle. Depuis 1977 active en Suisse et au Canada. Roumaine.
Auteur d'installations.
Elle fut diplômée de l'Institut d'Arts Plastiques N. Grigorescu de Bucarest en 1957. Elle a reçu en 1983 une bourse d'études à l'université de Montréal. Elle vit et travaille à Genève et Montréal.
Elle participe à des expositions collectives en Roumanie, France, Allemagne, Pologne, Italie, Canada, Japon... Elle montre ses œuvres dans des expositions personnelles : à partir de 1962 en Roumanie, puis en Suisse et au Canada.
Après des débuts figuratifs, elle évolua vers le surréalisme puis l'art conceptuel. Dans les années quatre-vingt, elle réalise des installations ludiques à partir d'assemblages d'objets en plastique métallisé suspendus au plafond, posés à terre.
Bibliogr. : Ionel Jianou et autres : *Les Artistes roumains en Occident*, American Romanian Academy of Arts and Sciences, Los Angeles, 1986.

VELEZ DE ULLOA Juan
XVIIe siècle. Espagnol.
Peintre de figurines.
Il travailla pour la cathédrale de Grenade.

VELGHE Aimé
Né le 1er mars 1836 à Courtrai. Mort le 11 janvier 1870 à Courtrai. XIXe siècle. Belge.
Peintre d'histoire et de genre.
Élève de l'Académie d'Anvers. Le Musée de Courtrai conserve de lui *Page avec cheval* et *Cheval devant l'écurie*.

VELGHE Auguste
Né le 5 mars 1831 à Courtrai. Mort le 30 juillet 1912 à Courtrai. XIXe-XXe siècles. Belge.
Peintre de fruits, fleurs.
Musées : Courtrai : trois peintures.

VELI Benedetto ou **Velli** ou **Veglio** ou **Velio**
Né en 1564 à Florence. Mort en 1639. XVIe-XVIIe siècles. Italien.
Peintre d'histoire.
Lanzi cite de lui une *Ascension*, dans la cathédrale de Pistoia.

VELICKOVIC Vladimir
Né le 11 août 1935 à Belgrade (Serbie). XXe siècle. Depuis 1966 actif en France. Yougoslave.
Peintre de figures, animaux, paysages, natures mortes, technique mixte, peintre à la gouache, peintre de collages, dessinateur, graveur, sculpteur, auteur d'assemblages. Expressionniste.
Il fut élève de la faculté d'Architecture de Belgrade, dont il obtint le diplôme en 1960. De 1962 à 1964, il travailla dans l'atelier d'État de Krsto Hegedusic. Il est professeur à l'école des beaux-arts de Paris.
Depuis 1951, il participe à des expositions de groupe toujours plus nombreuses, notamment : 1961 Ire Triennale Yougoslave ; 1965 Biennale de Paris et Biennale de São Paulo ; 1966 Salon Grands et Jeunes d'Aujourd'hui à Paris ; 1967 Prix Marzotto et XVe Prix Lissone ; 1968 Salon de Mai à Paris et *Art Vivant 1965-1968* à la Fondation Maeght de Saint-Paul-de-Vence ; 1970 Biennale de la Gravure à Tokyo ; 1972 Biennale de la Gravure de Rijeka et *72/72* aux galeries nationales du Grand Palais de Paris ; 1979 *Tendances de l'art en France* au musée d'Art moderne de la Ville de Paris Section de l'ARC ; etc. Il montre également de nombreuses expositions personnelles de ses peintures, dessins, œuvres graphiques, notamment : 1963, 1969 Salon du musée d'Art moderne de Belgrade ; 1963, 1977 Biennale de São Paulo ; 1964, 1971, 1980 Petite Galerie de Ljubljana ; 1965 Bruxelles ; 1967 Paris ; 1968 Rome et autres villes d'Italie ; 1969 galerie d'Art contemporain de Zagreb ; 1969, 1976 musée d'Art moderne de Rijeka ; 1970 musée d'Art moderne de la Ville de Paris Section de l'ARC ; 1971 Milan et plusieurs villes d'Italie ; 1972 pavillon yougoslave de la XXXVIe Biennale de Venise ; 1974 Kunsthalle de Düsseldorf ; 1976 Konsthall de Lund, Kunsthall de Göteborg ; 1982 musée des Beaux-Arts de Caracas ; 1984 Museum voor Hededaagse Kunst d'Utrecht, Stadtmuseum de Ratingen ; 1985 Galerie de l'Ancienne Poste à Calais ; depuis 1986 régulièrement à la galerie Patrice Trigano à Paris ; 1988 galerie d'Art contemporain de Novi Sad ; 1992, 1996 Institut français de Naples ; 1995 musée de Menton ; 1996 Centre d'Art contemporain d'Istres, musée macédonien d'art contemporain de Thessalonique ; 1997 Pinakotheque nationale d'Athènes, ARCO de Madrid, etc.
Il a obtenu de nombreux prix, entre autres : 1962 Prix de peinture de la Biennale des Jeunes de Rijeka ; 1964 Prix de Peinture de la Triennale Yougoslave à Belgrade ; 1965 Prix de Peinture de la Biennale de Paris ; etc.
Il a longtemps travaillé avec Segui et Titus-Carmel, faisant le lien entre l'humour grinçant du premier et le réalisme surréaliste du second. Peintre de la réalité aussi, Velickovic, comme dans d'autres domaines Cremonini ou Dado, y manifeste une telle virtuosité – frôlant parfois le maniérisme et le « coup-de-patte » – que la réalité se trouve dépassée, surpassée, d'autant qu'il profite du vertige du regardant pour brouiller les cartes : par exemple peignant un des nombreux accouchements, se trompant il fait sortir du vagin de la parturiente le rat écorché qu'il étudiait justement en même temps sur une autre série de toiles. Quant aux thèmes traités obsessionnellement, Jean-Clarence Lambert les évoque en peu de mots : « ...ces Têtes déféquantes, ces Orateurs pourrissants ? Que fuient et d'où sont issus ces Chiens et ces Chevaux effarés ? À quels limbes naissent ces Fœtus eux-mêmes parturient sous les gibets ? » Pour traduire une réalité piégée, sous le chien courant on devine le squelette, l'accouchement semble bien plutôt une scène de torture, plus qu'à une technique réaliste, c'est à un « virtuosisme » de l'écriture que recourt Velickovic, illusionniste qui fait surgir les monstres de nos profondeurs. L'homme, les animaux constituent dans les années soixante-dix le thème central permanent des œuvres de Velickovic, mais non sans ambiguïté. Il ne s'agit ici pas d'un thème humaniste, pour la célébration de la vie, mais au contraire d'un cérémonial de la souffrance et de la mort. Hommes et bêtes, écorchés, torturés, et entourés d'appareils de mesure, de repères numériques, d'axes de cordonnées, manifestent les angoisses archétypales de la conscience d'être au monde. À partir de 1972, il utilise la photographie notamment de l'homme de Muybridge (*Six États possibles d'un être* 1972-1973), le reproduisant ou l'introduisant en collage, et décompose le mouvement des corps d'êtres humains ou animaux. Le sujet évolue ensuite avec la représentation d'hommes en fuite, de dos, gravissant une structure géométrique évoquant des escaliers dans de vastes espaces ouverts, silhouettes qui cherchent à échapper au tableau, se dirigent vers un abyme. Progressivement la composition s'épure, réduite à l'essentiel, tend vers l'abstraction, n'était la présence humaine. Un espace vide, monochrome, dans lequel s'enfonce l'homme, révèle la vision d'une existence sans issue autre que le gouffre. En 1988, la couleur, bleue, ocre, jaune, rouge, réapparaît, puis un morceau de ciel azur éclaire l'espace, ajoute une note d'ouverture dans cette peinture de la solitude. Dans les années quatre-vingt-dix, aux corps pendus, noueux, aux chiens errants viennent s'ajouter des représentations de paysages désertés par l'homme, vastes espaces ténébreux traversés de mâts, de potences, de trous, scènes d'incendie, où le rouge éclatant du feu, du sang, transperce le noir intense de la toile. À partir de cette même époque, Velickovic réalise des sculptures en acier soudé, potences, gibets parfois en haut d'escalier, dont l'homme est absent, et dont la forme géométrique ascendante fait écho aux structures des peintures d'où l'homme semble s'enfuir.
Velickovic, depuis ses débuts, fortement marqué par la guerre et ses atrocités, développe un art du tragique, qui s'inscrit dans une forte unité thématique. Échappant au temps, ces œuvres d'une

grande violence, métaphysiques, parlent, avec simplicité, de la présence et de l'absence, de la vie et de la mort. Dans une tentative désespérée, visionnaire, l'artiste « tente avant tout de laisser une cicatrice dans la mémoire du spectateur » (Velickovic), dénonçant la destinée humaine. ■ J. B., L. L.

Bibliogr. : Jean-Clarence Lambert : *Velickovic, sueno de la razon ?*, Opus International, Paris, juin 1970 – *Catalogue de l'exposition « Velickovic »*, Gal. du Dragon, Paris, mars 1973 – Jean Louis Ferrier, sous la direction de... : *Vladimir Velickovic*, Belfond, Paris, 1976 – Marc Le Bot : *Vladimir Velickovic. Essai sur le symbolisme artistique*, Galilée, Paris, 1979 – Alain Gutharc, Alin Avila, Vladimir Velickovic : *Velickovic*, Autrement/Art, Paris, 1983 – in : Catalogue de l'exposition *Écritures dans la peinture*, Villa Arson, Nice, 1984 – André Velter : *Velickovic. L'épouvante et le vent*, Fata Morgana, Montpellier, 1987 – *Dossier Velickovic*, in Opus International, n° 121, sept.-oct 1990 – Michel Bohbot : *Velickovic*, Enrico Navarra, Paris, 1991 – Alain Jouffroy : *Vladimir Velickovic. Dessins 1957-1979*, Acatos, Lausanne, Paris, 1996 – Evelyne Artaud : *Vladimir Velickovic*, Galerie Guy Bärtschi, Genève, 1997 – *Dossier Velickovic*, Verso Arts et Lettres, n° 7, Paris, juillet 1997.

Musées : Amsterdam (Stedelijk Mus.) – Athènes (Pina. Nat.) – Belgrade (Mus. d'Art contemp.) : *Grand Épouvantail* 1963 – *Grande Tête* 1965 – *Grande Tête avec les mouches* 1968 – Belgrade (Mus. nat.) – Bochum (Stadtische Kunstgalerie) – Bologne (Mus. civico) – Bratislava (Slovenska Narodni Gal.) – Brescia (Gal. d'Arte mod.) – Bruxelles (Mus. roy. des Beaux-Arts de Belgique) – Caracas (Mus. des Beaux-Arts) – Chicago (Inst. of Contemp. Art) – Copenhague (roy. Mus. of Fine Art) – Cordoba (Mus. Provinc. de Bellas Artes) – Dresde (Stadtlische Kunstsammlungen) – Dubrovnic (Gal. d'Art) – Dunkerque (Mus. d'Art contemp.) – Fiume (Mus. d'Art mod.) – Gand (Mus. Voor Schone Kunsten) – Graz (Neue Gal. und Landes Mus. Joaneum) – Helsinki (Mus. Atheneum) – Humlebaek (Louisiana Mus.) – Lausanne (Mus. cantonal) – Ljubljana (Mus. d'Art mod.) – Lodz (Mus. Sztucki) – Londres (Tate Gal.) – Malmö (Konsthall) – Marseille (Mus. Cantini) : *L'Alarme* 1967 – *Poursuite* 1977 – Montréal (Mus. des Beaux-Arts) : *Rat n° 6* 1973 – New York (Mus. of Modern Art) – Nîmes (Mus. d'Art mod.) – Paris (CNAC) – Paris (Mus. mun. d'Art Mod.) – Paris (Mus. nat. d'Art mod.) : *Gibet n° 5* 1970 – *Poursuite figure VII* 1984 – Paris (BN) – Rotterdam (Mus. Boymans Van Beuningen) – Santiago du Chili (Mus. d'Art mod.) – Skopje (Mus. d'Art mod.) – Split (Gal. d'Art) – Strasbourg (Mus. d'Art mod.) – Téhéran (Mus. d'Art Mod.) – Utrecht (Hadendaagse Kunst) – Venise (Mus. d'Art mod.) – Washington D. C. (Libr. of Congress) – Zagreb (Gal. d'Art contemp.).

Ventes Publiques : Paris, 25 mars 1974 : *La Nuit* 1968 : **FRF 30 000** – Milan, 9 nov. 1976 : *Le Saut* 1968, h/t (45x55) : **ITL 400 000** – Milan, 18 avr. 1978 : *Expérience/Rat n° 4* 1973, h. et fus./t. (195x195) : **ITL 4 400 000** – Paris, 21 juin 1979 : *Naissance d'une boîte* 1972, encre de Chine (74x107) : **FRF 4 800** – Milan, 26 juin 1979 : *Homme qui marche* 1973, h/t (46x33) : **ITL 800 000** – Grenoble, 15 déc. 1980 : *Accouchement*, sérig. (113x76) : **FRF 10 000** – Paris, 15 juin 1981 : *Composition* 1967, encre de Chine, dess. double face : **FRF 7 000** – Paris, 22 avr. 1983 : *La Nuit* 1968, h/t (250x170) : **FRF 55 000** – Paris, 26 nov. 1984 : *L'homme qui saute* 1974, dess. (76x110) : **FRF 8 500** – Paris, 6 juin 1985 : *L'orateur N° 2* 1968, h/t (250x170) : **FRF 52 000** – Paris, 20-21 juin 1988 : *Cri Fig I* 1980, encre (76x55) : **FRF 12 000** – Paris, 27 juin 1988 : *Composition* 18 août 1970, encre/pap. (75x110) : **FRF 9 000** ; *Poursuite* 1986 (38x46) : **FRF 7 500** – Paris, 28 oct. 1988 : *Grand personnage* 1968-69, dess. à l'encre de Chine (73x109) : **FRF 16 000** – Paris, 12 juin 1989 : *Mutation* 1968 (76x110) : **FRF 20 000** – Paris, 12 fév. 1989 : *Figure AA 6*, dess. encr. de Chine (50x31,5) : **FRF 7 000** – Pékin, 6 mai 1989 : *Cri Fig. XXXIII* 1987-88, encre de Chine et gche /pap. (200x125) : **FRF 96 800** – Paris, 13 déc. 1989 : *Pyramides* (60x38) : **FRF 8 000** – Paris, 15 fév. 1990 : *L'orateur n° 2* 1968, h/t (250x170) : **FRF 110 000** – Paris, 3 mai 1990 : *Expérience rat n° 5* 1974, h/t (195x195) : **FRF 150 000** – Paris, 29 juin 1990 : *Abtime* 1978, h/t (146x198) : **FRF 76 000** – Neuilly, 16 avr. 1991 : *Sans titre* 1965, encre de Chine/pap. (105x69) : **FRF 15 000** – Amsterdam, 9 déc. 1992 : *Sans titre*, h/t, ensemble de trois toiles (46x106,5) : **NLG 5 980** – Paris, 10 fév. 1993 : *Mouvements Fig. LXXIX* 1984, encre de Chine (101x65,5) : **FRF 6 800** – Paris, 2 juin 1993 : *Deux profils* 1966, h./détrempe (97x130) : **FRF 18 000** – Paris, 23 juin 1993 : *Descente – Homme de Muybridge, fig. 4* 1986, h/t (198x146) : **FRF 66 000** – Paris, 21 mars 1994 : *Chien n° XXVIII, variations sur le thème d'un autoportrait* 1973, acryl./t. (146x200) : **FRF 90 000** – Le Touquet, 21 mai 1995 : *L'homme qui saute* 1977, encre de Chine, gche et collage (56x44) : **FRF 7 500** – Paris, 21 juin 1995 : *Naissance IV* 1972, h., craie et cr./t. (195x450) : **FRF 48 000** – Paris, 1er juil. 1996 : *Obstacle* 1973, h/t (198x146) : **FRF 44 000** – Paris, 5 oct. 1996 : *Exit Figure XXIII* 1988, acryl./t. (65x50) : **FRF 9 000** – Paris, 16 déc. 1996 : *Homme nu montant un escalier* 1990, acryl. et collage/pap. (33x26) : **FRF 3 000** – Amsterdam, 2-3 juin 1997 : *Instrument de torture*, h/t (140x110) : **NLG 11 800** – Paris, 26 mai 1997 : *L'Homme qui marche* 1989, techn. mixte/pap. (50x34) : **FRF 7 800** – Paris, 19 oct. 1997 : *Homme en marche* 1990, acryl./pap. (33x26,5) : **FRF 4 600** – Paris, 4 oct. 1997 : *L'Orateur* vers 1967-1968, h/t (130x97) : **FRF 37 000**.

VELIMIROVIC Vukosava ou **Vouka** ou **Velimirovitch**
Née le 30 juin 1891 ou 1893 à Pirot. xxe siècle. Yougoslave.
Sculpteur, peintre.
Elle fut élève des Écoles des Beaux-Arts de Belgrade, de Paris, de Rome, puis étudia avec Bourdelle à Paris. Elle exposa à Paris au Salon des Indépendants, à Rome, à Belgrade. Elle signe ses œuvres « Vouka ».

VELIN Timothée Daniel ou **Vellen**
Né le 13 octobre 1767 à Genève. Mort le 6 septembre 1824 à Fillinges (Haute-Savoie). xviiie-xixe siècles. Suisse.
Peintre sur émail.
Élève de Ph. et Daniel Roux. Le Musée des Arts Décoratifs de Genève conserve de lui *Portrait d'une femme*.

VELIO Benedetto. Voir **VELI**

VELIONSKY P. A. Voir **WELONSKI Pius** ou **Pie Adamowitsch**

VELIOT Simone
Née le 12 juillet 1927 à Colmar (Haut-Rhin). xxe siècle. Française.
Peintre de figures, portraits, paysages, marines, fleurs, peintre à la gouache. Intimiste.
Elle fut élève de l'académie Lhote à Paris. Elle vit et travaille à Boulogne. Elle a participé en 1987 aux Salons de la Rose-Croix à Paris.
Qu'elle peigne des figures, femmes assises songeuses ou lisant au calme, des paysages des bords de Seine à Paris, des ports de Bretagne ou des villages escarpés de Provence, Simone Veliot évite le détail anecdotique pour privilégier d'une part la structure interne des formes d'un personnage en attitude, des quais et bâtiments d'un quai de Seine ou de port, de la colline qu'escalade le village jusqu'au château, d'autre part des accords colorés bien personnels de tons très prononcés et cependant discrets, comme légèrement brumeux. Le déploiement des couleurs du prisme est complet, depuis les violets, bleus, verts jusqu'aux jaunes, orangés, rouges, mais tout y est atténué, la diversité trouvant son unité dans une atmosphère feutrée, « en demi-teintes, une musique de chambre » comme l'écrivait joliment Gérald Schurr.

VELKOV Ivan
Né le 22 avril 1930 à Vranje. xxe siècle. Yougoslave.
Peintre, graveur, illustrateur. Abstrait.
Il fit ses études à l'Académie des Beaux-Arts de Ljubljana et à celle de Belgrade. Il vient ensuite à Paris et fait un voyage d'étude en Italie.
Il participe à de nombreuses expositions collectives à Skopje, Zagreb, Ljubljana, Sarajevo, Belgrade, ainsi qu'à Londres, Nuremberg, Turin, Beyrouth. Il montre ses œuvres dans des expositions particulières à Skopje et Belgrade depuis 1960.
La peinture de Velkov est abstraite, jouant sur les contrastes de la géométrie des formes et le baroquisme de la matière utilisée.

VELLA Antonio
xviie siècle. Travaillant à Messine en 1698. Italien.
Stucateur.

VELLAERT Dirk Jacobsz. Voir **FELAERT**

VELLAN Felice
Né le 11 février 1889 à Turin. xxe siècle. Italien.
Peintre de figures, paysages, graveur.
Graveur, il privilégia la technique de l'eau-forte.

VELLANI Francesco
Né vers 1688 à Modène. Mort en 1768. xviiie siècle. Italien.
Peintre d'histoire.
Élève de Stringa. Ses œuvres sont dans les églises de Modène et des environs de cette ville.

Ventes Publiques : Londres, 20 nov. 1984 : *Saint Roch,* h/t (47x36,5) : **ITL 11 000 000.**

VELLANI-MARCHI Mario

Né le 4 août 1895 à Modène. Mort en 1973 ou 1979 à Milan. xxe siècle. Italien.

Peintre de figures, paysages, natures mortes, graveur, dessinateur.

Il fut élève de l'Académie de Modène.

Musées : Milan (Mus. d'Art Mod.) : *La Route du couvent – Médaillés militaires* – Palerme (Gal. d'Art Mod.) : *Petite Fille du Latium* – Rome (Gal. d'Art Mod.) : deux dessins – Rome (Mus. du Capitole) : *Colleoni.*

Ventes Publiques : Milan, 15 déc. 1981 : *Deux nus dans un intérieur* 1929, h/isor. (102x97) : **ITL 5 000 000** – Milan, 7 juin 1989 : *Composition (Burano 1940),* h/t (70x51) : **ITL 5 000 000** – Rome, 10 avr. 1990 : *Maisons de Burano* 1943, h/cart. (38,5x50) : **ITL 4 600 000** – Milan, 14 déc. 1993 : *Le blouson rouge* 1950, h/cart. (30x23) : **ITL 3 450 000** – Milan, 15 mars 1994 : *Dentellière* 1950, h/cart. (30x23) : **ITL 4 830 000** – Milan, 18 juin 1996 : *Nature morte* 1931, h/bois (39x49) : **ITL 8 050 000.**

VELLANO Bartolommeo. Voir **BELLANO Bartolommeo**

VELLASINI Giuseppe

Né vers 1754 à Fiera di Primiero. xviiie siècle. Italien.

Peintre et architecte.

Il fut appelé à Moscou par Catherine II.

VELLATE Stefano de. Voir **STEFANO de Vellate**

VELLE Marthe

Née le 24 novembre 1907 à Ostende. xxe siècle. Belge.

Peintre de portraits, figures, intérieurs, sculpteur, graveur, émailleur. Abstrait.

Elle fut élève de l'École des Arts Visuels de la Cambre à Bruxelles. En 1940, son atelier à Ostende ayant été détruit dans les bombardements, elle s'est installée à Bruxelles. Elle y a étudié la gravure avec Kerels en 1950.

Elle participe à des expositions collectives : 1988 museum voor schone Kunsten d'Ostende.

Elle pratique dès 1928 la sculpture, mais se consacre ensuite à la peinture. Graveur, elle a privilégié la technique de l'eau-forte. Depuis 1954 elle a abordé l'abstraction.

Musées : Groningen – Ostende.

VELLEN Timothée Daniel. Voir **VELIN**

VELLERT Dirk Jacobsz. Voir **FELAERT Dirk Jacobsz**

VELLI Benedetto. Voir **VELI**

VELLIZLAUS

xiiie siècle. Tchécoslovaque.

Miniaturiste ou copiste.

On lui attribue l'exécution de la célèbre Bible intitulée : *Wellislaw's Bilderbibel,* ornée de nombreuses et riches miniatures. Cet ouvrage fait partie de la Bibliothèque du prince Lobkowitz, à Prague.

VELLO Pedro

xve siècle. Travaillant en Castille. Espagnol.

Peintre.

Il peignit des tableaux d'autel pour l'église de Vich en 1494.

VELLOSO SALGADO José Maria

Né en 1864 à Orense. Mort en 1945 à Lisbonne. xixe-xxe siècles. Depuis 1974 actif au Portugal. Espagnol.

Peintre d'histoire, compositions mythologiques, genre, portraits, peintre de compositions murales. Classique.

Il eut pour professeur J. de Chavez y Ortiz à l'académie des beaux-arts de Lisbonne, où il enseignera la peinture d'histoire à partir de 1895. Grâce à une bourse, il fréquenta l'école des beaux-arts de Paris, où il fut élève de Cabanel et Cormon, et l'atelier de Delaunay. Il travailla à Lisbonne. Il fut membre de l'académie royale à partir de 1891. Il voyagea en Italie, puis de nouveau à Paris où il résida trois ans.

Il exposa au Salon de Paris, de 1890 à 1987. Il reçut une médaille de troisième classe en 1891, de deuxième classe en 1892, une médaille d'or en 1900 à l'Exposition universelle de Paris.

Il a peint de nombreuses scènes mythologiques proches de Cabanel, ainsi que de grandes compositions murales pour divers édifices portugais : Assemblée nationale et école de médecine de Lisbonne, faculté des sciences de Porto.

Bibliogr. : Gérald Schurr : *Les petits Maîtres de la peinture – Valeur de demain,* L'Amateur, t. VII, Paris, 1989.

Musées : Lisbonne (Mus. d'Art Contemp.) : *Amour et Psyché* 1891.

VELLUET Louis Alphonse. Voir **COMBE-VELLUET Louis Alphonse**

VELLY Jean Louis de. Voir **VEILLY**

VELLY Jean Pierre

Né en septembre 1943 à Audierne (Finistère). xxe siècle. Actif en Italie. Français.

Graveur.

Il fit ses études à l'école des Beaux-Arts de Toulon en 1959, puis à Paris où il obtient en 1966 le premier Grand Prix de Rome de gravure. Pensionnaire à Rome, il s'y fixe.

Il montre ses œuvres dans des expositions personnelles à Milan, Naples, Rome, Turin, Padoue et Berne.

Insolites et inquiétantes, les gravures de Velly parviennent à provoquer l'étonnement voire le malaise en dessinant très méticuleusement la multitude envahissante d'êtres ou d'objets hétéroclites submergeant littéralement le paysage, jusqu'à n'être qu'un vaste magma organique.

VELNETON Guillaume. Voir **VLUTEN**

VELOUX

xvie siècle. Travaillant à Fontainebleau en 1540. Français.

Sculpteur de figurines.

VELPEN Radulphe ou **Rodolphe** ou **Roelof Van**, l'Ancien ou **Velpe** ou **Velx**

Né avant 1419. Mort en 1479. xve siècle. Actif à Louvain. Éc. flamande.

Peintre.

Il peignit en 1442 une statue de la Vierge pour l'église Saint-Pierre de Louvain.

VELPEN Radulphe Van, le Jeune

xve-xvie siècles. Travaillant au Portugal et à Anvers de 1487 à 1501. Éc. flamande.

Peintre.

Fils de Radulphe Velpen l'Ancien.

VELPI Luigi

xviiie siècle. Actif à Naples. Italien.

Peintre.

Il a peint la *Circoncision du Christ* dans l'église Gesu Gonfalone de Capoue en 1764.

VELQUEZ Lazare

xixe siècle. Actif à Paris. Français.

Peintre de paysages.

Il figura aux Salons de 1843 à 1844.

VELSCHOW William Edvard

Né le 23 septembre 1878 à Copenhague. Mort le 21 décembre 1912 à Copenhague. xxe siècle. Danois.

Peintre.

Il fut élève de l'Académie de Copenhague.

VELSEN Gauthier Van. Voir **ELSEN Gauthier Van**

VELSEN Jacob Gerritsz Van

Mort le 25 septembre 1655 à Amsterdam. xviie siècle. Hollandais.

Peintre.

Il travailla à Schoonhoven et à Leyde.

VELSEN Jacob Jansz ou **Jan Van**

Mort le 16 septembre 1656 à Amsterdam. xviie siècle. Actif à Delft. Hollandais.

Peintre de genre.

S'agit-il d'un seul artiste ou de plusieurs, le fait n'est pas clairement établi. Un Jacob Jansz Van Velsen fut reçu maître à Delft en 1625, d'autre part le catalogue de l'Ermitage, à Saint-Pétersbourg, mentionne un Jan Van Velsen, reçu dans la gilde de Delft en 1622, et auteur du tableau *Lecture d'une lettre*. Le catalogue du Musée Schönborn à Vienne cite un J. Van Velsen comme auteur du tableau *Le Billet de logement*.

Ventes Publiques : Londres, 21 mars 1973 : *Soldats dans un intérieur* : **GBP 2 800** – New York, 3 oct. 1996 : *Personnages jouant aux cartes dans un intérieur,* h/pan. (44,5x35,6) : **USD 17 250.**

VELSEN Lodewijk Van

Mort le 9 décembre 1662 à Utrecht. xviie siècle. Hollandais.

Peintre.

VELTEN M. J.

xixe siècle. Travaillant à Bruxelles en 1845. Belge.

Portraitiste.

VELTEN Wilhelm ou **Velte**
Né le 21 juin 1847 à Saint-Pétersbourg. Mort en 1929 à Munich. XIXe-XXe siècles. Actif en Allemagne. Russe.
Peintre de genre, animaux.
Il se fixa à Munich.

W Velten

MUSÉES : BUFFALO : *Le Rendez-Vous* – MUNICH (Gal. mun.) : *Ferme* – MUNICH (Mus. Nat.) : *À l'abreuvoir* – PRAGUE (Gal. Nat.) : *Au bac.*
VENTES PUBLIQUES : LONDRES, 6 juin 1910 : *Soldats près d'une forteresse* : **GBP 102** – LONDRES, 15 juil. 1910 : *Baignant des chevaux* : **GBP 23** – NEW YORK, 12 avr. 1911 : *Marché aux chevaux* : **USD 170** – LONDRES, 31 mars 1926 : *La halte*, dess. : **GBP 57** – LONDRES, 13 avr. 1951 : *Marché aux chevaux* : **GBP 94** – LONDRES, 13 mars 1964 : *La partie de chasse* : **GNS 600** – COLOGNE, 27 nov. 1969 : *Le marché aux chevaux* : **DEM 6 000** – LONDRES, 10 nov. 1971 : *Soldats et chevaux aux abords d'une ville* : **GBP 1 300** – LONDRES, 14 juin 1972 : *Voyageurs se désaltérant* : **GBP 800** – COPENHAGUE, 22 nov. 1973 : *Chevaux au bord d'un étang* : **DKK 20 000** – MUNICH, 28 nov. 1974 : *La forge du village* : **DEM 6 200** – COLOGNE, 25 juin 1976 : *L'Entrée du village*, h/pan. (15,5x24) : **DEM 8 000** – LONDRES, 11 fév. 1977 : *Paysage fluvial boisé avec troupeau*, h/t (42x77,5) : **GBP 2 600** – VIENNE, 19 juin 1979 : *La Halte des cavaliers*, h/t (69x49) : **ATS 150 000** – LOS ANGELES, 16 mars 1981 : *Le Départ des cavaliers*, h/pan. (21x31) : **USD 12 500** – VIENNE, 5 déc. 1984 : *Le pique-nique*, h/pan. (20x31) : **ATS 220 000** – LONDRES, 20 mars 1985 : *Soldats présentant un billet*, h/pan. (31,5x23,5) : **GBP 5 800** – NEW YORK, 28 oct. 1987 : *Marché aux chevaux en hiver*, h/pan. (21,5x31,5) : **USD 120 000** – HEIDELBERG, 14 oct. 1988 : *groupe de cavaliers devant une auberge*, h/cart. (15x14) : **DEM 4 500** – COLOGNE, 20 oct. 1989 : *Deux cavaliers à travers champs*, h/pan. (21x16) : **DEM 2 800** – MUNICH, 29 nov. 1989 : *L'embuscade*, h/pan. (16x24) : **DEM 7 480** – NEW YORK, 17 jan. 1990 : *Scènes de fenaison et de chasse*, h/pan., une paire (chaque 17,8x25,4) : **USD 15 400** – LONDRES, 16 fév. 1990 : *Le marché aux chevaux*, h/pan. (22,5x30,5) : **GBP 8 250** – LONDRES, 5 oct. 1990 : *L'arrivée du bac*, h/pan. (23,5x33,,2) : **GBP 8 800** – NEW YORK, 21 mai 1991 : *Une foire aux chevaux*, h/pan. (22,9x32,8) : **USD 17 600** – AMSTERDAM, 14-15 avr. 1992 : *Volailles dans une cour de ferme*, h/pan. (22x27,5) : **NLG 8 970** – MUNICH, 25 juin 1992 : *Camp militaire*, h/bois (30x46,5) : **DEM 16 950** – NEW YORK, 18 fév. 1993 : *Le marché aux chevaux*, h/pan. (23,5x33) : **USD 23 100** – MUNICH, 22 juin 1993 : *Foire aux chevaux en hiver*, h/pan. (15,5x24) : **DEM 8 050** – MUNICH, 21 juin 1994 : *Idylle dans une prairie près de la ferme* 1881, h/t (57x89,5) : **DEM 23 000** – LONDRES, 11 oct. 1995 : *Le marché aux chevaux*, h/pan. (18x31) : **GBP 2 875** – NEW YORK, 17 jan. 1996 : *Marché aux chevaux*, h/pan. (14,6x24,8) : **USD 4 887** – MUNICH, 25 juin 1996 : *Attelage devant une auberge de village*, h/pan. (14,5x23,5) : **DEM 4 800** – NEW YORK, 9 jan. 1997 : *Chevaux et cavaliers rassemblés à l'extérieur du village*, h/pan. (15,6x22,2) : **USD 8 050** – NEW YORK, 26 fév. 1997 : *Instructions pour le maréchal-ferrand*, h/pan. (25,1x33) : **USD 11 500**.

VELTHEIM Charlotte von. Voir **BARKHAUS-WIENSENHUETTEN Charlotte von**

VELTHEM David Van ou **Valthe**
XVIIe siècle. Travaillant à Lyon de 1623 à 1628. Français.
Graveur au burin.
Il a gravé des vues de Lyon.

VELTHOVEN Hendrik Van ou **Veldhoven**
Né en 1728. Mort le 22 janvier 1764 à Utrecht, certaines sources donnent 1770. XVIIIe siècle. Hollandais.
Peintre de portraits et de genre.
Il fut élève de l'Académie de Leyde.
MUSÉES : LEYDE (Mus. Lakenthal) : *Portraits de J. B. Malnoë et de sa femme* – UTRECHT : *Deux portraits d'homme.*
VENTES PUBLIQUES : AMSTERDAM, 2 mai 1991 : *Portrait de Hendrik Tatum vêtu d'un habit de soie écarlate ; Portrait de son épouse vêtue d'une robe de soie rose et parée de perles* 1757, h/t, une paire (chaque 90x69,5) : **NLG 6 900** – AMSTERDAM, 14 nov. 1995 : *Portrait d'un gentilhomme ; Portrait d'une femme avec un enfant*, h/t, une paire (chaque 46x38) : **NLG 8 260**.

VELTHOVEN Paulus ou **Veldhoven**. Voir **VELDHOVEN**

VELTHUYZEN Theodorus Van ou **Velthuizen**
XVIIe siècle. Actif à Gouda. Hollandais.
Peintre.
Il épousa une nièce du peintre Heymen Dullaert.

VELTMAN Hendrick
XVIIe siècle. Actif à Clèves vers 1647. Hollandais.
Peintre et dessinateur.
Le Musée de Nymègue conserve de lui *Plan de Nymègue.*

VELTMAN Jurian
XVIIe siècle. Travaillant à La Haye en 1694. Hollandais.
Peintre.

VELTMAN Willem
XVIIIe siècle. Actif à La Haye en 1723. Hollandais.
Peintre.

VELTMANN Hermann ou **Veltman**
Né le 5 janvier 1661 à Coesfeld. Mort en 1723 à Coesfeld. XVIIe-XVIIIe siècles. Allemand.
Peintre.
Il peignit de nombreux tableaux d'autel à la manière de Rubens pour les églises de Coesfeld, de Paderborn, de Bocholt et de Husum. Le Musée Municipal de Munster conserve de lui *Humiliation de l'empereur Henri IV.*

VELTRONI Stefano
XVIe siècle. Actif à Florence. Italien.
Peintre de décorations.
Parent et collaborateur de Georgio Vasari, qu'il accompagna à Naples, Bologne, Florence.

VELUT
XVIIe siècle. Actif à Troyes dans la seconde moitié du XVIIe siècle. Français.
Peintre.
Il collabora aux Mystères du Rosaire dans la nef centrale de l'église des Jacobins de Troyes, et il exécuta aussi des portraits.

VELX Radulphe ou **Rodolphe** ou **Roelof Van**. Voir **VELPEN**

VELY Anatole
Né le 20 février 1838 à Ronsoy (Somme). Mort le 10 janvier 1882 à Paris. XIXe siècle. Français.
Peintre de genre, portraits.
Élève de l'Académie de Valenciennes et d'Émile Signol à l'École des Beaux-Arts de Paris, il figura au Salon de Paris de 1866 à 1880, obtenant une médaille de troisième classe en 1874 et une de deuxième classe en 1880.
Ses sujets médiévaux sont traités dans le style troubadour très prisé à l'époque.
BIBLIOGR. : Gérald Schurr, in : *Les Petits Maîtres de la peinture 1820-1920, valeur de demain*, Les Éditions de l'Amateur, t. II, Paris, 1982.
MUSÉES : AMIENS : *La tentation* – CHICAGO : *Entre l'amour et la richesse* – NARBONNE : *Lucia de Lammermoor* – WASHINGTON D. C. (Corcoran Art Gal.) : *Le puits parlant.*
VENTES PUBLIQUES : PARIS, 1879 : *Portrait* : **FRF 645** – NEW YORK, 30 mai 1980 : *Le rat de bibliothèque* 1882, h/pan. (96,5x57,2) : **USD 3 500** – BERNE, 26 oct. 1988 : *Postillon d'autrefois casqué et armé d'un fusil* 1875, h/t (43,5x36,5) : **CHF 1 400**.

VELYN Philipp
Né le 31 janvier 1787 à Leyde. Mort le 4 mai 1836 à Amsterdam. XIXe siècle. Hollandais.
Graveur au burin et dessinateur.
Élève de Delfos. Il travailla à Amsterdam et à Paris. Durant huit années, il fut membre des Académies d'Anvers et d'Amsterdam. Il a surtout gravé des batailles et des portraits.

VELZEN Johannes Petrus Van
Né le 10 octobre 1816 à Haarlem. Mort le 22 avril 1853 à Bruxelles. XIXe siècle. Hollandais.
Peintre de paysages animés, paysages.
Élève de N. J. Roosenboom.
VENTES PUBLIQUES : PARIS, 10 juin 1942 : *Scène de patinage ; Paysage avec château et cavalier*, deux panneaux : **FRF 3 300** – LONDRES, 15 oct. 1969 : *Paysage d'hiver* : **GBP 650** – LONDRES, 7 mai 1971 : *Paysage d'hiver* : **GNS 1 000** – AMSTERDAM, 28 oct. 1980 : *Paysage d'hiver animé de personnages*, h/t (39x50) : **NLG 17 000** – LONDRES, 21 mars 1984 : *Paysage d'hiver animé de patineurs*, h/pan. (33x45) : **GBP 1 700** – VIENNE, 19 juin 1985 : *Paysage d'hiver*, h/t (60x74) : **ATS 80 000** – CALAIS, 13 nov. 1988 : *Scène de village, les patineurs et les moulins en Hollande*, h/pan. (33x45) : **FRF 20 000** – AMSTERDAM, 5-6 fév. 1991 : *Paysage d'hiver avec des maisons au bord d'une rivière gelée avec des ramas-*

seurs de fagots et des patineurs, h/t (36,5x47) : **NLG 6 900** – AMSTERDAM, 23 avr. 1991 : *Un village avec des personnages près d'un moulin à vent*, h/t (56x74,5) : **NLG 12 650** – AMSTERDAM, 22 avr. 1992 : *Patineurs sur une rivière gelée et paysans sur un sentier enneigé près d'une ferme fortifiée*, h/t (82x68) : **NLG 9 200** – AMSTERDAM, 8 nov. 1994 : *Paysage d'hiver animé*, h/pan. (44,5x59,5) : **NLG 14 950** – LOKEREN, 9 déc. 1995 : *Paysage d'hiver avec des patineurs*, h/t (50x61) : **BEF 275 000** – LONDRES, 13 juin 1996 : *Paysage d'hiver avec des patineurs sur une rivière gelée, village en arrière-plan*, h/pan. (16,5x24,2) : **GBP 1 840**.

VEN Anthonie Johannes ou **Johannes Antonius**
Né en 1800 à Bois-le-Duc. Mort le 12 juillet 1866 à Gemert. XIXe siècle. Hollandais.
Peintre et sculpteur.
Élève de l'Académie d'Anvers. D'abord peintre, il se tourna ensuite vers la sculpture.
MUSÉES : BOIS-LE-DUC : *Eve* – BRUXELLES : *Narcisse – Buste du peintre G. Herreyns.*

VEN Emanuel Ernest Gerardus ou **Gérard Van der**
Né le 12 novembre 1866 à Bois-le-Duc. Mort en 1944. XIXe siècle. Hollandais.
Peintre de genre, figures, paysages, natures mortes.
Élève de P. M. Slager.
VENTES PUBLIQUES : PARIS, 22 juin 1988 : *Scène de genre : Mère et enfant*, h/pan. (24x21) : **FRF 7 000** – AMSTERDAM, 28 fév. 1989 : *Mère et enfant sur le chemin du potager près d'une ferme*, h/t (56x90) : **NLG 1 610** – AMSTERDAM, 5-6 fév. 1991 : *Nature morte avec des coquelicots dans une chope et des rhododendrons dans un vase de pierre et d'autres fleurs dans un pot de cuivre*, h/t (40,5x51) : **GBP 1 035** – AMSTERDAM, 9 nov. 1993 : *Portrait de Mrs Elisabeth Sassen*, h/t (102x88) : **NLG 1 725** – AMSTERDAM, 9 nov. 1994 : *Nature morte avec des anémones*, h/t (24,5x26) : **NLG 1 840** – AMSTERDAM, 18 juin 1996 : *Nature morte de fleurs*, h/t (47x39) : **NLG 1 495**.

VEN F. Van der
Hollandais.
Peintre.
On n'a aucun renseignement sur cet artiste dont le Musée communal de La Haye conserve une peinture : *Représentation historique de la baleine échouée sur la plage de Scheveningen et de l'arrivée du Prince Maurice.*

VEN Gerard Van der
Né le 10 juin 1818 à Rotterdam. XIXe siècle. Hollandais.
Paysagiste.
Élève de Willem Hendrix Schmidt. Il travailla à Anvers.
VENTES PUBLIQUES : LONDRES, 30 avr. 1919 : *Vue d'une ville hollandaise* : **GBP 1**.

VEN Jan Van der
XIXe siècle. Belge.
Peintre de genre.
Élève de J. Meganck à Bruxelles ; il continua ses études à Rome.

VENALE. Voir **MONGARDINI Pietro di Giovenale**

VENANT François ou **Vernando** ou **Van Nant**
Né vers 1592 à Middelbourg. Mort en 1636 à Amsterdam. XVIIe siècle. Hollandais.
Peintre.
Il étudia avec Peter Isaacsz et Kaler Van Mander I. En 1625, il se maria à Anvers, on dit qu'il fit aussi un voyage en Italie, mais le fait paraît douteux à certains biographes.

VENANZI Alessandro
Né le 26 juin 1838 à Ponte San Giovanni (près de Pérouse). Mort le 23 février 1916 à Assise. XIXe-XXe siècles. Italien.
Peintre de figures, peintre de décorations murales.
Il fut élève de Silvero Valeri à l'Académie de Pérouse. Il travailla à Cagli et à Assise.

VENANZI Giovanni Battista
Né en 1627 à Pesaro. Mort le 2 octobre 1705. XVIIe siècle. Italien.
Peintre.
Élève de Guido Reni, de Simone Cantarinni et peut-être aussi de Gennari. On cite de lui *Descente du Saint-Esprit* (église SS. Gervasio Protasio), à Bologne, et *Deux phases de la vie de saint Antoine* (église du même nom, à Pesaro). Le Musée Roumianzeff, à Moscou, conserve un tableau *Deux figures près d'une habitation modeste*, qui nous paraît devoir être attribué à notre artiste, et la Pinacothèque de Parme, *Les épousailles de la Vierge*.

VENARD
XVIIIe siècle. Travaillant à Paris en 1712. Français.
Peintre d'histoire.

VENARD Claude
Né le 21 mars 1913 à Paris. XXe siècle. Français.
Peintre de natures mortes. Postcubiste.
Bien que né à Paris en 1913, il est d'origine bourguignonne. Dès dix-sept ans, il était décidé à peindre, et à ne faire que cela, ce en quoi il rencontra quelques déboires, puisqu'il dut en 1936 travailler au Louvre comme restaurateur, ce qui ne manqua pas de lui enseigner les derniers secrets de métier qui lui avaient encore échappé pendant les six années de travail consciencieux qu'il passa à l'École des Arts Appliqués, s'étant enfui après quarante-huit heures de l'École des Beaux-Arts. Dès sa démobilisation de la guerre, son existence est transformée. Apprécié, il pourra définitivement se consacrer uniquement à son art. À partir de 1960 environ, il vit et travaille à Sanary.
Depuis 1935, il a figuré dans les expositions consacrées à l'art moderne, à travers le monde entier, notamment à Paris, à partir de 1936 aux expositions du groupe *Forces Nouvelles*, avec Humblot, Gruber, Tal-Coat et d'autres ; ainsi qu'aux Salons des Indépendants, des Tuileries, de Mai dont il fut membre fondateur de 1945 à 1963. Une carrière heureuse est jalonnée d'expositions personnelles, à Paris notamment à partir de 1969 à la galerie Félix Vercel ; à Londres ; dès 1952 à New York, Milan, Genève, Philadelphie, Chicago, San Francisco, Copenhague, Stockholm, Düsseldorf, Munich, Buenos Aires, Tokyo, au Canada, en Belgique, Hollande, à Dallas City, Beverly Hills, Lyon, etc. En 1969 lui a été consacrée une rétrospective au musée de Reading, Pennsylvanie.
Les disciplines sévères du groupe « Forces Nouvelles » auxquelles il avait contribué ne lui convinrent pas plus longtemps qu'à André Marchand, Tal-Coat ou Gruber, et ceux qui avaient illustré ce mouvement, l'abandonnèrent à sa routine. Venard commence alors de se livrer entièrement à l'ivresse de la belle matière, qui caractérisera désormais tout son œuvre. En 1945, il se lie d'amitié avec Gruber, André Marchand, Civet, tout ce groupe qui orienta si énergiquement la peinture de l'après-guerre, participe à leur effort commun et à leur succès. Déterminer l'influence des uns ou des autres, alors qu'ils ne se quittaient guère et travaillaient dans la même allégresse créatrice, serait aussi oiseux qu'impossible. Il est évident que Venard, pour sa part, s'enthousiasme aisément et s'imprègne profondément de ce qu'il admire. Heureusement, il change souvent de modèle, et ce qui demeure, c'est ce qui vient de son solide bon sens et de son goût truculent. Amant de la vie toute entière, peut-être ambitionne-t-il d'aboutir à une peinture qui se boive et se mange. « Il faut se méfier des œuvres qui séduisent trop au premier abord – dit-il – je ne veux pas dire par là que la laideur est la plus grande des vertus, mais qu'une œuvre doit s'imposer en puissance, sans le truchement d'artifices aimables ».
Resté fidèle à une composition post-cubiste de l'espace de la toile, il a progressivement accentué le chromatisme de sa palette, jusqu'aux tons les plus crus, toujours pratiqués dans des pâtes très épaisses, souvent appliquées au couteau.

C VENARD

BIBLIOGR. : René Huyghe : *Les contemporains*, Tisné, Paris, 1949 – Bernard Dorival : *Les peintres du XXe siècle*, Tisné, Paris, 1957 – André Salmon : *Claude Venard*, Fischbacher, Paris, 1962 – B. Dorival, sous la direction de... : *Peintres Contemporains*, Mazenod, Paris, 1964 – André Salmon : *Catalogue de l'exposition Venard*, Gal. Vercel, Paris, 1969 – in : *La Réaction figurative*, Ed. Galerie 1950, Christine Counord-Alan, Paris, 1990 – Lydia Harambourg, in : *L'École de Paris 1945-1965. Diction. des Peintres*, Ides et Calendes, Neuchâtel, 1993.
MUSÉES : BÂLE – BUENOS AIRES – DALLAS – DÜSSELDORF – GRENOBLE – LONDRES (Tate Gal.) – MEXICO – MONTRÉAL – MUNICH – NICE – PARIS (Mus. d'Art Mod. de la Ville) – ROUEN – SÃO PAULO – TOKYO.
VENTES PUBLIQUES : PARIS, oct. 1945-Juillet 1946 : *Nature morte* : **FRF 12 000** – PARIS, 2 mai 1949 : *Paysage* : **FRF 9 000** – PARIS, 5 juil. 1950 : *Inondations* : **FRF 25 000** – PARIS, 30 mai 1951 : *Paysage en Bretagne* 1944 : **FRF 15 200** – PARIS, 21 fév. 1955 : *Paysage* : **FRF 50 000** – NEW YORK, 14 jan. 1959 : *Le pont* : **USD 1 300** – PARIS, 23 mars 1959 : *Nature morte à la grenouille* : **FRF 205 000** – NEW YORK, 27 avr. 1960 : *Le port* : **USD 7 000** – LONDRES, 23 nov. 1960 : *Vase de fleurs, fond rouge* : **GBP 350** – NEW YORK, 23 mars 1961 : *Intérieur bleu* : **USD 1 300** – NEW YORK, 13 déc. 1961 :

Marine et route : **USD 1 500** - New York, 27 mars 1963 : *Le Sacré-Cœur de Montmartre* : **USD 1 750** - New York, 19 mai 1965 : *Notre-Dame de Paris* : **USD 2 300** - Genève, 27 juin 1969 : *Nu couché* : **CHF 12 000** - Genève, 13 juin 1970 : *Paysage* : **CHF 9 000** - Londres, 14 avr. 1972 : *Les remorqueurs* : **GNS 600** - Genève, 8 déc. 1973 : *Plage nordique* : **CHF 8 000** - Los Angeles, 26 fév. 1974 : *Nature morte, Le bar* : **USD 1 100** - New York, 27 fév. 1976 : *Deux femmes sur la plage*, h/t (112x146) : **USD 1 600** - New York, 15 juin 1979 : *Femme au piano*, h/t (99,7x100) : **USD 2 300** - New York, 21 août 1981 : *Nature morte*, h/t (100x100) : **USD 2 000** - New York, 19 avr. 1984 : *Scène de de rue, Paris*, h/t (60x73) : **USD 1 800** - Paris, 2 mars 1988 : *Composition*, h/t (24x33) : **FRF 2 750** - Paris, 15 mars 1988 : *La locomotive* 1945, h/t (68x93) : **FRF 30 000** - Paris, 21 avr. 1988 : *Nature morte aux poissons*, h/t (54x40) : **FRF 2 500** - Paris, 20 juin 1988 : *Nature morte au pichet*, h/t (100x100) : **FRF 9 600** - Neuilly, 20 juin 1988 : *Les voiles rouges* 1963, gche (65x100) : **FRF 8 200** - Montréal, 17 oct. 1988 : *Paysage*, h/pan. (89x129) : **CAD 4 000** - Paris, 28 oct. 1988 : *Le Phare*, h/t (75x75) : **FRF 7 000** - Paris, 12 fév. 1989 : *coin de banlieue*, h/t (98x130) : **FRF 41 000** - Paris, 3 mars 1989 : *Nature morte*, h/t (81x65) : **FRF 10 200** - New York, 9 mai 1989 : *Nature morte*, h/t (45,6x55,2) : **USD 2 090** - La Varenne-Saint-Hilaire, 21 mai 1989 : *Composition à la coupe de fruits*, h/pan. (38x46) : **FRF 9 000** - Paris, 18 juin 1989 : *Nature morte*, h/t (46x55) : **FRF 12 500** - Paris, 29 sep. 1989 : *Nature morte* 1952, aquar. et craie/pap. (66,5x96) : **FRF 9 000** - Montréal, 30 oct. 1989 : *Nature morte fauve*, h/t (75x75) : **CAD 3 960** - Paris, 21 nov. 1989 : *Poissons*, h/pan. (54x81) : **FRF 9 000** - Calais, 10 déc. 1989 : *Nature morte*, h/t (75x75) : **FRF 52 000** - New York, 21 fév. 1990 : *Nature morte dans un intérieur*, h/t (100,4x100,4) : **USD 11 000** - Lyon, 21 mars 1990 : *Nature morte*, h/t (75x75) : **FRF 40 000** - Paris, 25 mars 1990 : *Soupière et cornet*, h/t (75x75) : **FRF 60 000** - Paris, 21 juin 1990 : *La partie de cartes*, h/t (114x145) : **FRF 270 000** - Paris, 18 juil. 1990 : *Le modèle*, h/t (114x146) : **FRF 96 000** - New York, 10 oct. 1990 : *Musique*, h/t (100,4x100,4) : **USD 13 200** - Douai, 11 nov. 1990 : *Nature morte, circa 1959*, h/t (75x75) : **FRF 53 000** - Fontainebleau, 18 nov. 1990 : *Le moulin à café près de la fenêtre ouverte*, h/t (100x95) : **FRF 52 000** - Paris, 21 nov. 1990 : *L'arlequin* 1955, h/t (146x114) : **FRF 245 000** - New York, 13 fév. 1991 : *Paysage en hiver*, h/t (100x100) : **USD 7 150** - New York, 12 juin 1991 : *Paysage urbain*, h/t (74,9x74,9) : **USD 3 850** - New York, 5 nov. 1991 : *Les oliviers noirs* 1963, h/t (99,7x99,7) : **USD 3 850** - Paris, 2 fév. 1992 : *Port de pêche*, h/t (82x100) : **FRF 29 000** - New York, 9 mai 1992 : *Port Croix*, h/t (97,2x116,2) : **USD 2 860** - Paris, 9 juil. 1992 : *Femme à la nappe jaune*, h/t (130x161,5) : **FRF 40 000** - New York, 22 fév. 1993 : *L'aéroplane*, h/t (114,3x146) : **USD 4 400** - Paris, 21 juin 1993 : *Locomotive*, h/t (54x65) : **FRF 9 000** - Paris, 28 sep. 1993 : *Nature morte à la lampe et au tournesol*, h/pap. (75x75) : **FRF 16 000** - New York, 23 fév. 1994 : *Bouquet au fond bleu*, h/t (130x97) : **USD 3 680** - Londres, 23-24 mars 1994 : *Intérieur à deux étages*, h/t (50x25) : **GBP 1 035** - Paris, 25 mars 1994 : *La tour Eiffel*, h/t (97x130) : **FRF 15 000** - Calais, 3 juil. 1994 : *Nature morte au globe terrestre*, h/t (35x27) : **FRF 10 500** - Le Touquet, 21 mai 1995 : *La jeune fille au piano*, h/t (130x97) : **FRF 25 000** - New York, 30 avr. 1996 : *Venise*, h/t (130x162) : **USD 230 000** - Calais, 7 juil. 1996 : *Nature morte au pain et au vin*, h/t (65x92) : **FRF 10 000** - New York, 12 nov. 1996 : *Le Paquebot gris*, h/t (97,2x130) : **USD 2 990** - Paris, 23 fév. 1997 : *Bouquet de fleurs* vers 1959, h/t (75x75) : **FRF 10 000** - Paris, 10 mars 1997 : *Nature morte aux fruits et à la bouteille de vin*, h/t (27x48) : **FRF 9 000** - Paris, 21 mars 1997 : *Arlequin* 1951, h/t (130x196) : **FRF 33 000** - Paris, 2 avr. 1997 : *La Ferme*, h/t (100x100) : **FRF 4 600** - Paris, 25 mai 1997 : *Paysage au port*, h/t (65x92) : **FRF 12 000** - Paris, 27 oct. 1997 : *Le Fauteuil et la partition*, h/t (24x16) : **FRF 4 500** - Paris, 4 nov. 1997 : *Nature morte à la guitare et aux poires*, h/t (45x55) : **FRF 8 000**.

VENARD Salomé, appelée aussi **Charles-Venard Salomé**

Née en 1904 à Paris. xxe siècle. Française.

Sculpteur.

Docteur en droit, elle se forma à la sculpture en autodidacte. Elle figura à Paris, au Salon d'Automne, en 1937 et 1938, sous le nom de Salomé CHARLES-VENARD. Elle participe à divers Salons annuels parisiens, notamment au Salon de la Jeune Sculpture. Elle montra une première exposition personnelle de ses œuvres, à Paris, en 1943. D'autres suivirent, en 1947 ; en 1949 à Bruxelles ; en 1953 au Kunstverein de Stuttgart ; etc.

Vers 1939, recevant les conseils de Wlerick, Hernandez et Henri Laurens, elle adopta la technique de la taille directe. Figurative, elle exprime souvent la douleur et sacrifie volontiers la forme à l'expression.

Bibliogr. : Denys Chevalier, in : *Diction. de la sculpt. mod.*, Hazan, Paris, 1960.

VENAT Isabelle

xixe siècle. Française.

Peintre de genre, portraits.

On ne sait rien de la biographie de cette artiste qui figurait au Salon de Paris en 1887.

Sa toile : *Les deux orphelines*, montre un parti-pris de dépouillement dans la composition et de sobriété dans le choix des couleurs.

Bibliogr. : Gérald Schurr, in : *Les Petits Maîtres de la peinture 1820-1920, valeur de demain*, Les Éditions de l'Amateur, t. IV, Paris, 1979.

Musées : Pau (Mus. des Beaux-Arts) : *Les deux orphelines*.

VENCI Giovanni

xvie siècle. Travaillant à Padoue vers 1590. Italien.

Sculpteur.

Peut-être identique à Giovanni Venciglia.

VENCIGLIA Giovanni ou **Vincigli**

xviie siècle. Actif dans la première moitié du xviie siècle. Italien.

Sculpteur.

Il exécuta de 1613 à 1630 plusieurs statues pour les jardins de la Villa d'Este à Tivoli.

VENDEGRIN Otton

xvie siècle. Travaillant à Lyon de 1538 à 1588. Français.

Peintre et sculpteur sur bois.

VENDEUGE Francis

Né en 1944 à Paris. xxe siècle. Français.

Peintre de figures, natures mortes, peintre à la gouache, dessinateur.

Parallèlement à son activité de photographe, il se consacre à la peinture. Il vit et travaille à Conches-en-Ouche depuis 1976.

Son travail s'appuie sur la réalité dont il interprète librement les formes et les couleurs.

VENDRAMINI Francesco

Né en 1780 à Bassano. Mort le 22 février 1856 à Saint-Pétersbourg. xixe siècle. Italien.

Graveur au burin.

Frère de Giovanni Vendramini. Il se fixa à Saint-Pétersbourg en 1808 et grava de nombreux portraits de personnages de son époque.

VENDRAMINI Giovanni ou **John**

Né en 1769 à Roncade près de Bassano. Mort le 8 février 1839 à Londres. xviiie-xixe siècles. Italien.

Graveur au pointillé.

Il commença ses études en Italie et, dès l'âge de dix-neuf ans, vint à Londres, où il se perfectionna sous la direction de Bartolozzi. C'était un habile dessinateur et un excellent graveur. La part qu'il prit dans la célèbre collection des *Cris de Londres*, d'après Wheatley où l'on cite notamment de lui : *Old chairs to mend ! Fresh gathered peas ! Scarlet Strawberriers ! Hot Spiced Ginger Bread !* prouve en quelle estime le tenait le public anglais. En 1802 il épousa une anglaise. En 1805 il partit pour la Russie et y obtint un tel succès que lorsqu'il voulut revenir en Angleterre son passeport lui fut refusé. Un accident à un important camée représentant *Alexandre et Olympie*, qui lui avait été confié pour le graver par l'empereur le décida à fuir. Grâce à l'aide de l'ambassadeur du royaume de Naples, le duc de Saracopkiolo, Vendramini passa la frontière comme courrier diplomatique. Il retrouva à Londres le même succès et produisit, notamment, de remarquables planches d'après Leonardo da Vinci, Paola Caliari, etc. Ses œuvres sérieuses sont beaucoup moins recherchées, du reste, que ses gravures d'après Wheatley.

VENDRAMINI Giovanni ou **Zoan**

xve siècle. Travaillant à Padoue en 1482. Italien.

Enlumineur.

Il exécuta un antiphonaire pour la cathédrale de Ferrare.

VENDRAMINI Vendramo

Né vers 1608 à Venise. xviie siècle. Italien.

Peintre.

Il travailla à Rome de 1643 à 1646.

VENDRAMINO Francesco

xve siècle. Travaillant à Padoue vers 1480. Italien.

Enlumineur.
Il fut un des artistes qui aidèrent Casimir Tevra à illustrer les livres de chœur de la cathédrale de Ferrare. Peut-être identique à Giovanni Vendramini.

VENDREY Laszlo ou **Ladislaus**
Né le 7 octobre 1856 à Arkos. Mort le 6 juin 1927 à Gyülevesz. XIXe-XXe siècles. Hongrois.
Peintre de portraits, paysages.

VENDRI Antonio da
Né en 1485 ou 1489. XVIe siècle. Actif à Vérone. Italien.
Peintre.
La Pinacothèque de Vérone conserve de lui *Madone avec l'Enfant et des anges*, œuvre datée de 1518.

VENEGAS Francisco
Mort avant 1594. XVIe siècle. Actif aussi au Portugal. Espagnol.
Peintre de sujets religieux, portraits, dessinateur. Tendance maniériste.
Il fut élève de Luis de Vargas à Séville. Ce dernier ayant étudié à Rome initia l'artiste à l'art de peintres italiens, tels que Parmesan, Corrège et Raphaël. En 1583, il fut nommé peintre de la Cour de Philippe II (héritié du Portugal à partir de 1580).
À Lisbonne, il peignit des compositions murales pour l'Hôpital de Tous-les-Saints et des panneaux pour le retable du maître-autel de l'église de la Lumière, en collaboration avec Diogo Teixeira. Par sa manière, il se rattache au Maniérisme italien.
Bibliogr. : In : *Dictionnaire de la peinture espagnole et portugaise du Moyen-Âge à nos jours*, coll. Essentiels, Larousse, Paris, 1989.
Musées : Lisbonne : *dessins.*

VENENTI Giulio Cesare
Né en 1642 à Bologne. Mort en 1697. XVIIe siècle. Italien.
Peintre, dessinateur et graveur au burin, amateur.
Ce fut un grand amateur d'art et ce goût l'amena à des études assez sérieuses pour un amateur. Il travailla le dessin avec Philippo Brizio. On lui doit quelques estampes d'après Camile, Parmigianino, Annibale Carracci exécutées avec esprit et brio.

VENERO Luis
Mort avant le 2 mars 1606. XVIe siècle. Actif à Madrid. Espagnol.
Sculpteur.

VENERO DI VIERNA Pedro
Né en 1784 à Güemes. XIXe siècle. Espagnol.
Sculpteur.

VENET Bernar
Né le 20 avril 1941 à Château-Arnoux-Saint-Auban (Alpes de Haute-Provence). XXe siècle. Depuis 1966 actif aux États-Unis. Français.
Peintre, dessinateur, sculpteur, créateur de mobilier.
Il vit et travaille à New York, mais séjourne très régulièrement en France pour réaliser ses sculptures à Rozières-sur-Mouzon, Nice et Grenoble.
Il participe à de très nombreuses expositions collectives : 1964, 1966, 1967 Salon Comparaisons à Paris ; 1965, 1971 Biennale de Paris ; 1968 Prospekt 68 de Düsseldorf ; 1969 Museum of Contemporary Art de Chicago ; 1970 Museum of Modern Art de New York ; 1977, 1982 Documenta de Kassel ; 1979, 1992 musée national d'Art moderne de Paris ; 1983 musée d'Art et d'Industrie de Saint-Étienne, *Constructivisme dans la tradition géométrique* au Museum of Art de Toledo ; 1984 musée de Tel-Aviv ; 1992, 1993, 1994 Espace de l'Art concret de Mouans-Sartoux ; 1995 musée d'Art moderne de la ville de Paris ; 1997 Staatsgalerie de Stuttgart. Bernar Venet a rapidement été pris en considération et a fait l'objet de nombreuses expositions particulières à partir de 1964 : 1970 Museum Haus Lange de Krefeld, Kunsthaus de Hambourg ; 1971 Cultural Center de New York ; depuis 1971 galerie Daniel Templon à Paris ; 1975 musée d'Art moderne de Rio de Janeiro, Institute of Contemporary Arts de Londres ; 1976 Museum of Contemporary Art de La Jolla (Californie) ; 1977, 1997 musée d'Art et d'Industrie de Saint-Étienne ; 1979 Arco Center for Visual Arts de Los Angeles, Galleria civica d'Arte moderno de Porofina ; 1984 musée Sainte-Croix de Poitiers, musée d'Art moderne de Villeneuve-d'Ascq ; 1985 musée départemental des Vosges d'Épinal ; 1993 Wilhelm Hack Museum de Ludwigshafen, rétrospective au musée d'Art moderne contemporain de Nice ; 1994 Total Art Museum de Séoul puis aux États-Unis, rétrospective au Museo de Arte Moderno de Bogota ; 1995 musée d'Art de Shangaï ; 1996 Espace Fortant de France à Sète, musée de Québec et galerie Karsten Greve à Paris ; 1997 Musée de Grenoble et Nouveau Musée de Villeurbanne.
En 1951, il réalise ses premières peintures à l'huile, qui sont rapidement influencées par la période bleue de Picasso. Un peu avant 1960, il avait été à Nice et travaillait à l'Opéra comme décorateur, mais c'est pendant son service militaire qu'il utilise du goudron comme couleur. D'abord gestuelle, sa peinture tend au monochrome et, de retour à Nice en 1963, il réalise de vastes surfaces enduites entièrement de goudron, adoptant le noir « la couleur la plus abstraite » selon lui. Peu après il commence des sculptures « incertaines » tas de charbon qui n'ont pas de formes définies, puis il entreprend une série de *Peintures industrielles*, assemblages de cartons d'emballage passés à la laque glycérophtalique, qui s'inscrit dans la lignée du Nouveau Réalisme. Mais c'est aux États-Unis qu'il entreprend son travail sur les mathématiques. Lors d'un premier séjour, en 1966, sans doute influencé par le Minimal Art, il réalise quelques sculptures aux formes neutres, faites d'un tuyau gris foncé sectionné et accompagné de plans explicatifs. Avec les formules mathématiques Venet ne garde plus que les plans, ce qui a permis de le rapprocher de l'art conceptuel. En 1966 son travail trouve une cohérence : il s'agit d'explorer le langage mathématique et, sans l'expliquer, d'en exposer les différents développements. Venet met alors sur pied un programme des descriptions présentées, allant de l'astrophysique, de la physique nucléaire, à la logique mathématique, en passant par la méta-mathématique, la météorologie et la psychochronométrie. Pour chaque description, il fait appel à un conseiller spécialiste. Refusant d'assimiler sa démarche au ready made, l'artiste y voit un travail sur le langage et sur l'image, la figure, le discours. Ne s'en tenant qu'à de simples agrandissements photographiques de formules mathématiques tirées de manuels scientifiques, et ne se livrant pas véritablement à un travail d'analyse (comme a pu le faire Kosuth par exemple), le propos de l'artiste reste pour le moins ambigu. Poursuivant dans cette optique conceptuelle, avec des diagrammes pour illustrer ses conférences, Venet réalise des écritures à la main sur papier millimétré, présente des propositions pour bandes magnétiques et agrandissements photographiques.
En 1970, Venet décide de cesser son activité artistique qu'il ne reprendra qu'en 1976 : « Mon activité de 1971 à 1976 a été de passer au stade du verbal ». Il crée de nouveau avec des peintures et des dessins géométriques représentant des angles de degrés divers puis des arcs de cercles accompagnés de leur descriptif, dans une tendance formaliste. Dès 1978, il introduit, fruit de son investigation poussée de la ligne, les premières lignes mathématiquement indéterminées avec la spirale : « Passer de la ligne droite ou brisée et de l'arc de cercle à une ligne obtenue par un mouvement du poignet ou du coude, c'était franchir un véritable gouffre pour un artiste qui s'était résolument voué à un code géométrique » (Venet). Progressivement, le volume va être introduit et les tableaux se détachant du mur se faire reliefs, d'abord en bois, puis accéder au statut de sculptures en acier en 1979, avec des formes dynamiques, autonomes, légères en apparence, qui évoquent l'expressionisme abstrait. En 1990, Venet réalise les premières installations de *Combinaisons aléatoires de lignes indéterminées*, où plusieurs lignes en acier se croisent dans des mouvements raffinés de courbes qui s'imbriquent. En 1992, il commence la série de reliefs composée de flèches *Directions arbitraires et simultanées* et aborde en 1994 les premières *Barres droites*, barres de dimension variable appuyées au mur, qui évoluent et s'opposent à la rationalité des œuvres précédentes, avec la série *Accidents*, où ces mêmes barres renversées « sous l'influence d'une pression » (id.) déterminées par des lois physiques telles que la gravité, le poids de l'objet, sont désormais présentées réparties de manière aléatoire sur le sol de la galerie. À la même époque, il aborde les *Possibilités d'indéterminations* formes planes, pleines, composées de fines barres d'acier de différentes tailles alignées et fixées au mur et qui remplissent une forme préalablement dessinée sur papier puis projetée au mur, et qui aboutissent aux *Surfaces indéterminées*, espaces libres découpés au chalumeau dans des plaques d'acier. Réalisant lui-même ses sculptures avec des métallurgistes expérimentés tordant des barres d'acier de vingt-huit mètres de long

avec un étau de vingt tonnes, il arrive à Venet de mettre en scène dans des « performances » les conditions de réalisation de l'œuvre : la forge, la soudure à l'arc, le bruit, le danger entourant la fabrication. Parallèlement, il réalise des dessins monumentaux, qui ne sont pas une esquisse des sculptures mais qui rendent compte de la sculpture achevée sous tous ses angles, figures qui reprennent le rythme des barres de fer tordues, noires et rousses d'une grande pureté. De plus en plus ses œuvres monumentales tendent à s'intégrer dans le paysage urbain, avec de très nombreuses commandes publiques. Il a réalisé la (ou l'une des) plus haute(s) sculpture(s) du monde, un immense arc de cercle en acier corten de 53 mètres de haut et 75 mètres de diamètre baptisé *Arc majeur de 185,4°* sur l'autoroute A6 en France.
Venet inscrit depuis les années quatre-vingt son œuvre dans une poétique du hasard, de l'aléatoire, néanmoins déjà abordée en 1963 avec le tas de gravier mélangé à du goudron, structure par essence instable. Travaillant avec méthode, cohérence, « toute découverte réelle détermine une méthode nouvelle. Elle doit ruiner une méthode préalable » (id.), procédant par exploration rigoureuse et systématique, l'artiste propose des formes pures, brutes, néanmoins gestuelles, figures en perpétuel devenir proches d'un certain baroquisme, dans une volonté de tendre vers le degré zéro de la sculpture. Démarche, qui n'est finalement pas si éloignée de la tentation conceptuelle des premières œuvres, régies par le noir de l'écrit, les lignes des diagrammes, la neutralité des sujets retenus. ■ Laurence Lehoux, J. B.
Bibliogr. : In : Catalogue de l'exposition *Écritures dans la peinture*, Villa Arson, Nice, 1984 - Bernard Ceysson : *Bernar Venet*, Musée d'Art et d'Industrie, Saint-Étienne, 1977 - Catherine Millet : *Bernar Venet*, Le Chêne, Paris, 1975 - Bernard Huin : *Bernar Venet. Intuition/Radicalisation*, Artstudio, n° 3, Paris, hiver 1986-1987 - Carter Ratcliff : *Bernar Venet*, Cercle d'Art, Paris, 1994 - *Bernar Venet, sculptures*, Galerie Karsten Greve, Cologne, 1996, ? - Bernar Venet : *Textes théoriques et entretiens*, Nouveau Musée, Villeurbanne, 1997 - Ann Hindry : *Bernar Venet 61/96*, Flammarion, Paris, 1997.
Musées : Aix-la-Chapelle (Neue Gal. im Alten Kurhaus) - Akron (Art Inst.) - Bruxelles (Mus. roy. des Beaux-Arts de Belgique) - Chicago (Mus. of Contemp. Art) - Detroit (Inst. of Art) - Dunkerque (Mus. d'Art Contemp.) - Épinal (Mus. départ. des Vosges) : *Ligne indéterminée* 1985, fus. et collage/pap. - Genève (Mus. d'Art et d'Hist.) - Grenoble (Mus. de Peinture et de Sculpture) - Humlebaek (Louisiana Mus.) - La Jolla (Mus. of Contemp. Art) - Krefeld (Kaiser Wilhelm Mus.) : *Theory of sets : Union and intersection of a family of sets* 1969 - *Le Temps en Europe le 24 août 1968* 1968 - Liège (Mus. nat. d'Art mod.) - Lodz (Mus. Sztuki) : *Tube n° 6.9.00.00* 1966 - Los Angeles (Mus. of Contemp. Art) - New York (Mus. of Mod. Art) : *Time spectrum of coincidences between electron and gamma ray* 1967 - New York (Solomon R. Guggenheim Mus.) - Nice (Mus. d'Art mod. et contemp.) - Paris (Mus. nat. d'Art mod.) - Paris (Mus. des Arts décoratifs) - Paris (BN) : un livre - Poitiers (Mus. Sainte-Croix) - Saint-Étienne (Mus. d'Art et d'Industrie) - Santa Barbara (Calif. Mus. of Art) : *Comète Arend Roland* 1967 - Séoul (Total Mus. of Contemp. Art) - Shangaï (Nouv. Mus. d'Art et d'Hist.) - Washington D. C. (Nat. Gal. of Art) - Washington D. C. (Hirshhorn Mus. and Sculpture Garden).
Ventes Publiques : Paris, 17 juin 1985 : *Etude de la fonction : y=4/x* 1966, mine de pb et cr. rouge/pap. calque : **FRF 25 000** - Paris, 18 mars 1986 : *Two supplementary angles* 1977, fus. (126x95) : **FRF 8 000** - Paris, 24 juin 1987 : *Composition* 1982, fus. (169x142) : **FRF 32 000** - Paris, 24 avr. 1988 : *Position d'une ligne indéterminée* 1983, bois et graphite (180x180) : **FRF 70 000** - Paris, 9 oct. 1989 : *232.5 Degré, sculpture double*, arc en fonte (98x89) : **FRF 170 000** - Paris, 29 nov. 1989 : *Undetermined line* 1987, fus. et collage/pap. : **FRF 16 500** - Saint-Germain-En Laye, 1er avr. 1990 : *Undetermined line* 1983, mine de pb (152x120) : **FRF 134 000** - Paris, 11 juin 1990 : *Undetermine line n° 1*, fus. et collage/pap. (184x152) : **FRF 95 000** - Paris, 21 juin 1990 : *Undetermined line* 1987, fus. et cr. (42x34) : **FRF 40 000** - Paris, 15 oct. 1990 : *Sculpture en acier* (H. 45) : **FRF 67 000** - Paris, 29 oct. 1990 : *Two undetermined lines* 1990 (187x146) : **FRF 140 000** - Paris, 29 nov. 1990 : *Lignes indéterminées* 1989, acier roulé (97x147x207) : **FRF 180 000** - Londres, 25 mars 1993 : *Ligne indéterminée* 1988, acier enroulé et peint. (H. 32,5) : **GBP 5 980** - Lokeren, 15 mai 1993 : *Combinaison de lignes indéterminées* 1992, collage (20x32) : **BEF 33 000** - Paris, 10 juin 1993 : *Ligne indéterminée* 1990, techn. mixte et collage/pap. (20x24) : **FRF 14 000** - Lokeren, 9 oct. 1993 : *Ligne indéterminée* 1987, fus. (95x66,5) : **BEF 110 000** - Paris, 29 nov. 1993 : *Position de trois arcs majeurs de 260.5 chacun*, collage et fus./pap. (54x125) : **FRF 18 000** - Stockholm, 30 nov. 1993 : *Ligne indéterminée* 1981, fus. (116x95) : **SEK 17 000** - Paris, 8 déc. 1993 : *Ligne indéterminée* 1990, acier roulé (18x40x40) : **FRF 44 000** - Paris, 10 mars 1994 : *Ligne indéterminée*, acier enroulé (112x95) : **FRF 200 000** - New York, 14 juin 1995 : *Ligne indéterminée* 1990, craie grasse/pap. (74,9x74,9) : **USD 4 312** - Paris, 21 juin 1995 : *Arcs de cercle 159, 5°*, sculpt. en acier (100x80) : **FRF 66 000** - Paris, 1er juil. 1996 : *Ligne indéterminée* 1988, fus./pap. découpé et collé/cart. (53x46,6) : **FRF 16 000** - Paris, 29 nov. 1996 : *Ligne indéterminée*, acier roulé à patine noire/dalle d'acier, sculpture (H. 22, l. 60) : **FRF 40 000** - Paris, 4 oct. 1997 : *Peinture industrielle* vers 1964, h./relief cart. (93x55) : **FRF 17 000**.

VENET Gabriel
Né le 31 juillet 1884 à Saint-Quentin (Aisne). xxe siècle. Français.
Peintre de paysages.
Il fut élève de Biloul. Il exposa à Paris, au Salon des Artistes Français à partir de 1923, et reçut une médaille d'argent et le prix des Paysagistes en 1930.
Musées : Dijon : *La Porte d'Auteuil.*

VENETIIS Chatarinus de
xve siècle. Actif à Verruchio. Italien.
Peintre et sculpteur.
Il paraît avoir été surtout sculpteur de crucifix. Cependant un tableau d'autel représentant une *Madone entre six saints*, signé par lui, a fait partie de la collection du comte Orsi, à Ancone.

VENETO. Voir au prénom

VENETSIANOV Alexis. Voir **WENETZIANOFF Alexei Gavrilovitsch**

VENEV Stoyan
Né en 1904 à Skriniano. xxe siècle. Bulgare.
Peintre de genre, histoire, peintre de monotypes.
Son style s'inspire de l'art populaire traditionnel bulgare. Avec une grande imagination des situations, il traite souvent de thèmes sociaux et politiques, non sans un certain humour volontiers satirique.
Bibliogr. : B. Dorival, sous la direction de... : *Peintres Contemporains*, Mazenod, Paris, 1964.
Musées : Sofia (Gal. Nat.) : *Les Serfs* 1942 - *Monotypes* 1945-1946 - *Septembre 1923* 1962.

VENEVAULT Nicolas. Voir **VENNEVAULT**

VENEZIA, da. Voir au prénom

VENEZIANI Giovanni
Né à Milan. Mort le 1er octobre 1860 à Castelmozzone. xixe siècle. Italien.
Peintre.
Élève de C. Bellosio.

VENEZIANI Giuseppe de
xvie siècle. Actif dans la seconde moitié du xvie siècle. Italien.
Sculpteur sur bois.
Il a sculpté deux statues d'anges pour le maître-autel de la cathédrale de Crémone en 1572.

VENEZIANO. Voir aussi au prénom

VENEZIANO Agostino. Voir **MUSI Agostino dei**

VENEZIANO Bartolommeo. Voir **BARTOLOMMEO Veneto** ou **Veneziano**

VENEZIANO Carlo. Voir **SARACENI Carlo**

VENGIER Jean et **Pierre**. Voir **BEUGIER Jean** et **Pierre**

VENGOECHEA Ambrosio de
Mort avant 1625. xviie siècle. Espagnol.
Sculpteur.
Il sculpta des autels pour les églises de Saint Sebastien et de Cascantes et un tabernacle pour celle de Renteria.

VENIER Ippolita
xviiie siècle. Active dans la première moitié du xviiie siècle. Italienne.
Peintre.
Fille de Pietro Venier. Elle peignit pour des églises d'Udine.

VENIER Michelangiolo, appelé aussi **Chiereghia**
Né vers 1706. Mort en 1780. XVIIIe siècle. Actif à Venise. Italien.
Sculpteur et fondeur.
Il a exécuté les portes de bronze du presbytère de l'église Saint-Antoine de Padoue en 1751. A rapprocher de Felice Chiereghia.

VENIER Pietro
Né en 1673 à Udine. Mort en 1737. XVIIe-XVIIIe siècles. Italien.
Peintre, fresquiste.
Il fit ses études à Venise. Il peignit des plafonds dans des églises d'Udine.

VENIERI Lydia
Née le 27 janvier 1964 à Athènes. XXe siècle. Active en France. Grecque.
Sculpteur de figures.
Elle vit et travaille à Paris. Elle participe à des expositions collectives : 1985, 1986 Salon de Mai à Paris ; 1986 abbaye de Montmajour à Arles, Biennale de Salonique ; 1987 Carte blanche à l'association des amis du centre Georges Pompidou, au centre Georges Pompidou à Paris. Elle montre ses œuvres dans des expositions personnelles : 1986 Paris.
Elle réalise des figurines en plâtre et matières synthétiques.

VENILLET Joseph, dit **Caillat**
XVIIIe siècle. Actif à Grenoble en 1756. Français.
Peintre de tapisserie.

VENINI Antonio
Né le 9 septembre 1858 à Milan. XIXe siècle. Italien.
Peintre.
Élève de Fr. Didioni.

VENIS. Voir **VEENIS**

VENITIEN Jean
Né en 1911 à Constantine. XXe siècle. Français.
Peintre de genre, intérieurs, natures mortes, fleurs. Réaliste socialiste.
Il a participé aux différents Salons annuels parisiens, aux Indépendants et d' Automne. Il a adhéré aux préceptes du réalisme socialiste.
VENTES PUBLIQUES : PARIS, 11 juil. 1944 : *La pièce d'eau* : **FRF 4 100** – PARIS, 24 jan. 1947 : *Femme à sa toilette* : **FRF 4 600** – AMSTERDAM, 22 mai 1990 : *Anémones, tulipes et lis dans un vase*, acryl./pap./t. (81x60) : **NLG 3 220** – PARIS, 22 avr. 1996 : *Odalisque assise*, h/t (81x65) : **FRF 12 500**.

VENITZER Georg. Voir **FENNITZER Georg**

VENITZER Michael. Voir **FENNITZER Michael**

VENIUS. Voir **VEEN**

VENIUS Otto. Voir **VEEN Otto** ou **Otho** ou **Octavius Van**

VENKELES C. Voir **MULDER C.**

VENLOO. Voir **LOO**

VENNA Lucio
Né en 1897 à Venise. XXe siècle. Italien.
Peintre, dessinateur, aquarelliste.
En 1915, avec Roberto Baldessari, Primo Conti, Achille Lega, Emilio Notte, il fut l'un des adhérents au mouvement futuriste tardif. En 1920, il fonda à Mantoue, avec Giulio Evola et Fiozzi, la revue dadaïste *Bleu*. Il abandonna ensuite la peinture et se consacra à la publicité, comme graphiste.
BIBLIOGR. : José Pierre : *Le Futurisme et le Dadaïsme*, in : *Hre Gle de la Peint.*, t. XX, Rencontre, Lausanne, 1966.
VENTES PUBLIQUES : FLORENCE, 16 oct. 1969 : *La Vierge et l'Enfant*, aquar. : **GBP 533**.

VENNE Adolf Van der
Né le 16 avril 1828 à Vienne. Mort le 23 septembre 1911 à Schweinfurt. XIXe-XXe siècles. Actif en Allemagne. Autrichien.
Peintre de genre, animaux.
Il vécut et travailla à Munich. Il exposa à Vienne en 1877.

A. vander Venne

MUSÉES : CHEMNITZ : Deux peintures.
VENTES PUBLIQUES : PARIS, 28 mai 1951 : *Traîneau russe* 1882 : **FRF 13 500** – COLOGNE, 16 oct. 1970 : *Camp tzigane en Hongrie* : **DEM 3 600** – LONDRES, 7 mars 1973 : *Scène de taverne* : **GBP 400** – NEW YORK, 17 avr. 1974 : *Le repos du voyageur* 1850 : **USD 1 700** – COLOGNE, 19 oct 1979 : *Paysans roumains menant leurs chevaux à l'abreuvoir*, h/t (53x69) : **DEM 6 000** – VIENNE, 15 sep. 1982 : *Le repos du berger*, h/t (66x86) : **AST 65 000** – MUNICH, 17 oct. 1984 : *La roulotte des forains dans un paysage d'hiver* 1893, h/t (37,5x51) : **DEM 13 000** – AMSTERDAM, 2 mai 1990 : *Un couple dans une voiture à cheval découverte*, h/pan. (18x31) : **NLG 2 990** – MUNICH, 31 mai 1990 : *La sortie du dimanche* 1878, h/t (77x124,5) : **DEM 22 000** – LE TOUQUET, 8 nov. 1992 : *La halte des Tziganes* 1877, h/t (58x88) : **FRF 17 000** – MUNICH, 22 juin 1993 : *Jeune garçon avec un couple de chevaux* 1886, h/t, une paire (44x59,5) : **DEM 11 500**.

VENNE Adriaen Pietersz Van de
Né en 1589 à Delft. Mort le 12 novembre 1662 à La Haye. XVIIe siècle. Hollandais.
Peintre d'histoire, compositions religieuses, sujets mythologiques, scènes de genre, portraits, paysages, dessinateur.
Il étudia avec Simon Valex et avec un peintre de grisailles, Hieronymus Van Diest, à La Haye. En 1607 il séjourna à Anvers et ensuite il se rendit à Middelbourg, où il résida de 1614 à 1624. En 1625 il était de retour à La Haye.
Il fit des portraits du roi de Danemark et des princes de sa famille. Il fit aussi les illustrations pour les vers de Jacob Cats. Ses premières œuvres sont dans la suite de Brueghel de Velours, d'un genre anecdotique. Il aimait alors peindre des scènes populaires de kermesses dans des tons vifs. En 1627 il travailla surtout en « grisailles ». Ses deux fils Huybert et Pieter furent aussi peintres. Ce fut un des fondateurs de la Société « Pictura ». Zélé protestant et partisan de la maison d'Orange, il fut aussi poète. Il fit des *Satires* non sans mérite. Ses dessins sont fort intéressants.

A · VENNE · F: 1618
Adriaen venne. 1628.
A: v: Venne. 1622
A v venne 1621
1621
A: v: venne
A: v: venne. 16 A
A · v: venne : 1632.

MUSÉES : AIX-LA-CHAPELLE : *Mendiant aveugle – Au bord de la rivière – Vieille paysanne dansant – Jeune paysanne dansant* – AMSTERDAM : *La pêche aux âmes – Port de Middelbourg – Le prince Maurice à la foire de Ryswick – Le prince Maurice, le roi de Bohême et les princes d'Orange Philippe Guillaume, Frédéric Henri Guillaume Louis, Ernest Casimir, Jean Ernest et Jean Louis – Les princes Maurice et Frédéric Henri – Le prince Maurice sur son lit de parade – La rencontre, printemps – Salutation, été – Conversation, automne – Sur la glace, hiver – Kermesse de village – Patineurs – Le roi de Bohême Frédéric V et sa femme à cheval*, grisaille – *Entrevue de Brandewyn Van Hensden et de l'ambassadeur d'Angleterre – Musiciens – Misère finie – Plus que pauvres ! – Lamentable ! Où ils en sont venus ! – Danse villageoise*, grisaille – BERGEN : *Rixe de mendiants* – BERLIN : *L'été – L'hiver* – BUDAPEST : *Wat maeckme at om gelt ! – All menschen hehaeget* – COPENHAGUE : *Chouettes patinant – Chanteur de rue* – DARMSTADT : *Portrait du prince de Nassau* – DESSAU : *Jésus portant la croix* – DOUAI : *Cortège grotesque* – DRESDE : *Paysans se querellant* – DUNKERQUE : *Vénus endormie surprise par des satyres* – GAND : *Le bon rire – Le mauvais rire* – GENÈVE (Mus. Ariana) : *Scène de genre et animaux* – GÖTEBORG : *Nässlipara* – HAMBOURG : *Château dans la Marche – Baptême du Maure* – La Haye : *Une ronde – Combat entre tourbiers*, grisaille – La Haye (Mus. comm.) : *Fête au Buitenhof* – Karlsruhe : *Paysage hollandais* – Kassel : *Joyeux banquet – L'enfant prodigue* – Kiev : *Fête champêtre* – Lille : *Tête de vieille – Ronde de gueux et sujet satirique*, grisaille, une paire – Mayence : *Judith avec la tête d'Holopherne* – Middelburg : *Deux bateaux à l'ancre* – Oslo : *Scène de marché* – Paris (Mus. du Louvre) : *Fête donnée à l'occasion de la trêve conclue en 1609 entre l'archiduc Albert d'Autriche souverain des Pays-Bas et les Hollandais* – Rotterdam : *Portrait d'homme – Le prince Frédéric Henri à cheval avec sa suite – Défilé de mendiants* – Saint-Pétersbourg (Mus. de l'Ermitage) : *Partie de plaisir* – Spire : *Rixe au village* – Stockholm : *Moïse sauvé des eaux – Adoration des rois – Nobles personnages (peut-être des princes d'Orange) chassant dans une forêt de chênes* – Valenciennes : *Gentilhomme à sa toilette – Déploration du Christ*.

Ventes Publiques : Paris, 1850 : *Eve*, dess. : **FRF 5 000** – Paris, 1861 : *La Kermesse de Ryswick* : **FRF 10 000** – Paris, 1881 : *L'archiduc Albert à la chasse* : **FRF 2 000** – Munich, 1899 : *L'Adoration des Mages* : **FRF 1 562** – Bruxelles, 12 et 13 juil. 1905 : *Le tueur de rats*, grisaille : **FRF 380** – Londres, 16 avr. 1910 : *Mariage hongrois* : **GBP 7** – Paris, 1er juin 1927 : *La Fête des moissons ; Jour de fête au village*, grisailles, une paire : **FRF 3 300** – Paris, 23 mai 1928 : *Assemblée de dames et de gentilshommes*, dess. : **FRF 800** – Paris, 19 nov. 1928 : *Portrait d'homme* : **FRF 2 300** – Paris, 1er juil. 1938 : *Un proverbe*, grisaille : **FRF 650** – Paris, 3 déc. 1941 : *Le déjeuner dans le parc* : **FRF 21 200** – Paris, 20 juil. 1942 : *Bataille d'estropiés* : **FRF 16 500** – Londres, 27 juil. 1945 : *Maisons près d'une rivière* : **GBP 147** – Paris, 29 mars 1950 : *Le rémouleur* : **FRF 14 500** – Paris, 23 mai 1950 : *Le jeu de paume* : **FRF 400 000** – Paris, 25 avr. 1951 : *Le prince Mauritz et sa suite en promenade sur un lac gelé en vue du château de Hartenstein* : **FRF 700 000** ; *Le menuet* ; *La danse paysanne* l'un daté 1636, camaïeu brun, formant pendants : **FRF 100 000** – Paris, 5 déc. 1951 : *Portrait présumé de l'artiste par lui-même* : **FRF 340 000** – Londres, 1er avr. 1960 : *Soldats pillant un village* : **GBP 420** – Londres, 14 juin 1961 : *Paysage d'hiver avec nombreux patineurs* : **GBP 1 000** – Londres, 8 juil. 1964 : *Carnaval à Anvers* : **GBP 6 100** – Amsterdam, 10 déc. 1968 : *Militaires dans un paysage* : **NLG 16 500** – Londres, 25 juin 1969 : *Paysage d'hiver avec patineurs* : **GBP 12 500** – Versailles, 5 déc. 1976 : *Judith apportant la tête d'Holopherne*, h/t (60x74) : **FRF 6 500** – Paris, 6 avr. 1978 : *Le Prince Maurice d'Orange sur son lit de parade* 1625, h/cuivre (8x12) : **FRF 25 000** – Londres, 30 mars 1979 : *Le jeu de paume dans un paysage avec un château à l'arrière-plan*, h/pan. (15,8x21,6) : **GBP 65 000** – Amsterdam, 19 avr. 1982 : *Adam et Ève*, pl. et lav. reh. de blanc (10,3x13,2) : **NLG 3 200** – Zurich, 14 mai 1982 : *Allégorie*, h/pan. (26,5x19,2) : **CHF 9 000** – Londres, 30 nov. 1983 : *Les Plaisirs de l'été ; Les Plaisirs de l'hiver*, h/pan., une paire de forme ronde (diam. 18,5) : **GBP 29 000** – Paris, 22 nov. 1985 : *Cortège de fête* 1615, h/pan. (16,5x23) : **FRF 500 000** – Londres, 9 avr. 1986 : *Prince Maurice de Nassau avec sa suite sur la glace près du château de Hartenstein* 1616, h/pan. (32x63) : **GBP 30 000** – Amsterdam, 14 nov. 1988 : *Salomé dansant devant Hérode*, h/t (99x129) : **NLG 17 825** – New York, 11 jan. 1989 : *Proverbe hollandais : Seules de bonnes jambes peuvent apporter la santé*, h/pan. (59,6x49) : **USD 9 900** – Paris, 12 avr. 1989 : *Moïse frappant le rocher*, h/t en grisaille (65,5x81,5) : **FRF 80 000** – Londres, 21 avr. 1989 : *Iris, roses, œillets, myosotis et autres fleurs dans un vase sur un entablement*, h/pan. (35,2x26,2) : **GBP 19 800** – Amsterdam, 20 juin 1989 : *Fête de mariage au village* 1655, grisaille h/pan. (58,8x74,6) : **NLG 78 200** – New York, 11 oct. 1990 : *Chasse au cerf dans un paysage boisé*, h/cuivre (33,5x44) : **USD 44 000** – Londres, 14 déc. 1990 : *Couple élégant dansant* 1636, en grisaille h/pan. (19,4x15) : **GBP 6 050** – Londres, 8 juil. 1992 : *La ruse mène à la richesse*, h/pan. (41,5x32,5) : **GBP 6 600** – Amsterdam, 10 nov. 1992 : *Gitane et son enfant recevant l'aumône d'une paysanne*, h/pan. en grisaille (21,5x15) : **NLG 8 050** – Amsterdam, 6 mai 1993 : *Cupidon conduisant les amants au travers des pièges de l'Amour*, h/pan. en grisaille (54,5x71) : **NLG 25 300** – Amsterdam, 17 nov. 1993 : *À chacun son passe-temps*, sanguine et lav. (35,2x44,9) : **NLG 209 300** – Londres, 26 oct. 1994 : *Études de têtes d'un vieil homme et d'une femme âgée*, h/pan., une paire (chaque 15,4x12,6) : **GBP 18 400** – Londres, 17 avr. 1996 : *Deux Princes de Nassau*, h/t en grisaille (97,3x113,7) : **GBP 19 550**.

VENNE Aert Pieterse Van de

Né vers 1631 à Rotterdam. xviie siècle. Hollandais.

Peintre.

Il travailla à Amsterdam en 1666 et séjourna aussi en Suède à la cour de la reine Christine.

VENNE Gilles ou **Gilbert Van der**

Né vers 1654 à Bruxelles. Mort en 1719 à Paris. xviie-xviiie siècles. Éc. flamande.

Peintre et marchand de tableaux.

VENNE Huybreg ou **Huybregt** ou **Hubert Van der**

Né en 1634 ou 1635 à La Haye. Mort après 1675. xviie siècle. Hollandais.

Peintre.

Il étudia avec son père Adriaen Pietersz Van der Venne, et peignit surtout en grisaille des motifs décoratifs : bas-reliefs, groupes d'enfants, vases, etc. Il était inscrit en 1665 sur le registre de la « Pictura ».

VENNE Jan Pietersz Van der

Mort en 1625. xviie siècle. Hollandais.

Peintre de compositions religieuses.

Frère d'Adriaen Pietersz Van der Venne.

Son style est celui des peintres de la seconde moitié du xviie siècle.

Ventes Publiques : Amsterdam, 12 juin 1990 : *Tobie et l'Archange Raphaël sur les bords du Tigre*, h/t (86,4x62,4) : **NLG 9 200**.

VENNE Jan Van de, dit aussi **Pseudo-Adrien Van de Venne**

Né avant 1600 à Malines. Mort vers 1650 à Bruxelles. xviie siècle. Éc. flamande.

Peintre de genre, figures, portraits.

Musées : Chambéry (Mus. des Beaux-Arts) : *Tête de vieillard*.

Ventes Publiques : Paris, 12 avr. 1989 : *Tête de paysan de profil*, h/pan. (21x16) : **FRF 60 000** – Monaco, 16 juin 1989 : *Portrait de femme*, h/pan. (24,5x19) : **FRF 49 950** – Paris, 14 déc. 1989 : *Une famille de mendiants*, panneau de chêne parqueté (54,5x75,5) : **FRF 48 000** – Paris, 23 avr. 1990 : *Tête de vieillard barbu*, h/pan. (57x42,5) : **FRF 42 000** – Paris, 26 juin 1992 : *Le rémouleur ambulant*, h/t (73,5x87,5) : **FRF 60 000** – Londres, 27 oct. 1993 : *Trois paysans assis autour d'une table*, h/pan. (48x61,5) : **GBP 8 050** – Paris, 31 mars 1994 : *Portrait d'homme vu de profil*, h/pan. (22,5x18,5) : **FRF 18 000** – New York, 19 mai 1994 : *Tête d'un homme riant*, h/pan. (34,9x24,1) : **USD 4 600** – Londres, 16 avr. 1997 : *Un vieil homme ; Une vieille femme*, h/pan., deux études (24,5x19 et 24,7x19,4) : **GBP 10 350**.

VENNE Jan Van de

Né le 22 juin 1636 à La Haye. Mort après 1672. xviie siècle. Hollandais.

Peintre de paysages.

Il était aussi un fils d'Adriaen Pietersz Van de Venne. On ne sait pas qui fut son maître, ni où il travailla.

Musées : Darmstadt : *Paysage d'hiver*.

VENNE Louis Van de

Né vers 1657. xviie siècle. Actif à Anvers. Éc. flamande.

Peintre.

VENNE Pieter Van de

Né à Middelbourg. Mort entre le 1er juillet et le 16 octobre 1657. xviie siècle. Hollandais.

Peintre de fleurs.

En 1618, il étudia à La Haye avec Evert Van der Maes. Certains biographes en font le fils aîné d'Adriaen Van de Venne. Si l'on tient compte que Pieter était élève d'Evert Van der Maes en 1618, alors qu'Adriaen n'avait que vingt-neuf ans, il faudrait, si ce dernier était son père, qu'ait commencé à travailler bien jeune. Il semble plus probable qu'il était son frère aîné. Dans tous les cas Pieter était membre de la gilde de La Haye en 1639 et fut un des fondateurs de la « Pictura » en 1656.

Ventes Publiques : Londres, 6 juil. 1984 : *Vase de fleurs sur une table* 1652, h/pan. (50,8x40,6) : **GBP 10 000** – Amsterdam, 7 mai 1993 : *Nature morte avec un vase de fleurs, un coffret à bijoux en argent posé à côté*, h/t (73,5x56,5) : **NLG 143 750**.

VENNEKENS Aernout

xvie siècle. Actif à Termonde dans la seconde moitié du xvie siècle. Éc. flamande.

Enlumineur.

Il a peint douze *Scènes de la Passion*.

VENNEKOOL Jacob ou **Vennecool**

Né en 1630 à Amsterdam. Mort en 1673 à Amsterdam. xviie siècle. Hollandais.

Architecte, dessinateur et graveur.

Il dessina des portails et des ornements d'architecture.

VENNEKOOL Jacob
Mort le 27 janvier 1711. XVIIIe siècle. Hollandais.
Sculpteur.
Il sculpta deux groupes d'enfants à l'entrée du port d'Alkmaar en 1661.

VENNEMAN Camille
Né le 7 mars 1827 à Gand. Mort en 1868 à Schaarbeek. XIXe siècle. Belge.
Peintre.
Fils de Charles Ferdinand Venneman.
Ventes Publiques : Paris, 18-19 mars 1925 : *Devant la chaumière* : **FRF 2 390** – Londres, 6 mars 1974 : *Scène villageoise* 1851 : **GBP 3 100** – Cologne, 1er juin 1978 : *La Boîte à images* 1867, h/pan. (48x60) : **DEM 43 000** – Londres, 19 mars 1980 : *Le Montreur de marionnettes* 1867, h/pan. (47x60) : **GBP 13 000** – Cologne, 19 nov. 1981 : *La Partie de cartes*, h/pan. (33,5x44) : **DEM 6 000** – Londres, 8 fév. 1984 : *Paysans devant une chaumière* 1867, h/pan. (33x27) : **GBP 2 800.**

VENNEMAN Charles ou **Karel Ferdinand**
Né le 7 janvier 1802 à Gand. Mort le 22 août 1875 à Bruxelles. XIXe siècle. Belge.
Peintre de genre.
Il fut élève de l'Académie de sa ville natale et commença sa carrière comme peintre décorateur en 1836 ; désireux de se consacrer à l'art proprement dit, il fut élève de Braekelaer, à Anvers.
Il se fit rapidement connaître par de petits tableaux de genre inspirés du style d'Adrian Van Ostade. Son succès fut considérable.
Musées : Anvers : *Kermesse flamande* – Gand : *Joueurs de cartes* – Kaliningrad, ancien. Königsberg : *Paysans après la chasse* – *La sieste* – *Le buveur* – Montréal : *Mesmerising* – Munich : *Dans un cabaret des Pays-Bas* – Washington D. C. (Corcoran Gal.) : *Le médecin du village.*
Ventes Publiques : Londres, 1er mars 1972 : *La cour de l'auberge* : **GBP 950** – Londres, 11 fév. 1976 : *Scène d'intérieur* 1864, h/pan. (34x45) : **GBP 600** – New York, 4 mai 1979 : *La cour de ferme* 1851, h/pan. (46x56) : **USD 17 000** – New York, 28 oct. 1981 : *L'Heure du déjeuner*, h/pan. (64,3x82) : **USD 6 000** – New York, 29 juin 1983 : *Scène de taverne*, h/pan. (58,5x75) : **USD 5 500** – Amsterdam, 15 avr. 1985 : *Concert burlesque*, h/t (62,5x73) : **NLG 24 000** – New York, 23 mai 1989 : *Les amoureux de la cuisine* 1851, h/t (55,8x47,6) : **USD 10 450** – Amsterdam, 14-15 avr. 1992 : *Le chemineau*, h/pan. (16,5x15) : **NLG 1 840** – Londres, 28 oct. 1992 : *Le visiteur*, h/t (58,5x52) : **GBP 2 640** – Amsterdam, 21 avr. 1993 : *Paysans buvant dans la cour d'une auberge* 1848, h/pan. (22,5x27,5) : **NLG 4 830** – New York, 9 jan. 1997 : *Villageois jouant aux boules*, h/pan. (41,3x34,9) : **USD 7 475** – Lokeren, 6 déc. 1997 : *La Cruche vide*, h/pan. (26x20) : **BEF 260 000.**

VENNEMAN Martin Liévin
Né le 31 juillet 1819 à Gand. Mort le 27 novembre 1878 à Gand. XIXe siècle. Belge.
Sculpteur.
Élève de l'Académie de Gand. Il fut moine augustin et travailla pour le monastère de Gand.

VENNEMAN Rosa
Née à Anvers. XIXe siècle. Belge.
Peintre animalier, paysages.
Fille et élève de Charles Venneman, elle exposa au Salon de Bruxelles à partir de 1872.
Elle est très proche des peintres hollandais du XVIIe siècle pour ses scènes de pêche, et s'inspire de l'art de Potter pour ses animaux au pâturage.
Bibliogr. : Gérald Schurr, in : *Les Petits Maîtres de la peinture 1820-1920, valeur de demain*, Les Éditions de l'Amateur, t. IV, Paris, 1979.
Musées : Cambrai : *Retour de pêcheurs le matin à Arromanches* – Compiègne : *Vaches sous bois* – Liège : *Vache au pâturage* – Pontoise : *Vaches au repos au bord de la mer* – Trois études d'animaux – Saintes : *Dans les blés* – *L'abreuvoir* – Soissons : *Le gué* – *Vache au repos* – Vannes : *Bestiaux sur les falaises du Tréport.*
Ventes Publiques : Paris, 1884 : *La gardeuse de vaches* : **FRF 540** ; *Rentrée à la ferme en Belgique* : **FRF 950** – Paris, 1887 : *Allant aux crabes à Arromanches* : **FRF 1 650** – Paris, 25-26 nov. 1946 : *Vaches au pâturage* : **FRF 500** – Paris, 12 oct. 1949 : *Le Retour du troupeau* : **FRF 17 000** – Londres, 15 fév. 1978 : *Troupeau dans un paysage*, h/pan. (18x24) : **GBP 850** – Lokeren, 17 févr 1979 : *Berger et troupeau dans un paysage* 1860, h/pan. (41x56) : **BEF 185 000** – Lokeren, 5 oct. 1996 : *L'orage approche*, h/t (65x135) : **BEF 70 000.**

VENNEVAULT François
XVIIe siècle. Français.
Sculpteur.
Il sculpta un buste de *Henri IV* pour l'Hôtel de Ville de Dijon en 1608.

VENNEVAULT Nicolas
Né le 13 juillet 1697 à Dijon. Mort le 20 décembre 1775 à Paris. XVIIIe siècle. Français.
Miniaturiste, peintre de genre et de paysages.
Membre de l'Académie Saint-Luc, puis membre de l'Académie Royale le 26 août 1752. Il figura au Salon de cette Académie. Le Musée d'Auxerre possède de lui *Léda*, et celui d'Epinal, *Reine des Amazones se faisant armer.* Il fut chargé, en 1724, de peindre les portraits du prince et de la princesse de Lorraine à Lunéville.
Ventes Publiques : Paris, 1777 : *Le jugement de Pâris*, miniat. : **FRF 160.**

VENNING Dorothy Mary
Née le 15 janvier 1885 à Londres. XXe siècle. Britannique.
Peintre de miniatures, sculpteur.
Elle vécut et travailla à Peckham.

VENNINGER Nannette
XIXe siècle. Allemande.
Lithographe.
Elle grava un portrait de *Goethe* d'après Ferdinand Jagemann en 1818.

VENON Marie-France
Née le 2 mai 1954 à Brinon (Cher). XXe siècle. Française.
Peintre, dessinatrice.
Elle a obtenu une licence d'Arts Plastiques à Paris. Elle montre ses œuvres dans diverses expositions collectives et personnelles à Paris, en France, à l'étranger.
D'abord influencée par le fantastique, son travail se concentre ensuite sur le thème du corps humain et des mythes de renaissance qui s'y rattachent, évoluant peu à peu vers une recherche plus abstraite.

VENOSTI Bartolomeo de'
Né à Grosio. XVIe siècle. Actif dans la première moitié du XVIe siècle. Italien.
Peintre.
Il peignit des fresques dans l'église Saint-Pierre et Saint-Paul près de Reit.

VENOT Claude
Née le 15 septembre 1930 à Paris. XXe siècle. Française.
Sculpteur, peintre.
Elle étudie la sculpture à Paris, à l'Académie de la Grande Chaumière, de 1950 à 1957, avec Auricoste.
Elle participe à des expositions collectives à Paris, au Salon des Indépendants, de 1954 à 1964 aux Salons de Mai et de la Jeune Sculpture, puis au Salon des Réalités Nouvelles, 1982 Fondation nationale des Arts graphiques et plastiques ; ainsi que : 1975 Biennale internationale de Menton ; 1982 musée des beaux-arts de Bilbao, et à Spolète, Londres... Elle montre ses œuvres dans des expositions personnelles, notamment au Musée Fabre à Montpellier, et dans des galeries privées à New York depuis 1959 et à Paris depuis 1974. Elle reçut le prix Bourdelle en 1954.
Son exposition de 1974 a permis de découvrir l'originalité de sa peinture, dont les larges surfaces colorées, délimitées avec netteté, produisent une impression d'espace et de pureté.

VENOT Cyprien François
Né le 17 septembre 1808 à Paris. Mort en 1886. XIXe siècle. Français.
Sculpteur.
Élève de E. Ludet et de David d'Angers. Il entra à l'École des Beaux-Arts le 10 mai 1824. Il figura au Salon de 1833 à 1850. On conserve de lui au Musée d'Amiens un *Portrait de Girardon.*

VENOT D'AUTEROCHE Eugénie
Née au XIXe siècle à Paris. XIXe siècle. Française.
Peintre de portraits.
Élève de Léon Cogniet et de Mlle A. Cogniet. Elle exposa au Salon de 1863 à 1887. Le Musée de Digne conserve d'elle *Portrait de Paul Foucher, neveu de Victor Hugo.*

VENOV Siméon
Né en 1933 à Sofia. XXe siècle. Bulgare.
Graveur, illustrateur.
Il a figuré à l'exposition : *De Bonnard à Baselitz – Dix ans d'enrichissements du Cabinet des Estampes 1978-1988* à la Bibliothèque nationale à Paris, en 1992.
Musées : Paris (BN).

VENROY Leonardus
Mort le 29 mai 1808 à Gouda. XVIIIe siècle. Hollandais.
Dessinateur amateur.
Le Musée d'Utrecht conserve de lui *Portrait de C. C. Visscher*, daté de 1792.

VENSELAAR Cary. Voir **VANSELAAR**

VENSLOVAITE-GINTALIENE Alfreda
Née en 1945 à Vilnius. XXe siècle. Russe-Lituanienne.
Graveur.
Elle vit et travaille dans sa ville natale. Elle a figuré à l'exposition : *De Bonnard à Baselitz – Dix ans d'enrichissements du Cabinet des Estampes 1978-1988* à la Bibliothèque nationale à Paris, en 1992.

VENT DUMOIS Lesbia
Née en 1932 à Cruces. XXe siècle. Cubaine.
Graveur. Surréaliste.
Elle s'est formée à l'École d'arts plastiques Léopoldo Romanach et a poursuivi ses études à l'Université centrale de Las Villas, puis à Prague en lithographie.
Elle expose depuis 1954. Elle a obtenu des prix, notamment au premier concours de gravures en Argentine en 1960.
Ses gravures puisent leurs sources formelles chez les maîtres de l'estampe du baroque, évoquant un surréalisme puissamment décoratif. Elle a également réalisé de nombreuses lithographies.
Bibliogr. : Divers, dont Jacques Lassaigne, Alejo Carpentier, in : Catalogue de l'expos. *Cuba – Peintres d'aujourd'hui*, Mus. d'Art Mod. de la Ville, Paris, 1977-78.
Musées : La Havane (Mus. des Beaux-Arts).

VENTADOUR Jean Nicolas
Né le 10 janvier 1822 à Paris. Mort à Paris. XIXe siècle. Français.
Peintre de portraits.
Élève de Sèchan, Freuchères, Dieterle et Desplèchin. Il figura au Salon de 1846 à 1869.

VENTE de La. Voir **LA VENTE**

VENTELLOL Antonio
XVIIIe siècle. Espagnol.
Peintre.
Il peignit en 1718 le retable de la chapelle du château de Bellver. Peut-être identique à un peintre Venthayol qui exécuta en 1763 des portraits de Trinitaires à Palma.

VENTENATI Angelo
XVIIIe siècle. Italien.
Peintre.
Actif à Trente, il travailla en 1762.

VENTHAYOL. Voir l'article **VENTELLOL Antonio**

VENTNOR A.
Britannique.
Peintre de genre.
Le Musée de Norwich conserve de lui : *A quaint corner*.

VENTO Andrea del
XVIe siècle. Actif à Ferrare. Italien.
Sculpteur.
Il exécuta des décorations sur la tribune de la cathédrale de Montagnana en 1565.

VENTO Francesco da
XVIe siècle. Italien.
Peintre.
Il exécuta des peintures dans la salle de musique du château de Ferrare en 1503.

VENTO José
Né en 1925 à Valence. XXe siècle. Espagnol.
Peintre de compositions animées, peintre de compositions murales.
De 1943 à 1947, il fut élève de l'Académie de San Carlos de Valence, puis il alla achever sa formation à Madrid, où il vit et travaille.
Il pratique une figuration traditionnelle, quelque peu marquée de la fragmentation postcubiste. Il peint des compositions monumentales à personnages dans l'esprit de l'école muraliste mexicaine.
Bibliogr. : B. Dorival, sous la direction de... *Peintres Contemporains*, Mazenod, Paris, 1964.

VENTRILLON Ernest
Né en 1884. Mort en 1953. XXe siècle. Français.
Peintre de portraits, figures, paysages, natures mortes, fleurs.
Musées : Épinal (Mus. départ. des Vosges) : *Le Pont* 1910 – *Nature Morte* 1925 – *Paysage* – *Roses blanches* 1918 – *Autoportrait* 1939.

VENTRILLON-HORBER Charles
Né le 26 février 1899 à Paris. XXe siècle. Français.
Peintre.
Il fut élève de Jean-Paul Laurens, Paul Albert Laurens et Vignal. Il exposa à Paris, au Salon des Artistes Français à partir de 1922, et reçut une mention honorable en 1925, le prix Thirion en 1930, une médaille d'argent en 1931.

VENTURA
XVe siècle. Actif à Innsbruck de 1453 à 1460. Autrichien.
Sculpteur sur bois.
Il exécuta des autels et cinq statues pour l'église Saint-André de Padoue.

VENTURA
XVe-XVIe siècles. Actif à Venise. Italien.
Peintre.
Élève de Gentile Bellini.

VENTURA Domenico
Né le 22 décembre 1812 à Macerata. Mort le 18 mars 1896 à Rome. XIXe siècle. Italien.
Peintre de genre et d'histoire et portraitiste.
Élève de Tommaso Minardi.

VENTURA Francesco
XVIIe siècle. Actif à Ferrare dans la seconde moitié du XVIIe siècle. Italien.
Peintre.
Élève de Giovanni Bonatti.

VENTURA Francisco
Né le 21 septembre 1698 à Estella. Mort le 9 juillet 1749 à Saragosse. XVIIIe siècle. Espagnol.
Stucateur.
Il exécuta les riches stucatures de la collégiale Saint-Charles de Saragosse à partir de 1735. Il faisait partie de la Compagnie de Jésus.

VENTURA Giuseppe
XVIIIe siècle. Italien.
Peintre.
Il peignit *Madone avec des saints* dans l'église Saint-François de Rovigo.

VENTURA Lattanzio
XVIe-XVIIe siècles. Italien.
Sculpteur.
Il travailla à Macerata et pour la cathédrale de Lorette. Il fut aussi architecte à Urbino.

VENTURA Nicolao
Mort le 22 juillet 1642 à Rome. XVIIe siècle. Actif à Fano. Italien.
Peintre.
Il travailla à Rome à partir de 1607 ; on cite une centaine de peintures de cet artiste.

VENTURA Sebastiano
XVIIe siècle. Actif à Rieti dans la première moitié du XVIIe siècle. Italien.
Peintre.

VENTURA Stefi
Née à Vienne. XIXe-XXe siècles. Autrichienne.
Peintre de portraits.
Elle fut élève de Félix A. Harta. Elle exposa à Société Nationale des Beaux-Arts et à Vienne. Une œuvre de cette artiste, *Portrait de Kemal Pacha*, se trouve à l'Ambassade de Turquie, à Vienne.

VENTURA Zorzi
XVIe-XVIIe siècles. Italien.
Peintre.
Il peignit des tableaux d'autel pour les églises de Parenzo, de Verteneglio, de Visignano et de Visinada.

VENTURA da Bologna
XIIe-XIIIe siècles. Italien.
Peintre, sculpteur et architecte.
Il peignit des madones et des saints pour des églises de Bologne.

VENTURA di Gualtieri
XIIIe siècle. Travaillant à Sienne, de 1257 à 1273. Italien.

Peintre.
Il travailla à Sienne et à San Gemignano.

VENTURA di Marco Priore
XIIIe siècle. Italien.
Peintre.
Il a peint une *Madone du rosaire* dans l'église Saint-Silvestre de Ripattone en 1256.

VENTURA di Moro. Voir **AMBROGIO di Baldese**

VENTURA da Siena. Voir **VENTURA di Gualtieri**

VENTURA-BORGHESO Giovanni. Voir **BORGHESI Giovanni Ventura**

VENTURE Nicolo di Giovanni de ou **Ventura**
Mort en 1464. XVe siècle. Travaillant à Sienne vers 1443. Italien.
Miniaturiste.
On croit pouvoir lui attribuer les miniatures de *l'Histoire de la bataille de Montaperto*, écrite en 1443, précieux manuscrit conservé à la Bibliothèque de l'Université de Sienne.

VENTURE T. M.
XVIIIe siècle. Active à Paris. Française.
Peintre de portraits.
Élève de Forestier. Elle débuta au Salon de Paris de 1796 avec trois peintures.

VENTURI Francesco
Né en 1673. Mort après 1711. XVIIe-XVIIIe siècles. Actif à Pise. Italien.
Peintre.

VENTURI Giacinto
XVIIIe siècle. Italien.
Peintre d'architectures, de paysages et d'ornements.
Il travailla pour la cour de Modène dans la première moitié du XVIIIe siècle.

VENTURI Luigi
Né en 1812 à Bologne. XIXe siècle. Italien.
Paysagiste.
La Pinacothèque de Bologne conserve une peinture de cet artiste.

VENTURI Roberto
Né le 25 avril 1846 à Milan. Mort le 5 mai 1883 à Brescia. XIXe siècle. Italien.
Peintre d'histoire et de genre et portraitiste.
Élève de l'Académie de Milan. Il a exposé dans cette ville, à Turin et à Rome. La Brera de Milan conserve de lui *Giovanni Bellini et Antonello da Messina*.

VENTURI Pisano. Voir **VENTURI Francesco**

VENTURINI Adelchi
Né en 1844 à Corniglio di Compiano. XIXe siècle. Italien.
Peintre.
La Galerie de Parme conserve de lui *Vue du canal de Parme*.

VENTURINI Angelo
XVIIIe siècle. Actif à Venise. Italien.
Peintre.
Élève d'Antonio Balestra. Il exécuta des peintures dans l'église Saint-Christophe et Saint-Michel de Murano.

VENTURINI Gaspare
Né en 1570. XVIe siècle. Actif à Ferrare. Italien.
Peintre.
Élève de Bernardo Castello. La Galerie de Modène conserve de lui *Pan assis*.

VENTURINI Giovanni Francesco
Né en 1650 à Rome. Mort après 1710 à Rome. XVIIe-XVIIIe siècles. Italien.
Graveur au burin et à l'eau-forte.
On croit qu'il fut élève de Giovanni Battista Galestruzzi dont, dans tous les cas, il imita le style. Il a gravé des sujets d'histoire et de mythologie d'après les maîtres italiens.

VENTURINI Jean-Jacques
Né le 16 mars 1948 à Saint-Ambroix (Gard). XXe siècle. Français.
Peintre de paysages. Lettriste.
D'abord paysagiste, il s'est ensuite rapproché du groupe lettriste. Les signes qu'il utilise affirment un goût prononcé pour la volute, la courbe, les formes arrondies, les espaces fœtaux.

VENTURINI Tancredi
Né en 1857 à Brescello. XIXe siècle. Italien.
Peintre d'architectures et architecte.
Élève de Magnani à l'Académie de Parme.

VENTURINO di Andrea dei Mercati, dit **Venturino da Milano**. Voir **MERCATI Venturino**

VENTURINO di Giovanni. Voir **FANTONI V. di G.**

VENUS Albert Franz
Né le 9 mai 1842 à Dresde. Mort le 27 juin 1871. XIXe siècle. Allemand.
Peintre de genre et paysagiste.
Élève de Jules Hubner à l'Académie de Dresde. Médaillé en 1863. En 1866, il obtint une bourse de voyage. Il peignit surtout des paysages italiens. Le Musée National de Berlin conserve de lui *La Campagne romaine*.
Ventes Publiques : Munich, 28 nov 1979 : *Paysage d'Italie* 1866, pl. et lav./trait de cr. (13,5x20,5) : **DEM 2 050** – Munich, 27 nov. 1980 : *Paysages d'Italie animé de personnages* 1866, aquar./trait de pl. (34x47,5) : **DEM 3 000** – Munich, 4 juin 1987 : *Albaner See* 1866, aquar. et pl./traits de cr. (26,5x41,5) : **DEM 1 500**.

VENUS Leopold ou **August Leopold**
Né le 14 juin 1843 à Dresde. Mort le 23 décembre 1886 à Sonnenstein. XIXe siècle. Allemand.
Peintre et dessinateur de portraits.
Élève de l'Académie de Dresde. Le Musée de cette ville conserve de lui *Sainte Elisabeth* et *Portrait de vieillard*. Il exécuta de nombreuses illustrations de livres de contes dans le style de Ludwig Richter.

VENUSTI Marcello
Né en 1512 ou 1515 à Côme. Mort le 14 octobre 1579 à Rome. XVIe siècle. Italien.
Peintre de compositions religieuses, portraits.
Il fut élève de Perino del Vaga. Marcello Venusti eut la gloire de servir d'aide à Michel-Ange Buonarroti et de lui donner satisfaction.
Venusti exécuta, vers 1550 et peut-être supervisée par Michel-Ange lui-même, pour le cardinal Farnèse une copie du *Jugement dernier*, aujourd'hui au Musée de Naples, copie au demeurant superbe. Michel-Ange permit à son élève de peindre des compositions qu'il avait dessinées. Il reproduisit aussi un *Christ portant sa croix*, aujourd'hui au Palais Borghèse, et une *Annonciation* pour la Capella de Cesi à l'église de la Pace. Venusti produisit aussi des œuvres originales dans les églises et les monuments publics de Rome.
Sa copie du *Jugement dernier*, parfaitement accessible au Musée de Capodimonte, n'ayant pas été exposée aux pollutions de la Sixtine, est restée dans un parfait état de fraîcheur. Il est dommage que les restaurateurs de l'original dans les années quatre-vingt-dix n'aient pas eu l'inspiration de s'y référer, ce qui leur aurait évité bien des erreurs funestes, notamment le bleu quasi-électrique de la voûte céleste qui se trouve projetée en avant des personnages, dont les volumes s'en trouvent écrasés, bien que pourtant moins affadis que ceux du plafond, ainsi que, par voie de conséquence, la modulation, d'ailleurs mal maîtrisée et inefficace, des nuages porteurs, eux aussi rejetés en arrière du bleu maintenant omniprésent, qui initialement constituait, au fond et non devant, « le silence des espaces infinis » de la composition.
■ J. B.

MARCELUS.VENUSTO.MDLXIII

Musées : Bergame (Acad. Carrara) : *Sépulture du Christ* – Chambéry (Mus. des Beaux-Arts) : *Annonciation* – Forli : *Résurrection du Christ* – Kassel : *Portement de croix* – Leipzig : *Sainte famille* – Londres (Nat. Gal.) : *Le Christ chassant les vendeurs du temple* – *La Vierge, l'Enfant Jésus endormi, saint Joseph et le petit saint Jean* – Montpellier : *Jésus mis au sépulcre* – Naples (Capodimonte) : *Copie du « Giudizio Universale » de Michel-Ange* vers 1550 – Pérouse : *Adoration des bergers* – Rome (gal. Borghèse) : *Christ en croix, la Vierge et saint Jean* – *Sainte Famille* – Saint-Pétersbourg (Mus. de l'Ermitage) : *Martyre de saint Étienne*.
Ventes Publiques : Londres, 1830 : *Le Christ chassant les vendeurs du Temple* : **FRF 5 515** – Londres, 1882 : *L'Adoration des Mages* : **FRF 30 450** – Londres, 1885 : *Le Christ chassant les vendeurs du Temple* : **FRF 24 000** – Londres, 21 fév. 1910 : *Sainte Famille* : **GBP 99** – Paris, 19-20 avr. 1921 : *Portrait d'homme* : **FRF 1 050** – Londres, 23 juin 1967 : *Jésus et la femme de Samarie* : **GNS 1 100** – Cologne, 26 nov. 1970 : *La Sainte Famille* : **DEM 13 500** – Stockholm, 16 mai 1990 : *La Sainte Famille*, h/pan. (60x47) : **SEK 70 000**.

VENUTI Filippo
XIXe siècle. Actif à Rome. Italien.
Peintre de genre et portraitiste.
Il exposa à Rome, à Turin et à Paris vers 1880.

VENUTI Lodovico
Né à Naples. Mort à Rome. XIXe siècle. Actif dans la première moitié du XIXe siècle. Italien.
Peintre.
Élève de V. Camuccini. Il travailla pour les églises de Cortone.

VENUTO Johann
Né en 1747 en Moravie. Mort vers 1810. XVIIIe-XIXe siècles. Autrichien.
Dessinateur amateur.
Il dessina de nombreuses vues de Moravie et de Bohême.

VENZAC Pierre-Henri
Né le 7 juin 1956 à Toulouse (Haute-Garonne). XXe siècle. Français.
Peintre, graveur.
Il participe à des expositions collectives et montre ses œuvres dans des expositions personnelles à Toulouse, ainsi qu'à Paris en 1975.
Il figure un monde lyrique et mystique aux teintes chaudes et feutrées.

VENZO C.
XVIIIe-XIXe siècles. Travaillant à Paris de 1780 à 1800. Français.
Graveur au burin.
Il grava des sujets d'histoire ancienne.

VENZO Gaetano
Né en 1770 à Bassano. Mort en 1843. XVIIIe-XIXe siècles. Italien.
Graveur au burin.
Il grava d'après Bartolozzi, Pinelli, Sabatelli et le Titien.

VERA Ambrosio
XVIe siècle. Espagnol.
Peintre.
Il travailla, en 1585, pour le monastère de Sandoval près de Léon.

VERA Cristino de
Né en 1931 à Santa Cruz de Ténériffe (Iles Canaries). XXe siècle. Espagnol.
Peintre. Fantastique.
La peinture de C. de Vera est assez mystérieuse, faisant presque toujours référence à la mort. Le choix des sujets est souvent emprunté à la mythologie religieuse qu'il transpose dans un climat de magie, de fantastique et de mélancolie étrange. Formellement, C. de Vera conjugue à une construction assez rigoureuse héritée du cubisme une touche divisionniste de la couleur qui rend la forme peinte imprécise et scintillante.
Ventes Publiques : Madrid, 19 oct. 1976 : *Eve* 1969, h/t (100x73) : **ESP 120 000** – Madrid, 17 oct 1979 : *Masque* 1970, h/t (100x81) : **ESP 80 000** – Madrid, 16 juin 1992 : *Adieux*, h/t (102x72) : **ESP 420 000**.

VERA Cristobal de
Né en 1577 à Cordoue. Mort le 19 novembre 1621 à Tolède. XVIIe siècle. Espagnol.
Peintre d'histoire.
Élève de P. de Céspedes.

VERA Diego de
XVIe-XVIIe siècles. Espagnol.
Peintre.
Il était actif à Séville.

VERA Francisco de
XVIe siècle. Espagnol.
Sculpteur sur bois.
Il était actif à la seconde moitié du XVIe siècle. Il sculpta un retable pour la cathédrale de Cordoue en 1581.

VERA Juan de
XVIe siècle. Espagnol.
Peintre et sculpteur.
Il était actif à Baeza, travaillant vers 1590.
Il a sculpté le tombeau du chanoine Pedro Fernandez dans l'église de Jaen.

VERA Juan
XVIIe siècle. Espagnol.
Peintre.
Neveu de Cristobal Vera. Il était moine à Tolède, première moitié du XVIIe siècle.

VÉRA Paul Bernard
Né le 25 décembre 1882 à Paris. Mort le 26 novembre 1957 à Saint-Germain-en-Laye (Yvelines). XXe siècle. Français.
Peintre, peintre de cartons de tapisseries, sculpteur, graveur sur bois, céramiste.
Élève de Maurice Denis et de Paul Sérusier aux Ateliers d'Art Sacré. Exposant de la Société Nationale, du Salon d'Automne, des Peintres-graveurs indépendants et de la Société de la Gravure originale sur bois. Il a également pris part à de nombreuses expositions officielles à l'étranger. Il fut l'un des invités français de la deuxième exposition du « Blaue Reiter », à Munich, en 1912.
Des courants de l'art contemporain, il prit assez pour accéder à un grand style décoratif. Il a réalisé des compositions murales pour le paquebot « Ile-de-France » ; la Manufacture de Beauvais a édité son paravent : *Les Jardins*, qui est au Metropolitan Museum de New York. La Manufacture de Sèvres lui a demandé des vases. Il a illustré des œuvres classiques, notamment *Les Amours de Psyché et de Cupidon*, ainsi que *Le Songe de Vaux*, de La Fontaine, et, parmi les modernes, *Le Serpent*, de P. Valéry. Il fut aussi architecte de jardins.

Musées : Narbonne : *Sous la tonnelle* – Paris (Mus. Nat. d'Art Mod.) : *Baigneuses* – *L'Enfance d'Orphée*.
Ventes Publiques : Paris, 18 mai 1945 : *Fleurs* : **FRF 1 300** – Paris, oct. 1945-juil. 1946 : *Trois baigneuses*, aquar. : **FRF 2 500** – Paris, 26 fév. 1947 : *Après le bain*, aquar. : **FRF 4 000** – Paris, 19 fév. 1951 : *Baigneuses*, aquar. : **FRF 1 100** – Paris, 12 juin 1988 : *Baigneuse*, h/t (64x46) : **FRF 26 000**.

VERA BLASCO ESTACA Alejo de
Né le 14 juillet 1834 à Vinuelas (Guadalajara). Mort le 4 février 1923 à Madrid. XIXe-XXe siècles. Espagnol.
Peintre d'histoire, sujets religieux, genre, aquarelliste, dessinateur.
Il étudia à l'École des Beaux-Arts de Madrid, puis il reçut une bourse d'études pour Rome, puis il résida à Venise. En 1892, il fut nommé directeur de l'Académie espagnole des Beaux-Arts à Rome. Il figura à l'Exposition Nationale de Madrid, à partir de 1856, obtenant une médaille de première classe en 1862, 1866 et 1881 ; à l'Exposition Universelle de Philadelphie en 1876. Une rétrospective de son œuvre fut organisée, à titre posthume, à Guadalajara en 1978.
Dans le plus pur style académique du XIXe siècle, il a peint des compositions religieuses et des sortes de reconstitutions historiques, avec une prédilection pour les scènes de l'Antiquité romaine.
Bibliogr. : In : *Cien Anos de pintura en Espana y Portugal, 1830-1930*, Antiqvaria, t. XI, Madrid, 1993.
Musées : Madrid : *Enterrement de saint Laurent* – *Derniers jours de Numance* – Séville : *Sainte Cécile et saint Valère*.

VERA CABEZA DE VACA Francisco. Voir **CABEZA DE VACA Francisco Vera**

VERA Y CALVO Juan Antonio
Né à Séville. XIXe siècle. Espagnol.
Peintre d'histoire et de genre.
Il exposa à partir de 1858.
Musées : Madrid (Gal. Mod.) : *Jésus dans la maison de Marthe et Marie*.

VERA MORENO Agustin
XVIIIe siècle. Espagnol.
Sculpteur sur marbre et sur bois.
Il sculpta des statues au portail central de la cathédrale de Grenade dans la seconde moitié du XVIIIe siècle.

VERA SALES Enrique
Né en 1886 à Tolède. Mort le 1er décembre 1956 à Madrid. XXe siècle. Espagnol.
Peintre de paysages animés, paysages urbains, architectures.
Il fut élève d'Emilio Sala et de Joaquin Sorolla à l'École des Beaux-Arts de Madrid. Il obtint une bourse de voyages qui lui

permit de séjourner en Italie, Autriche, Suisse et France, puis il s'établit pour une durée de trois ans à Vienne. Il figura à l'Exposition Nationale de Madrid, recevant une mention honorable en 1912, une troisième médaille en 1922, une première médaille en 1945.
Avec une touche franche et grasse, il peint le cadre bâti de la vie intime en Espagne, l'intérieur des édifices religieux, le panorama si célèbre de Tolède et des aspects de l'intérieur de la ville.
Bibliogr. : In : *Cien Anos de pintura en Espana y Portugal, 1830-1930*, Antiqvaria, t. XI, Madrid, 1993.
Ventes Publiques : Londres, 17 fév. 1989 : *Place San Bartolomeo à Tolède*, h/cart. (26x18,3) : **GBP 880** – Madrid, 24 jan. 1991 : *Vues de Tolède*, h/t, une paire (chaque 35x25) : **ESP 257 600** – Madrid, 27 juin 1991 : *Le quartier San Sébastian à Tolède*, h/cart. (24,5x18,5) : **ESP 168 000**.

VERACINI Agostino
Né en 1689 à Florence. Mort en 1762 à Florence. XVIIIe siècle. Italien.
Peintre et restaurateur de tableaux.
Fils de Benedetto Veracini. La Galerie Nationale de Florence conserve de lui un autoportrait, et la Galerie antique et moderne de Prato, *Mort d'Abel*.

VERACINI Benedetto
Né vers 1661 à Florence. Mort en 1710 à Florence. XVIIe-XVIIIe siècles. Italien.
Peintre et restaurateur de tableaux.
Père d'Agostino Veracini et élève de Simone Pignoni. Il peignit des tableaux d'autel pour des églises de Florence.

VERAEGHT Tobie
Né en 1561. Mort en 1631. XVIe-XVIIe siècles. Éc. flamande.
Peintre.
L'ancien catalogue du Musée de Bruxelles mentionnait un tableau au nom de cet artiste : *Aventure de Chasse de l'Empereur Maximilien Ier*.

VERAG Lucienne, pseudonyme de **Verhaegen**
Née en 1914 en Ukraine. XXe siècle. Active en Belgique. Russe.
Peintre de compositions animées, figures, pastelliste, dessinatrice, graveur. Expressionniste.
Elle étudia en Lettonie puis à Bruxelles. Elle voyagea au Mexique.
Elle s'inspire de la culture aztèque dans ses compositions primitives, souvent pleine d'humour.
Bibliogr. : In : *Dict. biogr. illustré des artistes en Belgique depuis 1830*, Arto, Bruxelles, 1987.
Ventes Publiques : Lokeren, 10 oct. 1992 : *Jeune femme à la tête rouge*, h/t (55x46) : **BEF 44 000** – Lokeren, 15 mai 1993 : *Jeune femme à tête rouge*, h/t (55x46) : **BEF 48 000**.

VERALA Francesco de ou **Verola**
XVIe siècle. Travaillant à Séville en 1513. Espagnol.
Peintre.
Il était religieux. En 1531, il répara le retable de l'église principale de la ville de Prota.

VERALI Filippo
Né à Bologne. XVIIe siècle. Italien.
Paysagiste.
Élève de Francesco Albano. Le Musée d'Orléans conserve une œuvre de lui.

VÉRAME Jean
Né le 30 novembre 1939 à Gand. XXe siècle. Actif en France. Belge.
Peintre, peintre de cartons de tapisserie, peintre de cartons de vitraux, sculpteur.
Autodidacte, il s'est d'abord consacré à l'écriture. Il vit et travaille à Paris et en Provence.
Il participe à des expositions collectives : SAGA (Salon d'Art Graphique actuel) à Paris. Il montre ses œuvres dans des expositions personnelles à partir de 1969 à Bruxelles, ainsi qu'à Paris à la galerie Alain Oudin depuis 1989 ; en 1985 à la Maison de la culture de Reims ; 1988 musée de Campredon à L'Isle-sur-la-Sorgue.
Le signe semble être le dénominateur commun d'une activité essentiellement polymorphe. Écrivain, peintre, Vérame utilise aussi des médias d'expression non traditionnels, créant des parcours-signes, érigeant çà et là quelques tumuli comme autant de jalons d'une écriture parfaitement ésotérique. La peinture de Vérame relève d'ailleurs de préoccupations similaires. Gérard Durozoi analysant le travail de Vérame essaye de le définir ainsi : « C'est peu de dire que ses toiles sont non narratives : elles sont aussi radicalement non linaires... Que montrent-elles donc ? Rien d'autre que la possibilité, aujourd'hui, de marquer une toile de signes énigmes. » Parsemant sa toile de repères plus ou moins géométriques, qui pourraient tout aussi bien évoquer quelques idéogrammes abstraits, Vérame parvient, constat ou dérision, à une écriture de l'incommunicabilité. À partir de 1966 il intègre son activité dans la nature avec des interventions. Dès 1976, il réalise, entouré d'une équipe et grâce à des mécènes, des œuvres monumentales dans la nature, peignant sur les rochers des espaces grandioses : en 1981 dans le Sinaï, en 1984 au Maroc, en 1989-1990 dans le Tibesti. Parallèlement à ces travaux, il réalise des toiles inspirées de ses travaux dans la nature, des sculptures en pierre, plâtre ou bronze, des tapis et des lithographies.
Bibliogr. : Pascal Bonafoux : *Jean Verame – Tibesti, le désert et la couleur*, Skira, Genève, 1989.
Ventes Publiques : Paris, 9 mai 1990 : *Tibesti*, sculpt. en bronze et pan. lumineux (sculpture : H. 30 et panneau lumineux : 124x178) : **FRF 105 000**.

VERAN Jacques Marie
Né vers 1780 à Arles. XIXe siècle. Actif à Paris. Français.
Dessinateur et graveur au burin.
Il grava des paysages du Midi de la France. Le Musée d'Arles conserve des dessins de cet artiste.

VERANI Agostino
XVIIIe-XIXe siècles. Actif à Turin de 1793 à 1819. Italien.
Peintre et dessinateur.

VERANI Giuseppe
Né à Rome. XIXe siècle. Actif au début du XIXe siècle. Italien.
Dessinateur.

VERANO
Né le 14 juillet 1952 à Lima. XXe siècle. Péruvien.
Peintre.
De 1975 à 1981, il étudia à l'école des beaux-arts de Lima.
Il participe à des expositions collectives : 1985 Salon d'Automne à Paris. Il montre ses œuvres dans des expositions personnelles : 1988 galerie Corinne Timsit à Paris.
Ses toiles révèlent l'influence de la culture sud-américaine.

VERARA
XVIIIe siècle. Actif à Viadana dans la seconde moitié du XVIIIe siècle. Italien.
Peintre.

VERARD Antoine ou **Vérart**
Né à Paris. Mort vers 1573 à Paris. XVIe siècle. Français.
Peintre de miniatures.
Il fut un des plus fameux libraires établis sur le Pont Notre-Dame. Son enseigne était *A Saint Jean l'Évangéliste*. Il demeura ensuite au carrefour Saint-Séverin, rue Saint-Jacques et enfin rue Neuve-Notre-Dame. Ses éditions du *Decameron* de Laurent de Premierfait parurent en 1485. Vérard eut l'idée de prendre, des ouvrages qu'il publiait, une certaine quantité de copies dont il confiait l'illustration à des miniaturistes et enlumineurs. Ces manuscrits, tels que *La Romance de Tristan*, *Les Heures* en français et en latin, *Le Livre de la Consolation de Boèce*, *L'ordinaire du chrétien*, *La Chronique de saint Denis* (1493), *L'Art de bien mourir*, *Le Roman de la Rose*, forment une collection d'un immense intérêt. On croit aussi qu'il a enluminé une *Danse macabre avec les trois vifs et les trois morts*. On cite encore ses *Figures du Vieil Testament et du Nouvel*, dont le British Museum possède un magnifique exemplaire.

VERARDI Filippo
XVIIe siècle. Italien.
Peintre de paysages.
Élève d'Albani. Il travailla à Bologne en 1640.

VERARDO
XVe siècle. Actif à Ferrare en 1417. Italien.
Enlumineur.

VERASTEGUI Nicolas de ou **Berastegui**
XVIe siècle. Espagnol.
Sculpteur sur bois.
Il sculpta une partie des stalles de la cathédrale d'Huelva à partir de 1587.

VERATI Flaminio ou **Verratti** ou **Verrati**
XVIIe siècle. Actif à Modène vers 1680. Italien.
Peintre.

VERAY Esteban de. Voir **OBRAY Esteban de**

VERAY Jean Louis
Né le 11 juin 1820 à Barbentane (Bouches-du-Rhône). XIXe siècle. Français.
Sculpteur.
Élève de Lehmann, il entra à l'École des Beaux-Arts le 30 mars 1842. Il figura au Salon de 1853 à 1884 et obtint une médaille de troisième classe en 1853.
Musées : Avignon : *Joseph Vernet attaché au mât d'un navire et crayonnant les effets de la tempête – La Poésie – Provençale – Berton des Balbes, dit le brave Crillon – Moissonneuse endormie.*

VERAZZI Baldassare
Né en 1819 à Caprezzo. Mort en 1886 à Lesa. XIXe siècle. Italien.
Peintre de portraits et de fresques.
Élève de Fr. Hayez à l'Académie de Milan. Le Musée de la Brera de Milan conserve de lui *Le bon Samaritain.*

VERAZZI Serafino
Né le 10 octobre 1875 à Meina. XXe siècle. Italien.
Peintre de figures, portraits, nus.
Fils de Baldassare Verazzi, il fut élève de Filippo Carcano.

VERBAERE Herman
Né en 1906 à Wetteren. Mort en 1993. XXe siècle. Belge.
Peintre de paysages, aquarelliste, dessinateur.
Il fut élève des académies de Wetteren et de Gand.
Il réalisa surtout des affiches.
Bibliogr. : In : *Dict. biogr. illustré des artistes en Belgique depuis 1830*, Arto, Bruxelles, 1987.
Ventes Publiques : Lokeren, 16 fév. 1980 : *Paysage fluvial*, h/t (50x60) : **BEF 26 500** – Lokeren, 21 mars 1992 : *Vue d'une rivière*, h/t (50x60) : **BEF 65 000** – Lokeren, 28 mai 1994 : *Étangs à Overmere*, h/t (60x80) : **BEF 33 000**.

VERBANCK Geo
Né en 1881 à Gand. Mort en 1961 à Aartselaar. XXe siècle. Belge.
Sculpteur de monuments, bustes.
Il fut élève de l'académie de Gand, où il devint professeur puis directeur, et de l'académie de Bruxelles.
Bibliogr. : In : *Dict. biogr. illustré des artistes en Belgique depuis 1830*, Arto, Bruxelles, 1987.
Musées : Gand : *Orphée – Méditation.*
Ventes Publiques : Lokeren, 25 avr. 1981 : *Nu agenouillé*, bronze (H. 46) : **BEF 45 000** – Lokeren, 21 mars 1992 : *Coup franc*, bronze à patine verte (H. 44,5, l. 18,5) : **BEF 80 000** – Lokeren, 28 mai 1994 : *Le printemps*, pierre blanche (H. 107, l. 39) : **BEF 220 000** – Lokeren, 8 oct. 1994 : *Gamins près d'une fontaine*, bronze (H. 16) : **BEF 26 000**.

VERBECK François Xavier Henri. Voir **VERBEECK**

VERBECKT Jacob, appellation erronée. Voir **VERBEECKT Jacob**

VERBEECK Anne
Née en 1727. XVIIIe siècle. Éc. flamande.
Peintre.
Fille et élève de François Xavier Henri Verbeeck.

VERBEECK Cornelius ou **Cornelis** ou **Verbeecq**
Né vers 1590 à Haarlem. Mort entre 1631 et 1635 à Haarlem. XVIIe siècle. Hollandais.
Peintre de marines.
Père du peintre Pieter Cornelisz Verbeeck. Inscrit dans la gilde de Haarlem en 1610. Le Musée Frans-Hals de Haarlem conserve une peinture de cet artiste.
Ventes Publiques : Londres, 5 juil. 1967 : *Voiliers sortant d'un port hollandais* : **GBP 1 150** – Londres, 7 juil. 1978 : *Frégates et autres vaisseaux par grosse mer*, h/pan. (56x73,5) : **GBP 3 200** – Anvers, 10 mai 1979 : *Marine, arrivée des pêcheurs*, h/t (117x212) : **BEF 320 000** – Paris, 2 déc. 1982 : *Vaisseaux croisant par temps calme*, h/pan. (23,5x43,5) : **FRF 51 000** – Londres, 12 déc. 1986 : *Un bateau de guerre au large de la côte avec pêcheurs et autres personnages sur la côte*, h/pan. (27,3x38,1) : **GBP 38 000** – Londres, 8 déc. 1989 : *Trois-mâts de guerre au large par forte brise avec pêcheurs et gentilhommes au premier plan sur la grève*, h/pan. (23x38) : **GBP 63 800** – Londres, 23 mars 1990 : *Caboteur à voile au large avec des pêcheurs sur la grève*, h/pan. (17,8x26,3) : **GBP 4 950** – Londres, 19 avr. 1991 : *Navire de commerce armé au large de Briel*, h/pan. (36,5x51,2) : **GBP 7 150** – Monaco, 2 juil. 1993 : *Marine*, h/pan. (21,5x47) : **FRF 44 400** – Londres, 27 oct. 1993 : *Frégate hollandaise ancrée près de la côte*, h/pan. (22x38) : **GBP 37 800** – Amsterdam, 7 mai 1996 : *Un trois-mâts sortant d'un estuaire avec des cavaliers le saluant de la grève et une ville à distance*, h/pan. (22,8x37,8) : **NLG 138 000** – Paris, 21 juin 1996 : *Vaisseaux croisant par temps calme* 1631, h/pan. (23,5x43,5) : **FRF 43 000** – Londres, 18 avr. 1997 : *Un navire marchand hollandais sur le point d'affronter le large en tempête*, h/pan. (14,8x29) : **GBP 34 500** – Amsterdam, 6 mai 1997 : *Au large d'une côte rocheuse*, h/t (63x98) : **NLG 66 080**.

VERBEECK Elizabeth
Née en 1720. XVIIIe siècle. Éc. flamande.
Peintre.
Fille et élève de François Xavier Henri Verbeeck.

VERBEECK Everhard
XVIIe siècle. Travaillant à La Haye en 1667. Hollandais.
Peintre.

VERBEECK Franciscus Bernardus ou **Frans Bernard**
Né en 1685 à Anvers. Mort le 2 novembre 1756 à Clève. XVIIIe siècle. Éc. flamande.
Sculpteur.

VERBEECK François Xavier Henri ou **Frans Xavier Hendrik** ou **Verbeek**
Baptisé à Anvers le 21 février 1686. Mort le 28 mai 1755 à Anvers. XVIIe-XVIIIe siècles. Éc. flamande.
Peintre de genre, sujets militaires, scènes de chasse, intérieurs.
Il étudia avec Pierre Casteels. En 1709, il était professeur à Anvers, et membre de la gilde ; en 1719, il épousa Mar. Cath. Casteels. Il fut l'un des directeurs de l'Académie d'Anvers.

Musées : Anvers : *L'abbé de Saint-Michael reçu par le serment de l'Escrime* – Sibiu : *Compagnie de chasse – Musiciens avec butin de chasse.*
Ventes Publiques : Copenhague, 9 mai 1972 : *Joyeuse compagnie dans un intérieur* : **DKK 11 500** – New York, 12 janv 1979 : *Comédiens italiens dans un intérieur*, h/pan. (25x27) : **USD 4 750** – Vienne, 15 sep. 1982 : *Avant le concert*, h/t (44x58) : **AST 100 000** – Paris, 10 juil. 1984 : *Divertissement costumés*, h/t, deux pendants (40x45) : **FRF 146 000** – Paris, 19 mars 1987 : *La fête*, h/pan. (48,5x64,5) : **FRF 125 000** – Amsterdam, 2 mai 1991 : *Élégante companie jouant de la musique sur une terrasse*, h/t (51,8x47,5) : **NLG 9 200** – Londres, 13 déc. 1996 : *Élégante société fêtant Noël*, h/pan. (35,5x32,9) : **GBP 9 200**.

VERBEECK Frans
Mort le 24 juillet 1570 à Malines. XVIe siècle. Éc. flamande.
Peintre de genre.
Il fit ses études avec Frans Minnebroer. Il peignit dans le style de Jérôme Bosch. Il était dans la gilde des peintres de Malines en 1531 et en fut doyen en 1563.

VERBEECK Georg Bernard ou **Ferpeck** ou **Werpergk**
Mort en 1673 à Prague. XVIIe siècle. Actif à Emmerich. Autrichien.
Peintre.
Il travailla à Prague et peignit des portraits pour le château de Raudnitz.

VERBEECK Gerardus ou **Verbeecq**
Né à La Haye. XVIIe siècle. Vivant vers 1665. Hollandais.
Peintre.
Élève de Doudyns. Il fit partie de la gilde de La Haye.

VERBEECK Henri Daniel
Né le 6 mars 1817 à Anvers. Mort en 1863 à Anvers. XIXe siècle. Éc. flamande.
Paysagiste.
Élève de H. J. F. Van der Poorten. Le Musée de Gand et celui de Minneapolis conservent des ouvrages de lui.
Ventes Publiques : Anvers, 5 déc. 1972 : *Vue de village en hiver* :

BEF 38 000 – COLOGNE, 22 nov. 1984 : *Paysage d'été* 1847, h/pan. (50x68) : **DEM 26 000** – COLOGNE, 15 oct. 1988 : *Paysans bavardant sur un chemin forestier* 1947, h/pan. (50x68) : **DEM 27 000**.

VERBEECK Jan ou **Hans** ou **Verbeke**, dit **Hans de Malines**
Né à Malines. Mort après 1619. XVIIe siècle. Éc. flamande.
Peintre.
On croit qu'il était fils de Frans Verbeeck. Il fut reçu maître le 19 janvier 1569 ; doyen en 1599 ; il travaillait encore en 1619. Hans de Malines prit part aux décorations faites à l'occasion de l'entrée dans la ville de l'archiduc Albert et de sa femme Isabelle, en 1599 et reçut le titre de peintre de ces altesses. On cite *Joueur de luth*.
VENTES PUBLIQUES : BRUXELLES, 1865 : *Portrait d'un rabbin* : FRF 180.

VERBEECK Jodokus ou **Justus** ou **Werbek** ou **Verbex**
Né vers 1646 à Emmerich. Mort le 20 août 1700 à Prague. XVIIe siècle. Actif à Prague. Autrichien.
Peintre.
Neveu de Georg Bernard Verbeeck. Il imita les portraitistes flamands avec peu de talent. Il peignit quelques portraits pour le château de Raudnitz.

VERBEECK P. G.
XVIIe siècle. Actif en Hollande. Hollandais.
Peintre et graveur à l'eau-forte.
Il a gravé des portraits dans le goût de Rembrandt. Cet artiste cité par Le Blanc, Nagler, etc. nous paraît pouvoir être le même que Pieter Cornelis Verbeeck (Voir ce nom). Ses estampes sont datées de 1619 à 1639.

VERBEECK Philip
XVIe siècle. Actif à Malines. Éc. flamande.
Peintre.
Frère de Frans Verbeeck. Il entra dans la gilde de Malines en 1525.

VERBEECK Pieter Cornelis ou **Verbeecq**
Né vers 1610 à Haarlem. Mort avant le 24 avril 1654 à Haarlem. XVIIe siècle. Hollandais.
Peintre et graveur à l'eau-forte.
Fils du peintre de marines Cornelis Verbeeck. En 1635, il appartint à la gilde d'Alkmar, en 1645, à celle d'Haarlem (certains biographes disent dans celle de La Haye). On le cite comme professeur de Ph. Wouwerman et de Gillis Schagen, ce qui affirmerait l'établissement à Haarlem. Il a peint surtout des tableaux de chevaux, des cavaliers et des chasses. On lui doit aussi de remarquables eaux-fortes dans le style de Rembrandt.

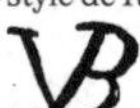

MUSÉES : BERLIN : *Bataille équestre* – DOUAI : *Dressage de chevaux* – ENSCHEDE : *Cavaliers* – HAARLEM : *Repos devant une auberge* – LA HAYE (Mauritshuis) : *Cavalier à la fontaine* – LA HAYE (Mus. Bredius) : *Bataille équestre* – LONDRES (Nat. Gal.) : *Cavalier au repos* – MUNICH : *Un cheval de selle* – *Chevaux* – NAPLES (Mus. Nat.) : *Cheval blanc* – *Ferme* – STOCKHOLM : *Un palefrenier avec un cheval blanc dans une écurie* – TOULOUSE : *Cheval d'amazone*.
VENTES PUBLIQUES : PARIS, 1776 : *Trois cavaliers*, dess. à l'encre de Chine : **FRF 50** – ANVERS, 1853 : *Intérieur de cabaret* : **FRF 160** – COLOGNE, 1862 : *Paysage avec personnages* : **FRF 135** – PARIS, 19 jan. 1925 : *Cavaliers dans un paysage* : **FRF 1 420** – PARIS, oct. 1945-juil. 1946 : *Halte de cavaliers orientaux* : **FRF 11 200** – HAMBOURG, 29 mars 1951 : *Navire sous la tempête* : **DEM 1 000** – VIENNE, 19 mars 1963 : *Paysage au ruisseau* : **ATS 32 000** – LONDRES, 6 mai 1964 : *Engagement naval entre bateaux hollandais et espagnols* : **GBP 750** – LONDRES, 19 déc. 1973 : *Vieux cheval dans un paysage* : **GBP 1 600** – LONDRES, 26 juin 1985 : *Berger assis au pied d'un arbre*, eau-forte (10x13,2) : **GBP 1 200** – LONDRES, 11 déc. 1985 : *Bataille navale entre Hollandais et Turcs*, h/cuivre (19,5x31) : **GBP 17 000** – PARIS, 11 mars 1988 : *Couple sur un cheval blanc à la croisée de deux chemins, au fond une diligence*, h/pan. (47,5x37) : **FRF 44 000** – PARIS, 27 juin 1991 : *Le cheval blanc*, h/pan. (18,5x16) : **FRF 20 000** – NEW YORK, 22 mai 1992 : *Un cheval et un chien endormi dans une grotte*, h/pan. (20x17,1) : **USD 8 250** – AMSTERDAM, 16 nov. 1993 : *Cheval gris attaché à un piquet près d'un mur*, h/pan. (38,5x31) : **NLG 85 100** – LONDRES, 3-4 déc. 1997 : *Homme laçant son soulier près de son cheval blanc et de son chien à l'entrée d'une grotte*, h/pan. (29x33,2) : **GBP 34 500**.

VERBEECKT Jacob ou **Jacques** ou **Verberckt** ou **Verbrecht**
Né le 24 février 1704 à Anvers. Mort le 9 décembre 1771 à Paris. XVIIIe siècle. Éc. flamande.
Sculpteur sur pierre et sur bois et fondeur.
Agréé à l'Académie le 31 janvier 1733. Il prit part aux Expositions de l'Académie Royale en 1737 et 1739. Le Musée du Louvre, à Paris, conserve de lui *Vase décoré des attributs du Printemps*.

VERBEEK Gust
Né en 1925 à Turnhout. XXe siècle. Belge.
Graveur.
Il fut élève de l'institut supérieur d'Anvers.
BIBLIOGR. : In : *Dict. biogr. illustré des artistes en Belgique depuis 1830*, Arto, Bruxelles, 1987.

VERBEEK Pieter
XVIIe siècle. Actif à La Haye entre 1664 et 1674. Hollandais.
Peintre.
Il est cité à la Gilde de La Haye en 1663. Ce peintre peu connu, sur lequel des mauvaises dates erronées ont été avancées, semble surtout un spécialiste de natures mortes de poissons et crustacés. Son côté quelquefois archaïque a fait dater certains de ses tableaux trop tôt, ce qui lui a valu d'être considéré comme le maître de Beyeren alors qu'il n'est sans doute qu'un suiveur de ce peintre de natures mortes. Cependant il ne faut pas méconnaître ses qualités particulièrement sensibles à travers la *Nature morte avec cruche et crustacées* du Musée de Valenciennes. Sur un fond gris transparent, il a su mettre en valeur le graphisme de ses crustacés, rappelant le parti monochrome rencontré chez un Pieter de Putter. Ce tableau avait tout d'abord été attribué à Joos Van Craesbeeck et la lecture de la date a varié entre 1644 et 1664, la dernière date étant actuellement retenue.

VERBEET Willem
Né le 28 février 1801 à Bois-le-Duc. Mort après 1840. XIXe siècle. Hollandais.
Peintre de natures mortes, fleurs et fruits.
Il fit ses études d'abord avec H. Turken, ensuite avec S.-S. E. Van Bedaff.
VENTES PUBLIQUES : STUTTGART, 9 mai 1981 : *Nature morte aux fruits* 1864, h/pan. (34x45) : **DEM 6 000** – LONDRES, 23 mars 1984 : *Panier de raisins et pommes*, h/pan. (39,4x31) : **GBP 5 000**.

VERBEKE Jan Karel
Né en 1950 à Buta. XXe siècle. Actif en Belgique. Zaïrois.
Peintre, aquarelliste, dessinateur.
Il fut élève de l'académie de Bruges et de l'académie Saint-Luc à Gand.
Peintre figuratif, il propose une vision triste de l'existence.
BIBLIOGR. : In : *Dict. biogr. illustré des artistes en Belgique depuis 1830*, Arto, Bruxelles, 1987.
MUSÉES : YPRES (Mus. provinc. d'Art Mod.).

VERBEKE Jan ou **Hans**. Voir **VERBEECK**

VERBENA Pascal
Né en 1941 à Marseille (Bouches-du-Rhône). XXe siècle. Français.
Auteur d'assemblages.
Il participe à des expositions collectives : 1978 musée d'Art moderne de Paris ; 1979 exposition itinérante organisée par l'Art Council ; 1980 musée Cantini à Marseille ; 1981 musée Réattu d'Arles.
Autodidacte, il travaille à partir de bois flottés recueillis sur la plage, réalisant des petits meubles, sortes de « retables » qui s'ouvrent et dévoilent des figures de bois.
BIBLIOGR. : In : Catalogue de l'exposition *L'Art moderne à Marseille. La Collection du musée Cantini*, Musée Cantini, Marseille, 1988.
MUSÉES : MARSEILLE (Mus. Cantini) : *Retable* 1980.

VERBENGEN A. V. C.
XVIIe siècle. Hollandais.
Peintre de paysages.

VERBERCKT Jacob ou **Jacques**. Voir **VERBEECKT**

VERBEYST
XVIIIe siècle. Travaillant à Bruxelles en 1777. Éc. flamande.
Paysagiste.

VERBIEST Peter
XVIIe siècle. Éc. flamande.
Graveur au burin.
Il grava surtout des fortifications et des architectures.

VERBIST Maurits, ou **Maurice**
Né le 22 février 1913 à Neerijse. Mort en 1984 à Bruxelles. XXe siècle. Belge.
Peintre de scènes typiques, paysages, dessinateur. Expressionniste.
Il fut élève de l'Académie Royale des Beaux-Arts de Bruxelles. Ami de Tytgat, sa peinture en a d'abord subi l'influence. Il a ensuite évolué vers une peinture plus ample, dans la lignée de Permeke. Bien qu'exposant rarement, on le considère en Belgique comme un expressionniste de la première heure.
Ventes Publiques : Anvers, 19 oct. 1976 : *Sur la plaine de jeux* 1974, h/pap. (60x47) : **BEF 20 000**.

VERBLAS Pieter
XVIIIe siècle. Travaillant à Gouda en 1760. Hollandais.
Peintre.

VERBNIKH Mathäus
XVIIe-XVIIIe siècles. Yougoslave.
Sculpteur.
Il sculpta des autels et un crucifix pour l'église de Komenda, ainsi que les armoiries de la ville de Ljubljana.

VERBOECKHOVEN Barthelemy, dit **Fikaert** ou **Fickaert**
Né le 11 mars 1754 à Bruxelles. Mort le 22 septembre 1840 à Bruxelles. XVIIIe-XIXe siècles. Éc. flamande.
Sculpteur.
Père d'Eugen Joseph et de Louis Verboeckhoven.
Musées : Courtrai : *Minerve* – Valenciennes : *Chien sur un lapin* – *Chien sur une perdrix* – *Vénus sortant de l'onde* – *Énée portant son père Anchise* – *Chasse au sanglier* – *Trois enfants jouant avec un bouc* – *La charité* – *M. Crendal* – *Samson surpris par les Philistins dans les bras de Dalila* – *Descente de croix.*

VERBOECKHOVEN Eugen Joseph, ou **Eugène** ou **Verboekhoven**
Né le 8 juin 1798 ou 1799 à Warneton. Mort le 19 janvier 1881 à Bruxelles. XIXe siècle. Belge.
Sculpteur, peintre de portraits, animaux, paysages animés, lithographe, graveur à l'eau-forte.
Il fit ses études avec son père Barthelemy. Verboackhoven devint un habile sculpteur avant d'être un grand peintre. Les sévères études du modeleur donnèrent au peintre une vérité de forme tout à fait intéressante. Verboeckhoven reprit la tradition de Paul Potter et d'Ommeganck, et s'il n'égala pas le premier, il fut très supérieur au second. Sculpteur et peintre d'esprit romantique, ses représentations d'animaux, le principal de son œuvre, eurent, de son vivant, une renommée internationale. Elles étaient exécutées suivant un procédé de blaireautage qui les rendait lisses et veloutées et les faisait baigner invariablement dans une lumière dorée. Son succès fut particulièrement accusé aux États-Unis et en Angleterre, où un grand nombre de ses ouvrages sont conservés. A Londres, où il voyagea, il allait étudier les félins de la ménagerie royale. Il fut membre des Académies de Belgique, d'Anvers, de Saint-Pétersbourg. Il exposa avec un égal succès à Bruxelles, à Paris, à Londres, à Saint-Pétersbourg. Les plus hautes distinctions lui furent données : la croix de la Légion d'honneur, l'ordre de Léopold de Belgique, du Christ de Portugal, la croix de Fer d'Allemagne. Il eut un atelier à Bruxelles et y forma de nombreux élèves. Il a quelquefois travaillé en collaboration avec d'autres peintres, notamment avec le peintre hollandais Dawalle et avec Werwée.

Eugène Verboeckhoven
Eugène Verboeckhoven

Musées : Aix : *Paysage avec bétail* – Amsterdam : *Pâturages du Gooi* – *Paysage avec bétail* – *Loups affamés* – Amsterdam (Mus. mun.) : *Brebis et agneau* – Anvers : *Bétail au pâturage* – *Moutons et poules* – *Vaches et moutons* – *Mer montante*, avec Charles Louis Verboeckhoven – *Le départ pour le marché* – *L'Artiste* – *Études d'animaux*, sculpt. – Berlin : *Troupeau sortant* – Brême : *Moutons dans la campagne* – Bruxelles : *Troupeau de moutons surpris par un orage* – *Animaux dans la campagne de Rome* – *Poussins*, étude – La Fère : *Repos d'animaux* – Francfort-sur-le-Main : *Étable de moutons* – Graz : *Troupeau de moutons* – Hambourg : *Poneys* – Kaliningrad, ancien. Königsberg : *Homme et veau* – Leeds : *Paysage avec bestiaux et figures*, avec Klombech – Leipzig : *Cheval blanc* – *Paysan endormi et cheval blanc* – *Moutons devant une étable* – *Troupeau, orage* – *Moutons et agneaux* – *Moutons à l'étable* – *Vache, chèvre et poules* – Liège : *Étable, vaches et volailles* – Liverpool : *Moutons* – Londres (Wallace Coll.) : *Moutons et vaches* – Montréal : *Intérieur d'étable* – *Scène dans une cour de ferme* – Munich : *Étable avec moutons* – Nantes : *Moutons dans une prairie* – Nottingham : *Les jumeaux* – Oslo : *Paysage forestier avec animaux* – Reading : *Paysage* – Stockholm : *Paysage, dunes, moutons au repos* – Sunderland : *Marée montante.*
Ventes Publiques : Paris, 1838 : *Animaux dans une prairie* : **FRF 3 450** – Paris, 1842 : *Divers animaux dans un paysage des environs de Gand* : **FRF 4 300** – Paris, 1850 : *Brebis surprises par l'orage* : **FRF 6 300** – Paris, 1873 : *Troupeau de moutons* : **FRF 12 000** – Amsterdam, 1897 : *Troupeau paissant au bord de l'Escaut* : **FRF 23 712** ; *Dans les champs* : **FRF 27 000** – Londres, 8 avr. 1899 : *Paysage en Écosse avec brebis* : **FRF 9 300** – Paris, 28 nov. 1904 : *Troupeau de moutons sur le bord de la mer* : **FRF 7 000** ; *La rentrée à l'étable* : **FRF 6 600** – New York, 1er et 2 déc. 1904 : *Paysage avec bestiaux* : **USD 3 000** – New York, 26 jan. 1906 : *Le matin à la ferme* : **USD 1 700** – New York, 12 et 14 mars 1906 : *Moutons au pâturage* : **USD 1 550** – Paris, 15 nov. 1906 : *Au pâturage* : **FRF 4 505** – New York, 21-22 jan. 1909 : *Paysage et bestiaux* : **USD 800** – Londres, 27 mars 1909 : *Bestiaux et volailles* 1868 : **GBP 54** – Londres, 4 déc. 1909 : *Brebis, agneaux et chèvre* 1867 : **GBP 173** ; *Brebis, agneaux et chiens* : **GBP 152** 5 – Londres, 24 juin 1910 : *Les jumeaux* 1856 : **GBP 157** – New York, 14-17 mars 1911 : *Paysage et moutons* : **USD 925** – Londres, 15 mai 1911 : *Brebis, agneaux et volailles dans une grange* 1870 : **GBP 210** – Paris, 10 déc. 1920 : *Brebis et agneaux dans un paysage* : **FRF 3 100** – Londres, 20 juil. 1923 : *Moutons et volailles* : **GBP 99** 15 – Paris, 22-23 mai 1924 : *Intérieur de bergerie* : **FRF 10 000** – Londres, 29 jan. 1926 : *Agneaux et volailles* : **GBP 199** – Londres, 18 juin 1926 : *Moutons et volailles* : **GBP 299** – Paris, 2 et 3 déc. 1926 : *Brebis et moutons dans un pré* : **FRF 10 000** – Londres, 16 mai 1929 : *Brebis, agneaux et volailles* : **GBP 199** – Paris, 27-29 mai 1929 : *Le passage du gué* : **FRF 8 500** – Paris, 18 juin 1930 : *Chevaux effrayés par un incendie* : **FRF 4 200** – Londres, 15 nov. 1933 : *Moutons et agneaux* : **GBP 141** – Bruxelles, 11 déc. 1937 : *Léopold Ier* : **BEF 20 000** – Nice, 16 et 17 nov. 1942 : *Ane, chien, coq et poule* ; *La basse-cour*, deux pendants : **FRF 12 000** – Paris, 27 jan. 1943 : *Le petit âne* : **FRF 18 000** – Paris, 13 déc. 1943 : *Le passage du gué* 1841 : **FRF 26 500** – Paris, 14 déc. 1943 : *Brebis et ses agnelets* 1854 : **FRF 25 000** – New York, 11 jan. 1950 : *Pâturage* 1860 : **USD 1 000** – Berlin, 23 fév. 1950 : *Retour à l'étable* 1878 : **DEM 1 850** – Paris, 27 avr. 1950 : *Le troupeau à gué* : **FRF 64 000** ; *Vaches au pâturage* 1847 : **FRF 44 000** ; *Cheval devant une ferme* 1848 : **FRF 95 000** – Lucerne, 17 juin 1950 : *Berger et bergère gardant leur troupeau* 1856 : **CHF 2 600** – Cologne, 28 juin 1950 : *Troupeau au pâturage* : **DEM 1 400** – Londres, 3 nov. 1950 : *Paysage animé de personnages et de bêtes* 1859 : **GBP 77** – Bruxelles, 2 déc. 1950 : *La basse-cour* 1850 : **BEF 6 000** – Nice, 20 déc. 1950 : *Bergers et troupeaux dans un paysage boisé*, paysage peint par F. Keelhoff : **FRF 58 000** – Paris, 25 juin 1951 : *Le vacher* 1869 : **FRF 40 000** – Paris, 10 déc. 1954 : *La rentrée du troupeau* : **FRF 60 000** – Cologne, 2 et 6 nov. 1961 : *Paysage avec troupeau de moutons* : **DEM 10 000** – Bruxelles, 12 déc. 1963 : *La femme au baquet*, aquar. : **BEF 65 000** – Cologne, 18 nov. 1965 : *L'étable* : **DEM 9 000** – Cologne, 16 nov. 1967 : *Troupeau dans un paysage* : **DEM 9 000** – Bruxelles, 11 mars 1970 : *Paysage avec moutons* : **BEF 120 000** – Lindau, 14 mai 1971 : *Troupeau dans un paysage* : **DEM 12 000** – Cologne, 24 mars 1972 : *Troupeau de moutons dans un paysage* : **DEM 11 000** – Londres, 14 nov. 1973 : *Berger et troupeau de moutons dans un paysage* : **GBP 6 000** – Amsterdam, 1er nov. 1974 : *Paysage orageux* 1847 : **GNS 1 700** – Londres, 19 mai 1976 : *Moutons dans un paysage* 1859, h/pan. (59,5x81,5) : **GBP 3 700** – Londres, 23 fév. 1977 : *Moutons, lapins et poules à l'étable* 1857, h/pan. (76x100) : **GBP 4 600** – New York, 13 oct. 1978 : *Jeunes paysans et troupeau*

au bord d'un lac de montagne 1830, h/t (70x98) : **USD 62 500** – New York, 26 janv 1979 : *Troupeau dans un paysage* 1866, h/t (74x102) : **USD 26 000** – New York, 29 mai 1981 : *Moutons à la barrière* 1872, h/t (71x98,5) : **USD 26 000** – Bruxelles, 13 nov. 1984 : *Mouton à l'étable*, fus. (80x112) : **BEF 60 000** – Detroit, 30 juin 1984 : *Scène d'étable* 1867, h/pan. (66x84) : **USD 16 000** – Londres, 20 mars 1985 : *Un paysan attachant un taureau* 1829, h/t (108,5x146) : **GBP 25 000** – New York, 26 fév. 1986 : *Paysans et troupeau traversant un pont* 1854, h/t (49x71) : **USD 30 000** – New York, 25 fév. 1988 : *Moutons et volailles dans un paysage* 1873, h/t (74,3x111,7) : **USD 14 300** – Londres, 24 juin 1988 : *Moutons dans une prairie* 1876, fus. reh. de blanc/pap. (45x60,5) : **GBP 605** – Édimbourg, 22 nov. 1988 : *Chèvres et moutons dans un paysage avec la ferme au loin* 1863, h/pan. (17,8x24,8) : **GBP 6 500** – New York, 23 mai 1989 : *Berger menant son troupeau dans la bergerie* 1878, h/pan. (37,7x55,9) : **USD 13 200** – Londres, 21 juin 1989 : *Les gardiens du troupeau*, h/t (97x79) : **GBP 11 000** – Amsterdam, 19 sep. 1989 : *Moutons dans la prairie* 1872, craie noire avec reh. de blanc/pap. (59x79) : **NLG 4 830** – Cologne, 20 oct. 1989 : *Scène pastorale avec des animaux domestiques* 1850, h/pan. (30,5x39,5) : **DEM 2 100** – New York, 25 oct. 1989 : *Cheval, chèvres et moutons dans un paysage*, h/t (68,5x89,1) : **USD 11 000** – Londres, 24 nov. 1989 : *Dans les Shetlands* 1871, h/t (90,7x138) : **GBP 22 000** – New York, 17 jan. 1990 : *Moutons dans une bergerie avec des volailles* 1868, h/pan. (33,1x51,4) : **USD 12 100** – New York, 1er mars 1990 : *Chevaux et moutons dans une prairie sur la côte* 1869, h/t (86,4x134,7) : **USD 38 500** – Versailles, 18 mars 1990 : *À l'étable* 1872, h/t (67x100) : **FRF 145 000** – Cologne, 23 mars 1990 : *Animaux de ferme dans une étable* 1848, h/t (45x61) : **DEM 5 500** ; *Savoyards ramenant leur bétail le soir au soleil couchant* 1846, h/pan. (41x56,5) : **NLG 46 000** – Stockholm, 16 mai 1990 : *Paysage estival avec un troupeau de moutons au bord d'une mare*, h/t (54x84) : **SEK 25 000** – New York, 22 mai 1990 : *Etalon blanc dans un paysage*, h/pan. (33x41,3) : **USD 14 300** – Londres, 22 juin 1990 : *Brebis et agneau avec des poules dans une prairie* 1849, h/pan. (61x77) : **GBP 7 920** – Cologne, 29 juin 1990 : *Idylle devant la bergerie*, h/bois (52x68) : **DEM 26 000** – Bruxelles, 9 oct. 1990 : *Bétail* 1866, dess. (100x90) : **BEF 26 000** – Amsterdam, 6 nov. 1990 : *Bovins près d'un ruisseau*, h/pan. (29x40,5) : **NLG 27 600** – Le Touquet, 11 nov. 1990 : *Chaumière sous un ciel d'orage*, h/pan. (20x26) : **FRF 37 500** – Londres, 28 nov. 1990 : *Animaux de ferme dans un paysage* 1847, h/pan. (50x70) : **GBP 18 700** – Amsterdam, 23 avr. 1991 : *Un taureau* 1870, craie noire (40,5x54) : **NLG 2 070** – New York, 22 mai 1991 : *Les moutons* 1865, h/t (72,1x100) : **USD 22 000** – Londres, 16 juil. 1991 : *Un épagneul King Charles assis sur un coussin rouge* 1830, h/pan. (38,1x48,3) : **GBP 3 300** – Amsterdam, 18 fév. 1992 : *Une vache pataugeant dans une mare* 1859, h/pan. (67x55) : **NLG 13 800** – Londres, 22 mai 1992 : *Étalon gris effrayé par un chien* 1844, h/pan. (19x16,5) : **GBP 7 150** – New York, 28 mai 1992 : *Chien gardant un troupeau dans une prairie au bord de la mer* 1867, h/t (71,1x109,9) : **USD 33 000** – Lokeren, 10 oct. 1992 : *Cheval dans une écurie* 1876, craie noire (41x56,5) : **BEF 44 000** – Amsterdam, 2 nov. 1992 : *Moutons et volailles dans un vaste paysage* 1860, h/pan. (31x38) : **NLG 28 750** – Londres, 25 nov. 1992 : *Moutons et poules dans une grange* 1876, h/pan. (64x52) : **GBP 22 550** – Paris, 31 mars 1993 : *Lion se reposant*, pierre noire et reh. de blanc/pap. beige (21,5x27,5) : **FRF 6 000** – Amsterdam, 9 nov. 1993 : *Moutons et volailles dans une étable* 1861, h/t (58,5x83) : **NLG 66 700** – New York, 16 fév. 1994 : *Moutons dans un pré* 1876, h/t (115,6x180,3) : **USD 60 250** – Amsterdam, 8 nov. 1994 : *Moutons et volailles dans une bergerie* 1864, h/t (73x100) : **NLG 100 050** – Londres, 17 mars 1995 : *Dans la prairie* 1867, h/pan. (65,7x87,8) : **GBP 14 950** – Lokeren, 11 mars 1995 : *Moutons dans un paysage*, h/pan. (26,5x34) : **BEF 280 000** – Amsterdam, 16 avr. 1996 : *Moutons dans une bergerie* 1872, h/t (74x102) : **NLG 44 840** – Calais, 24 mars 1996 : *Le Petit Ane* 1838, h/pan. (23x17) : **FRF 12 000** – Paris, 5 juin 1996 : *Ane, chien, poule et coq* 1853, h/pan. (32,5x44) : **FRF 27 000** – Londres, 12 juin 1996 : *Moutons et chien* 1866, h/t (60x79) : **GBP 13 800** – Paris, 28 oct. 1996 : *Moutons dans un paysage valloné*, h/pan. (16,5x25) : **FRF 19 000** – Londres, 31 oct. 1996 : *La Traversée du gué* 1835, h/pan. (25x21) : **GBP 8 280** – Amsterdam, 5 nov. 1996 : *La Jeune Bergère* 1870, h/pan., en collaboration avec Henry Campatosto (132x90) : **NLG 112 100** ; *Pêcheurs en détresse*, h/t (41x61) : **NLG 11 800** – Londres, 21 nov. 1996 : *Moutons et poules dans un paysage* 1869, h/t (74,3x111) : **GBP 47 700** – Londres, 21 mars 1997 : *Moutons à la côte* 1878, h/t (143x181) : **GBP 45 500** – New York, 26 fév. 1997 : *Un coq et des moutons dans un vaste paysage* 1873, h/pan. (15,5x20,6) : **USD 19 550** – New York, 23 mai 1997 : *Amis de basse-cour*, h/pan. (24,1x36,8) : **USD 20 700** – Londres, 12 juin 1997 : *Une ferme au toit de chaume* 1845, h/pan. (20x25,4) : **GBP 2 990** ; *Un mouton, une chèvre, ses chevreaux et des canards dans un paysage* 1855, h/pan. (31,8x41,2) : **GBP 10 350** – Londres, 21 nov. 1997 : *Une vache et des moutons au ruisseau d'une prairie* ; *Un mouton et des chèvres dans une grange* 1844, h/pan., une paire (19x25) : **GBP 11 500** – Londres, 19 nov. 1997 : *Moutons dans un paysage* 1859, h/t (51x64) : **GBP 13 800** – New York, 23 oct. 1997 : *À l'approche de l'orage* 1873, h/t (73,7x101) : **USD 48 300**.

VERBOECKHOVEN Louis I ou **Charles Louis**

Né le 5 février 1802 à Warneton. Mort le 25 septembre 1889 à Bruxelles. XIXe siècle. Belge.

Peintre de marines.

Il travailla avec son père Barthelemy Verboeckhoven et son frère Eugen, puis voyagea pour compléter ses études.

Il participa au Salon de Paris, notamment en 1842. Membre de l'Académie d'Amsterdam, il fut médaillé à Bruxelles, Cambrai, Arras, Lille.

La Belgique du XIXe siècle fut pauvre en marinistes, et les quelques rares, influencés par Gudin, furent plus sensibles aux vaisseaux qu'à la chose marine elle-même. Pourtant Verboeckhoven exposait au Salon de 1842 de véritables impressions marines, telles : *Calme plat* - *Mer légèrement agitée* - *Mer houleuse*, titres présageant ceux qu'emploiera plus tard Debussy.

Louis Verboeckhoven.

Bibliogr. : Gérald Schurr, in : *Les Petits Maîtres de la peinture 1820-1920, valeur de demain*, Les Éditions de l'Amateur, t. V, Paris, 1981.

Musées : Aix-en-Provence : *Marine avec barques* – Anvers : *Mer houleuse* – Cambrai : Deux Marines – Cherbourg : *Plage à marée basse* – La Fère : *Marine* – Leipzig : *Bateaux sur mer agitée* – *Bateaux sur mer calme* – Ypres : *Mer houleuse*.

Ventes Publiques : Paris, 1838 : *Marine avec bateaux à vapeur* : **FRF 500** – Paris, 22 jan. 1934 : *Un port de pêche* : **FRF 2 050** – Paris, 10 nov. 1943 : *Barques de pêcheurs* 1835 : **FRF 11 500** – Paris, 9-10 nov. 1953 : *Pêcheurs en conversation sur une plage* : **FRF 20 000** – Londres, 15 nov. 1968 : *La plage d'Ostende* : **GNS 480** – Bruxelles, 25 fév. 1969 : *Marine* : **BEF 55 000** – Vienne, 30 nov. 1971 : *Scène de port* : **ATS 220 000** – Amsterdam, 5 juin 1973 : *Marine* : **NLG 26 000** – Londres, 12 juin 1974 : *Barques sur la plage* 1832 : **GBP 2 600** – Amsterdam, 27 avr. 1976 : *Scène de plage*, h/pan. (19x25) : **NLG 7 600** – Bruxelles, 14 juin 1977 : *Marine*, h/t (66x103) : **BEF 280 000** – Londres, 16 févr 1979 : *Scène de bord de mer*, h/t (58,5x89) : **GBP 7 500** – Versailles, 19 oct. 1980 : *Voiliers par gros temps*, h/pan. (14x25) : **FRF 6 500** – Bruxelles, 21 mai 1981 : *Marine*, h/t (48x73) : **BEF 400 000** – Londres, 21 oct. 1983 : *Voiliers au large de la côte par forte mer*, h/t (89x117,4) : **GBP 3 000** – New York, 13 fév. 1985 : *Voiliers dans un estuaire, Hollande*, h/t (60,3x89,5) : **USD 15 000** – Berne, 26 oct. 1988 : *Marine avec des voiliers pris dans le ressac*, h/t (37x46) : **CHF 5 200** – Bruxelles, 19 déc. 1989 : *Marine*, h/pan. (25x35) : **BEF 110 000** – Londres, 7 juin 1989 : *Bateaux de pêche près de la côte*, h/t (28,5x42) : **GBP 3 080** – New York, 24 oct. 1989 : *Le débarquement de la pêche*, h/t (58,4x76,2) : **USD 8 800** – Le Touquet, 12 nov. 1989 : *Le départ des pêcheurs*, h/pan. (25x31) : **FRF 33 500** – Londres, 22 nov. 1989 : *Bateaux prenant le large*, h/pan. (29,5x50,5) : **GBP 6 050** – Paris, 11 déc. 1989 : *Moutons à l'étable* : **FRF 105 000** – Paris, 14 déc. 1989 : *Barques dans l'estuaire d'un fleuve*, h/t (49x65,5) : **FRF 82 000** – Londres, 16 fév. 1990 : *Embarcations à voiles prises dans la tempête*, h/pan. (45x75) : **GBP 2 200** – New York, 1er mars 1990 : *Bateaux de pêche au large de la jetée à Ostende*, h/t (48,9x73) : **USD 12 100** – Amsterdam, 2 mai 1990 : *Vaisseau toutes voiles dehors par mer houleuse avec d'autres embarcations*, h/pan. (13x18,5) : **NLG 7 475** – Londres, 18 oct. 1990 : *Navigation par temps calme au large d'une côte*, h/pan. (49,5x66) : **GBP 4 950** – New York, 24 oct. 1990 : *Pêche au large d'une jetée avec un village au fond*, h/pan. (36,9x68,5) : **USD 12 100** – Londres, 19 juin 1991 : *Bateaux à l'ancrage* 1870, h/pan. (37x47) : **GBP 8 800** – Amsterdam, 14-15 avr. 1992 : *Vaisseaux à voiles*, h/pan. (40x65) : **NLG 17 250** – Lokeren, 10 oct. 1992 : *Marine*, h/pan. (17x25,3) : **BEF 80 000** – Amsterdam, 28 oct. 1992 : *Navigation sur l'Escaut* 1840, h/pan. (71x98,5) : **NLG 34 500** ; *Matelots dans un canot rejoignant un trois-mâts avec d'autres embarcations autour* 1832, encre et lav./pap. (25,5x43) : **NLG 2 070** – LONDRES, 12 fév. 1993 : *Paysage côtier avec une barque échouée sur la rivage* 1831, h/cart. (24,8x33) : **GBP 3 080** – LONDRES, 20 jan. 1993 : *Barques de pêche à l'ancrage*, h/t (32x40) : **GBP 5 175** – NEW YORK, 27 mai 1993 : *Voiliers sur la mer houleuse*, h/t/cart. (92,7x120) : **USD 17 250** – PARIS, 10 déc. 1993 : *Bateau par gros temps*, h/t (44x68) : **FRF 53 000** – AMSTERDAM, 19 avr. 1994 : *Navigation par mer houleuse*, h/pan. (35x60) : **NLG 13 800** – LONDRES, 11 mai 1994 : *En mer* ; *Au port*, h/pan., une paire (chaque 14x19) : **GBP 7 475** – AMSTERDAM, 11 avr. 1995 : *Navigation près d'une côte rocheuse*, h/t (47,5x68,5) : **NLG 21 240** – LOKEREN, 20 mai 1995 : *Mer calme*, h/t (50,5x100) : **BEF 550 000** – CALAIS, 24 mars 1996 : *Retour par gros temps sur un rivage de Flandre* 1824, h/t (58x72) : **FRF 26 000** – LONDRES, 13 juin 1996 : *Voilier dans la tempête*, h/bois (31x50,2) : **GBP 2 530** – AMSTERDAM, 30 oct. 1996 : *Bateau de pêche sur une mer clapotante, un orage au loin*, h/pan. : **NLG 10 378** – CALAIS, 23 mars 1997 : *Marine*, h/pan. (46x61) : **FRF 40 000** – LONDRES, 26 mars 1997 : *Bateaux sur mer clapotante* 1883, h/pan. (36x43) : **GBP 5 520**.

VERBOECKHOVEN Louis II

Né en 1827. Mort le 7 avril 1884 à Gand. XIXe siècle. Belge.

Peintre de paysages, marines, natures mortes, fleurs.

Fils de Louis I Verboeckhoven.

VENTES PUBLIQUES : AMSTERDAM, 28 oct. 1992 : *Nature morte avec un canard suspendu par une patte, une langouste, un melon, de la vaisselle japonaise et autre gibier* 1856, h/t (98x111) : **NLG 6 670**.

VERBOECKHOVEN Marguerite

Née le 14 juillet 1865 à Schaerbeek. Morte en 1949. XIXe-XXe siècles. Belge.

Peintre de marines.

Elle exposa quarante peintures à Bruxelles en 1940.

MUSÉES : BRUXELLES – TOURNAI.

VENTES PUBLIQUES : PARIS, 21 mai 1951 : *Marine* : **FRF 700** – LOKEREN, 28 mai 1988 : *Marine* 1908, h/t (74x106) : **BEF 50 000** – AMSTERDAM, 16 avr. 1996 : *Marine* 1908, h/t (75,5x107) : **NLG 3 540**.

VERBOOG Eduard

Né en 1890 à Zoeterwoude. XXe siècle. Hollandais.

Peintre de portraits.

MUSÉES : LEYDE (Mus. Lakenthal) : *Portrait du peintre Floris H. Verster.*

VERBOOM A. Voir aussi l'article **AKERBOOM**

VERBOOM Adriaen Hendriksz ou **Van Boom**

Né vers 1628 à Rotterdam. Mort vers 1670 à Amsterdam (?). XVIIe siècle. Hollandais.

Peintre de paysages animés, paysages, graveur à l'eau-forte.

Il travailla à Amsterdam, où sa femme fut enterrée le 29 juillet 1667.

Il fit des paysages dans le style de Jakob Ruysdael. Adriaen Van de Velde, Wouverman et Luigelbach, peignirent des figures dans ses tableaux.

A.H V Boom fécit A° 1653

AH Boom f. 1653 V boom f

MUSÉES : AMIENS : *Paysage avec figures* – AMSTERDAM : *Une vue prise dans un bois* – AUGSBOURG : *Paysage de forêt* – BONN : *Forêt et rivière* – COPENHAGUE : *Le chemin vers la clôture* – *Le pêcheur au bord de la rivière* – DRESDE : *Chemin sous les arbres* – *Porcs dans un bois de chênes* – LA FÈRE : *Paysage* – GLASGOW : *Paysage boisé* – LEEDS : *Paysage le soir* – LEIPZIG : *Paysage de montagnes en Italie* – ORLÉANS : *Paysage avec animaux* – ROTTERDAM : *Paysage* – SCHLEISSHEIM – SCHWERIN – STOCKHOLM : *Site forestier et église* – *Ferme à la lisière d'une forêt.*

VENTES PUBLIQUES : PARIS, 1832 : *Paysage* : **FRF 2 300** – NEW YORK, 6 et 7 avr. 1905 : *Paysage* : **USD 110** – NEW YORK, 9 et 10 avr. 1908 : *Paysage hollandais* : **USD 350** – PARIS, 17 et 18 mars 1927 : *Le château sur la colline*, pierre noire et lav. : **FRF 810** – PARIS, 6 mars 1950 : *Charrette de paysans et chasseurs sur une route à travers bois, dominant une rivière* : **FRF 51 000** – PARIS, 4 mai 1951 : *Lisière de bois*, pl. : **FRF 27 000** – PARIS, 24 mars 1955 : *La plaine* : **FRF 160 000** – LONDRES, 24 nov. 1961 : *A wooded stream with a figure on a path* : **GNS 300** – AMSTERDAM, 27 sep. 1966 : *Paysage animé* : **NLG 23 000** – VIENNE, 15 juin 1971 : *L'attaque des voyageurs dans un paysage boisé* : **ATS 100 000** – LONDRES, 3 mai 1974 : *Paysage boisé animé de personnages* : **GNS 3 200** – AMSTERDAM, 3 mai 1976 : *Ville sur une colline*, pl. et lav. (10x15) : **NLG 1 650** – LONDRES, 29 nov. 1977 : *Paysage aux buissons*, pl. (20,2x18,2) : **GBP 1 800** – LONDRES, 27 mai 1977 : *Paysage animé de personnages*, h/t (63,5x80) : **GBP 2 400** – AMSTERDAM, 29 oct 1979 : *Chaumières au bord d'une rivière* 1646, craie noire, encre noire et aquar. (15,1x24,6) : **NLG 3 000** – LONDRES, 12 déc 1979 : *Paysage fluvial boisé*, h/pan. (104x151) : **GBP 5 500** – NEW YORK, 18 juin 1982 : *Voyageurs dans un paysage boisé*, h/t (64,5x80) : **USD 6 500** – LONDRES, 22 juil. 1983 : *Paysans devant une chaumière dans un paysage fluvial boisé*, h/pan. (67,2x93,5) : **GBP 5 800** – VIENNE, 13 fév. 1985 : *Paysage boisé*, h/t (56x72) : **ATS 120 000** – NEW YORK, 7 avr. 1989 : *Paysage avec un personnage cheminant le long d'un bois*, h/pan. (29x26,5) : **USD 4 400** – LONDRES, 19 mai 1989 : *Vaste paysage avec des paysans se reposant au bord du sentier et des voyageurs avec un âne*, h/t (86x123) : **GBP 6 820** – AMSTERDAM, 28 nov. 1989 : *Voyageurs sur un chemin boisé*, h/pan. (36,8x29,7) : **NLG 12 650** – PARIS, 23 avr. 1990 : *Le Chemin forestier*, h/pan. (29,5x26,6) : **FRF 30 000** – NEW YORK, 8 jan. 1991 : *Bosquet sur les berges dune rivière*, lav. gris avec des touches de jaune, rose et bleu (13,1x17,7) : **USD 30 800** – MONACO, 18-19 juin 1992 : *Paysage avec des bergers*, h/t (96x80) : **FRF 49 950** – AMSTERDAM, 16 nov. 1993 : *Vieille chapelle près de Wilp sur les bord de l'Ijssel avec une lavandière à son lavoir*, encre et lav. (47x39) : **NLG 29 900** – AMSTERDAM, 10 mai 1994 : *Un cottage entouré d'arbres au bord d'une rivière*, encre et lav./craie noire (8,4x14,5) : **NLG 27 600** – LOKEREN, 8 oct. 1994 : *Le soir*, h/pan. (31,5x43) : **BEF 44 000** – NEW YORK, 12 jan. 1995 : *Bergers et leurs bétail dans un paysage fluvial boisé*, h/pan. (57,8x83,8) : **USD 18 400** – AMSTERDAM, 13 nov. 1995 : *Une ferme dans les dunes avec une paysanne et un enfant*, h/pan. (27,2x33,8) : **NLG 4 600**.

VERBOOM Pancras

XVIIIe siècle. Travaillant à Numansdorp en 1781. Hollandais.

Sculpteur sur bois.

VERBOOM Willem Hendriksz

Né vers 1640 à Rotterdam. Mort le 17 janvier 1718 à Rotterdam. XVIIe-XVIIIe siècles. Hollandais.

Peintre de paysages animés, paysages.

Frère d'Adriaen Verboom. Il se maria à Rotterdam le 16 janvier 1661.

W V boom

MUSÉES : ROTTERDAM : *Paysage de forêt avec chasseur.*

VENTES PUBLIQUES : AMSTERDAM, 17 nov. 1994 : *Pêcheurs sur le rivage d'un lac avec un voyageur sur le chemin*, h/pan. (90x26) : **NLG 8 050**.

VERBRAK Jef

Né en 1924 à Bruxelles. XXe siècle. Belge.

Peintre.

Il fait ses études à l'Académie des Beaux-Arts de Bruxelles, dans les sections peinture, art graphique, art mural. Il fonde le groupe « Rencontres » qui réunit des peintres, des sculpteurs, des écrivains et des poètes.

En 1959 il commence ses recherches en vue de l'utilisation des plastiques dans son art, puis présente en 1962 à Milan un important ensemble d'œuvres en polyester, dont il fait des laques, imagine des dalles translucides pour lesquelles les plastiques lui permettent de rythmer la masse d'arabesques transparentes ou translucides. Il met au point un vitrail polyester.

VENTES PUBLIQUES : DOUAI, 2 juil. 1989 : *Composition* 1985, rés. mar./pan. (56x47) : **FRF 5 000**.

VERBRECK ou **Verbrec**

XVIIIe siècle. Travaillant à Versailles. Français.

Sculpteur sur bois.

Il a travaillé à l'ornementation du Palais de Versailles.

VERBRECKT Jacob ou **Verbrecht**. Voir **VERBEECKT**

VERBRUCHT Augustin Jorisz. Voir **VERBURCHT**

VERBRUGGE C.

XXe siècle. Hollandais.

Peintre de marines.

À rapprocher de Verbrugghe Charles.
Ventes Publiques : Amsterdam, 11 sep. 1990 : *Le port de Zierikzee*, h/t (40,5x60,5) : **NLG 1 150**.

VERBRUGGE Émile
Né en 1856 à Bruges. Mort en 1936 à Weerde. xixe siècle. Belge.
Peintre de genre, animaux.
Il fut élève de l'académie de Bruxelles, où il eut pour professeur J. Portaels, et d'Anvers dans l'atelier de Verlat. Il reçut le prix de Rome en 1883.
Musées : Bruges.
Ventes Publiques : Paris, 9 juil. 1951 : *Scène de la rue, Le Caire* 1886 : **FRF 800** – Londres, 21 mars 1984 : *Scène de rue, le Caire* 1888, h/t (67,5x37,5) : **GBP 1 000**.

VERBRUGGE Gijsbert Andriesz
Né le 12 juillet 1633 à Leyde. Mort le 24 janvier 1730 à Delft. xviie-xviiie siècles. Hollandais.
Peintre de portraits et de genre et graveur à la manière noire.
Il fit ses études avec Gérard Dou. Il séjourna un peu de temps à Londres. Il se fixa à Delft.

VERBRUGGE Herman
Né en 1879 à Roulers. xxe siècle. Belge.
Peintre, graveur.
Il fut élève des académies d'Anvers et de Bruxelles. Il enseigna à l'académie de Gand.
Bibliogr. : In : *Dict. biogr. illustré des artistes en Belgique depuis 1830*, Arto, Bruxelles, 1987.

VERBRUGGE Jean Charles
Né le 25 août 1756 à Bruges. Mort le 4 juin 1831 à Bruges. xviiie-xixe siècles. Éc. flamande.
Peintre.
Il fit ses études avec Hubert de Coekz, ensuite avec Jean Garemyn et Legillon. Il a peint souvent des cours de fermes avec des animaux, des intérieurs rustiques.

Musées : Bruges (Acad.) : *Intérieur d'une maison de paysan*.

VERBRUGGE Octaviano. Voir **PONTE Octaviano del**

VERBRUGGEN Adriana
Née en 1707 à La Haye. xviiie siècle. Hollandaise.
Peintre.
Fille du conseiller à la cour Jan Willem Verbruggen. Elle étudia avec Joahnnes Verkolje. On connaît d'elle les copies d'après Tervesten, Roepel, Rachel Ruysch.

VERBRUGGEN Balthazar Hyacinth
xviie siècle. Vivant à Anvers. Éc. flamande.
Peintre.
Il étudia avec Gaspar Pieter Verbruggen II. Il fut maître à Anvers.

VERBRUGGEN Gaspar Pieter I, l'Ancien
Baptisé à Anvers le 8 septembre 1635. Mort le 16 avril 1687 à Anvers. xviie siècle. Éc. flamande.
Peintre de compositions religieuses, figures, fleurs et fruits.
Père de Gaspar Pieter Verbruggen II, il fut maître à Anvers en 1649-1650. Parmi ses principaux élèves, on cite son fils, Joris Carventro, Norbertus Beekmans, Norbertus Martini et Jacob Seldenslach.
Il travailla dans la suite de Brueghel de Velours et de Daniel Seghers, peignant de riches bouquets et guirlandes de fleurs.

Bibliogr. : In : *Diction. de la peinture flamande et hollandaise*, coll. Essentiels, Larousse, Paris, 1989.
Musées : Copenhague (Stat. Mus. for Kunst) : *Guirlande de fleurs avec saint Jean Baptiste* – Dijon : *Fleurs et perroquets* – Épinal : *La Sainte Famille* – Innsbruck : *Fleurs* 1654 – Lyon : *Guirlande de fleurs ornant un cartouche* 1670 – Le Mans : *Fleurs et emblème du Saint-Esprit* – Schleissheim : *Fleurs* – Turin (Gal. Sabauda) : *Fleurs et fruits ornant un bas-relief*.
Ventes Publiques : New York, 31 jan. 97 : *Roses, narcisses, anémones et autres fleurs dans un vase en verre dans une niche*, h/t (51x35) : **USD 39 100** – Paris, 1er avr. 1949 : *Fleurs sur des entablements*, deux pendants : **FRF 65 000** – Paris, 3 avr. 1962 : *Composition fleurie* : **FRF 10 200** – Cologne, 28 avr. 1965 : *Bouquet de fleurs* : **DEM 5 176** – Londres, 6 juil. 1966 : *Bouquet de fleurs* : **GBP 1 200** – Amsterdam, 26 avr. 1977 : *Nature morte aux fleurs*, h/t (123x92) : **NLG 19 000** – Paris, 19 juin 1979 : *Vase de fleurs sur un entablement* 1680, h/bois (44x30) : **FRF 60 000** – New York, 7 juin 1984 : *Nature morte aux fleurs dans une niche* 1664, h/t (53,5x40) : **USD 30 000** – Londres, 3 juil. 1985 : *Guirlandes de fleurs autour d'une urne*, h/t (123x92) : **GBP 11 000** – Londres, 11 avr. 1986 : *Bouquet de fleurs décorant un cartouche*, h/t (157,5x12) : **GBP 18 000** – Paris, 30 jan. 1989 : *Guirlande de fleurs autour du portrait présumé de Philippe IV*, h/t (76x58) : **FRF 41 000** – New York, 12 oct. 1989 : *Portrait d'une lady vêtue d'une robe jaune et d'un châle bleu, un carlin sur ses genoux et composant un bouquet*, h/t (88,3x65) : **USD 12 100** – Londres, 26 oct. 1990 : *Couronne de fleurs entourant un relief d'une femme assise sur un lion*, h/t (155x118,5) : **GBP 22 000** – New York, 11 jan. 1991 : *Nature morte d'une importante composition de fleurs dans une urne sur un entablement dans un paysage* 1696, h/t (134,7x114,3) : **USD 49 500** – New York, 9 oct. 1991 : *Composition florale avec des boules de neige, un lis, une branche de cerisier fleurie et autres fleurs de printemps*, h/t (68,6x54,6) : **USD 7 150** – New York, 15 oct. 1992 : *Composition florale avec des soucis, des boules de neige, des roses, un rameau de fleurs de cerisier, etc.*, h/t (68,6x54,6) : **USD 12 100** – New York, 15 jan. 1993 : *Nature morte de fleurs dans une urne*, h/t (48,9x39,4) : **USD 17 250** – Paris, 26 avr. 1993 : *Bouquet de fleurs dans un vase doré*, h/t (65,5x52) : **FRF 85 000** – Londres, 6 déc. 1995 : *Nature morte de fleurs dans une urne de pierre sculptée*, h/t (46,2x37) : **GBP 9 200** – New York, 16 mai 1996 : *Nature morte de fruits, fleurs et cartouche de pierre*, h/t (154,9x128,9) : **USD 29 900** – New York, 3 oct. 1996 : *La Madone et l'Enfant près d'une guirlande de fleurs*, h/t (113x84,5) : **USD 46 000** – Amsterdam, 10 nov. 1997 : *Bouquet d'œillets, de jasmin, d'un coquelicot et autres fleurs suspendu par un ruban bleu*, h/pan. (42,5x31,9) : **NLG 78 417** – New York, 16 oct. 1997 : *Une tulipe, des roses, une jacinthe, des roses trémières et autres fleurs dans un panier sur un entablement de pierre*, h/t (57,2x71,1) : **USD 34 500**.

VERBRUGGEN Gaspar Pieter II, le Jeune
Né à Anvers, baptisé le 4 avril 1664. Mort en 1730, il fut enterré le 14 mars à Anvers. xviie-xviiie siècles. Éc. flamande.
Peintre de figures, fleurs.
Il fit ses études avec son père, Gaspar Pieter Verbruggen I. En 1677, il fut maître à Anvers et devint doyen de la gilde en 1691. Le 22 juin 1700, il épousa Dymphna Van der Voort. Entre 1706 et 1723, il travailla à La Haye, où il fut nommé membre de l'Académie en 1708. Très employé comme décorateur, il acquit une fortune importante, mais il la géra mal, et selon son biographe Weyerman, il mena une vie de débauche, allant de taverne en taverne et, ruiné, alla finir sa vie dans sa ville natale. Il eut pour élèves : Frans Casteels, Gillis Vinek, Frans d'Oliviers, Jérôme Galle III, Balthazar Hyacinthus Verbruggen, Johan Melchior Van Erck.
Ses compositions florales sont parfois plus élaborées que celles de son père, mais les œuvres de la dernière partie de sa vie sont loin de valoir ses premiers ouvrages.

gasp. Verbruggen
1691

Bibliogr. : In : *Diction. de la peinture flamande et hollandaise*, coll. Essentiels, Larousse, Paris, 1989.
Musées : Anvers : *Fleurs ornant une niche* – *Deux Vases de fleurs avec figures allégoriques* – Arras : *Enfants ornant de fleurs la statue du dieu Pan* – Bruges : *Vase de fleurs* – Dijon : *Fleurs et perroquets* – Douai : *Guirlande de fleurs avec figures* – La Haye : *Fleurs* – Lyon : *Couronne de fleurs* – Paris (Mus. du Louvre) : *Fleurs* – Poitiers : *Vase rempli de fleurs* – Schwerin : *Fleurs* – Stockholm : *Fleurs et fruits* – Tournai : *Guirlande de fleurs ornant un cartouche* – Turin : *Fleurs* – Valenciennes : *Vases, fleurs et coquillages*, avec W. Terwestin.
Ventes Publiques : Paris, 1873 : *Portrait de jeune femme dans une guirlande de fleurs* : **FRF 5 000** – Londres, 26 mai 1922 : *Fleurs dans un vase tenu par des cariatides* : **GBP 110** – New

New York, 1er mai 1930 : *Jardinière de fleurs* : **USD 900** – Paris, 7 juin 1950 : *La guirlande de fleurs – Le vase de fleurs*, deux pendants : **FRF 46 000** – Lucerne, 7 déc. 1963 : *Nature morte aux fleurs* : **CHF 10 000** – Vienne, 17 mars 1970 : *Flore* : **ATS 60 000** – Paris, 26 mars 1971 : *La vasque de fleurs* : **FRF 25 000** – Londres, 24 oct. 1973 : *Nature morte aux fleurs* : **GBP 2 200** – New York, 2 déc. 1976 : *Nature morte aux fleurs*, h/t (125x99,5) : **USD 7 250** – New York, 11 mars 1977 : *Nature morte aux fleurs*, h/t (56x46,5) : **USD 11 000** – Londres, 30 nov 1979 : *Nature morte aux fleurs*, h/t (162,4x120,7) : **GBP 6 000** – San Francisco, 18 mars 1981 : *Nature morte aux fleurs*, h/t (147x115) : **USD 11 000** – Amsterdam, 15 mai 1984 : *Nature morte aux fleurs et aux fruits*, h/t (100x102,5) : **NLG 34 000** – Londres, 1er fév. 1985 : *Nature morte aux fleurs et aux fruits*, h/t (113x91,5) : **GBP 7 500** – Londres, 17 juin 1988 : *Nature morte de fleurs dans un vase de verre*, h/t (39,7x29,8) : **GBP 4 180** – Paris, 28 juin 1988 : *Vasque fleurie, roses, œillets, narcisses, volubilis ; Vasque fleurie, roses, tulipes, pavots, lys, capucines*, h/t, une paire (54x43) : **FRF 100 000** – Paris, 14 juin 1989 : *Vases de pierre sur des entablements ornés de guirlandes de fleurs*, deux pendants (111x95,5) : **FRF 255 000** – Londres, 27 oct. 1989 : *Jeune femme cueillant des fleurs dans un parc*, h/t (156,8x197,5) : **GBP 33 000** – New York, 5 avr. 1990 : *Nature morte de fleurs dans une urne d'argile sur un pilastre*, h/t (70,5x76) : **USD 26 400** – Paris, 8 juin 1990 : *Bouquet de fleurs dans un vase de bronze doré*, h/t (57x47) : **FRF 85 000** – Paris, 12 déc. 1990 : *Bouquet de fleurs dans un vase sur une colonne en pierre*, h/t (40,5x32,2) : **FRF 80 000** – Londres, 14 déc. 1990 : *Portrait d'une dame vêtue d'une robe blanche et d'un écharpe jaune avec une brassée de fleurs sur ses genoux et un serviteur noir lui tendant un bouquet*, h/t (119x101,7) : **GBP 16 500** – New York, 11 avr. 1991 : *Portrait d'une lady costumée en Flore*, h/t (44x51) : **USD 8 800** ; *Jeune femme portant une urne de fleurs devant une importante nature morte de fleurs et fruits sur un entablement*, h/t (114x164,5) : **USD 38 500** – New York, 10 oct. 1991 : *Putti tressant des guirlandes de fleurs autour de portraits dans des cartouche (Guillaume III et Mary ?)*, h/t, une paire (160x103) : **USD 37 400** – Paris, 31 oct. 1991 : *Fleurs ornant une urne de pierre ornée d'un mascaron*, h/t (121x92) : **FRF 110 000** – Londres, 13 déc. 1991 : *Grande composition florale dans une urne sculptée avec des chrysanthèmes et des narcisses sur l'entablement de marbre*, h/t (80,3x65) : **GBP 12 100** – Londres, 8 juil. 1992 : *Composition florale dans une urne de marbre sculptée*, h/t (117x101) : **GBP 16 500** – Londres, 11 déc. 1992 : *Importante composition florale dans une urne avec une brassée de fleurs sur un piédestal de pierre* 1675, h/t (101x71,5) : **GBP 20 900** – New York, 20 mai 1993 : *Figure féminine classique avec une composition florale dans un paysage*, h/pan. (45,7x50,8) : **USD 10 350** – Londres, 10 déc. 1993 : *Grandes natures mortes de fruits et fleurs dans des urnes de pierre au pied de colonnes*, h/t, une paire (chaque 89,5x72) : **GBP 67 500** – New York, 14 jan. 1994 : *Jeune femme tenant une urne de fleurs près d'une importante composition de fruits et de fleurs sur une table*, h/t/cart. (131,4x165,1) : **USD 68 500** – New York, 19 mai 1994 : *Composition florale dans une urne de bronze sur un entablement de pierre*, h/t (80x63,5) : **USD 34 500** – Amsterdam, 8 déc. 1994 : *Fleurs et fruits garnissant une urne sur un piédestal avec des oiseaux*, h/t (96x124,5) : **NLG 29 900** – Londres, 5 avr. 1995 : *Importante composition de fleurs et fruits dans une urne sur un piédestal*, h/t, une paire (chaque 47,5x39,5) : **GBP 13 800** – New York, 12 jan. 1996 : *Composition florale avec tulipe, roses, pivoines, et autres dans une urne avec un perroquet perché sur une branche de prunier sur un entablement de pierre*, h/t (82,8x68,3) : **USD 12 075** – Paris, 30 oct. 1996 : *Urne et vase de fleurs sur un entablement de pierre parsemé de fleurs fraîchement coupéees*, h/t (105x129) : **FRF 300 000** – Paris, 11 mars 1997 : *Guirlande de fleurs centrée d'un vase sculpté*, t. (124x97,5) : **FRF 100 000** – Londres, 16 avr. 1997 : *Fontaine de pierre dans un cartouche sculpté décoré de fleurs*, h/t (57,6x50,2) : **GBP 6 900** – Londres, 31 oct. 1997 : *Lys, œillets, tulipes, narcisses et autres fleurs dans une urne sur un entablement dans une niche*, h/t (80x81,6) : **GBP 12 650**.

VERBRUGGEN Hendrik Franciscus ou **Frans**
Né en 1655 à Anvers. Mort le 12 décembre 1724 à Anvers. XVIIe-XVIIIe siècles. Éc. flamande.
Sculpteur.
Il fut doyen de la gilde en 1689. On trouve de ses œuvres dans les églises d'Anvers et de Bruxelles, en particulier la chaire de l'église Sainte-Gudule à Bruxelles.

VERBRUGGEN Jan I
Né en 1712 à Enkhuisen. Mort en 1780 à Woolwich. XVIIIe siècle. Hollandais.
Peintre de paysages et de marines.
Élève de J. Van Call.

VERBRUGGEN Jan II
Né vers 1760. Mort vers 1810. XVIIIe-XIXe siècles. Hollandais.
Paysagiste.
En 1799, il travailla à Bruxelles.
Musées : Vienne (gal. Albertina) : *Berger avec troupeau de moutons.*

VERBRUGGEN N.
XVIIe siècle. Hollandais.
Peintre.
La Galerie de Pommersfelden conserve de lui *Soldats jouant dans une auberge*, œuvre datée de 1690.

VERBRUGGEN Pieter I ou **Verbrugghen** ou **Van der Brugghen**, dit **Ballon**
Né vers 1609 à Anvers. Mort le 31 octobre 1686 à Anvers. XVIIe siècle. Éc. flamande.
Sculpteur.
Il fit ses études avec A. Quellinus et fut maître à Anvers en 1642. Le Musée de Bruxelles conserve de lui *La Foi.*

VERBRUGGEN Pieter II
Né vers 1640 à Anvers. Mort le 6 octobre 1691 à Anvers. XVIIe siècle. Éc. flamande.
Sculpteur.
Fils et élève de Pieter Verbruggen I. On cite de lui le monument mortuaire de l'abbé Claude de la Viefoille.

VERBRUGGEN Théodore
Mort en 1701 à Anvers. XVIIe siècle. Éc. flamande.
Sculpteur.
Il a sculpté la porte du jubé de l'église Saint-Jacques d'Anvers en 1686.

VERBRUGGHE Charles, ou **Charles Henri,** ou parfois **Henri**
Né en 1877. Mort en 1974. XXe siècle. Belge (?).
Peintre de paysages, paysages urbains, marines.
Il a peint de nombreuses vues de Paris, de Venise et de Bruges.
Ventes Publiques : Paris, 14 juin 1944 : *Le marché aux fleurs* : **FRF 800** – Paris, 8 fév. 1950 : *Ville de l'Adriatique* : **FRF 2 300** – Paris, 4 avr. 1951 : *Monte-Carlo* : **FRF 600** – Anvers, 7 avr. 1976 : *Paysage du Midi*, h/t (97x130) : **BEF 22 000** – Versailles, 16 nov. 1980 : *Ferme normande*, h/t (38x46) : **FRF 4 300** – La Varenne-Saint-Hilaire, 29 mai 1988 : *Animation dans une rue de Paris*, h/t (24x35) : **FRF 6 000** – Paris, 19 déc. 1988 : *Le Quai Vert à Bruges*, h/t (54x65) : **FRF 9 000** – New York, 9 mai 1989 : *Le moulin*, h/t (46,4x54,6) : **USD 1 650** – Paris, 19 juin 1989 : *Bateaux de pêche à Blackenbergher*, h/pan. (20x23) : **FRF 5 000** – Versailles, 10 déc. 1989 : *Paysage*, h/t (39x46) : **FRF 3 800** – Paris, 20 fév. 1990 : *Venise*, h/pan. (32x41) : **FRF 20 000** – La Varenne-Saint-Hilaire, 20 mai 1990 : *Le canal à Bruges*, h/pan. (60x81,5) : **FRF 23 500** – Paris, 20 nov. 1991 : *Bouquet de fleurs dans un vase*, h/pan. (60x49) : **FRF 5 000** – Paris, 5 fév. 1992 : *La place Clichy*, h/isor. (33x46) : **FRF 5 100** – Lokeren, 21 mars 1992 : *Le nouvel embarcadère à Bruges* 1911, h/t (73x100) : **BEF 85 000** – Calais, 14 mars 1993 : *Le cours Mirabeau à Aix-en-Provence*, h/pan. (27x24) : **FRF 6 500** – Paris, 20 avr. 1994 : *Piazza Garibaldi, via San Nicola*, h/pan. (38x46) : **FRF 5 000** – Lokeren, 8 oct. 1994 : *Le nouveau pont à Bruges*, h/pan. (62x73) : **BEF 75 000**.

VERBRUGGHE Jacob Van der. Voir **BRUGGHE**

VERBRUGGHE Josse
Né à Bruges. XVIe siècle. Éc. flamande.
Peintre.
Il décora l'église de Bruges. En 1585, le marbrier Mathieu Van der Haghe acheva ce travail.

VERBRUGGHEN Gaspar Pieter. Voir **VERBRUGGEN**

VERBRUGGHEN Pieter. Voir **VERBRUGGEN**

VERBRUGHEN Philippe
XVIIe siècle. Actif à Mons. Éc. flamande.
Sculpteur.

VER-BRYCK Cornelius
Né le 1er janvier 1813 à New Jersey. Mort en 1844. XIXe siècle. Américain.
Peintre.
Élève de Samuel F. B. Morse.

VER-BRYCK William
Né en 1823 (?) à New York. Mort le 21 juin 1899. XIXe siècle. Américain.
Portraitiste.

VERBUIK Cornelis
XVIIe siècle. Actif à Rotterdam, milieu du XVIIe siècle. Hollandais.
Peintre.
Élève de Hondius. Il se fixa à Bologne.

VERBUIS Arnold. Voir **VERBUYS**

VERBUNT Joseph Hubert
Né le 27 mars 1809 à Tilbourg. Mort le 15 octobre 1870 à Lyss. XIXe siècle. Suisse.
Sculpteur de décorations.
Élève de J. L. Liénard à Paris. Il travailla d'abord pour les églises de Dreux, puis à Berne.

VERBURCH Adriaan ou **Verburg**
XVIIe siècle. Actif à Leyde vers 1600. Hollandais.
Peintre.

VERBURCHT Augustin Jorisz ou **Verbrucht**
Né vers 1525 à Delft. Mort en 1552. XVIe siècle. Hollandais.
Peintre d'histoire et graveur au burin.
Élève pendant trois ans de Jacobus Mondt. Il vint pendant quelque temps résider à Paris, puis s'établit à Delft comme peintre d'histoire. On cite de lui particulièrement une *Enfance de la Vierge* qui le classa parmi les maîtres. Il se noya accidentellement dans un canal.

VERBURE Robert ou **Verburg** ou **Verburgh**
Né vers 1654 à Liège. Mort en 1720 à Liège. XVIIe-XVIIIe siècles. Éc. flamande.
Sculpteur.
Élève d'A. Hontoire. Il sculpta des statues pour les églises Saint-Nicolas et Saint-Denis de Liège.

VERBURG Jan. Voir **BURCH Jan Van der**

VERBURG L. R.
XVIIIe siècle. Travaillant en 1700. Hollandais.
Peintre de genre.

VERBURGH Cornelis Gerrit
Né en 1802. Mort en 1879. XIXe siècle. Hollandais.
Peintre de paysages animés, paysages, paysages urbains.
Fils de Gerardus Johannes Verburgh et élève de H. Van de Sand Bakhuijzen.
VENTES PUBLIQUES : COLOGNE, 26 nov. 1970 : *Paysage boisé* : **DEM 4 600** – LONDRES, 1er nov. 1974 : *Paysage boisé* : **GNS 550** – LONDRES, 21 mars 1980 : *Paysage d'hiver au moulin*, h/t (24x36) : **GBP 950** – AMSTERDAM, 5-6 nov. 1991 : *Personnages près du phare de Katwijk* 1832, h/pan. (38x47) : **NLG 5 290** – LONDRES, 17 juin 1992 : *Patineurs et villageois dans un paysage gelé* 1840, h/pan. (60x79) : **GBP 9 680** – LONDRES, 17 nov. 1993 : *La Côte près de Rotterdam*, h/t (68,5x91,5) : **GBP 12 075** – AMSTERDAM, 11 avr. 1995 : *Ramasseurs de fagots dans un paysage d'hiver*, h/pan. (37x28) : **NLG 5 900** – AMSTERDAM, 3 sep. 1996 : *Soldats devant un château en hiver* 1838, h/pan. (46x36,5) : **NLG 3 459** – LONDRES, 26 mars 1997 : *Scène côtière* 1869, h/pan. (40,5x65,5) : **GBP 3 910**.

VERBURGH Dionys ou **Verburch** ou **Verburg**
Né vers 1655. Mort avant 1722 à Rotterdam. XVIIe-XVIIIe siècles. Hollandais.
Peintre de paysages, paysages d'eau, dessinateur.
Actif à Rotterdam, il semble qu'il dut voyager dans les colonies hollandaises, car on cite de lui des paysages des environs de Surinam.
MUSÉES : COPENHAGUE : *Fête nègre à Surinam* – DIJON : *Paysage* – EMDEN : *Deux paysages du Rhin* – LEYDE : *Deux paysages accidentés.*
VENTES PUBLIQUES : PARIS, 1869 : *Paysage* : **FRF 115** – NEW YORK, 2 mars 1944 : *Sur le Rhin* : **USD 750** – PARIS, 17 mars 1947 : *Cavaliers au bord d'un fleuve en lisière de forêt* : **FRF 4 000** – LOCHEM, 29 mai 1951 : *Paysage avec rivière* : **NLG 4 000** – COLOGNE, 16 oct. 1964 : *Paysage fluvial* : **DEM 5 000** – COLOGNE, 18 nov. 1965 : *Paysage fluvial* : **DEM 8 500** – NEW YORK, 12 fév. 1970 : *Paysage fluvial boisé* : **USD 1 900** – LONDRES, 21 mars 1973 : *Village au bord d'une rivière* : **GBP 4 200** – VIENNE, 30 nov. 1976 : *Paysage fluvial*, h/pan. (58,5x81) : **ATS 200 000** – LONDRES, 17 fév. 1978 : *Paysage fluvial boisé animé de personnages*, h/t (83x104) : **GBP 3 500** – LONDRES, 31 oct 1979 : *Paysage montagneux à la rivière*, h/t (37x47) : **GBP 1 800** – COLOGNE, 21 mai 1981 : *Paysage fluvial*, h/t (54x41,5) : **DEM 26 000** – PARIS, 4 juin 1984 : *Vue d'une rivière dans un paysage montagneux*, h/pan. (47,5x63) : **FRF 73 500** – AMSTERDAM, 3 déc. 1985 : *Chasseurs dans un paysage boisé*, h/t (76,5x109,5) : **NLG 36 000** – NEW YORK, 21 oct. 1988 : *Embarcations sur une rivière au pied d'une ville fortifiée*, h/pan. (89,5x153,5) : **USD 12 100** – MONACO, 2 déc. 1989 : *Paysage boisé avec rivière*, h/t (130x150) : **FRF 310 800** – PARIS, 12 déc. 1989 : *Village hollandais sous la neige*, panneau de chêne (60x78) : **FRF 300 000** – LONDRES, 28 fév. 1990 : *Paysage fluvial avec une cascade, un château et une ville au loin*, h/t (97x126) : **GBP 9 350** – LONDRES, 7 fév. 1991 : *Large Estuaire avec des voyageurs arrêtés à une fontaine au premier plan*, h/t (80,4x116,4) : **GBP 4 620** – NEW YORK, 31 mai 1991 : *Vaste paysage fluvial avec des voyageurs au repos sur le chemin et une ville au loin*, h/t (78,1x64,8) : **USD 14 300** – AMSTERDAM, 14 nov. 1991 : *Vaste panorama d'une vallée avec des bergers près de ruines classiques*, h/pan. (73,5x107,8) : **NLG 20 700** – AMSTERDAM, 7 mai 1992 : *Voyageurs sur un chemin sablonneux avec une vallée à l'arrière-plan*, h/pan. (64x54) : **NLG 11 500** – NEW YORK, 22 mai 1992 : *Voyageurs près d'une fontaine sur une route de montagne avec une rivière courant dans la vallée*, h/t (88,3x120) : **USD 17 600** – PARIS, 14 déc. 1992 : *Paysage vallonné animé*, h/pan. (54x77,5) : **FRF 100 000** – LONDRES, 30 oct. 1996 : *Personnages arrêtés devant une auberge dans un vaste paysage de rivière*, h/pan. (73x107) : **GBP 13 225** – PARIS, 26 nov. 1996 : *Plantations en Afrique*, lav. gris, une paire (24,2x37 ; 21x36,5) : **FRF 4 500** – PARIS, 25 avr. 1997 : *Plantation en Afrique* 1708, pl. et lav. d'encre noire (20,3x38,3) : **FRF 60 000** – PARIS, 17 déc. 1997 : *Paysage vallonné avec une rivière et un village*, pan. chêne (47x63) : **FRF 105 000** – LONDRES, 31 oct. 1997 : *Vaste paysage de rivière située entre un hameau et une falaise*, h/pan. (69,8x85) : **GBP 10 350**.

VERBURGH G.
XVIIIe-XIXe siècles. Travaillant à Rotterdam, de 1780 à 1820. Hollandais.
Peintre et dessinateur de paysages.

VERBURGH Gerardus Johannes ou **Gerard Jan**
Né en janvier 1775 à Rotterdam. Mort après 1843. XIXe siècle. Hollandais.
Peintre de paysages animés, paysages, aquarelliste, dessinateur.
Élève de H. C. Hauck.
MUSÉES : BRUXELLES : *Chasse*, dess.
VENTES PUBLIQUES : PARIS, 17 mai 1949 : *Place d'une ville hollandaise animée de personnages* : **FRF 16 500** ; *Paysage hollandais* 1839 : **FRF 14 500** – VIENNE, 16 mars 1971 : *Paysage fluvial animé de personnages* : **ATS 55 000** – AMSTERDAM, 23 avr. 1991 : *Paysage d'hiver avec des personnages sur un sentier* 1845, h/t (61x72) : **NLG 9 430**.

VERBURGH Hendrik. Voir **BURGH Hendrik Van der**

VERBURGH Jan ou **Verburg**
XVIIe-XVIIIe siècles. Actif à Delft de 1698 à 1706. Hollandais.
Peintre sur faïence.

VERBURGH Jan
Né en 1689. XVIIIe siècle. Actif à Rotterdam. Hollandais.
Peintre de paysages.
Fils de Dionys Verburgh.

VERBURGH Médard
Né le 16 février 1886 à Roulers. Mort le 10 mai 1957 à Uccle. XXe siècle. Actif aux îles Baléares. Belge.
Peintre de figures, paysages, paysages urbains, marines, natures mortes, fleurs, graveur.
Il fut élève de l'académie des beaux-arts de Roulers puis de celle de Bruxelles. Il a exercé le métier de décorateur pour subvenir à ses besoins. Il a travaillé en Italie et aux États-Unis et a vécu pendant vingt ans environ à Majorque. Parallèlement à son activité de peintre, il a réalisé les plans de divers édifices, notamment de villas. En 1929, il est nommé chevalier de l'Ordre de la Couronne, en 1937 chevalier de l'Ordre de Léopold, en 1954 officier de l'Ordre de la couronne.
Il a participé à des expositions collectives : 1912 Exposition internationale des arts de Bruxelles ; Salon des Indépendants à Paris, dont il fut membre sociétaire à partir de 1920. Il a montré ses œuvres dans des expositions personnelles à partir de 1916 à Bruxelles.

Il subit l'influence de Monet et de Cézanne. Si ses premières toiles néo-impressionnistes datent de 1910, il abandonna très vite cette méthode où cependant il excellait comme en témoigne *La Gare du Luxembourg sous la neige*. Il privilégie alors la couleur comme expression, la construction des formes, et inscrit son travail dans les recherches fauves. Il puise ses sujets dans ses voyages : la mer et ses habitants à Ostende de 1922 à 1928, la ville et ses gratte-ciel à New York de 1929 à 1931, puis les paysages méditerranéens à Majorque et Ibiza, dont il célèbre la limpidité de l'atmosphère. Graveur, il a privilégié la technique de l'eau-forte.

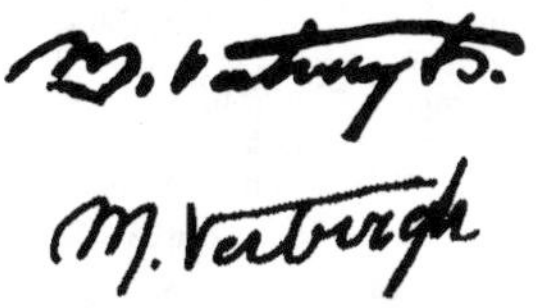

Bibliogr. : Catalogue de l'exposition : *Hommage à Médard Verburgh*, Conseil insulaire de Mallorca, Baléares, 1990.
Musées : Anvers – Bruxelles – Buffalo (Albright-Knox-Art Gal.) : *Poires et Prunes* – Liège – New York – New York (Mus. de Brooklyn) : *Les Modistes*.
Ventes Publiques : Anvers, 21 avr. 1970 : *Nature morte aux pêches* : **BEF 40 000** – Bruxelles, 14 mars 1972 : *Bassin de réparation à Ostende* : **BEF 46 000** – Bruxelles, 23 oct. 1973 : *Nature morte aux tomates* : **BEF 40 000** – Anvers, 2 avr. 1974 : *Nature morte aux poires* 1924 : **BEF 45 000** – Bruxelles, 24 mars 1976 : *Le hamac*, h/t mar. (50x60) : **BEF 30 000** – Anvers, 22 avr. 1980 : *La réunion de famille*, h/t (59x40) : **BEF 56 000** – Bruxelles, 18 mai 1987 : *Nature morte avec un coq* 1921, h/t (52x70) : **BEF 80 000** – Lokeren, 23 mai 1992 : *Nature morte avec un bouquet dans un vase devant un miroir*, h/pan. (54x48) : **BEF 180 000** – Lokeren, 10 oct. 1992 : *Nature morte de fleurs*, h/t (50,5x40) : **BEF 50 000** – Lokeren, 9 oct. 1993 : *Bouquet de fleurs d'été* 1923, h/t (78,5x65) : **BEF 130 000** – Lokeren, 9 déc. 1995 : *Le bassin de réparation* 1928, h/t (42x49) : **BEF 95 000**.

VERBURGH Rut ou **Rutger** ou **Verburg**
Né en 1678 à Rotterdam. Mort vers 1746. XVIIIe siècle. Actif à Rotterdam. Hollandais.
Peintre de genre, paysages, marines.
Fils de Dionys Verbugh, il peignit souvent des scènes de marché.
Musées : Bergues : *Poissons sur la plage*.
Ventes Publiques : Versailles, 3 avr. 1950 : *Fête villageoise* 1713 : **FRF 50 000** – Londres, 6 mai 1964 : *Paysage d'hiver ; Paysage fluvial* : **GBP 1 200** – Londres, 4 mai 1966 : *Patineurs dans un paysage d'hiver* : **GBP 650** – Versailles, 4 juin 1970 : *Débarquement de la marée ; Marché aux poissons* : **FRF 22 300** – Amsterdam, 16 mai 1972 : *Bords de mer*, deux panneaux : **NLG 16 000** – Londres, 9 mai 1973 : *Vue d'une ville en hiver* : **GBP 8 000** – Londres, 20 oct. 1982 : *Fête villageoise au bord d'une rivière*, h/pan. (37,5x49,5) : **GBP 3 400** – New York, 15 jan. 1988 : *Paysans s'amusant devant l'auberge*, h/t (61x78,8) : **USD 8 800** – Versailles, 19 mars 1989 : *Fête villageoise*, h/pan. (34x26,5) : **FRF 53 000** – Londres, 21 avr. 1993 : *Canal dans une ville hollandaise*, h/pan. (45,7x63,5) : **GBP 10 925** – Paris, 12 déc. 1995 : *Le charlatan*, h/pan. (34x26,5) : **FRF 110 000** – Vienne, 29-30 oct. 1996 : *Fête au village*, h/t (74x110) : **ATS 253 000** – Paris, 16 déc. 1997 : *Kermesse villageoise* 1706, t. (96,5x124) : **FRF 280 000** – Londres, 30 oct. 1997 : *Kermesse villageoise*, h/t (96,8x125,5) : **GBP 14 950**.

VERBURGT P.
Né vers 1810. XIXe siècle. Actif à Gand. Éc. flamande.
Peintre.

VERBUYS Arnold ou **Verbuis**, dit **le Libertin**
Né à Dordrecht, vers 1645 ou vers 1655 selon certains biographes. Mort en 1729 à Delft. XVIIe-XVIIIe siècles. Hollandais.
Peintre d'histoire, sujets mythologiques, scènes de genre.
Lorsque la liberté des sujets ne s'accompagne pas d'une indiscutable beauté de forme elle fait, d'ordinaire, peu d'honneur aux artistes qui en usent... ou en abusent. Tel paraît avoir été le cas pour Verbuys. On croit qu'il fut élève de W. Mieris et il fit preuve de talent comme peintre d'histoire, de genre et de portraits. Le 10 mars 1680, il est mentionné dans une décision de l'église réformée de Dordrecht et il semble que ce ne fut pas favorablement. De 1692 à 1695, il vécut à Middelbourg et, dans cette ville, travailla notamment pour le bourgmestre Monk. En 1702, il s'établissait à La Haye ou y faisait seulement un voyage. Dans tous les cas on le cite dans la gilde de cette ville, en même temps que sa femme, Swania Van Haestrecht, originaire de La Haye, qu'il avait épousée à Schiedam, en 1706.
Verbuys avait mérité par la nature de certains de ses tableaux le surnom de *Libertin*. Il mourut dit-on, dans une extrême pauvreté. Le Musée d'Angers conserve un tableau, *Mars et Vénus*, sous le nom Jan Verbuys ou Van Buys, que certains critiques et notamment le rédacteur du *Bryan's Dictionnary of Painters*, attribuent à cet artiste. Jan Verbuys et Arnold ne sont peut-être qu'un même peintre.
Musées : Gotha : *Andromède – Un homme installé près d'une fille, la bourse à la main* – La Haye (Mus. Bredius) : *Jupiter et Antiope* – Le Puy-en-Velay (Mus. Crozatier) : *Vertumnus et Pomona*.
Ventes Publiques : Amsterdam, 1708 : *Une bacchanale* : **FRF 100** – Paris, 7 et 8 déc. 1923 : *L'ivresse de Silène* : **FRF 800** – Versailles, 13 juin 1976 : *L'ivresse de Bacchus*, h/t : **FRF 7 500**.

VERBUYS Theodora Maria
XVIIe-XVIIIe siècles. Active à La Haye. Hollandaise.
Peintre.
Fille et élève d'Arnold Verbuys ; elle et sa mère, Swania Van Haestrecht furent admises dans la gilde de La Haye le 16 novembre 1706.

VERBYL Jan Govaertsz
XVIIe siècle. Actif à Gouda vers 1650. Hollandais.
Peintre.
Élève de Wouter Pietersz Crabeth II. Il alla en Italie où il peignit à Santa Maria della Pace à Venise un *Miracle du Christ*.

VERCAMMEN Augustin
XVIe siècle. Actif à Malines de 1524 à 1561. Éc. flamande.
Sculpteur.

VERCAMMEN Wout
Né le 14 août 1938 à Anvers. XXe siècle. Belge.
Peintre, sculpteur. Polymorphe.
Autodidacte, son activité, volontiers polymorphe, se situe dans les zones assez avancées de l'avant-garde. Il a réalisé au début des années soixante des peintures monochromes, a pratiqué le happening, puis utilisé les ressources du signe, de la lettre et des textes pour des peintures qui ne se rapportaient néanmoins pas à l'art conceptuel. Il semble avoir évolué vers une abstraction froide peut-être dans la lignée du minimal art.

VERCANO Caracciolo di. Voir **CARACCIOLO di Vercano**

VERCAUTER Jacob
XIXe siècle. Actif à Gand dans la première moitié du XIXe siècle. Éc. flamande.
Peintre de genre, portraits.

VERCELIN
XVIIe siècle. Actif à Paris vers 1669. Français.
Peintre de portraits.

VERCELLESI Sebastiano
Né le 19 janvier 1603 à Reggio Emilia. Mort le 24 septembre 1657 à Reggio Emilia. XVIIe siècle. Italien.
Peintre.
Il imita L. Spada. Il peignit de nombreux tableaux d'autel pour les églises de Reggio Emilia.

VERCELLI. Voir aussi **VERGELLI**

VERCELLI Francesco
Né le 2 août 1842 à Turin. Mort le 16 février 1927 à Turin. XIXe-XXe siècles. Italien.
Peintre de paysages.
Il fut élève d'Andrea Gastaldi et d'Enrico Gamba à l'Académie de Turin. Il subit l'influence d'Antonio Fontanesi.

VERCELLI Gemma
Née le 13 mai 1912 à Turin. XXe siècle. Italienne.
Peintre de compositions animées, figures.
Comme son frère Renato, Gemma Vercelli a reçu les premiers enseignements de son père Giulio Romano. Sauf de brefs séjours à Nice, Paris et Londres, elle a presque toujours vécu et travaillé à Turin jusqu'en 1960. À partir de cette date elle s'est installée à la campagne.
Depuis 1930 elle expose à Turin, Milan, Rome, Gênes, Paris, Londres, New York, Bruxelles, Zurich.
La peinture de Gemma Vercelli est tout à fait idéaliste, allégo-

rique, symbolisant sentiments, cycles de la nature ou diverses mythologies par des visages et des corps de femmes éthérées. On cite l'attention qu'elle porte à rendre un regard et son habileté à donner vie aux mains. Sa technique évoque parfois le pointillisme par la finesse des touches colorées.

Musées : Montecatini – Paris (Mus. d'Art Mod.) – Plaisance – Turin.

Ventes Publiques : Versailles, 15 juin 1976 : *L'as de cœur*, h/cart. (46x61) : **FRF 4 500** – New York, 13 juin 1980 : *Les chemins du monde*, techn. mixte/cart., tryptique (centre : 87,9x69,8 ; côtés : 87,9x44,5) : **USD 6 500**.

VERCELLI Giulio Romano

Né le 3 juillet 1879 à Marcorengo. Mort en 1951. xxe siècle. Italien.

Peintre de genre, portraits, paysages, fleurs, natures mortes.

Fils d'un poète local, il se mit, très jeune, spontanément à peindre et décora les chapelles des environs. À dix-huit ans il s'embarqua pour l'Amérique du Sud, où il retourna à deux reprises, arriva au Brésil, y décora encore des églises, voyagea en Argentine et en Uruguay et, après deux ans de séjour, revint en Europe, s'installant à Paris quelque temps. Il y découvrit l'impressionnisme qui le marqua nettement par la suite. Revenu en Italie, il se fixa à Turin et y passa ensuite la plus grande partie de sa vie. Giulio Romano Vercelli a peu à peu cessé de peindre, surtout soucieux de guider et d'aider ses propres enfants au seuil d'une carrière artistique qu'ils venaient eux aussi d'adopter.

Exposant surtout en Italie, il a également montré sa peinture à Paris, Marseille, Nice et en Amérique du Sud.

L'œuvre de Vercelli n'est pas facilement définissable. Il s'agit d'une œuvre éclectique, versatile. Surtout paysagiste, il a également été portraitiste, peintre de genre, de fleurs et de natures mortes, toutes ces expressions lui étant familières.

Musées : Buenos Aires – Gênes – Gualeguai – Montecatini – Parana – Plaisance.

Ventes Publiques : Versailles, 15 juin 1976 : *La Barca del pescatore* 1927, h/cart. (15x21) : **FRF 2 000** – Versailles, 29 oct. 1989 : *La baignade des enfants*, h/t (70x80) : **FRF 4 800** – Rome, 12 mai 1992 : *À l'orée d'un bois*, h/cart. (37,8x49) : **ITL 2 000 000** – Milan, 19 déc. 1995 : *Pêchers en fleurs* 1927, h/t (69x80) : **ITL 6 900 000**.

VERCELLI Renato Angelo

Né le 5 octobre 1907 à Turin. xxe siècle. Italien.

Peintre de portraits, figures, paysages.

Fils de Giulio Romano, il semble qu'enfant, Renato Vercelli ait surtout été soucieux d'indépendance. Tôt embarqué en Afrique il en revient chargé de croquis et en illustre les récits qu'il fait paraître dans la presse. Il va ensuite à Paris, fréquente diverses académies et y fait les premiers essais d'empâtements de couleurs qui caractériseront ensuite son style. Il est également tour à tour caricaturiste, metteur en scène, décorateur, écrivain. De retour à Turin il prend la direction d'une galerie d'art. Il travaille surtout en Italie et dans le Jura français.

Il expose à Paris, New York, Turin et Milan.

Surtout paysagiste, il peint au couteau dans une pâte sombre qu'il éclaire de touches vives, détachées, violentes. On cite ses sous-bois fleuris. Il fut également peintre de femmes et de *Portraits sentimentaux*.

Musées : Menton – Monte-Carlo – Montecatini – Plaisance.

Ventes Publiques : Versailles, 15 juin 1976 : *Le bois de Rainans (Jura)* 1970, h/t (50x70) : **FRF 4 100**.

VERCELLIER Oscar, appellation erronée. Voir **VARCOLLIER Oscar**

VERCHIO Vincenzo. Voir **CIVERCHIO Vincenzo**

VERCLET (?)

xviie siècle. Britannique.

Portraitiste.

Il fut chargé en 1680 de l'exécution d'un portrait du prince de Condé.

VERCRUICE Anton ou **Vercruicen**. Voir **VERKRUITZEN**

VERCRUYCE Bernard

Né en 1949 à Reims (Marne). xxe siècle. Français.

Peintre de scènes animées, animalier, graveur. Naïf.

Il est d'une famille d'origine flamande. Autodidacte, il fait plusieurs métiers avant de peindre, coiffeur ou moniteur d'auto-école.

Il participe à Paris au Salon International d'art naïf. Il montre ses œuvres dans des expositions personnelles depuis 1976 en France et à l'étranger, notamment depuis 1986 régulièrement à la galerie Art-Expo à Paris.

En 1971 il se met à peindre et crée un univers nostalgique et bonenfant où, dans des décors très divers, des personnages, toujours nus, vaquent à leurs occupations quotidiennes. Symptomatiquement si les personnages sont nus, ils gardent néanmoins une pièce, chaussette, cravate ou képi, emblèmes de la civilisation. Animalier, il peuple ses peintures surtout de chats.

Musées : Auvers-sur-Oise (Mus. Charles-François-Daubigny) – Bâle (Katzen Mus.) – Belle-Île-en-Mer (Mus. de la Citadelle) – Lasne (Mus. d'Art naïf) – Laval – Nice – Paris (BN) : *Le Feu d'artifice*, eau-forte et aquat. – Paris (Mus. d'Art naïf Max-Fourny) – Reims (Mus. Saint-Denis) – Sherbrooke (Quebec) – Sherbrooke (Mus. des Beaux-Arts) – Vicq (Mus. d'Art naïf de l'Ile-de-France).

VERCRUYS Theodor. Voir **VERKRUIS** et **CRÜGER**

VERCRUYSSE Jan

Né en 1948 à Elisabethville (Zaïre). xxe siècle. Belge.

Créateur d'installations, artiste.

Il montre ses œuvres dans des expositions personnelles : 1988 palais des Beaux-Arts de Bruxelles ; 1988, 1993 galerie Durand-Dessert de Paris ; 1990 Stedelijk Van Abbemuseum Museum d'Eindhoven ; 1992 musée d'Art contemporain de Rivoli, Moderna Galerija de Ljubljana ; 1993 Lisson Gallery de Londres ; 1995 Kunstmuseum Haus Esters et Haus Lange Museum de Krefeld.

Il réalise d'abord un travail, à partir de photographies tramées qui mettent en scène des stéréotypes, dans l'esprit de la peinture de genre, avec des nus posant, des natures mortes de fleurs, d'instruments de musique, et des autoportraits. Apparaissent ensuite des cadres de tableaux vides qui sont une réflexion sur l'art et son incapacité à représenter le réel. Dès 1983, Vercruysse réalise des structures hermétiques, en plâtre, verre, acajou, bois de couleur noire et bleu outremer « couleur de l'espoir avec une promesse de violence », aux formes minimales, empruntées à notre quotidien, qui évoquent des pièces de mobilier, tables, bibliothèques, cheminées, cadres, miroirs (...), avec les séries des *Chambres* (1983-1986), des *Atopies* (1985-1987), des *Tombeaux* (1987). Ces espaces clos possèdent une aura de mystère ; échappant au temps, à toute réalité concrète, ces lieux invitent à une réflexion sur la vacuité et la mort.

Bibliogr. : Catalogue de l'exposition : *Jan Vercruysse, le seuil et l'obstacle*, musée d'Art moderne de la ville, Arc, Paris, 1986 – Béatrice Parent : *Jan Vercruysse : la rigueur solitaire*, Artstudio, Paris, automne 1990 – in : *L'Art du xxe s.*, Larousse, Paris, 1991 – in : *Dict. de l'art mod. et contemp.*, Hazan, Paris, 1992.

Musées : Épinal (Mus. départ. des Vosges) : *La Certitude* 1982, photos, miroir, verre, peinture.

VERCRUYSSE Roger Florent Léonard, dit parfois **Rover**

Né le 9 novembre 1914 à Roulers. xxe siècle. Belge.

Peintre, dinandier.

Il fit ses études à l'Académie Royale des Beaux-Arts d'Anvers. Il a évolué du néo-expressionnisme à une abstraction géométrique après une longue étape cubiste directement issue de la peinture de Braque.

Musées : Gand.

VERCY Camille de. Voir **GROSSOT DE VERCY Camille**

VERDA Alessandro de

Né à Gandria. xvie-xviie siècles. Italien.

Sculpteur et architecte.

Il travailla à Graz et sculpta le mausolée de l'archiduc Charles II dans l'église de Seckau.

VERDA Giovanni Antonio de

xvie siècle. Actif dans la seconde moitié du xvie siècle. Italien.

Sculpteur et architecte.

Frère d'Alessandro de Verda. Il travailla à Klagenfurt et à Graz.

VERDA Giovanni Battista

xviiie siècle. Travaillant à Ottobeuren en 1723. Italien.

Stucateur et sculpteur.

VERDA Giovanni Maria de

xviie siècle. Travaillant à Milan vers 1628. Italien.

Sculpteur.

VERDA Silvestro

xviie siècle. Actif dans la seconde moitié du xviie siècle. Italien.

Sculpteur.
Il travailla pour l'église de Novate Mazzola.

VERDAT Claude Joseph
Né en 1753 à Saint-Ursanne. Mort le 15 juillet 1812 à Delémont. XVIIIe-XIXe siècles. Suisse.
Peintre et sculpteur.
Élève de Pierre Ign. Abry. Le Musée de Délemont conserve de lui *Crucifixion* et *Jugement Dernier*.

VERDE Antonio. Voir **SANTVOORT Anthonie**

VERDE-DELISLE Adine ou **Marie Ève Adine** ou **de Lisle**, née **Perignon**
Née le 29 avril 1805 à Paris. Morte en 1866 à Paris. XIXe siècle. Française.
Peintre.
Élève de son père et de Gros. Elle figura au Salon de 1830 à 1859. Le Musée de Reims conserve d'elle : *Le jour de la dîme au couvent de Saint-Wandrille.*

VERDE RUBIO Riccardo
Né en 1876 à Valence. Mort en 1955. XIXe-XXe siècles. Espagnol.
Peintre de genre, figures, portraits, paysages animés, paysages urbains, natures mortes, graveur, dessinateur, illustrateur.
Il se forma à l'École des Beaux-Arts de Valence, où il fut plus tard professeur de dessin et de gravure. Il séjourna à Paris et à Londres.
Il aime représenter dans ses tableaux de genre les couches les plus défavorisées de la société. Certains de ses portraits sont dans la lignée de Goya.
Bibliogr. : In : *Cien Anos de pintura en Espana y Portugal, 1830-1930*, Antiqvaria, t. XI, Madrid, 1993.
Musées : Valence (Mus. de Saint Pie V) : *Marché de Valence*.
Ventes Publiques : Londres, 29 mai 1992 : *Une pause pour la collation* 1899, h/t (87,6x130,2) : **GBP 7 150.**

VERDEAU Théophile Eugène
Né le 23 juillet 1884 à Moulins (Allier). Mort le 25 janvier 1953 à Paris. XXe siècle. Français.
Peintre de figures, sujets militaires, figures, aquarelliste, dessinateur.
Il a réalisé des caricatures, dessins et aquarelles de la Grande Guerre. Il a également réalisé de grands tableaux à destination décorative.
Ventes Publiques : Paris, 4 avr 1979 : *La plage en août 1936*, h/t (81x100) : **FRF 4 100.**

VERDEGEM Josez, dit **Jos**
Né en 1897 à Gand. Mort en 1957. XXe siècle. Belge.
Peintre de figures, pastelliste, aquarelliste.
Il fut élève de l'académie de Gand, où il eut pour professeur Jean Delvin. Au front durant la Première Guerre mondiale, il s'installa à Gand après la guerre. En 1922, il s'installe en France pour plusieurs années. De nouveau à Gand en 1929, il est nommé professeur à l'académie de la ville.
Il s'est spécialisé dans la représentation de la figure féminine.
Ventes Publiques : Lokeren, 14 mai 1977 : *Jeune fille* 1952, techn. mixte (75x62,7) : **BEF 195 000** – Lokeren, 12 mars 1977 : *Mère et enfants*, h/t (39x47) : **BEF 50 000** – Lokeren, 17 févr 1979 : *Nu* 1934, aquar. et gche (93x61) : **BEF 95 000** – Lokeren, 25 avr. 1981 : *Les Fuyards* 1940-1942, techn. mixte (37x43) : **BEF 50 000** – Lokeren, 23 avr. 1983 : *Jeune femme à la guitare* 1948, past. (66x46) : **BEF 65 000** – Anvers, 23 avr. 1985 : *Femme assise*, past. (89x68) : **BEF 120 000** – Anvers, 22 avr. 1986 : *Les Roulottes*, gche (48x63) : **BEF 80 000** – Lokeren, 10 oct. 1987 : *Composition* 1930, aquar. et collage (34x60,2) : **BEF 220 000** – Lokeren, 21 mars 1992 : *Femme aux bras croisés* 1945, past. (62x47) : **BEF 55 000** – Lokeren, 10 oct. 1992 : *Femme lisant*, h/pan. (48,5x59) : **BEF 80 000** – Lokeren, 9 oct. 1993 : *Enfant* 1935, h/t (49,5x72,5) : **BEF 90 000** – Lokeren, 12 mars 1994 : *Femme assise* 1944, past. (43x63,5) : **BEF 120 000** – Lokeren, 11 mars 1995 : *Femmes* 1944, aquar. et past. (30x38,5) : **BEF 38 000** – Lokeren, 11 oct. 1997 : *Femme* 1920, h/t (65x50) : **BEF 130 000** ; *Banquettes de foire* 1948, techn. mixte (60x45,5) : **BEF 70 000.**

VERDEIL Pierre
Né en février 1812 à Nîmes (Gard). XIXe siècle. Français.
Graveur sur bois.
Il exposa de 1857 à 1874. Il collabora à diverses revues humoristiques.

VERDEJO Miguel
Né en 1775 à Navas de Jorquera. XIXe siècle. Espagnol.
Peintre.
Il exposa à Madrid de 1799 à 1808.

VERDELOCHE Jean I
XVIIe siècle. Travaillant à Paris de 1641 à 1646. Français.
Graveur de monnaies.

VERDELOCHE Jean II
XVIIe siècle. Travaillant à Amiens en 1652. Français.
Graveur de monnaies.

VERDERA Nicolas
XVe siècle. Travaillant en Catalogne en 1406. Espagnol.
Peintre.
Il exécuta deux tableaux d'autel dans la cathédrale de Vich.

VERDERBER-GRAMER Maria
Née en 1890 à Nesseltal (près de Kocevje). XXe siècle. Autrichienne.
Peintre de paysages, fleurs, décoratrice.
Elle fut élève de Erwin Knirr à Munich.

VERDERI Arturo
Né le 29 janvier 1866 à Parme. XIXe siècle. Italien.
Peintre de portraits, figures, paysages.
Il fut élève de Barilli et de Rondani.

VERDEROL Antonio
Né au XIXe siècle à Tarragone. XIXe siècle. Espagnol.
Sculpteur.
Il exécuta des sculptures sur les autels de la cathédrale de Tortosa.

VERDEROL Bernardo
XIXe siècle. Espagnol.
Sculpteur.
Il sculpta un autel dans la cathédrale de Tarragone en 1852.

VERDET André
Né le 4 août 1913 à Nice (Alpes de Haute-Provence). XXe siècle. Français.
Peintre, sculpteur, céramiste, peintre de cartons de tapisseries.
Ce ne fut qu'après 1936 qu'il écrivit ses premières poésies, à la suite de la rencontre de Jean Giono. Son activité dans la Résistance le fit arrêter et déporter en Allemagne. Il se fixa de nouveau à Saint-Paul-de-Vence en 1948. Ayant une intense activité littéraire, il se lia alors avec Picasso, Braque, Matisse, Léger, Chagall, Miró, Magnelli, Atlan, Fautrier, écrivant de nombreux essais sur eux. Ce fut sur les conseils de Picasso qu'il débuta ses propres activités en peinture, sculpture, céramique, à partir de 1957.
Il participe à de nombreuses expositions de groupe, dans les grandes villes de la côte méditerranéenne, en Italie, à Paris, notamment à la Biennale de Menton, 1964, 1966, 1968 ; à la Biennale de la Tapisserie, au Musée cantonal de Lausanne, 1969 ; etc.
Poète, il le reste dans ses créations plastiques. Partant de réminiscences amicales de Picasso et surtout de Matisse, ne s'encombrant pas de soucis des matériaux mais plutôt les utilisant tous, assemblant plus souvent que peignant, il donne formes et couleurs de l'élégance aux imaginations qui lui échappent.
Bibliogr. : *Catalogue de l'exposition « André Verdet »*, Gal. Cortina, Milan, 1970 – in : Catalogue de l'exposition *Écritures dans la peinture*, Villa Arson, Nice, 1984.

VERDEZOTTI Giovanni Mario. Voir **VERDIZZOTTI**

VERDI. Voir **BACCHIACA, il**

VERDICKT Gisleen
Né en 1883 à Waasmunster. Mort en 1926 à Gand. XXe siècle. Belge.
Peintre de portraits, figures, intérieurs, paysages.
Il fut élève des académies de Gand et de Bruxelles.
Bibliogr. : In : *Dict. biogr. illustré des artistes en Belgique depuis 1830*, Arto, Bruxelles, 1987.
Ventes Publiques : Lokeren, 9 mars 1996 : *Une allée du jardin du pasteur Van Waasmunster*, h/t (100x80) : **BEF 55 000.**

VERDIÉ J. Louis
XIXe siècle. Actif à Périgueux (Dordogne). Français.
Peintre de paysages.
Élève d'Harpignies, Le Musée de Périgueux conserve de lui : *Coucher de soleil*. Peut-être convient-il de lui attribuer aussi le paysage *Vue de Saint-Sever*, conservé au Musée de Mont-de-Marsan.

VERDIER Auguste Maurice
Né à Milan. XIXe siècle. Français.

Sculpteur.
Élève de Falguière. Il figura au Salon des Artistes Français ; mention honorable en 1897, médaille de troisième classe en 1900. Le Musée d'Arras conserve de lui : *Guy de Lusignan* (médaillon bronze).

VERDIER François, dit parfois **Van Hamken**
Né en 1651 à Paris. Mort le 20 juin 1730, il fut enterré à Paris. XVIIe-XVIIIe siècles. Français.
Peintre d'histoire, compositions religieuses, sujets mythologiques, paysages, marines, dessinateur, graveur.
Fils de Louis Verdier, horloger de la Cour, et de Jacqueline Petit (?) Élève de Ch. le Brun. En 1668, il obtint le premier prix de dessin à l'Académie royale. Il copia aussi de nombreuses œuvres de son tout-puissant maître qui, en récompense d'une manifeste soumission, le fit recevoir à l'Académie en 1678, avec *Hercule et Geryon*. Il fut nommé professeur en 1684.
Le Brun donna à son fidèle disciple une marque plus grande de son amitié en l'admettant dans sa famille. Le 20 février 1685, François Verdier épousait Antoinette Butay, fille du peintre Claude Butay, défunt beau-frère de Le Brun. Le premier peintre du roi fut d'ailleurs parrain des deux enfants cités par les registres de la paroisse Saint-Hippolyte : Charlotte Antoinette Suzanne baptisée le 25 novembre 1685, et Charles François baptisé le 13 février 1687.
Verdier ne prit part qu'à une seule exposition de l'Académie, en 1704.
Il paraît avoir été un des élèves favoris de son maître, qui l'employa comme aide dans nombre de ses travaux, notamment à Versailles, à Trianon et à la Galerie d'Apollon, au Louvre. Il travailla pour plusieurs églises de Paris et fit, notamment le « mai » pour Notre-Dame, en 1677, représentant la *Résurrection de Lazare*. En 1698 il dessina une *Histoire de Samson*, qui fut gravée en quarante pièces et dont il exécuta lui-même quatre estampes. Ses dessins sont nombreux et, il faut l'avouer, généralement d'un médiocre intérêt. Verdier, du reste, par la froideur de sa composition, par la platitude de son dessin, nous paraît avoir été surtout un excellent manœuvre.

Verdier.

Musées : Amiens : *Jupiter, Junon et Io* – Beaufort : *Samson* – Bourg : *Le Christ en Croix* – Caen : *La Cène* – *Marine* – Nantes : *Un matin dans une lande* – Orléans : *Fuite en Égypte* – *Les Niobides percés de flèches par Diane et Apollon* – Paris (Mus. du Louvre) : *Assomption* – *Vénus et Adonis* – *Mercure endormant Argus* – *Io adorée par les Égyptiens sous le nom d'Isis* – Rennes : *David et le grand prêtre* – Saint-Brieuc : *Junon et Io* – Semur-en-Auxois : *Cadmus et Minerve* – Tours : *Le vœu de Jephte* – Versailles (Trianon) : *L'Amour combattant* – *L'Amour au repos* – *Naissance d'Adonis* – *Io changée en vache* – *Vénus et Adonis*.
Ventes Publiques : Paris, 1777 : *Le frappement du rocher* : **FRF 215** – Paris, 1845 : *Le Parnasse* : **FRF 145** – Paris, 1890 : *Sujet religieux* : **FRF 480** – Paris, 9 fév. 1924 : *Composition mythologique*, cr. et lav. : **FRF 75** – Paris, 28 et 29 juin 1926 : *Sujets mythologiques*, pierre noire et encre, trois dessins : **FRF 460** – Paris, 3 et 4 mai 1928 : *Héraclès combattant le lion* : **FRF 380** – Paris, 6 mai 1929 : *Le départ de Diane pour la chasse* : **FRF 3 150** – Paris, 1er juin 1931 : *Histoire d'Héraclès*, aux deux cr., trente-quatre dessins : **FRF 1 250** – Paris, 20 oct. 1981 : *La Vie du Christ*, suite de seize dessins : **FRF 11 000** – Monte-Carlo, 23 juin 1985 : *Les noces de Cana*, h/t (58,5x73) : **FRF 18 000** – New York, 12 jan. 1988 : *Le déluge*, craie et encre (25,2x42,5) : **USD 660** – Londres, 11 avr. 1990 : *Paysage classique avec un roi entouré de ses courtisans*, h/t (53,5x73) : **GBP 6 380** – Paris, 3 avr. 1992 : *Pharaon troublé par un songe interroge les magiciens et les sages*, pierre noire avec reh. de blanc (15,1x28) : **FRF 3 200** – Paris, 19 juin 1992 : *Hercule combattant le lion de Némée*, pierre noire, lav. de gris et reh. de blanc (27,5x36,5) : **FRF 8 000** – Monaco, 20 juin 1992 : *Quo vadis ?*, craies rouge et blanche/pap. beige (33,5x24,5) : **FRF 7 770** – Paris, 16 déc. 1992 : *Combat de deux armées*, pierre noire et reh. de blanc/pap. beige (24,5x49,5) : **FRF 3 000** – Paris, 1er avr. 1993 : *Étude pour un frontispice de thèse*, sanguine, pierre noire et lav. (25,7x38,5) : **FRF 16 000** – Paris, 18 juin 1993 : *Étude de femme*, sanguine et reh. de blanc/pap. beige (26x17,5) : **FRF 27 000** – New York, 11 jan. 1994 : *Hercule et Io* ; *Didon et Enée*, craie noire et blanche et lav./pap. brun clair (26,6x51,3) : **USD 1 150** – Paris, 17 juin 1994 : *Hercule et Antée*, cr. noir et blanc/pap. beige (12,5x19) : **FRF 7 500** – Londres, 16-17 avr. 1997 : *Les Suites d'une bataille*, craie noire et lav. gris avec reh. de blanc/deux feuilles pap. jointes (24,5x49,6) : **GBP 805**.

VERDIER François Émile
Né à Saint-Agil (Loir-et-Cher). XIXe siècle. Français.
Peintre de genre.
Élève de Galembert et Cabanel. Il figura au Salon de Paris, de 1876 et de 1877.

VERDIER Georges
Né le 16 décembre 1845 à Verdun (Meuse). XIXe siècle. Français.
Peintre de genre.
Conservateur du Musée de Bayeux ; on voit de lui, dans ce Musée, son *Portrait* (par lui-même) et *Visite à la petite morte*.

VERDIER H.
XIXe siècle. Français.
Peintre de paysages animés.
Ventes Publiques : New York, 29 oct. 1992 : *Paysans dans un paysage vallonné avec des vaches dans une prairie*, h/pan. (30,5x46) : **USD 2 640**.

VERDIER Henri
Né en 1655 à Montpellier (Hérault). Mort en 1721 à Lyon (Rhône). XVIIe-XVIIIe siècles. Français.
Peintre de portraits.
Élève d'Antoine Ranc. Il exécuta plusieurs portraits à Lyon.

VERDIER Hugues
Né le 16 juin 1701 à Grenoble. Mort en 1777 à Grenoble. XVIIIe siècle. Français.
Peintre.
Il fut membre de l'Académie Saint-Luc. Il était menuisier et bijoutier. Veuf de Catherine Gillet qu'il avait épousée en 1725, il se remaria en octobre 1767 avec Angélique Forel. À cette époque il habitait Paris. Il fit son testament à Grenoble le 20 mai 1777.

VERDIER Jean, ou **Jean Baptiste**
Né le 23 décembre 1889 à Paris. Mort le 2 avril 1976 à Paris. XXe siècle. Français.
Peintre de natures mortes, fleurs.
Il fut élève de l'École des Arts Appliqués de 1904 à 1908, de l'Académie Julian ensuite, puis de l'École des Beaux-Arts de 1910 à 1913, obtenant conjointement des diplômes de professeur de dessin. Il mena une carrière complète de professeur. Il exposait dans divers groupements à Paris, parmi lesquels le Salon des Artistes Français.
Il a surtout été peintre de natures mortes de fleurs, alliant le souci de la description fidèle du détail et une sensibilité post-impressionniste.

VERDIER Jean
Né en 1901 à Genève. Mort en 1969. XXe siècle. Suisse.
Peintre de portraits, paysages.
Après ses études classiques à Genève, il fut élève du Conservatoire de Paris, pendant quatre années, pour le théâtre. En 1926, il abandonna le théâtre pour l'École des Beaux-Arts de Genève. Il fit des séjours à Anvers, Bruxelles, Paris où il fréquenta les Académies Julian et Ranson. Il vit à Cruseilles (Haute-Savoie) et à Genève.
Ayant commencé à exposer en 1931 à Genève, on a vu des expositions personnelles de ses œuvres en 1937 au musée Rath de Genève ; 1941 à Bâle ; 1951 et 1956 à Genève ; 1955 à Saint-Gall ; etc.
Peintre traditionnel, il traite de tous sujets, portraits, paysages, avec une fraîcheur naïve.

Jean Verdier

Bibliogr. : B. Dorival, sous la direction de... : *Peintres Contemporains*, Mazenod, Paris, 1964.
Musées : Aarau (Aargauer Kunsthaus) : *Les Perruches* 1951 – Berne – Genève – Lausanne.

VERDIER Jean Louis Joseph
Né le 3 mai 1849 à Ischia, de parents français. Mort le 5 octobre 1895 à Paris, par suicide. XIXe siècle. Français.
Peintre de paysages.
Élève de son père et de Charles Gleyre, il débuta au Salon de Paris en 1869.

Ses paysages, notamment ses scènes forestières, sont teintés d'une certaine mélancolie.
Bibliogr. : Gérald Schurr, in : *Les Petits Maîtres de la peinture 1820-1920, valeur de demain*, Les Éditions de l'Amateur, t. IV, Paris, 1979.
Musées : Le Mans : *La ferme de Ker-Emma.*
Ventes Publiques : Grenoble, 7 mai 1979 : *En forêt de Fontainebleau*, h/t (65x81) : **FRF 4 100** – Paris, 21 mars 1994 : *Bord de rivière*, h/t (64x90) : **FRF 7 200**.

VERDIER Joachim
Né en 1691 à Lyon. Mort le 15 janvier 1749 à Lyon. xviiie siècle. Français.
Portraitiste.
Fils d'Henri Verdier.

VERDIER Joseph René
Né le 31 juillet 1819 à Parcé (Sarthe). Mort en mai 1904 à Saint-Gervais, près de Blois (Loir-et-Cher). xixe siècle. Français.
Peintre de paysages.
Élève de Rosa Bonheur. Il figura au Salon de 1845 à 1878. Le Musée de Blois conserve des peintures de cet artiste.

VERDIER Jules Victor
Né le 4 août 1862 à Sèvres (Hauts-de-Seine). xixe-xxe siècles. Français.
Peintre d'histoire, compositions mythologiques, nus, portraits, paysages.
Élève de Jules Lefebvre, Glaize, Diogène Maillart, Gérome, il débuta au Salon de Paris en 1885 et fut sociétaire des Artistes Français. Il obtint une mention honorable en 1889, une médaille de troisième classe en 1899, une de deuxième classe en 1900.
Ses œuvres montrent combien il sacrifie au goût du Second Empire pour le xviiie siècle.
Bibliogr. : Gérald Schurr, in : *Les Petits Maîtres de la peinture 1820-1920, valeur de demain*, Les Éditions de l'Amateur, t. IV, Paris, 1979.
Musées : Amiens : *Abel* – Gray : *Daphnis et Chloé.*
Ventes Publiques : Paris, 5 avr. 1933 : *Un conventionnel* : **FRF 320** – New York, 29 juin 1983 : *Portrait de la femme de l'artiste*, h/t (86,5x61) : **USD 2 000**.

VERDIER Marcel Antoine
Né le 20 mai 1817 à Paris. Mort en août 1856 à Paris. xixe siècle. Français.
Peintre d'histoire, compositions religieuses, scènes de genre, portraits.
Entré à l'École des Beaux-Arts le 31 mars 1832, il fut élève d'Ingres.
Il figura au Salon de 1835 à 1853 et obtint une médaille de troisième classe en 1837 et une de deuxième classe en 1848.

M. Verdier 1852

M Verdier

Musées : Arras : *Émeute de Clamecy* – Bagnères-de-Bigorre : *Mlle de Sombreuil arrêtant les assassins de son père, massacres de septembre* – *Une passion dans la solitude* – Montpellier : *Christ couronné d'épines* – *Portrait de femme.*
Ventes Publiques : Paris, 18 mars 1920 : *Jeune femme tenant des fleurs contre sa poitrine* : **FRF 310** – Paris, 27 fév. 1950 : *Portrait de femme* 1850 : **FRF 400** – Paris, 24 mai 1991 : *Portrait de fillette*, h/t (54,5x46,5) : **FRF 25 000**.

VERDIER Maurice
Né le 2 juin 1919 à Paris. xxe siècle. Français.
Peintre de compositions, figures, paysages, natures mortes.
Après l'École des Beaux-Arts de Paris, où il avait été le condisciple de De Rosnay, de Aïzpiri et de Montané, il remporta une bourse de voyage de l'État, et le très important Prix Fénéon.
Ses envois réguliers dans les grands Salons annuels parisiens, des Indépendants, des Tuileries, des Peintres Témoins de leur temps, et d'Automne, sont toujours attendus. Il a été invité à Paris aux Salons des Moins de Trente Ans en 1944, 1945 et 1946, des Jeunes Peintres en 1950, 1951, 1952 et 1953, de Mai en 1949, 1950, 1952, 1953. Il montre des ensembles de ses œuvres dans de nombreuses expositions personnelles à Paris, pour la première fois en 1947 à la galerie Roux-Hentschel, puis régulièrement notamment à la galerie Francis Barlier, jusqu'à la rétrospective de ses peintures de 1965 à 1997, en 1997 à la galerie Déprez-Bellorget.
Robuste tempérament, attaché aux saveurs de la réalité, les expériences de la jeune peinture en action n'ont pu troubler son goût des certitudes. Il sait camper une toile et peint dans un métier généreux qui ne verse dans aucun système. Il a figuré, avec De Rosnay, Aïzpiri, Françoise Adnet, Rebeyrolle, dans ce mouvement néoréaliste qui fleurit après la guerre de 1939-1945, à la suite de Buffet et Minaux.
Bibliogr. : *Catalogues du Salon des Peintres Témoins de leur Temps*, Paris – Bernard Dorival : *Les peintres du xxe siècle*, Tisné, Paris, 1958 – Lydia Harambourg, in : *L'École de Paris 1945-1965. Diction. des Peintres*, Ides et Calendes, Neuchâtel, 1993.
Ventes Publiques : Paris, 30 avr. 1951 : *Composition* 1949, monotype en gris : **FRF 1 450** – Paris, 21 fév. 1955 : *Combat de coqs* : **FRF 8 000** – Versailles, 16 mars 1980 : *Bouquet d'anémones* 1965, h/t (73x54) : **FRF 3 800** – Paris, 26 jan. 1983 : *Les Granges*, h/t (65x54) : **FRF 11 500** – Versailles, 24 sep. 1989 : *Panier aux oignons* 1951, h/t (109x81) : **FRF 4 000** – Paris, 14 mars 1990 : *Les oliviers*, h/t (81x65) : **FRF 9 100** – Paris, 25 juin 1990 : *Nature morte à la lanterne* 1966, h/t (100x50) : **FRF 8 100** – Paris, 8 avr. 1991 : *Paris, l'île Saint-Louis*, h/t (116x89) : **FRF 17 000** – Paris, 4 mars 1992 : *Le parc* 1944, h/t (45x32) : **FRF 4 000** – Neuilly, 19 mars 1994 : *Le grenier basque*, h/t (81x100) : **FRF 5 200** – Paris, 21 mars 1997 : *Fruits, pinceaux, bouquets de fleurs, lampe à pétrole sur la commode*, h/t (146x114) : **FRF 25 000**.

VERDIER Paul Julien
Né le 4 août 1868 au Mans (Sarthe). xixe siècle. Français.
Peintre d'intérieurs, natures mortes.
Il fut élève de Cormon et Maillart. Il exposa à Paris, au Salon des Artistes Français, et reçut une mention honorable en 1927.
Musées : Mans : *Une âme simple* – *Le Christ des Rameaux à la cathédrale.*

VERDIER Thimoteo
Né en 1792 à Thomar. xixe siècle. Portugais.
Peintre.
Élève de J. da Cunha Taborda à Lisbonne et de Gros à Paris.

VERDIGUIER Michel ou **Jean Michel**
Né en 1706 à Marseille. Mort le 27 septembre 1796 à Cordoue. xviiie siècle. Espagnol.
Sculpteur.
Il travailla d'abord pour l'arsenal et la cathédrale de Toulon et se fixa en Espagne en 1761. Il exécuta des statues pour les cathédrales de Cordoue et de Grenade. Le Musée de Cordoue conserve de lui *Amours sur des nuages*, dessin.

VERDIJK Gérard ou **Verdyk**
Né en 1934. xxe siècle. Hollandais.
Peintre, dessinateur, sculpteur. Abstrait.
Il a séjourné à Paris de 1956 à 1957, où il travaille avec Giacometti et Poliakoff. En 1982, il a résidé en Afrique.
Il participe à des expositions collectives : 1959, 1986 Haags Gemeentemuseum de La Haye ; 1961 Biennale de Paris ; 1962 *20 Peintres hollandais* au palais des beaux-arts de Bruxelles, musée municipal de Dublin, Cork et Belfast ; 1983, 1984 Foire artistique de Bâle ; 1986 Stedeljik Museum de Schiedam, Museum Boymans Van Beuningen de Rotterdam, Van Abbemuseum d'Eindhoven. Il montre ses œuvres dans des expositions personnelles depuis 1958 : 1959 Museum Hofwijck de Voorburg ; 1961 Stedelijk Museum de Schiedam ; 1967, 1972, 1979, 1988 Haags Gemeentemuseum de La Haye ; 1968 Van der Heidt Museum de Wuppertal ; 1970 Groninger Museum de Groningue ; 1977, 1980 Foire artistique de Bâle ; 1978 centre international d'expérimentations de Bossano ; 1984, 1988 Museum de Dordrecht ; 1985 Van Abbemuseum d'Eindhoven.
Abstrait, il a réalisé dans les années soixante une série de dessins au crayon et au fusain élaborés autour du contraste de formes. Son travail d'une grande simplicité organise l'espace à partir de structures simples et fluides.

G Verdyk

Bibliogr. : Catalogue de l'exposition *Gerard Verdijk. Ziggurat. Toren Van Babel*, Gemmentemuseum, La Haye, Vormgeving, Rotterdam, 1988.
Ventes Publiques : Amsterdam, 10 déc. 1992 : *Composition abstraite* 1959, h/t (50x80) : **NLG 2 070** – Amsterdam, 14 juin 1994 : *Composition abstraite* 1962, h. et acryl./t. (170x90) : **NLG 2 185.**

VERDILHAN André
Né en 1881 à Marseille (Bouches-du-Rhône). Mort en 1963. XXe siècle. Français.
Peintre de portraits, paysages, marines, fleurs, sculpteur.
Frère de Mathieu Verdilhan, il débuta au Salon des Indépendants en 1910.
Son dessin ferme, ses volumes solidement structurés, se ressentent de son travail de sculpteur. En peinture, ses œuvres sont fortement influencées de celles de son frère.
Bibliogr. : Gérald Schurr, in : *Les Petits Maîtres de la peinture 1820-1920, valeur de demain*, Les Éditions de l'Amateur, t. VI, Paris, 1985.
Musées : Marseille (Mus. Cantini) : *Bestiaire*, sculpt. en pierre.
Ventes Publiques : Paris, 22 nov. 1922 : *Bateau de pêche à l'entrée d'un port* : **FRF 300** – Paris, 22 déc. 1942 : *Cargo échoué dans le port de Marseille* : **FRF 850** – Paris, oct. 1945-juil. 1946 : *Dragueurs de mines dans le vieux port de Marseille* : **FRF 2 000** – Paris, 18 nov. 1946 : *La Rochelle* : **FRF 5 200** – Paris, 6 mai 1988 : *Le port*, h/t (46x55) : **FRF 4 000** – Paris, 12 juil. 1988 : *Jeune femme accoudée* 1940, fus. et aquar. (16,5x10) : **FRF 12 000** – Versailles, 23 oct. 1988 : *Bateaux au port*, h/t (38x55) : **FRF 7 200** – Paris, 20 fév. 1990 : *Fleurs et fruits*, h/pan. (63x48) : **FRF 11 000** – Paris, 9 nov. 1990 : *Voiliers et vapeur près du quai*, h/t (50x61) : **FRF 20 000** – Paris, 10 déc. 1990 : *Les champs de coquelicots à Lugnes*, h/t (42x71) : **FRF 59 000** – Calais, 25 juin 1995 : *Le marché en Provence*, h/pan. (40x60) : **FRF 11 000** – Paris, 29 mai 1996 : *Trois-Mâts au port*, h/t (46x55) : **FRF 5 800.**

VERDILHAN Louis Mathieu, appelé aussi **Mathieu-Verdilhan,** ou **Mathieu** ou **le Mathieu**
Né le 24 novembre 1875 à Saint-Gilles-du-Gard (Gard). Mort le 15 novembre 1928 à La Pomme (Bouches-du-Rhône). XXe siècle. Français.
Peintre de paysages, marines, peintre de compositions murales.
C'est pour éviter toute confusion avec son frère André, peintre aussi, qu'il insista sur son prénom Mathieu. D'ailleurs, Bourdelle, dont il était l'ami et qui le tenait en haute estime, ne le nommait que Le Mathieu. Il était également très lié avec Suarès, Marcel Brion, Doucet et Robert Rey qui lui consacra une préface.
Il débuta à Paris, au Salon des Indépendants en 1910. Il montra ses œuvres pour la première fois dans une exposition personnelle en 1900 à la galerie Braun à Marseille, puis : 1922 galerie La Licorne à Paris ; 1923 galerie Kraushaar à New York.
Il se rattachait sommairement au fauvisme et avait, auparavant, subi surtout l'influence des impressionnistes. Tempérament généreux, la violence colorée et l'élan graphique du fauvisme lui convenaient pour exprimer sa propre sensation devant les mêmes paysages qu'avait vus Cézanne. Il synthétisait l'objet ou la nature en quelques lignes essentielles. De Cézanne, il retint l'ordonnance classique – poussinesque – de la composition, ainsi qu'avaient déjà fait, la prime violence du fauvisme dépassée, Derain, Friesz, Vlaminck ou surtout Marquet, qui lui fit préférer au bleu profond, jusqu'alors utilisé, le blanc et les cernes entourant les aplats aux teintes désormais pâles.

L MATHIEU VERDILHAN
L.M.V

Bibliogr. : In : Catalogue de l'exposition *L'Art moderne à Marseille. La Collection du musée Cantini*, Musée Cantini, Marseille, 1988 – Huguette Lasalle, Daniel et Jean Chol : *Louis Mathieu Verdilhan. Peintre de Marseille*, Edisud, Aix-en-Provence, 1991.
Musées : Marseille (Mus. Longchamp) : plusieurs peintures – Marseille (Mus. Cantini) : *Le Vieux Port* vers 1952.
Ventes Publiques : Paris, 20 mars 1923 : *La place à Ardinole* : **FRF 250** – Paris, 1er juil. 1943 : *Bateaux à quai* ; *Le Port*, deux pendants : **FRF 4 200** – Paris, 27 mars 1944 : *Bateau pavoisé* : **FRF 1 700** – Marseille, 5 et 6 déc. 1946 : *La plage d'Aubagne (Bouches-du-Rhône) un jour de fête nationale* : **FRF 17 000** – Marseille, 20 déc. 1946 : *Les coquelicots dans la prairie*, première manière : **FRF 10 500** ; *Les pommiers en fleurs*, première manière : **FRF 10 000** – Paris, 30 avr. 1947 : *Le port au bateau pavoisé* : **FRF 22 000** – Marseille, 11 déc. 1954 : *La maison aux volets bleus* : **FRF 129 000** ; *Paysage de Provence* : **FRF 118 000** – Paris, 27 juin 1955 : *Marseille, le port* : **FRF 70 000** – Paris, 22 juin 1962 : *Le port de Marseille* : **FRF 6 900** – Aix-en-Provence, 24 jan. 1966 : *Port de Marseille* : **FRF 7 600** – Paris, 16 mars 1970 : *Le port de Marseille* : **FRF 12 000** – Genève, 17 juin 1972 : *Le port de Toulon* : **CHF 7 000** – Paris, 2 déc. 1973 : *Le port de Marseille* : **FRF 13 200** – Paris, 14 oct. 1974 : *Docks de Marseille* : **FRF 14 500** – Paris, 30 mars 1976 : *Le Port de Marseille*, h/t (73x89) : **FRF 11 000** – Marseille, 17 mai 1977 : *Bar du port*, h/t (100x82) : **FRF 14 500** – Versailles, 20 juin 1979 : *Bateaux dans le port*, h/t (60x79) : **FRF 16 100** – Paris, 23 nov. 1987 : *Place de village*, h/t (46x55) : **FRF 80 000** – Paris, 6 mai 1988 : *Bateaux au port*, h/t (54x65) : **FRF 70 000** – Paris, 12 juin 1988 : *Saint-Tropez*, h/t (73x91) : **FRF 68 000** ; *Marseille, le Pont Saint-Nicolas*, h/t (81x100) : **FRF 75 000** – Paris, 27 oct. 1988 : *Les jardins de Versailles*, h/t (75,5x101) : **FRF 170 000** – Paris, 2 déc. 1988 : *Port de pêche*, h/t (78,5x95) : **FRF 190 000** – Paris, 4 avr. 1989 : *Nature morte*, h/t (54,5x37,5) : **FRF 50 000** – Paris, 3 juil. 1989 : *Marseille, le port Notre-Dame de la Garde*, h/t (37x45) : **FRF 30 500** – Paris, 8 nov. 1989 : *Nature morte aux fleurs*, h/t (41x33) : **FRF 11 000** – Neuilly, 27 mars 1990 : *Le glaneur*, h/t (67x91) : **FRF 121 000** – Arles, 1er avr. 1990 : *Bateaux dans le port de Marseille*, h/t (67x100) : **FRF 370 000** – Paris, 11 oct. 1990 : *La remailleuse de filet*, past. (49x73) : **FRF 35 000** – Arles, 2 juin 1991 : *Le port de Marseille*, h/t (67x110) : **FRF 350 000** – Reims, 15 mars 1992 : *Port du midi*, aquar. (30x39) : **FRF 10 500** – Neuilly, 20 mai 1992 : *Rue de village*, h/t (93x62) : **FRF 55 000** – Paris, 22 juin 1992 : *Le pavillon de l'Afrique Occidentale Française à l'Exposition Coloniale de Marseille en 1906*, h/t (82x94) : **FRF 125 000** – Paris, 14 déc. 1992 : *Remorqueurs et voiliers dans le port de Marseille*, h/t (65x100) : **FRF 322 000** – Paris, 23 juin 1993 : *Figues, bouteilles, cafetière*, h/t (73x60) : **FRF 55 000** – Aix-en-Provence, 20 nov. 1993 : *16h05, Marseille – le grand pavois*, h/t (75x100) : **FRF 225 000** – Paris, 27 mars 1994 : *Le port de Marseille*, h/t (80x98) : **FRF 205 000** – Calais, 3 juil. 1994 : *Paris, les quais et Notre-Dame*, h/t (59x81) : **FRF 91 500** – Paris, 24 nov. 1995 : *Port de Marseille*, h/t (38x46) : **FRF 20 000** – Paris, 12 mars 1997 : *La Place du village* 1908, h/t (78x92) : **FRF 170 000** – Paris, 6 juin 1997 : *Le Bassin de la Plaine, Saint Michel et les collines de Saint Loup à Marseille*, h/t (92x79) : **FRF 100 000** – Paris, 19 oct. 1997 : *Nature morte à la pastèque*, h/cart. (47x61) : **FRF 30 000.**

VERDINGER E.
Français (?).
Peintre.
Le Musée de Rouen conserve de cet artiste : *Portrait d'un mandoliniste.*

VERDINI Jacqueline
Née le 17 janvier 1923 à Menton (Alpes-Maritimes). XXe siècle. Française.
Peintre, graveur, sculpteur, céramiste.
C'est après un séjour dans un sanatorium qu'elle décide de peindre. Elle étudie, à Paris, aux Académies de la Grande Chaumière, Julian et Ranson (de 1947 à 1950) et travaille également à Nice. Elle rencontre à Menton, le Groupe de la Réalité poétique et reçoit de nombreux encouragements à poursuivre une carrière artistique. Elle devient ensuite élève d'André Lhote. Elle appartient au Groupe des Peintres de la « Galée ».
Elle participe à des expositions collectives, notamment à Paris, aux Salons d'Automne, Comparaisons, des Femmes Peintres ; ainsi qu'aux Biennales de Menton à partir de 1951, d'Ancône, et au Premio Marzotto. Elle montre ses œuvres dans des expositions personnelles à Paris, Menton, en Italie, en Hollande et aux États-Unis. Elle a reçu une mention à la Jeune Peinture Méditerranéenne à Nice en 1951 ; un encouragement artistique à la Biennale de Menton en 1955 ; un deuxième Grand Prix du Portrait à Deauville en 1955 et 1957 ; une rose d'argent à l'Exposition internationale de la Riviera italienne en 1957 ; une médaille avec diplôme à la Biennale d'Ancône en 1967.
Musées : Bergen – Menton.

VERDIZZOTTI Giovanni ou **Zuan Maria** ou **Verdezotti**
Né en 1525 à Venise. Mort en 1600 à Venise. XVIe siècle. Italien.
Peintre d'histoire et de paysages et poète.
Élève et ami du Titien. Il peignait de petits paysages dans lesquels il introduisait des personnages de la mythologie. On lui

doit, comme œuvres littéraires, des traductions des *Métamorphoses d'Ovide* et de *l'Énéide*, et un poème en latin, à la louange du Titien, publié à la mort du maître. L'Académie Carrara de Bergame conserve de lui *Eurydice*.

VERDOEL Adriaen ou **Van Doel** ou **Verdael**

Né vers 1620 à Flessingue. Mort après 1695. XVIIe siècle. Hollandais.

Peintre de compositions religieuses, scènes de genre.

D'après Houbraken, il fut, vers 1640-1642, élève de Rembrandt ; d'après d'autres, il aurait travaillé avec Léonard Bramer et J. de Wit. En 1649, on le cite dans la gilde à Haarlem. En 1695 dans la gilde à Middelbourg. On le confond souvent avec son fils, qui portait le même prénom. Son élève fut Van de Groots.

Ses tableaux historiques mentionnés par Houbraken sont perdus. Il fut également poète et marchand.

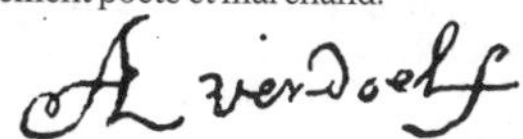

Musées : Kiev : *Portement de croix* – Leipzig : *L'opération* – Lille : *Abraham et Melchisédech* – Moscou : *Triomphe de Mardochée* – *Joseph et ses frères* – Schwerin : *Porcs et porcherie*, deux œuvres.

Ventes Publiques : Paris, 1815 : *Deux sujets de la Bible* : **FRF 60** – Cologne, 1862 : *Le Christ visitant les pestiférés* : **FRF 206** – Londres, 13 nov. 1968 : *Paysage fluvial* : **GBP 1 200** – Paris, 15 nov. 1976 : *Divertissement*, h/t (48,5x57,5) : **FRF 14 500** – Londres, 23 févr 1979 : *Moïse sur le Horeb*, h/pan. (40,5x64) : **GBP 580** – Amsterdam, 18 mai 1981 : *L'Adoration des bergers*, h/pan. (35,5x46,5) : **NLG 8 000** – New York, 24 avr. 1995 : *La guérison du paralytique dans le bassin de Bethesda*, h/t (87x113) : **USD 8 050**.

VERDOES Daniel

Mort en 1624 à Rome. XVIIe siècle. Hollandais.

Portraitiste.

VERDONCK Cornelis

XVIIIe siècle. Travaillant vers 1715. Hollandais.

Peintre de paysages et de marines.

Le Musée de Brunswick conserve de lui *Paysage avec bateliers*.

Ventes Publiques : Paris, 1864 : *Vue du Rhin avec bateaux ; Vue du Rhin*, ensemble : **FRF 185** – Paris, 10 mars 1926 : *Paysage montagneux avec figures* : **FRF 450** – Versailles, 6 mars 1977 : *Marine*, bois (32,6x39,7) : **FRF 18 000** – Roubaix, 22 fév. 1981 : *Vues de la vallée du Rhin*, peint./bois, deux pendants (chaque 32x39) : **FRF 61 000**.

VERDONCK F. Van de. Voir **VANDEVERDONCK François**

VERDONCK Hendrick

XVIIe siècle. Travaillant à Rome de 1642 à 1648. Hollandais.

Peintre.

VERDONK Frits

Né en 1902. Mort en 1963. XXe siècle. Hollandais.

Peintre de compositions animées, paysages, marines.

Il a peint des scènes typiques de la vie quotidienne et des paysages urbains.

Ventes Publiques : Amsterdam, 11 fév. 1993 : *Le port de Scheveningen*, h/t (94x170) : **NLG 7 475** – Amsterdam, 14 sep. 1993 : *Prtins Hendrikkade à Amsterdam avec un tombereau attelé de deux chevaux et des personnages et l'église Saint-Nicolas au fond*, h/t (75x120) : **NLG 5 750** – Amsterdam, 14 juin 1994 : *Promenade à ânes sur une plage*, h/cart. (34x47) : **NLG 5 750**.

VERDOODT Jan

Né en 1908 à Jette-Saint-Pierre. Mort en 1980. XXe siècle. Belge.

Peintre. Tendance surréaliste.

Il fut élève de l'académie Molenbeek-Saint-Jean de Bruxelles.

Bibliogr. : In : *Dict. biogr. ill. des artistes en Belgique depuis 1830*, Arto, Bruxelles, 1987.

VERDOT Claude

Né en 1667 à Paris. Mort le 19 décembre 1733 à Paris. XVIIe-XVIIIe siècles. Français.

Peintre d'histoire.

Élève de Bon Boulogne. Reçu académicien en 1707, il obtint le deuxième prix de peinture en 1690. Il travailla pour les églises de Paris.

VERDOU Georges

Né en 1888 à Cabreret (Lot). Mort le 24 mars 1960 à Paris. XXe siècle. Français.

Peintre de paysages. Pointilliste.

Il a exposé à Paris, de 1919 à 1959 au Salon des Indépendants, de 1949 à 1958 au Salon de la Nationale des Beaux-Arts, de 1955 à 1960 au Salon des Terres latines.

Vivant à Paris, il peignait néanmoins surtout les paysages du Quercy où il passait chaque année ses vacances. Il avait adopté la touche pointilliste en voyant peindre Henri Martin à Saint-Cirq-la-Popie.

VERDREN Marcel Henri

Né en 1933 à Bruxelles. XXe siècle. Belge.

Graveur. Abstrait.

Il étudia à l'académie La Cambre de Bruxelles puis séjourna à Paris, où il fut élève de S. W Hayter à l'atelier 17. Il réalise des aquatintes, des eaux-fortes et des sérigraphies.

Bibliogr. : In : *Dict. biogr. illustré des artistes en Belgique depuis 1830*, Arto, Bruxelles, 1987.

Musées : Montréal (Mus. des Beaux-Arts) : *Vivaldi* 1963, eau-forte.

VERDROSS Wolf

Né à Mals. XVIe siècle. Actif dans la seconde moitié du XVIe siècle. Autrichien.

Sculpteur et médailleur.

Il exécuta le tombeau de Jakob von Trapp dans l'église de Schluderns, ainsi que plusieurs médailles.

VERDU Julian

XIXe siècle. Actif dans la première moitié du XIXe siècle. Espagnol.

Peintre d'histoire.

Élève de l'Académie de San Fernando de Madrid.

VERDUC F. de

XVIIIe siècle. Travaillant à Paris en 1733. Français.

Dessinateur de paysages et d'architectures.

Peut-être identique au graveur au burin J. Verdue, élève de Silvestre.

VERDUGO Francisco

XVIe siècle. Actif à la fin du XVIe siècle. Espagnol.

Sculpteur sur bois.

Il fut chargé en 1593 de l'exécution du retable de l'abbatiale d'Atocha de Madrid.

VERDUGO LANDI Ricardo

Né en 1871 à Malaga. Mort le 10 octobre 1930 à Madrid. XIXe-XXe siècles. Espagnol.

Peintre de marines, illustrateur.

Il fut élève de J. Martinez de la Vega. Il a travaillé à Madrid, Malaga. Il prit part à diverses expositions collectives : à partir de 1872, Salon de la Société Nationale des Beaux-Arts de Madrid, obtenant une troisième médaille en 1899 ; 1915 Malaga ; 1916 Exposition Internationale de Panama, recevant une seconde médaille. Il exposa personnellement à Barcelone en 1923, à Madrid en 1928.

Parfait connaisseur de la mer sous tous ses aspects, il sait aussi en transgresser la réalité pour l'imaginer aux rives d'un port de rêve.

Bibliogr. : Pena Hinojosa : *B. Ricardo Verdugo Landi*, Malaga, 1971 – in : *Cien Anos de pintura en Espana y Portugal, 1830-1930*, Antiqvaria, t. XI, Madrid, 1993.

Musées : Barcelone (Mus. d'Art Mod.) – Malaga (Mus. mun.).

Ventes Publiques : Madrid, 14 juin 1976 : *Marine*, h/t (54x81) : **ESP 55 000** – Londres, 17 fév. 1989 : *Hisser la grande voile*, h/cart. (35x27) : **GBP 6 380**.

VERDUN Jean

XVIe siècle. Français.

Graveur.

On attribue à ce graveur, qui appartenait à l'École de Fontainebleau, deux estampes portant le monogramme ci-contre et représentant *Alexandre, recevant Thalibris dans sa couche* et *Alexandre et Campaspe devant Apelle, qui en devint amoureux et l'épousa*.

I ϘV

VERDUN Raymond Jean

Né en 1873 à Nogent-le-Rotrou (Eure-et-Loir). Mort en 1954. XXe siècle. Français.

Peintre de paysages.

Élève d'Harpignies, il figura à Paris au Salon des Artistes Français, obtenant une mention honorable en 1909.

Peintre des arbres, comme le fut son maître, il donne un caractère robuste et serein à ses paysages.

Bibliogr. : Gérald Schurr, in : *Les Petits Maîtres de la peinture 1820-1920, valeur de demain,* Les Éditions de l'Amateur, t. VI, Paris, 1985.

Ventes Publiques : Paris, 4 juin 1924 : *La baie de Beaulieu* : **FRF 80** – Paris, 22 déc. 1924 : *Bords d'un lac* : **FRF 140** – Grenoble, 15 déc. 1980 : *La sieste près de l'arbre,* h/t (38x55) : **FRF 5 200** – Paris, 7 nov. 1988 : *Paysage méditerranéen,* h/t (73x100) : **FRF 4 800** – Versailles, 25 nov. 1990 : *La clairière,* h/t (46x55) : **FRF 5 000** – Paris, 19 jan. 1992 : *Vue du massif des Maures,* h/t (51x61) : **FRF 6 500**.

VERDURA Giovanni Stefano

Né à Gênes. Mort en 1657 à Gênes. xviie siècle. Italien.

Peintre.

Le Musée Municipal de Gênes conserve de lui *Madone dans la gloire avec des saints* daté de 1652.

VERDURA Nicola

xviie siècle. Italien.

Peintre et aquafortiste.

Actif à Savona, il travailla à Rome vers 1620.

VERDUSAN Vicente

Né vers 1625 dans la région de Navarre. Mort en 1697 à Tudela (Navarre). xviie siècle. Espagnol.

Peintre de compositions religieuses. Baroque.

Il travailla surtout en Aragon.

Il a peint des tableaux d'autel pour la cathédrale d'Huesca et des églises de cette ville, et une série de scènes de la *Vie de saint Bernard,* pour les moines cisterciens de Veruela. Par ces œuvres, qui portent la marque de l'influence de Claudio Coello, Vicente Verdusan se rattache au Baroque madrilène (développé dans la seconde moitié du xviie siècle).

Bibliogr. : In : *Dictionnaire de la peinture espagnole et portugaise du Moyen Âge à nos jours,* coll. Essentiels, Larousse, Paris, 1989.

Musées : Saragosse : *Saint Benoît – La Vierge avec saint Joachim – Sainte Anne avec l'Enfant Jésus – Saint Joseph avec l'Enfant Jésus – Vie de saint Bernard,* six œuvres.

VERDUSSEN Jacob

xviie siècle. Éc. flamande.

Peintre.

Père de Peeter Verdussen.

Ventes Publiques : Londres, 12 juil. 1967 : *Paysage fluvial* : **GBP 440**.

VERDUSSEN Jan Peeter

Né vers 1700 à Anvers. Mort le 31 mars 1763 à Avignon. xviiie siècle. Éc. flamande.

Peintre de batailles, scènes de genre, animaux, paysages.

Élève de son père Jacob Verdussen, franc maître en 1697. Il alla à Marseille relativement jeune, car on rencontre fréquemment de ses ouvrages dans le Midi. On prétend qu'il y fut membre de l'Académie et directeur de l'École de dessin. Cette assertion résulte de traditions locales et non de documents. On affirme qu'il visita l'Angleterre sans indiquer si c'est avant ou après son séjour dans le Midi. Dans tous les cas, il est revenu à Avignon finir sa carrière.

Le roi Amédée III de Sardaigne l'appela à Turin. Verdussen peignit, notamment, au château de Turin : *Les batailles de Parme et de Guastalla.*

P. VERDVSSEN . f. 1689

Musées : Abbeville : *Joute* – Anvers : *Bataille d'Eckeren* – deux œuvres – Avignon : *Bataille de Plaisance* – Chartres : *Un gué – Une hôtellerie* – Karlsruhe : *Paysage italien* – Liège : *Halte de cavalerie* – Longchamp : *Deux combats de cavalerie* – Marseille : *Choc de cavalerie,* deux fois – Metz : *Marché aux chevaux – Foire aux bœufs* – Montauban : *Marche d'une armée – Siège de Valenciennes* – Schleissheim : *Attaque du train de bagages d'une armée* – Turin : *Bataille de Guastalla* – Versailles : *Siège de Saint-Guilhain* – Ypres : *Lisière de forêt.*

Ventes Publiques : Paris, 1863 : *Oiseaux morts* : **FRF 1 200** – Paris, 1877 : *Oiseaux morts* : **FRF 225** – Paris, 25 avr. 1892 : *L'inspection des chevaux* : **FRF 400** – Paris, 1897 : *Un campement, reddition d'une ville* : **FRF 505** – Paris, 9 fév. 1903 : *Paysage* : **FRF 400** – New York, 19 avr. 1905 : *Vente de chevaux* : **USD 100** – Londres, 26 fév. 1910 : *Campement* : **GBP 10** – Paris, 8-10 juin 1920 : *Le départ des voyageurs,* pl. : **FRF 850** – Paris, 3 et 4 mai 1923 : *La collation sur l'herbe* : **FRF 5 850** – Paris, 28-31 déc. 1925 : *Le retour à la ferme,* sanguine : **FRF 1 800** – Paris, 21 et 22 mai 1928 : *Fantassins aux prises avec des cavaliers ; L'attelage capturé,* deux toiles : **FRF 7 000** – Paris, 21 avr. 1937 : *L'attaque de la diligence ; Le convoi des prisonniers,* ensemble : **FRF 4 500** – Paris, 24 nov. 1941 : *Halte de cavaliers* : **FRF 9 050** – Paris, 12 mars 1943 : *Choc de cavaliers* : **FRF 6 500** – Paris, 24 fév. 1944 : *Engagement de cavalerie* : **FRF 22 000** – Paris, 27 avr. 1950 : *Intérieur d'étable* : **FRF 13 500** – Paris, 24 jan. 1951 : *Campement militaire* : **FRF 38 000** – Paris, 11 mai 1951 : *Danse champêtre,* attr. : **FRF 37 000** – Paris, 14 juin 1951 : *L'attaque de la diligence ; Le convoi des prisonniers,* deux pendants : **FRF 80 000** – Paris, 27 juin 1951 : *Chocs de cavalerie,* deux pendants : **FRF 31 100** – Paris, 9 et 10 nov. 1953 : *Choc de cavalerie* : **FRF 60 000** – Paris, 4 juin 1964 : *Paysage lacustre* : **FRF 5 200** – Londres, 10 avr. 1970 : *Scène de bataille* : **GNS 900** – Vienne, 6 juin 1972 : *Le repos des chasseurs* : **ATS 80 000** – Versailles, 25 mars 1973 : *Le repas champêtre* : **FRF 23 600** – New York, 15 mars 1974 : *Paysage fluvial animé* : **USD 3 100** – Londres, 2 avr. 1976 : *Engagement de la cavalerie* 1720, h/t (121x184) : **GBP 2 000** – Paris, 16 juin 1977 : *Scène de camp,* h/t (81x140) : **FRF 17 300** – Paris, 21 mars 1979 : *Incendie d'un moulin à vent,* h/t (30x35) : **FRF 3 800** – Paris, 27 fév. 1981 : *Le Repas champêtre,* h/t (62x97) : **FRF 32 000** – Monte-Carlo, 26 juin 1983 : *Chocs de cavalerie,* h/t, deux pendants (49x68,5) : **FRF 80 000** – Londres, 5 juil. 1985 : *Cavaliers prenant leur repas dans le jardin d'une villa ; Le repas des militaires dans un paysage,* h/t, une paire (57,8x72,5) : **GBP 6 000** – Paris, 27 mai 1987 : *Le Départ des voyageurs,* pl., encre noire et lav. de gris (14,8x21,5) : **FRF 13 000** – Milan, 12 juin 1989 : *Campement des troupes de Savoie,* h/t (47x67) : **ITL 60 000 000** – Paris, 8 déc. 1989 : *Le marché,* h/t (45x40,5) : **FRF 85 000** – Londres, 28 fév. 1990 : *Camps militaires et engagement de cavalerie,* h/t, quatre pendants (chaque 12,5x15,5) : **GBP 8 800** – Rome, 8 mai 1990 : *Paysage avec des cavaliers ; Paysage avec un camp militaire,* h/t, une paire (chaque 46,5x76) : **ITL 30 000 000** – Monaco, 5-6 déc. 1991 : *Scènes de batailles,* h/t, une paire (49x69) : **FRF 133 200** – Paris, 13 avr. 1992 : *Scène de combat et de pillage,* h/t (40,5x57) : **FRF 19 000** – Paris, 26 avr. 1993 : *Scène de marché aux poissons dans un port du nord,* h/t (49x61,5) : **FRF 35 000** – Paris, 27 juin 1994 : *Campement de cavaliers devant une ville de Flandre,* h/t, une paire (chaque 66,5x95) : **FRF 132 000** – Londres, 7 déc. 1994 : *Batiments d'une forteresse au bord d'une rivière* 1737, h/t (86,7x126) : **GBP 8 740** – Neuilly, 13 déc. 1994 : *Choc de cavalerie,* h/t (48,5x72,5) : **FRF 55 000** – Paris, 26 mars 1996 : *L'incendie du moulin,* h/t (30x35) : **FRF 6 500** – New York, 16 mai 1996 : *Chasseurs avec leurs chevaux et leurs chiens faisant une pause dans un paysage boisé,* h/t (52,1x62,9) : **USD 7 475** – Rome, 21 mai 1996 : *Bataille,* h/t (64,5x80) : **ITL 15 525 000** – Rome, 9 déc. 1997 : *Halte de cavaliers et femmes près d'un campement ; Passage de cavaliers et troupe d'artillerie dans un paysage rocheux,* h/t, une paire (60x74) : **ITL 43 700 000**.

VERDUSSEN Paul

Né en 1868. Mort en 1945. xixe-xxe siècles. Belge.

Peintre de genre, intérieurs, paysages.

Bibliogr. : In : *Dict. biogr. ill. des artistes en Belgique depuis 1830,* Arto, Paris, 1987.

Musées : Anvers – Ixelles (Mus. Plantin Moretus).

Ventes Publiques : Lokeren, 12 mars 1994 : *Sous-bois* 1897, h/t (70x38) : **BEF 28 000**.

VERDUSSEN Peeter

Né en 1662 à Anvers. Mort après 1710. xviie-xviiie siècles. Éc. flamande.

Peintre de batailles et de paysages.

Fils de Jacob Verdussen.

Musées : Anvers : *Bataille d'Eeckeren* – Augsbourg : *Repos après la chasse* – Hampton-Court : *Vue de Windsor* – Prague (Gal. Nat.) : *Paysage de forêt.*

VERDUYN Jacques

Né en 1946 à Bruges. xxe siècle. Belge.

Sculpteur de figures. Hyperréaliste.

Il étudia à l'académie des beaux-arts de Bruxelles et d'Alost.

Il réalise des sculptures en polyster, des femmes, généralement dans la vie quotidienne, à la forte présence. D'un grand réalisme, ses œuvres révèlent ses qualités d'observation.

verduyn

Bibliogr. : In : *Dict. biogr. ill. des artistes en Belgique depuis 1830*, Arto, Paris, 1987.
Ventes Publiques : Anvers, 22 oct. 1985 : *Femme assise*, polyester (H. 75) : **BEF 100 000** – Lokeren, 15 mai 1993 : *Deux baigneuses*, terre cuite (H. 31,5, l. 37) : **BEF 55 000** – Lokeren, 12 mars 1994 : *La piscine*, sculpt. de polyester (H. 26, l. 33) : **BEF 26 000**.

VERDYEN Eugène

Né le 29 août 1836 à Liège. Mort le 17 juin 1903 à Bruxelles. XIXe siècle. Belge.

Peintre de genre, nus, portraits, paysages.

Il fut l'un des premiers élèves de Jean-François Portaëls, dans son atelier privé. Il voyagea en Italie, en Afrique du Nord en 1874, en Turquie. Professeur à l'Académie de Bruxelles.
Dans un premier temps, il peignit des nus, portraits, scènes de genre, puis se consacra au paysage. Il participa à l'illustration du livre de Lemonnier : *La Belgique*, publié en 1888.

E Verdyen

Bibliogr. : Gérald Schurr, in : *Les Petits Maîtres de la peinture 1820-1920, valeur de demain*, Les Éditions de l'Amateur, t. V, Paris, 1981.
Musées : Bruxelles : *Vespérale, la Meuse à Dave – Juive de Tripoli – L'arrosage* – Liège : *L'étang du Rouge-cloître en automne – Crépuscule*.
Ventes Publiques : Paris, 4 mars 1991 : *Scène de neige*, h/pap./pan. (74x54) : **FRF 8 500** – Lokeren, 23 mai 1992 : *Volailles dans un pré*, h/t (37,5x53) : **BEF 120 000** – Amsterdam, 9 nov. 1993 : *Matin d'hiver*, h/pap./pan. (72,5x53) : **NLG 3 220** – Londres, 17 nov. 1993 : *Portrait de femme à l'éventail*, h/t (54x40) : **GBP 3 220** – Lokeren, 28 mai 1994 : *La terrasse à Chooz* 1882, h/t (52x37) : **BEF 36 000** – New York, 17 jan. 1996 : *Portrait d'une dame avec un éventail*, h/t (54x40) : **USD 2 070**.

VERE A.

XVIIIe siècle. Allemand.

Médailleur et tailleur de camées.

Il grava des médailles à l'effigie de Georges et d'Edouard, princes d'Angleterre, datées de 1759.

VERECHTCHAGUINE Piotr Petrovitch ou **Veretshchagin, Vereschchagin**

Né en 1834 ou 1836 à Perm. Mort le 16 janvier 1886 à Saint-Pétersbourg. XIXe siècle. Russe.

Peintre de paysages, paysages urbains.

Musées : Moscou (Gal. Tretiakov) : *La ville de Pokov* – Saint-Pétersbourg (Mus. Russe) : *Vue générale de Sébastopol*.
Ventes Publiques : Londres, 5 mars 1981 : *Vue de Saint-Pétersbourg*, h/t (40x88) : **GBP 3 800** – Londres, 20 fév. 1985 : *Vue de la Volga*, h/t (32x59) : **GBP 2 500** – Londres, 1er mai 1987 : *Scène de rue à Tiflis*, h/t (78x62,5) : **GBP 11 000** – Londres, 14 nov. 1988 : *Sur la grève*, h/t (18x35,5) : **GBP 3 850** – New York, 25 oct. 1989 : *Vue de Saint-Pétersbourg*, h/t (40,6x87,6) : **USD 24 200** – Londres, 15 juin 1995 : *Nijny-Novgorod*, h/t (77x104,7) : **GBP 172 000** – Londres, 14 déc. 1995 : *Vue de Pskov depuis la rivière*, h/t (37,5x75,5) : **GBP 32 200** – Londres, 17 juil. 1996 : *Vue de la rivière Chisovaya* 1864, h/t (39x69) : **GBP 29 900** – Londres, 19 déc. 1996 : *Vue de la rivière Chisovaya*, h/t (40x70) : **GBP 24 150** – Londres, 11-12 juin 1997 : *Un après-midi d'été*, h/t (35x69) : **GBP 13 800**.

VERECHTCHAGUINE Vassili Petrovitch ou **Veretshchagin**

Né en 1835 à Perm. Mort le 9 octobre 1909 à Saint-Pétersbourg. XIXe-XXe siècles. Russe.

Peintre d'histoire et de genre.

Il fut élève de l'Académie des Beaux-Arts de Saint-Pétersbourg. Il peignit des fresques et des scènes de l'histoire de la Russie.
Musées : Moscou (Gal. Roumianzeff) : *Un prisonnier* – Moscou (Gal. Tretiakov) : *Colombanus à Rome – La Nuit sur le Golgotha* – Saint-Pétersbourg (Mus. Russe) : *Siège de Troïzko Sergijefkaja Lawra – Saint Grégoire maudissant un moine – Portrait de F. Huhn*.
Ventes Publiques : Stockholm, 15 nov. 1989 : *Le voyageur apportant des nouvelles*, h. (35x49) : **SEK 13 500**.

VERECHTCHAGUINE Vassili Vasilievitch, ou **Basil** ou **Veretshchagin,** ou **Vereshchagin**

Né le 26 octobre 1842 à Luibez, district de Cherepovets, gouvernement de Novgorod. Mort le 13 avril 1904 à Port-Arthur. XIXe siècle. Russe.

Peintre d'histoire, batailles, scènes de genre, sujets typiques, figures, intérieurs, paysages, compositions décoratives, illustrateur, écrivain.

Verechtchaguine ne fut peut-être pas un très grand peintre ; il n'en mérite pas moins de retenir notre attention : il mit son amour du Beau au service d'une noble cause : ce fut ainsi qu'il aimait à le déclarer, un « apôtre de la Paix ». Son père, gros fermier, le destinait à la carrière navale. De seize à dix-huit ans il fut élève de l'École des Cadets de la marine, mais ses goûts artistiques, s'affirmant chaque jour davantage, il obtint d'entrer à l'École des Beaux-Arts de Saint-Pétersbourg où il travailla sous la direction de A. Markov et de A. Beidemann. En 1862 une médaille lui fut décernée pour un *Ulysse tuant les prétendants*. Ce succès scolaire le réconcilia avec ses parents et, en 1863, il partit pour le Caucase, séjourna un certain temps à Tiflis, y donnant des leçons de dessin et, surtout, exécutant un nombre considérable de croquis. L'année suivante, aidé par sa famille, il vint à Paris et fut élève de Gérome à l'École des Beaux-Arts. Il fonda aussi un journal d'art qui n'eut qu'une existence éphémère. Verechtchaguine paraît avoir été un élève peu docile : son refus de copier les antiques, les tableaux du Louvre, motivèrent probablement son départ de l'école officielle. Il quitta Paris pour revoir le Caucase. Verechtchaguine fut mis par Gérome en rapport avec Bida et fournit un *Saint Luc* pour sa *Bible illustrée*. Grâce à Bida, il collabora au *Tour du Monde* et y publia avec des illustrations un récit de son *Voyage dans le Caucase*.
En 1866, il exposa au Salon de Paris *Les Dukhobors* (Russes dissidents) *chantant des psaumes*, œuvre très remarquée et très discutée. L'année suivante, il suivait l'expédition du général Kaufmann dans le Turkestan et il demeura dans cette contrée jusqu'en 1869. Il vint à Paris faire une exposition de l'ensemble de ses études, puis les exposa à Saint-Pétersbourg. Il fit une exposition à Londres, au Crystal Palace, en 1873, puis à Saint-Pétersbourg, au ministère de l'Intérieur en 1874. Après 1878, l'exposition d'une partie de ses travaux à Londres et dans diverses villes d'Angleterre obtint un succès mitigé de sévères critiques. Les mêmes œuvres furent beaucoup plus appréciées à Vienne. En 1882 cette manifestation artistique se poursuivit à Berlin. Verechtchaguine la particularisa par la création d'un milieu et d'accessoires spéciaux. Les salles d'exposition avaient reçu un décor oriental, les peintures étaient vues à la lumière électrique, tandis que des musiques guerrières, des chœurs de soldats résonnaient. L'effet fut considérable et assez frappant pour que l'empereur d'Allemagne défendît à la garde d'aller voir cette exposition. Le succès s'affirma encore à Saint-Pétersbourg avec plus de deux cent mille visiteurs en deux mois. A la vente aux enchères qui suivit l'exposition, l'administration des Musées russes en acquit la plus grande part. La sincérité de sa conception, peut-être trop préoccupée de celle des premiers chrétiens, le réalisme introduit dans ces œuvres n'obtint pas une approbation unanime et lors de leur exposition à Vienne en 1885, l'archevêque de cette ville qualifia une *Sainte Famille* qui en faisait partie, « d'œuvre blasphématoire ». A la suite de l'exposition des mêmes ouvrages à Berlin, l'année suivante, l'artiste détruisit un de ses tableaux, une *Résurrection*, vivement attaquée. Mais il ne se décourageait pas. Fort de patronages puissants, notamment de celui du prince de Galles, futur Édouard VII, il faisait à Londres, aux mois d'octobre et de novembre 1887 une exposition de vues des Indes anglaises, provoquant un grand intérêt parmi les artistes et les critiques. Ses compositions sur la campagne de Russie furent exposées aux Crofton Galleries à Londres, en janvier 1899. En vue d'une consécration de sa mission pacifique, il exposa à Oslo, en 1900, un ensemble important de ses ouvrages et posa, sans succès, sa candidature au prix Nobel.
Vers 1869, il peignit la décoration de trois salles au ministère des Domaines. La même année, il reprit la route du Turkestan. L'année 1871 marqua un grand changement dans la vie de Verechtchaguine : la mort de ses parents le mit à la tête d'une fortune qui lui assurait une complète indépendance. Il alla s'établir aux environs de Munich. Durant deux années, dans une retraite absolue et fournissant un labeur quotidien de douze à quinze heures, travaillant autant que possible en plein air pour mettre dans ses toiles le maximum de lumière, il utilisa en partie l'énorme quantité d'études réunies dans le Caucase et dans le Turkestan. La même année, il partit pour les Indes anglaises et y demeura deux ans, réunissant les matériaux de sa suite de tableaux sur la

conquête des Indes par les Anglais. Il revint à Paris en 1876, fit construire à Maison-Laffitte deux énormes ateliers agencés spécialement pour y obtenir le maximum de lumière, une des préoccupations constantes de l'artiste. La guerre russo-turque de 1878 lui fit momentanément abandonner le grand travail qu'il y avait commencé, pour aller sur les champs de batailles en quête de nouveaux documents de sa « guerre à la Guerre ». La mort d'un frère, tué au cours de cette campagne, augmenta peut-être son ardeur d'apôtre de la Paix. Notons encore un voyage dans le Turkestan et, en 1884, un nouveau voyage aux Indes et une visite de la Syrie et de la Palestine. Il paraît avoir été chercher dans cette dernière contrée des matériaux pour une série de compositions sur le Nouveau Testament. Nous le retrouvons à Moscou, en 1893, poursuivant son apostolat antiguerrier par sa série de peintures sur la campagne de Napoléon en Russie. On a beaucoup critiqué en France la conception napoléonienne de Verechtchaguine ; l'équité commande de dire qu'il le jugeait en envahisseur de son pays et avec l'âme russe. Dans tous les cas ces compositions avaient une valeur artistique suffisante pour qu'on les ait jugées dignes d'illustrer l'ouvrage du comte de Ségur, *Napoléon*. En 1894 on cite aussi un voyage à Arkangel. 1901 le trouve en Chine avec les troupes alliées et 1904 à Port-Arthur, dans les rangs de l'armée russe. Il y exécuta notamment *L'amiral Alexieff passant la revue de ses troupes* et son dernier ouvrage : *L'amiral Makaroff tenant conseil avec ses officiers*. Il périt, on peut le dire, le crayon à la main, lors du torpillage du « Petropavlovsk ».

Musées : Boston : *La mosquée des Perles à Delhi* – Brooklyn : *Halte d'un convoi de prisonniers de guerre – Colonne de prisonniers – Crucifixion à l'époque romaine* – Moscou (Gal. Roumianzeff) : *Le temple du dieu de la guerre à Jassidingue, Indes* – Moscou (Gal. Tretiakov) : *Montagnes de neige près du lac Issyk-Koula – Ruines de Tchougoutchak – Moursa Bek, ministre de l'émir de Boukharie – Un Moulla à l'école – Garçon sarde – Un juif – Un Kouramin du village Bouka – Juifs à Talhkente – Chinoise de la tribu Siho – Un Kirghiz – Un Konramin – Fonctionnaire chinois de la tribu Siho – Un Afghan – Muraille devant la maison d'un haut fonctionnaire à Tchongoutchak – Tata chasseur et Kirghiz près de Tachkent – Magasin de pain à Tchougoutchak – Coin de la citadelle de Samarkande – Chef sarte et son fils, du village Bouka – Ruines du théâtre à Tchougoutchak – Mosquée dans le Turkestan – Kirghizes changeant de camp – Tombeaux de Kirghizes dans le désert – Ruines d'un temple à Tchougoutchak – Forme de soulier – Chapiteau et base de colonne de la mosquée de Chodjeute – Intérieur d'un moulin sarte – Soulier de vieille Chinoise – Petit jardin à Katta-Kourgan – Parure de tête d'une Kara-Kirghize fiancée – Le tour de garde dans la vallée Tchou – Soldat de Kokane – Kalmoucke – Juive – Rue le long d'une muraille dans une ville du Turkestan – Musicien sarte – Indien de Pechevare – Une Kara-Kalmoucke – Oratoire de Kalmouk dans les montagnes – Minaret resté debout parmi les ruines de Saourana – Une Kara-Kirghize – Portes de l'école de Samarkande – Rue de la ville de Sarte – Rue du village Chadchagueute – Crânes d'un Chinois et d'un Sarte – Une écurie à Sarte – Tombe d'un saint musulman – Poste de Cosaques – Tombeau d'une Chinoise à Tchougoutchak – Camp d'émigrés chinois – Entrée de la ville Katta-Kourgan – La vaisselle chinoise – Portes de Tchougoutchak – L'hivernage de Kirgiz – Mosquée de Chazreta Jasavi – Champ labouré kirghiz – Portes d'un village sarte – Auberge près de Tachkent – Portes d'une caravane-hangar à Katta-Kourgan – Lama chinois – Riche chasseur kirghiz avec un faucon – Vente d'un petit esclave – Ennemi attaqué à l'improviste – Prison souterraine à Samarkande – Kalmouk – Oratoire de Kalmouks – Derviches – Centurion d'Oubbek – Parlementaires – Chœur de derviches mendiants – Politiciens dans une boutique d'opium – Lac d'Issyk-Koula – Lac d'Issyk-Koula le soir – Lamas de Kalmouks – Triomphe – Blessé mortellement – Mendiants à Samarkande – Douvanes en costume de fête – Chinoises – Un Chinois – Lac Ala-Koule – Le plus ancien lama chinois – Changement de campement des Kirghizes – Passage de Barskaonne – Une Kirghize – Palais à Samarkande – Puits dans la steppe entre Tchinaz et Dchizak – Petite maison chinoise – Enfants chinois – Une place à Samarkande – Armée chinoise de la frontière – Dans les montagnes d'Alataon – Chinoise – Intérieur d'une tente de Kirghiz – Un lama Kalmouk – Tente chinoise – Rue principale de Samarkande – Les hauteurs Tchopan-Ato, où eut lieu une bataille de 1er mai 1868 – Mosquée sur le tombeau de Tamerlan – Neiges sur les montagnes Kirghizin-Alataon – Hommes de Kirghiz sur le fleuve Tchou – Une Kalmouke – Montagnes de neige au passage de Barskaonne – Près des portes de la mosquée – Apothéose de la guerre – Près du mur de la forteresse – Qu'ils entrent ! – Portes du palais du khan de Kokansk – Monuments funéraires à Ladak dans l'Himalaya – Portique du temple du monastère de Tassiding – Le fleuve à Cachemire – Ruisseau de montagne à Cachemire – Le soir près de Delhi – Habitant de Ladak – Temple de Bouddha à Darchiling – Portique d'un temple de monastère – Lieu de réunion des Bouddhistes – Coin de galerie du temple souterrain d'Ellore – Le monastère Chemisse – Lama de Bouddha à la fête du monastère Pamionzy – Le temple souterrain d'Ellore inondé pendant les pluies – Portes d'Allah Ouddine – Habitant de Zadak – Petit temple de Brahma à Odéipour – Le soir sur le lac à Radchpangour – Salle du trône des grands Mogols – Glacier sur la route de Cachemire à Zadak – Tombeau de l'empereur Automnche dans le vieux Delhi – Colonnes du temple souterrain à Adchounte – Ornementation intérieure d'un monastère bouddhiste – Tombeau du saint Ched-Sélim Christi à Fontipor-Sikkry – Lama du Tibet – Trois des principales divinités bouddhistes dans le monastère de Tchingatcheling à Sykkime – Temple principal du monastère Tassiding – Domestique musulman – Cavalier – Milice à Dcheïpure – Caravane portant du sel, près du lac Tzo-Monary, frontière occidentale du Tibet – Fonctionnaire musulman – Lama bouddhiste en costume divin – Marvare – Femme de Ladak – Colonnes du temple d'Indra à Ellore – Femme de la caste inférieure à Bombay – Femme de Boutane – Jeune femme du Dekan – Fakir – Prêtre de Parsyoun – Peuplade des Indes centrales – Cavalier de Dcheïpure – Hameau – Fakir de Bénarès – Temple dans les grottes d'Adchounta, on voit des vestiges de peintures – Environs d'Agra – Fonctionnaire tibétain – Statue de Vishnou dans le temple d'Indra à Ellore – Lac et montagnes à Cachemire – Jeune femme du Tibet occidental – Voiture de gens riches – Musulman de la secte Chiith dans l'Himalaya – Femme de Cachemire – Voiture à Delhi – Lac – Dans l'Himalaya – L'Himalaya au soir – Mosquée – Maisonnette près du harem, palais Fontipor-Sykkri – Le Gaourisankar – Portes près de Kontonb-Minara – Caravane à Ladak – La vieille femme d'un lama – Habitants du Tibet occidental – La nuit sur le fleuve à Cachemire – Habitant de Cachemire – Monument à Sykkine – Quai de marbre orné de bas-reliefs, lac d'Odeïpoure à Radchpongoure – Femme et garçon à Bombay – Éléphant paré – Vaincus – Le général Skobeleff sous Chipka – Sous Plevna – Avant l'attaque – Après l'attaque – La dernière halte – Bachi-Bouzouck – Entrée principale de la cathédrale de Solvitchegodsk – Iconostase de l'église Belosendskaïa – Parvis de l'église de Tolchkoff, près de Jaroslav – Scène du saint thaumaturge Nicolas, au-dessous de la rivière Pinega – Arabe près de Samarkande – Riche Kirghiz – Sarte chef du village Chadchagueute – Kirghiz près d'Orenbourg – Une Kirghize – Sarte Molka-Fazil – Jeune femme de Kara-Kirghiz – Chinois de la tribu Siho – Escalier de la mosquée Chach-Zinda – Kara-Kalmouk – L'école de Samarkande près de la mosquée Chach-Zinda – Bohémien – Indien musulman – Ruines à Tchougoutchak – Bachkir enfermé dans la prison d'Orenbourg – Jeune Persan – Un Kouramin près du Tachkent – Tatar de la prison d'Orenbourg – Abandonné – Près du mur de la forteresse – Ruines d'un oratoire chinois – Indien – Galerie Arka dans le palais de Samarkande – Sur la tombe de Tamerlan – Sarte marchand de vaisselle – Dans les montagnes d'Alatoon – Sarte chanteur – Soldats du Turkestan – Coin de la forteresse à Tchougoutchak – Soldat en uniforme d'été – Femme sarte à Tachkent – Gour-Emir – Mosquée sur la tombe de Tamerlan – La vie nomade des Kirghizes – Séjour d'hiver dans la vallée du fleuve Tchou – Montagnes près du lac Issyk-Koula – Coin de la citadelle et du cimetière russe à Samarkande – Lac salé séché dans la vallée du fleuve Tchou – Tombe de Kirghiz dans les montagnes – Écuries à Samarkande – Porte de jardin à Tchougoutchak – Maison à Samarkande – Lac d'Ara-Koul – Près du lac d'Ara-Koul – Soldat chinois – Soldat de Boukharie – Une Kirghize – Un juif – Habitant de l'Afghanistan – Garçon juif – Procession religieuse de musulmans chiites, le dixième jour du mois Mogarem Choucha – Pneumatomaques en prière – Femme de Tadchik – Femme de Sartiansk – Chinoise de la tribu Siho – Ouvrier Lama kalmouk – Chinois de la tribu Siho – Persan – Fonctionnaire chinois – Tadckik – Kouraminetz – Fonctionnaire chinois de la tribu Siho – Un Afganetz à Ko – Fille de Kirghiz – Officier de Kokan – Kirghiz riche – Kirghiz – Une Kirghize jeune – Chinois – Chinoise – Petite chinoise de la tribu Siho – Petit chinois* – Saint Louis : *Le défilé de Sehipka* – Saint-Pétersbourg (Mus. Russe) : *Poêle russe – La neige – Temple de Chinto à Nokko, deux fois – Entrée de ce temple – Japonais – Près du temple – Bateau – Prêtre japonais – Maison japonaise – Mendiant – Temple de Bouddha à Tokio – Vue de Tokio – Entrée du temple à Kioto – Au parc – Temple à Tokio – Sur le pont – Mai-*

sonnette – Temple de Bouddha à Nikko – Près de Suez – Plusieurs marines – *Constantinople – La mer Noire – Suez – Près de Constantinople – La mer Rouge – Chariot – Habitation d'indigènes – L'Archipel – Près des Dardanelles – Environs de Moscou – Le crépuscule – A Moscou, le champ Chadinskoïe – Tatar – Type du Sud – Grec – Coucher de soleil – Au Caucase – Juive – L'hiver,* esquisses et études – *Soldat français – Le maréchal Davoust – Mont Kasbek – Mont Elbrouz – Mont Elbrouz sous la pluie – Entrée d'église sous Kasbek – Église en Géorgie – Moscou l'hiver – La Crimée – La draperie – Dans la forêt – Rivage de la mer – La nuit – Cimetière français – Vue intérieure de l'église de Saint-Jean-le-Théologien – Vieille femme du Volga – La ville de Vologda – Coucher de soleil – La Dvina du Nord – Coucher de soleil à Belo-Slouda – La nuit – Intérieur d'église – Intérieur de l'église de Petchouga – Avant la confession – L'iconostase dans l'église de Toltckkoff – Coucher de soleil sur la mosquée – Neige de l'Himalaya – Les aigles – Cannibale – Les vaincus – Les vainqueurs* – Vingt-trois peintures et études sur la guerre hispano-américaine – Neuf peintures et études sur la guerre russo-turque – Toledo : *Le nuage d'or.*

Ventes Publiques : New York, 24-26 fév. 1904 : *Route militaire à Tiflis* : **USD 110** – New York, 15 et 16 mars 1906 : *Soleil couchant aux Indes* : **USD 290** – Paris, 4 juin 1941 : *Vue de la ville de Pskow* : **FRF 180** – Paris, 23 oct. 1944 : *Cheval tenu en laisse* : **FRF 5 000** – Alexandrie, 16 déc. 1949 : *Rue de marché à Tiflis* : **GBP 115** – Londres, 3 mars 1982 : *Un officier de cavalerie* 1881, h/t (43x36) : **GBP 1 800** – Londres, 5 oct. 1989 : *Étude pour la peinture Attaque surprise* 1871, h/t (28x67,3) : **GBP 28 600** – New York, 14 oct. 1993 : *Deux Arabes en caftan blanc passant sous une arche,* h/t (60,3x45,5) : **USD 9 775** – Londres, 17 juil. 1996 : *Bédouin sur un chameau,* h/t (32x21) : **GBP 5 980** – Londres, 19 déc. 1996 : *Portrait d'un derviche,* h/t (53x26) : **GBP 38 900** – Londres, 11-12 juin 1997 : *Le Marché de Bakou* 1876, h/t (28,5x70) : **GBP 23 000**.

VEREECKE Aelbrecht

Mort après 1584. XVIe siècle. Actif à Bruges. Éc. flamande.

Peintre.

Il était membre de la gilde de Bruges.

VEREECKE Amand et non **Armand**

Né le 28 août 1912 à Ixelles (Bruxelles). Mort le 3 décembre 1990 à Ixelles. XXe siècle. Belge.

Peintre. Intimiste, puis tendance abstrait-géométrique.

Il fit ses études aux académies des Beaux-Arts d'Ixelles et d'Etterbeek. Il fut aussi écrivain.

Dans une première période figurative surréalisante, il peignait des scènes intimistes. Dans sa deuxième période, il a développé des modulations lumineuses de dégradés de bleus, de carmins, sur des formes géométriques régulières, quadrilatères, sphères, cônes. Curieusement, il utilise des formes souvent jugées froides pour une peinture très intériorisée, presque intimiste. Tout est dit en des tons mineurs parmi lesquels dominent les bleus, les violets, les mauves, parfois des pourpres. Il utilise aussi des effets nacrés qui plongent étrangement cet univers formaliste dans une atmosphère symboliste.

Musées : Ixelles – Ostende.

Ventes Publiques : Lokeren, 10 oct. 1992 : *En Flandre,* h/pan. (49,5x35) : **BEF 55 000**.

VEREECKEN Achille

Né en 1889 à Gand. Mort en 1933. XXe siècle. Belge.

Peintre de genre, figures, paysages, natures mortes, aquarelliste.

Il fut élève de l'académie des beaux-arts de Gand, où il eut pour professeur J. Delvin. Il étudia également l'architecture.

Bibliogr. : In : *Dict. biogr. ill. des artistes en Belgique depuis 1830,* Arto, Bruxelles, 1987.

VEREGHEN Josse ou **Jodocus** ou **Vereyen** ou **Veregius**

XVIe siècle. Actif à Anvers. Éc. flamande.

Peintre verrier.

VEREISKI Gueorgui Semionovitch

Né en 1886 à Proskourivo (ville de Khmelnitski). Mort en 1962 à Leningrad. XXe siècle. Russe.

Graveur, dessinateur.

Il étudia dans l'atelier de E. Chreïder à Kharkov. En 1905, il participe au mouvement révolutionnaire et jusqu'en 1907 émigre en Allemagne et en Italie. Conservateur du département des gravures du musée de l'Ermitage à Leningrad, il enseigne à l'institut des arts décoratifs à partir de 1918, et à l'académie des arts en 1921 et 1922. Il fut membre de l'association du Monde de l'Art, des Quatre Arts, et de l'académie des Arts d'URSS. En 1979 à Paris, il était représenté à l'exposition *Paris-Moscou,* au Centre Georges Pompidou.

Il a réalisé des gravures à l'eau-forte, des dessins et des lithographies.

Bibliogr. : Catalogue de l'exposition : *Paris-Moscou,* Centre Georges Pompidou, Paris, 1979.

Musées : Moscou (Gal. Tretiakov) : *Le Parc* 1925, lavis.

VERELLEN Jean Joseph

Né le 23 août 1788 à Anvers. Mort le 21 mai 1856 à Anvers. XIXe siècle. Éc. flamande.

Peintre d'histoire.

Élève d'Herreyns. On cite de lui : *Jupiter et Mercure chez Philémon et Baucis.*

VERELST. Voir aussi **ELST** et **HELST**

VERELST Alois ou **Verhelst**

Né en 1743 à Augsbourg. XVIIIe siècle. Allemand.

Graveur au burin, sculpteur-modeleur de cire.

Fils d'Egidius Verelst l'Ancien.

VERELST Cornelis

Né vers 1667 à La Haye. Mort en 1728 ou 1734 à Londres. XVIIe-XVIIIe siècles. Hollandais.

Peintre de fleurs et de portraits.

Fils et élève d'Herman Verelst dont il adopta le genre. Il accompagna son père en Angleterre.

Ventes Publiques : Paris, 22 mai 1985 : *Bouquet de fleurs sur une table,* h/t (76,5x63,5) : **FRF 55 000**.

VERELST Egidius ou **Egid I**, l'Ancien ou **Verhelst**

Né le 13 décembre 1696 à Anvers. Mort le 19 avril 1749 à Augsbourg. XVIIIe siècle. Éc. flamande.

Sculpteur et stucateur.

Le sculpteur de la cour W. Groff le fit appeler à Munich où il travailla pour le château de Nymphenbourg et plusieurs églises des environs. Ses fils furent artistes ; Egidius II fut peintre, Ignaz, sculpteur, Alois, graveur sa fille, Marie-Thérèse, cultiva également les beaux-arts.

VERELST Egidius ou **Egid II**, le Jeune ou **Verhelst**

Né le 25 août 1733 à Ettal. Mort en 1818 à Munich. XVIIIe-XIXe siècles. Allemand.

Peintre, dessinateur, sculpteur et graveur au burin.

Fils et élève d'Egidius I Verelst. Il fut d'abord sculpteur, comme son père et exerça cette profession à Munich, à Stuttgart, à Augsbourg, à Düsseldorf, à Manheim. A Augsbourg, la connaissance qu'il fit du graveur Stärkel l'amena à l'étude de la gravure. Il vint à Paris pour se perfectionner et y fut élève de J. G. Wille. Il revint en Allemagne, et s'établit à Munich comme graveur. On lui doit des portraits, des sujets de genre et d'histoire et des paysages.

VERELST Herman

Né vers 1641-1642 à La Haye. Mort vers 1690 à Londres. XVIIe siècle. Hollandais.

Peintre de compositions religieuses, portraits, natures mortes, fleurs.

Élève de son père Pieter Verelst. En 1663, dans la gilde de La Haye, maître en 1666. De 1667 à 1670 il résida à Amsterdam. En 1680 il alla à Rome et à Vienne. Lorsque en 1683 cette ville fut assiégée par les Turcs, il alla à Londres avec son fils Cornelis et sa fille Maria.

H. verelst. F. Ao. 1667.

Musées : Amsterdam : *Johan de Witt et sa femme – Wendeln Birker* – Barnard Castle : *Sainte Famille* – Kassel : *Bouquet de fleurs* – Lucques (Gal. Mansi) : *Deux portraits et une nature morte.*

Ventes Publiques : Stockholm, 30 nov. 1993 : *Portrait de Lady Hill,* h/t (75x63) : **SEK 17 500**.

VERELST Ignaz Wilhelm ou **Verhelst**

Né le 23 juillet 1729 à Munich. Mort le 12 novembre 1792 à Augsbourg. XVIIIe siècle. Allemand.

Graveur au burin et sculpteur.

Élève et assistant de son père Egidius Verelst l'Ancien. Il collabora avec son frère Placidus Il sculpta des tombeaux, des autels, des statues et des chaires pour des églises d'Augsbourg et grava des paysages et des architectures.

VERELST Jan ou **Johannes**

Né le 29 octobre 1648 à Dordrecht. XVIIe siècle. Travaillant à Londres. Hollandais.

Peintre de natures mortes.

Mentionné en 1691 à Londres comme témoin. Le Musée d'Amsterdam conserve de lui une *Nature morte.*

Ventes Publiques : Gand, 1837 : *Paysage d'hiver avec patineurs* : **FRF 75** – Londres, 17 juin 1983 : *Portrait d'un gentilhomme*, h/t (126,3x101,6) : **GBP 900**.

VERELST Maria ou **Varelst**

Née en 1680 à Vienne. Morte en 1744 à Londres. XVIIIe siècle. Hollandaise.

Peintre d'histoire, portraits.

Fille du peintre Herman Verelst et élève de son oncle Simon Verelst. Elle partit pour Londres à l'âge de trois ans. Elle était aussi musicienne et polyglotte.

Musées : Nuremberg : *Portrait de jeune homme.*

Ventes Publiques : Londres, 22 mai 1985 : *Portrait of Elizabeth, Viscountess Torrington*, h/t (124,5x99) : **GBP 2 100** – Londres, 10 avr. 1991 : *Portrait de Caroline Lowndes vêtue d'une robe rose avec une écharpe bleue et tenant un panier de fruits*, h/t (125,5x100,5) : **GBP 2 090**.

VERELST Pieter Harmensz ou **Van der Elst** ou **Ver Elst** ou **Verheelst**

Né vers 1618 à Dordrecht (?). Mort après 1668 ou 1678. XVIIe siècle. Hollandais.

Peintre de genre, portraits, natures mortes.

Une grande incertitude existe au sujet de cet artiste, aussi bien sur la date de sa naissance, de celle de sa mort que des conditions mêmes de sa vie. Certains biographes le disent élève de Gérard Dou, mais cette affirmation paraît généralement abandonnée par les critiques modernes. On le cite d'abord dans la gilde de Dordrecht le 12 juillet 1638. Il se maria en cette ville en 1640. Peut-être résida-t-il à Anvers. En 1643, on le cite venant à La Haye. En 1656, il est parmi les fondateurs de la gilde de cette ville. En 1668 il quitte La Haye, pour échapper à ses créanciers, croit-on. On n'entend plus parler de lui après cette date. On trouve dans certains ouvrages, notamment dans des catalogues de musées, des allégations erronées sur cet artiste, comme, par exemple, sa prétendue mort à Amsterdam en 1653. On cite parmi ses élèves, ses fils, Simon et Herman, Hendrik Morny, Otto Oyens, Herman Grevenbroeck. Il signait ses ouvrages parfois de son monogramme, ou des initiales *P. V. D. E.* ou *P. V. E.* ou bien encore *Pieter Verheelst* et *Pieter Verelst.*

Il imita Rembrandt dans ses portraits et s'inspira d'Adriaen Van Ostade dans ses tableaux de genre, mais il le fit avec assez de talent pour que ses œuvres soient estimées.

P. VERELST 1648

Musées : Aix-la-Chapelle : *Paysans faisant de la musique* – Berlin : *Portrait de vieille femme – La couturière* – Bonn : *Joueurs et fumeurs – Le fumeur* – Budapest : *Le bon vin* – Cologne : *Portrait de vieille dame* – Copenhague : *Intérieur de paysans hollandais* – Dijon : *Portrait de femme* – Dresde : *Vieillard – Vieillard lisant – La vieille dévideuse* – Fribourg : *Paysans jouant aux cartes* – Graz : *Intérieur d'un cabaret* – Haarlem : *Famille hollandaise* – Karlsruhe : *Les couteaux tirés* – Kassel : *Bouquet de fleurs – Le petit jeu* – Lille : *Homme assis* – Mayence : *Cabaret italien* – New York : *Cabaret* – Toulouse : *Tête de vieillard* – Verviers : *Scène de chasse* – Vienne : *Paysans fumant – Paysans buvant.*

Ventes Publiques : Paris, 12 et 13 juil. 1905 : *Portrait de dame âgée* : **FRF 1 000** – Amsterdam, 21 mars 1950 : *Joyeuse compagnie* : **NLG 1 800** – Vienne, 14 nov. 1950 : *Le couple surpris* : **ATS 2 200** – Paris, 27 juin 1963 : *Nature morte à la cafetière* : **FRF 9 000** – Vienne, 29 nov. 1966 : *La partie de cartes* : **ATS 60 000** – Londres, 5 déc. 1969 : *Jeune homme fumant* : **GNS 700** – Paris, 31 mai 1972 : *Un changeur* : **FRF 10 500** – New York, 12 jan. 1978 : *Scène d'intérieur rustique* 1633, h/pan. (47,5x63,5) : **USD 8 000** – New York, 31 mai 1979 : *Nature morte aux fleurs* 1664, h/t (45,8x58,5) : **USD 36 000** – Londres, 20 fév. 1981 : *Nature morte* 1659, h/t (92x112,4) : **GBP 5 000** – Londres, 24 oct. 1984 : *Portrait d'un gentilhomme* 1649, h/pan., vue ovale (74x59) : **GBP 5 500** – New York, 13 mars 1985 : *Tobie guérissant son père*, h/t (146x164,5) : **USD 14 000** – Monaco, 2 déc. 1989 : *Portrait d'un savant dans son cabinet* 1648, h/pan. (70,5x50) : **FRF 166 500** – Londres, 15 déc. 1989 : *Buste d'homme portant la barbe et vêtu de noir*, h/pan. (74x59,6) : **GBP 10 450** – Londres, 19 avr. 1991 : *Jeune femme écaillant des poissons dans un intérieur* 1650, h/pan. (20,6x18) : **GBP 24 200** – Rome, 23 avr. 1991 : *Portrait pastoral d'une riche famille*, h/pan. (120x152) : **ITL 40 000 000** – New York, 17 jan. 1992 : *Couples élégants buvant dans un intérieur*, h/t (44,5x36,5) : **USD 220 000** – Londres, 7 juil. 1993 : *La leçon d'écriture*, h/pan. (31,5x25,5) : **GBP 60 900** – New York, 12 jan. 1994 : *Paysans buvant et jouant aux cartes dans un intérieur*, h/pan. (47x62,9) : **USD 23 000** – New York, 12 jan. 1995 : *Paysans bavardant dans une taverne*, h/pan. (51,4x42,5) : **USD 14 950** – Londres, 5 avr. 1995 : *Portrait d'un jeune homme en buste, portant un chapeau avec une plume rouge*, h/t (63,5x53) : **GBP 29 900** – Amsterdam, 14 nov. 1995 : *Une vieille femme*, h/pan. (73,5x59) : **NLG 12 980** – New York, 30 jan. 1997 : *Portrait d'un homme barbu portant une toque*, h/pan. (73,7x59,7) : **USD 199 000** – Londres, 30 oct. 1997 : *Vieille femme assise sur une chaise rouge comptant ses sous*, h/pan. (68x56,8) : **GBP 8 050**.

VERELST Placidus ou **Verhelst**

Né le 9 avril 1727 à Ettal. Mort en 1778 à Saint-Pétersbourg (?). XVIIIe siècle. Allemand.

Sculpteur, modeleur, stucateur et graveur au burin.

Frère d'Ignaz Wilhelm Verelst. Il s'établit en Russie en 1774. Il exécuta de nombreuses sculptures dans des églises d'Augsbourg et des environs.

VERELST Simon Peeterz, ou **Pietersz** ou **Varelst** ou **Ver Elst**

Né le 21 septembre 1644, baptisé à La Haye. Mort en 1721 ou 1710 à Londres. XVIIe-XVIIIe siècles. Hollandais.

Peintre de portraits, de fleurs et de fruits.

C'est à tort qu'on l'a fait naître à Anvers vers 1637-1640, et même 1664. Ainsi que son frère aîné, Herman, il fut élève de leur père Pieter Verelst. Simon Verelst alla à Londres sous le règne de Charles II et y obtint un grand succès, comme peintre de fleurs et de fruits. Sur le conseil du duc de Buckingham, il s'adonna au portrait et n'y réussit pas moins bien. Souvent il lui arriva, pour donner toute la mesure de son talent, d'entourer ses portraits de guirlandes, de fruits et de fleurs. Walpole, qui ne lui paraît guère favorable, dit que les éloges qui lui étaient faits finirent par lui tourner la tête. Il se déclarait « le dieu des fleurs » ou « le roi des peintres ». Il fit de telles excentricités qu'on dut l'interner pendant un certain temps dans une maison de fous. Il s'y guérit et put reprendre ses pinceaux à la fin de sa vie. Il paraît avoir été très lié avec son frère Herman, qui vint le rejoindre à Londres après 1683 et ce fut lui, surtout, qui forma le talent de sa nièce Maria Verelst, la fille d'Herman.

Musées : Boston : *Nature morte* – Brunswick : *Fleurs* – Compiègne : *Portrait de femme* – Copenhague : *Verre avec fleurs* – Grenoble : *Vase de fleurs* – Hanovre : *Fleurs* – La Haye : *Fleurs* – Londres (Victoria and Albert Mus.) : Une aquarelle – Munich : *Nature morte* – Naples (Mus. mun.) : *Paysage avec figures* – Narbonne : *Tête de vieillard* – New York : *Fleurs* – Pommersfelden : *Bouquet de fleurs* – Reims : *Deux bouquets de fleurs* – Stockholm : *Fleurs.*

Ventes Publiques : Amsterdam, 1706 : *Un pot de fleurs* : **FRF 300** – Amsterdam, 1710 : *Un vase de fleurs* : **FRF 165** – Paris, 1881 : *Les bohémiens* : **FRF 1 250** – Londres, 23 mars 1910 : *Nature morte sur une table* 1663 : **GBP 36** – Londres, 25 fév. 1911 : *Dame en bleu* 1712 : **GBP 1** – Londres, 21 juin 1929 : *Fruits et fleurs* : **GBP 115** – Paris, 14 déc. 1935 : *Vase de fleurs* : **FRF 2 550** – Londres, 9 mai 1945 : *Bouquet de fleurs* : **GBP 130** – Londres, 12 oct. 1945 : *Fleurs dans un vase* : **GBP 861** – Londres, 5 avr. 1946 : *Fleurs dans un bol* : **GBP 378** – Londres, 3 mai 1946 : *Fleurs dans un vase sculpté* : **GBP 420** – Londres, 11 mai 1960 : *Fleurs d'été* : **GBP 720** – Paris, 23 nov. 1962 : *Vase de fleurs* :

FRF 5 800 - Lucerne, 28 nov. 1964 : *Nature morte aux fleurs* : **CHF 33 000** - Londres, 16 mars 1966 : *Nature morte aux fleurs* : **GBP 2 900** - Amsterdam, 25 nov. 1969 : *Nature morte aux fleurs* : **NLG 38 000** - Milan, 21 mai 1970 : *Natures mortes*, deux toiles : **ITL 5 000 000** - Londres, 26 nov. 1971 : *Nature morte aux fleurs* : **GNS 4 000** - Zurich, 12 nov. 1976 : *Nature morte aux fleurs*, h/t (49,5x39,5) : **CHF 26 000** - Londres, 23 nov. 1977 : *Portrait of Mary of Modena*, h/t (122x99) : **GBP 8 800** - Londres, 30 mars 1979 : *Nature morte aux fleurs*, h/t (46,2x39,2) : **GBP 15 000** - Lucerne, 12 nov. 1982 : *Bouquet de fleurs*, h/t (67,5x53) : **CHF 22 000** - Londres, 15 avr. 1983 : *Fleurs dans un vase*, h/t (83,9x67,2) : **GBP 22 000** - Hungerford (Angleterre), 21 nov. 1985 : *Portrait de Nell Gwyn*, h/t (127x101,5) : **GBP 22 000** - Londres, 11 avr. 1986 : *Nature morte aux fleurs sur un entablement*, h/t (33,7x27,6) : **GBP 38 000** - Milan, 4 avr. 1989 : *Nature morte avec des pêches, du raisin, des groseilles et des papillons*, h/t (52x42) : **ITL 54 000 000** - Londres, 7 juil. 1989 : *Nature morte d'une importante composition florale dans un vase de verre avec une montre posée sur un entablement*, h/t (71,5x61,5) : **GBP 49 500** - Amsterdam, 28 nov. 1989 : *Nature morte avec des fleurs d'oranger, des œillets et autres fleurs dans un vase de cristal sur un entablement*, h/t (35,5x30,3) : **NLG 36 800** - Monaco, 2 déc. 1989 : *Vase de fleurs sur un entablement*, h/t (57x47) : **FRF 333 000** - New York, 11 jan. 1990 : *Nature morte de pavots, iris, pivoines, tulipe et autres fleurs dans un vase de cristal ; Nature morte de pêches, melon, groseilles, cerises et raisin sur un entablement*, h/t, une paire (chaque 54,5x44) : **USD 495 000** - Londres, 16 mai 1990 : *Portrait de Nell Gwyn en Diane*, h/t (123,5x101) : **GBP 9 020** - Londres, 6 juil. 1990 : *Pavots, iris, tulipes, roses et autres fleurs dans un vase de verre sur un entablement*, h/t (98,3x76) : **GBP 143 000** - Londres, 17 avr. 1991 : *Nature morte de fleurs dans un vase de verre sur un entablement de pierre*, h/t (85x67,5) : **GBP 26 400** - Londres, 5 juil. 1991 : *Nature morte avec une tulipe, une pivoine et d'autres fleurs dans un vase de cristal avec un papillon blanc posé sur un entablement de pierre*, h/t (44,5x35,5) : **GBP 41 800** - New York, 14 jan. 1993 : *Composition florale avec des iris, des coquelicots, des roses, des pivoines et autres fleurs sur en entablement de pierre*, h/t (76,2x64,2) : **USD 28 600** - Londres, 24 fév. 1995 : *Portrait d'une dame assise de trois-quarts dans une chemise très décolletée et tenant une grappe de raisin*, h/t (125,7x103) : **GBP 18 400** - Londres, 6 déc. 1995 : *Nature morte de roses, tulipes, coquelicots et roses trémières dans un vase doré avec un colimaçon, un papillon et une libellule*, h/t (72x59,5) : **GBP 41 100** - New York, 30 jan. 1997 : *Nature morte d'un tournesol, de coquelicots, de roses, d'une tulipe et autres fleurs dans un vase de verre posé sur un entablement à côté d'une montre, d'un ruban et d'une clé*, h/t (78,4x60,3) : **USD 134 500** - New York, 23 mai 1997 : *Un tournesol, des coquelicots, des roses, une tulipe et autres fleurs dans un vase de verre avec des grappes de raisins sur un entablement*, h/t (86x67,5) : **USD 68 500** - Londres, 3 juil. 1997 : *Nature morte de coquelicots, roses, volubilis et autres fleurs dans un vase en verre sur une table*, h/t (51,3x41,9) : **GBP 23 000**.

VERELST Willem

Mort après 1756 à Londres. XVIIIe siècle. Britannique.

Peintre de portraits, animaux, natures mortes.

Fils de Cornelius Verelst. On ne dit pas qu'il naquit à Londres, ce qui nous paraît possible sinon probable.
Dans tous les cas, il continua dans la métropole anglaise la tradition de bon peintre de portraits et de natures mortes qu'y avaient établie ses ancêtres. On cite notamment de lui un bon portrait de Smottley, qu'il peignit en 1756. Le Musée de Rotterdam possédait, avant l'incendie de 1864, deux portraits de lui datés de 1729.

Musées : Bradford : *Portrait de sir William Wentworth* – Londres (Nat. Portrait Gal.) : *John Dean*.

Ventes Publiques : Londres, 10 déc. 1910 : *Faisans morts* : **GBP 12** - Londres, 10 juil. 1925 : *La duchesse de Portsmouth* : **GBP 157** - New York, 7 avr. 1989 : *Portrait d'un jeune gentilhomme et son chien 1739*, h/t (124x99) : **USD 12 100** - Londres, 17 nov. 1989 : *Portrait d'une dame (Eleanor Mytton ?) vêtue d'une robe bleue tenant un chapeau de paille avec un chien de meute près d'elle 1738*, h/t (125,7x99) : **GBP 11 000** - Londres, 16 mai 1990 : *Portrait d'un gentilhomme avec sa femme et ses enfants assis de part et d'autre d'une table drapée*, h/t (98x126) : **GBP 3 300** - Londres, 13 avr. 1994 : *Portrait d'un gentilhomme assis et réalisant une expérience de physique*, h/t (126x99) : **GBP 4 600** - Londres, 6 nov. 1995 : *Portrait d'un gentilhomme debout près d'une colonne et tenant une lettre*, h/t (52x42) : **GBP 1 725**.

VERELT Jan Wilckens ou **Willekens Van**, dit **Jan** ou **Johan Holländer**

D'origine hollandaise. Mort en 1692 à Kolding. XVIIe siècle. Danois.

Sculpteur et stucateur.

Il travailla pour les châteaux de Rosenborg et de Kolding.

VERENDAEL Frans

Né en 1659 à Anvers. Mort en 1747. XVIIe-XVIIIe siècles. Éc. flamande.

Peintre.

Le Musée de Caen conserve de lui deux toiles : *Fleurs* et *Insectes et papillons*. Il y a sûrement une parenté avec Veerendael (Nicolaes Van).

Ventes Publiques : Paris, 3 déc. 1984 : *Bouquet de fleurs dans un vase*, h/pan. (32,5x27,5) : **FRF 73 000**.

VERENDAEL Nicolaes Van. Voir **VEERENDAEL**

VERENDAEL Willem ou **Veerendael**

XVIIe siècle. Actif à Anvers. Éc. flamande.

Peintre.

Père de Nicolaes Van Veerendael.

VERENDRENT

XVIIIe siècle. Français.

Graveur.

Il grava d'après Greuze, Pœlenburg et Ch. Lacroix.

VERES Slavko

Né le 24 décembre 1887 à Vrtlinska. XXe siècle. Yougoslave.

Peintre, illustrateur.

Il fut élève de l'Académie de Zagreb. Poète et peintre, il travailla pour des revues humoristiques.

VERES Zoltan

Né le 29 janvier 1868 à Kolozsvar. Mort le 20 décembre 1935 à Budapest. XIXe-XXe siècles. Hongrois.

Peintre de genre.

Peintre, il restaura également des tableaux et écrivit sur l'art. Il figura aux expositions de Paris, notamment à l'Exposition universelle, où il reçut une médaille de bronze en 1900.

Musées : Budapest (Mus. Nat.).

VERESMITH Daniel A. Voir **WEHRSCHMIDT**

VERETSHCHAGIN. Voir **VERECHTCHAGUINE**

VEREY Arthur

XIXe-XXe siècles. Britannique.

Peintre de genre, scènes typiques, paysages.

Il exposa à Londres, à partir de 1873, des sujets rustiques, notamment de 1880 à 1900 à la Royal Academy, et à Suffolk Street.

Ventes Publiques : Londres, 16 juil. 1909 : *Sujet de genre* : **GBP 10** - Londres, 3 juil 1979 : *The donkey cart*, h/t (49x74) : **GBP 850** - Londres, 11 oct. 1991 : *Les faucheurs de trèfle*, h/t (76,2x127) : **GBP 2 200**.

VEREYCKE Hans

XVIe siècle. Actif à Bruges. Éc. flamande.

Peintre.

Il est probablement identique à Jan Van Eeckele, qui vivait à Bruges à cette époque. Voir Eeckele (Jan Van).

VEREYCKEN Edouard, baron ou **Verreycken**

Né en 1893 à Anvers. Mort en 1967. XXe siècle. Belge.

Sculpteur de sujets religieux.

Il fut élève de l'académie d'Anvers. Il reçut le prix de Rome.

Bibliogr. : In : *Dict. biogr. ill. des artistes en Belgique*, Arto, Paris, 1987.

Ventes Publiques : Anvers, 29 avr. 1981 : *Jésus et Barabas*, bronze (H. 75) : **BEF 65 000**.

VEREYEN Josse. Voir **VEREGHEN**

VEREYK Theodor. Voir **VERRYCK Dirk** ou **Theodor**

VEREYK W.

XVIIIe-XIXe siècles. Hollandais.

Peintre.

VEREZ Georges Armand

Né le 1er août 1877 à Lille (Nord). Mort le 17 janvier 1933. XXe siècle. Français.

Sculpteur.

Il fut élève de Louis Ernest Barrias. Il exposait à Paris, au Salon des Artistes Français, dont il fut membre sociétaire hors-concours. Il reçut une médaille de troisième classe en 1907, une médaille de deuxième classe en 1908, une médaille de première classe en 1909.

VERFLASSEN Ernst
Né en 1806 à Oestrich. Mort le 18 août 1845 à Nuremberg. XIXe siècle. Allemand.
Peintre d'architectures.
Le Musée de Mayence conserve de lui : *Cour du château d'Elz.*

VERFLASSEN Johann Heinrich
Né en 1799 à Coblence. Mort en 1883 à Coblence. XIXe siècle. Allemand.
Peintre.
Frère de Johann Jakob Ignaz Verflassen. Le Musée du Château de Coblence conserve de lui *Portrait de l'artiste.*

VERFLASSEN Johann Jakob Christian
Né en 1755 à Langenschwalbach. Mort en 1825 à Weilbourg. XVIIIe-XIXe siècles. Allemand.
Peintre et lithographe.
Il travailla pour les résidences de Coblence et de Weilbourg. Il peignit surtout des paysages.

VERFLASSEN Johann Jakob Ignaz
Né en 1797 à Coblence. Mort en 1868 à Vallendar. XIXe siècle. Allemand.
Peintre.
Fils de Johann Jakob Christian Verflassen. Il peignit un chemin de croix dans l'église de Vallendar et pour le château de Weilbourg. Le Musée de Coblence conserve de lui *Portrait de l'artiste.*

VERFLOET. Voir **VERVLOET**

VERFLUTE Michiel. Voir **FLEUTTE**

VERGA Napoleone
Né le 9 février 1833 à Pérouse. Mort le 19 avril 1916 à Nice (Alpes-Maritimes). XIXe-XXe siècles. Italien.
Peintre de miniatures.
Il fut élève de l'Académie de dessin de Pérouse, puis de l'Académie Saint-Luc à Rome. Il a exposé dans toutes les villes d'Italie, et à Londres en 1862.

VERGARA Angel
XXe siècle. Actif en Belgique. Espagnol.
Créateur d'installations, peintre.
Il montre ses œuvres dans des expositions personnelles : 1993 galerie de l'Ancienne Poste, le Channel de Calais.
Ses installations envahissent la galerie, reproduisant un espace public, notamment *Salon public, Café.* Elles réunissent peintures et objets, et ont pour fonction d'établir un lien entre public et culture, entre la vie et l'art.
Bibliogr. : Nathalie Ergino : *Angel Vergara,* Art Press, n° 181, Paris, juin 1993.

VERGARA Arnao de
XVIe siècle. Espagnol.
Peintre verrier.
Il travailla, avec Arnao de Flandes, pour la cathédrale de Séville en 1525.

VERGARA Carlos
Né en 1941. XXe siècle. Brésilien.
Peintre de figures.
Il pratique une figuration qui s'attaque au régime totalitaire en place à partir du milieu des années soixante, avec des personnages agressifs aux couleurs franches.
Bibliogr. : Damian Bayon, Roberto Pontual : *La Peinture de l'Amérique latine au XXe siècle,* Mengès, Paris, 1990.

VERGARA Eusebio Marcellino
Mort en 1771 à Talavera-de-la-Reina. XVIIIe siècle. Espagnol.
Peintre.
Il était chanoine.

VERGARA Francisco de I
XVIe siècle. Espagnol.
Sculpteur sur bois.
Il a sculpté en 1598 un retable à Séville.

VERGARA Francisco de II
Né le 1er mars 1681 à Valence. Mort le 6 août 1753 à Valence. XVIIIe siècle. Espagnol.
Sculpteur.
Élève et assistant de Konrad Rudolph pour les sculptures du portail central de la cathédrale de Valence. Il sculpta des statues pour des églises de cette ville et des environs.

VERGARA Francisco de III
Né le 19 novembre 1713 à Alcudia di Carlet. Mort le 30 juillet 1761 à Rome. XVIIIe siècle. Espagnol.
Sculpteur.
Il travailla pour des églises de Madrid, la cathédrale de Cuenca et Saint-Pierre de Rome.

VERGARA Ignacio
Né le 9 février 1715 à Valence. Mort le 13 avril 1776 à Valence. XVIIIe siècle. Espagnol.
Sculpteur.
Frère de Josef Vergara. Il fut comme lui, un des fondateurs de l'Académie de Santa Barbara, à Valence. Il sculpta de nombreuses statues et bas-reliefs pour les églises de Valence.

VERGARA Josef ou **José**
Né le 2 juin 1726 à Valence. Mort le 9 mars 1799 à Valence. XVIIIe siècle. Espagnol.
Peintre d'histoire, sujets religieux, portraits, compositions murales, dessinateur.
Il est le frère cadet du sculpteur Ignacio Vergara. Il fut élève d'Evariste Munoz et, par la suite, s'inspira des maîtres français du XVIIIe siècle, notamment d'Antoine Coypel. Il collabora avec son frère et son premier maître à la fondation de l'Académie des Beaux-Arts de Valence, dont il sera nommé directeur en 1754. Il fut aussi membre de l'Académie des Beaux-Arts de Madrid.
Il peignit, à fresque et à l'huile, divers sujets religieux dans les églises de Valence et des environs. On cite notamment de lui une *Immaculée Conception* au monastère de San Francisco. Il a laissé un ouvrage manuscrit sur les peintres de Valence.
Bibliogr. : In : *Dictionnaire de la peinture espagnole et portugaise du Moyen Âge à nos jours,* coll. Essentiels, Larousse, Paris, 1989.
Musées : Madrid (École des Beaux-Arts) : *Autoportrait – Télémaque dans l'île de Calypso* 1754 – Valence : *Autoportrait – Portrait d'Ignacio Vergara – Sainte Famille* – dessins préparatoires.
Ventes Publiques : New York, 12-14 avr. 1909 : *La Senorita Dona Maria Bryida Agnado y Angulo* : **GBP 275.**

VERGARA Juan de
Né à Tolède. XVIe siècle. Espagnol.
Peintre verrier.
Fils cadet et élève de Nicolas de Vergara l'Ancien. Il est cité comme ayant aidé son frère aîné Nicolas, à l'achèvement des verrières de la cathédrale de Tolède, inachevées à la mort de Nicolas l'Ancien.

VERGARA Nicolas de I, l'Ancien
Né vers 1510 à Tolède selon certaines sources. Mort le 11 août 1574 à Tolède. XVIe siècle. Espagnol.
Peintre verrier, peintre, fondeur et sculpteur.
Certains critiques le supposent natif de Vergara, en Biscaye et disent qu'il en aurait pris le nom. On croit aussi qu'il alla compléter ses études en Italie. Ce qui est certain c'est qu'il était à Tolède en 1542 et qu'il était choisi comme peintre et sculpteur par le chapitre de la cathédrale. Il y exécuta notamment plusieurs verrières fort remarquables, aidé par ses fils Nicolas le Jeune et Juan, qui achevèrent après sa mort ses travaux non terminés. Il fit aussi plusieurs dessins de fresques pour le cloître de la cathédrale, mais ces projets ne furent pas exécutés. Entre-temps, il fut employé par Berruguete à la sculpture du tombeau du cardinal Ximenes à Alcalade Henares. On le signale aussi travaillant à Valladolid.

VERGARA Nicolas de II, le Jeune
Né vers 1540 à Tolède. Mort le 11 décembre 1606 à Tolède. XVIe siècle. Espagnol.
Peintre verrier, sculpteur, architecte et miniaturiste.
Fils aîné et élève de Nicolas de Vergara l'Ancien. Il aida son père dans ses travaux et termina, notamment, des verrières de la cathédrale de Tolède, en collaboration avec son frère Juan. En 1573, Philippe III lui commanda les livres de chœur pour l'Escurial. Comme son père, il est cité parmi les peintres ayant travaillé à Valladolid.

VERGARA Pedro
XVIe siècle. Travaillant à Tolède en 1545. Espagnol.
Peintre.

VERGARI Giulio
XVIe siècle. Actif de 1502 à 1550. Italien.
Peintre.
Il peignit des tableaux d'autel pour des églises d'Amandola, de Bolognola et de Montemonaco.

VERGAY Marton
XVe siècle. Travaillant à Valence en 1420. Espagnol.
Peintre verrier.

VERGAZ Alfonso Giraldo
Né le 23 janvier 1744 à Murcie. Mort le 19 novembre 1812 à Madrid. XVIIIe-XIXe siècles. Espagnol.
Sculpteur.
Élève de Fel. de Castro. Il sculpta des statues et des tombeaux pour des églises de Madrid, de Jaén et de Tolède.

VERGAZON Heindrich ou **Hendrik** ou **Henry** ou **Vergazoon**
Né en Hollande. Mort vers 1705 à Londres (?). XVIIe siècle. Hollandais.
Peintre de paysages, fleurs.
On le cite surtout comme peintre de paysages avec ruines. Il peignit aussi de petits portraits et fut employé par Godfrey Kneller pour la peinture de ses fonds. Walpole prétend qu'il mourut en France.

VERGÉ Jacques. Voir **BERGÉ**

VERGÉ-SARRAT, Mme. Voir **DECHORAIN Rolande**

VERGÉ-SARRAT Henri
Né en 1880 à Anderlecht (Belgique). Mort en 1966. XXe siècle. Français.
Peintre de paysages, aquarelliste, graveur.
Il n'eut aucun maître. Il exposa à Paris régulièrement aux Salons de la Société Nationale des Beaux-Arts, d'Automne et des Tuileries.
Aquarelliste racé, il peignit des scènes d'Afrique du Nord et des paysages de France, jouant, de façon très personnelle, des tons aigus. Observateur réaliste de la nature, il frôla cependant le cubisme.

Vergé-Sarrat

Musées : Bucarest (Mus. Toma-Stelian) : *Paysage* – Paris (Mus. d'Art Mod.) : *L'Oasis – Fin d'hiver en Seine-et-Oise*.
Ventes Publiques : Paris, 20 et 21 déc. 1926 : *Le cabanon de Saint-Mandrier*, sépia : **FRF 1 850** – Paris, 18 avr. 1929 : *Environs de Marrakech* : **FRF 1 480** – Paris, 22 oct. 1943 : *Novembre en Seine-et-Marne* : **FRF 4 600** – Paris, 8 mars 1944 : *Paysage*, aquar. : **FRF 1 900** – Paris, 12 déc. 1946 : *Paysage* : **FRF 6 500** – Paris, 12 jan. 1949 : *Collioure, le faubourg* : **FRF 10 000** ; *Automne à Chanvry, le chasseur* : **FRF 6 200** – Paris, 8 mars 1954 : *Collioure* : **FRF 15 500** – Paris, 7 mars 1979 : *Pêcheurs de l'île d'Yeu* 1949, h/t (89x116) : **FRF 3 650** – Versailles, 24 sep. 1989 : *Château d'Oléron, une rue*, h/t (60,5x73) : **FRF 3 800** – Versailles, 9 déc. 1990 : *Environs de Château-Landon*, h/t (60x73,5) : **FRF 12 500** – Paris, 13 juin 1996 : *Audierne*, h/t (73x92) : **FRF 30 000**.

VERGEAUD Jean Antoine Armand
Né le 2 août 1875 ou 1876 à Angoulême (Charente). XXe siècle. Actif aussi en Tunisie. Français.
Peintre de genre, portraits. Orientaliste académique.
Il fut élève de Gustave Moreau, Fernand Cormon, François Flameng, à l'École des Beaux-Arts de Paris. De 1927 à 1950, il fut le deuxième directeur de l'École des Beaux-Arts de Tunis.
Il a exposé régulièrement à Paris, au Salon des Artistes Français, dont il obtint une mention honorable en 1902, et devint membre sociétaire en 1906 ; il reçut une médaille de troisième classe en 1909, la Légion d'Honneur en 1932, une médaille de bronze en 1937 à l'occasion de l'Exposition Internationale de Paris.
Il a, pendant son long séjour en Tunisie, pratiqué une peinture orientaliste dans l'esprit des peintres du XIXe siècle de ce mouvement, restant académique dans ses compositions équilibrées et la rigueur de son dessin.
Bibliogr. : Catalogue de l'exposition : *Lumières tunisiennes*, Pavillon des Arts, Paris, 1995.
Musées : Tunis (Mus. d'Art Mod.) : *Portrait d'Ali*.

VERGECIUS
XVIe siècle. Grecque.
Miniaturiste.
Elle était la fille d'Angelus Vergecius et travailla fréquemment à l'ornementation des manuscrits écrits par son père, entre autres de l'*Oppian* et du *Manuel Philes de Animalibus* ; ce dernier ouvrage contient une grande quantité de miniatures représentant des animaux de toutes sortes.

VERGELAT
XVIIIe-XIXe siècles. Suisse.
Peintre de miniatures et pastelliste.

VERGELLI Joseph Tiburce ou **Giuseppe Tiburzio** ou **Verzelli**
Né à Recanati. XVIIe siècle. Actif dans la seconde moitié du XVIIe siècle. Italien.
Peintre d'histoire et d'architectures, paysagiste, dessinateur et architecte.
Le Musée de Poitiers conserve deux dessins de lui.

VERGELLI Tiburzio ou **Vercelli** ou **Verzelli**
Né en 1555 à Camerino. Mort le 7 avril 1610 à Lorette. XVIe-XVIIe siècles. Italien.
Sculpteur et fondeur.
Élève de Girolamo Lombardi. Il travailla à Camerino et à Recanati. Il exécuta plusieurs sculptures sur la façade de la cathédrale de Lorette.

VERGENNES Charles de, vicomte
Français.
Paysagiste.
Le Musée de Bourges conserve deux aquarelles de cet artiste amateur.

VERGER
XIXe siècle. Travaillant en 1806. Français.
Tailleur de camées.

VERGER Benj., Mme
XIXe-XXe siècles. Française.
Peintre de genre.
Musées : La Roche-sur-Yon : *Une fileuse*.

VERGER Peter C.
XVIIIe-XIXe siècles. Travaillant à Paris et à New York de 1796 à 1806. Américain.
Graveur au burin et tailleur de camées.

VERGER René
Né le 21 mai 1912 à Meung-sur-Loire (Loiret). Mort en novembre 1988 à Orléans (Loiret). XXe siècle. Français.
Peintre de paysages, paysages urbains. Naïf.
Il commença à peindre en 1920. De 1945 à 1965, il s'expatria en Côte d'Ivoire, où il avait acheté une plantation. En 1950, il y épousa une jeune Baoulé de quinze ans. À partir de 1965, de retour en France, il se consacre à la peinture et s'établit à Orléans.
Il a participé à des expositions collectives : notamment, depuis 1982, au concours international de la peinture naïve en Suisse, où il a reçu de nombreux prix. Il a montré ses œuvres dans des expositions personnelles : à Paris, au musée Jakowsky à Nice, au musée de l'Athénée de Genève, au château de Grandson à Johannesburg.
Il peint surtout des paysages urbains, vues de Paris, de Meung, d'Orléans. Travaillant la peinture à l'huile, au couteau, il applique les théories des couleurs du chimiste Chevreul.
Musées : Nice (Mus. Anatole Jakowsky) : *La Rue Jeanne-d'Arc à Orléans*.

VERGÈSES Hippolyte Jean Baptiste de
Né en août 1847 à Issoire (Puy-de-Dôme). Mort en 1896. XIXe siècle. Français.
Peintre de genre, portraits, intérieurs.
Élève de Carolus Duran et de Gérome, il débuta au Salon de Paris en 1870, pour n'y reparaître qu'en 1879-1880-1881 et 1882. C'est avec sensibilité qu'il peint certains de ses portraits éclairés d'une fine lumière.
Bibliogr. : Gérald Schurr, in : *Les Petits Maîtres de la peinture 1820-1920, valeur de demain*, Les Éditions de l'Amateur, t. IV, Paris, 1979.
Musées : Clermont-Ferrand (Mus. Bargoin) : *Portrait d'homme*.
Ventes Publiques : New York, 15 déc. 1978 : *Salomé* 1882, h/t (131x89) : **USD 5 000** – New York, 1er nov. 1995 : *Salomé* 1882, h/t (128,3x87,6) : **USD 19 550**.

VERGÈSES Pierre Hector de
Né au XIXe siècle à Issoire (Puy-de-Dôme). XIXe siècle. Français.
Peintre de genre.
Élève de Scheffer. Il figura au Salon de 1845 à 1869.

VERGETAS Lionel
Né en 1912 à Paris. XXe siècle. Français.
Peintre de figures, paysages.
Il fut élève à Paris de l'École des Beaux-Arts, où il eut pour professeur André V. E. Devambez, et de l'École des Arts Décoratifs. Il exposa à Rouen, au Salon des Artistes Normands à partir de 1949.

VERGETAS Louis
Né en 1882 à Paris. XXe siècle. Français.
Peintre de figures, paysages, illustrateur.
Il fut élève de Fernand Cormon à l'École des Beaux-Arts de Paris et également de l'École des Arts Décoratifs. Il exposa à Paris, au Salon des Artistes Français, régulièrement aussi au Salon des Artistes Normands, à Rouen.
On lui doit des illustrations pour *Les Croix de bois* et *Le Réveil des morts* d'après les romans de Roland Dorgelès.

VERGEZ Eugène
Né au XIXe siècle à Bordeaux (Gironde). XIXe siècle. Français.
Peintre de paysages.
Élève de Bernède. Il débuta au Salon de 1879.
Ventes Publiques : Bordeaux, 1899 : *L'anse des Catalans à Marseille* : **FRF 54** – New York, 20 jan. 1993 : *Arbres sur une plage avec des bateaux à distance*, h/t (34,3x54) : **USD 2 588** – Calais, 4 juil. 1993 : *Promeneuse sur la plage*, h/pan. (26x41) : **FRF 8 000**.

VERGHETOT Willem Van
XIVe siècle. Travaillant en Flandre de 1350 à 1351. Éc. flamande.
Graveur de médailles.

VERGIER Françoise
Née en 1952 à Grignan (Drôme). XXe siècle. Française.
Sculpteur de figures, bustes, dessinatrice.
Elle vit et travaille à Paris et Grignan.
Elle participe à des expositions collectives : 1981 galerie Farideh Cadot à Paris ; 1984 abbaye de Fontevraud ; 1985 musée des beaux-arts de Nantes et château de Roquetaillade de Bordeaux ; 1986 musée d'Art moderne de la ville de Paris ; 1988 musée de Gravelines ; 1990 Scottish National Gallery d'Edimbourg, musée municipal de La Roche-sur-Yon ; 1991 galerie de l'Ancienne Poste de Calais ; 1992 musée des Beaux-Arts du Havre ; 1993 musée du Luxembourg à Paris, musée national des Arts visuels de Montevideo ; 1994 Kunstraum Elbschloss de Hambourg ; 1995 FIAC (Foire internationale d'Art contemporain) à Paris, présentée par la galerie Claudine Papillon. Elle montre ses œuvres dans des expositions personnelles : 1989, 1991 galerie Claudine Papillon à Paris ; 1991 New York et Maison George Sand à Nohant où elle a réalisé une commande publique ; 1995-1996 *...oui j'ai dit oui, je veux bien Oui* au centre Georges Pompidou à Paris.
Après avoir montré des paysages, elle travaille, avec humour, dans l'esprit surréaliste, sur le corps morcelé, avec des sculptures insolites, énigmatiques, aux belles formes et matériaux riches. Ses objets précieux ou mannequins – avec de nombreuses figures de femmes *L'Insondable, La Repoussante, L'Incarnéee...* –, réunis en d'étranges installations poétiques aux références denses, associent les mythes, parlent d'amour, de maternité, disent l'identité et l'altérité, le dualisme homme-femme tout en réunissant les contraires dans une vision fusionnelle de l'univers. L'artiste « construit un formidable champ d'expériences et instruit une sensibilité subtile dans ses visions d'un monde fortement sexué » (Philippe Carteron, *Le Nouvel Observateur*).
Bibliogr. : Catalogue de l'exposition : *Françoise Vergier*, Contemporains-Albums, Centre Georges Pompidou, Paris, 1996 – Nathalie Perraud : *Françoise Vergier : l'un envers l'autre*, Verso Arts et Lettres, n° 1, hiver 1996.
Musées : Paris (Mus. Nat. d'Art Mod.) : *La Lune et les Feux* 1981 – *Souvenir Hölderlin* 1984-1987 – Paris (FNAC) : *Passivité* 1988, bronze, verre, bois.

VERGILI Giulio
Mort avant 1593. XVIe siècle. Actif à Urbino. Italien.
Peintre.

VERGINE Pietro
Né le 11 juillet 1800 à Brescia. Mort en 1863 à Brescia. XIXe siècle. Italien.
Peintre amateur.
Élève de G.-B. Gigola. Il peignit surtout sur porcelaine et sur émail. La Pinacothèque de Tosio conserve des œuvres de cet artiste.

VERGNAUX Nicolas Joseph
Né au XIXe siècle à Coucy-le-Château (Aisne). XIXe siècle. Français.
Peintre de paysages.
Élève de Huet. Il figura au Salon de 1798 à 1819. Le Musée Carnavalet de Paris conserve de lui *Retour des Bourbons à Paris en 1814*.
Ventes Publiques : Paris, 1815 : *Dame et enfant conversant avec un paysan*, dess. à la pierre d'Italie : **FRF 27**.

VERGNE Narcisse
Né en 1858 à Lyon (Rhône). Mort le 11 février 1900 à Besançon (Doubs). XIXe siècle. Français.
Peintre.
Élève de Chapuis et de Ch. F. Abram.

VERGNES Camille Victor
Né à Paris. Mort en 1901. XIXe siècle. Français.
Lithographe.
Élève de Léon Cogniet. Il débuta au Salon de 1881.

VERGNIAJOUSE Gabriel Armand
Né au XIXe siècle à Saint-Benoist. XIXe siècle. Français.
Peintre de paysages.
Il figura au Salon de 1868 à 1876.

VERGNION François Joseph
Né au XIXe siècle à Paris. XIXe siècle. Français.
Peintre de portraits.
Élève de F. Dubois et Léon Cogniet. Il figura au Salon de 1847 à 1870.

VERGNOLET Tony
Né au XIXe siècle à Lyon (Rhône). XIXe siècle. Français.
Peintre de paysages.
Il figura au Salon de 1870 à 1881.
Ventes Publiques : Paris, 17 juin 1942 : *La Mare* 1880, dess. au cr. noir : **FRF 350**.

VERGNOT Roger Camille
XXe siècle. Français.
Peintre.
Il exposa à Paris, au Salon des Artistes Français et reçut une médaille d'argent en 1923.

VERGOS Jaime, l'Ancien
Mort en 1460. XVe siècle. Actif à Barcelone. Espagnol.
Peintre.

VERGOS Jaime, le Jeune
Mort en 1503 (?). XVe siècle. Actif à Barcelone. Espagnol.
Peintre.
Il a probablement peint le grand retable dans la chapelle Sainte Agueda de Barcelone en 1464.

VERGOS Pablo
Mort en 1495. XVe siècle. Actif à Barcelone. Espagnol.
Peintre.
Le Musée de Barcelone conserve de lui quatre grandes figures représentant *Les prophètes*, ainsi que *L'Ordination de saint Vincent*.
Ventes Publiques : Vienne, 18 sep. 1962 : *La mort de saint Louis de Toulouse* : **ATS 50 000** – New York, 4 oct. 1996 : *Moine augustin lisant l'Antiphonaire*, h/pan. (106x45,7) : **USD 19 550**.

VERGOS Rafael
XVe siècle. Actif à Barcelone à la fin du XVe siècle. Espagnol.
Peintre.
Fils de Jaime Vergo le Jeune. Il a peint le maître-autel de l'église de Teya en 1497.

VERGOUTS Aert
XVIIe siècle. Actif à Middelbourg de 1647 à 1650. Hollandais.
Peintre.

VERGOUTS Jeremias
XVIIe siècle. Actif à Middelbourg de 1647 à 1650. Hollandais.
Peintre.

VERGOUWEN Jeanne ou **Joanna**
Morte le 11 mars 1714 à Anvers. XVIIe-XVIIIe siècles. Éc. flamande.
Peintre.
Élève de Van Uden. Elle copia aussi Rubens et Van Dyck.
Ventes Publiques : Paris, 14 juin 1954 : *Portrait d'un sculpteur* : **FRF 11 000**.

VERGU Bartolomeo
XVIe siècle. Travaillant à Ravenne en 1535. Italien.
Peintre de blasons.

VERHAAGT Tobias ou **Verhaecht**. Voir **HAECHT**

VERHAAST Aart ou **Verhaest**. Voir **VERHARST**

VERHAAST Gijsbrecht ou **Verhaest**

XVIIe siècle. Actif à Delft en 1689. Hollandais.

Peintre sur faïence.

Il peignit des paysages et des intérieurs. Le Musée du Cinquantenaire de Bruxelles conserve des œuvres de cet artiste.

VERHAECHT Tobias ou **Verhaacht** ou **Haacht**. Voir **HAECHT Tobias Van**

VERHAEGEN Dirk

XXe siècle. Actif au Canada. Belge.

Peintre.

Bibliogr. : Catalogue de l'exposition : *Les Vingt Ans du musée à travers sa collection*, musée d'Art contemporain, Montréal, 1985.

Musées : Montréal (Mus. d'Art Contemp.) : *Transformations* 1978, sérig., série de huit – *Œuvre gravitionnelle* 1982, laque sablée/masonite.

VERHAEGEN Fernand

Né le 27 juillet 1883 à Marchienne-au-Pont. Mort en 1976 à Lodelinsart. XXe siècle. Belge.

Peintre de genre, paysages, natures mortes, fleurs, graveur. Pointilliste.

En 1904 il exposa à Anvers ses premières œuvres pointillistes, mais fut surtout révélé au public par Octave Maus en 1914. Il semble que la guerre de 1914-1918 ait nui à l'épanouissement de son art. Il travailla à Paris, à Londres et dans le Midi de la France. Il figura à la dernière année de la Libre Esthétique avec cinq toiles, notamment *La Journée folle*, peinture de « Gilles » binchois, et *Pasquaye*, folklore wallon.

Il a été remarqué par sa description amusante des kermesses, des fêtes, processions et carnavals, avec les Gilles, les doudous, les sportsmen ou les amazones. Graveur, il pratiqua l'eau-forte et la gravure sur bois.

F. Verhagen

Musées : Bruxelles : *La Marche de sainte Rolande à Gerpines* – Grenoble – Ixelles – Toronto.

Ventes Publiques : Paris, 18 nov. 1946 : *Fleurs*, h/t, formant pendants : **FRF 1 200** – Paris, 10 juin 1955 : *Carnaval de Binche* : **FRF 40 000** – Bruxelles, 5 oct. 1976 : *Gilles*, h/t (60x50) : **BEF 22 000** – Bruxelles, 26 oct. 1977 : *Fête à Montigny-le-Tilleul*, h/t (110x100) : **BEF 90 000** – New York, 11 mars 1978 : *Nature morte à la poupée japonaise*, h/t (99x120) : **USD 950** – Amsterdam, 24 avr 1979 : *Scène d'intérieur*, h/t (51x53) : **NLG 4 400** – Zurich, 8 juin 1985 : *Procession*, h/t mar./isor. (60x70) : **CHF 5 000** – Lokeren, 8 oct. 1988 : *Les Gilles à Binche*, h/t (65x93) : **BEF 150 000** – Douai, 23 avr. 1989 : *Les Gilles*, h/t (49x67,5) : **FRF 12 000** – Bruxelles, 19 déc. 1989 : *Les Gilles*, h/t (60x70) : **BEF 240 000** ; *Vieilles maisons mosanes à Lustin* 1927, h/pan. (40x50) : **BEF 70 000** – Lokeren, 21 mars 1992 : *Les Gilles à Binche le matin*, h/cart. (35x40) : **BEF 65 000** – Paris, 27 mai 1994 : *Fête dans une rue de Belgique*, h/t (70x80) : **FRF 15 000** – Lokeren, 28 mai 1994 : *Tulipes*, h/cart. (70x59,5) : **BEF 170 000** – Lokeren, 11 mars 1995 : *Les Gilles à Binche*, h/t (151x120) : **BEF 280 000**.

VERHAEGEN Jan ou **Verhagen**

XVe siècle. Actif à Anvers. Éc. flamande.

Peintre.

En 1482, il peignit à Paris un portrait de *Saint François de Paule*, que Louis XI avait fait venir d'Italie pour se faire guérir par lui. En 1784, on citait encore beaucoup de copies de ce portrait à Paris signées du nom de Verhaegen.

VERHAEGEN Jan Baptiste. Voir **HAEGHEN Jan Baptiste**

VERHAEGEN Pierre Jean Joseph. Voir **VERHAGHEN Pieter Jozef**

VERHAEGEN Theodor ou **Verhaeghen**

Né le 3 juin 1701 à Malines. Mort le 25 juillet 1759 à Malines. XVIIIe siècle. Éc. flamande.

Sculpteur sur pierre et sur bois.

Élève de Boeketuyns, de J. C. de Cacq et de Plumier. En 1721, on le cite dans la gilde de Malines. On lui attribue les chaires de Notre-Dame de Hanswyck, de Saint-Jans et de Saint-Rombout à Anvers.

VERHAEGHE Joseph

Né en 1900 à Liège. Mort en 1987 à Liège. XXe siècle. Belge.

Peintre de portraits, paysages, aquarelliste, dessinateur.

Il fut élève de De Witte, d'Auguste Donnay et de Maréchal à l'académie des beaux-arts de Liège. À partir de 1955, il fut professeur de dessin à l'académie royale des beaux-arts de Bruxelles. Il est le restaurateur officiel de la ville de Liège.

Il a exposé au Cercle des beaux-arts de Liège de 1927 à 1987. Il montre ses œuvres dans des expositions depuis 1921.

Il a surtout peint des paysages industriels et urbains. Il a réalisé des panneaux décoratifs pour divers édifices.

Bibliogr. : Pierre Somville, in : *Le Cercle royal des Beaux-Arts de Liège 1892-1992*, Crédit Communal, Liège, s.d., 1892.

Musées : Liège (Mus. d'Art wallon) : *Panorama de Liège* 1955.

VERHAER Arnoldus

XVIIe-XVIIIe siècles. Actif à Utrecht de 1678 à 1708. Hollandais.

Peintre.

VERHAER Cornelis

Mort avant le 30 décembre 1663. XVIIe siècle. Actif à Utrecht. Hollandais.

Peintre.

VERHAER G.

XVIIIe siècle. Actif à Utrecht au début du XVIIIe siècle. Hollandais.

Graveur au burin et à l'eau-forte.

Il a gravé des vues d'Utrecht et des environs.

VERHAEREN Alfred

Né le 8 octobre 1849 à Bruxelles. Mort le 10 février 1924 à Ixelles. XIXe-XXe siècles. Belge.

Peintre d'intérieurs, portraits, paysages, natures mortes. Tendance postimpressionniste.

Il était le cousin du poète Émile Verhaeren. Élève de Louis Dubois, il figura régulièrement aux expositions de Paris. Il obtint une mention honorable à l'Exposition Universelle de 1889 et une médaille d'argent à celle de 1900.

Il oscille entre naturalisme et impressionnisme lorsqu'il peint ses natures mortes et scènes d'intérieurs, dans des tonalités sourdes relevées par quelques couleurs vives.

Bibliogr. : Gérald Schurr, in : *Les Petits Maîtres de la peinture 1820-1920, valeur de demain*, Les Éditions de l'Amateur, t. II, Paris, 1982.

Musées : Anvers : *Nature morte* – Bruxelles : *Intérieur d'atelier* – *Nature morte* – *Intérieur d'église* – *Porcherie* – Gand – La Haye (Mus. Mesdag) : *L'Entrecôte* – Ixelles – Paris (Mus. du Louvre) : *Natures mortes*, h/t, une paire.

Ventes Publiques : Saint-Germain-en-Laye, 6 mai 1979 : *Fleurs et fruits* 1882, h/t (118x60) : **FRF 12 500**.

VERHAERT Dirck ou **Verhart**

XVIIe siècle. Hollandais.

Peintre de paysages animés, paysages.

Il travailla à La Haye, à Haarlem et à Leyde de 1631 à 1664.

Ventes Publiques : Cologne, 26 nov. 1970 : *Paysage fluvial* : **DEM 6 800** – Londres, 19 juin 1974 : *Paysage escarpé* : **GNS 1 300** – Hambourg, 2 juin 1976 : *Vue d'une côte fortifiée*, h/pan. (36,8x49,8) : **DEM 11 000** – Londres, 4 mai 1979 : *Le retour du Fils Prodigue*, h/pan. (43,2x61) : **GBP 2 800** – Roubaix, 13 déc. 1981 : *Le Port fluvial*, h/bois (39x53) : **FRF 55 000** – Amsterdam, 28 nov. 1989 : *Voyageurs sur le chemin entre des ruines classiques et un torrent ; Paysanne puisant de l'eau près d'un château en ruines*, h/t, une paire (88,4x105,6 et 86,7x105,4) : **NLG 46 000** – Amsterdam, 12 juin 1990 : *Ruines romaines au bord d'un chemin menant à un port*, h/pan. (46,8x64,2) : **NLG 9 775** – Londres, 7 fév. 1991 : *Vaste paysage italien avec des voyageurs traversant un pont*, h/pan. (46,3x39,4) : **GBP 3 520** – Amsterdam, 2 mai 1991 : *Panorama de Prague sur la Moldau avec des marchants déchargeant des barges au premier plan*, h/pan. (40x61) : **NLG 33 350** – Amsterdam, 14 nov. 1991 : *Voyageurs faisant une pose près d'une tour en ruines dans un paysage italien*, h/pan. (46,8x36) : **NLG 10 350** – Amsterdam, 17 nov. 1994 : *Voyageurs dans un paysage italien*, h/t (91x127) : **NLG 12 650** – Londres, 9 déc. 1994 : *Port méditerranéen avec des paysans près d'un temple en ruines*, h/t (67,7x77,2) : **GBP 9 200** – Paris, 27 mars 1995 : *Paysage fluvial près d'une ville*, h/pan. de chêne (40x53,5) : **FRF 55 000** – Paris, 17 juil. 1996 : *Port méditerranéen*, h/t (68x78) : **FRF 68 000** – Vienne, 29-30 oct. 1996 : *Port méditerranéen avec voyageurs* *embarquant*, h/pan. (40x55,5) : **ATS 149 500** – LONDRES, 30 oct. 1997 : *Paysage côtier avec un château construit sur un affleurement rocheux et des pêcheurs dans un bateau*, h/t (73,5x102,7) : **GBP 4 140**.

VERHAERT Piet ou **Verhart Pierre** ou **Pieter**
Né le 26 février 1852 à Anvers. Mort le 4 août 1908 à Oost-Duinkerke. XIXe siècle. Belge.
Peintre de genre, portraits, paysages, paysages urbains, graveur à l'eau-forte.
Élève de Joseph Van Lerius, il voyagea en Hollande, Italie, séjourna un an à Paris en 1876, un an en Espagne en 1882. Il figura aux expositions de Paris et obtint une médaille d'argent à l'Exposition Universelle de 1889. Membre du Groupe des XX, il fut professeur à l'Académie d'Anvers.
Il a su suggérer, jusqu'à l'égal d'Henri de Brakeleer, l'atmosphère du vieil Anvers.

Piet Verhaert
Piet Verhaert

BIBLIOGR. : Gérald Schurr, in : *Les Petits Maîtres de la peinture 1820-1920, valeur de demain*, Les Éditions de l'Amateur, t. V, Paris, 1981.
MUSÉES : ANVERS : *Le sceau du marin* – *La vieille boucherie à Anvers* – *Le pont de la prison* – *La Palingbrugstraat ou Rue du Pont aux anguilles* – BRUXELLES : *La lectrice* – CHICAGO : *La sentence de paix* – TOURNAI : *Le joueur de quilles*.
VENTES PUBLIQUES : PARIS, 28 juin 1923 : *Portrait de jeune fille* : **FRF 95** – ANVERS, 9 mai 1979 : *Portrait de Charles Sluyts* 1891, h/bois (40x32) : **BEF 32 000** – ANVERS, 21 mai 1985 : *A l'estaminet* 1892, h/pan. (46x56) : **BEF 110 000** – LOKEREN, 28 mai 1988 : *Portier avec sa lanterne* 1884, h/pan. (41x31,5) : **BEF 180 000** – STOCKHOLM, 16 mai 1990 : *Ruisseau bordé d'arbres en été*, h/t (32x40) : **SEK 7 000** – LOKEREN, 12 mars 1994 : *Homme assis dans son atelier* 1882, h/pan. (34x25) : **BEF 42 000** – LOKEREN, 28 mai 1994 : *La salle de correction à l'imprimerie Plantijn-Moretus d'Anvers* 1896, h/pan. (46x37,5) : **BEF 95 000** – LOKEREN, 10 déc. 1994 : *Le chimiste* 1895, h/pan. (33x40) : **BEF 150 000**.

VERHAEST Aart. Voir **VERHARST**

VERHAGEN. Voir aussi **HAGEN Van der**

VERHAGEN F.
XVIIe siècle. Hollandais.
Peintre de natures mortes.
Le Musée Lakenhal, à Leyde, conserve une œuvre de lui.

VERHAGHEN Jean Joseph, dit **Pottekens-Verhaghen**
Né le 23 août 1726 à Aerschot. Mort le 29 septembre 1795 à Louvain. XVIIIe siècle. Éc. flamande.
Peintre de paysages, de sujets religieux et d'intérieurs.
Frère de Pieter Jozef Verhaghen. Le Musée d'Anvers conserve une œuvre de cet artiste.
VENTES PUBLIQUES : LONDRES, 8 déc. 1993 : *Le Christ et saint Thomas*, h/t (148,5x120) : **GBP 3 220**.

VERHAGHEN Pieter Jozef ou **Verhaegen**
Né le 19 mars 1728 à Aerschot. Mort le 3 avril 1811 à Louvain. XVIIIe siècle. Éc. flamande.
Peintre d'histoire, compositions religieuses, portraits. Baroque.
Il fut élève du peintre restaurateur Kerkhoven et de Balthasar Beschey, à l'Académie d'Anvers. En 1753, il s'établit à Louvain. Il fut protégé par l'impératrice Marie-Thérèse et, en 1771, fut nommé peintre du prince Charles de Lorraine. Grâce à ses puissants patrons il put voyager en France, Sardaigne et Italie. À Rome, deux de ses œuvres, un *Ecce Homo* et *Les disciples d'Emmaüs* furent remarqués par le pape Clément XIV. Après un séjour à Vienne en 1773, où il fut nommé peintre de la cour, il revint aux Pays-Bas. Il se fixa à Louvain cette même année et y resta jusqu'à sa mort. Il y fonda une école des Beaux-Arts en 1800, et en fut directeur.
Son art, haut en couleurs, prolonge l'art baroque, dans le souvenir du style de Rubens ou de Gaspar de Crayer. On cite de lui : *Le martyre de saint Jacques* 1765, dans l'église Saint-Jacques de Louvain ; le *Calvaire*, au Béguinage de Louvain ; et d'autres œuvres à l'abbaye d'Averbode, etc. Il exécuta neuf grandes compositions religieuses pour l'église Sainte-Catherine, à Bois-le-Duc.

P.J. Verhaghen
Aer Schotanus
F. 1770.

BIBLIOGR. : In : *Diction. de la peinture flamande et hollandaise*, coll. Essentiels, Larousse, Paris, 1989.
MUSÉES : ANVERS : *Agar et Ismaël chassés par Abraham* – BRUXELLES (Mus. roy. des Beaux-Arts) : *Les disciples d'Emmaüs* 1779 – *Le festin de Balthazar* – DIJON : *Le festin d'Hérode* 1783 – GAND : *Présentation au temple* – *Alexandre et la famille de Darius* – LOUVAIN : *Adoration des rois* – *Ascension* – *Continence de Scipion* – VALENCIENNES : *Continence de Scipion* – VIENNE (Mus. Nat.) : *Saint Étienne recevant du pape la nonciature*.
VENTES PUBLIQUES : PARIS, oct. 1945-juil. 1946 : *Le roi de Juda – Joas retrouvé*, deux pendants : **FRF 13 400** – PARIS, 16 déc. 1948 : *Un songe* : **FRF 10 000** – BRUXELLES, 15 juin 1983 : *Moïse sauvé des eaux* 1768, h/t (125x101) : **BEF 190 000** – LONDRES, 27 oct. 1989 : *Le retour d'Egypte*, h/t (139,5x120) : **GBP 7 150** – BRUXELLES, 7 oct. 1991 : *Saint Pierre* 1795, h/t (50x40) : **BEF 150 000** – PARIS, 6 déc. 1996 : *Le Martyre de saint Liévin de Gand*, h/t (127,5x94,5) : **FRF 20 000**.

VERHANNEMAN Jean ou **Annekin**
XVe siècle. Actif à Bruges. Éc. flamande.
Peintre.
En 1480, élève de Memling, à Bruges. Il entra dans la gilde de cette ville à la même date. Un Antoine Verhanneman était en 1474 peintre décorateur et élève de la veuve de Jean Caerlin à Bruges.

VERHARST Aart ou **Verhaest**
Mort en 1666 à Gouda. XVIIe siècle. Hollandais.
Peintre verrier et sur faïence.
Élève de Van Wouter Pietersz Crabeth II. Il vint avec Gysbert Van der Kuil à Rome où il resta près de onze ans. Il s'établit ensuite à Gouda et y travailla pour l'église Saint-Jean.

VERHART. Voir **VERHAERT**

VERHAS Emmanuel
Né vers 1800. Mort le 2 mai 1864 à Termonde. XIXe siècle. Belge.
Peintre et dessinateur.
Père de Frans et de Jan Frans V.

VERHAS Frans
Né en 1827 ou 1832 à Termonde. Mort en 1894 ou le 22 novembre 1897 à Schaerbeek. XIXe siècle. Belge.
Peintre de genre, portraits, intérieurs.
Fils d'Emmanuel Verhas et frère de Jan Verhas, il suivit les cours de son père à l'Académie de Termonde, avant d'entrer à l'Académie des Beaux-Arts de Bruxelles.
Il participa au Salon de Paris, notamment en 1879.
Son style aimable, son coloris clair, mettent en valeur les personnages de ses scènes familiales bon ton. Arsène Houssaye lui a confié la réalisation de pastiches de maîtres flamands et vénitiens pour décorer son hôtel particulier, avenue de Friedland, à Paris.
BIBLIOGR. : Gérald Schurr, in : *Les Petits Maîtres de la peinture 1820-1920, valeur de demain*, Les Éditions de l'Amateur, t. VI, Paris, 1985.
MUSÉES : GAND : *Le lion*.
VENTES PUBLIQUES : NEW YORK, 24 fév. 1971 : *Le kimono japonais* : **USD 1 400** – LONDRES, 1er nov. 1973 : *Le fruit défendu* : **GNS 1 400** – BRUXELLES, 19 déc. 1974 : *La lettre* : **BEF 200 000** – AMSTERDAM, 15 nov. 1976 : *La femme en bleu* 1879, h/pan. (84x59) : **NLG 11 000** – VIENNE, 19 sep. 1978 : *La lettre d'amour*, h/pan. (72x38) : **ATS 60 000** – LONDRES, 14 févr 1979 : *La lettre d'amour*, h/pan. (72x38) : **GBP 3 200** – PARIS, 23 nov. 1983 : *« Oh ! le lion ! »*, h/t (81x100) : **FRF 16 000** – ZURICH, 15 mars 1985 : *Femme à la rose*, h/pan. (57x37) : **CHF 8 000** – NEW YORK, 23 fév. 1989 : *Hors de portée* 1874, h/pan. (101,3x59,4) : **USD 19 800** – LONDRES, 21 juin 1989 : *Jeune femme élégante dans un salon* 1870, h/pan. (59,5x85,5) : **GBP 17 600** – AMSTERDAM, 11 sep. 1990 : *Portrait d'une jeune fille assise vêtue d'une robe blanche et d'une étole de fourrure et tenant un bouquet de roses* 1855, h/pan. (75,5x60) : **NLG 3 450** – NEW YORK, 16 oct. 1991 : *Le kimono vert* 1876, h/pan. (61x39,4) : **USD 13 200** – NEW YORK, 24 mai 1995 : *La lettre*, h/pan. (61x39,4) : **USD 8 050**.

VERHAS Jan François ou **Jean**
Né le 9 janvier 1834 à Bruxelles. Mort le 31 octobre 1896. XIXe siècle. Belge.
Peintre d'histoire, scènes de genre, paysages, marines.
Frère de Frans Verhas, il est le fils et l'élève d'Emmanuel Verhas. Il alla ensuite étudier à l'Académie d'Anvers dans l'atelier de Nicaise de Keyser, de 1853 à 1860, puis à Bruxelles, où il obtint un second prix en 1860. Il séjourna à Paris en 1860, en Italie en 1862 et s'installa à Bruxelles en 1867.
Il exposa à Paris, où il obtint une médaille de deuxième classe en 1881 et une médaille d'or à l'Exposition Universelle de 1889. Il fut fait chevalier de la Légion d'honneur en 1881.
Délaissant les sujets historiques, il préfère être le peintre des enfants bourgeois, soignés, occupés à des jeux calmes. Vers 1882, il peint également des paysages et marines qui montrent sa connaissance de l'impressionnisme.

Jan Verhas

Jan Verhas

Bibliogr. : Gérald Schurr, in : *Les Petits Maîtres de la peinture 1820-1920, valeur de demain*, Les Éditions de l'Amateur, t. VI, Paris, 1985.
Musées : Anvers : *Promenade sur la plage de Heyst-sur-Mer* – Bruxelles : *La revue des écoles, le 23 août 1878, à l'occasion des noces d'argent du roi et de la reine* – Gand : *Le maître peintre* – Liège : *La fille d'un pêcheur*.
Ventes Publiques : Paris, 1888 : *Le polichinelle* : **FRF 1 000** – Londres, 27 mai 1910 : *Catastrophe* : **GBP 7** – New York, 25-26 jan. 1911 : *Terrible accident* : **USD 55** – Bruxelles, 4 mai 1976 : *La promenade à âne sur la plage* 1883, h/t (185x130) : **BEF 110 000** – Lokeren, 22 fév. 1986 : *Scène de plage*, h/t (35x50) : **BEF 800 000** – New York, 16 fév. 1994 : *Promenade à âne de l'après-midi*, h/t (87,9x54) : **USD 17 250**.

VERHAS Theodor
Né le 31 août 1811 à Schwetzingen. Mort le 1er novembre 1872 à Heidelberg. XIXe siècle. Allemand.
Peintre de portraits, architectures, paysages, aquarelliste, dessinateur, illustrateur.
En 1832 il vint séjourner à Munich, mais il travailla surtout dans sa ville natale, dont il s'est plu à représenter les environs. Il fournit de nombreux dessins pour l'*Album de Heidelberg*, lithographié et publié par Lemercier.
Musées : Heidelberg : *Autoportrait* – Londres (Victoria and Albert Mus.) : *Effet de neige*, aquar.
Ventes Publiques : Amsterdam, 27 avr. 1976 : *Vue d'une ville de Hollande*, h/pan. (39x48,5) : **NLG 34 000** – Munich, 29 nov 1979 : *Paysage montagneux*, h/cart. mar./t. (22x17) : **DEM 1 800** – Munich, 29 juin 1982 : *Le château de Heidelberg*, aquar. et cr. (29,5x42,5) : **DEM 2 900** – Heidelberg, 12 avr. 1986 : *Paysage de haute montagne au torrent*, lav. gris reh. de blanc, dess. (25,4x18,5) : **DEM 2 000** – Heidelberg, 17 oct. 1987 : *Vue de Heidelberg* vers 1856, pl. et lav. reh. de blanc : **DEM 8 800** – Heidelberg, 15-16 oct. 1993 : *Paysage idéalisé de la région d'Heidelberg* 1839, h./vélin (36,5x45) : **DEM 28 000** – Heidelberg, 5-13 avr. 1994 : *Grande rue et château de Heidelberg*, dess. et lav. brun (57,8x80,5) : **DEM 4 800** – Heidelberg, 15 oct. 1994 : *Vue de Heidelberg et du château depuis Riesenstein* 1843, cr. et lav. (61x94) : **DEM 2 800** – Heidelberg, 8 avr. 1995 : *Vue de Stuckgarten*, litho. (29,5x24) : **DEM 1 600**.

VERHAYCK Jan. Voir **VERHUYCK**

VERHEEVEN Joan ou **Verheeuen**
XVIIe siècle. Travaillant à Louvain (?) vers 1650. Éc. flamande.
Graveur au burin.

VERHEGGEN Hendrik Fredrik
Né en 1809 à Dordrecht. Mort en 1883 à Dordrecht. XIXe siècle. Hollandais.
Peintre animalier, paysages.
Élève d'Adrianus Van der Koogh.
Musées : Dordrecht : *Paysage d'hiver*.
Ventes Publiques : Amsterdam, 2 mai 1990 : *Bétail dans une prairie ombragée près d'une ferme*, h/pan. (46x63) : **NLG 6 900** – Amsterdam, 30 oct. 1991 : *Paysanne distribuant le grain aux poules dans la cour de la ferme*, h/t (33x44) : **NLG 5 175**.

VERHEIDEN Jost ou **Verheyden**, dit **Jost Maler** ou **Konterfeyer**
Peut-être d'origine hollandaise. XVIe siècle. Travaillant au Danemark de 1554 à 1563. Danois.
Peintre de portraits et de décorations.
Il travailla pour la cour de Copenhague. On lui attribua plusieurs œuvres conservées au Musée de Frederiksborg.

VERHEIJEN Jan Hendrik. Voir **VERHEYEN Jan Hendrik**

VERHELST. Voir **VERELST**

VERHEUST Valère
Né le 28 février 1841 à Courtrai. Mort le 21 mars 1881. XIXe siècle. Belge.
Peintre d'animaux.
Élève de Louis Robbe et d'Éd. Woutermaertens. Il débuta au Salon de Gand en 1865. Le Musée de Courtrai conserve de lui *Moutons* (deux œuvres).
Ventes Publiques : Paris, 23 mars 1945 : *Moutons au pâturage* : **FRF 3 000** ; *Troupeau au pâturage*, h/t, formant pendants : **FRF 3 000**.

VERHEVICK Firmin Balthazar
Né le 21 août 1874 à Bruxelles. Mort en 1962. XIXe-XXe siècles. Belge.
Peintre d'intérieurs, paysages, marines, fleurs, aquarelliste, dessinateur, fusiniste.
Il a résidé en France et Italie.
Bibliogr. : In : *Dict. biogr. illustré des artistes en Belgique depuis 1830*, Arto, Bruxelles, 1987.
Musées : Louvain – Saint-Josse-ten-Noode.
Ventes Publiques : Bruxelles, 19 déc. 1989 : *Paysage au ruisseau*, aquar. (55x75) : **BEF 22 000** – Bruxelles, 12 juin 1990 : *Marine*, h/pan. (50x60) : **BEF 28 000**.

VERHEY Jacob Reyniersz. Voir **BLOCK Jacob Reyersz**

VERHEYDEN Franck Pietersz
Né vers 1655 à La Haye. Mort en 1711 à La Haye ou à Breda. XVIIe-XVIIIe siècles. Hollandais.
Peintre et sculpteur.
Élève de Jakob Romans. Il s'adonna d'abord à la sculpture. En 1691, il travailla à l'arc de triomphe en l'honneur de Guillaume III, à La Haye et pour le palais de Breda. La vue des tableaux de Snyders l'impressionna si fortement, rapporte la tradition, qu'il s'adonna à la peinture et y obtint un grand succès. Il peignit surtout des scènes de chasse au cerf et aux ours dans le style de Snyders et des volailles plutôt inspirées par Hondecotter. Le Musée de Bonn conserve de lui *Volailles*.

VERHEYDEN François
Né le 18 mars 1806 à Louvain. Mort en 1889 ou 1890 à Bruxelles. XIXe siècle. Belge.
Peintre de genre, portraits.
Élève de J. Langlois et de Louis David, à Paris. Travaille surtout à Anvers. Obtint une médaille d'or à Bruxelles, 1845.

F. Verheyden

Musées : Brooklyn : *Écolière dans la tempête* – Bruxelles : *Le gâteau de fête* – Liège : *L'éplucheur d'oignons* – Louvain : *Portrait de l'artiste* – Montréal : *La fête de la maîtresse d'école* – *Une prise de tabac* – *La confidente* – Nice : *Il ne pleut plus*.
Ventes Publiques : Gand, 1856 : *La Leçon de lecture* : **FRF 350** – La Haye, 1868 : *Jeune moissonneuse* : **FRF 500** – Paris, 1869 : *La confidence* : **FRF 1 220** – Amsterdam, 1881 : *Jeune paysanne faisant un bouquet* : **FRF 210** – Paris, 28 et 29 nov. 1923 : *Le sourd* : **FRF 400** – Paris, 4 déc. 1924 : *Fumeur dans une lucarne* : **FRF 360** – Paris, 28 juin 1950 : *Jeune paysanne à la faucille* : **FRF 20 000** – Nice, 9 juin 1965 : *« La courte paille »* : **FRF 7 500** – Cologne, 26 nov. 1970 : *Maternité* : **DEM 5 500** – Londres, 28 juil. 1972 : *La rentrée des classes* : **GNS 1 200** – Londres, 6 mars 1974 : *Les moissonneurs* 1872 : **GBP 800** – Londres, 6 mai 1977 : *Les Vaga-*

bonds 1874, h/t (74x109,5) : **GBP 4 000** – New York, 25 jan. 1980 : *Une heureuse rencontre*, h/t (42,5x34,5) : **USD 4 000** – New York, 30 juin 1981 : *Voyeuses* 1873, h/t (70x56,5) : **USD 3 300** – Stockholm, 31 oct. 1984 : *Deux jeunes filles courant dans un jardin* 1872, h/t (69x55) : **SEK 26 000** – Londres, 24 nov. 1989 : *La balançoire* 1848, h/pan. (97x134) : **GBP 60 500** – Londres, 15 fév. 1991 : *Le déjeuner de l'artiste* 1878, h/t (94x70,5) : **GBP 3 850** – New York, 17 oct. 1991 : *Les jeunes bouquetières* 1865, h/t (99,1x78,1) : **USD 15 400** – Londres, 1er oct. 1993 : *L'artiste du mauvais côté du chemin* 1872, h/t (70,5x56) : **GBP 2 300** – New York, 15 oct. 1993 : *La séduction et la confession* 1842, h/pan. (25,4x20,3) : **USD 2 760** – Amsterdam, 16 avr. 1996 : *Le vieil ivrogne* 1875, h/pan. (27x21,5) : **NLG 6 136**.

VERHEYDEN Isidoor ou **Isidore**

Né le 24 janvier 1846 à Anvers. Mort le 1er novembre 1905 à Ixelles. XIXe siècle. Belge.

Peintre de portraits, paysages, aquarelliste. Tendance impressionniste.

Beau-père de Jean Van den Eeckeoudt. Il fut élève de Joseph Quinaux et de Jean François Portaëls à l'Académie de Bruxelles. Entre 1873 et 1883, il se fixa à Hoeylaert, puis s'installa à Bruxelles où il figura parmi les fondateurs du Cercle des XX, dont il fut membre de 1885 à 1887. Il ouvrit son atelier de peinture à Bruxelles avant d'être nommé, en 1900, professeur à l'Académie Royale des Beaux-Arts.

Médaillé à Philadelphie, il obtint une médaille de bronze à l'Exposition Universelle de Paris en 1889.

Lorsqu'il habitait à Hoeylaert, il peignit les aspects de la forêt de Soignes. Il y exécuta aussi des portraits. Son art se situe à mi-chemin entre réalisme et impressionnisme.

Bibliogr. : Gérald Schurr, in : *Les Petits Maîtres de la peinture 1820-1920, valeur de demain*, Les Éditions de l'Amateur, t. II, Paris, 1982.

Musées : Aalst (Sted. Mus.) – Anvers (Mus. des Beaux-Arts) : *Pèlerinage en Campine* – Bruxelles (Mus. des Beaux-Arts) : *La bûcheronne – Verger, printemps – La clairière – Portrait d'Ed. Agneessens – Constantin Meunier – Le goûter* – Bruxelles (Mus. Charlier) – Bruxelles (Mus. Van Elsene) – Gand (Mus. des Beaux-Arts) : *La chapelle* – Liège (Mus. de l'art wallon) : *Vieux tilleuls en Campine – Hiver en Brabant* – Louvain : *Le pêcheur d'huîtres* – Mons (Mus. des Beaux-Arts) – Ostende (Mus. des Beaux-Arts) – Tienen (Sted. Mus.).

Ventes Publiques : Bruxelles, 25 avr. 1939 : *Dimanche matin* : **BEF 44 000** – Bruxelles, 28 avr. 1951 : *Les oies dans le verger au printemps* : **BEF 16 000** – Bruxelles, 28 oct. 1969 : *Pèlerinage à la chapelle de Lummen* : **BEF 115 000** – Paris, 26 mars 1971 : *Le moulin dans la plaine*, h/t (45x71) : **FRF 3 000** – Bruxelles, 23 avr. 1974 : *L'été au champ* : **BEF 110 000** – Bruxelles, 24 mars 1976 : *Paysage*, h/t (23x31) : **BEF 26 000** – Bruxelles, 4 mars 1977 : *Paysage de printemps au moulin à eau*, h/t (123x160) : **BEF 260 000** – Londres, 14 févr 1979 : *Figures et animaux au bord d'un étang* 1871, h/pan. (34x54) : **GBP 2 600** – Bruxelles, 6 oct. 1981 : *Moisson*, h/t (85x128) : **BEF 170 000** – Lokeren, 26 fév. 1983 : *Le Verger* 1899, h/t (123x162) : **BEF 200 000** – Lokeren, 20 avr. 1985 : *Paysage des Ardennes*, h/t (96x150) : **BEF 170 000** – Lokeren, 28 mai 1988 : *Verger au soleil*, h/t (110x173) : **BEF 240 000** – Lokeren, 8 oct. 1988 : *Promenade en forêt*, h/t (38x50) : **BEF 55 000** – Amsterdam, 16 nov. 1988 : *Verger à Grœnendael*, h/t/cart. (32x42) : **NLG 2 300** – Bruxelles, 19 déc. 1989 : *Paysage au cours d'eau*, h/pan. (34,5x55) : **BEF 100 000** – Bruxelles, 27 mars 1990 : *Paysage*, h/pan. (17x31) : **BEF 30 000** – Paris, 13 juin 1990 : *Le Moissonneur*, h/t (31,5x50) : **FRF 29 000** – Paris, 12 déc. 1991 : *La provende des poules*, h/pan. (21,5x31) : **FRF 39 000** – Lokeren, 21 mars 1992 : *Barques sur une rivière*, h/t (80x95) : **BEF 95 000** – Londres, 22 mai 1992 : *Pensées bleues, jaunes et blanches dans un verre avec des giroflées* 1973, h/pan. (45,5x34,3) : **GBP 1 650** – Lokeren, 5 déc. 1992 : *Village enneigé*, h/t (40x60) : **BEF 65 000** ; *Paysage estival avec des poules*, h/t (114,5x174) : **BEF 700 000** – Lokeren, 8 oct. 1994 : *Paysanne barattant dans sa cour*, h/t (70x53) : **BEF 260 000** – Amsterdam, 6 déc. 1995 : *Scène de plage*, h/t (54x91) : **NLG 5 175** – Paris, 4 déc. 1995 : *La Cueillette des fruits*, h/pan. (19,5x27,5) : **FRF 6 000** – Lokeren, 9 mars 1996 : *Chemin creux au vieux village de La Hulpe*, h/t (33x56) : **BEF 120 000** – Lokeren, 5 oct. 1996 : *Le Chemin de la chapelle*, h/t (52,5x76) : **BEF 200 000** – Lokeren, 18 mai 1996 : *Nature morte avec un canard*, h/t (27,5x43) : **BEF 65 000** – Paris, 16 mars 1997 : *Paysage à la rivière*, h/pan. (32,5x61,5) : **FRF 24 500**.

VERHEYDEN Jacob

Né le 19 juillet 1808 à Louvain. Mort en mars 1840. XIXe siècle. Belge.

Graveur.

Frère de François Verheyden.

VERHEYDEN Jan. Voir **VERHEYEN Jan**

VERHEYDEN Jean Baptiste

XIXe siècle. Actif à Louvain. Belge.

Peintre d'histoire et de genre et portraitiste.

Élève de l'Académie de Bruxelles.

VERHEYDEN Jost. Voir **VERHEIDEN**

VERHEYDEN Mattheus

Né le 1er juillet 1700 à Bréda. Mort après 1776. XVIIIe siècle. Hollandais.

Peintre d'histoire, portraits, animaux.

Fils de F. P. Verheyden. Élève de H. Carré, A. Terwesten, Netscher et de Carel de Moor, à La Haye, à partir de 1715. En 1762 membre de la « Pictura » à La Haye.

Musées : Amsterdam : *François Van Aerssen – Joan Van Riebeeck – Charlotte Maria Leidecker – Gérard Cornelis Van Riebeeck – Charlotte Beatrix Strick Van Linschoten – Coenrand Van Heeinskerck – Agnès Magaretha Albinus*.

Ventes Publiques : Paris, 29 juin 1900 : *Portrait d'homme* : **FRF 135** – Londres, 1er juin 1911 : *Portrait d'homme* : **GBP 6** – Paris, 23 mars 1942 : *Portrait d'homme* : **FRF 3 200** – Paris, 10 fév. 1943 : *Portrait d'un homme accoudé sur une terrasse* : **FRF 5 100** – Amsterdam, 14 nov. 1988 : *Trois enfants avec un chien et un agneau dans un parc*, encre (36,1x39,2) : **NLG 5 520** – Amsterdam, 7 mai 1997 : *Portrait de Sara Philippine Hoeufft à l'âge de vingt-sept ans* 1728, h/t (51,5x43,7) : **NLG 46 128** – Paris, 30 mai 1997 : *Allégorie des Quatre Saisons*, h/t (146x95) : **FRF 132 000**.

VERHEYDEN Nicole

Née en 1943 à Bruxelles. XXe siècle. Belge.

Artiste, graveur.

Elle fut élève de l'académie des beaux-arts de Watermael-Boitsfort.

Elle a réalisé de nombreuses sérigraphies à partir de photographies.

Bibliogr. : In : *Dict. biogr. ill. des artistes en Belgique depuis 1830*, Arto, Paris, 1987.

VERHEYDEN Pieter. Voir **HEYDEN Pieter Van der**

VERHEYEN Hans

XVIe siècle. Travaillant à Cologne. Allemand.

Peintre.

Il a peint un *Crucifiement* dans l'église Saint-Pierre de Cologne en 1582.

VERHEYEN Jan ou **Verheyden**

XVIe siècle. Travaillant à Malines dans la seconde moitié du XVIe siècle. Éc. flamande.

Peintre.

Il peignit des vues de Jérusalem.

VERHEYEN Jan Hendrik ou **Verheijen**
Né le 22 décembre 1778 à Utrecht. Mort le 14 janvier 1846 à Utrecht. XIXe siècle. Hollandais.
Peintre de portraits, scènes de genre, vues de villes.
On le destinait au notariat, mais à l'âge de vingt-et un ans il abandonna la basoche pour la peinture. Il fut élève de Osti à Utrecht et s'inspira de J. Van der Heyden et de J. Berckheyden.
Musées : Bruxelles : *Coin d'un village hollandais* – Cheltenham : *Vue d'une rue* – La Haye (comm.) : *Le Mauritshuis, à La Haye* – *Une fruiterie* – Utrecht : *Vue d'une ville* – *Le couple Van Rijnbout*.
Ventes Publiques : Paris, 1838 : *Entrée de la ville d'Utrecht* : **FRF 500** – Paris, 7 déc. 1858 : *Canal avec pont*, aquar. : **FRF 35** – Paris, 1900 : *Paysage* : **FRF 220** – Londres, 9 mai 1910 : *Vue d'une ville hollandaise* 1819 : **GBP 7** – Londres, 18 déc. 1925 : *Vue d'une ville hollandaise* : **GBP 78** – Paris, 7 mai 1951 : *Marché dans une ville flamande; Marchand de gibier*, deux pendants : **FRF 160 000** – Amsterdam, 20 juin 1951 : *Scène de rue à Amersfoort* : **NLG 1 700** – Londres, 20 mars 1954 : *Paysage avec une église et des petites maisons en bordure d'une rivière* : **GBP 550** – Londres, 15 juil. 1960 : *Vue d'un village hollandais* : **GBP 273** – Amsterdam, 5 et 18 oct. 1965 : *Les portes de la ville* : **NLG 12 400** – Londres, 16 oct. 1968 : *Enfants patinant* : **GBP 3 100** – Londres, 17 jan. 1969 : *Vue d'Utrecht* : **GNS 1 750** – Amsterdam, 26 mai 1970 : *Vue d'une ville* : **NLG 15 500** – Copenhague, 27 avr. 1971 : *Vue d'un canal* : **DKK 31 000** – Londres, 2 nov. 1973 : *Scène de canal* : **GNS 7 500** – Amsterdam, 22 oct. 1974 : *Scène de rue* 1822 : **NLG 50 000** – Amsterdam, 27 avr. 1976 : *Vue d'une ville de Hollande*, h/pan. (39x48,5) : **NLG 34 000** – Amsterdam, 28 juin 1977 : *Scène de rue*, aquar. (40x34,5) : **NLG 4 000** – Londres, 6 mai 1977 : *Scène de rue*, h/t (63,5x53,5) : **GBP 1 600** – Amsterdam, 24 avr 1979 : *Vue d'Amersfoort*, h/pan. (75,5x95,5) : **NLG 46 000** – New York, 3 juin 1980 : *Vue d'Utrecht*, aquar. (36,8x31,8) : **USD 1 300** – Londres, 20 mars 1981 : *Vue d'une ville de Hollande avec canal et pont* 1822, h/pan. (52x66) : **GBP 10 500** – Amsterdam, 14 nov. 1983 : *Vue imaginaire d'une ville de Hollande* 1811, aquar., pl. et encre noire (36,8x42,4) : **NLG 5 400** – New York, 24 mai 1984 : *Vue d'Utrecht*, h/pan. (46,7x38) : **USD 11 500** – Londres, 26 juin 1987 : *Vue d'une ville de Hollande* 1824, h/pan. (52x65) : **GBP 23 000** – Amsterdam, 16 nov. 1988 : *Capriccio d'une ville flamande avec des promeneurs et des pêcheurs dans leur barque en premier plan*, h/pan. (37,5x32,5) : **NLG 14 950** – Amsterdam, 28 fév. 1989 : *Capriccio d'une ville hollandaise* 1814, encres et aquar./pap. (29,5x22,9) : **NLG 1 380** – Londres, 24 nov. 1989 : *La marchande d'œufs dans une rue de La Haye* 1819, h/pan. (44,5x32,5) : **GBP 8 800** – Amsterdam, 2 mai 1990 : *Capriccio d'une ville hollandaise en hiver avec des personnages près d'une brasserie et des enfants sur une luge*, h/pan. (37,8x32,7) : **NLG 18 400** – Londres, 19 juin 1991 : *Le conteur et son auditoire* 1833, h/pan. (39x31) : **GBP 7 150** – Amsterdam, 14-15 avr. 1992 : *Rue d'une ville*, aquar. (32,5x27,5) : **NLG 1 150** – Amsterdam, 19 oct. 1993 : *Scène de rue dans une cité avec un colporteur et des passants*, h/pan. (37x30) : **NLG 32 200** – Londres, 19 nov. 1993 : *Capriccio d'une ville avec des personnages sur un canal gelé*, h/t (65,5x86) : **GBP 36 700** – Amsterdam, 21 avr. 1994 : *Capriccio d'Utrecht avec des promeneurs sur le quai et le dôme au fond* 1819, h/pan. (37x28) : **NLG 23 000** – Ludlow (Shropshire), 29 sep. 1994 : *Place d'une ville hollandaise avec des passants*, h/t (79,5x100) : **GBP 45 500** – Londres, 17 nov. 1995 : *Enfants près d'un puits dans une ville hollandaise*, h/pan. (43,5x35) : **GBP 4 025** – Amsterdam, 5 nov. 1996 : *Personnages à bord du Het Aschgat in de oude wal, Utrecht*, aquar. (31,5x25,5) : **NLG 3 068** – Amsterdam, 27 oct. 1997 : *Le Voyageur de commerce* 1816, h/pan. (34x24,5) : **NLG 7 080**.

VERHEYEN Jef
Né le 6 juillet 1932 à Ichtegem. Mort en 1984 à Saint-Saturnin (France). XXe siècle. Belge.
Peintre, dessinateur, sculpteur, céramiste. Abstrait.
De 1947 à 1952 il étudie à l'Académie et à l'Institut des Beaux-Arts d'Anvers, puis séjourne en 1953 à Vallauris où il fait de la céramique. En 1958 il signe le manifeste Essentialisme à Lausanne et à Milan où il expose, il se lie d'amitié avec Fontana et Roberto Crippa. En 1960 il publie *Pour une peinture non plastique*. En 1961 il rejoint le « Groupe Zéro ».
Il a participé à de nombreuses expositions collectives, notamment à l'Exposition Universelle de Bruxelles en 1958, avec le groupe Zéro depuis 1961, à la Biennale de São Paulo et à celle de Venise en 1970.
Après diverses expériences consacrées à la composition de surfaces d'or, d'argent ou couvertes de Nylon et de réseaux serrés de fils, il aborde la monochromie. Il y est sans doute préparé par la conjonction d'une formation artistique et de l'étude de la philosophie, la psychologie et la mystique orientale. Manifestant déjà une prédilection pour les teintes sombres, il montre des monochromes noirs et des structures fluorescentes à l'Exposition Universelle de Bruxelles en 1958. Sa production se limite alors à la monochromie. En fait, la couleur, loin d'être uniformément appliquée, est très subtilement modulée. Verheyen joue sur des gradations de couleurs à peine perceptibles. Il utilise les teintes les plus assourdies, des bleus profonds, des bruns, des gris qui finalement demeurent hautement évocateurs. On est loin des recherches d'un Barnett Newman et plus loin encore d'un Malevitch et des conclusions des constructivistes. La peinture de Verheyen reste très idéaliste, certains de ses exégètes disent mystique. On évoque à son propos l'immatériel, l'infini et sa contemplation directement issue du zen. Pour Guy Vaes, l'un de ses analystes, « l'art de Verheyen viserait à une intériorisation de l'espace » ; « ce serait la peinture antérieure à la peinture qui recevrait sa lumière d'un temps où le monde n'existait pas ».
Ventes Publiques : Anvers, 7 avr. 1976 : *Paysage nébuleux noir* 1961, h/t (131x98) : **BEF 16 000** – Anvers, 23 oct 1979 : *La flèche de Zenon* 1971, h/t (180x180) : **BEF 110 000** – Anvers, 3 avr. 1984 : *Triptyque : violet-bleu* 1966, h/pan. (80x81) : **BEF 75 000** – Londres, 22 fév. 1990 : *Anvers* 1959, h/t (80,6x99,3) : **GBP 3 850** – Lokeren, 15 mai 1993 : *Paysage d'Espagne*, aquar. (30x42) : **BEF 26 000** – Amsterdam, 4 juin 1996 : *A : B = B : C* 1963-1964, h/t, quatre toiles (183x183 chaque toile) : **NLG 9 676**.

VERHOEF Abraham. Voir **HOEF Abraham Van der**

VERHOEK Gysbert ou **Gysbregt** ou **Gilbert**
Né en 1644 à Bodegrave. Mort le 10 février 1690 à Amsterdam. XVIIe siècle. Hollandais.
Peintre de batailles.
Frère cadet et élève de Pieter Verhoek. Il travailla ensuite avec Adam Pymaker. Ses œuvres sont traitées dans le style de son frère et représentent des batailles, des marches de cavalerie. On cite cet artiste comme un remarquable peintre de chevaux.
Ventes Publiques : Paris, 2 fév. 1927 : *Le marché* : **FRF 500**.

VERHOEK J.
XVIIIe siècle. Travaillant en 1726. Hollandais.
Graveur au burin.
Fils de Gysbert V. Il grava des frontispices.

VERHOEK Pieter ou **Verhuyh** ou **Verhuits**
Né le 4 septembre 1633 à Bodegrave. Mort le 29 septembre 1702 à Amsterdam. XVIIe siècle. Hollandais.
Peintre de batailles et poète.
Frère aîné de Gilbert Verboeck. Il travailla d'abord la peinture sur verre avec Jacob Van der Ulft à Gorfium, puis fut élève d'Abraham Hondius. Il fit un voyage en Italie. Les œuvres de Callot et de Jacques Courtois paraissent avoir eu une influence considérable sur cet artiste. Il peignit avec succès des batailles, des escarmouches de cavalerie, des paysages animés de petits personnages fort spirituels. Pieter Verhoek fut aussi poète et on lui doit des tragédies. Certains biographes l'identifient avec Cornelis Verhuyck, né à Rotterdam en 1648, et qui paraît bien être un autre artiste.
Ventes Publiques : Paris, 20 mars 1950 : *Le chemin de campagne*, attr. : **FRF 11 000**.

VERHOESEN Albertus
Né le 16 juin 1806 à Utrecht. Mort le 27 février 1881 à Utrecht. XIXe siècle. Hollandais.
Peintre d'animaux, paysages, architectures, graveur à l'eau-forte.
Élève de Bruno Van Straaten, Jan Van Ravenzway, Pieter Gerardus Van Os et Barend Cornelis Koekoeck. En 1834, il était à Amersfoort, en 1853 à Utrecht.
Musées : Haarlem : *Paysage avec bétail* – Utrecht : *Vue du château de Vredenbourg*.
Ventes Publiques : Bruxelles, 1850 : *Pâturage avec animaux et figures* : **FRF 120** – Paris, 21 mai 1927 : *La basse-cour* : **FRF 550** – Paris, 19 déc. 1932 : *Le pâturage* : **FRF 450** – Paris, 6 déc. 1954 : *Combat de coqs ; Volatiles*, deux pendants : **FRF 32 100** – Amsterdam, 26 mai 1970 : *Troupeau dans un paysage d'été* : **NLG 3 400** – Londres, 8 nov. 1972 : *Volatiles dans des paysages*, deux pendants : **GBP 900** – Cologne, 27 juin 1974 : *Volatiles dans un paysage* 1862 : **DEM 3 500** – Amsterdam, 15 nov. 1976 : *Troupeau dans un paysage fluvial* 1852, h/t (60x78) : **NLG 5 600** – Londres, 20 juil. 1977 : *Basse-cour* 1845, h/pan., la paire

(14x16,5) : **GBP 1 400** – Cologne, 19 oct 1979 : *Berger et troupeau dans un paysage* 1870, h/t mar./pan. (84x101) : **DEM 24 000** – Amsterdam, 1er oct. 1981 : *La Basse-cour* 1860, h/pan. (23,5x30) : **NLG 8 500** – Amsterdam, 15 mars 1983 : *La Basse-cour* 1860, h/t (33,5x45) : **NLG 7 600** – Amsterdam, 19 nov. 1985 : *Troupeau dans un paysage boisé* 1850, h/pan. (35,5x42,5) : **NLG 6 000** – New York, 25 fév. 1988 : *Paons et volailles* 1867, h/t (40,6x51,7) : **USD 3 850** – Amsterdam, 10 fév. 1988 : *Chiens dans un paysage de montagnes* 1857, h/pan. (13,5x17) : **NLG 1 955** – Amsterdam, 30 août 1988 : *Vaches dans une prairie près d'une mare, le beffroi d'Utrech au lointain* 1852, h/t (62,5x80,5) : **NLG 5 750** – Amsterdam, 16 nov. 1988 : *Bovins, chèvres et moutons dans une prairie* 1847, h/t (45x57) : **NLG 9 200** – Stockholm, 15 nov. 1988 : *La laitière et deux vaches dans le pré*, h. (17,5x22) : **SEK 15 000** – Londres, 5 mai 1989 : *Canards et volailles au bord d'une rivière* 1879, h/pan. (20,5x27) : **GBP 3 080** – New York, 17 jan. 1990 : *Bétail dans un paysage estival* 1858, h/t (62,3x79,4) : **USD 3 575** – Cologne, 23 mars 1990 : *Volailles et canards au bord de la rivière* 1879, h/pan. (18x24) : **DEM 5 000** – Amsterdam, 5 juin 1990 : *Un taureau et une chèvre dans une prairie* 1851, h/pan. (22x27) : **NLG 3 220** – Amsterdam, 30 oct. 1990 : *Canards dans une prairie* 1860, h/pan. (24x30) : **NLG 8 625** – Londres, 17 mai 1991 : *Volailles dans un paysage* 1876, h/pan., une paire (18x24) : **GBP 4 840** – Amsterdam, 17 sep. 1991 : *Poulailler avec des poules, un coq et un dindon parmi des ruines*, h/pan. (13x17) : **NLG 4 025** – Amsterdam, 30 oct. 1991 : *Volailles dans un paysage* 1877, h/pan. (18x23) : **NLG 5 175** – Amsterdam, 2 nov. 1992 : *Poules et paon ; Poules et dindon* 1875, h/pan., une paire (chaque 18x22,5) : **NLG 14 950** – New York, 20 jan. 1993 : *Volatiles variés dans un paysage* 1876, h/t, une paire (40x51,4) : **USD 9 488** – Lokeren, 15 mai 1993 : *Volailles dans un paysage* 1875, h/pan., une paire (chaque 19x23,5) : **BEF 170 000** – Paris, 28 juin 1994 : *Volatiles de basse-cour dans un paysage*, h/t, une paire (chaque 13,7x17) : **FRF 16 000** – Amsterdam, 8 nov. 1994 : *Bétail dans un paysage estival* 1855, h/pan. (62x80) : **NLG 8 280** – Londres, 22 fév. 1995 : *L'Heure du grain pour les poussins* 1876, h/pan. (26x34) : **GBP 2 415** – New York, 20 juil. 1995 : *Rassemblement de volailles* 1872, h/pan. (26,7x38,1) : **USD 3 680** – Amsterdam, 16 avr. 1996 : *L'heure de la traite* 1860, h/t (34,5x46) : **NLG 7 316** – Londres, 13 juin 1996 : *Chevaux de selle et poulets dans une étable*, h/pan. (15x13,3) : **GBP 1 610** – Londres, 31 oct. 1996 : *Le Paon*, h/pan. (13,5x17) : **GBP 2 300** – Amsterdam, 5 nov. 1996 : *Troupeau dans un paysage d'été* 1850, h/t (63x81) : **NLG 10 620** – Amsterdam, 27 oct. 1997 : *Des vaches et un mouton dans une prairie* 1857, h/t (61x80) : **NLG 9 204**.

VERHOEVEN Abraham
Né le 22 juin 1580 à Anvers. Mort en 1639 à Anvers. xviie siècle. Éc. flamande.
Graveur au burin et sur bois.
Il grava des portraits.

VERHOEVEN Abraham. Voir aussi **HOEF Abraham Van der**

VERHOEVEN Andries
xviie siècle. Éc. flamande.
Peintre.
En 1684 il était élève de la gilde d'Anvers et devint maître en 1687.

VERHOEVEN Ferdinand
xviiie-xixe siècles. Travaillant à Anvers de 1786 à 1801. Éc. flamande.
Peintre d'architectures.

VERHOEVEN Guillaume
Mort avant 1683 à Amsterdam. xviie siècle. Hollandais.
Sculpteur.

VERHOEVEN Hans ou **Jan**
Né vers 1600 à Malines. Mort après 1676. xviie siècle. Éc. flamande.
Peintre d'histoire.
Fils du peintre et sculpteur Gilles Verhoeven. Élève de Nicolas Ophem ; maître dans la gilde en 1642, doyen en 1669. On voit trois portraits de lui au Musée de Malines, et d'autres œuvres dans les églises de cette ville. Il fut toute sa vie le rival et l'ennemi de Lucas Flamboys le jeune.

VERHOEVEN Martin ou **Martinus**
xviie siècle. Actif à Malines. Éc. flamande.
Peintre de fruits et de fleurs.
Frère de Hans V. Maître dans la gilde en 1628.

VERHOEVEN Séraphin Achille
Né en 1847 à Tourcoing (Nord). Mort en 1905 à Dunkerque (Nord). xixe siècle. Français.
Peintre de natures mortes.
Le Musée de Tourcoing conserve une œuvre de cet artiste.

VERHOEVEN-BALL Adrien Joseph ou **Joff** ou **Joseph**
Né le 7 août 1824 à Anvers. Mort le 24 avril 1882 à Anvers. xixe siècle. Belge.
Peintre de genre, portraits, fleurs, graveur à l'eau-forte.
Élève de Leys et de l'Académie d'Anvers. Il fut pendant dix ans président de la section des Beaux-Arts du Cercle artistique d'Anvers.

Musées : Montpellier : *Portrait d'Adrien Willaert* – Montréal : *La leçon de dessin.*
Ventes Publiques : Londres, 20 avr 1979 : *Rubens dans son atelier* 1852, h/t (100,3x125,1) : **GBP 5 000** – Londres, 19 juin 1981 : *Le Marchand de volailles* 1869 (76,2x92,7) : **GBP 3 200** – Amsterdam, 19 nov. 1985 : *Élégants personnages dans un intérieur* 1851, h/pan. (74x84,5) : **NLG 36 000** – Zurich, 22 mai 1987 : *Histoire de chasse* 1860, h/t (75x90) : **CHF 24 000** – New York, 25 fév. 1988 : *Le marché au gibier à Anvers* 1872, h/t (48,8x61,2) : **USD 5 500** – Londres, 5 mai 1989 : *Nature morte avec du gibier, du raisin, des pêches et des prunes dans une assiette et un ananas dans un panier* 1879, h/t (81x101,5) : **GBP 1 650** – Bruxelles, 7 oct. 1991 : *La préparation du plumpudding de Noël*, h/t (76x91) : **BEF 200 000** – New York, 19 jan. 1994 : *La lettre*, h/pan. (63,5x49,5) : **USD 1 955** ; *Les joueurs de cartes* 1858, h/pan. (71,1x55,2) : **USD 4 370** – Paris, 30 oct. 1996 : *Enfants regardant des poissons rouges dans un bocal* 1874, h/t (91,5x59) : **FRF 43 000**.

VERHOFSTADT Marcel
Né le 13 mai 1931 à Forest. xxe siècle. Belge.
Peintre.
Il fut élève de l'Académie des Beaux-Arts de Saint-Josse-ten-Noode. Sa peinture, figurative, relève du postexpressionnisme.

VERHOOGH Jan ou **Johannes**
Né en 1798 à Rotterdam. Mort en 1861 à Rotterdam. xixe siècle. Hollandais.
Peintre de paysages.
Il peint, le plus souvent, des paysages au clair de lune.
Ventes Publiques : Amsterdam, 5-6 fév. 1991 : *Paysage boisé avec un torrent au clair de lune* 1850, h/pan. (23,5x28,5) : **NLG 1 035**.

VERHOUT Constantin ou **Constantyn** ou **Voorhout**
xviie siècle. Actif à Gouda de 1663 à 1667. Hollandais.
Peintre de genre.
Le Musée d'Amsterdam conserve de lui *Vieillard apprenant à lire à une fillette* et *Nature morte avec des livres, un chandelier et une tête de mort*, et celui de Stockholm, *Étudiant endormi dans un intérieur.*
Ventes Publiques : Londres, 4 juil. 1984 : *La Sainte Famille dans un intérieur*, h/pan. (33x43,5) : **GBP 2 800**.

VERHUEL Jakobus
Né vers 1682. xviiie siècle. Travaillant à Amsterdam. Hollandais.
Peintre.

VERHUELL Alexander Willem Maurits Carel
Né le 7 mars 1822 à Doesburg. Mort le 28 mai 1897 à Arnhem. xixe siècle. Hollandais.
Dessinateur, graveur et lithographe.
Écrivain, critique d'art, illustrateur, cet artiste exécuta toute sa vie des dessins et des lithographies d'un réalisme souvent tragique.

VERHUIK Cornelis. Voir **VERHUYCK**

VERHULST. Voir aussi **HULST Van der**

VERHULST Charles Pierre
Né le 8 août 1774 à Anvers. Mort le 23 avril 1820 à Bruxelles. xviiie-xixe siècles. Belge.
Peintre d'histoire, scènes de genre, portraits.
Élève de son père Pierre Antoine V. Il fut professeur à l'Académie de Bruxelles.
Musées : Bruxelles : *Portrait d'homme – Portraits de Guillaume*

Frédéric-Charles et de Frédéric Georges de Nassau – Malines : *Le roi Guillaume Ier – Le musicien Tuerlinckx.*
Ventes Publiques : Paris, 22 mars 1943 : *Portrait d'homme* : **FRF 3 200** – Londres, 23 juil. 1976 : *Le toast* 1800, h/pan. (61x51) : **GBP 1 600** – Londres, 22 nov. 1989 : *Portrait du général Ernst Frederik Walterstorff* 1804, h/t (94x78,5) : **GBP 7 150**.

VERHULST Elias
XVIe siècle. Hollandais.
Peintre de fleurs.
On cite de lui : *Un bouquet de fleurs dans un vase richement orné*, daté de 1599.

VERHULST Marie. Voir **BESSEMERS Marie**

VERHULST Pierre Antoine
Né le 5 août 1751 à Malines. Mort le 21 novembre 1809 à Malines. XVIIIe siècle. Éc. flamande.
Peintre de paysages et de marines.
Fils de Pieter V. et élève de W. Herreyns. Le Musée de Malines conserve de lui *Repos pendant la fuite en Égypte* et *Paysage avec cascade*.
Ventes Publiques : Amsterdam, 22 mai 1990 : *Capriccio d'un paysage fluvial avec des ruines et une ville fortifiée à l'arrière-plan*, h/t (94x144) : **NLG 12 650**.

VERHULST Pieter
Né à Dordrecht. XVIIe siècle. Hollandais.
Peintre de fruits, de fleurs et d'insectes.
Élève de William Dodyns. Il peignit les insectes dans la manière de Marcellis Van Schrieck. Ne serait-il pas identique à HULST (Peter IV Van der) ?

VERHULST Rombout
Né le 15 janvier 1624 à Malines. Mort le 27 novembre 1698, enterré à La Haye. XVIIe siècle. Hollandais.
Sculpteur sur pierre, sur bois et sur ivoire.
En 1633, élève de Rombout Verstoppen et de François Van Loo. Il visita l'Italie, puis vint s'établir à La Haye. En 1668, il fut membre de la gilde et en 1676, membre de la « Pictura ».
Musées : Groningen : *Petit ange* – La Haye : *Portraits des stathouders Frédéric Henri de Nassau, Guillaume II, Guillaume III, de Marie d'Angleterre, femme de Guillaume III, et des amiraux de Ruyter et Van Gendt* – Leyde (Mus. de Lakenhal) : *Buste de P. Az. v. d. Werff* – Utrecht : *Buste d'un inconnu.*
Ventes Publiques : Londres, 7 avr. 1981 : *Putti représentant l'Hiver et l'Automne* 1686, marbre, une paire (chaque H. 87) : **GBP 4 000** – Paris, 6 juin 1984 : *Buste de Jacob Van Reygersberg* 1671, marbre blanc (H. 63) : **FRF 630 000**.

VERHUNNEMAN Jean ou **Annekin**. Voir **VERHANNEMAN**

VERHUYCK Cornelis ou **Verhuik**
Né en 1648 à Rotterdam. Mort après 1718 à Bologne (?). XVIIe-XVIIIe siècles. Éc. flamande.
Peintre de scènes de chasse et de batailles.
Élève de A. Houdins. D'après Lanzi, il vivait encore en 1718 à Bologne. D'après certains biographes, il serait le même artiste que Pieter Verhoek.

VERHUYCK Jan ou **Verhayck**
Né le 3 septembre 1622 à Malines. Mort après 1681. XVIIe siècle. Éc. flamande.
Peintre de batailles, de marines et de genre.
Fils de Willem V. Le Musée de Malines conserve de lui *Destruction de Malines par une explosion en 1546.*

VERHUYCK Willem
XVIIe siècle. Travaillant à Malines dans la première moitié du XVIIe siècle. Éc. flamande.
Peintre de paysages et de marines.
Père de Jan V.

VERI Filippo de'
XVe siècle. Actif à Milan en 1400. Italien.
Peintre.
Fils et assistant de Lanfranco V.

VERI Lanfranco ou **Franco**
XVe siècle. Actif à Milan vers 1400. Italien.
Peintre.
Père de Filippo V. Il a peint une grande fresque représentant *Le Jugement Dernier* sur le mur extérieur du Sanctuaire de Campione.

VERI Michelangiolo
XVIIe siècle. Italien.
Peintre.
Actif à Turin, il travailla à Rome en 1672.

VERI Pietro
Né à Florence. Mort le 2 août 1611 à Rome. XVIIe siècle. Italien.
Peintre et architecte.
Il travailla pour l'église Torre Nuova de Rome de 1604 à 1608.

VERIANE Renée de
Née au XIXe siècle à Paris. XIXe siècle. Française.
Sculpteur.
Élève d'Antonin Mercié, Marqueste et Peynot. Sociétaire des Artistes Français depuis 1887, elle figura au Salon de ce groupement ; mention honorable en 1896.

VERICO
XIXe siècle. Travaillant en 1822. Italienne.
Graveur.
Fille d'Antonio V. Elle grava le portrait de la cantatrice *Carolina Bassi.*

VERICO Antonio
Né vers 1775 à Bassano. XIXe siècle. Italien.
Graveur.
Il travailla à Rome et à Florence. Il imita R. Morghen. Il grava des portraits de souverains et de papes.

VERIEN Nicolas
XVIIe-XVIIIe siècles. Actif à Paris de 1685 à 1724. Français.
Graveur au burin.
Il grava des armoiries, des armes et des ornements.

VERIER Andrea
XVIIe siècle. Actif à Venise dans la première moitié du XVIIe siècle. Italien.
Mosaïste.
Élève de Giovanni Antonio Marini.

VERIN Jean ou **Verrain**
XVIIe siècle. Français.
Sculpteur.
Il sculpta de 1689 à 1694 des statues pour la cathédrale de Cambrai, pour d'autres églises ainsi que pour l'Hôtel de Ville.

VERINI Giovanni
XVIIe siècle. Travaillant à Rome vers 1660. Italien.
Aquafortiste et peintre (?).

VERINS Anton de
XIVe siècle. Travaillant en Catalogne en 1342. Espagnol.
Peintre.
Il était moine.

VERIS. Voir **ZAMAZAL Jaroslav**

VERITÉ Henri Émile
Né en 1902 à Pau (Basses-Pyrénées). Mort en 1936. XXe siècle. Français.
Peintre de paysages.
Il fut élève de son père à l'École des Beaux-Arts de Bordeaux puis à l'École des Beaux-Arts de Paris. Il exposa en province et en Algérie, où il enseignait le dessin.

VÉRITÉ Jean Baptiste
XVIIIe-XIXe siècles. Actif à Paris de 1788 à 1805. Français.
Graveur au burin.
Il grava au pointillé quelques portraits, parmi lesquels celui de *Louis XVI.*

VÉRITÉ Lucien Henri Alphonse
Né le 5 mars 1866 à Neuilly (Hauts-de-Seine). Mort en 1926 à Pau (Basses-Pyrénées). XIXe-XXe siècles. Français.
Peintre de paysages, dessinateur.
Il fut élève de l'École des Beaux-Arts de Paris. Il exposa des dessins à Paris au Salon des Artistes Français.

VÉRITÉ Pierre
Né le 5 juin 1900 à La Rochelle (Charente-Maritime). XXe siècle. Français.
Peintre, peintre de compositions murales, décorateur.
Il exposa à Paris, aux Salons des Indépendants, d'Automne et des Tuileries ; à la Galerie Charpentier avec l'École de Paris. Spécialiste parisien des arts primitifs, il est mêlé étroitement à la vie artistique de Montparnasse. En 1936, il a décoré la Maison de la Jeunesse à la porte d'Italie, à Paris, aux côtés de Jean Bazaine, Jean Le Moal, Lucien Lautrec. Il a été le collaborateur de Fernand Léger pour la décoration de l'aérodrome de Briey (Meurthe-et-Moselle), en 1939.

Musées : Épinal (Mus. départ. des Vosges) : *Peinture*, h/t – Paris (Mus. d'Art Mod.) – La Rochelle.

VERJANS Raf
Né en 1935 à Tongres. xxe siècle. Belge.
Sculpteur.
Il fut élève de l'école des arts et métiers de Maredsous.
Sculpteur et orfèvre, il a créé des bijoux.

VERJUX Michel
Né le 2 juin 1956 à Chalon-sur-Saône (Saône-et-Loire). xxe siècle. Français.
Auteur d'installations.
Après des études de droit et d'économie, il fut élève de Bernard Lattay et de Jacques Busse, à l'École des Beaux-Arts de Dijon, dont il sortit diplômé. Il vit et travaille à Dijon.
Il se manifesta tôt dans des expositions collectives : 1982, 1983 galerie Donguy à Paris ; 1983 Espace d'art contemporain, maison de la culture de Chalon-sur-Saône ; 1984, 1988 Nouveau Musée de Villeurbanne ; 1984 APAC de Nevers ; 1985 Salon de la Jeune Sculpture à Paris ; 1985, 1989 ARC, musée d'Art moderne de la ville de Paris ; 1988 FRAC (Fonds Régional d'Art Contemporain) Bourgogne à Dijon ; 1989 Villa Arson de Nice, Museum Fredericanum de Kassel, Museum Folkwang d'Essen et Kunstmuseum de Winterthur ; 1990 Biennale de Venise, The Watari Museum of Contemporary Art de Tokyo ; 1994 *Comme rien d'autre que des rencontres* au Mukha d'Anvers ; 1995 Kunstraum de Vienne ; 1997 château de Fraïssé (Aude), avec Felice Varini et Krijn de Koning.
Il montre ses œuvres dans de nombreuses expositions personnelles : 1983 Espace d'art contemporain, maison de la culture de Chalon-sur-Saône ; 1984, 1989 Le Coin du Miroir, Le Consortium à Dijon ; 1986 Maison de la culture et de la communication de Saint-Étienne ; 1987 galeries contemporaines du centre Georges Pompidou à Paris ; 1988, 1992 musée cantonal des Beaux-Arts de Lausanne ; 1990, 1994 galerie Durand-Dessert à Paris ; 1991 Musée municipal de La Roche-sur-Yon, Villa Arson de Nice ; 1993 Städtisches Museum Abteiberg de Mönchengladbach, Neues Museum Weserburg de Brême, Westfälischer Kunstverein de Münster ; 1994 Kunstmuseum de St. Gall.
À partir de sa formation audiovisuelle à l'école des Beaux-Arts de Dijon, il s'est fait connaître, après ses performances, dans le milieu international de l'art, par ses installations lumineuses. Dès 1983, avec *Plombs d'axe*, il travaille à partir de la lumière, éclairant des objets suspendus par des fils de plomb, dont l'ombre se projette contre le mur dans une image régie par la géométrie. Viennent ensuite les séries de *Petite et Grande Portes* et *Porte A n° 1 (Porte à l'escalier)* qui exploitent ces éléments de passage comme surface de projection, l'image est alors projetée à son tour, renvoyée, diffusée dans la pièce, influencée matériellement par l'environnement. Par la suite, supprimant ces intermédiaires, objets ou surfaces écrans, Verjux restreint ses moyens d'expression à la lumière, au mur et à un projecteur à découpe, puis de théâtre – qui lui permet de modifier la puissance et la couleur de l'éclairage –, et ne montre que la vibration de la lumière. Celle-ci, blanche, pure, qui se superpose à la clarté naturelle de la pièce, engendre la création de silhouettes sculpturales immatérielles et intervient directement sur les volumes, la texture, la couleur de l'espace investi. Verjux modifie le faisceau de lumière produit par le projecteur, afin d'engendrer des surfaces éclairées de type angulaire ou circulaire sur des éléments distincts de l'architecture du lieu de son intervention, en sorte de révéler celui-ci en modifiant la perception du spectateur. Il obtient des formes strictement définies par le diaphragme du projecteur, très découpées, ou au contraire instables ayant rencontrées quelque obstacle architectural, arête du mur, du plafond...
Verjux propose des éclairages, ces « signes les plus élémentaires de la monstration des choses », et non seulement de la lumière, portant son attention sur la scène, le spectacle. Soulignant le lien entre l'objet et sa « révélation » au regard par la lumière, l'artiste montre un espace vide, il se veut le metteur en scène de l'acte même d'exposer auquel il attribue le statut d'œuvre d'art : « Chaque œuvre exposée constitue *l'actualisation* d'un *type* d'éclairage, la réalisation d'un schéma de distribution et de répartition de la lumière dans l'espace. Mais si le schéma est mental, abstrait, la réalisation quant à elle, est physique, concrète. » (Verjux). ■ L. L.

Bibliogr. : C. Besson : *Michel Verjux*, Maison de la Culture, Saint-Étienne, 1984 – C. Gintz : *Michel Verjux*, Le Coin du Miroir, Dijon, 1984 – Annie Chevrefils Desbiolles : *Interview : Michel Verjux sous les projecteurs*, Art Press, n° 147, Paris, mai 1990 – Anne Richard : *Michel Verjux « Ici et maintenant »*, Opus International, n° 118, Paris, mars-avril 1990 – Alain Coulange : *Histoires naturelles : journal d'un amateur*, Pictura, 1991.
Musées : Genève (Mus. d'Art Mod. et Contemp.).

VERKADE Jan, appelé aussi **Père Willibrord**
Né le 19 septembre 1868 à Zaandam (Pays-Bas). Mort en août 1946 au couvent de Beuron. xixe-xxe siècles. Hollandais.
Peintre de compositions religieuses, figures, paysages, natures mortes, peintre à la gouache, aquarelliste, peintre de cartons de mosaïques, dessinateur. Groupe Nabi.
Il fut élève de Hendrik J. Haverman. Il se convertit au catholicisme en 1891. Il avait appartenu, à son arrivée à Paris en 1891, au groupe des Nabis ou groupe de Pont-Aven avec P. Gauguin, Laval, Filiger, Meyer de Haan, Seguin, E. Bernard, P. Bonnard, Vuillard, Serusier et M. Denis et y fut nommé, en raison de sa grande taille : « le Nabi obéliscal ». Il entra, en 1893, comme moine au monastère bénédictin de Beuron, dans le sud de l'Allemagne, où il exécuta des peintures murales. Écrivain, il laisse : *l'Incertitude vers Dieu, Poussée vers la Perfection* et des traductions du mystique hollandais Ruysbroeck l'Admirable. Il cessa de peindre à l'âge de quarante-six ans.
Deux de ses œuvres, *Saint Sébastien* et *Nature morte à la cruche* furent présentées en 1993 à l'exposition *Les Nabis* aux galeries nationales du Grand Palais à Paris.
Peintre mystique, il abandonna les paysages et natures mortes pour la peinture religieuse. Il a renouvelé l'art sacré, décorant des églises et abbayes en Suisse, en Tchécoslovaquie et à Jérusalem.

Bibliogr. : Bernard Dorival : *Les peintres du xxe siècle*, Tisné, Paris, 1957 – Michel-Claude Jalard : *Le Post-Impressionnisme*, in : *Hre Gle de la Peint.*, t. XVIII, Rencontre, Lausanne, 1966 – G. L. Mauner in : *Les Nabis : leur histoire et leur art, 1888-1896*, New York, 1978 – in : catalogue de l'exposition *Les Nabis*, Gal. Nat. du Grand Palais, Paris, 1993.
Ventes Publiques : Londres, 28 juin 1972 : *Ferme et arbres* : **GBP 3 200** – Enghien-les-Bains, 12 déc. 1982 : *Saint Sébastien* 1892, temp. (46,5x23) : **FF 130 000** – Lyon, 18 déc. 1983 : *Jeune bretonne*, fus. (36x26) : **FRF 52 000** – Copenhague, 29 août 1990 : *Jeune bretonne debout*, aquar. et encre (32x18) : **DKK 45 000** – Copenhague, 16 nov. 1994 : *Tête d'une petite Bretonne*, cr. gras (16x13,5) : **DKK 7 500** – Amsterdam, 7 déc. 1994 : *Paysanne bretonne de profil* 1892, cr./pap. (31x22) : **NLG 17 250**.

VERKADE Kees
Né en 1941. xxe siècle. Hollandais.
Sculpteur de genre, figures, sujets de sport.
Connu par les catalogues de ventes publiques.
Ventes Publiques : Amsterdam, 9 déc. 1988 : *Les judokas* 1974, bronze (H. 32,5) : **NLG 1 150** – Amsterdam, 22 mai 1990 : *Équilibre à la barre* 1971, bronze (H. 150) : **NLG 23 000** – Amsterdam, 22 mai 1991 : *Jeune femme portant un enfant*, bronze (H. 20) : **NLG 3 450** – Amsterdam, 11 déc. 1991 : *Le cabotin* 1990, bronze (H. 38,5) : **NLG 6 900** – Amsterdam, 27-28 mai 1993 : *Première rencontre* 1986, bronze (h. 87) : **NLG 13 570** – Amsterdam, 8 déc. 1993 : *Deux danseurs* 1979, bronze (H. 46,5) : **NLG 5 750** – Amsterdam, 6 déc. 1995 : *Invitation* 1982, bronze (H. 170) : **NLG 55 200** – Amsterdam, 5 juin 1996 : *Mère et Enfant* 1980, bronze (H. 47,5) : **NLG 25 300** – Paris, 16 sep. 1996 : *Passage de relais* 1969, bronze (52x75x20) : **FRF 19 000** – Amsterdam, 10 déc. 1996 : *Funambule* 1974, bronze (H. 20) : **NLG 6 342** – Amsterdam, 4 juin 1997 : *Danseuse* 1986, bronze (H. 170) : **NLG 51 894**.

VERKEN Colette
Née en 1920 à Liège. xxe siècle. Belge.
Peintre.
Elle fit ses études à l'Académie des Beaux-Arts de Liège. Elle travailla ensuite avec Jean Milo et Anne Bonnet.
Elle a exposé avec le groupe *Apport* en 1945. Elle a également fait plusieurs expositions personnelles, notamment en 1947 et 1960. Depuis 1960, elle a cessé de peindre.

VERKERK H. M. G.
Né le 9 octobre 1880 à Amersfoort. xxe siècle. Hollandais.
Peintre de paysages, natures mortes.
Il fut élève de Willem Steelink le jeune et de Peter Paul Schiedges.

VERKERK Joan
xviiie siècle. Travaillant à Utrecht. Hollandais.

Sculpteur.
Il exécuta un fronton et un tombeau dans l'église Saint-Jacques d'Utrecht.

VERKEST Ernest
Né le 23 juin 1923 à Tielt. XXe siècle. Belge.
Peintre de marines.
Il a étudié à l'institut supérieur Saint Lucas de Gand, de 1942 à 1949. Il participe à des expositions collectives et montre ses œuvres dans des expositions personnelles régulièrement en Belgique.

VERKLÄRER
XVIIIe siècle. Travaillant à Winterthur. Suisse.
Sculpteur.
Il exécuta la *Fontaine de la Justice* à Winterthur en 1748.

VERKOLYE Jan, l'Ancien ou **Verkolie** ou **Verkolje**
Né le 9 février 1650 à Amsterdam. Mort en 1693, enterré à Delft le 8 mai 1693. XVIIe siècle. Éc. flamande.
Peintre d'histoire, genre, portraits, intérieurs, graveur.
Il était fils d'un forgeron et fut d'abord destiné à la profession paternelle. Vers l'âge de douze ans un accident le cloua sur son lit pendant trois années et durant ce temps il dessina pour se distraire. Après sa guérison il devint l'élève de Jan Lievens. D'après Houbraken il fut chargé chez son maître d'achever des portraits de Gérard Pietersz Van Zyl. En 1672, il alla s'établir à Delft et l'année suivante il est cité dans la gilde des peintres.
Il peignit des portraits de petite dimension, des intérieurs et des sujets d'histoire. Il s'adonna aussi à la gravure, avec succès.

Musées : Amsterdam : *Réunion musicale – Anthonie Van Leewenhoek – Adrian Christiansz Van Groenewegen – Mme Van Groenwegen – Margaretha Verkolje* – Bonn : *Joyeuse compagnie* – Cambridge : *Dame avec cacatoès – Dame avec perruche* – Copenhague : *Hersé se prépare à recevoir Mercure* – Dessau : *Dame avec un petit garçon* – Dresde : *Trompette et jeune femme* – Dunkerque (Mus. mun.) : *Le fils de l'artiste* – Glasgow : *Madeleine lisant* – Haarlem : *Cornelis Doublet – Adriaen Doublet – Fr. Van der Burch – Petronella Boogaart – Gertrud Spiering – Guillaume III – Marie, femme de Guillaume III* – Hanovre : *Vertumne et Pomone* – Leipzig : *Vive le vin !* – Magdebourg : *Dame* – Moscou : *Leçon de musique – Jeune femme faisant sa toilette* – Paris (Mus. du Louvre) : *Scène d'intérieur* – Rotterdam : *Un chasseur* – Saint-Pétersbourg (Mus. de l'Ermitage) : *Scène d'intérieur* – Schleissheim : *Récréation des musiciens* – Stockholm : *Musiciens amateurs* – Utrecht : *La famille Vredembraz* – Würzburg : *En société*.
Ventes Publiques : Paris, 1777 : *Concert* : **FRF 4 085** – Gand, 1837 : *Scène d'intérieur* : **FRF 850** – Paris, 1872 : *Tarquin et Lucrèce* : **FRF 1 030** – Paris, 1877 : *La Sainte Vierge* : **FRF 1 900** – Paris, 20 mai 1900 : *Dame cueillant des fleurs*, en collaboration avec Boschaert : **FRF 700** – Londres, 5 avr. 1909 : *Portrait de femme* : **GBP 25** – Londres, 2 mars 1911 : *Intérieur* : **GBP 16** – Paris, 8-10 juin 1920 : *Le Goûter dans le parc*, pl. : **FRF 1 400** – Londres, 19 avr. 1937 : *La Lettre* : **GBP 1 800** – Londres, 19 nov. 1937 : *Femmes et gentilshommes* : **GBP 147** – Paris, 11 déc. 1946 : *Portrait d'une femme dans un paysage*, attr. : **FRF 18 000** – Bruxelles, 16 fév. 1951 : *L'Instant musical* : **BEF 8 000** – Londres, 26 juin 1959 : *Intérieur* : **GBP 787** – Londres, 11 juil. 1962 : *Groupe familial devant une maison de campagne* : **GBP 480** – Zurich, 22 mars 1966 : *Les Préparatifs du repas* : **CHF 8 500** – New York, 17 mai 1972 : *Joyeuse compagnie dans un intérieur* : **USD 8 000** – Londres, 20 juil. 1973 : *Deux enfants, l'un assis sur le rebord d'une fenêtre* 1676 : **GNS 2 600** – Versailles, 1er déc. 1974 : *La Partie de musique* : **FRF 40 000** – Amsterdam, 18 avr. 1977 : *Quatre cavaliers*, pl. et lav./trait de craie noire (13x18,5) : **NLG 5 200** – Amsterdam, 26 avr. 1977 : *Portrait d'une dame de qualité* 1676, h/cuivre (56,5x48) : **NLG 13 000** – New York, 13 jan. 1978 : *Joyeuse compagnie dans un intérieur*, h/t (55x45) : **USD 13 500** – Amsterdam, 27 nov 1979 : *La diseuse de bonne aventure*, h/pan. (51x42) : **NLG 52 000** – Londres, 18 oct. 1989 : *Élégante compagnie jouant au backgammon*, h/t (58,5x49) : **GBP 26 400** – Amsterdam, 28 nov. 1989 : *Portrait d'une petite fille vêtue d'une robe abricot et vert assise sur un rideau drapé au pied d'une urne dans un parc* 1689, h/cuivre (50,6x41,2) : **NLG 126 500** – Amsterdam, 13 nov. 1990 : *Portrait d'une jeune femme debout près d'une fontaine, vêtue d'une robe blanche à écharpe rose avec son petit chien à ses pieds* 1676, h/cuivre (57,8x49,3) : **NLG 14 950** – Amsterdam, 10 mai 1994 : *Portrait d'un gentilhomme assis près d'une table avec une fenêtre donnant vue sur la mer*, encre et lav. (23,8x18,8) : **NLG 11 270** – Londres, 7 déc. 1994 : *Couple élégant avec des instruments de musique dans un riche intérieur*, h/t (96,5x82) : **GBP 716 500** – Londres, 30 oct. 1996 : *Portrait d'un jeune garçon en noir de trois quarts dans un jardin ornemental* 1665, h/t (49x42) : **GBP 2 300** – Amsterdam, 11 nov. 1997 : *Portrait de trois quarts d'un gentilhomme en armure se tenant debout sur une terrasse, la main droite posée sur un gant placé sur un piédestal drapé à côté de lui, son casque à plumes un peu plus loin, la main gauche tendue vers un paysage au loin* 1683, h/t (58,9x49,9) : **NLG 19 604**.

VERKOLYE Jan, le Jeune
Mort avant 1763 ? XVIIIe siècle. Hollandais.
Peintre et graveur à la manière noire.
Fils et élève de Jan Verkolye l'Ancien. On le cite surtout comme graveur à la manière noire, dont son père avait été un des premiers propagandistes. La vente de ses tableaux et effets eut lieu le 14 octobre 1763.

VERKOLYE Nicolaas ou **Verkolje**
Né le 11 avril 1673 ou 1675 à Delft. Mort le 21 janvier 1746 à Amsterdam. XVIIe-XVIIIe siècles. Hollandais.
Peintre d'histoire et de genre, et graveur.
Élève de son père Jan Verkolye. Il avait vingt ans à la mort de son père et jugeant son instruction suffisante, il s'établit peintre de portrait. Il travailla d'abord dans la manière de son père. Plus tard, il peignit des tableaux d'histoire et, dans ce genre, s'inspira du style de Van der Werff. Ce fut aussi un bon dessinateur et un habile graveur. Ses meubles et ses tableaux furent vendus le 18 avril 1746.

Musées : Amsterdam : *Apothéose de la Compagnie des Indes Orientales Néerlandaises* – Berlin : *Le gibier refusé* – Bruxelles (Mus. mun.) : *Allégorie de la Prospérité d'une nation* – Dresde : *Un monsieur au marché aux légumes* – Enschede : *Portrait d'une dame* – La Fère : *Scène d'intérieur* – Hoorn : *Portrait de Herman Berkhout – Portrait de Debora de Vries* – Liège : *Nymphes faisant une offrande à Pan* – Mayence : *Découverte de Moïse* – Oslo : *Retour de la chasse* – Paris (Mus. du Louvre) : *Proserpine et ses compagnes cueillant des fleurs dans la prairie d'Enna* – Rostock : *Joueurs de dames – Divertissement musical* – Saint-Pétersbourg (Mus. de l'Ermitage) : *Chasteté de Joseph – Thamar et Amnon* – Stralsund : *Joyeuse compagnie*.
Ventes Publiques : Paris, 1776 : *Allégorie sur les Arts et les Sciences*, encre de Chine : **FRF 440** – Berlin, 24 jan. 1899 : *L'Importun* : **FRF 310** – Londres, 12 déc. 1908 : *Le Christ et la femme de Samarie* : **GBP 25** – Paris, 28 fév. 1919 : *L'Enlèvement d'Orithye* : **FRF 2 900** – Paris, 12 mai 1939 : *La Présentation au temple* : **FRF 5 200** – Paris, 18 et 19 déc. 1940 : *L'Amour endormi* : **FRF 15 000** – New York, 29 avr. 1943 : *Personnages à la fenêtre*, aquar., une paire : **USD 950** – Paris, 29 nov. 1965 : *Suzanne et les Vieillards* : **FRF 6 000** – Cologne, 5 mai 1966 : *Le Christ, la Sainte Vierge et sainte Marthe* : **DEM 7 000** – New York, 26 avr. 1967 : *Le général romain et les vestales* : **USD 2 000** – Paris, 9 déc. 1981 : *Joseph rencontrant ses frères*, h/pan. (54,5x62,5) : **FRF 90 000** – Paris, 8 déc. 1982 : *Scène d'intérieur hollandais*, h/pan. (60,5x50,5) : **FRF 48 000** – Copenhague, 12 nov. 1985 : *Le galant entretien* 1697, h/t (50x42) : **DKK 120 000** – Londres, 8 avr. 1987 : *Portrait d'un couple élégant dans un parc*, h/t (98x107,5) : **GBP 8 000** – New York, 15 jan. 1993 : *La découverte de Moïse*, h/pan. (34,9x42,5) : **USD 28 750** – Paris, 23 juin

1995 : *Portrait d'enfants accoudés à un balcon*, h/t (90x77,5) : **FRF 140 000** – LONDRES, 16 avr. 1997 : *Intérieur patricien avec un gentilhomme offrant une perle à une dame jouant du virginal* 1703, h/t (98x81) : **GBP 5 750** – PARIS, 13 juin 1997 : *Léda et le Cygne* 1659, cuivre (41x32,5) : **FRF 50 000**.

VERKRUIS Theodor ou **Verkruys** ou **Vercruys** ou **della Croce**
Mort en 1739. XVIIIe siècle. Travaillant à Florence de 1707 à 1726. Hollandais.
Graveur.
Il travaillait vers 1707 à Florence avec Mogalli Lorenzini et Piechianti à la reproduction des tableaux de la Galerie de Florence. Il a gravé notamment des marines d'après Salvator Rosa. Ne paraît pas identique à Théodore CRÜGER.

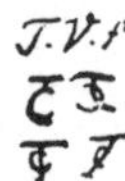

VERKRUITZEN Anton ou **Vercruice** ou **Verkruicen** ou **Verkrüssen**
XVIIe-XVIIIe siècles. Allemand.
Peintre.
Élève de Koppers à Munster. Il exécuta des tableaux d'autel dans l'église Saint-Laurent de Munster et dans des châteaux des environs de cette ville de 1675 à 1720.

VERLA Alessandro
Originaire de Vicence. XVIe siècle. Italien.
Peintre.
Fils de Francesco V. Il travailla à Rovereto et à Udine de 1519 à 1559.

VERLA Francesco ou **Verlo**
Né à Vicence. Mort à Vicence. XVe siècle. Actif de 1490 à 1520. Italien.
Peintre d'histoire.
Élève de Scarcione. On le croit le même artiste que Francesco Veruzio de Vicence cité par Vasari.
MUSÉES : MILAN (Brera) : *La Vierge, l'Enfant Jésus et des saints* – MINNEAPOLIS : *Madone de la Miséricorde* – VÉRONE (Mus. mun.) : *Madone et deux saints* – VICENCE (Mus. mun.) : *Circoncision*.
VENTES PUBLIQUES : LONDRES, 12 juil. 1963 : *La Vierge et l'Enfant entourés de saint Jean Baptiste et d'anges* : **GBP 3 200**.

VERLAINE Paul Marie
Né le 30 mars 1844 à Metz (Moselle). Mort le 8 janvier 1896 à Paris. XIXe siècle. Français.
Poète et dessinateur amateur.
Le grand poète a toujours beaucoup dessiné, avec un vrai talent de primesaut, sans accorder beaucoup d'importance à tant de silhouettes d'amis, de confrères, de portraits-charges des uns et des autres, de caricatures de lui-même. Nombre de dessins du « Pauvre Lélian » sont faits sur les blancs d'imprimés des hôpitaux où il passa tant de semaines. Citons parmi les dessins de P. Verlaine : *Louis Ulbach et C. de Sivry, A. Rimbaud fumant la pipe en terre, A. Rimbaud et P. Verlaine à Londres, Verlaine, Valade et Mérat au « Dîner des Vilains Bonshommes », Napoléon III après Sedan, Verlaine à l'hôpital, Verlaine en Chinois, La Conférence du grand Paul (P. Bert) à Bellevomphe (Belleville), L'aveu du grand Léon (Gambetta) à Versailles, Lamartine sortant de la douche frais et dispos ou Aix-les-Bains en* 1825, *Verlaine à Aix-les-Bains en* 1889, *Cazala, Une soirée chez P. Verlaine en* 1889. La Bibliothèque Doucet (à la Bibliothèque Sainte-Geneviève) conserve un grand nombre de dessins du poète et de manuscrits ornés de croquis marginaux.
VENTES PUBLIQUES : PARIS, 24 fév. 1943 : *Autoportrait accompagné d'un billet autographe*, mine de pb : **FRF 31 500** – PARIS, 27 nov. 1950 : *Portraits de Henri Mercier, Jean Richepin, Camille Pelletan et Maurice Bouchor*, pl. : **FRF 5 000** – PARIS, 12 juin 1984 : *Autoportrait caricatural annoté « Van der Verlaine fecit »* 1893, pl. (18x23) : **FRF 10 100**.

VERLAT Charles Michel Maria
Né le 24 novembre 1824 à Anvers. Mort le 23 octobre 1890 à Anvers. XIXe siècle. Belge.
Peintre d'histoire, compositions religieuses, portraits, animaux, natures mortes, graveur à l'eau-forte.
Il reçut tout d'abord les conseils de sa mère et d'un sculpteur hollandais Vanderven. Il fréquente l'Académie de sa ville natale où il est élève de Nicaise, de De Keyser et de Whappers. En 1849, il part pour Paris, où il restera dix-huit ans. Il se lie avec les frères Stevens, travaille chez Ary Scheffer, est impressionné par le réalisme de Courbet. En 1866, appelé par le duc de Saxe-Weimar, à diriger son Académie des Beaux-Arts, il étudie les primitifs allemands, et peint quelques portraits. Puis il visite l'Orient, reste deux années en Palestine, où il peint des scènes bibliques. Il est nommé professeur à l'Académie d'Anvers dont il devient directeur en 1885. Il participa à la renaissance des ateliers de gravure anversois.
Médailles à Paris en 1853, 1855, 1878 ; chevalier de la Légion d'honneur en 1868.
Ses aspirations épiques lui font peindre de préférence les grands fauves et des scènes de chasse. Pour des nécessités de trésorerie personnelle, il exécute des tableautins humoristiques dont les acteurs sont des singes, et qu'il appelle comiquement sa « monnaie de singe ».

MUSÉES : AMSTERDAM : *Lutte à mort* – AMSTERDAM (Mus. mun.) : *Le bout de la queue et le bout de l'oreille* – ANVERS : *Le peintre Joseph Lies – La mère du Messie et les quatre évangélistes*, triptyque – *La défense du troupeau – Le coup de collier – La statue du duc d'Albe trouvée dans les rues d'Anvers et brisée par le peuple* 1577 – *Vox Dei*, triptyque – *Bœufs de labour*, deux œuvres – *Coq – Porc et âne – Lion attaqué par des buffles – Le roi de la basse-cour – Le peintre Lod. Derckx – Le peintre Lamorinière – Pietà* – BRÊME : *Famille de canards* – BRUXELLES : *Godefroy de Bouillon à l'assaut de Jérusalem – Chien de berger défendant son troupeau contre un aigle – Étude* – GRAZ : *Chat guettant sa proie – Renard avec son butin* – LE HAVRE : *Chiens jouant* – LIÈGE : *Le premier bébé* – PROVINS : *Petit chien griffon* – WEIMAR : *Portraits de Franz Liszt et de Fr. Breller*.
VENTES PUBLIQUES : PARIS, 1876 : *Bûcheron et sa fille attaqués par un ours* : **FRF 1 200** – PARIS, 1880 : *Le bon prince* : **FRF 2 100** – BERLIN, 17 mai 1895 : *Renard guettant des canards* : **FRF 612** – PARIS, 1900 : *Le bûcheron et l'ours* : **FRF 2 100** – LONDRES, 6 déc. 1909 : *Chat et moineau* 1861 : **GBP 6** – PARIS, 17 déc. 1948 : *Renard guettant des canards* : **FRF 8 000** – PARIS, 1954 : *Le coq* : **FRF 52 000** – COLOGNE, 23 mars 1973 : *Jeune fille avec son chien* 1865 : **DEM 15 000** – BRUXELLES, 25 mai 1974 : *Renard au poulailler* 1868 : **BEF 68 000** – BRUXELLES, 12 déc 1979 : *Chien et chat*, h/bois (21x27) : **BEF 32 000** – ANVERS, 21 mai 1985 : *Singe et chat* 1883, h/pan. (64x48) : **BEF 180 000** – LONDRES, 16 fév. 1990 : *Le nouveau tour* 1868, h/t (72,4x58,4) : **GBP 7 480** – AMSTERDAM, 2 nov. 1992 : *Un chien* 1879, h/t (134x85) : **NLG 7 475** – CALAIS, 13 déc. 1992 : *Le chat et la souris*, h/pan. (35x27) : **FRF 8 000** – AMSTERDAM, 20 avr. 1993 : *Un ours dans les bois*, h/t (99x79) : **NLG 8 050** – LOKEREN, 4 déc. 1993 : *Chat et souris*, h/pan. (35,5x27) : **BEF 48 000** – LONDRES, 22 fév. 1995 : *Un chien artiste*, h/pan. (39x27) : **GBP 1 610** – PARIS, 13 oct. 1995 : *Le renard et les canards* 1857, h/pan. (37x45) : **FRF 9 000** – LONDRES, 17 nov. 1995 : *Cheval arabe sous les murs de Jérusalem* 1877, h/t (120,5x161,2) : **GBP 56 500** – NEW YORK, 17 jan. 1996 : *Nature morte de roses*, h/t (96,8x62,9) : **USD 3 450** – LOKEREN, 18 mai 1996 : *Chat et souris*, h/pan. (35,5x26,5) : **BEF 38 000**.

VERLE Heinrich von
XVIIe siècle. Autrichien.
Peintre de paysages.
Il travailla dans les châteaux de Krumau et de Netolitz.

VERLEE Jean Luc
Né en 1939 à Zele. XXe siècle. Belge.
Sculpteur, auteur d'assemblages, céramiste, graveur.
Il étudie la céramique et les arts graphiques à l'École Saint-Luc de Gand, puis la sculpture à l'Institut Supérieur des Beaux-Arts d'Anvers. Il a reçu le prix Bugatti en 1965.
Un certain nombre d'œuvres en pierre de Verlee sont des constructions architectoniques ; d'autres manifestent des tendances plus proches d'un certain vitalisme. Par des assemblages, par exemple la juxtaposition d'éléments d'origine indus-

trielle, de tuyaux, avec les épaules et la poitrine d'une femme, il suggère une présence corporelle.

VERLET Charles Raoul ou **Raoul Charles**

Né le 7 septembre 1857 à Angoulême (Charente). Mort en décembre 1923 à Paris. XIXe-XXe siècles. Français.

Sculpteur de statues, figures, bustes.

Il fut élève de Pierre Jules Cavelier, Louis Ernest Barrias, François Jouffroy, Milet et Édouard May. Il débuta à Paris, au Salon de 1880 ; il reçut en 1887 une seconde médaille et le prix du Salon, en 1889 une médaille d'or, en 1900 une médaille d'honneur et le grand prix. Il fut chevalier, puis officier de la Légion d'honneur en 1900, puis membre de l'Institut en 1910.

Musées : Angoulême : *Coulombe, lieutenant-colonel du génie – Le Joueur de flûte – Bas-Reliefs d'après les frises du Parthénon* – Châteauroux : *Buste d'enfant* – Digne : *Piété filiale* – Limoges : *Statue d'Adrien Dubouché* – Paris (Mus. du Louvre) : *Buste du docteur Barthe – Le Peintre Lhermitte – La Fille prodigue – La Douleur d'Orphée* – Rouen : *Diane* – Vannes : *Mgr Sebaux, évêque d'Angoulême.*

Ventes Publiques : Londres, 5 nov. 1980 : *Orphée aux Enfers*, bronze patine brun vert (H. 84) : **GBP 2 900** – Londres, 10 nov. 1983 : *Orphée et Cerbère*, bronze patiné (H. 84) : **GBP 750** – Lokeren, 1er juin 1985 : *La douleur d'Orphée*, bronze patiné (H. 125) : **BEF 600 000** – Londres, 6 nov. 1986 : *Orphée et Cerbère* vers 1870, bronze patiné (H. 82,5) : **GBP 2 000**.

VERLEUR Andries

Né en 1876 à Amsterdam. Mort en 1953. XXe siècle. Hollandais.

Peintre de compositions animées, paysages.

Il fut élève de Willem Maris et de Théophile de Bock.

Ventes Publiques : Amsterdam, 23 avr. 1991 : *Femme sur un sentier*, h/t (49,5x39) : **NLG 1 725**.

VERLIN, Mlle

XIXe siècle. Belge.

Peintre.

Citée comme élève de l'Académie d'Anvers en 1823. Le Musée Boucher de Pert, à Abbeville, conserve d'elle : *Tête d'étude d'après un sapeur suisse.*

VERLIN Cristiano Matteao ou **Verlino** ou **Wehrlein** ou **Wehrlin**

XVIIIe siècle. Italien.

Peintre animalier, de plantes.

Il peignit pour le duc de Savoie et travailla à la cour de Turin, de 1756 à 1774.

Ventes Publiques : Paris, 27 juin 1984 : *Chat près de trophées de chasse*, h/t (63,5x53,5) : **FRF 11 500**.

VERLIN Giovanni Adamo ou **Verlino** ou **Wehrlein**

Né à Nuremberg. Mort le 26 décembre 1776 à Turin. XVIIIe siècle. Allemand.

Peintre et restaurateur de tableaux.

Père de Venceslao Verlin. Il travailla pour les cours de Turin et de Vienne.

VERLIN Venceslao ou **Verlino** ou **Wehrlein**

Mort en 1780 à Florence. XVIIIe siècle. Italien.

Peintre de portraits.

Fils de Giovanni Adamo Verlin. Il travailla pour les cours de Florence et de Turin. Le tableau conservé par la Galerie Nationale de Florence est signé « Vincislaus Werthlem, 1771 ».

Musées : Florence (Offices) : *L'artiste lui-même tenant en main le portrait du grand-duc Pierre-Léopold Ier de Toscane.*

VERLINDE Abraham Van der ou **Verlinden**

XVIIe siècle. Travaillant à Rotterdam dans la première moitié du XVIIe siècle. Hollandais.

Peintre de paysages.

VERLINDE Blanche

Née le 20 juillet 1931 à Bruges. XXe siècle. Belge.

Sculpteur de figures, bustes.

Elle fut élève de l'académie des beaux-arts de Bruges, de 1946 à 1956.

Elle participe à des expositions collectives notamment à *Kunst Beeld Nu'88* à Ostende en 1988, et montre ses œuvres dans des expositions personnelles régulièrement en Belgique.

VERLINDE Claude

Né le 24 juin 1927 à Paris, de parents flamands. XXe siècle. Français.

Peintre de compositions animées, compositions d'imagination, animaux, paysages, paysages urbains, peintre à la gouache, dessinateur, graveur. Fantastique.

Il fut élève, à Paris, de l'école des beaux-arts et de l'académie de la Grande Chaumière.

Il participe à des expositions collectives et montre ses œuvres dans des expositions personnelles régulièrement à Paris, notamment à la galerie d'art de la place Beauvau, et à l'étranger, aux États-Unis, en Suède...

Au milieu du XXe siècle, il réalise des œuvres dans la lignée directe de Brueghel. Admirateur des flamands, de Bosch à Cranach, il peint des scènes peuplées de mondaines séductrices, de créatures mi-humaines, mi-animales, de monstres, de fruits géants. Il mêle rêve et cauchemar, un grand sens de la caricature et de l'observation, dans de fabuleuses visions hors du temps.

Musées : Saint-Étienne.

Ventes Publiques : Paris, 28 sep. 1984 : *La ville* 1965, h/pan. (54x73) : **FRF 23 000** – Paris, 5 déc. 1985 : *Le mythe de Sisyphe*, h/t (162x130) : **FRF 161 000** – Paris, 15 fév. 1989 : *Forêt*, h/t (92x62,5) : **FRF 20 000** – Paris, 14 oct. 1989 : *La foule*, gche et cr./pap. (42x30) : **FRF 72 000** – Paris, 22 oct. 1989 : *Le parfum*, cr. et gche /pap. (30x42) : **FRF 42 000** – Strasbourg, 29 nov. 1989 : *La tour de Babel*, h/t (62x60) : **FRF 38 500** – Paris, 13 juin 1990 : *La Révolte des sous* 1989, gche (40x30) : **FRF 42 000** – Paris, 11 déc. 1991 : *Personnage au haut de forme*, mine de pb et encre de Chine (65x38) : **FRF 6 000** – Paris, 14 avr. 1992 : *Paysage d'hiver* 1957, h/pap./isor. (50x61) : **FRF 4 000** – Lucerne, 23 mai 1992 : *La ville*, h/t (97x130) : **CHF 6 500** – Paris, 21 oct. 1993 : *Sans titre*, h/pan., une paire (chaque 185x113) : **FRF 260 000** – Paris, 18 avr. 1994 : *La rue*, h/t (50x61) : **FRF 6 500** – Paris, 19 déc. 1996 : *Les Épouvantails*, h/t (80x65) : **FRF 160 000**.

VERLINDE Hans ou **Verlinden**

XVIIe siècle. Actif à Malines et à Rotterdam au début du XVIIe siècle. Hollandais.

Peintre.

VERLINDE Peter Anton ou **Pierre Antoine Augustin** ou **Verlinden**

Né le 20 juin 1801 à Bergues-Saint-Winoc (Nord). Mort le 20 ou 29 mars 1877 à Anvers. XIXe siècle. Belge.

Peintre d'histoire, de portraits et de panoramas.

Il étudia d'abord à Paris dans l'atelier de Guérin, puis fut élève de Ducq à Bruges, de Van Bree à Anvers. Il s'établit en Belgique et fut en 1829, professeur de l'Académie d'Anvers.

Musées : Anvers : *Arc de triomphe de la place de Meir en 1840* – Bergues : *La Samaritaine* – Dunkerque : *Ancien drapeau de la musique communale de Dunkerque* – Moscou (Roumianzeff) : *Un charlatan.*

Ventes Publiques : New York, 19 jan. 1982 : *Portrait de jeune femme* 1825, h/t (27,5x21,5) : **USD 1 500**.

VERLINDE Pierre Simon

XVIIe-XVIIIe siècles. Actif à Malines. Éc. flamande.

Peintre d'histoire.

Élève de Luc Franchois en 1677. Maître à Malines en 1690, doyen de la gilde en 1695. Il a peint le plafond de la grande salle de l'Hôtel de Ville à Malines. Le Musée de Malines conserve une *Allégorie* de cet artiste.

VERLINDE Willem ou **Verlinden**

XVIIe-XVIIIe siècles. Travaillant de 1657 à 1703. Hollandais.

Peintre.

Fils d'Abraham Van der Verlinde.

VERLING

Né en 1824 à Strasbourg (Bas-Rhin). Mort le 11 janvier 1904 à Strasbourg (Bas-Rhin). XIXe siècle. Français.

Sculpteur d'ornements.

Il exécuta des restaurations à la cathédrale de Strasbourg.

VERLINO. Voir **VERLIN**

VERLO Francesco. Voir **VERLA**

VERLOET Francesco, appellation erronée. Voir **VERVLOET Frans**

VERLOET Frans. Voir **VERVLOET**

VERLOY François Van. Voir **LOO François Van**

VERLSHAUSER Heinrich. Voir **FERLHAUSE Heinrich**

VERLUYSEN Edmond A. Voir **VERSLUYSEN**

VERLY Adelin

Né en 1883. Mort le 16 novembre 1967 à Uccle. XXe siècle. Belge.

Peintre d'animaux, natures mortes, fleurs.

VENTES PUBLIQUES : AMSTERDAM, 24 mai 1989 : *Bétail dans un verger*, h/t (54x73) : **NLG 10 925** – AMSTERDAM, 13 déc. 1989 : *Nature morte avec des roses dans un vase sur un entablement*, h/pan. (54x54,5) : **NLG 7 475** – AMSTERDAM, 22 mai 1990 : *Dahlias dans un vase de cristal*, h/t (100x75) : **NLG 20 700**.

VERLY François

Né en 1760 à Lille. Mort en 1822. XVIIIe-XIXe siècles. Français.

Peintre, aquarelliste, graveur.

Le Musée Wicar, de Lille, possède de lui deux *Vues du Panthéon de Paris*, et le Musée de Versailles, une aquarelle (*La flotte française en présence de la flotte anglaise devant Anvers-sur-l'Escaut*).

VERLY Jacques M.

Né le 18 juillet 1947 à Braine-le-Comte (Wallonie). XXe siècle. Belge.

Peintre de figures, sculpteur, dessinateur, décorateur.

Il fut élève de l'académie Saint-Luc à Mons. Depuis 1970, il poursuit une carrière d'enseignant.

Il participe à des expositions collectives, notamment au Salon d'Artistes wallons à Mons en 1974-1976. Il montre ses œuvres dans des expositions personnelles, depuis 1973 en Belgique.

Il puise son inspiration dans la réalité quotidienne, personnages dans la rue, le jardin, dans un intérieur, une salle de bain, entourées de nombreux animaux domestiques. Il adopte un style simplifié, mêlant hyperréalisme, le trait, l'efficacité de la bande dessinée et une certaine naïveté, suggérant les formes, avec des poupées dans les années soixante-dix puis des nus réalistes et de nombreuses figures de femmes, des scènes de couples. Ses sculptures en terre à modeler, blanche ou brique, empruntent aussi au quotidien (*Femme à l'aspirateur, Le Retraité au repos*) dans l'esprit du pop'art, avec des figures en situation souvent articulées.

BIBLIOGR. : Raymond Lacroix : *Un Artiste parmi les hommes*, AICA, 1984.

VERLY Louis

Né le 7 mai 1769 à Lille. Mort en 1842. XVIIIe-XIXe siècles. Français.

Peintre et architecte.

Frère de François V. Le Musée Wicar à Lille conserve de lui *Le tombeau de Rousseau à Ermenonville* (aquarelle).

VERLY Melchior

XVIIIe siècle. Français.

Sculpteur.

Il sculpta des statues et des ornements dans l'abbatiale de Mondaye, de 1741 à 1745.

VERLY Robert

Né en 1901. Mort le 14 mai 1963 à Ixelles. XXe siècle. Belge.

Peintre.

VERMAASEN Jan ou **Johannes** ou **Vermagen** ou **Vermazen**

Né vers 1763 à La Haye. XVIIIe siècle. Hollandais.

Peintre.

En 1771, élève et maître en 1779 dans la gilde de La Haye. Il a peint des portraits et des paysages. Il fit un séjour en Angleterre et revint à La Haye.

VERMAES Isack. Voir **MES Isack de**

VERMARE André César

Né le 27 novembre 1869 à Lyon (Rhône). XIXe-XXe siècles. Français.

Sculpteur de compositions religieuses, monuments.

Élève de Charles Dufraine, il vint à Paris pour entrer dans l'atelier de Falguière.

Toutes les récompenses du Salon lui furent décernées ; hors concours, membre du jury. Il a reçu de nombreux prix et distinctions : 1894 prix Chevanard pour sa statue de *Giotto enfant* ; 1897 deuxième Grand Prix de Rome avec *Orphée et Eurydice* ; 1898 première récompense au Salon des Artistes Français avec une troisième médaille pour *Giotto enfant* en marbre cette fois et premier Grand Prix de Rome pour son bas-relief *Adam et Ève retrouvant le corps d'Abel*.

L'État a acquis tous ses envois de Rome, notamment *Le Rhône et la Saône* pour l'ornement du Palais du Commerce à Lyon ; *Suzanne* qui figurait au Musée du Luxembourg ; *Les Vendanges*, acheté par la ville de Paris pour le square Trousseau. L'étranger fit souvent appel à son talent. Il a exécuté les monuments officiels suivants : *Sadi-Carnot* à Saint-Chamond ; *Aux Combattants de 1870-1871* à Saint-Étienne ; *Ampère* à Poleymieu (Rhône) ; *Brillat-Savarin* à Belley ; *Aux Diables bleus* (1914-1918) au Grand Ballon de Guebwiller ; *Cardinal Taschereau* à Québec ; *Cardinal Touchet* à Orléans, etc. On lui doit des frontons, des façades ; dans l'ordre de la sculpture religieuse il faut spécialement citer la *Jeanne d'Arc* de Saint-Louis des Français, à Rome et cette image du *Curé d'Ars* que le Pape Pie X conservait dans son cabinet de travail.

MUSÉES : ARRAS : *Vers l'abattoir* – LYON : *Eurydice menée aux enfers par Mercure* – PARIS (Mus. du Louvre) : *Suzanne* – PARIS (Mus. du Petit Palais) : *Pierrot* – VALENCIENNES : *Buste de Mme Monclerq*.

VENTES PUBLIQUES : PARIS, 10 déc. 1980 : *Le Rhône et la Saône*, bronze patine noire cire perdue (H. 65 avec socle) : **FRF 9 100**.

VERMARE Pierre

Né en mars 1835 à Légny (Rhône). Mort en 1906 à Lyon (Rhône). XIXe siècle. Français.

Sculpteur.

Frère d'André César V. Élève de Fabish, il obtint la médaille d'or à l'École des Beaux-Arts de Lyon. Il se consacra à l'Art Religieux. Il fut le premier maître du céramiste Jean Carriès. Pierre Vermare était le père d'André Vermare, sculpteur aussi.

VERMAY Henry I ou **Verman**

XVIe siècle. Travaillant à Cambrai de 1547 à 1571. Français.

Peintre.

Probablement fils de Jan Vermeyen. Il exécuta des peintures décoratives dans la cathédrale de Cambrai et au château de Le Couteau.

VERMAY Henry II

XVIIe siècle. Actif à Cambrai de 1612 à 1640. Français.

Peintre.

Fils de Ponthus Vermay. Il travailla pour l'Hôtel de Ville de Cambrai.

VERMAY Jean. Voir **VERMEYEN Jan Cornelisz**

VERMAY Jean Baptiste

Né avant 1790 à Paris. Mort en 1833 à La Havane, du choléra. XIXe siècle. Français.

Peintre de paysages, d'histoire et de genre.

Élève de David. Il figura au Salon de 1808 à 1814. Il partit pour la Havane et devint professeur de l'Académie de cette ville. Le Musée d'Angers conserve de lui : *Saint Louis prisonnier en Égypte*.

VERMAY Ponthus

XVIe-XVIIe siècles. Actif à Cambrai de 1571 à 1612. Français.

Peintre.

Fils d'Henry Vermay I. Il peignit des portraits, des paysages et des armoiries.

VERMAYEN Jan Cornelisz. Voir **VERMEYEN**

VERMAZEN Johann. Voir **VERMAASEN**

VERME Angelo dal

Né en 1748 à Fidenza. Mort en 1824. XVIIIe-XIXe siècles. Italien.

Peintre, dessinateur et graveur d'architectures.

Il a peint un *Miracle de saint Nicolas* dans l'Oratoire de Busseto.

VERME Angelo dal. Voir **VERME**

VERMEER Jan ou **Van der Meer**, dit **Vermeer de Delft**

Né le 31 octobre 1632, baptisé à Delft. Enterré le 15 décembre 1675 à Delft. XVIIe siècle. Hollandais.

Peintre d'histoire, genre, paysages, paysages urbains.

De même que les frères Le Nain ne furent redécouverts qu'autour de 1875 par Champfleury, ou Georges de La Tour en 1915 par Hermann Voss, Vermeer, dans une certaine mesure encore un caravagesque diurne, fut également totalement oublié pendant près de deux siècles. Dans les ventes, ses œuvres étaient présentées sous d'autres noms, souvent sous celui de Pieter de Hoogh. Pourtant un Joshua Reynolds avait essayé d'attirer l'attention sur les rares peintures qui lui étaient alors attribuées. Ce fut Étienne Joseph Thoré, dit William Bürger, juriste, révolutionnaire et historien d'art, qui, en 1866, réunit sous le nom de Vermeer de nombreuses œuvres jusque-là données à des peintres divers, en tout une liste de soixante-trois peintures publiée dans la « Gazette des Beaux-Arts ». Cette liste a depuis été réduite à trente-deux peintures authentifiées par une critique plus sévère. En outre, Henri Havard, puis John Michael Montias, ont réussi à tirer des archives de la ville de Delft quelques renseignements biographiques sur la vie du peintre. Il était fils de Reynier Janszoon Van der Meer, ou Vermeer, tisserand en soie, puis marchand d'objets d'art et aubergiste. Sa mère se nommait Durgnum Balthasars. Il semble que vers 1647, c'est-à-dire à l'âge de quinze ans, il aurait été placé en apprentissage pour six années chez Karel Fabritius. Il a également dû connaître, soit eux-mêmes soit leurs œuvres, Pieter de Hoogh, Gabriel Metsu, Jan Steen. Il a certainement été attiré et influencé par le caravagisme des peintres d'Utrecht. Le 5 avril 1653, Jan Vermeer, qui demeurait alors dans le quartier du marché, épousait Catharina Bolnes, ou Bolenes, habitant le même quartier, mais originaire de Gouda. Dès le 29 septembre de la même année, Jan Vermeer fut inscrit comme maître sur le registre de la corporation des peintres. Lorsque Karel Fabritius périt, l'année suivante, lors de l'incendie de la poudrière de la ville, les chroniques, déplorant la perte du plus célèbre peintre de Delft, se réjouissaient cependant de la gloire naissante de Vermeer. Thoré-Bürger supposa que, après la mort de Fabritius, Vermeer serait devenu élève de Rembrandt. La critique moderne a rejeté cette supposition. Henri Havard dit que ce fut Leonard Bramer qui aurait complété la formation de Vermeer. Ce qui est certain, c'est que à la mort de Bramer, en 1662, ce fut Vermeer qui lui succéda dans la charge de président de la Gilde. Il fut réélu à cette charge en 1670. En 1672, on trouve la seule trace d'un voyage qu'il fit à La Haye pour effectuer une estimation, ayant en effet longtemps continué d'exercer comme son père le commerce d'objets d'art. Sa femme lui donna onze enfants, tous vivants et lorsqu'il mourut à l'âge de quarante-trois ans, huit étaient encore mineurs. Président de la Gilde, Vermeer n'était pas un inconnu. En août 1663, un voyageur français, Balthasar de Monconys, le visita dans son atelier : « À Delphes, je vis le peintre Vermeer, qui n'avait point de ses ouvrages ; mais nous en vismes un chez un boulanger, qu'on avait payé six cents livres, quoyqu'il n'y eust qu'une figure que j'aurois creu trop payer de six pistoles. » (Journal de Voyages, Lyon, 1666). Pourtant, Vermeer avait des soucis d'argent. Peu avant sa mort, il empruntait mille florins. Quand il mourut, il laissait une dette à son boulanger, Hendrick Van Buyten, montant à six cent dix-sept florins, qui fut dédommagé avec deux peintures : *La Lettre* et *La Joueuse de guitare*. Encore aujourd'hui, c'est là tout ce qu'on sait des faits de la vie de Vermeer. L'emplacement de sa tombe n'a pu être retrouvé. Sa femme lui survécut treize années.

Au début du siècle, l'écrivain Bergotte, imaginé par Proust, aurait dû aller à La Haye pour voir la *Vue de Delft*. En fait, il a fallu attendre 1996 pour qu'une exposition réunisse, au Mauritshuis de La Haye, vingt-deux des trente-deux tableaux actuellement attribués à Vermeer.

Il n'a signé et daté que deux peintures : *L'Entremetteuse* de Dresde, datée 1656, et *L'Astronome* d'une collection particulière à Paris de 1668. Certaines des attributions qui lui sont accordées, sont encore fragiles. Il a été l'objet de faux célèbres, notamment *Les Pèlerins d'Emmaüs*, en fait peints par Van Meggeren, qui donnèrent lieu à un procès qui dura de 1945 à 1955. On considère que *Diane et les Nymphes* serait la première peinture connue de lui et aurait été peinte vers 1654, et que la dernière serait la *Dame à l'épinette*, vers 1670. Les trente-deux peintures authentifiées auraient donc été peintes en seize années. Des auteurs, et surtout André Malraux, ont tenté une chronologie de l'œuvre, à partir des lieux représentés et des variations dans l'âge des personnages. *Le Christ chez Marthe* d'Édimbourg est aussi considéré comme une œuvre de la jeunesse. Parmi les œuvres indiscutées : *La Ruelle*, d'Amsterdam ; la *Vue de Delft*, de La Haye, précisément celle du « petit pan de mur jaune » du Bergotte de Proust ; *Le collier de perles*, de Berlin, une des pièces maîtresses des nombreuses gloses à propos des perles peintes dans les tableaux de Vermeer ; l'*Allégorie de la Foi*, une des compositions les plus complètes, presque un peu « encombrée », et la *Joueuse de Luth*, du Metropolitan de New York ; la *Peseuse de perles*, de Washington ; la *Jeune Femme en bleu*, la *Laitière*, deux personnages peints pour eux seuls, sans aucune mise en scène au contraire de la peinture de genre traditionnelle, tels qu'en peignit souvent Vermeer, et *La lettre d'amour*, ces trois peintures au Rijks d'Amsterdam, la troisième traitant un thème fréquent chez les peintres de genre caravagesques ; le *Couple à l'épinette*, de Londres ; la *Dentellière*, du Louvre ; la *Jeune Fille au turban*, de La Haye, ces deux derniers personnages remarquables à force d'apparente simplicité ; *L'Atelier*, de Vienne, de nouveau l'une des peintures les plus composées de Vermeer.

Soit qu'il ait peint des personnages isolés, sans aucun apparat, réduits au seul volume qu'ils occupent dans l'espace clos d'un réduit, soit qu'il ait composé des scènes plus complexes, dans lesquelles les personnages au contraire parés, presque costumés, donnent échelle et consistance aux espaces des pièces dans lesquelles ils sont répartis, Vermeer traite toujours de sujets bourgeois de son temps, soit intimes, soit de genre. Il n'a pas éprouvé le besoin de sublimer la vie quotidienne, il apparaît comme le copiste de la réalité de chaque jour. Son génie propre s'efface devant le génie même de la Hollande. Pour un Hollandais, lançant par ailleurs souvent sa fortune sur les flots, l'idéal de l'existence est inclus entre les murs qui isolent du bruit et des affaires, où il retrouve son épouse attentive à la marche de la maison, veillant à l'entretien des riches vaisselles débordant des coffres. Le sujet psychologique a peu d'importance. Êtres vivants ou objets amorphes, Vermeer traite tout comme des objets de nature morte. On retrouve au long de ses œuvres, la même chaise, le même tapis, la même carte murale et jusqu'aux mêmes visages à des âges différents. L'ordre qui y règne est immuable, non tant l'ordre matériel apparent d'une maison bien tenue, mais au second degré un ordre spirituel imposé par les nécessités plastiques d'une symbolique de l'espace abstraite. Les êtres vivants sont figés, le rare mouvement qu'ils esquissent reste suspendu, ils ne jouent pas leur rôle, ils occupent l'espace. Dépassant infiniment l'expression du souci domestique d'un Pieter de Hoogh ou des autres intimistes hollandais, Vermeer en a traduit la très sereine beauté par des moyens exclusivement picturaux, ne gardant de l'anecdote que le strict prétexte à partir duquel ordonner la claire disposition des espaces et accorder par les harmoniques la solennelle symphonie des ors aigres avec le bleu, sous la métallique lumière du Nord, parcimonieusement dispensée, immatérialisée, spiritualisée, à travers les fenêtres aux verres doucement teintés, comme filtrée aussitôt que pénétrant dans cet univers clos, et qui vient subtilement imprégner un visage de jeune fille rêveuse au même titre que les moindres bibelots qui animent les pénombres de la pièce. L'art de Vermeer réside dans l'impalpable, il est le plus secret qui soit, incompréhensible, toujours à l'extrême frange de la banalité. Des gens de qualité s'y sont trompés. À propos de la *Jeune femme en bleu*, Van Gogh : « Les Hollandais n'avaient pas d'imagination. » Huizinga : « Vermeer n'a peint apparemment que l'aspect extérieur de la vie quotidienne... On ne peut chez lui parler nulle part de psychologie voulue... Il peint uniquement l'extérieur, les objets sont apparemment pris tels quels à la réalité... Vermeer n'a pas de thèse, pas d'idée et même pas, au sens propre, de style. » Claudel : « Ce regard pur... d'une candeur... photographique... On ne peut comparer le résultat qu'aux délicates merveilles de la chambre noire. » Enfin Estaunié, de la *Dentellière* du Louvre : « Cette dentellière est adorable justement parce qu'elle exprime au plus haut degré l'esprit de son métier charmant. » Il faut bien croire que le charme de ses œuvres soit d'une essence particulièrement fugace pour expliquer que c'est au triomphe remporté par *Les Pèlerins d'Emmaüs* qu'est due l'audience de Vermeer auprès du grand public, alors que cette peinture est justement l'un des faux de Van Meggeren, pour expliquer aussi que l'on ait si longtemps confondu ses œuvres avec celles de Pieter de Hoogh, de Metsu ou de Ter Borch, pour expliquer les confusions de toutes sortes qu'il provoque plus qu'aucun autre.

À user à son propos de l'analyse psychologique de la critique d'art traditionnelle, on n'aboutit fatalement qu'à un commentaire de l'image, de l'anecdote. Outre l'illustration des douceurs de l'intimité hollandaise, outre naturellement les symboles pesants de l'*Allégorie de la Foi*, ou ceux plus discrets de *La peseuse de perles*, ou de *La lettre d'amour*, outre les « expressions intériorisées » des personnages, outre la qualité de la lumière mesurée qui unifie dans la discrétion une gamme de couleurs pourtant fort variée, l'une des caractéristiques les plus subtiles de l'art vermeerien réside dans la technique par laquelle il semble traduire la réalité la plus objective tout en esquivant totalement le ton local : en vérité cette joue laiteuse, si l'on y regarde de près, est constituée par un damier de touches fondues, dans lesquelles on trouve jusqu'à des effleurements de bleus et de rouges francs préfigurant le mélange optique des impressionnistes ; cette miche de pain paraît si croustillante parce que la croûte brille de quantité de petits reflets de perles de lumière, Eugène Fromentin identifiait des « gouttelettes », que l'on retrouve aussi sur la cruche vernissée, sur la tenture drapée de *L'atelier*, sur tout ce qui renvoie, diffusée, la lumière tombée de la croisée. Vermeer est avant tout, comme le sera Chardin, un peintre de la lumière, rendue dans sa justesse par l'épiderme de la matière picturale, c'est-à-dire ce que la reproduction, si précieuse par ailleurs, est incapable de transmettre, d'où, sans doute, la fréquence des contresens commis à son propos. Les frères Goncourt, eux aussi, rapprochèrent ces deux peintres : « Même peinture laiteuse, même touche aux petits damiers de couleur fondus dans la masse, même égrenure beurrée, même empâtement rugueux sur les accessoires, même picotement de bleus, de rouges francs dans les chairs, même gris de perle dans les fonds. » Si l'on retrouve dans les peintures de Vermeer, les mêmes thèmes, une même tendance, attribuable au rayonnement du caravagisme, à la simplification synthétique des formes, une similaire qualité froide et métallique de la lumière du Nord, que chez les autres intimistes hollandais du siècle, c'est par ce travail singulier de la matière pigmentaire qu'il s'en différencie. Il dépasse le stade de la peinture de genre, si poétique soit-elle dans son fini lisse chez Pieter de Hoogh ou Gérard Terborch, pour accéder à la peinture pour elle-même, presqu'indifférent aux quelques pauvres sujets à peine anecdotiques, communs à ses rivaux et dont il se satisfait pour prétextes au déploiement de sa technique de célébration de la lumière, non seulement dans sa fonction d'éclairage direct des êtres et des choses, mais dans ses réflexions indirectes selon leurs diverses consistances de surfaces, qui en font toute la subtilité. Comme tous, Vermeer sait que c'est la lumière qui révèle les choses, mais il a compris en outre que ce sont aussi les choses qui en font l'inépuisable richesse. ■ Jacques Busse

Bibliogr. : G. Vanzype : *Vermeer de Delft*, Van Œst, Paris, 1925 – J. Chantavoine : *Vermeer de Delft*, Laurens, Paris, 1926 – A. B. de Vries et René Huyghe : *Jean Vermeer de Delft*, Tisné, Paris, 1948 – André Malraux et divers : *Vermeer de Delft*, Galerie de la Pléiade, Paris, 1952 – Jacques Busse : *Vermeer*, Information Artistique, Paris, octobre 1954 – V. Bloch : *Vermeer, suivi de l'éloge de Thoré-Bürger*, Quatre Chemins, 1966 – catalogue de l'exposition *Dans la lumière de Vermeer*, Orangerie des Tuileries, Paris, 1966 – Pierre Descargues : *Vermeer*, Skira, Genève, 1968 – Piero Bianconi, Giuseppe Ungaretti : *L'Œuvre complète de Vermeer*, Rizzoli, Milan, 1967 – René Huyghe, P. Bianconi : *Tout l'œuvre peint de Vermeer de Delft*, Flammarion, Paris, 1969 – John Michael Montias : *Vermeer*, Hazan, Paris, 1986 – John Michael Montias : *Vermeer, une biographie. Le peintre et son milieu*, Adam Biro, Paris, vers 1990 – Ben Bross, Arthur Wheelock, divers : catalogue de l'exposition *Vermeer*, Mauritshuis, La Haye, Flammarion, Paris, 1996.

Musées : Amsterdam (Rijksmus.) : *La ruelle* vers 1658 – *La laitière* vers 1658 – *La liseuse* 1662-1663 – *La lettre d'amour* vers 1666 – Berlin (Kaiser Friedrich Mus.) : *Le verre de vin* vers 1660 – *La femme au collier de perles* 1662-1665 – Boston (Gardner Mus.) : *Le concert* vers 1658 – Brunswick : *La jeune fille au verre de vin* 1658-1660 – Bruxelles (ancienne Gal. d'Aremberg) : *Tête de jeune fille* vers 1660 – Budapest (Mus. Nat.) : *Portrait de femme* vers 1658 – Dresde (Pina.) : *La courtisane* 1656 – *La liseuse* vers 1657 – Édimbourg (Nat. Gal.) : *Le Christ chez Marthe et Marie* vers 1654 – Francfort-sur-le-Main (Staedel Inst.) : *Le Géographe, 1669* – La Haye (Mauritshuis) : *La toilette de Diane* vers 1653 – *Vue de Delft* vers 1653 – *La jeune fille au turban* vers 1658 – Londres (Nat. Gal.) : *Dame debout jouant de l'épinette* vers 1670 – *Dame assise jouant de l'épinette* vers 1670 – New York (Metropolitan Mus.) : *La femme à la fenêtre* vers 1658 – *La joueuse de guitare* – *Allégorie de la Foi* vers 1669 – *La femme qui dort* vers 1656 – Paris (Mus. du Louvre) : *La dentellière* vers 1664 – Princeton (Barbara Piasecka Johnson Foundation) : *Sainte Praxède* 1655 – Vienne (Kunsthistorisches Mus.) : *L'Atelier du peintre* 1665-1670 – Washington D. C. (Nat. Gal.) : *La dame au chapeau rouge* vers 1664 – *Jeune femme à la flûte* 1664 – *La peseuse d'or*.

Ventes Publiques : Paris, 20 avr. 1701 : *Une femme pesant de l'or* : **FRF 230** ; *Une femme portant du lait* : **FRF 650** – Paris, 1810 : *Une jeune femme comptant avec sa domestique* : **FRF 601** – Paris, 1858 : *Paysage avec paysans à cheval*, dess. : **FRF 54** – Paris, 23 avr. 1868 : *Jeune femme qui se pare* : **FRF 3 500** ; *Le Guitariste* : **FRF 2 075** – Paris, 1870 : *Dunes de Scheveningen* : **FRF 4 050** ; *La Dentellière* : **FRF 6 000** – Paris, 1872 : *Le Géographe* : **FRF 17 200** ; *L'Astrologue* : **FRF 4 000** – Paris, 1877 : *Une place publique en Hollande* : **FRF 10 000** – Paris, 1881 : *Le soldat et la fille qui rit* : **FRF 88 000** ; *L'Astronome à la sphère* : **FRF 44 500** – Paris, 1882 : *Portrait de jeune fille*, dess. à la sanguine : **FRF 41** – Paris, 1890 : *La dame et la servante* : **FRF 75 000** ; *Le billet doux* : **FRF 62 000** – Paris, 1892 : *Triptyque* : **FRF 89 180** – Paris, 1892 : *La jeune musicienne* : **FRF 29 000** ; *Le Concert* : **FRF 20 000** ; *La femme au clavecin* : **FRF 25 000** – Amsterdam, 1892 : *Joyeux message* : **FRF 86 100** – Anvers, 1898 : *Le Géographe* : **FRF 8 500** – Valenciennes, 1898 : *L'Astronome* : **FRF 2 500** – Londres, 14 mai 1926 : *Nature morte sur une table* : **GBP 84** – Londres, 10 juin 1927 : *Servante se reposant* : **GBP 199** ; *Cavalier tenant une dame par la main* : **GBP 315** – Londres, 23 mars 1934 : *Portrait d'une jeune fille* : **GBP 504** – Londres, 12 avr. 1935 : *Violoniste* : **GBP 220** – Londres, 22 juin 1936 : *Vanitas* : **GBP 110** – Londres, 2 juil. 1937 : *Madeleine au pied de la Croix* : **GBP 693** – Londres, 19 déc. 1941 : *Parabole du serviteur sans pitié* : **GBP 420** – New York, 24 oct. 1962 : *Autoportrait* : **USD 90 000**.

VERMEER. Voir aussi **MEER Van der**

VERMEER Jan IV, le Jeune (de jonghe). Voir **MEER Jan Van der**

VERMEER, pour **Van der Meer,** dit **Vermeer l'Ancien,** ou **de Haarlem**

Baptisé à Haarlem le 22 octobre 1628. Enterré le 25 août 1691 à Haarlem. XVIIe siècle. Hollandais.

Peintre de sujets militaires, paysages, marines.

Fils d'un peintre, *Jan Van der Meer*, qui mourut à Haarlem le 8 février 1670, il fut élève de Jacob de Wit en 1638. Certains biographes le font aller très jeune en Italie en compagnie de Lieven Van der Schnur, mais ce voyage nous paraît être celui que fit Jan Van der Meer d'Utrecht, avec qui ils font probablement confusion.

Jan Van der Meer de Haarlem connut le succès. Ses paysages et particulièrement ses marines sont remarquables. Il peignit aussi des batailles, des chocs de cavalerie. Ses paysages sont parfois attribués à Ruysdael.

Musées : Aix-la-Chapelle : *Ferme* – *Paysage hollandais* – *Rue d'un village hollandais* – *Entrée dans la forêt* – Bâle : *Cavaliers sous bois* – Bergame (Acad. Carrara) : *Paysage* – Berlin : *Plaine* – *Dunes* – Brunswick : *Un paysage* – Cologne : *Quai hollandais* – Dijon : *Port du Levant* – Dresde : *Dunes en Hollande* – Haarlem : *Vue de Haarlem* – Helsinki : *Clair de lune* – Leipzig : *Poste fortifié* – Liechtenstein : *Paysages de forêt* – Munich : *Chemin dans les bois* – *Paysage montueux* – Oldenbourg : *Paysage orageux* – Paris (Mus. du Louvre) : *Entrée d'auberge* – Rotterdam : *Le village de Noordwyk, près des dunes* – Saint-Pétersbourg (Mus. de l'Ermitage) : *Paysage* – *Village hollandais* – Schleisheim : *Dunes* – Schwerin : *Paysage boisé* – Strasbourg : *Dunes* – Vienne (Czernin) : *Paysage de forêt*.

Ventes Publiques : Lille, 1881 : *Vue de la plaine de Haarlem* : **FRF 4 000** – Londres, 1886 : *Paysage* : **FRF 7 250** ; *Vue d'un paysage, à vol d'oiseau* : **FRF 9 970** – Londres, 1897 : *Paysage étendu vu à vol d'oiseau* : **FRF 21 000** – Munich, 1899 : *Paysage* : **FRF 3 125** – Londres, 27 avr. 1924 : *Sous-bois avec un cavalier* : **GBP 221** – Paris, 25 mai 1949 : *La rivière* : **FRF 310 000** ; *Paysage panoramique* : **FRF 300 000** – Paris, 7 déc. 1951 : *La plaine* : **FRF 600 000** – Londres, 24 mai 1963 : *Paysage avec rivière et bateaux* : **GNS 4 400** – Londres, 6 déc. 1972 : *Paysage* : **GBP 9 500** – Vienne, 22 mai 1973 : *Paysage animé* : **ATS 250 000** – Londres, 7 juil. 1976 : *Paysage boisé*, h/pan. (32,5x37) : **GBP 2 600** – Amsterdam, 9 juin 1977 : *Paysage*, h/pan. (40x57) : **NLG 70 000** – New York, 9 oct. 1980 : *Ville au bord d'une rivière*, h/t (43x48) : **USD 19 000** – New York, 8 jan. 1981 : *Paysage fluvial*, h/pan. (32,5x49) : **USD 18 000** – Amsterdam, 14 mars 1983 : *Les Dunes*, h/pan. (39x57,5) : **NLG 17 000** – Cologne, 25 nov. 1983 : *Bord de canal boisé*, h/pan. (46x64) : **DEM 80 000** – Amsterdam, 28 nov. 1989 : *Bergers et leur troupeau dans un paysage italien* 1688, h/t (71,9x103,5) : **NLG 18 400** – Amsterdam, 12 juin 1990 : *Paysage boisé avec un chemin menant du château au lac*, h/pan. (65,5x51) : **NLG 14 950** – New York, 11 oct. 1990 : *Vaste paysage avec un cavalier conversant avec un paysan sur le chemin*, h/t (56x73,5) : **USD 4 950** – Amsterdam, 14 nov. 1990 : *Vaste paysage animé*, h/t (33,5x47) : **NLG 11 500** – New York, 31 mai 1991 : *Voyageurs arrêtés sur le chemin devant l'auberge*, h/t (81,9x84,4) : **USD 7 150** – Amsterdam, 10 nov. 1992 : *Voyageur se reposant au* *pied d'un arbre dans une forêt* 1647, h/pan. (36x31,8) : **NLG 6 900** – AMSTERDAM, 10 nov. 1997 : *Vaste paysage d'une vallée avec des voyageurs se reposant près d'une ferme sur un chemin*, h/pan. (46,6x62,1) : **NLG 29 983**.

VERMEER Jan, pour **Meer Van der,** dit **Vermeer d'Utrecht**

Né vers 1630 ou 1635 à Schoonhoven. Mort le 9 août 1688 à Utrecht. XVIIe siècle. Hollandais.

Peintre d'histoire et de portraits.

Il alla à Rome avec Lieve Verschnier, y vécut plusieurs années avec Drost et Carel Lot, revint à Utrecht et s'y maria. Il fut doyen de la gilde en 1664, mais en 1672 l'invasion française lui fit perdre sa fortune. Il parvint à la refaire, car il mourut riche.

MUSÉES : LA HAYE : *Diane et ses nymphes* – UTRECHT : *Les directeurs de l'orphelinat en 1679*.

VENTES PUBLIQUES : PARIS, 15 déc. 1980 : *Berger et son troupeau*, h/t (41x33) : **FRF 7 000**.

VERMEEREN. Voir **MEEREN Van der**

VERMEERSCH Ambroise ou **Ambros Ivo**

Né le 9 janvier 1810 à Maldegem. Mort le 24 mai 1852 à Munich. XIXe siècle. Belge.

Peintre de paysages animés, paysages urbains, aquarelliste, dessinateur.

MUSÉES : BADEN – BERLIN (Nationalgal.) – COURTRAI (Mus. des Beaux-Arts) – GAND (Mus. des Beaux-Arts) – HANOVRE – MUNICH (Pina.) – MUNICH (Stadtmus.) – PRAGUE (Nationalgal.) – STUTTGART.

VENTES PUBLIQUES : BRUXELLES, 27 oct. 1976 : *Vue de ville italienne* 1847, h/bois (45x33) : **BEF 90 000** – BERNE, 3 mai 1979 : *Vue du Bodensee* 1850, h/t (34,5x44,5) : **CHF 5 500** – MUNICH, 25 juin 1996 : *Fontaine à Reutlingen* 1848, cr. et aquar. (24x19,5) : **DEM 2 160**.

VERMEERSCH Jose

Né le 6 novembre 1922 à Bissegem (Courtrai). XXe siècle. Belge.

Peintre, sculpteur de figures, céramiste.

Il a fait ses études à l'Académie Royale de Courtrai et d'Anvers puis après la guerre à l'Institut Supérieur des Beaux-Arts d'Anvers où il fut l'élève de Constant Permeke et de Walter Vaes. Depuis 1973, il est membre de l'académie royale des Sciences, Lettres et Beaux-Arts de Belgique à Bruxelles.

Il participe à des expositions collectives : 1984 Biennale de Venise, foire d'art de Bâle. Il montre ses œuvres dans des expositions personnelles : 1970 galerie Veranneman de Bruxelles ; 1983 musée Boymans-Van-Beuningen de Rotterdam ; 1986 musée Frans Hals à Haarlem ; 1987 musée d'Art moderne de Mexico ; 1992 musée des beaux-arts de Mons.

Il réalise à ses débuts des peintures. Bientôt il se consacre à la construction avec de la terre cuite de figures, le plus souvent des figures d'hommes, qui semblent défier la pesanteur. Ses personnages évoquent ceux des civilisations disparues, étrusque et égyptienne. L'ensemble de son œuvre peut être interprété comme une interrogation sur la condition humaine. Il a également réalisé des bijoux en albâtre et des sculptures en bronze.

MUSÉES : COURTRAI.

VENTES PUBLIQUES : ANVERS, 24 oct 1979 : *Nu assis*, bronze (H. 34) : **BEF 46 000** – ANVERS, 29 avr. 1981 : *Enfant assis*, cuivre (H. 40) : **BEF 40 000** – LOKEREN, 21 mars 1992 : *Homme assis* 1979, céramique, sculpture (H. 26,5, l. 13) : **BEF 110 000** – LOKEREN, 23 mai 1992 : *Fierté paternelle* 1962, h/pap. (100,5x61) : **BEF 75 000** – LOKEREN, 10 oct. 1992 : *Torse* 1971, étain (H. 50, l. 14) : **BEF 120 000** – LOKEREN, 9 oct. 1993 : *Torse* 1971, étain (H. 50, l. 14) : **BEF 110 000** – LOKEREN, 4 déc. 1993 : *Vincent* 1969, bronze (H. 179, l. 79) : **BEF 600 000** – LOKEREN, 8 oct. 1994 : *Figure debout* 1971, bronze (H. 56) : **BEF 190 000** – LOKEREN, 11 mars 1995 : *Torse de femme* 1979, céramique (H. 45, l. 21) : **BEF 100 000** ; *Nu debout* 1983, terre cuite (H. 162, l. 47) : **BEF 220 000** – LOKEREN, 9 déc. 1995 : *Vincent* 1969, bronze (H. 179) : **BEF 550 000** – LOKEREN, 18 mai 1996 : *Chien joueur* 1985, céramique (31x60) : **BEF 140 000**.

VERMEERSCH Rik

Né en 1949 à Courtrai. XXe siècle. Belge.

Peintre de portraits, figures, paysages, dessinateur, sculpteur.

Il fut élève de l'académie Saint-Luc de Gand.

MUSÉES : YPRES (Mus. prov. d'Art Mod.).

VERMEHREN Frede Kristine Funch, née **Rasmussen**

Née le 5 mars 1882 à Broholm. Morte le 22 mai 1933 à Roskilde. XXe siècle. Danoise.

Peintre.

Femme du peintre Gustaf Vermehren.

VERMEHREN Gustav, ou **Gustaf**

Né le 28 décembre 1863 à Copenhague. Mort le 2 septembre 1931 à Hvalsö. XIXe-XXe siècles. Danois.

Peintre de genre, intérieurs.

Peintre, il écrivit sur l'art.

MUSÉES : COPENHAGUE : *Un friand*.

VENTES PUBLIQUES : COPENHAGUE, 11 fév. 1976 : *Scène d'intérieur* 1923, h/t (45x51) : **DKK 4 400** – COPENHAGUE, 18 mars 1980 : *Mère et enfant dans un intérieur* 1915, h/t (53x60) : **DKK 15 500** – COPENHAGUE, 22 août 1984 : *Jeune femme assise sur la plage* 1908, h/t (69x85) : **DKK 34 000** – LONDRES, 7 oct. 1987 : *La préparation de Noël* 1881, h/t (71x59) : **GBP 6 500** – LONDRES, 29 mars 1990 : *Distraite* 1894, h/t (74x52) : **GBP 13 200** – STOCKHOLM, 14 nov. 1990 : *Femme dans une cour* 1903, h/t (43x35) : **SEK 14 500** – COPENHAGUE, 6 mai 1992 : *Jeune fille cousant devant une maison rustique blanche*, h/t (53x46) : **DKK 9 500** – COPENHAGUE, 18 nov. 1992 : *Intérieur de maison paysanne avec une vieille femme et un homme lisant* 1916, h/t (53x55) : **DKK 15 000** – LONDRES, 17 mars 1993 : *Une dame cousant dans un jardin en été* 1911, h/t (52x44) : **GBP 2 530** – COPENHAGUE, 6 sep. 1993 : *Intérieur avec un homme et une servante épluchant des légumes* 1930, h/t (50x46) : **DKK 6 000**.

VERMEHREN Johann Frederick Nikolai

Né le 12 mai 1823 à Ringstad. Mort le 10 janvier 1910 à Copenhague. XIXe siècle. Danois.

Peintre de genre, intérieurs.

Il fut élève de Hans G. Harder et de l'Académie de Copenhague.

FV

MUSÉES : COPENHAGUE : *Le Départ du soldat de réserve – Berger jutlandais sur les landes* – STOCKHOLM : *Intérieur bourgeois danois avec joueurs d'échecs*.

VENTES PUBLIQUES : COPENHAGUE, 17 juin 1965 : *Deux paysannes* : **DKK 11 000** – COPENHAGUE, 7 déc. 1972 : *La cour de ferme* : **DKK 5 700** – COPENHAGUE, 3 juin 1980 : *Jeune femme au piano* 1898, h/t (53x40) : **DKK 10 000** – LONDRES, 28 nov. 1984 : *Cour de ferme en été* 1863, h/t (34,5x46,5) : **GBP 9 000** – LONDRES, 26 fév. 1988 : *Coquelicots et marguerites dans un vase*, h/t (51,3x45,2) : **GBP 880** – NEW YORK, 23 mai 1989 : *Dans l'atelier de l'artiste* 1893, h/t (64,8x50,8) : **USD 14 950**.

VERMEHREN Otto

XIXe siècle. Actif dans la seconde moitié du XIXe siècle. Allemand.

Peintre.

Il se fixa à Munich. Le Musée de Gustrow conserve de lui *Madame Krüger-Hansen*, et celui de Rostock, *Le porte-drapeau*.

VERMEHREN Sophus

Né le 28 août 1866 à Copenhague. Mort en 1950. XIXe-XXe siècles. Danois.

Peintre de genre, intérieurs, paysages.

MUSÉES : COPENHAGUE : *Intérieur*.

VENTES PUBLIQUES : COPENHAGUE, 26 fév. 1976 : *Paysage* 1936, h/t (73x74) : **DKK 10 500** – COPENHAGUE, 24 nov. 1977 : *Scène d'intérieur* 1912, h/t (90x85) : **DKK 15 000** – COPENHAGUE, 20 août 1980 : *Intérieur*, h/t (69x54) : **DKK 9 000** – NEW YORK, 17 jan. 1990 : *Intérieur*, h/t (46,4x49,4) : **USD 3 410** – COPENHAGUE, 21 fév. 1990 : *Intérieur avec une vieille femme veillant sur un enfant malade endormi dans une alcôve* 1909, h/t (61x67) : **DKK 26 000** – LONDRES, 22 nov. 1990 : *Intérieur avec une vieille femme veillant un enfant malade endormi dans une alcôve* (61,5x67) : **GBP 1 650** – COPENHAGUE, 6 mai 1992 : *Intérieur de cuisine avec une petite fille épluchant des pommes de terre*, h/t (46x39) : **DKK 4 200**.

VERMEIDEN Hans. Voir **VERMEYEN**

VERMEIJ

XVIIe siècle. Travaillant à Amsterdam en 1650. Hollandais.

Peintre.

VERMEIL Gayetan ou **Vermelle**

Né à Messine. XVIIe siècle. Travaillant à Toulon de 1689 à 1698. Français.

Peintre de navires.

VERMEILLE Patrice

Né le 29 septembre 1937 à Nancy (Meurthe-et-Moselle). XXe siècle. Français.

Peintre, graveur.
Il fut élève de l'École des Beaux-Arts de Nancy. Il a été nommé professeur de gravure à l'École des Beaux-Arts de Montpellier, où il vit et travaille.
Il participe à des expositions de groupe, à Paris, Édimbourg, Lyon, Nancy, à l'exposition *100 Artistes dans la ville* en 1970 à Montpellier. Il montre ses œuvres dans des expositions personnelles, en 1975 à la galerie La Pochade à Paris, en 1983 à Anduze et Colmar, en 1992 à Paris.
Dans la suite de la technique surréaliste du « collage », il pratique des juxtapositions d'images contradictoires ou insolites. Une des caractéristiques de ses gravures est de montrer simultanément sur le même tirage des parties dues à un travail de la plaque techniquement élaboré, et d'autres obtenues par le procédé du photo-report.
Musées : Marseille (Mus. Cantini) : une gravure.

VERMEIO de Cordoue. Voir **RUBENS Bartholomeus**

VERMEIR Alphons
Né en 1905 à Baesrode. Mort en 1994. xxe siècle. Belge.
Peintre de genre, intérieurs, paysages, marines, aquarelliste.
Il étudia à l'institut supérieur d'Anvers, où il eut pour professeur Albert Saverys.

A VERMEIR

Bibliogr. : In : *Dict. biogr. ill. des artistes en Belgique depuis 1830*, Arto, Paris, 1987.
Ventes Publiques : Anvers, 19 oct. 1976 : *Paysage nocturne*, h/t (70x80) : **BEF 70 000** – Anvers, 25 oct. 1977 : *Ferme*, h/t (60x70) : **BEF 65 000** – Anvers, 23 oct 1979 : *Travail au champ*, h/t (70x80) : **BEF 36 000** – Amsterdam, 10 avr. 1989 : *Village*, h/t (68x79) : **NLG 2 300** – Londres, 19 oct. 1989 : *Les Masques de carnaval*, h/pan. (96,5x79,4) : **GBP 3 080** – Amsterdam, 22 mai 1991 : *Paysans dans un champ*, h/t (40x60) : **NLG 1 380** – Amsterdam, 11 déc. 1991 : *Port avec des bateaux amarrés au quai*, h/t (60x80) : **NLG 2 300** – Amsterdam, 21 mai 1992 : *Paysage*, h/cart. (70x80) : **NLG 2 070** – Amsterdam, 24 sep. 1992 : *Paysan près de sa ferme*, h/t (50x60) : **NLG 2 300** – Amsterdam, 26 mai 1993 : *Paysanne devant des maisons au crépuscule*, h/t (70x79) : **NLG 1 725** – Amsterdam, 31 mai 1995 : *Paysage* 1960, h/t (58,5x69) : **NLG 1 770** – Lokeren, 20 mai 1995 : *Paysage avec des promeneurs*, h/t (81x100) : **BEF 33 000.**

VERMEIRE Jan Baptiste. Voir **MEIREN Jan Baptiste Van der**

VERMEIRE Jules
Né en 1885 à Wetteren. Mort en 1977. xxe siècle. Hollandais.
Sculpteur de figures.
Il travailla à La Haye. Il pratiqua la sculpture sur bois, sur corne et sur ivoire.
Musées : La Haye (Mus. mun.) : *Tête de femme.*
Ventes Publiques : Amsterdam, 31 mai 1994 : *Tête de fillette*, marbre blanc (H. 28,5) : **NLG 7 475** – Amsterdam, 6 déc. 1995 : *Masque*, pierre de Belgique (H. 35) : **NLG 11 500.**

VERMEIRE Willem
xxe siècle. Belge.
Peintre. Expressionniste abstrait.
Il montre ses œuvres dans des expositions personnelles à Bruxelles.
Il privilégie les effets de matière, les couleurs vibrantes, dans une peinture tumultueuse, qui fait penser à De Kooning.

VERMEIREN Didier
Né en 1951 à Bruxelles. xxe siècle. Belge.
Sculpteur.
Il participe à des expositions collectives : 1987 *L'Époque, la mode, la morale, la passion* au musée national d'Art moderne à Paris ; 1988 Hamburger Bahnof de Berlin ; 1993 Maison centrale des Artistes à Moscou, Capc, musée d'Art contemporain de Bordeaux, Open Air Museum of Sculpture de Middelheim d'Anvers, Koninklijk Museum voor Schone Kunsten d'Anvers ; 1995 Biennale de Venise. Il montre ses œuvres dans des expositions personnelles depuis 1974 : 1987 palais des beaux-arts de Bruxelles, Villa Arson de Nice ; 1988 Le Consortium de Dijon ; 1990-1991 Bonnefantenmuseum de Maastricht ; 1991 centre d'art contemporain du domaine de Kerguéhennec de Bignan ; 1993 Museum Haus Lange, Museum Haus Esters de Krefeld ; 1995 Kunsthalle de Zurich, galerie nationale du Jeu de Paume à Paris.
Il propose dans l'espace des figures géométriques en plâtre, marbre ou bronze, formes minimales adoptant les matériaux classiques de la sculpture. Ces pièces autonomes se révèlent être – on l'apprend notamment par le titre donné aux œuvres comme *Plâtre, 1988, socle du musée Rodin, Meudon, supportant le Monument de Claude Lorrain, étude du peintre nu, plâtre, 1988* – la copie à l'échelle des socles d'œuvres de Rodin, Canova, Carpeaux, auxquelles elles ont emprunté leur matériau. Proposant le support de présentation et, généralement posé dessus, le moule, en cire perdue ou plâtre, qui a permis de reproduire l'original, Vermeiren donne au socle et à son « négatif » le statut d'œuvre d'art, de sculpture, poursuivant les réflexions de Rodin, Brancusi ou Giacometti sur la sculpture et les moyens de la montrer dans l'espace. À partir de 1985, l'artiste intègre des roues qui, surélevant les formes parallélépipèdiques ouvertes sur certains côtés, deviennent socles tout en évoquant la possibilité du mouvement : « Les roues sont là, elles indiquent un mouvement, mais le mouvement n'est pas nécessaire. La sculpture ne doit pas rouler pour fonctionner » (Vermeiren). Superposant les diverses pièces, associant chariots, socles et palettes, Vermeiren élabore des structures complexes qui d'une exposition à l'autre prennent une configuration différente. De là peut-être ce désir, dès 1977, d'immortaliser son travail plastique par des photographies qui lui permettent de porter un regard autre, neuf, sur l'espace et les effets de perspective mis en valeur dans ses œuvres éphémères.
Bibliogr. : Bernard Marcelis : *Didier Vermeiren*, Art Press, n° 156, Paris, mars 1991 – Jean Yves Jouannais : *Didier Vermeiren*, Art Press, n° 163, Paris, nov. 1991 – Catalogue de l'exposition : *Didier Vermeiren*, Galerie nationale du Jeu de Paume, Paris, 1995.
Musées : Dijon (FRAC Bourgogne) : *Sans Titre* 1988, plâtre, roulettes – Metz (FRAC Lorraine) : *Sans titre* 1974.

VERMEIREN Michel
Né le 21 janvier 1842 à Anvers. xixe siècle. Belge.
Graveur sur métal.
Élève de J. B. Michiels.

VERMEJEN Jan Cornelisz. Voir **VERMEYEN**

VERMELL Luis
Né à Barcelone. xixe siècle. Actif dans la seconde moitié du xixe siècle. Espagnol.
Peintre et sculpteur.
Élève de l'Académie de Barcelone. Il exposa dans cette ville à partir de 1864.

VERMERSCH Ambros
Né le 9 janvier 1810 à Maldeghem (près de Gand). Mort le 24 mai 1852 à Munich. xixe siècle. Éc. flamande.
Peintre d'architectures, paysages, paysages urbains.
Après avoir été soldat, il fut élève de P. F. de Noter. En 1841, il alla s'établir à Munich et fit, dans la suite, plusieurs voyages en Italie.
Il a peint surtout des vues de ville, notamment, à Gand, à Bruges, à Brunswick, à Venise, à Vérone, etc. Le catalogue du Musée d'Ypres le mentionne avec comme prénom la lettre initiale J.
Musées : Courtrai : *Église de Bacharach* – Munich : *Partie de port – Porte de ville à Perugia – A Andernach sur le Rhin – Grand Canal à Venise – En Italie* – Prague (Gal. Nat.) : *Église de Bacharach* – Stuttgart : *Porte de ville et pont sur la Moselle à Coblence* – Ypres : *Vue intérieure de la ville de Bruges.*
Ventes Publiques : Gand, 1856 : *Vue du quai au blé à Gand* : **FRF 210** – New York, 21 jan. 1983 : *Vue de Munich*, aquar. et cr., une paire (22,5x31 et 15,5x21,3) : **USD 2 300** – Londres, 17 nov. 1993 : *Place du marché à Brunswick* 1845, h/t (56x66) : **GBP 11 270.**

VERMESSE Dominik. Voir **BERNET Dominik**

VERMEULEN. Voir aussi **MEULEN Van der**

VERMEULEN Andries. Voir **MEULEN Andries**

VERMEULEN Antoine
xvie siècle. Actif à Anvers dans la première moitié du xvie siècle. Éc. flamande.
Peintre.
Élève de Jan Mertens.

VERMEULEN Corneel-Louis
Né en 1873 à Deurne. Mort en 1962 à Anvers. xixe-xxe siècles. Belge.
Sculpteur. Académique.
Il fut élève de l'académie des beaux-arts d'Anvers.

BIBLIOGR. : In : *Dict. biogr. ill. des artistes en Belgique depuis 1830*, Arto, Bruxelles, 1987.

VERMEULEN Cornelis. Voir **MEULEN** ou **Van der Meulen Cornelis**

VERMEULEN Cornelis Martinus ou **Van der Meulen**
Né vers 1644 à Anvers. Mort vers 1708 à Anvers. XVIIe siècle. Éc. flamande.
Graveur au burin.
En 1668, élève de Pieter Clonwet. En 1682, maître à Anvers. Il vint à Paris et travailla dans l'atelier de G. Edelinck, puis retourna finir sa carrière dans sa ville natale. Il grava des livres, des portraits et des sujets allégoriques. On lui reproche parfois un dessin un peu faible.
VENTES PUBLIQUES : PARIS, 1812 : *Le petit philosophe*, pl. et sanguine : **FRF 14** – PARIS, 1858 : *Marche de cavaliers ; Repas de chasse*, ensemble : **FRF 86**.

VERMEULEN Cornelis Simonsz
Mort avant janvier 1654. XVIIe siècle. Actif à Rotterdam. Hollandais.
Peintre.

VERMEULEN François
XXe siècle. Belge.
Peintre.

VERMEULEN Gérard ou **Van der Meulen**. Voir **MEULEN Gérard Van der**

VERMEULEN J.
XVIIe siècle. Actif de 1630 à 1640 à Leyde. Hollandais.
Peintre de batailles, scènes de genre.
On le cite vers 1636-1640. Il serait intéressant d'étudier ses rapports avec A. F. Van der Meulen, par exemple à partir des documents du Musée de La Haye.

MUSÉES : LA HAYE : *Un camp.*
VENTES PUBLIQUES : AMSTERDAM, 13 nov. 1990 : *Escarmouche de cavalerie*, h/pan. (41x57,8) : **NLG 18 400**.

VERMEULEN Jacob Xavier, appellation erronée. Voir **VERMOELEN**

VERMEULEN Jacques ou **Jaak**
Né en 1923 à Loches (Indre-et-Loire). XXe siècle. Actif en Belgique. Français.
Peintre, pastelliste, aquarelliste, graveur.
Il fut élève de l'académie Saint-Luc à Gand.
BIBLIOGR. : In : *Dict. biogr. ill. des artistes en Belgique depuis 1830*, Arto, Bruxelles, 1987.

VERMEULEN Jan ou **Johannes**
Né vers 1638 à Haarlem. Mort en 1674. XVIIe siècle. Travaillant à Haarlem de 1638 à 1674. Hollandais.
Peintre de natures mortes.
Il signa probablement IVM.
MUSÉES : ASCHAFFENBOURG – COPENHAGUE – LA HAYE (Mauritshuis) – NANTES – PRAGUE : *Nature morte.*
VENTES PUBLIQUES : PARIS, 7 mars 1970 : *Nature morte aux livres* : **FRF 13 100** – VERSAILLES, 15 juin 1977 : *Nature morte*, bois ovale (65,5x48) : **FRF 22 000** – MILAN, 12 déc. 1988 : *Vanité avec des instruments de musique, une mappemonde, un sablier et des livres*, h/pan. (56x74) : **ITL 60 000 000** – MILAN, 4 avr. 1989 : *Vanitas avec des instruments de musique et une épée*, h/pan. (85x60,5) : **ITL 43 000 000** – PARIS, 27 juin 1989 : *Vanité aux livres et aux instruments de musique*, panneau de chêne non parqueté (71,5x87) : **FRF 550 000** – NEW YORK, 18 mai 1994 : *Vanité avec un crâne, une couronne de lierre, une couronne, des aumonières, des bijoux, des livres et autres objets sur une balustrade de pierre*, h/pan. (73,3x57,8) : **USD 55 200** – LONDRES, 9 déc. 1994 : *Instruments de musique et partition, dessin, livres et globe terrestre sur une table drapée*, h/pan. (79,5x64,5) : **GBP 58 700** – AMSTERDAM, 6 mai 1997 : *Vanité en trompe-l'œil derrière une fenêtre fermée*, h/pan. (72x55) : **NLG 70 800**.

VERMEULEN Jan Teunisz. Voir **VERMOLEN**

VERMEULEN Johannes
Mort en 1653. XVIIe siècle. Actif à Rotterdam. Hollandais.
Peintre.

VERMEULEN Marinus Cornelis Thomas
Né en 1868. Mort en 1941. XIXe-XXe siècles. Belge.
Peintre de genre, compositions animées, paysages.
VENTES PUBLIQUES : LOKEREN, 23 mai 1992 : *Vaches auprès d'une mare*, h/t (45x60) : **BEF 33 000** – NEW YORK, 19 jan. 1995 : *Paysages d'hiver*, h/cart., une paire (17,8x22,9 chacune) : **USD 9 200** – LONDRES, 12 juin 1996 : *Patineurs sur une rivière gelée*, h/pan., une paire (18x23 chacune) : **GBP 4 370**.

VERMEULEN Noël
Né en 1917 à Gand. Mort en 1989. XXe siècle. Belge.
Peintre. Expressionniste puis abstrait-lyrique.
Il fut élève de l'académie des beaux-arts de Gand. Il a montré de son vivant ses œuvres dans des expositions personnelles, puis après sa mort : 1990 International Art Gallery de Lasne ; 1990 Bruxelles.
Après des débuts expressionnistes, il aborde l'abstraction, avec des œuvres constituées de formes géométriques rigoureuses, qui par un agencement libre des figures, des tonalités subtiles, se révèlent poétiques.
MUSÉES : ANVERS.
VENTES PUBLIQUES : LOKEREN, 9 oct. 1993 : *Composition*, h/t (89x116) : **BEF 40 000** – LOKEREN, 7 oct. 1995 : *Structure 2* 1979, h/t (65x81) : **BEF 26 000**.

VERMEYEN Hans ou **Johan** ou **Vermayen** ou **Vermeiden**
Né à Bruxelles. Mort le 15 octobre 1606. XVIe siècle. Éc. flamande.
Sculpteur-modeleur de cire.
Fils de Jan Cornelisz V. Il travailla à Francfort, comme orfèvre et sculpteur sur cire, et à la cour de Vienne.

VERMEYEN Hendrik. Voir **VERMAY Henry I**

VERMEYEN Jan Cornelisz ou **Vermayen, Vermay, Vermejen**, dit **Juan de Mayo, Majo, el Mayo, Hans May, Jan May, el Barbudo, Barbato, de Barbalonga**
Né vers 1500 à Beverwyck (près de Haarlem). Mort en 1559 à Bruxelles. XVIe siècle. Hollandais.
Peintre d'histoire, compositions religieuses, portraits, cartons de tapisseries, graveur.
Fils et élève de Cornelis Vermeyen, il fut peut-être élève de Gossaert à Utrecht. On le mentionne aussi comme disciple de Jan Schorel. On croit, d'après ses ouvrages, qu'il visita l'Italie et y étudia les œuvres de Raphaël. En 1529 on le trouve à Cambrai, au service de Marguerite d'Autriche sœur de Maximilien. En 1534 il entre dans la maison de Charles-Quint aussi bien comme ingénieur que comme artiste. C'est en cette première qualité qu'il assiste à la prise de Tunis aux côtés de son impérial patron. Il y exécuta un certain nombre de croquis qui lui servirent plus tard pour les cartons d'une suite de tapisseries conservées encore à Madrid. Ces cartons sont conservés au palais du Belvédère. En 1712, dix de ces compositions furent reproduites une seconde fois pour l'Empereur Charles VI et décorent le Palais de Schönbrunn. Vermeyen suivit encore Charles V à Naples, en Allemagne, dans les Pays-Bas. À la fin de sa vie il travailla fréquemment à Arras et surtout à Bruxelles. La plupart de ces ouvrages furent détruits pendant les guerres de religion.
Ce fut un peintre distingué, un ingénieur savant, un architecte et un graveur habile. On cite de lui, huit gravures, datées généralement de 1545, 1546 et 1555. On y mentionne les portraits de *Philippe II d'Espagne* et de *Henri II de France*. Il avait une barbe si longue qu'elle traînait à terre, de là ses surnoms espagnols de El Barbudo, Barbalonga, etc.

MUSÉES : ARRAS : *Mise au tombeau* – BRUXELLES : *Portrait de Jehan Carondelet* – FLORENCE (Palais Pitti) : *Portrait d'homme* – VIENNE : *Débarquement de Carthage.*
VENTES PUBLIQUES : DIJON, 1864 : *Ecce Homo* : **FRF 52** – PARIS, 25 fév. 1923 : *Jésus et sainte Véronique*, pl. : **FRF 100** – NEW YORK, 5 nov. 1942 : *La Sainte Famille* : **USD 650** – PARIS, 2 déc. 1954 : *L'homme aux gants* : **FRF 1 100 000** – LONDRES, 26 juin 1959 : *Portrait d'homme* : **GBP 1 575** – LONDRES, 24 nov. 1967 : *Portrait de Charles Quint* : **GNS 1 100** – LONDRES, 9 déc. 1981 : *Le Christ dans la maison de Marthe et Marie*, h/pan. (75x84) : **GBP 20 000** – NEW YORK, 6 juin 1984 : *La Sainte Famille* 1532, h/pan. (94,5x73,7) : **USD 25 000** – LONDRES, 10 avr. 1987 : *Portrait d'un chevalier de la Toison d'or*, h/pan. (44,1x35) : **GBP 22 000** – MONACO, 5-6 déc. 1991 : *Portrait d'homme*, h/pan. (60x49,5) : **FRF 99 900**.

VERMEYLEN Alphonse
Né en 1882 à Borgerhout (Anvers). Mort en 1939 à Anvers. XXe siècle. Belge.

Peintre de portraits, figures, intérieurs, paysages, graveur.
Il fut élève de l'académie d'Anvers. Il fut membre du groupe Als Ik Kan.
Bibliogr. : In : *Dict. biogr. ill. des artistes en Belgique depuis 1830*, Arto, Paris, 1987.
Musées : Anvers.
Ventes Publiques : Londres, 25 fév. 1987 : *La partie de tennis* 1910, h/cart. (73x92,4) : **GBP 8 800** – Amsterdam, 31 mai 1995 : *Barques de pêche à Ostende*, h/t (61x71) : **NLG 4 012**.

VERMEYLEN Frans, ou **Jan Frans**
Né le 24 mai 1824 à Werchter près de Louvain. Mort le 27 juillet 1888 à Louvain. XIXe siècle. Belge.
Sculpteur de statues.
Père de Frantz Vermeylen et élève de Karel Hendrik Geerts à l'Académie des Beaux-Arts d'Anvers. Il sculpta des statues et des groupes pour des églises de Liège et d'Anvers. Il est l'auteur de la façade du Palais des Beaux-Arts et de la gare d'Amsterdam.
Bibliogr. : In : *Dict. biogr. illustré des artistes en Belgique depuis 1830*, Arto, Bruxelles, 1987.

VERMEYLEN Franz, ou **Frantz**
Né le 25 novembre 1857 à Louvain. Mort en 1922. XIXe-XXe siècles. Belge.
Sculpteur de figures, portraits, bustes.
Fils du peintre Frans Vermeylen, il fut élève d'Auguste Dumont à Paris. Il fut collaborateur de son père, restaura des bâtiments du Moyen Âge et sculpta des bustes et des médaillons.

VERMEYLEN Michel
XIXe siècle. Actif à Louvain vers 1840. Belge.
Peintre de paysages.
Ventes Publiques : Londres, 18 oct. 1978 : *Paysage au pont* 1837, h/t (39,5x48,5) : **GBP 1 800**.

VERMI Arturo
Né en 1928 à Bergame. Mort en 1988. XXe siècle. Italien.
Peintre de paysages, technique mixte.
Il travailla dans la seconde moitié du XXe siècle. Il est connu par ses prix en ventes publiques.
Ventes Publiques : Milan, 7 juin 1989 : *Paysage* 1967, h/t (80x60) : **ITL 1 400 000** – Milan, 14 déc. 1993 : *Sans titre* 1970, temp./t. (117x92) : **ITL 2 875 000** – Milan, 28 mai 1996 : *Paysage* 1976, techn. mixte/t. (70x90) : **ITL 2 185 000**.

VERMIGLIO Giuseppe
Né probablement en 1585, à Alexandrie ou à Turin selon certains biographes. Mort vers 1635. XVIIe siècle. Italien.
Peintre de compositions religieuses, portraits, compositions murales.
Cet artiste travailla surtout dans la haute Italie. Il décora plusieurs églises et monuments publics à Novare et à Alexandrie. On cite encore un remarquable *Daniel dans la fosse aux lions*, à la *Biblioteca della Passione*, à Milan.
Musées : Alessandria : *Portrait d'homme* – Milan (Gal. Brera) : *La Crèche* – Turin (Mus. Nat.) : *Le Christ et la Samaritaine*.
Ventes Publiques : Milan, 4 avr. 1989 : *Le Sacrifice d'Isaac*, h/t (157x134) : **ITL 220 000 000** – New York, 3 oct. 1996 : *Le Sacrifice d'Isaac*, h/t (116,8x149,9) : **USD 129 000**.

VERMIJNE J.
Née le 30 avril 1886 à La Haye. XXe siècle. Hollandaise.
Graveur, dessinateur de portraits.
Elle fut l'élève de J. Birnie, de Charles Louis Philippe Zilcken et d'Isaac Israël.

VERMILYE Anna Joséphine
Née à Mount Vernon (État de New York). XXe siècle. Américaine.
Peintre, graveur.
Elle fut élève de John F. Carlson et George Buidgman. Elle fut membre de la Fédération Américaine des Arts.

VERMOELEN Jacob Xavier
Né vers 1714 à Anvers. Mort le 3 mars 1784 à Rome. XVIIIe siècle. Éc. flamande.
Peintre de genre, natures mortes.
Il étudia avec Peter Snyers et appartint à la Gilde des peintres d'Anvers en 1733-34. Il voyagea en Italie et travailla à Rome entre 1748 et 1752.

J. X. Vermoelen f. Rom 1755

Musées : Nantes : natures mortes – Schleissheim : natures mortes – Stuttgart : *Oiseaux morts* – Würzburg : natures mortes.
Ventes Publiques : Londres, 9 déc. 1994 : *Oiseaux morts au pied d'un arbre ; Sur une marche de pierre* 1748, h/t, une paire (chaque 48,2x64,2) : **GBP 11 500** – Londres, 11 déc. 1996 : *Chiens gardant le gibier après la chasse ; Oiseaux abattus dans un paysage boisé* 1755, h/t, une paire (160x198) : **GBP 28 750**.

VERMOLEN Jan Pietersz
XVIIe siècle. Actif dans la première moitié du XVIIe siècle. Hollandais.
Peintre.

VERMOLEN Jan Teunisz ou **Tonisz** ou **Vermeulen**
XVIIe siècle. Actif dans la première moitié du XVIIe siècle. Hollandais.
Peintre.

VERMOLEN Pieter
XVIIe siècle. Actif dans la première moitié du XVIIe siècle. Hollandais.
Peintre.

VERMONT Henri
Né en 1879 à Reims (Marne). XXe siècle. Français.
Peintre.
Il fut élève de l'École des Beaux-Arts de Reims.
Musées : Reims (Mus. mun.) : *Maison dite de J.-B. de la Salle, rue de l'Arbalète.*
Ventes Publiques : New York, 19 jan. 1995 : *Jeté de fleurs*, h/t (54x65,1) : **USD 3 737**.

VERMONT Hyacinthe Collin de. Voir **COLLIN DE VERMONT Hyacinthe**

VERMONT Nicolae
Né en 1886 à Bacou. Mort en 1932. XXe siècle. Roumain.
Peintre de genre, figures, nus, paysages, graveur.
En tant que graveur, il privilégia la technique de l'eau-forte.
Musées : Bucarest (Mus. Simu) : *Le Marchand de sabots* – *La Tuillière de Gruin* – *Le Ramoneur* – *Femme assise* – *À la foire* – Bucarest (Mus. Toma Stelian) : *Portrait de l'artiste* – *des paysages et nus*.

VERMORCKEN Edouard
XIXe siècle. Actif à Bruxelles. Belge.
Graveur sur bois.
Élève de l'Académie d'Anvers. Il travailla de 1840 à 1895 pour des revues et des illustrés.

EV. E.V. V

VERMORCKEN Frédéric Marie
Né le 13 octobre 1860 à Bruxelles. XIXe siècle. Belge.
Peintre de portraits.
Élève de l'Académie des Beaux-Arts d'Anvers.
Expose au Cercle Artistique de Bruxelles, à la Fédération des Artistes Belges, à l'Art Club de Philadelphie, à New York, Chicago, San Francisco. Chevalier de l'Ordre de la Couronne.
Des œuvres de cet artiste sont conservées, au Capitole de l'État de New-Jersey et à l'Université de San Francisco.
Ventes Publiques : New York, 29 oct. 1992 : *Fillette lisant un après-midi au soleil* 1893, h/t (45,7x35,5) : **USD 4 180**.

VERMORCKEN Vital
Né en 1843 à Bruxelles. Mort en 1929 à Boitsfort. XIXe-XXe siècles. Belge.
Graveur, illustrateur.
Il fut élève de son père le peintre Edouard Vermorcken. Il a illustré des textes littéraires et scientifiques.
Bibliogr. : In : *Dict. biogr. ill. des artistes en Belgique depuis 1830*, Arto, Bruxelles, 1987.

VERMOT Bernard
Né le 23 mars 1927 au Locle (Suisse). Mort le 21 janvier 1988 à Saint-Jean de Braye (Loiret). XXe siècle. Actif en France. Suisse.
Peintre.
Après des études à l'École Nationale Supérieure des Beaux-Arts de Paris, il participe au mouvement de la Jeune Peinture entre 1955 et 1957, et expose aux salons des Indépendants, des Artistes Français, d'Automne, de la Société Nationale des Beaux-Arts, ainsi que dans des galeries, à Paris, en province et à l'étranger. En 1990, le Musée Victor Duhamel de Mantes la Jolie lui consacre une exposition rétrospective.

Musées : Castres – Montbard – Saint Jean de Braye – Villeneuve-sur-Lot (Mus. des Beaux-Arts).

VERMOTE Liévin François
Né le 16 mai 1827 à Courtrai. Mort le 22 juillet 1869 à Courtrai. xixe siècle. Belge.
Peintre.
Fils de Séraphin François V. et élève des Académies de Courtrai et d'Anvers. Le Musée de Courtrai conserve de lui *Le peuple de Gand pendant la famine en* 1337, *Jeanne d'Arc au bûcher, Scène des Fiancés de Manzoni.*

VERMOTE Séraphin François ou **Vermotte**
Né en 1788 à Moorseele. Mort le 3 avril 1837 à Courtrai. xixe siècle. Belge.
Dessinateur et peintre de paysages.
Il dessina et peignit des vues de châteaux et de curiosités historiques. Le Musée de Courtrai conserve de lui : *Arrivée de la diligence sur la grand'place d'Ypres, Intérieur d'une église en ruines, Paysage avec chapelle.*
Ventes Publiques : Lille, 11 déc. 1983 : *Vue de la ville d'Ypres* 1819, gche (41x51) : **FRF 12 000.**

VERNA Claudio
Né en 1937 à Guardiagrele (Abruzzes). xxe siècle. Italien.
Peintre.
Il vit et travaille à Rome.
Verna participe à de nombreuses expositions collectives en Italie, notamment à la Biennale de Venise en 1970. Il montre ses œuvres dans des expositions personnelles à Florence, Palerme, Rome, Milan, Turin, Gênes.
Il a d'abord réalisé des tableaux où des séries de segments croisés selon des inclinaisons différentes suggéraient la présence d'une ligne horizontale en réalité inexistante. D'ores et déjà se posait dans l'œuvre de Verna le problème de la réalité de la peinture et de son leurre. Sa peinture a ensuite évolué vers une véritable interrogation de la surface peinte simplement ponctuée de quelques lignes. Cette mise à nu du processus de la peinture s'inscrit dans un courant assez généralisé en Europe au milieu des années soixante-dix, d'analyse globale de la peinture.
Ventes Publiques : Rome, 15 nov. 1988 : *Rapicciano II* 1984, h/t (70x70) : **ITL 2 800 000** – Rome, 17 avr. 1989 : *Rize* 1986, h/t (50x50) : **ITL 2 200 000** – Venise, 12 mai 1996 : *Le Peintre de métier* 1983, h/t (70x70) : **ITL 2 500 000.**

VERNACCINI Giovanni
xviiie siècle. Italien.
Sculpteur sur bois.
Il a sculpté le plafond de l'église Sainte-Barbe de Florence en 1717.

VERNACHET
Mort le 6 (?) août 1917 à Paris. xixe-xxe siècles. Français.
Peintre.

VERNACI Andrea, Giacomo et **Vicenzo.** Voir **PERNACI**

VERNAGEAU Max Henri Charles
Né le 1er novembre 1919 à Tours (Indre-et-Loire). xxe siècle. Français.
Peintre, céramiste.
Il fut élève des écoles des Beaux-Arts de Tours, des Arts Décoratifs et des Beaux-Arts de Paris. Il a figuré à Paris, au Salon des moins de trente ans.
Musées : Tours.

VERNANDO François, appellation erronée. Voir **VENANT**

VERNANSAL Guy Louis, l'Ancien
Né le 12 juillet 1648 à Fontainebleau. Mort le 9 avril 1729 à Paris. xviie-xviiie siècles. Français.
Peintre d'histoire et de sujets religieux.
Élève de Ch. Lebrun. Reçu académicien le 27 septembre 1687. Il figura aux Salons de 1699 et 1704. Il travailla en Italie, notamment à Padoue et à Rome. Il avait épousé Marie Madeleine Chaliot ou Challiot, dont il eut un fils, Jacques François Vernansal et habitait le cloître de Saint-Germain l'Auxerrois.
Musées : Angers : *Saint Maurice et ses compagnons* – Orléans : *Une fête dans l'Olympe – Sainte Bathilde, vendue au maire du palais Archambault, devient la femme de Clovis II* – Tours : *Minerve, debout, sculpte une statue de la justice,* allégorie – Versailles : *Révocation de l'Édit de Nantes.*

VERNANSAL Guy Louis, le Jeune
Né vers 1689 à Paris. Mort le 20 avril 1749 à Paris. xviiie siècle. Français.
Peintre.
Son acte de décès, qui lui donna la qualité de « peintre du roi », le mentionne mourant chez M. Piron, bourgeois de Paris, cul-de-sac des Quatre Vents, paroisse Saint-Sulpice. Il séjourna longtemps en Italie et peignit des fresques dans les églises de Brescia.

VERNANSAL Jacques François
Né probablement vers 1687 à Paris. xviiie siècle. Français.
Peintre d'histoire.
Fils, élève et aide de Guy Louis Vernansal. Le 3 juillet 1714, il épousa Geneviève Tortet. Jacques François Vernansal visita l'Italie et travailla notamment à Venise. Il fut agréé à l'Académie le 28 avril 1741.

VERNAUT Marguerite
Née au xixe siècle à Paris. xixe siècle. Française.
Graveur.
Élève de M. Paul Mauron. Sociétaire des Artistes Français depuis 1898 ; mention honorable en 1898, médaille de troisième classe en 1899, médaille de bronze en 1900 (Exposition Universelle), médaille de deuxième classe en 1901, de première classe en 1904.

VERNAY François ou **Francis**, pseudonyme de **Miel François** ou **Francis**
Né en 1821 à Lyon (Rhône). Mort en 1896 à Lyon. xixe siècle. Français.
Peintre de portraits, paysages, natures mortes, fleurs et fruits, aquarelliste, dessinateur.
Élève de l'École des Beaux-Arts de Lyon. Il figura au Salon de Paris de 1868 à 1880.
François Vernay a presque exclusivement peint des natures mortes de fleurs et de fruits. Il suivit en cela une tradition de l'École lyonnaise où l'on rencontre bon nombre d'excellents artistes spécialisés dans ce genre. Cependant Vernay tient une place marquante par la vigueur de son exécution et la richesse de sa couleur. Il a des harmonies pleines de chaleur, soulignées par une pâte abondante sans exagération mais qui le classent à juste titre dans la lignée des bons maîtres du genre. Il avait tout d'abord adopté un style simple, réaliste, précis, puis vers 1853 ; il fait des recherches de matières avant de simplifier encore sa manière après 1880. À la fin de sa vie, il préféra l'aquarelle et le dessin à la peinture, montrant un goût expressionniste inattendu.

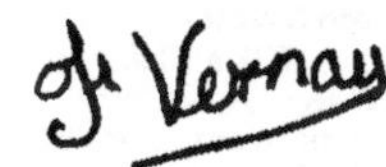

Musées : Bourg-en-Bresse : *Prunes et Reine-Claude* – Liège : *Fruits et potiche* – Lyon : *Nature morte – Les Communaux de Morestel* – Paris (Mus. du Louvre) : *Fruits – Fleurs et Fruits.*
Ventes Publiques : Paris, 6 et 7 mai 1920 : *Nature morte* : **FRF 3 160** – Paris, 10 fév. 1943 : *Poires, raisins et noix* : **FRF 41 000** – Paris, 29 mars 1943 : *Fleurs et fruits* : **FRF 37 100** – Lyon, 15 juin 1944 : *Fleurs* : **FRF 15 000** ; *Fleurs* : **FRF 32 000** – Paris, 23 nov. 1949 : *Fleurs et fruits* : **FRF 41 000** – Lyon, 12 mai 1976 : *Nature morte aux fruits,* h/pan. (26x40) : **FRF 5 600** – Lyon, 10 avr 1979 : *Branche de cerises,* h/pan. (24x35) : **FRF 9 000** – Lyon, 8 juin 1982 : *Nature morte aux fruits dans un plat,* h/pan. : **FRF 74 000** – Paris, 22 nov. 1984 : *Roses dans un vase bleu,* h/t (32x40) : **FRF 30 000** – Lyon, 4 déc. 1985 : *Nature morte aux pommes et aux raisins,* h/t (29x38) : **FRF 20 000** – Lyon, 27 avr. 1989 : *Fleurs sur un entablement,* h/t (21,5x16) : **FRF 10 000** – Paris, 21 mars 1990 : *Nature morte aux pêches, prunes, raisins et poires,* h/t (50x61) : **FRF 90 000** – Lyon, 8 avr. 1992 : *Paysage au soleil couchant,* gche, fus. et aquar. (28x69,5) : **FRF 5 200** – Paris, 29 juin 1994 : *Nature morte aux fruits et à la cruche,* h/t (46x37) : **FRF 48 000** – Paris, 2 juin 1997 : *Coucher de soleil aux trois personnages,* gche (11.5x15) : **FRF 6 000.**

VERNAY François Joseph
Né le 22 avril 1864 à Genève. xixe-xxe siècles. Suisse.
Peintre, illustrateur.
Il fut élève de Barthélémy Menn et de Joseph Mittey. Il se fixa à Genève en 1904.

VERNAY Joséphine
Née le 22 octobre 1861 à Genève. xixe siècle. Suisse.
Peintre de genre, portraits.
Sœur du peintre François Joseph V., elle fut élève de Gillet, de Mittey et de Menn.

VERNAZ-VECHTE Etienne Louis et **Héloïse**
Nés à Paris. xixe siècle. Français.

Sculpteurs.
Élèves de A. Vechte. Ils figurèrent au Salon de 1875 et à l'Exposition Universelle de 1878.

VERNAZZA Angelo
Né le 23 avril 1869 à Sampierdarena. XIXe-XXe siècles. Italien.
Peintre de portraits, marines.
Il fut élève de Niccolo Barberino à l'Académie de Gênes et d'Italico Brass à l'Académie Julian de Paris.

VERNEAUX Germaine
Née le 26 mars 1897 à Paris. XXe siècle. Française.
Peintre de paysages.
Elle exposa à Paris, au Salon des Indépendants, à Reims, Épernay et Châlons-sur-Marne.

VERNEILH-PUYRASEAU Jules de, baron
Né en 1823 au Château de Puyrasea (près de Nontron Dordogne). Mort en 1899. XIXe siècle. Français.
Dessinateur et graveur à l'eau-forte.
Élève de L. Gaucherel. Il figura au Salon de 1869. Le Musée de Périgueux conserve de cet artiste cinquante dessins à la plume de 0,20 × 0,30, représentant les vieilles maisons, les vieux châteaux les plus intéressants du Périgord. Nous croyons qu'on peut également lui attribuer une aquarelle conservée au Musée de Rochefort (*Deux enfants*) et que le catalogue mentionne sous le nom de *J. des Verneilh*.

VERNER Joseph, pseudonyme de **Werner-Baer Joseph**
Né le 11 avril 1923 à Bochum (Westphalie). Mort le 15 avril 1991 à Cagnes-sur-Mer (Alpes-Maritimes). XXe siècle. À partir de 1939 actif et naturalisé en France. Allemand.
Peintre de genre, figures, portraits, intérieurs.
Il fut élève de l'académie de la Grande-Chaumière à Paris, de 1945 à 1947, où il eut pour professeur Othon Friesz. Il vécut et travailla à Cagnes-sur-Mer. Il participa à des expositions collectives à Paris : 1946 Salons des Moins de trente Ans, 1947 d'Automne, 1948 des Indépendants. Il montra ses œuvres dans des expositions personnelles régulièrement à Cagnes-sur-Mer, au Canada et aux États-Unis.
Il fut un admirateur de Rembrandt, Vermeer et Balthus, et fréquenta de nombreux peintres : Buffet, Braque, Klee, de Staël, Van de Velde, Matisse. Portraitiste, il a aimé représenter les artistes, clowns, baigneurs, joueurs d'échecs, vagabonds.

VERNER Elizabeth O'NEILL
Née le 21 décembre 1884 à Charleston (Caroline du Sud). Morte en 1979. XXe siècle. Américaine.
Peintre de figures, portraits, pastelliste, graveur.
Elle fut élève de l'Académie des Beaux-Arts de Philadelphie. Elle était membre de la Fédération Américaine des Arts. Elle travailla le pastel sur tissu.
VENTES PUBLIQUES : RALEIGH (North Carolina), 5 nov. 1985 : *Deacon Elias Brown*, past./pan. (25,3x20,3) : **USD 1 900** – NEW YORK, 24 juin 1987 : *Charleston flower girl*, past./t. mar./cart. (38x29,2) : **USD 4 400** – NEW YORK, 17 mars 1988 : *Homme à la pipe*, past./soie monté/cart. (22,5x21) : **USD 2 750** – NEW YORK, 24 juin 1988 : *La petite marchande de fleurs*, past./soie (22,5x21,5) : **USD 2 640** – NEW YORK, 18 déc. 1991 : *La Marchande de fleurs*, past./tissu/cart. (22,9x22,2) : **USD 5 225**.

VERNER Frederick Arthur
Né en 1836. Mort en 1928. XIXe-XXe siècles. Canadien.
Peintre de scènes typiques, paysages, animaux.
Il a consacré de nombreuses œuvres à la vie sauvage des grands espaces et aux Indiens.
VENTES PUBLIQUES : TORONTO, 17 mai 1976 : *Bisons dans un paysage* 1902, h/t (60x92) : **CAD 4 500** – TORONTO, 19 oct. 1976 : *Le camp Sioux, Manitoba* 1885, aquar. (23x55) : **CAD 2 800** – TORONTO, 27 oct. 1977 : *Campement indien* 1898, aquar. (30x59,4) : **CAD 5 200** – TORONTO, 5 nov 1979 : *Campement indien* 1875, aquar. (20x49,4) : **CAD 11 000** – TORONTO, 5 nov 1979 : *Campement sioux* 1903, h/t (96,3x140) : **CAD 96 000** – TORONTO, 26 mai 1981 : *Campement ojibbeway, lac Rainy* 1894, h/t mar./cart. (60x105) : **CAD 100 000** – TORONTO, 2 mars 1982 : *Campement sioux*, aquar. (28,8x60,6) : **CAD 8 000** – TORONTO, 3 mai 1983 : *Teepees sioux* 1893, aquar. (35x51,9) : **CAD 9 000** – TORONTO, 14 mai 1984 : *In War Paint, at the Treaty, Lake of the Woods* 1864, h/t (60x50) : **CAD 30 000** – TORONTO, 28 mai 1985 : *Indians at lookout rock* 1882, aquar. (67,5x50) : **CAD 15 000** – TORONTO, 18 nov. 1986 : *Indian encampment* vers 1889, h/t (58,1x103,8) : **CAD 44 000** – TORONTO, 12 juin 1989 : *Chien* 1899, cr. et détrempe (32,4x43,8) : **CAD 800** – MONTRÉAL, 30 avr. 1990 : *Moutons au paturage* 1889, h/t (36x53) : **CAD 2 420** – MONTRÉAL, 4 juin 1991 : *Retour vers la maison au soleil couchant*, aquar. (43,2x72,3) : **CAD 1 600** – NEW YORK, 4 mai 1993 : *Indiens avec leurs canoës sur la grève*, aquar. et gche/pap. brun (9x24,8) : **USD 1 380**.

VERNES Michel
Né en 1940 à Nîmes. XXe siècle. Français.
Peintre.
Il enseigne à l'école d'architecture de Paris La Villette et à l'Instituto Politechnico de Turin.
Il montre ses œuvres dans des expositions personnelles : 1984, 1988 à Paris.
Ses œuvres se présentent comme des « paysages de l'écriture et de la mémoire ».

VERNET Alfred
Né au XIXe siècle à Paris. XIXe siècle. Français.
Peintre de portraits, peintre de miniatures.
Élève de L. Gaucherel et de Picot. Il figura au Salon de 1848 à 1853.

VERNET Alice
Née le 12 mai 1865 à Monthureux-sur-Saône (Vosges). XIXe siècle. Française.
Peintre de portraits.
Élève de Gaston Saint-Pierre. Expose aux Salons des Artistes Français, des Femmes Peintres et Sculpteurs.

VERNET André
XVIIe siècle. Actif à Avignon dans la seconde moitié du XVIIe siècle. Français.
Peintre.
Père d'Antoine V.

VERNET Antoine
Né le 3 juillet 1689 à Avignon. Mort le 10 décembre 1752 ou 1753 à Avignon. XVIIIe siècle. Français.
Peintre de paysages, fleurs, décorateur.
Père de Joseph Vernet. Il eut vingt-deux enfants dont quatre furent peintres : Claude Joseph, l'aîné, Antoine Ignace, Antoine François et François Gabriel ; il fut aussi grand-père de Carle et arrière-grand-père d'Horace Vernet.
Bien qu'on cite des paysages et des fleurs de lui, il paraît avoir été surtout peintre décorateur et particulièrement de panneaux de voitures et de chaises à porteurs.
MUSÉES : AVIGNON : *Panneau de chaise à porteur – Double écusson armorié – Gerbe de fleurs* – DIJON : *Deux paysages avec figures*.

VERNET Antoine
XVIIIe siècle. Français.
Peintre.
Homonyme du précédent. Entra à Avignon dans la Confrérie des Pénitents blancs, en 1777.

VERNET Antoine Charles Horace, dit **Charlot** ou **Carle**
Né le 14 août 1758 à Bordeaux (Gironde). Mort le 27 novembre 1836 à Paris. XVIIIe-XIXe siècles. Français.
Peintre d'histoire, compositions religieuses, batailles, scènes de genre, portraits, animaux, lithographe, dessinateur, caricaturiste.
Carle Vernet était le fils de Joseph Vernet, le célèbre peintre de marines ; sa vie, au moins à ses débuts, offre avec celle de son père de grandes analogies. Comme celle de son père, et davantage encore, son enfance fut heureuse ; il naquit à Bordeaux, où Joseph Vernet, qui avait alors 44 ans, à la fleur de son âge et de son talent, peignait dans la joie cette série des *Ports de France*, où il devait donner toute sa mesure. Carle était le plus jeune des trois enfants de Joseph et comme lui, il montra de bonne heure de grandes aptitudes pour le dessin et la peinture. La société qui fréquentait chez Joseph Vernet comptait les meilleurs artistes de l'époque ; c'était là pour Carle un climat éminemment favorable à son développement artistique. Lepicié, qui fut un de ses premiers maîtres, nous a laissé de lui un charmant portrait, actuellement au Louvre, où il nous le montre paré de toutes les séductions de l'enfant prodige. Après un séjour à Rome, où il connut une crise de mysticisme qui faillit en faire un moine, Carle Vernet se consacre définitivement à la peinture.
Délaissant, sous l'influence de Louis David, le style frivole de Boucher, il commence à s'orienter vers l'Antiquité ; le *Triomphe de Paul Émile*, le premier tableau important de Carle Vernet (qui lui ouvre les portes de l'Académie en 1788), montre qu'il n'a pas perdu tout à fait le contact avec Boucher, malgré le choix d'un

sujet plus austère. La Révolution éprouva cruellement Carle dans ses affections familiales ; en effet sa sœur Émilie, mariée à l'architecte Chalgrin condamnée à mort par le tribunal révolutionnaire, fut exécutée malgré une intervention de son frère auprès du peintre Louis David. Dans cette tourmente, Carle Vernet avait perdu sa verve et sa vivacité d'esprit ; il les retrouvera quand le Directoire, ramenant avec lui la joie et les plaisirs, lui fournira par ses excentricités de magnifiques sujets d'observation. De cette époque datent ses caricatures sur les *Merveilleuses* et les *Incroyables*. Vernet a trouvé sa véritable vocation dans cette impitoyable étude des ridicules de ses contemporains, il y est plus à l'aise qu'avec les vertueux Romains du temps de Paul Émile.

Sous le Consulat, rompant désormais, et définitivement avec David, dont il ne comprit certainement pas l'importance et pour utiliser ses connaissances profondes des chevaux, Carle va devenir peintre de batailles ; ses tableaux, dont la couleur est un peu terne, sont vivants et exacts, le plus célèbre est la *Bataille de Marengo*, dans laquelle le dessein du peintre est de représenter une bataille vraisemblable, où les personnages participent à une action logique et ordonnée suivant un plan stratégique rigoureux. Les chevaux, naturellement, y sont à l'honneur, mais avant tout, dans cette vaste composition règne cette aisance et ce naturel qui sont bien l'héritage de Joseph Vernet. Cependant, comme nous l'avons déjà noté, la véritable vocation de Carle Vernet n'est pas dans la peinture, mais bien dans le dessin et la lithographie ; c'est là qu'il s'exprime le plus sincèrement et met le mieux à profit ses dons d'observateur.

Avec la Restauration, l'ère des batailles est close, mais la Paix et le retour de la royauté offrent aux peintres, avec les chasses à courre, des sujets plus aimables. Vernet va pouvoir y manifester son talent. Certains tableaux de cette époque, comme *L'Attaque*, offrent une sorte de synthèse de l'art de Carle Vernet : dans un paysage doucement vallonné, une clairière au premier plan, où des cavaliers s'apprêtent au départ, à gauche la meute est lâchée, tandis que dans le lointain une calèche attelée de quatre chevaux attend avec les dames le retour des chasseurs. Au centre sur un cheval noir, le duc d'Orléans, dont Carle fut le compagnon de fêtes et de chasses. Tout respire dans cette composition la vie luxueuse et facile ; telle fut la sienne. Mais à côté de ces œuvres importantes consacrées à la chasse, qui sont aussi d'agréables paysages, Carle Vernet a laissé quantité de dessins, gravures et lithographies, sortes d'instantanés fixant le souvenir de ces chasses dont il fut si souvent le spectateur : *L'Amazone égarée*, *Un chasseur emporté par ses chevaux*, *Accident de Chasse*. Peut-on peindre des chevaux sans les aimer ? Vernet les adora et il fut un des meilleurs cavaliers de son temps. Enfin les courses de chevaux, dont la mode se répandait en France avec l'anglomanie, allaient offrir à Vernet un nouveau champ d'observation, il en tirera de belles études : *Les Apprêts d'une Course*, *Avant le départ*, *Le Faux Départ*. Chez Vernet l'humour ne perd jamais ses droits et presque toujours une ironie discrète perce dans ses lithographies et ses dessins hippiques. Le type de cheval que Vernet a aimé d'un amour exclusif est le pur-sang de courses, un animal gracieux aux attaches fines, d'une maigreur racée. Avec lui il rompait délibérément avec les traditionnels et lourds chevaux cabrés de *L'Infant Balthazar Carlos* ou du *Duc d'Olivarès*. Comme son père, Carle fut un homme heureux ; à soixante-quinze ans, après une vie comblée, il passait encore hors de chez lui la plupart de ses soirées et parcourait le matin les allées du Bois de Boulogne sur des chevaux fringants. Il sut mourir aussi bien qu'il avait su vivre, sans se plaindre et trouvant jusqu'à la fin de ces *mots heureux* dont il était prodigue. Plein de modestie malgré son grand talent, il admirait sans réserve son père Joseph et son fils Horace et disait d'eux quelques heures avant de mourir : « C'est singulier comme je ressemble au Grand Dauphin, fils de roi, père de roi et jamais roi. »

■ Jean Dupuy

C.V. C^t. Carle Vernet
Carle Vernet
Carle Vernet

Bibliogr. : A. Dayot : *Les Vernet, Joseph, Carle, Horace*, Paris, 1898 – A. Dayot : *Carle Vernet. Étude sur l'artiste, suivie d'un catalogue de l'œuvre gravé et lithographié*, Le Goupy, Paris, 1925.

Musées : Amiens : *Cavalier grec combattant un lion* – Avignon : *Cosaque à cheval* – *Course de chevaux libres à Rome dans le Corso* – Besançon : *Chevaux dans une écurie* – Béziers : *Scène de duel* – Chantilly : *Le duc d'Orléans et le duc de Chartres à un rendez-vous de chasse* – Chartres : Aquarelle – Clamecy : *Cavaliers cosaques*, aquar. gchée – Kaliningrad, ancien. Königsberg : *Kant*, aquar. – Neuchâtel : *Cosaques au bivouac* – Paris (Mus. du Louvre) : *Chasse au daim pour la Saint-Hubert en 1818 dans les bois de Meudon* – Toulouse : *L'amour fuyant l'esclavage* – *Deux saints* – Versailles : *Prise de Pampelune* – *Napoléon donnant des ordres avant la bataille d'Austerlitz* – *Napoléon devant Madrid* – *Bataille d'Arcole* – *Bataille de Marengo*.

Ventes Publiques : Paris, 1812 : *La mort d'Hippolyte* ; *Un vainqueur des Jeux Olympiques*, dess., une paire : **FRF 1 400** – Paris, 1844 : *Le four à plâtre* : **FRF 2 050** – Paris, 1868 : *Chasse au sanglier* : **FRF 2 300** – Paris, 1869 : *Le Triomphe de Paul Émile* : **FRF 8 100** – Paris, 1884 : *Les premières courses de Chantilly* : **FRF 7 100** – Paris, 6 mars 1899 : *Bataille de Montebello*, dess. reh. : **FRF 2 965** – Paris, 1899 : *Les joueurs de boules*, aquar. : **FRF 2 400** ; *Ah ! c'est bien ça !*, aquar. : **FRF 3 600** – New York, 19 jan. 1906 : *Triomphe romain* : **USD 4 200** – Paris, 8 avr. 1919 : *Portrait d'homme*, miniat. : **FRF 410** – Paris, 2-4 juin 1920 : *Cheval de selle et son jockey*, lav. : **FRF 1 400** – Paris, 21 avr. 1921 : *La calèche*, lav. : **FRF 3 950** – Paris, 17 mars 1923 : *Portrait d'homme* : **FRF 10 000** – Paris, 17 et 18 juin 1924 : *Le départ pour la course* : **FRF 23 000** – Paris, 5 déc. 1936 : *La course* ; *Fin de la course*, aquar., une paire : **FRF 27 000** – Paris, 25 juin 1937 : *La course* : **FRF 8 100** – Nice, 16 et 17 nov. 1942 : *Paysage animé de figures* 1830, lav. de bistre : **FRF 23 000** – Paris, 18 déc. 1946 : *La bataille de Marengo, 14 juin 1800*, pl. et lav., étude : **FRF 70 000** – Paris, 29 nov. 1948 : *Portrait d'officier* 1802, miniat. : **FRF 53 000** – Paris, 9 mars 1954 : *L'écurie* : **FRF 385 000** – Londres, 1er déc. 1966 : *Officier des dragons à cheval*, aquar. : **GBP 500** – Deauville, 29 août 1969 : *Portrait du Duc de Berry* : **FRF 37 000** – Paris, 4 nov. 1970 : *Scène de rue, le joueur de cornemuse*, aquar. : **FRF 3 500** – Paris, 7 avr. 1976 : *Un mameluk tenant par la bride un cheval blanc cabré*, fus. reh. de blanc : **FRF 8 000** – Paris, 8 déc. 1977 : *La promenade au bois* 1821, aquar. (20,5x34,5) : **FRF 32 000** – Paris, 21 nov. 1978 : *Cheval arabe avec son équipement*, cr. (27x35) : **FRF 9 000** – Londres, 27 nov. 1980 : *Chasseurs et leurs chiens interrompant une course de chevaux*, aquar., cr. et pl. (34,5x48,5) : **GBP 6 000** – Londres, 25 mars 1981 : *La Retraite du mameluk*, h/t (37,5x46) : **GBP 1 500** – Paris, 12 déc. 1984 : *Cheval tirant une charrette de bois* ; *Cheval tirant un wagonnet*, pl. et lav. de gris reh. d'aquar. et de blanc, une paire (26x32) : **FRF 100 000** – Londres, 20 juin 1984 : *Capture d'un cheval sauvage* 1834, h/t (65,5x82) : **GBP 3 000** – New York, 13 fév. 1985 : *Cheval de course avec son jockey*, h/t (54,6x73,5) : **USD 9 500** – Londres, 27 nov. 1986 : *Un officier de cavalerie*, fus. et encre de Chine reh. de gche blanche (38x31) : **GBP 1 100** – Paris, 4 déc. 1987 : *La Livraison du blanchisseur*, pl., lav. gris et aquar. (31x39,5) : **FRF 88 000** – New York, 25 fév. 1988 : *Cheval de chasse anglais*, craie noire reh. de blanc (43,4x59,7) : **USD 7 150** – Paris, 12 déc. 1988 : *La chasse au sanglier en Pologne*, pap. mar./t. (63x83) : **FRF 280 000** – Paris, 15 juin 1990 : *La Course des chevaux libres*, aquar. (23x32) : **FRF 145 000** – Paris, 28 mai 1991 : *Les mamlucks, an 11*, dess. aquarellé (53x66,5) : **FRF 390 000** – Paris, 3 juin 1991 : *Académie d'homme* 1778, sanguine avec reh. de blanc (60x46) : **FRF 20 000** – Paris, 3 déc. 1991 : *Entrée des Français à Milan*, pierre noire, pl. et lav. (24,5x35) : **FRF 31 000** – Monaco, 6 déc. 1991 : *Henri IV à cheval*, h/t/cart. (diam. 26) : **FRF 24 420** – Orléans, 21 mai 1992 : *Vue du château de Bellevue et de la vallée de la Seine prise des terrasses du pavillon de Brimborion*, aquar./pl. (60,5x92,5) : **FRF 360 000** – New York, 28 mai 1992 : *Cheval bondissant*, encre et lav./pap. (40,6x59,1) : **USD 3 025** – Monaco, 4 déc. 1992 : *Halte de cavaliers davant une ville assiégée*, craie noire, encre et lav./pap. bleu (32x40) : **FRF 33 300** – Paris, 2 avr. 1993 : *Cheval au galop* 1828, peint./t. (23,5x31) : **FRF 39 000** – Londres, 17 nov. 1993 : *Bataille de Napoléon dans les Alpes* 1814, h/t (90x117) : **GBP 89 500** – Paris, 16 mars 1994 : *Hussard et son cheval*, pierre noire (20x25) : **FRF 18 500** – Paris, 2 déc. 1994 : *Une partie de polo*, dess. sur pierre noire (24,5x45) : **FRF 33 800** – Épinal, 21 mai 1995 : *Mamelouk au combat*, lav. d'encre (47x40) : **FRF 33 000** – Paris, 11 déc. 1995 : *Mamelouk au combat*, pierre noire et lav. d'encre

(47x40,5) : **FRF 55 000** – Paris, 22 mars 1996 : *Hussard chargeant*, pierre noire, encre brune et lav. gris (31,2x24,8) : **FRF 16 000** – Paris, 25 juin 1996 : *Le Départ des cavaliers pour une course*, h/t (113,5x145,5) : **FRF 460 000** – Londres, 20 nov. 1996 : *L'Étalon arabe Gazelle* 1824, h/t (59,5x73,5) : **GBP 276 500** – Paris, 20 déc. 1996 : *Étude de cavaliers*, cr. noir, une paire (16,5x12,5 chaque) : **FRF 20 000**.

VERNET Antoine François

Né le 12 mars 1730 à Avignon. Mort le 15 février 1779 à Paris. XVIIIe siècle. Français.

Peintre de décorations.

Il vint se fixer à Paris où il obtint par protection de Joseph Vernet, son frère, le titre de peintre des bâtiments du roi. Il travailla pour les Palais de Versailles, Fontainebleau et Choisy. On voit de lui au Musée d'Avignon *Souvenir des cascatelles de Tivoli* et *Vase de fleurs et fruits*.

Ventes Publiques : Paris, 17 juin 1949 : *Fleurs* : **FRF 22 000**.

VERNET Antoine Ignace

Né le 7 juin 1726 à Avignon. Mort vers 1775. XVIIIe siècle. Français.

Peintre de marines et de paysages.

Fils d'Antoine Vernet. En 1746, il partit pour Naples et s'y fixa. Il a peint des marines et des éruptions du Vésuve.

Ventes Publiques : Londres, 26 juin 1925 : *Scène dans une baie* : **GBP 147** – Paris, 20 et 21 avr. 1932 : *Paysage avec ruines, cours d'eau et personnages* : **FRF 1 420** – Paris, 19 déc. 1941 : *L'accostage périlleux*, lav. d'encre de Chine : **FRF 1 050** – Paris, 1er juin 1949 : *La pêche au clair de lune* : **FRF 50 000**.

VERNET C.

XVIIIe siècle. Travaillant à Königsberg dans la seconde moitié du XVIIIe siècle. Allemand.

Peintre de portraits, peintre de miniatures.

Il peignit un portrait de Kant.

Musées : Berlin (Mus. Kaiser Friedrich) : *Portrait de Kant* – Helsinki : *Le prince Vassili Vassiliévitch Dolgoruki*.

VERNET Carle. Voir **VERNET Antoine Charles Horace**

VERNET Charles Émile Hippolyte Lecomte. Voir **LECOMTE-VERNET**

VERNET Claude Joseph, dit **Joseph**

Né le 14 août 1714 à Avignon (Vaucluse). Mort le 3 décembre 1789 à Paris. XVIIIe siècle. Français.

Peintre de paysages animés, paysages, marines, graveur.

Avec Joseph Vernet et sa descendance directe s'affirme une dernière fois la continuité de cette école d'Avignon qui, depuis le XIVe siècle, n'a cessé de se manifester par des artistes de talents et de caractères fort différents mais unis par d'indiscutables affinités. On peut faire remonter l'origine de cette école à l'époque où Bertrand de Goth, archevêque de Bordeaux, devenu pape sous le nom de Clément V, transporta la cour pontificale à Avignon. Dans cette petite ville paisible, dont le charme ne pouvait leur échapper, les papes firent éclore un puissant foyer artistique, dont l'éclat devait se prolonger jusqu'au XIXe siècle. A Avignon, qui garde intacts tant de vestiges de son destin exceptionnel, le jeune Joseph Vernet pouvait à chaque pas rencontrer des monuments susceptibles de lui donner un avant-goût de la ville unique qui devait plus tard le révéler à lui-même. Face au Palais des Papes s'élève cet Hôtel de la Monnaie, construit par un cardinal Borghèse, légat du Pape, et qui porte sur sa façade le dragon et l'aigle, armes de la famille, enfin la colline des Dons, où la vue est si belle sur le Rhône et sur Villeneuve, est une réduction de ces jardins du Pincio, qui forment avec la Villa Médicis l'un des plus beaux lieux de Rome et du monde.

Cet appel de l'Italie, Joseph Vernet le ressentit de bonne heure, et son père, Antoine Vernet, fut assez heureux pour intéresser aux dons brillants du jeune peintre plusieurs nobles personnages de la ville, en particulier le marquis de Caumont et le comte de Quinson, qui lui ouvrirent leur bourse et lui permirent de partir en 1734 pour Rome, qui offrait à cette époque aux artistes des ressources incomparables. Mais au cours de ce voyage pour rejoindre la Ville éternelle, dont la première étape le conduisit à Marseille, Joseph Vernet devait faire une rencontre capitale : celle de la mer ; en effet des hauteurs qui dominent la ville elle lui apparut pour la première fois dans toute sa beauté ; ce fut le coup de foudre, et lorsque quelques jours plus tard, après une tempête spectaculaire, Vernet arrive à Civita-Vecchia, son destin est fixé : il deviendra le peintre de la mer qui, désormais, sera présente dans presque toutes ses œuvres. La vie que mène à Rome le jeune artiste est des plus agréables ; il y a été fort bien accueilli et s'y est fait rapidement une clientèle avide de tempêtes et de naufrages. Les livres de raison de Vernet nous donnent sur ses travaux des renseignements précis : en 1743 il est reçu membre de l'Académie de Saint Luc, honneur assez rare pour un étranger, la mer l'attire de plus en plus, c'est avec joie qu'il se rend en pèlerinage à Naples, où le maître qu'il admire tant, Salvator Rosa, trouva la source principale de son inspiration. Cependant à Rome la popularité de Vernet croît de jour en jour ; sa clientèle devient européenne. En Italie, Joseph a trouvé la fortune, la gloire et l'amour ; aussi n'est-il pas pressé de quitter un pays qui l'a si bien reçu. Pourtant, sollicité par ses protecteurs français, il se décide à rentrer définitivement dans son pays, mais il retourne en Italie à plusieurs reprises et ce n'est qu'en 1753 qu'il se fixe en France pour toujours. Grâce au haut patronage de M. de Marigny, directeur suprême des Beaux-Arts et frère de Mme de Pompadour, qui avait à ce moment toute la faveur de Louis XV, Vernet obtint du roi une commande où il devait donner toute la mesure de son talent : *Les Ports de France*. La mer qui l'inspira si souvent dans ses œuvres antérieures va lui fournir encore un thème important, mais elle ne sera cette fois que le complément de ses compositions ; pour un moment il va cesser de peindre des tempêtes, des orages et des coups de vent. Ces ports de France seront des paysages où la vérité et la fantaisie se mêlent agréablement, témoin ce *Port de Marseille* lumineux et doré comme un Claude Gellée, qui nous montre au premier plan un groupe réuni pour un goûter en plein air, un autre pour un bal ; les robes et les ombrelles des femmes animent ce paysage aux lignes si nobles et lui donnent un air de fête familiale. Même procédé dans la *Vue de la Ville et de la Rade de Toulon*, où nous voyons à mi-hauteur des collines qui dominent la rade, s'activer sur une terrasse monumentale, des cavaliers, des chasseurs, des joueurs de boules et des dames en grande toilette. Cette volonté d'humanisation du paysage se retrouve dans presque toutes les œuvres de J. Vernet, même dans celles où elle pourrait paraître artificielle ; dans les tempêtes, les naufrages, les orages, nous verrons toujours l'homme opposer à la force aveugle des éléments son courage, son ingéniosité ou son désespoir. Cette introduction du drame humain au milieu des aspects pittoresques d'une nature hostile, c'est là la véritable originalité de Joseph Vernet. « C'est un grand magicien, que ce Vernet, écrit Diderot, on croirait qu'il commence par créer un pays et qu'il a des hommes, des femmes, des enfants en réserve, dont il peuple sa toile comme on peuple une colonie, puis il leur fait le ciel, le temps, la saison, le bonheur, le malheur qu'il lui plaît. » La production de J. Vernet est considérable et ses contemporains raffolèrent de lui. Dans cette œuvre consacrée presque exclusivement à la mer, aux tempêtes, et aux orages, on peut distinguer au moins deux périodes, une période romaine profondément marquée par les peintres napolitains, Salvator Rosa et Solimena, qu'il admirait sans réserves ; il leur doit ce sentiment dramatique de la nature et cette largeur de facture qu'il manifesta dès ses premières œuvres. À son retour en France, son art s'humanise et s'enrichit de détails savoureux qui, loin d'en altérer le caractère, lui confèrent une grande part de son charme. Certes, J. Vernet a entendu le message de Poussin et de Claude Gellée, mais au sublime de l'un et au mystère de l'autre, il a substitué un pathétique humain et familier, et s'il n'atteint pas leur grandeur, il garde avec son siècle un contact plus étroit et une audience plus large en lui tenant un langage plus accessible. Après les fêtes galantes de Watteau et les Bergeries de Boucher, la nature telle que la conçoit Vernet et si apprêtée qu'elle nous paraisse, est une nature vraie et non un décor d'opéra. Si Vernet eut une influence manifeste sur le goût de son temps, il est plus difficile de percevoir son passage dans la peinture moderne. Pourtant bien des œuvres qui nous ravissent toujours portent sa marque indiscutable ; comment ne pas penser à lui devant les Ruines et les Cascades d'Hubert Robert et plus près de nous, comment oublier le *Ponte Rotto* en admirant les Corot d'Italie ? Heureusement la postérité si sévère envers les gloires récentes en apparence les plus solides et qu'elle précipite si volontiers en enfer ou en purgatoire, révise tôt ou tard ses jugements les plus définitifs ; et tandis que les grandes batailles d'Horace Vernet ne font plus recette, la gloire du grand peintre des *Ports de France*, si aimable et si française nous apparaît toujours aussi pure et aussi justifiée. ■ Jean Dupuy

J Vernet · f

Bibliogr. : A. Dayot : *Les Vernet : Joseph*, Carle, Horace, Paris, 1898 – Florence Ingersoll-Smouse : *Joseph Vernet, peintre de marine, 1714-1789*, Les Beaux-Arts, éditions d'études et de documents, Paris, 1926 – Pierre Arlaud : *Catalogue raisonné des estampes gravés d'après Joseph Vernet*, Rullière-Libeccio, Avignon, 1976.

Musées : Aix : *Paysage, effet de lune – Bord de mer* – Ajaccio : *Marine – Baigneuses* – Angers : *Marine, commencement d'orage* – Anvers : *Naples* – Auch : *Effet de mer – Soleil couchant – Marine – Pêcheurs – Intérieur de grotte* – Avignon : *Marine, soleil couchant*, deux œuvres – *Marine, soleil levant*, deux œuvres – *La bergère des Alpes, paysage – Marine, le calme, effet du matin – Tempête, soleil couchant – Tempête*, cinq œuvres – *Marine, temps calme*, deux œuvres – *Marine, clair de lune – Les Cascatelles de Tivoli – L. D. Bertet* – Bagnères-de-Bigorre : *Marine, soleil couchant* – Bâle : *Mer orageuse et naufrage* – Bergame (Acad. Carrara) : *Marine* – Berlin (Gemäldegalerie) – Besançon : *Marine* – Bordeaux : *Marine – Effet de nuit – Marine* – Bruges : *Marine* – Budapest : *Paysage au clair de lune* – Caen : *Marine* – Carpentras : *Port de mer – Coucher de soleil – Le calme – Naufrage* – Chambéry : *Marine* – Chartres : *Marine* – Cherbourg : *Paysage* – Clamecy : *Marine, soleil couchant* – Coutances : *Marine* – Dijon : *Les hâleurs – Le Tibre et le Mont Aventin* – Dresde : *Ville en feu dans une vallée traversée par un fleuve* – Épinal : *La villa de Mécène et le temple de la Sibylle* – La Fère : *Marine – Paysage – Deux paysages – Marines* – Florence : *Paysage avec cascade – Marine* – Gênes : *Cascade de Tivoli* – Genève (Ariana) : *Naufrage* – Genève (Mus. Rath) : *Marine – Orage au clair de lune* – Glasgow : *La Riccia, près de Rome* – Grenoble : *Marine, brouillard* – Hanovre : *Bethsabée ?* – La Haye : *Port de Livourne – Cascatelle de Mecenate à Tivoli* – Karlsruhe : *Turcs distingués sur la plage – Toilette d'une Turque* – Kassel : *Paysage des rivages du sud* – Leeds : *Scène de rivage* – Leipzig : *Rivage d'un lac* – Lille : *Marine* – Londres (Nat. Gal.) : *Castel Saint-Ange à Rome – Vue d'un port méditerranéen* – Londres (Wallace coll.) : *Côtes rocheuses et navire dans la tempête – Scène sur une rivière* – Londres (British Mus.) – Londres (Victoria and Albert Mus.) – Lyon : Esquisse – Madrid (Prado) : *Paysage avec cascade – Soleil couchant – Paysage avec enfants – Marine, plage et rochers* – Marseille – Metz : *Port de Marseille* – Montpellier : *Paysage – Tempête – Les abords d'une foire en 1774* – Deux marines – Morez : *Paysages avec figures* – Moscou (Roumianzeff) : *Port au clair de lune – Bords de mer et ruines* – Trois marines – Moscou (Mus. Pouchkine) – Munich : *Baie – Paysage du soir à Rome – Port au lever du soleil, brouillard – Port incendié, clair de lune – Tempête sur la côte – Baie, grotte, ville, bateau de pêche – Tempête* – Nancy : *Arc des Opradri – Monuments de Rome* – Nantes : *Marine, coup de vent – Marine, vue entre deux rochers – Vieillard et soldats causant près d'un groupe d'arbres dans un site sauvage – Petite marine* – Naples : *Tempête en mer* – Nice : *Temps calme* – Niort : *La source du torrent* – Orléans : *Cascatelles de Tivoli – Rochers avec cascade* – Oslo : *Un port* – Paris (Mus. du Louvre) : *Marine, le naufrage – Paysage, clair de lune – Marine, le Matin, ou la Pêche – Marine, le Midi ou la Tempête – Marine, le Soir ou le Coucher du soleil – Marine, la Nuit ou le Clair de lune – Paysage le matin – Marine, la nuit – Paysage, le torrent – Paysage, les baigneuses – Marine, le retour de la pêche – Paysage – Cascatelles de Tivoli – Port de mer au clair de lune – Port de mer, brouillard – Marine – Midi ou le Calme – Marine, le Soir ou la Tempête – Marine, soleil couchant, par un temps brumeux – Marine, clair de lune – Marine, le Midi – Marine, soleil couchant*, deux œuvres – *Environs de Marseille*, deux œuvres – *Pont et castel Saint-Ange à Rome – Restes du pont Palatin dit Ponte Rotto à Rome – Marine et paysage des bords de la Méditerranée – Paysage, le coup de tonnerre – Suite des ports de France, commandée par Louis XV en 1753*, quinze tableaux – Paris (Mus. de la Marine) – Le Puy-en-Velay : *Paysage d'Italie* – Rochefort : *Le port de Rochefort en 1762* – Saint-Pétersbourg (Mus. de l'Ermitage) : *Naufrage sur la côte de Naples – Tempête – Coup de vent – Environs de Sorrente – Les îles de l'Archipel – Port de mer italien – Environs de Citta Nuova – Entrée du port de Palerme – Port de mer – Naufrage – Deux tempêtes – Mort de Virginie – Ancien port d'Ancône* – Trois marines – *Environs de Reggio en Calabre* – Stockholm : *Côte avec phare, clair de lune – Pêcheurs sur le rivage, effet de soleil – Naufrage – Port au soleil couchant – Rivage rocheux et baigneurs – Baigneurs près d'un feu dans une crevasse de montagne* – Stuttgart : *Port de mer et poissons – Port de mer, tempête* – Toulon : *Le Torrent* – Troyes : *Tempête*, deux œuvres – Valenciennes : *Marine, paysage* – Versailles : *Chasse au lac de Patria, près de Naples* 1749 – *Victoire de Fontenoy* – Vienne : *Castel Saint-Ange et Saint-Pierre à Rome* – Vienne (Mus. Czernin) : *Grande marine, pêcheurs* – Vienne (Mus. Harrach) : *Marine, clair de lune* – Vire : *Paysage, marine* – deux études.

Ventes Publiques : Paris, 1765 : *Deux paysages*, ensemble : **FRF 6 070** – Paris, 1772 : *Marine* : **FRF 5 950** – Paris, 1777 : *Le château de Saint-Ange et le pont* : **FRF 5 200** – Paris, 1793 : *Soleil couchant* : **FRF 6 430** – Paris, 1820 : *Les Cascatelles de Tivoli* : **FRF 7 053** – Paris, 1867 : *Jument et son poulain attaqués par des loups* : **FRF 5 000** – Paris, 1869 : *Port en Italie* : **FRF 8 500** – Paris, 1870 : *Marine : port de mer* : **FRF 4 800** – Paris, 1872 : *La visite au port* : **FRF 11 000** – Paris, 1875 : *Le golfe de Naples* : **FRF 6 000** – New York, 1889 : *Étude originale de Judith* : **FRF 4 375** – Londres, 1897 : *Naples* : **FRF 3 000** – Le Havre, 1898 : *Vue d'Italie* : **FRF 2 900** – Paris, 17 déc. 1902 : *Pêcheurs au bord de la mer* : **FRF 2 090** – Paris, 14 déc. 1908 : *Vue de Rome* : **FRF 3 400** – Paris, 16 juin 1909 : *La Tour ronde ; Les Rochers* : **FRF 2 300** – Londres, 19 fév. 1910 : *Bords de rivière* : **GBP 99** ; *Bords de la mer* : **GBP 94** – Londres, 22 juil. 1910 : *Bords de la mer 1749* : **GBP 58** – Paris, 29-30 mai 1911 : *Bord de la Méditerranée* : **FRF 1 050** – Paris, 29 avr. 1912 : *Le retour de la pêche* : **FRF 3 800** – Paris, 2 déc. 1918 : *Naufrage par temps d'orage* : **FRF 8 000** – Paris, 11 mai 1923 : *Le Matin ; Le Soir*, deux pendants : **FRF 48 000** ; *L'Incendie nocturne* : **FRF 20 500** – Londres, 4 avr. 1924 : *Scènes dans une baie*, deux pendants : **GBP 283** – Paris, 27-28 mai 1926 : *La Collation sur l'herbe* : **FRF 60 000** – Paris, 16 fév. 1928 : *Pêcheurs à l'entrée d'un port* : **FRF 35 000** – Londres, 23 nov. 1928 : *Calme ; Tempête*, deux pendants : **GBP 336** – Londres, 12 juil. 1929 : *Tempête devant Gênes* : **GBP 304** – Londres, 11 juil. 1934 : *Vue de Paris* : **GBP 360** – Paris, 18 mars 1937 : *Le Promontoire* : **FRF 28 000** ; *Les Bai-*

gneuses ; Le Retour des pêcheurs, ensemble : **FRF 44 600** – Paris, 16 fév. 1939 : *Le Coup de vent* : **FRF 22 300** ; *Le Matin* : **FRF 22 300** – Paris, 21 mai 1941 : *La Pêche en rivière* : **FRF 41 000** – Londres, 27 mars 1942 : *Les Chutes d'eau de Schaffhouse* : **GBP 577** – Paris, 30 oct. 1942 : *Pêcheurs ramenant leurs filets* : **FRF 60 100** – Paris, 9 juin 1943 : *Le Départ du port* 1749 : **FRF 250 000** – New York, 24 mai 1944 : *Paysages classiques*, deux pendants : **GBP 1 800** – Londres, 9 juin 1944 : *Lever du soleil ; Midi ; Coucher de soleil ; Nuit*, ensemble : **GBP 504** – Paris, 25 mai 1945 : *Incendie de nuit* : **FRF 85 000** – Londres, 13 juil. 1945 : *Scène de rivière* : **GBP 378** – Marseille, 5-6 nov. 1946 : *La chute d'eau* : **FRF 64 100** – Paris, 20 jan. 1949 : *Port au soleil levant* 1769 : **FRF 685 000** – Paris, 24 mai 1950 : *Port de pêche vu à la lueur d'un incendie* : **FRF 40 000** – Paris, 25 mai 1950 : *Baigneuses en bordure de mer* 1761 : **FRF 101 000** – Londres, 19 juil. 1950 : *Scène de port méditerranéen* 1753 : **GBP 650** ; *Pêcheurs et personnages en bordure d'une rivière* 1753 : **GBP 560** – Paris, 27 avr. 1951 : *La Cascade* : **FRF 370 000** – Londres, 20 juin 1951 : *Bateaux à l'ancre* 1753, deux pendants : **GBP 1 050** ; *Les Cascades à Tivoli* 1753 : **GBP 380** – Paris, 9 mars 1954 : *Le promontoire* : **FRF 465 000** – Londres, 24 juin 1959 : *Vue du port de Gênes* : **GBP 4 000** – Paris, 15 déc. 1959 : *Le Matin* : **FRF 1 650 000** – Londres, 23 mars 1960 : *Scène de port méditerranéen* : **GBP 2 000** – Londres, 14 juin 1961 : *Scène de port méditerranéen* : **GBP 3 800** – Paris, 20 juin 1961 : *La tempête* : **FRF 14 000** – Londres, 15 nov. 1961 : *Scène de la côte méditerranéenne* : **GBP 2 300** – Londres, 29 nov. 1963 : *Scène de port au soir tombant* : **GNS 7 000** – Paris, 10 juin 1964 : *Vue d'un port* : **FRF 24 000** – Londres, 19 mars 1965 : *Bord de mer, voilier amarré et barques de pêcheurs* : **GNS 5 000** – Londres, 19 mai 1967 : *Scènes de port*, deux toiles : **GNS 7 500** – Paris, 23 mars 1968 : *La collation sur l'herbe* : **FRF 66 000** – Londres, 27 mars 1969 : *Vue de l'Isle-Saint-Pierre sur le lac de Bienne*, aquar. : **GBP 1 000** – Londres, 3 déc. 1969 : *Les Lavandières* : **GBP 12 000** – Londres, 27 nov. 1970 : *Bord de mer animé de personnages* : **GNS 11 000** – Londres, 26 nov. 1971 : *Paysage à la rivière avec un triple viaduc* : **GNS 10 000** – Londres, 12 juil. 1972 : *La Cascade de Tivoli* : **GBP 6 500** – Paris, 15 mars 1973 : *Pêcheurs halant une barque* 1746 : **FRF 130 000** – Paris, 12 mars 1974 : *Les Blanchisseuses* 1749 : **FRF 42 000** – Londres, 2 juil. 1976 : *Bord de mer sous l'orage* 1759, h/t (98x135) : **GBP 20 000** – Londres, 13 juil. 1977 : *Scène de port au soir couchant* 1749, h/t (111x160) : **GBP 115 000** – Londres, 12 déc 1979 : *La cascade de Tivoli*, h/t (97x135) : **GBP 36 000** – Paris, 24 jan. 1980 : *Bateaux tirés sur le rivage*, pierre noire et lav. (23x34,5) : **FRF 9 000** – Paris, 14 déc. 1981 : *Étude de personnages*, pl., deux pendants (chaque 26x40) : **FRF 5 500** – Monte-Carlo, 26 oct. 1981 : *Le Coup de vent* 1751, h/t (46x62) : **FRF 140 000** – Paris, 23 juin 1983 : *Bergers et bergère écoutant un musicien dans un paysage de ruines*, aquar., pl. et lav. (37x27) : **FRF 9 000** – Monte-Carlo, 5 mars 1984 : *Vue d'un port avec personnages au premier plan*, pierre noire et lav. gris reh. de blanc/pap. bleu (33,2x49,7) : **FRF 38 000** – Londres, 12 déc. 1984 : *Vue des cascades à Tivoli* 1737, h/t (121x170) : **GBP 110 000** – New York, 9 mai 1985 : *Scène de port méditerranéen à l'aube* 1745, h/t (88,2x120) : **USD 150 000** – Paris, 5 mars 1986 : *Coucher de soleil sur un port de pêche* 1760, h/t (66x98) : **FRF 940 000** – Londres, 10 déc. 1986 : *Scène de port au coucher du soleil ; Le Naufrage au large d'une côte escarpée* 1775, h/t, une paire (70x104) : **GBP 150 000** – Paris, 17 juin 1987 : *La Pêche en rivière*, cr. noir et lav. gris (26x18,5) : **FRF 19 500** – Londres, 10 juil. 1987 : *Scène de bord de Méditerranée à l'aube avec pêcheurs et bateaux* 1775, h/t (65,5x97,5) : **GBP 180 000** – Paris, 11 mars 1988 : *Les Occupations du rivage – La source abondante* 1766, h/t, une paire (49x39) : **FRF 485 000** – Monaco, 17 juin 1988 : *Vue des cascatelles de Tivoli*, h/t (95,5x132,5) : **FRF 277 500** – Monaco, 19 juin 1988 : *Baie méditerranéenne avec des fortifications, des pêcheurs sur le rivage et un navire à voile approchant* 1786, h/t (74,5x99,3) : **FRF 333 000** – Stockholm, 15 nov. 1988 : *Paysage côtier animé avec des embarcations*, h. (46x54) : **SEK 15 000** – New York, 12 jan. 1989 : *Brume du matin ; Crépuscule sur des ports italiens* 1745, h/t, une paire (chaque 81x138,5) : **USD 880 000** – Londres, 31 mars 1989 : *Naufragés s'échouant sur une côte rocheuse tandis qu'un trois-mâts sombre au large d'un phare* 1755, h/t (53,3x65,1) : **GBP 13 750** – Stockholm, 19 avr. 1989 : *Naufrage et rescapés près d'une côte rocheuse*, h/t (55x74) : **SEK 19 000** – New York, 2 juin 1989 : *Bateau jeté sur les rochers par la tempête*, h/t (89x167,5) : **USD 132 000** – Paris, 14 juin 1989 : *Pêcheurs dans un port méditerranéen, soleil levant* 1763 : **FRF 1 900 000** – Monaco, 16 juin 1989 : *Un port italien*, h/t (45x66) : **FRF 1 554 000** – Londres, 5 juil. 1989 : *Port au crépuscule* 1786, h/t (73x98) : **GBP 132 000** – Rome, 27 nov. 1989 : *La bourrasque et un naufrage sur une côte rocheuse*, h/t (72x110) : **ITL 34 500 000** – Londres, 8 déc. 1989 : *Matin, paysage fluvial avec des pêcheurs près d'un moulin ; Midi, paysage fluvial avec un cheminot et sa famille fuyant devant la tempête et un pêcheur relevant ses filets ; Crépuscule, jeunes filles se baignant dans une rivière encaissée avec Tivoli au fond ; Nuit, côte méditerranéenne avec des pêcheurs cuisinant sur un feu de camp avec un phare à l'arrière-plan*, h/cuivre argenté, les quatre moments de la journée en quatre panneaux (chaque 29,5x43,5) : **GBP 638 000** – New York, 31 mai 1990 : *Baigneuses au bord d'un lac de montagne* 1789, h/t (87,6x130,8) : **USD 429 000** – Londres, 6 juil. 1990 : *Paysage fluvial italien boisé avec des personnages au premier plan et un monastère près d'un pont fortifié au fond* 1753, h/t (49,5x82) : **GBP 165 000** – New York, 9 jan. 1991 : *Paysage fluvial boisé avec des pêcheurs déchargeant leur barque à côté de lavandières ; Port méditerranéen avec des pêcheurs et des lavandières près d'un feu avec un vaisseau de guerre dans la baie*, craie noire et lav., une paire (chaque 28,6x42,8) : **USD 16 500** – New York, 11 jan. 1991 : *La côte près de Posilippo à Naples* 1742, h/t (53,4x74,9) : **USD 550 000** – Paris, 9 avr. 1991 : *Tempête dans le port de Livourne* 1750, h/t (97x135) : **FRF 600 000** – Londres, 24 mai 1991 : *Les chutes du rhin à Lauffenbourg avec l'artiste au travail entouré d'admirateurs au premier plan* 1779, h/t (87x130,5) : **GBP 473 000** – Monaco, 5-6 déc. 1991 : *Vue d'un port méditerranéen* 1775, h/t (51x73) : **FRF 666 000** – New York, 17 jan. 1992 : *Paysage matinal avec des pêcheurs ; Mer calme au clair de lune* 1778, h/t, une paire (chaque 303,5x260) : **USD 1 540 000** – Paris, 27 mars 1992 : *Paysage animé de lavandières*, pierre noire et encre (18,4x25) : **FRF 11 000** – Paris, 10 juin 1992 : *Cavaliers sur un pont effrayés par l'orage*, h/t (88x132,5) : **FRF 375 000** – Monaco, 18-19 juin 1992 : *Coucher de soleil*, h/pan. (20,8x25,5) : **FRF 133 200** – Lille, 25 oct. 1992 : *Vue d'un paysage d'Italie* 1758, h/t (99x136,5) : **FRF 1 600 000** – Londres, 10 déc. 1993 : *Tempête en Méditerranée avec un naufrage au large d'un phare et des rescapés amenés au rivage ; Port méditerranéen par temps calme au crépuscule avec un trois-mâts et des pêcheurs et des commerçants levantins sur le quai* 1767 et 1770, h/t (chaque 113x145,8) : **GBP 397 500** – New York, 19 mai 1994 : *La nuit sur un port méditerranéen avec des pêcheurs et leurs barques* 1759, h/t (96,5x134,6) : **USD 140 000** – Monaco, 2 déc. 1994 : *Coucher de soleil avec pêcheurs*, h/t (32x44) : **FRF 260 850** – Londres, 5 juil. 1995 : *Les baigneuses* 1759, h/t (66,5x82,5) : **GBP 155 500** – Paris, 15 déc. 1995 : *Vue d'un port méditerranéen* 1748, h/t (51x96) : **FRF 730 000** – New York, 12 jan. 1996 : *Le matin, pêcheurs travaillant sur une jetée ; Clair de lune sur un estuaire avec des pêcheurs* 1753, h/cuivre argenté (chaque 24,8x35) : **USD 332 500** – Paris, 2 déc. 1996 : *Bateaux, baie de Naples*, pierre noire, pl. et lav. (27x40,3) : **FRF 50 000** – Londres, 13 déc. 1996 : *Port méditerranéen à l'aube avec bateaux de pêche, un bateau de guerre français amarré et pêcheurs sur le quai*, h/t (72,7x134,9) : **GBP 106 000** – New York, 22 mai 1997 : *Calme port méditerranéen avec des personnages à terre ; Orage au-dessus des falaises du littoral avec des personnages rescapés d'un naufrage grimpant sur les rochers du rivage*, h/t, une paire (chaque 62,9x85,7) : **USD 134 500** – Londres, 4 juil. 1997 : *Un port méditerranéen avec des pêcheurs et leurs familles dansant sur un quai*, h/t (63,2x98,2) : **GBP 56 500** – New York, 21 oct. 1997 : *Port méditerranéen avec des pêcheurs tirant leurs filets et des personnages sur un quai, la tour d'un château en ruines dans le lointain* 1748, h/t (52,2x98,5) : **USD 156 500** – Londres, 3 déc. 1997 : *Gorge avec des pêcheurs se reposant près d'une cascade et, au loin un monastère en haut d'une falaise*, h/t (56,8x65) : **GBP 41 100**.

VERNET Émile Jean Horace, dit **Horace**

Né le 30 juin 1789 à Paris. Mort le 17 janvier 1863 à Paris. XIXe siècle. Français.

Peintre d'histoire, compositions religieuses, sujets militaires, lithographe.

Comme son père Carle et son grand-père Joseph, Horace Vernet fut un homme heureux. Il était né le 30 juin 1789 dans le logement que ses parents occupaient au Palais du Louvre ; les Vernet en furent chassés par la Révolution de 1792 et le futur peintre militaire reçut le baptême du feu dans les bras de son père. Comme lui il fut un enfant prodige et de très bonne heure il gagna sa vie en dessinant et en peignant. Tout en dessinant des soldats, il collaborait au *Journal des Modes*, mais l'atmosphère guerrière dans laquelle la France était plongée, les récits de batailles, le spectacle des parades et des revues eurent bientôt acheminé la vocation d'Horace, et c'est un tableau de bataille qu'il exposa au Salon de 1810 : *La Prise d'un Camp retranché*. Pourtant ce peintre militaire à l'allure martiale ne fut jamais soldat ; en effet, marié en 1810, il avait de ce fait été exempté du service militaire et ne devait par la suite endosser d'autre uniforme que celui de la Garde Nationale. Alors que tous les Vernet avaient été royalistes, Horace se rallia complètement à l'Empire et le premier tableau qui le révéla au monde officiel au Salon de 1812 fut un portrait de Jérôme Bonaparte, roi de Westphalie (payé la somme imposante de 8000 francs) et qui lui valut une première médaille. Sous la Restauration, Horace, qui ne partage pas la joie de son père, se range parmi les libéraux ; en représaille sa *Barrière de Clichy* est refusée au Salon de 1822. Mais il est des hommes sur lesquels la mauvaise fortune ne peut s'acharner bien longtemps et les Vernet étaient de ceux-là : il réussit, sans se fâcher avec les libéraux, à obtenir de Charles X la commande d'un portrait équestre et en 1828, grâce au rare privilège d'être à la fois populaire et bien en cour, il fut nommé directeur de l'École de France à Rome, poste qu'il occupa jusqu'en 1835. Vernet avait fait de la Villa Médicis une véritable ambassade de France ; aussi, après les événements de 1830, le personnel de la légation de France ayant suivi à Naples l'ambassadeur de Charles X le directeur de l'Académie de France devint jusqu'en 1835 le véritable ambassadeur de France. Sa production pendant cette période est assez médiocre, des sujets romanesques : *Confession d'un Brigand*, ou bibliques : *Judith et Holopherne*. Elle manquait de personnalité et de style ; il en manquera toujours. Remplacé par Ingres à la Villa Médicis, Horace Vernet revient en France au moment où Louis-Philippe poursuivait avec ardeur une réalisation qui fut l'honneur de son règne : la restauration de Versailles et la création du Musée de Versailles. Le projet du roi était de faire peindre dans le Palais de Louis XIV les fastes de l'Histoire de France, et comme cette histoire est une histoire-batailles, suivant le mot de Monteil, Vernet allait rencontrer là une tâche qui lui convenait particulièrement. Louis-Philippe, qui le tenait en haute estime depuis qu'il avait acquis les *Batailles de Jemmapes*, de *Valmy*, de *Hanau* et de *Montmirail* ne pouvait l'oublier lorsqu'il fut question de peindre les Campagnes d'Afrique ; une salle entière lui fut attribuée : la salle de Constantine. Horace ne mit que trois ans pour exécuter cet ensemble qui comprenait avec *L'Attaque de la Porte*, *L'Ouverture de la Brèche* et *L'Assaut* et autres tableaux moins importants, la fameuse *Prise de la Smala*, qui fut exposé au Salon de 1845.

Imitant l'exemple de Talleyrand, Horace Vernet s'accommodera avec bonheur des régimes les plus divers. Nous l'avons vu libéral, peindre Charles X. Après avoir dessiné le portrait de Mavrocordato et vendu sa lithographie au profit des Grecs, il peignit le Pacha d'Égypte, enfin, après une brève adhésion à la République en 1848, il se retrouva tout naturellement le peintre officiel du Second Empire. Il est difficile actuellement encore de porter sur Horace Vernet un jugement équitable. Heureux comme tous les Vernet, ses contemporains le hissaient certainement à un niveau qu'il ne méritait pas et en firent le génie de cette famille illustre. Les générations suivantes l'ont peut-être traité trop sévèrement : sans doute ne méritait-il ni cet excès d'honneur, ni cette indignité.

■ Jean Dupuy

Musées : Ajaccio : *Bataille de l'Alma* – Alger : *Le prince président à Versailles* – Amiens : *Massacre des Mamelucks dans le château du Caire en 1811* – Amsterdam (mun.) : *Jérémie devant les ruines de Jérusalem* – Autun : *Combat de Somah, 24 novembre 1836* – *Prise de la tour de Malaksff, 8 septembre 1855* – Avignon : *Mazeppa*, deux œuvres – *Joseph Vernet, attaché à un mât, étudie les effets de la tempête* – Bagnères-de-Bigorre : *Un café à Constantine* – Bayeux : *Camoëns, dans un naufrage, sauve le manuscrit des Lusiades* – Bayonne : *Portrait d'un officier d'état-major* – *Tête de cheval blanc* – Berlin : *Marché d'esclaves* – Caen : *Portrait du frère Robustien* – Chantilly : *Le duc d'Orléans* – *Louis-Philippe* – *Le même demandant l'hospitalité aux religieux du petit Saint-Bernard*, esquisse – *Le parlementaire et le Medjelès* – Château-Gontier : *Le général Clary* – Compiègne (Palais) : *Joseph Vernet attaché au mât d'un vaisseau pendant un orage* – *Portrait du roi* – Dijon : *Le maréchal Vaillant* – Gênes : *Le roi Charles-Albert* – Hambourg : *Bonaparte à Bassano* – Langres : Aquarelle – Leipzig : *Madeleine pénitente* – Lille : *Graziella* – Londres (Wallace) : *Pâtre romain conduisant des bestiaux* – *L'Arabe diseur de contes* – *Marchand oriental* – *Judah et Tamar* – *Les vêtements de Joseph* – *Sentinelle* – *Chef maure* – *Soldats jouant aux cartes* – *Napoléon passant la revue de ses troupes aux Tuileries* – *Apothéose de Napoléon* – *Le brigand trahi* – *Le vétéran au logis* – *Arabes dans le désert* – *Chasse au lion* – *Bachi Bouzouk* – *La Paix et la Guerre* – *Allan Mac Aulay* – *Le chien du régiment blessé* – *Le sportman* – *The Quarry* – *Dame chassant au faucon* – *La mort du trompette* – *Le duc de Nemours entrant à Constantine* – Sept aquarelles – Montpellier : *Tête de Napoléon Ier mort* – Moulins : *Prêtre arménien* – Nancy : *Le général Drouot* – Nantes : *Abraham renvoyant Agar et Ismael* – *Les morts vont vite ou La ballade de Lénore* – Narbonne : Aquarelle – Paris (Mus. du Louvre) : *La barrière de Clichy, défense de Paris en 1814* – *Judith et Holopherne* – *Raphaël au Vatican* – *Le miniaturiste Isabey* – *Portrait de Louise, fille de l'artiste* – *Jules II ordonnant les travaux du Vatican et de Saint-Pierre à Bramante, à Michel-Ange et à Raphaël (plafond de la salle II du Musée Charles X)* – Semur-en-Auxois : *Tête de moine* – Versailles : *Léon XII porté dans la basilique de Saint-Pierre à Rome 1829* – *Mac Mahon* – *Revue passée au champ de Mars par Charles X* – *Signature du traité de Tanger à bord du bâtiment du prince de Joinville* – *Réception de l'ambassadeur du Maroc aux Tuileries* – *Réception au Maroc de l'envoyé de France* – *Remise des prisonniers à Mélilla*, voussures de la salle de Crimée – *Canrobert* – *Maréchal Bosquet* – *La flotte française force l'entrée du Tage* – *Entrée de l'armée française en Belgique* – *Occupation d'Ancône par les troupes françaises* – *Prise de Bougie* – *Attaque de la citadelle d'Anvers* – *Combats de l'Habrah, de la Seckah de Somah* – *Trois phases du siège de Constantine* – *Prise du fort de Saint-Jean d'Ulloa* – *Combat de l'Affroun* – *L'armée française occupe Mouzaïa* – *Prise de la smala d'Alb-el-Kader* – *Bataille d'Isly* – *Siège de Bône, prise du bastion n° 8* – *Batailles de Bouvines, de Fontenoy, d'Iéna, de Friedland, de Wagram* – *Comte de Randon* – *Molitor* – *Gouvion Saint-Cyr*.

Ventes Publiques : Paris, 1830 : *Les Adieux de Fontainebleau* : **FRF 7 500** – Bordeaux, 1843 : *Cuirassier français*, aquar. : **FRF 4 000** – Paris, 1851 : *Le bon Samaritain* : **FRF 7 400** – Paris, 1864 : *Combat entre brigands et dragons du Pape* : **FRF 30 000** – Paris, 1865 : *Rencontre de Thomas et de Judas* : **FRF 35 200** – Paris, 1865 : *Le chien du régiment* : **FRF 15 000** ; *Le trompette blessé* : **FRF 16 500** – Bruxelles, 1877 : *La confession d'un brigand italien* : **FRF 18 000** – New York, 1887 : *Triomphe de Jules César* : **FRF 11 500** – Paris, 1899 : *Molière et sa servante* : **FRF 2 600** – New York, 2 mars 1906 : *Prisonniers autrichiens au travail* : **GBP 525** – Paris, 8-10 mai 1911 : *Le duc d'Angoulême* : **FRF 1 000** – Paris, 21 juin 1919 : *Mazeppa* : **FRF 5 350** – Paris, 20-22 mai 1920 : *Portrait du roi Charles X* : **FRF 5 500** – Paris, 20-21 avr. 1925 : *Le hussard blessé* : **FRF 2 100** – Paris, 23 juin 1926 : *Charge de lanciers* ; *Combat de cavaliers*, lav. et pl., ensemble : **FRF 3 200** – Paris, 13 nov. 1941 : *Portrait de Napoléon Ier* : **FRF 10 200** – Paris, 22-23 juin 1942 : *Chasse au sanglier* : **FRF 27 000** – Paris, 3 mai 1944 : *Judith et Holopherne* : **FRF 16 500** – Paris, 21 mai 1947 : *Portrait d'un jeune officier 1811* : **FRF 150 000** – Paris, 29 déc. 1949 : *Moujik halant un traîneau* : **FRF 25 000** – Paris, 12 juin 1950 : *Le duc d'Orléans, à cheval, et son état-major, arrivant place Vendôme* : **FRF 40 000** – Paris, 28 mars 1955 : *Chasse au sanglier en Afrique* : **FRF 310 000** – Londres, 18 mars 1964 : *La flotte anglaise dans le port de Gaëte* : **GBP 550** – Versailles, 29 nov. 1970 : *Chasse dans les marais pontins*, deux pendants : **FRF 6 400** – Paris, 3 déc. 1971 : *Le duc de Chartres monté sur un cheval blanc* : **FRF 4 700** – Paris, 23 mai 1973 : *Scène de croisade*, aquar. : **FRF 7 500** – Versailles, 23 mai 1976 : *Le marchand d'esclaves*, h/pan. (23x29) : **FRF 4 000** – Paris, 17 juin 1977 : *Autoportrait 1832*, h/t (65x54,5) : **FRF 28 000** – Versailles, 23 juil. 1978 : *La prise de Jérusalem*, aquar. (32x24,5) : **FRF 8 800** – Londres, 10 mai 1979 : *El Bashi-Bazouk* vers 1860, pl. et aquar. reh. de gche blanche (23x18) : **GBP 1 500** – Paris, 7 déc 1979 : *La défense de Clichy*, aquar.

(26,5x36) : **FRF 24 000** – PARIS, 8 juin 1979 : *Portrait de l'Empereur à Wagram*, h/t (60x50) : **FRF 34 000** – LOS ANGELES, 17 mars 1980 : *La mort du caïd* 1837, h/t (55,2x46,4) : **USD 10 500** – PARIS, 26 nov. 1981 : *Portrait d'une jeune femme en robe blanche et foulard rose* 1831, h/t (124x99) : **FRF 62 000** – MONTE-CARLO, 16 juin 1982 : *La chasse au lion ; La chasse au sanglier*, 2 lithos. en coul. (56x80) : **FRF 10 500** – MONTE-CARLO, 14 fév. 1983 : *Étude pour la partie centrale de la bataille d'Isly*, h/t (49x60) : **FRF 215 000** – LONDRES, 22 mars 1984 : *Napoléon à Sainte-Hélène*, pinceau et encre brune (26,5x20) : **GBP 1 500** – LONDRES, 20 juin 1985 : *Groupe d'officiers* 1814, aquar. pl. et collage (34,5x58,5) : **GBP 6 500** – MONTE-CARLO, 21 juin 1986 : *Cheval cabré*, h/pap. mar./cart. (35x37) : **FRF 120 000** – PARIS, 19 mai 1987 : *Autoportrait* 1857, cr. (22,5x14,5) : **FRF 11 500** – NEW YORK, 24 fév. 1987 : *La Mossa ou le départ de la course de chevaux non montés* 1820, h/t (74,5x99) : **USD 440 000** – MILAN, 10 juin 1988 : *Portrait de famille*, h/t (99x88) : **ITL 28 000 000** – PARIS, 1er juil. 1988 : *Molière et sa servante*, h/t (37,5x46) : **FRF 28 000** – STOCKHOLM, 15 nov. 1988 : *Cavalier sur un cheval cabré*, h. (33x24) : **SEK 9 000** – PARIS, 12 déc. 1988 : *La chasse dans les Marais Pontins*, h/t (101x138) : **FRF 1 900 000** – PARIS, 27 fév. 1989 : *Deux cavaliers* 1840, h/t (59x50,5) : **FRF 92 000** – PARIS, 17 mars 1989 : *Portrait du général Foy* 1820, pl. et lav. brun (38x29) : **FRF 35 000** – MONACO, 17 juin 1989 : *Scène de bataille*, h/t (45x55) : **FRF 188 700** – CORBEIL-ESSONNES, 16 déc. 1989 : *Le départ de la course de chevaux libres*, h/t (38x46) : **FRF 315 000** – PARIS, 12 juin 1990 : *Portrait d'un maréchal d'empire*, cr. encre brune et lav. avec reh. de gche blanche (40x29) : **FRF 40 000** – MONACO, 6 déc. 1991 : *Portrait de Mahmud II*, h/pap./t. (35x24) : **FRF 61 050** – PARIS, 23 oct. 1992 : *Cavalier russe* 1815, pl. et aquar. (16,5x19,5) : **FRF 3 400** – NEW YORK, 29 oct. 1992 : *Le dernier grenadier de Waterloo*, h/t (46x55,6) : **USD 34 100** – PARIS, 14 déc. 1992 : *Pêcheur assis au bord d'un torrent*, h/t (22x23) : **FRF 120 000** – NEW YORK, 16 fév. 1993 : *Portrait de John B. Church* 1821, h/t (33,6x25,4) : **USD 3 300** – PARIS, 2 juin 1993 : *Jeune Africain en buste de trois quarts vers la droite coiffé d'un fez*, h/t (53,5x45,5) : **FRF 3 200 000** – LONDRES, 19 nov. 1993 : *Sur la tombe du colonel Monginot* 1817, h/t (50,8x61,1) : **GBP 298 500** – PARIS, 27 avr. 1994 : *Intérieur de bateau* 1832, cr., pl. et lav. (14x19,5) : **FRF 52 500** – NEUILLY, 13 déc. 1994 : *Jeune garçon jouant avec une grenouille dans une écurie romaine* 1832, h/t (62x49) : **FRF 720 000** – NEW YORK, 16 fév. 1995 : *Portrait d'un notable arabe*, h/t (100x80,6) : **USD 123 500** – PARIS, 6 déc. 1995 : *Le Maréchal Gérard à cheval au siège d'Anvers*, h/t (32,5x38,5) : **FRF 48 000** – NEW YORK, 23-24 mai 1996 : *Scène de la campagne de Russie : les enfants de Paris devant Vitebsk* 1825, h/t (97,8x131,4) : **USD 85 000** – BERNE, 21 juin 1996 : *Tête de cheval gris pommelé* vers 1820, h/t (55,5x46) : **CHF 22 000** – PARIS, 17 juin 1997 : *Le Zouave devant le siège de Constantine* 1847, t. (54,5x46) : **FRF 150 000** – NEW YORK, 23 oct. 1997 : *La Course des chevaux libres à Rome*, h/t, étude préparatoire (38,1x45,7) : **USD 629 500** ; *Le Giaour, vainqueur d'Hassan* 1827, h/t, étude préparatoire (40,6x35,6) : **USD 365 500**.

VERNET François
XVIIIe siècle. Travaillant à Avignon en 1731. Français.
Peintre.

VERNET François. Voir aussi **VERNET Antoine François**

VERNET François Gabriel
Né le 15 mars 1728 à Avignon. XVIIIe siècle. Français.
Peintre de sujets religieux.
Frère de Joseph Vernet.

VERNET Horace. Voir **VERNET Émile Jean Horace**

VERNET Jean Antoine
Né le 15 septembre 1716 à Avignon. Mort en 1775 à Naples. XVIIIe siècle. Français.
Peintre de marines.
Frère de Claude Joseph V. Peut-être identique à Antoine Ignace V.

VERNET Joseph. Voir aussi **VERNET Claude Joseph**

VERNET Joseph
Né en 1770 à Paris. XVIIIe siècle. Français.
Sculpteur.
Neveu du célèbre peintre de marines Joseph Vernet. Il prit part au Salon de la Correspondance en 1781.

VERNET Joseph
Né à Avignon (Vaucluse). XIXe siècle. Travaillant en 1838. Français.
Portraitiste.

VERNET Jules
Né vers 1792. Mort le 13 mars 1843 à Paris. XIXe siècle. Français.
Peintre de portraits, paysages animés, miniaturiste.
Il figura au Salon de Paris de 1812 à 1842, obtenant une médaille de troisième classe en 1834.
Il a surtout peint les portraits de nombreuses célébrités du monde littéraire et théâtral.
BIBLIOGR. : Gérald Schurr, in : *Les Petits Maîtres de la peinture 1820-1920, valeur de demain*, Les Éditions de l'Amateur, t. V, Paris, 1981.
VENTES PUBLIQUES : PARIS, 1886 : *Marquise de Croy, coiffée d'un grand chapeau à la Pamela*, miniat. : **FRF 460** – PARIS, 17 mai 1950 : *Portrait d'homme en costume noir*, miniat. : **FRF 23 000** – PARIS, 10 déc. 1980 : *Départ du duc d'Orléans pour les courses à Chantilly* 1836, aquar. (38x97) : **FRF 88 100** – PARIS, 16 déc. 1992 : *Portrait de jeune femme*, h/cart. (15x10,5) : **FRF 11 000**.

VERNET Louis François Xavier
Né le 29 janvier 1744 à Avignon. Mort le 6 décembre 1784 à Paris. XVIIIe siècle. Français.
Sculpteur d'ornements.
Fils de Jean Antoine V.

VERNET Patrick
Né le 30 avril 1950 à Auxi-le-Château (Orne). XXe siècle. Français.
Peintre, graveur.
Il fut élève de Chot-Plassot à Valenciennes, à l'école des beaux-arts de Paris. Il exposa à Paris, Rome, dans le nord de la France et en Normandie.

VERNET Pierre, l'Aîné
Né le 7 mars 1697 à Bordeaux. Mort en 1787 (?) à Bordeaux. XVIIIe siècle. Français.
Sculpteur.
Il exécuta des sculptures pour la ville de Bordeaux, l'église Saint-Michel et l'église Saint-Louis.

VERNET Pierre
XIXe siècle. Actif à Paris. Français.
Peintre d'animaux.
Il figura au Salon de 1836 à 1838.
VENTES PUBLIQUES : PARIS, 24 mai 1950 : *La troïka* 1864 : **FRF 4 500** – ORLÉANS, 11 nov 1979 : *Le maréchal ferrant* 1847, h/t (38x46,5) : **FRF 4 200**.

VERNET Raymond
Né le 9 juin 1920 à Schirmerck (Bas-Rhin). XXe siècle. Français.
Peintre de nus, portraits, paysages, natures mortes, peintre à la gouache. Postimpressionniste.
Autodidacte, il travaille à Montparnasse jusqu'en 1965 fréquentant les peintres Foujita, André Planson et Maurice Utrillo. Il s'installe ensuite en provence.
Il a exposé à Paris, en Belgique, Italie, Suisse et aux États-Unis.

VERNET Robert
Né le 31 mai 1931 à Marseille (Bouches-du-Rhône). XXe siècle. Français.
Sculpteur, sculpteur d'intégrations architecturales.
De 1949 à 1951, il fut élève de l'École des Beaux-Arts de Marseille. En 1951, il obtint la Bourse triennale de Sculpture de la Ville de Marseille. De 1951 à 1959, il fut élève de Yencesse, Leygues, Saupique, à l'École des Beaux-Arts de Paris. En 1955, avec une bourse du Ministère des Affaires Étrangères, il fait un voyage d'étude en Grèce. En 1958, il eut le Second Grand Prix de Rome ; et en 1959, le Diplôme Supérieur d'Arts Plastiques. En 1959-1960, il fut pensionnaire de la Casa Velasquez, à Madrid. En 1961, il fut nommé professeur à l'École des Beaux-Arts de Marseille. Il vit à Marseille, où il a montré des expositions de ses sculptures en 1964 et en 1965.
Il a réalisé des travaux monumentaux, notamment une gravure dans des ciments teintés à l'entrée de l'usine hydro-électrique de St-Estève-Janson ; une céramique dans le groupe d'habitations de St-Barnabé à Samdel ; une sculpture de béton pour le Groupe Scolaire N. D. Limite ; le mur du cloître du couvent des Capucins à Marseille-Blancarde, ainsi que l'autel ; une sculpture en polyester pour le Groupe Scolaire de La Grognarde ; une animation en polyester pour le Groupe Scolaire des Chartreux à Marseille.

VERNET-LECOMTE Charles Émile Hippolyte. Voir **LECOMTE-VERNET**

VERNEUIL Maurice, pseudonyme de **Pillard**
Né en 1869 à Saint-Quentin (Aisne). Mort en 1942 à Chexbres (Suisse). XIXe-XXe siècles. Français.
Peintre, illustrateur.
Graphiste, il a publié diverses études, notamment *Étude de la Plante, son application aux industries d'art* en 1908 ; *Étoffes japonaises tissées et brochées* en 1910 ; *Dictionnaire des symboles, emblèmes et attributs* aux Éditions Laurens ; *Étude de la mer* en 1913, avec des illustrations de Méheut ; etc., dont il dessinait en général les illustrations.
Affichiste, c'est surtout par ses illustrations d'ouvrages de documentation, dus à divers auteurs, qu'il fut connu : *L'Animal dans la décoration* de E. Lévy de 1898 ; *Combinaisons ornementales* de G. Auriol et Mucha, etc. Il a collaboré à la publication *Le Monde Moderne* et a dirigé la publication des *Documents Ornementaux* en 1904. Il a joué un rôle important par ses essais dans la définition du style ornemental intermédiaire entre la décoration florale 1900 et son évolution japonisante de l'Exposition Internationale des Arts Décoratifs de 1925.

VERNEY Jean
XVIIe siècle. Français.
Peintre et sculpteur.
Il exécuta à Chinon entre 1634 et 1648 un autel pour le monastère de Fontevrault.

VERNEYKEN ou **Verneykken**. Voir **VERNUCKEN**

VERNEZOBRE, Mme
XVIIIe siècle. Active à Paris. Française.
Peintre de portraits.
Membre de l'Académie de Saint-Luc ; elle figura à ses expositions, notamment en 1753.

VERNEZOBRE Jean Nicolas
XVIIIe siècle. Actif à Paris. Français.
Peintre de fleurs et de fruits.
Reçu membre de l'Académie de Saint-Luc le 15 octobre 1750, sur la présentation du sculpteur Baptiste Adam et avec la somme de 400 livres. Il figura à l'Exposition de 1753.

VERNHES Élise, née **Dausse**
Née au XIXe siècle à Paris. XIXe siècle. Française.
Peintre de genre et portraitiste.
Élève de M. Gosse. Elle figura au Salon de 1859 à 1870.

VERNHES Henri Édouard
Né en 1854 à Bozouls (Aveyron). XIXe siècle. Français.
Sculpteur.
Élève de Jouffroy et A. Millet. Il débuta au Salon de 1880. Sociétaire des Artistes Français depuis 1884 ; mention honorable en 1884, médaille de bronze en 1900 (Exposition Universelle).
Musées : Anvers : *Jeune Bretonne* – Dieppe : *L'ânier du Caire* – Paris (Mus. du Louvre) : *Le second versant de la vie* – *Sur le chemin* – Roanne : *Moreau*, buste en plâtre polychrome.

VERNI Antonio
XVIIIe-XIXe siècles. Actif à Pesaro. Italien.
Peintre.
Il peignit des sujets religieux et des miniatures. On lui a aussi donné l'appellation erronée de Vestri.

VERNICI Giovanni-Battista ou **Vernier**
Né à Bologne. Mort en 1617 à Urbino. XVIIe siècle. Italien.
Peintre d'histoire.
Il se forma à l'Académie des Carracci à Bologne et travailla dans différentes églises et monuments publics de Pesaro et d'Urbino. Il fut peintre de la cour du duc de cette dernière ville.

VERNICKE Wilhelm. Voir **VERNUCKEN**

VERNIER Charles
Né en 1831. Mort en 1887. XIXe siècle. Actif à Paris. Français.
Dessinateur de caricatures et de costumes et lithographe.
Il travailla pour *Charivari* et publia plusieurs recueils *Au Bal masqué, Les Grisettes, Le Peuple de Paris*, etc.
Ventes Publiques : Paris, 15 nov. 1928 : *Les Bals de Paris*, huit dessins : **FRF 29 600** – Paris, 2 déc. 1987 : *La Foule devant le palais de l'Industrie ; Aux Champs-Élysées*, cr. et lav., deux dess. (35,5x23 et 35x21,5) : **FRF 8 000**.

VERNIER Edmond. Voir **DOLA Georges**

VERNIER Émile Louis
Né le 29 novembre 1829 à Lons-le-Saulnier (Jura). Mort le 26 mai 1887 à Paris. XIXe siècle. Français.
Peintre de sujets militaires, scènes de genre, paysages urbains, paysages, marines, caricaturiste, aquarelliste, graveur.
Élève de Colette. Il débuta au Salon de 1857.
Il peignit surtout des sujets rustiques, des scènes de la vie des pêcheurs, bretons et normands, des marines, des vues de Venise et de Dordrecht, et fit preuve dans ses ouvrages d'une remarquable sincérité. Mais ce fut surtout comme lithographe qu'il produisit une œuvre importante. On cite notamment des caricatures, des scènes militaires et surtout des reproductions d'œuvres, des maîtres de 1830 parmi lesquelles l'*Angelus* de J. F. Millet et plusieurs paysages de Corot.

Emile.Vernier

Musées : Arras : *Retour de pêche à Saint-Yves Carmonale* – Besançon : *Bateaux séchant leurs voiles* – Béziers : Aquarelle – Carpentras : *Village du Tréport* – Clamecy : *Environs de Grenade* – Compiègne : *Rue de l'église à Écouen* – Montréal : *Retour des pêcheuses de crevettes* – Nantes : *Marée basse par un gros temps en Angleterre* – Narbonne : *Une chapelle à Concarneau* – Paris (Luxembourg) : Marines.
Ventes Publiques : Paris, 1885 : *Vue de Paris au XVIIe siècle* : **FRF 1 220** – Paris, 1886 : *Grande marée d'octobre* : **FRF 1 120** ; *Vue de la Tamise à Londres* : **FRF 740** – Paris, 1887 : *La récolte du varech à Concarneau* : **FRF 1 450** – Paris, 1894 : *Marine* : **FRF 620** – Londres, 10 et 11 jan. 1907 : *Antibes* : **GBP 110** – Londres, 17 et 18 mars 1909 : *Réparant les filets* : **GBP 200** – Paris, 18 déc. 1922 : *L'Île Notre-Dame* : **FRF 460** – Paris, 15 oct. 1943 : *Pêcheuse de crevettes* : **FRF 1 500** – Paris, 23 mars 1945 : *Paysage* : **FRF 3 600** – Paris, 26 juin 1950 : *Paysage* : **FRF 6 500** – Paris, 2 mars 1951 : *Bateaux sur la grève* : **FRF 7 500** – Londres, 22 avr. 1966 : *Villas sur la côte normande* : **GNS 230** – Londres, 1er nov. 1973 : *Bord de mer* : **GNS 700** – Paris, 15 mars 1976 : *Bassin du port du Havre*, h/t (41x54,5) : **FRF 5 100** – Zurich, 20 mai 1977 : *Le parc à huîtres* 1881, h/t (52x83) : **CHF 8 000** – New York, 25 jan. 1980 : *La Réparation du bateau* 1881, h/pan. (32x46) : **USD 4 750** – New York, 30 juin 1981 : *Péniches sur la rivière*, h/t (25,5x40,5) : **USD 2 500** – Londres, 3 fév. 1984 : *Scène de port*, h/t (40,6x54) : **GBP 2 200** – Paris, 5 juin 1989 : *Falaises d'Étretat*, h/t (42x70) : **FRF 52 000** – Paris, 21 mars 1990 : *Paysage aux moulins ; Paysage aux pêcheurs*, h/t, une paire (52,5x30,5) : **FRF 38 000** – Le Touquet, 14 nov. 1993 : *Le retour des pêcheurs*, h/t (42x70) : **FRF 14 000** – New York, 16 fév. 1994 : *Port de pêche*, h/t (148,6x196,9) : **USD 11 500** – Paris, 9 mai 1994 : *Place de village animé*, h/pan. (48,5x64,5) : **FRF 19 000** – New York, 24 mai 1995 : *Le marché du Croisic*, h/t (47,3x63,5) : **USD 13 800**.

VERNIER Émile Séraphin
Né le 16 octobre 1852 à Paris. Mort le 9 septembre 1927 à Paris. XIXe-XXe siècles. Français.
Sculpteur, ciseleur, graveur, médailleur.
Il débuta à Paris, au Salon de 1876 ; il reçut une mention honorable en 1886, une mention honorable à l'Exposition Universelle de 1889, une médaille de bronze à celle de 1900. Il fut chevalier de la Légion d'honneur en 1903, président de la Société des Artistes Décorateurs de 1905 à 1910, officier en 1911.
Il a réalisé des plaques commémoratives.
Musées : Beaufort : *La Manufacture de Sèvres* – *La République* – Le Mans : *Pierre Curie*.

VERNIER Paul Barthélémy, dit **Verron-Vernier**
Né en 1830 à Paris. Mort le 12 septembre 1861 à Marlotte (Seine-et-Marne). XIXe siècle. Français.
Peintre de paysages et lithographe.
Élève de Drolling et de Biennoury. Il figura au Salon de 1857 à 1861.

VERNIER Pierre Louis
XVIIIe siècle. Travaillant à Saint-Pétersbourg de 1764 à 1768. Français.
Médailleur.

VERNIER-FROIDURE Alphonse
XXe siècle. Français.
Peintre.
Il participa à Paris au Salon des Artistes Français ; il reçut en 1938 une mention et le Prix Marie Bashkirtseff.

VERNIGO Girolamo ou **Vernico**, dit **Girolamo dei Paesi**
Mort en 1630. XVIIe siècle. Actif à Vérone. Italien.
Paysagiste.

VERNIZZI Renato
Né en 1904 à Parme. Mort en 1972 à Milan. XXe siècle. Italien.
Peintre de figures, paysages.
Connu par les catalogues de ventes publiques.
Ventes Publiques : Milan, 7 juin 1989 : *Arbre* 1969, h/t (45x35) : **ITL 1 100 000** – Milan, 16 nov. 1993 : *Le train*, h/t (50x60) : **ITL 3 795 000** – Milan, 15 mars 1994 : *Mur d'enceinte* 1969, h/t (70x90) : **ITL 3 795 000** – Milan, 19 déc. 1995 : *Fillette à la mandoline*, h/t (74x98) : **ITL 5 750 000**.

VERNO Camillo
Né le 5 octobre 1870 à Campertogno. XIXe siècle. Italien.
Peintre de figures, portraits, paysages.
Il fut élève de l'Académie de Turin.

VERNON Arthur Longley
Né vers 1871. Mort vers 1922. XIXe-XXe siècles. Britannique.
Peintre de genre.
Il fut actif de 1871 à 1922 à Londres, où il exposa, notamment à la Royal Academy et à Suffolk Street à partir de 1871.

Ventes Publiques : Londres, 28 nov. 1908 : *Querelle d'amoureux* 1884 : **GBP 7** – Londres, 7 déc. 1908 : *Le grand secret* 1889 : **GBP 3** – Londres, 26 nov. 1910 : *Le Paon* : **GBP 10** – Londres, 25 oct. 1977 : *Le docteur*, h/t (59x84) : **GBP 1 200** – Londres, 1er juin 1979 : *L'heure du thé* 1883, h/t (34,8x28) : **GBP 900** – New York, 29 mai 1981 : *L'Héritière* 1896, h/t (89x59,7) : **USD 4 200** – New York, 25 fév. 1983 : *Confidences* 1880, h/t (68,5x110,5) : **USD 7 000** – Londres, 15 juin 1988 : *Jeune femme caressant le nez d'un cheval ; Réconciliation sous la Régence* 1886, h/t, une paire : **GBP 4 400** – Londres, 5 juin 1991 : *Distraction*, h/t (39x53,5) : **GBP 1 375** – New York, 15 oct. 1993 : *Jeune femme distribuant la nourriture aux cygnes*, h/t (91,5x61) : **USD 4 600** – Londres, 6 nov. 1995 : *Les nouvelles du village*, h/t (76,5x127,5) : **GBP 10 925**.

VERNON Beatrix Charlotte, née **Dobie**
Née le 17 mai 1887 à Wangarei (Nouvelle-Zélande). XXe siècle. Britannique.
Peintre de portraits, animaux, paysages, marines.
Elle a résidé à Londres et en Tunisie.
Musées : Auckland : *Disette – Frères de la mer*.

VERNON Émile
XIXe-XXe siècles. Britannique.
Peintre de figures, paysages, natures mortes, fleurs et fruits.
Il est cité par le Art Prices Current et miss Florence Levy.

Ventes Publiques : New York, 12-14 mars 1906 : *Tête idéale* : **USD 580** – New York, 22-23 fév. 1907 : *Rêveuse* : **USD 600** – New York, 25-26 mars 1909 : *Bouquet de violettes* : **USD 110** – Londres, 21 jan. 1911 : *La Plus Douce Fleur* : **GBP 11** – New York, 2 fév. 1911 : *Violette* : **USD 65** – New York, 25 oct. 1977 : *Flore*, h/t (66x51,5) : **USD 2 100** – Londres, 21 mars 1980 : *Portrait de trois enfants* 1913, h/t (52,3x63) : **GBP 2 200** – Londres, 25 mars 1981 : *Jeune fille et chaton dans un paysage d'automne* 1919, h/t (63,5x53) : **GBP 2 500** – Londres, 16 mars 1983 : *Jeune femme aux fleurs* 1919, h/t (63,5x53) : **GBP 7 000** – Londres, 8 fév. 1985 : *Les Trois Grâces* 1916, h/t (53,5x64,2) : **GBP 14 000** – New York, 29 oct. 1986 : *Fillette avec un chiot et un lapin dans un panier* 1919, h/t (65,4x54,6) : **USD 16 000** – Londres, 29 mai 1987 : *Portrait d'une belle*, h/t (59,5x50) : **GBP 16 000** – New York, 23 mai 1989 : *Nymphe des bois*, h/t (61x50,8) : **USD 22 000** – New York, 24 oct. 1989 : *Sous les arbres en fleurs* 1904, h/t (92,1x61) : **USD 68 750** – New York, 28 fév. 1990 : *Femme au tambourin*, h/t (61x50,8) : **USD 22 000** – New York, 23 mai 1990 : *Sous le cerisier* 1909, h/t (88,9x65,4) : **USD 60 500** – Londres, 28 nov. 1990 : *Portrait de femme*, h/t (57x46) : **GBP 7 150** – New York, 28 fév. 1991 : *Sous le cerisier* 1913, h/t (65,4x54,6) : **USD 36 300** – Londres, 19 juin 1991 : *Nature morte de roses*, h/t (60,5x46) : **GBP 5 500** – New York, 29 oct. 1992 : *Petite fille au bonnet garni de cerises* 1919, h/t (45,7x38,1) : **USD 25 300** – New York, 30 oct. 1992 : *Les œillets roses*, h/t (61x50,8) : **USD 9 900** – New York, 17 fév. 1993 : *La Lumière des étoiles*, h/t (90,8x61) : **USD 34 500** – Londres, 18 juin 1993 : *Les Chatons* 1917, h/t (65x54) : **GBP 34 500** – New York, 12 oct. 1994 : *Dans le jardin* 1914, h/t (64,8x54) : **USD 60 250** – Londres, 14 juin 1995 : *La Rose*, h/t (60x50) : **GBP 20 700** – Paris, 27 oct. 1995 : *L'Amour*, h/t (43x61) : **FRF 8 000** – New York, 2 avr. 1996 : *L'oiseau messager d'amour*, h/t (92,7x61) : **USD 11 500** – New York, 23 mai 1996 : *Jeune femme cueillant des fleurs*, h/t (91,4x61) : **USD 28 750** – Londres, 20 nov. 1996 : *Élégante en tailleur bleu avec des pivoines rouges* 1909, h/t (91,4x66) : **GBP 16 100** – Londres, 26 mars 1997 : *Roses odorantes* 1911, h/t (63x48) : **GBP 12 075** – New York, 23 mai 1997 : *Dans le jardin* 1914, h/t (64,8x54) : **USD 65 750** – Londres, 21 nov. 1997 : *La Jeune Fille aux fleurs* 1913, h/t (64,7x54) : **GBP 18 400** – Londres, 19 nov. 1997 : *Tenant le bébé dans les bras* 1918, h/t (66x55) : **GBP 23 000** – New York, 23 oct. 1997 : *Fleurs de cerise* 1916, h/t (64,8x54,6) : **USD 51 750**.

VERNON Frédéric Charles Victor de
Né le 17 novembre 1858 à Paris. Mort le 28 octobre 1912 à Paris. XIXe-XXe siècles. Français.
Sculpteur, graveur, médailleur.
Il fut élève de Pierre Jules Cavelier, Jules Clément Chaplain et Paulin Tasset. Il participa à Paris au Salon des Artistes Français, dont il fut membre sociétaire à partir de 1896 ; il reçut une médaille de troisième classe en 1884, le prix de Rome en 1887, une médaille de bronze en 1889 à l'Exposition universelle, une médaille de deuxième classe en 1892, une médaille de première classe en 1895, une médaille d'or en 1900 à l'Exposition universelle, une médaille d'honneur en 1907. Il fut fait chevalier de la Légion d'honneur en 1900 et fut membre de l'Institut à partir de 1909.
Musées : Arras : Vingt-six médailles en bronze – Bayonne : *La Ville de Mulhouse – Le Duc de Loubat – Émile Dupont* – Digne : *L'Eucharistie* – Nantes : *Plaquette de la Chambre de Commerce de Nantes*.

VERNON Jean Émile Louis de
Né le 1er avril 1897 à Paris. XXe siècle. Français.
Sculpteur.
Il fut élève de Jules Félix Coutan et Hippolyte Jules Lefebvre. Il exposa à Paris, au Salon des Artistes Français à partir de 1922 ; il reçut des médailles d'argent en 1924, d'or en 1936.

VERNON Paul
Né en 1796 à Paris. Mort en 1875. XIXe siècle. Français.
Peintre de genre, figures, paysages, peintre à la gouache.
Malgré l'incompatibilité des dates, certaines sources mentionnent de ses peintures au Salon de Paris de 1874 à 1882.
Outre ses peintures de scènes de genre, de figures typiques, il peint, souvent à la gouache, des paysages français, mais aussi à l'occasion les lagunes vénitiennes, des marines du Bosphore.
Bibliogr. : Gérald Schurr, in : *Les Petits Maîtres de la peinture 1820-1920, valeur de demain*, Les Éditions de l'Amateur, t. II, Paris, 1982.
Musées : Sète : *Paysage*.
Ventes Publiques : Paris, 1888 : *Le Colin-maillard* : **FRF 420** – Paris, 3 fév. 1906 : *Enfants bohémiens* : **USD 270** – Paris, 16 fév. 1928 : *Paysage* : **FRF 1 700** – Paris, 11 oct. 1948 : *Amour près d'une fontaine* : **FRF 10 600** – Paris, 19 déc. 1949 : *Trois femmes dans les bois* 1877 : **FRF 18 000** – Genève, 8 juin 1972 : *Paysage* : **CHF 7 000** – Toulouse, 6 déc. 1976 : *Trois femmes dans les bois*, h/pan. (41x32) : **FRF 3 100** – Los Angeles, 8 fév. 1982 : *Les petits gitans*, h/pan. (37,3x46,5) : **USD 2 500** – Versailles, 6 mai 1984 : *La maison des pêcheurs*, h/t (48x65) : **FRF 20 000** – Chester, 12 juil. 1985 : *Scène de marché d'Orient* 1883, h/pan. (37,5x46) : **GBP 2 000** – Paris, 30 mai 1990 : *Ferme en Normandie*, h/t (36x44) : **FRF 7 000** – Barbizon, 14 avr. 1991 : *Jeune fille dans la forêt*, h/pan. (46x37,5) : **FRF 51 000** – Londres, 16 nov. 1994 : *La Caravane* 1883, h/t (92x147) : **GBP 7 475** – Paris, 26 juin 1995 : *Conversation dans le parc*, h/pan. (21,5x26,5) : **FRF 9 600** – Paris, 18-19 mars 1996 : *Grand voilier sur le Bosphore*, h/pan. (37,5x46) : **FRF 36 000** – Londres, 13 juin 1996 : *Ramasseur de fagots dans un paysage boisé*, h/pan. (19,2x24,3) : **GBP 1 150** – Paris, 10-11 juin 1997 : *La Détente*, h/pan. (26,5x35) : **FRF 18 000**.

VERNON Thomas
Né en 1825 dans le Straffordshire. Mort le 23 janvier 1872 à Londres. XIXe siècle. Britannique.
Graveur.
Il fit ses études à Londres et à Paris et acquit la réputation d'un habile artiste. Il grava notamment des sujets religieux et des portraits, d'après Raphaël, Murillo, Winterhalter, Leslie. Malgré un incontestable talent il eut toute sa vie une existence difficile.

VERNOS Fr. Antonio
Né en 1586 à Murcie. Mort vers 1614 à Jumilla. XVIIe siècle. Espagnol.
Peintre.
Il peignit des *Madones avec l'Enfant Jésus.*

VERNUCCI Giovanni
XVIIIe siècle. Actif à Naples. Italien.
Peintre.
Il copia Solimena.

VERNUCKEN Wilhelm ou **Vernuken, Vernuiken, Vernuyken, Vernicke, Vernickel**
Mort en 1607 à Cassel. XVIe siècle. Allemand.
Sculpteur et architecte.
Il exécuta des tombeaux et des sculptures architecturales à Cologne, à Cassel et à Rotenbourg.

VERNULLI Giovanni
XVe siècle. Actif à Modène. Italien.
Peintre.
Élève de Lodovico Lana. Il travailla pour l'Oratoire Saint-Jean de Modène.

VERNY François
XIXe siècle. Actif à Paris. Français.
Sculpteur sur bois.
Il exposa en 1812 des reliefs de capitales européennes.

VERO Laszlo ou **Ladislas**
Né le 18 juin 1873 à Budapest. Mort en 1915 à Nagykörös. XIXe-XXe siècles. Hongrois.
Sculpteur de statues.
Il fit ses études à Budapest et à Chicago. Il exécuta des statues.

VEROLOET François
Né en 1795 à Malines. Mort en 1872 à Venise. XIXe siècle. Belge.
Peintre.
Élève de son frère aîné, Jean Joseph Augustin. Il travailla en Italie. Il a peint surtout des monuments et des intérieurs avec figures. On cite de lui dans les Musées : à Amsterdam, *Église Saint-Pierre de Rome* ; à Bruxelles, *Le Cloître de S. Maria Nuova* ; à Naples, *Salle du Couvent des Chartreux* ; à Montréal, *Vue de Florence* (aquarelle) ; à Prato, *Saint-Paul de Rome après l'incendie* ; à Stuttgart, *Lavement des pieds dans le réfectoire de Saint-Martin à Naples,* 1846.

VEROLOET Frans
Né vers 1765 à Gand. Mort vers 1830. XVIIIe-XIXe siècles. Belge.
Peintre.
Professeur à l'Académie de Malines.

VEROLOET Jean Joseph Augustin
Né en 1790 à Malines. Mort en 1869. XIXe siècle. Belge.
Peintre d'histoire et de portraits.
Professeur de l'Académie de Malines ; il en fut plus tard directeur.

VERON Alexandre Paul Joseph, dit **Veron Bellecourt**
Né en 1773 à Paris. XVIIIe-XIXe siècles. Français.
Peintre d'histoire et de fleurs.
Élève de David et de Van Spaendonck. Il figura au Salon de 1801 à 1838. Le Musée de Bagnères conserve de lui : *Le sire de Blacat partant pour la croisade,* celui de Versailles, *Napoléon visitant l'infirmerie des Invalides,* et celui de Strasbourg, *Vue en miniature de Strasbourg.*

Veron Bellecourt.

Ventes Publiques : Londres, 4 mai 1977 : *La promenade royale,* h/pan. (27x35) : **GBP 1 700** – Paris, 12 juin 1996 : *Roland et le mariage d'Angélique,* pan. de noyer (44,5x61,5) : **FRF 24 000.**

VERON Alexandre René
Né en janvier 1826 à Montbazon (Indre-et-Loire). Mort en avril 1897. XIXe siècle. Français.
Peintre de paysages.
Élève de Paul Delaroche.
Il débuta au Salon de 1848.
Véron appartient à la catégorie des peintres de la suite de Daubigny. Il n'en a ni la vigueur, ni la maîtrise, mais il tient une place honorable dans les artistes mineurs de l'École de Barbizon. Il s'est exclusivement consacré au paysage, et n'a jamais exposé autre chose au Salon pendant plus de trente ans. Les sites qu'il a le plus souvent recherchés sont ceux de la forêt de Fontainebleau. Cependant il a également peint à : Auvers-sur-Oise, Pontoise, Crécy-en-Brie, Senlis, Osny, Argenteuil, Asnières, Saint-Valéry-sur-Somme.

Musées : Dijon : *Le soir au bord du Morin* – Le Mans : *Un chemin ombragé* – Nantes : *Famille d'artistes sous-bois* – Périgueux : *Rue de village à Parthenay* – Saint-Lô : *Le nid de l'aigle.*
Ventes Publiques : Paris, 10 avr. 1899 : *Les Laveuses* : **FRF 250** – New York, 20 avr. 1905 : *À l'écurie* : **USD 100** – Paris, 12 juin 1909 : *L'Abreuvoir* : **FRF 145** – Paris, 27 juin 1923 : *Le chemin de halage, au soleil couchant* : **FRF 200** – Paris, 20 déc. 1926 : *Le passeur* : **FRF 800** – Paris, 29 et 30 nov. 1943 : *Les Laveuses* : **FRF 7 300** – Paris, 24 fév. 1947 : *Vaches au pâturage* : **FRF 9 000** – Paris, 9 mai 1949 : *Le troupeau au pâturage* : **FRF 8 000** – Paris, 8 mai 1950 : *Les bords de la Nonette* : **FRF 8 000** – Paris, 22 nov. 1950 : *Paysage à la rivière* : **FRF 22 000** – Londres, 16 mars 1951 : *Promenade au bord du lac* 1904 : **GBP 47** – Paris, 2 juil. 1951 : *Ruisseau sous les arbres* : **FRF 19 500** – Paris, 18 mars 1955 : *La promenade au village* : **FRF 35 000** – Berne, 9 mai 1970 : *Les vendanges* : **CHF 5 800** – Buenos Aires, 14 et 15 nov. 1973 : *Bord de mer* 1874 : **ARS 28 000** – Versailles, 27 nov. 1977 : *Les Lavandières au bord de la rivière,* h/t (60x73) : **FRF 8 500** – Paris, 14 déc 1979 : *Le faucheur en bord de rivière* 1874, h/t (81x93) : **FRF 13 500** – Versailles, 19 juil. 1981 : *La Diseuse de bonne aventure ; L'Arbre de mai,* h/pan., une paire (14,5x19,5) : **FRF 21 000** – Versailles, 21 fév. 1982 : *La ferme près de la rivière* 1872, h/t (80,5x116,5) : **FRF 30 000** – Vienne, 5 déc. 1984 : *La fête villageoise* 1862, h/t (39,5x54) : **ATS 160 000** – Paris, 3 juin 1988 : *Banlieue de Paris* 1882, h/t (45x73) : **FRF 26 500** – Londres, 21 juin 1989 : *Promeneurs dans la forêt de Fontainebleau,* h/t (77x114) : **GBP 6 380** – Versailles, 19 nov. 1989 : *Rue de village de montagne animée,* h/t (39x55) : **FRF 34 000** ; *Paysanne devant la chaumière* 1873, h/t (35x55) : **FRF 19 000** – Paris, 20 fév. 1990 : *Lavandières dans la vieille rue* 1966, h/t (39x54) : **FRF 30 000** – Monaco, 16 juin 1990 : *Lavandières sur la Loire* 1861, h/t (46x64,5) : **FRF 105 450** – Paris, 24 mai 1991 : *Marine,* h/t (60,5x92) : **FRF 79 000** – Paris, 11 fév. 1991 : *Halte chez le maréchal ferrant,* h/pan. (40x32) : **FRF 28 000** – Paris, 18 déc. 1991 : *Les rochers de Fontainebleau,* h/cart. (31x37,5) : **FRF 20 000** – Calais, 5 juil. 1992 : *Fête villageoise,* h/pan. (27x41) : **FRF 11 500** – New York, 29 oct. 1992 : *Promeneur au bord de l'eau,* h/t (79,1x114,9) : **USD 20 900** – New York, 17 fév. 1993 : *Paysage de rivière,* h/t (43,2x55,9) : **USD 4 945** – Londres, 17 mars 1993 : *Le vieux Montmartre* 1892, h/t (52x72) : **GBP 4 600** – New York, 27 mai 1993 : *Personnages en barque au crépuscule* 1858, h/t (80x116,8) : **USD 17 250** – Calais, 4 juil. 1993 : *La partie de cartes devant l'auberge,* h/pan. (16x22) : **FRF 28 500** – Pontoise, 14 nov. 1993 : *Vue de Pontoise, le pont, les remparts et l'Hôtel Dieu,* h/t : **FRF 54 000** – Paris, 19 nov. 1993 : *Départ des marins* 1883, h/t (18x23) : **FRF 14 000** – New York, 12 oct. 1994 : *La pêche à Étretat* 1895, h/t (54x73) : **USD 11 500** – New York, 23 mai 1997 : *Pièce d'eau à Senlis, Oise* 1875, h/t (59,7x91,4) : **USD 25 300** – New York, 23 oct. 1997 : *Repos sur le chemin,* h/t (54,6x73,7) : **USD 14 950** – New York, 22 oct. 1997 : *Canards sur la rivière,* h/t (92,1x73) : **USD 10 925.**

VERON Henriette, Mme
Née à Sedan (Ardennes). XIXe siècle. Française.
Peintre de portraits.
Femme de Jacques Théodore Véron. Élève de P. Delaroche. Elle figura au Salon de 1850 à 1870.

VERON Jacques Théodore
Né au XIXe siècle à Poitiers (Vienne). XIXe siècle. Français.
Peintre.
Élève de P. Delaroche. Il figura au Salon de 1845 à 1868.

VERON-BELLECOURT. Voir **VERON Alexandre Paul Joseph**

VERON-FARÉ Jules Henri
Né à Paris. XIXe siècle. Français.
Peintre de paysages et d'histoire.
Élève de A. Veron, L. Cogniet et Bonnat. Il figura au Salon, de 1836 à 1870.
Ventes Publiques : Paris, 1er juil. 1943 : *Le Village* : **FRF 4 500** –

NEW YORK, 12 oct. 1978 : *Scène de marché à Vérone* 1890, h/t (51x40,5) : **USD 1 400** – PARIS, 20 nov. 1981 : *La Pêche sur l'Indre* 1871, h/t (57x81) : **FRF 13 000**.

VERONA, da. Voir au prénom

VERONA Antonio
Né en 1702 à Padoue. Mort le 28 avril 1754 ou 1758. XVIIIe siècle. Italien.
Sculpteur.
Il sculpta des statues de saints dans les églises Sainte-Madeleine, Saint-Antoine et Sainte-Lucie, à Padoue.

VERONA Arthur Gargouromin. Voir **GARGOUROMIN-VERONA**

VERONA Bartolomeo
XVIIe-XVIIIe siècles. Travaillant à Padoue de 1685 à 1713. Italien.
Sculpteur.

VERONA Bartolomeo
XVIIIe siècle. Actif à Adorno dans la seconde moitié du XVIIIe siècle. Italien.
Peintre de décorations.
Il travailla à Vienne, à Potsdam et à Berlin où il décora des salles d'apparat.

VERONA Battista de. Voir **FARINATI Giambattista**

VERONA Filippo da. Voir **FILIPPO da Verona**

VERONA Luigi
Né en 1748 à Padoue. Mort en 1806. XVIIIe siècle. Italien.
Sculpteur.
Élève de P. Danieletti. Il a sculpté plusieurs statues sur le Prato della Valle de Padoue.

VERONA Michele da. Voir **MICHEL da Verona**

VERONA Salvatore da. Voir **SALVATORE da Verona**

VERONE
Née à Ismalia. XXe siècle. Active en France et en Suisse. Égyptienne.
Peintre de figures, paysages, dessinateur. Tendance fantastique.
Elle fut élève de l'école des beaux-arts de Paris, puis étudia dans les ateliers d'Yves Brayer, Goetz et André Lhote.
Elle participe à de nombreuses expositions collectives, à Paris, depuis 1972 au Salon des Artistes Français, dont elle est membre sociétaire, depuis 1989 au Salon de la Société Nationale des Beaux-Arts, ainsi qu'aux Salons des Femmes Peintres, Comparaisons et d'Automne, et à l'étranger.
Elle montre ses œuvres dans des expositions personnelles à Paris depuis 1970, régulièrement en Suisse à Vevey depuis 1973, à Genève depuis 1978 notamment au musée de l'Athénée en 1981, à Bâle depuis 1978.
Elle peint des figures de femmes le plus souvent, des paysages et vues de Venise, Amsterdam. Dans ces toiles, intemporelles, proches des songes, règnent une atmosphère silencieuse, entre ciel et eau, baignant dans une lumière étrange.

BIBLIOGR. : Catalogue de l'exposition : *Vérone*, Palais de Beaulieu, Lausanne, 1988.
VENTES PUBLIQUES : ZURICH, 14 mai 1983 : *Les Soleils*, h/t (50x61) : **CHF 4 000** – LONDRES, 21 fév. 1989 : *Le miroir du ciel*, h/t (90,2x71,1) : **GBP 2 090** – ZURICH, 25 oct. 1989 : *Les pommes*, h/t (60x73) : **CHF 4 000** – ZURICH, 22 juin. 1990 : *Les arbres ont-ils une âme ?*, h/t (92x73) : **CHF 5 000** – ZURICH, 18 oct. 1990 : *Toccata et Fugue*, h/t (93x73) : **CHF 5 500** – ZURICH, 16 oct. 1991 : *Le chat de Cléopâtre*, h/t (92x73) : **CHF 4 600** – ZURICH, 4 déc. 1991 : *S'il vous plait, ne touchez pas à mes fleurs*, h/t (59x60) : **CHF 3 000** – ZURICH, 21 avr. 1993 : *Sirène aux écailles d'or*, h/t (46x55) : **CHF 3 800** – ZURICH, 3 déc. 1993 : *Née de l'écume*, h/t (50x61) : **CHF 5 500** – ZURICH, 17-18 juin 1996 : *Jolie fille*, h/t (61x50) : **CHF 3 500** – ZURICH, 8 avr. 1997 : *Regard sur l'abstraction*, h/t (162x60) : **CHF 4 800**.

VERONESE II. Voir aussi **CIGNAROLI Martino**

VERONESE Alessandro. Voir **TURCHI**

VERONESE Antonio
Né en 1764 (?). Mort après 1829. XVIIIe-XIXe siècles. Actif à Naples. Italien.
Paysagiste.
Élève de Ph. Hackert et peintre à la cour de Naples.

VERONESE Filippo
XVIe siècle. Actif à Vérone. Italien.
Peintre d'histoire.
L'Académie Carrara, à Bergame, conserve de lui : *La Vierge, l'Enfant Jésus et un évêque*.

VERONESE Giovanni Antonio
XVe siècle. Actif à Vérone. Italien.
Peintre.
Vasari dit qu'il était frère de Stefano da Zeiro. Son fils Jacopo fut également peintre.

VERONESE Paolo ou **Paul**, de son vrai nom **Caliari**
Né en 1528 à Vérone. Mort le 19 avril 1588 à Venise. XVIe siècle. Italien.
Peintre d'histoire, compositions religieuses, sujets mythologiques, portraits, compositions murales, fresquiste, dessinateur.
Venise est la patrie des peintres de la lumière et de la couleur. C'est celle des Bellini, Giorgione, Titien, Tintoret, Paul Véronèse, Tiepolo, Guardi. Ce qui distingue l'École vénitienne de toutes les autres, c'est l'influence constante et féconde, dans l'inspiration de ses artistes, d'un climat privilégié et de mœurs aristocratiques, c'est le goût de la lumière, le culte de la couleur et, par-dessus tout, la religion de la nature. Le plus sûr moyen de caractériser cette École, c'est d'esquisser la physionomie artistique d'un des plus grands génies qui en résume si magistralement les tendances. Esquissons donc la figure originale de ce grand peintre, en qui s'incarne la transition de la Renaissance à l'art moderne et qui peut bien servir de type à une École, puisqu'il sert de type à une phase des plus importantes de l'Art lui-même. Paolo Caliari, dit Paul Véronèse, le jeune et brillant rival de Tintoret, naquit à Vérone d'un père sculpteur, qui le destina d'abord à sa profession. Paolo apprit à modeler. Mais ce charmant artiste avait trop développé en lui le sens de la couleur pour ne pas préférer l'expression colorée de la peinture à la monochromie des marbres. Paolo manifestant son désir d'être peintre, on le mit dans l'atelier de son oncle, Antonio Badile (1517-1560). Il prit aussi des leçons de Giovanni Carotto, artiste renommé pour ses connaissances en perspective et en architecture. Véronèse n'oublia jamais ces leçons. Ce jeune homme merveilleusement organisé, n'ayant jamais vécu que dans un milieu artistique, apprit à dessiner et peindre pour ainsi dire naturellement, comme il avait appris à parler. Les gravures d'Albert Durer, les dessins du Parmesan furent aussi des modèles qu'il étudia passionnément. Véronèse se maria ayant dépassé la quarantaine ; il eut deux fils Carlo (1570-1596) et Gabrielle (1568-1631) Caliari qui, avec leur oncle Benedetto Caliari (1538-1598), furent des peintres distingués, aidèrent le grand Véronais durant sa vie et terminèrent les ouvrages qu'il laissa inachevés. (Consulter à Caliari la biographie de ces artistes).
Il trouva aisément des travaux à Vérone. Son talent à la fois très gracieux et distingué, avait tout ce qu'il fallait pour plaire. Ce fut le cas pour le cardinal de Gonzague, qui l'emmena à Mantoue, avec Domenico Riccio, Battista del Moro et Paolo Farinato, ses compatriotes, pour les employer à la décoration du Dôme. Les peintures de Caliari furent unanimement jugées supérieures à celles de ses compagnons. Il revint à Vérone, mais malgré le succès qu'il venait d'obtenir, il ne trouva pas de travaux suffisamment importants et il partit pour Venise, où il s'établit. Nous sommes en 1555, l'artiste était donc âgé de vingt-sept ans quand on lui confia dans la ville des Doges, la décoration de la sacristie de l'église Saint-Sébastien. Elle lui valut d'être placé au rang des premiers artistes. Une nouvelle occasion s'offrit à lui dans la décoration du plafond de la bibliothèque de Saint-Marc d'affirmer sa supériorité (comme il est rapporté plus loin dans l'extrait de Vasari). Caliari, après ce triomphe, éprouva le désir de revoir sa famille ; il fit un court séjour à Vérone, mais ne tarda pas à revenir à Venise, où l'attendaient d'autres travaux. Le procureur Girolamo Grimano, ayant été envoyé en ambassade près du pape, Caliari l'accompagna à Rome. Ce fut une révélation pour le peintre, alors dans toute la force de l'âge. L'étude des chefs-d'œuvre de Michel-Ange, de Raphaël, des statues antiques eut une influence énorme sur son style. Sa forme s'agrandit encore, se simplifia, sans perdre rien de ses exquises qualités de grâce et de noblesse. De retour à Venise, son succès était plus grand que jamais, et il avait peine à suffire aux commandes qui lui venaient de toutes parts, pour les édifices publics et pour les habitations particulières. Il ne fallait rien moins que son incroyable facilité et

une santé de fer pour suffire à cet écrasant labeur. À ces quelques lignes, il n'est pas sans intérêt d'ajouter ce que Vasari dit sur Caliari, ce document datant du vivant même du peintre. Voici donc le texte de Vasari : « À Massiera, près d'Asolo, dans le Trévisan, il décora le superbe château du signor Daniello Barbaro, patriarche d'Aquilée. À Vérone, dans le réfectoire du monastère de San-Nazzaro, il représenta le *Repos de Notre Seigneur chez Simon le lépreux*. Sur cette vaste toile, on voit la pécheresse se jeter aux pieds du Christ, et plusieurs portraits d'après nature. Sous la table sont deux chiens qui paraissent vivants. Dans le lointain on aperçoit quelques infirmes supérieurement peints. Au milieu du plafond de la Salle du Conseil des Dix à Venise, Paolino figura dans un grand ovale *Jupiter chassant les Vices*, comme pour dire que le suprême Tribunal des Dix est le fléau des méchants. Paolino peignit encore avec un rare talent, dans l'église de San-Sebastiano, le Soffite, les volets de l'orgue et le tableau de la chapelle principale. Dans la Salle du Grand Conseil, il laissa un immense tableau renfermant l'*Entrevue de Frédéric Barberousse avec le Pape*. Il introduisit dans cette composition, qui est à bon droit admirée, les portraits de divers gentilshommes et divers Sénateurs vénitiens et quantité de personnages magnifiquement costumés, vraiment dignes de composer la cour d'un empereur et celle d'un Pape. Paolino enrichit ensuite de merveilleuses figures à l'huile et en raccourci les plafonds de quelques chambres qui servent au Conseil des Dix. Il orna aussi de belles fresques la façade de la maison d'un marchand, que l'on rencontre en allant de San-Mosé à San-Maurizio ». « Malheureusement les vents de mer détruisent peu à peu cet ouvrage. À Murano, Paolino peignit à fresque une loge et une chambre pour Camillo Trivisani. À Santa Maria Maggiore de Venise, il fit à l'huile, dans une immense salle *Les Noces de Cana*. Ce tableau, par ses dimensions, par le nombre des figures, par la variété des costumes et la richesse de l'invention, est merveilleux. Si mes souvenirs ne me trompent pas il y a plus de cent cinquante têtes, toutes variées et traitées avec un soin extrême (ce tableau est actuellement au Musée du Louvre). Les procurateurs de San-Marco chargèrent notre jeune artiste d'exécuter les médaillons qui occupent les angles de la bibliothèque Nicena, donnée à la Seigneurie par le cardinal Bessarione. Les procurateurs partagèrent les peintures de cette bibliothèque entre les meilleurs maîtres de Venise et, pour exciter leur émulation, décidèrent que l'on décernerait un prix d'honneur à celui qui l'emporterait sur ses rivaux. Paolino, proclamé vainqueur, reçut pour récompense une chaîne d'or. Le tableau qui lui valut la victoire est celui où il représenta la *Musique* sous les traits de trois jeunes femmes d'une beauté ravissante, dont l'une joue du luth et l'autre chante, tandis que la troisième, qui est la plus belle, tire d'une lyre des sons qu'elle écoute attentivement. Auprès de ces femmes, Paolino plaça un Cupidon sans ailes, pour montrer que l'amour naît de la musique, ou que l'amour est inséparable de la musique. Le même tableau renferme le dieu Pan tenant des flûtes d'écorce d'arbre. La bibliothèque Nicena possède deux autres tableaux de Paolino : dans l'un on voit des philosophes vêtus à l'antique ; dans l'autre, *l'Honneur auquel on offre des sacrifices et des couronnes royales* ».

Si nons cherchons à pénétrer les secrets de cette personnalité telle qu'elle s'épanouit triomphalement, nous remarquerons comme traits distinctifs du génie de Caliari son respect de la réalité, son culte de la nature, sa recherche de l'expression et de la ligne caractéristique. La réalité, mais la réalité heureuse, harmonieuse, vivante, triomphante. C'est avec une sorte de patriotique enthousiasme que le peintre vénitien s'est adonné à l'étude dont le ciel et la mer forment le fond. Les peintres vénitiens sont donc, dans la plus haute acception, des réalistes. Ces prédilections de réalistes et de coloristes sont visibles dès les premiers efforts de l'école. Avec l'introduction à Venise par Antonello de Messine de la peinture à l'huile, les artistes vénitiens devinrent hardiment et définitivement les champions de la couleur. En Giorgione semble s'être incarné le génie même de l'art vénitien : il ouvre l'âge d'or de la peinture vénitienne. Théophile Gautier, parlant de Titien, dit : « Titien est, à notre avis, le seul artiste entièrement sain qui ait paru depuis l'antiquité. Il a la sérénité puissante de Phidias. Chez lui, rien de fiévreux, rien de tourmenté, rien d'inquiet. La maladie moderne ne l'a pas touché. Il est beau, robuste et tranquille comme un païen du meilleur temps. Sa superbe nature s'épanouit à l'aise dans un tiède azur, sous un chaud soleil et son coloris fait penser à ces beaux marbres antique, dorés par la blonde lumière de la Grèce ; nul tâtonnement, nul effort, nulle violence... une joie calme et vivace éclaire son œuvre immense. Seul, il semble ne pas se douter de la mort, excepté peut-être dans son dernier tableau. Sans ardeur sensuelle, sans énivrement voluptueux, il étale aux regards dans la pourpre de l'or, la beauté, la jeunesse, toutes les amoureuses poésies du corps féminin, avec l'impassibilité de Dieu montrant Ève toute nue à Adam. Il sanctifie la nudité par cette expression de repos suprême, de beauté à jamais fixée, d'absolu réalisé, qui fait la chasteté des œuvres antiques les plus libres ». Tintoret exagérera la force que Titien nous montre si harmonieusement unie à la grâce. Le peintre du *Paradis* a l'audace de tous les raccourcis. C'est un génie titanesque, épris des mystères de l'ombre. Paul Véronèse, au contraire, est le plus grand coloriste de l'École vénitienne et peut-être le plus grand qui ait existé. Il n'est ni jaune, ni rouge, ni brun. Il peint dans le clair avec une étonnante justesse. Dans ses immenses tableaux : Noces, repas, apothéoses, règne un art d'ordonnance et de distribution qui fait que l'œil, loin d'être troublé par tant de personnages, se repose sur la savante harmonie qui se dégage de leurs contrastes mêmes. Il cherche à concilier dans une heureuse synthèse, qui est celle de la nature, les trois éléments de la ligne, de la couleur et de la lumière, dont l'heureux accord fait l'image parfaite de la réalité choisie, la seule qui mérite de servir de modèle. Véronèse exécute de véritables symphonies de couleurs, où pas une dissonance ne trouble une expression qui a quelque chose de voluptueux. Ses tableaux ont conservé dans les demi-teintes une légèreté, une transparence exceptionnelles. Ces œuvres splendides respirent la joie. Partout s'exprime un génie sain, vif, alerte, souriant, qui se joue de l'obstacle et en triomphe avec une communicative alacrité. Dans ses plafonds, il ose des raccourcis impossibles. Il déhanche, plie, tord ses personnages avec une aisance et une maîtrise sans exemple. Mais ce qui est sa marque bien personnelle, c'est l'agrément des attitudes, l'infinie variété des expressions extérieures du corps, la grâce ondoyante des démarches, le magnifique naturel des poses, l'inépuisable diversité des costumes. Ses toiles heureuses sont des hymnes aux beautés et aux joies de la vie. Paul Véronèse est l'inspirateur des peintres vénitiens jusqu'à la fin du XVIIIe siècle ; aussi bien Tiepolo que Guardi lui-même, tous les artistes de cette École sont, à des degrés divers, ses débiteurs. Son influence s'est étendue bien au delà ; Rubens et Van Dyck lui doivent le meilleur de leur distinction. Watteau est directement inspiré par le peintre des *Noces de Cana* ; plus près de nous Delacroix aussi bien que Renoir sont ses héritiers naturels. Et la liste, il faut l'espérer, n'est pas close. Chaque fois qu'un peintre exprimera les joies de la vie, la grâce et l'élégance, quelle que soit son origine, il sera un moment ou l'autre le descendant plus ou moins conscient de Paul Véronèse, génie universel. Il fut le poète plastique de l'évolution intellectuelle de son temps, adorant la nature et la peignant sous ses faces les plus diverses. Cette dévotion engendra un magnifique univers, plein de contrastes, de variété, de splendeurs.

■ E. C. Bénézit

Paolo Veronese

Bibliogr. : P.H. Osmond : *P. Veronese, his career and work*, Londres, 1927 – G. Fiocco : *Paolo Veronese*, Bologne, 1928 – A. Venturi : *Paolo Veronese*, Milan, 1928 – G. Delogu : *Paolo Veronese*, Bergame, 1936 – A. Orliac : *Veronese*, Paris, 1939 – R. Pallucchini : *Catalogo della Mostra di Paolo Veronese*, Venise, 1939 – R. Pallucchini : *Gli affreschi di Paolo Veronese a Maser*, Bergame, 1939-1943 – R. Pallucchini : *Paolo Veronese*, Bergame, 1940 – L. Coletti : *Paolo Veronese e la pittura a Verona nel suo tempo*, Pise, 1940 – R. Pallucchini : *Paolo Veronese*, Bergame, 1946 – Remiglio Martini, Guido Piovene : *L'Œuvre complet de Veronese*, Rizzoli, Milan, 1968 – Sylvie Béguin, Remiglio Martini : *Tout l'œuvre peint de Veronese*, Flammarion, Paris, 1969 – Terisio Pignatti : *Veronese. L'Œuvre complet*, deux vol., Venise, 1976 – Richard Cocke : *Dessins de Veronese avec catalogue raisonné*, New York, 1984.

Musées : Auch : *Jésus devant Pilate* – Avignon : *Les noces de Cana – le Christ chez Simon* – Bar-le-Duc : *Enlèvement d'Europe* – Berlin : *Jupiter, Fortuna et Germania – Le Christ mort porté par deux anges – La Fortune avec le Temps aident la Religion à combattre l'Hérésie – Minerve et Mars – Apollon et Junon – Déco-*

ration d'un plafond du palais Pisani à Venise – Jupiter, Junon – Cybèle et Neptune – Trois génies avec sceptres – Trois génies avec fruits – Trois génies avec poissons – Trois génies avec oiseaux – BESANÇON : *Judith et Holopherne* – BONN : *La Cène – L'Adoration des Rois* – BORDEAUX : *Adoration des Mages – La femme adultère – Sainte Famille* – BRUXELLES : *Junon versant ses trésors sur la ville de Venise* – BUDAPEST : *Allégorie sur Venise* – CAEN : *Judith – La tentation de saint Antoine*, attr. – *Épisode de la fuite d'Égypte – Jésus-Christ donnant les clefs à saint Pierre – Christ au tombeau*, attr. – CAMBRIDGE : *Hermès-Herse l'Agranlos* – CHANTILLY : *Mars et Vénus* – DARMSTADT : *Vénus cherchant à empêcher Adonis d'aller à la chasse* – DIJON : *Moïse sauvé des eaux – Présentation au temple – La Vierge entourée de la gloire céleste* – DRESDE : *La Foi, l'Espérance et la Charité – L'Adoration des Rois – Les noces de Cana – Jésus-Christ portant sa Croix – Le Centenier de Capharnaum devant le Christ – Moïse sauvé des eaux – Le bon Samaritain – Le crucifiement du Christ – Le crucifiement du Christ – Le Christ avec les disciples à Emmaüs – Léda avec le cygne – La résurrection du Christ – Portrait de Daniel Barbaro – Suzanne au bain* – DUBLIN : *Saint Philippe et James le Less* – ÉDIMBOURG : *Vénus et Adonis – Mars et Vénus* – LA FÈRE : *Une martyre* – FLORENCE (Palais Pitti) : *Portrait de la femme du peintre – Portrait d'homme – Jésus prend congé de sa mère avant la passion – Les Maries au Sépulcre – Saint Benoît et autres saints – Baptême du Christ – Portrait de Daniel Barbaro – Portrait d'enfant – La Présentation au Temple – Portrait d'enfant* – FLORENCE (Gal. Nat.) : *Portrait de l'artiste par lui-même – Sainte Catherine à genoux près de la roue de son martyre – Annonciation – Martyre de sainte Justine – Esther devant Assuérus – Tête d'homme – Tête de saint Paul – Jésus élevé en croix – La Sainte Vierge avec Jésus, saint Jean et un évêque – Sainte Agnès à genoux – Deux femmes, la Prudence et l'Espérance unies par Cupidon – Sainte Famille avec sainte Catherine* – FRANCFORT-SUR-LE-MAIN : *Mars et Vénus* – GÊNES : *Crucifiement* – GÊNES (Rosso) : *La crèche – Judith – Portrait d'une dame* – GENÈVE (Rath) : *Mise au tombeau* – GRENOBLE : *Jésus-Christ guérissant la femme hémoroïsse – Jésus-Christ apparaissant à la Madeleine* – KASSEL : *Mort de Cléopâtre – Légende de la Vierge et de la fille de roi franc* – LILLE : *Martyre de saint Georges – L'Éloquence, allégorie – La Science* – LONDRES (Nat. Gal.) : *La consécration de saint Nicolas, évêque de Myra – L'Enlèvement d'Europe – L'Adoration des Mages – La famille de Darius aux pieds d'Alexandre après la bataille d'Issus – Madeleine renonçant à ses joyaux – Sainte Cène – L'Invention de la croix – Infidélité – Mépris – Respect – Union heureuse* – LYON : *Moïse sauvé des eaux – Bethsabée au bain* – MADRID (Prado) : *Vénus et Adonis – L'Enfant Jésus discutant avec les docteurs – Jésus et le Centurion – Suzanne et les deux vieux juifs – Le mariage mystique de saint Gines – Madeleine pénitente – Moïse sauvé des eaux* – MAYENCE : *Dame caressant un lion* – MILAN (Gal. Brera) : *Saint Antoine, saint Corneille et saint Cyprien – La Cène chez le Pharisien – Le baptême et la tentation de Jésus Christ* – MONTAUBAN : *Tête de femme* – MONTPELLIER : *Le mariage de sainte Catherine* – MOSCOU (Roumianzeff) : *La Cène dans la maison du pharisien* – MUNICH : *Jupiter et Antiope – Amour ailé tenant deux chiens à la chaîne – Portrait d'une dame blonde vénitienne – Christ et le centurion de Capharnaum – La Sainte Famille – Le Christ et la femme adultère – Le centurion de Capharnaum devant le Christ – Cléopâtre – La justice – La foi – L'amour, charité mère avec trois enfants – La Force – L'Adoration des Mages – Portrait d'une femme en noir* – NANTES : *Portrait d'une femme que l'on croit être celui de Bianca Capello – Portrait de Marguerite de Bourbon, duchesse de Nevers – Général rendant compte d'une mission à son souverain ou saint Georges traduit devant un proconsul – Mercure frappant Aglaure de son caducée – L'infidélité – Le Dégoût* – NAPLES : *L'étang de Bathesda* – NOTTINGHAM : *Le Christ dans le Temple guérissant le malade – La femme adultère amenée au Christ par ses accusateurs – Étude d'un personnage ailé* – PARIS (Mus. du Louvre) : *Jésus-Christ succombe sous le poids de sa croix – Le Calvaire – Les disciples d'Emmaüs – Saint Marc couronnant les vertus théologales – Jupiter foudroyant les crimes – Portrait de jeune femme – L'incendie de Sodome – Suzanne et les vieillards – L'évanouissement d'Esther – Sainte Famille – Jésus guérit la belle-mère de Pierre – Les noces de Cana – Le repas chez Simon le pharisien* – RENNES (Mus. des Beaux-Arts) : *Persée délivrant Andromède* – ROME : *Portrait en costume vénitien* – ROME (Borghèse) : *Saint Antoine de Padoue prêchant aux poissons – Le précurseur* – ROTTERDAM : *Un faune et une nymphe* – ROUEN : *Saint Barnabé guérissant des malades – Une vision* – SAINT-PÉTERSBOURG (Mus. de l'Ermitage) : *Descente de Croix – Moïse sauvé des eaux – L'Adoration des Mages – Repos en Égypte – Jésus prêchant dans le Temple – Diane – Minerve – Portrait d'un sénateur vénitien de la maison Capello – Portrait d'homme – Portrait d'un praticien vénitien – Giovanni Barbarigo – Portrait d'un Patricien vénitien – Le crucifiement – La Sainte Famille – Le Riche et Lazare – La Sainte Famille avec sainte Catherine – Allégorie – Allégorie* – SALFORD : *Christ au tombeau* – TARBES : *Les noces de Cana* – VENISE (Gal. Nat.) : *Madone et saints – Venise sur le trône avec Hercule et Cérès – Le repas chez le Pharisien – Flagellation de sainte Christine – La bataille de Lépante – Le crucifiement – Saint Luc et saint Jean au milieu des nues assis sur leurs animaux symboliques – L'Annonciation – Saint Marc et saint Mathieu, sur les nues – La Foi – Le couronnement de la Vierge – Le Prophète Ézéchiel – Le prophète Isaïe – Martyre de sainte Christine – Sainte Christine visitée par les anges – La Vierge au milieu d'une haie de fleurs – Histoire de sainte Catherine* – VENISE (École des Beaux-Arts) : *Jésus chez le Pharisien – Le prophète Isaïe – Martyre de sainte Christine – Sainte Christine visitée par les anges – La Vierge fonde la fête du Saint-Rosaire – Épisode de la vie de sainte Christine – La bataille de Lépante – Jésus chez Lévi* – Médaillon au plafond de la salle des maîtres anciens – Plafond de la salle de dessins – *L'Assomption de la Vierge*, fait en collaboration avec son frère Benoît et son fils Carletto – VENISE (Palais Ducal) : *L'Adoration des Mages*, plafond de la salle autrefois Bibliothèque Saint-Marc – *Jésus au jardin des Oliviers – La Charité – La Mise au tombeau – Un vieillard assis auprès d'une jolie femme – Peinture en clair-obscur de la cheminée de la salle de la Boussole – Retour du doge André Contarini après sa victoire sur les Génois à Chioggia en 1380 – Apothéose de Venise*, plafond de la salle du grand conseil – *Prise de Smyrne, Défense de Scutari*, peintures au plafond du grand conseil – *Le Christ dans une gloire, au-dessous, Venise, la Foi, saint Marc, le doge Vernier, vainqueur à Venise*, plafond de la salle du grand conseil – *Prise de Smyrne, Défense de Scutari*, peintures au plafond du grand conseil – *Le Christ dans une gloire – Venise, la Foi, saint Marc, le doge Vernier vainqueur à Lépante et le provéditeur A. Barbarigo – L'Honneur – Les Mathématiques – La Musique – Mars et Neptune, la Foi, Venise avec la Justice et la Paix*, ces cinq derniers tableaux dans la salle du collège.

VENTES PUBLIQUES : PARIS, 1743 : *L'apparition du Christ à la Madeleine* : **FRF 2 041** ; *La femme adultère* : **FRF 3 700** – PARIS, 1756 : *Présentation au Temple* : **FRF 15 101** – PARIS, 1777 : *La femme adultère* : **FRF 5 010** – PARIS, 1786 : *Sainte Famille servie par des anges*, dess. : **FRF 660** – LONDRES, 1803 : *Une sainte et des anges descendant des cieux* : **FRF 3 415** – LONDRES, 1811 : *Massacre des Innocents* : **FRF 73 470** – PARIS, 1820 : *Vénus irritée contre l'Amour* : **FRF 19 200** ; *Portrait d'homme* : **FRF 9 200** – PARIS, 1846 : *Le baptême du Christ* : **FRF 4 600** – LONDRES, 1849 : *Mort de Procris* : **FRF 13 120** – PARIS, 1857 : *La Vierge, l'Enfant Jésus et sainte Anne*, dess. : **FRF 950** – PARIS, 1861 : *Mariage de la Vierge* : **FRF 14 840** – PARIS, 1863 : *La fille de Paul Véronèse* : **FRF 20 500** – PARIS, 1869 : *La fille de Paul Véronèse* : **FRF 16 100** – PARIS, 1870 : *Portrait de la belle Nani* : **FRF 30 200** – FLORENCE, 1880 : *Portrait d'une dogaresse* : **FRF 5 800** – PARIS, 1883 : *La Vierge, l'Enfant Jésus, sainte Catherine et sainte Lucie* : **FRF 17 300** – PARIS, 1884 : *Les Dieux et l'Olympe*, plafond : **FRF 4 200** – PARIS, 1888 : *Plafond d'un palais de Venise*, dess. : **FRF 716** – PARIS, 1889 : *Prise d'une ville* : **FRF 10 230** ; *Déchargement d'un navire* : **FRF 12 095** – NEW YORK, 1899 : *Figure d'homme et vieillard assis* : **FRF 12 000** – PARIS, 26 et 27 mai 1919 : *Sainte Conversation*, dess. au lav. de sépia reh. de blanc : **FRF 1 050** – PARIS, 8-10 juin 1920 : *Le festin de saint Grégoire-le-Grand*, pl. : **FRF 3 800** – LONDRES, 4 et 5 mai 1922 : *Marie Madeleine essuyant les pieds du Christ* : **GBP 294** – LONDRES, 4-7 mai 1923 : *Un amiral vénitien* : **GBP 504** – LONDRES, 6 juil. 1923 : *Dame de noble lignée* : **GBP 546** ; *Dame en robe jaune rayée* : **GBP 577** – PARIS, 4 fév. 1925 : *Sainte Cécile entourée d'anges et de chérubins*, sanguine, pl. et lav. de bistre : **FRF 4 000** – LONDRES, 15 juil. 1927 : *Diane et Actéon* : **GBP 1 470** – LONDRES, 22 mai 1928 : *Le Christ portant sa Croix*, esquisse au crayon pour le tableau conservé au Musée de Dresde : **GBP 34** – PARIS, 15 nov. 1928 : *Descente de Croix*, dess. : **FRF 6 200** – LONDRES, 12 juil. 1929 : *Le prince Auguste et la Sibylle* : **GBP 1 155** – LONDRES, 29 nov. 1929 : *La Vierge lisant dans un livre* : **GBP 546** – NEW YORK, 27 et 28 mars 1930 : *Vénus et Cupidon* : **USD 900** – NEW YORK, 29 oct. 1941 : *La Vierge et l'Enfant* : **USD 735** – PARIS, 23 oct. 1942 : *L'Adoration des Mages*, pl. et lav. de bistre, reh. de gche blanche, dessin du tableau conservé à la Galerie Nationale de Vienne : **FRF 37 000** – PARIS, oct. 1945-juil. 1946 : *Portrait en buste d'une jeune femme blonde*, attr. : **FRF 48 000** – PARIS, 30 nov.

1954 : *Portrait d'un général vénitien* : **FRF 1 800 000** – Londres, 26 juin 1957 : *Le Christ et la femme adultère* : **GBP 9 800** – Londres, 26 juin 1959 : *Portrait d'un procureur vénitien* : **GBP 1 050** – Londres, 7 déc. 1960 : *La Madone et l'Enfant en gloire entourés par des saints* : **GBP 2 400** – Zurich, 31 mai 1965 : *Portrait d'un page* : **CHF 29 000** – Londres, 1er juil. 1966 : *L'Adoration des bergers* : **GNS 40 000** – Londres, 5 juil. 1967 : *L'Annonciation* : **GBP 5 000** – Londres, 21 juin 1968 : *Portrait d'un général vénitien* : **GNS 5 500** – Londres, 26 juin 1970 : *Sacra Conversazione* : **GNS 14 000** – Londres, 25 mai 1971 : *Le martyre de sainte Lucie* : **GNS 78 000** – Londres, 12 déc. 1973 : *Un astronome ; Un patriarche*, h/t, une paire : **GBP 155 000** – Londres, 29 nov. 1974 : *L'Adoration des bergers* : **GNS 42 000** – Londres, 25 mars 1977 : *La Présentation au Temple*, h/t (152x124,5) : **GBP 13 000** – Londres, 20 juin 1978 : *Étude du martyre de saint Georges*, pl. et lav., coins du haut manquent (28,9x21,9) : **GBP 75 000** – New York, 11 janv 1979 : *Céphale et Procris*, h/pan., cartouche (37x79,5) : **USD 30 000** – Londres, 7 juil. 1981 : *Étude de femme*, craie noire (19,4x20) : **GBP 950** – Londres, 10 avr. 1981 : *Le Martyre et la dernière communion de sainte Lucie*, h/t (139,8x173,4) : **GBP 150 000** – Londres, 15 juin 1983 : *Homme assis*, craies noire et blanche (40,2x29,6) : **GBP 4 400** – Londres, 18 avr. 1985 : *Un jeune homme soulevant un rideau, avec un enfant et un lévrier*, h/t, transférée d'un panneau (205x104) : **GBP 200 000** – New York, 17 nov. 1986 : *Études : Judith et Holopherne, David et Goliath et autres compositions (recto) ; Étude pour la Résurrection de Lazare (?) (verso)*, pl. et lav. (29,8x19,4) : **USD 400 000** – Londres, 6 juil. 1987 : *Le Martyre de sainte Justine*, pl. et encre grise, lav. gris reh. de blanc/pap. bleu-gris (47x24,1) : **GBP 550 000** – New York, 10 jan. 1990 : *Vénus désarmant Cupidon*, h/t (158,3x139) : **USD 2 970 000** – Londres, 2 juil. 1990 : *Étude pour le baptême du Christ*, encre et lav. (7,2x15,4) : **GBP 27 500** – New York, 11 jan. 1991 : *La ville de Venise adorant l'Enfant Roi*, h/t (102,9x138,4) : **USD 1 045 000** – Londres, 2 juil. 1991 : *Figure féminine allégorique tenant un sceptre et un globe avec un pied posé sur les murailles d'une ville*, encre et lav. gris/pap. gris (27,8x20,2) : **GBP 30 800** – Londres, 5 juil. 1991 : *Portrait d'un gentilhomme en armure accoudé à un piédestal sur lequel sont posés son casque et un gantelet*, h/t (199,5x119) : **GBP 605 000** – New York, 14 jan. 1992 : *Étude de Rebecca et Eliezer près du puits*, encre et lav. (12,4x10,5) : **USD 42 900** – New York, 16 jan. 1992 : *Sainte Catherine d'Alexandrie dans sa prison visitée par le Saint-Esprit*, h/t (116,2x83,8) : **USD 440 000** – New York, 21 mai 1992 : *Portrait d'un jeune homme en buste portant un pourpoint rayé et une fraise blanche sa main droite tenant sa chaîne d'or*, h/t (51,2x40) : **USD 176 000** – Monaco, 2 juil. 1993 : *Projet pour la fresque du Paradis au Palais des Doges – Vénus et un groupe d'anges musiciens*, craie noire et encre brune (22x31,4) : **FRF 777 000** – Londres, 5 juil. 1993 : *Le repos pendant la fuite en Égypte*, encre avec reh. de blanc/pap. gris bleu (40,8x41,8) : **GBP 177 500** – Londres, 8 déc. 1993 : *Le repos pendant la fuite en Égypte*, h/t (44,5x76,2) : **GBP 122 500** – New York, 9 jan. 1996 : *Tête d'un homme de profil*, craie noire avec reh. de blanc/pap. bleu (13,2x14) : **USD 13 800** – New York, 30 jan. 1997 : *L'Adoration des bergers*, h/pan. (47x29,5) : **USD 189 500**.

VERONESI Bartolomeo

xviie siècle. Actif à Bologne vers 1688. Italien.

Peintre d'architectures.

VERONESI Luigi

Né en 1908 à Milan. Mort le 25 février 1998. xxe siècle. Italien.

Peintre, graveur, illustrateur, cinéaste, décorateur de théâtre. Abstrait.

Il étudia dans une école de dessin sur textiles, y recevant encore l'influence de l'art ornemental 1900. À Paris, en 1932, il connut Fernand Léger. Il a donc fait partie de la première génération des peintres abstraits italiens. Dès 1934, il adhérait au groupe *Abstraction-Création* de Paris. À partir de 1955, il vit et travaille à Milan.

Il participe à de nombreuses expositions de groupe, notamment : 1934 Galleria del Milione à Milan avec Josef Albers ; 1935 première exposition d'art abstrait en Italie à Milan ; 1936 Buenos Aires ; 1940 VIIe Triennale de Milan ; 1947 *Art abstrait-Art concret* au Palazzo Reale de Milan ; 1951, 1955 Biennale de São Paulo ; 1954 Biennale de Venise ; 1978 *Abstraction-Création 1931-1936* au Westfälisches Landesmuseum für Kunst und Kulturgeschichte de Münster et au Musée d'Art moderne de la Ville de Paris. Il montre ses œuvres dans des expositions personnelles : 1932 Galleria del Milione à Milan ; 1939 galerie Équipe à Paris.

À partir de sa rencontre avec Léger, il abandonna définitivement toute référence figurative dans ses compositions. Dans une première période, qui dura jusqu'à la Deuxième Guerre mondiale, il pratiqua une abstraction strictement géométrique. Après la guerre, il assouplit progressivement formes et lignes de ses compositions, tandis que sa palette colorée gagnait en éclat et en qualité picturale. Après la guerre, il a adhéré au groupe MAC, mouvement d'art concret, de Milan. Il a créé des films abstraits, colorés à la main, qui lui valurent un Prix au Festival de Knokke-le-Zoute, en 1949. Il crée également de nombreux décors de théâtre non figuratifs, à Milan, Parme, Bergame, Venise. En 1939 déjà, il avait donné, en collaboration avec le compositeur Malipiero, « 14 variations sur un thème pictural-14 variations sur un thème musical ». ■ J. B.

L VERONESI

Bibliogr. : Michel Seuphor : *Diction. de la peint. abstr.*, Hazan, Paris, 1957 – Giulia Veronesi : *W. Kandinsky, Franz Marc, le cavalier bleu*, L'Arte moderna, n° 47, vol. VI, Fratelli, Milan, 1967 – B. Dorival, sous la direction de... : *Peintres Contemporains*, Mazenod, Paris, 1964 – in : Catalogue de l'exposition *Abstraction-Création 1931-1936*, Westfälisches Landesmus. für Kunst and Kulturgeschichte, Münster, Musée d'Art moderne de la Ville, Paris, 1978.

Musées : Milan (Mus. civico) – Moscou (Mus. Pouchkine).

Ventes Publiques : Milan, 28 oct. 1971 : *Organico n° 28* : **ITL 1 100 000** – Rome, 5 déc. 1973 : *Composition*, temp. : **ITL 650 000** – Milan, 18 avr. 1978 : *Mouvement OH 3* 1970, h/t (100x70) : **ITL 2 000 000** – Milan, 22 mai 1980 : *Organico n° 67* 1964, h/t (53x64) : **ITL 3 300 000** – Milan, 12 juin 1984 : *Variabile n° 8* 1972, temp./t. mar./cart. (29x18) : **ITL 1 400 000** – Rome, 22 mai 1984 : *Composition L9* 1971, h/t (80x60) : **ITL 4 800 000** – Milan, 9 mai 1985 : *Organico n° 28* 1961, h/t (105x65) : **ITL 4 500 000** – Milan, 6 juin 1989 : *Composition concentrique* 1950, h./contre-plaqué (47x68) : **ITL 31 000 000** – Milan, 7 nov. 1989 : *Construction J H 7* 1988, h/t (50x60) : **ITL 14 500 000** – Milan, 27 mars 1990 : *Légèreté n° 2*, h/t (50x70) : **ITL 34 000 000** – Milan, 12 juin 1990 : *Sans titre* 1976, terre cuite peinte (H. 28,5) : **ITL 1 800 000** – Milan, 13 déc. 1990 : *Construction R5* 1986, h/pan. (60x49,5) : **ITL 11 000 000** – Milan, 9 nov. 1992 : *Composition* 1989, aquar. (34x26) : **ITL 2 800 000** – Milan, 15 déc. 1992 : *Construction B5/2* 1979, acryl./t. (60x50) : **ITL 5 700 000** – Milan, 22 juin 1993 : *Organique n° 61* 1963, h/rés. synth. (98x80) : **ITL 15 000 000** – Milan, 22 nov. 1993 : *Composition bleue* 1970, temp./cart. (42x31,5) : **ITL 4 007 000** – Lucerne, 4 juin 1994 : *Sans titre* 1987, aquar./pap. (41x29) : **CHF 2 900** – Milan, 12 déc. 1995 : *Construction Mag 12* 1985, h/t (40x30) : **ITL 6 900 000** – Milan, 19 mars 1996 : *Composition P2* 1971, temp. à la cire/t. (80x60) : **ITL 13 225 000** – Milan, 20 mai 1996 : *Variations aux tangentes* 1966, h/pan. (60x80) : **ITL 14 950 000** – Milan, 22 mai 1996 : *Étude pour un tissu* 1936, temp./cart. (26x26) : **ITL 4 025 000** – Milan, 18 juin 1996 : *Composition VP 1* 1977, h/t (40x30) : **ITL 6 900 000**.

VERONIQUE, Maître de la. Voir **MAÎTRE de la SAINTE VÉRONIQUE DE MUNICH**

VÉRONIQUE Maman. Voir **FILOZOF Véronique**

VEROTTI

xviiie siècle. Travaillant à Londres en 1775. Britannique.

Paysagiste.

VEROUGSTRAETE Régine

xxe siècle. Belge.

Artiste d'installations.

Elle a réalisé une installation à la chapelle des Brigittines à Bruxelles, dans l'obscurité, répandant sur le sol, et montant le long des voûtes, des pommes de terre.

Bibliogr. : Bernard Marcelis : *Itinéraire bruxellois*, Art Press, n° 197, Paris, déc. 1994.

VEROUGSTRAETE Victor

Né en 1869 à Watermael-Boitsfort. Mort en 1942 à Westmalle. xxe siècle. Belge.

Peintre, graveur, illustrateur.

Il fut élève des académies d'Anvers et Turnhout et de l'institut supérieur d'Anvers. Il séjourna aux États-Unis. Il fut professeur puis directeur de l'académie de Turnhout.

Bibliogr. : In : *Dict. biogr. ill. des artistes en Belgique depuis 1830*, Arto, Bruxelles, 1987.

VEROUST Juliette, Mme. Voir **CALLAUT Marie Juliette**

VERPEAUX
XIXe siècle (?). Français.
Peintre de paysages, aquarelliste.
Musées : Gray : *Dans la prairie*, aquar.

VERPILLEUX Émile Antoine
Né le 3 mars 1888 à Londres, d'origine belge. XXe siècle. Britannique.
Peintre de paysages urbains, graveur.
Il fit ses études à Londres et à Anvers. Il grava sur bois en couleurs et est connu par ses vues de Londres.

VERPOEKEN Hendrik
Né sans doute en 1791. Mort sans doute en 1869. XIXe siècle. Hollandais.
Peintre de paysages.
Actif à Utrecht, il travailla à Arnhem et à Hilversum de 1830 à 1840.
Ventes Publiques : New York, 23 mai 1989 : *Paysage boisé*, h/t (86x99) : **USD 7 700**.

VERPOORTEN Cornelis
Mort le 16 janvier 1639 à Malines. XVIIe siècle. Actif à Malines. Éc. flamande.
Peintre.
Il fut peintre de la ville de Malines et peignit en 1618, pour la Municipalité un *Jugement dernier*.

VERPOORTEN Jan
Né vers 1606 à Malines. XVIIe siècle. Éc. flamande.
Peintre.
Fils de Cornelis V.

VERPOORTEN Oscar
Né en 1895 à Anvers. Mort en 1948. XXe siècle. Belge.
Peintre de portraits, figures, paysages, paysages urbains, marines.
Il fut élève de l'académie d'Anvers, travaillant sous la direction de Frans Lauwers et Charles Mertens.
Ventes Publiques : Anvers, 7 avr. 1976 : *Barques de pêche au port*, h/t (120x140) : **BEF 60 000** – Anvers, 8 mai 1979 : *Sur l'Escaut*, h/cart. (50x50) : **BEF 34 000** – Amsterdam, 8 déc. 1988 : *Le port d'Anvers*, h/t (80x91) : **NLG 3 450**.

VERPOORTEN Peter ou **Pietro** ou **della Porta** ou **la Porta** ou **Varportel**
Mort en 1659 à Rome. XVIIe siècle. Actif à Malines. Italien.
Sculpteur.
Il s'établit à Rome en 1656 et y travailla pour le Vatican.

VERPOTI Sebastian
XVIIIe siècle. Travaillant à Ljubljana en 1740. Yougoslave.
Peintre.

VERPOUKE Anne Marie
Née en 1948 à Ostende. XXe siècle. Belge.
Peintre d'intérieurs, paysages urbains.
Elle fut élève de l'institut des Maricoles à Bruges. Elle vit et travaille à Ostende.
Elle peint des intérieurs luxueux avec des femmes et des vues d'Ostende fantaisistes.
Musées : Ostende (Mus. des Beaux-Arts).

VERPYLE Simon. Voir **VIERPYL**

VERRAIN Jean. Voir **VERIN**

VERRAT Charles
XVIe siècle. Travaillant à Troyes en 1587. Français.
Peintre verrier.
Il a exécuté des vitraux dans la cathédrale de Troyes.

VERRAT Jean
XVe-XVIe siècles. Travaillant à Troyes de 1496 à 1538. Français.
Peintre verrier.
Il a exécuté des vitraux dans la cathédrale de Troyes.

VERRATI Flaminio ou **Verratti**. Voir **VERATI**

VERRAZZANO Pietro da
XVIIe siècle. Actif à Florence dans la seconde moitié du XVIIe siècle. Italien.
Peintre amateur de natures mortes, animaux.
Il a réalisé des natures mortes de poissons.

VERRE André
Né le 17 janvier 1802 à Genève. XIXe siècle. Suisse.
Peintre, graveur au burin.
Élève de Nicolas Schenker. Il travailla à Turin, à Paris et à Buenos Aires.

VERREAULT Gisèle
Née en 1932 à Québec. XXe siècle. Canadienne.
Graveur, illustrateur.
Bibliogr. : Catalogue de l'exposition : *Les Vingt Ans du musée à travers sa collection*, musée d'Art contemporain, Montréal, 1985.
Musées : Montréal (Mus. d'Art Contemp.) : *Inscriptions* 1978, grav., illustrations de poèmes de Robert Mélançon.

VERREAUX Louis Léon Nicolas
XIXe siècle. Français.
Peintre de genre, portraitiste et paysagiste.
Élève de J.-B. Lecurieux. Il figura au Salon, de 1838 à 1870. Le Musée de Draguignan conserve de lui *Souvenir de Salperwich*, paysage dessiné à la mouchure de chandelle.

VERREYDT Pieter Victor
Né le 1er novembre 1814 à Diest. XIXe siècle. Belge.
Peintre d'histoire et de genre et portraitiste.
Élève de M. Van Bree et de Nicolas de Keyser.
Ventes Publiques : Paris, 19 mars 1943 : *Portrait de femme* : **FRF 1 450** – Bruxelles, 30 oct. 1985 : *L'alchimiste* 1846, h/pan. (57x44) : **BEF 110 000**.

VERREYT Jacob Johann
Né le 17 juin 1807 à Anvers. Mort le 17 décembre 1872 à Bonn. XIXe siècle. Belge.
Peintre de portraits et de paysages.
Élève de l'Académie d'Anvers. Le Musée Municipal de Rostock conserve de lui *Paysage avec rivière*.
Ventes Publiques : Londres, 4 nov. 1977 : *Paysage fluvial au clair de lune*, h/pan. (65x83) : **GBP 1 300**.

VERRIA Gori
Né en 1930. XXe siècle. Albanais.
Sculpteur de figures.
Musées : Tirana (Gal. des Arts) : *Paysanne de Zadrime* 1964.

VERRIER. Voir aussi **VEYRIER**

VERRIER Jan ou **Johannes**
Né en 1721 à Tournai. Mort le 25 juin 1797 à Leeuwarden. XVIIIe siècle. Éc. flamande.
Peintre et amateur d'art.
Élève de J. M. Quinkhard. Le Musée de Marseille conserve de lui *Paysage avec animaux*.

VERRIER Nicolas
Né au XIXe siècle à Orsay (Essonne). XIXe siècle. Français.
Peintre de paysages.
Il figura au Salon de Paris de 1874 à 1879.

VERRIER Pierre le. Voir **PIERRE le Verrier**

VERRIER Simon le. Voir **SIMON,** dit **Simon le Verrier**

VERRIER-MAILLARD, Mme
XIXe siècle. Française.
Peintre de portraits.
Élève de Guiard. Elle figura au Salon de 1802 avec : *Portrait de Mme X., à qui son fils présente des vers sur la Paix, qui ont remporté un prix* ; *Plusieurs portraits*, même numéro.

VERRIJT. Voir **VERRYT**

VERRIO Antonio
Né vers 1639 à Lecce, près d'Otrante. Mort le 17 juin 1707 à Hampton Court. XVIIe siècle. Italien.
Peintre d'histoire.
On ignore quel fut son maître. Au début de sa carrière il vint s'établir à Toulouse et y obtint un grand succès. Il peignit, notamment, un tableau d'autel pour le couvent des Carmes qui fut longtemps considéré comme une œuvre capitale. Le roi Charles II l'appela en Angleterre et lui confia d'importants travaux de décoration au château de Windsor. Lors de son avènement au trône Jacques II continua la même faveur à notre artiste. Il demeura fidèle à la cause des Stuart, après leur renversement et refusa d'abord de travailler pour le roi Guillaume. À la longue et grâce aux démarches de son patron Lord Exeter, pour qui il avait fait divers travaux à Burleigh et à Chatsworth, notamment un tableau d'autel pour la chapelle de ce château. Verrio fut employé par le roi d'Angleterre à la décoration du grand escalier de Hampton Court. Devenu aveugle il fut gratifié par la reine Anne d'une pension de 200 livres sterling. Le Musée de Toulouse conserve de cet artiste un *Mariage de la Vierge* et *Saint Félix de Cantalice*.

Ventes Publiques : Londres, 28 nov. 1974 : *James II receiving the mathematical scholars of Christ's Hospital*, gche : **GBP 4 200** – Londres, 2 mars 1983 : *Portrait de Charles II*, h/t, de forme ovale (74,5x62) : **GBP 5 500**.

VERROCCHIO, de son vrai nom **Andrea di Michele Cioni**
Né en 1435 à Florence. Mort le 7 octobre 1488 à Venise. xve siècle. Italien.
Peintre, sculpteur, orfèvre et musicien.

Les renseignements biographiques concernant Verrocchio sont peu abondants, mais ses œuvres témoignent de son importance dans l'Histoire de l'Art. Nous savons que, né à Florence en 1435, Verrocchio excella, lui aussi, dans cet art de l'orfèvrerie si en honneur auprès de ses contemporains et qu'il y tint un atelier célèbre où il enseignait à de nombreux élèves, parmi lesquels plusieurs devinrent illustres : le Pérugin, Lorenzo di Credi et surtout Léonard de Vinci. L'atelier de Verrocchio, ainsi que nous le verrons, a tenu une place considérable dans l'évolution de l'art florentin et il y a marqué une étape essentielle. Vasari, toujours fertile en anecdotes, affirme que Cosme de Médicis, grand amateur comme tous ceux de sa famille, des vestiges de l'Antiquité, avait rapporté de Rome un *Marsyas* de marbre blanc pour le placer dans un de ses jardins de Florence. Son neveu Laurent, le futur *Pensioroso* de Michel-Ange voulut, pour faire pendant à cette statue, faire restaurer un *Marsyas* en marbre rouge, malheureusement privé de ses cuisses, de ses jambes et de ses bras. Andrea s'en serait tiré à son avantage, faisant ainsi ses débuts dans l'art de la sculpture. Si les détails nous manquent sur la vie de Verrocchio, ils sont plus abondants en ce qui concerne ses œuvres et c'est ce qui importe avant tout. La Galerie des Offices conserve de Verrocchio un tableau capital : *Le Baptême du Christ*, œuvre puissante et rude de sculpteur, élève de Donatello, mais que tempère la grâce un peu équivoque de deux anges, dont le plus beau, celui de gauche, est à peu près unanimement attribué à Léonard de Vinci, son élève. Dans la sombre et sévère cour du Palais Vieux, la fontaine de *L'Enfant au Poisson*, dans la pure tradition de Donatello, rayonne de malice joyeuse en ce triste lieu. Au Bargello, ce sanctuaire de la sculpture florentine où Donatello s'impose souverainement, Verrocchio est à l'honneur avec son *David*. Florence possède trois *David*, le plus célèbre et le plus moderne, celui de Michel-Ange, est à l'Académie, mais au premier étage du Bargello, le *David* de Donatello voisine avec celui de Verrocchio. Les deux adolescents rivalisent de beauté, celui de Donatello, paraît plus naturel, plus viril malgré son étrange couvre-chef, celui de Verrocchio est charmant, inquiétant même avec son charme presque féminin, la perfection du métier y est plus apparente dans l'exécution des ornements de la cuirasse. Toujours à Florence et dans cet autre sanctuaire de la sculpture florentine qu'est l'église d'Or San Michele, Verrocchio voisine encore avec Donatello ; autour de cet édifice carré, douze niches exposent en plein vent les statues des saints représentant les douze arts en lesquels se divisaient le commerce et l'industrie de la ville. Dans le groupe *Le Christ et saint Thomas* Verrocchio affirme sa maîtrise ; s'il a perdu la noble simplicité de Donatello, son art y a atteint une science perceptible dans les détails de ces draperies qui annoncent déjà celles de Léonard de Vinci. Mais c'est à Venise que Verrocchio devait rencontrer le drame de sa vie, son martyre et son apothéose. La République Sérénissime voulant honorer la mémoire d'un de ses plus fameux condottieri, Bartoloméo de Bergame, dit le Colleone, chargea Verrocchio de lui élever une statue équestre au Campo San Giovanni y Paolo. Commencée en 1481 l'œuvre capitale de Verrocchio, interrompue à plusieurs reprises, ne fut finalement achevée qu'après sa mort an 1488 par Leopardi. Cette fois encore Verrocchio va se retrouver en face de son maître et rival. En effet, à trente kilomètres de Venise, à Padoue, trente-quatre ans avant lui, Donatello avait exécuté la première grande statue équestre depuis l'Antiquité : celle du *condottiere Gattamelata*. Le parallèle est classique entre ces deux œuvres, en réalité fort différentes d'inspiration et d'exécution. A leur sujet le critique italien Matheo Marangoni écrit très justement : « Le Gattamelata et le Colleoni sont deux modèles de sensibilité opposées : la première, dominée par une volonté de calme, la seconde, qui veut manifester tout son élan. Ainsi les qualités de concision et d'équilibre rythmique du *Gattamelata* sont sacrifiées dans le *Colleoni* au caractère individuel et momentané. La première de ces œuvres rappelle le monde classique, la seconde, le monde romantique ». Il est certain que dans la statue de Gattamelata on retrouve la majesté tranquille de la statue de Marc Aurèle, dans le cheval en action de Verrocchio, avec son cavalier crispé dans son élan et debout sur ses étriers, on voit poindre le début de la sculpture baroque et les chevaux cabrés du Bernin. Pour de nombreux et valables motifs, Andrea Verrocchio tient dans l'Histoire de l'Art une place éminente. Il y apparaît, en effet, à la fois comme une rupture et un trait d'union entre deux esthétiques et deux moments essentiels de la peinture et de la sculpture italienne. Avec Donatello prend fin en quelque sorte la période classique, avec Verrochio débute l'Art moderne.

■ Jean Dupuy

Bibliogr. : M. Mackowski : *Verrocchio*, Leipzig, 1901 – M. Cruttwell : *Il Verrocchio*, Londres, 1904 – M. Reymond : *Verrocchio*, Paris, 1905 – L. Planiscig : *Verrocchio*, Vienne, 1941 – Lionello Venturi : *La peinture italienne, du Caravage à Modigliani*, Skira, Genève, 1952.

Musées : Berlin : *Vierge et Enfant Jésus*, sculpt. – *Mise au tombeau*, bas-relief – *Jeune homme endormi*, statuette – *Vierge et Enfant Jésus*, peint. – Birmingham : *Vierge et Enfant Jésus*, sculpt. – Dijon : *Vierge et Enfant Jésus*, peint. – Florence : *Résurrection du Christ*, bas-relief – *David*, statue – *L'épouse de François Tornabuoni qui mourut en couches*, bas-relief – *Baptême du Christ*, peint. – Londres (Mus. Victoria et Albert) : *Saint Jérôme lisant*, statue – *Buste d'un jeune homme* – Orléans : *Portrait présumé du pape Calixte II*, peint. – *Baptême du Christ*, peint. – Paris (Mus. du Louvre) : *La Madeleine ravie au ciel*, sculpt. – Saint-Pétersbourg (Mus. de l'Ermitage) : *Vierge et Enfant Jésus*, peint. – Salford : *David*, sculpt.

Ventes Publiques : Paris, 1811 : *Vieillard chauve à grande barbe blanche*, h/t, esquisse : **FRF 42** – Paris, 1865 : *La Vierge, l'Enfant Jésus et le petit saint Jean* : **FRF 310** – Paris, 1869 : *La Vierge et l'Enfant* : **FRF 930** – Londres, 25 et 26 mai 1911 : *Vierge et Enfant* : **GBP 6 300** – Londres, 8 juin 1928 : *Vierge et Enfant* : **GBP 441** – Paris, 4 mai 1951 : *Le triomphe d'un guerrier*, dess. à la pl. et au lav. de bistre, reh. de gche, présumé de V. : **FRF 17 000**.

VERROCCHIO Tommaso del
xvie siècle. Italien.
Peintre.

Élève et assistant de Vasari en 1565.

VERRON-VERNIER Paul. Voir **VERNIER Paul Barthélémy**

VERRUETA Juan de
xvie siècle. Actif à Sangüesa à la fin du xvie siècle. Espagnol.
Sculpteur sur bois.

Il termina les stalles de la cathédrale d'Huesca commencées par son père. Nicolas de Verastegui. Peut-être identique à Juan Garcia de Verastegui.

VERRYCK Dirk ou **Theodor** ou **Vereyk** ou **Verrijk**
Né en 1734 à La Haye. Mort en 1786. xviiie siècle. Hollandais.
Dessinateur.

Musées : Bruxelles : Seize vues de villes hollandaises.

Ventes Publiques : Paris, 11 et 12 juin 1928 : *Paysages animés de personnages de qualité*, aquar., une paire : **FRF 1 800** – Paris, 29 avr. 1942 : *La rue du village*, aquar. : **FRF 1 400** – Paris, 31 mars 1943 : *Les bords de l'Escaut*, lav. d'encre de Chine : **FRF 3 050** – Paris, 14 mars 1955 : *Le village au bord de l'eau* : **FRF 10 500** – Amsterdam, 29 oct 1979 : *Vue d'Utrecht*, pl. et lav. reh. de blanc (25,8x40,3) : **NLG 6 200** – Paris, 4 mai 1984 : *Vue du village de Fleury, en Hollande*, dess. au lav. brun gris et bleu, double face (24x37,2) : **FRF 10 500** – Amsterdam, 28 nov. 1985 : *Le canal de Etten-Leur près de Breda*, pl. et aquar. reh. de blanc (30,1x46,2) : **NLG 8 000** – Paris, 9 déc. 1992 : *Vue du manoir de Brittenrust près d'Alphen sur le Rhin* 1771, pierre noire, lav. de gris et encre brune (35,6x47,7) : **FRF 8 500** – Amsterdam, 15 nov. 1994 : *La Weerdepoort à Utrecht*, aquar. et encre (14,1x19,6) : **NLG 3 910**.

VERRYT D.
xviie siècle. Travaillant à Middelbourg vers 1605. Hollandais.
Peintre d'architectures.

VERSALI Ignaz Gottfried
Né à Vienne. Mort le 7 mars 1721 à Vienne. xviiie siècle. Autrichien.
Peintre.

VERSCHAEREN Jean Antoine ou **Jan Antoon**
Né le 27 avril 1803 à Anvers. Mort le 30 mai 1863 à Anvers. xixe siècle. Belge.
Portraitiste, paysagiste et peintre d'histoire.

Élève de Van Herreyns. Il voyagea en Angleterre, en Allemagne, en France, en Italie et vécut à Munich et à Rome. Professeur à l'Académie d'Anvers. Le Musée de cette ville conserve de lui *Portrait de Willem Jakob Herreyns* et celui de Bruxelles, *Portrait de M. Kessel* et *Portrait de Willem Jakob Herreyns*.

VERSCHAEREN Theodoor Joseph
Né le 5 novembre 1874 à Mechelen (Malines). Mort le 25 avril 1937 à Mechelen. XIXe-XXe siècles. Belge.
Peintre de genre, compositions animées, figures, portraits, fleurs, graveur. Expressionniste.
Il fut élève de l'académie de Malines. Une rétrospective de ses œuvres a été organisée en 1963 par la ville de Mechelen.
Il a été essentiellement un peintre de figures et de compositions à personnages. Il appartient totalement à l'expressionnisme belge moderne. Ses personnages sont brossés largement dans une pâte dorée. Parfois, quand ses modèles sont féminins, il se permet des notations tendrement humoristiques sur leurs coquetteries de maquillage et de vêtements. Les hommes sont plus rudement campés, souvent dans la tenue de leur métier. Il a traité des sujets contemporains, comme un couple à motocyclette. Graveur, il a privilégié la technique de l'eau-forte.
Bibliogr. : Divers : *Theodoor J. Verschaeren*, Ville de Mechelen, 1974 – in : *Dict. biogr. ill. des artistes en Belgique depuis 1830*, Arto, Paris, 1987.
Ventes Publiques : Lokeren, 5 oct. 1996 : *Broodsnijster* 1934, h/t (111x73) : **BEF 30 000**.

VERSCHAFFELT Edward, ou **Édouard**
Né en 1874 à Ledeberg. Mort en 1955. XIXe-XXe siècles. Belge.
Peintre de genre, sujets orientaux, figures, portraits.
Il étudia aux académies de Gand et d'Anvers.
Il vécut quelques années au Maroc, peignant, par petites touches rapides, des scènes de la vie quotidienne.

Bibliogr. : In : *Dict. biogr. ill. des artistes en Belgique depuis 1830*, Arto, Paris, 1987.
Ventes Publiques : Enghien-les-Bains, 16 oct. 1983 : *La Fileuse*, h/t (52x62) : **FRF 43 000** – Versailles, 17 mars 1985 : *Scène de bataille à Bousaada*, h/t (89x134) : **FRF 60 000** – New York, 1er mars 1990 : *Mère et fille*, h/t (71,7x90,2) : **USD 11 000** – Paris, 27 avr. 1990 : *Maternité*, h/t (40x50) : **FRF 68 000** – Paris, 22 juin 1990 : *Scène familiale*, h/t (46x52) : **FRF 79 000** – Paris, 28 mai 1991 : *La famille*, h/t (39x49) : **FRF 30 000** – Paris, 18-19 nov. 1991 : *La diseuse de bonne aventure*, h/t (51x66) : **FRF 92 000** – Paris, 16 nov. 1992 : *Yeux de biche et turban rose*, h/t (79x60) : **FRF 40 000** – Paris, 5 avr. 1993 : *Le thé et les lignes de la main*, h/t (70x100) : **FRF 180 000** – Paris, 22 mars 1994 : *Jeune fille au foulard bleu* 1925, h/t (100x80) : **FRF 100 000** – Londres, 17 nov. 1994 : *Femmes arabes en train de filer* 1948, h/t (75,6x89) : **GBP 10 350** – Paris, 11 déc. 1995 : *Vieillard et jeune fille*, h/t (106x83) : **FRF 250 000** – Paris, 9 déc. 1996 : *Les Jeunes Arabes de Bou-Saâda*, h/t (55,5x39,5) : **FRF 20 000** – Paris, 17 nov. 1996 : *Tendresse autour de l'enfant*, h/t (45x54,5) : **FRF 41 000** – Londres, 26 mars 1997 : *Arabes dans un intérieur*, h/t (52x63,5) : **GBP 4 600** – Paris, 10-11 juin 1997 : *Scène familiale, Bou-Saâda*, h/t (54x65) : **FRF 38 000** – Paris, 27 juin 1997 : *Scène familiale, Bou-Saâda*, h/t (73x90) : **FRF 53 000**.

VERSCHAFFELT Maximilian von
Né en 1754 à Mannheim. Mort en 1818 à Vienne. XVIIIe-XIXe siècles. Allemand.
Dessinateur d'architectures et architecte.
Il fit ses études à Paris et à Rome où il fut l'ami de Goethe. Il travailla à la cour de Munich.
Musées : Ielgava, ancien. en all. Mitau : *Agar et Ismaël dans le désert* – Weimar (Mus. Goethe) : *Vue du Capitole de Rome*.
Ventes Publiques : Londres, 10 avr. 1985 : *Agrigento : le Temple de Janus et le Temple de la Concorde* 1795, craie noire et lav., deux dessins (45,8x57,8) : **GBP 1 400**.

VERSCHAFFELT Pieter Antoine ou **Peter Anton**, dit **Pietro Fiammingo**
Né le 8 mai 1710 à Gand. Mort le 5 avril 1793 à Mannheim. XVIIIe siècle. Éc. flamande.
Sculpteur et architecte.
Élève de son oncle Pieter de Sutter et de Bouchardon à Paris. Il travailla à Paris, Rome, Londres et, à partir de 1752, à Mannheim. Il exposa à la Free Society à Londres, en 1765.
Ventes Publiques : Paris, 1894 : *Caverne souterraine*, dess. et aquar. : **FRF 29**.

VERSCHIER Lieve Pietersz. Voir **VERSCHUIR**

VERSCHMER Albregt ou **Albert**
Né à Rotterdam. Mort le 16 juillet 1680 à Rotterdam probablement. XVIIe siècle. Hollandais.
Peintre de portraits.

VERSCHNEIDER Jean
Né en 1872 à Lyon (Rhône). Mort en 1943. XIXe-XXe siècles. Français.
Sculpteur de compositions mythologiques.
Il fut élève de Jacques Perrin et de Jean Antoine Injalbert. Il participa à Paris, au Salon des Artistes Français, dont il fut membre sociétaire à partir de 1908 ; il reçut une mention honorable en 1909.
Ventes Publiques : Monte-Carlo, 23 juin 1979 : *Femme sur un rocher* vers 1900, bronze (H. 48,5) : **FRF 7 000** – Monte-Carlo, 25 juin 1981 : *Femme debout portant cape et casque* vers 1900, bronze et ivoire (H. 67,5) : **FRF 32 000** – Paris, 17 déc. 1996 : *Les Pommes d'or*, bronze (H. 57) : **FRF 6 800**.

VERSCHOOR Willem. Voir **VERSCHWER**

VERSCHOOTEN Bernard ou **Verschoot**
Né en 1728 à Bruges. Mort en mai 1783 à Bruxelles. XVIIIe siècle. Éc. flamande.
Peintre d'histoire, portraits, dessinateur, décorateur.
Il fut le premier directeur de l'Académie de Bruxelles fondée par le prince Charles de Lorraine.
On lui attribue un tableau d'autel à l'église du Sablon.
Musées : Ypres : *Académie* 1752, cr.
Ventes Publiques : Londres, 2 juil. 1996 : *Études de têtes*, encre et lav. (24,1x34,4) : **GBP 1 150**.

VERSCHOOTEN Joris Van. Voir **SCHOOTEN Joris Van**

VERSCHOR Karel Jansz
XVIIe siècle. Actif à Amsterdam. Hollandais.
Graveur.
En 1615, il livra une vue de la ville de Deventer à l'éditeur Johannes Christianus.

VERSCHOREN Gillis Van. Voir **SCHOOR Gillis Van**

VERSCHOTEN Floris Gerritsz Van. Voir **SCHOOTEN Floris Gerritz Van**

VERSCHRAEGEN Philemon
Né en 1867 à Wachtebeke. XXe siècle. Belge.
Peintre de paysages, fleurs, natures mortes.
Il étudia à l'académie de Saint-Josse-ten-Noode, où il eut pour professeur Eugène Bertrand.
Bibliogr. : In : *Dict. biogr. ill. des artistes en Belgique depuis 1830*, Arto, Bruxelles, 1987.

VERSCHUER Jan Pietersz
XVIIe siècle (?). Actif à Rotterdam. Hollandais.
Peintre.

VERSCHUEREN, famille d'artistes
XVIIe siècle. Actifs à Malines. Éc. flamande.
Peintres.

VERSCHUEREN Bob
XXe siècle. Belge.
Auteur d'installations.
Il montre ses œuvres dans des expositions personnelles en Belgique, notamment en 1997 à l'atelier 340, où il avait déjà exposé en 1992 avec Nils Udo.
Il travaille avec des matières naturelles, putrescibles, fruits secs, feuilles, pelures d'oranges, plantes diverses, ainsi qu'avec la lumière naturelle et des figures géométriques (triangle, cercle, carré) qui jouent le rôle de structure. Éphémères et colorées, ses installations sont conçues en fonction du lieu qui les accueille.

Bibliogr. : Bernard Marcelis : *Bob Verschueren*, Art Press, n° 162, Paris, oct. 1991.

VERSCHUIR Lieve Pietersz ou **Verschuier** ou **Verschuur** ou **Verschuer**

Né vers 1630 à Rotterdam. Enterré à Rotterdam le 17 décembre 1686. XVIIe siècle. Hollandais.

Peintre d'histoire, paysages, marines, sculpteur sur bois.

Fils du sculpteur Pieter Cornelisz Verschuir. On dit qu'il fut élève de Julius Porcellis ou de Jacob Belle Vois. Avant 1652, il vécut à Amsterdam, où il travailla probablement chez Simon de Vlieger. On dit aussi qu'il visita l'Italie, où il aurait connu Cuyp et Claude, desquels on ressent en tout cas l'influence dans ses œuvres. Il a une façon caractéristique de produire les vagues.

Musées : Amsterdam : *Arrivée de Charles II d'Angleterre à Rotterdam le 24 mai 1660 – L'estrapade – Eau ridée* – Budapest : *L'incendie de Londres en 1666* – Dublin (Gal. Nat.) : *Port de mer* – Hambourg : *Joueuse de luth* – Munich (Pina.) : *Vue d'un canal* – Rome (Gal. Corsini) : *Marine* – Rotterdam : *La Meuse en amont de Rotterdam – Côte italienne – Même sujet* – Strasbourg : *Chute du jour sur la mer* – Vienne (Gal. Liechtenstein) : *Marine.*

Ventes Publiques : Paris, 1872 : *Marine* : **FRF 12 650** – Londres, 4-7 mai 1923 : *Vue de Rotterdam* : **GBP 147** – Paris, 9 mars 1951 : *L'estuaire de la Meuse à Dordrecht* : **FRF 900 000** – Paris, 1er-2 avr. 1954 : *L'estuaire de la Meuse à Dordrecht* : **FRF 800 000** – Lucerne, 26-30 juin 1962 : *Port avec pêcheurs et voiliers* : **CHF 6 700** – Lucerne, 19 juin 1964 : *Marine* : **CHF 8 000** – Londres, 7 juil. 1976 : *La comète de Halley vue de Rotterdam*, h/pan. (25,5x32,5) : **GBP 7 000** – Londres, 12 juil. 1978 : *Port au crépuscule*, h/pan. (36x48,5) : **GBP 7 500** – New York, 30 mai 1979 : *Voiliers en mer*, h/t (63,5x71) : **USD 6 500** – Londres (Lincolnshire), 1er mai 1984 : *L'arrivée de Charles II d'Angleterre à Rotterdam le 24 mai 1660*, h/pan. (46,9x99) : **GBP 18 000** – Paris, 16 juin 1987 : *Marine*, h/t (158x102) : **FRF 200 000** – Amsterdam, 22 nov. 1989 : *Vaisseau de guerre et autres embarcations près d'une jetée*, h/t (59x79,5) : **NLG 218 500** – Londres, 8 déc. 1989 : *Le yacht du Prince Guillaume II d'Orange, avec d'autres embarcations par mer calme au large d'une ville*, h/t (107x156) : **GBP 77 000** – Amsterdam, 14 nov. 1991 : *Vaisseaux de la marine royale hollandaise amarrés dans un port avec un berger et son bétail sur la grève*, h/pan. (36,5x49,4) : **NLG 12 650** – Londres, 21 avr. 1993 : *Caravelle et vaisseau de guerre hollandais avec un autre bâtiment échoué et réparation*, h/t (55x86,3) : **GBP 15 525** – Londres, 20 avr. 1994 : *Baleiniers hollandais dans l'Arctique*, h/t (67,3x94,2) : **GBP 8 050** – Londres, 4 juil. 1997 : *Côte méditerranéenne à l'aube avec un galliot préparant à décharger sa cargaison près de restes de ruines classiques, une frégate calfatée dans le lointain*, h/pan. (35,8x47,6) : **GBP 33 350.**

VERSCHURING Hendrik, l'Ancien ou **Verschuuring** ou **Verschuringh** ou **Verschuyring**

Né en 1627 à Gorkum ou Gorinchem. Mort le 26 avril 1690 près de Dordrecht, noyé. XVIIe siècle. Hollandais.

Peintre de compositions religieuses, sujets militaires, scènes de genre, paysages, aquafortiste.

Il fut d'abord destiné à l'état militaire par son père, capitaine d'infanterie dans l'armée hollandaise ; une constitution délicate, de remarquables dispositions pour le dessin permirent à Hendrik de suivre ses goûts artistiques. Il fut élève du peintre de portraits Derik Govertsz jusqu'à treize ans, puis alla à Utrecht travailler durant six années avec Jan Roth. Il alla ensuite en Italie terminer son éducation.

Il s'y révéla habile peintre de sujets de chasse, de batailles, de paysages décorés de ruines d'anciens monuments. De retour en Hollande en 1662, il y peignit particulièrement des scènes guerrières et y obtint un grand succès. On prétend que Wouwerman peignit parfois des chevaux dans ses tableaux. Il a laissé quelques estampes traitées avec beaucoup d'esprit.

Musées : Copenhague : *La visite au camp* – Douai : *Intérieur d'écurie* – Dresde : *Départ de cavaliers – Le Christ sur le chemin du Golgotha* – La Fère : *Attaque de voleurs* – La Haye : *Paysage italien avec chiens de chasse* – Leipzig : *Plazza Aracœli à Rome* – Lille : *Paysage* – Londres (Nat. Gal.) : *Combat* – Munich : *Plaine sablonneuse au bord de la mer* – Nantes : *Choc de cavalerie au pied d'une forteresse* – Oldenbourg : *Paysage avec des chevaux* – Oslo : *Escarmouche de cavalerie* – Riga (Mus. mun.) : *Après la bataille – Autour du drapeau – Scène de camp* – Rotterdam : *Le maréchal-ferrant* – Saint-Pétersbourg (Mus. de l'Ermitage) : *Forge – Abreuvoir* – Stuttgart : *Joueuse de mandoline* – Vienne (Czernin) : *Bataille* – Vienne (Schonborn-Bucheim) : *Combat de cavalerie – Aurore sur la mer* – Winterthur : *Cheval à l'écurie* – Würzburg : *Choc de cavalerie – Après la bataille.*

Ventes Publiques : Paris, 1777 : *Charlatans sur une place publique* : **FRF 375** – Paris, 1785 : *Une foire*, dess. à l'encre de Chine : **FRF 64** – Paris, 1851 : *Halte de chasse* : **FRF 300** – Paris, 1862 : *Le marché aux chevaux* : **FRF 725** – Paris, 1886 : *La partie de tric-trac* : **FRF 1 100** – Paris, 1891 : *Siège d'une ville* : **FRF 675** – Amsterdam, 1897 : *Le départ pour la chasse* : **FRF 966** ; *Portrait de chef d'armée* : **FRF 588** – Londres, 22 juil. 1910 : *Hommes et chevaux sur un reliquaire* : **GBP 12** – Paris, 8-10 juin 1920 : *La Parade*, pl. : **FRF 3 400** – Paris, 10 juin 1925 : *Combat de cavalerie* : **FRF 850** – Paris, 28 nov. 1928 : *Les saltimbanques*, dess. : **FRF 1 900** – Paris, 17 juil. 1941 : *Halte de cavaliers*, pierre noire et lav. : **FRF 3 500** – Paris, 8 avr. 1949 : *Combat de cavalerie* : **FRF 5 000** – Paris, 15 déc. 1949 : *Escarmouche de cavalerie*, attr. : **FRF 13 000** – Paris, 4 déc. 1950 : *Choc de cavalerie*, attr. : **FRF 17 500** – Lucerne, 23-26 nov. 1962 : *Paysage animé de nombreux personnages* : **CHF 10 000** – Londres, 9 fév. 1973 : *Nombreux personnages autour d'une fontaine* : **GNS 3 000** – Versailles, 16 mai 1976 : *Le retour des pêcheurs*, h/bois (50x92) : **FRF 42 000** – Versailles, 26 oct. 1980 : *La halte des cavaliers et cheveaux dans une grange*, h/t (42x55) : **FRF 14 500** – Amsterdam, 26 nov. 1984 : *Chevaux et personnages parmi des ruines* 1679, lav. de gris (38,4x52) : **NLG 4 400** – Paris, 6 déc. 1984 : *Le Joueur de vielle*, h/t (57x44) : **FRF 52 000** – Paris, 27 mai 1987 : *La Parade*, pl., encre brune et lav. de gris (24,5x40,5) : **FRF 18 000** – Amsterdam, 14 nov. 1988 : *Homme armé d'un mousquet avec deux chiens et une femme à cheval*, lav. (15,4x13,3) : **NLG 1 150** – Londres, 19 mai 1989 : *Engagement de cavalerie* 1677, h/t (102,2x137,8) : **GBP 8 800** – Amsterdam, 20 juin 1989 : *Halte de voyageurs à un col de montagne*, h/t (46,5x39,5) : **NLG 7 475** – Amsterdam, 12 juin 1990 : *Cavalier tenant son cheval par la bride avec deux chiens dans des ruines classiques*, h/pan. (38,8x30) : **NLG 8 050** – Londres, 20 juil. 1990 : *Ferrage de chevaux dans une grange avec un voyageur et son compagnon*, h/t (54x67) : **GBP 7 920** – New York, 11 oct. 1990 : *Fête paysanne*, h/pan. (48x63,5) : **USD 7 150** ; *Circulation de Romains près de la Porte du Peuple* 1673, h/t (65x80) : **USD 15 400** – Londres, 1er avr. 1992 : *Paysage méditerranéen avec une partie de chasse près d'une villa*, h/pan. (43,2x60,5) : **GBP 8 800** – Monaco, 20 juin 1992 : *Une armée donnant l'assaut au pied d'une colline* 1662, lav. de gris/pap. filigrané (36x45) : **FRF 44 400** – Amsterdam, 16 nov. 1993 : *Cavaliers se reposant sous les murailles d'une ville* 1689, craie noire et lav. (23,3x35,2) : **NLG 3 220** – Amsterdam, 10 mai 1994 : *Engagement de cavalerie*, h/t (60,5x73,5) : **NLG 16 100** – New York, 24 avr. 1995 : *Voyageurs et leurs chevaux traversant un ruisseau*, h/pan. (43,2x62,2) : **USD 4 312** – Amsterdam, 15 nov. 1995 : *Groupe de voyageurs près de la forge du maréchal-ferrant*, craie noire et lav. avec reh. de blanc/pap. (27x37,8) : **NLG 5 428** – Londres, 8 déc. 1995 : *Soldats partageant le butin dans une salle de garde*, h/t (59,7x73,4) : **GBP 19 550** – Amsterdam, 7 mai 1996 : *Voyageurs dans un village de montagne* 1670, h/pan. (41,5x49,2) : **NLG 13 800** – Amsterdam, 11 nov. 1997 : *Capriccio italien avec des soldats et des personnages dans des ruines*, brosse, encre noire et cire (30,2x41,1) : **NLG 5 310.**

VERSCHURING Willem, le Jeune

Né en 1657 à Gorkum. Mort en 1715 à Gorkum. XVIIe-XVIIIe siècles. Éc. flamande.

Peintre de genre, graveur.

Élève de son père Hendrik Verschuringh et de Jan Verkolye à Delft.

Il peignit de petits portraits, des conversations, des intérieurs, des sujets de genre, traités avec beaucoup de soin, dans la manière de ce dernier maître. Il fut également graveur au burin, à la manière noire. Cependant, bien qu'il se fut fait une réputation de bon peintre, il abandonna l'art pour le commerce.

Musées : Hambourg (Kunsthalle) : *Joueuse de luth.*

Ventes Publiques : Paris, 1879 : *Vue prise à Rome* : **FRF 900** – Paris, 3 déc. 1941 : *Portrait de jeune dame* : **FRF 7 500** – Londres, 8 juil. 1983 : *La Marchande de légumes* 1690, h/pan. (22,9x20,3) : **GBP 3 200** – Londres, 1er mars 1991 : *Jeune homme tenant une pipe et un verre*, h/pan. (21,5x17,7) : **GBP 7 480** – Amsterdam, 17 nov. 1994 : *Les effets de l'intempérance : jeune femme incommodée par la fumée du tabac et couple enlacé dans un riche intérieur*, h/t (56,2x47) : **NLG 20 700**.

VERSCHUUR Cornelis Wouter. Voir **BOUTER Cornelis**

VERSCHUUR Wauterus ou **Walter** ou **Wouter**

Né le 11 juin 1812 à Amsterdam. Mort le 4 juillet 1874 à Vorden. XIXe siècle. Hollandais.

Peintre de sujets militaires, scènes de genre, scènes de chasse, animaux, paysages.

Élève de P. G. Van Os et de C. Steffelaar. Il obtint le prix Félix Meritis en 1831 et 1832 ; il fut membre de l'Académie d'Amsterdam.

Il a particulièrement peint des chevaux et des sujets rustiques dans lesquels il introduit très fréquemment ces animaux.

Musées : Amsterdam (Mus. Nat.) : *Course de traîneaux sur le Zaan – Temps d'averses – Scène de l'expédition des 10 journées, août 1831* – Amsterdam (Mus. mun.) : *Marché aux chevaux – Écurie aux chevaux – Cheval dans la prairie* – Brême : *Chevaux devant l'écurie* – Bucarest (Simu) : *Cheval* – Chicago : *Intérieur* – Dordrecht : *Relais de chevaux* – Graz : *Chevaux de labour devant une forge* – Haarlem : *Chien couché* – La Haye (Mus. comm.) : *Cheval* – Leeuwarden : *Intérieur d'étable* – Leipzig : *Chevaux dans l'écurie* – Montréal : *Auberge au bord du chemin* – Munster (Mus. provincial) : *Intérieur d'étable* – New York (Mus. Metropolitain) : *Intérieur d'étable* – Stuttgart : *Chevaux devant une auberge – Matin d'hiver* – Trieste (Mus. Revoltella) : *Cheval*.

Ventes Publiques : New York, 19 jan. 1906 : *Intérieur d'étable* : **USD 210** – Londres, 27 mars 1909 : *Route près d'une auberge* : **GBP 63** – Londres, 18 juin 1909 : *Intérieur de hangar* : **GBP 48** ; *Chevaux à l'abreuvoir près d'une auberge* : **GBP 49** – Londres, 15 juil. 1910 : *Charrette de foin* : **GBP 73** – Paris, 18 nov. 1910 : *Chevaux au pâturage* : **FRF 1 150** – Londres, 22 avr. 1911 : *La ferme* 1852 : **GBP 58** – Paris, 12 mars 1927 : *Chevaux à l'écurie* : **FRF 1 225** – New York, 18 et 19 avr. 1945 : *Marché aux chevaux* : **USD 800** – Paris, oct. 1945-juil. 1946 : *Deux chevaux à l'écurie* : **FRF 7 200** – Paris, 13 déc. 1946 : *Cheval à l'écurie* 1860 : **FRF 9 000** – Amsterdam, 21 mars 1950 : *La halte devant l'auberge* 1844 : **NLG 1 800** – Amsterdam, 19 sep. 1950 : *Cheval et chien devant une ferme* : **NLG 620** – Amsterdam, 4 avr. 1951 : *Marché aux chevaux* : **NLG 2 900** – Amsterdam, 1er mai 1951 : *Paysan et chevaux* : **NLG 1 350** – Lucerne, 26 juin 1965 : *Paysage animé de personnages* : **CHF 4 000** – Londres, 11 mai 1966 : *Le camp gitan* : **GBP 880** – Dordrecht, 10 juin 1969 : *Scène champêtre* : **NLG 19 000** – Londres, 5 juin 1970 : *Intérieur d'étable* : **GNS 950** – Londres, 7 mai 1971 : *Chevaux à l'écurie* : **GNS 1 700** – Londres, 14 juin 1972 : *Paysans menant leurs chevaux à la fontaine* : **GBP 4 400** – Amsterdam, 20 fév. 1973 : *Chevaux et chèvres dans un paysage orageux* : **NLG 96 000** – Amsterdam, 20 mai 1974 : *Cavalier et bergers dans un paysage* : **NLG 98 000** – New York, 14 mai 1976 : *Chevaux à l'abreuvoir*, h/t (50x75) : **USD 21 000** – Londres, 23 fév. 1977 : *Chevaux à l'écurie*, h/pan. (35x48,5) : **GBP 8 800** – Amsterdam, 30 oct 1979 : *Paysanne sur un cheval blanc et paysan sur un chemin de campagne* 1851, h/t (48,7x62,7) : **NLG 58 000** – Amsterdam, 18 mai 1981 : *Paysan avec deux chevaux dans une cour de ferme*, pl. et lav. (20,4x30) : **NLG 6 400** – Londres, 18 mars 1983 : *Chasseurs, chevaux et chiens dans une écurie*, h/t (76,8x97,8) : **GBP 26 000** – Londres, 20 mars 1985 : *Chevaux à l'écurie*, h/t (75x105) : **GBP 36 000** – Londres, 26 nov. 1986 : *A welcome drink*, h/pan. (36x50) : **GBP 22 000** – New York, 23 fév. 1989 : *À l'abreuvoir*, h/pan. (15,5x20) : **USD 6 600** – Londres, 17 mars 1989 : *La Foire aux chevaux*, h/pan. (77x119) : **GBP 99 000** – New York, 24 mai 1989 : *Travaux paysans dans un paysage d'hiver*, h/t (75x100,3) : **USD 88 000** – Londres, 14 fév. 1990 : *Chien de ferme attaché à sa niche* 1846, h/pap. (13x17) : **GBP 2 090** – Amsterdam, 10 avr. 1990 : *Chevaux et palefrenier le long d'un mur d'une cour de ferme*, encre et lav./pap. (20x30) : **NLG 10 925** – Cologne, 29 juin 1990 : *Dans la stalle*, h/pan. (20,5x25) : **DEM 8 500** – Amsterdam, 23 avr. 1991 : *Paysans bavardant sur le chemin*, h/pan. (33,5x44) : **NLG 82 800** – Stockholm, 29 mai 1991 : *Paysage avec un chien et une poule* 1846, h/pap. (13x17) : **SEK 12 500** – Londres, 19 juin 1991 : *Chiens jouant dans un intérieur*, h/pan. (17x23) : **GBP 3 850** – Londres, 28 oct. 1992 : *Les bons compagnons*, h/pan. (17x23) : **GBP 3 190** – New York, 29 oct. 1992 : *King Charles près d'une cheminée*, h/pan. (20,4x27) : **USD 4 620** – Amsterdam, 20 avr. 1993 : *Chevaux près d'un puits*, aquar. (20x30) : **NLG 4 370** – Amsterdam, 19 oct. 1993 : *Intérieur d'écurie avec un paysan présentant un seau d'eau au cheval et un jeune garçon assis sur une brouette*, h/pan. (15,5x20) : **NLG 4 600** – Amsterdam, 8 fév. 1994 : *La malle-poste*, aquar., encre et lav./pap. (24x37,5) : **NLG 8 625** – New York, 16 fév. 1995 : *La Halte pour faire boire les chevaux*, h/pan. (53,3x74,9) : **USD 178 500** – Amsterdam, 11 avr. 1995 : *Le maréchal-ferrant*, h/pan. (41,5x55,5) : **NLG 171 100** – Amsterdam, 7 nov. 1995 : *Chevaux et chèvres près d'un ruisseau près d'une tour en ruines*, h/pan. (33,5x44) : **NLG 103 840** – Londres, 15 mars 1996 : *Personnages élégants à cheval* 1845, h/t (40,4x35) : **GBP 9 430** – Amsterdam, 5 nov. 1996 : *Chasseurs se reposant devant une taverne*, h/t (57,5x73,5) : **NLG 56 640** – Amsterdam, 22 avr. 1997 : *Intérieur élégant avec un barzoï et un épagneul* 1850, h/pan. (41x34,5) : **NLG 59 000** – Londres, 19 nov. 1997 : *Fermage dans une ferme de Limburg*, h/pan. (27,5x40) : **GBP 79 600**.

VERSCHUUR Wouter

Né en 1841 à Amsterdam. Mort en 1936 à Lausanne. XIXe-XXe siècles. Hollandais.

Peintre d'animaux.

Il a surtout peint des animaux domestiques, chiens, vaches et de nombreux chevaux.

Ventes Publiques : Londres, 14 févr 1979 : *Animaux à l'étable*, h/t (114x154) : **GBP 1 400** – Londres, 14 fév. 1990 : *Un setter anglais tricolore*, h/t (95,2x119,3) : **GBP 1 540** – Berne, 12 mai 1990 : *Troupeau de vaches au pâturage dans les polders en Hollande*, h/t (50x60) : **CHF 3 500** – Amsterdam, 5-6 nov. 1991 : *La construction du chemin de fer* 1867, h/pan. (23x36) : **NLG 9 200** – Amsterdam, 14-15 avr. 1992 : *Deux chevaux dans leur écurie* 1864, h/pan. (17,5x21,5) : **NLG 5 750** – Amsterdam, 20 avr. 1993 : *Devant l'auberge*, h/pan. (15,5x20) : **NLG 3 450** – Londres, 15 nov. 1995 : *Chevaux dans leur écurie*, h/pan. (39x51) : **GBP 4 600** – Amsterdam, 16 avr. 1996 : *Marché aux chevaux* 1882, h/t (34x56) : **NLG 3 068**.

VERSCHUYR Theodorus

XVIIe siècle. Travaillant à La Haye en 1672. Hollandais.

Peintre.

Peut-être identique à Schuer Theodorus.

VERSCHWER Willem ou **Verschoor**

Mort en 1678. XVIIe siècle. Actif à Delft en 1653. Hollandais.

Peintre.

Le Musée d'Utrecht conserve de lui : *Céphale et Procris*.

Ventes Publiques : Londres, 31 oct. 1969 : *Portrait de famille* : **GNS 1 000**.

VERSEL Annette Elisa

Née le 5 juin 1870 à Francfort-sur-le-Main, de parents suisses. XIXe-XXe siècles. Suisse.

Graveur.

Elle fut élève de Bernard Mannfeld. Elle figura au Salon de Paris et reçut une mention honorable en 1901. Elle privilégia la technique de l'eau-forte.

VERSELIN Jacques ou **Versellin**

Né en 1646 à Paris. Mort le 1er juin 1718 à Paris. XVIIe-XVIIIe siècles. Français.

Miniaturiste.

Reçu à l'Académie en 1687 sur un portrait de Louis XIV d'après Le Brun.

VERSEPUY Ernest

Né vers 1855 à Clermont-Ferrand (Puy-de-Dôme). Mort en 1898. XIXe siècle. Français.

Peintre d'intérieurs, paysages.
Élève d'Antoine Roux, il est resté dans sa région natale et a exposé régulièrement au Salon de Paris à partir de 1878.
Il peint, sous une lumière diffuse, campagne et intérieurs paysans des environs de Clermont-Ferrand. Sa *Vue du Puy-de-Dôme, prise des carrières de Gravenoir*, au musée de Moulins, a été achetée avec le boni de l'exposition de Moulins en 1877 et offerte au musée.
Bibliogr. : Gérald Schurr, in : *Les Petits Maîtres de la peinture 1820-1920, valeur de demain*, Les Éditions de l'Amateur, t. IV, Paris, 1979.
Musées : Clermont-Ferrand (Mus. Bargoin) : *Intérieur paysan* – Moulins : *Vue du Puy-de-Dôme, prise des carrières de Gravenoir.*

VERSIJL Jan Frans. Voir **VERSYL**

VERSKOVIS Jakob Frans ou **Vescovers**
D'origine flamande. Mort en 1750 (?) à Londres. XVIIIe siècle. Britannique.
Sculpteur sur ivoire.
Le Musée Victoria and Albert Museum de Londres conserve de lui les statuettes de *Palladio*, de *Duquenoy* et d'*Inigo Jones*.

VERSLUYS Cornelis Gerritsz
XVIIe siècle. Travaillant à Haarlem en 1640. Hollandais.
Peintre.

VERSLUYS Gilles. Voir **SLUYS Gilles Van der**

VERSLUYS Josse
XVIIIe siècle. Actif à Malines. Éc. flamande.
Dessinateur.
Le Musée de Malines conserve de lui *Vue de la tour de Saint-Rombaut*, datée de 1727.

VERSLUYSEN Edmond A.
Né le 13 août 1911 à Anvers. Mort le 10 décembre 1967 à Anvers. XXe siècle. Belge.
Peintre.

VERSNEL Engel
Né le 1er février 1769 à Rotterdam. XVIIIe siècle. Hollandais.
Sculpteur.
Un J.-B. et un J. S. Vernel étaient sculpteurs à Rotterdam et travaillaient vers 1830.

VERSOBS Bernard et **Daube**
XIVe siècle. Français.
Peintres.
Travaillant à Montpellier à la fin du XIVe siècle.

VERSORESE Guilio
Né le 11 mai 1868 à Florence. XIXe-XXe siècles. Italien.
Peintre de genre, portraits.
Il fut élève de l'Académie des Beaux-Arts de Florence. Il a surtout exposé dans cette ville.

VERSPECHT Denis
Né le 20 décembre 1919 à Paris. XXe siècle. Français.
Peintre, aquarelliste.
Il fut élève à Paris de l'école des Arts appliqués et de l'école Boule.

VERSPLIT Victor
Né le 5 juillet 1646 à Gand. Mort le 20 juin 1722 à Gand. XVIIe-XVIIIe siècles. Éc. flamande.
Peintre de paysages.
Plusieurs paysages signés du nom de cet artiste se trouvent dans la sacristie de l'église des Augustins à Gand.

VERSPOEL Jan. Voir **VOORSPOEL**

VERSPRONCK, pseudonyme de **Cornelis Engelsz**, dit par erreur **Verspronck**
Né en 1575 à Gouda. Mort entre 1642 et 1653 à Haarlem. XVIIe siècle. Hollandais.
Peintre de portraits.
Élève de Cornelis Corneliszen, et de Karel Van Mander. En 1593, il entra dans la gilde de Haarlem ; de 1594 à 1621, dans la garde civile. En 1637 Symon Symonsz était encore son élève. Il peignit des portraits et des sujets de chasse. Une peinture de ce genre, datée de 1616, figure au Musée de Haarlem.

Ventes Publiques : Bruxelles, 24-26 mars 1965 : *Portrait de jeune femme* : **BEF 130 000**.

VERSPRONCK Jan ou **Johannes Cornelisz** ou **Versprong**
Né en 1597 à Haarlem. Enterré à Haarlem le 30 juin 1662. XVIIe siècle. Hollandais.
Peintre de portraits, scènes de genre.
On le dit second fils de Cornelis Engelsz Verspronck et son élève. Il étudia aussi avec Frans Hals.
Il entra dans la gilde en 1632 et fut peintre de portraits et de sujets de chasse. Ses œuvres sont influencées par Frans Hals, puis par Rembrandt.

Musées : Amsterdam : *Jeune fille en robe bleue – Portrait d'un jeune homme – Pieter Jacobsz Schout – Portrait de vieillard* – Berlin : deux portraits de femmes – Budapest : *Portrait d'homme* – Caen : *Portrait d'une femme* – Dessau : *Portrait d'homme – Portrait d'une femme* – Francfort-sur-le-Main : *Portraits d'homme et de femme* – Haarlem : *Colenberg – Mme Colenberg – Régente de l'hospice du Saint-Esprit – Dr Akersloot – Eva Nos* – Munich : *Femme en noir* – Paris (Mus. du Louvre) : *Portrait de femme*, trois fois – Saint-Pétersbourg (Mus. de l'Ermitage) : *Portrait d'homme* – Spire : *Portrait d'homme* – Stockholm : *Portrait de femme* – Stuttgart : *Portrait de femme.*
Ventes Publiques : Paris, 1869 : *Portrait de femme* : **FRF 1 340** – Paris, 1873 : *Portrait de femme* : **FRF 5 600** – Londres, 1889 : *Portrait du peintre Thomas Wick* : **FRF 3 400** – Bruxelles, 1899 : *Portrait de gentilhomme* : **FRF 2 400** – Paris, 15 juin 1903 : *Portrait de dame noble* : **FRF 2 550** – New York, 7-8 avr. 1904 : *Mynher ten Eyck* : **USD 500** – Paris, 25 mai 1905 : *Portrait d'homme* : **FRF 1 500** ; *Le maréchal-ferrant* : **FRF 18 000** – New York, 14-15 jan. 1909 : *Un cavalier* : **USD 1 375** – Londres, 27 fév. 1909 : *Portrait d'un gentilhomme* : **GBP 12** – New York, 6-7 avr. 1911 : *Portrait de jeune femme* : **USD 1 100** ; *Portrait d'homme* : **USD 1 150** – Paris, 2 juin 1924 : *Portrait de jeune homme* : **FRF 30 000** – Londres, 25 juil. 1924 : *Portrait de gentilhomme* ; *Portrait de femme*, ensemble : **GBP 131** – Paris, 9 fév. 1928 : *Portrait d'homme* : **FRF 30 000** – Paris, 19 avr. 1928 : *Jeune femme vêtue de noir tenant ses gants* : **FRF 11 600** – New York, 11 déc. 1930 : *Auto-portrait* : **USD 1 100** – Londres, 9 avr. 1937 : *Gentilhomme en noir* : **GBP 315** – Londres, 28 jan. 1944 : *Portrait de femme* : **GBP 672** – New York, 5 avr. 1944 : *Thomas Wyck* : **USD 1 900** – Londres, 14 avr. 1944 : *Portrait de femme* : **GBP 546** – Londres, 9 juin 1944 : *Portrait de femme* : **GBP 2 940** – New York, 5-7 juin 1946 : *Portrait d'homme* : **USD 675** – Paris, 25 mai 1949 : *Portrait de jeune femme 1647* : **FRF 320 000** – Paris, 7 déc. 1950 : *Portrait d'une jeune femme 1642* : **FRF 2 100 000** ; *Portrait du peintre Thomas Wyck* : **FRF 370 000** – Londres, 23 mai 1951 : *Cavalier dans une cour* : **GBP 260** – Zurich, 21 oct. 1969 : *Portrait d'un gentilhomme* : **CHF 4 500** – Londres, 29 juin 1973 : *Portrait présumé de la femme du peintre Thomas Wyck* : **GNS 35 000** – Londres, 19 juil. 1974 : *Portrait d'homme* : **GNS 3 000** – Amsterdam, 15 nov. 1976 : *Portrait d'un jeune aristocrate*, h/pan. (77x60) : **NLG 56 000** – Londres, 7 juil. 1978 : *Portrait d'un gentilhomme*,

h/pan. (24x18,3) : **GBP 9 000** – Londres, 4 mai 1979 : *Portrait présumé d'André de Villepontoy de Bergerac*, h/pan. (24,1x18,3) : **GBP 4 800** – Londres, 9 juil. 1982 : *Portrait d'une dame de qualité* 1650, h/t (82,5x66) : **GBP 2 800** – Londres, 19 avr. 1985 : *Portrait d'une dame de qualité au bonnet de dentelle et robe noire* 1637, h/t (75x61,6) : **GBP 12 000** – New York, 4 juin 1987 : *Portrait d'une dame de qualité* 1652, h/t (96x68) : **USD 36 000** – Londres, 23 avr. 1993 : *Portrait d'une jeune femme vêtue d'une robe noire à fraise et poignets blancs et tenant des gants* 1640, h/t (84x69,3) : **GBP 20 700** – New York, 12 jan. 1994 : *Portrait d'un gentilhomme de buste en costume et chapeau noirs et col de dentelle blanche*, h/t (83,8x67,3) : **USD 25 300** – New York, 4 oct. 1996 : *Portrait en pied d'un gentilhomme sur les marches d'un palais* 1639, h/pan. (69,8x43,8) : **USD 34 500** – Amsterdam, 7 mai 1997 : *Portrait de François Dermout ; Portrait de Cornelia Dermout* 1651, h/t (82x66) : **NLG 121 086**.

VERSPRONK Gerard ou **Jochem** ou **Gerard Sprong** ou **Spronk** ou **Sprong**

Né probablement en 1600 à Haarlem. Mort sans doute en 1651. XVIIe siècle. Hollandais.

Peintre.

Une grande incertitude règne au sujet de cet artiste que le catalogue du Louvre appelle Gerard Sprong. On le dit le fils aîné de Cornelis Engelsz et frère de Jan Verspronk. (Le Dr Wurzbach le croit identique avec ce dernier.) Il aurait peint des tableaux d'histoire et des portraits. Le Musée du Louvre conserve un charmant portrait de femme qui lui est attribué. Le Musée de Caen conserve de lui un Portrait de jeune fille.

Ventes Publiques : Paris, 1859 : *Portrait d'homme* : **FRF 1 400** – Paris, 1882 : *Portrait de femme* : **FRF 1 020**.

VERSTAPPEN Martin

Né le 7 août 1773 à Anvers. Mort le 7 janvier 1853 à Rome. XVIIIe-XIXe siècles. Belge.

Peintre de paysages et lithographe.

Élève de Van der Zanden, P. Van Regemorter et de Klengel à Dresde. Il travaillait de la main gauche. Il passa la majeure partie de sa vie à Rome ; il y fut professeur de l'Académie de Saint-Luc. Il a exposé en Belgique, en Hollande, à Paris. Le Musée de Besançon conserve de lui *Clair de lune sur le lac Albano* et *Entrée d'une grotte*, celui de Montpellier, *Vue prise dans la forêt de Papigno*, et celui de Rostock, *Paysage italien*.

Ventes Publiques : Paris, 1865 : *Vue intérieure du couvent de Saint-François à l'Arricia* : **FRF 50** ; *Scène de chasse à courre* : **FRF 390** – Paris, 29 juin 1955 : *La chasse près de la cascade* : **FRF 20 100**.

VERSTAPPEN Rombout

Né vers la fin du XVIe siècle à Malines. Mort le 18 juillet 1636 à Malines. XVIe-XVIIe siècles. Éc. flamande.

Sculpteur.

Maître de la gilde en 1626. Il sculpta des statues pour les églises d'Op-Linter, de Ramsdonck, de Berlaer et de Cappelen-au-Bois.

VERSTEECH Isaack

XVIIe siècle. Actif à Amsterdam. Hollandais.

Peintre.

Assistant de C. Stangerus en 1656.

VERSTEECH Willem

XVIIe siècle. Actif dans la première moitié du XVIIe siècle. Hollandais.

Médailleur.

VERSTEEG Florence Biddle

Née le 17 octobre 1871 à Saint Louis (Montana). XIXe-XXe siècles. Américaine.

Peintre.

Elle fut élève de l'École des Beaux-Arts de Saint Louis, de Richard Miller et Hugh Breckenridge. Elle fut membre de la Fédération Américaine des Arts.

VERSTEEG J. A.

Né le 22 mai 1878 à Giessendam. XXe siècle. Hollandais.

Peintre de natures mortes, fleurs.

Il fut élève de l'Académie de La Haye et de Winand B. Van Horssen.

VERSTEEG Michiel ou **Moggiel** ou **Miachiel** ou **Versteigh** ou **Versteegh**

Né le 30 août 1756 à Dordrecht. Mort le 14 novembre 1843 à Dordrecht. XVIIIe-XIXe siècles. Hollandais.

Peintre de paysages et de genre.

Élève de A. Van Wanum, de Jaris Ponse et de Jan Van Leen. Il peignit d'abord des paysages dans lesquels il introduisait des animaux. Dans ce genre, son exécution trop poussée, nuisait considérablement à ses travaux. Modifiant son genre il fit des intérieurs, généralement avec de curieux éclairages de lampes et de bougies dans la manière de Schalken. Son succès fut grand, et ses œuvres figurent dans les meilleures collections hollandaises. Il fut membre de l'Académie des Pays-Bas et de celle d'Anvers.

Musées : Amsterdam : *L'école du soir – Réunion musicale – Écureuse* – Bergues : *Effet de nuit* – Blois : *Marine* – Brême : *L'ermite – Le violoniste*, douteux – Dordrecht : *Femme à la lumière d'une bougie – Deux jeunes filles à la lumière d'une bougie* – Lille : *Scène d'intérieur*.

Ventes Publiques : Gand, 1837 : *Intérieur : effet de lumière* : **FRF 88** ; *Effet de lumière* : **FRF 110** – Paris, 1838 : *Fileuse au rouet éclairée par une lumière* : **FRF 1 620** – Rotterdam, 1891 : *Jeune dame écrivant une lettre à la lueur d'une chandelle* : **FRF 485** – New York, 7 oct. 1993 : *Couple comptant de l'argent à la lueur d'une chandelle* 1779, h/pan. (52,7x40) : **USD 3 450** – Amsterdam, 30 oct. 1996 : *Marché nocturne*, h/pan. (55,5x44,5) : **NLG 17 298**.

VERSTEEGH Dirk

Né en 1751. Mort le 10 décembre 1822. XVIIIe-XIXe siècles. Actif à Amsterdam. Hollandais.

Dessinateur amateur.

VERSTEEGH Jacobus ou **Jacob** ou **Verstegen**

Né en 1730. Mort en 1816 à Jutfaas. XVIIIe-XIXe siècles. Hollandais.

Peintre de portraits, peintre et graveur de vues et amateur d'art.

Ses œuvres et ses collections furent vendues le 27 juin 1796. Les musées de Bruxelles et d'Utrecht conservent les œuvres de cet artiste.

Ventes Publiques : Londres, 21 juil. 1972 : *Scène de rue* : **GNS 4 800**.

VERSTER Floris Hendrik

Né le 9 juin 1861 à Leyde. Mort le 21 janvier 1927 à Leyde. XIXe-XXe siècles. Hollandais.

Peintre de natures mortes, fleurs, aquarelliste, peintre à la gouache, graveur.

Il fut élève de Georg H. Breitner et de l'Académie de La Haye. Peintre, il pratiqua également l'eau-forte.

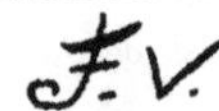

Musées : Amsterdam (Mus. Nat.) : *Fleurs* – Amsterdam (Mus. mun.) : *Hortensias – Cinéraire* – Dordrecht : *Fleurs – Nature morte avec cruche* – Hambourg : *Trapoalum* – La Haye (Mus. mun.) : *Phlox dans un vase bleu – Œufs dans une écuelle – Deux raies mortes – Nature morte avec une cruche et un plat d'étain* – Leyde : *Eucalyptus* – Rotterdam : *Courges* – Utrecht : *Portrait de l'artiste*.

Ventes Publiques : Amsterdam, 25 avr. 1966 : *Vase de tulipes* : **NLG 10 400** – Amsterdam, 3 juin 1969 : *Fleurs devant la fenêtre* : **NLG 16 000** – Amsterdam, 7 mai 1974 : *Chrysanthèmes dans un vase* 1898 : **NLG 17 000** – Amsterdam, 28 oct. 1980 : *Vase de tulipes rouges* 1914, h/t (65x58) : **NLG 25 000** – Amsterdam, 1er oct. 1981 : *Nature morte aux tulipes* 1923, h/t (34x24) : **NLG 18 000** – Amsterdam, 25 avr. 1990 : *Nature morte de fleurs* 1910, h/pan. (26x21) : **NLG 27 600** – Amsterdam, 24 avr. 1991 : *Maison villageoise à Noordwijk* 1897, aquar. et gche avec reh. de blanc/pap. (58,5x51,5) : **NLG 80 500** – Amsterdam, 11 déc. 1991 : *Nature morte avec des hortensias et des capucines dans un vase de verre* 1894, h/t (74x56,5) : **NLG 69 000** – Amsterdam, 10 déc. 1992 : *Nature morte avec des asters dans un vase* 1925, h/t (44,5x35,5) : **NLG 29 900** – Amsterdam, 11 fév. 1993 : *Nature morte d'un Baardman en Jacobus kan*, h/pan. (33x23) : **NLG 6 900** – Amsterdam, 21 avr. 1993 : *Nature morte de fleurs dans un pot à* bière 1910, h/pan. (27x21,5) : **NLG 16 100** – Amsterdam, 7 nov. 1995 : *Nature morte avec des fleurs dans une coupe* 1910, h/pan. (24x19) : **NLG 9 440**.

VERSTILLE William

Né vers 1755. Mort en 1803 à Boston. xviiie siècle. Américain.

Miniaturiste.

Il se fixa à Philadelphie en 1782.

VERSTL

xixe siècle. Travaillant en 1831. Allemand.

Portraitiste.

Le Musée Germanique de Nuremberg conserve de lui le portrait de *Thérèse, princesse de Thurn et Taxis*.

VERSTOCKT Mark, ou **Marc**

Né le 16 juillet 1930 à Lokeren. xxe siècle. Belge.

Peintre, sculpteur d'intégrations architecturales. Abstrait géométrique.

Il a étudié à l'Université de Gand et à l'Académie des Beaux-Arts d'Anvers. Il expose depuis 1957 régulièrement en Europe et aux USA.

Au début, ses peintures peuvent se définir comme un art de la nuit et de l'obscurité. La composition y est inscrite dans les reliefs de la matière et semble émerger des ténèbres des noirs longuement travaillés. Il évolue ensuite vers une abstraction plus géométrisée, jusqu'aux récents reliefs réalisés à partir de cubes et de polyèdres rectangles de grandes dimensions en polyester monochrome. Verstockt a de plus en plus recours aux matériaux nouveaux. Il est intéressé par l'intégration de l'art à l'architecture. Il a également réalisé des sérigraphies.

Ventes Publiques : Lucerne, 21 nov. 1992 : *Genèse 1962*, h/t (80x100) : **CHF 2 400** – Lokeren, 20 mars 1993 : *Cube*, objet de métal et plexiglas (26x26x26) : **BEF 65 000**.

VERSTRAATEN. Voir aussi **STRAATEN Van der**

VERSTRAATEN Lambert Hendriksz. Voir **STRAATEN L. H. Van der**

VERSTRAATEN Lucas. Voir **VERSTRATEN**

VERSTRAATEN Nicolas ou **Van der Straaten**

Né vers 1680 à Utrecht. Mort en 1722 à Londres. xviiie siècle. Hollandais.

Peintre de paysages.

VERSTRAELEN Jan Hendricksz

xviie siècle. Actif dans la première moitié du xviie siècle. Hollandais.

Graveur au burin.

Peut-être fils de Hendrik Jansz. Verstralen. Il a gravé des *Vues d'Utrecht*.

VERSTRAETE Theodor

Né le 5 janvier 1850 ou 1851 à Gand. Mort le 8 janvier 1907 à Anvers. xixe siècle. Belge.

Peintre de paysages animés, paysages, marines, graveur. Tendance impressionniste.

Élève de Jacob Jacobs, à l'Académie d'Anvers, il travailla en Hollande, de 1886 à 1890, puis en Campine, près d'Anvers. Il fit d'abord partie du *Cercle des XX* à Bruxelles, puis rejoignit le *Cercle des XIII* d'Anvers qui voulait battre en brèche le conservatisme pictural alors régnant à Anvers. Avant de mourir, il a souffert de longues années de maladie mentale.

Il figura aux expositions de Paris ; médaille d'or en 1889 (Exposition Universelle), chevalier de la Légion d'honneur en 1896, médaille d'or à l'Exposition Universelle de 1900.

Nature indépendante et solitaire, auteur d'une œuvre mélancolique et grave, il affectionne les paysages désolés de la Campine. Cependant il montre une touche plus impressionniste, des tonalités plus vives pour ses paysages de Zélande. Il a peint des marines, mais s'est plu surtout à décrire des scènes de la plage. On connaît aussi de lui des paysages agrestes avec des vaches.

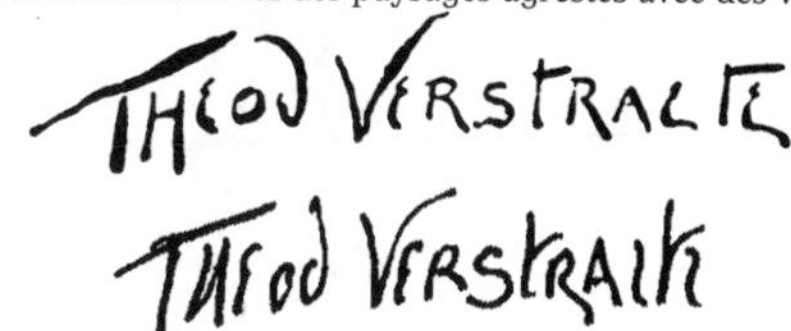

Bibliogr. : Gérald Schurr, in : *Les Petits Maîtres de la peinture 1820-1920, valeur de demain*, Les Éditions de l'Amateur, t. V, Paris, 1981.

Musées : Anvers : *Le rosaire* – *Après la pluie, dunes de Campthout* – Bruxelles : *Après l'enterrement* – Gand : *Le travail* – Liège : *Paysage en Zélande* – Munich : *Le saint viatique* – Tournai : *Le chemin des saules* – quinze autres peintures.

Ventes Publiques : Paris, 12-15 mai 1902 : *Crépuscule dans les polders* : **FRF 550** ; *Environs de Campthout* : **FRF 600** – Bruxelles, 13 mars 1951 : *Jeune bergère* : **BEF 5 000** – Anvers, 18 avr. 1978 : *Paysage, le soir*, h/t (53x80) : **BEF 60 000** – Lokeren, 17 févr 1979 : *Rayons de soleil à travers les arbres*, h/t (40x50) : **BEF 44 000** – Lokeren, 28 mai 1988 : *Paysage de forêt*, h/pan. (24,5x39,5) : **BEF 40 000** – Lokeren, 7 oct. 1995 : *Moulin du kiel près d'Anvers* 1877, h/t (113x83) : **BEF 240 000**.

VERSTRAETEN

Mort vers 1729. xviie-xviiie siècles. Éc. flamande.

Peintre d'architectures.

On a peu de renseignements sur ce peintre. On cite seulement au Musée d'Anvers un tableau de B. Van den Bossche, dont les motifs d'architecture sont de cet artiste.

VERSTRAETEN Edmond

Né le 12 février 1870 à Waesmunster. Mort en 1956 ou 1957. xixe-xxe siècles. Belge.

Peintre de paysages, graveur. Postimpressionniste.

Il vécut et travailla à Anvers. Peintre, il fut aussi poète.

Musées : Anvers (Mus) – Bruxelles (Mus) – Buenos Aires (Mus) – Gand (Mus).

Ventes Publiques : Bruxelles, 28 avr. 1951 : *L'étang en hiver* : **BEF 9 200** – Anvers, 12 oct. 1971 : *Jour d'été* : **BEF 36 000** – Anvers, 22 oct. 1974 : *Paysage d'automne* : **BEF 85 000** – Anvers, 18 avr. 1978 : *Bruyère à Kalmthout*, h/t (100x150) : **BEF 55 000** – Anvers, 8 mai 1979 : *Paysage d'hiver* 1945, h/t (245x125) : **BEF 90 000** – Amsterdam, 19 nov. 1984 : *Paysage au lac* 1925, h/t (109x149) : **NLG 9 000** – Lokeren, 28 mai 1988 : *L'été à Durmevallei* 1917, h/t (55x125) : **BEF 160 000** – Lokeren, 8 oct. 1988 : *Les marais avec des hérons*, h/t (126x202) : **BEF 130 000** – Amsterdam, 11 déc. 1991 : *Paysage avec des meules* 1915, h/t (40,5x101) : **NLG 11 500** – Lokeren, 21 mars 1992 : *Dunes*, h/t (66x100) : **BEF 180 000** – Lokeren, 23 mai 1992 : *La ferme assoupie sous la neige* 1922, h/t (110x150) : **BEF 280 000** – Lokeren, 15 mai 1993 : *La ferme des Dommel* 1922, h/t (110x150) : **BEF 190 000** – Lokeren, 9 oct. 1993 : *Travaux des champs* 1921, h/t (100x150) : **BEF 220 000** – Lokeren, 4 déc. 1993 : *Paysage de neige près de Valavond* 1926, h/t (65x125) : **BEF 100 000** ; *Nuit bleue*, h/t (75x100) : **BEF 170 000** – Lokeren, 28 mai 1994 : *Près d'une ferme* 1939, h/t (100x150) : **BEF 220 000** – Amsterdam, 8 déc. 1994 : *Paysage* 1915, h/t (41x101) : **NLG 16 100** – Lokeren, 7 oct. 1995 : *Paysage estival*, h/t (100x150) : **BEF 380 000** – Lokeren, 5 oct. 1996 : *Chemin de campagne et moissonneurs à Sombeke* 1944, h/pan. (16x24) : **BEF 28 000** – Lokeren, 18 mai 1996 : *Ferme* vers 1935, h/t (35x60) : **BEF 36 000**.

VERSTRAETEN Gustave

Né en 1872 à Strijpen-lez-Zottegem. Mort en 1947. xixe-xxe siècles. Belge.

Peintre de paysages, aquarelliste. Tendance impressionniste.

Frère du peintre Raymond Verstraeten, il fut élève de l'académie de Zottegem, où il enseigna.

Bibliogr. : In : *Dict. biogr. ill. des artistes en Belgique depuis 1830*, Arto, Bruxelles, 1987.

VERSTRAETEN Jules Émile

Né le 8 mai 1903 à Zottegem. Mort en 1976. xxe siècle. Belge.

Peintre de genre, paysages. Post-expressionniste.

Fils du peintre Raymond Verstraeten. Il fit ses études à l'Académie des Beaux-Arts de Zottegem dont il est devenu ensuite professeur et directeur. Sa peinture est figurative et relève du post-expressionnisme.

Bibliogr. : In : *Dict. biogr. ill. des artistes en Belgique depuis 1830*, Arto, Bruxelles, 1987.

VERSTRAETEN Raymond

Né en 1874 à Strijpen-lez-Zottegem. Mort en 1947. xixe-xxe siècles. Belge.

Peintre de portraits, paysages. Impressionniste.

Frère du peintre Gustave Verstraeten et père des peintres André et Jules-Émile, il fut élève de l'académie de Zottegem, où il enseigna par la suite.

Bibliogr. : In : *Dict. biogr. ill. des artistes en Belgique depuis 1830*, Arto, Bruxelles, 1987.

VERSTRALEN Antoni Van. Voir **STRALEN Antoni** ou **Antonie Van**

VERSTRATEN Hendrick Jansz

XVIe-XVIIe siècles. Travaillant à Utrecht de 1588 à 1635. Hollandais.

Dessinateur de cartes.

Il était arpenteur.

VERSTRATEN Lambert. Voir **STRAATEN Lambert Van der**

VERSTRATEN Lucas ou **Verstraaten, Verstraeten**

XVIIe siècle. Actif dans la seconde moitié du XVIIe siècle. Hollandais.

Peintre.

Membre de la gilde de La Haye de 1656 à 1675.

VERSTREKEN Théophile

Né en 1885 à Koningshooikt. Mort en 1963 à Lierre. XXe siècle. Belge.

Peintre de paysages.

Bibliogr. : In : *Dict. biogr. ill. des artistes en Belgique depuis 1830*, Arto, Bruxelles, 1987.

VERSTREPEN Frans

Né en 1575 à Malines. XVIe siècle. Éc. flamande.

Peintre.

VERSTYNEN Henri C. G. M.

Né le 9 juillet 1882 à Soekarboemi (Java). XXe siècle. Hollandais.

Peintre de genre, portraits, paysages.

Il vécut et travailla à Maastricht. Relieur et peintre, il exécuta aussi des lithographies.

VERSUYVEL Michel Charles Antoine, ou **Michael Karel Antoon** ou **Verswyvel, Verzwyvel**

Né le 7 septembre 1819 à Anvers. Mort le 29 mai 1868 à Anvers. XIXe siècle. Belge.

Graveur au burin.

Reproduisait les tableaux des peintres belges de son temps. Il figura aux expositions de Paris ; mention honorable en 1859.

VERSYL Jan Frans ou **Verzijl** ou **Versijl**

Né à Gouda. Mort en 1647 à Gouda. XVIIe siècle. Hollandais.

Peintre.

Élève de Aart Van Waes. Il alla continuer ses études en Italie, puis revint s'établir dans sa ville natale.

VERT Antoine le. Voir **SANTVOORT Anthonis**

VERTANGEN Daniel

Né vers 1598 à La Haye. Mort avant 1684 à Amsterdam. XVIIe siècle. Hollandais.

Peintre de compositions religieuses, sujets mythologiques, scènes de genre, paysages animés.

Élève de Cornelis Soelenbourg. Il paraît aussi s'être occupé de commerce. En 1641, il alla à Hambourg pour affaires. En 1658, il était en Danemark. En 1673 et en 1681, il est à Amsterdam. Il appartenait à une famille assez haut placée.

V. T G. F.
D.VERTANGEN
D. Vertangen.

Musées : Bergame (Acad. Carrara) : *Vénus et satyres* – Boston : *Diane et nymphes* – Bruxelles : *Le chasseur* – *Ménades et satyres* – Constance : *Paysage avec scène biblique* – Copenhague : *Diane et ses nymphes* – Dantzig : *Bacchanale* – *Céphale et Procris* – Dresde : *Adam et Ève chassés du paradis* – La Fère : *La grossesse de Callisto* – Glasgow : *Adam et Ève chassés du paradis* – *Nymphes et satyres dansant* – *Nymphes avec raisin* – Göttingen : *Diane et Actéon* – Hambourg : *Nymphes au bain* – Hanovre : *Nymphe dansant* – La Haye (Mus. comm.) : *Fête de Bacchus* – Helsinki : *Paysage avec nymphes au bain* – Kassel : *Narcisse se mirant dans la source* – Mannheim : *Nymphes au bain* – *Diane au bain* – Mayence : *Pan et Syrinx* – Meiningen : *Trois femmes endormies* – *Faune et nymphe* – *Marchande de volailles* – Moscou (Roumianzeff) : *Argus et nymphes* – Stockholm : *Paysage avec nymphes et satyre* – Utrecht : *Nymphes au bain.*

Ventes Publiques : Amsterdam, 10 juin 1705 : *La fuite en Égypte* : **FRF 116** – Amsterdam, 28 mars 1708 : *La carrière d'Atalanta* : **FRF 265** – Gand, 1837 : *Fête de Bacchus* : **FRF 175** – Bruxelles, 1865 : *Nymphes et Silène* : **FRF 350** – Paris, 1882 : *Les baigneuses* : **FRF 155** – Londres, 11 fév. 1911 : *Paysage avec bacchantes* : **GBP 5** – Paris, 4 mai 1925 : *Sujet mythologique* : **FRF 500** – Paris, 28 fév. 1945 : *La mort d'Eurydice* : **FRF 13 500** – Paris, 6 déc. 1966 : *Bacchanale* : **FRF 7 000** – Cologne, 8 mai 1969 : *Raphaël et Tobie* : **DEM 5 500** – Vienne, 17 mars 1970 : *Moïse sauvé des eaux* : **ATS 35 000** – Londres, 12 déc. 1980 : *Nymphes dansant au bord d'un étang*, h/pan. (29,2x38,8) : **GBP 8 500** – Rome, 1er déc. 1982 : *Bacchanale*, h/pan. (29x37) : **ITL 7 500 000** – New York, 25 mars 1983 : *Diane et Actéon*, h/pan. (33x40,5) : **USD 2 500** – New York, 3 juin 1988 : *Paysage avec une partie de chasse*, h/t (65x86) : **USD 12 100** – Londres, 5 juil. 1989 : *Bacchanale dans un paysage*, h/pan. (31x40) : **GBP 2 750** – Stockholm, 15 nov. 1989 : *Le jugement de Pâris*, h/cuivre (22x27) : **SEK 27 000** – Fontainebleau, 25 fév. 1990 : *Sujet mythologique* (25x32,5) : **FRF 35 500** – New York, 4 avr. 1990 : *Diane et Callisto*, h/pan. (31,1x40,3) : **USD 4 400** – Amsterdam, 13 nov. 1990 : *Abraham menant Isaac sur le lieu du sacrifice*, h/pan. (27,8x23) : **NLG 9 775** – Monaco, 21 juin 1991 : *Io reconnue par son père*, h/pan. (66,5x113,5) : **FRF 31 080** – Amsterdam, 12 mai 1992 : *L'Assemblée des dieux*, h/pan. (39,5x47,5) : **NLG 34 500** – Paris, 14 oct. 1992 : *La toilette de Diane*, h/pan. (29x40) : **FRF 35 000** – Amsterdam, 16 nov. 1994 : *Diane au bain avec les nymphes*, h/pan. (26x34) : **NLG 10 580** – New York, 12 jan. 1995 : *Femmes se baignant dans un paysage boisé avec un bâtiment flanqué d'une tour au fond*, h/pan. (21,6x28,9) : **USD 6 325** – New York, 6 oct. 1995 : *L'Adoration des bergers*, h/cuivre (34,9x34,9) : **USD 5 060** – Londres, 8 déc. 1995 : *Le triomphe de Flore*, h/pan. (52x74) : **GBP 7 360** – New York, 17 jan. 1996 : *Le jugement de Pâris*, h/t (59,7x77,5) : **USD 10 925** – Londres, 5 juil. 1996 : *Paysage boisé avec Diane et Actéon*, h/pan. (30,8x39,7) : **GBP 13 000** – New York, 4 oct. 1996 : *La Découverte de Moïse*, h/pan. (39,4x50,2) : **USD 10 350** – Londres, 30 oct. 1997 : *Diane et ses nymphes se reposant dans un paysage avec une cascade dans le lointain*, h/pan. (25,6x33,3) : **GBP 4 025** – New York, 17 oct. 1997 : *Nymphe endormie et deux faunes dans un paysage*, h/pan. (38,4x54) : **USD 10 350**.

VERTEMBO Jean de

XVe siècle. Vivant à Grenoble de 1438 à 1462. Français.

Peintre verrier.

Il figure comme témoin dans un acte public en 1431 et en 1453 il fait des travaux à la Chambre des Comptes. On se demande si les remarquables fresques qui sont dans la chapelle du château de Bonrepos ne seraient pas de cet artiste. Vertembo vivait encore en 1462.

VERTÈS Marcel

Né le 10 août 1895 à Ujpest. Mort le 31 octobre 1961 à Paris. XXe siècle. Depuis 1925 actif et naturalisé en France. Hongrois.

Peintre de genre, figures, aquarelliste, graveur, dessinateur, illustrateur.

Il fut élève de Karoly Ferenczy. Venu en 1925, à Paris, cet artiste y connut tout de suite la renommée avec un album de lithographies en couleurs : *Dancings*, œuvre d'un observateur avisé d'une époque. L'édition fit large place à un illustrateur de cette qualité. On comptera parmi ses plus grands succès les gravures exécutées pour *Chéri* et *La Vagabonde* de Colette et *Les Jeux du demi-jour*, de Mac Orlan. Il a illustré aussi : *L'Amour vénal*, *Rue Pigalle* et *Dames seules* de F. Carco ; *Les Aventures du Roi Pausole* de P. Louÿs ; *L'Europe galante* de P. Morand ; *Le Cirque* de Ramon Gomez de la Serna ; *Tableau de la Mode* de G. A. Masson ; *Instants et visages de Paris*, *Les Six Étages* de Gérard Bauër.

Vertès
Vertès

Bibliogr. : Claude Roger-Marx : *Vertès un et divers*, Trinckvel, Paris, 1961.

Ventes Publiques : Paris, 29 oct. 1926 : *Dancing*, dess. :

FRF 1 300 – Paris, 5 déc. 1941 : *Le Coiffeur*, aquar. : **FRF 2 100** – Paris, 10 juin 1949 : *Jeune femme en buste*, past. : **FRF 2 500** – Paris, 24 déc. 1953 : *Tendresse* : **FRF 150 000** – New York, 9 déc. 1959 : *La vagabonde* : **USD 1 100** – Paris, 9 mars 1961 : *Nu couché* : **FRF 4 900** – New York, 23 mars 1961 : *Maternité*, aquar. : **USD 475** – Paris, 29 nov. 1972 : *Au Bois de Boulogne* : **FRF 7 200** – Lyon, 8 nov. 1973 : *Ballet imaginaire en bleu* : **FRF 14 000** – Versailles, 14 mars 1976 : *Jeune femme blonde aux roses*, h/t (46x33) : **FRF 3 700** – Enghien-les-Bains, 10 déc. 1978 : *Jeune femme au balcon ou le 14 Juillet*, h/t (60x73) : **FRF 13 100** – New York, 8 nov 1979 : *Mère et enfant*, h/t (66x54) : **USD 1 800** – Paris, 8 oct. 1980 : *Printemps*, aquar. gchée (169x67) : **FRF 4 200** – New York, 25 fév. 1981 : *Femme endormie*, craies coul. et cr. (28,5x33) : **USD 2 200** – New York, 17 fév. 1982 : *Portrait de Dora, femme de l'artiste*, h/t (52,5x43,5) : **USD 1 600** – New York, 30 mai 1985 : *Les cavaliers*, pinceau et encre noire (62,2x148,5) : **USD 500** – Bruxelles, 13 déc. 1986 : *Chéri, de Colette* 1929, quarante-huit dess. originaux au cr. et à la pl. reh. d'aquar., douze aquar. originales, livre, Éditions de la Roseraie : **BEF 570 000** – Paris, 20 mars 1988 : *L'écuyère*, h/t (72x56) : **FRF 14 500** – Paris, 6 mai 1988 : *Ecuyère et cavalier*, aquar. (31x16) : **FRF 2 000** – Paris, 1er juil. 1988 : *Les trois chevaux blancs et le clown*, gche (49x79) : **FRF 6 800** – New York, 9 mai 1989 : *Nature morte d'après Chardin*, h/t (91,4x122) : **USD 4 400** – Versailles, 10 déc. 1989 : *Maternité*, h/t (76x101) : **FRF 8 000** – Paris, 11 mars 1990 : *Profil*, h/t (41x33) : **FRF 48 000** – La Varenne-Saint-Hilaire, 20 mai 1990 : *Le baiser*, h/t (46x61) : **FRF 65 000** – New York, 10 nov. 1992 : *Jeune femme à la harpe*, h/t (76x61) : **USD 1 650** – Paris, 11 déc. 1992 : *Amazone nue*, aquar. gchée (48x61) : **FRF 3 500** – New York, 22 fév. 1993 : *Trois enfants*, h/t/pan., ensemble de trois pan. (176x167,7) : **USD 6 050** – Paris, 4 avr. 1993 : *Élégante*, aquar. (74x60) : **FRF 3 000** – Paris, 27 juin 1995 : *Le ruban rouge (Madeleine Renaud et Jean-Louis Barrault)* 1954, aquar. et stylo bille (22x29) : **FRF 7 000** – Paris, 22 nov. 1996 : *Le bal musette au Moulin Rouge à la Belle Epoque*, gche/pap. teinté (48x62) : **FRF 5 300**.

VERTICE Francesco

Né le 16 septembre 1882 à Verceil. xxe siècle. Italien.

Peintre de portraits.

Il fit ses études à Turin.

VERTIN Petrus Gerardus

Né le 21 mars 1819 à La Haye. Mort le 14 septembre 1893 à Amsterdam. xixe siècle. Hollandais.

Peintre de paysages animés, paysages urbains, aquarelliste, aquafortiste, lithographe.

Élève de Bartholomeus Johannes Van Hove, il débuta vers 1841 à La Haye.

C'est un peintre minutieux, s'attachant aux petits détails pittoresques des villes de son pays, et peuplant ses tableaux d'innombrables petits personnages. Bien que du xixe siècle, il reste dans la tradition des artistes du xviie siècle hollandais. Sa couleur est chaude et agréable, mais n'a cependant pas de caractère d'originalité.

P. G. Vertin

Bibliogr. : Gérald Schurr, in : *Les Petits Maîtres de la peinture 1820-1920, valeur de demain*, Les Éditions de l'Amateur, t. III, Paris, 1976.

Musées : Amsterdam : *La porte dite Koeport à Delft* – Bruxelles : Sept aquarelles – Courtrai : *Intérieur de ville* – La Haye (Mus. comm.) : *Hiver sous le rempart* – *Vue d'une ville* – Hyères : *Vue d'une ville hollandaise* – Nimègue : *Vue de la ville de Delft* – Utrecht : Deux vues du marché aux poissons à Utrecht.

Ventes Publiques : Dordrecht, 25 nov. 1969 : *Vue d'une ville en hiver* : **NLG 5 000** – Cologne, 22 nov. 1973 : *Vue d'une ville* : **DEM 23 500** – Londres, 1er nov. 1974 : *Scène de canal* 1870 : **GNS 950** – Amsterdam, 15 nov. 1976 : *Vue d'une ville de Hollande*, h/pan. (36x28) : **NLG 12 500** – New York, 14 jan. 1977 : *Scène de canal*, h/pan. (24x19,5) : **USD 1 200** – Stuttgart, 18 déc 1979 : *Vue d'une ville de Hollande*, h/pan. (37x28) : **DEM 12 900** – Amsterdam, 1er oct. 1981 : *Vue d'une ville en hiver*, h/t (62x50) : **NLG 14 000** – New York, 24 fév. 1983 : *Rue de Delft animée* 1867, h/t (36x58,5) : **USD 4 250** – Amsterdam, 19 nov. 1985 : *Une rue en hiver* 1878, aquar. (31x24) : **NLG 4 000** – Reims, 22 déc. 1985 : *Canal, beffroi et vieilles maisons en Hollande*, h/pan. (21x25) : **FRF 17 000** – Amsterdam, 10 fév. 1988 : *Vue d'une ville avec de nombreux citadins, une flèche d'église à l'arrière-plan*, h/pan. (30x26) : **NLG 8 050** – Amsterdam, 30 aoû. 1988 : *Rue de village très animée en hiver* 1855, aquar., encre et lav./pap. (19,5x28) : **NLG 2 300** – Amsterdam, 3 sep. 1988 : *Capriccio d'une ville avec des barques amarrées à un quai et de nombreux promeneurs près d'une église* 1853, h/pan. (28x36) : **NLG 6 325** – Amsterdam, 16 nov. 1988 : *Capriccio avec des pêcheurs dans leurs barques et une cathédrale au loin* 1853, h/t (26x36,5) : **NLG 4 025** ; *Rue animée d'une petite ville* 1855, h/pan. (22x17,5) : **NLG 12 650** ; *Ville flamande avec de nombreux passants en hiver* 1878, h/t (60x50) : **NLG 29 900** – Amsterdam, 19 sep. 1989 : *Vue de Alkmaar avec le Kaaswaag, en été*, h/pan. (24,5x20) : **NLG 9 775** – Strasbourg, 29 nov. 1989 : *Scènes de rue en Hollande*, h/pan. (22x17,5) : **FRF 9 000** – Paris, 7 déc. 1989 : *Marché près de la porte de la Tour*, h/pan. (29x27) : **FRF 13 000** – Amsterdam, 10 avr. 1990 : *Vue animée d'Amsterdam avec la Zuiderkerk au fond* 1873, aquar./pap. (30x37,5) : **NLG 4 025** – Amsterdam, 25 avr. 1990 : *Vue de Haarlem avec l'église Saint Bavo* 1880, h/pan. (29x44,5) : **NLG 11 500** – Amsterdam, 2 mai 1990 : *Place de marché animée dans un village hollandais*, h/t (60,5x75) : **NLG 27 600** – Cologne, 29 juin 1990 : *L'été dans une ville de Hollande*, h/pan. (26x34) : **DEM 8 000** – Amsterdam, 6 nov. 1990 : *Place de Haarlen animée* 1883, h/t (48x62) : **NLG 24 150** – Amsterdam, 5-6 fév. 1991 : *Le marché de Bois-le-Duc avec de nombreux citadins flânant devant l'hôtel de ville* 1885, h/t (42x54) : **NLG 9 775** – Amsterdam, 23 avr. 1991 : *Rue animée d'une ville hollandaise* 1868, h/pan. (37,5x28) : **NLG 10 580** – Amsterdam, 5-6 nov. 1991 : *Rue animée d'une ville hollandaise en hiver* 1879, h/pap. (25x19,5) : **NLG 8 050** – Amsterdam, 22 avr. 1992 : *Vue d'Amsterdam avec le dôme de la première église luthérienne* 1890, h/pan. (22x17,5) : **NLG 5 520** – Londres, 19 juin 1992 : *Rue d'une cité hollandaise* 1860, h/t (40,6x47) : **GBP 10 450** – Amsterdam, 2 nov. 1992 : *La Rue d'une cité*, h/pan. (37x27) : **NLG 12 075** – Amsterdam, 9 nov. 1993 : *Personnages dans les rues d'une ville hollandaise en hiver*, h/pan. (26,5x19,5) : **NLG 13 800** – Amsterdam, 19 avr. 1994 : *Citadins près d'un pont à bascule* 1850, h/pan. (53,5x42,5) : **NLG 34 500** – Londres, 10 fév. 1995 : *Propos galants*, h/t (44x37) : **GBP 2 760** – Amsterdam, 11 avr. 1995 : *Citadins sur le quai d'un canal* 1866, h/t (44,5x60,5) : **NLG 42 480** – Londres, 12 juin 1996 : *Scène de rue* 1868, h/pan. (34x26) : **GBP 7 475** – Londres, 14 juin 1996 : *Place de village à Wassenaar* 1841, h/t (70,5x81,9) : **GBP 20 700** – Amsterdam, 30 oct. 1996 : *Rue de village avec femmes rassemblées près d'une échoppe de légumes*, h/pan. (18,5x22,5) : **NLG 10 378** – Amsterdam, 22 avr. 1997 : *Villes hollandaises en hiver*, h/pan., une paire (chaque 24x19) : **NLG 19 470** – Amsterdam, 27 oct. 1997 : *Scène de rue hollandaise* 1865, h/pan. (33,5x27) : **NLG 30 680**.

VERTMULLER Adolphe Ulric. Voir **WERTMULLER**

VERTOMMEN Willem Joseph

Né le 2 septembre 1815 à Aerschot. xixe siècle. Belge.

Peintre de genre, figures, aquafortiste.

Élève de l'Académie d'Anvers.

Il peignit des intérieurs et des figures.

Ventes Publiques : Londres, 21 juil. 1976 : *Scène de taverne*, h/pan. (48x39) : **GBP 600**.

VERTONGEN Petrus Franciscus

Né en 1888 à Oudegem. Mort en 1971. xxe siècle. Belge.

Peintre de genre, sujets typiques, portraits, paysages.

Bibliogr. : In : *Dict. biogr. ill. des artistes en Belgique depuis 1830*, Arto, Bruxelles, 1987.

VERTUCCI Jacopo

xviiie siècle. Actif à Milan vers 1700. Italien.

Sculpteur.

Il sculpta les ornements de l'intérieur de l'église Saint-Jean de Valence.

VERTUE George

Né en 1684 à Londres. Mort le 24 juillet 1756 à Londres. xviiie siècle. Britannique.

Dessinateur, graveur à l'eau-forte, au burin et à la manière noire et collectionneur.

Cet artiste tient une place importante dans l'histoire de la gravure anglaise. Il était de famille pauvre et appartenait à la religion catholique. Il fut d'abord apprenti graveur en lettres puis élève de Michel Van der Gucht et apprit la gravure artistique près de ce maître. En 1709, il s'établit à son compte et travailla pour les libraires. Esprit studieux il compléta son instruction par l'étude du français, du hollandais et de l'italien. Il travailla aussi la

musique. En 1711, il entra à l'académie de peinture, à la tête de laquelle sir Godfrey Kneller venait d'être placé et tout en poursuivant ses études, la connaissance du célèbre peintre lui fournit l'occasion de reproduire plusieurs portraits de celui-ci. Il grava également d'après Dahl, Richardson, Jervas, Gibson. Le portrait qu'il fit du roi d'Angleterre, lors de l'avènement au trône de la maison de Brunswick, suivi peu après par celui des princes et princesses de cette famille, affirma la réputation de notre graveur. En 1717, il était nommé graveur de la société d'archéologie de Londres. Il travailla aussi pour l'Université d'Oxford. Il fut enterré dans le cloître de Westminster Abbey. Il convient de noter particulièrement les travaux littéraires de cet artiste. Vertue forma le projet d'écrire l'histoire de l'Art en Angleterre. Ses nombreuses notes, achetées après sa mort par Horace Walpole, fournirent à celui-ci d'importants documents pour ses *Anecdotes of Painting in England*. Les originaux de Vertue sont conservés au British Museum.
Ventes Publiques : Londres, 19 nov. 1987 : *The Royal Progress of Queen Elizabeth* 1740, gche/parchemin (40,5x56) : **GBP 18 500**.

VERTUE James
Mort vers 1765 à Bath. xviiie siècle. Actif à Bath. Britannique.
Peintre de portraits et dessinateur.
Son frère George Vertue grava, d'après un de ses dessins : *Interior of Bath Abbey Church*.

VERTUNNI Achille
Né le 27 mars 1826 à Naples. Mort le 20 juin 1897 à Rome. xixe siècle. Italien.
Peintre animalier, paysages animés, paysages, marines.
Élève de Pergola, puis de Bonalis.
Ce fut un remarquable paysagiste doué d'un très beau sentiment de la nature.
Musées : Bristol : *Les Marais Pontins* – Florence (Gal. d'Art Mod.) : *Nera près de Narni* – Périgueux : *Bouquet de pins au bord d'un étang* – Prato : *Torrent près de Narni* – Rome : *La Campagne romaine* – Trieste : *Campagne romaine – Marais Pontins* – Turin (Mus. mun.) : *Les Marais Pontins*.
Ventes Publiques : Paris, 1881 : *Paysage dans les Marais Pontins* : **FRF 910** – Paris, 1886 : *Paysage* : **FRF 319** – Vienne, 4 déc. 1962 : *Campagna d'Atura* : **ATS 22 000** – Milan, 10 nov. 1970 : *Troupeaux* : **ITL 650 000** – Milan, 16 mars 1971 : *Marine* : **ITL 1 400 000** – Londres, 1er mars 1972 : *Vue de la Campagne romaine* : **GBP 700** – New York, 12 jan. 1974 : *Paysage d'Italie* : **USD 2 000** – Milan, 28 oct. 1976 : *Pêcheurs au bord de la mer*, h/t (81,5x201) : **ITL 4 400 000** – Milan, 10 nov. 1977 : *Paysage lacustre*, h/t (26,5x48) : **ITL 1 000 000** – Londres, 20 juin 1980 : *Paysage au lac au crépuscule*, h/t (72,4x146,6) : **GBP 1 400** – Milan, 19 mars 1981 : *Paysage au crépuscule*, h/t (80,5x106,5) : **ITL 6 500 000** – Rome, 15 mars 1983 : *Le Bac*, h/t (65x135) : **ITL 4 000 000** – Cologne, 21 nov. 1985 : *Le remouleur* 1880, h/t (68x95,5) : **DEM 17 000** – Milan, 1er juin 1988 : *Dans le bois*, h/t (44x54) : **ITL 7 000 000** – Milan, 6 déc. 1989 : *Paysage*, h/t (12x25,5) : **ITL 4 000 000** – Rome, 12 déc. 1989 : *Paysage*, h/t (53,5x137,5) : **ITL 16 000 000** – Rome, 29 mai 1990 : *Paysage de marais*, h/pan. (12x22) : **ITL 2 760 000** – Milan, 5 déc. 1990 : *Marine avec des pêcheurs*, h/t (80x202) : **ITL 40 000 000** – Rome, 11 déc. 1990 : *Vaches dans un paysage*, h/pan. (29x44) : **ITL 3 220 000** – Rome, 16 avr. 1991 : *Paysanne ramassant du bois*, h/t (95x76) : **ITL 40 250 000** – New York, 20 fév. 1992 : *Paestum*, h/t (101x201,9) : **USD 12 650** – Rome, 24 mars 1992 : *Bœufs dans un paysage de marais*, h/t (45x92) : **ITL 11 500 000** – New York, 29 oct. 1992 : *Bovins près d'un lac*, h/t (61x109,2) : **USD 5 500** – Milan, 8 juin 1993 : *Prairies le long de la rivière Tevere*, h/t (68x98) : **ITL 14 500 000** – Londres, 11 avr. 1995 : *Arbres dans un paysage rocheux en automne*, h/t (188x133) : **GBP 3 450** – Milan, 25 oct. 1995 : *Sentier au travers des rochers* 1884, h/t (47x93) : **ITL 9 200 000** – Milan, 18 déc. 1996 : *Automne*, h/cart. (40x30) : **ITL 3 961 000** – Rome, 11 déc. 1996 : *Campagne romaine*, h/t (75x150) : **ITL 24 465** ; *Bergers au gué*, h/t (41x70) : **ITL 19 805**.

VERUDA Umberto
Né le 6 juin 1868 à Trieste. Mort le 29 août 1904 à Trieste. xixe siècle. Italien.
Peintre de genre.
Élève de Altalfi à Trieste, puis de Wagner. Il vint également travailler à Paris avec Bouguereau. Revenu en Italie, il exposa surtout à Rome.
Musées : Florence (Mus. des Offices) : *Portrait de l'artiste* – Rome (Gal. d'Art Mod.) : *Sois honnête !* – Trieste (Mus. Revoltella) : *Fondation de Burano – Garanghello – L'artiste – Le peintre Crotti – Nu – Demi-nu* – Venise : *Portrait du sculpteur Giovanni Mayer*.
Ventes Publiques : Milan, 26 nov. 1968 : *Paysage* : **ITL 700 000** – Londres, 24 juin 1983 : *Portrait de Giacomo Puccini* 1890, h/t (136x97,8) : **GBP 4 500**.

VERUS Justus. Voir **EGMONT Justus Van**

VERUZIO Francesco, appellation erronée. Voir **VERLA Francesco**

VERVEER Ary ou **Adriaen Huybertsz**
Né à Dordrecht. Mort le 7 octobre 1680. xviie siècle. Hollandais.
Peintre.
En 1641, élève de Y. G. Cuyp. En 1646, membre de la gilde à Dordrecht. En 1667, un Adriaen Verveer fait partie de la gilde de La Haye. Il est surtout cité comme un médiocre imitateur de Rembrandt.

VERVEER Elchanon
Né le 19 avril 1826 à La Haye. Mort le 24 août 1900 à La Haye. xixe siècle. Hollandais.
Peintre de genre, caricaturiste, graveur.
Dans son enfance il s'exerça à la gravure sur bois. Comme peintre, il eut pour maîtres son frère Salomon Leonardus Verveer et Herman Frédéric Carel ten Kate. Il travailla à La Haye.
Musées : La Haye (Mus. comm.) : *Les invalides de la mer* – Rotterdam : *La première pipe*.
Ventes Publiques : Londres, 14 mai 1909 : *Paresse* 1881, aquar. : **GBP 14** – Londres, 16 févr 1979 : *La Famille du pêcheur* 1877, h/t (38,5x56) : **GBP 2 700** – New York, 11 fév. 1981 : *Enfants nourrissant un chien*, h/t (27x35) : **USD 2 000** – Amsterdam, 11 mai 1982 : *Le pêcheur disparu en mer*, h/t (59x113) : **NLG 13 000** – Amsterdam, 6 nov. 1990 : *Jour de lessive* 1885, h/pan. (24x15) : **NLG 3 450** – Amsterdam, 28 oct. 1992 : *Les jeux d'un futur pêcheur* 1863, h/t (45x63) : **NLG 28 750** – Amsterdam, 3 nov. 1992 : *Racommodage des chaussettes*, aquar. (24,5x17) : **NLG 2 415** – Amsterdam, 14 sep. 1993 : *Deux pêcheurs en conversation*, h/pan. (18,5x15) : **NLG 1 495**.

VERVEER Samuel, ou **Salomon Leonardus**
Né le 30 novembre 1813 à La Haye. Mort le 5 janvier 1876 à La Haye. xixe siècle. Hollandais.
Peintre de genre, paysages urbains.
Il fut élève de Bartholomeus Johannes Van Hove. Il exposa en Belgique, en France, en Allemagne et fut médaillé à Philadelphie en 1876. Ses œuvres, généralement des vues des villes hollandaises, obtinrent un succès considérable dans son pays.
Musées : Amsterdam (Mus. nat) : *Coin de ville – Vue de Noordwyk-sur-Mer* – Amsterdam (Mus. mun.) : *Scheveningen sous la pluie* – Gand : *Vue de Katwijk-sur-Mer* – La Haye (Mus. comm.) : *Plage de Scheveningen par un temps pluvieux – Château, le soir – Vieille ville sous la neige – Une cabane de bain à Scheveningen* – Leeuwarden : *Jeune fille au bord du canal* – Lübeck : *Près du Pont de Kand* – Rotterdam : *Après-midi à Katwyjk-sur-Mer*.
Ventes Publiques : Paris, 1844 : *Vue de la Hollande du Nord avec écluse* : **FRF 260** – Paris, 1869 : *Vue de Delft* : **FRF 920** – Bruxelles, 1873 : *La grande rue des Juifs à Amsterdam* : **FRF 3 000** – Paris, 1874 : *Marine* : **FRF 1 780** – Amsterdam, 1881 : *Village et paysage au bord d'une rivière au soleil couchant* : **FRF 820** – Rotterdam, 1883 : *Scheveningen* : **FRF 1 596** – Bruxelles, 1886 : *En Hollande*, aquar. : **FRF 155** – Paris, 28-29 nov. 1923 : *Vue de ville en Hollande* : **FRF 1 160** – Paris, 30 oct. 1942 : *Un déménagement à Rotterdam* 1855 : **FRF 40 500** – Amsterdam, 27 avr. 1965 : *Jour de marché* : **NLG 9 000** – Paris, 30 juin 1971 : *Le passeur* : **FRF 7 000** – Londres, 6 oct. 1972 : *Paysage d'hiver avec patineurs* : **GNS 1 300** – Amsterdam, 4 mars 1974 : *Couple dans une barque* : **NLG 40 000** – Londres, 11 fév. 1976 : *Le bac*, h/pan. (64x83) : **GBP 3 000** – Londres, 11 fév. 1977 : *Paysage fluvial avec barques de pêcheurs* 1852, h/t (19,5x28) : **GBP 2 000** – Londres, 9 mai 1979 : *Scène de rue avec une marchande des quatre-saisons*, h/pan. (40,5x52) : **GBP 8 000** – Londres, 24 juin 1980 : *Bateaux au port* 1848, cr., pl. et aquar. (10,7x14,6) : **GBP 550** – Londres, 2 juin 1982 : *Scène de rue le long d'un canal*, h/t (55x69) : **GBP 2 200** – New York, 26 oct. 1983 : *Moulins à vent au bord d'une rivière, Dordrecht* 1849, h/pan. (53,5x81) : **USD 10 000** – Amsterdam, 19 nov. 1985 : *Villageois rentrant du marché dans un paysage fluvial* 1846, h/pan. (61x83) : **NLG 90 000** – Londres, 26 nov. 1986 : *Le Chargement de la péniche* 1848, h/pan. (43x58) : **GBP 13 000** – Munich, 11 mars 1987 : *Paysage de Hollande*, h/t (63x58,5) : **DEM 25 000** – Paris, 7

déc. 1989 : *Canal en Hollande*, h/pan. (17x23) : **FRF 25 000** – AMSTERDAM, 10 avr. 1990 : *Personnages dans les douves d'un château* 1848, encre, lav. et aquar./pap. (18x25,8) : **NLG 4 830** – AMSTERDAM, 2 mai 1990 : *Dordrecht avec des habitants dans des barques et sur les berges d'un canal* 1863, h/t (77,5x116) : **NLG 86 250** – PARIS, 21 juin 1990 : *Les patineurs*, h/t (36,5x50,5) : **FRF 12 000** – AMSTERDAM, 30 oct. 1990 : *Femmes de pêcheurs bavardant dans les dunes à Scheveningen*, h/pap./t. (25x33,5) : **NLG 9 200** – STOCKHOLM, 14 nov. 1990 : *Bourgade au bord d'un canal avec des villageois prenant le bac*, h/pan. (64x82) : **SEK 100 000** – AMSTERDAM, 5-6 nov. 1991 : *Une maison dans les dunes*, h/t (23,5x34,5) : **NLG 1 265** – AMSTERDAM, 14-15 avr. 1992 : *Capriccio du quartier juif* 1858, h/pan. (45x37,5) : **NLG 80 500** – AMSTERDAM, 21 avr. 1993 : *Pêcheurs dans une barque avec un village derrière* 1848, h/pan. (21x28,5) : **NLG 25 300** – AMSTERDAM, 19 avr. 1994 : *Une ville avec des personnages sur la berge de la rivière*, h/t (31x41) : **NLG 27 600** – AMSTERDAM, 7 nov. 1995 : *Manoir dans un paysage*, h/pan. (14,5x19) : **NLG 5 900** – AMSTERDAM, 16 avr. 1996 : *Villageois sur une place*, aquar. (28x43) : **NLG 7 316** – LONDRES, 26 mars 1997 : *Pêcheurs raccommodant leurs filets* 1870, h/pan. (38,5x51,5) : **GBP 5 980** – AMSTERDAM, 22 avr. 1997 : *L'Auberge du bord de l'eau*, h/t (64,5x78) : **NLG 21 240** – AMSTERDAM, 27 oct. 1997 : *Scène de marché devant une cathédrale* 1837, h/pan. (96x47) : **NLG 84 960**.

VERVISCH Godfried

Né le 4 février 1930 à Ypres. XXe siècle. Belge.

Peintre de compositions animées, figures, nus, paysages, marines. Tendance art brut.

Il a débuté dans le sillage de Paul Maas et de Roger Somville. L'art brut semble l'avoir ensuite fasciné et il s'est mis à peindre des bonshommes qui évoquent l'écriture enfantine mais témoignent néanmoins d'une facture puissante. Il se peint lui-même et son entourage. Ses autoportraits révèlent une quête de soi, une interrogation face à un avenir incertain. Ses autres sujets, souvent des femmes dans un intérieur, révèlent la même angoisse existentielle.

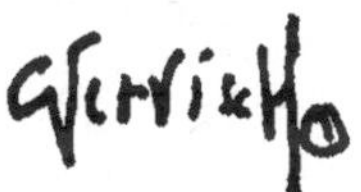

MUSÉES : YPRES.

VENTES PUBLIQUES : ANVERS, 8 avr. 1976 : *Le réveil* 1968, h/t (105x175) : **BEF 32 000** – LOKEREN, 28 mai 1988 : *Dans l'atelier* 1974, h/t (152x100) : **BEF 90 000** – LOKEREN, 21 mars 1992 : *Nature morte* 1963, h/t (60x70) : **BEF 55 000** – LOKEREN, 23 mai 1992 : *Couple avec un chien* 1989, h/t (130x100) : **BEF 95 000** – LOKEREN, 10 oct. 1992 : *Jeune femme assise* 1962, h/t (100x80) : **BEF 65 000** – LOKEREN, 15 mai 1993 : *Autoportrait avec des poules* 1988, h/t (100x100) : **BEF 75 000** – LOKEREN, 15 mai 1993 : *Un port de pêche* 1963, h/t (120x160) : **BEF 140 000** – LOKEREN, 9 oct. 1993 : *Nu debout* 1985, h/t (200x150) : **BEF 200 000** – LOKEREN, 10 déc. 1994 : *Nu debout* 1985, h/t (200x150) : **BEF 180 000** – LOKEREN, 20 mai 1995 : *Vue d'un port* 1963, h/t (120x160) : **BEF 105 000**.

VERVISCH Jean

Né en 1896 à Eterbeek. Mort en 1977. XXe siècle. Belge.

Peintre de genre, paysages, natures mortes.

Il fut élève de Henri Ottevaere à l'académie Saint-Josse-ten-Noode. Il a séjourné en Afrique du Nord et en Italie.

BIBLIOGR. : In : *Dict. biogr. ill. des artistes en Belgique depuis 1830*, Arto, Bruxelles, 1987.

VERVLOET Augustine

Née en 1806 à Bruxelles. XIXe siècle. Belge.

Peintre de natures mortes, fleurs.

Femme de Johannes Josephus Vervloet et mère de Victor, elle peint des natures mortes aux gibiers et des bouquets de fleurs.

VENTES PUBLIQUES : LONDRES, 4 mai 1977 : *Nature morte aux fleurs*, h/t (80x63) : **GBP 1 400** – LONDRES, 3 oct 1979 : *Nature morte aux fleurs* 1833, h/pan. (14x17) : **GBP 1 000** – PARIS, 16 déc. 1996 : *Bouquet de fleurs dans un vase de verre posé sur un entablement*, cuivre (40,5x30) : **FRF 50 000** – CANNES, 7 août 1997 : *Bouquet de fleurs et insectes*, cuivre (41x30) : **FRF 98 000**.

VERVLOET Frans ou parfois **Verloet**

Né le 20 janvier 1795 à Malines. Mort en 1872 à Venise. XIXe siècle. Belge.

Peintre d'intérieurs d'églises, paysages.

Élève de son frère Johannes Josephus Vervloet, il suivit les cours de l'Académie des Beaux-Arts de Malines, puis de celle d'Amsterdam.

À la suite de ses nombreux voyages en Italie, il peint des paysages de la campagne napolitaine, des vues de Venise et des intérieurs d'églises italiennes.

BIBLIOGR. : Gérald Schurr, in : *Les Petits Maîtres de la peinture 1820-1920, valeur de demain*, Les Éditions de l'Amateur, t. III, Paris, 1976.

MUSÉES : AMSTERDAM : *Intérieur de Saint-Pierre de Rome* – BRUXELLES (Mus. Mod.) : *Le cloître de Santa Maria Nuova de Naples* – *Salle dans la Chartreuse de San Martino* – FLORENCE (Gal. d'Art Mod.) : *Saint-Paul de Rome après l'incendie*.

VENTES PUBLIQUES : AMSTERDAM, 5-18 oct. 1965 : *Vue de Naples* : **NLG 3 600** – LONDRES, 13 oct. 1967 : *La baie de Naples* : **GNS 650** – ZURICH, 12 nov. 1976 : *Scène de port, Naples* 1834, h/t (45,5x63,5) : **CHF 14 000** – VERSAILLES, 30 oct. 1983 : *Intérieur d'église* 1870, h/t (84x62) : **FRF 10 800** – AMSTERDAM, 12 sep. 1985 : *Le baptême du prince Louis-Philippe de Belgique* 1833, h/pan. (38x31,5) : **NLG 8 000** – PARIS, 1er juil. 1988 : *Intérieur d'une salle du palais des Doges*, h/pan. (40x50,5) : **FRF 31 000** – LONDRES, 17 mars 1989 : *Le Molo vers l'ouest avec le Palais des Doges et Santa Maria della Salute* 1834, h/t (47x73) : **GBP 44 000** – TROYES, 23 fév. 1992 : *Palerme, la promenade sur le bord de mer*, h/cart. (22,5x35) : **FRF 72 000** – AMSTERDAM, 22 avr. 1992 : *Intérieur d'église avec un officier, deux gentilshommes en conversation et d'autres fidèles* 1820, h/pan. (62x53,5) : **NLG 13 800** – AMSTERDAM, 20 avr. 1993 : *Fidèles à l'intérieur d'une église*, h/pan. (46x39) : **NLG 12 650** – PARIS, 29 avr. 1994 : *Vue de la baie de Naples et du Vésuve* 1832, h/t (45,5x65) : **FRF 430 000** – PARIS, 27 mai 1994 : *Vue de Naples*, h/t (58,5x75,5) : **FRF 380 000** – LONDRES, 16 nov. 1994 : *Santa Maria in Cosmedin à Rome* 1864, h/t (61x82) : **GBP 7 130** – LONDRES, 17 mars 1995 : *Un dîner dans les ruines d'Herculanum* 1858, h/t (22x33) : **GBP 12 650** – ROME, 5 déc. 1995 : *Fantaisie vénitienne* 1838, h/t (43x66) : **ITL 17 678 000** – PARIS, 29 mai 1996 : *Scène de couvent*, h/t (23x17,5) : **FRF 11 000** – LONDRES, 11 oct. 1996 : *Chez le barbier* 1853, h/t (37,5x57) : **GBP 13 800** – LONDRES, 26 mars 1997 : *Vue de Castel Gandolfo, Italie*, h/t (94x135) : **GBP 10 350**.

VERVLOET Johannes Josephus

Né le 27 août 1790 à Malines. Mort le 21 octobre 1869 à Malines. XIXe siècle. Belge.

Peintre d'histoire, scènes de genre, portraits.

Frère de Frans Vervloet, mari d'Augustine et père de Victor Vervloet, il fut professeur à l'Académie des Beaux-Arts de Malines en 1818, puis directeur jusqu'en 1868.

BIBLIOGR. : Gérald Schurr, in : *Les Petits Maîtres de la peinture 1820-1920, valeur de demain*, Les Éditions de l'Amateur, t. V, Paris, 1981.

VERVLOET Victor

Né en 1829 à Malines. XIXe siècle. Belge.

Peintre d'intérieurs, architectures, aquarelliste.

Fils de Johannes Josephus et d'Augustine Vervloet, il peint des architectures italiennes, des châteaux du Moyen Âge, peuplés de personnages.

BIBLIOGR. : Gérald Schurr, in : *Les Petits Maîtres de la peinture 1820-1920, valeur de demain*, Les Éditions de l'Amateur, t. III, Paris, 1976.

VERVOORDEN

XVIIe siècle. Actif à Tournai. Éc. flamande.

Sculpteur.

Il a sculpté *Saint Eleuthère* et *Saint Augustin* dans la cathédrale de Tournai.

VERVOORT. Voir **VOORT Van der**

VERVOU Pierre

Né en 1822 à Louvain. Mort en 1913. XIXe-XXe siècles. Belge.

Peintre de paysages.

Il fut élève de l'académie de Louvain.

BIBLIOGR. : In : *Dict. biogr. ill. des artistes en Belgique depuis 1830*, Arto, Bruxelles, 1987.

MUSÉES : LOUVAIN.

VERWEE Alfred Jacques

Né le 23 avril 1838 à Saint-Josse-ten-Noode près Bruxelles. Mort le 14 septembre 1895 à Bruxelles. XIXe siècle. Belge.

Peintre animalier, paysages, graveur.

Fils et élève de Louis Pierre Verwee. Il travailla aussi avec Verboeckhoven et élève aussi du peintre de genre F. K. Deweirdt, de

1853 à 1858. Il alla vivre à Londres en 1867 et 1868. Il visita ensuite l'Italie et la Hollande. De retour en Belgique, il fut le fondateur et le directeur de la colonie de peintres à Knokke. À Bruxelles, il contribue à la fondation de la Société Libre des Beaux-Arts en 1868, qui lutte contre l'académisme.
Dès 1857, il envoyait au Salon de Bruxelles, et ne tarda pas à y remporter des distinctions. Alfred Jacques Verwee prit part aux expositions de Paris ; médaille en 1864, de troisième classe en 1878 ; chevalier de la Légion d'honneur en 1881. Il avait été fait chevalier de l'Ordre de Léopold en 1871, officier en 1881, commandeur en 1894. Médaille d'or en 1889 (Exposition Universelle).
Ses paysages où paissent des bestiaux, ont le même succès à Paris, où le peintre séjourne fréquemment. Il y connaît Diaz, Th. Rousseau, Manet, Barye et surtout Troyon. Installé à Knokke, il s'attache à la représentation des paysages de la Flandre maritime et plus particulièrement des animaux qui la peuplent. Il a toujours peint les animaux comme partie intégrante du paysage, et c'est ce qui le caractérise. À sa mort, Camille Lemonnier le célébra comme « un des plus grands peintres de la nature ». On lui doit quelques eaux-fortes d'animaux. Il collabora parfois avec son maître Verboeckhoven.

Alfred Verwee

Alfred Verwee

Musées : Anvers : *Les poulains – Vaches au pâturage* – Bruxelles : *Au beau pays de Flandre – Attelage Zélandais – Équinoxe – Animaux au bord d'un fleuve – Embouchure de l'Escaut* – Courtrai : *Attelage flamand* – Groningen : *Ânes* – La Haye (Mesdag) : *Matinée dans les dunes – Prairie belge avec vaches – Sur la plage* – Liège : *Taureau fuyant devant l'orage – Jeunes taureaux* – Montréal : *Bestiaux rentrant du pâturage*.

Ventes Publiques : Paris, 1842 : *Un âne, une chèvre et deux moutons au pâturage* : **FRF 695** – Paris, 1900 : *Embouchure de l'Escaut* : **FRF 28 000** ; *En Flandre occidentale* : **FRF 7 000** – Paris, 12-15 mai 1902 : *Pâturage* : **FRF 775** – Paris, 26 mars 1904 : *Bétail dans une prairie au bord de l'Escaut* : **FRF 8 000** – Londres, 4 déc. 1909 : *Bords de rivière avec bestiaux et moutons*, en collaboration avec Verboeckhoven : **GBP 21** – Paris, 14 mai 1945 : *Vaches traversant un gué* 1844 : **FRF 3 000** – Paris, 30 nov. 1948 : *Chevaux dans un pré* : **FRF 49 000** – Bruxelles, 28 avr. 1951 : *Le poulain* 1872 : **BEF 26 000** – Anvers, 15 oct. 1969 : *Vaches dans la prairie* : **BEF 70 000** – Bruxelles, 25 fév. 1970 : *Cheval au pâturage* : **BEF 60 000** – Anvers, 22 oct. 1974 : *Chevaux au pré* 1879 : **BEF 100 000** – Bruxelles, 27 oct. 1976 : *La révérence*, h/t (125x170) : **BEF 200 000** – Breda, 26 avr. 1977 : *Cheval dans un pré* 1888, h/t (72x82) : **NLG 3 200** – Amsterdam, 28 nov. 1978 : *Le ruisseau sous bois*, h/t (63x76) : **NLG 6 600** – Lokeren, 18 oct. 1980 : *Troupeau au pâturage* 1881, h/t (84x110) : **BEF 200 000** – Bruxelles, 17 fév. 1981 : *Bétail au pâturage*, h/pan. (53x68) : **BEF 130 000** – Bruxelles, 17 mai 1984 : *Troupeau au pâturage au coucher du soleil* 1890, h/t (124x170) : **BEF 250 000** – Bruxelles, 20 nov. 1985 : *Vaches au pâturage*, h/t (40x55) : **BEF 130 000** – Versailles, 18 mars 1990 : *Le retour à l'écurie*, h/t (70x57) : **FRF 20 000** – Amsterdam, 18 fév. 1992 : *Un âne dans une prairie*, h/t (40x55) : **NLG 1 725** – Lokeren, 10 déc. 1994 : *Vaches dans un paysage de polder*, h/t (30,5x50,5) : **BEF 90 000**.

VERWÉE Charles Louis, ou **Louis Charles**

Mort en 1882. XIXe siècle. Belge.

Peintre de genre, portraits.

Fils de Louis Pierre V.

Ventes Publiques : Paris, 30 avr. 1951 : *Jeune femme au chien* : **FRF 45 000** – New York, 13 oct. 1993 : *La lecture*, h/pan. (78,1x59,7) : **USD 14 950** – Amsterdam, 9 nov. 1993 : *Fillette avec des fleurs* 1890, h/t (63x48) : **NLG 4 600** – New York, 12 oct. 1994 : *Rêverie*, h/pan. (53,3x41,9) : **USD 5 175** – New York, 1er nov. 1995 : *La confidente*, h/t (81,3x64,8) : **USD 11 500**.

VERWEE Louis Pierre

Né le 4 novembre 1804 ou 19 mars 1807 à Courtrai. Mort le 6 novembre 1877 à Schaerbeeck ou à Saint-Joose-ten-Noode. XIXe siècle. Actif à Courtrai. Belge.

Peintre animalier, paysages animés, paysages.

Il fit ses études avec E. J. Verboeckhoven.
Il imita la manière, de son maître avec une telle servilité que nombre de ses peintures sont vendues pour des œuvres de Verboeckhoven. Il arriva souvent que le maître peignit des animaux dans les tableaux de son disciple et dans ce cas la confusion est encore plus fréquente.
Il eut deux fils, Alfred Jacques, qui peignit les animaux avec succès, et Charles Louis, cité comme peintre de portraits et de genre.

Musées : Courtrai : *Vache et mouton – Paysage et bestiaux – Paysage avec biches – Hiver à la campagne – L'approche de l'hiver – La Lys près de Courtrai en hiver – Rivière prise par la glace – Patineurs sur la Lys* – Dijon (Mus. des Beaux-Arts) : *Paysage et animaux* – Ypres : *La Lys en hiver*.

Ventes Publiques : Londres, 22 mars 1909 : *Paysage boisé* 1847 : **GBP 5** – Londres, 24 mai 1910 : *Moutons et volailles* : **GBP 5** – Paris, 28-29 nov. 1923 : *Paysage d'hiver* : **FRF 780** ; *Troupeau traversant un gué*, les animaux sont de Verboeckhoven : **FRF 1 250** – Paris, 2 mars 1949 : *Vaches au pâturage* : **FRF 9 000** – Paris, 18 oct. 1950 : *Deux vaches* 1832 : **FRF 8 200** – Bruxelles, 24 fév. 1951 : *Bétail au pâturage* : **BEF 1 300** – Paris, 18 nov. 1953 : *La jeune femme aux lévriers* : **FRF 52 000** – Amsterdam, 20 mai 1969 : *Les plaisirs du patinage* : **NLG 8 500** – Londres, 18 fév. 1970 : *Paysage d'hiver avec patineurs* : **GBP 1 800** – Cologne, 23 mars 1973 : *Le retour des pêcheurs* 1829 : **DEM 9 500** – Bruxelles, 27 oct. 1976 : *Paysage d'hiver*, h/bois (73x95) : **BEF 80 000** – Londres, 20 oct. 1978 : *Paysage à la rivière animé de personnages* 1862, h/t (102,3x148) : **GBP 5 000** – Londres, 18 juin 1980 : *Paysans dans un paysage* 1846, h/t, attr. des personnages à Eugène Verboeckhoven (82x120) : **GBP 3 600** – New York, 28 mai 1981 : *Troupeau au bord d'un ruisseau* 1846, h/pan. (56,5x75) : **USD 9 500** – Londres, 21 mars 1984 : *Personnages sur un chemin de campagne* 1847, h/t (75x100) : **GBP 12 000** – Lokeren, 19 oct. 1985 : *Troupeau au pâturage*, h/pan. (49x63) : **BEF 180 000** – Monaco, 3 déc. 1989 : *Le printemps* ; *L'automne*, h/pan., une paire (69x38) : **FRF 266 400** – Amsterdam, 2 mai 1990 : *Taureau, vache et moutons près d'un enclos dans un pâturage*, h/pan. (42x56) : **NLG 8 050** – New York, 23 oct. 1990 : *La provende des poules*, h/t (184,2x100) : **USD 13 200** – Amsterdam, 23 avr. 1991 : *Rue d'une ville belge animée*, h/pan. (44x33) : **NLG 4 830** – Le Touquet, 8 juin 1992 : *Vaches et moutons dans les pâturages*, h/pan. (25x33) : **FRF 16 000** – Calais, 13 déc. 1992 : *Le berger et son troupeau*, h/pan. (43x55) : **FRF 22 000** – Londres, 2 oct. 1992 : *Berger et son troupeau près d'un étang*, h/t (64,2x93,4) : **GBP 1 870** – Amsterdam, 11 fév. 1993 : *Chèvre et mouton dans un paysage boisé*, h/pan. (30,5x54,5) : **NLG 3 450** – Londres, 17 juin 1994 : *Paysage fluvial boisé avec un pêcheur*, h/t (83,1x125,8) : **GBP 7 820** – Amsterdam, 11 avr. 1995 : *Un bouvier et son troupeau sur un chemin de campagne*, h/pan. (45,5x53,5) : **NLG 33 040** – New York, 17 jan. 1996 : *Vaches et moutons au pâturage* 1829, h/pan. (37,5x33,7) : **USD 2 300** – Amsterdam, 27 oct. 1997 : *Un embarcadère près d'une rivière* 1856, h/t (60x79) : **NLG 12 980**.

VERWEE Marie Louise

Née en 1906 à Bruxelles. XXe siècle. Belge.

Peintre de portraits, paysages, natures mortes.

Elle fut élève de l'académie des Beaux-Arts de Bruxelles.

Bibliogr. : In : *Dict. biogr. ill. des artistes en Belgique depuis 1830*, Arto, Bruxelles, 1987.

VERWER Abraham de ou **Verweer**, dit aussi **Van Burghstrate**

Né avant 1600. Mort le 19 août 1650 à Amsterdam, Il fut inhumé dans la Oude Kerk. XVIe-XVIIe siècles. Hollandais.

Peintre de marines, paysages, dessinateur.

Il séjourna vraisemblablement à Paris, et travailla pour le prince Frédéric Henri de Nassau.

A. D. 1621 verwer. in. fecit

Musées : Amsterdam : *Combat naval sur le Zuyderzee – Voilier vu par derrière* – Kaliningrad, ancien. Königsberg : *Côte italienne* – Mannheim (Mus. mun.) : *Ville au bord de la mer* – Paris (Mus. Carnavalet) : Trois vues du Louvre.

Ventes Publiques : Hambourg, 27 nov. 1965 : *Vue d'un port* : **DEM 9 500** – Amsterdam, 26 avr. 1976 : *L'arrivée de Frederik V de Bohème*, h/t (82x117) : **NLG 44 000** – Amsterdam, 18 avr. 1977 : *Paysage fluvial avec bateaux et un château*, pl. et lav. (15,2x30,4) : **NLG 7 000** – New York, 12 janv 1979 : *Vue d'une* *ville*, h/pan. (34x51) : **USD 5 000** – LONDRES, 9 avr. 1981 : *Voiliers en mer*, pl. et lav. (15,1x31,7) : **GBP 5 000** – AMSTERDAM, 14 mars 1983 : *La Chasse à la baleine près de l'île Jan Hayen*, h/pan. (50x93) : **NLG 40 000** – LONDRES, 1er avr. 1987 : *Paysage de Hollande* 1637, aquar., pl. et encre brune (10,2x27,2) : **GBP 9 500** – PARIS, 9 avr. 1990 : *Vue de Paris du Petit Louvre et de la Grande Galerie face à l'Hôtel de Nevers depuis le Pont Barbier*, h/pan. (26,5x63) : **FRF 180 000** – AMSTERDAM, 25 nov. 1992 : *Navigation par mer calme avec une ville au fond*, lav. et encre (15,1x31,7) : **NLG 34 500** – AMSTERDAM, 10 mai 1994 : *Panorama avec une rivière* 1637, encre et lav. (10,3x27,2) : **NLG 8 050**.

VERWER Johann
XVIIe siècle. Travaillant à Haarlem en 1647. Hollandais.
Peintre.
Il peignit des plantes.

VERWER Justus de
Né vers 1626. Mort avant 1688. XVIIe siècle. Hollandais.
Peintre de marines.
Il fut élève de son père Abraham V.
VENTES PUBLIQUES : LONDRES, 7 juil. 1972 : *Voiliers et barques devant la côte* : **GNS 1 300** – LONDRES, 6 juil. 1984 : *Frégate et autres bâtiments au large d'un port (Amsterdam ?)*, h/pan. (69,5x108,6) : **GBP 10 000** – NEW YORK, 6 juin 1985 : *Bateaux hollandais au large de la côte*, h/pan. (30,5x38,5) : **USD 10 000** – AMSTERDAM, 20 juin 1989 : *Estuaire de rivière avec des barques de pêche rejoignant la jetée par légère brise*, h/pan. (23,5x33) : **NLG 10 350**.

VERWEST Jan
Né en 1926 à Gand. XXe siècle. Belge.
Graveur, illustrateur.
Autodidacte, il a reçu le prix de la ville d'Ancône en 1968-1969.
BIBLIOGR. : In : *Dict. biogr. ill. des artistes en Belgique depuis 1830*, Arto, Bruxelles, 1987.

VERWEST Jules
Né en 1883 à Gand. Mort en 1957. XXe siècle. Belge.
Peintre de figures, paysages, natures mortes, pastelliste.
Il fut élève du graveur Armand Heins. Il travailla à Venise.
BIBLIOGR. : In : *Dict. biogr. ill. des artistes en Belgique depuis 1830*, Arto, Bruxelles, 1987.
VENTES PUBLIQUES : LONDRES, 21 fév. 1989 : *Nature morte*, h/t (41,3x51,4) : **GBP 1 760**.

VERWEY Kees
Né en 1900. Mort le 23 juillet 1995. XXe siècle. Belge.
Peintre de portraits, intérieurs, natures mortes, fleurs, aquarelliste, dessinateur.
Il s'est spécialisé dans les natures mortes, dans lesquelles règnent un désordre pittoresque, et les bouquets de fleurs.
BIBLIOGR. : Lambert Tegenbosch : *Kees Verwey*, Centre Culturel, Venlo, 1974.
MUSÉES : HAARLEM (Frans Hals Mus.).
VENTES PUBLIQUES : AMSTERDAM, 29 oct. 1980 : *Portrait d'homme*, h/t (76x63) : **NLG 4 200** – AMSTERDAM, 21 mai 1987 : *Nature au vase de fleurs* 1928, aquar. et gche/pap. (47x61) : **NLG 12 000** – AMSTERDAM, 8 déc. 1988 : *Nature morte de roses dans un vase sur un plateau d'étain*, aquar./pap. (34,5x47) : **NLG 12 650** – AMSTERDAM, 24 mai 1989 : *Bouquets de fleurs enveloppés dans du papier tenus au frais dans des baquets*, aquar./pap. (49,5x67) : **NLG 6 900** – AMSTERDAM, 10 avr. 1990 : *Portrait de Maria Petrelli* 1938, h/t (47,6x36,8) : **NLG 13 800** – AMSTERDAM, 22 mai 1990 : *Fleurs dans un vase*, aquar./pap. (39x29) : **NLG 8 625** – AMSTERDAM, 11 sep. 1990 : *Roses dans un vase*, h/cart. (24x18) : **NLG 3 450** – AMSTERDAM, 12 déc. 1990 : *Portrait d'homme*, h/t (50x41) : **NLG 2 990** ; *Nature morte avec des fleurs*, aquar./pap. (53x41) : **NLG 19 550** – AMSTERDAM, 22 mai 1991 : *Nature morte de roses dans un vase* 1970, aquar./pap. (60x96) : **NLG 11 500** – AMSTERDAM, 11 déc. 1991 : *Nature morte de fleurs dans un vase* 1972, aquar./pap. (62,5x46) : **NLG 20 700** – AMSTERDAM, 19 mai 1992 : *Un cheval dans un rêve* 1956, h/t (150x125) : **NLG 138 000** – AMSTERDAM, 10 déc. 1992 : *Nature morte de fleurs*, aquar./pap. (50x32,5) : **NLG 11 500** – AMSTERDAM, 8 déc. 1993 : *Nature morte de fleurs*, h/t (50x40) : **NLG 11 500** – AMSTERDAM, 8 déc. 1994 : *Nature morte*, h/t (116x88) : **NLG 46 000** – AMSTERDAM, 6 déc. 1995 : *Nature morte avec une sculpture classique* 1930, h/t (110x122) : **NLG 48 300** – AMSTERDAM, 4 juin 1996 : *Intérieur du salon de Verwey (recto)* ; *Portrait d'une jeune femme assise (verso)* 1910, aquar./pap. (38x52) : **NLG 3 540** – AMSTERDAM, 5 juin 1996 : *Autoportrait* 1984, h/t (60x50) : **NLG 8 050** – AMSTERDAM, 10 déc. 1996 : *Fleurs* 1964, aquar./pap. (60x44) : **NLG 20 757** – AMSTERDAM, 17-18 déc. 1996 : *Nature morte de fleurs*, aquar./pap. (56x42,5) : **NLG 7 080** – AMSTERDAM, 2-3 juin 1997 : *Dorre bladeren* 1980, aquar./pap. (95,5x66) : **NLG 9 440** – AMSTERDAM, 2 juil. 1997 : *Nature morte de fleurs* 1970, h/t (40x50) : **NLG 13 838** – AMSTERDAM, 1er déc. 1997 : *Nature morte de fleurs au vase en cristal* 1986, h/t (70x50) : **NLG 21 830**.

VERWEY VAN UDENHOUT Laurenz
Né le 2 octobre 1884 à Sidoardjo (Java). Mort le 4 octobre 1913 à Maarssen. XXe siècle. Hollandais.
Peintre de portraits, paysages, graveur.
Il fut élève de l'Académie de La Haye. Comme graveur, il a privilégié la technique de l'eau-forte.

VERWILT Adriaen Fransz
Né vers 1582 à Anvers. Mort entre le 24 juin 1639 et le 10 mai 1641 à Rotterdam. XVIIe siècle. Hollandais.
Peintre.
Élève de Cornelis Pollenbourg à Utrecht. Vers 1643, il était à Rotterdam. En 1661, il faisait partie de la gilde à Middelburg, Cornelis Singelaer fut son élève.

VERWILT Dominicus
XVIe siècle. Actif à Anvers. Éc. flamande.
Peintre.
Il travailla en Suède de 1544 à 1565. Il y peignit les membres de la famille royale et des perspectives.

VERWILT Francis ou **François**
Né vers 1620 à Rotterdam. Mort le 8 août 1691 à Rotterdam. XVIIe siècle. Hollandais.
Peintre de genre, d'histoire et de portraits.
Il était à Flessingue en 1653, et à Rotterdam en 1669.

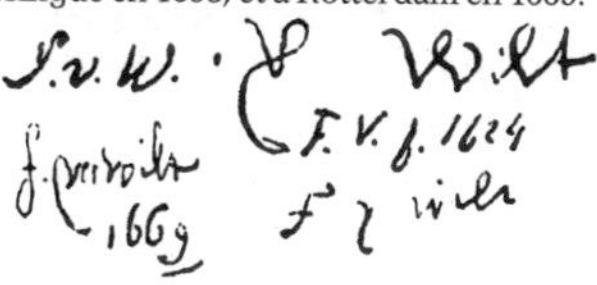

MUSÉES : AMSTERDAM : *Portrait de jeune garçon dit le fils de l'amiral* – BUDAPEST : *L'écurie* – COPENHAGUE : *Nymphes au bain* – HAARLEM : *Portraits de Christina Elisabeth et Cornelis Akersloot* – KASSEL : *Madeleine repentante* – MAYENCE : *Mort d'Adonis* – ROTTERDAM (Mus. Boymans) : *Portrait de femme* – SAINT-PÉTERSBOURG (Mus. de l'Ermitage) : *Danaé* – VIENNE (Czernin) : *Repos en Égypte de la Sainte Famille entourée d'anges*.
VENTES PUBLIQUES : VIENNE, 20 sep. 1977 : *Le repos pendant la fuite en Égypte* 1653, h/pan. (47x39,3) : **ATS 75 000** – AMSTERDAM, 13 nov. 1995 : *Madeleine repentante* ; *Un ermite dans un paysage rocheux*, h/pan., une paire (26x24,4) : **NLG 8 050**.

VERWOERT Elisabeth
Née le 21 septembre 1836 à Amsterdam. XIXe siècle. Hollandaise.
Peintre de paysages.
Élève de Louis Royer et d'Auguste Allebé.

VERWORNER Ludolf
Né en 1864 ou 1867 à Leipzig. Mort le 14 janvier 1927 à Fiesole. XIXe-XXe siècles. Allemand.
Peintre.
Il figura au Salon de Paris ; il reçut une mention honorable en 1891.
MUSÉES : DRESDE : *Femme à la fontaine* – LEIPZIG : *Femmes dans un paysage*.
VENTES PUBLIQUES : MILAN, 26 mars 1962 : *I Re Maggi* : **ITL 550 000** – LINDAU, 9 mai 1979 : *Scène de plage*, h/cart. (66x51) : **DEM 2 200** – LONDRES, 25 nov. 1992 : *Un jeune couple jouant aux dames* 1891, h/t (55x78) : **GBP 4 180**.

VERY Alexandre
Né au XIXe siècle à Pont-à-Mousson (Meurthe-et-Moselle). XIXe siècle. Français.
Sculpteur.
Il figura au Salon des Artistes Français ; mention honorable en 1892.

VERZALI Francesco de'
Né à Pavie. XVe siècle. Travaillant à Gênes dans la seconde moitié du XVe siècle. Italien.
Peintre.

VERZELLI. Voir **VERGELLI**

VERZETTI Pietro
Né en 1876 à Verceil. XXe siècle. Italien.
Peintre de figures.
Il fut élève de Vespasiano Bignami et de Cesare Tallone.
Musées : Milan (Gal. Mod.) : *Mère*.

VERZIJL Jan Frans. Voir **VERSYL**

VERZILLO Giuseppe
XVIIIe siècle. Travaillant à Naples à la fin du XVIIIe siècle. Italien.
Sculpteur sur bois.
Il sculpta quatre statues de saints dans l'église Saint-Jérôme de Naples.

VERZWYVEL Michael Karel Antoon. Voir **VERSUYVEL Michel Charles Antoine**

VERZY Jean Baptiste
XVIIIe siècle. Actif à Paris. Français.
Peintre de genre.
Il figura au Salon de 1793 à 1796.

VERZYLL Rinse
Né en 1690 à Leeuwarden. XVIIIe siècle. Hollandais.
Peintre de marines.

VESCH. Voir **FASCH**

VESCO Lino
Né le 5 février 1879 à Salzbourg. XXe siècle. Actif en Allemagne. Autrichien.
Peintre de portraits.
Il fut élève de Walter Thor à Munich et de Theodor J. Ethofer à Salzbourg. Il vit et travaille à Francfort-sur-le-Main.

VESCOVERS Jakob Frans. Voir **VERSKOVIS**

VESCOVO Antonio, Carradino et **Lorenzo**
Nés à Rovigo. XVe siècle. Actifs dans la seconde moitié du XVe siècle. Italiens.
Sculpteurs.
Ils travaillèrent ensemble aux sculptures de l'église Saint-Michel de Murano. Antonio di Lorenzo del Vescovo (voir ce nom) est le fils de Lorenzo.

VESE, dalle. Voir au prénom

VESEL Ferdo
Né le 18 mai 1861 à Ljubljana. XIXe-XXe siècles. Yougoslave.
Peintre de genre, scènes typiques, portraits, paysages, natures mortes.
Il fut élève des académies de Vienne et de Munich. Il peignit les scènes de la vie populaire slovène ainsi que des portraits et des natures mortes.
Musées : Belgrade – Ljubljana.

VESEL Jessie
XIXe-XXe siècles. Britannique.
Peintre de paysages.
Elle fut la femme du peintre Ferdo Vesel.

VESEL Josef
Né le 3 février 1859 à Ljubljana. Mort le 1er novembre 1927 à Ljubljana. XIXe-XXe siècles. Yougoslave.
Peintre de portraits, paysages.
Il fut élève de l'Académie des beaux-arts de Vienne.

VESELY. Voir aussi **WESSELY**

VESELY Alès
Né en 1935 à Caslaw. XXe siècle. Tchécoslovaque.
Sculpteur.
De 1952 à 1958, il fut élève de l'Académie des Beaux-Arts de Prague.
Il participa à de nombreuses expositions de groupe, nationales et internationales, notamment : 1962 *Argumenta* à Varsovie ; 1964 groupe D à Prague et groupe Phases à Bruxelles ; 1965 Caen, Biennale de Gravure de Ljubljana et Biennale de Paris. Il montre ses œuvres dans des expositions personnelles : 1963 Prague ; 1965, à Liberec.
Dès 1960, il eut l'idée des *Objets stigmatiques*, qu'il exposa en 1963, sculptures obtenues par prolifération quasi organique de matériaux plastiques à partir d'une armature métallique, à la ressemblance de chairs martyrisées et pourrissantes. Il eut également alors l'occasion de réaliser un relief monumental pour le hall de l'aéroport de Prague. À partir de 1964, ces *Objets stigmatiques* évoluèrent à ce que Vesely nomma les *Graphiques-empreintes*, qu'il exposa en 1965, créations participant de la même élaboration, mais à partir de matériaux de rebut et selon la technique surréaliste du « collage », objets en formes d'emblèmes redoutables. Avec les *Objets énigmatiques* de 1966, il aboutit naturellement à un baroquisme surréaliste, dont le courant est constant dans l'art tchèque. Ces objets délibérément composites, sont créés pour intriguer, mais surtout pour inquiéter, trophées cruels, dépouilles sanguinolentes.
Bibliogr. : Raoul-Jean Moulin, in : *Nouveau diction. de la sculpt. mod.*, Hazan, Paris, 1970.

VESELY Frantisek
Né dans la région de Stropkov. XXe siècle. Tchécoslovaque.
Peintre de paysages.
Il fut élève de l'école des beaux-arts de Bratislava. Il vit et travaille dans la région de Stropkov et au nord-est de la république. Il participe à des expositions collectives et montre ses œuvres dans des expositions personnelles dans son pays et à l'étranger. Il peint la nature, la végétation, le gibier et les oiseaux, mettant l'accent sur les dangers qui la menace. Au cœur d'œuvres naïves, pleines de poésie surgissent la ligne perpendiculaire d'une autoroute, la silhouette de buildings envahissants, l'artiste invitant à réfléchir sur une possible réconciliation entre nature et monde moderne.

VESELY Zdenek
Né le 9 juin 1932 à Broskovice (Moravie). XXe siècle. Tchécoslovaque.
Peintre de natures mortes, pastelliste.
Il fut élève de l'école nationale supérieure des beaux-arts de Prague, et étudia avec Miloslav Holy, Karel Hladik et Valdimir Silovsky. Il montre ses œuvres dans de nombreuses expositions, depuis 1965 en Tchécoslovaquie, en 1968 à Vienne, en 1982 à Topoli.
Ventes Publiques : Paris, 31 jan. 1993 : *Nature morte au pichet*, past. gouaché (57x75) : **FRF 3 000**.

VESIN Jaroslav Fr. Julius
Né en 1859 à Vrany. Mort le 9 mai 1915 à Sofia. XIXe-XXe siècles. Bulgare.
Peintre d'histoire, portraits.
Il fut élève des Académies de Prague et de Munich. Il s'établit à Sofia en 1898 et y fut peintre à la cour.
Musées : Prague (Mus. Nat.) : peinture – Prague (Mus. Nat.) : *L'Archiduc François Ferdinand à la chasse* – *Scène de Bulgarie*.
Ventes Publiques : New York, 6 avr. 1946 : *Sleigh Ride* : **USD 1 000** – Munich, 9 mars 1978 : *Deux carrioles traversant un village au galop* 1896, h/t (42,5x62,5) : **DEM 8 500** – New York, 31 oct. 1980 : *Bataille de boules de neige*, h/t (59,7x90,2) : **USD 16 000** – Londres, 25 mars 1981 : *Paysage d'hiver avec traîneau*, h/t (54x93) : **GBP 4 800** – New York, 27 fév. 1986 : *La Bataille de boules de neige*, h/t (61x91) : **USD 22 000** – New York, 19 mai 1987 : *La promenade en traîneau* 1896, h/t (61,2x90,8) : **USD 15 000** – New York, 26 mai 1993 : *Bataille de boules de neige*, h/t (54,6x73) : **USD 11 500** – Londres, 20 nov. 1996 : *Le Marché aux chevaux*, h/t (68x118) : **GBP 5 750**.

VESIOLKINE Igor
Né en 1915. XXe siècle. Russe.
Peintre de figures, portraits, paysages. Réaliste-socialiste.
Il fit ses études à l'Institut Répine à l'Académie des Beaux-Arts de Leningrad où il travailla sous la direction de Boris Ioganson. Membre de l'Union des Artistes d'U.R.S.S., il devint professeur à l'Académie des Beaux-Arts de Leningrad. Il fut nommé Artiste du Peuple. À partir de 1950 ses œuvres ont été exposées régulièrement à Moscou et Leningrad et à l'étranger : 1959 Bruxelles où il reçut le Ier prix de l'exposition *L'Art Contemporain de l'URSS* ; 1968 Tokyo ; 1986 Osaka.
Il adopte un style postimpressionniste.
Bibliogr. : In : Catalogue de la vente *L'École de Leningrad*, Drouot, Paris, 19 nov. 1990.
Musées : Dresde (Gal. Nat.) – Kiev (Mus. d'Art russe) – Moscou (Gal. Tretiakov) – Novgorod (Mus. des Beaux-Arts) – Saint-Pétersbourg (Mus. Russe) – Saint-Pétersbourg (Mus. des Beaux-Arts).
Ventes Publiques : Paris, 19 nov. 1990 : *Le soir* 1950, h/t (48x101) : **FRF 10 500** – Paris, 4 mars 1991 : *La danseuse*, h/t (120x78) : **FRF 4 500** – Paris, 15 mai 1991 : *Les lumières dans la nuit* 1956, h/cart. (30x50) : **FRF 8 500**.

VESNIN Alexandre
Né en 1883 à Jurevec. Mort en 1959 à Moscou. XXe siècle. Russe.

Peintre, dessinateur, peintre de décors de théâtre. Constructiviste.

Surtout connu comme architecte, avec ses deux frères, on cite parmi ses réalisations le barrage Dnieproghes, les projets pour les bâtiments de la Pravda à Leningrad. Il fut également un important théoricien de la « création non objective » et enseigna dans les Vhutemas.

Il a participé à Moscou aux expositions *Création non objective et Suprématisme* en 1919, *5x5=25* (cinq peintres exposent cinq œuvres) à Moscou en 1921.

S'intéressant aux recherches constructivistes, notamment dans le domaine de l'architecture, il a fréquenté Tatline, Popova et Oudaltsova, partageant leurs idées esthétiques et le désir de créer un art pour le peuple, condamnant l'art pour l'art au profit de la production de tous les éléments contribuant au cadre de la vie concrète et réelle. Réalisant des peintures, dans la lignée des recherches de Popova, il a également dessiné des costumes et des décors de théâtre.

Bibliogr. : In : *Dict. de l'art mod. et contemp.*, Hazan, Paris, 1992.

Musées : Moscou (Mus. d'architecture Scusev).

Ventes Publiques : Londres, 2 avr. 1987 : *Composition architectonique* 1922, gche et pl./ traits de cr./pap. mar./cart. (33,5x24) : **GBP 8 500**.

VESOVIC Yarmila

Née le 13 août 1954 à Cetinje. xxe siècle. Yougoslave.

Peintre. Abstrait lyrique.

Elle fut élève de l'école des beaux-arts de Belgrade. Elle est membre de l'Association des artistes peintres et sculpteurs de Yougoslavie.

Elle montre ses œuvres dans des expositions personnelles depuis 1981 régulièrement à Belgrade, notamment à la galerie du centre culturel ainsi que : 1985 galerie du musée national de Kraljevo, galerie de la cité internationale des arts de Paris ; 1987 galerie des beaux-arts de Paris.

VESPASIANO Andrea

xviie siècle. Travaillant à Naples dans la seconde moitié du xviie siècle. Italien.

Peintre amateur.

Élève et imitateur de Salvator Rosa.

VESPASIANO Nicolo

Né vers 1538. Mort avant 1574. xvie siècle. Actif à Venise. Italien.

Peintre.

Il peignit des tableaux d'autel pour les églises de Borzonasca, de Chiesanova et de Cimosio.

VESPASIANO di Bernardino di Paganica. Voir **SFRAJO Vespasiano**

VESPEIRA

Né en 1925 à Samonco (Lisbonne). xxe siècle. Portugais.

Peintre. Réaliste socialiste puis surréaliste puis abstrait-lyrique.

Il obtint son diplôme de l'École des Arts Décoratifs de Lisbonne, il ne termina ensuite pas le cycle d'études de l'École des Beaux-Arts. De 1947 à 1949, il fut membre du groupe surréaliste de Lisbonne. Il voyagea en Europe et en Afrique.

Il a commencé d'exposer en 1946. Il participe à de nombreuses expositions de groupe, notamment en Suisse, à la Biennale de São Paulo, etc.

Exploitant les prolongements érotiques du surréalisme, il a été le peintre surréaliste le plus en vue du Portugal. Il évolua ensuite vers une abstraction graphique, fondée sur les rythmes musicaux du jazz, du flamenco, de la danse.

Bibliogr. : B. Dorival, sous la direction de... : *Peintres Contemporains*, Mazenod, Paris, 1964 – José Pierre : *Le Surréalisme*, in : *Hre Gle de la peint.*, tome 21, Rencontre, Lausanne, 1966.

VESPIGNANI Renzo

Né en 1924 à Rome. xxe siècle. Italien.

Peintre de portraits, nus, paysages urbains, technique mixte, graveur, dessinateur, illustrateur. Réaliste.

Autodidacte, il a travaillé pour diverses revues littéraires et politiques et fonda la revue *Roma, citta aperta* qui s'intéresse à la culture urbaine. Il vit et travaille à Rome.

Sa première exposition eut lieu à Rome, en 1945. Depuis, il participe à de nombreuses expositions de groupe, nationales et internationales, entre autres : à Rome, Turin, Milan, New York ; 1950, 1952, 1954 Biennale de Venise ; 1955, 1959 Quadriennale de Rome ; 1951, 1959 Biennale de São Paulo ; 1959 Ire Biennale des Jeunes à Paris ; etc. Il a obtenu de nombreux prix : 1950 Prix de Gravure A. Bennati à la XXVe Biennale de Venise, 1951 Prix de Dessin à la Biennale de São Paulo, 1959 Prix de la Municipalité de Rome à la Quadriennale de la ville, 1961 Prix Fiesole.

Il fait partie du courant réaliste italien. Sa transcription de la réalité n'est pas exclusive de l'établissement d'un climat affectif. Il dépeint les aspects de la cité moderne, s'attachant volontiers à évoquer l'appel nostalgique des voies ferrées traversant les quartiers urbains. Il a réalisé de nombreuses eaux-fortes.

Bibliogr. : B. Dorival, sous la direction de... : *Peintres Contemporains*, Mazenod, Paris, 1964 – Catalogue de l'exposition : *Vespignani, catalogue de l'œuvre gravé*, Rome, 1982 – in : Catalogue de l'exposition : *Il Sentimento delle cose*, GAM, Bibliothèque municipale de Verolanuova, 1993.

Musées : Bergame – Milan – New York – Rio de Janeiro – Rome – La Spezia – Turin.

Ventes Publiques : Rome, 28 nov. 1972 : *Banlieue*, techn. mixte : **ITL 950 000** – Milan, 11 déc. 1973 : *Banlieue* : **ITL 1 100 000** – Rome, 20 mai 1974 : *Banlieue* 1963 : **ITL 2 200 000** – Milan, 15 juin 1976 : *Aspidistria* 1965, techn. mixte/cart. entoilé (74x122) : **ITL 1 900 000** – Rome, 19 mai 1977 : *Banlieue* 1963, techn. mixte/cart. entoilé (69x105) : **ITL 2 400 000** – Milan, 13 déc. 1977 : *L'auteur et son marchand* 1967, h/t (140x100) : **ITL 3 600 000** – Rome, 6 déc. 1978 : *Ponte Marconi* 1956, h/t (73x92) : **ITL 5 000 000** – Rome, 24 mai 1979 : *Composition et figure* 1965, techn. mixte/cart. entoilé (69x101) : **ITL 1 900 000** – Rome, 13 nov 1979 : *Ponte Marconi* 1956, h/t (73x35) : **ITL 5 000 000** – Rome, 2 déc. 1980 : *Banlieue* 1962, encre de Chine et gche/cart. entoilé (50x65) : **ITL 3 500 000** – Milan, 16 juin 1981 : *Paysage urbain* 1961, h/t (68x99) : **ITL 5 500 000** – Rome, 5 mai 1983 : *La Lecture du journal* 1960, encre de Chine (67x87) : **ITL 3 300 000** – Rome, 5 déc. 1983 : *Autosalone* 1965, h/t (140x200) : **ITL 16 000 000** – Rome, 4 déc. 1984 : *Barques* 1965, techn. mixte/pap. mar./t. (75x103) : **ITL 8 000 000** – Rome, 3 déc. 1985 : *Femme assise* 1959, techn. mixte/pap. mar./t. (100x70) : **ITL 7 000 000** – Milan, 8 juin 1988 : *Leçon d'anatomie N° 1* 1964, techn. mixte (72x98) : **ITL 2 100 000** ; *Portraits* 1967, h/t (177x107) : **ITL 20 000 000** – Milan, 14 déc. 1988 : *Périphérie* 1963, techn. mixte/pap. entoilé (70x100) : **ITL 11 000 000** – Milan, 7 juin 1989 : *Portrait de Franz Villier* 1968, h/t (136x100) : **ITL 22 000 000** – Rome, 10 avr. 1990 : *Jeune fille lisant le journal* 1959, h/pap./t. (69x100) : **ITL 19 000 000** – New York, 10 oct. 1990 : *Quai de chargement* 1954, h/t (44,6x70) : **USD 8 800** – Rome, 13 mai 1991 : *Le partisan* 1951, encre de Chine aquarellée/pap. (29,5x19) : **ITL 2 185 000** ; *Escale* 1963, h/t (71x100) : **ITL 18 975 000** – Rome, 3 déc. 1991 : *Vallo Prenestino* 1956, h/t (75x100) : **ITL 31 000 000** – Milan, 14 avr. 1992 : *Gazomètre* 1963, techn. mixte/pap. (70x101) : **ITL 10 000 000** – Milan, 9 nov. 1992 : *Périphérie* 1963, techn. mixte/pap. entoilé (69x105) : **ITL 7 500 000** – Rome, 19 nov. 1992 : *Barques échouées sur le sable*, techn. mixte/pap./t. (53x69) : **ITL 8 500 000** – Rome, 30 nov. 1993 : *Périphérie* 1962, techn. mixte/pap./t. (70x100) : **ITL 13 800 000** – Rome, 14 juin 1994 : *Périphérie bleue* 1963, h/t (62x40) : **ITL 9 200 000** – Rome, 28 mars 1995 : *Périphérie* 1955, h/t (70x90) : **ITL 23 000 000** – Milan, 22 mai 1996 : *Nu de femme* 1965, cr./cart. (100x70) : **ITL 1 840 000** – Rome, 12 juin 1996 : *Retour à la maison au crépuscule*, h/t (30x50) : **ITL 10 350 000**.

VESPINO, il. Voir **BIANCHI Andrea**

VESPRÉ Victor. Voir **VISPRÉ**

VESQUE VON PUTTLINGEN Karl von

Né le 4 avril 1805 à Vienne. Mort après 1854. xixe siècle. Autrichien.

Peintre de genre et d'histoire et portraitiste amateur.

Élève de Waldmüller et de Amerling à Vienne et de Moritz von Schwind à Munich.

VESSALI Luigi. Voir **VASSALI**

VESSEM Henk Van

xxe siècle. Hollandais.

Peintre.

Il montre ses œuvres dans des expositions personnelles : 1988 galerie Van Mourik de Rotterdam.

VESSEN A.

Éc. flamande.

Peintre de genre.

Le Musée du Puy conserve de cet artiste *Pêcheurs à la ligne*.

VESSEREAU Magdeleine
Née le 5 mai 1915 à Lyon (Rhône), de famille normande. XXe siècle. Française.
Peintre aquarelliste, dessinateur de nus, paysages, graveur, illustrateur.
Elle fut élève, à Paris, de l'académie de la Grande Chaumière. Elle n'expose que depuis 1949, d'abord en France, puis très rapidement en Belgique et Autriche. Elle a participé à Paris au Salon de Mai de 1953 à 1957, à *L'École de Paris* à la galerie Charpentier de 1953 à 1958, au Salon des Réalités Nouvelles à partir de 1976 ; ainsi que : 1957 musées de Bonn et Düsseldorf ; 1960 musée des Augustins de Toulouse ; 1961 Biennale de São Paulo, Exposition internationale de gravure de Ljubljana. Elle montre ses œuvres dans des expositions personnelles : 1949 pour la première fois à la galerie des Garets à Paris ; 1954 musées de Linz, Graz, Institut français d'Innsbruck ; 1966 musée des Beaux-Arts du Havre puis aux Instituts français de Cologne, Mayence et Berlin ; 1979 musée des Beaux-Arts de Nantes ; 1983 musée des Beaux-Arts de Dijon. La presse s'intéresse à son art très particulier et lui décerne la mention du Prix de la Critique en 1954. En 1961 elle obtient le Grand Prix de Gravure de la ville de Marseille.
Comme chez Tal-Coat, sa quête de l'essence pure relève de la même vision géologique du paysage et la fait se référer aussi bien aux aquarelles dépouillées de Cézanne qu'à l'art de la Chine, depuis le synthétisme extrême des Song, jusqu'à cet expressionnisme ébouriffé des Ming qui aide ici à comprendre l'expressionnisme arrogant de quelques nus, surprenant parmi ces calmes paysages.
Bibliogr. : Lydia Harambourg, in : *L'École de Paris 1945-1965. Diction. des Peintres*, Ides et Calendes, Neuchâtel, 1993.
Musées : Dijon – Le Havre – Nantes (Mus. des Beaux-Arts) – Paris (Mus. Nat. d'Art Mod.) – Paris (BN).

VEST. Voir aussi **FEST**

VEST Bartolomeus
D'origine allemande. XVe siècle. Travaillant à Nancy. Allemand.
Peintre.
Il fut au service du duc René II, et peignit des tableaux pour les Minimes de Nancy.

VEST Johann
Né à Leutschau. Mort le 1er février 1694 à Hermannstadt (Sibiu, Roumanie). XVIIe siècle. Autrichien.
Sculpteur sur bois.
Il sculpta des buffets d'orgues pour les églises de Hermannstadt et de Schässbourg. Il était également constructeur d'orgues.

VESTAL Matteo
XVIIe siècle. Actif à Padoue au début du XVIIe siècle. Italien.
Peintre de portraits.
Il peignit le portrait du cardinal *Francesco Mantica*.

VESTAL Pietro
XVIIe siècle. Actif à Padoue en 1606. Italien.
Peintre.
Frère de Matteo V.

VESTER Willem
Né le 31 janvier 1824 à Heemstede. Mort en juillet 1871 à Haarlem. XIXe siècle. Hollandais.
Peintre animalier, paysages animés, paysages.
Élève de J. J. Spohler.
Musées : La Haye (comm.) : *Paysage sur le Wippervaart à Heemstede* – Montréal : *Scène d'hiver en Hollande – Près de Haarlem.*
Ventes Publiques : Londres, 14 juin 1974 : *Paysage d'hiver avec patineurs* : **GNS 2 400** – New York, 12 oct 1979 : *Route de campagne ensoleillée* 1870, h/t (85x123) : **USD 19 000** – Lindau, 7 oct. 1981 : *Troupeau au pâturage*, h/t (58x65) : **DEM 15 000** – Londres, 22 juin 1984 : *Paysage à la ferme animé de personnages*, h/t (86,5x112) : **GBP 12 000** – Amsterdam, 16 nov. 1988 : *Paysage d'hiver avec des villageois devant leur maison près d'un moulin et des mariniers dans une barque sur la rivière*, h/pan. (28x37) : **NLG 2 530** – New York, 24 mai 1989 : *Patineurs dans un paysage hivernal* 1867, h/t (66,8x95,3) : **USD 33 000** – Londres, 6 juin 1990 : *Vaste paysage hollandais* 1870, h/t (81x124,5) : **GBP 7 150** – Amsterdam, 6 nov. 1990 : *Vaches dans un polder dans la région de Haarlem*, h/pan. (23,5x33) : **NLG 8 050** – Amsterdam, 24 avr. 1991 : *Patineurs sur une rivière gelée avec Saint-Bavon de Haarlem à distance* 1867, h/t (66x95,5) : **NLG 71 300** – Amsterdam, 14-15 avr. 1992 : *Paysage boisé avec des vaches sur un chemin*, h/pan. (30x48,5) : **NLG 7 130** – Amsterdam, 28 oct. 1992 : *Vaste paysage de polder avec des vaches dans une prairie et un pêcheur dans sa barque au premier plan*, h/t (44,5x70,5) : **NLG 11 500** – New York, 16 fév. 1994 : *Ferme dans un vaste paysage ensoleillé* 1871, h/t/pan. (62,2x94) : **USD 13 800** – Amsterdam, 11 avr. 1995 : *Vue de Heemstede*, h/pan. (43x59) : **NLG 5 900** – Amsterdam, 30 oct. 1996 : *Paysage fluvial boisé avec des voyageurs sur un chemin* 1857, h/pan. (30x41) : **NLG 24 127** – Amsterdam, 27 oct. 1997 : *Vaches dans un paysage*, h/t (57,5x95) : **NLG 31 860** ; *Landschap aan den glijs bij heemstede dam*, h/pan. (31x49) : **NLG 27 140**.

VESTERBERG Eduard ou **Westerberg**
Né le 8 novembre 1824 à Copenhague. Mort le 8 mars 1865. XIXe siècle. Danois.
Lithographe.
Élève de l'Académie de Copenhague.

VESTI Michelangelo
XVIIe siècle. Travaillant à Rome en 1612. Italien.
Peintre.
Élève d'Agostino Tassi.

VESTIER Antoine
Né le 28 avril 1740 à Avallon. Mort le 24 décembre 1824 à Paris. XVIIIe-XIXe siècles. Français.
Peintre de sujets mythologiques, portraits, miniatures, dessinateur.
Il suivit à Paris les cours de l'Académie, épousa la fille du maître émailliste Révérend, reçut les conseils de Pierre, voyagea en Hollande.
Il débuta assez tard au Salon de la Correspondance en 1782 avec une *Jeune fille attachant son fichu* et un portrait de *M. d'Outremont* et fut agréé à l'Académie le 30 avril 1785 sur la présentation de Duplessis. Il exposa cette année-là : *Mlle Vestier peignant le portrait de son père* et *Le fils de l'auteur traçant des lignes d'architecture*. En 1787, il fut nommé membre de l'Académie et présenta comme morceau de réception les portraits de *Doyen* et de *Brenet*, aujourd'hui au Louvre. De la même date sont ses portraits de *Mme Cromot de Fougy* couronnée de roses, de *Mme Vestier ayant à ses pieds un enfant qui pince l'oreille d'un chien* (Louvre), et du doyen des vétérans *Jean Themel*. Vers 1789, Vestier, dont le succès faiblissait, et dont la peinture aimable, mais d'un coloris un peu monotone, n'était plus très appréciée, commença à s'adonner à la miniature ; en même temps, il peignit son *Latude* montrant les démolisseurs de la Bastille (Musée Carnavalet). En 1791, il exposa le portrait de *Sanette* commandant de la musique de la garde nationale, et celui de *Gossec*, lieutenant dans le même corps ; en 1795, 1796, 1798 et 1801, il envoya au Salon des portraits et des miniatures ; de 1804 datent son portrait de *Mme Leemoyer* (coll. G. Sortais) et sa *Bacchante tenant une coupe de vin* (Musée de Tours). Vestier parut encore au Salon de 1806 avec un portrait du *Cardinal Mancy* et un portrait de *Mlle Roland*.
On a tour à tour trop loué et trop déprécié Antoine Vestier. Sans être un grand maître, il ne manque ni de justesse dans l'observation, ni de goût dans le coloris, ni de sûreté dans l'exécution. Le *Portrait de jeune femme avec une écharpe de gaze* reste de la collection La Caze au Louvre est un excellent exemple de sa manière un peu mince, mais non sans charme. ■ Tristan Leclerc
Bibliogr. : Anne Marie Passez : *Antoine Vestier. Catalogue raisonné*, Wildenstein Institute, La Bibliothèque des Arts, Paris, 1989.
Musées : Amiens : *Portrait de femme* – Dijon : *Voltaire* – Paris (Mus. du Louvre) : *La femme de l'artiste* – deux portraits de jeunes femmes – *Le peintre Nic Guy Brevet* – *Le peintre Gabriel François Doyen* – Paris (Mus. Carnavalet) : *Portrait de Latude* – *L'architecte Ledoux et sa fille* – Pontoise : *Écuyer Louis XV* – *Dame d'honneur de la duchesse Mazarin* – Sens : *Portrait de harpiste* – Tours : *Le grenadier Theurel* – *Bacchante couronnée de roses* – *Bacchante couronnée de pampres et de raisins.*
Ventes Publiques : Paris, 1872 : *Baronne de Mouchy en costume de bal* : **FRF 700** – Paris, 1874 : *L'île enchantée* : **FRF 20 000** – Paris, 1881 : *La source* : **FRF 16 000** – Paris, 1883 : *Un Girondin*, dess. : **FRF 1 750** – Paris, 1883 : *Portrait présumé de Madame Roland* : **FRF 3 000** – Paris, 1884 : *Madame Élisabeth Vigée, sa fille et sa mère* : **FRF 8 100** – Paris, 1891 : *Portrait de Madame la comtesse de Roure*, miniat. : **FRF 2 580** – Paris, 1892 : *Portrait d'une princesse* : **FRF 6 900** – Paris, 1899 : *Portrait de jeune femme en buste*, miniat. : **FRF 5 500** – Paris, 11-15 mai 1903 : *L'amour désarmé* : **FRF 10 800** – New York, 29-30 mars 1905 : *La marquise de Serilley* : **USD 900** – New York, 31 mars 1905 : *La*

princesse de Polignac : **USD 1 900** – New York, 23-24 fév. 1906 : *Madame de Bonneval* : **USD 725** ; *Vicomtesse de Borsfort* : **USD 760** – Paris, 16-18 mai 1907 : *Jeune fille en robe blanche* : **FRF 16 200** – New York, 12-14 avr. 1909 : *Mme Crosnot de Fugy* : **USD 1 800** – Londres, 3 déc. 1911 : *Dame en robe bleue* : **GBP 78** – Paris, 16-19 juin 1919 : *Portrait de jeune femme*, miniat. : **FRF 5 000** – Paris, 17-18 nov. 1920 : *Portrait de jeune femme*, miniat. : **FRF 4 050** – Paris, 26 juin 1924 : *Portrait de jeune homme* : **FRF 30 000** – Paris, 7-8 juin 1928 : *Portrait de jeune femme*, dess. : **FRF 8 500** – Paris, 3 mars 1944 : *Portrait de jeune fille en buste*, attr. : **FRF 110 000** – New York, 20-21 oct. 1944 : *Jeune homme* : **USD 550** – Paris, 22 nov. 1946 : *Portrait d'une famille réunie sur la terrasse d'un parc* : **FRF 35 500** – Paris, 21 mai 1947 : *La dame à la rose* 1787 : **FRF 115 000** – Paris, 1er déc. 1948 : *Portrait de Mr Henri Trou* : **FRF 290 000** – Paris, 15 mai 1950 : *La jeune musicienne* : **FRF 60 000** – Paris, 24 juin 1955 : *Portrait de femme* : **FRF 75 000** – Paris, 11 juin 1959 : *Les deux sœurs* : **FRF 450 000** – Paris, 14 juin 1960 : *L'Amour désarmé* : **FRF 3 800** – New York, 10 mai 1961 : *Portrait d'un garçon* : **USD 1 300** – Paris, 20 déc. 1962 : *La belle musicienne*, past. : **FRF 8 300** – Londres, 24 mars 1965 : *Monsieur Foulon d'Écotier, gouverneur de la Guadeloupe* : **GBP 2 000** – Londres, 25 juin 1969 : *Portrait du vicomte de Sars enfant* : **GBP 1 100** – Paris, 14 mars 1970 : *Mademoiselle Duthé sortant de son bain* : **FRF 50 000** – Versailles, 16 juin 1971 : *Portrait de François Pilâtre de Rozier* : **FRF 12 000** – Paris, 7 avr. 1976 : *Portrait présumé de mademoiselle de Lastelle* 1786, h/t, ovale (91x71) : **FRF 20 000** – New York, 5 juin 1979 : *Études de femme et chien*, cr. et lav. de gris (20,5x15) : **USD 1 100** – Paris, 27 avr 1979 : *Vestale tenant une aiguière sur une stèle*, h/t (53x39) : **FRF 26 000** – Londres, 8 juil. 1980 : *Jeune femme à son clavecin ou Le triomphe des yeux doux* 1758, past. (63,3x52,5) : **GBP 700** – Paris, 1er juil. 1988 : *Portrait de femme vue en buste*, h/t (52x44) : **FRF 19 000** – Paris, 11 déc. 1989 : *Portrait de femme* 1788, h/t (87x67) : **FRF 40 000** – Paris, 8 juin 1990 : *Portrait de femme au corsage fleuri* 1769, h/t (65x54) : **FRF 35 000** – Paris, 25 juin 1991 : *La Dame à la rose*, h/t, de forme ovale (81x65) : **FRF 120 000** – Paris, 29 nov. 1991 : *Tête de jeune femme en costume de la Première République*, pierre noire, estompe et reh. de blanc (39x31) : **FRF 58 000** – Louviers, 27 fév. 1994 : *Portrait du comte d'Angivillier*, h./ivoire, miniat. (H. 10) : **FRF 50 000** – Paris, 9 déc. 1996 : *Portrait de la famille Chabanel* 1786, h/t (162x230) : **FRF 1 300 000** – Paris, 18 déc. 1996 : *Portrait du jurisconsulte Anselme d'Outremont des Minières à son bureau*, h/t (91x72) : **FRF 88 000** – Paris, 25 avr. 1997 : *Le Duo*, h/pan. noyer (21,5x16) : **FRF 43 000**.

VESTNER Andreas
Né le 5 septembre 1707 à Nuremberg. Mort le 12 mars 1754 à Nuremberg. XVIIIe siècle. Allemand.
Médailleur.
Fils de Georg Wilhelm V. et son collaborateur. Il travailla pour la cour épiscopale de Würzburg.

VESTNER Georg Wilhelm
Né le 1er septembre 1677 à Schweinfurt. Mort le 24 novembre 1740 à Nuremberg. XVIIIe siècle. Allemand.
Médailleur.
On cite de lui des centaines de médailles aux effigies de personnalités et d'événements de son époque.

VESTRAETEN Jules Emile, orthographe erronée. Voir **VERSTRAETEN**

VESTRALEN Anthonie. Voir **STRALEN Antoni** ou **Antonie Van**

VESTRI Antonio, appellation erronée. Voir **VERNI Antonio**

VESTRI Francesco
XVIIe siècle. Travaillant à Rome en 1635. Italien.
Peintre.
Élève d'Andrea Sacchi.

VESTRI Marco
XVIIIe siècle. Actif à Brescia. Italien.
Dessinateur de portraits.

VESTRIER Marie Nicole. Voir **DUMONT**

VESY Pierre Joseph
XVIIIe siècle. Actif à Besançon vers 1755. Français.
Sculpteur.
Il exécuta les sculptures de la Fontaine des Clarisses.

VESZI Margit ou **Margarete**
Née le 27 avril 1885 à Budapest. XXe siècle. Hongroise.
Peintre.
Elle a réalisé de nombreuses caricatures.

VESZTROCZY Mano ou **Emanuel**
Né le 17 janvier 1875 à Ujpest. XXe siècle. Hongrois.
Peintre de genre.
Il fut élève des académies de Munich et de Budapest, où il vit et travaille.
Musées : Budapest.

VÉTAULT Pierre ou **Vétaul**
XVIIIe siècle. Actif à Érigné entre 1744 et 1785. Français.
Sculpteur.

VETCOUR Fernand
Né en 1908 à Liège. XXe siècle. Belge.
Peintre de paysages.
Il étudia à l'académie de Liège, où il enseigna par la suite.
Bibliogr. : In : *Dict. biogr. ill. des artistes en Belgique depuis 1830*, Arto, Bruxelles, 1987.

VETELET Félix Alexandre
Né le 12 septembre 1826 à Nantes (Loire-Atlantique). XIXe siècle. Français.
Sculpteur.
Père de Théodore Félix V. et élève d'E. Suc.

VETELET Théodore Felix
Né en 1860 à La Rochelle (Charente-Maritime). XIXe siècle. Français.
Peintre de paysages.
Élève de son père Félix Alexandre V. Il débuta au Salon de 1880.

VETERANO Federico
XVe-XVIe siècles. Actif à Urbino. Italien.
Enlumineur et calligraphe.
Il travailla au Palais de Gubbio et enlumina des ouvrages qu'il recopia, parmi lesquels des œuvres de Pétrarque.

VETERANUS Andreas
XVIIe siècle. Travaillant à Coimbre en 1609. Portugais.
Graveur au burin.

VETH Bas
Né en 1861 à Arnhem. Mort en 1944. XIXe-XXe siècles. Hollandais.
Peintre de paysages, marines.
Il travailla à Delft et à Paris.
Musées : Dordrecht.
Ventes Publiques : Amsterdam, 17 sep. 1991 : *Vaisseaux amarrés dans un port* 1898, h/t (50x65,5) : **NLG 1 380**.

VETH Cornelis
Né le 3 mars 1880 à Dordrecht. Mort en 1962. XXe siècle. Hollandais.
Dessinateur.
Il fut aussi critique d'art. On cite ses caricatures.
Ventes Publiques : Amsterdam, 12 déc. 1990 : *Bremmer doit donner son avis* 1930, cr. et aquar./pap. (26,5x31) : **NLG 4 830**.

VETH Jan Daemsz de. Voir **DAMESZ**

VETH Jan Pieter
Né le 18 mai 1864 à Dordrecht. Mort le 1er juillet 1925. XIXe-XXe siècles. Hollandais.
Peintre de portraits, dessinateur, graveur.
Il fut élève de l'Académie des Beaux-Arts d'Amsterdam ; il se fixa à Bussum. Peintre, il est également connu comme critique d'art.
On lui doit le portrait du peintre Max Libermann, rencontré en 1886, dont il était l'ami et dont il fut le principal soutien et organisateur de ses expositions en Hollande.
Musées : Amsterdam (Mus. mun.) : *Portrait de Joseph Israëls* – Amsterdam (Mus. Nat.) : *Portraits de Johan M. Messchaert et de Johan Philip Van de Kellen* – Dordrecht : huit peintures – La Haye (Mus. mun.) : deux portraits de dames – Rotterdam (Mus. Boymans) : *Vieille Femme – Joseph Israëls*.
Ventes Publiques : Amsterdam, 13 déc. 1989 : *Portrait du peintre Max Liebermann* 1904, h/t (66x52) : **NLG 6 900** – Amsterdam, 5-6 nov. 1991 : *Portrait du peintre Max Liebermann* 1904, h/t (65x51) : **NLG 16 100** – Amsterdam, 11 avr. 1995 : *Heintje* 1891, craie noire et cr. (26x20) : **NLG 7 080**.

VETRI Paolo
Né le 2 février 1855 à Enna. Mort le 2 mai 1937 à Naples. XIXe-XXe siècles. Italien.

Peintre, aquarelliste, pastelliste, dessinateur, graveur.
Il fut élève et assistant de Domenico Morelli. Il peignit des fresques pour des églises de Naples, pour l'église Saint-François d'Assise et pour les cathédrales d'Amalfi et de Cosenza. Il réalisa aussi des eaux-fortes.
Ventes Publiques : Rome, 12 déc. 1989 : *Odalisque*, past. et aquar./pap. (44x53,8) : **ITL 2 600 000**.

VETTEN Johannes
Né en 1827. Mort le 11 avril 1866. xixe siècle. Hollandais.
Peintre de genre.
Il vécut et travailla à La Haye.
Musées : Bruxelles : *Enfant lisant.*
Ventes Publiques : Londres, 14 nov. 1973 : *Deux jeunes femmes à une fenêtre* : **GBP 650** – Amsterdam, 29 oct. 1984 : *Les enfants curieux* 1861, h/t (54,5x43,2) : **NLG 6 600**.

VETTEN Matthäus Heinrich
xviiie siècle. Travaillant à Brunswick. Allemand.
Sculpteur sur pierre et sur bois.
Élève d'Anton Jenner. Il termina le maître-autel de l'église Majeure de Brunswick et sculpta des tombeaux dans la cathédrale de cette ville.

VETTER Charles Friedrich Alfred
Né le 1er mai 1858 à Kahlstädt. Mort en 1936. xixe siècle. Actif à Munich. Allemand.
Peintre.
Élève de l'Académie de Munich. Il peignit des vues de Munich et des intérieurs de châteaux.
Musées : Munich (Mus. mun.) : *Vue d'une fenêtre de la Résidence.*
Ventes Publiques : Cologne, 17 oct. 1969 : *Jour de pluie, Munich* : **DEM 4 500** – New York, 11 fév. 1981 : *La Promenade* 1892, h/t (49x73) : **USD 3 500** – Stockholm, 27 avr. 1983 : *Vue d'une ville (Munich ?)* 1923, h/t (45x58) : **SEK 16 500** – New York, 26 fév. 1997 : *La Nouvelle Pinacothèque, Munich*, h/t (61x54,6) : **USD 11 500** – Amsterdam, 18 juin 1997 : *Le Tal, vue sur le vieil hôtel de ville, Munich* 1912, h/t (42x39) : **NLG 34 596**.

VETTER Ewald
Né le 29 avril 1894 à Elberfeld. xxe siècle. Allemand.
Peintre de portraits, paysages, graveur.
Il fut élève de Hugo von Habermann à Munich.
Musées : Munich (Mus. mun.) : *Paysage de Haute-Bavière* – Wuppertal (Mus. mun.) : *Le Frère de l'artiste.*

VETTER Hans. Voir **VETTER Johann**

VETTER Jean Hégésippe
Né le 21 septembre 1820 à Paris. Mort en 1900. xixe siècle. Français.
Peintre de compositions religieuses, scènes de genre, portraits.
Élève d'Alexandre Steuben, il débuta au Salon de Paris en 1841, obtenant une médaille de troisième classe en 1843, de deuxième classe en 1847, 1848 et 1855. Médaille de troisième classe à l'Exposition Universelle de 1867.
Lorsqu'il peint des moments familiers de la vie des seigneurs à l'époque de Louis XIV, Il aime noter avec précision les détails des décors.
Bibliogr. : Gérald Schurr, in : *Les Petits Maîtres de la peinture 1820-1920, valeur de demain*, Les Éditions de l'Amateur, t. III, Paris, 1976.
Musées : Angers : *Alchimistes à la recherche de la pierre philosophale* – Bordeaux : *Portrait de femme* – Lons-le-Saunier : *Portrait de Fontaine* – Le Mans : *La fuite en Égypte* – Mulhouse : *Fuite en Égypte* – Orléans : *Mascarille présentant Jodelet à Cathos et à Magdelon* – Paris (Mus. d'Orsay) : *Molière et Louis XIV* – *Mazarin.*
Ventes Publiques : Paris, 1869 : *Le compliment* : **FRF 5 900** ; *Le récit* : **FRF 6 800** – Paris, 1876 : *Bernard Palissy* : **FRF 6 300** – Paris, 13 avr. 1951 : *Gentilhomme* 1874 : **FRF 33 000**.

VETTER Johann
Mort en 1620. xviie siècle. Actif à Francfort-sur-le-Main. Allemand.
Peintre verrier.
Il a fondé la corporation des peintres verriers de Francfort. Le Musée Municipal de cette ville conserve de lui *Emblèmes du bourgmestre.*

VETTER Johann Karl
xviiie siècle. Actif à Saaz de 1700 à 1740. Autrichien.
Sculpteur sur pierre et sur bois.
Il sculpta de nombreuses statues de saints et des madones pour des villes de Bohême.

VETTER Joseph
Né en 1860 à Lucerne. xixe siècle. Suisse.
Sculpteur.
Il sculpta des portraits et des tombeaux.

VETTER Karl Amaretti
Né en 1945. xxe siècle. Suisse.
Peintre à la gouache.
Musées : Aarau (Aargauer Kunsthaus) : *Sans Titre* 1979, gche.

VETTER Nikolaus
Né en 1706. Mort en 1752. xviiie siècle. Actif à Stein-sur-le-Rhin. Suisse.
Peintre d'armoiries et de décorations.

VETTER Reinhold
Né le 28 février 1877 à Sohland-sur-la-Spree. xxe siècle. Allemand.
Peintre.
Il vécut et travailla à Leipzig.
Musées : Bautzen (Mus. mun.) : *Vue de la citadelle de Belgrade.*

VETTER René
xxe siècle. Français.
Peintre de paysages, natures mortes, fleurs, aquarelliste, pastelliste. Postimpressionniste.
Il fut élève de l'école des beaux-arts de Mulhouse de 1947 à 1953, où il eut pour professeur Auguste Boehringer. Il participe à divers salons régionaux en Alsace, notamment à Mulhouse, et depuis 1978 à Paris au Salon des Artistes Français, où il reçut une médaille d'argent en 1979 et dont il fut membre sociétaire.
Travaillant par touches légères, privilégiant les effets de lumière, il recherche l'harmonie, des formes et des couleurs, dans une figuration sensible.

VETTEWINKEL Hendrik
Né le 20 octobre 1809 à Amsterdam. Mort le 8 mai 1878 à Amsterdam. xixe siècle. Hollandais.
Peintre.
Le Musée d'Amsterdam conserve de lui *Le navire marchand Flevo mettant la voile* et *Rivière avec bateaux.*
Ventes Publiques : Amsterdam, 6 juin 1983 : *Bateaux dans un estuaire* 1848, h/t (40x54) : **NLG 4 000** – Londres, 21 mars 1985 : *Bateaux de pêche par forte mer* 1839, pl. et lav. (17,5x24) : **GBP 900**.

VETTIGER Franz
Né le 15 novembre 1846 à Uznach. xixe siècle. Suisse.
Peintre d'églises.
Élève des académies de Munich et de Karlsruhe. Il peignit des plafonds et des fresques ainsi que des tableaux d'autel pour de nombreuses églises de Suisse.

VETTINER Jean Baptiste
Né en 1871 à Bordeaux (Gironde). xixe-xxe siècles. Français.
Graveur.
Il pratiqua la gravure sur bois. Il a illustré *À l'Amie perdue* d'Auguste Angellier, *Almaïde d'Étremont* et *Géorgiques chrétiennes* de Francis Jammes, *Ramuntcho* de Pierre Loti, *Les Pastorales* de Théocrite.

VETTORE NORCIA. Voir **NORCIA Vettore**

VETTORI Vincenzo
Mort en 1709 à Rome. xviie-xviiie siècles. Italien.
Peintre.
Il était chanoine.

VETTORIO
xive siècle. Travaillant de 1393 à 1396. Italien.
Peintre.
Élève d'A. Gaddi.

VETURALI Gaetano
Né en 1701 à Lucques. Mort en 1783. xviiie siècle. Italien.
Peintre de compositions religieuses, paysages.
Musées : Nancy : *Vue de Venise et Canal de Venise.*
Ventes Publiques : Londres, 6 juil. 1994 : *Capriccio d'un paysage avec des personnages dans des ruines* 1752, h/t (93x63,5) : **GBP 4 600** – Milan, 28 nov. 1995 : *Le bain de Bethsabée*, h/t (72x137) : **ITL 19 550 000**.

VEUVENOT LEROUX Gaston. Voir **LEROUX Gaston Veuvenot**

VEVAY G., appellation erronée. Voir **NEVAY James**

VEXES Josef

Mort en 1782 à Rioja. XVIIIe siècle. Espagnol.

Peintre.

Il peignit des fresques dans les églises de Rioja, de Calahorra et de Logrono.

VEXLER Abram Josephovich

Né en 1912 en Ukraine. XXe siècle. Russe-Ukrainien.

Peintre de compositions animées, paysages, pastelliste.

Né dans un milieu rural, il s'installa en 1928 à Odessa et suivit les cours de l'Institut des Beaux-Arts. Il obtint son diplôme en 1936 et fut nommé professeur dans cette ville. Il devint également membre de l'Union des Artistes. Après la guerre il prit la direction d'un atelier à l'Institut des Beaux-Arts d'Odessa et occupe encore aujourd'hui cette fonction. Il a participé à de nombreuses expositions nationales et internationales.

Musées : Kiev – Moscou – Odessa.

Ventes Publiques : Paris, 19 juin 1991 : *Sur la plage* 1956, past./cart. (47x70) : **FRF 4 000**.

VEY Joséphine Louise Marguerite. Voir **POINET** Mme

VEYEL Sylvester

Né le 27 février 1677 à Saint-Gall. Mort le 27 avril 1741 à Saint-Gall. XVIIIe siècle. Suisse.

Portraitiste.

Élève de Daniel Hartmann.

VEYLDER Cornelis

Né vers 1828. Mort le 30 avril 1882 à Anvers. XIXe siècle. Belge.

Peintre amateur.

Il peignit des natures mortes représentant du gibier.

VEYRASSAT Antoine

Né le 5 novembre 1804 à Vevey. Mort en 1852 à Lausanne. XIXe siècle. Suisse.

Sculpteur.

VEYRASSAT Jules Jacques

Né le 2 juillet 1828 à Paris. Mort le 12 avril 1893 à Paris. XIXe siècle. Français.

Peintre animalier, paysagiste et graveur à l'eau-forte.

Élève de Lehmann et de Faustin Besson, il fait partie des graveurs que *L'Artiste* cherche à faire connaître. En 1869, il est parmi les artistes appréciés, mais ses œuvres cependant n'atteignent pas de grosses cotes. Le 6 septembre 1870, il est élu membre de la commission chargée de veiller à la conservation des musées nationaux que préside Courbet et dont Daumier fait partie. Exposa au Salon à partir de 1848, médailles en 1866 et 1869, pour la gravure ; médaille de deuxième classe en 1872, pour la peinture. Chevalier de la Légion d'honneur en 1878. Veyrassat peint la campagne sous un aspect aimable et ne recherche que le pittoresque et non les grandes pensées comme J. F. Millet par exemple. Il se rapprocherait plutôt de la conception d'un Charles Jacque. Cependant sa couleur est beaucoup plus claire que celle du fameux peintre des moutons. Veyrassat compose de jolis tableaux animés de nombreux petits personnages et d'animaux ; le plus souvent des chevaux de trait utilisés dans les divers travaux agricoles. Ces tableaux portent bien la marque d'une personnalité sans grands moyens d'expression certes, mais il a su cependant très habilement utiliser ses ressources d'aimable coloriste et de dessinateur correct, aussi ses œuvres tiennent-elles une place honorable chez les petits maîtres de l'école de Barbizon. Il a gravé un nombre important d'eaux-fortes soit originales, soit d'après des peintres de son temps tels que : Bida, Édouard Frère, Daubigny, etc. La vente de son atelier, en décembre 1893, passe inaperçue : ce n'est que récemment que ses qualités ont été enfin reconnues.

Bibliogr. : Pierre Miquel : *Le paysage français au XIXe siècle, 1824-1874 L'école de la nature*, Maurs, Chez l'Auteur.

Musées : Bagnères-de-Bigorre : *Femmes basques* – Béziers : *Les cascarottes au lavoir aux environs de Bayonne* – Château-Gontier : *Marchande de légumes* – Lyon : *Le bac* – Narbonne : *Chevaux à l'abreuvoir* – Neuchâtel : *Cour de village à Champigny* – Pontoise : *Paysage, couchant orageux* – Reims : *Les moissonneurs – La meule* – La Roche-sur-Yon : *Fontaine à Hendaye* – Valence : *Embarquement de chevaux* – Ypres : *Le lac*.

Ventes Publiques : Paris, 1873 : *La Seine à Herblay* : **FRF 1 050** – Paris, 1882 : *Le bac* : **FRF 3 050** ; *Auberge près de Honfleur* : **FRF 4 020** – Paris, 1891 : *Automne* : **FRF 5 000** – Paris, 1892 : *Les moissonneurs* : **FRF 4 200** – Paris, 1892 : *L'avoine* : **FRF 1500** – Paris, 22 avr. 1895 : *La forge* : **FRF 2 110** – Paris, 1896 : *Chevaux à l'abreuvoir* : **FRF 2 700** – Paris, 1897 : *L'escorte du Caïd* : **FRF 2 800** ; *La moisson* : **FRF 4 000** – Paris, 1899 : *Espagnol allumant sa cigarette*, aquar. : **FRF 1 800** – Paris, 21 juin 1900 : *Les chevaux de halage* : **FRF 1 850** – Paris, 5 mai 1902 : *La moisson* : **FRF 4 900** – New York, 9-11 mars 1904 : *Scène rustique* : **USD 300** – New York, 12-13 jan. 1905 : *Chevaux à l'abreuvoir* : **USD 350** – New York, 15-16 mars 1906 : *La moisson* : **USD 310** – Paris, 7 mai 1906 : *Les chevaux de halage* : **FRF 2 900** – Londres, 13 fév. 1909 : *La moisson* : **GBP 63** – New York, 6 mai 1909 : *Nourrissant les poules* : **USD 225** – Londres, 21 mai 1909 : *Chargeant le chariot de foin* : **GBP 210** – Londres, 24 mai 1909 : *Baignant les chevaux* : **GBP 99** – New York, 7 mars 1911 : *L'heure du goûter* : **USD 135** – Paris, 25-28 mars 1912 : *L'abreuvoir* : **FRF 8 600** – Paris, 22 mai 1919 : *Le bac du passeur* : **FRF 7 100** – Paris, 3 mars 1920 : *Chevaux à l'abreuvoir de Samois* : **FRF 12 200** – Paris, 23 juin 1925 : *La sortie de la ferme* : **FRF 8 600** – Paris, 18 juin 1926 : *Un bac : effet du matin* : **FRF 34 000** – Londres, 13 mai 1927 : *Chemin de halage* : **GBP 105** – Paris, 15 fév. 1928 : *Le retour des champs* : **FRF 18 500** – Paris, 15 juin 1938 : *Rentrée de la moisson* : **FRF 12 200** – Paris, 22 juil. 1942 : *La moisson* : **FRF 30 200** – Paris, 27 jan. 1943 : *Les chevaux de halage* : **FRF 100 000** – Paris, 26 fév. 1945 : *La charrette de foin* : **FRF 65 000** – Paris, 9 mai 1947 : *Le bac* : **FRF 80 000** – Paris, 28 mars 1949 : *Moisson* : **FRF 132 000** – Monaco, 11 avr. 1949 : *Le repos* 1876 : **FRF 140 000** – Paris, 29 nov. 1950 : *Deux chevaux de halage* 1876 : **FRF 101 000** – Zurich, 15 mars 1951 : *Paysan et chevaux devant une étable*, past. : **CHF 520** – Paris, 16 juin 1953 : *Scène champêtre* : **FRF 200 000** – Paris, 14 mars 1969 : *Les lavandières* : **FRF 17 000** – Paris, 5 nov. 1971 : *Retour des champs* : **FRF 8 000** – Londres, 8 nov. 1972 : *Scène de moisson* : **GBP 1 000** – Londres, 2 nov. 1973 : *Scène de moisson* : **GNS 4 800** – Paris, 23 jan. 1974 : *Le bac* 1887 : **FRF 31 000** – New York, 15 oct. 1976 : *Chevaux de labour à l'abreuvoir*, h/pan. (26x41) : **USD 2 500** – Zurich, 25 nov. 1977 : *Les bûcherons et leurs chevaux* 1876, h/t (50,5x65,5) : **CHF 13 000** – Paris, 12 déc 1979 : *Chevaux de halage au bord du fleuve*, aquar. (27x38) : **FRF 5 300** – Enghien-les-Bains, 18 nov 1979 : *Cour de ferme*, h/pan. (27x35) : **FRF 38 500** – Paris, 29 avr. 1981 : *Attelage en forêt* 1876, fus. et h/pap. (33x47) : **FRF 5 200** – Biarritz, 10 oct. 1982 : *Le bac*, h/t (100x173) : **FRF 90 000** – Barbizon, 29 mai 1983 : *Chevaux à l'abreuvoir*, aquar. (23x33) : **FRF 11 000** – Lyon, 13 nov. 1984 : *Le passage du gué*, h/t (33x77) : **FRF 58 000** – Paris, 20 mars 1985 : *Deux chevaux de halage devant une auberge*, aquar./trait de cr. (17,5x24,5) : **FRF 8 000** – Londres, 26 nov. 1986 : *Charrette de foin sur un bac* 1862, h/t (75x149) : **GBP 12 000** – Paris, 2 mars 1988 : *Les deux enfants pendant la moisson*, h/t (45x56) : **FRF 40 000** – Sceaux, 19 mai 1988 : *Deux chevaux sellés au repos* 1863, h/t (48x65) : **FRF 7 100** – Paris, 8 juin 1988 : *Paysanne sur son âne*, h/pan. (30x26) : **FRF 17 000** ; *Repos dans la campagne*, h/pan. (27x35) : **FRF 40 000** – Fontainebleau, 26 juin 1988 : *Le retour des champs*, h/t (45x54) : **FRF 68 000** – Cologne, 15 oct. 1988 : *Passeur sur la Loire*, h/pan. (26,5x36) : **DEM 5 000** – Paris, 13 mars 1989 : *Le retour des champs*, h/pan. (27x32) : **FRF 11 500** – New York, 24 mai 1989 : *Chevaux s'abreuvant dans la Seine derrière Notre-Dame*, h/t (38x51) : **USD 11 000** – Reims, 11 juin 1989 : *Bouton d'équipage tenant son chien en laisse*, h/t (46x38) : **FRF 8 000** – Londres, 4 oct. 1989 : *La moisson*, h/t (29,5x44,5) : **GBP 4 180** – Versailles, 19 nov. 1989 : *Le retour des champs*, h/pan. (26,5x32) : **FRF 23 000** – Calais, 10 déc. 1989 : *Cavalier à cheval et lavandières*, h/pan. (27x35) : **FRF 48 000** – Calais, 10 déc. 1989 : *Cavalier à cheval et lavandière*, h/pan. (27x35) : **FRF 48 000** – New York, 1er mars 1990 : *A la fontaine* 1864, h/t (40,6x49,5) : **USD 8 250** – Amsterdam, 25 avr. 1990 : *Le passeur* 1877, h/t (88x130) : **NLG 44 850** – Paris, 21 mars 1990 : *Le Retour des champs*, h/bois (26x31) : **FRF 45 000** – Paris, 19 juin 1990 : *Chevaux à la rivière*, aquar. (16x26) : **FRF 7 500** – Paris, 6 oct. 1990 : *Après la moisson, le passage du gué* 1878, h/t (31x48) : **FRF 61 000** – New York, 23 oct. 1990 : *Le retour des champs*, h/t

(75,6x61) : **USD 11 000** – PARIS, 10 déc. 1990 : *Les vendanges*, dess. à la pl. (16x25,5) : **FRF 15 000** – PARIS, 14 déc. 1990 : *La moisson* 1891, h/t (100x150) : **FRF 112 000** – AMSTERDAM, 24 avr. 1991 : *Faneuses à Ecouen, France*, h/t (50x88,5) : **NLG 34 500** – LORIENT, 9 juin 1991 : *Jeunes paysannes et leurs montures*, h/pan. (28,5x37,5) : **FRF 61 000** – LONDRES, 19 juin 1991 : *Chargement d'une charrette de foin*, h/t (31,5x46,5) : **GBP 6 380** – LONDRES, 29 nov. 1991 : *Le retour des moissonneurs* 1879, h/t (61,5x101,6) : **GBP 17 600** – PARIS, 1er juil. 1992 : *Le déjeuner* 1857, h/t (64,5x100,5) : **FRF 60 000** – PARIS, 27 jan. 1993 : *Cour de ferme*, aquar. (27x38,5) : **FRF 10 800** – NEW YORK, 27 mai 1993 : *Paysan renseignant un chasseur en forêt de Fontainebleau*, h/t (47,6x61) : **USD 25 300** – REIMS, 20 juin 1993 : *Nature morte aux harengs*, h/pan. (28x38,5) : **FRF 15 000** – ENTZHEIM, 7 nov. 1993 : *Moisson avec personnages et chevaux*, h/t (50x65) : **FRF 90 000** – PARIS, 6 avr. 1994 : *Chevaux s'abreuvant*, h/t (53x78) : **FRF 81 000** – AMSTERDAM, 21 avr. 1994 : *Repos dans la forêt*, h/pan. (20,5x25,5) : **NLG 10 925** – PARIS, 27 jan. 1995 : *Le seigneur et son écuyer*, gche (27x33,5) : **FRF 10 000** – HEIDELBERG, 8 avr. 1995 : *Attelage de chevaux au bord de la Seine*, h/pan. (6,8x9) : **DEM 1 700** – PARIS, 4 juil. 1995 : *Le village à l'attelage de bœufs*, h/pan. (28x35) : **FRF 15 100** – LONDRES, 11 oct. 1995 : *Chevaux de trait au bord d'une rivière*, h/t (35x44) : **GBP 3 450** – NEW YORK, 1er nov. 1995 : *Chevaux de trait devant les écuries* 1876, h/t (59,1x80,6) : **USD 12 650** – CALAIS, 24 mars 1996 : *Les abords de la ferme*, h/t (30x41) : **FRF 19 000** – PONTOISE, 12 mai 1996 : *Chevaux de halage, le relais* 1876, h/t (59x80) : **FRF 151 000** – BARBIZON, 2 juin 1996 : *Chez le maréchal-ferrant* 1882, h/t (77x62) : **FRF 160 500** – PARIS, 28 juin 1996 : *Étude de chevaux*, h/t (90x105) : **FRF 11 500** – PARIS, 30 oct. 1996 : *Cheveux tirant un tronc d'arbre*, h/t (27,5x40,5) : **FRF 10 000** – NEW YORK, 9 jan. 1997 : *La Foire aux chevaux*, h/pan. (31,8x58,4) : **USD 6 900** – PARIS, 16 juin 1997 : *Chez le maréchal-ferrant* 1878, h/t (45x60) : **FRF 145 000** – PARIS, 18 juin 1997 : *Chevaux s'abreuvant derrière la ferme*, h/pan. (20,5x33) : **FRF 29 000** – PARIS, 23 juin 1997 : *Berger en bord de mer*, h/cart. mar./pan. (22,5x16) : **FRF 10 000** – PARIS, 23 juin 1997 : *Étude de cheval*, h/pap. (22,5x29) : **FRF 3 500** – PARIS, 27 juin 1997 : *Le Chargement de bois* 1874, h/t (97x143) : **FRF 165 000**.

VEYRAT Adrien Hippolyte
Né le 14 février 1803 à Paris. Mort le 9 mars 1883 à Bruxelles. XIXe siècle. Belge.
Médailleur.
Il se fixa à Bruxelles en 1825. Élève de J. Barre.

VEYRIER Christophe
Né le 25 juin 1637 à Trets. Mort le 11 juin 1689 à Toulon. XVIIe siècle. Français.
Sculpteur.
Neveu de Puget. Le Musée d'Aix possède de lui le modèle en plâtre d'un marbre exécuté pour l'église de Saint-Martin Paillières et : *Buste de Pierre Puget*, celui de Marseille, *Muse et Faune*, le Louvre de Paris, *Buste d'homme*, et celui de Toulon, *Buste de Pierre Puget*.

VEYRIER Joseph
Mort le 21 mars 1659. XVIIe siècle. Actif à Toulon. Français.
Sculpteur.
Il exécuta des sculptures pour des vaisseaux.

VEYRIER Lazare
Né le 28 septembre 1659 à Trets. XVIIe siècle. Français.
Sculpteur.
Neveu de Christophe Veyrier et son assistant.

VEYRIER Thomas
XVIIe-XVIIIe siècles. Actif à Toulon. Français.
Sculpteur.
Fils de Lazare. Il sculpta des bustes pour l'église Saint-Jean de Malte à Aix-en-Provence.

VEYRIN Philippe
Né en 1899 à Lyon (Rhône). XXe siècle. Français.
Peintre de paysages.
Il vécut et travailla à Ainhoue (Basses-Pyrénées).

VEYROA Pedro de
XVIIe siècle. Travaillant à Puentedeume en 1679. Espagnol.
Peintre.

VEYS Marguerite
Née en 1896. Morte le 21 novembre 1967 à Ixelles. XXe siècle. Belge.
Peintre.

VEYSSET Raymond
Né en 1913 à Vars (Corrèze). Mort en 1967 à Paris. XXe siècle. Français.
Sculpteur, graveur. Figuratif puis abstrait.
Il fut élève de l'École des Beaux-Arts de Paris, puis reçut les conseils de Malfray, Derain, Wlerick.
Il a participé à des expositions collectives, notamment à Paris : Salon de la Jeune Sculpture ; depuis sa fondation en 1945 au Salon de Mai ; à partir de 1949 Salon des Réalités Nouvelles ; 1966 *Dessins de sculpteurs de Rodin à nos jours* au Musée des Beaux-Arts de Strasbourg.
Il fut d'abord un sculpteur figuratif de l'expression humaine. Au bout d'une longue évolution, il s'engagea dans la voie de la non-figuration, délaissant la pierre de sa première période pour des matériaux plus maniables, bois, matériaux préfabriqués : briques, tuiles, traverses de chemin de fer. Abstrait, Veysset gardait cependant contact avec les éléments de la réalité qui avaient suscité ses émotions créatrices et poétiques : outil, fleur, bourgeon. Ami du peintre Closson, l'un des pionniers de l'abstraction dans la peinture, française, il a lui aussi conceptualisé ses idées sur la sculpture avec l'appellation d'« Archi-Sculpture », préfigurant les idées de sculpture habitable, ou de sculpture environnementielle postérieures. Veysset fut un créateur probe et qui garde une place dans la sculpture abstraite française des années 50-60.
BIBLIOGR. : In : Catalogue de l'exposition *Dessins de sculpteurs de Rodin à nos jours*, Musée des Beaux-Arts, Strasbourg, 1966 – Denys Chevalier, in : *Nouv. Diction. de la sculpt. mod.*, Hazan, Paris, 1970.

VEYSSIER Pierre Emile Auguste
Né au XIXe siècle à Bordeaux (Gironde). XIXe siècle. Français.
Peintre de genre.
Élève de Léon Cogniet. Il figura au Salon de 1870 à 1880.

VEZE, dalle. Voir au prénom

VEZE Jean Charles Chrysostome Pacharman de, baron
Né en 1788 à Toulouse. Mort en 1855. XIXe siècle. Français.
Peintre de vues et lithographe.
Le Musée de Montpellier possède de lui *Paysage*, et celui de Versailles : *Vue du port de Boulogne*, aquarelle. Il exposa au Salon de 1837 à 1839.

VEZELAY Paule, pseudonyme de **Mrs. Watson-Williams**
Née le 14 mai 1893 à Clifton (Bristol). Morte en 1984 à Londres. XXe siècle. De 1923 à 1939 active aussi en France. Britannique.
Peintre, pastelliste, peintre de collages, graveur, illustratrice, peintre de cartons de tapisseries, sculpteur. Groupe Abstraction-Création.
Après des études à la Slade School of Art de Londres de 1912 à 1914 avec Georges Belcher et John Hassall, puis à celle de Chelsea où elle apprend la lithographie, elle travailla à Londres, comme illustrateur pour des éditions anglaises. Elle fut membre du London Group dès 1922. De 1923 à 1939, elle vécut et travailla à Paris, y prit son pseudonyme, et fut attirée par Miró et Arp. Elle y créa ses premières toiles abstraites en 1927-1928 et y a fait partie du groupe « Abstraction-Création ». Elle s'installa ensuite définitivement à Londres, où elle fut membre du groupe Espace à partir de 1953.
Elle montra sa première exposition en 1921 à Londres. À Paris, elle a participé au Salon des Surindépendants de 1929 à 1939, ainsi qu'à diverses expositions d'art abstrait. Après la Seconde Guerre mondiale, elle figura, toujours à Paris, au Salon des Réalités Nouvelles, dont elle devint membre sociétaire en 1947. En 1978, elle était représentée à l'exposition *Abstraction-Création 1931-1936*, au Westfälisches Landesmuseum für Kunst und Kulturgeschichte de Münster, et au Musée d'Art moderne de la Ville de Paris. Elle montrait des expositions personnelles de ses œuvres : 1928, 1932, 1934, 1937, 1946, 1950 à Paris notamment à la galerie Jeanne Bucher ; 1936, 1942, 1950 à la galerie Lefèvre à Londres ; 1983 Tate Gallery de Londres, etc.
À partir de 1935, elle réalise des sculptures. Au travers des techniques multiples qu'elle pratique (dont des œuvres en fils tendus, la création de tissus), dans un registre de formes simples et de coloris discrets, elle donne une version personnelle, au charme enfantin, de l'abstraction décorative du milieu du siècle, en annonçant les intentions pures dans des titres sans détours : *Formes radieuses*, *Tranquille harmonie*. ■ J. B.

Bibliogr. : Michel Seuphor : *Diction. de la peint. Abstr.*, Hazan, Paris, 1957 – Michael Middleton, in : *Diction. Univers. de l'Art et des Artistes*, Hazan, Paris, 1967 – in : Catalogue de l'exposition *Abstraction-Création 1931-1936*, Westfälisches Landesmus. für Kunst und Kulturgeschichte, Münster, Musée d'Art moderne de la Ville, Paris, 1978 – in : *L'Art du XXe s.*, Larousse, Paris, 1987.
Musées : Grenoble : *Lignes dans l'espace n° 10* 1950 – Londres (Tate Gal.) : *Lignes dans l'espace* 1954.
Ventes Publiques : Londres, 11 nov. 1987 : *Vases et trompette rouge* 1935, h/t (73x116) : **GBP 4 500** – Zurich, 13 oct. 1993 : *Formes grises contractées*, h/t (92x60) : **CHF 2 000.**

VEZIEN Elie Jean
Né le 18 juillet 1890 à Marseille (Bouches-du-Rhône). XXe siècle. Français.
Sculpteur de compositions religieuses.
Il fut élève de Jules Félix Coutan et Auguste Henri Carli. Il fut directeur de l'École des Beaux-Arts de Marseille jusqu'en 1960 environ.
Il exposa à Paris, à partir de 1921 au Salon des Artistes Français, dont il fut membre sociétaire hors-concours. Il reçut le Prix de Rome et une mention honorable en 1921 ; une médaille d'argent en 1924 ; une médaille d'or en 1931 ; la Légion d'honneur en 1935 ; une médaille d'or en 1937 à l'Exposition internationale.
Il est l'auteur de la décoration de la chapelle de l'Ossuaire de Douaumont. Des œuvres de cet artiste se trouvent à l'Hôtel-de-Ville de Paris, à l'église Notre-Dame de la Garde à Marseille et à l'église Saint-Jean-de-Latran à Rome.
Musées : Paris (Mus. du Petit Palais).

VEZIN Charles
Né le 9 avril 1858 à Philadelphie (Pennsylvanie). XIXe siècle. Américain.
Peintre de paysages.
Élève de l'Art Students' League de New York. Membre du Salmagundi Club et de la Fédération Américaine des Arts. La Galerie d'Atlanta conserve des peintures de cet artiste.
Ventes Publiques : Los Angeles, 17 mars 1980 : *The Hudson*, h/t (71,1x91,5) : **USD 5 500** – New York, 30 sep. 1985 : *Vue d'une ville*, h/t (63,5x77) : **USD 2 800** – New York, 3 déc. 1996 : *Après la tempête, port de New York*, h/t (101,6x101,6) : **USD 4 025.**

VEZIN Frederick
XIXe-XXe siècles. Britannique.
Peintre de genre.
Il vit et travaille à Londres, où il exposa, notamment à la Royal Academy, à partir de 1884.
Ventes Publiques : New York, 10-11 jan. 1907 : *Musiciens ambulants* : **USD 100.**

VEZIN Frederik
Né le 14 août 1859 à Philadelphie. XIXe siècle. Américain.
Peintre, graveur.
Il fut élève de l'Académie de Düsseldorf, où il travailla au début du XXe siècle.
Peintre, il pratiqua la gravure, notamment l'eau-forte, et la lithographie.
Musées : Essen (Gal. mun.) : *Au Parc.*
Ventes Publiques : Londres, 16 fév. 1990 : *Au bal* 1925, h/t (78x94) : **GBP 6 380** – Cologne, 28 juin 1991 : *Au temps de nos grand'mères*, h/t (60x80) : **DEM 3 000.**

VEZINA Christiane
Née en 1950 à Québec. XXe siècle. Canadienne.
Artiste.
Bibliogr. : Catalogue de l'exposition : *Les Vingt Ans du musée à travers sa collection*, musée d'Art contemporain, Montréal, 1985.
Musées : Montréal (Mus. d'Art Contemp.) : *Plateau Mont-Royal* 1976-1977 – Montréal : huit sérigraphies accompagnant des textes.

VEZOUX Maurice
Né en 1872 à La Guadeloupe. Mort en 1900 à Paris. XIXe siècle. Français.
Peintre.
Élève de Bonnat et d'A. Maignan. Exposa au Salon des Artistes Français, à partir de 1896.

VÉZUS Claude
XVIIIe siècle. Actif à La Haye. Hollandais.
Miniaturiste.
Il entra le 18 mars 1794 dans la gilde de La Haye.

VEZUS Louis
XIXe siècle. Actif au début du XIXe siècle. Polonais.
Peintre de portraits, peintre de miniatures.
Il travailla à Varsovie.

VEZY Pierre Joseph. Voir **VESY**

VEZZANI Giovanni
XVIIe siècle. Actif à Modène vers 1650. Italien.
Peintre.

VEZZO Virginia da ou **Avezzi**, Mme **Vouet**
Née en 1606 à Velletri. Morte le 18 octobre 1638 à Paris. XVIIe siècle. Italienne.
Peintre d'histoire, miniaturiste et pastelliste.
Femme et élève de Simon Vouet. Elle avait du talent et bénéficia de la grande renommée de son mari à la cour de Louis XIII. Deux de ses filles épousèrent des artistes, le peintre Tortebat et le graveur Dorigny.

VIA Alexandro dalla
Né à Vérone. XVIIe-XVIIIe siècles. Travaillant à Venise de 1688 à 1729. Italien.
Graveur au burin.
Il grava plusieurs portraits et planches.

VIACAVA Francesco ou **Viacavi**
XVIIe siècle. Actif à Reggio Emilia. Italien.
Peintre.
Élève de Luca Ferrari. Il peignit des tableaux d'autel pour des églises de Reggio Emilia, de Padoue et de Salboro.

VIACCOZ Paul
Né en 1953 à Saint-Julien-en-Genevois. XXe siècle. Suisse.
Peintre. Abstrait.
Il fut élève de l'école des arts visuels de Genève à partir de 1976. Il a reçu les bourses Lissignol et de la ville de Genève. De 1979 à 1981, il fut lauréat de la bourse fédérale des beaux-arts. Il a séjourné à l'étranger, en 1980 une année à Paris à la Cité internationale des arts, de 1981 à 1983 à l'Institut suisse de Rome, en 1983 au centre d'expérimentation artistique de Boissano (Italie).
Il participe à des expositions collectives régulièrement à Genève : 1976 musée d'Art et d'Histoire ; 1977, 1981 musée de l'Athénée ; 1980 musée Rath ; ainsi que : 1978 palais de Beaulieu à Lausanne ; 1982-1983 Institut suisse de Rome ; 1983 centre d'art visuel de Genève ; 1990 galerie Alice Pauli de Lausanne. Il montre ses œuvres dans des expositions personnelles : 1976-1985 centre genevois de gravure contemporaine à Genève ; 1977 Paris ; 1978 musée de l'Athénée de Genève ; 1988 artothèque de Lyon ; 1992 musée Jenish de Vevey.
Peintre, il réalise des œuvres abstraites, travaillant dans un esprit géométrique à tendance minimale. Il structure l'espace de la toile de bandes plus ou moins larges, intégrant parfois quelques mots en caractère d'imprimerie, ou mêlant acrylique et pastel.
Bibliogr. : Catalogue de l'exposition : *Génération 90 : peinture, 4 jeunes artistes Braconnier, Gattoni, Laget, Viaccoz*, Galerie Alice Pauli, Lausanne, 1990.

VIADANA Andrea et **Francesco da**. Voir **SCUTELLARI**

VIAGGI Giuseppe
XVIIe siècle. Italien.
Aquafortiste.
On cite de lui à Bologne un *Bacchus ivre*, daté de 1695.

VIAL Henri Aimé
XXe siècle. Français.
Peintre.
Il a reçu le Prix Rosa Bonheur à Paris au Salon des Artistes Français de 1942.

VIAL Ivan
Né en 1928 à Santiago. XXe siècle. Chilien.
Peintre. Abstrait-lyrique.
Il fut élève de l'École des Beaux-Arts de Santiago. En 1957, il obtint une bourse de voyage, qui lui permit un séjour de trois ans en Europe, au cours duquel il exposa à Rome. Il vit à Santiago.
Depuis 1953, il expose dans les Salons officiels de son pays, y obtenant de très nombreuses récompenses.
Tôt venu à l'abstraction lyrique, il s'y est fait remarquer comme l'un des peintres chiliens d'avant-garde.
Bibliogr. : B. Dorival, sous la direction de... : *Peintres Contemporains*, Mazenod, Paris, 1964.

VIALA Eugène
Né en 1859 à Salles-Curan (Aveyron). Mort le 5 mars 1913 à Salles-Curan (Aveyron). XIXe-XXe siècles. Français.

Peintre, aquarelliste, graveur.
Il participa à Paris au Salon des Artistes Français.
On cite de lui des séries graphiques *Gestes de la Terre et Symboles humains*. Peintre, il a également réalisé des lithographies et comme graveur privilégia la technique de l'eau-forte.

Cachet de vente

Ventes Publiques : Paris, 24 nov. 1920 : *Un tournant dans la lande* : **FRF 380** ; *La Source* : **FRF 900** ; *Portrait de l'artiste par lui-même*, pl. et aquar. : **FRF 780** – Paris, 19 jan. 1945 : *Le calvaire* : **FRF 320** ; *Vintimille. La vieille cité*, aquar. : **FRF 850**.

VIALE José ou **Giuseppe**
Né à Gênes. xixe siècle. Actif dans la première moitié du xixe siècle. Italien.
Peintre de portraits, peintre de miniatures.
Élève de C. R. Ratti. Il fut peintre à la cour de Lisbonne de 1802 à 1822.

VIALE Karl
xixe siècle. Travaillant à Vienne. Autrichien.
Peintre de genre.
Ventes Publiques : Vienne, 20 mars 1973 : *Vue de Rome* : **ATS 25 000** – Vienne, 23 mars 1983 : *Vue du château Saint-Ange et de la basilique Saint-Pierre, Rome*, h/t (68,5x136) : **ATS 40 000**.

VIALÈTES DE MARTORIEN Jacques
Né en 1720 à Montauban. Mort en 1772 à Montauban. xviiie siècle. Français.
Peintre de genre et de paysages.
Le Musée de Montauban conserve de lui *Paysage avec personnages* et *Scène de chasse*.

VIALI. Voir **VIALY**

VIALLA
xviiie siècle. Français.
Peintre de décorations.
Il fut actif à Montpellier dans la seconde moitié du xviiie siècle.

VIALLAT Claude
Né le 18 mai 1936 à Nîmes (Gard). xxe siècle. Français.
Peintre, dessinateur, sculpteur d'assemblages. Groupe Support-Surface, 1968-1971.
Viallat étudie à l'École des Beaux-Arts de Montpellier avant de venir à Paris en 1958 et d'y poursuivre ses études à l'École des Beaux-Arts. Il devient ensuite enseignant et exerce d'abord à l'École des Arts Décoratifs de Nice de 1964 à 1967. Viallat prend part alors aux diverses activités de ce que l'on appelait l'École de Nice. En 1967, il quitte Nice pour Limoges où il est nommé à l'École des Beaux-Arts, et y travaille plusieurs années. Peu après il participe à la fondation du groupe Support-Surface qui a, au début des années 70 en France, une assez grande notoriété et suscite de nombreux épigones. En 1973, il s'installe à Marseille, où il enseigne à l'École des Beaux-Arts de Luminy, puis en 1979 à Nîmes où il est nommé directeur de l'École des Beaux-Arts.
Il participa d'abord à des expositions assez confidentielles, dont toutes les expositions en plein air organisées par les membres du groupe Support/Surface dans le Midi de la France, montrant même parfois certaines réticences à l'égard des circuits traditionnels de l'art, Viallat a néanmoins montré par la suite son travail lors d'expositions collectives importantes : 1971 Biennale de Paris ; 1972 Exposition 72/72 aux galeries nationales du Grand Palais à Paris, *Amsterdam-Düsseldorf-Paris* au musée Guggenheim de New York ; 1974 *Nouvelle Peinture en France. Pratiques/Théories* au musée d'Art et d'Industrie de Saint-Étienne ; 1988 Biennale de Venise, où il représente la France ; 1991, rétrospective du groupe Support/Surface au musée d'Art et d'Industrie de Saint-Étienne ; 1998 Paris, rétrospective du groupe Support/Surface au musée du Jeu de Paume.
Il montre ses œuvres dans des expositions personnelles : pour la première fois en 1966 à la galerie A à Nice ; à partir de 1968 régulièrement à la galerie Jean Fournier à Paris ; 1974 musée d'Art et d'Industrie de Saint-Étienne ; 1978 musée d'Art et d'Histoire de Chambéry, abbaye de Senanque près de Gordes ; 1980 Capc à Bordeaux ; 1982-1983 rétrospective au centre Georges Pompidou à Paris ; 1987 Sara Hildenin Taidemuseo à Tampere (Finlande) ; 1988 musée de Nîmes ; 1989 musées de Céret et de Collioure ; 1991 ensemble de dessins au cabinet d'art graphique du centre Georges Pompidou à Paris ; 1993 *Claude Viallat – autour de la collection Pierre Matisse* à la galerie Larock-Granoff à Paris ; 1994 musée Matisse à Nice ; 1997 musée Fabre de Montpellier, musée de l'Hôtel-Dieu de Mantes-la-Jolie ; 1998 Paris, galerie Daniel Templon, pour les œuvres récentes ; et à Vence *Claude Viallat, la période de Nice*, au Château de Villeneuve.
En 1988, il a reçu la commande des vitraux du chœur gothique de la cathédrale de Nevers. Il a créé un très vaste dai pour la salle des pas perdus de l'Hôtel-Dieu à Paris.
Dès l'immédiat après-guerre, tout un courant pictural s'est développé aux États-Unis affirmant la nature concrète de la peinture avec Pollock, Morris, et plus encore Newman ou Reinhardt. Sans doute déterminé par cet « art du réel », et par les différentes radicalisations du problème, apparaît à la fin des années suivantes en France un mouvement pictural qui, systématisant ce propos, refuse tout prolongement idéaliste ou psychologique à la peinture. Le discours potentiellement matérialiste de ce mouvement dans sa genèse propose la déconstruction de la peinture ou de la sculpture pour les ramener à leurs constituants matériels. La surface peinte n'existe plus alors comme lieu privilégié d'une mise en scène ou en image, mais s'affirme au contraire dans sa matérialité, à savoir : surface, texture, pigment, coloration, etc. Le « travail » de Viallat s'inscrit dans ce mouvement. L'influence de Viallat paraît à ce sujet déterminante, même si le 3 mai 1971 il s'est séparé du groupe qu'il a fondé. Schématiquement on peut définir le propos de Viallat comme étant à la fois un travail de peinture et un travail sur la peinture. Il s'agit en effet de donner à voir le résultat d'une pratique, d'un travail dont l'objet est justement un questionnement sur lui-même. La peinture de Viallat ne parle que de peinture et des problèmes inhérents à la peinture : tension de la toile, effets de capillarité, déperdition de la couleur... Il travaille sur de grandes toiles flottantes – bâches, parasols, sacs de jute, vêtements, voiles de bateaux, tentes de camping, housses de voiture, rideaux, nappes, serpillières, filets, stores, velours, toiles cirées –, libres de châssis, pour pouvoir les plier, les déplacer. Par teinture (à l'éosine, au bleu de méthylène, goudron...), peinture, imprégnation par des phénomènes naturels (soumettant son travail à la pluie, au soleil, à la mer, au feu), application, il répète inlassablement la même forme, selon une organisation systématique, une sorte d'osselet, de haricot, obtenu grâce à une éponge, à la main, puis à la brosse, forme elle-même fortuite et née du hasard, indépendamment des limites et du format de la toile qu'elle transgresse. La toile apparaît alors comme écran sur lequel ne se lit pas une peinture mais à l'intérieur duquel elle s'inscrit ; l'artiste par ailleurs peint les deux côtés de la toile pour donner à percevoir la peinture comme volume. Le travail sur les nœuds, les cordages, les filets, les épissures, peut apparaître comme une extrapolation du problème : le filet ou les nœuds n'étant qu'un redoublement du tissage ; il peut aussi n'être interprété que comme un simple plaisir artisanal du geste, une manipulation se suffisant à elle-même. À partir de ses procédés minimalistes, il obtient une œuvre décorative, dans la filiation de Matisse qu'il revendique, au très fort chromatisme et dont la structure au cours des années se complexifie. D'abord constituées d'une toile, ses œuvres se composent progressivement de plusieurs pièces réunissant divers supports, par collage, couture. Il obtient ainsi des sortes de patchworks dans lesquels il introduit des éléments d'ameublement, des pompons, cordes, franges, anneaux. Variant les formes – fixant, par exemple, au rond du tondo tendu sur des cerceaux de barrique, des triangles, trapèzes découpés dans divers tissus –, Viallat obtient des pièces libres, molles, qui évoquent des draperies retombant, au format inattendu, à l'aspect déroutant, qui remettent en question la peinture de chevalet, les éléments constitutifs du tableau. Si le travail de Viallat n'est pas exempt d'ambiguïté, il a néanmoins contribué à une remise à jour de la pratique picturale par ailleurs sérieusement délaissée. Parallèlement à ces œuvres abstraites, il dessine des scènes de tauromachies et surtout réalise des « sculptures », mailles de corde, filets, galets, bois flottés, au caractère artisanal, primitif. Explorant l'équilibre à partir d'assemblages, Viallat travaille sur les tensions, les états de la matière, du dur au mou, les contrastes de la forme, de la courbe à la droite.
Sa notoriété semble s'être considérablement affirmée autour des années 75, en même temps qu'il prenait quelque liberté avec les principes initiaux de sa démarche, regardant peut-être du

côté des élégances chromatiques d'un Sam Francis. Quant à la stratégie habile par laquelle Claude Viallat a su ruser avec l'austérité de son propos initial, Pierre Larock-Granoff la cerne en peu de mots : après avoir constaté que « la répétition d'un même motif, évocateur de nuage, a imposé à tous la légitimité de l'art de Viallat », il évoque « parfois méconnu, le côté chatoyant et nuancé de ses œuvres... Rigueur des formes et lyrisme... » L'artiste lui-même justifie le caractère répétitif de son activité picturale, à la fois abstraite et baroque, qui se doit d'être considérée dans sa variété : « Mon travail, je ne le conçois pas comme progressant dans le temps, linéairement. Il se développe en spirale à partir d'un noyau et différents problèmes se retrouvent donc à des moments différents du temps et de l'espace » (Viallat).

■ P. F., J. B., L. L.

Bibliogr. : Catalogue de l'exposition : *Claude Viallat*, Centre Georges Pompidou, Paris, 1982 – *Claude Viallat, Catherine Lopes Curval*, Eighty, Flohic, Charenton, 1986 – Philippe Dagen : *Viallat : l'abstraction et après*, Artstudio, n° 1, Paris, été 1986 – Catalogue de l'exposition : *Claude Viallat*, Carré d'art, musée d'Art contemporain, Nîmes, 1989 – Philippe Dagen : *Claude Viallat, le goût du plaisir, la peinture, l'improvisation*, Le Monde, Paris, 22 juillet 1997.

Musées : Marseille (Mus. Cantini) – Paris (Mus. Nat. d'Art Mod.) : *Sans Titre* 1966 – *Filet* 1969-1970 – *Répétition* 1968 – *Filet* 1969-1970 – *Fenêtre à Tahiti (Hommage à Matisse)* 1976 – *Bâche kaki* 1981 – Paris (FNAC) : *Sans Titre* 1986 – *Sans Titre* 1988.

Ventes Publiques : Paris, 31 mai 1978 : *Support surface* 1975, h/t (188x130) : **FRF 6 100** – Paris, 9 déc. 1985 : *Composition* 1967, h/t métis, gélatine, envers-endroit (132x175) : **FRF 31 500** – Paris, 20 mars 1988 : *Sans titre* 1981, acryl./t. (240x140) : **FRF 45 000** – Paris, 24 avr. 1988 : *Toile de tente* 1981, acryl./t. (220x220) : **FRF 39 000** – Paris, 27 juin 1988 : *Empreintes*, h/t libre (173x125) : **FRF 24 000** – Paris, 30 jan. 1989 : *Composition* 1983, acryl./fond de fauteuil (88x48) : **FRF 17 000** – Londres, 23 fév. 1989 : *Sans titre* 1973, acryl./tissu (285x207) : **GBP 13 750** – Londres, 25 mai 1989 : *Sans titre* 1971, acryl./tissu (220x232) : **GBP 5 280** – Paris, 12 juin 1989 : *Support surface* 1972 (210x180) : **FRF 22 000** – Paris, 21 juin 1989 : *Empreintes sur toile de tente* (168x407) : **FRF 82 000** – Paris, 7 oct. 1989 : *Sans titre*, acryl./t. (232x196) : **FRF 105 000** – Paris, 8 oct. 1989 : *Sans titre*, acryl./t. (Diam. 200) : **FRF 115 000** – Paris, 22 jan. 1990 : *Composition*, sérig. coul. (80x47) : **FRF 5 500** – Paris, 18 fév. 1990 : *Sans titre* 1980, acryl./t. libre (175x165) : **FRF 76 000** – Londres, 22 fév. 1990 : *Sans titre* 1971, acryl./t. (302x180) : **GBP 14 300** – Paris, 30 mars 1990 : *Empreintes*, acryl./t. (310x162) : **FRF 200 000** – Paris, 3 mai 1990 : *Support surface* 1988 (243x115) : **FRF 95 000** – Paris, 12 fév. 1990 : *Sans titre*, acryl./pap. (100x70) : **FRF 18 000** – Paris, 18 juin 1990 : *Empreintes* 1981, h./bâche (213x258) : **FRF 100 000** – Paris, 21 juin 1990 : *Empreintes* 1977, acryl./onze morceaux de t. cousus en forme d'éventail (415x170) : **FRF 138 000** – Paris, 26 oct. 1990 : *Exceptionnelle bâche multicolore* 1979, acryl./bâches assemblées (280x325) : **FRF 180 000** – Paris, 29 oct. 1990 : *Sans titre* 1984 (247x526) : **FRF 130 000** – Paris, 5 fév. 1991 : *Empreintes* 1981, acryl./t. (171x90) : **FRF 46 000** – Paris, 3 juin 1992 : *Portière peinte*, acryl./tissu (77x206) : **FRF 49 000** – Londres, 2 déc. 1993 : *Bleu de méthylène* 1971, t. teinte, teinture/lin (204,5x261,6) : **GBP 13 800** – Paris, 6 fév. 1994 : *Empreintes rouges sur fond vert*, acryl./pap. (100x60) : **FRF 11 000** – Paris, 19 nov. 1995 : *1990*, acryl./drap (279x124) : **FRF 30 000** – Paris, 19 juin 1996 : *Sans titre* 1979, acryl./t. de tente (220x335) : **FRF 60 000** ; *Sans titre* 1986, acryl./t. (235x180) : **FRF 29 000** – Paris, 13 déc. 1996 : *Sans titre*, empreintes/t. libre (130x130) : **FRF 8 000** – Paris, 28 avr. 1997 : *Parasol*, acryl./t. de parasol (diam. 188) : **FRF 15 000**.

VIALLE Jules Jean

Né le 28 juillet 1824 à Brives (Corrèze). Mort en 1885. XIXe siècle. Français.

Peintre de portraits et de paysages.

Élève de Dauzat, de P. Delaroche et de l'École des Beaux-Arts en 1848. Il figura au Salon de 1846 à 1880. Le Musée de Langres conserve de lui *Route dans les bois (Bas-Limousin)*.

Ventes Publiques : Paris, 25 mai 1932 : *Le peintre dans son atelier* : **FRF 160**.

VIALLET Édouard. Voir **FIALETTI**

VIALLIER

XVIIIe siècle. Actif à Besançon dans la seconde moitié du XVIIIe siècle. Français.

Miniaturiste.

Le Musée de Besançon conserve de lui *Portrait de D. F. Blanc*, daté de 1775.

VIALY Jacques

Né vers 1650 à Trapani. Mort le 25 décembre 1745 à Aix-en-Provence. XVIIe-XVIIIe siècles. Français.

Peintre.

Il s'établit à Aix en 1720. Père de Louis René de Vialy.

VIALY Louis René de ou **Viali, Viallis, Vially**

Né vers 1680 à Aix. Mort le 17 février 1770 à Paris. XVIIIe siècle. Français.

Peintre de portraits et de marines.

Élève de Hyacinthe Rigaud. Il fut le premier maître de Joseph Vernet qu'on avait envoyé d'Avignon à Aix à peine adolescent. Il mourut à Paris, où il était venu dès 1755, dans un petit appartement au 1er étage d'une maison de la rue des Aveugles, paroisse Saint-Sulpice. Il peignit, notamment, le *Portrait de l'Infant Don Philippe, Infant d'Espagne* et de plusieurs membres de la famille royale de France. Le Musée d'Aix conserve de lui *Portrait de Louis XV* et *Portrait d'homme inconnu*. Il fut membre de l'Académie de Saint-Luc en 1756 et avait pris part, notamment, à son exposition de 1752. Il était fils de Jacques Vialy.

VIAN

Né à Pignans (Var). XIXe-XXe siècles. Français.

Sculpteur.

Il fut élève d'Antoine Etex. Il se fixa à Toulon.

VIAN F.

XVIIIe-XIXe siècles (?). Français.

Peintre de portraits.

Musées : Bayonne : *Portrait de M...*

VIAN Sebastiano

XIXe siècle. Italien.

Peintre de figures, portraits.

Il était actif à Fassa. Il peignit des portraits et des sujets religieux.

VIANA Eduardo

Né en 1881 à Lisbonne. Mort en 1967 à Estrela. XXe siècle. Portugais.

Peintre de scènes animées, figures, nus, paysages, natures mortes. Postcubiste.

Il fut élève de l'École des Beaux-Arts de Lisbonne, et de Jean-Paul Laurens à Paris, où il s'installa en 1905. Il voyagea en Grande-Bretagne, Hollande et Belgique, où il résida dix ans à partir de 1930, et revint définitivement au Portugal en 1940.

Il prit part à des expositions collectives : 1950 Venise ; 1955 et 1971 São Paulo ; 1967 et 1968 Paris. Il montra ses œuvres dans des expositions personnelles, notamment en 1991 au musée des Beaux-Arts de Mons.

Sa connaissance du cubisme confère aux scènes, figures, natures mortes et paysages qu'il traite une construction audacieuse et rigoureuse qui l'a mené parfois à une abstraction dynamique dans la lignée de Delaunay.

Bibliogr. : In : *Cien Anos de pintura en Espana y Portugal, 1830-1930*, Antiqvaria, t. XI, Madrid, 1993.

Musées : Evora (Mus. région.) – Lisbonne (Mus. d'Art Contemp.) : *Nu* – *Nature Morte*.

VIANA Francesco ou **Francisco de**

Né à Gênes. Mort en 1605 à Madrid. XVIe siècle. Actif à la fin du XVIe siècle. Italien.

Peintre.

Il accompagna Bernardo Castello en Espagne et travailla avec lui à l'Alcazar. Il fut peintre de Philippe II qui le payait 20 ducats par mois.

VIANA Lorenzo

XVIIe siècle. Actif dans la seconde moitié du XVIIe siècle. Espagnol.

Peintre.

Fils de Francesco V. Il fut peintre à la cour du roi Philippe III d'Espagne en 1617.

VIANCIN Edmond

Né le 22 février 1836 à Besançon (Doubs). Mort le 1er mars 1877 à Paris. XIXe siècle. Français.

Peintre de portraits.

Élève de L. Cogniet et de Laucrenon. Il figura au Salon, de 1866 à 1870.

VIANDE Auguste. Voir **DOVIANE**

VIANDIER Richard

Né en 1858 à Nil-Saint-Vincent. Mort en 1949. XIXe-XXe siècles. Belge.

Peintre de paysages.
Il fut élève des académies d'Ixelles et Saint-Josse-ten-Noode. Il a peint les forêts de Soignes et des Ardennes.
Bibliogr. : In : *Dict. biogr. ill. des artistes en Belgique depuis 1830*, Arto, Bruxelles, 1987.
Musées : Ixelles.
Ventes Publiques : Bruxelles, 27 mars 1990 : *Vieux moulin de Loyer-sur-Ourthe*, h/t (46x34) : **BEF 32 000**.

VIANE Charles
Né en 1876 à Bruxelles. Mort en 1939 ou 1959 à Uccle. xxe siècle. Belge.
Peintre de genre, paysages, graveur.
Peintre et graveur, il réalisa de nombreuses eaux-fortes.
Bibliogr. : In : *Dict. biogr. ill. des artistes en Belgique depuis 1830*, Arto, Bruxelles, 1987.
Ventes Publiques : Lokeren, 11 mars 1995 : *Marchande de fleurs*, h/t (55x45) : **BEF 24 000**.

VIANE Willem Jozef
Né vers 1852. Mort en 1882 à Ixelles. xixe siècle. Belge.
Peintre de fleurs et de natures mortes.

VIANELLI Achille ou **Vianelly** ou **Viennelly**
Né le 31 décembre 1803 à Porto Maurizio. Mort le 2 avril 1894 à Bénévent. xixe siècle. Italien.
Peintre de compositions religieuses, scènes de genre, intérieurs, paysages animés, paysages, aquarelliste, aquafortiste, lithographe, dessinateur.
Père d'Alberto V. et élève de Wilhelm Huber.
Il peignit surtout des paysages et des intérieurs d'églises.
Musées : Angers : *Environs de Naples*.
Ventes Publiques : Paris, 30 juin 1972 : *La prière de la Madone*, aquar. : **FRF 3 600** – Londres, 27 nov. 1980 : *La baie de Naples*, aquar., cr. et lav. (20x28) : **GBP 650** – Londres, 23 juin 1981 : *Intérieur de cathédrale* 1846, cr., pl. et lav. (40,8x60,5) : **GBP 600** – New York, 23 fév. 1983 : *Bord de mer animé avec vue du Castel dell'Uovo et le Vésuve à l'arrière-plan*, aquar. et cr. (15,3x22,9) : **USD 1 000** – Rome, 3 avr. 1984 : *Strada tribunali* ; *Chiesa del Carmine* 1869, aquar. et cr., une paire (35x47) : **ITL 5 500 000** – Rome, 21 mars 1985 : *Intérieur d'église* ; *Une crypte* 1852, cr., deux dessins (20x27) : **ITL 1 500 000** – Rome, 19 mai 1987 : *Porta del Carmine, Naples*, aquar. (24x16) : **ITL 3 200 000** – Paris, 30 juin 1989 : *Vue de la baie de Naples* (12,7x20) : **FRF 5 500** – Milan, 30 mai 1990 : *Le marché aux poissons* ; *Vue des fortifications*, aquar./pap., une paire (22,5x32 et 24,5x34,5) : **ITL 4 700 000** – Rome, 31 mai 1990 : *La chapelle de la Madonna dell'Avvocata dans la grotte des Tyrrhéniens* 1839, cr. et sépia avec aquar./pap. (22,3x34,7) : **ITL 4 000 000** – Monaco, 8 déc. 1990 : *La cathédrale de Salerne* 1846, encre et mine de pb (36x45,5) : **FRF 11 100** – Rome, 14 nov. 1991 : *Vue du golfe de Naples*, aquar. (22x31,5) : **ITL 6 325 000** – Milan, 12 déc. 1991 : *Vue de Naples* 1888, aquar./pap. (23x33,5) : **ITL 2 800 000** – Monaco, 18-19 juin 1992 : *Place de la Rotonde* 1837, lav. d'encre brune (29,5x45,8) : **FRF 51 060** – New York, 29 oct. 1992 : *L'atelier du peintre*, h/t (57,2x38,1) : **USD 6 600** – Rome, 19 nov. 1992 : *Paysage animé* 1860, h/cart. compressé (27x40) : **ITL 4 025 000** – Londres, 16 juin 1993 : *Vue du Carmine à Naples* 1871, encre (31x42) : **GBP 1 955** – Rome, 31 mai 1994 : *Le golfe de Naples vu de la plage de Mergellina* 1840, h/t/cart. (22x39,5) : **ITL 14 731 000** – Paris, 15 avr. 1996 : *Personnages au bord d'un lac* ; *Paysans cheminant*, h/pap. (14,1x20,2) : **FRF 13 000**.

VIANELLI Alberto
Né le 5 juin 1841 à Cavadei Tirreni. Mort en février 1927. xixe-xxe siècles. Actif puis naturalisé en France. Italien.
Peintre de genre, paysages.
Élève de son père Achille Vianelli et de Giacinto Giganti, il vint à Paris suivre les cours de Jules Lefebvre et de Gustave Boulanger, à l'École des Beaux-Arts. Il se fixa à Paris à partir de 1875, puis fut naturalisé Français. Il fut chevalier de l'Ordre de la Couronne d'Italie.
Il exposa à Paris, au Salon entre 1877 et 1911 et obtint une médaille de bronze à l'Exposition Universelle de 1889. Il a participé régulièrement aux Salons parisiens, notamment au Salon des Artistes Français dont il devint membre sociétaire en 1900, ainsi qu'à l'étranger, Londres, Bruxelles, Venise.
Peintre de scènes de la vie bourgeoise, il est aussi l'auteur de paysages ensoleillés.
Bibliogr. : Gérald Schurr, in : *Les Petits Maîtres de la peinture 1820-1920, valeur de demain*, Les Éditions de l'Amateur, t. IV, Paris, 1979.
Ventes Publiques : Paris, 20-22 nov. 1911 : *Sur la place Saint-Marc* : **FRF 135** – Paris, 17-18 déc. 1941 : *Le pont de Terni*, cr. et lav. : **FRF 260** – Paris, 15 déc. 1943 : *Scène de genre* : **FRF 1 300** – Londres, 28 nov. 1986 : *Deux jeunes filles dans un intérieur regardant des photos*, h/t (117x80) : **GBP 10 000** – Paris, 2 déc. 1992 : *Vue du lac*, h/pan. (27x35) : **FRF 7 000** – Paris, 7 déc. 1993 : *Vue de Nice – le couvent de Cimiez* 1907, h/cart. (38x29) : **FRF 6 000**.

VIANELLI Giuseppe Maria
xviiie siècle. Italien.
Peintre de compositions religieuses.
Il était moine. Il a peint après 1750 des *Scènes de la vie de saint Philippe de Neri* dans l'église Saint-Philippe, à Chioggia.

VIANELLO Antonio
Né en 1778. xixe siècle. Italien.
Peintre.
Il a peint un tableau d'autel dans l'oratoire Saint-Maurice de Venise.

VIANELLO Giovanni
Né le 7 juillet 1873 à Padoue. Mort le 11 décembre 1926 à Padoue. xixe-xxe siècles. Italien.
Peintre de genre, sujets religieux, portraits, paysages, peintre de compositions murales.
Il fut élève de l'Académie de Venise. Il peignit des fresques dans des églises de Padoue et de Rovigo.
Ventes Publiques : Paris, 6 déc. 1954 : *La lecture au Cardinal* : **FRF 10 200** – Paris, 8 mars 1993 : *La place Saint-Marc à Venise*, h/pan. (38,5x33) : **FRF 4 500**.

VIANEN Cornelis Van
Mort avant 1561. xvie siècle. Actif à Malines. Éc. flamande.
Peintre de perspectives.

VIANEN Jan Van
Né vers 1660 (?) à Amsterdam. Mort après 1726. xviie-xviiie siècles. Hollandais.
Dessinateur et graveur au burin.
En 1763, il faisait partie de la gilde à Haarlem. Il grava des vues et des sujets d'histoire, et travailla pour des libraires.

VIANEN Paulus Van, le Jeune
Né avant 1613 à Prague. Mort le 28 juin 1652 à Utrecht. xviie siècle. Hollandais.
Peintre.
Fils de Paulus Willemsz Van Vianen. On le cite dans la gilde d'Utrecht en 1642. Nous croyons qu'il convient de lui donner le tableau *Repos pendant la fuite en Égypte* conservé au Musée d'Amsterdam. Le Musée d'Utrecht, d'autre part, conserve de lui *Famille dans un paysage*.

VIANEN · F
1643

Ventes Publiques : Paris, 14 juin 1954 : *Bergers parmi les ruines* : **FRF 28 000** – Amsterdam, 25 avr. 1983 : *Études de plantes*, pl. et lav., double face (11,7x17,2) : **NLG 11 000** – Amsterdam, 1er déc. 1986 : *Adam assis au pied d'un arbre, une pomme à ses pieds*, craies noire et blanche (50,9x40,2) : **NLG 24 000**.

VIANEN Paulus Willemsz Van
Né vers 1570 à Utrecht. Mort en 1613 ou 1614 à Prague. xvie-xviie siècles. Hollandais.
Peintre, graveur, médailleur et orfèvre.
Élève de son père Willem Ezestensz Van Vianen et de Cornelius Flertz ou Elertz. En 1596, il vint à Munich, et y obtint le droit de maître en 1599. Il visita aussi l'Italie et l'Allemagne et fut nommé joaillier de l'Empereur Rodolphe II.

Ventes Publiques : Amsterdam, 17 nov. 1980 : *Vue de Primolano* 1607, pl. et lav. (16x20) : **NLG 9 000**.

VIANEN Willem Eerstensz Van
Mort le 4 août 1603. xvie siècle. Actif à Utrecht. Hollandais.
Graveur et orfèvre.
Père de Paulus Willemsz Van Vianen.

VIANI Agostino
Né le 10 septembre 1841 à Pallanza. Mort le 25 décembre 1933 à Pallanza. XIXe-XXe siècles. Italien.
Peintre de paysages.
Ventes Publiques : Milan, 29 mai 1984 : *Paysan dans un paysage boisé*, h/t (100x70) : **ITL 2 000 000**.

VIANI Alberto
Né le 26 mars 1906 à Quistello (Mantoue). XXe siècle. Italien.
Sculpteur de nus, dessinateur. Figuratif puis abstrait.
De 1944 à 1947, il fut élève, à l'Académie des Beaux-Arts de Venise, de Arturo Martini, de qui il devint l'assistant. En 1946, il adhéra au Fronte Nuovo delle Arti.
Il participa à des expositions collectives : 1947 avec le groupe Fronte Nuovo delle Arti à Milan ; 1948 Ire Biennale de Venise de l'après-guerre qui marqua le renouveau de l'art italien. Il montra ses œuvres dans des expositions personnelles : 1952 et 1958 Biennale de Venise. Il reçut le Prix de la Jeune Sculpture en 1948 à la Biennale de Venise, le Grand Prix en 1959 de l'Exposition Internationale de Sculpture en Plein-Air de la Ville de Varèse Fronte Nuovo delle Arti.
D'abord influencé par son maître Martini, notamment par ses dernières œuvres et leur indépendance d'envers la pesanteur, l'une des contraintes majeures dans l'histoire de la sculpture, comme dans la célèbre *Femme nageant sous l'eau*, Viani évolua progressivement à l'abstraction, mais à une abstraction, apparentée à celle de Jean Arp, se fondant sur des correspondances évidentes avec la sensation, voire la sensualité de la réalité humaine, telle qu'elle est d'ailleurs clairement avouée dans des titres comme *Cariatide* de 1952, *Nu abstrait* de 1949-1953 ou *Nu assis* de 1957.
Bibliogr. : Sarane Alexandrian, in : *Diction. Univers. de l'Art et des Artistes*, Hazan, Paris, 1967 – Giovanni Carandente, in : *Nouveau Diction. de la sculpt. mod.*, Hazan, Paris, 1970.
Ventes Publiques : New York, 13 mai 1981 : *Nu féminin* 1952-1965, bronze patine noire (H. 180) : **USD 5 000** – Milan, 18 juin 1987 : *Nu* 1963, cr. (68,5x49,5) : **ITL 2 000 000** – Milan, 12 juin 1990 : *Forme*, bronze (150x130x60) : **ITL 68 000 000** – Milan, 9 nov. 1992 : *Visage d'homme* 1931, cr. Conté (48x33) : **ITL 6 500 000** – New York, 25-26 fév. 1994 : *Le pasteur des âmes* 1964, marbre (H. 149,9) : **USD 18 400**.

VIANI Antoine Maria ou **Antonio Maria**, dit **Vianino** ou **Vianini** ou **Viviani**
Né entre 1555 et 1560 à Crémone. Mort en 1629 à Mantoue. XVIe-XVIIe siècles. Italien.
Architecte, peintre et graveur à l'eau-forte.
Élève de Campi. Il paraît surtout avoir été un décorateur. Il fut peintre de la cour du duc de Mantoue, Vincent Gonzague et décora, notamment, de groupes d'enfants, la grande salle du palais ducal. Il travailla aussi à Capoue. Il a gravé des sujets religieux.
Ventes Publiques : Londres, 11 déc. 1984 : *L'Annonciation, surmontée de la Sainte Trinité*, h/t (71,7x50,2) : **GBP 8 000**.

VIANI Bartolomeo
XVIe siècle. Actif à Crémone. Italien.
Sculpteur sur bois.
Père de Giovanni Battista V.

VIANI Domenico Maria
Né le 11 décembre 1668 à Bologne. Mort le 1er octobre 1711 à Pistoie. XVIIe-XVIIIe siècles. Italien.
Peintre de compositions religieuses, sujets mythologiques, portraits, graveur.
Fils et élève de Giovanni Maria Viani. Il travailla aussi d'après les maîtres vénitiens.
On cite, notamment, de lui une suite de *Prophètes* et *d'Évangélistes* dans l'église de la Nativita, à Bologne, un *Miracle de saint Antoine* dans l'église du San Spirito, de Bergame. Il a gravé des sujets religieux.
Musées : Dresde : *Vénus et deux amours*.
Ventes Publiques : Londres, 17 déc. 1927 : *Portrait de gentilhomme* : **GBP 189** – Londres, 2 juil. 1986 : *Moïse sauvé des eaux*, h/cuivre (26,5x40,5) : **GBP 16 500** – New York, 12 jan. 1994 : *Jupiter et Ceres*, h/t (72,3x91) : **USD 40 250**.

VIANI Giovanni Battista, dit **Vianino**
XVIe-XVIIe siècles. Actif à Crémone. Italien.
Sculpteur sur bois.
Il travailla à Mantoue pour le Palais Ducal et l'église Saint-André.

VIANI Giovanni Maria
Né le 11 septembre 1636 à Bologne. Mort le 15 avril 1700 à Bologne. XVIIe siècle. Italien.
Peintre de compositions religieuses, sujets mythologiques, dessinateur, graveur à l'eau-forte.
Élève de Flanido Torre. Il s'inspira surtout du style de Guido Reni et se plaça parmi les plus habiles dessinateurs. Il ouvrit une académie, rivale de celle de Carlo Cigniani, où se formèrent un grand nombre d'artistes distingués.
Viani peignit de nombreux ouvrages pour les églises et les monuments publics de sa ville natale. On cite, notamment, aux Servi un *San Filippo Benizi montant au ciel*, et un *Couronnement de la Vierge*, et à San Ginseppe, une *Annonciation*.
Musées : Bologne : *Saint Jean-Baptiste* – *Portrait d'un moine* – Florence : *La Vierge et l'Enfant Jésus*.
Ventes Publiques : New York, 1er juin 1990 : *Vierge à l'Enfant*, h/t (29x23,5) : **USD 16 500** – Paris, 27 mars 1992 : *Étude de mains*, pierre noire sanguine et craie (25x30,3) : **FRF 9 000** – Milan, 28 nov. 1995 : *Scène mythologique*, h/t (144x226) : **ITL 25 300 000** – Milan, 21 nov. 1996 : *Saint Joseph et l'Enfant Jésus*, h/t (106x86) : **ITL 8 737 000**.

VIANI Lorenzo
Né le 1er novembre 1882 à Viareggio. Mort en 1936 à Ostie (Rome). XXe siècle. Italien.
Peintre de genre, figures, nus, pastelliste, aquarelliste, dessinateur, illustrateur. Tendance expressionniste.
Il fut élève de Antonio Mancini à Lucques. Il séjourna à diverses reprises à Paris. Il exposa à Venise.
Dénonçant la misère humaine dans une peinture sombre, volontiers dramatique, cet artiste révolté s'intéresse aux défavorisés, aux exclus de la société, ouvriers, prisonniers, prostitués.

Lorenzo Viani

Musées : Bologne – Florence – Milan – Novara – Rome – Trieste – Turin.
Ventes Publiques : Milan, 28 mars 1962 : *Figura con cesto* : **ITL 950 000** – Milan, 27 oct. 1970 : *Nature morte au vase de fleurs*, past. : **ITL 2 000 000** – Milan, 25 mai 1971 : *La Mère*, pas. : **ITL 4 800 000** – Milan, 8 juin 1976 : *Famille de pauvre* 1927, bois (43,7x26,5) : **ITL 1 800 000** – Rome, 15 déc. 1977 : *Deux figures*, techn. mixte (50x40,5) : **ITL 1 700 000** – Milan, 26 juin 1979 : *Figure*, gche (60x73,5) : **ITL 1 600 000** – Rome, 13 nov 1979 : *La Parisienne* 1910/15, h/cart. (35x27) : **ITL 4 000 000** – Milan, 26 juin 1979 : *Viandante (recto)* ; *Vierge à l'Enfant (verso)*, bois incisé (112x67) : **ITL 18 000 000** – Rome, 20 avr. 1982 : *Trois clochards de Paris*, cr. (43x57) : **ITL 9 000 000** – Rome, 20 avr. 1982 : *Homme sur un banc*, aquar. et mine de pb (94,5x67,5) : **ITL 21 000 000** – Milan, 15 nov. 1984 : *Personnages se promenant*, pl. (30x20,5) : **ITL 2 000 000** – Rome, 22 mai 1984 : *Carro di contadini in Maremma (recto)* ; *La Malaria (verso)* 1920, h. et techn. mixte/cart. (70x97) : **ITL 24 000 000** – Milan, 14 déc. 1987 : *Figure assise*, fus./cart. (100x65) : **ITL 17 500 000** – Milan, 8 juin 1988 : *Les pauvres gens*, techn. mixte/contreplaqué (55x74,5) : **ITL 18 000 000** – Rome, 15 nov. 1988 : *Accident au chantier* 1925, aquar./pap. (28x40,8) : **ITL 14 000 000** – Milan, 20 mars 1989 : *Nus dans la pinède*, h/cart. (47,5x69,5) : **ITL 25 000 000** – Milan, 6 juin 1989 : *Bœufs près de la mer*, h/cart. (71x102) : **ITL 58 000 000** – Rome, 13 mai 1991 : *Le mendiant*, fus. et past./pap./contreplaqué (90x65) : **ITL 8 050 000** – Milan, 20 juin 1991 : *Taureau sur une plage*, h/pan. (33,5x55) : **ITL 21 500 000** – Milan, 19 déc. 1991 : *Personnages de La Ruche à Paris* 1909, past. et cr./pap. (65x48) : **ITL 12 000 000** – Milan, 20 mai 1993 : *Paysan dans les champs*, encre/pap. (21x26) : **ITL 3 000 000** – Rome, 14 nov. 1995 : *La pêche avec un voilier*, temp./pap. (26x19,5) : **ITL 3 910 000** – Milan, 22 mai 1996 : *Femme sur ciel roux* 1927, aquar./cart. (56x43) : **ITL 11 500 000** – Rome, 12 juin 1996 : *Histoire d'amour* 1920-1925, encre de Chine/cart. (24,5x16,5) : **ITL 1 380 000** – Milan, 28 mai 1996 : *Veau*, sanguine/pap. (29,8x42) : **ITL 1 955 000**.

VIANI Serafino
Né le 26 juillet 1768 à Reggio Emilia. Mort le 1er juillet 1803 à Reggio Emilia. XVIIIe siècle. Italien.
Peintre.
Élève de G. Gandolfi et de G. M. Soli. Il a peint un *Saint François de Paule* dans l'église Saint-Pellegrino de Reggio Emilia.

VIANI D'OVRANO Marioa de, comte
Né le 8 décembre 1862 à Turin. XIXe siècle. Italien.

Paysagiste.
Élève de C. Turletti et de F. Pastoris. Le Musée Municipal de Turin conserve de lui *Paix dans la montagne*.

VIANNA Manoel Luiz Rodrigues
XIXe siècle. Actif dans la première moitié du XIXe siècle. Portugais.
Graveur au burin.
Élève de J. de Figueiredo et de J. Carneiro da Silva.

VIAPLANA Vicenç
Né en 1955 à Granollers (Catalogne). XXe siècle. Espagnol.
Peintre, technique mixte. Abstrait.
Il participe à des expositions collectives depuis 1976 régulièrement à Barcelone ; 1977 Varsovie ; 1979 musée d'Art contemporain d'Ibiza ; 1981, 1982 musée de Granollers ; 1982 Bucarest ; 1989 Chicago ; 1990, 1991 New York. Il montre ses œuvres dans des expositions personnelles à Barcelone, notamment en 1983 à la salle des expositions des œuvres culturelles de la Caixa de Pensiones.
Ses peintures possèdent parfois un certain relief. Œuvres sombres et abstraites, elles évoquent la cité, détruite par le feu, aux murs marqués par le temps, en voie d'anéantissement.
Bibliogr. : In : *Catalogo nacional de arte contemporaneo*, Iberico 2 mil, Barcelone, 1990.

VIARD Georges
Né vers 1805. XIXe siècle. Français.
Peintre de paysages, paysages animés, natures mortes, aquarelliste, pastelliste.
Il figura au Salon de Paris de 1831 à 1869.
Ses toiles, aquarelles, pastels, montrent souvent des paysages de Normandie, Picardie, Ardèche.
Bibliogr. : Gérald Schurr, in : *Les Petits Maîtres de la peinture 1820-1920, valeur de demain*, Les Éditions de l'Amateur, t. II, Paris, 1982.
Musées : Orléans : *Paysage avec animaux.*
Ventes Publiques : Paris, 25 nov. 1925 : *Oiseaux morts*, h/t, une paire : **FRF 200** – Versailles, 20 fév. 1972 : *La pièce d'eau des Suisses*, gche : **FRF 3 500** – New York, 28 fév. 1990 : *Nature morte de roses et de pivoines dans un vase bleu*, h/t (127,3x96,8) : **USD 15 400** – Paris, 24 fév. 1992 : *Nature morte à la perruche et au verre de cerises* 1860, h/t (54x40) : **FRF 35 000**.

VIARD Giorné ou **Jiorné**
Né en 1823 à Saint-Clément (Meurthe-et-Moselle). Mort en 1885 à Nancy (Meurthe-et-Moselle). XIXe siècle. Français.
Sculpteur.
Élève de Bonnassieux. Le Musée de Bar-le-Duc conserve de lui *Le maire Paulin Gillon, Le comte Label, Antoine surnommé le Bon Duc*, et celui de Nancy, *Portrait de M. Braconnot, Saint Sébastien, Christ à la colonne* et *Portrait de M. Piroux, ancien administrateur de l'Institution des Sourds-Muets de Nancy.*

VIARD Julien Henri
Né le 29 mai 1883 à Paris. XXe siècle. Français.
Sculpteur, médailleur.
Il fut élève de Marius J. A. Mercié, Jules C. Chaplain et Paul L. E. Loiseau-Rousseau. Il exposa à Paris, dès 1904 au Salon des Artistes Français, dont il fut membre sociétaire à partir de 1909 ; il reçut une mention honorable en 1905, une médaille de troisième classe et une bourse de voyage en 1909.

VIARDOT François
XVIe siècle. Actif à Besançon en 1595. Français.
Peintre.

VIARDOT Georges Émile
Né le 26 janvier 1888 à Paris. XXe siècle. Français.
Peintre de nus, paysages urbains, aquarelliste.
Il participa à Paris au Salon des Indépendants à partir de 1923.
Ventes Publiques : Paris, 2 juil. 1951 : *Rue à Montmartre*, aquar. : **FRF 1 800**.

VIARDOT Léon
Né le 1er septembre 1805 à Dijon (Côte-d'Or). Mort en 1900 à Paris. XIXe siècle. Français.
Peintre d'histoire, compositions à personnages, scènes de genre, portraits, paysages animés.
Léon Viardot appartenait à une famille d'artistes justement célèbres. Pauline Viardot la cantatrice sœur de la Malibran ; Louis Viardot l'écrivain qui a laissé un nombre important d'ouvrages, entre autres ceux consacrés à l'histoire de l'art. C'est donc dans un milieu où se rencontraient les célébrités de l'époque que vécut Léon Viardot. Aussi n'est-on pas surpris de voir qu'il a exposé au Salon les portraits de *Madame de Souze* (1833), *M. Barthe* (garde des sceaux), *Armand Carrel, Le comte Orsini, Désiré Nisard* (1834), *Louis Viardot-Donizetti* (1840), *Pauline Viardot* (1847), etc. Il a peint également des scènes de chasse et quelques tableaux d'Histoire. Élève de Ary Scheffer et de Picot, il exposa au Salon à partir de 1831.

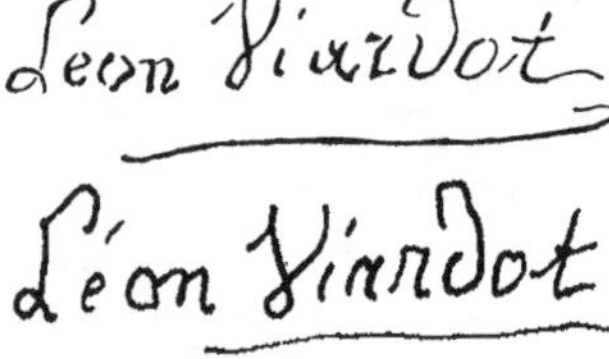

Musées : Blois : *Le roi Lear* – Moulins : *Le festin de Damoclès* – Rouen : *Portrait de M. A. Carrel.*
Ventes Publiques : Paris, 1er mai 1942 : *Ruines et torrent animés de personnages* : **FRF 1 080** – Paris, 4 déc. 1995 : *Portrait d'officier de la guerre de crimée* 1856, h/t (116x89) : **FRF 22 000**.

VIARE Gérard ou **Girard**
Né vers 1513 à Troyes. Mort vers 1556 à Troyes. XVIe siècle. Français.
Peintre d'histoire et de sujets religieux.
Il travailla à Troyes pour les églises Saint-Jean et Saint-Nicolas. Il participa aux préparatifs pour l'entrée à Troyes d'Henri II et de Catherine de Médicis en 1548.

VIARO Theodoro. Voir **VIERO**

VIARREY Germain
XVIe siècle. Actif à Troyes et à Genève de 1577 à 1584. Français.
Peintre.
Le Musée Archéologique de Genève conserve de lui une fontaine ornée des statues de la Justice et de la Paix.

VIART Philippot
XVe siècle. Actif à Rouen de 1457 à 1469. Français.
Sculpteur sur bois.
Il sculpta les stalles de la cathédrale de Rouen.

VIAU Jean
XVIe siècle. Travaillant à Tours de 1521 à 1545. Français.
Peintre de blasons et de décorations.
Il a peint les miniatures d'un livre d'heures conservé à la Bibliothèque de Tours.

VIAU Louis
Né le 17 août 1826 à Nantes (Loire-Atlantique). XIXe siècle. Français.
Peintre de décorations.
Élève d'E. Delaunay.

VIAU Pierre
XVIe siècle. Travaillant à Tours de 1511 à 1525. Français.
Peintre de blasons et de décorations.

VIAUD Charles
Né le 25 décembre 1920 à Nantes (Loire-Atlantique). Mort le 16 février 1975 à Concarneau (Finistère). XXe siècle. Français.
Peintre de marines, illustrateur.
Il fut élève de l'école des beaux-arts de Nantes, dans l'atelier de Paul Deltombe. L'académie de marines lui décerna son prix et médaille pour la fondation du musée de la pêche de Concarneau dont il fut le premier conservateur mais aussi un des décorateurs et dont il réalisa un grand nombre de maquettes.
Il exposa à Nantes, Brest, Quimper, Rio de Janeiro et São Paulo. Il fut avant tout peintre de marines et de bateaux.

VIAUD Marie
Née à Rochefort (Charente-Maritime). Française.
Peintre.
Le Musée de Rochefort conserve d'elle *Souvenir de Boucher* (pastel).

VIAUX G. L.
Né en 1862. Mort en 1943. XIXe-XXe siècles. Français.
Peintre de paysages, aquarelliste, graveur.

VIAVANT George
Né en 1872 à la Nouvelle-Orléans (Louisiane). Mort en 1925 à la Nouvelle-Orléans. XIXe-XXe siècles. Américain.
Peintre d'animaux, natures mortes.

Musées : La Nouvelle-Orléans.
Ventes Publiques : La Nouvelle-Orléans, 26 juin 1981 : *Nature morte* 1920, aquar. (71x43,5) : **USD 3 000.**

VIAZEMSKI Lev Peissakhovitch
Né en 1901 à Vemiassa (région de Vitebsk). xxe siècle. Russe.
Peintre de compositions murales.
De 1923 à 1930, il fut élève des Vhutemas et Vhutein de Moscou, où il eut pour professeurs P. Kouznetsov et V. Favorski. Il fut membre de l'association des artistes de la Russie révolutionnaire.
Il a exécuté des fresques murales, pour le club de l'Institut d'Art technique.
Bibliogr. : Catalogue de l'exposition : *Paris-Moscou*, Centre Georges Pompidou, Paris, 1979.

VIAZZI Cesare
Né le 15 juin 1857 à Alexandrie (Piémont). Mort en 1943 à Predosa di Alessandria. xixe-xxe siècles. Italien.
Peintre de genre, paysages, marines.
Il fut professeur à l'académie des beaux-arts de Gênes. Il exposa à Rome, Turin et Venise.

Ventes Publiques : Berne, 3 mai 1979 : *Les quatre saisons*, h/t (33x75) : **CHF 1 600** – Milan, 17 déc. 1992 : *Nymphe*, h/t (44x54,5) : **ITL 2 800 000.**

VIBANI Alessandro
xviie siècle. Travaillant en 1600. Italien.
Sculpteur sur bois.
Il a sculpté un buffet d'orgues dans l'église de Vallerano.

VIBERT Alexandre
Né à Épinay-sur-Orge (Essonne). Mort en 1909 à Paris. xixe-xxe siècles. Français.
Sculpteur et médailleur.
Il figura au Salon des Artistes Français, dont il était sociétaire ; mention honorable en 1893.
Ventes Publiques : Paris, 22 avr. 1977 : *Femme tenant une Bible*, bronze doré et argenté reh. de pierres de coul. (H. 61) : **FRF 28 000.**

VIBERT Auguste
Né vers 1805 à Lyon (Rhône). xixe siècle. Français.
Peintre de genre et miniaturiste.
Élève de Berjon. Il figura au Salon de 1837 à 1852.

VIBERT Claude
Né à Saint-Claude (Jura ?). xviie siècle. Français.
Sculpteur.

VIBERT Jacques
xviie siècle. Travaillant à Grenoble dans la seconde moitié du xviie siècle. Français.
Sculpteur.
Fils de Claude Vibert. Il se maria en 1683 avec Marie Ménard. Cet artiste exécuta un tabernacle en 1682, pour l'église de Willard-Reculas et un autre en 1697 pour l'église de Saint-Martin-de-la-Motte.

VIBERT James
Né le 15 août 1872 à Carouge (Genève). Mort en 1942. xixe-xxe siècles. Suisse.
Sculpteur de statues. Symboliste.
Élève des Écoles des Beaux-Arts et des Arts et Métiers de Genève, il apprit en outre, à Lyon, la ferronnerie d'art. Après un court séjour à Genève, il vint à Paris en 1891 et entra dans l'atelier de Rodin. Il se lia alors avec les principaux poètes symbolistes français. L'État français lui acheta à cette époque, *L'Effort humain*. Il retourna ensuite en Suisse, où il fut nommé professeur à l'École des Beaux-Arts de Genève.
Il participa à Paris aux Salons de la Rose-Croix, de la Plume, des Artistes Français, d'Automne, dont il fut membre fondateur, à l'Exposition Nationale Suisse, au Tournus, à l'Exposition Internationale de Venise. Il obtint une médaille d'argent en 1900, à l'Exposition universelle de Paris.
Il fut chargé en 1902 de la décoration du hall d'entrée du palais fédéral de Berne. Cet artiste peut être considéré comme le précurseur du symbolisme sculptural, en Suisse. Il exécuta le monument de *Verlaine* à Metz ; le groupe *L'Effort humain* pour le Bureau International du Travail.
Musées : Bienne : *La Muse* – Genève (Mus. Rath) : *Lutteurs suisses* – *Buste de femme* – *Bustes de David Butin et de Ferdinand Hodler* – Grenoble (Mus. Stendhal) : *Buste d'Henri Beyle* – Lausanne (Mus. canton. des Beaux-Arts) : *Buste de Marc Ruchet* 1912-1914, bronze – *L'Anarchiste* 1914, marbre – Lugano : *Vers la vie* – Paris (Mus. du Jeu de Paume) : *L'Effort humain*.
Ventes Publiques : Genève, 29 avr. 1974 : *La Terre*, bronze : **CHF 11 000** – Zurich, 30 oct. 1980 : *La Terre* 1920, bronze (H. 37) : **CHF 6 500** – Zurich, 16 mai 1981 : *Buste de Ferdinand Hodler* 1918, bronze patiné : **CHF 4 500** – Lucerne, 19 mai 1983 : *Buste de Ferdinand Hodler* 1918, marbre (H. 48) : **CHF 4 400.**

VIBERT Jehan Georges, ou **Jean**
Né le 30 septembre 1840 à Paris. Mort le 28 juillet 1902 à Paris. xixe siècle. Français.
Peintre d'histoire, scènes de genre, fleurs, peintre à la gouache, aquarelliste.
Élève de Barrias. Il entra à l'école des Beaux-Arts le 9 avril 1857. Dès 1864, il obtenait une médaille au Salon, il était également récompensé en 1867 (Exposition Universelle). En 1870, il combattit courageusement et fut blessé à la bataille de la Malmaison. La croix de la Légion d'honneur lui fut décernée pour sa belle conduite. A l'exposition de 1878, ses œuvres lui valurent une nouvelle récompense et il obtint la croix d'officier de la Légion d'honneur en 1882. Il succomba à une affection cardiaque.
Vibert a surtout été recherché pour sa série de tableaux représentant des prêtres, des moines, comme *Débuts d'un confesseur*, *L'Antichambre de Monseigneur*, *Moine cueillant des radis*, etc., œuvres dans lesquels le sujet joue le principal rôle.
On a dit avec raison que Vibert, dans sa peinture, a fait de la « comédie ». Cette conception, un peu éloignée de l'art véritable, parce que trop théâtrale, a puissamment contribué au succès de notre artiste. D'ailleurs il était réellement homme de théâtre : il le prouva en faisant jouer avec succès plusieurs pièces au Palais Royal, au Vaudeville et aux Variétés. Il a aussi écrit quelques articles sur des sujets artistiques pour le *Century Magazine*.
Quand Vibert tenta d'abandonner la peinture de chevalet pour le genre plus noble de l'histoire, il ne réussit pas toujours et même, dans certains ouvrages comme *Apothéose de M. Thiers*, il échoua lamentablement. Il fut un des fondateurs de la société des Aquarellistes et remplit les fonctions de membre du comité des Artistes Français.

Musées : Bordeaux : *Narcisse* – Brooklyn : *Toréador* – Buffalo : *La sauce délicieuse* – Chicago : *Le dimanche des rameaux* – Cincinnati : *Mûr à point* – Glasgow : *Prêtre et Pierrot* – Melbourne : *Artiste français dans une posada espagnole* – New York : *Le confesseur surpris* – *La remontrance* – Rochefort : *Bailli de Suffren* – Saint Louis : *L'anniversaire du cardinal* – Troyes : *Portrait du père Joseph* – Versailles : *Apothéose de Thiers* – Washington D. C. : *Le Schisme*.
Ventes Publiques : Paris, 1873 : *L'embarras du choix* : **FRF 7 500** – Bruxelles, 1874 : *Gulliver dans l'île de Lilliput* : **FRF 20 000** – Paris, 1886 : *Le menu du cardinal* : **FRF 62 500** ; *Le récit du millionnaire* : **FRF 125 000** – New York, 1889 : *Le premier-né* : **FRF 15 500** – Paris, 1896 : *Le départ des mariés* : **FRF 20 000** – New York, 1899 : *Inspection du fort* 1867 : **FRF 5 500** – New York, 24-26 fév. 1904 : *Lisant Rabelais* : **USD 900** – Paris, 10-11 mai 1904 : *Napoléon Ier et le roi de Rome enfant* : **FRF 900** – New York, 3 fév. 1905 : *L'Église en danger* : **USD 6 800** – New York, 15-16 fév. 1906 : *Le ver rongeur de livres* : **USD 4 000** – New York, 10-11 jan. 1907 : *Le poète* : **USD 2 700** – New York, 15-16 avr. 1909 : *Le dîner* : **USD 6 500** – Londres, 15 juil. 1910 : *Le malade imaginaire* : **GBP 420** – New York, 13 jan. 1911 : *La cachette découverte* : **USD 2 800** – Paris, 9 fév. 1923 : *Après la sérénade* : **FRF 740** – Paris, 18 juin 1930 : *La perplexité du cardinal* : **FRF 2 250** – New York, 22 oct. 1936 : *Le repas du moine* : **USD 825** ; *Cardinal se faisant coiffer* : **USD 500** – New York, 16 oct. 1941 : *Le médecin malade* : **USD 700** – Paris, 23 mars 1945 : *Dans le jardin du presbytère* 1875 : **FRF 4 500** – New York, 18-19 avr. 1945 : *Committee on moral books* : **USD 2 700** – New York, 11-12 mai 1945 : *The Culprit* : **USD 1 800** – Paris, oct. 1945-juil. 1946 : *Le déjeuner du moine* 1874 : **FRF 5 400** – New York, 22-25 mai 1946 : *Le médecin malade* : **USD 1 900** – Paris, 9 nov. 1949 : *Écclésiastique lisant* : **FRF 9 000** – Paris, 11 jan. 1950 : *Scène de rue* 1869 : **FRF 34 500** – Paris, 20

juin 1951 : *La partie de cartes* : **FRF 3 000** – PARIS, 23 juin 1954 : *L'Ermite* : **FRF 240 000** – NEW YORK, 21 oct. 1959 : *La réprimande* : **USD 1 100** – NEW YORK, 6 avr. 1960 : *Le dauphin* : **USD 500** – NEW YORK, 10 mai 1961 : *En attendant l'audience* : **USD 1 600** – NEW YORK, 6 nov. 1963 : *Le bon Samaritain* : **USD 1 000** – NEW YORK, 2 mars 1967 : *Le thé du Cardinal* : **USD 2 250** – NEW YORK, 25 avr. 1968 : *Cardinal mangeant du raisin* : **USD 3 700** – NEW YORK, 12 fév. 1970 : *La sérénade* : **USD 4 750** – NEW YORK, 4 nov. 1971 : *Le toréador chez le rémouleur*, aquar. : **USD 1 900** – NEW YORK, 10 oct. 1973 : *Peint par lui-même* : **USD 6 600** – NEW YORK, 17 avr. 1974 : *La sérénade* : **USD 4 800** – LONDRES, 24 nov. 1976 : *Un secret d'état* 1875, h/pan. (46x38) : **GBP 2 900** – NEW YORK, 18 mai 1977 : *La classe de dessin*, h/pan. (61,5x46) : **USD 7 750** – NEW YORK, 13 mai 1978 : *Le critique d'art*, h/pan. (25,2x33,5) : **USD 1 400** – NEW YORK, 4 mai 1979 : *Le cardinal et la petite princesse*, h/pan., parqueté (80x105,5) : **USD 15 000** – NEW YORK, 11 fév. 1981 : *Arlequin plaidant pour Pierrot et Colombine*, h/pan. (48x73) : **USD 30 000** – NEW YORK, 27 fév. 1982 : *Le Départ du cardinal*, aquar., en forme d'éventail (19x58,5) : **USD 1 500** – NEW YORK, 27 oct. 1983 : *La Tireuse de cartes*, h/pan. (68,6x102,3) : **USD 15 000** – NEW YORK, 24 fév. 1987 : *Sur les remparts* 1867, h/pan. (43,8x73) : **USD 27 000** – NEW YORK, 25 fév. 1988 : *Cardinal à une fenêtre*, h/pan. (46,4x37,5) : **USD 12 100** – NEW YORK, 24 mai 1989 : *La chorale des religieuses* 1865, h/pan. (37,5x46,4) : **USD 6 050** – NEW YORK, 23 oct. 1990 : *Les mauvaises nouvelles* 1869, h/t (37,5x45,7) : **USD 8 525** – NEW YORK, 24 oct. 1990 : *L'assiette de biscuits*, h/pan. (80,7x66) : **USD 17 600** – LONDRES, 15 fév. 1991 : *La visite au cardinal*, h/pan. (85x105) : **GBP 8 800** – NEW YORK, 15 oct. 1991 : *Carmen* 1872, aquar./pap. (34,3x29,2) : **USD 2 200** – MONTRÉAL, 19 nov. 1991 : *Composition du bouquet*, aquar. (35,5x24) : **CAD 1 750** – PARIS, 30 mars 1992 : *Portrait d'Eugène Buttura*, h/t (106x65) : **FRF 6 000** – NEW YORK, 27 mai 1992 : *La diète*, h/pan. (73x58,4) : **USD 44 000** – PARIS, 16 nov. 1992 : *Les huit sœurs du Pacha*, gche/pap. (36x66) : **FRF 25 000** – LONDRES, 19 juin 1992 : *Marchand de tapis* 1871, h/t (70x92,6) : **GBP 22 000** – NEW YORK, 16 fév. 1994 : *Viendra-t-il ?*, h/t (62,2x50,8) : **USD 46 000** – NEW YORK, 1er nov. 1995 : *Le départ des mariés* 1873, h/t (70,5x119,4) : **USD 68 500** – NEW YORK, 23-24 mai 1996 : *La Tireuse de cartes*, h/pan. (69,2x101,9) : **USD 63 000** – NEW YORK, 18-19 juil. 1996 : *Partie d'échecs*, aquar. et cr./cart. (49,5x67,9) : **USD 2 587** – AMSTERDAM, 5 nov. 1996 : *Voyageurs et charrette sur un sentier*, h/t (43x52) : **NLG 4 720** – NEW YORK, 12 fév. 1997 : *La Vente mobilière* 1870, h/t (38,1x45,7) : **USD 43 125** – NEW YORK, 23 mai 1997 : *L'Éducation d'Azor*, h/pan. (37,5x45,7) : **USD 23 000**.

VIBERT John Pope

Né en 1790. Mort en 1865. XIXe siècle. Britannique.

Graveur d'ex-libris.

Il était actif à Penzance.

VIBERT Jules Louis Joseph

Né le 4 avril 1815 à Lyon (Rhône). XIXe siècle. Français.

Peintre de genre, portraits, paysages.

Élève de Paul Delaroche, il entra à l'École des Beaux-Arts de Paris en 1839. Il figura au Salon de Paris de 1847 à 1877.

On trouve de lui, des toiles au ministère de la Marine et à l'église Saint-Nicolas-des-Champs à Paris.

BIBLIOGR. : Gérald Schurr, in : *Les Petits Maîtres de la peinture 1820-1920, valeur de demain*, Les Éditions de l'Amateur, t. II, Paris, 1982.

MUSÉES : GRENOBLE : *Portrait du général comte Marchand.*

VIBERT Pierre

Né vers 1653. Mort en avril 1728 à Grenoble. XVIIe-XVIIIe siècles. Français.

Sculpteur.

Fils de Claude Vibert. Actif à Grenoble, il se maria avec Françoise Micquin-Garnier le 11 juin 1678. Cet artiste sculpta plusieurs très beaux tabernacles, en particulier celui de l'église de Clavans, orné des statues de Notre-Dame, de Saint Claude et de saint Didier (1676), et celui de l'église de Chantemerle (diocèse d'Embrun), que décorent des statues de saint Pierre, saint Paul, saint André et saint Jacques, trois anges, une *Résurrection* avec une croix, une *Vierge tenant l'Enfant Jésus* et dix colonnes torses (1690). Il fit son testament le 30 mars 1728.

VIBERT Pierre Eugène

Né le 16 février 1875 à Carouge (Genève). Mort le 1er janvier 1937 à Carouge. XXe siècle. Depuis 1893 actif aussi en France. Suisse.

Peintre de portraits, figures, paysages, dessinateur, graveur, illustrateur.

Venu à Paris en 1893, il gagnait sa vie comme dessinateur industriel, tandis qu'il poursuivait ses études artistiques. Tout de suite, il était entré en contact avec les milieux de la jeune littérature. Il partagea son temps, après 1914, entre Paris et Genève, où il avait été nommé professeur à l'École des Beaux-Arts.

Il exposa à Paris, au Salon de la Société Nationale des Beaux-Arts à partir de 1898 au Salon d'Automne dont il fut l'un des membres fondateurs en 1903. Il obtint une médaille d'argent à l'Exposition Universelle de 1900, puis une mention en 1903.

Fréquentant les milieux littéraires, il illustra de nombreux livres, parmi lesquels : *Paysages de l'Yveline* de P. Fort, les *Serres chaudes* de Maëterlinck, *Kato* de Verhaeren, *Le Nouveau Monde* de Villiers de l'Isle-Adam, *Sylvie* de Nerval, etc. ; en même temps, il exécutait une suite de portraits gravés de Stendhal, Anatole France, Verhaeren, R. de Gourmont, etc. Les planches de P. E. Vibert sont presque toutes tirées en camaïeu. Il a signé des affiches et créé un caractère d'imprimerie. Il a également réalisé des figures et des paysages d'une tendre luminosité. Il a encore illustré : *L'Intuition philosophique* d'Henri Bergson, *Aux Étudiants, Lettres à un ami, Les Poèmes du souvenir* d'Anatole France, *Intermezzo* d'Henri Heine. Il créa également des affiches et un caractère typographique.

P. E. Vibert

P. E. Vibert

MUSÉES : BÂLE – BRUXELLES (Cab. des Estampes) – BUCAREST – LA CHAUX-DE-FONDS – DRESDE – GENÈVE (Mus. des Arts déco.) – LAUSANNE – PARIS (Mus. Nat. d'Art Mod.) – PARIS (Mus. d'Art Mod. de la ville) – PARIS (Mus. du Petit-Palais).

VENTES PUBLIQUES : AMSTERDAM, 4 juin 1996 : *Paysage* 1917, h/t (55x38) : **NLG 2 124**.

VIBERT Pierre Laurent

XVIIIe siècle. Français.

Sculpteur et doreur.

Fils d'un Louis Vibert (?). Il était actif à Grenoble vers 1746.

VIBERT Rémy. Voir **VUIBERT**

VIBERT Victor Joseph

Né le 17 septembre 1799 à Paris. Mort le 19 mars 1860 à Lyon (Rhône). XIXe siècle. Français.

Peintre et graveur.

Fils d'un Joseph Vibert (?). Élève de Richomme, Hersent et Pauquet père. Il entra à l'École des Beaux-Arts le 13 octobre 1827. Grand prix de Rome en 1828. Il fut professeur de gravure à l'École des Beaux-Arts de Lyon. Il grava des sujets de genre. Ses planches sont rares, le plus clair de son activité ayant été absorbée par l'enseignement.

VIBERT de Fribourg

XIVe siècle. Travaillant à Turin de 1317 à 1319. Suisse.

Miniaturiste.

VIBRAC Claude

Né en 1933. XXe siècle. Français.

Peintre. Abstrait-géométrique.

Il montre ses œuvres dans des expositions personnelles : 1984 musée du château de Montbéliard.

Sa peinture relève de l'abstraction géométrique. Elle cherche surtout à suggérer le dynamisme de la forme.

VICAIRE Marcel

Né le 29 septembre 1893 à Paris. XXe siècle. Français.

Sculpteur, peintre de sujets orientaux, illustrateur.

Il fut élève de Baschet et Royer, à l'École des Beaux-Arts à Paris. Il exposa à Paris aux Salons des Artistes Français à partir de 1920, et d'Automne, ainsi qu'à Rabat, Casablanca et en Hollande. Il est le fondateur de l'Association des Peintres et Sculpteurs Français au Maroc, où il fut inspecteur des Arts Indigènes. Il reçut une médaille d'argent en 1925, le prix Paquet.

Il a illustré *Kéris, Le Miracle de saint Nicolas* de Gabriel Vicaire.

MUSÉES : CASABLANCA – CHANTILLY – NEW YORK.

VENTES PUBLIQUES : PARIS, 13 mars 1995 : *Marocaine au bonnet blanc*, h/pan. (33x48) : **FRF 9 000** – PARIS, 21 avr. 1996 : *Koubba au Maroc*, h/t (48x60) : **FRF 10 000**.

VICAR. Voir **WICAR**

VICARI Cristoforo
Né en 1846 à Caslano. XIXe siècle. Actif à Zurich. Suisse.
Sculpteur.

VICARO Francesco. Voir **VACCARO**

VICAS Naomi
XXe siècle. Française (?).
Peintre de fleurs, natures mortes, peintre à la gouache, peintre de cartons de tapisseries, peintre de cartons de vitraux.
Elle fut élève à Paris, de l'école des arts décoratifs, de l'académie de la Grande Chaumière, avec Mac-Avoy et Rosine Pour.
Elle participe à des expositions collectives, à Paris : depuis 1977 au Salon d'Automne, dont elle fut membre sociétaire et dont elle a reçu une médaille d'or en 1982 ; ainsi qu'aux Salons des Artistes Français, des Femmes Peintres, et du Dessin et de la Peinture à l'eau. Elle montre ses œuvres dans des expositions personnelles : à partir de 1969 à Paris, et à l'étranger, notamment aux États-Unis et en Chine.
Depuis le milieu des années quatre-vingt, elle privilégie la technique de la peinture à la gouache. Elle a également réalisé des bijoux, des sculptures en laine et des tapisseries.

VICAT-COLE Reginald. Voir **COLE Reginald Vicat**

VICE MORCOTE Ferdinando, fra. Voir **FERDINANDO da Vice Morcote**

VICELLI Franz
XVIIe siècle. Travaillant de 1661 à 1666. Autrichien.
Peintre.
Il exécuta des peintures religieuses pour l'église de Bruneck.

VICELLI Joachim
XVIIe siècle. Actif à Sillian dans la seconde moitié du XVIIe siècle. Autrichien.
Peintre.
Fils de Johann V. Il travailla pour les églises d'Anras et de Sillian.

VICELLI Johann ou **Ficelio**
Mort vers 1684 à Sillian. XVIIe siècle. Autrichien.
Peintre.
Père de Joachim V.

VICELLI Johann Blasius
XVIIIe siècle. Actif dans la première moitié du XVIIIe siècle. Allemand.
Peintre.
Il peignit des tableaux d'autels pour les églises d'Aibling et d'Ebersberg.

VICEMALA Giacomo ou **Giacomino**. Voir **VISMARA**

VICENS Jean Marie
Né à Fontaine (territoire de Belfort). XXe siècle. Français.
Peintre de paysages.
Il participe à des expositions collectives : 1973 IIe Salon de la peinture franc-comtoise à Lons-le-Saulnier, où il présentait *Vertes Vosges, Gratte Ciel* et *Paysage du Doubs*. Il montre des expositions personnelles dans la région de Montbéliard.

VICENS Juan
Né à Barcelone. Mort en 1886. XIXe siècle. Espagnol.
Peintre.
Élève de l'Académie de Barcelone. Le musée de cette ville conserve de lui *Le premier exploit du Cid*.

VICENT Juan. Voir **VICENTE**

VICENTE. Voir aussi **MESTRE Vicente**

VICENTE Bartolomé
Né vers 1640 à Saragosse. Mort le 6 novembre 1708 à Saragosse. XVIIe-XVIIIe siècles. Espagnol.
Peintre de fresques et de paysages.
Il alla à Madrid faire ses études artistiques avec Juan Carreno et copia, suivant la tradition, les œuvres de Rassani, à l'Escurial. Il exécuta plusieurs vues de Madrid et peignit un certain nombre de tableaux, quelques-uns d'après les dessins de son maître. Il alla ensuite s'établir dans sa ville natale, y enseigna les mathématiques et produisit un certain nombre de petites toiles de paysages.

VICENTE Esteban
Né en 1906 à Ségovie. XXe siècle. Depuis 1936 actif et naturalisé aux États-Unis. Espagnol.
Peintre, dessinateur, peintre de collages.
Il fut élève de l'École Spéciale de Peinture, Sculpture et Dessin de San Fernando, à Madrid. Il remporta une bourse de voyage qui lui permit de séjourner en France et en Allemagne. Il séjourna à Paris de 1927 à 1932. En 1936, il s'établit à New York, enseignant dans divers collèges, puis intégra l'Université de New York.
Il a participé à de nombreuses expositions de groupe à travers le monde, entre autres *Aspects de la peinture américaine* à Paris en 1952. Il a montré ses œuvres dans des expositions personnelles : depuis 1937 à plusieurs reprises à New York, 1960 à Chicago et Paris.
À Paris dans les années trente, il fut particulièrement sensible au climat postcubiste qui dominait. Jusqu'en 1950, il utilisait les matériaux traditionnels de la peinture. Puis, pendant une dizaine d'années, il pratiqua surtout la technique du « collage », corrigé graphiquement. Il est revenu à la peinture en 1960.
Bibliogr. : Hess : *Abstract painting*, Mus. of Mod. Art, New York, 1951 – Michel Seuphor : *Diction. de la peint. abstr.*, Hazan, Paris, 1957 – B. Dorival, sous la direction de... : *Peintres Contemporains*, Mazenod, Paris, 1964.
Ventes Publiques : New York, 31 mars 1973 : *Structural green*, collage : **USD 1 600** – New York, 1er nov. 1984 : *Sans titre* 1957, h/t (96,5x100,4) : **USD 7 750** – New York, 3 mai 1985 : *Omega* 1978, h/t (137,2x127) : **USD 5 000** – New York, 5 nov. 1987 : *Sans titre* 1957, collage, fus. et craie (61,5x61) : **USD 3 500** – New York, 5 mai 1987 : *Sans titre* 1958, h/t (121,8x152,3) : **USD 7 500** – New York, 6 nov. 1990 : *Sans titre* 1958, h/t (122,2x152,7) : **USD 18 700** – New York, 27 fév. 1992 : *Sans titre*, h/t (40,6x30,5) : **USD 5 280** – New York, 30 juin 1993 : *Printemps* 1972, h/t (172,7x143,5) : **USD 10 350** – New York, 24 fév. 1994 : *Aura* 1962, collage de pap./cart. (55,9x38,1) : **USD 3 738**.

VICENTE Francesco
XVIIe siècle. Travaillant à Séville au début du XVIIe siècle. Espagnol.
Peintre.

VICENTE Juan ou **Vicent**
XVIe siècle. Actif dans la première moitié du XVIe siècle. Espagnol.
Sculpteur.
Il sculpta les bustes de Charles V et de rois d'Espagne en 1525.

VICENTE Miguel
XVIIe siècle. Actif à Madrid. Espagnol.
Peintre.
Il a peint des tableaux d'autel pour l'église Saint-Luc de Tolède.

VICENTE Roque
XVIIIe siècle. Actif à Lisbonne dans la seconde moitié du XVIIIe siècle. Portugais.
Peintre.
Élève de J. M. da Rocha. Il a peint trois tableaux d'autel pour l'église Sainte-Isabelle de Lisbonne vers 1764.

VICENTE Simon
XVIIe siècle. Actif à la fin du XVIIe siècle. Espagnol.
Peintre.
Le Musée Provincial de Tolède possède de lui *Cène* datée de 1691.

VICENTINI Andrea
XVIe siècle. Actif à Trévise dans la première moitié du XVIe siècle. Italien.
Sculpteur.
Frère de Giacopo V. Il a sculpté avec celui-ci le buffet d'orgues de Noale en 1530.

VICENTINI Antonio. Voir **VISENTINI**

VICENTINI Giacopo
XVIe siècle. Actif à Trévise en 1530. Italien.
Sculpteur.
Frère d'Andrea V.

VICENTINI Giorgio
XVIe siècle. Actif au début du XVIe siècle. Italien.
Sculpteur.
Il exécuta des vases et des rosaces pour la tribune de la cathédrale de Trente en 1507.

VICENTINI Giuseppe
Mort en 1895 à Trente. XIXe siècle. Actif à Milan. Italien.
Peintre de natures mortes.
Ventes Publiques : Londres, 8 oct. 1982 : *Nature morte aux fleurs*, h/t (40x56) : **GBP 1 500**.

VICENTINI Lorenzo
XVIIIe siècle. Travaillant à Tirano en 1749. Italien.
Sculpteur sur bois.

VICENTINO Andrea. Voir **MICHIELI Andrea dei**

VICENTINO Francesco
XVIe siècle. Italien.
Peintre d'histoire et de paysages.
Élève de Bernazzano. Il fit plusieurs tableaux pour Santa Maria delle Grazie, à Milan.

VICENTINO Giuseppe Nicola. Voir **ROSSIGLIANI Giuseppe Nicola**

VICENZA Andrea da. Voir **COSTA**

VICENZA Gerolamo
XVIe siècle. Italien.
Peintre d'histoire.
L'Académie Carrara, à Bergame, conserve de lui *Jésus et la croix*.

VICENZI Aristotile. Voir **VINCENZI**

VICENZINO Giuseppe ou **Vincenzino**
XVIIe-XVIIIe siècles. Italien.
Peintre de natures mortes, fleurs.
Il vécut et travailla à Florence.
Bibliogr. : Federico Zeri : *La Nature Morte en Italie*, Milan, 1989.
Ventes Publiques : Milan, 29 avr. 1980 : *Nature morte aux fleurs*, h/t, une paire (87x120) : **ITL 9 500 000** – Milan, 21 mai 1981 : *Natures mortes aux fleurs*, h/t, une paire (87x120) : **ITL 9 500 000** – Milan, 20 mai 1982 : *Nature morte au vase de fleurs*, h/t (126x90) : **ITL 11 000 000** – Milan, 24 oct. 1989 : *Nature morte de compositions florales dans des vases de bronze*, h/t, une paire (chaque 60x45) : **ITL 28 000 000** – Rome, 19 nov. 1990 : *Nature morte*, h/t (52x72) : **ITL 17 250 000** – Londres, 3 juil. 1991 : *Importante composition florale dans une urne*, h/t (76x99) : **GBP 14 850** – Londres, 1er nov. 1991 : *Importante composition florale dans une corbeille sur un entablement drapé*, h/t (67,7x107) : **GBP 19 800** – Lugano, 16 mai 1992 : *Nature morte de fleurs*, h/t, une paire (chaque 35,5x55) : **CHF 22 000** – Paris, 13 déc. 1992 : *Bouquet de fleurs*, h/t (73x96) : **FRF 145 000** – Paris, 15 déc. 1993 : *Nature morte aux fleurs et fruits sur fond de ruines*, h/t (104,5x133) : **FRF 290 000** – Rome, 10 mai 1994 : *Nature morte de fruits et de gibier près d'une corbeille de fleurs*, h/t (72x95) : **ITL 34 500 000** – Paris, 24 juin 1996 : *Nature morte aux fleurs, fruits et assiette de fraises*, h/t (94,5x131,5) : **FRF 120 000** – Milan, 21 nov. 1996 : *Nature morte avec panier de fleurs et fruits*, h/t (100x143) : **ITL 37 280 000** – Paris, 17 juin 1997 : *Nature morte au vase de fleurs sur un entablement de pierre*, t., une paire (102x82) : **FRF 270 000**.

VICENZO. Voir **VINCENZO**

VICH DE SUPERNA Antonio
Né en 1743 à Majorque. XVIIIe siècle. Espagnol.
Graveur au burin.

VICI Josef de. Voir **GIUSEPPE de Vico**

VICIANO MARTI José
Né le 19 septembre 1855 à Castellon de la Plana. XIXe siècle. Espagnol.
Sculpteur.
Élève de M. Pastor et de l'Académie de Valence.

VICINELLI Odoardo
Né vers 1683 à Rome. Mort le 15 janvier 1755 à Rome. XVIIIe siècle. Italien.
Peintre.
Élève de G. M. Morandi. Plusieurs églises de Rome possèdent des tableaux d'autel exécutés par cet artiste.

VICINO. Voir aussi **VINCINO**

VICINO Giovanni Angelo
Mort vers 1675. XVIIe siècle. Italien.
Peintre de paysages, de marines, de batailles et de genre.
Fils de Giovanni-Battista V.

VICINO Giovanni-Battista ou **Vicini**
XVIIe siècle. Italien.
Peintre.
Il a peint *Guérison de saint Bonaventure* dans l'église de l'Annonciation de Gênes.

VICINO-BORRELLO
XVIe siècle. Actif à Bologne vers 1530. Italien.
Peintre de miniatures.

VICKARS
Britannique (?).
Peintre.
Nous n'avons trouvé le nom de cet artiste que dans le catalogue du Musée de Cape-Town et nous nous demandons si, par suite d'une erreur d'orthographe, il ne s'agit pas d'un des peintres anglais du nom de Vickers.
Musées : Le Cap : *Trent Canal – à Newark*.

VICKERS Alfred, Sr
Né le 10 septembre 1786 à Newington. Mort en 1868 à Londres. XIXe siècle. Britannique.
Peintre de paysages.
Il n'eut pas de maître ; il étudia surtout la nature et s'inspira des maîtres hollandais. Il exposa à la Royal Academy, à la British Institution et à Suffolk Street de 1814 à 1868.
Musées : Glasgow : *Scène de côte – Paysage avec rivière et bétail* – Leicester : *La pointe du Pen Pold, canal de Bristol* – Nottingham : *Paysage avec petites maisons* – Sheffield : *Vallée du Monsal, Derbyshire*.
Ventes Publiques : Paris, 1899 : *Embouchure d'une rivière* : **FRF 3 675** – Londres, 30 nov. 1908 : *Navires à l'embouchure d'un fleuve* 1866 : **GBP 11** ; *Bords de rivière* 1860 : **GBP 8** ; *Scène de sport* : **GBP 17** – Londres, 17 avr. 1909 : *Vallée de Amersham* 1857 : **GBP 7** – Londres, 10 juin 1909 : *Vue de l'Ile de Wight* : **GBP 39** – Londres, 16 avr. 1910 : *Le moulin* 1849 : **GBP 37** ; *Le soir dans la vallée de Neath* 1856 : **GBP 25** – Londres, 5 déc. 1910 : *Vue de Calstock hill, Cornouailles* 1856 : **GBP 19** ; *La Conway à Lhamorst* : **GBP 21** – Londres, 9 juin 1911 : *Sandow, Ile de Wight* 1859 : **GBP 25** – Londres, 21 juil. 1922 : *La Tamise* : **GBP 33** – Londres, 11 avr. 1924 : *Paysage boisé* : **GBP 68** – Londres, 6 juil. 1925 : *Sur l'Avon, à Bristol* : **GBP 99** – Londres, 22 mars 1946 : *Bords de l'Elwy* : **GBP 168** ; *Watering place* : **GBP 183** – Londres, 23 jan. 1963 : *Le château de Windsor* : **GBP 280** – Londres, 22 jan. 1964 : *Paysage fluvial* : **GBP 480** – Londres, 12 juil. 1968 : *Paysage fluvial* : **GNS 680** – Londres, 14 nov. 1969 : *Troupeau dans un paysage* : **GNS 2 600** – Londres, 6 mars 1970 : *Vue de la chapelle du collège d'Eton* : **GNS 830** – Londres, 5 mars 1971 : *Paysage fluvial* : **GNS 1 800** – Londres, 14 juil. 1972 : *Vue de Windsor* : **GNS 7 000** – Londres, 4 oct. 1973 : *Paysage boisé* : **GNS 2 000** – Londres, 26 avr. 1974 : *Paysage boisé animé de personnages* 1861 : **GNS 2 200** – Londres, 13 fév. 1976 : *Dolgelly, North Wales* 1859, h/t (49,5x34) : **GBP 650** – Londres, 29 juil. 1977 : *Vue du lac de Genève aux environs de Lausanne* 1852, h/t (19x36) : **GBP 1 200** – Londres, 24 oct. 1978 : *Un estuaire dans l'île de Wight*, h/t (39,5x68,5) : **GBP 4 000** – Londres, 20 mars 1979 : *Bords de la rivière Cothey* 1850, h/pan. (33x48) : **GBP 2 700** – Londres, 6 mars 1981 : *Près de Bembridge, île de Wight*, h/t (29,2x42) : **GBP 1 000** – Londres, 29 mars 1983 : *Sur la Tamar, près de Saltash, Cornouailles*, h/t (71x102) : **GBP 3 200** – Londres, 12 avr. 1985 : *Vue de Windsor* 1854, h/t (62x93) : **GBP 4 000** – Londres, 15 juin 1988 : *Une chaumière isolée* 1863, h/t (46x61) : **GBP 1 430** – Londres, 22 sep. 1988 : *Sandown Bay sur la côte sud de l'île de Wight* 1865, h/t (30,5x40,6) : **GBP 1 980** – Londres, 3 nov. 1989 : *Aber en Galles du Nord* 1860, h/pan. (17,6x26) : **GBP 5 500** – Londres, 9 fév. 1990 : *Bétail se désaltérant dans un ruisseau rocheux dans un paysage boisé* 1859, h/t (69,8x102,9) : **GBP 5 500** – Londres, 13 fév. 1991 : *La récolte des roseaux*, h/t (61x91,5) : **GBP 2 530** – Londres, 11 oct. 1991 : *Le château de Windsor depuis Brocas Meadows* 1854, h/t (61,6x94,6) : **GBP 14 300** – Londres, 12 nov. 1992 : *Westmorland* 1859, h/t (68,5x97) : **GBP 2 420** – Londres, 11 juin 1993 : *La Tamise à Bray* 1852, h/t (26x36,2) : **GBP 4 140** – New York, 28 mai 1993 : *Le long de la rivière* ; *Le retour*, h/t, une paire (25,5x35,5) : **USD 2 530** – Montréal, 23-24 nov. 1993 : *Pêcheur sur la berge d'une rivière*, h/pan. (47x61) : **CAD 3 000** – New York, 17 fév. 1994 : *Village dans les collines galloises*, h/t (40,5x61) : **USD 3 450** – St. Asaph (Angleterre), 2 juin 1994 : *New Forest dans le Hampshire* 1848, h/t (52x47) : **GBP 8 625** – New York, 19 jan. 1995 : *Élagage du sentier*, h/t (86, 4x111,8) : **USD 10 350** – Londres, 5 sep. 1996 : *Paysage de rivière avec pêcheurs et personnages traversant dans un bac, château en ruine en arrière-plan* 1860, h/t (30,5x61) : **GBP 1 380** – Londres, 4 juin 1997 : *Le Bac de Twickenham* 1850, h/pan. (21x31,5) : **GBP 2 530** – Londres, 7 nov. 1997 : *Vue des environs de Conway, Galles du Nord*, h/t (97,8x121,9) : **GBP 11 500**.

VICKERS Alfred Gomersal
Né en avril 1810 à Lambeth. Mort le 12 janvier 1837 à Pentonville. XIXe siècle. Britannique.

Peintre de paysages, marines, paysages urbains, aquarelliste, dessinateur.

Fils et élève d'Alfred Vickers ; dès 1827, il exposa à la Royal Academy, à Suffolk Street, à la British Institution. Il mourut très jeune, au moment où il commençait à devenir célèbre.

Il fut chargé de faire des dessins pour des *Annales*, en Russie, et reçut en paiement : 500 livres sterling.

Musées : Dublin : *Vue de Russie*, aquar. – Leicester : *Cracovie – Marienbourg* – Londres (Victoria and Albert Mus.) : aquarelles – Manchester : aquarelles.

Ventes Publiques : Londres, 13 fév. 1976 : *Paysage boisé*, h/pan. (23x34) : **GBP 550** – Londres, 9 nov. 1976 : *Bateau sur la Tamise près de Greenwich*, aquar. et reh. de blanc (15,5x23,5) : **GBP 850** – Londres, 7 juil. 1977 : *Vue du Kremlin, Moscou* vers 1833, aquar. (27x41) : **GBP 1 400** – Londres, 8 mars 1977 : *Au large de Douvres*, h/t (75,5x119,5) : **GBP 900** – Londres, 18 juin 1980 : *Bateaux au large de la côte de Norfolk* 1836, aquar. (28,2x40,5) : **GBP 1 400** – Londres, 18 mars 1982 : *Vue de Moscou*, aquar. et trait de cr. (24x36) : **GBP 2 000** – Londres, 12 mars 1987 : *The Smnolny Convent on the River Neva, Saint-Petersbourg*, aquar./traits de cr. (25x37) : **GBP 1 600** – Londres, 25 jan. 1989 : *Vue d'une ville du nord de l'Allemagne au lointain*, aquar. (24x33,5) : **GBP 440** ; *Vaste paysage côtier à marée basse*, h/t (20x40,5) : **GBP 792** – Londres, 13 juil. 1993 : *La tour de l'église Saint-Nicolas de Saint-Pétersbourg*, cr. et aquar. (32,4x22,5) : **GBP 690**.

VICKERS Alfred H.

Né en 1853. Mort en 1907. XIXe-XXe siècles. Britannique.

Peintre de paysages.

Ventes Publiques : Londres, 3 mai 1977 : *Bords de rivières* 1907 et 1917, h/t, la paire (30x60) : **GBP 700** – Londres, 16 janv 1979 : *Paysages d'été* 1880, deux h/t (44,5x58) : **GBP 1 400** – Londres, 27 avr. 1983 : *A river valley* 1874, h/t (76x127) : **GBP 1 000** – Londres, 3 juin 1988 : *Un village au bord d'une rivière* 1893 (45,7x81,3) : **GBP 1 760** – Londres, 15 juin 1988 : *Paysans près d'un lac*, h/t (46x81) : **GBP 2 860** – Londres, 9 fév. 1990 : *Paysage fluvial*, h/t (46x92) : **GBP 2 640** – Londres, 13 fév. 1991 : *Otley sur la rivière Arun*, h/t (51x76) : **GBP 1 815** – Londres, 3 mars 1993 : *La Severn près de Gloucester* 1891, h/t (46x81) : **GBP 1 725** – Londres, 4 nov. 1994 : *L'accostage du bac ; Histoire de pêcheurs*, h/pan., une paire (chaque 13,3x32,4) : **GBP 2 012**.

VICKERS Vincent Cartwright

Né le 16 janvier 1879 à Londres. XXe siècle. Britannique.

Dessinateur.

Il vécut et travailla à Aldersham.

VICKERS W.

XIXe siècle. Britannique.

Paysagiste.

Le Musée de Nottingham conserve de lui : *Soir, à travers la lande.*

VICKREY Robert

Né en 1926. XXe siècle. Américain.

Peintre de figures.

Il est souvent associé à cette tendance de la peinture américaine des années quarante connue sous les termes de « Réalisme magique », et qui regroupe Andrew Wyeth, George Tooker. Il peint des sujets très divers et semble n'utiliser que la tempera.

Ventes Publiques : New York, 21 avr. 1977 : *The doorway*, h/t (117,5x61,5) : **USD 1 600** – New York, 23 mai 1979 : *Clown*, h/cart. (35x30,5) : **USD 7 000** – New York, 5 déc. 1980 : *Vaudeville figure*, temp. (57,8x45,5) : **USD 9 000** – New York, 3 juin 1982 : *Fillette jouant à la marelle* 1953, temp./isor. (40,5x50,5) : **USD 4 500** – New York, 31 mai 1984 : *Scott, le fils de l'artiste*, temp./isor. (55,9x40) : **USD 7 500** – New York, 20 juin 1985 : *Street repairs*, temp. (30,5x40) : **USD 4 000** – New York, 29 mai 1986 : *Brick wall*, temp. (30,6x40) : **USD 4 250** – New York, 4 déc. 1987 : *Église de Nassau*, tamp./isor. (54x76,2) : **USD 8 500** – New York, 17 déc. 1990 : *Jeune femme sur un escalier* 1965, temp./rés. synth. (50,8x76,3) : **USD 5 500** – New York, 14 mars 1991 : *L'ombre oblique des volets*, temp. à l'œuf/rés. synth. (40,5x30,5) : **USD 3 960** – New York, 4 déc. 1992 : *Personnage de Vaudeville*, temp. à l'œuf/rés. synth. (58x45,2) : **USD 12 100** – New York, 23 sep. 1993 : *Vestiges*, temp./rés. synth. (95,3x111,8) : **USD 4 025** – New York, 31 mars 1994 : *Religieuse et poster*, temp./rés. synth. (61x91,4) : **USD 6 900** – New York, 14 sep. 1995 : *Sœur de charité* 1965, temp./pan. (40x50,2) : **USD 3 737** – New York, 14 mars 1996 : *Le chat*, temp./cart. (89,5x120) : **USD 29 900** – New York, 25 mars 1997 : *Le Poêle*, temp. œuf/masonite (45,7x61) : **USD 5 175**.

VICO

XIVe siècle. Travaillant à Assise en 1363. Italien.

Sculpteur.

VICO Alessio da. Voir **ALESSIO da Vico**

VICO Andrea de

Né en 1818 à Rome. Mort le 19 mai 1887 à Florence. XIXe siècle. Italien.

Dessinateur d'ornements.

Il dessina des ornements grecs et romains.

VICO Enea ou **Vicus** ou **Vighi**

Né en 1523 à Parme. Mort le 18 août 1567 à Ferrare. XVIe siècle. Italien.

Graveur au burin, médailleur et illustrateur.

Il vint à Rome fort jeune et y fut élève de Tommaso Barlacchi. Il étudia aussi la manière de Giulio Bonatsone, Caroglio, Agostino, Veneziano, Marc Antonio et les autres grands maîtres de la gravure italienne. Cosme de Médicis le fit venir à Florence et il y grava plusieurs ouvrages de Michel-Ange et les portraits de Charles Quint et de Henri II. Il alla aussi travailler à Venise. Les travaux de cet artiste sont particulièrement remarquables par leur grâce et leur beauté. Il a paru plusieurs éditions de son important ouvrage. *Le Imagi delle donne Auguste*, mais celle qui offre le meilleur exemple du talent de l'auteur a été publiée à Venise en 1557. La Bibliothèque Nationale de Paris et la Bibliothèque Royale, de Bruxelles possèdent différentes œuvres de Vico qui, outre son volume sur les empereurs romains, a composé et illustré de nombreux ouvrages de numismatique. Le Musée des Offices de Florence conserve de lui *L'armée de Charles V traverse l'Elbe, Le rhinocéros, Judith, L'Académie de dessin de B. Pandinelli* et le Musée Masséna de Nice, *Vue de Nice en 1543.*

Ventes Publiques : Londres, 5 déc. 1985 : *Un rhinocéros* 1548, grav./cuivre/pap. filigrané (26,5x36,5) : **GBP 4 000** – Berlin, 22 mai 1987 : *L'armée de l'empereur Karl V traversant l'Elbe*, grav./cuivre (53,1x37,5) : **DEM 6 800**.

VICO Francesco de. Voir **FRANCESCO de Vico**

VICO Giuseppe de. Voir **GIUSEPPE de Vico**

VICO di Luca

XVe siècle. Travaillant à Sienne de 1426 à 1442. Italien.

Peintre.

VICO di Meo

XVIe siècle. Actif à Orvieto en 1555. Italien.

Sculpteur.

VICO di Pietro

XIVe-XVe siècles. Actif à Gubbio de 1369 à 1428. Italien.

Peintre.

VICOLUNGO

XVIe siècle. Actif à Verceil. Italien.

Peintre.

Élève de Bern. Lanino.

VICTOIR Raymond

XXe siècle. Français.

Peintre de paysages urbains animés. Naïf.

Il participe au Salon International d'art naïf, à Paris.

Il peint les jeux des enfants dans les rues et sur les places des villages.

VICTOOR. Voir **VICTORS**

VICTOR. Voir aussi **VICTORS**

VICTOR

XIXe siècle. Français.

Graveur-lithographe.

Travaillant à Paris de 1830 à 1840, il grava des scènes militaires de genre, des événements contemporains et des nus.

VICTOR Diane

Née à Witbank. XXe siècle. Sud-Africaine.

Artiste.

Elle a participé en 1994 à l'exposition *Un Art contemporain d'Afrique du Sud* à la galerie de l'esplanade, à La Défense à Paris.

VICTOR H.

Né à Rostock. Mort vers 1834 à Berlin. XIXe siècle. Allemand.

Peintre de paysages et de marines.
Il exposa à Berlin en 1830.

VICTOR de Crète
Né en Crète. XVIIe siècle. Travaillant dans la seconde moitié du XVIIe siècle. Grec.
Peintre.
Il fut un représentant du style postbyzantin influencé par la Renaissance italienne. Il travailla aussi à Venise. Le Musée Russe de Leningrad possède de lui une *Nativité*.

VICTOR-MEUNIER René
Né au XIXe siècle à Paris. XIXe siècle. Français.
Peintre de genre.
Élève de Yvon. Il figura au Salon de 1870 à 1880.

VICTORIA
Née le 24 mai 1847 à Londres. Morte le 22 janvier 1901 à Osborne. XIXe siècle. Britannique.
Aquafortiste et aquarelliste amateur.
Reine de Grande-Bretagne, elle fut guidée par R. Westall et E. Landseer. On lui doit des portraits et des animaux.

VICTORIA
Née le 21 novembre 1840 à Londres. Morte le 5 août 1901 à Cronberg. XIXe siècle. Allemande.
Peintre et sculpteur.
Elle fut impératrice d'Allemagne. L'Académie Carrara, à Bergame, conserve d'elle *Vanitas*, et le Musée Hohenzollern de Berlin, *Buste de l'impératrice Augusta*.
Ventes Publiques : Cologne, 11 juin 1979 : *Nature morte aux instruments de musique* 1881, h/t (69x118,5) : **DEM 7 000** – Londres, 29 nov. 1984 : *Portrait de Georges Gisze de Danzig, marchand hanséatique* 1876, aquar. pl. et gche (96x76) : **GBP 6 000** – Londres, 27 fév. 1985 : *Pommes et oignons ; Pommes et noix* 1872, aquar. reh. de blanc, une paire (26,5x38) : **GBP 850.**

VICTORIA Vicente ou **Vitoria**
Né le 9 avril 1650 à Denia. Mort en 1712 à Rome. XVIIe-XVIIIe siècles. Espagnol.
Peintre et graveur à l'eau-forte.
Après avoir étudié la littérature, la philosophie, la théologie, il partit pour Rome et s'adonna à la peinture et fut élève de Carlo Maratta. Son succès fut assez considérable pour que le grand-duc de Toscane, Cosme de Médicis le nommât peintre de sa cour. Victoria peignit le portrait de ce prince. De retour en Espagne, il se fixa à Xotiva, près de Valence. Il peignit plusieurs ouvrages dans les couvents et les églises de cette dernière ville. Il donnait cours en même temps à ses facultés littéraires en composant des poésies et une histoire de la peinture. A la fin de sa carrière, il retourna à Rome et y fut conservateur des collections d'antiquités du pape. Vicente Victoria se montra habile graveur et reproduisit, notamment, plusieurs ouvrages de Raphaël et de Ciro Ferri.

VICTORICA Miguel Carlos
Né en 1884 à Buenos Aires. Mort en 1955. XXe siècle. Argentin.
Peintre de portraits, nus, paysages, natures mortes, pastelliste.
Il étudia la peinture d'abord à Buenos Aires, puis en Europe, de 1911 à 1917, recevant en particulier les conseils de Désiré Lucas. Il montra ses œuvres dans une importante exposition à Buenos Aires, en 1927. En 1941, il remporta le Grand Prix de Peinture au Salon National, avec *Cuisine bohémienne*.
Il a peint, avec un bonheur égal, des sujets divers. On loue la sonorité de sa palette. ■ J.-P. A.
Musées : Buenos Aires (Mus. Nat. des Beaux-Arts).

VICTORS Jacomo ou **Jacobus** ou **Victor** ou **Fictoor**
Né en 1640. Mort le 5 décembre 1705 à Amsterdam. XVIIe siècle. Hollandais.
Peintre d'animaux, paysages animés.
En 1663, il était à Venise, mais il paraît avoir surtout travaillé en Hollande.
Il peignit des oiseaux, des volailles, et ses œuvres ont souvent été attribuées à Hondecoeter. Ruysdael a souvent peint le fond de ses tableaux.

Jacomo·Victor f·1672
Jacomo fictor

Musées : Aix-la-Chapelle : *Dindon* – Amsterdam : *Oiseaux* – Budapest : *Oiseaux morts* – Cologne : *Basse-cour* – Copenhague : *Trois pigeons* – *Volaille* – Dresde : *Basse-cour* – Düsseldorf : *Volaille* – Emden : *Basse-cour* – Francfort-sur-le-Main : *Coq et poules* – Hambourg : *Pigeons* – Lille : *Intérieur de basse-cour* – Munich (Ancienne Pina.) : *Basse-cour* – Riga (Mus. mun.) : *Coq et Poule*.
Ventes Publiques : Amsterdam, 28 mars 1708 : *Coqs et Canards* : **FRF 60** – Paris, 1869 : *Basse-cour* : **FRF 600** – Paris, 1888 : *Basse-cour* : **FRF 1 435** – Londres, 5 déc. 1908 : *Coq, canard, lapin et pigeons* 1670 : **GBP 63** – Paris, 15 déc. 1949 : *Oiseaux de basse-cour* 1672 : **FRF 82 000** – Londres, 31 oct. 1969 : *Paysage animé de nombreux personnages* : **GNS 2 600** – Paris, 7 déc. 1973 : *Trophée de chasse* : **FRF 12 000** – Versailles, 1er déc. 1974 : *Volatiles* : **FRF 15 500** – Paris, 15 nov. 1976 : *Le Dindon et les Tortues*, h/t (88x77,5) : **FRF 11 000** – New York, 11 mars 1977 : *L'oie et le chat*, h/t (78x101,5) : **USD 1 700** – Vienne, 13 mars 1979 : *Volatiles dans un paysage*, h/t (70x57) : **ATS 50 000** – Monte-Carlo, 5 mars 1984 : *Scène de cour de ferme*, h/t, une paire (96x83) : **FRF 110 000** – New York, 15 jan. 1986 : *Un paon et autres volatiles dans un paysage*, h/t (170,2x243,8) : **USD 15 000** – Paris, 14 oct. 1992 : *Pigeons s'ébattant près d'une mangeoire de terre vernissée*, h/t (64,5x81) : **FRF 38 000** – New York, 7 oct. 1994 : *Une poule avec des pigeons et des canetons dans une grange*, h/t (85,1x104,1) : **USD 5 750** – Londres, 13 déc. 1996 : *Oie, canard et deux pigeons sur un banc*, h/t (102,3x128,5) : **GBP 6 900.**

VICTORS Jan ou **Johan** ou **Johannes** ou **Victor**, **Victoor**, **Fictoor**
Né en 1620 à Amsterdam. Mort en 1676 aux Indes néerlandaises. XVIIe siècle. Hollandais.
Peintre de compositions religieuses, scènes de genre, portraits, paysages dessinateur.
Il fut élève de Rembrandt entre 1635 et 1640. On sait peu de choses sur sa vie, sinon qu'il était à Amsterdam de 1642 à 1676, date à laquelle il partit pour les Indes néerlandaises. Étant donné le nombre et l'importance de ses ouvrages, il devait jouir d'une grande réputation.
Il prit fréquemment ses sujets dans l'Ancien Testament, mais il peignit aussi des sujets de genre, paysages, marchés, assemblées de paysans, charlatans. Son œuvre reste très proche du style de Rembrandt.

Jan. Victors fc
Jan. Victoor. fc 1645
Jan Victors fc. Amsterdam 1661
Jan. Victoors f 1651

Bibliogr. : Debra Miller : *Ruth et Noémi de 1653, une œuvre méconnue de Jan Victors*, Mercury, 1985 – in : *Diction. de la peinture flamande et hollandaise*, coll. Essentiels, Larousse, Paris, 1989.
Musées : Amiens : *Les crêpes* – Amsterdam (Rijksmus.) : *Joseph en prison* – *Le charcutier de village* 1648 – *Joseph présente Jacob à Pharaon* – *L'arracheur de dents* – *La fruiterie de Buyskool* – Anvers : *Noce de village* – Bâle : *La noce villageoise* – Berlin : *Anne donne son fils Samuel au père Élie* – Besançon : *Cuisine hollandaise* – Budapest : *Agar chassée par Abraham* – *Le charlatan* – *Jacob bénit les enfants de Joseph* – Caen : *Une cuisinière* – Cherbourg : *Vieillard en costume oriental* – Cologne : *Esther devant Assuérus* – Copenhague : *Portrait de femme* – *David mourant exhorte Salomon* – *Jacob abat les idoles* – *Ruth et Booz* – *Ferme hollandaise* – Dessau : *Jeune fille* – Douai : *Femme en prière* – Dresde : *Découverte de Moïse* – *On trouve la coupe dans le sac de Benjamin* – Düsseldorf : *Joseph raconte son rêve* – Emden : *Le Massacre des Innocents* – Francfort-sur-le-Main : *Ruth et Booz* – *La parabole du vignoble* – Haarlem : *Portrait de Jean Appelman* – Lille : *Portrait de femme* – Londres (Nat. Gal.) : *Le savetier de village* – *Scène de marché* – Munich : *Le vieux Tobie et sa famille remerciant Dieu* – Naples : *Portrait de femme* – Paris (Mus. du Louvre) : *Isaac bénissant Jacob* – *Portrait de jeune fille à la fenêtre* 1640 – Saint-Pétersbourg (Mus. de l'Ermitage) : *Continence de*

Scipion – Un bac – Scène de marché – STUTTGART : *Marché aux légumes* – TOULON : *Portrait d'un bourgmestre* – VALENCIENNES : *Deux petits pauvres.*

VENTES PUBLIQUES : PARIS, 1804 : *Tobie* : **FRF 5 000** – NEW YORK, 6-7 avr. 1905 : *Portrait de gentilhomme* : **USD 2 000** – LONDRES, 11-12 mai 1911 : *Table de joyeux convives devant une chaumière* : **GBP 54** – PARIS, 7 avr. 1943 : *La Rencontre d'Abraham et de Melchissédec* : **FRF 48 000** – LONDRES, 16 juil. 1943 : *Slaughter house* : **GBP 231** – LONDRES, 29 nov. 1963 : *Scène de marché* : **GNS 380** – AMSTERDAM, 26 mai 1970 : *La réputation de Agar* : **NLG 23 000** – LONDRES, 9 juin 1972 : *Scène biblique* : **GNS 6 000** – LONDRES, 7 juin 1974 : *Personnages attablés* : **GNS 5 500** – VIENNE, 15 mars 1977 : *La diseuse de bonne aventure chez le forgeron*, h/t (88,9x109,2) : **ATS 200 000** – VIENNE, 13 mars 1979 : *La Visite du châtelain*, h/t (62x79,5) : **ATS 180 000** – NEW YORK, 12 juin 1981 : *Le Sacrifice d'Isaac*, h/t (113x90) : **USD 12 000** – PARIS, 12 déc. 1984 : *Le chirurgien de village*, h/t (86,5x107) : **FRF 65 000** – NEW YORK, 17 jan. 1985 : *Portrait d'un jeune homme tenant un arc*, h/t (97x81,5) : **USD 12 000** – NEW YORK, 14 jan. 1988 : *Ruth et Noémi* 1653, h/t (108,5x137) : **USD 63 250** – MONACO, 17 juin 1988 : *David exhortant Salomon*, h/t (174x244) : **FRF 133 200** – LONDRES, 21 avr. 1989 : *Scène de village avec des enfants regardant des paysans parier devant l'échoppe du maréchal ferrant*, h/t (66x83,5) : **GBP 13 200** – LONDRES, 5 juil. 1989 : *L'Adoration des bergers*, h/t (74,5x109,5) : **GBP 29 700** – AMSTERDAM, 28 nov. 1989 : *La laitière et d'autres paysans se reposant près de la ferme avec une prairie au fond*, h/t (83x105) : **NLG 17 250** – PARIS, 3 avr. 1990 : *L'arrivée des saltimbanques*, h/t (57,5x86) : **FRF 90 000** – STOCKHOLM, 16 mai 1990 : *Un homme près d'un brasero et une servante apportant une corbeille*, h/t (59x72) : **SEK 29 000** – NEW YORK, 19 mai 1994 : *Laban recherchant ses idoles dans la tente de Rachel*, h/t (182,9x193) : **USD 101 500** – LONDRES, 9 déc. 1994 : *Portrait d'une dame en robe verte et ceinture brodée, assise avec sa fille sur les genoux mangeant des raisins et son fils debout près d'elle*, h/t (107x84) : **GBP 15 525** – AMSTERDAM, 13 nov. 1995 : *Portrait du professeur Franciscus Burmanus assis à sa table devant une bibliothèque ; Portrait de Maria Burmanus assise devant sa table avec un livre ouvert*, h/t, une paire (117x96) : **NLG 34 500.**

VICTORS Victor

Né le 18 septembre 1653. Mort après 1684. XVIIe siècle. Hollandais.

Peintre.

VICTORSZ Louwys ou **Fictor** ou **Fictorsz**

XVIIe-XVIIIe siècles. Travaillant à Delft, de 1689 à 1714. Hollandais.

Peintre sur faïence.

Il est l'auteur des célèbres « potiches polychromes cachemire » de Delft.

VICTORYNS Anthoni

Mort avant 1656. XVIIe siècle. Hollandais.

Peintre de genre, intérieurs, paysages.

Actif à Anvers.

MUSÉES : BONN : *Le Barbier du village* – COPENHAGUE : *Paysage.*

VENTES PUBLIQUES : AMSTERDAM, 21 nov. 1950 : *Intérieur rustique* : **NLG 675** – PARIS, 4 déc. 1963 : *Intérieur paysan* : **FRF 4 100** – LONDRES, 12 nov. 1969 : *Scène de taverne* : **GBP 380** – LONDRES, 1er juin 1973 : *La Dispute* : **GNS 1 500** – LONDRES, 25 oct. 1974 : *Scène de cabaret* : **GNS 1 000** – NEW YORK, 30 mai 1979 : *L'opération du pied*, h/pan. (23,5x34) : **USD 5 750** – NEW YORK, 25 mars 1982 : *L'opération du pied*, h/pan. (23,5x33,5) : **USD 5 500** – LONDRES, 15 juin 1984 : *Scène de taverne*, h/pan. (26x30,5) : **GBP 3 800** – NEW YORK, 7 nov. 1985 : *Scène de taverne*, h/pan. (26x34) : **USD 5 250** – PARIS, 3 juil. 1987 : *Repas villageois*, h/pan. (44x62) : **FRF 60 000** – PARIS, 9 juin 1989 : *Repas villageois*, h/pan. (44x62) : **FRF 70 000** – COLOGNE, 20 oct. 1989 : *Paysans à l'intérieur d'une taverne*, h/pan. (31,5x37) : **DEM 3 000** – AMSTERDAM, 13 nov. 1990 : *Vieille Paysanne et vagabond près d'une grange*, h/pan. (15x24,5) : **NLG 29 900** – AMSTERDAM, 2 mai 1991 : *Distractions paysannes dans une grange*, h/pan. (32,6x42,8) : **NLG 17 250** – LONDRES, 8 juil. 1992 : *Intérieur de paysans*, h/pan. (24x33) : **GBP 2 750** – AMSTERDAM, 17 nov. 1994 : *Famille paysanne dans une grange avec une femme épouillant son fils au premier plan*, h/pan. (32,3x43,5) : **NLG 6 325** – PARIS, 14 mai 1997 : *Intérieur de taverne*, h/pan. (24x33) : **FRF 40 000.**

VICUNA Cecilia

XXe siècle. Chilienne.

Artiste.

Elle a participé en 1996 à l'exposition *Inside the visible* consacrée à la création féminine artistique à la Whitechapel Art Gallery de Londres.

BIBLIOGR. : Christophe Domino : *Inside the visible – Venez voir les filles*, Beaux-Arts, n° 150, Paris, nov. 1996.

VICUS Enea. Voir **VICO**

VIDA Arpad

Né le 4 avril 1884 à Marosvasarhely. Mort le 21 février 1915 à Budakeszi. XXe siècle. Hongrois.

Peintre de genre, graveur.

Il fit ses études à Budapest et à Paris.

VIDAILLET Anne Marie

Née le 2 mai 1891 à Saint-Claude (Jura). Morte le 26 novembre 1974. XXe siècle. Française.

Peintre de fleurs, aquarelliste.

Elle exposa à partir de 1920, jusqu'à sa mort, notamment à Nice en 1963, à Cannes en 1971.

Les chardons furent un de ses thèmes privilégiés.

VIDAL André

Né le 13 avril 1913 à Alger. XXe siècle. Français.

Peintre.

Il fut élève des Ateliers d'art de la Ville de Paris. Il est également journaliste et critique d'art. Président de l'Association des Peintres et Sculpteurs Juifs de France, il expose au Centre Culturel Juif à Paris.

VENTES PUBLIQUES : PARIS, 9 déc. 1996 : *Procession macédonienne à Buf près de Florina* 1919, h/t (50x61,5) : **FRF 18 000.**

VIDAL Barthélemy ou **Bartolomeo** ou **Vidaud** ou **Vitale**

XIVe-XVe siècles. Travaillant à Limoges de 1362 à 1401. Français.

Peintre sur émail et orfèvre.

VIDAL Diego, l'Ancien

Né en 1583 à Valmaseda. Mort le 30 décembre 1615 à Séville. XVIIe siècle. Espagnol.

Peintre d'histoire.

Il peignit notamment, pour la cathédrale de Séville, dont il était chanoine un *Christ* et une *Vierge et Enfant Jésus*. Pachero le cite comme un habile dessinateur. Il était l'oncle de Vidal de Liendo.

VIDAL Diego, le Jeune. Voir **VIDAL DE LIENDO**

VIDAL Dionisio

Né vers 1670 à Valence. Mort à Tortosa. XVIIe siècle. Espagnol.

Peintre.

Élève et compagnon de voyage de Palomino. Il peignit à fresque, d'après les dessins de son maître, les voûtes de San Nicolo ; il travailla pour d'autres églises, et mourut à Tortosa, alors qu'il était occupé à décorer la chapelle de Nuestra Senora de la Ciuta.

VIDAL Emeric Essex

Né le 29 mars 1791 à Bredford (Angleterre). Mort le 7 mai 1861 à Brighton. XIXe siècle. Britannique.

Peintre de sujets typiques, aquarelliste.

Vécut une grande partie de sa vie en Amérique du Sud.

VENTES PUBLIQUES : LONDRES, 3 nov. 1976 : *Indigènes transportant un brail*, aquar. (18,5x25,5) : **GBP 2 000** – LONDRES, 30 mai 1979 : *Charrette traversant une rivière en Argentine*, aquar. (16,5x33,8) : **GBP 1 400** – LONDRES, 20 avr. 1983 : *The milk boys*, pl. et aquar., dess. (18,4x26,7) : **GBP 2 100** – LONDRES, 22 oct. 1986 : *Mango trees, Mr Freeze's garden, Rio de Janeiro* 1836, aquar./traits cr. (19,5x30) : **GBP 19 000.**

VIDAL Eugène Vincent

Né en 1850 à Paris. Mort en 1908 à Cagnes (Alpes-Maritimes). XIXe-XXe siècles. Français.

Peintre de genre, portraits. Tendance orientaliste.

Élève de Jean Léon Gérôme, il débuta au Salon de Paris en 1873. Il obtint une médaille de bronze à l'Exposition Universelle de 1900.

C'est d'une pâte généreuse qu'il traite ses scènes de rues en Algérie.

BIBLIOGR. : Gérald Schurr, in : *Les Petits Maîtres de la peinture 1820-1920, valeur de demain*, Les Éditions de l'Amateur, t. III, Paris, 1976.
MUSÉES : MULHOUSE : *Intérieurs d'atelier*, h/t, une paire - *Étude de Léa, buste de femme*, past. - TOURS : *Marabouts discutant à la porte de la mosquée de Constantine*.
VENTES PUBLIQUES : PARIS, 6 fév. 1865 : *La Bohémienne* : **FRF 330** - PARIS, 16-17 déc. 1919 : *Rêverie*, past. : **FRF 480** - PARIS, 20 mars 1951 : *La soubrette indiscrète* : **FRF 10 500** - PARIS, 18 mars 1955 : *Portrait de jeune femme* : **FRF 12 000** - PARIS, 28 mars 1974 : *Femme au chignon*, past. : **FRF 7 800** - PARIS, 18 mars 1985 : *Jeune fille debout*, h/t (85x53,5) : **FRF 25 000** - PARIS, 3 juil. 1986 : *Portrait de jeune fille*, past. (87x64) : **FRF 18 500** - PARIS, 23 mars 1987 : *Jeune fille à la robe bleue*, past. (85x64) : **FRF 24 500** - VERSAILLES, 19 nov. 1989 : *Jeune fille à la poupée*, h/t (81x94,8) : **FRF 29 000** - PARIS, 15 déc. 1993 : *Rêverie*, h/t (38x55) : **FRF 55 000** - NEW YORK, 16 fév. 1994 : *Portrait de Mademoiselle Z. A.*, h/t (118,1x74,9) : **USD 26 450** - CALAIS, 11 déc. 1994 : *Cavalier arabe*, h/t (46x38) : **FRF 9 000**.

VIDAL Felipe
Né en 1698 à Lucques. XVIIIe siècle. Espagnol.
Graveur au burin.
Il travailla à Madrid et exécuta des portraits de saints et des cartes géographiques.

VIDAL Fernand
Né en 1904 à Canet (Aude). Mort en 1948 à Narbonne (Aude). XXe siècle. Français.
Peintre de paysages.
Il fit ses études à l'école des beaux-arts de Toulouse, Marseille et Paris, où il prépara le prix de Rome. Architecte, il pratiqua parallèlement la peinture.
Il eut une certaine notoriété dans la région de Narbonne dans l'immédiat après-guerre.
MUSÉES : NARBONNE (Mus. d'Art et d'Hist.) : *Dessus de toits* 1936.

VIDAL Francisco
XXe siècle. Britannique.
Peintre de portraits.
Il voyagea beaucoup en Europe ; surtout en Espagne et Italie.

VIDAL Francisco, dit **Sisco Vidal**
Né le 24 avril 1942 à Paris. XXe siècle. Français.
Peintre, dessinateur.
Il fut élève de l'école des Arts Graphiques Estienne à Paris. Il signe Sisco.
Il expose à Paris, aux Salons Comparaisons, Terres Latines, des Indépendants.
Son œuvre se réclame de l'irréalisme.

VIDAL Gérard
Né le 6 septembre 1742 à Toulouse. Mort en 1801 à Paris. XVIIIe siècle. Français.
Graveur.
Élève de J. M. Vien. Il dut pour arriver à la notoriété subir toutes sortes de privations. On lui doit des estampes d'après Ch. Monnet et David. Il figura au Salon de 1793.

VIDAL Gustave
Né en 1895 à Avignon. XXe siècle. Français.
Peintre de paysages, marines, illustrateur.
Il fut élève de l'École des Beaux-Arts d'Avignon, où il obtint des récompenses.
Il participe à Paris, au Salon des Artistes Français, dont il est membre sociétaire. Il expose dans le Midi de la France, à Paris, Berlin, Bruxelles, etc.
Il peint des paysages de Provence, de l'intérieur, de la côte, de Marseille. Il a illustré *La Camargue* et *Le Vieil Avignon*, dont il a écrit les textes.
VENTES PUBLIQUES : MONTRÉAL, 30 oct. 1989 : *Littoral de l'île Sainte-Marguerite*, h/t (44x89) : **CAD 880** - PARIS, 20 nov. 1989 : *Les pêcheurs - Côte d'Azur*, h/pan. (27x35) : **FRF 4 000** - PARIS, 29 nov. 1990 : *Vue du bord de la mer*, h/pan. (50x70) : **FRF 6 500**.

VIDAL Henri
Né le 4 mai 1864 à Charenton (Seine). Mort en 1918 à Paris. XIXe-XXe siècles. Français.
Sculpteur.
Il fut élève de Mathurin Moreau.
Il participa à Paris, au Salon des Artistes Français, dont il fut membre sociétaire à partir de 1884 ; il reçut une mention honorable en 1884, une médaille de troisième classe en 1890, une médaille de deuxième classe en 1899, le Prix de Paris en 1892, une médaille de première classe en 1900, une médaille d'argent en 1900 à l'Exposition universelle de Paris.
MUSÉES : AIX : *Le Paysan du Danube*.

VIDAL Henri
Né le 26 avril 1895 à Paris. XXe siècle. Français.
Peintre.
Il fut aussi architecte.
Il participa à Paris aux Salons des Artistes Français, dont il fut membre sociétaire hors-concours à partir de 1934, des Indépendants et d'Automne. Il reçut une médaille d'or en 1934.

VIDAL Ignace ou **Ignasi**
Né le 4 mars 1903 à Barcelone. Mort le 17 février 1988. XXe siècle. Depuis 1941 actif dans la principauté de Monaco. Espagnol.
Peintre de figures, portraits, illustrateur, graveur.
De 1917 à 1920, il fut élève de l'École des Beaux-Arts de sa ville natale et du Cercle artistique Sant Lluc. En 1929, il séjourne à Paris et fréquente l'académie de la Grande Chaumière. Il s'installe en France puis définitivement à Monte-Carlo en 1941.
Il participe à des expositions collectives : 1931, 1932-1933 Salon de Printemps de Barcelone, Salon d'Automne de Madrid ; 1948-1952 Salon d'Automne à Paris ; 1958 musée océanographique de Monaco ; 1988 Salons de La Malmaison avec Courmes et Hélion.
Il montre ses œuvres dans des expositions personnelles : 1931, 1932 à Barcelone ; à partir de 1941 régulièrement à Monte Carlo notamment en 1963-1964 et 1973 à la bibliothèque communale de Monaco ; 1958 Montauban ; 1959 rétrospective au casino municipal de Nice ; 1976 Montgomery (Alabama)...
Peintre de figures, notamment de la femme et du monde du cirque, il a également réalisé des gravures et de très nombreuses illustrations, pour *La Chanson de Roland*, *Le Bateau Ivre* de Rimbaud, *Gargantua* de Rabelais, et *La Divine Comédie* de Dante.
MUSÉES : BARCELONE (Mus. d'Art Mod.) - MENTON - MONACO - SASSARI (Sardaigne) - SASSARI.

VIDAL Jean Pierre
Né à Québec. XXe siècle. Canadien.
Artiste.
BIBLIOGR. : Catalogue de l'exposition : *Les Vingt Ans du musée à travers sa collection*, musée d'Art contemporain, Montréal, 1985.
MUSÉES : MONTRÉAL (Mus. d'Art Contemp.) : *La Boîte à bois* 1981, sérig. - *Si Dédale m'était conté/Du filet des buts* 1981, texte sérigraphié.

VIDAL Jeanne Marie
Née en 1936 à L'Aigle (Orne). XXe siècle. Française.
Peintre de paysages animés, intérieurs. Naïf.
Elle ne semble pas avoir reçu de formation spécifique. Elle participe à de nombreuses manifestations collectives depuis 1978, parmi lesquelles à Paris : Salons des Artistes Français, des Indépendants, Salon International d'Art Naïf depuis 1984, ainsi qu'à des expositions collectives dans le département des Yvelines et en province. Elle décrit avec minutie des scènes, paysages ou animaux familiers : *Voyage de noces sur la rivière*, *Jardin d'hiver*, *Le métro aérien*, *Le chat révolutionnaire*, etc.

VIDAL Joseff ou **José**
Né à Vinarez. XVIIe siècle. Espagnol.
Peintre de genre et de batailles.
Élève et imitateur d'Esteban March ; il fit ses études à Valence. Son fils Josef Vidal fut aussi peintre.

VIDAL Juan
Né à Pierold. Mort en octobre 1881 à Rome. XIXe siècle. Espagnol.
Sculpteur.

VIDAL Jules Joseph Génie
Né le 8 avril 1795 à Marseille (Bouches-du-Rhône). XIXe siècle. Français.
Peintre et lithographe.
Élève de P. Guérin et Aubry, il entra à l'École des Beaux-Arts le 6 novembre 1814. Il figura au Salon de 1819 à 1849.
VENTES PUBLIQUES : PARIS, 10 avr. 1919 : *Fleurs dans un vase* : **FRF 1 000**.

VIDAL Lluïsa
Morte en 1918. XXe siècle. Espagnole.
Peintre.
Elle vécut et travailla à Barcelone.

VIDAL Louis
Né probablement vers 1754 à Marseille ou au contraire dans le nord de la France. Mort après 1805. XVIIIe siècle. Français.

Peintre de natures mortes, fleurs.
On ne sait pas qui fut son maître, mais il paraît s'être inspiré de Van Os l'Ancien. Certains travaux de cet artiste figurent dans la collection du Musée des Beaux-Arts de Lille. On pense qu'il naquit à Marseille mais fut actif à Lille. Entre 1790 et 1792, il travailla à Londres, exposant quatre fois à la Royal Academy.

L vidal. px.

Bibliogr. : P. Mitchell, in : *Peintres européens de fleurs*, 1973.
Musées : Lille (Mus. des Beaux-Arts) : *Fruits, fleurs et gibier groupés sur une table* – *Fleurs*.
Ventes Publiques : Paris, 11 jan. 1943 : *Nature morte* : **FRF 4 000** – Paris, 19 nov. 1943 : *Nature morte aux raisins* : **FRF 1 000** – Paris, 18 fév. 1944 : *Nature morte aux fleurs et fruits* 1805 : **FRF 16 000** – Paris, 22 nov. 1950 : *Fleurs*, aquar., d'après Redouté : **FRF 18 000** – Paris, 6 déc. 1984 : *Vase de cristal fleuri de roses et de tulipes*, h/t (66x55) : **FRF 480 000** – Paris, 26 nov. 1986 : *Nature morte aux fruits* ; *Nature morte aux fleurs et au nid*, h/pan., une paire (43,5x35) : **FRF 128 000** – New York, 10 oct. 1991 : *Nature morte de fruits et de fleurs dans un paysage avec des oiseaux et un furet*, h/pan. (71,1x102,9) : **USD 17 600** – Paris, 18 déc. 1991 : *Trophée au coq, au panier d'œufs et aux pigeons*, h/pan. (77,5x58) : **FRF 45 000** – Paris, 26 juin 1992 : *Bouquet de fleurs dans un vase de verre*, h/t (27x21,5) : **FRF 40 000** – New York, 14 oct. 1992 : *Nature morte de fleurs et fruits dans un paysage avec des oiseaux*, h/pan. (71,1x102,9) : **USD 7 425** – Paris, 2 déc. 1994 : *Composition de fleurs au nid*, gche/pap. brun (63,5x52,5) : **FRF 61 000** – New York, 19 jan. 1995 : *Taureau*, bronze (H. 33,7) : **USD 3 450** – Lokeren, 7 oct. 1995 : *Taureau*, bronze (34x45) : **BEF 70 000**.

VIDAL Louis, dit **Navatel**
Né le 6 décembre 1831 à Nîmes (Gard). Mort le 7 mai 1892 à Paris. xixe siècle. Français.
Sculpteur animalier.
Il fut élève de Barye et Rouillard.
Il débuta au Salon de 1859 et obtint une médaille de troisième classe. A la fin de sa carrière, aveugle, il fut hospitalisé aux Quinze-Vingts, à Paris.
Musées : Bordeaux : *Cerf mourant* – Clamecy : *Levrette* – Dreux : *Lion* – Montpellier : *Lion marchant* – Nantes : *Lionne d'Amérique* – Nîmes : *Taureau* – Orléans : *Jaguar*.
Ventes Publiques : Versailles, 18 juil. 1976 : *Daim à l'arrêt*, bronze, patine médaille (H. 25, Larg. 23) : **FRF 1 250** – Zurich, 29 août 1984 : *L'aveugle*, sculpt. (25x28x10) : **CHF 2 500** – New York, 9 juin 1988 : *Taureau*, bronze (H. 15,2) : **USD 880** – Copenhague, 25-26 avr. 1990 : *Lion debout* 1874, bronze (L. 65) : **DKK 8 500** – New York, 5 juin 1992 : *Lion debout*, bronze à patine brune (H. 17,1xL. 30,5) : **USD 1 540**.

VIDAL Mélanie, plus tard Mme **Goetz**
Née en 1809 à Paris. Morte en 1877 à Mulhouse (Haut-Rhin). xixe siècle. Française.
Peintre.
Elle débuta au Salon de 1831. Le Musée de Mulhouse conserve d'elle *Le vieux sergent*.

VIDAL Miguel Angel
Né en 1928 à Buenos Aires. xxe siècle. Argentin.
Peintre.
Il fut élève de l'école des beaux-arts de Buenos Aires. Il fonda avec Mac Entyre le groupe Pintura Generativa, consacré aux recherches optiques. Il est également un designer réputé, et professeur d'art visuel. Il vit à Buenos Aires.
Il participe à de nombreuses expositions de groupe, en Argentine et à l'étranger, notamment : 1960 musée d'Art moderne de Buenos Aires ; 1962 musées d'Art moderne de Mexico et de Rio de Janeiro ; 1969 Fondation Guggenheim de New York ; 1971 Institut d'Art Contemporain de Lima ; 1972 *Dix Artistes argentins* aux Nations unies de New York ; 1973 *Projection et Dynamisme – Six peintres argentins* au Musée Municipal d'Art Moderne de Paris, etc.. Il montre ses œuvres dans des expositions personnelles depuis 1954, jusqu'ici à Buenos Aires.
Vidal exploite les effets d'interférences de multitudes de lignes droites, claires ou métallisées, s'entrecroisant selon des programmations très précises sur des fonds sombres. Il lui arrive de créer des œuvres en trois dimensions.
Bibliogr. : *Catalogue de l'exposition « Projection et Dynamisme – Six artistes argentins »*, Musée Municipal d'Art Moderne, Paris, 1973.
Musées : Buffalo (Albright Knox Art Gal.) – Mar del Plata – New York – Rio de Janeiro (Mus. d'Arte Mod.).
Ventes Publiques : New York, 17 oct 1979 : *Plaza San Marco* 1979, acryl./t. (120,6x120,6) : **USD 4 000**.

VIDAL Pablo
Mort le 21 décembre 1887. xixe siècle. Actif à Barcelone. Espagnol.
Médailleur.

VIDAL Pedro
xviiie siècle. Actif à Saint-Jacques-de-Compostelle dans la seconde moitié du xviiie siècle. Espagnol.
Peintre de portraits et de fresques.
Élève de J. A. Garzia Bouzas II.

VIDAL Pedro Antonio
xvie-xviie siècles. Actif à Castellon de la Plana. Espagnol.
Portraitiste.
On lui attribue les portraits de *Victor de Savoie* et celui du roi *Philippe III*, conservés au Prado de Madrid.

VIDAL Philippe
Né le 18 octobre 1938 à Paris. xxe siècle. Français.
Peintre, graveur, lithographe.
Il a été élève de François Baron de 1953 à 1957 à Saint-Gervais d'Auvergne. Il travaille ensuite dans l'atelier de la Grande Chaumière à Montparnasse de 1957 à 1958, prépare ensuite le professorat de dessin de la Ville de Paris en 1958-1959 dans l'atelier de Séverac, puis, à partir de 1960, suit les conseils du peintre Olivier Debré.
Il participe à des expositions collectives, notamment : 1957, Salon de Choisy-le-Roy ; 1959, Salon des Artistes d'Auvergne ; à partir de 1959, Salon des Indépendants, Paris ; à partir de 1959, Salon de l'Art Libre, Paris ; 1963, Salon d'Automne, Paris ; 1966, Salon des Surindépendants, Paris ; 1992, *Estampes et livres d'artiste du xxe siècle, enrichissement du Cabinet des Estampes 1978-1988*, Bibliothèque Nationale, Paris ; ainsi qu'à des expositions de groupe, à Berlin, Dallas, Bordeaux, Vichy, Clermont-Ferrand, etc. Il montre ses œuvres dans des expositions personnelles, dont : 1957, galerie Lefranc, Paris ; 1960, Clermont-Ferrand ; 1979, l'Orangerie du Luxembourg, Paris ; Il a participé au Grand Prix International de Vichy en 1959 et au Prix du Dôme en 1971.
Il peint à ses débuts dans une manière postimpressionniste. Après sa rencontre avec le peintre Lazare qui sera suivie quelques années après par celle d'Hélion, il s'initie à la peinture à tendance abstraite et géométrique. Il travaille en 1961-1962 avec le peintre et graveur André Ficüs qui lui fait découvrir les expressionniste allemands. Rentré en France en 1963, il crée le Groupe de Brunoy avec le sculpteur Gabriel Allandrieu et le peintre Jean Malaval. Peintre non figuratif, il introduit, à partir de 1962, dans sa peinture, une construction postcézannienne des volumes et des « équivalences figuratives ». Il évoque dans ses œuvres la rue, la foule, la fête, l'attentat, la pollution, l'actualité...
Bibliogr. : Docteur Pierre Osenat : *Philippe Vidal, l'équilibre dans le chaos*, in : *Le Caducée*, Asnières, mars 1980.
Musées : Paris (BN) : *La rue chaude ou la manif.*

VIDAL Pierre, ou **Pierre Marie Louis**
Né le 4 juillet 1849 à Tours (Indre-et-Loire). xixe-xxe siècles. Français.
Peintre de genre, illustrateur, graveur, dessinateur, aquarelliste, pastelliste.
Élève d'A. Cadart, il débuta au Salon de Paris en 1874. Il fut attaché au Cabinet des Estampes de la Bibliothèque Nationale en 1876.
Il retrace la vie de la Belle Époque, précisant particulièrement les détails vestimentaires et décoratifs des scènes de la vie mondaine et populaire. Parmi ses illustrations, citons celles de *La Comtesse Irma* d'Alphonse Daudet, *Parisienne Idylle* d'Émile Goudeau, *Les Aventures du Roi Pausole* de Pierre Louÿs, *Alice Ozy* de Louis Loviot, *En Famille* d'Hector Malot, *Yvette* de Guy de Maupassant, *Contes parisiens du Second Empire* d'Henri Meilhac, *La Femme à Paris, Nos Contemporaines* d'Octave Uzanne, *La Vie à Montmartre* de G. Montorgueil, etc. Peintre et dessinateur, il a également réalisé des gravures à l'eau-forte.
Ventes Publiques : Paris, 24-25 mai 1944 : *Femme assise*, dess. reh. : **FRF 700** – Paris, 18 nov. 1946 : *Au Moulin Rouge* : **FRF 900** – Paris, 10 juin 1949 : *Femme sur un canapé*, past. : **FRF 500** – Paris, 18 juin 1974 : *Illustration pour l'édition originale de Nana de Zola* 1880, 25 aquar. : **FRF 18 000**.

VIDAL Sébastien
xviie siècle. Espagnol.

Sculpteur.
Il termina le maître-autel de la cathédrale de Cordoue en 1653.

VIDAL Victor
XIXe siècle. Actif à Paris. Français.
Peintre de portraits et de paysages.
Il figura au Salon de 1841 à 1847.

VIDAL Vincent
Né le 20 janvier 1811 à Carcassonne (Aude). Mort le 14 juin 1887 à Paris. XIXe siècle. Français.
Peintre de genre, portraits, paysages, pastelliste, dessinateur.
Élève de Paul Delaroche, il participa régulièrement au Salon de Paris, obtenant des médailles en 1844 et 1849. Chevalier de la Légion d'honneur en 1852.
Il a retenu de son maître l'enseignement d'un art un peu superficiel. Son œuvre se compose surtout de portraits dessinés au crayon ou au pastel, de figures de jeunes femmes pleines de charme. Un charme s'apparentant un peu à celui des peintres anglais du XVIIIe siècle, tels que Cosway. Il a peint un nombre important de personnes de la haute société : au Salon de 1857, figurait un portrait au pastel de *L'impératrice Eugénie* ; en 1870, celui d'*Alexandre Dumas*. Bien que méridional, Vincent Vidal a peint souvent des scènes pittoresques ou des paysages de Bretagne, traités en aplats.

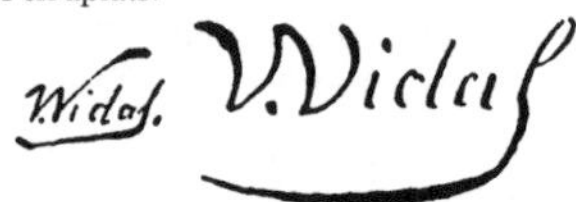

Bibliogr. : Gérald Schurr, in : *Les Petits Maîtres de la peinture 1820-1920, valeur de demain*, Les Éditions de l'Amateur, t. II, Paris, 1982.
Musées : Luxembourg (Mus. mun.) : *Bretonnes près d'une tombe.*
Ventes Publiques : Paris, 1887 : *Effet de soleil sur un étang en automne* : **FRF 690** ; *Bord d'étang* : **FRF 420** ; *Fillette bretonne*, mine de pb, reh. de past. : **FRF 420** ; *Tamiel*, mine de pb, reh. de past. : **FRF 650** – Paris, 6 nov. 1950 : *Rivière* : **FRF 1 100** – Lille, 7 oct 1979 : *Le moulin à eau*, h/t (29x25) : **FRF 10 000** – Londres, 11 juin 1997 : *Jeune dame égrénant son chapelet*, aquar. (42,5x34) : **GBP 8 050.**

VIDAL DE LIENDO Diego, dit **Diego Vidal le Jeune**
Né en 1602 à Valmaseda. Mort le 9 août 1648 à Séville. XVIIe siècle. Espagnol.
Peintre.
Neveu de Diego Vidal l'Ancien et, comme son oncle, chanoine de la cathédrale de Séville. Il alla à Rome compléter ses études artistiques. Ses peintures conservées dans la sacristie de la cathédrale de Valence sont fort estimées. On le cite aussi comme grand amateur de tableaux et il en réunit une remarquable collection.

VIDAL-MOLNÉ Luis. Voir **MOLNÉ Luis Vidal**

VIDALBA Giovanni
XVIe siècle. Travaillant en 1519. Italien.
Peintre.
Il dessina un carton pour une tapisserie de la cathédrale de Trente.

VIDALENS Frédéric
Né le 21 janvier 1952 à Brive-la-Gaillarde (Corrèze). XXe siècle. Français.
Peintre de paysages, natures mortes, architectures oniriques. Néopuriste.
Il fut élève de l'école des beaux-arts de Paris de 1944 à 1949, fréquentant l'atelier de Jean Dupas.
Il participe à des expositions collectives à Paris régulièrement à Paris, aux Salons d'Automne, dont il est membre sociétaire, Comparaisons, du Dessin et de la Peinture à l'eau, de la Société Nationale des Beaux-Arts, ainsi qu'au Salon de Montrouge, en 1973 et 1974 à Uppsala et Stockholm ; 1985 à Tokyo ; 1985 au musée Roybet-Fould à Courbevoie. Il montre ses œuvres dans des expositions personnelles : galerie Vanuxem à Paris.
Il réalise des œuvres austères, silencieuses, privilégiant une gamme de tons éteints, notamment les beiges. Bien qu'à sa façon il manifeste par sa peinture, lui aussi, un « parti-pris des choses », et qu'il ignore tout de l'homme, à moins qu'en poupée, en mannequin, on hésite à le dire peintre de natures mortes, tant parfois étranges sont les « choses » dont il dispose et qu'il dispose rigoureusement. S'il manifeste une prédilection pour les objets familiers, du quotidien, vase, pot, toupie, pelote de fil, livres, instruments de musique, il s'approprie aussi les premiers solides simples de la géométrie, qui en fait sont ses références auxquelles se rapportent tous les autres objets, machines à coudre, bicyclettes, et encore cabines de plage, usines à gaz, entrepôts de Paris, pavillons de Claude Nicolas Ledoux, considérés comme des maquettes, jouets qu'on peut disposer sur la table avec les objets quotidiens anonymes. De tout ce qu'il traite, indifféremment, au même titre, il en retient l'épure géométrique, la pureté des lignes. Vidalens se situe, avec toute son étrangeté très particulière, dans une lignée qui a son origine dans le purisme d'Ozenfant et Jeanneret, pour rencontrer Oscar Schlemmer, Morandi et jusqu'aux Klaphek et Peter Klasen.
Bibliogr. : Michel Tournier : *Silence, on peint*, Le Nouvel Observateur, Paris.
Musées : Paris (FNAC) – Paris (Mus. Carnavalet).

VIDAUD Barthélemy. Voir **VIDAL**

VIDBERGS Sigismunds
Né le 10 mai 1890 à Mitau (nom allemand de Ielgava, Lettonie). XXe siècle. Russe-Letton.
Graveur, illustrateur.
Il fit ses études à Saint-Pétersbourg. Il grava des illustrations de livres, des ex-libris et des vues.
Musées : Riga.

VIDEBANT A. ou **Viedebant**
Né à Berlin. Mort vers 1805 à Londres. XVIIIe siècle. Britannique.
Peintre.
Il peignit des paysages, des fleurs, des fruits et des scènes historiques. Le Cabinet d'estampes de Berlin conserve deux dessins de cet artiste.

VIDECOQ Lucie Marie
Née au XIXe siècle à Paris. XIXe siècle. Française.
Peintre de natures mortes et de paysages.
Élève de Courtois. Elle figura au Salon de 1878 à 1880.

VIDEKY Janos ou **Jean**
Né le 17 janvier 1827 à Budapest. Mort le 8 février 1901 à Budapest. XIXe siècle. Hongrois.
Graveur et décorateur.
Fils de Karoly Videky et son élève. Il peignit des scènes de genre et d'histoire.

VIDEKY Karoly ou **Kohlmann**
Né le 3 janvier 1800 à Ujvidek. Mort en mai 1882 à Budapest. XIXe siècle. Hongrois.
Graveur au burin.
Père de Janos Videky. Il grava des images pieuses, des portraits, des paysages et des costumes.

VIDIGAL Ana
Née en 1960. XXe siècle. Portugaise.
Peintre.
Révélée à l'aube des années quatre-vingt, Ana Vidigal crée des œuvres aux références multiples et réalisées avec différents matériaux comme le tissu, des lacets, des morceaux de bois ou de corde. Ces objets, comme son graphisme volontairement naïf et maladroit, se réfèrent à l'enfance, dans des compositions divisées en registres.
Bibliogr. : Alexandre Melo, Joao Pinharanda, in : *Arte contemporanea Portughesa*, Lisbonne, 1986.

VIDMAR Drago
Né le 25 janvier 1901 à Sapiane. XXe siècle. Yougoslave.
Peintre de genre.
Il fit ses études à Vienne et à Zagreb. Il subit d'abord l'influence de Kokoschka et peignit ensuite des scènes populaires slovènes.

VIDMAR Nande
Né le 17 août 1899 à Prosecco (près de Trieste). XXe siècle. Yougoslave.
Peintre de genre, scènes typiques, paysages.
Frère de Drago Vidmar, il fut élève des Académies de Vienne et de Zagreb. Il peignit des paysages et des scènes populaires.

VIDOLENGHI Antonio ou **Guidolenghi**
XVe-XVIe siècles. Actif à Marzano et à Pavie de 1453 à 1502. Italien.
Peintre.
Frère de Leonardo Vidolenghi.

VIDOLENGHI Leonardo
XVe siècle. Actif à Marzano de 1453 à 1499. Italien.

Peintre.
Frère d'Antonio Vidolenghi. On lui attribue *Madone dans la gloire avec des saints*, conservée au Musée Municipal de Gênes.

VIDOLINI ou **Vidolino**. Voir **VITALE d'Aimo de Cavalli**

VIDONI Francesco
Né à Ferrare. XIXe siècle. Actif dans la première moitié du XIXe siècle. Italien.
Sculpteur.
Il a sculpté la statue de *L'Arioste* sur la Place de l'Arioste de Ferrare.

VIDONI de SORESINA Bartolomeo de, prince
Né le 17 mars 1789 à Crémone. XIXe siècle. Italien.
Sculpteur amateur.

VIDONI de SORESINA Giovanni de
Né le 28 février 1788 à Crémone. XIXe siècle. Italien.
Portraitiste amateur.

VIDOR Pal ou **Paul**
Né le 24 juillet 1892 à Budapest. XXe siècle. Actif aussi en Allemagne et au Chili. Hongrois.
Graveur, peintre.
Il fit ses études à Budapest et travailla à Berlin et à Santiago (Chili).

VIDOVIC Emanuel
Né en 1872 à Split. XIXe-XXe siècles. Yougoslave.
Peintre de paysages urbains, marines.
Il fut élève de l'Académie de Venise. Il peignit des vues de Venise, de Chioggia et de Split.

VIDOVSZKY Béla
Né le 2 juillet 1883 à Gyoma. XXe siècle. Hongrois.
Peintre de portraits, intérieurs.
Il fit ses études à Budapest, à Munich et à Paris. Il vécut et travailla à Budapest.

VIDRA Ferdinand
Né en 1814 à Veszprem. Mort en 1879 à Bilke. XIXe siècle. Hongrois.
Peintre.
Il fit ses études à Vienne et à Rome. Il peignit des sujets religieux pour la cathédrale de Veszprem et plusieurs églises hongroises.

VIDROVITCH Nina
Née en 1930. XXe siècle. Française (?).
Peintre, dessinatrice, peintre de décors de théâtre.
En 1949, elle étudie le dessin chez l'affichiste Paul Colin à Paris. Parallèlement à la peinture, elle travaille pour le théâtre. Depuis 1993, elle vit et travaille à Bessy-sur-Cure (Bourgogne).
Elle montre ses œuvres dans des expositions collectives : 1963 Biennale internationale des Jeunes à Paris. Elle a montré ses œuvres dans des expositions personnelles depuis 1954 à Paris, notamment en 1996 à la galerie du théâtre du Vieux-Colombier : ainsi que : 1996 rétrospective au château de Champs-sur-Marne.

VIÉ Bernard
Né le 14 février 1947. XXe siècle. Français.
Sculpteur de figures, groupes, monuments.
Après des études à l'École Nationale Supérieure des Beaux-Arts de Paris, il exerce la profession d'architecte, en étant parallèlement peintre et sculpteur. Il se consacre totalement à la sculpture depuis 1985. Il expose régulièrement dans le cadre de Mac 2000 à Paris, ainsi que dans les galeries Furstenberg (Paris), Contrast (Bruxelles), Pieter Brueghel (Amsterdam). Il a reçu de nombreuses commandes publiques : sculptures du Jardin Atlantique au-dessus des quais de la gare Montparnasse à Paris (1994) ; *Grand Ikebana* pour la base de loisirs de Porcheville (1994) ; *La Vague* pour le lycée de Meaux (1993) ; *La Mémoire* pour le centre informatique du ministère des Finances (1992) ; *Le Grand Arpenteur* pour le lycée de Porcheville (1992) ; *Descartes* pour le lycée de Champs-sur-Marne (1991) ; *Le Flûtiste* pour le Collège des Plaisances à Mantes-la-Ville (1991) ; *Le Cavalier égaré* pour le hall du lycée Camille Claudel à Pontault-Combault (1990) ; *Le Soleil des eaux* pour la chambre régionale des Comptes à Marne-la-Vallée (1988).
Ses œuvres monumentales, qui allient souvent le bronze, la pierre, le bois, sont des affirmations de la primauté de l'émotion sur le discours intellectuel. Elles semblent s'inscrire dans une volonté de réhumaniser l'art contemporain, en le faisant dialoguer de façon vivante avec les cadres de la vie quotidienne, collèges, lycées, bureaux, espaces urbains. Il faut aussi souligner la forte interaction des sculptures avec leur environnement, qui est bien le fait d'un architecte. Quant aux influences stylistiques, qui parcourent l'œuvre de Vié sans jamais l'asservir, on peut évoquer le cubisme, le surréalisme, aussi bien que l'art baroque, pour son côté à la fois libre et éloquent. ■ A. G.
Bibliogr. : Catalogue *Bernard Vié, sculptures*, texte d'André Parinaud, édité avec le concours du Conseil général de Seine-et-Marne et la participation de la Galerie Furstenberg, Paris, 1992.
Ventes Publiques : Paris, 3 juin 1991 : *La conversation* 1987, bronze (24x25x19) : **FRF 12 000** – Paris, 7 oct. 1991 : *Le récit de voyage* 1985, bronze (23x17x35) : **FRF 15 000** – Paris, 18 mai 1992 : *Le cheval philosophe* 1990, bronze (39x21x12) : **FRF 11 000.**

VIE Gabriel
XXe siècle. Français.
Peintre.
Il exposa à Paris, au Salon des Artistes Français, dont il fut membre sociétaire ; il reçut une mention en 1935, une médaille d'argent en 1942.
Ventes Publiques : Paris, 7 oct. 1988 : *Les pêcheurs*, h/t (48x55) : **FRF 8 000** – Paris, 1er oct. 1993 : *Rivière – paysage en Finistère*, h/t (46x54) : **FRF 4 500.**

VIE DE MARIE, MAÎTRE de la. Voir **MAÎTRES ANONYMES**

VIECHEL. Voir **VUCHEL**

VIECHTER Arnold ou **Fiechter**
Né en 1879 à Sissach. Mort en 1943 à Bâle. XXe siècle. Suisse.
Peintre de paysages.
Musées : Bâle.
Ventes Publiques : Zurich, 16 mai 1980 : *Dent blanche, vallée des Haudères* 1911, h/t (75x110,5) : **SFRS 4 000.**

VIECHTER Ferdinand ou **Fiechter**
XVIIIe siècle. Actif à Vienne dans la première moitié du XVIIIe siècle. Autrichien.
Peintre.
Élève de l'Académie de Vienne. Fils de Franz Lorenz Viechter.

VIECHTER Franz Lorenz ou **Fiechter**
Né en 1664 à Munich. Mort le 17 avril 1716 à Vienne. XVIIe-XVIIIe siècles. Autrichien.
Peintre et aquafortiste.
Père de Ferdinand Viechter.

VIECHTER Johann Christoph ou **Fiechter**
Né en 1719 à Petronell. Mort en 1760 à Petronell. XVIIIe siècle. Autrichien.
Peintre d'architectures et de figures.
Musées : Sibiu : *Ours – Léopards.*

VIECO Maria Teresa
Née le 9 mars 1953 à Bogota. XXe siècle. Colombienne.
Peintre de figures. Expressionniste.
Elle est diplômée en architecture et de l'École nationale supérieure des Beaux-Arts.
Elle participe à des expositions collectives : 1984 Salon de Montrouge, 1985 Biennale de Paris. Elle montre ses œuvres dans des expositions personnelles : 1969 musée La Tertulia à Cali ; depuis 1968 régulièrement à Bogota notamment en 1985 au musée d'Art moderne.
Elle travaille par série, comme celle des *Guerriers*, des *Cavaliers*, dans des peintures violemment expressives, riches en couleurs et matières.
Bibliogr. : In : Catalogue de la Nouvelle Biennale, Paris, 1985.
Ventes Publiques : Paris, 28 oct. 1990 : *Ombres*, acryl./t. (81x100) : **FRF 3 000.**

VIEDEBANT A. Voir **VIDEBANT**

VIEGELMANN Siegfried
Né le 19 novembre 1803 à Hambourg. Mort le 16 février 1825 à Munich. XIXe siècle. Allemand.
Peintre de genre, portraitiste et lithographe.
Élève de S. D. Benedixen à Hambourg et de l'Académie de Munich. Le Cabinet d'Estampes de Dresde conserve de lui *Portrait de l'architecte F. G. Stamman.*

VIEGENER Eberhard
Né le 30 mai 1890 à Soest. Mort en 1967. XXe siècle. Allemand.
Peintre de genre, figures, natures mortes, graveur.
Il n'eut aucun maître. On a pu voir de ses œuvres à l'exposition *Nouvelle Objectivité/Réalisme magique* à la Kunsthalle de Kaserlautern en 1991.

Il fut d'abord impressionniste, puis pointilliste et expressionniste.
Musées : Berlin (Gal. Nat.) : *L'Aveugle* – Bochum : *Le Fumeur* – Dortmund (Mus. am Ostwall) : *Paysans* – *Cactus et cruche jaune* 1927 – Gelsenkirchen : *Tête d'enfant, avec bonnet rouge*.
Ventes Publiques : Cologne, 30 mars 1979 : *Nature morte* 1915, h/pan. (42x56) : **DEM 4 000** – Cologne, 10 déc. 1986 : *Cavalier* 1922, aquar. et gche (57,5x49) : **DEM 6 000** – Munich, 8 juin 1988 : *Ferme au Danemark*, h/cart. (58,5x79) : **DEM 4 400**.

VIEGERS Ben, ou **Bernard**
Né en 1886. Mort en 1947. xxe siècle. Hollandais.
Peintre de paysages animés typiques, paysages d'eau.
Ce peintre des aspects les plus typiques de Hollande n'est apparu que depuis 1989 dans les ventes publiques.
Ventes Publiques : Amsterdam, 19 sep. 1989 : *Gerbes de blé dans un champ près d'un village*, h/t (40,5x60) : **NLG 1 725** – Amsterdam, 5 juin 1990 : *Une forêt en hiver*, h/t (40,5x30,5) : **NLG 1 725** – New York, 16 oct. 1991 : *Le bac près de Vollenhove en Hollande*, h/t (57,5x78,7) : **USD 7 700** – Amsterdam, 24 sep. 1992 : *Vue d'un canal*, h/t (25x35,5) : **NLG 2 070** – Amsterdam, 28 oct. 1992 : *Fillette dans un jardin fleuri*, h/t (34x25) : **NLG 2 185** – Amsterdam, 21 avr. 1993 : *Barques amarrées à une jetée*, h/t (70,5x61,5) : **NLG 1 955** – Amsterdam, 14 sep. 1993 : *Barques de pêche amarrées dans le port de Volendam*, h/t (75x83) : **GBP 7 475** – Amsterdam, 8 fév. 1994 : *Fillette dans un verger*, h/t (45x60) : **NLG 3 220** – Amsterdam, 11 avr. 1995 : *Champ de tulipes à Hillegom*, h/t (50,5x60,5) : **NLG 4 720** – Amsterdam, 18 juin 1996 : *Bateaux amarrés le long d'un quai à La Haye*, h/t (40x60) : **NLG 4 600** – Amsterdam, 17-18 déc. 1996 : *Scène de marché*, h/t (22,5x37,5) : **NLG 4 484** – Amsterdam, 2 juil. 1997 : *Bateaux de pêche amarrés dans un port*, h/t (50x60) : **NLG 5 189**.

VIEHBECK Karl Ludwig Friedrich
Né en 1769. Mort le 18 janvier 1827 à Vienne. xviiie-xixe siècles. Autrichien.
Peintre de vues et aquarelliste.
Il peignit des vues et des paysages autrichiens.

VIEHLECHNER Christian
xviie siècle. Travaillant à Mittersil en 1656. Autrichien.
Sculpteur de crèches.

VIEILFAURE Robert, orthographe erronée. Voir **VIELFAURE**

VIEILH-VARENNE
Né au xviiie siècle à Paris. xviiie siècle. Français.
Dessinateur, peintre de paysages et graveur.
Élève de Vien. Il figura au Salon de 1793 à 1808.

VIEILLARD, père et fils
xviiie siècle. Français.
Peintres sur porcelaine.
Travaillant à Sèvres de 1752 à 1793, ils peignirent des paysages, des fleurs et des ornements à la Manufacture. La Collection Wallace à Londres conserve un cabaret de porcelaine de Sèvres bleu de roi et vert décoré d'enfants jouant.

VIEILLARD Anne Marie. Voir **FANET Anne Marie Vieillard,** Mme

VIEILLARD Émile Maurice
Né à la fin du xixe siècle au Havre-de-Grâce (Seine-Maritime). xixe-xxe siècles. Français.
Peintre.
Il exposa à Paris, au Salon des Artistes Français en 1895, et au Salon des Indépendants à partir de 1901.

VIEILLARD Fabien. Voir **LAUNAY**

VIEILLARD Lucien
Né le 24 décembre 1923 à Toulouse (Haute-Garonne). xxe siècle. Français.
Peintre. Naïf.
Il était huissier de justice. Il peint depuis 1966. Il participe au Salon International d'art naïf, à Paris.

VIEILLARD Roger
Né le 9 février 1907 au Mans (Sarthe). Mort le 15 décembre 1989 à Paris. xxe siècle. Français.
Graveur, illustrateur.
C'est à partir de 1933, après ses études universitaires de lettres et de droit, qu'il apprit la technique de la gravure au burin, dans l'atelier de l'artiste anglais William Stanley Hayter, et auprès de Joseph Hecht. Il fut élu membre de l'Institut, peu de temps avant sa mort.
Avant la guerre, il exposait à Paris au Salon des Surindépendants, et avec le groupe de la Jeune Gravure Contemporaine. Depuis, il a figuré au Salon de Mai, dont il fut membre du Comité et il fut sociétaire des Peintres graveurs français. Mais ce sont surtout ses expositions particulières, nombreuses à Paris, en Europe et en Amérique, notamment au Musée Boymans de Rotterdam, qui l'ont fait connaître, en 1972 à la Bibliothèque nationale à Paris.
Jusqu'en 1939, il donna une cinquantaine de planches : *Tour de Babel*, *L'Économie dirigée*, *L'Arbre du bien et du mal*. En 1941, il reprend son travail à Paris, et c'est : *Combat*, *Babylone*, *Jardins*, *La Cathédrale*. De nombreux Cabinets des Estampes dans des musées d'Europe et d'Amérique conservent de ses œuvres, mais un graveur ne peut espérer atteindre le public que si celui-ci force sa retraite et le meilleur moyen qui lui en est donné est encore le livre. Aussi Vieillard a-t-il illustré avec particulièrement de soin : *La Fable de Phaëton*, d'Ovide, *Les Jours pétrifiés* de Jean Tardieu, *Le Discours de la méthode* de Descartes, *L'Ecclésiaste*, *Le Banquet* de Platon et d'autres ouvrages. Il a mis au point un procédé d'impression unique sur stuc, qui permet des effets de relief. Actuellement, Vieillard a gravé environ trois cents planches, illustré une quinzaine de livres, réalisé un mur gravé à l'École normale de Troyes. Venu du surréalisme, Vieillard s'est créé un langage personnel, fait d'un fourmillement de points, de traits, de hachures, dans les multiples ressources du noir au blanc, qui semble témoigner de l'écriture de civilisations disparues.
Bibliogr. : Lydia Harambourg, in : *L'École de Paris 1945-1965. Diction. des Peintres*, Ides et Calendes, Neuchâtel, 1993.
Musées : Beauvais – Berne – Londres – New York – Paris (BN) – Rotterdam – São Paulo – Tokyo.

VIEILLE Jacques
Né en 1948 à Baden-Baden. xxe siècle. Actif en France. Allemand.
Sculpteur, auteur d'assemblages, d'installations.
Il vit et travaille à Clissé (Saône-et-Loire).
Il participe à des expositions collectives : 1982 Biennale de Sydney ; 1985 Nouvelle Biennale de Paris ; 1987 Documenta de Kassel ; 1988 Villa Arson à Nice ; 1989 Prospect 89 à la Kunsthalle de Francfort, Folkwang Museum d'Essen, ARC, musée d'Art moderne de la Ville de Paris. Il montre ses œuvres dans des expositions personnelles : 1980 école des beaux-arts de Mâcon ; 1981 Maison de la culture de Nevers ; 1982, 1989 Nouveau Musée de Villeurbanne ; 1983 Maison de la culture de Châlon-sur-Saône ; 1984 hôtel de ville de Villeurbanne, cloître de Sainte-Trophime à Arles, musée national d'Art moderne de Paris ; 1984, 1989 Le Consortium de Dijon ; 1985 fondation Miro à Barcelone ; 1987 La Criée à Rennes, musée de l'Abbaye Sainte-Croix aux Sables d'Olonne, Maison de la culture de Saint-Étienne, musée cantonal des beaux-arts de Sion ; 1988 musée historique de Strasbourg ; 1991 musée Ochier de Cluny.
À partir de matériaux pauvres, bois, branches, tables, pneus, auxquels il lui arrive d'associer des dessins, il réalise des pièces entre échafaudage et architecture, qui évoquent des murs, des colonnes. Il en appelle aux différents sens dans des œuvres hybrides, qui mêlent les matériaux, les genres (abstrait, illusionnisme) et les références (art antique et gothique, surréalisme et art conceptuel).
Bibliogr. : Catalogue de l'exposition : *Jacques Vieille ; L'Oiseau chante l'aube et le soir du monde*, Le Nouveau Musée, Villeurbanne, 1982 – Catalogue de l'exposition : *Jacques Vieille*, Le Coin du Miroir, Dijon, 1983 – Catalogue de la Nouvelle Biennale de Paris, 1985 – Catalogue de l'exposition : *Jacques Vieille*, Cahiers de l'Abbaye-Sainte-Croix, Les Sables d'Olonne, 1987 – Christian Bernard : *Jacques Vieille, un geste « absolument moderne »*, Art Press, Paris, 1989.
Musées : Dole (FRAC Franche-Comté) : *Porte-plan* 1993, 42 dess. sur calques – Paris (FNAC) : *Sans Titre* 1987.

VIEILLEVIE Gérard
Né le 16 novembre 1939. Mort durant l'été 1991 ou 1992. xxe siècle.
Peintre d'intérieurs, paysages, paysages urbains, peintre de cartons de mosaïques, peintre de cartons de tapisseries, sculpteur. Postimpressionniste.
Il fut élève de l'École nationale des arts décoratifs de Paris.
Il a participé à des expositions collectives à Paris : de 1978 à 1990 régulièrement au Salon d'Automne ; 1978, 1980, 1982, 1984, 1986, 1988, 1990 Salon du Dessin et de la Peinture à l'eau ; 1984,

1990 Salon des Indépendants. Il montre ses œuvres dans des expositions personnelles notamment en 1991 à la galerie Katia Granoff à Paris.
Il a peint de nombreuses vues de Venise, de la Côte d'Azur et de Paris, dans une touche impressionniste, privilégiant les couleurs vives, éclatantes. Ses toiles, d'une grande fraîcheur, disent le plaisir du quotidien et évoquent Bonnard.
Bibliogr. : Catalogue de l'exposition : *G. Vieillevie*, galerie Katia Granoff, Paris, 1991.

VIEILLEVOYE Josef Bartholomeus ou **Viellevoye Joseph Barthélémy**
Né le 4 février 1788 à Verviers. Mort le 30 juillet 1855 à Liège. XIXe siècle. Belge.
Peintre d'histoire, scènes de genre, figures, portraits.
Élève de l'Académie d'Anvers, il devint directeur de l'Académie de Liège.
Si ses tableaux d'histoire sont grandiloquents, ses portraits, représentations de baigneuses, scènes villageoises montrent des qualités d'un réalisme intimiste.

Bibliogr. : Gérald Schurr, in : *Les Petits Maîtres de la peinture 1820-1920, valeur de demain*, Les Éditions de l'Amateur, t. V, Paris, 1981.
Musées : Anvers : *Jan Lodewyk Bourceret* – Liège : *Botteresse agaçant un braconnier* – Deux esquisses – *Deux têtes de vieillards – Tête de vieille femme – Portrait de M. Van Orle père.*

VIEIRA Alvaro
XVIe siècle. Travaillant à Lisbonne de 1520 à 1531. Portugais.
Peintre.

VIEIRA Antonio
XVIIe siècle. Travaillant à Batalha de 1617 à 1659. Portugais.
Peintre verrier.

VIEIRA Décio
Né en 1922. Mort en 1988. XXe siècle. Brésilien.
Peintre.
Il fut membre du groupe Frente. Il a participé en 1960 à une exposition collective à Rio de Janeiro, avec notamment Hélio Oitica.
Il a travaillé dans l'esprit de l'art concret.
Bibliogr. : Damian Bayon, Roberto Pontual : *La Peinture de l'Amérique latine au XXe siècle*, Mengès, Paris, 1990.

VIEIRA Domingo Francisco
XVIIIe siècle. Portugais.
Paysagiste amateur.
Père de Francisco Vieira le Jeune.

VIEIRA Domingos
Né vers 1600. Mort avant le 15 octobre 1678. XVIIe siècle. Actif en Espagne. Portugais.
Peintre de compositions religieuses, portraits.
Établi à Lisbonne en 1643, il y fut nommé peintre de la Cour. Il travailla également à Madrid.
Il réalisa des peintures pour le palais du Buen Retiro à Madrid. Parmi ses œuvres, on mentionne surtout des portraits.
Bibliogr. : In : *Dictionnaire de la peinture espagnole et portugaise du Moyen Âge à nos jours*, coll. Essentiels, Larousse, Paris, 1989.
Musées : Lisbonne : *Portrait de Dona Isabel de Moura – Un magistrat* 1635.

VIEIRA Francisco, le Jeune, dit **O Portuense**
Né le 13 mars 1765 à Porto. Mort en 1806 ou 1805 à Madère. XVIIIe siècle. Portugais.
Peintre et graveur.
Fils de Domingo Francisco Vieira l'Ancien. Il alla faire ses études en Italie et dessina, particulièrement, d'après Correggio, Carracci et Parmigiano. Un certain nombre de ses dessins d'après ces maîtres furent gravés. Il alla ensuite en Angleterre et vécut chez Bartolozzi. On croit, et il y a tout lieu d'admettre cette hypothèse, qu'il travailla la gravure avec le célèbre Italien. Vieira exposa à la Royal Academy en 1789 et 1799. Il se maria à Londres et revint à Lisbonne où l'emploi de premier peintre du roi lui fut donné. On cite de lui des fresques au palais de Ajuda. L'Académie de Lisbonne conserve également un *Christ en Croix* de sa main.
Musées : Lisbonne : *Débarquement de Vasco de Gama aux Indes – Ambassade de Vasco de Gama – Combat entre Portugais et Indiens – Assomption – Portrait du graveur Fr. Bartolozzi* – Parme (Pina.) : *Paysages, avec Diane et des nymphes – Portrait de l'évêque A. Turchi et de l'architecte F. Martin y Lopez – Tête de vieillard.*

VIEIRA Gaspar
XVIe siècle. Travaillant à Lisbonne en 1577. Portugais.
Peintre.

VIEIRA Joao, ou **Joara**
Né en 1934 à Vidago (Tras-los-Montes). XXe siècle. Portugais.
Peintre. Abstrait.
Il fit un séjour de 1957 à 1961 à Paris, et à Londres. Membre du groupe KWY, il est professeur à l'École des Arts Décoratifs de Lisbonne, où il vit et travaille.
Il participe à des expositions de groupe, nationales et à l'étranger, à Paris, en Allemagne, etc. Il montre ses œuvres dans des expositions personnelles : 1962 galerie Diario de Noticias de Lisbonne.
Il introduit volontiers des formes de caractères d'imprimerie dans des compositions aux tonalités abstraites, harmonieuses et poétiques. Il réalise aussi des environnements, à partir de lettres réalisées en volume.
Bibliogr. : B. Dorival, sous la direction de... : *Peintres Contemporains*, Mazenod, Paris, 1964.

VIEIRA Manoel
XVIIIe siècle. Actif à Porto et à Lisbonne au milieu du XVIIIe siècle. Portugais.
Sculpteur sur bois.
Il sculpta des statues au-dessus des portails de l'église Estrella de Lisbonne.

VIEIRA Mary
Née en 1927 à São Paulo. XXe siècle. Active en Suisse. Brésilienne.
Sculpteur d'intégrations architecturales. Abstrait.
Elle fut élève de l'école des beaux-arts de Belo Horizonte, étudiant à la fois la peinture et la sculpture. À la suite d'une exposition de l'œuvre de Max Bill, qui eut lieu à São Paulo, en 1951, Mary Vieira se rendit à Zurich, où elle devint son élève. Elle vit et travaille à Bâle.
Ses œuvres s'inscrivent dans les prolongements de celles de Max Bill. Ses créations sont la matérialisation de formules mathématiques ou géométriques, remarquablement exécutées en aluminium ou en acier poli. Leur destination est de s'intégrer au paysage naturel, y créant une tension entre le délibéré et le spontané.
Bibliogr. : *Nouveau diction. de la sculpt. mod.*, Hazan, Paris, 1970.

VIEIRA Rodrigo
XVIe siècle. Travaillant à Lisbonne en 1565. Portugais.
Peintre.

VIEIRA Vasco José
XIXe siècle. Portugais.
Peintre.
Élève de P. de Carvalho. Il était actif à Lisbonne dans la première moitié du XIXe siècle.

VIEIRA DE MAGALHAES Loio-Perso
Né en 1927. XXe siècle. Brésilien.
Peintre. Abstrait.
Il abandonna la figuration pour l'abstraction à partir de 1955.
Bibliogr. : Damian Bayon, Roberto Pontual : *La Peinture de l'Amérique latine au XXe siècle*, Mengès, Paris, 1990.

VIEIRA DE MATTOS Francisco, l'Ancien, dit **O Lusitano**
Né le 4 octobre 1699 à Lisbonne. Mort le 13 août 1783 à Lisbonne. XVIIIe siècle. Portugais.
Peintre et graveur à l'eau-forte.
Il alla à Rome fort jeune dans la suite de l'Ambassadeur de Portugal et y fut élève de Trevisani. A peine âgé de seize ans, il revint dans son pays. Le roi Jean V lui fit plusieurs commandes et il dessina, notamment, l'effigie royale en vue de la frappe des monnaies. Il devint amoureux d'une jeune fille noble et, après de multiples aventures, il l'épousa à Rome. Rappelé au Portugal et toujours favorisé de la protection royale, il peignit un grand nombre d'ouvrages pour les églises et les couvents de Lisbonne ; certaines de ces peintures furent détruites par le terrible tremblement de terre qui désola la capitale du Portugal en 1755. La

même année, sa femme mourut. L'artiste inconsolable ne produisit plus aucun ouvrage et consacra le reste de sa vie à la pratique d'exercices religieux.
Musées : Lisbonne : *Saint Augustin – La Madone du Rosaire* – Porto : *Latone métamorphosant en grenouilles les habitants de Lycie – Le Christ et les apôtres à table à Emmaüs – Amour couronné de fleurs – L'Amitié – Fleurs dans un vase de cristal*, quatre fois – *Trois paysages – Conversation champêtre*.
Ventes Publiques : Paris, 1811 : *Deux allégories sacrées ; Allégorie mythologique*, trois dessins : **FRF 55**.

VIEIRA PORTUENSE. Voir **VIEIRA Francisco,** le Jeune

VIEIRA DA SILVA Maria Elena

Née le 13 juin 1908 à Lisbonne. Morte le 6 mars 1992 à Paris. XXe siècle. Depuis 1918 active et depuis 1956 naturalisée en France. Portugaise.

Peintre, peintre à la gouache, aquarelliste, peintre de décorations murales, cartons de tapisseries, graveur, illustratrice.

Maria Elena Vieira da Silva est née dans une famille aisée de Lisbonne : le grand-père avait été le fondateur du *Seculo*, le plus important journal de Lisbonne ; son propre père était un économiste, auteur de traités sur ce sujet, mais il mourut alors qu'elle n'était âgée que de deux ans. Elle fut ensuite adulée par sa mère et une tante, d'accord pour la destiner aux arts. Durant son enfance, elle fit de nombreux voyages avec sa famille, en France, Suisse, Angleterre. À cette époque, elle acquit également le goût de la musique, qui ne cessera de tenir un grand rôle dans sa vie. Elle commença à dessiner à onze ans, à aborder la sculpture à seize ans. À l'âge de vingt ans, elle arriva à Paris, où elle fut élève de Bourdelle et Despiau, à l'Académie de la Grande Chaumière. En cette même année 1928, elle visita l'Italie et y reçut la révélation de la peinture siennoise, à la suite de quoi l'année suivante elle s'inscrivit à l'Académie Scandinave de Paris, comme élève en peinture de Dufresne, Friesz, Waroquier, puis fréquenta l'Académie de Fernand Léger et l'atelier de gravure de William Hayter. En 1930, elle se maria avec le peintre d'origine hongroise, Arpad Szenes, qu'elle avait rencontré à l'Académie de la Grande Chaumière. Elle visita avec lui la Hongrie, la Transylvanie. En 1932, sans doute en vertu d'une certaine modestie perfectionniste, elle fréquenta encore l'atelier de Bissière à l'Académie Ranson. Ce fut peut-être par son intermédiaire qu'elle rencontra la célèbre marchande de l'époque, Jeanne Bucher. À la déclaration de la Seconde Guerre mondiale, Vieira da Silva et Szenes partirent pour Lisbonne, puis aussitôt pour le Brésil et, de 1940 à 1947, ils vécurent à Rio de Janeiro. Durant cette période, et Michel Seuphor est assez seul à relever ce fait, ils connurent Torrès-Garcia, fixé de nouveau à Montevideo depuis 1934, et dont l'influence, en tant que propagateur de l'abstraction, était déterminante en Amérique latine.

En 1946, elle avait été curieusement présentée dans la section brésilienne de l'exposition organisée par l'U.N.E.S.C.O. au Musée d'Art Moderne de Paris. Ensuite, elle devait prendre part à de nombreuses expositions de groupe, en France et dans le monde, mais avec une certaine réserve ; entre autres à Paris, aux Salons de Mai et des Réalités Nouvelles ; à la Biennale de Venise en 1950 et 1954 ; à la Biennale de São Paulo en 1953 ; à la Pittsburgh International Exhibition de la Fondation Carnegie en 1952, 1955, 1958 ; à la Kunsthalle de Bâle en 1954, etc.

Elle a montré ses œuvres dans des expositions personnelles : dès 1933 galerie Jeanne-Bucher à Paris où elle présentera régulièrement son travail de ses périodes successives, en 1937, 1951, 1960, 1963, 1967, 1970 (...) notamment ; 1947, 1949, 1951, 1955 galerie Pierre dirigé par Pierre Loeb, autre grand marchand-découvreur ; 1942 musée des Beaux-Arts de Rio de Janeiro ; 1950 galerie Blanche de Stockholm ; 1953 galerie Redfern à Londres ; 1953, 1961, 1963, 1966 New York ; 1955 Stedelijk Museum d'Amsterdam ; 1958 première rétrospective organisée par la Kestner Gesellschaft de Hanovre présentée ensuite à la Kunsthalle de Brême puis au Kunst und Museumverein de Wuppertal ; 1961 Kunsthalle de Mannheim ; 1963 musée Bezalel de Jérusalem ; 1964 musée de Peinture et de Sculpture de Grenoble, musée d'Art moderne de Turin ; 1969 Musée d'Art moderne de Paris ; 1971 musée Fabre de Montpellier ; 1973 musée des Beaux-Arts d'Orléans ; 1978 Nordjyllands Kunstmuseum d'Aalborg ; 1983 musée des Beaux-Arts de Bilbao ; 1988 fondation Calouste Gulbenkian à Lisbonne et Galeries nationales du Grand Palais à Paris. Depuis sa mort ont lieu des expositions rétrospectives posthumes, d'entre lesquelles : 1994 à Paris, galerie Jeanne-Bucher, et exposition de la donation *Vieira da Silva – Arpad Szenez* au Musée National d'Art Moderne ; à Lisbonne inauguration de la *Fondation Arpad Szenes – Vieira da Silva* ; etc. Vieira da Silva reçut le Premier Grand Prix de la Biennale de São Paulo, en 1961 ; puis, en 1966, le Grand Prix National des Arts. En 1988, elle fut nommée membre honoraire de la Royal Academy de Londres.

En 1931, s'était produit dans sa vie un événement en apparence sans importance, mais qui allait s'avérer déterminant dans la genèse de son œuvre : séjournant à Marseille avec son mari, elle y dessina, puis peignit le pont transbordeur (aujourd'hui disparu), qui joua pour elle, par ses structures architecturant l'espace, ses compartimentages, les morcellements du fond de mer et de ciel qu'il créait, un rôle de révélateur ; lui révélant bien sûr toute une architecture possible de l'espace – qui va fonder tout son œuvre futur – mais réveillant au passage des souvenirs anciens, porteurs des mêmes germes d'invention d'un espace pictural particulier, réveillant ses souvenirs enfouis des étagements de maisons dans les ruelles étroites de Lisbonne, réveillant le souvenir plus récent et de nature culturelle de la peinture siennoise construite en mosaïque de facettes colorées dans des petits cubes d'espace scénique. De cette époque datent, parmi d'autres, quelques peintures encore assez dispersées dans leurs intentions : un *Portrait d'Arpad Szenes*, son mari, et une *Scala*, importante en ce qu'y apparaît le thème du théâtre, un des lieux qui privilégient le plus et schématisent l'espace. En 1936, Vieira da Silva eut la commande d'une décoration murale à Lisbonne, puis d'une autre pour l'Université de Rio de Janeiro. La période de 1940 à 1947, au Brésil, fut décisive dans l'épanouissement de son langage pictural, bien que les thèmes des peintures y aient encore entretenu des rapports anecdotiques avec la réalité, alors que ces rapports ne seront bientôt plus que d'essence poétique, ainsi dans trois grandes compositions : *L'Atelier, La Forêt des Erreurs*, le *Joueur d'échecs*. Ces trois peintures sont capitales dans l'élaboration du vocabulaire de Vieira da Silva. Si, jusque-là, lignes et entrelacs de lignes constituaient la trame de ce filet aux mailles duquel elle piégeait les parfums et les goûts de la réalité sensible, c'est à partir de ce moment que ce tramage linéaire tend à se systématiser en damiers, qui vont devenir si caractéristiques du style de Vieira da Silva et au sujet desquels elle s'est clairement expliquée, ce qui ne manque pas de donner des indications rares sur son art poétique personnel : « Le travail matériel dans la peinture n'est pas ce qui est le plus long... Mais ces heures d'attente ! Le regard va de proche en proche, rien ! Nulle réponse !...C'est pour cela qu'à une certaine époque je me suis mise à faire, comme on dit, des *petits carreaux*, mille petites choses m'entraînaient. J'avais toujours un trait à ajouter, un vide à remplir sur la toile. » En 1961, elle a exécuté vingt-cinq gravures au burin pour les poèmes *Inclémence Lointaine* de René Char.

Certaines études qui lui sont consacrées tentent d'établir la chronologie des thèmes au long de l'œuvre. Une telle chronologie, d'autant que structurant le catalogue de l'œuvre, est d'un intérêt évident, cependant trop complexe pour trouver place dans une notice succincte, telle celle-ci, d'autant que les thèmes ne sont plus de longtemps que les supports occasionnels, et d'une importance secondaire, du langage poétique qui, lui, se cherche et se poursuit identique au long des œuvres. Ce langage poétique, il a été tant de fois évoqué fort bien qu'il convient mieux de citer plutôt que de répéter, par exemple, Philippe Sers : « Ses tableaux nous parlent d'une sorte d'architecture fantastique, entretenue dans un brouillard qui supprime toute référence à la réalité ; galeries minières, ponts suspendus, rocailles habitées aux alvéoles innombrables, sinuosité des rues des villes, la nuit... La caractéristique essentielle de ce spectacle est qu'il est habitable. La perspective elle-même des constructions de Vieira da Silva semble une invite. On entre dans un labyrinthe... » ; de l'auteur de la présente notice, dès 1955, dans la précédente édition : « La première réaction que l'on ressent à la vue de ses peintures, est d'y entrer et circuler... On ne peut s'empêcher d'objectiver ces entrelacs de lignes innombrables, déterminant des surfaces comme carrelées et des espaces très encombrés, comme une succession interminable d'immenses salles sonores et vides de toute présence humaine, mais traversées d'échelles, de paravents, de cordages, de tentures, comme les combles d'un théâtre. Parfois, on ose y reconnaître les grues, les rails, les mâts d'un port qui ne pourrait être que les docks de Londres, ou bien les échafaudages d'un immense chantier de construction » ; de Jean-Jacques Lévêque : « Ainsi toute l'œuvre de Vieira da Silva

est-elle placée sous le signe du labyrinthe. La ville, les bibliothèques, les murs, les champs de pierres, les perspectives, les gares mêmes, thèmes propres à sa peinture, sont des aspects de ces labyrinthes qu'elle explore inlassablement. En fait, chez elle, les lieux sont hybrides, mixtes, ils passent aisément de l'aérien à l'abyssal, du géologique et sédimentaire au fusant... » Du pont transbordeur de Marseille au métro aérien de Paris, des ruelles désordonnées de Lisbonne et des souvenirs d'enfance d'une maison familière quittée pour une nouvelle inconnue, des carreaux « azulejos » des fraîches pièces dans les demeures portugaises aux carrelages brûlants des *Terrasses au soleil*, de gares en bibliothèques, Maria Elena Vieira da Silva n'a jamais retenu de la réalité que ce qui pouvait le plus ressembler aux portants vacants d'une scène de théâtre, auxquels, au gré de ses humeurs, sereines ou nostalgiques, accrocher les oripeaux aux couleurs de ses rêves du moment.
Vieira da Silva, l'un des peintres importants de sa génération, donne cette rare leçon dans son temps de s'y voir consacrée sans avoir prétendu à aucun rôle novateur. Conséquence directe des œuvres de Cézanne, de Klee, de Bissière et de quelques autres influences, sa peinture, au-delà d'une apparence formelle discrète à tous points de vue, fonde ouvertement son existence sur son contenu poétique. ■ Jacques Busse

Bibliogr. : Pierre Descargues : *Vieira da Silva*, Les Presses Littéraires de France, Paris, 1949 – Michel Seuphor : *Promenade autour de Vieira da Silva*, Cahiers d'Art, Paris, nº 2, 1949 – Jean Grenier : *Vieira da Silva*, L'Œil, Paris, février 1956 – Pierre Gueguen : *Vieira da Silva*, xxe siècle, Paris, juin 1956 – Michel Seuphor : *Diction. de la peint. abstr.*, Hazan, Paris, 1957 – René de Solier : *Vieira da Silva*, Musée de Poche, Paris, 1958 – Jean Grenier : *Essais sur la peinture contemporaine*, Gallimard, Paris, 1959 – Guy Weelen : *Vieira da Silva*, Hazan, Paris, 1960 – Michel Ragon : *Vingt-cinq ans d'art vivant*, Casterman, Paris, 1969 – Catalogue de l'exposition rétrospective *Vieira da Silva*, Mus. Nat. d'Art Mod., Paris, 1969 – Dora Vallier : *Vieira da Silva*, Weber, Paris, 1971 – Catalogue de l'exposition : *Vieira da Silva*, Mus. d'Orléans, 1973 – Catalogue de l'exposition : *Vieira da Silva : peintures et tempera*, Mus. d'Art mod. de la Ville, Paris, 1977 – Guy Weelen : *Vieira da Silva. Les Estampes 1929-1976*, Yves Rivière & Arts et Métiers Graphiques, Paris, 1977 – Bernard Noël, in : *L'Espace en demeure : Louise Nevelson, Vieira da Silva, Abakanowicz. Le Dehors mental*, Galerie Jeanne-Bucher, Paris, 1978 – Michel Butor : *Vieira da Silva. Peintures*, coll. L'Autre Musée, La Différence, Paris, 1983 – Claude Roy : *Vieira da Silva*, Ars Mundi, Paris, 1988 – Catalogue de l'exposition *Vieira da Silva*, Skira, Genève, Centre national des Arts Plastiques, Paris, 1988 – Catalogue de l'exposition : *Vieira da Silva, Arpad Szenes*, Casa de Serralves, Porto, 1989 – Elisabeth Lebovici, Daniel Soutif : *Vieira da Silva, la dame de carreaux*, Libération, Paris, 7-8 mars 1992 – Lydia Harambourg, in : *L'École de Paris 1945-1965. Diction. des Peintres*, Ides et Calendes, Neuchâtel, 1993 – Guy Weelen, Jean-François Jaeger, Jean-Luc Daval, Diane Daval-Béran, Virginie Duval : *Vieira da Silva – Monographie*, et *Vieira da Silva – Catalogue raisonné*, Skira, Genève, 1994.

Musées : Colmar (Mus. d'Unterlinden) : *Le Théâtre de Gérard Philippe* 1975 – Dijon (Mus. des Beaux-Arts) : *Villas des Camélias* 1932 – *Cortège* 1934 – *Urbi et Orbi* 1963-1972 – Grenoble (Mus. de Sculpture et de Peinture) : *Les Tours* 1953 – Lille (Mus. des Beaux-Arts) : *L'Écluse glacée* 1953 – Lisbonne (Fond. Arpad Szenes-Vieira da Silva) : *Le Satellite* 1955, encre et gche – Marseille (Mus. Cantini) : *Le Satellite* 1955, dess. – Metz : *Charmilles* 1975 – Montauban (Mus. Ingres) : *La Montagne magique* 1979 – New York (Solomon R. Guggenheim Mus.) : *Aix-en-Provence* 1958 – Paris (FNAC) : *Dialogue* 1984-1988 – *Silence* 1984-1988 – Paris (Mus. Nat. d'Art mod.) : *Les Tisserands* 1936-1948 – *Les Lignes* 1936 – *La Machine optique* 1937 – *Le Désastre* 1942 – *La Partie d'échecs* 1943 – *Le Calvaire* 1947 – *La Bibliothèque* 1949 – *Gare Saint-Lazare* 1949 – *Jardins suspendus* 1955 – *Stèle* 1964 – *La Bibliothèque* 1966 – *Le Sommeil* 1969 – *Les Indes noires* 1974 – *La Voie de la sagesse* 1990 – Reims (Mus. des Beaux-Arts) : *Les Thermes*, temp. – *Le Carré* 1973 – Rouen (Mus. des Beaux-Arts) : *Rouen* 1966 – *Rouen II*.

Ventes Publiques : Paris, 25 mai 1955 : *Le Port* : **FRF 50 000** – Stuttgart, 21 nov. 1959 : *Partie de ville dans le Sud*, aquar. et gche : **DEM 5 400** – Paris, 23 juin 1961 : *Composition* 1957, gche : **FRF 10 500** – Stuttgart, 3-4 mai 1962 : *Le Métro aérien* : **DEM 85 000** – Milan, 21-23 nov. 1962 : *Composition*, gche : **ITL 1 050 000** – Genève, 23 mai 1964 : *Composition* : **CHF 30 000** – Paris, 30 juin 1964 : *Composition*, gche : **FRF 13 000** – Londres, 22 juin 1965 : *Composition, bataille des rouges et des bleus* : **GBP 6 000** – Londres, 30 juin 1966 : *Composition*, gche : **GBP 600** – Londres, 7 déc. 1966 : *Le Ballet* : **GBP 1 200** – Paris, 24 mai 1967 : *Villeneuve* : **FRF 39 000** – Genève, 10 juin 1967 : *Composition*, gche : **CHF 10 000** – Paris, 27 juin 1968 : *Paysage* : **FRF 36 000** – Paris, 1er déc. 1969 : *Composition* : **FRF 68 000** – Paris, 5 déc. 1969 : *Composition*, gche : **FRF 24 100** – Paris, 9 juin 1970 : *Les Irrésolutions résolues*, temp., lav. et fus. : **FRF 27 000** – Londres, 2 déc. 1970 : *Perspectives urbaines* : **GBP 14 000** – Genève, 2 nov. 1971 : *Composition* : **CHF 70 000** – Paris, 2 mars 1972 : *Composition*, aquar. et gche : **FRF 24 000** – Genève, 2 mars 1973 : *Composition* 1952 : **CHF 84 500** – Genève, 29 juin 1973 : *Intrusion* 1971, temp. : **CHF 72 000** – Londres, 3 avr. 1974 : *Composition* 1955 : **GBP 21 000** – Londres, 4 déc. 1974 : *Aréage* 1966, gche : **GBP 5 000** – Paris, 4 mai 1976 : *Ville arborescente*, aquar. (21x49) : **FRF 12 000** – Paris, 25 mai 1976 : *Composition bleue* 1949, h/t (65x100) : **FRF 95 000** – Zurich, 21 mai 1977 : *Les maisons* 1956, gche (64x50) : **CHF 16 000** – Londres, 28 juin 1977 : *Les carreaux de Delft* 1948, h/pan. (72,5x91,5) : **GBP 9 500** – Paris, 7 déc 1979 : *Femmes au travail* vers 1942, encre (21,5x41) : **FRF 7 000** – Londres, 5 avr 1979 : *Perspective bleue* 1952, aquar./pap. mar./t. (33,5x44) : **GBP 2 780** – Zurich, 25 mai 1979 : *Le paysage de Ruum* 1973, pap. mar./t. (80x100) : **CHF 28 000** – Paris, 9 déc. 1981 : *Composition au damier* 1946, cr. et aquar. (26x29) : **FRF 8 200** – Paris, 25 juin 1981 : *Arènes* 1950, gche/pap./mar./t. (50x65) : **FRF 41 000** – Rio de Janeiro, 8 nov. 1982 : *Fleurs et figure féminine* 1944-45, h/t (41x24) : **BRL 2 290 000** – Paris, 31 mai 1983 : *Wind one* 1963, temp. (94x63,5) : **FRF 155 000** – New York, 16 nov. 1983 : *La Ville* 1955, h/t (99x81,3) : **USD 28 000** – Göteborg, 7 nov. 1984 : *Vue d'une ville* 1946, cr. et collage (25x23) : **SEK 20 500** – Paris, 22 mars 1985 : *Les offices* 1978, temp./t. (82,5x57,5) : **FRF 150 000** – Londres, 4 déc. 1986 : *Sans titre* 1954, h/t (60x73) : **GBP 35 000** – Londres, 3 déc. 1987 : *Composition, le rêve* 1949, h/t (127x147,5) : **GBP 225 000** – Paris, 23 juin 1988 : *Composition* 1947, h/t (27,22) : **FRF 305 000** – Paris, 24 juin 1988 : *Loaf* 1979, temp. (14,7x16,8) : **FRF 28 000** – Londres, 30 juin 1988 : *Sans titre* 1957, h/t (54x65) : **GBP 74 800** – Paris, 22 nov. 1988 : *Composition*, gche (13x13) : **FRF 62 000** – Londres, 1er déc. 1988 : *La centrale électrique* 1970, h/t (162,5x130) : **GBP 187 000** – Londres, 23 fév. 1989 : *Sans titre* 1949, détrempe/t./cart. (28x38) : **GBP 55 000** – Londres, 29 juin 1989 : *Composition*, aquar./pap. (27,5x15) : **GBP 11 000** – Paris, 26 sep. 1989 : *Ailleurs III* 1947, h/t (31x47) : **FRF 500 000** – Paris, 8 oct. 1989 : *Le Monte-charge* 1960, h/t (33x22) : **FRF 450 000** – Paris, 11 oct. 1989 : *Composition bleue* 1977, aquar./pap. (34x49) : **FRF 340 000** – Londres, 26 oct. 1989 : *Contre nuit* 1972, détrempe/pap. (65,5x65,5) : **GBP 38 500** – New York, 15 nov. 1989 : *Essonne* 1961, h/t (73x116,2) : **USD 165 000** – Paris, 21 nov. 1989 : *Composition*, gche (20x25) : **FRF 112 000** – Paris, 15 déc. 1989 : *Le Temple de Diane*, peint./t. (72x91) : **FRF 2 560 000** – Milan, 19 déc. 1989 : *Paysage* 1950, h/t (46x33) : **ITL 390 000 000** – Londres, 22 fév. 1990 : *Les ponts* 1979, temp./pap. (92x58) : **USD 85 800** – Paris, 4 fév. 1990 : *Invasion* 1969, gche/pap. (52x67) : **FRF 536 000** – Paris, 29 mars 1990 : *Composition-ville* 1947, h/t (27x22) : **FRF 1 150 000** – New York, 9 mai 1990 : *Composition*, gche/pap. (68x33) : **USD 60 500** – New York, 16 mai 1990 : *Composition* 1958, h/t (88,9x116,2) : **USD 286 000** – Londres, 28 juin 1990 : *Souterrain*, h. et cr./t. (81x100) : **GBP 495 000** – Douai, 11 nov. 1990 : *Composition*, encre (14x10) : **FRF 120 000** – Londres, 6 déc. 1990 : *Les Funiculaires* 1964, temp./pap. (67,4x67) : **GBP 30 800** – Amsterdam, 12 déc. 1990 : *Violet* 1968, h/t (35x27) : **NLG 74 750** – New York, 14 fév. 1991 : *Composition*, h/t (16,2x21,9) : **USD 19 800** – New York, 1er mai 1991 : *Port* 1956, h/t (50x61) : **USD 93 500** – Londres, 27 juin 1991 : *Voyage d'hiver* 1961, h/t (162x162) : **GBP 132 000** – Paris, 24 oct. 1991 : *Cité lacustre* 1977, h/t (55x46) : **FRF 370 000** – Paris, 30 nov. 1991 : *Ville* 1978, gche (37x55) : **FRF 145 000** – Amsterdam, 11 déc. 1991 : *Composition abstraite*, aquar./pap. (23x17,5) : **NLG 29 900** – Milan, 19 déc. 1991 : *Sans titre* 1956, gche/cart. (70x70) : **ITL 85 000 000** – Paris, 16 fév. 1992 : *Composition* 1956, gche/pap. (31,5x24,5) : **FRF 160 000** – Londres, 26 mars 1992 : *Composition* 1948, h/t (54x74,5) : **GBP 104 500** – Versailles, 29 mars 1992 : *Composition 1953*, h/t (46x55) : **FRF 355 000** –

Londres, 3 déc. 1992 : *Les Tours de verre* 1952, h/t (60x73,5) : **GBP 63 800** – Paris, 11 déc. 1992 : *Le Cerf-volant* 1950, peint./t. (24x42) : **FRF 172 000** – New York, 13 mai 1993 : *L'entrée* 1961, temp./pap./cart. (70,5x71,1) : **USD 68 500** – Paris, 18 juin 1993 : *La Fête* 1976, temp./pap. (67,5x35) : **FRF 210 000** – Londres, 30 nov. 1993 : *Pervenche* 1959, h/t (81x100) : **GBP 73 000** – Versailles, 19 déc. 1993 : *Composition 1969*, temp./pap. (51x67) : **FRF 162 100** – Londres, 30 juin 1994 : *Les carreaux de Delft* 1948, h/pan. (73x92) : **GBP 177 500** – Paris, 23 nov. 1994 : *Demeure* 1951, h/t (54x65) : **FRF 370 000** – Londres, 29 nov. 1995 : *Sans titre* 1950, h/t (60x73) : **GBP 183 000** – Paris, 7 déc. 1995 : *Sans titre* 1964, h/t (22x35) : **FRF 170 000** – New York, 9 mai 1996 : *Le Théâtre* 1963, temp./pap. (66,7x66,7) : **USD 43 125** – Paris, 14 oct. 1996 : *Rue* 1955, h/t (41x24) : **FRF 180 000** – Paris, 24 nov. 1996 : *La Porte étroite* 1985, gche/pap. (47,5x38,5) : **FRF 45 000** – Paris, 29 nov. 1996 : *Composition*, aquar. et encre/pap. (11x13) : **FRF 17 200** – Londres, 5 déc. 1996 : *Ruines* 1955, h/t (130x162) : **GBP 111 500** – Londres, 29 mai 1997 : *L'Homme de la Nuit* 1954, bronze (16x17x7) : **GBP 21 850** ; *Composition noire* 1951, h./hessian (60x73) : **GBP 67 500** – Paris, 18 juin 1997 : *Paris la nuit* 1951, h/t (54x73) : **FRF 850 000** – Londres, 25 juin 1997 : *Nocturne (Ville dans la nuit)* 1950, h/t (60x81) : **GBP 87 300** – Paris, 27 juin 1997 : *Loin d'ici* 1958, h/t (16x24) : **FRF 78 000** – Londres, 23 oct. 1997 : *Paysage de neige* 1958, h/t (65x92) : **GBP 67 500**.

VIEIRA SERRAO Domingos. Voir **SERRAO Domingos Vieira**

VIEJOU Reinier

Né en 1828. Mort en 1894. XIXe siècle. Actif à La Haye. Hollandais.

Peintre amateur.

Le Musée Municipal de La Haye conserve de lui *La Cour intérieure à La Haye*.

VIEL Gérard

Né en 1926. XXe siècle. Français.

Peintre de paysages. Néo-impressionniste.

Il travaille d'abord comme clown dans un cirque. En 1951, il voit des œuvres de Henri Edmond Cross et décide de peindre, adoptant d'emblée la technique pointilliste. Viel cherche à rendre optiquement la couleur plus intense qu'elle ne l'est en réalité. Il est surtout fasciné par tout ce qui scintille et dit lui-même aimer le clinquant.

VIEL Pierre

Né en 1755 à Paris. Mort en 1810. XVIIIe-XIXe siècles. Français.

Graveur.

Élève de M. B. L. Prévost. Il figura au Salon de 1793 à 1800. Il a gravé des paysages et des sujets d'histoire.

VIEL-CASTEL Horace de, comte

Né en 1798. Mort en 1864. XIXe siècle. Français.

Caricaturiste.

Il fut collaborateur de plusieurs revues.

VIEL-CASTEL Jean Marie Ulric de Salviac de, comte

Né à Périgueux (Dordogne). XIXe siècle. Français.

Peintre.

Élève de Hippolyte Lazerges. Il figura au Salon de Paris, à partir de 1876.

VIELCAZAL Charles Louis

Né le 25 septembre 1825 à Paris. Mort en 1892 à Paris. XIXe siècle. Français.

Peintre de genre et de chevaux.

Élève de Léon Cogniet. Il débuta au Salon de 1848. Bien qu'il ait été surtout peintre de genre, on cite de lui des sujets d'histoire, des paysages, des natures mortes, etc.

VIELFAURE Jean-Pierre

Né le 6 juin 1930 à Alger. XXe siècle. Français.

Peintre, peintre à la gouache, graveur, lithographe, illustrateur, auteur de livres d'artiste. Abstrait.

Il a commencé à exposer avec le groupe postsurréaliste « Phases », à partir de 1959. Il continua de participer aux expositions du groupe jusqu'en 1965, adhérant ensuite au groupe « Inter » et participant désormais aux manifestations de ce groupe. Il participe aussi à diverses expositions collectives et à plusieurs Salons, parmi lesquels : 1961, IVe Biennale de Conche ; à partir de 1961, Salon Comparaisons ; 1962, IIe Biennale des Jeunes, Paris ; 1962, *École de Paris*, Galerie Charpentier, Paris ; très nombreux groupes de créateurs de livres d'artiste ; etc. Depuis 1960, il a montré déjà de nombreuses expositions personnelles de ses œuvres, notamment à Bruxelles, Paris, Copenhague, Londres, Stockholm, dont : 1991 Paris, galerie Véronique-Smagghe ; et galerie Erval, *Quand la Banquise devient Opéra* ; 1995 Paris, galerie Claudine-Lustman, *Les dernières pages du journal de Pierre Loti, ou la Rencontre du Titanic et du radeau de la Méduse* ; etc.

Il a illustré de nombreux ouvrages, entre autres pour des recueils de poèmes de J. Lacomblez, Marc Verhaverbeke, Christian Noorbergen ; il a donné des illustrations pour *Le voir dit* de Jean-Clarence Lambert ; il crée de nombreux livres d'artiste en exemplaires uniques ou très limités. D'une fécondité remarquable, il pratique une abstraction extrêmement colorée, d'une profusion décorative qu'on dirait orientale, une abstraction « narrative » porteuse d'éléments et signes symboliques suggérant la rencontre de personnages historiques, littéraires ou mythiques.

Bibliogr. : Claude Bouyeure : *Quand la Banquise « rejoint » l'Opéra*, in : L'Œil, n° 436, Paris, nov. 1991 – Présentation de l'exposition *Jean-Pierre Vielfaure. Les dernières pages du journal de Pierre Loti, ou la rencontre du Titanic et du radeau de la Méduse*, gal. Claudine Lustman, Paris, 1995, bonne documentation.

Musées : Alger (Mus. Nat.) – Bruxelles (Mus. d'Art Mod.) – Oxford – Paris (Mus. d'Art Mod.) – Saint-Étienne (Mus. d'Art et d'Industrie) – São Paulo.

VIELFAURE Robert

Né en 1910 à Villeurbanne (Rhône). XXe siècle. Français.

Peintre.

Pratiquant une abstraction d'ordre et de mesure, il a figuré, à Paris après 1945, au Salon de Mai et, plus régulièrement, au Salon des Réalités Nouvelles.

VIELLAERT Germain ou **Wieliaert**

XVe siècle. Actif à Bruges. Éc. flamande.

Enlumineur.

Il devint membre de la gilde de Bruges en 1470.

VIELLE Christiane

Née le 6 novembre 1950 à Saint-Raphaël (Var). XXe siècle.

Graveur, illustratrice.

Elle fut élève de Yves Heude en gravure à l'École des Arts Décoratifs de Paris. Elle participe à divers Salons et expose individuellement à Paris et Madrid. En 1989, elle faisait partie, à la galerie Michèle-Broutta de Paris, de l'exposition des dix jeunes graveurs sélectionnés en vue du Prix de la Fondation Grav'X.

Elle a illustré *Pierres* de Roger Caillois.

VIELLEVOYE Josef Bartholomeus. Voir **VIEILLEVOYE**

VIELMO Bergamasco. Voir **BERGAMASCO Guglielmo** ou **Vielmo**

VIELSTICH Johann Christoph

Né en 1722 à Brunswick. Mort le 12 janvier 1800. XVIIIe siècle. Allemand.

Peintre sur faïence et faïencier.

Les Musées des Beaux-Arts de Brême, de Hambourg et de Hanovre, conservent des œuvres de cet artiste.

VIEN Alphonse Jean Baptiste

Né en 1814 à Aix-en-Provence (Bouches-du-Rhône). XIXe siècle. Français.

Graveur sur bois et au burin.

Parent du comte Joseph Marie Vien. Il fut élève de Porret et surtout de Brévière. Il travailla à Marseille et y exécuta de nombreux blocs pour l'impression des papiers peints. En 1837, il fit et grava quelques vignettes. Il trouva le moyen d'obtenir sur bois l'impression des clichés photographiques, procédé qui lui valut une récompense en 1874 et dont il usa pour la gravure sur bois. Il exposa au Salon en 1869 et en 1870.

VIEN Joseph Marie, l'Aîné

Né le 18 juin 1716 à Montpellier. Mort le 27 mars 1809 à Paris. XVIIIe siècle. Français.

Peintre d'histoire, compositions religieuses, sujets mythologiques, sujets allégoriques, portraits, décorateur, graveur à l'eau-forte.

Après avoir commencé ses études dans sa ville natale, sous les conseils de Giral, il vint à Paris, entra à l'École de l'Académie Royale et y fut élève de Natoire et Parrocel. Durant cette part de ses études, il dut pour vivre travailler pour un marchand de peinture. Il obtint une première médaille en 1742 et l'année suivante il fut envoyé à l'École de Rome. Il y demeura cinq ans. C'était un acharné travailleur, et indépendamment de ses études acadé-

miques, de ses copies d'après les maîtres anciens, il exécuta plusieurs peintures pour des églises de Rome, dessina des costumes, des chariots triomphaux pour des mascarades. Ces multiples besognes lui procurèrent les moyens de prolonger son séjour en Italie au délai de la subvention royale et il ne revint en France qu'en 1750. Il fit de courts séjours à Marseille et à Tarascon.
Vien apportait à Paris une conception très différente de celle alors régnante à l'Académie de Peinture et de Sculpture. Réagissant contre l'afféterie des imitateurs de Pietro da Cartona, de Francesco Albano et des artistes de la décadence bolonaise, il avait repris l'étude austère des Antiques et des grands maîtres de la Renaissance. Vien fut d'abord assez mal accueilli par les académiciens, et il ne fallut rien moins qu'une vigoureuse intervention de François Boucher pour le faire admettre dans le nombre de ces messieurs. Il fut reçu académicien le 30 mars 1754 sur *Dédale et Icare* Une réaction se produisit en sa faveur ; ce fut l'homme nouveau, le peintre à la mode. Les meilleurs élèves se groupèrent sous sa direction. Parmi ces aspirants artistes, trois devaient se faire un nom important : Suvée, Vincent et surtout Louis David, qui fut le véritable disciple, le continuateur de Vien dans la définition du style néoclassique. La réputation de Vien ne tarda pas à rayonner à travers l'Europe ; le roi de Danemark, l'impératrice de Russie lui firent en vain des offres fort honorables pour l'appeler à leur cour. En 1775, il fut nommé directeur de l'Académie de Rome, en remplacement de Natoire dont la direction mesquine et despotique avait considérablement diminué l'éclat. Vien entra en réformateur dans ce grand établissement artistique et sa correspondance avec l'intendant général du Bâtiment du roi place son prédécesseur sous un jour plutôt fâcheux. Son administration se prolongea jusqu'en 1782 et, lorsque après un court séjour à Naples, il revint à Paris, le roi lui marqua sa satisfaction en lui octroyant une pension. La Révolution l'obligea à reprendre ses pinceaux, mais ces moments difficiles furent largement compensés par la faveur impériale. Vien, reçu des premiers membres de l'Institut, fut créé comte, nommé sénateur, puis commandeur de la Légion d'honneur par Napoléon. A sa mort, il obtint les honneurs du Panthéon. Il peignit jusqu'à l'âge de quatre-vingt-huit ans, et a gravé à l'eau-forte une trentaine de planches.

J.V.J.V   jos. m. Vien 1766.

Bibliogr. : Thomas W. Gaehtengs, Jacques Lugand : *Joseph Marie Vien : peintre du roi, 1716-1809*, Arthéna, Paris, 1988.
Musées : Abbeville : *Édifice s'écroulant sur deux femmes* – Aix : *Continence de Scipion* – Alais : *Sacrifice de l'amour* – Alger : *Départ de Priam après la mort d'Hector* – Amiens : *Marc-Aurèle fait distribuer au peuple des aliments et des médicaments dans un temps de famine et de peste* – *Sacrifice à l'hymen* – Angers : *Retour de Priam avec le corps d'Hector* – *Briséis emmenée de la tente d'Achille* – *Le peintre David, adolescent* – Avignon : Esquisse – Béziers : *Samson après la bataille de Leschi* – *Lansquenet* – Bordeaux : *Circoncision* – Brest : *La famille Bergeret* – *Mme de Treverret* – Douai : *Moïse et les tables de la loi* – Épinal : *Adieux d'Hector et d'Andromaque* – La Fère : *Saint Jérôme* – Grenoble : *Enlèvement de Proserpine* – Le Havre : *Loth et ses filles* – Langres : *Apothéose de Winckelmann* – Marseille : *Jésus guérit le paralytique* – *Jésus guérit le fils du centurion de Capharnaum* – Montpellier : *Saint Grégoire le Grand* – *Vieillard endormi* – *Saint Jean Baptiste dans le désert* – Moscou (Mus. Pouchkine) : *La charité romaine* – Nancy : *La Religion* – Nantes : *Suzanne et les deux vieillards* – Narbonne : *Tête de vieillard* – *Vieillard en habit rouge* – Nice : Étude – Orléans : *Tête d'ermite endormi* – *Le Christ et les disciples d'Emmaüs* – *Résurrection du Christ* – Paris (Mus. du Louvre) : *Saint Germain, évêque d'Auxerre et saint Vincent, diacre de l'église de Sarragosse* – *L'ermite endormi* – Reims : *Anachorète endormi* – La Rochelle : *Saint Paul prêchant* – Rouen : *Visite de la Vierge à sainte Élisabeth* – *Prélat invoquant la Vierge* – *Colère d'Achille* – *Tête de vieillard* – Troyes : *Corinne distribuant des couronnes à la porte du temple* – Versailles (Trianon) : *Saint Louis et Marguerite de Provence visitant saint Thibault.*
Ventes Publiques : Paris, 1772 : *Femme nue sortant du bain* : **FRF 2 050** – Paris, 1862 : *Sujet mythologique* : **FRF 2 800** – Paris, 1889 : *Sujet religieux* : **FRF 1 480** – Paris, 1899 : *L'oiseau apprivoisé* : **FRF 920** – Bruxelles, 12 et 13 juil. 1905 : *Portrait d'un gentilhomme* : **FRF 210** – Paris, 14 déc. 1908 : *Jeune fille dans un parc* : **FRF 2 555** – Paris, 20 et 21 juin 1921 : *La Poésie* : **FRF 600** – Paris, 4 avr. 1924 : *Académie d'homme*, sanguine, reh. : **FRF 800** – Paris, 30 mars 1925 : *La cascade de Tivoli*, pierre noire, reh. de blanc : **FRF 1 605** – Paris, 17 fév. 1936 : *Le Printemps* : **FRF 10 100** ; *L'Été* : **FRF 6 300** ; *L'Automne* : **FRF 6 600** ; *L'Hiver* : **FRF 6 300** – Paris, 14 mars 1945 : *Jeune femme nue étendue sur un lit* 1772 : **FRF 78 000** – Paris, 4 déc. 1963 : *La jeune Grecque* : **FRF 7 500** – Paris, 15 mars 1973 : *Inauguration de la place Louis XV, le 20 juin 1763* : **FRF 30 000** – Versailles, 13 fév. 1977 : *Le sacrifice à l'Amour*, h/t (91x95) : **FRF 50 600** – Monte-Carlo, 11 févr 1979 : *Caravane du sultan à La Mecque : Emir Bachi*, eau-forte (20,5x13,5) : **FRF 1 500** – Paris, 15 juin 1979 : *L'oiseau chéri* 1760, h/t (81x64) : **FRF 36 000** – Paris, 14 nov. 1980 : *Allégorie de la Peinture*, pl., encre de Chine et reh. de blanc/traits de pierre noire (46x33,2) : **FRF 4 600** – New York, 12 juin 1982 : *Sultane blanche M. Vilton*, craie noire/pap. gris (53,3x41,3) : **USD 8 000** – Monte-Carlo, 14 fév. 1983 : *L'Évanouissement d'Esther devant Assuérus*, h/t (102,5x134) : **FRF 310 000** – New York, 18 jan. 1984 : *Oriental assis*, craies noire et blanche/pap. bleu (50,2x30,7) : **USD 17 500** – Londres, 27 juin 1985 : *Caravane du Sultan à La Mecque* 1748, eaux-fortes, suite de vingt-neuf (20,2x13,5) : **GBP 1 800** – Londres, 19 avr. 1985 : *Jeune Femme en costume turc assise près d'une cage à oiseaux* 1766, h/t (82,1x64,7) : **GBP 24 000** – Monaco, 17 juin 1988 : *Charité romaine*, h/t (126x96) : **FRF 333 000** – Paris, 12 déc. 1988 : *Priam partant pour supplier Achille de lui rendre le corps d'Hector*, h/t (52x68) : **FRF 130 000** – Monaco, 7 déc. 1990 : *Portrait d'homme au turban*, h/pap./t. (15,5x14,2) : **FRF 155 400** – New York, 15 jan. 1992 : *Ruines sur le mont Palatin à Rome* 1793, craie noire (15,6x22,3) : **USD 1 100** – Paris, 27 mars 1992 : *Allégorie de la Prudence*, h/pap./t. (14x20) : **FRF 24 000** – Monaco, 18-19 juin 1992 : *La toilette d'une jeune mariée dans un costume antique* 1777, h/t (100x135) : **FRF 2 220 000** – Monaco, 2 juil. 1993 : *Femme à l'aiguière*, h/t (65x54,5) : **FRF 44 400** – Paris, 27 jan. 1995 : *L'Astronomie*, h/t (63,5x53) : **FRF 155 000** – Londres, 16 avr. 1997 : *Tête d'homme barbu*, h/t (55,7x46,2) : **GBP 5 750** – Paris, 20 juin 1997 : *Le Corps d'Hector*, t. (36x51,5) : **FRF 42 000** – Londres, 3 juil. 1997 : *Moïse faisant jaillir de l'eau du rocher* ; *Ouzza frappée à mort par le Créateur pour affermir l'Arche de l'Alliance*, h/pap., une paire (chaque 40,8x57) : **GBP 32 200** – New York, 17 oct. 1997 : *L'Autel du jeune Bacchus*, h/t (90,2x68) : **USD 27 600**.

VIEN Joseph Marie, le Jeune
Né le 2 août 1762 à Paris. Mort en 1848 à Paris. xviiie-xixe siècles. Français.
Peintre de portraits, miniaturiste.
Il fut élève de son père, le peintre d'histoire Joseph Marie Vien, alors directeur de l'Académie de Rome, puis de François Vincent à Paris. Il figura au Salon de Paris de 1794 à 1835.
Étant également miniaturiste et portraitiste, il traite ses grands portraits de manière méticuleuse.
Bibliogr. : Gérald Schurr, in : *Les Petits Maîtres de la peinture 1820-1920, valeur de demain*, Les Éditions de l'Amateur, t. III, Paris, 1976.
Musées : Béziers : Plusieurs dessins – Marseille : *Tête de vieillard* – Montpellier : *Portrait du père de l'artiste en habit de sénateur* – Paris (Mus. Carnavalet) : *Le dauphin âgé de 8 ans au Temple* – Rouen : *L'artiste et sa femme.*

VIEN Marie Thérèse, née **Reboul**
Née le 26 février 1738 à Paris. Morte le 28 décembre 1805 à Paris. xviiie siècle. Française.
Peintre de miniatures et aquafortiste.
Élève de son mari Joseph Marie Vien et de l'Académie Saint-Luc à Rome. Reçue académicienne le 30 juillet 1757. Elle figura au Salon de 1757 à 1767.
Ventes Publiques : Paris, 1814 : *Coq de riche plumage*, gche : **FRF 51** ; *Canard, bécasses et autres volatiles*, gche, miniat. : **FRF 36** – Paris, 18 juin 1921 : *Portrait de jeune femme*, past. : **FRF 300**.

VIENA
Né en 1846 en Italie. xixe siècle. Italien.
Peintre de genre.
Cité par miss Florence Levy.

VIENNE Charly
Né en 1942 à Mons. xxe siècle. Belge.
Peintre, dessinateur, peintre de décorations murales.
Il fut élève de Gustave Camus et Edmond Dubrunfaut à l'Académie des Beaux-Arts de Mons. Il y est devenu professeur.

Il est membre-fondateur du groupe *Cuesmes 68*, avec lequel il réalise des décorations murales importantes.
Bibliogr. : In : *Diction. biogr. illustré des Artistes en Belgique depuis 1830*, Arto, Bruxelles, 1987.

VIENNE Danny
Né en 1944 à Mons. xxe siècle. Belge.
Peintre de figures, nus, dessinateur.
Il fut élève de Gustave Camus à l'Académie des Beaux-Arts de Mons et de l'Académie de Tournai pour le tissage.
Ses compositions de figures sont particulièrement claires et aérées.
Bibliogr. : In : *Diction. biogr. illustré des Artistes en Belgique depuis 1830*, Arto, Bruxelles, 1987.

VIENNE Maurice
Né en 1933 à Mons. xxe siècle. Belge.
Sculpteur, peintre, aquarelliste, céramiste.
Autodidacte en art. Jusqu'en 1960, il séjourna au Zaïre.
Ses réalisations dans ses différentes disciplines ont une destination décorative.
Bibliogr. : In : *Diction. biogr. illustré des Artistes en Belgique depuis 1830*, Arto, Bruxelles, 1987.

VIENNELLY Achille. Voir **VIANELLI**

VIENNET Jules
Né au xixe siècle à Arbois (Jura). xixe siècle. Français.
Sculpteur.
Élève de MM. Dumont, Claudet et de l'École des Beaux-Arts. Il figura au Salon de 1873 à 1880.

VIENNO Hubert
Mort le 24 février 1704. xviie siècle. Actif à Lyon. Français.
Médailleur et graveur de monnaies.

VIENNOT Claude Marie Rose Léopold
Né à Rigney (Doubs). xixe-xxe siècles. Français.
Peintre de portraits.
Élève de Karl Lehmann et Désiré Laugée à l'École des Beaux-Arts de Paris. Il débuta au Salon de 1881, devenu cette même année Salon des Artistes Français.

VIENNOT Isabelle
Née au xixe siècle à Chaumont (Haute-Marne). xixe siècle. Française.
Peintre.
Élève de M. Douzel. Elle figura au Salon de 1879 à 1881.

VIENNOT Nicolas
xviie siècle. Actif à Paris vers 1630. Français.
Graveur.
Il grava d'après Rubens et Vouet.

VIENNOT Pierre
Né le 14 mars 1891 à Besançon (Doubs). xxe siècle. Français.
Peintre-aquarelliste, dessinateur.
Il exposait à Paris, au Salon des Artistes Français, aux Sociétés Lyonnaises des Beaux-Arts et de l'Aquarelle.

VIENNOT-LAFAYETTE
xviiie siècle. Travaillant à Limoges à partir de 1797. Français.
Peintre sur porcelaine.

VIENOT
xviie siècle. Français.
Peintre de portraits.
Élève de Rigaud.
Ventes Publiques : Paris, 9 déc. 1988 : *Portrait d'adolescente*, h/t (46x38) : **FRF 10 800**.

VIENOT Édouard
Né le 13 septembre 1804 à Fontainebleau (Seine-et-Marne). xixe siècle. Français.
Peintre de portraits.
Élève de MM. Guérin et Hersent ; entré à l'École des Beaux-Arts le 4 octobre 1822. Il figura au Salon, de 1831 à 1870.
Ventes Publiques : Monte-Carlo, 14 juin 1982 : *Portrait de la Dame aux Camélias*, h/t, de forme ovale (66x55,5) : **FRF 90 000** – Paris, 24 mars 1997 : *Portrait de jeune femme à la coiffe tressée*, h/t, de forme ovale (74x59,5) : **FRF 23 000**.

VIENT C.
xviie siècle. Actif à Cracovie. Polonais.
Peintre.
Il peignit des sujets religieux.

VIENT Gustave
Né en 1847 à Paris. Mort le 20 novembre 1900 à Paris. xixe siècle. Français.
Peintre de paysages, peintre d'éventails.
Élève de Pils et Yvon. Il figura au Salon de 1878 à 1881.

VIERGE, MAÎTRE de la. Voir **MAÎTRES ANONYMES**

VIERGE Daniel, pseudonyme de **Urrabieta Ortiz y Vierge**
Né le 5 mars 1851 à Madrid. Mort le 10 mai 1904 à Boulogne-sur-Seine (Hauts-de-Seine). xixe siècle. Depuis 1870 actif en France. Espagnol.
Peintre de genre, aquarelliste, dessinateur, graveur, illustrateur.
Fils de Vicente Urrabieta Ortiz, un des plus féconds illustrateurs espagnols, Daniel Vierge, loin de vouloir bénéficier de la renommée paternelle, adopta le nom de jeune fille de sa mère, afin d'éviter toute confusion. En 1854, il entrait à l'Académie des Beaux-Arts de Madrid, où il travailla avec Federigo Madrazo, Carlos de Haes et Borglini (?) Il y remporta de nombreuses récompenses. Dès 1867, tout en restant élève de l'Académie, il fournit des illustrations, notamment pour *Madrid la nuit* d'Eusebio Blasco. En 1869, il quitta l'Académie pour venir à Paris travailler la peinture. La guerre de 1870, dérangeant ses projets, allait l'obliger à retourner à Madrid, quand le directeur du *Monde Illustré*, Charles Yriarte, qui appréciait fort son jeune talent, le prit comme dessinateur à son journal. Le plus brillant avenir lui semblait réservé, quand, le 12 avril 1894, une attaque d'hémiplégie le frappa. Pendant des années, sa famille se demanda s'il recouvrerait jamais et sa raison et l'usage de ses membres. Les soins dont il était entouré, à la longue, attinrent un résultat relatif ; avec la mémoire, la conscience des choses lui revint ; s'il ne pouvait plus lire, il retrouva très partiellement l'usage de la parole, avec quelques mots français et espagnols ; à force d'énergie, sa main droite demeurant inerte, en 1902, il parvint à dessiner de la main gauche, alors qu'il ne savait plus écrire. On lui lisait à haute voix les textes qu'il avait à illustrer. Ce partiel sauvetage moral et physique valut à Vierge à l'Exposition de 1889, une ovation du monde artiste : une médaille d'honneur fut décernée à ses dessins pour *Don Pablo* en même temps qu'il était décoré de la Légion d'honneur. À la fin de sa vie il se retira à Boulogne-sur-Seine.
Engagé par Charles Yriarte, la voie de Vierge était trouvée. Sa collaboration à *L'Illustration*, au *Gil Blas illustré*, à la *Vie moderne* et à bien d'autres publications, *Scribner's Magazine*, *Harper's*, se complétait par des dessins pour de nombreux ouvrages. Il fit, notamment, les illustrations pour une édition des œuvres de Victor Hugo : *L'Année terrible* en 1874 ; *L'homme qui rit* en 1875 ; *Les Travailleurs de la mer*, en 1876 ; *L'homme qui rit* et *Quatre-vingt-treize*, en 1877 ; des contributions pour *Les Misérables* et *Notre-Dame de Paris* en 1882. Il illustra aussi : *L'Histoire de France* en 1876-77 et *L'Histoire de la Révolution* en 1877 de Michelet ; et encore : une *Histoire de Christophe Colomb* et *Bosnie et Herzégovine* en 1875, de Charles Yriarte. Mais sa réputation s'affirma d'une façon définitive après la publication de ses dessins pour *Don Pablo de Segovie* de Francesco de Quevedo, en 1882. Une traduction anglaise l'avait mis en contact avec les publics d'Angleterre et d'Amérique et y influença leurs propres illustrateurs.
Après sa terrible maladie, lorsqu'il put travailler de nouveau, dans la deuxième période de sa carrière, sont cités, notamment, les dessins pour *L'Espagnole* d'Émile Bergerat, 1891 ; une illustration de *Don Quichotte*, de Cervantes, 1893 ; *La Nonne Alfarez*, 1894 ; *La Taverne des trois vertus*, 1895 ; *Aventures du dernier Abencérage* de Chateaubriand, 1898 ; *Le Barbier de Séville* de Beaumarchais, 1903 ; *Gaspard de la nuit* d'Aloysius Bertrand, 1904.
Par la qualité de vibration de la lumière et de transparence de l'ombre dans ses dessins, les praticiens graveurs furent obligés d'adapter leur facture technique à cette liberté nouvelle dans la touche de Daniel Vierge, d'autant qu'il recherchait en outre des effets d'instantanés en mouvement, toutes particularités stylistiques qui le confirmaient en tant que contemporain et participant de l'impressionnisme. ■ J. B.

Bibliogr. : J. de Marthold : *Daniel Vierge, sa vie, son œuvre*, Floury, Paris, 1906 – Marcus Osterwalder, in : *Dictionnaire des illustrateurs 1800-1914*, Ides et Calendes, Neuchâtel, 1989 – Luc Monod, in : *Manuel de l'amateur de Livres Illustrés Modernes 1875-1975*, Ides et Calendes, Neuchâtel, 1992.
Musées : Genève (Mus. des Beaux-Arts) : *Marché de porcs en Cochinchine* – Melbourne (Nat. Gal.) : *Pablo de Segovie*, quatre illustrations – *Bataille de Saint-Quentin pour l'Histoire de France de Michelet*, dess. à la pl. – Paris (Mus. du Petit Palais) – Paris (Fonds de la Ville) : Nombreux croquis.
Ventes Publiques : Paris, 17 fév. 1902 : *Diane et le Satyre* : **FRF 420** – Paris, 21 juin 1993 : *Fête marocaine*, grav. en coul. (28x43) : **FRF 4 400**.

VIERGE Jean
XVIe siècle. Actif à Brou à la fin du XVIe siècle. Français.
Sculpteur.
Il sculpta des statues pour les églises Saint-Médard et Sainte-Madeleine de Châteaudun en 1596-1597.

VIERGE Michel
XVIe siècle. Français.
Sculpteur sur bois.
Il fut chargé de l'exécution d'un calvaire pour l'église de Rouvray-Saint-Florentin.

VIERHEILIG Sebastian
Né en 1761. Mort le 6 janvier 1805. XVIIIe siècle. Allemand.
Dessinateur et relieur.
Il travailla pour l'Université de Würzburg. Le Musée National de Munich conserve de lui *Vue du château de Würzburg* (dessin).

VIERHOLZ Anna Josepha
Morte en 1701. XVIIe siècle. Active à Nonnberg (près de Salzbourg). Autrichienne.
Sculpteur-modeleur de cire.

VIERI Marcello
XVIIIe siècle. Actif dans la seconde moitié du XVIIIe siècle. Italien.
Peintre.
Il a peint les fresques du plafond de l'église Sainte-Lucie de Syracuse.

VIERIN Emmanuel
Né le 30 juin 1869 à Courtrai. Mort en 1954. XIXe-XXe siècles. Belge.
Peintre de genre, paysages, vues de villes.
Élève des Académies de Courtrai et d'Anvers. Il peignit de nombreuses vues de villes.
Musées : Barcelone – Bruges – Bruxelles – Courtrai – Malines – Udine.
Ventes Publiques : Paris, 3 mai 1930 : *Paysage de Flandre* : **FRF 220** – Amsterdam, 24 mai 1989 : *Village zélandois (Ile de Walcheren)* 1915, h/t (110x119,5) : **NLG 20 700** – Lokeren, 10 déc. 1994 : *Rue de village au soleil du soir* 1898, h/t (68,5x88) : **BEF 160 000** – Lokeren, 7 oct. 1995 : *Ramasseurs de bois le soir* 1901, h/t (50x78) : **BEF 70 000** – Lokeren, 9 mars 1996 : *L'entrée du béguinage de Bruges*, h/t (75x80) : **BEF 110 000** – Lokeren, 18 mai 1996 : *Ramasseurs de fagots à la tombée du soir* 1901, h/t (50x78) : **BEF 75 000**.

VIERLING Antoine
Né en 1842 à Nancy (Meurthe-et-Moselle). XIXe siècle. Français.
Peintre d'histoire, scènes de genre.
Élève de Sellier, Bonnat et Farochon. Il figura au Salon à partir de 1869.
Musées : Nancy : *Mort d'Holopherne*.
Ventes Publiques : Versailles, 5 mars 1989 : *Mauresque dans le Harem*, h/t (59,5x73) : **FRF 18 000**.

VIERLY. Voir **VIRULY**

VIERNE Henri Marie Camille
Né au XIXe siècle à Paris. XIXe siècle. Français.
Peintre de portraits.
Élève de Cabanel. Il figura au Salon de Paris de 1878.

VIERNE Regis Jules Adolphe
Né au XIXe siècle à Paris. XIXe siècle. Français.
Peintre de portraits.
Élève de Ch. de Serres. Il figura au Salon, à partir de 1868.

VIERO Theodoro ou **Viaro**
Né le 19 mars 1740 à Bassano. Mort le 2 août 1819 ou le 2 octobre 1795 à Venise. XVIIIe-XIXe siècles. Italien.
Peintre de miniatures, graveur au burin et éditeur.
Élève de Niccolo Cavalli. Il s'établit à Venise et y édita un nombre important de planches par Grampiccoli, Monaco, V. le Fevre. Il se montra lui-même bon graveur dans la reproduction d'œuvres de maîtres vénitiens et autres, tels que Bassano, J.-B. Tiepolo, Piazetta ; de ce dernier une intéressante série de têtes d'hommes et de femmes, Viero peignit aussi des portraits en miniature.

VIERPYL Charles
XVIIIe-XIXe siècles. Britannique.
Sculpteur.
Fils de Simon Vierpyl.

VIERPYL Jan Carel ou **Vierpeyl**
XVIIe-XVIIIe siècles. Actif à Anvers. Éc. flamande.
Peintre de genre.
On le cite en 1698, parmi les élèves du peintre Jacob Peeters, à Anvers, où il travailla jusqu'en 1717. Un Gregorius Vierpyl était, en 1702, maître à Anvers.

VIERPYL Simon
Né vers 1725 à Londres. Mort le 16 février 1810 à Athy. XVIIIe-XIXe siècles. Britannique.
Sculpteur de bustes.
Élève de P. Scheemaker. Vers 1764, il fut invité par le comte de Charlemont à venir à Dublin. Il y réussit comme sculpteur de bustes et en produisit un grand nombre. L'Académie de Dublin possède de lui des bustes d'empereurs romains.

VIERPYL William
XVIIIe-XIXe siècles. Britannique.
Sculpteur.
Fils de Simon Vierpyl.

VIERTEL Carl ou **Johan Carl Frederik** ou **Virtel**
Né en 1772 à Copenhague. Mort le 23 février 1834 à Copenhague. XVIIIe-XIXe siècles. Danois.
Peintre de portraits, miniaturiste.
Élève de l'Académie de Copenhague.
Musées : Stockholm : *Portrait d'un chambellan*.
Ventes Publiques : Copenhague, 6 mai 1992 : *Portrait de Nina Catharine Paulsen* 1819, h/t (41x34) : **DKK 12 000**.

VIERTELBERGER Hans
Né le 23 juin 1861 à Vienne. Mort le 18 mars 1933 à Vienne. XIXe-XXe siècles. Autrichien.
Peintre.
Il fut élève de l'Académie des Beaux-Arts de Vienne.

VIERTHALER Johann
Né le 5 juillet 1869 à Munich. XIXe siècle. Allemand.
Sculpteur et décorateur.
Élève de Syrius Eberle à l'Académie des Beaux-Arts de Munich.
Musées : Leipzig : Trois statuettes en bronze – Munich (Mus. mun.) : *Buste d'un jeune garçon*.

VIERTHALER Michael ou **Johann Michael**
Né à Ranshofen. Mort le 10 octobre 1743 à Ranshofen. XVIIIe siècle. Actif à Mauerkirchen. Autrichien.
Stucateur et architecte.
Il orna de stucatures de nombreuses églises de Haute-Autriche et de Salzbourg.

VIERTMAYER Joseph
Né en 1733 à Munich. Mort le 18 octobre 1796 à Vienne. XVIIIe siècle. Autrichien.
Médailleur, sculpteur-modeleur de cire.
Élève de J. M. Roth. Il travailla pour la Monnaie de Prague et celle de Vienne et fut aussi orfèvre.

VIESULAS Romas
Né en 1918 en Lituanie. XXe siècle. Depuis 1951 actif aux États-Unis. Lituanien.
Peintre.
Il fit ses études à l'École des Arts et Métiers de Fribourg puis à l'École des Beaux-Arts de Paris. Il part aux États-Unis en 1951 et s'y fixe. Il est professeur à la Tyler School of Art à Philadelphie. Expose à New York, Paris, Philadelphie, Londres, Sydney, Rome. Il a participé à la Biennale de Venise en 1970.

VIETH Carl Valdemar
Né le 23 janvier 1870 à Copenhague. Mort le 3 octobre 1922 à Meriden. XIXe-XXe siècles. Actif aux États-Unis. Danois.
Sculpteur et ciseleur.
Élève de l'Académie des Beaux-Arts de Copenhague. Il se fixa à Bridgeport (Connecticut).

VIETH Friedrich Ludwig von ou **Vieth von Golssenau**
Né en 1768 à Dresde. Mort le 14 août 1848 à Meissen. XVIIIe-XIXe siècles. Allemand.
Peintre de portraits en miniatures, dessinateur.
Il fut officier et s'adonna à la peinture à partir de 1800. Il travailla surtout à Vienne.
Musées : Berlin (Gal. Nat.) : *Portrait de Rud. Suhrlandt* – Vienne (Mus. Nat.) : *Portrait de la Baronne Henriette Pereira-Arnstein.*
Ventes Publiques : Paris, 4 et 5 fév. 1925 : *Portrait de femme,* miniat. : FRF 800.

VIETH Ludvig ou **Ernst Ludvig Emil**
Né le 8 juillet 1824 à Engestofte. Mort le 12 mai 1887 à Copenhague. XIXe siècle. Danois.
Sculpteur et décorateur.
Père de Carl Vieth. Élève de l'Académie de Copenhague. Il décora des bâtiments publics dans plusieurs villes du Danemark.

VIETINGHOFF Egon Alexis de
Né le 6 février 1903 à La Haye. XXe siècle. Actif et naturalisé en 1922 en Suisse. Hollandais.
Peintre et graveur.
Expose à Paris, aux Salons d'Automne depuis 1928, des Tuileries depuis 1932, ainsi qu'à Zurich.

VIETORISZ Antal ou **Antoine**
Né en 1810 à Léva. Mort en 1881 à Léva. XIXe siècle. Hongrois.
Peintre et graveur.
Il peignit des paysages et des portraits.

VIETTE P. A.
XIXe siècle. Actif au milieu du XIXe siècle. Belge.
Aquafortiste amateur.
Il fut général.

VIETTI Guglielmo
XVIIe siècle. Actif à Rome au milieu du XVIIe siècle. Italien.
Peintre.

VIETTY Jean Baptiste ou **Claude Marie Eugène**
Né le 14 décembre 1787 à Amplepuis (Rhône). Mort le 30 janvier 1842 à Tarare (Rhône). XIXe siècle. Français.
Sculpteur.
Élève de Cartellier, entré à l'École des Beaux-Arts, le 27 août 1817. Il figura au Salon de 1819 à 1827. On voit de lui à l'église de la Sorbonne *La Vierge immaculée,* au Musée de Lyon, *Nymphe de la Seine,* et au Musée de Roanne, *Buste du Tintoret.*

VIETZ G.
XIXe siècle. Travaillant à Berlin. Allemand.
Peintre d'histoire et de sujets religieux.
Il exposa à Berlin en 1818.

VIETZE Josef
Né le 26 septembre 1902 à Obergrund. XXe siècle. Actif en Tchécoslovaquie. Autrichien.
Peintre de portraits, paysages, natures mortes, graveur.
Élève de l'Académie de Prague, ville où il se fixa.
Musées : Prague (Gal. Nat.) : *Métallo.*

VIEUVILLE de La, chevalier. Voir **LA VIEUVILLE**

VIEUXMAITRE Louis Henri
Né à Saint-Loup-sur-Sémouse (Haute-Saône). Mort vers 1901. XIXe siècle. Français.
Médailleur.
Élève de Ponscarme et d'Albavide.

VIEV Stéphane
XXe siècle. Français.
Sculpteur.
Expose à Paris, au Salon des Artistes Français, mention en 1933, médaille d'argent en 1936 et sociétaire.

VIEVA
XVe siècle. Portugais.
Peintre de sujets religieux.
Le nom de cet artiste est incertain, ainsi d'ailleurs que la période où il fut actif, qui peut s'étendre du 15e au 19e siècle. Le Musée d'Oporto conserve de lui : *Le Christ en Croix.*

VIEZE, dalle. Voir au prénom

VIFFEL. Voir **WIFFEL**

VIFIAN Albin
Né le 18 mai 1889 à Schwarzenbourg. XXe siècle. Suisse.
Peintre.
Élève des Académies des Beaux-Arts de Bâle et de Turin.
Musées : Berne : *Portrait de l'artiste.*

VIGAN
Mort le 20 janvier 1829 à Toulouse (Haute-Garonne). XIXe siècle. Français.
Sculpteur.
Le Musée de Toulouse conserve de lui les bustes de *Louis XVI,* de *L'Ingénieur Garipuy* et du *conservateur F. Lucas,* ainsi qu'un bas-relief *Louis XVIII.*

VIGANO Luigi
XIXe siècle. Actif à Milan dans la première moitié du XIXe siècle. Italien.
Lithographe et graveur au burin.
On cite de lui des vues de Milan.

VIGANO Vico
Né le 1er juin 1874 à Cernusco sul Naviglio. XIXe-XXe siècles. Italien.
Graveur de vues.
Élève de l'Académie de Milan. Graveur aquafortiste, on cite de lui des *Vues du Lac de Garde.*

VIGANONI Carlo Maria
Né le 28 janvier 1786 à Plaisance. Mort le 8 novembre 1839 à Plaisance. XIXe siècle. Italien.
Peintre.
Élève de Giuseppe Gherardi et de G. Landi. Ses œuvres se trouvent dans plusieurs églises et palais de Plaisance. Le Musée Municipal de cette ville conserve de lui *Adam et Ève, Athlète, Le cardinal Mai.*

VIGARNY Felipe ou **Philippe** ou **Vigarni,** ou **Biguerny** (?), dit **de Bourgogne** ou **de Borgona,** ou **Filippo Borgognone**
Né vers 1480 sans doute dans le diocèse de Langres. Mort en 1542 ou 1543 à Tolède. XVIe siècle. Espagnol.
Sculpteur et architecte.
On sait qu'il s'établit à Burgos vers 1500. Son fils Gregorio y naquit en 1517. Peut-être vint-il en Espagne avec son père (d'autres sources disent son frère), qui aurait été un peintre connu sous le nom de Juan de Borgona. Vigarny, à la tête d'un atelier important, eut une activité considérable. En 1502-1504, il sculpta plusieurs des scènes qui ornent le grand retable de la cathédrale de Tolède : *L'Adoration de l'Enfant Jésus par ses parents, L'Ascension.* En 1503-1505, il exécuta quatorze sculptures pour le grand autel de la chapelle de l'Université de Salamanque, dont seulement six nous sont parvenues : *L'Annonciation, Sainte Barbara, Saint Jérôme, Saint Augustin, Saint Grégoire, Saint Jean Baptiste.* En 1505-1509, il exécuta le retable de la chapelle du Sagrario de la cathédrale de Palencia, qui a été depuis transféré à la Capilla Mayor. Ce dut être à la même époque qu'il sculpta en albâtre le *Portrait de Cisneros* du Rectorat de l'Université de Madrid. On sait que Vigarny se trouvait à Grenade en 1521 et c'est une des raisons qui lui font attribuer le retable de la Capilla Real. Revenu aussitôt à Burgos, il exécuta le grand retable de la chapelle du Connétable à la cathédrale, en collaboration avec Diego de Siloé. La part qui lui revient de ce travail est le dessin de l'ensemble et quelques-unes des sculptures. Il travailla également alors au retable de Saint-Pierre. Dans les ultimes années de sa vie, il travailla à Tolède, où, à la cathédrale, il réalisa le retable de *La remise du scapulaire à saint Ildefonse,* en 1524-1527, ainsi que les stalles du côté dit de l'Évangile, après 1539, tandis que Alonso Berruguete exécutait les stalles du côté dit de l'Épître. Cette juxtaposition permet précisément de comparer les styles des deux artistes principaux de la Renaissance espagnole. Bien que Vigarny, dont le rôle d'initiateur n'est pas discutable, ait été en retour influencé par le prébaroquisme tourmenté des Espagnols et surtout de Berruguete, on remarque cependant qu'il est resté plus près de la correction mesurée du modèle italien. Il semble d'ailleurs que Vigarny et Berruguete aient collaboré à certains travaux : en 1531, le tombeau du frère Alonzo à Burgos ; en 1534, la restauration de l'église des Dominicains de Palencia. Enfin, il aurait encore collaboré avec Juan Zoyola et Juan Cuvillana, pour les importants travaux de la chapelle royale de Grenade. ■ J. B.
Bibliogr. : In : *Diction. Univers. de l'Art et des Artistes,* Hazan, Paris, 1967.

VIGARNY Gregorio ou **Vigarni, Pardo, Paredo**
Né en 1517 à Burgos. Mort en 1552 à Tolède. XVIe siècle. Espagnol.

Sculpteur et architecte.
Fils et élève de Felipe Vigarny. Il collabora à la plupart des œuvres de son père. De quatorze à dix-sept ans, il demeura à Valladolid où son éducation artistique commença. En 1548, il fut un des témoins présentés par Juni dans son procès avec Giralte pour le retable de Santa Maria de la Antigua à Valladolid. Il apparaît aussi comme expert en diverses taxations importantes d'œuvres des artistes les plus renommés. Il travailla beaucoup à Tolède.

VIGAS Oswaldo
Né en 1926 à Valencia, province de Carabobo (Venezuela). XXe siècle. Depuis environ 1955 actif aussi en France. Vénézuélien.
Peintre. Polymorphe, tendance abstraite-informelle.
Après avoir achevé ses études de médecine, il décida de se consacrer à la peinture. En 1953, il vint à Paris, voyagea en Espagne et aux États-Unis avant de retourner dans son pays en 1957. Il montra une exposition de ses premières œuvres, à Caracas, en 1952.
Pendant la période de ses voyages en France, Espagne, États-Unis, il a participé à des expositions à Washington, Chicago, Paris, en Espagne, à diverses Biennales. À Paris, il participa bientôt à divers groupements, notamment au Salon de Mai.
Du côté de l'abstraction informelle, épris de liberté, il évolue facilement entre des pôles assez divers, allant jusqu'à frôler la figuration.
Bibliogr. : Gaston Diehl, in : *Peintres Contemporains*, Mazenod, Paris, 1964.
Musées : Caetagena – Caracas – Paris – Washington D. C.
Ventes Publiques : New York, 9 juin 1982 : *Damoiselles de Guacara* 1979, gche (85x70,1) : **USD 2 200** – New York, 16 nov. 1994 : *Figures* 1950, h/t (50,2x68,9) : **USD 5 175**.

VIGATA el. Voir **PLA Francisco**

VIGE Jens Peder Olsen
Né le 11 mai 1864 à Bläsinge, près Slagelse. Mort le 20 mars 1912 à Copenhague. XIXe-XXe siècles. Danois.
Peintre de portraits, intérieurs, paysages.
Élève de l'Académie des Beaux-Arts de Copenhague et de Peter Severin Kröyer.
Musées : Aalborg – Copenhague – Skagen – Vejen.

VIGÉE Louis
Né le 3 février 1715 à Paris. Mort le 9 mai 1767 à Paris, accidentellement. XVIIIe siècle. Français.
Peintre de portraits, pastelliste.
On le connaît surtout comme le père de Mme Vigée-Lebrun, dont il fut le premier maître.
Membre de l'Académie Saint-Luc, il figura à l'Exposition de 1751.
Ce fut un habile portraitiste, particulièrement au pastel.
Musées : Orléans : *Les pifferari* – Rouen : *Portrait d'une actrice* – Troyes : *Portrait de Mr Salé*, past. – *Portrait de Mme Salé*, past.
Ventes Publiques : Paris, 16 avr. 1907 : *Portrait de jeune femme* : **FRF 950** – Paris, 11 déc. 1919 : *La femme au manchon* : **FRF 13 500** – Paris, 29 et 30 nov. 1920 : *Portrait du marquis de Ménars*, past. : **FRF 7 200** – Paris, 17 et 18 juin 1925 : *Portraits d'artistes*, past., une paire : **FRF 29 100** – Paris, 14 et 15 déc. 1927 : *Portrait du fermier général A. J. J. La Riche de la Poupelinière*, past. : **FRF 27 000** – Paris, 5 fév. 1943 : *Portrait d'homme*, past. : **FRF 5 200** – New York, 20 et 21 oct. 1944 : *Mlle Dangeville* : **USD 1 100** – Amboise, 29 et 30 sep. 1946 : *Portraits d'un homme et d'une femme âgés*, past., une paire : **FRF 45 000** – Amboise, 23 mai 1950 : *Portrait de jeune femme*, past. : **FRF 90 000** – Amboise, 4 déc. 1967 : *Fillette vue à mi-corps*, past. : **FRF 7 000** – Paris, 9 déc. 1976 : *Portrait d'homme* 1751, past. (58,5x49,5) : **FRF 4 500** – Monte-Carlo, 26 nov 1979 : *Pierrot dansant, entouré d'autres comédiens*, pl., lav. et touches de sanguine (18,1x16,6) : **FRF 12 000** – Londres, 13 déc. 1984 : *Portrait du marquis de Fleury, enfant* 1762, past., vue ovale (55,5x46) : **GBP 13 000** – New York, 16 jan. 1985 : *Tête de jeune fille*, craie de coul. (26,6x21,4) : **USD 22 000** – Paris, 11 mars 1985 : *Portrait de gentilhomme*, past. (64x54) : **FRF 30 000** – Paris, 4 juin 1986 : *Portrait de Pierre François dit Dominique Biancollelli* 1730, past. (54,5x47) : **FRF 62 000** – Paris, 19 juin 1987 : *Portrait d'un membre de la famille Loménie de Brienne en buste portant une cuirasse ; Portrait de la marquise Loménie de Brienne en costume de Diane* 1758, past., une paire (64x53) : **FRF 52 000** – Monaco, 20 fév. 1988 : *Portrait de Dominique Biancolelli en Pierrot*, past. (56,5x50) : **FRF 155 400** – Paris, 9 avr. 1990 : *Portrait d'homme*, past., de forme ovale (71x57) : **FRF 130 000** – New York, 20 mai 1993 : *Portrait d'une jeune fille tenant une breloque et un chien*, past./pap. (55,9x45,7) : **USD 14 950** – New York, 2 avr. 1996 : *Portraits du Marquis et de la Marquise de Romanie* 1754, past./pap., une paire (chaque 64,5x53,7) : **USD 2 875** – Londres, 2 juil. 1996 : *Portrait d'un acteur en Arlequin*, past. (56,5x50) : **GBP 14 950**.

VIGÉE Nicolas Alexandre
XVIIIe siècle. Français.
Sculpteur.
Frère de Louis Vigée.

VIGÉE LE BRUN Louise Élisabeth
Née le 16 avril 1755 à Paris. Morte le 30 mars 1842 à Paris. XVIIIe-XIXe siècles. Française.
Peintre de compositions mythologiques, sujets allégoriques, portraits, pastelliste.
Son père était portraitiste et professeur à l'Académie Saint-Luc, mais elle était très jeune lorsqu'elle le perdit, et elle reçut l'enseignement de Davesne et Doyen de Briard. C'est chez ce dernier qu'elle connut Rosalie Bocquet, la future Mme Filleul. Joseph Vernet et Greuze furent ses meilleurs conseillers.
Accueillie avec faveur, dès ses débuts, elle fut nommée membre de l'Académie Saint-Luc le 25 octobre 1774 et, moins de deux ans après, à vingt ans, elle épousa le peintre marchand de tableaux, Jean-Baptiste Le Brun, dont elle eut une fille. En 1779, elle put faire à Versailles, d'après nature, le portrait de *Marie-Antoinette en robe de satin avec une rose à la main*. Une autre *Jeune femme à la rose* et un portrait du *Comte de Cossé* datent de 1781. L'année suivante, elle fit un voyage aux Pays-Bas et à son retour, sur les instances de la reine dont elle était devenue la favorite, elle fut reçue académicienne le 30 mai 1783, avec une allégorie, *La Paix ramenant l'Abondance* (Louvre). La même année elle envoyait au Salon des portraits de la *Reine*, de *Madame*, de la *Marquise de Guiche en jardinière*, et d'elle-même en chapeau de paille, ainsi que deux tableaux, *Junon empruntant la ceinture de Vénus* et *Vénus liant les ailes de l'Amour*. De plus en plus les portraits l'absorbaient. Au Salon de 1785, figurèrent ceux de *Mgr le Dauphin et Madame Royale* (Versailles), de la *Comtesse de Ségur*, de la *Baronne de Crussol, tenant un cahier de musique* (Musée de Toulouse), de la *Comtesse de Clermont*, de la *Comtesse de Grammont*. Au Salon de 1787 parurent les portraits de *La Reine tenant le duc de Normandie sur ses genoux*, de la *Marquise de Pezé*, du *Baron d'Espagnac*, de *Mlle de la Briche*, de *Mme Dugazon dans le rôle de Nina* (coll. de la comtesse S. de Pourtalès).
De l'année 1789 datent les effigies du *Prince Lubomirski*, de *Mahomet-Dervisch-Kan*, d'*Hubert Robert* (Louvre). Mais la Révolution grondait et l'artiste se sentait suspectée : prudemment elle partit pour l'Italie le 5 octobre 1789, alla à Turin, à Rome et à Naples, peignit les portraits de *Paisiello*, de *Lady Hamilton en bacchante*, de *Lady Hamilton en Sibylle* (Musée de Naples). Après avoir reçu l'hospitalité du prince Borromée à l'Isola Bella, elle écouta les conseils du comte Wilzeck et quitta l'Italie pour Vienne où elle passa les années 1793 et 1794, divorça entre-temps, puis après avoir quitté Prague, Dresde et Berlin, arriva à Saint-Pétersbourg où elle demeura six ans. Elle ne rentra à Paris que le 18 janvier 1802. Une fois encore elle quitta la France pour Londres, où elle demeura trois ans, revint acheter une maison à Louveciennes, peignit en 1817 un *Amphion jouant de la lyre*, en 1824 *La Duchesse de Berry* et se laissa un peu oublier. Son talent faiblissait et sa manière était passée de mode avec le régime qu'elle avait illustré. ■ Tristan Leclerc

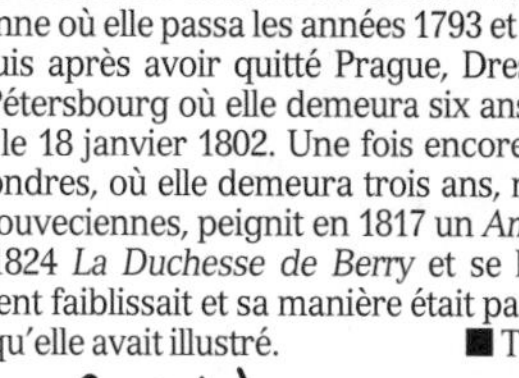

Bibliogr. : Pierre de Nolhac : *Madame Vigée-Le Brun, peintre de la reine Marie-Antoinette, 1755-1842*, Paris, 1908 – W.H. Helm : *Vigée-Lebrun, Her Life, Works and Friendships*, Hutchinson & Co, Londres, s. d.
Musées : Aix-la-Chapelle : *Tête de jeune fille* – Angers : *L'Innocence se réfugiant dans les bras de la Justice* – Avignon : *Joséphine Grassini* – Berne : *Fête alpestre* – Bologne : *La fille de l'artiste* – Bordeaux : *Hébé* – Caen : *Portrait de jeune fille* – Chantilly : *Marie-Thérèse d'Autriche* – *Marie-Caroline, reine de Naples* –

Marie-Louise Joséphine d'Étrurie – DARMSTADT : *Marie-Antoinette* – DETROIT : *Marie-Antoinette* – DIEPPE : *N. Jacquemot* – LA FÈRE : *Portrait* – FLORENCE : *L'artiste* – GENÈVE (Mus. Rath) : *Madame Rilliet-Hubert* – *Mme de Staël en Corinne* – GRENOBLE : *Portrait présumé de la Duthé* – LE HAVRE : Pastel – LONDRES (Nat. Gal.) : *L'artiste* – *Madame Grassini* – MADRID : *Portrait de la reine Maria Carolina* – *Portrait d'une princesse de Naples* – MONTPELLIER : *Élisabeth Alexievna, femme du czar Alexandre Ier* – MOSCOU (Mus. des Beaux-Arts) : *Baigneuses* – *Naïades* – *Le prince E. N. Youssoupoff* – *La princesse Tatiana Youssoupoff* – *La princesse Galitzine* – *La princesse Golenichtcheff-Koutouzoff* – *La cantatrice Angelica Catalani* – NAPLES : *Lady Hamilton en Sybille* – NEW YORK (Metropolitan Mus.) : *Jeune fille avec des roses* – PARIS (Mus. Jacquemart-André) : *La comtesse Catherine Skavronska* – *Joseph Hyacinthe de Rigaud* – *Le comte Vaudreuil* – PARIS (Mus. du Louvre) : *La Paix ramenant l'Abondance* – *Mme Le Brun et sa fille*, deux fois – *Paisiello* – *Hubert Robert* – *Joseph Vernet* – *Madame Molé-Raymond, de la Comédie-Française* – *Stanislas Auguste Poniatowski* – PARME : *Jeune fille avec des roses* – ROUEN : *Mme Grassini* – *Le grand-père et la grand-mère de A. His de Butemal*, past. – SAINT-PÉTERSBOURG (Mus. de l'Ermitage) : *Le génie d'Alexandre Ier* – *Portrait du baron Grégoire Alexandrovitch Stroganoff* – *Autoportrait* – SAINT-PÉTERSBOURG (Mus. Russe) : *Le prince Gagerino* – *La comtesse Potocka-Toulouse* – *La baronne de Crussol* – TURIN (Pina.) : *La fille du graveur Porporati* – VERSAILLES : *Marie-Antoinette*, deux fois – *Le dauphin et sa sœur* – *Adélaïde de Bourbon, duchesse d'Orléans*, deux fois – *Le cardinal Fleury* – *La Bruyère* – *Marie-Antoinette et ses enfants* – *Grétry* – *Caroline Bonaparte, reine de Naples* – VIENNE : *Le prince Lubomirski* – *La comtesse Zamoïska* – VIENNE (Mus. Czernin) : *Madame Czernin*.

VENTES PUBLIQUES : PARIS, 1789 : *Portrait de Madame Lebrun et de sa fille ; Portrait de Hubert Robert*, ensemble : **FRF 18 000** – PARIS, 1817 : *Portrait de J. Vernet* : **FRF 2 400** – PARIS, 1868 : *Portrait du jeune comte d'E.* : **FRF 5 100** – PARIS, 1872 : *Louise Letellier de Montmirail, comtesse de Montesquieu-Fezensac* : **FRF 12 050** – PARIS, 1880 : *Portrait de femme* : **FRF 11 000** – PARIS, 1881 : *Portrait de Madame la duchesse de Guiche*, past. : **FRF 15 100** – PARIS, 1887 : *Portrait de jeune femme* : **FRF 24 000** – LONDRES, 1895 : *Portrait de femme* : **FRF 58 500** – LONDRES, 1896 : *Portrait de l'artiste* : **FRF 28 000** – PARIS, 1897 : *Portrait d'Alexandrine Émilie Brongniart* : **FRF 20 000** – PARIS, 1900 : *Portrait du comte Rigaud de Vaudreuil* : **FRF 11 200** ; *Portrait de la reine Marie-Antoinette* : **FRF 13 300** – PARIS, 17 et 18 mai 1907 : *Portrait de l'artiste* : **FRF 45 200** – LONDRES, 3 juin 1909 : *Portrait de femme* : **GBP 57** – PARIS, 9-11 juin 1909 : *Portrait présumé de lady Hamilton en Diane* : **FRF 5 800** – LONDRES, 2 juil. 1909 : *Portrait de femme* : **GBP 945** – LONDRES, 26 fév. 1910 : *Portrait de jeune femme* : **GBP 147** – LONDRES, 19 mai 1911 : *L'artiste et sa fille* : **GBP 441** – PARIS, 25 nov. 1918 : *Portrait de l'artiste* : **FRF 34 000** – PARIS, 21 avr. 1921 : *Portrait de la reine Marie-Antoinette* : **FRF 10 500** – PARIS, 14 et 15 déc. 1922 : *Portrait de jeune fille*, past. : **FRF 27 000** – PARIS, 8 juin 1925 : *La fillette aux cerises* : **FRF 160 100** – LONDRES, 23 avr. 1926 : *Femme tenant sa musique* : **GBP 99** – LONDRES, 7 mai 1926 : *Madame du Barry* : **GBP 1 365** – LONDRES, 9 juil. 1926 : *Comtesse J. Marini Albrizzi* : **GBP 997** – PARIS, 22-24 juin 1927 : *Portrait de Marguerite Baudard de Saint James, marquise de Puységur* : **FRF 325 000** – LONDRES, 1er juil. 1927 : *La reine Caroline de Naples* : **GBP 210** – LONDRES, 18 nov. 1927 : *Portrait de femme en robe blanche* : **GBP 399** – PARIS, 10 et 11 déc. 1928 : *Mme Vigée-Lebrun par elle-même*, past. : **FRF 31 000** – PARIS, 13-15 mai 1929 : *Portrait de Madame Élisabeth, sœur de Louis XVI*, dess. : **FRF 32 000** – NEW YORK, 15 nov. 1929 : *Portrait de femme* : **USD 850** – NEW YORK, 27 mars 1930 : *Autoportrait*, pl. : **USD 160** – NEW YORK, 11 déc. 1930 : *La comtesse Kiwsky* : **USD 800** – NEW YORK, 22 avr. 1932 : *La duchesse de Polignac* : **USD 16 500** – PARIS, 20 juin 1932 : *Portrait d'une artiste* : **FRF 29 000** – LONDRES, 1er juin 1934 : *Mlle Brongniart enfant* : **GBP 2 730** – PARIS, 20 et 21 mai 1935 : *Mad. de Chatenay* : **FRF 15 000** – LONDRES, 7 fév. 1936 : *Portrait de femme* : **GBP 325** – PARIS, 18 juin 1937 : *Portrait d'une jeune femme* : **FRF 46 000** – LONDRES, 2 juil. 1937 : *Jeune fille en robe blanche* : **GBP 409** – LONDRES, 20 juil. 1938 : *La reine Marie-Antoinette* : **GBP 600** – NICE, 22 et 23 déc. 1943 : *Portrait d'homme assis à mi-corps* 1773, past. : **FRF 60 500** – NEW YORK, 22 jan. 1944 : *Anna Stroganoff* : **USD 10 250** – PARIS, 22 nov. 1944 : *Portrait présumé de Rose Bertin, modiste de Marie-Antoinette* : **FRF 22 000** – NEW YORK, 24 et 25 nov. 1944 : *La fillette aux cerises* : **USD 12 500** – NEW YORK, 13 et 14 avr. 1945 : *La marquise d'Aumont* : **USD 6 500** – NEW YORK, 25 oct. 1945 : *Madame Élisabeth de France* : **USD 8 500** – PARIS, oct. 1945-juil. 1946 : *Portrait présumé de la comtesse de Chabrillan*, école de M. L. E. V. L. : **FRF 260 000** – LONDRES, 25 mars 1946 : *Aglaé de Polignac*, past. : **GBP 1 150** – LONDRES, 4 oct. 1946 : *Portrait de femme en robe blanche* : **GBP 315** – NEW YORK, 8 mars 1947 : *Madame Vigée-Lebrun et sa fille* : **USD 25 000** – PARIS, 29 nov. 1948 : *Portrait d'homme en habit bleu*, miniat. : **FRF 76 000** – PARIS, 8 avr. 1949 : *Portrait de la comtesse de Ségur*, attr. : **FRF 128 000** – NEW YORK, 8 déc. 1949 : *Portrait d'Élisabeth Philippine Marie Hélène de France* 1783 : **USD 13 250** – BRUNSWICK, 21 avr. 1950 : *Portrait de la reine Élisabeth de Russie, épouse d'Alexandre Ier* 1802 : **DEM 7 000** – PARIS, 12 mars 1950 : *Amphion jouant de la lyre, avec trois naïades* 1817 : **FRF 241 000** – PARIS, 23 mai 1950 : *La malicieuse*, attr. : **FRF 250 000** – NEW YORK, 30 nov. 1950 : *Portrait d'Étienne Nicolas Landry de Saint-Aubin* 1781 : **USD 9 000** – PARIS, 11 avr. 1951 : *Portrait d'officier en uniforme bleu*, miniat. : **FRF 43 000** – BERLIN, 27 nov. 1952 : *L'Amour et Psyché* : **DEM 1 500** – PARIS, 6 déc. 1952 : *Lady Hamilton en Sybille* : **FRF 710 000** – PARIS, 14 juin 1955 : *Portrait de Lady Hamilton en Sybille* : **FRF 1 750 000** – PARIS, 15 déc. 1958 : *La jeune musicienne* : **FRF 1 100 000** – NEW YORK, 21 oct. 1959 : *La comtesse de Chatenay* : **USD 9 000** – PARIS, 22 juin 1962 : *Portrait de l'artiste* : **FRF 13 000** – NEW YORK, 1er mai 1963 : *Portrait de la princesse Tufialkin* daté 1800 : **USD 24 000** – PARIS, 23 juin 1964 : *Portrait à mi-corps d'une jeune femme en robe blanche*, past. : **FRF 9 000** – LONDRES, 26 juin 1964 : *Portrait de Hyacinthe Gabrielle Roland, comtesse de Mornington* : **GNS 6 000** – PARIS, 1er déc. 1966 : *Portrait d'une jeune musicienne* : **FRF 22 000** – PARIS, 16 juin 1967 : *Portrait de la princesse Galitzine en Flore* : **FRF 58 000** – LONDRES, 5 déc. 1969 : *Portrait présumé de Byron* : **GNS 2 500** – NEW YORK, 22 oct. 1970 : *Portrait d'une petite fille* : **USD 3 750** – PARIS, 27 mars 1971 : *Portrait de jeune femme* : **FRF 48 000** – PARIS, 15 mars 1973 : *Portrait d'un jeune garçon* : **FRF 58 000** – LONDRES, 29 mars 1974 : *Portrait présumé de la Princesse de Lichtenstein* : **GNS 8 500** – LONDRES, 8 juil. 1977 : *Portrait de jeune femme à la partition de musique* 1791, h/t (63,5x51) : **GBP 6 500** – PARIS, 13 déc 1979 : *Portrait de la fille de l'artiste en Flore*, h/t (130x97) : **FRF 170 000** – VERSAILLES, 20 fév. 1983 : *Lady Hamilton en costume persan*, pierre noire et lav. (32x23,5) : **FRF 23 000** – PARIS, 17 déc. 1983 : *Autoportrait* vers 1785, past. (50x40) : **FRF 160 000** – PARIS, 28 nov. 1984 : *La duchesse de Gramont-Caderousse en vendangeuse* 1784, h/pan. (105,5x76) : **FRF 6 900 000** – PARIS, 27 juin 1985 : *Portrait d'Aglae du Puget de Barbantane, Comtesse d'Hunolstein* 1777, past., forme ovale (73x58) : **FRF 100 000** – PARIS, 22 nov. 1987 : *Portrait de Daria Michailovna Opotchinine, née princesse Koutousov-Smolensky* 1801, h/t, de forme ovale (73x55) : **FRF 1 000 000** – LONDRES, 5 juil. 1989 : *Portrait de Angelica Catalani*, h/t (122x91,5) : **GBP 242 000** – NEW YORK, 13 oct. 1989 : *Portrait de Emilie de Coutances, la Présidente de Becdelievre* 1778, h/t (97,5x76) : **USD 16 500** – NEW YORK, 11 jan. 1990 : *Portrait de Madame Natalia Nakharovna Kolytchova née Hitrova* 1799, h/t (78x66) : **GBP 198 000** ; *Portrait d'un jeune garçon* 1801, past./pap. (32,5x24) : **USD 33 000** – LONDRES, 19 juin 1990 : *Portrait de la Comtesse Narbonne-Lara*, craie noire et estompe avec reh. de craies rouge et blanche/pap. beige (44x36) : **GBP 132 000** – NEW YORK, 22-23 mars 1991 : *Portrait de Hyacinthe Gabrielle Roland, Marquise de Wallesley de trois quarts vêtue d'une robe rouge et blanche et d'un châle noir* 1791, h/t (99x75) : **USD 781 000** – MONACO, 7 déc. 1991 : *Portrait de Madame Élisabeth*, h/t, de forme ovale (77,5x61,5) : **FRF 499 500** – LONDRES, 11 déc. 1991 : *Portrait de la comtesse Catherine Vladimirowna Apraxina* 1796, h/t (112x94) : **GBP 330 000** – LONDRES, 13 déc. 1991 : *Portrait d'Angelica Catalani debout de trois quarts et portant une robe blanche, chantant près d'un pianoforte* 1806, h/t (122x91,5) : **GBP 165 000** – MONACO, 18-19 juin 1992 : *Portrait de la Comtesse Maria-Theresa Kinsky*, h/t, de forme ovale (81x64) : **FRF 1 665 000** – PARIS, 31 mars 1993 : *Portrait de Monsieur Bachelier*, past. (38x31) : **FRF 23 000** – NEW YORK, 18 mai 1994 : *Portrait de la fille de l'artiste Jean-Julie Louise Le Brun, assise de trois quarts et jouant de la guitare*, h/t (100,3x82,9) : **USD 59 700** – NEW YORK, 7 oct. 1994 : *Portrait d'Emilie de Coutances* 1778, h/t (97,8x79,4) : **USD 41 400** – NEW YORK, 19 mai 1995 : *Portraits du comte et de la comtesse Siemontkowsky Bystry* 1793, h/t, une paire (chaque 78x59) : **USD 178 500** – PARIS, 3 juin 1996 : *Sans titre* 1774, h/t (84,5x69) : **FRF 150 000** – LONDRES, 3 juil. 1996 : *Portrait de Laure de Bonneuil, comtesse Régnault de Saint-Jean d'Angely*, h/pan. (116x86) : **GBP 32 200** – LONDRES, 11 déc. 1996 : *Portrait de la comtesse Skavronskaya* 1790, h/t

(56x45) : **GBP 32 200** – New York, 21 oct. 1997 : *Portrait en buste de l'artiste portant une veste rouge et un col en dentelle*, h/t (41,2x33) : **USD 123 500**.

VIGELAND Emmanuel

Né le 2 décembre 1875 à Mandal. Mort en 1948. XIXe-XXe siècles. Norvégien.

Peintre de fresques, peintre verrier et sculpteur.

Frère de Gustav Vigelan et élève de Peter Severin Kröyer à Copenhague. Il travailla pour plusieurs églises de Norvège et exécuta aussi des portraits. M. Pierre Vasseur cite les essais de décoration murale dont cet artiste, en même temps que Gérard Munthe et Erik Werenskiold, donna l'exemple avant Edward Munch.

Ventes Publiques : Copenhague, 7 nov. 1984 : *Fillette assise dans une pharmacie*, h/t (61x49) : **DKK 15 000**.

VIGELAND Gustav, ou **Adolf Gustav**

Né le 11 avril 1869 à Mandal. Mort le 12 mars 1943 à Oslo. XIXe-XXe siècles. Norvégien.

Sculpteur de monuments, groupes, statues, bustes, graveur sur bois. Post-romantique.

Il prit le nom de Vigeland d'après une ferme que son grand-père maternel possédait à Sor Audnedal. Tout jeune encore, il fut mis en apprentissage à Oslo chez le sculpteur Fladmoe. À dix-sept ans il perdit son père, il dut rentrer au foyer maternel et y resta deux ans. À côté de son travail aux champs il s'adonna pendant ses heures de loisir à la lecture : *L'Iliade, L'Odyssée*, la *Bible, La Divine Comédie*, puisant dans toutes ces œuvres les sujets de maints dessins. Quand il reprit le chemin d'Oslo en 1888, il emporta ces esquises, mais il ne les montra tout d'abord pas. Pour gagner sa vie, il reprit son travail de sculpteur sur bois ; son salaire s'élevait à cinq couronnes par semaine et il livrait un combat quotidien contre la faim et la misère. Lorsqu'il eut vingt-deux ans, il rassembla ses dessins et se rendit chez le sculpteur Brynjulf-Larsen Bergslien. Celui-ci, intéressé, les montra à Lorenz Dietrichson, professeur d'histoire de l'art. Il reçut aussi les conseils de Mathias Skeibrock. Des fonds furent fournis par de riches protecteurs ; Vigeland put se loger convenablement et il reçut l'autorisation de travailler dans l'atelier de Bergslien. En 1889, il reçut une bourse d'État et se rendit en 1891 à Copenhague, muni d'une lettre d'introduction adressée à Christian Gottlieb Vilhelm Bissen, alors célèbre professeur et sculpteur danois. Il travailla pendant une année sous sa direction. L'exemple national de Thorvaldsen orienta ses premières réalisations vers la tradition néoclassique, référée à Michel-Ange pour la monumentalité, Donatello pour la pureté. L'année suivante 1892, la bourse lui fut maintenue et cette fois il prit le chemin de Paris, où l'art de Rodin fit sur le jeune homme de vingt-trois ans une impression décisive. Il rendait souvent visite à Rodin dans son atelier. Il rentra en Norvège au courant de l'année 1893. En 1895, il se rendit à Berlin, puis, en 1896, à Florence. À son retour en Norvège, il en fut réduit à gagner sa vie sur les chantiers de la cathédrale de Trondheim ; la vieille église gothique devait être restaurée et Vigeland, de l'année 1897 à 1902, sculpta une série d'excellentes statues. Il lui semblait pourtant être infidèle à sa vocation : artiste profondément personnel, il ne pouvait pas, à la longue, trouver goût à ce travail dans un style historique et il y renonça en dépit de la misère qui allait l'accabler. Vigeland se procura un atelier sommaire à Hammersborg. Il a été dit que la neige y pénétrait et qu'y poussaient des champignons aux murs ; c'est là qu'il fit sa première esquisse de la fontaine monumentale qui devait tenir une place considérable dans sa vie et dans son œuvre.

En 1907 fut créé le premier comité chargé de recueillir les fonds nécessaires à l'érection de la fontaine, qui devait s'élever près de l'Université. En 1913, Vigeland proposa d'aménager le lieu dit l'*Abelhaugen* avec les plans de sa fontaine. Devant l'ampleur de tels desseins, l'atelier de Hammersborg était devenu trop étroit et il lui fallait un autre lieu de travail. C'est ainsi que fut signé en 1921 un contrat étrange avec une autorité officielle : Vigeland s'engageait à léguer à la ville d'Oslo ses droits de propriété sur toutes les œuvres qui se trouvaient en sa possession : glaises, plâtres, bronzes, statues de pierre, toutes ses ébauches, toutes ses gravures sur bois, tous ses dessins, en un mot tout ce qu'il avait créé jusqu'à ce jour et tout ce qu'il pourrait encore créer. En échange, la ville d'Oslo s'engageait à lui bâtir un atelier dans lequel il pourrait poursuivre son œuvre. Cet atelier devait devenir plus tard le Musée Vigeland. L'atelier aux abords du parc Frogner, terminé en 1930, fut payé avec les bénéfices réalisés sur les cinémas d'Oslo. Le projet d'aménager l'*Abelhaugen* fut abandonné et on eut l'idée, un moment, de placer la fontaine devant l'atelier, mais cette place non plus ne convenait pas, et en l'année 1931, le Conseil Municipal accepta les plans proposés avec le pont, la fontaine, le monolithe ainsi que les aménagements des abords du parc Frogner. Le Conseil Municipal décida, en automne 1947, quatre ans après la mort de l'artiste, que les travaux seraient poursuivis et menés à terme d'après le plan de Gustav Vigeland.

En 1889, il exposa le petit groupe *Agar et Ismaël* à l'Exposition Nationale des Artistes norvégiens, ce qui lui valut sa première bourse. En 1894, il présenta sa première exposition qui éveilla dans le public et la presse les sentiments les plus partagés. En 1900, il présenta à la ville d'Oslo la première esquisse de sa fontaine monumentale qui, plus tard, devait orner le parc de Frogner, ultérieurement dédié à l'exposition de ses œuvres à Oslo. Exposée en 1906, la première maquette de la fontaine monumentale lui valut des adversaires acharnés, mais aussi d'enthousiastes partisans. Il commença à exposer tôt hors des frontières de Norvège et acquit une certaine réputation internationale. Toutefois malgré de nombreux voyages en Europe, l'essentiel de ses commandes devait rester en Norvège. En 1981 à Paris, le Musée Rodin a accueilli une exposition de quatre-vingts sculptures et une soixantaine de dessins et gravures sur bois de Vigeland.

En 1891, lorsqu'il travaillait dans l'atelier de Christian Gottlieb Vilhelm Bissen, il créa, entre autres, son puissant groupe des *Réprouvés*. Après son séjour parisien, il créa, en 1899, les deux sculptures *L'Amour et Psyché* et *Les Mendiants*, marquées de l'influence de Rodin. C'est à Hammersborg, à partir de 1902, qu'il créa ses œuvres majeures, d'entre lesquelles le début d'une série de statues représentant les hommes célèbres de Norvège, commandes officielles destinées à la constitution d'une sorte de panthéon national : les écrivains *Bjornstjerne Biornson, Heinrich Ibsen, Knut Hamsun*, le mathématicien *Niels Henrik Abel*, mais aussi *Beethoven, Henrik Wergeland* le poète et une série d'autres œuvres capitales, en particulier le début des projets, esquisse, maquettes de la fontaine monumentale. Le parc Frogner, avec le pont, la fontaine, le monolithe, les aménagements des abords, va constituer l'œuvre la plus vaste de Gustav Vigeland, mais sa puissance créatrice lui fit aussi produire d'autres œuvres importantes, entre autres la continuation de la série de statues des hommes célèbres norvégiens : *Rikard Nordraak, Camilla Collett* qui sont érigés, avec *Niels Henrik Abel*, à Oslo, et *Henrik Wergeland* à Kristiansand, *Bjornstjerne Bjornson* et *Christian Michelsen* à Bergen, où se dresse également un moulage de la statue de *Snorre* élevée en Islande. À Sor Audnedal se dresse le monument dédié à la mémoire de *Peter Claussn Friis*, prêtre fanatique de l'époque de la Réforme ; il est représenté brisant la statue d'un saint. Au Musée Vigeland se trouvent les modèles et les ébauches de la presque totalité de l'œuvre, dont on peut suivre l'évolution depuis sa jeunesse jusqu'à sa mort.

L'art de Gustav Vigeland a longtemps été un objet de polémique. Il fut, sans aucun doute, parmi les artistes norvégiens, l'un des plus décriés, des plus contestés, mais aussi l'un de ceux qui ont suscité la plus grande admiration. Un labeur sans répit, telle fut la vie de Gustav Vigeland. Aussi laisse-t-il un œuvre qui, par son ampleur, surpasse celui de tout autre sculpteur norvégien.

L'ensemble des statues qui peuplent le parc Frogner, avec ses deux cents groupes, constitue son œuvre la plus imposante. Elle comporte un pont flanqué de quatre groupes d'animaux fabuleux en granite, cinquante-huit statues en bronze sur le cycle de la vie, une vasque portée par six géants de bronze et des animaux fantastiques, la fontaine avec soixante reliefs et vingt groupes d'arbres en bronze, un escalier monumental supportant trente-six groupes humains menant à un obélisque, l'ensemble en granite. Quelques thèmes jalonnent l'ensemble de l'œuvre : le cycle de la vie avec l'enfance, l'amour, la souffrance, la vieillesse, la mort. Depuis l'empreinte reçue de l'œuvre de Rodin, s'est épanouie dans la sienne propre la capacité postromantique à communiquer le reflet de l'âme au détour des gestes quotidiens, dont l'expression du mouvement, *Homme et enfant* au Parc Frogner, renvoie encore à Rodin : le cri d'un enfant, l'enlacement d'un couple, la main tendue qui implore, le regard angoissé d'un vieillard. Il convient pourtant de revenir sur le point culminant de l'ensemble du parc Frogner, l'escalier monumental flanqué des groupes de corps humains, non entrelacés mais imbriqués, montant jusqu'à l'obélisque phallique, le *Vigelandsannelegget*, lui aussi formé, sur dix-sept mètres de hauteur, d'un inextricable enchevêtrement de cent vingt et un corps nus. Il est certain qu'on y retrouve un écho à *La Porte de l'Enfer* de Rodin, mais, outre la démesure de l'ensemble du parc Frogner, cet obélisque et les autres agglomérats humains qui l'exhaussent représentent une démesure dans l'expression baroque, dont on ne sait séparer la puissance et le monstrueux, d'autant que s'y reproduit le thème fréquent chez Bosch, Brueghel ou Bouts du grouillement éperdu de la chute en enfer, dernier accouplement de la chair et de l'effroi. ■ R. T. Stang, J. Busse

Bibliogr. : In : *Encyclopédie « Les Muses »*, t. XIV, Grange Batelière, Paris, 1969-1974 – in : *L'Art du XXe siècle*, Hazan, Paris, 1992.

Musées : Copenhague : *Buste de E. V* – Oslo (Mus. Vigeland) : *Les Réprouvés* 1891-1892 – *Jeune fille* 1892 – *L'Ermite* 1898 – *Amour et Psyché* 1898 – *Orphée et Eurydice* 1899 – Ébauche du monument élevé à la mémoire du mathématicien Abel 1902 – *Sophus Bugge, linguiste norvégien* 1902 – *Arne Garborg, poète norvégien* 1903 – *Carl Naerup, critique norvégien* 1904 – *Enlacement* 1905 – *Aasta H. Hansteen, championne de la cause féministe en Norvège* 1905 – *Rikard Nordraak, compositeur norvégien* 1905 – Une des ébauches de la statue de Camilla Collett 1906 – *Père et Fille* 1906 – *Petter Dass, Pasteur et poète norvégien* 1906 – *Ludwig Van Beethoven* 1906 – *Jeunesse* 1906 – Détail du même – *Henrik Wergeland, le plus grand poète norvégien du XIXe siècle* 1907 – Détail du même – *Mère et Fils* 1907 – Détail du même – *Femme assise au pied d'un arbre*, Groupe de la Fontaine monumentale – Stockholm : *Buste du linguiste Sophus Bugge* – Esquisse en bronze du monument du mathématicien N. N. Abel 1907 – *Femme aux jambes croisées* 1907 – Détail du même – *Couple 1908* – *Les deux mendiants* 1908 – *Fillettes sous un arbre* environ 1908, Groupe de la Fontaine Monumentale – *Enfant sous un arbre* 1909, Groupe de la Fontaine Monumentale – *Camilla Collett, femme écrivain, championne du mouvement féministe*, statue modelée en 1909, inaugurée en 1911 – Détail du même – *Torse*, modelé en 1909, sculpté dans le marbre en 1912 – Détail du même – *Tordenskjold, le Jean Bart norvégien* 1916 – *Groupe d'enfants* 1917 – *Enlacement* 1917, plâtre, pour un groupe de granit – *Couple* 1918, plâtre, pour un groupe de granit – *Père et Fils* 1919, plâtre, pour un groupe de granit – *Jeune fille assise sur les bois d'un renne 1921* – *Jeune fille assise sur le dos d'un ours* 1921, statue pour une fontaine – *Eigil Skallagrimssonn lançant l'anathème contre ses ennemis* 1923 – *Vieillard tenant un petit garçon par la main* vers 1925-1930, groupe destiné au pont du parc Frogner – *Homme étouffant un monstre* vers 1925, plâtre pour un groupe de granit – *Couple* vers 1926, statue destinée au pont du parc Frogner – Détail du monolithe, modèle achevé en 1929, exécuté de 1929 à 1942 – *Le Clan* 1936 – *Grille en fer forgé* vers 1940-1941, destinée, avec sept autres, à entourer le monolithe – *Homme étouffant un monstre*, grav. sur bois.

Ventes Publiques : Londres, 27-28 mars 1990 : *Homme et femme*, bronze à patine brune (H. 47) : **GBP 41 800** – Londres, 29 mars 1990 : *La colère*, bronze (H. 20,3) : **GBP 13 200**.

VIGELAND Per

Né le 5 février 1904 à Copenhague, de père norvégien. XXe siècle. Norvégien.

Peintre.

Fils d'Emmanuel Vigeland. Il fut élève de l'École des Beaux-Arts de Paris.

VIGER Jean Louis Victor, pseudonyme de **Viger du Vigneau**

Né le 25 octobre 1819 à Argentan (Orne). Mort le 15 mars 1879 à Paris. XIXe siècle. Français.

Peintre d'histoire, scènes de genre, portraits, miniaturiste, peintre d'éventails, compositions murales.

Élève de Michel Drolling et Paul Delaroche, il entra à l'École des Beaux-Arts de Paris en 1844.

Il exposa au Salon de Paris de 1845 à 1879.

Au début de sa carrière, il peignit, pour vivre, des miniatures et des éventails, mais ne tarda pas à obtenir des travaux plus sérieux, notamment des peintures pour plusieurs églises de province. À Paris, il peignit au Palais de la Légion d'honneur : *Première distribution des croix d'honneur dans l'église des Invalides*.

Bibliogr. : Gérald Schurr, in : *Les Petits Maîtres de la peinture 1820-1920, valeur de demain*, Les Éditions de l'Amateur, t. II, Paris, 1982.

Musées : Alençon : *Naïades* – Argentan : *Gavotte* – *Corinne* – Cherbourg : *Visite à Saint-Pierre de Rome* – Langres : *Retour de Virgile à Brindes* – Marseille : *L'impératrice Joséphine avant le couronnement* – Orléans : *Je ne pars plus* – *Le retour inespéré* – Paris (Mus. Marmottan) : *L'impératrice Joséphine* – *Chambre à coucher de l'impératrice Joséphine à Malmaison* – Semur-en-Auxois : *Saint Lazare abandonné sur mer avec ses compagnons*.

Ventes Publiques : Paris, 18 avr. 1989 : *L'Invitation au bal*, h/pan. (47x37) : **FRF 5 800** – Monaco, 3 déc. 1989 : *Visite de Joséphine de Beauharnais à son mari détenu à la prison du Luxembourg*, h/pan. (73x58,5) : **FRF 233 100** – Londres, 14 juin 1995 : *Visite de Joséphine de Beauharnais à son mari détenu à la prison du Luxembourg*, h/pan. (73x57,5) : **GBP 18 400**.

VIGER Perrine

Née à Chalon-sur-Saône (Saône-et-Loire). Morte en 1894. XIXe siècle. Française.

Peintre de natures mortes et de miniatures.

Élève de Berger et de Viger son mari. Elle exposa au Salon de 1859 à 1881. Membre de la Société des Artistes Français.

VIGEVANO Ambrogio da. Voir **AMBROGIO da Vigevano**

VIGGIANI Giuseppe

Né le 31 mars 1892 à Naples. XXe siècle. Italien.

Peintre.

Élève de Federigo Rossano, Federigo Cortese, Rubens Santoro.

VIGH Antonia, née **Chevalier**

Née le 6 mars 1886 à Paris. Morte le 22 mars 1922 à Lamalou (Hérault). XXe siècle. Française.

Peintre de figures, paysages.

Femme de Ferenc Vigh.

VIGH Bartholomäus

Né le 5 avril 1890 à Rimaszombat. XXe siècle. Hongrois.

Peintre de figures.

Élève de Ferenczy à Budapest. Il peignit des personnages féminins.

VIGH Ferenc ou **Franz**

Né le 30 mars 1881 à Hodmezövasarhély. XXe siècle. Hongrois.

Sculpteur.

Il travailla à Szeged et à Rakospalota.

VIGH Ferenc ou **Franz**

Mort en 1917. XXe siècle. Hongrois.

Peintre de paysages.

Actif à Déva, il peignit des paysages à la manière naturaliste.

VIGH Tamas

Né en 1926. XXe siècle. Hongrois.

Sculpteur.

Il fut élève de Béni Ferenczy, à l'Académie des Beaux-Arts de Budapest, de 1946 à 1951. Dès 1951, il remporta le Prix du Festival International de la Jeunesse. Il a pu effectuer des voyages d'étude en France, Bulgarie, Italie, U.R.S.S. Il participe à des expositions de groupe, entre autres : Biennale des Jeunes de Paris, 1961. On a pu voir de ses œuvres à Paris, lors de l'exposition « Art Hongrois Contemporain », au Musée Galliera, en 1970. Il a montré des expositions personnelles de ses œuvres, en 1954 et 1963, à Budapest. Très récompensé, il a été, entre autres, deux fois lauréat du Prix Munkacsy.

Figuratif, il a cependant ressenti l'évolution des langages plastiques et tend à une simplification de la forme, encore éloignée de la géométrie tendue et sensible d'un Brancusi, mais qui peut rappeler l'art de Henry Moore. Il sculpte aussi bien des œuvres de petites dimensions que des œuvres monumentales, dont bon nombre ont été érigées dans des endroits publics.

Bibliogr. : Géza Csorba : Catalogue de l'exposition *Art Hongrois Contemporain*, Musée Galliera, Paris, 1970.

VIGHI Antonio

Né en 1764. Mort en 1844. XVIIIe-XIXe siècles. Italien.

Peintre d'histoire et de décorations.

Il s'établit à Saint-Pétersbourg en 1806.

VIGHI Coreolano, ou **Coriolano**

Né en 1846 à Florence. Mort le 10 avril 1905 à Bologne. XIXe siècle. Italien.

Peintre de paysages et de marines.

Il exposa à Turin et Milan et à Paris, médaille de deuxième classe en 1904.

Ventes Publiques : New York, 29 oct. 1992 : *Voiliers au soleil couchant* 1904, past./pap. (49,5x64,2) : **USD 2 860**.

VIGHI Enea. Voir **VICO**

VIGHI Giacomo ou **Vigi,** ou **del Viglio**, dit **d'Argenta**
Né à Argenta près de Ferrare. Mort le 21 septembre 1573 à Turin. XVIe siècle. Italien.
Peintre.
Il fut au service des ducs de Savoie. La Galerie Nationale de Turin conserve de lui les portraits de *Charles Emmanuel* et celui de *Emmanuel Philibert*.
Musées : Turin (Gal. Nat.) : *Charles Emmanuel à l'âge de quatre ans – Emmanuel Philibert à l'âge de 18 ans.*

VIGHI Giovanni Battista
Né en 1774. Mort en 1849. XVIIIe-XIXe siècles. Actif à Parme. Italien.
Médailleur.

VIGIER Jehan. Voir **COURT Jehan**

VIGIER Philibert
Né le 21 janvier 1636 à Moulins. Mort le 5 janvier 1719 à Moulins. XVIIe-XVIIIe siècles. Français.
Sculpteur.
Reçu académicien le 27 novembre 1683. Il ne prit part qu'à une seule exposition de l'Académie royale en 1669. Le Musée du Louvre de Paris conserve de lui *Saint Thomas*, et le Musée de Versailles, *Achille à Scyros.*

VIGIER Walter von
Né le 7 février 1851 à Soleure. Mort le 1er août 1910 à Freiegg. XIXe-XXe siècles. Suisse.
Peintre d'histoire, de genre, figures, dessinateur.
Élève de l'Académie de Munich et de Léon Bonnat à Paris. Il fut professeur à l'Académie Julian à Paris.
Musées : Aarau : *Jeune Suissesse près de Rothenthurm* – Lucerne : *Camaraderie fidèle* – Soleure : *La réunion de Stans – La bataille de Rothenthurm.*

VIGIER Walter Werner
Né en 1883 à Soleure. XXe siècle. Suisse.
Sculpteur.
Fils de Walter von Vigier. Il fit ses études à Munich et à Paris.

VIGIL Geronimo
XVIe siècle. Actif à Valladolid. Espagnol.
Sculpteur.
On ne connaît de lui que des sculptures sur bois.

VIGILA
Xe siècle. Travaillant à Albelda. Espagnol.
Enlumineur et copiste.
Cean Bermudez découvrit dans la Bibliothèque Royale de Madrid, le célèbre manuscrit appelé : *le Vigilano*, qui fut écrit et enluminé par lui, avec l'aide de Garcia et de Sarracino. Vigila était prêtre de San Martino da Abelda.

VIGILIA Thomaso de. Voir **TOMMASO de Vigilia**

VIGLIANTE Giovan Battista
XVIe siècle. Actif à Naples de 1579 à 1598. Italien.
Sculpteur sur bois.
Il travailla pour plusieurs églises de Naples.

VIGLIO Giacomo del. Voir **VIGHI**

VIGLIOLI Giocondo
Né en 1809 à San Secondo. Mort en 1895 à Parme. XIXe siècle. Italien.
Peintre.
La Pinacothèque de Parme conserve en lui *Le crucifié.*

VIGNA Luigi dalla ou **Dalla Vigna**
Né en 1924 à Abano Terme (Padoue). XXe siècle. Italien.
Peintre. Tendance surréaliste.
Il fit ses études à Padoue et à Venise où il travailla principalement la fresque. Pendant la Seconde Guerre mondiale il interrompit ses activités picturales et séjourna ensuite longtemps à l'étranger. En 1966, de retour en Italie, il s'installa à Milan. Depuis 1939, il a exposé un peu partout dans le monde, souvent en relation avec ses voyages à l'étranger, à Zurich, Rotterdam, Paris, Oslo, Stockholm, Berlin, Londres, New York et en Amérique latine.
Sa peinture se rattache à un surréalisme d'atmosphère, mettant en scène des ombres fantasmagoriques fortement sexuées.

VIGNAC Pierre
Né le 15 mai 1914 à Tours (Indre-et-Loire). XXe siècle. Français.
Peintre.

VIGNAL Pierre
Né le 7 juillet 1855 au Bouscat (Gironde). Mort en février 1925. XIXe-XXe siècles. Français.
Peintre de paysages, aquarelliste.
Élève de Lalanne et Jacquard. Il débuta au Salon de 1875. Sociétaire des Artistes Français depuis 1883 : médaille de troisième classe en 1901, de deuxième classe en 1907. Il était officier de la Légion d'honneur.

Musées : Reims : *Rouen*, aquar.
Ventes Publiques : Paris, 20 nov. 1918 : *Bateau de pêche au bord d'une rivière*, aquar. : **FRF 410** – Paris, 11 et 12 mai 1925 : *Pont sur un canal à Venise*, aquar. : **FRF 800** – Paris, 22 mai 1931 : *Environs de Soissons*, aquar. : **FRF 630** – Paris, 7 déc. 1942 : *Un canal à Venise*, aquar. : **FRF 2 400** – Paris, 20 jan. 1950 : *Place Saint-Marc à Venise*, aquar. : **FRF 2 600** – Monaco, 2 déc. 1994 : *Escalier à Frascati*, aquar. (31,7x45) : **FRF 9 435.**

VIGNALI Amadio
Né le 28 janvier 1864 à Crema. XIXe siècle. Italien.
Peintre de portraits, paysages, marines, natures mortes, décorateur.
Élève de l'Académie de la Brera de Milan.
Musées : Ferrare (Gal. mun.) : Deux peintures.

VIGNALI Jacopo, appelé aussi **Jacopo da Prato Vecchio**
Né le 5 septembre 1592 à Prato Vecchio. Mort en 1664 à Florence. XVIIe siècle. Italien.
Peintre d'histoire, compositions religieuses, portraits, fresquiste, dessinateur.
Il fut élève de Matteo Rosseli, mais paraît surtout s'être inspiré de la manière de son contemporain Guercino.
On cite de lui des peintures dans l'église San Simone à Florence et des fresques dans la chapelle de Buonarroti.
Musées : Arezzo (Pina.) : *Madone avec anges et saints* – Ascoli Piceno (Gal. mun.) : *Tobie et l'ange* – Budapest : *Saint Bruno* – Florence : *L'artiste* – Prato : *Apparition du Christ à sainte Catherine.*
Ventes Publiques : Paris, 9 et 10 mars 1927 : *David jouant de la harpe devant Saül*, pierre noire, reh. : **FRF 280** – Milan, 23-24-25 nov. 1964 : *L'Annonciation* : **ITL 900 000** – Londres, 19 avr. 1972 : *Tobie et l'Ange* : **GBP 4 200** – Londres, 28 juin 1974 : *Agar et l'ange* : **GNS 8 500** – New York, 14 jan. 1988 : *Tobie et l'ange* (96,5x75,5) : **USD 7 700** – Heidelberg, 14 oct. 1988 : *L'Adoration des bergers*, cr. et craie blanche (33,7x27,2) : **DEM 2 150** – Londres, 3 juil. 1991 : *La découverte de Moïse*, h/t (209x270,5) : **GBP 1 210 00** – New York, 31 jan. 1997 : *La Vierge à l'Enfant apparaissant à saint Barthélémy et saint François* 1639, h/t (230x144) : **USD 90 500.**

VIGNALI Jean Baptiste de ou **Vignaly**
Né en 1762 à Monaco. XVIIIe siècle. Français.
Peintre d'histoire.
Il entra à l'École de l'Académie royale à l'âge de 11 ans, en juin 1773 ; il habitait à l'hôtel du prince de Monaco, rue de Varenne, Deuxième médaille en juillet 1779 ; en 1781, il obtint le premier prix de peinture mais, étant étranger, ne put bénéficier de la pension à Rome.
Ventes Publiques : Paris, 1776 : *Prêtre disant la messe*, dess. au bistre, reh. de blanc : **FRF 72.**

VIGNANDO Cléa
XXe siècle. Française.
Peintre.
Elle crée des peintures visionnaires, conciliant ses imaginations et des éléments prélevés de la réalité.

VIGNANI ou peut-être **Vignali**
XVIIe ou XVIIIe ou XIXe siècle. Péruvien (?), Italien (?).
Dessinateur de paysages.
Musées : Perpignan : *Maisonnette avec la tour d'un moulin*, dess.

VIGNARDONNE Athalie
XIXe siècle. Française.
Peintre de portraits.
Elle figura au Salon de 1839 à 1841.

VIGNARNY. Voir **VIGARNY**

VIGNAUD Jean
Né en 1775 à Beaucaire (Gard). Mort le 10 novembre 1826 à Nîmes (Gard). XIXe siècle. Français.

Peintre d'histoire, sujets mythologiques, compositions religieuses, portraits.
Élève de David. Directeur de l'École de dessin de Nîmes.
Il figura au Salon de 1806 à 1924 ; médaille de deuxième classe en 1812.
Il peignit le portrait et l'histoire. On cite de lui, notamment à Paris, à Saint-Nicolas-du-Chardonnet, *La Fille de Jaïre*, à Saint-Louis d'Antin, *La Fuite en Égypte*, à la cathédrale de Beaucaire, *Le Christ apparaissant à Madeleine*.
Musées : Nîmes : *Portrait de Liszt enfant – Portraits du marquis et de la marquise de Lamote – Mercure enseignant la lyre à Amphion.*
Ventes Publiques : Monaco, 3 déc. 1988 : *Groupe familial avec femme assise, une partition musicale sur les genoux, entourée de son fils et de sa fille* 1813, h/t (100x81) : **FRF 66 000** – New York, 19 mai 1993 : *Portrait d'une dame (Maria Laetizia Ramolino Buonaparte) en robe rouge garnie de dentelle dans un paysage*, h/t (64,7x55,2) : **USD 4 600**.

VIGNAUD Marie Antoinette, née **Monpeu**
Née en 1825 à Paris. Morte le 25 août 1869 à Saint-Mandé (Val-de-Marne). XIXe siècle. Française.
Peintre de fleurs.

VIGNAY Jean
XVIe siècle. Travaillant à Fontainebleau en 1548. Français.
Peintre, doreur et graveur d'ornements.

VIGNE
XIXe siècle. Britannique.
Peintre de marines.
Il était actif à Cardiff.
Musées : Cardiff : *Marines – navires à l'ancre.*

VIGNE Édouard de
Né le 4 août 1808 à Gand. Mort le 8 mai 1866 à Gand. XIXe siècle. Belge.
Peintre de paysages animés, paysages, graveur à l'eau-forte.
Frère de Félix de Vigne. Élève de Surmont de Volsberghe.
Muni d'une bourse de voyage, il alla en Italie, et ensuite, visita l'Angleterre.
Il a gravé des paysages. Ses dessins sont estimés.
Musées : Gand : *Dans la forêt d'Alife – Le monastère de Cava* – Ypres : *Paysage boisé d'Italie.*
Ventes Publiques : Gand, 1856 : *Paysage italien animé de figures* : **FRF 260** – Londres, 5 oct 1979 : *Voyageurs dans un paysage alpestre*, h/t (70,5x84) : **GBP 850** – New York, 25 oct. 1984 : *Troupeau dans un paysage boisé*, h/pan. (60,4x82,5) : **USD 4 500** – Rome, 14 déc. 1988 : *Paysage montagneux*, h/t (35,5x45) : **ITL 2 400 000** – New York, 27 mai 1993 : *Un col en montagne*, h/pan. (47x67,4) : **USD 9 775**.

VIGNE Emma de
Née le 30 janvier 1850 à Gand. Morte le 3 juin 1898 à Gand. XIXe siècle. Belge.
Peintre de fleurs et de fruits.
Élève de son oncle Félix de Vigne. Le Musée de Gand conserve d'elle *Portrait de l'artiste*.

VIGNE Félix de
Né le 16 mars 1806 à Gand. Mort le 5 décembre 1863 à Gand. XIXe siècle. Belge.
Peintre d'histoire, scènes de genre, portraits, graveur, illustrateur.
Fils d'Ignatius de Vigne, frère d'Édouard et du sculpteur Petrus de Vigne, il fut élève de son père et de Joseph Paelinck à l'Académie de Bruxelles, avant d'entrer à l'Académie de Gand. Il devint le professeur et le beau-père de Jules Breton.
Ses tableaux montrent une sérieuse connaissance des costumes médiévaux, ayant fait lui-même d'intéressantes recherches sur le costume et ayant publié un *Recueil des costumes du Moyen Âge* contenant plus de mille illustrations, dessinées et gravées par lui.

Musées : Anvers : *Récolte du houblon* – Bruxelles : *Soirée d'hiver* – Courtrai : *Boucher du Moyen Âge – Le premier bouquet* – Gand : *Foire au XVe siècle – Baptème au XVIIIe siècle* – Wuppertal : *Trois Portraits.*
Ventes Publiques : Lokeren, 17 févr 1979 : *Les premiers pas*, h/pan. (28x33) : **BEF 40 000** – Londres, 21 mars 1984 : *La cueillette de pommes*, h/pan. (69x58) : **GBP 1 900**.

VIGNE H. G.
XVIIIe siècle. Actif à Londres. Britannique.
Miniaturiste.
Il exposa à la Royal Academy en 1785 et 1787.

VIGNE Ignatius de
Né en 1767 à Gand. Mort après 1849. XVIIIe-XIXe siècles. Belge.
Peintre de décorations.
Père d'Édouard, de Félix et de Pierre de Vigne.

VIGNÉ Joseph
Né en 1795 ou 1796 à Paris. XIXe siècle. Français.
Peintre sur verre et sur porcelaine et portraitiste.
Il figura au Salon de 1831 à 1843. Le Musée d'Avignon conserve de lui : *Portrait de la vicomtesse de Corsin.*

VIGNE Louise de. Voir **LINDEN Louise Van der**

VIGNE Paul de
Né le 26 avril 1843 à Gand. Mort le 13 février 1901 à Bruxelles. XIXe siècle. Belge.
Sculpteur.
Il commence son apprentissage à Anvers dans l'atelier de son père Pierre de Vigne, puis se perfectionne en suivant les cours des Académies de Gand et d'Anvers. A l'Académie de Louvain, il reçoit les conseils de Gérard Van der Linden. En 1870 il fait un séjour en Italie et s'enthousiasme pour les œuvres de Donatello comme il l'avait fait quelques années plus tôt pour celles de Rude. Vers 1873 il revient en Belgique, fait un bref séjour à Gand puis retourne en Italie. En 1875 il se fixe à Bruxelles et y reçoit commande de cariatides pour la façade du Conservatoire Royal de Musique. Il séjourne ensuite à Paris de 1877 à 1882. En 1894 il est élu membre correspondant de l'Académie Royale de Belgique et en est titulaire l'année suivante.
Ce sculpteur se trouva entre les restes d'un art académique, et des aspirations nouvelles à une libération par l'étude de la nature. Son *monument de Breydel et de De Coninck* à Bruges, contient la promesse de plus de naturel et d'un sens plastique plus intéressant, dans la vision des artistes belges à venir.
Musées : Anvers : *Domenico – Breydel et De Conninck* – Bruxelles : *L'immortalité – Italienne.*

VIGNE Pierre ou **Petrus de**, appelé **Vigne-Quyo**
Né le 29 juillet 1812 à Gand. Mort le 7 février 1877 à Gand. XIXe siècle. Belge.
Sculpteur.
Frère cadet de Félix et Édouard de Vigne. Élève de J. R. Calloigne. En 1837, il alla à Rome et revint s'établir définitivement à Gand en 1841.

P.D.V

Musées : Bruxelles : *Buste de J. R. Calloigne* – Gand : *L'ange du Mal.*

VIGNÉ Suzanne
Née en 1913 à Paris. Morte en 1983. XXe siècle. Française.
Peintre, peintre à la gouache, lithographe. Abstrait-lyrique.
Elle fit ses études à l'École des Beaux-Arts de Bordeaux. Elle obtint en 1937 le deuxième Prix du Concours International de Dessin de l'Exposition Universelle de Paris. Pendant la guerre, elle est au Service géographique de l'Armée. En 1942-43, de retour à Paris, elle entre à l'Académie André Lhote. À la suite d'un sinistre en 1943 son œuvre est entièrement détruite. En 1945-46 elle est décoratrice pour le Musée de la Marine. Après une carrière de professeur de dessin d'art jusqu'en 1962, elle se consacre entièrement à la peinture.
Depuis 1953, elle participait à des expositions collectives, quasi exclusivement sur la côte méditerranéenne, notamment : depuis 1961, fréquemment au Bastion Saint-André d'Antibes ; en 1962, 1963, 1965 à Cannes, galerie Cavalero. Elle a exposé individuellement : en 1960 à Juan-les-Pins ; 1961 Juan-les-Pins, avec Jean Villeri ; 1964 Cannes, galerie Cavaléro. Après sa mort, plusieurs expositions ont été consacrées à son œuvre : 1985 à Cannes ; 1991 Paris, galerie Doa-Lévy ; 1991 Paris, rétrospective à la Mairie du IVe.
Dans la première partie de son œuvre qui fut détruite en 1943,

elle peignait surtout des visages. Elle opta ensuite pour les expressions abstraites. Elle a choisi de vivre et de travailler dans le Midi de la France. Son itinéraire l'a menée de l'expressionisme figuratif à l'abstraction dite lyrique, ou tantôt paysagiste, s'aliant, depuis son installation sur la Côte d'Azur, aux minéraux et à la mer, par exemple avec des empreintes de poissons.

Bibliogr. : In : Catalogue de vente, Drouot-Richelieu, Paris, le 21 juin 1990 – Claudine Roméo : *Suzanne Vigné – Œuvres sur papier*, Édit. Autograph, Paris, 1990.

Ventes Publiques : Douai, 1er avr. 1990 : *Composition* 1956, techn. mixte/pap. (42x53,5) : **FRF 12 500** – Paris, 2 avr. 1990 : *Composition*, gche (43,5x57,5) : **FRF 16 000** – Paris, 31 oct. 1990 : *Composition aux poissons bleus*, gche/pap. (65,5x50) : **FRF 5 000** – Neuilly, 4 déc. 1990 : *Composition* 1959, h/t (113x145,5) : **FRF 40 000** – Neuilly, 16 avr. 1991 : *Pierres rouges* 1958, h/t (116x89) : **FRF 34 000** – Paris, 6 oct. 1995 : *Nacrée* 1963, h/t (114x146) : **FRF 6 000**.

VIGNERI Jacopo ou **Gignerio**
xvie siècle. Italien.
Peintre.
Élève de Polidoro Galdara. Il peignit des tableaux d'autel pour des églises de Catania, de Messine et de Taormine.

VIGNERON Mathieu
Né à Besançon. xvie siècle. Travaillant de 1545 à 1585. Français.
Sculpteur sur bois.
Il collabora au retable de l'église Saint-Pierre de Dôle.

VIGNERON Mira
Née le 28 septembre 1817 à Paris. Morte le 4 juin 1884 à Paris. xixe siècle. Française.
Peintre de portraits, natures mortes, aquarelliste.
Fille et élève de Pierre Roch Vigneron, elle figura au Salon de Paris de 1847 à 1865.
Ses aquarelles montrent plus de vivacité, de légèreté que ses peintures à l'huile.

Bibliogr. : Gérald Schurr, in : *Les Petits Maîtres de la peinture 1820-1920, valeur de demain*, Les Éditions de l'Amateur, t. III, Paris, 1976.

Musées : Bagnères-de-Bigorre : *Paysanne romaine – Nature morte.*

VIGNERON Pierre Roch
Né le 16 août 1789 à Vosnon (Aube). Mort le 12 octobre 1872 à Paris. xixe siècle. Français.
Peintre d'histoire, sujets allégoriques, scènes de genre, portraits, aquarelliste, miniaturiste, sculpteur, lithographe.
Élève de Claude Gautherot et du baron Gros à Paris, il suivit ensuite les cours de Guillaume Roques à Toulouse.
Il s'établit pendant un certain temps dans cette dernière ville, comme miniaturiste. Vigneron fit aussi quelques essais en sculpture et exécuta un certain nombre de portraits en lithographie. Finalement, il se consacra à la peinture de genre pour laquelle il montre une prédilection pour les détails peints avec précision.

Bibliogr. : Gérald Schurr, in : *Les Petits Maîtres de la peinture 1820-1920, valeur de demain*, Les Éditions de l'Amateur, t. II, Paris, 1982.

Musées : Bagnères-de-Bigorre : *L'abbé Mussa – Allégorie de la République – Prise de Missolonghi – Étude de vieillard –* Compiègne (Mus. du Palais) : *L'orphelin* – Tarbes : *Suites d'un duel – Napoléon Ier à cheval – Le retour du bal – Avis aux mères –* Troyes : *L'orphelin – Le retour du bal.*

Ventes Publiques : Paris, 4 et 5 mars 1920 : *L'enfant au polichinelle* : **FRF 340** – Paris, 24 nov. 1922 : *Les héritiers* : **FRF 720** – Paris, 16 mars 1929 : *Portrait de Léontine Fay*, aquar. : **FRF 1 520** – Paris, 1er déc. 1948 : *Buste d'homme*, pierre noire : **FRF 25 000** – Monte-Carlo, 22 fév. 1986 : *L'Entrée de Napoléon dans une ville d'Italie du Nord* 1823, lav. et pl. reh. de blanc (26,5x41,5) : **FRF 19 000** – New York, 24 oct. 1989 : *La fenêtre ouverte*, h/t (30,5x24,8) : **USD 12 100**.

VIGNES Étienne Stéphane
Né au xviiie siècle à Toulouse. xviiie siècle. Français.
Peintre.
Élève de Guérin, il entra à l'École des Beaux-Arts le 1er octobre 1821. Il figura au Salon de 1827 à 1834.

VIGNES Jean-Claude
Né en 1924 à Reims (Marne). xxe siècle. Français.
Peintre.
Après un passage aux Arts décoratifs, il suit les cours du soir de la Ville de Paris à Montparnasse, puis étudie la gravure avec Jean Deville à Charleville. Vers 1947, il travaille pour Hans Bellmer mais se passionne aussi pour la danse, le cinéma, le théâtre. Il réalise alors des décors de ballets pour Janine Charrat et devient par la suite décorateur de théâtre et de cinéma. À partir de 1951, il fait de nombreux séjours à Rome, séjours qui influencent son travail.
Depuis ses premiers séjours à Rome, ses peintures sont des recherches d'espace et de lumière, liées à une sorte d'impressionnisme optique, dans lesquelles sont inclues les structures des ruines romaines. À partir de 1960, jusqu'en 1963 il réalise une série de dessins à la plume composites et anthropomorphes. En 1963, s'étant installé à Cannes, au cours de promenades il commence à recueillir les galets, les bois roulés par la mer, les déchets des estivants, objets oubliés et rodés par le temps, et les utilise pour une série d'empreintes qu'il réalise entre 1963 et 1967. Résidant à Prague précisément en 1968, il ressent très profondément l'intervention soviétique et, sous ce choc, devient plus violemment expressif. Il se met à incorporer à ses toiles des rebuts ramassés, jouant sur les effets matiéristes, intensifiant progressivement l'importance de leur volume, cherchant surtout à conférer à l'objet la plus grande ambiguïté possible. C'est cette même ambiguïté qui est exploitée dans les dessins, pliages et frottages entrepris à partir de 1970.

Ventes Publiques : Paris, 19 nov. 1995 : *Paysage* 1993, h/bois (34x65) : **FRF 8 000**.

VIGNET Henri
Né en 1857. Mort en 1920. xixe-xxe siècles. Français.
Peintre de paysages, paysages urbains. Postimpressionniste.
Il fut l'un des fondateurs de l'École de Rouen, peignant les rues de cette ville, mais aussi de Paris et les bords de Seine.

Bibliogr. : Gérald Schurr, in : *Les Petits Maîtres de la peinture 1820-1920, valeur de demain*, Les Éditions de l'Amateur, t. II, Paris, 1982.

Ventes Publiques : Rouen, 23 avr. 1971 : *Montmartre vers 1900*, h/t (61x50) : **FRF 600** – Paris, 13 mars 1989 : *Les quais à Rouen* 1897, h/t (43x61) : **FRF 28 500** – Coutances, 4 mai 1991 : *Rue de Rouen*, h/t (40x33) : **FRF 22 000** – New York, 16 juil. 1992 : *Scène de rue à Rouen*, h/t (45,7x32,4) : **USD 2 310**.

VIGNET Thomas François
Né en 1754 à Paris. xviiie siècle. Français.
Graveur de vignettes.
Élève d'Ingouf.

VIGNEUX
xviiie-xixe siècles. Actif à Paris. Français.
Peintre de portraits, peintre de miniatures.
Élève d'Isabey. Il figura au Salon de 1799 à 1814.

VIGNI Corrado
Né en 1888 à Florence. xxe siècle. Italien.
Sculpteur.
Il fut élève d'Augusto Passaglia.

VIGNIER A.
Né à Philadelphie. xixe siècle. Américain.
Peintre de paysages.
Actif en 1811.

VIGNOCCHI Michele
xixe siècle. Travaillant de 1837 à 1842. Italien.
Graveur au burin.
Il grava des portraits.

VIGNOHT Guy
Né le 24 janvier 1932 à Longuyon (Meurthe-et-Moselle). xxe siècle. Français.
Peintre de portraits, paysages.
Depuis 1947, il expose essentiellement à Nancy et à Paris, où il a participé à divers Salons, dont ceux de la Jeune Peinture, des Indépendants, des Artistes Français, Terres Latines. Il est sociétaire des Salons de la Société Nationale des Beaux-Arts et d'Automne. En 1963, il a présenté, galerie Iris à Paris, vingt grandes peintures évoquant, dans les forêts du Jura, *La Vouivre*, naïade aux serpents imaginée par Marcel Aymé, qui préfaça l'exposition. En 1965, dans la même galerie, il exposait quinze peintures sur le thème du roman de guerre *Les Croix de Bois* de Roland Dorgelès, qui préfaça aussi l'exposition. En 1996, la brasserie *La Coupole* à Montparnasse a présenté l'ensemble de ses portraits d'artistes et d'écrivains.

Guy Vignoht mène une carrière de critique d'art, spécialiste de la figuration des années cinquante, soixante, adversaire déclaré de l'abstraction et encore plus de toutes les avant-gardes ultérieures.
Outre les deux expositions thématiques citées, il a surtout peint les paysages de forêts de sa jeunesse. Toutefois, depuis 1954, il a peint, souvent « de visu », les portraits de nombreux artistes, dont Braque, Dali, Derain, Francis Gruber, Kokoschka, Magritte, Matisse, Permeke, Picasso, Soutine, De Staël, Vlaminck, et de nombreux écrivains, dont Marcel Aymé, Céline, Cocteau, Dorgelès, Léautaud, Saint-Exupéry, etc.

VIGNOIS Petrus
XVIIe siècle. Travaillant à La Haye de 1647 à 1656. Hollandais.
Peintre.

VIGNOLA Gilippo Nereo
Né le 28 février 1873 à Vérone. XIXe-XXe siècles. Italien.
Peintre de paysages, caricaturiste, critique d'art et poète.
Il fut élève de Napoleone Nani.

VIGNOLA Girolamo
Mort en 1544. XVIe siècle. Actif à Modène. Italien.
Peintre.
Imitateur de Raphaël. Il peignit des fresques dans la cathédrale et l'église Saint-Pierre de Modène. Peut-être apparenté aux Barozzi da Vignola.

VIGNOLES André
Né le 5 août 1920 à Clairac (Lot-et-Garonne). XXe siècle. Français.
Peintre de compositions à personnages, paysages animés, paysages, natures mortes, fleurs.
Autodidacte en peinture, il fréquenta les ateliers libres de l'Académie de la Grande Chaumière. Depuis 1948, il participe régulièrement à Paris, au Salon d'Automne, dont il est sociétaire et membre du Conseil. De 1951 à 1959, il exposait à Paris, au Salon des Jeunes Peintres, dont il fut membre du comité en 1955. Il a figuré aussi aux Salons des Indépendants, de la Société Nationale des Beaux-Arts, dont il est également sociétaire, ainsi qu'aux Salons des Tuileries, Comparaisons, Grands et Jeunes d'Aujourd'hui, des Peintres Témoins de leur Temps, du Dessin et de la Peinture à l'eau. Il montre des ensembles de ses peintures dans des expositions individuelles, en 1955 et 1958 à Paris, en 1961 et 1965 à Londres, et surtout à la galerie Wally Findlay, depuis 1977 à Palm Beach, Chicago, New York et Paris en 1980, 1983, 1985, 1988, 1991. Le fait d'avoir eu longtemps un marchand américain l'a écarté du marché français pendant plusieurs années.
Dans une technique très classique, sa référence sentimentale étant Poussin, mais qui s'est quand même revigorée auprès des impressionnistes, il peint de vastes compositions, éventuellement en polyptyques, de baigneurs et baigneuses sur la plage et dans les vagues de Biarritz ou bien, plus inattendues, de visiteurs du Louvre devant *L'Enlèvement des Sabines* de Poussin ou *La Mort de Sardanapale* de Delacroix, dont ils accompagnent les attitudes des personnages, confondant ceux qui sont peints avec les vivants. Ces grandes compositions étant destinées en général au Salon d'Automne, il est plus souvent peintre de paysages, ne redoutant pas les larges perspectives. S'il privilégie les paysages de la région de Biarritz, il a peint aussi des séries autour de Tolède ou de Sorente, Paestum, Pompéi, Capri. S'il est à l'aise dans les accords de couleurs légèrement acidulées, d'abord admirés chez Poussin, son sens de la nature, d'avoir été sensibilisé par les impressionnistes, en est plus frémissant, plus vivant.

A. Vignoles.

BIBLIOGR. : Catalogue de l'exposition *A. Vignoles : L'espace d'un été*, Wally Findlay Gall., Paris, 1983 – Catalogue de l'exposition *André Vignoles : De Florence au Lac Trasimène*, Wally Findlay Gall., Paris, 1985 – Catalogue de l'exposition *André Vignoles : la Campanie et la mer d'Italie*, Wally Findlay Gall., Paris, 1991.
VENTES PUBLIQUES : PARIS, 17 oct. 1990 : *Table fleurie* 1956, h/t (65x81) : **FRF 4 000** – NEW YORK, 12 juin 1991 : *Les Coquelicots*, h/t (40,6x33) : **USD 2 310** – PARIS, 19 nov. 1991 : *Nature morte au tableau de paysage* 1961, h/t (114x146) : **FRF 9 500** – NEW YORK, 10 nov. 1992 : *Chemin vers Montfort-L'Amaury*, h/t (89x115,6) : **USD 3 850** – NEW YORK, 24 fév. 1994 : *Nature morte* 1961, h/t (54x64,8) : **USD 1 150** – PARIS, 7 juin 1996 : *Fleurs des champs*, h/t (68x87) : **FRF 4 100**.

VIGNOLETTA. Voir **MENOZZI Domenico**

VIGNOLLES Thierry
XVIIe siècle. Travaillant à Nancy de 1615 à 1631. Français.
Portraitiste et peintre de genre.

VIGNON
Né à Royallieu (Oise). XVIIIe siècle. Français.
Sculpteur sur bois.
Il a sculpté des stalles dans l'église Saint-Jacques de Compiègne en 1758.

VIGNON Claude. Voir **ROUVIER Noémie**

VIGNON Claude
Né à Châtillon-sur-Loing. XVIIe siècle. Français.
Peintre de compositions religieuses.
Il était actif dans la première moitié du XVIIe siècle. Il a peint le *Martyre de sainte Portentiane* dans l'église de Châtillon-sur-Loing.

VIGNON Claude
Baptisé à Tours le 19 mai 1593. Mort le 10 mai 1670 à Paris. XVIIe siècle. Français.
Peintre d'histoire, compositions religieuses, scènes de genre, portraits, compositions décoratives, graveur à l'eau-forte.
Pour Louis Dimier, dans sa monumentale *Histoire de la Peinture Française*, le retour de Rome de Simon Vouet, en 1627, marquerait non seulement un tournant décisif dans l'évolution de l'art français mais peut-être même la naissance d'une École proprement française. Il y a longtemps que l'intérêt des historiens d'art s'est attaché aux divers courants d'influences qui, issus des Flandres ou d'Italie, fondirent ensemble, chez les artistes de la terre de France au XVe siècle, le sens décoratif siennois et la gravité d'inspiration des Flamands. Le même engouement pour l'italianisme classique, qui avait fait négliger nos primitifs, Girard d'Orléans, André Beauneveu, Enguerrand Quarton, Nicolas Froment, Jean Malouel, Simon Marmion, Jean Bellegambe, Jean Fouquet, Jean Perréal, François Clouet et Corneille de Lyon, sans énumérer les maîtres anonymes ni les œuvres des Écoles d'Aix, d'Avignon, de Bourgogne, de Paris ou de Nice, ce même engouement relégua dans l'ombre une moitié prestigieuse de nos artistes du XVIIe siècle, heureusement remis en lumière depuis 1875, les frères Le Nain tout d'abord, Philippe de Champaigne, Jacques Callot, son prédécesseur Jacques Bellange et son disciple Abraham Bosse, Claude Vignon qui nous occupe ici, enfin surtout Georges de La Tour. Ces maîtres étaient évidemment entourés d'artistes de moindre importance que Paul Jamot sut magistralement remettre en lumière en une exposition désormais célèbre des *Peintres de la Réalité au XVIIe siècle*. Nous savons donc maintenant qu'aux grands peintres classiques français du XVIIe siècle, d'inspiration raphaélienne, il faut ajouter toute une École réaliste, tirant ses sources également d'Italie mais des peintres réalistes de l'École du Caravage, des Flandres, non pas d'un Rubens dont le baroquisme ne sera pleinement ressenti en France qu'au début du XVIIIe siècle, mais des Réalistes flamands et particulièrement des *Tenebrosi*, tels Gerrit Van Honthorst, et d'Espagne, tant de Murillo que de Vélasquez. Plusieurs histoires de l'art ignoraient encore naguère Claude Vignon, par exemple celles d'Élie Faure et de Pierre du Colombier. Il semble que l'étude la plus complète que l'on possédait sur lui est un important article de Charles Sterling, paru dans la *Gazette des Beaux-Arts* en 1934 : *Un précurseur français de Rembrandt, Claude Vignon*. Il paraît séduisant à différents auteurs d'essayer de localiser cette École réaliste française du XVIIe siècle à des artistes originaires du Nord et de l'Est. Certes, Philippe de Champaigne, de souche champenoise, naquit en outre à Bruxelles, les frères Le Nain sont de Laon, Jacques Callot et Georges de La Tour sont lorrains ; déjà des Flamands, Pieter Van Mol, Juste Van Egmont, émigrés, sont inscrits à la récente Académie Royale de Peinture de Paris. Néanmoins, gardons-nous de généraliser, car des réalistes, comme Abraham Bosse et Claude Vignon, sont nés à Tours, tandis qu'un classique de l'importance de Claude Gelée, né à Nancy, est même appelé Le Lorrain.
De Claude Vignon, nous ne savons que peu de choses. Il était fils d'un valet de chambre de Henri IV, ce qui a son importance si

l'on se rappelle que c'est précisément ce roi qui introduisit en France les premiers peintres flamands capables des portraits d'apparat qu'il désirait. Balzac, dans son *Chef-d'œuvre inconnu*, a rendu familière la figure d'un François Pourbus. On sait encore que Claude Vignon fut protégé par Louis XIII et Richelieu. Or, il nous est rapporté que les préférences de Louis XIII allaient plutôt aux peintres réalistes de son temps, à tel point qu'il « fit ôter de sa chambre tous les autres tableaux pour ne laisser qu'(...) un *Saint Sébastien dans une nuit* », de Georges de La Tour. Guillet de Saint-Georges, dans ses *Mémoires sur les Membres de l'Académie de Peinture et Sculpture* (1854), suppose que Vignon aurait fait le voyage d'Italie à l'âge de seize ans, en 1609 ou 1610. On pensa aussi qu'il ne serait parti qu'après sa réception dans la guilde des peintres en 1616, c'est-à-dire à l'âge de vingt-trois ans. Il aurait alors reçu une première formation parisienne, que l'on est en droit d'imaginer dans l'atelier de Georges Lallemand, étant donnée la parenté des styles. Cette première formation aurait également pu se situer pour des raisons similaires, dans l'atelier de Jacob Bunel. Une fois à Rome, soit avant, soit après 1616, il est tout à fait probable qu'il fréquentait l'entourage de Simon Vouet, par le rayonnement duquel il ne pouvait pas ne pas être attiré. Il y aurait rencontré des peintres tels Poelenburg, Mitenbrock, Honthorst, recevant par leur intermédiaire la leçon du Caravage. Il est aussi avéré qu'il se rendit à deux reprises en Espagne. De son temps, il jouissait d'une notoriété très officielle, ayant été reçu Académicien et professeur le 2 septembre 1651. Il est même probable qu'il fit figure de chef d'atelier et des trente-quatre enfants qu'on lui prête, plusieurs se firent connaître comme peintres : Nicolas, Philippe et Claude-François. Lorsqu'il rentra en France, vers 1624-1627, il y connut un grand succès. Après la cour, les amateurs lui donnaient commande de compositions ou de grandes décorations.

Longtemps inconnu, puis encore mal connu, il était représenté en 1934 à Paris, à l'exposition *Les peintres de la réalité en France au XVIIe siècle* ; au Musée de l'Orangerie ; en 1974 à Paris, à l'exposition *Valentin et les Caravagesques français* ; aux Galeries Nationales du Grand Palais, il a fallu attendre l'exposition de 1994 qui lui fut consacrée ; aux Musées des Beaux-Arts de Tours, puis d'Arras ; enfin au Musée des Augustins de Toulouse, pour bénéficier d'une vision d'ensemble de l'œuvre de Claude Vignon dans son évolution.

La diversité des influences manifestes dans l'œuvre de Vignon laisse à penser, soit qu'il circula beaucoup à travers l'Italie, attentif à tout ce qu'il rencontrait, soit qu'il aurait eu des contacts indirects avec les Vénitiens, par exemple par l'intermédiaire d'un Domenico Teti ; en effet, à cette époque, sa touche, grasse et gestuelle à la fois, traçant des accents de couleurs émaillées, rappelle le maniérisme par exemple d'un Bramer. Luminisme, maniérisme nerveux de la touche empâtée, naturalisme de la vision en même temps que dramatisation de la vision, en pensant, au Musée des Beaux-Arts d'Arras, à son baroque, terrible et sanglant *Martyre de saint Matthieu*, sans doute en 1617, âgé de vingt-quatre ans, une de ses premières œuvres importantes, Vignon fait bien partie de ces peintres de transition qui annoncent Rembrandt. C'est à Rembrandt encore que font penser certaines des gravures qu'il exécuta à Rome, souvent d'après Lanfranco, le Cavalier d'Arpin et Simon Vouet, et surtout la peinture *L'Adoration des Mages*, de 1619, à l'église Saint-Gervais de Paris. Le *Jésus parmi les docteurs*, du Musée de Grenoble, vers 1623, fait aussi partie des œuvres annonciatrices de Rembrandt. Le *Salomon et la reine de Saba*, du Louvre, vers 1624, fait au contraire penser à Domenico Feti et aux Vénitiens. La plupart des auteurs insistent sur l'éclectisme de Vignon et quantité de parentés sont évoquées à son propos, avec Pietro Vecchia, ou encore avec Valdes Léal. Quant à Valdes Léal, il est possible que ce soit au contraire celui-ci qui ait subi l'influence de Vignon, car il est certain que Vignon se rendit à deux reprises en Espagne et qu'il y laissa de ses œuvres. Certaines des peintures de Vignon présentent également une parenté avec le réalisme de Murillo. Dans quel sens s'effectuèrent les influences ? Sans doute convient-il d'envisager une réciprocité. Vignon fut certainement un agent important de la connaissance en France de la peinture espagnole, jusqu'à lui ignorée. Voici pour les influences reçues, mais, suivant en cela Charles Sterling, on peut arguer d'une possible influence en sens contraire de Claude Vignon sur Rembrandt, qui l'aurait d'ailleurs rencontré. À l'appui de cette supposition, remarquons la parenté d'une œuvre de Claude Vignon, *Esther devant Assuérus*, datée de 1624, maintenant au Louvre, avec l'art de Pieter Lastman, de nouveau un élève de Caravage et que Rembrandt plaçait haut.

La présente notice semble s'être complue, à l'exemple des différents auteurs dont il convenait de rendre compte, à l'exposé de l'éclectisme des sources et des manières diverses reconnaissables dans l'ensemble de l'œuvre de Vignon. Il ne faut cependant pas en méconnaître également l'unité, portant à la fois sur le caravagisme de la pensée qui s'y exprime et sur le maniérisme d'une touche audacieusement sensible, et dont cette conjoncture annonçait Rembrandt que Claude Vignon sut d'ailleurs reconnaître dès ses premières manifestations, puisque l'expert réputé qu'il était, comme beaucoup de peintres du temps, est mentionné dès 1641 dans des ventes de peintures du jeune Rembrandt. À la fin de sa vie, l'excès de commandes nuisit peut-être à la résonance profonde de certaines de ses œuvres, traitées prestement en accentuant le charme de la touche maniériste. De toute façon, les très nombreuses attributions à Claude Vignon devraient faire l'objet d'un examen plus sévère, pour pouvoir être rapprochées par exemple de l'intensité dramatique du *Crésus réclamant le tribut*, du Musée de Tours, vers 1629. Employé à la cour comme décorateur, il ne reste cependant pas grand trace de ses grands travaux. En outre, les décorations qu'il avait peintes pour le château de Torigny-sur-Vire, ont été détruites lors de la guerre de 1939-1945.

Claude Vignon ne tient peut-être pas, par son œuvre, un rôle de premier plan dans cette École réaliste française du XVIIe siècle, désormais remise en lumière, mais il a été étudié longuement ici parce que, par le milieu où il se forma, par les appuis qu'il trouva, par les affinités de son goût, par le choix de ses exemples, par ses voyages, par l'influence où il se prolonge, il figure un exemple parfait et complet d'une carrière de peintre français du XVIIe siècle, qui s'est déroulée entièrement à l'écart de cette École classique, seule reconnue jusqu'au XXe siècle. ■ Jacques Busse

Bibliogr. : Charles Sterling : *Un précurseur français de Rembrandt : Claude Vignon*, Gazette des Beaux-Arts, Paris, octobre 1934 – Catalogue de l'exposition *Les peintres de la réalité en France au XVIIIe siècle*, Musée de l'Orangerie, Paris, 1934 – Luc Benoist, in : *Diction. Univers. de l'Art et des Artistes*, Hazan, Paris, 1967 – Catalogue de l'exposition *Valentin et les Caravagesques français*, Gal. Nat. du Grand Palais, Paris, 1974 – Paola Pacht Bassani : Catalogue de l'exposition *Claude Vignon*, Édit. Arthéna, Mus. de Tours, Arras, Toulouse, 1994.

Musées : Arras (Mus. des Beaux-Arts) : *Le Martyre de Saint Matthieu* 1610 – Caen : *Didon* – Dijon (Mus. Magnin) : *Les adieux* – Épinal (Mus. des Beaux-Arts) : *Saint Paul et saint Antoine* – Florence (Gal. Corsini) : *Joueur de flûte* – Grenoble : *Jésus parmi les docteurs* – Lille : *L'adoration des rois* – Nantes : *Jésus lavant les pieds des disciples* – Paris (Mus. du Louvre) : *Esther et Assuérus* – *Salomon et la reine de Saba* – Paris (Église Saint-Gervais) : *Adoration des mages* – Rennes : *Sainte Catherine martyre* – Rouen : *Joseph en prison* – Semur-en-Auxois : *Saint Antoine* – *Les noces de Cana* – Toulouse : *Sainte Cécile* – Tours : *Roi sur son trône condamnant un vieillard amené par des soldats, ou Crésus réclamant le tribut à un des paysans de Lydie* – *Sacrifice sur un autel entouré de femmes de diverses nations.*

Ventes Publiques : Paris, 1777 : *Renaud et Armide* : **FRF 110** – Paris, 12 mai 1898 : *Portrait présumé de Diane d'Orléans*, miniat. : **FRF 450** – Paris, 6 mars 1951 : *Adoration des mages*, attr. : **FRF 163 000** – Paris, 10 déc. 1962 : *Esther et Assuérus* : **FRF 20 000** – Paris, 21 juin 1963 : *La rencontre* : **FRF 10 000** – Londres, 10 nov. 1967 : *Les fiançailles* : **GNS 1 400** – New York, 4 juin 1980 : *Moïse sauvé des eaux*, h/t (172,5x218,5) : **USD 20 000** – Milan, 21 mai 1981 : *Le Char de Vénus*, h/pan., haut arrondi (91x127) : **ITL 4 000 000** – Monte-Carlo, 5 mars 1984 : *L'idolâtrie de Salomon*, h/t (70x90) : **FRF 40 000** – Paris, 13 juin 1986 : *Le Martyre de sainte Catherine*, h/t (92,5x119) : **FRF 150 000** – Monaco, 3 déc. 1988 : *Jeune homme en buste portant un chapeau à plumes et levant son verre*, h/t (108x85,5) : **FRF 660 000** – Paris, 25 avr. 1990 : *Portrait d'un jeune prince en cuirasse*, h/t (73x60) : **FRF 58 000** – Monaco, 15 juin 1990 : *Le rêve de Daphnis*, h/t (110x149) : **FRF 1 110 000** – New York, 10 oct. 1990 : *Allégorie de l'Eglise catholique : jeune femme tenant une croix, les clés de saint Pierre et une tiare d'évêque*, h/t (94x76,2) : **USD 17 600** – Mayenne, 15 déc. 1991 : *Un ange réconfortant Madeleine dans le désert*, h/pan. (78x100) : **FRF 355 000** – New York, 17 jan. 1992 : *Le roi Salomon adorant les idoles de Baal* 1626, h/t (76,2x77,5) : **USD 16 500** – Londres, 23 avr. 1993 : *Saint Paul*, h/t (95x116,5) : **GBP 17 250** – Paris, 5 avr. 1995 : *L'Adoration des Mages*, h/cuivre (48,5x37) : **FRF 440 000** – Paris, 27 mars 1996 : *Saint Guillaume d'Aquitaine*, h/t (92x73,5) : **FRF 60 000** – Rome, 23 mai-4 juin 1996 : *Diogène cherchant un homme*, h/t (100x155) : **ITL 23 000 000** – Paris, 28 juin 1996 : *Ecce Homo*, h/t (113x93,5) : **FRF 60 000** – Londres, 5 juil. 1996 : *La Sainte Famille et les Anges*, h/cuivre (49,5x66,3) : **GBP 18 000 000** – Londres, 30 oct. 1996 : *Saint*, h/t (98,9x75,4) : **GBP 8 280**.

VIGNON Claude François

Né le 4 octobre 1633 à Paris. Mort le 27 février 1703 à Paris. XVIIe siècle. Français.

Peintre d'histoire.

Fils de Claude Vignon. Il fut agréé à l'Académie Saint-Luc le 6 décembre 1664 et reçu académicien le 25 juin 1667. Il figura au Salon de cette compagnie, notamment, en 1673.

Musées : Versailles : *Rodogune à sa toilette – Bellone brûlant avec un flambeau le visage de Cybèle et faisant fuir l'Amour dans les cieux – Arpélie, femme d'Arpalus, retirant son mari d'entre les mains de ses ennemis qui l'emmenaient prisonnier.*

Ventes Publiques : Paris, 4 avr. 1949 : *Piété filiale*, tableau de magie, école de C. F. V. : **FRF 19 000** – Versailles, 17 fév. 1980 : *Portrait d'une dame de Cour accompagnée d'un enfant portant un plateau de fleurs*, h/t (120x95) : **FRF 24 000**.

VIGNON Jules de, ou **Henri François Jules**

Né le 11 octobre 1815 à Belfort. Mort le 13 janvier 1885 à Paris. XIXe siècle. Français.

Peintre d'histoire, scènes de genre, portraits.

Élève de Léon Cogniet, il entra à l'École des Beaux-Arts le 6 octobre 1831.

Il débuta au Salon de 1833 et y figura jusqu'en 1882 ; médaille de troisième classe en 1847 et 1861.

Musées : Versailles : *Portrait du vicomte Paultre de Lamotte – Bataille de Sedan*, en collaboration avec V. et L. Cogniet.

Ventes Publiques : Londres, 16 nov. 1994 : *Vivanti – danse italienne*, h/t (148x198) : **GBP 21 850**.

VIGNON Nicolas

XVIIe siècle. Français.

Peintre.

Fils de Claude Vignon.

VIGNON Philippe

Né le 27 juin 1638 à Paris. Mort le 7 septembre 1701. XVIIe siècle. Français.

Peintre de portraits.

Fils de Claude Vignon. Il fut reçu académicien le 30 août 1687.

Musées : Paris (Mus. du Louvre) : *Le sculpteur Philippe de Buyster* – Versailles : *Le peintre Henri de Mauperché – Mme de Montespan – Mlle de Blois et Mlle de Nantes.*

Ventes Publiques : Paris, 15 fév. 1923 : *Portrait de femme en Diane* : **FRF 800** – Versailles, 28 oct 1979 : *L'enfant au manteau rouge*, h/t, forme ovale : **FRF 14 100**.

VIGNON Victor Alfred Paul

Né le 25 décembre 1847 à Villers-Cotterets (Aisne). Mort en 1909 à Meulan (Yvelines). XIXe siècle. Français.

Peintre de paysages, natures mortes, dessinateur, aquafortiste.

Sa mère se nommant Catherine Bouchard, il a été dit à tord fils d'une certaine Claude Vignon, femme de lettres. Il fut élève de Corot vers 1869.

Il fit en 1884 une exposition qui obtint un grand succès. Il est intéressant de noter que cet élève de Corot, également ami de Cals, fut ensuite le compagnon de Pissarro et de Cézanne à Auvers-sur-Oise, en 1874-1876, et qu'il exposa avec les impressionnistes de 1880 à 1886. Victor Vignon constitue donc un témoignage concernant les liens mal connus qui pouvaient exister entre Corot et les peintres de Barbizon et les impressionnistes.

Peintre de natures mortes et de paysages, il usait d'un dessin bistré qui le séparait radicalement des intentions profondes de ses compagnons impressionnistes, encore plus que son goût, peu luministe, pour les ciels lourds de nuages, les paysages de neige, les chemins creux campagnards.

Bibliogr. : Thérèse Burollet, in : *Diction. Univers. de l'Art et des Artistes*, Hazan, Paris, 1967.

Musées : Paris (Mus. de l'Impressionnisme) : *Paysage à Auvers* – Reims : *Paysage animé.*

Ventes Publiques : Paris, 18 mai 1899 : *Paysage d'automne* : **FRF 600** – Paris, 1899 : *Chaumières à Chenival* : **FRF 820** – Paris, 6 mars 1900 : *Les Chaumiers* : **FRF 2 000** ; *Le Chemin montant au soleil* : **FRF 505** ; *La Neige* : **FRF 565** ; *Le Chemin des Vallées* ; *Les Cultures* : **FRF 950** – Paris, 26 avr. 1900 : *Aux environs d'Anvers* : **FRF 700** ; *Le Chemin menant à Auvers-sur-Oise* : **FRF 920** – Paris, 7 mai 1906 : *Le Vieux Chemin à Four* : **FRF 900** ; *Le clos Pollet* : **FRF 830** – Paris, 3 fév. 1919 : *La Prairie* : **FRF 1 400** – Paris, 1-3 déc. 1919 : *Les Moissonneuses* : **FRF 5 600** ; *Le Repos au bord du chemin* : **FRF 4 100** – Paris, 13 fév. 1925 : *L'Hiver,effet de neige* : **FRF 3 020** – Paris, 17 mai 1929 : *Le Village au printemps* : **FRF 1 920** – Paris, 28 fév. 1936 : *Entrée d'un village en Champagne* : **FRF 4 220** – Paris, 1er juin 1938 : *Le Village à flanc de côteau* : **FRF 5 500** – Paris, 18 mai 1942 : *Le Village* 1885 : **FRF 15 500** ; *L'Entrée du village* : **FRF 13 800** – Paris, 11 déc. 1942 : *Route bordée d'arbres en hiver* 1888 : **FRF 105 000** – Paris, 1er déc. 1943 : *Vue de village* : **FRF 24 000** – Paris, 24 jan. 1947 : *Le Chemin sous la neige* 1886 : **FRF 19 000** – Paris, 12 déc. 1949 : *Le chemin* : **FRF 21 500** – Paris, 2 juil. 1951 : *Paysage* : **FRF 26 000** – Paris, 24 mars 1955 : *Les Pommiers en fleur* : **FRF 101 000** – Londres, 6 mai 1959 : *Village dans la neige* : **GBP 350** – Paris, 28 oct. 1960 : *Bords de Seine avec péniches* : **FRF 6 300** – Londres, 6 déc. 1963 : *Auvers-sur-Oise* : **GNS 700** – Paris, 13 déc. 1965 : *Paysage* : **FRF 11 000** – Londres, 6 avr. 1966 : *Vue d'un village en Seine-et-Oise* : **GBP 820** – Paris, 24 juin 1968 : *La Route dans la campagne* : **FRF 15 600** – New York, 5 nov. 1969 : *Chemin montant* : **USD 2 300** – Paris, 23 oct. 1970 : *La Route bordée de maisons* : **FRF 35 000** – Paris, 4 déc. 1971 : *Le Village* : **FRF 24 000** – Londres, 1er déc. 1972 : *L'entrée du village* : **GNS 1 700** – Versailles, 9 déc. 1973 : *Le chemin ensoleillé* : **FRF 27 000** – Versailles, 6 avr. 1974 : *Le village sous la neige* : **FRF 28 000** – Paris, 31 mars 1976 : *Paysanne assise devant sa maison*, h/t (43x27) : **FRF 8 200** – Versailles, 15 juin 1976 : *Pêcheur au bord de la rivière*, gche (21,5x32) : **FRF 1 900** – Paris, 31 mars 1977 : *Environs d'Auvers-sur-Oise*, h/t (46x55) : **FRF 12 500** – Paris, 3 déc 1979 : *Rue de village*, h/t (24x35) : **FRF 11 000** – Versailles, 8 juin 1983 : *Paysanne sur le chemin dominant le village*, h/t (54x65) : **FRF 92 000** – Paris, 19 mars 1985 : *Paysanne aux abords d'un village*, h/t (39x55) : **FRF 73 000** – Enghien-les-Bains, 29 nov. 1987 : *Le village sous la neige*, h/t (47x56) : **FRF 320 000** – Neuilly, 9 mars 1988 : *Le sentier*, h/t (24x46) : **FRF 15 500** – Calais, 3 juil. 1988 : *Ruelle animée*, h/t (50x34) : **FRF 150 000** – Paris, 12 juil. 1988 : *Bord de mer*, h/t (54x65) : **FRF 10 000** – Calais, 13 nov. 1988 : *Paysanne sur le chemin*, h/t (38x46) : **FRF 35 000** – New York, 16 fév. 1989 : *Bateaux sur la rivière*, h/t (32,4x46) : **USD 14 300** – Paris, 7 avr. 1989 : *Les meules dans les champs*, h/t (38x46) : **FRF 55 000** – Londres, 28 juin 1989 : *Paysage*, h/t (26,6x35,2) : **GBP 12 100** – New York, 5 oct. 1989 : *Paysanne dans les champs* 1887, h/t (45,7x55,2) : **USD 17 600** – Paris, 13 déc. 1989 : *Nature morte à la casserole*, h/t (27x35) : **FRF 9 500** – Paris, 14 fév. 1990 : *Meules*, h/t (55,5x46) : **FRF 68 000** – New York, 21 fév. 1990 : *Nature morte*, h/t (34,4x42,6) : **USD 24 200** – Paris, 13 juin 1990 : *Village sous la neige*, h/t (40,8x56) : **FRF 75 000** – New York, 19 juil. 1990 : *Nature morte d'un bouquet de fleurs jaunes, roses et rouges*, h/cart. (27x21,9) : **USD 2 750** – Calais, 7 juil. 1991 : *Le Village*, h/t (54x65) : **FRF 80 000** – Paris, 16 déc. 1991 : *La Sortie de l'école*, h/t (19,5x27) : **FRF 15 000** – Calais, 2 fév. 1992 : *Église et village de Jouay-le-Comte* 1885, h/t (46x55) : **FRF 95 000** – New York, 25 fév. 1992 : *Village d'Ile-de-France*, h/t (55,5x81,4) : **USD 11 000** – Le Touquet, 8 juin 1992 : *Arbres en fleurs au pied d'un village*, h/t (33x41) : **FRF 35 000** – Calais, 14 mars 1993 : *Vue d'un petit village*, h/t (46x55) : **FRF 30 000** – Neuilly, 19 mars 1994 : *Paysage*, h/t (41x33) : **FRF 15 000** – Londres, 28 juin 1994 : *Le Chemin du village*, h/t (30x30) : **GBP 17 250** – New York, 30 avr. 1996 : *Village*, h/t (46x55,5) : **USD 13 800** – Londres, 25 juin 1996 : *La route bordée d'arbres* 1875, h/t (46x55) : **GBP 12 650** – New York, 12 nov. 1996 : *Chemin sous la neige*, h/pan. (17,8x24,1) : **USD 4 370** – Paris, 6 déc. 1996 : *Château-Gaillard*, h/t (48,5x65) : **FRF 10 000** – Paris, 14 mai 1997 : *Paysage aux environs de Pontoise*, h/t (23x30) : **FRF 11 000** – Paris, 16 mai 1997 : *Le Hameau de Vaux-*

sur-Oise, h/t (33x41) : **FRF 63 000** – Paris, 6 juin 1997 : *L'Église du village* 1888, h/t (38x56) : **FRF 28 000**.

VIGNY Alfred Victor de, comte

Né le 27 mars 1797 à Loches (Indre-et-Loire). Mort le 17 septembre 1863 à Paris. XIXe siècle. Français.

Dessinateur, graveur amateur.

De 1814 à 1825, le futur poète de *La Maison du berger* est officier. Il a des loisirs, il les occupe en composant des vers et en dessinant. A Pau, où il est en garnison (il y rencontre d'ailleurs Lydia Bunbury, qui deviendra sa femme) il exécute des croquis de cette ville, de ses environs et des Pyrénées. Outre les œuvres de cette période, Vigny indiqua un projet de décor pour le premier acte de *Chatterton* et fit des aquarelles, dessins et gravures, jusqu'en 1848 environ. L'auteur des *Destinées* fut inhumé au cimetière Montmartre. Signalons enfin que la mère d'Alfred de Vigny avait un réel talent de portraitiste, on lui attribue : son fils en uniforme de mousquetaire rouge. ■ P.-A. T.

Ventes Publiques : Paris, 24 fév. 1949 : *Recueil de dessins, aqueduc de Marly, bouquet d'arbres, portrait d'un militaire*, en tout six dessins, avec six gravures dans un album : **FRF 17 500**.

VIGNY Sylvain

Né le 8 avril 1903 à Vienne (Autriche). Mort le 4 février 1970 à Nice (Alpes-Maritimes). XXe siècle. Français.

Peintre de genre, scènes animées, figures, nus, paysages, marines, fleurs.

Il arrive en France en 1929, après avoir connu une vie aventureuse à Vienne et à Paris, découvre Nice en 1934 et s'y installe. Il n'a jamais appris à dessiner ou à peindre. Il dessina pendant longtemps en attendant le moment de peindre.

En 1928 il illustre *La Danse macabre* de Fagus. Sa peinture est brutale mais chaleureuse, inquiète et chaotique, le décor des personnages, la nostalgie des coiffures seigneuriales ou bourgeoises font penser à l'Espagne, aux fêtes vénitiennes, à la *Belle Époque*, etc. Le monde selon Vigny est un spectacle tragique et fantastique. Ses personnages sont douloureux, femmes aux lourdes formes, scènes de plage, compositions empreintes de mysticisme.

Ventes Publiques : Paris, 23 fév. 1949 : *Personnages dans un jardin* : **FRF 23 500** ; *Nus couchés* : **FRF 18 500** – Paris, 9 et 10 juin 1954 : *Rue de village animée* : **FRF 60 000** – Paris, 4 juin 1964 : *Femme au vase* : **FRF 6 600** – Paris, 6 mars 1968 : *Le 1er mai* : **FRF 9 000** – Genève, 8 déc. 1973 : *Montmartre* : **CHF 4 000** – Versailles, 18 juin 1974 : *Les voiliers dans le port* : **FRF 7 000** – Versailles, 29 fév. 1976 : *Personnages sur le port*, gche (45x59,5) : **FRF 1 400** – Versailles, 12 mai 1976 : *Les violonistes*, h/t (80x100) : **FRF 4 800** – Nice, 7 juin 1978 : *La cavalière au cheval blanc*, h/t (58x72) : **FRF 4 000** – Paris, 21 avr. 1988 : *Le fiacre sur la promenade*, h/cart. (48,5x64) : **FRF 2 500** ; *Promeneurs à Cannes sur la Croisette*, h/t (57x70) : **FRF 5 500** – Paris, 4 mai 1988 : *Le chœur – thème biblique*, h/t (81x100) : **FRF 8 000** – Paris, 15 juin 1988 : *Petite fille au vase de fleurs*, h/t (91x24) : **FRF 10 000** – Paris, 22 nov. 1988 : *La plage* 1957, gche (50x65) : **FRF 25 000** – Paris, 15 mars 1989 : *Femme de profil à gauche*, h/t (55x46) : **FRF 5 200** – La Varenne-Saint-Hilaire, 21 mai 1989 : *Fleurs dans un vase*, h/pap. (64x50) : **FRF 7 500** – Neuilly, 5 déc. 1989 : *Jeune fille*, h/t (92x65) : **FRF 12 000** – Paris, 20 fév. 1990 : *Personnages au bord de la mer*, h/t (50x61) : **FRF 7 500** – Paris, 4 avr. 1990 : *Le clown*, h/cart. (65x50) : **FRF 18 500** – Paris, 26 avr. 1990 : *Femme au chapeau*, h/t (65x50) : **FRF 15 000** – Neuilly, 26 juin 1990 : *Paysage*, h/t (60x73) : **FRF 21 000** – Paris, 12 déc. 1990 : *Voiliers sur une plage animée*, h/pan. (46x62) : **FRF 7 500** – Paris, 14 jan. 1991 : *Famille au bord du lac*, h/pan. (50x62,5) : **FRF 10 000** – Neuilly, 20 oct. 1991 : *L'entrée du port*, h/pap. (47x64) : **FRF 8 000** – Paris, 15 avr. 1992 : *Personnages sous un ciel bleu et rouge*, h/pap./pan. (48x66) : **FRF 4 500** – Paris, 20 déc. 1993 : *Bord de plage*, h/cart. (50x65) : **FRF 5 000** – Paris, 8 fév. 1995 : *Les voiliers et la plage*, h/cart. (50,5x65,7) : **FRF 9 000**.

VIGOGNE Claire. Voir **PRÉMONVILLE-VIGOGNE C. de**

VIGON Louis Jacques

Né le 10 mars 1897. Mort en 1985. XXe siècle.

Peintre de figures, portraits, paysages, paysages urbains, marines animés, fleurs, peintre de décors de théâtre.

Il est né au cours du voyage qui amenait ses parents en Normandie. Son enfance s'est passée à Rouen, qu'il ne quittera plus guère, sauf voyages. À partir de 1911 et jusqu'à la guerre de 1914, il y fut élève de l'École des Beaux-Arts. À Rouen, puis, après la guerre, à travers le monde, il fit une brillante carrière de décorateur de théâtre.

Il a commencé à exposer, dans des groupes ou seul, dans les quelques galeries de Rouen. Ensuite, participant à des expositions collectives régionales, il récoltait diverses distinctions locales. À Paris, il figurait au Salon de la Société Nationale des Beaux-Arts. En 1971, la ville de Rouen lui décerna son Prix Jean Revel.

Sur des thèmes divers, il exploite une technique franche et sensuelle.

vigon

Bibliogr. : *Louis-J. Vigon*, Édit. BDS, collection Études, n° 3, Rouen, 1973.

Ventes Publiques : Calais, 5 juil. 1992 : *Dieppe – la gare maritime*, h/t (27x41) : **FRF 9 500** – Paris, 2 juin 1993 : *Le marché de la Halle aux toiles*, h/t (38x55) : **FRF 9 200** – Paris, 2 avr. 1997 : *Fleurs et fruits*, h/t (58x46) : **FRF 5 800**.

VIGONGNE Antoine

XVIIe siècle. Actif au Mans. Français.

Sculpteur.

Cité dans un document du 3 juillet 1679.

VIGORA Ernst

Né en 1815 à Breslau. XIXe siècle. Allemand.

Paysagiste.

Il fit ses études à Düsseldorf.

VIGOROSO da Siena

XIIIe siècle. Italien.

Peintre et enlumineur.

Il enlumina le livre de comptes du Camerlingue de Sienne (1280). Au Musée de Sienne un tableau d'autel lui est attribué, qui porte la même date.

VIGOT Victor

Né le 2 septembre 1822 à Coutances (Manche). XIXe siècle. Français.

Peintre de genre et portraitiste.

Élève de Drolling. Il entra à l'École des Beaux-Arts le 27 septembre 1843. Il figura au Salon de 1853 à 1880.

Ventes Publiques : Vienne, 24 avr 1979 : *La visite*, h/pan. (33x40) : **ATS 35 000**.

VIGOTTI Luigi

Né en 1807. Mort en 1861. XIXe siècle. Actif à Parme. Italien.

Peintre et lithographe.

VIGOUREUX Paul Maurice

Né le 8 mai 1876 à Paris. XXe siècle. Français.

Peintre.

Il fut élève de Gustave Moreau, François Flameng et Fernand Cormon. Sociétaire hors-concours au Salon des Artistes Français, où il exposait depuis 1900, médaille d'argent et prix Lefebvre-Glaise en 1920, médaille d'or en 1924, prix Pillini en 1932, prix Cormon en 1939. On cite, entre autres ouvrages illustrés par cet artiste, *Pierre Nozière*, d'Anatole France, *Contes cruels*, de Villiers de l'Isle Adam.

VIGOUREUX Philibert

Né en 1848 à Pont-de-Veyle (Ain). Mort en 1934. XIXe-XXe siècles. Français.

Peintre de figures. Tendance symboliste.

Il fut élève d'Élie Delaunay et de Gustave Moreau.

Ses œuvres prennent un ton mystique, symboliste.

Bibliogr. : Gérald Schurr, in : *Les Petits Maîtres de la peinture 1820-1920, valeur de demain*, Les Éditions de l'Amateur, t. III, Paris, 1976.

Ventes Publiques : Paris, 28 mars 1974 : *La jeune convalescente*, h/t (33x41) : **FRF 1 800**.

VIGOUREUX Pierre Octave

Né le 4 avril 1884 à Avallon (Yonne). XXe siècle. Français.

Sculpteur.

Élève d'H. Lemaire. Expose au Salon des Artistes Français depuis 1906, mention honorable en 1907, membre en 1908, médaille de troisième classe en 1909, bourse de voyage en 1913, Légion d'honneur en 1936, médaille d'or en 1937 (Exposition Internationale) ; il a exposé également à la Nationale des Beaux-Arts, aux Salons d'Automne, des Tuileries. Il est l'auteur du monument aux morts d'Avallon.

Musées : Paris (Mus. d'Art Mod.) : *Idylle – Le semeur – La vente du cochon – Faneuse au repos – Lavandière – Deux vendan-*

geuses – Tonnelier – Le piocheur – Repos des moissonneuses – L'Aube.
Ventes Publiques : Paris, 27 mars 1990 : *Danseuse*, bronze à patine noire (H. 60, socle : 12x9) : **FRF 30 000**.

VIGOUREUX-DUPLESSIS Jacques ou **Vigouroux**
Né avant 1680. Mort en 1732. XVIIe-XVIIIe siècles. Français.
Peintre.
On ne connait que peu de choses sur sa formation initiale. Vers 1710 il a peint des projets de décors pour l'Opéra de Paris en tant que peintre de l'Académie Royale de Musique. En 1719 il vivait à Beauvais et en 1721 il occupait les fonctions d'instructeur à la manufacture de tapisserie. Cette fonction lui faisait obligation de réaliser six cartons chaque année dont on ne connait que quelques-uns aujourd'hui. En 1726 il fut remplacé par Jean Baptiste Oudry. Cependant, on peut voir des travaux datés et signés au Musée Jacquemart-André de Chaalis et au Glasgow Museum et à la Walter's Art Gallery de Baltimore. Ses travaux étaient pour la plupart décoratifs : tapisseries, meubles, boiseries, paravents, pare-feux dans le style chinoiseries.
Bibliogr. : M. Eidelberg : *Une chinoiserie par Jacques Vigoureux-Duplessis*, in : Journal de la Walter's Art Gallery, 1977 – J. de La Gorce : *Un peintre du XVIIIe siècle au service de l'Opéra de Paris : Jacques Vigoureux Duplessis*, in : Bulletin de la Société de l'Histoire de l'Art Français, 1983 – in : Catalogue de la Vente Christie's, New York, 7 oct. 1993.
Ventes Publiques : Londres, 3 nov. 1978 : *Un dignitaire oriental précédé par des fous*, h/t (61x53) : **GBP 1 700** – Paris, 9 avr. 1991 : *Le déjeuner chinois*, h/t (101x115) : **FRF 270 000** – New York, 7 oct. 1993 : *Chinoiserie : Empereur chinois et sa favorite*, h/t (38,7x47,6) : **USD 16 100**.

VIGOUROUX Christophe
XXe siècle. Français.
Peintre, peintre de collages.
Il a montré une première exposition personnelle de ses œuvres à la galerie Obadia à Paris en 1997.
Il détourne sur le mode parfois humoristique des images prélevées dans les magazines, publicités et photographies d'actualité.
Musées : Reims (FRAC Champagne Ardenne) : *Maisons individuelles* 1993, h/t.

VIGOUROUX Isaac
Né en 1736 à Königsberg. Mort en 1807 à Königsberg. XVIIIe siècle. Allemand.
Portraitiste.
Il a peint des portraits de pasteurs dans l'église française de Königsberg.

VIGRESTAD Magnus
Né le 12 août 1887 à Stavanger. XXe siècle. Norvégien.
Sculpteur.
Influencé par Gustav Vigeland. Il sculpta des monuments pour des marins.

VIGRI Caterina ou **Vegri**, dite **la Santa di Bologna**
Née en 1413 à Bologne. Morte le 9 mars 1463 à Bologne. XVe siècle. Italienne.
Miniaturiste.
La tradition rapporte que cette artiste, religieuse au couvent de Corpus Domini, peignait des images considérées comme miniatures, et devant rendre la santé aux malades qui les embrassaient. Elle fut canonisée par Clément XI en 1712. Elle peignit, en 1452, *Sainte Ursule et ses compagnes*, aujourd'hui au Musée de Bologne. On voit aussi à la Galerie royale de Venise, un tableau *Sainte Ursule avec quatre saintes*, signé *Catterina Vigri F. Bologne* 1456.

VIGUETA, el. Voir **PLA Francisco**

VIGUIÉ Jean-Charles
Né en 1938 à Villeneuve-sur-Lot (Lot-et-Garonne). XXe siècle. Français.
Peintre, sculpteur, aquarelliste, pastelliste, peintre de cartons de tapisseries, céramiste, décorateur.
En 1967, il fut diplômé de l'École des Arts Décoratifs de Paris. De 1967 à 1969, il fut pensionnaire de la Casa Vélasquez, à Madrid. Il participe à des expositions collectives, dont, à Paris : 1967, 1974, 1982 Salon de Mai ; 1985 Salon de la Jeune Sculpture ; 1981, 1984, 1985 au Salon de Montrouge ; à diverses manifestations régionales, dont : 1989 Châteauroux, Ve Biennale de la Céramique. Il expose individuellement depuis 1981, notamment à Paris, depuis 1981 et régulièrement depuis, galerie Alain Oudin ; ainsi qu'à Villeneuve-sur-Lot, Bourges, Tours, etc. Depuis 1971, il est professeur à l'École des Arts Décoratifs de Paris.
Son propos est surtout de s'adapter aux circonstances et aux lieux qui se présentent et, dans cet objectif d'animation, de considérer que les techniques appropriées à chaque cas sont primordiales.
Musées : Paris (FNAC) : *Le grand passage* 1980, dess. – *Le Jardin de Midi* 1985, sculpt. – Paris (Fonds Municip.) : *Les Portes* 1981, dess. – *Les poivrons d'Anita* 1984, aquar. – Valence (Mus. Nat. de la Céramique) : *Composition aux colonnes* 1986, bas-relief.

VIGUIER Constant
Né en 1799 à Paris. XIXe siècle. Français.
Peintre, lithographe et dessinateur de vignettes.
Élève de Saint-Martin et Roehn père.
Ventes Publiques : Paris, 1890 : *Portrait de femme* : **FRF 480**.

VIGUIER Fortuné
Né en 1841 à Marseille (Bouches-du-Rhône). Mort en 1916. XIXe-XXe siècles. Français.
Peintre de paysages.
Il fit tout d'abord ses études à Marseille, chez Eugène Lagier, Émile Loubon, puis fut élève de Léon Bonnat à Paris. Il finit par s'installer dans le Midi, où il avait un emploi d'administrateur à la Caisse d'Épargne et peignait après son temps passé au bureau.
Il figura au Salon de Paris de 1869 à 1881.
Ses paysages sont peints avec une certaine densité de matière.
Bibliogr. : Gérald Schurr, in : *Les Petits Maîtres de la peinture 1820-1920, valeur de demain*, Les Éditions de l'Amateur, t. III, Paris, 1976.

VIGUIER Jacques
XVe siècle. Travaillant à Montpellier en 1473. Français.
Sculpteur sur bois.
Il a sculpté un autel et le buffet d'orgues de l'église Notre-Dame des Tables de Montpellier.

VIGUIER Urbain Jean
Né à Niort (Deux-Sèvres). Mort à Niort. XIXe siècle. Actif à Paris. Français.
Peintre de portraits.
Il figura au Salon de 1839 à 1850. Le Musée de Niort conserve de lui : *Mendiant, Tête de vieillard avec cuculle de moine* et *Portrait de M. Roudier, juge à Melle.*

VIJATOVIC Zarko
XXe siècle. Depuis 1991 actif en France. Yougoslave.
Artiste. Conceptuel.
Il quitte Zagreb en 1991 et s'installe à Paris, où il travaille comme photographe.
La série des *Codes* propose une lecture des plaques d'immatriculation française, sur lesquelles l'artiste lit les sigles des partis politiques croates ou d'institutions yougoslaves, les associant fréquemment au mot de « Vichy », pour mieux sensibiliser le spectateur français.

VIJVER Maurice Van de
Né en 1894 à Lokeren. XXe siècle. Belge.
Sculpteur de statues, bustes.
Il fut élève de Géo Verbanck à l'Académie des Beaux-Arts de Gand.
Il avait débuté comme forgeron. Il a sculpté les bustes de personnalités belges.
Bibliogr. : In : *Diction. biogr. illustré des Artistes en Belgique depuis 1830*, Arto, Bruxelles, 1987.

VIJVERE Edmond Van de
Né en 1880 à Audenarde. Mort en 1950. XXe siècle. Belge.
Peintre de paysages.
Il fut professeur à l'Académie Saint-Luc d'Audenarde.
Bibliogr. : In : *Diction. biogr. illustré des Artistes en Belgique depuis 1830*, Arto, Bruxelles, 1987.

VIK Ingebrigt Hansen
Né le 5 mars 1867 à Vikör i Hardanger. Mort le 22 mars 1927. XIXe-XXe siècles. Norvégien.
Sculpteur.
Élève de l'Académie Royale des Beaux-Arts de Copenhague et de Injalbert à Paris. Il figura au Salon des Artistes Français ; mention honorable en 1904.
Il a exprimé particulièrement bien la grâce des corps d'adolescents.
Musées : Bergen : *Un ouvrier* – Budapest : *Jeune fille* – Oslo : *Jeune homme – Jeune fille.*

VIK Karl
Né le 4 novembre 1883 à Horschitz. XXe siècle. Tchécoslovaque.

Peintre de paysages, graveur sur bois.
Élève de l'Académie des Beaux-Arts de Prague. Il grava des vues de Bohême et des paysages.

VIK-EGLITE Hilda
Née le 6 novembre 1900 à Riga. XXe siècle. Lettone.
Peintre, dessinatrice.
Elle exposa à Riga en 1927.
Musées : Riga.

VIKART. Voir **WICKART**

VIKATOS Spiros, ou **Spyros**
Né le 24 septembre 1878 à Argostolion. Mort en 1960. XXe siècle. Grec.
Peintre d'histoire, de portraits, paysages, natures mortes.
Élève de l'Académie des Beaux-Arts d'Athènes et de celle de Munich. Il est devenu professeur à l'Académie d'Athènes.
Musées : Athènes (Gal. Nat.) : *Tête de vieillard – Grand-mère et petite-fille – La sœur de l'artiste* – Athènes (Gal. mun.) : *L'aveugle* – Athènes (Pina.) : *Insulaire* – Belgrade : *Paysage d'Allemagne – Le peintre Prenditz* – Munich (Gal. mun.) : *Le peintre Jakobides* – Rome (Gal. Nat.) : *Enfant assis sur un banc* – Rome (Pina.) : *Crétois – Fruits.*
Ventes Publiques : Londres, 17 nov. 1993 : *Portrait d'un jeune garçon*, h/t (59x48) : **GBP 3 450.**

VIKKE Van den BERGH. Voir **BERGH Philippe Victor Van den**

VIKO
Né le 15 septembre 1915 à Paris. XXe siècle. Français.
Peintre de portraits, paysages, illustrateur.
La Seconde Guerre mondiale a interrompu ses débuts dans la peinture, il reprend ses activités en 1950, participe au Prix Orion et obtient le deuxième prix. Il participe régulièrement à plusieurs Salons à Paris, dont les Peintres Témoins de leur Temps, Automne, Terres latines, Artistes Français, Comparaisons. En 1961, il fait sa première exposition à Paris, où il présente surtout des paysages d'Espagne. L'année suivante 1962, il obtient le Prix Eugène-Carrière suivi des Prix Populiste et de l'Ile-de-France en 1965.
Il fait de nombreuses lithographies et illustrations, entre 1969 et 1974. Portraitiste (Paul Léautaud, Edmond Heuzé, Jacques Prévert) il est aussi peintre de paysages, dans des couleurs volontairement sobres.
Musées : Mulhouse : *Paul Léautaud* 1955, dess.
Ventes Publiques : Paris, 4 mai 1990 : *Monsieur Cazes à la brasserie Lipp*, h/t (60x121) : **FRF 10 500.**

VIKOVA Jindra
Née en 1942. XXe siècle. Tchécoslovaque.
Sculpteur, céramiste. Tendance surréaliste.
Outre la Tchécoslovaquie, elle expose en Norvège, Suède, Finlande, Suisse, Allemagne et Pologne.
Elle crée des sortes d'assemblages de volumes hétérogènes, dont les surfaces sont souvent recouvertes de peintures. Tous les éléments en sont figuratifs, mais dans des détournements surréalisants.

VIKSTEN Hans
Né en 1926. Mort en 1987. XXe siècle. Suédois.
Peintre de compositions animées.
Ventes Publiques : Stockholm, 16 mai 1984 : *Composition* 1970, h/t (80x205) : **SEK 11 000** – Stockholm, 6 déc. 1989 : *Tyngdlöshet* 1970, acryl./t. (80x205) : **SEK 17 500** – Stockholm, 14 juin 1990 : *Femme et démons*, h/t (108x81) : **SEK 11 000** – Stockholm, 5-6 déc. 1990 : *Voyage autour de la terre* 1966, h/t (40x50) : **SEK 7 500** – Stockholm, 30 mai 1991 : *La rencontre des mondes*, h/t (80x74) : **SEK 6 000** – Stockholm, 21 mai 1992 : *Hôpital* 1966, h/t (108x90) : **SEK 7 500.**

VIKSTRÖM Emil. Voir **WIKSTRÖM**

VIKTOR. Voir aussi **VICTOR**

VIL. Pour les patronymes commençant par ces lettres, voir aussi **VILL**

VILA Jean-Louis
Né en 1948 à Perpignan (Pyrénées-Orientales). XXe siècle. Français.
Peintre.
Depuis 1973, il est l'un des membres fondateurs du groupe F.F.V. (Fancony, Faucher, Vila).
Il participe à des expositions collectives, d'entre lesquelles : 1973 Douai, groupe F.F.V. et groupe Textruction ; 1974 Aix-en-Provence, Nice et Marseille, groupe F.F.V. ; 1975 Paris, 9e Biennale, au Musée d'Art Moderne de la Ville ; 1977 Paris, *3 aspects du dessin actuel*, Musée d'Art Moderne de la Ville (ARC) ; 1978 Saint-Étienne, *Impact 3*, Musée d'Art et d'Industrie ; 1979 Paris, *Tendances de l'Art en France*, Musée d'Art Moderne de la Ville (ARC) ; 1983 Marseille, *Jalons 1972-1983*, galerie Athanor ;...
En 1975 à Paris, la galerie Yvon Lambert a montré sa première exposition personnelle, suivie de : 1976 Munich, galerie Tanit et Grenoble, Musée de Peinture ; 1977 Paris, galerie Yvon Lambert ; 1978 Munich, galerie Tanit ; 1980 Marseille, galerie Athanor ; 1981 Céret, Musée d'Art Moderne ; 1982 Paris, galerie Yvon Lambert ; 1983 Perpignan, Musée Puig ;...
En 1971, il présentait des travaux relevant du pliage, influencés par les membres de la nébuleuse Support-Surface. Ensuite, dans la même mouvance, il expérimentait la couleur à propos d'empreintes relevées sur toile, des phénomènes de tension ou pression sur des éléments naturels. Son problème par rapport à son référent Support-Surface, est de s'en défendre. Sa stratégie consiste à prolonger ses diverses expérimentations analytiques dans des combinatoires ou variations en séries, dont : *Les Églises, Les Stades, Les Masques, Les Devises.* Gérard-Georges Lemaire, qui a souvent écrit sur Vila, considère qu'« il relate le déclin de la pratique de l'abstraction, mais lui découvre des possibilités inattendues », phrase où il faut remarquer que l'abstraction est une « pratique », un peu comme on pratique la bicyclette.
Bibliogr. : Jacques Lepage, in : Catalogue de la 9e Biennale de Paris, Mus. d'Art Mod. de la Ville, Paris, 1975 – in : Catalogue de l'exposition *Cantini 84*, Mus. Cantini, Marseille, 1984 – in : Catalogue de l'exposition *L'Art moderne à Marseille. La Collection du musée Cantini*, Musée Cantini, Marseille, 1988.
Musées : Marseille (Mus. Cantini) : *Stade IV 80* 1980.
Ventes Publiques : Paris, 8 oct. 1989 : *Dans l'atelier* 1986, h/pap. (101x93,5) : **FRF 5 000.**

VILA Juan da. Voir aussi **DAVILA Juan**

VILA Juan de ou **Ville**
XVIIe siècle. Espagnol.
Sculpteur.
Il travailla longtemps pour la duchesse d'Albe au monastère de la Laura, en Castille. Il pourrait être identique à Juan Davila.

VILA Lorenzo
Né en 1683 à Murcie. Mort en 1713 à Murcie. XVIIIe siècle. Espagnol.
Peintre d'histoire.
Fils et élève de Senen Vila ; il peignit plusieurs tableaux pour les églises, notamment, une *Sainte Famille* pour le réfectoire de San Fulgenzio, à Murcie. Il était moine.

VILA Miquel
Né en 1940 à Barcelone. XXe siècle. Espagnol.
Peintre et graveur.
Il fut élève de l'École des Beaux-Arts San Jorge à Barcelone. Il participe au Salon d'Automne de Madrid, dès 1963. Expositions particulières à Barcelone, Milan, Houston, Tarragone, Zurich, Madrid. L'univers créé par Vila est tout à fait insolite. Plus métaphysique que surréaliste, il évoque la solitude, les espaces figés, les ouvertures sur nulle part, les désertions. Des objets quotidiens, des arbres sectionnés, des piquets apparaissent comme autant de signes cabalistiques jalonnant des lieux qui, bien que banals, semblent étranges.

VILA Senen
Né en 1640 à Valence. Mort en 1707 ou 1708 à Murcie. XVIIe siècle. Espagnol.
Peintre d'histoire, compositions religieuses, portraits.
Il fut élève d'Esteban March. Il vécut dans la région d'Alicante, puis il se fixa à Murcie en 1678.
Il travailla pour diverses églises de Murcie, ainsi que pour le couvent de Santa Isabel, le monastère de San Domingo il Real (*Trois Saintes Marguerite avec un ange*) et l'infirmerie de San Francisco. On lui dit également des portraits, dont : *Carlos San Gil Lajusticia* 1707.
Bibliogr. : In : *Dictionnaire de la peinture espagnole et portugaise du Moyen Âge à nos jours*, coll. Essentiels, Larousse, Paris, 1989.

VILA ARRUFAT Antonio
Né le 20 octobre 1894 à Sabadell, près de Barcelone (Catalogne). Mort le 18 septembre 1989 à Barcelone. XXe siècle. Espagnol.

Peintre de compositions animées, figures, portraits, natures mortes, compositions murales, graveur.
Il étudia à l'École des Beaux-Arts de Barcelone et poursuivit ses études à celle de Madrid. Il résida à Paris en 1919, puis ayant obtenu une bourse, il séjourna à Rome. Il prit part à diverses expositions collectives : à Barcelone en 1918 ; à l'Exposition Nationale des Beaux-Arts de Madrid, recevant une troisième médaille en 1924, une seconde médaille en 1934, une première médaille pour la gravure en 1948 ; à Buenos Aires en 1954 ; à Sabadell en 1974.
Dans des compositions animées, volontairement laissées au stade de l'esquisse, il démontre une grande puissance évocatrice. Certaines natures mortes poussent la couleur jusqu'à un pré-fauvisme. Ses diverses œuvres semblent indiquer qu'il fut hésitant entre des options opposées. Toutefois, maîtrisant une facture robuste, certains de ses portraits ont quelque chose de la concision de ceux de Cézanne, quand d'autres sacrifient la vision synthétique au détail qui fait la ressemblance ou qui plaît.
Bibliogr. : In : *Cien Anos de pintura en Espana y Portugal, 1830-1930*, Antiqvaria, t. XI, Madrid, 1993.
Ventes Publiques : Londres, 22 juin 1988 : *Au balcon* 1954, h/t (150x122) : **GBP 16 500** – Paris, 2 déc. 1994 : *Moines et courtisanes andalouses*, h/t (38x46) : **FRF 8 000**.

VILA CASAS Juan
Né en 1920 à Sabadell (Barcelone). xxe siècle. Espagnol.
Peintre et graveur.
Il séjourna plusieurs années à Paris, à partir de 1950. Il obtint le Prix Juan Gris, en 1960 ; ainsi que divers prix de gravure.
Il évolue par des techniques différenciées, dans une abstraction qui va du géométrique à l'informel en passant par l'exploitation des textures, intermédiaires entre plans et matières.
Bibliogr. : B. Dorival, sous la direction de, in : *Peintres Contemporains*, Mazenod, Paris, 1964.

VILA Y PRADES Julio
Né le 9 avril 1873 ou 1875 à Valence, ou Séville. Mort le 9 juillet 1930 à Barcelone (Catalogne). xixe-xxe siècles. Actif aussi en Argentine. Espagnol.
Peintre de scènes de genre, portraits, paysages animés, marines, dessinateur, affichiste. Postimpressionniste.
Il fut élève de l'École des Beaux-Arts de Valence et de Francisco Domingo Marqués, puis de Joaquin Sorolla à Madrid. Il séjourna à Paris, où il fut élève de l'Académie Julian, Buenos Aires, La Havane, Mexico. Il figura dans diverses expositions collectives, obtenant diverses récompenses : à partir de 1892 Salon de la Société Nationale des Beaux-Arts de Madrid, mention honorable ; 1904 expositions de Grenade et Valence, seconde médaille ; Salon des Artistes Français de Paris, mention honorable en 1909 ; 1909 Salon d'Automne de Paris, première médaille.
Il traite des sujets très divers, dans un climat psychologique heureux, portraits mais surtout scènes de plages, de jardins, de baignade, de promenade, dans une lumière de plein air, ensoleillée. On est dans le contexte impressionniste, même si, techniquement, Vila y Prades reste plus proche du pré-impressionnisme de Manet.
Bibliogr. : In : *Cien Anos de pintura en Espana y Portugal, 1830-1930*, Antiqvaria, t. XI, Madrid, 1993.
Ventes Publiques : Madrid, 24 oct. 1978 : *Au restaurant : Le salon séparé* 1909, h/t (83x100) : **ESP 155 000** – Madrid, 9 fév. 1984 : *La roseraie du Retiro (Madrid)*, h/t (101x79) : **ESP 700 000** – Londres, 9 oct. 1985 : *La marchande de fleurs*, h/t (78x58) : **GBP 1 600** – Madrid, 28 oct. 1987 : *Les jeunes marchandes de fleurs*, h/t (50x66,5) : **ESP 1 300 000** – Los Angeles, 9 juin 1988 : *Portrait de Dona Maria Cantrellas*, h/t (87x62) : **USD 4 950** – Londres, 22 juin 1988 : *Pêcheurs sur le quai*, h/t (35x47) : **GBP 4 950** – Londres, 23 nov. 1988 : *Réjouissances gitanes*, h/t (189x189) : **GBP 16 500** – Londres, 21 juin 1989 : *Réveille toi !*, h/t (108x178) : **GBP 33 000** – Londres, 22 nov. 1989 : *Scène de plage*, h/pan. (24,5x32,5) : **GBP 12 100** – Londres, 14 fév. 1990 : *Guettant le retour des bateaux*, h/pan. (31,5x40) : **GBP 3 520** – New York, 27 mai 1992 : *Barques dans le port de Saint-Tropez*, h/t (60,3x90,5) : **USD 16 500** – New York, 15 fév. 1994 : *Près de maman*, h/t (80,6x60,3) : **USD 16 100** – Londres, 21 nov. 1996 : *Enfants sur la plage, Los Pocitos, Montevideo* 1914, h/cart. (23x38,7) : **GBP 5 750**.

VILA PUIG Juan
Né le 10 novembre 1890 à Sant-Quirze-del-Vallès, près de Barcelone (Catalogne). Mort le 6 mars 1963 à Bellaterra (près de Barcelone). xxe siècle. Espagnol.
Peintre de nus, paysages. Postimpressionniste.
Il fut élève de l'École des Arts et Métiers de Sabadell, de l'École des Beaux-Arts de Barcelone, puis de celle de Madrid. Il séjourna à Paris en 1919, en Italie en 1922. Il figura dans diverses expositions collectives : à partir de 1920, Cercle des Beaux-Arts de Madrid, obtenant une médaille d'or en 1948 ; 1930, 1932, Paris ; ainsi qu'à Barcelone et Sabadell.
Sociétaire-électeur du Salon de Barcelone, il peint des paysages catalans, notamment à Sabadell, dans une manière qui est un prolongement de la facture impressionniste. Il affectionne les larges échappées qu'il peut prolonger jusqu'à des vues panoramiques.
Bibliogr. : In : *Cien Anos de pintura en Espana y Portugal, 1830-1930*, Antiqvaria, t. XI, Madrid, 1993.
Musées : Madrid (Mus. d'Art Mod.).
Ventes Publiques : Londres, 17 fév. 1989 : *Nu allongé* 1929, h/t (48x61) : **GBP 1 650** – Londres, 22 nov. 1989 : *Jeune Femme sur un sofa*, h/t (51x45) : **GBP 660** – Londres, 15 fév. 1990 : *Nu allongé*, h/cart. (33x45) : **GBP 770** – Londres, 14 fév. 1990 : *Portrait de jeune femme* 1892, h/t (40x50) : **GBP 1 210**.

VILA Y RODRIGO José
Né en 1801 à Valence. Mort le 5 février 1868 à Moncada. xixe siècle. Espagnol.
Peintre.
Élève de l'Académie de Valence.
Musées : Valence (Mus.) : *Le Christ à la colonne*.

VILADECAUS Joan-Pere
Né en 1948. xxe siècle. Espagnol.
Peintre, lithographe.
Bibliogr. : In : Catalogue de l'exposition *Écritures dans la peinture*, Villa Arson, Nice, 1984.
Musées : Montréal (Mus. d'Art Contemp.) : *Sans titre*, litho.

VILADOMAT Josef
Mort en 1786 à Barcelone. xviiie siècle. Espagnol.
Peintre.
Comme son père Antonio Viladomat y Manalt, il travailla pour les couvents de Barcelone. Le Musée de Barcelone et la Bibliothèque Nationale de Madrid conservent des dessins de cet artiste.

VILADOMAT Y MANALT Antonio
Né le 12 avril 1678 à Barcelone. Mort le 19 janvier 1755 à Barcelone. xviiie siècle. Espagnol.
Peintre d'histoire, batailles, portraits, paysages.
Élève de Baptista Perramon. Il peignit, à l'âge de 12 ans, des *Scènes de la vie de saint Bruno*, pour les Chartreux de Monte Allegre ; il peignit aussi trois *Scènes de la vie de saint François*, pour les Franciscains de Barcelone. Les dix-sept dernières années de sa vie, il fut paralysé des deux mains. Il avait fondé l'École des Beaux-Arts de Barcelone, et ce furent les Tramulles qui prirent sa suite. Comme lui-même avait maintenu la tradition de la peinture religieuse, baroque et réaliste, du xviie siècle, de même l'école qu'il avait fondée perpétua-t-elle encore longtemps cet enseignement.
Musées : Barcelone : *Vingt scènes de la légende de saint François – Descente du Saint-Esprit – Les quatre saisons – Le Christ Roi et la Vierge* – Trois natures mortes – Budapest : *Mort de saint Antoine* – Chicago : *Concert au jardin* – Madrid (Mus. du Prado) : *Sainte Famille et saint Augustin*.

VILADRICH-VILA Miguel
Né en 1887 à Torrelameu. Mort en 1956 à Buenos Aires. xxe siècle. Depuis 1940 actif en Argentine. Espagnol.
Peintre de compositions à personnages, figures, portraits, nus.
Il commença par étudier l'architecture, puis il se consacra totalement à la peinture. Il séjourna à Paris, en Italie, au Maroc et à New York, avant de s'établir définitivement en Argentine. Il exposa personnellement à Madrid en 1909 et 1912, et prit part au Salon de la Société Nationale des Beaux-Arts en 1910.
Il subit l'influence de Zuloaga, montrant un certain modernisme formel, aux naïvetés et maladresses délibérées ou instinctives. Il mêlait à son objectif de réalisme un caractère hiératique exprimant un sentiment supérieur d'idéal et de mysticisme, parfois lié à une réflexion sur la mort. On lui doit notamment un triptyque intitulé *Mes funérailles présidées par la Mort*.
Bibliogr. : In : *Cien Anos de pintura en Espana y Portugal, 1830-1930*, Antiqvaria, t. XI, Madrid, 1993.
Ventes Publiques : Paris, 22 mars 1979 : *Femme au perroquet*, h/pan. (90x70) : **FRF 16 500**.

VILAEN Philippus
Mort en 1729 à Rotterdam. XVIIIe siècle. Hollandais.
Peintre.
Il travailla à Rotterdam à partir de 1685.

VILAIN Alain
Né en 1947 à Lille (Nord). XXe siècle. Français.
Peintre. Abstrait-géométrique.
En 1997, il a participé à l'exposition *Abstraction-Intégration 1, L'art abstrait-construit contemporain,* circulant dans de nombreuses communes de l'Essonne.
Utilisant et assemblant toutes les figures géométriques de base dans des colorations franches, son processus ressortit à l'art appliqué.
Bibliogr. : In : Catalogue de l'exposition *Abstraction-Intégration 1, L'art abstrait-construit contemporain,* Conseil Général de l'Essonne, 1997.

VILAIN Philipp
XVIIIe siècle. Actif à Rotterdam. Hollandais.
Peintre de portraits et de genre.
Il travaillait encore en 1720.

VILAIN Victor ou **Nicolas Victor**
Né le 3 août 1818 à Paris. Mort le 6 mars 1899 à Paris. XIXe siècle. Français.
Sculpteur.
Élève de Pradier et de P. Delaroche. Il entra à l'école des Beaux-Arts le 2 avril 1834 ; deuxième prix de Rome en 1837. Membre de la Société des Artistes Français, chevalier de la Légion d'honneur.
Musées : Bar-le-Duc : *Buste de Charles Guillaume Étienne* – Bernay : *André Pottier,* Médaillon – *Eugène Mordret,* Médaillon – Orléans : *Hébé versant le nectar à l'aigle de Jupiter* – Sens : *Erigone* – Versailles : *Watteau,* Buste.

VILAIN Walter
Né le 1er juin 1938 à Saint-Idesbald, ou Coxyde. XXe siècle. Belge.
Peintre et graveur. Abstrait.
Il fut élève de Paul Delvaux à l'Académie de La Cambre, d'Octave Landuyt et Roger Cools à l'École Normale de Gand, de l'Académie la Brera à Milan, du Kunsthogskolen de Stockholm, de l'atelier Friedlaender à Paris. Membre du groupe Helikon. En 1964, il obtint le Prix Berthe Art, en 1969 le Prix Anto Carte. Il est devenu professeur à l'Académie Royale des Beaux-Arts d'Anvers et directeur de la Westhoek Akademie de Coxyde.
Sa peinture est abstraite.
Bibliogr. : In : *Diction. biogr. illustré des Artistes en Belgique depuis 1830,* Arto, Bruxelles, 1987.
Musées : Ostende.
Ventes Publiques : Bruxelles, 13 déc. 1990 : *Composition* 1958, h/cart. (65x73) : **BEF 27 360** – Lokeren, 21 mars 1992 : *Composition abstraite,* h/t (102x76) : **BEF 48 000** – Lokeren, 10 oct. 1992 : *Composition abstraite,* h/t (102x76) : **BEF 33 000** – Lokeren, 15 mai 1993 : *Composition abstraite,* h/t (102x76) : **BEF 24 000** – Lokeren, 9 déc. 1995 : *Composition* 1973, h/pap./t. (145x77) : **BEF 26 000.**

VILAIRE Patrick
Né le 16 septembre 1941 à Port-au-Prince (Haïti). XXe siècle. Haïtien.
Sculpteur.
En Haïti, Patrick Vilaire a fait ses études en français. Il a appris des techniques occidentales, comme la céramique. Catholique non pratiquant, il ne participe pas au vaudou ; cependant, il est très attaché aux mythes locaux. En 1989, au Centre Beaubourg, il participait à l'exposition *Magiciens de la terre.*
À partir d'une réflexion sur la culture haïtienne et universelle, il travaille par thèmes. Il traite des sujets, comme, pour exemples, autour de 1980, *L'Oiseau,* mythe de l'agressivité : femme se transformant en oiseau, oiseau qui tue, oiseau de malheur ; autour de 1985, *Le Pouvoir,* en créant, par exemple, une série de trônes, aussi inconfortables (comme le pouvoir en Haïti), que menaçants ; autour de 1990, *Le Baron Samedi,* chef des cimetières, dieu de la mort. Soucieux de sa double identité, lui-même individuellement et lui en tant que partie prenante de l'identité haïtienne, Patrick Vilaire n'est pas partisan du rattachement de sa pratique au grand courant symboliste général, mais, en tout cas, refuse absolument toute référence surréaliste : « Mes œuvres ne sont pas d'abord destinées à la vente. Je les fais pour un public haïtien. Je veux lui montrer ce que plastiquement je pense. C'est une expression de mon être, qui traduit les éléments culturels de mon pays. »
Bibliogr. : In : Catalogue de l'Exposition : *Magiciens de la terre,* Centre Georges Pompidou et la Grande Halle La Villette, Paris, 1989.
Musées : Paris (Mus. Nat. d'Art Mod.) : *Fauteuil-Président* 1986.

VILALLONGA Franceso
Né en 1934 à Santa Coloma de Farnes (Gerona). XXe siècle. Espagnol.
Peintre.
Il fit ses études aux Beaux-Arts de Barcelone. Il expose à Londres et Barcelone.
Formellement il mêle sur une même toile les techniques les plus diverses. Il joue souvent sur les effets de transparence des glacis et sur des contrastes subtils de blancs. Partant de la figure humaine, il en décompose et recompose les fragments en un ordre apparemment arbitraire mais signifiant. Sa peinture évoque un univers désolé où l'être se heurte à sa propre solitude. Vilallonga semble inspiré par le monde de Samuel Beckett.

VILALLONGA Jesus Carlos de
Né en 1927 à Santa Coloma de Farnes (Gerona). XXe siècle. Depuis 1954 actif aussi au Québec. Espagnol.
Peintre.
Il étudie d'abord à l'École des Beaux-Arts de Barcelone puis à celle de Paris. Il part ensuite au Canada et s'installe au Québec en 1954. Depuis lors, il partage son temps entre le Canada et la Catalogne. Il fait sa première exposition particulière en 1959 à Montréal. Il expose ensuite à New York, Chicago, Londres, Los Angeles, Barcelone, Madrid. Sa peinture se rattache au surréalisme. Elle évoque un monde étrange et inquiétant peuplé d'êtres robotisés évoluant dans des espaces souvent indéterminés. Les images de Vilallonga agissent en pleine ambiguïté, dans une région où la frayeur côtoie la fascination, où l'horrible ne parvient pas à l'être complètement, où le beau se révèle hérissé d'agressions possibles.
Musées : Montréal (Mus. d'Art Contemp.) : *A Jordi Bonet* 1980.
Ventes Publiques : Montréal, 17 oct. 1988 : *Portrait d'une femme debout tenant un éventail* 1961, h/pan. (61x31) : **CAD 900** – Montréal, 5 nov. 1990 : *Deux portraits,* h/pan. (41x61) : **CAD 1 430.**

VILALLONGA BALAM Jaime
Né en 1861 à Barcelone (Catalogne). Mort en 1904 à Tossa de Mar. XIXe siècle. Espagnol.
Peintre de figures, paysages.
Il fut élève de l'École des Beaux-Arts de Barcelone, de celle de Madrid et de José Inglada. Il poursuivit ses études à l'Académie Colarossi à Paris. Il exposa personnellement en 1892 ; et figura au Salon Parés à Barcelone en 1893, à Londres en 1894, au Salon de la Société Nationale des Beaux-Arts en 1895 et 1899.
Surtout peintre de paysages, son attirance pour les éclairages particularisés, éventuellement théâtraux, délicatement brumeux ou dans un contre-jour angoissant, l'a fait balancer, selon les sujets, entre un parti visuel et technique impressionniste et une mise en scène postromantique.
Bibliogr. : In : *Cien Anos de pintura en Espana y Portugal, 1830-1930,* Antiqvaria, t. XI, Madrid, 1993.

VILALTA Michel
Né en 1871 à Marseille (Bouches-du-Rhône). Mort en 1942. XIXe-XXe siècles. Français.
Peintre de paysages, paysages urbains.
Il colore sobrement ses calanques, vues de bords de mer, quais, paysages urbains.
Bibliogr. : Gérald Schurr, in : *Les Petits Maîtres de la peinture 1820-1920, valeur de demain,* Les Éditions de l'Amateur, t. IV, Paris, 1979.

VILAR Bernardo de
XIVe siècle. Actif à Gandia et à Valence en 1386. Espagnol.
Peintre.

VILAR Manuel
Né le 15 novembre 1812 à Barcelone. Mort le 23 novembre 1860 à Mexico. XIXe siècle. Espagnol.
Sculpteur.
Élève de D. B. Campeny y Estrany. Il fut professeur à l'Académie San Carlos de Mexico et sculpta des tombeaux et des statues de saints.

VILAR Miguel
XVIIIe siècle. Travaillant à Alcora de 1728 à 1743. Espagnol.
Peintre sur porcelaine.

VILAR Y TORRES José
XIXe siècle. Actif à Valence dans la seconde moitié du XIXe siècle. Espagnol.
Paysagiste.

VILARS de Honnecourt. Voir **VILLARD de Honnecourt**

VILAS FERNANDEZ Dario
Né en 1879 à Barcelone (Catalogne). Mort en 1950 à Barcelone. XXe siècle. Espagnol.
Peintre de compositions à personnages, compositions religieuses paysages animés, peintre de compositions murales, cartons de vitraux, graveur, dessinateur, décorateur. Tendance symboliste.
Il fut élève de Marti Alsina à l'École des Beaux-Arts de Barcelone. Il exposa dans cette ville en 1932 et 1933. En 1934, il obtint le premier prix au concours national de dessin et de gravure qui eut lieu à Madrid ; ainsi qu'une troisième médaille pour *La prospérité de Job*, au Salon de la Société Nationale des Beaux-Arts. Il a réalisé un retable illustrant la vie de Saint-Benoît pour le monastère de Montserrat en 1924. Parmi ses décorations murales, on mentionne celles de la coupole et des absides de la Chapelle du Saint-Sacrement de la paroisse de Stiges (Catalogne) ; et celles du Carmel de Barcelone, pour lequel il a également dessiné quelques cartons de vitraux. Il se fit aussi remarquer pour ses nombreux dessins au lavis et eaux-fortes.
S'il sait être direct et franc de technique dans les sujets familiers, lorsqu'il aborde des compositions à tendance symbolique ou religieuses, il adopte un style archaïsant, qui peut rappeler les symbolistes français, de Puvis de Chavannes à Maurice Denis.
Bibliogr. : In : *Cien Anos de pintura en Espana y Portugal, 1830-1930*, Antiqvaria, t. XI, Madrid, 1993.

VILASOA Juan de
XVIe siècle. Actif à Comojo. Espagnol.
Sculpteur.
Il fut chargé de l'exécution d'un calvaire pour Teano vers 1589.

VILATO Javier
Né le 11 novembre 1921 à Barcelone (Catalogne). XXe siècle. Depuis 1946 actif en France. Espagnol.
Peintre, peintre à la gouache, peintre de cartons de tapisseries, graveur, illustrateur, sculpteur. Postcubiste.
Il peint depuis son enfance, mais ne fréquenta jamais aucune école d'art. Après un court séjour à Paris, en 1939, il revient dans la capitale française en 1946.
Il a participé à différents Salons et expositions collectives : de 1932 à 1945 à Barcelone et Madrid ; à Paris : 1946 Surindépendants ; 1953, 1954, 1956 Peintres Témoins de leur Temps ; depuis 1955 Salon de Mai ; 1957 Biennale de Turin ; de nouveau à Paris : 1961 École de Paris, galerie Charpentier ; 1964 Paris, galerie Jeanne Castel et Musée de Nancy, *Présence du visible* ; 1966 Musée de Saint-Ouen, *Peinture Espagnole* ; 1966 et 1968 Biennale de Menton ; 1969 Saint-Germain-en-Laye, *De Rodin à nos jours* ; etc. Il est membre des Peintres-Graveurs français.
Il montre surtout ses œuvres dans de nombreuses expositions personnelles : 1946 Paris, galerie Breteau ; 1948 Paris, galerie Pierre Loeb ; 1952, 1954, 1956, 1963 Paris, galerie Jeanne Castel ; 1961 Zurich, galerie Ziegler ; 1965 Paris, Bibliothèque Nationale ; 1966 Musées de Saint-Paul-de-Vence, Neuchâtel, d'Art Contemporain de Madrid ; 1969, 1971 en Suisse ; 1969, 1970, 1971, 1972 et 1973 en Suède ; 1970 Madrid, galerie Skira ; 1974 Paris, galerie Sagot-Le Garrec ; et Nice, galerie Sapone ; 1976 Neuchâtel, galerie Ditesheim, 1976 ; ainsi qu'en Grèce, aux États-Unis, etc.
Parfaitement intégré, notamment par la colonie d'artistes catalans et espagnols, dans le milieu parisien des artistes, Javier Vilato a bénéficié pour ses expositions de nombreuses préfaces de : Raymond Cogniat en 1954, Jacques Prévert (poème) en 1957, Georges Peillex en 1958, Douglas Cooper en 1959, Jacques Lassaigne en 1960, Manuel Gasser en 1961, Juan Ainaud de Lasarte en 1964, Aleco Xydis en 1964, André Verdet en 1968, Denys Chevallier en 1974, et autres.
Il a gravé de nombreuses planches dont plus de deux cents éditées (eaux-fortes, burins, pointes sèches, aquatintes, bois et gravures à la manière noire), dont, entre autres ses illustrations pour : *Chant funèbre pour Ignacio Sanchez Mejias*, de Federico Garcia Lorca ; *Seul le visage*, de Andrée Chedid. Son œuvre de sculpteur est principalement constitué de reliefs en cuivre martelé et étain, dont l'abstraction apparente, selon une stratégie assez picassienne, laisse retrouver la trace d'une inspiration naturelle, humaine ou animale. Surtout en peinture, il est difficile de le rattacher à un courant particulier. Il a commencé par peindre dans une manière figurative naturaliste, nus, portraits, paysages, natures mortes, puis évolua vers le cubisme. À partir de son installation à Paris, il a initié une période tendant à l'abstraction, où la composition cubiste a encore son rôle, qui le conduit progressivement à trouver son propre style. Son style consiste en grande partie dans une économie du trait, dans son cas on pourrait dire de la ligne, tant le trait chez lui évite la rudesse attachée au mot trait, au bénéfice de la souplesse qu'induit le mot ligne, mais une souplesse qui n'est pas mollesse. Dans un certain prolongement cubiste, il accorde donc une place primordiale au dessin, un dessin synthétique qui va à l'essentiel, et – selon les périodes – traite la couleur soit en camaïeu, soit en fondus, dans une facture divisionniste. Accordant à la lumière et à la forme l'importance plastique, il s'applique à recréer sa propre vision, d'une manière rigoureuse, de l'être humain dans sa familiarité. ■ J. B.
Bibliogr. : Bertrand Roger Lévy, Nane Bettex-Cailler : *Javier Vilato*, Pierre Cailler, Genève, 1958, bonne documentation – B. Dorival, sous la direction de..., in : *Peintres contemporains*, Mazenod, Paris, 1964 – in : Catalogue des *Peintres et Graveurs Français, Quatre-vingtième anniversaire*, Paris, 1969 – Catalogue de l'exposition *Vilato*, gal. Skira, Madrid, 1970 – Denys Chevalier, in : Catalogue de l'exposition *Vilato*, gal. Sapone, Nice, 1974 – Luc Monod, in : *Manuel de l'amateur de Livres Illustrés Modernes 1875-1975*, Ides et Calendes, Neuchâtel, 1992.
Musées : Barcelone (Fond. Estrada) – Boston – Caen – Cuenca – Épinal – Hudiskvall – Las Palmas – Limoges – Madrid (Mus. d'Art Contemp.) – New York (Mus. of Mod. Art) – Paris (BN/Estampes) – Saint-Louis – Tel-Aviv – Valls.
Ventes Publiques : Paris, 26 nov. 1973 : *Personnage* : **FRF 10 000** – Paris, 16 oct. 1974 : *Composition à la lanterne* : **FRF 10 000** – Versailles, 7 nov. 1976 : *Le déjeuner* 1955, h/t (91,5x73) : **FRF 7 000** – Paris, 28 mars 1977 : *Les deux amies sur la plage*, h/t (81x100) : **FRF 10 000** – Versailles, 25 mars 1979 : *Nu sur la plage*, h/t (81x65) : **FRF 7 500** – Paris, 1er juil. 1988 : *Femme au jardin, composition* 1960, h/t (100x81) : **FRF 7 800** – Paris, 22 nov. 1988 : *Tauromachie* 1965, h/t (65x80) : **FRF 9 500** – Paris, 26 sep. 1989 : *Chardon, algue, algibe* 1983 (33x42) : **FRF 8 000** – New York, 21 fév. 1990 : *Paysage abstrait*, h/t (81,4x100,4) : **USD 4 400** – Paris, 8 avr. 1991 : *Nature morte à la gargoulette VI* 1978, temp. à l'œuf/t. (73x60) : **FRF 20 000** – Paris, 16 avr. 1992 : *Le barrage* 1959, h/t (73x60) : **FRF 16 000** – Paris, 4 nov. 1992 : *Personnage au fond bleu* 1969, h/t (110,5x80,5) : **FRF 15 000** – Londres, 14 mars 1995 : *Nu sur la plage* 1955, aquar. et cr. à bille (29,3x20,2) : **GBP 632** – Paris, 26 juin 1995 : *Portrait de femme*, h/t (81x65) : **FRF 20 000** – Paris, 14 juin 1996 : *Le Compotier*, h/t (65x81) : **FRF 20 000** – Paris, 13 nov. 1996 : *Paysage, La Niado* 1959, h/t (60x73) : **FRF 23 000** – Paris, 28 mars 1997 : *Composition au compotier* 1947, h/t (73x54) : **FRF 20 200**.

VILATTE Pierre, dit **Malebouche**
Né sans doute à Dau-de-l'Arche. Mort avant le 21 janvier 1505 à Avignon. XVe siècle. Français.
Peintre et verrier.
Il était actif entre 1452 et 1495. On sait seulement qu'il collabora à la *Vierge de Miséricorde* du Musée de Chantilly (1452) avec Enguerrand Quarton. Il est difficile de déterminer sa part dans ce chef-d'œuvre, comme il est difficile de trouver d'autres retables peints de sa main à Avignon et en Provence où il a essentiellement travaillé.

VILBAUT Jacques. Voir **WILBAUT**

VILBAUT Nicolas. Voir **WILBAULT**

VILCHES Eduardo
Né en 1932 à Conception. XXe siècle. Chilien.
Graveur.
Il a fait des voyages d'études aux États-Unis, au Pérou, Brésil et Argentine. Depuis 1962, il enseigne le dessin et la gravure à l'Université Catholique du Chili. Il a participé à des expositions internationales au Japon, en Allemagne, en Suisse, en Pologne, en Italie et Espagne.

VILCHES Jose
Né à Malaga. XIXe siècle. Espagnol.
Sculpteur.
Le Musée d'Art Moderne de Madrid conserve de lui *Brutus* (marbre), *Homère*, *Andromaque*, *Le cardinal Cisneros*.

VILDÉ Claire
Morte en 1875. XIXe siècle. Active à Paris. Française.
Peintre de portraits, peintre de miniatures.
Elle figura au Salon de 1842 à 1848 ; médaille de troisième classe en 1843.

VILDER Dirk De. Voir **ROOBJEE DE VILDER Pjerod**

VILDER Roger
Né en 1938 à Beyrouth. XXe siècle. Actif au Québec. Libanais.
Peintre, sculpteur, graveur, lithographe, sérigraphe.
Il crée des œuvres mues mécaniquement, effectivement destinées à mettre en évidence des phénomènes optiques répétitifs, rappelant les rythmes naturels des éléments, entre autres de la mer, et qu'il nomme *Pulsations*.
BIBLIOGR. : Frank Popper, in : *L'Art Cinétique*, Gauthier-Villars, Paris, 1970.
MUSÉES : MONTRÉAL (Mus. d'Art Contemp.) : *Pulsation n° 2* 1967 – *Sans titre* 1976 – gravures, lithographies, sérigraphies.

VILDZIUNAS Vladas
Né en 1932. XXe siècle. Lituanien.
Sculpteur de monuments, groupes, figures, portraits, dessinateur.
Il étudie dans l'atelier de Juozas Mikenas à l'Académie des Beaux-Arts de Vilnius, de 1952 à 1958, où il est diplômé en 1961. Il travaille ensuite comme dessinateur dans une entreprise d'ordinateurs à Vilnius. Il fonde en 1969 une galerie d'arts au lieu-dit Jérusalem à Vilnius, qui rassemblait de jeunes sculpteurs. En 1976, il effectue un stage d'un an aux États-Unis.
Il participe à diverses manifestations collectives : 1961-1975 expositions d'État de Vilnius, expositions internationales de Moscou ; 1976, 1980 expositions quadriennales de Riga (Lettonie) ; 1984 exposition d'un groupe de six à Vilnius, Riga, Tallin (Estonie). Il montre également ses œuvres dans des expositions personnelles : 1977 Southampton (Long Island), Chicago, Los Angeles et Vilnius. Il obtient le prix de l'État lituanien en 1976. De 1988 à 1993, il est titulaire de la chair de sculpture à l'Académie des Beaux-Arts de Vilnius.
Il a sculpté de nombreux monuments commémoratifs et commandes publiques, notamment : le *Monument de M. K. Ciurlionis* 1975, à Druskininkai (Lituanie) ; *Bird goodess* 1977, dans le jardin Franklin D. Murphy à Los Angeles ; *Barbora* 1979, à Vilnius ; le *Monument aux martyrs de Lituanie en Sibérie* 1992, à Vorkuta. Trouvant son inspiration dans la sculpture populaire lituanienne, il commence par réaliser, dans les années soixante, divers portraits et figures, en bois ou en granit. À partir de 1979, il commence à fondre le bronze lui-même, et ses formes tendent à se géométriser pour évoluer vers des sculptures anthropomorphiques. ■ Sandrine Vézinat
MUSÉES : COLOGNE (Mus. Peter Ludwig) – MOSCOU (Gal. Tretiakov) – VILNIUS (Mus. des Arts Lituaniens).

VILEERS Jacob de et **Jasper**. Voir **VILLERS Jacob de** et **Jasper**

VILELLA Cristobal
Né le 6 août 1742 à Palma de Majorque. Mort le 2 janvier 1803 à Palma de Majorque. XVIIIe siècle. Espagnol.
Peintre.
Élève de R. Mengs à l'Académie de Madrid. Il peignit des scènes de chasse, des batailles et des sujets de botanique.

VILEMSENS Jean Blaise. Voir **VILLEMSENS**

VILIGIARDI Arturo
Né le 27 juillet 1869 à Sienne. XIXe-XXe siècles. Italien.
Peintre, sculpteur et architecte.
Élève de l'Académie des Beaux-Arts de Sienne.
Il travailla pour des églises de Rome et la cathédrale de Fiori.

VILIMEK Jan
Né en 1860 à Senflenberg. XIXe-XXe siècles. Autrichien.
Peintre de portraits, dessinateur.
Élève des Académies des Beaux-Arts de Prague et de Vienne. Il travailla pour des publications illustrées.

VILIN Henri
Né à Paris. Mort en 1887. XIXe siècle. Français.
Peintre de genre.
Élève de Bonnat et U. Butin. Il débuta au Salon de 1880. Membre de la société des Artistes Français. Le Musée de la Rochelle conserve de lui : *Distribution des drapeaux le 14 juillet 1880, défilé des députations*.

VILLA Aldo
Né en 1939, d'origine italienne. XXe siècle. Français.
Peintre de compositions animées. Postcubiste.
De 1955 à 1959, il fut élève de l'École des Beaux-Arts de Besançon. Il montre son travail surtout dans des expositions personnelles, notamment à Paris et Pont-Aven, galerie Le Breton.

VILLA Aleardo
Né le 12 février 1865 à Ravello. Mort le 31 décembre 1906 à Milan. XIXe-XXe siècles. Italien.
Peintre de sujets religieux, scènes de genre, figures, portraits.
Il débuta à Milan en 1891. Il fut un des premiers peintres d'affiches.
Beaucoup plus que de compositions religieuses dont on ne voit pas les traces, il fut un peintre de sujets familiers.

A Villa

MUSÉES : MILAN (Gal. d'Arte Mod.) : *Profil féminin* – *Mascarade*.
VENTES PUBLIQUES : MILAN, 25 mai 1978 : *Pauvreté* 1889, h/t (137x156) : **ITL 1 600 000** – MILAN, 16 juin 1980 : *Charité*, h/t (137x156) : **ITL 1 300 000** – LONDRES, 27 nov. 1987 : *Paradiso intimo ou Portrait d'Eleonora Duse* 1892, h/t (141x84,5) : **GBP 20 000** – MILAN, 14 juin 1989 : *Roulotte de tziganes à la périphérie de Milan*, h/t (120x221) : **ITL 11 000 000** – ROME, 31 mai 1990 : *Femme couchée dans l'herbe*, h/t (26x50) : **ITL 2 200 000** – MILAN, 19 mars 1992 : *Portrait d'un homme jeune à cheval avec son chien*, h/t (70x100,5) : **ITL 9 000 000** – ROME, 19 nov. 1992 : *Dame avec un manchon de fourrure*, h/t (55x34,5) : **ITL 4 370 000** – ROME, 27 avr. 1993 : *La rêveuse* 1898, h/t (99,5x69) : **ITL 6 756 300**.

VILLA Andrea
XVIIe siècle. Actif à Milan. Italien.
Peintre.
Il peignit des vues dans la chapelle du Mont Sacré de Varese.

VILLA Antonio
XVIIIe siècle. Actif dans la seconde moitié du XVIIIe siècle. Italien.
Peintre.
Il exécuta le plafond de l'Hôtel de Ville d'Imola.

VILLA Carlo
XVIIe siècle. Actif à Milan. Italien.
Peintre.
Il exécuta des perspectives dans l'église Saint-Dominique de Crémone en 1665.

VILLA Émile
Né le 25 avril 1836 à Montpellier (Hérault). XIXe siècle. Français.
Peintre de genre, portraits, animalier, caricaturiste, illustrateur.
Il entra à l'École des Beaux-Arts de Paris le 9 octobre 1861. Il fut élève de Charles Gleyre et d'Auguste Glaize. Il exposa au Salon de 1859 à 1882, il obtint une mention honorable en 1876, fut sociétaire des Artistes Français à partir de 1884 et reçut de nouveau une mention honorable à l'Exposition Universelle de 1889.
Il partage son art entre la peinture de portraits d'enfants, les représentations d'animaux, les sujets de genre, dont la grâce et la galanterie rappellent le XVIIIe siècle, et enfin les portraits charges traités avec beaucoup d'humour.
BIBLIOGR. : Gérald Schurr, in : *Les Petits Maîtres de la peinture 1820-1920, valeur de demain*, Les Éditions de l'Amateur, t. II, Paris, 1982.
VENTES PUBLIQUES : LOS ANGELES, 17 mars 1980 : *La liseuse*, h/t (100,3x65,5) : **USD 3 200** – NEW YORK, 23 mai 1985 : *La Japonaise et son perroquet*, h/t (113x77,5) : **USD 9 500** – LONDRES, 30 mai 1986 : *La Charmeuse*, h/t (155x90) : **GBP 15 000** – NEW YORK, 22 oct. 1997 : *Le Coup de vent*, h/t (65,4x50,2) : **USD 16 100**.

VILLA Ercole
Né en 1827 à Milan. Mort en 1909 à Verceil. XIXe siècle. Italien.
Sculpteur.
Élève de B. Cacciatori à l'Académie de Milan. Il a sculpté le *Monument de Victor Emmanuel II* à Verceil.

VILLA Fabio
XIXe siècle. Italien.
Peintre.
Il était actif à Milan.
MUSÉES : MILAN (Mus. Brera) : Deux études d'arbres.

VILLA Federico Gaetano
Né en 1837 à Rome. Mort en 1907 à Schianno. XIXe siècle. Actif à Milan. Italien.
Sculpteur.
Il exposa à Naples, Milan, Rome, Turin, Venise. La Brera de Milan conserve de lui *Jeune fille de Pompéi.*

VILLA Francesco
XVIIe siècle. Travaillant à Milan dans la seconde moitié du XVIIe siècle. Italien.
Peintre de perspectives et d'ornements.
On peut voir ses œuvres dans le palais ducal de Milan, dans la cathédrale de Monza et dans la Chartreuse de Pavie.

VILLA Gabriele
XIIIe-XIVe siècles. Actif à Trévise de 1280 à 1315. Italien.
Peintre.
Père de Marco Villa.

VILLA Georges
Né le 24 janvier 1883 à Montmédy (Meuse). Mort en 1965. XXe siècle. Français.
Peintre, graveur, lithographe, illustrateur.
Élève de Jules Lefebvre et de Tony Robert-Fleury, il exposa au Salon des Artistes Français, où il obtint une médaille de bronze et une médaille d'argent. Il a également participé aux Salons des Humoristes, des Peintres Animaliers et à Nancy. Chevalier de la Légion d'honneur.
Il a illustré, entre autres, *L'Île des Pingouins*, d'Anatole France ; *Par les Airs*, de Roger Lallier ; *Les contes fantastiques*, d'Edgar Poe ; *Les Contes et Nouvelles*, de Zola ; *La négresse blonde*, de Georges Fourest. Il fit surtout une carrière d'humoriste, dessinant aussi bien les animaux, les enfants que des personnages présentés dans des scènes satiriques, dans un style parfois grinçant.
Bibliogr. : Gérald Schurr, in : *Les Petits Maîtres de la peinture 1820-1920, valeur de demain*, Les Éditions de l'Amateur, t. V, Paris, 1981.
Ventes Publiques : Paris, 19 mars 1986 : *Portrait de Germaine Lubin* 1910, aquar. (80x63) : **FRF 25 500** – Paris, 26 jan. 1990 : *Les zouaves à Ribeauville* 1945, dess. à la mine de pb aquarellé (43x72) : **FRF 3 600.**

VILLA Giovanni Battista
Né en 1832 à Gênes. Mort en 1899 à Gênes. XIXe siècle. Italien.
Sculpteur.
Il sculpta surtout des tombeaux et des statues funéraires.

VILLA Giovanni da
Né à Bruxelles. Mort en 1562 près de Sabbioneta. XVIe siècle. Italien.
Paysagiste.
Il fut au service du duc Vespasiano de Gonzague.

VILLA Henri
Né à Montpellier (Hérault). XIXe siècle. Français.
Peintre d'animaux.
Il figura aux Salons de 1869 et de 1870.

VILLA Ignacio Benito de
Né en 1733. XVIIIe siècle. Espagnol.
Peintre.
Élève de l'Académie de Madrid.

VILLA Ignazio
Né en 1813 à Milan. Mort le 2 avril 1895 à Rome. XIXe siècle. Italien.
Sculpteur.
Il exposa à Milan, Turin. Chevalier de l'ordre de la Couronne d'Italie.

VILLA Louis Émile. Voir **VILLA Émile**

VILLA Marco
XIVe siècle. Actif à Trévise de 1320 à 1340. Italien.
Peintre.
Fils de Gabriele Villa.

VILLA-ANIL
Né à Montpellier (Hérault). XIXe siècle. Français.
Peintre de paysages.
Il figura au Salon de Paris, de 1841 à 1846. Il pourrait s'agir d'une mauvaise orthographe de Villaamil, ou Villamil.
Il peignit des paysages espagnols.

VILLA BASSOLS Miguel
Né en 1901 à Barcelone (Catalogne). Mort en 1988 à Masnou. XXe siècle. Espagnol.
Peintre de figures, portraits, nus, paysages, marines, natures mortes. Expressionniste.
Il fut élève de l'École des Beaux-Arts de Bogota. À partir de 1920, il poursuivit ses études à l'Académie Colarossi à Paris. Durant les années 40, il vécut en Argentine. Il prit part à diverses expositions collectives : 1924 Salon d'Automne et Salon des Indépendants à Paris ; à partir de 1930 Salon d'Automne et Salon de la Société Nationale des Beaux-Arts à Madrid, où il reçut une première médaille en 1960.
Il associe une construction des formes et volumes solidement charpentée à une matière colorée maçonnée en couches superposées, grasses et sensuelles.
Bibliogr. : G. Xuriguera : *Miguel Villa*, Madrid, 1973 – in : *Cien Anos de pintura en Espana y Portugal, 1830-1930*, Antiqvaria, t. XI, Madrid, 1993.
Ventes Publiques : Madrid, 17 fév. 1976 : *Paysage au pont* 1951, h/t (46x55) : **ESP 100 000** – Barcelone, 13 nov 1979 : *Amsterdam* 1932, h/t (60x50) : **ESP 310 000** – Barcelone, 25 fév. 1981 : *Le Ruisseau sous bois*, h/t (50x72) : **ESP 370 000** – Madrid, 13 déc. 1983 : *El Patio de la Cuadro* 1960, h/t (60x73) : **ESP 425 000** – Madrid, 24 oct. 1984 : *Paysage fluvial* 1959-1961-1963, h/t (73x92) : **ESP 575 000** – Barcelone, 30 avr. 1985 : *Jeune femme au chat siamois* 1936, h/t (80x60) : **ESP 550 000.**

VILLA-DIEGO Francisco de
XVIe siècle. Italien.
Enlumineur.
Cet artiste fut renommé pour l'éclat de son coloris et la juste proportion de ses dessins. En 1520, il travaille, en collaboration de Diego de Arroyo, à l'ornementation des livres de chœur de la cathédrale de Tolède.

VILLA-NOVA J. C. V.
XIXe siècle. Actif au début du XIXe siècle. Portugais.
Peintre.
Le Musée de Porto conserve de lui un *Paysage* daté de 1811.

VILLA-PERNICE Rachele, née **Cantu**
Née en 1836 à Milan. Morte le 26 novembre 1919 à Milan. XIXe-XXe siècles. Italienne.
Peintre de fleurs, aquarelliste.
Elle exposa à Rome, Milan, Venise, Bologne, Turin et Florence.

VILLA Y PRADES Julio. Voir **VILA Y PRADES**

VILLAAMIL Leopoldo. Voir **VILLAMIL**

VILLABRILLE Y RON Juan Alonso
XVIIIe siècle. Espagnol.
Peintre, sculpteur sur bois.
Cité par Céan parmi les peintres de Madrid, et considéré par d'autres comme l'auteur d'une *Tête de saint Paul*, sculpture très réaliste qui se trouve au Musée de Valladolid.

VILLACIS Anibal
Né le 11 novembre 1927 à Ambuto. XXe siècle. Equatorien.
Peintre. Abstrait.
À l'âge de seize ans, il était professeur de dessin et de peinture dans les écoles et collèges de sa ville natale. Il expose en Amérique du Sud : Quito, Caracas, Bogota, Rio de Janeiro. Il alla aussi se perfectionner à l'Académie de San Fernando de Madrid, où il a également exposé.
Après des débuts figuratifs, à l'époque où il se cherchait, Villacis a évolué à une non-figuration et a pu être qualifié d'« abstrait indigéniste ». Sa peinture, matiériste, recourant à des textures, produit un aspect granuleux. Bien qu'abstraite, elle fait souvent référence au passé précolombien, dont elle reprend des graphismes décoratifs, transposant les traces du monde ancestral dans le quotidien.
Bibliogr. : B. Dorival, sous la direction de..., in : *Peintres Contemporains*, Mazenod, Paris, 1964 – Damian Bayon, Roberto Pontual, in : *La peinture d'Amérique latine au XXe siècle*, Mengès, Paris, 1990.

VILLACIS Nicolas de
Né vers 1618 à Murcie. Mort le 8 avril 1694 à Murcie. XVIIe siècle. Espagnol.
Peintre.
Il était d'une noble famille de Murcie. Après avoir fait ses études classiques dans sa ville natale, il fut envoyé à Madrid pour y travailler la peinture avec Velasquez. Il alla ensuite à Rome et, de retour en Espagne, s'établit à Murcie comme peintre d'histoire. Il exécuta, notamment, au couvent de La Santissima Trinitad de Calzados, une suite de *Scènes de la vie de saint Blaise*, et dans

l'église des Dominicains *Martyre de saint Laurent.* Ces œuvres sont aujourd'hui disparues par suite de l'humidité. Villacis possédant de la fortune ne peignait que par agrément. Il refusa le poste de peintre de la cour, ainsi que l'invitation de Velasquez de participer à la décoration de l'Alcazar. Le Musée de Budapest conserve de lui : *Sainte Rosalie.*

VILLAFANE Francisco
XVIIe siècle. Actif dans la première moitié du XVIIe siècle. Espagnol.
Sculpteur.

VILLAFANE Pablo de
XVIIe siècle. Actif à Madrid vers 1635. Espagnol.
Peintre de miniatures.

VILLAFRANCA
XVIe siècle. Travaillant à Séville en 1589. Espagnol.
Enlumineur.

VILLAFRANCA-MALAGON Pedro de
Né au XVIIe siècle à Alcolea de Calatrava. Mort vers 1719 ou 1690 selon certains auteurs. XVIIe-XVIIIe siècles. Espagnol.
Peintre et graveur au burin.
Élève de Vicenzio Carducho. Il abandonna presque complètement la peinture pour la gravure. Il fournit un grand nombre de frontispices pour les ouvrages des ordres religieux de Santiago, de Calatrava, d'Alcantara. En 1654 il fut nommé graveur de Philippe IV, avec cent ducats d'appointements. On cite de lui notamment, le *Panthéon de l'Escurial,* de nombreux portraits de souverain et de personnages célèbres. Parmi ses ouvrages peints, on cite une série de peintures pour les fêtes en l'honneur de la canonisation de saint Thomas de Villanueva. Le Prado de Madrid conserve de lui *Portrait de Philippe IV.*

VILLAFUERTE ZAPATA Jeronimo
XVIIe siècle. Espagnol.
Peintre amateur et collectionneur d'art.

VILLAIN Eugène. Voir **VILLANI Eugène Marie François**

VILLAIN Georges René. Voir **VILLANI**

VILLAIN Henri
Né le 20 juin 1878 à Chartres (Eure-et-Loir). Mort le 26 novembre 1938 à Chartres. XXe siècle. Français.
Peintre de paysages animés, paysages. Orientaliste.
Il fut élève de l'École des Beaux-Arts de Paris. Ensuite, il passa six années en Hollande. En 1909, il partit pour l'Italie, la Dalmatie, le Monténégro. De 1910 à 1912, il fut pensionnaire de la Villa Abd-el-Tif à Alger, participant à la décoration du Palais d'Été. Jusqu'à la déclaration de guerre de 1914, il sillonna l'Afrique du Nord. De 1922 à 1929, il retrouva l'Algérie, la Tunisie, le Maroc. À partir de 1932, il parcourut plutôt l'Espagne, revenant peindre de nouveau dans sa Beauce natale.
En 1924, la galerie Allard de Paris montra une exposition d'ensemble de ses œuvres. En 1939, un an après sa mort, le Musée de Chartres a organisé une exposition rétrospective de l'ensemble de l'œuvre, depuis la Hollande jusqu'au retour en Beauce après l'Afrique du Nord.
BIBLIOGR. : René Gobillot : Catalogue de l'exposition *Rétrospective Henri Villain 1878-1938,* Mus. de Chartres, 1939.

VILLAIN Henri Georges
Né à Châteaudun (Eure-et-Loir). XIXe siècle. Français.
Peintre de genre, paysages, natures mortes.
Il fut élève de Fernand Cormon. Sociétaire des Artistes Français depuis 1906 ; mention honorable en 1905.
MUSÉES : HYÈRES : *Nature morte.*
VENTES PUBLIQUES : PARIS, 22 mars 1926 : *Paysage sur le bord d'une rivière* : **FRF 220** – PARIS, oct. 1945-Juillet 1946 : *La vieille porte de Moret* : **FRF 3 500** – PARIS, 13 avr. 1951 : *La poule plumée ; La brioche,* deux pendants : **FRF 1 800.**

VILLAINE Henri. Voir **VILLANIE Henry**

VILLALBA Dario, ou **Diaro**
Né en 1939 à San Sebastian. XXe siècle. Espagnol.
Peintre de figures, technique mixte, peintre de collages. Tendance pop art, puis expressionniste.
Il fut élève de l'École des Beaux-Arts San Fernando à Madrid, puis, vers 1950, de l'Université de Harvard à Boston. Il séjourna aux États-Unis jusqu'en 1954. Il décida de se déterminer en peinture à partir de 1957. En 1958 à Paris, il fut élève de l'Atelier André Lhote. Il participe à des expositions collectives en Europe, aux États-Unis, notamment en 1973 à la Biennale de São Paulo, dont il reçut le Premier Prix International, en 1975 au Louisiana Museum du Danemark, etc. Il expose individuellement en Italie, à New York, Bâle, Cologne, notamment à Madrid, galerie Mordo. En 1970, le Musée Espagnol d'Art Contemporain de Madrid lui a consacré une exposition personnelle.
Il a d'abord, dans les années soixante-dix, produit des photographies expressionnistes de personnages en grand format noir et blanc, probablement modifiées, qui peuvent être rapprochées du courant très général du pop art européen. Après 1980, une évolution radicale l'a amené à la picturalité par le moyen de collages, dont les effets matiéristes et une certaine violence expressive ont pu être identifiés comme découlant de la tradition espagnole.
BIBLIOGR. : In : *L'Art du XXe siècle,* Larousse, Paris, 1991.
MUSÉES : GENÈVE (Mus. d'Art et d'Hist.) – MADRID (Mus. Esp. d'Arte Contemp.) – OSTENDE – SÉVILLE (Mus. d'Arte Contemp.).
VENTES PUBLIQUES : MADRID, 18 juin 1991 : *Tête B* 1978, émulsion photographique et techn. mixte/t. (145x110,5) : **ESP 784 000.**

VILLALBA Sancho
XIVe-XVe siècles. Actif à Valence de 1398 à 1432. Espagnol.
Peintre.

VILLALBA V.
Né en 1925 aux îles Canaries. XXe siècle. Actif en Argentine. Espagnol.
Peintre. Abstrait-géométrique.
Vivant à Buenos Aires, il fut élève de l'École des Beaux-Arts. Membre du groupe « Arte Concreto-Invencion » depuis 1946, il pratique une abstraction à tendance géométrique, dont la propagation en Amérique latine fut considérablement activée par le retour de Torrès-Garcia, vers 1934, et la création de son école. Il participe aux expositions du groupe.
BIBLIOGR. : Michel Seuphor, in : *Diction., de la peint. abstr.,* Hazan, Paris, 1957.

VILLALDO Domenico
XVIIe siècle. Travaillant à Naples en 1672. Italien.
Sculpteur sur bois.

VILLALOBOS Juan, Lope et **Rodrigo**
XVe siècle. Actifs à Tolède. Espagnols.
Sculpteurs.

VILLALOBOS Julian de
XVIe siècle. Actif à Séville de 1520 à 1551. Espagnol.
Peintre.

VILLALONGA Joaquin
Né en 1789 à Palma de Majorque. XIXe siècle. Espagnol.
Peintre amateur et officier.
Élève de V. Lopez y Portana.

VILLALPANDO Cristobal
Né en 1649 (?). Mort en 1714. XVIIe-XVIIIe siècles. Mexicain.
Peintre de compositions religieuses.
On voit des œuvres de cet artiste dans les cathédrales de Mexico et de Puebla.
MUSÉES : PUEBLA.
VENTES PUBLIQUES : NEW YORK, 23 nov. 1992 : *La Sainte Famille et la Sainte Trinité,* h/t (178,8x110,8) : **USD 36 300** – NEW YORK, 22-23 nov. 1993 : *Saint Jean Évangéliste* 1701, h/cuivre (27,9x21) : **USD 16 100.**

VILLALPANDO Francisco
D'origine espagnole. XVIIe siècle. Travaillant au Guatemala dans la première moitié du XVIIe siècle. Guatémaltèque.
Peintre.
Il peignit des *Scènes de la vie de saint François* pour le monastère des Franciscains à Guatemala.

VILLALTA Pietro
Né le 8 janvier 1818 à Zoldo. Mort après 1840 à Padoue. XIXe siècle. Actif à Belluno. Italien.
Peintre.

VILLALVA Juan de
XVIe siècle. Espagnol.
Sculpteur.
Élève de Juan Aléman le Jeune. Il sculpta plusieurs statues pour la cathédrale de Séville.

VILLAMACI Luca ou **Villemage**
Né vers 1648-1649 à Messine. Mort à Marseille. XVIIe siècle. Italien.

Sculpteur, peintre.
Cet architecte et mathématicien fut élève d'Agostino Scilla. Il travailla pour la cathédrale de Messine et l'église des Jésuites de cette ville. Il s'établit à Marseille en 1678.

VILLAMARINA Carlo de, comte
Né le 9 octobre 1848 à Turin. Mort le 19 mars 1880. XIXe siècle. Italien.
Peintre amateur.

VILLAMENA Francisco
Né vers 1566 à Assise. Mort le 7 juillet 1624 à Rome. XVIe-XVIIe siècles. Italien.
Peintre, dessinateur et graveur au burin.
On le dit élève à Rome de Cornelis Cort, sous la direction duquel il aurait travaillé en même temps d'Agostino Carracci. Il poursuivit ses études en dessinant d'après les antiques. Il produisit aussi quelques peintures. Ce fut surtout comme graveur qu'il se créa un sérieux renom. On cite de lui trois cent soixante planches, comprenant des portraits, des sujets religieux, d'après les grands maîtres et d'après ses propres dessins. La Galerie Czernin de Vienne conserve de lui *Escarmouche amusante*.

Ventes Publiques : Paris, 30 mars 1925 : *Scènes de l'histoire de Scipion*, pl. et lav., trois dessins : **FRF 410**.

VILLAMIL Eugenio Lucas. Voir **LUCAS Y VILLAMIL Eugenio**

VILLAMIL Jenaro, ou **Genaro Pérez**. Voir **PEREZ VILLAAMIL**

VILLAMIL Leopoldo ou **Villaamil**
Né dans la province d'Orense. XIXe siècle. Espagnol.
Peintre.
Élève de F. Van Halen à Madrid. Il exposa à partir de 1864.

VILLAMIL MARRACHI Bernardo
Né à La Havane. XIXe siècle. Espagnol.
Peintre de compositions animées, paysages.
Il représenta nombre de sujets tauromachiques.
Musées : Madrid (Mus. d'Art Mod.).
Ventes Publiques : Londres, 12 déc. 1908 : *Combat de taureaux*, quarante-deux sujets dans un cadre : **GBP 15** – Londres, 22 juil. 1910 : *Même peinture* : **GBP 35** – Copenhague, 7 juin 1977 : *Le billet doux*, h/t (82x57) : **DKK 14 000**.

VILLAMIZAR Eduardo Ramirez. Voir **RAMIREZ-VILLAMIZAR Eduardo**

VILLAMOR Antonio
Né en 1661 à Almeyda de Sayago. Mort en 1729 à Salamanque. XVIIe-XVIIIe siècles. Espagnol.
Peintre.
Il peignit des fresques et des tableaux d'autel à Valladolid.

VILLANDRANDO Rodrigo de
Né vers 1580. Mort en 1628. XVIIe siècle. Espagnol.
Peintre de portraits.
Il travailla en 1628 à Madrid. Il fut nommé peintre à la cour de Philippe III, où il exécuta divers portraits.
Musées : Madrid (Mus. du Prado) : *L'Infant Philippe IV avec le nain Soplillo – Isabelle de Bourbon* – Rome (Gal. Corsini) : *Portrait de femme*.

VILLANES Emmanuele
Né au XIXe siècle à Turin. XIXe siècle. Italien.
Sculpteur.
Il exposa à Turin, Milan, Rome.

VILLANI Carlo
XVIIe siècle. Travaillant à Rome au début du XVIIe siècle. Italien.
Peintre.

VILLANI Costatino ou **Constantin**
Né en 1751 à Milan. Mort le 7 mars 1824 à Varsovie. XVIIIe-XIXe siècles. Italien.
Peintre.
Il fit ses études avec Batoni, puis se rendit à Naples. Invité par M. Strojnovski, il vint en Pologne, où il exécuta plusieurs travaux. Il peignit aussi à Vilna, pour la cathédrale de cette ville. Vers 1794, il vint à Varsovie, alla à Dresde et enfin en 1808 il retourna à Varsovie invité par le comte Joseph Ossolinski.

VILLANI Eugène Marie François
Né le 13 avril 1821 à Paris. XIXe siècle. Français.
Peintre de genre, portraits, natures mortes.
Élève de Charlet et de Léon Cogniet. Il entra à l'École des Beaux-Arts le 9 octobre 1839 et exposa au Salon de 1844 à 1882. Il était le père de Georges René Villani.
Il peint des scènes pittoresques de Paris, dans un style libre, où les couleurs son posées avec finesse et justesse dans leurs rapports.
Bibliogr. : Gérald Schurr, in : *Les Petits Maîtres de la peinture 1820-1920, valeur de demain*, Les Éditions de l'Amateur, t. III, Paris, 1976.
Musées : Douai : *Nature morte* – Guéret : *L'artiste* – *La Rochelle : Dessert* – Narbonne : *Le premier pas vers le ciel* – Niort : *Le marché de la rue de Sèvres à Paris* – Orléans : *Volaille, légumes et nature morte* – Rouen : *Un verre de trop* – Toulouse : *Attributs de musique*.
Ventes Publiques : Paris, 23-25 nov. 1911 : *Vieille femme lisant* : **FRF 330**.

VILLANI Gennaro
Né le 4 octobre 1885 à Naples. Mort en 1948 à Milan. XXe siècle. Italien.
Peintre de figures, paysages, marines.
Élève de Michele Cammarano.
Il a surtout peint les vues typiques autour de Naples.
Musées : Naples (Mus. mun.) – Oran.
Ventes Publiques : Milan, 28 mars 1974 : *Vue de Naples* : **ITL 1 500 000** – Milan, 14 déc. 1976 : *Capua*, h/pan. (34,5x38) : **ITL 1 100 000** – Rome, 1er juin 1983 : *Vue de Pozzuoli* 1909, h/t (70x114) : **ITL 2 800 000** – Rome, 14 déc. 1989 : *Terrasse sur la mer*, h/cart. (34x35) : **ITL 3 220 000** – Rome, 29 mai 1990 : *Coucher de soleil sur le Pausilippe* 1905, h/t (53x80) : **ITL 2 875 000** – Rome, 24 mars 1992 : *Dans le parc*, h/t/cart. (47x40) : **ITL 2 530 000** – Bologne, 8-9 juin 1992 : *Enfant près de la maison*, h/cart. (13x19) : **ITL 1 380 000** – Rome, 19 nov. 1992 : *Autoportrait* 1919, h/cart. (24x32) : **ITL 1 725 000** – Rome, 27 avr. 1993 : *Barques à Venise*, h/t (36x32) : **ITL 1 576 400**.

VILLANI Georges René
Né en 1854 à Paris. Mort en 1930 à Paris. XIXe-XXe siècles. Français.
Peintre de genre, portraits, paysages, natures mortes, aquarelliste.
Il fut élève de Harpignies et de son père Eugène Marie François Villani, de Tillier et Benjamin-Constant. Il exposa à Paris, au Salon de 1877 à 1880, puis de 1881 à 1912 au Salon devenu des Artistes Français.
Il a peint surtout des paysages d'une note assombrie ; il a signé aussi des scènes de genre, des natures mortes et des portraits. Ses aquarelles sont généralement d'une facture plus libre.
Ventes Publiques : Paris, 21 et 22 déc. 1953 : *Notre-Dame de Paris* : **FRF 13 000** – Berne, 25 oct. 1979 : *Paysage*, h/t (46x55) : **CHF 1 500**.

VILLANI Julio
Né en 1956. XXe siècle. Brésilien.
Peintre, peintre de collages, sculpteur d'assemblages. Polymorphe.
Il s'est établi en Europe. En 1988, il a exposé à la galerie Laage-Salomon, en 1990 à *La Base* à Méru (Oise), en 1997 au Musée des Beaux-Arts d'Agen.
Il construit des séquences graphiques qui mettent en évidence non seulement leur action visuelle dans la dimension de l'espace, mais encore dans la dimension du temps nécessaire pour que l'œil les parcoure. La diversité des sources où il se réfère l'a amené de débuts néoconstructivistes à des stratégies de collages et assemblages néodadaïstes.
Bibliogr. : Damian Bayon, Roberto Pontual, in : *La peinture d'Amérique latine au XXe siècle*, Mengès, Paris, 1990.

VILLANI Pietro
Né en 1886 à Nocera Inferiore. XXe siècle. Actif à Milan. Italien.
Peintre de nus, portraits, paysages.
Élève de Casnedi et de Bertini à l'Académie des Beaux-Arts de Milan.

VILLANI Simone
XVIIIe siècle. Actif à Naples dans la première moitié du XVIIIe siècle. Italien.
Peintre.
Il a peint le maître-autel de l'église d'Angri en 1717.

VILLANIE Henry
Né le 5 ou 25 décembre 1813 à Nantes (Loire-Atlantique). XIXe siècle. Français.

Peintre d'histoire, de genre, portraits.
Il entra à l'École des Beaux-Arts le 7 octobre 1835. Il fut élève de Roqueplan. Il figura au Salon de 1843 à 1845.

VILLANIS Emmanuel ou **Villani**
Né en 1880. Mort en 1920. XXe siècle. Français, Italien (?).
Sculpteur de figures mythologiques, légendaires, typiques.
Sans recourir à la technique chryséléphantine, il associe parfois des matériaux et surtout des patines différents.
Ventes Publiques : Londres, 15 nov. 1976 : *Carmen*, bronze (H. 33,5) : **GBP 120** – Paris, 18 juin 1979 : *Judith*, bronze, patine bicolore et argent (H. 61) : **FRF 13 000** – Paris, 19 mars 1982 : *Esclave enchaînée*, bronze patiné (H. 40) : **FRF 15 500** – Paris, 26 oct. 1983 : *Soleil*, bronze (H. 106) : **FRF 60 200** – Londres, 20 mars 1984 : *L'orient*, bronze (H. 50) : **GBP 900** – Londres, 5 juil. 1985 : *La cigale* vers 1900, bronze (H. 80) : **GBP 2 200** – Londres, 26 sep. 1986 : *La Sibylle*, bronze (H. 72) : **GBP 2 200** – Paris, 26 fév. 1988 : *Jeune esclave assise*, régule (H. 61) : **FRF 11 000** – Paris, 24 avr. 1988 : *Saïda*, buste bronze patine verte (H 49) : **FRF 6 850** ; *Miarka*, bronze patine brun-or (H 76) : **FRF 20 000** ; *Walkyrie*, buste bronze à deux patines brun et vert (H 80) : **FRF 17 000** – Lokeren, 28 mai 1988 : *Tanacra*, bronze (H. 61,5) : **BEF 60 000** – Cologne, 15 juin 1989 : *Sapho*, bronze (H. 72) : **DEM 5 000** – Paris, 25 mars 1991 : *Nymphe*, bronze (H. 30,5) : **FRF 4 200** – Liège, 11 déc. 1991 : *Mignon*, bronze (H. 58) : **BEF 52 000** – Paris, 19 juin 1992 : *La boîte de Pandore*, bronze sur socle en onyx (H. 85) : **FRF 44 000** – Paris, 18 juin 1993 : *Esclave à vendre*, épreuve en régule (H. 41 ; terrasse 30x19) : **FRF 6 000** – Paris, 14 mars 1994 : *L'otage*, bronze (H. 52) : **FRF 8 600** – New York, 24 mai 1995 : *L'éclipse*, bronze (H. 106,7) : **USD 9 200** – Lokeren, 11 oct. 1997 : *Cendrillon* 1895, bronze patine bleue (50,5x33) : **BEF 50 000**.

VILLANIS L.
Né au XIXe siècle à Lille (Nord). XIXe siècle. Français.
Sculpteur.
Il figura au Salon des Artistes Français ; mention honorable en 1892. Le Musée Saint-Saëns, à Dieppe, conserve de lui un buste en ronde bosse du compositeur.
Ventes Publiques : Paris, 22 avr. 1977 : *Jeune femme sur un coquillage*, marbre blanc (H. 39, larg. 42) : **FRF 12 500** – Paris, 8 juin 1978 : *Prise de corsaire*, bronze, patine polychrome (H. 86) : **FRF 4 500**.

VILLANO Andrea
XVIIe siècle. Actif à Naples en 1631. Italien.
Peintre.

VILLANO Ludovico
XVIIe siècle. Actif à Naples en 1680. Italien.
Peintre.

VILLANT Pierre de ou **Billant, Debillant, Dubillant**
XVe siècle. Français.
Peintre et brodeur.
Il fut au service du roi René d'Anjou.

VILLANUEVA Antonio de
Né le 30 août 1714 à Lorca. Mort le 27 novembre 1785 à Valence. XVIIIe siècle. Espagnol.
Peintre.
De l'ordre des Franciscains, il travailla pour les monastères de son ordre à Valence, Requena, Hellin Onteniente, Alicante et Orihuela.

VILLANUEVA Juan de
Né le 5 janvier 1681 à Pola di Siero. Mort le 4 juin 1765 à Madrid. XVIIIe siècle. Espagnol.
Sculpteur.
Élève d'Ant. Borja et de P. Alonso de los Rios. Il a sculpté des statues sur la façade de la cathédrale de Valence.

VILLANUEVA Laurencio de
Né à Orihuela. XVIIIe siècle. Actif dans la première moitié du XVIIIe siècle. Espagnol.
Sculpteur.
Père d'Antonio de Villanueva.

VILLANUEVA Pedro Diaz. Voir **DIAZ de Villanueva**

VILLANUOVA Lazzaro
XVIIe siècle. Actif à Gênes. Italien.
Peintre.
Élève de Dom. Fiasella.

VILLAR Francisco
Né en 1872 en Espagne. XIXe-XXe siècles. Espagnol.
Peintre de portraits.
Il voyagea beaucoup en Europe.

VILLAR Guillelmo
XIVe siècle. Actif à Palma de Majorque. Espagnol.
Sculpteur.
Il sculpta en 1335 trois autels pour la cathédrale de Palma de Majorque.

VILLAR Isabel
Née vers 1930. XXe siècle. Espagnole.
Peintre de compositions à personnages, groupes, figures, nus, portraits, animaux, paysages animés, fleurs. Naïf.
Elle reçut sa première formation artistique en 1948 à l'École de Saint-Eloy, à Salamanque. Elle compléta ultérieurement sa formation à l'École des Beaux-Arts de San Fernando à Madrid. Elle expose depuis 1958. Elle participe à des expositions collectives, d'entre lesquelles : 1964 Bordeaux et Toulouse, *Dix artistes espagnols* ; 1971 Madrid, *Art érotique*, galerie Vandrés ; 1974 Bruxelles, *Art espagnol contemporain* ; et Munich Haus der Kunst, Zurich Kunsthaus, *L'art des naïfs* ; 1978 Lisbonne et Cuba, *Peinture espagnole contemporaine* ; 1982 Saragosse, Guadalajara, Ténériffe, Santander, etc., *Le portrait dans la peinture espagnole* ; 1985 Baden-Baden, Biennale du Dessin ; etc. Elle montre des ensembles de ses compositions dans des expositions personnelles, dont : 1958 Salamanque, Sala Miranda ; 1963 Santander ; 1970 Madrid, galerie Sen ; 1972 Séville ; 1975 Madrid, galerie Kreisler-2 ; 1979 Barcelone, Ténériffe, Las Palmas ; 1980 Saragosse ; 1984 Madrid, galerie Sen ; etc.
D'entre les naïfs, cette Isabel Villar n'est pas seule dans ce cas, d'Henri Rousseau à Christiane Alsac, elle est un peintre naïf savant. Apparemment avec aisance, elle dessine des compositions complexes, avec personnages individualisés, animaux familiers ou exotiques rares, dans des décors et paysages étendus et variés, l'ensemble est peint avec un sens gustatif des couleurs naturelles juste un peu forcées. En quoi est-ce naïf ? peut-être par une certaine raideur du dessin, les personnages ont tous l'air un peu niais, par une théâtralité « carte postale » du décor, et évidemment par le souci du moindre détail. Elle ne connaît pas, ou ne veut pas connaître, les raccourcis « picturaux » qui évitent de compter toutes les feuilles des arbres. Elle a le goût et le sens de tous ces détails qui font le charme des mille et une nuits de tous les conteurs du monde. Donc, justement picturalement, c'est pleinement assumé, elle sait et maîtrise tout ce qu'il faut pour peindre ce qu'elle veut et comme elle veut. En fonction de l'objectif à atteindre, l'appropriation plastique de « la peinture » est assurée. Il est donc loisible de prendre maintenant en considération « l'image ». Et là, se bousculent sources diverses, souvent inattendues, et coups d'audace peu ordinaires. On ne sait par où commencer, ni en quel ordre. Des enfants – du meilleur monde, ça se voit au cadre et au costume – sont portraiturés accompagnés de leur animal favori, sauf que c'est un gibbon ou un lion. Entre Brueghel et Caspar David Friedrich, un groupe d'hommes, en chapeaux melon, contemple l'horizon entre mer et ciel, sauf qu'au ciel vole une femme nue escortée de papillons. À l'orée d'une clairière, devant le rideau d'arbres pose une famille, père officier de marine, mère et enfant en habits du dimanche, évidemment flanqués de leurs lion et tigre familiers, mais ils posent devant une immense peinture occultant le rideau d'arbres et qui représente la mer (oh ! Magritte). Quelques femmes nues, ou tout prêtes à l'être, évoquent immanquablement Cranach, d'autant qu'adossées à tous les animaux du paradis terrestre, de chat, mouton, à taureau et fauves divers. Un paséo d'après la corrida, les chevaux montés par les toréros enlaçant des Carmen lascives, semble rivaliser, mais sur un autre ton, avec les frises épiques de la *Bataille de San Romano*. Pour en terminer, que dire des portraits de familles au bord d'un étang, dont les figurants se reflètent, à l'envers, à la surface des clapotis, brouillés comme frissonnants. ■ Jacques Busse
Bibliogr. : Francisco Calvo Serraller, Fernando Savater, Miguel Logrono : Catalogue de l'exposition *Isabel Villar 1970-1985*, Casa Lis, Salamanque, 1986.
Musées : Alicante (Mus. d'Arte Contemp. de Elche) – Castellon (Mus. d'Arte Contemp.) – Madrid (Mus. Espagnol d'Arte Contemp.) – Rome (Mus. du Vatican) – Salamanque (Mus. San-Eloy) – Santacruz de Ténériffe (Mus. d'Arte Contemp. A.C.A.) –

Santander (Mus. mun.) – Santander (Mus. Redondo) – Séville (Mus. d'Arte Contemp.) – Tolède (Mus. d'Arte Contemp.).

VILLARD Abel

Né le 4 janvier 1871 à Ploaré (Finistère). Mort le 15 février 1969. XIXe-XXe siècles. Français.

Peintre de portraits, paysages, fleurs.

Fils de Jean-Marie Villard. Ayant passé les examens appropriés, il fut professeur de dessin aux lycées de Brest et de Quimper. Il exposait à Paris, depuis 1929 au Salon des Artistes Français ; 1954 médaille d'argent ; 1964 Prix Paul Chabas ; 1967 médaille d'or et Prix Corot ; la même année, il fut fait chevalier de la Légion d'honneur.

VILLARD Antoine

Né le 17 avril 1867 à Mâcon (Saône-et-Loire). Mort le 4 février 1934 à Paris. XIXe-XXe siècles. Français.

Peintre de portraits, paysages, marines, natures mortes. Postimpressionniste puis réaliste, tendance expressionniste.

Il étudia d'abord l'architecture à l'école des Beaux-Arts de Lyon, puis fut élève à l'école nationale des Arts décoratifs, et eut enfin, Jules Lefebvre et Benjamin Constant comme professeurs à l'école des Beaux-Arts de Paris.

Sociétaire de la Société Nationale des Beaux-Arts, des Indépendants et du Salon d'Automne, il exposa aussi au Salon des Tuileries. À l'exposition des Maîtres de l'Art Indépendant, au musée du Petit Palais en 1937, étaient présentés des paysages, portraits et natures mortes d'Antoine Villard.

Ses premières toiles marquées par l'influence impressionniste, ont rapidement laissé la place à des œuvres plus réalistes et même parfois expressionnistes, dans sa dernière période. Ses marines de *Belle-Ile-en-Mer* comptent parmi ses œuvres les plus caractéristiques, en leur âpreté saisissante.

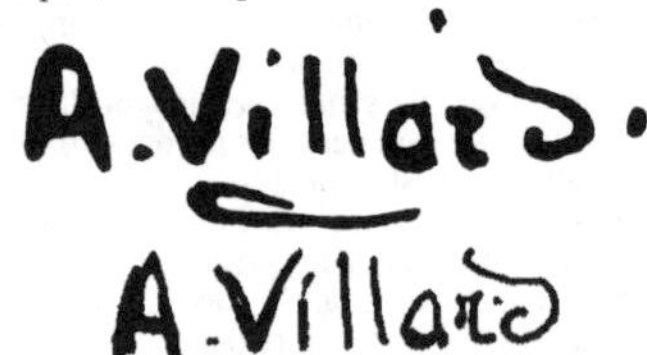

Musées : Brême – Gand – Le Havre – Lyon – Moscou – Paris (Mus. d'Art mod. de la Ville) : *Canal à Moret*.

Ventes Publiques : Paris, 28 fév. 1923 : *Maisons dans la campagne* : **FRF 70** – Paris, 18 nov. 1925 : *Chemin de fer de ceinture, effet de neige* : **FRF 2 100** – Paris, 27 nov. 1942 : *Nature morte* : **FRF 400** – Paris, 29 juin 1945 : *Paysage* : **FRF 2 050**.

VILLARD Jean Marie

Né le 3 janvier 1828 à Ploaré (Finistère). Mort le 17 août 1899 à Quimper. XIXe siècle. Français.

Peintre de portraits, intérieurs, paysages animés, paysages, marines.

Vers 1850, il vint à Paris et fut élève de Marc G. C. Gleyre. À Paris, il vécut vraisemblablement de ses portraits. Après la guerre de 1970 et le siège de Paris, il regagna le Finistère et fut professeur de dessin au collège de Quimper. Il figura au Salon de 1861 à 1878.

Il a surtout peint les paysages de la côte autour de Douarnenez. Dans ses figures typiques vaquant à leurs occupations rurales, il se situait dans le registre social d'un Jean-François Millet.

Musées : Quimper : *La Halte – Les rochers de Kerléguer – Intérieur breton*.

VILLARD Louis Félix

Né le 1er février 1872 à Arpajon (Essonne). XIXe-XXe siècles. Français.

Peintre de portraits, de fleurs et dessinateur.

Il exposait à Paris, au Salon des Indépendants depuis 1905. On le cite également pour ses dessins de mode.

VILLARD Nicod de

XVe siècle. Actif à Fribourg en 1453. Suisse.

Peintre.

VILLARD DE HONNECOURT ou **Vilard, Vilars, Wilars, Wilers, Ulardus**

Né au début du XIIIe siècle à Honnecourt (Nord). Mort vers 1260. XIIIe siècle. Français.

Architecte et dessinateur.

Villard naquit vraisemblablement à Honnécourt, près de Cambrai. Il travaillait d'abord en France de 1230 à 1235. Il fit de nombreux voyages, en France, dans les Flandres, entre 1235 et 1250, en Hongrie, et encore en Suisse – on note son passage à Lausanne – en Allemagne. S'il dessina d'après les cathédrales de Laon et de Reims, peut-être de Chartres, il semble qu'il construisit peu lui-même, peut-être collabora-t-il à la cathédrale de Cambrai, aujourd'hui détruite. Lui sont attribués, avec plus ou moins de certitude : l'église cistercienne de Vaucelles, dont il ne reste que les fondations ; entre 1235 et 1250 en Hongrie, plusieurs églises ; de retour en France, le chœur et la tour occidentale de l'église de Saint-Quentin, le chevet de l'église de Meaux. Curieux de cathédrales, de tous les monuments, de sculpture, d'ornements, de tout ce qu'il remarquait en chemin, il en établissait les proportions, il développait aussi les mouvements du corps en rapports géométriques.

La Bibliothèque nationale à Paris possède de lui un curieux recueil manuscrit, dont il subsiste trente-trois feuillets, où s'entremêlent des dessins de machines, d'architectures, de monuments, d'animaux, de figures humaines. Villard considérait sans doute ces carnets comme son *vade mecum* et il écrivait : « Ci commence li force des traits de portraiture, si con li ars de jometrie les ensaigne, por légièrement ovrer. Et en l'autre fuel sont cil de le maçonerie. » On ne peut pas ne pas remarquer, au XIIIe siècle, comme l'annonce des carnets que Vinci remplira au XVe. Ce recueil fut tout d'abord reproduit et publié par Dariel en 1858. L'étrangeté manifeste de ces dessins n'a jamais cessé depuis d'attirer l'attention. Les modernes les ont enfin mis en pleine lumière, tant les recherches plastiques dont ils témoignent sont proches, en dépit du temps qui les sépare, du principal souci analytique des cubistes, et tant l'aspect de ces pages où se juxtaposent et se chevauchent statues, visages, monuments, animaux ou décompositions de mouvements, à des échelles très différentes, est proche de certaines visions surréalistes. Hors ces extrapolations circonstancielles, ce recueil donne aujourd'hui une idée de ce qu'étaient les notes de travail d'un architecte du Moyen Âge. ■ Jacques Busse

Bibliogr. : J. B. Lassus, A. Dariel : *L'Album de Villard de Honnecourt*, Paris, 1858 – in : *Encyclopédie « Les Muses »*, t. XV, Grange Batelière, Paris, 1974.

VILLAREAL Cristobal de

XVIe siècle. Espagnol.

Peintre et sculpteur.

Cet artiste était, croit-on, de Valladolid et y travaillait en 1546. Il fut témoin dans le procès qui eut lieu entre Giralte et Juni au sujet des travaux à exécuter à Notre-Dame de la Antigua. Voir aussi l'article Juan de la Plaza.

VILLAREAL Juan

XVIe siècle. Actif à Burgos. Espagnol.

Sculpteur.

Il travailla pour la cathédrale de Burgos.

VILLAREALE Valerio

Né en 1773 à Palerme. Mort en 1834 à Palerme. XVIIIe-XIXe siècles. Italien.

Sculpteur et peintre.

Élève de Canova à Rome. Il travailla à Naples. Le Musée de Palerme conserve de lui *Bacchante*.

VILLARET André

Né en 1921. XXe siècle.

Peintre de paysages, paysages d'eau, aquarelliste, pastelliste. Postimpressionniste.

Il expose à Toulouse, Rodez, Carcassonne, Villeneuve-sur-Lot, ainsi qu'à Paris, notamment en 1984, galerie Laurens.

Il utilise parfois la technique ancienne de peinture à l'huile sur plaques de cuivre de petits formats. Il peint surtout des paysages de l'Aubrac et du Rouergue et les affectionne sous la neige.

Ventes Publiques : Castres, 23 juin 1986 : *Bords de la Garonne*, h/t (50x65) : **FRF 5 600** – Castres, 13 déc. 1987 : *Soleil d'hiver*, h/t (22x27) : **FRF 6 300** – Versailles, 29 oct. 1989 : *La plage*, h/cart. (46x61) : **FRF 4 500**.

VILLARREAL Miguel de

XVIe siècle. Actif dans la première moitié du XVIe siècle. Espagnol.

Sculpteur.

Il sculpta des statues pour le chœur de la cathédrale de Coria.

VILLARS Christian Otto ou **Willars**

Né en 1714 à Copenhague. Mort le 17 août 1758, noyé. XVIIIe siècle. Danois.

Peintre de marines, peintre à la gouache, dessinateur.
Fils d'Otto Villars. Officier de marine.
Musées : Frederiksborg (Mus.) : *Christian VI navigue à Christiania en 1733.*
Ventes Publiques : Copenhague, 27 mars 1979 : *Voilier saluant* 1743, gche et aquar. (25x34) : **DKK 26 000.**

VILLARS François
XVIIe siècle. Actif à Toulouse au début du XVIIe siècle. Français.
Peintre.
Il fut chargé de l'exécution d'une madone pour l'église de Rabastens.

VILLARS Jacques de
XVIIIe siècle. Français.
Sculpteur sur bois.
Il a sculpté le confessionnal de l'église d'Ogy en 1780.

VILLARS Otto de
Né en 1663, d'origine française. Mort le 3 janvier 1722 à Copenhague. XVIIe-XVIIIe siècles. Danois.
Peintre.
Père de Christian Otto Villars. Il travailla pour la cour de Frederiksborg et peignit des portraits de la famille royale et des scènes mythologiques et restaura des peintures dans le château.

VILLARZEL Calude de
Né en 1592. XVIIe siècle. Suisse.
Peintre.
Il travailla à Berne.

VILLATE Pierre. Voir **VILATTE**

VILLATTE Jacques
Né en 1937 à Paris. XXe siècle. Français.
Peintre de compositions animées, natures mortes, fleurs, peintre à la gouache, pastelliste, dessinateur de presse, graphiste. Intimiste.
À Paris, il fut élève de l'École de Dessin de la Ville de Paris, des Arts Appliqués et de l'Académie de la Grande Chaumière. Il participe à des expositions collectives, à Paris aux Salons des Artistes Français, des Indépendants, d'Automne, ainsi qu'à l'étranger. Individuellement, il expose à Paris et Pont-Aven, galerie Le Breton.
Ses peintures à l'huile ou pastels révèlent un coloriste raffiné dans la mise en forme de compositions plastiquement bien organisées dans leur format, alors qu'à peine suggérées. Souvent un premier plan, de silhouettes en promenade ou de nature morte de fleurs et fruits sur une terrasse, se découpe sur le fond de paysage ou marine. Les formes sont franches, les couleurs en aplats, les ombres saturées.

VILLAUMBROSA Condesa de
XVIIe siècle. Travaillant à Madrid vers 1650. Espagnol.
Peintre.

VILLAUME Louis. Voir **WILLAUME**

VILLAUME Rémy ou **Vuillaume, Willaume, Wuillaume**
Né le 4 février 1649 à Nancy (Meurthe-et-Moselle). Mort après le 18 janvier 1714. XVIIe-XVIIIe siècles. Français.
Sculpteur.
Il était actif à Nancy en 1692, puis au début du XVIIIe siècle. Il travailla au catafalque de Charles V de Lorraine en 1700.

VILLAVECCHIA Lorenzo
Né le 2 janvier 1880 à Solero. XXe siècle. Italien.
Peintre de figures, portraits, paysages.
Il se mit à la peinture à l'âge de cinquante ans.

VILLAVERDE Vilma
XXe siècle. Argentine.
Sculpteur de figures.
Elle vit et travaille à Buenos Aires. En 1992 à Paris, la galerie Jean-Claude Riedel a montré un ensemble de ses sculptures.
Elle sculpte des personnages féminins, pas forcément monstrueux mais pas toujours tentants non plus, parés d'un ustensile sanitaire, urinoir en guise de châle pour se parer ou lavabo comme coiffeuse où se voir, à moins qu'une partie de leur corps, mutilé donc ou génétiquement muté, ne soit remplacée, constituée par un bidet dont la cuvette, à l'endroit, soutient les seins ou, à l'envers, coiffe le bassin.
Bibliogr. : René-Jean Clot : Catalogue de l'exposition *Vilma Villaverde*, gal. Jean Claude Riedel, Paris, 1992.

VILLAVICENCIO Pedro de. Voir **NUÑEZ de VILLAVICENZIO Pedro**

VILLE. Voir aussi **DEVILLE**

VILLE Félix ou **Robert Félix Bauduin Ladislas**
Né le 21 novembre 1819 à Mézières (Ardennes). Mort le 22 septembre 1907 à Paris. XIXe siècle. Français.
Peintre de paysages.
Élève de Léon Cogniet et de l'École des Beaux-Arts. Il débuta au Salon de 1844.
Musées : Annonay : *Le Christ de Capharnaum* – Laval : *Les Vierges sages et les vierges folles – Scènes de l'Apocalypse*, cinq cartons – Nantes : *Portrait de Napoléon III* – Reims : *Le prodigue – Vue d'Ogonnoin – Portrait du frère Diégo, dominicain.*

VILLE Gilles de
XVIIIe siècle. Éc. flamande.
Sculpteur sur bois.
Il a sculpté la chaire et quatre confessionnaux dans l'église de Grammont, vers 1770.

VILLE Guiliam de
Né vers 1614 à Amsterdam. Enterré à Amsterdam le 4 juin 1672. XVIIe siècle. Hollandais.
Peintre de portraits et de natures mortes.
Le 5 mars 1654, il obtint le droit de citoyen à Amsterdam. Le Musée Bredius de La Haye conserve de lui une *Nature morte.*

VILLE Jacobus
Baptisé à Amsterdam le 21 décembre 1622. Mort vers 1652. XVIIe siècle. Hollandais.
Peintre.

VILLE Jacques de
Né vers 1589 à Amsterdam. Mort après janvier 1665. XVIIe siècle. Hollandais.
Peintre de genre et de natures mortes et écrivain d'art.
On ne connaît ses tableaux que par des documents.

VILLE Juan de. Voir **VILA**

VILLEBESSEYX Gustave
Né en 1838 à Paris. Mort en 1898 à Paris. XIXe siècle. Français.
Peintre de paysages et architecte.
Élève de Lefuel et de M. P. Rousseau. Il débuta au Salon de 1870 ; reçut une mention honorable en 1883. Le Musée de Limoges conserve de lui *Intérieur de l'église de Carnac* et celui de Valenciennes, *Tombeau de Louis de Brézé dans la cathédrale de Rouen.*

VILLEBESSEYX Jenny, née **Roche**
Née en 1854 à Lyon (Rhône). XIXe siècle. Française.
Peintre de fleurs.
Élève de A. Millet, Rousseau, Mmes Gallois et Colin.
Elle débuta au Salon de 1881 ; reçut une mention honorable en 1886 et 1889 à l'Exposition universelle.
Musées : Château-Thiérry : *Bouquet de coquelicots* – Compiègne : *Les dernières fleurs* – Rouen : *Papavers.*
Ventes Publiques : New York, 1er nov. 1995 : *Vase d'iris ; Vase de coquelicots*, h/t, une paire (127x72,1 et 125,4x70,5) : **USD 25 875** – Londres, 13 juin 1997 : *Retour du parc*, h/t (117x81,2) : **GBP 13 800.**

VILLEBŒUF André
Né le 2 avril 1893 à Paris. Mort le 23 mai 1956 à Paradas (Espagne). XXe siècle. Français.
Peintre de scènes animées, paysages, natures mortes, peintre à la gouache, aquarelliste, graveur, illustrateur, peintre de décors de théâtre, écrivain.
Élève de Léon Detroy, il débuta à Paris, au Salon des indépendants, en 1921.
Il a peint des paysages, des natures mortes, des scènes animées, souvent à l'aquarelle. Il a travaillé dans le Berry, la Creuse, en Provence et en Bretagne, souvent aussi en Hollande, en Roumanie, en Italie, en Espagne, au Portugal. Il est devenu membre du Comité du Salon des Tuileries. On lui doit une vaste décoration murale pour le Palais de la Découverte, à Paris. Pour le théâtre, il a réalisé les décors et costumes des *Boulingrin*, de Courteline, et de *Dardamelle*, d'Émile Mazaud, à la Comédie-Française, et de *Casimir*, de René Fauchois, à l'Odéon. Graveur, sociétaire des Peintres-graveurs français, il a signé de très nombreuses planches en noir et couleurs (*Novembre, Triptyque sévillan, Les péchés capitaux*, etc.), collaboré à la Collection des Cinq-Vingt, avec Dunoyer de Segonzac, Jean Frélaut, Boussingault et Daragnès, illustré *Le quatorze juillet*, d'Henri Réraud ; *Les contes fantastiques*, de Léon Paul Fargue ; *Cuisine*, de Jean Laroche, en collaboration avec Vuillard et Segonzac ; *Les lettres de mon moulin*

et *Les contes du lundi*, d'Alphonse Daudet ; *Toros et Méridionaux*, de René Benjamin ; une *Histoire de France* et *Papahouette*, dont les textes sont de lui.
Bibliogr. : Pierre Mornand : *André Villebœuf, l'œuvre gravé*, Paris.
Musées : Paris (Mus. d'Art mod.).
Ventes Publiques : Paris, 20 nov. 1942 : *Volailles* : **FRF 1 050** – Paris, 20 juin 1944 : *Toros à Madrid*, aquar. : **FRF 6 800** – Paris, 10 mai 1950 : *Le Zuidersee à Hoorn*, aquar. : **FRF 15 500** – Paris, 30 mai 1951 : *Carnaval de Binche* 1950, aquar. gchée : **FRF 15 000** ; *Corrida à Séville*, aquar. : **FRF 25 000** – Paris, 30 avr. 1952 : *Environs de Dourdan sous la neige* : **FRF 40 000** – Paris, 16 déc. 1953 : *Corrida à Séville*, aquar. : **FRF 25 000** – Paris, 19 fév. 1954 : *Pont à Venise* : **FRF 26 000**.

VILLEBOEUF Louise Aurore
Née le 17 mars 1898 à Paris. xxe siècle. Française.
Céramiste d'art.
Sœur du peintre André Villebœuf. Elle a étudié à l'École du Louvre, à l'École des Métiers d'art, puis compléta sa formation par du modelage dans l'atelier du sculpteur Séverac. Elle créa son propre atelier de céramique en 1950 à Paris.
Elle a participé, à Paris, au Salon des Arts Décoratifs et à ceux des Femmes Peintres et de l'Imagerie. Elle a figuré, en 1952 et 1958, à Florence, aux XVIe et XXIIe manifestations de la Mostra Mercato Nazionale e Internazionale delle' Artigianato. Elle y reçut un prix.
Elle est connue pour avoir créé un bestiaire, notamment des oiseaux, dont elle interprète la réalité, dans une manière classique, mais sur un mode onirique.

VILLEBOIS
xviiie siècle. Français.
Peintre de portraits.
Membre de l'Académie de Saint-Luc. Il figura aux Expositions de cette compagnie notamment en 1753.
Ventes Publiques : Paris, 27 juin 1951 : *Portrait d'un cardinal* 1735 (?) : **FRF 12 000**.

VILLEBRUNE Mary de, plus tard Mme **du Noblet**
xviiie siècle. Active à Londres de 1771 à 1782. Britannique.
Portraitiste.

VILLECLERE Joseph
Né à Nice (Alpes-Maritimes). xixe siècle. Français.
Peintre d'histoire.
Le Musée de Nice conserve de lui *La mort d'Attila*. Cet artiste mourut jeune.

VILLEDIEU Marie
Née au xixe siècle à Montélimar (Drôme). xixe siècle. Française.
Portraitiste.
Élève de Louis Deschamps. Elle figura au Salon des Artistes Français ; reçut une médaille de bronze en 1900 à l'Exposition universelle. Elle a exposé aussi au Salon des Tuileries. Le Musée d'Auxerre conserve d'elle *Portrait de Philippe IV d'après Vélasquez*.

VILLEDIEUX Jacques, dit **Preville**
xviiie siècle. Actif au Mans. Français.
Sculpteur sur bois.
Il travailla entre 1725 et 1763 à l'église de Sauvigné au Mans.

VILLEERS Jacob de. Voir **VILLERS**

VILLEERS Jasper. Voir **VILLERS**

VILLEGAIN Étienne. Voir **VILLEQUIN**

VILLEGAS Armando
Né en 1926, ou 1928 à Pomabamba (Pérou). xxe siècle. Péruvien.
Peintre. Abstrait.
Natif du Pérou, il fit ses études à l'École Nationale des Beaux-Arts de Lima, entre 1945 et 1951. En 1952, titulaire d'une bourse du gouvernement colombien, il entra à l'École Nationale des Beaux-Arts de Bogota, où il se fixa. Il est marié avec la céramiste Alicia Tafur. Il a enseigné dans diverses universités.
Il participe régulièrement aux expositions des divers groupements actifs à Bogota, ainsi qu'à des expositions collectives en Argentine, 1952 ; Pays scandinaves, 1957 ; Paris, 1958 ; dans plusieurs Biennales ; *Les Trésors du Pérou* au musée du Petit Palais à Paris, et *Cinq peintres péruviens* à Buenos Aires ; etc. Sa première exposition personnelle eut lieu à Bogota en 1953 ; son œuvre est connue également au Pérou, au États-Unis, etc.
Il pratique une abstraction à tendance géométrique, construite dans une pâte généreuse.
Bibliogr. : B. Dorival, sous la direction de... : *Peintres contemporains*, Mazenod, Paris, 1964.
Musées : Austin (Université du Texas) – New York (Mus. d'Art mod.).
Ventes Publiques : New York, 19-20 nov. 1990 : *Officiant* 1986, techn. mixte, collage et h/t (68x50) : **USD 18 700** – New York, 14-15 mai 1996 : *Les quatre saisons*, h/t (140x149,9) : **USD 5 750**.

VILLEGAS Francisco de
Mort avant 1540. xvie siècle. Actif à Séville. Espagnol.
Peintre.
Un document de 1516 mentionne que Villegas vendit dix toiles pour l'ornement de six autels, un autre du 27 juillet 1519 qu'il peignit des pavillons de navires.

VILLEGAS Francisco de
xviie siècle. Travaillant à Séville en 1614. Espagnol.
Sculpteur.
Élève et assistant de J. M. Montanès.

VILLEGAS José
xviie siècle. Mexicain.
Peintre.
Il travaillait en 1657. À rapprocher de José Cora.

VILLEGAS Y BRIEVA Manuel
xixe siècle. Espagnol.
Peintre de genre.
Musées : Madrid (Mus. Esp. de Arte Contemp.) : *La guerre – Les douze dans les Altos Hornos – Dernier songe d'une vierge*.
Ventes Publiques : New York, 15 fév. 1994 : *Lavandières au bord d'un ruisseau* 1896, h/pan. (30,5x50,8) : **USD 10 925**.

VILLEGAS Y CORDERO Jose
Né le 24 août 1848 à Séville (Andalousie). Mort le 10 novembre 1922 à Madrid. xixe-xxe siècles. Espagnol.
Peintre de compositions religieuses, scènes de genre, scènes et figures typiques, portraits, paysages animés, paysages urbains, marines, aquarelliste. Orientaliste.
Il commença ses études à l'École des Beaux-Arts de Séville. Il entra dans l'atelier de Federico de Madrazo, et fit ensuite des copies des œuvres de Velasquez à Madrid. De 1869 à 1901, il vécut à Rome, et à partir de 1877, séjourna régulièrement à Venise. Il fut nommé directeur du Musée du Prado en 1901, académicien de l'École des Beaux-Arts de Madrid en 1903. Il exposa à Berlin.
Académique dans les compositions d'histoire ou bibliques, post-romantique dans les sujets orientalistes, il aborde l'impressionnisme avec bonheur dans les thèmes ou paysages familiers. Peintre complet, d'avoir su tout traiter l'a peut-être écarté de trouver un style personnel.

Bibliogr. : In : *Cien Anos de pintura en Espana y Portugal, 1830-1930*, Antiqvaria, t. XI, Madrid, 1993.
Musées : Buffalo : *La mort du matador* – Florence (Mus. des Offices) : *Portrait de l'artiste* – Madrid : deux aquarelles – Munich : *Le doge Foscari après sa destitution* – New York (Métropolitan Mus.) : *Examen des armes* – Stockholm : *Prélats espagnols* – Stuttgart : *À l'église*.
Ventes Publiques : Paris, 1881 : *Marchand de volailles au Maroc* : **FRF 9 000** – New York, 1889 : *Toréadors attendant leur tour* : **FRF 9 250** – New York, 1899 : *La garde et son chien* : **FRF 4 250** – Paris, 21 juin 1905 : *Fumeur oriental* : **FRF 3 200** – New York, 25-26 jan. 1911 : *La garde et son chien* : **USD 475** – Paris, 30 mai-1er juin 1912 : *Le chien blanc* : **FRF 800** – Paris, 16 mai 1924 : *Les marchands de paniers* : **FRF 4 200** – Paris, 18 juin 1930 : *Un chef maure* : **FRF 2 100** ; *Un jardin espagnol : distractions enfantines* : **FRF 3 000** – New York, 4 mai 1944 : *Danseur espagnol* : **USD 600** – New York, 18-19 avr. 1945 : *Rêves des nuits arabes* : **USD 800** ; *Baptême espagnol* : **USD 4 500** – Paris, 16 mars 1955 : *Port espagnol* : **FRF 135 000** – Londres, 22 jan. 1960 : *La danse espagnole* : **GBP 315** – Milan, 16 mars 1971 : *Jeune femme à l'ombrelle* : **ITL 1 000 000** – Londres, 12 juin 1974 : *Jeunes baigneurs au bord d'une rivière* : **GBP 3 600** – Lucerne, 25 juin 1976 : *Intérieur d'église*, aquar. (65x98) : **CHF 1 600** – Londres, 11 fév. 1976 : *Les gondoles à Venise*, h/pan. (17x37) : **GBP 2 800** – New York, 25 oct. 1977 : *L'entrée de la ferme*, h/cart.

(25,5x18) : **USD 1 500** – MADRID, 3 janv 1979 : *L'antichambre de Son Eminence*, aquar. et gche (67x100) : **ESP 135 000** – LONDRES, 20 mars 1981 : *Gentilhomme admirant une rapière* 1876, h/t (82,5x63) : **GBP 3 000** – LONDRES, 25 nov. 1982 : *Guerrier arabe*, aquar. (49x31,5) : **GBP 800** – NEW YORK, 24 mai 1984 : *La sieste* 1874, h/t (112x70) : **USD 87 500** – MADRID, 21 mai 1985 : *Dimanche des Rameaux*, h/pan. parqueté (65x104) : **ESP 4 750 000** – LONDRES, 22 juin 1988 : *Une pauvre créature*, aquar. (67x52) : **GBP 2 860** – PARIS, 29 juin 1988 : *Les gondoliers* 1889, h/pan. (41,5x63) : **FRF 135 000** – LONDRES, 23 nov. 1988 : *Carmen* 1907, h/t (126x87) : **GBP 28 600** – NEW YORK, 23 mai 1989 : *L'heure de la sieste*, h/t (68x99) : **USD 770 000** – LONDRES, 21 juin 1989 : *L'assassinat*, aquar. (72x53,5) : **GBP 7 150** – LONDRES, 14 fév. 1990 : *Près du campo San Giovanni et Paolo à Venise* 1889, h/pan. (47,5x72) : **GBP 41 800** – LONDRES, 15 fév. 1990 : *La confidente* 1910, h/t (150x150) : **GBP 90 200** – NEW YORK, 19 juil. 1990 : *Personnages près d'une muraille*, aquar./pap. (46,8x34,4) : **USD 4 400** – LONDRES, 5 oct. 1990 : *La prisonnière*, h/t (73,7x52) : **GBP 6 050** – NEW YORK, 15 nov. 1990 : *Officiers de cavalerie*, h/pan., une paire (chaque 26x18,4) : **USD 6 875** – LONDRES, 4 oct. 1991 : *La lettre*, h/pan. (24x18) : **GBP 3 960** – NEW YORK, 16 oct. 1991 : *Un après-midi près de la mer à Biarritz* 1906, h/t (61,6x89,8) : **USD 220 000** – NEW YORK, 17 fév. 1993 : *La sieste* 1874, h/t (111,8x69,9) : **USD 332 500** – NEW YORK, 26 mai 1993 : *Le fumeur oriental* 1875, h/t (158,8x85,1) : **USD 299 500** – LONDRES, 18 juin 1993 : *La sieste* 1870, h/t (107x66,5) : **GBP 144 500** – LONDRES, 15 juin 1994 : *Le rêve* 1875, h/t (151x84) : **GBP 122 500** – MILAN, 29 mars 1995 : *Guerrier oriental ; Guerrier oriental avec des poignards*, h/t, une paire (chaque 55x33) : **ITL 12 650 000** – NEW YORK, 24 mai 1995 : *Repos après la partie de tennis*, h/t (69,9x99,7) : **USD 107 000** – LONDRES, 20 nov. 1996 : *Près de la rivière*, h/pan. (16x36) : **GBP 4 370** – NEW YORK, 24 oct. 1996 : *Bateaux de pêche dans le port de Naples ; La Place St Marc*, h/pan., trois pièces (chaque 17,2x28,6) : **USD 34 500** – LONDRES, 11 juin 1997 : *Le Garde*, h/t (96x51) : **GBP 95 000**.

VILLEGAS Y CORDERO Ricardo
Né en 1852 à Séville (Andalousie). Mort en 1896. XIXe siècle. Espagnol.
Peintre de genre. Orientaliste.
Il se fixa à Rome. Il peignit de préférence des sujets mauresques dans la manière de José Villegas.
MUSÉES : MONTRÉAL : *Un bazar à Tunis*.
VENTES PUBLIQUES : NEW YORK, 4 mai 1979 : *Palm sunday* 1891, h/pan., parqueté (65x104) : **USD 21 000** – NEW YORK, 18 sep. 1981 : *La Diseuse de bonne aventure* 1881, h/pan. (38,1x27,3) : **USD 4 200** – LONDRES, 27 nov. 1984 : *Combat de coqs* 1885, h/t (77x125) : **GBP 26 000** – NEW YORK, 22 mai 1990 : *Jour de fête* 1890, h/pan. (41x31,8) : **USD 20 900**.

VILLEGAS MARLOLEJO Pedro de, l'Ancien
Né en 1519 à Séville (Andalousie). Mort en 1596 à Séville. XVIe siècle. Espagnol.
Peintre d'histoire, compositions religieuses.
Il fut élève de Luis de Vargas, puis alla poursuivre ses études en Italie : il y travailla particulièrement les œuvres de Raphaël. Plusieurs auteurs disent qu'il mourut sans postérité, mais, d'après les recherches de M. Gestoso sur les artistes de Séville, il y a tout lieu de croire que Pedro Villegas Marmolejo fut son fils.
On cite de lui : *Vierge et l'Enfant Jésus ; Annonciation* à l'église de San Lorenzo, où il fut enterré ; *Marie chez Élizabeth et Baptême du Christ*, au *Retable de la Visitation* à la cathédrale de Séville ; *Lazare en robe pontificale*, au couvent des Lazaristes.

VILLEGAS MARMOLEJO Pedro de, le Jeune
XVIe-XVIIe siècles. Espagnol.
Peintre.
Fils de Pedro Villegas Marmolejo l'Ancien. Il était actif à Séville à la fin du XVIe siècle et dans la première partie du XVIIe siècle. Ce peintre dut être célèbre car sa situation de fortune était brillante comme son testament en fait foi.

VILLEGLÉ Jacques Mahé de La. Voir **LA VILLEGLÉ**

VILLEGUAIN Étienne. Voir **VILLEQUIN**

VILLELA Nicolao
XVIIIe-XIXe siècles. Portugais.
Sculpteur.
Assistant de Joaquim Machado de Castro.

VILLEMAGE Luca. Voir **VILLAMACI**

VILLEMEREUIL Élisa Bonamy de
Française.
Peintre de fleurs.
Elle travailla au château de Villemereuil. Le Musée de Troyes conserve une aquarelle de cette artiste.

VILLEMIN Charles
XIXe siècle. Travaillant à Paris de 1835 à 1849. Français.
Lithographe.
Il grava des illustrations de voyages. Il figura au Salon de 1835 et de 1836.

VILLEMIN Jean
XXe siècle. Français.
Sculpteur d'assemblages.
En 1993, le Centre d'Art *Passages* à Troyes a organisé une exposition d'un ensemble de ses assemblages.
Il associe et présente des objets artisanaux usuels, jarres, dont certaines cassées, miroirs, caissettes de bois, plaques de verre. Un texte complète la présentation. Claire Peillod, dans Art Press de juin 1993, évoque : « ...des métaphores de l'intériorité et du regard ».

VILLEMINOT Louis
Né le 14 septembre 1826 à Paris. Mort après 1914. XIXe-XXe siècles. Français.
Sculpteur.
Il figura au Salon de Paris, de 1850 à 1875.

VILLEMOT Bernard
Né le 20 septembre 1911 à Trouville (Seine-Maritime). Mort en juillet 1990 à Paris. XXe siècle. Français.
Affichiste, graphiste, dessinateur humoriste et illustrateur.
Son père Jean Villemot était caricaturiste. À Paris, il fut élève de l'Académie Julian, puis, pendant trois ans, de Paul Colin dans son Académie privée. Il est devenu professeur à l'École des Arts décoratifs. Sociétaire du Salon des Humoristes, où il exposait depuis 1927, il montrait également son travail à Nîmes.
Très jeune, il donnait des dessins humoristiques dans plusieurs parutions : *Le Rire, Ric et Rac*. Après la guerre, il produisit une grande quantité d'affiches de tourisme, notamment pour Air France, la Société Nationale des Chemins de Fer. Dans ses dernières années, il a concentré son activité sur la campagne publicitaire de la boisson *Orangina*. Il a aussi créé des affiches de théâtre : *Le Téléphone* de Cocteau-Menotti.

VILLEMOTTE Jacques
D'origine française. Mort le 27 mars 1746 à Munich. XVIIIe siècle. Allemand.
Sculpteur et fondeur.
Il se fixa à Munich en 1718. Il travailla pour la cour d'Ansbach ainsi qu'à Munich.

VILLEMSENS Jean Blaise
Né le 14 mai 1806 à Toulouse (Haute-Garonne). Mort le 19 septembre 1859 à Toulouse (Haute-Garonne). XIXe siècle. Français.
Peintre de genre, portraits.
Élève, à Paris, de Gros et de l'École des Beaux-Arts. Il exposa au Salon de 1831 à 1847. Il se fixa dans sa ville natale et y fut nommé, en 1841, professeur à l'École des Beaux-Arts. Le Musée de Toulouse conserve de lui *Les inondés de Tounis et la barque de secours*, le Musée d'Hyères : *Scène de magie*.
VENTES PUBLIQUES : PARIS, 16 avr. 1951 : *Intérieur de mosquée ; Ville mauresque*, deux pendants : **FRF 8 000** – NEW YORK, 24 mai 1984 : *Pacha au harem* 1847, h/t (32,5x40,6) : **USD 5 200**.

VILLEMSENS Jean François
Né à Paris. Mort en 1908. XIXe siècle. Français.
Graveur sur bois.
Il débuta au Salon de Paris, en 1880. Il fut membre de la société devenue « des Artistes Français » ; reçut une mention honorable en 1887.

VILLENA Juan de
XVIe siècle. Actif à Valladolid. Espagnol.
Peintre.
Il travailla surtout sous les ordres de Gaspard Cordesillas.

VILLENEUVE. Voir aussi **DEVILLENEUVE**

VILLENEUVE
XVIIIe-XIXe siècles. Actif à Paris. Français.
Graveur au burin et éditeur d'estampes.
Il grava des caricatures politiques et des portraits de héros de la Révolution.

VILLENEUVE
XVIIIe-XIXe siècles. Français.

Peintre.
Ingénieur, il pratiqua la peinture en amateur.
Ventes Publiques : Paris, 21 oct. 1949 : *Vue d'Arcole et de ses environs (Passage du pont par l'armée française) ; Bataille de Marengo (Arrivée du général Desaix)*, gche, une paire : **FRF 17 000**.

VILLENEUVE Arthur
Né en 1910 à Chicoutimi (Québec). Mort en 1990. xxe siècle. Canadien.
Peintre de scènes animées. Naïf.
Barbier à l'origine, il se met à peindre et connaît rapidement le succès. En 1972, il a eu de grandes expositions rétrospectives à Montréal, Québec et Vancouver.
Toutes les caractéristiques de l'art naïf se trouvent réunies dans ses toiles : superposition de plans, multiplicité des échelles, prolifération des détails. Peintre naïf, on peut le soupçonner d'exploiter un certain maniérisme.
Musées : Montréal (Mus. d'Art contemp.) : *N° 976* 1965.
Ventes Publiques : Toronto, 17 mai 1976 : *Après ski* 1964, h/t (37x47) : **CAD 550** – Montréal, 17 oct. 1988 : *Abstraction* 1966, h/pan. (38x46) : **CAD 800** – Montréal, 30 avr. 1990 : *Raquette du carnaval* 1974, h/pan. (41x51) : **CAD 1 045** – Montréal, 19 nov. 1991 : *Alcan* 1961, h/t (78,8x102,8) : **CAD 2 000** – Montréal, 23-24 nov. 1993 : *Le concert* 1961, h/t (53,3x62,2) : **CAD 750** ; *Le port*, h/t (52x71,1) : **CAD 1 200**.

VILLENEUVE Cécile
xixe siècle. Travaillant à Paris vers 1850. Française.
Peintre de portraits, peintre de miniatures.
Le Musée Carnavalet de Paris conserve d'elle le portrait de *Rose Chéri*.
Ventes Publiques : Paris, 12 déc. 1938 : *Femme en noir, un collier de perles autour du cou*, miniat. : **FRF 380**.

VILLENEUVE Jacques Louis Robert
Né le 1er janvier 1865 à Bassan (Hérault). Mort en février 1933 à Paris. xixe-xxe siècles. Français.
Sculpteur.
Élève de Thomas et Injalbert. Sociétaire du Salon des Artistes Français depuis 1897 ; il reçut une médaille de troisième classe en 1897 ; une médaille de deuxième classe en 1899 ; une médaille d'argent en 1900 à l'Exposition universelle ; une médaille de première classe en 1904. Chevalier de la Légion d'honneur en 1906.
Musées : Béziers : *Bataille de Muret – Fiat volontas tua* – Montpellier : *Prométhée enchaîné – Caïn – Portrait en buste de M. J. Fabre* – Sète : *Orphée* – Tourcoing : *Le saut – La République*.
Ventes Publiques : Anvers, 21 oct. 1986 : *Nu couché*, bronze (L. 54) : **BEF 60 000**.

VILLENEUVE Jules, ou **Louis Jules**
Né le 7 septembre 1813 à Saint-Omer (Pas-de-Calais). Mort le 15 avril 1881 à Saint-Omer. xixe siècle. Français.
Peintre de paysages.
Élève de Léon Cogniet. Il entra à l'École des Beaux-Arts de Paris le 2 août 1835. Il figura au Salon de 1839 à 1880.
Musées : Calais : *Jacques Leveux, ancien maire de Calais* – Saint-Omer : *L'heureuse mère – Portrait en pied du duc d'Orléans*.

VILLENEUVE Louis Jules Frederic
Né le 9 septembre 1796 à Paris. Mort le 19 décembre 1842 à Paris. xixe siècle. Français.
Peintre de paysages et lithographe.
Élève de Regnault. Il entra à l'École des Beaux-Arts le 8 avril 1817. Il figura au Salon de 1822 à 1841. Il s'inspira de Salvator Rosa, fit des études en Suisse et en Italie, et travailla quelque temps à Milan. Il a fourni des planches pour la *France Pittoresque* de Nodier. Villeneuve fut un artiste d'une expression très irrégulière, certains de ses dessins, certaines de ses lithographies ne dépassent pas la médiocrité, d'autres productions de l'un et l'autre genre décèlent une sûreté d'exécution, une sensibilité tout à fait remarquables. Ses estampes sur l'Italie sont dans ce dernier cas.
Musées : Niort : *Nature morte – Paysage* – Le Puy-en-Velay : *Vue de Tivoli avec temple de la Sibylle – Autre vue de Tivoli*.

VILLENEUVE Paul Glon
Né en 1803 à Brest. xixe siècle. Français.
Peintre de paysages.
Élève de Watelet. Il figura au Salon de 1831 à 1841. Le Musée Carnavalet de Paris conserve une peinture de cet artiste.

VILLENEUVE Pierre
Mort en 1730 à Paris. xviiie siècle. Français.
Sculpteur et architecte.
Élève de l'Académie Royale de Paris.

VILLENEUVE Th.
xixe siècle. Français.
Paysagiste.
Le Musée de Tourcoing conserve de lui *Paysage, étang le matin*.

VILLÉON Emmanuel Victor Auguste Marie de La. Voir **LA VILLÉON**

VILLEQUIN Étienne ou **Villeguain** ou **Villegain**
Né le 3 mai 1619 à Ferrières-en-Brie (Seine-et-Marne). Mort le 15 décembre 1688 à Paris. xviie siècle. Français.
Peintre d'histoire, caricaturiste et graveur à l'eau-forte.
Il peignit avec talent l'histoire et le portrait. On le cite aussi comme spirituel caricaturiste. Reçu académicien le 21 avril 1663. Le Musée du Louvre à Paris possède de lui : *Jésus guérissant les aveugles de Jéricho*. Il a gravé des sujets de genre.

VILLERET François Étienne
Né vers 1800. Mort en 1866 à Paris. xixe siècle. Français.
Peintre d'intérieurs d'églises, paysages, paysages urbains animés, aquarelliste, lithographe.
Élève de Julien Gué, il figura au Salon de Paris de 1831 à 1850, obtenant une médaille de troisième classe en 1834.
Il a peint des extérieurs et des intérieurs d'églises, qu'il anime de petits personnages ; des vues de Paris, des paysages de l'Ile-de-France.
Bibliogr. : Gérald Schurr, in : *Les Petits Maîtres de la peinture 1820-1920, valeur de demain*, Les Éditions de l'Amateur, t. II, Paris, 1982.
Musées : Bruxelles – Koenigsberg : *Église de Rechningham dans le Pas-de-Calais* – Narbonne : une aquarelle – Paris (Mus. Carnavalet) – Rouen : deux aquarelles – Tarbes : *Intérieur d'église* – Versailles (Trianon) : *Vue extérieure d'une église à Amiens*.
Ventes Publiques : Paris, 1882 : *L'ancien Hôtel de Ville de Paris*, aquar. : **FRF 60** – Paris, 10 avr. 1924 : *Les saltimbanques sur le parvis de la cathédrale d'Évreux*, aquar. : **FRF 920** – Paris, 30 nov. 1927 : *La place de la Concorde* : **FRF 9 050** – Paris, 24 jan. 1945 : *La Fontaine des Innocents*, aquar. : **FRF 24 800** – Paris, 17 nov. 1948 : *Le transfert des cendres de Napoléon Ier* 1841 : **FRF 85 000** ; *La cathédrale*, aquar. : **FRF 38 000** – Paris, 14 fév. 1951 : *La rue Notre-Dame et la cathédrale de Paris*, aquar. : **FRF 52 000** – Paris, 9-10 juin 1971 : *La place Vendôme*, aquar. (16x26) : **FRF 12 600** – New York, 21 jan. 1978 : *Les quais de la Seine à Paris*, aquar. et gche (9x13) : **USD 1 300** – Londres, 2 avr 1979 : *Intérieurs* 1848 et 1849, deux aquar. reh. de blanc (25,8x33 et 31,4x26,2) : **GBP 2 200** – Paris, 19 avr. 1983 : *L'Église de Souvigny*, aquar. (17x24,5) : **FRF 9 800** – Paris, 15 avr. 1986 : *Église de Chaumont-en-Vexin, sortie de mariage*, aquar. (19x14) : **FRF 10 100** – Paris, 15 juin 1990 : *Vue de la place de la Concorde et de la rue Royale – Vue de la Madeleine et de la rue Royale*, aquar. (12x9,8) : **FRF 32 000** – Paris, 12 déc. 1990 : *Vue d'Amiens avec la cathédrale dans le fond*, aquar. (26,5x30,5) : **FRF 60 000** – Neuilly, 3 fév. 1991 : *Vue du porche d'une église gothique (les Carmes déchaussés à Gand ?)*, aquar. : **FRF 14 000** – Paris, 26 juin 1991 : *Paris – la Porte Saint-Martin*, aquar. (10,2x13) : **FRF 4 800** – Paris, 22 nov. 1991 : *L'Arc de Triomphe ; Les Invalides*, aquar. gchée, une paire (chaque 12,4x9,2) : **FRF 17 000** – Paris, 3 avr. 1992 : *La cathédrale d'Anvers* 1832, aquar. et pl. (22,3x15,7) : **FRF 6 200** – Paris, 22 mai 1994 : *Vue d'une ville*, cr. noir, lav. et gche blanche (24x39) : **FRF 9 000** – Paris, 23 juin 1995 : *L'Arc de Triomphe*, aquar. (22,3x30,2) : **FRF 16 500**.

VILLEREY Antoine Claude François
Né en 1754 à Paris. Mort en 1828 à Paris. xviiie-xixe siècles. Français.
Graveur au burin, illustrateur.
Élève de Romanet. Il prit part aux Salons de 1814 et 1817. Il grava des sujets de genre et d'histoire. Il a collaboré, notamment au Musée Filhol, à la Galerie de Saint-Bruno, d'après Le Sueur et à l'illustration de l'édition de Voltaire par Renouard.

VILLEREY Auguste
Né le 16 juin 1801 à Paris. xixe siècle. Français.
Graveur au burin.
Fils et élève d'Antoine Claude François Villery. Il grava des illustrations et des vignettes pour des œuvres de Molière et de Voltaire.

VILLEREY Nicolas Scholastique
Né le 16 juin 1801 à Paris. xixe siècle. Français.
Graveur d'histoire.

Élève de son père Antoine Claude François Villerey, il entra à l'École des Beaux-Arts le 22 août 1817. Il figura au Salon de 1831.

VILLERI Jean Dominique

Né en 1896 à Oneglia (Italie), aujourd'hui Imperia. Mort le 29 avril 1982 à Cagnes-sur-Mer (Alpes-Maritimes). XXe siècle. Depuis 1906 actif, depuis 1976 naturalisé en France. Italien.

Peintre technique mixte, aquarelliste, dessinateur. Abstrait.

Son père était musicien, professeur et chef d'orchestre à Monte-Carlo. Il se fixa à Cagnes-sur-Mer. En 1916, il arriva à Paris. En 1922, il se fixa au Cannet, ayant épousé Olivia Funk. À partir de 1927 et jusqu'à sa mort, il fréquenta le port de Saint-Tropez. En 1929, au Cannet, il se lia avec Picabia, Jacques Villon, Jean Crotti. Vers 1938, débuta sa grande amitié avec René Char. En 1940, il se fixa définitivement à Cagnes-sur-Mer, où il se lie avec Geer Van Velde.

Il participait avant la guerre au Salon des Artistes Français en 1912 ; puis dans les Salons régionaux de Menton, Nice. Après la guerre, il a figuré en 1947, 1948, 1949, 1956, 1971 au Salon des Réalités Nouvelles ; en 1949, de 1952 à 1958 au Salon de Mai ; en 1950 au Salon des Tuileries ; en 1951, 1953 (médaille), 1955 (Prix d'art abstrait), 1957, 1966 à la Biennale de Menton ; ainsi qu'à des expositions d'art abstrait en Allemagne, Belgique, au Brésil, aux États-Unis ; en 1948, avec Varga, Sima, Leppien, au Château-Musée de Cagnes ; 1948-1949, exposition itinérante de peintres abstraits français en Allemagne, à Amsterdam, aux États-Unis ; 1950 *Gouache, printemps de la peinture, Lanskoy, Prassinos, Villeri*, préfacée par Charles Estienne galerie La Hune, Paris ; 1956 *Art abstrait constructif*, galerie Matarasso, Nice ; 1962 *Groupe Reliefs*, galerie internationale XXe Siècle, Paris ; de 1963 à 1967 Festival des Arts Plastiques de la Côte-d'Azur ; en 1971 *Hommage à René Char*, Fondation Maeght, Saint-Paul-de-Vence ; en 1974 *Abstraction-Création 1931-1936* à Bruxelles ; en 1978 Westfälisches Landesmuseum für Kunst und Kulturgeschichte, Münster et Musée d'Art moderne de la Ville, Paris ; en 1985 *L'art abstrait des années cinquante dans le legs Zervos*, Vézelay.

Il a souvent exposé individuellement ; 1924 Paris, galerie Allard ; 1926 Cannes, Maison de l'Art, avec Bonnard ; René Char a préfacé trois de ses expositions personnelles à Paris : 1939, galerie Henriette (Gomez) ; 1948, galerie Maeght ; 1958, galerie Greuze. Autres expositions personnelles : 1955 Milan, galerie Apollinaire ; 1959 Paris, galerie Legendre, 1963 Paris, galerie Blumenthal ; 1968 Musée de Cagnes-sur-Mer, *Peintures, reliefs, céramiques* ; 1975 Cannes ; 1980 ancien couvent de Saint-Maximin, *Cinquante ans de peinture* ; 1982 Hyères, Villa De Noailles, en hommage à *Jean Villeri, l'atelier de Cagnes* ; 1988 Nice, Musée des Beaux-Arts, rétrospective *Jean Villeri* ; 1994 et 1995 Cagnes-sur-Mer, Château-Musée, deux rétrospectives ; 1995 Paris, galerie Mantoux-Gignac.

Il commença par peindre dans le Midi de la France, des paysages dans une vision et une technique postimpressionnistes. Il vint à l'abstraction, après 1929 à la suite de son amitié avec Picabia, Jacques Villon, Jean Crotti. Il fit partie du groupe « Abstraction-Création », en 1934, collaborant à quatre des cinq numéros que compta la revue homonyme, les 2, 3, 4 et 5 en 1936.

Dans ses peintures abstraites, où il intègre souvent du sable, des graviers, du liège, des lignes droites et des lignes courbes, sans orientations spéciales, s'entrecroisent dans une dynamique libre, délimitant des petites sections de surface que viennent animer sur un ensemble de tons rompus quelques vifs éclats de jaune, d'orangé ou de rouge. ■ J. B.

Bibliogr. : René Char : Catalogue de l'exposition *Jean Villeri*, Derrière le Miroir n° 7, Galerie Maeght, Paris, 1948 – Michel Seuphor, in : *Diction. de la peint. abstr.*, Hazan, Paris, 1957 – in : Catalogue de l'exposition *Abstraction-Création 1931-1936*, Westfälisches Landesmus. für Kunst und Kulturgeschichte, Münster, Musée d'Art moderne de la Ville, Paris, 1978 – Lydia Harambourg, in : *L'École de Paris 1945-1965. Diction. des Peintres*, Ides et Calendes, Neuchâtel, 1993.

Musées : Antibes – Cagnes-sur-Mer (Château-Musée) – Nice – Paris (Fonds nat.) – Vézelay (Fond. Zervos).

Ventes Publiques : Paris, 21 juin 1974 : *Composition multicolore* : **FRF 5 000** – Paris, 25 avr. 1990 : *Composition* 1932, h/t (81x65) : **FRF 38 000** – Douai, 1er juil. 1990 : *Provence des sources* 1956, h/t (81x100) : **FRF 5 700** – Paris, 11 mars 1991 : *Présences simultanées* 1956, h/t (130x88) : **FRF 15 000** – Paris, 27 jan. 1992 : *Composition* 1950, h/t (22x27,5) : **FRF 3 500** – Paris, 24 mars 1996 : *La nuit éclatée* 1960, h/t (112x162) : **FRF 6 000**.

VILLERME Joseph. Voir **VUILLERME**

VILLEROUX Albert de

Né en 1931, ou 1936. XXe siècle. Belge.

Peintre.

Il expose à Bruxelles, Paris, Luxembourg et Cologne. Il crée un monde romantique fait de silence et de tendresse. Il aime le flou, la lumière vaporeuse, les formes imprécises qui suggèrent plus qu'elles ne décrivent.

Ventes Publiques : Lokeren, 12 mars 1993 : *Le cabinet rouge*, h/t (60x50) : **BEF 40 000** – Lokeren, 28 mai 1994 : *Magie rose*, h/t (50x40) : **BEF 30 000**.

VILLERS

XVIIIe siècle. Français.

Peintre.

Peintre amateur et collectionneur, sa vente a eu lieu à Paris le 2 décembre 1795 par les soins de l'expert F. L. Régnault qui parle de lui dans la préface du catalogue « ... feu Villers, artiste d'une célébrité connue. Émule contemporain des peintres de notre École ; camarade d'études et ami. Sa fin fut malheureuse et précipitée » (la Terreur ?).

VILLERS, Mme, née **Lemoine**

XVIIIe-XIXe siècles. Française.

Peintre de genre et portraits.

Élève de Girardet. Elle figura au Salon de Paris, de 1799 à 1814. Peut-être identique à Marie Victoire Lemoine.

Ventes Publiques : Paris, 1865 : *L'Inondation* : **FRF 340**.

VILLERS de

XIXe siècle. Français.

Sculpteur.

Il travaillait à Paris et exposa au Salon en 1831.

VILLERS Adolphe de

Né à Châtillon-le-Duc (Doubs). XIXe siècle. Français.

Peintre de genre, paysages animés, paysages.

Élève de Corot, il exposa au Salon de Paris de 1868 à 1874.

Il travailla dans l'atelier du grand paysagiste et, vers la fin de la carrière de celui-ci, l'aida dans ses tableaux. Après la mort de Corot, des œuvres d'Adolphe de Villers furent quelquefois prises pour des productions originales du maître.

Bibliogr. : Gérald Schurr, in : *Les Petits Maîtres de la peinture 1820-1920, valeur de demain*, Les Éditions de l'Amateur, t. II et III, Paris, 1982.

Ventes Publiques : Paris, 12 mars 1943 : *Pêcheurs au bord de la rivière* : **FRF 7 000** – Paris, 24 mars 1947 : *L'étang* : **FRF 3 000** – Paris, 7 déc. 1949 : *Paysanne près d'un étang* : **FRF 21 500** – Paris, 2 mars 1951 : *La mare* : **FRF 10 000** – Paris, 29 mars 1972 : *Le moulin-à-vent*, h/t (19x20) : **FRF 850** – Paris, 6 déc. 1984 : *Jeune femme près d'un étang*, h/cart. (28x39,5) : **FRF 12 500** – Paris, 30 juin 1993 : *La gardienne des vaches*, h/pan. (32,5x50) : **FRF 3 800**.

VILLERS Auguste de

XIXe siècle. Actif à Versailles. Français.

Peintre de paysages, animaux.

Il figura au Salon de 1840 à 1848.

VILLERS Bernard

Né en 1939 à Boitsfort. XXe siècle. Belge.

Peintre, graveur, sérigraphe.

À Bruxelles, il fut élève de l'Académie de La Cambre et de l'École des Arts et Métiers.

Bibliogr. : In : *Diction. biogr. illustré des Artistes en Belgique depuis 1830*, Arto, Bruxelles, 1987.

VILLERS Claude François de

Né en 1754 à Montpellier. Mort le 14 mars 1837 à Montpellier. XVIIIe-XIXe siècles. Français.

Peintre de portraits.

Fils du receveur général des fermes de la province du Haut Languedoc. Il fut le fondateur du Musée de Chartres qui conserve de lui un *Portrait d'homme*.

Ventes Publiques : Londres, 20 avr. 1977 : *Les amoureux surpris*, h/t (66x51) : **GBP 900**.

VILLERS Gaston de, pseudonyme de **Gaston Bernheim Jeune**

Né le 20 décembre 1870 à Bruxelles. XIXe-XXe siècles. Belge.

Peintre de figures, nus, portraits, intérieurs, paysages, natures mortes, fleurs, graveur.

Il fut très jeune en contact avec les grands impressionnistes ; c'est surtout de Sisley qu'il reçut les leçons. Commandeur de la

Légion d'honneur, il a fondé quatre prix recherchés des exposants aux Salons des Artistes Français, de la Nationale des Beaux-Arts, de l'Automne et de la Société Coloniale.
Son œuvre est très varié s'il a peint des nus comme : *Elle est alanguie*, des intérieurs, tel : *Le salon rose*, des marines dont : *Port de Boulogne*, des natures mortes et des fleurs. Aquafortiste, il a gravé des figures et des paysages.

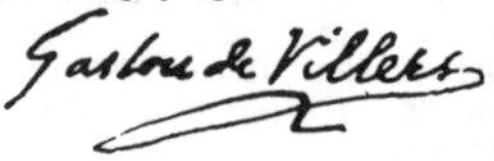

Musées : Beauvais – Caen – Chambéry (Mus. des Beaux-Arts) : *Les Charmettes* – Clermont-Ferrand – Dijon (Mus. des Beaux-Arts) – Le Havre – Nantes – Orléans – Paris – La Rochelle – Strasbourg – Tarbes.

VILLERS Georges de. Voir **DEVILLERS**

VILLERS Igounet de. Voir **IGOUNET DE VILLERS**

VILLERS Jacob de ou **Villeers**
Né en 1616 à Leyde. Mort le 1er janvier 1667 à Rotterdam. xviie siècle. Éc. flamande.
Peintre de sujets religieux, paysages.
En 1641, il épousa à Rotterdam Elizabeth Furnerius.
En 1646, il a peint des paysages pour l'Amirauté.
Musées : Rotterdam (Mus. Boymans) : *Paysage montagneux*.
Ventes Publiques : Amsterdam, 14 mars 1983 : *Paysage fluvial boisé*, h/pan. (70x106,2) : **NLG 11 000** – Amsterdam, 12 juin 1990 : *Paysage fluvial avec un pont menant à une ville près de la falaise avec une cascade au fond*, h/pan. (41x53) : **NLG 20 700** – Paris, 15 déc. 1991 : *Paysage à la cascade*, h/t (85,5x150) : **FRF 100 000** – Londres, 9 déc. 1994 : *Retour de Tobie avec l'ange*, h/pan. (83x122,5) : **GBP 19 550** – New York, 11 jan. 1996 : *Paysage montagneux animé*, h/pan. (72,4x100,3) : **USD 11 500** – Vienne, 29-30 oct. 1996 : *Paysage montagneux avec un artiste dessinant et une paysanne sur un sentier, une ville à l'arrière-plan*, h/t (52x67) : **ATS 115 000**.

VILLERS Jasper ou **Villeers**
Mort en 1772 ou 1773 à Middelbourg. xviiie siècle. Actif à Middelbourg. Hollandais.
Peintre de paysages.
On le cite dans la gilde en 1713.
Ventes Publiques : Londres, 24 fév. 1995 : *Vue d'une ville hollandaise avec des enfants jouant sur une pelouse et un cheval paissant*, h/t (59,4x73,6) : **GBP 6 900**.

VILLERS Jean Arnaud
xviie siècle. Actif dans la seconde moitié du xviie siècle. Allemand.
Sculpteur et architecte.
Il fut au service du Grand Électeur à Berlin. Il sculpta des tombeaux pour le caveau ducal de la cathédrale de Schlesvig en 1671.

VILLERS Jean Hubert de
xxe siècle. Français.
Peintre de paysages urbains.
Il a souvent peint des vues de Paris et des bords de Seine.
Ventes Publiques : Paris, 16 oct. 1988 : *Notre-Dame, les quais*, h/t (38x46) : **FRF 21 200**.

VILLERS L.
xviiie-xixe siècles. Actif entre 1788 et 1804. Français.
Peintre de portraits, peintre de miniatures.
Il exposa aux Salons de 1793 et 1804. Peut-être identique à Nicolas Villers.
Ventes Publiques : Paris, 26 et 27 mai 1919 : *Portrait d'homme*, miniat. : **FRF 2 000**.

VILLERS Maximilien
Né à Saint-Martin-du-Parc. Mort vers 1836. xixe siècle. Français.
Peintre de portraits.
Élève de Regnault à l'École de l'Académie Royale, où il entra le 17 mars 1788 et qu'il fréquentait encore en février 1791. Il s'établit peintre de portraits en miniature, rue et porte Montmartre. Il figura aux Salons de 1793 et 1804, avec des cadres de miniatures. Il fut aussi horticulteur.

VILLERS Nicolas de
Né vers 1753 à Paris. xviiie siècle. Français.
Peintre.
Élève de l'Académie Royale.

VILLERS Thierry de
Né en 1914 à Moere. xxe siècle. Belge.
Peintre. Figuratif puis abstrait.
Il fut élève de l'Académie de Bruxelles. La réalisation de compositions monumentales l'a fait évoluer du figuratif vers l'abstraction lyrique.
Bibliogr. : In : *Diction. Biogr. Ill. des Artistes en Belgique depuis 1830*, Arto, 1987.

VILLERY Laure
xixe siècle. Active à Paris. Française.
Peintre de portraits.
Elle figura aux Salons de 1842 et 1845.

VILLETAIN Marguerite. Voir **VILTAIN**

VILLETTE
xviiie siècle. Français.
Sculpteur.
Il était actif à Paris.

VILLEVALDE B. P.
Né en 1818. Mort en 1903. xixe siècle. Russe.
Peintre de batailles.
Musées : Moscou (Roumianzeff) : *Scène de bataille* – *L'évasion* – Moscou (Gal. Tretiakov) : *Engagement militaire près de Varsovie en 1831* – Saint-Pétersbourg (Mus. Russe) : *Combat près de Bistritz en 1848, épisode de la guerre hongroise*.
Ventes Publiques : Paris, 28 juin 1980 : *La halte des cheveaux* 1854, h/t (117x150) : **FRF 29 000**.

VILLEVIELLE Joseph François
Né le 3 août 1821 ou 1829 à Aix-en-Provence (Bouches-du-Rhône). Mort en 1916 à Aix-en-Provence. xixe-xxe siècles. Français.
Peintre d'histoire, compositions religieuses, portraits, paysages.
Après avoir suivi les cours de Louis Clérian et de François Granet, il entra, en 1851, à l'école des Beaux-Arts de Paris, dans les ateliers d'Ingres, d'Horace Vernet et du sculpteur James Pradier.
Il figura au Salon de Paris à partir de 1864.
Ami de Zola, il fut aussi le professeur de Cézanne à l'école de dessin d'Aix-en-Provence. Peintre attitré des notables de sa région natale, il réalisa de nombreuses compositions religieuses pour les églises de Provence, et peignit aussi quelques paysages.
Bibliogr. : Gérald Schurr, in : *Les Petits Maîtres de la peinture 1820-1920, valeur de demain*, Les Éditions de l'Amateur, t. VI, Paris, 1985.
Musées : Aix-en-Provence : *Le Martyre de saint Léger*, esq.
Ventes Publiques : Paris, 20 jan. 1997 : *La Passerelle sur l'Arc à Aix-en-Provence*, h/t (19,5x29) : **FRF 4 800**.

VILLEVIELLE Léon
Né le 12 août 1826 à Paris. Mort le 29 juin 1863 à Paris. xixe siècle. Français.
Peintre de paysages animés, paysages, aquarelliste, graveur à l'eau-forte.
Élève de Louis Marvy et de Jeanron. Le Berry l'a beaucoup inspiré ; on le trouve fréquemment à Nohant en 1850-1851, où il se lie d'amitié avec George et Maurice Sand. Très jeune il a contracté une affection pulmonaire et est parti vivre à Alger pour tenter de l'enrayer. Revenu en France pour participer au Salon de 1863, il meurt quelques semaines après son retour sans participer au Salon. Néanmoins il avait figuré au Salon de 1850 à 1859.
Charles Yriarte fit de lui une intéressante biographie en tête du catalogue de ses tableaux et dessins vendus après sa mort.
Musées : Autun : *Temps de moisson, environs de Paris*, aquar. – Perpignan : *Plaine de Deols, Berry* – Semur-en-Auxois : *Vue d'Italie*.
Ventes Publiques : Paris, 1856 : *La campagne le matin au printemps* : **FRF 490** – Paris, 24 mai 1888 : *Soleil couchant* : **FRF 350** – Paris, 23-24 mai 1927 : *Coin de village* : **FRF 400** – Paris, 23 mars 1945 : *Un port de la Manche* 1884, aquar. : **FRF 550** – Paris, 6 nov. 1950 : *La barque chargée de foin* : **FRF 4 000** – Cologne, 19 nov. 1981 : *Paysage fluvial au crépuscule*, h/pan. (14,5x22) : **DEM 4 000** – Calais, 10 mars 1991 : *Femme à l'entrée d'un village*, h/pan. (24x41) : **FRF 19 500** – Amsterdam, 17 sep. 1991 : *Chasseur et son chien sur une rive boisée de la Seine*, h/t (35x30) : **NLG 2 990**.

VILLEVOYE Roy
Né en 1960. xxe siècle. Hollandais.

Peintre, technique mixte, créateur d'installations. Abstrait.
Il vit et travaille à Amsterdam, où il montre ses œuvres dans des expositions personnelles.
Son travail repose sur la couleur qu'il expérimente et prend comme sujet de ses œuvres. Chaque couleur entraîne par association d'idées des séries, ainsi du rose chromatique en est-il venu à utiliser le fard, à faire des recherches sur la pigmentation de la peau, ses différentes colorations.

VILLEZ Louis de
Né en 1855 à Mons. Mort en 1941 à Bruxelles. XIXe-XXe siècles. Belge.
Sculpteur.
D'abord élève à l'Académie des Beaux-Arts d'Anvers, il étudie ensuite dans l'atelier de Cavelier à l'École des Beaux-Arts de Paris.
Plus esthète que créateur, il a peu produit. Il participa à la décoration du Jardin Botanique et du Palais des Beaux-Arts de Bruxelles. Grand ami d'Eugène Carrière, il en fit le portrait. Il a fait don au musée du Louvre d'une importante collection d'œuvres de Carrière.

VILLIERME Joseph. Voir **VUILLERME**

VILLIERS Claude François de. Voir **VILLERS**

VILLIERS David
XVIIe siècle. Travaillant à Paris. Français.
Sculpteur.

VILLIERS Henri Charles de
Né le 1er janvier 1848 à Paris. Mort le 2 juillet 1868 à Paris. XIXe siècle. Français.
Peintre de paysages.
Élève de M. Laville. Il figura aux Salons de 1867 et 1868.

VILLIERS Hyacinthe Rose de. Voir **DEVILLIERS**

VILLIERS Jean ou **Jeannin de**. Voir **JEAN de Villiers**

VILLIERS Jephan de
Né en 1940 au Chesnay (Yvelines). XXe siècle. Belge.
Peintre, sculpteur, écrivain.
Autodidacte. Il montre ses œuvres dans des expositions personnelles, dont celle intitulée *Vraissemblages* à la galerie Lina Davidov, Paris, 1995.
Il réalise des boîtes-objets, recouvertes d'écritures et contenant des figurines humaines réalisées avec du bois, des feuilles mortes, de la mie de pain, des plumes ou de la terre. Il intitule ces ensembles *Voyage en Arbonie* ou *Fragments de mémoire*.
Bibliogr. : In : *Diction. Biogr. Ill. des Artistes en Belgique depuis 1830*, Arto, 1987.
Musées : Anvers – Bruxelles – Gand.

VILLIERS Paul Edmond
Né le 29 novembre 1883 à Paris. Mort le 29 août 1914, pour la France. XXe siècle. Français.
Peintre de figures.
Élève de Fernand Cormon. Il exposait à Paris, au Salon des Artistes Français ; reçut une médaille de troisième classe et le Prix de la Savoie en 1912.
Ventes Publiques : Versailles, 4 oct. 1981 : *Paris, quai animé*, h/t (33x46) : **FRF 10 000**.

VILLIERS Prosper Hyacinthe de
Né le 13 novembre 1816 à Paris. Mort le 7 décembre 1879 à Paris. XIXe siècle. Français.
Peintre de paysages.
Il figura aux Salons de 1868 et 1870.
Ventes Publiques : Paris, 14 déc. 1925 : *Amazone suivie de son chien* : **FRF 520**.

VILLIERS Roger de
Né le 19 juin 1887 à Châtillon-sur-Seine (Côte-d'Or). XXe siècle. Français.
Sculpteur.
Élève de Mercier et Peter. Il exposait à Paris, au Salon des Artistes Français depuis 1910, reçut une médaille de bronze en 1920, une médaille d'argent en 1922, une médaille d'or en 1927, fut membre du jury, sociétaire Hors-Concours. Grand Prix en 1937 (Exposition internationale).

VILLIERS DE L'ISLE-ADAM Émile
Né en 1843. Mort le 31 août 1889 à Odessa. XIXe siècle. Russe (?).
Aquarelliste.
D'abord officier de gendarmerie, il s'adonna à la peinture et peignit des paysages de la Crimée, de Sicile et des vues de Constantinople. Le Musée Russe de Leningrad et la Galerie Tretiakov de Moscou conservent des peintures de cet artiste.

VILLIERS-HUET François. Voir **HUET François**

VILLIERS-STUART Constance Mary, née **Fielden**
XXe siècle. Britannique.
Peintre de paysages, d'architectures, illustrateur.
Elle fit ses études à Paris et à Rome. Elle était journaliste. D'entre ses peintures, on cite *Jardins espagnols*.

VILLIEZ
Mort à Nancy. XVIIIe siècle. Français.
Graveur au burin.

VILLIGER Hanna
Née en 1951 à Cham. XXe siècle. Depuis 1974 active en Italie. Suisse.
Sculpteur d'assemblages. Tendance conceptuelle.
En 1971, elle fut élève de la Kunstgewerbeschule de Zurich ; de 1972 à 1974, de la Schule für Gestaltung de Lucerne.
Elle participe à des expositions collectives, d'entre lesquelles : 1973 Biennale de Zurich ; 1975 Paris, IXe Biennale, au Musée d'Art moderne de la Ville ;...
Conformément aux courants dominants de l'actualité en 1975, elle assemble des éléments naturels, bois, ficelle, corde, plantes dans des « objets » dont les titres semblent désigner une fonction symbolique : *Magna Mater, Cérès, Minerve, Castor et Pollux*, etc.
Bibliogr. : In : Catalogue de la IXe Biennale de Paris, Mus. d'Art mod. de la Ville, Paris, 1975.
Musées : Aarau (Aargauer Kunsthaus) : *Sans titre*, trois photo.

VILLIGER Jakob
Né le 15 février 1806 à Fenkrieden. Mort le 9 décembre 1832 à Fenkrieden. XIXe siècle. Suisse.
Peintre.
Élève de Fr. Schlatt à Lucerne et de J. Volmar à Berne. Il a peint un tableau d'autel dans l'église d'Udligenswil.

VILLODAS Alejandro
XIXe-XXe siècles. Espagnol.
Sculpteur.
Fils de Ricardo de Villodas.

VILLODAS Fernando
Mort en 1920. XXe siècle. Espagnol.
Peintre.
Fils de Ricardo de Villodas. Il mourut jeune en 1920.

VILLODAS DE LA TORRE Ricardo de
Né le 23 février 1846 à Madrid. Mort le 6 août 1904 à Soria (Castille-Léon). XIXe siècle. Espagnol.
Peintre de compositions religieuses, scènes de genre, portraits, paysages animés, fleurs et fruits.
Il fut élève de Federico de Madrazo à l'École des Beaux-Arts de Madrid. Il figura régulièrement au Salon de la Société Nationale des Beaux-Arts de Madrid, obtenant une deuxième médaille en 1876 et 1878, une première médaille en 1887. Il reçut une seconde médaille à l'Exposition universelle de 1889 à Paris, une première médaille à l'Exposition de Munich la même année. Ses fils Alejandro et Fernando furent également peintres.
Préparatifs de départ pour la pêche de toute une famille s'affairant sur la barque, rémouleur ambulant entouré d'une ribambelle d'enfants, il affectionne les scènes familières et quotidiennes, qu'il traite d'ailleurs dans des styles différenciés, tantôt direct et précis, tantôt noyé dans un flou intimiste.
Bibliogr. : In : *Cien Anos de pintura en Espana y Portugal, 1830-1930*, Antiqvaria, t. XI, Madrid, 1993.
Ventes Publiques : Madrid, 26 mars 1981 : *La Résurrection*, h/t (31x22) : **ESP 17 000** – Londres, 15 fév. 1990 : *Fleurs de pommier*, h/pan. (21x14) : **GBP 1 870** – Madrid, 24 jan. 1991 : *Personnages*, h/pap. (9x15) : **ESP 61 600**.

VILLODO Isidro de
XVIe siècle. Espagnol.
Sculpteur.
Venu d'Avila vers le milieu du XVIe siècle, il travailla à Séville. Il entreprit des œuvres très importantes pour le monastère des Chartreux et ne put les exécuter en entier.

VILLOLDO Juan I
Né vers 1525. XVIe siècle. Actif à Benavente et à Valladolid. Espagnol.
Sculpteur.

Témoin dans le procès survenu entre Inocenzio Berruguete et P. Gonzalez.

VILLOLDO Juan II
XVIe siècle. Actif à Madrid. Espagnol.
Peintre.
Probablement père de Juan Villoldo III, de Luis et de Pablo de Villoldo.

VILLOLDO Juan III
XVIe siècle. Actif à Valladolid. Espagnol.
Peintre.
Cet artiste était de Palencia et y demeurait ordinairement. Témoin dans le procès de Giralte et de Juni, il collabora aussi aux peintures exécutées dans l'église de N.-D. de la Antigua. Il existe aussi à Tolède certaines œuvres qu'on lui attribue. Il ne faut pas le confondre avec le sculpteur Juan Villodo. Malgré certaines analogies, il ne paraît pas certain que ce soit le même artiste que le Juan de Villordo neveu d'Alvar Perez de Villordo.

VILLOLDO Luis de
Né vers 1545. XVIe siècle. Espagnol.
Peintre.
Peintre qui travailla comme second de plusieurs grands artistes. On ne cite de lui aucune œuvre entièrement personnelle. Il travailla à Palencia et à Valladolid.

VILLOLDO Pablo de
Né vers 1547. XVIe siècle. Actif à Madrid. Espagnol.
Sculpteur.
Il travailla à l'exécution des œuvres de Giralte pour la chapelle de l'évêque, à Madrid, et pour diverses autres églises.

VILLON I
XVIIIe siècle. Français.
Peintre de portraits en miniatures.
MUSÉES : PARIS (Mus. du Louvre) : *Portrait d'une dame* daté de 1779.

VILLON II
XVIIIe siècle. Français.
Miniaturiste.
Il travaillait vers 1795. Sans doute identique au précédent.
MUSÉES : PARIS (Mus. du Louvre) : *Jeune femme avec chapeau à plumes, peinte sur une tabatière.*

VILLON Eugène
Né le 25 décembre 1879 à La Haye, d'origine française. Mort en 1951. XXe siècle. Français.
Peintre de paysages, aquarelliste.
Exposait à Paris, au Salon des Artistes Français depuis 1907, reçut une médailles, d'argent en 1932, d'or en 1934. Il reçut la Légion d'honneur et médaille d'argent en 1937 à l'Exposition internationale.

S. Villon

VENTES PUBLIQUES : PARIS, 14-15 déc. 1927 : *Le Pont des Arts et l'Institut (effet de neige)*, aquar. : **FRF 500**.

VILLON Jacques, pseudonyme de **Gaston Duchamp**
Né le 31 juillet 1875 à Damville (Eure). Mort le 9 juin 1963 à Puteaux (Hauts-de-Seine). XIXe-XXe siècles. Français.
Peintre, graveur, lithographe, illustrateur. Cubiste. Groupe de la Section d'Or.
Gaston Duchamp était fils d'un notaire, anciennement fonctionnaire, mais aussi le petit-fils d'un peintre et graveur rouennais : Émile Nicolle, qui sut communiquer son enthousiasme à tel point que, des six frères et sœurs, quatre devinrent artistes : Jacques Villon, Raymond Duchamp-Villon, Marcel Duchamp et Suzanne Roger. Dès l'âge de seize ans Jacques Villon s'initiait à la gravure. Après ses études secondaires, il commença des études de droit à Paris ; son père le plaça comme clerc chez un notaire de Rouen, où il ne resta que peu de temps et où il fréquenta peut-être l'École des Beaux-Arts. En 1894, il rejoignit à Paris son frère Raymond, qui y avait commencé des études de médecine, qu'il interrompit lui aussi très vite pour se consacrer à la sculpture et à l'architecture. Jacques Villon pour sa part, entrait à l'École des Beaux-Arts, où il fréquentait l'atelier Cormon et l'atelier de gravure. Il se lia alors avec Frantz Jourdain, avec lequel il approfondissait sa technique de l'aquatinte en couleurs. Ce fut à peu près à ce moment qu'il choisit comme pseudonyme le nom de son poète favori. Pendant une quinzaine d'années, à l'exemple de Forain, de Steinlen, de Toulouse-Lautrec qu'il rencontrait le soir au *Moulin-Rouge*, il plaça de très nombreux dessins humoristiques ou de circonstance au *Chat Noir*, au *Gil Blas*, au *Rire*, à *L'Assiette au Beurre*, dans le *Courrier Français*. Il réalisait aussi des affiches pour les cabarets et continuait de se perfectionner dans tous les procédés de gravure, techniques qu'il pratiqua parallèlement à la peinture durant toute sa carrière, prenant une place prépondérante dans la gravure au XXe siècle. Outre ces travaux souvent « alimentaires », il tâchait de préserver le temps de peindre. Jacques Villon habitait, déjà depuis 1906, dans l'atelier de Puteaux qu'il conserva jusqu'à sa mort. Dans cet atelier se réunissaient régulièrement : Kupka, qui habitait l'atelier voisin, Gleizes, Metzinger, Picabia, Léger, La Fresnaye, d'autres artistes encore et des poètes. Villon, malgré sa modestie extrême, exerçait une influence certaine sur le groupe d'amis, par sa générosité d'esprit et surtout pour la raison qu'il professait des principes clairement affirmés dans un vaste courant cubiste où beaucoup se cherchaient encore. Empruntant le titre du traité d'un moine bolonais, Luca Pacioli, publié en 1509 et illustré par Léonard de Vinci, ils fondèrent le groupe de la Section d'Or. À la déclaration de guerre, Jacques Villon fut mobilisé le 2 août 1914. Il participa aux combats de la Somme et de Champagne, puis fut versé, en 1916, au service du camouflage. Il ne fut libéré qu'en 1919, avec la Croix de Guerre et la Légion d'honneur. Son frère Raymond Duchamp-Villon, que tout annonçait comme l'un des plus importants sculpteurs du temps, avait été tué. De 1922 à 1930, Jacques Villon traversa, avec une égale modestie courageuse, une période matériellement plus que difficile. Il dut mettre à profit sa maîtrise des techniques de la gravure pour reproduire des peintures soit de Manet, Cézanne, soit de confrères plus heureux : Picasso, Matisse, Bonnard, Dufy, éditées par Bernheim-Jeune. À partir de 1931, Villon put redonner plus de son temps à sa peinture personnelle. En 1932-1933, il adhéra au groupe *Abstraction-Création*. En 1935, il avait fait le voyage des États-Unis, à l'occasion de ses expositions. L'invasion de la France, en 1940, par les armées allemandes le poussa à se réfugier dans le Tarn. Après la Libération, ayant regagné son atelier de Puteaux, il devait connaître désormais, non plus des succès isolés, mais la grande gloire qui venait consacrer la carrière exemplaire du peintre de soixante-dix ans dont on s'apercevait seulement qu'il avait fait la somme, dans son œuvre d'apparence si discrète, de la plupart des conquêtes plastiques de son temps.

Patronné par Frantz Jourdain, il participa au Salon d'Automne, dès sa fondation en 1903, et en fut membre du comité. Il devait en démissionner vers 1912 à la suite des difficultés opposées par certains membres du comité à l'admission des envois de ses amis cubistes. En 1905, il exposa pour la première fois, à Rouen, avec son frère Raymond Duchamp-Villon. En 1912, Le groupe « de Puteaux », sous l'appellation de *Groupe de la Section d'Or*, augmenté de Juan Gris, Lhote, Delaunay et Marcoussis, exposait pour la première fois, à la Galerie La Boétie. Si Braque n'y figurait pas, alors qu'il y avait tout naturellement sa place, c'est simplement parce qu'il ne pouvait alors exposer, par contrat, que chez Daniel-Henri Kahnweiler. Villon a participé à de très nombreuses expositions collectives, d'entre lesquelles quelques dates importantes : 1913 New York, l'Armory Show ; 1937 Paris, *Les maîtres de l'art indépendant* au Musée du Petit Palais, et *Origines et développement de l'art international indépendant* au Musée du Jeu de Paume, à l'occasion de l'Exposition internationale ; en 1939, il avait participé à l'exposition organisée à la Galerie Charpentier sous le titre des « Réalités Nouvelles », d'après une idée de Robert Delaunay ; en 1945 Paris, *Le Cubisme*, galerie de France ; à partir de 1948 Paris, il participa régulièrement au Salon de Mai ; 1949 Stockholm, *Art Français 1938-1948*, Musée national ; en 1949 aussi lui fut décerné le Grand Prix international de Gravure à l'Exposition internationale de Lugano ; en 1950, une salle personnelle lui était consacrée à la Biennale de Venise et la même année, lui était attribué le Ier Prix Carnegie, à l'Exposition internationale de Pittsburgh ; 1951 Londres, *L'École de Paris, 1900-1950*, Royal Academy ; 1955 Kassel, Documenta ; en 1956 lui était attribué le Prix international de Peinture de la Biennale de Venise ; 1958, il reçut un Grand Prix à l'Exposition Universelle de Bruxelles ; 1961 São Paulo, invité d'honneur avec une salle entière à la VIe Biennale... Depuis sa mort, entre nombreuses autres manifestations : 1966 *24 peintres français 1946-1966*, Musée d'Art et d'Histoire à Luxembourg ; 1978, *Abstraction-Création 1931-1936*, au Westfälisches Landesmuseum für Kunst und Kulturgeschichte de Münster, et au Musée d'Art moderne de la Ville de Paris...

Il exposait aussi individuellement : en 1922 à Paris, galerie Povolotzky. Dans la période difficile de 1922 à 1930, son frère Marcel Duchamp, qui vivait depuis la guerre aux États-Unis, y jouissant d'une grande autorité, s'étant lui-même illustré dans une voie très différente, mais s'occupant d'art moderne avec un éclectisme clairvoyant, invita Jacques Villon, dès 1922, à participer aux expositions de la Société Anonyme, dont il était l'un des créateurs et l'animateur. Puis, le critique américain Walter Pach s'intéressa à son œuvre et lui organisa, de 1931 à 1933, des expositions à New York et Chicago, qui, ayant du succès, lui assurèrent des jours meilleurs. À partir de la Seconde Guerre mondiale, ses expositions personnelles se multiplièrent : 1942 Paris, avec les œuvres de Raymond Duchamp-Villon, galerie de France ; 1944, 1948 Paris, galerie Louis Carré ; 1949 New York, Louis Carré Gallery ; 1951 exposition rétrospective de l'ensemble de son œuvre, Musée national d'Art moderne de Paris ; ensuite toujours galerie Louis Carré à Paris : 1951, gravures de 1899 à 1950 ; 1954, l'œuvre gravé ; 1955, peintures ; 1956, dessins ; 1957, gravures ; 1963, *La figure dans l'œuvre graphique de Jacques Villon* ; hors galerie Louis Carré à Paris, avaient lieu d'autres expositions : 1955 Albi, Musée Toulouse-Lautrec ; 1957 Paris, Hommage, Salon d'Automne ; 1959 Paris, *L'Œuvre religieuse de Jacques Villon*, galerie de Varenne ; 1959 Paris, *Jacques Villon, l'œuvre gravé 1891-1958*, Bibliothèque nationale ; 1960 Stockholm, Musée d'Art moderne ; 1961 Paris, *Cent tableaux de Jacques Villon*, galerie Charpentier ; 1962 Le Havre, rétrospective de l'œuvre gravé, Nouveau Musée-Maison de la Culture ; 1963 Zurich, Kunsthaus. Après sa mort en 1963, le Musée des Beaux-Arts de Rouen et les Galeries Nationales du Grand Palais organisèrent la grande exposition rétrospective de 1975 ; 1982 Neuchâtel, Musée des Beaux-Arts ; 1988 Morlaix, Musée des Jacobins ; 1991 Paris, *Villon, peintures 1940-1960*, galerie Louis Carré & Cie ;...

À sa sortie de l'École des Beaux-Arts, lorsqu'il était dessinateur de presse, il était alors essentiellement influencé par Degas et Toulouse-Lautrec. Accaparé par ses collaborations aux journaux et revues, il peignait très peu, s'impliquant beaucoup plus dans la gravure ; produisant, entre 1899 et 1910, cent soixante-quinze aquatintes. Le fauvisme de 1905-1908 ne le laissa pas indifférent, il haussa ses tons, mais n'adhéra pas formellement au mouvement. De même façon, les débuts du cubisme le trouvèrent circonspect, il en attendit l'essor en 1911, pour y trouver la voie d'ordre et de classicisme qui correspondait à ses aspirations profondes. De 1911 également, date une série de gravures commandée par l'éditeur Clovis Sagot. Ce fut à peu près à cette époque qu'il élabora sa propre conception du cubisme, qui, il convient de le rappeler, ne fut jamais une doctrine codifiée, comme le sera, par exemple, le néo-plasticisme pour Mondrian. En particulier, Villon y adapta le principe de la « vision pyramidale » énoncé par Vinci : « Cet art consiste à peindre par pyramides les formes et les objets contemplés, car il n'y a pas d'objets si petits qui ne soient plus grands que la rétine où aboutissent ces pyramides ; donc, si tu prends les lignes aux extrémités de chaque corps et que tu les continues jusqu'à un point unique, elles affecteront le sens pyramidal. » Et Villon prolonge cet énoncé : « En superposant au tableau cette vue pyramidale, on lui donne une épaisseur dans laquelle les échos colorés joueront en profondeur, profondeur qui crée l'espace. » Villon a encore précisé ailleurs les modalités de cette technique de construction qui tiendra un rôle si important tout au long de son œuvre qu'il n'est pas inutile d'y insister : « Je m'efforce de produire une impression de profondeur en traçant sur la toile plusieurs plans de valeurs différentes. Chacun de ces plans est troué, sauf le dernier, le plus petit au milieu. À l'intérieur de chaque trou, on aperçoit le plan suivant. Si l'on réunit tous ces plans par des droites qui partent du centre approximatif de la surface, lequel est situé sur le dernier plan, et qui vont jusqu'au sommet des quatre angles de la toile, on obtient une pyramide. Cette pyramide produit également l'impression de s'avancer vers le regard, la pointe la première, ou bien de creuser un vide sous lui, la pointe de la pyramide étant au fond de ce vide. Cette propriété qu'ont les pyramides, quand on les voit d'en haut, de produire deux impressions contradictoires, confère à l'image un mouvement sur place et dont il ne semble pas qu'il y ait de raison qu'il cesse. C'est un perpetuum mobile. » On aura reconnu là le phénomène des dessins de volumes géométriques simples réversibles, le cube en particulier, très utilisés en marqueterie. Dans ces commentaires du principe de la « vision pyramidale », on notera au passage que le souci de traduire le mouvement tient une place énoncée dans la conception du cubisme que se faisait Villon, en rappelant que, contrairement au cubisme classique qui se voulait délibérément statique, Marcel Duchamp, son propre frère, avait également inscrit le mouvement dans son acception personnelle du projet cubiste, probablement en référence au futurisme italien. On trouve les premières applications du principe de la « vision pyramidale » dans *La table servie* de 1912, et surtout la synthèse de la construction pyramidale et de l'effet de renversement de la vision dans les *Soldats en marche* de 1913. En orientant, en rythmant les plans de la peinture selon des droites convergeant en pyramide jusqu'à l'œil, non seulement la peinture n'est plus imitation de la réalité extérieure, mais construction spécifiquement conçue pour l'œil, selon les principes généraux du cubisme, mais en outre la place de l'œil est ainsi dictée avec précision. Ce que les artistes qui constituent ce groupe, que l'on dira « groupe de Puteaux », retiennent de l'ensemble d'idées brassées par le cubisme, c'en est le côté post-cézannien d'analyse des formes (traduites par le cylindre, la sphère, le cube et autres volumes simples) et d'ordonnance de la surface peinte (faire du Poussin sur nature).

Démobilisé en 1919, Jacques Villon, rendu à la vie normale, reprit son travail où il l'avait laissé, heureusement fort des quelques certitudes de sa méthode pyramidale, du dynamisme qu'elle comportait, des quelques règles incluses dans l'esprit du groupe de la Section d'Or. De 1919 à 1922, avec des peintures comme *Le vol*, *Le Cheval de course*, *L'équilibre rouge*, dans une gamme de tons encore limitée à des gris et des bruns jouant sur le clair-obscur, Jacques Villon se plaçait, sans tapage, parmi les créateurs de l'abstraction dans la peinture française, après Kupka et Delaunay. Il ne fait cependant pas perdre de vue que pour lui, les principes qui le sollicitèrent successivement, cubisme ou abstraction ne l'affectaient qu'en surface, formellement. Ces principes lui apportaient des règles de composition : le cubisme, ou bien le moyen de prendre ses distances avec l'apparence première : l'abstraction, mais sans qu'il ait jamais vraiment voulu ni violenter la réalité par le cubisme, ni la renier dans l'abstraction. Ce qu'il y trouvait au contraire, c'était un mode de transmutation poétique du réel donné.

À partir de 1931, à la construction pyramidale de l'espace, qui caractérisait déjà sa conception picturale, il éprouva la nécessité d'adjoindre les ressources spatiales qu'apportait l'utilisation des contrastes colorés, indiqués au siècle dernier par le physicien-chimiste Chevreul, et surtout exploités par Delaunay dans ses cercles chromatiques. Pour sa traduction non imitative de l'espace, il disposait désormais de deux moyens concourants, l'un graphique : la construction pyramidale, l'autre chromatique : le jeu des contrastes simultanés de couleurs, faisant alterner les plans les uns par rapport aux autres non plus par contraste de valeurs, mais par contraste de couleurs. Ce nouveau principe devait d'autant plus conférer une caractéristique supplémentaire à la manière, au style, de Jacques Villon, qu'au lieu de se satisfaire d'oppositions de couleurs franches, telles celles employées dans le même effet par Delaunay par exemple, il se constitua à cette occasion cette palette aigre-douce qui allait singulariser toute la suite de son œuvre, fondée sur de subtils désaccords de roses, de violacés, de verts acides, de jaunes, opposés par couples de complémentaires, et qui l'amena à se dire « cubiste impressionniste ». De cette époque datent : *Architecture*, 1931 ; *Allégresse*, 1932 ; *Le bond*, 1932 ; *Le théâtre*, 1933 ; *Les fenêtres*, 1933 ; *L'Homme dessinant*, 1935 ; *Le nageur*, 1936 ; *Les Lutteurs*, 1939.

Pendant les années de l'Occupation allemande, réfugié dans le Tarn, alors qu'il avait jusque-là surtout travaillé d'après la figure humaine, le portrait, la composition de personnages, Villon consacra la plus grande part de son travail à l'étude du paysage, auquel il appliqua la même méthode d'analyse par plans de couleurs complémentaires, séparés par un réseau dense de fines lignes de construction, analyse à partir de la réalité observée, qui devient synthèse dans l'acte pictural : les *Potagers*, 1940-1942 ; les *Moissons*, 1943 ; *Les trois ordres*, 1944 ; *Les grands fonds*, 1945 ; *La meule de blé*, 1946 ; *L'entrée du parc*, 1948 ; *La grande faucheuse*, 1950.

Ayant regagné Puteaux, il continua à traiter le thème du paysage, ou de la composition située dans un paysage, dont les écrans d'arbres ou de haies lui fournissaient un prétexte de choix à mettre en application aussi bien sa vision pyramidale de l'espace que ses alternances de plans ensoleillés, vert cru ou jaune citron, avec les plans d'ombre, violet-lilas ou bleutés. Revenu dans son atelier familier, il reprit aussi les thèmes

anciens, l'aviation, les chevaux de course, tous ces thèmes prenant l'aspect d'une abstraction plus poussée, moins par volonté d'ascèse que par une spiritualisation accrue du climat poétique, se séparant de l'apparence sensible pour atteindre à l'idéal : *Rythme campagnard*, 1953 ; *Orly*, 1954 ; *Comme il vous plaira*, 1957 ; *Création*, 1958. Cet aspect abstrait que prennent certaines séries d'œuvres au long de sa carrière, de 1919 à 1922, en 1932-1933 lors de son adhésion au groupe *Abstraction-Création*, et épisodiquement de 1953 à 1958, n'est chez lui absolument pas exclusif de son amour de la nature, que l'on retrouve encore à l'état pur dans, par exemple : *La Loire à Beaugency*, 1959, ou *Au Val de La Haye*, 1960. Il faut toujours répéter à son propos que l'abstraction dans certaines de ses œuvres n'est pas le but, mais seulement la conséquence d'une certaine analyse ; elle ne fait partie que de l'apparence finale, quand l'inspiration première et profonde est toujours fondée sur la nature. Jacques Villon était persuadé que la richesse du répertoire de formes et de couleurs offert par la nature dépassait immensément les facultés d'imagination de l'esprit créateur : « La mémoire et l'imagination ne font jamais apparaître que le côté conventionnel des choses. »
Après qu'il eut été si tardivement reconnu pour sa propre peinture, il fut enfin sollicité pour d'autres tâches. Exploitant sa considérable expérience des techniques de gravure, Villon a participé à des albums collectifs d'estampes et de textes illustrés, mais surtout il a été l'illustrateur de nombreux ouvrages littéraires, dont : 1945 *Les Mystères de Paris* d'André Frénaud ; 1947 *Poèmes de Brandebourg* d'André Frénaud ; 1948 *Jacques Villon ou l'art glorieux* de Paul Éluard ; 1949 *Dents de lait, dents de loup* d'Henri Pichette ; 1953 *Les Bucoliques* de Virgile ; 1955 *Cantique spirituel* de Jean Racine ; 1955 *Miennes* de Tristan Tzara ; 1956 *Passage de la Visitation* d'André Frénaud ; 1957 l'*Œuvre poétique* de Robert Ganzo ; 1960 *Ajournement* d'André Du Bouchet ; 1960 *À poèmes rompus* de Max Jacob ; 1962 *Les Travaux et les Jours* d'Hésiode ; 1962 *Jacques Villon* de Lionello Venturi ; 1963 *Le Grand Testament* de François Villon. En outre, en 1956, il a créé les cartons de cinq vitraux pour la cathédrale de Metz.
Le cubisme de Jacques Villon a toujours laissé perplexe ; on est trop habitué à faire découler automatiquement le cubisme seulement de Cézanne. Comme les futuristes italiens l'avaient vu aussi, Villon a trouvé l'ordre, le rythme, la couleur de son cubisme dans l'usage du nombre d'or et du contraste simultané chez Seurat. Avec le recul du temps, il apparaît aujourd'hui que le groupe de la Section d'Or a constitué ce que l'on peut nommer le cubisme français, tout d'ordre et de mesure, s'opposant d'une part à l'expressionnisme où Picasso allait mener le cubisme synthétique, d'autre part à l'audace des solutions abstraites, frôlées de si près par Braque et Picasso autour de 1910, et qui allaient être bientôt reprises par les Kandinsky, Klee et Mondrian, et enfin ne pouvant prévoir encore ni Dada, où Marcel Duchamp allait se singulariser, ni le surréalisme. Ce cubisme français, de par sa retenue même qui en faisait la distinction des débuts, était aussi porteur de la timidité où va s'amenuiser la tendance cubiste de l'école de Paris de l'entre-deux-guerres, jusqu'à la constitution de quelques groupes se réclamant du nom de Villon, alors qu'il n'avait vraiment pas mérité cela. Une grâce d'être certaine a pu longtemps laisser négliger l'œuvre de Jacques Villon pour d'autres plus ostentatoires ; ce charme discret en assure maintenant la pérennité. L'homme Jacques Villon était un lyrique tendre, attentif et sensible à la beauté des êtres et des choses et soucieux de la transcrire et faire partager, tandis que le peintre qui vivait profondément son travail, de toute sa volonté et son intelligence était conscient et attentif aux moyens plastiques spécifiques de son art. La peinture de Villon est avant tout fait plastique, même si vivifiée par le souvenir d'un écho, d'un parfum et d'une saveur de réalité, comme il le dit lui-même : « Elle rend le parfum, l'esprit, l'âme des choses ».

■ Jacques Busse

Bibliogr. : J. D. Maublanc : *Le bon plaisir*, décembre 1930 – *Abstraction-Création, Art non-figuratif*, Paris, 1932-1933 – Germain Bazin : *Jacques Villon*, L'Amour de l'Art, Paris, 1933 – A. Barr : *Cubism and Abstract Art*, Musuem of Modern Art, New York, 1936 – A. Barr : *Art of this century*, Musuem of Modern Art, New York, 1942 – Bernard Dorival : *Les étapes de la peinture française contemporaine*, Gallimard, Paris, 1944-1946 – René Jean : *Jacques Villon*, Lyon, 1945 – Paul Éluard et René Jean : *Jacques Villon ou l'art glorieux*, Galerie Louis Carré, Paris, 1948 – In : *Art d'aujourd'hui*, Paris, décembre 1949 – René Huyghe, in : *Les contemporains*, Tisné, Paris, 1949 – *Catalogue de la Collection of the « Société Anonyme »*, New Haven, 1950 – J. Auberty et Ch. Perusseaux : *Jacques Villon ; Catalogue de l'œuvre gravé*, Louis Carré, Paris, 1950 – Maurice Raynal : *De Picasso au Surréalisme*, Skira, Genève, 1950 – Maurice Raynal : *Peinture moderne*, Skira, Genève, 1953 – Frank Elgar, in : *Diction. de la peint. mod.*, Hazan, Paris, 1954 – Michel Seuphor : *Diction. de la peint. abstr.*, Hazan, Paris, 1957 – Dora Vallier : *Jacques Villon. Catalogue de l'œuvre 1897-1956*, Cahiers d'Art, Paris, 1957 – Pierre Courthion : *Art Indépendant*, Albin Michel, Paris, 1958 – Georges Charbonnier : *Le monologue du peintre*, Julliard, Paris, 1959 – Jean Revol : *Braque et Villon, Message vivant du cubisme*, Nouvelle Revue Française, Paris, août-septembre 1961 – Jean Tardieu : *Jacques Villon*, Galerie Louis Carré, Paris, 1961 – Lionello Venturi : *Jacques Villon*, Galerie Louis Carré, Paris, 1962 – José Pierre : *Le Cubisme*, in : *Hre Gle de la peint.*, t. XIX, Rencontre, Lausanne, 1966 – Georges Charensol : *Les grands maîtres de la peinture moderne*, in : *Hre Gle de la peint.*, t. XXII, Rencontre, Lausanne, 1966 – Frank Elgar, in : *Diction. univers. de l'Art et des Artistes*, Hazan, Paris, 1967 – Catalogue de l'exposition *Jacques Villon*, Galeries nationales du Grand Palais, Paris, 1975 – in : *Diction. Univers. de la Peint.*, Le Robert, Paris, 1975 – in : Catalogue de l'exposition *Abstraction-Création 1931-1936*, Westfälisches Landesmuseum für Kunst und Kulturgeschichte, Münster, Musée d'Art moderne de la Ville, Paris, 1978 – Colette de Ginestet, Catherine Pouillon : *Villon. Les estampes et les illustrations. Catalogue raisonné*, Arts et Métiers Graphiques, Paris, 1979 – divers, in : Catalogue de l'exposition *Jacques Villon*, Musée des Jacobins, Morlaix, 1988 – Marcus Osterwalder, in : *Dictionnaire des illustrateurs 1800-1914*, Ides et Calendes, Neuchâtel, 1989 – in : *L'Art du xxe siècle*, Larousse, Paris, 1991 – Catalogue de l'exposition *Jacques Villon*, Galerie Louis Carré, Paris, 1991, bonne documentation – Luc Monod, in : *Manuel de l'amateur de Livres illustrés modernes 1875-1975*, Ides et Calendes, Neuchâtel, 1992 – Lydia Harambourg, in : *L'École de Paris 1945-1965. Diction. des Peintres*, Ides et Calendes, Neuchâtel, 1993.

Musées : Buffalo (Albright-Knox Art Gal.) : *Figure-Composition* 1921 – Colombus, Ohio : *Portrait de J.B.* 1912 – Los Angeles : *Portrait de Mlle J. D.* 1913 – Lyon : *L'écuyère* 1951 – *Cheval de course* – Metz : *Grues près de Rouen* 1960 – Milwaukee (Art Center) : *La grande faucheuse* 1950 – Minneapolis – New Haven (Yale University Art Gal., coll. de la Société Anonyme) : *Nature morte ou La table servie* 1912-1913 – *Perspective colorée* 1922 – *Le Jockey* 1924 – New York (Mus. of Mod. Art) : *Perspective colorée* 1922 – New York (Solomon R. Guggenheim Mus.) : *Portrait du père de l'artiste* 1924 – Paris (Mus. nat. d'Art mod.) : *Portrait de Raymond Duchamp-Villon* 1911 – *Soldats en marche* 1913 – *Amro* 1931 – *L'aventure* 1935 – *La femme en rouge* 1937 – *Les lutteurs* 1937 – *Portrait d'Anne Dariel* 1940 – *Entre Toulouse et Albi* 1941 – *Le Scribe* 1949 – Paris (Mus. d'Art mod. de la ville) : *Le rire* vers 1930 – *Le savant* 1933 – *Grande composition* – *Vue de dos* 1944 – *Le long du bois* 1958 – Philadelphie (Mus. of Art) : *Jeune femme* 1912 – Pittsburgh (Mus. of Art) : *Portrait de l'artiste* 1949 – Saint Louis (City Art Mus.) : *Clos normand* 1953 – Toledo (Mus. of Art) : *Des fleurs*, 1946 – Venise (coll. Peggy Guggenheim Mus.) : *Espaces* 1920.

Ventes Publiques : New York, 10 fév. 1927 : *Étude de jeune femme (Yvonne Duchamp) 1912*, h/t (61x50) : **USD 200** – Paris, 23-24 déc. 1942 : *L'Amateur de tableaux*, lav. d'encre de Chine : **FRF 210** – Paris, 25 fév. 1944 : *Arlequin dans un fauteuil* : **FRF 4 800** – Paris, 12 déc. 1946 : *Homme assis*, dess. : **FRF 8 500** – Paris, 23 mai 1949 : *Composition* 1921 : **FRF 40 000** ; *Composition* 1922 : **FRF 16 000** – Paris, 20 déc. 1950 : *Nu se coiffant* 1936 : **FRF 205 000** – Paris, 28 fév. 1951 : *Le grain ne meurt* : **FRF 235 000** ; *Le Gros Homme*, cr. : **FRF 10 000** – Paris, 27 avr. 1951 : *Les Vendangeurs* : **FRF 165 000** – Paris, 30 juin 1954 : *La Chaise longue* : **FRF 150 000** – Paris, 8 déc. 1959 : *Les Vendanges* 1952, aquar. et gche : **FRF 1 660 000** – Paris, 9 déc. 1960 : *Portrait de Suzanne Duchamp* : **FRF 12 000** – New York, 18 mai 1960 : *Le Cirque Medrano*, aquar. et gche : **USD 800** – New York,

25 jan. 1961 : *Portrait* : **USD 2 250** – PARIS, 9 mars 1961 : *Ferme au pigeonnier* : **FRF 50 000** – GENÈVE, 12 mai 1962 : *Composition*, aquar. : **CHF 13 500** – MILAN, 21-23 nov. 1962 : *Préhistoire* : **ITL 9 000** – PARIS, 14 juin 1963 : *Ève* : **FRF 51 000** – LONDRES, 25 nov. 1964 : *Sous la tente* : **GBP 4 000** – NEW YORK, 8 déc. 1965 : *Du blé à la paille* : **USD 35 000** – PARIS, 6 déc. 1966 : *Composition*, aquar. : **FRF 7 200** – PARIS, 6 juin 1967 : *Paysage du Lot-et-Garonne* : **FRF 46 000** – VERSAILLES, 3 mars 1968 : *Le Port*, aquar. : **FRF 15 000** – NEW YORK, 20 nov. 1968 : *Les Hâleurs* : **USD 22 000** – PARIS, 16 juin 1969 : *Le Jardin* : **FRF 100 000** – PARIS, 29 nov. 1969 : *Jeune femme sur le banc*, aquar. gchée : **FRF 20 500** – PARIS, 30 nov. 1970 : *Le Cirque* : **FRF 102 000** – VERSAILLES, 14 mars 1971 : *Nature morte au globe de mariée*, aquar. et gche : **FRF 14 000** – GENÈVE, 18 juin 1972 : *Portrait d'homme* : **CHF 41 500** – NEW YORK, 3 mai 1973 : *Le Cirque* : **USD 37 000** – BERNE, 15 juin 1974 : *La Goulue au Moulin-Rouge*, aquar. : **CHF 27 000** – LONDRES, 2 déc. 1974 : *Le Pigeonnier noir* 1953 : **GNS 6 500** – VERSAILLES, 14 mars 1976 : *Nature morte au globe de mariée* 1958, gche (44x31) : **FRF 10 000** – PARIS, 4 juin 1976 : *Le banc de pierre* 1908, pointe-sèche (53,8x42) : **FRF 8 000** – LONDRES, 30 nov. 1976 : *Étude de jeune femme (Yvonne Duchamp) 1912*, h/t (61x50) : **GBP 15 000** – NEW YORK, 19 mai 1977 : *Comédie de Société* 1903, aquar. en coul. (50x42,1) : **USD 8 250** – ZURICH, 23 nov. 1977 : *Fleurs* 1947, h/t (46,5x60) : **CHF 50 000** – LOS ANGELES, 25 sept 1979 : *Le petit manège, rue Caulaincourt* 1905, aquat. en coul. (40x49,5) : **USD 15 500** – HAMBOURG, 9 juin 1979 : *Portrait de femme* 1914, cr. (32,7x24,7) : **DEM 6 500** – NEW YORK, 9 juin 1979 : *La danseuse espagnole* 1899, aquar., encre de Chine et cr., étude (51,1x38,1) : **USD 20 000** – PARIS, 16 mai 1979 : *Vue de Bernay dit aussi la Petite Ville* 1944, h/t (38x54) : **FRF 170 000** – NEW YORK, 20 mai 1981 : *Le Potager à La Brunie* 1941, h/t (65,5x91,8) : **USD 25 000** – PARIS, 25 nov. 1983 : *La Femme au châle ou La Femme au jardin* 1912, h/t (73x92) : **FRF 320 000** – NEW YORK, 1er mai 1984 : *Yvonne D. de face* 1913, pointe-sèche/pap. d'Arches (55,2x41,4) : **USD 25 000** – NEW YORK, 14 nov. 1984 : *La Parisienne* 1903, aquar. et gche sur trait de cr. (42,5x33) : **USD 44 000** – LONDRES, 28 mars 1984 : *Groupe de personnages* 1960, pl., gche et lav. (33x25,5) : **GBP 2 300** – LONDRES, 27 mars 1985 : *Personnage assis* vers 1912, aquar. et gche/trait de cr. (26x18) : **GBP 3 600** – ENGHIEN-LES-BAINS, 13 avr. 1986 : *Portrait en vert* 1942, h/t (92x73) : **FRF 350 000** – PARIS, 18 mai 1988 : *Portrait de Baudelaire* 1942, monotype coul. (25x17) : **FRF 7 000** – PARIS, 24 juin 1988 : *La vie facile* 1901, encre, aquar. et collage/pap. (45x64) : **FRF 220 000** – PARIS, 28 oct. 1988 : *Icare* 1937, dess. à la pl./pap. calque découpé (32x33) : **FRF 7 500** – CALAIS, 13 nov. 1988 : *Imploration*, dess. à l'encre de Chine (24x30) : **FRF 15 000** – PARIS, 1er fév. 1989 : *Femme à la cruche* 1928, aquat. : **FRF 29 000** ; *Londres* 1929, aquat., d'après Maximilien Luce : **FRF 25 000** – PARIS, 12 fév. 1989 : *Virgilius Maro*, litho. en coul. (37x26) : **FRF 5 200** – PARIS, 16 fév. 1989 : *Le cake walk des petites filles* 1904, pointe-sèche et aquat. en coul. : **FRF 55 000** – PARIS, 3 mars 1989 : *Nu allongé*, mine de pb aquarellé (9,5x19,5) : **FRF 6 000** – PARIS, 22 oct. 1989 : *Homme navigateur*, h/pap. calque (29x38) : **FRF 37 000** – PARIS, 22 nov. 1989 : *Composition à la pipe* 1922, h/t (28,5x33) : **FRF 190 000** – NEW YORK, 26 fév. 1990 : *Caliban* 1939, h/t (64,7x54) : **USD 82 500** – PARIS, 25 mars 1990 : *Le Potager*, h. et encre de Chine/t (38x46) : **FRF 1 000 000** – LONDRES, 3 avr. 1990 : *L'avion-requin* 1954, h/t (32x24) : **GBP 33 000** – PARIS, 10 juin 1990 : *Danseuse au Moulin Rouge*, litho. en coul. : **FRF 8 000** – LONDRES, 26 juin 1990 : *La Bretonneuse insatiable* 1951, h/t (45,8x55) : **GBP 38 500** – PARIS, 6 juil. 1990 : *Scène de café*, mine de pb et aquar. (19x23) : **FRF 26 000** – COPENHAGUE, 13-14 fév. 1991 : *Aéroplane* 1954, aquar. et encre (13x17) : **DKK 8 000** – PARIS, 13 mars 1991 : *Le modèle* 1930, h/t (55x38) : **FRF 147 000** – PARIS, 21 juin 1991 : *Hippolyte et Thésée*, h/t (81x65) : **FRF 255 000** – NEW YORK, 7 nov. 1991 : *Globes célestes* 1925, h/t (38x46,3) : **USD 23 100** – PARIS, 17 nov. 1991 : *Mon âme est une infante* 1948, h/t (80,5x60) : **FRF 680 000** – NEW YORK, 25-26 fév. 1992 : *Le nègre en bonne fortune*, gche, encre et cr./pap. brun (30,5x36,2) : **USD 15 400** – LONDRES, 24 mars 1992 : *Caliban* 1939, h/t (64,8x54) : **GBP 19 800** – LONDRES, 15 oct. 1992 : *Danseuse espagnole* 1899, aquar. et cr. (25x17) : **GBP 5 500** – PARIS, 21 oct. 1992 : *Le port de La Rochelle*, aquat. en coul. (45,5x59,5) : **FRF 21 500** – NEW YORK, 10 nov. 1992 : *Sur la plage, le Tréport*, cr. et aquar./pap. chamois/cart. (25,5x38) : **USD 2 860** – LONDRES, 1er déc. 1992 : *La chanson des amants* 1926, encre noire et h/t (60x81) : **GBP 90 200** – PARIS, 15 fév. 1993 : *Au musée du Louvre*, fus., encre et lav. (54x44,5) : **FRF 5 000** – PARIS, 2 avr. 1993 : *Baudelaire au socle* 1920, eau-forte (41,5x28,1) : **FRF 61 000** – HEIDELBERG, 15-16 oct. 1993 : *Nature morte* 1923, aquat. (58,3x21,8) : **DEM 4 800** – PARIS, 18 nov. 1993 : *Danseuse espagnole*, aquat. en coul. (50x35,5) : **FRF 90 000** – PARIS, 22 nov. 1993 : *Le pigeonnier noir* 1953, h/t (64,5x91,8) : **FRF 250 000** – VENDÔME, 13 fév. 1994 : *Jeune femme sur un banc* 1899, aquar. gchée (34x26,5) : **FRF 210 000** – LONDRES, 23-24 mars 1994 : *L'élégante*, aquar. et cr. (21,7x17,1) : **GBP 2 990** – PARIS, 3 juin 1994 : *La table servie*, pointe-sèche (28x38) : **FRF 105 000** – COPENHAGUE, 14 juin 1994 : *Composition*, gche (17x22) : **DKK 28 000** – ZURICH, 13 oct. 1994 : *Le cheval* 1921, eau-forte (16,2x24,8) : **CHF 1 700** – NEW YORK, 10 nov. 1994 : *Parc et potager* 1948, h/t (27x35,6) : **USD 10 925** – PARIS, 18 nov. 1994 : *Yvonne D. de profil* 1913, pointe-sèche (55x41,5) : **FRF 200 000** – LONDRES, 28 juin 1995 : *Femme au chapeau* 1900, aquar. et gche/cr. (38x26) : **GBP 12 650** – PARIS, 19 mars 1996 : *La Ferme* 1952, h/t (22x33) : **FRF 90 000** – NEW YORK, 2 mai 1996 : *En plein vol* 1956, h/t (73,7x92,1) : **USD 29 900** – PARIS, 7 juin 1996 : *Peuh ! Laisse donc, mon chéri, elle m'en veut pac'qu'elle sait que j't'aime* 1902, encre de Chine reh. de cr. bleu (56x38,6) : **FRF 7 000** – PARIS, 19 juin 1996 : *Fleurs d'amandier* 1959, gche, aquar. et encre (50,5x36,5) : **FRF 13 000** – PARIS, 16 oct. 1996 : *Guinguette fleurie* 1901, litho. (129,1x93,2) : **FRF 37 500** – PARIS, 21 nov. 1996 : *Composition* 1928, aquat. (50x34,3) : **FRF 4 200** – PARIS, 24 mars 1997 : *La Parisienne* 1902, dess. au lav. d'encre et cr./pap. (22x14,5) : **FRF 6 000** – PARIS, 10 juin 1997 : *Bernadette* 1899, eau-forte et aquat. (37,1x28) : **FRF 55 000** – PARIS, 17 juin 1997 : *En plein vol* 1956, h/t (74x92) : **FRF 230 000** – LOKEREN, 11 oct. 1997 : *Au café* vers 1905, past. et encre (42x54) : **BEF 170 000**.

VILLORDO Alvar Perez de ou **Villoldo**

XVe siècle. Actif à Tolède. Espagnol.

Peintre.

Oncle de Juan de Villordo de Tolède. On le cite comme ayant été employé à des travaux de décoration à la cathédrale, en collaboration avec Jean de Bourgogne.

VILLORDO Juan de ou **Villoldo**

Né probablement vers 1480 à Tolède. Mort après 1551. XVIe siècle. Espagnol.

Peintre d'histoire.

Neveu et élève d'Alvar Perez de Villardo. Il travailla aussi avec Juan da Borgona. De 1508 à 1510, il travailla à la cathédrale de Tolède, en collaboration de Juan de Borgona et Francisco de Amberes. Il travailla aussi à Madrid où on le cite notamment, exécutant en 1547-1548, quarante-quatre peintures sur des sujets sacrés dans la chapelle Carbajel dans l'église Saint-André. Le Musée de l'Ermitage à Leningrad conserve de lui : *L'Annonciation* (attr.).

VILLORESI Franco

Né en 1920 à Città di Castello. Mort en 1975. XXe siècle. Italien.

Peintre de scènes animées, figures, paysages, paysages urbains, natures mortes, peintre de collages.

VENTES PUBLIQUES : ROME, 5 déc. 1983 : *Banlieue* 1956, h/t (61x80) : **ITL 2 000 000** – ROME, 15 nov. 1988 : *Nature morte* 1972, h/t (25x35) : **ITL 1 700 000** – ROME, 17 avr. 1989 : *Nature morte* 1946, h/t (60x70) : **ITL 3 400 000** – ROME, 28 nov. 1989 : *Sortie de l'usine*, h/pan. (60x73) : **ITL 9 500 000** – ROME, 10 avr. 1990 : *Gare* 1951, h/t (40x50) : **ITL 2 400 000** – ROME, 30 oct. 1990 : *Au Colisée* 1950, h/pan. (63x80) : **ITL 3 200 000** – ROME, 9 avr. 1991 : *La pomme*, h. et sable/t (40x49,5) : **ITL 2 400 000** – ROME, 3 déc. 1991 : *La ville en hiver* 1954, h/t (45x55) : **ITL 3 200 000** – MILAN, 14 avr. 1992 : *Paysage hivernal* 1955, h/t (46,5x60) : **ITL 1 600 000** – ROME, 27 mai 1993 : *Personnages*, h/cart. (30x20) : **ITL 1 200 000** – ROME, 30 nov. 1993 : *Les trois cultes*, h. et collage/t (50x70) : **ITL 2 070 000** – MILAN, 24 mai 1994 : *Composition* 1956, h/t (33x55) : **ITL 2 875 000**.

VILLOT Frederic

Né en 1739. Mort en 1793. XVIIIe siècle. Travaillant à Halle. Éc. flamande.

Miniaturiste.

VILLOT Frédéric

Né en 1809 à Liège. Mort en 1875 à Paris. XIXe siècle. Français.

Peintre, aquafortiste et graveur sur bois.

Élève et ami de Delacroix, on dit qu'il enseigna à ce dernier la technique de l'eau-forte. Il fut conservateur des Peintures au Musée du Louvre. Mari de Pauline Villot.

VENTES PUBLIQUES : PARIS, 28 fév. 1923 : *Le Concert* : **FRF 90**.

VILLOT Pauline, née **Barbier**
XIXe siècle. Française.
Dessinatrice.
Femme de Frédéric Villot.

VILLOTEAU Léopoldine
Née au XIXe siècle à Sainte-Mère-Église (Manche). XIXe siècle. Française.
Peintre de fleurs.
Élève d'Innocenti. Elle figura au Salon, à partir de 1879.

VILLOTTE Jérôme
XVIe siècle. Actif à Bar-le-Duc en 1579. Français.
Peintre.

VILLOTTE Mengin
XVIe siècle. Travaillant à Ligny en 1550. Français.
Peintre.

VILLOUD Balthazar François
Né au XIXe siècle à Lyon (Rhône). XIXe siècle. Français.
Peintre de genre.
Il figura au Salon de 1844 à 1848.
MUSÉES : LYON : *Les lionnes de village.*
VENTES PUBLIQUES : REIMS, 17 juin 1990 : *La supplique*, h/t (74x54) : **FRF 4 500**.

VILLUIS F.
Né en 1890. Mort en 1970. XXe siècle. Français.
Peintre à la gouache, aquarelliste, de paysages, natures mortes.
Son dessin, assez simplificateur, peut rappeler le dessin en arabesques de Friesz.

VILLUMSEN Emil
Né le 12 avril 1856 à Copenhague. Mort le 20 octobre 1909 à Copenhague. XIXe-XXe siècles. Danois.
Graveur sur bois.
Élève de H. P. Hansen. Il grava des illustrations pour les *Contes* d'Andersen.

VILMAREST Jacques de
Né le 2 mai 1877 à Landrethmis (Pas-de-Calais). XXe siècle. Français.
Peintre de paysages et de marines.
Élève de Baschet. Il exposait à Paris, au Salon de la Société Nationale des Beaux-Arts, dont il était sociétaire.
MUSÉES : BOULOGNE-SUR-MER : *Port de Boulogne.*

VILMERCADO MILLAN ou **Vilmercate, Vimercado**
XVIe-XVIIe siècles. Actif en Castille. Espagnol.
Sculpteur.
Cet artiste fit les maquettes d'une statue du duc, et d'une statue de la duchesse de Lerme, vers 1600. Il fut un des meilleurs sculpteurs de cette époque et seconda souvent Léoni, Arfe et Fernandez del Moral, notamment ce dernier dans l'édification du tombeau de Philippe III. Il fut témoin dans le procès intervenu entre Pompeio Léoni et Francisco de Mora.

VILMOUTH Jean-Luc
Né en 1952 à Creutzwald (Moselle). XXe siècle. Français.
Sculpteur d'assemblages, installations, technique mixte. Polymorphe.
De 1973 à 1975, il fut élève de l'École des Beaux-Arts de Metz ; puis, de 1976 à 1979, du Royal College of Art de Londres. À Londres, il se lia avec Tony Cragg et Bill Woodrow. Peu avant 1980, il fit partie du petit groupe qui signait ses manifestes « JA-NA-PA » en référence à Antonin Artaud. Depuis 1985, il est professeur à l'École des Beaux-Arts de Grenoble. Il vit et travaille à Paris.
Il participe à des expositions collectives, dont : 1979 Paris, *Tendances de l'Art en France*, ARC (Art, Recherche, Confrontation), au Musée d'Art moderne de la Ville ; 1980 Saint-Étienne, *Après le classicisme*, Musée d'Art et d'Industrie ; 1981 Bâle, Foire internationale ; Paris, *Baroque 81*, Musée d'Art moderne de la Ville ; 1982 Venise, Biennale ; Kassel, Documenta 7 ; Paris, *Choix pour aujourd'hui*, galeries contemporaines du Centre Beaubourg ; 1983 Paris, *Truc et troc*, ARC, Musée d'Art moderne de la Ville ; 1985 Paris, Nouvelle Biennale... Il se manifeste au cours d'expositions personnelles, entre autres : 1978 Anvers, galerie Michèle Lachowsky ; Londres, Lisson Gallery ; 1978, 1980 Paris, galerie Yvon Lambert ; 1981 Tokyo, galerie Kanransha ; 1982 Amsterdam, galerie Van Krimpen ; Anvers, galerie Michèle Lachowsky ; Londres, Lisson Gallery ; 1983 Tokyo, galerie Kanransha ; New York, galerie Barbara Toll ; Paris, galerie Éric Fabre ; Conflans-Sainte-Honorine, avec Côme Mosta-Heirt, Maison des Jeunes et de la Culture ; 1984 Les Sables-d'Olonne, Musée de l'Abbaye Sainte-Croix ; Vienne, Galerie d'Art ; Montréal ; 1987 Saint-Étienne, Maison de la Culture et de la Communication ; Paris, Musée d'Art moderne de la Ville ; Grenoble, Le Magasin Centre National d'Art Contemporain ; New York, galerie Barbara Toll ; 1989 Paris, *Habiter*, galerie de Paris ; 1991 Paris, galeries contemporaines du Centre Georges Pompidou ; 1992 Cologne, galerie Esther Schipper ;...
Dès 1977, les actions de Vilmouth étaient liées au courant du Process Art : la mine de graphite fixée au milieu du dessin qu'elle a tracé, le marteau resté fiché dans le trou qu'il a enfoncé. Ensuite, en 1982-1984, *La première maison*, ne consistant qu'en une histoire racontée sur un mur d'exposition, ressortit probablement à l'art conceptuel : « Ils se sont mis à manger la viande à même l'os autour d'un feu. Les os jetés derrière eux s'accumulent pendant des mois entiers. Un jour l'un d'eux ne sentit plus le vent, il remarqua qu'un mur s'était construit autour du feu, il découvrit la première maison. » Dans cette fable, au sens noble du terme, les commentaires retrouvent déjà certaines des notions constantes qui seront développées par Vilmouth au courant de ses initiatives : motivation (manger), répétition (jeter derrière), mouvement circulaire (élévation du mur autour), accumulation (construction du mur), concentration (resserrement du groupe), recouvrement (le projet de maison). Jusqu'en 1987, il réalisera d'autres textes en tubes de néon, inventant d'autres fables sur le phénomène de génération, de gestation. Puis, progressivement, rejoignant d'une certaine façon la sculpture en tant qu'action sur du concret, ce furent des objets très ordinaires qu'il détournait de leur fonction, et à partir de là de leur aspect d'origine : une passoire devenant masque. D'une façon générale, il s'empare des objets du quotidien : marteau, lampe, arrosoir, pince, télévision, n'importe quoi... pour en faire autre chose. L'objet perd son identité formelle pour devenir support d'une signification mentale, symbole, en allemand « Sinnbild » (image de sens). On peut en rapprocher la stratégie de la « Gestalt », ce qu'il confirme lui-même, lorsqu'il se définit comme un « augmentateur », concept qu'il emprunte à Roger Caillois, qui, partant d'un objet quotidien, le transforme pour qu'il devienne « le même et un autre en même temps ». Dans les cas d'assemblage de plusieurs objets, rejoignant Woodrow, le rapport à la « Gestalt » devient plus évident ; en effet, sans altérer l'identité des objets, par leur seul rapprochement dans un ensemble nouveau, ensemble auquel participent le lieu et le moment, ils se révélent comme étant plus et autres. Vilmouth ne refuse pas, au contraire, de conférer parfois une dimension poétique enfantine à ses interventions : en 1984, le buffet, meuble qu'il aime bien en tant que monumental, qui devient cette fois la *Vue des Sables-d'Olonne*, expose sur ses étagères quantité de petits jouets attendrissants : maisons du port et bateaux de toutes sortes, cabines de bains.
L'activité créatrice de Vilmouth n'a pas de continuité formelle. Ce n'est pas la forme de ce qu'il propose qui importe, mais la réflexion qui est générée. L'impulsion initiale, ce qu'il appelle le point de départ, peut surgir à l'improviste dans n'importe quel objet, de n'importe quels gestes ou circonstances fortuits, d'un lieu où il se trouve, qui induisent l'idée d'une idée, la première idée de l'idée à développer. C'est à partir de ce rien que Vilmouth va développer la stratégie menant à l'évidence de son idée initiale, en matérialisant, créant ou plus souvent agençant, le dispositif approprié, qui aura toute chance de rester isolé dans son parcours général. Dans toutes ses interventions, présentations, modifications, protéiformes et polysémiques, Vilmouth compte sur l'efficacité de ses provocations pour déclencher les mécanismes de réflexion du spectateur de passage. On peut ne pas être forcément toujours convaincu par l'efficacité de ses démonstrations : en 1986, *Réunir*, une table entourée de quatre chaises, en cornières perforées, chaque élément éclairé au néon par en-dessous, doivent suggérer un groupe en attente d'un événement surnaturel ; entre nombreux autres, l'exemple suivant semble, lui, très clair : en 1988, il a créé l'*Interaction II*, fondée sur un de ses thèmes récurrents, l'habitat, ici sur la transparence ou l'opacité d'habitats potentiels, en installant une tente close à l'intérieur d'une serre ; en 1990, *Découvrir*, une maison portes et fenêtres closes mais dont le toit est suspendu en lévitation doit nous interroger sur la tension énergétique latente produite par un lieu d'habitation et qui doit pouvoir s'évacuer.
La commande publique moderne qui, comme l'ancienne, ne

néglige pas les artistes qui font l'art officiel du moment, fournit largement les Fonds régionaux de ses œuvres et permet à Vilmouth des réalisations plus spectaculaires. En 1991, *Comme deux tours* consiste à relier les deux cheminées d'une usine disparue par une passerelle permettant aux habitants de Châtellerault de revenir sur un lieu de leur mémoire.
Même si l'on discute sans fin du statut de tel ou tel objet, éventuellement historique, par exemple le *Pain peint* de Man Ray, s'il ressortit à la catégorie dada, ready made, objet surréaliste, conceptuel ou arte povera, il serait aveugle et castrateur d'en ignorer la fréquente dimension humoristique, sans laquelle même Marcel Duchamp ne serait plus ressemblant, ne pourrait peut-être plus être pris au sérieux. Vilmouth, comme de nombreux artistes du dernier quart du XXe siècle, se réfère à ces sources là, en assume l'hétérogénéité formelle subordonnée à la diversité des objectifs mentaux, voire conceptuels, et ne se prive surtout pas d'en privilégier les possibles prolongements du côté de l'humour, sans exclusives sous prétexte de bon goût, quand il invente l'histoire de l'origine du premier plat, par l'empreinte d'une patte d'éléphant, ou celle de la première maison, par l'accumulation des ordures ménagères.
Initiée sous les auspices du Process Art, on pourrait considérer que toute l'activité ultérieure de Vilmouth continue d'en découler. Si un jour, on veut prendre en considération l'ensemble de son œuvre, il sera impossible de tenter de le caractériser en tant qu'ensemble de formes, ce qu'interdit leur totale hétérogénéité. La seule raison d'être de chaque mise en forme pour Vilmouth étant d'être appropriée à chacune des intentions à exprimer et communiquer, chaque nouvelle forme agencée n'est que la trace, le « processus » de son message. Il en va ainsi de nombreuses formes de l'art moderne qu'il exige souvent plus d'imagination de la part du spectateur que de l'artiste. Quant au marteau figé dans le trou qu'il a creusé, d'aucuns devaient-ils s'en tenir au seul sens dérisoire du marteau qui n'a servi qu'à creuser son propre trou, ou bien, selon Vilmouth lui-même, à l'explication moralisatrice que libérer l'objet de sa fonction c'est libérer l'homme de son usage ? Dans l'intérêt même des actions de Vilmouth, on peut passer à une autre finalité du processus : le marteau n'est plus que l'explication du trou, c'est le trou l'objet.
■ Jacques Busse

Bibliogr. : In : *Cahiers de l'Abbaye Sainte-Croix*, n° 48, Les Sables-d'Olonne, 1984 - in : Catalogue de la Nouvelle Biennale, Paris, 1985 - divers : *Jean-Luc Vilmouth, le bruit des choses*, Damase, Paris, 1986 - Catalogue de l'exposition *Jean-Luc Vilmouth*, musée d'Art moderne de la Ville, Paris, 1987 - divers, in : Catalogue de l'exposition *Jean-Luc Vilmouth : Local Time*, Magasin, Centre national d'Art contemporain, Grenoble, 1988 - in : *L'Art du XXe siècle*, Larousse, Paris, 1991 - Catalogue de l'exposition *Jean-Luc Vilmouth*, galeries contemporaines du Centre Georges Pompidou, Paris, 1991 - in : *Diction. de l'Art Mod. et Contemp.*, Hazan, Paris, 1992.

Musées : Amiens (FRAC Picardie) : *Les Jaunes et les Noirs* 1982 - Eindhoven (Van Abbe Mus.) - Épinal (Mus. dép. des Vosges) : *10 objets* 1980-1981 - Lille (FRAC Nord-Pas-de-Calais) : *Réunir* 1986 - Lyon (FRAC Rhône-Alpes) : *Odyssée* 1983 - Nantes (FRAC des Pays de Loire) : *Cut out* 1980 - Paris (Mus. nat. d'Art mod.) : *Interaction avec marteau et clous* 1980 - *Interaction I* 1986 - Paris (FNAC) : *Discover I* 1982-1984 - *Pourquoi le monde est-il devenu rond ?* 1991, installation - Les Sables-d'Olonne (Mus. de l'Abbaye Ste-Croix) - Toulon.

VILNER Alexandre

Né en 1886 à Léningrad. Mort en 1981. XXe siècle. Russe.

Peintre de genre, paysages, natures mortes, fleurs. Post-impressionniste.

Il fut élève de l'Académie des Beaux-Arts de Léningrad. Il fut membre de l'Union des Artistes d'URSS.
Comme il était de règle, ne pratiquant pas les thèmes édifiants du réalisme-socialiste ni la technique académique appropriée, il traitait dans une technique timidement post-post-impressionniste des sujets qui ne pouvaient en rien perturber l'ordre établi.

Ventes Publiques : Paris, 18 fév. 1991 : *Nature morte à la bouteille bleue*, h/t (56x79) : **FRF 8 000** - Paris, 24 sep. 1991 : *Le bouquet rouge* 1954, h/t (78x54) : **FRF 4 500** - Paris, 27 jan. 1992 : *L'heure du thé*, h/t (34,5x47) : **FRF 4 700**.

VILO Y RODRIGO José. Voir **VILA Y RODRIGO**

VILON François

Né le 8 juin 1902 à Lourdes (Hautes-Pyrénées). Mort le 20 mai 1995 à Paris. XXe siècle. Français.

Sculpteur. Inspiration populaire.

Élève à Paris de Firmin Michelet et Jean Boucher, il exposait au Salon des Artistes Français ; reçut une médaille de bronze et bourse de voyage en 1934 ; une médaille d'argent en 1937 (Exposition internationale), une médaille d'or en 1949 pour *Plénitude* (statue en pierre).
Il fut très attaché à sa terre natale et, bien que vivant à Paris, les Pyrénées furent sa source d'inspiration principale. Parmi ses œuvres, on peut citer : *Jeune fille à la chèvre*, propriété de la ville de Lourdes ; la décoration de l'hôtel des Postes de Lourdes ; la décoration de l'église de Lourdes (le Christ en gloire, les douze apôtres, les quatre bergères et les quatre bergers de France) ; *La Transhumance* (bas-relief représentant des personnages et animaux des régions pyrénéennes) ; *Plénitude* (propriété de l'État) ; *Le Gave* (marbre de Saint-Béat, inauguré en 1952).

VILSBÖLL Anne

Née en 1951 à Copenhague. XXe siècle. Danoise.

Peintre. Abstrait.

Après ses premières études au Danemark, elle poursuivit sa formation artistique, désormais axée sur la fabrication du papier et les techniques d'impression, de 1980 à 1984 aux États-Unis, de 1984 à 1987 en Italie, en 1987 au Japon, en 1988 en France, en 1990 en Chine. Après ces débuts agités, elle continua à voyager à travers le vaste monde, en tant que spécialiste reconnue de la fabrication du papier. Comme peintre, depuis 1979, elle participe à de nombreuses expositions collectives, surtout dans les pays scandinaves, et dans des pays étrangers dont entre autres : 1987 Biennale de Couvin (Belgique), *Petits formats de papier*. Depuis 1981, elle expose souvent individuellement : 1984, 1985 Ravello, galerie Il Punto ; 1986 Aalborg, Musée historique ; 1996 Rome, galerie L'Agostiniana ; 1997 Paris, galerie Birthe Laursen ;...
Elle pratique, sur papier, une peinture abstraite, non exclusive de quelques traits allusifs à la réalité, dont les caractères principaux sont une tendance géométrique et une matière picturale et pigmentaire savoureusement travaillée. L'ensemble assez divers de l'œuvre rappelle souvent Poliakoff.

Bibliogr. : Catalogue de l'exposition *Anne Vilsböll*, galerie Birthe Laursen, Paris, 1997.

VILSECKER G.

XVIIe siècle. Travaillant à Vienne à la fin du XVIIe siècle. Autrichien.

Sculpteur.

VILSTEREN Joannes Van

XVIIIe siècle. Actif dans la première moitié du XVIIIe siècle. Hollandais.

Portraitiste et graveur au burin à la manière noire.

Il travailla à La Haye jusqu'en 1750. Le Musée national d'Amsterdam conserve de lui deux portraits.

VILT Tibor ou **Tibère**

Né le 15 décembre 1905 à Budapest. XXe siècle. Hongrois.

Sculpteur de monuments, figures.

Après avoir étudié dans son pays, de 1925 à 1927, il va à Rome de 1928 à 1931. Il a reçu le Prix Munkacsy.
Il fait des portraits, des compositions figuratives, des décorations d'architecture et des monuments funéraires. Il se rattache au courant de l'expressionnisme européen.

Bibliogr. : In : *Hongrie 68*, Pannonia, Budapest, 1968 - Lajos Németh, in : *Moderne ungarische Kunst*, Corvina, Budapest, 1969.

Musées : Budapest (Gal. nat. hongroise) : plusieurs œuvres.

VILTAIN Marguerite ou **Villetain**

XVIIIe siècle. Française.

Peintre.

Elle fut reçue membre de l'Académie de Saint-Luc le 5 février 1750.

VILUMAINIS Julijs

Né le 25 avril 1909 à Riga. XXe siècle. Letton.

Peintre.

Élève de l'Académie de Riga. Il y exposa à partir de 1934.

Musées : Ielgava, ancien. en all. Mitau - Riga - Tukuma.

VILUMARA Mauricio

Mort en 1930. XXe siècle. Espagnol.

Peintre, décorateur.

Élève de F. Soler y Rovirosa. Peintre de décorations à Barcelone.

VILVORT Jan Van ou **Vilvoorden** ou **Vilvorden**

Né vers 1606 à Anvers. Mort le 27 avril 1659 à Rome. XVIIe siècle.

Peintre.
Il s'établit à Rome en 1636.

VIMAR Auguste
Né le 3 novembre 1851 à Marseille (Bouches-du-Rhône). Mort le 21 août 1916 à Marseille. XIXe-XXe siècles. Français.
Peintre d'animaux, sculpteur, illustrateur.
Il a exposé à Paris et à Marseille, notamment des sculptures d'animaux.
Il a collaboré au *Figaro illustré*, au *Rire*. Il a illustré, entre autres : les *Fables*, de Florian ; *L'Arche de Noé*, de Guigou ; *L'oie du Capitole*, de Jules Claretie ; *La Légende des Bêtes*, de H. Signoret ; *Le roman de Renard*. Il est l'auteur illustrateur de : *L'automobile Wimar* en 1897 ; *A.B.C.D., la ménagerie de Bébé* en 1902 ; *La poule à poils* en 1904 ; *Curly-haired Hen* en 1914 ; *Clown : The Circus Horse* en 1917.
Les intérieurs d'écuries, les animaux domestiques, chiens et chats, sont ses sujets favoris en peinture.
Bibliogr. : Gérald Schurr, in : *Les Petits Maîtres de la peinture 1820-1920, valeur de demain*, Les Éditions de l'Amateur, t. VI, Paris, 1985 - Marcus Osterwalder, in : *Dictionnaire des illustrateurs 1800-1914*, Ides et Calendes, Neuchâtel, 1989 - Luc Monod, in : *Manuel de l'amateur de Livres Illustrés Modernes 1875-1975*, Ides et Calendes, Neuchâtel, 1992.
Musées : Béziers : *Promenade dans le parc* - Digne : *Intérieur d'écurie* - Dijon - Marseille (Palais de Longchamp) : *Société de chiens* - *La leçon de chant*.
Ventes Publiques : Paris, 8 déc. 1923 : *Chien et chat* : **FRF 230** - Rouen, 29 nov. 1981 : *Cheval et Chiens*, bronze patine brune (L. 42) : **FRF 6 200** - Paris, 8 nov. 1995 : *Ane d'Égypte*, bronze (H. 19) : **FRF 11 500** - Paris, 17 déc. 1996 : *Éléphanteau et Singe*, bronze (H. 17 l. 19) : **FRF 8 800**.

VIMARD Jacques
Né le 12 janvier 1942 à Paris. XXe siècle. Français.
Peintre, graveur, dessinateur. Abstrait-lyrique.
Il vit et travaille à Bagnolet près de Paris et en Normandie. Il a été membre du Comité du Salon de Mai à partir de 1967. Il a obtenu en 1967 la bourse Adam, en 1971 le prix Septentrion, en 1974 le prix de Toulon. Il a collaboré à la revue *Mai Hors Saison*, il a illustré des ouvrages et recueils : *Théâtre en Chaud* poèmes de José Pierre, *Itinéraire* d'Y. Pinguilly, *La matière hésitante de l'amour* recueil de poèmes de Guy Benoît. Vimard a réalisé des décors de théâtre et des décorations dans le cadre du 1 %.
Il participe à des expositions collectives, parmi lesquelles : à partir de 1967, Salon des Réalités Nouvelles, Paris ; 1967, 1969, Biennale de Paris ; 1967, sélection du Salon de Mai, Cuba ; 1968, Salon de la Jeune Peinture, Paris ; 1968, *Salle Rouge pour le Vietnam*, Arc Musée d'Art moderne de la Ville de Paris ; 1968, sélection du Salon de Mai, Belgrade ; 1970, Mémorial Nadezda Petrovic Cacak (Yougoslavie) ; 1972, Salon Grands et Jeunes d'Aujourd'hui (Hommage à Courbet), Paris ; 1972, Salon Comparaisons, Paris ; 1974, Salon du Prix de Toulon ; 1976, La Gravure à Levallois, Centre culturel de Levallois ; 1977, *Regard 77*, Théâtre municipal, Caen ; 1980, sélection de dessins, Fondation Miro, Barcelone ; 1982, *20 ans d'une galerie de province. L'Œil Écoute*, Espace lyonnais d'art contemporain, Lyon ; 1983, *Se voir en peinture*, Maison des Arts André Malraux, Créteil ; 1984, *Sur invitation*, Musée des Arts décoratifs, Paris ; 1988, galerie Brigitte Schehadé, Paris ; 1994, galerie Vivement Jeudi, Aubenas.
Il montre ses œuvres dans des expositions personnelles, dont : 1966, Centre culturel, Choisy-le-Roi ; 1970, Maison de la Culture, Chelles ; 1971, Centre culturel, Champigny ; 1973, Théâtre du Cothurne, Lyon ; 1973, 1976, galerie Villand et Galanis, Paris ; 1974, galerie de l'Université de Novi-Sad (Yougoslavie) ; 1975, galerie du Centre culturel de Belgrade ; 1978, Musée des Beaux-Arts André Malraux, Le Havre ; 1979, galerie Biren, Paris ; 1980, galerie L'Œil Écoute, Lyon ; 1981, galerie Fine Art, Tokyo ; 1983, galerie du Centre culturel de Cacak ; 1984, galerie Juana Mordo, Madrid ; 1986, Maison des Arts, Évreux ; 1988, galerie Brigitte Schehadé, Paris ; 1990, galerie J. C. David, Grenoble ; 1991, galerie Le Dôme Saint-Benoît, Aubenas ; 1991, Aire Libre-Art Contemporain, Evry ; 1992, Institut français, Aix-la-Chapelle ; 1995, galerie Anselmo Alvarez, Madrid.
Fin des années soixante, début des années soixante-dix, les peintures de Vimard prennent l'apparence d'un découpage en manière de puzzle haut en couleur, mais c'est bien de la réalité qu'il s'agit, souvent fondée sur un thème intimiste. Ainsi, vers 1967-1968, il traverse une brève période qualifiée de « pop » avec la série des *Miroir-Lavabos*. À partir de 1970, il réalise une série de *Nus*, tout en arabesques sensuelles, dans laquelle, le peintre joue de la complicité et de la confusion entre le corps et la nature. Viennent ensuite les séries des *Mains et Cravates* dont les motifs sont agrandis, parfois à l'excès, puis des *Visages*, des autoportraits cadrés entre la bouche et le front, jusqu'à « une intolérable présence » (Gilles Plazy). Dans le prolongement de la précédente, la série des *Sexes* donne l'occasion à Vimard de s'éloigner un peu plus de la représentation, de l'image, pour se rapprocher de la peinture. Ces *Sexes* (à partir de 1976-1977), entre plis, caverne et semence, se fondent dans la matière du tableau. La matière-forme, la couleur-lumière sont apparus peu à peu dans leur nudité informelle dans des toiles à tendance monochromatique, aux couleurs pastel, tels des espaces de silence. À la recherche de la peinture, une ambivalence, inhérente à celle qualifiée généralement d'abstraite, et plus particulièrement de lyrique, habite alors ses œuvres, à savoir les relations entre ce que l'on voit et ce que l'on ressent, entre la connaissance et les impressions (le sacré, la tendresse, le sexe féminin, la pénétration...) Ainsi, de ces grands espaces sourd un « en-dessous » fait de tracés, de griffures, gestes impulsifs traduisant une ouverture vers l'ailleurs ou une menace. La série d'œuvres qui suit montre bien toute la part d'organique qui, en fait, les habite et les compose. Dans ces peintures, les aplats de couleurs, le geste en larges tracés, les motifs parfois reconnaissables, entrent en concurrence et se chevauchent. Tous actes qui concourent à une expression de la matière, servie par une gamme chromatique inhabituelle, et même grinçante, composée de jaune citron, de rose claire et de bleu pâle. La peinture de Vimard est à la fois une présence, un conflit, une « fête mentale » et, comme l'écrit Bernard Noël, une « pensée émouvante ». ■ Christophe Dorny
Bibliogr. : Bernard Noël : *Le Roman de Vimard*, in : *Jacques Vimard*, catalogue d'exposition, galerie Juana Mordo, Madrid, 1984 - Gérard Xuriguera, in : *Le dessin, le pastel, l'aquarelle dans l'art contemporain*, Mayer, Paris, 1988 - Michel Ragon, Marcelin Pleynet : *Peinture abstraite*, Adrien Maeght, Paris, 1988 - Agustin Gomez-Arcos, Miguel Logrono : *Jacques Vimard*, catalogue d'exposition, galerie Anselmo Alvarez, Madrid, 1995.
Musées : Belgrade (Mus. d'Art contemp.) - Dunkerque (Mus. d'Art mod.) - Le Havre (Mus. des Beaux-Arts) - Paris (Mus. d'Art mod. de la Ville) - Rio de Janeiro (Mus. d'Art mod.) - Skopje (Mus. d'Art mod. de la Ville).

VIMBA Valdemars
Né le 31 mai 1904 à Saint-Pétersbourg. XXe siècle. Letton.
Peintre.
Élève de l'Académie de Riga.
Musées : Riga.

VIMEL DE L'ÉTAIN
XVe ou XVIe ou XVIIe siècle. Français.
Peintre de compositions religieuses, sujets allégoriques.
On ignore tout de cet artiste, dont on peut penser qu'il était actif en Alsace et duquel on peut situer les œuvres entre les XVe et XVIIe siècles.
Musées : Strasbourg : *Saint Pierre et saint Paul* - *Allégorie* - *Saint Pierre et saint Paul avec des évêques*.

VIMERCADO MILLAN. Voir **VILMERCADO**

VIMERCATE Martino da. Voir **MARTINO da Vimercate**

VIMERCATI Carlo. Voir **DONELLI Carlo**

VIMERCATI Luigi
Né en 1828. Mort en 1893. XIXe siècle. Actif à Milan. Italien.
Sculpteur.
Il exposa à Milan, Turin et Rome, de 1861 à 1884.

VIMEUX Jacques Firmin
Né le 12 janvier 1740 à Amiens. Mort le 30 janvier 1828 à Amiens. XVIIIe-XIXe siècles. Français.
Sculpteur.
Il sculpta des statues et des bas-reliefs à l'intérieur de la cathédrale d'Amiens et dans plusieurs églises des environs.

VIMONT Alexandre
Né en 1822 à Issy (Seine). Mort en 1905. XIXe siècle. Français.
Peintre de portraits et graveur au burin, à la manière noire.
Élève d'Eugène Delacroix. Il figura aux Salons de 1846, 1850 et 1861.

VIMONT Édouard
Né le 8 août 1846 à Paris. Mort en février 1930. XIXe-XXe siècles. Français.

Peintre de compositions mythologiques, scènes de genre, portraits.
Élève d'Alexandre Cabanel et de Théodore Maillot, il eut un deuxième accessit au Prix de Rome en 1869.
Il exposa au Salon des Artistes Français à partir de 1870, obtenant une mention honorable en 1876, une médaille de troisième classe en 1886, sociétaire en 1892, médaille de deuxième classe en 1892, sociétaire hors-concours. Il reçut, d'autre part, une mention honorable à l'Exposition universelle de 1889.
Sa touche assurée, ses tonalités sombres, peuvent faire penser à l'art de Courbet.
Bibliogr. : Gérald Schurr, in : *Les Petits Maîtres de la peinture 1820-1920, valeur de demain*, Les Éditions de l'Amateur, t. V, Paris, 1981.
Musées : Angers : *Les sirènes*.

VIMT Charles Léon
Né le 9 septembre 1806 à Paris. Mort le 30 avril 1862 à Paris. XIXe siècle. Français.
Peintre et architecte.
Élève pour l'architecture de Debret et Percier et pour la peinture, de Rémond. Il figura au Salon de 1838 à 1852.

VIN Henri Pierre Van der
Né le 27 mars 1790 à Anvers. Mort le 11 novembre 1871 à Gand. XIXe siècle. Belge.
Peintre de genre, animaux, paysages.
Bibliogr. : In : *Diction. biogr. illustré des Artistes en Belgique depuis 1830*, Arto, Bruxelles, 1987.
Musées : Berne : *Paysage avec abreuvoir*.
Ventes Publiques : Londres, 16 oct. 1968 : *Le monastère* : **GBP 380**.

VIN Paul Van der
Né le 10 décembre 1823 à Gand. Mort le 12 avril 1887 à Bruxelles ou Anvers. XIXe siècle. Belge.
Peintre de genre, animaux, paysages.
Élève de son père Henri Pierre Van der Vin.

P. Van Der Vin

Bibliogr. : In : *Diction. biogr. illustré des Artistes en Belgique depuis 1830*, Arto, Bruxelles, 1987.
Musées : Courtrai – Gand.
Ventes Publiques : Londres, 19 mai 1971 : *Le marché aux chevaux* : **GBP 420** – Bruxelles, 13 mars 1984 : *Coin de ferme animé*, h/t (50x80) : **BEF 200 000** – Paris, 8 déc. 1989 : *La halte de chasse*, h/pan. (44x62) : **FRF 90 000** – Bruxelles, 19 déc. 1989 : *Anes et leurs gardiens sur la plage*, h/t (30x40) : **BEF 85 000** – Lokeren, 12 mars 1994 : *Cour de ferme* 1858, h/t (56x49,5) : **BEF 65 000** – Paris, 2 déc. 1994 : *Halte de cavaliers au pied d'une terrasse* 1850, h/pan. (44,5x62,5) : **FRF 95 000** – Amsterdam, 5 nov. 1996 : *Homme et ses deux chevaux dans une étable* 1848, h/pan. (41x57,5) : **NLG 8 496**.

VIN Pierre
Né en 1907 à Bruxelles. XXe siècle. Belge.
Peintre-émailleur.
Autodidacte, il crée des émaux cloisonnés illustrés de fleurs et d'animaux.
Bibliogr. : In : *Diction. biogr. illustré des Artistes en Belgique depuis 1830*, Arto, Bruxelles, 1987.

VINACCI Giovan Domenico. Voir **VINACCIA**

VINACCIA Andrea
XVIIe siècle. Travaillant à Naples en 1639. Italien.
Sculpteur sur bois.

VINACCIA Colangelo
XVIIe siècle. Travaillant à Naples en 1645. Italien.
Sculpteur sur bois.

VINACCIA Giovan Domenico ou **Vinacci**
XVIIe siècle. Travaillant à Naples de 1661 à 1695. Italien.
Sculpteur sur pierre et sur bois, orfèvre, fondeur et architecte.
Élève de Dionisio Lazzari et de Cos. Fansago. Il travailla pour la cathédrale et de nombreuses églises de Naples.

VINACER Cristoforo
XVIIe siècle. Travaillant à Civezzano en 1693. Italien.
Sculpteur sur bois.

VINACHE Jean Baptiste ou **Jean Joseph**
Né vers 1690 à Paris. Mort le 1er décembre 1754 à Paris. XVIIIe siècle. Français.
Sculpteur.
Agréé à l'Académie le 29 décembre 1736, académicien le 27 mai 1741. Il figura au Salon de 1742 à 1747. Le Musée du Louvre à Paris conserve de lui : *Hercule enchaîné par l'amour*.
Ventes Publiques : Paris, 10 juin 1974 : *Apollon*, terre cuite : **FRF 5 000**.

VINAI Andrea
Né en 1824 à Pianvignale. Mort le 3 juin 1893 à Turin. XIXe siècle. Italien.
Peintre de fresques et de sujets religieux.
Élève de Pastore et de l'Académie de Saint-Luc à Rome.

VINALL Joseph Williams Topham
Né le 11 juin 1873 à Liverpool. XIXe-XXe siècles. Britannique.
Peintre et écrivain.
Frère de Nehemiah Row Reeves Vinall. Actif à Londres. Il exécuta des livres de dessin et des scènes historiques.

VINALL Nehemiah Row Reeves
Né le 12 décembre 1879 à Liverpool. XXe siècle. Britannique.
Peintre et sculpteur.
Frère de Joseph William Topham Vinall. Il fit ses études à Londres, où il s'établit.

VINANDI Francesco
Né au XVIIe siècle à Florence. XVIIe siècle. Italien.
Peintre.
Le Musée des Offices de Florence conserve de lui *Les filles de Loth*, dessin.

VINAS Y ORTIZ José
Né à Madrid. XIXe siècle. Actif dans la seconde moitié du XIXe siècle. Espagnol.
Paysagiste.
Élève de C. de Haes.

VINATEA REINOSO Jorge
Né en 1900. Mort en 1931. XXe siècle. Péruvien.
Peintre de paysages animés.
Il se situa dans le courant « indigéniste » dont l'objectif était de célébrer l'Indien autochtone et le paysage andin typique. Vinatea Reinoso utilisait des points de vue élevés, d'où il dominait de vastes étendues et savait donner vie à ses compositions en y situant des présences humaines schématisées.
Bibliogr. : Damian Bayon, Roberto Pontual, in : *La peinture d'Amérique latine au XXe siècle*, Mengès, Paris, 1990.

VINAY Jean
Né le 2 février 1907 à Saint-Marcellin (Isère). Mort le 23 août 1978 à L'Albenc (Isère). XXe siècle. Français.
Peintre de figures, paysages urbains, paysages, paysages de montagne, marines, fleurs, peintre à la gouache, dessinateur.
Il s'est établi à Paris en 1933, vivant de maints petits travaux. Il s'est formé sans maître, bien qu'ayant reçu quelques conseils de Marquet, qu'il connut en Algérie où il avait fui l'occupation allemande. Il voyagea aussi en Tunisie, au Maroc. En 1946, il retrouva Paris. À partir de 1960, il revint très souvent travailler dans le Vercors, se fixant dans la maison familiale de L'Albenc.
En 1947, il fit partie d'un accrochage de groupe, galerie Durand-Ruel. Sociétaire des Salons des Indépendants, où il exposait depuis 1946, et d'Automne, où il exposait depuis 1948, il figura aux Salons des Tuileries, du Dessin et de la Peinture à l'eau, de Mai en 1957, Comparaisons, dans les manifestations des Peintres Témoins de leur Temps. En 1980, il figurait à l'exposition *150 ans de peinture dauphinoise*, au château de La Condamine et à la Mairie de Corenc.
Il exposait aussi individuellement : 1942 Paris, galerie Raspail, et à Alger ; 1943 Oran ; 1944 Casablanca ; 1946 Paris, de nouveau galerie Raspail ; 1948 Paris, galerie Durand-Ruel ; 1949, 1952, 1953 Lyon, galerie des Jacobins ; 1949, 1952, 1955, 1960 Londres, galerie Adams ; 1950 Paris, galerie du Bac, et New York ; 1951 Paris, galerie Pascaud ; 1951, 1959 Grenoble ; 1954 Paris, galerie La Boétie ; 1957 Paris, galerie Vendôme ; 1958, 1959, 1960, 1961 Lyon, galerie Malaval ; 1960 et 1972 Paris, Musée Hébert ; 1963 Musée de Neuchâtel ; 1967, 1970, 1972, 1980 Paris, galerie Drouet ; 1976, *40 ans de peinture de Jean Vinay*, à l'Abbaye Saint-Antoine ; etc. Un Musée Jean Vinay a été créé à l'Abbaye Saint-Antoine, en 1979. D'autres expositions après sa mort : 1991 Lyon, galerie Alain Georges.
Sauf pendant ses années en Algérie, il s'est surtout consacré à la peinture du paysage parisien ou de la proche banlieue. Les tons et la matière de ces vieux murs lui suffisent à déployer les res-

sources de son métier solide. En fin de carrière, il a surtout peint les paysages typiques du Vercors.

Bibliogr. : Jean Bouret : *Jean Vinay*, Artistes de ce temps, Paris, 1952 – Jean Piétri : *Jean Vinay*, P. Cailler, Genève, 1963 – B. Dorival, sous la direction de..., : *Peintres contemporains*, Mazenod, Paris, 1964 – Maurice Wantellet, : *Deux siècles et plus de peinture dauphinoise*, Maurice Wantellet, Grenoble, 1987 – Jacques Cabut : *Jean Vinay*, Bourg-lès-Valence, 1991 – Lydia Harambourg, in : *L'École de Paris 1945-1965. Diction. des Peintres*, Ides et Calendes, Neuchâtel, 1993.

Musées : Aberdeen – Alger – Arcachon – Grenoble – Honfleur (Donation Hambourg) – Londres – Lyon – Paris (Mus. nat. d'Art mod.) – Paris (Mus. d'Art mod. de la Ville) – Saint-Cyprien (Mus. Desnoyer) – Saint-Denis – Saint-Étienne (Mus. d'Art et d'Industrie) – Tokyo – Trouville – Villeneuve-sur-Lot.

Ventes Publiques : Grenoble, 11 déc. 1978 : *Péniche au Pont d'Arcole, Paris* 1976-1978, h/t (61x50) : **FRF 6 200** – Grenoble, 24 mars 1980 : *Pont de l'Île Saint-Louis*, gche (48x63) : **FRF 5 000** – Grenoble, 13 oct. 1980 : *Route de Cras enneigée*, h/t (33x46) : **FRF 4 400** – Paris, 12 fév. 1989 : *Port en Bessin*, h/t (46x61) : **FRF 7 000** – Versailles, 28 jan. 1990 : *Remorqueurs vénitiens* 1964-1972, h/t (65x70) : **FRF 8 200** – Sceaux, 10 juin 1990 : *Rue de Paris*, h/t (54x38) : **FRF 9 500** – Paris, 18 mai 1992 : *Le vapeur à Bougival* 1954, h/t (65x81) : **FRF 8 200** – Paris, 19 oct. 1997 : *Rue de Paris*, h/t (80,5x60) : **FRF 8 000**.

VINAZER Balthasar
Né le 8 janvier 1652 à Saint-Ulrich-Pescosta. XVIIe siècle. Autrichien.
Sculpteur.
Il sculpta avec son frère Dominik Vinazer les autels de l'église Saint-Jacques à Saint-Ulrich vers 1680.

VINAZER Christian
Né en 1748 à Saint-Ulrich. Mort le 21 décembre 1782. XVIIIe siècle. Autrichien.
Sculpteur et médailleur.
Élève de l'Académie de Vienne. Il travailla à la cour de Joseph II. Il grava des médailles à l'effigie des membres de la cour et divers aristocrates autrichiens.

VINAZER Christof
XVIIe siècle. Actif à Civezzano à la fin du XVIIe siècle. Autrichien.
Sculpteur d'ornements.

VINAZER Dominik
XVIIe-XVIIIe siècles. Travaillant à Saint-Ulrich de 1682 à 1706. Autrichien.
Sculpteur.
Il sculpta des statues et des autels.

VINAZER Johann
XVIIe siècle. Travaillant à Klausen en 1692. Autrichien.
Sculpteur.

VINAZER Josef I
Mort en 1742. XVIIIe siècle. Actif à Puz. Autrichien.
Sculpteur.

VINAZER Josef II
Né en 1738 (?) à Saint-Ulrich. Mort le 17 décembre 1814 à Kremnitz. XVIIIe-XIXe siècles. Autrichien.
Médailleur.
Élève de l'Académie de Vienne. Il grava des médailles représentant des sujets historiques.

VINAZER Josef III
Mort en 1804 en Espagne. XVIIIe siècle. Autrichien.
Sculpteur.
Il a sculpté sur marbre et sur bois pour de nombreux châteaux et églises d'Espagne.

VINAZER Karl Johann
XVIIIe-XIXe siècles. Travaillant de 1782 à 1817. Autrichien.
Graveur.
Fils de Christian Vinazer. Il travailla à Kremnitz et à Nagybanya.

VINAZER Margarete
XVIIIe siècle. Active à Saint-Ulrich dans la seconde moitié du XVIIIe siècle. Autrichienne.
Sculpteur.
Elle sculpta des figurines d'albâtre.

VINAZER Martin
XVIIIe siècle. Actif à Bozen dans la première moitié du XVIIIe siècle. Autrichien.
Sculpteur.
Il sculpta surtout des statues de la Vierge.

VINAZER Melchior
Né le 11 novembre 1622 à Saint-Christina. Mort le 25 mai 1689 à Saint-Ulrich-Pescola. XVIIe siècle. Autrichien.
Sculpteur.
Élève de Raffael Worath à Brixen. Il fut le fondateur de la sculpture sur bois dans la vallée de Gröden.

VINCE Gaudenzio de ou **Vincio**. Voir **FERRARI**

VINCE Georges
Né le 20 mars 1913 à Saint-Joachim (Loire-Atlantique). Mort le 26 mars 1991. XXe siècle. Français.
Peintre, sculpteur. Abstrait, puis figuratif.
En 1946, il fut élève de l'École des Beaux-Arts de Nantes. Ce ne fut qu'en 1958, âgé de quarante-cinq ans, qu'il débuta une carrière artistique, s'établissant à Paris.
Une lettre personnelle indique qu'il exposait depuis 1959 au Salon des Indépendants. Une brochure donne d'autres informations : en 1962, il a exposé à Paris, aux Salons d'Hiver, de l'École Française, de L'Art Libre, Terres Latines ; à Lyon, galerie Benoit-Guyot ; en 1965 de nouveau à Paris, au Salon des Indépendants. En 1989 à Paris, la galerie Arches et Toiles a présenté l'exposition *Vince – Regards sur 50 ans de Peinture*.
Mystique, dans une première période, il peignait des compositions de formes verticales (le « stalactitisme ») sur les thèmes de la cathédrale, de la Madeleine repentante, de la Vierge à l'enfant, de l'humanité souffrante. Dans les années soixante-dix, il a voulu exprimer ses sentiments profonds par les moyens plastiques de l'abstraction. Depuis 1980, revenu à la figuration, il a traité surtout les thèmes des miracles du Christ, de la croix, du Calvaire, de la naissance et de la mort.

Bibliogr. : Divers : *Vince*, s.l. ni d., après 1989 – divers : *Georges Vince 1913-1991*, Éditions du Tau, s.d., après 1991.

Musées : Paris (Mus. Carnavalet) : *Salon de l'agriculture – Embouteillage – Longchamp*.

Ventes Publiques : Calais, 13 nov. 1988 : *Le troupeau s'abreuvant* 1880, h/t (32x52) : **FRF 7 500**.

VINCELET Pierre
XVIIIe siècle. Actif à Paris. Français.
Peintre.
Il fut reçu membre de l'Académie de Saint-Luc le 12 juin 1720.

VINCELET Victor
Né au XIXe siècle à Thiers (Puy-de-Dôme). Mort en 1871, par suicide. XIXe siècle. Français.
Peintre de fleurs et fruits.
Élève de L. Huillier.
Il figura au Salon de 1869 et 1870.
Vincelet avait une organisation artistique tout à fait remarquable mais une existence difficile. Il dut pour vivre, travailler à vil prix et, nombre de ses ouvrages sont vendus avec les signatures illustres de Diaz, Delacroix, etc. Il paraît présumable que la misère ne fut pas étrangère à son suicide.

Musées : Glasgow : *Fleurs* – Saint-Étienne : *Fleurs et fruits* – Troyes : *Fleurs dans une jardinière*.

Ventes Publiques : Paris, 1874 : *Fleurs* : **FRF 260** – La Haye, 1889 : *Fleurs et fruits* : **FRF 480** – Paris, 1898 : *Giroflées jaunes dans une jardinière en faïence* : **FRF 310** – Paris, 13-14 mars 1908 : *Panier de fleurs* : **FRF 35** – Paris, 7 avr. 1908 : *Fleurs* : **FRF 280** – Londres, 30 juin 1910 : *Fleurs* : **GBP 14** ; *Fleurs et fruits* 1869 : **GBP 39** – Paris, 6-7 mai 1920 : *Fleurs dans un vase* : **FRF 340** – Paris, 26 avr. 1928 : *Fleurs* : **FRF 1 100** – Paris, 29 mars 1943 : *Le bouquet de fleurs* : **FRF 2 500** – Paris, 7 juin 1950 : *Bouquet d'œillets* 1867 : **FRF 1 500** – Calais, 13 déc. 1992 : *Corbeille de fleurs*, h/t (56x46) : **FRF 11 000**.

VINCENDEAU Jean-Louis
Né en 1949 à Gétigné (Loire-Atlantique). XXe siècle. Français.
Peintre. Figuration libre.
Certainement après des études universitaires, il est lui-même enseignant en communication et sémiologie à l'Université de Paris VIII. Il ne s'est impliqué dans la création personnelle qu'après 1980. En 1985, il a participé à la Biennale de Belfort ; en 1986 à Paris, au Prix de Peinture de La Rotonde ; etc. Depuis 1986, il expose régulièrement à la galerie Polaris, à Paris.
Il peint sur des cartons, des panneaux de bois, avec des couleurs légères. Dans de sommaires décors d'architectures ou de jardins, parmi des animaux de légende, des silhouettes de personnages font des gestes dans le vide.

Musées : Paris (FNAC) : *Le divin savoir* 1988.

VINCENEUSE Jean Baptiste
XVIIIe siècle. Actif à Paris. Français.
Sculpteur.
Reçu membre de l'Académie de Saint-Luc le 20 août 1750.

VINCENOT Henri
Né le 2 janvier 1912 à Dijon (Côte-d'Or). Mort le 21 novembre 1985. XXe siècle. Français.
Peintre, dessinateur et écrivain.
A dessiné beaucoup pour la revue *La Vie du Rail*. Il a obtenu le prix Scheffer, et en 1959, il fut lauréat de l'Académie de Stockholm. Expose dans plusieurs galeries parisiennes et dans sa Bourgogne natale. Ses dessins linéaires sans ombres, mais très détaillés reproduisent des paysages de Paris et surtout de Bourgogne.

VINCENOT Jacques Albert
Mort le 4 novembre 1774 à Paris. XVIIIe siècle. Français.
Sculpteur.
Professeur de l'Académie de Saint-Luc ; il figura aux Expositions de cette compagnie de 1751 à 1762.

VINCENS
XVe ou XVIe ou XVIIe siècle. Espagnol (?).
Peintre de portraits.
Musées : Montauban : *Portrait de Don Carlos.*

VINCENS Daniel ou **Vingens**
Né en 1820 à Aubenas (Ardèche). Mort en 1888 au Puy (Haute-Loire). XIXe siècle. Français.
Peintre de paysages, dessinateur et lithographe.
Musées : Le Puy-en-Velay : *Paysage – Paysages montagneux, animaux, etc.*, pl. et fus., 28 dessins et études.

VINCENS Marie Theodora
Née à Paris. XIXe siècle. Française.
Peintre de paysages.
Élève de Lapito et E. Lambinet. Elle figura au Salon de Paris, de 1865 à 1869.

VINCENT
XVIIe siècle. Français.
Sculpteur.
Il était actif à Angers. Il travailla à l'église Saint-Louis du collège de La Flèche.

VINCENT
XVIIIe siècle. Français.
Peintre de portraits, miniatures.
Il s'établit en Russie en 1764.
Musées : New York (Metropolitan Mus.) : *Portrait de Mme Ingouf.*

VINCENT
XVIIIe-XIXe siècles. Français.
Peintre de fleurs et d'ornements.
Continuateur d'une famille de doreurs de la Manufacture de Sèvres. Il travaillait à Sèvres de 1786 à 1800.

VINCENT. Voir **GOGH Vincent Van**

VINCENT Adélaïde, Mme. Voir **GUIARD Adélaïde,** Mme

VINCENT Antoine
Mort le 29 janvier 1772 à Paris. XVIIIe siècle. Français.
Peintre ornemaniste.
Il fut un maître dans son art. Il peignit pour la cour, surtout des équipages.

VINCENT Antoine Paul
Né à Paris. XVIIIe-XIXe siècles. Français.
Peintre de portraits, aquarelliste, dessinateur, miniaturiste.
Il figura au Salon de 1800 à 1812.
Ventes Publiques : Paris, 14 juin 1950 : *Portrait d'homme*, miniat. : **FRF 10 000** ; *Portrait de jeune femme en robe blanche*, miniature, pendant du précédent : **FRF 9 000** – Paris, 27 avr. 1994 : *Portrait de jeune homme entouré d'allégories* 1806, pierre noire, aquar. et reh. de blanc (28,5x20,5) : **FRF 8 800**.

VINCENT Bernard
XVe siècle. Travaillant à Chartres en 1405. Français.
Sculpteur.

VINCENT Bertrand. Voir **BERTRAND Vincent**

VINCENT Cesare
XVe-XVIe siècles. Italien.
Peintre.
Il a peint *Purification de la Vierge* dans l'église N.-D. de Lorette près de Spolète.

VINCENT Charles
Né en 1862 à Rouen (Seine-Maritime). Mort le 8 ? juillet 1918. XIXe-XXe siècles. Français.
Sculpteur de sujets de genre.
Élève de Falguière et de Mercié. À Paris, sociétaire du Salon des Artistes Français depuis 1903 ; mention honorable en 1905.
Musées : Rouen : *Le berger.*

VINCENT Claude Joseph
Né en 1772 à Toul. XVIIIe-XIXe siècles. Français.
Peintre.
Il entra à l'Académie Royale de Paris en 1788 et fut élève de Le Berlier.

VINCENT David
XXe siècle. Français.
Artiste.
Il participe à des expositions collectives : 1994 *Nouvelle Vague* au musée d'Art moderne et contemporain de Nice.

VINCENT François
XXe siècle. Canadien-Québecois.
Peintre, technique mixte.
En 1989 à Paris, la Déleguation générale du Québec a présenté une exposition qui groupait L.-P. Bougie, F.-X. Marange, R.-M. Tremblay et François Vincent, tous artistes de Montréal.
Dans une technique minutieuse, proche de l'hyperréalisme (il utilise d'ailleurs la photographie), il décrit des assemblages fortuits de petits objets insolites, de membres ou détails du corps, de visages en gros plans.

VINCENT François André
Né le 30 décembre 1746 à Paris. Mort le 3 août 1816 à Paris. XVIIIe-XIXe siècles. Français.
Peintre d'histoire, compositions religieuses, portraits, aquarelliste, dessinateur, graveur à l'eau-forte.
Fils du miniaturiste François Élie Vincent, dont il fut l'élève ainsi que de Roslin et de Vien. Son père le destinant à la finance le fit entrer chez un banquier. Cédant aux instances de Vien, le miniaturiste consentit que son fils suivît sa vocation. Il entra à l'École de l'Académie Royale dans l'atelier de Vien, y remporta le deuxième Prix de peinture en 1766 et le premier en 1767. Il passa trois années à l'Académie de Rome, sous la direction de Natoire ; fit un voyage en Italie en 1774, en compagnie de Fragonard. De retour à Paris, il fut agréé à l'Académie Royale en 1777 et académicien le 27 avril 1782 ; adjoint à professeur le 24 septembre 1785 ; professeur le 31 mars 1792. Lors de la réorganisation de l'Institut, il fut l'un des premiers membres nommés. Il fut professeur de dessin à l'École Polytechnique et décoré de la Légion d'honneur. Il forma de nombreux élèves parmi lesquels : Thévenin, Meyniers, Mérimée, Pajou, Ansiaux, Mlle Labille des Vertus, dont il peignit un beau portrait et qu'il épousa.
Il exposa au Salon de 1777 à 1801. Il prit part aussi au Salon de la Correspondance en 1782.
Vincent avait eu de grands succès. Le roi lui commanda *Molé saisi par les factieux de la France*, tableau destiné à être reproduit par les Gobelins. Il était rival de David, dont le succès éclipsa le rôle qu'il joua dans le mouvement néo-classique. Vincent fut de son vivant considéré comme un grand artiste. L'éclairage de certaines de ses compositions, comme celui d'*Une femme de Sainte Lucie*, a parfois été qualifié de « à la manière de Rembrandt ».

Vincent.f. 1777

Bibliogr. : J.P. Cuzin : *De Fragonard à Vincent*, Bulletin de la Société de l'Art Français, 1981.
Musées : Amiens : *Arie et Pœtus* – Angers : *Combat des Romains et des Sabins interrompu par les femmes sabines* – Besançon : *Bergeret – Vieillard lisant* – Bordeaux : *La leçon de labourage* – Caen : *Saint Sébastien prêchant dans les prisons de Dioclétien* – Chambéry (Mus. des Beaux-Arts) : *Tête de vieillard* – Lons-le-Saunier : *Tête de vieillard* – Marseille : *Le poète Albouis-Dazincourt* – Montpellier : *Alcibiade, Socrate et son bon génie – Saint Jérôme – Saint Jérôme croit entendre la trompette du jugement dernier – Bélisaire demandant l'aumône – Tête de vieillard* – Orléans : *Le coadjuteur de Jarente, plus tard évêque d'Orléans* –

Paris (Mus. du Louvre) : *Zeuxis choisissant pour modèles les plus belles filles de Crotone* – La Rochelle : *Juif allemand* – *La Sculpture*, panneau décoratif – Rouen : *Le peintre Honel* – Toulouse : *Guillaume Tell repoussant la barque de Gessler* – Valence : *Saint Jacques* – Valenciennes : *David vainqueur de Goliath* – Versailles : *Boyer* – *Antoine Chaumont de la Galaizière, chancelier de Lorraine* – *Le même, président de la cour de Nancy* – *Le poète Vincent Arnault* – *Le dramaturge Fr. Guillaume Andrieux* – *Le roi Stanislas prête serment à Meudon* – *Fonfrède et sa famille*.

Ventes Publiques : Paris, 1881 : *La promesse du retour* : **FRF 1 200** – Paris, 1886 : *A la promenade*, dess. au cr. noir reh. de blanc : **FRF 2 450** – Paris, 1893 : *La Peinture ; La Sculpture ; La Musique ; L'Architecture*, ensemble : **FRF 12 000** – Paris, 26 mars 1906 : *Portrait d'une jeune musicienne* : **FRF 750** – Paris, 16-18 mai 1907 : *Le moulin à eau* : **FRF 1 750** – Paris, 9-11 déc. 1912 : *Portrait de l'artiste* : **FRF 1 600** – Paris, 6 juin 1919 : *Mr. de Chaumont créé chancelier de Lorraine à Meudon et Mr. le Chancelier prend possession de la Lorraine* 1733, deux toiles : **FRF 36 000** – Paris, 21-22 juin 1920 : *Femme assise*, cr. : **FRF 10 300** – Paris, 27 avr. 1921 : *Portrait présumé de François Élie Vincent* : **FRF 8 000** – Paris, 13-15 mai 1929 : *Portrait de Mme Bergeret*, dess. : **FRF 88 000** – Paris, 20 juin 1932 : *Buste d'une jeune femme coiffée d'un bonnet*, cr. noir, reh. de sanguine et de blanc : **FRF 1 300** – Paris, 21 mai 1941 : *Portrait d'un artiste* : **FRF 27 100** – Paris, 28 nov. 1941 : *Portrait de Mlle Capet*, pierre noire et craie : **FRF 2 600** – Paris, 18 mars 1949 : *Enlèvement d'Orithie par Borée*, sanguine, étude pour la tapisserie des Gobelins : **FRF 30 000** – Paris, 17 déc. 1949 : *Portrait d'une artiste* : **FRF 300 000** – Paris, 22 juin 1951 : *Portrait de Mlle Marie Gabrielle Capet, Paris* 1790, cr. noir, reh. de blanc : **FRF 17 000** – Paris, 20 mars 1953 : *Portrait de jeune fille* : **FRF 410 000** – Londres, 8 juil. 1959 : *Portrait d'un artiste* : **GBP 250** – Londres, 30 mars 1962 : *Portrait d'un Connaisseur* : **GNS 300** – Paris, 28 mars 1968 : *Jeune femme en toilette de ville* : **FRF 6 500** – Londres, 6 juil. 1976 : *Homme assis tenant un carton de dessins*, pierre noire (25,1x17,9) : **GBP 800** – Paris, 20 déc. 1978 : *Scène tirée de l'Antiquité* 1772, h/t (38,5x49,5) : **FRF 23 500** – New York, 30 mai 1979 : *Les Dieux de l'Amour*, h/t, vue ovale (44x35) : **USD 2 500** – Monte-Carlo, 26 mai 1980 : *Femme assise dans un paysage*, pierre noire et estompe (36x28,5) : **FRF 10 000** – New York, 30 avr. 1982 : *Portrait de femme dans un jardin*, craies noires et blanches/pap. bleu (59,7x40,6) : **USD 8 000** – Paris, 8 déc. 1983 : *La Bataille des Pyramides*, h/t (80x125) : **FRF 580 000** – Paris, 3 déc. 1985 : *Portrait de Monsieur de la Forest, de sa femme et de sa fille* 1804, h/t (130x196) : **FRF 3 400 000** – Monte-Carlo, 22 fév. 1986 : *Le Christ apparaissant aux pèlerins d'Emmaüs* 1770, h/t (45x63,5) : **FRF 210 000** – New York, 3 juin 1988 : *Femme en costume traditionnel de Sainte Lucie à Naples*, h/t (81,2x50) : **USD 462 000** – Londres, 6 juil. 1990 : *Femme du quartier Sta Lucia à Naples*, h/t (81x50) : **GBP 176 000** – Monaco, 18-19 juin 1992 : *La leçon de labourage*, h. et mine de pb/t., esquisse (60x49) : **FRF 754 800** – Rennes, 15 déc. 1992 : *Devoir et bonheur ; Soulagez les malheureux*, pierre noire, pl. et lav. à reh. de blanc, une paire (chaque 40x22,5) : **FRF 330 000** – Paris, 21 juin 1993 : *Henri IV au chevet d'un de ses soldats blessés*, pl., lav. brun et gche blanche (53x45) : **FRF 90 000** – Monaco, 2 juil. 1993 : *Jeune femme songeuse inclinant la tête vers la droite*, craie rouge (55,2x42,5) : **FRF 35 520** – New York, 12 jan. 1994 : *L'escalier menant à la Villa Doria Pamphili*, craie noire (24,4x36,7) : **USD 6 325** – Rouen, 6 nov. 1994 : *Personnages*, cr. noir et lav. bistre, étude (41x48) : **FRF 300 000** – Paris, 18 nov. 1994 : *Portrait charge d'un portier*, sanguine (51x29) : **FRF 9 500** – Paris, 13 mars 1995 : *Aria et Poétus* 1784, encre noire et reh. de blanc/esq. à la sanguine/pap. brun (53x42,5) : **FRF 125 000** – Londres, 3 juil. 1995 : *Un homme de dos portant un manchon*, craie noire, étude (32,7x22,4) : **GBP 1 035**.

VINCENT François Elie

Né le 20 juin 1708 à Genève. Mort le 28 mars 1790 à Paris. XVIIIe siècle. Français.

Peintre de portraits et miniaturiste.

Professeur à l'Académie de Saint-Luc. Il figura aux expositions de cette compagnie, notamment en 1752. Ce fut un miniaturiste de beaucoup de talent. Son fils François André Vincent, un des meilleurs élèves de Vien, fut le rival de David.

Ventes Publiques : Paris, 30 mai 1924 : *Portrait de jeune femme*, cr., reh. : **FRF 16 100** – Londres, 26 juin 1963 : *Le comte de Castellane* : **GBP 1 500**.

VINCENT François Philibert

Né en 1768 à Paris. XVIIIe siècle. Français.

Peintre de portraits et de genre.

Probablement parent de François André Vincent, car il était son élève quand il entra à l'École de l'Académie Royale, le 9 septembre 1791. Il demeurait chez le joaillier Vincent, quai des orfèvres. Il fut aussi élève de David et figura au Salon de 1799 à 1812. Les Vincent sont d'ailleurs nombreux à l'École de l'Académie Royale.

VINCENT Frédéric Nicolas

Né en 1784 à Paris. XIXe siècle. Français.

Peintre.

Élève de Lemaire à l'Académie de Paris.

VINCENT George

Né le 27 juin 1796 à Norwich. Mort en 1831 ou 1836. XIXe siècle. Britannique.

Peintre d'animaux, paysages animés, paysages, marines, aquafortiste.

Cet artiste qui tient une place honorable dans la grande école de Norwich, après John Crome, Sell Cotman, Stark, eut une existence plutôt malheureuse et sa pauvreté relative a défavorablement influé sur son talent. Il fut élève de Old Crome et débuta à la Royal Academy de Londres, en 1814. Il vint à Londres en 1819, s'y maria et parut en bonne voie de réussite.

Il exposa à la Royal Academy jusqu'en 1823 et à Suffolk Street jusqu'en 1830. A partir de cette date, on n'entend plus parler de lui. Ses affaires étaient fort en désordre et l'on croit qu'il mourut peu après cette date.

Il signait généralement ses peintures, d'un monogramme composé de ses initiales.

Musées : Londres (Victoria and Albert Mus.) : *Chemin de campagne ombreux avec vache* – Norwich : *Prairies près de Norwich* – *Scène de route et cottage* – Nottingham : *Paysage de rivière, garçon traînant un mouton* – *Paysage avec cottage et ruisseau* – *Marine* – *Paysage avec mule, colporteur et plusieurs personnages* – *Paysage, bétail dans une mare* – Sheffield : *Vue de Suffolk*.

Ventes Publiques : Paris, 20 mars 1874 : *Plaines près de Norfolk* : **FRF 6 200** – Londres, 1888 : *Hôpital de Greenwich* : **FRF 19 420** – Londres, 1894 : *Paysage de Norwich* : **FRF 3 770** – New York, 17-18 mars 1909 : *Paysage* : **USD 480** – Londres, 27 mars 1909 : *Bords de rivière boisés* : **GBP 18** – Londres, 7 mai 1909 : *Burg Castle, Norfolk* : **GBP 63** – Londres, 10 juin 1909 : *Campement de Bohémiens* : **GBP 231** ; *Paysage boisé* : **GBP 19** – Londres, 24 juin 1909 : *Ruine d'une abbaye près de Norwich* : **GBP 110** – Londres, 9 juil. 1909 : *Hôpital de Greenwich* : **GBP 1 113** – Londres, 27 mai 1910 : *Chaudronnier nomade* : **GBP 546** – Londres, 1er déc. 1922 : *Le fort* : **GBP 96** – Londres, 27 avr. 1923 : *Rivière des Highlands* : **GBP 105** – Londres, 26 mai 1923 : *Bramerton* : **GBP 231** – Londres, 30 nov. 1923 : *Le ferry-boat* : **GBP 141** – Londres, 23 mai 1924 : *Sortie du troupeau* : **GBP 189** ; *Chaumière de bûcheron* : **GBP 420** ; *Pâturages boisés* : **GBP 231** – Londres, 13 mars 1925 : *Vieilles demeures anglaises* : **GBP 220** ; *Vue de la Wensum* : **GBP 126** – Londres, 13 déc. 1929 : *Passage du torrent* : **GBP 262** – Londres, 30 mai 1930 : *Le loch Elive* : **GBP 241** – Londres, 12 juil. 1946 : *La plage de Yarmouth* : **GBP 315** – Londres, 6 nov. 1959 : *Paysage boisé* : **GBP 252** – Londres, 1er déc. 1961 : *Paysage avec un homme et son chien* : **GNS 750** – Londres, 20 nov. 1968 : *Troupeau dans un paysage boisé* : **GBP 1 900** – Londres, 28 nov. 1969 : *Troupeau dans un paysage* : **GNS 2 400** – Londres, 17 juin 1970 : *Paysage* : **GBP 800** – Londres, 14 juil. 1972 : *Paysage montagneux* : **GNS 800** – Londres, 22 juin 1973 : *Troupeau dans un paysage* : **GNS 1 200** – Londres, 15 oct. 1976 : *Paysage boisé*, h/t (40,5x34,3) : **GBP 1 000** – Londres, 19 mai 1978 : *La mare aux canards* 1828, h/t (47x57,5) : **GBP 1 000** – Londres, 26 oct 1979 : *Bateaux de pêche au large de la côte*, h/t (65,4x90,8) : **GBP 2 000** – Londres, 29 fév. 1984 : *Chemin de campagne animé de personnages* 1831, h/pan. (30x25,5) : **GBP 1 700** – Londres, 26 avr. 1985 : *Scène de bord de mer* 1826, h/t (76,2x109,2) : **GBP 6 500** – Londres, 29 jan. 1988 : *Changement de pâturage* 1821, h/t (59x83,8) : **GBP 880** – Londres, 15 nov. 1989 : *Vue des Needles de l'île de Wight depuis l'église*, h/pan. (29x39,5) : **GBP 28 600** – Londres, 12 juil. 1990 : *Un garçon de ferme et ses ânes* 1823, h/t (30,5x45,6) : **GBP 3 300** – Londres, 10 avr. 1992 : *Paysage fluvial et boisé avec des barques à voiles amarrées au pied d'une tour*, h/t (64,8x79,4) : **GBP 4 950** – Londres, 7 avr. 1993 : *Pêcheurs débarquant leur prise sur un quai du port de Lowestoft* 1825, h/t (34,3x48,2) : **GBP 6 325**.

VINCENT Harry Aiken

Né le 14 février 1864 à Chicago. Mort le 27 septembre 1931 à Rockport. XIXe-XXe siècles. Américain.

Peintre de paysages, paysages urbains, marines.
Il n'eut aucun maître. Membre de l'Académie de New York.
Ventes Publiques : New York, 30 mai 1990 : *Paysage urbain* 1926, h/pan. (30,5x40,7) : **USD 1 760** – New York, 3 déc. 1996 : *Rockport au milieu de l'hiver*, h/t (61x76,2) : **USD 4 830**.

VINCENT Henriette Antoinette, née **Rideau du Sal**
Née en mai 1786 à Brest (Finistère). Morte en 1830. XIXe siècle. Française.
Peintre de fleurs et fruits.
Élève de Van Spaendonck et de Redouté. Elle figura au Salon de 1814 à 1824.
Lambert l'Ancien grava d'après elle.
Ventes Publiques : Paris, 31 mai 1972 : *Vase de fleurs*, aquar. gchées, une paire : **FRF 5 600** – Monaco, 17 juin 1988 : *Coupe de fruits*, aquar./vélin (32,5x39,5) : **FRF 55 500**.

VINCENT Hubert
Né à Lyon. XVIIe-XVIIIe siècles. Travaillant à Rome de 1680 à 1730. Français.
Graveur.
Il grava d'après Raphaël et le Corrège.

VINCENT J. Ch.
XVIIIe siècle. Français.
Peintre de genre, figures, portraits.
Ventes Publiques : Sceaux, 9 avr. 1995 : *Portrait d'enfant tenant une rose*, h/t (127x88,5) : **FRF 21 000**.

VINCENT Joseph
Né en 1926 à Cap-Haïtien (Haïti). XXe siècle. Haïtien.
Peintre de scènes animées. Populiste.
Il a figuré parmi les représentants de la jeune école antillaise à l'Exposition ouverte à Paris en 1946, au Musée d'Art moderne par l'Organisation des Nations unies. Il y avait envoyé : *Joueurs de cartes*.

VINCENT Julien Faure. Voir **FAURE VINCENT Julien**

VINCENT Léon Émile
Né au XIXe siècle à Paris. XIXe siècle. Français.
Graveur sur bois.
Il figura aux Salons des Artistes Français ; il reçut une mention honorable en 1893.

VINCENT Louis
Né en 1758 à Versailles. XVIIIe siècle. Français.
Peintre de paysages.
Élève de Lagrenée le Jeune et de Sylvestre. Il figura au Salon de 1891 à 1895.
Ventes Publiques : Paris, 8 mai 1925 : *Vue d'une partie de la villa Borghèse*, cr. : **FRF 130**.

VINCENT Louise, plus tard Mme **Phalipon**
XIXe siècle. Française.
Peintre de portraits et de fruits.
Elle exposa au Salon de Paris de 1837 à 1850.

VINCENT Lucie Henriette
Née au XIXe siècle à Paris. XIXe siècle. Française.
Peintre de portraits.
Élève de Carolus-Duran et Henner. Elle débuta au Salon de 1880.

VINCENT Marie Victor Hyacinthe
Né au XIXe siècle à Paris. XIXe siècle. Français.
Peintre de genre.
Élève de Lambinet, de A. Petit et Wissent. Il figura au Salon de 1870 à 1873.

VINCENT Pierre
XVIIIe siècle. Français.
Peintre de compositions à personnages.
Il était actif à Saintes dans la seconde moitié du XVIIIe siècle.
Il a peint une *Adoration des rois* dans l'église Saint-Pierre de Saintes.

VINCENT Pierre
XIXe siècle. Français.
Peintre d'histoire, genre, paysages.
Actif à Paris, il figura au Salon de 1822 à 1845.
Musées : Morez : *Corps de garde sous la Ligue – Bords de la Saône*.

VINCENT Pierre
Né le 7 mars 1949 à Paris. XXe siècle. Français.
Peintre de paysages. Postimpressionniste onirique.
De 1966 à 1968, il fut élève d'une école d'arts graphiques privée. À Paris, il participe aux Salons des Artistes Français, des Indépendants, d'Automne. En 1973, il a fait une exposition personnelle, galerie André Weil à Paris.
Il qualifie ses peintures de « paysages imaginaires ». Dans la plupart des cas, ses paysages auraient pu être aussi bien réels, même quand sub-aquatiques. Toutefois, une constante atmosphère songeuse les caractérise.

VINCENT René, pseudonyme : **Rageot**
Né en 1879 à Paris. Mort en 1936 à Paris. XXe siècle. Français.
Peintre à la gouache, aquarelliste, dessinateur, affichiste.
Frère du peintre Henri Vincent-Anglade. Il fut d'abord élève en architecture à l'École des Beaux-Arts de Paris. Il voyagea aux États-Unis.
Son dessin cernant quelquefois de délicates aquarelles va illustrer de nombreuses revues de modes ou mondanités, depuis l'époque 1900 jusqu'au style « Arts Déco 1925 », dont il reste un artiste typique. Il collabora longuement à *La vie Parisienne*, *Le Rire*, à *L'Illustration*, ainsi qu'à *Fantasio*, *Je sais tout*, *Lectures pour tous*. Il est surtout connu pour ses affiches mettant en valeur les premières automobiles, Bugatti, Peugeot. Dans ce domaine, il illustra : *Il était une fois l'automobile*, sur un texte d'Henry Kistemaeckers. Il eut aussi une activité d'illustrateur, pour, entre autres : en 1908 *Le Mariage de Chiffon* de Gyp ; en 1909 *Aéropolis, roman comique de la vie aérienne* de Henry Kistemaeckers ; en 1912 *Petites filles du temps passé* de Joseph Jacquin ; en 1934 *Maux historiques XI : La Cinquantaine (Un mal qui répand la terreur)* d'Henri Duvernois. Il créa des affiches pour : les cigarettes *Balto*, le grand magasin *Le Bon Marché*, un album pour la source *Évian-Cachat*. Ses affiches, par la facilité de leur facture, prenaient souvent un caractère mièvre, aussi lui arrivait-il de signer du nom de : Rageot, des œuvres plus rigoureuses. Il eut de nombreux imitateurs, surtout dans le domaine de l'affiche publicitaire.

Bibliogr. : Gérald Schurr, in : *Les Petits Maîtres de la peinture 1820-1920, valeur de demain*, Les Éditions de l'Amateur, t. III, Paris, 1976 – Marcus Osterwalder, in : *Dictionnaire des illustrateurs 1800-1914*, Ides et Calendes, Neuchâtel, 1989.
Ventes Publiques : Paris, 19 mars 1975 : *La halte*, aquar. (28x44) : **FRF 1 000** ; *Eve and their car*, dess. à la pl. (14x27) : **FRF 1 500** ; *Hispano-Suiza Alphonse XIII*, gche (40x30) : **FRF 4 500** – Paris, 10 déc. 1980 : *Le shoot le plus dur de sa carrière*, aquar. et gche (45x31) : **FRF 6 800** – Paris, 14 nov. 1982 : *Bugatti* 1930, affiche en coul. (140x110) : **FRF 12 800** – Paris, 10 juil. 1983 : *Salon de l'Île-de-France*, aquar. (43x66) : **FRF 22 000** – New York, 26 oct. 1983 : *Le Jardin du Luxembourg*, h/pan. (38x46) : **USD 5 500** – Parc St-Cloud, 9 juin 1985 : *Peugeot*, affiche en coul. (117x153) : **FRF 21 000**.

VINCENT S., ou **Spemer**, ou **Spencer**
Mort avant mars 1910. XIXe-XXe siècles. Britannique.
Peintre de paysages et aquarelliste.
Peut-être est-il identique au peintre désigné avec la seule initiale S. et qui est indiqué comme exposant à Londres à partir de 1865.
Ventes Publiques : Londres, 7 mars 1910 : *Loch Sunart Argyllshire* : **GBP 7** ; *La Descente de Dundonnell et Près de Dundonnell*, deux pendants : **GBP 5** ; *Vue du Loch Cormsk* : **GBP 12** 12s.

VINCENT Tom
Né en 1930 à Kansas City. XXe siècle. Américain.
Peintre.
Il expose principalement à New York et Paris.
Sa peinture est réaliste et constitue un documentaire sur certains aspects de la vie américaine. En ce sens il se rapproche de l'hyperréalisme. Il ne semble néanmoins pas rechercher les détails trop élaborés et use de simplifications.

VINCENT William
XVIIe siècle. Travaillant à Londres vers 1690. Britannique.
Graveur au burin à la manière noire.
Il grava surtout des portraits, mais aussi des scènes religieuses et des scènes de genre.

VINCENT de Boulogne
Né en 1324. XIVe siècle. Français.
Peintre.
Il travailla pour le château d'Hesdin.

VINCENT de Montpetit Armand. Voir **MONTPETIT Armand Vincent de**

VINCENT-ANGLADE Henri
Né le 9 mai 1876 à Bordeaux (Gironde). Mort le 25 janvier 1956 à Paris. XIXe-XXe siècles. Français.
Peintre de figures, portraits, sujets de sport, animaux, fleurs, pastelliste, dessinateur.
Frère de l'affichiste René Vincent, pour s'en différencier il accola au patronyme de leur père celui de leur mère. Il fut élève de Gustave Moreau, Fernand Cormon, François Flameng, à l'École des Beaux-Arts de Paris, ainsi que d'Amable Pinta. Il exposait à Paris, figurant régulièrement dans les Salons traditionnels, notamment au Salon des Artistes Français, obtenant en 1903 une mention honorable.
Il devint tôt un portraitiste à la mode, peignant surtout des femmes dans leur intimité. Fréquentant les champs de course, les cinodromes et les grandes chasses, il fut aussi apprécié en tant que peintre animalier.

Vincent Anglade

Ventes Publiques : Paris, 10 mai 1926 : *Femme assise, le sein gauche découvert*, h/t : **FRF 420** – Paris, 30 sep. 1949 : *Maternité*, sanguine et fus. : **FRF 200** – Paris, 31 mars 1976 : *Femme à sa toilette* 1908, past./t (80x50) : **FRF 1 900** – Paris, 5 juin 1987 : *Bouquet de fleurs*, h/t (54x65) : **FRF 3 000** – Paris, 23 mars 1987 : *Le nœud bleu* 1908, past. (79x49) : **FRF 50 000** – Amsterdam, 24 avr. 1991 : *La coquette* 1909, past./pap. (88x64) : **NLG 20 700**.

VINCENT CALBRIS Sophie
Née en 1822 à Rouen (Seine-Maritime). Morte le 6 février 1859 à Lille (Nord). XIXe siècle. Française.
Peintre de paysages.
Élève de Rémond. Elle figura au Salon de 1857. Le Musée de Lille conserve d'elle *La cressonnière*.

S Vincent Collbris

VINCENT-DARASSE Henri
Mort en 1916, tombé à l'ennemi. XXe siècle. Français.
Peintre.
Frère de Maurice et de Paul Vincent-Darasse.

VINCENT-DARASSE Marie
Née à Paris. XIXe siècle. Française.
Peintre de paysages.
Élève de A. Gourlier et Hugard. Elle figura au Salon de Paris, de 1861 à 1870.

VINCENT-DARASSE Maurice
Mort en 1918, tombé à l'ennemi. XXe siècle. Français.
Peintre.
Frère d'Henri et de Paul Vincent-Darasse.

VINCENT-DARASSE Paul
Né vers 1861. Mort le 22 avril 1904 à Menton (Alpes-Maritimes). XIXe siècle. Français.
Peintre de paysages.
À Paris, il était sociétaire des Artistes Français, il figura au Salon de ce groupement à partir de 1894.

VINCENT-LARCHER
XIXe siècle. Actif à Troyes (Aube). Français.
Peintre verrier.
Il travailla pour l'église Saint-Martin-ès-Vignes de Troyes.

VINCENTI Andrea
XVIIe siècle. Travaillant à Lecce dans la seconde moitié du XVIIe siècle. Italien.
Peintre verrier.
Élève de Luca Giordano.

VINCENTI Gianantonio
XVIIe siècle. Actif à Foligno en 1670. Italien.
Peintre.

VINCENTIO
XVIIIe siècle. Travaillant à Londres en 1769. Britannique.
Paysagiste.

VINCENTIUS
XVe siècle. Actif à Zittau dans la seconde moitié du XVe siècle. Allemand.
Peintre.
Religieux de l'ordre de Saint-François, il peignit de nombreuses fresques dans l'église Saint-Pierre et Saint-Paul de Zittau en 1488.

VINCENTIUS ou **Vincenzius**
XVe-XVIe siècles. Autrichien.
Peintre.
Il travailla en Transylvanie de 1500 à 1525. Il peignit surtout des autels.
Musées : Sibiu : *Autel de Heltau – Autel de Hermannstadt*.

VINCENTIUS
XVIe siècle. Travaillant à Budapest vers 1512. Hongrois.
Sculpteur.
Il était moine.

VINCENTIUS Daniel
Mort en juillet 1739 à La Haye. XVIIIe siècle. Hollandais.
Peintre.
Il peignit des scènes mythologiques, des portraits et des paysages.

VINCENTIUS Jan ou **Johannes**
XVIIIe siècle. Hollandais.
Peintre d'histoire et de portraits.
Élève de A. Schouman. En 1764, on le cite dans la gilde de La Haye.

VINCENTIUS Willem
XVIIIe siècle. Actif à La Haye en 1760. Hollandais.
Peintre.

VINCENTIUS de Castua
XVe siècle. Actif à Kastav près de Fiume, dans la seconde moitié du XVe siècle. Yougoslave.
Peintre.
Il a peint les fresques de l'église S. Maria delle Lastre près de Vermo en Istrie en 1474.

VINCENZI Aristotile
Né le 22 juillet 1879 à Davoli. XXe siècle. Italien.
Peintre de figures et de paysages.
Élève de T. Celentano. Il était actif à Naples.

VINCENZI Geminiano
XVIIIe-XIXe siècles. Italien.
Peintre.
Il travailla pour la cathédrale et pour d'autres églises de Modène.

VINCENZI Marco Antonio
Né vers 1713 à Cavalese. Mort en 1753 à Castello di Fiemme. XVIIIe siècle. Italien.
Peintre.
Élève et neveu de Michelangelo et Franz Unterberger. Il travailla pour les églises d'Egna et de Montagna.

VINCENZINO Giuseppe. Voir **VICENZINO**

VINCENZIO
XVe siècle. Actif à Milan en 1469. Italien.
Peintre.

VINCENZIO Fiammingo. Voir **ADRIAENSZ Vincent**

VINCENZIUS. Voir **VINCENTIUS**

VINCENZO, frate
XVIIIe siècle. Actif à Naples. Italien.
Peintre.
Il exécuta quatre peintures pour la chapelle du Trésor de la cathédrale de Naples.

VINCENZO
XVIe siècle. Italien.
Miniaturiste.
Il fut un contemporain célèbre de Clavio.

VINCENZO, dit **il Roscino**
XVIIe siècle. Travaillant en 1600. Italien.
Sculpteur.
Il a sculpté un autel dans l'église S. Maria Nuova de Pérouse.

VINCENZO
XVIIe siècle. Travaillant en 1607. Italien.
Sculpteur sur bois.
Il sculpta des ornements pour le maître-autel de la Chartreuse de Pavie.

VINCENZO Antonio. Voir **VINCENZI Marco Antonio**

VINCENZO Vicentino. Voir **GRANDI Vicenzo**

VINCENZO da Bassiano
XVIe siècle. Italien.

Sculpteur sur bois.
MUSÉES : LEIPZIG (Mus. des Arts décoratifs) : *douze bas-reliefs représentant la Légende de saint François d'Assise.*

VINCENZO da Bassiano
XVIIe siècle. Italien.
Sculpteur sur bois.
Il travaillait à Nemi en 1669.

VINCENZO di Biagio. Voir **CATENA**

VINCENZO da Brescia
Mort après 1539. XVIe siècle. Italien.
Peintre.
Postérieur à Vincenzo de Foppa, dit parfois Vincenzo Bresciano. Il exécuta en 1539 un autel pour l'église Saint-Victor de Caiolo.

VINCENZO Bresciano. Voir **FOPPA Vincenzo de**

VINCENZO de Capua
XVe siècle. Actif à Naples à la fin du XVe siècle. Italien.
Peintre.
Il fut chargé en 1499 de l'exécution de plusieurs tableaux de saints.

VINCENZO da Carrara
XVIe siècle. Actif à Palerme de 1518 à 1529. Italien.
Sculpteur.

VINCENZO da Cortona
XVe-XVIe siècles. Travaillant à Naples et à Cortone. Italien.
Sculpteur sur bois.
Il sculpta les stalles de l'oratoire de la Confrérie de Jésus à Cortone en 1516.

VINCENZO da Crema. Voir **CIVERCHIO Vincenzo**

VINCENZO da Faenza
XVIe siècle. Italien.
Enlumineur.
Il travailla à Vicence de 1536 à 1537.

VINCENZO Fiamingo. Voir **STELLA Vincenzo**

VINCENZO Fiammingo. Voir **ADRIAENSZ Vincent**

VINCENZO Foggiano. Voir **MITA Vincenzo de**

VINCENZO de Foppa. Voir **FOPPA**

VINCENZO da Forli, appelé aussi **Giovan Vincenzo d'Onofrio** ou **Nofri da Forli**
XVIe-XVIIe siècles. Travaillant à Naples de 1592 à 1639. Italien.
Peintre.
Artiste éclectique et de style maniériste. Il a peint de nombreux tableaux d'autel pour la cathédrale et les églises de Naples et des environs. La cathédrale de Naples lui doit des fresques de plafond ; l'église S. Lorenzo une *Naissance du Christ* et une *Assomption* ; l'église San Maria della Sanita une *Circoncision* : l'église San Giovanni à Carbona un tableau représentant *Saint Jean*. Ses œuvres dans les autres églises de Naples ont disparu.

VINCENZO di Nicomedo. Voir **FERRUCCI Vincenzo di Nicomedo**

VINCENZO dell'Orto. Voir **SEREGNI Vincenzo**

VINCENZO di Pasqua
Né au XVe siècle à Capogna près Camerino. XVe siècle. Italien.
Peintre.

VINCENZO da Pavia, appelé aussi **Vincenzo degli Azani,** dit **il Romano**
Mort le 16 juillet 1557 à Palerme. XVIe siècle. Italien.
Peintre.
Il fit ses études à Rome et y subit l'influence de Raphaël. Le Musée national de Palerme conserve de lui *Descente de croix* ; *Ascension* ; *Saint François* ; *Saint Conrad* ; *Flagellation du Christ* ; *Pietà* ; *Les quarante Martyrs* ; *Scènes de la vie de la Vierge* ; *La fuite en Égypte* ; *Sainte Catherine* ; *Madone avec l'Enfant et des saints.*
VENTES PUBLIQUES : ROME, 15 mars 1983 : *La Mise au Tombeau*, pl. et reh. de blanc (20,5x30,5) : **ITL 1 100 000**.

VINCENZO de Pino. Voir **PINO**

VINCENZO Romano. Voir **ANIEMOLO Vincenzo**

VINCENZO Romano. Voir **VINCENZO da Pavia**

VINCENZO da San Gemignano. Voir **TAMAGNI Vincenzo di Benedetto di Chele,** ou **Michele**

VINCENZO di San Vito
Né en 1481. Mort en 1525 à Udine. XVIe siècle. Italien.
Sculpteur d'autels.
Il travailla pour les églises d'Udine et des environs.

VINCENZO da Soncino
XVIe siècle. Travaillant à Rome à la fin du XVIe siècle. Italien.
Sculpteur.

VINCENZO di Stefano da Verona ou **Vincenzo da Verona**
XVe siècle. Travaillant à Vérone. Italien.
Peintre, fresquiste.
On sait peu de chose sur cet artiste, qu'on croit fils de Stefano di Giovanni da Verona. On lui attribue une fresque dans la décoration du monument de Cortesia Serego, datant de 1432. Il fut le maître de Liberale.

VINCENZO da Treviso. Voir **DESTRE Vincenzo dalle**

VINCENZO Vecchio. Voir **FOPPA Vincenzo de**

VINCENZO da Verona. Voir **VINCENZO di Stefano da Verona**

VINCHANT
XVe siècle. Travaillant à Cambrai de 1411 à 1412. Français.
Peintre.

VINCHE Lionel
Né en 1936 à Antoing. XXe siècle. Belge.
Peintre de scènes et paysages animés, aquarelliste, illustrateur.
Il fut élève de l'Académie des Beaux-Arts de Bruxelles.
BIBLIOGR. : In : *Diction. biogr. illustré des Artistes en Belgique depuis 1830*, Arto, Bruxelles, 1987.
VENTES PUBLIQUES : BRUXELLES, 21 mai 1980 : *Le ténor et les oies blanches* 1979, h/t (120x100) : **BEF 28 000** – LOKEREN, 10 oct. 1992 : *Le paon et le gros bouton*, h/t (120x100) : **BEF 65 000**.

VINCHON Auguste Jean Baptiste
Né le 5 août 1789 à Paris. Mort le 16 août 1855 aux bains d'Ems. XIXe siècle. Français.
Peintre d'histoire, compositions religieuses, sujets mythologiques, scènes de genre, portraits, fresquiste.
Élève de Serangeli. Grand Prix de Rome en 1814.
A son retour, il travailla, particulièrement, à fresque et peignit notamment, à Saint-Sulpice, une série de *Scènes de la vie de saint Maurice*. On cite aussi de lui, à Paris, un *Christ mort* à l'église Saint-Paul et au musée du Louvre des grisailles empruntées à l'histoire grecque et romaine.
MUSÉES : AMIENS : *Jeune fille grecque implorant Dieu pour résister aux séductions d'un riche Turc* – ORLÉANS : *Jeanne d'Arc blessée sur le fort des Tournelles* – PARIS (Mus. du Louvre) : plusieurs grisailles en collaboration avec Gosse – *Sculpteur grec copiant une statue égyptienne* – *Apelle peignant d'après nature* – *Phidias sculptant d'après nature* – *Orphée chantant* – *Poète dramatique faisant répéter un rôle à un acteur* – *Origine du chapiteau corinthien* – *Origine du dessin* – *Décadence des arts dans la Grèce* – *Pline observant le Vésuve* – *Prêtres de Pompéï emportant les instruments sacrés* – *Habitants fuyant de Pompeï* – *Le Vésuve renversant les villes de la Campanie* – *Philosophe cynique* – *Anacréon composant ses odes* – *Jeunes filles consultant une sorcière* – *Toilette* – *Scènes de la vie civile des anciens et débris de meubles trouvés dans les fouilles d'Herculanum et de Pompéï* – *Homère chantant* – *Honneurs rendus à Homère* – *Départ d'Ulysse sous la protection de Minerve* – *Ulysse chez Circé* – *Ulysse reconnu par Pénélope* – *Thétys consolant Achille* – *Thétys donnant des armes à Achille* – *Diomède, guidé par Minerve, blesse Vénus venue secourir Achille* – TOURS : plusieurs études et esquisses – VERSAILLES : *Enrôlements volontaires* – *Séance royale pour l'ouverture des chambres et la proclamation de la charte constitutionnelle* – *Marceau, volontaire* – *Brune, capitaine* – *Sacre de Charles VII* – *Entrée des Français à Bordeaux en 1451.*
VENTES PUBLIQUES : PARIS, 30 juin 1993 : *Étude pour un buste d'officier*, h/t (54,5x43,5) : **FRF 18 000**.

VINCHON René Antoine
Né le 24 décembre 1835 à Paris. XIXe siècle. Français.
Peintre de genre et d'histoire.
Élève de son père A. J.-B. Vinchon et de Hesse. Il débuta au Salon de 1864. Le Musée d'Amiens conserve de lui *Deux contre un.*

VINCI, cavaliere
XVIIIe siècle. Italien.
Peintre.
Il travaillait à Naples en 1740.

VINCI Leonardo da, ou **Léonard de**
Né le 15 avril 1452 à Anchiano (près de Vinci). Mort le 2 mai 1519 au Clos-Lucé. XVe-XVIe siècles. Actif aussi en France. Italien.
Peintre de scènes mythologiques, compositions religieuses, portraits, peintre à la gouache, sculpteur, dessinateur, architecte, ingénieur.
Il était fils naturel du notaire florentin Ser Piero da Vinci, qui, l'année même de la naissance de Léonard, épousait une patricienne, Albiera di Giovanni Amadori. On sait peu de chose de la mère de l'artiste, nommée Caterina, sinon qu'elle épousa, alors que Léonard avait environ cinq ans, un nommé Chartabriga di Piero del Veccha, de Vinci. Il fut élevé à Vinci par son grand-père paternel, Ser Antonio. Vasari parle longuement de l'enfance de Léonard, de ses dispositions pour le dessin, son goût pour l'histoire naturelle et les mathématiques. Vers 1470, Verrocchio admit Léonard au nombre de ses élèves. Deux ans plus tard on le trouve inscrit sur la liste des peintres de Florence. Mais il y demeura encore plusieurs années chez son maître et on l'y trouve en 1476, ayant pour compagnons d'atelier Lorenzo di Credi, Pietro Perrugino et peut-être Botticelli. Il semble certain qu'une réelle amitié unit les deux artistes. Il faut tenir compte, cependant, que, plus âgé de huit ans, Botticelli était déjà considéré, dès 1472, comme un des meilleurs peintres de Florence. On croit qu'il y eut même collaboration entre eux. Vinci, en 1479, fit des croquis des principaux inculpés de la conspiration des Pazzi, événement dont Laurent de Médicis voulait, par une peinture de Botticelli, fixer le souvenir sur la façade du Bargello, et l'on suppose que les études de Léonard servirent à ce travail. Laurent de Médicis lui donna un logement dans son jardin de la Piazza di san Mario. D'après un écrit du temps, il l'envoya en Ambassade à Milan. Léonard arrive à Milan en 1482 ou 1483, appelé par le duc Francesco Sforza, mais son séjour dans la capitale de la Lombardie paraît avoir été de courte durée. Aucun fait n'y marque sa présence de 1483 à 1487. En 1487, il est à Milan au service du duc Ludovic Sforza. On sait peu de chose sur les autres œuvres de cette première période de la vie de Léonard. Il dut peindre relativement peu. En effet, le nombre infime des œuvres réalisées, une quarantaine au plus (dont la moitié nous a été transmise par des dessins, esquisses et copies), mis en parallèle avec les quatre mille dessins correspondant à des projets de sculpture et de peinture atteste le fait que l'artiste a consacré beaucoup de temps à ses travaux de recherche et projets d'invention.
Quelques dates trouveront ici leur place. En janvier 1478, la Seigneurie de Florence lui commande un tableau d'Autel pour la chapelle de San Bernardo, dans le Palazzo Vecchio ; en mars 1480, les moines de San Donato à Scopeto lui demandent un tableau pour leur maître-autel. Ni l'un ni l'autre de ces ouvrages ne furent achevés. Dans l'automne de 1478, Léonard commençait deux toiles représentant la *Vierge Marie*. Il paraît avoir exécuté vers cette époque de nombreuses études de Madones et le *Portrait de Ginevra dei Benci* (Washington). Notons encore deux ouvrages inachevés : *L'Adoration des Mages*, du Musée des Offices à Florence ; le *Saint Jérôme*, du Vatican à Rome. Les ouvrages connus de cette époque montrent la conception nouvelle du jeu des lumières et des ombres dans la peinture et dans les modèles, instaurée par Léonard et marquant, mieux que n'importe quelle production des maîtres de la Renaissance, la coupure entre l'art des quatrocentistes et l'école moderne. Toutes sortes de travaux sont confiées à l'artiste. Il construit des machines de théâtre à l'occasion du mariage de Gian Galeazzo Sforza. On le cite à Pavie présidant à la construction de la cathédrale. Il dessine les costumes pour un tournoi en l'honneur du mariage de Ludovic Sforza et de Béatrice d'Este. Il peint, entre autres : *La Vierge aux Rochers*, du Musée du Louvre à Paris, les portraits de *Cecilia Gallerani* et de *Lucrezia Crivelli*, deux œuvres dont on ignore la destinée. Il exécute en terre le modèle de la statue équestre de Francesco Sforza, érigée en 1483, à l'occasion du mariage de Bianca Maria Sforza avec l'empereur Maximilien, œuvre connue seulement par les croquis qui précédèrent son exécution, et qui causa de nombreux ennuis à son auteur. Le duc s'impatientant des lenteurs de l'exécution, écrivait en 1489 à Laurent de Médicis de lui envoyer un sculpteur qui poursuivit la tâche confiée à Léonard. Cette statue fut endommagée lors de l'entrée des Français à Milan en septembre 1499, par des arbaletriers gascons, qui, d'après les écrits du temps, la prirent pour but de leurs flèches. Deux ans plus tard, le duc de Ferrare tentait d'acquérir ce qui en restait ; mais on ne donna pas suite au projet à cause du déplorable état de l'œuvre. Léonard exécute un modèle de coupole pour la cathédrale de Milan, en 1487. On le signale à Florence en 1494 ou 1495. Il fait partie d'une commission chargée d'élaborer les plans de construction de la Sala del Consiglio. Il ne tarde pas à revenir à Milan et s'emploie à la décoration du château. Au début de 1496, une querelle éclate entre Léonard et le duc de Milan. Ludovico Sforza fait en vain plusieurs démarches pour décider Pietro Perugino à venir prendre sa place. Le prince et Léonard se réconcilient au printemps de 1498. À cette date, il reprend ses travaux au palais ducal et préside à la décoration de la Sala delle Asse. Entre-temps, durant la brouille, Vinci travaille pour les moines de Sainte-Marie des Grâces à Milan et exécute pour le réfectoire de leur couvent *La Cène*. Cette œuvre, au sujet de laquelle Vasari raconte de nombreuses anecdotes, valut bien des tracas à son auteur de la part du prieur du couvent, s'il faut en croire l'auteur de la *Vie des Peintres*. Malheureusement, la préparation de l'emplacement destiné à recevoir le tableau aurait été défectueux et, l'humidité aidant, cette composition n'eut dans son état initial qu'une trop courte durée. En 1545, on la décrit comme en partie détruite. L'humidité poursuivant pendant plus de trois siècles son action destructive et de maladroites restaurations, (elle fut repeinte presque entièrement en 1726 et en 1770) aggravèrent le mal. Une reconstitution exécutée au début du XXe siècle a rendu à l'ouvrage une part de son éclat primitif. Il existe de *La Cène*, d'excellentes copies exécutées par des élèves de Léonard et, probablement, sous sa direction. De ce nombre est celle d'exacte dimension, (8,60 m de large sur 4,51 m de haut, figures de 2,91 m), que Marco d'Oggione peignit, vers 1510, pour la Chartreuse de Pavie, où elle se trouvait encore en 1750, et qui figure aujourd'hui dans la collection de peintures de la Royal Academy, à Londres. De ce nombre, également, la copie moins importante (5,49 m de large sur 2,60 m de haut), qui fut commandée par le connétable de Montmorency pour la chapelle du château d'Écouen, laquelle fait partie aujourd'hui des collections du Louvre, et qui a été attribuée souvent à Marco d'Oggione. L'entrée des Français à Milan en septembre 1499, modifia profondément la situation de Léonard. Il n'y prolongea pas longtemps son séjour. Au mois de décembre, il allait à Mantoue en compagnie de Fra Luca Pacioli et y exécutait, notamment, l'étude dessinée pour un portrait d'Isabelle d'Este qui fait partie des collections du Louvre. Après un court séjour à Venise, il arrivait à Florence en avril 1500. Ce même mois il terminait le carton d'une importante composition : *La Vierge et sainte Anne*, dont la description rappelle fort le tableau du même sujet conservé au Louvre et le carton faisant partie des Collections de la Royal Academy, à Londres. Ce fut vers cette époque (1500-1503) que Vinci entreprit le portrait de *La Joconde*, que l'on pense être la femme du Florentin Francesco del Giocondo, œuvre à laquelle, suivant Vasari, il travailla durant quatre ans. Cette véritable « légende » de l'art pictural est le seul portrait de Léonard qui lui est indiscutablement attribué.
À la fin de 1502 on le trouve inspectant les forteresses de la Romagne, en qualité d'architecte et ingénieur en chef de César Borgia. Il fut brusquement relevé de ces fonctions au mois d'octobre de la même année par la révolte du duché. En avril 1503, il était de retour à Florence et, en juillet de la même année, la République l'envoyait au camp établi devant Pise étudier les moyens de détourner le cours de l'Arno. Au mois d'octobre de la même année, il commençait sa grande composition pour la décoration de la nouvelle salle du Grand Conseil du Palais Public de Florence. Le sujet choisi représentait la bataille d'Anghiari gagnée en 1440, par les Florentins sur les Milanais. Le pendant de cette œuvre fut confié à Michel-Ange, qui devait y peindre un épisode de la guerre des Pisans. Le contrat de Léonard fut signé en 1504. La mise au point du carton demanda le restant de l'année. L'achèvement de l'ouvrage causa de grands troubles à l'artiste, notamment, par la mauvaise préparation de la surface à peindre. Après un court séjour à Milan, da Vinci, était de retour à Florence, et y peignit pour Robert, secrétaire de Louis XII : une *Vierge et l'enfant Jésus*. Sur la demande de Chaumont, gouverneur de Milan pour la France, Léonard alla dans la capitale de la Lombardie, où il demeura jusqu'à l'automne 1507, rappelé à Florence par la nécessité de faire valoir ses droits à l'héritage que lui laissait un oncle. Durant ce temps, il peignit deux madones, qu'il emporta à Milan lors de son retour dans cette ville. En juillet 1509, Léonard y était encore lors de l'entrée de Louis XII, après la victoire d'Agnadello. Ce fut à cette occasion qu'il construisit le fameux lion d'argent, dont parle Vasari. On croit, en se basant

sur un croquis de son manuscrit, qu'à la même date Vinci, peignait le *Saint Jean* conservé au Louvre (certains historiens de l'art veulent que l'œuvre ait été en partie exécutée par un élève.) On fixe également à cette époque l'exécution, peut-être avec l'aide d'un élève, de la *Vierge, l'Enfant Jésus et sainte Anne*, conservé au Musée du Louvre ; les premières esquisses montrent qu'il désira d'abord représenter l'intimité de la Sainte Famille, mais il se tourna ensuite vers une plastique monumentale en élaborant une composition basée sur le « contrapposto » : principe de symétrie des gestes qui fait qu'un mouvement à droite est immédiatement compensé par un autre à gauche ; en résulte une symétrie dynamique qui plaît à l'œil en raison d'un équilibre entre la variété et la symétrie. Vinci demeura à Milan après la retraite des Français. Maximilien Sforza lui garda-t-il rancune de son séjour à Milan pendant l'occupation française ? Le fait certain est que, dans son manuscrit, Vinci mentionne, le 24 septembre 1513, qu'il part pour Rome avec ses élèves Giovanni Antonio Boltraffio, Francesco de'Melze, Lorenzo et Il Fanoia. Il fut bien accueilli par Léon X et logé au Belvédère, mais les commandes ne se produisirent que bien faiblement. On cite : une *Léda*, dont il aurait fait les dessins et la peinture. Une *Madone et l'Enfant Jésus*, un *Portrait de jeune garçon*. On affirme que ses études scientifiques, notamment dans le domaine anatomique, lui nuisirent dans l'esprit du souverain pontife. En juillet 1515, Léonard suivit l'armée papale que commandait son protecteur Julien de Médicis. On croit qu'il suivit l'armée jusqu'à Plaisance et qu'il était à Bologne en décembre 1515, lors de la signature du concordat entre le pape et François Ier. Peu après, il entrait au service de ce souverain avec une pension de 700 couronnes et la résidence du Clos-Lucé près d'Amboise.

L'œuvre artistique de Léonard en France, à la cour de François Ier, paraît avoir été presque nulle, sinon tout à fait. On cite des plans pour un canal près de Romorantin et la construction d'un Palais près d'Amboise. On dit aussi qu'il aurait largement présidé à l'élaboration des plans du château de Chambord. Le canal fut exécuté et l'on ne sait rien en ce qui touche l'autre projet.

Vinci prouva son génie aussi bien en peinture, sculpture, architecture que dans des recherches scientifiques les plus complexes et les plus variées, en anatomie, physique, mais aussi dans des matières plus techniques, concernant par exemple les machines de guerre ou les travaux publics. D'un tel esprit scientifique, on aurait pu attendre un art précis, méticuleux ; au contraire, Léonard préfère la lumière instable, la pénombre, le mystère, le « sfumato » qui est à la base de son style. Il crée l'effet de lumière dans la forme et pour la forme, non dans la couleur. Il n'y a plus de contraste entre la lumière et l'ombre, mais un long dégradé de la lumière vers l'ombre ; les personnages sont baignés dans une atmosphère qui a une présence propre, ils apparaissent pour disparaître aussitôt dans le tout, sans perdre la valeur constructive de leur forme. En plus de sa spontanéité dans le mouvement, de sa sérénité dans l'expression, Léonard obtient la monumentalité en supprimant les détails. À cela s'ajoute la grande part accordée au paysage dans son œuvre ; Vinci ne veut pas limiter le rôle de la peinture à la représentation de l'homme, mais il veut embrasser la nature entière. Si, dans le « sfumato » la forme devient délicate, les couleurs par contre s'estompent dans la pénombre. On est ainsi surpris par les tons sombres et presque monochromes de *L'Adoration des Mages*, les divers personnages tentent de percer l'obscurité dans laquelle ils sont campés et les rares lumières affleurent à peine de l'ombre. La matière disparaît devant la lumière et le mouvement, et cette transcription plastique intensifie le mystère, à savoir l'incarnation de Dieu dans la personne de l'Enfant Jésus.

■ E. Bénézit, J. B.

Bibliogr. : G. Gronau : *Leonardo*, Londres, 1903 – W. von Seidlitz : *Leonardo da Vinci, der Wendepunkt der Renaissance*, Berlin, 1909 – J. Thiis : *Leonardo da Vinci*, Oslo, 1909 et sq. – L. Beltrami : *Documenti e memorie riguardanti la vita e le opere di Leonardo da Vinci*, Milan, 1916 – L. Venturi : *La critica e l'arte di Leonardo da Vinci*, Bologne, 1919 – A. Venturi : *Leonardo pittore*, Bologne, 1920 – W. Bode : *Studien über Leonardo da Vinci*, Berlin, 1920 – A. de Rinaldis : *Storia dell'opera pittorica di Leonardo da Vinci*, Bologne, 1926 – E. Hildebrandt : *Leonardo da Vinci, der Künstler und sein Werk*, Berlin, 1927 – O. Siren : *Leonardo da Vinci*, Paris, 1928 – W. Suida : *Leonardo und sein Kreis*, Munich, 1929 – E. Verga : *Bibliografia Vinciana 1493-1930*, Zanichelli, Bologne, 1930 – H. Bodmer : *Leonardo*, Stuttgart, 1931 – R. Bayer : *Leonardo da Vinci*, Paris, 1933 – L. Demonts : *Les dessins de Léonard de Vinci*, Musée du Louvre, Morancé, Paris, 1937 – J.-P. Richter : *The literary works of Leonardo da Vinci*, Londres, 1939 – A. Venturi : *I disegni di Leonardo da Vinci*, Rome, 1923-1941 – A.-E. Popham : *The drawings of Leonardo da Vinci*, New York, 1945 – L. Goldschieder : *Leonardo da Vinci*, Paris, 1948 – Antonina Vallentin : *Léonard de Vinci*, Gallimard, Paris, s.d. – Divers : *Tout l'œuvre peint de Léonard de Vinci*, Gallimard, Paris, 1950 – P. Huard, M.-D. Grmek : *Léonard de Vinci. Dessins scientifiques et techniques*, Dacosta, Paris, 1962 – J. Pecirka : *Léonard de Vinci et Michel-Ange*, Cercle d'Art, Paris, 1965 – F. Bérence : *Léonard de Vinci*, Somogy, Paris, 1965 – K. Clark : *Léonard de Vinci*, Le Livre de Poche, Paris, 1967 – L. Febvre : *Léonard de Vinci et l'expérience scientifique au XVIe siècle*, P.U.F., Paris, s.d. – André Chastel, A. Ottino della Chiesa : *Tout l'œuvre peint de Léonard de Vinci*, Flammarion, Paris, 1968 – P. Huard : *Léonard de Vinci. Dessins anatomiques*, Dacosta, Paris, 1968 – Lionello Venturi : *La Peinture de la Renaissance. De Léonard de Vinci à Dürer*, Albert Skira, Genève, 1979 – Jean Claude Frère : *Léonard de Vinci*, Du Terrail, Paris, 1994.

Musées : Berlin : *Le Christ ressuscité adoré par deux saints* – Caen : *Le fils de Ludovic Sforza* – Château-Gontier : *Cléopâtre* – Cherbourg : *L'artiste* – Compiègne (Palais) : *Sainte famille* – Dijon (Mus. des Beaux-Arts) : *Sainte famille* – Florence (Gal. des Mus. des Offices) : *L'artiste – Portrait de jeune homme – Tête de Méduse – Adoration des rois mages* – Florence (Pitti) : *Portrait de femme, dit la religieuse de Léonard – Portrait d'un orfèvre* – Londres (Nat. Gal.) : *La Vierge aux rochers* – Milan (Sainte-Marie-des-Grâces) : *La Cène* – Milan (Ambrosiana) : *Portrait d'homme, dit le musicien* – Moscou (Roumianzeff) : *La Sainte Cène – La Sainte Famille* – Munich : *La Vierge présentant un œillet à Jésus* – Nancy : *Salvator Mundi* – Nantes : *Vierge, Enfant Jésus et un ange* – Paris (Mus. du Louvre) : *La Joconde – Saint Jean-Baptiste – Vierge, Enfant Jésus et sainte Anne – La Vierge aux rochers – Portrait présumé de Lucrezia Crivelli – Bacchus – Vierge offrant une coupe de fruits à l'Enfant*, dessin – Rome (Doria Pamphily) : *Jeanne d'Aragon* – Rome (Pina. Vaticane) : *Saint Jérôme* – Saint-Pétersbourg (Mus. de l'Ermitage) : *Vierge et Enfant Jésus dite Madone Litta – Portrait de femme* – Turin (Bibl. roy.) : *Étude pour l'ange de la Vierge aux Rochers*, dessin – Venise (Santa Maria della Salute) : *Sainte Famille* – Washington D. C. : *Ginevra dei Benci* – Windsor (Gal. roy.) : *Étude pour saint Jacques le Majeur* – Ypres : *Jésus et les docteurs*.

Ventes Publiques : Paris, 1742 : *Saint Jérôme* : **FRF 1 900** – Londres, 1773 : *Le Christ et la Vierge avec saint Joseph* : **FRF 7 075** – Londres, 1801 : *L'enfant rieur* : **FRF 34 120** – Londres, 1811 : *Portrait de femme* : **FRF 78 700** – Paris, juin 1825 : *Léda et ses jumeaux, Castor et Hélène, Pollux et Clytemnestre* : **FRF 175 000** – Paris, 1850 : *La Colombine ou « La maîtresse de François Ier »* : **FRF 81 200** ; *Étude pour la Cène, avec plusieurs saints*, pierre d'Italie et sanguine : **FRF 16 600** – Paris, 1865 : *La Vierge penchée vers son fils* : **FRF 83 500** – Paris, 1875 : *Première idée de L'Adoration des Mages*, dess. à la pl. : **FRF 12 900** ; *Étude pour le tableau de sainte Anne*, pierre noire, encre de Chine et lav. : **FRF 13 000** – Londres, 1881 : *La Vierge au rocher* : **FRF 225 000** – Londres, 1888 : *La Vierge au bas-relief* : **FRF 63 000** – Paris, 1900 : *Étude de draperie* : **FRF 12 500** – Paris, 26-27 mai 1919 : *Tête de vieillard*, dess. à la pointe d'argent reh. de blanc : **FRF 6 000** – Londres, 22 mai 1925 : *L'Enfant Jésus et saint Jean avec un agneau* : **GBP 1 890** – Londres, 29 juin 1926 : *L'hermine, emblème de pureté*, pl. : **GBP 800** ; *Feuilles d'études*, pl. : **GBP 760** – Londres, 15 juil. 1927 : *La Vierge aux fleurs* : **GBP 2 100** ; *Tête de Léda* : **GBP 1 785** – Paris, 25 fév. 1929 : *Profil de vieillard*, pl. : **FRF 15 400** – Londres, 10-14 juil. 1936 : *Le cheval sauvage*, pl. : **GBP 4 305** – Londres, 23 mai 1951 : *Tête de la Vierge*, fus., reh. de coul., étude pour le tableau du Louvre Sainte Anne et la Vierge : **GBP 8 000** – Londres, 26 mars 1963 : *Caricature de la tête d'un vieillard*, dess. à l'encre bistre : **GNS 44 000** – Londres, 21 mai 1963 : *La Vierge et l'Enfant avec un chien*, dess. à la pl. et lavis : **GBP 19 000** – Paris, 12 juin 1973 : *Cheval*, bronze patiné : **FRF 160 000** – New York, 17 nov. 1986 : *Trois études d'enfant à l'agneau et trois lignes de texte (recto) ; Études : enfant à l'agneau, tête de vieillard et machine avec plusieurs lignes de texte (verso)*, craie noire et pl. et encre brune (20,3x13,8) :

USD 3 300 000 – MONACO, 1er déc. 1989 : *Étude de draperie, personnage agenouillé et tourné vers la gauche*, pinceau et lav. brun gris reh. de gche blanche (28,8x18,1) : **FRF 35 520 000** ; *Étude de draperie, personnage debout et tourné vers la droite*, pinceau et lav. brun gris reh. de gche blanche/t préparée à la gche grise (28,2x18,1) : **FRF 31 080 000**.

VINCI Pierino da, appelé aussi **Pier Francesco di Bartolomeo del Ser Piero da Vinci**
Né vers 1530 à Vinci. Mort en 1553 à Pise. XVIe siècle. Italien.
Sculpteur et orfèvre.
Neveu de Leonardo da Vinci.
MUSÉES : AREZZO : *Enfant avec masque de satyre* – FLORENCE : *La vierge allaitant l'Enfant Jésus* – *Enfant avec un cygne* – *Sainte Famille et le petit saint Jean-Baptiste* – LONDRES (Victoria and Albert Mus.) : *Deux amours avec un cygne* – PARIS (Mus. du Louvre) : *Dieu fluvial avec trois enfants* – ROME (Mus. du Vatican) : *Cosima et Pise libérée*.

VINCI Pietro
Né le 4 décembre 1854 à Tarente. XIXe siècle. Italien.
Peintre de compositions à personnages.
Élève de l'École des Beaux-Arts de Naples. Il cultiva spécialement le dessin. En deux concours, il remporta deux prix dans cette branche de l'art. Fixé dans sa patrie, il continua l'exercice du dessin. Cependant, il fit aussi des tableaux et plusieurs fois il envoya ses peintures à Berlin. Il se consacra ensuite à l'enseignement public et devint professeur dans les écoles complémentaires et normales de Tarente. Il prit part en 1900 au concours Alinari avec son tableau *Auxilium Christianorum*.

VINCIDOR Tommaso di Andrea ou **Vincitore**, dit **Tommaso da Bologna**
Mort en 1536 probablement à Breda. XVIe siècle. Actif à Rome. Italien.
Peintre d'histoire, dessinateur et architecte.
Élève de Raphaël, qu'il aida dans l'exécution des cartons des célèbres tapisseries pour le Vatican. Il fut aussi un des peintres qui, d'après les dessins de Raphaël et sous sa direction, peignirent les Loggia. En 1520, il fut chargé par Léon X d'aller en Flandres et de surveiller la reproduction de ces cartons. En 1521, il rencontra Albert Durer à Anvers et se lia avec lui. L'illustre maître de Nuremberg fit son portrait. On croit que notre artiste entra au service de Henri de Nassau, et qu'il exécuta des travaux au château de Breda.

VINCILIA Giovanni
XVIIe siècle. Travaillant à Rome de 1640 à 1647. Italien.
Sculpteur.

VINCINO di Vanni de Pistoia ou **Vicino**
XIVe siècle. Italien.
Peintre mosaïste.
Élève de Gaddo Gaddi. Il travailla aux mosaïques de la cathédrale de Pise.

VINCIO Gaudenzio de ou **Vince**. Voir **FERRARI Gaudenzio**

VINCIOLO Federico de
XVIe siècle. Travaillant à Venise dans la seconde moitié du XVIe siècle. Italien.
Dessinateur pour la gravure sur bois.

VINCITORE Tommaso di. Voir **VINCIDOR**

VINCK de, baron
Né en 1808. XIXe siècle. Belge.
Graveur de sujets de genre.
Il travailla, notamment, à Anvers et à Amsterdam. Il a gravé à l'eau-forte des vues et des sujets de genre.

VINCK Abraham
Né vers 1580 à Hambourg. Mort le 24 août 1621 à Amsterdam. XVIIe siècle. Hollandais.
Portraitiste.

VINCK Cornelis
XVIIe siècle. Travaillant à La Haye en 1667. Hollandais.
Paysagiste.

VINCK Frans Kaspar Huibrecht
Né le 14 septembre 1827 à Anvers. Mort le 7 octobre 1903 à Berchem (Anvers). XIXe siècle. Belge.
Peintre d'histoire, sujets religieux, scènes de genre, portraits.
Élève de Joseph Dyckmans à l'Académie des Beaux-Arts d'Anvers, puis du baron Henri Leys, il travailla de 1859 à 1866 à Bruxelles, visita la France, l'Italie, le Proche-Orient.
Médaillé à Bruxelles, Vienne, Londres, Philadelphie, Lyon, Dunkerque, il fut fait Chevalier de l'ordre de Léopold.
L'art de Vinck est très appliqué.

BIBLIOGR. : Gérald Schurr, in : *Les Petits Maîtres de la peinture 1820-1920, valeur de demain*, Les Éditions de l'Amateur, t. V, Paris, 1981 – in : *Diction. biogr. illustré des Artistes en Belgique depuis 1830*, Arto, Bruxelles, 1987.
MUSÉES : ANVERS : *Les confédérés devant Marguerite de Parme* – LIÈGE : *Un vendredi au Caire* – LA NOUVELLE ORLÉANS : *Dans l'attente d'une réponse*.
VENTES PUBLIQUES : ANVERS, 20 mai 1969 : *L'entrée d'Albert et Isabelle à Anvers* : **BEF 50 000** – BRUXELLES, 4 mars 1977 : *Cavalier complimentant une jeune femme*, h/t (55x47) : **BEF 42 000** – ENGHIEN-LES-BAINS, 4 mars 1984 : *Cavaliers européens visitant une rue marchande du Caire*, h/t (109,5x90) : **FRF 99 900** – BRUXELLES, 27 mars 1990 : *Scène d'amour à Venise*, h/t (48x30) : **BEF 75 000** – LOKEREN, 21 mars 1992 : *Dame sur le pas d'une porte*, h/t (45x31) : **BEF 40 000** – PARIS, 18 déc. 1995 : *Préparation au duel*, h/t (56,5x82,5) : **FRF 23 000** – PARIS, 20 déc. 1996 : *Préparation au duel*, h/t (56,5x82,5) : **FRF 15 000** – LONDRES, 22 nov. 1996 : *Dame orientale avec ses enfants*, h/t (49x61) : **GBP 1 380**.

VINCK Hans
Né en 1616 à Anvers. XVIIe siècle. Éc. flamande.
Graveur au burin.
Il fut nommé membre de la gilde de Saint-Luc en 1636.

VINCK J.
XVIIe siècle. Hollandais.
Peintre de paysages et de portraits.
On ne sait rien de cet artiste, qui, au début du XVIIe siècle, à Amsterdam sans doute, peignait dans la manière de Paul Brill, Vinckeboons et Jan Brueghel. On connaît ses portraits seulement par des gravures.
MUSÉES : DOUAI : *Paysage avec un château en ruine* – LA FÈRE : *Paysage* – KALININGRAD, ancien. Königsberg : *Paysage* – SAINT-PÉTERSBOURG (Mus. de l'Ermitage) : *Paysage*.
VENTES PUBLIQUES : ANVERS, 23 oct. 1973 : *Au champ* : **BEF 110 000** – NEW YORK, 13 jan. 1978 : *Paysage fluvial animé de personnages*, h/pan. (44x66) : **USD 6 250**.

VINCK Joseph
Né le 3 décembre 1900 à Berchem (Anvers). Mort en 1979. XXe siècle. Belge.
Peintre de paysages, paysages urbains.
Élève de Frans Hens à l'Institut Supérieur des Beaux-Arts d'Anvers, il y devient professeur en 1953. À partir de 1953, il a effectué de nombreux voyages à travers l'Europe. Il a été membre de *L'Art Contemporain*, des *Compagnons de l'Art*. Il a obtenu diverses distinctions : 1936 Prix Fr. Franck ; 1944 Prix Oleffe ; 1969 Prix Rembrandt.
Peintre de marines et de sites urbains, il utilise une palette de tons assourdis et un dessin qui semblent plonger toutes choses dans le silence. L'attention tendre qu'il porte à ce qu'il peint en fait l'un des « animistes » les plus caractéristiques. Sa facture est devenue avec le temps de plus en plus vigoureuse. Il réalise des paysages qui, pour être réduits à l'essentiel, n'en sont que plus chargés de poésie et d'émotion.
BIBLIOGR. : W. Vanbeselaere : *Jozef Vinck*, Mortsel, 1964 – in : *Diction. biogr. illustré des Artistes en Belgique depuis 1830*, Arto, Bruxelles, 1987.
VENTES PUBLIQUES : ANVERS, 7 avr. 1976 : *Verger*, h/t (65x80) : **BEF 100 000** – LOKEREN, 12 mars 1977 : *Paysage au pont* 1964, h/t (67x89) : **BEF 110 000** – ANVERS, 8 mai 1979 : *Paysage*, h/pan.

(39x56) : **BEF 80 000** – Lokeren, 16 fév. 1985 : *La gare* 1963, h/t mar./pan. (53x78) : **BEF 200 000** – Lokeren, 15 mai 1993 : *Rue animée de Mortsel* 1963, h/t (66x90) : **BEF 110 000** – Lokeren, 12 mars 1994 : *Verger en fleurs*, h/pan. (33x44) : **BEF 26 000** – Lokeren, 10 déc. 1994 : *Promeneurs sur le rivage* 1967, h/t (59x81) : **BEF 220 000**.

VINCK Simon

xviiie siècle. Actif à Middelbourg de 1722 à 1752. Hollandais.
Sculpteur.

VINCKBOONS Pieter

xviie siècle. Travaillant à Amsterdam en 1633. Hollandais.
Graveur.

VINCKE Bob

Né en 1942 à Westmalle. xxe siècle. Belge.
Dessinateur humoriste, illustrateur.

Bibliogr. : In : *Diction. biogr. illustré des Artistes en Belgique depuis 1830*, Arto, Bruxelles, 1987.

VINCKEBONS David ou **Vinckebooms, Vinckboons** ou **Vinkenboons**

Né le 13 août 1576 à Malines. Mort vers 1632 à Amsterdam. xviie siècle. Éc. flamande.
Peintre de compositions religieuses, scènes de chasse, sujets de genre, animaux, paysages animés, paysages, paysages d'eau, peintre verrier, dessinateur.

Fils et élève du peintre peu connu Philip Vinckebooms, il alla travailler avec son père à Anvers, puis à Amsterdam, où il paraît s'être définitivement établi. Il eut pour élèves Guillaume Hellenning et Jacques Van der Weyden.

David Vinckeboons peignit surtout de petits paysages animés, sur des sujets de l'Ancien et du Nouveau Testament, dans la manière de Rochaudt Savery et de Jan Brueghel. Ses figures en furent peintes souvent par Rottenhammer. Il peignit aussi des kermesses, des animaux et fut également employé comme peintre verrier. On cite, parmi ses ouvrages importants, une composition décorant la maison des vieillards à Amsterdam et représentant une foule, éclairée par la lueur des torches, attendant le tirage d'une loterie. Ses dessins sont fort curieux et très recherchés.

Bibliogr. : K. Goossens : *David Vinckboons*, Anvers, 1954.

Musées : Amsterdam : *Le fléau des paysans – La revanche des paysans – Saint Jean-Baptiste – Partie de campagne* – Anvers : *Kermesse flamande* – Avignon : *Entrée de forêt – Incendie d'une ville* – Berlin (Mus. nat.) : *Couple de paysans assis sous un arbre – Paysage de rivière* – Bruges : *Kermesse* – Cologne : *Dans la forêt – Festin au pavillon* – Douai : *Foire de village* – Dresde : *Kermesse – Remise d'aumônes par une fenêtre du couvent – Paysage de forêt et retour de Tobie* – La Fère : *Paysage* – Florence : *Paysage, danse sur la glace* – Francfort-sur-le-Main : *Le joueur d'orgue* – Glasgow : *Repos en Égypte* – La Haye : *Fête de village* – Lille : *Une foire* – Milan (Ambrosiana) : *Paysage*, deux œuvres – Moscou (Roumianzeff) : *Saint Jérôme dans le désert – Diane et ses nymphes et Actéon* – Munich : *Christ portant sa croix* – Nantes : *Paysage* – Naples : *Fête populaire devant la ville* – Saint-Pétersbourg (Mus. de l'Ermitage) : *Forêt – Chasseurs dans la forêt – Sermon du Christ près du lac de Génésareth* – Stockholm : *Paysage avec torrent – Distribution d'aumônes au couvent* – Stuttgart : *Paysage avec chasseurs*, attr. contestée – Tournai : *Paysage*, attr. contestée – Utrecht : *Tobie et l'ange* – Valenciennes : *Grand paysage boisé* – Vienne (Harrach) : *Visite dans l'atelier – Foire hollandaise* – Ypres : *Paysage avec Diane et ses nymphes – Paysage, voyageurs attaqués par des bandits*.

Ventes Publiques : Amsterdam, 1706 : *Le Christ portant sa croix* : **FRF 140** – Paris, 1777 : *Paysage avec figures*, dess. à la pl. lavé d'indigo : **FRF 150** – Bruxelles, 1865 : *Le Passage de la Mer Rouge* : **FRF 220** – Paris, 1888 : *Paysage* : **FRF 500** – New York, 26 mars 1908 : *Kermesse hollandaise* : **USD 135** – Londres, 19 nov. 1910 : *Jeunes Femmes et Gentilshommes* : **GBP 27** – Paris, 11 avr. 1924 : *Paysage d'hiver animé*, pl. et lav. de sépia : **FRF 1 000** – Londres, 25 jui. 1924 : *Scène de rivière* : **GBP 94** – Paris, 7-9 juin 1926 : *Scène de patinage* : **FRF 9 120** – Paris, 23 juin 1926 : *La Fête dans les jardins du château* : **FRF 18 500** – Londres, 27 mai 1927 : *Kermesse dans un village flamand* : **GBP 110** – New York, 11 déc. 1930 : *Baigneurs* : **USD 1 025** – New York, 4-5 fév. 1931 : *La fête* : **USD 800** – Paris, 22 fév. 1937 : *Scène d'hiver (mois de janvier)*, pl. et aquar. : **FRF 4 600** – Paris, 13 oct. 1941 : *Paysans et Cavaliers sur une route en forêt ; L'Attaque des brigands*, deux pendants : **FRF 20 000** – Paris, 29 mars 1946 : *La Fête flamande* : **FRF 96 000** – Paris, 19 juin 1947 : *Le Retour du chasseur*, École de D. V. : **FRF 90 000** – Berlin, 9 nov. 1950 : *Paysage animé* : **DEM 1 725** – Londres, 28 fév. 1951 : *Village dans un paysage boisé traversé par une rivière* : **GBP 250** – Paris, 16 mars 1951 : *Paysage animé* : **FRF 46 000** – Paris, 4 mai 1951 : *La Partie de musique*, pl. : **FRF 62 000** – Bruxelles, 21 mai 1951 : *Le Repos de la Sainte Famille* : **BEF 18 000** – Paris, 6 juin 1951 : *Convoi de prisonniers devant un port*, pl. et lav., reh. d'indigo : **FRF 41 000** – Berne, 6 oct. 1952 : *Sous-bois*, dess., pl. et bistre : **CHF 150** – Paris, 24 mars 1953 : *Le Chasseur dans la forêt* : **FRF 200 000** – Londres, 17 déc. 1958 : *Une rue de village* : **GBP 750** – Londres, 9 déc. 1959 : *Paysage boisé* : **GBP 420** – Londres, 14 juin 1961 : *Vue de la place du marché de Oudenaarde* : **GBP 1 500** – Londres, 30 mars 1962 : *Un village au lointain avec paysans buvant, dansant et riant* : **GNS 1 400** – Lucerne, 22 juin 1963 : *Saint Jean-Baptiste prêchant* : **CHF 12 000** – Londres, 19 mars 1965 : *Paysage boisé animé de chasseurs* : **GNS 4 500** – Paris, 23 mars 1968 : *Le Joueur de vielle* : **FRF 25 000** – Londres, 26 mars 1969 : *La Chasse au sanglier* : **GBP 8 200** – Paris, 14 mars 1970 : *La kermesse* : **FRF 45 000** – Londres, 14 mai 1971 : *Paysage d'hiver avec patineurs* : **GNS 5 500** – Londres, 12 juil. 1972 : *Village au bord d'une rivière* : **GBP 4 800** – Londres, 27 mars 1974 : *Paysage boisé animé de personnages* : **GBP 6 800** – Londres, 2 juil. 1976 : *Réjouissances villageoises*, h/pan. (65x112) : **GBP 14 000** – Londres, 14 déc. 1977 : *Nombreux personnages devant une auberge*, h/t (38x45) : **GBP 19 000** – Londres, 1er déc. 1978 : *Chasse à courre dans un paysage fluvial boisé*, h/pan. (48,3x63,5) : **GBP 11 000** – Londres, 29 juin 1979 : *Chasseur d'oiseaux dans un paysage boisé*, h/t (108,5x164) : **GBP 28 000** – Amsterdam, 18 nov. 1980 : *Réjouissances villageoises* 1604, pl. et lav. (21,2x33,8) : **NLG 40 000** – Londres, 10 avr. 1981 : *Paysage d'hiver avec patineurs*, h/pan. (52,1x99) : **GBP 50 000** – Amsterdam, 15 nov. 1983 : *Paysage fluvial avec la chute d'Icare*, pl. et lav. brun et gris (15x20,2) : **NLG 5 600** – New York, 9 juin 1983 : *Kermesse*, h/pan. (28x44) : **USD 48 000** – Zurich, 29 nov. 1985 : *Paysage animé d'élégants personnages avec vue d'un château à l'arrière-plan* 1614, h/t (28,5x39,2) : **CHF 75 000** – Londres, 12 déc. 1986 : *Un officier préparant ses soldats pour une embuscade*, h/pan. (60,5x109,5) : **GBP 52 000** – Londres, 8 juil. 1988 : *Scène de kermesse de village animée*, h/pan. (64,8x112) : **GBP 104 500** – New York, 10 jan. 1991 : *Le cornemuseux entouré des enfants du village*, h/pan. (43x73,5) : **USD 363 000** – Stockholm, 29 mai 1991 : *Allégorie inspirée par la mort*, h/pan. (56x77) : **SEK 250 000** – New York, 10 oct. 1991 : *Gentilshommes chassant dans un paysage fluvial boisé*, h/pan. (28x51) : **USD 28 600** – Londres, 13 déc. 1991 : *Un jeune voleur dérobant la bourse d'un paysan regardant un gamin dénichant des oiseaux dans un arbre*, h/pan. (26,5x33,5) : **GBP 30 800** – Lille, 21 juin 1992 : *Kermesse d'Audenaerde* 1602, h/pan. (94x163) : **FRF 680 000** – Amsterdam, 25 nov. 1992 : *Distractions paysannes*, craie noire, encre et lav. (10,5x12,8) : **NLG 17 250** – Londres, 11 déc. 1992 : *Gentilhomme et paysanne dans un jardin*, h/pan. (23x16,5) : **GBP 11 000** – New York, 15 jan. 1993 : *Fête paysanne* 1606, h/pan. (24,8x32,1) : **USD 134 500** – Londres, 7 juil. 1993 : *La Rencontre de Jacob et d'Esau*, h/cuivre (25,5x37) : **GBP 6 900** – Londres, 10 déc. 1993 : *Vallée alpine avec des bohémiens disant la bonne aventure à des voyageurs*, h/pan. (43,5x81,2) : **GBP 31 050** – Amsterdam, 15 nov. 1995 : *Paysage accidenté avec des arbres et un château à distance*, encre et lav. (15,6x20,7) : **NLG 37 760** – Paris, 12 déc. 1995 : *Le départ pour la foire*, h/pan. (57x104,5) : **FRF 200 000** – Amsterdam, 12 nov. 1996 : *Lumière de la navigation*, cr., encre brune et grise, lav. brun/craie noire, frontispice (24,6x27,5) : **NLG 159 300** – Londres, 11 déc. 1996 : *Paysage boisé avec cavaliers*, h/pan. (32,6x37,9) : **GBP 12 075**.

VINCKEBOOMS Philip ou **Vynckboens** ou **Vinckenboom**

Né à Malines. Mort en 1601 à Amsterdam. xvie siècle. Éc. flamande.

Aquarelliste.
On dit qu'il était peintre à la détrempe. On croit qu'il quitta Malines pour Anvers et s'établit enfin à Amsterdam. Son fils David Vinckebons fut son élève.

VINCKEBOONS Johannes ou **Jan** ou **Vingboons** ou **Vinckboons**
Né en 1617 à Amsterdam. XVIIe siècle. Hollandais.
Graveur au burin, cartographe.
Possiblement fils de David Vinckebons. Il grava surtout des architectures. Il fut aussi éditeur.

VINCKENBRINCK Abraham
Né en 1639. Mort le 1er décembre 1686. XVIIe siècle. Actif à Amsterdam. Hollandais.
Sculpteur.
Fils d'Albert Jansz Vinckenbrinck.

VINCKENBRINCK Albert Jansz ou **Vinkenbrinck**
Né vers 1604 à Spaarndam (?). Mort entre le 10 août 1664 et le 12 février 1665 à Amsterdam. XVIIe siècle. Hollandais.
Sculpteur sur bois et sur ivoire.
En 1648, il sculpta la chaire à prêcher, dans la Nieuwe Kerk, à Amsterdam. Le Musée municipal d'Amsterdam conserve de lui *Goliath* et *David*, et le Musée national de cette ville, *Érasme*, statuette.

VINCKENBRINCK Jan
Né en 1631. XVIIe siècle. Actif à Amsterdam. Hollandais.
Sculpteur.
Fils d'Albert Jansz Vinckenbrinck.

VINCKS Martin. Voir **VINX**

VINCKVELTS Georg
Né à Munster. XVIe siècle. Travaillant à Malines. Éc. flamande.
Peintre.

VINCON Pieter
XVIIe siècle. Travaillant à Schiedam et à Delfshaven. Hollandais.
Peintre.

VINÇOTTE Thomas Jules de, baron
Né le 8 janvier 1850 à Borgerhout. Mort le 25 mars 1925 à Schaerbeek (Bruxelles). XIXe-XXe siècles. Belge.
Sculpteur de monuments, statues, bustes.
Élève de Guillaume Geefs, dans l'atelier duquel il commence ses études, puis de Simonis et de J. J. Jaquet à l'Académie des Beaux-Arts de Bruxelles. Il étudie ensuite à Paris à l'École des Beaux-Arts, puis dans l'atelier de Pierre Jules Cavelier. En 1877-1878, il séjourna à Florence. Professeur à Anvers et à Bruxelles, membre de l'Académie Royale de Belgique en 1901.
Il participait à des expositions collectives et reçut une médaille de troisième classe à Paris en 1874. On le cite aussi exposant à la Royal Academy à Londres en 1881.
Revenu d'Italie à Bruxelles, Vinçotte, dès 1881, devient le sculpteur officiel du règne de Léopold II. Il exécute à Bruxelles de nombreux bustes de dignitaires, de gens du monde, des portraits féminins, mais également des sculptures monumentales, notamment le Monument Godecharle au Parc de Bruxelles, les bas-reliefs de la salle de bal du Palais Royal, en collaboration avec Jules Lagae le quadrige de l'Arc du Cinquantenaire, ainsi que la sculpture monumentale de la gare de Louvain.
Bibliogr. : P. Lambotte, A. Goffin : *Thomas Vinçotte et son œuvre*, Bruxelles, 1913 – M. De Vigne : *Thomas Vinçotte*, Bruxelles, 1914 – in : *Diction. biogr. illustré des Artistes en Belgique depuis 1830*, Arto, Bruxelles, 1987.
Musées : Anvers : *Le chevreau – Léopold II* – Berlin : *Catilina* – Bruxelles : *Buste de Léopold II*, deux œvres – *Buste de la reine Marie Henriette*, deux œuvres – *Giotto – Catilina – L'architecte H. Maquet – M. E. De Mot, bourgmestre de Bruxelles* – Budapest : *Catilina* – Gand : *Bustes de Léopold II et de la reine Marie Henriette*.
Ventes Publiques : Paris, 23 mars 1979 : *Cheval*, bronze, patine brune (H. 56) : **FRF 13 000** – Lokeren, 15 mai 1993 : *Portrait équestre de Sa Majesté le Roi Léopold I*, bronze cire perdue (H. 55, L. 60) : **BEF 80 000**.

VINCOUROVA Katerina
XXe siècle. Tchèque.
Artiste, créateur d'installations.
Elle est lauréate du Prix Jindrich Chalupecky (prix décerné chaque année par le président de la République tchèque à un jeune artiste). Elle a montré une exposition personnelle de ses œuvres à la galerie Météo à Paris en 1997.
Elle utilise des matériaux plastiques, notamment le latex, dans ses installations qui peuvent se présenter comme un ensemble de canapés de couleur rose.

VINCQ Philipp de
XVIe siècle. Actif à Lille dans la seconde moitié du XVIe siècle. Français.
Peintre.
Il peignit des portraits et des sujets religieux pour l'Hôtel de Ville de Lille.

VINDE Jens Jensen
XVIIe siècle. Travaillant de 1637 à 1662. Norvégien.
Stucateur.
Il exécuta les plafonds du château d'Akershuis. Le Musée national d'Oslo conserve de lui le plafond d'une salle de Conseil d'État.

VINDERME Jean
XVIe siècle. Travaillant en 1541. Français.
Tailleur de camées.

VINDEVOGEL Flore
Née en 1866 à Gand. Morte en 1938. XIXe-XXe siècles. Belge.
Peintre de fleurs.
Élève de Joseph Vindevogel, elle devint son épouse.
Bibliogr. : In : *Diction. biogr. illustré des Artistes en Belgique depuis 1830*, Arto, Bruxelles, 1987.

VINDEVOGEL Géo
Né en 1923 à Gentbrugge. Mort en 1977 à Deurle. XXe siècle. Belge.
Sculpteur de monuments, figures, nus, céramiste.
Il fut élève des Académies des Beaux-Arts de Bruxelles et de La Cambre. Il devint professeur à l'École Normale de Gand et à l'Académie d'Alost.
Il a exécuté des monuments commémoratifs des deux guerres.
Bibliogr. : In : *Diction. biogr. illustré des Artistes en Belgique depuis 1830*, Arto, Bruxelles, 1987.
Ventes Publiques : Anvers, 22 avr. 1980 : *Nu couché*, bronze : **BEF 150 000** – Lokeren, 20 avr. 1985 : *Danseuse* 1941, bronze, patine brune (H. 34) : **BEF 75 000** – Lokeren, 4 déc. 1993 : *Nu dansant* 1941, bronze sur socle de marbre (H. 34, l. 16) : **BEF 80 000**.

VINDEVOGEL Joseph Xavier
Né en 1859 à Gand. Mort en 1941. XIXe-XXe siècles.
Peintre de genre, portraits, aquarelliste, pastelliste.
Bibliogr. : In : *Diction. biogr. illustré des Artistes en Belgique depuis 1830*, Arto, Bruxelles, 1987.

VINDRAMINO Francesco. Voir **VENDRAMINO**

VINE John, dit **de Colchester**
Né en 1808 ou 1809. Mort en 1867. XIXe siècle. Britannique.
Peintre de genre, scènes et paysages animés, animaux, peintre à la gouache, aquarelliste.
Ventes Publiques : Londres, 17 nov. 1989 : *Un monsieur dans un cabriolet attelé d'un cheval gris moucheté* 1843, h/t (50,1x60,3) : **GBP 4 400** – Londres, 20 avr. 1990 : *Trois vérats primés* 1865, h/t (51x61) : **GBP 12 100** – Londres, 26 oct. 1990 : *Un porc primé*, h/t (35,5x51) : **GBP 1 760** – Londres, 10 juil. 1991 : *Trois moutons dans un paysage fluvial*, h/cart. (40,5x60,5) : **GBP 3 740** – Londres, 17 nov. 1994 : *Prêts pour le jeu*, aquar. et gche (55,9x44,5) : **GBP 2 300** – Londres, 3 avr. 1996 : *Les taureaux vainqueurs du prix Charles Wing Gray dans un paysage*, h/t, une paire (53,5x67,6 et 49,5x65) : **GBP 4 600**.

VINEA Francesco
Né le 10 août 1845 à Forli. Mort le 22 octobre 1902 à Florence (Toscane). XIXe siècle. Italien.
Peintre de scènes de genre, paysages.
Il fut élève de l'Académie des Beaux-Arts de Florence et des peintres Meissonier et Pallastrini. Il exposa en Italie, à Paris et à Londres.

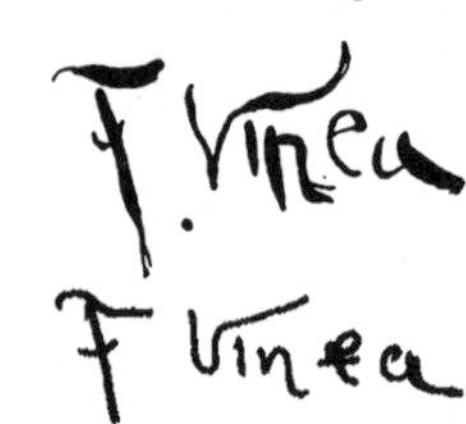

J. Vinea

Musées : Brooklyn : *Flirt* – Florence (Gal. d'Art mod.) : *Visite dans l'atelier* – Milan : *Avant le duel.*
Ventes Publiques : Paris, 1877 : *Page jouant avec un perroquet et un lévrier* : **FRF 2 600** – Londres, 1884 : *Soldat buvant* : **FRF 8 660** ; *Intérieur d'auberge, soldat et moine* : **FRF 9 185** – Berlin, 1894 : *Dans la cave* : **FRF 3 625** – New York, 1899 : *Les favorites* : **FRF 1 250** – Londres, 3 avr. 1909 : *Approches de l'orage* 1882 : **GBP 16** – New York, 15-16 avr. 1909 : *Vin sûr* : **USD 375** – Londres, 28 juil. 1909 : *Artiste dans son atelier* 1879 : **GBP 23** – Londres, 31 oct. 1928 : *Voti ad Amore* : **GBP 136** – New York, 17-21 nov. 1942 : *Rêve d'amour* : **USD 1 500** – New York, 18-19 avr. 1945 : *Bal en Italie* : **USD 1 650** – Paris, 29 oct. 1948 : *Vue d'un village marocain* : **FRF 10 000** – Vienne, 28 mai 1963 : *La visite à Grand-mère* : **ATS 55 000** – Milan, 4 juin 1970 : *L'heure du thé* : **ITL 1 900 000** – Rome, 11 juin 1973 : *Idylle en costume du* XVIIe *siècle* : **ITL 2 400 000** – Londres, 20 fév. 1976 : *Jeune fille assise* 1878 (32x23) : **GBP 1 200** – Londres, 4 nov. 1977 : *Jeune garçon marchant sur les mains*, h/t (75x99) : **GBP 1 900** – Londres, 9 mai 1979 : *Contemplation* 1878, h/t (31x22) : **GBP 1 400** – New York, 13 fév. 1981 : *La Fileuse* 1898, h/t mar./cart. (45x35) : **USD 2 200** – New York, 1er mars 1984 : *Le galant entretien* 1882, h/t (71,7x58,4) : **USD 8 000** – Londres, 19 juin 1985 : *La sérénade* 1882, h/t (49x64) : **GBP 3 800** – New York, 25 fév. 1987 : *Cavaliers devant un portrait*, aquar./traces de cr. (57x45,1) : **USD 2 600** – Paris, 9 déc. 1988 : *Travesti*, h/t (32x23,5) : **FRF 16 000** – Milan, 14 juin 1989 : *Jeux avec le chien familier*, h/t (36x26) : **ITL 12 000 000** – Milan, 19 oct. 1989 : *Portrait d'une jeune femme au châle blanc*, h/t (51x40,5) : **ITL 5 500 000** – Rome, 11 déc. 1990 : *Dans les plants de melons*, h/t (40,5x35) : **ITL 40 250 000** – New York, 17 oct. 1991 : *Jour de visite* 1881, h/t (81,9x148,6) : **USD 33 000** – Lugano, 16 mai 1992 : *Gentilhomme en costume du* XVIIe *siècle avec un lévrier*, h/t (49,5x37) : **CHF 13 000** – New York, 30 oct. 1992 : *La tasse de thé*, h/t (133,5x90,2) : **USD 22 000** – New York, 17 fév. 1993 : *Le Jardin botanique* 1884, h/t (45,7x69,9) : **USD 4 600** – Londres, 31 oct. 1996 : *Le Visiteur inattendu*, h/t (41x30,5) : **GBP 4 600** – Londres, 21 nov. 1996 : *Dans le cave à vin*, h/pan. (39,5x50) : **GBP 12 650** – Londres, 21 nov. 1997 : *La Cour* 1882, h/t (95x78,5) : **GBP 9 775**.

VINELLI Arminio
Né en 1804 en Corse. Mort en février 1868 à Vienne. XIXe siècle. Français.
Portraitiste.
Il s'établit à Vienne en 1838.

VINELLI Felice
Né vers 1774. Mort le 12 février 1825. XVIIIe-XIXe siècles. Actif à Gênes. Italien.
Peintre.
Il a peint dans l'église Notre-Dame des Vignes de Gênes *Repos pendant la fuite en Égypte.*

VINER Giuseppe
Né le 18 avril 1875 à Seravezza. Mort le 5 octobre 1925 à Castelverde. XIXe-XXe siècles. Italien.
Peintre de paysages, natures mortes.
Élève de Giovanni Fattori à Florence. Il exposa à Venise de 1901 à 1922.
Musées : Budapest (Gal. mod.) : *Le Fruit* – Florence (Palais Pitti) : *Fécondation.*

VIÑÈS SOTO Hernando, parfois **Henri**
Né le 20 mai 1904 à Paris, de parents espagnols. Mort le 24 février 1993. XXe siècle. Actif aussi en France. Espagnol.
Peintre de genre, figures, portraits, intérieurs, paysages, marines, natures mortes, peintre à la gouache, dessinateur. Postcubiste.
Il étudia à l'École des Beaux-Arts et à l'Athénée de Madrid. S'étant établi à Paris, à partir de 1918, il poursuivit sa formation à l'Académie de la Grande-Chaumière.
Il a participé à Paris, au Salon d'Automne, dont il fut membre sociétaire, et régulièrement au Salon de Mai. Il a également montré ses œuvres au Musée d'Art moderne de Madrid en 1965, ainsi qu'aux divers salons de Madrid, Barcelone, Valence, Santander et Palma de Majorque.
Comme la plupart des peintres de l'École de Paris de l'entre-deux-guerres, Viñès subit l'influence modérée d'un post-cubisme émoussé, qu'il semblait s'agir de concilier avec le chromatisme abstrait d'un Matisse et les subtilités intimistes d'un Bonnard. Viñès a mené une constante carrière de paysagiste sincère et plein de charme.

H. Viñes

Bibliogr. : René Huyghe, in : *Les Contemporains*, Tisné, Paris, 1949 – in : *Cien Anos de pintura en Espana y Portugal, 1830-1930*, Antiqvaria, t. XI, Madrid, 1993.
Musées : Madrid (Mus. Reina Sofia) – Paris (Mus. d'Art mod.).
Ventes Publiques : Paris, 12 avr. 1933 : *Printemps* 1929 : **FRF 500** – Paris, 25 juin 1947 : *Jeune femme à la mandoline* : **FRF 3 800** – Paris, 29 nov. 1954 : *Paysage* ; *Composition* : **FRF 11 100** – Versailles, 24 oct. 1976 : *Jeune femme assise*, h/t (92x73) : **FRF 7 500** – Madrid, 4 juil. 1978 : *Paysage*, h/t (50x65) : **ESP 230 000** – Versailles, 13 juin 1979 : *Le journal Le Matin* 1928, h/t (92x73) : **FRF 7 200** – Madrid, 13 déc. 1983 : *La Couseuse* 1935, h/t (116x89) : **ESP 325 000** – Paris, 29 mars 1985 : *Le port* 1930, h/t (81x65) : **FRF 15 000** – Versailles, 21 fév. 1988 : *Bateaux, paysages* 1949 (45x54) : **FRF 123 000** – Versailles, 15 juin 1988 : *Visage* 1927, h/t (65x50) : **FRF 58 000** – Paris, 16 déc. 1988 : *Madrid* 1940, h/t (26,5x34,5) : **FRF 5 000** – Paris, 26 oct. 1990 : *La loge* 1928, h/t (89x116) : **FRF 180 000** – Madrid, 22 nov. 1990 : *Jardin*, h/t (46x38) : **ESP 2 240 000** – Paris, 22 jan. 1991 : *Les barques* 1930, h/t (65x80) : **FRF 16 000** – Madrid, 24 jan. 1991 : *Voiliers*, gche/pap. (38x46) : **ESP 358 400** – MADRID, 28 janv. 1992 : *Figure* 1931, h/cart. (19x24) : **ESP 224 000** ; *Village*, h/t (54x65) : **ESP 1 400 000** – Paris, 15 avr. 1992 : *Femme nue* 1947, h/t (50x40) : **FRF 25 000** – Madrid, 16 juin 1992 : *Paysage alpin*, h/t (137x111) : **ESP 950 000** – Paris, 1er avr. 1996 : *Sault* 1974, h/t (65x50) : **FRF 30 000** – Paris, 10 juin 1996 : *1927* 1927, h/pan. (35x27) : **FRF 22 000** – Paris, 13 nov. 1996 : *Femme rousse à la fenêtre* 1933, h/t (130x96,5) : **FRF 104 000**.

VINET Adolphe Anselme
Né au XIXe siècle à Paris. XIXe siècle. Français.
Graveur.
Élève de MM. Best et Hébert. Il débuta au Salon de 1877.

VINET Anna, née **Valade**
Née au XIXe siècle à Paris. XIXe siècle. Française.
Peintre de portraits.
Élève de Léon Cogniet. Elle figura au Salon de 1861 à 1865.

VINET Claude
XVIIe siècle. Actif à Tours de 1611 à 1652. Français.
Sculpteur.

VINET Henri Nicolas
Né au XIXe siècle à Paris. XIXe siècle. Français.
Peintre de paysages.
Il figura au Salon de 1841 à 1867.

VINET-TASSIN
XVe siècle. Travaillant à Tours en 1476. Français.
Peintre verrier.

VINGBOONS Johannes ou **Jan**. Voir **VINCKEBOONS**

VINGELDRI Giovanni. Voir **GELDER Jan Van**

VINGENS Daniel. Voir **VINCENS**

VINGIANO Vincenzo
Né le 28 octobre 1890 à Castellammare di Stabia. XXe siècle. Italien.
Peintre.
Il fut élève de l'Académie des Beaux-Arts de Naples.

VINGLES Juan de
XVIe siècle. Actif à Saragosse, au milieu du XVIe siècle. Espagnol.
Graveur au burin et sur bois.

VINI dal Vino Sebastiano, dit **Bastiano**. Voir **SEBASTIANO Veronese**

VINIEGRA Y LASSO DE LA VEGA Salvador
Né le 23 novembre 1862 à Cadix (Andalousie). Mort le 28 ou 29 avril 1915 à Madrid. XIXe-XXe siècles. Espagnol.
Peintre d'histoire, scènes de genre, scènes typiques, figures, nus. Post-romantique.
Il étudia à l'École des Beaux-Arts de Cadix, à partir de 1878 ; il poursuivit ensuite sa formation à Rome. Entre 1890 et 1898, il fut nommé sous-directeur du Musée du Prado à Madrid. Il reçut diverses récompenses et distinctions : 1886, 1887 première médaille aux expositions internationales de Madrid, Vienne et

Munich ; 1907 Grande Croix d'Isabelle la Catholique ; il fut Officier de la Légion d'Honneur, Chevalier de l'Ordre de Carlos III, Chevalier de la Couronne d'Italie.
Dans une technique commune à ce qu'on peut dire le style officiel du XIXe siècle, issu du romantisme et tempéré d'académisme, il a traité des sujets ambitieux, historiques, n'esquivant pas les afflux de foules ni les décors chargés. Il sait être plus direct dans les scènes typiques ou familières.
Bibliogr. : In : *Cien Anos de pintura en Espana y Portugal, 1830-1930*, Antiqvaria, t. XI, Madrid, 1993.
Musées : Cadix : *Enterrement d'Isabelle la Catholique* – Cadix (Mus. historique) : *La promulgation de la Constitution en 1812* – Madrid (Gal. mod.) : *La Bénédiction des champs en 1800.*
Ventes Publiques : Londres, 30 jan. 1980 : *La messe en plein air*, h/t (63,5x100) : **GBP 850** – Londres, 25 juin 1982 : *La bénédiction du cardinal*, h/t (48,2x75) : **GBP 4 000** – Madrid, 21 mars 1983 : *La Bénédiction de son Éminence*, h/t (48,5x75) : **ESP 1 400 000** – Londres, 21 juin 1989 : *La souveraine*, h/t (78,5x63,5) : **GBP 1 650** – Paris, 21 déc. 1992 : *L'hommage au torero*, h/t (67x99) : **FRF 125 000** – Paris, 27 juin 1997 : *La Garde ; Devant la mosquée* 1883, h/t, une paire (110x60) : **FRF 105 000.**

VINING J.
XIXe siècle. Travaillant à Londres de 1800 à 1820. Britannique.
Graveur d'ex-libris.

VINIT Charles Léon
Né le 9 septembre 1806 à Paris. Mort le 30 avril 1862 à Paris. XIXe siècle. Français.
Peintre de paysages, architectures, intérieurs, dessinateur.
Élève de Debret et de Percier pour l'architecture et de Rémond pour la peinture. Il eut une importante activité d'architecte. Il exposa au Salon de Paris entre 1838 et 1852, obtenant une médaille de troisième classe en 1838.
Musées : Nîmes : *Intérieur de Saint-Pierre de Rome* – Paris (École des Beaux-Arts) : *Vue de la cour de l'École des Beaux-Arts.*
Ventes Publiques : Monaco, 16 juin 1990 : *Vue de Rome* 1838, h/t (36,5x64,5) : **FRF 216 450.**

VINIT Pierre
Né le 13 septembre 1870 à Paris. Mort le 22 juin 1958. XIXe-XXe siècles. Français.
Peintre de paysages, aquarelliste.
Élève de Petitjean. Il exposait à Paris, au Salon des Artistes Français depuis 1909 et dans des galeries de l'époque.
Il a peint de nombreux paysages en France, en Égypte, au Japon.
Ventes Publiques : Paris, 3 déc. 1941 : *Le canal*, aquar. : **FRF 500** – Paris, 5 nov. 1993 : deux aquarelles : **FRF 7 200.**

VINKE Henricus Egbertus
Né le 25 février 1831 à Utrecht. Mort en 1904. XIXe siècle. Hollandais.
Peintre de scènes de genre, aquarelliste.
Il fut élève de Jacob Schoemaker.
Musées : Haarlem (Mus. Teyler) : deux aquarelles.
Ventes Publiques : Amsterdam, 24 avr. 1991 : *Lo Spinario* 1854, h/pan. (46,5x37,5) : **NLG 4 600.**

VINKELES Cecilia
XVIIIe-XIXe siècles. Hollandaise.
Peintre de miniatures.
Fille de Reinier Vinkeles.

VINKELES Elisabeth
XVIIIe-XIXe siècles. Hollandaise.
Peintre de miniatures.
Fille de Reinier Vinkeles.

VINKELES Hermanus I
Né vers 1745. Mort après 1817. XVIIIe-XIXe siècles. Hollandais.
Graveur au burin.
Frère et élève de Reinier Vinkeles.

VINKELES Hermanus II
XIXe siècle. Hollandais.
Peintre de paysages.
Petit-fils de Reinier Vinkeles. On le cite, travaillant à Amsterdam vers 1840-1842.

VINKELES Johannes
Mort vers 1814. XIXe siècle. Hollandais.
Graveur au burin.
Fils de Reinier Vinkeles.

VINKELES Reinier
Né en 1741 à Amsterdam. Mort le 30 janvier 1816 à Amsterdam. XVIIIe-XIXe siècles. Hollandais.
Graveur de scènes de genre, portraits, paysages, architectures, dessinateur, illustrateur.
Il fut élève de Jan Punt et de Le Bas, à Paris. En 1762, il était secrétaire de l'Académie des Beaux-Arts d'Amsterdam. L'impératrice Catherine l'appela à Saint-Pétersbourg. En 1771, il retourna à Amsterdam. On cite comme ses élèves J. E. Markens et Abraham Hulk.
Il grava au burin des portraits et des vues. Peu d'artistes ont été plus féconds ; on cite de lui près de deux mille cinq cents planches dont mille cinq cents d'après ses dessins. Il travailla surtout pour l'illustration.

RV F 1762.

Ventes Publiques : Paris, 8-10 juin 1920 : *Place de ville de Hollande*, pl. : **FRF 2 800** – Londres, 22 juil. 1937 : *Entrée des Tuileries*, dess. : **GBP 135** – Londres, 3 mai 1979 : *Paris : l'entrée des Tuileries et le Ministère de la Marine*, aquar. et pl. (16,8x23,2) : **GBP 1 150** – Paris, 26 nov. 1982 : *Vue d'une ville hollandaise animée de nombreux personnages* 1763 ou 1768, aquar. (20,8x32,2) : **FRF 17 200** – Londres, 12 avr. 1983 : *Entrée des Tuileries*, pl. et lav. (17,9x23) : **GBP 1 400** – Paris, 28 nov. 1991 : *La faute avouée ; Le pardon refusé* 1786, encre et lav., une paire (12,4x7,9 et 12,6x8,3) : **FRF 3 800** – Amsterdam, 15 nov. 1994 : *Le Keizersgracht à Amsterdam et l'entrée du théâtre* 1760, encre et aquar. (27,5x39,4) : **NLG 17 250.**

VINKENBOONS David. Voir **VINCKEBONS**

VINKENBORG Arnout ou **Vinkenborch**
XVIe-XVIIe siècles. Éc. flamande.
Peintre.
Il a peint des *Mystères du Rosaire* dans l'église Saint-Paul d'Anvers, vers 1614.

VINKENBOS N. F.
XIXe siècle. Belge.
Dessinateur.
Le Musée de Bruxelles conserve de lui un *Paysage* (aquarelle).

VINKENBRINK. Voir **VINCKENBRINCK**

VINKLERS Ardis
Né le 16 juillet 1907 à Wolmar. XXe siècle. Letton.
Peintre de décors.
Élève de l'Académie des Beaux-Arts de Riga.
Musées : Riga (Mus. du Théâtre).

VINKO
Né en 1930 à Split. XXe siècle. Yougoslave.
Peintre.
Il étudia la mise en scène et l'art dramatique au Conservatoire de Zagreb. Il commença à peindre en 1950 et montre des expositions individuelles de ses œuvres à Split, Zagreb, Belgrade, ainsi qu'à Paris en 1962. Il vit à Split.
Sa technique est essentiellement graphique ; elle consiste en grattages très diversifiés dans la matière encore fraîche de fonds uniformément brossés. Il en tire des effets de paysages fantastiques ou de végétations imaginaires, parfois guettés par un certain maniérisme.
Bibliogr. : Catalogue de l'exposition *Vinko*, Galerie Lambert, Paris, 1962.

VINN Jan Vincents Van Der. Voir **VINNE Jan Vincents Van der I**

VINNAI Eugen
Né le 19 juin 1889 à Otisheim (près de Maulbronn). XXe siècle. Allemand.
Peintre et graveur.
Élève des Académies des Beaux-Arts de Karlsruhe et de Paris. On cite de lui les séries *Devant Verdun* et *À la Somme.*

VINNE Frederik Van der. Voir **GREBBER Frederik de**

VINNE Isaac Vincentsz Van der
Né le 24 octobre 1665 à Haarlem. Mort le 15 avril 1740 à Haarlem. XVIIe-XVIIIe siècles. Hollandais.
Paysagiste, dessinateur, graveur à l'eau-forte et éditeur.
Fils de Vincent Laurensz Van der Vinne I. Le 5 décembre 1690, il entrait dans la gilde à Haarlem. Il a gravé des vues et des paysages. Le Cabinet d'estampes de Berlin conserve de lui des études de figures, et le Musée Teyler de Haarlem, deux *Paysages.*

VINNE Jacob Laurensz Van der
Né le 23 juin 1688 à Haarlem. Mort le 17 janvier 1737 à Haarlem. XVIIIe siècle. Hollandais.

Peintre, graveur à l'eau-forte.
Fils de Laurens Vincentsz Van der Vinne. En 1735, un autre Jacob Van der Vinne était dans la gilde à Haarlem.
Ventes Publiques : Londres, 15 avr. 1983 : *La Place du marché et l'Hôtel de Ville, Haarlem*, h/pan. (46,2x57,7) : **GBP 13 000**.

VINNE Jan Van der I, ou **Jan Vincents**, dit **Jean des Nageoires**
Né le 3 février 1663 à Haarlem. Mort le 1er mars 1721 à Haarlem. xviie-xviiie siècles. Hollandais.
Peintre de sujets militaires, scènes de chasse, compositions murales, graveur.
Fils aîné de Vincent Laurensz Van der Vinne I, il fut élève de son père, de Jan Wyck, et de Jan van Hughtenburg. En 1686, il alla en Angleterre et revint à Haarlem probablement dans une situation de fortune assez avantageuse, car il y fonda bientôt une fabrique de soieries. Il n'abandonna pas pour cela la peinture. Durant son séjour en Grande-Bretagne, il produisit de nombreuses peintures, notamment, des décorations murales. Il peignit encore des sujets de chasse, quelques escarmouches de cavalerie et diverses eaux-fortes.
Musées : Bruxelles – Budapest – Haarlem – Rotterdam – Vienne.
Ventes Publiques : Vienne, 16 mars 1976 : *Scène de la guerre de Trente ans*, h/pan. (45x69) : **ATS 50 000** – Cannes, 7 août 1997 : *Scène de bataille*, h/t (45x65) : **FRF 35 000**.

VINNE Jan Van der II, ou **Jan Laurensz**
Né le 31 janvier 1699. Mort le 8 novembre 1753. xviiie siècle. Hollandais.
Dessinateur et peintre de fleurs et de paysages.
Fils de Laurens Vincentsz Vinne.

VINNE Jan Van der III
Né le 12 juillet 1734 à Haarlem. Mort le 1er juillet 1805 à Haarlem. xviiie siècle. Hollandais.
Dessinateur, graveur.
Il est le fils de Jan Laurensz Van der Vinne. On lui doit notamment des eaux-fortes.
Musées : Bruxelles (Mus. des Beaux-Arts) : *Giroflée*.

VINNE Laurens Jacobs Van der, le Jeune
Né le 3 juin 1712 à Haarlem. Mort le 27 juillet 1742 à Haarlem. xviiie siècle. Hollandais.
Peintre et dessinateur de fleurs et de paysages.
Il entra dans la gilde en 1735.

VINNE Laurens Vincentsz Van der, l'Ancien
Né le 24 mars 1658 à Haarlem. Mort le 8 mai 1729 à Haarlem. xviie-xviiie siècles. Hollandais.
Peintre.
Élève de Vincent Laurensz Van der Vinne I son père et de Berchem. En 1685, il entra dans la gilde à Haarlem. Ses tableaux, assez médiocres, sont surtout des imitations du genre de son père. Il peignit surtout des fleurs pour les botanistes. Père de Jacob, Jan II et Vincent II Van der Vinne.
Musées : Amsterdam (Mus. nat.) : *L'église Saint-Bavon de Haarlem* – Berlin (Cab. des Estampes) : cinq paysages – Dublin (Gal. Nat.) : *Foire de village* – *Paysage* – Haarlem : dix architectures et paysages.
Ventes Publiques : Paris, 24 mars 1950 : *Fleurs et grappe de raisins* : **FRF 25 000** – Amsterdam, 29 oct 1979 : *Vue de Haarlem* 1677, pierre noire (18,7x30,5) : **NLG 3 200**.

VINNE Vincent Jans Van der
Né le 31 janvier 1736 à Haarlem. Mort le 15 janvier 1811 à Haarlem. xviiie-xixe siècles. Hollandais.
Peintre de scènes de genre, portraits, paysages animés, paysages, paysages de montagne, graveur.
Il a gravé à l'eau-forte des vues et des portraits.

V. van d Vinne

Musées : Haarlem : *Paysage montagneux avec torrent* – *Moulin*.
Ventes Publiques : Londres, 11 déc. 1991 : *Paysage avec une ferme entourée de murs au bord d'un canal et des personnages sur un chemin*, h/pan. (35x45,5) : **GBP 4 950** – Londres, 7 déc. 1994 : *Engagement de cavalerie*, h/pan. (40,2x53,9) : **GBP 4 370**.

VINNE Vincent Laurensz Van der I
Né le 11 octobre 1629 à Haarlem. Mort le 26 juillet 1702 à Haarlem. xviie siècle. Hollandais.
Peintre de sujets religieux, scènes de genre, portraits, paysages, natures mortes, fleurs, aquarelliste, dessinateur.
Il est le père de Jan Van der Vinne I, Isaac et Laurens Vincentsz. Il fut élève de Franz Hals pendant neuf mois. En 1649, il entra dans la gilde à Haarlem. En 1652, en compagnie de Cornelis Bega, Th. Helmbreker et Willem Dubois, il entreprit un voyage en Allemagne, en Suisse, et en France, visitant Cologne, Francfort, Heidelberg, Darmstadt, Mannheim, Bâle, Iverdon, Gênes, Lyon, Paris. Il était de retour à Haarlem en 1655 et, le 24 décembre 1656, il épousait Annelje de Gaver.
Musées : Brunswick : *Réunion de bohémiens* – Douai : *Vue de Suisse* – Dunkerque : *Têtes d'homme et de femme vues de profil* – Haarlem : *L'artiste* – *Nature morte* – Paris (Mus. du Louvre) : *Vanitas* – Vienne (Gal. Liechtenstein) : *Portrait d'un vieil homme et d'une vieille femme* – Vienne (Harrach) : *Entretien musical* – Vienne (Mus. nat.) : *Joueur d'orgue de barbarie*.
Ventes Publiques : Paris, 7 déc. 1858 : *La diseuse de bonne aventure*, aquar. : **FRF 20** – Londres, 27 mai 1909 : *La Tentation de saint Antoine* : **GBP 6** – Paris, 31 mars 1943 : *Scène d'hiver sur une place publique en Hollande*, pl. : **FRF 600** – Amsterdam, 6 déc. 1977 : *Nature morte aux instruments de musique*, h/t (100,5x84,2) : **NLG 10 000** – New York, 14 mars 1980 : *Portraits présumés du frère et de la belle-sœur de l'artiste*, h/t, deux panneaux (66,5x51 et 64x47) : **USD 25 500** – New York, 12 juin 1981 : *Nature morte* 1656, h/pan. (92,5x87,5) : **USD 30 000** – Londres, 18 mai 1990 : *Portrait de l'artiste portant un habit noir avec un col blanc*, h/pan. (34,5x28) : **GBP 6 600** – Paris, 9 déc. 1996 : *Vanité avec le portrait du peintre*, h/pan. (74,5x87) : **FRF 230 000**.

VINNE Vincent Laurensz Van der II
Né le 10 juin 1686 à Haarlem. Mort le 16 mai 1742 à Haarlem. xviiie siècle. Hollandais.
Peintre de paysages, architectures, fleurs, dessinateur.
Il est le fils de Laurens Vincentsz Van der Vinne et neveu de Vincent Laurensz Van der Vinne I. Il était inscrit dans la gilde en 1706.
Il peignit surtout des paysages, des fleurs, et des plantes.
Musées : Haarlem : *Hôtel de Ville de Haarlem*.

VINNE Vincent Van der, dit **Van Lee le Jeune**
Né le 20 septembre 1798 à Haarlem. xixe siècle. Hollandais.
Dessinateur, graveur.
Il grava à l'eau-forte et sur bois.

VINNEN Carl ou **Karl**
Né le 23 août 1863 à Brême. Mort le 19 avril 1922 à Munich. xixe-xxe siècles. Allemand.
Peintre de genre, paysages, marines.
Élève des Académies des Beaux-Arts de Düsseldorf et de Karlsruhe.
Il fit partie du groupe de Worpswede, qui recherchait sur la côte de la Mer du Nord un réalisme authentique et le sens du sacré au contact de la nature. Il a peint surtout des motifs de la Mer du Nord et des côtes de l'Allemagne.
Musées : Berlin : *Soir* – Brême : *Saules* – *Vaches au pâturage* – *Repos* – Dresde : *Avant le printemps*.
Ventes Publiques : Brême, 20 oct 1979 : *Paysage boisé*, h/t (92x62) : **DEM 11 000** – Heidelberg, 15-16 oct. 1993 : *L'approche d'une caravelle*, h/cart. (30x51) : **DEM 2 200** – Munich, 7 déc. 1993 : *Paysage du nord en automne*, h/t (118,5x158,5) : **DEM 23 000**.

VINNEN Jan Van de. Voir **VENNE Jan Van de**

VINNEN Lucienne Van der
Née en 1925 à Schaerbeek. xxe siècle. Belge.
Peintre, sculpteur.
Elle fut élève de l'Académie des Beaux-Arts de Bruxelles. Elle est devenue professeur de dessin.
Bibliogr. : In : *Diction. biogr. illustré des Artistes en Belgique depuis 1830*, Arto, Bruxelles, 1987.

VINOGRADOV Euphem, ou **Jefim**
Né en 1725. Mort en 1768. xviiie siècle. Russe.
Graveur de scènes de genre, figures, portraits.
Élève de Picart et de Wortmann. Il a gravé au burin des portraits et des sujets de genre.

VINOGRADOV Guerman
Né en 1957. xxe siècle. Russe.
Artiste de performances.
Avec les peintres Nikolaï Filatov et Andreï Roïter, il faisait partie d'un collectif d'ateliers installé dans un ancien Jardin d'Enfants et qui fut finalement évacué par la police politique.
Il entraîne les spectateurs dans des installations relativement sommaires, dont les éléments semblent porteurs de symboles, et les fait participer à l'action.

Bibliogr. : In : *L'Art au pays des soviets, 1963-1988,* Les Cahiers du Musée national d'Art moderne, n° 26, Paris, hiver 1988.

VINOGRADOV Sergueï Arseniévitch ou **Vinogradoff**
Né en 1869. Mort en 1938. XIXe-XXe siècles. Russe.
Peintre de genre, figures, dessinateur.
Ses peintures et dessins sont souvent de bons témoignages sur des personnages typiques, survivant de l'ancienne Russie.
Musées : Moscou (Gal. Tretiakov) : *Le journalier – Le soir – Dans la métairie en automne.*
Ventes Publiques : New York, 27 juin 1979 : *Le galant entretien* 1895, h/t (47x64) : **USD 1 200** – Copenhague, 30 mai 1979 : *Jour d'été en Crimée* 1917, h/t (82x102) : **DKK 21 000** – New York, 29 oct. 1981 : *Personnages au bord de la mer* 1919, h/t (20x32) : **USD 5 000** – Londres, 15 fév. 1984 : *Le lac bleu,* h/t (65x80,5) : **GBP 3 600** – Londres, 14 nov. 1988 : *Nature morte de fleurs et fruits sur une table de salon,* h/t (74x59) : **GBP 3 300** – Londres, 19 déc. 1996 : *Ferme,* h/t (63x86) : **GBP 1 495.**

VINOTO Camillo
XVIIe siècle. Actif à Trente en 1631. Italien.
Sculpteur.

VINOTTI Giovanni Domenico
XVIIe siècle. Actif à Vérone. Italien.
Peintre.
Il a peint un *Saint Antoine de Padoue* pour l'église de Saint-Nicolas à Ville di Giovo.

VINQUE Michel
XVe siècle. Actif à Tournai de 1463 à 1479. Éc. flamande.
Peintre.

VINS-PEYSAC de, marquise
XIXe siècle. Française.
Peintre de paysages et d'histoire.
Elle exposa au Salon de 1833 à 1838, particulièrement des vues de châteaux et de sites, de France et de l'étranger. Mme de Vins-Peysac a travaillé en Belgique et aux États-Unis d'Amérique.

VINSAC Claude Dominique
Né en 1749 à Toulouse. Mort vers 1800 à Paris. XVIIIe siècle. Français.
Graveur au burin et dessinateur.
Il travailla pour les orfèvres et grava de petits portraits.
Ventes Publiques : Paris, 1896 : *Salière composée de deux sirènes,* dess. à la pl. et à l'encre de Chine : **FRF 255.**

VINSAC Guillaume
XVIIIe siècle. Français.
Peintre.
Reçu membre de l'Académie de Saint-Luc le 17 octobre 1753.

VINSON. Voir **FINSON**

VINSON A.
XXe siècle. Français.
Peintre, pastelliste de fleurs.
Ventes Publiques : Calais, 5 avr. 1992 : *Bouquet de fleurs,* past. (82x63) : **FRF 5 000.**

VINTCENT Lodewyk Antony
Né le 23 juin 1812 à La Haye. Mort le 6 mai 1842 à La Haye. XIXe siècle. Hollandais.
Peintre de genre.
Élève de B.Y. Van Hove et de Kuseman. Membre de l'Académie d'Amsterdam. A partir de 1831, il fit presque exclusivement des portraits au crayon, et à l'encre de Chine. Il visita Paris en 1837.

VINTER John Alfred
Né vers 1828. Mort le 28 mai 1905. XIXe siècle. Britannique.
Peintre de scènes de genre, portraits, lithographe.

J. A. VINTER

Musées : Londres (Nat. Portrait Gal.) : *Sir Rolland Hill.*
Ventes Publiques : Londres, 29 juin 1976 : *Un ami en difficulté* 1873, h/t (104x76) : **GBP 650** – Londres, 31 juil. 1987 : *The pet* 1874, h/t (84,2x112,1) : **GBP 5 500** – Londres, 27 mars 1996 : *Le canari familier* 1874, h/t (84x112) : **GBP 16 100.**

VINTEVOGEL Marcel
Né vers 1930 à Monceau-sur-Sambre. XXe siècle. Belge.
Peintre de paysages. Tendance abstraite.
Il a été attentif à l'exemple d'Arsène Detry. En 1975, il a adhéré au groupe *Art concret en Hainaut.* Il est également membre du groupe *Artistes du Hainaut.* Il montre ses œuvres dans des expositions personnelles : 1993 Montigny-le-Tilleul, galerie Éphémère ; 1994 Charleroi, Musée des Beaux-Arts.
Comme son maître, il se consacre aux paysages du Borinage, notamment les sites industriels, les terrils, les ciels noirs, dont il pousse par période le caractère construit en direction d'une abstraction sensible.

VINTON Frederick Porter
Né le 29 juin 1876 à Bongor. Mort le 19 mai 1911 à Boston. XXe siècle. Américain.
Peintre de portraits.
Il commença ses études à Boston avec William Morris Hunt et William Rimmer. En 1874, il vint à Paris et y fut élève de Léon Bonnat. Il alla ensuite travailler à l'Académie des Beaux-Arts de Munich avec Heinrich (?) Manger et Dietz (?). Durant un nouveau séjour à Paris, il travailla dans l'atelier de Jean-Paul Laurens. Il revint en Amérique en 1879 et s'établit à Boston comme peintre de portraits. Son succès fut considérable. En 1882, il fut nommé associé de la National Academy ; il reçut une mention honorable à Paris en 1890, une médaille d'or à Chicago en 1893, une médaille d'argent à Paris en 1900, une médaille d'or à Saint-Louis en 1904.
Musées : Boston : *Vue de Gretz – La blanchisseuse – Portrait d'Alexandre Mosley* – Worcester : *Portraits de Charles H. Davis et de Stéphan Salisbury III.*
Ventes Publiques : Washington D. C., 20 mai 1979 : *Barques,* deux h/pan. (27x43) : **USD 1 300** – Chicago, 4 juin 1981 : *Bord de mer,* h/t (46x61) : **USD 3 750** – New York, 31 mai 1990 : *La Côte en Nouvelle Angleterre,* h/t (24,4x38,1) : **USD 1 320** – New York, 3 déc. 1996 : *Portrait d'un jeune garçon* 1878, h/pan. (42x28) : **USD 10 350.**

VINTRAUT GODEFROY Frédéric
Né au Havre (Seine-Maritime). XIXe siècle. Français.
Graveur au burin et sur bois.
Élève de M. A. Tauxier. Il débuta au Salon de 1882 ; reçut une mention honorable en 1888, une médaille de troisième classe en 1889, une mention honorable en 1889 à l'Exposition universelle, une médaille de deuxième classe en 1893, une médaille d'argent en 1900 à l'Exposition universelle.

VINX Martin
XVIIe-XVIIIe siècles. Actif à Malines de 1695 à 1723. Éc. flamande.
Sculpteur.
Il s'établit à Cologne en 1695.

VINZENZ. Voir **VINCENTIUS**

VINZIO Giulio Cesare
Né le 18 mai 1881 à Livourne. Mort le 18 mars 1940 à Milan. XXe siècle. Italien.
Peintre de paysages, marines animés.
Élève d'Enrico Banti et de Giovanni Fattori. Il exposa à partir de 1920.
Musées : Forli (Pina.) : huit peintures – Milan (Gal. d'Art mod.) : *Automne sur la plage – Mulets au rivage* – Rome (Mus. Capitolin) : *La haute mer.*
Ventes Publiques : Rome, 11 déc. 1990 : *Les derniers rayons,* h/pan. (41x29) : **ITL 2 300 000.**

VIODE Nicolas
XVIIIe siècle. Actif à Nevers. Français.
Peintre sur faïence.

VIOL Michel ou **Violl**
Né en 1543 à Constance. Mort après 1600. XVIe siècle. Allemand.
Peintre.
Il travailla pour le château de Grosskombourg en 1568.

VIOLA Alessandro
XVIIIe siècle. Actif à Naples. Italien.
Peintre.
Il exécuta des fresques dans des couvents de Naples.

VIOLA Andrea
XVIIe siècle. Actif à Naples à la fin du XVIIe siècle. Italien.
Peintre.
Il a peint divers portraits des évêques de Naples dans la sacristie de la cathédrale de cette ville.

VIOLA Bill, pour **William**
Né le 25 janvier 1951 à Flushing (New York). XXe siècle. Depuis 1974 actif aussi en Italie. Américain.

Artiste de vidéos, auteur d'installations.
En 1973, il fut élève de la Syracuse University (New York). En 1974-1975, il fut directeur technique d'un studio de production à Florence, puis artiste résident pour des télévisions de New York et Boston. Ensuite, il s'installe à Long Beach (Californie). Il a enseigné à la Syracuse University.
Il participe à de très nombreuses manifestations collectives depuis 1972, parmi lesquelles : 1974 *Impact Vidéo Art* au Musée des Arts décoratifs de Lausanne, Kunsthalle de Cologne ; 1975, 1977 Biennale de Paris au musée d'Art moderne de la Ville ; 1977, 1987, 1992 Documenta de Cassel ; depuis 1977 régulièrement à la Biennale du Whitney Museum of American Art de New York ; 1980 Museum of Modern Art de New York ; 1982 *'60 '80 : Attitudes/Concepts/Images* au Stedelijk Museum d'Amsterdam ; 1988 Biennale de Venise, Carnegie International au Carnegie Institute de Pittsburgh ; 1990 *Passages de l'image* au musée national d'Art moderne de Paris ; 1993 Louisiana Museum of Modern Art de Humlebaek... Il expose surtout individuellement dans des galeries et musées internationaux, dont : 1973, 1975 Everson Museum of Art de Syracuse (New York) ; 1974, 1977 The Kitchen Center à New York ; 1975 Anthology Film Archives de New York et Museum of Art de Long Beach ; 1979, 1987 Museum of Modern Art de New York ; 1983 Arc musée d'Art moderne de la ville de Paris ; 1985 Museum of Modern Art de San Francisco, Moderna Museet de Stockholm, Museum of Contemporary Art de Los Angeles ; 1988 Contemporary Arts Museum de Houston ; 1991 Museum of Art de Dallas ; 1992 deux expositions itinérante une organisée par la Städtische Kunsthalle de Montréal, l'autre par l'Institute of Contemporary Art de Philadelphie et le Virginia Museum of Fine Arts de Richmond ; 1993 musée d'Art contemporain de Montréal ; 1997 Albright Knox Art Gallery de Buffalo ; 1998 Whitney Museum de New York, exposition sur trois niveaux...
Ce fut son intérêt pour la musique électronique qui l'amena à la vidéo. Il se distingue des artistes de la vidéo en ce qu'une partie de ses réalisations vidéo ne se réduisent pas à des bandes, mais sont impliquées dans des installations, accueillies par les musées et galeries, parmi lesquelles : 1982 *Reasons for knocking at an empty house* (Raisons pour frapper à la porte d'une maison vide), 1983 *Science of the heart* (La Science du cœur), 1987 *Passage*, 1988 *The Sleep of reason* (Le Sommeil de la raison), 1991 *Slowly Turning Narrative* (Narration tournant lentement) ; 1992 *Heaven and Earth* (Ciel et Terre)... Il continue de considérer et produire ses environnements comme des partitions musicales. Mixant images, sons, concepts dans une perspective synesthésique, ses installations mettent en corrélation l'ensemble des moyens de perception du spectateur-acteur. Le corps et le temps sont des éléments essentiels de son travail. Ne privilégiant pas la technique et ses truquages, il propose une expérience intime, se mettant en scène dans des situations de l'ordre de l'individuel, qui tendent à l'exploit, voire jusqu'à la violence, intervenant parfois physiquement en attitude de performance. ■ L. L.
Bibliogr. : In : Catalogue de la IXe Biennale de Paris, Musée d'Art moderne de la Ville, Paris, 1975 – Stephen Sarrazin : *Bill Viola, la chaise et l'ordinateur*, in : *Nouvelles Technologies – Un Art sans Modèle ?*, Art Press Spécial, Hors Série n° 12, Paris, 1991 – in : *L'Art du xxe siècle*, Larousse, Paris, 1991 – Catalogue de l'exposition : *Bill Viola*, Musée d'Art contemporain, Montréal, 1993.
Musées : Les Angeles (Mus. of Contemp. Art) – New York (Mus. of Mod. Art) – Pittsburgh (Carnegie Mus. of Art) : *Le Sommeil de la raison* 1988, installation vidéo – San Francisco (Mus. of Mod. Art) : *Passage*, installation vidéo de 6h30mn.
Ventes Publiques : Londres, 23 juin 1997 : *The Passing* 1991, video noir et blanc, et photo. noir et blanc, une paire (deuxième 20,3x25,4) : **GBP 8 500**.

VIOLA Domenico, dit **il Cavaliere Viola**
Mort vers 1696. xviie siècle. Actif à Naples. Italien.
Peintre.
Le Musée de Naples conserve de lui *Le Denier de l'impôt*. Imitateur du Calabrese. Il mourut âgé.
Ventes Publiques : Rome, 28 mai 1985 : *Le reniement de Pierre*, h/t (111x126) : **ITL 10 000 000**.

VIOLA Ferdinand
Né à Marseille (Bouches-du-Rhône). Mort à Paris. xixe siècle. Français.
Peintre de genre, paysages, paysages urbains, marines, natures mortes, fleurs et fruits, décorations murales.
Élève à l'École des Beaux-Arts, il débuta au Salon de Paris en 1865 et y exposa fréquemment jusqu'en 1882.
Il avait acquis dans sa ville natale la réputation de bon peintre. Quand il vint à Paris surveiller les études théâtrales de son fils Raoul, il retrouva son ami Monticelli, et les deux artistes travaillèrent fréquemment ensemble, notamment à la décoration d'établissements publics. Il n'est donc pas surprenant de trouver une certaine similitude de style, à la fois brillant et empâté, entre les deux artistes.
Bibliogr. : Gérald Schurr, in : *Les Petits Maîtres de la peinture 1820-1920, valeur de demain*, Les Éditions de l'Amateur, t. IV, Paris, 1979.
Musées : Digne : *Reines-Marguerites*.
Ventes Publiques : Paris, 22 fév. 1950 : *Débarcadère à Venise ; Place Saint-Marc*, deux pendants : **FRF 30 000** – Paris, 9 juin 1969 : *Vues de Venise*, deux pendants : **FRF 8 000**.

VIOLA Fernand
Né à Marseille (Bouches-du-Rhône). Mort en 1913 à Paris. xixe-xxe siècles. Français.
Peintre de compositions animées, paysages.
Fils aîné de Ferdinand Viola. Élève de l'École des Beaux-Arts de Paris. Il débuta au Salon de 1880, en même temps que son frère Raoul, mais il ne tarda pas à se désintéresser des expositions. Fernand Viola fut l'élève, l'ami, l'admirateur de Monticelli, acquis aux puissantes harmonies colorées du grand peintre marseillais. Fernand Viola peignit des tableaux dans le même ordre d'idées, mais avec une conception très personnelle et une palette très différente de celle de son maître. Il est arrivé quelquefois que des tableaux, notamment des sujets de fantaisie, de Fernand Viola, aient été vendus pour des Monticelli ; une courte étude des deux artistes aurait rendu ces erreurs improbables.

VIOLA Francesco
Né en 1632. Mort en 1729. xviie-xviiie siècles. Actif à Naples. Italien.
Peintre d'ornements.
Frère de Domenico Viola et élève de Mass. Stanzione.

VIOLA Giambattista
xviie siècle. Actif à Erbanno vers 1614. Italien.
Peintre.
Il peignit des tableaux d'autel dans les églises de Lallio et de Riva di Solto.

VIOLA Giovanni-Battista
Né le 16 juin 1576 à Bologne. Mort le 9 ou 10 août 1662 à Rome. xviie siècle. Italien.
Peintre de paysages.
Il fut élève d'Annibal Carracci, dont il imita la manière dans le paysage. En compagnie de son disciple, Francesco Albani, il visita Rome et les deux artistes trouvèrent de nombreux travaux de décoration dans les palais de la ville éternelle. Albani peignait des figures dans les paysages de son compagnon, souvent aidé par Domenichino. On cite, particulièrement, un paysage exécuté à la Villa du Cardinal Alessandro Montalto. On cite aussi ses tableaux du Salon d'Apollon à la Villa Aldobrandini. Il fut nommé gardien de la chambre du pape Grégoire XV.

VIOLA Manuel
Né en 1919 à Saragosse. Mort le 8 mars 1987 à San Lorenzo del Escorial (Madrid). xxe siècle. Espagnol.
Peintre. Abstrait-lyrique.
Il a vécu souvent et longtemps à Paris, à partir de 1939, en contact avec les groupes surréalistes et l'entourage de Picasso. Revenu en Espagne en 1949, il se consacra totalement à la peinture, vivant à Madrid, revenant parfois à Paris. Il a exposé en 1980 à Malaga, Sala Cajade Antequera ; en 1982 à Madrid, galerie Raynela ; en 1983 à Miami et Palm Beach ; etc.
Après une première période figurative, marquée par l'expressionnisme néo-cubiste illustré par Picasso, il évolua à l'abstraction, hésitant entre calligraphie lyrique et informel matiériste. Depuis 1958, il s'est stabilisé sur un style personnel, sur des fonds obscurs, il trace violemment des entrecroisements de tons blanchâtres, violacés et dorés, se référant à une tradition espagnole de dramatisation de l'éclairage par l'effet du clair-obscur, particulièrement illustrée, au xviie siècle, par Valdès Leal.

M. Viola 59

Bibliogr. : B. Dorival, sous la direction de... : *Peintres contemporains*, Mazenod, Paris, 1964 – in : *L'Art du xxe siècle*, Larousse, Paris, 1991.
Musées : Bilbao – Cologne – Cuenca (Mus. esp. d'Art abstrait) – Liège – Madrid (Mus. esp. d'Art contemp.) – New York (Guggenheim Mus.) – Prague (Mus. d'Art contemp.).
Ventes Publiques : Madrid, 1er avr. 1976 : *Composition*, h/pan. (40x30) : **ESP 45 000** – Madrid, 24 oct. 1978 : *Vélocité*, isor. (220x58) : **ESP 100 000** – Londres, 29 mai 1992 : *Sans titre*, h/t (54,8x33) : **GBP 880** – Paris, 9 juin 1993 : *La procession II*, h/t (146x114) : **FRF 5 000** – Paris, 6 nov. 1996 : *Composition*, h/t (130x242) : **FRF 11 000**.

VIOLA Paul Ignaz
Né en 1727 à Gunzbourg-sur-le-Danube, d'origine savoyarde. Mort le 7 juillet 1801 à Gunzbourg-sur-le-Danube. xviiie siècle. Allemand.
Peintre.
Il travailla pour les églises de Gunzbourg. Le Musée de cette ville conserve de lui *La Vierge, reine du rosaire* et *Saint Dominique reçoit le rosaire*.

VIOLA Raoul
Né à Marseille (Bouches-du-Rhône). xixe siècle. Français.
Peintre de fleurs.
Fils cadet de Ferdinand Viola. Élève de Gustave Boulanger et de Jules Lefebvre. Il débuta au Salon de 1880 avec des natures mortes. Possédant une très belle voix de ténor, il travailla pour le théâtre et fut engagé à l'Opéra. Des circonstances défavorables empêchèrent ses débuts. Depuis, ayant épousé une cantatrice, il se retira à Marseille, où il fut professeur de chant au conservatoire.

B Viola.

VIOLA Sabatino
xve siècle. Italien.
Enlumineur.
Il travailla à Raguse dans l'atelier de Felice da Ragusa vers 1476.

VIOLA Tommaso
Né vers 1810 à Venise. xixe siècle. Actif à Venise de 1830 à 1850. Italien.
Peintre de paysages, paysages urbains, paysages d'eau, marines.
Ventes Publiques : Milan, 14 nov. 1990 : *Vue de la place St Marc à Venise*, h/pan. (35,5x45,5) : **ITL 24 000 000** – Milan, 9 nov. 1993 : *Scène de rue animée à Venise* 1845, h/t (44x24) : **ITL 9 775 000**.

VIOLAND Benoît
xviie siècle. Français.
Peintre de compositions religieuses, portraits.
Le 30 juin 1650, on dressa l'inventaire des tableaux trouvés dans la chambre de cet artiste à Grenoble : *Portrait de Mme la Connétable* ; *Portrait de M. de Créqui* ; *Portrait de M. de Lesdiguières* ; *Portrait de M. de Genavres* (?) ; *Une tête de mort* ; *Le mariage de saint Joseph* ; *Une tête de femme* ; *Un crucifix en relief avec sa croix* ; *Un portrait de Henri III* ; le *Portrait du Roy* ; *Une Vierge avec deux enfants* ; *Un saint Joseph avec le Christ* ; deux tableaux de fleurs ; une *Vénus* ; un panneau de *M. de Craponnod* ; deux *Christ* ; deux *Vierges* (non encadrés) ; deux tableaux sur cuivre *Tobie* ; un *Saint Pierre* ; trois tableaux représentant *La Vierge* ; *Vénus* ; *Sainte Catherine* fait pour M. Aymon ; *Jésus* ; *Saint Jean* ; un *Saint Joseph* ; un *Christ* ; *Saint Augustin tenant une tête de mort* ; deux *Paysages* ; un *Mariage de saint Joseph* ; une *Adoration* ; un *Tableau du Bazan* ; une *Nativité* ; une *Madeleine* ; *Saint Paul* ; *La tentation de saint Antoine* ; une *Sainte Cécile*.
Bibliogr. : Maurice Wantellet : *Deux siècles et plus de peinture dauphinoise*, Maurice Wantellet, Grenoble, 1987.

VIOLANI Andrea
xviiie siècle. Actif à Naples dans la seconde moitié du xviiie siècle. Italien.
Sculpteur.
Il copia et imita des statues antiques pour le parc de Caserta près de Naples.

VIOLANTI Francesco
xviiie siècle. Actif à Livourne en 1760. Italien.
Graveur.

VIOLAT Eugène Joseph ou **Viollat**
Mort en 1901. xixe siècle. Français.
Peintre.
Sociétaire des Artistes Français, il figura au Salon de ce groupement. Le Musée de Tours conserve de lui un paysage.

E Viollat

VIOLESE Claude
xve siècle. Actif à Genève. Suisse.
Peintre verrier.
Il exécuta avec Eberhard Sondergeld, des vitraux dans l'église N.-D. du Bourg de Valence en 1458.

VIOLET Charles Eugène Frédéric
Né au xixe siècle à Paris. xixe siècle. Français.
Sculpteur.
Il figura au Salon de 1849 à 1853.

VIOLET Georges
Né le 4 mai 1900 à Versailles (Yvelines). xxe siècle. Français.
Sculpteur. Figuratif, puis abstrait.
Il fit des études de céramiste à l'École Nationale de Sèvres. Il abandonna la céramique pour la sculpture en 1921. Il vivait et travaillait à Paris. Exposant du Salon d'Automne, il en devint sociétaire en 1929.
Il exposait au Salon d'Automne les œuvres qui constituent sa première période : portraits, figures, bustes, où il donnait la plus grande importance à la psychologie du modèle traduite par des formes concordantes. Dans sa première période, il collabora avec Fernand Léger, André Derain, Lurçat, et autres. Il évolua ensuite à l'abstraction, en 1958-1959. Utilisant des résines synthétiques, il se consacre surtout à une sculpture d'intégration architecturale, faisant la plus grande part au traitement de la lumière, renvoyée par certaines surfaces s'opposant aux creux générateurs d'ombre. De la deuxième époque datent le Monument au poète Saint-Pol-Roux à Camaret-sur-Mer, des sculptures au Palais Présidentiel de Carthage en Tunisie, une sculpture monumentale à Port-Barcarès.
Bibliogr. : Denys Chevalier, in : *Nouveau diction. de la sculpt. mod.*, Hazan, Paris, 1970.

VIOLET Gustave
Né à Thuir (Pyrénées-Orientales). xixe siècle. Français.
Sculpteur.
Il figura au Salon des Artistes Français, à Paris ; reçut une mention honorable en 1902.

VIOLET Marc Charles
xvie siècle. Actif à Paris de 1552 à 1562. Français.
Peintre sur émail et modeleur.

VIOLET Maria
Née en 1794 à Londres. xixe siècle. Britannique.
Peintre de portraits, peintre de miniatures.
Elle exposa à Londres de 1808 à 1811.

VIOLET Pierre Noël
Né en 1749 en France. Mort le 9 décembre 1819 à Londres. xviiie-xixe siècles. Français.
Miniaturiste et aquafortiste.
Peintre de la cour, il émigra, quand éclata la Révolution et se fixa en Angleterre. Il exposa à la Royal Academy de 1790 jusqu'à sa mort, cent quatorze ouvrages. Les Archives de l'Art Français ont republié, en 1969, le *Catalogue de l'œuvre peint, dessiné et gravé de P.-Noël Violet*. Le Victoria and Albert Museum de Londres possède de lui *Portrait de la femme de l'artiste* (?) et le Musée du Louvre à Paris, *Portrait de Louis XVI* (sur tabatière).
Ventes Publiques : Paris, 7-9 avr. 1919 : *Portrait d'une actrice jouant en travesti le rôle d'un soldat*, miniat. : **FRF 3 200** – Paris, 21 avr. 1944 : *Portrait d'un homme en redingote noire*, miniat. : **FRF 4 700**.

VIOLETTE Eugénie. Voir **COMPAGNON-VIOLETTE**

VIOLETTE François I
Mort le 2 novembre 1662. xviie siècle. Actif à Laon. Français.
Peintre.
Frère de Simon Violette.

VIOLETTE François II
Né le 14 novembre 1666. xviie siècle. Actif à Laon. Français.
Peintre.
Fils de Marc Antoine Violette.

VIOLETTE Marc Antoine
Né vers 1634. Mort en 1682. xviie siècle. Actif à Laon. Français.

Peintre.
Frère de Simon Violette.

VIOLETTE R.
XIXe siècle. Travaillant en 1823. Français.
Peintre.
Le Musée du Puy conserve un *Paysage* de lui. Peut-être s'agit-il de Robin-Violette.

VIOLETTE Simon ou **Viollette**
Né vers 1640. Mort après 1693. XVIIe siècle. Actif à Laon. Français.
Peintre.
Il travailla pour les églises de Saint-Cyr, de Courteçon et de Laon.

VIOLI Armando
Né à Reggio Emilia. XXe siècle. Italien.
Sculpteur.
Élève d'Augusto Rivalta à l'Académie des Beaux-Arts de Florence. Il travaille à Milan.

VIOLIER Jean Gabriel. Voir **VIOLLIER**

VIOLIER Pierre. Voir **VIOLLIER**

VIOLINO Marcantonio dal
Né peu après 1570 à Bologne. Mort en 1622 à Bologne. XVIe-XVIIe siècles. Italien.
Peintre.

VIOLL Michel. Voir **VIOL**

VIOLLAT Eugène Joseph. Voir **VIOLAT**

VIOLLET Catherine
Née en 1955 à Chambéry (Savoie). XXe siècle. Française.
Peintre de figures, nus. Expressionniste.
Elle a participé en 1981 à l'exposition *Finir en beauté* organisée chez Bernard Lamarche-Vadel à Paris, en 1982 elle a présenté ses travaux chez Ben à Nice, en 1983 au Salon de Montrouge, en 1984 à la galerie Saluces d'Avignon, en 1986 à Berlin lors de l'exposition *L'art actuel en France*, en 1996 à l'exposition *Tropismes* à la galerie Caminade à Paris. En 1984 lui fut attribué le Prix du Salon de Montrouge.
Dans ses tout débuts, exposant avec Boisrond, Blanchard, Combas, Di Rosa, elle participait donc de la figuration libre. Abandonnant ses évocations de stars du cinéma ou de l'art (Picasso), elle peint ensuite de grands nus dans une facture énergiquement expressionniste de balafres bariolées.
Musées : Paris (BN) : *Hagia Triada* 1987, litho.
Ventes Publiques : Paris, 12 fév. 1989 : *Les Indiennes*, acryl./t. (190x140) : **FRF 10 000** – Paris, 12 juin 1989 : *Les hommes se peignent N° 2* 1984, h/t (195x133) : **FRF 10 000.**

VIOLLET Pierre-Noël. Voir **VIOLET**

VIOLLET-LE-DUC Adolphe Étienne, le Jeune
Né le 27 novembre 1817 à Paris. Mort le 13 mars 1878 à Paris. XIXe siècle. Français.
Peintre de scènes mythologiques, paysages animés, paysages, paysages d'eau.
Frère de l'architecte Eugène Emmanuel, il fut élève de L. Fleury. Il exposa régulièrement au Salon de Paris, entre 1844 et 1878 ; obtenant une médaille de troisième classe en 1852.
Il se spécialisa dans la peinture de paysages, d'après les sites des environs de Nice, d'Italie. Il se plut aussi à traiter les coins pittoresques de la vallée de la Bièvre, Jouy-en-Josas, etc.
Musées : Angers : *Châtaignier à Aunay* – Dieppe : *Paysage* – Dunkerque : *Le coche, paysage* – Hyères : *Paysages* – Nice : *Les îles d'Hyères* – Rouen (Mus. des Beaux-Arts) : *La vallée de Jouy.*
Ventes Publiques : Paris, 22 sep. 1949 : *Paysage* : **FRF 4 800** – Londres, 2 nov. 1973 : *Les Grands Boulevards* : **GNS 1 000** – Versailles, 19 déc. 1976 : *Scène d'après l'antique* 1852, h/t (46x33,5) : **FRF 1 300** – Monaco, 19 juin 1994 : *Paysage italien avec un paysan et son troupeau près de ruines*, h/t (39,2x31,5) : **FRF 18 870** – Londres, 17 nov. 1995 : *Paysage fluvial*, h/t (59,7x81,2) : **GBP 4 025.**

VIOLLET-LE-DUC Eugène Emmanuel
Né le 27 janvier 1814 à Paris. Mort le 17 septembre 1879 à Lausanne. XIXe siècle. Français.
Architecte, peintre d'histoire, de scènes animées, d'architectures, d'ornements, de paysages de montagne, aquarelliste dessinateur.
À Paris, en 1965, la Caisse des Monuments Historiques, en 1980, les Galeries Nationales du Grand Palais, ont organisé des expositions d'ensemble de son œuvre dans toute sa diversité.
L'architecte, qui, par ses reconstitutions de monuments romans et gothiques et son *Dictionnaire d'architecture*, se créa une réputation mondiale, fut aussi un peintre, aquarelliste, dessinateur prolifique. Par ses dessins ornemanistes, parfois véritables projets de sculptures, s'il prolongeait le romantisme médiéval hugolien, il annonçait aussi le style floral 1900. Il était un remarquable peintre de la montagne. Il a laissé de précieux témoignages du siège de Paris, pris sur le vif.

E. Viollet-le-Duc

Musées : Compiègne (Palais) : *aquarelles* – Limoges – Paris.
Ventes Publiques : Paris, 1883 : *Album grand in-folio contenant cent compositions* 1830-1845, sépia, encre de Chine : **FRF 3 200** – Munich, 29 nov. 1984 : *La statue de Persée de Benvenuto Cellini dans la « Loggia dei lanzi » à Florence* 1856, gche/trait de cr. (34x9,5) : **DEM 2 200** – Berlin, 24 mai 1984 : *Façcade d'église gothique*, pl. (43x30,5) : **DEM 2 400** – Paris, 7-12 déc. 1988 : *Étude d'ornements aux rinceaux feuillagés et à l'amour, autour d'une urne*, cr./pap. (41x23) : **FRF 4 000** – Paris, 5 nov. 1993 : *Château de la reine Blanche*, aquar. (19x25,5) : **FRF 9 800.**

VIOLLET-LE-DUC Victor
Né le 28 juillet 1848 à Chastenet (Charente-Maritime). Mort le 28 juin 1901 à Bruxelles. XIXe siècle. Français.
Peintre de scènes de genre, paysages animés, paysages d'eau.
Il fut élève de M. Luminais et Véron. Il débuta au Salon de Paris en 1879. On lui doit notamment des sites de Normandie et de la Charente-Maritime.

V. Viollet le Duc

Ventes Publiques : Paris, 30 et 31 mai 1927 : *Un coin du port de Rouen* : **FRF 550** – Paris, 22 fév. 1943 : *Le port de Bordeaux* : **FRF 2 800** – Paris, 12 juin 1972 : *La Seine au quai de Bercy* : **FRF 5 500** – Londres, 6 mars 1974 : *Pêcheurs au bord d'une rivière* : **GBP 450** – New York, 13 oct. 1978 : *Bateaux sur la Seine*, h/pan. (27,5x41) : **USD 4 750** – Versailles, 30 nov. 1980 : *Femme sur le sentier longeant la rivière*, h/t (38,5x57) : **FRF 8 800** – New York, 18 juin 1982 : *Carriole dans un paysage*, h/t (32,5x41) : **USD 3 000** – Amsterdam, 15 mars 1983 : *Bords de Seine*, h/pan. (28x40) : **NLG 9 200** – Versailles, 19 nov. 1989 : *Promenade au bord du lac*, h/t (38x56,5) : **FRF 5 000** – New York, 17 jan. 1990 : *Paysanne dans un champs*, h/t (59x81,4) : **USD 3 850** – Paris, 19 avr. 1996 : *Rivière en automne*, h/t (38x46) : **FRF 4 200** – Paris, 10 mars 1997 : *Paysage de bord de mer*, h/t (55x80) : **FRF 7 500.**

VIOLLETTE Simon. Voir **VIOLETTE**

VIOLLIER André. Voir **ANDRÉ-VIOLLIER**

VIOLLIER Auguste Constantin, pseudonyme : **Godefroy de Georgina**
Né le 27 juin 1854 à Genève. Mort le 28 juin 1908 à Genève. XIXe-XXe siècles. Suisse.
Aquarelliste, caricaturiste et peintre d'affiches.
Élève de Gérôme à Paris. Il collabora à plusieurs illustrés parisiens.

VIOLLIER Edmond
Né le 15 juin 1865 à Lyon (Rhône), d'origine suisse. XIXe-XXe siècles. Suisse.
Peintre de portraits, de paysages et affichiste.
Élève d'Hippolyte Coutau. Obtint un Grand Prix à l'exposition d'affiches, à Bruxelles, en 1906.
Ventes Publiques : Paris, 29 oct. 1948 : *Le tombeau du poète* : **FRF 4 000.**

VIOLLIER Eugénie. Voir **ANDRÉ-VIOLLIER**

VIOLLIER Henri François Gabriel
Né le 4 octobre 1750 à Genève. Mort le 28 février 1829 à Saint-Pétersbourg. XVIIIe-XIXe siècles. Russe.
Peintre de portraits en miniatures.
Il devint peintre de la cour de Saint-Pétersbourg en 1780. Il peignit des membres de la Société de cette ville.

VIOLLIER Jean
Né le 24 juillet 1896 à Genève. Mort le 19 mai 1985 à Paris. XXe siècle. Suisse.
Peintre de figures, nus, paysages, natures mortes, fleurs.

Fils d'Auguste Constantin Viollier. Il commence à peindre en 1915 à l'École des Beaux-Arts de Genève, puis fait de nombreux voyages d'études en Italie en 1920, 1921, à Vienne et Budapest en 1923, à Paris enfin où il vit jusqu'en 1933. Il retourne ensuite en Suisse, y demeure jusqu'en 1950 et revient à Paris où il se fixe.
Il utilise un vocabulaire strictement figuratif, parfois d'observation directe, voire pittoresque. Sa peinture relève tantôt d'un post-cubisme stylistique, tantôt de l'imagerie surréaliste. Il propose aussi des images qui paraissent issues des rêves peuplés de présences féminines, et où il joue sur des associations de symboles.

J.Viollier

Ventes Publiques : Zurich, 18 nov. 1976 : *Bouquet de zinnias*, h/t (61x50) : **CHF 2 600** – Paris, 2 avr 1979 : *Feux-follets*, h/t (93x65) : **FRF 5 000** – Zurich, 29 oct. 1983 : *Café Dupont I* 1953, h/t (92x65) : **CHF 10 000** – Grenoble, 9 déc. 1985 : *Le bal à Robinson* 1955, h/t (81x116) : **FRF 25 000** – Paris, 24 avr. 1988 : *Deux baigneuses* 1968, h/t (41x53) : **FRF 4 000** – Paris, 4 mai 1988 : *Sur la terrasse de Robinson II* 1957, h/t (81x100) : **FRF 27 500** ; *Les amants* 1957, h/t (81x100) : **FRF 24 000** – Reims, 23 oct. 1988 : *Trois filles étendues dans un paysage*, h/t (116x82) : **FRF 13 500** – Versailles, 6 nov. 1988 : *Élégantes en promenade* 1881, h/pan. (26,5x34,5) : **FRF 15 500** – Paris, 10 déc. 1990 : *Scène allégorique*, h/t (162x114,5) : **FRF 95 000** – La Flèche, 21 nov. 1993 : *Les dormeuses à Messery* 1932, h/t (130x195) : **FRF 38 000** – Paris, 12 juil. 1994 : *Les remorqueurs* 1954, h/t (53,5x73) : **FRF 4 800** – Paris, 28 juin 1995 : *Le moulin à café* 1962, h/t (50x65) : **FRF 6 000**.

VIOLLIER Jean Gabriel ou **Violier**
Né le 3 mai 1752 à Genève. XVIIIe siècle. Suisse.
Graveur, orfèvre.
Il fut assistant de J. Fallery et de L. Adam.

VIOLLIER Louise, née **Rochat**
Née en 1819 à Genève. Morte le 17 juillet 1856 à Genève. XIXe siècle. Suisse.
Miniaturiste.

VIOLLIER Pierre ou **Violier**
Né le 6 août 1649 à Genève. Mort le 9 juillet 1715 à Genève. XVIIe-XVIIIe siècles. Suisse.
Dessinateur.
Il dessina des projets pour des médailles. Il était pasteur.

VIOLONISTA, il. Voir **POMPEYO**

VIOLSDONCK Jean Van
XVIIe siècle. Actif au début du XVIIe siècle. Hollandais.
Peintre de fruits.
Le Musée d'Orléans, conserve de lui *Corbeille de prunes, cerises, etc.*

VION Alexandre Jean Baptiste
Né le 10 septembre 1826 à Paris. Mort en 1902. XIXe siècle. Français.
Peintre de paysages et de genre.
Élève de M. Léon Cogniet. Il exposa au Salon de 1849 à 1881.

VION Henri Félix
Né en 1863 à Paris. Mort en juillet 1891 à Paris. XIXe siècle. Français.
Graveur.
Élève de Gérôme, Henri Lefort et Flameng. Il débuta au Salon de 1883. On cite notamment son estampe *Le jeune Seigneur*, d'après Lucas Cranach et des reproductions de Meissonnier, fort recherchées. Il a gravé aussi d'après Drouais, Memling, Palmaroli, Rubens, Wouverman, Téniers, etc.

VION Irma, née **Berce**
Née à Paris. XIXe siècle. Française.
Peintre d'histoire et de portraits.
Élève de Mme D. de Cool et de M. Petret. Elle débuta au Salon en 1874.

VION Jean
XVIIe siècle. Travaillant à Paris de 1678 à 1682. Français.
Sculpteur.
Membre de l'Académie de Saint-Luc.

VION Maguy de
Née le 28 mai 1894 à Saint-Germain-en-Laye (Yvelines). XXe siècle. Française.
Peintre de paysages, natures mortes, fleurs.
Elle commença de peindre en 1930, débuta au Salon des Artistes Français de 1932 ; elle signait alors : M. E. Ferré. Elle a peint d'abord sur ivoire ; depuis elle a peint des toiles diverses : fleurs, paysages et natures mortes. Mention honorable en 1934.

VION Nicolas
XVIIe siècle. Français.
Sculpteur.
Il était actif à Paris de 1640 à 1682. Membre de l'Académie de Saint-Luc.

VION Olga
Née à Paris. XXe siècle. Française.
Peintre de portraits et de natures mortes.
Élève de L'Huillier (?). Elle exposa d'abord en province. Mention honorable et médaille de bronze à Vincennes en 1913 et 1914. Elle prit part en 1918 à l'Exposition des Femmes Peintres et Sculpteurs, à Paris.

VION Pierre
XVIIe siècle. Travaillant à Paris de 1652 à 1682. Français.
Sculpteur.
Membre de l'Académie de Saint-Luc.

VIONNOIS Félix
Né en 1841 à Dijon (Côte-d'Or). Mort en 1902 à Dijon. XIXe siècle. Français.
Aquarelliste et architecte.
Élève de L. H. Lebas et de P. Ginain.

VIOT Antoine ou **Antony**
Né en 1817 à Rodez (Aveyron). Mort en juillet 1886 à Bourg-en-Bresse (Ain). XIXe siècle. Français.
Peintre de paysages.
Élève d'Alexandre Calame en Suisse, il figura au Salon de Paris de 1859 à 1866.
C'est avec simplicité et sincérité qu'il peint des marécages, des étangs et des sous-bois, notamment du pays bressan.
Bibliogr. : Gérald Schurr, in : *Les Petits Maîtres de la peinture 1820-1920, valeur de demain*, Les Éditions de l'Amateur, t. VI, Paris, 1985.
Musées : Bourg-en-Bresse : *Vue des Dombes – Vue de Bugey* – Nîmes : *Paysage de Bresse*.

VIOTTE Toussaint
Né vers 1718 à Besançon. Mort le 1er octobre 1788 à Besançon. XVIIIe siècle. Français.
Graveur au burin.
Il grava des ex-libris, des cartes, et des frontispices. Il fut aussi médailleur.

VIOTTI Giulio
Né en 1845 à Casale Monferrato. Mort en 1877 à Turin. XIXe siècle. Italien.
Peintre de genre.
Le Musée Revoltella, à Trieste, conserve de lui *Idylle à Thèbes* et le Musée Municipal de Turin *Dieu et la créature*. Il fut médaillé à Vienne en 1873. On lui reproche parfois la faiblesse de son dessin.
Ventes Publiques : Milan, 12 juin 1996 : *Varallo Sesia* 1873, h/cart. (34,5x26) : **ITL 3 450 000**.

VIOUX Françoise
Née en 1856 à Blévé. Morte en 1883 à Subiaco. XIXe siècle. Française.
Peintre.
Élève de F. Barrias. Le Musée de Tours conserve d'elle *Le Repos*.

VIQUET
XVIIIe siècle. Français.
Peintre de portraits et de genre.
Il exposa au Salon en 1793 et en 1798.

VIRAC Raymond Pierre
Né le 19 octobre 1892 à Madrid. Mort le 10 février 1946 à Tamatave (Madagascar). XXe siècle. Français.
Peintre d'histoire, de portraits, de fresques, affichiste et illustrateur.
À Paris, il fut élève de Baschet, Schommer et Laparra, à l'Académie Julian, puis d'Ernest Laurent, à l'École des Beaux-Arts.
Il exposait à Paris, aux Salons : des Artistes Français, mention honorable et Prix Trémont en 1922, Prix Chenavard en 1922 et 1923, Prix Roux en 1923, Prix Meurand en 1924, bourse de voyage et médaille d'argent en 1924 ; des Indépendants ; d'Automne ; à l'Exposition des Arts Décoratifs, Grand Prix et médaille d'or, 1925 ; à l'Office des Colonies, Prix de l'Indochine

en 1927 ; Prix de Madagascar avec médaille d'argent et Légion d'honneur en 1937 (Exposition Internationale). Il exposait aussi à Bordeaux, à Bayonne, puis souvent à Madagascar.
À la suite du Prix de l'Indochine, il fut professeur à l'École des Beaux-Arts d'Hanoi, en 1928-1929. À la suite du Prix de Madagascar, il y partit et fut mobilisé sur place en 1939. Il devait y rester dix années jusqu'à sa mort, alors qu'il préparait son retour.
Il illustra *Âmes et Chansons basques*. On cite sa chapelle aux morts de Saint-Cernin (Cantal), la décoration de deux chapelles de l'église du Saint-Esprit à Paris, la décoration des deux Chambres de Commerce de Tananarive et Tamatave.

VIRAGGI Marco Antonio
XVIIe siècle. Actif à Sienne dans la première moitié du XVIIe siècle. Italien.
Peintre.
Il a peint *Madone avec des anges et des saints* dans la cathédrale d'Amelia en 1634.

VIRAGH Gyula ou **Jules**
Né le 1er septembre 1880 à Huszt. XXe siècle. Hongrois.
Peintre.
Il a peint pour le monastère de Munkacs-Csernekhegy.

VIRAGO Clemente
Mort en 1592 à Madrid. XVIe siècle. Actif à Milan. Italien.
Sculpteur et tailleur de camées.
Il fut au service de Philippe II d'Espagne et exécuta un camée à l'effigie de l'infant *Don Carlos*.

VIRBENT Gaston ou **Virebent**
XIXe siècle. Travaillant à Toulouse de 1830 à 1878. Français.
Aquafortiste amateur et faïencier.

VIRBERIUS
XIIe-XIIIe siècles. Français.
Sculpteur.
Il exécuta un portail dans l'église de Saint-Benoît-sur-Loire.

VIRCHAUX Paul ou **Virchauz**
Né le 7 juin 1862 à Chaux-du-Milieu. Mort en 1930. XIXe-XXe siècles. Suisse.
Peintre de paysages.
Musées : Genève (Mus. Rath) : *L'hiver à Savièze* – Neuchâtel : *À Savièze*.

VIREBENT Gaston. Voir **VIRBENT**

VIRELAY Jehan
XVe siècle. Français.
Peintre.
Il peignit des crucifix pour le Parlement de Paris en 1405.

VIRET Frederic
XIXe siècle. Français.
Peintre de fleurs et de natures mortes.
Il figura au Salon de 1850 à 1866.

VIRGIKOVSKI Edvard
Né en 1928. XXe siècle. Russe.
Peintre de paysages urbains animés.
Il fréquenta l'École des Beaux Arts de Léningrad (Institut Répine) et fut l'élève de Boris Ioganson. Membre de l'Association des Peintres de Léningrad. Dès 1950, il figure dans des expositions collectives nationales à Moscou et Léningrad, dont : 1952 Léningrad, *Les Peintres de Léningrad* ; 1960 Moscou, *La Jeunesse du Pays* ; 1968, 1974, 1989 Léningrad, *Salon d'Automne* ; 1976 Moscou, *L'École de Léningrad* ; 1988 Léningrad, *Léningrad contemporain* ; etc. Il apparaît sur la scène internationale en 1976 à Tokyo, où il participe pendant six années consécutives à l'exposition *L'Art Soviétique*. En 1990 à Helsinki, Bruxelles et Madrid, il expose parmi les peintres russes contemporains. En 1984 à Léningrad, il a montré un ensemble de ses œuvres dans une exposition personnelle.
Dans un style totalement illustratif, parfois à la limite de l'art naïf, dans les couleurs les plus joyeuses possibles, il décrit les plaisirs et les jours d'une population insouciante évoluant dans le décor typique des grandes villes russes, dont il donne des vues très vivantes. Dans un registre plus nostalgique, il va chercher des coins de paysages intimes dans des villages enneigés.
Bibliogr. : In : Catalogue de la vente *L'École de Léningrad*, Drouot, Paris, 19 nov. 1990.
Musées : Arkhangelsk (Gal. de l'Art Russe) – Bratislava (Gal. Nat.) – Dresde (Gal. Nat.) – Helsinki (Gal. d'Art Contemp.) – Irkoutsk (Gal. des Beaux-Arts) – Kaliningrad (Mus. des Beaux-Arts) – Kharkov (Mus. des Beaux-Arts) – Kiev (Mus. de l'Art Russe) – Kourtsk (Gal. d'Art de A. Deineka) – Moscou (min. de la Culture) – Moscou (Gal. Tretiakov) – Petrozavodsk (Mus. des Beaux-Arts) – Saint-Pétersbourg (Mus. Acad. des Beaux-Arts) – Saint-Pétersbourg (Mus. Russe) – Saint-Pétersbourg (Mus. de l'Acad. des Beaux-Arts) – Saint-Pétersbourg (Mus. d'Hist. Milit. de Souvorov) – Tokyo (Gal. d'Art Guekosso).
Ventes Publiques : Paris, 11 juin 1990 : *L'hiver*, h/rés. synth. (50x70) : **FRF 18 000** – Paris, 19 nov. 1990 : *Novgorod* 1954, h/t (60x80) : **FRF 14 500** – Paris, 25 mars 1991 : *Les devoirs* 1960, h/t (83x95) : **FRF 37 000** – Paris, 15 mai 1991 : *Jeux d'hiver* 1957, h/t (39x77) : **FRF 26 500** – Paris, 25 nov. 1991 : *La grande place* 1960, h/t (50x80) : **FRF 10 500** – Paris, 6 déc. 1991 : *Nuit blanche sur la Néva* 1954, h/t (26x40) : **FRF 13 600** – Paris, 23 mars 1992 : *Les remparts du Kremlin*, h/t (50x70) : **FRF 8 000** – Paris, 13 avr. 1992 : *La Fontanka* 1948, h/t (39x59) : **FRF 9 500** – Paris, 27 mai 1992 : *Noël* 1991, h/t (80x84) : **FRF 10 000**.

VIRGILI Giulio
Mort avant le 1er novembre 1593. XVIe siècle. Actif à Urbino. Italien.
Peintre.
Probablement élève de Fed. Barocci. Il peignit des sujets religieux et des grotesques pour des églises d'Urbino.

VIRGILIO Trompiz
Né en 1926 à Coro. XXe siècle. Vénézuélien.
Peintre.
Il fut élève de l'École d'Arts appliqués et graphiques de Caracas. Il a participé à des expositions collectives, et surtout, il obtint un prix officiel (pour élèves), au quatrième Salon d'Art Vénézuélien en 1943.

VIRGILIO Romano. Voir **ROMANO Virgilio**

VIRGILIUS
XVIIe siècle. Travaillant à Brunn en 1609. Autrichien.
Sculpteur.

VIRGIN Gottfrid ou **Arvid Julius Gottfrid**
Né le 9 juin 1831 à Visby. Mort le 30 avril 1876 à Stockholm. XIXe siècle. Suédois.
Peintre de scènes de genre, portraits.
Il fut élève des Académies des Beaux-Arts de Stockholm, de Paris et de Düsseldorf. Il peignit surtout des types populaires de Dalécarlie.
Musées : Stockholm (Mus. Nat.) : *Femme de Rättvik*.
Ventes Publiques : Stockholm, 16 mai 1990 : *Leçon de dessin*, h/t (45x36) : **SEK 12 500**.

VIRICLIX
XVIIIe siècle. Français.
Dessinateur.
Il dessina des sujets de chasse pour tabatières.

VIRIEU F. W. de
XVIIIe-XIXe siècles. Hollandais.
Peintre de portraits.
Il peignit un portrait de *Joseph Haydn*.

VIRIEU Paul
Né en 1826 au Grand-Lemps (Isère). Mort en septembre 1880 à l'hospice de Grenoble (Isère). XIXe siècle. Français.
Sculpteur.
Élève de M. Lequesne. Il figura au Salon de 1850 à 1869. Le Musée de Grenoble conserve de lui *Caïn* et *Jeune buveur*.

VIRIEUX François N. Louis
Né à Naples, de parents français. XIXe siècle. Français.
Sculpteur.
Il figura à Paris, au Salon des Artistes Français ; membre de ce groupement depuis 1905 ; mention honorable la même année.
Ventes Publiques : Versailles, 13 nov. 1977 : *Enfant jouant*, bronze, patine médaille (H. 98,5) : **FRF 7 000** – Londres, 20 juin 1979 : *Enfant aux bras levés*, bronze, patine brune (H. 39) : **GBP 1 050**.

VIRION Charles Louis Eugène
Né le 1er décembre 1865 à Ajaccio (Corse). XIXe-XXe siècles. Français.
Sculpteur animalier, graveur en médailles, céramiste.
Élève de P. Aubé et Ch. Gauthier. Exposait à Paris, au Salon des Artistes Français depuis 1886 ; mention honorable en 1893 ; sociétaire en 1893 ; médaille de troisième classe en 1895 ; médaille de bronze en 1900, à l'Exposition Universelle ; au Salon des Animaliers depuis 1913.
Musées : Calais – Nemours – Rochefort – Saint-Dizier – São Paulo.

VIRIOT DE BOUZEY Pierre. Voir **WOEIRIOT DE BOUZEY**

VIRIUS Mirko
Né en 1889 à Djelekovac (Croatie). Mort en 1943 à Zemun, au camp de concentration. XXe siècle. Yougoslave.
Peintre de scènes typiques animées. Naïf.
Il fut sans doute le plus doué des peintres de Hlebine, après Generalic. Il avait été prisonnier des Russes pendant la première guerre mondiale ; il fut une victime de la seconde. Il avait rejoint Generalic et les peintres de l'École de Hlebine, en 1936. Il participa alors à des expositions du groupe. Ses œuvres ont été exposées après sa mort, notamment en 1955 à São Paulo, et en 1958, à l'exposition internationale de peinture naïve de Knokke-le-Zoute.
Il a peint l'âpre vérité de la vie des paysans, évitant l'amabilité bucolique fréquente chez les naïfs. Il a rendu compte de la stricte vérité, avec un sens très particulier des matériaux concrets. Derrière cette résignation de constat, on a parfois voulu voir des sentiments de révolte.
Bibliogr. : Oto Bihalji-Merin, in : *Les peintres naïfs*, Delpire, Paris, s. d.
Musées : Zagreb (Gal. Nat. d'Art primitif) : la plus grande partie de son œuvre.

VIRLEZ Henri Edmond
Né au XIXe siècle à Paris. XIXe siècle. Français.
Peintre de portraits.
Élève de M. Faure. Il figura au Salon, à partir de 1870.

VIRLING
XIXe siècle.
Peintre de genre.
Le Musée de Toul conserve de lui *La toilette*.

VIROSTECK Johann Adam ou **Virosdeck**
XVIIIe siècle. Travaillant à Bruchsal. Allemand.
Sculpteur.
Il a sculpté les statues de *Saint Pierre* et de *Saint Paul* sur le maître-autel de l'église Saint-Pierre de Bruchsal en 1756.

VIRSCHEN Dirk ou **Theodor**. Voir **VISSCHER**

VIRTEL Carl ou **Johan Carl Frederik**. Voir **VIERTEL**

VIRUES Manuel
Né à Madrid. Mort en 1758 à Madrid. XVIIIe siècle. Espagnol.
Sculpteur.

VIRULY Frans
Né en 1594 à Rotterdam. Mort le 14 mars 1623 à Rome. XVIIe siècle. Hollandais.
Peintre.
Fils de Willem II Viruly. Il se fixa à Rome en 1619.

VIRULY Gerrit
Né en 1591 à Rotterdam. Mort le 25 décembre 1650. XVIIe siècle. Hollandais.
Peintre.
Fils de Willem II Viruly.

VIRULY Willem I
Né le 2 mai 1509 à Louvain. XVIe siècle. Travaillant à Anvers de 1534 à 1581. Éc. flamande.
Peintre.

VIRULY Willem II
Né le 26 mai 1551 ou 1553 à Anvers. Mort le 11 octobre 1602 à Rotterdam. XVIe siècle. Éc. flamande.
Peintre.
Père de Frans Gerrit et Willem III Viruly.

VIRULY Willem III
Né en 1583 ou 1594. Mort le 27 mai 1667. XVIIe siècle. Hollandais.
Peintre.
Fils de Willem II Viruly.

VIRULY Willem IV
Né en 1604 ou 1605 à Rotterdam. Mort le 14 août 1677. XVIIe siècle. Hollandais.
Peintre de genre.
Fils de Willem III Viruly. Le Musée de Lyon conserve de lui *Le repas d'un chasseur*, et celui de Rotterdam, *Soldats incendiant et pillant un village la nuit*.

VIRULY Willem V
Né vers 1636 à Rotterdam. Mort en 1678 à Anvers. XVIIe siècle. Actif à Rotterdam. Hollandais.
Peintre de paysages animés, paysages.
Musées : Lyon (Mus. des Beaux-Arts) : *Paysage*.
Ventes Publiques : Londres, 7 déc. 1994 : *Paysage boisé animé*, h/t (136x112) : **GBP 4 600**.

VIRY Antoine ou **Virys**
XVIIe siècle. Travaillant de 1652 à 1655. Français.
Peintre.
Membre de la Compagnie de Jésus, il peignit des perspectives et des grisailles.

VIRY François
XVIIe siècle. Travaillant à Moustiers, vers la fin du XVIIe siècle. Français.
Peintre sur faïence.
Le Musée de Sèvres conserve de lui un plat ovale représentant une *Chasse à l'ours*.

VIRY Gaspard
Mort en 1720. XVIIIe siècle. Travaillant à Moustiers. Français.
Peintre sur faïence.

VIRY Paul Alphonse
Né à Pocé. XIXe siècle. Français.
Peintre de scènes de genre, paysages.
Il fut élève de François Édouard Picot à l'École des Beaux-Arts de Paris. Il exposa au Salon de Paris entre 1861 et 1881.

Paul Viry

Ventes Publiques : Londres, 1881 : *La leçon de musique* : **FRF 1 100** – New York, 1899 : *Le fauconnier* : **FRF 1 400** – Londres, 8 juil. 1966 : *La becquée* : **GNS 280** – Londres, 25 mars 1981 : *Jeune femme sur la terrasse* 1894, h/pan. (35,5x30) : **GBP 1 200** – New York, 15 nov. 1984 : *Courtisans de Louis XIII* 1875, h/t (82x100) : **USD 35 000** – New York, 15 fév. 1985 : *Jeune femme arrangeant des fleurs* 1874, h/pan. (29,8x35,5) : **USD 13 000** – Londres, 26 fév. 1988 : *Une dame sentant les lilas* 1894, h/pan. (30,5x29,5) : **GBP 3 300** – New York, 24 oct. 1990 : *Le fauconnier* 1878, h/pan. (55,9x42,6) : **USD 9 900** – Le Touquet, 11 nov. 1990 : *Jardin de Paris sous la neige*, h/t (32x24) : **FRF 14 000** – New York, 19 fév. 1992 : *La déclaration* 1876, h/pan. (76,2x62,8) : **USD 10 450** – New York, 24 mai 1995 : *Nouveaux amis* 1879, h/pan. (76,2x62,2) : **USD 44 850** – New York, 12 fév. 1997 : *Le Retour de la chasse* 1875, h/pan. (42,6x53,3) : **USD 57 500**.

VIS H.
Né le 4 avril 1869 à Zaandam. XIXe-XXe siècles. Hollandais.
Dessinateur d'affiches.

VIS BLOKHUYZEN Dirk
Né le 2 août 1799 à Rotterdam. Mort le 4 avril 1869 à Rotterdam. XIXe siècle. Hollandais.
Aquafortiste amateur et collectionneur d'art.

VISACCI, il. Voir **CIMATORI Antonio**

VISALLI Paolino
Né le 14 février 1824 à Sant' Eufemia d'Aspromonte. Mort le 9 octobre 1852 à Reggio Galabria. XIXe siècle. Italien.
Peintre.
Élève de Giuseppe Cammarano. Il peignit des portraits et des sujets religieux.

VISALLI Rocco
Né le 20 février 1822 à Sant' Eufemia d'Aspromonte. Mort le 26 décembre 1845 à Sant' Eufemia d'Aspromonte. XIXe siècle. Italien.
Peintre.
Frère de Paolino Visalli. Il fit ses études à Messine, à Naples et à Rome.

VISBY Frederik
Né le 9 juillet 1839 à Tiköb. Mort le 16 février 1926 à Aarhus. XIXe-XXe siècles. Danois.
Peintre de paysages urbains, aquarelliste.
Élève de l'Académie des Beaux-Arts de Copenhague.
Musées : Aarhus : quatre-vingt-seize aquarelles représentant des motifs historiques de cette ville.

VISCA Pietro
XVIIIe siècle. Travaillant en 1782. Italien.
Miniaturiste.
Il travailla à la cour de Savoie.

VISCA Vittorio
XVIIIe siècle. Actif à Turin dans la seconde moitié du XVIIIe siècle. Italien.
Peintre.

VISCAI ALBERT Fernando
Né en 1879 à Valence. Mort en 1936 à Ibiza. XXe siècle. Espagnol.
Peintre de figures, figures typiques, portraits, paysages. Postimpressionniste.
Il étudia à l'École des Beaux-Arts de Valence. Il travailla à Barcelone, à Paris, où il vécut entre 1912 et 1914, et à Buenos Aires.
Il montra ses œuvres au Salon de la Société Nationale des Beaux-Arts de Madrid, obtenant une mention honorable en 1904, et au Salon des Artistes Français de Paris de 1912 à 1914. Plusieurs expositions rétrospectives de son œuvre furent organisées : 1912 Salon Parés de Barcelone ; 1924 Musée d'Art Moderne de Madrid ; 1930 Buenos Aires.
S'il applique quelques principes venus de l'impressionnisme, plein air, lumière solaire, fraîches couleurs, lorsqu'il traite le paysage, en fait il s'avère plus puissant à l'occasion de figures ou portraits, de quelque Carmen bien typée, retrouvant une hispanité à laquelle s'était aussi référé Manet dans sa première période.
Bibliogr. : In : *Cien Años de pintura en España y Portugal, 1830-1930*, Antiqvaria, t. XI, Madrid, 1993.

VISCARDI Giovanni
Né en 1826 à Bergame. Mort en janvier 1853 à Bergame. XIXe siècle. Italien.
Peintre d'ornements, fleurs et fruits.
Il fut élève de l'Académie des Beaux-Arts de Bergame.

VISCARDI Girolamo
XVe-XVIe siècles. Actif en France. Italien.
Sculpteur de monuments.
Il travailla au tombeau des parents de Louis XII dans la basilique de Saint-Denis.

VISCARDI Girolamo
XVIIe siècle. Actif à Vérone. Italien.
Graveur, orfèvre.
Il grava au burin.

VISCH Harmen
XVIIe siècle. Travaillant à Amsterdam en 1674. Hollandais.
Sculpteur.

VISCH Henk
Né en 1950 à Eindhoven. XXe siècle. Hollandais.
Sculpteur d'assemblages. Expressionniste.
En 1984, le Musée de Groningue et la galerie Paul Andriesse d'Amsterdam ont présenté des ensembles de ses œuvres ; en 1985 et 1987 la galerie Joost De Clercq de Gand ; etc.
Dans les années soixante-dix, à contre-courant, Visch s'est référé au courant expressionniste lointainement issu de Cobra. Ses « Objets-sculptures » résultent de l'assemblage de bois, briques, métal, etc. qu'il recouvre d'une couche de peinture uniformisante.
Bibliogr. : In : *L'Art du XXe siècle*, Larousse, Paris, 1991.
Musées : Otterlo (Rijksmus. Kröller-Müller) : *Charlie* 1982.
Ventes Publiques : Amsterdam, 8 déc. 1993 : *Personnage dansant* 1982, encre/pap. (29,5x20,5) : **NLG 2 300.**

VISCH Mathias de
Né en 1702 à Reninghe. Mort le 23 avril 1765 à Bruges. XVIIIe siècle. Éc. flamande.
Peintre de compositions religieuses, sujets allégoriques, portraits, paysages.
Il fut élève de Jos. Van der Kerckhove et de Piazetta à Venise. On voit de lui, dans la cathédrale d'Ypres, *Jésus et la Samaritaine*.
Musées : Bergues : *Portrait de l'abbé Van Hondschoote* – Bruges : *Allégorie des Arts* – *Portrait de l'artiste par lui-même*, deux œuvres – *Portrait du peintre G. Suweyn*.
Ventes Publiques : Paris, 27 juin 1985 : *Homme de qualité vu en buste* 1744, h/t (81x65) : **FRF 15 500** – Paris, 7 déc. 1994 : *Vue de Saint-Cloud*, h/t (63x114,5) : **FRF 58 000.**

VISCHER. Voir aussi **VISSCHER** et **FISCHER**

VISCHER Ambrosius
XVIIe siècle. Travaillant à Bois-le-Duc de 1680 à 1690. Hollandais.
Peintre.

VISCHER August
Né le 30 juillet 1821 à Waldangelloch. Mort le 8 janvier 1898 à Karlsruhe. XIXe siècle. Allemand.
Peintre d'histoire et de genre.
Élève de Cornelius Schnorr et Hess, à Munich et de Block à Anvers. Il travailla à Anvers, à Munich et à Paris, et vint en 1870 à Karlsruhe.
Musées : Karlsruhe : *Victoire de Berthold von Zähringen sur les Milanais* – Mulhouse : *Soldat taquiné par des guêpes* – Munich (Mus. Nat.) : *Entrée de l'Électeur Max Joseph à Munich* – *Prise de Budapest par Max Emmanuel de Bavière en 1889* – Prague (Mus. Nat.) : *Le repas interrompu*.
Ventes Publiques : New York, 25 mai 1984 : *Le cordonnier et sa fille*, h/t (74,9x56,5) : **USD 2 500.**

VISCHER Claes Jansz ou **Nicolas Joannis**. Voir **VISSCHER**

VISCHER Cornelis de. Voir **VISSCHER**

VISCHER Crispinus
XVIe-XVIIe siècles. Actif à Thun de 1586 à 1608. Suisse.
Peintre verrier.

VISCHER Endres. Voir **FISCHER Andreas**

VISCHER Georg
XVIIe siècle. Actif à Munich de 1625 à 1637. Allemand.
Peintre.
La Galerie de Schleissheim conserve de lui *Le Christ et la femme adultère*. Il fut souvent confondu avec Johannes Fischer.

VISCHER Georg Mathias
Né le 22 avril 1628 à Wenns. Mort le 13 décembre 1696 à Linz. XVIIe siècle. Autrichien.
Dessinateur et cartographe.
Il dessina des vues de villes et de châteaux ainsi que des cartes d'Autriche.

VISCHER Hans ou **Johannes**
Né vers 1489 à Leipzig. Mort le 8 septembre 1550 à Leipzig. XVIe siècle. Allemand.
Sculpteur.
L'un des fils de Peter Vischer l'Ancien. Il exécuta des statues, des tombeaux, des amours et des figurines.

VISCHER Hermann. Voir aussi **FISCHER Hermann**

VISCHER Hermann, l'Ancien
Enterré à Nuremberg le 13 janvier 1488. XVe siècle. Allemand.
Sculpteur et fondeur.
Père de Peter Vischer l'Ancien. Il sculpta de nombreux tableaux, épitaphes et fonts baptismaux pour des églises de Nuremberg. Il est l'auteur des fonts baptismaux de Wittemberg.

VISCHER Hermann, le Jeune
Né en 1486 au plus tard. Mort le 1er janvier 1517. XVIe siècle. Actif à Nuremberg. Allemand.
Sculpteur et fondeur.
Il exécuta des tombeaux, des statuettes et des épitaphes à Nuremberg et à Cracovie.

VISCHER Hieronymus. Voir **VISCHER Jeronymus**

VISCHER Jakob
XVIIe siècle. Actif à Strasbourg de 1659 à 1687. Français.
Peintre verrier.

VISCHER Jeronymus
XVIe-XVIIe siècles. Travaillant à Bâle de 1580 à 1620. Suisse.
Peintre et verrier.
Les Musées de Bâle et de Berne conservent des œuvres de cet artiste.

VISCHER Louise ou **Lisette**
XIXe siècle. Travaillant à Bâle au début du XIXe siècle. Suisse.
Dessinateur et aquafortiste amateur.

VISCHER Lukas
Né en 1780. Mort en 1840. XIXe siècle. Actif à Bâle. Suisse.
Graveur au burin et aquarelliste amateur.
Fils de Peter Vischer l'Ancien (né en 1751). Il peignit des types populaires de l'Amérique du Sud.

VISCHER Marx Sigmund, l'Ancien
XVIe siècle. Actif à Bâle de 1563 à 1579. Suisse.
Peintre verrier.
Membre de la gilde en 1563. Père de Marx Sigmund Vischer le Jeune.

VISCHER Marx Sigmund, le Jeune
XVIIe siècle. Travaillant à Bâle de 1612 à 1617. Suisse.

Peintre verrier.
Fils de Marx Sigmund Vischer l'Ancien.

VISCHER Michael. Voir **FISCHER**

VISCHER Paul
XVIe siècle. Travaillant à Eger en 1507 et Zwickau. Autrichien.
Sculpteur sur bois.

VISCHER Paulus
Mort à Mayence. XVIe siècle. Actif de 1515 à 1523. Allemand.
Sculpteur sur bois et fondeur.
Il exécuta quelques épitaphes et la *Madone de Nuremberg* conservée au Musée Germanique de Nuremberg.

VISCHER Peter I, l'Ancien
Né vers 1460 à Nuremberg. Mort le 7 janvier 1529 à Nuremberg. XVe-XVIe siècles. Allemand.
Sculpteur et fondeur en bronze.
Fils et élève du sculpteur nurembergeois Hermann Vischer. On considère comme son chef-d'œuvre le monument qu'il éleva, en collaboration avec ses cinq fils, en l'honneur de saint Sebald, patron de la ville de Nuremberg, dans l'église vouée à ce saint. Il s'agit d'une châsse, en forme d'église d'architecture gothique, mais dont les ornements, s'y étant ajoutés de 1508 à 1519, sont de caractère renaissant, avec des sirènes, des Hercules, des candélabres ornementaux. Les statuettes des apôtres, drapées à l'Antique, sont placées devant les montants. L'exécution, en dépit de la surcharge, reste d'une grande aisance. Peter Vischer s'est représenté en tablier, ses outils à la main. Une inscription précise que le travail a été effectué en collaboration avec ses fils. On voit de lui au Musée de Leipzig : *Statues des apôtres ; Statue de saint Sebald* et *Théodoric, roi des Ostrogoths*. Des moulages de ses œuvres se voient dans les Musées, notamment à Troyes (*Saint Pierre* et *saint Paul*) et à Stockholm.

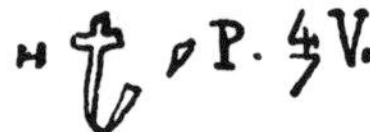

Ventes Publiques : Londres, 3 mai 1977 : *Hercule et Antée*, bronze, patine naturelle (H. 23,3) : **GBP 11 000**.

VISCHER Peter II, le Jeune
Né probablement en 1487 à Nuremberg. Mort en 1528. XVIe siècle. Allemand.
Sculpteur, graveur et fondeur en bronze.
Fils, élève et collaborateur de Peter I Vischer l'Ancien. Il travailla à Nuremberg. On lui attribue le tombeau de Frédéric le Sage, au château de Wittemberg, entre autres nombreuses pierres tombales dues à l'atelier de Vischer, mais dont certaines avaient été dessinées par des artistes parmi lesquels Dürer, Veit Stoss, Jacopo de' Barbari. Le Staatliche Museum de Berlin conserve de Peter Vischer le Jeune, un *Orphée et Eurydice*, d'une grâce très italianisante.

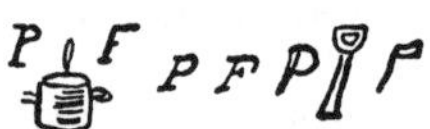

VISCHER Peter, l'Ancien
Né en 1751. Mort en 1823. XVIIIe-XIXe siècles. Actif à Bâle. Suisse.
Graveur au burin amateur.
Il dessina et grava des caricatures politiques.

VISCHER Peter, le Jeune
Né en 1779. Mort en 1851. XIXe siècle. Actif à Bâle. Suisse.
Aquafortiste.
Fils de Peter Vischer l'Ancien et élève de S. Burmann. Il était également un négociant. Le Musée de Bâle conserve vingt-cinq paysages et vues exécutés par cet artiste.

VISCHER Romano. Voir **FISCHER**

VISCHER Romanus
Né à Pforzheim. Mort le 4 septembre 1632 à Forchheim. XVIIe siècle. Allemand.
Peintre.
Il ne paraît pas identifiable à Romano Fischer. Il exécuta des peintures pour l'abbatiale de Forchheim et des églises des environs.

VISCHER Thomas. Voir **FISCHER**

VISCHLER Johann Michael
Né à Absam. XVIIIe siècle. Actif dans la première moitié du XVIIIe siècle. Autrichien.
Sculpteur.
Il sculpta des statues, des autels et des chaires pour des églises de Schwaz et des environs.

VISCONTI Alfonso
Né en 1836. XIXe siècle. Italien.
Peintre.
Actif à Milan, il débuta au Salon de Paris en 1856.

VISCONTI Alphonse Adolfo Feragutti
Né en 1850 à Pura. Mort en 1924 à Milan. XIXe-XXe siècles. Depuis environ 1880 actif puis naturalisé en France. Italien.
Peintre de portraits, paysages, natures mortes, fleurs, pastelliste.
Mention au Salon des Artistes Français en 1889 (Exposition Universelle), sociétaire en 1892, Légion d'honneur en 1938.
Ventes Publiques : Paris, 29 nov. 1902 : *Nature morte* : **FRF 160** – Paris, 2 mai 1944 : *Fruits dans un plat de Delft bleu* : **FRF 3 000** – Paris, 13 nov. 1950 : *Fleurs* : **FRF 6 800** – Milan, 28 oct. 1976 : *Portrait de femme*, past. (75x55) : **ITL 220 000** – Milan, 16 juin 1980 : *L'Elévation*, h/t (71x130) : **ITL 1 800 000** – Milan, 10 nov. 1982 : *Portrait de femme*, h/t (124x94) : **ITL 7 800 000** – Milan, 19 oct. 1989 : *Le quai des Schiavoni à Venise*, h/t (45x23) : **ITL 9 000 000** – New York, 24 oct. 1989 : *Nature morte avec une aiguière d'or, une coupe et des roses jaunes* 1881, h/pan. (65,4x45,7) : **USD 7 700** – Milan, 30 mai 1990 : *« Ius primae noctis »*, h/t (65,5x51) : **ITL 15 500 000** – Milan, 16 mars 1993 : *Souvenirs de la maman*, h/t (153x115) : **ITL 56 000 000** – Milan, 9 nov. 1993 : *« Ius primae noctis »*, h/t (90,5x70,5) : **ITL 14 375 000** – Milan, 25 oct. 1994 : *Marais*, h/t (74,5x139,5) : **ITL 19 550 000**.

VISCONTI Angelo
Né le 2 novembre 1829 à Sienne. Mort le 4 août 1861, noyé dans le Tibre. XIXe siècle. Italien.
Peintre.
Élève de l'Académie de Sienne. Le Musée des Offices de Florence conserve des dessins de cet artiste.

VISCONTI Antonio
XIXe siècle. Actif à Milan vers 1850. Italien.
Paysagiste.

VISCONTI Carlo, comte
XVIIIe-XIXe siècles. Actif à Crémone. Italien.
Peintre amateur.

VISCONTI Élysée, ou **Elyseo**
Né le 1er août 1867 à Salerne (Italie). Mort en 1944. XIXe-XXe siècles. Actif au Brésil. Italien.
Peintre d'histoire.
Il vint très jeune au Brésil et étudia à Rio, puis vint à Paris compléter ses études et y fut attiré par le postimpressionnisme et l'Art Nouveau. Il figura aux Expositions de Paris : médaille d'argent en 1900 (Exposition Universelle). De retour au Brésil, il s'accommoda mal du conservatisme et de l'atmosphère casanière qui, alors, régnaient à Rio. Il a néanmoins exercé une profonde influence, comme professeur, sur les générations postérieures.
Musées : Rio de Janeiro : *Les Réades* – São Paulo : *La Providence guide Pedro Alvarez Cabral dans la découverte du Brésil 1899*.
Ventes Publiques : São Paulo, 20 oct. 1980 : *Jardin de Teresopolis*, aquar. (22x16,5) : **BRL 192 000** – São Paulo, 25 juin 1981 : *Paysage* 1943, h/pan. (35x26,5) : **BRL 280 000** – Rio de Janeiro, 5 nov. 1984 : *Paysage boisé animé de personnages*, h/t (59x81) : **BRL 82 500 000** – Rio de Janeiro, 31 oct. 1986 : *Environs de Sao Cristovao*, h/t (60,5x82) : **BRL 1 510 000**.

VISCONTI Francesco Maria
XVIIIe siècle. Actif à Sienne dans la première moitié du XVIIIe siècle. Italien.
Graveur.

VISCONTI Georges
Né le 24 novembre 1919 à Carouge (Genève). XXe siècle. Depuis 1947 actif en France. Suisse.
Peintre et graveur.
Il vit à Paris depuis 1947, où il a exposé au Salon des Indépendants, au Salon d'Automne, au Salon des Terres Latines. Expositions particulières à Paris.

VISCONTI Giovanni Antonio
XVIe siècle. Actif dans la première moitié du XVIe siècle. Italien.
Peintre verrier.
Il exécuta des vitraux pour l'église du Couronnement à Lodi, en 1510.

VISCONTI Giovanni Maria. Voir **BISCONTI Giammaria**

VISCONTI Giulio

Né le 20 septembre 1790 à Crémone. XIXe siècle. Italien.

Sculpteur sur bois.

Il travailla à Crémone et à Milan.

VISCONTI Giuseppe Antonio Angelo Maria

Né le 20 janvier 1830 à Milan (Lombardie). Mort le 8 juin 1880 à Schaerbeek. XIXe siècle. Actif en Belgique. Italien.

Peintre de paysages animés, paysages.

Ventes Publiques : Bruxelles, 27 mars 1990 : *Paysage animé*, h/t (51x75) : **BEF 60 000** – Zurich, 24 juin 1993 : *Paysage avec des moulins sous un ciel d'orage*, h/t (51x93) : **CHF 3 000** – Amsterdam, 19 avr. 1994 : *Dans les bois*, h/pan. (64x74) : **NLG 5 980**.

VISCONTI Lodovico

Né à Milan. XVIIe siècle. Travaillant à Turin en 1617. Italien.

Sculpteur.

VISCONTI Pietro

XIVe siècle. Italien.

Dessinateur de cartes.

Le Musée Municipal de Venise conserve des cartes marines richement illustrées par cet artiste.

VISCONTI Pietro

Né en Lombardie. XVIIIe siècle. Travaillant à Venise de 1750 à 1778. Italien.

Peintre d'architectures.

VISCONTINO Bartolomeo

XVIe siècle. Actif à Milan dans la seconde moitié du XVIe siècle. Italien.

Sculpteur.

Il a sculpté un *Buste du poète Giambattista Marino* dans l'église Saint-Dominique de Naples.

VISDAL Jo

Né le 2 novembre 1861 à Visdal. Mort le 26 décembre 1923 à Asker. XIXe-XXe siècles. Norvégien.

Sculpteur de sujets religieux, bustes.

Élève de Léon Bonnat et de Puvis de Chavannes à Paris.

VISENTINI Antonio

Né en 1688 à Venise. Mort en 1782 à Venise. XVIIIe siècle. Italien.

Peintre de paysages, paysages d'eau, architectures, intérieurs, graveur, dessinateur.

Il a eu une importante activité d'architecte, et a gravé à l'eau-forte et au burin des portraits et des vues. Il s'est inspiré de Tiepolo et de Zuccherelli.

Musées : Venise : *Architecture imaginaire*.

Ventes Publiques : Milan, 21 mai 1970 : *Paysage fluvial* ; *Marine avec ruines*, deux toiles : **ITL 1 000 000** – Monte-Carlo, 25 juin 1984 : *Paysage de Vénétie*, h/t (48x70) : **FRF 285 000** – Berne, 21 juin 1985 : *Urbis venetiarum...* 1735-1742, eaux-fortes, trente huits pièces (36,5x53) : **CHF 27 000** – Monte-Carlo, 29 nov. 1986 : *Les Architectes* ; *La Toilette d'une vénitienne*, h/cart. avec traces de pierre noire, une paire (chaque (24,5x37,5) : **FRF 140 000** – Rome, 10 nov. 1987 : *Paysage aux moulins*, h/t (95x114) : **ITL 15 000 000** – Rome, 13 déc. 1988 : *Capriccio avec un portique et un fleuve*, h/t (112,5x88,5) : **ITL 20 000 000** – Rome, 8 avr. 1991 : *Portique avec des dames et des cavaliers*, h/t (31x40) : **ITL 3 220 000** – Milan, 3 déc. 1992 : *Intérieur d'un couvent avec des religieuses*, h/t (108x151) : **ITL 82 000 000** – New York, 12 jan. 1994 : *Façade de l'église des Jésuites à Venise* 1761, encre et lav. (49x35) : **USD 7 475**.

VISENTINI Lorenzo

XVIIIe siècle. Actif à Trente au milieu du XVIIIe siècle. Italien.

Sculpteur sur bois.

Il a sculpté avec Michele Gramatica, les stalles du Sanctuaire de la Madone à Tirano en 1749.

VISET Jean

XVIe siècle. Travaillant à Fontainebleau en 1536. Français.

Aquafortiste.

Il grava des figures représentant des mouvements de gymnastique.

VISETTI Agostino

Né vers 1821 à Montanaro. Mort le 15 janvier 1904. XIXe siècle. Italien.

Peintre.

Élève de l'Académie de Turin. Il peignit des fresques et des tableaux d'autel.

VISETTI Antonio

XVIIIe siècle. Actif à Venise. Italien.

Sculpteur.

VISETTI Carlo

XVIIe siècle. Actif à Isera, de 1655 à 1683. Italien.

Sculpteur.

VISETTI Rinaldo

XVIIe siècle. Travaillant à Isera de 1655 à 1683. Italien.

Stucateur.

Il exécuta les stucatures du maître-autel et les fonts baptismaux de l'église d'Isera.

VISEUX Claude

Né le 3 juillet 1927 à Champagne-sur-Oise (Val-d'Oise). XXe siècle. Français.

Peintre, puis sculpteur.

Il fut élève de l'École des Beaux-Arts de Paris, en architecture, de 1946 à 1949. En 1951, il rencontra l'architecte Jean Prouvé, en 1952 le sculpteur Brancusi. Jusqu'en 1958, il eut surtout une activité de peintre, tout en ayant commencé de sculpter ; ensuite il se consacra entièrement à la sculpture, sauf quelques séries de planches gouachées. En 1982, il fut invité à New Dehli par le gouvernement indien. Depuis, il y est retourné presque annuellement.

En tant que peintre et que sculpteur, Viseux participe à de très nombreuses expositions de groupe, parmi lesquelles : 1953 à 1966, Salon des Réalités Nouvelles ; 1955 à 1959, Groupe *Phases* ; en 1957, 1958, 1961 Salon de Mai ; depuis 1956, Salon Comparaisons ; 1957 Anvers, avec Claude Georges et Réquichot ; depuis 1960, Salon de la Jeune Sculpture, dont il était membre du comité ; Biennale de Paris ; 1960, 1963 Paris, École de Paris, à la Galerie Charpentier ; 1962, *L'Objet*, au Musée des Arts Décoratifs de Paris ; 1964, sélectionné pour le Prix Carnegie, à Pittsburgh ; 1965, Biennale de Sculpture d'Anvers-Middelheim ; 1966, *La Main*, Paris ; 1972, Biennale de Venise ; 1986 New Dehli, Triennale Internationale de Sculpture, dont il obtint le premier Prix ; etc.

Depuis 1952, il a montré de nombreuses expositions personnelles de ses œuvres : à Bruxelles en 1954 ; galerie Drouin de Paris en 1955 ; New York en 1957, galerie Léo Castelli ; 1956 Paris, galerie Daniel Cordier ; Palais des Beaux-Arts de Bruxelles en 1958 ; 1960 Paris, galerie Daniel Cordier, peintures de la série *Facies* et ses sculptures de la série *Pétrifications* ; Musée de Wiesbaden en 1961 ; Cannes en 1963 ; Genève en 1966 ; Centre National d'Art Contemporain de Paris en 1969 ; Abbaye de Beaulieu-en-Rouergue en 1991 ; etc.

En tant que peintre, il se situa d'emblée dans l'abstraction lyrique, recourant également à un travail de la matière apparenté à l'art informel. Il a lui-même donné une idée globale du projet de sa peinture : « ...une sorte de paysage-portrait, semblable à une foule où chacun crie le plus fort à sa manière, un paroxysme d'infini aveuglant celui qui a cru y voir clair. » Dans le même temps, il abordait la sculpture par une démarche d'appropriation de la matière brute, préfigurant l'esprit des « expansions » de César ; ses *Concrétudes* étaient obtenues à partir de coulées de métal en fusion à même le sol. Après avoir abandonné complètement la peinture en 1958, et après une courte période d'assemblage de produits naturels, algues, os, bois de flottage, puis artificiels, plastique, aluminium, sa sculpture n'a pratiquement plus cessé de prendre pour point de départ et pour matériau les produits de l'industrie, qui seront détournés de leur sens par son intervention, les faisant participer par mimétisme des règnes minéral, végétal ou animal. Il fiche ses premières *Structures actives* sur des tiges oscillantes.

En 1964-1965, il réalisa une série d'œuvres de petites dimensions en acier inoxydable, matériau qu'il commençait à exploiter, dont l'existence se situait délibérément mal entre petits personnages oniriques et flore marine : « Êtres toujours errants. Métamorphoses complexes : les sacculines en quête de jeunes crabes à la carapace tendre, les percent de leur aiguillon et s'injectent dans le corps de leur hôte pour y passer leur vie. » En 1966, le *Prédateur*, rassemblant des faisceaux de tubes d'échappement d'avion, tenait à la fois de l'animal et du végétal. À partir de 1967, et notamment dans la série d'œuvres de grandes dimensions de 1968-1969, partant toujours de productions industrielles, il ne les modifie plus par quelque travail de fusion ou de torsion, mais, les assumant dans leur identité industrielle précise, les détourne cependant de leur destination par le seul fait de les assembler en des accumulations qui de nouveau évoquent les processus de

reproduction des végétaux. Ces *Machines improbables*, au contraire des œuvres précédentes nées de la torsion, de la compression ou de la fusion du métal, dues au seul acte d'assembler, conservent l'aspect de leur caractère industriel ; ce sont les séries des *Cryptogames*, *Cryptophiles*, des *Voyants*, des *Eugléniens*, etc. Dans bon nombre de ces créations à partir d'éléments industriels en acier inoxydable, il est tout à fait licite de reconnaître des allusions à la réalité fantastique de l'univers des fusées interplanétaires et de l'exploration sidérale : « Mes sculptures sont une suite d'expériences imaginaires, une seule exigence les dirige : elles doivent contredire le préexistant et en signifier des notions d'extension ou de restriction afin d'être pour elles-mêmes des événements de création autonome, nécessaires à nos curiosités mentales. » De ces mêmes œuvres, un article anonyme des *Chroniques de l'Art Vivant* écrit : « À partir d'un matériel donné, Viseux opère un déplacement du réel vers le fantastique, il recrée un langage au vocable insolite, articule les structures d'un monde nouveau peuplé d'anthropoïdes, où la logique de l'imaginaire impose un autre ordre. » Avec les *Homolides*, de 1969, Viseux, délaissant momentanément l'acier, traite des productions en résines synthétiques, bouées, flotteurs et autres balises, qui lui apportent l'éclat de leurs couleurs vives.
Il a réalisé de très nombreuses intégrations architecturales, entre autres : relief mural, Berlin, 1957 ; céramique, Saint-Cloud, 1958 ; avec l'architecte Vicariot, un panneau de céramique à l'aéroport d'Orly, 1960 ; céramique, Boulogne, 1963 ; céramique à Cambrai, 1963 ; relief inoxydable, Mont-de-Marsan, 1967 ; sculpture, Châtillon-la-Ville, 1967 ; sculpture, pour le Palais des Foires et Expositions de Grenoble, 1968 ; dans sa politique de collaboration avec des artistes, la Régie Renault choisit Viseux pour l'année 1969, ce qui lui permit la réalisation d'un assemblage de pièces mécaniques : *Mausolée pour l'autoculture*, monument d'humour noir à ce dieu contemporain : l'automobile ; sculpture à La Châtre, 1970 ; *L'Astrolabe*, à Laon-Couvron, 1977 ; etc. En 1968, il a conçu la scénographie pour la *Salomé* de Richard Strauss et de la Compagnie du Ballet-Théâtre contemporain.
Depuis que Claude Viseux s'est trouvé et épanoui dans son travail de sculpteur, il constitue un univers d'objets procédant de plusieurs constantes qui en fondent l'unité : le matériau préalablement existant en tant que produit manufacturé, son détournement instantané, l'association de plusieurs de ces matériaux, le double projet d'apporter une contribution au monde tel qu'il continue de se créer à chaque instant, dans l'ordre de l'onirique avec *Matrices artésiennes*, *Ovogenèse*, *Nidation*, en même temps que de préparer la voie (Tao) et les moyens de rejoindre d'autres mondes, certes peut-être interplanétaires dans l'ordre du fantastique, *Gîte habitable*, mais peut-être et surtout dans l'ordre de l'esprit, trans-mortels. ■ Jacques Busse

Bibliogr. : Michel Seuphor : *Diction. de la peint. abstr.*, Hazan, Paris, 1957 - Jean-Clarence Lambert : *La peint. abstr.*, in : *Hre Gle de la peint.*, tome 23, Rencontre, Lausanne, 1966 - *Catalogue de l'exposition « Viseux »*, Centre National d'Art Contemporain, Paris, 1969 - X. : *Viseux : Eugléniens, Voyants, Homolides and Co*, Chroniques de l'Art Vivant, Paris, juin 1969 - Raoul-Jean Moulin, in : *Nouveau diction. de la sculpt. mod.*, Hazan, Paris, 1970 - in : Encyclopédie des Arts *Les Muses*, Grange Batelière, Paris, 1969-1974 - in : Catalogue de l'exposition *L'Art moderne à Marseille. La Collection du musée Cantini*, Musée Cantini, Marseille, 1988 - in : *L'Art du xxe siècle*, Larousse, Paris, 1991 - Lydia Harambourg, in : *L'École de Paris 1945-1965. Diction. des Peintres*, Ides et Calendes, Neuchâtel, 1993.

Musées : Alger (Mus. Nat.) - Anvers - Beaulieu-en-Rouergue (Centre d'Art Contemp. de l'Abbaye) - Bruxelles (Mus. roy. des Beaux-Arts) - Dunkerque - Marseille (Mus. Cantini) : *Cloche avant 1974* - Mexico - Miami - Paris (Mus. Nat. d'Art Mod.) : une partie de la donation Cordier - Paris (CNAC) - Paris (Mus. d'Art Mod. de la Ville) - Saint-Paul-de-Vence (Fond. Maeght) - Varsovie.

Ventes Publiques : Versailles, 7 mars 1976 : *Les mains de l'artiste*, bronze à patine dorée : **FRF 1 500** - Paris, 26 oct. 1988 : *Composition* 1969, sculpt. en métal (H. 45) : **FRF 4 800** - Douai, 2 juil. 1989 : *Composition*, h/pap. (65x50) : **FRF 4 300** - Paris, 3 mars 1989 : *Composition* 1956, encre et aquar. (64x50) : **FRF 3 200** - Paris, 19 mars 1989 : *Composition, facies N° 27*, h/t (73x93) : **FRF 6 500** - Douai, 3 déc. 1989 : *Composition* 1966, gche (53x74) : **FRF 8 000** - Douai, 1er avr. 1990 : *Composition* 1956, techn. mixte (50x64) : **FRF 11 000** - Paris, 26 avr. 1990 : *Sans titre*, h/pan. (10,4x7,2) : **FRF 14 500** - Douai, 11 nov. 1990 : *Pelotons d'exhalaisons* 1960, h/t (130x195) : **FRF 39 800** - Paris, 2 fév. 1992 : *Machine - sculpture* 1969, techn. mixte/pap. (64x49) : **FRF 4 500** - Paris, 14 mai 1992 : *Los reynatos*, bronze (H. 62) : **FRF 6 500** - Paris, 3 juin 1996 : *Colonne* 1968, acier chromé (H. 110) : **FRF 4 800** - Paris, 20 oct. 1996 : *Sans titre*, sculpt. métal (H. 115) : **FRF 18 000**.

VISIEN Charles Antoine de
Né au xixe siècle à Troyes (Aube). xixe siècle. Français.
Peintre de natures mortes.
Élève de L. Cogniet et de O. Mathieu. Il figura aux Salons de 1867 et de 1868.

VISINO
Mort vers 1512 en Hongrie. xvie siècle. Italien.
Peintre d'histoire.
On l'a dit élève de Francia Bigio et de Mariotto Albertinelli. Vasari indique le second et son affirmation est généralement admise par la critique. Parmi ses œuvres connues, on cite, notamment : *Vierge et Enfant Jésus* (Académie de Bologne) et *Descente de croix* (Galleria del Seminario, à Venise). Il visita la Hongrie ; on n'y cite pas d'ouvrages de lui, mais on croit qu'il y acheva sa carrière.

VISITATION, MAÎTRE de la. Voir **MAÎTRES ANONYMES**

VISJAGER Hendrik
xviie siècle. Actif à Amsterdam dans la seconde moitié du xviie siècle. Hollandais.
Graveur à l'eau-forte, à la manière noire.
Il était également négociant en objets d'art.

VISKI Janos ou **Jean**
Né le 22 septembre 1891 à Szokolya. xxe siècle. Hongrois.
Peintre de scènes animées typiques.
Il fit ses études et vécut à Budapest. Il peignit des scènes de la vie des bergers de la puszta hongroise et des pampas d'Argentine.
Ventes Publiques : Paris, 22 juil. 1942 : *Attelage fuyant devant l'orage* : **FRF 700** - Paris, 29 juin 1988 : *Le gaucho*, h/t (50x65) : **FRF 3 500** - New York, 31 mars 1993 : *Chevaux sauvages*, h/t (29,2x79,1) : **USD 920**.

VISMARA Domenico ou **Giovanni Domenico**
xviie siècle. Actif à Milan de 1640 à 1645. Italien.
Sculpteur.

VISMARA Francesco
xviie siècle. Italien.
Sculpteur et peintre.
Fils de Gaspare Vismara.

VISMARA Francesco
xixe siècle. Italien.
Peintre d'intérieurs et d'architectures.
Il était actif à Milan dans la seconde moitié du xixe siècle. Il exposa à Turin, Milan et Venise.

VISMARA Gaspare
Mort en 1651. xviie siècle. Actif à Milan. Italien.
Sculpteur.
Père de Domenico et de Francesco Vismara. Il travailla pour la cathédrale de Milan de 1612 à 1628.

VISMARA Giacomo ou **Giacomino** ou **Vicemala**
xve siècle. Italien.
Peintre.
On le cite parmi les artistes employés à la Cour des Sforza à Milan dans la deuxième moitié du xve siècle. En 1460, de concert avec son confrère Pietro Marchesi, il réclame, dans une pétition, le payement de travaux exécutés antérieurement. En 1473, il peint des fresques dans la chapelle ducale du château de Milan. De 1473 à 1476, en collaboration avec Vincenzo Foppa et d'autres artistes, il exécute le grand tableau d'autel pour le château de Paire. On mentionne encore ses travaux à l'église de Santa-Maria à Caravaggio et dans d'autres édifices religieux du Milanais, mais aucun de ses ouvrages n'est venu jusqu'à nous.

VISMARA Giovanni
xviie-xviiie siècles. Travaillant à Milan de 1660 à 1700. Italien.
Médailleur.
Il grava des médailles à l'effigie de personnalités de son époque.

VISMARA Giovanni-Battista
xviiie siècle. Actif dans la seconde moitié du xviiie siècle. Italien.
Sculpteur.

Il travailla pour la cathédrale de Milan et exécuta une *statue du Tasse* à Bergame.

VISMARA Giuseppe I
XVIIe siècle. Italien.
Sculpteur.
Il travailla pour la cathédrale de Milan de 1618 à 1625.

VISMARA Giuseppe II
XVIIe siècle. Italien.
Sculpteur.
Il exécuta des statues et des bas-reliefs sur la façade de la cathédrale de Milan de 1654 à 1677.

VISMARA Isidoro
XVIIe-XVIIIe siècles. Actif à Milan, de 1671 à 1702. Italien.
Sculpteur.
Frère et assistant de Giuseppe II Vismara.

VISNYOVSZKY Lajos ou **Louis**
Né le 24 juin 1890 à Budapest. XXe siècle. Hongrois.
Sculpteur de monuments, nus.
Il fit ses études à Budapest. Il exécuta des nus et des monuments aux morts.

VISO Andrea ou par erreur **Viva**
Né en 1658 ou 1657. Mort en 1740 ou 1742. XVIIe-XVIIIe siècles. Italien.
Peintre.
Il fut élève de Luca Giordano à Naples.

VISO Cristobal del
Mort peut-être en 1684 à Madrid. XVIIe siècle. Espagnol.
Peintre de compositions religieuses.
Il appartint à l'Ordre de Saint-François. Le couvent de San Francisco de Cordoue possède de lui les portraits de tous les saints de son ordre, exécutés avec beaucoup de talent. Il était commissaire général des Indes. Le Musée de Nantes conserve de lui une peinture sur bois (*La Vierge et l'Enfant Jésus*), dont la signature « A.-S. Viso, 1690 » ne correspond ni à sa date de mort présumée ni à son prénom.

VISO Nicola ou **Cola**
XVIIIe siècle. Italien.
Peintre de scènes mythologiques, sujets de genre, portraits, paysages, marines.
Il travaillait à Naples vers 1730.
Ventes Publiques : Milan, 10 juin 1987 : *Scène de bord de mer*, h/t (50x76) : **ITL 13 000 000** – Paris, 1er juil. 1988 : *Scène de sacrifice antique*, h/t (49,5x76) : **FRF 21 000** – Rome, 8 mars 1990 : *Jeune joueur de pipeau ; Joueur de mandoline*, h/pan. (38x29) : **ITL 13 000 000** – Rome, 14 nov. 1995 : *Paysage avec Argus et Mercure ; Paysage avec Bacchus et Ariane*, h/cuivre, une paire (chaque 16x23) : **ITL 14 950 000** – Rome, 21 nov. 1995 : *Marine de la côte méditerranéenne animée*, h/t (50,5x64) : **ITL 10 607 000** – Rome, 21 mai 1996 : *Scène de genre*, h/t (57x76) : **ITL 14 950 000** – Londres, 13 déc. 1996 : *Marchands, mendiants, voyageurs et dockers sur le quai dans un port ; Chasseur et paysans près de ruines sur un promontoire rocheux*, h/t, une paire (28,8x41) : **GBP 9 299** – New York, 31 jan. 1997 : *Port méditerranéen avec des paysans se reposant près d'une fontaine*, h/t (74,9x102,1) : **USD 16 100**.

VISONE Joseph ou **Giuseppe**
Né vers 1800 à Naples. Mort au XIXe siècle à Paris (?). XIXe siècle. Italien.
Peintre d'histoire, de genre et de paysages.
Il demeurait, à Paris, rue de Lille, et exposa au Salon de 1835 à 1841 des sujets de genre, d'histoire et des paysages d'Italie. Le catalogue du Salon le mentionne parfois avec l'initiale G. La reine Marie Amélie lui acheta plusieurs ouvrages. Le Musée de Bourges conserve un paysage de lui.

VISONI Giovanni
XVIe siècle. Actif à Florence en 1515. Italien.
Peintre.

VISONTAY Kalman ou **Coloman**
Né le 7 janvier 1870 à Jaszbéreny. Mort le 22 décembre 1919 à Szeged. XIXe-XXe siècles. Hongrois.
Peintre de figures.

VISPRÉ Francis Xavier, ou **François Saverino,** ou **T. X.**, dit **Vispré Junior**
Né vers 1730 à Besançon. Mort en 1790 à Londres ou peut-être vers la fin du XVIIIe siècle à Dublin. XVIIIe siècle. Français.
Peintre de fruits et de natures mortes, graveur à l'eau-forte et à la manière noire.
On trouve dans Huber et Rost, Fuessli, Nagler et Ch. Le Blanc un T. X. Vispré et dans le Bryan Dictionary et le Dictionary of artists de Graves un François Saverino ou Francis-Xavier Vispré, qui très certainement ne sont qu'un seul et même artiste. Les différences apparentes tiennent à des erreurs typographiques, ou à des fausses interprétations du texte initial, non corrigées dans les ouvrages ultérieurs. De ces diverses sources il résulte que François-Xavier Vispré fit comme graveur, probablement à Paris, les estampes en manière noire *Portrait de Louis XV*, *Portrait de Louis, Dauphin*, *Bacchus*, d'après Charles Eisen, et à Londres, où nous le trouvons établi dès 1760, *Portrait du duc d'Orléans* et *Portrait de Marie-Henriette, fille de Louis XV*, tous deux d'après Liotard. Liotard était à Londres une première fois de 1753 à 1755 et lors d'un second séjour de 1772 à 1776. Il semble possible que les deux estampes ci-dessus pussent être gravées, dans cet intervalle. Vispré grava aussi à Londres le portrait du *Chevalier d'Éon*. Comme peintre, on le cite exposant à Spring Gardens, des natures mortes et des tableaux sur verre ainsi que des miniatures à la Society of Artists, dont nous croyons qu'il fut membre et à la Royal Academy. Le Musée de Dijon conserve de lui *La famille du musicien*.
Ventes Publiques : Monte-Carlo, 13 juin 1982 : *Nature morte aux prunes*, peint. sous verre (37x45) : **FRF 20 000** – Londres, 17 juin 1983 : *Portrait de la Marquise de Hertford*, h/t (76,2x66) : **GBP 2 800**.

VISPRÉ Victor ou **Vespré**
Né vers le milieu du XVIIIe siècle. XVIIIe siècle. Français.
Miniaturiste, portraitiste, peintre de genre et pastelliste.
Frère de Francis Vispré. Il partit pour l'Irlande, se fixa à Dublin et exposa à la Society of Artists, à la Free Society, à la Royal Academy, de 1763 à 1778. Il a fait les portraits de Garrick et de sa femme.

VISSCHER. Voir aussi **VISCHER** et **FISCHER**

VISSCHER Anna Roemersdr. Tesselschade
Née à Amsterdam, le 2 février 1583 ou 1564 selon d'autres sources. Morte le 6 décembre 1651 à Amsterdam ou en 1631 à Leyde selon d'autres sources. XVIIe siècle. Hollandaise.
Peintre, peintre verrier.
Femme du poète D. Booth Van Wezel, elle écrivit elle-même de nombreux poèmes. Elle eut pour élève Margarethe Godewyk.
Musées : Amsterdam – Hambourg.

VISSCHER Beernt de
XVIIe siècle. Actif à Utrecht de 1612 à 1642. Hollandais.
Peintre.
Élève de H. von Vollenhoven.

VISSCHER Claes Jansz ou **Nicolas Joannis**, l'Ancien, appelé aussi **Piscator**
Né vers 1550 à Amsterdam. Mort vers 1612 à Amsterdam. XVIe-XVIIe siècles. Hollandais.
Graveur de scènes de genre, portraits, paysages, dessinateur.
Il grava au burin des portraits, des vues, des cartes géographiques et fut également éditeur.

Musées : Berlin (Cab. d'estampes) : *Ferme au bord d'un étang*.
Ventes Publiques : Paris, 4 juil. 1929 (sans indication permettant de savoir s'il s'agit de V. l'Ancien ou de V. le Jeune) : *Les voitures à voiles*, dess. : **FRF 2 400** ; *Le traîneau à voiles*, dess. : **FRF 2 400** – Londres, 11 déc 1979 : *Pêcheurs sur la plage*, pl. et lav. (10,5x20,3) : **GBP 850** – Londres, 7 mars 1985 : *Amoeniores aliquot regiunculae...*, eaux-fortes, suite de vingt trois : **GBP 1 300**.

VISSCHER Claez Jansz, le Jeune
Né en 1586 ou 1587 à Amsterdam. Mort le 19 juin 1652 à Amsterdam. XVIIe siècle. Hollandais.
Graveur de portraits, paysages, dessinateur.
Il grava au burin des portraits et des cartes géographiques et fut également éditeur.
Musées : Amsterdam – Bruxelles (Mus. des Beaux-Arts).
Ventes Publiques : Paris, 12 déc. 1988 : *Vue du village d'Houtewael*, pl. en brun (14,3x18,6) : **FRF 390 000** – Amsterdam, 10 mai 1994 : *Paysage boisé avec des maisons le long d'une rivière*, encre et craie noire (11,7x18) : **NLG 16 100**.

VISSCHER Cornelis de ou **Vischer, Visser**
Né vers 1520 à Gouda. Mort en 1586. XVIe siècle. Éc. flamande.
Peintre de portraits.
Sans doute le Cornelis de Visser, actif à Delft au milieu du XVIe siècle. On cite de lui les portraits de *Guillaume d'Orange*, daté de 1584, et de *Don Juan d'Autriche*.

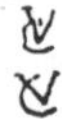

MUSÉES : VIENNE : *Portrait d'homme*.
VENTES PUBLIQUES : PARIS, 15 déc. 1909 : *Vieille femme* : **FRF 210** – LONDRES, 12 déc 1979 : *Jacques Wittewronghele* 1574, h/pan. (96,5x70,5) : **GBP 5 800**.

VISSCHER Cornelis de
Né en 1619 ou 1629 à Haarlem. Mort en 1662, enterré le 7 juin 1662 à Haarlem. XVIIe siècle. Hollandais.
Peintre de scènes de genre, portraits, graveur, dessinateur.
Il fut probablement élève de P. Soutmans. En 1653, il entra dans la gilde de Haarlem.
Ses dessins, ses estampes sont d'une exécution parfaite, affirmant une personnalité aisément reconnaissable. Ce fut surtout dans ses portraits qu'il réussit le mieux. Il a gravé également au burin de grandes planches d'après les maîtres italiens et flamands, mais sa forme dans ces productions est moins appréciée.

MUSÉES : AMSTERDAM – BERLIN – BRUXELLES – COURTRAI – DRESDE – FRANCFORT-SUR-LE-MAIN – HAARLEM – PARIS – VIENNE.
VENTES PUBLIQUES : PARIS, 1773 : *La Bohémienne*, cr. noir : **FRF 1 008** – PARIS, 1791 : *Portrait de Philippe Wouwermans*, pierre noire : **FRF 331** – PARIS, 1858 : *Portrait d'homme*, dess. à la pierre d'Italie lavé d'encre de Chine : **FRF 411** – PARIS, 17 déc. 1924 : *Portrait de femme*, pierre noire : **FRF 4 400** – PARIS, 17 jan. 1944 : *Portrait d'homme*, cr. : **FRF 6 500** – LONDRES, 6 juil. 1976 : *Portrait de femme assise*, pierre noire/parchemin (31,4x23,4) : **GBP 600** – PARIS, 24 jan. 1980 : *Portrait de vieille femme* 1657, pierre noire (13,5x11,5) : **FRF 13 500** – AMSTERDAM, 25 avr. 1983 : *Portrait d'un gentilhomme*, craies noire et blanche/pap. bleu (33,3x26) : **NLG 3 400** – LONDRES, 26 juin 1985 : *Le grand chat*, grav./cuivre (14,1x18,3) : **GBP 800** – AMSTERDAM, 25 nov. 1991 : *Enfant pleurant tenant un bol et une cuillère*, craies rouge et noire/vélin (13,4x10,8) : **NLG 4 600** – AMSTERDAM, 15 nov. 1995 : *Étude d'un buste de vieille femme avec un chapeau de profil*, craie noire et encre (13,6x12,1) : **NLG 6 844**.

VISSCHER Cornelis
Enterré le 12 août 1710 à Amsterdam. XVIIIe siècle. Hollandais.
Peintre de scènes de genre.
MUSÉES : LA FÈRE : *La faiseuse de Koucksou, la Fricasseuse*, attr.

VISSCHER Cornelis Hendricksz
Mort en 1658. XVIIe siècle. Actif à Amsterdam. Hollandais.
Peintre.

VISSCHER Dirk ou **Theodor** ou **Virschen**, dit **Slempop**
Né vers 1650 à Haarlem. Mort en 1707 à Rome. XVIIe siècle. Actif aussi en Italie. Hollandais.
Peintre de scènes de genre, animaux, paysages animés, paysages.
Il fut élève de Nicolas Berghem. Il alla à Rome et passa vingt ans dans cette ville. Ses peintures y étaient fort estimées : elles sont exécutées avec franchise dans la manière de Berghem. Ses habitudes d'intempérance lui valurent de ses compatriotes le surnom de Slempop (Slemp signifiant bombance, ou débauche).
VENTES PUBLIQUES : STOCKHOLM, 16 mai 1990 : *Couple de paysans faisant boire leurs bêtes dans un ruisseau*, h/pan. (31x25) : **SEK 13 500**.

VISSCHER G.
XVIIIe siècle. Actif au milieu du XVIIIe siècle. Hollandais.
Peintre.
Le Musée de Haarlem conserve de lui *Portrait d'une femme*.

VISSCHER Gertruyt
XVIIe siècle. Actif à Amsterdam. Hollandais.
Peintre verrier.
Sœur de Maria Tesselschade Visscher.

VISSCHER Jan ou **Johannes de**, le Jeune
Né vers 1636 à Haarlem ou à Amsterdam. Mort après 1692. XVIIe siècle. Hollandais.
Peintre, graveur, dessinateur.
Frère cadet de Cornelis de Visscher, il fut aussi un remarquable graveur au burin, bien qu'il n'ait pas atteint à la maîtrise de son aîné. Il grava, comme lui, des portraits pleins de finesse et reproduisit avec esprit les tableaux de ses contemporains Van Ostade, Wouverman. A 56 ans, il s'adonna à la peinture et prit Carré pour maître. On ne cite de lui aucune œuvre peinte absolument authentique.
MUSÉES : BERLIN (Cab. d'estampes) : *Portrait de l'artiste*, dessin – LONDRES (British Mus.) : dessins.

VISSCHER Lambert de
Né vers 1633 à Haarlem ou à Amsterdam. Mort après 1690 à Florence (?). XVIIe siècle. Hollandais.
Graveur au burin.
Frère de Cornelis et de Jan de Visscher. En 1666, mentionné à Amsterdam. Élève de Soutmans. Il travailla à Florence et en 1690 à Rome. Il grava des portraits et des sujets d'histoire.

VISSCHER Maria Tesselschade
Née le 21 mars 1595 à Amsterdam. Morte le 20 juin 1649 à Amsterdam, ou à Alkmaar selon d'autres sources. XVIIe siècle. Hollandaise.
Peintre verrier.
Sœur d'Anna Visscher. Elle épousa Allard Van Krombalg. Le Musée National d'Amsterdam conserve une coupe exécutée par cette artiste.

VISSCHER Theodor. Voir **VISSCHER Dirk**

VISSCHERE Jean de
XVe siècle. Actif à Malines de 1403 à 1434. Éc. flamande.
Peintre de décorations, d'ornements et d'armoiries.
Il travailla pour la ville de Malines et peignit des bannières.

VISSEC Astruc de. Voir **ASTRUC DE VISSEC**

VISSELET M.
XVIIe siècle. Actif au début du XVIIe siècle. Français.
Aquafortiste.
Probablement élève de Jacques Stella. Il grava des sujets religieux.

VISSENAKEN Jeroom Van
XVIe-XVIIe siècles. Éc. flamande.
Peintre.
Élève de Frans Floris. En 1579, il entra dans la gilde d'Anvers où il travaillait encore en 1617.

VISSER
XVIIIe siècle. Hollandais.
Graveur en médailles.
Il travaillait en 1767. Il grava une médaille à l'effigie du prince *Guillaume V d'Orange*.

VISSER Adrianus de ou **Vösser**
Né le 5 janvier 1762 à Rotterdam. Mort le 4 août 1837 à Alkmaar. XVIIIe-XIXe siècles. Hollandais.
Peintre de portraits, paysages.
Il fut élève de J. P. Horstok à Alkmaar et de Ommegank à Anvers. En 1790, il revint à Alkmaar.
MUSÉES : ALKMAAR : *Portrait d'une dame âgée – Joh. Ant. de Sonnaville – Le docteur Petrus de Sonnaville – Mme Johanna De Leeuw* – AMSTERDAM (Mus. Nat.) : *Portrait d'homme*.

VISSER Carel Nicolaas
Né le 3 mai 1928 à Papendrecht, près de Rotterdam. XXe siècle. Hollandais.
Sculpteur, peintre de collages, dessinateur.
En 1948-1949, il fut élève en architecture de l'École Supérieure Technique de Delft, puis, de 1949 à 1951, il fut élève de l'Académie de Gravenhage à La Haye. Il participe à de nombreuses expositions de groupe, aux Biennales de Sculpture d'Anvers-Middelheim ; en 1968, il représentait seul la Hollande à la Biennale de Venise. En 1981, il présenta un ensemble de dix œuvres au Musée Kröller-Müller d'Otterloo.
Dans une première période, il travailla la tôle galvanisée, pour des sculptures d'oiseaux qui attirèrent l'attention sur lui. À partir de 1954, il évolua à un langage abstrait, y conservant un sens des formes élancées, prenant possession de l'espace soit par des rythmes horizontaux, soit par des enchaînements verticaux,

comportant des effets de symétrie, comme dans *Bird* dont le haut reflète la base. Il utilisa alors, notamment dans la série des sculptures portant le titre générique de *Salami*, des poutres et des plaques superposées, ou bien seulement des tronçons de poutres s'articulant les uns aux autres. À cette époque, outre le fer, Visser travaillait aussi le bois et le béton armé. Il réalisait des sculptures de petites dimensions, ainsi que des sculptures monumentales, entre autres : pour la Compagnie des Eaux à Leerdam ; pour l'Aéroport d'Amsterdam. Dans la suite de son évolution, il a continué à réaliser de nombreuses commandes publiques. Après 1972, il délaissa les matériaux lourds pour des plastiques malléables. Dans un premier temps, avec ce nouveau matériau il réalisa des variations sur le module du cube. En 1979, il créa des petits objets narratifs en forme de volatiles familiers. En 1987, il a présenté des sculptures intégrant des éléments d'objets manufacturés de rebut, présentant parfois des aspects anthropomorphiques. Il semble que, au cours du temps, Carel Visser, après avoir suivi un parcours heurté entre recherches tendanciellement abstraites et représentation amusée de la réalité, ait trouvé l'unité de son travail dans un équilibre entre combinaisons abstraites de formes éventuellement de récupération, et une certaine figuration allusive familiaire, humaine ou animale. ■ J. B.

Bibliogr. : Dolf Welling, in : *Nouveau diction. de la sculpt. mod.*, Hazan, Paris, 1970 – in : *L'Art du xxe siècle*, Larousse, Paris, 1991 – in : *Diction. de la Sculpt.*, Larousse, Paris, 1992.

Musées : Limoges (FRAC) : *Pushing* 1977 – *Le Coq* 1990 – Montréal (Mus. d'Art Contemp.) : *Double forme 1958*, sculpt. acier – *Sans titre* 1955-1959, dessin à l'encre.

Ventes Publiques : Amsterdam, 29 sep. 1987 : *Oiseau* 1982, encre de Chine (90x115) : **NLG 4 800** – Amsterdam, 12 déc. 1990 : *Composition abstraite* 1976, graphite et collage/pap. (30x46) : **NLG 2 185** – Amsterdam, 22 mai 1991 : *Huit poutres empilées*, fer, sculpture (H. 24) : **NLG 10 350** – Amsterdam, 11 déc. 1991 : *Chatière*, fer, sculpture (24x24x4) : **NLG 10 350** – Amsterdam, 21 mai 1992 : *Forme double 5*, fer/base de bois (H. 151,5) : **NLG 24 150** – Amsterdam, 10 déc. 1992 : *Hélice* 1960, fer, sculpture (22,5x27) : **NLG 10 925** – Amsterdam, 26 mai 1993 : *Salami*, fer soudé, sculpture (l. 66,8) : **NLG 13 800** – Amsterdam, 27-28 mai 1993 : *Sans titre* 1965, fer soudé et découpé (L.60) : **NLG 10 350** – Amsterdam, 31 mai 1995 : *Sans titre*, fer soudé (H. 61) : **NLG 10 030** – Paris, 1er juil. 1996 : *Van Plaat, pyramide* 1972, acier, quatre plaques (20x20x2) : **FRF 11 500** – Amsterdam, 10 déc. 1996 : *Notenbalk*, fer soudé (H. 56) : **NLG 23 064** – Amsterdam, 17-18 déc. 1996 : *Tour*, fer (H. 84) : **NLG 14 750** – Amsterdam, 4 juin 1997 : *Cristal* vers 1960, fer soudé (H. 57) : **NLG 10 995**.

VISSER Cornelis de. Voir **VISSCHER**

VISSER J.

Né le 18 mars 1879 à Alkmaar. xxe siècle. Hollandais.

Peintre de portraits, paysages, illustrateur et aquafortiste, amateur.

Il grava des paysages et des portraits.

VISSER J. G.

xviiie siècle. Actif à Amsterdam dans la seconde moitié du xviiie siècle. Hollandais.

Graveur au burin.

Il grava des sujets de son époque.

VISSER Jan

Né le 18 octobre 1856 à Groningue. xixe-xxe siècles. Hollandais.

Peintre de portraits, intérieurs, paysages, natures mortes, dessinateur.

Il exposa à Amsterdam en 1938. Il peignit des portraits, des natures mortes, des paysages et des intérieurs.

Musées : Haarlem : *Portrait du lithographe François Delcourt.*

VISSER Jan Adolf

Né le 14 janvier 1885 à Amsterdam. xxe siècle. Hollandais.

Dessinateur.

VISSER Leo

Né le 7 septembre 1880 à Amsterdam. xxe siècle. Hollandais.

Peintre à fresque de décorations murales, dessinateur d'ornements, lithographe, illustrateur.

Élève de G. Westermann et de Jan Visser. Il exécuta des peintures murales dans plusieurs écoles d'Amsterdam.

VISSER Pier Johannes de

Né le 2 novembre 1764 à Lemmer. Mort en 1848. xviiie-xixe siècles. Hollandais.

Peintre de portraits, paysages, paysages d'eau.

Il fut élève de P. Barbiers à Amsterdam.

Musées : Haarlem (Mus. Teyler) : *Dessins.*

Ventes Publiques : Amsterdam, 19 avr. 1994 : *Voiliers dans un estuaire* 1838, h/t (50x63) : **NLG 7 130**.

VISSER S. de

xixe siècle. Actif au milieu du xixe siècle. Hollandais.

Peintre.

Il a peint trois vues d'un village dans l'Hôtel de Ville de Nieuwland.

VISSER T.

xviie siècle. Travaillant en 1629. Hollandais.

Médailleur.

VISSER Tijpke

Né le 12 décembre 1876 à Workum. Mort en 1955. xxe siècle. Hollandais.

Sculpteur de monuments, statues, peintre et graveur sur bois.

Il n'eut aucun maître. Il exécuta des statues, des allégories et des tombeaux.

Musées : Amsterdam (Mus. mun.) : *Pingouin et mouette – L'éternelle renaissance* – Rotterdam (Mus. Boymans) : *Pingouin – Nu.*

Ventes Publiques : Amsterdam, 8 déc. 1994 : *Oiseau* 1916, bois (H. 30) : **NLG 4 600**.

VISSER Willem de

Né en 1802 à Schoondijke. xixe siècle. Éc. flamande.

Peintre de genre et portraitiste.

Élève de J. de Cauwer à Gand.

Ventes Publiques : Vienne, 14 mars 1967 : *Paysage fluvial avec voiliers* : **ATS 55 000**.

VISSER-BENDER Johannes Pieter

Né en novembre 1785. Mort le 4 décembre 1813. xixe siècle. Hollandais.

Dessinateur de portraits et graveur à l'eau-forte.

Élève de W. Horstink et de J. de Wit. Il a gravé des sujets de genre, des portraits et des paysages. Le Musée Teyler de Haarlem conserve des dessins de cet artiste.

VISSER-DUKKER Mien

xixe-xxe siècles. Hollandaise.

Peintre de fleurs et sur verre.

Femme de Leo Visser, active à Amsterdam.

VISUND Hanna

Née le 27 septembre 1881 à Oslo. xxe siècle. Norvégienne.

Dessinateur.

VISWANADHAN

Né en 1940 au Kérala. xxe siècle. Depuis 1968 actif en France. Indien.

Peintre multimédia. Abstrait.

Il vit et travaille à Paris. Il a participé à la Biennale de Menton en 1972. Il montre surtout ses œuvres dans des expositions personnelles, dont : 1966 Madras ; 1969 Aarhus, galerie Ved Aaven, et Odense, galerie Westing ; 1970 Silkeborg, galerie Moderne, et Paris, galerie de France ; 1971 Amiens, Maison de la Culture ; 1972 Cochin et Bombay ; 1973 San Remo, galerie Matuzia ; 1974 New Delhi ; 1975 Bombay, Mannheim et Paris, galerie Yves Brun ; 1978 Högonas ; 1980 Stockholm et Aarhus ; 1981 Brême, Mexico, Maracaïbo ; 1982 Mexico et Paris, galerie Darthea Speyer ; en 1985, à l'occasion de l'année de l'Inde, les galeries contemporaines du Centre Beaubourg ont organisé une exposition autour de son œuvre ; en 1993 et 1996, à Paris, la galerie Darthea Speyer a montré des ensembles de ses peintures.

Il écrit, il filme, il peint, ces activités apparemment différentes pouvant se rejoindre sur un même thème, comme dans sa peinture de sable, ou son mur de sable, exposé en 1982 à Paris. Ayant parcouru le pourtour de l'Inde, il choisit de filmer dix-sept lieux qui lui avaient semblé être les points névralgiques de son parcours et, dans ces dix-sept lieux, il ramassa du sable. La peinture de sable qu'il en constitua comporte dix-sept cases, dont chacune représente de façon infinitésimale une partie de l'Inde. Lorsqu'il peint pour la seule peinture, il s'inspire souvent des mandalas, qui, s'ils ressemblent formellement à nos labyrinthes, probables représentations des difficultés et mystères de la vie, sont dans la culture indienne des représentations symboliques de l'univers dans sa totalité. Toutefois, il serait réducteur de ne considérer les réalisations de Viswanadhan que sous leur aspect symbolique, elles ont aussi un objectif esthétique, de l'ordre de

l'art abstrait, rejoignant celles d'artistes occidentaux qui d'ailleurs auraient pu s'inspirer à leur tour de sources tantriques.
Bibliogr. : Viswanadhan : *Sous le signe de la sécheresse* et divers : Catalogue de l'exposition *Viswanadhan*, Galeries contemporaines du Centre Beaubourg, Paris, 1985.
Musées : Bangalore (Mysore State Mus.) – Cagnes-sur-Mer (Château-Musée) – Kerala (Nat. Lalit Kala Akademi) – Madras (Nat. Art Gal.) – Madras (Nat. Lalit Kala Akademi) – Manipur (Nat. Lalit Kala Akademi) – Maracaïbo (Centro de Bellas Artes) – New Delhi (Nat. Mod. Art Gal.) – New Delhi (Nat. Lalit Kala Akademi) – Paris (FNAC) – Paris (Mus. d'Art Mod. de la Ville).

VIT de. Voir **WIT**

VITA Antonio. Voir aussi **VITE**

VITA Antonio
xviie siècle. Italien.
Graveur de sujets religieux.
Il était peut-être actif dans la première moitié du xviie siècle. Il a gravé à l'eau-forte des sujets religieux.

VITA Francesco da
Né en Lombardie. xvie siècle. Travaillant à Todi de 1521 à 1524. Italien.
Sculpteur.

VITA Francesco de
xviie siècle. Actif à Tropea dans la première moitié du xviie siècle. Italien.
Peintre.
Il a peint des arcs de triomphe en 1635, à Monreale près de Palerme.

VITA Giovanni della. Voir **MIEL Jean**

VITA Giuseppe
Mort en 1782. xviiie siècle. Actif à Split. Italien.
Peintre.
Peut-être frère de Sebastiano Vita. Il a peint des fresques.

VITA Luciano De
Né en 1929 à Ancône. Mort en 1992 à Bologne. xxe siècle. Italien.
Peintre de scènes animées, sculpteur, graveur. Tendance fantastique.
En 1995, il était représenté à titre posthume à l'exposition *Attraverso l'Immagine*, au Centre Culturel de Crémone.
En 1971, à l'occasion de la parution d'un recueil d'eaux-fortes « Nel Mio Giardino », il a montré une exposition d'œuvres diverses. Tandis que ses sculptures relèvent de l'art de l'assemblage, formant des personnages ou des animaux à l'aspect mécanisé ou parfois simplement stylisé, ses peintures présentent des parentés plus complexes, alliant le réalisme expressionniste et fantastique d'un Guttuso, le graphisme satirique d'un Alechinsky. Certaines de ses œuvres mêlent peintures et sculptures dans des constructions délibérément baroques.
Bibliogr. : In : *Catalogue de l'exposition « De Vita »*, Gal. De' Foscherari, Bologne, 1971 – in : Catalogue de l'exposition *Attraverso l'Immagine*, Centre Culturel Santa Maria della Pietà, Crémone, 1995.

VITA Pietro della. Voir **VITI**

VITA Sebastiano ou **de Vita**
xviiie siècle. Actif à Split. Italien.
Peintre de sujets religieux.
Peut-être frère de Giuseppe Vita. On sait qu'il travailla pour une église à Rovigo, en 1770.

VITA Wilhelm
Né le 5 mai 1846 à Zauchtl. Mort en août 1919 à Vienne. xixe-xxe siècles. Autrichien.
Peintre de genre, portraits.
Élève de l'Académie des Beaux-Arts de Vienne et de Heinrich von Angelis.
Il peignit des portraits de l'empereur *François-Joseph* et de la famille impériale.
Musées : Linz : *Portrait de Franz Kurz.*

VITAGLIANO Gioachino ou **Vitaliani** ou **Vitaliano**
xviie siècle. Actif à Palerme dans la seconde moitié du xviie siècle. Italien.
Sculpteur.
Il a sculpté des statues et des bas-reliefs pour la cathédrale de Palerme et d'autres églises de cette ville.

VITAL Edgar
Né le 9 mai 1883 à Fetan. xxe siècle. Suisse.
Peintre de paysages.
Il fut élève des Académies des Beaux-Arts de Florence, de Rome et de Munich.

VITAL Pauleus Jack Mel. Voir **MEL-VITALE Pauleus Jack**

VITAL Valentin
Né en Tyrol. xviiie siècle. Travaillant à Saint-Florien en 1709. Autrichien.
Sculpteur sur ivoire.

VITAL-CORNU Charles
Né en 1851 ou 1853 à Paris. Mort en 1927. xixe-xxe siècles. Français.
Sculpteur de figures.
Élève de Pils et de Jouffroy. Sociétaire des Artistes Français depuis 1885 ; mention honorable en 1880 et 1881, médaille de troisième classe en 1882, Bourse de voyage en 1883, médaille de deuxième classe en 1886, de bronze en 1889 (Exposition Universelle), chevalier de la Légion d'honneur en 1896, médaille d'argent en 1900 (Exposition Universelle).
Musées : Ajaccio : *Narcisse enfant* – Grenoble : *Le spleen* – Lausanne (Mus. Cant. des Beaux-Arts) : *Maternité 1905, bronze* – Limoges : *Belles vendanges* – Paris (Mus. Galliera) : *Archimède* – Valenciennes : *Le crépuscule*.
Ventes Publiques : Lokeren, 19 oct. 1985 : *Le réveil du génie*, bronze, patine brune (H. 90) : **BEF 550 000**.

VITAL-DUBRAY. Voir **DUBRAY Vital Gabriel**

VITAL-DUBRAY Charlotte Gabrielle. Voir **BESNARD**

VITALBA Giovanni
Né en 1738 à Venise ou à Padoue. Mort en 1792 à Londres. xviiie siècle. Italien.
Graveur au burin et à l'eau-forte.
Élève de Joseph Wagner. Il se fixa à Londres peut-être en 1764.

VITALE. Voir aussi **VITALI**

VITALE Andrea
xviie siècle. Italien.
Médailleur.
On cite de lui une médaille à l'effigie d'*Isabella da Tocco*.

VITALE Barthélemy. Voir **VIDAL**

VITALE Candido. Voir **VITALI**

VITALE Filippo
Né en 1589. Mort en 1650. xviie siècle. Actif à Naples (Campanie) de 1613 à 1619. Italien.
Peintre de compositions religieuses.
Il a peint un *Saint François d'Assise* dans l'église de Monteoliveto de Naples.
Ventes Publiques : Rome, 8 mars 1990 : *Jeune paysanne versant de l'eau à des animaux de basse-cour ; Jeune chasseur avec un veau et des volailles*, h/t (120x167) : **ITL 26 000 000** – Milan, 27 mars 1990 : *Saint Jean Baptiste*, h/t (92x121) : **ITL 12 000 000** – Londres, 9 juil. 1993 : *Saint François en méditation*, h/t (103x76,2) : **GBP 6 900** – Rome, 22 nov. 1994 : *Saint Joseph avec Jésus enfant*, h/t (100x78) : **ITL 5 750 000** – Rome, 21 nov. 1995 : *Jacob bénissant Isaac*, h/t (96x125) : **ITL 70 710 000** – Rome, 18 mars 1997 : *Douleur de la mort du Christ*, h/t (152x196) : **ITL 55 920 000**.

VITALE Francesco
xviie siècle. Italien.
Sculpteur.
Il travailla pour la chartreuse de Saint-Martin de Naples en 1624.

VITALE Gaetano
Né en 1938 à Palerme. xxe siècle. Italien.
Peintre.
Il quitte la Sicile en 1961 et s'installe en Angleterre à Cambridge, Londres, puis Birmingham. C'est là qu'il commence à peindre. Expose à la Royal Society de Birmingham. Il vit ensuite à Bâle où il fait une exposition particulière en 1973.
Sa peinture relève d'un paysagisme mental abstrait.

VITALE Giovan Marco
Né à Massa Carrara. xviie siècle. Actif dans la première moitié du xviie siècle. Italien.
Sculpteur.
Il a sculpté le tombeau de Carlo Spinelli dans l'église Saint-Dominique Majeur de Naples en 1614.

VITALE Giovanni Marino
xvie siècle. Italien.

Sculpteur.
Il fut actif à Cava dei Tirreni, à Majori et à Salerno de 1541 à 1557.

VITALE Giuseppe
Né le 11 janvier 1875 à San Giacomo degli Schiavoni. Mort entre 1911 et 1916 sans doute à Naples. XXe siècle. Italien.
Sculpteur.
Il fut élève de Raffaele Belliazzi à Naples.

VITALE Mariano
XVIe siècle. Actif à Milan dans la seconde moitié du XVIe siècle. Italien.
Sculpteur.
Probablement élève et assistant de Stoldo Lorenzi.

VITALE d'Aimo de Cavalli ou **Vidolini** ou **Vidolino**, dit **Vitale da Bologna** ou **Vitale delle Madonne**
Né entre 1289 et 1309 à Bologne. Mort entre le 1359 et le 22 septembre 1369. XIVe siècle. Italien.
Peintre et sculpteur sur bois.
Fondateur et chef de l'École de Bologne. Il a peint un polyptyque dans l'église Saint-Sauveur de Bologne, achevé en 1353. Le Musée du Vatican de Rome conserve de lui *La Madone dei Battuti*, la Galerie Davia de Bologne, *la Madonna dei Denti* (1345). Outre les influences immédiates des peintures ombriennes et siennoises, l'art de Vitale laisse découvrir surtout l'influence des miniatures françaises qui correspondent bien à son tempérament, à son besoin de fantaisie. Les fresques de Mezzaratta (Pinacothèque de Bologne) montrent une hardiesse de composition, donnant un rythme effréné à la danse des anges autour de la Vierge et de l'Enfant. Les décorations de la chapelle de l'église Santa Maria dei Servi constituent un ensemble somptueusement décoré, un peu à la manière de miniatures, avec des détails piquants dans les frises et une subtilité du coloris. Vitale a accentué le style gothique, annonçant le courant international de la fin du XIVe, début XVe siècle.
Ventes Publiques : New York, 1909 : *Passages de la vie du Christ* : **USD 50** – Londres, 27 fév. 1931 : *La Vierge et l'Enfant* : **GBP 105** – Londres, 5 juil. 1967 : *Vierge à l'Enfant* : **GBP 4 300**.

VITALE da Bologna. Voir **VITALE d'Aimo de Cavalli**

VITALE di Lorenzo, dit **Matano**
XIIIe siècle. Actif à Sienne. Italien.
Sculpteur.
Père de Lorenzo Maitani.

VITALE delle Madonne. Voir **VITALE d'Aimo de Cavalli**

VITALI. Voir aussi **VITALE**

VITALI Alberto
Né le 21 avril 1898 à Bergame. XXe siècle. Italien.
Peintre de paysages, aquarelliste, graveur.
Il n'eut aucun maître. Le Palais de la Région de Bergame a organisé une exposition rétrospective de l'ensemble de son œuvre. Il gravait à l'eau-forte.
Bibliogr. : Amedeo Pieragostini : *Les gravures d'Alberto Vitali*, Bolis, Bergame, 1973 – Raf. De Grada : *Alberto Vitali, Catalogue des peintures*, avec Bibliographie complète, Bolis, Bergame, 1975.
Musées : Milan (Gal. d'Art Mod.) : plusieurs œuvres.

VITALI Alessandro
Né en 1580 à Urbino. Mort le 4 juillet 1640 à Urbino. XVIIe siècle. Italien.
Peintre de compositions religieuses.
Élève, imitateur et quelquefois collaborateur de Federico Barocci.
Musées : Chambéry (Mus. des Beaux-Arts) : *Sainte Catherine* – Pesaro : *Annonciation – Fuite en Égypte*.

VITALI Candido ou **Vitale**
Né le 8 septembre 1680 à Bologne (Émilie-Romagne). Mort le 2 novembre 1753 à Bologne. XVIIIe siècle. Italien.
Peintre d'animaux, natures mortes, fleurs et fruits.
Il fut élève de Carlo Cignani et de Pasinelli. Il a privilégié le thème des natures mortes animées d'oiseaux.
Ventes Publiques : New York, 30 mai 1979 : *Volatiles dans un paysage*, h/t (34,5x52) : **USD 1 400** – Milan, 10 juin 1988 : *Nature morte avec un chien gardant du gibier tué*, h/t (99x37) : **ITL 11 500 000** – Londres, 23 mars 1990 : *Nature morte de fruits et de fleurs dans une corbeille d'osier avec une chouette morte et un chat*, h/t (64,7x77) : **GBP 8 800** – Rome, 8 mai 1990 : *Nature morte avec un panier de fruits, de fleurs et des pièces de gibier sur fond de paysage*, h/t (77x84) : **ITL 46 000 000** – Londres, 20 juil. 1990 : *Nature morte avec un panier et des palombes et des pigeons tués dans un paysage*, h/t (62,6x74) : **GBP 11 550** – Rome, 9 mai 1995 : *Nature morte de fleurs et fruits avec un perroquet ; Nature morte de fruits et fleurs et un vase en argent*, h/t, une paire (61x81) : **ITL 35 650 000** – Paris, 25 juin 1996 : *Trophée de chasse aux oiseaux ; Trophée de chasse au lièvre*, paire h/t (84,5x 66 chacune) : **FRF 145 000** – Vienne, 29-30 oct. 1996 : *Oiseaux sauvages morts*, h/t, une paire (52x57) : **ATS 276 000**.

VITALI Giancarlo
Né le 29 novembre 1929 à Bellano (Lac de Côme). XXe siècle. Italien.
Peintre, graveur de figures, portraits, intérieurs, natures mortes. Réaliste.
Participant peu à des expositions collectives, il fut remarqué en 1985 à la Société du Dessin de Milan. En 1993, il participait à l'exposition d'œuvres graphique *Il Sentimento delle cose*, à la Bibliothèque municipale de Verolanuova.
Bibliogr. : In : Catalogue de l'exposition : *Il Sentimento delle cose*, GAM, Bibliothèque municipale de Verolanuova, 1993.

VITALI Gioseffo ou **Giuseppe**
Né à Bologne. XVIIIe siècle. Actif vers 1700. Italien.
Peintre d'histoire, compositions religieuses.
Élève de G. dal Sole. On cite de lui, à Bologne : *Annonciation* (église Saint-Antoine), *Saint Pétrone* (églises Saint Sébastien et Saint Roch), *Martyre de sainte Cécile* (église Sainte-Cécile).

VITALI Giovanni, ou **Ivan Pétrovitch**
Né en 1794 à Saint-Pétersbourg. Mort le 28 juillet 1855. XIXe siècle. Russe.
Sculpteur.
Élève de Paolo Triscornia et d'Ivan Timoféieff à Moscou. Il sculpta de nombreuses œuvres pour des bâtiments publics de Moscou.
Musées : Saint-Pétersbourg (Mus. Russe) : *Vénus*.

VITALI Ivan Pétrovitch. Voir **VITALI Giovanni**

VITALI Pieskov
Né en 1944 à Moscou. XXe siècle. Russe.
Peintre.
Il fit ses études à l'Institut Polygraphique de Moscou, et a pris part à des expositions de caricatures, au Canada, en Belgique, en Italie, en Yougoslavie, en Bulgarie. Il travaille pour la « Literaturnia Gazeta ». C'est un graphiste avant tout, dont le métier est de faire des dessins humoristiques pour la presse et de l'illustration de livres.

VITALI Pietro Marco ou **Pierre Marc**
Né vers 1755 à Venise. Mort vers 1810. XVIIIe-XIXe siècles. Italien.
Dessinateur et graveur au burin.
Élève de Wagner et Cunego, il a gravé des sujets d'histoire et des sujets religieux.

VITALIANI Gioachino ou **Vitaliano**. Voir **VITAGLIANO**

VITALINI Francesco
Né le 7 janvier 1865 à Fiordimonte. Mort le 2 septembre 1905 à Giralba. XIXe-XXe siècles. Italien.
Peintre de paysages, paysages d'eau, de montagne, graveur, lithographe. Tendance symboliste.
Il fut élève de l'Académie des Beaux-Arts de Rome. Il a voyagé à travers toute l'Italie, puis en Espagne, en Grèce, en Turquie et en Russie. Il dirigea la revue internationale *Blanc et Noir* en 1902. Il a publié un traité sur la gravure sur métal en 1904.
Il a participé à plusieurs expositions collectives, notamment aux Expositions des Beaux-Arts de Rome en 1894 et 1897, à la Ire Exposition internationale de Berlin en 1896 et à la VIIe Exposition internationale de Monaco en 1897, au Salon de Paris en 1901 et 1902, à l'Exposition internationale de Saint Louis (États-Unis), à la VIe Exposition internationale d'art de Venise. Il a figuré, en 1996, à l'exposition *Quatro incisori marchigiani del novecento*, à la Ire Biennale d'œuvres sur papier, à Tolentino en 1996. Un hommage lui a été rendu à lors de l'Exposition internationale de Rome en 1906. Son œuvre a fait l'objet de plusieurs rétrospectives, en 1980 à Tivoli, en 1983 à Ancône, en 1993 à Velletri.
Il a peint des motifs de la campagne de Rome, de Rocca d'Aiello, et des Alpes. On lui doit aussi diverses eaux-fortes en noir et blanc. Il a évolué du naturalisme à l'impressionnisme, puis orienta son œuvre vers le symbolisme.

Bibliogr. : R. Langella, R. Mammuccari : *Francesco Vitalini : la sua arte, il suo tempo*, catalogue d'exposition, Velletri, 1993 – in : *Quatro incisori marchigiani del novecento. Vitalini, Mainini, Pace, Farabollini*, Ire Biennale d'œuvres sur papier, Tolentino, 1996.
Ventes Publiques : Rome, 14 déc. 1989 : *La lagune à Venise ; Vue de Venise*, h/t, une paire (chaque 18x52) : **ITL 2 990 000**.

VITALIS. Voir aussi **VITAL**

VITALIS Macario
Né le 3 août 1898 à Lapog (Iles Philippines). xxe siècle. Depuis 1926 actif en France. Philippin.
Peintre. Postcubiste.
De 1920 à 1922, il fut élève à l'École des Beaux-Arts de San Francisco (Californie), puis jusqu'en 1924 à celle de Philadelphie (Pennsylvanie). Il vint à Paris en 1926, où il se fixa. Son art montre une certaine influence de l'exemple de Jacques Villon.
Ventes Publiques : Paris, 15 avr. 1991 : *Les dentellières* 1957, h/t (71x90) : **FRF 21 000** – Neuilly, 13 déc. 1994 : *Nativité*, h/t (65x50) : **FRF 5 500**.

VITALUCCIO di Luzio
xive siècle. Actif dans la première moitié du xive siècle. Italien.
Peintre verrier.
Il travailla de 1325 à 1330 pour la cathédrale d'Orvieto.

VITALY Ivan Pétrovitch. Voir **VITALI Giovanni**

VITALY V.
Né le 14 avril 1957 à Odessa. xxe siècle. Russe.
Peintre, sculpteur d'assemblages, technique mixte.
En 1989, il fut élève de l'Institut Répine à l'Académie des Beaux-Arts de Leningrad (Saint-Pétersbourg). Il expose depuis 1989, à Londres, Vienne, en 1992 et 1994 au Musée Russe de Saint-Pétersbourg.
Il assemble très sommairement des objets hétérogènes barbouillés de peintures.

VITASSE Jean Louis Nicolas
Né le 8 août 1792 à Paris. xixe siècle. Français.
Peintre de paysages et de vues, lithographe et graveur.
Élève de Frémy et de l'École des Beaux-Arts à partir du 2 février 1814. Il figura au Salon de 1831 à 1835.

VITBERG K. L. Voir **WITBERG**

VITCHOOS Matheus
Né en 1627. Mort en 1703. xviie siècle. Russe.
Peintre de fleurs.
Le Musée Roumianzeff, à Moscou, conserve de cet artiste un tableau de fleurs.

VITE. Voir aussi **VITI**

VITE Antonio ou **Vita**
Né à Pistoia. Mort en 1407 à Florence (?). xive-xve siècles. Italien.
Peintre.
Il était actif à Pistoia vers 1378. On le croit identique avec le peintre Antonio di Filippo, de Pistoia. On dit qu'il travailla au Campo Santo de Pise, au Palazzo del Ceppo, à Prato et dans plusieurs églises de sa ville natale.

VITE Giovanni della. Voir **MIEL Jean**

VITE Pietro della. Voir **VITI**

VITE Timoteo della. Voir **VITI**

VITEAU Marie Amélie. Voir **CASTAGNARY**

VITECOCQ Simon
Mort en 1548 à Rouen. xvie siècle. Français.
Sculpteur.
Il exécuta plusieurs sculptures décoratives dans la cathédrale de Rouen ainsi que dans les églises Saint-André et Saint-Laurent de cette ville.

VITEK
xviiie siècle. Travaillant en Bohême de 1760 à 1770. Tchécoslovaque.
Peintre.
Il peignit neuf tableaux pour l'église de Porzizan.

VITEL Philippe
Né en 1951 à Paris. xxe siècle. Français.
Sculpteur, dessinateur. Expressionniste.
De 1969 à 1974, il fut élève de l'Académie des Beaux-Arts de Mons.
Bibliogr. : In : *Diction. biogr. illustré des Artistes en Belgique depuis 1830*, Arto, Bruxelles, 1987.

VITELLESCHI degli Azzi Gaspare de, marquis
Né le 18 juillet 1875 à Foligno. Mort le 23 novembre 1918 à Foligno. xixe-xxe siècles. Italien.
Peintre.
Il fut élève de l'Académie de Pérouse.

VITELLI Kaspar Van. Voir **VANVITELLI**

VITELLI Luca
Mort en 1730 à Ascoli Piceno. xviiie siècle. Italien.
Peintre.
Élève de Lodovico Trasi. Il travailla pour des églises d'Ascoli et de Rome.

VITELLI Luigi Van. Voir **VANVITELLI**

VITERBESE, il. Voir **ROMANELLI Giovanni Francesco**

VITERBO Andrea Mariotto di. Voir **ANDREA MARIOTTO di Viterbo**

VITERBO Dario
Né le 25 janvier 1890 à Florence. xxe siècle. Italien.
Sculpteur.
Élève de l'Académie des Beaux-Arts de Florence. Il subit l'influence de Rodin. Il exposait à Paris, aux Salons des Artistes Français, des Tuileries, à Florence, Berlin, aux Expositions Internationales de Venise, Dresde, Rome.

VITERBO Tarquinio da
Mort entre 1605 et 1621 à Rome, âgé. xvie siècle. Italien.
Peintre de perspectives.
Il peignit des plafonds et des tableaux d'autel pour les églises Sainte-Cécile et Saint-Silvestre de Rome.

VITERI Oswaldo
Né le 8 octobre 1931 à Ambato. xxe siècle. Équatorien.
Peintre. Abstrait.
Il est sorti de la Faculté d'Architecture de Quito. Il a fait ses études d'art dans les ateliers de Jan Schreuder, un Hollandais, et de Lloyd Wulf, Américain du Nord. Il est directeur de l'Institut Équatorien de Folklore.
Peintre, il a pu être qualifié d'« abstrait indigéniste ». Par l'exploitation abstraite de signes d'origine cultuelle, symbolique ou décorative, cette sorte de peinture abstraite fait référence au passé précolombien, dans une volonté de concilier préservation d'une identité originelle et modernité.
Bibliogr. : Damian Bayon, Roberto Pontual, in : *La peinture d'Amérique latine au xxe siècle*, Mengès, Paris, 1990.

VITERNE Jean. Voir **BITERNE**

VITEZ Matyas
Né en 1891 à Kakaslomnic. xxe siècle. Hongrois.
Peintre de figures et de paysages.

VITEZOVIC-RITTER Paul. Voir **RITTER-VITEZOVIC**

VITI Eugenio
Né le 28 juin 1881 à Naples. Mort en 1952. xxe siècle. Italien.
Peintre de figures, portraits.
Il fut élève de l'Académie des Beaux-Arts de Naples.
Musées : Rome (Gal. d'Art Mod.) : *Printemps*.
Ventes Publiques : Rome, 17 avr. 1989 : *Nature morte avec un vase d'anémones*, h/cart. (45x37) : **ITL 850 000** – Milan, 21 nov. 1990 : *Paysage*, h/cart. (37x48) : **ITL 950 000** – Rome, 11 déc. 1990 : *Adolescent*, h/t (102x92) : **ITL 18 400 000** – Rome, 27 avr. 1993 : *La lecture*, h/t (40x32) : **ITL 3 600 000**.

VITI Pietro della ou **Vita, Vite, Vito**
Mort en 1573. xvie siècle. Actif à Urbino. Italien.
Peintre.
Fils de Timoteo della Viti.

VITI Timoteo della ou **Vite**, dit **Timoteo da Urbino**
Né en 1469 à Urbino. Mort le 10 octobre 1523 à Urbino. xve-xvie siècles. Italien.
Peintre.
Père de Pietro della Viti et probablement élève de Giovanni Santi. Fils de Bartolommeo della Vite et de Calliope, la fille du peintre Antonio Alberti de Ferrare, il fut élevé pour le métier d'orfèvre. De 1490 à 1495, on le trouve dans la boutique de Francia, où il apprit aussi la peinture. Il se fixa ensuite à Urbino, où il exerça son art pendant quinze ans. Il fit plusieurs travaux dans la cathédrale de cette ville. D'abord le tableau d'autel de la chapelle de Saint-Martin, représentant *L'évêque d'Arribabene et Guidobaldo, duc d'Urbin, s'agenouillant devant un autel avec au-dessus d'eux saint Thomas Becket, et saint Martin* ; puis un tableau de

sainte Madeleine. C'est en 1519 qu'il partit pour Rome ; il y travailla aux côtés de Raphaël, lui aussi natif d'Urbino.
Musées : Bergame (Acad. Carrara) : *Sainte Marguerite* – Bologne (Pina.) : *Sainte Madeleine* – Boston : *La Madone apparaît à saint François d'Assise et à saint Antoine* – Ferrare (Mus. mun.) : *Sainte Claire d'Égypte portée au ciel par des anges* – Florence (Gal. Corsini) : *Apollon* – *Thalie* – Milan (Brera) : *Madone avec saint Crescent et saint Vital* – *Annonciation* – *La Vierge, saint Jean-Baptiste et saint Sébastien* – *La Trinité et saint Jérôme* – Pérouse (Pina.) : *Noli me tangere* – *Annonciation* – *Ciboire avec deux saints* – Rome (Acad. Saint-Luc) : *Saint Luc peignant la Vierge et l'Enfant* – Turin (Pina.) : *Madone avec l'Enfant* – Urbino : *Deux saints évêques* – *Sainte Apollonie* – *Saint Sébastien* – *Saint Joseph et saint Roch.*
Ventes Publiques : Londres, 1859 : *Descente de croix* : **FRF 5 020** – Londres, 19 fév. 1910 : *La même œuvre* : **GBP 420** – Londres, 24 juin 1929 : *Fontaine ornée d'un dieu-fleuve*, dess. : **GBP 830**.

VITIELLO Raffaele
Né le 31 octobre 1875 à Torre Annunziata. xxe siècle. Italien.
Peintre de figures, paysages.
Il fut élève de l'Académie des Beaux-Arts de Venise.

VITIK Alois
Né le 25 juillet 1910 à Mimon (Bohême). xxe siècle. Tchécoslovaque.
Peintre.
De 1929 à 1934, il fut élève de l'École des Arts Industriels et de l'École des Arts Décoratifs, à Prague, où il a vécu. Il participait à de nombreuses expositions représentatives de l'art tchécoslovaque contemporain : XXXIe Biennale de Venise, 1962 ; « Profil V – Art Tchécoslovaque Contemporain », à Bochum, 1965 ; « Art Tchécoslovaque Contemporain », à Lecques, 1966 ; etc. Il a également montré ses œuvres dans plusieurs expositions personnelles, surtout à Prague : 1949, 1959, 1965.
Il pratique une abstraction à partir de belles surfaces courbes aux matières translucides, évoquant des climats poétiques issus de l'observation du réel, dans l'esprit de l'abstraction propre à l'École de Paris d'après la Seconde Guerre mondiale.

VITO della, di, da. Voir aussi au prénom

VITO Andrea di
Mort en 1610 à Naples. xvie-xviie siècles. Italien.
Miniaturiste.
Les meilleurs travaux de cet artiste furent exécutés pour le prince d'Avellino ; ils lui valurent alors un grand renom et atteignirent des prix fort élevés.

VITO Camillo da
xixe siècle. Italien.
Peintre à la gouache de paysages.
Il était actif à Naples. Il a peint les paysages de la baie de Naples, en général avec le Vésuve, et a pu en saisir des vues pendant les éruptions.
Ventes Publiques : Londres, 19 oct. 1976 : *Vues de Naples*, gche, trois toiles (35,2x74,5) : **GBP 580** – Londres, 23 juin 1983 : *L'Éruption du Vésuve* 1830, gche, une paire (45x66,5) : **GBP 2 000** – Londres, 27 nov. 1986 : *L'Éruption du Vésuve le 22 octobre 1822*, gche (53,2x73) : **GBP 1 100** – Londres, 4 oct. 1991 : *Torre del Greco détruit par l'éruption de 1794*, gche/pap. (43,2x65,5) : **GBP 3 740** – Paris, 23 oct. 1992 : *Vue du Vésuve en éruption*, gche (36x47) : **FRF 7 000** – Milan, 20 déc. 1994 : *Éruption du Vésuve en 1804*, gche/pap. (32x45) : **ITL 2 300 000** – New York, 10 jan. 1995 : *Éruption du Vésuve avec des spectateurs et l'artiste au premier plan* 1829, gche (22,7x34,7) : **USD 4 312** – Hadspen, 31 mai 1996 : *Évolution de l'éruption du Vésuve*, gche, quatre parties (41,5x63 chacune) : **GBP 7 475** – Londres, 13 juin 1996 : *Port de la baie de Naples*, gche (29,8x41,9) : **GBP 1 495** ; *La Baie de Naples avec le Vésuve*, gche (30,5x41,9) : **GBP 1 955**.

VITO Domenico. Voir **VITUS**

VITO Michele de
xviiie-xixe siècles. Italien.
Peintre de figures typiques, peintre à la gouache.
Ventes Publiques : Londres, 25 juin 1981 : *Vue de Naples la nuit*, gche (46x65) : **GBP 800** – Londres, 20 juin 1985 : *Costumes d'Italie*, aquar. et cr., suite de six (18,5x14) : **GBP 800** – Rome, 5 déc. 1995 : *Personnages napolitains* 1830, h/pan., une paire (27x14) : **ITL 5 303 000**.

VITO Niccola di. Voir **NICCOLA di Vito**

VITO Pietro della. Voir **VITI**

VITO Placido
xviie siècle. Italien.
Peintre.
Élève d'Agostino Scilla. Il était actif à Messine en 1689.

VITO Victor
Né le 10 juillet 1928 à Paris. xxe siècle. Français.
Peintre. Polymorphe.
Il expose à Paris et dans le Midi méditerranéen. Il a travaillé dans les métiers d'art, créateur de formes pour les matières plastiques. Il essaye de traiter tous les sujets dans toutes les manières possibles.
Bibliogr. : Vito et divers : *Vito*, chez l'artiste, Paris, 1989.

VITO d'Ancona. Voir **ANCONA**

VITO di Marco
D'origine allemande. Mort en 1495 à Sienne. xve siècle. Italien.
Sculpteur.
Élève d'Antonio Federighi. Il travailla pour la cathédrale de Sienne.

VITOLLO Boris
Né en 1908 à Moscou. xxe siècle. Russe.
Peintre de compositions animées, paysages.
Après des études musicales, il fut élève de Vladimir Favorski dans l'atelier de Serguei Guérassimov, à l'Institut d'Art Appliqué et Décoratif de Moscou. Depuis 1932, il était membre de l'Union des Peintres de l'URSS. Il expose depuis 1930. Il a enseigné la peinture dans un Institut du Textile. Ayant participé à la guerre de 1941-1945, il a ensuite enseigné l'histoire de l'art à Moscou.
Bibliogr. : In : Catalogue de la vente *Tableaux soviétiques*, Salle Drouot, Paris, 3 oct. 1990.
Musées : Moscou (Gal. Tretiakov) – Saint-Pétersbourg (Mus. Russe).

VITOLO Donato
xviie siècle. Actif à Naples en 1698. Italien.
Peintre.

VITOLO Uriele
Né le 14 janvier 1831 à Avellino. xixe siècle. Italien.
Sculpteur.
Élève de l'Académie des Beaux-Arts de Naples et du sculpteur Gennaro Cali. Il a exécuté de nombreux monuments funéraires et des bustes en Italie.

VITOLS Eduards
Né le 5 novembre 1877 à Katvaras Muiza. xxe siècle. Letton.
Peintre-aquarelliste et peintre de décors.
Il fit ses études à Saint-Pétersbourg et travailla à Riga.
Musées : Riga.

VITON Marie, Mme **d'Estournelles de Constant**
Née le 7 octobre 1897 à Villers-sur-Mer (Calvados). xxe siècle. Française.
Peintre, graveur, illustrateur, peintre de décors de théâtre.
Elle fut élève de Paul Sérusier et Maurice Denis. Elle a exposé à Paris, au Salon d'Automne, au Salon des Indépendants, au Salon des Tuileries, aux Peintres Graveurs Indépendants, etc. Elle a, depuis 1936, décoré à fresque de nombreux édifices algériens ; nommée Peintre de l'Air en 1944. Elle a conçu les costumes et les décors de *Caligula*, d'Albert Camus, pour le Théâtre Hébertot, et ceux du *Mal court*, d'Audiberti, au Théâtre de Poche. Elle a illustré de lithographies la collection des *Dix meilleurs Romans français choisis* par André Gide, et les *Études sur Chopin* de Gide.

VITON DE JASSAUD Marie
Née à Paris. xixe siècle. Française.
Peintre de genre et de portraits.
Elle fut élève de N. J. Richard. Elle débuta au Salon de Paris, en 1878.

VITORIA Vicente. Voir **VICTORIA**

VITRINGA Wigerus
Né en 1657 à Leeuwarden. Mort le 18 janvier 1721 à Wirdum. xviie-xviiie siècles. Hollandais.
Peintre de figures, paysages animés, paysages d'eau, marines, dessinateur.
Il entra en 1606 dans la gilde à Alkmaar.

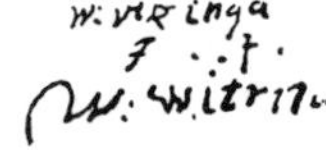

Musées : Brême – Lille – Saint-Pétersbourg.
Ventes Publiques : Paris, 1776 : *Groupes de figures sur la glace* : **FRF 66** ; *Marine : vaisseau à trois mâts et chaloupe* : **FRF 78** – Paris, 18 avr. 1803 : *Village au bord d'un canal*, dess. colorié : **FRF 37** – Paris, 1858 : *Marine*, dess. en coul. : **FRF 10** – Paris, 10 et 11 mai 1926 : *Pêcheurs et bateaux*, lav. : **FRF 850** – Paris, 17 et 18 déc. 1941 : *Bateaux de pêche près du rivage* ; *Bateaux de pêche par gros temps*, pl. et lav. d'encre, deux dessins : **FRF 2 200** – Lucerne, 22 juin 1968 : *Marine* : **CHF 7 000** – Londres, 24 fév. 1971 : *Scène d'estuaire* : **GBP 1 400** – Amsterdam, 16 mai 1972 : *Paysage fluvial* : **NLG 14 000** – Amsterdam, 18 mai 1976 : *Marine*, h/t (63x80) : **NLG 14 000** – Amsterdam, 29 oct 1979 : *Bateaux en mer*, pl. et lav. (17,7x23,5) : **NLG 4 200** – Amsterdam, 26 nov. 1984 : *Bateaux de guerre* 1702, dess. à l'encre noire et aquar., une paire (13,8x18,8) : **NLG 8 500** – Amsterdam, 1er déc. 1986 : *Barque et voiliers au large de la côte* 1704, aquar. (13,6x18,6) : **NLG 4 800** – Paris, 20 déc. 1988 : *Bateaux à l'entrée d'un estuaire* 1704, pl. et aquar. (13,5x18,5) : **FRF 14 500** – New York, 19 jan. 1994 : *Personnages regardant passer les bateaux depuis le rivage* 1698, sanguine/vélin (14,6x22,2) : **USD 920** – Londres, 8 juil. 1994 : *Pêcheur et un couple élégant sur un quai*, h/pan. (51,5x42,2) : **GBP 3 910** – Paris, 16 juin 1995 : *Bateaux par mer agitée* 1693, h/t (53,5x72,5) : **FRF 45 000** – Londres, 6 déc. 1995 : *Goélette amarée par mer calme avec une barque transportant des passagers jusqu'à un galion ancré au large*, h/t (39,3x48,3) : **GBP 10 350** – Amsterdam, 6 mai 1997 : *Vaisseaux dans une bourrasque*, h/t (52,5x73) : **NLG 47 200**.

VITRIOLI Annunziato
Né le 14 avril 1830 à Reggio di Calabria. Mort le 11 mars 1900 à Reggio di Calabria. XIXe siècle. Italien.
Peintre.
Père de Tommaso Vitrioli et élève de G. Mancinelli et de M. de Napoli. Il peignit des tableaux d'autel pour des églises de Calabre.

VITRIOLI Tommaso
XIXe siècle. Italien.
Peintre.
Fils d'Annunziato Vitrioli.

VITRULIO ou **Vitruvio**. Voir **BUONCONSIGLIO Vitruvio**

VITRY Pierre
Né en 1707. Mort le 1er mars 1780 à Paris. XVIIIe siècle. Français.
Peintre.

VITRY Pierre François Christophe
XVIIIe siècle. Français.
Peintre de fruits et de natures mortes.
Fils de Pierre Vitry. Membre de l'Académie de Saint-Luc. Il prit part à l'Exposition de la jeunesse en 1773 et aux Expositions de l'Académie de Saint-Luc en 1753 et 1762.

VITS François de
XVIIIe siècle. Actif à Bruxelles dans la seconde moitié du XVIIIe siècle. Éc. flamande.
Sculpteur.

VITS Jean Baptiste
XVIIIe siècle. Actif à Bruxelles, de 1735 à 1762. Éc. flamande.
Sculpteur.

VITS Nicolas
XVe siècle. Actif à Bruxelles en 1458. Éc. flamande.
Sculpteur.

VITSARIS J.
Né en Grèce. XIXe siècle. Grec.
Sculpteur.
Il figura aux Expositions de Paris ; mention honorable en 1889 (Exposition Universelle).

VITSORIS Demètre
Né en 1902 à Salonique. Mort en 1945 à Athènes. XXe siècle. Grec.
Peintre. Expressionniste.
Il fit ses études artistiques à l'École des Beaux-Arts d'Athènes, en France, Allemagne, Italie. En 1930, il devint membre du groupe *Art*. Il participe à de nombreuses expositions collectives en Grèce, aux États-Unis, à la Biennale de Venise.
Si la facture de sa peinture le rattache à l'expressionnisme, son contenu spiritualisé l'apparente au courant symboliste.
Musées : Athènes (Pina. Nat.) – Athènes (Pina. mun.) – Rhodes (Gal. d'Art).

VITTA Giuseppe
XIXe siècle. Italien.
Graveur au burin.
Il grava d'après Michel-Ange.

VITTALY Jules Louis
Né au XIXe siècle à Langres (Haute-Marne). XIXe siècle. Français.
Peintre de natures mortes.
Élève de l'École des Beaux-Arts et de M. Baumann. Il débuta au Salon de 1879. Peut-être parent du peintre Giovanni Vitali.

VITTANO Abondio
XVIIe siècle. Italien.
Sculpteur sur bois.
Il a sculpté les stalles de la cathédrale de Crémone en 1629.

VITTEL Gaspare. Voir **VANVITELLI**

VITTI Antonio
XIXe siècle. Actif à Grumo en 1841. Italien.
Peintre.

VITTINGHOFF Karl von, baron
Né en 1772 à Presbourg. Mort le 28 juillet 1826 à Vienne. XVIIIe-XIXe siècles. Autrichien.
Peintre et graveur.
Il fit ses études à Vienne et exécuta des paysages et des animaux. La Galerie Nationale de Berlin conserve deux dessins à la plume de cet artiste.

VITTINI Giulio
Né en 1888. Mort en 1968 à Hyères (Var). XXe siècle. Italien.
Peintre de compositions religieuses, scènes animées, portraits, paysages animés, paysages, compositions murales, aquarelliste, fresquiste, mosaïste, décorateur de théâtre, illustrateur.
Après des études à l'Académie de Milan, il entra à l'Académie de Rome, où il obtint un diplôme d'architecture et de peinture.
Tout au long de sa carrière, il réalisa plusieurs décorations architecturales : il participa tout d'abord, avec Sartorio, aux travaux du Parlement de Rome, décora de mosaïques le monument Victor-Emmanuel. Il peignit à fresque les murs de la salle ducale du Vatican et les vingt-et-un médaillons sur la façade de la basilique Saint-Paul-hors-les Murs. Il décora l'église de Beaulieu, dans le Doubs, de huit panneaux et d'un chemin de Croix, avant de continuer sa carrière de décorateur de bâtiments à Hyères.
Parmi ses talents multiples, on peut citer celui de portraitiste qu'il pratiqua pendant son séjour au Vatican, où il fit le portrait de plusieurs cardinaux. Il travailla, durant trois ans, en tant que maquettiste-décorateur à la Scala de Milan. À Montbéliard, en 1930, il réalisa vingt-six toiles sur l'histoire de la ville. Il est l'auteur de plusieurs illustrations, dont celles de *Nouvelles historiques du Pays de Montbéliard*, par L. Renard ; *Si Montbéliard m'était conté*, par F. Mulhenheim. Il ouvrit un atelier de peinture et d'art décoratif, puis de décoration sur céramique, au château de Montbéliard.
Ses qualités de fresquiste se retrouvent dans toutes ses compositions qui montrent un équilibre des masses, une légèreté des couleurs et une certaine monumentalité.
Bibliogr. : Gérald Schurr, in : *Les Petits Maîtres de la peinture 1820-1920, valeur de demain*, Les Éditions de l'Amateur, t. VI, Paris, 1985.
Musées : Montbéliard (Mus. Garnier) : Vingt-six toiles sur l'histoire de la ville de Montbéliard.
Ventes Publiques : Grenoble, 13 déc. 1982 : *Rue du château à Montbéliard*, aquar. (41x28) : **FRF 3 500**.

VITTKAI Ferenc ou **François**
XIXe siècle. Travaillant en Transylvanie vers 1833. Hongrois.
Portraitiste.

VITTO
XIXe siècle. Français.
Peintre de portraits.
Musées : Troyes : *Portrait de M. Audiffred*.

VITTO Agapito
Né à Ancône. XVIIIe siècle. Actif de 1749 à 1760. Italien.
Peintre.
Élève de Sebastiano Conca avec lequel il travailla dans la sacristie du Mont Cassin.

VITTON
XIXe siècle. Français.
Peintre de paysages.
Il exposa au Salon de 1823 et 1834.

VITTORE di Matteo. Voir **BELLINIANO di Matteo Vittore**

VITTORI Carlo
Né le 30 novembre 1881 à Crémone. XXe siècle. Italien.
Peintre.
Il fut élève de l'Académie de la Bréra de Milan.
Musées : Milan (Gal. d'Art Mod.) : *L'heure mystique* – Udine (Gal. d'Art Mod.) : *À travers la Malga.*
Ventes Publiques : Paris, 28 nov. 1989 : *Chevaux*, h/t (58,5x40) : **FRF 14 000.**

VITTORIA Alessandro
Né en 1525 à Trente (Trentin-Haut-Adige). Mort le 27 mai 1608 à Venise. XVIe siècle. Italien.
Sculpteur de compositions mythologiques, sujets religieux, bustes, médailleur, décorateur.
Vivant à Venise depuis 1543, il étudia dans l'atelier de Jacopo Sansovino.
En 1550, sa première statue, restée inachevée, est un *Saint Jean-Baptiste* exécuté pour San Zaccaria. C'est en 1569 qu'il sculpte sa statue la plus connue : *Saint Jérôme* à Santa Maria dei Frari, qui dénote très nettement une influence de Michel Ange dans le rendu de la barbe et de la musculature. C'est d'ailleurs après 1560 que Vittoria montre davantage de goût pour le maniérisme. Ses portraits restent cependant d'un réalisme et d'une noblesse qui laissent de côté le maniérisme à la mode. Vittoria ne s'est pas limité à l'art statuaire, il a fait des décorations sculptées, en particulier au Palais des Doges où il a décoré le plafond de la Scala d'Oro. Il a créé également un décor autour des fresques de Véronèse à la Villa Barbaro à Maser (1565). Il a sculpté de nombreux autels, dont celui de San Francesco della Vigna (1561-63), et fait plusieurs médailles.
Musées : Berlin – Londres – Paris (Mus. Jacquemart André) : *Buste d'un Vénitien* – Vienne.
Ventes Publiques : Amsterdam, 24 avr. 1968 : *Dieu fluvial*, terre cuite : **NLG 22 000** – Londres, 24 juin 1971 : *Saint Pierre ; Saint Paul*, deux bronzes : **GNS 2 000** – Londres, 14 juil. 1972 : *Jupiter*, bronze : **GBP 2 300** – Paris, 14 avr. 1986 : *Putto en dieu de l'amour, Eros*, bronze à patine noire (H. 88) : **FRF 250 000** – Paris, 14 avr. 1986 : *Putto*, bronze patine noire (H. 88) : **FRF 250 000** – Milan, 4 déc. 1986 : *Allégorie*, pl. et lav. reh. de blanc/pap. bleu (21,5x15,5) : **ITL 3 200 000.**

VITTORIA Nicoletti Mengarini Fausta. Voir **FAUSTA VITTORIA**

VITTORIA Vincenzo. Voir **VICTORIA Vicente**

VITTORIA DOLORA
Née vers 1764. Morte en 1827 à Rome. XVIIIe-XIXe siècles. Italienne.
Peintre.
Elle était religieuse et peignit les portraits de *Pie VI* et de *Pie VII.*

VITTORIANO
XVIe siècle. Actif au Mont Cassin, travaillant en 1578. Italien.
Peintre de fresques.

VITTORINI Umberto
Né le 22 juin 1890 à Barga (Lucca). XXe siècle. Italien.
Peintre de portraits, paysages, paysages urbains, aquafortiste.
Il fut élève d'E. Gordigiani. Il peignit des vues de Pise et de la Toscane ainsi que des portraits.
Ventes Publiques : Milan, 21 juin 1994 : *Paysage de Pise* 1920, h/cart. (34x30) : **ITL 2 760 000.**

VITTORINO ou **Venturino**
XVIe siècle. Italien.
Enlumineur.
Le Musée Marciano de Venise conserve des graduels enluminés par cet artiste.

VITTORIO
XVIe siècle. Italien.
Peintre.
Il était actif à Spolète, travaillant en 1515.

VITTORIO
Né en 1932 à Zara. XXe siècle. Yougoslave.
Sérigraphe.
Il traite les sujets les plus divers dans un style résolument narratif.
Musées : Montréal (Mus. d'Art Contemp.) : nombreuses sérigraphies.

VITTORIO di Domenico
XIVe-XVe siècles. Actif à Sienne. Italien.
Peintre.
Il travailla pour la cathédrale et pour la ville de Sienne.

VITTORIO da Firenze, dit **Cogono**
XVIe siècle. Italien.
Sculpteur.
Assistant de B. Ordonez à Carrare avant 1550.

VITTORIO di Francesco
XIVe siècle. Travaillant à Pise en 1301. Italien.
Peintre et mosaïste.
Il travailla pour la tribune de la cathédrale de Pise, avec son père Francesco.

VITTOZ
XIXe siècle. Péruvien.
Sculpteur.
Le Musée de Sydney conserve deux bronzes de lui : *Laocoon* et *Le déluge.*

VITTURI Albano
Né le 29 décembre 1888 à Vérone. XXe siècle. Italien.
Peintre.
Autodidacte en peinture.

VITTURI Ettore
Né en 1897 à Vérone. XXe siècle. Italien.
Peintre.

VITULINI di Vitulino Bernardino ou **Bernardo**
Né vers 1300 à Ceneda. XIVe siècle. Italien.
Peintre.
Il vivait à Bellune. Il a peint des fresques dans l'église d'Ampezzo, à Cadore, en 1356.

VITULINO da Serravalle
XIVe siècle. Italien.
Peintre.

VITULLO Sesostris
Né en 1899 à Buenos Aires. Mort en 1953 à Buenos Aires. XXe siècle. Depuis 1925 actif en France. Argentin.
Sculpteur. Abstrait.
Il fut élève de l'École des Beaux-Arts de Buenos Aires, avant de venir se fixer à Paris en 1925, où il fréquenta les ateliers de sculpteurs et où surtout il étudia les œuvres de Rodin et de Bourdelle, s'inspirant dans son propre travail du sens monumental de ce dernier. Pourtant, ce fut par contraste au contact du paysage français qu'il redécouvrit les caractères rudes et imposants de la nature de son pays, des Andes, de la pampa : « Je n'ai compris pleinement cette violence, je n'ai pu la traduire, que lorsque j'ai été enveloppé par la douceur de la France. La lumière, le vent, le relief de l'Argentine, voilà ce qui m'a déterminé. J'ai étendu mes blocs sur la terre, ou bien je les ai dressés en totems, et j'ai voulu qu'ils pussent affronter les éclairages les plus crus. »
Il participa à Paris, au Salon des Réalités Nouvelles, qui lui rendit un hommage en 1959 et qui présentait *Totem Malambo – Le Soleil – Les Mains du sculpteur.* Outre de rares autres participations à des expositions collectives, il n'avait bénéficié que d'une seule exposition personnelle, avant l'hommage que lui rendit le Musée National d'Art Moderne, en 1952, peu avant sa mort.
Il a travaillé les matériaux les plus durs, buis, ébène, granit, marbre. L'abstraction qui fédère l'ensemble de son œuvre n'est cependant pas exempte d'une dimension anthropomorphique. Il subit occasionnellement l'influence de l'art nègre. Dans une première période, encore sous l'influence de Bourdelle, il restait près de la forme naturelle, dans une stylisation symbolique, évoquant le soleil, la lune, le gaucho, exécutant des sculptures monumentales : le *Monument à Martin Fierro*, 1940-1945 ; la *Luxure*, 1946. Il évolua ensuite à une manière plus proche de l'abstraction, à des formes plus dépouillées, avec : le *Condor*, 1949 ; le *Bagual*, 1951 ; *Libération*, 1952 ; le *Monument à José de San Martin*, 1952. Pendant vingt-cinq années, il poursuivit son travail bien que restant à peu près inconnu. ■ Jacques Busse
Bibliogr. : Catalogue de l'exposition *Vitullo*, Musée National d'Art Moderne, Paris, 1952 – in : Catalogue de l'exposition : *14e Salon des Réalités Nouvelles*, Musée des Beaux-Arts de la Ville, Paris, 1959 – Frank Elgar, in : *Diction. Univers. de l'Art et des Artistes*, Hazan, Paris, 1967 – Frank Elgar, in : *Nouveau diction. de la sculpt. mod.*, Hazan, Paris, 1970.
Ventes Publiques : Paris, 16 mars 1989 : *Cheval cabré*, marbre blanc (60x35x30) : **FRF 37 000** – Paris, 9 déc. 1991 : *Cheval cabré*, marbre blanc (60x35x30) : **FRF 26 000.**

VITUS
XVIIIe siècle. Travaillant de 1765 à 1767. Hongrois.
Sculpteur.
Membre de l'Ordre des Franciscains, il a sculpté les orgues et la chaire dans l'église des Franciscains de Vac.

VITUS Domenico ou **Dominique** ou **Vito**
XVIe siècle. Actif à Vallombrosa de 1576 à 1586. Italien.
Dessinateur et graveur au burin.
On croit qu'il fut élève d'Agostino Veneziano dont il imita le style. Il se retira fort jeune au couvent de Vallombrosa dans les Apennins. Il a gravé des sujets d'histoire.

VITZTHUMB Paul
Né en 1751 à Bruxelles. Mort en 1838. XVIIIe-XIXe siècles. Belge.
Dessinateur amateur de paysages urbains et musicien.
Il dessina des vues de Bruxelles et de sa périphérie à la fin du XVIIIe siècle, d'une grande valeur iconographique.
Bibliogr. : In : *Diction. biogr. illustré des Artistes en Belgique depuis 1830*, Arto, Bruxelles, 1987.

VIVA Andrea, appellation erronée. Voir **VISO**

VIVA Angelo ou **de Vivo,** ou par erreur **de Viva**
XVIIIe-XIXe siècles. Travaillant à Naples de 1772 à 1816. Italien.
Sculpteur et stucateur.
Frère de Giacomo V. et élève de Giuseppe Sanmartino. Il est connu comme sculpteur de figurines de crèches. Il a sculpté de nombreuses statues, tombeaux, fontaines, bustes et bas-reliefs pour des églises et des bâtiments publics de Naples.

VIVA Giacomo
XVIIIe siècle. Actif à Naples dans la seconde moitié du XVIIIe siècle. Italien.
Sculpteur.
Frère et assistant d'Angelo et sculpteur de figurines de crèches.

VIVA Rosina
Née en 1900 sur l'île de Capri. XXe siècle. Italienne.
Peintre. Naïf.
Elle se réfugia en Suisse durant la guerre mondiale de 1939-1945. En 1943, la nostalgie la poussa à commencer à peindre pour retracer les paysages de son enfance. Elle peint aussi des bouquets de fleurs, qui lui semblent ne jamais être suffisamment garnis et compliqués. Elle peint de nombreuses vues de la baie de Naples, parmi lesquelles son tableau le plus connu : *Noce sous le Vésuve*.
Bibliogr. : Oto Bihalji-Merin : *Les peintres naïfs*, Delpire, Paris, s.d.

VIVA Tommaso de. Voir **VIVO**

VIVALDI Juan Bautista
XIXe siècle. Travaillant à Séville de 1849 à 1873. Espagnol.
Peintre de compositions murales.
On cite des plafonds décorés par ses soins.

VIVALDO
Mort avant 1304. XIIIe siècle. Actif à Pise. Italien.
Peintre.

VIVALDO Domenico
XVIIe siècle. Travaillant à Naples. Italien.
Sculpteur sur bois.
Il a exécuté des sculptures dans l'église de l'Annonciation de Naples en 1672.

VIVANCOS Miguel Garcia, parfois **Georges**
Né le 19 avril 1895 à Mazarron (Murcie). Mort en 1972 à Cordoue. XXe siècle. Depuis 1936 actif en France. Espagnol.
Peintre de scènes animées, paysages, fleurs. Naïf.
A l'âge de treize ans il fut apprenti mécanicien à l'Arsenal de Carthagène. Il vint ensuite à Barcelone, où il fut horloger, docker, peintre en bâtiment, etc. Pendant la guerre civile espagnole, il s'engagea du côté républicain et en devint un héros. Colonel, il eut une grande part dans les combats victorieux de Teruel. Dans la défaite, il commandait à Puigcerda et fit évacuer 70 000 républicains. Passé lui-même en France en 1939, il passa cinq années dans un camp de regroupement, d'où il s'évada et participa à la Résistance. À la libération de 1944 en France, il vint à Paris. Sans métier, on lui proposa de peindre des foulards de soie. Il imagina bientôt ses propres motifs, puis commença à peindre ses premières œuvres personnelles.
Sa première exposition personnelle fut préfacée par André Breton, à Paris, en 1950. Il eut d'autres expositions : à Londres, en 1951 et 1952 ; de nouveau à Paris, en 1956 ; dans des villes de province ; au Musée de Limoges. En 1960, il a illustré « Le vaurien » de Marcel Aymé.
Picasso fut son premier acheteur, l'encourageant à n'écouter que son inspiration et à n'imiter personne. Il peignait et surtout dessinait avec une minutie du détail qui lui faisait passer plusieurs mois sur chaque tableau, minutie où il peut rappeler Louis Vivin, dont la peinture compte aussi les pavés de la rue comme les tuiles du toit. Il a peint des paysages, des fleurs, des scènes populaires, des fêtes foraines, avec fraîcheur et poésie, y exprimant son amour de la vie, sans les excès de couleurs fréquents chez les naïfs, mais non sans un certain faste dans les ornements et la mise en scène en accord avec le cérémonial ibérique. Après 1955 environ, il délaissa un peu ces thèmes traditionnels de l'imagerie naïve et peignit des natures mortes dans des intérieurs aux fenêtres ouvertes sur l'extérieur, instaurant un dialogue entre les fleurs dans un vase, le faisan à plumer, le napperon à dentelle, et les tourelles du château du paysage, le clocher de l'église dans le lointain, les coupoles du Sacré-Cœur de Montmartre. ■ Jacques Busse

Bibliogr. : André Breton : *Catalogue de l'exposition « Vivancos »*, Gal. Mirador, Paris, 1950 – Anatole Jakovsky : *Vivancos*, Paris, 1961 – B. Dorival, sous la direction de..., in : *Peintres Contemporains*, Mazenod, Paris, 1964 – Oto Bihalji-Merin, in : *Les peintres naïfs*, Delpire, Paris, s. d. – in : *Diction. Univers. de la Peint.*, Le Robert, Paris, 1975 – in : *Diction. de l'Art Mod. et Contemp.*, Hazan, Paris, 1992 – in : *Cien Años de pintura en España y Portugal, 1830-1930*, Antiqvaria, t. XI, Madrid, 1993.
Musées : New York – Paris (Mus. Nat. d'Art Mod.) : *Les quais de la Seine* 1957 – Rio de Janeiro.
Ventes Publiques : Paris, 23 nov. 1972 : *Les lavandières* : **FRF 6 000** – Versailles, 26 juin 1974 : *Santa Margherita, les pêcheurs sur le quai* : **FRF 7500** – Versailles, 3 oct. 1976 : *La moisson*, h/t (50x61) : **FRF 3 200** – Versailles, 24 fév. 1985 : *Fleurs, paysage* 1950, h/t (50x65) : **FRF 16 000** – Versailles, 15 mai 1988 : *Entrée de la ferme fleurie*, h/t (27x41) : **FRF 9 500** – Versailles, 15 juin 1988 : *Nature morte au bouquet* 1971, h/t (60x73) : **FRF 19 000** – Paris, 23 juin 1988 : *Les bords de la Cure, Saint-Père* 1947, h/t (50x64) : **FRF 20 000** – Paris, 14 déc. 1988 : *La rue de la Paix, Lisieux* 1947, h/t (42x36) : **FRF 9 000** – Paris, 15 fév. 1989 : *Fleurs et paysages, Crécy en brie*, h/t (34,5x27) : **FRF 4 000** – Paris, 28 mars 1991 : *Collioure* 1951, h/t (46,5x65) : **FRF 6 300** – Paris, 18 mai 1992 : *L'église Saint-Germain à Auxerre* 1954, h/t (55x46) : **FRF 10 000** – Paris, 6 oct. 1995 : *Cathédrale Saint-Étienne* 1951, h/t (46x38) : **FRF 10 500** – Paris, 17 juin 1996 : *Fête foraine* 1971, h/t (50x60) : **FRF 13 500**.

VIVANT-DENON, baron, pseudonyme de **Denon Vivant Dominique**
Né le 4 janvier 1747 à Givry (près de Chalon-sur-Saône). Mort le 27 avril 1826 à Paris. XVIIIe-XIXe siècles. Français.
Peintre de sujets allégoriques, portraits, paysages, aquarelliste, graveur, dessinateur, illustrateur, lithographe.
Élève de Claude Hallé, il devint académicien en 1787. Il eut une importante activité d'écrivain, et devint membre de l'Institut en 1803. Le 18 décembre de la même année, il fut décoré de la Légion d'honneur. Il fut promu officier le 15 novembre 1809. Il fut nommé par Napoléon Ier directeur du Musée du Louvre et occupa ce poste en véritable artiste.
Ses illustrations pour le *Voyage dans la Haute et Basse Égypte* sont fort intéressantes. On lui doit également la gravure des portraits d'artistes à la Galerie des Offices. On cite aussi ses remarquables reproductions d'estampes de Rembrandt.

Ventes Publiques : Paris, 1860 : *Vue d'Orient* : **FRF 250** – New York, 26 et 27 fév. 1903 : *Vue près du Caire* : **USD 110** – Paris, 12 mai 1922 : *Allégorie*, cr. et lav. : **FRF 420** – Paris, 30 nov. et 1er déc. 1922 : *L'Invocation*, pl. et lav. : **FRF 190** ; *Le Déjeuner galant*, lav. : **FRF 170** ; *Les Regrets tardifs*, pl. et lav. : **FRF 150** – Paris, 28 déc. 1922 : *Scène d'intérieur*, pl. et lav. : **FRF 350** – PARIS, 29 avr. 1926 : *Portrait de M. de Boullongne*, pierre noire : **FRF 95** ; *Portrait de M. Desprès, architecte*, pierre noire : **FRF 335** – PARIS, 12 et 13 mars 1926 : *Portrait de D. Francesco Lavego*, pierre noire : **FRF 210** ; *Portrait d'homme en buste*, pierre noire : **FRF 320** – PARIS, 6 fév. 1929 : *Face-pile*, deux dessins : **FRF 210** – PARIS, 20 fév. 1929 : *Portrait de l'artiste en buste*, dess. : **FRF 420** ; *Portrait de femme de profil à gauche*, dess. : **FRF 350** ; *Femme à mi-corps*, dess. : **FRF 520** ; *Jeune fille en buste*, dess. : **FRF 300** ; *Jeune femme de face à mi-corps*, dess. : **FRF 320** ; *Jeune femme en buste de profil à gauche*, dess. : **FRF 180** ; *Tête de femme coiffée du grand bonnet*, dess. : **FRF 300** ; *Jeune garçon en buste*, dess. : **FRF 335** ; *Tête de jeune garçon*, dess. : **FRF 300** ; *Nymphe tenant un arc*, dess. : **FRF 220** – PARIS, 24 juin 1932 : *Dix petites têtes*, aquar. : **FRF 280** – LONDRES, 13 nov. 1934 : *Mme La Forêt* : **GBP 13** – PARIS, 29 oct. 1942 : *La dame à l'écharpe*, pl. : **FRF 1 700** – PARIS, 29 et 30 mars 1943 : *Antiope et le satyre*, lav. aquarellé : **FRF 2 600** – PARIS, 18 fév. 1981 : *Le Grand-père et les enfants*, pierre noire et reh. de blanc, deux dessins (17,5x19,2 et 27x20,5) : **FRF 5 200** – LONDRES, 16 mars 1983 : *Les statues de Memnon à Thèbes*, aquar. et pl. (50x66) : **GBP 1 600** – PARIS, 10 oct. 1983 : *Album de dessins*, pl. et cr., album de cent-quarante-sept dess. : **FRF 17 000** – MONTE-CARLO, 26 juin 1983 : *Promenade publique au bord d'une rivière en Turquie* 1790, h/t (47x61,5) : **FRF 45 000** – NEW YORK, 16 jan. 1986 : *Enfant devant un mendiant assis*, craies noire et blanche/pap. bleu (17,3x19,3) : **USD 1 800** – LONDRES, 16-17 avr. 1997 : *Portrait de femme de profil* 1767, craie noire avec reh. craies rouge et bleue, de forme ronde (diam. 11,2) : **GBP 1 150**.

VIVAR. Voir aussi **BIVAR**

VIVAR Juan Correa de ou **Bivar**

XVIe siècle. Espagnol.

Peintre de compositions religieuses.

Il fut sans doute élève de Juan de Borgona. Il était actif entre 1539 et 1566 à Tolède.

Il a surtout travaillé pour les couvents et les églises de Tolède et des régions d'Avila et de Guadalajara. Si, à ses débuts, il reste sous l'influence de son maître, vers 1540, il montre une connaissance des artistes de la Renaissance italienne, transmise, entre autres, par Alonso Berruguete.

BIBLIOGR. : In : *Dictionnaire de la peinture espagnole et portugaise du Moyen-Âge à nos jours*, coll. Essentiels, Larousse, Paris, 1989.

MUSÉES : OVIEDO : *La Vierge de l'Annonciation*.

VENTES PUBLIQUES : NEW YORK, 4 avr. 1990 : *L'Annonciation*, h/pan. (78,1x52,7) : **USD 9 900** – LONDRES, 8 juil. 1992 : *Saint Sébastien et Saint Jean-Baptiste*, h/pan. (47x62) : **GBP 7 480**.

VIVARELLI Carlo

Né en 1919 à Zurich. Mort en 1986 à Zurich. XXe siècle. Suisse.

Peintre, sculpteur, graphiste. Néo-constructiviste.

Il fut élève de la Kunstgewerbeschule de Zurich et de l'atelier privé de Paul Colin à Paris. En 1958, il fut l'un des fondateurs de la revue *Neue Grafik*, qui paraîtra jusqu'en 1965.

Il s'est essentiellement fait connaître en tant que graphiste, et comme tel il a tenu un rôle de premier plan dans la tradition néo-constructiviste suisse. Il a utilisé des techniques diverses : photographie, photomontage, lettre et typographie. Entre de nombreuses réalisations remarquées, il est l'auteur d'un grand nombre de sigles, logos, affiches. Dans la partie peinture et sculpture de son activité, il s'est montré tout aussi rigoureux, développant des combinatoires quasi mathématiques de formes géométriques et de couleurs, par exemple, en 1967-69, avec la sculpture de cubes assemblés en colonne de l'Université de Zurich.

BIBLIOGR. : In : *Diction. de l'Art Mod. et Contemp.*, Hazan, Paris, 1992.

VIVARES François

Né le 11 juillet 1709 à Lodève (Hérault). Mort le 26 novembre 1780 à Londres. XVIIIe siècle. Français.

Dessinateur et graveur.

Il fut d'abord apprenti tailleur, mais dans ses instants de loisir, il dessinait et gravait à l'eau-forte. En 1727, il vint à Londres, fut élève de J.-B. Chatelain et ne tarda pas à s'établir comme graveur de paysages. Ses reproductions de Claude le Lorrain furent très appréciées. Vivares fonda une école de gravure, où se formèrent d'excellents élèves. Il fut membre de la Society of Artists et y exposa en 1766 et en 1768. Son œuvre comprend environ cent cinquante pièces. Le Victoria and Albert Museum conserve une aquarelle de lui.

VIVARES Thomas

Né vers 1735 à Londres, de parents français. XVIIIe siècle. Français.

Graveur, peintre et dessinateur.

Élève de son père François Vivares. Il a gravé des paysages et des vues des environs de Londres.

VENTES PUBLIQUES : LONDRES, 13 nov. 1997 : *Vue du haut de Coalbrook Dale, dans le Comté de Salop* ; *La Prospection sud ouest de Coalbrook Dale et la campagne environnante* ; *Forges de Shropshire* 1758 et 1788, grav., aquar. et gche, série de neuf : **GBP 4 450**.

VIVARINI Alvise ou **Luigi**

Né en 1445 ou 1446 à Venise ou Murano. Mort entre le 6 septembre 1503 et le 14 novembre 1505 à Venise ou Murano. XVe siècle. Italien.

Peintre d'histoire, sujets religieux, portraits.

Fils d'Antonio Vivarini. Il fut élève de son père et surtout de son oncle Bartolommeo et ce fut des œuvres de celui-ci qu'Alvise s'inspira dans ses premières productions.

Avant 1475, date à laquelle il peignit pour le couvent des Franciscains de Montefiorentino, entre Citta di Castello et Urbino, *La Vierge, l'Enfant Jésus et des saints* que l'on voit encore dans l'église de cet établissement religieux, aucune œuvre de lui n'est mentionnée. En 1480, il peignit *La Vierge, l'Enfant Jésus et six saints*, pour l'église de Trévise, actuellement à l'Académie des Beaux-Arts de Venise. Le talent de l'artiste a puissamment évolué vers une expression se dégageant presque complètement des formules archaïques de ses deux maîtres. L'année 1483 nous le montre peignant dans l'église de Sant' Andrea, à Barletta *La Madone et l'Enfant divin*. Nouvelle étape de l'artiste. Frappé sans doute par les formes hiératiques qu'Antonello de Messine a rapportées des Flandres, Vivarini paraît s'en inspirer particulièrement dans la peinture très caractéristique des draperies. En 1485, c'est la *Vierge, saint François et saint Bernard*. Vient ensuite, en 1489 *La Vierge adorant l'Enfant Jésus*. Nous arrivons ensuite, avec la date de 1493, à la *Tête du Rédempteur* à l'église de San-Giovanni in Bragora à Venise. *La Résurrection du Christ* peinte par Vivarini dans la même église en 1498 marque l'apogée du maître. Son coloris a pris de la chaleur, ses figures dont la sérénité surhumaine caractérise son œuvre, sont plus divines encore. Sa composition se libère de plus en plus de la convention de l'époque. Le dernier ouvrage en date, *Saint Ambroise sur un trône*, à l'église de Bari, que malheureusement Alvise Vivarini n'acheva pas, paraît avoir été commencé en 1501. Il fut terminé par Marco Basaiti. Parmi les œuvres non datées du maître, dont la destination initiale est connue, il convient de citer *La Vierge, l'Enfant Jésus sur un trône, six saints et deux anges*, peints pour l'église de Santa Maria di Batturi à Bellune, et dans laquelle la puissance du sentiment religieux égale la perfection d'exécution. Certains critiques la situent vers 1485. Il faut mentionner encore le tableau d'autel, représentant *La Vierge, saint Sébastien, saint Augustin, saint Jérôme, saint Jean-Baptiste*, qui fut peint pour l'église de San Cristoforo à Murano, détruit en 1945. On croit de 1490 *La Vierge, l'Enfant Jésus et les anges*, que l'on voit dans la sacristie de l'église du Redentore, à Venise, considéré comme un des chefs-d'œuvre du maître, ainsi que *Le Christ portant sa croix* à l'église SS. Giovanni e Paolo, dans la même ville. Alvise Vivarini entra en rapport avec la Seigneurie de Venise par une lettre de juillet 1488 dans laquelle il demandait à concourir avec les deux Bellini pour la décoration de la Sala del Gran Consiglio. Ses offres furent immédiatement acceptées. Il peignit alors deux compositions : *Othon promettant son intervention entre Venise et Barberousse* et *Barberousse recevant son fils*, qui disparurent lors de l'incendie de 1575. L'artiste paraît y avoir travaillé de 1488 jusqu'à sa mort. En 1492 Vivarini fut nommé Depentor in Gran Consiglio. Alvise Vivarini devait montrer dans le portrait un mérite exceptionnel. La critique moderne estime que nombre de ses productions de ce genre ont été attribuées à Antonello de Messine, à Andrea Solario, à Savoldo, à Jacopo de Barbari. Vivarini eut sur les jeunes peintres de son époque une influence considérable.

·ALVVIXE· VIVARIN·

MUSÉES : AMIENS : *Sainte Famille – Madone avec des saints* – BERLIN : *Descente du Saint-Esprit – La Vierge, l'Enfant Jésus et six saints – La Vierge, l'Enfant Jésus et saint Sébastien, saint Augus-*

tin, saint Jérôme, saint Jean-Baptiste – Capo d'Istria : *La Madone avec l'Enfant et des anges* – Londres (Nat. Gal.) : *La Vierge et l'Enfant Jésus – Gentilhomme napolitain* – Milan (Brera) : *Le Christ mort – Le Rédempteur* – Naples : *La Vierge, saint François et saint Bernard – La Vierge et l'Enfant Jésus* – Nice : *La Vierge à la fleur* – Paris (Mus. du Louvre) : *Portrait de Leonardo Galle* – Venise (Gal. Nat.) : *Dieu le père – Sainte Claire – La Vierge sur un trône et saint Jean-Baptiste – Saint Jean-Baptiste – Saint Mathieu* – Venise (Correr) : *Saint Antoine de Padoue* – Venise (Sacristie de SS. Giovanni e Paolo) : *Le Christ portant sa croix* – Vérone : *La Vierge et l'Enfant* – Vienne : *La Vierge adorant l'Enfant Jésus et deux anges musiciens.*

Ventes Publiques : Londres, 14 mai 1926 : *Mort de la Vierge. Les douze apôtres pleurant*, triptyque : **GBP 351** – Londres, 5 juil. 1926 : *La Vierge et l'Enfant* : **GBP 273** – Londres, 10 déc. 1937 : *La Vierge et l'Enfant* : **GBP 136** – Londres, 8 avr. 1938 : *La Vierge, l'Enfant et deux saints* : **GBP 183** – Londres, 27 nov. 1959 : *Madone et l'Enfant* : **GBP 504** – Londres, 17 mai 1961 : *Madone et l'Enfant* : **GBP 1 600** – Londres, 27 nov. 1963 : *Portrait d'un jeune homme* : **GBP 1 800** – Cologne, 11 nov. 1964 : *Vierge à l'Enfant* : **DEM 10 000** – Monaco, 7 déc. 1990 : *Vierge à l'Enfant*, h/pan. (57x44) : **FRF 111 000**.

VIVARINI Antonio, dit **Antonio da Murano**

Né vers 1415 à Murano. Mort entre le 24 mars 1476 et le 24 avril 1484 ou 1496 à Venise. xve siècle. Italien.

Peintre de sujets religieux.

Il ne faut pas le confondre avec Antonio da Murano, artiste vénitien qui travaillait dans la deuxième moitié du xve siècle. Antonio Vivarini est le fondateur de l'école de Murano, cette remarquable partie de l'École vénitienne. On ne sait rien, ou presque rien de la vie de notre artiste et absolument rien de ses débuts. Les dépouillements d'Archives qui se poursuivent un peu partout y arriveront, il faut l'espérer. Dans l'état actuel des connaissances, il est permis de diviser comme suit la carrière d'Antonio : d'abord la période pendant laquelle il travailla seul ; puis à partir de 1440 son association avec l'artiste de l'École de Cologne Johannes ou Juan Alemano ou Giovanni da Murano, association dont nous avons des traces par des œuvres signées de concert, jusqu'en 1447 et qui paraît être définitivement rompue en 1450 ; ensuite l'association d'Antonio avec son frère cadet Bartolommeo, dont la première œuvre, d'après les dates, est le remarquable polyptyque peint à la Certosa de Bologne en 1450, actuellement conservé au Musée : enfin une nouvelle période dont nous n'avons pas la date de début, mais qui paraît en cours, lorsque Bartolommeo signe seul, en 1459, le saint Jean conservé au Louvre et pour laquelle le polyptyque que l'on voit à Saint-Jean de Latran, peint pour San Antonio, à Pesaro en 1467, fournit une dernière indication. On ne sait pas qui fut son maître. En 1421 et 1422, Pisano et Gentile da Fabriano travaillèrent à la décoration de la salle du grand conseil à Venise. Antonio fut-il employé comme aide par l'un, ou par l'autre ? Puisa-t-il simplement sa conception de la forme plastique dans l'étude des peintures de ces deux maîtres à Venise ? Le fait indéniable c'est que, dans sa première phase, il procède de l'un et de l'autre, particulièrement de Gentile da Fabriano. Les quatre *Scènes de la vie du Christ*, conservées au Louvre, *L'Adoration des mages* du Musée de Berlin, le prouvent clairement. Avant 1440, Antonio fait la rencontre d'Alemano ; une collaboration s'établit, dans laquelle Vivarini paraît avoir le second rang. Ils peignent à l'église, de S. Barnaba à Venise, un *Couronnement de la Vierge*, actuellement à l'Académie de Venise, qu'ils signent *Johannes et Antonius de Murano* ; ils peignent ensuite à S. Zaccaria, trois polyptyques dont deux en 1443 et un en 1444 ; en 1445, ils peignent les figures de saint Georges et de saint Étienne sur l'orgue de S. Giorgio Maggiore, aujourd'hui perdus. Ils le signèrent *Johannes de Alemania* et *Anotonius de Murianomin*. De 1446 date *La Vierge au trône, l'Enfant Jésus, les quatre Pères de l'Église*, peintes pour la Scuola della Carita, actuellement à l'Académie de Venise, et qui est l'œuvre capitale de ce que nous connaissons de la collaboration des deux peintres. En 1447, on les trouve encore exécutant un important tableau d'autel à l'église de S. Francesco à Padoue, œuvre disparue. On cite bien, sans dates de la même collaboration, au Seminario, à Brescia, *Sainte Ursule saint Pierre et saint Paul, saint Pierre et saint Jérôme, saint François et saint Marc*, panneaux de côté du tableau d'autel qu'ils peignirent pour la Chiesa de San Moïse, à Venise, et dont le centre *La Vierge et l'Enfant* fit partie de la collection Pezzoli, et figure maintenant à la Brera, à Milan ainsi que *Madone et enfant Jésus* à S. Filippo à Padoue. Après 1447, on ne trouve plus trace d'Alemano. Est-il mort ? Est-il retourné dans son pays où ses œuvres figureraient sous un autre nom ? Il paraît probable que durant l'association des deux peintres Bartolommeo dut intervenir comme aide. En 1450, ainsi qu'il est dit plus haut, il signe à côté de son aîné. Il signe aussi le polyptyque daté de 1451, peint à l'église de S. Francesco à Padoue et aujourd'hui au Musée. On cite encore, des deux frères, sans indiquer l'ordre chronologique à Grazzada, un Triptyque, A Osimo, au Musée, un polyptyque, à Pausula, à l'église SS. Petro et Paolo un fragment de polyptyque. En 1470, il aurait aussi décoré de fresques l'église de S. Apollinare. Ce serait son dernier ouvrage. On trouve encore d'Antonio seul, à Venise, *L'Archange Gabriel, L'Annonciation*, à l'Académie, à S. Giovanni un *Triptyque, La Vierge et les saints* au Musée Correr, et *L'Annonciation* à l'église S. Gobbe.

Musées : Bari (Pina.) : *Saint Louis de Toulouse – Saint Antoine de Padoue – Saint Jean-Baptiste – Saint François d'Assise – Le Christ au sépulcre* – Bergame (Acad. Carrara) : *Saint Jérôme – Saint Barnabé* – Berlin : *Adoration des mages* – Bologne (Pina.) : *Le Christ au sépulcre – Madone avec l'Enfant et des saints* – Budapest : *La Vierge et l'Enfant – Sainte Madeleine – Saint Luc* – Citta di Castello : *Madone dans la gloire* – Londres (Nat. Gal.) : *Saint Pierre et saint Jérôme – Saint François et saint Marc* – Milan (Brera) : *Madone et des saints* – Milan (Mus. Poldi Pezzoli) : *Madone avec l'Enfant et deux anges* – Rome (Vatican) : *Des saints entourant la statue de saint Antoine abbé* – Venise (Acad.) : *Madone, avec quatre Pères de l'Église* – Vienne : *Saint Jérôme, la Vierge et quatre saints.*

Ventes Publiques : Paris, 1885 : *Saint Michel archange* : **FRF 830** – Londres, 14 juin 1926 : *Solitude du mont Alvernia* : **GBP 200** – New York, 24 avr. 1930 : *Panneau d'autel* : **USD 825** – Milan, 12 et 13 mars 1963 : *Pietà*, temp. sur bois : **ITL 6 200 000** – Londres, 2 juil. 1965 : *Moine assis dans un paysage* : **GNS 2 400** – New York, 2 déc. 1976 : *Saint Pierre exorcisant une femme possédée par le diable*, h/pan. (55x35,5) : **USD 72 500** – New York, 11 jan. 1990 : *Tête de Saint François*, temp./pan. à fond or, de forme ovale (26x20) : **USD 143 000**.

VIVARINI Bartolommeo, appelé aussi **Bartolommeo da Murano**

Né vers 1432 à Murano. Mort vers 1499 à Murano. xve siècle. Italien.

Peintre de sujets religieux.

Frère cadet d'Antonio Vivarini. On ne sait rien du début de sa carrière. Il paraît probable qu'il fut d'abord élève de son frère et qu'il l'aida peut-être durant sa collaboration avec Alemano. Il ne semble pas moins plausible qu'il dut aller travailler pendant quelque temps à Padoue. En 1450, il apparaît avec son frère dans l'exécution de l'important polyptyque de la Certosa de Bologne et dès lors, on sent une main nouvelle, plus moderne s'affirmer aux côtés d'Antonio. Les visages notamment, sont transformés. C'est une autre école qui se substitue, au moins pour les figures, à l'école du disciple de Gentile da Fabriano. Le fait paraît justifier pour Bartolommeo un complément d'études autre part qu'à Venise. On a cité dans la notice d'Antonio Vivarini les œuvres résultant de cette collaboration. En 1459, il peint le panneau de *San Giovanni Capistrano*, du Musée du Louvre, qu'il signe *Opus Bartholomei Vivarini de Murano*. En 1464, la collaboration des deux frères se manifeste à nouveau dans *La Vierge, l'Enfant Jésus et quatre saints*, peint pour l'église de la Certosa, dans l'île Sant'Andrea et maintenant à l'Académie. Entre ces deux dates, il a certainement travaillé, mais nous n'en avons pas trace. En 1465, il peint pour une église de Bari *La Vierge au trône*, actuellement au Musée de Naples. 1473 nous le montre peignant *La Vierge de Merci*, dans l'église de Santa Maria Formosa, à Venise, et dans celle de SS. Giovanni e Paolo une figure assise de *saint Augustin*. Dans ces deux œuvres le peintre est arrivé à l'expression définitive de son talent. Vient ensuite le *Saint Marc sur un trône, entouré de saints* qu'il peint pour l'église des Frari et qu'il signe *Opus factum per Bartholomei Vivarini de Murano* 1474. Son succès paraît avoir été considérable dès cette époque ; les commandes doivent être nombreuses, car pour y satisfaire, il doit employer de nombreux aides, sa tâche consistant dans la composition et le dessin, la conduite générale des ouvrages et la dernière touche à l'ensemble. De cette partie de sa carrière il faut citer : *Saint Ambroise et quatre saints*, 1477 (à la Galerie de Vienne), *La Vierge, saint André et saint Jean*, 1478, (à S. Giovanni Bragora), *La Vierge et l'Enfant Jésus* (au Musée de Turin), un tableau d'autel, *La Vierge entourée de saints*, peinte pour les

Frari en 1482, *Marie Madeleine* (à l'Académie de Venise), *Sainte Barbara*, au même Musée, étant de 1490, la dernière en date.

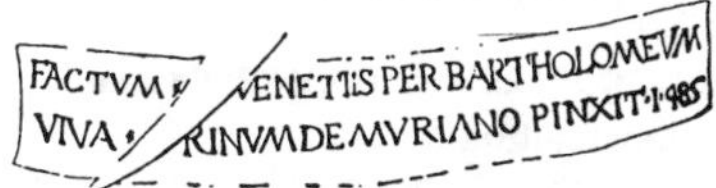

Musées : Bari (Mus. prov.) : *Annonciation et saints* – Bergame : *Madone avec saint Pierre et saint Michel* – *Saint Martin et le mendiant* – *Saint Sébastien et saint Jean-Baptiste* – Berlin : *Saint Georges* – Bologne (Pina.) : *Polyptyque* – Bologne (Mus. des Arts Décoratifs) : *La Madone et l'Enfant* – Londres (Nat. Gal.) : *La Vierge et l'Enfant Jésus* – Moscou (Roumianzeff) : *La Vierge* – Murano : *La Madone et l'Enfant* – Naples : *La Vierge et des saints* – Paris (Mus. du Louvre) : *Saint Jean de Capistran* – Turin (Pina.) : *La Madone et l'Enfant* – Venise (Gal. Nat.) : *Scènes de la vie de Jésus*, vingt-trois sujets – *Sainte Marie-Madeleine* – *Sainte Barbe* – *Jésus sur un trône, la Madone et des saints* – Venise (SS. Giovanni e Paolo) : *Saint Augustin* – Venise (S. Giovanni in Bragora) : *Résurrection* – *Saint André, la Vierge et saint Jean-Baptiste*, triptyque – Venise (Frari) : *Saint Ambroise sur le siège épiscopal, plusieurs saints et un guerrier* – Vienne : *Saint Ambroise et des saints*.
Ventes Publiques : Paris, 1860 : *La Sainte Vierge portant l'Enfant dans ses bras* : **FRF 300** – Londres, 1886 : *Mort de la Vierge* : **FRF 5 515** – Paris, 1897 : *La Vierge et l'Enfant Jésus* : **FRF 620** – Londres, 19 déc. 1908 : *La Vierge* : **GBP 29** – Londres, 25 et 26 mai 1911 : *Assomption* 1480 : **GBP 630** – Londres, 14 mars 1924 : *Saint tenant un livre ouvert* : **GBP 141** – Londres, 16 fév. 1934 : *Saint Bartholomé* : **GBP 189** – Paris, 13 déc. 1943 : *La Vierge adorant l'Enfant* : **FRF 400 000** – Londres, 2 juil. 1958 : *La Vierge et l'Enfant* : **GBP 850** – Zurich, 12 nov. 1968 : *Sainte Catherine d'Alexandrie* : **CHF 82 000** – Londres, 16 juin 1971 : *Sainte Catherine d'Alexandrie* : **GNS 4 800** – Londres, 24 mars 1972 : *Sainte Catherine d'Alexandrie* : **GNS 2 800** – Monte-Carlo, 22 juin 1985 : *Sainte Catherine d'Alexandrie*, temp./pan. à fond d'or, de forme cintrée (72x42) : **FRF 130 000** – Rome, 23 mai 1989 : *Pietà*, détrempe/pan. (65x52) : **ITL 445 000 000** – New York, 16 mai 1996 : *Vierge à l'Enfant*, h/t/pan. (61x46,4) : **USD 28 750**.

VIVASH Ruth Athey, Mrs
Née le 26 mars 1892 à Saint-Louis (Montana). xxe siècle. Américaine.
Peintre, graveur, illustrateur.
Élève de l'Institut Pratt, de Ralph Johonnot (?), C. W. Beck (?) et de miss Ida C. Haskell. Membre de la Ligue Américaine des Artistes Professeurs.

VIVENS Eugénie de
xixe siècle. Active à Paris. Française.
Peintre de portraits.
Elle figura aux Salons de 1838 et 1839.

VIVER AYMERICH Pedro
Né en 1872 à Tarrasa (Catalogne). Mort en 1917 à Tarrasa. xixe-xxe siècles. Espagnol.
Peintre de figures, paysages, paysages de montagne.
Il fut élève de Juan Baixas. Plus tard, il enseigna à l'École des Arts et Métiers de sa ville natale. Il exposa personnellement au Salon Parés de Barcelone.
Bien que convaincant lorsqu'il traite un rude visage de paysan, il est surtout, dans un style austère, jusqu'au dramatique, le peintre des villages escarpés, des vastes paysages typiques, s'ouvrant sur d'âpres lointains, rappelant que l'Espagne comporte aussi des massifs quasi désertiques.
Bibliogr. : In : *Cien Años de pintura en España y Portugal, 1830-1930*, Antiqvaria, t. XI, Madrid, 1993.

VIVERE Aegid Carl Joseph de, ou **Van de,** ou **Égide**
Né en 1760 à Gand. Mort en 1826. xviiie-xixe siècles. Belge.
Peintre.
En 1794 il fut nommé directeur de l'Académie de Gand. Il était aussi archéologue.

VIVERIUS Jacobus
Né vers 1543. Mort le 8 juillet 1593 à Londres. xvie siècle. Éc. flamande.
Médailleur, graveur et miniaturiste.
Il travailla pour la Monnaie de Gand pendant cinquante ans.

VIVÈS Martin
Né le 25 mai 1905 à Prades (Pyrénées-Orientales). Mort le 25 décembre 1991 à Saint-Cyprien (Pyrénées-Orientales). xxe siècle. Français.
Peintre de scènes de genre, portraits, paysages, natures mortes. Postcézannien.
Il passe son enfance à Figueras, patrie de sa mère, et y fréquente la même école que Salvador Dali, son aîné de quelques mois à peine. Il entreprend des études artistiques à Barcelone et découvre l'art de Joaquim Mir dont il s'affirmera comme l'un des disciples. Il expose dès 1930 à Perpignan, et sa peinture est remarquée en 1935 par le critique Rafael Benet lorsqu'il expose à la Sala Parès de Barcelone. Dès lors, les expositions, personnelles ou collectives, sont nombreuses, notamment à Paris (Salon d'Automne), Carcassonne, Toulon, Luchon, Toulouse, Barcelone, etc.
Admirateur passionné de Cézanne, sa peinture en porte la marque évidente, il est aussi clairement influencé par les fauves et par Joaquim Mir. Au cours de sa vie, il s'est lié d'amitié avec de nombreux artistes contemporains : Dufy, Maillol, et surtout Antoni Clavé.

M. VIVÈS

Bibliogr. : Georges-Henri Gourrier : *Martin Vives*, La Gran Enciclopedia Vasca, coll. Maestros Actuales de la Pintura y Escultura Catalanas, 1980.

VIVES Y AIMER Ramon
Né à Reus. xixe siècle. Espagnol.
Peintre de figures, portraits.
Élève de l'École des Beaux-Arts de Barcelone. Il était actif dans la seconde moitié du xixe siècle.
Musées : Barcelone : *Garde champêtre endormi* – Madrid (Prado) : *Portrait d'Alphonse XI* – Valence (Mus. prov.) : *Portrait de Dona Maria Cristina de Bourbon*.

VIVES APY Charles. Voir **APY-VIVES**

VIVIAN George
Né le 10 août 1798. Mort le 5 janvier 1873 à Londres. xixe siècle. Britannique.
Dessinateur de vues, architecte et collectionneur.
Il dessina des paysages d'Espagne et des jardins de Rome et d'Albano. Le Musée Victoria and Albert de Londres conserve des dessins de cet artiste.
Ventes Publiques : Londres, 14 mars 1997 : *La Piazetta, Venise*, h/t (71x132,2) : **GBP 5 750**.

VIVIAN Jean
xvie siècle. Travaillant à Gisors en 1595. Français.
Sculpteur.

VIVIAN Lizzi, ou **Elisabeth**, Mme **Comley**, née **Boly Farquhar**
xixe-xxe siècles. Britannique.
Miniaturiste.
Elle exposa à la Royal Academy à Londres de 1886 à 1902.

VIVIANI
xviie siècle. Actif à Paris de 1681 à 1682. Français.
Peintre d'architectures.

VIVIANI. Voir aussi **CODAZZI Viviano**

VIVIANI Antonio, dit **il Sordo d'Urbino** ou **Antonio da Urbino**
Né en 1560 à Urbino. Mort le 6 décembre 1620 à Urbino. xvie-xviie siècles. Italien.
Peintre.
Frère de Ludovico Viviani. Probablement identique à Antonio Antoniano. Il travailla à Rome sous Sixte V, puis à Gênes et à Urbino. Il peignit surtout des tableaux d'autel. La Galerie d'Urbino conserve de lui une *Descente de croix*.

VIVIANI Antonio
Né en 1797 à Bassano. Mort en 1854. xixe siècle. Actif à Venise. Italien.
Graveur au burin.
Élève de R. Morghen. Il grava des sujets religieux d'après Bellini, Raphaël, le Titien, etc.

VIVIANI Fabio
xvie siècle. Actif à Urbino dans la seconde moitié du xvie siècle. Italien.
Stucateur.
Il travailla pour la cathédrale et pour des églises d'Urbino, ainsi qu'à Pavie et à Gênes.

VIVIANI Giovanni Antonio de
Mort en 1509 à Udine. XVe siècle. Actif à Spilimbergo. Italien.
Peintre et orfèvre.
Il travailla pour les églises d'Udine et de San Daniele.

VIVIANI Giuseppe
Né vers 1770. XVIIIe siècle. Italien.
Graveur au burin.
Élève de Rosaspina. Il était actif à Bologne et travailla à Mantoue.

VIVIANI Giuseppe
Né le 18 décembre 1898 à Agnano di Pisa. Mort en 1965 à Pise. XXe siècle. Italien.
Peintre de figures, animaux, paysages, graveur.

Ventes Publiques : Milan, 4 déc. 1969 : *Chiens* : **ITL 2 800 000** – Milan, 18 mai 1972 : *Chiens au bord de la mer* : **ITL 1 900 000** – Milan, 20 mai 1974 : *Paysage* : **ITL 900 000** – Rome, 9 déc. 1976 : *Homme et chien* 1961, h/t (39x28) : **ITL 100 000** – Rome, 13 nov 1979 : *Le cocher blond* 1954, eau-forte (15x21,5) : **ITL 900 000** – Milan, 14 avr. 1981 : *Letto macerie* 1952, eau-forte (23x30) : **ITL 1 200 000** – Rome, 17 avr. 1989 : *Petite Madonne au bord de mer* 1956, détrempe/cart. (42x57,5) : **ITL 5 500 000** – Milan, 9 nov. 1992 : *Les dictateurs* 1954, eau-forte en coul. (28x39,5) : **ITL 2 000 000** – Rome, 30 nov. 1993 : *Tabouret dans un bois* 1949, eau-forte (23x12,9) : **ITL 2 070 000** – Milan, 2 avr. 1996 : *Le cycliste* 1955, litho. (40,5x57,5) : **ITL 1 035 000**.

VIVIANI Ludovico
Mort en 1649 à Urbino (Marches). XVIIe siècle. Actif à Urbino. Italien.
Peintre de sujets religieux, scènes de genre, animaux, compositions murales.
Frère d'Antonio Vivia, il fut imitateur de Fed. Barocci. Il exécuta une partie des peintures du plafond de la cathédrale d'Urbino.
Ventes Publiques : Venise, 1894 : *La prière du soir* : **FRF 258** ; *L'oiseau mort* : **FRF 230**.

VIVIANI Luigi
XIXe siècle. Actif à Venise. Italien.
Peintre de scènes de genre.
Musées : Trieste (Mus. Revoltella) : *Dans la misère*.
Ventes Publiques : Venise, 7-8 oct. 1996 : *Barques sur la lagune de Venise*, h/t (63x77) : **ITL 3 680 000**.

VIVIANI Ottavio ou **Viocano**
Né en 1579 à Brescia. XVIIe siècle. Actif à Rome et à Naples. Italien.
Peintre d'architectures.
Élève de Tommasso Sandrino.
Musées : Aix : *Perspective extérieure d'un palais* – Dresde : *Pièce d'architecture* – Madrid (Prado) : *Perspective avec figures* – *Perspective avec ruines* – *Perspective avec vestibule*, deux fois – *Perspective extérieure de Saint-Pierre de Rome* – Nantes : *Palais et ruines antiques* – Rome (Doria Pamphili) : *Perspective d'ancien édifice en ruines*.
Ventes Publiques : Paris, 21 fév. 1925 : *Ruines et figures*, attr. : **FRF 900**.

VIVIANI Raoul
Né le 23 novembre 1883 à Florence. Mort en 1965. XXe siècle. Italien.
Peintre de paysages et de marines.
Élève de la Brera de Milan. Il exposa à partir de 1912. La Galerie d'Art Moderne de Milan possède des peintures de cet artiste.
Ventes Publiques : Milan, 12 juin 1996 : *Le Lac de Garde* 1956, h/t (53,5x69) : **ITL 1 495 000**.

VIVIANI Stefano
Né en 1581 à Brescia. Mort après 1651. XVIIe siècle. Italien.
Peintre d'architectures.
Frère d'Ottavio Viviani.

VIVIANO Giancola ou **Giovanni Nicola**
XVIIe siècle. Actif à Palerme. Italien.
Sculpteur et orfèvre.
Il sculpta des statues et des épitaphes.

VIVIANO de Conegliano
XIVe siècle. Actif à Sesto de Silvis en 1340. Italien.
Peintre.

VIVIANO di Giovanni di Siena
XIVe siècle. Actif à Orvieto XIVe siècle. Italien.
Sculpteur.
Il collabora à l'exécution des stalles de la cathédrale d'Orvieto de 1330 à 1335.

VIVIANO CODAZZI. Voir **CODAZZI Viviano**

VIVIÉ Ernst Gottfried
Né le 13 mai 1823 à Hambourg. Mort le 18 décembre 1902 à Hambourg. XIXe siècle. Allemand.
Sculpteur.
Le Musée de Hambourg conserve de lui *La Vierge et l'Enfant Jésus*, marbre, et *L'Ange de la Mort*.

VIVIEN
XVIIIe siècle. Travaillant à Paris en 1700. Français.
Sculpteur sur bois.

VIVIEN Joseph
Né en 1657 à Lyon (Rhône). Mort le 5 décembre 1734 ou 1735 à Bonn. XVIIe-XVIIIe siècles. Français.
Peintre d'histoire, portraits, pastelliste, dessinateur.
Il vint à Paris en 1677 et fut élève de Charles Le Brun, recevant un deuxième prix de peinture en 1678. Il s'établit comme peintre de portraits et y obtint un tel succès qu'on le nomma le Van Dyck Français. Il fut en fait surtout influencé par Rigaud. Il fut reçu académicien le 10 juillet 1701 et exposa au Salon de Paris en 1704. Il fut nommé peintre de l'Électeur de Bavière, Maximilien Emmanuel ; puis il alla à Cologne en 1719, ayant également été nommé peintre de l'Électeur de Cologne, le cardinal Joseph Clément de Bavière. Il mourut au palais électoral de Bonn.
Il s'illustra surtout dans le genre du portrait au pastel, grandeur nature, à la suite de Nanteuil. Il fit à plusieurs reprises le portrait de l'Électeur de Bavière. Sa réputation s'étendit dans toute l'Europe. Souvent il ajoutait à ses portraits un sujet historique ou emblématique.
Musées : Cherbourg : *François Girardon* – Darmstadt : *Le duc Ferdinand Marie de Bavière* – Florence : *L'artiste* – Metz : *Portrait* – Munich : *Fénelon* – *Autoportrait*, deux œuvres – *Deux princes bavarois* – *L'électeur de Bavière Maximilien Emmanuel* – Provins : *Fénelon* – Rouen : *Pastel* – Schleissheim : *La princesse Thérèse Cunégonde* – *L'impératrice Amalia Maria* – *La duchesse Maria Anna Caroline* – Valenciennes : *Le cardinal Joseph Clément de Bavière, électeur de Cologne* – Versailles : *Fénelon* – *Le cardinal Joseph Clément de Bavière*.
Ventes Publiques : Paris, 16 mars 1891 : *Portrait de l'artiste*, past. : **FRF 1 160** – Paris, 1899 : *Portrait d'homme*, past. : **FRF 925** – Paris, 20 avr. 1940 : *Portrait du cardinal Joseph Clément de Bavière* : **FRF 2 410** – Paris, 24 mars 1952 : *Portrait de jeune femme* : **FRF 160 000** – Lindau, 4 mai 1983 : *Autoportrait* 1715, h/t (53,5x42,5) : **DEM 3 600** – Monte-Carlo, 15 juin 1986 : *Portrait de Maximilien II Emmanuel, Électeur de Bavière* ; *Portrait de son épouse, Thérèse Kunigonde Sobieska*, h/t, une paire (227,4x128,2) : **FRF 180 000** – Paris, 14 déc. 1992 : *Autoportrait à la palette*, h/t (116x84) : **FRF 180 000**.

VIVIEN Narcisse
Né au XIXe siècle à Paris. XIXe siècle. Français.
Graveur.
Il figura au Salon des Artistes Français ; mention honorable en 1886.

VIVIEN Olivier
XVIe siècle. Actif au Mans au début du XVIe siècle. Français.
Peintre verrier.
Il travailla aux églises d'Assé-le-Riboul et de Chevraigne.

VIVIER David. Voir **DU VIVIER**

VIVIER Mathias Nicolas Marie
Né le 6 avril 1788 à Paris. Mort vers 1859. XIXe siècle. Français.
Médailleur.

VIVIERS Henry de
Né à Paris. XIXe siècle. Français.
Peintre de portraits et de genre.
Élève de H. Vernet et de Palizzi. Il débuta au Salon en 1864. Le Musée de Brest conserve de lui *Petit sujet de chasse*.

VIVIN Bertrand
Né en 1949 à Nancy (Meurthe-et-Moselle). XXe siècle. Français.

Peintre, dessinateur.
Il vit et travaille à Nîmes. En 1994 à Toulouse, la Bibliothèque du Mirail a exposé un ensemble de ses œuvres.
Il crée et installe des « lieux de mémoire » (il n'est pas le seul), dispersant sur un fond neutre, signes, lettres, symboles, mots, devant mener à la lecture de thèmes : sexe, être du sujet, guerre, rapport à l'objet, mort, etc.
Musées : Épinal (Mus. dép. des Vosges) : *Triptyque* 1982 – Sélestat (FRAC Alsace) : 5 dessins datés 1994.

VIVIN Louis
Né le 27 juillet 1861 à Hadol (près d'Épinal, Vosges). Mort le 28 mai 1936 à Paris. XIXe-XXe siècles. Français.
Peintre de genre, paysages animés, paysages urbains, paysages portuaires, natures mortes, fleurs. Naïf.
Il était fils d'un instituteur de campagne. Dans sa première jeunesse, il avait peint les paysages des Vosges à l'aquarelle sur nature. Puis, employé des Postes, il exposait au salon des Agents des Postes à partir de 1889. Il atteignit l'âge de la retraite, en 1922, à 62 ans, avec le grade d'inspecteur et les palmes académiques. De ses randonnées en wagons postaux, il ne rapporta, par la suite, en fait de souvenirs, que la connaissance parfaite de tous les bureaux distributeurs. Il vécut toute sa vie d'adulte et peignit l'essentiel de son œuvre, uniquement d'après cartes postales et gravures, dans le même petit logement de la rue Caulaincourt, où lui et sa femme, épousée en 1882, avaient accumulé les reliques-souvenirs des émotions d'une vie quotidienne. Wilhelm Uhde, qui découvrit Vivin en 1925, à la « foire aux croûtes » de Montmartre, exposa ses œuvres et écrivit à son sujet. Paralysé d'un bras et privé de la parole, Vivin fut empêché de peindre pendant ses dernières années. Il mourut juste avant le début de consécration de l'exposition de 1937 « Les Maîtres Populaires de la Réalité ».
Dans sa jeunesse, il aurait admiré Millet, duquel il avait sûrement vu des reproductions de *L'Angélus*, fréquente illustration des traditionnels calendriers des Postes. Plus tard, comme pour la plupart des maîtres naïfs, son idéal, en matière de peinture, était insolite : Meissonnier, de même que Bouguereau pour le douanier. Après sa retraite, il a peint surtout les paysages de Montmartre et du Sacré-Cœur. Sensible à la patine des pierres, blanches du Sacré-Cœur, rouges des murs de brique, à la pureté de l'azur, à la profondeur, glauque de la Seine, il reconstruit, à partir de ces quelques éléments, sa vision personnelle qui rejoint, de façon bien inattendue, les édifications intellectuelles d'un Paul Klee. Il a peint aussi des ports, des paysages de Venise, des fleurs, des scènes de genre (*La maîtresse noyée*, où les chiens patients attendent au bord d'un trou dans la glace, *Le cerf et les loups*), mais toujours c'est le rythme obsédant des lignes fuyantes, des alignements de pavés, des branchages parallèles ou inversés des pins, des pierres de taille de la jetée, des corniches des monuments, qu'il poursuit et nous restitue. Wilhelm Uhde insiste sur la poésie de ces peintures et particulièrement sur la tristesse qu'elles dégagent. Il peut sembler que leur écriture, indépendamment de ce qu'elle décrit, constitue en soi un phénomène déjà lourd d'intérêt. Souvent, chez les naïfs, ce n'est pas tant la fraîcheur ou la qualité émotive du message, qui touche, que l'on aurait pu rencontrer sous le pinceau de quelque peintre savant, mais la manière maladroite et convaincue de le livrer. Malgré la distinction de ses gris ou de certaines toiles peintes en tons de pastel ou la hardiesse parfois d'une touche violente, c'est son dessin qui fait l'œuvre de Vivin. Ce qui est remarquable, c'est que cette obsession des lignes, qui aurait dû le contraindre à respecter une perspective instinctive, s'accommode fort bien de libertés par excellence primitives : représenter la façade et le côté d'une cathédrale bout à bout, grandir démesurément un plan éloigné qui l'intéresse le plus. Les personnages de ses compositions obéissent eux-mêmes à ce besoin intérieur d'ordre et de rythme, où l'on peut s'amuser à retrouver la déformation professionnelle du postier pour qui toute sa vie consista longtemps à ranger les lettres dans des petits casiers et à n'avoir pas le droit de se tromper. Wilhelm Uhde lui-même reconnaît que Vivin tendit à purifier la raison formelle de ses œuvres de tout accident émotionnel ou narratif, dégageant le seul concept de la chose peinte et presque jusqu'à sa naïve abstraction.
■ Jacques Busse

L. VIVIN

Bibliogr. : Maximilien Gauthier : *Catalogue de l'exposition « Les Maîtres Populaires de la Réalité »*, Musée de Grenoble à Paris, Salle Royale, Paris, 1937 – Anatole Jakovsky : *La peinture naïve*, Jacques Damase, Paris, vers 1946 – Wilhelm Uhde : *Cinq maîtres primitifs*, P. Daudy, Paris, 1949 – Pierre Courthion, in : *Diction. de la peint. mod.*, Hazan, Paris, 1954 – Bernard Dorival : *Les peintres du XXe siècle*, Tisné, Paris, 1957 – Oto Bihalji-Merin : *Les peintres naïfs*, Delpire, Paris, s.d. – Frank Elgar, in : *Diction. Univers. de l'Art et des Artistes*, Hazan, Paris, 1967 – in : *Diction. Univers. de la Peint.*, Le Robert, Paris, 1975 – Dina Vierny, W. Uhde, Jean Cassou : *Vivin*, gal. D. Vierny, Paris, 1979.
Musées : Nice (Mus. Internat. d'Art Naïf Anatole Jakovsky) : *Le Panthéon* 1930 – Paris (Mus. Nat. d'Art Mod.) : *Le pont – La rivière, le long du vieux mur – L'enfant aux oies – Le chemin devant la ferme – Les arbres roux – Vaches dans un pré au soleil couchant – La rivière et la route – Le moulin – Notre-Dame* vers 1933 – Zurich (Kunsthaus) : *Vue des halles et de l'église Saint-Eustache*.
Ventes Publiques : Paris, 19 mai 1930 : *Place du Tertre par temps de neige* : **FRF 3 300** ; *La Gare* : **FRF 2 000** ; *Le Retour des pêcheurs* : **FRF 4 100** – New York, 1er mai 1946 : *Place du Tertre sous la neige* : **USD 600** – Genève, 5 nov. 1949 : *Vieux Montmartre* : **CHF 1 500** – Zurich, 27-28 nov. 1952 : *Les Chats* : **CHF 1 600** – Paris, 3 juin 1954 : *La Sainte Chapelle* : **FRF 400 000** – New York, 14 jan. 1959 : *Paris, le Panthéon et Saint-Étienne-du-Mont* : **USD 2 700** – Paris, 25 juin 1959 : *Bateau sur la rivière* : **FRF 350 000** – Versailles, 3 déc. 1961 : *Bord de rivière* : **FRF 10 000** – Versailles, 6 déc. 1964 : *Les Lavandières* : **FRF 16 000** – New York, 3 nov. 1966 : *Place de la Bastille* : **USD 2 250** – Paris, 28 nov. 1967 : *Les Buttes Chaumont* : **FRF 17 000** – Genève, 7 nov. 1969 : *Place des Vosges* : **CHF 27 500** – Genève, 9 déc. 1970 : *Bateaux* : **CHF 16 500** – Hambourg, 5 juin 1971 : *Le Châtelet et le pont* : **DEM 16 000** – Hambourg, 16 juin 1973 : *Pont sur la Seine et les quais* : **DEM 16 000** – Paris, 13 mars 1974 : *Le Château de Chantilly* : **FRF 38 000** – Londres, 9 déc. 1977 : *Le Port de Villefranche*, h/t (64x84) : **GBP 2 600** – Versailles, 21 oct. 1979 : *Samois-sur-Seine*, h/t (38x55) : **FRF 18 000** – Munich, 26 nov. 1981 : *Le Casino* vers 1930, h/t (54x65) : **DEM 21 000** – Cologne, 4 juin 1983 : *Moret-sur-Loing*, h/t (46x61) : **DEM 12 000** – Paris, 29 mars 1985 : *Le zoo*, h/t (54x65) : **FRF 23 000** – Paris, 5 avr. 1991 : *Combat de coqs*, h/pan. (19,5x25) : **FRF 5 900** – Paris, 16 déc. 1994 : *Village en été*, h/pan. (20x31) : **FRF 20 000** – Paris, 16 mars 1995 : *Nature morte avec papillons et fleurs*, h/t (61x50) : **FRF 62 000** – New York, 7 nov. 1995 : *L'Opéra à Paris*, h/t (73x92) : **USD 23 000** – Amsterdam, 6 déc. 1995 : *Vue d'un parc*, h/t (46x55) : **NLG 6 325** – Paris, 24 mars 1996 : *Les Buttes-Chaumont, le belvédère*, h/t (46x55) : **FRF 40 000** – New York, 12 nov. 1996 : *Les Noces bretonnes* 1930, h/t (45,8x56) : **USD 4 600** – Paris, 24 nov. 1996 : *Les Fermiers au travail* vers 1930 (60x73) : **FRF 25 000**.

VIVIO DELL'AQUILA Giacomo
Né à Aquila. XVIe siècle. Actif à la fin du XVIe siècle. Italien.
Sculpteur, modeleur de cire, graveur au burin.
Il travailla pour le Vatican et exécuta des bas-reliefs en cire sur de l'ardoise d'après un procédé dont il était l'inventeur. Il était également juriste.

VIVO Angelo de, appellation erronée. Voir **VIVA**

VIVO Antonio
Né en 1772 à Valence. XVIIIe-XIXe siècles. Espagnol.
Peintre de fleurs.
Élève de l'Académie de Valence. Le Musée Provincial de cette ville conserve de lui une peinture.

VIVO Eugenio
Mort en juin 1925 à Madrid. XXe siècle. Espagnol.
Peintre.

VIVO Francesco de
XIXe siècle. Actif à Naples dans la première moitié du XIXe siècle. Italien.
Peintre.

VIVO Giuseppe de
XVIIIe siècle. Actif à Naples en 1730. Italien.
Peintre de fresques.

VIVO Tommaso de ou **Viva**
Né en 1790 à Rome. Mort en octobre 1884. XIXe siècle. Italien.
Peintre d'histoire, scènes de genre, portraits, paysages animés.
Il fut professeur à l'Institut des Beaux-Arts, inspecteur général de toutes les galeries royales, poste qu'il conserva jusqu'à sa mort ; membre des Académies du Panthéon et de Saint-Luc. Il était titulaire de plusieurs décorations du gouvernement italien.

Il travailla pour les édifices publics de Rome.
Musées : Rome (Gal. d'Art Mod.) : *Portrait d'une femme.*
Ventes Publiques : Rome, 31 mai 1990 : *La prédiction de la gitane*, h/t (95x70) : **ITL 5 000 000** – Londres, 7 avr. 1993 : *L'époque des moissons*, h/t (56x90) : **GBP 4 025** – Rome, 31 mai 1994 : *Le marché de Messine* 1850, h/t (24x54) : **ITL 11 785 000** – Rome, 5 déc. 1995 : *L'apprenti musicien* 1861, h/t (62x50) : **ITL 15 321 000.**

VIVOLI Giuseppe
XVIIe siècle. Actif à Ravenne dans la seconde moitié du XVIIe siècle. Italien.
Sculpteur.
Il était prêtre.

VIVOLO di Angelo
XIIIe siècle. Travaillant à Pérouse en 1281. Italien.
Peintre et fondeur.

VIVOT Alexandre
XVIIe siècle. Travaillant en 1623. Français.
Graveur d'ornements.

VIVREL André Léon
Né le 8 octobre 1886 à Paris. Mort le 6 juin 1976. XXe siècle. Français.
Peintre de portraits, nus, paysages, fleurs, natures mortes, aquarelliste. Postimpressionniste.
Il étudia à Paris, à l'Académie Julian et aux Arts Décoratifs et fut élève de Baschet, Royer et P. A. Laurens. Il fut décoré de la Croix de Guerre pour conduite héroïque devant l'ennemi en 1917.
Il participa à des expositions collectives notamment à Paris : à partir de 1913 au Salon des Artistes Français, dont il fut membre sociétaire ; de 1930 à 1940 d'Automne, et aux Salons des Tuileries, des Indépendants, de la Société Nationale des Beaux-Arts, ainsi qu'en France, et à l'étranger, New York, Madrid, etc. Il reçut divers prix et distinctions : mention honorable en 1920, prix Gonzalva en 1932, médailles d'argent en 1933 et 1937 aux Expositions Internationales, médaille d'or en 1939, Prix de l'Académie des Beaux-Arts en 1947.
Il admirait Renoir avant tout. Il fut surtout peintre de paysages, allant chercher ses thèmes dans de nombreuses régions de France, Midi, Normandie, Bretagne, Pays de Loire, et très souvent les vues et les quais de Paris. Possédant un talent lyrique, il resta hors des courants à la mode et demeura fidèle à la vieille tradition des paysagistes français. Chaque année, il parcourut les paysages de France, ses sujets favoris, et plus particulièrement le village de Ploumanach, qui figure le plus souvent sur ses aquarelles. Il faut également noter dans son œuvre les tableaux rapportés de ses voyages en Corse, quelques paysages exécutés à Noisy-le-Sec, où il faisait des séjours réguliers toutes les années, ainsi que quelques vues de Paris.

A.Vivrel

Bibliogr. : Gérald Schurr : *Les petits maîtres de la Peinture*, Paris, 1972.
Musées : Riom : *La Loire à Ousson.*
Ventes Publiques : Paris, 26 avr. 1926 : *Vase de fleurs* : **FRF 200** – Enghien-les-Bains, 20 avr. 1980 : *Village aux toits rouges*, h/t (47x55) : **FRF 4 000** – La Varenne-Saint-Hilaire, 28 fév. 1988 : *Le village près du fleuve*, h/t (46x55) : **FRF 4 300** – L'Isle-Adam, 29 fév. 1988 : *Nature morte aux roses et verre de vin* 1927, h/t (73x54) : **FRF 10 200** ; *Le verger* 1928, h/t (41x33) : **FRF 2 800** – Versailles, 8 juil. 1990 : *La ferme de l'étang* 1923, h/t (54x81) : **FRF 17 000.**

VIVROUX André
Né en 1749 à Liège. XVIIIe siècle. Éc. flamande.
Sculpteur.
Fils et élève de Jacques Vivroux. Il exposa à Liège à partir de 1781 des statues religieuses et des bustes.

VIVROUX Clément Félix Joseph
Né à Liège. XIXe siècle. Belge.
Sculpteur.
Élève de Toussaint et de l'École des Beaux-Arts. Il débuta au Salon de Paris en 1866.

VIVROUX Jacques
XVIIIe siècle. Actif à Liège. Éc. flamande.
Sculpteur.
Père d'André Vivroux.

VIX Francesco de
D'origine flamande. XVIIIe siècle. Travaillant à Casteldurante en 1724. Italien.
Peintre sur majolique.

VIZANI Marcantonio ou **Marcaurelio**. Voir **VIZZANI**

VIZCAINO. Voir **PEREZ Juan**

VIZEER Piet
XVIIIe siècle. Actif à Delft de 1735 à 1762. Hollandais.
Peintre sur faïence et céramiste.

VIZENTINI Augustin
Né en 1780. Mort en 1836. XIXe siècle. Actif à Paris. Français.
Lithographe amateur et acteur.
Il grava des costumes pour le théâtre.

VIZETELLY Frank
Né en 1830 à Londres. Mort en 1883 au Soudan, tué. XIXe siècle. Britannique.
Dessinateur.
Il vint à Paris pour y faire paraître un magazine illustré. Mais, peut-être, n'y réussissait-il que médiocrement et il entra comme dessinateur à l'*Illustrated London News*. Il fit pour ce journal des voyages en Italie, où il suivit la campagne de Garibaldi, en Espagne et en Amérique pendant les guerres civiles. Il périt lors du massacre de l'armée de Hicks Pacha, dans la Haute-Égypte et le Soudan.
Ventes Publiques : Londres, 28 nov. 1985 : *Garibaldi et ses partisans marchant sur Naples* 1861, aquar. gche cr. et pl. (23x31,5) : **GBP 1 000.**

VIZETELLY Henry
Né le 30 juillet 1820 à Londres. Mort en 1894 près de Fareham. XIXe siècle. Britannique.
Graveur sur bois et éditeur.
Il fut graveur à l'*Illustrated London News* et y exécuta un grand nombre de bois. Il tenta la fondation de journaux illustrés tels que le *Picturial Times* et l'*Illustrated Times*, mais en 1865 il reprit son poste à l'*Illustrated London News*. Plus tard, il tenta de faire de l'édition en publiant des traductions de romanciers français et russes. Ses traductions de Zola lui valurent de la prison. Il était intime ami du romancier français. Il est considéré comme un des plus habiles graveurs sur bois anglais.

VIZEU Fernandes de. Voir **FERNANDES Vasco**

VIZI Istvan ou **Étienne**
XVIIIe siècle. Actif dans la seconde moitié du XVIIIe siècle. Hongrois.
Graveur.
Il grava des portraits.

VIZI Istvan ou **Étienne**
Né le 20 août 1807 à Hodmezövasarhély. XIXe siècle. Hongrois.
Graveur.
Élève de l'Académie de Vienne. Il grava des portraits et des sujets religieux.

VIZIER
XVIIe siècle. Travaillant à Versailles de 1688 à 1693. Français.
Sculpteur.

VIZKELETY Béla
Né le 25 novembre 1825 à Uj-Arad. Mort le 22 juillet 1864 à Budapest. XIXe siècle. Hongrois.
Peintre.
Il peignit des sujets d'histoire et des illustrations pour revues.

VIZKELETY Imre ou **Emerich**
Né le 21 janvier 1819 à Uj-Arad. Mort le 25 avril 1895 à Pécs. XIXe siècle. Hongrois.
Peintre.
Élève de l'Académie de Vienne. Il grava des sujets historiques et religieux. Le Musée de Temesvar conserve des peintures de cet artiste.

VIZZANI Marcantonio ou **Marcaurelio** ou **Vizani**
XVIIe siècle. Travaillant à Bologne. Italien.
Sculpteur sur pierre, sculpteur-modeleur de cire.

VIZZOTTO Enrico
Né en 1800 à Oderzo. XIXe siècle. Italien.
Paysagiste.
Frère et élève de Giuseppe Vizzotto. Alberti. La Galerie d'Art Moderne de Novara conserve de lui *Paolo et Adele Giannoni.*

VIZZOTTO-ALBERTI Giuseppe. Voir **ALBERTI Giuseppe Vizzotto**

VLAAMING Jan de. Voir **VLAMING**

VLAANDEREN Everardus J.
XVIIIe-XIXe siècles. Travaillant à Leyde. Hollandais.
Peintre.
Le Musée de Lakenhal, à Leyde, conserve de lui : *Épreuve pour la corporation de Saint-Luc.*

VLAANDEREN Johan
Né le 15 août 1867 à Kralingen. XIXe-XXe siècles. Hollandais.
Peintre de paysages, fleurs, graveur.
Il fut élève d'I. Schulman et de Jacobus Van Looy. Comme graveur, il privilégia la technique de l'eau-forte.

VLAANDEREN Karel Van, pseudonyme du prince **Charles de Belgique**, comte de Flandre
Né le 10 octobre 1903 à Bruxelles. Mort le 1er juin 1983 à Ostende. XXe siècle. Belge.
Peintre de portraits, intérieurs, paysages, marines, dessinateur. Expressionniste.
Fils du roi Albert et de la reine Élisabeth, il assura à la fin de la guerre, la régence avec habileté, la conduite du roi Léopold III, son frère, ayant été critiquée. Ensuite, sa vie fut extrêmement agitée. Toutefois, il poursuivit son œuvre de peintre et exposa souvent.
Bibliogr. : In : *Dict. biogr. illustré des artistes en Belgique depuis 1830*, Arto, Bruxelles, 1987.
Ventes Publiques : Lokeren, 6 nov. 1976 : *Commode* 1970, gche (26x35) : **BEF 12 000** – Lokeren, 23 mai 1992 : *Paysage boisé* 1973, h/pan. (60x70) : **BEF 48 000** – Lokeren, 9 oct. 1993 : *Un étang à la tombée du jour* 1974, h/pan. (60x70) : **BEF 36 000** – Lokeren, 9 mars 1996 : *Nuages au dessus de la Lys* 1973, h/pan. (60x70) : **BEF 26 000.**

VLACH Jan
Né le 17 février 1904 à Blovice. XXe siècle. Tchèque.
Sculpteur de bustes, bas-reliefs ornementaux.
Il acquit sa formation à Prague, Cracovie, Londres et fut élève de Jean Boucher à l'École des Beaux-Arts de Paris. Il s'est marié avec le peintre Ondine Magnard. Il exposait à Prague et à Paris, au Salon des Indépendants, parfois avec sa femme, notamment en 1947 galerie Roux-Hentschel.
Il a réalisé les bustes de Th. G. Masaryk, premier président de la République tchécoslovaque, et de Benès, troisième président de la République tchécoslovaque, destitué par l'invasion hitlérienne. Il a sculpté le lion héraldique de la façade du consulat de Tchécoslovaquie à Paris.

VLACHOPOULOS Xénophon
Né le 15 janvier 1900 à Athènes. XXe siècle. Grec.
Peintre de paysages, figures.
Il a étudié à Londres, Rome et Paris. Il a exposé à Paris, au Salon des Indépendants à partir de 1928.
Il a peint des figures et, surtout, des paysages, dans la tradition des maîtres français.

VLAD Ion
Né le 24 mai 1920 à Fetesti. XXe siècle. Depuis 1965 actif en France. Roumain.
Sculpteur.
Il fut élève de l'École des Beaux-Arts de Bucarest. De 1962 à 1965, il a été professeur à l'Institut d'Architecture Ion Mincu de Bucarest. En 1965, il s'est établi à Paris. À Paris, de 1968 à 1981, il a enseigné le dessin et la sculpture au Centre Américain. En 1981, il a ouvert son propre atelier à Nice, où il s'est établi.
Il s'est d'abord fait connaître dans son pays. Il participe à des expositions collectives en Roumanie et à l'étranger : à Paris aux Salons de la Jeune Sculpture, des Réalités Nouvelles, Comparaisons ; ainsi que : 1962 Biennale de Venise ; 1965 Athènes, etc. Il montre des ensembles de ses créations dans des expositions personnelles : 1947 pour la première fois au Foyer de l'Art à Bucarest ; 1970 pour la première fois au Centre Américain à Paris ; puis : 1972 Malmö ; 1976 Hammer Gallery à New York ; 1977 Marlborough Gallery à Montréal ; 1984 Nice ; etc. Il a obtenu diverses récompenses, dont : 1945 Prix Simu au Salon officiel ; 1947 bourse du gouvernement français ; 1964 Prix d'État ; etc.
Il réalise de nombreux monuments et statues : monument de la Libération (1957) et statue de Georges Enesco (1965) à Timisoara ; façade de l'Opéra (1959) à Bucarest ; groupe de sept sculptures en bronze *Les Vents* (1975) à Tokyo ; ensemble décoratif (1977) à Évry ; décoration murale (1978) à Monte-Carlo ; *Le Couple* (1983) au parc municipal de Nice ; etc. Travaillant, selon les cas qui se présentent, la pierre, le ciment, le bois, le bronze, le cuivre, il imagine des objets composites d'inspiration baroque, jouant entre recherche formelle et au contraire expression de correspondances sensibles. ■ J. B.
Bibliogr. : M. Mihalache : *Ion Vlad*, Édit. Méridiane, Bucarest, 1966 – Denys Chevalier, in : *Nouveau diction. de la sculpt. mod.*, Hazan, Paris, 1970 – Ionel Jianou et autres : *Les Artistes roumains en Occident*, American Romanian Academy of Arts and Sciences, Los Angeles, 1986.

VLADIMIROV Ivan Alexéiévitch
Né le 10 janvier 1869 à Vilno. Mort en 1947. XIXe-XXe siècles. Russe.
Peintre d'histoire. Réaliste-socialiste.
Il fut élève de l'Académie des Beaux-Arts de Saint-Pétersbourg.
Musées : Moscou (Gal. Tretiakov).
Ventes Publiques : Paris, 1er déc. 1994 : *La Perspective Nevsky*, h/t (22x40) : **FRF 10 000** – Londres, 14 déc. 1995 : *Attaque dans le région de Mitava* 1916, h/t/cart. (39x57,5) : **GBP 1 437** – Londres, 17 juil. 1996 : *Bolcheviks tenant un meeting dans un village*, h/cart. (29,5x35) : **GBP 1 035** – Londres, 11-12 juin 1997 : *Le Triomphe du Bolchévisme* 1923, h/t (49x67) : **GBP 4 025.**

VLAEMINCK Jan de
Né vers 1810. XIXe siècle. Actif à Gand. Belge.
Peintre de genre et portraitiste.
Ventes Publiques : Londres, 16 févr 1979 : *Famille dans un intérieur* 1847, h/pan. (38,7x49,5) : **GBP 600.**

VLAENDERS Jean
XVe siècle. Travaillant à Tournai de 1459 à 1460. Éc. flamande.
Sculpteur sur bois.

VLAM Pieter Gysbrechtsz ou **Vlem**
XVIe siècle. Actif à Malines. Éc. flamande.
Enlumineur.
Membre de la gilde en 1543.

VLAMINCK Madeleine. Voir **BERLY DE VLAMINCK**

VLAMINCK Maurice de ou **de Wlaminck**
Né le 4 avril 1876 à Paris. Mort le 10 octobre 1958 à Rueil-La-Gadelière (Eure-et-Loir). XXe siècle. Français.
Peintre de figures, portraits, nus, paysages, paysages animés, paysages urbains, intérieurs, natures mortes, fleurs et fruits, peintre à la gouache, aquarelliste, graveur, dessinateur, illustrateur. Fauve.
Son nom, dont l'orthographe exacte serait De Wlaminck, signifie : le Flamand. Vlaminck, c'est ainsi qu'il signera simplement ses tableaux. Son père est belge, sa mère lorraine, tous deux musiciens. La famille s'installa au Vésinet en 1879. Vlaminck se marie dès 1894 et sera père de nombreux enfants. Il est également l'auteur de romans, poèmes et essais. À partir de 1925, il s'installe à Rueil-la-Gadelière.
Pour lui, il n'y eut pas d'École des Beaux-Arts, pas même d'Arts Décoratifs ni aucune « libre académie ». En 1895, il reçut les conseils de dessin d'un sociétaire des Artistes Français, nommé Robichon, ainsi que ceux de Henri Rigal, avec lequel il travaillait dans l'île de Chatou. Surtout la nature, la nature découverte sur le Pont de Chatou. Non plus les musées, mais, quand même, à vingt ans, quelques petites promenades rue Laffite, où, alors, se groupaient la plupart des galeries d'art. Après son service militaire, de 1896 à 1899, il donne des leçons de musique pour vivre et sera violon au Théâtre du Château d'Eau. Costaud, il se souvenait, flatté, d'avoir été coureur cycliste, faux tzigane plus déchaîné que les authentiques, quand il était jeune. Il aime alors les impressionnistes ; en 1900, il rencontra Monet. Surtout il fait la connaissance de Derain, avec lequel il loue un atelier délabré dans l'île de Chatou. Ensemble, ils voient l'exposition Van Gogh de 1901, Vlaminck en est bouleversé. Octogénaire, Vlaminck continuait de se vanter de « ne pas ficher les pieds au musée ». Il souffrit comme d'une trahison quand son copain et cadet André Derain, avec lui maître de cette École de Chatou qui ne compta pas d'autres membres, décida de laisser un temps les seules manifestations de l'instinct pour aller s'inscrire à cette Académie où, sans nécessité de dévotion aux maîtres de hasard, apprendre les éléments du « métier ». Bien que l'aîné de quatre ans de Derain, Vlaminck pénètre, en force, le monde de l'art, seulement au début du vingtième siècle : il sera l'un des Fauves.
Il a exposé, pas trop vite puisque c'est à près de trente ans, à Paris, en 1904 à la galerie Berthe Weill, en 1905, au Salon des Indépendants, et dans l'historique « cage aux fauves » au Salon d'Automne de la même année. Dans la suite, il ne sera le fidèle d'aucun Salon, préférant, de période en période, présenter au

public, en diverses galeries, des suites de ses œuvres. Après sa mort, il fut représenté dans diverses expositions consacrées au fauvisme : 1951, 1957 musée national d'Art moderne de Paris ; 1952-1953 Museum of Modern Art de New York ; 1962 *Les Fauves* galerie Charpentier à Paris. En 1906, il fit sa première manifestation publique importante, chez Vollard après qu'il lui eût acheté tout son fond d'atelier, puis en 1919 à la galerie Druet. Le musée des beaux-arts de Chartres lui a consacré une exposition en 1987.

Dans l'abondante étude qu'il lui a consacrée en 1929, A. Mantaigne rappelle : « Lorsqu'il commença de peindre, Vlaminck habitait les bords de la Seine. Comme il vivait beaucoup sur l'eau, ramant ou conduisant des bateaux à voile, qu'il fréquentait les guinguettes, ce qu'il peignit à cette époque garde une saveur de vie facile, de dérèglements anodins. » Par la facture de ses quelques peintures autour de 1900, dont *Le Père Bouju* (1900), *Le Quai Sengauzin, à Bougival* (1902), *La Fille de ma voisine* (1904), *Les Bassins du Havre, le Grand quai* (1904), Vlaminck semblait annoncer Soutine et les expressionnistes d'Europe centrale. A. Mantaigne poursuit : « Puis vint le moment du pur fauvisme... Le fauvisme d'ailleurs n'a jamais été une doctrine – comme le pointillisme. Il n'a pas tâché à une expression glorifiant ou lésant soit la couleur, soit la forme. Il a été une tentative d'unification, une volonté de tout dire, une confession totale de ce qui est à la fois dans l'espace, dans la lumière et dans la conception. » La couleur sortant du tube avait de quoi exciter le novateur. Ce furent : *La Seine à Bougival* et *Les Pêcheurs* (1905), *Le Pont de Conflans* (1907), *Le Havre* (1908). Reconnu comme l'un des Fauves, durant les quelques années où il respectait la loi de la couleur pure, l'emploi de la couleur telle qu'elle sort du tube, à cette époque, Vlaminck, qui était pauvre et que ses principes éloignaient de l'étude trop savante de la chimie des couleurs, s'est servi souvent de tubes les moins chers, donc des moins bonnes marques. On déplorera que nombre de toiles de cette époque n'aient pas toujours bien résisté à l'épreuve du temps. Entre fauvisme et la définitive production des paysages de Beauce avec une ferme sous la neige, *La Seine à Mantes* (1908), *La Seine à Chatou* (1909), *L'Église et le pont, Île de France* (1909), *Panier de fruits* (1909), *Fleurs* (1910), *Nature morte* (1911), *Le Pont de Poissy* (1911), *Portrait de Mme Kahnweiller* (1911), *La Seine à Bougival* (1912), montrent que Vlaminck eut encore, partagée avec Othon Friesz et Derain, une période de « retour à la forme », en fait une période post-cézannienne, dont la construction du volume et de l'espace côtoyait avec prudence le cubisme. Puis, concernant la production qui a occupé la plus longue partie de la vie de Vlaminck, d'environ 1912 à sa mort en 1958, le poète et écrivain d'art Vanderpyl, dont Vlaminck a fait un beau portrait (1919), traite du peintre de figures que ne permettent pas de négliger tant de paysages, outre les natures mortes. Aux pages de *Peintres de mon époque*, il note : « Un portrait par Vlaminck c'est aussi un paysage, un paysage de chair, de chair printanière ou de chair allumée comme un automne, de chair sèche comme une terre pauvre ». Qu'il n'ait pas fait de nus, ainsi que l'ont prétendu ses biographes, est inexact. Citant diverses toiles et gravures sur bois, dont le grand *Nu couché* de la collection Vollard, rappelant que, sans toutefois donner suite au projet, Vlaminck avait reçu du même Vollard commande d'une copie de l'*Olympia* de Manet, M. Vanderpyl admet que « le nu ne joue pas de rôle » dans l'énorme production du révolutionnaire de Chatou devenu l'ermite de La Tourillière.

Vlaminck fut aussi lithographe et graveur sur bois : il a usé de la lithographie en couleurs pour des paysages ; ses dessins à l'encre de Chine sont plus rares. Il a illustré notamment : *Le Diable au corps* de Raymond Radiguet, *Les Hommes abandonnés* de Georges Duhamel, *En suivant la Seine* de Gustave Coquiot, *Mont-Cinère* de Julien Green, *Grasse Normandie* de G. Reuillard, *Voyages* de Vanderpyl ; il a illustré plusieurs de ses propres ouvrages, entre autres : *Histoires et Poèmes de mon époque, Communications, Tournant dangereux.* ■ J. B.

Vlaminck

Vlaminck

Vlaminck

Bibliogr. : D.-H. Kahnweiler : *Vlaminck*, Leipzig, 1920 – Léon Werth : *Vlaminck*, Bernheim, Paris, 1925 – Maurice Raynal : *Anthologie de la peinture en France de 1906 à nos jours*, Montaigne, Paris, 1927 – Florent Fels : *Vlaminck*, Paris, 1928 – A. Mantaigne : *Vlaminck*, coll. Peintres et Sculpteurs, Paris, 1929 – Germain Bazin : *Vlaminck*, in : L'Amour de l'Art, Paris, juin 1933 – W. Gaunt : *Vlaminck*, New York, 1939 – W. Grohmann : *Vlaminck*, Leipzig, 1940 – K. G. Perls : *Vlaminck*, New York, 1941 – René Huyghe : *Les Contemporains*, Tisné, Paris, 1949 – Maximilien Gauthier : *Vlaminck*, Paris, 1949 – Raymond Queneau : *Vlaminck*, Genève, 1949 – Maurice Raynal : *Peinture Moderne*, Skira, Genève, 1953 – Maurice Genevoix : *Vlaminck, L'Homme et l'Œuvre*, Flammarion, Paris, 1954 – Frank Elgar, in : *Diction de la peint. mod.*, Hazan, Paris, 1954 – Marcel Sauvage : *Vlaminck. Sa vie et son message*, Cailler, Genève, 1956 – Bernard Dorival : *Les peintres du xxe siècle*, Tisné, Paris, 1957 – Pierre Mac-Orlan : *Vlaminck*, Impr. Nat., Paris, 1958 – J.-P. Crespelle : *Vlaminck, fauve de la peinture*, Gallimard, Paris, 1958 – Georges Charensol : *Les grands maîtres de la peint. mod.*, in : *Hre Gle de la peint.*, tome 22, Rencontre, Lausanne, 1966 – J. Selz : *Vlaminck*, Flammarion, Paris, 1967 – Maurice Genevoix : *Vlaminck*, Flammarion, Paris, 1967 – Georges Boudaille : *Vlaminck*, Nouvelles Édit. Franç., Paris, 1968 – Katalin de Walterskirchen : *L'œuvre gravé de Vlaminck*, Flammarion, Paris, 1974 – Marcel Sauvage : *Hors du commun : Maurice Vlaminck, Maurice Savin*, Grasset, Paris, 1986 – Jean Louis Ferrier : *Les Fauves*, Terrail, Paris, 1990 – Catalogue de l'exposition : *La Céramique fauve*, Réunions des Musées nationaux, Nice, 1996.

Musées : Anvers – Avignon (Mus. Calvet) : *Sur le zinc* 1900 – Belgrade – Berlin (Staatl. Mus.) : *Le Pont de Chatou* 1907 – Bruxelles – Chartres (Mus. des Beaux-Arts) : *Le Père Bouju* 1900, deux salles entières consacrées à l'artiste – Chicago (Art Inst.) : *Les Jardins à Chatou, ou Maisons à Chatou* 1905 – Épinal (Mus. départ. des Vosges) : *Paysage d'hiver* – Grenoble (Mus. des Beaux-Arts) – Le Havre – Londres (Tate Gal.) – Munich – Nantes (Mus. des Beaux-Arts) – New York (Mus. of Mod. Art) – Ottawa (The Nat. Gal. of Canada) : *Les Écluses à Bougival* 1908 – Paris (Mus. Nat. d'Art Mod.) : *Le Père Bouju ou l'homme à la pipe* 1900 – *Intérieur* 1903-1904 – *La Cuisine* 1904 – *Rue à Marly-le-Roi* 1905-1906 – *Paysage aux arbres rouges* 1906 – *La Maison à l'auvent* 1920 – *Chartres – Paysage d'orage – Les Côteaux de Rueil – La Maison dans les arbres – Le Pont de Meudon – Les Chaumières – Nature morte aux raisins – Nature morte aux poissons – Nature morte aux oignons* – Paris (Mus. du Petit Palais) – Paris (BN) : *Saint-Michel* 1914, bois – Saint-Tropez (Mus. de l'Annonciade) : *Nature morte* vers 1907 – Stuttgart (Staatsgal.) : *Nature morte au vase, pichet et compotier* vers 1908 – Tokyo (Mus. Bridgestone) : *La Péniche* 1905 – Troyes (Mus. d'Art Mod., coll. P. Lévy) : *Paysage d'automne* vers 1905 – *Paysage* vers 1905 – Washington D. C. (Nat. Gal.) : *Nature morte aux citrons* 1913-1914.

Ventes Publiques : Paris, 28 mars 1919 : *La neige à Bougival* : **FRF 1 430** ; *Maisons dans l'herbe* : **FRF 1 950** – Paris, 19 mai 1920 : *Place Agnès à Bougival* : **FRF 1 600** – Paris, 6 nov. 1924 : *L'inondation* : **FRF 3 550** – Paris, 18 nov. 1925 : *Le chemin de la défense* : **FRF 6 800** – Paris, 12 juin 1926 : *Village au bord de l'eau* : **FRF 8 200** – Paris, 22 nov. 1926 : *Paysage à Valmondois* : **FRF 9 500** – Paris, 29 oct. 1927 : *Carrières Saint Denis* : **FRF 11 100** – Deauville, 8 déc. 1928 : *Coquelicots et marguerites* : **FRF 12 200** – Deauville, 28 mai 1930 : *Maison au bord de la route* : **FRF 8 000** ; *Paysage de neige* : **FRF 18 300** – New York, 24 mars 1932 : *Paysage*, aquar. : **USD 140** – Londres, 6 mai 1932 : *Un faubourg de Paris*, dess. : **GBP 15** – Bruxelles, 12 mai 1934 : *Village sous la neige*, gche : **BEF 1 000** – Paris, 12 déc. 1936 : *Effet de neige* : **FRF 10 000** – Paris, 5 mars 1941 : *La Rue* : **FRF 23 000** – Paris, 8 mai 1941 : *La ferme normande* : **FRF 13 100** – Paris, 11 mai 1942 : *La clairière* : **FRF 50 100** ; *Paysage* : **FRF 40 000** – New York, 3-5 déc. 1942 : *Paysage* : **USD 525** – Paris, 27 jan. 1943 : *La chaumière sous l'orage* : **FRF 90 000** ; *Champ de blé* : **FRF 85 000** ; *Vase de fleurs* : **FRF 69 000** – New York, 10 fév. 1944 : *La neige* : **USD 1 100** ; *Le lac* : **USD 1 100** – Paris, 10 mars 1944 : *Maisons rouges aux pylones* : **FRF 31 000** ; *La fabrique au bord de la route* : **FRF 50 000** ; *Paysage de Rueil* 1910 : **FRF 75 000** – New York, 13 avr. 1944 : *Paysage d'hiver* : **USD 600** – New York, 22 nov. 1944 : *Paysage de neige* : **USD 1 400** ; *La maison rouge* : **USD 900** – New York, 17-18 jan.

1945 : *Fleurs* : **USD 1 400** – Paris, 5 mars 1945 : *Effet de neige* : **FRF 95 000** – New York, 22 mars 1945 : *Paysage* : **USD 850** – Paris, 24 mai 1945 : *La clairière sous la neige* : **FRF 78 000** – Paris, 20 déc. 1945 : *Pichet et coupe de fruits* : **FRF 55 000** – Paris, 28 jan. 1946 : *La route nationale* : **FRF 67 000** – Paris, 27 fév. 1946 : *Bords de la Seine*, aquar. : **FRF 39 500** – New York, 1er mai 1946 : *Une ferme* : **USD 800** – Nantes, 15 déc. 1946 : *Paysage* : **FRF 160 000** ; *Le pont* : **FRF 116 000** ; *Rue de Marly-le-Roi* : **FRF 120 000** ; *La maison de mon père* : **FRF 205 000** ; *Soleil d'hiver* : **FRF 250 000** – Paris, 23 fév. 1949 : *La Seine au matin* : **FRF 252 000** – Paris, 30 mai 1949 : *Le Pont sous la neige* : **FRF 300 000** – Paris, 1er juin 1949 : *Le village* : **FRF 235 000** – Paris, 4 juil. 1949 : *Le canal*, aquar. : **FRF 98 000** ; *Rue de village*, dess. à la pl. : **FRF 31 100** – Genève, 5 nov. 1949 : *Paysage au soleil couchant* : **CHF 2 500** – Paris, 18 nov. 1949 : *Paysage* : **FRF 222 000** – New York, 22 nov. 1949 : *Rue sous la neige* : **USD 1 100** ; *Église* : **USD 1 000** – Paris, 7 déc. 1949 : *L'inondation* vers 1911 : **FRF 200 000** – Paris, 21 avr. 1950 : *Sortie de village*, dess. : **FRF 20 800** – Genève, 6 mai 1950 : *Maisons au bord d'un canal*, aquar. : **CHF 1 650** – Paris, 26 mai 1950 : *Maisons au bord de l'eau*, aquar. gchée : **FRF 100 000** – Paris, 5 juil. 1950 : *La coupe de fleurs* : **FRF 205 000** – Bruxelles, 2 déc. 1950 : *Fleurs dans un vase* : **BEF 50 000** – Zurich, 31 jan. 1951 : *Nature morte* : **CHF 2 000** – Londres, 9 fév. 1951 : *La route de campagne* : **GBP 68** – Zurich, 15 mars 1951 : *Vase aux fleurs blanches* : **CHF 2 000** – New York, 22 oct. 1952 : *Nature morte aux fruits*, aquar. : **USD 185** – Stuttgart, 25-27 nov. 1952 : *Rue de village* : **DEM 7 200** – New York, 7 jan. 1953 : *Village en hiver* : **USD 1 750** ; *Nature morte* : **USD 1 050** ; *Bouquet de fleurs* : **USD 875** – Bruxelles, 14 jan. 1953 : *L'église blanche*, aquar. : **BEF 32 000** – Bruxelles, 2 juin 1953 : *Le moulin sur la Naze* : **BEF 60 000** – Londres, mai 1956 : *Le Havre, le grand quai* : **GBP 4 800** – New York, 2 mai 1956 : *Paysage accidenté* : **USD 4 750** – Paris, 3 mai 1957 : *La maison blanche au bord de la rivière* : **FRF 3 000 000** – New York, 7 nov. 1957 : *Le potager* : **USD 17 000** – New York, 19 mars 1958 : *Cour de ferme* : **USD 9 000** – Londres, 26 mars 1958 : *La maison rose* : **GBP 1 900** – Paris, 10 juin 1958 : *Vase de fleurs* : **FRF 2 700 000** – Stuttgart, 22 nov. 1958 : *Pont de Londres* : **DEM 26 500** – Paris, 18 mars 1959 : *Paysage de neige* : **FRF 5 500 000** – New York, 15 avr. 1959 : *Vieux Pont de Mantes* : **USD 9 000** – Londres, 1er juil. 1959 : *Normandie, pommiers dans la neige* : **GBP 4 500** – Paris, 10 déc. 1959 : *Le Lavoir sous la neige* : **FRF 7 000 000** – New York, 16 mars 1960 : *Paysage d'hiver* : **USD 13 500** – Londres, 6 juil. 1960 : *La cruche blanche, fleurs d'été* : **GBP 5 000** – New York, 26 oct. 1960 : *Hôtel du Laboureur, Rueil-la-Gadelière* : **USD 22 000** – New York, 25 jan. 1961 : *Nature morte, livres et chandelle* : **USD 8 500** – Paris, 9 mars 1961 : *Fleurs* : **FRF 76 000** – Londres, 28 juin 1961 : *Ville sur les bords de la Seine* : **GBP 6 500** – Milan, 21 nov. 1961 : *Paysage*, aquar. : **ITL 4 200 000** – Londres, 4 juil. 1962 : *Mont Valérien* : **GBP 18 000** – Londres, 12 juin 1963 : *Les bassins au Havre* : **GBP 20 000** – Genève, 2 nov. 1963 : *Nature morte aux fruits et carafe*, aquar. : **CHF 29 000** – Genève, 23 mai 1964 : *Rue de village*, gche : **CHF 30 000** – Londres, 25 nov. 1964 : *Nature morte* : **GBP 10 500** – New York, 14 oct. 1965 : *La maison de mon père* : **USD 45 000** – Londres, 6 avr. 1966 : *Paysage*, gche et aquar. : **GBP 2 000** – Genève, 17 juin 1966 : *La rivière* : **CHF 150 000** – Londres, 1er déc. 1967 : *Paysage* : **GNS 14 500** – Versailles, 3 déc. 1967 : *La rue de village*, aquar. et gche : **FRF 36 500** – Paris, 24 juin 1968 : *Village dans les champs*, aquar. : **FRF 92 000** – New York, 20 nov. 1968 : *Les toits* : **USD 63 000** – Londres, 2 juil. 1969 : *Le pont sur la Seine à Chatou* : **GBP 87 000** – Genève, 7 nov. 1969 : *La Rue*, aquar. : **CHF 120 000** – Londres, 14 oct. 1970 : *Le Pont de Chatou* : **GBP 85 000** – Londres, 1er déc. 1971 : *La Maison de mon père* : **GBP 44 000** – Versailles, 26 nov. 1972 : *Le Village en Beauce*, gche : **FRF 71 000** – Genève, 29 juin 1973 : *La Route*, aquar. gchée : **CHF 65 000** ; *Paysage de neige* : **CHF 218 000** – Versailles, 11 juin 1974 : *Paysanne dans la rue principale du village enneigé*, gche : **FRF 133 000** ; *La Rue sous la neige* : **FRF 400 000** – Madrid, 27 juin 1974 : *La Seine à Chatou* : **ESP 6 300 000** – Londres, 7 avr. 1976 : *Le remorqueur* vers 1906, h/t (59x80) : **GBP 90 000** – Zurich, 28 mai 1976 : *Après la pluie*, gche (37x45) : **CHF 40 000** – Bruxelles, 24 nov. 1977 : *L'arbre vert*, litho. en coul. : **BEF 57 000** – Paris, 31 mars 1977 : *Le village dans les arbres* vers 1920, aquar. (32x40) : **FRF 23 600** – Versailles, 8 juin 1977 : *Champ de blé* 1921, h/t (65x81) : **FRF 120 000** – New York, 1er nov. 1978 : *Nature morte aux fleurs* vers 1912, h/t (72x60) : **USD 40 000** – New York, 14 nov 1979 : *Le pont à Chatou* 1914, grav./bois en noir (25,5x33,7) : **USD 2 300** – Paris, 26 juin 1979 : *Rue de village*, lav. d'encre de Chine (44x54) : **FRF 24 000** – Zurich, 25 mai 1979 : *Paysanne dans la rue du village sous la neige*, gche (36,5x45,5) : **CHF 42 000** – Londres, 3 juil 1979 : *Nature morte* vers 1906, h/t (73x92) : **GBP 95 000** – New York, 21 mai 1981 : *Le Chemin de campagne* vers 1920, h/t (65,5x81,3) : **USD 60 000** – Londres, 6 déc. 1984 : *Jeune fille se coiffant* 1906, monotype en 2 tons de noir (44,4x32,5) : **GBP 7 000** – Londres, 28 mars 1984 : *La maison au bord de la rivière*, aquar. et encre reh. de gche (45,1x54) : **GBP 10 000** – New York, 15 nov. 1984 : *Scène de rue*, encre de Chine, lav. et aquar. reh. de gche/pap. mar./cart. (46x54,5) : **USD 11 000** – Londres, 26 mars 1984 : *Paysage au bois mort* vers 1906, h/t (65x81) : **GBP 340 000** – New York, 13 nov. 1985 : *Nature morte au pichet* vers 1905, h/t (60x73) : **USD 270 000** – Paris, 23 juin 1986 : *Pêcheur à Argenteuil* 1906, h/t (46x55) : **FRF 2 600 000** – New York, 18 nov. 1986 : *Le Pont sur la Seine à Chatou* vers 1906, h/t (68,3x95,3) : **USD 600 000** – Paris, 2 juin 1988 : *Hameau sous la neige*, h/t (65x81) : **FRF 836 000** – Londres, 21 oct. 1988 : *Le Pont du canal*, aquar. et encre/pap. (45x53) : **GBP 20 900** – New York, 12 nov. 1988 : *La Route traversant le village*, aquar. et gche/pap. (38,8x46,5) : **USD 48 400** – Bourg-en-Bresse, 19 mars 1989 : *Village sous la neige*, h/t (74x92) : **FRF 2 525 000** – New York, 14 nov. 1989 : *La Seine à Chatou* 1906, h/t (74x92,7) : **USD 7 150 000** – Paris, 5 avr. 1990 : *Route de village*, aquar./pap. (40x50) : **FRF 200 000** – New York, 17 mai 1990 : *Les régates à Bougival* 1905, h/t (60,5x73,5) : **USD 3 960 000** – Londres, 26 juin 1991 : *Le Pont de Poissy*, h/t (54x65) : **GBP 308 000** – Neuilly, 15 déc. 1991 : *Rue de village*, h/t (33x41) : **FRF 416 500** – New York, 14 mai 1992 : *Paysage enneigé* 1932, h/t (81x3x100,3) : **USD 148 500** – Londres, 1er juil. 1992 : *Maisons dans la campagne*, h/t (60x73) : **GBP 63 800** – Paris, 24 nov. 1992 : *Pêcheur à Argenteuil* 1906, h/t (45,5x55) : **FRF 5 050 000** – Monaco, 14 mars 1993 : *Remorqueur au port*, h/t (81x100) : **FRF 600 000** – Paris, 17 nov. 1993 : *Paysage*, gche (46x55) : **FRF 71 000** – New York, 9 mai 1994 : *Paysage de banlieue*, h/t (65x81) : **USD 6 822 500** – Milan, 21 juin 1994 : *Paysage*, encre et aquar./pap. (24,5x30) : **ITL 5 520 000** – Paris, 28 nov. 1994 : *La Route sous la neige*, h/t (81x100) : **FRF 755 000** – Londres, 28 juin 1995 : *La Maison au miroir d'eau* 1908, h/t (73,5x91,5) : **GBP 91 700** – Tel-Aviv, 12 oct. 1995 : *Le Toit rouge*, h/t (54x73) : **USD 92 700** – Paris, 15 déc. 1995 : *Le Bateau-lavoir* 1908, peint./t. (50x60,5) : **FRF 1 100 000** – Paris, 28 mars 1996 : *Vase de fleurs*, gche (50x31) : **FRF 88 000** – Sceaux, 5 mai 1996 : *Paysage à la chaumière*, h/t (54x65) : **FRF 315 000** – Paris, 18 nov. 1996 : *Rue de village*, encre de Chine (24x32) : **FRF 24 000** – Paris, 21 nov. 1996 : *Le Sausseron* 1921, litho. (46,5x63) : **FRF 12 500** – Paris, 29 nov. 1996 : *Personnage à l'entrée du village*, aquar. (44,5x54) : **FRF 103 000** – Londres, 4 déc. 1996 : *Paysage d'arbres*, h/t (50x65) : **GBP 20 700** – Paris, 23 fév. 1997 : *Le Village*, lav. d'encre de Chine/pap. (25,5x33) : **FRF 22 000** – Londres, 19 mars 1997 : *La rue enneigée* vers 1932, h/t (38x46) : **GBP 35 600** – New York, 12 mai 1997 : *Le Vase bleu aux fleurs*, h/t (81,5x45,7) : **USD 1 322 500** – Paris, 16 juin 1997 : *Sous la neige*, gche (44,5x52,5) : **FRF 120 000** – Paris, 18 juin 1997 : *Maisons dans les Faubourgs de Paris*, h/t (73x92) : **FRF 666 000** – Paris, 20 juin 1997 : *Village sous la neige*, gche/pap. (40,5x52) : **FRF 140 000** – Londres, 25 juin 1997 : *Nature morte*, h/t (54x65) : **GBP 58 700**.

VLAMING Jan de ou **Vlaaming**

XVIIIe siècle. Actif à Amsterdam dans la première moitié du XVIIIe siècle. Hollandais.

Dessinateur et peintre de paysages et d'architectures.

VLAMYNCK Pieter Jan de

Né en juillet 1795 à Bruges. Mort en mars 1850 à Bruges. XVIIIe-XIXe siècles. Éc. flamande.

Dessinateur, graveur, aquafortiste et lithographe.

Élève d'Odevaeres. Il continua ses études à Paris. Il grava des sujets d'histoire.

VLASOV Arseni

Né en 1914 à Noguinsk (près de Moscou). XXe siècle. Russe.

Peintre de paysages animés, natures mortes.

Il fit ses études à l'École des Beaux-Arts « l'an 1905 » de Moscou. Il devint membre de l'Union des peintres d'URSS.

Il réalise une peinture aux accents parfois précieux, colorée, non sans une tendance à développer une figuration quelque peu onirique.

Musées : Moscou (min. de la Culture) – Moscou (Gal. Tretiakov) – Moscou (Mus. de la Révolution) – Moscou (Mus. Lénine).

Ventes Publiques : Paris, 24 sep. 1991 : *Le parc du chateau*, h/t (99x130) : **FRF 6 500**.

VLASSELAER Julien

Né le 10 mai 1907 à Bruxelles. Mort en 1982. xxe siècle. Belge.

Peintre, peintre de compositions murales, peintre de cartons de tapisseries, peintre de cartons de vitraux.

Il fit ses études à l'Académie Royale des Beaux-Arts de Bruxelles. Il enseigna ensuite à l'Institut des Beaux-Arts d'Anvers.

Figurative, sa peinture est orientée vers l'art monumental. Il a décoré de nombreux édifices publics en Belgique.

Ventes Publiques : Bruxelles, 12 juin 1990 : *L'aveugle et le paralytique*, h/t (136x90) : **BEF 260 000** – Lokeren, 23 mai 1992 : *Nu assis au chapeau fleuri* 1932, h/t (110x75) : **BEF 55 000**.

VLASSENKO Anton

Né en 1940 à Pétrov (dans la région de Stavropol). xxe siècle. Russe.

Peintre de compositions à personnages, de paysages animés.

Il fit ses études à la Faculté d'Art Graphique de l'Institut Pédagogique de Krasnodar et obtint son diplôme en 1968. Il a commencé à exposer à cette époque. Il est membre de l'Union des Peintres d'URSS depuis 1977. Il vit et travaille à Orenbourg depuis 1979.

Dans un style de décoration murale, il peint des compositions très vivantes, ayant pour thèmes les travaux aussi bien des champs que des ports de pêche. Ces compositions sont bien construites et orchestrées, avec des réminiscences de l'organisation post-cubiste.

Ventes Publiques : Paris, 11 déc. 1991 : *Autoportrait*, h/t (90x70) : **FRF 4 000** – Paris, 16 fév. 1992 : *Le champ de camomille* 1989, h/t (100x150) : **FRF 5 800**.

VLASSOV Vladimir

Né en 1927. xxe siècle. Russe.

Peintre de figures, portraits, paysages animés, marines. Postimpressionniste.

Il fréquenta l'École des Beaux-Arts de V. Sourikov à Moscou. Il devint Peintre émérite d'URSS.

Ventes Publiques : Paris, 23 mars 1992 : *Le jeune marin*, h/t (35x26) : **FRF 6 500** – Paris, 20 mai 1992 : *Vacances à la mer* 1954, h/t (23x32) : **FRF 6 500**.

VLASSOVA Clara

Née en 1926. xxe siècle. Russe.

Peintre de figures, paysages.

Elle fut élève de l'Institut des beaux-Arts Sourikov de Moscou et travailla sous la direction de Georgii Riajskii. Elle devint membre de l'Union des Artistes d'URSS.

Musées : Moscou (Gal. Tretiakov) – Moscou (min. de la cult.) – Saint-Pétersbourg (Mus. Russe).

Ventes Publiques : Paris, 6 déc. 1991 : *Au coucher du soleil* 1955, h/t (75x120) : **FRF 5 000** – Paris, 6 fév. 1993 : *La cycliste* 1953, h/t (115x72) : **FRF 3 200**.

VLAUEN Conrad

xvie siècle. Autrichien.

Sculpteur.

Il a sculpté un *Portement de croix* dans la cathédrale Saint-Étienne de Vienne.

VLCEK Jan

Né le 13 mai 1940 en Bohème. xxe siècle. Tchécoslovaque.

Peintre de scènes animées.

Il a suivi un cycle de dix années d'études artistiques, apprenant tout d'abord la verrerie d'art et la gravure sur métal de 1955 à 1959, puis étant élève en peinture figurative et monumentale à l'Académie des Beaux-Arts de Prague entre 1959 et 1965. Il est devenu maitre-assistant à l'Académie des Beaux-Arts de Prague.

Il a pris part à plusieurs expositions collectives, notamment : de 1978 à 1989 à Prague ; 1981 à Brno ; 1982, 1989 en Bohème ; 1983 en Slovaquie ; 1984 au Vietnam ; 1988 à Bratislava. Il a montré ses œuvres dans des expositions personnelles : 1978 Varsovie ; 1978, 1985, 1986 en Bohème ; 1979 à Zutpen (Hollande) ; 1980, 1981, 1984, 1985, 1986, 1988, 1989 à Prague ; 1982 à Pilzen.

Il campe les personnages d'une histoire dans un espace structuré, d'où la leçon du cubisme n'est pas exclue. La vie et le mouvement des figures sont renforcés par le jeu subtil des ombres et des lumières.

VLECK August

Né à Kosir. xixe siècle. Autrichien.

Peintre de portraits.

Il figura aux Salons de Paris et reçut une mention honorable en 1900 à l'Exposition universelle.

VLEESCHOUWERE Antoine de

Mort vers 1554. xvie siècle. Actif à Malines. Éc. flamande.

Sculpteur.

En 1542, il livra avec Guillaume Smeeckaert les pierres sculptées pour l'Hôtel de Ville de Malines.

VLEESCHOUWERE Jan de

Né à Malines. xvie siècle. Travaillant de 1507 à 1508. Éc. flamande.

Sculpteur sur bois et sur pierre.

Probablement père d'Antoine de Vleeschouwere.

VLEESCHOUWERE Roman

Né vers 1577 à Innsbruck. Mort vers 1641 à Innsbruck. xviie siècle. Autrichien.

Sculpteur de monuments, bas-reliefs.

Fils de Rombaut Vleeschouwere, il fut élève d'Alexandre Colin. Il collabora aux bas-reliefs en marbre du cénotaphe, à la mémoire de l'empereur Maximilien Ier à Innsbruck.

VLEESCHOUWERE Rombaut ou **Roman** ou **Flieschauer**

Mort le 24 juin 1582 à Innsbruck. xvie siècle. Autrichien.

Peintre.

Fils d'Antoine de Vleeschouwere. Il travailla pour la cour d'Innsbruck.

VLEESHOUWER Izaak

Né en 1643 à Flessingue. Mort le 30 septembre 1690 à Flessingue. xviie siècle. Éc. flamande.

Peintre d'histoire et portraitiste.

Élève de Jacob Jordaens à Anvers.

VLEGEL Juriaen

xviie siècle. Actif à Utrecht en 1625. Hollandais.

Peintre.

VLENTON Guillaume. Voir **VLUTEN**

VLERICK Pierre

Né le 29 octobre 1923 à Gand. xxe siècle. Belge.

Peintre. Abstrait-paysagiste.

Il fit ses études à l'Académie Royale des Beaux-Arts de Gand de 1940 à 1946, puis à l'Académie de la Grande Chaumière à Paris en 1947 et 1948. Il enseigne à l'Académie Royale de Gand depuis 1961 et en a été nommé directeur. Il a également enseigné à la Fine Art Museum School de Boston.

En 1947 il voit la rétrospective Bonnard à Paris et en reste profondément marqué. Il aborde pourtant l'abstraction dès 1948 et expose avec le groupe « Apport ». Mais des toiles intitulées *Jardins* par exemple sont l'abstraction d'une réalité parfaitement claire, réalité évoquée par la finesse des coloris et un jeu de lignes baroques. Il a ensuite évolué vers un impressionnisme abstrait où des formes se fondent en masses vaporeuses.

Musées : Anvers – Bruxelles.

Ventes Publiques : Anvers, 8 avr. 1976 : *Marie Thérèse* 1967, h/t (200x180) : **BEF 46 000**.

VLERICK Pieter

Né en 1539 à Courtrai. Mort en 1581 à Tournai, de la peste. xvie siècle. Éc. flamande.

Peintre d'histoire, figures.

Son père, un avocat, reconnaissant les remarquables dispositions de notre artiste, le plaça comme élève chez Willem Snellaert, peintre à la détrempe, mais Pieter Vlerick ayant entendu parler du talent de Karel d'Ypres ne tarda pas à devenir son disciple. Après deux ans de séjour chez ce maître, il alla à Anvers se placer sous la direction de Jacob Floris. Après un séjour à Paris, où il reçut force et encouragements, il se rendit à Venise et y travailla avec Tintoretto pendant quatre ans. De Venise, il se rendit à Rome, étudiant Michel Ange et l'antique. En 1568, il revint en Flandre et s'établit à Tournai. Il entra dans la Gilde, en 1575.

Il exécuta divers travaux à Rome et collabora, notamment, avec Girolamo Muziono, dans les paysages duquel il peignait les figures. Parmi ses élèves, il convient de citer Van Mander, l'historiographe des peintres des Pays-Bas, qui donne une liste des ouvrages de son maître, et L. Henri de Courtrai.

VLETTER J. de

xixe siècle. Actif au début du xixe siècle. Hollandais.

Graveur à la manière noire.

Kramm cite un graveur, J. de Vietter (ou Vletter), vers 1809. Il est sans doute apparenté, et peut-être identique, à Samuel de Vletter.

VLETTER Samuel de

Né le 18 juillet 1816 à Amsterdam. Mort le 2 septembre 1844 à Amsterdam. XIXe siècle. Hollandais.

Peintre de scènes de genre, intérieurs.

Il fut élève de J. A. Kruseman. Il pourrait être apparenté à J. de Vletter, ou même ne faire qu'un avec lui.

Ventes Publiques : New York, 19 oct. 1984 : *Les joies de grand-père*, h/t (67,4x55,9) : **USD 6 000** – Paris, 14 juin 1988 : *Scène d'intérieur du XVIIe siècle* 1835, h/t (48x45,25) : **FRF 50 000** – Amsterdam, 28 fév. 1989 : *Jeux d'enfants*, h/t (32x36) : **NLG 3 450**.

VLEUGELS Hans

Né en 1924 à La Haye. XXe siècle. Depuis 1970 actif et depuis 1983 naturalisé en France. Hollandais.

Peintre de portraits, nus, paysages, pastelliste.

Il fut élève de l'école des beaux-arts de La Haye, puis séjourna dans le Midi de la France et à Paris, où il étudia le nu à l'académie de la Grande Chaumière. Après avoir résidé en Suisse, en Allemagne et à Rome, grâce à une bourse d'études, il enseigne la gravure et l'histoire de l'art à l'école des Arts et Métiers Graphiques d'Amsterdam de 1955 à 1970. Il s'installe ensuite dans le Gers, dans les Corbières, puis à Baixas (région de Perpignan).

Il participe à divers Salons parisiens : des Indépendants, des Artistes Français, d'Automne, du Dessin et de la Peinture à l'eau, et à diverses manifestations régionales.

Dans une technique spontanée, parfois proche de l'esquisse, il peint des sujets divers, privilégiant son environnement quotidien, notamment les paysages du sud de la France.

VLEUGHELS Nicolas ou **Vleugels** ou **Wleughels**

Né le 6 décembre 1668 à Paris. Mort le 11 décembre 1737 à Rome. XVIIe-XVIIIe siècles. Français.

Peintre d'histoire, sujets mythologiques, compositions religieuses, scènes de genre, portraits, dessinateur, pastelliste, graveur.

Fils et élève de Philippe Vleughels, il travailla aussi avec Pierre Mignard. Il alla ensuite en Italie et vécut à Rome durant douze ans. Après un séjour à Venise, il revint en France. Il fut nommé académicien en 1716. En 1724, la direction de l'Académie de Rome lui fut confiée ; il occupa ce poste jusqu'à sa mort.

L'influence de la peinture vénitienne a été primordiale dans son art au dessin nerveux, aux coloris variés et rares posés en touches rapides. C'était un « praticien » brillant plutôt qu'un artiste. Il obtint du succès en traitant des petits sujets épisodiques dans le genre de ceux d'Étienne Jeaurat, mais avec moins de talent. Edme Jeaurat en popularisa plusieurs par la gravure.

NV.F.R.
1727

Bibliogr. : In : *Diction. de la peinture française*, coll. Essentiels, Larousse, Paris, 1989.

Musées : Angers : *Hérodiade présente le chef de saint Jean-Baptiste à Hérode – La diseuse de bonne aventure* – Compiègne (Mus. du château) : *Apelle peignant* – Munich (Mus. du château de Schleissheim) : *Jésus dans la maison de Simon* 1727 – *Les Noces de Cana* 1728 – Paris (Mus. du Louvre) : *Réunion en Sorbonne le 5 mars 1717 – Apelle peignant Campaspe* – Saint-Pétersbourg (Mus. de l'Ermitage) : *Visite de la Vierge chez sainte Élisabeth – Sainte Famille* 1729 – Toulouse : *Vulcain remet à Vénus les armes d'Énée* – Troyes : *Paysannes dans la campagne romaine* – Valenciennes : *Le lever – La toilette*.

Ventes Publiques : Paris, 1735 : *Télémaque dans l'île de Calypso*, deux pendants : **FRF 310** – Paris, 1855 : *Jeune Vénitienne* : **FRF 500** – Paris, 7-8 mai 1923 : *Feuille d'étude, une femme, un bras ; Feuille d'étude, une femme*, past., une paire : **FRF 13 800** – Paris, 1er déc. 1950 : *Le bats* : **FRF 21 000** – Paris, 22 juin 1965 : *Télémaque dans l'île de Calypso* : **FRF 5 300** – Paris, 21 mai 1969 : *Salomon sacrifiant aux idoles* : **FRF 6 000** – New York, 5 juin 1979 : *Apelles peignant Campaspe*, h/pan. (25x19,5) : **USD 1 500** – Paris, 2 déc. 1982 : *La Vierge et l'Enfant entourés d'anges* 1725, h/pan., de forme ovale (20x16) : **FRF 16 000** – Londres, 21 juil. 1989 : *La Sainte Famille avec Sainte Elisabeth, Saint Jean-Baptiste enfant et deux anges*, h/t (65,4x61) : **GBP 3 740** – Paris, 31 jan. 1991 : *Guillot dans l'arbre*, h/pan. (30x24,5) : **FRF 29 000** – Paris, 27 mars 1991 : *Ulysse reconnaissant Achille parmi les filles de Lycomède*, h/t (65x81) : **FRF 50 000** – New York, 11 jan. 1994 : *La découverte de Moïse*, h/pap./t. (38,2x47,4) : **USD 5 750** – Monaco, 19 juin 1994 : *La Prudence et la Tempérance*, h/pan., une paire (diam. 19,4) : **FRF 72 150** – New York, 12 jan. 1995 : *Noé et l'arche – Le déluge*, h/cuivre (17,8x23,5) : **USD 16 100** – New York, 30 jan. 1997 : *Une femme drapée en blanc (une fiancée ?) ; Une femme de Frascati* 1734, h/t, une paire d'une série de six tableaux représentant des femmes dans les faubourgs de Rome (chaque 29,9x23,8) : **USD 57 500** – Paris, 18 juin 1997 : *Le Retour de l'enfant prodigue* 1719, h/cuivre (17,5x72) : **FRF 26 000** – New York, 21 oct. 1997 : *Télémaque sur l'île de Calypso*, h/pan. (29,2x38,5) : **USD 17 250**.

VLEUGHELS Philippe ou **Vleugels** ou **Wleughels**

Baptisé à Anvers le 2 juillet 1619. Mort le 2 mars 1694 à Paris. XVIIe siècle. Éc. flamande.

Peintre d'histoire et de portraits.

Élève de Cornelis Schut. Sa mère, qui était parente de Rubens, obtint pour son fils l'admission dans l'atelier du maître. A vingt-deux ans, il partit pour l'Angleterre afin de bénéficier du patronat d'Anton Van Dyck. Le maître venait de mourir quand Vleughels arriva à Londres. Il vint alors à Paris. Il y épousa Catherine de Platte Montagne, fille du peintre, dont il eut deux fils. L'un d'eux, Nicolas, fut peintre. Philippe Vleughels fut nommé membre de l'Académie Royale de Paris en 1663.

Ventes Publiques : Paris, 24 fév. 1921 : *Salomon recevant la reine de Saba* : **FRF 275**.

VLEUTEN Gerrit Van

Hollandais.

Peintre de genre.

Le Musée d'Angers, conserve de lui : *Intérieur de ferme*.

VLEUTON Guillaume. Voir **VLUTEN**

VLEYS Frans

Mort en 1761 à Bruges. XVIIIe siècle. Éc. flamande.

Peintre amateur.

Fils de Nicolas Vleys.

VLEYS Nicolas

Mort le 10 octobre 1703 à Bruges. XVIIe siècle. Actif à Bruges. Éc. flamande.

Peintre.

Élève de Carlo Marolli en Italie. En 1644, maître à Bruges. Il travailla pour les églises de Bruges.

VLIEGEN Charles

Né en 1903. XXe siècle. Belge.

Peintre.

Il fut élève de l'académie des beaux-arts de Bruxelles, où il eut pour professeurs Guillaume Van Strydonck, Émile Fabry et Jean Delville.

Il est surtout connu pour ses planches botaniques.

Bibliogr. : In : *Dict. biogr. illustré des artistes en Belgique depuis 1830*, Arto, Bruxelles, 1987.

VLIEGER A. de

Hollandais (?).

Peintre de paysages.

Cité par le Art Prices Current pour 1911. Nous ne voyons pas, parmi les Vlieger que nous connaissons, d'artiste à qui l'initiale du prénom puisse se rapporter. Y a-t-il erreur typographique ou autre ?

Ventes Publiques : Londres, 11 et 12 mai 1911 : *Bords de rivière* : **GBP 42**.

VLIEGER D.

Hollandais (?).

Peintre de marines.

Cité par le Art Prices Current. Nous ne trouvons aucune trace de cet artiste dans les répertoires dont nous disposons. Peut-être y a-t-il erreur de prénom de la part du rédacteur du catalogue de la vente ci-dessous.

Ventes Publiques : Londres, 3 déc. 1910 : *Bords de la mer, effet d'orage* : **GBP 25**.

VLIEGER Eltie. Voir **VLIEGER Neeltje**

VLIEGER Jan de

XVIIe siècle. Actif à Amsterdam. Hollandais.

Peintre.

VLIEGER Joris de

XVIIe siècle. Travaillant en 1664. Hollandais.

Sculpteur sur bois.

Il exécuta la chaire de l'église de Noord-Schermer.

VLIEGER Neeltje de, ou **Eltie**

Née vers 1630. XVIIe siècle. Hollandaise.

Peintre de fleurs.
Sœur de Simon de Vlieger. Le 6 octobre 1651, elle épousa le peintre Paulus Van Hillegaert. Elle signe parfois : Eltie de Vlieger F. S. Les Musées d'Anhalt et de Hambourg conservent des *Fleurs* de cette artiste.

VLIEGER Serafyn de
Né en 1806. Mort en 1848 à Aelst. XIXe siècle. Actif à Eecloo. Hollandais.
Portraitiste et peintre de genre.
Élève d'A. den Poorter.

VLIEGER Simon Jacobsz de
Né vers 1600 à Rotterdam. Enterré le 13 mars 1653 à Weesp. XVIIe siècle. Hollandais.
Peintre d'histoire, compositions religieuses, scènes de chasse, sujets de genre, portraits, paysages, paysages d'eau, marines, graveur, peintre de cartons de vitraux, cartons de tapisseries, dessinateur.
Il fut élève de Willem Van de Velde, probablement aussi de Jan et Julius Porcellis. Le 10 janvier 1627, il épousa Anna Gerrits Van Willige. En 1634 on le cite dans la gilde de Delft. Il alla à Amsterdam, où le droit de bourgeoisie lui fut donné le 5 janvier 1643. Il travailla successivement à Amsterdam, Delft et Weesp. Sa biographie propre se réduit à quelques dates mais on ne connaît à peu près rien sur la vie de ce maître : les historiens tels que Descamps ne l'ayant même pas mentionné dans *La vie des peintres flamands et hollandais*. Il fut le maître de Willem Van de Velde le Jeune, de Jan Van de Cappelle et de Hendr. Dubbels.
En 1642, il a peint les ailes de l'orgue pour la Groote Kerk à Rotterdam, ce qui lui fut payé : 2.000 gulden. Simon de Vlieger a traité avec un égal talent le paysage, dans le genre de Waterloo, les sujets de genre, le portrait. Il a ainsi dessiné et peint des kermesses de village, des foires, des intérieurs de forêts, des spectacles de toutes sortes : citadins ou campagnards, des vues de villes, des cérémonies officielles, mais ce fut surtout dans les marines qu'il donna la marque complète de sa virtuosité. Ses marines, d'abord peintes dans une gamme sourde, se sont peu à peu éclairées de tons jaune sable. Il se plaît également à montrer les hôtes de la basse-cour, il le fait avec un bon goût familier qui l'apparente aux meilleures productions d'Hondecoeter. Il a peint les animaux les plus divers : chevaux, chiens, moutons, cochons même. Sa verve lui permet d'être aimable, vif, intéressant, brillant, de vingt manières, différentes : qu'il représente un charlatan sur une place de village, la foule des spectateurs animant la scène ou bien un sujet agreste, ou une entrée de forêt, partout il sait être vrai dans une œuvre réfléchie et pleine de saveur. Lorsqu'en 1638 Marie de Médicis se réfugia en Hollande et qu'elle fit son entrée à Amsterdam, c'est Simon de Vlieger qui fut chargé, parmi tant de peintres illustres que la ville comptaient à ce moment, de dessiner les cérémonies et fêtes qui marquèrent l'entrée triomphale de la Reine dans la capitale. Ces précieuses compositions nous ont été conservées par les gravures qu'en fit Salomon Savry. Simon de Vlieger s'y est montré intelligent, spirituel, brillant, sagace, familier, consciencieux, sans être lourd, il a su camper ses petits personnages de telle sorte qu'après avoir embrassé d'un coup d'œil la foule immense, le regard peut s'arrêter à chacune des figures : certaines de ces compositions fourmillent positivement d'un nombre incroyable d'acteurs de toutes sortes dont on peut distinguer la condition, l'habit, le geste même. De telles œuvres ont toujours conservé à leur auteur une réputation justement méritée. Pour résumer, on admire dans Simon de Vlieger l'élégance et le naturel qui caractérisent son dessin, la liberté de la touche, la hardiesse des mises en toile, les heureux effets du clair-obscur, le coloris, le plus brillant, et surtout la science de la composition. Il donna ainsi des preuves évidentes de sa grande habileté, de sa vivacité extraordinaire, et du consciencieux talent qu'il mettait à peindre. Simon de Vlieger a gravé à l'eau-forte vingt pièces décrites par Bartsch. On lui doit également des esquisses pour des tapisseries, et des vitraux à Amsterdam.
Il se rapproche souvent d'assez près par le choix de ses sujets de Van Goyen (1596-1665) ; ils se ressemblent donc suffisamment pour que l'on puisse supposer le plus jeune, disciple de l'aîné. Il paraît aussi avoir été en relations d'amitié avec Rembrandt (peut-être même son élève), bien qu'il fût âgé de six ans de plus que le peintre de la *Ronde de nuit*. Une œuvre de Simon de Vlieger figure dans l'inventaire du mobilier saisi chez Rembrandt en 1656. La diversité des sujets traités, le talent qu'il déploie dans tous ses ouvrages, l'esprit avec lequel il sait grouper figures ou animaux, sa façon de les faire baigner dans la lumière, assigne à Simon de Vlieger une place de premier plan parmi les maîtres les plus estimés de l'école hollandaise du XVIIe siècle.
■ E. C. Bénézit

Musées : Aix : *Marine, gros temps – Marine, temps calme* – Amiens : *Rivière en Hollande – Les dunes* – Amsterdam : *Combat sur la Slaak entre les flottes néerlandaise et espagnole, nuit du 12 au 13 septembre 1631 – Le retour du fauconnier – Rivière – Côte rocheuse* – Anvers : *Mer calme* – Aschaffenbourg : *Mer agitée* – Augsbourg : *Côte par mer calme* – Bâle : *Marine* – Berlin : *Mer agitée* – Bonn : *Voilier* – Brunswick : *Tempête sur mer* – Budapest : *La halte – Chasse au lièvre – Marine* – Cambridge : *Marines*, quatre œuvres – Cologne : *Dunes* – Copenhague : *Sur la Meuse près de Rotterdam – Bateaux en mer – Marine – Halte après la chasse* – Dessau : *Mer calme* – Douai : *Deux marines* – Dresde : *Tempête sur une côte rocheuse* – Duren : *Marine* – Emden : *Marine* – La Fère : *Marine* – Francfort-sur-le-Main : *Le salut* – Genève (Rath) : *Marine* – Gotha : *Marine* – Gotheborg : *Marine* – Hambourg : *Marines* – Hanovre : *Côte hollandaise avec mer agitée – Hollandaise avec bateaux de pêche* – Le Havre : *Port sur une rivière* – La Haye : *Vue d'une plage* – Kaliningrad, ancien. Königsberg : *Mer calme* – Kassel : *Marine* – Leipzig : *Mer agitée* – Londres : *Embouchure d'une rivière* – Lübeck : *Marines*, quatre œuvres – Mayence : *Paysage de fleuve – Plage de Scheveningue* – Melk : *Marine* – Munich : *Mer agitée, barque à voile – Mer calme, barques de pêche* – Nantes : *Marine* – New York : *Marine* – Paris (Mus. du Louvre) : *Marine, temps calme* – Rotterdam : *Paysage – Embouchure d'un fleuve en Hollande* – Saint-Pétersbourg (Mus. de l'Ermitage) : *Marines*, deux œuvres – *Arrivée de Guillaume d'Orange à Vlissingue* – Stockholm : *Bateaux de pêche près de la côte, temps calme – Chasseur – Oiseaux dans une forêt de chênes* – Strasbourg : *Marée basse* – Utrecht : *Paysage – Ville au bord d'un fleuve* – Vienne : *Mer calme* – Vienne (Czernin) : *Tempête*.

Ventes Publiques : Gand, 1838 : *Marine* : **FRF 125** – Londres, 1854 : *Scheveningen Beach* 1633 : **FRF 9 994** – Paris, 1865 : *Marchand de poissons sur une plage*, dess. aux cr. noir et blanc : **FRF 175** – Paris, 1873 : *Le Moerdyck* : **FRF 4 650** – Paris, 1881 : *Les dunes de Scheveningen* : **FRF 9 100** – Paris, 1890 : *Plage de Scheveningen* : **FRF 11 000** – Londres, 1892 : *Scheveningen : bateaux et pêcheurs* : **FRF 18 890** – Paris, 9-11 avr. 1902 : *Marine par temps d'orage* : **FRF 4 500** – Paris, 8 mai 1906 : *Marine par temps d'orage* : **FRF 6 700** – Paris, 19 et 20 oct. 1909 : *Marine* : **FRF 2 150** – Londres, 21 fév. 1910 : *Navires sur un fleuve hollandais et marine de B. Peeters* : **GBP 52** – Londres, 23 avr. 1910 : *Pêcheurs et bateaux près d'un quai* : **GBP 105** – Londres, 11 fév. 1911 : *La côte à Scheveningen* : **GBP 162** – Paris, 16 mai 1911 : *L'Estuaire* : **FRF 3 000** – Londres, 19 mai 1911 : *Marine* : **GBP 82** – Londres, 23 fév. 1923 : *Voiliers* : **GBP 27** – Londres, 20 avr. 1923 : *Bateaux de pêche* : **GBP 48** – Paris, 22 nov. 1923 : *Port de pêche sur la Meuse* : **FRF 7 550** – Londres, 28 mars 1924 : *Marine* : **GBP 399** – Paris, 30 mars 1925 : *Paysans et paysannes au marché*, pl. : **FRF 655** – Paris, 12 et 13 juin 1925 : *La rentrée des nasses* : **FRF 21 500** – Londres, 20 nov. 1925 : *Vue de la côte* 1654 : **GBP 399** – Paris, 28 jan. 1929 : *Barques de pêche à l'estuaire d'un fleuve* : **FRF 9 500** – Londres, 8 mars 1929 : *Chaumières au bord d'une rivière* : **GBP 126** – Paris, 6 mai 1929 : *Marine* : **FRF 1 720** – Londres, 26 juin 1929 : *Marine* : **GBP 504** – Bruxelles, 5 mai 1934 : *Vaisseaux de guerre hollandais* : **BEF 9 800** – Genève, 28 août 1934 : *Marine* : **CHF 2 100** – Genève, 25 mai 1935 : *La plage* : **CHF 4 225** – Bruxelles, 11 déc. 1937 : *Le débarquement* : **BEF 6 500** – Londres, 8 juil. 1938 : *La plage de Scheveningen* 1633 : **GBP 325** – Paris, 8 déc. 1938 : *Voiliers au port*, pierre noire : **FRF 1 800** – Londres, 19 mai 1939 : *Scène de rivière* 1638 : **GBP 147** – Londres, 31 mai 1946 : *Côte hollandaise* : **GBP 420** – Paris, 25 avr. 1951 : *Marine, mer houleuse* 1649 : **FRF 120 000** – Paris, 1er juin 1951 : *Le départ* : **FRF 85 000** ; *L'orage* : **FRF 80 000** – New York, 24-27 sep. 1952 :

Marine : **USD 160** – Londres, 7 déc. 1960 : *Bateaux de pêche au large de la côte* : **GBP 800** – Londres, 14 juin 1961 : *Bateaux de pêche au large de la côte* : **GBP 1 300** – Londres, 13 mars 1963 : *Bateaux dans l'estuaire* : **GBP 880** – Paris, 12 déc. 1964 : *Voiliers à l'ancre sur une mer calme* : **FRF 13 000** – Paris, 5 avr. 1965 : *Le retour des pêcheurs* : **FRF 25 000** – Cologne, 28 mars 1969 : *Marine* : **DEM 70 000** – Munich, 27 mai 1971 : *Marine* : **DEM 28 000** – Londres, 8 déc. 1972 : *Bord de mer* : **GNS 14 000** – New York, 6 déc. 1973 : *Pêcheurs sur la plage* : **USD 14 500** – Londres, 27 mars 1974 : *Paysans dormant dans un paysage* : **GBP 9 500** – Amsterdam, 15 nov. 1976 : *Deux hommes dans une barque*, h/pan. (34,5x26,5) : **NLG 50 000** – Zurich, 20 mai 1977 : *Voiliers par grosse mer*, h/pan. (31x42) : **CHF 11 000** – Amsterdam, 29 oct 1979 : *Les murs d'une ville fortifiée*, craie noire et lav. (19,5x29) : **NLG 7 600** – Londres, 30 mars 1979 : *Voiliers sous la brise* 1648 ?, h/pan. (54x70,5) : **GBP 10 000** – Londres, 29 mai 1981 : *Bateaux au large de la côte*, h/pan. (40,6x53,7) : **GBP 10 000** – Londres, 9 déc. 1982 : *Paysage à l'étang, près Morlen*, craie noire, pl. et lav./pap. gris pâle (35,5x28,7) : **GBP 6 000** – New York, 9 juin 1983 : *Bateaux par forte mer*, h/pan. (45x73,5) : **USD 11 000** – Amsterdam, 26 nov. 1984 : *Vue d'un château*, craie noire et lav. de gris (18,1x28,8) : **NLG 6 400** – Amsterdam, 18 nov. 1985 : *Vue d'une ville de Hollande au bord d'un canal*, craie noire et lav. avec touches d'encre brune/deux feuilles jointes (39,3x67,8) : **NLG 98 000** – Amsterdam, 1er déc. 1986 : *Chaumières, puits et église dans un paysage*, craie noire et lav. (20,8x31,6) : **NLG 18 000** – Amsterdam, 14 nov. 1988 : *Frégate avec de petites embarcations en premier plan*, craie et lav. (11,5x17,2) : **NLG 747** ; *Personnages sur un chemin bordé d'arbres un jour de grand vent*, encre et craie (23,5x36,7) : **NLG 41 400** – New York, 11 jan. 1990 : *Paysage côtier avec des embarcations au large*, h/pan. (55,25x97,8) : **USD 770 000** – Amsterdam, 22 mai 1990 : *La Sainte Famille de retour d'Egypte*, h/pan. (54x68) : **NLG 66 700** – Amsterdam, 14 nov. 1991 : *Bâtiment de guerre d'Amsterdam naviguant dans une forte brise avec des caravelles au lointain*, h/pan. (74,8x113,8) : **NLG 724 500** – Londres, 23 avr. 1993 : *Pêcheurs sur une grève* 1642, h/pan. (81,7x133,8) : **GBP 210 500** – Heidelberg, 15-16 oct. 1993 : *Vue d'un canal avec des pêcheurs et un voilier*, lav. brun clair et gris et craie noire (9x17,9) : **DEM 1 750** – Paris, 29 mars 1994 : *Bac dans un paysage de collines*, h/pan. de chêne (54x67,5) : **FRF 220 000** – Amsterdam, 10 mai 1994 : *Saule au bord d'une rivière*, encre et lav./craie noire (28,6x22,8) : **NLG 26 450** – Paris, 28 oct. 1994 : *Pêcheurs sur la plage*, cr. noir et lav. gris (15x26,5) : **FRF 25 000** – Amsterdam, 12 nov. 1996 : *Saules près d'une rivière*, lav./pap. bleu (28,6x22,8) : **NLG 11 800**.

VLIEGER T. de

XVIIIe siècle. Actif au début du XVIIIe siècle. Hollandais.

Peintre de portraits.

VLIEN J.

XIXe siècle. Français.

Sculpteur.

Le Musée de Cherbourg conserve de cet artiste : *Médaillon-plâtre de Julien Eravers*.

VLIERDE Daniel Van

Né le 21 juillet 1716 à Hasselt. XVIIIe siècle. Éc. flamande.

Sculpteur sur bois et sur pierre.

Il sculpta des autels et des statues dans les églises de Beeringen, de Tongres et de Hasselt.

VLIET Dirck Van

XVIIe siècle. Actif à Utrecht de 1616 à 1617. Hollandais.

Peintre.

VLIET Don Van

XXe siècle. Allemand.

Peintre.

Il a montré ses œuvres dans une exposition personnelle en 1988 à la galerie Michael Werner à Cologne.

VLIET Gerard Van

XXe siècle. Hollandais.

Dessinateur d'architectures, peintre.

Il vécut et travailla à Amsterdam.

Musées : Amsterdam (Mus. mun.) : *Vieilles Maisons*.

VLIET Gillis Van

XVIIe siècle. Hollandais.

Silhouettiste.

VLIET Hendrick Cornelisz Van der

Né vers 1611 à Delft. Enterré le 28 octobre 1675 à Delft. XVIIe siècle. Hollandais.

Peintre de figures, portraits, intérieurs, dessinateur.

Il fut élève de son oncle Willem Van der Vliet et de Michiel Zanzoon Mierevelt, puis il entra en 1632 dans la gilde de Delft.

Il peignit d'abord des portraits, puis, adoptant la manière d'Emmanuel de Witte, il produisit des perspectives, des vues d'églises qui furent appréciées. Il sut jouer habilement aussi des effets de clair obscur et on lui doit également des scènes éclairées, à la lumière des torches, dans le goût de Schalcken. Ce fut un habile dessinateur et ses figures sont traitées avec esprit.

Musées : Amsterdam : *Intérieur de la vieille église de Delft* – *Tombeau de Piet Hein dans la même église* – *Portrait d'une dame de qualité* – *Intérieur d'église* – Bordeaux : *Intérieur d'un temple protestant* – Boston : *Intérieur de la nouvelle église de Delft* – Bruxelles : *Intérieur de l'église de Delft* – Châteauroux : *Intérieur d'église* – Cheltenham : *Religieuse* – Cherbourg : *Intérieur d'un temple protestant* – Cologne : *Intérieur d'une église gothique* – Copenhague : *Le vieux soldat* – Dublin : *Intérieur de la nouvelle église de Delft* – Francfort-sur-le-Main : *Intérieur de l'église Saint-Hippolyte à Delft* – La Haye : *Intérieur de la vieille église de Delft* – Kassel : *Intérieur de la vieille église de Delft* – Leipzig : *Intérieur de l'église de Delft* – Manchester : *Deux portraits* – Mayence : *Intérieur d'église* – Munich : *Intérieur de la vieille église de Delft au soleil* – Paris (Mus. du Louvre) : *Deux portraits d'hommes* – Rotterdam : *Intérieur de la nouvelle église de Delft* – Saint-Pétersbourg (Mus. de l'Ermitage) : *Intérieur d'une église de style roman* – Stockholm : *Intérieur de Sainte-Ursule à Delft, avec le tombeau de Guillaume Ier d'Orange* – Tours : *Intérieur d'église*.

Ventes Publiques : Amsterdam, 1711 : *Église avec personnages* : **FRF 190** – Paris, 1854 : *Intérieur d'un temple protestant* : **FRF 580** – Paris, 1882 : *Intérieur d'église* : **FRF 1 900** – Paris, 14-17 mai 1898 : *Intérieur d'une église protestante* : **FRF 410** – Paris, 9-11 avr. 1902 : *Portrait d'un gentilhomme* : **FRF 4 100** – Londres, 5 déc. 1908 : *Portrait de Anna Maria Schvermans* : **GBP 42** – Paris, 15 déc. 1909 : *Vieillard lisant* : **FRF 420** – Londres, 11 et 12 mai 1911 : *Intérieur d'église* : **GBP 63** – Paris, 11 et 12 fév. 1921 : *Intérieur d'église* : **FRF 2 020** – Paris, 28 jan. 1929 : *Intérieur de la Nieuwe Kerk à Delft* : **FRF 11 500** – Berlin, 25 et 26 juin 1934 : *Intérieur de l'église de Delft* : **DEM 820** – Londres, 25 fév. 1938 : *Intérieur de la cathédrale de Delft* : **GBP 110** – Londres, 19 déc. 1941 : *Intérieur de l'Oude Kerk à Delft* : **GBP 273** – Amsterdam, 4 avr. 1951 : *Tombeau dans une église gothique* : **NLG 660** – New York, 12 nov. 1952 : *Intérieur d'église* : **USD 400** – Zurich, 27 et 28 nov. 1952 : *Intérieur de la cathédrale de Delft* : **CHF 550** – Londres, 18 mars 1959 : *Intérieur d'une église gothique* : **GBP 750** – Londres, 21 mars 1962 : *Intérieur d'église* : **GBP 600** – Londres, 4 déc. 1964 : *Intérieur de cathédrale animé de personnages* : **GNS 2 000** – Vienne, 19 mars 1968 : *Intérieur de l'église de Delft* : **ATS 150 000** – Amsterdam, 26 mai 1970 : *Intérieur d'église gothique* : **NLG 9 800** – Londres, 12 juil. 1972 : *Intérieur de l'église de Delft* : **GBP 3 500** – Londres, 7 juil. 1976 : *Intérieur d'église, Delft*, h/pan. (76x65,5) : **GBP 8 500** – Zurich, 20 mai 1977 : *Intérieur de l'église de Delft*, h/t (66x79) : **CHF 8 000** – Amsterdam, 26 mars 1980 : *Paysage d'hiver avec patineurs et traîneaux*, h/t (62,5x85,5) : **NLG 3 600** – New York, 11 juin 1981 : *Intérieur de la Oude Kerk, Delft*, h/t (101,5x121) : **USD 18 000** – New York, 18 jan. 1983 : *Fossoyeur creusant une tombe à l'intérieur de la Niewe Kerk à Delft*, h/t (48,3x43,2) : **USD 14 000** – Londres, 13 fév. 1985 : *Intérieur d'une église gothique*, h/pan. (34,5x30) : **GBP 21 000** – New York, 14 jan. 1988 : *L'intérieur de l'église neuve de Delft* 1662, h/t (93x83) : **USD 148 500** – Londres, 28 fév. 1990 : *Intérieur de la vieille église de Delft* 1662, h/t (95x85) : **GBP 123 200** – New York, 11 jan. 1991 : *Portrait d'un riche bourgeois debout de trois-quarts vêtu d'un habit noir à col et poignets blancs* ; *Portrait d'une dame debout de trois-quarts portant une robe noire à manchettes et modestie blanches, parée de perles et tenant un éventail*, h/t, une paire (92,7x76,2) : **USD 24 200** – Londres, 3 juil. 1991 : *Intérieur d'une église gothique, probablement Saint Laurent de Rotterdam*, h/pan. (87,5x115,5) : **GBP 66 000** – Londres, 5 juil. 1991 : *Intérieur de la cathédrale de Delft animé*, h/pan. (52x43,8) : **GBP 41 800** – Paris, 26 juin 1992 : *Intérieur d'église en Hollande*, h/pan. (46x33,5) : **FRF 180 000** – Londres, 25 fév. 1994 : *Intérieur de la vieille église de Delft depuis le chœur avec un fossoyeur et des personnages*, h. et feuilles d'or/t. (105x90) : **GBP 5 400** – New York, 19 mai 1995 : *Intérieur de la vieille église de Delft avec vue de l'orgue depuis l'aile sud*

1657, h/pan. (73,3x633,5) : **USD 48 300** – Londres, 3 juil. 1996 : *Intérieur de la nouvelle église de Delft avec la tombe de Guillaume le Silencieux, vu depuis l'aile gauche*, h/pan. (59x45,5) : **GBP 12 650**.

VLIET Hendrick Willemsz Van der
Mort en 1650 à Delft. xviie siècle. Hollandais.
Peintre.
Il est le fils de Willem Van der Vliet, ainsi que l'établit la terminaison de son second prénom. On le signale inscrit dans la Gilde de Delft en 1632. Plusieurs auteurs ont voulu l'identifier avec son cousin Hendrik Cornelis, mais la mention de sa mort sur les registres de la ville rend impossible toute confusion.
Ventes Publiques : Orléans, 6 mars 1986 : *Assemblée de famille et de musiciens dans un intérieur* 1640, h/t (158,5x210) : **FRF 2 800 000**.

VLIET Jan
xviie siècle. Hollandais.
Graveur de portraits, illustrateur.
Il vécut et travailla à Leyden. Il a illustré, en 1618, plusieurs volumes de poésie, de J. Cat, d'après les dessins de A. Van Venne.
Musées : Amsterdam : *Portrait d'enfant* – Bruxelles : *Portrait d'homme* – Londres (Nat. Gal.) : *Portrait d'un jésuite* – Nantes : *Tête d'homme chauve* – Tours : *Portrait de femme*.
Ventes Publiques : Londres, 3 déc. 1910 : *Portrait de Anna Maria Sehvermans* : **GBP 18**.

VLIET Jan Joris ou **Georg Van der**
Né vers 1610 à Delft ou à Leyde. xviie siècle. Hollandais.
Peintre et graveur.
Jan Van der Vliet, ou plus communément Van Vliet, a eu l'honneur d'être l'un des premiers collaborateurs de Rembrandt. Il paraît avoir été son élève. En 1631 il est à Leyde près du maître et grave, notamment, d'après Rembrandt, deux estampes fort remarquables : *Le saint Jérôme* et *le Baptême de l'Eunuque*. Certains critiques l'attaquent violemment au sujet de son dessin. Nous nous permettons de ne pas partager cette manière de voir. En admettant, ce qui est probable, que Rembrandt ait largement participé à l'exécution de la gravure du saint Jérôme, l'œuvre est d'une telle valeur qu'on a peine à y associer un artiste secondaire. Van Vliet nous paraît avoir droit à une place fort honorable dans l'école du maître de Leyde. En 1634, il grava, d'après Rembrandt, encore un *Buste de Vieillard* et un *Vieillard les mains jointes*. Il faut encore citer, d'après Van Ryn : *Vieillard avec un Turban à Aigrette, Tête de guerrier, Tête d'oriental avec une toque de fourrure, Vieille femme lisant, Femme riant, Loth et ses filles*, et, d'après Lievens, *Jacob béni par son père, Suzanne et les deux vieillards, La Résurrection de Lazare*. L'œuvre de Jan Van Vliet comprend environ quatre-vingt-dix planches, la plupart d'après Rembrandt. Dans le nombre, d'après ses dessins, il convient de mentionner une suite de vingt-deux planches sur les arts et métiers, les cinq sens. Après 1635, on perd toute trace de lui. Si la date de 1610 est bien celle de sa naissance, il aurait à peine atteint sa vingt-cinquième année : le fait excuserait les inégalités d'exécution dont excipent ses détracteurs.

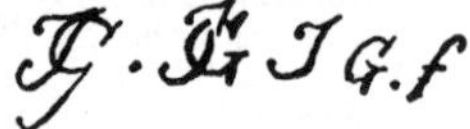

Ventes Publiques : New York, 10 mai 1985 : *Le maçon* vers 1635, eau-forte et burin (21,2x16,2) : **USD 1 000**.

VLIET Willem ou **Willemsz Van der**
Né vers 1583 ou 1584 sans doute à Delft. Mort le 6 décembre 1642 à Delft. xviie siècle. Hollandais.
Peintre d'histoire, scènes de genre, portraits. Classique.
Élève de Jansz Van Mierevelt en 1613, membre de la gilde de Delft, dont il fut le doyen en 1634. Il descendait de la noble famille de Van der Woert. On sait peu de choses de sa vie et ses œuvres sont rares.
Essentiellement portraitiste, il peint selon un style classique proche de celui de Poussin.

Bibliogr. : In : *Diction. de la peinture flamande et hollandaise*, coll. Essentiels, Larousse, Paris, 1989.
Musées : Amiens : *Portrait d'un bourgmestre et de sa femme* 1625 – Amsterdam (Rijksmus.) : *Jeune garçon* 1638 – Bonn : *Portrait d'une dame âgée* – Londres (Nat. Gal.) : *Suitbertus Purmerent* 1631 – Paris (Mus. du Louvre) : *Portrait de femme – Portrait d'homme* 1636 – Utrecht : *Portrait d'homme* 1640.
Ventes Publiques : Paris, 1881 : *Portrait de Cornelius Peeterson* : **FRF 1 720** – Paris, 1888 : *Portrait* : **FRF 925** – Londres, 13 déc. 1978 : *Willem de Lange de Delft ; Maria Pijnacker* 1626, deux h/pan. (114x87) : **GBP 5 000** – Londres, 9 mars 1983 : *Allégorie* 1627, h/t (112x149) : **GBP 30 000** – Orléans, 6 mars 1986 : *Assemblée de famille et de musiciens dans un intérieur* 1640, h/t (158,5x210) : **FRF 2 800 000** – New York, 1er juin 1989 : *Portrait d'un gentilhomme* 1624, h/pan. (81,5x66,7) : **USD 18 700**.

VLIETE Gillis Van den, appelé aussi **Gillis de Malines** ou **Egidio della Riviera** ou **Egidio Fiammingo** ou **Gilles della Vliete** ou **Gillis Fiammingo** ou **Gillis de la Rivière**
Né à Malines. Mort en 1602 à Rome. xvie siècle. Éc. flamande.
Sculpteur, restaurateur.
Il se fixa à Rome en 1567. Il sculpta surtout des tombeaux, dans diverses églises de Rome : le tombeau d'un duc de Clèves, à Santa Maria dell'Anima ; un *Moïse*, à Saint-Jean de Latran ; des bas-reliefs, à Sainte-Marie-Majeure. Il restaura également des antiquités.

VLIETLAND Dirk
xviiie siècle. Hollandais.
Peintre.
On le cite en 1715 dans la gilde de Middelbourg. On mentionne également une œuvre signée de lui avec la date de 1730.

VLINDT Paul. Voir **FLINDT**

VLINT Heinrich ou **Vlyndt**
xvie siècle. Hollandais.
Sculpteur.
Il travaillait à Königsberg dans la seconde moitié du xvie siècle.

VLISSEGHEM Cornelis Frans de
xviie-xviiie siècles. Éc. flamande.
Sculpteur.
Il a sculpté la chaire de l'église de Vlisseghem en 1717.
Ventes Publiques : Versailles, 16 juin 1971 : *Grande flotte naviguant dans la rade d'Anvers* : **FRF 11 000**.

VLIST Leendert Van der
Né en 1894 à Numensdorp. Mort en 1962. xixe-xxe siècles. Hollandais.
Peintre de genre, paysages urbains, marines.
Il vécut et travailla à Leyde.
Musées : Leyde (Mus. mun.) : *Vente de harengs et de pain le 3 octobre 1921*, dess. à la craie.
Ventes Publiques : Amsterdam, 19 sep. 1989 : *Le vieux pont de pierres*, h/t (65,5x110) : **NLG 1 265** – Amsterdam, 6 nov. 1990 : *Vue du Herengracht à Amsterdam*, h/t (43,5x59) : **NLG 4 830** – Amsterdam, 14-15 avr. 1992 : *Le Magere Brug à Amsterdam*, h/t (38,5x58,5) : **NLG 4 830** – Amsterdam, 11 avr. 1995 : *Vue du Magere Brug à Amsterdam*, h/t (40,5x60) : **NLG 3 540** – Amsterdam, 4 juin 1996 : *Port*, h/t (33x50,5) : **NLG 1 770** – Amsterdam, 19-20 fév. 1997 : *Via Santa Lucia, Naples*, h/pan. (22x15,5) : **NLG 2 767**.

VLOEBERGS Francis
xxe siècle. Belge.
Peintre, technique mixte. Abstrait.
Il montre ses œuvres dans des expositions personnelles en Belgique.
Il débuta avec des compositions géométriques, dont les formes au cours des ans se dissolvent pour privilégier la couleur, la matière introduite par des insertions de métal, papier froissé, sable, cendre, ciment...

VLOORS Émile
Né le 31 août 1871 à Borgerhout (Anvers). Mort en 1952 à Anvers. xixe-xxe siècles. Belge.
Peintre de portraits, intérieurs, natures mortes, aquarelliste, peintre de compositions murales, sculpteur.
Il fut élève d'Albert de Vriendt à l'Académie d'Anvers et de l'Institut supérieur des Arts et de Bonnat à l'École des Beaux-Arts de Paris. Il obtint un grand prix de Rome. Il est devenu directeur de l'Académie d'Anvers.
Il prit part en 1911 à l'Exposition universelle de Rome. Il a obtenu de nombreuses récompenses, notamment à Munich.
Il a brossé de grandes compositions décoratives pour l'Opéra

d'Anvers. On lui doit aussi la maquette du monument Peter Benoit à Anvers, et la sculpture intitulée *Jeunesse*.
Musées : Anvers : *Le Chardon bleu* – Bruxelles : *Bulles d'illusion*, aquar. – Paris : *Bulles d'illusion*, peint.

VLOOSWYCK Jan Gysberts
Né sans doute 1610. Mort après 1652. xviie siècle. Actif à Utrecht. Hollandais.
Peintre et marchand de tableaux.

VLUCHT. Voir **MOONS Fr.**

VLUETEN Michiel Van
xve siècle. Éc. flamande.
Peintre.
Élève de Gillis Coudhals. Il travailla pour Charles V.

VLUGT Harald
Né en 1957 à Bergen. xxe siècle. Hollandais.
Peintre de collages, graveur, sculpteur.
Il a séjourné en 1991-1992 à la Maison Van Doesburg à Paris.
Il montre ses œuvres dans des expositions personnelles : 1994 musée municipal de Schiedam, abbaye de Maubuisson, Institut néerlandais à Paris, centre d'art d'Herblay.
À partir de l'histoire de l'art qu'il recycle, il élabore une méthode qu'il définit comme un « baroque minimal » ou « pop art du xviie siècle » avec des sculptures et des collages.

VLUTEN Guillaume ou **Vleuton** ou **Velneton** ou **Veluton**
Mort vers 1450. xve siècle. Travaillant à Paris. Hollandais.
Sculpteur.
Le Musée du Louvre conserve de lui *Anne de Bourgogne, duchesse de Bedford*.

VLYNDT Heinrich. Voir **VLINT**

VLYNDT Paul. Voir **FLINDT**

VLYT Pieter. Voir **CLAESSENS**

VO Enrico
xviie siècle. Travaillant à Rome. Italien.
Mosaïste.
Il a exécuté des mosaïques dans la coupole de la basilique Saint-Pierre de Rome.

VOBERE Simone de. Voir **WOBRECK Simon de**

VOBIS Louis
xve siècle. Actif à Saint-Bonnet de 1416 à 1426. Français.
Peintre.

VOBRE V.
xviiie siècle. Allemand.
Peintre.
Le Musée de Würzburg conserve de lui *Portrait du comte* J. F. B. Schönborn, daté de 1757.

VOCART Élisabeth
Née au xixe siècle à Paris. xixe siècle. Française.
Peintre de portraits.
Élève de Mme Boucher et de P. Daubigny. Elle exposa au Salon de 1861.

VOCHT Pieter de. Voir **HOFSTADT Pieter Van der**

VOCKE Alfred
Né le 24 avril 1886 à Breslau. xxe siècle. Allemand.
Sculpteur, médailleur.
Il fut élève de Philipp-Th. von Gosen et de l'Académie de Breslau.
Musées : Breslau, nom all. de Wroclaw : *Accents nocturnes*.

VOCKEROT Vitus Jeremiaz
Né en 1771 à Augsbourg. xviiie-xixe siècles. Allemand.
Graveur au burin et lithographe.
Élève de Karl Schleich. Il grava les portraits de divers princes allemands.

VOCKHETZ J. G.
xviiie siècle. Actif au début du xviiie siècle. Allemand.
Peintre.
Le Musée National de Munich conserve de lui *Portrait de l'électeur Max Emanuel de Bavière*.

VOCKTHEER Heinrich. Voir **VOGTHERR**

VODEAU
xixe siècle. Travaillant à Saint-Pétersbourg en 1807. Russe.
Peintre de portraits, peintre de miniatures.

VODERT
xviiie siècle. Français.
Graveur au burin.
Il grava des figures et des portraits.

VOEGELI Walter
Né en 1929 à Winterthur (Zurich). xxe siècle. Suisse.
Sculpteur, peintre.
Il suivit un apprentissage de peintre-décorateur, puis fut élève des Écoles des Arts et Métiers de Zurich et de Lucerne. En 1952, il fit un séjour d'un an à Paris. Il vécut et travailla à Berne.
Il expose en Suisse, ainsi qu'à Munich, Amsterdam, Linz, Hambourg, etc.
Il commença à sculpter en 1954. Après avoir expérimenté le fer et l'étain, il découvrit les possibilités du plastique en 1963. Dans des sortes de murs-claustras, constitués par un assemblage de panneaux modulaires en polyester, il joue à la fois des effets d'irisation et de diffusion de la couleur dans les résines synthétiques, et d'effets successifs de creux et de convexe.
Bibliogr. : Jean-Luc Daval, in : *Nouveau diction. de la sculpt. mod.*, Hazan, Paris, 1970.

VOELCKER Gottfried Wilhelm. Voir **VÖLCKER**

VOELCKER Otto Herman Emil ou **Völker**
Né le 5 janvier 1810 à Berlin. Mort le 3 octobre 1848 à Berlin. xixe siècle. Allemand.
Paysagiste.
Élève de Carl Blechen. Le Musée de Berlin conserve de lui un *Paysage italien*.

VOELCKERING Fred ou **Hans Karl Alfred**
Né le 21 août 1872 à Berlin. xixe-xxe siècles. Allemand.
Sculpteur de statues.
Il vécut et travailla à Dresde.
Il sculpta surtout des statues équestres ainsi que des statuettes représentant des motifs empruntés à des courses de chevaux.
Musées : Dresde – Leipzig.

VOELLMY Fritz ou **Völlmy**
Né le 20 mars 1863 à Bâle. Mort en 1939. xixe-xxe siècles. Suisse.
Peintre de paysages, graveur.
Il fut élève de Gustav Schonleber à l'académie des beaux-arts de Karlsruhe. Il visita l'Angleterre, les Pays-Bas, l'Italie. Il figura au Salon de Paris, obtenant une mention honorable, en 1889, à l'Exposition universelle.
Graveur, il privilégia la technique de l'eau-forte.
Musées : Bâle (Mus. Nat.) : *Le Port de Dordrecht – Sur le Lac d'Untersee* – Bâle (Kunsthalle) : *Près de Nervi – Près de Lindau* – Coire : *Accalmie sur le Lac de Constance* – Genève (Mus. Rath) : *Environs de Lindau*.
Ventes Publiques : Lucerne, 19 nov. 1977 : *Le port de Gênes*, h/t (99x138) : **CHF 2 800** – Lucerne, 21 mai 1980 : *Le port de Gênes*, h/t (99x138) : **CHF 2 400**.

VOERDT Van
Éc. flamande (?).
Peintre.
Le Musée de Dunkerque conserve en lui : *Un oiseau de proie, petits oiseaux, paysage*.

VOEREN Goswin Van der
xve siècle. Actif dans la seconde moitié du xve siècle. Éc. flamande.
Sculpteur.
Il travailla pour l'Hôtel de Ville de Louvain.

VOERMAN Hendrick
Mort en 1796. xviiie siècle. Actif à Amsterdam. Hollandais.
Sculpteur.
Il exécuta des reproductions de monuments célèbres, comme le Palais Royal d'Amsterdam et Saint-Pierre de Rome, en utilisant le papier.

VOERMAN Jan
Né le 25 janvier 1857 à Kampen. Mort en 1941. xixe-xxe siècles. Hollandais.
Peintre de paysages animés, paysages, paysages d'eau, fleurs, aquarelliste.
Il fut élève de l'Académie des Beaux-Arts d'Amsterdam, d'Allebé, de Wynveld et de Verlet. Il passa un an à Bruxelles.
Musées : Amsterdam (Mus. mun.) : *Près de Hattem – Forêt – Au bord de la rivière – Chevaux au pâturage* – Dordrecht : *Journée sereine* – La Haye (Mus. mun.) : *Deux paysages au bord de l'Yssel – Deux fleurs* – Rotterdam (Mus. Boymans) : *Le Bois de Veldhous près de Hattem*.

Ventes Publiques : Amsterdam, 22 oct. 1974 : *Un lac, la nuit* : **NLG 4 800** – Amsterdam, 27 avr. 1976 : *Paysage fluvial*, h/pan. (39x62,5) : **NLG 21 000** – Amsterdam, 26 avr. 1977 : *Troupeau dans un paysage*, h/t (30x52,5) : **NLG 10 500** – Amsterdam, 28 oct. 1980 : *Troupeau au pâturage*, gche (27x41,5) : **NLG 3 400** – Amsterdam, 1er oct. 1981 : *Paysage au ciel nuageux*, h/pan. (37x57) : **NLG 12 000** – Amsterdam, 15 mars 1983 : *Troupeau au bord de la rivière Ijssel*, h/t (38x61) : **NLG 7 400** – Amsterdam, 2 mai 1990 : *Bétail dans une prairie en été*, h/t (29,5x41) : **NLG 11 500** – Amsterdam, 30 oct. 1990 : *Asters dans un pot à bière*, h/pan. (40,5x30) : **NLG 6 900** – Amsterdam, 12 déc. 1990 : *Maison près de la digue du Ijssel à Hattem*, h/pap. (19x28) : **NLG 1 495** ; *Embarcations sur l'Ijssel par un jour nuageux*, h/pan. (33,5x51) : **NLG 14 950** – Amsterdam, 18 fév. 1992 : *Vaches blanches et rousses dans une prairie*, h/t (30x44) : **NLG 1 150** – Amsterdam, 22 avr. 1992 : *Barques à voiles sur l'Ijssel avec Hattem à l'arrière-plan*, h/t (42x52) : **NLG 2 990** – Amsterdam, 14-15 avr. 1992 : *Vue de L'Ijssel*, h/pan. (53x74) : **NLG 9 775** – Amsterdam, 2-3 nov. 1992 : *Vaches dans un paysage près de Hattem*, aquar. (32,5x56) : **NLG 10 925** – Amsterdam, 21 avr. 1993 : *Vaches dans une prairie*, h/t/cart. (25x33) : **NLG 4 830** – Amsterdam, 21 avr. 1994 : *Bétail au bord de l'Ijssel près de Hattem*, h/t (46,5x75) : **NLG 17 250** – Amsterdam, 7 nov. 1995 : *Nature morte avec des capucines dans un vase bleu*, aquar. (25x16) : **NLG 7 316** – Amsterdam, 18 juin 1996 : *Vaches dans une prairie*, h/pan. (17,5x28,5) : **NLG 1 610** – Amsterdam, 5 nov. 1996 : *Vue de Hattem avec la maison de l'artiste sur la gauche*, h/t (52x68) : **NLG 14 160** – Amsterdam, 30 oct. 1996 : *Vaches dans une prairie*, h/t (29,5x41) : **NLG 17 298**.

VOERST Cornelis Van der. Voir **VOORT**

VOERST J. R. Van
XVIIe siècle. Hollandais (?).
Peintre.
On cite de lui *Vieille femme avec balance*, œuvre datée de 1637.

VOERST Robert Van ou **Voorst** ou **Vorst**
Né en 1597 à Deventer. Mort entre 1635 et octobre 1636 à Londres. XVIIe siècle. Éc. flamande.
Dessinateur et graveur au burin.
Élève de Crispin de Passe. Il alla jeune en Angleterre et devint graveur de la cour. On lui doit un grand nombre de portraits de grands personnages anglais, dont le dernier en date paraît être de 1635. Les biographes ne sont pas d'accord sur la durée de sa vie. Le Bryan's Dictionary, par exemple, le fait naître en 1600 et mourir en 1669.

V 1631

VOESCHER Leopold Heinrich ou **Voscher**
Né en 1830 à Vienne. Mort le 2 février 1877 à Vienne. XIXe siècle. Autrichien.
Peintre de paysages, paysages de montagne, graveur.
Il fut élève de l'Académie des Beaux-Arts de Vienne et du peintre Hausch. Il résida à Munich et voyagea en Italie et en Suisse. Il mourut fou. Il figura à Munich en 1866, et prit part également aux expositions viennoises, notamment en 1872.
Musées : Graz : *Paysages*, trois œuvres – Kiel (Kunsthalle) – Vienne : *Paysage montagneux*.
Ventes Publiques : Vienne, 26 sep. 1950 : *Été dans le Tessin* 1870 : **ATS 2 500** – Copenhague, 9 nov. 1977 : *Paysage alpestre*, h/pan. (58x73) : **DKK 22 000** – Lindau (B.), 7 oct. 1981 : *Vue du Königsee*, h/t (84x117) : **DEM 6 800** – New York, 25 fév. 1983 : *Voyageurs dans un paysage alpestre*, h/t (47x53,3) : **USD 2 800** – Cologne, 28 juin 1991 : *Hauts sommets dans les Alpes*, h/pan. (58,5x73,5) : **DEM 8 000** – Londres, 27 oct. 1993 : *Rivière alpine*, h/t (62x82) : **GBP 2 415**.

VOET Alexander
Né en 1613 à Anvers (?). Mort en 1689 ou 1690 à Anvers (?). XVIIe siècle. Éc. flamande.
Graveur au burin.
Probablement élève de P. Pontius. En 1628, maître dans la gilde d'Anvers. Il a gravé des sujets de genre et des sujets religieux, d'après Rubens, Van Dyck, etc.

VOET Alexander
Né vers 1637 à Anvers. XVIIe siècle. Éc. flamande.
Graveur au burin.
Il travailla à Rome et fut mentionné à Gand jusqu'en 1689.

VOET Elias, l'Ancien
Né le 5 novembre 1827 à Haarlem. Mort le 21 septembre 1905 à Overveen. XIXe siècle. Hollandais.
Peintre de paysages animés, natures mortes.
Musées : Haarlem (Mus. Frans Hals) : *Nature morte*.
Ventes Publiques : Amsterdam, 2 mai 1990 : *Une famille sur un sentier en été avec un village à distance*, h/pan. (24,5x31,5) : **NLG 6 900**.

VOET Elias, le Jeune
Né le 8 juin 1868 à Haarlem. XIXe-XXe siècles. Hollandais.
Graveur, sculpteur, médailleur.

VOET Jacob Ferdinand ou **Vouet**
Né en 1639 à Anvers, probablement. Mort vers 1700 sans doute à Paris. XVIIe siècle. Actif aussi en Italie. Éc. flamande.
Peintre de portraits.
Il quitta Anvers pour Rome, où il vécut sans doute entre 1670 et 1690, étant peintre de la cour pontificale. On le cite aussi travaillant à Turin, à Anvers et à la cour de France, où il termina sa carrière.
Ses élégants portraits s'inspirent de la manière de Carlo Maratta et de Mignard.
Bibliogr. : In : *Diction. de la peinture flamande et hollandaise*, coll. Essentiels, Larousse, Paris, 1989.
Musées : Berlin : *Portrait du cardinal Dezio Azzolini* – Bruxelles (Mus. roy. des Beaux-Arts) : *Portrait de jeune homme* – Budapest : *Le cardinal Ludovisi* – Chambéry (Mus. des Beaux-Arts) : *Portrait du cardinal Acciaioli – Portrait de l'homme – Portrait de jeune homme* – Chartres : *Sulpicia Chigi, princesse Farnèse* – Florence (Mus. des Offices) : *Autoportrait* – Londres (Nat. Gal.) : *Thomas Burnet* 1675 – Nantes : *Portraits de femme*, trois peintures – *Le chevalier Jean de Souhigaray – Bertrand de Souhigaray – Catherine de Souhigaray* – Rome (Gal. Pallavicini) : *Portrait d'un membre de la famille Rospigliosi Pallavicini* 1672 – *Portrait d'homme – Lorenzo Onofrio Colonna* – Rome (Gal. Spada) : *Pompeo Rocci* – Saint-Pétersbourg (Mus. de l'Ermitage) : *Portrait de jeune femme* – Varsovie : *Orazio Archinto*.
Ventes Publiques : Londres, 25 juin 1928 : *Portrait d'homme* : **GBP 17** – Monte-Carlo, 26 oct. 1981 : *Portrait d'une jeune femmme*, h/t (73x61) : **FRF 28 000** – Milan, 24 nov. 1983 : *Portrait d'homme*, sanguine (42,2x26,8) : **ITL 4 800 000** – Milan, 8 mai 1984 : *Portrait d'une dame de qualité*, h/t (73x59) : **ITL 7 000 000** – Londres, 24 mai 1985 : *Portrait d'une dame de qualité*, h/t (73,8x59,5) : **GBP 5 000** – Londres, 19 mai 1989 : *Portrait d'une dame vêtue de rose avec des broderies bleues et or*, h/t (73,9x58,1) : **GBP 2 750** – Londres, 21 juil. 1989 : *Portrait d'Anna Maria Louisa de Médicis vêtue d'une robe brune brodée de perles*, h/t (71x58,5) : **GBP 8 250** – Londres, 20 avr. 1990 : *Portrait de Lord Philip Percival portant un habit brodé à revers roses sur une chemise blanche et un nœud de cravate rouge* 1680, h/t (76,3x63,5) : **GBP 13 200** – Londres, 6 juil. 1990 : *Portrait d'une jeune dame, présumée Maria Anna Mancini, vêtue d'une robe garnie de dentelle et rubans et portant une parure de perles*, h/t (62,3x53) : **GBP 15 400** – Monaco, 21 juin 1991 : *Portrait d'homme ; Portrait de femme*, h./zinc, une paire de forme ovale (9,5x8) : **FRF 26 640** – Paris, 26 juin 1992 : *Portrait de Maria Hortensia Biscia del Drago*, h/t (71x59) : **FRF 60 000** – Londres, 20 nov. 1992 : *Portrait de John Vrewe en buste, vêtu d'un habit brun et rose et d'une chemise à jabot de dentelle*, h/t (76,2x63,5) : **GBP 7 700** – Londres, 9 déc. 1992 : *Portrait d'un gentilhomme*, h/t (75x60,5) : **GBP 4 620** – Londres, 6 juil. 1994 : *Portrait d'une Lady*, h/t (91x75) : **GBP 4 830** – Paris, 19 déc. 1994 : *Portrait de Marie Mancini*, cuivre (13,5x16,5) : **FRF 18 000** – New York, 19 mai 1995 : *Portrait d'une jeune Lady*, h/t (73x59,7) : **USD 11 500** – Paris, 16 juin 1995 : *Portrait de Diane de Tiange, Duchesse de Nevers*, h/t (70x56,5) : **FRF 53 000** – Milan, 18 oct. 1995 : *Portrait d'un gentilhomme de la famille Rangoni* 1676, h/t (76x67) : **ITL 24 150 000** – New York, 17 oct. 1997 : *Portrait du Cardinal Francesco Nerli*, h/t (125,7x95,3) : **USD 24 150**.

VOET Karel Borchaert
Né en 1670 à Zwolle. Mort en 1743. XVIIe-XVIIIe siècles. Hollandais.
Peintre d'animaux, natures mortes, fleurs.
On le cite en 1692, dans la confrérie à La Haye. Il s'attacha surtout à la représentation des insectes.

voet

Musées : Brooklyn : *Volatiles domestiques – Volatiles sauvages* – La Haye (Mus. mun.) : *Pot avec des raisins et du cactus en fleur* – Schwerin : *Deux natures mortes – Vanitas*.
Ventes Publiques : Cologne, 11 mai 1977 : *Nature morte*, h/t (70x55) : **DEM 5 000**.

VOET Matthys
XVIIe siècle. Éc. flamande.
Peintre.
Il peignit deux tableaux d'autel pour l'église Saint-Paul d'Anvers en 1617 et 1618.

VOETS Charles Louis
Né en 1876 à Bruxelles. XXe siècle. Belge.
Peintre, aquarelliste.
Il étudia aux académies Molenbeek-Saint-Jean et de Bruxelles. Peintre, il a également réalisé des lithographies.
BIBLIOGR. : In : *Dict. biogr. illustré des artistes en Belgique depuis 1830*, Arto, Bruxelles, 1987.

VOGE Francisco Alejandro
Né vers 1731 à Tarragone. XVIIIe siècle. Espagnol.
Sculpteur.
Élève de l'Académie de Madrid.

VOGEL. Voir aussi **VOGL**

VOGEL Adam
Né en 1748 à Vienne. Mort le 30 avril 1805 à Vienne. XVIIIe siècle. Autrichien.
Sculpteur d'ornements.

VOGEL Albert ou **Johann Philipp Albert**
Né le 11 février 1814 à Berlin. Mort le 16 avril 1886 à Berlin. XIXe siècle. Actif à Berlin. Allemand.
Graveur sur bois.
Frère de Otto Vogel. Il travailla beaucoup avec ce dernier. En 1834-1835, on le cite travaillant à Liepzig à l'illustration d'ouvrages, mais il ne tarda pas à aller rejoindre son aîné à Berlin. Il a gravé des sujets religieux et des sujets d'histoire.

VOGEL Andreas ou **André** ou **Vogl**
Né vers 1588. Mort après le 24 novembre 1630. XVIIe siècle. Actif à Dresde. Allemand.
Dessinateur et peintre d'architectures.
Il exécuta des vues de Dresde. Le Cabinet d'estampes de Dresde conserve de nombreuses œuvres de cet artiste.

VOGEL August
Mort le 10 novembre 1932 à Berlin. XXe siècle. Allemand.
Sculpteur, médailleur.
Il figura aux Expositions de Paris, notamment à l'Exposition universelle, où il reçut une médaille d'argent en 1900.

VOGEL Augustin
Né à Salzbourg. Mort en 1616 à Munich. XVIIe siècle. Allemand.
Peintre.
Élève de Georg Hammer à Munich. Il peignit des sujets religieux. Le Musée Germanique de Nuremberg conserve une œuvre de cet artiste.

VOGEL Bernard
Né le 19 décembre 1683 à Nuremberg. Mort en 1737 à Augsbourg. XVIIIe siècle. Allemand.
Graveur au burin et en manière noire, dessinateur.
Il grava des portraits et des sujets de genre. Il travailla à Augsbourg. La Galerie de tableaux Kupeczky fut formée par lui. Le Musée Germanique de Nuremberg conserve une grande collection de portraits gravés par cet artiste.

VOGEL Carl Friedrich Otto. Voir **VOGEL Otto**

VOGEL Christian Leberecht
Né le 6 avril 1759 à Dresde. Mort le 11 avril 1816 à Dresde. XVIIIe-XIXe siècles. Allemand.
Peintre d'histoire, portraits, dessinateur.
Élève de Schenan. En 1800, il fut nommé membre de l'Académie des Beaux-Arts de Dresde, et en 1814, professeur. Il eut une importante activité de critique d'art et de peintre de la cour.
En 1780, il vint peindre une série de portraits chez le comte Solm à Wildenfels.
MUSÉES : DRESDE : *Les fils de l'artiste* – OSLO : *Portraits d'enfants.*

VOGEL Cornelis Jan ou **Johann de**
Né le 29 décembre 1824 à Dordrecht. Mort le 9 mai 1879 à Dordrecht. XIXe siècle. Éc. flamande.
Peintre de paysages animés, paysages, marines.
Il fut élève de Hendrik Frederik Verheggen.

C. J. de Vogel.

MUSÉES : AMSTERDAM : *Automne.*
VENTES PUBLIQUES : PARIS, 1881 : *Paysage* : **FRF 85** – ROTTERDAM, 1891 : *Sous-bois* : **FRF 340** ; *Paysage* : **FRF 260** – PARIS, 22 mai 1900 : *Marine et paysage* : **FRF 136** – LONDRES, 13 juin 1924 : *Un coin d'ombre* : **GBP 4** – LONDRES, 11 fév. 1976 : *Barque de pêcheur* 1865, h/t (66x119) : **GBP 1 100** – AMSTERDAM, 22 avr. 1980 : *Troupeau au pâturage*, h/t mar. (50,5x88,5) : **NLG 5 400** – ZURICH, 10 nov. 1982 : *Troupeau dans un paysage*, h/t mar./pan. (52x90,5) : **CHF 10 000** – LONDRES, 21 mars 1984 : *Biches dans une clairière*, h/t (80x63,5) : **GBP 1 300** – ZURICH, 8 juin 1985 : *Troupeau à l'orée du bois*, h/cart. (52x90) : **CHF 6 000** – AMSTERDAM, 19 sep. 1989 : *Paysage avec une ferme*, h/pan. (30x52,5) : **NLG 2 185** – AMSTERDAM, 30 oct. 1990 : *Bergère et son troupeau dans une forêt*, h/t (126x99) : **NLG 9 775** – LONDRES, 16 mars 1994 : *Route de campagne en Hollande*, h/pan. (61x85) : **GBP 5 980** – AMSTERDAM, 19 avr. 1994 : *Paysage estival avec du bétail sous les arbres*, h/t (64x98) : **NLG 3 680** – AMSTERDAM, 11 avr. 1995 : *Berger et son troupeau dans un paysage boisé*, h/pan. (40,5x34,5) : **NLG 5 900** – AMSTERDAM, 27 oct. 1997 : *Une route de campagne*, h/pan. (27x38,5) : **NLG 8 496**.

VOGEL Franz ou **Vogl**
Né en 1754. Mort le 6 avril 1836 à Vienne. XVIIIe-XIXe siècles. Autrichien.
Sculpteur.
Il travailla pour l'église des Frères Mineurs de Vienne.

VOGEL Franz Anton
Né à Mehrerau. XVIIe siècle. Autrichien.
Peintre.
Il exécuta des peintures dans l'église de Hofen sur le Lac de Constance.

VOGEL Georg
Né en 1767 à Nuremberg. Mort vers 1810. XVIIIe-XIXe siècles. Allemand.
Dessinateur et graveur au burin.
Il grava des illustrations de livres. Le Musée Germanique de Nuremberg conserve de lui *Arbre généalogique de la famille Fürer.*

VOGEL Georg
XIXe siècle. Actif à Vienne en 1838. Autrichien.
Peintre d'histoire.
Probablement identique à Georg VOGL.

VOGEL Georg Ludwig. Voir **VOGEL Ludwig**

VOGEL Gergely ou **Grégoire** ou **Vogl** ou **Fogel**
Né en février 1717 à Vac. Mort le 21 avril 1782 à Budapest. XVIIIe siècle. Hongrois.
Peintre.
Il peignit à fresque et des portraits.

VOGEL Heinrich Wilhelm Ed.
Né le 31 mai 1818 à Hilburghausen. Mort le 8 janvier 1904 à Hilburghausen. XIXe siècle. Allemand.
Peintre.
Élève de Ludwig Doel à Altenbourg. Le Musée de Hildburghausen conserve de lui *L'artiste, La mère de l'artiste, La femme de l'artiste*, et le Musée National de Munich, *Portrait de la reine Thérèse.*

VOGEL Hermann ou **Vogel-Plauen**
Né le 16 octobre 1854 à Plauen. Mort le 22 février 1921 à Krebes (Vogtland). XIXe-XXe siècles. Allemand.
Dessinateur, illustrateur.
Il fut élève de l'académie des beaux-arts de Dresde. Il fut membre fondateur de la Société des Artistes Allemands.
Il subit l'influence de Richter, qu'il eut comme professeur, et de Schwind. Il illustra un grand nombre de contes et de légendes allemandes.
BIBLIOGR. : Marcus Osterwalder : *Dict. des illustrateurs 1800-1914*, Ides et Calendes, Neuchâtel, 1989.
MUSÉES : PLAUEN.

VOGEL Hermann
Né en 1856 à Flensburg. Mort le 14 octobre 1918 à Paris. XIXe-XXe siècles. Actif et naturalisé en France. Allemand.
Peintre, dessinateur, illustrateur, graveur.
Il se fixa tôt en France. Il exposait régulièrement ses peintures à Paris, au Salon des Artistes Français, dont il fut membre sociétaire en 1909 avec une médaille de troisième classe, puis médaille de deuxième classe en 1911. Il avait obtenu aux Expositions universelles de Paris une mention honorable dès 1889, une médaille de bronze en 1900.

Il eut surtout une importante activité d'illustrateur, notamment de journaux et livres pour la jeunesse, collaborant aux publications : *Journal de la Jeunesse*, *Lectures pour tous*, ainsi que, dans un autre registre : en 1879 *Le Charivari*, en 1889-1890 *La Caricature*, en 1889 *Courrier français*. Il illustra un grand nombre d'ouvrages des éditions Hachette, surtout dans la collection de la *Bibliothèque rose* : en 1907 *Les Aventures de David Balfour* de R. L. Stevenson, en 1911 *La Pupille du bon'homme* de P. Mahël, en 1921 *La Dernière des Villemarais* de H. A. Dourliac, et encore chez le même éditeur : *Trente et quarante* d'Edmond About, *Un fils de capitaine* de Nanteuil, *Père et fils* de Madame Witt, etc. Pour d'autres éditeurs, il illustra, entre autres : *L'Écornifleur* de Jules Renard chez Arthème Fayard, *Henri IV* de Montorgueil chez Boivin, et collabora à l'illustration d'une édition des *Contes* de Charles Perrault, de *La Petite Sœur* d'Hector Malot. Nombre de ses illustrations sont des gravures sur bois. Sa vision d'illustrateur est fidèlement réaliste, servie par un trait fin apte à décrire le détail.

BIBLIOGR. : Marcus Osterwalder, in : *Dict. des illustrateurs 1800-1914*, Ides et Calendes, Neuchâtel, 1989.

VOGEL Hermann
Né le 10 avril 1858 à Görliltz. Mort le 18 mai 1936 à Görliltz. XIXe-XXe siècles. Allemand.
Peintre de portraits.

MUSÉES : GÖRLITZ (Mus. Kaiser-Friedrich) : *Portrait du maire Demiani.*

VOGEL Hugo
Né le 15 février 1855 à Magdebourg. Mort le 26 septembre 1934 à Berlin. XIXe-XXe siècles. Allemand.
Peintre d'histoire, scènes de genre, portraits.

Il fut élève de l'Académie de Düsseldorf, dans les ateliers de Karl Franz E. von Gebhardt et de August W. Sohn. En 1886, il s'établit à Berlin. En 1888-1889, il fut professeur à l'Académie de Berlin et en 1892, membre de cette compagnie. Il fut médaillé à Berlin en 1883 et 1891, à Leipzig en 1897, à Berlin en 1900, et à Paris en 1900 à l'Exposition universelle avec une médaille de bronze. On cite de lui : *Friedrich Wilhelm le grand électeur*, *Après le Baptême*, *Portrait de Rudolf Virchow.*

MUSÉES : BERLIN (Gal. Nat.) : *Mère et enfant dans une tonnelle* – DRESDE : *Portrait de Hindenburg* – HAMBOURG : *La Vue du Sénat à l'Hôtel de Ville*, esquisse – *Le Bourgmestre Versmann* – *Luther prêchant à la Wartbourg* – HANOVRE : *Hindenburg et Ludendorff* – KARLSRUHE : *Mère italienne avec son enfant* – MAGDEBOURG : *Mère avec sa fillette sur un banc de jardin* – VIENNE (Gal. Liechtenstein) : *Repos du dimanche.*

VOGEL Janos Konrad. Voir **VOGL**

VOGEL Johan Lodewyk
XVIIIe siècle. Travaillant vers 1740. Hollandais.
Paysagiste, peintre de vues, aquarelliste et dessinateur.

VOGEL Johann ou **Vogl**
Né le 6 mai 1766 à Vienne. Mort le 9 mars 1836 à Vienne. XVIIIe-XIXe siècles. Autrichien.
Sculpteur.

Il sculpta des anatomies.

VOGEL Johann Christoph
Mort vers 1750. XVIIIe siècle. Actif à Nuremberg. Allemand.
Dessinateur et graveur au burin à la manière noire.

On cite de lui le portrait de *J. L. Hirschmann*. Il grava aussi le portrait de son père et de diverses personnalités de son époque.

VOGEL Johann Friedrich
Né le 17 décembre 1829 à Ansbach. Mort le 13 février 1895 à Munich. XIXe siècle. Allemand.
Graveur.

Élève de l'Institut Mayer à Nuremberg, de A. Reindel et de L. Sichling à Leipzig. On cite de lui *Les joueurs* d'après Knaus. Il a gravé des sujets d'histoire et des paysages. Médaille à Paris en 1865.

VOGEL Johann Jakob
Mort le 6 mai 1727 à Bamberg. XVIIIe siècle. Allemand.
Stucateur.

Il fut l'un des principaux maîtres dans l'art des stucatures à Bamberg et aux environs de cette ville. Il fut l'ancêtre d'une nombreuse famille de stucateurs de Bamberg.

VOGEL Johann Paul. Voir **VOGL**

VOGEL Johannes Gysbert, l'Ancien
Né en 1649 à Grertruidenberg. Enterré en 1728 à La Haye. XVIIe-XVIIIe siècles. Allemand.
Peintre.

Il eut pour maîtres Nicolas Maes, à Dordrecht, et Jan de Baen à La Haye. Il fut inscrit dans la confrérie des peintres de cette dernière ville en 1760 et en devint membre le 8 décembre 1760. Il épousa le 1er septembre 1680, Anna Catharina Geselle et demeura à La Haye jusqu'à sa mort.

VOGEL Johannes Gysbert, le Jeune
Né le 25 juin 1828 à Hooge-Zwaluw. Mort le 15 mai 1915 à Velp. XIXe-XXe siècles. Hollandais.
Peintre de portraits, paysages, paysages d'eau.

Il fut élève de Andr. Sehelfhont.

MUSÉES : AMSTERDAM : *Bruyère dans le Brabant septentrional* – LA HAYE (Mus. comm.) : *Bois et bruyère.*

VENTES PUBLIQUES : AMSTERDAM, 25 avr. 1978 : *Bateaux à l'ancre*, h/t (94,5x71,5) : **NLG 11 500** – AMSTERDAM, 15 mars 1983 : *Paysage montagneux boisé*, h/t (80x120) : **NLG 9 000** – LONDRES, 26 fév. 1988 : *Beauté orientale*, h/t (99x72,5) : **GBP 1 320** – AMSTERDAM, 14-15 avr. 1992 : *Moutons sur la lande* 1869, h/t (53x81) : **NLG 2 300** – AMSTERDAM, 20 avr. 1993 : *Voiliers sur une rivière hollandaise* 1887, h/pan. (21,5x33) : **NLG 4 370** – AMSTERDAM, 19 avr. 1994 : *Moulin dans un paysage de polder* 1891, h/t (46x28) : **NLG 3 450.**

VOGEL Louise
Née à Iéna. XIXe siècle. Travaillant de 1830 à 1855. Allemande.
Graveur.

Élève de Reindel. Elle a gravé des sujets religieux.

VOGEL Ludwig ou **Georg Ludwig**
Né le 10 juillet 1788 à Zurich. Mort le 28 août 1879 à Zurich. XIXe siècle. Suisse.
Peintre d'histoire, scènes de genre, paysages animés, paysages, graveur, dessinateur.

Il fut élève de H. Füssli et de C. Gessner et en 1808, de l'Académie des Beaux-Arts de Vienne. En 1810, il vint à Rome avec Overbeck, Pforr et Hottinger. Il y fut l'un des premiers fondateurs de la Confrérie de Saint-Luc, qui se donnait pour modèles les peintres de la Renaissance classique italienne, et surtout Raphaël. Il visita encore Florence et quelques autres villes italiennes et retourna dans sa ville natale en 1813. Il a gravé principalement des sujets de genre.

MUSÉES : BÂLE : *Mort de Winkelried à Sempach* – *Le bain de roses* – BERNE : *La bataille de Grandson* – SOLEURE : *Capucin dans un village* – ZURICH (Kunsthaus) : *L'intérieur de la chapelle de Tell* – *L'entrée de Zurich dans la Confédération* – *La vaillante fédérée dans la guerre souabe.*

VENTES PUBLIQUES : LUCERNE, 27 nov. 1970 : *Paysage d'Italie* : **CHF 5 800** – BERLIN, 5 déc. 1986 : *Vue de Rome*, craie noire et reh. de blanc/pap. bleu gris (20,3x26,8) : **DEM 8 500** – ZURICH, 4 juin 1992 : *À Mariahilf près de Fribourg*, cr. et reh. de blanc/pap. (21,5x27,5) : **CHF 2 034** – LONDRES, 1er oct. 1993 : *Personnages sur un chemin boisé au crépuscule avec St-Pierre de Rome au lointain*, h/t (23,6x30,5) : **GBP 2 875.**

VOGEL Margarete. Voir **ROOSENBOOM Margarete**

VOGEL Matthäus
XVIIIe siècle. Actif à Vienne dans la seconde moitié du XVIIIe siècle. Autrichien.
Sculpteur.

Il sculpta des statues pour l'église Saint-Augustin de Vienne en 1770.

VOGEL Melchior
Né en 1814 à Zurich. Mort en 1849. XIXe siècle. Suisse.
Dessinateur et graveur au burin.

Élève de l'Académie de Munich.

VOGEL Otto ou **Carl Friedrich Otto**
Né le 15 janvier 1816 à Berlin. Mort le 3 février 1851 à Berlin. XIXe siècle. Allemand.
Graveur sur bois.

Frère d'Albert. Il grava d'après Menzel et aussi des illustrations pour les œuvres de Shakespeare et de Frédéric II.

VOGEL Peter
Né en 1937. XXe siècle. Allemand.

Sculpteur.
À Thonon-les-Bains, il est représenté par la galerie Galise Petersen. Il réalise des cyberstructures, architectures abstraites composées de micro-éléments qui évoquent des circuits électriques.

VOGEL Peter de ou **Vogle** ou **Volgue**
xve siècle. Actif à Bruxelles dans la seconde moitié du xve siècle. Éc. flamande.
Sculpteur de statues, bas-reliefs.
Il exécuta des statues, des portails, des autels et des stalles pour plusieurs églises des Flandres.

VOGEL Pierre
Né le 7 mai 1938 à Genève. xxe siècle. Suisse.
Peintre de paysages, graveur, peintre de décors de théâtre, illustrateur.
Après une adolescence mouvementée pendant laquelle il parcourt le monde, vivant aux U.S.A. ou travaillant dans une mine de Suède, Pierre Vogel revient en 1960 à Genève et décide de se consacrer à la peinture. Intéressé également par le cinéma, il tourne en 1961 son premier film et fait ensuite diverses expériences photochimiques sur la pellicule.
Vogel expose depuis 1960 régulièrement à Genève, Göttingen, Berlin, Carouge, Munich. Il montre ses œuvres dans des expositions personnelles au musée de l'Athénée de Genève en 1967.
Au début influencé par Klee pour lequel il ne cache pas son admiration, Vogel peint d'abord des souvenirs de voyages et accentue l'aspect minéral de ses paysages désertiques d'Arizona ou du Nouveau-Mexique. Sa peinture évolue ensuite jusqu'à des formes organiques fortement érotisées, parfois monstrueuses. L'organique dans son aspect sexuel, a en effet longtemps obsédé Vogel, qui peint attributs sexuels et entrailles dans d'inquiétants amalgames anatomiques. Plus récemment, les œuvres ont acquis un certain mystère en raison même d'une imprécision des formes, et sont devenues ainsi encore plus inquiétantes. Il est aussi à remarquer que pour donner un sentiment de durée, Vogel utilise souvent les effets d'une mise en page cinématographique, jusqu'à figurer purement et simplement le déroulement d'une pellicule. Il a en outre réalisé des décors de théâtre, des films et des illustrations.

VOGEL Reinhard ou **Berthold Reinhard**
Né le 2 septembre 1821 à Marienberg-en-Westerwald. Mort le 7 août 1876 à Wiesbaden. xixe siècle. Allemand.
Sculpteur.
Élève de l'Académie de Berlin. Il fut tourneur en ivoire. Le Musée de Wiesbaden conserve de lui *Buste de la duchesse Pauline de Nassau.*

VOGEL Sigismund von
Né à Dresde. xviie siècle. Allemand.
Graveur au burin.
Il travailla pour la cour de Stockholm, et grava surtout des portraits, des arbres généalogiques et des antiquités.

VOGEL Zygmunt
Né le 15 juin 1764 à Wolezyn (?). Mort le 20 avril 1826 à Varsovie. xviiie-xixe siècles. Polonais.
Peintre de vues et architecte.
Il fit ses études avec Nax et Kiel puis revint à Varsovie, où il travailla dans l'atelier du roi. Comme boursier du roi, il fit un voyage à Cracovie et dans les environs pour faire des paysages du pays. Entre 1785 et 1786, il exécuta plusieurs dizaines de vues de Varsovie, dont treize étaient d'assez fidèles reproductions des toiles de Bellotto qui décoraient le château de Varsovie. De 1787 à 1800, il parcourut la Pologne, peignant à l'aquarelle des vues de châteaux, de ruines, vieux bourgs, et résidences. Il fut, en Pologne, le second peintre de « vedute ». En 1790, il prit part comme soldat à la défense de son pays. Après la guerre, en 1804, il devint professeur au Lycée de Varsovie et, en 1807, professeur d'architecture à l'École d'artillerie. En 1817, il fut nommé professeur de peinture à l'Université de Varsovie par l'empereur Alexandre Ier et décoré l'année suivante. Il exposa à Varsovie en 1818 et en 1821.
Ventes Publiques : Munich, 17 mai 1966 : *Vue du château de Varsovie*, aquar. : **DEM 4 000.**

VOGEL VON VOGELSTEIN Carl Christian
Né le 26 juin 1788 à Wildenfels. Mort le 4 mars 1868 à Munich. xixe siècle. Allemand.
Peintre d'histoire, portraits, intérieurs, aquarelliste, graveur.
Fils du peintre de la cour Christian Leberecht Vogel. Élève de son père et de l'Académie de Dresde. En 1820, il devint professeur à cette Académie. En 1824, peintre de la cour où il fut anobli en 1831, et membre des Académies de Berlin, Vienne, Saint-Pétersbourg, Madrid, Copenhague et Venise. Il visita Londres, l'Italie et se retira à Munich.
Vogel von Volgenstein est avant tout célèbre pour ses portraits : de son père et parmi ses modèles les plus connus : des rois de Saxe et de Hollande et le pape Pie VII, les peintres Canova, Overbeck, Veit, Friedrich, le sculpteur Thorwaldsen.
Musées : Bâle : *Vierge et Enfant Jésus sur un trône – Le peintre J. C. Miville* – Berlin : *Ludwig Tiecks* – Breslau, nom all. de Wroclaw : *Ludwig Tiecks* – Dresde : *Pie VII – Frédéric Auguste de Saxe – Jean de Saxe – Johann Gotthold von Quandt – Mme von Quandt – Le professeur Förster – Scène du Faust de Goethe – Mme Foerster* – Dresde (Kupferstich Kabinett) : sept cents portraits – Florence : *L'artiste* – Leipzig (Mus. des Beaux-Arts) : *David d'Angers sculptant le buste de Ludwig Tieck* 1834 – *Frédéric Auguste II, roi de Saxe* – Prato : *Dante Alighieri – Goethe – Le Christ entouré d'enfants.*
Ventes Publiques : Londres, 4 fév. 1972 : *Portrait d'Alexander von Laska* : **GNS 300** – Munich, 29 mai 1976 : *Enfants dans un intérieur*, aquar. (27,5 x19,5) : **DEM 750** – Londres, 26 nov. 1986 : *Portrait du Duc Ferdinand Saxe-Coburg* 1816, h/t (126x93) : **GBP 16 000** – Heidelberg, 12 oct. 1991 : *Petite fille assise*, lav. avec reh. d'encre de coul. (27,8x19,7) : **DEM 1 900** – Londres, 17 juin 1992 : *Portrait d'une dame en costume régional* 1843, h/cart. (47,5x40,5) : **GBP 2 420** – Londres, 20 mai 1993 : *Portrait d'une Princesse de Saxe portant une robe rose et une cape bordée d'hermine, en buste* 1838, h/cart. (25,4x20,3) : **GBP 18 400** – Vienne, 29-30 oct. 1996 : *Portrait de Friedrich von Amerling* 1837, h/t (46x39) : **ATS 850 000.**

VOGEL JÖRGENSEN Aage
Né le 20 juin 1888 à Copenhague. xxe siècle. Danois.
Peintre.
Il fut élève de Harald Giersing. Il vécut et travailla à Vibehave.

VOGEL JÖRGENSEN Else, née **Schröder**
Née le 29 mai 1892 à Snertinge. xxe siècle. Danoise.
Peintre.
Elle fut élève de Holger K. Grönvold, de P. Rostrup-Boyesen et de Valdemar H. N. Irminger. Elle vécut et travailla à Copenhague.

VOGELAAR J.
Né le 23 novembre 1865 à Dinteloord. xixe-xxe siècles. Hollandais.
Peintre de paysages.
Il fut élève de W. Witsen.

VOGELAAR Léon
Né en 1875 à Liège. xxe siècle. Belge.
Sculpteur de statues, bustes.
Il fut élève de l'académie des beaux-arts de Bruxelles.
Il a réalisé de nombreux monuments, notamment pour l'Hôtel de ville de Saint-Gilles, pour l'église du Sablon et la collégiale de Saint-Michel et Sainte-Gudule à Bruxelles, le monument aux morts de Jette-St-Pierre.
Bibliogr. : In : *Dict. biogr. illustré des artistes en Belgique depuis 1830*, Arto, Bruxelles, 1987.

VOGELAARE Livinus de
xviie siècle. Travaillant à Bruxelles vers 1600. Éc. flamande.
Peintre.

VOGELAER Claes Pietersz Van de
xvie siècle. Actif à Utrecht dans la seconde moitié du xvie siècle. Hollandais.
Peintre verrier.

VOGELAER Karel Van, dit **Distelbloom** ou **Carlo dei Fiori**
Né en 1653 à Maestricht. Mort le 8 août 1695 à Rome. xviie siècle. Hollandais.
Peintre de natures mortes, fleurs et fruits.
Outre ses propres surnoms faisant allusion à sa spécialité de peintre de fleurs, il est bizarrement fait mention d'un certain Mars, qui serait le pseudonyme d'un sien frère, sinon totalement inconnu. Il fit son éducation dans sa ville natale puis il travailla à Rome, à Lyon, et à Paris. De retour à Rome, il fut fréquemment employé par Carlo Maratti.
Musées : La Fère : *Fleurs* – Hanovre : *Gibier mort* – Rome (Borghèse) : *Fruits – La Sibylle de Cumes* – Stockholm : *Gibier mort,*

fusil, fruits - Églantines - Œillets - VIENNE (Gal. Liechtenstein) : *Vase de fleurs.*

VENTES PUBLIQUES : LONDRES, 27 juin 1929 : *Fleurs dans un vase* : **GBP 102** - PARIS, 16 mars 1959 : *Vase de fleurs* : **FRF 340 000** - PARIS, 29 mars 1960 : *Vase de fleurs* : **FRF 3 500** - LONDRES, 20 mars 1964 : *Nature morte aux fleurs* : **GNS 700** - NEW YORK, 25 mars 1982 : *Natures mortes aux fleurs*, h/t, une paire (61x46) : **USD 10 000** - MILAN, 29 mars 1983 : *Nature morte aux fleurs et aux fruits*, h/t (95x74) : **ITL 18 000 000** - LONDRES, 4 avr. 1986 : *Nature morte aux fleurs*, h/t, une paire (132,2x98,7) : **GBP 19 000** - LONDRES, 10 avr. 1987 : *Nature morte au vase de fleurs*, h/t (59,5x46,5) : **GBP 28 000** - LONDRES, 7 juil. 1989 : *Nature morte d'une composition florale dans une urne sculptée sur un entablement*, h/t (74,5x63,5) : **GBP 8 250** - NEW YORK, 1er juin 1990 : *Nature morte d'une composition florale dans une urne sculptée devant un paysage*, h/t, une paire (129,5x93) : **USD 66 000** - NEW YORK, 10 jan. 1991 : *Nature morte de fleurs dans une urne avec un oiseau perché sur une pêche sur un entablement*, h/pan. (44,5x31) : **USD 20 900** - LONDRES, 21 avr. 1993 : *Nature morte de fleurs dans une urne sur un entablement*, h/t (72,5x56,6) : **GBP 20 700** - NEW YORK, 20 mai 1993 : *Nature morte de coquelicots, anémones, soucis et autres fleurs dans un vase dans un paysage*, h/t (66,7x52,1) : **USD 10 925** - LONDRES, 10 déc. 1993 : *Composition florale dans une urne sur un piédestal dans un paysage*, h/t (67,6x53,1) : **GBP 9 775** - NEW YORK, 11 jan. 1996 : *Nature morte de fleurs dans un vase de verre, rose noire*, h/t (62,9x48,9) : **USD 46 000** - PARIS, 2 juin 1997 : *Vase de fleurs*, t., deux pendants (65x49) : **FRF 210 000**.

VOGELAER Nicolaes
XVIe siècle. Travaillant à Amsterdam en 1590. Hollandais.
Peintre.

VOGELAER Pieter
Né en 1641 à Zierikzee. Mort vers 1720. XVIIe-XVIIIe siècles. Éc. flamande.
Peintre de marines, dessinateur, orfèvre et graveur à l'eau-forte.
Le Musée d'Amsterdam conserve de lui *Les pêcheurs de harengs de Hollande.*

VOGELAERE Alfons-Jan de
Né en 1922 à Gand. XXe siècle. Belge.
Peintre, dessinateur. Tendance abstraite.
Professeur de l'Académie de Gand, il a reçu le Premier Prix « Arts Plastiques » de la province de Flandre orientale en 1949. Il s'intéresse particulièrement à la peinture et au dessin.

BIBLIOGR. : In : *Diction. Biogr. Ill. des Artistes en Belgique depuis 1830*, Arto, 1987.

MUSÉES : BRUXELLES (Bibl. roy.) - GAND - OSTENDE.

VÖGELE Alois
Né à Fiss. Mort en 1862 à Munich. XIXe siècle. Autrichien.
Peintre de compositions religieuses.
Il fut élève de l'Académie de Munich.

VÖGELE Anton
Né le 10 juin 1860 à Innsbruck. Mort le 23 septembre 1924 à Buenos Aires. XIXe-XXe siècles. Depuis 1884 actif en Argentine. Autrichien.
Sculpteur.
Il fut élève de l'académie des beaux-arts de Vienne.

VÖGELE Josef
XVIIe-XVIIIe siècles. Travaillant à Innsbruck de 1691 à 1705. Autrichien.
Sculpteur sur bois.
Il exécuta des sculptures sur bois pour l'église Notre-Dame et celle de l'hôpital d'Innsbruck.

VÖGELE Mathias
XVIIIe siècle. Travaillant à Innsbruck de 1734 à 1756. Autrichien.
Sculpteur sur bois.
Il sculpta des autels et des grilles pour des églises d'Innsbruck.

VOGELER Heinrich Johann ou **Johann Heinrich**
Né le 12 décembre 1872 à Brême. Mort le 14 juin 1942 au Kazakhstan (URSS). XIXe-XXe siècles. Allemand.
Peintre, dessinateur, illustrateur, graveur.
Il fut élève de Peter J. T. Janssen et de Kampf, à l'Académie de Düsseldorf. Il se fixa à Worpswede, où il fréquenta la colonie d'artistes y résidant. Il fut aussi artisan, fondant notamment un atelier de meuble avec son frère, décorateur et poète. Se ralliant à l'idéologie communiste découverte pendant la Première Guerre mondiale, il s'installe en URSS.
Il exposa au Palais des Glaces de Munich.
Avec les peintres du groupe de Worpswede, il poursuivit un idéal de retour à la nature âpre et authentique et de religiosité panthéiste. Il travailla aussi comme illustrateur, notamment de contes pour enfants. Également graveur, il privilégia la technique de l'eau-forte.

BIBLIOGR. : Hans Herman Rief : *Heinrich Vogeler. Das graphische Werk*, J. H. Schmalfeldt, Brême, 1974.

MUSÉES : BRÊME : *Commencement de l'été - Fleurs dans le jardin de l'artiste* - DRESDE : *La Vieille Maison de l'artiste à Worpswede - Rêves.*

VENTES PUBLIQUES : MUNICH, 29 avr. 1976 : *Les sept corbeaux*, pl. (24,5x18) : **DEM 3 900** - HAMBOURG, 3 juin 1977 : *L'attente* 1912, h/t (100,2x101,3) : **DEM 24 000** - MUNICH, 30 nov 1979 : *Im Mai* 1897, eau-forte en brun : **DEM 2 600** - BRÊME, 20 oct 1979 : *La statue dans le parc*, h/cart. (42x31) : **DEM 15 000** - COLOGNE, 17 mai 1980 : *Cygne en vol*, cr. (18x23,5) : **DEM 3 300** - COLOGNE, 30 mai 1981 : *Printemps*, pl./trait de cr. (25x21) : **DEM 4 000** - BRÊME, 6 mars 1982 : *L'Annonciation* 1895, eau-forte (24,8x20) : **DEM 7 500** - BRÊME, 10 nov. 1984 : *Im Mai* 1897, eau-forte et aquat. (34x25) : **DEM 2 900** - HAMBOURG, 9 juin 1984 : *Têtes* 1921, craies de coul. (26,7x23,5) : **DEM 2 700** - BRÊME, 19 avr. 1986 : *Mühle im Teufelsmoor*, h/t (73x55,5) : **DEM 70 000** - BERLIN, 23 mai 1987 : *Printemps* 1896, eau-forte (34,3x24) : **DEM 5 600** - LONDRES, 30 juin 1987 : *Der Barkenhoff in Worpswede* vers 1910, h/cart. (60x45) : **GBP 18 000** - MUNICH, 26 mai 1992 : *L'alouette - autoportrait* 1899, eau-forte en brun (14x14) : **DEM 2 300** - LONDRES, 20 mai 1993 : *Printemps* 1896, eau-forte (34,2x24,3) : **GBP 1 840** - HEIDELBERG, 15 oct. 1994 : *Les sept cygnes* 1898, aquat. en vert (24,6x14,9) : **DEM 1 900**.

VÖGELER Johannes
XVIIIe siècle. Autrichien.
Peintre.
Il peignit le plafond de l'église de Steeg en Tyrol.

VOGELESANCK. Voir aussi **VOGELSANG**

VOGELESANCK F. V. von
XVIIe-XVIIIe siècles. Actif à la fin du XVIIe siècle et au début du XVIIIe siècle. Suédois.
Peintre de genre.

VÖGELI Emma
Née le 10 novembre 1859 à Ravensbourg. XIXe siècle. Suisse.
Peintre.
Elle s'établit à Zurich.

VÖGELI Gustav
Né le 11 août 1803 à Zurich. Mort le 29 décembre 1861. XIXe siècle. Suisse.
Peintre amateur.

VOGELIUS Paul August Giern
Né le 11 février 1862 à Copenhague. Mort le 3 juillet 1894 à Troense. XIXe siècle. Danois.
Peintre et illustrateur.
Il fit ses études à Munich et à Paris.

VOGELMANN Carl
XVIIIe siècle. Actif dans la seconde moitié du XVIIIe siècle. Allemand.
Modeleur sur porcelaine.
Il travailla pour la Manufacture de Kelsterbach. Les Musées de Berlin, de Halle, de Mannheim et de Nuremberg conservent des œuvres de cet artiste.

VOGELS Guillaume
Né le 9 juin 1836 à Bruxelles. Mort le 9 janvier 1896 à Ixelles. XIXe siècle. Belge.
Peintre de scènes de genre, paysages animés, paysages, paysages d'eau, marines, natures mortes, décorateur.

Autodidacte, il fut d'abord entrepreneur de peinture en bâtiment, puis fut amené à décorer les vérandas des belles maisons du faubourg d'Ixelles. Il commença à peindre à partir de 1880, subit l'influence d'Hippolyte Boulenger et surtout de Louis Artan. Dans son ardeur d'exprimer sa joie devant la nature, il fut impressionniste avant la lettre, et comme tel longtemps laissé de côté par les amateurs et les critiques. D'un coup, et de façon inexplicable, en possession d'un métier à la fois hardi et sûr, il se révéla particulièrement apte à saisir les « impressions » fugitives que l'on peut ressentir dans la pénombre d'une ruelle ou d'un sous-bois. Comme ses contemporains et coprécurseurs de l'impressionnisme, Jongkind, Boudin, il aimait à peindre la mer et surtout le ciel, avec tous ses effets sans cesse renouvelés, l'approche de l'orage, le brouillard. La neige était aussi l'un de ses motifs de prédilection, où il sut déceler les mille possibilités du blanc : *Le peintre Pantazis peignant dans la neige*, 1884, ou encore *Enclos à Groenendaal sous la neige*. Vogels fut quand même reconnu parmi les peintres et fut membre du « Groupe des Vingt ». Il fut aussi l'ami d'Ensor et il n'est pas douteux qu'il eut une influence sur lui. ■ J. B.

G. Vogels

Bibliogr. : Jacqueline Mayer, in : *Diction. Univers. de l'Art et des Artistes*, Hazan, Paris, 1967.
Musées : Anvers – Bruxelles (Mus. roy. des Beaux-Arts) : *La neige, le soir* – *L'éclair* – Gand – Ixelles (Mus. des Beaux-Arts) : *Enclos à Groenendaal sous la neige*.
Ventes Publiques : Bruxelles, 27 et 28 fév. 1939 : *Printemps* : **BEF 6 000** – Bruxelles, 8 fév. 1950 : *Le coup de foudre* : **BEF 27 000** – Bruxelles, 24 mars 1950 : *Le village* : **BEF 24 000** – Bruxelles, 2 déc. 1950 : *Canal en Hollande* : **BEF 3 200** – Bruxelles, 24 fév. 1951 : *Chaland au clair de lune* 1880 : **BEF 22 000** – Bruxelles, 13 mars 1951 : *Roses effeuillées* : **BEF 31 000** – Bruxelles, 28 avr. 1951 : *Après-midi d'été* : **BEF 26 000** – Bruxelles, 28 mars 1953 : *Les Chrysanthèmes* : **BEF 24 000** – Bruxelles, 12 et 13 déc. 1967 : *Marine par coucher de soleil* : **BEF 55 000** – Anvers, 23 avr. 1969 : *Faubourg* : **BEF 55 000** – Anvers, 21 avr. 1970 : *Fleurs* : **BEF 100 000** – Bruxelles, 5 oct. 1971 : *Coupe de fleurs* : **BEF 85 000** – Anvers, 10 oct. 1972 : *Fleurs* : **BEF 75 000** – Anvers, 2 avr. 1974 : *Roses* : **BEF 40 000** – Lokeren, 13 mars 1976 : *Sous-bois*, h/t (41x56) : **BEF 70 000** – Breda, 26 avr. 1977 : *Tour d'église*, h/t (92x68) : **NLG 4 000** – Bruxelles, 28 mars 1979 : *Le lever de lune*, h/t (90x120) : **BEF 300 000** – Lokeren, 25 avr. 1981 : *Paysage d'hiver*, h/pan. (16x25) : **BEF 80 000** – Lokeren, 26 fév. 1983 : *Une ville sous la neige*, h/t (40x59) : **BEF 200 000** – Lokeren, 16 fév. 1985 : *La plage d'Ostende*, gche (22x30) : **BEF 70 000** – Bruxelles, 28 oct. 1987 : *Forêt en hiver*, h/t (125x74) : **BEF 340 000** – Lokeren, 28 mai 1988 : *Le bûcheron*, h/t (82x56,5) : **BEF 330 000** – Londres, 19 oct. 1989 : *Paysage enneigé*, h/t (58,8x52,8) : **GBP 5 500** – Bruxelles, 27 mars 1990 : *Vue d'une ville animée*, h/t (60x75) : **BEF 160 000** – Amsterdam, 5-6 nov. 1991 : *Charrette à cheval dans la neige*, h/t (35,5x48) : **NLG 17 250** – Lokeren, 21 mars 1992 : *Une forêt dans la neige*, h/pan. (39,5x23) : **BEF 95 000** – Lokeren, 23 mai 1992 : *Le bûcheron*, h/t (82x56,5) : **BEF 360 000** – Amsterdam, 28 oct. 1992 : *Paysage hivernal avec des corneilles*, h/t (50,5x72,5) : **NLG 4 830** – Amsterdam, 11 fév. 1993 : *Arbres dans un paysage enneigé*, h/pan. (42x66,5) : **NLG 1 725** – Lokeren, 9 oct. 1993 : *Le bûcheron*, h/t (82x56,5) : **BEF 300 000** – Lokeren, 8 oct. 1994 : *Un incendie sur la grand-place de Firnes*, h/t (150,5x121) : **BEF 650 000** – Lokeren, 5 oct. 1996 : *Chrysanthèmes*, h/t (95x77) : **BEF 360 000**.

VOGELSANG Benedikt Michael
XVIIe siècle. Actif à Soleure dans la seconde moitié du XVIIe siècle. Suisse.
Peintre de portraits et de fleurs.
Peut-être identique à Michael V.

VOGELSANG Christian Rudolph
Né le 29 juin 1824 à Copenhague. Mort le 5 octobre 1911 à Copenhague. XIXe-XXe siècles. Danois.
Peintre de genre, portraits.
Il fut élève de l'Académie des Beaux-Arts de Copenhague.
Ventes Publiques : Göteborg, 18 mai 1989 : *Portrait d'homme*, h/pan. (19x14) : **SEK 4 400**.

VOGELSANG Isaak, dit **Johannes Vogelesangk**
Né en 1688 à Amsterdam. Mort le 1er juin 1753 à Londres. XVIIIe siècle. Hollandais.
Paysagiste.
Élève de Johannes Huchtenbourg à Londres, vers 1715. Il travailla également en Irlande et en Écosse. Le Musée de Stockholm conserve de lui *Bestiaux au bord d'une mare*.
Ventes Publiques : Londres, 17 juil. 1974 : *Paysage d'Italie* : **GBP 900** – Londres, 11 avr. 1980 : *Paysage d'Italie animés de personnages*, h/t, une paire (101x127) : **GBP 3 800** – Londres, 27 mars 1981 : *Bergers et troupeau dans un paysage d'Italie*, h/t (72,2x115,6) : **GBP 2 200**.

VOGELSANG Michael
XVIIe-XVIIIe siècles. Actif à Soleure de 1663 à 1708. Suisse.
Peintre.
Il peignit les fresques du réfectoire de l'abbaye d'Einsiedeln en 1708.

VOGELSANG Ulrich
Mort vers 1606. XVIe siècle. Actif à Klagenfurt. Autrichien.
Sculpteur.
Il orna de sculptures les quatre portes principales de Klagenfurt.

VOGELSANG Wilhelmine, baronne, née baronne **de Gruben**
Née le 19 février 1870 à Ratisbonne. XIXe-XXe siècles. Autrichienne.
Peintre de compositions religieuses, orfèvre.
Elle se fixa en Autriche en 1900. Elle exposa à partir de 1898. Elle peignit des fresques dans des églises de Ratisbonne, d'Asenkofen et de Westheim.

VOGENSKY Robert, orthographe erronée.
Voir **WOGENSKY**

VÖGERL Martin
Né vers 1714. Mort le 24 octobre 1770 à Bruck-an-der-Leitha. XVIIIe siècle. Autrichien.
Sculpteur.
Il sculpta des colonnes et des monuments à Bruck, à Hainbourg et en Slovaquie.

VOGET Franz Maximilian. Voir **VOGT**

VOGHELE Pierre de
XVe siècle. Actif à Bruxelles. Éc. flamande.
Sculpteur.
Il sculpta une statue de la Vierge pour le Palais du Franc de Bruges en 1479.

VOGIEN Sophie
XIXe siècle. Actif à Bruxelles. Belge.
Portraitiste et peintre de genre.
On la cite, en 1828, parmi les élèves de Navez.

VOGL. Voir aussi **VOGEL**

VOGL Adam ou **Veit Adam**
XVIIe siècle. Travaillant à Ried en 1665. Autrichien.
Sculpteur.

VOGL Andreas ou **Andre**. Voir **VOGEL**

VOGL Franz
Né en 1861 à Vienne. XIXe-XXe siècles. Autrichien.
Sculpteur de monuments, figures.
Il fut élève d'Edmund Hellmer et de Rudolf von Weyr à l'académie des beaux-arts de Vienne. Il a sculpté des monuments, des bustes et des tombeaux.

VOGL Franz. Voir aussi **VOGEL**

VOGL Georg
Né en 1795. Mort le 11 décembre 1843 à Vienne. XIXe siècle. Autrichien.
Peintre de paysages animés, paysages.
Ventes Publiques : Cologne, 18 mars 1989 : *Berger et son troupeau près d'un lac des Alpes*, h/t (31x39) : **DEM 2 200**.

VOGL Gergely ou **Grégoire**. Voir **VOGEL**

VOGL Jakob
Né en 1720. Mort le 26 novembre 1779. XVIIIe siècle. Actif à Vienne. Autrichien.
Sculpteur.

VOGL Janos Konrad ou **Jean Conrad** ou **Vogel**
XVIIe-XVIIIe siècles. Actif à Budapest. Hongrois.
Sculpteur.
Il sculpta la fontaine Saint-Ignace pour l'Hôtel de Ville d'Ofen en 1718.

VOGL Johann. Voir **VOGEL**

VOGL Johann Chrysostomus ou **Vogler**
Né en 1679 à Steingaden. Mort le 8 décembre 1748 à Graz. XVIIIe siècle. Autrichien.
Peintre.
Il exécuta des fresques dans des églises de Graz et de Styrie.

VOGL Johann Heinrich
XIXe siècle. Travaillant à Vienne en 1843. Autrichien.
Peintre de genre.

VOGL Johann Nepomuk
XVIIIe siècle. Actif à Vienne vers 1740. Autrichien.
Sculpteur.

VOGL Johann Paul ou **Vogel**
Né à Braunau. XVIIIe siècle. Autrichien.
Peintre.
Il exécuta des fresques et le plafond de la cathédrale de Passau.

VOGL Josef
Né en 1758. Mort le 25 mars 1837 à Vienne. XVIIIe-XIXe siècles. Actif à Vienne. Autrichien.
Sculpteur.

VOGL Karl
Né en 1820 à Vienne. XIXe siècle. Autrichien.
Portraitiste.
Le Musée Provincial de Graz possède de lui, *Portrait d'un monsieur*, et le Musée de Salzbourg *Portrait de l'empereur François Joseph Ier*.

VOGL Ludwig
XVIIe siècle. Actif à Ried au milieu du XVIIe siècle. Autrichien.
Sculpteur.
Père d'Adam V. Il sculpta des statues de saints dans l'église d'Eitzing et une chaire à Geiersberg.

VOGL Veit Adam. Voir **VOGL Adam**

VOGLAR Karel Van. Voir **VOGELAER**

VOGLAR Karl
Né le 24 octobre 1888 à Bad Neuhaus (près de Cilli). XXe siècle. Autrichien.
Peintre de paysages, graveur.
Musées : Graz (Mus. mun.) : *Soir en Engadine – Nouvelles constructions à Graz – Soleil d'automne*.

VOGLE Peter de. Voir **VOGEL**

VOGLER Adam
Né en 1822 ou 1823 à Vienne. Mort le 10 novembre 1856 à Rome. XIXe siècle. Autrichien.
Peintre d'histoire.
Élève de Führich à l'Académie de Vienne. Il exposa à partir de 1845.

VOGLER Georg
XVIIIe-XIXe siècles. Actif à Buchs, à Berne et à Mannheim de 1794 à 1805. Suisse.
Paysagiste et graveur au burin.

VOGLER Hans
Né à Zurich. XVIe siècle. Autrichien.
Peintre.
Il fut au service de l'archiduc Ferdinand de Tyrol en 1584 et travailla à Innsbruck.

VOGLER Hans Konrad
Né le 1er décembre 1739 à Schaffhouse. Mort le 7 décembre 1807. XVIIIe siècle. Suisse.
Sculpteur sur pierre et sur bois.

VOGLER Helene Christine. Voir **RIEHL Helene Christine**

VOGLER Hermann
Né en 1859 à Berlin. XIXe siècle. Allemand.
Peintre de scènes de genre, portraits.
Il travailla à Berlin et exposa à Munich en 1899. On cite de lui : *Dans le boudoir* et *Souvenirs*.
Ventes Publiques : Paris, 20 juin 1928 : *Le buveur* ; *Le fumeur*, deux toiles : **FRF 520** – Londres, 20 fév. 1976 : *Le portrait*, h/t (53,5x44,5) : **GBP 500** – Vienne, 16 nov. 1983 : *Les Amoureux*, h/t (63x50) : **ATS 45 000** – New York, 20 fév. 1992 : *Rendez-vous dans un parc* 1891, h/t (80x126) : **USD 11 000** – New York, 15 oct. 1993 : *Colin maillard*, h/t (54,5x64,8) : **USD 4 025**.

VOGLER Johann Chrysostomus. Voir **VOGL**

VÖGLER Johannes. Voir **VÖGELER**

VOGLER Paul
Né en 1852 à Paris. Mort en décembre 1904 à Verneuil-sur-Seine (Yvelines). XIXe siècle. Français.
Peintre de scènes de genre, paysages animés, paysages, paysages d'eau, pastelliste.
Fils d'un peintre peu connu. Il fut d'abord peintre en bâtiment, puis s'adonna à l'art ; il n'eut aucun maître et ne fréquenta aucune école des Beaux-Arts ou académie.
Doué d'une extrême facilité de travail, d'une grande sensibilité, du don de la couleur, Paul Vogler ne tarda pas à prendre une place intéressante parmi les paysagistes impressionnistes ; il eut de fervents admirateurs. Malheureusement, on lui reprocha parfois d'user de procédés trop faciles. Il s'inspira surtout de Sisley dont il adopta la couleur et même la facture. Il y eut à cette époque vers 1890, un grand nombre de peintres, sans forte personnalité, il faut l'avouer, qui prirent dans l'impressionnisme ce qu'il semblait avoir de lâché. Ce fut une débauche de couleurs claires ; Paul Vogler s'inscrit donc dans cette catégorie assez superficielle, mais qui laissa un nombre important de toiles très agréables par leurs harmonies fraîches et riantes. ■ E. C. B.

P. Vogler

Ventes Publiques : Paris, 1895 : *Temps d'été* : **FRF 175** – Paris, 1897 : *Effet de neige*, past. : **FRF 250** – Paris, 12 mars 1909 : *Paysage* : **FRF 445** – Paris, 27 fév. 1919 : *L'écluse* : **FRF 280** – Paris, 18 mars 1920 : *Paysage des environs de Paris* : **FRF 480** – Paris, 10 déc. 1920 : *La place de l'église par la neige* : **FRF 1 500** – Paris, 30 mai 1923 : *Boulevard Maillot, à Neuilly* : **FRF 2 200** – Paris, 3 déc. 1927 : *Le canal Saint-Martin et le quai de Valmy, en hiver* : **FRF 3 410** – Lille, 24 et 25 mai 1943 : *Bords de rivière en automne* : **FRF 6 000** – Paris, 24 avr. 1944 : *Bords de rivière par temps de gel* : **FRF 4 400** – Paris, 15 déc. 1948 : *Paysage de neige* : **FRF 10 000** – Paris, 20 oct. 1950 : *Paysage d'hiver* : **FRF 15 200** – Paris, 9 avr. 1951 : *Paysage au pont* 1889 : **FRF 13 500** – Paris, 5 juil. 1955 : *La taverne* : **FRF 16 500** – Paris, 23 nov. 1960 : *Les fagots* : **FRF 1 250** – Versailles, 7 déc. 1969 : *La péniche en hiver* : **FRF 7 200** – Versailles, 14 juin 1970 : *Neige à l'île de la Grande Jatte* : **FRF 18 000** – Versailles, 26 nov. 1972 : *L'entrée du village sous la neige* : **FRF 11 000** – Versailles, 2 déc. 1973 : *La route du village enneigé* : **FRF 14 800** – Paris, 6 nov. 1974 : *Bords de l'Oise à l'Isle Adam* : **FRF 13 600** – Paris, 22 mars 1976 : *Bords de rivière en automne*, h/t (73x92) : **FRF 4 600** – Paris, 9 mai 1977 : *Les meules de foin sous la neige*, h/t (64x80) : **FRF 8 000** – Enghien-les-Bains, 9 déc 1979 : *Le village sous la neige*, h/t (65x92) : **FRF 22 500** – Paris, 21 déc. 1981 : *Remorqueur au bord de la rivière sous la neige*, h/t (65x81) : **FRF 31 000** – Paris, 29 fév. 1984 : *Ile de la Jatte*, h/t (51x65) : **FRF 26 000** – Versailles, 19 juin 1985 : *Scène de rue à Paris l'hiver*, h/t (24,5x32,5) : **FRF 34 000** – Paris, 3 juin 1988 : *Paysage d'hiver*, h/t (65x81) : **FRF 14 500** – Paris, 23 juin 1988 : *Rue de village en Ile de France*, h/t (65x80) : **FRF 50 000** – Calais, 3 juil. 1988 : *Village enneigé au clair de lune*, h/t (60x73) : **FRF 20 000** – Grandville, 16-17 juil. 1988 : *Paysage de neige*, h/t (47x61) : **FRF 20 600** – Montréal, 17 oct. 1988 : *Scène de village*, h/t (61x76) : **CAD 1 400** – Calais, 13 nov. 1988 : *Meules de foin au soleil*, h/t (60x73,5) : **FRF 26 000** – Neuilly, 22 nov. 1988 : *Bord de rivière enneigé*, h/cart. (32x43,5) : **FRF 32 000** – Calais, 10 déc. 1989 : *Le marché sous les Halles*, h/t (54x74) : **FRF 130 000** – Paris, 4 mars 1990 : *Meules de foin dans la plaine de Verneuil*, h/t (60x73) : **FRF 40 000** – Paris, 13 juin 1990 : *Clair de lune*, h/t (60x73) : **FRF 25 000** – Londres, 19 juin 1991 : *La marchande de fleurs*, h/pan. (40x31) : **GBP 3 300** – Douai, 30 juin 1991 : *Bord de Seine*, h/t (50x61) : **FRF 52 000** – Paris, 6 mars 1992 : *La rencontre des pêcheurs*, h/pan. (35x26) : **FRF 31 000** – Calais, 14 mars 1993 : *Sous-bois en automne*, h/t (73x60) : **FRF 12 000** – Paris, 22 mars 1994 : *Paris – animation sur les Champs-Élysées*, h/pan. (19,5x35) : **FRF 26 000** – Calais, 3 juil. 1994 : *Paysage vallonné*, h/t (50x63) : **FRF 27 000** – New York, 19 jan. 1995 : *L'indiscrète*, h/pan. (35,2x26,7) : **USD 2 300** – Paris, 6 oct. 1995 : *Paysage*, h/pan. (31x41) : **FRF 6 000** – Paris, 3 mai 1996 : *La Sortie du théâtre des Variétés* 1891, h/pan. (27x41) : **FRF 20 000** – Paris, 5 juin 1996 : *Le Marché aux fleurs*, h/t (55x46) : **FRF 11 000** – Calais, 7 juil. 1996 : *Les Pêcheuses de crevettes*, h/pan. (33x23) : **FRF 6 000** – Paris, 6 nov. 1996 : *Paysage*, past./pap. (50x60) : **FRF 3 700**.

VOGLNIELD Enoch M.
Né le 8 avril 1880 à Chicago. XXe siècle. Américain.

Peintre.
Il fut élève de l'Art Institute de Chicago et de l'Académie Julian de Paris.

VOGLSANGER Ignaz
Né en 1771. Mort le 21 juillet 1793 à Hall. XVIIIe siècle. Autrichien.
Peintre.
Il fut actif à Hall (Tyrol).

VOGRENAND
XIXe siècle. Français.
Peintre de paysages.
Élève de Bidault. Il exposa au Salon en 1810 et en 1812.

VOGT. Voir aussi **VOIGT**

VOGT Adam
Né en 1788. Mort le 14 mai 1847 à Untermeidling, près de Vienne. XIXe siècle. Actif à Vienne. Autrichien.
Peintre d'histoire et portraitiste.

VOGT Adelgunde, née **Herbst**
Née le 17 juillet 1811 à Copenhague. Morte le 10 juin 1892 à Copenhague. XIXe siècle. Danoise.
Sculpteur.
Le Musée de Copenhague conserve d'elle *Chevaux*.

VOGT Adolf
Né en 1842 ou 1843 à Liebenstein. Mort en 1871 à New York. XIXe siècle. Actif aux États-Unis. Allemand.
Peintre de scènes de genre, animaux, paysages, aquarelliste.
Tout enfant, il partit pour l'Amérique : il fit ses études à Philadelphie, Munich, Zurich et Paris, puis il retourna en Amérique.
Ventes Publiques : Paris, 16 nov. 1950 : *La gardeuse d'oies* : **FRF 3 800** – Toronto, 19 oct. 1976 : *Troupeau au pâturage*, aquar. (48x64) : **CAD 400** – Toronto, 30 oct. 1978 : *Chevaux de trait*, h/t (57,5x81,2) : **CAD 2 300**.

VOGT Carl Frederik ou **Voigt**
Né probablement en 1834 à Christiania (aujourd'hui Oslo). XIXe siècle. Norvégien.
Peintre.
Élève de l'Académie de Copenhague. Il peignit surtout des portraits. Le Musée National d'Oslo conserve de lui *Portrait du prince Friedrich von Hessen-Cassel*.

VOGT Charles
Né le 11 novembre 1898 à Ingwiller (Bas-Rhin). Mort le 8 décembre 1978 à Geispolsheim (Bas-Rhin). XXe siècle. Français.
Peintre de figures, portraits, paysages, marines, aquarelliste, illustrateur.
Jusqu'à la retraite, en 1946, il pratiqua la peinture en amateur.
Il participa à Paris, aux Salons des Artistes Français depuis 1929 et des Indépendants, dont il fut membre sociétaire à partir de 1932 ; ainsi que : 1926 musée historique de Strasbourg ; 1930 musée des beaux-arts de La Chaux-de-Fonds. Il montra ses œuvres dans des expositions personnelles, notamment en Alsace : 1981 rétrospective à la galerie Gutenberg de Strasbourg.
Ses œuvres aux sujets divers sont imprégnées du cubisme et du constructivisme.
Musées : Strasbourg.

VOGT Charles ou **Pierre Charles**
Né à Paris. XIXe siècle. Français.
Dessinateur de portraits, peintre et lithographe.
Il exposa au Salon de 1833 à 1882.

VOGT Franz
XVIIe siècle. Actif en Bohême. Autrichien.
Peintre.
Il peignit des saints dans la Chapelle de la Visitation de Slawetin en 1677.

VOGT Franz Maximilian ou **Voget**
Né vers 1695 à Kaaden. Mort le 17 mai 1767 à Prague. XVIIIe siècle. Autrichien.
Portraitiste et peintre à fresque.
Il exécuta des peintures dans l'église Saint-Jacques de Prague.

VOGT Georg
Né le 26 août 1881 à Munich. XXe siècle. Allemand.
Peintre, décorateur.
Il fut élève de l'académie des beaux-arts de Munich. Il vécut et travailla à Nuremberg.
Musées : Munich (Gal. mun.) : *Suzanne au bain*.

VOGT Gundo Sigfred ou **Seiersfred**
Né le 3 juin 1852 à Copenhague. Mort le 23 janvier 1939 à Selchausdal. XIXe-XXe siècles. Danois.
Sculpteur.
Fils du peintre Adelgunde Vogt, il en fut l'élève.

VOGT Louis Charles
Né le 29 juillet 1864 à Cincinnati. Mort en 1939. XIXe-XXe siècles. Américain.
Peintre, peintre à la gouache, aquarelliste.
Il fut élève de Henry S. Mowbray et de Frank Duveneck.
Musées : Cincinnati : trois aquarelles.
Ventes Publiques : New York, 5 déc. 1986 : *L'Église Saint-Paul, New York* 1892, gche et encre noire/pap. (34,5x27) : **USD 4 500** – New York, 30 oct. 1996 : *L'Église Saint-Paul, New York* 1892, gche/pap. (33,7x25,4) : **USD 4 025**.

VOGT Lucien
Né en 1891 à Mulhouse (Haut-Rhin). Mort en 1968 près de Paris. XXe siècle. Français.
Peintre de genre, paysages, paysages urbains, natures mortes.
Il exposa à Paris au Salon des Artistes Français dès 1920, et aux Salons des Indépendants et des Tuileries.
Il se distingue par son acuité d'observation, sa capacité de saisir l'essence de la vie bourgeoise à Paris dans les années vingt et trente dans d'innombrables petites pochades de la capitale française. Il fit aussi des paysages, préférant les effets des frondaisons d'été reflétées par l'eau.
Ventes Publiques : Versailles, 17 mars 1974 : *Le pêcheur* : **FRF 4 600** – Los Angeles, 21 sep. 1976 : *Village*, h/t (54x65,5) : **USD 1 100** – Paris, 22 nov. 1988 : *Nature morte aux pommes*, h/t (65x81) : **FRF 4 000**.

VOGT Moriz Johann
Né le 30 juin 1669 à Königshof. Mort le 17 août 1730 à Plass. XVIIe-XVIIIe siècles. Autrichien.
Dessinateur.
De l'ordre des Cisterciens, il dessina des illustrations de genre historique et géographique pour un ouvrage traitant de la Bohême.

VOGT Wolfgang
Mort en 1519 à Schaffhouse. XVIe siècle. Suisse.
Peintre.
Il s'établit à Schaffhouse vers 1486. On lui attribue le Chemin de croix et plusieurs fresques, exécutés dans cette ville.

VOGTHERR Heinrich, l'Ancien ou **Voghter** ou **Vocktheer**
Né en 1490 à Dillingen. Mort en 1556 à Vienne. XVIe siècle. Allemand.
Graveur sur bois, peintre, aquafortiste et miniaturiste.
Il usa d'une traduction en latin de fantaisie de son nom Vogtherr (Seigneur-prévôt) : Satrapitanus. Il imita avec succès le style d'Albrecht Dürer. On cite, notamment de lui un livre de dessins, intitulé *Livre de l'extraordinaire et merveilleux Art, très utile aux peintres, sculpteurs, orfèvres, etc.*, imprimé à Strasbourg en 1540, quatre Alphabets, publiés à Strasbourg en 1643, de nombreux dessins héraldiques et d'ornements. La date est peut-être inexacte ou peut-être aussi, s'agit-il d'un ouvrage posthume. On le mentionne aussi comme miniaturiste et dessinateur. Le Musée Germanique de Nuremberg et le Musée de Vienne possèdent de nombreuses œuvres de cet artiste.

HV

VOGTHERR Heinrich, le Jeune
Né en 1513 à Dillingen. Mort en 1568 à Vienne. XVIe siècle. Allemand.
Graveur sur bois.
Fils et collaborateur d'Heinrich Voghterr l'Ancien.
Ventes Publiques : Londres, 29 nov. 1977 : *Grand poisson à la gueule ouverte*, aquar. et gche (21x27) : **GBP 950**.

VÖGTLI Julius
Né le 29 mars 1879 à Hochwald. XXe siècle. Suisse.
Peintre de décorations.
Il fut élève de l'Académie de Munich. Il s'établit à Bienne.

VOGUE E.
Né à Calais (Pas-de-Calais). XIXe siècle. Actif à la fin du XIXe siècle. Français.

Peintre.
Le Musée de Calais conserve de lui *Le Courgain* (aquarelle).

VOGUÉ Guy de
Né en 1929 à Paris. XXe siècle. Français.
Peintre.
Il vit et travaille à Paris. Il a figuré dans des expositions collectives, notamment au Salon des Réalités Nouvelles à Paris. Il a montré plusieurs expositions personnelles de ses œuvres, à Paris, ainsi qu'au musée de Rouen. Il obtint le Prix Fénéon, en 1957.
Bibliogr. : B. Dorival, sous la direction de... : *Peintres Contemporains* Mazenod, Paris, 1964.
Ventes Publiques : Paris, 18 fév 1976 : *Les yeux de Sarah* 1965, h/pap. (146x114) : **FRF 60 000**.

VOGUET Léon
Né le 14 mai 1879 à Paris. XXe siècle. Français.
Peintre de paysages, illustrateur, décorateur.
Il exposa régulièrement aux Salons des Artistes Décorateurs et d'Automne.
Il a illustré *L'Anglais mangeur d'opium*, d'Alfred de Musset et *Jadis et naguère*, de Paul Verlaine. Ses paysages montrent des plans bien définis par les couleurs et bien construits par le dessin.
Bibliogr. : Gérald Schurr, in : *Les Petits Maîtres de la peinture 1820-1920, valeur de demain*, Les Éditions de l'Amateur, t. IV, Paris, 1979.
Ventes Publiques : Meaux, 21 mars 1976 : *La modiste*, h/t : **FRF 5 500** – Paris, 18 mars 1996 : *Nature morte à la plante verte*, h/t (81x65) : **FRF 20 000**.

VOH Oswald
Né en 1904 à Buchau (près de Carlsbad). XXe siècle. Autrichien.
Peintre, dessinateur.

VOIART Élisabeth ou **Élisa**, née **Patit-Pain**
Née en 1786 à Nancy. Morte le 22 janvier 1866 à Nancy. XIXe siècle. Française.
Miniaturiste et écrivain.
Élève de Pierre Daubigny. Elle exposa au Salon en 1861.

VOIART Jean Baptiste
Né le 10 juin 1757 à Metz. XVIIIe siècle. Français.
Portraitiste, pastelliste et miniaturiste amateur.
Élève de Mme Lebrun et de Prud'hon. Cité par M. A. Jacquot dans les artistes lorrains. Le Musée de Lons-le-Saunier conserve de lui *Portrait de Rouget de l'Isle*.

VOIGHT Carl Daniel. Voir **VOIGTS**

VOIGT. Voir aussi **VOGT**

VOIGT August
Né au XIXe siècle à Hanovre. XIXe siècle. Allemand.
Paysagiste.
Il travailla à Vienne et à Paris. Il exposa au Salon de Paris en 1894.

A. Voigt

Ventes Publiques : Paris, 16 juin 1928 : *Vaches à l'abreuvoir* : **FRF 310**.

VOIGT Carl Daniel. Voir **VOIGTS**

VOIGT Carl Frederik. Voir **VOGT**

VOIGT Carl Friedrich
Né le 6 octobre 1800 à Berlin. Mort le 13 octobre 1874 à Trieste. XIXe siècle. Allemand.
Médailleur, graveur et tailleur de camées.
Il fit ses études à Berlin et à Rome. Il grava de nombreuses médailles à l'effigie de certaines personnalités de son époque, surtout pour Louis Ier de Bavière.

VOIGT F.
XIXe siècle. Travaillant à Vienne vers 1830. Autrichien.
Miniaturiste.

VOIGT Franz Wilhelm
Né le 4 septembre 1867 à Hof-sur-la-Saale. XIXe-XXe siècles. Allemand.
Peintre de genre, portraits.
Il fut élève de l'Académie de Breslau et de Simon Hollosy à Munich, où il vécut et travailla. Il y exposa à partir de 1901.
Musées : Breslau, nom all. de Wroclaw : *Portrait du peintre Karl Ernst Morgenstern – Noces polonaises.*

VOIGT Hans
Né le 17 novembre 1813 à Flensbourg. Mort le 7 décembre 1865 à Hilleröd. XIXe siècle. Danois.
Sculpteur.
Élève de H. V. Bissen, il fut également tourneur.

VOIGT Ilse
Née en 1905. XXe siècle. Active en Suisse. Hollandaise.
Peintre de portraits, figures, marines, fleurs, pastelliste, dessinateur, graveur, sculpteur.
Elle fut élève de l'école des beaux-arts de Berlin où elle suivit les cours d'Emil Orlik. Elle vit et travaille à Lausanne.
Elle participe à des expositions collectives, notamment à Paris, depuis 1964, au Salon des Indépendants, dont elle est membre sociétaire. Elle montre ses œuvres dans diverses galeries, régulièrement à Paris et en Suisse.
Peintre de fleurs, de portraits, de vues de Venise, la danse fut pour elle une inépuisable source d'inspiration, rendant hommage aux gracieuses ballerines, à divers danseurs, notamment Rudolf Noureev, Mikhail Baryschnikov, dans de nombreuses planches à la pointe sèche, dessins à la plume et pastels. Elle a également réalisé une série de figures d'Extrême-Orient.
Bibliogr. : Émile Schaub-Koch : *L'Œuvre d'Ilse Voigt*, Ophrys, Paris, s. d. – Gilberte Cournand : *Ilse Voigt. La Danse*, Artis Documenta, Christian Hals, Monte-Carlo, 1978.
Musées : Berne (BN suisse) – Lausanne (Mus. cant.) – Londres (Victoria and Albert Mus.) – Vienne (Albertina Mus.).

VOIGT J. F.
XIXe siècle. Travaillant en 1834. Allemand.
Peintre de vues.
Le Musée de Mannheim conserve de lui *Le Neckar avec ponton* et *La Porte du Neckar*.

VOIGT Lorentz
XVIIIe siècle. Danois.
Peintre.
Il fit ses études en Allemagne, en France et en Italie.

VOIGT Richard Otto
Né le 29 juillet 1895 à Leipzig. XXe siècle. Allemand.
Peintre de portraits, paysages, graveur.
Musées : Leipzig : *Paysage avec parc.*

VOIGT Teresa, née **Fioroni**
Née en 1810 (?) à Rome. XIXe-XXe siècles. Italienne.
Peintre de portraits, peintre de miniatures.
Élève de Domenico del Frate à Rome. Elle exposa à Munich en 1912.

VOIGTLÄNDER Rudolf von
Né le 2 janvier 1854 à Brunswick. XIXe siècle. Allemand.
Portraitiste.
Élève des Académies de Dresde et de Karlsruhe, de Gude et de Gussow. Il visita Paris, Anvers, Bruxelles, l'Italie, vécut à Bruxelles de 1882 à 1891, puis se fixa à Berlin. Le Musée de cette ville conserve de lui *Portrait de Weierstrass*, celui de Brunswick, *Le peintre Plockhorst*, et celui de Breslau, *L'écrivain Ludwig Pietsch à son bureau*.
Ventes Publiques : Londres, 3 oct. 1980 : *Modèle nu*, h/t (73x51,5) : **GBP 800**.

VOIGTS Carl Daniel ou **Voigt** ou **Voight** ou **Voits**
Né en 1747 à Brunswick. Mort le 8 mars 1813 à Kiel. XVIIIe-XIXe siècles. Allemand.
Portraitiste et graveur au burin.
Il travailla à Celle et à Schleswig. Le Musée de Frederiksborg conserve de lui *Portrait de la reine Mathilde Caroline de Danemark*, et le Musée de Schleswig huit peintures à la gouache, *Fêtes du mariage de Frederic VI de Danemark*.

VOILES Jean. Voir **VOILLE**

VOILLART
XVIIIe siècle. Français.
Miniaturiste.

VOILLE Jean ou **Jean Louis** ou **Voilles** ou **Voiles**
Né le 4 mai 1744 à Paris. Mort vers 1796 ou 1801. XVIIIe siècle. Français.
Peintre de portraits.
En octobre 1758, on le cite parmi les élèves de l'Académie royale, protégé par Drouais, chez qui il loge. Son père, dont on ne dit

pas la profession, a son domicile, rue des Orties, butte Saint-Roch. Voilles fut protégé par le grand-duc Paul Petrovich, qui le prit à son service vers 1780. Il obtint un grand succès en Russie. On croit qu'il fut envoyé en France, par la cour de Russie pour en rapporter les portraits de Louis et de la famille royale, mais il y a tout lieu de croire qu'il était encore à Saint-Pétersbourg en 1791. M. Jules Langlart, dans son catalogue du Musée de Lille, édition de 1892, émet l'avis que notre artiste est le même que le peintre de portrait cité par Fiorillo, dans ses notices, sous le nom de Vrilla.
On lui doit, notamment, des portraits du prince Paul, gravé par Le Veau : un autre du même personnage, devenu empereur, gravé par J. S. Klauber ; celui de l'impératrice Catherine II, gravé par J. S. Maas-Feld.

Musées : Lille : *Mme Liénard* – Moscou : *La princesse Youssoupoff* – *La comtesse Stroganoff* – Saint-Pétersbourg (Mus. Russe) : *La princesse Jénéna Pavlovna enfant* – *Le comte Suboff* – *La comtesse Protassova*.
Ventes Publiques : Paris, 29 et 30 avr. 1920 : *Portrait de Mme Gérebzoff, née Zouboff* : **FRF 25 700** – Paris, 23 déc. 1932 : *Le même portrait* : **FRF 15 500** – Paris, 15 mars 1943 : *Portrait de femme* : **FRF 2 000** – Vienne, 1er-4 juil. 1952 : *Jeune aristocrate* : **ATS 1 200** – Paris, 23 mars 1968 : *Portrait présumé de Balthazar de la Traverse* : **FRF 8 500** – Londres, 1er mars 1972 : *Portrait de Valerian Alexandrovitch* : **GBP 1 900** – Copenhague, 25 mai 1973 : *Portrait d'une dame de qualité* 1790 : **DKK 13 000** – Paris, 15 juin 1979 : *Portrait d'homme* 1783, h/t, forme ovale (59x48) : **FRF 16 500** – Londres, 23 nov. 1984 : *Portrait of John Cayley* 1788, h/t (64,6x52,1) : **GBP 4 000** – New York, 16 avr. 1986 : *Portrait de Madame Zouboff*, h/t (99x81,3) : **USD 26 000** – New York, 19 mai 1995 : *Portrait de Balthazar de la Traverse* 1801, h/pan. (22,9x19,1) : **USD 11 500**.

VOILLEMOT André Charles
Né le 9 ou 13 décembre 1823 à Paris. Mort le 9 avril 1893 à Paris. XIXe siècle. Français.
Peintre de compositions mythologiques, sujets allégoriques, scènes de genre, portraits, peintre à la gouache, aquarelliste, dessinateur.
Il eut pour maître Michel Drolling. Il débuta au Salon de Paris en 1845, obtenant une deuxième médaille en 1870. Il fut promu chevalier de la Légion d'honneur la même année.
Il fit la décoration du pavillon impérial à l'Exposition Universelle de 1867. Il a exécuté la décoration du théâtre de Fontainebleau et du Palais du Congrès à Santiago du Chili.

Musées : Aurillac : *Velléda et Eudore* – Compiègne – Paris (Mus. Victor-Hugo) – Pontoise : *Jeune femme couronnée de fleurs*, étude – Reims : *Cupidon*.
Ventes Publiques : Paris, 1873 : *Le printemps* : **FRF 900** – Paris, 1883 : *Le printemps* : **FRF 2 350** – Paris, 17 avr. 1886 : *Le rappel des amoureux* : **FRF 750** ; *Le renouveau* : **FRF 1 020** ; *Avril*, aquar. : **FRF 355** ; *Innocence*, dess. : **FRF 470** – Paris, 1892 : *L'enfance de Bacchus* : **FRF 460** – Paris, 3 et 4 mai 1923 : *Vénus désarmant l'Amour* : **FRF 1 025** – Paris, oct. 1945-Juillet 1946 : *Vieille femme regardant un groupe d'amours* : **FRF 4 800** ; *Jeunesse, printemps de la vie, printemps, jeunesse de l'année* : **FRF 25 000** – Versailles, 23 mars 1980 : *Maternité*, h/t (60,5x45,5) : **FRF 6 800** – Paris, 25 mai 1984 : *Personnage symboliste*, aquar. et gche (126x60) : **FRF 40 000** – Paris, 30 mai 1988 : *Farandole des Amours*, gche (37,5x27) : **FRF 1 500** – Milan, 14 juin 1989 : *Cupidon*, h/t (21,5x16) : **ITL 700 000** – Paris, 1er juil. 1992 : *Jeune femme nue au nid*, h/t (102x76) : **FRF 45 000** – Paris, 29 juin 1993 : *La jeune fille à la marguerite*, h/t (40x32,5) : **FRF 4 000** – Londres, 13 mars 1997 : *La Sibylle de Cumes*, cr., aquar. et gche/pap./pan. (129,5x61,5) : **GBP 2 530**.

VOINESCU-SIEGFRIED Cella
Née le 6 novembre 1909 à Bucarest. XXe siècle. Depuis 1957 active en France. Roumaine.
Peintre de compositions religieuses, peintre à la gouache, peintre de décors et de costumes de théâtre.
Elle fit des études de philosophie et de lettres à l'université de Bucarest. Elle vint ensuite à Paris, en 1935, pour étudier la composition et l'harmonie musicale avec Nadia Boulanger et travailla avec M. Larionov et N. Gontcharova. En 1937, de nouveau à Bucarest, elle épouse le peintre Siegfried avec qui elle travaillera régulièrement notamment pour le théâtre. Elle s'installe définitivement à Paris en 1957. Elle vit et travaille à Neuilly-sur-Seine.
Elle participe à des expositions collectives depuis 1970.
Parallèlement à la réalisation des costumes, décors et mises en scène de diverses pièces de théâtre, elle réalise des icônes sur bois peintes à la gouache, qui n'obéissent pas aux canons traditionnels de ce type d'iconographie mais se révèlent une vision libre de l'artiste.
Bibliogr. : Ionel Jianou et divers : *Les Artistes roumains en Occident*, American Romanian Academy of Arts and Sciences, Los Angeles, 1986.

VOINESEN Eugenin
Né en 1844 à Jassy. Mort en 1909 à Bucarest. XIXe siècle. Roumain.
Peintre.
Il figura aux expositions de Paris ; mention honorable en 1889. Le Musée Simu, à Bucarest, conserve de lui *Marine* et *Vue de Constantza*.

VOINIER Antoine
XVIIIe-XIXe siècles. Français.
Dessinateur, architecte.
Il était actif de 1795 à 1810. Il a exposé au Salon de 1795 un *Projet de monument à élever en l'honneur des quatre armées de la République, cet édifice formerait l'entrée de Paris du côté de Neuilly, en face du Palais National*.
Bibliogr. : L. Auvray, in : *Dictionnaire des artistes de l'École française* – C. Bauchal, in : *Nouveau dictionnaire des architectes français* – Portiez, in : *Rapport sur les concours de sculpture, peinture et architecture en 1795*.
Ventes Publiques : New York, 24 mai 1984 : *Projet pour un Arc de Triomphe*, aquar. et encre noire (51x89) : **USD 21 000** – New York, 26 mai 1994 : *Projet d'Arc de triomphe*, encre et aquar./pap. : **USD 11 500**.

VOIRIN Charles Jacques
XVIIIe siècle. Actif dans la première moitié du XVIIIe siècle. Français.
Peintre.
Il travailla à Rome et à Nancy.

VOIRIN Claude Joseph I
Né en 1686 à Germin, près de Foug. Mort le 7 mai 1722 ou 1732 à Nancy. XVIIIe siècle. Français.
Peintre et sculpteur.
Il fut peintre ordinaire du duc Léopold.

VOIRIN Claude Joseph II
XVIIIe siècle. Travaillant à Nancy en 1755. Français.
Sculpteur.

VOIRIN François
XVIIIe siècle. Actif à Nancy en 1723. Français.
Sculpteur.
Cité par M. Jacquot dans son ouvrage sur les artistes lorrains.

VOIRIN Jules Antoine
Né en 1833 à Nancy (Meurthe-et-Moselle). Mort en 1898 à Nancy. XIXe siècle. Français.
Peintre de sujets militaires, scènes de genre.
Frère jumeau de Léon Voirin, il fut élève de M. Guérard. Il débuta au Salon de Paris en 1876.

Musées : Louviers (Gal. Roussel) : *Le repos des recrues* – Nancy : *Le potager* – Toul : *Le passage du gué*.
Ventes Publiques : Londres, 14 mai 1980 : *L'inspection des chevaux*, h/t (74x100,9) : **GBP 1 300** – Nancy, 14 juin 1981 : *La Sortie des tabacs, rue Baron-Louis à Nancy*, h/t (67x95) : **FRF 27 000** – Versailles, 17 juil. 1983 : *La Parade militaire*, h/t (44x65) : **FRF 10 500** – New York, 24 mai 1995 : *Promenade en coupé dans*

un parc, h/t (45,7x85,7) : **USD 9 200** – Paris, 10 avr. 1996 : *La rencontre de la calèche*, h/t (31x55) : **FRF 45 000**.

VOIRIN Léon Joseph

Né en 1833 à Nancy (Meurthe-et-Moselle). Mort en 1887. XIXe siècle. Français.

Peintre de sujets militaires, scènes de genre, paysages, aquarelliste.

Frère jumeau de Jules Antoine Voirin, il exposa au Salon de Paris de 1874 à 1880.

Ses sujets mettent en scène un grand nombre de personnages habilement distribués dans les compositions.

Bibliogr. : Gérald Schurr, in : *Les Petits Maîtres de la peinture 1820-1920, valeur de demain*, Les Éditions de l'Amateur, t. II, Paris, 1982.

Musées : Béziers : *L'escorte d'honneur – Dans les coulisses* – Nancy : *Coin de la place Thiers à Nancy – Courses à Jarville* – Une aquarelle – Toul.

Ventes Publiques : Londres, 23 nov. 1978 : *La loge* 1883, aquar. et cr. (28x20) : **GBP 680** – Londres, 19 juin 1985 : *La promenade*, h/t (65x54) : **GBP 5 000** – New York, 27 fév. 1986 : *Promeneurs sur l'Esplanade des Invalides* 1880, h/t (46x38) : **USD 15 500** – Paris, 24 juin 1988 : *Le marché aux Puces, boulevard Richard Lenoir*, h/t (35x41) : **FRF 25 000** – La Varenne-Saint-Hilaire, 21 mai 1989 : *L'élégante au carton à chapeau dans la rue*, h/t (40x31) : **FRF 25 600** – New York, 24 oct. 1989 : *La terrasse du café glacier, place Stanislas à Nancy* 1882, h/t (70x91) : **USD 148 500** – Paris, 10 juin 1992 : *Scène intimiste au parc*, h/t (40x32,5) : **FRF 17 000** – Londres, 28 oct. 1992 : *La promenade de bébé*, h/t (40x32) : **GBP 3 960** – New York, 16 fév. 1994 : *Journée d'été à Nancy* 1885, h/t (46x38,1) : **USD 20 700** – Saint-Dié, 31 mars 1996 : *Place de la carrière à Nancy* 1886, h/t (49x65) : **FRF 60 000** – New York, 23 mai 1997 : *Les Boulevards de Paris*, h/t (38,1x45,7) : **USD 34 500**.

VOIRIOT Claude

XVIIe siècle. Actif à Paris dans la première moitié du XVIIe siècle. Français.

Peintre de miniatures.

Père de Nicolas V.

VOIRIOT Guillaume

Né le 20 novembre 1713 à Paris. Mort le 30 novembre 1799. XVIIIe siècle. Français.

Peintre de sujets de genre, portraits, miniatures, copiste.

Né dans une famille d'artistes, il put étudier quelques temps à Rome sous la direction de Lenormand de Tournehem, Ministre des Beaux-Arts de Louis XV. Il fut membre de l'Académie de Saint-Luc et de l'Académie royale de Peinture et de Sculpture ; en 1785, il avait atteint le rang de Conseiller de l'Académie royale. Il exposa au salon de cette compagnie de 1752 à 1791 et au Salon de la Correspondance en 1782. Il conserva le même atelier rue Neuve-des-Petits-Champs, à Paris, pendant plus de trente ans, mais dut le quitter sous la Révolution pour le faubourg St Germain.

Sa première commande royale en 1752, fut la copie de portraits exécutés par Quentin de la Tour et Nattier.

Musées : Dijon (coll. Trimolet) : *Portrait d'un religieux de l'Ordre des Antonins* – Paris (Mus. du Louvre) : *Le peintre Jean Marc Nattier* – Rouen : *Fontenelle – Vue de Miromesnil* – Versailles : *Le chirurgien Jean Joseph Sue – Le peintre Jean-Baptiste Marie Pierre*.

Ventes Publiques : Paris, 12 mai 1898 : *Portraits présumés de Chatelain de Chausey et de sa femme*, deux miniatures sur la même boîte : **FRF 560** – Paris, 17 mai 1920 : *Portrait de jeune femme en déshabillé* : **FRF 44 000** – Paris, 6 et 7 déc. 1928 : *Portrait de femme* : **FRF 39 100** – Paris, 5 déc. 1961 : *La lettre* : **FRF 7 200** – Paris, 23 nov. 1965 : *La lecture de la lettre* : **FRF 7 500** – Londres, 29 mars 1974 : *Portrait d'un gentilhomme* : **GNS 2 000** – Londres, 28 juin 1979 : *Portrait d'homme* 1753, past. (60x49,5) : **GBP 3 200** – Versailles, 13 mars 1983 : *Portrait d'une jeune femme jouant de la guitare* 1766, h/t (91,5x71,5) : **FRF 60 000** – Paris, 12 juin 1986 : *Portrait de Nicholas Chanlatte, primat de l'ordre de Citeaux, supérieur de l'abbaye de Pontigny* 1771, h/t (145x114) : **FRF 150 000** – New York, 11 jan. 1989 : *Portrait de Monsieur Aublet en habit noir et chapeau à plume blanche jouant de la guitare*, h/t (129,5x96,5) : **USD 52 800** – Paris, 15 déc. 1989 : *Portrait de la marquise de Miromesnil*, t. (136x106) : **FRF 350 000**.

VOIRIOT Jean

Né en 1673 à Paris. Mort après 1719. XVIIe-XVIIIe siècles. Français.

Sculpteur.

Père de Guillaume V. Il travailla pour le château de Marly et la chapelle de Versailles.

VOIRIOT Nicolas

XVIIe siècle. Actif dans la seconde moitié du XVIIe siècle. Français.

Miniaturiste et peintre d'éventails.

Fils de Claude V.

VOIRIOT Pierre

XVIe-XVIIe siècles. Français.

Peintre et enlumineur.

Père de Claude V.

VOIROL Edgar

Né le 6 octobre 1897 à Bienne. XXe siècle. Suisse.

Graveur.

Il fut élève de Henri M. Robert à Fribourg. Il était prêtre. Il exposa à Genève en 1930.

VOIROL Fritz

Né le 16 février 1887 à Bâle. XXe siècle. Suisse.

Peintre de paysages.

Il travailla à Zurich.

Musées : Olten : *Le Piz Campasch*.

VOIROT E.

Français.

Peintre de vues.

Le Musée de Langres, conserve de lui *Vue du grand canal de Venise* (aquarelle).

VOIS Ary, Arie ou **Adrian de** ou **Voys, Devois**

Né en 1631 ou 1632 à Utrecht. Mort en juillet 1680 à Leyden. XVIIe siècle. Éc. flamande.

Peintre de scènes allégoriques, scènes de genre, portraits, paysages animés, paysages, intérieurs, dessinateur.

Il fut élève de Knupfers à Utrecht et de Abrahams Van den Tempel. On le cite dans la gilde de 1653. Il appartient à la catégorie des petits maîtres, mais de son temps les amateurs hollandais prisèrent beaucoup ses œuvres ; elles ne tiennent aujourd'hui qu'un rang honorable, mais se rencontrent cependant dans tous les grands Musées, ainsi que dans les collections marquantes. L'artiste connut de suite le succès et sa fortune s'augmenta encore par un riche mariage, si bien qu'il resta pendant une longue période, qu'on fixe à treize années, sans produire. Mais sa prodigalité lui fit dépenser la fortune de sa femme, et il dut pour vivre se remettre à peindre.

Il est justement admiré de nos jours.

Il produisit un nombre très important de tableaux : intérieurs, scènes familières, portraits ou paysages. C'est un dessinateur précis et soigneux du détail ; sa couleur est agréable, son habileté fort grande.

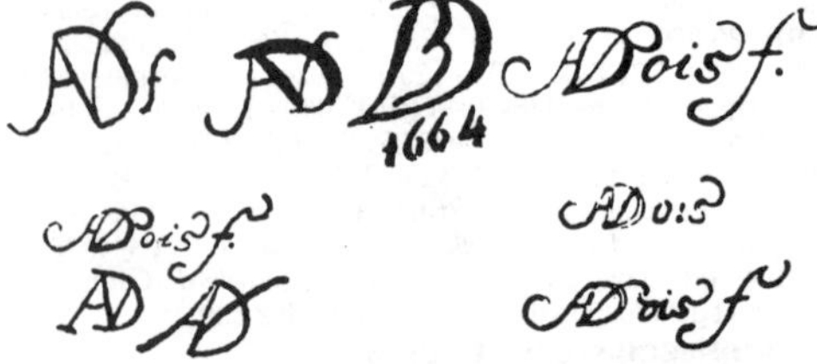

Musées : Amsterdam : *Portrait d'homme – Le Joyeux Marchand de poissons – Le Joyeux Musicien – La Dame au perroquet – Pêcheur fumant sa pipe* – Anvers : *Vieille femme à la fiole* – Bath : *L'Enfant prodigue* – Chartres : *Paysage* – Francfort-sur-le-Main : étude – *Deux portraits de femmes – Homme en manteau de fourrure* – Genève (Ariana) : *Jeune femme hollandaise* – Glasgow : *Tête de Juif* – La Haye : *Le Chasseur* – Kassel : *Le Joyeux*

Buveur – LEEDS : *Figures dans un paysage* – LONDRES (Wallace) : *Amours rustiques* – LÜBECK : *Paysan tuant une puce* – MUNICH : *Fumeur* – *Buveur* – PARIS (Mus. du Louvre) : *Homme assis à son bureau* – *Peintre à son chevalet* – *Femme coupant un citron* – PARIS (Petit Palais) : *Les Chasseurs* – POMMERSFELDEN : *Les Bienfaits de la paix* – POSEN : *Un juriste* – SAINT-PÉTERSBOURG (Mus. de l'Ermitage) : *Repas d'une nymphe* – *Chasseur blessé*.
VENTES PUBLIQUES : PARIS, 1771 : *Un chasseur* : **FRF 2 541** – PARIS, 1789 : *Portrait de Pynacker* : **FRF 1 150** – PARIS, 1868 : *Tête de jeune homme* : **FRF 950** – PARIS, 1881 : *La Perdrix* : **FRF 5 000** – PARIS, 28 mai 1892 : *Pâris* : **FRF 400** – LONDRES, 10 avr. 1911 : *Vieille femme tenant une bouteille* : **GBP 5** – PARIS, 5 juin 1924 : *Portrait d'homme* : **FRF 1 600** – LONDRES, 27 mars 1929 : *Buveur à la fenêtre* : **GBP 52** – PARIS, 23 mai 1932 : *Le Fumeur* : **FRF 2 400** – LONDRES, 9 juil. 1937 : *Paysannes* : **GBP 31** – LONDRES, 19 jan. 1951 : *Intérieur de cuisine* : **GBP 399** – PARIS, 23 mars 1968 : *Le Retour du chasseur* : **FRF 14 000** – LONDRES, 10 juil. 1974 : *Portrait du porte-drapeau* : **GBP 2 600** – PARIS, 21 mars 1977 : *Voyageur se reposant*, h/pan. (21,5x17,5) : **FRF 13 000** – LONDRES, 16 juil. 1980 : *Jeune homme dans un intérieur*, h/pan. (20,5x17,5) : **GBP 2 800** – PARIS, 5 mars 1986 : *Voyageur se reposant*, h/bois (21,5x17,5) : **FRF 15 000** – AMSTERDAM, 25 nov. 1992 : *Portrait d'un botaniste tenant une plante avec un jardin au fond*, mine de pb/vélin (18,8x16,1) : **NLG 4 025** – LONDRES, 11 déc. 1992 : *Portrait en buste d'un jeune gentilhomme en veste bleue et regardant avec extase une église au lointain*, h/cuivre (17x13,3) : **GBP 39 600** – NEW YORK, 22-23 juil. 1993 : *Un homme dans une cour tenant une coupe de vin et trois personnages de la commedia dell'arte au fond*, h/pan. (27x22,9) : **USD 2 300** – LONDRES, 13 déc. 1996 : *Allégorie de l'Odorat*, h/cuivre (16,5x13,4) : **GBP 38 900** – NEW YORK, 6 fév. 1997 : *Homme au chapeau de fourrure fumant et tenant une chope dans un intérieur*, h/pan. (24,1x19,7) : **USD 9 775**.

VOIS G. ou **J.**
XVIIe siècle. Hollandais.
Peintre.
Il peignit des portraits.

VOISARD-MARGERIE Adrien Gabriel
Né en 1867 à Honfleur (Calvados). Mort en 1954. XIXe-XXe siècles. Français.
Peintre de genre, animalier, paysages.
Élève de Léon Bonnat et de Fernand Cormon, il figura au Salon des Artistes Français, obtenant une mention honorable en 1895, devenant sociétaire en 1896, recevant une médaille de troisième classe en 1900 et une médaille de deuxième classe en 1906. Il devint conservateur du musée de Honfleur en 1830. Légion d'honneur en 1931.
Tout d'abord animalier, il s'intéresse ensuite davantage aux paysages qu'il aime présenter sous la neige.
BIBLIOGR. : Gérald Schurr, in : *Les Petits Maîtres de la peinture 1820-1920, valeur de demain*, Les Éditions de l'Amateur, t. V, Paris, 1981.
MUSÉES : CAEN : *La côte normande* – *Taureau à l'étable* – HONFLEUR – LISIEUX : *Marché à Orbec* – PÉRIGUEUX : *Barque de pêche au soleil couchant*.
VENTES PUBLIQUES : PARIS, 8 mars 1943 : *Vache et taureau dans un pré* : **FRF 1 000** – ÉVREUX, 20 jan. 1980 : *Le vieux bassin à Honfleur*, h/t (54x73) : **FRF 18 100** ; *Le paddock à Deauville*, h/cart. (33x41) : **FRF 5 500** – ÉVREUX, 20 jan. 1980 : *Le vieux bassin à Honfleur*, h/t (54x73) : **FRF 18 100** – NEW YORK, 1er mars 1990 : *Ville portuaire en France* 1935, h/t/pan. (59,8x59,8) : **USD 12 100**.

VOISEUX
XVIIIe siècle. Français.
Peintre de portraits et pastelliste.
Le Musée de Valenciennes conserve de lui *Portrait d'homme* et *Portrait de femme* (pastels).

VOISIN
XIXe siècle. Français.
Peintre de paysages.
Le Musée d'Alger conserve un paysage de cet artiste. Le catalogue du Musée ne donnant aucun prénom, nous avons cru devoir faire une notice particulière à l'auteur de ce tableau, bien qu'il s'agisse, peut-être, de Charles Voisin ou de Louis Léon Voisin.

VOISIN Charles
Né à Vannes (Morbihan). XIXe siècle. Français.
Peintre de portraits, de batailles et pastelliste.
Élève de Gleyre. Il exposa au Salon en 1863 et 1864.

VOISIN François
XVIIIe siècle. Actif à Paris vers 1790. Français.
Dessinateur.
Il dessina des grotesques, des allégories et des ornements.

VOISIN Frédéric
Né en 1957. XXe siècle. Français.
Peintre, technique mixte.
Il participe à des expositions collectives : 1986-1988 exposition itinérante au Canada ; 1986 Octobre des Arts à Lyon ; 1988 Salon de Montrouge.
Il réalise des « nouvelles images » travaillant l'image avec un ordinateur, ainsi que de nombreuses lithographies.
VENTES PUBLIQUES : PARIS, 16 juin 1988 : *L'ascension de la montagne sacrée* 1987, dess. à l'ordinateur, électrographie et cire/pap. mar./t. (123x102) : **FRF 15 000**.

VOISIN Gérard
Né en 1934 à Nantes. XXe siècle. Français.
Sculpteur.
Après avoir travaillé comme mouleur-fondeur, il se met à la sculpture à l'âge de vingt-sept ans.
Il participe à la Biennale de La Baule en 1967, ainsi qu'au Salon de la Jeune Sculpture en 1969 et 1971. Il montre ses œuvres dans une première exposition personnelle en 1966 à Nantes.
Il commence par sculpter des œuvres tirées des sources primitives de la symbolique figurative, comme *Les Paysans* (1964), *Maturité V* (1968). Il passe ensuite à d'autres engagements tels que l'amour de la ligne pure, à un sens spatial rigoureux, à une plus grande clarté de conception. Voisin travaille le bois, il transfigure ce matériau en un corps vivant aux formes oblongues et arrondies.

VOISIN Henri Léon
Né le 6 août 1861 à Saint-Mandé (Hauts-de-Seine). XIXe siècle. Français.
Graveur, dessinateur.
Il fut élève de Dupont et Gérôme. Il exposa à Paris au Salon des Artistes Français à partir de 1882, dont il fut membre sociétaire en 1887 et où il avait reçu une mention honorable en 1886, et participa aux Expositions Internationales de Liège, Chicago et Barcelone. Il fut président du Groupe Artistique de l'Est.
Comme graveur, il privilégia la technique de l'eau-forte.

VOISIN Josine Hanyock
XVe siècle. Active à Tournai dans la seconde moitié du XVe siècle. Éc. flamande.
Peintre de fruits.
Femme de Philippe V.

VOISIN Louis Léon
Né à Suin. XIXe siècle. Français.
Peintre de portraits et dessinateur.
Élève de Truphéme et de Maillart. Il débuta au Salon de 1879. Sociétaire des Artistes Français depuis 1890 ; mention honorable en 1890.

VOISIN Luc
XVe-XVIe siècles. Actif à Tournai. Éc. flamande.
Peintre.
Fils de Philippe V.

VOISIN Olivet
XVe-XVIe siècles. Actif à Tournai. Éc. flamande.
Peintre.
Fils de Philippe V.

VOISIN Philippe
XVe-XVIe siècles. Actif à Tournai de 1467 à 1504. Éc. flamande.
Peintre.
Père de Luc et d'Olivet.

VOISIN Raymonde
XXe siècle. Française.
Peintre de compositions animées, nus, intérieurs, paysages, marines, fleurs, peintre à la gouache, aquarelliste, dessinateur.
Elle fut élève de l'école des beaux-arts de Paris, puis enseigna à Rodez et Paris.
Elle a participé à Paris, aux Salons des Artistes Français, de la Société Nationale des Beaux-Arts, des Femmes Peintres.
Elle s'est spécialisé dans les paysages, avec des vues de Bretagne, des Landes, de Lozère et des vues de Paris.

VOISIN Roch
Mort en 1640 à Paris. XVIIe siècle. Français.
Peintre.

VOISIN-DELACROIX Alphonse
Né le 9 septembre 1857 à Besançon (Doubs). Mort le 3 avril 1893 à Paris. XIXe siècle. Français.
Sculpteur.
Sociétaire des Artistes Français, il figura au Salon de ce groupement. Le Musée de Besançon conserve de lui : *Buste en plâtre de l'architecte Alphonse Delacroix.*

VOISON J.
XVIIIe siècle. Français.
Peintre de natures mortes.
Il exposa au Salon de la Correspondance en 1783 et au Salon de la place Dauphine en 1783 et 1784. On ne sait à peu près rien de sa vie. Il visita la Suisse en 1779, avec Bocquet, Taunay et Demarne, d'après le texte du catalogue de la vente de dessins Bruun Neergard, Paris 1814. Le catalogue de la collection de Paupe, Paris, 30 janvier 1792, comporte son tableau *Chambre de Lantara*. Le catalogue de la vente J. P. Souri, 16-17 floréal 1803, mentionne des natures mortes de lui. On a pu voir de lui une *Cuisine*, à l'exposition de natures mortes, Amsterdam, 1933.
■ M. Benisovich

VOISSARD-MARGERIE. Voir **VOISARD-MARGERIE**

VOITEL Franz
Né en 1773 à Soleure. Mort en 1839. XVIIIe-XIXe siècles. Suisse.
Peintre amateur et officier.
Le Musée de Soleure conserve trois peintures à la gouache exécutées par cet artiste.

VOITELLIER Marie Theophile, née **Lainé**
Née au XIXe siècle à Paris. XIXe siècle. Française.
Peintre de fleurs.
Élève de Fontaine. Elle exposa au Salon de 1845 à 1859.
Ventes Publiques : Paris, 7 mars 1955 : *Bouquet noué* : FRF 45 000.

VOITRIN Gérard. Voir **VATRIN**

VOITS Carl Daniel. Voir **VOIGTS**

VOITURON Albert Joseph
Né le 4 août 1787 à Gand. Mort le 25 mars 1847 à Gand. XIXe siècle. Belge.
Sculpteur.
Élève de l'Académie de Gand. Il sculpta des bustes et des ornements.

VOIZARD-MARGERIE. Voir **VOISARD-MARGERIE**

VOKAER Robin
Né en 1967. XXe siècle. Belge.
Sculpteur. Abstrait.
Il a participé à des expositions collectives à Avins, Carrare, Peyresq, Biarritz... Il a reçu diverses commandes publiques de communes belges. Il a été lauréat du prix Godecharle en 1993 et a obtenu le premier prix de jeune sculpture au musée en plein air du Sart Tilman. Il réalise des sculptures monumentales qui associent pierre, notamment le granit, et bois.

VOKALEK Vaclav
Né le 25 octobre 1891 à Prague. XXe siècle. Tchécoslovaque.
Sculpteur de figures.
Il fut élève de Josef V. Myslbek et de Jan Stursa.
Musées : Prague (Gal. Mod.) : *Portrait de l'artiste*, bronze.

VOKES A. E.
Né en 1874. XIXe-XXe siècles. Britannique.
Peintre de portraits, paysages, sculpteur.
Il vécut à Londres. Sculpteur, il travailla le bronze.

VOLAIRE André
Né le 8 septembre 1768 à Embrun (Hautes-Alpes). Mort le 1er mars 1831. XVIIIe-XIXe siècles. Français.
Peintre.
Petit-fils de François Alexis V.

VOLAIRE François Alexis
Né le 2 avril 1699. Mort le 13 mai 1775. XVIIIe siècle. Français.
Peintre.
Frère de Jacques Auguste Volaire. Il travailla pour la ville et l'arsenal de Toulon.

VOLAIRE Jacques Auguste
Né le 12 décembre 1685 à Toulon. Mort le 20 avril 1768. XVIIIe siècle. Français.
Peintre et dessinateur.
On cite de lui des *Vues de Nantes* que gravèrent Tardieu et Baquoy. Il paraît probable qu'il s'agit du père du chevalier Jacques Antoine Volaire. Dans ce cas, avant d'exercer son professorat, dès 1737, d'après M. Olivier Merson, notre artiste aurait été peintre à l'arsenal de Toulon.

VOLAIRE Jean
Né vers 1660 à Toulon. Mort en 1721. XVIIe-XVIIIe siècles. Français.
Peintre.
Probablement élève de P. Puget. Il travailla à l'arsenal de Toulon.

VOLAIRE Marie Anne
Née le 29 septembre 1730 à Toulon. Morte le 24 mars 1806. XVIIIe siècle. Française.
Portraitiste.
Fille de François Alexis V.

VOLAIRE Pierre Jacques ou **Jacques Antoine** ou **Volère**, dit **le Chevalier Volaire**
Né le 30 avril 1729 à Toulon. Mort avant 1802 à Naples. XVIIIe siècle. Français.
Peintre de marines et dessinateur.
On possède peu de détails précis sur cet artiste ; les biographes ne sont pas d'accord sur le lieu de sa naissance, non plus que sur son second prénom. Il paraît certain que celui de Jacques, sous lequel on le désigne ordinairement lui appartenait bien. Il était fils d'un peintre nantais attaché à l'arsenal de Toulon, que nous croyons être Jacques Auguste Volaire, cité comme professeur de dessin à Nantes, vers 1746. Il semble que notre artiste y ait également travaillé. D'après M. Olivier Merson, Jacques Volaire fut à Nantes le premier professeur de l'école gratuite de dessin instituée dans cette ville en 1757 par les États de Bretagne. Il convient de noter que cet artiste était, dès 1756, le collaborateur de Joseph Vernet, et qu'il travailla avec ce maître jusqu'à l'époque de son départ pour l'Italie, en 1763, travaillant, notamment, aux tableaux du port de Bordeaux en 1758 et à ceux du port de Bayonne, en 1761. M. Olivier Merson, ignorant peut-être l'existence de Jacques Auguste, avait pris celui-ci pour Jacques Antoine. Volaire s'établit à Rome en 1763 et y peignit, avec grand succès, des marines dans le goût de Vernet. Il alla ensuite se fixer à Naples et y peignit, notamment, plusieurs éruptions du Vésuve. Lors de la dispersion des élèves de l'académie de France à Rome, plusieurs des élèves se réfugièrent chez le chevalier de Volaire. Il exposa au Salon de la Correspondance en 1779 et en 1786. La rencontre de Joseph Vernet et de Volaire paraît avoir eu pour le premier, d'heureuses conséquences. On remarque, à partir de ce moment dans les œuvres du maître d'Avignon, un changement très sensible. Les paysages s'égaient de personnages aux colorations délicieuses et d'une facture extrêmement spirituelle. Par les rares gouaches ou peintures qui ont conservé la signature de Volaire, on peut se rendre compte de la part très grande qui revient à cet artiste dans l'œuvre de Vernet. Certainement la plupart des ouvrages de Volaire ont été démarqués et se cachent sous des signatures de peintres plus en vogue. Il en existe quelques-uns cependant encore portant la signature : Volaire. Entre autres des gouaches exquises rappelant de très près celles de Louis Moreau. Ce sont de petits paysages clairs emplis d'air et d'espace qui font déjà pressentir ce que sera la peinture moderne, préoccupée des vibrations de l'atmosphère. Les ciels très fins expriment bien l'infini, ils sont d'un bleu délicat que tachent de blancs nuages légers. Les personnages sont d'un faire et d'un coloris excessivement spirituels : cavaliers sur des chevaux cabrés, soudards qui lutinent des filles ou font boire leurs montures à la porte des auberges, enfants qui courent après des oies, commères qui bavardent au seuil des portes. Les frondaisons des arbres très aérées font deviner par leurs exquises colorations bleutées ce que seront plus tard les feuillis de Corot. Dans ces gouaches minuscules, tout est d'une facture étonnamment large. On sait qu'Hubert Robert prisait beaucoup le talent du chevalier Volaire, qui était bien représenté dans sa collection. Le catalogue des tableaux de sa vente mentionne une œuvre importante du chevalier : *L'incendie d'un bateau dans un port*, d'un très grand effet dramatique.
■ E. Bénézit

le Cher Volaire. f.

Musées : Cherbourg : *Le Vésuve en éruption* – Clamecy : *Les éléments* – Compiègne (Palais) : *Éruption d'un volcan* – Deux marines – Le Havre : *Éruption du Vésuve* – Nantes : *Éruption du Vésuve* en 1717 et vue de Portici – NARBONNE : *Éruption du Vésuve par un clair de lune* – ROUEN : *Éruption du Vésuve en 1779* – SAINT-PÉTERSBOURG : *Éruption du Vésuve* – TOULOUSE : *Éruption nocturne du Vésuve* – VIENNE : *Éruption du Vésuve*.

VENTES PUBLIQUES : PARIS, 10 avr. 1919 : *Cascade à Tivoli* : **FRF 1 750** – PARIS, 2 et 3 juil. 1929 : *La cascade* : **FRF 10 100** – PARIS, 28 mai 1951 : *Scène de port avec pêcheurs*, cr. de coul. : **FRF 24 500** ; *Quatre personnages devant une grotte* ; *Pêcheurs jetant leurs filets*, cr. de coul., deux dessins : **FRF 5 000** – PARIS, 9 et 10 nov. 1953 : *Paysage d'hiver avec deux cavaliers orientaux* : **FRF 21 000** – PARIS, 27 nov. 1968 : *Vue de port animé de nombreux personnages*, past. gché : **FRF 5 500** – ÉMANCE, 18 et 19 oct. 1970 : *Vue présumée de Naples* : **FRF 21 000** – PARIS, 21 mars 1977 : *La chasse au canard*, h/t (65,5x82) : **FRF 66 000** – LONDRES, 12 déc. 1980 : *L'Éruption du Vésuve en 1769*, h/t (135,2x226,2) : **GBP 20 000** – ROME, 27 oct. 1981 : *L'Éruption du Vésuve*, h/t (72x100) : **ITL 10 000 000** – LONDRES, 22 oct. 1982 : *Vue du Vésuve en éruption*, h/t (79,4x100) : **GBP 4 200** – MONTE-CARLO, 25 juin 1984 : *Baigneuses dans les cascatelles de Tivoli*, h/t (94x132) : **FRF 180 000** – NEW YORK, 6 juin 1985 : *Vue de la baie de Naples avec le Vésuve en éruption*, h/t (43x66) : **USD 16 000** – LONDRES, 18 fév. 1987 : *Scène de port au clair de lune*, h/t (97,5x135) : **GBP 9 200** – LONDRES, 17 juin 1988 : *Éruption du Vésuve avec des spectateurs au premier plan*, h/t (73,5x50,8) : **GBP 1 540** – FÉCAMP, 9 juil. 1989 : *L'Éruption du Vésuve*, h/t (40,5x66) : **FRF 265 000** – LONDRES, 5 juil. 1989 : *Scène de port nocturne avec des personnages sur la grève*, h/t (43x61) : **GBP 37 400** – PARIS, 18 avr. 1991 : *Scènes de ports méditerranéens*, h/t, une paire (21,5x27,5) : **FRF 80 000** – NEW YORK, 30 mai 1991 : *Personnages observant l'éruption du Vésuve de 1771*, h/t (75x113,5) : **USD 214 500** – NEW YORK, 14 jan. 1992 : *Pêcheurs sur la côte*, past./pap., une paire (chaque 53,2x65) : **USD 16 500** – NEW YORK, 16 jan. 1992 : *La baie de Naples pendant une éruption du Vésuve avec des personnages au premier plan*, h/t (69x105) : **USD 99 000** – LONDRES, 10 juil. 1992 : *Une baie avec les Temples de Vénus et de Diane depuis la forteresse de Don Pedro de Toledo ; La forteresse de Don Pedro de Toledo vue depuis Campi Fleigrei, le Cap de Misene et Ischia à l'arrière-plan*, h/t, une paire (73x127 et 73x128,5) : **GBP 110 000** – ROME, 24 nov. 1992 : *Pêcheurs au bord d'une rivière méditerranéenne*, h/t (36x53) : **ITL 32 200 000** – PARIS, 18 juin 1993 : *Étude d'homme*, cr. noir et estompe/pap. gris (18,5x24) : **FRF 4 300** – NEW YORK, 22 mai 1997 : *Paysage aux femmes se baignant près d'une cascade 1763*, h/t (99,7x137,8) : **USD 82 250** – PARIS, 17 juin 1997 : *Paysage de rivière au pont avec pêcheurs*, t. (100x137,5) : **FRF 480 000**.

VOLANAKIS Constantin ou **Volonakis**

Né en 1837 à Héraklion (Crète). Mort en 1907 au Pirée. XIXe siècle. Actif aussi en Autriche. Grec.

Peintre de marines. Postromantique.

De 1864 à 1868, il fut élève de Carl T. Piloty et Wilhelm von Kaulbach à l'Académie des Beaux-Arts de Munich. Il se fixa ensuite à Vienne, d'où il entreprenait de nombreux voyages aux îles de la Mer Égée et de la Mer Ionienne, qui inspiraient sa peinture. Ce fut à Vienne qu'il peignit son célèbre tableau *La Bataille navale de Lissa*. Il revint se fixer en Grèce en 1883, et y fut professeur à l'école des Beaux-Arts d'Athènes de 1883 à 1903. Volonakis fut avant tout un peintre de marines, représentant, dans un climat poétique, des ports, la vie des pêcheurs, les voiliers, des plages.

MUSÉES : ATHÈNES (Pina. Nat.) – LE PIRÉE (Mus. naval) – VIENNE (Acad. des Beaux-Arts) : *Bataille navale de Lissa*.

VOLANI Margherita

Née à Trente. XVIIIe siècle. Travaillant en 1799. Italienne.

Peintre.

VOLANI Nicolo

Né le 16 août 1728 à Trente. Mort après 1808. XVIIIe siècle. Italien.

Peintre.

Il peignit des tableaux d'autel pour les églises de Trente, de Volano et de Malè.

VOLANT Antoine. Voir **VOULANT**

VOLANTE Lodovico

XVIe siècle. Actif à Rome à la fin du XVIe siècle. Italien.

Graveur au burin.

Il grava un portrait de *Philippe III d'Espagne* en 1598.

VOLAPERTA

XIXe siècle. Italien.

Sculpteur sur ivoire.

Le Musée de l'Ermitage de Leningrad conserve de lui *Portrait d'Alexandre Ier, tsar de Russie*.

VOLARI Vincenzo

Mort le 26 juillet 1761 à Ferrare. XVIIIe siècle. Italien.

Peintre de décorations.

VOLCA ou **Vulca**

VIe siècle avant J.-C. Travaillant à Rome dans la seconde moitié du VIe siècle avant Jésus-Christ. Antiquité étrusque.

Sculpteur.

Il a sculpté une statue de *Jupiter* et un quadrige pour le temple de Jupiter Capitolin.

VÖLCK Ferdinand. Voir **VÖLK**

VOLCKAERT Piet

Né en 1902 à Bruxelles. Mort en 1973 à Laeken. XXe siècle. Belge.

Peintre d'intérieurs, paysages, paysages urbains. Tendance naïve.

Il fut élève de Franz Gailliard.

P VOLCKAERT

BIBLIOGR. : In : *Dict. biogr. illustré des artistes en Belgique depuis 1830*, Arto, Bruxelles, 1987.

VENTES PUBLIQUES : BRUXELLES, 19 déc. 1989 : *Hiver*, h/t (100x120) : **BEF 130 000** – BRUXELLES, 27 mars 1990 : *Intérieur*, h/t (70x61) : **BEF 40 000** – BRUXELLES, 12 juin 1990 : *Château*, h/t (50x60) : **BEF 28 000** – BRUXELLES, 7 oct. 1991 : *La porte de Halle*, h/pan. (18x24) : **BEF 30 000** – LOKEREN, 15 mai 1993 : *Rue Lacaille*, h/t (70x63) : **BEF 50 000** – LOKEREN, 12 mars 1994 : *Foire du midi*, h/pan. (30x40) : **BEF 26 000** – LOKEREN, 20 mai 1995 : *Le jardin botanique*, h/t (80x90) : **BEF 55 000**.

VOLCKART Johann Friedrich ou **Volkart** ou **Volcart** ou **Volkert**

Né en 1750. Mort en 1812. XVIIIe-XIXe siècles. Actif à Nuremberg. Allemand.

Graveur au burin.

Il grava des architectures. On cite de lui *Ruines de Paestum* et des *Vues de Nuremberg*.

VÖLCKER. Voir aussi **VOELCKER**

VÖLCKER Friedrich Wilhelm ou **Völker**

Né en 1799 à Berlin. Mort le 17 février 1870 à Thorn. XIXe siècle. Allemand.

Peintre de genre, de fleurs, de fruits.

On cite de lui : *Le prince Auguste de Prusse* et *Fleurs dans un vase*. Il fut employé, comme son père Gott. W. Völcker, à la Manufacture de porcelaine de Berlin. Le Musée de Breslau conserve de lui *Fleurs* et *Fruits*.

VÖLCKER Gottfried Wilhelm ou **Völker**

Né le 23 mars 1775 à Berlin. Mort le 1er novembre 1849 à Berlin. XIXe siècle. Allemand.

Peintre de natures mortes, fleurs et fruits.

Il eut pour maître Joh. Friedrich Schulze. Il fut membre de l'Académie des Beaux-Arts de Berlin, dont il devint par la suite professeur ; et superintendant de la Manufacture royale de porcelaine de Berlin.

MUSÉES : KALININGRAD, ancien. Königsberg : *Fleurs et fruits* – MUNICH : *Fleurs dans un vase*.

VENTES PUBLIQUES : AMSTERDAM, 16 nov. 1988 : *Nature morte d'un bouquet de fleurs de fin d'été dans un vase de cristal et de fruits sur une console de pierre 1836*, h/t (88,5x66,5) : **NLG 166 750** – NEW YORK, 23 mai 1991 : *Nature morte de fruits divers, fleurs et épis de maïs sur un entablement 1847*, h/t (55,8x66) : **USD 15 400**.

VÖLCKER Hans

Né le 21 octobre 1865 à Pyritz. XIXe-XXe siècles. Allemand.

Peintre de portraits, paysages, marines, natures mortes.

Il fut élève de Hans F. Gude à l'académie des beaux-arts de Berlin. Il travailla à Munich. En 1892, il obtint avec le peintre de Tischmeyer Friesdorf, le prix Adolf Ginsberg-Stibtung. Il exposa à Vienne en 1891 et à Munich en 1893.

MUSÉES : BERLIN : *Moulin dans la vallée* – HALLE : *Tempête* – MAGDEBOURG : *Visby au clair de lune* – WIESBADEN : *Plage près d'Ablbeck et au bord de la Rega*.

VÖLCKER Mathias

Né en 1955 à Rostock. XXe siècle. Allemand.

Dessinateur de figures, architectures, natures mortes.

De 1974 à 1979, il étudia à l'académie des beaux-arts de Francfort-sur-le-Main, où il vit et travaille.
Il participe à des expositions collectives : 1976 musée de Wiesbaden ; 1977-1978, 1986 Société des Artistes de Francfort-sur-le-Main ; 1985 Neue Gesellschaft für Bildende Kunst de Berlin ; 1992 Musée für Moderne Kunst de Francfort-sur-le-Main ; 1993 Salon Découvertes à Paris ; 1995 Landesmuseum für Moderne Kunst Martin Gropius Bau de Berlin, Museum der Bildenden Kunste de Leipzig. Il montre ses œuvres dans des expositions personnelles : depuis 1979 régulièrement à Francfort-sur-le-Main, notamment en 1992 à la galerie Appel und Fertsch, en 1991, 1992, 1994 et 1995 au Museum für Moderne Kunst ; 1981 Cologne ; 1984 Londres ; 1985 Vérone et Maastricht ; 1989 Düsseldorf, Brême ; 1989, 1992 Haarlem...
Évoquant l'art de la miniature, ses dessins, généralement à l'aquarelle et au crayon, proposent la face d'un autre monde, peuplé d'esprits, de chamans, d'êtres robotiques, ou d'objets anthropomorphiques. Ses dessins d'architecture inspirés de son environnement familier (vue de son atelier) possèdent une dimension anthropomorphique, dans leur évocation de quelques figures identifiables, une tête, une silhouette de Mickey Mouse.
Bibliogr. : Catalogue de l'exposition : *Mathias Völcker*, Museum für Moderne Kunst, Francfort-sur-le-Main, 1996.
Musées : Francfort-sur-le-Main (Mus. für Mod. Kunst) : *Sans titre* 1992.

VÖLCKER Otto Herman Emil. Voir **VOELCKER**

VOLCKERT. Voir aussi **VOLKERT**

VOLCKERT Claesz. Voir **CLAESZOON Volckert**

VOLCKERT Nicolaes. Voir **VOLKAERT**

VOLCKERTSZ Dirck. Voir **COORNHERT Dirk Volkertsz**

VOLCKHART Nicolaes. Voir **VOLKAERT**

VOLDER Joost de
Né vers 1600 à Haarlem. XVIIe siècle. Hollandais.
Peintre de paysages.
Membre de la gilde Saint-Luc en 1632.
Ventes Publiques : Londres, 14 fév. 1968 : *Paysage* : **GBP 1 650**.

VOLDERS Lancelot
XVIIe-XVIIIe siècles. Actif à Bruxelles de 1657 à 1703. Éc. flamande.
Peintre.
Peut-être identique à Louis Volders.

VOLDERS Louis ou **Jan** ou **Velders**
XVIIe siècle. Travaillant à Bruxelles de 1660 à 1670. Éc. flamande.
Peintre de portraits.
On croit qu'il fut élève de Crayer, cependant ses portraits sont fréquemment attribués à Coxie. On cite de lui deux peintures qui décoraient l'Hôtel de Ville de Louvain et un tableau à l'église Notre-Dame de la chapelle, à Bruxelles.
Ventes Publiques : Paris, 1882 : *La Partie de musique* : **FRF 6 505** – Londres, 7 mai 1926 : *Groupe de famille* : **GBP 420** – Amsterdam, 7 mai 1997 : *Portrait du comte Hendrik Casimir II de Nassau-Dietz en buste ; Portrait de la comtesse Henriette Amalia de Nassau-Dietz en buste*, h/t, une paire (chaque 75x57) : **NLG 19 604**.

VOLÈRE Jacques Antoine. Voir **VOLAIRE**

VOLETS DU RETABLE DE STERZING. Maître des. Voir **MAÎTRES ANONYMES**

VOLEUR Jean le. Voir **LE VOLEUR Jean**

VOLEUR Nicolas. Voir **LE VOLEUR Nicolas**

VOLGAR Karel Van. Voir **VOGELAER**

VOLGUE Peter de. Voir **VOGEL**

VOLGUERTO Van Allen Khay. Voir **OUWENALLEN Folpert**

VOLIGNY de
Né à Tonnerre (Yonne). Mort en 1699. XVIIe siècle. Français.
Graveur.
Il a gravé des sujets d'histoire mais on le cite surtout pour d'excellents portraits à la plume, lavés d'encre de Chine. On le croit identique au graveur Voligny de Tonnerres, mort en 1699.
Ventes Publiques : Paris, 1811 : *Un religieux*, pl. : **FRF 41** – Paris, 1862 : *Portrait de Pomponne de Reffuge*, pl. : **FRF 54**.

VOLINE Igor
XXe siècle. Français (?).
Peintre, technique mixte.
Il montre ses œuvres dans des expositions personnelles : 1986-1987 galerie L'Aire du Verseau à Paris ; 1988 musée des beaux-arts de Rueil-Malmaison.
On cite la série *Progression, mouvance 1 ou envol au-dessus de la ville* de 1984 à l'acrylique et kraft sur toile.

VÖLK August
XIXe siècle. Travaillant à Vienne en 1848. Autrichien.
Peintre de fleurs.

VOLK Douglas ou **Stephen Arnold Douglas**
Né le 23 février 1856 à Pittsfield (Massachusetts). Mort en 1935. XIXe siècle. Américain.
Peintre de genre, d'histoire et de portraits.
Fils du sculpteur Leonard W. Volk. Élève de Gérôme, à Paris. Associé à la National Academy en 1898, académicien en 1899. Il obtint de nombreuses récompenses à Chicago en 1893, premier prix à Boston en 1899, médaille d'argent à Buffalo en 1901, médaille d'argent à Charleston en 1902, médaille d'argent à Saint-Louis en 1904. Il prit une part active au développement de l'art américain et fut directeur de l'École des Beaux-Arts du Mineapolis de 1886 à 1893. On cite parmi ses ouvrages, des décorations murales au capitole de Saint-Paul (*Puritaine et son enfant*).
Musées : Brooklyn : *Frank L. Babbott* – Buffalo : *Portrait de Lincoln* – Minneapolis : *Après la réception* – New York (Metropolitan Mus.) : *Dr Felix Adler – Little Mildred* – Pittsburgh : *Jeune puritaine et son enfant* – Washington D. C. (Corcoran Gal.) : *Accusée de sorcellerie* – Washington D. C. (Mus. Nat.) : *Enfant avec flèche – Le roi Albert Ier de Belgique – Lloyd George – Le général Pershing*.
Ventes Publiques : Paris, 1er et 2 avr. 1902 : *Le modèle* : **FRF 800** – New York, 1er et 2 déc. 1904 : *Idylle d'Automne* : **USD 360** – New York, 2 fév. 1906 : *Mère et enfant* : **USD 130** – New York, 2 fév. 1911 : *Captives puritaines* : **USD 275** – New York, 23 juin 1983 : *Jeune femme près d'une source*, h/t (53,3x43,2) : **USD 2 400**.

VÖLK Ferdinand ou **Völck**
Né en 1772 à Würzburg. Mort le 27 décembre 1829 à Ratibor. XVIIIe-XIXe siècles. Allemand.
Portraitiste.
Élève de l'Académie de Dresde. Le Musée de Breslau conserve de lui *Portrait d'homme*.

VÖLK Johann Georg. Bartholomäus
Né le 10 mars 1747 à Ochsenfurth. Mort en 1815 à Würzburg. XVIIIe-XIXe siècles. Allemand.
Peintre de portraits, d'histoire et de paysages.
Élève de M. Gunther à l'Académie d'Augsbourg. Père de Ferdinand V.

VÖLK Karl
XVIIIe-XIXe siècles. Allemand.
Peintre.
Fils de J. G. B. Volk. Il travailla en Hongrie.

VOLK Leonard Wells
Né le 7 novembre 1828 à Wellstown. Mort en 1895. XIXe siècle. Américain.
Sculpteur.
Père de Douglas V. Il sculpta de nombreux monuments pour des villes des États-Unis, surtout des scènes historiques et des statues. Le Musée Métropolitain de New York possède de lui *Buste en bronze de Lincoln*.
Ventes Publiques : New York, 1er juin 1984 : *Buste d'Abraham Lincoln*, bronze, patine brun-rouge (H. 81,3) : **USD 5 500** – New York, 6 déc. 1985 : *Abraham Lincoln* 1860, bronze patiné (H. 54) : **USD 6 500**.

VOLKAERT Klaas
XVe-XVIe siècles. Actif à Haarlem. Hollandais.
Peintre.
Fils de Nicolas Volkaert. Comme lui, il travailla surtout, de 1480 à 1506, pour les églises et les couvents.

VOLKAERT Nicolas
XVe siècle. Hollandais.
Peintre.
Ce primitif néerlandais florissant à Haarlem vers 1468 travailla dans de nombreuses églises et couvents aujourd'hui désaffectés. Il peignait, généralement, à la détrempe. Il fournit des dessins pour des vitraux.

VOLKARD M. C.
XVIIIe siècle. Travaillant à Renen. Hollandais.
Dessinateur.

VOLKART Johann Friedrich. Voir **VOLCKART**

VÖLKEL Josef
Né le 23 juin 1882 à Presbourg. XXe siècle. Hongrois.
Peintre, graveur. Impressionniste.

VÖLKEL Reinhold
Né le 15 août 1834 à Neurode. XIXe siècle. Autrichien.
Sculpteur.
Il travailla à Vienne.

VOLKENBURG H.
Allemand.
Peintre de genre.
Le Musée de Sydney conserve de lui : *Un intérieur.*

VÖLKER. Voir aussi **VÖLCKER** et **VŒLCKER**

VÖLKER Karl
Né en 1889. Mort en 1962 à Halle. XXe siècle. Allemand.
Peintre de compositions animées, dessinateur.
Il étudia à l'école des arts appliqués de Halle puis de Dresde, puis très rapidement travailla à divers travaux de décoration. À partir de 1918, il fut membre du Novembergruppe.
Proche du parti communiste, il développa une œuvre socialement engagée, représentant des ouvriers dans leur cadre quotidien déshumanisé, cités, usines, réduits au statut de machines par le capitalisme.
Bibliogr. : In : *Dict. de l'art mod. et contemp.*, Hazan, Paris, 1992.

VÖLKER Wilhelm ou **Johann Wilhelm**
Né en 1812 à Wertheim. Mort le 18 décembre 1873 à Saint-Gall. XIXe siècle. Allemand.
Peintre.
Il fut protégé par la princesse de Lowenstein-Wertheim et, grâce à ses subsides, put faire son éducation à l'Académie de Munich. De nombreux voyages dans les montagnes de la Bavière et dans le Tyrol lui fournirent la majeure partie des sujets de ses tableaux. En 1848, l'ambassadeur de Prusse, à Munich, le chargea de la décoration de plusieurs pièces. Il fut chargé l'année suivante de la peinture de deux tableaux d'autel dans la chapelle du château ducal de Lowenstein. En 1851, il fut nommé professeur à l'école cantonale de Saint-Gall et acheva sa vie dans cette ville. Le Musée National de Munich conserve de lui *Portrait du peintre C. A. Mende.*

VÖLKERLING Gustav
Né vers 1805. XIXe siècle. Allemand.
Peintre.
Il exposa à Berlin de 1832 à 1848 des portraits de familles princières.

VÖLKERLING Hermann
Né le 1er août 1875 à Breslau. Mort en juillet 1924 à Eglfing. XXe siècle. Allemand.
Peintre de portraits.
Il fut élève des académies des beaux-arts de Breslau et de Munich.
Musées : Berlin (Gal. Nat.) : *Portrait du poète Christian Morgenstern* – Breslau, nom all. de Wroclaw : *Portrait d'un marchand de tableaux* – Munich (Mus. mun.) : *En été.*

VOLKERS Emil Ferdinand Heinrich
Né le 4 janvier 1831 à Birkenfeld. Mort en 1905 à Düsseldorf. XIXe siècle. Allemand.
Peintre de scènes de genre, animaux, paysages, dessinateur, lithographe.
Il fut élève de Rietschel et de Schnorr, à Dresde et de 1852 à 1857 d'Albrecht et de Franz Adam à Munich. De 1857 à 1867, il continua ses études à Düsseldorf. En 1867, il alla chez le prince de Roumanie à Bucarest et en 1869, il visita l'Italie. Il s'établit à Düsseldorf.

E Volkers

Musées : Bucarest (Mus. Simu) : *Un courrier de village* – Cologne : *Famille de bohémiens* – Riga : *Dans l'écurie du cirque* – Wiesbaden : *Paysans roumains allant au marché.*
Ventes Publiques : Paris, 15 déc. 1950 : *Traîneau en Sibérie* : **FRF 2 100** – Cologne, 26 juin 1974 : *L'arrêt à l'auberge* : **DEM 5 500** – Cologne, 14 juin 1976 : *Marché aux chevaux* 1884, h/t (47,5x72,5) : **DEM 6 500** – Munich, 15 juin 1978 : *Paysans de Valachie* 1877, h/t (50x71) : **DEM 13 000** – Cologne, 19 oct 1979 : *Cavaliers et paysans dans la puszta hongrois* 1877, h/t (50x70,5) : **DEM 15 000** – New York, 25 mai 1984 : *Chevaux et chiens à l'écurie* 1861, h/t (32,4x38,1) : **USD 2 800** – Londres, 20 mars 1985 : *Carrioles dans la steppe* 1882, h/t (59x110) : **GBP 1 800** – Londres, 21 mars 1986 : *L'Empereur Guillaume Ier de Prusse avec son fils à la bataille de Königsgrätz en 1864* 1888, h/t (83x69) : **GBP 11 000** – New York, 23 fév. 1989 : *Paysans roumains sur le chemin du marché* 1869, h/t (76,4x126,2) : **USD 8 800** – Cologne, 18 mars 1989 : *Offensive* 1898, h/pan. (25x32) : **DEM 2 600** – Londres, 7 juin 1989 : *Un étalon* 1899, h/pan. (32x41) : **GBP 1 980** – Cologne, 28 juin 1991 : *Un cheval* 1897, h/t (31x40) : **DEM 2 800** – Paris, 30 mars 1992 : *Cheval sellé* 1904, h/pan. (23,5x31) : **FRF 6 600** – Londres, 28 oct. 1992 : *Montant le vainqueur* 1899, cr. et lav./pap./cart. (24x35,5) : **GBP 660** – Amsterdam, 2 nov. 1992 : *L'exercice de haute école*, h/t (28,5x36) : **NLG 5 175**.

VOLKERT Claesz. Voir **VOLKAERT Nicolas**

VOLKERT Edward Charles
Né le 19 septembre 1871 à Cincinnati (Oklahoma). Mort en 1935. XIXe-XXe siècles. Américain.
Peintre de paysages.
Il fut élève de Frank Duveneck et de l'Art Students' League de New York. Il fut membre du Salmagundi Club, de l'Union Internationale des Beaux-Arts et des Lettres et de la Fédération Américaine des Arts.
Ventes Publiques : New York, 24 juin 1988 : *Le matin à Lyme*, h/cart. (30x40) : **USD 5 500** – New York, 31 mai 1990 : *Gardien de bétail*, h/pan. (30,5x40,8) : **USD 1 430** – New York, 17 déc. 1990 : *Matin brumeux*, h/cart. (31,1x40,7) : **USD 3 300** – New York, 15 avr. 1992 : *Fermier labourant son champ*, h/cart. (30,5x22,9) : **USD 3 190** – New York, 4 mai 1993 : *Labourage de printemps*, h/cart. (22,9x30,5) : **USD 1 610**.

VOLKERT Hans
Né le 7 août 1878 à Erlangen. XXe siècle. Allemand.
Peintre, dessinateur, illustrateur.
Il fut élève de l'académie des beaux-arts de Munich.
Il a réalisé des ex-libris et des décorations de livres, notamment de Goethe et Novalis.
Bibliogr. : Marcus Osterwalder : *Dict. des illustrateurs 1800-1914*, Ides et Calendes, Neuchâtel, 1989.

VOLKERT Johann Friedrich. Voir **VOLCKART**

VOLKHART Georg Wilhelm
Né le 23 juin 1815 à Herdicke. Mort le 14 mars 1876 à Düsseldorf. XIXe siècle. Allemand.
Peintre d'histoire et de portraits.
Élève de l'Académie de Düsseldorf. De 1846 à 1847, il voyagea en Italie et s'établit ensuite à Düsseldorf. Père du peintre Max Volkhart. On cite de lui : *Tancrède blessé* (Musée de Hanovre).

VOLKHART Max
Né le 17 octobre 1848 à Düsseldorf. Mort le 11 février 1935 à Düsseldorf. XIXe-XXe siècles. Allemand.
Peintre de genre, graveur.
Fils du peintre d'histoire Georg Wilhelm Volkhart, il fut élève de l'académie des beaux-arts de Düsseldorf de 1865 à 1870, et de Karl Franz Ed. von Gebhardt jusqu'en 1874. Il travailla à Düsseldorf. Graveur, il privilégia la technique de l'eau-forte.

MAX VOLKHART

Musées : Altenburg : *Ennemi en vue* – Bruxelles : *Après la séance* – Düsseldorf : *Eberhard de Limon* – *Badinerie* – *Le Peintre Vautier* – Mayence : *Qui a la chance ramène la fiancée* – Vienne (Gal. Liechtenstein) : *La Procession de la Fête-Dieu.*
Ventes Publiques : New York, 3 fév. 1905 : *La Proposition* : **USD 400** – Paris, 15 mars 1943 : *La consultation* : **FRF 1 200** – Cologne, 15 nov. 1972 : *La présentation au bourgmestre* : **DEM 9 500** – Londres, 5 oct 1979 : *Le galant entretien*, h/t (87,5x112,5) : **GBP 1 500** – Londres, 24 juin 1981 : *Le Coup de foudre*, h/t (76x89,5) : **GBP 6 500** – New York, 25 oct. 1984 : *Le toast*, h/t mar./cart. (112,4x83,8) : **USD 11 000** – Cologne, 20 mai 1985 : *Joie maternelle*, h/t (53,5x78) : **DEM 13 000** – New York, 25 fév. 1988 : *Une élégante partie de campagne*, h/t (68,5x99,7) :

USD 41 800 – LONDRES, 4 oct. 1991 : *Sur la terrasse*, h/t (54,5x38,1) : **GBP 1 980** – NEW YORK, 29 oct. 1992 : *Prétendant faisant son compliment* 1867, h/t (72,4x105,4) : **USD 6 050**.

VOLKMANN Arthur Joseph Wilhelm

Né le 28 août 1851 à Leipzig. XIXe siècle. Allemand.

Sculpteur, peintre et graveur.

Il fut d'abord élève de l'Académie de Dresde, puis de 1870 à 1873, il travailla sous la direction de E. Hahnel. Il alla ensuite continuer ses études ; de 1873 à 1876, avec A. Wolff, à Berlin. Il alla enfin se fixer à Rome.

MUSÉES : BÂLE : *Buste de Jacob Burckhardt* – BERLIN : *Buste de femme* – BRÊME : *Femme* – DRESDE : *Jeune sagittaire* – *Léda* – FRANCFORT-SUR-LE-MAIN : *Cavalier* – LEIPZIG : *Germain à la chasse* – *Cavalier* – *Buste idéal de femme*, deux œuvres.

VOLKMANN Hans Richard von

Né le 19 mai 1860 à Halle. Mort le 29 avril 1927 à Halle. XIXe-XXe siècles. Allemand.

Peintre de paysages, graveur, dessinateur.

Il fut élève de l'académie des beaux-arts de Düsseldorf de 1880 à 1883 et de Karl Franz Ed. von Gebhardt de 1884 à 1888. En 1888, il vint à Karlsruhe où il continua ses études avec le paysagiste Schonbber. Il reçut une médaille à Munich en 1893, à Dresde en 1894 et à Paris une médaille de bronze en 1900 à l'Exposition Universelle. Il a dessiné des ex-libris.

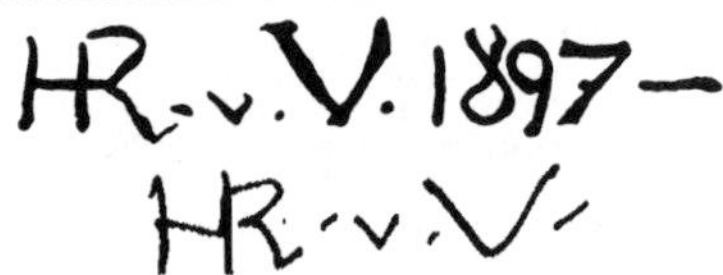

MUSÉES : BERLIN : *Printemps* – CONSTANCE : un tableau – KARLSRUHE : *Automne* – *Sureau en fleur* – LEIPZIG : *Vallée boisée dans l'Eifel* – MUNICH : *Champ d'avoine* – STUTTGART : *Paysage avec troupeau.*

VENTES PUBLIQUES : MUNICH, 1er déc. 1976 : *Berger et troupeau* 1896, h/t (49x62) : **DEM 3 100** – COLOGNE, 23 nov. 1977 : *Paysage* 1907, h/t (70,5x100) : **DEM 13 000** – COLOGNE, 23 nov. 1978 : *Scène de moisson* 1927, h/t (45x36) : **DEM 7 500** – MUNICH, 4 juin 1980 : *Paysage d'automne* 1894, h/t (46x58,2) : **DEM 3 050** – COLOGNE, 15 oct. 1988 : *L'été dans les champs* 1919, h/t (45x75) : **DEM 4 400** – MUNICH, 10 mai 1989 : *Scène de labours* 1902, h/t (96,5x122) : **DEM 16 500** – COLOGNE, 23 mars 1990 : *Deux cigognes dans une prairie en été* 1917, h/t (65x95) : **DEM 2 500** – HEIDELBERG, 11 avr. 1992 : *Vaste paysage de prairies en automne*, h/t (65x94) : **DEM 5 200** – HEIDELBERG, 15-16 oct. 1993 : *L'étang* 1910, h/t (55x75) : **DEM 4 600** – HEIDELBERG, 5-13 avr. 1994 : *Arbre fruitier fleuri* 1906, h/t (30x38,5) : **DEM 1 650** – MUNICH, 21 juin 1994 : *Paysage de marais dans la région de Dachau* 1888, h/t (31x44) : **DEM 5 520** – HEIDELBERG, 8 avr. 1995 : *La végétation d'hiver dans la région de Bregenzer*, h/t (112x155) : **DEM 5 800**.

VOLKMANN Johann

Né en 1779. Mort le 29 juin 1841. XIXe siècle. Actif à Vienne. Autrichien.

Sculpteur.

VOLKMAR Antonie

Née le 24 avril 1827 à Berlin. XIXe siècle. Allemande.

Peintre de genre, portraits.

En 1848, elle fut élève de Jules Schrader, à Berlin et de 1853 à 1857 de Léon Cogniet, à Paris. De 1862 à 1864, elle voyagea en Italie.

MUSÉES : STETTIN : *Quand grand-mère raconte...*

VENTES PUBLIQUES : LONDRES, 29 nov. 1991 : *Émigrants partant pour l'Amérique* 1860, h/t (112,4x190,5) : **GBP 16 500** – NEW YORK, 23-24 mars 1996 : *La Punition* 1967, h/t (78,1x69,2) : **USD 13 800**.

VOLKMAR Charles

Né le 21 août 1841 à Baltimore. Mort le 6 février 1914 près de Metuchen. XIXe-XXe siècles. Américain.

Peintre d'animaux, paysages, graveur, sculpteur, céramiste.

Il fut élève de Henri J. Harpignies. Il exposa au Salon de Paris de 1875 à 1880.

Comme graveur, il privilégia la technique de l'eau-forte.

VENTES PUBLIQUES : NEW YORK, 25 mars 1997 : *Matin sur la rivière Cheat*, h/t (55,9x91,4) : **USD 4 945**.

VOLKMAR Joao Pedro

Né vers 1712 à Lisbonne. Mort le 8 mars 1782 à Lisbonne. XVIIIe siècle. Portugais.

Peintre.

Il peignit des tableaux d'autel pour des églises de Lisbonne.

VOLKMAR MACHADO Cyrillo

Né le 9 juillet 1748 à Lisbonne. Mort en 1823 à Lisbonne. XVIIIe-XIXe siècles. Portugais.

Peintre de portraits, d'histoire, et écrivain d'art.

Il fit ses études à Séville et à Rome. Professeur à l'Académie de Lisbonne. On cite de lui un tableau d'autel dans l'église du Cœur de Jésus, et des apôtres dans l'église de Goletto ; ses plus belles œuvres se trouvent dans le palais de Mafra. En 1827, Machado devint infirme à la suite d'une attaque d'apoplexie.

VOLKMAR MACHADO Joaquina Isabel

XVIIIe siècle. Travaillant en 1787. Portugaise.

Peintre.

Sœur de Cyrillo V. M. Elle peignit *La Vierge et l'Enfant* dans l'église Coraçao de Maria de Lisbonne.

VOLKMER Tobias ou **Volckmer**

Né le 28 mai 1586 à Salzbourg. Mort le 20 août 1659 à Munich. XVIIe siècle. Autrichien.

Graveur au burin et orfèvre.

Il grava des vues de Munich et des figures géométriques.

VOLKOV A. N. Voir **ROUSSOFF Alexandre Nicolaïevitch**

VOLKOV Adrian Markovitch

Né le 20 août 1827. Mort le 13 février 1873 à Saint-Pétersbourg. XIXe siècle. Russe.

Peintre de genre, lithographe.

Élève de l'Académie de Saint-Pétersbourg.

MUSÉES : MOSCOU (Roumianzeff) : *Paysage* – MOSCOU (Gal. Tretiakov) : *Les fiançailles interrompues* – *L'artiste.*

VOLKOV Alexander Nikolaïevitch ou **Alexandre**

Né en 1886 à Fergana. Mort en 1957 à Tachkent. XXe siècle. Russe.

Peintre.

Il fit ses études à l'Académie des Arts de Saint-Pétersbourg, où il eut pour professeur Vladimir Makovsky de 1908 à 1910, puis à l'école de Kiev, dans l'atelier de Roerich et Bilibin. Il fut membre de l'association des Artistes de la Russie révolutionnaire. À partir de 1916 il enseigne à l'institut d'art de Tachkent, où il s'installe définitivement.

En URSS, il a participé à diverses expositions. On a pu voir après sa mort de ses œuvres dans des expositions collectives consacrées à l'art russe : 1967 *L'Art russe des Scythes à nos jours*, qui eut lieu au Grand Palais de Paris avec deux compositions : *La Maison de thé grenat* et *Midi à Chakhimardan* ; 1979 *Paris-Moscou* au centre Georges Pompidou à Paris.

Il a fortement subi l'influence de M. Vroubel. *La Maison de thé grenat* de 1929, présente un morcellement des formes en facettes qui rappelle la multiplication des points de vue caractéristique du cubisme et du futurisme. *Midi à Chakhimardan* de 1933, encore solidement construite, est cependant revenue à un objectivisme relatif, à la façon de Le Fauconnier par exemple. Ces deux œuvres avaient été prêtées par la famille du peintre, alors que les objets présentés lors de cette exposition faisaient en principe partie des « Trésors des Musées Russes ». ■ J. B.

BIBLIOGR. : Catalogue de l'exposition : *Paris-Moscou*, Centre Georges Pompidou, Paris, 1979.

MUSÉES : MOSCOU (Gal. Tretiakov) : *Le Thé dans la tchaïkhana* 1924, h/t.

VENTES PUBLIQUES : LA VARENNE-SAINT-HILAIRE, 10 mai 1987 : *Musiciens* 1920, aquar. (24x25) : **FRF 10 500** – LONDRES, 14 nov. 1988 : *Abstraction sur un thème uzbek*, gche/pap./cart. (34x26) : **GBP 3 740** – LONDRES, 6 avr. 1989 : *Intérieur*, h/cart. (33x38,4) : **GBP 12 100** – LONDRES, 15 juin 1995 : *Figures abstraites sur un thème ouzbek*, gche et cr. (33x25) : **GBP 8 050**.

VOLKOV Alexeï Ilitch

Né en 1762. Mort après 1817. XVIIIe-XIXe siècles. Russe.

Peintre d'histoire, portraits.

MUSÉES : MOSCOU (Mus. Roumianzeff) : *Diane et ses nymphes* – MOSCOU (Gal. Tretiakov) : *Portrait du fabuliste I. A. Kriloff.*

VOLKOV Iéfim Iéfimovitch ou **Efim Efimovitch**

Né en 1843, ou 1844 à Saint-Pétersbourg. Mort en 1920. XIXe-XXe siècles. Russe.

Peintre de paysages.
Il fut élève de l'Académie des beaux-arts de Saint-Pétersbourg. Il particpa aux expositions du Salon de Société des Beaux-Arts et au Salon des Ambulants, mouvement dont il fit partie et qui prônait un retour à la tradition.
Peintre de paysages et de quelques scènes de vie populaire, il s'est attaché à rendre dans des compositions équilibrées la lumière, les couleurs propres à son pays.
Bibliogr. : In : *Les Muses,* Grange Batelière, t. XV, Paris, 1974.
Musées : Moscou (Gal. Tretiakov) – Saint-Pétersbourg (Mus. Russe).
Ventes Publiques : Londres, 14 déc. 1995 : *Allée d'arbres* 1886, h/t (140x106,5) : **GBP 14 950** – Londres, 17 juil. 1996 : *Allée d'arbres* 1886, h/t (140x106,5) : **GBP 10 350**.

VOLKOV Nikolaï Stépanovitch
Né en 1811. Mort en 1869. xixe siècle. Russe.
Portraitiste.
La Galerie Tretiakov, à Moscou, conserve de lui les portraits du compositeur *M. J. Glinka,* du poète *N. A. Choukovsky,* ainsi qu'un portrait de femme.

VOLKOV Roman Maximovitch
Né en 1773. xviiie-xixe siècles. Russe.
Portraitiste.
Élève de l'Académie de Saint-Pétersbourg. Il peignit un portrait d'*Alexandre Ier de Russie.*

VOLKOV Serguei Evguenievitch
Né en 1956 à Kazan. xxe siècle. Russe.
Peintre de paysages urbains.
Il fit ses études à l'institut d'architecture de Kazan. Il fut membre du groupe des Jeunes Artistes de l'Union des Artistes soviétiques. Il vit et travaille à Moscou. Il exposa à partir de 1978 à Moscou, en 1987 et 1988 à la galerie de France à Paris.
Il fut d'abord photographe, avant d'aborder la peinture. Figuratif, il travaille sur l'articulation de formes géométriques, empruntant ses motifs au quotidien : panneaux de signalisation qui hantent la cité et ne disent rien d'autres que ce qu'ils désignent, étiquettes d'aliments, mais aussi images stéréotypées notamment de paysages. Son travail s'inscrit volontairement dans la banalité, au cœur d'un monde déshumanisé auquel il se révèle difficile, voir impossible, d'échapper.
Bibliogr. : In : *L'Art au pays des soviets, 1963-1988,* Les Cahiers du Musée national d'art moderne, n° 26, Paris, hiver 1988 – in : *Dict. de l'art mod. et contemp.*, Hazan, Paris, 1992.
Ventes Publiques : Moscou, 7 juil. 1988 : *Lièvres* 1987, h/t (150x200) : **GBP 9 350** ; *Emblème de la médecine* 1988, h/t (122x100) : **GBP 5 280**.

VOLKOV T. T.
Né en 1844. xixe siècle. Russe.
Peintre de paysages.
Musées : Moscou (Gal. Tretiakov) : *Le marais – Les champignons – La neige précoce – L'automne – Fougères dans la forêt – Peintre dans la forêt* – Saint-Pétersbourg (Mus. Russe) : *Sur la rivière.*

VOLKOV Viktor
Né en 1941. xxe siècle. Russe.
Peintre de compositions animées, natures mortes, fleurs.
Il fut élève de l'École des Beaux Arts V. I. Moukhina à Leningrad. Il fut distingué comme Artiste du Peuple, dont il a le titre, et devint membre de l'Association des Peintres de Saint-Pétersbourg.
Musées : Novgorod (Mus. des Beaux-Arts) – Rostov-sur-Don (Gal. d'Art russe) – Saint-Pétersbourg (Mus. hist.) – Sievastopol (Mus. d'Art russe cont.) – Simféropol (Mus. des Beaux-Arts).
Ventes Publiques : Paris, 6 déc. 1991 : *Les roses,* h/t (70x80) : **FRF 19 000** – Paris, 13 avr. 1992 : *L'ombrelle rouge,* h/t (85x100) : **FRF 10 000** – Paris, 17 juin 1992 : *Roses et raisins,* h/t (85x100) : **FRF 6 800**.

VOLKOV Wassili Alexéiévitch
Né en 1842 à Gatchina. xixe siècle. Russe.
Portraitiste.
Élève de l'Académie de Saint-Pétersbourg.

VOLKOV-MUROMZOFF Alexandre Nicolaïvitch. Voir **ROUSSOFF Alexandre Nicolaïevitch**

VOLKOVA Dina
Née en 1941. xxe siècle. Russe.
Peintre de figures, aquarelliste.
Ventes Publiques : Paris, 4 mars 1991 : *Jeune écolière* 1966, aquar./pap. (60x40) : **FRF 5 450**.

VOLL Christoph
Né le 25 avril 1897 à Munich. Mort le 16 juin 1939 à Karlsruhe. xxe siècle. Allemand.
Sculpteur de figures, bustes, graveur.
Il sculpta des figures plus grandes que nature pour plusieurs bâtiments publics, ainsi que des bustes.
Musées : Carlsruhe (Kunsthalle) : *Buste de jeune fille.*
Ventes Publiques : Munich, 6 juin 1984 : *Portrait de femme* 1921, aquar. (49,5x39,5) : **DEM 4 800** – Cologne, 23 mars 1985 : *Le rêveur* 1922, bronze (H. 51) : **DEM 4 500** – Londres, 25 mars 1986 : *Zu Pferdemit schwierigkeit,* bronze patine brun foncé (H. 25) : **GBP 800** – Heidelberg, 9 oct. 1992 : *Jeune fille jouant du violon,* bois gravé (35,1x29,8) : **DEM 2 600**.

VOLL Frank Usher de
Né en 1873. Mort en 1941. xixe-xxe siècles. Américain.
Peintre de paysages, marines.
Il participa à l'exposition Pan-Pacific de 1915 à San Francisco et reçut la médaille d'argent pour sa peinture *East River à New York en hiver.*
Ventes Publiques : New York, 1er déc. 1989 : *East River à New York en hiver,* h/t (81,3x91,2) : **USD 30 800** – New York, 14 mars 1991 : *Soleil couchant sur l'Hudson,* h/cart. (31x40,6) : **USD 4 400** – New York, 21 mai 1991 : *Les docks de New York,* h/t (41,4x51) : **USD 4 400** – New York, 14 sep. 1995 : *Le port de Québec depuis les hauteurs de la ville* 1913, h/t (71,1x91,4) : **USD 21 850**.

VOLLAERT Jan ou **Johann Christian** ou **Christoph**. Voir **VOLLERDT**

VOLLANT Antoine
xvie siècle. Travaillant à Lyon de 1552 à 1581. Français.
Peintre.

VOLLARO Pietro
Né le 14 février 1858 à Campagna. xixe siècle. Actif à Naples. Italien.
Peintre.
Élève de Domenico Battaglia et de l'Académie de Naples. Il peignit des sujets religieux, des intérieurs, des miniatures et des scènes de genre.

VOLLBEHR Ernst
Né le 25 mars 1876 à Kiel. xxe siècle. Allemand.
Peintre d'histoire, sujets militaires, paysages.
Il fut élève de René Ménard à Paris.
Il exécuta des vues d'anciennes colonies allemandes. Il peignit aussi des scènes de la Première Guerre mondiale et réalisa des lithographies.
Musées : Brême (Mus. Luderitz).

VOLLENHOVE A.
xviiie siècle. Hollandais.
Dessinateur.
Il dessina des portraits de femmes.

VOLLENHOVE Bernart ou **Bernhard**
Né vers 1633 à Kampen. Mort en 1694 à Kampen. xviie siècle. Hollandais.
Peintre de portraits.
Élève de Salomon Koninck vers 1650. Il eut une importante activité de poète, et en 1677, il fut maître à Kampen.
Musées : Zwolle : *L'artiste.*
Ventes Publiques : Amsterdam, 7 mai 1996 : *Portrait d'un gentilhomme assis dans un fauteuil dans son bureau devant une table avec des livres, un globe céleste et un encrier,* h/t (78,2x61,6) : **NLG 9 200**.

VOLLENHOVE Herman Van ou **Vollenhoven**
xviie siècle. Actif à Kampen. Hollandais.
Peintre.
Inscrit en 1611, dans la gilde à Utrecht, il en fut doyen en 1627. En 1612, Beernt de Visseher, était son élève. Le Musée d'Amsterdam conserve de lui *Le peintre dans son atelier,* et le Musée du Prado, *Oiseaux morts.*

VOLLENWEIDER Gustav ou **Johann Gustav**
Né le 6 mai 1852 à Aeugst. Mort en 1919 à Berne. xixe-xxe siècles. Suisse.

Peintre de portraits, paysages, pastelliste, dessinateur, graveur.
Graveur, il privilégia la technique de l'eau-forte.
Musées : Berne : *Portrait de Ch. Buhler – Lac de Thoune – Portrait de l'artiste*, past.

VOLLERDT Jan ou **Johann Christian** ou **Christoph**
Né en 1708 à Leipzig. Mort le 27 juillet 1769 à Dresde. XVIIIe siècle. Allemand.
Peintre de paysages animés, paysages, paysages d'eau.
Il fut élève d'Alexander Triele.
Il peignit, particulièrement des petites vues des bords du Rhin et de Suisse, dans la manière de Ch. Geo Schutz. On y voit des personnages et des animaux traités avec esprit. Plusieurs de ses ouvrages ont été gravés.
Musées : Bordeaux : *Une rue au bord du Rhin* – Chambéry (Mus. des Beaux-Arts) : *Paysage – Paysage avec ruines* – Kaliningrad, ancien. Königsberg : *Vue d'une église* – Kassel : *Paysage avec ruine au bord de l'eau – Paysage avec ruine – Paysage d'hiver – Paysage avec arc-en-ciel.*
Ventes Publiques : Paris, 28 fév. 1920 : *Paysage d'une vaste étendue* : **FRF 105** – Paris, 9 mai 1927 : *Les Cascatelles ; Le moulin à eau*, ensemble : **FRF 4 800** – Paris, 21-23 nov. 1927 : *Personnages au pied d'une cascade* : **FRF 2 700** – Paris, 5 juil. 1929 : *Bords du Rhin avec personnages* : **FRF 450** – Lucerne, nov. 1950 : *Paysages rhénans* datés 1762, deux pendants : **CHF 880** – Londres, 8 juin 1966 : *Paysage montagneux* : **GBP 300** – Londres, 5 juil. 1967 : *Voyageurs dans un paysage* : **GBP 380** – Londres, 31 oct. 1969 : *Paysage d'hiver* : **GNS 1 100** – Amsterdam, 26 mai 1970 : *Paysage d'hiver* : **NLG 23 000** – Londres, 9 juin 1972 : *Paysage fluvial animé* : **GNS 2 400** – Copenhague, 30 avr. 1974 : *Paysages animés de nombreux personnages* : **DKK 46 000** – Vienne, 22 juin 1976 : *Paysage* 1763, h/t (63x78) : **ATS 80 000** – Amsterdam, 26 avr. 1977 : *Paysage boisé animé de personnages* 1762, h/t (60,5x76) : **NLG 24 000** – Londres, 12 déc 1979 : *Voyageurs dans un paysage fluvial boisé* 1760, h/t (24x30) : **GBP 6 000** – Londres, 29 mai 1981 : *Paysage d'Italie* 1765, h/pan. (19,7x27,3) : **GBP 1 800** – New York, 7 nov. 1984 : *Paysage montagneux aux cascades* 1758-1759, h/t, une paire (60,5x76) : **USD 21 000** – Londres, 25 oct. 1985 : *Gentilhommière dans un paysage boisé animé de personnages* 1759, h/t (61,5x76,2) : **GBP 9 000** – Londres, 9 avr. 1986 : *Paysage escarpé au lac animé de personnages* 1760, h/t (60x75) : **GBP 13 000** – New York, 14 jan. 1988 : *Paysage accidenté et animé avec un torrent en premier plan* 1759, h/t (60,5x73,5) : **USD 24 200** – Londres, 19 mai 1989 : *Paysage rhénan avec des voyageurs sur un chemin menant à une ville à l'arrière-plan*, h/t (28,3x38,2) : **GBP 4 950** – Londres, 21 juil. 1989 : *Vaste paysage rhénan avec un monastère au sommet d'une colline*, h/pan. (40x54) : **GBP 6 050** – Londres, 18 oct. 1989 : *Paysages rhénans en été et en hiver*, h/pan., une paire (46x61) : **GBP 48 400** – Paris, 25 juin 1990 : *Paysage animé*, h/t (20x25,5) : **FRF 23 000** – Londres, 14 déc. 1990 : *Vastes paysages rhénans, l'un, avec une famille de paysans et l'autre, avec des pêcheurs tendant leurs filets* 1762, h/t, une paire (chaque 61,2x76,2) : **GBP 66 000** – New York, 17 jan. 1992 : *Paysages animés, l'un avec un manoir au bord d'une rivière, l'autre avec une ferme au pied d'un côteau près d'une rivière* 1760, une paire (chaque 59,1x74,9) : **USD 37 400** – Londres, 8 juil. 1992 : *Paysage fluvial avec un moulin à eau*, h/pan. (33,5x43,5) : **GBP 11 000** – Amsterdam, 11 nov. 1992 : *Personnages dans un paysage d'hiver*, h/pan. (26,5x34,5) : **NLG 23 000** – New York, 15 jan. 1993 : *Vaste paysage vallonné avec des personnages et des animaux et un torrent au premier plan* 1759, h/t (60,3x74) : **USD 24 150** – Londres, 7 déc. 1994 : *Paysage boisé avec des personnages devant une maison* 1760, h/t (61,5x76,7) : **GBP 17 250** – Londres, 24 fév. 1995 : *Vaste paysage fluvial avec des paysans et un moulin fortifié sur la rive opposée* 1763, h/t (61x76,5) : **GBP 12 075** – New York, 16 mai 1996 : *Paysages animés représentant les quatre saisons*, h/pan., ensemble de quatre toiles (chaque 24,1x34,3) : **USD 79 500** – New York, 4 oct. 1996 : *Paysage rhénan avec des voyageurs sur un chemin en aval d'une ville fortifiée et des bateaux devant un pont couvert*, h/t (62,2x76,5) : **USD 9 200** – Londres, 31 oct. 1997 : *Des bergers et une bergère se reposant près d'une croix en bord de route, une ville au bord d'un lac dans le lointain ; Paysans se reposant sur une berge boisée, avec des pêcheurs sur un lac*, h/pan., une paire (21,6x31,1) : **GBP 11 500**.

VOLLET Henry Émile
Né en 1861 à Champigny-sur-Marne (Val-de-Marne). Mort en 1945. XIXe-XXe siècles. Français.
Peintre de genre, paysages, compositions murales.
Élève de Fernand Cormon, il exposa au Salon des Artistes Français, dont il devint sociétaire en 1889. Il y obtint une mention honorable en 1888, une médaille de troisième classe en 1891 et une médaille de deuxième classe en 1897. Médaille de bronze à l'Exposition Universelle de 1900 ; chevalier de la Légion d'honneur en 1904.
Ses paysages, libérés de l'académisme, montrent des vues de Corse et d'Indochine, où il a vécu plusieurs années. Il est également l'auteur de peintures murales.

H Vollet

Bibliogr. : Gérald Schurr, in : *Les Petits Maîtres de la peinture 1820-1920, valeur de demain*, Les Éditions de l'Amateur, t. V, Paris, 1981.
Musées : Laval : Esquisse peinte.
Ventes Publiques : Paris, 24 jan. 1945 : *Canton, les jonques* : **FRF 3 900** – Paris, 28 mai 1979 : *Paysage à Hanoï* 1903, h/t (42x60) : **FRF 1 300** – Lorient, 3 nov. 1984 : *Marché d'Hennebont*, h/t (44x53) : **FRF 18 600**.

VOLLEVENS Jan ou **Johannes**, l'Ancien
Né en 1649 à Geertruidenberg. Enterré à La Haye le 11 février 1728. XVIIe-XVIIIe siècles. Hollandais.
Peintre de genre et de portraits.
Il fut d'abord élève de Nicolas Maas, puis, pendant huit ans, de Jan de Baen. En 1672, il s'établit à son compte, mais sa situation devint beaucoup plus avantageuse en 1702, à la mort de Baen, Vollevens ayant en quelque sorte hérité de sa clientèle. Il travailla notamment, pour le Prince de Courlande et pour le Prince de Nassau.

Jan vollevens f

Musées : Amsterdam : *Portrait d'un chef militaire – Caspar Fagel*, peut-être copie – La Haye (Mus. mun.) : *Gérard Storm – Emilia Storm – Guerrier cuirassé – Jeune guerrier.*
Ventes Publiques : Londres, 17 juil. 1981 : *Portrait de jeune garçons debout* 1688, h/t (49,5x41,3) : **GBP 2 000**.

VOLLEVENS Jan ou **Johannes**, le Jeune
Né en février 1685 à La Haye. Mort le 10 mars 1758 à La Haye. XVIIIe siècle. Hollandais.
Peintre de portraits.
Fils et élève de Jan Vollevens l'Ancien. On le cite en 1713 dans la gilde de La Haye ; il en fut doyen en 1748. Il fut peintre de la Cour de la princesse douairière d'Orange. On croit qu'il passa quelque temps en Angleterre. En 1713, il épousa Hester Ooms.

Jan : Vollevens   Jan : Vollevens in 1710

Musées : Amsterdam : *Gérard Callenbrirgh* – La Haye (Mus. mun.) : *Melchor Van den Kerckhoven – Marguerite Van Groenendyck – Guillaume Van den Kerckhoven, bailli de Gouda – Guillaume Van den Kerckhoven.*

VOLLIER Nicolas Victor
Né à Bar-sur-Aube (Aube). XIXe siècle. Français.
Peintre de genre, portraits.
Il fut élève de Bouchet et de Couture. Il exposa à Paris au Salon de 1850 à 1870.
Ventes Publiques : Semur-en-Auxois, 17 fév. 1985 : *Le champagne*, h/t (113x146) : **FRF 61 000** – Paris, 9 oct. 1997 : *George Sand* 1851, h/t, de forme ovale (46x38) : **FRF 6 600**.

VOLLIÈRE de La. Voir **LA VOLLIÈRE**

VOLLINGER Leopold
Né en 1819 à Munich. Mort vers 1854. XIXe siècle. Allemand.
Peintre de genre.
On cite de lui *La nymphe Krystalline.*

VOLLMAR. Voir aussi **VOLMAR**

VOLLMAR Alfred
Né le 27 mars 1893 à Nagold. XXe siècle. Allemand.
Peintre, graveur.
Il fut élève des académies des beaux-arts de Stuttgart et de Munich. Il vécut et travailla à Ulm.
Comme graveur, il privilégia la technique de l'eau-forte.
Musées : Ulm.

VOLLMAR Georg Johann. Voir **VOLMAR**

VOLLMAR Isaac

XVIIe siècle. Allemand.

Peintre verrier.

Le Musée National de Munich conserve des vitraux de cet artiste.

VOLLMAR Ludwig

Né le 7 janvier 1842 à Säckingen. Mort le 1er mars 1884 à Munich. XIXe siècle. Allemand.

Peintre d'histoire, scènes de genre.

Il fut élève de son père JOSEPH, architecte et peintre, et, en 1858, de l'Académie des Beaux-Arts de Munich, dans les ateliers de Hiltensberger Anschuz et de Philipp Foltz. Il continua ses études à l'École d'art de Karlsruhe et, de 1866 à 1870 avec Agan Ramberg, à Munich.

L. Vollmar.

MUSÉES : LIVERPOOL : *Le joueur de cithare* – MUNICH : *De grand matin.*

VENTES PUBLIQUES : COLOGNE, 3 mars 1967 : *La leçon de lecture* : **DEM 8 500** – COLOGNE, 27 mai 1971 : *Le bain de bébé* : **DEM 3 400** – LONDRES, 1er nov. 1973 : *La récréation* : **GNS 2 500** – LONDRES, 15 mars 1974 : *Le conte* : **GNS 1 700** – LONDRES, 20 oct. 1978 : *La Leçon*, h/t (63,5x74,2) : **GBP 13 000** – LONDRES, 24 juin 1981 : *La Leçon de lecture*, h/t (64x73,5) : **GBP 15 000** – LONDRES, 30 mai 1984 : *Personnages dans un intérieur* 1871, h/t (57x72,5) : **GBP 2 000** – NEW YORK, 22 mai 1986 : *Vieille femme entourée d'enfants racontant une histoire*, h/t (78,8x92) : **USD 18 000** – NEW YORK, 25 fév. 1988 : *L'admonestation*, h/t (73x58,4) : **USD 15 400** – MUNICH, 10 déc. 1992 : *La leçon de tricot*, h/cart. (27x22) : **DEM 18 645** – NEW YORK, 16 fév. 1994 : *Jeune mère à son rouet*, h/t (88,3x66) : **USD 41 400** – LONDRES, 13 oct. 1994 : *La lettre d'amour*, h/t (67,5x48) : **GBP 10 580** – NEW YORK, 16 fév. 1995 : *La serveuse d'auberge*, h/t (55,9x45,7) : **USD 8 050** – LONDRES, 15 mars 1996 : *Filage de la laine*, h/t (89x66) : **GBP 19 550**.

VOLLMER Adolf Friedrich

Né le 17 décembre 1806 à Hambourg. Mort le 12 février 1875 à Friedrichsberg. XIXe siècle. Allemand.

Peintre de scènes de genre, paysages, paysages d'eau, marines, graveur.

Élève d'Eckersberg à Copenhague et de Rosenberg, il continua ses études à Munich, au Tyrol et en Italie. En 1866, il devint aveugle. Il exposa à Munich en 1835.

On cite de lui *Les Lagunes à Venise* et *Marine*. Il a gravé des marines et des paysages.

AV

MUSÉES : KIEL (Kunsthalle) : *Vue de Heligoland.*

VENTES PUBLIQUES : LONDRES, 13 mars 1996 : *Partie de pêche*, h/t (58x48) : **GBP 2 875** – COPENHAGUE, 23 mai 1996 : *Les Environs de Hellebaek sous le soleil* 1834, h/t (16x21) : **DKK 8 000**.

VOLLMER Ruth

Née en 1903. Morte en 1982. XXe siècle. Américaine.

Sculpteur.

VENTES PUBLIQUES : NEW YORK, 10 nov. 1988 : *Sans titre* 1962, bronze (14,5x17,2x16,3) : **USD 1 210** – NEW YORK, 12 nov. 1991 : *Sphère de bronze à l'intérieur d'une sphère*, bronze à patine brune et bronze poli (diam. 22,9) : **USD 2 420**.

VOLLMERING Joseph

Né le 27 août 1810 à Anholt. Mort en 1887 à New York. XIXe siècle. Américain.

Peintre de paysages.

Il fut associé à la National Academy de New York en 1853.

VENTES PUBLIQUES : COLOGNE, 25 juin 1976 : *Paysage du Canada* 1845, h/t (35x51) : **DEM 2 000** – NEW YORK, 30 mai 1985 : *View of New York from the Weehawn Heights*, h/t (56,5x86,4) : **USD 13 000** – NEW YORK, 15 nov. 1993 : *Vaches dans un paturage montagneux* 1849, h/t (40x52,7) : **USD 2 300**.

VÖLLMY Fritz. Voir **VOELLMY**

VOLLNHOFER Janos. Voir **WOLLENHOFER**

VOLLON Alexis

Né le 12 mai 1865 à Paris. Mort en 1945. XIXe-XXe siècles. Français.

Peintre de genre, figures, paysages, graveur.

Il fut élève d'Antoine Vollon, son père. Il exposa à Paris, au Salon des Artistes Français à partir de 1885, dont il fut membre sociétaire hors-concours, membre du Comité et du Jury. Il reçut une mention honorable en 1885, une médaille de troisième classe en 1888, une médaille de deuxième classe en 1889, une médaille d'argent en 1900 à l'Exposition Universelle. Il fut fait chevalier de la Légion d'honneur en 1900.

Cet artiste eut mérité un destin plus marqué de succès sensibles, sinon un destin glorieux. Il a paru dans le temps des grands impressionnistes, qu'il n'égale pas, et il a traité souvent les sujets qui leur furent familiers. Ses paysages, notamment ceux de la Seine à Paris : *La Seine au Pont des Saints-Pères*, *La Seine au Pont Alexandre III* sont des traductions d'atmosphère d'une qualité indiscutable. Il a peint aussi, avec moins d'éclat, des figures, dont : *Tendresse maternelle*. Graveur également, il a privilégié la technique de l'eau-forte.

A. Vollon 1879 A. Vollon

MUSÉES : DIGNE : *Filles d'Armorique – Coin d'atelier* – GRAY : *Scène de famille* – MONTPELLIER : *Les Soins du ménage.*

VENTES PUBLIQUES : PARIS, 1900 : *Le petit déjeuner* : **FRF 530** – PARIS, 29 nov. 1902 : *Chaumière* : **FRF 100** – PARIS, 28 fév. 1912 : *Pierrot, Colombine et Polichinelle* : **FRF 500** – PARIS, 30 mai et 1er juin 1912 : *La jeune femme au corsage blanc* : **FRF 1 100** – PARIS, 18 juin 1920 : *La couseuse* : **FRF 800** – PARIS, 4 mars 1926 : *La becquée* : **FRF 635** – PARIS, 18 nov. 1926 : *Entrée d'un village* : **FRF 950** – PARIS, 20 fév. 1942 : *La Seine au Pont du Carrousel*, aquar. : **FRF 550** – PARIS, 25 nov. 1942 : *Pierrette musicienne*, aquar. : **FRF 11 100** – PARIS, 13 oct. 1943 : *La jeune blanchisseuse* : **FRF 2 050** ; *Scène de genre* : **FRF 3 100** – PARIS, 24 mai 1945 : *Vase de fleurs* : **FRF 13 000** – PARIS, 25 juin 1947 : *Le Pont-Neuf sous la neige* : **FRF 16 500** – PARIS, 12 mars 1951 : *Nu au loup* 1935 : **FRF 17 500** ; *Nu renversé* : **FRF 15 500** – PARIS, 22 mars 1955 : *La blanchisseuse* : **FRF 70 000** – NEW YORK, 14 jan. 1959 : *La Seine* : **USD 1 600** – LONDRES, 20 mai 1960 : *La soupière* : **GBP 252** – LONDRES, 5 juil. 1961 : *Pêches et raisins* : **GBP 320** – NEW YORK, 7 mars 1968 : *Bords de Seine* : **USD 1 200** – LONDRES, 8 nov. 1972 : *La Seine à Paris* : **GBP 900** – COPENHAGUE, 19 nov. 1974 : *Le pont Alexandre III* : **DKK 8 000** – PARIS, 22 oct. 1976 : *Le pont Alexandre III*, h/t (32x41) : **FRF 9 000** – MADRID, 21 nov 1979 : *La fileuse*, h/t (106x89) : **ESP 300 000** – PARIS, 25 mars 1982 : *Le peintre Legout-Gérard à son chevalet*, h/t (55x46) : **FRF 30 000** – NEW YORK, 27 mai 1983 : *Péniches sur la Seine, Paris*, h/t (55x69,2) : **USD 18 000** – NEW YORK, 24 mai 1985 : *Notre-Dame de Paris*, h/t (54x65) : **USD 13 000** – NEW YORK, 24 fév. 1987 : *Le Pont des Arts, Ile de la Cité*, h/t (54,6x68,6) : **USD 25 000** – NEW YORK, 25 fév. 1988 : *Le quai du Louvre à Paris*, h/t (27,5x35) : **USD 4 950** – LONDRES, 26 fév. 1988 : *Les bords de la Seine* 1924, h/t (33x41,3) : **GBP 990** – LA VARENNE-SAINT-HILAIRE, 23 oct. 1988 : *Vapeur sur la Seine à Paris*, h/t (38x46) : **FRF 83 000** – PARIS, 5 mars 1989 : *Vase de fleurs*, h/t (81,5x60) : **FRF 43 500** – PARIS, 13 déc. 1989 : *Portrait de Pierre*, h/pan. (41x23) : **FRF 6 500** – NEW YORK, 21 fév. 1990 : *La place de la Concorde*, h/pan. (18,4x23,8) : **USD 5 500** – PARIS, 11 mars 1990 : *L'enfant à la cravache* 1909, h/t (100x81) : **FRF 40 000** – PARIS, 24 mai 1991 : *Nature morte à l'aiguière*, h/pan. (24x19) : **FRF 27 000** – NEW YORK, 19 fév. 1992 : *Village rural en France*, h/t (46,3x56,5) : **USD 13 200** – NEW YORK, 26 mai 1993 : *Vue de la Seine à Paris*, h/t (50,2x61) : **USD 18 400** – PARIS, 17 nov. 1995 : *Vue de la Seine à Paris – le pont Alexandre III*, h/t (41x33) : **FRF 44 000** – NEW YORK, 23 mai 1996 : *Le Pont Alexandre III et la tour Eiffel, Paris*, h/t (45,1x54,6) : **USD 13 800** – PARIS, 11 juil. 1996 : *Le Parvis de Notre-Dame* 1940, h/t (33x41) : **FRF 8 000** – PARIS, 24 nov. 1996 : *Scène de marché*, h/t (63x52) : **FRF 16 000** – LONDRES, 22 nov. 1996 : *La Bonne*, h/t (60,9x41,8) : **GBP 1 092** – LONDRES, 26 mars 1997 : *Vue de Paris*, h/pan. (27x35) : **GBP 3 680** – NEW YORK, 22 oct. 1997 : *Jeune bretonne cousant*, h/t (80,7x65,4) : **USD 9 775**.

VOLLON Antoine

Né le 23 avril 1833 à Lyon (Rhône). Mort le 27 août 1900 à Paris. XIXe siècle. Français.

Peintre de scènes de genre, figures, animaux, paysages, paysages d'eau, marines, intérieurs, natures mortes, fleurs et fruits, aquarelliste, graveur, dessinateur.

Vollon est un de ces petits maîtres, comme la France en a produit à toute époque, et qui, joignant le don au sérieux du métier, poursuivent régulièrement, en marge des révolutions fracassantes, des œuvres précieuses et sensibles, gardiennes d'une tradition sans coupure. Sans mériter d'être portés au pinacle, ces talents, à mi-hauteur ne méritent pas non plus de tomber dans l'oubli, et leurs productions, d'un charme indélébile, pour n'être point toujours à la mode de leur temps, se trouvent être souvent à la mode de toujours. Pour situer Vollon à sa place exacte et parmi ses égaux, dans le panorama du XIXe siècle, il faudrait nommer à côté de lui des hommes tels que Ziem, Cazin ou Harpignies, ses contemporains dans l'ordre du paysage, et, un peu plus tôt encore, un Charles Jacque ou un Chintreuil, héritiers de l'esprit de Barbizon, ainsi que Bonvin, et bien d'autres. L'histoire de l'art n'est pas qu'une suite de sommets, et doit comprendre autre chose que l'énumération des grands chefs de files ; une vue entière ne saurait négliger ces talents de zone moyenne, qui la complètent en réalité, et qui en étoffent la trame. Sans doute Vollon n'est-il plus pour nous ce qu'il était de son vivant ; considéré comme l'un des princes de l'art français, comblé d'honneurs officiels, et vedette des Salons de Paris, il obtint des médailles en 1865, en 1868, en 1869, à quoi il faut ajouter une médaille dite de première classe à l'Exposition Universelle de 1878 ; il était officier de la Légion d'honneur, et membre de l'Institut. Juste retour des choses, sa réputation même, après sa mort, a souffert de cet excès de louanges ; et pour avoir voisiné de trop près, en son vivant, avec l'académisme, il se trouva, la réaction venue, confondu avec lui et entraîné dans son décri. Le temps remettra toutes choses en place.

Vollon est un artiste qui n'a manqué ni de vigueur ni de sincérité, ni, à l'occasion, d'une éblouissante faconde qui lui dicta ses meilleures œuvres, les plus fougueuses, rappelant les belles pages de Corot, mais avec plus d'emportement. Ses paysages donnent l'impression d'avoir été brossés rapidement avec une sorte de verve enflammée ; ses ciels moutonnent de lumière, ou frémissent dans un clair-obscur orageux ; ses feuillées, ses prairies sont bruissantes de vent. Peintre de marines, d'animaux, de figures, de scènes de genre, il aborde tous les sujets. Peintre de natures mortes, fidèle interprète de la réalité, il atteint presque d'emblée à la maîtrise des anciens, et sa production dans ce domaine est considérable : le gibier mort, et le poisson frais sorti de l'onde, le plumage et l'écaille, la nageoire pareille à une nacre pâle, l'ouïe béante, où rougeoie un corail mystérieux, les chatoiements de la corne et les frissons du pelage l'ont inspiré avec bonheur ; le flacon brillant, l'ustensile de cuisine, la pièce d'armure ou le chaudron de cuivre, le cristal, la porcelaine ou l'acier, animés d'un reflet de lumière, tout est motif à sa virtuosité, tout lui sert de prétexte à laisser courir le pinceau sur la toile, à exécuter sous nos yeux des gammes de diaprures avec une débordante facilité ; il a traité ces thèmes cent fois avec une redondance où certains trouvèrent de la monotonie, mais qui était l'effet d'un tempérament vrai et d'une verve inépuisable. En l'espace de quelque quarante années, il a produit ainsi, avec une aisance coulant de source, un grand nombre de peintures, qui aujourd'hui nous semblent un peu vieillottes dans leur tonalité assourdie, mais qui ne laissent pas de plaire encore aux amateurs non prévenus, et qui, au fond, n'ont rien à craindre du temps. Des aquarelles, des dessins, d'un ample style alerte, les accompagnent, et complètent cet ensemble abondant et divers.

■ Marguerite Bénézit

A. Vollon

A. Vollon

Musées : Amiens : *Le singe* – Amsterdam : *Vue prise dans le port de Dunkerque* – *Fleurs dans un pot de grès rouge* – Auxerre : *Retour du marché* – Bruxelles : *Cerises* – Cherbourg : *Tête d'enfant* – Dieppe : *Poissons de mer* – Glasgow : *Fruits* – Grenoble : *Poissons* – La Haye (Mesdag) : *Poissons* – *Barques de pêche* – Deux natures mortes – *Paysage du soir* – *Vieille cité* – Lyon : *Le singe à l'accordéon* – *Une vallée* – *Les œufs* – Melbourne : *Œufs sur le plat* – Moscou (Gal. Tretiakov) : *Nature morte* – Munich : *Nature morte* – Nantes : *Intérieur de cuisine* – Paris (Mus. du Louvre) : *Poissons de mer* – *L'artiste* – Paris (Mus. Carnavalet) : *Le moulin de la Galette* – Paris (Petit Palais) : *Coin d'atelier* – Périgueux : *Hameau normand* – Reims : *Cadeaux de noce* – *Paysage sous bois* – Rouen : *Le singe du peintre* – Stockholm : *Joueur de guitare espagnol.*

Ventes Publiques : Paris, 10 avr.1844 : *Le Dessert* : **FRF 2 000** – Paris, 1873 : *Un coin d'atelier* : **FRF 9 100** – Paris, 1881 : *Le Tréport* : **FRF 10 000** ; *Fleurs* : **FRF 7 000** – Paris, 1882 : *L'Aiguière de vermeil* : **FRF 8 100** – Paris, 1887 : *Les Cerises* : **FRF 4 700** – Paris, 1891 : *Nature morte* : **FRF 3 000** – New York, 1892 : *Perroquet, fleurs et accessoires* : **FRF 9 750** ; *Fruits, guitare* 1871 : **FRF 11 875** – Paris, 1892 : *Le Dessert* : **FRF 11 600** – Paris, 1893 : *Vue de Paris* : **FRF 4 350** – New York, 1898 : *Coupe de cristal et fruits* : **FRF 8 500** ; *Singe et fruits* : **FRF 10 500** – New York, 1900 : *Paysage* : **FRF 3 000** – Paris, 23 juin 1900 : *La Soupière* : **FRF 3 300** – New York, 9-10 fév. 1905 : *Nature morte* : **USD 200** – New York, 26 jan. 1906 : *Paysage* : **USD 1 050** – New York, 15-16 fév. 1906 : *Fleurs et fruits* : **USD 1 100** – New York, 27 avr. 1906 : *Nature morte* : **USD 1 550** – Paris, 4 mai 1906 : *Après la chasse* : **FRF 2 850** – Paris, 23 mars 1907 : *Scène d'intérieur* : **FRF 3 600** – Londres, 30 avr. 1909 : *Le moulin à vent* : **GBP 136** – Londres, 11 juin 1909 : *Le Pont-Neuf à Paris* : **GBP 194** – Londres, 16 juil. 1909 : *Oiseaux morts et nature morte* : **GBP 73** – New York, 20 jan. 1911 : *Ravin près de la mer* : **USD 600** – Paris, 28 fév. 1912 : *L'Espagnol* : **FRF 13 000** ; *Coq et poules* : **FRF 3 700** – Paris, 3 mars 1919 : *L'Aiguière dorée* : **FRF 5 200** – Paris, 22 déc. 1920 : *Port de pêche à marée basse* : **FRF 6 300** – Paris, 6 juin 1923 : *Nature morte* : **FRF 4 400** – Paris, 23-24 nov. 1923 : *Fruits* : **FRF 8 000** – Londres, 4 avr. 1924 : *Port avec bateaux* : **GBP 105** – Paris, 22-23 mai 1924 : *Nature morte* : **FRF 9 500** – Paris, 9 mai 1925 : *Nature morte, le potiron* : **FRF 12 400** – Paris, 16 déc. 1927 : *Bords de la Seine à Paris, vue prise devant le quai de l'Hôtel de Ville* : **FRF 35 000** ; *Le pont Marie* : **FRF 12 100** – Paris, 18 mai 1934 : *Les Fours à plâtre de Bessancourt* : **FRF 7 900** – Paris, 2 mars 1942 : *Le Pont de Chatou* : **FRF 70 000** – Paris, 13 mars 1942 : *Le Port d'Anvers* : **FRF 13 100** – Nice, 21-23 déc. 1942 : *Bouteille et fruits sur un fond de draperie rouge* : **FRF 18 500** ; *Poissons et bassine de cuivre* : **FRF 50 000** – New York, 30 nov. 1943 : *La Seine à Paris* : **USD 725** – Paris, 10 mars 1944 : *Ciboire* : **FRF 17 100** – Paris, 14 juin 1944 : *Vase de violettes* : **FRF 16 200** – Paris, 13 mai 1949 : *Nature morte, panoplie* : **FRF 17 000** – Amsterdam, 21 mars 1950 : *Trois-mâts au port* : **NLG 2 100** – Paris, 5 juin 1950 : *L'Aiguière* : **FRF 22 500** – Paris, 30 juin 1950 : *Le Pont de la Tournelle* : **FRF 20 000** – Paris, 19 mars 1951 : *Plaine* : **FRF 12 500** – Amsterdam, 4 avr. 1951 : *Nature morte au chaudron* : **NLG 440** – Amsterdam, 20 juin 1951 : *Village au bord d'une rivière* : **NLG 2 300** – Paris, 6 juil. 1951 : *Soucis et œillets dans un pot* : **FRF 16 500** – Paris, 8 juil. 1954 : *Bouilloire et fruits* : **FRF 65 000** – New York, 21 mars 1963 : *Nature morte aux fleurs et aux fruits* : **USD 1 150** – Londres, 6 avr. 1966 : *Le pot de chrysanthèmes* : **GBP 420** – New York, 26 avr. 1967 : *Bords de Seine à Paris* : **USD 1 750** – New York, 31 oct. 1968 : *Nature morte* : **USD 1 600** – Londres, 4 juil. 1969 : *Nature morte* : **GNS 1 100** – Paris, 23 nov. 1970 : *Le port* : **FRF 13 000** – Londres, 9 juil. 1971 : *Paysage à la rivière* : **GNS 480** – Los Angeles, 28 fév. 1972 : *Nature morte* : **USD 4 000** – Londres, 5 juil. 1973 : *Pivoines blanches et roses* : **GBP 1 900** – Paris, 19 mars 1976 : *Bord de rivière*, h/t (41x61) : **FRF 23 000** – New York, 7 oct. 1977 : *Nature morte*, h/t (66x92,5) : **USD 5 250** – Londres, 7 déc 1979 : *Le Pont Neuf*, h/pan. (53x69,5) : **GBP 6 000** – New York, 28 mai 1981 : *Nature morte aux fleurs*, h/pan. (73x57) : **USD 14 000** – Monte-Carlo, 14 juin 1982 : *Vue de Dieppe* 1873, aquar. et mine de pb (28x46) : **FRF 16 000** – New York, 26 oct. 1983 : *L'Île de la Cité, Paris*, h/t (28x38,5) : **USD 12 500** – Paris, 10 fév. 1984 : *Vue de Dieppe*, dess. (22x39) : **FRF 8 100** – New York, 30 oct. 1985 : *Nature morte*, h/pan. (95,5x73) : **USD 13 000** – Paris, 23 juin 1988 : *Nature morte à la soupière*, h/t (55,5x39) : **FRF 22 000** – Paris, 21 nov. 1988 : *Vase de fleurs et pommes*, h/t (46x38,5) : **FRF 92 000** – Monaco, 2 déc. 1988 : *Personnages dans un paysage* 1854, aquar. (15,3x12) : **FRF 8 880** – Londres, 7 juin 1989 : *Nature morte avec de l'orfèvrerie et un plat de fruits sur une table,* h/t (71,5x59) : **GBP 5 500** – New York, 24 oct. 1989 : *Le Port naturel*, h/t (22,3x52) : **USD 7 150** – Stockholm, 15 nov. 1989 : *Nature morte aux fruits et aux noix*, h. (55x70) : **SEK 33 000** – Londres, 22 nov. 1989 : *Nature morte avec des œufs, des pêches et du pain*, h/t (65x81) : **GBP 13 200** – Monaco, 2 déc. 1989 : *Nature morte au chaudron à confiture*, h/t (46x55) : **FRF 61 050** – Versailles, 10 déc. 1989 : *Nature morte au chaudron*, h/t (55,5x45,8) : **FRF 41 000** – Londres, 28 mars 1990 : *Nature morte avec une bassine de cuivre, un pichet d'étain et des légumes dans une grange*, h/t (55x45,5) : **GBP 8 250** – Amsterdam, 25 avr. 1990 : *Nature morte avec une tranche de citrouille et un homard*, h/pan. (32x23) : **NLG 16 100** – Monaco, 16 juin 1990 : *Nature morte aux fruits d'automne*, h/t (17,5x25,5) : **FRF 16 650** – Paris, 12 oct. 1990 : *Péniche amarrée*, h/t (51x61) : **FRF 16 000** – New York, 23 oct. 1990 : *Nature morte avec un panier de fleurs, des oranges et un éventail sur une table*, h/pan. (48,9x61) : **USD 44 000** – New York, 24 oct. 1990 : *Composition florale dans un vase avec du raisin et une pêche sur une table*, h/t (48,3x36,9) : **USD 38 500** – Amsterdam, 6 nov. 1990 : *Nature morte avec un casque et une timbale dorée*, h/pan. (62x50,2) : **NLG 4 830** – Monaco, 8 déc. 1990 : *Branche de pêches*, h/t (46x38) : **FRF 38 850** – New York, 28 fév. 1991 : *Fileuse à son rouet*, h/t (55,8x45,7) : **USD 19 800** – Paris, 14 juin 1991 : *Nature morte aux raisins*, h/pan. (35x26,5) : **FRF 20 000** – Londres, 19 juin 1991 : *Nature morte avec des pots, une cruche et une assiette sur une table*, h/t (26,5x34) : **GBP 4 400** – Amsterdam, 30 oct. 1991 : *Violettes dans une corbeille d'osier sur un sol de forêt* 1872, h/pan. (45x55,5) : **NLG 14 950** – Paris, 25 nov. 1991 : *Le Singe musicien*, h/pan. (24,5x18,5) : **FRF 29 000** – Amsterdam, 28 oct. 1992 : *Nature morte avec une soupière, une carafe et des fruits dans une assiette d'étain sur une table*, h/pan. (19x24,5) : **NLG 24 150** – Amsterdam, 9 nov. 1993 : *Poulets dans un cellier*, h/t (34x39) : **NLG 5 290** – New York, 17 fév. 1994 : *Nature morte avec une assiette de fruits, une carafe et des tasses et une orange pelée sur une table*, h/t (45,8x55,9) : **USD 2 530** – Amsterdam, 21 avr. 1994 : *Vue d'un village*, h/pan. (26x44) : **NLG 9 775** – Paris, 27 juin 1994 : *Nature morte aux fruits et homard*, h/t (72x104) : **FRF 110 000** – Londres, 11 avr. 1995 : *Nature morte avec des fruits, un vase bleu et une cafetière de cuivre*, h/t (64x54) : **GBP 3 450** – New York, 24 mai 1995 : *Vase de giroflées et œillets d'Inde*, h/t (74x59,7) : **USD 11 500** – Paris, 10 avr. 1996 : *Voilier à Quimper* 1903, aquar. (27,5x19,5) : **FRF 9 000** – New York, 18-19 juil. 1996 : *Nature morte avec des fruits, une chope de pierre et un vase de porcelaine bleue sur une table*, h/t (66x54,6) : **USD 2 875** – Paris, 13 déc. 1996 : *Bouquet de fleurs et éventail*, h/t (56x77) : **FRF 21 000** – New York, 23 mai 1997 : *Nature morte aux roses*, h/t (71,1x55,9) : **USD 40 250** – Paris, 24 oct. 1997 : *Nature morte à la cruche verte*, h/pan. (14x17) : **FRF 8 500**.

VOLLON Jacques Antoine

Né le 2 septembre 1894 à Paris. xxe siècle. Français.

Peintre.

Il fut élève d'Antoine Vollon, son père. Il exposa à Paris à partir de 1911 au Salon des Artistes Français dont il fut membre sociétaire et reçut une mention honorable en 1921.

Ventes Publiques : Paris, 16 déc. 1925 : *Fraises dans une coupe et verre*, aquar. : **FRF 370**.

VOLLWEIDER Johann Jacob

Né le 24 avril 1834 à Eichstetten. Mort le 5 novembre 1891 à Fribourg-en-Brisgau. xixe siècle. Allemand.

Peintre de scènes de genre, paysages, paysages de montagne, lithographe.

Il fut élève de Schirmer à Karlsruhe. En 1874, il vint à Berne, comme professeur. Il avait déjà enseigné à Karlsruhe. Il exposa à Paris en 1867 et à Vienne en 1869.

On lui doit un traité de perspective et des études de paysages lithographiées. Mais ses œuvres sont d'une certaine monotonie.

Musées : Karlsruhe (Kunsthalle) : *Source sous des chênes – Forêt de chênes avec des cerfs.*

Ventes Publiques : Vienne, 22 juin 1976 : *Le massif de la Jungfrau*, h/t (95x140) : **ATS 40 000** – Lucerne, 21 mai 1980 : *Paysage de l'Oberland bernois*, h/t (110x144) : **CHF 3 800** – Chester, 7 oct. 1983 : *Vue du Monte Serrano dans la campagne romaine ; Paysage alpestre*, h/t, une paire (95x139,5) : **GBP 3 600** – Londres, 19 juin 1985 : *Paysage alpestre au lac*, h/t (94,5x144) : **GBP 3 600** – New York, 17 fév. 1994 : *Lac alpin*, h/t (91,5x132,1) : **USD 2 070**.

VOLMAR

xvie siècle. Actif à Saverne. Français.

Sculpteur.

Il sculpta un crucifix en 1544.

VOLMAR. Voir aussi **VOLLMAR**

VOLMAR Georg Johann ou **Johann Georg** ou **Vollmar**

Né le 22 mars 1770 à Mengen. Mort le 28 avril 1831 à Berne. xviiie-xixe siècles. Allemand.

Peintre d'histoire, portraits, paysages, aquarelliste.

Il n'eut aucun maître. Il se rendit en Suisse pour échapper au service militaire. Après un voyage en Italie, il alla à Berne, et y fut nommé professeur de l'École des Beaux-Arts.

Musées : Berne : *Cascade du Reichenbach près de Muringen – Paysage avec forêt.*

Ventes Publiques : Paris, 11 fév. 1921 : *Vue de Lausanne*, aquar. : **FRF 730** – Berne, 1er mai 1980 : *Paysage boisé*, aquar. et gche (60x81) : **CHF 8 000** – Zurich, 30 nov. 1984 : *Le vainqueur couronné* vers 1805, h/pap. mar./t. (32x24) : **CHF 4 500** – Lucerne, 27 juin 1987 : *Le Repos au bord de la cascade* 1798, gche et sépia (64x50) : **CHF 8 000** – Berne, 26 oct. 1988 : *Jeune femme en costume bernois contemplant un serin perché sur sa main*, h/t (110x103) : **CHF 5 500**.

VOLMAR H.

Né le 25 décembre 1881. Mort en 1921. xxe siècle. Hollandais.

Peintre de paysages, graveur.

Comme graveur, il privilégia la technique de l'eau-forte.

VOLMAR Johann

xve siècle. Actif à Strasbourg de 1448 à 1476. Français.

Peintre.

VOLMAR Johann

Né le 16 août 1779 à Venise. Mort en 1835 à Venise. xixe siècle. Italien.

Graveur au burin amateur et écrivain.

VOLMAR Joseph Simon

Né le 26 octobre 1796 à Berne. Mort le 6 octobre 1865 à Berne. xixe siècle. Suisse.

Sculpteur, peintre d'histoire, animaux, paysages.

Fils du peintre Georg Johann Volmar, il fut élève de Horace Vernet. Il fut professeur de peinture à Berne. Il exposa à Paris en 1824 et en 1827.

Il a surtout réalisé des lithographies d'animaux, qui se révèlent conventionnelles. Certains biographes vantent néanmoins ses représentations de chevaux.

Musées : Berne : *Le Chasseur infernal, d'après la ballade de Burger – Enlèvement d'Éléonore – Chasse au sanglier – Chiens du Saint-Bernard sauvant de petits Savoyards.*

Ventes Publiques : Berne, 6 mai 1983 : *Paysan à cheval accompagné de ses deux fils* 1855, h/t (50x60,5) : **CHF 3 500** – Zurich, 5 juin 1996 : *Portrait de Moser l'étudiant avec son cheval* 1833, h/t (56x46) : **CHF 4 600** – Londres, 13 juin 1996 : *Rivière tranquille et personnages marchant le long de la berge*, h/t, une paire (chaque 48,2x73,6) : **GBP 1 610**.

VOLMAR Paul

Né le 7 novembre 1832 à Berne. Mort le 27 avril 1906 à Ostermundingen. xixe siècle. Suisse.

Peintre.

Frère de Théodor V. Il fit ses études à Genève et à Paris.

VOLMAR Rudolf

Né le 23 juillet 1804 à Berne. Mort en 1846 à Besançon (Doubs). xixe siècle. Suisse.

Peintre de paysages, paysages d'eau.

Il est le fils de Georg Johann Volmar.

Musées : Berne : *Intérieur de forêt avec groupe de cerfs – Cascade de Giessbach.*

Ventes Publiques : Berne, 3 mai 1979 : *Paysage boisé ; Paysage au vieux moulin*, deux h/pan. (55x42,5) : **CHF 9 000** – Berne, 7 mai 1981 : *Paysage alpestre, Grindelwald*, h/t (54x65) : **CHF 5 000** – Paris, 24 mars 1995 : *Le torrent dans la montagne*, h/t (81x65) : **FRF 9 200**.

VOLMAR Theodor

Né le 16 avril 1847 à Berne. xixe siècle. Suisse.

Peintre de genre et de sujets militaires.

Fils de Joseph Volmar. Le Musée de Berne conserve de lui *Dragons figurant l'ennemi*, le Musée de Fribourg, *Werner Steiner à la bataille de Marignan, Lévrier, Poste de télégraphie de campagne*, et le Musée Rath, à Genève, *Poste d'observation*.

VOLMARYN Cryn Hendricksz

Né vers 1604. Mort le 4 août 1645. xviie siècle. Actif à Rotterdam. Hollandais.

Peintre.

Fils de Henry V. Probablement élève de J. Jordaens ou de L. Bramer.

VENTES PUBLIQUES : ROME, 27 mars 1980 : *Jeune garçon soufflant sur un tisonnier*, h/t (67,5x61) : **ITL 6 000 000**.

VOLMARYN Henry ou **Hendrick Crynse**

Né à Utrecht. Mort en octobre 1637. XVIIe siècle. Hollandais.

Peintre.

Père de Gryn Hendrichsz V. Il était également marchand de tableaux et de gravures.

VOLMARYN Johannes ou **Johan Crynse**

Né vers 1640. Mort le 15 juin 1676. XVIIe siècle. Hollandais.

Peintre.

VOLMARYN Leendert Hendricksz

Né vers 1612. Mort vers 1657. XVIIe siècle. Actif à Rotterdam. Hollandais.

Peintre.

VOLMARYN Pieter Crynse

Né vers 1629. Enterré le 15 avril 1679. XVIIe siècle. Actif à Rotterdam. Hollandais.

Peintre.

Élève de Hendrik Mertensz Sorgh.

VOLMARYN Quirin

Mort en août 1645. XVIIe siècle. Hollandais.

Peintre.

Il se maria en 1628 ; ses fils Pieter et John furent peintres.

VOLNICH

Français.

Peintre de marines.

Le Musée de Clamecy conserve de lui : *Vue du port de Trieste*.

VOLODIMIROV Nicolay

Né en 1910 à Saint-Pétersbourg. XXe siècle. Russe.

Peintre.

Il fit ses études à l'institut Repine de Leningrad. Il devint membre de l'Union des Peintres d'URSS.

MUSÉES : SAINT-PÉTERSBOURG (Mus. d'Hist.).

VENTES PUBLIQUES : PARIS, 27 jan. 1992 : *Les paniers de champignons*, h/t (60,4x81,4) : **FRF 5 500**.

VOLODINA Éléna

Née en 1923. XXe siècle. Russe.

Peintre de genre, paysages.

Elle fut membre de l'Union des Artistes de l'URSS. Elle exposa dans les années soixante. Parmi ses œuvres, citons *Chemin faisant* de 1977, *Mon Jardin*, *Une Journée d'été*.

MUSÉES : MOSCOU (Gal. Tretiakov) – SAINT-PÉTERSBOURG (Mus. russe).

VOLODINE Mikhail Philipovitch

Né en 1912 à Toula. Mort en 1987. XXe siècle. Russe.

Peintre de compositions animées, paysages, natures mortes. Réalisme socialiste.

Il fut élève de l'École d'art de Leningrad puis de l'Institut des Beaux-Arts V. Sourikov à Moscou, et travailla sous la direction de Alexander Alexandrovitch Osmerkin. Il devint peintre émérite d'URSS.

MUSÉES : MOSCOU (Gal. Tretiakov).

VENTES PUBLIQUES : PARIS, 13 avr. 1992 : *Terrasse en été* 1957, h. et temp./cart. (74x100) : **FRF 7 500** – PARIS, 20 mai 1992 : *Le vase de porcelaine* 1959, h/t (41x60) : **FRF 10 500**.

VOLOSENKOV Felix

Né en 1945 en Ukraine. XXe siècle. Russe.

Peintre de nus, paysages, technique mixte.

Il fut membre de l'Union des Artistes. Il travaille et expose régulièrement avec Vyschleslav Mikhaïlov et Valeri Lukka sur le plan national et international.

VENTES PUBLIQUES : PARIS, 8 déc. 1990 : *Nu*, techn. mixte/pan. (98x85) : **FRF 8 000**.

VOLOSKOFF. Voir **WOLOSKOFF**

VOLOT Jacques Pierre

Né au XIXe siècle à Blois (Loir-et-Cher). XIXe siècle. Français.

Aquafortiste.

Élève de Courtry et de Jacquet. Il figura au Salon des Artistes Français ; mention honorable en 1899.

VENTES PUBLIQUES : PARIS, 15 juin 1945 : *Nu assis aux bras levés* : **FRF 410**.

VOLOTSKIKH Ivan

Né en 1933. XXe siècle. Russe.

Peintre de paysages.

Il fut élève de l'École des Beaux-Arts d'Oural et travailla sous la direction d'Oleg Berngard.

VENTES PUBLIQUES : PARIS, 12 déc. 1992 : *La datcha* 1970, h/t (70x106) : **FRF 13 000**.

VOLOVICK Lazare

Né en 1902 en Ukraine. Mort le 11 avril 1977 à Paris. XXe siècle. Russe.

Peintre de portraits, nus, paysages, natures mortes, fleurs et fruits.

Il fait ses études à l'Académie des Beaux-Arts de Kiev. En 1920 il séjourne plusieurs mois en Turquie et arrive en France avec Constantin Térechkovitch. Il s'installe à La Ruche à Paris, où il a pour voisins Krémègue et Kikoïne. Il se lie d'amitié avec Chaïm Soutine, avec qui il expose en compagnie de Krémègue en 1924. Il participe à des expositions de groupe notamment avec Nora Auric et Vladimir Naïditch. Il montre ses œuvres dans de nombreuses expositions personnelles, notamment à la galerie Serret-Fauveau à Paris dans les années soixante.

Il pratique une peinture figurative, intime, aux modulations nuancées avec une tendresse sensuelle et pudique. Il peint des portraits de femmes et des natures mortes, dans une atmosphère de sensualité contenue.

VENTES PUBLIQUES : VERSAILLES, 12 mai 1976 : *Nature morte*, h/t (60x73) : **FRF 4 800** – VERSAILLES, 18 juin 1980 : *Nature morte à l'ananas*, h/t (60x73) : **FRF 8 000** – PARIS, 16 avr. 1989 : *Nature morte*, h/t (60x73) : **FRF 40 000** – PARIS, 8 avr. 1990 : *Bouquet*, h/cart. (54x40) : **FRF 40 000** – PARIS, 4 avr. 1993 : *Composition au pichet*, h/t (46x61) : **FRF 19 000** – PARIS, 13 nov. 1993 : *Modèle dans la salle de bain*, h/t (92x73) : **FRF 15 500** – PARIS, 27 mars 1994 : *Nu au divan*, h/t (80x100) : **FRF 58 000** – PARIS, 15 juin 1994 : *Nu*, h/t (73x92) : **FRF 25 000** – PARIS, 13 oct. 1995 : *Les parasols à Andernos les Bains* 1953, h/t (54x73) : **FRF 45 000** – NEUILLY, 9 mai 1996 : *Bouquet de fleurs*, h/t (61x46) : **FRF 14 000** – PARIS, 16 mars 1997 : *Honfleur, le bateau noir* 1953, h/t (53x70) : **FRF 37 000** – PARIS, 25 mai 1997 : *Le Modèle au repos* 1955, h/t (81x60) : **FRF 22 000**.

VOLOZON Denis A.

XIXe siècle. Travaillant à Philadelphie de 1811 à 1820. Américain.

Paysagiste.

L'Académie de Philadelphie conserve de lui *Portrait de Washington*.

VOLPATO Giovanni

Né en 1733 à Bassano. Mort le 21 août 1803 à Rome. XVIIIe siècle. Italien.

Peintre de paysages, architectures, aquarelliste, graveur, dessinateur.

Sa mère, brodeuse, lui donna les premières leçons de dessin, puis il travailla avec le graveur Remondini. On le cite aussi, recevant, à Venise, des leçons de Wagner et de Bertolozzi. Il fonda une école de gravure, où se formèrent des artistes de talent. Il jouit de son vivant d'une réputation considérable.

Le duc de Parme lui fit exécuter différents travaux. Il vint à Rome, où la rencontre de Gavin Hamilton lui valut la commande de plusieurs planches de la série d'estampes *Schola Italica Picturae*. Il fut aussi un des principaux collaborateurs de la série des gravures en couleurs d'après Raphaël au Vatican.

VENTES PUBLIQUES : LONDRES, 28 nov. 1974 : *Vue panoramique de Rome*, aquar. : **GBP 550** – LONDRES, 19 oct. 1976 : *Le temple de l'Empereur Auguste à Ankara*, aquar. et pl. (54,5x87,5) : **GBP 220** – LONDRES, 26 mars 1981 : *Les Jardins de la Villa Médicis, Rome*, aquar. et pl. (48x68,5) : **GBP 1 100** – BERNE, 21 juin 1985 : *Veduta in Profilo della Citta di Roma* 1779, eau-forte/trois feuilles jointes (42,2x207,5) : **CHF 3 000** – LONDRES, 28 mars 1990 : *Vue de Porto Romagno*, aquar. (50,5x73) : **GBP 5 280** – ROME, 8 mars 1994 : *L'intérieur du Panthéon pendant les inondations*, dess. aquarellé (25,5x18) : **ITL 4 830 000**.

VOLPATO Giovanni Battista ou **Volpati**

Né le 7 mars 1633 à Bassano. Mort le 2 avril 1706 à Bassano. XVIIe siècle. Italien.

Peintre de sujets religieux, portraits, graveur.
On lui doit diverses gravures au burin. Son œuvre peint paraît peu important et on paraît y attacher peu de mérite. Il fut écrivain d'art et philosophe et ses livres sur les Beaux-Arts sont mieux connus ; on cite, notamment *La Verita Pittoresca*.
Musées : Bassano : *Samson*.

VOLPE A. La. Voir **LA VOLPE**

VOLPE Angelo dalla
XVIIe siècle. Actif en Émilie dans la seconde moitié du XVIIe siècle. Italien.
Peintre de compositions religieuses.
Il peignit des sujets religieux pour des églises de Bologne.

VOLPE Geppino
Né le 27 juillet 1900 à Naples. XXe siècle. Italien.
Peintre.
Il exposa à Florence, à Naples et à Turin.

VOLPE Giovanni
XVIe siècle. Italien.
Sculpteur.
Il travailla à Carrare et à Palerme en 1537.

VOLPE Innocenzo
XVIe siècle. Actif à Campagna di Eboli en 1575. Italien.
Sculpteur.

VOLPE Mariano
XVe siècle. Actif à Naples à la fin du XVe siècle. Italien.
Enlumineur.

VOLPE Nicola La. Voir **LA VOLPE**

VOLPE Vincent ou **Fox**
XVIe siècle. Actif à Londres. Britannique.
Peintre.
Il travaillait à la cour anglaise entre 1514 et 1530. Il a peint des bannières pour le fameux vaisseau : *The Great Marry*.
Ventes Publiques : Londres, 1er mai 1911 : *Embarquement de Henri VIII pour le camp du drap d'or* : **GBP 110**.

VOLPE Vincenzo
Né le 14 décembre 1855 à Grottaminarda. Mort le 9 février 1929 à Naples. XIXe-XXe siècles. Italien.
Peintre de genre, figures.
Il exposa à Naples, Milan et Rome.

V. Volpe

Musées : Milan (Gal. d'Art Mod.) : *La Veille de fête* – Rome (Gal. d'Art Mod.) : *Tête de femme*.
Ventes Publiques : Rome, 11 déc. 1990 : *Jeune paysanne avec une fiasque*, h/cart. (21x13) : **ITL 3 450 000** – Rome, 19 nov. 1992 : *La petite couturière*, h/t/pan. (27x18) : **ITL 3 680 000** – Rome, 13 déc. 1994 : *Femme riant*, h/t (37x25) : **ITL 5 290 000** – Milan, 12 juin 1996 : *Peintre dans son atelier*, h/t (39x27) : **ITL 9 200 000**.

VOLPELIER Antoine
XVIe siècle. Travaillant probablement à Rodez vers 1508. Français.
Peintre verrier.
Il était prêtre.

VOLPELIERE L. P. Julie, Mlle
Née avant 1790 à Marseille (Bouches-du-Rhône). Morte en novembre 1842 à Paris. XIXe siècle. Française.
Peintre d'histoire et de portraits.
Élève de Serangeli. Elle exposa au Salon de 1808 à 1838. Médaillée de deuxième classe en 1810. Le Musée de Versailles conserve d'elle *Jourdain, lieutenant colonel au 2e bataillon de la Haute Vienne* en 1792. On cite encore *Saint Martin*, dans l'église de Perpignan.

VOLPES Pietro
Né en 1830 à Palerme (Sicile). XIXe siècle. Italien.
Peintre de scènes de genre, portraits, intérieurs.
Il fut élève de Patania, puis de Dantoni. Il a surtout exposé à Palerme.
Musées : Palerme : *La femme de l'exilé*.
Ventes Publiques : Milan, 30 oct. 1984 : *Élégante et petit chien* 1872, h/t (36x24) : **ITL 2 500 000** – Paris, 19 nov. 1993 : *L'atelier du peintre*, h/t (49,5x61) : **FRF 14 000**.

VOLPI Alfredo
Né en 1896 à Lucca. Mort en 1988 à São Paulo. XXe siècle. Depuis 1897 actif et naturalisé au Brésil. Italien.
Peintre de compositions animées, peintre à la gouache, décorateur, dessinateur. Figuratif puis abstrait.
Autodidacte, il ne commença à exposer qu'en 1942, à São Paulo et Rio de Janeiro. À partir de 1950, il participa à des expositions de groupe importantes : Biennale de Venise ; Biennale de São Paulo, où il obtint, en 1953, le Grand Prix de Peinture Brésilienne. En France, il a figuré au Salon de Mai. En 1957, lui fut organisée une grande exposition rétrospective, à Rio de Janeiro. En 1958, il obtint le Prix Guggenheim pour le Brésil.
Il débuta comme peintre décorateur. Il est surtout le peintre de la solitude de l'homme dans les grandes villes hostiles, ce qu'il dit parfois sur un mode elliptique. Au milieu des années cinquante, s'inspirant encore de l'architecture, il renonce aux références réalistes pour une œuvre abstraite. Supprimant la perspective, il assemble plans et figures géométriques colorés dans un espace réduit à deux dimensions au rythme décoratif.
Bibliogr. : B. Dorival, sous la direction de... : *Peintres Contemporains*, Mazenod, Paris, 1964 – Damian Bayon, Roberto Pontual : *La Peinture de l'Amérique Latine au XXe siècle*, Mengès, Paris, 1990 – in : *Dict. de l'Art mod. et contemp.*, Hazan, Paris, 1992.
Ventes Publiques : São Paulo, 17 juin 1980 : *Bord de mer* 1940, h/t (33x55) : **BRL 630 000** – São Paulo, 30 nov. 1981 : *Paysage de Mogi das Cruzes*, h/t (51x61) : **BRL 1 550 000** – São Paulo, 14 sep. 1982 : *Bandeirinhas*, temp. (72x47,8) : **BRL 1 380 000** – New York, 26 nov. 1996 : *La Découverte de l'Amérique*, gche et cr./cart. (44,5x66) : **USD 29 900**.

VOLPI Ambrogio di Baldassare da Casal Monferrato
XVIe siècle. Travaillant à Casal Monferrato. Italien.
Sculpteur.
Élève d'Agostino Busti. Il travailla pour les cathédrales de Milan et de Casal Monferrato.

VOLPI Clemente
XVIIe siècle. Actif à Castelgandolfo en 1630. Italien.
Sculpteur.

VOLPI Elia
Né le 25 mars 1858 à Citta di Castello. XIXe siècle. Italien.
Peintre et restaurateur de tableaux.
Élève de l'Académie de Florence. Il exposa dans cette ville à partir de 1880. Il exécuta les portraits de plusieurs dames de la haute société florentine.
Ventes Publiques : New York, 15 et 16 mai 1946 : *Raphaël montrant le tableau ; Le Mariage de la Vierge à fra Tiferno* : **USD 750**.

VOLPI Francesco
XVIIIe siècle. Actif à Sienne et à Rome de 1734 à 1743. Italien.
Peintre.
Il peignit plusieurs tableaux d'autel dans des églises des environs de Sienne et à Rome.

VOLPI Giuliano
Né le 1er décembre 1835 à Lovere. Mort le 4 mars 1913 à Pontevico. XIXe-XXe siècles. Italien.
Peintre.
Il fut élève de l'Académie de Bergame.

VOLPI Jacomo
XVIIe siècle. Actif à Rome en 1631. Italien.
Sculpteur.

VOLPI Luigi ou **Volpini**
XVIIIe siècle. Actif à Naples. Italien.
Peintre.

VOLPI Mario Leopoldo
Né en 1877 à Santa Maria Capua Vetere. Mort en 1918 à Mestre. XXe siècle. Italien.
Peintre de paysages.
Il fut élève de Pietro Fragiacomo.
Musées : Venise (Gal. Mod.).

VOLPI Stefano
Né en 1594. Mort en 1630. XVIIe siècle. Actif à Sienne. Italien.
Peintre.
Il peignit des tableaux d'autel dans plusieurs églises de Sienne et de Montepulciano.

VOLPI Stefano
Né vers 1654 à Sienne. Mort le 15 mai 1694 à Rome. XVIIe siècle. Italien.
Peintre.

VOLPINI Andrea
XVIIIe siècle. Actif à Rome de 1750 à 1788. Italien.
Mosaïste.

VOLPINI Angelo
XVIIIe-XIXe siècles. Travaillant à Florence de 1760 à 1809. Italien.
Dessinateur et graveur au burin.
Il grava d'après les peintures de la Galerie Royale de Florence.

VOLPINI Augusto
Né en 1832 à Livourne. Mort le 21 mai 1911 à Livourne. XIXe-XXe siècles. Italien.
Peintre de genre, architectures, paysages.
Il fut élève de Giovanni Bartolena. Il exposa à Livourne et à Florence.
Ventes Publiques : Milan, 14 déc. 1978 : *Jeune fille à la cruche* 1882, h/t (76x54) : **ITL 1 200 000.**

VOLPINI Christoph ou **Simon Christoph**
Mort le 29 avril 1733 à Munich. XVIIIe siècle. Allemand.
Sculpteur et stucateur.
Il travailla d'abord pour le monastère d'Ottobeuren et sculpta les escaliers de la Résidence de Munich.

VOLPINI Giovanni Battista. Voir **MAESTRI Giovanni Battista**

VOLPINI Joseph ou **Johann Joseph** ou **Giuseppe** ou **Vulpini**
Mort le 15 novembre 1729 à Munich. XVIIIe siècle. Allemand.
Sculpteur, stucateur et médailleur.
Peut-être père de Christoph V, et fils de Giovanni-Battista Maestri. Il travailla pour la cour de Munich et exécuta un grand nombre de sculptures dans les châteaux de Nymphenbourg et de Furstenried. Le Musée National de Munich conserve de lui un médaillon à l'effigie de *Max Emanuel de Bavière*.

VOLPINI Luca
Mort en 1616 à Rome. XVIIe siècle. Italien.
Miniaturiste.

VOLPINI Luigi. Voir **VOLPI**

VOLPINI Simon Christoph. Voir **VOLPINI Christoph**

VOLPONI Giovanni Battista, dit **Scalabrino**
Né en 1489 à Pistoie. XVIe siècle. Italien.
Peintre.
Père de Piero V. Il subit l'influence de Ghirlandaio, du Pérugin et de Fra Bartolomeo. Il exécuta les peintures dans la chapelle du Saint-Sacrement de la cathédrale de Pistoie à partir de 1535.

VOLPONI Giovanni Battista di Pietro di Stefano
XVIe siècle. Actif à Pistoie. Italien.
Peintre.
Il travailla pour les églises de Pistoie avec le Sollazzino et Bernardo del Signoraccio.

VOLPONI Piero, dit **Scalabrino**
XVIe siècle. Actif à Pistoie à la fin du XVIe siècle. Italien.
Peintre.
Fils de Giovanni-Battista V. Il peignit des fresques pour des églises de Pistoie.

VOLSBERGHE Paul Joseph Guislain Surmont de. Voir **SURMONT DE VOLSBERGHE**

VÖLSER Johann Anton
Né le 23 décembre 1789 à Bozen. XIXe siècle. Autrichien.
Peintre et miniaturiste.
Élève de l'Académie de Vienne.

VOLSUM Jean Baptiste ou **Van Volsum** ou **Volxum** ou **Volsem**
Né en 1679 à Gand. Mort après 1739 à Gand. XVIIIe siècle. Éc. flamande.
Peintre.
Élève de R. Van Audenaerde. Cité en 1706 dans la gilde de Gand. Le Musée de Gand conserve de lui *Hommage à l'empereur Charles VI, comte des Flandres*.

VOLTAT Louis
Français.
Peintre de genre.
Le Musée de Bernay conserve de lui *La lecture* (panneau décoratif).

VOLTAT V.
Français.
Paysagiste.
Le Musée de Bernay conserve de lui *Falaises à Arromanches* et *Coucher de soleil sur la Seine*.

VOLTEN André
Né en 1925 à Andijk. XXe siècle. Hollandais.
Sculpteur, sculpteur d'intégrations architecturales, auteur d'assemblages, peintre. Abstrait.
Travaillant comme peintre et vivant dans le nord d'Amsterdam, quartier des usines, il apprit parmi les ouvriers, à forger, river, souder le métal et aborda ainsi la sculpture, en 1953.
Il participe à de nombreuses expositions de groupe, nationales et internationales, représentant l'art contemporain hollandais : 1956 Biennale de Venise ; 1961 Exposition internationale de sculpture contemporaine, dans les jardins du Musée Rodin à Paris, etc.
Il propose une vision machiniste du monde et de l'art, tout en adoptant la rigueur constructiviste de l'ancien groupe du « Stijl ». Ses assemblages peuvent être épurés ou, au contraire, complexes ; ils sont en général fondés sur la droite, le plan, l'angle droit ; ils sont comme le reflet, esthétisé, sublimé et poli, de la cité moderne, ou des édifices du futur. Son art est essentiellement d'intégration ; il a réalisé de nombreuses sculptures monumentales en plein air, dans les principales villes des Pays-Bas, notamment dans le hall de l'aéroport d'Amsterdam.
Bibliogr. : W. Jos. de Gruyter, in : *Nouveau diction. de la sculpt. mod.*, Hazan, Paris, 1970.
Ventes Publiques : Amsterdam, 5 juin 1984 : *Structure*, métal (H. 144,5) : **NLG 4 200** – Amsterdam, 18 mars 1985 : *Trois verticales*, acier poli (H. 130) : **NLG 6 400** – Amsterdam, 9 déc. 1988 : *Composition abstraite* 1951, h/t (100x114,5) : **NLG 1 955** – Amsterdam, 7 déc. 1995 : *Trois sculptures* 1973, acier (H. 7,5 ; 2,9) : **NLG 1 062.**

VÖLTER Frieda. Voir **REDMOND Frieda**

VOLTERRA Danièle de. Voir **RICCIARELLI**

VOLTERRANO, il. Voir **FRANCESCHINI Baldassare, RICCIARELLI Daniele, ZACCHI Zaccaria**

VOLTES Felipe
XVIe siècle. Espagnol.
Sculpteur.
Il a sculpté les bas-reliefs de la porte du sanctuaire de la cathédrale de Tarragone à partir de 1580.

VOLTI, pseudonyme de **Voltigerno Antoniucci**
Né le 1er janvier 1915 à Albano (près de Rome). Mort le 14 décembre 1989 à Paris. XXe siècle. Actif et naturalisé en France. Italien.
Sculpteur de compositions religieuses, figures, nus, bustes, dessinateur, peintre de cartons de tapisseries.
D'une longue lignée de tailleurs de pierre, il entra tout naturellement, à l'âge de douze ans, à l'école des Arts Décoratifs de Nice, où sa famille s'était retirée après la guerre de 1914-1918. À l'âge de quinze ans, il vint à Paris pour entrer dans l'atelier de Jean Boucher à l'École nationale des beaux-arts. Il obtint un des prix de Rome avant de partir pour la guerre, en 1939. Il fut décoré de la Croix de guerre puis fait prisonnier, il ne reviendra d'Allemagne qu'en 1943.
À partir de 1947, il participa aux principales manifestations des jeunes artistes de l'École de Paris, notamment à Paris au Salon de la Jeune Sculpture, dont il fut membre fondateur en 1949 et membre du Comité, au Salon d'Automne, dont il fut membre sociétaire et vice-président, aux Salons des Tuileries, de Mai, des Peintres et Sculpteurs Témoins de leur Temps, ainsi que : 1949 *De Rodin à nos jours* ; 1950 *Le Nu dans la sculpture* ; 1955 avec le groupe Évolution. Il a montré régulièrement ses œuvres dans des expositions personnelles surtout à Paris à partir de 1956, notamment en 1998, galerie Larock-Granoff.
La coupure dans sa vie à cause de la Seconde Guerre mondiale retentit sur l'évolution de son art, d'autant que ses œuvres antérieures avaient été détruites dans un bombardement. Il a beaucoup réfléchi, beaucoup dessiné, en captivité. Lorsqu'il revient, tout son œuvre à venir, mûri, est prêt à éclore, résolu et définitif. Latine, la forme, une et pleine, chez Volti, tend à ce que l'on pourrait nommer l'arabesque en volume. D'entre ses principaux travaux monumentaux, on cite *Sainte Thérèse* pour l'église de Colombes (1944), *Sainte Jeanne de France* pour l'église de la rue de la Roquette (1946), *Baigneuses* (1946), *Figure en granit* pour la ville de Coutances (1947), *Femme-athlète au repos* (1949), *Femme et enfant* (1950) pour le village d'Île-Rousse (Corse), *Bas-relief*, pour le sanatorium d'Abreschwiller (Moselle) (1952), *Portrait du*

nouvel Institut Pasteur (1954-1955), *Porte de l'Institut d'Optique* (1957) à Paris.

Bibliogr. : Denys Chevalier, in : *Nouveau diction. de la sculpt. mod.*, Hazan, Paris, 1970 – Pierre Descargues : *Volpi. Monographie*, s. l., s. d.

Musées : Menton : *Été* 1953 – Paris (Mus. d'Art Mod. de la ville) – Paris (BN) : *Nu* 1980, litho. monochrome sanguine – Villefranche-sur-Mer (Fondation-Musée Volti).

Ventes Publiques : Versailles, 17 oct. 1971 : *Nu allongé*, bronze : **FRF 5 200** – Paris, 27 fév. 1976 : *Couple de baigneuses*, plâtre (H. 110) : **FRF 2 300** – Versailles, 27 nov. 1977 : *Le modèle accroupi*, bronze patiné (23x42) : **FRF 11 500** – Nice, 1er mars 1979 : *La Méditerranée*, pierre : **FRF 130 000** – Londres, 30 sep. 1981 : *Nu assis*, bronze (H. 34,3) : **GBP 600** – Bergerac, 16 nov. 1986 : *Femme nue*, bronze patine verte (25x43) : **FRF 40 000** – Versailles, 15 juin 1988 : *Rêverie ou la Femme de Tours*, bronze patine bleu-noir (34x98) : **FRF 100 000** – Paris, 22 nov. 1988 : *Nu allongé*, sanguine (24x31) : **FRF 8 000** – Paris, 1er fév. 1989 : *Les Deux Amies*, cr. (50x65) : **FRF 4 500** – Londres, 22 fév. 1989 : *Nu accroupi*, bronze (H. 17,5) : **GBP 2 750** – New York, 9 mai 1989 : *Nu allongé*, bronze (H. 14, L. 26) : **USD 7 700** – Montluçon, 9 juil. 1989 : *Portrait de Bruno*, bronze (H. 18) : **FRF 22 200** – Paris, 21 nov. 1989 : *Nu allongé*, sanguine (24x31) : **FRF 9 100** – Paris, 30 mai 1990 : *Nu de femme*, sanguine (50x69) : **FRF 35 000** – Paris, 19 juin 1990 : *Femme*, bronze (H. 36, l. 75) : **FRF 300 000** – Versailles, 8 juil. 1990 : *Nu de dos*, sanguine (65x50) : **FRF 20 000** – Deauville, 16 août 1991 : *Florentine 1*, bronze patine bleue (H. 94,5) : **FRF 451 000** – Auxerre, 24 nov. 1991 : *Les Parisiennes*, bronze (H. 97) : **FRF 650 000** – Paris, 27 jan. 1992 : *Nu adossé*, bronze (19x35x10,5) : **FRF 51 000** – Arles, 15 mars 1992 : *Nu assis*, bronze (H. 25,4) : **FRF 210 000** – Louviers, 3 mai 1992 : *La Source II*, terre cuite originale patine bronze (H. 51, L. 60) : **FRF 460 000** – Enghien-les-Bains, 24 mai 1992 : *Baigneuse aux nattes*, terre cuite originale (19x20x21) : **FRF 70 000** – Gien, 24 mai 1992 : *Jeune fille n°II*, bronze patine verte : **FRF 312 000** – New York, 12 juin 1992 : *Nu allongé*, bronze patine brune (L. 35,6) : **USD 13 200** – Paris, 24 nov. 1992 : *Les Parisiennes*, bronze patine noire (H. 98) : **FRF 430 000** – Paris, 4 déc. 1992 : *Nu* 1957, fus. (105x79) : **FRF 10 000** – Paris, 8 avr. 1993 : *Nu accroupi*, cr. noir et sanguine/pan. (92x73) : **FRF 21 000** – Paris, 16 juin 1993 : *Rêverie ou Femme de Tours*, bronze (H. 37) : **FRF 160 000** – Londres, 13 oct. 1993 : *Femme nue allongée*, bronze (L. 28) : **GBP 6 325** – Paris, 10 mars 1994 : *Femme au torse nu*, bronze (H. 71) : **FRF 120 000** – Deauville, 19 août 1994 : *Femme nue en buste*, sanguine (64x49) : **FRF 17 500** – Boulogne-sur-Seine, 12 mars 1995 : *Femme allongée*, sanguine (49x64) : **FRF 12 500** – Gien, 9 juil. 1995 : *Liane*, bronze (35x18x14) : **FRF 40 000** – Paris, 19 nov. 1995 : *Agathe*, bronze (H. 63) : **FRF 132 000** – Paris, 20 juin 1996 : *Baigneuse* 1956, bronze (19,5x14x13) : **FRF 35 000** – Paris, 22 nov. 1996 : *Nu de dos*, sanguine/pap. (65x50) : **FRF 6 500** – Paris, 24 nov. 1996 : *Romilde*, bronze patine vert noir (18,5x20x21) : **FRF 57 000** – Calais, 15 déc. 1996 : *Nu assis se coiffant*, terre cuite (H. 21) : **FRF 13 000** – Paris, 7 mars 1997 : *Nu allongé*, fus. et estompe (44,5x56) : **FRF 3 400** – Calais, 23 mars 1997 : *Nu assis*, terre cuite (H. 22) : **FRF 9 000** – Paris, 25 mai 1997 : *Baigneuse*, bronze patine noire (H. 10,5) : **FRF 8 500** – Paris, 19 oct. 1997 : *Anita* 1964, bronze patine vert antique (52x49x37) : **FRF 165 000** ; *Nu accroupi*, pl. et encre noire/pap. (17,5x28,5) : **FRF 3 800**.

VOLTIJEANT Henri I
Né le 21 octobre 1593 à Avon. Mort le 20 mars 1687 à Fontainebleau. xviie siècle. Français.
Peintre.
Fils de Josse de V. et peintre du roi.

VOLTIJEANT Henri II
Né le 21 janvier 1620 à Avon. Mort avant le 30 juillet 1671. xviie siècle. Français.
Peintre.
Fils de Henri Voltijeant I. Il travailla à Fontainebleau.

VOLTIJEANT Henri III
Né vers 1650 à Fontainebleau. Mort avant le 12 septembre 1694. xviie siècle. Français.
Peintre.
Fils de Henri Voltijeant II.

VOLTIJEANT Josse de ou **Voltigeant** ou **Voltigeur**
Né le 29 mars 1622 à Fontainebleau. xviie siècle. Français.
Peintre.
Ce peintre, ainsi que son fils, Henri Voltijeant I sont cités parmi les artistes ayant collaboré à la décoration de Trianon, le père avec une *Sainte Marguerite* et *La mort de la Vierge*.

VOLTIJEANT Thomas de
Mort le 27 juillet 1611 à Paris. xviie siècle. Français.
Peintre.
Probablement frère de Josse de V.

VOLTMER Ralf
Né le 8 novembre 1891 à Hambourg. xxe siècle. Allemand.
Peintre de décors de théâtre, décorateur.
Musées : Hambourg (Mus. du Théâtre et d'Hist.).

VOLTOLIN Aldo
Né en 1893 (?) à Trévise. Mort le 4 juillet 1918 à Milan. xxe siècle. Italien.
Peintre.
Il fut élève de Luigi Serena.
Musées : Milan (Gal. d'Art Mod.) : plusieurs peintures.

VOLTOLINA Alessandro
Mort en 1748 à Iseo. xviiie siècle. Italien.
Peintre.

VOLTOLINA Carlo
xviie siècle. Italien.
Peintre de paysages.
Il travailla à Iseo et à Brescia dans la seconde moitié du xviie siècle.

VOLTOLINA Nello, pseudonyme : **Novo**
Né en 1908 à Donada. Mort en 1944 à Padoue. xxe siècle. Italien.
Peintre de compositions religieuses. Groupe futuriste.
À partir de 1930, il fut membre du mouvement futuriste de Padoue.
Il a participé à des expositions collectives : Biennale de Venise, Quadriennale de Rome.
Il pratique à ses débuts, sur des sujets coloniaux et religieux, l'aéropeinture qui consiste en une articulation de la peinture « autour de la synthèse abstraite de l'expérience du vol » (Giovanni Lista), puis évolue vers des œuvres plus abstraites. Il a également réalisé des publicités, sous la signature de Novo, des photographies et des courts-métrages.
Bibliogr. : In : *Dict. de l'art mod. et contemp.*, Hazan, Paris, 1992.

VOLTOLINI Andrea
Né vers 1643 à Vérone. Mort vers 1720 à Vérone. xviie-xviiie siècles. Italien.
Peintre.
Père de Lorenzo V. et élève de Jacopo Locatelli. Il peignit de nombreux tableaux d'autel pour des églises de Vérone et des environs.

VOLTOLINI Lorenzo
xviiie siècle. Actif à Vérone. Italien.
Peintre.
Fils d'Andrea V. Il travailla pour des églises de Vérone et de sa province ainsi que pour d'autres villes d'Italie.

VOLTZ. Voir aussi **VOLZ**

VOLTZ Friedrich Johann
Né le 31 octobre 1817 à Nördlingen. Mort le 25 juin 1886 à Munich. xixe siècle. Allemand.
Peintre d'animaux, paysages, paysages de montagne.
Fils et élève du peintre Johann Michael Voltz, Friedrich Voltz étudia aussi à l'Académie des Beaux-Arts de Munich en 1835 et 1836. Il compléta son instruction dans les Alpes Bavaroises et y puisa nombre de ses sujets. En 1843, il visita l'Italie. Il fut nommé membre de l'Académie de Munich et de Berlin.

Musées : Bautzen (Mus. mun.) : *Bœufs à l'abreuvoir* – *Retour de l'alpage* – *Vaches au bord du ruisseau* – Bergen : *Paysage avec vaches* – Berlin (Gal. Nat.) : *Vaches à l'abreuvoir* – Breslau, nom all. de Wroclaw : *Troupeau au pâturage* – *Vaches au bord de l'eau* – *Troupeau de bétail* – *Le matin au village* – *Troupeau allant à l'abreuvoir* – BUCAREST (Simu) : Aquarelle – CHEMNITZ : *En allant au pâturage* – *Vaches sous la pluie* – COLOGNE : *Troupeau de vaches dans un paysage d'été* – DRESDE : *Troupeau dans la vallée* – ERFURT (Mus. mun.) : *Au Zoo* – ESSEN : *Au village* – FRANCFORT-SUR-LE-MAIN : *Vaches à l'abreuvoir* – GRAZ : *Vaches* – HANOVRE : *Paysage* – KALININGRAD, ancien. Königsberg : *Troupeau de vaches et de chèvres sur le Benedikterwand, Haute Bavière* – LEIPZIG : *Pâtre et vaches* – *Rentrée du troupeau* – MAYENCE (Mus. mun.) : *Paysage de haute montagne* – MUNICH (Mus. Nat.) : *Troupeau rentrant* – MUNICH (Gal. mun.) : *Vaches au pâturage* – *Bœufs à l'abreuvoir* – NEW YORK (Mus. Métropolitain) : *Paysage avec pâturage* – NUREMBERG (Mus. mun.) : *Animaux* – SCHWERIN (Mus. prov.) : *Dans l'étable à vaches* – STUTTGART : *Troupeau de vaches* – TROPPAU : *Vaches à l'abreuvoir* – VIENNE (Acad.) : *Le soir au pâturage* – WUPPERTAL (Mus. mun.) : *Le retour du troupeau* – *Troupeau de vaches*.

VENTES PUBLIQUES : NEW YORK, 1899 : *Bestiaux du lac de Moisenger* : **FRF 3 500** – NEW YORK, 4 fév. 1904 : *Matin d'été* : **USD 1 600** – NEW YORK, 10 jan. 1906 : *La moisson* : **USD 1 800** – NEW YORK, 25 nov. 1908 : *Bestiaux* : **USD 270** – PARIS, 18 juin 1930 : *Vaches à la rivière* : **FRF 14 500** – PARIS, 2 juin 1950 : *Vaches à la mare* 1881 : **FRF 61 500** – COLOGNE, 28 juin 1950 : *Vaches à la mare* 1869 : **DEM 2 400** – VIENNE, 31 mai 1951 : *Vaches à la rivière* 1840 : **ATS 4 000** – LUCERNE, 11 juin 1951 : *Vaches au pâturage* : **CHF 1 000** – COLOGNE, 4-6 déc. 1952 : *Au labour* : **DEM 1 450** – WUPPERTAL, 28 jan. 1953 : *Paysage avec bétail* : **DEM 2 700** – COLOGNE, 6-9 mai 1953 : *Retour du troupeau* 1868 : **DEM 4 600** – LUCERNE, 16-20 juin 1953 : *Pâturages avec bétail* 1880 : **CHF 1 500** – PARIS, 1er juil. 1960 : *Le berger et son troupeau en montagne* : **FRF 4 800** – MUNICH, 30 oct. 1964 : *Troupeau s'abreuvant* : **DEM 9 000** – COLOGNE, 16 nov. 1967 : *Vaches à l'abreuvoir* : **DEM 20 000** – LONDRES, 16 oct. 1968 : *Bergère et son troupeau au bord de l'eau* : **GBP 1 300** – LUCERNE, 29 nov. 1969 : *Paysage montagneux* : **CHF 14 000** – COLOGNE, 16 oct. 1970 : *Troupeau dans un paysage* : **DEM 16 000** – COLOGNE, 15 nov. 1972 : *Troupeau à l'abreuvoir* : **DEM 24 000** – COLOGNE, 23 mars 1973 : *Idylle* 1857 : **DEM 37 000** – COLOGNE, 21 juin 1974 : *Retour du pâturage* : **DEM 10 000** – NEW YORK, 15 oct. 1976 : *Deux chiens setters dans un paysage*, h/pan. (23x32) : **USD 1 700** – NEW YORK, 28 avr. 1977 : *Troupeau à l'étang* 1885, h/pan., parqueté (32x76) : **USD 39 000** – MUNICH, 30 mai 1979 : *Berger et jeune paysanne en conversation* 1864, cr. (20x27) : **DEM 1 850** – NEW YORK, 10 oct 1979 : *Troupeau à l'abreuvoir*, aquar. (23x51) : **USD 7 250** – LONDRES, 5 oct 1979 : *Troupeau à l'abreuvoir* 1884, h/t (125x175) : **GBP 20 000** – NEW YORK, 29 mai 1981 : *Troupeau à l'abreuvoir*, h/pan. (47,9x109,2) : **USD 50 000** – HAMBOURG, 10 juin 1982 : *Berger et troupeau* 1883, cr. (15,3x15) : **DEM 4 000** – MUNICH, 4 mai 1983 : *Starnberger See*, h/t : **DEM 100 000** – MUNICH, 8 mai 1985 : *Le retour du troupeau*, h/pan. parqueté (56x47) : **DEM 78 000** – MUNICH, 5 nov. 1986 : *Troupeau à l'abreuvoir* 1875, h/pan. (35x89) : **DEM 120 000** – NEW YORK, 24 oct. 1989 : *Bergère menant ses bovins à la rivière* 1878, h/pan. (41,9x103,5) : **USD 37 400** – COLOGNE, 23 mars 1990 : *Paysage fluvial*, h/cart. (21x32) : **DEM 2 600** – LONDRES, 17 mai 1991 : *Bovins et moutons buvant dans une mare* 1859, h/t (62x92,5) : **GBP 9 900** – MUNICH, 12 juin 1991 : *Le Repos de midi* 1846, h/t (30x27,5) : **DEM 33 000** – NEW YORK, 20 fév. 1992 : *Bétail près d'une mare* 1876, h/pan. (31,7x64,4) : **USD 23 100** – NEW YORK, 29 oct. 1992 : *Étude d'une vache*, h/t (34,3x50,2) : **USD 3 575** – MUNICH, 1er-2 déc. 1992 : *Bétail à l'abreuvoir* 1860, mine de pb (18x28,5) : **DEM 1 725** – NEW YORK, 13 oct. 1993 : *Bétail avec un gardien dans des marais*, h/pan. (21x44,5) : **USD 10 350** – MUNICH, 7 déc. 1993 : *Le gêneur* 1842, h/pan. (33x36,5) : **DEM 25 300** – NEW YORK, 15 fév. 1994 : *Bovins se désaltérant dans une mare près d'un pêcheur et de son chien* 1870, h/pan. (34x65,1) : **USD 32 200** – LONDRES, 18 mars 1994 : *Bétail dans un pâturage*, h/pan. (34,3x42,9) : **USD 4 600** – LONDRES, 9 oct. 1996 : *Vacher et vachère avec leur troupeau* 1871, h/t (59x117,5) : **GBP 17 250** – VIENNE, 29-30 oct. 1996 : *Troupeau de vaches se désaltérant dans un village*, h/pan. (20,5x45,5) : **ATS 69 000**.

VOLTZ Johann Michael ou **Volz**

Né le 16 octobre 1784 à Nördlingen. Mort le 17 avril 1858 à Nördlingen. XIXe siècle. Allemand.

Peintre de genre, graveur à l'eau-forte, illustrateur et miniaturiste.

D'abord élève de F. Weber à Augsbourg, puis, pendant quatre ans, de H. von Henzberg, notamment pour la gravure. Il était de retour à Nordlingen en 1812. On le cite, en 1819, voyageant dans les montagnes du Duché de Bade et y étudiant particulièrement les costumes nationaux. Il exécuta durant ce voyage des dessins à la sépia. Il a fait de nombreuses illustrations, notamment pour une édition *des Mille et une nuits* et pour les classiques allemands. Les Musées de Berlin, de Munich et de Nördlingen conservent des œuvres de cet artiste.

VOLTZ Ludwig ou **Louis**

Né le 28 avril 1825 à Augsbourg. Mort le 26 décembre 1911 à Munich. XIXe siècle. Allemand.

Peintre de scènes de genre, animaux, paysages animés, paysages, dessinateur.

Fils de Johann M. Voltz, frère cadet et élève de Friedrich Voltz, il fut élève de l'Académie des Beaux-Arts de Munich en 1843-1845. Il exposa à Vienne en 1848 et à Munich en 1854.

On cite de lui *Sangliers* et *Cerf poursuivi par des chiens* et des illustrations de contes des frères Grimm.

BIBLIOGR. : Marcus Osterwalder : *Dict. des illustrateurs 1800-1914*, Ides et Calendes, Neuchâtel, 1989.

MUSÉES : BAUTZEN : *Cerf au lac d'Eibsee* – HANOVRE : *Au travail* – SAINT-GALL : *Laboureur*.

VENTES PUBLIQUES : NEW YORK, 13 oct. 1978 : *Troupeau sur un pont*, h/pan. (20x40) : **USD 8 500** – HANOVRE, 20 sep. 1980 : *Cerf dans un paysage*, h/t (54x43) : **DEM 15 000** – VIENNE, 10 déc. 1987 : *Paysage d'été*, h/t (43x55) : **ATS 140 000** – MUNICH, 21 juin 1994 : *Chevreuil dans un bois*, h/cart. (24x34,5) : **DEM 1 265**.

VOLUTO Strazio. Voir **FERMOUT Gilliam**

VOLVANI Claudio

XVIIIe siècle. Travaillant en Lorraine. Français.

Dessinateur.

VOLXUM Jean Baptiste. Voir **VOLSUM**

VOLZ. Voir aussi **VOLTZ**

VOLZ Hermann

Né le 26 août 1814 à Biberach. Mort le 2 novembre 1894 à Biberach. XIXe siècle. Allemand.

Peintre d'histoire, scènes de genre, portraits.

Il fut élève de l'Académie des Beaux-Arts de Munich.

MUSÉES : BIBERACH : *Scènes de la guerre franco-allemande* – ULM (Mus. mun.) : *Joueurs de cartes*.

VENTES PUBLIQUES : NEW YORK, 26 mai 1977 : *Intérieur de taverne* 1873, h/t (33x40) : **USD 1 350** – NEW YORK, 30 mai 1980 : *Scène de taverne* 1878, h/t (35,9x64,7) : **USD 4 200** – COLOGNE, 26 juin 1981 : *Scène d'intérieur*, h/t (51x65) : **DEM 15 000** – MUNICH, 20 oct. 1983 : *Sonntagsjäger* 1891, h/cart. (32,5x40,5) : **DEM 9 000** – NEW YORK, 22-23 juil. 1993 : *La halte des voyageurs* 1878, h/pan. (38,7x28,9) : **USD 3 738** – NEW YORK, 20 juil. 1995 : *La fanfare du village* ; *Voyageurs tyroliens* 1890, h/cart., une paire (27,9x33 et 24,1x30,5) : **USD 7 360**.

VOLZ Hermann

Né le 31 mars 1847 à Karlsruhe. XIXe siècle. Allemand.

Sculpteur de monuments, statues, bustes.

Il figura aux expositions du Salon des Artistes Français de Paris, obtenant une médaille d'argent en 1900, pour l'Exposition Universelle.

Il sculpta un grand nombre de statues, de monuments aux Morts et des bustes.

MUSÉES : KARLSRUHE : *Buste de Henry Thode* – *Buste de Hans Thoma*.

VOLZ Hermann

Né en 1904 à Zurich. XXe siècle. Suisse.

Peintre.

Il fit ses études à Paris.

VOLZ Johann Michael. Voir **VOLTZ**

VOLZ Wilhelm

Né le 8 décembre 1855 à Karlsruhe. Mort le 7 juillet 1901 à Munich. XIXe siècle. Allemand.

Peintre d'histoire et de genre, illustrateur, aquafortiste et lithographe.

Élève de Ferdinand Keller à Munich et de Lefebvre à Paris. Médaillé à Munich en 1889 et à Chicago en 1893. En 1896, il obtint le premier prix au concours pour la Rotonde d'un cimetière à Munich. L'exécution du travail fut transmise par la ville au peintre Guntermann. On cite de lui *Sainte Cécile* et *Cuisine de sorcière*.

W. VOLZ

Musées : Constance : *Bataille de fleurs – Ronde des Muses – Amour ouvrant la porte – Christ au puits – Marie aux champs* – Karlsruhe : *Intérieur du château la Favorite près de Rastatt* – Munich : *Ensevelissement du Christ* – Schleissheim : *Concert de faunes* – Zurich (Kunsthalle) : *Légende de la danse*.
Ventes Publiques : Londres, 4 nov. 1977 : *Nymphes dansant dans un paysage boisé*, h/t (48,3x83) : **GBP 750**.

VOMANE Marie Rose de
Née au xixe siècle à Montpellier (Hérault). xixe siècle. Française.
Peintre de portraits, de natures mortes et de fruits.
Élève de Baudry. Elle exposa au Salon de 1886 à 1881.

VON, VON DEM, VON DEN, VON DER suivi d'un patronyme. Voir ce patronyme

VONCK Élias ou **Vonk**
Né vers 1605 à Amsterdam. Mort en 1652, enterré le 10 juin 1652 à Amsterdam. xviie siècle. Hollandais.
Peintre d'animaux, natures mortes, fleurs et fruits.
On ne dit pas qui fut son maître, mais il s'inspira visiblement de Hondecoeter et de Snyders ; ses ouvrages sont souvent attribués à ces maîtres.
Il a parfois peint des animaux dans les tableaux de Jacob Ruysdael. Dans ses œuvres, il privilégia la représentation des oiseaux.

Musées : Amsterdam : *Gibier* – Breslau, nom all. de Wroclaw : *Dispute entre chien et chat* – Budapest : *Coq et poules* – Copenhague : *Gibier mort* – Francfort-sur-le-Main : *Volailles mortes* – La Haye : *Oiseaux morts* – Utrecht : *Oiseaux morts*.
Ventes Publiques : Paris, 1872 : *Fruits et fleurs sur une table* : **FRF 310** – Paris, 1888 : *Nature morte* : **FRF 625** – Munich, 1899 : *Nature morte, Gibier* : **FRF 1 750** – New York, 14 et 15 jan. 1909 : *Canards et oiseaux* : **USD 95** – Londres, 20 fév. 1909 : *Volailles* : **GBP 11** – Paris, 15 déc. 1909 : *Gibier et plume* : **FRF 320** – Paris, 20 mai 1927 : *Chat et gibier* : **FRF 9 500** – Paris, 9 fév. 1928 : *Chiens et gibier* : **FRF 1 450** – Londres, 29 mars 1974 : *Nature morte* : **GNS 4 200** – New York, 6 juin 1984 : *Couple assis dans un intérieur*, h/cuivre (30,5x35,5) : **USD 11 000** – Paris, 14 déc. 1987 : *Bouquet de fleurs et gibier sur un entablement*, h/t (107x82) : **FRF 112 000** – Monaco, 2 déc. 1989 : *Nature morte au gibier sur une large table*, h/t (120x175) : **FRF 222 000** – New York, 15 jan. 1993 : *Nature morte de gibier sur une table*, h/pan. (74,3x94,6) : **USD 5 750**.

VONCK Ferdinand
Né le 27 août 1921 à Blakenberge. xxe siècle. Belge.
Sculpteur, peintre. Figuratif puis abstrait.
Autodidacte, il débute d'abord par la peinture et se consacre à la sculpture vers 1952. Les œuvres de cette époque sont figuratives. Il a ensuite évolué vers l'abstraction avec des constructions en fer. En 1959 il a participé à la fondation du nouvel « Art-Construit » qui tendait à promouvoir l'intégration des arts plastiques à l'architecture.

VONCK Jacobus ou **Vonk**
Né vers 1730. Mort en 1773. xviiie siècle. Actif à Middelbourg. Hollandais.
Peintre d'oiseaux et de natures mortes.
Ventes Publiques : Londres, 13 avr. 1983 : *Urne, fruits et oiseaux*, h/t (82x60) : **GBP 1 800** – New York, 16 oct. 1997 : *Un canard musqué de Barbarie, un ara écarlate, un cacatoès huppé, une grue couronnée et un souchet avec ses petits dans un jardin* 1771, h/t/pan. (174x115,5) : **USD 23 000**.

VONCK Jan ou **Vonk**
Né vers 1630 à Amsterdam. Mort après 1660. xviie siècle. Hollandais.
Peintre d'animaux, natures mortes.
Il fut élève de son père Élias Vonck. Il travailla à Amsterdam vers 1660. Il privilégia dans ses œuvres la représentation des oiseaux.

Musées : Amsterdam : *Oiselets morts – Poissons* – Bath : *Gibier* – Bergen : *Oiseaux morts* – Copenhague : *Le coq mort* – Dresde : *Chevreuil poursuivi par des chiens* – Genève (Ariana) : *Poissons et crustacés sur une table* – Lille : *Animaux morts* – Oxford : *Oiseaux morts* – Porto : *Nature morte* – Rotterdam (Mus. Boymans) : *Oiseaux* – Stockholm : *Oiseaux morts sur une table*.
Ventes Publiques : Londres, 14 juil. 1911 : *Canards, cygne, perroquet et autres oiseaux* 1771 : **GBP 105** ; *Paon, volailles et chien* ; *Volailles et oiseaux*, deux pendants : **GBP 73** – Paris, 9 déc. 1938 : *Oiseaux morts* : **FRF 1 850** – Paris, 7 juil. 1942 : *Chien et gibier d'eau* 1660 : **FRF 5 600** – Paris, 19 oct. 1950 : *Nature morte au gibier* : **FRF 37 000** – Paris, 30 nov. 1954 : *Chiens et gibier* : **FRF 115 000** – Paris, 26 nov. 1967 : *Trophées de chasse* : **FRF 9 000** – Londres, 2 juil. 1976 : *Nature morte aux volatiles*, h/pan. (56x45,7) : **GBP 3 000** – Zurich, 27 jan. 1982 : *Nature morte aux poissons*, h/t (68x86) : **CHF 9 500** – Monte-Carlo, 6 mars 1984 : *Nature morte au couple de perdreaux gris*, h/t (42x33,5) : **FRF 46 000** – Londres, 23 mars 1990 : *Deux canards, un héron et un épagneul*, h/pan. (23,3x30,3) : **GBP 2 200** – Paris, 30 jan. 1991 : *Trophée de chasse*, h/t (86x67,5) : **FRF 25 000** – New York, 16 jan. 1992 : *Nature morte avec un canard et d'autres oiseaux morts surveillés par un épagneul* 1660, h/pan. (71,1x55,3) : **USD 12 100** – Amsterdam, 12 mai 1992 : *Nature morte avec une perdrix et des oiseaux sur un entablement*, h/pan. (33,9x26,4) : **NLG 6 900** – Paris, 10 déc. 1992 : *Nature morte au gibier*, h/t (76x63,5) : **FRF 75 000** – Amsterdam, 6 mai 1993 : *Lièvre et gibier à plumes sur un entablement de pierre*, h/pan. (33,5x43,5) : **NLG 6 900** – Londres, 22 avr. 1994 : *Canard de Barbarie suspendu à une ficelle et autres gibiers à plume sur un entablement sous la garde d'un épagneul* 1660, h/pan. (70,8x55,3) : **GBP 9 775**.

VONCKEN Antoine Marie Eusèbe
Né en 1827 à Etterbeck (Bruxelles). Mort le 28 novembre 1863 à Bruxelles. xixe siècle. Belge.
Lithographe.

VONDERHEID Josef Anton
Né le 22 février 1836 à Vienne. xixe siècle. Autrichien.
Peintre de portraits.
Élève de l'Académie de Vienne.

VONDROUS John ou **Jan**
Né le 24 janvier 1884 en Bohême. xxe siècle. Américain.
Peintre, illustrateur, graveur de nus, paysages.
Il fut élève de l'Académie de New York, où il vécut et travailla. Il grava surtout des paysages et des nus, privilégiant la technique de l'eau-forte.

VONK. Voir **VONCK**

VONLANTHEN Louis
Né le 13 août 1889 à Gruyère. xxe siècle. Suisse.
Peintre de paysages.
Il fut élève de l'Académie de Florence. Il vécut et travailla à Fribourg. Il exécuta des fresques dans des églises de Fribourg et au Polytechnikum de Zurich.
Ventes Publiques : Genève, 25 nov. 1985 : *Vue de Fribourg*, h/t (80x100) : **CHF 8 400**.

VONMATT Anton
Né à Stans. xixe siècle. Actif dans la première moitié du xixe siècle. Suisse.
Portraitiste.
Il peignit des stations de Chemin de croix et des saints pour l'église de Hellbüel.

VONMETZ Karl
Né le 8 juillet 1875 à Storo. xxe siècle. Autrichien.
Sculpteur, modeleur.
Il vécut et travailla à Innsbruck. Il pratiqua l'art en amateur.

VONNOH Bessie Onahotema, née **Potter**
Née en 1872 à Saint-Louis. Morte en 1954 ou 1955. xixe-xxe siècles. Américaine.
Sculpteur de figures, groupes, statuettes.
Elle fut élève de Lorado Taft. Elle a d'abord exposé à l'Académie des Beaux-Arts de Pennsylvanie ; en 1900, elle reçut une médaille de bronze à l'Exposition Universelle de Paris ; en 1901 une mention honorable à l'Exposition Panaméricaine de Buffalo.

Elle consacra une série de bronzes à la *Maternité*. Le modèle fut créé en 1896.
Bibliogr. : J. Van Leeuwen, in : *Regard féminin – La Femme décrite par la Femme* 1900-1930, Stanford, 1984.
Musées : Chicago (Art Inst.) : Sept statuettes – Giverny : *La Sieste* 1887 – *Coquelicots en France* 1888 – *Jardin de paysanne* 1890 – Philadelphie (Pennsylvania Acad. of the Fine Arts) : *Novembre* 1890.
Ventes Publiques : Londres, 21 avr. 1976 : *Danseuse* vers 1909, bronze (H. 37) : **GBP 280** – New York, 29 sep. 1977 : *Maternité*, bronze patine verte (H. 42,5) : **USD 2 200** – New York, 24 oct 1979 : *Femme debout*, bronze patiné (H. 48,2) : **USD 1 800** – New York, 3 juin 1982 : *Mère et enfant* 1902, bronze patine brun-vert (H. 26,7) : **USD 5 200** – Détroit, 20 fév. 1983 : *Mère assise et enfant*, bronze patine brune (H.37) : **USD 8 000** – Londres, 18 déc. 1985 : *Maternité*, bronze, patine jaune-brun (H. 38) : **GBP 7 200** – New York, 29 mai 1986 : *Femme assise et trois enfants* 1902, bronze patine brun or (H. 29,8) : **USD 14 500** – New York, 26 mai 1988 : *La Jeune Mère* 1896, bronze (H. 34,3) : **USD 60 500** – New York, 30 nov. 1989 : *La Jeune Mère* 1899, bronze à patine brune (H. 37,5) : **USD 17 600** – New York, 1er déc. 1989 : *Alicia*, bronze à patine vert-brun (H. 25,4) : **USD 11 000** – New York, 16 mars 1990 : *Psyché, jeune nymphe avec un papillon*, bronze à patine brune (H. 28,6) : **USD 22 000** – New York, 30 nov. 1990 : *La Révérence*, bronze (H. 37,5) : **USD 11 000** – New York, 25 sep. 1991 : *Bonne nuit*, bronze à patine brune (H. 23,5) : **USD 5 500** – New York, 6 déc. 1991 : *L'Allégresse*, groupe de bronze (H. 64,2) : **USD 66 000** – New York, 23 sep. 1993 : *Nénuphar*, bronze (H. 73,7) : **USD 32 200** – New York, 31 mars 1994 : *Fillette dansant*, bronze (H. 27,3) : **USD 6 038** – New York, 29 nov. 1995 : *Lutin de la mer*, bronze, fontaine (H. 143,5) : **USD 90 500** – New York, 3 déc. 1996 : *Jeune fille dansant*, bronze (H. 34,3) : **USD 6 325** – New York, 4 déc. 1996 : *Jeune fille dansant* 1899, bronze (H. 36,6) : **USD 57 500** – New York, 7 oct. 1997 : *Maternité* 1905, bronze patine brune, groupe (H. 41,3) : **USD 23 000**.

VONNOH Robert William
Né le 17 septembre 1858 à Hartford (Connecticut). Mort le 28 décembre 1933 à Nice (Alpes-Maritimes). XIXe-XXe siècles. Américain.
Peintre de genre, portraits, paysages. Postimpressionniste.
Élève à Boston du Massachusetts Normal Art Club, et, à partir de 1880 à Paris, de Gustave Boulanger et de Jules Lefebvre, à l'Académie Julian. En 1883, il revint à Boston, devint professeur à la Boston Museum School et à la Pennsylvania Academy of the Fine Arts. À partir de 1887, il fit plusieurs séjours, parfois prolongés, à Grèz-sur-Loing.
Il exposa au Salon de Paris, obtenant une mention honorable en 1889. Associé de la National Academy en 1900, académicien en 1906, il appartient aussi aux principaux groupements artistiques de New York. Il reçut une médaille de bronze aux Expositions Universelles de 1889 et de 1900, une médaille à Buffalo en 1901, à Charleston en 1902 et le Prix Proctov à la National Academy en 1904.
Plusieurs de ses œuvres se trouvent dans des lieux publics, tels : *Compagnon d'atelier – Autoportrait – Novembre*, à la Pennsylvania Academy ; *Portrait du Dr S. Veir Mittchaell*, au Collège of Physicians de Philadelphie ; *John G. Milburn*, au Buffalo Club à Buffalo ; *L'honorable John Russel Young*, à l'Union League Club à Philadelphie ; *Attorney Gal Griggs*, au Ministère de la Justice de Washington ; *Directeur des Postes Charles Emory*, à la Direction des Postes à Washington.
Bibliogr. : Gérald Schurr, in : *Les Petits Maîtres de la peinture 1820-1920, valeur de demain*, Les Éditions de l'Amateur, t. V, Paris, 1981 – William H. Gerdts, D. Scott Atkinson, Carole L. Shelby, Jochen Wierich : *Impressions de toujours – Les peintres américains en France 1865-1915*, Mus. Américain de Giverny, Terra Foundation for the Arts, Evanston, 1992.
Musées : Brooklyn : *Portrait de la femme de l'artiste* – Giverny (Mus. Américain Terra Foundation for the Arts) : *La Sieste* 1887 – *Coquelicots en France* 1888 – *Jardin de paysanne* 1890 – New York (Met. Mus.) : *La mère Adèle* – Philadelphie (Pennsylvania Acad. of the Fine Arts) : *Novembre* 1890 – *Autoportrait* – Washington D. C. : *La famille du président Wilson* – Worcester : *Portrait de Milton T. Carter*.
Ventes Publiques : Los Angeles, 22 mai 1972 : *Nu vu de dos* : **USD 1 800** – New York, 28 oct. 1976 : *Le jardin* 1901, h/t (72,5x93,5) : **USD 11 500** – New York, 21 avr. 1977 : *Paysage de printemps*, h/t mar./isor. (53,4x66) : **USD 3 750** – New York, 20 avr 1979 : *Temps gris en France* 1890, h/t (64,7x54) : **USD 7 250** – New York, 3 juin 1983 : *Jeune fille aux roses*, h/t (76,7x61,3) : **USD 7 500** – New York, 31 mai 1985 : *Tender days*, h/t (63x76,2) : **USD 26 000** – New York, 29 mai 1986 : *Paysage d'automne*, h/t (92,7x91,4) : **USD 40 000** – New York, 1er déc. 1988 : *Le retour du professeur*, h/t (61x76,2) : **USD 37 400** – New York, 25 mai 1989 : *Premiers jours de printemps*, h/pan. (15,9x26,9) : **USD 11 000** – New York, 30 nov. 1989 : *Le ruisseau*, h/t (61x50,8) : **USD 37 400** – New York, 30 nov. 1990 : *Couleurs de printemps*, h/t (81x106,5) : **USD 28 600** – New York, 28 mai 1992 : *Printemps*, h/t (50,8x61) : **USD 10 450** – New York, 3 déc. 1992 : *Le verger*, h/t (76,2x91,4) : **USD 33 000** – New York, 4 déc. 1992 : *Début de printemps à Pleasant Valley Lyme (Connecticut)* : **USD 60 500** – New York, 31 mars 1994 : *Portrait d'une dame* 1881, h/t (107,3x76,2) : **USD 1 725** – New York, 20 mars 1996 : *Petite fille avec un bouquet de marguerites* 1887, h/t (101,6x76,2) : **USD 2 530**.

VONSTADL Maria
Née en 1839. Morte en 1909. XIXe siècle. Autrichienne.
Peintre.
Elle peignit des tableaux d'autel pour les églises de Sainte-Ursula, de Navis et de Bruneck.

VONWYL Jakob. Voir **WYL Jacob von**

VONY Yvonne ou **Niedzviedz**
Née en 1925 à Paris. XXe siècle. Française.
Peintre, dessinateur.
Bibliogr. : In : catalogue de l'exposition *De Bonnard à Baselitz – Dix ans d'enrichissement du Cabinet des estampes 1978-1988*, Bibliothèque nationale, Paris, 1992.
Musées : Paris (BN) : *Claire* 1978, litho.

VOOCHT Gottfried. Voir **VOOGT**

VOOCHT Jean de
XVIe siècle. Actif à Malines et à Anvers en 1544. Éc. flamande.
Peintre.

VOOCHT Lancelot de
XVIe siècle. Actif à Malines et à Bréda en 1539. Éc. flamande.
Sculpteur sur pierre et sur bois.

VOODT René Van der
Né en 1898 à Bruxelles. Mort en 1978 à Grimbergen. XXe siècle. Belge.
Peintre de figures, portraits, paysages, natures mortes. Réaliste.
Il a été élève de H. Ottevaere et d'Herman Richir. Il a séjourné en Espagne.
Bibliogr. : In : *Dictionnaire biographique illustré des artistes en Belgique depuis 1830*, Bruxelles, Arto, 1987.

VOOGD Hendrik, dit **le Claude Lorrain hollandais**
Né en 1766 ou 1768 à Amsterdam. Mort le 4 septembre 1839 à Rome. XVIIIe-XIXe siècles. Hollandais.
Peintre de paysages animés, paysages, paysages d'eau, graveur, dessinateur, lithographe.
Il fut élève de l'École de dessin d'Amsterdam, puis de Jurian Andrienen. En 1788, il vint en Italie. Un envoi qu'il fit à la Société des Sciences de Haarlem lui valut pendant trois ans une pension de 50 ducats. Cet encouragement l'amena à multiplier l'expédition de ses tableaux en Hollande, notamment aux expositions d'Amsterdam.
Il a gravé à l'eau-forte des paysages, et exécuté pour Volpato, plusieurs dessins d'après Claude Lorrain.

H. Voogd 1819

Musées : Haarlem : *Paysage* – Montpellier (Mus. Fabre) : *Paysage – Paysage avec animaux*.
Ventes Publiques : Paris, 1814 : *Site de rochers*, dess. à la pl. lavé au bistre : **FRF 111** – Londres, 24 juil. 1911 : *Paysage boisé* 1796 : **GBP 5** – Paris, 21 déc. 1949 : *Bœufs au repos et charrette* 1822 : **FRF 1 700** – Cologne, 18 nov. 1965 : *Paysage italien* : **DEM 5 000** – Vienne, 14 sep. 1976 : *Jardin de la Villa Borghèse* 1807, h/t (101x138,5) : **ATS 110 000** – Munich, 27 mai 1978 : *Paysans au repos dans un paysage à Tivoli* 1804, h/t (117x140) : **DEM 24 000** – Paris, 6 nov. 1986 : *Paysage italien le soir ; Paysage italien le matin*, h/t, une paire (67x85,4) : **FRF 230 000** – New York, 12 jan. 1989 : *Paysage fluvial animé avec des montagnes au lointain* 1794, h/t (48x63,5) : **USD 33 000** – Rome, 8 mars 1990 : *Paysage avec une vache et un joueur de pipeau ; Paysage marin avec une vache*, h/t, une paire (chaque 26x34,5) : **ITL 5 500 000** – Amsterdam, 21

avr. 1993 : *Taureau attaqué par un chien dans un paysage italien* 1832, h/t (76x102) : **NLG 8 625** – AMSTERDAM, 15 nov. 1994 : *Paysage italien avec un pont et un château*, craie noire et lav. (49,8x63) : **NLG 6 900**.

VOOGT Gottfried ou **Voocht**
Né en 1619 (?). XVIIe siècle. Travaillant à Amsterdam. Hollandais.
Peintre.

VOORDE Chrétien Van de
XIVe siècle. Travaillant à Bruges de 1386 à 1395. Éc. flamande.
Peintre verrier.

VOORDE Cornelis Van der. Voir **VOORT**

VOORDE Georges Van de. Voir **VANDEVOORDE Georges**

VOORDE Peter Van de
XVIIe siècle. Travaillant à Haarlem en 1671. Hollandais.
Graveur au burin.

VOORDECKER François
XIXe siècle. Travaillant à Bruxelles vers 1850. Éc. flamande.
Peintre de portraits et de genre.

VOORDECKER Henri
Né le 26 août 1779 à Bruxelles. Mort en décembre 1861 à Bruxelles. XIXe siècle. Belge.
Peintre.
Élève de Jean-Baptiste le Roy. Le Musée d'Amsterdam conserve de lui *Le retour du chasseur*, et celui de Bruxelles *Le colombier*.
VENTES PUBLIQUES : GAND, 1837 : *Paysage avec maisons et moulins* : **FRF 60** – PARIS, 1842 : *Jardin avec balustrade et personnages* : **FRF 140** – PARIS, 10 juin 1925 : *Le pigeonnier* : **FRF 2 150** – PARIS, 21 jan. 1944 : *La fenêtre aux pigeons* 1930 : **FRF 16 100** – LOS ANGELES, 27 mai 1974 : *Le nid des pigeons* 1831 : **USD 4 750** – LONDRES, 10 fév. 1978 : *Paysage avec ruine* 1810, h/pan. (13x16,5) : **GBP 750** – COLOGNE, 11 juin 1979 : *Le départ pour le marché aux volailles* 1854, h/pan. (87x74) : **DEM 48 000** – PARIS, 18 mars 1985 : *La visite au pigeonnier* 1833, h/pan. (62,5x83) : **FRF 94 000**.

VOORDEN August Willem Van
Né le 25 novembre 1881 à Rotterdam. Mort en 1921 à Rotterdam (?). XXe siècle. Hollandais.
Peintre de genre, marines, natures mortes.
Il fut élève de l'académie des beaux-arts de Rotterdam. Il peignit des scènes de rue et de port ainsi que des natures mortes.
MUSÉES : ROTTERDAM (Mus. Boymans) : deux peintures.
VENTES PUBLIQUES : AMSTERDAM, 30 oct. 1990 : *Le port de Rotterdam* 1905, h/t (74x100) : **NLG 25 300** – AMSTERDAM, 24 avr. 1991 : *Vue de la Seine à Paris avec des péniches à quai*, h/pan. (17x23) : **NLG 2 990** – AMSTERDAM, 14-15 avr. 1992 : *Hommes chargeant des troncs d'arbres sur une charrette à chevaux avec Rotterdam au lointain*, aquar. (42x63) : **NLG 4 600** – AMSTERDAM, 3 nov. 1992 : *Scène de port*, h/t (28x38,5) : **NLG 2 530** – AMSTERDAM, 21 avr. 1993 : *Au bord de la mare* 1908, h/t (76,5x141) : **NLG 14 950** – AMSTERDAM, 2 juil. 1997 : *Rotterdam*, h/t (38,5x43,5) : **NLG 6 919**.

VOORDT Jacob von ou **Jacob Mahler**
Probablement originaire de Vordt. XVIe siècle. Actif à la fin du XVIe siècle. Allemand.
Peintre de portraits.
Il travailla pour les ducs de Gottorff et peignit leurs portraits. Il fut aussi architecte.

VOORDT Jan Van
XVIIIe siècle. Hollandais.
Peintre.
On cite de lui des paysages classiques.
VENTES PUBLIQUES : LONDRES, 26 nov. 1976 : *Paysage boisé animé de personnages* 1743, h/t (82,5x94) : **GBP 2 600** – VERSAILLES, 23 juil. 1980 : *Paysages animés*, h/t, deux pendants (71x87) : **FRF 45 000**.

VOORDT Michiel Van der. Voir **VOORT**

VOORHEES Clark Greenwood
Né le 29 mai 1871 à New York. Mort le 18 juillet 1933. XIXe-XXe siècles. Américain.
Peintre de compositions animées, figures, paysages.
Il fut élève de l'Académie Julian de Paris.
VENTES PUBLIQUES : NEW YORK, 30 mai 1990 : *Bouleaux dans un paysage printanier* 1908, h/t (45,5x61) : **USD 2 310** – NEW YORK, 22 mai 1991 : *L'embarcadère des pottiers à Noank dans le Connecticut*, h/t (46,1x61,1) : **USD 9 900** – NEW YORK, 4 mai 1993 : *Feu de camp sous les arbres*, h/t (58,4x76,2) : **USD 1 495**.

VOORHIES Eliza, Mme. Voir **HAIGH**

VOORHOUT Constantin. Voir **VERHOUT**

VOORHOUT Johannes
Né le 11 novembre 1647 à Uithoorn. Mort en 1723 à Amsterdam. XVIIe-XVIIIe siècles. Hollandais.
Peintre d'histoire, compositions mythologiques, sujets religieux, scènes de genre, portraits.
Il fut élève pendant six ans de Constantin Verhout, à Gouda, et pendant cinq ans de Johannes Van Nourdt, à Amsterdam. Lors de l'entrée des Français en Hollande, en 1672, Voorhout se réfugia d'abord à Friedrichstadt, puis à Hambourg. Après une absence de trois ans, il revint à Amsterdam, où il obtint un grand succès.

MUSÉES : AMSTERDAM (Mus. Nat.) : *Allégorie sur la paix de Ryswijk* – BRUNSWICK : *Le bon Samaritain – Annonce de la naissance de Samson – Endymion et Luna – Vénus et Cupidon* – DESSAU : *Portrait d'une dame avec un enfant* – HANOVRE : *Moïse sauvé des eaux* – ROTTERDAM : *Le peintre et sa famille* – STOCKHOLM : *Déjeuner d'huîtres* – UTRECHT : *Agar et Ismaël dans le désert*.
VENTES PUBLIQUES : AMSTERDAM, 25 mai 1712 : *Joseph chez la femme de Putiphar* : **FRF 202** – PARIS, 1888 : *Le char de Vénus* : **FRF 1 620** – PARIS, 22 nov. 1922 : *Les bulles de savon* : **FRF 380** – LONDRES, 4 mai 1979 : *L'Adoration des bergers* 1693, h/t (112,2x85,7) : **GBP 1 300** – LONDRES, 20 fév. 1986 : *Portraits d'un gentilhomme et de sa femme* 1680, h/t, une paire (172,7x134,6) : **GBP 11 000** – LUCERNE, 11 nov. 1987 : *La demande en mariage*, h/t (54x74,5) : **CHF 13 000** – STOCKHOLM, 15 nov. 1989 : *Les premiers pas*, h. (24,5x25,5) : **SEK 10 000** – AMSTERDAM, 28 nov. 1989 : *La Sainte Famille avec saint Jean Baptiste sur une terrasse*, h/t (46,8x38,9) : **NLG 8 050** – LONDRES, 3 juil. 1991 : *La Sainte Famille*, h/t (93,5x78,5) : **GBP 4 620** – NEW YORK, 21 mai 1992 : *Le couronnement d'épines*, h/t (77,5x63,5) : **USD 3 850** – STOCKHOLM, 19 mai 1992 : *Zeus et Callisto*, h/t (110x91) : **SEK 28 000**.

VOORHOUT Johannes, dit **de Jonge**
Né en 1677 à Amsterdam. XVIIIe siècle. Hollandais.
Peintre de compositions mythologiques, portraits.
Fils de Johannes Voorhout 1, il fut également son élève.
VENTES PUBLIQUES : AMSTERDAM, 2 mai 1991 : *Apollon et Daphné*, h/t (57x47,5) : **NLG 6 670**.

VOORMAN D. Batavus
XIXe siècle. Travaillant à Amsterdam vers 1816. Hollandais.
Peintre de portraits, d'histoire et de genre.

VOORSPOEL Jacques
Né à Malines. Mort le 27 août 1663 à Malines. XVIIe siècle. Éc. flamande.
Sculpteur.
En 1610, élève de Jean de la Port à Gand. En 1616, de Martin Van Calstere, à Malines et probablement de Hieronymus Du Omesnay à Gand. En 1654, maître à Bruxelles. Il a fait pour l'église Sainte-Gudule, à Bruxelles, l'autel en marbre de Notre-Dame de la Délivrance et le tombeau du comte d'Ysenbourg.

VOORSPOEL Jan ou **Verspoel**
Né à Malines. XVIIe siècle. Travaillant à Bruxelles. Éc. flamande.
Sculpteur.
Il sculpta des tombeaux dans l'église Sainte-Gudule de Bruxelles.

VOORSPOEL Pierre ou **Peeter**
Né vers 1600 à Malines. Mort le 15 juin 1670 à Malines. XVIIe siècle. Éc. flamande.
Peintre.
Élève de Michiel Coxie.

VOORSPOELE Arnould Van, dit **Coffermaker**
Mort en 1453. XVe siècle. Actif à Louvain. Éc. flamande.
Peintre et décorateur.
Il travailla à partir de 1406 pour l'Université de Louvain.

VOORSPOELE Lancelot Van, dit **Beyaert**
Mort avant le 3 janvier 1556. XVIe siècle. Actif à Louvain. Éc. flamande.
Sculpteur.
Assistant de X. Hessel.

VOORST Van der
XVIIIe siècle. Français.
Modeleur en porcelaine.
Le Musée de Sèvres conserve de lui *Le jaloux*.

VOORST Dirck Van
XVIIe siècle. Actif à Utrecht. Hollandais.
Peintre de portraits.
Inscrit en 1656, dans la gilde d'Utrecht. L'Université de Würzburg conserve de lui deux portraits d'un couple.

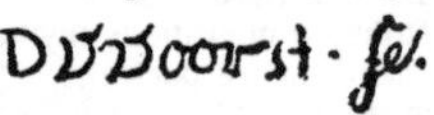

VOORST Robert Van. Voir **VOERST**

VOORT Aert Van der
XVe siècle. Travaillant à Bruges en 1468. Éc. flamande.
Sculpteur.

VOORT Cornelis Van der ou **Voorde** ou **Voerst**
Né vers 1576 à Anvers (?). Mort en 1624, enterré le 2 novembre 1624 à Amsterdam. XVIIe siècle. Éc. flamande.
Peintre d'histoire, portraits.
Il eut peut-être pour maître Cornelis Ketel. Il s'établit à Amsterdam et fut au nombre des peintres les plus recherchés. Il fut chef de la gilde de Saint-Luc. En 1648, un Cornelis Van der Voort était dans la gilde de Delft. On cite comme ses élèves David Bailly (1601), Pieter Luyx (1607), Dirk Harmensz (1612). Son fils fut lui aussi peintre. Il est connu comme collectionneur d'art.
Les quatre grands tableaux de Corporations de ce peintre sont actuellement conservés au Musée d'Amsterdam. Certaines de ces importantes compositions, telles celles offrant les *Portraits des Gardes civiques*, sont des toiles de premier ordre ; celle du *Lieutenant Pieter Hasselaer* (datée de 1623), montre douze portraits et mesure plus de deux mètres. Une autre *garde civique* avec vingt et un personnages mesure près de quatre mètres. L'ensemble de ces toiles datent des dernières années de la vie du maître : 1614, 1618, 1619, 1623 et montrent indubitablement l'estime où le tenaient ses contemporains.

MUSÉES : AMSTERDAM : *La compagnie du capitaine Joncs Cornelisz Witson et du lieutenant Volckert Overlander – La compagnie du lieutenant Pieter Pietersz Hasselaer – Gardes civiques*, onze personnages – *Les régents de l'hospice des vieillards en 1618 – Les régents et l'huissier de la maison de détention – Dirk Hasselaer – Brechtje Van Schoterboseh – Cornelis Pieter Hooft* – GOTHA : *Portrait d'une femme* – LILLE : *Portrait d'une femme*.
VENTES PUBLIQUES : PARIS, 27 juin 1905 : *Portrait de gentilhomme* : **FRF 580** – NEW YORK, 26 mai 1943 : *Portrait de femme* : **USD 700** ; *Portrait de gentilhomme* : **USD 700** – AMSTERDAM, 12 déc. 1950 : *Portrait d'homme* ; *Portraits de femme* datés 1617, deux pendants : **NLG 2 300** – PARIS, 25 avr. 1951 : *Portrait d'homme* ; *Portraits de femme* datés 1617, deux pendants : **FRF 270 000** – COLOGNE, 28 avr. 1965 : *Portrait de la femme de l'échevin Cornelis Pieter Hooft* : **DEM 9 200** – LONDRES, 29 mars 1974 : *Portrait d'une dame de qualité* : **GNS 4 200** – AMSTERDAM, 9 juin 1977 : *Portrait d'une dame de qualité*, h/pan. (107x72) : **NLG 25 000** – AMSTERDAM, 10 mai 1994 : *Portrait d'une dame*, h/pan. (107x75) : **NLG 28 750** – LONDRES, 5 juil. 1995 : *Portrait d'un gentilhomme et de sa femme* 1618, h/t, une paire (chaque 200x127) : **GBP 56 500**.

VOORT Joseph Van der
Né en 1676 à Anvers. XVIIIe siècle. Éc. flamande.
Peintre de paysages.
Il fut élève de P. Rysbraeck. Il était actif à Anvers de 1734 à 1755. Il fut doyen de la gilde en 1735.

VOORT Matthijs Van
Né vers 1645. XVIIe siècle. Actif à Amsterdam. Hollandais.
Peintre.

VOORT Michiel Van der, dit **Vervoort l'Ancien**
Né le 3 janvier 1667 à Anvers. Mort en 1737 à Anvers. XVIIe-XVIIIe siècles. Éc. flamande.
Sculpteur.
Élève de H. Cosyns. On le cite en 1690, dans la gilde, à Anvers et, plus tard, à Rome. Il sculpta des statues, des tombeaux et des autels pour des églises d'Anvers, de Bruges et de Malines. Le Musée de Bruxelles conserve de lui *Buste de Jacob Frans Van Caverson* et deux statuettes en terre cuite.

VOORT Michiel Van der, dit **Vervoort le Jeune**
Né le 18 août 1704 à Anvers. Mort après 1777. XVIIIe siècle. Éc. flamande.
Sculpteur.
Élève de son père, Michiel Van der Voort l'Ancien, puis de Petrus Dominicus Palmier. En 1724, il vint à Paris où il exposa en 1738 et en 1740.

VOORT Michiel Van der ou **Woort** ou **Vervoort**
Né à Anvers. XVIIIe-XIXe siècles. Éc. flamande.
Peintre d'histoire.
On voit de lui, à l'église du Sablon, à Bruxelles, deux scènes de la *Vie de sainte Barbe*.

VOORT Michiel François Van der
Baptisé à Anvers le 28 avril 1714. Mort le 28 mars 1777 à Anvers. XVIIIe siècle. Belge.
Peintre et graveur à l'eau-forte.
En 1751, dans la gilde. En 1761, il a peint sur le plafond de la salle de la gilde *Apollon et les Muses*. Il grava des paysages.

VOORT Pieter Cornelisz Van der
Né vers 1599 à Amsterdam. Mort en 1624 à Amsterdam. XVIIe siècle. Hollandais.
Peintre.
Fils de Cornelis Van der Voort. Il peignit des portraits, des scènes mythologiques et bibliques, des fruits, des fleurs et des natures mortes.

VOORTHUYZEN-VAN HOVE H. Van
Née le 6 septembre 1861 à La Haye. XIXe-XXe siècles. Hollandaise.
Peintre.
Elle fut élève à l'académie des beaux-arts de La Haye. Elle travailla à Amsterdam. Il peut convenir de la rapprocher des Van Hove.

VOORTMAN Clara, née **Dobbelaere**
Née en 1856 à Gand. Morte en 1926 à Menton. XIXe-XXe siècles. Belge.
Peintre de paysages.
Elle étudia à l'académie de Gand, où elle eut pour professeur Jean Delvin. Peintre, elle s'est également consacrée à l'artisanat.
BIBLIOGR. : In : *Dict. biogr. illustré des artistes en Belgique depuis 1830*, Arto, Bruxelles, 1987.

VOORZAAT Theo
Né en 1938 à Rotterdam. XXe siècle. Hollandais.
Peintre de paysages, natures mortes. Tendance fantastique.
Artiste autodidacte, il met en scène un monde dévasté par les progrès techniques où l'homme n'a plus sa place, privilégiant les effets de lumière spectrale.
BIBLIOGR. : In : catalogue de l'exposition *Une Patience d'ange*, galerie Lieve Hemel, Amsterdam, 1995.
VENTES PUBLIQUES : AMSTERDAM, 11 déc. 1991 : *Nature morte avec une poupée* 1978, h/t (25x25) : **NLG 3 680** – AMSTERDAM, 9 déc. 1992 : *Perspective* 1978, h/t (40,5x30,5) : **NLG 6 900** – AMSTERDAM, 14 sep. 1993 : *Arbre* 1979, h/pan. (23,5x17) : **NLG 1 495** – AMSTERDAM, 9 déc. 1993 : *Ruine* 1975, h/t (50x60) : **NLG 7 130**.

VOOSMER ou **Jacques Vouters**. Voir **WOUTERS Jacob**

VOPEL Tobias ou **Vopaelius** ou **Vopelius**
XVIIe siècle. Actif à Zittau. Allemand.
Sculpteur et graveur sur bois.
Il exécuta des sculptures dans l'église Saint-Pierre et Saint-Paul de Zittau ainsi qu'une fontaine devant l'église Saint-Jean.

VORAJO Andrea
XVIIe siècle. Italien.
Peintre.
De Venzone, il travailla à Udine en 1606.

VORAUS Hans Georg
Né à Berching. XVIIIe siècle. Actif dans la première moitié du XVIIIe siècle. Allemand.
Sculpteur sur bois.
Il exécuta des stalles et des confessionnaux dans l'église de Freystadt et dans celle de Haunstetten.

VORBRUCK Heinrich
Né à Hambourg. Mort en 1632 à Nuremberg. XVIIe siècle. Travaillant à Nuremberg. Allemand.
Peintre.
MUSÉES : BAMBERG : *Allégorie d'une vie chrétienne*.

VORDEMBERGE-GILDEWART Friedrich
Né en 1897 ou 1899 à Osnabrück (Westphalie). Mort en 1963

à Ulm. XXe siècle. De 1937 à 1954 actif puis naturalisé en Hollande. Allemand.

Peintre, peintre de collages. Abstrait. Groupes « K », De Stijl, Der Sturm, Cercle et Carré, puis Abstraction-Création.

En 1919, il étudia la sculpture et l'architecture à l'École Technique Supérieure de Hanovre. Tôt ensuite, il choisit de s'exprimer en peinture. En 1923, il se rendit au Bauhaus de Weimar. L'année suivante, il séjourna à Londres et fonda le Groupe K, qui entretint des relations étroites avec le groupe De Stijl de Leyde, qui préparait l'avènement du néo-plasticisme de Mondrian et Van Doesburg. À titre personnel, Vordemberge-Gildewart adhéra à De Stijl et fit aussi partie du groupe Der Sturm de Berlin, les deux choses en cette même année 1924. Il fit un premier séjour à Paris, en 1925-1926 ; un second en 1929. Il adhéra au groupe de Michel Seuphor, Cercle et Carré, en 1930, puis au groupe Abstraction-Création, en 1932. Il fit un séjour à Berlin en 1936-1937 ; passa l'année 1938 à Zurich ; vint alors se fixer à Amsterdam, où il prit la nationalité hollandaise, et y résida jusqu'en 1954. En 1948, à Amsterdam, il dirigea les Éditions Duwaer, qui publièrent, entre autres, un album consacré à Kandinsky. À partir de 1955, il se fixa à Ulm, où il fut nommé professeur à la Hochschule für Gestaltung.

Il participe à des expositions collectives : en 1937 et malgré lui, à *Art dégénéré* à Munich organisé par le régime nazi ; 1938 *Art abstrait* à Amsterdam ; 1939 Salon des Réalités Nouvelles à Paris ; 1949 exposition historique des *Premiers maîtres de l'art abstrait* à Paris, organisée par Michel Seuphor ; puis aux nombreuses expositions consacrées aux débuts de l'abstraction, dans de nombreux pays d'Europe et aux États-Unis ; 1953 XIe Biennale de São Paulo, dont il fut lauréat ; 1977 *Aspects historiques du constructivisme et de l'art concret*, Musée d'Art Moderne de la Ville de Paris ; 1978 *Abstraction-Création 1931-1936* au Westfälisches Landesmuseum für Kunst und Kulturgeschichte de Münster, et au Musée d'Art moderne de la Ville de Paris ; 1997 *Les Années trente en Europe. Le temps menaçant* au musée d'Art moderne de la ville de Paris.

Il a montré des expositions personnelles de ses œuvres : 1929 première exposition personnelle à Paris organisé par Michel Seuphor à la galerie Povolotsky ; 1955 Cologne et Ulm ; 1956 Zurich et Rio de Janeiro ; 1963 grande exposition rétrospective de l'ensemble de son œuvre au Musée d'Ulm.

En 1919, il réalisa ses premiers bas-reliefs abstraits. Il semble qu'il ne connut pas de phase figurative, bien qu'il ait réalisé au début des années trente des collages qui associent figures géométriques et emprunts figuratifs, et entra d'emblée dans l'abstraction constructiviste. Tout l'œuvre de Vordemberge-Gildewart se rattache étroitement au néo-plasticisme de Mondrian-Van Doesburg. Les figures sont d'une parfaite clarté, exécutées impeccablement dans une facture totalement impersonnelle, se détachant sur les fonds nets et neutres. La géométrie en est simple ; toutefois, il ne s'est pas limité aux seuls horizontales, verticales, carrés, rectangles, trois couleurs primaires et les non-couleurs, selon le dogme néo-plasticiste ; ses couleurs sont plus diversifiées et des obliques viennent donc créer des formes rectangulaires. ■ J. B.

Bibliogr. : Michel Seuphor : *Diction. de la peint. abstr.*, Hazan, Paris, 1957 – Michel Seuphor : *Le style et le cri*, Seuil, Paris, 1965 – Sarane Alexandrian, in : *Diction. Univers. de l'Art et des Artistes*, Hazan, Paris, 1967 – in : catalogue de l'exposition *Abstraction-Création 1931-1936*, Westfälisches Landesmus. für Kunst und Kulturgeschichte, Münster, Musée d'Art moderne de la Ville, Paris, 1978 – in : *Dict. de l'Art mod. et contemp.*, Hazan, Paris, 1992 – in : catalogue de l'exposition : *Les Années trente en Europe. Le temps menaçant*, Musée d'Art moderne de la ville, Paris Musées, Flammarion, Paris, 1997.

Musées : Amsterdam (Stedelijk Mus.) – Bâle (Kunsthalle) : *Composition n° 53* 1930, h/t – Grenoble : *Composition n° 164* 1947 – La Haye (Gemeentemus.) : *Composition n° 31* 1937 – Madrid (Fond. Thyssen-Bornemisza) : *Composition n° 104 – Blanc pur blanc* 1936 – New York (Solomon R. Guggenheim Mus.) : *Composition n° 97* – Paris (Mus. Nat. d'Art Mod.) – Paris (BN) – Ulm – Wuppertal (Von der Heydt Mus.) : *Composition n° 100* 1935, h/t.

Ventes Publiques : Hambourg, 6 juin 1969 : *K 42* vers 1924 : **DEM 4 200** – New York, 20 oct. 1971 : *Composition n° 155* : **USD 4 000** – Berne, 9 juin 1977 : *Composition en rouge et noire* 1923, aquar. (20,4x29,5) : **CHF 2 600** – Cologne, 28 mars 1979 : *Nature morte aux fleurs*, h/t (70x54) : **DEM 1 700** – Berne, 21 juin 1980 : *Abstraction* 1935, litho. en coul. : **CHF 2 100** – Amsterdam, 1er juin 1994 : *Composition n° 116/1940* 1940, h/t (60x60) : **NLG 105 800**.

VORDEREGGER Georg

XVIIIe siècle. Actif à Zell-am-See. Autrichien.

Peintre.

VORDERMAN Hendrik

Né le 29 mars 1824 à La Haye. Mort le 5 mai 1897 à Hoorn. XIXe siècle. Hollandais.

Portraitiste.

Élève de l'Académie de La Haye. Le Musée de Hoorn conserve de lui *Portrait de Pieter Van Aberlaken, maire de Hoorn*.

VORDERMAYER Ludwig

Né le 25 décembre 1868 à Munich. XIXe-XXe siècles. Allemand.

Sculpteur d'animaux.

Il fut élève de l'École des Beaux-Arts de Berlin et de Begas. Il alla en Italie.

Musées : Berlin : *Corbeau*, bronze – Hambourg : *Corbeau*, bronze.

VORDERMAYER Rupert

Né le 23 juin 1843 à Holzkirchen. Mort le 20 juin 1884 à Munich. XIXe siècle. Allemand.

Peintre de genre.

Le Musée municipal de Munich conserve de lui trois dessins.

VORGANG Paul

Né le 25 décembre 1860 à Berlin. Mort le 19 novembre 1927 à Berlin. XIXe-XXe siècles. Allemand.

Peintre de genre, marines, paysages.

Il fut élève de l'Académie de Berlin et de Eugen F. Bracht. Il reçut une mention honorable à Berlin en 1886 et 1888. En 1896, il fut professeur à l'Académie de Berlin. On cite de lui *À la plage* et *Le Matin dans la forêt*.

Musées : Berlin (Gal. nat.) : *Soirée d'automne* – Saint Louis : *Dans les environs de Berlin*.

Ventes Publiques : Amsterdam, 16 nov. 1988 : *Printemps : berger et son chien gardant un troupeau dans une prairie*, h/t (61x51) : **NLG 2 990**.

VORLANDER Otto

Né le 14 janvier 1853 à Altena. Mort en 1937 à Hameln. XIXe-XXe siècles. Allemand.

Peintre verrier, fresquiste.

Il fut élève de l'académie des beaux-arts de Düsseldorf.

Musées : Berlin – Munster.

VORNIKER Wilh.

XVe siècle. Actif en 1455. Allemand.

Enlumineur.

Il était prieur à Windsheim, où il exécuta des travaux de copie et d'enluminures pour la Bibliothèque et pour le Chœur.

VOROBIEFF. Voir **WOROBIEFF**

VOROBIOV Valentin

Né en 1938 à Briansk. XXe siècle. Depuis 1975 actif en France. Russe.

Peintre. Groupe art-cloche.

Il fut élève de l'institut du cinéma à Moscou. Il fut membre du groupe Art-Cloche fondé en 1981, qui occupa un « squatt » de la rue d'Arcueil à Paris, groupe informel contestataire se réclamant de Dada et de Fluxus. Il expose en France et à l'étranger, participant notamment aux expositions du groupe de l'Art-Cloche.

Bibliogr. : In : *Art-Cloche. Élément pour une rétrospective. Squatt artistique*, catalogue de ventes, Me Pierre Cornette de Saint-Cyr, lundi 30 janvier 1989, Paris.

VOROBIOVA Nadejda

Née en 1924. XXe siècle. Russe.

Peintre de genre.

Elle fréquenta l'École des Beaux-Arts de V. Sourikov à Moscou et fut élève de Georgii Riajskii. Elle reçut le titre d'Artiste du Peuple.

Musées : Kalinin (Mus. des Beaux-Arts) – Moscou (Gal. Tretiakov) – Moscou (min. de la cult.) – Rostov-sur-le-Don (Gal. de l'Art russe) – Saint-Pétersbourg (Mus. Russe) – Saint-Pétersbourg (Mus. acad. des Beaux-Arts).

Ventes Publiques : Paris, 6 déc. 1991 : *Les vacances à la campagne* 1953, h/t (94x102) : **FRF 9 500**.

VORONTSOV Dmitri A.

Né en 1931. XXe siècle. Russe.

Peintre de genre, scènes typiques, paysages. Post-impressionniste.

Il fréquenta l'École des Beaux-Arts « 1905 » de Moscou et l'Insti-

tut Pédagogique de la même ville. Il reçut le titre d'Artiste émérite de Russie.
Musées : Moscou (min. de la Culture).
Ventes Publiques : Paris, 14 mai 1990 : *La fête du printemps à Moscou* 1989, h/isor. (60x70) : **FRF 4 000** – Paris, 4 oct. 1993 : *Hiver à Saint-Serge*, h/t (90x65) : **FRF 5 500**.

VOROS Béla
Né en 1899 ou 1900. Mort le 5 février 1983 à Sèvres (Hauts-de-Seine). XXe siècle. Actif en France. Hongrois.
Sculpteur de figures.
Il a exposé à Paris des bronzes d'un caractère hiératique.
Ventes Publiques : Paris, 7 déc. 1976 : *Femme nue assise à la draperie*, bronze, patine médaille (H. 40,5) : **FRF 8 000** – Paris, 8 juin 1978 : *Jeune fille aux bras levés*, bronze, patine noire (H. 56,5) : **FRF 9 900** – Paris, 25 oct 1979 : *Femme à la cruche* 1927, pierre, taille directe (H. 92) : **FRF 28 100** – New York, 27 mai 1982 : *Femme au bras levé*, bronze (H. 50) : **USD 3 600** – Rome, 1er juin 1983 : *Nu au bras levé* 1942, bronze argenté (H. 50) : **USD 3 500** – Paris, 22 mai 1985 : *La femme à la tasse* 1927, marbre blanc (H. 49) : **FRF 66 000**.

VÖRÖS Geza
Né le 18 février 1897 à Nagydobrony. XXe siècle. Hongrois.
Peintre, graveur.
Il fit ses études à Budapest, où il vécut et travailla, et à Paris.
Musées : Budapest – Nuremberg.

VÖRÖS Julia
Née le 5 mars 1854 à Vac. XIXe siècle. Hongroise.
Peintre.

VÖRÖS VON BÉL Ernö ou **Ernest** ou **Ernst** ou **Voros Beli**
Né le 9 août 1883 à Vagnjholy. Mort le 18 novembre 1922 à Budapest. XXe siècle. Hongrois.
Peintre de genre, figures.
Il fit ses études à Budapest et à Paris.
Musées : Budapest (Mus. nat.).
Ventes Publiques : Londres, 19 juin 1991 : *Jeunes filles s'habillant*, h/t (80x100) : **GBP 1 100**.

VORQUEZ DE BAREDA Gabriel
XVIe siècle. Actif à Valladolid. Espagnol.
Peintre.
Il fut expert dans une importante taxation de tableaux.

VORRE JODOENS
XVIe siècle. Actif à Gand. Éc. flamande.
Peintre d'histoire.
Élève de Jan Martins. En 1441, il peignit plusieurs tableaux pour la chapelle maritime, près de Gand.

VORREITER Paolo
Né à Caldaro. XVIe siècle. Travaillant à Bozen en 1583. Autrichien.
Sculpteur sur bois.

VORSPOEL. Voir aussi **VOORSPOEL**

VORSPOEL Jan
Mort en 1488 ou 1489. XVe siècle. Actif à Anvers. Éc. flamande.
Sculpteur.
Membre de la gilde de Saint-Luc en 1471.

VORSPOEL Willem Van
XVe siècle. Actif à Anvers. Éc. flamande.
Sculpteur.

VORSPOELE. Voir **VOORSPOEL**

VORSPRONCK Gérard. Voir **VERSPRONCK Gérard**

VORST Robert Van. Voir **VOERST**

VORSTER Andreas ou **Voster** ou **Foster**
Né en 1727. Mort en 1785. XVIIIe siècle. Actif à Diessenhofen. Suisse.
Médailleur.
Il grava des sceaux pour les villes de Constance et de Kreuzlingen.

VORSTER Balthasar
Né en 1749 à Diessenhofen. Mort en 1826. XVIIIe-XIXe siècles. Suisse.
Médailleur et tailleur de sceaux.
Fils d'Andreas Vorster. Il grava des sceaux pour l'abbaye de Saint-Gall.

VORSTER Christoph, Georg, Hans et **Johann Jobst**. Voir **FORSTER**

VORSTERMAN Johannes ou **Vorstermans** ou **Vosterman**
Né vers 1643 à Bommel. Mort vers 1699. XVIIe siècle. Éc. flamande.
Peintre de paysages animés, paysages, paysages d'eau, graveur.
Fils et élève d'un peintre de portraits, puis de Herman Safbleven. Il vint en Angleterre, où il peignit pour le roi Charles II, à Whitehall. En 1685, il fit un voyage à Constantinople avec sir William Sonnes. Après la mort de ce protecteur, il alla en Pologne chez le marquis de Béthune qui le protégeait.
On mentionne de lui des gravures à l'eau-forte.
Musées : Cambridge : *Paysages du Rhin avec figures* – Dresde (Gal. mun.) : *Paysage*.
Ventes Publiques : Londres, 18 nov. 1966 : *Vue panoramique de Londres* : **GNS 1 400** – Londres, 16 fév. 1983 : *Des chasseurs et leurs chiens dans un paysage*, h/métal (30x41) : **GBP 4 800** – Londres, 30 oct. 1991 : *Paysage fluvial*, h/métal, une paire (chaque 10x15) : **GBP 6 050**.

VORSTERMAN Lucas Emil, l'Ancien ou **Vosterman**
Né en 1595 à Bommel. Mort en 1675 à Anvers. XVIIe siècle. Éc. flamande.
Peintre, dessinateur et graveur au burin.
Il étudia d'abord la peinture avec Rubens, mais, à la longue, le maître l'engagea à se consacrer à la gravure. Lucas adopta le burin et, dans ce procédé, acquit un grand talent. Travaillant sous la direction de Rubens, il reproduisit quelques-uns de ses chefs-d'œuvre notamment *L'Adoration des mages* et la célèbre *Descente de Croix*. Après avoir vécu dans l'intimité de son maître, il se brouilla avec lui ; on l'accuse même de s'être montré son ennemi. En 1624, Vorsterman passa en Angleterre et y demeura jusqu'en 1630, très employé par Charles Ier et par son conseiller artistique, le comte d'Arundel. De retour à Anvers, il forma plusieurs élèves parmi lesquels il convient de citer Jan Witdaeck Marin Robin, Marinus. Vorsterman se lia d'une étroite amitié avec Ant. Van Dyck et reproduisit un grand nombre de ses ouvrages. Ses dessins sont fort remarquables. On en cite un, notamment, au Musée de Dublin, *Portrait du comte d'Arundel*, à l'encre de Chine. Malgré son grand talent et une œuvre considérable, la tradition rapporte qu'il mourut fort pauvre.

VORSTERMAN Lucas, le Jeune
Né en mai 1624 à Anvers. Mort vers 1667. XVIIe siècle. Éc. flamande.
Graveur au burin.
Fils et élève de Lucas Vorsterman l'Ancien. On le cite en 1651, dans la gilde d'Anvers. Ses ouvrages sont très inférieurs à ceux de son père.

VORSTERMAN O.
XVIIe siècle. Actif à Bommel. Hollandais.
Peintre.
Le 3 janvier 1632, il se maria avec Margarethe Van Kerckwyck.

VORTEL Wilhelm
Né le 9 mai 1793 à Dresde. Mort le 10 août 1844 à Stuttgart. XIXe siècle. Allemand.
Peintre de paysages et de vitraux.
Il fut d'abord élève de Molm l'Ancien comme peintre de vitraux. Après avoir accompli son service militaire en 1813, il travailla le paysage. En 1817, il alla peindre à Luxembourg, plusieurs vitraux en collaboration de Molm le Jeune. Il exécuta en vitraux un grand nombre de copies d'après les maîtres anciens dans différentes chapelles.

VORUZ Élise
Née le 9 octobre 1844 à Lausanne. Morte le 27 août 1909 à Barbizon (Seine-et-Marne). XIXe siècle. Française.
Peintre de portraits, graveur et dessinateur.
Élève de Mme Midy et de Luminais. Elle débuta au Salon de 1877.

VOS Alexander
XVIIIe siècle. Hollandais.
Peintre de natures mortes, fleurs et fruits.
Il est cité en 1728 dans la gilde de Haarlem.

Ventes Publiques : Paris, 15 fév. 1990 : *Nature morte aux fruits et au geai* : **FRF 25 000**.

VOS Anthonie de

xviie-xviiie siècles. Actif à la fin du xviie siècle et au début du xviiie siècle. Hollandais.

Graveur.

VOS Cornelis de

Né vers 1585 à Hulst. Mort le 9 mai 1651 à Anvers. xviie siècle. Éc. flamande.

Peintre de compositions religieuses, figures, portraits, dessinateur.

Il fut élève de David Remens en 1599, puis maître à Anvers en 1608, et doyen en 1619-1620 ; il travailla probablement chez Rubens. Il fut l'ami intime de Van Dyck, qui peignit son portrait. Les portraits de Cornelis de Vos tiennent une place marquante dans l'école Flamande du xviie siècle pourtant si riche de fortes personnalités de premier ordre. Ces œuvres sont fort appréciées pour leur vigueur, la fermeté du dessin, ainsi que le constant souci de naturel qui en fait de véritables types. Le peintre n'a certes pas la magistrale désinvolture d'un Frans Hals (1580-1666) (son aîné de cinq ans), mais c'est un parfait technicien. C'est donc en grand peintre de portraits qu'il sait faire admirer la force et l'harmonie de sa couleur ; la facilité et la fermeté de son pinceau. Il aime les carnations claires, les coloris vifs et sait donner une émotion contenue à ses portraits dont les plus réussis, les plus naturels sont ceux des enfants.

Musées : Amiens : *Portrait d'homme* – Anvers : *Abraham de Graef l'Ancien* – *Donateur et ses cinq fils, femme du donateur et ses cinq filles*, volets de triptyque – *Donateur et sa femme* – *Saint Norbert recueillant les saintes hosties et les vases sacrés pendant l'hérésie de Tanchelin* – *Adoration des mages* – *Willem Van Meerbœck* – *Barbare Kegeleers* – *Le vœu à la Vierge* – *Un soigneur* – *Dame noble* – *Famille* – Aschaffenbourg : *Portrait de femme et portrait d'homme* – Berlin : *Un couple* – *Les filles du peintre* – Boston : *Anna Maria de Schodt* – *Un couple* – Brunswick : *Mars couronné par la Victoire* – *La Vanité de la Richesse* – *Famille* – *Un juriste* – Bruxelles : *L'artiste et sa famille* – *Anne Frédérique Van der Boukhorst* – *Jean Roose, bourgmestre d'Anvers* – Budapest : *Groupe de famille* – *Portrait d'homme* – *Deux portraits de femmes* – Cambrai : *Dame âgée* – Cologne : *Portrait de famille* – Dunkerque : *Tête d'enfant* – Francfort-sur-le-Main : *Portrait d'enfant* – Glasgow : *Portrait d'homme* – Graz : *Diane et Actéon* – Hanovre : *Un couple* – *Fillette avec un petit chien* – La Haye : *Dame* – Heidelberg : *Portrait d'enfant* – Kassel : *Salomon Cock, directeur de l'orphelinat d'Anvers* – *Un homme de quarante ans* – *Garçonnet blond* – *Fillette* – Kiev : *Portrait de femme* – Lille : *Portrait d'homme* – Londres (Wallace coll.) : *Gentilhomme flamand* – *Dame flamande* – Madrid : *Triomphe de Bacchus* – *Apollon et le serpent Python* – *Vénus sortant de l'écume de la mer* – Munich : *La famille Hutte* – *Portrait d'une dame âgée* – New York : *Portrait d'une jeune dame* – Philadelphie : *Portrait d'une famille* – *Portrait d'une femme* – Providence : *Jeune fille* – Rotterdam : *L'Agriculture couronnée par la Richesse* – Saint-Pétersbourg (Mus. de l'Ermitage) : *Famille à la promenade* – San Francisco : *Groupe d'enfants* – Stockholm : *Jésus-Christ après la descente de croix* – *Partie de cartes* – Vienne : *Sacre de Salomon* – *Figures dans Marché au poisson, de F. Snyders* – Vienne (Mus. Harrach) : *Portrait de femme*.

Ventes Publiques : Paris, 1861 : *Portrait d'Abraham Graphaeus* : **FRF 270** ; *Portrait d'homme et de jeune garçon* : **FRF 4 000** – Paris, 1870 : *Cornelis de Vos, sa femme et ses deux enfants* : **FRF 12 200** – Paris, 1882 : *Portrait d'homme* : **FRF 4 300** ; *Portrait de femme* : **FRF 12 500** – Paris, 1899 : *Portrait d'une dame noble* : **FRF 2 000** – Paris, 17 juin 1904 : *Portrait d'homme et de jeune garçon* : **FRF 36 000** – Paris, 16 avr. 1907 : *Portrait d'homme* : **FRF 4 500** – Paris, 23 mars 1908 : *Portrait d'homme* : **FRF 3 000** ; *Portrait d'une jeune dame* : **FRF 8 100** – Londres, 5 déc. 1908 : *Sermon dans une filature* : **GBP 27** – Londres, 28 jan. 1911 : *Gentilhomme* : **GBP 68** – Londres, 11 fév. 1911 : *Ambrosio marchesi di Spenola* : **GBP 162** – Londres, 11 mars 1911 : *Gentilhomme et sa famille* : **GBP 189** – Londres, 11-12 mai 1911 : *La diseuse de bonne aventure* : **GBP 102** – Londres, 8 juin 1923 : *Cavalier* : **GBP 40** – Londres, 9 juil. 1926 : *Gentilhomme en noir* : **GBP 378** – Londres, 28-29 juil. 1926 : *Cavalier* : **GBP 110** – Paris, 9-10 mars 1927 : *Étude pour un portrait d'homme de qualité, en pied, assis*, cr. noir reh. : **FRF 820** – Londres, 27 mai 1927 : *Un bourgeois* : **GNS 600** – Londres, 22 déc. 1927 : *Groupe de famille* : **GBP 997** – Londres, 17-18 mai 1928 : *Dame en noir* : **GBP 1 785** ; *Dame devant un paysage* : **GBP 336** – New York, 11 déc. 1930 : *Gentilhomme en noir* : **USD 775** ; *Dame en noir* : **USD 950** – Genève, 9 juin 1934 : *Portrait d'homme* : **CHF 8 100** – Bruxelles, 15 avr. 1939 : *Dame* : **BEF 3 000** – New York, 21 fév. 1945 : *Gentilhomme* : **USD 1 300** – Paris, 25 mai 1949 : *Portrait d'une jeune femme* : **FRF 380 000** – Paris, 10 juin 1949 : *Le bon pasteur*, dess. au bistre : **FRF 11 500** – Bruxelles, 14 mars 1950 : *Chasse au sanglier* : **BEF 24 000** – Londres, 18 mai 1951 : *Deux enfants aux fruits* : **GBP 189** – New York, 12 nov. 1952 : *Petite fille* : **USD 750** – New York, 13-14 mars 1953 : *Portrait d'une dame* : **USD 750** – Londres, 20 mars 1959 : *Portrait d'une jeune femme* : **GBP 997** – Vienne, 4 déc. 1962 : *Portrait d'une dame de qualité* : **ATS 30 000** – Amsterdam, 3-9 nov. 1964 : *Portrait d'une dame à la collerette blanche* : **NLG 5 400** – Londres, 25 mars 1966 : *Portrait de petit garçon tenant une raquette* : **GNS 800** – Londres, 27 mars 1968 : *Portrait d'enfant* : **GBP 3 100** – Vienne, 9 juin 1970 : *Gens d'armes buvant et jouant* : **ATS 90 000** – Amsterdam, 3 mai 1976 : *Mari, femme et deux enfants*, gche/parchemin (13x9,8) : **NLG 4 800** – Zurich, 20 mai 1977 : *Portrait de Suzanne Cock* vers 1617, h/pan. (122,5x93) : **CHF 17 000** – New York, 11 janv 1979 : *Portrait de fillette* vers 1625-1630, h/pan. (81x61,5) : **USD 75 000** – Londres, 10 juil. 1981 : *Portrait de fillette*, h/pan. (97,3x75) : **GBP 6 000** – Paris, 22 mars 1983 : *Portrait d'un gentilhomme*, pierre noire (20x14,5) : **FRF 27 500** – Londres, 13 fév. 1985 : *Portrait présumé de Jeanne de Blois*, h/t (119x91,5) : **GBP 11 000** – Amsterdam, 14 nov. 1990 : *Noli me tangere*, h/t (155,5x127) : **NLG 25 300** – Londres, 11 déc. 1991 : *Portrait présumé de Jeanne de Blois*, h/t (118x90) : **GBP 7 700** – New York, 5 oct. 1995 : *Portrait de Philippe Ier d'Espagne, en buste, portant l'Ordre de la Toison d'Or*, h/t (110x100) : **USD 25 300** – New York, 16 mai 1996 : *Portrait d'une dame richement vêtue*, h/pan. (106x73) : **USD 68 500** – Londres, 3 juil. 1997 : *Sainte Catherine de Sienne*, h/t, de forme octogonale (225x205) : **GBP 28 750**.

VOS Cornelis de

xviie siècle. Éc. flamande.

Peintre.

Reçu dans la gilde d'Anvers en 1633 ou 1634, comme fils du maître. Il n'est pas parent avec son célèbre homonyme.

VOS Daniel

Baptisé le 25 mai 1568 à Anvers. Mort en 1605. xvie siècle. Éc. flamande.

Peintre de sujets religieux, portraits.

Il est le fils de Marten de Vos.

Ventes Publiques : Londres, 5 juil. 1996 : *Saint Eustache* ; *Saint Arsène*, h/t, une paire (147,3x190,5) : **GBP 18 000**.

VOS E. Van

xviie siècle. Éc. flamande.

Peintre de scènes de genre, paysages animés.

Musées : Saint-Pétersbourg (Mus. de l'Ermitage) : *Réunion avec joueur de mandoline*.

Ventes Publiques : Paris, 15 mai 1993 : *Scène hivernale avec des patineurs sous un pont*, encre bistre/parchemin (15x17,5) : **FRF 6 000**.

VOS Firmin de

Né en 1925 à Mont-Saint-Amand (Gand). xxe siècle. Belge.

Sculpteur, médailleur, peintre de portraits et de monuments.

Il fut élève de l'Académie de Gand. Il reçut le prix Paul Devigne en 1948.

Bibliogr. : In : *Diction. Biogr. Ill. des Artistes en Belgique depuis 1830*, Arto, 1987.

VOS H. G.

xixe siècle. Hollandais.

Peintre et lithographe.

Il exposa en 1816 et en 1822 à Amsterdam où il travaillait.

VOS Hans de

Né le 27 juin 1891 à Singapour. xxe siècle. Allemand.

Peintre de paysages, graveur.
Il fut élève de l'Académie de Weimar. Il exécuta des paysages du Lac de Constance et du Schleswig.

VOS Hubert
Né le 17 février 1855 à Maastricht (Hollande). Mort en 1935. XIXe-XXe siècles. Actif aux États-Unis. Américain.
Peintre de scènes de genre, portraits, intérieurs, pastelliste.
Il fut élève de E. Portaels à l'Académie des Beaux-Arts de Bruxelles et de Fernand Cormon à Paris. De 1885 à 1892, il travailla en Angleterre, puis se fixa à New York. Il obtint des médailles d'or à Amsterdam, Munich, Dresde et Bruxelles, ainsi qu'au Salon des Artistes Français de Paris, notamment en 1886 pour sa peinture *Ouvroir de l'hospice de Bruxelles.*
Ventes Publiques : Paris, 27 fév. 1950 : *Guitaristes chantant dans la rue* 1871 : **FRF 10 500** – New York, 28 jan. 1982 : *La salle de tricot,* past./pap. mar./t (81,9x151,1) : **USD 1 300** – New York, 26 oct. 1984 : *Lys dans un vase chinois* 1902, h/t (127x87) : **USD 2 400** – New York, 6 déc. 1991 : *L'ouvroir* 1889, past./t (82,5x151) : **USD 13 200**.

VOS Jacob Willemnsz de
Né le 5 décembre 1774 à Amsterdam. Mort le 23 juillet 1844 près de Haarlem. XVIIIe-XIXe siècles. Hollandais.
Dessinateur, collectionneur d'art.

VOS Jan I de
XVe siècle. Actif à Gand de 1449 à 1465. Éc. flamande.
Peintre.

VOS Jan II de
XVe-XVIe siècles. Actif à Anvers de 1489 à 1512. Éc. flamande.
Peintre de compositions religieuses, scènes de genre, portraits.
Il peignit notamment des scènes de festin et de bain.

VOS Jan III de
Né vers 1578 à Heinhofer. XVIIe siècle. Allemand.
Médailleur, orfèvre.
Il travailla pour la cour de l'empereur Rodolphe II et grava des médailles à l'effigie de souverains ou représentant des allégories.
Musées : Florence (Mus. nat.) : *Descente de croix,* médaille.

VOS Jan IV de
Né en 1593 à Leyde. Mort en 1649. XVIIe siècle. Hollandais.
Peintre.

VOS Jan V de
Né en 1615 à Leyde. Mort après 1683. XVIIe siècle. Hollandais.
Peintre de portraits.
Il est le fils de Jan de Vos IV.
Musées : Bergues : *Portrait de l'artiste,* attr.

VOS Jan VI de
Né en 1643 à Leyde. Mort après 1666. XVIIe siècle. Hollandais.
Peintre.

VOS Jan VII de
Mort en 1663. XVIIe siècle. Actif à Leyde. Hollandais.
Peintre de portraits.
Il travailla de 1650 à 1670 à Leyde.

Musées : Leyde : *Régents de l'hospice de Sainte-Cécile,* deux tableaux.

VOS Jan
XIXe siècle. Actif au début du XIXe s.
Peintre de natures mortes, fleurs et fruits.
Cet artiste est répertorié à Amsterdam entre 1814 et 1818.
Ventes Publiques : Londres, 4 nov. 1977 : *Panier de fruits* 1811, h/pan. (48,6x71) : **GBP 6 500** – Amsterdam, 15 mai 1979 : *Natures mortes aux fruits,* deux h/pan. (33,5x40,2) : **NLG 12 500** – Londres, 17 avr. 1996 : *Nature morte de fleurs dans un vase de verre avec une pêche et du raisin sur un entablement,* h/pan. (44,5x37) : **GBP 7 130**.

VOS Jan Baptist de
XVIIe siècle. Actif à Anvers dans la seconde moitié du XVIIe siècle. Éc. flamande.
Peintre de miniatures, enlumineur.
Il fut maître en 1712.

VOS Jan Willem de
Né en 1803 à La Haye. Mort en 1833 à Amsterdam. XIXe siècle. Hollandais.
Graveur, lithographe.
Il fut élève de J. A. Daiwaille, puis il travailla à Amsterdam, à Copenhague et à Hambourg. On lui doit des gravures au burin.

VOS Lambert de ou **L. Vosius**
XVIe siècle. Actif à Malines. Éc. flamande.
Peintre.
Inscrit en 1563 dans la gilde de Malines. Il alla à Constantinople, en 1574, et en rapporta des dessins de costumes orientaux, conservés à la Bibliothèque de Brême.

VOS Lievin de
Mort en 1531 à Gand. XVIe siècle. Éc. flamande.
Peintre.
On le désigne sous le nom de Maître de l'Adoration d'Utrecht.

VOS Maerten de. Voir **VOS Marten de**

VOS Marcus de
Né en 1650 à Bruxelles. Mort le 5 mai 1717 à Bruxelles. XVIIe-XVIIIe siècles. Éc. flamande.
Sculpteur.
Il sculpta des statues, des tombeaux et des fontaines à Bruxelles et à Malines.

VOS Maria
Née le 21 décembre 1824 à Amsterdam. Morte le 11 janvier 1906 à Oosterbeek. XIXe siècle. Hollandaise.
Peintre de natures mortes, aquarelliste.
Elle fut élève de P. Kiers, puis elle se fixa à Oosterbeck.
Musées : Amsterdam (Mus. roy.) – Amsterdam (Mus. mun.) – Bucarest (Mus. Simu) – Rotterdam.
Ventes Publiques : Amsterdam, 1881 : *Nature morte* : **FRF 265** – Amsterdam, 16 mai 1972 : *Nature morte* : **NLG 4 200** – Amsterdam, 27 avr. 1976 : *Nature morte* 1857, h/t (32x42) : **NLG 9 000** – Amsterdam, 16 nov. 1988 : *Nature morte avec différents objets sur une table et une armure, une pipe et une boîte de peintures sur le sol au premier plan* 1857, h/pan. (37x32) : **NLG 2 990** – Amsterdam, 24 avr. 1991 : *Nature morte avec une assiette de cuivre, un vase de porcelaine, une cruche et des pêches dans un plat et une langouste sur un entablement drapé* 1875, h/t (80,5x58,5) : **NLG 6 900** – Amsterdam, 5-6 nov. 1991 : *Carottes et récipients près d'un puits* 1857, h/pan. (24,5x33) : **NLG 3 910** – Amsterdam, 14 sep. 1993 : *Nature morte avec de l'argenterie, un livre et un bol de porcelaine chinoise près d'oranges et d'un citron pelé,* h/pan. (14x11,5) : **NLG 4 370** – Amsterdam, 21 avr. 1994 : *Nature morte avec des noix de coco, des oranges pelées et une fiasque sur un entablement,* aquar./pap. (53x35) : **NLG 1 495** – Amsterdam, 8 nov. 1994 : *Nature morte avec un ciboire et des fruits* 1873, h/pan. (29x24) : **NLG 11 500**.

VOS Marten ou **Martin de**
Né en 1532 à Anvers. Mort le 4 décembre 1603 à Anvers. XVIe siècle. Éc. flamande.
Peintre d'histoire, compositions mythologiques, sujets religieux, scènes de genre, portraits, paysages, dessinateur.
Cet artiste dont l'influence considérable, effacée depuis par Rubens contribua au développement de l'art flamand, était fils et élève du peintre Pieter de Vos. Marten reçut ensuite des leçons de Frans Floris. Il abandonna ce maître vers 1551, pour se rendre à Rome. L'étude des grands artistes de la Renaissance développa son talent. Il séjourna ensuite à Venise où il eut la bonne fortune d'être élève, ami et collaborateur de Tintoretto. Ce fut chez ce grand maître qu'il développa sa faculté de voir et de réaliser les grandes choses. Il peignit, notamment, des paysages dans les tableaux du grand Vénitien. Marten de Vos, après cette solide éducation s'affirma, dès son séjour en Italie, comme un artiste de premier ordre. Il reçut de nombreuses commandes, et peignit, notamment, pour les Médicis des portraits et des sujets d'histoire. Sa célébrité l'avait devancé en Flandre quand, en 1558, il revint à Anvers, il fut reçu, la même année dans la confrérie des peintres de cette ville. Il en fut le doyen en 1572.
Les églises d'Anvers et des Pays-Bas, lui commandèrent des tableaux d'autel. Malheureusement un grand nombre de ces

ouvrages furent détruits par les iconoclastes durant les guerres de religion. Il fit aussi de nombreux portraits des grands personnages de son époque. Il existe un nombre considérable de gravures de son temps, d'après ses tableaux ce qui affirme combien était grande sa renommée. Ses portraits de groupe sont souvent agencés avec habileté, des détails de nature morte mettent çà et là des touches de couleurs vives. Sa pâte est onctueuse et lisse, elle permet des effets de transparence sur les visages. Toutefois, Martin de Vos n'est pas loin de l'académisme, surtout en comparaison avec Rubens qui vient ensuite renouveler la peinture flamande. Par sa formation, Martin de Vos montre dans ses tableaux d'histoire un mélange de maniérisme et de réalisme.

Musées : Amsterdam : *Gilles Hoffman et Margaretha Van Nispen* – Anvers : *Christ en croix – Triomphe du Christ*, triptyque – *Baptême de Constantin – L'empereur Constantin faisant ériger une église à Saint-Georges – Saint Georges délivrant sainte Marguerite*, revers – *Incrédulité de saint Thomas – Baptême du Christ – L'apôtre saint Thomas*, revers grisaille – *Décollation de saint Jean-Baptiste – Saint Étienne*, revers grisaille – *Le denier de César – Le denier du tribut – Le denier de la Veuve – Abraham à Hébron*, revers – *Nativité – Saint Luc peignant la Vierge – Saint François d'Assise recevant les stigmates – Onze épisodes de la vie de Conrad d'Ascoli – Saint Luc apparaît dans l'église de Notre-Dame de Tripoli à Antioche*, grisaille – *Trois vieillards donnant une aumône à trois pèlerins*, grisaille – *Tentation de saint Antoine* – Beaufort : *Alexandre le Grand* – Berlin : *Le Christ apparaît à ses disciples* – Brême : *Jugement de Salomon* – Bruxelles : *Portrait de femme – Antoine Anselmo, sa femme et leurs deux enfants* – Budapest : *Adoration des mages* – Dijon : *Visitation – Circoncision – Adoration des mages – Présentation de Jésus au temple* – Douai : *Le jugement dernier – Portrait d'homme* – Dunkerque : *Portrait d'homme* – La Fère : un sujet mythologique – Florence : *L'artiste – Crucifiement* – Fontainebleau : *Saint Paul piqué par une vipère dans l'île de Mytilène* – Hanovre : un triptyque – Karlsruhe : *Suzanne et les deux vieillards* – Lille : *Portrait d'homme*, deux œuvres – Lyon : *Jésus chez Simon le Pharisien* – Madrid : *Trahison de Dalila* – Mayence : *Lion – Cerf* – Metz : *Portrait d'un bourgmestre d'Anvers âgé de 84 ans* – Nantes : *Noces du fils de Tobie* – Rouen : *Eliézer et Rébecca – Laban va chercher Eliézer à la fontaine – Laban présente Eliézer à son père – Eliézer, au nom d'Isaac, demande Rébecca en mariage – Rébecca consent à suivre l'envoyé d'Abraham – Adieux de Rébecca à sa famille* – Séville : *Le jugement dernier* – Valenciennes : *Circoncision – Adoration des mages* – Vienne (Harrach) : *Baptême du Christ – Le sépulcre du Christ.*

Ventes Publiques : Paris, 1845 : *Jésus-Christ remettant les clefs à saint Pierre* : **FRF 450** – Paris, 1890 : *Portrait d'un jeune prince* : **FRF 880** – Paris, 1899 : *Portrait d'une jeune femme* : **FRF 2 100** – Paris, 19 et 20 oct. 1909 : *Autodafé de livres païens à Éphèse* : **FRF 11 000** – Londres, 15 déc. 1922 : *Les flèches de la guerre* : **GBP 105** – Londres, 27 juin 1924 : *Dame en robe de soie rouge* : **GBP 756** – Paris, 28 nov. 1928 : *De la richesse naît souvent l'orgueil*, dess. : **FRF 1 450** ; *La naissance de la Vierge*, dess. : **FRF 1 550** – Paris, 13 fév. 1939 : *L'Été, avec au premier plan, Cérès et Vulcain*, pl. et lav. : **FRF 920** – Paris, 18 juin 1943 : *Le Christ et les pèlerins d'Emmaüs* : **FRF 14 000** – Londres, 22 juin 1945 : *Rencontre de Jacob et de Rachel* : **GBP 241** – Paris, 20 oct. 1948 : *Portrait de femme* : **FRF 431 000** – Paris, 2 déc. 1948 : *Femme sur un char traîné par des lions*, pl. et lav. : **FRF 5 000** – Bruxelles, 19 avr. 1951 : *Le Golgotha ; La Nativité ; L'Ascension*, triptyque : **BEF 25 000** – Bruxelles, 8 déc. 1966 : *La Sainte Famille entourée d'anges* : **BEF 60 000** – Londres, 24 mars 1976 : *Jacob et Rachel au puits*, h/t (92x146) : **GBP 8 500** – Amsterdam, 3 mai 1976 : *Scène de bataille*, pl. et lav. (19x28,8) : **NLG 4 200** – Paris, 10 mai 1979 : *Personnage symbolique*, pl. et lav. brun (19x25,4) : **FRF 6 600** – Londres, 30 nov 1979 : *Abraham et Melchizedek* 1602, h/pan. (52,6x71,6) : **GBP 3 000** – Paris, 19 juin 1981 : *Le Christ devant Pilate* 1581, pl. et lav. (30x45) : **FRF 33 500** – Paris, 17 déc. 1983 : *Les Festins des Dieux*, gche/vélin (19x13,5) : **FRF 48 000** – Amsterdam, 26 nov. 1984 : *Saint Jean l'évangéliste avec le bon berger et le baptême du Christ à l'arrière-plan*, pl. et lav. reh. de blanc (20x27,3) : **NLG 14 500** – Londres, 4 juil. 1986 : *La Vierge et l'Enfant avec des angelots présentant la Croix*, h/pan. (112x88,5) : **GBP 45 000** – Berne, 17 juin 1987 : *La Mort de l'homme riche* vers 1580, pl. et lav. de bistre (20,2x24) : **CHF 6 000** – Paris, 22 nov. 1988 : *La création des animaux*, pl. et lav. brun/pap. beige (17,5x21) : **FRF 29 000** – Paris, 17 mars 1989 : *Marie Madeleine au pied de la croix* 1583, pl., lav. et reh. de blanc (26x20,3) : **FRF 26 500** – Stockholm, 16 mai 1990 : *Scène allégorique avec des constructions et des personnages*, h/pan. (45x53) : **SEK 30 000** – Amsterdam, 12 juin 1990 : *Saint Jean Baptiste et Saint Laurent ; Saint Jean Évangeliste et Sainte Catherine sur les ventaux recto-et verso d'un retable*, h/pan. (212x82,4) : **NLG 207 000** – Dijon, 18 nov. 1990 : *La cène*, h/t (145x207) : **FRF 400 000** – Londres, 14 déc. 1990 : *Portrait d'un gentilhomme portant la barbe vêtu d'un habit noir et d'une fraise blanche* 1571, h/pan. (102x73,5) : **GBP 41 800** – New York, 11 avr. 1991 : *Les fille de Cecrops découvrant Ericthonios*, h/t (139x158,5) : **USD 15 400** – Paris, 17 juin 1991 : *La naissance d'Adonis*, h/pan. (80,5x172) : **FRF 165 000** – Monaco, 20 juin 1992 : *L'été* 1593, craie noire, encre brune et lav. brun (18x23,7) : **FRF 77 700** – Londres, 6 juil. 1992 : *Esdras et l'ange sur la montagne de Sion* 1582, encre et lav. (18,9x28,5) : **GBP 2 750** – Amsterdam, 25 nov. 1992 : *Saint Jean prêchant*, encre et lav. avec reh. de blanc (16x22) : **NLG 3 680** – Londres, 9 juil. 1993 : *La calomnie d'Apelle*, h/pan. (111,8x179,9) : **GBP 89 500** – New York, 11 jan. 1994 : *Holopherne devant le roi Nabuchodonozor* 1587, craie noire, encre et lav. (19,3x26,6) : **USD 4 370** – Paris, 29 nov. 1995 : *Le triomphe de David* 1576, h/pan. (51,5x77) : **FRF 180 000** – Paris, 14 juin 1996 : *Scène du Jugement dernier*, h/cuivre (49,5x55) : **FRF 135 000.**

VOS Marten de, le Jeune

Né en 1576 à Anvers. Mort le 6 avril 1613. xviie siècle. Éc. flamande.

Peintre.

Fils et élève de Marten de Vos. Il fut admis dans la confrérie des peintres en 1607. On cite à Valladolid à la fin du xvie siècle et au début du xviie, un Martin de Vos qui nous paraît pouvoir être notre artiste.

VOS Matthias de

xve-xvie siècles. Actif à Gand. Éc. flamande.

Peintre.

Père de Liévin de Vos.

VOS P. J. W. de

xixe siècle. Travaillant à Amsterdam vers 1826. Hollandais.

Paysagiste.

VOS Paul ou **Pauwel de**

Né vers 1596 à Hulst. Mort le 30 juin 1678 à Anvers. xviie siècle. Éc. flamande.

Peintre de scènes de chasse, animaux, natures mortes.

Il est le frère de Cornelis de Vos. Il eut pour maîtres Denis Van Hove, en 1604, David Remeens, vers 1606, à Anvers. En 1620, il fut maître à Anvers. En 1636, Lancelot van Dalen était son élève. Il a travaillé pour la Cour d'Espagne et l'archiduc.

Paulus de Vos peignit les armes, les instruments et les animaux, particulièrement les chiens, avec une véritable maîtrise. Sa manière s'approche de celle de Snyders, dont on croit qu'il fut élève et dont il fut le beau-frère. Mais il montre surtout l'influence de Rubens avec lequel il collabora. Son coloris chaud fait dominer le vert doré, l'ocre et le vermillon.

Musées : Aix-la-Chapelle : *La chasse au sanglier* – Anvers : *Perdrix et chiens* – Aschaffenbourg : *Chasse à l'ours – Chasse au sanglier* – Augsbourg : *Guerrier couronné – Chasse au sanglier* – Berlin : *Chasse de Diane* – Brunswick : *Chasse au cerf* – Bruxelles : *Chasse au cerf – Cheval terrassé par des loups* – Caen : *Cheval dévoré par des loups – Combat de chiens et d'ours* – Darmstadt : *Chasse au cerf – Le renard surpris* – Dresde : *Les animaux terrestres au paradis* – Dunkerque : *Chiens attaquant un héron* – Francfort-sur-le-Main : *Cerf au bord de l'eau* – Gand : *Chasse au renard* – Hambourg : *Coq et dindon au combat* – Hanovre : *Un ours* – La Haye : *Chiens et perdrix – Chasse au cerf* – Kassel : *Le renard surpris* – Lille : *Chiens dans l'office* – Liverpool : *Chasse au sanglier* – Louvain : *Chiens dans l'office* – Madrid (Mus. du Prado) : *Renard courant – Bataille de chats – Chien – Le chien et la pie – Chasse au cerf – Cerf poursuivi par la meute – Lévrier en observation – Taureau vaincu par des chiens – Sanglier – Chien urinant, au-dessus de lui vole une hirondelle – Fable du chien et du butin – Lévrier blanc – Provisions – Le renard et la cigogne* –

MAYENCE : *Femme et enfant dans la basse-cour* – MUNICH : *Combat d'ours et de chiens* – *Les animaux dans le jardin de l'Éden* – NARBONNE : *Amazone à la chasse au cerf* – ORLÉANS : *Le génie de la gloire* – PARIS (Mus. du Louvre) : *La mort du chevreuil* – *Chasse au sanglier* – *Les animaux au paradis* – *L'arche de Noé* – *Oiseaux sur une branche* – *Chasse au cerf* – *Chasse au daim* – *Cheval attaqué par des loups* – PHILADELPHIE : *Scène de basse-cour* – PRAGUE : *Chasse au sanglier* – ROME (Gal. Corsini) : *Chasse au sanglier* – ROTTERDAM : *Sanglier se défendant contre des chiens* – ROUEN : *Chasse au sanglier* – SAINT-PÉTERSBOURG (Mus. de l'Ermitage) : *Le cheval emporté* – *Le cheval et les loups* – *Deux ours attaqués par des chiens* – *Chasse au cerf* – *Chiens attaquant un léopard* – SCHLEISSHEIM : *Chasse au chevreuil* – *Chasse à l'ours*, deux œuvres – STOCKHOLM (Mus. nat.) : *Chasse au cerf* – *L'Amour gouvernant les arts* – TOURS : *Mars couronné par la Victoire* – TURIN (Pina.) : *Chasse au sanglier* – VALENCIENNES : *Chasse au sanglier* – VIENNE : *Chasse au sanglier* – *Paradis avec des animaux* – *Chasse au renard* – *L'Amour dominant les arts* – *Chasse au chevreuil.*

VENTES PUBLIQUES : PARIS, 1781 : *Chasseur avec ses chiens* : **FRF 1 601** – PARIS, 1867 : *Chasse au tigre* : **FRF 6 700** – PARIS, 1882 : *Chasse au cerf* : **FRF 13 200** – PARIS, 3-5 juin 1907 : *Buses attaquant des poules* : **FRF 3 100** – LONDRES, 9 juil. 1909 : *Épagneuls poursuivant des perdrix* : **GBP 73** – LONDRES, 4 mai 1936 : *Chasse au sanglier* : **GBP 8** – BRUXELLES, 4 avr. 1938 : *Le cerf traqué* : **BEF 1 000** – BRUXELLES, 21 mai 1951 : *Une chasse à l'ours* : **BEF 3 400** – PARIS, 28 mars 1955 : *Chiens attaquant un sanglier* : **FRF 110 000** – PARIS, 5-6 déc. 1962 : *Oiseaux de divers plumages* : **FRF 5 200** – LONDRES, 14 mai 1971 : *Un lévrier dans un paysage* : **GNS 3 200** – LONDRES, 14 avr. 1978 : *Chasse au sanglier*, h/t (127x194,2) : **GBP 2 600** – ROME, 28 avr. 1981 : *Nature morte*, h/t (144x160) : **ITL 9 000 000** – MADRID, 20 juin 1985 : *Chiens de chasse autour de gibier mort dans un paysage*, h/t (174x243) : **ESP 4 255 000** – STOCKHOLM, 15 nov. 1989 : *Illustration d'une fable avec un renard et deux hérons*, h. (100x127) : **SEK 48 000** – PARIS, 27 juin 1989 : *Ours attaqué par une meute de chiens*, h/t (186x230) : **FRF 480 000** – AMSTERDAM, 14 nov. 1990 : *Chiens de meute attaquant un sanglier*, h/t (208x247) : **NLG 71 300** – COLOGNE, 28 juin 1991 : *Cerf cerné par des chiens de meute*, h/t (100x126) : **DEM 12 000** – LONDRES, 3 juil. 1991 : *Le jardin de l'Eden*, h/t, avec Jan Wildens (167x234) : **GBP 137 500** – PARIS, 31 oct. 1991 : *Chiens se disputant un morceau de viande*, h/t (105,5x152) : **FRF 30 000** – LONDRES, 20 avr. 1994 : *Chasseurs dépeçant un sanglier*, h/t (191,5x216,5) : **GBP 13 800** – LONDRES, 6 juil. 1994 : *Chiens poursuivant un cerf*, h/t (199x339) : **GBP 25 300** – PARIS, 12 juin 1995 : *La chasse au sanglier*, h/t (118,5x187,5) : **FRF 100 000** – LONDRES, 18 oct. 1995 : *Un coq attaquant un dindon parmi d'autres volailles dans un paysage fluvial*, h/t (121,7x182,8) : **GBP 17 850** – AMSTERDAM, 6 mai 1997 : *Deux chiens de meute en présence d'un lièvre mort*, h/t (118x181) : **NLG 47 200.**

VOS Peter ou **Pieter I de**, l'Ancien

Né en 1490 à Leyde. Mort en 1567 à Anvers. XVIe siècle. Hollandais.

Peintre.

En 1507, élève de Jervom Scuelens à Anvers. On le cite dans la gilde en 1519 et il en fut le doyen en 1536. Il eut pour fils Marten et Pieter de Vos le Jeune.

VOS Peter ou **Pieter II de**, le Jeune

Né à Anvers. Mort sans doute en 1567 à Anvers. XVIe siècle. Éc. flamande.

Peintre d'histoire.

Frère de Marten de Vos : il entra dans la gilde de Saint-Luc en 1554. On sait peu de chose, sinon rien de ses ouvrages.

VOS Philippe de

XVIe siècle. Éc. flamande.

Sculpteur.

Il travailla pour l'église Notre-Dame d'Anvers de 1559 à 1585.

VOS Philippe de

XVIe siècle. Actif à Bruxelles dans la seconde moitié du XVIe siècle. Éc. flamande.

Peintre.

Il travailla au service de Charles V.

VOS Simon de

Né le 28 octobre 1603 à Anvers. Mort le 15 octobre 1676 à Anvers. XVIIe siècle. Éc. flamande.

Peintre d'histoire, compositions religieuses, scènes de genre, portraits, dessinateur.

Simon de Vos mérite une mention spéciale parmi les artistes portant ce nom. Il fut élève de Cornelis de Vos, dont il était, probablement parent et fut reçu maître dans la confrérie des peintres d'Anvers, en 1620. Il entra ensuite dans l'atelier de Rubens plutôt comme collaborateur que comme élève.

Certaines de ses œuvres signées – on ne peut rien dire de celles qui parurent comme production de l'atelier du grand Flamand – sont de premier ordre, notamment *La Résurrection*, dans la cathédrale d'Anvers ; *La Descente de croix*, dans l'église de Saint-André ; *Saint Norbert recevant les sacrements*, dans l'abbaye de Saint-Michel. Sir Joshua Reynolds, qui avait le droit de s'y connaître en portraits, le plaçait, dans ce genre, au tout premier rang. Ses dessins sont particulièrement intéressants. Ses scènes de genre sont très vivantes, elles sont peintes avec humour, dans un esprit mondain, elles marquent une influence de Téniers.

S.D.Vos. in et F.1635 SD

MUSÉES : ABBEVILLE : *Adoration des mages* – ANVERS : *Martyre de saint Paul* – *L'artiste* – AVIGNON : *L'enfant prodigue* – BARNARD CASTLE : *Femme flamande* – BERLIN : *Compagnie joyeuse* – BRUXELLES : *Portrait d'homme* – COLOGNE : *Noli me tangere* – GOTHA : *Abigaïl apportant des présents au roi David* – GRENOBLE : *Portrait de jeune homme* – LILLE : *Résurrection* – LYON : *L'artiste* – NANTES : *La famille de Van der Da, d'un côté les hommes, de l'autre les femmes* – *Tête*, très nombreuses études – POMMERSFELDEN : *Un repas en plein air* – ROTTERDAM (Mus. Boymans) : *Portrait d'homme*, deux œuvres – ROUEN : *Femme en costume flamand* – SAINT-PÉTERSBOURG (Mus. de l'Ermitage) : *Abigaïl apaise le roi David par des présents* – *La reine de Saba chez Salomon.*

VENTES PUBLIQUES : ANVERS, 1862 : *Bethsabée recevant les présents de David* : **FRF 165** – PARIS, 1873 : *L'infante Isabelle* : **FRF 13 200** – PARIS, 26 mars 1906 : *Portrait présumé de Meerstraten* : **FRF 1 400** – LONDRES, 23 juil. 1909 : *Portrait d'un gentilhomme* : **GBP 21** – PARIS, 26-28 juin 1919 : *Portrait de l'infante Isabelle d'Espagne* : **FRF 8 600** – LONDRES, 15 déc. 1922 : *Dame en noir* : **GBP 19** – PARIS, 12-14 mai 1924 : *Festin* : **FRF 3 000** – AMSTERDAM, 7 avr. 1936 : *Portrait de jeune fille* : **NLG 750** – LONDRES, 13 juil. 1945 : *Portrait de femme* : **GBP 283** – PARIS, 24-25 mars 1954 : *La Crucifixion* : **FRF 76 000** – VIENNE, 18 sep. 1962 : *Personnages au carnaval* : **ATS 30 000** – LUCERNE, 28 nov. 1964 : *Scène galante* : **CHF 20 000** – PARIS, 29 déc. 1965 : *Portrait présumé de l'artiste* : **FRF 15 000** – NEW YORK, 9 jan. 1981 : *Famille de paysans dans un paysage printanier* 1635, h/t (115x169) : **USD 9 000** – LONDRES, 13 déc. 1985 : *Les Cinq Sens* 1640, h/cuivre (53,5x70,5) : **GBP 22 000** – LONDRES, 9 avr. 1986 : *Le Fils Prodigue au bordel*, h/t (60x93) : **GBP 31 000** – NEW YORK, 10 jan. 1990 : *Le martyre de Saint Jean l'Évangeliste*, h/t (156,8x117,4) : **USD 4 180** – AMSTERDAM, 13 nov. 1990 : *L'adoration des Rois Mages*, h/pan. (88x55) : **NLG 27 600** – LONDRES, 12 déc. 1990 : *Élégante société dans un intérieur*, h/pan. (36,5x45) : **GBP 8 800** – LONDRES, 5 juil. 1991 : *Le triomphe de Bacchus*, h/pan. (43,2x57,7) : **GBP 8 800** – AMSTERDAM, 11 nov. 1992 : *Apollon et les neuf muses*, h/t (159x229) : **NLG 32 200** – LONDRES, 23 avr. 1993 : *Allégorie des cinq sens : joyeuse société à l'intérieur d'un palais*, h/pan. (48x62,8) : **NLG 27 600** – AMSTERDAM, 16 nov. 1994 : *Le triomphe de Neptune*, h/cuivre (53x73,5) : **NLG 16 100** – LONDRES, 5 avr. 1995 : *David et Abigaïl*, h/t (66x86) : **GBP 14 950** – NEW YORK, 6 oct. 1995 : *Le martyre de Saint Jean l'Évangeliste*, h/t (156,2x118,7) : **USD 6 900** – NEW YORK, 3 oct. 1996 : *Christ aux noces de Cana* 1642, h/cuivre (55,9x73) : **USD 19 550** – PARIS, 17 juin 1997 : *Scène galante et concert dans un intérieur flamand*, pan. chêne parqueté (37x58) : **FRF 200 000** – LONDRES, 3 déc. 1997 : *L'Adoration des bergers*, h/pan. mar. (34,6x24,5) : **GBP 18 400.**

VOS Vincent de

Né en 1829 à Courtrai. Mort le 5 octobre 1875 à Courtrai. XIXe siècle. Belge.

Peintre, d'animaux, natures mortes.

Élève d'Édouard Woutermaertens, il signait de Vos, sans indication de prénom.

Il a peint essentiellement des chiens, dans un style proche de celui de Joseph Stevens, mais avec un métier plus sec, plus méticuleux.

BIBLIOGR. : Gérald Schurr, in : *Les Petits Maîtres de la peinture 1820-1920, valeur de demain*, Les Éditions de l'Amateur, t. II, Paris, 1982.

MUSÉES : LILLE : *Pris au piège* – MULHOUSE : *Les favoris*, étude de chiens – TOURCOING : *Deux chiens.*

Ventes Publiques : Bruxelles, 2 déc. 1950 : *Avant la parade* : **BEF 7 000** – Vienne, 28 sep. 1973 : *Attelage de chiens* : **ATS 30 000** – New York, 14 mai 1976 : *Les compagnons du mendiant ; Les compagnons du jardinier* 1870, h/pan., une paire (13x18) : **USD 1 100** – Londres, 4 nov. 1977 : *Chiens et signe déguisés* 1871, h/pan. (58x75) : **GBP 950** – Amsterdam, 28 oct. 1980 : *Chiens couchés près d'un tambour* 1865, h/t (44x58,5) : **NLG 5 400** – Cologne, 18 mars 1983 : *Dans les coulisses* 1866, h/t (51,5x70) : **DEM 5 000** – Londres, 14 fév. 1990 : *Chiens de cirque*, h/pan. (17,7x24,2) : **GBP 2 640** – Londres, 15 jan. 1991 : *Un Bleinheim et un épagneul King Charles tricolore sur un tapis d'Orient*, h/t (50,7x64,7) : **GBP 8 250** – New York, 5 juin 1992 : *Le panier d'osier* 1868, h/t (51,4x69,9) : **USD 7 700** – Le Touquet, 8 juin 1992 : *Chiens de cirque gardant leur singe*, h/pan. (20x25) : **FRF 15 000** – Lokeren, 10 oct. 1992 : *Les chiens savants* 1857, h/t (47x67,5) : **BEF 130 000** – Lokeren, 20 mars 1993 : *Paysage avec un chien de chasse*, h/pan. (31x30,5) : **BEF 40 000** – Calais, 4 juil. 1993 : *Les chiens et la souris*, h/pan. (18x24) : **FRF 12 000** – Lokeren, 9 oct. 1993 : *Au repos*, h/pan. (18x23,5) : **BEF 60 000** – Lokeren, 4 déc. 1993 : *Nature morte dans un intérieur avec un chien*, h/pan. (18x24) : **BEF 34 000** – Amsterdam, 21 avr. 1994 : *Un résultat renversé*, h/pan. (24x17,5) : **NLG 2 875** – Paris, 17 juin 1994 : *Chien et souris convoitant un fromage dans un cellier*, h/pan. (13x18) : **FRF 4 800** – Londres, 22 fév. 1995 : *Chien dansant*, h/pan. (50x39) : **GBP 1 207**.

VOS Willem ou **Guillaume de**
XVIe siècle. Actif à Anvers. Éc. flamande.
Peintre d'histoire, portraits.
Élève de son père, Pieter de Vos le Jeune. On dit aussi qu'il travailla avec son oncle Marten. En 1593, il fut reçu maître à Anvers. Il fut doyen de la gilde en 1600. En 1629, un Ferdinand Clouet était son élève. Willem de Vos peignit des sujets historiques et des portraits dans la manière de son oncle. Il fut l'ami de Van Dyck qui peignit et grava son portrait.

VOS-KARDOWSKAJA Olga Ljudwigovna. Voir **KARDOVSKAIA**

VOSBERG Heinrich
Né en 1833 à Leer. Mort le 20 juillet 1891 à Gmunden. XIXe siècle. Allemand (?).
Peintre de scènes de genre, paysages animés, paysages.
Il fut élève de l'Académie des Beaux-Arts de Düsseldorf et de l'École d'Art de Karlsruhe, dans l'atelier de Schirmer. Il exposa à Munich en 1890.
On cite de lui *Sur la lisière de la forêt de Bernried* (étude).
Musées : Karlsruhe : *Paysage, le soir, près de Karlsruhe.*
Ventes Publiques : Cologne, 4-6 déc. 1952 : *Voralpen* : **DEM 500** – Bruxelles, 8 déc. 1966 : *Paysage boisé avec bergère et moutons* : **BEF 55 000** – New York, 15 oct. 1976 : *Le voyageur solitaire* 1857, h/t (41x58,5) : **USD 1 100** – Los Angeles, 15 oct 1979 : *Cavalier dans un paysage boisé* 1857, h/t (41,5x58,5) : **USD 1 200**.

VOSBERGH Robert W.
Né en 1872. Mort le 1er novembre 1914 à New York. XIXe-XXe siècles. Américain.
Peintre, illustrateur.

VOSCH Marc
Né en 1947 à Bruxelles. Mort le 27 juin 1989 à Bruxelles. XXe siècle. Belge.
Peintre de compositions animées, scènes typiques, paysages.
Il fut élève des académies d'Uccle, de Bruxelles et de Watermael-Boitsfort. Il a voyagé en Afrique du Nord, en Asie, au Moyen-Orient, en Inde et aux Amériques.
De ses séjours à l'étranger, il a rapporté de nombreuses scènes pittoresques, naïves de la vie quotidienne, populaires, sommairement dessinées, aux couleurs vives.
Bibliogr. : In : *Dict. biogr. illustré des artistes en Belgique depuis 1830*, Arto, Bruxelles, 1987.

VOSCHEM. Voir **SICHEM**

VOSCHER Léopold Heinrich. Voir **VOESCHER**

VOSE Adairene. Voir **CONGDON Adairene,** Mrs

VOSE Robert Churchill
Né le 12 septembre 1873 à North Attleboro. XIXe-XXe siècles. Américain.
Peintre.
Il vécut et travailla à Boston. Collectionneur d'art, il pratiqua la peinture.

VOSGE de. Voir **DEVOSGE**

VOSKRESSENSKI Andreï
Né en 1946. XXe siècle. Russe.
Peintre de paysages. Postimpressionniste.
Il fut élève de l'Institut Répine de Léningrad et fut nommé Peintre émérite d'URSS.
Ventes Publiques : Paris, 23 mars 1992 : *L'automne sur la Volga*, h/t (15x21) : **FRF 4 200** – Paris, 20 mai 1992 : *Les voiliers* 1958, h/cart. (15x21) : **FRF 3 400**.

VOSKUIL Johan Jacob
Né le 26 mars 1897 à Breda. XXe siècle. Hollandais.
Peintre de compositions animées.
Instituteur, il fut d'abord peintre amateur. À partir de 1921, il se consacre à la peinture à Amsterdam. Il expose à Paris et à Amsterdam.
Ventes Publiques : Amsterdam, 8 fév. 1994 : *Deux clowns et une artiste de cirque* 1953, h/t (89,5x116) : **NLG 2 990**.

VOSKUIL Pieter
Né le 25 décembre 1797 à Zwolle. XIXe siècle. Hollandais.
Paysagiste.
Élève de W. G. Van Ulzen, de A. D. Prudhomme et de J. Schvemaker Doyer. En 1825, il fut professeur de dessin à Medemblik.

VOSKUYL Huygh Pietersz
Né en 1592 ou 1593 à Amsterdam. Mort le 13 octobre 1665 à Amsterdam. XVIIe siècle. Hollandais.
Paysagiste.
En 1607, il fut élève de Pieter Isaaksz. Le Musée national d'Amsterdam conserve de lui les portraits de *Ph. Denyse* et de *Geertruy Reael, sa femme*.

VOSMAER Abraham ou **Vosmeer**
Né en 1618. Mort après 1660. XVIIe siècle. Actif à Delft. Hollandais.
Peintre.

VOSMAER Christian ou **Vosmeer**
Né en 1594. XVIIe siècle. Actif à Delft. Hollandais.
Peintre.

VOSMAER Daniel
XVIIe siècle. Actif à Delft vers 1650. Hollandais.
Peintre d'histoire, paysages, paysages urbains.
Il est cité en 1650, dans la gilde de Delft. Il privilégia la représentation de vues de villes et d'incendies.
Musées : Kiel : *L'explosion de la poudrière de Delft en 1654.*
Ventes Publiques : Paris, 25 mai 1927 : *Vue de Delft après l'explosion de la poudrière* : **FRF 12 500** – La Haye, 28 fév. 1951 : *Vue d'une vieille ville* : **NLG 900** – Londres, 10 avr. 1981 : *Vue de Delft après l'explosion de la poudrière* 1654, h/t (82,5x101) : **GBP 5 500** – Paris, 10 fév. 1992 : *L'explosion de la poudrière de Delft en 1654*, h/t (91,5x128,5) : **FRF 60 000** – Amsterdam, 12 mai 1992 : *Les dégats causés par l'explosion de la poudrière de Delft* 1654, h/t (82x99) : **NLG 8 050**.

VOSMAER Jacob ou **Jacques Vouters** ou **Vosmeer**. Voir **WOUTERS**

VOSMAER Nicolaes ou **Claes**
Né en 1624 à Delft. Mort le 30 août 1669. XVIIe siècle. Actif à Delft. Hollandais.
Peintre de marines.
En 1645, il travailla à Delft.
Ventes Publiques : Angers, 12 déc 1979 : *Bateaux dans la tempête*, h/pan. (53x76,5) : **FRF 11 100** – Amsterdam, 10 mai 1994 : *Navigation sur une mer houleuse*, h/pan. (40x38) : **NLG 13 800**.

VOSMAN Gregorio. Voir **FOSMAN Gregorio**

VOSMEER. Voir **VOSMAER** et **WOUTERS**

VOSMIK Vincenz. Voir **WOSMIK**

VOSNAGEL Johannes
XVIIe siècle. Actif à La Haye dans la seconde moitié du XVIIe siècle. Hollandais.
Peintre.

VOSON D.
XVIIe siècle. Péruvien.
Peintre de portraits.
Cité dans le Art Prices Current de 1908. Nous ne trouvons aucun artiste de ce nom dans nos répertoires. N'y a-t-il pas erreur typographique ou erreur du rédacteur des catalogues de la vente mentionnée ci-dessous.
Ventes Publiques : Londres, 12 déc. 1908 : *Portrait d'un gentilhomme* 1650, signé : **GBP 15**.

VOSPER Sydney Curnow ou **Curnow Vosper**

Né le 29 octobre 1866 à Plymouth. XIXe-XXe siècles. Britannique.

Peintre, aquarelliste, graveur.

Il fut élève de l'Académie Colarossi de Paris.
Comme graveur, il privilégia la technique de l'eau-forte. Peintre, aquarelliste, il ressortit à l'illustration humoristique.
Musées : Le Faouët : *Le cultivateur mécanique* 1906.

VOSS Alaert Hendrich de

Hollandais.

Peintre.

Le Musée d'Oslo, conserve de lui *Paysage d'hiver.*

VOSS Carl Leopold. Voir **VOSS Karl Leopold**

VOSS Franklin Brook

Né en 1880. Mort en 1953. XXe siècle. Américain.

Peintre d'animaux.

Il s'est spécialisé dans la peinture de chevaux.
Ventes Publiques : Londres, 29 oct. 1980 : *Chasseur à cheval* 1926, h/t (70,6x90,8) : **GBP 1 200** – New York, 4 juin 1982 : *Grooms bringing polo ponies on the field* 1941, h/t (67,7x102,8) : **USD 6 500** – New York, 4 juin 1993 : *Hunter bai dans son étable* 1936, h/t (35,6x40,6) : **USD 4 313** – New York, 28 nov. 1995 : *Un cheval dans un paysage ; une autre toile*, h/t (chaque 40,6x56,5) : **USD 3 220**.

VOSS Gyda

Née le 27 septembre 1871 à Christiania. XIXe-XXe siècles. Norvégienne.

Peintre.

Elle fut élève de l'Académie de Copenhague.
Musées : Frogner (Mus. mun.) : *Le Père de l'artiste* – Oslo (Mus. Nat.) : *Jeune Italien – Jeune Italienne – Vieille Femme.*

VOSS Harald Frederick. Voir **FOSS Harald Frederick**

VOSS Hermann

XVIIe siècle. Allemand.

Sculpteur.

Il a sculpté le maître-autel de l'église de Lemgo en 1643.

VOSS Jan

Né en 1936 à Hambourg. XXe siècle. Depuis 1960 actif en France. Allemand.

Peintre, technique mixte, peintre de collages, sculpteur d'assemblages, graveur, lithographe, illustrateur. Polymorphe, post-pop art, abstrait.

Il fut élève de l'École des Beaux-Arts de Munich, de 1955 à 1960. En 1960, il vient vivre à Paris. En 1966-1967, il fut invité comme artiste-enseignant à l'École des Beaux-Arts de Hambourg. De 1987 à 1992, il a été professeur à l'École des Beaux-Arts de Paris.
Il a figuré dans de nombreuses expositions collectives, notamment à Paris : Salon Comparaisons ; Salon Grands et Jeunes d'Aujourd'hui ; Salon de la Jeune Peinture ; Salon de Mai, dont il devint membre du comité vers 1970 ; ainsi que, entre autres, à l'exposition *Mythologies Quotidiennes* en 1964, et à l'exposition de la *Figuration Narrative*, galerie Greuze en 1965, toutes deux organisées par Gérald Gassiot-Talabot et qui témoignaient d'un retour de la figuration impulsé par l'apparition du pop art ; à l'exposition de *la Bande Dessinée*, au Musée des Arts décoratifs, en 1967 ; à l'exposition *Distances*, présentée par Pierre Gaudibert au Musée d'Art moderne de la ville ; en 1985 à la Nouvelle Biennale ; etc.
Il montre des ensembles de ses réalisations dans des expositions personnelles nombreuses, entre autres : 1978 Paris, rétrospective à l'ARC (Art Recherche, Confrontation), Musée d'Art moderne de la Ville ; 1979 à 1997 Berlin, galerie Nothelfer ; 1980 Düren, Leopold Hoesch Museum ; 1981 Oldenburg, Landesmuseum ; 1981 à 1985 Paris, galerie Adrien Maeght ; 1982 Rander (Danemark), Kunstmuseum ; Barcelone, galerie Maeght ; 1983 Utrecht, Hedendaagse Kunst ; 1983 à 1986 Salzbourg, galerie Academia ; 1984 à 1991 Silkeborg, Galerie moderne ; 1985 à 1988 Cologne, galerie Wentzel ; 1985 à 1992 Tokyo, Satani Gallery ; depuis 1985 Stuttgart, Manus Presse ; 1987 Angoulême, Fonds Régional d'Art Contemporain et La Rochelle, Maison de la Culture ; 1987 à 1995 Wiesbaden, galerie Witzel ; 1987, 1989, 1992, 1995, 1997 Paris, galerie Lelong ; 1988 Clermont-Ferrand, Fonds Régional d'Art Contemporain ; 1988 à 1995 Düsseldorf, galerie Winkelmann ; 1989 Bourg-en-Bresse, Musée de Brou ; depuis 1990 Zurich, galerie Pro Arta ; 1991 Toulon, Musée ; de 1992 à 1996 Luxembourg, galerie Lea Gredt ; 1993 Linz, Neue Galerie der Stadt ; 1995 Fribourg, galerie Pro Arte et Mulhouse, Musée des Beaux-Arts ; 1996 Angers, Musée des Beaux-Arts ; 1997 Kiel, Kunsthalle ; etc.
Jan Voss utilise des techniques diverses ou mixtes, dans une matière tantôt suave et très aquarellée, tantôt au contraire violente et épaisse, tantôt expansée en collages-assemblages. Les expositions de groupe auxquelles on le vit participer dans ses premières années, indiquaient clairement, dès 1961, sa relation avec la bande dessinée, qui fut peut-être le pôle du pop art américain d'où repartirent le plus volontiers les artistes européens qui en furent influencés. Toutefois, à partir de ce point de départ, il mène une carrière assez imprévisible. Dans son œuvre se succèdent des périodes dont le lien entre elles n'est pas toujours clair. Gérald Gassiot-Talabot s'est intelligemment attaché à différencier les premières périodes de l'œuvre de Jan Voss : d'avant 1963, on a connu quelques girafes humoristiques et tendres, alors isolées et que l'on retrouvera ensuite dans les bandes narratives. Les bandes narratives de Voss sont très caractérisées par les nuances pastels dont sont peints les figures et le fond. Le dessin, volontairement sommaire en est aussi une caractéristique ; 1963-1967, d'abord en bandes classiquement déroulées, puis dans des dispositions plus anarchiques, d'abord d'une manière plus crayonnée, puis plus peinte, des histoires suavement racontées, mais qui cachent une réalité moins rose qu'il y paraît. G. Gassiot-Talabot : « ...l'ambiance à première vue rassurante, guillerette, inoffensive, que créent à la fois le dessin pseudo-naïf, la mise en page échevelée, la couleur légère, laisse place à un malaise. Non seulement on se livre à des activités très dangereuses dans ce monde sans loi, mais le fantastique et l'horreur y prennent de faux airs naturels. On finit par croire que rien n'est plus attendu que de rencontrer dans la rue des anges mécaniques remontés à la clé, des éléphants alpinistes, des poissons qui nous saluent poliment de la main, des femmes attachées par le cou à un piquet comme des chèvres... »
Les années 1968-1972 furent une période de doute, entrecoupée de moments d'inaction, où sont apparus aussi quelques objets en volume. À ce sujet, on peut se rappeler une anecdote : alors qu'il était connu pour ses grands dessins peints au trait, un trait finement tracé au pinceau qui parcourt la toile blanche ou monochrome en tous sens, autour de 1968, de l'intérieur du comité du Salon de Mai, Alechinsky insista pour que Voss y soit nommé, parce que, disait-il, en cette période confuse Voss était encore de ceux qui travaillaient avec un pinceau ; or, peut-être pour fêter l'événement, au Salon suivant Voss exposa un grand œuf à la coque en volume. Dans cette période, on a vu prendre de plus en plus d'importance la ligne, se dévidant comme le fil d'une bobine, la « ligne en balade » selon Yves Michaud, ou lignes en pointillé, reliant les formes et les objets les uns aux autres, indiquant soit un lien de mouvement, soit un lien d'intention ; ces éléments linéaires finissent par se développer pour eux-mêmes et aboutissent à des figures géométriques menant une vie autonome ; ensuite, ce sont les objets et les personnages représentés qui prennent eux-mêmes un aspect linéaire, se réduisant à des signes d'écriture, élégants, peut-être un peu secs, donnant à l'ensemble du tableau un aspect très fini, qui peut faire penser aux compositions de Léopold Survage.
Autre anecdote : dans les premières années quatre-vingt, lorsqu'il exposait à la galerie Adrien Maeght, étant donc entre-temps revenu à des peintures au sobre graphisme et en outre ressortissant désormais à l'abstraction, même si tempérée par l'intervention fréquente de cryptogrammes, sur une injonction d'Adrien Maeght invoquant la tonicité des couleurs de Miro, Voss y présenta, lors de son exposition suivante, un ensemble de toiles largement brossées des couleurs les plus violentes.
Dans la suite, on pourrait dire que Jan Voss poursuit, non tant en alternance mais apparemment parallèlement, le développement, en force et en affirmation, des manières qui ont constitué ses périodes les plus prononcées : sa manière blanche, moins filiforme et austère qu'autrefois, dont les graffitis prolifèrent incisés dans une matière onctueuse ; sa manière graphique-géométrique, générant les séries de peintures ultérieures dont les couleurs sont domestiquées séparément dans les cases de damiers dont chacune enclôt un signe tracé avec rigueur ; sa manière expressionniste-chromatique, toujours aussi tonitruante, désormais plus technique, bourrée des idéogrammes d'un répertoire personnel ; sa période des collages et des tableaux-reliefs de 1988, à l'origine des sculptures, qui ne sont que les débordements hors cadre de son trop-plein chromatico-graphique. Ainsi, pour son exposition de 1995 *Face à face* à la galerie Lelong, il montrait à la fois des peintures renouant avec les dessins peints

au trait de ses années soixante et soixante-dix, et des sculptures, faites de quantité de fragments de bois de récupération, bariolés, assemblés par accumulation aléatoire ; son exposition *Au sens figuré* de 1997, à la même galerie Lelong, composée de peintures réalisées entre 1995 et 1997, donc en un laps de temps relativement bref, montrait en fait trois séries très distinctes, comme s'il avait voulu de nouveau retracer la trajectoire parcourue depuis les grandes toiles blanches narratives puis graphiques.
Dans cet important courant pictural des années soixante, que G. Gassiot-Talabot a justement qualifié de *Figuration Narrative*, et que l'on pourrait dire le « Post-Pop Européen », Voss a indéniablement apporté quelque chose de très personnel ; G. Gassiot-Talabot encore : « une manière qui lui appartient en propre : une gentillesse presque effacée, une modestie qui prend l'alibi d'un humour naturel, allant de soi, pour dire, par petites touches, tout un monde allégorique et farfelu où nous sommes brusquement surpris de retrouver le nôtre au moment où nous ne nous y attendions plus ». En fait, cette attache de Jan Voss au courant européen du pop art, toute authentique et attachante qu'elle fut, n'eut qu'un temps finalement assez bref. Ensuite, à travers ses perpétuelles dérives, où l'on peut même voir des contradictions, tout l'œuvre de Jan Voss participe généralement de l'abstraction, non d'une abstraction au forceps, mais d'une abstraction naturelle et qui s'accommode de graffitis peu décryptables. C'est à ce titre que Bernard Noël a pu écrire que le dernier état de sa peinture est « La Peinture en son dernier état ». On peut interpréter l'éventail des manières que Voss continue de pratiquer simultanément comme des terrains différents pour lui permettre de s'affronter, selon, avec la narration, la ligne, le vide, la matière, la couleur, la composition frontale, l'équilibre, le trop-plein, l'expansion en volume. Lui-même ne déclare-t-il pas : « Je me vois comme un type à multiples facettes, à goûts et désirs différents, comme nous le sommes tous... » Ce qui peut être avancé quant à l'évolution générale qui marque l'ensemble des récurrences de ses diverses manières, qui le font tel qu'il est dans sa diversité, c'est : d'une part l'affirmation croissante de ce qui peut être appelé une technique du remplissage, toujours plus de couleurs, toujours plus de graffitis, toujours plus de tout, chaque approfondissement à l'intérieur d'une des manières pouvant fertiliser les autres, comme l'indication d'un touchant scrupule de n'en pas faire assez, en un temps où, en effet, certaines pratiques plastiques ne sont pas pour rien dites minimalistes, d'autre part, de cette peinture protéiforme mais franche, directe, sans détours ni emphase, toujours volontaire mais dans la séduction, peut être aussi avancée l'affirmation croissante de son caractère décidément tonique. ■ Jacques Busse

Voss

Bibliogr. : Danièle Giraudy : Catalogue de l'exposition *Naissance d'une Collection-Cantini 69*, Musée Cantini, Marseille, 1969 – Gérald Gassiot-Talabot : *Jan Voss ou les métamorphoses de la narration*, Opus International, Paris, avril 1972 – in : *Diction. Univers. de l'Art Contemp.*, Le Robert, Paris, 1975 – Gérald Gassiot-Talabot : *La planète Voss*, in : Catalogue de l'exposition *Jan Voss « À portée de vue »*, ARC, Musée d'Art moderne de la Ville, Paris, 1978 – Yves Michaud : *Jan Voss. L'illusion du poids*, in : Catalogue de l'exposition, Galerie A. Maeght, Paris, 1981 – Anne Tronche : *Le Sismographe lunatique. Jan Voss, œuvres graphiques 1964-1982*, in : Catalogue de l'exposition, Galerie A. Maeght, Paris, 1982 – K. Yamaguchi : *Jan Voss. Un voyage idéal*, in : Catalogue de l'exposition, Galerie Satani, Tokyo, 1983 – Marie-Luise Syring : *La Fragilité du langage*, in : Catalogue de l'exposition, Galerie A. Maeght, Paris, 1983 – in : Catalogue de l'exposition *Écritures dans la peinture*, Villa Arson, Nice, 1984 – in : Catalogue de l'exposition *Cantini 84*, Musée Cantini, Marseille, 1984 – Bernard Noël : *Trajet de Jan Voss*, André Dimanche, Paris, 1985 – in : Catalogue de le Nouvelle Biennale, Paris, 1985 – J. Frémon : *Jan Voss. Du plan au relief*, in : Catalogue de l'exposition, Galerie Lelong, Paris, 1987 – in : Catalogue de l'exposition *L'Art moderne à Marseille. La Collection du musée Cantini*, Musée Cantini, Marseille, 1988 – Jean-Christophe Bailly : *Jan Voss ou la Crue des signes*, in : Catalogue de l'exposition *Jan Voss*, Repères n° 61, Galerie Lelong, Paris, 1989 ; in : *L'Art du xxe siècle*, Larousse, Paris, 1991 – Yves Michaud : Catalogue de l'exposition *Jan Voss*, Repères n° 81, Galerie Lelong, Paris, 1992 – Yves Michaud : *Retours, Versions, Œuvre*, Repères n° 95, Galerie Lelong, Paris, 1997.

Musées : Aix-la-Chapelle (Neue Gal.) : *Remèdes miracle* 1967 – Göteborg – Hanovre (Landesmus.) : *Dialogue de sourds* 1967 – Marseille (Mus. Cantini) : *Un soupçon de révolte* 1968 – *Sans titre* 1980 – Paris (FNAC) : *Lignes de force* 1985, grav./bois – Paris (BN) : *Landleben* 1984, litho. et bois en coul. – Stockholm – Wiesbaden – Wolsburg.

Ventes Publiques : Londres, 6 déc. 1978 : *Pressentiment* 1970, h/t (81x130) : **GBP 700** – Munich, 29 mai 1979 : *Chevaux* 1964, h/t (195x130) : **DEM 3 800** – Paris, 21 déc. 1981 : *Composition*, h/pap. mar./t (195x113) : **FRF 16 000** – Paris, 5 déc. 1983 : *Vitesse d'escargot* 1972, acryl./t (162x130) : **FRF 26 000** – Paris, 20 mars 1988 : *Somnambules* 1971, peint./t (97x146) : **FRF 57 000** – Copenhague, 4 mai 1988 : *Composition* 1978, aquar. et gche (80x120) : **DKK 27 000** – Paris, 17 juin 1988 : *Composition* 1977, acryl. et cr./pap. (98x147) : **FRF 45 000** – Copenhague, 8 fév. 1989 : *Enumération sentimentale* 1963, h/t (145x115) : **DKK 125 000** – Copenhague, 10 mai 1989 : *La galerie des ancêtres* 1961, h/t (114x147) : **DKK 140 000** – Paris, 12 juin 1989 : *Composition* 1972, acryl./t (53x82) : **FRF 43 000** – Copenhague, 20 sep. 1989 : *Trente sept idées pour un happening* 1966, h/t (195x130) : **DKK 160 000** – Le Touquet, 12 nov. 1989 : *Vorahnungen* 1970, h/t (81x130) : **FRF 105 000** – Copenhague, 22 nov. 1989 : *Une semaine* 1963, peint./pap./t (162x124) : **DKK 170 000** – Neuilly, 7 fév. 1990 : *Composition* 1957, h/t (50,5x45) : **FRF 50 000** – Londres, 22 fév. 1990 : *Le voyageur solitaire* 1968, h/t (131x164) : **USD 17 600** – Copenhague, 21-22 mars 1990 : *Les gestes qui remplacent les mots* 1962, h. et encre/pap./t (100x65) : **DKK 112 000** – Paris, 21 juin 1990 : *Composition* 1976, h/t (89x130) : **FRF 72 000** – Copenhague, 14-15 nov. 1990 : *A la surface de l'eau* 1985, acryl./pap./t (130x97) : **DKK 70 000** – Paris, 12 oct. 1991 : *Sans titre* 1985, gche aquar. et collage/pap./t (153x114) : **FRF 65 000** – Munich, 26-27 nov. 1991 : *Le petit chasseur* 1965, h/t (60x73) : **DEM 12 650** – Paris, 30 nov. 1991 : *Éclipse partielle* 1972, h/t (114x162) : **FRF 80 000** – Copenhague, 4 mars 1992 : *Composition* 1978, acryl./t (114x162) : **DKK 70 000** – Copenhague, 20 mai 1992 : *Composition* 1987, acryl. (146x114) : **DKK 90 000** – Paris, 21 mai 1992 : *Sans titre* 1981, cr. et encre (66x100) : **FRF 17 000** – Copenhague, 3 nov. 1993 : *Composition* 1982, acryl./t (113x1262) : **DKK 90 000** – Londres, 26 mai 1994 : *Formes incertaines* 1989, acryl. et cr. gras/t (113,5x145,5) : **GBP 6 325** – Paris, 12 oct. 1994 : *The higher, the better* 1969, acryl./t (46x65) : **FRF 17 000** – Copenhague, 7 juin 1995 : *Composition* 1973, h/t (130x195) : **DKK 32 000** – Paris, 22 nov. 1995 : *Composition* 1979, aquar./t (162x130) : **FRF 40 000** – Paris, 19 juin 1996 : *Sans titre* 1982, encre de Chine et lav./pap. (80x121) : **FRF 17 000** – Paris, 1er juil. 1996 : *Sans titre* 1989, acryl./t (195x130) : **FRF 42 000** – Paris, 29 nov. 1996 : *Composition* 1974, h/t (90x131) : **FRF 21 000** ; *Dans le bang du signe célèbre* 1970, h/t (114x195) : **FRF 31 000** – Copenhague, 29 jan. 1997 : *Des choses qui arrivent* 1964, craie grasse et h/t (148x113) : **DKK 80 000**.

VOSS Jan

Né en 1945 à Hildesheim. xxe siècle. Depuis 1977 actif en Hollande. Allemand.

Peintre, sculpteur.

Il vit et travaille à Amsterdam depuis 1977. Il séjourne régulièrement à Berlin et Reykjavik depuis 1980.
Il a également réalisé des livres d'artistes.

Bibliogr. : In : Catalogue de l'exposition *De Bonnard à Baselitz – Dix ans d'enrichissement du Cabinet des estampes 1978-1988*, Bibliothèque nationale, Paris, 1992.

Musées : Paris (BN) : *Bilder vom rauchenden Lauf* 1975, livre.

VOSS Johain

xvie siècle. Actif à Cologne. Allemand.

Peintre.

On peut l'identifier avec le Maître de la Mort de Maris.

VOSS Karl

Né le 5 novembre 1825 à Dunnwald. Mort le 22 août 1896 à Bonn. xixe siècle. Allemand.

Sculpteur.

Père de Karl Leopold Voss. Il travailla à Rome de 1850 à 1894. Le Musée de Cologne conserve de lui *Hébé donnant à boire à l'aigle*.

VOSS Karl

xixe siècle. Travaillant à Vienne de 1868 à 1871. Autrichien.

Peintre de natures mortes.

VOSS Karl Leopold

Né le 19 juillet 1856 à Rome. Mort le 21 novembre 1921 à Munich. xixe-xxe siècles. Actif aussi en Italie. Allemand.

Peintre de genre, paysages, natures mortes, dessinateur, illustrateur.

Il travailla en Italie et à Munich, où il avait étudié à l'académie sous la direction de Wilhelm von Lindenschmit le jeune.

Musées : Gorlitz : *Le Pèlerinage de Kevelaer* – Munich (Nouvelle Pina.) : *La Chambre des domestiques* – Prague (Gal. nat.) : *Couturières hollandaises*.

Ventes Publiques : Vienne, 15 juin 1971 : *Nature morte aux fleurs et aux fruits* : **ATS 45 000** – Vienne, 18 mai 1976 : *Jeune abbé sur une terrasse, Rome* 1888, h/t (38x23,5) : **ATS 10 000** – New York, 18 juin 1982 : *Jeune femme à son déjeuner*, h/t (51x46) : **USD 1 700**.

VOSS Ludwig

Né le 2 mai 1881 à Augsbourg. xxe siècle. Allemand.

Peintre de genre, portraits, figures.

Il fut élève de l'académie des beaux-arts de Munich. Il vécut et travailla à Cassel.

Musées : Dachau : *Paysans de Haute Bavière* – Kassel (Mus. mun.) : *Tête d'étude* – Marbourg : *La Femme de l'artiste*.

VOSSEN André Van de

Né en 1893. xxe siècle. Hollandais.

Peintre, graveur. Abstrait.

Il fut élève de l'École d'Art industriel de Haarlem, où il vécut et travailla.

Il participe à des expositions de groupe, à Amsterdam, La Haye, Bruxelles. À Paris, il a figuré au Salon des Réalités Nouvelles.

Après avoir étudié la lithographie, il commença à peindre en 1928. Parti d'un postimpressionnisme, il évolua lentement vers l'abstraction, à quoi il aboutit en 1946. Ses peintures, d'un langage abstrait assez international dans les années de l'après-guerre, faites de surfaces en aplats se détachant sur le fond, rappellent la technique de la lithographie.

Bibliogr. : Michel Seuphor : *Diction. de la peint. abstr.*, Hazan, Paris, 1957.

VOSSINIK J. P. ou **Vossenik** ou **Wossenik**

xviiie siècle. Travaillant à Paris vers 1760. Français.

Graveur au burin.

Il grava d'après Brion de la Tour et Ph. Caresme.

VOSTELL Wolf

Né le 14 octobre 1932 à Leverkusen. Mort le 3 avril 1998 à Berlin. xxe siècle. Depuis 1955 actif aussi en France et en Espagne. Allemand.

Peintre, technique mixte, dessinateur, graveur, sculpteur, sculpteur d'assemblages, auteur de performances, créateur d'installations. Groupe Fluxus.

De 1939 à 1945, il fut pris dans une perpétuelle migration consécutive à la guerre. De 1950 à 1953, il apprit les techniques d'impression du livre et de l'image dans une imprimerie de Cologne, pratiquant la photolithographie. En 1954, il fut élève de l'École des Arts Appliqués de Wuppertal, en 1955-1956 de l'École des Beaux-Arts de Paris. En 1957, il fréquenta l'Académie des Beaux-Arts de Düsseldorf. En 1969, il participe à la fondation du laboratoire de recherches acoustiques et visuelles à Cologne. Il vit et travaille à Berlin, Paris et Cacérès (Espagne), où il a créé le musée d'art conceptuel Vostell Malpartida.

Il participa à environ cent vingt expositions collectives entre 1961 et 1970. Il montra environ une vingtaine d'expositions personnelles de ses travaux de 1958 à 1970, puis : 1971 Staatsgalerie de Stuttgart ; 1979 musée national de Belem à Lisbonne ; 1980 Kunstverein de Brunswick ; 1988 musée de Strasbourg ; 1990 fondation Mudima à Milan ; 1992 Goethe Institut à Paris ; 1994 inauguration du musée de Malpartida de Caceres (Estrémadure), destiné au mouvement Fluxus ; en 2001 est prévue une rétrospective au Martin Gropius-Bau de Berlin. En 1997 lui fut attribué le Prix Hannah Hoech.

En 1956, à Paris, il découvrit le procédé du décollage d'affiches déchirées, pratiqué par Hains, La Villeglé, etc., qu'il pratiqua sur un mode légèrement personnalisé. En 1958, Vostell travaillait comme assistant du célèbre dessinateur d'affiches Cassandre, qui venait de publier un livre sur ses affiches de théâtre placardées sur les murs : « Le théâtre est dans la rue » ; Vostell lui emprunta ce titre pour désigner son activité de décolleur d'affiches lacérées. À partir de 1959, expérimentant le pouvoir de suggestion des mass media, il composa des sortes de sketches donnant des ordres au public d'une télévision sans images. Surtout, à partir de son premier happening *Cityrama*, dans les rues de Cologne, en 1961, son activité s'est principalement déployée depuis en organisation de très nombreux happenings, ou happenings-environnements, entre autres à Milan, Cologne, Wuppertal, Ulm, Berlin, New York, Copenhague, Barcelone, Hambourg, Munich, Londres, Chicago. Dans le même temps, il matérialise, à la façon des artistes conceptuels, certaines de ces interventions, ou de ces mises en scène, sous forme de collages, pouvant faire l'objet d'expositions destinées au public du circuit marchand. Certains de ses assemblages, certaines de ses interventions ont certainement été influencés par la présence à Düsseldorf de l'un des précurseurs de l'art pauvre et de l'art conceptuel : Joseph Beuys. En 1962, Vostell avait été l'un des co-acteurs de la démonstration-happening *Fluxus*, qui fut montrée à Wiesbaden, Copenhague et Paris. En 1963, il réalisa son premier film, bientôt suivi d'autres : *Sun in your head*. En 1965, il publia, en collaboration avec Jürgen Becker, un volume de documentation sur *Happening Fluxus, Pop'Art, Nouveau Réalisme*. En 1969, il fonda, avec Kagel, Feussner, Heubach, le groupe de recherche « Labor », à Cologne. Parmi ses nombreuses démonstrations, on cite, de 1969, *Trafic paralysé*, dont il a réalisé une version à Cologne et une à Chicago, consistant en une voiture complètement prise dans un bloc de béton coulé. Cette technique de l'effacement de quelque chose, est assez caractéristique de l'ensemble de ses démarches, depuis le lacérage des affiches. Sous forme de collages-projets (conceptuels), il a ainsi « bétonné » un avion de bombardement *B 52*, le centre de Paris, des télévisions, etc. Niant la réalité des notions de beau et de laid, au profit de la réalité de l'existence, il considère que ses diverses interventions sont des actes créateurs, qui donnent à voir des nouvelles réalités destinées à provoquer la réflexion, ce qui lui semble la fin même des activités artistiques. Quant à évaluer l'importance de cet artiste dans le contexte de son temps, ce ne sera pas facile si l'on se réfère à deux échos issus de sources le mieux à même d'en saisir le plein sens : dans *Chroniques de l'Art Vivant* : « Après quinze années marquées d'une prodigieuse activité, présent sur tous les terrains où s'élabore l'art de demain... Au cours de ses recherches fiévreuses dont le décryptage psychanalytique et sémiologique ne manquerait pas de livrer de surprenants résultats, Vostell a anticipé d'une décennie les recherches actuelles des tenants du Land Art, de l'art technologique, du Conceptual Art ». Tandis que Pierre Restany : « L'Allemand Vostell, renonçant à ses malaxages et à ses triturages, convie le public, illustrations photographiques à l'appui, à aller admirer les hauts lieux de ses rencontres inspirées : coins de mur, emplacements d'affichage... Après quelques mois d'exploitation du filon affichiste, il rétrograde pour découvrir (à des fins de publicité strictement personnelles) les sources mêmes de l'aventure... Après avoir systématisé l'idée de décollage, Vostell en a fait un rituel d'action, se rapprochant ainsi de la notion de *happening* chère à l'Américain Allan Kaprow. À la tête du groupe allemand Fluxus, il est, avec J.-J. Lebel en France, l'un des protagonistes européens de ce genre d'expression de synthèse, qui tient à la fois de l'art d'assemblage et du psychodrame. »

Depuis les années soixante-dix, Vostell poursuit dans la même veine son travail provocateur, multiforme, mettant en scène, à partir de moyens divers – photographies, vidéos, peintures, dessins érotiques, objets, happenings, livres, pièces radiophoniques, scénarios – la destruction, les expériences atomiques, les guerres et grands événements de ce siècle, notamment, dans les années quatre-vingt-dix, la chute du mur de Berlin et la réunion des deux Allemagnes. Cette œuvre engagée, obsessionnelle, profondément marquée par le massacre nazi, s'inscrit pleinement dans l'histoire, et interroge les conditions de création de l'artiste aujourd'hui (interrogation que l'on retrouve chez de nombreux créateurs allemands en particulier), après Auschwitz.

■ J. B., L. L.

Bibliogr. : Pierre Restany : *Les Nouveaux Réalistes*, Planète, Paris, 1968 – X... : *Vostell. L'âge du décollage*, Chroniques de l'Art Vivant, Paris, décembre 1970 – in : Catalogue de l'exposition *Écritures dans la peinture*, Villa Arson, Nice, 1984 – in : Catalogue de l'exposition *L'Art moderne à Marseille. La Collection du musée Cantini*, Musée Cantini, Marseille, 1988 – Laurence Debecque-Michel : *Vostell. Le Dé-coll/age philosophie de l'art et de la vie*, Opus International, n° 112, Paris, février-mars 1989 – Jean Paul Fargier : *Wolf Vostell*, Art Press, n° 151, Paris, oct. 1990 – in : *Dict. de l'art mod. et contemp.*, Hazan, Paris, 1992.

Musées : Aix-la-Chapelle (Neue Gal.) : *Cigales* 1969-1970 – Amsterdam (Stedelijk Mus.) – Barcelone (Fond. Miro) – Berlin (Gal. nat.) : *E. d. H. R. (Elektronisher dé-coll/age-Happening Raum* 1968 – Cologne (Mus. Ludwig) – Marseille (Mus. Cantini) : *B 52* 1968 – Montréal (Mus. des Beaux-Arts) : *Sans Titre* 1973, litho. – Paris (Mus. nat. d'Art mod.) – Paris (BN) : *Saïgon* 1969, sérig. en gris et noir – Vienne (Mus. d'Art mod.) : *Heuschrecken (Sauterelles)* 1969-1970.

Ventes Publiques : Londres, 5 juil. 1973 : *Kennedy before Corham* : **GBP 1 200** – Rome, 4 avr. 1974 : *VS/DDLG-10-Se* 1972 : **ITL 1 400 000** – Paris, 5 avr. 1987 : *Archai 6* 1981, cr. et past./pap. (70x100) : **FRF 8 500** – Paris, 20 jan. 1991 : *Zyklus mania : démonstration* 1973, techn. mixte dans une boîte (40,5x30x11,7) : **FRF 35 000** – New York, 14 nov. 1991 : *Psychogrammes* 1964, cr., fus., tranfert au solvant, stylo bille et h/pap. (49,5x64,8) : **USD 8 250** – Paris, 23 mars 1992 : *Tauromaquia con quadrado de oro 4* 1989, cr. et feuille d'or/pap. (35x50) : **FRF 7 500**.

VOSTER Andreas. Voir **VORSTER**

VOSTERMAN. Voir **VORSTERMAN**

VOSTOKOV Eugène

Né en 1913 à Moscou. xxe siècle. Russe.

Peintre de paysages.

En 1933 il termine ses études à la faculté d'histoire spécialisée dans la critique d'art à l'Académie des peintres de Léningrad et étudie à l'école des Beaux-Arts. Il est à la fois peintre et professeur titulaire de la chaire de Culture et d'Art, il écrit également des ouvrages sur l'art figuratif. Il effectue de nombreux voyages notamment à Paris, Prague, Rome, Venise...

Il montre ses œuvres dans des expositions personnelles en Tchécoslovaquie, en Allemagne et Grande-Bretagne.

Il restera attaché à des peintres traditionnels tels que : Vassiliev, Leviatin, Korovine.

Ventes Publiques : Paris, 19 avr. 1993 : *L'automne aux environs de Moscou*, h/cart. (40x49) : **FRF 3 500**.

VOSTRE Simon

Mort le 4 juin 1521. xvie siècle. Travaillant à Paris. Français.

Imprimeur, éditeur et peut-être miniaturiste et graveur sur bois.

Vostre, à la fin du xve siècle et au début du xvie imprima sur velin des livres d'heures, illustrés de gravures sur bois (certains experts disent sur métal). Les ouvrages sont rehaussés d'initiales et d'enluminures à la main : les gravures sont également mises en couleurs. Pour un œil non exercé l'effet est très voisin de celui des anciens manuscrits. On croit que Simon Vostre était non seulement l'imprimeur et l'éditeur de ces ouvrages, mais qu'il faisait aussi les bois et les miniatures servant à leur illustration. On voit de lui au Musée de Cluny, trois de ces volumes : 1e *Heures imprimées sur vélin, à gravures sur bois avec vignettes, initiales et encadrements. Reliure du temps, dorée au petit fer, avec le nom de Louise Salivet*, 1512 ; 2e *Heures imprimées sur vélin, ornées de gravures sur bois, vignettes et encadrements et initiales en couleurs – Reliure du temps à la date* 1512 ; 3e *Heures du même genre, reliure du temps, dorée et frappée au petit fer avec le nom de la propriétaire, Catherine Lepeutre*.

VOTIS Ambrogio de

xve siècle. Travaillant à Milan en 1461. Italien.

Peintre.

VOTOCEK Heinrich

Né le 8 décembre 1828 à Forst (près de Hohenelbe). Mort après 1860. xixe siècle. Autrichien.

Sculpteur.

Il fit ses études à Dresde et à Prague. Il sculpta des sujets religieux.

VOU C. de

xviiie siècle. Hollandais.

Miniaturiste.

VOU J. de

xviiie siècle. Hollandais.

Sculpteur.

Il exécuta une épitaphe dans l'église Saint-Laurent de Rotterdam en 1705.

VOUCANOVITCH. Voir **WUKANOVITCH**

VOUCLAIR Hennequin et **Therrion**. Voir **VANCLAIRE**

VOUDABLE Thévenin

xive siècle. Français.

Peintre.

Il a peint, en 1383, *Adoration des Rois* dans l'église de Mazerier.

VOUET Aubin

Né le 13 juin 1595 à Paris. Mort le 1er mai 1641 à Paris. xviie siècle. Français.

Peintre d'histoire.

Fils cadet de Laurent Vouet, frère et élève de Simon Vouet. Il alla en Italie, probablement rejoindre son frère ; la tradition rapporte qu'il l'aida dans ses travaux. Il convient de remarquer qu'il revint en France avant son aîné, puisqu'on le cite épousant à Paris en 1625, Nicole Boulet ou Boulay, qui accoucha le 11 décembre 1627, d'un fils qu'on nomma Henri. Le ménage habitait alors la rue Saint-Antoine. Le 28 septembre, naissance, rue de l'Égyptienne, d'une fille, Michelle, le 27 octobre 1631, d'un second garçon. Louis, et enfin le 7 novembre 1636 est baptisé un troisième fils, Claude. Simon ne revint à Paris qu'après 1627. Aubin, mort relativement jeune, est considéré par Mariette, dont on aime toujours à chercher le témoignage, comme peintre de valeur. Michel Lasne a gravé d'après lui un *David*, un *Saint Étienne*, une *Tête de sainte Catherine* et un *Saint Philippe*. Michel Dorigny reproduisit de lui *L'Abondance*. En 1639, il peignit le Mai de Notre-Dame. On le cite encore peignant dans le cloître des feuillants, plusieurs épisodes de la *Vie de saint Bernard*. Il signait d'une grosse écriture : A. Vouet, avec paraphe. On voit de lui au Musée de Lyon une œuvre, et à celui de Nantes, *Moine ressuscitant ou bénissant un mort*.

VOUET Claude

Né à Paris. xvie siècle. Français.

Peintre.

Jeune frère de Simon Vouet et son élève. Il le forma à Rome, comme Aubin Vouet, et l'employa dans ses travaux. Claude Vouet serait revenu en France avec ses frères. M. Herlinson, dans son intéressant ouvrage : *Actes d'état civil, d'artistes français*, émet un doute sur l'existence de ce peintre et suppose que les biographes, qui le citent l'auraient confondu avec un fils d'Aubin Vouet, Claude, baptisé le 7 novembre 1636. La question semble tranchée en faveur de la tradition : Jal, dans son remarquable dictionnaire, mentionnant une fille de Claude, baptisée en 1631 et qui eut pour marraine, la première femme de Simon Vouet, Virginia da Vezzo, écrit : « Cette fille mourut, âgée de 79 ans le 19 février 1710 et fut inhumée dans la chapelle de Notre-Dame des Vertus de l'église Saint-Honoré, en présence de son cousin Isaac François Veret, receveur général des domaines et bois de Sa Majesté, dans la généralité de Moulins ».

VOUET Jacob Ferdinand. Voir **VOET**

VOUET Jacques ?

xvie siècle. Français.

Peintre.

Le Dictionnaire Bellier de la Chavignerie, et le copiant, le *Bryan's Dictionary of Painters* parlent d'un Jacques Vouet, fils et élève de Simon Vouet. Reçu académicien le 29 novembre 1664. Nous croyons qu'il y a là deux erreurs. D'abord des sept enfants de Simon Vouet, quatre de sa première femme Virginia de ou da Vezzo (Françoise, Jeanne Angélique, Laurent, Louis René) et trois de sa deuxième femme Radegonde Béranger (Isaac-François Alexandre et Radegonde), un seul, Louis René, fut peintre (*voir ce nom*). Quant à la réception à l'Académie du prétendu « Jacques Vouet », il s'agit en réalité de Jacques Fouet, membre de la maîtrise qui fut exclu de l'Académie pour pas avoir satisfait aux charges de sa réception. Simon Vouet tient dans l'histoire de la peinture française une place trop considérable pour que tout ce qui touche sa famille ne mérite pas d'être noté.

VOUET Laurent

Mort le 12 mars 1538 à Paris. xvie siècle. Français.

Peintre ornemaniste.

Père de Simon Vouet. Il demeurait rue des Billettes et était marié à Marie Bouqueton. Laurent Vouet eut le brevet de peintre des écuries d'Henri IV. Il paraît par la nature des travaux mentionnés dans les comptes royaux que cet artiste était plutôt peintre d'ornements, d'écussons et de bannières, sinon entrepreneur de peintures. Son petit-fils Laurent Madeleine Vouet, fils de Simon, lui succéda dans son commerce le 9 septembre 1625.

VOUET Louis René

Né en 1638 à Paris. xviie siècle. Français.

Peintre.

Fils et élève de Simon Vouet. Il est parrain et cité comme peintre le 14 avril 1658.

VOUET Simon

Né le 9 janvier 1590 à Paris. Mort le 30 juin 1649 à Paris. xviie siècle. Français.

Peintre d'histoire, scènes mythologiques, sujets allégoriques, compositions religieuses, portraits, dessinateur. Classique, caravagesque, puis baroque.

Simon Vouet était le fils de Laurent Vouet, « peintre des Écuries du Roi » sous Henri IV. Ses dons furent si précoces que l'on sait par Mariette, ce qui est confirmé par Walpole, qu'il fut appelé en

Angleterre à l'âge de quatorze ans, pour y peindre le portrait d'une dame de la société française qui y était réfugiée. Il semble qu'il exerça l'activité de portraitiste pendant quelque temps dans la capitale anglaise. Walpole affirme que Charles Ier chercha plus tard à se l'attacher. Selon Mariette, il aurait exécuté pour le roi d'Angleterre, une grande composition destinée à un plafond du palais d'Oatland, et qui fut gravée. En 1611, Vouet aurait accompagné l'ambassadeur en Turquie, M. de Harlay de Sausay, jusqu'à Constantinople. Quittant cette ville à la fin de 1612, Vouet, s'étant arrêté à Venise, arriva à Rome en 1613. Il y restera jusqu'en 1627 et sa réputation s'y établit solidement. En 1618, on sait qu'il était lié avec Claude Vignon, ainsi qu'avec de nombreux peintres de la colonie française. Sa réputation grandissant, il fut appelé, en 1620, à Gênes, pour y décorer le palais de la famille Doria. Il était de retour à Rome en 1624. Son protecteur, le cardinal Barberini, étant devenu le pape Urbain VIII, sa fortune en fut encore accrue. Le nouveau pape lui fit exécuter son portrait. Vouet avait ouvert, via Ferratina, une école de peinture d'après le modèle vivant. Il était alors considéré comme le chef de file des peintres français à Rome et, le succès attirant le succès, les nouveaux arrivants s'efforçaient d'être introduits auprès de lui. En 1624, il fut nommé à la charge de Prince de l'Académie de Saint-Luc, charge qu'il occupa jusqu'à son départ de Rome en 1627. En effet, sa réputation étant arrivée jusqu'à Paris, Louis XIII, très artiste lui-même et dont le caractère austère lui faisait particulièrement apprécier l'art sévère des caravagesques, le fit appeler à Paris par Richelieu, afin de lui confier d'importants travaux. Avant de quitter l'Italie, Vouet voulut revoir Gênes et Venise, et on le cite dans ces deux villes en 1627. Il rentra à Paris avec sa jeune femme Virginia et sa fille Françoise, née à Rome, ainsi qu'en compagnie de quelques-uns de ses élèves, parmi lesquels J.-B. Mola et Lhonne de Troyes. Le roi le logea au Louvre, le nommant « Premier peintre du roi », le pensionna largement et lui soumit des commandes. Louis XIII fut même son élève. Vouet lui apprit à manier les pastels et à saisir la ressemblance des personnes. Lorsque le roi et Richelieu, par l'intermédiaire du surintendant Sublet de Noyers, réussirent à convaincre Poussin de revenir à Paris, en 1640, et que celui-ci, installé dans le pavillon des Tuileries, fut à son tour l'objet des faveurs de la cour, la carrière officielle de Vouet en fut éclipsée (et sa jalousie assez active à l'encontre de Poussin). Entre le nouveau départ de Poussin pour Rome en 1642 et la mort de Vouet en 1649, celui-ci recouvra la faveur de la cour, en particulier celle, après la mort du roi en 1643, de la régente Anne d'Autriche.

Selon le cas le plus général pour ce qui concerne les grands artistes du passé, et sauf solennelles exceptions, pour voir les œuvres de Simon Vouet, il n'est guère d'autre possibilité que d'aller à l'encontre des musées. Toutefois, en 1990, les Galeries nationales du Grand Palais ont pu organiser la première grande exposition d'ensemble *Simon Vouet (1590-1649)* ; en 1996 à Coutances, le Musée Quesnel-Morinière a réuni autour de quelques œuvres de Vouet lui-même bon nombre d'œuvres de son entourage, mettant ainsi en évidence l'influence qu'il exerça sur la peinture française de son époque.

D'abord peintre de portraits, puis de compositions religieuses et de scènes de genre, sa carrière romaine fut très influencée, pendant une dizaine d'années, par le réalisme et la « manière noire » du Caravage. Parmi les peintures les plus caractéristiques de cette époque, on cite deux scènes, *La vêture* et *La tentation de saint François*, à San-Lorenzo di Lucina à Rome ; *La diseuse de bonne aventure*, vers 1618, actuellement à Ottawa ; *David avec la tête de Goliath*, ces deux derniers sujets typiquement caravagesques ; le *Portrait d'homme*, d'Arles, qui est peut-être un autoportrait ; *La naissance de la Vierge*, à l'église San Francesco a Ripa de Rome, etc.

À Gênes, dans sa manière noire encore, il y peignit le *Portrait de Jean-Charles Doria*, et le *Portrait de Marc-Antoine Doria*. De retour à Rome, en 1625, il peignit *Le mariage de sainte Catherine*, qui fut gravé par son ami Claude Mellan, qui avait déjà gravé le portrait qu'il avait peint du pape Urbain VIII, et qui grava encore un joli portrait de la jeune femme peintre Virginia da Vezzo, que Simon Vouet épousa en 1626, et qu'il représenta ensuite dans plusieurs *Madones*, notamment dans *La Vierge à la rose*, du Musée de Marseille. La protection du pape lui valut la commande, pour la chapelle de Saint-Pierre du Vatican, de *Saint Jean Chrysostome, saint François d'Assise et saint Antoine de Padoue, entourés d'un chœur d'anges* ; Mariette a fait le plus grand éloge de cette œuvre, qui fut malheureusement détruite alors qu'on tenta maladroitement de la détacher du mur pour la reproduire en mosaïque. Dans le même temps, il peignait une *Cène* pour l'église de Lorette.

C'est encore à peu près à l'époque de son mariage – ce qui ne veut pas dire qu'il y faut en voir la cause – que Vouet peignit son dernier tableau dans la manière sombre des « tenebrosi » : *L'Intelligence, la Mémoire et la Volonté*, au Musée du Capitole de Rome, en même temps que son premier dans la nouvelle manière claire qu'il va désormais propager : *L'Allégorie des Beaux-Arts*, à la Galerie nationale de Rome. Après avoir, durant une dizaine d'années, professé la leçon de naturalisme et de luminisme en mise en scène et éclairage de clair-obscur, selon le vaste courant caravagesque, ensuite, sous l'influence du Guide, des Vénitiens, du baroquisme de Lanfranco, il éclaircit sa palette et élabora ce style décoratif qui, avec le déclin du caravagisme, va définir pour environ vingt-cinq ans l'esprit de l'école française. D'autant que l'action de Vouet se trouvait immédiatement amplifiée, du fait de la présence à ses côtés de nombreux élèves. Louis Dimier, dans son *Histoire de la Peinture Française*, voit dans ce retour de Simon Vouet à Paris, l'un des moments cruciaux de l'évolution de la peinture française, à cause des influences italiennes que son enseignement et son rayonnement vont propager désormais auprès des jeunes peintres, ainsi qu'à cause de la tradition du séjour à Rome, qui va s'instaurer à partir de son exemple. Des très importants travaux de grande décoration qu'il exécuta alors, la plupart sont aujourd'hui détruits, sauf le *Nymphée* du château de Wideville. Il travailla au Palais du Luxembourg, pour la reine-mère ; au château de Rueil, pour le cardinal de Richelieu ; au Palais Royal. En 1634, il peignit aussi la Galerie de l'Hôtel de Bullion, qui fut fameuse ; il peignit encore la Galerie du château de Chilly pour le maréchal d'Effiat, en 1635 ; la Galerie du duc d'Aumont, la chapelle Séguier ; un plafond de l'Hôtel de Bretonvilliers ; des décorations aux châteaux de Chessy, de Saint-Germain-en-Laye, etc. La plupart des églises de Paris et bon nombre de celles de la proche banlieue, reçurent de ses peintures. Il peignit encore les portraits d'un grand nombre de seigneurs de la cour. Il peignit plusieurs portraits de Louis XIII.

Son atelier était fréquenté par les jeunes peintres qui allaient devenir les plus célèbres du XVIIe siècle : Charles Le Brun, Eustache Le Sueur, François Perrier, Pierre Mignard, Nicolas Chaperon, Charles Poerson, Dorigny le père, Louis et Henri Testelin, Alphonse de Fresnoy. Selon l'usage du temps en ce qui concernait l'atelier d'un maître surchargé de commandes et particulièrement de commandes monumentales, la plupart de ses élèves furent ses collaborateurs et il est compliqué aujourd'hui de dire lesquelles œuvres sont véritablement autographes, tant les élèves s'appropriaient remarquablement sa manière. Outre son enseignement direct, son action s'étendait grâce à la gravure, car presque toutes ses œuvres étaient gravées. Cette action a ceci de particulier, c'est d'avoir replacé la peinture française sous la dépendance de Raphaël et surtout de ses continuateurs, des Carrache et de l'Académie, alors que le même Vouet avait, quelque vingt ans auparavant, été l'un des plus ardents propagateurs du langage musclé et du message contestataire du Caravage. Son action nouvelle fut encore amplifiée par celle de son élève Charles Le Brun, qui allait bientôt régenter tout ce qui touchait à la peinture en France. Si les œuvres de sa période claire, « baroque », touchent moins, on y compte cependant encore d'harmonieuses compositions : la *Diane*, de Somerset House à Londres ; *La Richesse*, du Louvre ; *Le Temps vaincu*, du Prado, qui date de 1627.

Quand Poussin, démoralisé par les intrigues, reprit le chemin de Rome en 1642, Vouet eut encore à décorer le Palais Royal, le château de Fontainebleau. Devant mourir en 1649, il rédigeait son testament en 1648, le jour même qui précéda la fondation, sous l'autorité du Conseil de la Régence, de l'Académie Royale de Peinture et de Sculpture, qui consacrait l'esprit de son enseignement, qui réunissait tous ceux qui avaient été ses élèves, et dont il ne fit pourtant pas partie. Après avoir été un brillant disciple du Caravage, Simon Vouet peut être considéré comme le créateur du style baroque français. L'auteur des immenses tableaux d'autel ou des cycles de tapisseries n'est pas qu'un grand décorateur. Les dessins préparatoires autographes confirment un génie volontaire et savant ; le rendu en peinture de la texture des velours ou des soieries révèle la sensualité d'un peintre qu'on dit parfois froid ; sa manière claire était tout sauf « plâtreuse », qui osait des heurts inouis de bleus et de jaunes éclatants ; l'aspect cassant de leurs plis compense le gracieux de l'envol des draperies qui ponctuent la mise en scène de la composition ; l'en-

semble de ces caractères qui constitue le style de Simon Vouet dépasse ce qui ne serait qu'un seul maniérisme baroque.
■ Jacques Busse

Bibliogr. : H. Dussieux : *Les artistes français à l'étranger*, Paris, 1876 – Dussieux, Soulié, Ph. de Chennevières, Paul Mantz, A. de Montaiglon : *Mémoires inédits sur la vie et les ouvrages des membres de l'Académie Royale de Peinture et de Sculpture*, Paris, 1887 – L. Demonts, in : *Bulletin de la Société de l'Histoire de l'art français*, Paris, 1913 – Hermann Voss : *Zeitschrifft für bildende Kunst*, 1924 – Catalogue de l'exposition : *Les peintres de la réalité en France au xviie siècle*, Musée de l'Orangerie, Paris, 1934 – W.-R. Crelly : *The painting of Simon Vouet*, New Haven, 1962 – Sarane Alexandrian, in : *Diction. de l'Art et des Artistes*, Hazan, Paris, 1967 – Catalogue de l'exposition : *Valentin et les caravagesques français*, Galeries nationales du Grand Palais, Paris, 1974 – Jacques Thuillier, divers : Catalogue de l'exposition *Simon Vouet, 1590-1649*, Galeries nationales du Grand Palais, Paris, 1991.

Musées : Amiens : *La Madeleine* – Angoulême : *Loth et ses filles* – Arles (Mus. Réattu) : *Portrait présumé du peintre* – Avignon : *La Vierge assise au pied de la croix* – Bayonne : *La Charité romaine* – Bergame : *Jeune homme en armure* – Bergues : *Tête de Christ* – Berlin : *Annonciation* – Besançon : *Visitation – Mort de sainte Madeleine* – Bologne : *Mise au tombeau* – Brunswick : *Le soldat* – Bruxelles : *Saint Charles Borromée priant pour les pestiférés de Milan – Anges déposant le corps du Christ* – Budapest : *Apollon et les Muses – Vénus* – Cherbourg : *Cérès foulant aux pieds les attributs de la guerre* – Coutances (Mus. Quesnel-Morinière) – Dijon : *Le Christ sur le linceul – Le bain – Portrait d'homme* – Dole : *Mort de Didon – Mort de Lucrèce* – Douai : *Saint Étienne en extase* – Dresde : *Apothéose de saint Louis* – Épinal : *L'Histoire – Le Christ porté au tombeau* – Florence : *L'artiste – Annonciation* – Glasgow : *Annonciation* – Grenoble : *Tentation de saint Antoine – Repos en Égypte* – Gubbio : *Saint Guillaume d'Aquitaine* – Hampton Court : *Diane* – Innsbruck : *J.-B. Colbert* – Kassel : *Sophonisbe reçoit le poison* – Lyon : *Christ en croix – L'Amour et Psyché – L'artiste* – Madrid (Prado) : *La Vierge et l'Enfant* – Le Mans : *Sainte Véronique tendant le saint suaire* – Marseille : *La Vierge et l'Enfant*, deux œuvres – Montpellier : *La Prudence* – Moscou : *Annonciation* – Munich : *Judith* – Nancy : *L'Amour qui se venge – Nymphe essayant les flèches de l'Amour* – Nantes : *Apothéose de saint Eustache – La Paix – Salutation angélique* – Naples : *Ange*, deux œuvres – Orléans : *Nymphe assise dans un bosquet et qu'un jeune homme regarde* – Ottawa : *La diseuse de bonne aventure* – Paris (Mus. du Louvre) : *Charité romaine – Présentation de Jésus au Temple – Vierge, Enfant Jésus et saint Jean – Christ en croix*, deux œuvres – *Christ au tombeau – Louis XIII – Allégorie de la Richesse – La Foi – La Victoire debout tenant une couronne de laurier – L'Éloquence – La chaste Suzanne* – Paris (Mus. Carnavalet) : *Michel Le Masle* – Porto : *Martyre de saint Barthélemy* – Rome (Borghèse) : *Portrait d'une modiste* – Rome (Mus. Capitolin) : *Raison, Mémoire, Volonté* – Rome (Gal. Barberini) : *Le pape Urbain II* – Rome (Gal. Corsini) : *Salomé avec la tête de saint Jean-Baptiste* – Rouen : *Apothéose de saint Louis* – Saintes : *Adoration des mages (Ermitage)* : *Vierge et Enfant Jésus*, deux œuvres – *Vénus et Adonis – Mort de Lucrèce – Hercule entre le Vice et la Vertu* – Saint-Pétersbourg – Schwerin : *Madone et l'Enfant* – Sibiu : *Saint Sébastien* – Strasbourg : *Loth et ses filles* – Stuttgart : *Loth et ses filles* – Toulouse : *Invention de la vraie croix – Le serpent d'airain* – Tournus : *Siméon* – Troppau : *Judith et la servante* – Turin (Albertina) : *Achille parmi les filles du roi Lycomède* – Turin (Pina.) : *Mariage du Dessin et de la Couleur* – Valenciennes : *Saint Étienne en prière* – Versailles : *Salle de Mars – La Justice, La Tempérance, la Force et la Prudence* – Vienne : *Judith et la tête d'Holopherne*.

Ventes Publiques : Paris, 1767 : *La Vierge et l'Enfant Jésus* : **FRF 300** – Paris, 1792 : *Pan poursuivant Syrinx* : **FRF 600** – Paris, 1863 : *Portrait de Louis XIII et celui d'Anne d'Autriche* : **FRF 2 820** – Paris, 1892 : *La Fortune* : **FRF 1 800** ; *La naissance de l'Amour* : **FRF 1 900** – Paris, 1900 : *Portrait de gentilhomme*, dess. : **FRF 355** – Paris, 11 avr. 1924 : *La Vierge, l'Enfant et d'autres saints personnages*, pl., reh. d'aquar. : **FRF 1 900** – Paris, 23 jan. 1928 : *La Vierge, l'Enfant et l'Ange* : **FRF 3 700** – Paris, 28 nov. 1928 : *Étude de naïade*, dess. : **FRF 4 200** – Paris, 10 fév. 1938 : *La Vierge au rameau* : **FRF 3 600** – Paris, 15 mars 1943 : *Sainte Famille* : **FRF 4 500** – Paris, 6 déc. 1946 : *Sainte Famille* : **FRF 400 000** – Paris, 2 déc. 1948 : *L'Ange de l'Annonciation*, pl. et bistre : **FRF 4 000** – Zurich, 27 et 28 nov. 1952 : *Tête d'homme* : **CHF 400** – Londres, 24 juin 1959 : *Un hallebardier* : **GBP 1 200** – Londres, 20 mars 1964 : *La fuite en Égypte* : **GNS 800** – Milan, 24 nov. 1965 : *Judith* : **ITL 3 400 000** – Londres, 27 nov. 1970 : *Glorification d'un saint*, esquisse pour une lunette : **GNS 1 600** – Paris, 28 nov. 1972 : *La naissance de Callisto* : **FRF 320 000** – Paris, 6 juin 1978 : *Marie-Madeleine repentante* vers 1630, h/t (142x103) : **FRF 730 000** – New York, 4 juin 1980 : *Diane chasseresse et Pan*, h/t (112x85) : **USD 45 000** – Londres, 23 mars 1982 : *Étude d'homme drapé vu de dos (recto) ; Un ange (verso)*, craies noire et blanche/pap. bleu (37x24,5) : **GBP 8 500** – Paris, 5 mars 1982 : *Allégorie de la Fortune*, h/t (150x117) : **FRF 2 100 000** – Londres, 30 nov. 1983 : *Vierge à l'Enfant*, h/t, de forme ronde (diam. 94) : **GBP 34 000** – Paris, 2 mars 1984 : *Tête de femme*, pierre noire et craie blanche/pap. gris (18x13,2) : **FRF 27 500** – Londres, 12 déc. 1986 : *Saint Jean l'Évangéliste*, h/t, de forme octogonale (74x59) : **GBP 55 000** – Paris, 14 déc. 1987 : *Marie-Madeleine repentante* vers 1630, h/pan. (142x103) : **FRF 2 300 000** – New York, 15 jan. 1988 : *Vierge à l'Enfant*, h/t (circulaire diam.92,7) : **USD 110 000** – Londres, 8 juil. 1988 : *Vierge à l'Enfant assise au pied d'un arbre*, h/t (50,7x37,7) : **GBP 104 500** – Paris, 19 avr. 1989 : *Judith remet à sa servante le tête d'Holopherne*, t. (129x111) : **FRF 3 800 000** – New York, 31 mai 1989 : *Vierge à l'Enfant assise sous un arbre avec une draperie rouge au-dessus d'elle*, h/t (51,5x27,5) : **USD 104 500** – Monaco, 2 déc. 1989 : *Le jeune flûtiste*, h/t (90x66) : **GBP 943 500** – Paris, 30 mai 1990 : *Étude d'homme en buste*, pierre noire et craie blanche (18,5x16) : **FRF 290 000** – Monaco, 15 juin 1990 : *Vierge à l'Enfant*, h/t (102x85) : **FRF 2 664 000** – Londres, 2 juil. 1990 : *Etude d'une femme agenouillée avec des détails de draperie*, craies blanche et noire/pap. teinté (36x24,7) : **GBP 74 800** – Le Touquet, 19 mai 1991 : *L'allégorie de l'Union*, h/t (111x95) : **FRF 2 500 000** – New York, 13 jan. 1993 : *L'Assomption de la Vierge*, craies de coul. et lav. (33,7x19) : **USD 28 600** – Paris, 29 mars 1993 : *Hérodiade*, h/t (94x74,5) : **FRF 500 000** – New York, 14 jan. 1994 : *La Vierge accoudée à un muret avec l'enfant Jésus sur ses genoux*, h/t (101,6x85,1) : **USD 354 500** – Monaco, 20 juin 1994 : *Femme tenant un linge*, craie noire/pap. beige (18,8x15,8) : **FRF 66 600** – Chalon-sur-Saône, 18-19 nov. 1995 : *La Vierge à la rose*, h/t (79x64) : **FRF 645 000** – Paris, 14 juin 1996 : *Portrait d'Armand-Jean du Plessis, cardinal de Richelieu*, pierre noire, past. (27,6x21,1) : **FRF 145 000** – Paris, 18 déc. 1996 : *Le Martyre de sainte Catherine d'Alexandrie*, h/t (173x115,5) : **FRF 190 000** – Venise, 24 mai 1997 : *Judith avec la tête d'Holopherne*, h/t (118x98) : **ITL 50 000 000** ; *La Visite de Saint Pierre à Sainte Agathe en prison*, h/t (133x193) : **ITL 50 000 000**.

VOUET Virginia. Voir **VEZZO Virginia da**

VOUGA Albert

Né en 1829 à Cortaillod. Mort le 8 mai 1896 à Boudry. xixe siècle. Suisse.

Peintre de genre et paysages.

Le Musée de Neuchâtel conserve de lui : *Maisons à Boudry*.

VOUGA Émilie, née **Pradès**

Née en 1840 à Vevey. Morte en 1909 à Genève. xixe siècle. Suisse.

Peintre de fleurs et d'oiseaux.

VOUGT Carl Fredrik ou **Karl Ferdinand**

Né en 1795. Mort en 1838. xixe siècle. Suédois.

Miniaturiste et lithographe.

Le Musée de Stockholm, conserve de lui *Portrait de Reinhold Vilhelm Palmstruch*.

VOUILLEMONT Sébastien

Né vers 1610 à Bar-sur-Aube. xviie siècle. Français.

Dessinateur et graveur au burin.

Il travailla à Rome vers 1641. Il a gravé d'après Marc Antoine, Andrea del Sarto, Parmesan, Albani, Guido Reni.

VOUKA. Voir **VELIMIROVIC**

VOULANT Antoine ou **Volant**

xvie siècle. Actif à Lyon de 1552 à 1581. Français.

Peintre et graveur sur bois.

VOULKOS Peter

Né en 1924 à Bozeman (Montana). xxe siècle. Américain.

Peintre, sculpteur, céramiste.

Il étudia au California College of Arts and Crafts. Il a enseigné à l'Université de Californie et contribué à la fondation d'ateliers de céramique et de sculpture.
Peintre et céramiste remarqué, il se tourna vers la sculpture sous l'influence de l'expressionnisme abstrait après 1955. Il commença par élever des cylindres et des monticules d'argile en formes monumentales. La plupart de ces œuvres ne purent supporter l'épreuve du four, mais celles qui ont subsisté semblent refléter l'énergique expression des peintres F. Kline et J. Pollock, tel ce rocher menaçant, *Feather Rock* (1959). Puis il coula de grandes pièces de bronze et sut associer l'élégance au monumental.
Musées : Baltimore (Mus. of Art) – Los Angeles (County Mus.) – New York (Mus. of Mod. Art).
Ventes Publiques : San Francisco, 4 mai 1980 : *Vase* 1954-1955, grès (H. 61) : **USD 2 250** – New York, 3 mai 1985 : *Vase* 1957, céramique (H. 64,8) : **USD 13 000** – New York, 6 mai 1986 : *Sans titre* 1976-1977, grès émaillé avec incrustation de porcelaine, quatre bols (H. 16,5 et 11,4 et 11,4 et 10,5) : **USD 6 000** – New York, 20 fév. 1988 : *Assiette* 1978, céramique (diam.59,6) : **USD 4 400** – New York, 5 oct. 1989 : *Big V* 1981, terre cuite vernissée (H. 94) : **USD 13 200** – New York, 23 fév. 1990 : *Gros serpent de rivière* 1959, grès (99x61x20,3) : **USD 55 000** – New York, 5 oct. 1990 : *Sans titre* 1973, céramique en partie vernissée (diam. 48,9) : **USD 4 400** – New York, 27 fév. 1992 : *Plateau*, pierre vernissée (diam. 58,4, H. 14) : **USD 6 600** – New York, 7 mai 1992 : *Cheminée* 1980, terre cuite vernissée (109,2x35,6x35,6) : **USD 24 200** – New York, 25-26 fév. 1994 : *Sans titre* 1990, terre cuite flammée (12,7x55,9) : **USD 9 200.**

VOULLAIRE Marc
Né le 26 mars 1749 à Genève. xviiie siècle. Suisse.
Graveur et médailleur.

VOULLEMIER Anne Nicole
Née en 1796 à Châtillon-sur-Seine (Côte-d'Or). Morte en 1886. xixe siècle. Française.
Peintre de scènes de genre, portraits, miniatures, lithographe.
Elle exposa au Salon de Paris, entre 1819 à 1850.
Musées : Bar-le-Duc : *Henrion de Pansey, premier président de la cour de cassation.*
Ventes Publiques : Paris, 8 mai 1926 : *Portrait de femme*, miniat. : **FRF 1 100** – Paris, 26 fév. 1947 : *L'enfant malade* : **FRF 15 800** – Paris, 3 déc. 1991 : *Portrait présumé du prince de Joinville*, h/t (46,5x38,5) : **FRF 9 000.**

VOULOT Félix
Né le 7 mai 1865 à Altkirch (Haut-Rhin). xixe-xxe siècles. Français.
Sculpteur.
Il fut élève des Académies de Nancy et de Paris, où il vécut et travailla. Il exposa au Salon à partir de 1888.
Il pratiqua la sculpture sur pierre et sur bois. Le Musée des Vosges, à Épinal, conserve un paysage d'un Félix Voulot. D'autre part *L'âme enchantée, l'été*, de Romain Rolland, a aussi été illustrée par un homonyme. Peut-être s'agit-il d'un seul et même artiste.
Musées : Bordeaux : *Jeunesse* – Douai : *Un Poète* – Épinal (Mus. des Vosges) : *Ève* – un paysage – Mulhouse : une statuette de bronze – Paris (Mus. du Louvre) : *Jeunesse – La Naissance.*

VOULQUIN Gustave
Né à Paris. xixe siècle. Français.
Graveur.
Élève de Pannemaker et de l'École Nationale des Beaux-Arts. Il débuta au Salon en 1881.

VOUMARD Michel ou **Wumard**
xvie siècle. Suisse.
Sculpteur.
Il sculpta à Bienne entre 1557 et 1565, des figures décorant des fontaines.

VOUROS Antoine
Né au xixe siècle en Grèce. xixe siècle. Grec.
Peintre.
Il figura aux Expositions de Paris ; médaille de bronze en 1889 à l'Exposition universelle.

VOUSAK Johann. Voir **WOWSAK**

VOUSONNE Thierron
xive siècle. Travaillant à Dijon en 1387. Français.
Sculpteur.

VOUT Ferdinand
xviie siècle. Actif en 1660. Éc. flamande.
Peintre.
La Galerie Royale de Florence, conserve *Portrait de l'artiste par lui-même.*

VOUTCHETICH Eugène Victorovitch ou **Voutetich**
Né en 1908 à Dniepropetrovsk. Mort en 1974 à Moscou. xxe siècle. Russe.
Sculpteur de portraits. Réalisme socialiste.
Il fit ses études à l'école des Beaux-Arts de Rostov-sur-le-Don puis à Léningrad. Il fut membre de l'académie des arts d'URSS. Il participa à d'importantes expositions en Union Soviétique et fut invité à l'Exposition universelle de Paris en 1937, à celle de Bruxelles en 1958, à la XXVIIIe Biennale de Venise en 1956. Il a reçu cinq années de suite le prix Staline de 1946 à 1950 et le prix Lénine en 1970.
L'un des principaux représentants en sculpture du réalisme socialiste, il s'est consacré surtout aux portraits édifiants, aux représentations théâtrales de l'histoire de l'URSS et de ses hommes. Parmi ses œuvres, citons : *Aux Combattants de l'armée soviétique* (1946-1949), *Aux Héros de la bataille de Stalingrad* (1960-1967).
Bibliogr. : In : *Dict. de l'art mod. et contemp.*, Hazan, Paris, 1992.

VOUTERS Jacques. Voir **WOUTERS**

VOUTIER Jans
xvie siècle. Actif à Saint-Jean (Savoie) en 1531. Français.
Peintre.

VOUTIN Jean, appellation erronée. Voir **TOUTIN Jean**

VOUW Johannes de
Mort avant 1691. xviie siècle. Actif à Rotterdam. Hollandais.
Paysagiste et architecte.
Il peignit des vues de Rotterdam.

VOVAERTS Dirk
xviie siècle. Hollandais.
Dessinateur.
Le Cabinet d'Estampes de Berlin conserve de lui un *Amour.*

VOVERT Jean
xvie-xviie siècles. Actif de 1599 à 1602. Autrichien.
Graveur au burin, dessinateur et orfèvre.

VOVES Frant. Voir **MYSLBEK Karel**

VOVROUCHEVSKÏ Rostislav
Né en 1917. xxe siècle. Russe.
Peintre de compositions à personnages, figures, paysages urbains, natures mortes.
Il fut élève de l'Académie des Beaux Arts de Léningrad (Institut Répine). Il fut membre de l'Association des Peintres de Léningrad.
A partir de 1945 il participe à de nombreuses expositions nationales. Il a également exposé à l'étranger, notamment en 1968 à Tokyo, mais dut attendre 1990 pour se faire connaître à Bruxelles, Helsinki, Madrid. En 1989-1990 à Léningrad dans le cadre de *Art-Salon*, deux expositions personnelles lui ont été réservées.
Il aborde des sujets d'inspiration réaliste dans des compositions variées. Parfois ses œuvres évoquent l'écriture stylisé de Buffet (*La Nature Morte au panier*), d'autres compositions révèlent l'influence de Bonnard (*Femme et l'oiseau*) dans le traitement sensuel de la couleur.
Musées : Arkhangelsk (Mus. des Beaux-Arts) – Bruxelles (Gal. d'Art) – Helsinki (Mus. Art contemp.) – Moscou (min. de la Culture) – Saint-Pétersbourg (Mus. Russe).
Ventes Publiques : Paris, 11 juin 1990 : *Femme et l'oiseau*, h/t (125x82) : **FRF 5 600** – Paris, 18 oct. 1993 : *Nature morte sur une table*, h/t (80x95) : **FRF 5 200** – Paris, 5 déc. 1994 : *Vue de la fenêtre*, h/t (65x80) : **FRF 4 500.**

VOWE Paul Gerhart
Né le 16 mai 1874 à Elberfeld. xixe-xxe siècles. Allemand.
Peintre de figures, portraits, paysages, fleurs.
Il fut élève des Académies de Berlin et de Munich. Il vécut et travailla à Berlin.
Graveur, il pratiqua l'eau forte et a réalisé des lithographies.
Musées : Elberfeld : *Vue du vieil Elberfeld.*
Ventes Publiques : Cologne, 26 mars 1971 : *Le prêche dans une clairière* : **DEM 3 200** – Amsterdam, 18 fév. 1992 : *Portrait d'une jeune femme assise coiffée d'un chapeau*, h/cart. (64x51) : **NLG 1 955.**

VOWSAK Johann ou **Vousak** ou **Vawgesack**
Mort avant 1501. XVe siècle. Actif à Reval. Allemand.
Peintre.

VOX Maximilien, pseudonyme de **Monod S.W.**
Né le 16 décembre 1894 à Condé-sur-Noireau (Orne). Mort le 18 décembre 1974 à Lurs (Alpes-de-Haute-Provence). XXe siècle. Français.
Dessinateur, graveur.
Comme dessinateur, on lui doit au point de vue typographique quantité de présentations publicitaires, tels les *Divertissements typographiques* (Deberny et Peignot), et la Fondation de l'École de Lurs (Rénovation de la typographie moderne), Prix Blumenthal 1926 et Oscar de la Publicité en 1952 ; comme illustrateur, *Les Œuvres complètes* de Beaumarchais, Molière, Jane Austen et les *Trois Mousquetaires* d'Alexandre Dumas, *Balzac en pantoufles*, de Gozlan, etc. Il fut aussi journaliste et historien.

VOYATZIS Charis
Né en 1924 à Athènes. Mort en 1981 à Paris. XXe siècle. Actif en France. Grec.
Peintre. Abstrait-paysagiste.
Il fut élève de l'école des beaux-arts d'Athènes, puis grâce à une bourse séjourna à Paris où il fréquenta l'école des Arts et Métiers.
Il participe à des expositions collectives : à Paris au Salon d'Automne en 1955 ; au musée d'Art moderne de la ville en 1956, 1962 ; à la galerie Charpentier en 1960. Il montre ses œuvres dans des expositions personnelles à Paris à partir de 1960 à la galerie Mouradian-Valloton, ainsi que : 1989 rétrospective à la pinacothèque d'Athènes.
Post-cubiste à ses débuts, il évolua vers une abstraction dynamique qui prend sa source dans la réalité, privilégiant les contrastes de couleurs, de lumière.
Bibliogr. : Lydia Harambourg, in : *L'École de Paris 1945-1965. Diction. des Peintres*, Ides et Calendes, Neuchâtel, 1993.
Ventes Publiques : Versailles, 12 déc. 1976 : *Homme et cheval* 1961, h/t (92x60) : **FRF 1 500** – Versailles, 17 fév. 1980 : *Côte de Crète* 1961, h/t (130x162) : **FRF 5 000**.

VOYET Jacques ou **Voyer**
Né le 25 juillet 1927 à Loudun (Vienne). XXe siècle. Français.
Peintre de figures, nus, portraits, fleurs, natures mortes, pastelliste, sculpteur.
Il étudie à l'école des Beaux-Arts de Paris, la lithographie dans l'atelier de René Jaudon, et la peinture avec Jean Souverbie.
Il participe régulièrement à Paris, aux Salons d'Automne, des Indépendants, Comparaisons, des Peintres Témoins de leur temps, à la Galerie Charpentier dans le cadre de l'École de Paris. Il montre ses œuvres dans des expositions personnelles à Paris, Londres, New York, San Francisco, Tokyo, Melbourne, etc.
Ses compositions, tant sculptures que peintures, baignent dans une atmosphère mystérieuse, où les personnages semblent tombés en léthargie.
Musées : Paris (Mus. nat. d'Art mod.).
Ventes Publiques : Versailles, 21 jan. 1990 : *Fleurs de France*, h/t (65x54) : **FRF 10 000** – Paris, 26 mars 1990 : *Nu assis*, h/pan. (27x35) : **FRF 11 000** – Paris, 8 avr. 1991 : *Les deux filles*, h/pan. (27x19) : **FRF 21 000** – Paris, 20 nov. 1991 : *Portrait de femme*, h/t (92x65) : **FRF 4 600** – Londres, 23-24 mars 1994 : *Scène de ville*, h/t (33x46) : **GBP 1 380** – Le Touquet, 22 mai 1994 : *Nature morte au citron*, h/pan. (27x35) : **FRF 4 800** – Paris, 18 nov. 1994 : *Femme assise au bord de l'eau*, h/t (116x80) : **FRF 5 600**.

VOYEZ Émile
Né à Paris. Mort en 1895 à Paris. XIXe siècle. Français.
Sculpteur.
Élève de Duret-Lequesne, Guillaume et Cavelier. Il exposa au Salon de 1873 à 1892. Le Musée de Castres conserve de lui *Le soir*.
Ventes Publiques : New York, 21 sep. 1981 : *Narcisse*, bronze patine brun-noir (H. 75) : **USD 3 300** – Detroit, 18 sep. 1983 : *Avant l'assaut*, bronze (H. 65) : **USD 1 800**.

VOYEZ François
Né en 1746 à Abbeville. Mort en 1805 à Paris. XVIIIe siècle. Français.
Graveur au burin.
Élève d'Aliamet. Il a gravé des portraits et des sujets de genre. Il exposa au Salon de 1767.

VOYEZ Jean ou **John**
D'origine française. XVIIIe siècle. Travaillant de 1767 à 1791. Britannique.
Sculpteur sur ivoire, sculpteur-modeleur de cire, ciseleur de camées, miniaturiste et modeleur sur porcelaine.
Le British Museum de Londres et le Musée de Bath conservent des œuvres de cet artiste.

VOYEZ Nicolas Joseph
Né en 1742 à Abbeville. Mort en 1806 à Paris. XVIIIe siècle. Français.
Graveur au burin.
Élève de Beauvarlet. Il a gravé des sujets de genre et des sujets d'histoire.

VOYMONT Hippolyte ou **Voynant**
Né le 8 février 1810 à Dunkerque (Nord). XIXe siècle. Français.
Sculpteur.
Le Musée de Castres possède de lui *Buste du maréchal Soult*, le Musée de Dunkerque, *Un zouave en embuscade*, et celui de Strasbourg, *Invalide*.

VOYOU, pseudonyme de **Silvain-Guilhot**
Née à Paris. XXe siècle. Française.
Peintre de compositions animées. Naïf.
Elle étudia la céramique et la décoration intérieure. Elle est photographe professionnelle. Elle commença à peindre en 1875. Elle participe, à Paris, au Salon International d'art naïf.
Elle dépeint minutieusement des jardins enchanés, peuplés d'animaux heureux.

VOYS Ary, Arie ou **Adrian de**. Voir **VOIS**

VOYSARD Étienne Claude
Né en 1746 à Paris. Mort vers 1812 à Paris. XVIIIe-XIXe siècles. Français.
Graveur au burin et à l'eau-forte.
Élève de Baron. Il a gravé des portraits et des sujets de genre.

VOZAREVIC Lazar
Né en 1925 à Sremska Mitrovitsa (Serbie). XXe siècle. Yougoslave.
Peintre.
Il fut élève de l'Académie des Beaux-Arts de Belgrade, où il termina ses études en 1948, et où il enseignera plus tard. Il fit un séjour à Paris, en 1952-1953.
Il expose depuis 1951, dans de nombreuses expositions de groupe, nationales et à l'étranger, notamment : 1959, Ire Biennale des Jeunes, Paris ; 1960, Guggenheim International Award, New York ; 1961, VIe Biennale, Tokyo ; 1961-1962, IVe Biennale Méditerranéenne, Alexandrie. Il a montré des expositions personnelles de ses œuvres, à plusieurs reprises dans des villes de Yougoslavie ; à Paris en 1952 ; à New York en 1960. Il a obtenu plusieurs prix nationaux, entre autres : 1961 Ire Triennale d'Art Yougoslave à Belgrade.
Dans une première période, des compositions géométriques d'un trait précis, se référaient, par-delà leur relative abstraction, aux fresques romano-byzantines. Ensuite, toujours dans l'abstraction, il évolua dans le sens d'une recherche de matières dorées et patinées, sans doute en relation avec la qualité de vieillissement des icônes anciennes. Vozarevic fut un des éléments de la peinture yougoslave qui firent évoluer celle-ci vers les formes d'expression modernes.
Bibliogr. : B. Dorival, sous la direction de... : *Peintres Contemporains*, Mazenod, Paris, 1964 – Catalogue de l'exposition : *L'Art en Yougoslavie de la préhistoire à nos jours*, Gal. Nat. du Grand Palais, Paris, 1971.

VOZNIAK Jaroslav
Né le 26 avril 1933 à Suchodol (près de Pribram, Bohême). XXe siècle. Tchécoslovaque.
Peintre, technique mixte, graveur, illustrateur.
De 1951 à 1953, il fut élève de l'École des Arts industriels de Prague. De 1953 à 1959, il fut élève de l'Académie des Beaux-Arts. Nommé conservateur du château-musée de Zbraslav (près de Prague), il y est logé et travaille confortablement. Il est à penser que les violences dénonciatrices de ses œuvres l'ont peut-être de nouveau fait écarter des circuits officiels, après la « normalisation » de 1968.
Il participe à de nombreuses expositions de groupe, tant en Tchécoslovaquie qu'à l'étranger ; entre autres au XVIe Salon de la Jeune Peinture, Paris, 1965 ; *Jeune Avant-Garde Tchécoslo-*

vaque, Paris, 1965 ; *Nouvelle génération tchécoslovaque*, Bruxelles, 1966 ; *Art Contemporain tchécoslovaque*, Stockholm, 1967 ; Salon de Mai, Paris, 1969 ; *Sept Jeunes Peintres tchécoslovaques*, Paris, 1969, etc. Il montre ses œuvres dans des expositions personnelles, à Prague depuis 1963 ; à Liberec en 1965. Peintre, il pratique des techniques mixtes, abordant souvent le volume. Il se rattache à un courant d'inspiration fantastique, qui est issu en Tchécoslovaquie d'une longue tradition. De par la génération à laquelle il appartient, Vozniak prend son entière liberté d'avec la lettre du surréalisme. Il a trouvé bien plus tôt de nouvelles indications dans les divers aspects du pop art. Accumulant, juxtaposant, envahissant l'espace, tonitruant d'images, de couleurs, de matériaux, recourant volontiers à un érotisme sans honte, Vozniak dénonce les idoles en toc de la civilisation contemporaine. Ses audaces d'expression et de forme le tinrent écarté des possibilités d'expositions officielles, du temps du réalisme socialiste. Après la libéralisation intervenue autour de 1965, il fut connu pour l'un des plus importants artistes de la jeune génération de l'époque.

Bibliogr. : Catalogue de l'exposition : *Cinquante Ans de peinture tchécoslovaque, 1918-1968*, Musées tchécoslovaques, 1968.

VOZZAOTRA Pietro

Né à Massa. xviiie siècle. Actif dans la première moitié du xviiie siècle. Italien.

Sculpteur et fondeur.

Il travailla pour le sanctuaire du Mont Cassin en 1731.

VRABEC Franz. Voir **WRABECZ**

VRAIN Simone

Née en 1921 à Lamotte-Beuvron (Loir-et-Cher). xxe siècle. Française.

Peintre, graveur.

Elle vit et travaille à Paris.

Bibliogr. : In : Catalogue de l'exposition *De Bonnard à Baselitz – Dix ans d'enrichissement du Cabinet des estampes 1978-1988*, Bibliothèque nationale, Paris, 1992.

Musées : Paris (BN) : *Machupicchu. Cité inca du Pérou* 1985, eau-forte et aquat.

VRANCK. Voir aussi **FRANCK**

VRANCK Frans

Mort le 3 avril 1603. xvie siècle. Actif à Malines. Éc. flamande.

Peintre.

VRANCKEN Van. Voir **MACDONALD-WRIGHT**

VRANCX. Voir aussi **FRANCKEN**

VRANCX Adriaen

xvie siècle. Actif à Anvers en 1582. Éc. flamande.

Peintre.

Élève de Jan Snellinck.

VRANCX Peter

Mort en 1645. xviie siècle. Actif à Malines. Éc. flamande.

Peintre.

VRANCX Sebastien ou **Franks** ou **Franck** ou **Francx** ou **Francken**

Baptisé le 22 janvier 1573 ou en 1578 à Anvers. Mort le 19 mai 1647 à Anvers. xvie-xviie siècles. Éc. flamande.

Peintre d'histoire, compositions religieuses, batailles, scènes de chasse, scènes de genre, figures, paysages animés, paysages.

D'après Van Mander, il fut élève d'Adam van Noort. Il alla, en Italie en 1591. Il fut reçu maître de la gilde en 1600, puis commandant de la Garde civique anversoise. Van Dyck a gravé son portrait, l'épée au côté. Ces quelques détails suffisent à indiquer que Sébastien Vrancx occupait dans sa ville une situation estimée.

Il a traité les sujets les plus divers : fêtes, réceptions, chasses, combats, sujets de genre ou paysages, toujours avec le même agrément de facture. Ses peintures sont la plupart du temps animées de nombreux personnages : c'est la période où les peintres comme David Teniers connaissent une faveur qui ne s'est pas démentie depuis. Vrancx doit donc être considéré équitablement comme un des bons représentants de cette plaisante école flamande qui évoque avec tant de verve la vie de chaque jour. L'artiste voulut voir l'Italie, mais s'il connut les grandes compositions des maîtres de la Renaissance, il resta fidèle aux tableaux de chevalet et ne peignit que des scènes flamandes. Il a collaboré souvent avec son fils Jan Baptiste et a parfois peint des figures dans les tableaux de Pieter Neeffs et de Momper.

Musées : Abbeville : *Un banquet* – Amsterdam : *Le Voleur volé – Jour de marché dans une ville flamande – Patinage sur l'Escaut devant Anvers* – Anvers : *Bataille de Leckerbetken* – Arras : *Concert et Festin* – Berlin (Mus. nat.) : *Paysage avec brigands* – Copenhague : *Fête champêtre dans le parc du château* – Darmstadt : *Attaque de brigands dans une forêt* – Hanovre : *Les sept œuvres de miséricorde* – Kassel : *Champ de bataille* – Langres : *David portant la tête de Goliath – Mort de Saül* – Lille : *Vierge avec guirlande de fleurs* – Madrid : *Campement de l'armée d'Ambroise Spinole sous Ostende – Rencontre de cavalerie – Surprise d'un courrier – Paysage de bois et charrettes* – Moscou (Roumiantzev) : *Scène militaire* – Mulhouse : *Daniel dans la fosse aux lions* – Munich : *Pèlerins à l'approche d'une ville* – Naples : *Villa Médicis à Rome* – Paris (Mus. du Louvre) : *Pillage d'un village* – Rotterdam : *Pillage d'un village* – Utrecht : *Combat entre Bréauté et Leckerbetken*, deux œuvres – Vienne : *Attaque imprévue – Intérieur de l'église des Jésuites à Anvers.*

Ventes Publiques : Paris, 1885 : *L'Adoration du Veau d'or* : **FRF 650** – Paris, 10 fév.1899 : *Le Mauvais riche* : **FRF 146** – Paris, 3-5 mai 1900 : *Le Christ en croix entre les deux larrons* : **FRF 320** – Amsterdam, 1901 : *Vue de parc d'une maison seigneuriale au Brabant méridional* : **FRF 283** – Amsterdam, 21-23 mars 1905 : *Le Départ pour la chasse* : **FRF 300** – Amsterdam, 29 avr. 1909 : *Le Sabbat* : **FRF 400** – Paris, 12 juin 1919 : *Un convoi d'armée* : **FRF 4 660** – Paris, 29-30 avr. 1920 : *Défilé de troupes devant une ville fortifiée* : **FRF 5 200** – Londres, 7 mai 1923 : *Ville hollandaise, l'hiver* : **GBP 6** – Londres, 4 fév. 1924 : *Intérieur ; Découverte de Moïse*, les deux : **GBP 8** – Londres, 11 avr. 1924 : *Engagement de cavalerie* : **GBP 26** – Londres, 10 fév. 1928 : *Cour de palais ; Cour de palais*, les deux : **GBP 2** – Londres, 6 déc. 1928 : *Salomon et la reine de Saba* : **GBP 17** – Londres, 21 déc. 1928 : *La Visite de Marie de Médicis en Hollande* : **GBP 52** – New York, 11 déc. 1930 : *L'Apparition* : **USD 525** – New York, 18 juin 1931 : *Scènes de cour* : **USD 18** – Bruxelles, 11 déc. 1937 : *L'Attaque du convoi* : **FRF 4 000** – Bruxelles, 20 juin 1938 : *Sac d'un village* : **FRF 1 000** – Paris, 30 juin-1er juil. 1941 : *Scène de pillage* : **FRF 20 000** – Paris, 8 juil. 1942 : *Chasse au cerf* : **FRF 20 000** – Paris, 17 fév. 1947 : *Cavaliers à la porte d'un château* : **FRF 7 500** – Paris, 20 déc. 1948 : *Paysage animé* : **FRF 20 500** – Paris, 4 avr. 1949 : *Départ pour la chasse au faucon* : **FRF 59 000** – Paris, 16 juin 1950 : *Le Retour des champs* : **FRF 48 000** – Bruxelles, 4 déc. 1950 : *Scène de bataille* 1625 : **BEF 12 500** – Paris, 1er juin 1951 : *Scène de patinage ; Village dans la montagne*, deux pendants : **FRF 320 000** ; *Les Champs ; La Moisson*, deux pendants : **FRF 260 000** ; *La Promenade ; La Sérénade*, deux pendants : **FRF 200 000** – Cologne, 17-20 oct. 1952 : *Scène de la guerre de Trente Ans* : **DEM 500** – Paris, 24 mars 1953 : *L'Arrivée au château* : **FRF 240 000** – Paris, 9-10 juin 1953 : *Escarmouche de cavalerie* : **FRF 480 000** – Londres, 18 nov. 1959 : *Paysage de ville fantastique* : **GBP 650** – Londres, 19 oct. 1960 : *Paysage avec une embuscade* : **GBP 550** – Vienne, 19-22 sep. 1961 : *Landstrasse in Flandern* : **ATS 55 000** – Londres, 27 mars 1963 : *Soldats après la bataille* : **GBP 1 200** – Londres, 14 mai 1965 : *Les Semailles ; La Moisson*, deux pendants : **GNS 4 200** – New York, 20 mai 1971 : *Le Marché aux fruits et aux légumes* : **USD 18 000** – Londres, 24 mars 1972 : *Nombreux personnages dans une allée* : **GNS 11 000** – Londres, 21 mars 1973 : *Scène de carnaval à Rome* : **GBP 7 200** – Londres, 28 juin 1974 : *Vue d'une ville et nombreux personnages* : **GNS 6 000** – Londres, 2 juil. 1976 : *Scène de marché*, h/pan. (84x143) : **GBP 17 000** – Versailles, 6 mars 1977 : *Halte de cavaliers*, h/bois (23,5x36) : **FRF 36 500** – Amsterdam, 17 nov. 1980 : *Brigands attaquant des voyageurs*, pl. et lav. reh. de blanc (23,4x35,2) : **NLG 18 500** – Londres, 10 déc. 1980 : *Voyageurs dans un paysage*, h/pan. (46,5x85) : **GBP 22 000** – New York, 25 mars 1982 : *L'embuscade*, h/pan. (37,5x59) : **USD 17 000** – Londres, 30 nov. 1983 : *Paysage de printemps*, h/pan. (79x104) : **GBP 27 000** – Amsterdam, 26 nov. 1984 : *Les voleurs de grand chemin*, pl. et lav./trait de craie noire (20,9x27,4) : **NLG 8 000** – New York, 17 jan. 1985 : *Allégorie de l'Eté*, h/t mar./pan. (50x65) : **USD 40 000** – New York, 17 jan. 1986 : *Allégorie de l'Automne*, h/t mar./pan. (52x66) : **USD 37 500** – Monaco, 17 juin 1988 : *Scène de bataille* 1635, h/pan. (72x106) : **FRF 222 000** – New York, 3 juin 1988 : *Élégante société sur une terrasse avec un cavalier caracolant*, h/pan. (34x47) : **USD 34 100** – Monaco, 16 juin 1989 : *Cavaliers près d'un gué*, h/pan. (54x92) : **FRF 310 800** – Paris, 28 sep. 1989 : *L'Escarmouche de Leckerbeetje*, h/t (81,5x121,5) : **FRF 610 000** – New York, 5 avr. 1990 : *Jour de marché dans un village avec des vols d'oiseaux migrateurs et une tour au loin*, h/pan. (51x66) : **USD 44 000** – Amsterdam, 14 nov. 1991 :

Le Combat entre Breauté et Gerard Abrahamsz dit Lekkerbeetje à Vught le 5 février 1600, h/pan. (25,3x37,3) : **NLG 20 700** – Amsterdam, 12 mai 1992 : *Engagement de cavalerie*, h/pan. (58x84,5) : **NLG 24 150** – Londres, 28 oct. 1992 : *Groupe de cavaliers embusqués dans un bois*, h/pan. (46,2x74) : **GBP 18 700** – Amsterdam, 16 nov. 1993 : *Paysage avec une femme cueillant des pommes, un semeur et un laboureur*, encre et craie noire (10,8x15,1) : **NLG 41 400** – New York, 18 mai 1994 : *Les Quatre Saisons*, h/pan., quatre panneaux (chaque 51x65) : **USD 695 500** – Rouen, 13 nov. 1994 : *Préparatifs d'un festin et scènes de carnaval dans un parc en Flandres*, h/pan. de chêne (54x84) : **FRF 750 000** – Amsterdam, 13 nov. 1995 : *Soldats attaquant un convoi sur une route de campagne*, h/pan. (50x65,3) : **NLG 57 500** – Londres, 13 déc. 1996 : *L'aveugle guidant l'aveugle*, h/pan. (37x28) : **GBP 49 900**.

VRANQUE
xve siècle. Actif à Malines. Éc. flamande.
Peintre.
En 1413, il exécuta un portrait de *Catherine de Bourgogne*.

VRBOVA-KOTRBOVA Vilma
Née en 1905. xxe siècle. Tchécoslovaque.
Peintre.
Représentée dans les collections publiques de son pays, son œuvre n'était toutefois pas montrée à l'exposition *Cinquante Ans de peinture tchécoslovaque 1918-1968*, qui circula dans les musées de Tchécoslovaquie en 1968.
Musées : Prague (Gal. d'Art mod) : deux peintures.

VRE Jean Baptiste, l'Ancien ou **Vrée** ou **Wrée**
Né vers 1635 à Termonde. Mort en 1726 à Anvers. xviie-xviiie siècles. Éc. flamande.
Sculpteur.
Il travailla pour plusieurs églises d'Anvers. Maître de la gilde d'Anvers en 1665, marié le 9 novembre 1666.
Musées : Anvers : *Cadre du portrait de Et. C. J. de Hujael par P. Ykeus*.

VRE Jean Baptiste, le Jeune ou **Vrée** ou **Wrée**
Né le 28 septembre 1667 à Anvers. xviie siècle. Éc. flamande.
Sculpteur.
Fils de Jean-Baptiste Vré l'Ancien.

VRECHOT Jean
xive siècle. Travaillant à Hesdin vers 1300. Français.
Sculpteur.

VRECHOT Thomas
xive siècle. Travaillant à Hesdin en 1300. Français.
Sculpteur.

VRECKOM August Van ou **Vreekom**
Né vers 1820. xixe siècle. Actif à Bruxelles. Belge.
Peintre de genre et de portraits.

VREDE Alex de
Né en 1944 à Maastricht. xxe siècle. Hollandais.
Peintre de natures mortes. Nouvelles figurations.
Il montre ses œuvres dans des expositions personnelles : 1997 galerie Lieve Hemel à Amsterdam.
Peintre de natures mortes, il refuse toute narration mettant en scène des objets quotidiens, contemporains, soulignant l'ambiguïté entre la réalité et sa représentation, dans un style neutre.
Bibliogr. : In : Catalogue de l'exposition *Une Patience d'ange*, Galerie Lieve Hemel, Amsterdam, 1995.
Ventes Publiques : Amsterdam, 7 déc. 1995 : *Nature morte avec deux toiles* 1983, h/pan. (82x62) : **NLG 3 540**.

VREDELANT Guillaume ou **Willem**. Voir **VRELANT**

VREDEMAN DE VRIES Hans. Voir **VRIES Hans Vredeman** ou **Jan de**

VREDEMAN DE VRIES Paul. Voir **VRIES Paul Vredeman** ou **Paul de**

VREDEMANN Johannes. Voir **SCHWARTZ Johannes**

VREDENBOURG J. Jansen
xixe siècle. Travaillant à Amsterdam et Deventer de 1826 à 1836. Hollandais.
Peintre de portraits et de genre.

VREDENRYCK Gysbrecht Fredericksz Van ou **Vreedendyck** ou **Vreederyck**
xviie siècle. Éc. flamande.
Peintre.
Maître de la gilde de Saint-Luc à Anvers de 1689 à 1690.

VREDENRYCK Peeter Fredericksz ou **Vreedendyck** ou **Vreederyck**
xviie siècle. Actif à Anvers vers 1689. Éc. flamande.
Sculpteur.

VREDERICK ou **Frederick**
xvie siècle. Hollandais.
Sculpteur sur bois.
Il a sculpté de 1543 à 1546 les stalles des échevins dans l'Hôtel de Ville de Kampen.

VREE Jean Baptiste. Voir **VRÉ**

VREE Nicolaes de
Né le 3 décembre 1645 à Amsterdam. Mort le 16 avril 1702 à Alkmaar. xviie siècle. Éc. flamande.
Peintre de paysages, fleurs.
Élève de J. Wynant. Le Musée de Budapest conserve de lui *Le zoo d'Amsterdam* et le Musée de l'Ermitage à Leningrad, *Un parc*.
Ventes Publiques : Paris, 1898 : *Plantes et insectes* : **FRF 390** – Paris, 18 juin 1928 : *Le cottage* : **FRF 630**.

VREEDE Cornelis
xviiie siècle. Actif à Amsterdam en 1726. Hollandais.
Peintre.

VREEDE Willem
Né le 28 juin 1888 à Kraksaan. xxe siècle. Hollandais.
Dessinateur d'architectures, ex-libris.

VREEDENBURGH C. V.
Né le 28 octobre 1873 à Woerden. xixe-xxe siècles. Hollandais.
Peintre.

VREEDENBURG Cornelis ou **Vreedenburgh**
Né le 25 août 1880 à Woerden. Mort en 1946. xxe siècle. Hollandais.
Peintre de paysages, marines.
Fils du peintre G. Vreedenburgh.

C. Vreedenburgh.

Ventes Publiques : Amsterdam, 22 oct. 1974 : *La Lavandière* 1906 : **NLG 11 000** – Paris, 25 fév. 1976 : *Schreyers tower, Amsterdam* 1918, h/t (37x47) : **FRF 6 000** – Amsterdam, 27 avr. 1976 : *Paysage fluvial avec voiliers* 1909, aquar. (28x40) : **NLG 5 000** – Amsterdam, 28 juin 1977 : *Vue d'un village* 1914, h/t (45x75,5) : **NLG 4 000** – Amsterdam, 11 mai 1982 : *Voilier sur la rivière près d'Amsterdam* 1921, h/t (82x127) : **NLG 7 500** – New York, 24 mai 1984 : *Troupeau au bord d'un canal*, h/t (47,5x77) : **USD 1 900** – Amsterdam, 10 fév. 1988 : *Société élégante dans les jardins d'un restaurant, des voiliers à l'arrière-plan* 1928, h/t (41x61) : **NLG 13 800** – Amsterdam, 30 août 1988 : *Ferme près d'une mare*, h/pan. (19,5x29,5) : **NLG 2 300** – Amsterdam, 3 sep. 1988 : *Cour de ferme avec les volailles près d'une barrière et d'une meule de foin* 1930, h/t (40x60) : **NLG 2 760** – Amsterdam, 19 sep. 1989 : *Pont sur un canal d'Amsterdam*, aquar./pap. (18x24) : **NLG 1 265** – Amsterdam, 25 avr. 1990 : *Vue sur le Groenburgwal à Amsterdam* 1928, h/t (64x44) : **NLG 27 600** – Londres, 6 juin 1990 : *Vue d'une ferme hollandaise* 1919, h/t (45,5x74,5) : **GBP 3 960** – Amsterdam, 23 avr. 1991 : *Péniche à voile amarrée* 1907, h/t (32x46) : **NLG 2 185** – Amsterdam, 14-15 avr. 1992 : *Le Singel avec l'église luthérienne d'Amsterdam* 1918, h/t (80x100) : **NLG 21 850** – Amsterdam, 3 nov. 1992 : *Vaches dans une prairie* 1909, h/pan. (30x59) : **NLG 2 300** – Amsterdam, 19 oct. 1993 : *Ferme dans les polders en été*, h/t (47x77) : **NLG 16 100** – Amsterdam, 8 nov. 1994 : *Le port de Rotterdam* 1930, h/t (60x91) : **NLG 4 140** – Amsterdam, 7 nov. 1995 : *Fête foraine probablement dans le village hollandais de Laren*, h/pan. (32x43) : **NLG 44 840** – Amsterdam, 16 avr. 1996 : *Canal à Amsterdam* 1937, h/t (37x47) : **NLG 20 650** – Amsterdam, 5 nov. 1996 : *Paysage de polder avec une femme près d'un moulin à vent*, h/t (62x90) : **NLG 25 960** – Amsterdam, 22 avr. 1997 : *Au campement* 1907, h/t (80x109) : **NLG 49 560** – Amsterdam, 27 oct. 1997 : *Bateau amarré*, h/pan. (25x39) : **NLG 8 260**.

VREEDENBURGH G.
Né le 26 mars 1849 à Nieuwerbrug. xixe siècle. Hollandais.
Peintre de portraits, de paysages et de natures mortes.
Père de C., de Gijsbert et de Herman V.

VREEDENBURGH Gijsbert
Né le 6 mars 1876 à Woerden. xxe siècle. Hollandais.
Peintre.
Fils de G. Vreedenburgh, il fut élève de l'Académie de Bruxelles.

VREEDENBURGH Herman
Né le 20 avril 1887 à Woerden. xxe siècle. Hollandais.

Peintre.
Fils du peintre G. Vreedenburgh.

VREEDENBURGH-SCHOTEL M.
Née le 10 décembre 1884 à Sitoebondo (Java). XXe siècle. Hollandaise.
Peintre.
Elle fut élève de l'académie des beaux-arts de La Haye. Elle travailla à Leyde.

VREEDENDYCK ou **Vreederyck**. Voir **VREDENRYCK**

VREELAND Guillaume ou **Willem**. Voir **VRELANT**

VREEM Antony
Né en 1660 à Dordrecht. Mort en 1681 à Dordrecht. XVIIe siècle. Éc. flamande.
Peintre.
Élève de G. Schalken. Le Musée de Bruxelles conserve de lui *Portrait d'homme*, dessin.
Ventes Publiques : Zurich, 15 mai 1981 : *Portrait d'un jeune homme tenant une bougie*, h/pan. (16,5x13,5) : **CHF 18 000**.

VREESE Constant de
Né le 5 juin 1823 à Courtrai. Mort le 22 novembre 1900 à Courtrai. XIXe siècle. Belge.
Sculpteur.
Élève de l'Académie de Courtrai. Il travailla pour l'Hôtel de Ville de Courtrai. Le Musée de cette ville conserve de lui *Enfant dormant*.

VREESE Godefroid. Voir **DEVREESE**

VREL Jacobus ou **Jan** ou **Vreel** ou **Frel**
XVIIe siècle. Actif de 1634 à 1662 à Delft et à Haarlem. Éc. flamande.
Peintre de genre, intérieurs, paysages urbains.
Il a surtout peint des intérieurs et des vues de villes, prises sous un petit angle. Son style fait penser à l'œuvre de Vermeer, avec lequel il a autrefois été confondu.

Bibliogr. : In : *Diction. de la peinture flamande et hollandaise*, coll. *Essentiels*, Larousse, Paris, 1989.
Musées : Amsterdam : *Ruelle dans une ville hollandaise – Femme devant le fourneau* – Anvers : *La Petite Garde-malade* – Bruxelles : *Intérieur avec une femme et un enfant* – Détroit : *Intérieur* – Groningen : *Intérieur* – Hambourg : *Coin de rue* – La Haye : *Coin de rue* – Lille : *L'Atelier du tisserand* – Oldenbourg : *Coin de rue* – Philadelphie : *Scène de rue* – Saint-Pétersbourg (Mus. de l'Ermitage) : *Cuisine* – Vienne (Kunst. Mus.) : *Une femme à la fenêtre* 1654.
Ventes Publiques : Genève, 27 oct. 1934 : *Coin de rue* : **CHF 5 200** – New York, 5-7 juin 1946 : *La Petite Infirmière* : **USD 575** – Genève, 6 mai 1950 : *Les Boutiques* : **CHF 1 800** – Paris, 5 déc. 1951 : *Rue d'une ville hollandaise* : **FRF 2 000 000** – Londres, 8 déc. 1971 : *Jeune Femme assise dans un intérieur* : **GBP 7 500** – Amsterdam, 9 juin 1977 : *Scène de rue*, h/pan. (35,5x28) : **NLG 480 000** – Londres, 30 nov 1979 : *Scène de rue* vers 1660, h/pan. (34,2x26,7) : **GBP 50 000** – Londres, 5 juil. 1985 : *Vieille femme assise préparant le repas dans une cuisine*, h/pan. (16,2x12,7) : **GBP 8 000** – Londres, 9 déc. 1994 : *Une rue pavée dans une ville hollandaise avec des citadins bavardant*, h/pan. (39x29,3) : **GBP 122 500** – Londres, 5 juil. 1995 : *Intérieur d'une maison hollandaise avec une femme devant la cheminée*, h/pan. (65x48) : **GBP 51 000** – Londres, 11 déc. 1996 : *Deux femmes conversant sur le pas d'une porte dans une rue de Hollande*, h/pan. (35,5x27,9) : **GBP 106 000**.

VRELANT. Voir **RAET Adriaen de**

VRELANT Guillaume ou **Willem** ou **Vredelant** ou **Vreeland** ou **Vreylant** ou **Wreland** ou **Wyelant**
Né avant 1410 à Utrecht. Mort le 5 juin 1481 à Bruges. XVe siècle. Hollandais.
Peintre et miniaturiste.
Cet excellent miniaturiste alla s'établir à Bruges, où il acheta le droit de cité le 30 avril 1456. Il fut un des fondateurs de la confrérie des libraires et miniaturistes de cette cité. Son nom est souvent cité dans les registres de la confrérie et il y est appelé quelquefois « Vredelant ». Il décora des miniatures, de nombreux manuscrits pour le duc Philippe de Bourgogne. On voit de lui à la Bibliothèque de Bruxelles le second volume d'un ouvrage *Les Histoires des nobles princes de Hainaut*, contenant soixante miniatures de lui, lequel lui fut payé, en 1462, 1650 francs. En 1469, on le cite aussi pour l'illustration d'une *Vita Christi*. Les bibliothèques de Madrid, de Sienne, la collection Dutuit, à Paris, possèdent de ses ouvrages. Il fit peindre par Memling, en 1478, un tableau d'autel, qu'il offrit à la corporation. L'artiste l'a représenté agenouillé au fond du tableau. Cette œuvre, très intéressante, est actuellement à Turin.

VREUGDE M.
Né le 4 juillet 1880 à Bois-le-Duc. XXe siècle. Hollandais.
Peintre, graveur.
Comme graveur, on cite ses eaux-fortes.

VREUMINGEN Dirk Johannes Van
Né le 26 novembre 1818 à Gouda. XIXe siècle. Hollandais.
Peintre de paysages et de vues.
Élève de A. J. Van Wyngaudt.

VRIDRIC Guérard. Voir **FRÉDÉRIC Gérard**

VRIE Adriaan Gerritz de. Voir **VRYE**

VRIENDSHAP. Voir **SCHUER Theodorus Corneliez Van der**

VRIENDT Albrecht ou **Albert Frans Lieven de**
Né le 6 décembre 1843 à Gand. Mort le 14 octobre 1900 à Anvers. XIXe siècle. Belge.
Peintre d'histoire, sujets religieux, scènes de genre, portraits, aquarelliste, peintre de compositions murales, graveur, dessinateur.
Fils de Jan Bernard de Vriendt, il fut son élève ; il étudia également avec Van Leyge, à Anvers. Après avoir voyagé en Italie, en Espagne, en France et en Orient, il s'établit à Anvers. Il fut pendant un certain temps directeur de l'Académie des Beaux-Arts de cette ville ; membre du Conseil académique d'Anvers en 1890, et son président en 1895, membre de l'Académie de Munich en 1892, membre correspondant de l'Académie de Belgique, membre de l'Institut en 1894 ; commandeur de l'ordre de Léopold et de l'ordre du mérite de Bavière, officier de l'ordre d'Orange Nassau, chevalier de la Légion d'honneur.
Il adopta un style particulier rappelant l'expression des maîtres anciens et traita, particulièrement, des sujets empruntés à l'histoire des Pays-Bas. On voit de lui, notamment, une de ses œuvres à l'église du Christ à Anvers. Il réalisa également des eaux-fortes.

Musées : Anvers : *Le pape Paul III devant le portrait de Luther – Onze esquisses pour les peintures murales de la salle des fêtes de l'Hôtel de Ville de Bruges – Trente-cinq figures historiques* – Bruxelles : *Hommage rendu à Charles-Quint enfant – Excommunication de Bouchard d'Avesnes* – Liège : *Danseuse égyptienne – Jacqueline de Bavière implorant la grâce de son mari auprès de Philippe le Bon* – Munich : *A Bruges*.
Ventes Publiques : Anvers, 10 mai 1979 : *La Sainte Vierge et l'Enfant dans un intérieur* 1866, h/bois (87x135) : **BEF 90 000** – Lokeren, 28 mai 1988 : *Jeune femme avec un fichu blanc sur la tête* 1890, aquar. (38,5x25,5) : **BEF 33 000** – Lokeren, 10 déc. 1994 : *L'empereur Charles avec le jeune Philippe* 1869, h/pan. (100x131) : **BEF 380 000** – Londres, 17 avr. 1996 : *Dame donnant un baiser* 1869, h/pan. (58x84) : **GBP 2 070**.

VRIENDT Baptist, Claudius, Cornelis, Frans, Giovanni, Jacob, Jan, Jan-Baptista de. Voir **FLORIS**

VRIENDT Clémentine de
Née en 1840 à Gand. XIXe siècle. Belge.
Peintre de fleurs et de fruits.
Fille de Jan Bernard de Vriendt. Elle exposa à Bruxelles en 1869.

VRIENDT Jan Bernard de
Né le 21 septembre 1809 à Gand. Mort le 28 mars 1868 à Gand. XIXe siècle. Belge.
Peintre de genre, de paysages, de fleurs et de décorations.
Père d'Albrecht, de Clémentine et de Juliaan de Vriendt. Élève d'Eug. de Block et du paysagiste Engel vers 1830. Il visita la France et les Ardennes. Il peignit des fresques pour l'Université de Gand.

VRIENDT Juliaan de
Né en 1842 à Gand. Mort en 1935 à Mortsel. XXe siècle. Belge.
Peintre d'histoire, compositions religieuses, portraits, compositions murales.

Fils de Jan et frère d'Albrecht de Vriendt, il fut élève des Académies de Gand et d'Anvers dont il assura la direction entre 1901 et 1923. Il fut également professeur à l'Institut Supérieur d'Anvers, membre associé du Conseil académique en 1892, puis membre effectif en 1893.
Il voyagea avec son frère Albrecht, en particulier au Proche-Orient qui lui inspira ses sujets religieux. Il a réalisé une peinture murale en collaboration au Palais de Justice d'Anvers.

JULIAAN DE VRIENDT.

Bibliogr. : In : *Diction. Biogr. ill. des Artistes en Belgique depuis 1830*, Arto, 1987.
Musées : Anvers : *Résurrection de la fille de Jaïre – Figurines du XVe siècle – Laissez venir à moi les petits enfants ! –* Bruxelles : *Chant de Noël – Portrait de jeune fille –* Liège : *Grisélidis, marquise de Saluces – Élisabeth de Hongrie repoussée par les habitants d'Eisenach –* New York (Metropolitan Mus.) : *Scène d'église – Le vieil Anvers.*
Ventes Publiques : Lokeren, 10 oct. 1992 : *La bague*, fus. (38x25,5) : **BEF 26 000**.

VRIENDT Samuel de
Né en 1884 à Shaerbeek. Mort en 1974 à Saint-Antonius-Brecht. XXe siècle. Belge.
Peintre de figures, portraits, fleurs, sujets religieux.
Il était le fils de Juliaan de Vriendt. En 1910, il participa à l'Exposition de Bruxelles, avec *Azalée.*
Bibliogr. : In : *Diction. Biogr. ill. des Artistes en Belgique depuis 1830*, Arto, 1987.

VRIENS Antoine
Né le 9 août 1902 à Bruxelles. XXe siècle. Belge.
Sculpteur de nus, médailleur.
Il fit ses études d'abord à l'Athénée Royal d'Ostende puis aux Académies de Saint-Gilles et de Bruxelles. Il travaille ensuite dans l'atelier d'Alfred Courtens. En 1924 et 1927 il a obtenu une mention au Prix Godecharle et le Prix de Rome en 1929. Il a également reçu une médaille d'or à l'Exposition internationale de Paris en 1937. Ses conceptions en matière de sculpture se réfèrent à Maillol ou Despiau. Il se montre sensible à la beauté des jeunes nus dont il accentue la rondeur des formes et la nuance d'un jeu de lumière. Ses bronzes veulent exprimer la force, la grandeur, la persuasion.

VRIEN Frans I de. Voir **FLORIS**

VRIENT Wilhelm de. Voir **DEVRIENT**

VRIES A. J. de
Né à Amsterdam. XIXe siècle. Hollandais.
Médailleur.
Il travaillait à La Haye de 1865 à 1886.

VRIES Abraham de
Né vers 1590 à Rotterdam. Mort entre 1650 et 1662 à La Haye. XVIIe siècle. Hollandais.
Peintre.
En 1627, il est à Paris et au cours de l'année 1628, il est mentionné à Anvers avant son nouveau séjour, fin 1628, à Paris. Il séjourne certainement à Amsterdam en 1633 puisqu'il signe dans cette ville un tableau représentant les *Régents*. L'année suivante il est à Anvers et est inscrit à la gilde des peintres. C'est de 1635 que date son fameux portrait de *Simon de Vos*, exécuté à Anvers. On le retrouve ensuite à Amsterdam, puis à Rotterdam en 1639, à La Haye entre 1643 et 1647, enfin il est gravement malade à Rotterdam en 1648. Il est probable qu'il ait fait un voyage en France, puisque le couvent de la Visitation à Mâcon conserve de lui un *Apôtre écrivant*, signé *Vris holandus*, tandis que sur un *Portrait d'homme*, conservé à Lille, est écrit *Fecit Lutetia*. 1629 et 1634 sont les dates généralement retenues pour ses séjours en France. Il faut souligner la confusion existant entre ce peintre Abraham de Vries et un Adriaen de Vries, non plus le sculpteur mais peintre, sur lequel les renseignements manquent ou semblent identiques à ceux notés sur Abraham.

Fecit A. de Vr. anno 1629 — A° 1639 — A. de Vris 1629

A. de Vries Rotterdam

Musées : Amsterdam : *L'artiste – Les six régents avec un vieillard et un orphelin – David de Moor –* Bâle : *Portrait d'homme barbu –* Berlin : *Portrait d'homme –* Cologne : *Portrait d'homme –* Dresde : *Portrait d'homme –* Florence (Palais Pitti) : *Portrait d'homme –* Leyde : *Jan Orlers –* Munich : *Dame blonde –* Pommersfelden : *Portrait d'homme –* Rotterdam : *Adrien Vrosen – Dame âgée –* Vienne : *Portrait d'homme.*
Ventes Publiques : Londres, 23 mars 1923 : *Gentilhomme* 1639 : **GBP 105** – Paris, 12-13 juin 1925 : *Portrait d'homme* : **FRF 9 100** – Paris, 9 mars 1950 : *Portrait d'homme, de face* : **FRF 81 000**.

VRIES Adriaen de ou **Fries** ou **Frys**
Né vers 1550 à La Haye. Mort en 1626 à Prague. XVIe-XVIIe siècles. Hollandais.
Ciseleur et sculpteur.
On pourrait croire qu'il y ait eu deux de Vries, portant le prénom d'Adriaen. Le premier, qu'on dit né à La Haye vers 1550, sculpteur, aurait été élève de Jean de Bologne, à Florence. Il aurait travaillé en 1588 pour le duc de Savoie, Charles Emmanuel et pour l'empereur Rodolphe II ; on le fait mourir à Prague en 1626. En 1601, il était nommé sculpteur de la cour de Hongrie. Il apprit de son maître italien la technique de la fonte du bronze, ainsi que la patine à base de vernis. Il a aussi travaillé le marbre, la cire, mais ce sont ses bronzes qui demeurent les plus caractéristiques : le *Mercure enlevant Psyché*, du Louvre, en 1593 ; *Samson et le Philistin*, de la Galerie Nationale d'Édimbourg, en 1612. Encore à l'exemple de Jean de Bologne, il édifia de nombreuses fontaines monumentales sur les places publiques d'Augsbourg, et surtout celle représentant *Hercule entouré de Tritons et de Néréides*. À Prague, il créa des statues pour les jardins de Wallenstein. Son œuvre est caractéristique de l'apogée du style maniériste en sculpture.
Le second, peintre de portraits, est mentionné comme entrant dans la gilde d'Anvers en 1634-1635, et mourant en 1650. Ses portraits peuvent être attribués à Ferdinand Bol, à Van Dyck, même à Rembrandt. Le « Bryan's Dictionary » cite de lui un *Portrait d'homme* à la Galerie de Dresde, daté de 1639 et un autre portrait, au Musée de Rotterdam de la même date, mais les catalogues de ces Musées inscrivent l'un et l'autre à Abraham de Vries, ce qui semble lever toute confusion possible avec le sculpteur Adriaen de Vries.

Ventes Publiques : Berlin, 1894 : *Buste d'homme* : **FRF 1 250** – attr. – Paris, 1899 : *Buste d'homme* : **FRF 9 000** – attr. – Londres, 18 déc. 1925 : *Dame en robe de veuve* : **GBP 24** – attr. – Amsterdam, 24 avr. 1968 : *Les quatre éléments*, suite de quatre bronzes patinés : **NLG 25 000** – Londres, 5 déc. 1972 : *Hercule*, bronze : **GNS 3 800** – Paris, 12 déc. 1984 : *Cheval cabré* 1619-1626, bronze, patine brune (H. 49) : **FRF 9 200 000**.

VRIES Anne de
Née en 1945 à Amsterdam. Morte le 19 août 1990 à Bruxelles. XXe siècle. Active en Belgique. Hollandaise.
Sculpteur d'assemblages. Postdadaïste.
Elle fit d'abord des études d'histoire de l'art à Amsterdam, puis acquit à Florence une formation d'orfèvre. Vers 1975, elle se fixa en Belgique et eut ensuite une activité artistique à plein temps. Elle a participé à de nombreuses expositions collectives et a aussi montré ses réalisations dans des expositions personnelles à Bruxelles. Elle crée des sortes de reliefs baroques, constitués par l'assemblage dans des boîtes de toutes sortes d'objets de récupération, débris, déchets de menuiserie et de ferronnerie, de natures et d'effets opposés, processus qui évoque évidemment l'activité de Joseph Cornell.
Ventes Publiques : Amsterdam, 12 déc. 1991 : *Membres de guilde hollandaises*, fer, ficelle et h/tissu (36x29,5x4) : **NLG 2 070**.

VRIES Anthoni de
Né le 13 février 1841 à Amsterdam. Mort en décembre 1872 à Haarlem. XIXe siècle. Hollandais.
Peintre.
Élève de l'Académie royale d'Amsterdam.

VRIES Auke de
Né en 1937. XXe siècle. Hollandais.
Dessinateur, graveur, sculpteur.

Il fréquenta Fred et Yves Klein, notamment à Paris, où il séjourna en 1956, 1959 et 1967.
Il a participé à l'exposition : *Pleins Feux sur La Haye. Œuvres figuratives et abstraites de huit artistes haguenois* à l'Institut néerlandais à Paris.
D'abord dessinateur et aquafortiste, il utilise souvent des objets trouvés dans ses compositions. Dans les années quatre-vingt, il se tourne vers la sculpture, avec des œuvres monumentales en acier, d'une grande légèreté, qu'il accompagne de séries de dessin.

VRIES Catherine Julia, née **Roeters Van Lennep**
Née en 1813 à Almelo. XIXe siècle. Hollandaise.
Peintre de fleurs et de fruits.

VRIES D. de
Né le 21 juillet 1895 à Utrecht. XXe siècle. Hollandais.
Peintre, graveur.
Il fut élève de Samuel J. de Mesquita et d'Alcide Le Beau.
Peintre, il pratiqua également la gravure sur bois, l'eau-forte et la lithographie.

VRIES Dirck de ou **Theodorus Frisius**
Né en Frise. XVIe-XVIIe siècles. Éc. flamande.
Peintre de genre, portraits.
Il s'installa à Venise vers 1590 et y demeura jusqu'en 1609. Karel Van Mander écrit en 1604 qu'il peint des scènes de cuisines et des marchés aux fruits, à la manière vénitienne. Certains de ses marchés ont été, un temps, attribués à Jacopo Bassano.
Il eut aussi une influence sur la peinture italienne, évoluant d'un maniérisme finissant vers un habile réalisme.
Bibliogr. : In : *Diction. de la peinture flamande et hollandaise*, coll. *Essentiels*, Larousse, Paris, 1989.
Musées : Amsterdam (Rijksmus.) : *Fileuse* – Oxford (Ashmolean Mus.) : *Femme apprenant à lire à un enfant* 1592.
Ventes Publiques : Amsterdam, 15 nov. 1983 : *Femme lavant la vaisselle*, pl. et encre brune (12,8x15,9) : **NLG 5 600** – New York, 11 jan. 1991 : *Intérieur de cuisine d'une riche demeure avec des personnages*, h/t (97,8x134,7) : **USD 55 000** – Londres, 6 déc. 1995 : *Fête masquée*, h/t (107,8x160) : **GBP 16 100** – Londres, 30 oct. 1996 : *Automne*, h/t (112,5x146) : **GBP 13 800** – Amsterdam, 11 nov. 1997 : *Vieille Femme au rouet*, pl. et encre brune (22,2x15,9) : **NLG 23 600**.

VRIES Ede de
XVIIIe siècle. Hollandais.
Sculpteur sur bois.
Il a sculpté la grille du chœur pour l'église de Pilsum avant 1780.

VRIES Edith de
Née en 1945 à Amsterdam. XXe siècle. Active en Belgique. Hollandaise.
Auteur d'assemblages.
Elle étudia l'histoire de l'art de 1963 à 1966, puis à Florence la sculpture et le travail de l'orfèvrerie. Elle vit et travaille à Bruxelles.
Elle participe à des expositions collectives depuis 1977 : 1978 Foire d'Art contemporain au palais des beaux-arts de Bruxelles ; 1982 Maison de la culture de Namur ; 1982, 1985, 1986, 1988 Foire internationale d'Art contemporain de Paris ; 1984 centre culturel de la communauté française de Bruxelles à Paris ; 1989 ARCO de Madrid, international Art Exposition de Chicago. Elle montre ses œuvres dans des expositions personnelles : 1979, 1987 Foire internationale d'Art contemporain de Paris ; 1981 Knokke-le-Zoute ; 1982 Bogota ; 1984 Amsterdam ; 1989 galerie Albert Loeb à Paris.
Elle réalise des peintures objets proches de la sculpture, à partir de divers matériaux (bois, verre...).
Ventes Publiques : Paris, 17 jan. 1994 : *Sans titre* 1979, assemblage (99x39x17) : **FRF 9 000**.

VRIES Emanuel de
Né le 2 octobre 1816 à Dordrecht. Mort le 30 mars 1875 à Dordrecht. XIXe siècle. Hollandais.
Peintre de paysages, paysages d'eau.
Ventes Publiques : Amsterdam, 16 mars 1976 : *Paysage fluvial* 1846, h/pan. (22x34,5) : **NLG 5 000** – Vienne, 20 sep. 1977 : *Bateaux à l'ancre* 1846, h/pan. (22x34,5) : **ATS 32 000** – Londres, 20 juin 1979 : *Voiliers par grosse mer*, h/t (38,5x54,5) : **GBP 2 200** – Amsterdam, 22 avr. 1992 : *Navigation dans un port à l'abri d'une jetée avec un village au lointain* 1841, h/pan. (35,5x43,5) : **NLG 12 650**.

VRIES Frederick de
XVIe-XVIIe siècles. Actif à Haarlem. Hollandais.
Peintre.
Fils de Dirck de Vries.

VRIES Hans Vredeman ou **Jan de**
Né en 1527 à Louvain. Mort en 1604 ou 1623 à Anvers. XVIe siècle. Hollandais.
Peintre de sujets religieux, paysages, architectures, intérieurs, ornements, restaurateur, dessinateur.
Il étudia la peinture à Amsterdam, puis se rendit à Anvers, à Malines, et acquit beaucoup de réputation par ses tableaux d'architecture et de perspective. En 1586, il alla à Francfort, puis à Brunswick, où il demeura jusqu'en 1596. En 1591, il est à Hambourg puis à Prague et à Leipzig.
Architecte avant tout, il exécuta à Anvers des travaux décoratifs, pour l'entrée triomphale de Charles Quint dans cette ville. Il fit des restaurations des ouvrages de Corneille de Vianen, et peignit diverses décorations à la Bourse de Leipzig. Au cours de ses nombreux voyages, il eut l'occasion de diffuser, en Europe du Nord surtout, ses idées et théories sur la perspective et l'architecture. Sa peinture décorative est presque automatiquement liée à l'art italien, en particulier ses vues d'architecture qui font penser à l'art de Serlio. Si l'École de Fontainebleau n'a pas manqué d'influencer Jan de Vries, il n'en reste pas moins flamand de tempérament.

Musées : Amsterdam : *Jardin et palais* – Bagnères-de-Bigorre : *Vue de Hollande* – Bonn : *Architecture* – Épinal (Mus. des Vosges) : deux œuvres – Turin : *Paysage*, deux œuvres – Venise : *Architecture avec personnages* – *Intérieur d'église gothique* – *Architecture, réunion musicale* – *Architecture, fontaine, etc.* – *Architecture, dames et cavaliers* – Vienne (Harrach) : *Intérieur d'une cathédrale gothique*.
Ventes Publiques : Paris, 1888 : *Cour intérieure d'un palais* : **FRF 1 526** – Paris, 1896 : *Modèles de tombeaux et cénotaphes*, vingt dessins à la plume et au bistre réunis en volume : **FRF 405** – Londres, 3 mai 1929 : *Intérieur de cathédrale* : **GBP 52** – Paris, 20 mars 1941 : *Le festin du mauvais riche* 1585 : **FRF 6 500** – Cologne, 8 mai 1969 : *Intérieur d'église* : **DEM 7 000** – Paris, 28 fév. 1977 : *Evêque assis au milieu de divers personnages*, h/t (186x394,5) : **FRF 80 000** – Londres, 14 avr. 1978 : *Le massacre des triumvirs* 1570, h/pan. (127,7x206,3) : **GBP 7 500** – Londres, 30 mars 1979 : *Intérieur d'un palais italien* 1595, h/pan. (57,2x75,5) : **GBP 2 600** – Londres, 4 juil. 1984 : *Intérieur de cathédrale*, h/pan. (62x94) : **GBP 4 000** – Londres, 11 avr. 1990 : *Capriccio d'un palais avec des personnages travaillant près des arcades* 1598, h/t (141x192) : **GBP 34 400** – Paris, 19 fév. 1996 : *Le Triumvirat romain*, h/pan., cinq planches (128,5x208) : **FRF 300 000**.

VRIES Herman de
Né en 1931 à Alkmaar. XXe siècle. Hollandais.
Peintre, peintre de collages, sculpteur.
Il a participé, de 1961 à 1964, à la rédaction du journal *Nul = O*, de la revue *Intégration*. Il vécut et travailla à Arnhem.
Il participe à de nombreuses expositions de groupe, parmi lesquelles : 1962 *Nul* au Stedelijk Museum d'Amsterdam ; *Antipeinture* à Hessenhuis et Anvers ; 1964 *Zéro* au Centre de Vision Nouvelle de Londres ; 1965 *Zéro* à l'Atelier Fontana de Milan ; 1966 *Blanc sur blanc* à la Kunsthalle de Berne ; 1970 IIIe Salon international des Galeries Pilotes au Musée cantonal de Lausanne et Musée municipal d'Art moderne de Paris, etc. Il a montré également des expositions personnelles de ses œuvres, notamment : 1963 Klagenfurt ; 1964 Francfort ; 1968 Gemeente Museum de La Haye ; 1969, Zagreb, etc.
En 1956, il réalisa des peintures et surtout des collages monochromes, les différentiations étant créées par les différences de niveaux. En 1958, il réalisa des collages monochromes, blancs ; puis, en 1959, des peintures blanches. Depuis 1962, à partir d'éléments simples modulaires, il expérimente les possibilités et ressources du hasard, comme moyen d'organisation et de création, hasard accepté d'abord, puis surtout hasard programmé. Il

aboutit ainsi à des œuvres qui échappent à la stricte géométrie de la tradition du néo-constructivisme, par les coups de pouce du hasard.
Bibliogr. : *Catalogue du IIIe Salon International des Galeries Pilotes*, Musée cantonal, Lausanne, 1970.
Musées : Amsterdam (Stedelijk Mus.) – La Haye (Gemeente Mus.).
Ventes Publiques : Amsterdam, 9 déc. 1993 : *Perles de verre* 1961, laque et verre/t (50x60) : **NLG 5 520** – Amsterdam, 6 déc. 1995 : *Objectifs hasardeux* 1967, relief peint./cart. (60x60) : **NLG 5 750**.

VRIES J. C.
Né le 9 juin 1804 à Amsterdam. xixe siècle. Hollandais.
Peintre de marines, de portraits et de genre.
Élève de Odenaere et Pallinck à Bruxelles. Il alla plus tard à Boston.

VRIES Jacob de
xviie siècle. Actif à Delft dans la seconde moitié du xviie siècle. Hollandais.
Peintre.
Ventes Publiques : Bruxelles, 27 oct. 1982 : *Bataille navale* 1649, h/bois (60x117) : **BEF 500 000**.

VRIES Jacob Feyt ou **Feyck de**
xviie siècle. Hollandais.
Peintre de paysages et de marines.

VRIES Jan Baptist
xviie siècle. Travaillant à Anvers en 1617. Éc. flamande.
Aquafortiste et architecte.

VRIES Jan Édouard de
Né le 16 mars 1808 à Amsterdam. xixe siècle. Hollandais.
Peintre de décorations et de décors.
Élève du peintre décorateur F. J. Peiffer.

VRIES Jan Reynier de, appellation erronée. Voir **VRIES Roelof**

VRIES Jochum
Né à Sneeck. xviie siècle. Travaillant à Delft à partir de 1628. Hollandais.
Peintre de marines.

VRIES Johannes. Voir **EILLARTS Joannes**

VRIES Léo de
Né en 1932 à Amsterdam. xxe siècle. Hollandais.
Sculpteur.
Il fut élève de l'École des Beaux-Arts d'Amsterdam. En 1960, il obtint une bourse de la Fondation Descartes.
Il participe à des expositions de groupe, notamment en 1984, à la IIe Biennale Européenne de Sculpture de Normandie, au Centre d'Art Contemporain de Jouy-sur-Eure. Il a aussi montré des expositions personnelles de ses œuvres, en 1967, à Enschede et à Haarlem.
Dans son œuvre, on distingue jusqu'ici deux périodes. Travaillant d'abord le bois, il en dégageait des conjugaisons de formes pleines, de volumes d'aspect organique qui, bien que d'expression abstraite, évoquaient cependant des correspondances avec des formes corporelles. Ayant adopté ensuite le métal poli, il a évolué vers une géométrisation des volumes, se rapprochant dans leur simplicité des réalisations des minimalistes américains. Il met volontiers en évidence la complémentarité de certaines formes pouvant s'assembler exactement.
Bibliogr. : Denys Chevalier, in : *Nouveau diction. de la sculpt. mod.*, Hazan, Paris, 1970 – in : Catalogue de la *IIe Biennale Européenne de Sculpture de Normandie*, Centre d'Art Contemporain, Jouy-sur-Eure, 1984.

VRIES M. A. F. de
xixe siècle. Travaillant à Rotterdam en 1824. Hollandais.
Miniaturiste.

VRIES M. C. de. Voir **VRIES Mozes Eliazar Cohen Fantaas**

VRIES Michiel de
Mort avant 1702. xviie siècle. Actif à Haarlem. Hollandais.
Peintre de paysages, paysages d'eau.

M. V. Vries 1656. MV

Musées : Amsterdam : *Vieille maison rustique* – Saint-Pétersbourg (Mus. de l'Ermitage) : *Paysage avec chaumière*.
Ventes Publiques : Paris, 10 déc. 1951 : *Bords de rivière* : **FRF 135 000** – Zurich, 20 mai 1977 : *La leçon d'équitation sur la place du village*, h/pan. (34x42,5) : **CHF 11 000** – Londres, 16 juil. 1980 : *Paysages avec ruines et maisons au bord de rivière*, h/pan., une paire (50x65) : **GBP 2 500** – Paris, 27 mars 1985 : *Le village au bord de l'étang*, h/pan. (43x62) : **FRF 20 000** – Londres, 10 juil. 1992 : *Paysage fluvial avec des pêcheurs dans une barque près d'un hameau* 1653, h/pan. (73,5x57) : **GBP 5 280** – Paris, 18 déc. 1995 : *Paysage avec un chemin près d'une auberge*, h/pan. (45x55,5) : **FRF 27 000** – Londres, 17 avr. 1996 : *Paysage boisé avec une église et des paysans près d'un pont*, h/pan. (69x50) : **GBP 3 450**.

VRIES Mozes Eliazar Cohen Fantaas de ou **M. C. de Vries**
Né le 7 juin 1807 à Amsterdam. Mort le 3 avril 1883 à Amsterdam. xixe siècle. Hollandais.
Médailleur, tailleur de camées et graveur sur bois.
Élève de J. H. Simon à Bruxelles. Il grava des médailles à l'effigie des princes de la maison d'Orange ou représentant des événements de son temps.

VRIES N. I de
xviie siècle. Actif à Amsterdam en 1613. Hollandais.
Peintre de décorations.

VRIES N. II de
xviiie siècle. Travaillant à Amsterdam vers 1784. Hollandais.
Graveur au burin.
Il grava des frontispices et des paysages.

VRIES Paul Vredeman ou **Paul de**, l'Ancien
Né en 1567 à Anvers. Mort sans doute après 1630. xvie-xviie siècles. Éc. flamande.
Peintre d'architectures, intérieurs, dessinateur.
Il travailla pour l'empereur Rodolphe II, à Prague. En collaboration avec Josse Van Winghen, il peignit un tableau pour l'église Saint-Géry à Bruxelles.

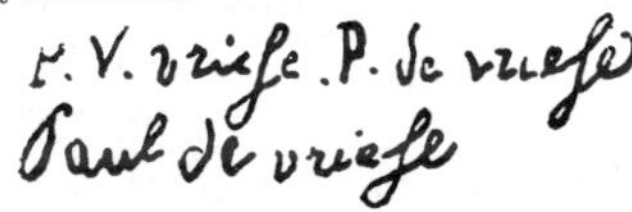

Ventes Publiques : Paris, 1814 : *L'habitation rustique* : **FRF 1 120** – Londres, 12 juil. 1985 : *Elégants personnages dans un intérieur*, h/pan. (52,7x75) : **GBP 9 000** – New York, 1er juin 1989 : *Intérieur d'une cathédrale gothique avec le Christ entouré de personnages* 1607, h/pan. (111,7x146) : **USD 52 250** – Londres, 1er avr. 1992 : *Cour d'un palais avec David et Bethsabée*, h/t (98x133) : **GBP 15 400**.

VRIES Peeter ou **Pieter** ou **Pierre de**
Né en 1587 à La Haye. xviie siècle. Hollandais.
Peintre de paysages et d'architectures.
Peut-être fils de Salomon de Vries. Le Musée d'Orléans conserve de lui *Intérieur d'église*.

VRIES Roelof ou **Roelant Jansz de**
Né vers 1631 à Haarlem. Mort après 1681 à Amsterdam. xviie siècle. Hollandais.
Peintre de scènes de chasse, paysages animés, paysages, paysages d'eau.
On croit qu'il était frère de Michiel de Vries. En 1653, il était membre de la gilde de Leyde.
Il peignit un grand nombre de paysages et de chasses. Adrien Van de Velde peignit parfois les figures de ses tableaux.

Musées : Amiens : *La Ferme* – Amsterdam : *Maison rustique* – Bonn : *Paysage – Ruines au bord de l'eau* – Bordeaux : *Paysage* – Bruxelles : *Chasse au cerf* – Budapest : *Paysage – Rue de village* – Cambridge : *Paysage hollandais – Vue d'un château fort au bord d'une rivière* – Cologne : *Paysage* – Copenhague : *Ruines d'un château au bord d'une rivière* – La Fère : *Paysage*, trois œuvres – Francfort-sur-le-Main : *Paysage boisé – Moulins à vent à Haarlem – Ferme* – Hambourg : *Huttes près de l'eau* – Hanovre : *Départ pour la chasse* – La Haye : *Le troupeau* – Landshut : *Chaumière de paysans* – Leipzig : *Le chemin dans le bois – La taverne du bois* – Liège : *Paysage* – Linkoping : *Paysage avec canal* – Lyon : *Paysage avec figures* – Mayence : *Paysage avec ruines* – Gladbach : *Pay-*

sage – MUNICH : *Moulin dans la forêt – Chaumière sous les arbres* – NANTES : *Paysage* – OSLO : *Paysage maritime* – OXFORD : *Paysage* – POSEN : *Paysage avec torrent* – ROUEN : *Paysage* – SAINT-PÉTERSBOURG (Mus. de l'Ermitage) : *Paysage – Paysage de forêt* – SCHLEISSHEIM : *Intérieur de forêt* – SPIRE : *Ferme* – STOCKHOLM : *Ruines d'un château – Vieille tour au bord d'un canal* – STUTTGART : *Paysage avec château en ruine* – TURIN (Pina.) : *Paysage*, quatre œuvres – VIENNE (Gal. Liechtenstein) : *Paysage*.

VENTES PUBLIQUES : PARIS, 1843 : *Paysage* : **FRF 645** – PARIS, 1845 : *Intérieur de forêt* : **FRF 900** – PARIS, 1886 : *Paysage* : **FRF 820** – MUNICH, 1899 : *Maisons rustiques au bord d'un ruisseau* : **FRF 875** – VIENNE, 1900 : *La Halte devant l'église* : **FRF 600** – LONDRES, 19 déc. 1908 : *Bords de rivière* : **GBP 15** – PARIS, 12 juin 1919 : *La Chaumière au bord de l'étang* : **FRF 1 150** – LONDRES, 28 avr. 1922 : *Rivière avec un chasseur sur une route* : **GBP 46** – LONDRES, 25 fév. 1924 : *Paysage* : **GBP 33** – LONDRES, 21 déc. 1928 : *Paysage boisé* : **GBP 73** – LONDRES, 18 déc. 1933 : *Chaumières au milieu des arbres* : **GBP 36** – PARIS, 25 avr. 1951 : *Les Joueurs de quilles* : **FRF 185 000** – PARIS, 1er juin 1951 : *Vue d'un village* : **FRF 110 000** – PARIS, 5 déc. 1951 : *Village près d'une rivière* : **FRF 480 000** – LONDRES, 26 juin 1964 : *Paysage fluvial avec un pêcheur dans sa barque* : **GNS 1 000** – LUCERNE, 4 déc. 1965 : *Paysage fluvial* : **CHF 15 000** – COLOGNE, 26 nov. 1970 : *Maisons au bord d'une rivière* : **DEM 14 000** – LONDRES, 21 mars 1973 : *Voyageurs dans un paysage boisé* : **GBP 3 500** – VERSAILLES, 13 nov. 1977 : *Le village au bord de la rivière*, h/bois (47x63) : **FRF 28 000** – LONDRES, 29 juin 1979 : *Pêcheurs à la ligne dans un paysage fluvial boisé*, h/pan. (40,6x53,3) : **GBP 7 500** – COPENHAGUE, 28 avr. 1981 : *Chemin de campagne animé de personnages*, h/t (66x78) : **DKK 81 000** – LONDRES, 15 avr. 1983 : *Paysans et animaux dans un paysage avec des ruines*, h/pan. (30,6x21) : **GBP 3 200** – NEW YORK, 7 nov. 1985 : *Vue d'une ville fortifiée au bord d'une rivière*, h/pan. (28,5x37) : **USD 11 000** – NEW YORK, 15 jan. 1988 : *Paysage boisé avec des chaumières au bord d'un chemin*, h/t (82,1x101,7) : **USD 14 300** – AMSTERDAM, 18 mai 1988 : *Voyageurs se reposant dans un chemin sableux de forêt*, h/pan. : **NLG 4 830** – AMSTERDAM, 29 nov. 1988 : *Cavalier passant devant une femme sous le porche d'une église gothique*, h/pan. (82,3x70,5) : **NLG 12 650** – NEW YORK, 7 avr. 1989 : *Paysage avec un berger menant son troupeau sur le sentier, une construction en ruine à l'arrière-plan*, h/pan. (38x53,5) : **USD 7 150** – AMSTERDAM, 20 juin 1989 : *Voyageur sur un sentier dans les dunes près d'une ferme*, h/t (94x125) : **NLG 29 900** – AMSTERDAM, 22 nov. 1989 : *Paysage rustique avec des paysans sur un chemin*, h/pan. (37,5x50) : **NLG 29 900** – STOCKHOLM, 16 mai 1990 : *Paysage animé montagneux*, h/pan. (64x61) : **SEK 18 000** – NEW YORK, 11 avr. 1991 : *Femme et son enfant sur l'embarcadère d'un village fortifié sur un estuaire avec un pêcheur tendant ses filets*, h/pan. (38,5x31,5) : **USD 8 800** – NEW YORK, 21 mai 1992 : *Paysages boisés avec des voyageurs ou des chasseurs sur un chemin*, h/pan., une paire (31,7x24,5) : **USD 11 000** – NEW YORK, 14 oct. 1992 : *Voyageurs sur un chemin près d'une auberge et d'une tour en ruines*, h/t (62,9x48,3) : **USD 34 100** – AMSTERDAM, 11 nov. 1992 : *Personnages près d'une chaumière au pied d'une tour*, h/pan. (56,5x49) : **NLG 23 000** – AMSTERDAM, 7 mai 1993 : *Voyageurs sur un sentier à travers bois et des pêcheurs à la ligne au premier plan*, h/t (82,5x108,5) : **NLG 46 000** – STOCKHOLM, 10-12 mai 1993 : *Paysage avec une maison et un personnage près d'un puits*, h/pan. (32x46) : **SEK 20 000** – PARIS, 12 juin 1995 : *Paysage au lac gelé près d'un moulin*, h/pan. (53x74) : **FRF 95 000** – LONDRES, 19 avr. 1996 : *Paysage boisé avec un pêcheur au bord d'un ruisseau sous un chêne mort*, h/pan. (36,2x27,6) : **GBP 4 600** – LONDRES, 13 déc. 1996 : *Chasseur dans un paysage de dune*, h/pan. (31,2x38,4) : **GBP 9 200** – PARIS, 13 juin 1997 : *Vue de ville au bord d'une rivière*, pan. chêne, deux planches (63x48,5) : **FRF 60 000**.

VRIES S. de

XIXe siècle. Actif dans la seconde moitié du XIXe siècle. Hollandais.

Médailleur.

Il travailla à Amsterdam et à La Haye.

VRIES Salomon de

Né en 1556 à Anvers. Mort en 1604 à La Haye. XVIe siècle. Éc. flamande.

Peintre de paysages et d'architectures.

Second fils de Jan Vredeman de Vries, dont il fut l'élève. Ses paysages, ornés de ruines, sont peints avec goût : malheureusement ils ont viré au noir.

VENTES PUBLIQUES : PARIS, 1777 : *Le festin des dieux* : **FRF 531** ; *Vénus sortant du bain accompagnée des Trois Grâces* : **FRF 1 760** – PARIS, 1859 : *Sainte Famille* : **FRF 740**.

VRIES Seger de

XVIIe siècle. Travaillant à Amersfoort en 1658. Hollandais.

Peintre.

VRIES Seger de

XVIIe siècle. Actif à Middlebourg en 1679. Hollandais.

Peintre.

VRIES Simon de. Voir **FRISIUS**

VRIES LAM Dirk de. Voir **LAM**

VRIESE Louise de. Voir **DEVRIESE**

VRIESLANDER John Jack

XIXe-XXe siècles. Allemand.

Dessinateur, graveur.

Il fut élève de l'Académie de Düsseldorf. Il travailla à Paris de 1901 à 1905. Graveur, il privilégia la technique de l'eau-forte.

VRIESWOUT Dirk Jansz

XVIIe siècle. Actif à La Haye en 1683. Hollandais.

Sculpteur.

VRIJ. Voir **VRY**

VRINTS Gilles

XVIIe siècle. Actif à Malines de 1619 à 1622. Éc. flamande.

Peintre.

VRINTS Jean Baptiste I

Mort en 1610. XVIIe siècle. Actif à Anvers. Éc. flamande.

Graveur au burin et éditeur.

Il grava des portraits et des plans.

VRINTS Jean Baptiste II

Mort en 1673. XVIIe siècle. Éc. flamande.

Graveur au burin.

Fils de Jean-Baptiste Vrints I.

VRINTS Jean Baptiste III ou **Jan Baptista**

Mort le 2 novembre 1703 à Anvers. XVIIe siècle. Éc. flamande.

Graveur et peintre.

En 1667, maître à Anvers.

VRINTS Remi

Né en 1594. XVIIe siècle. Actif à Malines. Éc. flamande.

Peintre.

VROILYNCK Ghislain ou **Vroylynck**

Né à Bruges. Mort en 1635 à Hondschoote. XVIIe siècle. Hollandais.

Peintre.

Il travailla à Bruges et à Bergues. Le Musée de cette ville conserve de lui *Mise au tombeau* ; *La création* et *Couple en prière*.

VROLIJK Jan Martinus ou **Jan** ou **Vrolyk**

Né le 1er février 1845 à La Haye. Mort le 3 septembre 1894 à La Haye. XIXe siècle. Hollandais.

Peintre de paysages, animaux, aquarelliste et aquafortiste.

Élève de P. Stortenbeker. Le Musée d'Amsterdam conserve de lui *Bœufs s'abreuvant* ; le Musée de Chicago, *Paysage près d'Utrecht* ; et le Musée communal de La Haye, *Dans la prairie*. Il a exposé à Dresde et à Munich.

VENTES PUBLIQUES : NEW YORK, 26 jan. 1906 : *Bestiaux* : **USD 650** – NEW YORK, 15 fév. 1907 : *Paysage avec bestiaux* : **USD 450** – LONDRES, 14 mai 1909 : *Sentier près d'une rivière*, aquar. : **GBP 37** – LONDRES, 3 juin 1910 : *Bestiaux sur les dunes* 1881 : **GBP 29** – PARIS, 12 mai 1923 : *Vaches en pâture au bord de l'eau en Hollande* : **FRF 540** – LONDRES, 20 mai 1970 : *Scène de canal* : **GBP 340** – LONDRES, 15 mars 1974 : *La sortie de l'école* : **GNS 1 300** – NEW YORK, 1er mars 1984 : *L'heure de la traite*, h/pan. (38,7x31,7) : **USD 1 300** – AMSTERDAM, 23 avr. 1991 : *Paysage avec un âne*, h/pan. (36x47) : **NLG 2 070** – AMSTERDAM, 24 sep. 1992 : *Paysage de polder en été* 1879, h/t (37x63) : **NLG 1 092** – MONTRÉAL, 23-24 nov. 1993 : *Vaches dans une étable*, aquar. (37,5x54,6) : **CAD 950** – AMSTERDAM, 19 avr. 1994 : *Un homme sur un chemin de halage*, h/t (28x44) : **NLG 1 150** – AMSTERDAM, 21 avr. 1994 : *Vaches et volailles dans une grange*, aquar./pap. (43x60) : **NLG 3 220** – AMSTERDAM, 16 avr. 1996 : *Vaches se désaltérant* 1887, aquar. (50x72) : **NLG 8 260**.

VROLIJK Adrianus Jacobus ou **Vrolyk**

Né le 9 mars 1834 à La Haye. Mort le 21 mars 1862 à La Haye. XIXe siècle. Hollandais.

Peintre de genre, paysages, architectures.

Frère de Jan Maerten Vrolijk, il fut élève de Schelfhout.

MUSÉES : LA HAYE (Mus. comm.) : *Une arrière cité – Le Vijverberg*.

Ventes Publiques : Paris, 23 fév. 1951 : *Enfants dans la campagne ; Paysans dans la campagne* 1859, deux pendants : **FRF 25 000** – Londres, 1er nov. 1973 : *La Place du marché* : **GNS 900** – Cologne, 26 mars 1976 : *Paysage fluvial au crépuscule*, h/pan. (28x38) : **DEM 3 000** – Londres, 3 juin 1983 : *Scène de canal, Amsterdam* 1853, h/t (51,5x70) : **GBP 4 800** – Londres, 11 oct. 1985 : *Scène de rue avec charrette traversant un pont*, h/t (44,5x64) : **GBP 6 000** – Amsterdam, 16 nov. 1988 : *Paysage de rivière avec des voiliers près d'un moulin à vent*, h/pan. (32x41) : **NLG 2 530** – Londres, 18 mars 1992 : *Paysage avec des vaches près d'une rivière*, h/pan. (47x66,5) : **GBP 3 740** – Amsterdam, 24 sep. 1992 : *L'hiver, nombreux patineurs près d'une ferme fortifiée ; L'été – Paysans dans une barque*, h/t, une paire (chaque 40x53) : **NLG 16 675** – Amsterdam, 21 avr. 1993 : *Paysage fluvial avec des personnages élégants se promenant sur la berge* 1854, h/t (52x65,5) : **NLG 8 625** – Amsterdam, 21 avr. 1994 : *Commerçants apportant leurs marchandises dans des péniches pour le marché* 1957, encre et lav. et aquar./pap. (33,5x49) : **NLG 8 050** – New York, 19 jan. 1995 : *La pêche depuis un pont*, h/pan. (26,7x41) : **USD 6 900** – Amsterdam, 16 avr. 1996 : *Personnage près d'une ville*, h/pan. (25x37,5) : **NLG 5 900** – Londres, 21 nov. 1996 : *Jour de marché, La Haye*, h/pan. (28x37,5) : **GBP 6 325**.

VROLO Moyses ou **Vroolo** ou **Vroloo**
Mort entre le 5 septembre 1646 et le 21 février 1648. xviie siècle. Actif à Rotterdam. Hollandais.
Peintre.

VROLO Pieter Moysesz ou **Vroolo** ou **Vroloo**
Mort après le 27 octobre 1638 à Amsterdam. xviie siècle. Hollandais.
Peintre.
Frère de Moyses Vrolo.

VROMANS Abraham Pietersz
Mort avant 1662. xviie siècle. Actif à Delft. Hollandais.
Peintre d'histoire.
Il est le fils de Pieter Pietersz Vromans.
Ventes Publiques : Londres, 10 déc. 1993 : *Le jugement de Zaleucus*, h/pan. (59,7x81,3) : **GBP 3 220**.

VROMANS Jacobus
xviie siècle. Actif en Hollande. Hollandais.
Paysagiste.
Cité en 1668, dans la confrérie de La Haye. En 1689, il travaillait à Schiedam.

VROMANS Pieter Jansz
Mort en 1624 à Delft. xviie siècle. Hollandais.
Peintre.

VROMANS Pieter Pietersz I
Né en 1577 à Anvers. Mort en 1654 à Anvers. xviie siècle. Actif à Delft. Hollandais.
Peintre.

VROMANS Pieter Pietersz II
xviie siècle. Travaillant à Delft en 1635. Hollandais.
Peintre.
Musées : La Haye : *Saint Jean-Baptiste prêchant* – Kiew : *Scène biblique* – Saint-Pétersbourg (Mus. de l'Ermitage) : *Deux scènes bibliques*.

VROME. Voir **MATHISEN Thomas**

VRONSKI Rosie
Née le 3 novembre 1937 à Paris. xxe siècle. Française.
Sculpteur, peintre.
Elle travaille depuis 1963 et fut membre du groupe lettriste. Elle réalise des signes tridimensionnels en plein et en creux à partir de bronze, de laiton et d'aluminium.

VROOLO. Voir **VROLO**

VROOM Cornelis Hendriksz
Né en 1591 ou 1592 à Haarlem. Mort en 1661 à Haarlem. xviie siècle. Hollandais.
Peintre de paysages animés, paysages, marines, dessinateur, graveur.
Fils et probablement élève du peintre de marines Hendrik Cornelisz Vroom. En 1628, il travailla pour la Cour d'Angleterre. On le cite en 1635 dans la gilde de Haarlem, dont il se sépara en 1642. Tout d'abord influencé par Elsheimer, il peint de minutieux paysages boisés, puis, vers 1630, trouve une certaine originalité qui impressionne Jacob Van Ruisdael, encore jeune. Par un juste retour des choses, à la fin de sa carrière, Cornelis Hendriksz Vroom subit l'influence de Jacob van Ruisdael. Il a dessiné et gravé plusieurs paysages.

Bibliogr. : In : *Diction. de la peinture flamande et hollandaise*, coll. *Essentiels*, Larousse, Paris, 1989.
Musées : Berlin : *Paysage de forêt* – Brême : *Paysage* – Copenhague : *L'étang sous le bois – Paysage* – Dresde : *Routes de forêt et chasseurs*, une paire – Glasgow : *Paysage* – Haarlem – Karlsruhe : *Bords de rivière* – Londres (Nat. Gal.) : *Paysage boisé* 1626 – Mannheim – Oldenbourg – Saint-Pétersbourg (Mus. de l'Ermitage) – Schwerin – Vienne : *Paysage de forêt*.
Ventes Publiques : Londres, 5 déc. 1908 : *Vaisseaux de guerre* : **GBP 14** – Paris, 28 mars 1955 : *Paysans sur une route de campagne* : **FRF 240 000** – New York, 12 déc. 1959 : *Paysage avec crépuscule* : **USD 1 000** – Paris, 23 mars 1968 : *La halte* : **FRF 32 000** – Londres, 7 juil. 1976 : *Paysage boisé à la rivière*, h/pan. (57x84) : **GBP 3 000** – Londres, 30 mars 1979 : *Paysage boisé*, h/pan. (15x21) : **GBP 8 500** – Londres, 11 déc. 1992 : *Bord de rivière boisé*, h/pan. (33x50,2) : **GBP 17 600**.

VROOM Frederik ou **Fromm** ou **Fromme**
Mort en 1593 à Dantzig. xvie siècle. Hollandais.
Sculpteur et architecte.
Oncle de Hendrik Vroom. Il se fixa à Dantzig en 1567 où il travailla pour la ville.

VROOM Frederik Hendriksz
Né vers 1600 à Haarlem. Mort le 16 septembre 1667 à Haarlem. xviie siècle. Hollandais.
Peintre de marines, paysages, natures mortes.
Cité en 1635 dans la gilde de Haarlem. Le Musée de Darmstadt conserve de lui *L'artiste*.

VROOM Hendrik Cornelisz ou **Cornelisz-Vroom**
Né en 1566 à Haarlem. Mort en 1640 à Haarlem. xvie-xviie siècles. Hollandais.
Peintre d'histoire, sujets religieux, portraits, paysages, paysages d'eau, marines, cartons de tapisseries, dessinateur.
Il était le fils d'un sculpteur qui mourut prématurément. Sa mère s'étant remariée avec le peintre sur porcelaine, Cornelis Henricksen, Vroom reçut de lui sa première éducation artistique. Après avoir séjourné à Rotterdam, il partit pour l'Espagne, puis visita l'Italie. La connaissance de Paul Bril qu'il fit à Rome, sous les auspices du cardinal de Médicis, influèrent grandement sur sa carrière. L'illustre paysagiste lui donna d'excellents conseils et lui permit de trouver sa voie. Vroom, après Rome, visita Milan, Gênes, Turin, Venise, puis vint résider à Paris. En 1603, on le cite, travaillant pour la ville de Leyde ; en 1611 et 1614, le duc Albert et la duchesse Isabelle, lui commandèrent des tableaux. En 1616, on le cite comme membre de la gilde d'Anvers.
Il peignit d'abord des vues de villes. De retour à Haarlem, il peignit un grand nombre de petits sujets religieux dans l'intention de les placer en Espagne. Il s'embarqua pour Séville, mais un naufrage l'ayant jeté sur les côtes du Portugal, il dut, pour vivre, peindre des sujets maritimes et le goût qu'il y mit dura toute sa vie. Ayant pu regagner Haarlem, il fut chargé des dessins des célèbres tapisseries commandées par Lord Nottingham pour célébrer la destruction de l'Armada. Vroom dut, pour l'exécution de ce travail, visiter l'Angleterre. Ces tapisseries ont brûlé depuis, mais on en a conservé les gravures. Pendant son séjour en Angleterre, Isaac Oliver peignit son portrait.

Musées : Alkmaar : *Vue d'Alkmaar* – Amsterdam : *Combat naval devant Gibraltar* 1607, deux œuvres – *L'Y devant Amsterdam – Retour du vaisseau sur lequel Corn. Houteman fit son premier voyage aux Indes – Combat entre bâtiments hollandais et espagnols sur le Haarlemer Meer* – Budapest : *Marine* – Florence (Mus. des Offices) : *Marine* – Haarlem : *Arrivée de Leicester à Flessingue en 1586 – Navire voguant – Vue de Haarlem*, deux œuvres

– *Arrivée de Frédéric du Palatinat à Flessingue en 1613* – HOORN : *Vue de Hoorn* – LISBONNE : *Bataille navale* – LONDRES (Mus. maritime) : *Bateaux chargeant du bois* – OSLO : *Paysage* – SCHWERIN : *Expulsion des Espagnols du port de Dordrecht.*

VENTES PUBLIQUES : NEW YORK, 12-14 avr. 1909 : *Argenterie* : **USD 225** – LONDRES, 1er mai 1925 : *Flotte hollandaise* : **GBP 126** – PARIS, 10 juin 1949 : *Flotte mouillée dans le port de Sant Andero in Biscayen*, pl. et lav. : **FRF 23 000** – LONDRES, 23 mai 1951 : *Navire de guerre hollandais au large d'Anvers* : **GBP 300** – PARIS, 11 juin 1959 : *Un bateau de ligne* : **FRF 1 080 000** – LONDRES, 24 juin 1964 : *La Grande Armada* : **GBP 4 000** – LONDRES, 24 mai 1968 : *Marine* : **GNS 2 600** – MADRID, 16 mai 1974 : *Bateau de guerre en pleine mer* : **ESP 170 000** – NEW YORK, 20 jan. 1982 : *Bateaux par forte mer*, pl., encre brune (14,6x21,4) : **USD 5 200** – AMSTERDAM, 18 nov. 1985 : *Paysage à la rivière aux environs d'Aix-en-Provence*, pl. et encre brune (16,8x22,9) : **NLG 15 000** – LONDRES, 20 avr. 1988 : *Frégates dans l'estuaire sur une côte fortifiée*, h/t (61x91,5) : **GBP 11 000** – AMSTERDAM, 29 nov. 1988 : *Trois mâts hollandais en difficulté dans une tempête dans l'Artique*, h/t (102,5x103,5) : **NLG 26 450** – LONDRES, 8 juil. 1992 : *Paysage fluvial boisé avec des cavaliers et un oiseleur*, h/pan. (34,6x47,5) : **GBP 23 100** – LONDRES, 21 avr. 1993 : *Paysage boisé*, h/pan. (57x62) : **GBP 3 680**.

VROOM Jacob I
Mort au XVIIe siècle, jeune. XVIIe siècle. Actif à Haarlem. Hollandais.
Peintre.
Frère de Cornelis et de Frederik Vroom.

VROOM Jacob II
Mort en 1700. XVIIe siècle. Actif à Haarlem. Hollandais.
Peintre.
Fils de Cornelis Vroom.

VROOM Matthaus
XVIIe siècle. Actif à Anvers. Hollandais.
Peintre d'histoire.
Inscrit en 1620 dans la gilde d'Anvers. On lui attribue deux tableaux (*L'arrivée de Marie de Médicis à Anvers*) conservés au Musée de Dresde et au Musée de Stockholm.

VROOM Willem
XVIe siècle. Actif à Vianen (?). Hollandais.
Peintre.

VROOMANS Isac ou **Isaak** ou **Vromans**, dit **Slangenschislder**
Né vers 1655 à Delft. Mort en 1719. XVIIe-XVIIIe siècles. Hollandais.
Peintre d'animaux, fleurs et fruits.
On raconte qu'il inventa un aéroplane et qu'au premier essai il se tua.
MUSÉES : AMSTERDAM (Mus. nat.) : *Raisins et insectes.*
VENTES PUBLIQUES : LONDRES, 17 avr. 1991 : *Lézard et papillon parmi des fleurs sauvages dans le sous-bois*, h/t (28x23) : **GBP 5 500** – AMSTERDAM, 7 mai 1993 : *Nature morte de fleurs et insectes dans un sous-bois avec des poissons au bord d'un étang*, h/t (71x57) : **NLG 17 825** – LONDRES, 3 juil. 1996 : *Paysage boisé avec des papillons au dessus d'un chardon et un serpent et une grenouille au premier plan*, h/t (73x59,5) : **GBP 12 650** – PARIS, 17 déc. 1997 : *Nature morte de sous-bois aux chardons et papillons*, t. (73x59,5) : **FRF 120 000**.

VROUBEL Mikaïl Alexandrovitch. Voir **WROUBEL**

VROUTOS Georges
Né à Athènes. XIXe siècle. Grec.
Sculpteur.
Il figura aux expositions de Paris, notamment en 1900 à l'Exposition universelle où il reçut une médaille de bronze.

VROYLYNCK Ghislain. Voir **VROILYNCK**

VRSCHITSCH Johann ou **Urschitsch**
XVIIe siècle. Actif à Ljubljana en 1634. Yougoslave.
Peintre d'armoiries.

VRUBEL Mikaïl Alexandrovitch. Voir **WRUBEL**

VRY Mateus Jansen de
XVIIe siècle. Travaillant à Utrecht de 1625 à 1626. Hollandais.
Sculpteur.

VRY O. de
XVIIe siècle. Travaillant en 1665. Hollandais.
Peintre de marines.
Le Musée national de Berlin conserve de lui une marine.

VRYBEECK Pieter
XVIIe siècle. Actif à La Haye en 1664. Hollandais.
Peintre.

VRYDAG Daniel
Né en 1765 à La Haye. Mort le 22 janvier 1822 à Amsterdam. XVIIIe-XIXe siècles. Hollandais.
Graveur au burin.
Élève de M. Schouman, de J. Humbert, P. Voan Megen le Bas, Wille et de R. Vinkeles. Il grava des sujets d'histoire et des portraits.

VRYE Adriaan Gerritz de ou **Vrie**
Mort le 25 mars 1643 à Gouda. XVIIe siècle. Hollandais.
Peintre verrier.
Élève des frères Grabetti à Gouda.

VRYE Dirk de
Mort en 1681 à Gouda. XVIIe siècle. Éc. flamande.
Peintre sur verre.
Élève de Wonter P. Crabeth II. Il travailla en France.

VRYHOFF Nicolaes ou **Vrijhoff**
XVIIe siècle. Actif dans la première moitié du XVIIe siècle. Hollandais.
Graveur sur bois.
Il sculpta avec Florens Hocque le buffet d'orgues de la cathédrale Saint-Jean de Bois-le-Duc.

VRYMOET Jacobus ou **Vrijmoet**
XVIIIe siècle. Actif dans le Brabant de 1777 à 1787. Éc. flamande.
Peintre de portraits, paysages, dessinateur.
On connaît très peu de chose sur lui.
BIBLIOGR. : A. M. Logan : *Dessins et aquarelles des peintres hollandais et flamands*, New York, 1988.
MUSÉES : DETROIT (Art Inst.) : dessin signé d'après une peinture de Dirk Maas.
VENTES PUBLIQUES : LONDRES, 18 oct. 1989 : *Paysage animé avec une résidence campagnarde* 1785, h/t (65x78) : **GBP 7 700**.

VRYTHOFF A. J. Th. ou **Vrijthoff**
Né le 18 septembre 1863 à Maastricht. XIXe-XXe siècles. Hollandais.
Peintre de paysages.
Il fut élève de Willem Van Konijnenburg à La Haye.

VRYZAKIS Theodor
Né en 1814. Mort en 1878. XIXe siècle. Grec.
Peintre.
Élève de Peter von Hess à Munich. La Pinacothèque d'Athènes conserve des peintures de cet artiste.
VENTES PUBLIQUES : LONDRES, 17 juin 1986 : *L'Adieu* 1855, h/t (66x77) : **GBP 38 000**.

VTEWAEL ou **Vtenwael**. Voir **WTEWAEL**

VTOROFF Olga
Née le 9 décembre 1898 à Tomsk (Russie). Morte en 1936 à Paris. XXe siècle. Française.
Peintre.
Elle vécut à Paris. Elle participa à Paris au Salon des Indépendants, dont elle fut membre sociétaire, et au Salon d'Automne. Elle a montré ses œuvres dans une exposition personnelle à Paris en 1928.

VUAGNAT François
Né le 6 octobre 1826 à Genève, de parents français. Mort en 1910. XIXe siècle. Français.
Peintre de portraits, animaux, paysages, sculpteur, graveur, photographe.
Élève de François Diday pour le paysage et de Charles Humbert pour les animaux, il débuta au Salon de Paris en 1868.
Peintre des troupeaux, alpages, pâturages, il fut aussi sculpteur, graveur et eut un atelier de photographie.
BIBLIOGR. : Gérald Schurr, in : *Les Petits Maîtres de la peinture 1820-1920, valeur de demain*, Les Éditions de l'Amateur, t. III, Paris, 1976.
MUSÉES : ANNECY : *Vache avec son veau* – CAEN : *Pâturage normand* – CHAMBÉRY (Mus. des Beaux-Arts) : *Marécage au bord de la Drance – Saint Disdille en Chablais* – GENÈVE (Mus. Rath) : *Portrait d'Alexandre Calame* – RENNES : *À l'abreuvoir.*

Ventes Publiques : Zurich, 8 nov. 1980 : *Paysage alpestre avec personnages et chèvre*, h/t (72x110) : **CHF 3 600**.

VUAGNIAUX Charles
Né en 1857 à Genève (?). Mort en janvier 1911 à Toulon (Var). XIXe-XXe siècles. Suisse.
Peintre de décors.
Il fut élève de François Bocion et d'Hébert. Il exposa à Genève de 1887 à 1900.

VUAILLE Pierre
XVIe siècle. Français.
Sculpteur sur bois.
Il travailla pour la cathédrale d'Amiens en 1508.

VUARSER Peter ou **Vuarsier**
XVIe siècle. Actif dans la première moitié du XVIe siècle. Suisse.
Sculpteur sur bois.
Il sculpta les stalles des églises Saint-Étienne de Moudon et Saint-Laurent à Estavayer-le-Lac.

VUASEL Thibaud. Voir **VUYSEL**

VU CAO DAM
Né en 1908 à Hanoï (Viêt Nam). XXe siècle. De 1931 à 1949 actif en France. Vietnamien.
Peintre de compositions à personnages, figures, portraits, fleurs, sculpteur.
Il étudie à l'École des beaux-arts de Hanoï, de 1926 à 1931, date à laquelle il obtient une bourse de voyage et d'études pour Paris, où il se fixe jusqu'en 1952, s'installant ensuite dans le Midi. En 1928, il a commencé à participer à des expositions collectives à Hanoï. À Paris, il a pris part à l'Exposition coloniale de 1931, aux Salons des Indépendants, des Tuileries et d'Automne, dont il est sociétaire depuis 1943. Il a participé à de nombreuses expositions dans tout le sud de la France et dans les pays scandinaves. Jusqu'en 1952, les lignes allongées, les couleurs nuancées et la finesse du pinceau dénotent l'influence des primitifs italiens. Il se fait ensuite plus résolument coloriste, et les formes s'arrondissent. La même évolution se retrouve dans sa statuaire. S'il tente de concilier la tradition orientale avec les nécessités de l'art occidental contemporain, il n'en est pas moins resté fidèle à la pratique de la peinture sur soie.
Bibliogr. : In : catalogue de l'exposition *Paris-Hanoï-Saigon, l'aventure de l'art moderne au Viêt Nam*, Paris, 1998.
Musées : Alger – Béziers – Paris (Mus. nat. d'Art mod.) : *Vieillard annamite* – Paris (Mus. de la France d'Outre-Mer).
Ventes Publiques : Paris, 1er déc. 1950 : *Coquelicots* : **FRF 950**.

VUCETIC Pasko
Né le 17 février 1871 à Split. Mort le 19 mars 1925 à Belgrade. XIXe-XXe siècles. Yougoslave.
Peintre de sujets militaires, batailles, sculpteur.
Il fut élève des académies des beaux-arts de Venise et de Munich. Il peignit des icônes ainsi que des scènes et des portraits relatifs à la Première Guerre mondiale.

VUCHEL ou **Viechel**
Allemand.
Peintre de genre.
Le Musée de Rennes conserve de lui : *Homme écoutant une femme qui lui dérobe un ornement de sa toque.*

VUCHT Eliphius. Voir **VUCHTEN**

VUCHT Gerrit Van ou **Vugt**
Né vers 1610. Mort vers 1697. XVIIe siècle. Actif à Schiedam de 1648 à sa mort. Hollandais.
Peintre de natures mortes, fleurs.
Inscrit à la gilde des peintres de Schiedam, notamment en 1666-1668, il en est le doyen en 1675-1677. Dès 1648, on sait qu'il peint des natures mortes déjà dans le style qu'on lui connaît tout au long de sa carrière, c'est-à-dire un style d'une grande sobriété et même d'une pauvreté volontaire, dans une gamme monochrome.
Musées : Tourcoing : *Nature morte avec poissons et gibier.*
Ventes Publiques : Londres, 23 juin 1967 : *Nature morte* : **GNS 1 600** – Londres, 10 avr. 1970 : *Nature morte* : **GNS 1 000** – New York, 7 nov. 1984 : *Nature morte*, h/pan. (28x23,5) : **USD 11 000** – Londres, 12 déc. 1986 : *Nature morte au canard, pain, chou et chaudron*, h/pan. (21x18) : **GBP 11 000** – Amsterdam, 28 nov. 1989 : *Nature morte de livres, un globe terrestre des flacons sur un entablement drapé*, h/pan. (25,3x19,8) : **NLG 9 775** – New York, 10 jan. 1990 : *Nature morte avec un jambon, un verre de vin, un pichet de céramique, une bouteille, etc...sur un entablement drapé de blanc*, h/pan. (27,2x24,1) : **USD 22 000** – Amsterdam, 22 mai 1990 : *Vanité avec des livres et des armes sur une table*, h/pan. (22,5x32,5) : **NLG 17 250** – Amsterdam, 13 nov. 1990 : *Nature morte avec un chaudron de cuivre, un pichet, un chou et autres ustensiles*, h/pan. (21,8x18,3) : **NLG 9 200** – New York, 11 jan. 1991 : *Nature morte avec un panier, des ustensiles de cuisine, une darne de saumon dans une assiette, un quartier de viande et des légumes sur un entablement*, h/pan. (23,5x48,9) : **USD 11 000** – Londres, 17 avr. 1991 : *Nature morte avec un plat d'huîtres, des verres et des flacons sur une table*, h/pan. (25,5x20) : **GBP 4 620** – Amsterdam, 2 mai 1991 : *Vanité avec des livres, une flûte, un écritoire, un pichet de verre etc... sur une table drapée*, h/pan. (22,4x25,8) : **NLG 11 500** – Londres, 30 oct. 1991 : *Nature morte avec de la vaisselle de verre et d'argent sur une table avec du pain et du jambon*, h/pan. (18x12,5) : **GBP 2 750** – Amsterdam, 13 nov. 1995 : *Nature morte avec un coffret de bois, des livres, un luth, une flûte et des flacons sur un entablement drapé*, h/pan. (34,5x27,3) : **NLG 23 000**.

VUCHT Jan Van der
Né vers 1603 à Rotterdam. Mort fin juin 1637 à La Haye. XVIIe siècle. Hollandais.
Peintre de sujets religieux, architectures, intérieurs.
En 1624, il épousa Anne Gerrits ; en 1632, il alla se fixer à La Haye. Il peignit des intérieurs dont Palamèdes, exécuta, fréquemment, les figures.

I. V.

Musées : Brême : *Vue intérieure d'un temple* – Hoorn : *Intérieur d'église* – Moscou (Roumianzeff) : *Intérieur d'église* – Saint-Pétersbourg (Mus. de l'Ermitage) : *Jésus avec les docteurs de la loi* – Schwerin : *Intérieur d'une église Renaissance, avec figures.*
Ventes Publiques : Paris, 9 déc 1979 : *Intérieur de cathédrale*, h/bois (69x86) : **FRF 30 600** – New York, 19 jan. 1984 : *Élégants personnages dans une église*, h/pan. (66x82) : **USD 7 000** – Paris, 3 déc. 1991 : *Intérieur d'une église Renaissance*, h/pan. (26,5x33,5) : **FRF 68 000** – Amsterdam, 10 nov. 1992 : *Intérieur d'une église de style Renaissance avec des fidèles*, h/pan. (51,7x65,5) : **NLG 13 800** – Londres, 24 fév. 1995 : *Capriccio d'une architecture baroque avec un gentilhomme saluant une dame*, h/pan. (19x23) : **USD 8 050** – Amsterdam, 13 nov. 1995 : *Intérieur d'une église Renaissance avec un couple élégant discutant près du porche et un mendiant assis au pied d'une colonne*, h/pan. (42,5x52,8) : **NLG 16 100** – Londres, 8 déc. 1995 : *Intérieur d'église avec le Christ chassant les marchands du temple*, h/pan. (42,5x54) : **GBP 13 225**.

VUCHT TYSSEN Jan Van
Né le 5 septembre 1884 à Nimègue. XXe siècle. Hollandais.
Peintre de compositions animées, intérieurs, portraits, figures.
Il fut élève de l'académie des beaux-arts d'Amsterdam. Il a peint de nombreuses scènes en plein air avec personnages.

VUCHTEN Eliphius ou **Vucht**
Né vers 1500. Mort en 1530 à Cologne. XVIe siècle. Allemand.
Peintre, enlumineur, graveur au burin.
Il appartint à l'ordre des Bénédictins.

VUE DE SAINTE GUDULE, Maître de la. Voir **MAÎTRES ANONYMES**

VUEZ Arnould de ou **Duez** ou **Huez** ou **Wuez** ou **Devuez**
Né le 17 octobre 1644 à Hautpont (près de Saint-Omer). Mort le 18 juin 1720 à Lille. XVIIe-XVIIIe siècles. Français.
Peintre d'histoire.
Il étudia à Paris, Venise et Rome. De retour à Paris, il travailla avec Le Brun au château de Versailles. Académicien en 1681, il dût quitter la France après un duel et se réfugia à Constantinople. Grâce à la protection de Louvois, il fut autorisé à venir à Lille, peindre la chapelle de l'hôpital. On trouve un grand nombre de ses ouvrages dans les établissements religieux de Lille, Cambrai et Douai.
Musées : Douai : *Saint François de Paule et Louis XI* – *Assassinat de Thomas Becket* – *Présentation au temple* – *David en prière* – *Saint Roch* – *Sainte Madeleine et saint Maximin* – Fontainebleau : *Allégorie sur l'alliance du dauphin avec Marie Anne Victoire de Bavière* – Lille : *Saint François d'Assise recevant les stigmates* – *Saint Bonaventure prêchant* – *Saint Bonaventure reçoit la communion des mains d'un ange* – *Saint Thomas d'Aquin visitant saint Bonaventure* – *Miracle opéré par saint Antoine de Padoue* – *Saint Augustin guérissant les malades* – *Saint Augustin distribuant sa fortune aux pauvres* – *Sainte Cécile* – *Les vieillards de l'Apocalypse* – *Sainte Julie* – *La Vierge de douleur* – *Saint Grégoire le*

Grand – Le denier de César – Portrait de Jeanne de Constantinople – Esquisses et portraits dans la salle du conclave.
Ventes Publiques : Paris, 17 fév. 1947 : *Intérieur de la cathédrale d'Amiens* : **FRF 4 000.**

VUGT Gerrit Van. Voir **VUCHT Jan Van der**

VUIBERT Remy ou **Vibert** ou **Wibert** ou **Wuibert**

Né vers 1600 ou 1607 (?) à Troyes. Mort après le 10 novembre 1651 à Paris (?). xviie siècle. Français.

Peintre de compositions religieuses, figures, graveur, dessinateur.

Il fut élève de S. Vouet. On ne sait encore que peu de choses sur ce peintre, à l'étude duquel s'est heureusement attaché J. Thuillier, le spécialiste de la peinture française et tout particulièrement des peintres du xviie siècle. Il semble qu'il dut séjourner plusieurs années à Rome, où il se serait assimilé des éléments de caravagisme, sans doute sous l'influence de Simon Vouet, ainsi que des caractères plus classiques d'après le Dominicain et Poussin, auquel on attribua certaines des œuvres rendues aujourd'hui à Rémy Vuibet. Il grava à l'eau-forte d'après Raphaël et Guido Reni, ainsi que des sujets religieux.
Bibliogr. : In : catalogue de l'exposition *Le xviie siècle français*, Musée du Petit Palais, Paris, 1958.
Musées : Montpellier (Mus. Fabre) : *Mort de sainte Cécile.*
Ventes Publiques : Paris, 18 juin 1993 : *Cariatides*, cr. noir et blanc (34,5x15) : **FRF 4 000.**

VUICHOUD Louise

Née en 1831 à Montreux. Morte en 1909 à Genève. xixe siècle. Suisse.

Peintre sur émail et pastelliste.

Élève de G. Lamunière et de L. Revon. Elle fit ses études à Paris et à Montpellier.

VUILLAME Jacques

xviie siècle. Actif en Arbois. Français.

Sculpteur.

Il travailla aussi à Bruxelles de 1639 à 1663. Il a exécuté des statues pour les églises d'Arbois et de Salins.

VUILLARD Édouard

Né le 11 novembre 1868 à Cuiseaux (Saône-et-Loire). Mort le 21 juin 1940 à La Baule (Loire-Atlantique). xixe-xxe siècles. Français.

Peintre de figures, portraits, intérieurs, natures mortes, peintre à la gouache, peintre de compositions murales, dessinateur, graveur, illustrateur, peintre de décors de théâtre.

Il fut élève au lycée Condorcet à Paris, où il se lia d'amitié avec Maurice Denis, Lugné-Poe et Ker-Xavier Roussel, qui devint son beau-frère. Il étudia à l'atelier de Maillart, peu de temps (six semaines) à l'école des beaux-arts de Paris, dans l'atelier de Gérôme, puis, avec Bouguereau et Robert, à l'académie Julian, où il s'intégra au groupe des Nabis. En 1902 il rencontra Marcel Proust. À partir de 1908, il enseigna à l'académie Ranson. En 1937, il fut élu membre de l'Institut.

Il exposa et après sa mort fut représenté dans les expositions consacrées au groupe des Nabis, à Paris : de 1891 à 1896 *Peintres impressionnistes et symbolistes* à la galerie Le Barc de Boutteville ; 1897, 1898 galerie Ambroise Vollard ; 1899 *Post et Néo-Impressionnistes* à la galerie Durand-Ruel ; 1900, 1902 galerie Bernheim Jeune avec Bonnard, Denis et Valloton ; 1934 *Gauguin, ses amis, l'École de Pont-Aven et l'académie Julian* à la galerie des Beaux-Arts ; 1943 galerie Parvillée ; 1955 *Bonnard, Vuillard et les Nabis* au musée d'Art moderne de la ville ; 1966 *La Revue blanche* à la galerie Maeght ; 1990 *Au temps des Nabis* à la galerie Hubert Berès ; ainsi qu'en province et à l'étranger : 1951 Kunsthalle de Berne ; 1967 musée des Beaux-Arts d'Agen ; 1983 Wildenstein Gallery de New York ; 1984 National Gallery of Art de Washington et Yale University Art Gallery de New Haven ; 1985 musée départemental du Prieuré de Saint-Germain-en-Laye. De son vivant il avait également participé en 1903 au Salon d'Automne à Paris ; en 1905 au Salon de la Libre Esthétique à Bruxelles.

Il a montré ses œuvres dans des expositions personnelles, de son vivant une rétrospective au musée des Arts décoratifs de Paris fut organisée en 1938. Après sa mort, des expositions personnelles lui furent consacrées : 1968 Orangerie des Tuileries à Paris avec K.-X. Roussel ; 1971 Art Gallery of Ontario de Toronto ; 1971-1972 California Palace of the Legion of Honnor de San Francisco et Art Institute de Chicago ; 1983 Graphisches Kabinett de Brême ; 1989 Brooklyn Museum de New York ; 1990 *Les Intérieurs intimes de Vuillard* à la Phillips Collection de Washington et à la Yale University Art Gallery de New Haven ; 1990 et 1991 rétrospective de son œuvre au musée des Beaux-Arts de Lyon, Fundacio Caixa de Pensions de Barcelone et musée des Beaux-Arts de Nantes.

Il a commencé par peindre de petits sujets où s'affirment les qualités de mesure et de force qui firent de tous temps le prestige de l'École française. Ses plus anciennes natures mortes (1888) étonnent par leur décision et leur finesse. Déjà il apprivoise l'objet à force de respect, l'objet qui, par son attitude brillante ou glacée, reste pour tant d'autres le non-moi et « la chose représentée ». L'« intimité » s'établit immédiatement entre le peintre et l'univers modeste dont un usage quotidien lui a permis de vérifier la grandeur, et qui restera son univers favori. Et comme si toutes ses préférences – bien qu'il n'ait que vingt ans et ne connaisse alors ni Manet, ni Degas – étaient arrêtées, voici qu'alternent déjà avec ses natures mortes de petits portraits qui s'imposent à la fois par le naturel et la fierté du ton : alliance rare chez un débutant. Vers 1890, sous l'influence indirecte de Gauguin, toutes les certitudes dont s'étaient contentés jusque-là ceux qui se nommèrent les Nabis, s'effondrent soudain. Tout se trouve remis en question : aussi bien la disposition linéaire du tableau que son organisation colorée, le choix du sujet que celui de la matière, sa fabrication que sa destination. Les toiles que Vuillard peint à cette époque témoignent d'audaces surprenantes et d'un arbitraire tel qu'on pourrait les croire exécutées quinze ou vingt ans plus tard en plein Fauvisme. Le souci d'une géométrie interne les différencie des études antérieures. Désormais le tableau s'articule autour des formes, des lignes et des couleurs. Le peintre, avec une certaine barbarie – si paradoxal que cela paraisse quand on sait sa douceur – sacrifie dans le sens cruel du mot. Parfois on dirait qu'il se brusque lui-même pour arracher une réponse aux problèmes qui le hantent. Tel portrait, tel intérieur – avec ses meubles, ses papiers peints, où évoluent sa famille –, traités par aplats, par tons entiers, ocres, rouges, bleus, safran – sans modulations – semblent préfigurer certains Matisse, certains La Fresnaye. En 1891, il peint une *Élégante*, silhouette vue de dos, longue verticale depuis la coiffure emplumée de brun, une sorte de cape rose, l'étroite et interminable jupe noire, droite devant une porte orange vif entr'ouverte dans un mur vert, d'où jaillit la lumière d'une autre verticale d'un jaune éclatant qui se reflète en rouge sur le parquet aux pieds de l'élégante. Cette peinture qui répond à son souci du moment de créer des « harmonies correspondant à notre état d'âme », de par sa structure quasi géométrique, son dessin totalement libéré du détail, ses rapports de lumières et de couleurs, préfigure bien des aspects de la future abstraction, et évoque singulièrement la dernière période de Nicolas De Staël. Trop souvent on n'admire en Vuillard que l'harmoniste, le calme contemplateur qui unit à l'observation la plus attentive un sentiment exquis de la nuance, des rythmes, des valeurs. Ces recherches singulières, ces méditations plastiques dont une table, un lit-cage, une figure couchée, un visage familier (le sien, souvent) furent les prétextes, permettent de mieux comprendre la somme d'interrogations parfois fiévreuses qui sont à la base de son art. Les dons innés, la facilité naturelle s'appuieront sur une soumission de plus en plus lucide aux exigences techniques, à tout ce qui permet à l'œuvre de s'accroître et de conquérir sa plénitude. En plein symbolisme, comme Bonnard, avec qui il partagea un temps l'atelier, il reste fidèle au quotidien sans jamais s'égarer dans l'étrange ou l'instable. Peintre d'intimités, il revient aux petits sujets, alors si décriés. Il y apporte une telle tension, une telle force de présence que le mystère, poursuivi par d'autres avec agitation, il le retrouve à portée de sa main, de son cœur et de sa mémoire. Très vite on le voit renoncer à cette cocasserie de mise en page que Degas et les Japonais ont fait aimer. Il se détache également des Impressionnistes et de Gauguin, pour qui l'un des buts essentiels de la peinture est d'obtenir le maximum d'éclat et de luminosité. Ses prédilections pour les accords mineurs l'amènent, au contraire, à des vertus franciscaines, à une sorte d'enrichissement par la pauvreté (on le verra, vers la fin de sa vie, réagir dans un autre sens et « monter » à nouveau sa palette). Pratiquant la technique à la colle découverte lorsqu'il réalisait des décors de théâtre pour Lugné-Poe, il en explore les effets de matité, de granuleux, d'opacité, si particuliers à son art. Si Vuillard éprouve le besoin d'échapper à la peinture-bibelot, jamais pourtant il n'a couvert de vastes surfaces. Sans doute se connaissait-il trop pour ne pas limiter son domaine.

Très attiré par le théâtre, il réalise de nombreux programmes lithographiés, des affiches. S'intéressant également aux arts décoratifs, il peint des paravents, des vitraux et des céramiques. Vers 1893, il commence à réaliser des « fresques d'appartement » pour Mme Desmarais, pour les frères Natanson avec des variations sur le thème des jardins publics (1894, neuf panneaux), pour Claude Anet, pour le Dr Vaquez, pour Henri Bernstein, pour les Bernheim-jeune, pour la Comédie des Champs-Élysées, parallèlement aux portraits familiers – ceux de sa mère notamment, qui fut la grande compagne de sa vie. Entièrement libre de son sujet, demandant aux contraintes qu'impose un emplacement déterminé – chambre, salon, bibliothèque, foyer de théâtre – toutes sortes de stimulants, retrouvant, en même temps que ses sincères compagnons de départ – Bonnard, K. X. Roussel, Maurice Denis, Vallotton – des vérités élémentaires et de grandes disciplines perdues, il parvient très vite à un plan supérieur, mais sans jamais élever la voix et met dans ces travaux de commande le meilleur de ce qu'il a vu, senti ou rêvé. En 1899, il réalise un album de lithographies *Paysages et Intérieurs* pour Ambroise Vollard. À partir de 1918, son style évolue avec des portraits de la grande bourgeoisie parisienne et des scènes d'intérieurs, dans une veine traditionnelle, qui se révèlent plus conventionnels, académiques.

Il ne nous déplaît pas que Vuillard, qui fit le silence autour de lui, soit traité de « petit maître » et comparé à Ter Borgh, à Canaletto, à Boudin. Combien, qui se crurent de leur temps des génies et plus fêtés que ne le furent de leur vivant Titien, Rubens ou Tintoret, se virent refuser bientôt ce grand nom de « petit maître » que Vuillard, dans sa modestie, n'eût accepté qu'en rougissant. Il y a dans l'œuvre de Vuillard tant de sérénité, de charme, d'harmonie, qu'on ignore bien souvent ce qu'elle a coûté de peine, d'interrogations et d'inquiétudes. Mais l'extrême pudeur du peintre a voulu qu'elles restent cachées comme d'ailleurs toute une partie de sa production qu'on ne connut qu'à sa mort. Très sociable, nul pourtant ne défendit avec plus ferme douceur sa solitude contre les indiscrétions et la vanité grandissante de l'époque. Depuis les Hollandais, depuis Chardin, depuis Degas, aucune *musique de chambre* qui soit aussi raffinée.

■ Claude Roger-Marx, Laurence Lehoux

Bibliogr. : T. Leclerc, in : *Art et Décoration*, Paris, 1920 – François Fosca, in : *L'Amour de l'Art*, Paris, 1920 – Romain Coolus, in : *Art Vivant*, Paris, 1938 – André Lhote, in : *Nouvelle Revue Française*, Paris, mars 1941 – Bernard Dorival, in : *Revue des Beaux-Arts de France*, Paris, 1942 – Jacques Salomon : *Vuillard*, Paris, 1945 – Claude Roger-Marx : *Vuillard et son temps*, Arts et Métiers Graphiques, Paris, 1946 – André Chastel : *Vuillard*, Paris, 1946 – Claude Roger-Marx : *L'œuvre gravé de Vuillard*, Sauret, Monte-Carlo, 1948 – Claude Roger-Marx : *Vuillard*, Arts et Métiers Graphiques, Paris, 1948 – J. Mercanton : *Vuillard*, Genève, 1949 – Jacques Salomon : *Auprès de Vuillard*, Hermann, Paris, 1953 – Jacques Salomon : *Vuillard admiré*, Paris, 1961 – Claude Roger-Marx : *Vuillard – Intérieurs*, Bibliothèque des Arts, Paris, 1968 – Jacques Salomon : *Vuillard*, Gallimard, Paris, 1968 – Catalogue de l'exposition : *Vuillard-Roussel*, Paris, Orangerie, 1968 – G.L. Mauner in : *Les Nabis : leur histoire et leur art, 1888-1896*, New York, 1978 – Michel Makarius : *Vuillard*, Hazan, Paris, 1989 – P. Durey, H.-C. Cousseau et M. Corral : *Vuillard*, n° hors-série, Beaux-Arts Magazine, Paris, 1990 – *Vuillard*, Cercle d'Art, Paris, 1990 – André Chastel, Guy Cogeval et Hahnloser-Ingold : *Vuillard. Catalogue des œuvres*, Flammarion, Paris, 1990 – Claire Frèches-Thory, Antoine Terrasse : *Les Nabis*, Flammarion, Paris, 1990 – Monin : catalogue de l'exposition *Les Nabis*, Galeries nationales du Grand Palais, Paris, 1993 – Guy Cogeval : *Vuillard*, Gallimard, Paris, 1993 – Claire Frèches-Thory, Antoine Terrasse : *Les Nabis : Bonnard, Vuillard et leur cercle*, Flammarion, Paris, 1997.

Musées : Albi (Mus. Toulouse-Lautrec) : *Portrait de Toulouse-Lautrec de profil gauche, dit au feutre mou* 1897 – Amsterdam (Stedelijk Mus.) : *Portrait de Henri de Toulouse-Lautrec en ciré, faisant la cuisine* 1898 – Berlin (Mus. nat.) : *Regardant à la fenêtre*, deux œuvres – *Le Modèle* – Bruxelles (Mus. des Beaux-Arts) : *Les Deux Écoliers* 1894, panneau décoratif pour « Les Jardins publics » pour Alexandre Natanson – Chicago (Art Inst.) : *La Chambre de Vuillard au château de Clayes* – Cleveland (Mus. of Art) : *Sous les arbres* 1894, panneau décoratif pour « Les Jardins publics » pour Alexandre Natanson – Cologne (Wallraf Richartz Mus.) : *Femme au placard* – Dijon (Mus. des Beaux-Arts) : *Meule* – Glasgow (Mus. and Art Gal.) : *Mère et Enfant* – Grenoble (Mus. de peint. et de sculpt.) : *Femme au corsage bleu* 1915 – Hambourg (Mus. des Beaux-Arts) : *Vue de la Binnenalster* – Houston (Mus. of Fine Arts) : *La Promenade* 1894, panneau décoratif pour « Les Jardins publics » pour Alexandre Natanson – Karlsruhe (Kunsthalle) : *Misia au piano, Cipa l'écoutant* – Lausanne (Mus. nat. des Beaux-Arts) : *Madame Vuillard cousant* – Lausanne (Mus. canton. des Beaux-Arts) : *Portrait du Dr Widmer* – Londres (Courtauld Inst.) : *Intérieur, le paravent* vers 1912 – Londres (Tate Gal.) : *Intérieur* vers 1905 – Lyon (Mus. des Beaux-Arts) : *Misia à Villeneuve-sur-Yonne* vers 1897, h/bois – Marseille (Mus. Cantini) : *Le Tramway* 1908, past., gche et colle sur cart. – Moscou (Mus. Pouchkine) : *Enfants dans un intérieur* – New Haven (Yale University Art Gal.) : *L'Aiguillée* – *La Cuisine* 1892, h/bois – New York (Metropolitan Mus.) : *Autoportrait avec Waroqui* 1889 – *Mère et sœur de l'artiste* 1893 – *Personnage assis devant une fenêtre* – New York (Mus. of Mod. Art) : *Mère et Sœur de l'artiste* 1893 – *Les Brodeuses ou La Tapisserie* – Northampton (Smith College, Mus. of Art) : *L'Atelier de couture* 1893 – Paris (Mus. d'Orsay) : *Nature morte à la salade* vers 1887 – *Les Premiers Pas* 1894 – *Jardins publics* 1894, cinq panneaux parmi lesquels « Fillettes jouant », « L'Interrogatoire », « Les Nourrices », « La Conversation », « L'Ombrelle rouge » – *Portrait de Félix Valloton dans son atelier* 1900 – *Le Déjeuner du matin* vers 1903 – *Vase de fleurs* 1904 – *Le Pouliguen, le cargo à quai* vers 1908 – *La Salle à manger rouge* vers 1908 – *Intérieur* vers 1910 – *La Bibliothèque* 1911 – *Le Bouquet de narcisses* 1912 – *Portrait de Geneviève Bernheim de Villers* 1920 – *Portrait de Madame Bénard* 1930 – *Le Sacré-Cœur, vu de l'appartement de l'artiste* 1935 – *Le Réservoir d'eau aux Clayes* 1936 – *Portrait de Madame Vaquez* – *Portrait de Madame Suzanne Després* – *Portrait de Romain Coolus* – *Après le repas* – *Le Sommeil* – *Portrait de l'artiste par lui-même* – Paris (Mus. d'Orsay) : *Au lit* – *Portrait de Mme Jeanne Lanvin* – *Portrait de Monsieur Arthur Fontaine* – *Portrait de Claude Bernheim de Villers* – *Jardins publics*, dess., six études – Paris (Mus. du Louvre, département des Arts Graphiques) : *Reine Natanson* – Paris (Mus. du Petit Palais) : *La Bibliothèque* 1896 – *La Musique* 1896 – Paris (BN) : *Les Deux Belles-Sœurs* – *La Table au grand abat-jour* – *À travers champs* – *Paysages et Intérieurs*, grav., album Vollard – *Dessin pour le Rideau des Arts* – *Jeux d'enfants* 1897, litho. – *Sur le pont de l'Europe* 1898-1899, litho. en coul. – *La Cuisinière* 1899, litho. – *Intérieur aux teintures roses* 1899, litho. – *La Patisserie* 1899, litho. – Rochester (Mem. Art Gal. of the University) : *Portrait de Lugné-Poe* – Saint-Tropez (Mus. de l'Annonciade) : *Deux Femmes sous la lampe* 1892 – São Paulo (Mus. d'Art) : *La Robe à ramages*, h/t – Strasbourg (Mus. d'Art mod.) : *Autour de la lampe* 1910 – Stuttgart : *Intérieur* – Washington D. C. (Philips coll.) : *Le Journal* 1895

– WASHINGTON D. C. (Nat. Gal. of Art) : *Le Corsage rayé* 1895, panneau décoratif pour Thadée Natanson – WINTHERTHUR (Kunstmus.) : *Femmes dans un intérieur* 1893 – *Intérieur au chiffonnier* – ZURICH (Kunsthaus) : *Grand Intérieur aux six personnages* 1897 – *La Chambre à coucher de Lucie Hessel (La Manucure)* vers 1907 – *Les Collines bleues*.

VENTES PUBLIQUES : PARIS, 1899 : *Intérieur* : **FRF 600** – PARIS, 1900 : *La Tasse de café* : **FRF 1 100** – PARIS, 24 mars 1900 : *Le Café-concert* : **FRF 450** – PARIS, 18-19 mai 1903 : *Les Couturières* : **FRF 700** – PARIS, 28 nov. 1904 : *A table* : **FRF 1 300** – PARIS, 12-14 mai 1906 : *Intérieur d'été* : **FRF 1 750** – PARIS, 15 avr. 1907 : *La Dame à l'écharpe* : **FRF 2 600** – PARIS, 13 juin 1908 : *L'Album* : **FRF 2 000** – PARIS, 24 fév. 1919 : *La Dame bleue à l'enfant* : **FRF 5 500** – PARIS, 21 fév. 1920 : *Vieille Femme et Jeune Fille* : **FRF 8 100** – PARIS, 18 mai 1925 : *La Lecture dans un salon* : **FRF 26 500** – PARIS, 24-25 juin 1925 : *Intérieur* 1906 : **FRF 49 100** ; *Violettes* : **FRF 37 800** – PARIS, 1er mars 1926 : *Intimité* : **FRF 35 000** – PARIS, 12 juin 1926 : *Intérieur* : **FRF 52 000** – PARIS, 1er mars 1928 : *Théodore Duret dans son cabinet de travail* : **FRF 54 000** – PARIS, 16 mai 1929 : *Le Passeur* : **FRF 112 000** ; *La Salle à manger* : **FRF 68 000** ; *La Conversation* : **FRF 200 000** – PARIS, 28 mai 1930 : *Le Salon* : **FRF 94 500** – PARIS, 14 juin 1930 : *La Collation dans le jardin* : **FRF 45 000** – PARIS, 15 déc. 1930 : *L'Attente du modèle*, peint. à la détrempe : **FRF 40 000** – PARIS, 17 nov. 1932 : *La mère de l'artiste cousant* : **FRF 40 000** – PARIS, 12 déc. 1932 : *Vase de fleurs* : **FRF 57 000** – PARIS, 6 mars 1937 : *Le Salon et la salle à manger* : **FRF 31 500** – PARIS, 10 juin 1937 : *Vase d'anémones* : **FRF 36 000** – PARIS, 8 déc. 1937 : *Femme dans un intérieur* : **FRF 39 000** ; *Jeune femme dans un intérieur* : **FRF 34 000** – PARIS, 17 juin 1938 : *La Chambre aux cretonnes* 1902 : **FRF 50 100** ; *Entrée de la ville* 1903 : **FRF 94 100** – PARIS, 24 juin 1938 : *Trio de musiciens*, peint. à la détrempe avec reh. de past. : **FRF 40 000** – PARIS, 18 fév. 1939 : *Femme dans un intérieur* : **FRF 34 100** ; *La Conversation* : **FRF 39 000** – LONDRES, 19 avr. 1940 : *Femme lisant*, dess. : **GBP 189** – PARIS, 13 déc. 1940 : *Femme assise dans un intérieur* : **FRF 46 000** – PARIS, 4 déc. 1941 : *Le Lit-cage* 1903 : **FRF 215 000** ; *Jardin sur la mer à Cannes* : **FRF 105 000** – PARIS, 11 déc. 1942 : *La Lecture* : **FRF 200 000** ; *Femme assise dans un intérieur* : **FRF 180 000** – PARIS, 10 mars 1944 : *Femme dans un intérieur* : **FRF 250 000** ; *Le Salon*, past. : **FRF 83 000** – NEW YORK, 20 avr. 1944 : *Intimité* : **USD 4 900** – NEW YORK, 17-18 jan. 1945 : *Mlle Germaine Feydeau* : **USD 2 750** – PARIS, 22 juin 1945 : *Portrait de Suzanne Desprès ; Portrait des enfants Roussel à table* : **FRF 206 000** – NICE, 18-19 fév. 1946 : *Jeune Fille assise près d'une porte ouverte aux rayons du soleil* 1905 : **FRF 130 000** – PARIS, 30 mai 1947 : *Jardin de l'Alcazar le soir* vers 1924 : **FRF 160 000** ; *Nu à la chaise* 1904 : **FRF 252 000** ; *Mère et Enfant* 1900 : **FRF 300 000** – PARIS, 30 mai 1949 : *Femme dans un intérieur* : **FRF 180 000** ; *Intérieur* : **FRF 160 000** ; *Au bord de la mer*, past. : **FRF 250 000** – PARIS, 1er juin 1949 : *Femme au chapeau rose* : **FRF 360 000** – PARIS, 4 juil. 1949 : *Femme dans un intérieur, après le bain* : **FRF 620 000** – GENÈVE, 5 nov. 1949 : *Intérieur : atelier de couturières* : **CHF 4 300** – PARIS, 24 fév. 1950 : *Fleurs sur une table*, past. : **FRF 350 000** – PARIS, 21 avr. 1950 : *Atelier de couture : la cour* : **FRF 260 000** – GENÈVE, 6 mai 1950 : *Intérieur* 1895 : **CHF 2 700** – PARIS, 10 mai 1950 : *La Mère de l'artiste* : **FRF 380 000** – PARIS, 12 mai 1950 : *Salon de thé* : **FRF 440 000** ; *La Lecture*, past. : **FRF 245 000** – LONDRES, 24 mai 1950 : *Deux Jeunes Filles sur la plage*, h. et gche : **GBP 300** – PARIS, 29 nov. 1950 : *Intérieur au bouquet*, past. : **FRF 260 000** – NEW YORK, 14 fév. 1951 : *Les Toits rouges, près de Fontainebleau* 1894 : **USD 2 200** ; *Fleurs* 1890, past. : **USD 675** – LONDRES, 24 fév. 1951 : *Le Salon de thé* : **GBP 300** – GENÈVE, 10 mars 1951 : *La Lecture sous la lampe*, peint. et past. : **CHF 9 000** – PARIS, 9 mai 1951 : *La Veillée* : **FRF 420 000** – PARIS, 9-10 juin 1953 : *Missia Sert au piano* : **FRF 700 000** – PARIS, 23 fév. 1954 : *Femme au chien* : **FRF 2 450 000** – NEW YORK, 2 mai 1956 : *Chez les Hessel* : **USD 11 500** – BERNE, 22 nov. 1956 : *Madame Vuillard et sa fille*, past. : **CHF 4 000** – PARIS, 14 juin 1957 : *La Place Vintimille*, temp. : **FRF 3 600 000** – LONDRES, 1er nov. 1957 : *Madame Bénard*, gche : **GBP 1 622** – NEW YORK, 7 nov. 1957 : *Chanteuse en rouge*, past. : **USD 4 250** – NEW YORK, 19 mars 1958 : *Femme avec son chien favori*, past. : **USD 8 600** – PARIS, 19 mars 1958 : *Portrait de Madame Val* 1924, peint. à la colle : **FRF 3 300 000** – LONDRES, 26 mars 1958 : *Après le dîner chez les Hessel, rue de Naples* : **GBP 1 700** – NEW YORK, 19 nov. 1958 : *Au bord de la Seine*, peint. à la colle : **USD 22 000** – NEW YORK, 13 mai 1959 : *Le Salon*, peint. à la colle/cart. : **USD 27 000** – PARIS, 11 juin 1959 : *Madame Hessel et Denise Nathanson aux Pavillons*, h/cart. : **FRF 20 500 000** – LONDRES, 1er juil. 1959 : *Dans la bibliothèque* : **GBP 6 000** – PARIS, 8 déc. 1959 : *La Visiteuse en robe bleue dans l'atelier du peintre* 1900, h/cart. : **FRF 10 800 000** – PARIS, 21 juin 1960 : *La Table desservie*, peint. à la colle : **FRF 66 000** – LONDRES, 6 juil. 1960 : *Madame Hessel et ses amies*, temp. : **GBP 4 500** – NEW YORK, 26 oct. 1960 : *La loge*, past. : **USD 31 000** ; *Le Malade imaginaire*, pl. et aquar. : **USD 3 500** – NEW YORK, 25 jan. 1961 : *Scène de marché*, aquar. : **USD 1 600** – PARIS, 16 juin 1961 : *Mademoiselle Hessel et Madame Hessel lisant à la Baule*, sur carton : **FRF 95 000** – LONDRES, 14 juin 1962 : *Cyprien Godebski et Misia jouant du piano* : **GBP 23 500** – VERSAILLES, 27 nov. 1962 : *Village sous un ciel orageux*, past. : **FRF 26 000** – NEW YORK, 30 oct. 1963 : *Autoportrait* vers 1899 : **USD 57 500** – NEW YORK, 11 déc. 1963 : *Paysage fleuri*, past. : **USD 8 500** – LONDRES, 29 avr. 1964 : *Femme assise près d'une lampe* : **GBP 20 000** – LONDRES, 19 juin 1964 : *Le Salon, le soir, à Vaucresson*, past. et détrempe : **GNS 5 700** – PALM BEACH, 9 fév. 1965 : *Le Salon vert des Hessel* : **USD 83 000** – LONDRES, 31 mars 1965 : *Jeune femme sortant du lit*, past. : **GBP 8 500** – GENÈVE, 25 nov. 1966 : *Mme Hessel dans le jardin à Ouistreham*, past. : **CHF 100 000** – LONDRES, 2 déc. 1966 : *Sous la lampe, le salon de Mme Hessel, rue de Naples* : **GNS 12 000** – PARIS, 30 mai 1967 : *Femme lisant devant son bureau* : **FRF 280 000** – LONDRES, 28 juin 1967 : *Femme à sa toilette*, past. : **GBP 7 500** – NEW YORK, 3 avr. 1968 : *Portrait en bleu*, past. : **USD 20 000** – LONDRES, 3 juil. 1968 : *Mme Vuillard cousant* : **GBP 27 000** – LONDRES, 2 juil. 1969 : *Misia et Thadée Natanson, rue Saint-Florentin* : **GBP 34 000** – VERSAILLES, 30 nov. 1969 : *La Route*, gche : **FRF 72 000** – LONDRES, 16 avr. 1970 : *Jeune femme dans l'atelier*, past. : **GBP 8 000** – LONDRES, 14 oct. 1970 : *La Couseuse* : **GBP 28 000** – NEW YORK, 10 mars 1971 : *Mme Tristan Bernard* : **USD 55 000** – LONDRES, 30 nov. 1971 : *Femme à la voilette dans un intérieur*, past. : **GNS 12 000** – LONDRES, 27 juin 1972 : *Le Salon, le soir à Vaucresson*, past. : **GNS 8 500** – NEW YORK, 26 oct. 1972 : *Mme Vuillard en robe rouge* : **GBP 82 500** – GENÈVE, 2 mars 1973 : *Femme dans un intérieur*, gche : **CHF 28 000** – LONDRES, 3 juil. 1973 : *Déjeuner du matin* 1902 : **GBP 45 000** – LONDRES, 2 avr.1974 : *Femme à la jupe jaune* 1891, gche : **GBP 15 000** – LONDRES, 2 juil. 1974 : *Trois Femmes dans un intérieur à tentures roses* 1895 : **GNS 27 000** – NEW YORK, 28 mai 1976 : *Jeune fille sur une balançoire*, past./pap. mar./t (33,5x27) : **USD 6 000** – NEW YORK, 20 oct. 1976 : *Le tennis* 1907, h/t (165,7x151,4) : **USD 75 000** – NEW YORK, 21 oct. 1976 : *Études de nus*, fus. (46x30,5) : **USD 1 100** – LONDRES, 4 oct. 1977 : *La pâtisserie* 1899, litho. en coul./Chine (35,5x27,4) : **GBP 2 600** – LONDRES, 30 mars 1977 : *Femme à Villerville* 1910, past. (56x42) : **GBP 18 500** – NEW YORK, 13 mai 1977 : *Le fiacre* vers 1895, h/cart. (27,3x35) : **USD 11 500** – BERNE, 22 juin 1979 : *Le jardin devant l'atelier* 1899, litho. en coul. : **CHF 10 500** – NEW YORK, 6 nov 1979 : *Le banc, square Vintimille* vers 1925, temp./pap. maroufle/t (65x54) : **USD 62 000** – NEW YORK, 7 nov 1979 : *Mme Vuillard à Saint-Honoré* vers 1895, h/cart. (31x24) : **USD 44 000** – LONDRES, 1er déc. 1980 : *Portrait de Mademoiselle Jacqueline Fontaine* vers 1912, fus. et past./pap. brun mar./t (153,7x111,7) : **GBP 10 000** – NEW YORK, 20 mai 1981 : *Autoportrait*, h/t (41x33) : **USD 250 000** – LONDRES, 30 juin 1982 : *Femme au chapeau de plumes* vers 1895, past. (47,5x30,7) : **GBP 20 000** – LONDRES, 16 juin 1983 : *La Partie de dames* 1899, litho. en coul. (33,5x27,2) : **GBP 10 500** – NEW YORK, 16 nov. 1984 : *Portrait de Madame Laroche* 1926, past. (108x73,3) : **USD 270 000** – NEW YORK, 19 avr. 1984 : *La salle à manger*, fus. (20,3x23,2) : **USD 2 000** – NEW YORK, 16 mai 1984 : *En famille* 1928-1929, peint. à la colle/t (195x175) : **USD 190 000** – NEW YORK, 15 mai 1985 : *La pâtisserie* 1898-1940, gche et past./pap. mar./cart. (34,9x26,7) : **USD 95 000** – PARIS, 26 juin 1986 : *Nu à la chaise* 1904, h/t (58x32) : **FRF 560 000** – NEW YORK, 13 mai 1986 : *Jeune femme assise sur le rebord de la fenêtre, rue de La Tour* vers 1905, h/cart. (53x50,5) : **USD 195 000** – NEW YORK, 18 fév. 1988 : *Les communs aux Clayes*, past./pap. mar./cart. (21,5x26) : **USD 13 200** – PARIS, 19 juin 1988 : *L'enclos aux canards au château de Clayes* vers 1934, peint. à la colle/pap. mar./t (108x98) : **FRF 1 150 000** – PARIS, 24 juin 1988 : *La Liseuse*, h/cart. (35x25) : **FRF 5 950 000** ; *Madame Hessel au boudoir jaune* vers 1907, h/cart. (38x61) : **FRF 2 560 000** – FONTAINEBLEAU, 26 juin 1988 : *Femme assise*, dess. à la mine de pb (19x11,3) : **FRF 12 500** – PARIS, 12 oct. 1988 : *Intérieur, harmonie jaune et bleue au chat et à l'enfant*, past. (24x24) : **FRF 441 000** – PARIS, 16 oct. 1988 : *Les roses thé*, past. (17x12) : **FRF 65 000** – NEW YORK, 12 nov. 1988 : *Dans le jardin*, past./pap. bleu (25x32,4) : **USD 46 750** – PARIS, 20 nov. 1988 : *Portrait de Madame Tristan Bernard* 1914, h/t (129,5x111) : **FRF 2 150 000** ; *Scène animée*, peint. à la colle/pap. mar./contreplaqué (53x43) : **FRF 190 000** – Londres, 29 nov. 1988 : *Femme dans l'atelier*, h/cart. (28x34) : **GBP 77 000** – Londres, 22 fév. 1989 : *Portrait de Madame Wertheimer*, fus. et past./pap. teinté (68,5x87) : **GBP 9 350** – Londres, 4 avr. 1989 : *Carafe de vin et quatre pêches*, h/t (23x28) : **GBP 198 000** – Paris, 8 avr. 1989 : *Bouquet de fleurs*, past./pap. (31x39) : **FRF 600 000** – New York, 9 mai 1989 : *Madame Hessel dans son salon rue de Rivoli*, h/pan. (54,5x49) : **USD 742 500** – Londres, 27 juin 1989 : *L'atelier de Ker-Xavier Roussel*, peint. à la colle/cart. (74x72,5) : **GBP 60 500** ; *Madame Hessel lisant le soir, rue de Naples*, peint. à la colle/pap./t (90x70) : **GBP 330 000** – Paris, 11 oct. 1989 : *Visage de jeune femme* 1913, past. (28x22) : **FRF 70 000** – New York, 18 oct. 1989 : *Square Vintimille*, détrempe/t, une paire (chaque 100x50) : **USD 2 200 000** – New York, 14 nov. 1989 : *La table de toilette (dans les fleurs)* 1895, h/t (65x114) : **USD 7 700 000** – New York, 13 nov. 1989 : *Femme coupant le pain*, h/cart./pan. (32x24) : **USD 440 000** – New York, 14 nov. 1989 : *Nu dans un intérieur* 1923, h/cart. (74,4x52) : **USD 682 000** – Paris, 19 nov. 1989 : *La Goulue et Valentin le désossé*, past./pap. (24,7x16) : **FRF 800 000** – Paris, 21 nov. 1989 : *Portrait de Louis Loucheur*, past. (53x46) : **FRF 400 000** – Paris, 22 nov. 1989 : *Projet d'affiche pour le théâtre du Vieux Colombier*, fus. et past./pap. (130x97) : **FRF 145 000** – Paris, 17 déc. 1989 : *Figure en noir* 1892 (33x25) : **FRF 100 000** – New York, 21 fév. 1990 : *Deux femmes à un balcon*, fus./pap. (23,2x10,1) : **USD 8 250** – New York, 26 fév. 1990 : *Nu dans un atelier*, h/cart. (19x17,8) : **USD 33 000** – Paris, 20 mars 1990 : *Femme dans un intérieur*, dess. au cr. et au past. (20,5x16) : **FRF 115 000** – Paris, 25 mars 1990 : *Le Poulailler du Câteau des Clayes* 1939, peint. à colle/t (129x125) : **FRF 3 600 000** – Londres, 3 avr. 1990 : *Dans la bibliothèque*, h/t (126x116) : **GBP 440 000** – Paris, 5 avr. 1990 : *La fenêtre ouverte* 1899, h/t (53x58) : **FRF 1 900 000** – New York, 16 mai 1990 : *Sacha Guitry dans sa loge*, past./pap. teinté (74,9x97,5) : **USD 550 000** – Paris, 13 juin 1990 : *Jeune femme assise* vers 1922, cr./pap. (21x13) : **FRF 48 000** – New York, 3 oct. 1990 : *La grand'mère de l'artiste devant son bureau*, fus. avec reh. coul. (35x23) : **USD 18 700** – Paris, 17 oct. 1990 : *Coin de jardin*, h/cart. (28x27) : **FRF 1 300 000** – Paris, 22 oct. 1990 : *Péniches sur la Seine au Pont-Neuf* 1931, h/t (50x73) : **FRF 17 000** – New York, 13 nov. 1990 : *Petit déjeuner à Villerville* 1910, h/cart. (57,5x77,5) : **USD 550 000** – Paris, 15 juin 1990 : *Paysage*, past. (37,5x27,5) : **FRF 40 000** – Londres, 4 déc. 1990 : *Autoportrait*, h/t (28,6x25,1) : **GBP 60 500** – Londres, 5 déc. 1990 : *Statuette sur la cheminée de Vuillard* 1922, peint. à la colle/t (47x117) : **GBP 137 500** – Paris, 5 déc. 1990 : *Le modèle aux yeux clairs*, past. (30x27) : **FRF 500 000** – Londres, 19 mars 1991 : *Jeune fille assise dans un pré*, past./pap. gris (19,4x20,6) : **GBP 7 700** – Londres, 20 mars 1991 : *La galerie du Moyen Age au Louvre*, détrempe et fus./pap./t (98x115) : **GBP 36 300** – New York, 7 mai 1991 : *Madame Vuillard dans la salle à manger à Vaucresson*, h/cart. (43,8x47,1) : **USD 275 000** – Paris, 21 juin 1991 : *Femme dans un intérieur*, h/cart. (24x19) : **FRF 760 000** – Londres, 25 juin 1991 : *Le divan*, peint. à la colle/pap./t (57x57) : **GBP 154 000** – Paris, 15 avr. 1991 : *Dans les framboisiers*, h/cart./pan. (78x78) : **FRF 1 600 000** – Deauville, 16 août 1991 : *Madame Hessel sans son intérieur* 1905, h/cart. (37x60) : **FRF 2 300 000** – Londres, 16 oct. 1991 : *Portrait de femme*, past. (26x21) : **GBP 16 500** – New York, 5 nov. 1991 : *Le chocolat* 1892, h/cart./pan. (31,1x36,2) : **USD 385 000** – New York, 7 nov. 1991 : *Le pot vert* 1909, past./pap. brun (25,1x32,4) : **USD 41 800** – Paris, 4 déc. 1991 : *Madame Bernheim dans son salon*, dess. (20x12) : **FRF 82 000** – New York, 12 mai 1992 : *Le banc du square Vintimille*, détrempe/pap./t (65x54) : **USD 220 000** – New York, 13 mai 1992 : *Madame Hessel dans son salon*, peint. à la colle/pap./t (100x54,9) : **USD 632 500** – New York, 13-14 mai 1992 : *Le mannequin*, fus./pap. chamois (23,5x27,9) : **USD 55 000** – Stockholm, 19 mai 1992 : *Paysage de France en été*, h/t (18x19) : **SEK 145 000** – Londres, 30 juin 1992 : *La chambre verte – Mme Vuillard et Annette rue Truffaut*, h/cart. (44x42) : **GBP 104 500** – New York, 11 nov. 1992 : *Mme Vuillard lisant dans la salle à manger rue Truffaut* 1903, h/cart./pan. (45,1x61,9) : **USD 286 000** – Paris, 25 nov. 1992 : *La robe noire* 1920, peint. à la colle/pap./t (74x44,7) : **FRF 175 000** – Londres, 30 nov. 1992 : *Le Salon aux trois lampes, rue Saint-Florentin* 1899, h. et détrempe/pap./t (60x96) : **GBP 1 540 000** – Paris, 11 juin 1993 : *Les Deux Belles Sœurs* 1899, litho. en coul. (35,4x28,2) : **FRF 115 000** – Paris, 26 oct. 1993 : *Promenade dans le square Vintimille*, past. (26x24,5) : **FRF 260 000** – Paris, 26 nov. 1993 : *Portrait de Madame Tristan Bernard* 1914, peint. à la colle/pap./t (129x111) : **FRF 460 000** – New York, 4 nov. 1993 : *Le Bouquet dans un pot blanc*, h/cart. (19,4x15,6) : **USD 85 000** – Zurich, 3 déc. 1993 : *Femme nue debout*, cr. (17x10,3) : **CHF 4 000** – Paris, 27 avr. 1994 : *Feuillage*, peint. à la colle/t (33x86) : **FRF 35 000** – New York, 12 mai 1994 : *Le Discoureur*, h/pap./pan. (26,4x40) : **USD 118 000** – Paris, 13 juin 1994 : *Lucie en bleu le soir (Madame Hessel)* 1904, h/cart. (21x19) : **FRF 410 000** – Londres, 29 juin 1994 : *La Rêverie*, past. et cr. (30x24) : **GBP 47 700** – New York, 8 nov. 1994 : *Modèle dans l'atelier*, h/cart./pan. (62,5x86) : **USD 1 927 500** – Paris, 17 nov. 1994 : *Femme appuyée sur un parapluie*, h/t (23x11) : **FRF 586 000** – Paris, 24 mars 1995 : *La Pâtisserie* 1899, litho. coul. (35x27,5) : **FRF 99 000** – Paris, 8 avr. 1995 : *Madame Hessel*, peint. à la colle/cart. (45,5x52) : **FRF 450 000** – New York, 8 mai 1995 : *Les Lilas, le bouquet schématique*, h/pan. (35,6x27,9) : **USD 409 500** ; *La Soirée musicale*, h/cart./pan. (43,2x55,2) : **USD 1 597 500** – New York, 9 mai 1995 : *Le Garçon de café du bois de Boulogne*, détrempe/cart. (47,3x47,3) : **USD 607 500** – Paris, 28 mars 1996 : *Scène d'intérieur avec Madame Hessel chez sa cousine Madame Aron* 1912, peint. à la colle avec reh. de past./pap./cart./isor. (65x57) : **FRF 620 000** – New York, 30 avr. 1996 : *L'Atelier de couture I* 1892, h/t (47x115) : **USD 2 642 500** – New York, 1er mai 1996 : *Le Square Berlioz* 1915, détrempe/t (162,6x228,6) : **USD 3 082 500** – Paris, 10 juin 1996 : *Portrait de Félix Vallotton* vers 1897, h/cart. (26x22) : **FRF 180 000** – Paris, 16 oct. 1996 : *La Naissance d'Annette* vers 1899, litho. coul. : **FRF 19 000** – New York, 12-13 nov. 1996 : *Jeune Homme au chapeau*, past./pap. (24,1x25,4) : **USD 43 125** – Londres, 4 déc. 1996 : *La Table encombrée : Annette et Jacques Roussel, rue de Calais*, temp./cart./t (49x60,5) : **GBP 32 200** – Paris, 12 déc. 1996 : *Paris, la guinguette* vers 1898, h/cart. (41x33) : **FRF 430 000** – Paris, 16 mars 1997 : *Jeune Fille au chat* vers 1892, gche, lav. d'encre, encre de Chine et cr./pap./cart. (23x12,13) : **FRF 145 000** – Paris, 6 juin 1997 : *Scène d'intérieur*, mine de pb (11x20) : **FRF 14 000** – Paris, 10 juin 1997 : *La Cuisinière* 1899, litho. (34,5x27,5) : **FRF 155 000** – Paris, 11 juin 1997 : *Intérieur à la fenêtre* vers 1919-1920, past. (28,5x23,5) : **FRF 300 000** – Paris, 16 juin 1997 : *La Terrasse*, past. (28x39) : **FRF 180 000** – Londres, 25 juin 1997 : *Le Théâtre Libre* vers 1890-1891, aquar. et brosse et encre/pap., programme (38,5x27,7) : **GBP 14 950**.

VUILLAUME Germaine

Née au XIXe siècle à Morteau (Doubs). XIXe siècle. Française.

Portraitiste.

Élève de Bouguereau et Gabriel Ferrier. Sociétaire des Artistes Français depuis 1898, elle figura au Salon de ce groupement ; reçut une mention honorable en 1895.

VUILLAUME Rémy. Voir **VILLAUME**

VUILLEFROY Félix Dominique de

Né le 2 mars 1841 à Paris. Mort en 1910. XIXe-XXe siècles. Français.

Peintre d'animaux, paysages animés, paysages, lithographe.

Élève de Léon Bonnat et d'Ernest Hébert, il exposa au Salon des Artistes Français, y obtenant une médaille en 1870, une médaille de deuxième classe en 1875 ; il en devint sociétaire en 1882. Chevalier de la Légion d'honneur en 1880, il reçut une médaille d'or à l'Exposition universelle de 1889.

Ses toiles montrent une prédilection pour les animaux, les chevaux, le bétail, peints dans un coloris riche. Il fait souvent jouer des effets de contre-jour sur ses paysages de Camargue, du Morvan, de Fontainebleau, de la Normandie, d'Espagne ou de Suisse.

Bibliogr. : Gérald Schurr, in : *Les Petits Maîtres de la peinture 1820-1920, valeur de demain*, Les Éditions de l'Amateur, t. IV, Paris, 1979.

Musées : Amiens : *Troupeau de vaches dans l'Oberland* – Lyon : *Retour du pâturage* – Le Mans : *Un troupeau de bœufs* – Paris : *Le retour du troupeau – Dans les prés* – Reims : *Retour à la ferme – Attelage de bœufs à Saint-Jean-de-Luz – Vache à l'abreuvoir*.

Ventes Publiques : Paris, 1881 : *Bœufs au repos* : **FRF 710** –

Paris, 1884 : *La récolte des foins* : **FRF 1 950** – Paris, 5-6 mars 1907 : *La gardeuse de vaches* : **FRF 3 800** – New York, 26 fév. 1909 : *La fin du jour* : **USD 1 150** – Paris, 1-3 déc. 1919 : *Vaches à l'abreuvoir* : **FRF 2 200** – New York, 7-8 déc. 1933 : *La fin du jour* : **USD 80** – Nice, 23-25 mars 1943 : *Bestiaux sur la route* : **FRF 1 400** – Paris, 20 mars 1951 : *Le convoi à travers la montagne* : **FRF 10 400** – Paris, 30 juin 1978 : *La vague*, h/t : **FRF 2 600** – Paris, 5 nov. 1991 : *Gardeuse de vaches*, h/pan. (26,8x35) : **FRF 3 500** – Paris, 26 juin 1992 : *La fermière*, h/t (38x55) : **FRF 11 000**.

VUILLEFROY Georges Jean Eugène de
Né à Quimper (Finistère). xixe siècle. Français.
Peintre d'animaux, natures mortes, fleurs.
Il fut élève de Félix de Vuillefroy. Il débuta au Salon de Paris en 1880. On lui doit diverses représentations de chiens.
Ventes Publiques : New York, 29 oct. 1992 : *Roses roses dans un vase de verre*, h/t (40,6x33) : **USD 1 045**.

VUILLEMIN Charles François
xviiie siècle. Actif à Besançon vers 1763. Français.
Peintre.

VUILLEMINOT Léon. Voir **ERPIKUM**

VUILLEMOT J. J.
xixe siècle. Français.
Peintre de portraits et de sujets religieux.

VUILLEQUIN SMONT. Voir **GILLEQUIN**

VUILLERET Gebhart
xviie siècle. Actif à Fribourg en 1624. Suisse.
Peintre.

VUILLERME Joseph ou **Villierme** ou **Villerme**
Né vers 1660 à Saint-Claude. Mort en 1720 ou 1723 à Rome. xviie-xviiie siècles. Français.
Sculpteur sur bois et sur ivoire.
Ce fameux ivoirier dont Mariette, qui le connut, fait le plus grand éloge, fut d'abord sculpteur aux Gobelins sous la direction de Le Brun. Il alla ensuite s'établir à Rome. Comme il était fort religieux, il ne voulut jamais sculpter que des crucifix. Il eut un protecteur, le marquis Pallavicini, qui avait garni une petite galerie de Christs d'ivoires et de bois. Mais ce collectionneur n'eut pas d'imitateur et Mariette dit avoir vu notre artiste mourir presque de faim, malgré son talent. Il fut enterré à la Trinité du Mont. Son portrait a été gravé par Robert en 1723. M. Dubus, à Neufchâtel-en-Bray possède de notre artiste un Crucifix de 0,80 centimètres, œuvre considérée par de nombreux amateurs comme un des chefs-d'œuvre du maître. ■ Geneviève Bénézit

VUILLERMET Charles ou **François Charles**
Né le 13 août 1849 à Grange-Neuve (près de Morges). Mort le 5 décembre 1918 à Lausanne. xixe-xxe siècles. Suisse.
Peintre de portraits, paysages, paysages d'eau, dessinateur.
Il exposa au Salon de Paris en 1880.
Musées : Bienne : *Le lac de Zurich* – Genève (Mus. Rath) : *Le Lac Léman au printemps* – *Le Lac Léman en automne* – Lausanne : *Le château de Grandson* – *Le soir sur les bords du lac de Zurich* – *Autoportrait* – *Portrait d'Ernst Chavannes* – *La Chamberonne* – *Femme âgée* – Zurich (Kunsthaus) : *Portrait du peintre Rudolf Koller*.
Ventes Publiques : Berne, 4 mai 1985 : *Vue de Morges sur le lac de Genève* 1879, h/t (48x80) : **CHF 5 500** – Zurich, 30 nov. 1995 : *Paysage lacustre*, h/bois (20x51) : **CHF 920**.

VUILLERMET Joseph ou **Charles Joseph**
Né le 7 mars 1846 à Belfort. Mort le 27 mars 1913 à Lausanne. xixe-xxe siècles. Suisse.
Peintre d'architectures, paysages, dessinateur.
Frère de Charles Vuillermet et restaurateur de tableaux, il peignit des vues du vieux Lausanne et des architectures.

VUILLERMOZ Louis
Né en 1923 à Paris. xxe siècle. Français.
Peintre de paysages, marines.
Il vit et travaille à Saint-Maur-les-Fossés.
Peintre, il pratique la lithographie.
Bibliogr. : In : Catalogue de l'exposition *De Bonnard à Baselitz – Dix ans d'enrichissement du Cabinet des estampes 1978-1988*, Bibliothèque nationale, Paris, 1992.
Musées : Paris (BN) : *Les Casiers à Port Menech* 1980, litho. en coul.
Ventes Publiques : Paris, 10 juil. 1983 : *La Savoie*, h/isor. (50x277) : **FRF 12 500**.

VUILLEUMIER Reynold
Né le 11 mars 1904 à Tramelan. xxe siècle. Suisse.
Graveur, peintre de paysages, natures mortes.
Il fit ses études à Genève avec Fernand Blondin et Armand Cacheux. Il vécut et travailla à Zurich.

VUILLIER Gaston Charles
Né le 12 juillet 1846 à Perpignan (Pyrénées-Orientales) ou le 7 octobre 1847 à Ginclé (Aude). Mort le 4 février 1915 à Gimel (Corrèze). xixe-xxe siècles. Français.
Peintre de genre, paysages, aquarelliste, illustrateur, dessinateur.
Il débuta à Paris au Salon en 1878 et obtint une mention honorable en 1882. Il collabora avec succès à de grandes publications telles que *Le Monde Illustré*, *Le Tour du monde*, *Le Magasin Pittoresque*, *L'Art*, *Le Musée des Familles*. Il a également illustré *Les Aventures du dernier Abencérage* de Chateaubriand, *Carmen* et *Colomba* de Prosper Mérimée.
Musées : Perpignan : *Le Vallon de Pierre-Fol (Creuse)*, œuvre mentionnée au Salon.
Ventes Publiques : Paris, 21 juin 1919 : *Marchande d'oranges à Menton*, aquar. : **FRF 100** – New York, 4 mai 1979 : *La rue du village* 1879, h/t (39,5x49) : **USD 3 000**.

VUITEL Héloïse Caroline. Voir **HUITEL**

VUITTON Gaston Louis
Né à Asnières (Seine). xxe siècle. Français.
Peintre.
Il exposa à Paris, aux Salons des Indépendants et d'Automne.

VUJAKLIJA Lazar
Né en 1914 à Vienne (Autriche). xxe siècle. Yougoslave.
Peintre, graveur, peintre de cartons de tapisseries.
Il apprit le métier de relieur qu'il exerça, commençant à se former seul à la peinture, puis fréquenta l'atelier du peintre Petar Dobrovic, à Belgrade, où il se fixa. Il a été membre des groupes Décembre et des Indépendants. Il a voyagé en France, à Paris, en Grèce, au Mont-Athos, en Italie et en Suisse.
Il participe à des expositions de groupe depuis 1952 régulièrement en Yougoslavie ainsi que : 1952 *Gravure yougoslave contemporaine* à Athènes et Rio de Janeiro ; 1953 *Graveurs yougoslaves* au Musée d'Art moderne de São Paulo ; 1954 XXVIIe Biennale de Venise ; 1955 Première Biennale d'Alexandrie ; 1956 XXVIIIe Biennale de Venise ; 1957 Amsterdam, Rome, Mexico, Varsovie ; 1959 Venise, Paris, Mexico, Leningrad ; 1960 Tokyo ; 1961 *Tapisseries yougoslaves* à Paris, *Peinture et Sculpture yougoslaves contemporaines* à la Tate Gallery de Londres ; 1962 *Art contemporain yougoslave* au Musée d'Art moderne de Paris, et Stockholm, Jérusalem, Alexandrie, Rome ; 1963 Athènes, Rio de Janeiro ; 1964, Prague ; 1965, Caracas, Budapest, etc. Il a montré des expositions personnelles de ses œuvres à Belgrade, en 1952, 1955, 1957, 1960, 1963, 1966 ; ainsi qu'à Krusevac en 1954.
Il s'est surtout inspiré des emblèmes et symboles des peintures idéogrammatiques des civilisations soit anciennes, soit primitives. Ses peintures sont constituées de symboles, se rapportant souvent à tout ce qui crée la vie, ou l'évoque, et à la mort ; elles comportent très souvent des écritures en caractères archaïques et parfois inventés. Quelques-unes de ses œuvres sont uniquement formées de ces caractères d'une présence graphique très forte. Les figurations symboliques sont assez frustes, sommaires. La matière picturale, d'abord élémentaire, a gagné en qualités épidermiques.
Bibliogr. : Catalogue de l'exposition : *Lazar Vujaklija*, Galerie, Belgrade, 1966.

VUKANOVIC Beta ou **Wucanovitch Bety**
Née le 15 avril 1875 à Bamberg, de parents serbes. xxe siècle. Yougoslave.
Peintre de portraits, caricaturiste.
Femme du peintre Rista Vukanovic, elle fut élève de C. von Marx à Munich. Elle travailla à Belgrade. Elle figura aux expositions de Paris ; mention honorable en 1900 (Exposition Universelle).
Musées : Belgrade – Sofia.

VUKANOVIC Rista ou **Wucanovitch Risto**
Né le 3 avril 1873 à Busovine. Mort le 7 janvier 1918 à Paris. xixe-xxe siècles. Yougoslave.
Peintre d'histoire, de genre, portraits.
Il fut élève des Académies de Saint-Pétersbourg et de Munich. Il est le mari du peintre Beta Vukanovic. Il figura aux expositions de Paris ; médaille de bronze en 1900 (Exposition Universelle). Il peignit des portraits et des scènes historiques.

Musées : Belgrade – Lyon : *Sainte Paule faisant l'aumône* – Nantes : *Moine ressuscitant ou bénissant un mort* – Rouen : *Mort de Saphire et d'Ananias* – Sofia – Toulouse : *Délivrance de saint Pierre.*

VUKCEVIC Srdjan
Né en 1959 au Monténégro. xxe siècle. Actif en France. Yougoslave.
Peintre, sculpteur, auteur d'assemblages.

Il vit et travaille à Paris.

Il fut sélectionné en 1995 pour l'exposition *Faire Face*, annulée au dernier moment, pour des raisons politiques, à la Biennale de Venise. Il montre ses œuvres dans des expositions personnelles : 1995 galerie Maurice-Gabriel à Levallois (Hauts-de-Seine).

Il construit une œuvre anarchique, baroque, qui mêle les références et influences qui enrichissaient le creuset yougoslave.

Bibliogr. : Antoine Perraud : *L'Épuration artistique*, Télérama, n° 2369, Paris, 10-16 juin 1995.

VUL Josef
Né vers 1673 à Bozen. xviie siècle. Travaillant à Rome de 1698 à 1699. Autrichien.
Peintre.

VULAS Sime
Né en 1932 à Drvenik Veliki. xxe siècle. Yougoslave.
Sculpteur. Abstrait.

Il fut élève de l'École des Arts appliqués de Split, puis de l'École des Beaux-Arts de Zagreb.

Il participe à de nombreuses expositions de groupe, en Yougoslavie, France, Pologne, Suisse, Belgique, aux États-Unis, etc. Il a montré plusieurs expositions personnelles de ses œuvres, dans diverses villes de Yougoslavie.

Il travaille surtout le bois. Dans une première période, il fut influencé par la rigueur hiératique des fresques romano-byzantines de son pays. Ensuite, il évolua vers l'abstraction, à l'exemple des Arp et Brancusi, desquels il adopta le sens synthétique des volumes.

Bibliogr. : Denys Chevalier, in : *Nouveau diction. de la sculpt. mod.*, Hazan, Paris, 1970.

Musées : Lausanne (Mus. cant.) : *Violes*, bois.

VULCA. Voir **VOLCA**

VULCOP Henry de. Voir **VALOOP**

VULDERS
Mort en 1789. xviiie siècle. Actif à Amsterdam. Hollandais.
Peintre de décors.

VULLIAMY Gérard ou **Vuillamy** (par erreur)
Né le 3 mars 1909 à Paris, de parents suisses. xxe siècle. Actif en France. Suisse.
Peintre, graveur, illustrateur. Abstrait puis surréaliste puis abstrait.

Son père, peintre amateur, sa mère, dessinatrice sur tissus, l'encouragèrent au dessin, à la décoration, à la publicité et au dessin de mode. Il s'initia aussi à la gravure. Il commença à peindre à partir de 1928. Pendant trois années, jusqu'en 1931, il fut élève de l'atelier André Lhote. De 1934 à 1937 il fréquenta le groupe surréaliste puis se lia avec le groupe Abstraction-Création, où il connut Delaunay, Herbin, Villon, Mondrian. Pendant les années de la guerre de 1939-1945, il se joignit au groupe suisse *Die Allianz.* Pendant le même temps, il se liait au groupe de la revue clandestine *La Main à plume*, où il retrouvait le même Schneider, ainsi que Ubac, tous trois ayant appartenu ou appartenant encore au surréalisme.

Il participe à des expositions collectives : notamment à Paris régulièrement de 1936 à 1949 aux Salons des Surindépendants ; de 1949 à 1958 de Mai ; de 1955 à 1969 des Réalités Nouvelles ; 1938 Exposition internationale du surréalisme à la galerie des beaux-arts ; 1946 *Art et résistance* au musée d'Art moderne de la ville ; 1979 musée d'Art moderne de la ville ; 1982 musée national d'Art moderne, ainsi que : 1942 à Berne et à Bâle, avec Gérard Schneider ; 1949 Kunsthalle de Berne ; 1952 Kunsthaus de Zürich, Kunsthalle de Bâle ; 1955 *Du Futurisme à l'art abstrait* au musée de Lausanne ; 1955, 1958, 1961 Carnegie Institute de PittsburgH ; 1957 musée de Neuchâtel et prix Lissone ; 1958, 1979 musée de Winterthur ; 1959 Kunsthalle de Manheim ; 1960 musée Tavet de Pontoise ; 1962 Institut d'Art contemporain de Londres ; 1963 *Art fantastique* à la Kunsthalle de Reckinghausen ; 1971 musée d'Aarau ; 1972 Salon de Montrouge ; 1974 musée d'Ixelles ; 1977 musée de Neuchâtel ; 1978 *Abstraction-Création 1931-1936* au Westfälisches Landesmuseum für Kunst und Kulturgeschichte de Münster et au musée d'Art moderne de la ville de Paris ; 1985 fondation Zervos de Vézelay ; 1986 centre de la Vieille Charité de Marseille.

Il montra ses œuvres dans des expositions personnelles : pour la première fois à Paris en 1933 à la galerie Pierre Loeb ; ainsi que : 1943, 1948, 1949 galerie Jeanne Bucher ; 1962 rétrospective au musée de Darmstadt ; 1978 rétrospective au musée Picasso d'Antibes ; 1981 musée de Saint-Priest ; 1987 galerie Jacques Barbier à Paris ; 1988 galerie Michèle Heyraud à Paris, etc.

Il peignait au commencement des paysages, des natures mortes, des études de nus. Ce fut en 1932, à la fin de son séjour dans l'Atelier Lhote, qu'il aboutit à une forme d'abstraction, à partir de l'observation du modèle, en rejetant les éléments de la ressemblance pour n'en garder que les jeux abstraits de la lumière et de l'ombre. Il peignait alors dans une technique mate, de tons très clairs, rappelant la matière de la fresque. De 1935 à 1937, il évolua d'une façon tout à fait différente. S'étant lié avec les écrivains du groupe surréaliste, Breton, Eluard, Hugnet, lui-même peignit dans l'esprit du surréalisme, pratiquant l'automatisme de la conception plus que de l'écriture, soumettant les formes à un anthropomorphisme où les êtres vivants devenaient minéraux ou végétaux et inversement. L'une de ses compositions les plus marquantes de cette période surréaliste fut le *Cheval de Troie.* En opposition avec la période précédente encore sur ce point, Vulliamy pratiquait alors, comme beaucoup de peintres surréalistes, une technique de rendu minutieux, technique de représentation réaliste de l'irréel, par glacis superposés sur panneaux de bois. Au lendemain de la guerre, à partir de 1948, la découverte du Midi de la France et de sa lumière, détermina toute la suite de sa carrière. Si, du surréalisme, Vulliamy était progressivement revenu à une abstraction fortifiée du dessin structuré et rythmique du passage par le surréalisme, la révélation de la lumière irisée de la Provence, où la force du soleil ne laisse subsister des couleurs que leur nuance la plus proche du blanc aveuglant, lui apporta la solution de ce paysagisme abstrait qui allait à la fois satisfaire son besoin de graphisme libéré du sujet et son besoin d'une poésie humaniste. Pendant sa période surréaliste, il avait illustré, à partir de portraits d'aliénés dessinés en Lozère pendant la guerre, *Souvenirs de la maison de fous*, d'Éluard. Ensuite, il illustra de burins des textes de Francis Ponge sur le thème de la crevette et de ses métamorphoses possibles, des poèmes de Paul Éluard.

Vulliamy

Bibliogr. : Roger Van Gindertael : *Propos sur la peinture actuelle*, Paris, 1955 – Michel Seuphor : *Diction. de la peint. abstr.*, Hazan, Paris, 1957 – Jean Grenier : *Entretiens avec dix-sept peintres non figuratifs*, Calmann-Lévy, Paris, 1963 – B. Dorival, sous la direction de... : *Peintres Contemporains*, Mazenod, Paris, 1964 – in : Catalogue de l'exposition *Abstraction-Création 1931-1936*, Westfälisches Landesmus. für Kunst und Kulturgeschichte, Münster, Musée d'Art moderne de la Ville, Paris, 1978 – Catalogue de l'exposition : *Rétrospective Vulliamy*, Musée Picasso, Antibes, 1978 – Lydia Harambourg, in : *L'École de Paris 1945-1965. Diction. des Peintres*, Ides et Calendes, Neuchâtel, 1993.

Musées : Dublin – Francfort-sur-le-Main – Paris (Mus. d'Art mod. de la ville) – Paris (BN) – Pittsburgh (Carnegie Inst.) – Tel-Aviv.

Ventes Publiques : Paris, 3 déc. 1984 : *L'Angélus de Millet* 1933, h/t (92x73) : **FRF 27 000** – Paris, 20-21 juin 1988 : *Composition au personnage* 1933, past. (44x63) : **FRF 14 000** ; *Personnage surréaliste* 1946, h/t (55x46) : **FRF 15 500** – Paris, 26 oct. 1988 : *Composition* 1951, h/t (38x46) : **FRF 9 500** – Neuilly, 6 juin 1989 : *Composition* 1961, h/t (100x73) : **FRF 68 000** – Paris, 9 juin 1989 : *Composition* 1933, aquar. (43x63) : **FRF 50 000** – Paris, 29 sep. 1989 : *Composition n° 218* 1965, h/t (38x46) : **FRF 11 000** – Paris, 15 déc. 1989 : *Sans titre*, h/t (100x73) : **FRF 45 000** – Paris, 23 avr. 1990 : *Le cheval de Troie*, aquar. (19,5x26) : **FRF 24 000** – Neuilly, 10 mai 1990 : *Composition* 1957, h/t (146x97) : **FRF 135 000** – Paris, 12 déc. 1990 : *Espace jaune* 1950, h/t (87x116) : **FRF 46 000** – Paris, 17 mars 1991 : *La femme couchée* 1932, h/t (73x92) : **FRF 50 000** – Paris, 12 mai 1993 : *Composition* 1954, h/t (64x82) : **FRF 16 000** – Paris, 5 juil. 1994 : *Composition*, h/t (130x89) : **FRF 14 500** – Paris, 29-30 juin 1995 : *Sans titre* 1956, h/t (81x116) : **FRF 9 000** – Paris, 5 oct. 1996 : *Composition* 1948, h/t (54,5x45) :

FRF 7 500 – PARIS, 16 déc. 1996 : *Composition jaune* 1961, h/t (33,5x46) : **FRF 3 500**.

VULLIEMIN Emma Caroline
Née le 8 septembre 1865 à Lausanne. XIXe-XXe siècles. Suisse.
Peintre, aquarelliste.
Il fut élève d'Auguste Molin et de Théophile Bischoff.

VULLIEMIN Ernest John Alexis
Né le 16 novembre 1862 à Lausanne. Mort le 24 février 1902 à Dinan (Ille-et-Vilaine). XIXe siècle. Suisse.
Peintre, illustrateur.
Il fut élève de l'Académie de Düsseldorf et de Chartran, à Paris.
MUSÉES : LAUSANNE : *IMon oncle et mon curé*, une illustration – VEVEY : *Dragons de l'Empire* – WINTERTHUR : *Batterie, halte !*

VULP Vincent. Voir **WOULPE**

VULPE Anatol
Né en 1907 à Bahmut. XXe siècle. Roumain.
Peintre de marines, natures mortes, graveur.
Il fut élève de l'École des Beaux-Arts de Bucarest. Graveur, il privilégia la technique de la gravure sur bois.
MUSÉES : BUCAREST (Mus. Toma Stelian) : *Nature morte* – *Le Port.*

VULPE Gabriele, fra. Voir **BULPE Gabriele,** fra

VULPES Gherardo
XVIe siècle. Actif à Rome. Italien.
Peintre ou sculpteur.
Il fut membre de la Congrégation dei Virtuosi en 1549.

VULPES Giacomo
Né vers 1600 à Carrare. Mort le 12 juin 1633 à Rome. XVIIe siècle. Italien.
Sculpteur.

VULPINI Joseph ou **Johann Joseph** ou **Giuseppe**. Voir **VOLPINI**

VULPIUS Johann Samuel
Né le 23 janvier 1664 à Berne. Mort le 22 janvier 1747 à Berne. XVIIe-XVIIIe siècles. Suisse.
Peintre.
Élève de Stettler et de Dünz à Berne.

VULSON Jacques
XVIIe siècle. Actif à Bonguarat et à Grenoble de 1669 à 1674. Français.
Sculpteur.

VULTAGIO Antonino
XVIIe-XVIIIe siècles. Actif à Alcamo. Italien.
Stucateur.
Il exécuta des stucatures dans l'église Saint-Paul et Saint-Barthelmy d'Alcamo de 1704 à 1708.

VULTE M. v.
XIXe siècle. Danois.
Miniaturiste.
Il peignit un *Portrait de la comtesse Louise Christine Danner* qui se trouve au château de Frederiksbourg.

VULTO
XXe siècle. Hollandais.
Artiste.
Il montre ses œuvres dans des expositions personnelles : 1992 galerie Fons Welters d'Amsterdam. Il s'intéresse aux processus de métamorphose de matières naturelles et axe son travail sur l'odeur, en particulier le fumage de poissons, et sur les traces des objets, aussi divers soient-ils (cageot, caisse), « enfumés » par l'artiste que celui-ci présente dans des vitrines.
BIBLIOGR. : Annie Jourdan : *Vulto*, Art Press, n° 175, Paris, déc. 1992.

VUMP Jean ou **Wamp**
XVIIe siècle. Actif vers 1650. Éc. flamande.
Peintre.
La Galerie royale de Florence conserve de lui un autoportrait.

VUNCQUES William de. Voir **DEGOUVE DE NUNCQUES**

VUNDERER. Voir **WUNDERER**

VUONG DUY BIEN
Né en 1958 à Hanoi (région du Tonkin). XXe siècle. Vietnamien.
Peintre de sujets de genre, figures, dessinateur. Style occidental, naïf.
Il a étudié à l'École des Beaux-Arts de Hanoi, obtenant son diplôme en 1987. Il figure dans des expositions nationales et à l'étranger : 1994 Hanoi ; 1995 Pologne ; 1996 exposition particulière et exposition collective *Vietnam. 30 ans de peinture de la guerre à la paix*, Paris.
Il peint surtout sur la soie et représente les scènes de la vie quotidienne du peuple vietnamien, dans une écriture synthétique ; on lui doit notamment les *Ferronniers*. Depuis 1996, il évolue beaucoup vers la peinture stylisée, semi-abstraite.

VUORISALO Pauli
Né en 1914. XXe siècle. Finlandais.
Peintre.
Il vécut et travailla à Kankaanpää. Il a participé à la Biennale de Menton en 1972.

VURAM J.
Peintre.
MUSÉES : SHEFFIELD : *Entrée dans le canal Grande, à Venise, coucher de soleil* – *Santa Maria Maggiore au clair de lune* – *Le palais ducal, à Venise, de grand matin.*

VURCZINGER Mihaly. Voir **WURZINGER**

VURNIK Ivan
Né le 2 novembre 1849 à Radovlijca. Mort le 18 mars 1911 à Radovlijca. XIXe-XXe siècles. Yougoslave.
Sculpteur.
Il fut élève de Steinhauser à Laas. Sculpteur sur bois, il a réalisé le maître-autel dans l'église de Brezje.

VUSEL Thibaud. Voir **VUYSEL**

VUSIN. Voir **WUSSIN**

VUSKOVIC Dujam
Mort avant le 4 août 1460. XVe siècle. Actif à Sibenik. Yougoslave.
Peintre.
Il peignit des tableaux d'autel pour la cathédrale de Sibenik de 1442 à 1448.

VUUREN Jan Van
Né le 26 janvier 1871 à Molenaarsgraaff. Mort en 1941. XIXe-XXe siècles. Hollandais.
Peintre de genre, paysages ruraux, paysages urbains.
MUSÉES : LA HAYE : *Automne.*
VENTES PUBLIQUES : AMSTERDAM, 28 nov 1979 : *Paysanne devant sa chaumière*, h/pan. (35x55) : **NLG 3 800** – AMSTERDAM, 10 fév. 1988 : *Une rue l'été*, h/t (40x50) : **NLG 1 035** – AMSTERDAM, 5 juin 1990 : *Le petit pont d'un village en été*, h/t (40x50) : **NLG 1 495** – AMSTERDAM, 24 sep. 1992 : *Rue de village*, h/t (40,5x50) : **NLG 1 955** – AMSTERDAM, 20 avr. 1993 : *Paysan dans les champs*, h/t (44x63) : **NLG 1 150** – AMSTERDAM, 21 avr. 1994 : *Ruisseau dans un forêt en automne*, h/t (50x60) : **NLG 4 025** – AMSTERDAM, 14 juin 1994 : *Rue ensoleillée d'Elburg*, h/t (50x60) : **NLG 4 370** – AMSTERDAM, 19-20 fév. 1997 : *Moutons dans la bergerie*, h/t (41x61,5) : **NLG 3 228**.

VUWE Hennequin de
XVe siècle. Travaillant à Bruges en 1468. Éc. flamande.
Peintre.

VUWE Willem de
XVe siècle. Travaillant à Bruges en 1468. Éc. flamande.
Peintre.

VUYCK Michel
XVIIe siècle. Actif à Mons. Éc. flamande.
Sculpteur.
Il sculpta une *Statue de saint Michel* pour l'abbaye d'Eename près d'Oudenarde en 1630.

VUYL Jan. Voir **UYL Jan**

VUYSEL Thibaud ou **Vasel** ou **Vuasel** ou **Vusel**
XVe siècle. Actif à Genève, de 1453 à 1477. Suisse.
Peintre.

VUYST Gaspard de
Né en 1923 à Oostakker. XXe siècle. Belge.
Peintre. Tendance fantastique.
Il fut élève de l'Académie de Saint-Luc à Gand où il devint ensuite professeur. Il reçut le prix de peinture de la Flandre orientale en 1958.
BIBLIOGR. : In : *Diction. Biogr. Ill. des Artistes en Belgique depuis 1830*, Arto, Bruxelles, 1987.

VUYST Lucas de
Né en 1951 à Gand. XXe siècle. Belge.
Peintre de figures.

Il fit ses études à l'Académie Saint-Luc à Gand. Il s'est spécialisé dans la restauration et la conservation des œuvres d'art. Sa peinture met en scène des personnages, le plus souvent féminins, dans des attitudes rêveuses. Il a reçu le prix de la province de Flandre orientale en 1979.

Bibliogr. : In : *Diction. Biogr. Ill. des Artistes en Belgique depuis 1830*, Arto, Bruxelles, 1987.

VYAKUL Acharya

Né en 1930 à Jaïpur. XXe siècle. Indien.

Peintre.

Il s'éloigne de la forme traditionnelle de la peinture tantrique en prenant une liberté nouvelle.

Bibliogr. : In : Catalogue de l'exposition : *Magiciens de la terre*, Centre Georges Pompidou et la Grande Halle La Villette, Paris, 1989.

VYARET Auguste

XIXe siècle. Français.

Peintre de paysages.

Il exposa au Salon de 1838 à 1844.

Ventes Publiques : Paris, 31 oct. 1949 : *Port à marée basse* : **FRF 3 000** – Paris, 6 nov. 1950 : *Bords de mer*, deux pendants : **FRF 7 000** – Paris, 24 mars 1980 : *Un moulin ; Bord de rivière*, h/pan., deux pendants (27x46) : **FRF 13 000**.

VYBOUD Auguste Jean

Né le 7 avril 1872 à La Terrasse (Indre). Mort en 1944. XIXe-XXe siècles. Français.

Peintre de portraits, dessinateur, graveur au burin.

Il fut élève de Gustave Moreau et du graveur Léopold Flameng. Il exposa à Paris, à partir de 1892 au Salon des Artistes Français, dont il fut membre sociétaire en 1904, hors concours, puis membre du Jury de gravure, ainsi qu'à l'Exposition universelle de 1900. Il reçut une mention honorable en 1896, une médaille d'argent en 1900, une médaille de deuxième classe en 1901, une médaille de première classe en 1903, une médaille d'honneur en 1928. C'est d'un trait vif, assuré, qui doit beaucoup à la gravure, qu'il trace des portraits souvent faits à la mine de plomb.

Bibliogr. : Gérald Schurr, in : *Les Petits Maîtres de la peinture 1820-1920, valeur de demain*, Les Éditions de l'Amateur, t. II, Paris, 1982.

VYERREY François

D'origine flamande. XVIIe siècle. Travaillant à Aix. Français.

Peintre.

VYERREY Gérard

D'origine flamande. XVIIe siècle. Travaillant à Aix. Français.

Peintre.

VYGENS Pieter

XVIIe siècle. Actif à La Haye en 1695. Hollandais.

Sculpteur.

VYGH Arent

XVIIIe siècle. Travaillant à Rotterdam au début du XVIIIe siècle. Hollandais.

Portraitiste.

Il peignit à la manière de Van der Werff.

VYGH Suzanna Catherina. Voir **NYMEGEN Suzanna Catherina**

VYL Jan den. Voir **UYL Jan**

VYLDER C. de

XIXe siècle. Hollandais.

Peintre de genre.

Il travailla dans les années 1860.

Musées : Montréal : *Les Joueurs de cartes*.

VYSE Charles

Né le 16 mars 1882. XXe siècle. Britannique.

Sculpteur, céramiste.

Il vécut et travailla à Londres.

VYSEKAL Edouard Antonin

Né le 17 mars 1890 à Kuttenberg. Mort en 1939. XXe siècle. Américain.

Peintre.

Il fut élève de John H. Vanderpoel et de Mac-Donald-Wright. Il vécut et travailla à Los Angeles.

Ventes Publiques : New York, 25 sep. 1992 : *L'arrière d'une maison*, h/t (28,3x35,9) : **USD 2 750**.

VYSEKAL Ella Buchanan

Née à Le Mars. XXe siècle. Américaine.

Peintre de compositions murales, décorateur.

Elle est la femme du peintre Edouard A. Vysekal.

VYSEL J. Van de

Née le 20 avril 1882 à Amsterdam. XXe siècle. Hollandaise.

Peintre.

Elle fut élève de l'Académie d'Amsterdam. Elle travailla à Munich en 1912.

VYSELAER Jan Jansz Van

XVIIe siècle. Actif à Edam. Hollandais.

Peintre.

Il exécuta des peintures décoratives dans l'église de Schermerhorn en 1634.

VYSSI-BROD, Maître de. Voir **MAITRE du CYCLE DE VYSSI-BROD**

VYT Jacob. Voir **FYT**

VYTCHEGJANINE Piotr ou **Pierre Ino**

Né en 1902 à Moscou. Mort en 1947 à Moscou. XXe siècle. Depuis 1928 actif en France. Russe.

Peintre sur porcelaine.

Fils du graphiste V. N. Levitski, il emprunta le nom de famille de sa mère. En 1928, il s'installe définitivement à Paris. Il a participé à des expositions collectives, notamment à Paris : 1928 galerie Hirondelle à Paris ; 1979 *Paris-Moscou* au centre Georges Pompidou. Des porcelaines ont été décorées de ses dessins à l'usine nationale de porcelaines de Moscou en 1920.

Bibliogr. : Catalogue de l'exposition : *Paris-Moscou*, Centre Georges Pompidou, Paris, 1979.

VYTENWAEL. Voir **WTTEWAEL** et **UYTEWAEL**

VYTHOECK Henrick Pietersz. Voir **HUYTSCHOECK Henrick Pietersz**

VYTLACIL Vaclav

Né le 1er novembre 1892 ou 1893 à New York, de parents tchèques. XXe siècle. Américain.

Peintre de paysages, natures mortes, aquarelliste, peintre à la gouache, technique mixte.

Il fut élève du l'Art Institute de Chicago, de l'Art Students' League de New York et de l'Académie de Munich où il reçut les leçons de Hans Hofmann. En 1922, il travailla en Europe, dans une retraite absolue. L'artiste vint tour à tour à Paris et en Italie. Il a été professeur au Minneapolis Art Institute, à l'Université de Californie et à l'Art Students' League.

C'est d'abord aux États-Unis qu'il présenta ses œuvres au public. Il prit part en 1924 aux expositions de Munich, en 1932 à l'Exposition des Peintres Américains à Paris, qui le fit mieux connaître. Dans les années trente, l'art de Vytlacil a subi l'influence du cubisme et même de l'orphisme de Robert Delaunay.

Musées : Chicago – Milwaukee.

Ventes Publiques : New York, 25 oct 1979 : *The Berkshires* 1915, h/t (91,5x101) : **USD 3 750** – New York, 11 mars 1982 : *Abstraction* 1938, gche (61x45,8) : **USD 1 000** – New York, 1er juin 1984 : *Abstraction* 1938, temp. (35,3x45,2) : **USD 1 000** – New York, 27 jan. 1984 : *Albany boat* 1932, caséine et temp./t (61x49,5) : **USD 1 900** – New York, 15 mars 1985 : *Abstraction* 1936, gche (45,8x61,3) : **USD 1 000** – New York, 24 juin 1988 : *Abstraction* 1938, caséine et détrempe/cart. (60x45) : **USD 4 675** – New York, 24 jan. 1989 : *Nature morte avec des melons* 1931, gche/cart. (43,2x59,3) : **USD 2 475** – New York, 24 jan. 1990 : *Port de pêche* 1958, aquar., gche et cr./pap. (32,9x44,3) : **USD 660** – New York, 30 mai 1990 : *Composition*, h/pap. (25,4x34,4) : **USD 2 530** – New York, 2 déc. 1992 : *Dessus de table abstrait* 1938, temp./cart. (61,3x46) : **USD 3 080** – New York, 4 mai 1993 : *Un coin de pêche* 1947, temp./pap. (54,6x80) : **USD 1 150** – New York, 9 sep. 1993 : *Nature morte cubiste* 1937, h/pap./pan. (27,9x36,2) : **USD 1 610** – New York, 28 sep. 1995 : *Nature morte avec des fleurs* 1950, gche et sable/pap. (60,3x50,5) : **USD 2 300**.

VYTTENBROECK. Voir **UYTTENBROECK**

VZAL Domingo Antonio

XVIIIe siècle. Actif à Saint-Jacques de Compostelle au milieu du XVIIIe siècle. Espagnol.

Peintre.

Maîtres anonymes connus par un monogramme ou des initiales commençant par **V**

V. B.
XVIe siècle.
Monogramme d'un sculpteur sur albâtre.
Cité d'après Ris-Paquot.

V. B.
XVIe siècle. Français.
Monogramme d'un sculpteur.
Cité par Ris-Paquot. Ce monogramme fut relevé sur une sculpture de Lagny.

V. E.
Monogramme d'un graveur.
Cité par Ris-Paquot.

V. E.
XVIIe siècle. Français.
Monogramme d'un peintre.
Actif vers 1640. Auteur anonyme d'un *Portrait de Nicolas Poussin*, conservé à la Staatliche Gemäldegalerie de Dresde. Poussin est représenté en buste, de profil à droite, vêtu de noir, le col de la chemise entrouvert sur le cou, les cheveux longs bouclés, la moustache relevée. Il est représenté à l'âge de quarante-six ans, alors qu'arrivé à Paris en 1640, il était « premier peintre ordinaire du roi » Louis XIII, et à la veille de son départ pour l'Italie, en 1642, rapidement lassé des intrigues corporatives. En effet, sur la table de pierre où Poussin pose la main, on peut lire : *Si Nomen a me quaeris N. Poussin, 1640 D.* En outre, d'autres renseignements nous sont fournis par le fait que ce tableau fut gravé, en 1698, par Louis-Ferdinand Elle, avec l'indication : *V. E. pinxit.* On a donc été amené à supposer que cet anonyme avait pu appartenir à la famille des Elle, d'autant que le portraitiste Ferdinand Elle, dit Ferdinand l'Aîné, qui fut le premier maître de Poussin, signait parfois *Van Elle*, d'où V. E., et qu'il mourut entre 1637 et 1640. Ce portrait présente des traces d'archaïsme, et semble de facture flamande. Pourtant ce tableau ne présente pas de caractères communs avec les quelques autres œuvres qui peuvent être attribuées à Ferdinand Elle l'Aîné, comme par exemple le *Portrait du duc Henri II de Lorraine* au Musée de Reims.
Bibliogr. : Catalogue de l'exposition *Les peintres de la réalité en France au XVIIe siècle*, Musée de l'Orangerie, Paris, 1934.

V. G.
Allemand.
Monogramme d'un graveur.
Cité par Ris-Paquot. Ce monogramme fut relevé sur une estampe représentant : les *Vierges folles*, copie de celle de Schongauer.

V. H.
XVIe siècle. Allemand.
Monogramme d'un graveur.
Cité par Ris-Paquot. Ce monogramme fut relevé sur des gravures représentant : *Paysans et Paysannes* (1557), copie en contre-partie de l'estampe de Hans Sebald Beham.

V. S.
XVe siècle.
Marque d'un sculpteur sur pierre.
Cet artiste travaillait à Strasbourg vers 1480. Cité d'après Ris-Paquot.

V. T.
XVIe siècle. Allemand.
Monogramme d'un sculpteur.
Cet artiste travaillait à Cologne vers 1540, cité par Ris-Paquot.

V. W.
Allemand.
Marque d'un graveur.
Cette marque fut relevée sur une estampe sur bois représentant : une *Promenade en traîneau sur une place publique.* Cité d'après Ris-Paquot.

WAAGEN Adalbert
Né le 30 mars 1833 à Munich. Mort le 15 avril 1898 à Berchtesgaden. XIXe siècle. Allemand.
Peintre de paysages, paysages de montagne, paysages d'eau, marines, dessinateur.
Il fut élève d'Albert Zimmermann à Munich. Il peignit surtout des paysages de haute montagne.

Musées : Munich (Mus. mun.) : plusieurs dessins – Würzburg : *La ruine de Kuhlbach près de Bozen.*
Ventes Publiques : Vienne, 1-4 juil. 1952 : *Marine* : **ATS 500** – Cologne, 23 mars 1973 : *Vue du lac de Côme* : **DEM 2 400** – Munich, 29 nov 1979 : *Paysage au lac,* techn. mixte (18,5x22,5) : **DEM 2 200** – Berne, 25 oct 1979 : *Lac d'Italie* 1860, h/t (43x62) : **CHF 4 800** – Londres, 30 jan. 1981 : *Paysage alpestre au pont* 1885, h/t (21x33) : **GBP 1 600** – Munich, 22 juin 1983 : *Vue de Berchtesgaden* 1879, h/t (26,5x43,5) : **DEM 13 000** – Munich, 27 juin 1995 : *Vue d'une vallée,* h/cart. (21,5x17) : **DEM 3 680.**

WAAGEN Arthur
Né en 1833. Mort en 1898. XIXe siècle. Allemand.
Sculpteur de figures. Orientaliste.
Il travaillait en 1869. Il a réalisé des bronzes représentant principalement des Kabyles.
Musées : Sheffield : *Bergers, chiens et loup mort,* bronze.
Ventes Publiques : New York, 21 sep. 1981 : *Chasseur marocain à cheval avec ses chiens et gibier,* bronze patine brun-noir (H. 124) : **USD 19 000** – New York, 17 mai 1983 : *Kabyle au retour de la chasse,* bronze patine brune (H. 117) : **USD 13 000** – New York, 22 mai 1991 : *Kabyle rentrant de la chasse,* bronze à patine brune (H. 121,9, L. 101,6) : **USD 14 300** – New York, 14 oct. 1993 : *Kabyle au retour de la chasse,* bronze (H. 118) : **USD 17 250** – Paris, 5 avr. 1993 : *Le musicien oriental,* bronze (H. 45) : **FRF 18 000** – Paris, 22 avr. 1994 : *Kabyle au retour de la chasse,* bronze (H. 110) : **FRF 160 000** – La Flèche, 26 nov. 1995 : *Kabyle au retour de la chasse,* bronze (H. 118) : **FRF 128 000** – Paris, 10-11 avr. 1997 : *Le Retour de la chasse,* bronze patine médaille, épreuve (H. 66) : **FRF 38 000** – Lokeren, 11 oct. 1997 : *Kabyle au retour de la chasse,* bronze patine brune (67,5x59) : **BEF 240 000.**

WAAGEN Carl ou **Karl**
Né en 1800 à Hambourg. Mort le 26 novembre 1873 à Munich. XIXe siècle. Allemand.
Peintre, miniaturiste et lithographe.
Peut-être fils de Friedrich Waagen. Il fit ses études à Dresde et à Prague, passa quelque temps à Breslau, où il fit des miniatures et de la restauration de tableaux. Il alla ensuite en Italie. A son retour, il s'adonna successivement au paysage, à la lithographie, et enfin à la peinture de portraits.

WAAGEN Friedrich Ludwig Henrich
Né en 1750 à Göttingen. Mort en 1822 à Dresde (?). XVIIIe-XIXe siècles. Allemand.
Peintre d'histoire, portraitiste et paysagiste.
Élève de Ferdinand Kobell. Il alla à Rome en 1780, plus tard, fonda une académie de peinture et de dessin à Hambourg. Il a peint des paysages dans le style de Poussin.

WAAGNER Alfred
Né le 23 avril 1886 à Vienne. XXe siècle. Autrichien.
Peintre de paysages, décorateur.
Il exposa à Vienne à partir de 1913. Outre des paysages et des enfants, il peignit également des marionnettes.

WAAL Cornelis de. Voir **WAEL**

WAAL Jan de
XVIe-XVIIe siècles. Hollandais.
Sculpteur sur bois et ébéniste.
Il a sculpté la chaire de l'église de Harderwijk en 1614.

WAAL Jan ou **Jan-Baptiste de**. Voir **WAEL**

WAAL Justus de
Né le 31 décembre 1747 à Utrecht. XVIIIe siècle. Hollandais.
Peintre et aquafortiste amateur.
Il grava des vues de villages.

WAAL Lucas Janszen de. Voir **WAEL**

WAAL Martinus Wilhelmus Van de
Né le 18 juin 1868 à Rhenen. XIXe siècle. Hollandais.
Aquafortiste et dessinateur.
Élève de A. J. de Jonge. Il travailla à Laren et à Utrecht.

WAAL Philip Van der
XIXe siècle. Travaillant à Paris de 1800 à 1810. Hollandais.
Graveur au burin.

WAAL-MALEFIJT Johannes de. Voir **MALEFIJT Johannes de Waal**

WAALS Gottfried. Voir **WALS**

WAALS Noach Van der
Né le 16 septembre 1852 à Schiedam. Mort vers 1924. XIXe-XXe siècles. Hollandais.
Dessinateur d'ex-libris, lithographe.

WAANDERS Franciscus Bernardus
Né le 26 mai 1809 à Amsterdam. Mort le 29 décembre 1880 à La Haye. XIXe siècle. Hollandais.
Dessinateur, graveur au burin et lithographe.

WAARD Antonie ou **Antoni de** ou **Waardt**
Né en 1689 à La Haye. Mort le 26 novembre 1751 à La Haye. XVIIIe siècle. Hollandais.
Peintre d'histoire, de portraits de genre, d'animaux et décorateur.
Élève de Simon Van der Does. Il vint ensuite étudier à Paris. De retour en Hollande, il paraît avoir eu un assez grand succès notamment dans ses décorations d'appartements. Ses œuvres paraissent être peu sorties de Hollande. Peut-être identique à Vaardt (A. Van der).

Ventes Publiques : Paris, 10 mars 1926 : *Entrée de port* : **FRF 540.**

WAARDENBURG Dirk
Né vers 1692 à Amsterdam. Mort avant le 27 novembre 1753. XVIIIe siècle. Hollandais.
Graveur au burin.

WAARDENBURG Everhard
Né en 1792 à Haarlem. Mort le 9 septembre 1839 à Arnhem. XIXe siècle. Hollandais.
Portraitiste amateur.

WAARDT Antonie ou **Antoni de**. Voir **WAARD**

WAARDT C. Van
XVIIIe-XIXe siècles. Hollandais.
Dessinateur.
P. H. L. Van der Meulen et N. Van der Meer gravèrent d'après des modèles dessinés par lui.

WAART Jan Van der. Voir **VAARDT**

WAAS Aert Van. Voir **WAES**

WAATERLOO Anthonie. Voir **WATERLOO Anthonie**

WAAY Nicolaes Van der
Né le 15 octobre 1855 à Amsterdam. Mort le 18 décembre 1936 à Amsterdam. XIXe-XXe siècles. Hollandais.
Peintre de genre, figures, portraits, groupes, aquarelliste, illustrateur.
Il fut élève de Louis Koopman et de l'Académie des Beaux-Arts d'Amsterdam. Il fut lauréat du prix Willink Van Coolen en 1880, et obtint une bourse de voyage en 1884 ; il fit le voyage d'Italie, copiant les anciens maîtres. Il visita aussi Paris. Il vécut à Amsterdam, où il fut professeur pendant trente-trois ans.
Sa notoriété officielle lui valut de dessiner un billet de banque. En 1883, à l'Exposition Internationale d'Amsterdam, il exécuta des peintures pour quelques pavillons. Il peignait des portraits, des groupes de jeunes femmes à leurs occupations intimes, des ballerines. Autour de 1900, il se passionna pour un thème qu'il ne cessa de développer, les pensionnaires de l'Orphelinat d'Amsterdam. Il a su peindre avec grâce et émotion, dans une très belle technique encore référée aux peintres hollandais d'intérieurs du XVIIe siècle, les jolies jeunes orphelines en uniforme très seyant, songeuses ou déjà un peu coquettes, défilant en rangs devant le panorama d'Amsterdam.

N. v. d. WAAY

MUSÉES : AMSTERDAM (Mus. mun.) : *Le festin de M. Koekkoek – Fancy Fair* – AMSTERDAM (Mus. Nat.) : *Portrait de W. Steenlink* – PRAGUE (Gal. Nat.) : *Dame* – REIMS : *Orphelin d'Amsterdam*, aquarelle.
VENTES PUBLIQUES : LONDRES, 20 juil. 1977 : *Application et frivolité*, h/t (66x99) : **GBP 1 400** – AMSTERDAM, 19 mai 1981 : *Scène d'intérieur*, h/t (119x88) : **NLG 5 000** – AMSTERDAM, 15 mai 1984 : *Un intérieur, Edam*, aquar. (58,5x41,2) : **NLG 2 400** – AMSTERDAM, 29 oct. 1984 : *Le déjeuner à l'orphelinat*, h/t (100,5x74) : **NLG 8 800** – AMSTERDAM, 25 avr. 1990 : *Jeune femme décorant un buffet de fruits, crustacés, fleurs, verres et bouteilles*, h/t (68x109) : **NLG 41 400** – AMSTERDAM, 6 nov. 1990 : *Le journal*, h/t (61x40) : **NLG 8 050** – AMSTERDAM, 24 avr. 1991 : *Deux jeunes filles dans un orphelinat d'Amsterdam en conversation*, h/t (100x74,5) : **NLG 17 250** – AMSTERDAM, 2-3 nov. 1992 : *Trois orphelines*, h/t (41x60) : **NLG 16 675** – AMSTERDAM, 19 oct. 1993 : *Moments d'oisiveté*, h/t (176x85) : **NLG 11 500** – AMSTERDAM, 7 nov. 1995 : *Jeune fille au piano*, h/t (52,5x40) : **NLG 4 720** – AMSTERDAM, 2 juil. 1997 : *Le Premier Jour d'école, Volendam*, h/t (149,5x79) : **NLG 10 378**.

WABBE Jakob ou **Jacques** ou **Waben**
XVIIe siècle. Actif à Hoorn au début du XVIIe siècle. Hollandais.
Peintre de compositions religieuses, portraits.
On cite de lui quatre *Scènes de la vie de Joseph*, à l'hôpital de Hoorn. Ses portraits sont estimés.
MUSÉES : HOORN : *C. Van Neck – Portrait d'enfant – G. A. t'Hœn – Dieuwertje Grootebek* – SAINT-PÉTERSBOURG (Mus. de l'Ermitage) : *Jacob et Rachel*.
VENTES PUBLIQUES : HEESWICH, 1900 : *Portrait d'homme ; Portrait de femme*, ensemble : **FRF 11 550** – PARIS, 23 mars 1908 : *Portrait de Jacob Ofertsz de Jonck* : **FRF 4 200** ; *Portrait de la femme de J. O. de Jonck* : **FRF 3 500** – PARIS, 27 nov. 1995 : *Le retour de Jephté* 1625, h/t (102x162) : **FRF 85 000** – AMSTERDAM, 7 mai 1997 : *Jephté et sa sœur* 1625, h/t (103,3x163,8) : **NLG 27 675**.

WABEL Henry
Né le 18 février 1889 à Zurich. Mort en 1981. XXe siècle. Suisse.
Peintre de natures mortes.
Il fut élève des Académies de Genève et de Munich.

Henry Wabel

MUSÉES : AARAU (Aargauer Kunsthaus) : *Verlassener Strand* 1966 – ZURICH (Kunsthaus) : deux peintures.
VENTES PUBLIQUES : ZURICH, 9 nov. 1973 : *Nature morte aux fruits* 1917 : **CHF 4 000** – ZURICH, 18 nov. 1976 : *Nature morte*, h/t (64,5x54) : **CHF 1 100** – ZURICH, 12 mai 1977 : *Nature morte aux fruits* 1975, h/t (82x66) : **CHF 3 400** – ZURICH, 31 oct. 1980 : *Intérieur* 1917, h/t (55x46) : **CHF 4 000** – ZURICH, 20 mai 1981 : *Intérieur*, h/t (58x71) : **CHF 5 500** – ZURICH, 17-18 juin 1996 : *Nature morte avec des livres, des fleurs et des fruits*, h/t (74x53) : **CHF 2 200**.

WABEN Jakob. Voir **WABBE**

WÄBER. Voir aussi **WEBBER** et **WEBER**

WÄBER Abraham
Né le 27 octobre 1715 à Berne. Mort en juillet 1780 à Londres. XVIIIe siècle. Suisse.
Sculpteur.
Élève de J. F. Funk. Père de Henry ou Heinrich et de John ou Johann Webber.

WÄBER David
Né en 1657 à Berne. Mort en 1716 à Berne. XVIIe-XVIIIe siècles. Suisse.
Peintre de blasons.

WÄBER Franz Joseph. Voir **WEBER**

WÄBER Hans Jakob
XVIIIe siècle. Travaillant à Berne de 1710 à 1726. Suisse.
Sculpteur sur bois.

WÄBER Henry ou **Heinrich**. Voir **WEBBER**

WÄBER Hermann Friedrich
Né en 1761 à Erdwahlen. Mort en 1833. XVIIIe-XIXe siècles. Letton.
Dessinateur amateur.
Il dessina des vues de châteaux de Courlande. Le Musée de Mitau conserve des œuvres de cet artiste.

WÄBER Jacob
Né en 1627 à Berne. Mort en 1698 à Berne. XVIIe siècle. Suisse.
Peintre de cartons de vitraux, cartons de décorations.
Il réalisa des blasons, des bannières et des vitraux. Il travailla pour la ville de Berne. On peut rapprocher Jacob Wäber et Jakob Weber.
MUSÉES : BERNE (Mus. Mun.) : *Semeur*, vitrail.

WÄBER Johann
XVIIe siècle. Suisse.
Peintre et verrier.
Il travaillait à Fribourg dans la première moitié du XVIIe siècle.
MUSÉES : BERNE (Mus.) : Un vitrail.

WÄBER John ou **Johann**. Voir **WEBBER**

WÄBER Rudolf
Né le 22 avril 1854 à Berne. Mort le 26 février 1910 à Zurich. XIXe-XXe siècles. Suisse.
Dessinateur.
Il dessina des armoiries, des ex-libris et des adresses.

WABNER Hieronimus ou **Babner**
Né en 1577 à Ljubljana. Mort en 1628 à Rome. XVIIe siècle. Autrichien.
Peintre de sujets religieux.
Il faisait partie de l'ordre des Franciscains.

WABROSCH Berta
Née le 19 novembre 1900 à Budapest. XXe siècle. Hongroise.
Peintre de figures.
Elle fut élève de Janos Vaszary.

WACFELAERTS M. J.
Peintre de marines.
Le Musée de Périgueux conserve de lui *Barque sortant du port*.

WACH Aloys, pseudonyme de **Wachlmayr L.**
Né le 30 avril 1892 à Lambach. Mort le 18 avril 1940 à Braunau-sur-l'Inn. XXe siècle. Autrichien.
Peintre de sujets religieux, aquafortiste, aquarelliste.
Il a été élève des Académies de Vienne, de Munich, de Paris et de Stuttgart. La Neue Galerie der Stadt Museum de Linz a organisé en 1990 une exposition collective où il était présenté aux côtés des peintres Karl Anton Reichel et Aloys Wach.

WACH

MUSÉES : LINZ : *Paysans blancs* – ROME (Mus. de Latran) : *Saint Boniface*.

Ventes Publiques : Munich, 1er-2 déc. 1992 : *Chemin de Croix* 1914, aquar. (14x9) : **DEM 1 380**.

WÄCH Jakob
Né en 1893 à Glarus. Mort en novembre 1918. xxe siècle. Suisse.
Peintre.
Il fit ses études à Munich. Il exposa à Zurich en 1918.
Musées : Glarus : *L'artiste – Nature morte.*

WACH Wilhelm ou **Karl Wilhelm**
Né le 11 septembre 1787 à Berlin. Mort le 24 novembre 1845 à Berlin. xixe siècle. Allemand.
Peintre d'histoire et de portraits.
Élève du peintre d'histoire Karl Kretznhmar. Il continua ses études à l'Académie de Berlin et ensuite chez David et Gros à Paris. En 1820, membre de l'Académie de Berlin, en 1827, peintre de la Cour. En 1840, il fut nommé vice-directeur de l'Académie en remplacement de Cornelius. On cite de lui : *Le Christ avec Jean et Matthieu* et *Portrait de la reine Louise.*
Musées : Berlin : *Madone dans la gloire – Amour et Psyché – L'artiste* – Kaliningrad, ancien. Königsberg : *Le préfet Th. von Schön* – Posen : *Institution de la Sainte Eucharistie – Tête de femme* – Stettin : *L'évêque Otto de Bamberg convertissant les Slaves.*

WACHELIN Hans. Voir **WECHTLIN**

WACHENHUSEN Friedrich ou **Fritz**
Né le 27 mai 1859 à Schwerin (Mecklembourg-Poméranie). Mort en juillet 1925 à Schwerin. xixe-xxe siècles. Allemand.
Peintre de paysages, compositions animées, graveur.
Il fut élève des Écoles d'art de Weimar dans l'atelier de Hagen et de l'Académie de Berlin dans celui de Bracht. Il s'établit à Berlin où il exposa à partir de 1891. Il gravait à l'eau-forte.
Musées : Schwerin : *Au bord du Lac de Schwerin.*
Ventes Publiques : Amsterdam, 22 avr. 1992 : *Vue du port de Volendam avec des pêcheurs sur le quai* 1894, h/t (134x213) : **NLG 18 400**.

WACHEUX
xixe siècle (?). Français.
Sculpteur d'histoire.
Musées : Douai : *La ville de Douai aux pieds de Louis XIV.*

WACHEUX Yves
xxe siècle. Français.
Peintre de paysages, pastelliste.
Il a montré un ensemble de ses œuvres à la galerie Romanet à Paris en 1994. Dans une touche délicate, il peint des paysages et des jardins empreints de nostalgie.

WACHLMAYR Aloys. Voir **WACH**

WACHMANN Adolf Friedrich Georg. Voir **WICHMANN**

WACHRAMEJEFF Alexander Ivanovitch
Né en 1874. xixe-xxe siècles. Russe.
Peintre.
Il fut élève de l'Académie de Saint-Pétersbourg.

WACHSMANN Alois
Né le 14 mai 1898 à Prague. Mort le 16 mai 1942 à Jicin. xxe siècle. Tchécoslovaque.
Peintre, architecte. Tendance surréaliste.
Il fit ses études à Prague, notamment à l'Académie des Beaux-Arts dans l'atelier du professeur Gocara, de 1925 à 1928. Ses activités d'architecte l'écartèrent des expositions de peinture, sauf quelques exceptions. Après sa mort, une exposition lui fut consacrée, à Prague, en 1959. Il pratiquait une technique lisse, très dessinée. La plus grande part de ses œuvres peintes recourent aux associations de choses propres au surréalisme.
Bibliogr. : Catalogue de l'exposition *Cinquante ans de peinture tchécoslovaque, 1918-1968*, Musées tchécoslovaques 1957.
Ventes Publiques : Londres, 19 mars 1997 : *Nu féminin* 1922, past./pap. gris (65x48) : **GBP 3 910**.

WACHSMANN Anton
Né vers 1765 en Silésie. Mort vers 1836 à Berlin. xviiie-xixe siècles. Allemand.
Dessinateur et graveur au burin.
Élève de l'Académie de Berlin. Il grava des scènes de genre et d'histoire ainsi que des portraits. Les Musées de Berlin conservent plusieurs œuvres représentant des membres de la famille royale de Prusse, exécutées par cet artiste.

WACHSMANN Friedrich
Né le 24 mai 1820 à Leitmeritz. Mort en 1897 à Prague (?). xixe siècle. Autrichien.
Peintre et lithographe.
Élève des Académies de Leipzig et de Dresde. Il peignit des paysages et des architectures. La Galerie Nationale de Prague conserve de lui *Salesi en Bohême* et *Le Palais Welsch à Kuttenberg.*

WACHSMANN Julius
Né le 25 avril 1866 à Brunn. Mort le 20 mars 1936 à Vienne. xixe-xxe siècles. Autrichien.
Peintre de paysages, illustrateur.
Il fut élève de l'Académie de Vienne. Il peignit des vues de Vienne. Il fut aussi compositeur.
Musées : Vienne (Albertina) : le carnet d'esquisses de cet artiste.

WACHSMUTH David
Né en 1652 à Spire. Mort le 3 décembre 1701 à Prague. xviie siècle. Autrichien.
Sculpteur.

WACHSMUTH Ferdinand
Né le 21 mars 1802 à Mulhouse (Haut-Rhin). Mort le 11 novembre 1869 à Versailles. xixe siècle. Français.
Peintre d'histoire, portraits, lithographe et graveur à l'eau-forte.
Il fut élève de Gros. Entré à l'École des Beaux-Arts le 11 avril 1825. Il alla faire des études en Algérie et exposa au Salon de 1833 à 1859 ; médaille de deuxième classe en 1833. Il fut professeur à l'École de Saint-Cyr.
Musées : Amiens : *Tête d'homme* – Avignon : *Marché espagnol* – Bourges : *Le lendemain de la prise du Mamelon-Vert (Crimée)* – Mulhouse : *La mort de l'ermite – Les troubles de Mulhouse en 1587 – Portrait d'une dame de Mulhouse en 1830 – Paysage algérien* – Nice : *Masséna, commandant le 2e bataillon du Var* – Saint-Omer : *Salvator Rosa* – Strasbourg : *Le petit tambour* – Versailles : *Entrée de Charles X à Colmar – Prise du fort de l'Empereur – Masséna – Lefebvre, capitaine d'infanterie – Luxembourg, duc de Montmorency – Siège et prise du fort Saint-Philippe à Port-Mahon.*
Ventes Publiques : Paris, 4 avr. 1925 : *Bords du Rhin*, encre de Chine : **FRF 180** – Paris, 25 mai 1932 : *Le chasseur* : **FRF 500** – Paris, 5 fév. 1951 : *Le corset* 1835 : **FRF 42 000**.

WACHSMUTH Jean Frédéric Albert
Né le 23 novembre 1808 à Mulhouse (Haut-Rhin). Mort le 15 novembre 1853 à Mulhouse. xixe siècle. Français.
Dessinateur.
Certainement pas fils, peut-être frère de Ferdinand Wachsmuth.

WACHSMUTH Jean Pierre
Né le 7 novembre 1812 à Mulhouse (Haut-Rhin). Mort à Terre Haute (États-Unis). xixe siècle. Français.
Dessinateur.
Certainement pas fils, peut-être frère de Ferdinand Wachsmuth.
Musées : Mulhouse (Mus.) : des dessins.

WACHSMUTH Jeremias ou **Waxmuth**
Né en 1711 à Augsbourg (?). Mort en 1771 à Augsbourg (?). xviiie siècle. Allemand.
Dessinateur et graveur d'ornements.
Il grava des allégories, des lettres, des séries d'ornements et des écriteaux.
Musées : Munich (Mus. Mun.) : Cinq dessins.

WACHSMUTH Michael
xviiie siècle. Suisse.
Graveur au burin.
Il était actif à Schaffhouse de 1760 à 1770. Il grava des perspectives.

WACHSSCHLUNGER. Voir **WAXSCHLUNGER**

WACHSSTOCK-SCHONFELD Betty
xxe siècle. Belge.
Sculpteur de figures. Tendance expressionniste.
Elle a montré une exposition personnelle de ses œuvres à la galerie Beciani à Charleroi en 1993. Ses sculptures sont des bronzes ayant pour thèmes la femme et la danse.

WACHTEL Elmer
Né en 1864 ou 1878 à Baltimore (Maryland). Mort en 1929. xxe siècle. Américain.
Peintre de paysages, paysages urbains.
Il vécut et travailla à Los Angeles.
Ventes Publiques : Los Angeles-San Francisco, 12 juil. 1990 : *Mission de San Juan Capistrano*, h/t (41x51) : **USD 6 600** – Los Angeles-San Francisco, 10 oct. 1990 : *Les environs de Pasadena*, h/t (46x76) : **USD 33 000**.

WACHTEL Hermann
Né à Mayence. XVIIIe siècle. Travaillant à Prague à partir de 1704. Autrichien.
Paysagiste.

WACHTEL Johann
Né à Mayence. XVIIe siècle. Travaillant à Prague à partir de 1699. Autrichien.
Peintre.

WACHTEL Johann. Voir aussi **WACHTL Johann**

WACHTEL Marion, née **Kavanagh**
Née en 1875 ou 1876 à Milwaukee (Wisconsin). Morte en 1934 ou 1954. XXe siècle. Américaine.
Peintre de paysages, compositions à personnages, aquarelliste.
Elle commença à peindre en 1903, à San Francisco, sous la direction du peintre et graveur d'origine écossaise, William Keith, qui fut surtout le peintre des paysages de l'Extrême-Ouest américain. On indique aussi parfois qu'elle aurait été élève de William Chase. En 1904, elle épousa le peintre Elmer Wachtel. Ils travaillèrent ensuite côte à côte, les critiques de l'époque notant qu'ils surent toutefois préserver leurs individualités réciproques.
Les paysages de Marion Wachtel, bien que très typiques de la peinture de paysages américaine de l'époque, furent remarqués pour l'originalité de leur composition. Les plans successifs, traités le plus souvent à l'aquarelle presque en aplats, aux contours simplifiés, comme silhouettés, et d'intensités décroissantes, créent une puissante impression de profondeur, d'éloignement, caractérisant bien ce qu'on nomme le Grand Ouest, et plus généralement l'immensité américaine. ■ M. M., J. B.
Bibliogr. : Ruth Westphal : *Plein Air Painters of California : The Southland*, Irvine, 1982.
Ventes Publiques : Los Angeles, 29 juin 1982 : *Indiens près d'un pueblo*, aquar./pap. (30,5x39,5) : **USD 1 200** – San Francisco, 21 juin 1984 : *La côte de Californie*, h/t (51x66) : **USD 1 800** – New York, 24 juin 1988 : *Eucalyptus au crépuscule*, aquar./pap. (50x40) : **USD 22 000** – New York, 30 sep. 1988 : *Vallée*, aquar./pap. (46x61) : **USD 25 300** – New York, 1er déc. 1988 : *Ile enchantée*, aquar./pap. (61x81,3) : **USD 55 000** – New York, 24 mai 1989 : *Paysage californien*, aquar./pap. (50,8x74,9) : **USD 34 100** – Los Angeles-San Francisco, 7 fév. 1990 : *Portrait d'une femme assise lisant un livre*, aquar./pap. (33x23) : **USD 1 870** – Los Angeles-San Francisco, 10 oct. 1990 : *Au pied des collines de Cresente*, aquar./pap. (41x51) : **USD 18 700** – New York, 27 sep. 1996 : *Paysage du sud de la Californie*, h/pan. toilé (40,6x50,8) : **USD 17 250**.

WACHTEL Simon
Mort le 9 février 1740 à Prague. XVIIIe siècle. Autrichien.
Peintre.

WACHTEL Stefanie
Née le 2 décembre 1871 à Olmutz (Moravie). XIXe-XXe siècles. Autrichienne.
Peintre.
Elle fut élève de C. von Marr à Munich. Elle travailla à Vienne.

WACHTEN Isac, appellation erronée. Voir **WACKLIN Isac**

WACHTER Christoph
Né vers 1748 à Prague. XVIIIe siècle. Actif à Ellingen. Autrichien.
Sculpteur.
Il sculpta le tombeau du Prince évêque R. A. von Strasoldo dans la cathédrale d'Eichstätt.

WÄCHTER Eberhard ou **Georg Friedrich Eberhard**
Né le 29 février 1762 à Balingen. Mort le 14 août 1852 à Stuttgart. XVIIIe-XIXe siècles. Allemand.
Peintre d'histoire.
Élève de l'École d'art de Karlsruhe du 15 décembre 1773 au 2 janvier 1784. Il continua ses études chez J.-B. Regnault à Paris. En 1793, il revint à Stuttgart, puis alla ensuite en Italie où il se lia avec Joseph Koch, Fernow et Carotius. Historiquement, dans sa génération, son importance n'est pas négligeable. En effet, il avait précédé à Rome, Johann Friedrich Overbeck, et il eut sans doute sur celui-ci une influence déterminante. Wächter, très marqué par Füssli et Carstens, professait un idéal classico-moderne, qui allait bien constituer les bases mêmes de la doctrine des Nazaréens du couvent de Sant'Isidoro, telle qu'allait bientôt la définir Overbeck.
Bibliogr. : Marcel Brion : *La peinture allemande*, Tisné, Paris, 1959.
Musées : Stuttgart : *Job et ses amis – Le lion de Florence – La barque de la vie – Ulysse et les sirènes – L'Amour instituant le mariage – Andromaque et les cendres d'Hector – Le fleuve Mélée – La muse affligée sur les ruines d'Athènes – Hercule au carrefour – Les quatre saisons – Bacchus et l'Amour*, grisaille – *Bacchus chantant – Combat d'Artémise et des centaures – Amour – Le poète Virgile observé par des paysans – La barque de Caron – La Vierge au tombeau du Christ* – Une esquisse.
Ventes Publiques : Düsseldorf, 2 nov. 1977 : *Troupeau dans un paysage*, h/t (66x78) : **DEM 8 000**.

WACHTER Georg
Né le 23 novembre 1809 à Hall (Tyrol). Mort le 18 décembre 1863 à Bozen. XIXe siècle. Autrichien.
Peintre de scènes de genre, portraits.
Il fut élève de l'Académie des Beaux-Arts de Vienne.
Musées : Innsbruck : *Portraits*.
Ventes Publiques : Rome, 28 mai 1991 : *Portrait d'une dame*, h/t (61x44,5) : **ITL 4 500 000** – Munich, 7 déc. 1993 : *Portrait d'un officier de chasseurs autrichien* 1844, h/cart. (17x12) : **DEM 4 600**.

WÄCHTER Georg Christoph
Né le 27 octobre 1729 à Heidelberg. Mort vers 1789 à Saint-Pétersbourg. XVIIIe siècle. Allemand.
Médailleur.
Il fut élève de Jean Dassier à Genève. Il travailla pour les cours de Mannheim et de Saint-Pétersbourg.

WACHTER Jakob ou **Philipp Jakob**
XVIIe-XVIIIe siècles. Actif à Landeck de 1699 à 1714. Autrichien.
Peintre.

WACHTER Jekaterina Alexandrovna
Née le 30 avril 1860 à Saint-Pétersbourg. XIXe siècle. Russe.
Peintre d'histoire et portraitiste.
Élève de l'Académie de Saint-Pétersbourg.

WACHTER Johann
Né en 1646 à Landeck. XVIIe siècle. Autrichien.
Peintre.
Élève de H. G. Pixner à Landeck. Il s'établit à Vienne en 1672.

WACHTER Paul
XVIIIe siècle. Autrichien.
Sculpteur.
Il a exécuté les stucatures de l'escalier du Palais de la Diète à Innsbruck en 1728.

WÄCHTER Wolfgang ou **Wechter**
Né en 1621 à Bamberg. Mort le 11 mai 1684 à Hartkirehen. XVIIe siècle. Autrichien.
Peintre.

WACHTL Johann ou **Wachtel**
Né en 1778 à Graz. Mort vers 1839 à Steyr. XIXe siècle. Autrichien.
Peintre et lithographe.
Élève de l'Académie de Vienne. Il peignit et grava surtout des portraits et des paysages de Styrie, ainsi que des miniatures. Le Musée Provincial de Graz possède de lui *L'empereur François Ier* et *Jeunes mariés*.

WACHTLER Fülöp ou **Philippe**
Né en 1816. Mort en 1897 à Budapest. XIXe siècle. Hongrois.
Graveur au burin.
Il grava des billets de banque hongrois.

WACHTMEISTER Ulla
Née en 1926 en Suède. XXe siècle. Active aux États-Unis. Suédoise.
Peintre.
Elle a vécu dans plusieurs pays étrangers et acquis sa formation artistique à New York. Elle participe, aux États-Unis, à des expositions collectives. Elle a montré des expositions personnelles de ses œuvres : 1961, New York ; 1962, Museum of Modern Art, Miami ; 1962, Fort Lauderdale (Floride) ; 1963, Columbia Museum of Art (Caroline du Sud) ; 1965, Paris, etc.
Entre figuration et abstraction, elle pratique une écriture graphique elliptique.

WACIK Franz
Né le 9 septembre 1883 à Vienne. Mort le 15 septembre 1938 à Vienne. XXe siècle. Autrichien.
Peintre, dessinateur, graveur, illustrateur, décorateur.
Il fut élève à Vienne de la Kunstgewerbeschule sous la direction d'Alfred Roller, poursuivit ses études à l'Académie avec Griepenkerl, Rumpler et Löffler. Il collabora à la revue *Muskete*. Il

exposa au Salon à partir de 1910. Membre de la *Sezession* viennoise.
Il peignit d'ailleurs les fresques du bâtiment de la *Sezession* de Vienne. Il illustra des ouvrages, parmi lesquels : de C. Brentano *Gockel, Hinkel und Gackeleia* (1900), d'Andersen *Märchen* (1920), de Grimm *Märchen* (1921), de H. Sachs *Schlaraffenland* (1920).
Bibliogr. : In : *Dictionnaire des Illustrateurs 1800-1914*, Ides et Calendes, 1989, Neuchâtel.
Musées : Vienne (Mus. mun.) : *Journée grise – Le vieil ermite.*

WACIK Marianne, née **Nagy von Konoly**
Née le 20 février 1891 à Pettau. xxe siècle. Autrichienne.
Peintre, décoratrice.
Femme de Franz Wacik. Elle vécut, travailla, et exposa à Vienne à partir de 1921.

WACK Henry Wellington
Né à Baltimore (Middlesex). xxe siècle. Américain.
Peintre.
Élève d'Henry Salem Hubbell à Paris et de Frank Spenlove à Londres. Membre de la Ligue Américaine des Artistes Professeurs. Ses œuvres figurent dans de nombreux musées américains.

WACKER
xviiie siècle. Actif à Paris à la fin du xviiie siècle. Français.
Sculpteur.
Il privilégia le travail du stuc.

WACKER Nicolas
Né en 1897 à Kiev (Ukraine). Mort en janvier 1987 à Paris. xxe siècle. Actif en France. Russe.
Peintre. Tendance cubiste, puis abstraite.
En 1922, avec ses parents, il quitta la Russie pour Berlin, où, tout en poursuivant des études générales, langues, philosophie, il fut élève, en architecture, de l'Ecole des Beaux-Arts de 1922 à 1926. En 1926, il vint se fixer à Paris, où, en 1927, il exposa deux peintures au Salon d'Automne. Il devint l'assistant à l'Académie Ranson de Bissière. En 1936, il exposa dans le groupe *Témoignage*, avec Bertholle, Le Moal, Manessier, Étienne-Martin. En 1937, il participa à l'exposition *Jeune Peinture*, sur invitation de Jacques Lassaigne, qui le fit participer, à l'Exposition Internationale de 1937, à la décoration d'une annexe du Palais de la Découverte. Du début de la guerre jusqu'en 1952, il se retira dans le Lot chez les Bissière. Revenu à Paris, il exerça le métier de restaurateur de peintures. De 1969 à 1981, il enseigna les techniques de la peinture, dans l'atelier qu'il a créé à cet effet à l'Ecole des Beaux-Arts de Paris.
Son activité de peintre fut très décousue. Des premières œuvres de Russie et Berlin, il ne subsiste rien. De 1927 à 1939, quelques centaines de peintures figuratives, des figures, des nus, de 1927, 1928, dont quelques-unes postcubistes sous l'influence de Bissière et Braque : *Femme tenant un chapeau* de 1933, et *Femme se peignant* de 1934. Puis un retour à une figuration réaliste, avec la très intimiste : *Jeune fille au miroir* de 1935, et *Mon modèle préféré* de 1936, qui évoque les rares portraits de jeunes femmes de Corot. En 1941, il fit une dizaine de peintures. Les perturbations occasionnées par la guerre causèrent une longue interruption de son activité de peintre. De 1962 à 1964, reprise de son activité dans une centaine de petites peintures, exécutées spontanément au jour le jour, à la façon d'un journal intime, où alternent indifféremment figuration et abstraction, encore que chez Wacker l'abstraction a toujours son origine dans une sensation vécue, dans une chose vue, ce qui apparente son abstraction à celle, également épisodique, de Paul Klee. Ensuite et jusqu'à sa disparition, il poursuivit la production de petits formats abstraits, dans lesquels le travail de la matière devint évident, tout en restant subordonné au message poétique. ■ J. B.
Bibliogr. : Catalogue de l'exposition *Nicolas Wacker*, Ecole Nat. Sup. des Beaux-Arts, Paris, 1987.

WACKER Rudolf
Né le 25 février 1893 à Bregenz. Mort le 19 avril 1939 à Bregenz. xxe siècle. Autrichien.
Peintre de nus, portraits, paysages, natures mortes, graveur.
Il fut élève d'A. Egger-Lienz à Weimar. Il représente le réalisme magique.
Musées : Bregenz : *Nature morte* – Constance : *Petit port* – Ulm (Mus. mun.) : *Le port de Bregenz* – Vienne (Gal. Mod.) : *Nature morte.*
Ventes Publiques : Vienne, 17 sep. 1976 : *Nu debout* 1935, sanguine (47x28) : **ATS 13 000** – Vienne, 21 sept 1979 : *Nu couché* 1933, fus. (41,7x28,5) : **ATS 18 000** – Vienne, 20 mai 1981 : *Nature morte* 1924, h/t (50x65) : **ATS 250 000** – Vienne, 14 sep. 1982 : *Nu couché* 1924, fus. (24x33) : **ATS 20 000** – Vienne, 15 nov. 1983 : *Nu couché*, craie noire (27,5x40) : **ATS 15 000** – Vienne, 18 mars 1986 : *Nu en buste* 1934, fus. (38x27) : **ATS 28 000.**

WACKERLE Joseph
Né le 15 mai 1880 à Partenkirchen. Mort en 1959. xxe siècle. Allemand.
Sculpteur de figures, figurines, statues, monuments.
Élève de l'Académie de Munich. Il fit des voyages d'études en Italie. Il sculpta des monuments aux morts, des autels et des fontaines dans de nombreuses villes d'Allemagne.
Ventes Publiques : Cologne, 22 oct. 1977 : *Flore*, bronze (H. 76) : **DEM 3 000.**

WACKERMAN Dorothy
Née en 1899 à Cleveland (Ohio). xxe siècle. Américaine.
Peintre.

WACKIS B. ou **J. B.**
xviie siècle. Vivant probablement à la fin du xviie siècle. Français.
Peintre de fleurs.
Le Musée de Lille conserve *Fleurs* de lui.

WACKLIN Isac
Né en 1720 à Uleaborg. Mort en 1758 à Stockholm. xviiie siècle. Finlandais.
Portraitiste.
Le Musée de Frederiksborg possède de lui *Portrait d'un jeune couple*, et le Musée d'Helsinki *Portraits du pasteur L. S. Wacklin et de sa femme* et *Portrait de femme.*

WACLAV. Voir **WENZEL**

WACQUEZ Adolphe André
Né le 5 décembre 1814 à Sedan (Ardennes). xixe siècle. Français.
Peintre et graveur au burin.
Élève de Delacroix. Il exposa au Salon de 1840 à 1865. Le Musée de Moulins conserve de lui *Une chasse impériale dans la forêt de Fontainebleau.*

WACQUIEZ Henri
Né le 24 août 1907 à Chatou (Yvelines). xxe siècle. Français.
Sculpteur, peintre.
Il a étudié à l'École Nationale des Arts Décoratifs en 1924, puis il fut élève libre à l'École Nationale des Beaux-Arts. Il a travaillé avec différents sculpteurs et s'initie à la technique de la pierre et du bois, sans toutefois négliger la peinture. En 1937, il fut assistant au Muséum d'Histoire Naturelle où il rencontra le sculpteur Pompon. Il crée l'école des Beaux-Arts de Casablanca dont il est directeur jusqu'en 1962. Il est nommé conservateur du Musée des Beaux-Arts Léon-Dierx, à Saint-Denis de la Réunion, en 1964, où il réside.
Il expose dans plusieurs Salons, dont le Salon d'Automne, le Salon de Mai, etc. Il expose également aux Artistes Animaliers. Il fait sa première exposition particulière en 1938.
En 1942 il rencontre le peintre Seyssaud dont il exécutera le buste, qu'il exposera en 1944 à Marseille. Il exécute aussi des bas-reliefs pour différents établissements scolaires, ainsi que de nombreuses mosaïques.
Musées : Alger – Lund, Suède – Manchester, États-Unis – Marseille – New York (Guggenheim Mus.) – Paris – Saint-Denis de la Réunion.

WACZEK Wenzel. Voir **VACEK**

WACZKA Joseph
Né le 11 septembre 1776. Mort le 30 juillet 1795 à Prague. xviiie siècle. Tchécoslovaque.
Graveur au burin.

WAD, pseudonyme de **Wardenier Charles**
Né en 1918 à Calais (Pas-de-Calais). xxe siècle. Français.
Peintre, sculpteur, dessinateur, céramiste.
Bibliogr. : In : *Dict. biogr. illustré des artistes en Belgique depuis 1830*, Arto, Bruxelles, 1987.
Musées : Bruxelles (Cab. des Estampes).

WADA Eisaku
XIXe siècle. Actif à Tokio. Japonais.
Peintre de genre.
Il figura aux expositions de Paris ; mention honorable en 1900 (Exposition Universelle).

WADDINGTON S.
Né vers 1736. Mort en 1758. XVIIIe siècle. Britannique.
Paysagiste.
Il peignait dans la manière de Claude Lorrain.

WADDINGTON Vera
Née le 16 janvier 1886 à Wiltshire. XXe siècle. Britannique.
Peintre, graveur sur bois.

WADE Carlos
Né à Gibraltar. XIXe siècle. Actif dans la seconde moitié du XIXe siècle. Espagnol.
Peintre.
Élève de l'Académie de Cadiz. Il exposa des peintures de genre et d'histoire de 1870 à 1881.

WADE George Edward
Né en 1853. Mort le 5 février 1933 à Fulham. XIXe-XXe siècles. Britannique.
Sculpteur.
Il n'eut aucun maître. Il exposa à la Royal Academy à partir de 1890, surtout des portraits en buste.

WADE J.
XIXe siècle. Travaillant à Dublin de 1801 à 1817. Irlandais.
Paysagiste et aquarelliste.

WADE J. H.
XIXe siècle. Travaillant à Cleveland de 1810 à 1823. Américain.
Portraitiste.

WADE Jonathan
Né en 1941 à Dublin. Mort en janvier 1973, accidentellement. XXe siècle. Irlandais.
Peintre.
Il a étudié au National College of Art à Dublin, puis à Londres. Il a vécu à Dublin jusqu'à sa mort. Il a montré en 1966 sa première exposition particulière à Dublin.
Il utilisait des éléments réalistes pour suggérer et non pour décrire. Ainsi quand il peignait sur sa toile des maillons de chaîne, imbriqués les uns dans les autres, pris sous des carcasses métalliques, c'était surtout pour signifier une civilisation dont ces chaînes étaient en quelque sorte le symbole.
Musées : Dublin (mun. Gal. of Mod. Art).

WADE Robert
XVIIIe siècle. Travaillant à Dublin de 1780 à 1785. Irlandais.
Peintre de portraits, peintre de miniatures.

WADE Thomas
Né le 10 mars 1828 à Wharton. Mort le 14 mars 1891 à Londres. XIXe siècle. Actif à Boston. Britannique.
Peintre de genre et de paysages, et aquarelliste.
Il exposa fréquemment à Londres, notamment à la Royal Academy, à partir de 1864. On cite quelquefois aussi ses ouvrages aux expositions de la British Institution. La Tate Gallery, à Londres, conserve de lui *Un vieux moulin* (aquarelle).
Ventes Publiques : Londres, 15 mai 1979 : *He's coming* 1866/67, h/t (75x60) : **GBP 1 000.**

WADEPHUL Walter
Né le 11 mai 1901 à Putzar, près d'Anklam. XXe siècle. Allemand.
Sculpteur de bustes, statues, décorateur.
Il fut élève des Académies de Munich, de Berlin et de Breslau. Il sculpta aussi des ornements.
Musées : Stettin (Mus. mun.) : *Gerhart Hauptmann*, buste – *Eugen Kühnemann*, buste – *Professeur Stephan*, buste – *L'artiste* – *Femme accroupie*.

WADERE Henrich
Né le 2 juillet 1865 à Colmar (Haut-Rhin). XIXe siècle. Allemand.
Sculpteur.
Il travailla en France, et figura aux expositions de Paris où il fut professeur à l'Académie ; mention honorable en 1895, médaille de bronze en 1900 (Exposition Universelle). Il travailla aussi à Colmar, Mulhouse, Munich. Le Musée de Strasbourg conserve de lui *Julie*, buste en bronze, et celui de Munich, *Buste en marbre de Luitpold de Bavière*. On cite de lui trois cent soixante œuvres.

WADHAM Percy
Né à Adélaïde (Australie méridionale). XXe siècle. Australien.
Dessinateur, illustrateur.
Il fut élève de T. S. Cooper et de Chapman. Il dessina des illustrations de livres et de revues.

WADIN Édouard
Né vers 1820 à Genève. XIXe siècle. Suisse.
Peintre.
Le Musée de Bergues conserve un paysage de cet artiste.

WADOWSKI Pawel
XVIe siècle. Travaillant à Cracovie en 1593. Polonais.
Sculpteur.
Il a sculpté le tombeau de W. Spytek Jordan dans l'église Sainte-Catherine de Cracovie.

WADSTEN Andres
XVIIIe siècle. Travaillant en Smaland et en Oland. Suédois.
Peintre.
Ses parents Georg, Johan Henrik et Paul furent aussi peintres.

WADSWORTH Adelaide E.
Née en 1844 à Boston. XIXe siècle. Américaine.
Peintre.
Élève d'A. Dow et de F. Duveneck.

WADSWORTH Edward Alexander
Né le 29 octobre 1889 à Cleckheaton (Yorkshire). Mort le 21 juin 1949 à Londres. XXe siècle. Britannique.
Peintre de marines, natures mortes, graveur sur cuivre et sur bois. Groupe Vorticiste, Camden Town Group.
La réputation de ce peintre anglais s'est faite lentement et tardivement. Il a été élève de la Bradford School (1908-1910) puis de la Slade School de Londres (1910 à 1912), ayant auparavant fait des études d'ingénieur à Munich en 1906-1907. Wadsworth collabora à l'édition anglaise de *Über das Geistige in der Kunst* de Kandinsky en 1914. En 1921, il effectua quelques séjours en France. Il devint membre en 1914 du London Group, puis du Ten Group, et en 1921 du New English Art Club. Il fut élu en 1945 à la Royal Academy. En 1945, il s'installa à Dairy House (Maresfield) dans le Sussex.
Wadsworth a participé à Londres, en 1912, à l'exposition organisée par Roger Fry *Manet et les postimpressionnistes* aux Grafton Galleries, en 1913 à une exposition sur le futurisme, toujours en 1913 à la *Cubist Room Section* du « Camden Town Group and Others » aux Brighton Public Art Galleries, en 1914 à la *First Exhibition of works by Members of the London Group* à la Goupil Gallery à Londres, en 1915 à la *Vorticist Exhibition* aux Doré Galleries, en 1920 à l'exposition du « Group X » à Londres. En 1978, il était représenté à l'exposition *Abstraction-Création 1931-1936*, au Westfälisches Landesmuseum für Kunst und Kulturgeschichte de Munster, et au Musée d'Art moderne de la Ville de Paris. Une exposition particulière de ses œuvres fut organisée en 1919 à la Adelphi Gallery à Londres, deux autres à Paris en 1921 et 1927. Plusieurs rétrospectives, entre autres : 1974 à Londres ; 1990 au Camden Arts Center à Londres.
À peine sorti de l'école, il rejoignit le mouvement du « vorticisme », animé par le poète Ezra Pound, et qui avait été créé par le peintre et écrivain Wyndham Lewis. Quand Ezra Pound définissait le vortex comme « Le point maximum d'énergie. Il représente en mécanique la plus grande efficacité », il faisait déjà présager quelles allaient être ses admirations politiques futures. En fait, en ce qui concernait la peinture, le vorticisme, dont l'instrument d'action était la revue *Blast* (Ouragan), dont le premier numéro parut en 1914, le second et dernier en 1915, regroupait les tendances modernes de la peinture anglaise de ce moment, proches et du cubisme et du futurisme, se sentant en accord avec la forme de la machine, mais sans éprouver le besoin de la glorifier comme les futuristes. Mobilisé dans la marine entre 1914 et 1917, Wadsworth découvrit sa passion pour la mer et les choses de la marine, qui devait occuper toute sa vie (il réalisa en 1938 deux grands panneaux décoratifs pour le *Queen Mary*, d'autres pour le pavillon De La Warre à Bexhill et le Canadian War Museum). Il allait donc concilier la facture précise, « machiniste », à la façon du dessin industriel, de sa peinture avec les navires et leur élément. Après la guerre, il publia, en 1926, un recueil de gravures sur cuivre : *The Sailing Ships and Barges of the Western Mediterranean and Adriatic*. Ensuite, il pratiqua presque exclusivement la peinture à la détrempe dans la tradition des primitifs italiens. S'il a peint des vues de ports ou de ponts de navires, où l'on retrouve l'écho du modelé cubiste et de l'imagerie machiniste de Léger, il a surtout composé des sortes

de natures mortes d'objets de navigation, placés devant des fonds de mer, de ciel ou de port, dans des rapprochements évoquant les collages surréalistes et Chirico. ■ J. B.
Bibliogr. : Michael Middleton, in : *Diction. Univers. de l'Art et des Artistes*, Hazan, Paris, 1967 – in : *Les Muses*, Grange Batelière, Paris, 1974 – *E. Wadsworth. Paintings, Drawings and Prints*, catalogue d'exposition, Londres, 1974 – in : Catalogue de l'exposition *Abstraction-Création 1931-1936*, Westfälisches Landesmus. für Kunst und Kulturgeschichte, Munster, Musée d'Art moderne de la Ville, Paris, 1978 – in : *L'Art du XXe siècle*, Larousse, Paris, 1991.
Musées : Londres (Tate Gal.) : *The Beaches Margin* 1937 – *Signals* 1942 – Londres (British Mus.).
Ventes Publiques : Londres, 1er nov. 1967 : *Le port de Marseille* : **GBP 520** – Londres, 11 déc. 1968 : *Tomorrow morning* : **GBP 650** – Londres, 10 mars 1972 : *Bateau en cale sèche*, temp. : **GNS 950** – Londres, 18 juil. 1973 : *Nature morte aux fruits* 1912 : **GBP 550** – Londres, 17 juin 1977 : *Les quais d'un port méditerranéen*, temp./pan. (38x53,5) : **GBP 700** – Londres, 14 oct. 1980 : *Kt X B* vers 1916, grav./bois en gris et noir (7x7) : **GBP 380** – Londres, 17 oct. 1980 : *Bateaux au port, Le Havre* 1939/45, temp./t. mar./pan. (76,2x63,5) : **GBP 4 000** – Londres, 22 fév. 1980 : *Vorticist abstraction* 1915, h/t (76,2x63,5) : **GBP 110 000** – Londres, 10 juin 1981 : *Dazzle Ship at Sea* 1919, h/t (41x50,5) : **GBP 10 000** – Londres, 8 déc. 1982 : *Drydock for scalling and painting* 1918, grav./bois en noir (22,9x20,9) : **GBP 1 900** – Londres, 5 déc. 1984 : *La Fenêtre ouverte* 1914, grav./bois (16x10,5) : **GBP 1 000** – Londres, 14 nov. 1984 : *Composition* 1947, temp. (61x51) : **GBP 4 800** – Londres, 27 juin 1985 : *Blast furnaces* 1919, grav./bois/pap. gris (12x18,9) : **GBP 1 400** – Londres, 12 nov. 1986 : *Ouistreham*, temp./cart. (38x53) : **GBP 10 000** – Londres, 20 oct. 1987 : *Minesweepers in Port* 1918, grav./bois (5x13,5) : **GBP 3 500** – Londres, 13 nov. 1987 : *Mer du Nord* 1928, temp./pan. (86,5x61) : **GBP 70 000**.

WADSWORTH Frank Russel
Né en 1874 à Chicago. Mort le 9 octobre 1905 à Madrid. XIXe siècle. Américain.
Peintre.
Élève de l'Académie de Chicago et de W. M. Chase. Le Musée de cette ville conserve de lui *Chantier marin*.

WADSWORTH Wedworth
Né le 22 juin 1846 à Buffalo. XIXe siècle. Actif à Durham. Américain.
Paysagiste, illustrateur et écrivain.

WAEFELAERS Marten J. ou **Waefelaer** ou **Waefelarts**
XVIIIe siècle. Actif à Anvers. Éc. flamande.
Peintre de compositions religieuses, paysages, graveur au burin.
Il exposa à Gand en 1792.

WAEGER Mathieu de
XVIe siècle. Travaillant à Bruxelles en 1540. Éc. flamande.
Sculpteur sur bois.

WAEL Anton de
Né en 1629 à Anvers. Mort le 29 août 1671 à Rome. XVIIe siècle. Éc. flamande.
Peintre.
Élève de Jan Boots à Anvers. Il se fixa à Rome en 1652.

WAEL Cornelis de ou **Waal**
Né le 7 septembre 1592 à Anvers. Mort le 21 avril 1667 à Rome. XVIIe siècle. Éc. flamande.
Peintre d'histoire, compositions religieuses, batailles, scènes de genre, intérieurs, graveur, dessinateur.
Fils et élève de Jean Baptiste de Wael, il alla avec son frère aîné, Lucas de Wael, compléter ses études en Italie. Il résida, notamment, à Gênes. De retour à Anvers, il n'eut pas moins de succès et nombre de ses tableaux furent achetés pour Philippe III d'Espagne.
Il exécuta plusieurs tableaux dans les églises de Gênes. Il eut aussi beaucoup de succès avec ses batailles, ses processions et marches, ses chocs de cavaliers. On lui doit aussi des gravures à l'eau-forte.

Musées : Anvers : *Arrivée à Anvers, en 1635, du prince cardinal Ferdinand, gouverneur des Pays-Bas* – Bordeaux : *Bénédiction nuptiale* – Kaliningrad, ancien. Königsberg : *Scène de halte* – Kassel : *Scène de carnaval* – *Halte de cavaliers en reconnaissance* – Mayence : *Attaque de l'ennemi* – Nantes : *L'Enfant prodigue chez les filles de joie* – *Retour de l'enfant prodigue* – Vienne : *Passage de la Mer rouge* – Vienne (Harrach) : *Le Camp* – *Canonnade d'une ville*.
Ventes Publiques : Amsterdam, 1708 : *Un mariage italien* : **FRF 220** ; *La Rencontre de Jacob et d'Esaü*, paysage de Breughel de Velours : **FRF 490** – Paris, 1900 : *Les Porteurs de lait*, pl. : **FRF 120** – Paris, 8-10 juin 1920 : *Les Porteuses de lait*, pl. : **FRF 1 000** – Paris, 29 juin 1929 : *Buveurs au cabaret* : **FRF 800** – Londres, 12 nov. 1969 : *Autoportrait* : **GBP 640** – Londres, 7 juin 1974 : *Choc de cavalerie* : **GNS 5 000** – Amsterdam, 3 mai 1976 : *Cavalier, deux chevaux et trois figures*, pl. (20,9x14,7) : **NLG 2 700** – Milan, 5 déc. 1978 : *Inauguration de l'Hôpital de Gênes*, h/t (97x150) : **ITL 3 600 000** – Paris, 29 oct. 1980 : *Le Départ de l'enfant prodigue*, pl. et encre brune (13,5x21,4) : **FRF 5 500** – Milan, 1er déc. 1981 : *Paysans et voyageurs dans une cour de ferme*, h/t (100x150) : **ITL 19 000 000** – Londres, 12 déc. 1984 : *Les grandes manœuvres*, h/t (129x193) : **GBP 16 000** – Milan, 17 déc. 1987 : *Vue imaginaire d'un port*, h/t (74x120) : **ITL 34 000 000** – Milan, 4 avr. 1989 : *Le Passage de la Mer rouge*, h/t (122x171,5) : **ITL 22 000 000** – Milan, 12 juin 1989 : *Scène de torture par la corde*, h/t (31x50) : **ITL 18 000 000** – New York, 12 jan. 1990 : *Kermesse au village parmi les ruines*, encre et lav. (20,5x30,7) : **USD 1 320** – New York, 11 oct. 1990 : *La Procession des pénitents*, h/t (96,5x148,5) : **USD 27 500** – Paris, 18 avr. 1991 : *Galère aux armes des Médicis dans un port méditerranéen*, h/t (73,5x119,5) : **FRF 80 000** – Londres, 8 juil. 1992 : *Bataille dans un vaste paysage avec une ville à distance*, h/t (128,5x194,5) : **GBP 37 400** – Paris, 28 mai 1993 : *La Fête du village*, encre brune (19,5x28,5) : **FRF 5 500** – Londres, 5 juil. 1993 : *L'Adoration du Veau d'or*, h/t (72x127) : **GBP 8 625** – Paris, 11 mars 1994 : *Intérieur d'étable*, pl. en brun (14,5x21,5) : **FRF 4 200** – Milan, 16 mars 1994 : *Épisode de la parabole du Fils prodigue*, h/t, une paire (96x146) : **ITL 32 200 000** – Monaco, 19 juin 1994 : *La Bataille de Lépante*, h/t (114x202) : **FRF 99 900** – Rome, 29 oct. 1996 : *Vue idéale d'un port animé*, h/t (73x122) : **ITL 17 475 000** – Rome, 28 nov. 1996 : *Port méditerranéen fortifié et navires dans la rade*, h/t (80,5x127,5) : **ITL 20 000 000**.

WAEL Jan, ou **Hans, Jan Baptiste de**, l'Ancien ou **Waal**
Né en 1558 à Anvers. Mort le 7 décembre 1633 à Anvers. XVIe-XVIIe siècles. Éc. flamande.
Peintre et graveur à l'eau-forte.
Élève de Frans Franken l'Ancien. Il peignit, dans le style de son maître, des tableaux d'histoire, qu'on retrouve rarement aujourd'hui. Membre de l'Académie d'Anvers. Van Dyck a peint son portrait. Le Musée de Rennes conserve un dessin de lui. Il a gravé des sujets de genre.

WAEL Jan Baptiste de, le Jeune ou **Waal**
Né le 25 juillet 1632 à Anvers. XVIIe siècle. Éc. flamande.
Peintre de genre et graveur.
On n'est pas exactement fixé sur le degré de parenté de cet artiste avec Cornelis de Wael. On le croit fils ou neveu de cet artiste. Le catalogue de Nantes (édition de 1903) en fait son frère, en mentionnant de lui un tableau qui, d'après certains critiques, pourrait être de Jan Baptiste Wael l'Ancien. Jean Baptiste Wael le Jeune est surtout connu par de jolies eaux-fortes, notamment une suite de huit pièces (*Histoire de l'enfant prodigue*), d'après les dessins de Cornelis de Wael, exécutée en 1658.

WAEL Joachim. Voir **UYTEWAEL Joachim**

WAEL Lucas Janszen de ou **Waal**
Né le 3 mars 1591 à Anvers. Mort le 25 octobre 1661 à Anvers. XVIIe siècle. Éc. flamande.
Peintre d'histoire, compositions religieuses, batailles, scènes de genre, paysages, dessinateur.
Fils et élève de Jan Baptiste de Wael l'Ancien, il fut ensuite confié à Jan Brueghel de Velours et il en adopta le style. Il voyagea en Italie, en compagnie de son jeune frère Cornelis et y obtint un grand succès avec ses paysages. Il résida notamment à Gênes.
Il a peint des sujets d'histoire, comme le prouve le tableau de *Marie-Madeleine*, des batailles, des escarmouches, comme son frère Cornelis, mais ce sont surtout ses paysages qui sont recherchés et estimés.

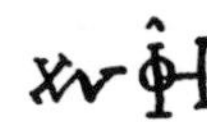

Musées : Oslo : *Marie-Madeleine.*
Ventes Publiques : Londres, 31 juil. 1929 : *Paysage* : **GBP 252** – Paris, 8 déc. 1938 : *La Rencontre nocturne*, lav. de bistre : **FRF 530** – Amsterdam, 16 nov. 1981 : *Paysans et animaux*, pl. et lav./trait de craie noire (16,6x21,3) : **NLG 1 500** – Londres, 8 juil. 1987 : *Autoportrait*, h/t (82,5x112) : **GBP 10 000** – Milan, 27 mars 1990 : *Scène de port*, h/t (142x232) : **ITL 44 000 000** – Paris, 28 avr. 1993 : *Scène de combat naval*, h/t (74x110) : **FRF 28 000** – Londres, 13 déc. 1996 : *Bateaux de pêche accostant sur une plage*, h/t (99,2x134) : **GBP 7 475**.

WAEL Paulus Van. Voir **WTTEWAEL**

WAELDIN Marcel
Né le 21 novembre 1891 à Colmar (Pas-de-Calais). xxe siècle. Français.
Peintre, graveur.
Il travailla à Strasbourg. Il gravait à l'eau-forte.

WAELHEM Martin de
Né le 23 février 1882 à Waelhem (Belgique). xxe siècle. Actif aussi en France. Belge.
Peintre de paysages, marines, natures mortes.
Cet artiste a vécu et travaillé à Beaulieu-sur-Mer (Alpes-Maritimes). Une de ses toiles : *Les Poissons* décore une salle du Palais de l'Élysée ; sa *Madone noire de Beaulieu* figure dans la collection du roi Gustave V de Suède.

WAELKENS Pierre
Né en 1941 à Woluwe-Saint-Pierre. xxe siècle. Belge.
Peintre de portraits, compositions. Réalité poétique.
Bibliogr. : In : *Dict. biogr. illustré des artistes en Belgique depuis 1830*, Arto, Bruxelles, 1987.

WAELKIN. Voir aussi **WALINS**

WAELKIN George
xve siècle. Actif à Bruges en 1478. Éc. flamande.
Peintre.

WAELPOT Pieter
xviie siècle. Actif à Delft. Hollandais.
Peintre sur faïence.

WAELPUT Jeanne
Née en 1891 à Diest. xxe siècle. Belge.
Peintre de figures, portraits, paysages urbains, architectures.
Elle fut élève de l'Académie de Gand.
Bibliogr. : In : *Dict. biogr. illustré des artistes en Belgique depuis 1830*, Arto, Bruxelles, 1987.

WAELPUT Pierre
xve siècle. Éc. flamande.
Sculpteur.
Il sculpta des lions pour l'Hôtel de Ville de Malines entre 1454 et 1464.

WAELS Gottfried. Voir **WALS**

WAELSCHAERTH François. Voir **WALSCHARTZ**

WAELWYCK François
Né vers 1576. xviie siècle. Hollandais.
Peintre.

WAENERBERG Thorsten Adolf W. ou **Wänerberg**
Né en 1846 à Abo. Mort en 1917 à Helsinki. xixe-xxe siècles. Finlandais.
Peintre de paysages, marines.
Il fit ses études à Helsinki et à Düsseldorf.
Musées : Helsinki (Ateneum) : *Vue de la plaine de Haarlem – Jour d'été à Hagland – Jour d'été à Päijäne – Chemin creux avec des contrebandiers.*

WAERAT. Voir **WORATH**

WAERDEN D.
Né vers 1594. xviie siècle. Hollandais.
Peintre.
Il grava d'après Cornelis Danckerts I.

WAERDEN Willem Van der
Né vers 1643-1644. xviie siècle. Travaillant à Amsterdam en 1670. Hollandais.
Graveur au burin au pointillé.

WAERDER Urs. Voir **WERDER**

WAERDIGH Dominicus Gottfried
Né en 1700 à Hambourg. Mort en janvier 1789 à Plön. xviiie siècle. Allemand.
Peintre.
Élève de Chr. J. Norwic. Il peignit des paysages du Rhin et des vues de Plön. La Kunsthalle de Hambourg conserve de lui *Paysage d'hiver.*
Ventes Publiques : Londres, 26 juin 1964 : *Vue d'Amsterdam* : **GNS 700**.

WAERDT Abraham de. Voir **WEERDT**

WAERELD Eduard Fred Van de
Né le 18 octobre 1867 à Amsterdam. xixe siècle. Hollandais.
Lithographe et aquafortiste.
Il exécuta des vues d'Amsterdam et d'Utrecht.

WAEREWYCK Rosa. Voir **PAUWAERT**

WAERHERT Arthur de
Né en 1881. Mort en 1944. xxe siècle. Belge.
Peintre de paysages animés, animalier.
Ventes Publiques : Bruxelles, 24 fév. 1976 : *Paysage avec moutons*, h/bois (28x39) : **BEF 22 000** – Anvers, 10 mai 1979 : *Moutons et vache au pré*, h/t (50x63) : **BEF 32 000** – Bruxelles, 27 mars 1990 : *Moutons*, h/pan. (48x60) : **BEF 115 000** – Lokeren, 7 oct. 1995 : *Moutons dans un paysage*, h/pan. (55,5x67) : **BEF 35 000** – New York, 18-19 juil. 1996 : *Moutons dans un vaste paysage*, h/pan. (35,6x51,8) : **USD 1 092**.

WAERRE Arnoul de
xve siècle. Travaillant à Ypres et à Bruges dans la seconde moitié du xve siècle. Éc. flamande.
Peintre.

WAES Aert Van ou **Waas**
Né vers 1620 à Gouda. Mort après 1664. xviie siècle. Hollandais.
Peintre et graveur à l'eau-forte.
Élève de Wouter Crabeth. Il visita l'Italie. De retour à Gouda, il peignit surtout des sujets de genre, et ce sont aussi des sujets de genre qu'il a gravés. On lui attribue neuf sujets grotesques, notamment une estampe représentant un peintre dégoûté de son art et faisant ses ordures sur sa palette.

Musées : Paris (Mus. du Louvre) : *Intérieur d'un corps de garde* – Schleissheim : *Paysans à l'auberge*, attr. – Spire : *Retour de la chasse.*

WAESBERGE Isaac Van
xviie siècle. Travaillant à Rotterdam de 1632 à 1639. Hollandais.
Graveur au burin.

WAESBERGHE Henri Van
xvie siècle. Travaillant à Anvers en 1561. Éc. flamande.
Graveur au burin.

WAETERMEULEN Marguerite Van
Née à Cherbourg (Manche). xxe siècle. Française.
Peintre, pastelliste.
Elle a étudié à l'École des Arts Industriels de Grenoble.
Bibliogr. : Maurice Wantellet : *Deux siècles et plus de peinture dauphinoise*, Maurice Wantellet, Grenoble, 1987.

WAETSELAIR Phillips Van
xve siècle. Travaillant à La Haye de 1451 à 1466. Hollandais.
Graveur de monnaies.

WAEYBACK Pieter
xvie siècle. Travaillant à Oudenarde de 1519 à 1520. Éc. flamande.
Sculpteur.

WAEYENBECKERE Arnould ou **Wayenbeckere**
xve siècle. Travaillant à Louvain de 1452 à 1454. Éc. flamande.
Peintre de figures.

WAEYER Mathieu de ou **Waeyere** ou **Waydere** ou **Wayer**
xvie siècle. Actif à Bruxelles. Éc. flamande.
Sculpteur.
Il sculpta, avec Chrétien Swaluwen (ou Sweluwen), les stalles de l'abbaye des Prémontrés de Tongres, de 1529 à 1530.

WAEYERE Arnould
xve siècle. Travaillant à Louvain de 1469 à 1486. Éc. flamande.
Peintre.

WAFER Jeremy
Né en 1953 à Durban. xxe siècle. Sud-Africain.
Artiste.

Il a participé en 1994 à l'exposition *Un Art contemporain d'Afrique du Sud* à la galerie de l'Esplanade, à la Défense à Paris.

WAFFLART Amieux

XVe siècle. Travaillant à Lens en 1416. Français.

Sculpteur sur bois.

WAGEMAEKERS Victor

Né le 5 septembre 1876 à Ganshoren. Mort en 1953. XXe siècle. Belge.

Peintre de genre, paysages, natures mortes, aquarelliste.

Il fut membre du groupe *Le Sillon*. Il peignit des vues de la campagne brabançonne et de la campagne anversoise.

V Wagemaekers

Bibliogr. : In : *Dict. biogr. illustré des artistes en Belgique depuis 1830*, Arto, Bruxelles, 1987.

Musées : Anvers : *Château* – Turnhout.

Ventes Publiques : Bruxelles, 19 mars 1980 : *Verger avec canards*, h/t (45x60) : **BEF 30 000** – Bruxelles, 27 mars 1990 : *Nature morte aux homards*, h/t (46x60) : **BEF 30 000** – Bruxelles, 12 juin 1990 : *Paysage au cours d'eau*, h/t (40x50) : **BEF 35 000** – Bruxelles, 9 oct. 1990 : *Poules sur un trottoir*, h/t (45x60) : **BEF 65 000** – Lokeren, 10 oct. 1992 : *Nature morte de fleurs*, h/t (47x76) : **BEF 28 000** – Amsterdam, 20 avr. 1993 : *Un coin de l'atelier avec une nature morte de fleurs*, h/t (53,5x43) : **NLG 3 450** – Lokeren, 15 mai 1993 : *Le jardin fleuri*, h/t (25x39) : **BEF 65 000** – Lokeren, 28 mai 1994 : *Le moulin à eau*, h/t (70x91) : **BEF 120 000** – Lokeren, 11 mars 1995 : *Paysage avec une charrette*, h/t (44x59) : **BEF 33 000**.

WAGEMAKER Jaap

Né en 1906 à Haarlem. Mort en 1972. XXe siècle. Hollandais.

Peintre, technique mixte, peintre de collages, créateur d'assemblages. Informel.

Il a séjourné pendant quelques années à Paris. En 1945, il se fixa à Amsterdam.

Il a montré ses œuvres dans des expositions personnelles, dont la première en 1948. Mais ce peintre ne fut guère remarqué avant l'exposition que lui consacra le Stedelijk Museum d'Amsterdam, en 1957. Depuis, au contraire, il est représenté dans les expositions importantes consacrées à la peinture néerlandaise contemporaine, ainsi que dans de nombreuses expositions internationales : 1961, *Arte e Contemplazione*, Venise ; 1961, *The Art of Assemblage*, New York ; 1962, XXXIe Biennale de Venise, etc.

Il a d'abord réalisé des paysages à tendance expressionniste. Vers 1955, il aboutit au grand courant international de l'art informel, s'apparentant tout spécialement à la peinture de matière d'un Tapiès, utilisant du jute, les nervures du bois ou des morceaux d'ardoise. Vers 1960, son évolution cohérente l'amena à rejoindre les « assemblagistes », incorporant en effet de plus en plus de matériaux hétérogènes à ses peintures, des vis, des barres..., voire les constituant uniquement d'objets de récupération, relevés ici ou là d'une tache vive.

Bibliogr. : Jan Van der Marck, in : *Peintres Contemporains* Mazenod, Paris, 1964 – in : *Les Muses*, Grange Batelière, Paris, 1974 – in : *Dictionnaire universel de la peinture*, Le Robert, Paris, 1975.

Musées : New York (Mus. of Mod. Art) : *Gris métallique* 1960 – Rotterdam (Boymans Van Beuningen) : *Montagne aux Écritures* 1960 – Vienne (Mus. des 20 Jahrhunderts) : *Ensablement* 1961 – *Naissance des structures* 1961 – *Les Ardoises foncées* 1962.

Ventes Publiques : Amsterdam, 7 nov. 1978 : *Composition* 1962, gche (69,5x56) : **NLG 5 000** – Amsterdam, 23 avr. 1980 : *Forme dans l'espace* 1956, techn. mixte (68,5x27) : **NLG 3 000** – Amsterdam, 29 oct. 1980 : *Composition* 1970, pan., assemblage (70x59) : **NLG 7 800** – Amsterdam, 11 mai 1982 : *Figures obscures* 1954, h/t (104x128,5) : **NLG 4 800** – Amsterdam, 5 juin 1984 : *Composition* 1961, techn. mixte (130x105) : **NLG 7 600** – Amsterdam, 18 mars 1985 : *Composition n° 380* 1966, techn. mixte (185x150) : **NLG 10 500** – Amsterdam, 8 déc. 1987 : *Composition 434* 1969, techn. mixte/cart. (93x80) : **NLG 5 500** – Copenhague, 30 nov. 1988 : *Composition* 1963, gche (68x57) : **DKK 8 500** – Amsterdam, 9 déc. 1988 : *Composition n° 168* 1959, techn. mixte/cart. (88x94) : **NLG 20 700** – Amsterdam, 22 mai 1990 : *Composition abstraite*, techn. mixte/pap. (48x39) : **NLG 8 050** – Amsterdam, 12 déc. 1990 : *Composition* 1961, techn. mixte/t. (130x104) : **NLG 34 500** – Amsterdam, 19 mai 1992 : *Composition abstraite* 1958, collage et techn. mixte/pap. (57x45) : **NLG 4 370** ; *Nature morte*, h/t (64x81) : **NLG 6 325** – Amsterdam, 9 déc. 1992 : *Gelée blanche (composition n° 196)* 1960, techn. mixte/t. de jute et pan. (125x112) : **NLG 25 300** – Amsterdam, 7 déc. 1994 : *Structure sur gris et noir* 1964, h., sable et techn. mixte/t. (135x105) : **NLG 23 000** – Amsterdam, 4 juin 1996 : *Sans titre* 1955, techn. mixte/t. (39.5x35) : **NLG 13 570** – Amsterdam, 10 déc. 1996 : *Panneau jaune* 1957, sable et h/t (96x73) : **NLG 31 136** – Amsterdam, 17-18 déc. 1996 : *Protection* 1955, h/t (55x84) : **NLG 29 500** – Amsterdam, 2 déc. 1997 : *Composition abstraite* 1950, h/t (60x73,5) : **NLG 11 532** – Amsterdam, 1er déc. 1997 : *Leien en schelpen* 1966, techn. mixte/pan. (100x82) : **NLG 14 160**.

WAGEMAN Jun

XIXe siècle.

Aquarelliste.

Le Victoria and Albert Museum, à Londres, conserve de lui *Bestiaux et figures*.

WAGEMAN Thomas Charles

Né vers 1787. Mort le 20 juin 1863. XIXe siècle. Britannique.

Peintre de portraits et graveur à l'eau-forte.

Il exposa à Londres de 1816 à 1857, notamment à la Royal Academy, à Suffolk Street et à la New Water-Colours Society. Il a peint les portraits d'un grand nombre d'artistes dramatiques. Le Victoria and Albert Museum conserve de lui : *Groupe de figures dans un bois, John Fowcett dans le rôle d'Antolysus (Songe d'une nuit d'Été), Thomas Stotbard*, et celui de Norwich, *Robert Ladbrooks*.

WAGEMANS Maurice

Né le 18 mai 1877 à Bruxelles. Mort le 31 juillet 1927 à Breedene-sur-Mer. XXe siècle. Belge.

Peintre d'histoire, portraits, nus, paysages, marines, natures mortes, fleurs.

Il fut élève de Portaels et de Stallaert à l'Académie de Bruxelles. Il débuta au Salon du Sillon en 1899 à Bruxelles. On cite aussi de lui quelques portraits et des études de nu.

Wagemans

Bibliogr. : In : *Dict. biogr. illustré des artistes en Belgique depuis 1830*, Arto, Bruxelles, 1987.

Musées : Bruxelles : *Le violoniste* – *Nu en plein air* – *Le cimetière militaire à Loo* – Gand : *Le vieux Rador* – Ixelles – Johannesburg.

Ventes Publiques : Bruxelles, 29 oct. 1974 : *Ostende, bateaux de pêche* : **BEF 24 000** – Anvers, 7 avr. 1976 : *Femme à sa toilette*, h/t (83x62) : **BEF 70 000** – Anvers, 25 oct. 1983 : *Jeune fille sur la plage*, h/t (80x60) : **BEF 150 000** – Bruxelles, 12 juin 1990 : *Ballerine*, h/t (81x60) : **BEF 600 000** – Lokeren, 21 mars 1992 : *La balustrade*, h/pan. (35,5x55,5) : **BEF 240 000** – Amsterdam, 2-3 nov. 1992 : *Au café*, h/t (75x53) : **NLG 28 750** – Paris, 29 mars 1993 : *Nature morte aux cerises*, h/pan. (42x56) : **FRF 9 000** – Paris, 30 nov. 1994 : *Ballerine à la rose*, h/t (62,5x81) : **FRF 22 000** – Amsterdam, 7 déc. 1994 : *Bouquet de fleurs*, h/t (55,5x48) : **NLG 14 950** – Lokeren, 20 mai 1995 : *Le port d'Ostende*, h/t (60x80) : **BEF 55 000**.

WAGEN Albert

Né le 2 avril 1862 à Zurich. XIXe siècle. Suisse.

Peintre de décorations et dessinateur.

Il exécuta des décorations, des ex-libris et des illustrations de livres.

WAGENAAR Lucas Jansz ou **Waghenaer**

XVIe siècle. Actif à Enkhuyzen dans la seconde moitié du XVIe siècle. Hollandais.

Dessinateur.

Il réalisa de nombreuses cartes géographiques.

WAGENAAR P. ou **Wagenaer**

XVIIIe siècle. Travaillant en 1792. Hollandais.

Dessinateur.

WAGENBAUER Maximilian Joseph ou **Max Josef** ou **Wagenbaur**

Né le 28 juillet 1775 à Gräfing. Mort le 12 mai 1829 à Munich. XVIIIe-XIXe siècles. Allemand.

Peintre d'histoire, animaux, paysages animés, paysages, paysages de montagne, graveur.

Élève de Dorner et Maunlich à Munich. Il s'inspirait de la manière de Ruysdaël. Membre des Académies de Munich et de

Berlin en 1820. Peintre de la Cour et directeur de la Galerie des tableaux de Munich.

Musées : Berlin : *Dans les monts bavarois* – Brême : *Bœufs au pâturage* – Constance : Deux tableaux d'animaux – Darmstadt : *Moutons et vaches* – *Le troupeau* – Francfort-sur-le-Main : *Pâturage* – Kaliningrad, ancien. Königsberg : *Paysage tyrolien avec vaches et chênes* – *Vallée tyrolienne* – *Ruines de Falkenstein et vue de la montagne Wilden Kaiser (Tyrol)* – Leipzig : *Troupeau avec pâtre* – Munich : *Jeune taureau* – *Vaches au pâturage* – *Troupeau de brebis* – *Paysage montagneux à Marquartstein* – *Paysage du soir* – *Matin au village* – *Repos au pâturage* – *Au lac Starnberg* – *Prés de Freising*.

Ventes Publiques : Vienne, 1823 : *Paysage avec figures*, dess. à la pl. lavé d'aquar. : **FRF 50 40** – Cologne, 4-6 déc. 1952 : *Paysage avec troupeau* 1820 : **DEM 480** – Cologne, 6-9 mai 1953 : *Animaux* 1823 : **DEM 680** – Munich, 6 juin 1968 : *Troupeau dans un paysage* : **DEM 3 800** – Londres, 4 fév. 1972 : *Bergers autour d'un feu* : **GNS 1 400** – Londres, 1er nov. 1973 : *Scènes champêtres*, quatre panneaux : **GNS 4 200** – Munich, 29 mai 1976 : *Berger et troupeau dans un paysage*, h/t (34x42,5) : **DEM 27 000** – Munich, 27 mai 1978 : *Bergère et troupeau au bord du Bodensee* vers 1806, aquar. et pl. (31x43) : **DEM 8 500** – Munich, 23 nov. 1978 : *Bergère et troupeau dans un paysage*, h/pan. (23x32,5) : **DEM 18 000** – Munich, 28 nov 1979 : *Vue du Staffelsee*, aquar./trait de cr. (23x38,3) : **DEM 29 000** – Munich, 1er déc. 1982 : *Paysage boisé*, h/t : **DEM 18 000** – Munich, 28 nov. 1985 : *Vue de Garmisch* 1806, cr. et lav. (20x27) : **DEM 3 800** – Heidelberg, 12 avr. 1986 : *Paysage de la vallée du Rhin* vers 1806, aquar./traits cr. (19,2x25,6) : **DEM 6 600** – Munich, 26-27 nov. 1991 : *Berger et son bétail sur un chemin dans un paysage accidenté*, h/cuivre (50x62,5) : **DEM 71 300** – Munich, 10 déc. 1991 : *Vaste paysage champêtre près de Rosenheim* 1916, h/cuivre (31,5x41,4) : **DEM 17 250** – Vienne, 29-30 oct. 1996 : *Troupeau dans un paysage de forêt* 1807, h/t (49x5x55) : **ATS 109 250**.

WAGENBRETT Norbert
xxe siècle.
Peintre de figures, portraits, natures mortes. Expressionniste.
En 1995, il a participé à la FIAC (Foire internationale d'Art contemporain), à Paris, présenté par la galerie Alain Blondel.
Il peint des personnages contemporains ordinaires, dans une lumière crue.

WAGENER. Voir aussi **WAGNER**

WAGENER Bernard
xixe siècle. Actif à Münster dans la première moitié du xixe siècle. Allemand.
Dessinateur.
Le Musée de Münster conserve de lui *Vue du Grand Marché de Münster*.

WAGENER Salomon. Voir **WEGNER**

WAGENFELDT Otto
Né vers 1610 à Hambourg. Mort en 1671 à Hambourg. xviie siècle. Allemand.
Peintre.
Il travailla pour l'Hôtel de Ville de Hambourg et pour l'église du Saint-Esprit de cette ville. La Kunsthalle de Hambourg conserve de lui : *Le Christ au temple*, *La Mort*, *Le Péché*, *Le Baptême*, *La Cène*, *Le Christ jardinier*. De ces compositions, *La Mort*, scène hallucinante se déroulant tout autour d'un mourant, peinte vers 1649-1651, et *Le péché originel*, de la même époque, qui figure l'arbre de la connaissance sous l'aspect rarissime d'un squelette qui en forme le tronc, étaient autrefois attribuées à Scheits. Comme Scheits donc, Wagenfeldt compte parmi les Baroques du Fantastique, qui surent utiliser le clair-obscur, un dessin par accents incisifs, et la panoplie de l'horreur, afin d'exprimer une angoisse d'être toute germanique.
Bibliogr. : Marcel Brion : *La peinture allemande*, Tisné, Paris, 1959.

WAGENHALS Katherine H.
Née le 2 août 1883 à Ebensbourg. xxe siècle. Américaine.
Peintre.
Elle fut élève de l'Académie de New York et de l'Académie Moderne de Paris. Elle vécut et travailla à San Diego.

WAGENIUS Jonas
xviiie siècle. Actif à Valne dans la seconde moitié du xviiie siècle. Suédois.
Peintre.
Il fut peintre d'églises dans les provinces de Medelpad, d'Angermanland et de Jämtland.

WAGENSCHOEN Franz Xaver ou **Wagenschön**
Né le 2 septembre 1726 à Littisch. Mort le 1er janvier 1790 à Prague. xviiie siècle. Autrichien.
Peintre et graveur à l'eau-forte.
Membre de l'Académie de Vienne. Il a gravé des sujets religieux et des sujets d'histoire.
Musées : Brunn : *Sainte Famille* – *La Vierge avec le corps du Christ* – Budapest : *Apothéose de saint Florien* – Linz : *Vision de saint François d'Assise* – Vienne : *Résurrection du Christ*.
Ventes Publiques : Vienne, 1823 : *Martyre d'un saint*, esquisse à la plume lavée à l'encre de Chine : **FRF 32**.

WÄGER Franz Andreas. Voir **WEGER**

WAGG
xviiie siècle. Travaillant à Londres en 1783. Britannique.
Peintre de genre.

WAGGENER
xixe siècle. Actif en Allemagne. Allemand.
Sculpteur.
Il figura aux expositions de Paris ; mention honorable en 1889 (Exposition Universelle).

WAGGONER
xviie siècle. Actif à Londres. Britannique.
Peintre.
Cet artiste peignit plusieurs tableaux représentant *L'incendie de Londres*. On en voit un au Palmers' Hall et un second au siège de la Société des Antiquaires. Ce dernier a été reproduit dans l'ouvrage de Pennant, *London*.

WAGHENAER Lucas Jansz. Voir **WAGENAAR**

WAGINGER Johann Caspar
xviiie siècle. Actif à Lienz de 1700 à 1704. Autrichien.
Peintre.
Il exécuta des fresques dans l'abbatiale de Vorau (Styrie).

WAGINGER Michael
xviie-xviiie siècles. Actif à Kufstein de 1670 à 1710. Autrichien.
Peintre de compositions religieuses.
Il fit ses études à Venise et à Rome.

WÄGMANN Hans Heinrich ou **Wegmann**
Né le 12 octobre 1557. Mort vers 1628. xvie-xviie siècles. Actif à Zurich. Suisse.
Peintre et verrier.
Père de Jakob et de Ulrich Wägmann. Il travailla pour la ville de Lucerne, et traita surtout des sujets historiques et religieux.
Ventes Publiques : Amsterdam, 18 avr. 1977 : *Scène de la vie de saint Leodegar*, pl. et lav. (29,2x47,8) : **NLG 6 400**.

WÄGMANN Jakob ou **Wegmann**
Né le 16 août 1586. Mort en 1656. xviie siècle. Actif à Lucerne. Suisse.
Peintre verrier.
Fils de Hans Heinrich Wägmann. Il exécuta des vitraux pour des églises de Lucerne et du canton de même nom ainsi que pour beaucoup de riches bourgeois de Lucerne.

WÄGMANN Ulrich ou **Hans Ulrich** ou **Wegmann**
Né le 28 février 1583 à Lucerne. Mort en 1648. xviie siècle. Suisse.
Peintre.
Il peignit des fresques dans l'église Saint-François de Lucerne. Il restaura aussi des tableaux et des fresques.

WÄGMANN Victor ou **Hans Victor**
Mort le 23 mars 1674. xviie siècle. Suisse.
Peintre.
Il exécuta des fresques pour l'église de la cour de Lucerne en 1637.

WAGNER Adam
Né à Lichtenfels près de Bamberg. Mort en 1594 à Heilbronn. xvie siècle. Allemand.
Sculpteur.
Le Musée de Heilbronn conserve de lui des sculptures ornant autrefois l'escalier de l'Hôtel de Ville.

WAGNER Adélaïde. Voir **SALLES-WAGNER Adélaïde**

WAGNER Adolf ou **Wagner von der Mühl**
Né le 2 février 1884 à Rohrbach. Mort en 1962. xxe siècle. Autrichien.

Sculpteur de bustes, statuettes, peintre.
Il exposa ses œuvres à Vienne à partir de 1920. Il vécut et travailla à Vienne.
Ventes Publiques : Londres, 22 mai 1992 : *Ganymède*, gche/t. (70x70) : **GBP 2 420.**

WAGNER Agost ou **Auguste**
Mort en 1871 à Budapest. XIXe siècle. Hongrois.
Portraitiste.

WAGNER Alexander von
Né le 16 avril 1838 à Budapest. Mort le 19 janvier 1919 à Munich (Bavière). XIXe-XXe siècles. Hongrois.
Peintre d'histoire, scènes de genre, portraits, paysages, natures mortes.
Il fut élève de K. Van Blaas et de P. J. N. Geiger à l'Académie des Beaux-Arts de Vienne, et de Piloty à Munich. Nommé professeur à l'Académie de cette ville en 1866. Il visita la Hongrie, l'Italie, l'Espagne.

AWagner

Musées : Bautzen : *Fenaison en Hongrie* – Manchester : *Course de chars à Rome* – Munich : *Crépuscule sur la Puszta* – *Entrée de Gustave Adolphe à Munich* – *Mariage d'Otto II de Bavière* – Vienne : *Cavaliers de Debreczin*.
Ventes Publiques : Londres, 6 mars 1974 : *Le fumeur de pipe ; Paysan en costume tyrolien : Un auditeur attentif*, trois toiles : **GBP 950** – Londres, 7 mai 1976 : *Portrait d'une vieille bavaroise*, h/pan. (25x18,5) : **GBP 650** – New York, 4 mai 1979 : *La Porte de la Justice, Grenade*, h/t (101,5x71) : **USD 6 250** – Londres, 20 juin 1985 : *Guerriers bédouins à cheval*, aquar. (28x40) : **GBP 7 500** – New York, 25 fév. 1988 : *Diligences espagnoles à Tolède*, h/t (121,3x241,3) : **USD 35 200** – Amsterdam, 18 fév. 1992 : *Nature morte avec une langouste et des poissons sur une table près d'une fenêtre*, h/t (86x70) : **NLG 2 300.**

WAGNER Alois
Né le 30 juin 1765 à Hall (Tyrol). Mort le 11 juin 1841 à Hall. XVIIIe-XIXe siècles. Autrichien.
Miniaturiste.
Père d'Anton Wagner.

WAGNER André Frédéric
Né le 25 décembre 1885 à Sèvres (Hauts-de-Seine). XXe siècle. Français.
Peintre de paysages.
Il a exposé, à Paris, au Salon des Artistes Français à partir de 1923, obtint une mention honorable en 1929.
Ventes Publiques : Versailles, 16 nov. 1980 : *La Seine aux abords de Meulan*, h/t (38x61) : **FRF 7 000.**

WAGNER Anselm
Né en 1766 à Temesvar. Mort le 8 décembre 1806 à Temesvar. XVIIIe siècle. Hongrois.
Portraitiste.
Le Musée de Temesvar conserve des portraits peints par cet artiste.

WAGNER Anton
Né en 1781 à Vienne. Mort le 1er décembre 1860 à Vienne. XIXe siècle. Autrichien.
Peintre, lithographe et acteur.
Il peignit des miniatures, des fruits et des fleurs, et grava des portraits d'acteurs et d'actrices de Vienne.

WAGNER Anton
Né le 15 juillet 1807 à Hall (Tyrol). Mort le 16 juin 1839 à Hall. XIXe siècle. Autrichien.
Peintre.
Il exposa à Munich en 1826.

WAGNER Anton Paul
Né le 3 juillet 1834 à Königinhof. Mort le 26 janvier 1895 à Vienne. XIXe siècle. Autrichien.
Sculpteur.
Élève de Josef Max à Prague, puis de l'Académie de Vienne. Il sculpta des groupes, des fontaines, des bustes et des statues qui se trouvent sur des places publiques de Vienne et de Prague.

WAGNER August
Né en 1864 à Schwaz. Mort le 20 avril 1935 à Schwaz. XIXe-XXe siècles. Autrichien.
Peintre de compositions religieuses.
Il fut élève de Wörndle à Vienne. Il peignit des fresques dans des églises du Tyrol.

WAGNER Carl Ernest Ludwig. Voir **WAGNER Karl Ernest Ludwig Friedrich**

WAGNER Clara. Voir **FOLINGSBY**

WAGNER Daniel
XIXe siècle. Travaillant à Utica en 1839. Américain.
Miniaturiste.

WAGNER Dorothea Maria ou **Wagner-Dietrich**, née **Dietrich**
Née le 10 janvier 1719 à Weimar. Morte le 10 février 1792 à Meissen. XVIIIe siècle. Allemande.
Peintre de paysages, peintre à la gouache.
Elle épousa un artiste de la cour de Meissen où elle œuvra.
Musées : Bordeaux : *Paysage* – Dresde : *Moulin à eau entre des rochers et des arbres* – Gdansk, ancien. Dantzig.
Ventes Publiques : Cologne, 25 juin 1976 : *Paysage fluvial montagneux*, h/pan. (17,5x23) : **DEM 2 600** – Londres, 5 juil. 1993 : *Paysage d'hiver ; Paysage d'été*, gche, une paire (chaque 16x23) : **GBP 1 322** – Amsterdam, 12 nov. 1996 : *Paysage d'été ; Paysage d'hiver*, gche, une paire (16x23) : **NLG 4 248.**

WAGNER Edmund
Né en 1830 à Nuremberg. Mort le 3 octobre 1859 près de Munich, accidentellement, d'un coup de fusil. XIXe siècle. Allemand.
Peintre d'animaux, natures mortes.
Élève de son père Friedrich Wagner, et de l'Académie d'Anvers ; il revint auprès de son père à Munich. Il peignit surtout des natures mortes au gibier.

WAGNER Edward Q.
Né en 1855. Mort en 1922 à Detroit (Michigan). XIXe-XXe siècles. Américain.
Peintre, sculpteur.
Il fut élève de Gari Melcher.
Ventes Publiques : Monte-Carlo, 15 avr. 1978 : *Fillette à la grenouille*, bronze à deux patines (H. 30,5) : **FRF 6 500.**

WAGNER Élise. Voir **PUYROCHE-WAGNER Élise**

WAGNER Erich
Né le 4 avril 1890 à Vienne. XXe siècle. Autrichien.
Peintre, graveur.
Il fut élève de Chr. Griepenkerl et de F. Schmurtzer à Vienne. Il exposa au Salon à partir de 1910.
Musées : Vienne (Gal. Mod.) : *Paysage de jardins*.

WAGNER Ernest
Né le 2 février 1877 à Cilli. Mort en 1951. XXe siècle. Autrichien.
Peintre de paysages, sculpteur, graveur, écrivain.
Il fut élève de Bitterlich à l'Académie de Vienne. Il exposa au Salon à partir de 1904. Il peignit des paysages et des visions.
Musées : Graz : *Danseuse* – Vienne (Gal. Mod.) : *Femme*.
Ventes Publiques : Vienne, 12 nov. 1985 : *Vision*, past./pap. gris (62x45) : **ATS 18 000.**

WAGNER Ernst Michael
Né le 22 décembre 1886 à Vienne. XXe siècle. Autrichien.
Peintre, dessinateur.
Il fut élève de l'Académie de Munich. Il exposa à partir de 1914. Il vécut et travailla à Klosterneubourg.
Musées : Troppau – Vienne (Mus. mun.).

WAGNER Ferdinand, l'Ancien
Né le 16 août 1819 à Schwabmünchen. Mort le 13 juin 1881 à Augsbourg. XIXe siècle. Allemand.
Peintre d'histoire, portraits, scènes de genre, fleurs et fruits, fresques.
En 1835, il fut élève de l'Académie des Beaux-Arts de Munich dans l'atelier de Schnorr et de Cornelius. Il a peint à fresque. On cite de lui, notamment des fresques dans le Fuggerhaus à Augsbourg et *Portrait du peintre Johann Fröschll*.
Musées : Dresde : *La guirlande déchirée* – *Fleurs* – Le Havre : *Fleurs des champs* – Leipzig : *Fleurs et fruits* – Saint-Étienne : *Fleurs*.
Ventes Publiques : Londres, 27 nov. 1981 : *Le Marché aux légumes*, h/t (156,2x242,5) : **GBP 6 500** – New York, 24 oct. 1989 : *Le marché aux légumes*, h/t (156x242,5) : **USD 49 500** – New York, 13 oct. 1993 : *Le banquet*, h/t (91,4x167) : **USD 37 950** – New York, 9 jan. 1997 : *Des fraises fraîchement cueillies*, h/t (55,9x40,6) : **USD 10 925.**

WAGNER Ferdinand, le Jeune
Né le 27 janvier 1847 à Passau (Bavière). Mort le 27 décembre 1927 à Munich (Bavière). XIXe-XXe siècles. Allemand.
Peintre d'histoire, portraits, figures, aquarelliste, fresquiste.
Il fut élève de son père, Ferdinand l'Ancien, et ensuite de l'Académie des Beaux-Arts de Munich. Il continua ses études avec Simon Omaglio et Christian Janck. En 1867, il alla en Italie, puis vint s'établir à Munich.
Musées : Munich (Mus. mun.) : Trois aquarelles.
Ventes Publiques : Londres, 28 juil. 1972 : *Jeune femme et ses chiens* : **GNS 350** – Londres, 14 nov. 1973 : *Jeune fille à la rose* : **GBP 350** – Cologne, 26 mars 1976 : *Jeune Italienne assise sur le pas de sa porte*, h/t (125x81) : **DEM 5 000** – Vienne, 23 mars 1983 : *Jeune fille et colombe*, h/pan. (139x84) : **ATS 28 000** – Cologne, 25 oct. 1985 : *Portrait de jeune fille*, h/t (55x41) : **DEM 8 500** – Munich, 31 mai 1990 : *Hammonia, symbole de la ville hanséatique de Hambourg* 1899, h/t (109x315) : **DEM 66 000.**

WAGNER France
Née le 11 février 1943 à Paris. XXe siècle. Française.
Peintre de figures, nus, paysages.
Peintre autodidacte, elle fréquente les musées avec assiduité. Puis elle part peindre sous toutes les latitudes, en Thaïlande, en Australie, à Tahiti, à Porto Rico, en Martinique... En organisant des expositions itinérantes qui lui permettent de vivre, elle enrichit ainsi son carnet de croquis pendant deux ans, de 1965 à 1967. En 1969 elle collabore à la décoration du film *Que la bête meure* de Claude Chabrol. En 1973, elle rencontre le sculpteur Paul Belmondo qui l'encourage dans sa voie. Elle vit et travaille à Paris. Elle participe à des expositions collectives, notamment à Paris aux Salons d'Automne, des Indépendants, des Femmes Peintres. Elle montre ses œuvres dans des expositions personnelles, dont : 1974-1975, galerie Laborde, Paris ; 1983, galerie Drouant, Paris ; 1985, galerie Jacques Andréolis, Nice ; 1987, galerie Barbizon, Paris. Ses toiles reflètent sa passion de la couleur, des tons jeunes et gais, qui structurent ses compositions.

WAGNER Frank Hugh
Né le 4 janvier 1870 à Milton. XIXe siècle. Actif à Sangatouk. Américain.
Peintre, sculpteur et illustrateur.
Élève de Freer, de John Vanderpoel et de Carl Fredrik de Saltza.

WAGNER Franz
XVIIIe siècle. Actif à Wiener-Neustadt dans la première moitié du XVIIIe siècle. Autrichien.
Sculpteur.

WAGNER Franz ou **Johann Daniel Lebrecht**
Né en 1810 à Berlin. XIXe siècle. Allemand.
Peintre d'histoire, scènes de genre.
En 1835, il eut pour maître Léon Cogniet, à l'École des Beaux-Arts de Paris. Il s'établit à Berlin. En 1854, il exposa à Munich et à Berlin jusqu'en 1864.
Ventes Publiques : New York, 20 juil. 1995 : *La propagation de la Réforme protestante* 1842, h/t (95,3x121,9) : **USD 5 175.**

WAGNER Fred
Né le 20 décembre 1864 à Valley Forge. XIXe siècle. Actif à Philadelphie. Américain.
Paysagiste.
Élève de l'Académie de Philadelphie.
Musées : Cleveland : *From the Elevated* – Philadelphie : *Paysage d'hiver – Motif d'Addingham* – Reading : *Soirée d'hiver.*
Ventes Publiques : New York, 24 oct 1979 : *La muraille de Chine*, h/t (102,5x77) : **USD 1 000** – New York, 23 jan. 1985 : *Feeding pigeons*, h/t (89,5x109) : **USD 4 800.**

WAGNER Friedrich
Né le 27 mai 1803 à Nuremberg. Mort le 27 avril 1876 à Munich. XIXe siècle. Allemand.
Graveur.
Élève de Reindel à Nuremberg. Il vint ensuite travailler à Paris. De retour en Allemagne, il s'établit à Stuttgart puis à Munich. Il a gravé un grand nombre de planches pour l'illustration.

WAGNER Friedrich ou **Johann Friedrich**
Né le 5 mars 1756 à Kronach. Mort le 11 février 1838 à Amberg. XVIIIe-XIXe siècles. Actif à Amberg. Allemand.
Sculpteur.
Il sculpta sur pierre, sur bois, sur albâtre et sur ivoire. Il exécuta plusieurs tombeaux dans des églises de la Bavière septentrionale.

WAGNER Friedrich ou **Johann Friedrich**
Né en 1801 à Stuttgart. XIXe siècle. Allemand.
Peintre de paysages, animalier et lithographe.
Élève de l'Académie de Stuttgart. Il exécuta une série de vues de châteaux et de ruines de Suisse.

WAGNER Fritz
Né le 20 juillet 1872 à Zurich. XIXe-XXe siècles. Suisse.
Peintre de genre, paysages, natures mortes.
Il fut élève de l'Académie de la Bréra de Milan.
Ventes Publiques : Paris, 16 déc. 1974 : *Les fumeurs* : **FRF 5 800** – Londres, 20 juil. 1976 : *La visite du notaire*, h/t (69x84) : **GBP 950** – Lucerne, 6 nov. 1981 : *Nature morte aux pêches*, h/pan. (32,5x54) : **CHF 4 500** – Londres, 18 fév. 1983 : *Bouquet de fleurs*, h/t, une paire (25,4x21) : **GBP 1 300.**

WAGNER Géza
Né le 19 mars 1879 à Gömör-Nyilas. Mort le 19 juin 1939 à Szekesfehérvar. XXe siècle. Hongrois.
Peintre de paysages.
Il fit ses études à Budapest, à Paris et à Londres. Il peignit surtout des paysages du lac de Balaton.
Musées : Budapest (Plusieurs musées).

WAGNER György ou **Georges**
XVIIe siècle. Actif à Pest dans la seconde moitié du XVIIe siècle. Hongrois.
Peintre.

WAGNER Hans
Mort avant 1528. XVIe siècle. Actif à Haguenau. Français.
Sculpteur.

WAGNER Hans
Né le 25 avril 1885 à Affeltrangen. XXe siècle. Suisse.
Graveur.
Il fut élève de Engels, de Dietz et de Dasio à Munich. Il vécut et travailla à Saint-Gall.

WAGNER Hans. Voir aussi **WAGNER Johann**

WAGNER Hermine
Née en 1880 à Graz. XXe siècle. Autrichienne.
Aquarelliste, dessinatrice, graveur, illustratrice.
Elle exécuta des illustrations de contes et des ex-libris.

WAGNER I.
XVIIIe siècle. Hongrois.
Graveur au burin.
Il travailla à Tirnau et grava des paysages.

WAGNER J.
XVIIIe siècle. Travaillant en 1790. Autrichien.
Peintre.
Il peignit un tableau d'autel représentant *Saint Jacques*, en 1790, dans l'église de Stracow.

WAGNER Jacob
XVIIe siècle. Actif probablement à Strasbourg. Français.
Graveur.
On croit qu'il était parent de Johann Erhard Wagner. Il signait ses estampes *Wa. fec.*

WAGNER Jacob
Né en 1852 à Butzweilen ou Bütweiler. Mort en 1898 à Deham. XIXe siècle. Américain.
Peintre de paysages d'eau, marines.
Musées : Boston.
Ventes Publiques : Cologne, 30 mars 1979 : *Jeune femme tricotant dans un jardin*, past./t. (46x56,5) : **DEM 4 000** – Amsterdam, 14 sep. 1993 : *Un marin dans un canot à rames approchant d'un voilier*, h/t (68,5x56) : **NLG 1 495.**

WAGNER Jacob
Né le 2 janvier 1864 à Gellerkinden. Mort le 22 septembre 1915 à Weisslingen. XIXe-XXe siècles. Suisse.
Peintre de figures, paysages, paysages d'eau, paysages de montagne.
Il travailla à Paris à l'École des Arts Décoratifs, puis à Munich, avec Karl Ranpp et Ludwig Herterich. Il visita l'Italie à plusieurs reprises.
Musées : Bâle : *Golfe de Palerme* – Berne : *Vigne à Torbole* – La Chaux-de-Fonds : *Rivapiana en hiver* – Lausanne : *Scierie* – Neuchâtel : *Effet d'automne dans le Valais.*

Ventes Publiques : Paris, 26 avr. 1944 : *Paysage montagneux* : **FRF 2 100** – Paris, 17 jan. 1945 : *Paysages suisses*, deux toiles : **FRF 4 200.**

WAGNER Janos ou **Jean**
XVIIIe siècle. Actif à Temesvar en 1772. Hongrois.
Peintre.

WAGNER Janos ou **Jean**
XVIIIe-XIXe siècles. Actif à Budapest de 1789 à 1803. Hongrois.
Peintre.

WAGNER Johann
XVIIIe siècle. Autrichien.
Sculpteur de bas-reliefs, ornements.
Il a sculpté les bas-reliefs en marbre dans l'abbatiale de Lilienfeld, ainsi que des autels et des ornements dans plusieurs églises de Vienne.

WAGNER Johann Erhard
XVIIIe siècle. Travaillant à Strasbourg dans la seconde moitié du XVIIIe siècle. Français.
Dessinateur et graveur au burin.

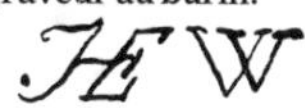

WAGNER Johann Georg
XVIIIe siècle. Actif à Olmütz de 1719 à 1750. Autrichien.
Peintre.

WAGNER Johann Georg
Né le 26 octobre 1744 à Meissen (Saxe-Anhalt). Mort le 14 juin 1767 à Meissen. XVIIIe siècle. Allemand.
Peintre et graveur à l'eau-forte.
Fils et élève du peintre Johann Jakob Wagner. Il fut l'élève de Dietrich et imita le style de son maître. Ses tableaux ont souvent été vendus pour des œuvres de ce dernier. Ses paysages agrémentés de nymphes au bain, de sujets gracieux, sont très décoratifs. Un autre peintre du nom de Johann Georg travailla au XVIIe siècle.
Musées : Leipzig : *Paysages*, estampes – Oslo : *Le chemin creux* – *Paysage montagneux* – Stockholm : *Paysage*, gche.
Ventes Publiques : Paris, 1772 : *Homme regardant deux vaches*, gche : **FRF 163** – Vienne, 1823 : *Rochers au bord d'une rivière*, dess. : **FRF 125.**

WAGNER Johann Martin. Voir **WAGNER Martin**

WAGNER Johann Thomas. Voir **WAGNER Thomas**

WAGNER Johanna, née **Sollberger**
Née le 18 décembre 1846 à Berne. XIXe siècle. Suisse.
Paysagiste.

WAGNER Josef
Né en 1774. Mort en 1861. XVIIIe-XIXe siècles. Actif à Heilbronn. Allemand.
Peintre de scènes de genre, portraits.
Musées : Heilbronn (Mus. mun.) : *L'artiste* – *Lisette Wagner, née Munk, femme de l'artiste.*

WAGNER Josef
Né le 24 mai 1938. XXe siècle. Tchécoslovaque.
Peintre. Abstrait.
Issu d'une famille renommée d'artistes tchèques, son aïeul Lorenzo Wagner était sculpteur, tout comme le sont sa mère, son père et son frère Jan ; il s'adonne, de son côté, à la peinture.
Il a participé à plusieurs expositions collectives, notamment à Prague en 1964, 1970, 1988, à la Biennale d'Elba, en Pologne en 1988. Il a personnellement exposé à Athènes, en Suisse et à Prague en 1988, à Chicago également en 1988 et en 1989, à La Haye et Paris en 1989.
Son œuvre abstraite repose surtout sur des qualités de coloriste.
Musées : Prague (Gal. Nat.).

WAGNER Joseph
Mort le 9 juillet 1764 à Iting. XVIIIe siècle. Suisse.
Sculpteur, stucateur.
Il a sculpté la chaire de l'abbatiale de Lindau en 1751.

WAGNER Joseph
Né en 1706 à Thalendorf. Mort en 1780 à Venise. XVIIIe siècle. Allemand.
Peintre, dessinateur et graveur au burin et à l'eau-forte.
Élève d'Amegoni à Venise, pour la peinture. Il travailla la gravure d'abord avec Spaet. Il accompagna Amegoni à Rome, à Bologne et en 1733, en Angleterre. Il vint à Paris se perfectionner avec Laurent Cars. De retour en Angleterre, il obtint un grand succès avec ses portraits. Wagner se rendit enfin à Venise et y ouvrit une école de gravures où se formèrent d'excellents élèves, notamment Bartolozzi et Flipart. Il faisait en même temps un important commerce de gravures. Les biographes ne sont pas d'accord sur le lieu de sa mort. Son œuvre est important.
Ventes Publiques : New York, 16 oct. 1997 : *Une tulipe, des roses, des œillets, des roses trémières et autres fleurs dans une urne sculptée, avec des pêches, un nid d'oiseau et des insectes sur un entablement de marbre*, h/pan. (85,4x67,3) : **USD 25 300.**

WAGNER Joseph
Né le 12 février 1803 à Lettowitz. Mort le 7 novembre 1861 à Klagenfurt. XIXe siècle. Autrichien.
Dessinateur de paysages.
Il dessina des vues et des paysages de Carinthie.

WAGNER Jozsef
XVIIIe-XIXe siècles. Actif à Budapest. Hongrois.
Peintre.
Il peignit des portraits, des fresques et des tableaux d'autel.

WAGNER Jozsef ou **Joseph**
Né en 1888 à Mezöberény. XXe siècle. Hongrois.
Pastelliste.
Il signa souvent *Csabai-Wagner*. Il vécut et travailla à Budapest.

WAGNER Juliette
Née le 19 décembre 1868 à Dresde (Saxe). Morte le 19 juillet 1937 à Tannenhof-Lüttringhausen. XIXe-XXe siècles. Allemande.
Peintre de portraits.
Fille de Karl Wagner. et son élève. Elle travailla à Düsseldorf.
Musées : Berlin (Gal. Nat.) : *Ma petite amie.*

WAGNER Julius
Né en 1818 à Schleswig. Mort en 1879. XIXe siècle. Allemand.
Peintre d'histoire, scènes de genre, intérieurs.
Il fut élève de l'Académie des Beaux-Arts de Berlin. Il travailla à Anvers de 1856 à 1879.
Musées : Kiel (Kunsthalle) : *La prière* – *Scène de la guerre de Schleswig* – *L'invitation au mariage.*
Ventes Publiques : Bruxelles, 25 oct. 1978 : *Intérieur rustique « Chez la Petite Eve »*, h/pan. (67x80) : **BEF 180 000** – Hanovre, 16 juin 1979 : *Natures mortes aux fleurs*, deux h/t, forme ronde (diam. 63) : **DEM 10 000** – Lokeren, 12 mars 1994 : *Intérieur*, h/pan. (62x42) : **BEF 240 000.**

WAGNER Julius Franz
Né à Vienne. XVIIIe siècle. Autrichien.
Peintre de portraits, pastelliste.
Il peignit de nombreux portraits en Transylvanie vers 1800.

WAGNER Karl
Né le 8 mai 1839 à Karlsruhe (Bade-Wurtemberg). Mort le 15 août 1923 à Düsseldorf (Rhénanie-Westphalie). XIXe-XXe siècles. Allemand.
Peintre de portraits, scènes de genre, sujets de guerre.
Père de Juliette Wagner et élève de l'Académie de Karlsruhe. Il peignit des scènes de genre et des scènes de la guerre franco-allemande ainsi que des portraits de princes allemands.
Musées : Karlsruhe – Wuppertal (Mus. de Berlin).
Ventes Publiques : New York, 14 jan. 1977 : *Vue de Rotterdam*, h/t (68x106) : **USD 1 500.**

WAGNER Karl
Né le 22 mars 1877 à Gochsheim. XXe siècle. Actif en Allemagne. Autrichien.
Peintre de portraits, paysages.
Il fut élève des Académies de Prague et de Munich. Il vécut et travailla à Karlsruhe.
Musées : Prague (Gal. Mod.) : *Récolte de houblon* – *Jeune fille lisant.*
Ventes Publiques : Cologne, 25 oct. 1985 : *Scène de port*, h/t (69x56) : **DEM 5 000.**

WAGNER Karl Christopher
XIXe siècle. Travaillant à Stockholm de 1816 à 1818. Suédois.
Sculpteur.

WAGNER Karl Ernest Ludwig Friedrich
Né le 19 octobre 1796 à Rossdorf. Mort le 10 février 1867 à Meiningen. XIXe siècle. Allemand.
Paysagiste et graveur à l'eau-forte.
Élève de l'Académie de Dresde, de 1817 à 1820. De 1822 à 1825, il voyagea dans le Tyrol et en Italie. En 1825, il fut nommé peintre de la cour et inspecteur au Musée de Meiningen. Il a gravé des ruines, des paysages, des sujets de genre, des vues.

Musées : Berlin (Gal. Nat.) : *Massa Carrara – Paysage italien – Capri – La vallée de Kötschach – Amalfi* – Cologne : *Lever de lune – Soirée au château de Milsebourg – Paysage dans les Montagnes des Géants* – Meiningen : *Vue de Meiningen* – Zittau : *Sur l'Obyn.*
Ventes Publiques : Heidelberg, 20 avr. 1985 : *Vue d'Albano* 1824, cr. et lav. (18,6x27,3) : **DEM 2 200**.

WAGNER Klementine von
Née le 15 mars 1844 à Linz. xixe siècle. Autrichienne.
Portraitiste.
Élève de Frithjof Smith à Munich. Elle se fixa à Vienne.

WAGNER Konrad
Mort en 1496. xve siècle. Allemand.
Enlumineur.
Il enlumina plusieurs missels et graduels dans l'abbaye des Bénédictins d'Augsbourg. Le Musée Germanique de Nuremberg conserve dix feuillets d'un missel enluminé par cet artiste.

WAGNER Lorenz
xviiie siècle. Actif à Hollenbourg de 1729 à 1732. Autrichien.
Sculpteur sur bois.

WAGNER Ludwig Christian
Né le 5 avril 1799 à Welzlar. Mort le 21 août 1839 à Welzlar. xixe siècle. Allemand.
Paysagiste et aquafortiste.
Élève du paysagiste Anton Radl à Vienne. Il travailla surtout à Francfort. Il exposa à Karlsruhe en 1837. Le Musée Municipal de Francfort conserve de lui *Paysage de forêt*, et le Musée Städel, dans la même ville, *Le chêne de Schwanheim.*

WAGNER Maria
xixe siècle. Travaillant à Norwich en 1839. Américaine.
Miniaturiste.

WAGNER Martin ou **Johann Martin**
Né le 24 juin 1777 à Wurzbourg. Mort le 8 août 1858 à Rome. xixe siècle. Allemand.
Peintre d'histoire, portraits, sculpteur, graveur, dessinateur. Rococo, puis néoclassique.
Il eut pour maîtres son père Johann Peter Wagner, sculpteur de la Cour à Wurzbourg, puis Friedrich Füger à l'Académie des Beaux-Arts de Vienne, où il obtint le premier prix en 1802. Il séjourna en 1803 à Paris et en 1804 à Rome. Ayant une importante activité d'archéologue et de collectionneur, il effectua un voyage en Grèce, d'où il ramena des marbres et vases antiques. Il fut professeur et secrétaire général de l'Académie de Munich.
Ses premières œuvres marquées par le Rococo laissèrent rapidement la place à des tableaux dans le goût néoclassique, on cite notamment : *Conseil des Grecs devant Troie*. Il grava également des sujets religieux.
Bibliogr. : In : *Diction. de la peint. allemande et d'Europe centrale*, coll. Essentiels, Larousse, Paris, 1990.
Musées : Wurzbourg (Mus. Johann Martin von Wagner) : *Conseil des Grecs devant Troie* 1808.

WAGNER Mary North
Née en 1875 à Milford. xxe siècle. Américaine.
Peintre, sculpteur, illustratrice.
Femme de Franck Hugh Wagner.

WAGNER Mathias ou **Wögner**
Né à Niederalta. Mort avant le 4 juillet 1661 à Ljubljana. xviie siècle. Yougoslave.
Peintre.
Il travailla pour des églises de Ljubljana et des environs.

WAGNER Mathias
xviiie siècle. Actif à Strasbourg en 1723. Français.
Stucateur.

WAGNER Michael
xviiie siècle. Actif à Linz vers 1700. Autrichien.
Peintre de portraits.

WAGNER Michael
xixe siècle. Actif à Muhlbach de 1812 à 1848. Autrichien.
Peintre de portraits.

WAGNER Olga, née **Packness**
Née le 24 mai 1873 à Copenhague. xixe-xxe siècles. Danoise.
Sculpteur.
Femme de Siegfried Wagner et élève de l'Académie de Copenhague.
Musées : Copenhague (Mus. Nat.) : *Enfant.*

WAGNER Otto
Né le 29 décembre 1803 à Torgau. Mort le 1er décembre 1861 à Dresde. xixe siècle. Allemand.
Peintre de scènes de genre, architectures, paysages, graveur, lithographe.
Il fut élève de l'Académie des Beaux-Arts de Dresde et du peintre de théâtre Jenzeh. Il visita l'Allemagne du Sud, la Suisse et l'Italie, puis s'établit à Dresde où il travailla pour le théâtre de la cour.
Il grava à l'eau-forte des vues et des sujets de genre.

Musées : Mannheim : *Petite ville de l'Allemagne du Sud* – Oslo : *Île du Tibre et Ponte Rotto à Rome.*
Ventes Publiques : Londres, 21 nov. 1989 : *Le fossé des prisonniers du Forum romain* 1837, h/t (81,5x124,5) : **GBP 49 500**.

WAGNER Otto
Né en 1841 à Penzig. Mort en 1918 à Vienne. xixe-xxe siècles. Autrichien.
Architecte, designer. Art Nouveau.
En 1857, il fut élève à l'Institut polytechnique de Vienne, puis en 1860 à l'Académie des Beaux-Arts de Berlin, avant de terminer ses études, entre 1861 et 1863, à l'École d'architecture de Vienne. Il fut nommé professeur à l'Académie de Vienne en 1894. Il engagea l'architecture autrichienne vers la *Sezession* viennoise. Il publia *Moderne Architektur* en 1895, son livre de référence.
Ses réalisations se dégagent de tout ornement lié à l'historicisme du xixe siècle, laissant la place à quelques décorations florales non exubérantes, comme le montre la station de métro de la Karlsplatz à Vienne construite en 1897. La Majolika Haus de 1898 montre une façade en céramique ornée de balcon d'une élégance raffinée. Mais peu à peu, Otto Wagner rationalise sa conception spatiale grâce à l'emploi du verre et de l'acier, lui permettant de réaliser de grands espaces, telles l'église du Steinhof de 1903-1907 ou la Caisse d'épargne de la poste de 1904-1906, pour lesquelles les éléments décoratifs en métal restent discrets.

WAGNER Peter
xviiie siècle. Actif dans la seconde moitié du xviiie siècle. Autrichien.
Portraitiste.
Le Musée de Salzbourg conserve de lui deux portraits de négociants, datés de 1787.

WAGNER Peter ou **Johann Peter Alexander**
Né en 1730 à Obertheres. Mort le 7 janvier 1809 à Würzburg. xviiie siècle. Allemand.
Sculpteur.
Élève de l'Académie de Vienne. Il travailla pour le château de Würzburg et pour de nombreuses églises des environs.
Ventes Publiques : Londres, 14 juil. 1977 : *Le baptême du Christ* vers 1780, albâtre (H. relief 34x24) : **GBP 3 800**.

WAGNER Pierre
Né le 9 septembre 1897 à Paris. Mort en 1943. xxe siècle. Français.
Peintre de scènes typiques, marines.
Il fut élève de l'École des Arts Décoratifs, de l'Académie Julian, puis de Lucien Simon, à l'École des Beaux-Arts. Il a exposé, à Paris, aux Salons des Indépendants à partir de 1925, d'Automne à partir de 1927, des Indépendants de Bordeaux et à Bourges.
D'entre ses œuvres les plus remarquées on doit citer les études de types bretons, les aspects de fête foraine en Bretagne, ainsi que des marines de Douarnenez.

WAGNER Pierre Frédéric
Né à Lyon (Rhône). xixe siècle. Français.
Peintre de portraits et de genre.
Il débuta au Salon en 1879.

WAGNER Richard Carl
Né le 15 décembre 1882 à Vienne. Mort en 1945. xxe siècle. Autrichien.
Peintre de paysages, scènes de guerre, graveur.
Il fut élève de l'Académie de Vienne. Il vécut et travailla à Perchtoldsdorf près de Vienne. Il peignit des scènes de la guerre de 1914-1918.

Ventes Publiques : Vienne, 15 mars 1977 : *Paysage fluvial*, h/t (21x32) : **ATS 20 000**.

WAGNER Robert
Né en 1872 à Detroit (Michigan). XIXe-XXe siècles. Américain.
Peintre, illustrateur.
Il fut élève de l'Académie Julian de Paris. Il vécut et travailla à Los Angeles.

WAGNER S. Peter
Né à Maryland. XXe siècle. Américain.
Peintre.
Il fut élève de l'École Corcoran, de l'Art Student's League de New York et de la Grande Chaumière, à Paris. Membre de la Fédération Américaine des Arts.

WAGNER Sebastian
Né vers 1631. Mort le 30 octobre 1664 à Vienne. XVIIe siècle. Autrichien.
Sculpteur.
Il sculpta les statues de la fontaine du Schottenhof de Vienne en 1652.

WAGNER Siegfried
Né le 13 avril 1874 à Hambourg. XIXe-XXe siècles. Danois.
Sculpteur de monuments.
Il fut élève de l'Académie de Copenhague et mari d'Olga Wagner. Il vécut et travailla à Lyngby. Il sculpta des tombeaux et des bustes.
Musées : Copenhague (Mus. Nat.) : *Buste de la femme de l'artiste – Buste de Niels Skovsgaards.*

WAGNER Sigismundus
Mort en 1738 à Bergen. XVIIIe siècle. Norvégien.
Peintre.
Il peignit des tableaux d'autel pour l'église Sainte-Croix et la chapelle de l'hôpital de Bergen.

WAGNER Sigmund ou **Franz Sigmund**
Né le 12 novembre 1759 à Erlach. Mort le 11 septembre 1835 à Berne. XVIIIe-XIXe siècles. Suisse.
Dessinateur amateur, graveur au burin et à l'eau-forte.

WAGNER Simon
Né le 25 août 1799 à Stralsund. Mort le 17 juin 1829 à Dresde. XIXe siècle. Allemand.
Peintre de genre.
Il fit ses études à Dresde et voyagea ensuite dans le Tyrol. En 1828, il exécuta une *Vie de Dürer*, en dessins.

WAGNER T.
XIXe siècle. Travaillant en 1860. Hollandais.
Portraitiste.
Le Musée de Montréal conserve de lui *La châtelaine*. Peut-être le même artiste que Theodor Wagner.

WAGNER Theodor
Né le 21 mars 1800 à Stuttgart. Mort le 10 juillet 1880 à Stuttgart. XIXe siècle. Allemand.
Sculpteur.
Élève de Dannecker. Il sculpta des bustes et des statues.
Musées : Stuttgart (Gal. Nat.) : *Portrait en relief de G. G. Barth* – Weimar : *Buste de Goethe.*

WAGNER Théodore
XIXe siècle.
Peintre.
Ventes Publiques : Paris, 6 juil. 1992 : *Nature morte au hareng*, h/t (33x55) : **FRF 5 500**.

WAGNER Theodorich
Né à Eggendorf. Mort le 12 octobre 1716 à Mulln. XVIIIe siècle. Autrichien.
Peintre.
Il exécuta des peintures dans le monastère des Augustins de Mulln. Il peignit aussi des portraits d'ecclésiastiques et des tableaux d'autel.

WAGNER Thomas ou **Johann Thomas**
Né le 26 mai 1691 à Gebsattel. XVIIIe siècle. Allemand.
Sculpteur.
Père de Peter Wagner. Il peignit des sujets religieux et des fresques dans des églises de Franconie.

WAGNER Valentin
Né vers 1610. Mort en 1655 à Dresde. XVIIe siècle. Actif à Dresde. Allemand.
Peintre.
Il peignit des portraits, des miniatures et des scènes bibliques.

WAGNER Veit
Mort en 1517 à Strasbourg. XVIe siècle. Allemand.
Sculpteur sur bois et sur pierre.
Il exécuta des sculptures pour les églises de Haguenau.

WAGNER Wenzel
XVIIe siècle. Actif à Prague dans la seconde moitié du XVIIe siècle. Tchécoslovaque.
Graveur au burin.
Il grava des portraits et des effigies de saints.

WAGNER Wilhelm
Né le 26 avril 1887 à Hanau (Hesse). XXe siècle. Allemand.
Peintre, graveur.
Élève de l'Académie de Hanau.
Musées : Brême (Kunsthalle) : *Vue de la Weser près de Brême.*

WAGNER Wilhelm Georg
Né en 1814 à La Haye. XIXe siècle. Hollandais.
Peintre de paysages et de marines.
Élève de l'Académie de La Haye.
Ventes Publiques : Londres, 5 oct 1979 : *Vue d'une ville de Hollande* 1854 ?, h/t (52,5x36) : **GBP 750**.

WAGNER Wilhelm Richard, dit **Richard**
Né le 22 mars 1813 à Leipzig. Mort le 13 février 1883 à Venise. XIXe siècle. Allemand.
Musicien, écrivain, poète et dessinateur.
Pas une scène, pas un décor, pas un costume de la Tétralogie ou de tant d'autres opéras qui n'aient été dessinés par Wagner pour mieux préciser sa pensée. Maquettistes, décorateurs, dessinateurs s'en inspiraient ensuite. Il fit également de la peinture et de la sculpture sans jamais avoir voulu dépasser l'amateurisme. Épris d'architecture, il conçut les plans du Théâtre de Bayreuth. Un postromantisme du grandiose qui faisait partie de son être devait ne pas le laisser indifférent aux architectures oniriques de Louis II de Bavière.

WAGNER William
XIXe siècle. Américain.
Graveur au burin et tailleur de sceaux.
Il vécut à York (États-Unis), travaillant de 1820 à 1835. Il grava des portraits et des paysages.

WAGNER Zacharias I
Né vers 1582. Mort le 13 janvier 1658 à Dresde. XVIIe siècle. Allemand.
Peintre.
Père de Zacharias II Wagner. Il exécuta de nombreuses peintures dans l'église Sainte-Sophie de Dresde.

WAGNER Zacharias II
Né le 11 mai 1614, baptisé à Dresde. Mort le 1er octobre 1668 à Amsterdam. XVIIe siècle. Hollandais.
Peintre et illustrateur.
Fils de Zacharias I Wagner. Il fit des voyages en Amérique et à Java, et peignit et dessina des paysages et des scènes exotiques.

WAGNER DEINES Johann
Né en 1803 à Hanau (Hesse). Mort le 12 avril 1880 à Munich. XIXe siècle. Allemand.
Peintre de paysages et d'animaux et lithographe.
Il fit ses études à Berlin et à Munich. Il s'inspira beaucoup de Paul Potter et d'Adrien Van de Velde. En 1830, il s'établit à Munich. On le cite exposant à Vienne en 1873.
Musées : Brunswick : *Au bord de la mer* – Riga : *Paysage avec troupeau.*

WAGNER-GROSCH Clara. Voir **GROSCH Clara**

WAGNIÈRE Mathilde. Voir **PURY Marie Amélie Mathilde de**

WAGNON Aimée. Voir **CHANTRE**

WAGON Charles
XIXe siècle. Français.
Peintre et dessinateur de portraits.
Il exposa au Salon en 1804 et en 1810.

WAGREZ Edmond Louis Marie
Né le 7 avril 1815 à Aire (Ardennes). Mort en 1882 à Paris. XIXe siècle. Français.
Peintre de portraits et de figures.
Élève de Constant Dutilleux. Il débuta au Salon en 1835. Le Musée de Douai conserve de lui *Portrait du Docteur Escallier* et *Portrait de Jérôme Commelin.*

WAGREZ Jacques Alice, née **de Lêtre**
Née à Paris. XIXe siècle. Française.
Peintre de paysages et de portraits.
Élève de Farochon, Lenepveu et H. Lehmam. Elle exposa au Salon de 1877 à 1880.

WAGREZ Jacques Clément
Né le 10 janvier 1850 à Paris, ou 1846. Mort en septembre 1908 à Paris. XIXe-XXe siècles. Français.
Peintre de sujets mythologiques, compositions animées, scènes de genre, portraits, aquarelliste, peintre à la gouache, décorateur, illustrateur.
Fils du peintre Edmond Wagrez. Il fut élève d'Isidore Pils en 1867 et d'Henri Lehmann, il travailla ensuite chez Jules Lenepveu, avant de faire un voyage en Italie.
Il participa au Salon des Artistes Français, dont il devint sociétaire en 1884, obtenant une médaille de troisième classe en 1879, une de deuxième classe en 1898. Médaille de bronze à l'Exposition Universelle de 1900.
Dans le choix de ses sujets, des costumes et des décors, il montre une prédilection pour la Renaissance florentine et vénitienne. Il réalisa plusieurs décorations pour des hôtels particuliers à Paris. Il illustra, entre autres, le *Décaméron* de Boccace, *Gringoire* de Théodore de Banville, *Œuvres* de Balzac.

JACQVES WAGREZ

JACQVES WAGREZ

Bibliogr. : Gérald Schurr, in : *Les Petits Maîtres de la peinture 1820-1920, valeur de demain*, Les Éditions de l'Amateur, t. VI, Paris, 1985 - in : *Dictionnaire des Illustrateurs 1800-1914*, Ides et Calendes, 1989, Neuchâtel.
Musées : Chambéry (Mus. des Beaux-Arts) : *Portrait d'Alfred Borrel - Portrait de Mme Alfred Borrel* - Dijon : *Mlle Hélène Gonthier, professeur de musique* - Nantes : *Persée - Le maître du chemin - Le Maître de chapelle de Saint-Marc de Venise au XVe siècle - La Florentine.*
Ventes Publiques : Paris, 1895 : *Scène d'Hamlet*, aquar. : **FRF 300** - Paris, 4 nov. 1924 : *Diane chasseresse*, gche : **FRF 300** - Paris, 3 mars 1943 : *Les pigeons de Saint-Marc* : **FRF 6 500** - Paris, 26 mars 1943 : *Scène dans un parc* : **FRF 950** - New York, 30 mai 1980 : *Les joueurs d'échecs* 1902, h/t (120,7x110,5) : **USD 8 500** - New York, 25 oct. 1984 : *La partie d'échecs* 1902, h/t (123,2x112,4) : **USD 12 500** - Paris, 20 fév. 1985 : *Baptême à Saint-Marc, Venise au XVe siècle* 1892, aquar. (47x35) : **FRF 8 800** - New York, 30 oct. 1985 : *La Fontaine des Amours*, h/t (124,5x96,5) : **USD 17 000** - New York, 15 fév. 1994 : *Exercice intellectuel* 1902, h/t (123,8x112,4) : **USD 27 600** - Paris, 21 mars 1994 : *Portrait de Jean About à dix mois* 1881, aquar. (13,5x11) : **FRF 6 500** - New York, 12 oct. 1994 : *Le quadrige de l'Amour*, h/t (105,4x151,1) : **USD 28 750** - New York, 24 mai 1995 : *Éros*, h/t (140x97,8) : **USD 17 250** ; *La fête de mai à Florence* 1887, h/t (154,9x85,1) : **USD 101 500.**

WAGREZ Marie
Née à Paris. XIXe siècle. Française.
Peintre d'histoire et de portraits, et aquarelliste.
Élève de son père Edmond Wagrez. Elle débuta au Salon en 1875.

WAGSTAFF Charles Edward
Né en 1808 à Londres. XIXe siècle. Britannique.
Graveur au burin.
Il travailla à Londres et à Boston.

WAGULA Hans
Né le 13 juillet 1894 à Graz. XXe siècle. Autrichien.
Peintre, graveur, affichiste.
Il fit surtout des affiches pour de nombreux pays d'Europe.

WAHAST
Né au Havre. XIXe siècle. Français.
Paysagiste.
Il exposa au Salon en 1834.

WAHBA Farouk
Né en 1942 à Mansoura. XXe siècle. Egyptien.
Sculpteur.
Il réalise des bronzes. Ses sculptures, stylisées, évoquent des formes mythologiques de l'Égypte ancienne.
Bibliogr. : In : *Dictionnaire de l'art moderne et contemporain*, Hazan, Paris, 1992.

WAHL Alexander
Né en 1814 à Copenhague. Mort le 15 décembre 1833 à Kallebodstrand. XIXe siècle. Danois.
Sculpteur.
Élève de H. E. Freund.

WAHL Georg Wilhelm
Né en 1706. Mort le 21 mai 1778 à Copenhague. XVIIIe siècle. Danois.
Médailleur et graveur de médailles.
Élève de Hedlinger.

WAHL Johann Georg
Né le 12 janvier 1781 à Copenhague. Mort le 13 août 1810 à Antignano près de Livourne. XIXe siècle. Danois.
Peintre d'histoire.
Élève de l'Académie de Copenhague. Le Musée d'Aalborg conserve de lui *Maxence.*

WAHL Josef
Né le 4 septembre 1875 à Düsseldorf (Rhénanie-Westphalie). XXe siècle. Allemand.
Peintre de sujets religieux.
Il fut élève de l'Académie de Düsseldorf. Il peignit surtout des sujets religieux pour des églises de Düsseldorf, d'Essen et de Mönchengladbach.

WAHL Joseph, l'Ancien
Né vers 1760 à Strasbourg. Mort en 1833. XVIIIe-XIXe siècles. Français.
Sculpteur.
Père de Joseph Wahl le Jeune. Il travailla à la restauration de la cathédrale de Strasbourg.

WAHL Joseph, le Jeune
Né en 1803 à Strasbourg (Bas-Rhin). XIXe siècle. Français.
Sculpteur.
Fils de Joseph Wahl l'Ancien et son assistant.

WAHL Jozef. Voir **WALL**

WAHL Kenneth
Né en 1956 à New York. XXe siècle. Américain.
Peintre, dessinateur, créateur de reliefs. Abstrait.
Il figure à des expositions de groupe, parmi lesquelles : 1978, Truman Gallery, New York ; 1985, *New Abstraction*, Tibor de Nagy Gallery, New York ; 1993, galerie Pierre Brullé, Paris. Il montre ses œuvres dans des expositions personnelles, dont : 1982, Ellen Price Art, New York ; 1986, John Davis Gallery, Akron, Ohio ; 1993, Robert Morrison Gallery, New York ; 1994, 1997, galerie Pierre Brullé, Paris.
La peinture de Kenneth Wahl évoquent sur le mode d'images métaphoriques et abstraites des états énergétiques : pression, dislocation, émergence, combinaison, fusion, pénétration... Les formes peintes, en métamorphoses, proches d'un certain lyrisme, possèdent parfois cette caractéristique d'être vaporeuses et souvent baignées de couleurs.

WAHLBERG Alfred ou **Herman A. Léonard**
Né le 13 février 1834 à Stockholm. Mort le 4 octobre 1906 à Tranas. XIXe siècle. Suédois.
Peintre de paysages, marines.
Il fit ses études à Düsseldorf, puis vint à Paris en 1866 et étudia les peintres de Barbizon, Daubigny surtout, sans s'être attaché à aucun.
Il figura aux expositions parisiennes, obtenant une médaille en 1870 et une de deuxième classe en 1872. Médaille de première classe à l'Exposition Universelle de 1878 et médaille d'or à celle de 1900. Chevalier de la Légion d'honneur en 1874, il devint officier en 1878.
L'École française lui fut une révélation et il devint, pour la peinture suédoise, le créateur du paysage moderne. À cette époque, ses tableaux sont d'une grande sincérité d'émotion, empreints d'une poésie délicate. Ce sont des œuvres très travaillées, sans recherches tapageuses. Son *Clair de lune* du musée de Stockholm, est tout à fait dans l'esprit français. Il a également subi l'influence des pré-raphaélites anglais. À travers ses évocations de paysages suèdois, il montre une minutie scrupuleuse pour ses premiers plans.
Bibliogr. : Gérald Schurr, in : *Les Petits Maîtres de la peinture 1820-1920, valeur de demain*, Les Éditions de l'Amateur, t. II, Paris, 1982.
Musées : Bergen : *Paysage* - Brooklyn : *Paysage* - Chicago : *Paysage suèdois au clair de lune* - Copenhague : *Clair de lune en Suède* - Göteborg : *Motif d'Angermanland - Forêt de Särö Fjälla-*

backa au clair de lune – Helsinki : *Soirée – Marine au clair de lune* – Lubeck : *Cascade* – Mulhouse : *Paysage – Marine* – New York (Metropolitan Mus.) : *Le port de Waxholm au clair de lune* – Paris (Mus. du Louvre) : *Vue de la côte suèdoise* – Stockholm : *Paysage avec lac – Paysage avec rivière, clair de lune – Dépôt de poissons sur la côte de Bohuslan – Paysage de Vascholm – Le port de Grebbestad sur le Kattégat – Clair de lune dans le Midi de la France* – Uppsala : *La ruine de Niedeck au bord du Rhin – Paysage français au clair de lune.*

Ventes Publiques : Paris, 1878 : *Port de Suède* : **FRF 1 900** – Paris, 1888 : *Sous-bois* : **FRF 5 000** – Paris, 18 nov. 1910 : *Le port de Stockholm au clair de lune* : **FRF 1 020** – Paris, 15 fév. 1926 : *Paysage maritime, effet de couchant* : **FRF 2 800** – Paris, 1er mars 1944 : *Paysage* : **FRF 28 000** – Londres, 31 jan. 1947 : *Harbour Mauth* : **GBP 714** – Stockholm, 15-17 avr. 1953 : *Paysage de montagne* 1869 : **SEK 3 650** – Londres, 15 nov. 1963 : *Entrée du port par clair de lune* : **GNS 260** – Stockholm, 8 nov. 1972 : *Paysage d'été* : **SEK 10 000** – Göteborg, 5 avr. 1978 : *Paysage boisé* 1886, h/t (95x145) : **SEK 21 000** – Stockholm, 30 oct 1979 : *Paysage boisé à l'étang* 1870, h/t (36x54) : **SEK 29 000** – Stockholm, 8 avr. 1981 : *Paysage d'hiver*, h/t (65x91) : **SEK 22 000** – Stockholm, 30 oct. 1984 : *Paysage d'été boisé* 1886, h/t (92x130) : **SEK 260 000** – Stockholm, 9 avr. 1985 : *Paysage fluvial, France*, h/t (75x112) : **SEK 290 000** – Stockholm, 19 oct. 1987 : *Bords de l'Oise* 1899, h/t (65x100) : **SEK 470 000** – Stockholm, 15 nov. 1988 : *Chemin forestier*, h. (58x91) : **SEK 76 000** – Stockholm, 19 avr. 1989 : *Paysage boisé et animé avec la mer au fond à droite*, h/t (100x150) : **SEK 110 000** – New York, 25 oct. 1989 : *Paysage fluvial animé au clair de lune*, h/pan. (50,8x73,6) : **USD 7 150** – Stockholm, 15 nov. 1989 : *Le chêne au bord de l'étang le soir* 1873, h/t (29x45) : **SEK 52 000** – Stockholm, 16 mai 1990 : *Paysage montagneux avec une maison près d'un cours d'eau*, h/t (19x27) : **SEK 11 000** – Stockholm, 14 nov. 1990 : *Paysage fluvial et boisé en été*, h/t (80x126) : **SEK 60 000** – Stockholm, 29 mai 1991 : *Enfants sur une plage au soleil* 1890, h/t (34x45) : **SEK 19 000** – Stockholm, 19 mai 1992 : *Sentier dans un sous-bois de bouleaux en été*, h/t (110x170) : **SEK 35 000** – Stockholm, 5 sep. 1992 : *Paysage fluvial en France*, h/t (72x110) : **SEK 23 000** – New York, 17 fév. 1993 : *Bois de hêtres à Durehaven près de Copenhague* 1874, h/t (99,7x71,8) : **USD 6 900** – Stockholm, 30 nov. 1993 : *Vaste paysage estival avec des paysans et leur bétail sur les berges d'une rivière*, h/t (42x71) : **SEK 16 000**.

WAHLBERG Bertil

Né en 1920. xxe siècle. Suédois.

Peintre de paysages.

Ventes Publiques : Stockholm, 26 nov. 1952 : *Paysage* : **SEK 280** ; *Paysage* 1945 : **SEK 270**.

WAHLBERG Erik

xviiie siècle. Travaillant à Stralsund de 1760 à 1774. Allemand.

Peintre sur faïence.

WAHLBERG Jenny

xixe siècle. Travaillant à Stockholm en 1860. Suédoise.

Peintre.

WAHLBERG Ulf

Né en 1938 à Stockholm. xxe siècle. Suédois.

Peintre de paysages.

C'est un romantique sans illusions. Dans ses paysages, les épaves de voitures se pressent avec les fleurs et les flaques d'eau après la pluie. Les voitures, qui furent les signes extérieurs de richesse et du bonheur familial, personne ne veut payer pour les faire enlever. Elles demeurent ainsi dans le paysage, le marquent de leur empreinte ; il arrive que des fleurs y poussent. A l'heure des ordinateurs, le progrès technique – qu'il s'agisse de machines ou d'urbanisme – est à la fois effrayant et fascinant, incompréhensible pour l'homme de la rue demeuré au stade du primitif. La mer devient un but et une possibilité – on peut y fuir pour nager, faire de la voile ou peut-être se noyer : la mer est encore immuable, du moins en surface.

Ventes Publiques : Stockholm, 18 nov. 1984 : *Accident, Los Angeles* 1972-1973, h/t (79x99) : **SEK 23 000** – Stockholm, 14 juin 1990 : *Composition au fond gris* 1988, h/t (46,5x55) : **SEK 6 200** – Stockholm, 5-6 déc. 1990 : *Intérieur* 1987, temp./t. (45x54) : **SEK 8 000** – Stockholm, 21 mai 1992 : *Casse d'automobiles – Los Angeles*, h/t (79x99) : **SEK 39 000** – Stockholm, 30 nov. 1993 : *Composition*, h/t (100x81) : **SEK 10 000**.

WAHLBERGSON Erik ou **Wahlberg**

Né le 5 mars 1808 à Herkebergs. Mort le 18 octobre 1865 à Stockholm. xixe siècle. Suédois.

Peintre d'histoire, scènes de genre, portraits.

Il fut élève des Académies des Beaux-Arts de Stockholm et de Düsseldorf.

Musées : Stockholm (Mus. mun.) : *La belle Dalécarlienne vendant du lait.*

Ventes Publiques : Stockholm, 15 nov. 1989 : *Portrait d'une jeune fille vêtue de bleu, parée d'un collier et d'un camée et coiffée de boucles*, h/t (37x30) : **SEK 16 000** ; *Portrait d'un homme et d'une femme inconnus*, h/t, une paire (98x78) : **SEK 19 500**.

WAHLBOM Carl ou **Johann Wilhelm Carl**

Né le 16 octobre 1810 à Kalmar. Mort le 23 avril 1858 à Londres. xixe siècle. Suédois.

Peintre d'histoire, scènes de genre, portraits, aquarelliste, sculpteur, graveur, dessinateur, illustrateur.

Il fut d'abord sculpteur. Bien qu'il eût bien réussi, il abandonna la sculpture pour la peinture. Il s'inspira dans ses portraits de la manière de Winterhalter. Il a produit aussi des dessins fort appréciés, particulièrement ses illustrations pour les légendes irlandaises et les poésies d'Ossian.

Musées : Stockholm : *Mort de Gustave Adolphe à Lutzen – Chevaux en pâturage – Jument et poulain – Jeune laboureur et bœufs – Faune jouant avec un enfant*, sculpt. – *Valkyries*, sculpt.

Ventes Publiques : Paris, 18 déc. 1940 : *La promenade à âne*, aquar. gchée : **FRF 1 400** ; *La descente périlleuse ; La promenade en croupe*, deux pendants : **FRF 5 300** – Stockholm, 20 oct. 1987 : *Paysans et chevaux dans la campagne romaine* 1854, h/t (49x62) : **SEK 60 000** – Stockholm, 14 nov. 1990 : *Jeune Italienne assise près d'une église en ruines* 1843, h/t (64x53) : **SEK 17 000**.

WAHLBOM Gustaf ou **Johan Gustaf**

Né le 3 avril 1824 à Hof. Mort le 23 mars 1876 à Stockholm. xixe siècle. Suédois.

Peintre de paysages, paysages d'eau, marines, graveur, dessinateur, illustrateur.

Il fut élève de l'Académie des Beaux-Arts de Stockholm.

On lui doit diverses gravures sur bois. Il travailla également pour plusieurs revues suédoises.

Ventes Publiques : Stockholm, 15 nov. 1988 : *Marine avec une maison de garde-côte au crépuscule*, h. (21x32) : **SEK 11 000** – Stockholm, 15 nov. 1989 : *Marine nocturne avec un phare sur la falaise*, h/pan. (21x32) : **SEK 10 000**.

WAHLE Friedrich ou **Fritz**

Né en 1863 à Prague. Mort le 31 août 1927 à Munich. xixe-xxe siècles. Allemand.

Peintre de genre, dessinateur.

Il figura aux Expositions de Paris. Il obtint une mention honorable en 1900 lors de l'Exposition universelle de Paris.

Ventes Publiques : Amsterdam, 20 avr. 1993 : *Mère et enfant dans un intérieur*, h/t (49x61,5) : **NLG 1 380** – Munich, 3 déc. 1996 : *Le Snob*, h/pan. (43x36,5) : **DEM 5 040**.

WAHLQVIST Ehrnfried ou **Ernfried**

Né le 26 mars 1815 à Ystad, ou 1814. Mort le 3 mai 1895 à Stockholm. xixe siècle. Suédois.

Peintre de paysages animés, paysages, paysages d'eau.

Il fit ses études à Düsseldorf et à Copenhague. Il peignit des paysages suédois au clair de lune et en automne.

Ventes Publiques : Stockholm, 23 avr. 1980 : *Paysage d'été* 1879, h/t (62,5x90) : **SEK 16 100** – Stockholm, 22 avr. 1981 : *Stockholm*, h/t (45x65) : **SEK 12 700** – Stockholm, 26 oct. 1982 : *Stockholm*, h/t (46x64) : **SEK 15 200** – Stockholm, 11 avr. 1984 : *Vue de Stockholm* 1881, h/t (63x94) : **SEK 23 500** – Stockholm, 9 avr. 1985 : *Vue de Stockholm* 1876, h/t (104x149) : **SEK 42 000** – Stockholm, 15 nov. 1988 : *Paysage suédois avec des constructions* 1882, h. (62x99) : **SEK 22 000** – New York, 28 fév. 1990 : *Panorama d'un fjord* 1885, h/t (66x96,5) : **USD 9 900** – Stockholm, 16 mai 1990 : *Une ferme animée dans un paysage d'hiver avec un traîneau au fond*, h/t (30x48) : **SEK 26 000** – Stockholm, 14 nov. 1990 : *Stockhölm vue depuis Hästholmen* 1888, h/t (53x75) : **SEK 33 000** – Stockholm, 19 mai 1992 : *Scène nocturne avec de nombreux personnages éclairés par des torches et une église au lointain*, h/t (58x83) : **SEK 14 000** – New York, 15 fév. 1994 : *Petit port naturel* 1882, h/t (66x97,8) : **USD 10 925**.

WAHLSTEDT Walther

Né le 7 janvier 1898 à Hambourg. xxe siècle. Allemand.

Peintre.

Il fut élève de l'École des Arts décoratifs de Hambourg.

Musées : Hambourg (Kunsthalle) : *Motif de Güstrow.*

Ventes Publiques : New York, 6 nov 1979 : *Figure marine*, gche et or/pap. Japon (41,2x30,2) : **USD 3 100** – HAMBOURG, 9 juin 1979 : *Composition* 1949, h/t (97x70) : **DEM 2 800** – MUNICH, 8 juin 1982 : *Composition* 1926, aquar. (36,2x27,7) : **DEM 5 400**.

WAHLSTRÖM Charlotte Constance
Née le 17 novembre 1849 à Svarta. Morte le 22 février 1924 à Stockholm. XIXe-XXe siècles. Suédoise.
Peintre de paysages, paysages de montagne.
Elle fut élève des Académies de Stockholm et de Paris.
MUSÉES : GÖTEBORG – STOCKHOLM : *Soirée de Mars.*
VENTES PUBLIQUES : ZURICH, 19 juil. 1984 : *Le pêcheur à la ligne,* h/pan. (20,5x27) : **CHF 3 000** – LONDRES, 16 mars 1989 : *Soleil couchant,* h/t (65,5x46,3) : **GBP 1 650** – GÖTEBORG, 18 mai 1989 : *Archipel* 1907, h/pan. (20x30) : **SEK 4 500** – STOCKHOLM, 15 nov. 1989 : *Paysage côtier depuis Arild* 1917, h/t (90x70) : **SEK 10 000** – STOCKHOLM, 14 nov. 1990 : *Reflets dans l'eau* 1923, h/t (30x53) : **SEK 13 000** – STOCKHOLM, 19 mai 1992 : *Paysage suédois avec des arbres et des rochers sur les pentes d'un lac,* h/t (76x136) : **SEK 26 000**.

WAHLSTRÖM Tore
Né en 1879 à Gamla. Mort le 12 décembre 1909 à Uppsala. XIXe siècle. Suédois.
Paysagiste.
Il peignit des paysages des environs d'Uppsala. Le Musée de Krefeld conserve des peintures de cet artiste.

WÄHNER Matthias
XXe siècle. Allemand.
Artiste, créateur d'installations.
Il a participé à l'exposition *Prospect 93* à Francfort en 1993.
Ses installations sont fortement politisées. Il travaille également à partir de photographies.

WAHRENS Ludwig
Né vers 1781. Mort le 21 septembre 1870 à Bielefeld. XIXe siècle. Allemand.
Portraitiste.
Il fit ses études à Dresde. Le Musée de Bielefeld et la Kunsthalle de Brême conservent des peintures de cet artiste.

WAHRHAFTZKI Johann
Né en 1774. Mort le 22 avril 1830. XVIIIe-XIXe siècles. Actif à Vienne. Autrichien.
Sculpteur.

WAHRMUND Augusta. Voir **SCHAEFFER von Wienwald Augusta**

WAHRON Franz Xaver
Né le 30 mars 1809 à Vienne. Mort à Vienne. XVIIIe siècle. Autrichien.
Peintre.

WAIBEL Josef
Né vers 1776 à Innsbruck. Mort le 28 août 1814 à Temesvar. XIXe siècle. Autrichien.
Sculpteur.

WAIBEL Peter ou **Walbel**
XVIIIe siècle. Actif à Schärding, première moitié du XVIIIe siècle. Autrichien.
Sculpteur.
Il travailla pour les églises de Brunnental et d'Andrichsfurt.

WAIBL Franz
XVIIIe siècle. Actif à Melk de 1751 à 1769. Autrichien.
Peintre.
Probablement fils de Georg Waibl. Il peignit sept tableaux pour le monastère de Schönbühel en 1762.

WAIBL Georg ou **Johann Georg**
XVIIIe siècle. Autrichien.
Peintre.
Il fut peintre de l'abbaye de Melk où il décora surtout la bibliothèque.

WAIBL Ignaz
Né à Grins. XVIIe siècle. Autrichien.
Sculpteur.
Élève de Melchior Lechleitner. Il sculpta un *Saint Jean Baptiste* et une *Sainte Odile* pour l'église de Rungelin près de Bludenz.

WAIBL Julius
Né vers 1631. Mort le 12 octobre 1711 à Budapest. XVIIe-XVIIIe siècles. Hongrois.
Peintre.

WAIBL Thomas. Voir **WEIBL**

WAIDINGER Joseph
Né en 1899 à Budapest. XXe siècle. Hongrois.
Peintre.
Il étudia la peinture en Hongrie, et vint à Paris en 1924. Il se fixa dans cette ville et se spécialisa dans les tableaux de mœurs.

WAIDMAN Pierre
Né en 1860 à Remiremont (Vosges). Mort en 1937. XIXe-XXe siècles. Français.
Peintre de paysages, paysages urbains, graveur.
Il fut élève d'Allongé. Il exposa au Salon de 1879 à 1922, et devint sociétaire des Artistes Français à partir de 1883. Il y obtint une médaille de bronze en 1900 lors de l'Exposition universelle de Paris. Légion d'honneur en 1930. Il gravait à l'eau-forte.
VENTES PUBLIQUES : PARIS, 21 jan. 1924 : *Le canal de Ponte Longo à Venise* : **FRF 150** – VERSAILLES, 18 mars 1990 : *Le port* 1906, h/t (46x61) : **FRF 7 500**.

WAILAND Friedrich
Né le 8 juillet 1821 à Drasenhofen. Mort en 1904 à Vienne. XIXe siècle. Autrichien.
Peintre de portraits, miniatures.
Élève de Waldmüller à l'Académie de Vienne.
VENTES PUBLIQUES : VIENNE, 19-21 mars 1953 : *Portrait de jeunesse de la poétesse Marie von Ebner-Eschenbach,* miniat. à l'aquar. sur ivoire : **ATS 2 200**.

WAILES William
Né en 1809. Mort en 1881. XIXe siècle. Actif à Newcastle-on-Tyne. Britannique.
Peintre verrier.
Il exécuta des vitraux pour des collèges de Cambridge.

WAILLY Charles de ou **Dewailly**
Né le 9 novembre 1729 ou 1730 à Paris. Mort le 2 novembre 1798 à Paris. XVIIIe siècle. Français.
Peintre d'histoire, intérieurs, architectures, paysages, aquarelliste, graveur, dessinateur.
Il fut élève de Blondel et de Lejay, puis membre de l'Académie royale d'architecture. Il exposa au Salon de Paris, entre 1771 à 1796.
Il eut une importante activité d'architecte.
VENTES PUBLIQUES : PARIS, 1777 : *Place du Peuple à Rome,* dess. : **FRF 510** – PARIS, 1896 : *Salon du Museum* 1789, cr. noir et sanguine : **FRF 450** – PARIS, 1897 : *Sacre de Catherine II,* dess. : **FRF 1 550** – PARIS, 19 mars 1924 : *Temple des Grâces,* sépia : **FRF 1 020** – PARIS, 26 juin 1925 : *Prêche à Saint-Sulpice,* trait et aquarelle : **FRF 4 650** – PARIS, 7 et 8 juin 1928 : *Projet d'un arc de triomphe,* dess. : **FRF 1 000** – PARIS, 21 avr. 1944 : *La salle des cariatides au Louvre* 25 vendémiaire an 5, aquar. : **FRF 3 600** – PARIS, 10 juin 1949 : *Piazza Novana, Rome* 1760 ; *Piazza di Colonna Trajana,* deux dessins au lavis de sépia, rehauts d'aquarelle et de gouache : **FRF 7 600** – PARIS, 9 juin 1971 : *La chaire de Saint Sulpice,* aquar. : **FRF 6 800** – PARIS, 23 fév. 1976 : *Intérieur d'un temple* 1755, pl. et lav. (18x25) : **FRF 5 200** – MONTE-CARLO, 8 déc. 1984 : *La servitude en France abolie* 1783, pl. et lav. (24,3x38,2) : **FRF 8 000** – LONDRES, 2 juil. 1985 : *Piazza del Poppolo, Rome* 1754, pl. et lav. (20,2x32,6) : **GBP 7 500** – PARIS, 1er juil. 1987 : *Intérieur de l'église Sainte-Geneviève à Paris,* pl. et lav. (49,5x41) : **FRF 125 000** – MONACO, 20 fév. 1988 : *Intérieur d'un palais céleste,* encre (31,5x43,6) : **FRF 144 300** – LONDRES, 2 juil. 1991 : *Capriccio avec la statue du Commandeur sous un baldaquin,* craie noire, encre et lav. brun-gris (48,5x36,5) : **GBP 24 200** – NEW YORK, 14 jan. 1992 : *Intérieur d'un palais céleste,* encre et lav. (31,5x43,6) : **USD 24 200**.

WAILLY Léon de ou **Dewailly Léon**
XIXe siècle. Français.
Peintre d'histoire et de portraits.
Il exposa au Salon de 1801 à 1824. Le Musée du Jardin des Plantes de Paris conserve plusieurs centaines d'aquarelles de cet artiste.

WAIN Louis
Né le 5 août 1860, d'une mère française. Mort en 1939. XIXe-XXe siècles. Britannique.
Dessinateur animalier, aquarelliste, illustrateur.
Il a étudié à la West London School of Art, où il fut plus tard maître-assistant. Dans le domaine de la presse, il a collaboré à plusieurs illustrés : l'*Illustrated Sporting and Dramatic News,* l'*Illustrated London News,* de même qu'à *The Gentlewomen, Pall Mall, Budget...*
Il se spécialisa dans la représentation des animaux et parti-

culièrement celle des chats. Il a réalisé plusieurs albums de ses dessins, parmi lesquels : *Cats* (1900) ; *Cats at School* (1911) ; *The Kitcats : 9 China Futurist Cats* (1922).

Louis Wain.

Louis Wain

Bibliogr. : In : *Dictionnaire des Illustrateurs 1800-1914,* Ides et Calendes, 1989, Neuchâtel.

Ventes Publiques : Londres, 25 mars 1980 : *Avant la course,* pl. et lav. de coul. (30,5x47) : **GBP 420** – Londres, 13 mai 1980 : *Le Discours d'après-dîner,* reh. de gche (53x74) : **GBP 900** – Londres, 17 sep. 1980 : *Un chat,* h/t (53,5x41) : **GBP 800** – Londres, 16 sep. 1981 : *Chiens,* craie rouge et lav. (18x28) : **GBP 750** – Londres, 21 sep. 1983 : *La Partie de cartes,* aquar. sur traits cr. reh. de gche, en grisaille (28x57) : **GBP 190** – Londres, 26 sep. 1984 : *Unruly students,* pl./trait de cr. (51x76) : **GBP 1 150** – Londres, 26 sep. 1984 : *Mouse Pie,* h/t mar./cart. (33x96,5) : **GBP 4 000** – Londres, 26 sep. 1985 : *A smoke,* craie noire et cr de coul. (43x33) : **GBP 1 200** – Londres, 1er nov. 1990 : *La Jatte du chat,* aquar. (22,2x17,3) : **GBP 495**.

WAIN Valentine De

Né le 27 août 1936 à Fort Collins (Colorado). xxe siècle. Américain.

Sculpteur. Abstrait.

Il fit ses études entre 1958 et 1960 à l'Université du Colorado. Il a figuré dans plusieurs expositions collectives depuis 1958, principalement aux États-Unis. Il montre ses œuvres dans des expositions personnelles, dont : 1958, Galerie de l'université du Colorado ; 1964, galerie Denver, Colorado ; 1968, galerie Douglas, Vancouver ; 1969, galerie Bischofberger, Zurich ; 1970, Musée de Pasadena (Californie) ; 1973, galerie Denise René, New York ; 1974, Musée de San José (Californie) ; 1975, Musée d'art contemporain de La Jolla (Californie) ; 1975, Musée de Long Beach ; 1977, Musée de Santa Barbara ; 1979, County Museum, Los Angeles ; 1981, Institute for Art and Urban Resources, New York ; 1982, Thomas Babeor, La Jolla ; 1982, Jardin botanique de Saint Louis (Missouri) ; 1983, Madison Art Center ; 1984, galerie Thomas Babeor, La Jolla.

Il réalise des sculptures abstraites géométriques à partir de résines de polyester coulées.

Bibliogr. : K. Von Meier, *An Interview with De Wain Valentine,* Artforum, Vol. VII, n° 9, pp. 36-39 – A. Jouffroy, *L'image de l'architecture-Le receptacle-Lumière De Wain Valentine,* xxe Siècle, n° 48, 1977, p 117.

Musées : Chicago (Art Inst.) – Denver (Art Mus.) – La Jolla (Mus. of Contemporary Art) – Los Angeles (County Mus. of Art) – New York (Whitney Mus. of Art) – Omaha (Joslyn Mus. of Art) – Pasadena (Art Mus.) – Ridgefield (Aldrich Mus. of Art) – San Diego (Mus. of Art) – Vancouver (Art Gal.).

WAINEWRIGHT Thomas Griffith

Né en 1794. Mort en 1847 à Hobart Town. xixe siècle. Britannique.

Peintre de genre, portraits, aquarelliste, dessinateur.

Il exposa à Londres, à la Royal Academy de 1821 à 1825. Il fit aussi, sous le pseudonyme de James Weathercock, des articles de critique artistique dans le *London-Magazine.* Un drame interrompit brusquement sa carrière artistique. Il s'était marié secrètement. Ayant fait assurer sa belle-sœur sur la vie, celle-ci mourut subitement et Wainewright fut accusé de l'avoir empoisonnée. Il fut en fin de compte condamné pour faux à la déportation en Tasmanie (Australie) en 1837 et mourut dans une colonie pénitentiaire.

Musées : Canberra (Australian Nat. Gal.) : *The Cutmear twins* vers 1842, dess. et aqu. – Hobart (Tasmanian Mus. & Art Gal.) : *Le Révérent William Bedford* vers 1846, dess. et aqu. – Londres (British Mus.) : *Scène d'amour.*

Ventes Publiques : Melbourne, 14 mars 1974 : *Eleanor Fitzgerald,* aquar. : **AUD 14 000** – Melbourne, 11 mars 1977 : *Portrait de deux jeunes garçons,* cr. et lav. (30,5x27,5) : **AUD 12 000** – Londres, 6 nov. 1985 : *Portrait of Charle Errington* 1845-1846, aquar./trait de cr. reh. de blanc (37,5x29,5) : **GBP 6 200**.

WAINWRIGHT Barry

Né en 1935 à Chilliwack (Colombie britannique). xxe siècle. Canadien.

Graveur.

Il obtient son diplôme d'études de l'École des Beaux-Arts de Vancouver en 1962, puis la bourse d'études de la Fondation Emily Carr qui lui permet de voyager en Europe. Il étudie la gravure à l'Atelier 17 à Paris, avec S. W. Hayter. Boursier de la Fondation Léon et Théa Koerner, ce qui lui permet de poursuivre ses études de gravure. Bourse du Conseil des Arts du Canada. Exmembre du New International Gravure Group, fondé à Paris en 1963.

Musées : Montréal (Mus. d'Art Contemp.) : *Scorpio* 1966, gravure.

WAINWRIGHT John ou **Wainewright**

xixe siècle. Britannique.

Peintre de natures mortes, fleurs.

Il était actif entre 1860 et 1869.

Dans ce genre des natures mortes, tendant souvent vers le trompe-l'œil, qui trouvaient jusqu'au xixe siècle compris un accueil favorable auprès du public, John Wainwright a su se créer une spécialité, cet objet si décoratif et un peu fascinant des oiseaux naturalisés sous un globe de verre.

John Wainwright

Ventes Publiques : Perth, 24 avr 1979 : *Gibier mort* 1858, h/t (33,5x44) : **GBP 550** – Londres, 9 déc. 1980 : *Nature morte aux fleurs* 1863, h/t (66x56) : **GBP 3 600** – New York, 28 oct. 1982 : *Nature morte aux fleurs* 1859, h/t (127x101,5) : **USD 40 000** – New York, 20 avr. 1983 : *Nature morte aux fleurs* 1869, h/t, une paire (chaque 61x51) : **USD 18 000** – Perth, 27 août 1985 : *Gibier dans une clairière* 1858, h/t (61x91) : **GBP 2 800** – Londres, 23 sep. 1988 : *Nature morte de fleurs, oiseaux naturalisés sous un globe et œuvres de Byron* 1870, h/t (46x35,5) : **GBP 3 300** – Stockholm, 19 avr. 1989 : *Nature morte de gibier avec un fusil et un étui à poudre dans un paysage* 1860, h/t (51x66) : **SEK 31 000** – Londres, 2 juin 1989 : *Composition florale dans un vase et d'oiseaux naturalisés sous globe* 1849, h/t (63,5x53,3) : **GBP 10 120** – Londres, 21 mars 1990 : *Fleurs dans un pichet gravé et oiseaux naturalisés sous un globe de verre* 1867, h/t (66,5x56) : **GBP 12 650** – Édimbourg, 28 avr. 1992 : *Nature morte de gibier à plumes* 1864, h/t (71x93) : **GBP 1 430** – New York, 20 juil. 1994 : *Fleurs et Oiseaux* 1864, h/t (35,2x45,7) : **USD 2 070** – New York, 28 sep. 1995 : *Produits d'hiver sur une table,* h/t (30,5x41,3) : **USD 2 760** – Londres, 5 sep. 1996 : *Oiseau chanteur ornemental sous un dôme de verre avec des roses, des lis et des pivoines,* h/t (35,5x45,7) : **GBP 4 025**.

WAINWRIGHT Thomas Francis ou **Wainewright**

xixe siècle. Britannique.

Peintre de paysages animés, animalier, fleurs, aquarelliste.

Il était actif de 1831 à 1883. Il exposa à Londres principalement à Suffolk Street et quelquefois aussi à la Royal Academy et à la British Institution.

Musées : Londres (Victoria and Albert Mus.) : *Paysage avec moutons,* aqu.

Ventes Publiques : Paris, 4 juil. 1927 : *Troupeau à l'abreuvoir,* aquar. : **FRF 100** – Londres, 11 avr. 1972 : *Nature morte aux fleurs* : **GBP 800** – Londres, 20 mars 1979 : *Scène de ferme* 1857, h/t (29x45,5) : **GBP 640** – Londres, 10 oct. 1985 : *Troupeau au pâturage* 1870, aquar. reh. de gche (60x101) : **GBP 1 200** – Londres, 25 jan. 1988 : *Bétail au bord du fleuve,* aquar. (53x43) : **GBP 660** – Londres, 25 jan. 1989 : *Bétail près de l'estuaire de la rivière* 1865, aquar. (25,5x51,5) : **GBP 990** – Londres, 2 nov. 1989 : *Bambin nourrissant un agneau près d'une brebis et d'une vache dans un pré* 1858, h/t (45,7x66,2) : **GBP 2 200** – Londres, 31 jan. 1990 : *Pêche à la ligne* 1870, aquar. (36x79) : **GBP 2 200** – Londres, 26 sep. 1990 : *Moutons sur la berge d'une rivière* 1865, aquar. (23x48) : **GBP 825** – Sydney, 29-30 mars 1992 : *Paysage avec du bétail,* aquar. (23x49) : **AUD 850**.

WAINWRIGHT William John

Né le 27 juin 1855 à Birmingham (West Midlands). Mort en 1931 à Birmingham. xixe-xxe siècles. Britannique.

Peintre d'histoire, scènes de genre, portraits, natures mortes, fleurs.

Alors qu'il était petit commis dans une maison de commerce, il suivit les cours de la School of Art. En 1879, il alla étudier à l'Académie d'Anvers dans l'atelier de Verlat. En 1884, il quitta Paris pour Londres, et, après un séjour à Newlyn s'établit enfin à Birmingham en 1885.

Il fut associé à la Birmingham Society of Artists en 1881, en devint membre en 1884. Il continua ses études à Paris. Associé de la Royal Society of Painters in Water-Colours, il en devint membre en 1906. On le cite exposant en 1910 à la Old Water-Colours Society.

Musées : Birmingham : *Portrait de F. H. Henshaw – La Parabole des vierges folles et des vierges sages.*

Ventes Publiques : Paris, 24 mai 1944 : *Gibier à plumes, mort, dans un décor de paysage* : **FRF 27 500** – Londres, 16 oct. 1968 : *Nature morte aux fleurs* : **GBP 3 200** – Londres, 2 juil. 1971 : *Nature morte aux fleurs* : **GNS 1 100** – Londres, 19 juil. 1972 : *Nature morte aux fleurs* : **GBP 1 600** – Londres, 26 avr. 1974 : *Nature morte aux fleurs* : **GNS 1 500** – Londres, 16 nov. 1976 : *Nature morte aux fruits*, h/t (35x45) : **GBP 700** – Paris, 13 mai 1977 : *Nature morte aux fleurs et aux fruits*, h/t (62,3x75) : **GBP 900** – Versailles, 14 oct 1979 : *Trophée de chasse*, h/pan. (35x49) : **FRF 11 500** – Londres, 24 mai 1984 : *The Grace Cup*, aquar. (99x54) : **GBP 850** – Londres, 16 déc. 1986 : *A serving boy*, aquar. (101,6x66) : **GBP 1 300** – Londres, 25-26 avr. 1990 : *Rêverie*, aquar. (54x38) : **GBP 2 750** – New York, 22 mai 1990 : *Le calice*, aquar. et cr. / pap. toilé (97,8x55,3) : **USD 9 350** – Londres, 13 nov. 1992 : *Roses, chèvrefeuille, pensées dans un vase sur un entablement survolés de papillons* 1864, h/t (91,5x72,5) : **GBP 17 050** – Londres, 6 nov. 1995 : *Le rouet*, cr. et aquar. (56x40,6) : **GBP 4 600**.

WAIS Alfred

Né le 2 août 1905 à Stuttgart-Birkach. Mort le 29 février 1988 à Stuttgart. xxe siècle. Allemand.

Peintre de compositions animées, figures, paysages, natures mortes, aquarelliste, graveur sur bois, lithographe, dessinateur. Réaliste-expressionniste.

De 1927 à 1930, il fut élève de Gottfried Graf, Alexander Eckener, Hans Spiegel et Alexander Kolig à l'Académie des Beaux-Arts de Stuttgart. À partir de 1929, il se lia avec les membres de la Nouvelle Sécession de Stuttgart, et reçut les encouragements de Lovis Corinth et Oscar Kokoschka. De 1930 à 1939, il fut enseignant en art dans les lycées. De 1940 à 1946, il fut mobilisé en Ukraine, au Danemark, en Pologne, puis prisonnier de guerre. Il reprit ensuite son activité d'artiste indépendant, notamment en liaison avec les anciens membres de la Nouvelle Sécession de Stuttgart. Il fut alors l'animateur de la création en 1952 du « Freie Gruppe schwäbischer Maler und Bildhauer » (groupe libre de peintres et sculpteurs souabes). Il travailla à Blauberen, puis à partir de 1958 dans la banlieue de Stuttgart. De 1964 à 1972, il fut membre du conseil d'administration de l'Association pour l'art du Wurtemberg. Il séjourna en 1974 dans l'ancienne ferme d'Edvard Munch à Ekely près d'Oslo, et à Rome, à la Villa Massimo, par distinction du gouvernement fédéral. Il reçut le titre officiel de professeur en 1981.

Il participait à des expositions collectives, parmi lesquelles on peut citer la première exposition de la Nouvelle Sécession de Stuttgart en 1932, ou celle du groupe libre de peintres et sculpteurs souabes en 1952. Il montrait aussi des ensembles de ses travaux dans des expositions personnelles, notamment : 1948, 1951, 1975, 1977 Ulm ; 1948, 1952, 1955, 1960, 1961, 1963, 1966, 1968 Stuttgart ; 1954 Braunschweig ; 1971 Hamm ; 1980, 1995 Reutlingen ; 1996 Marburg ; 1987 Waiblingen ; 1996 Saulgau ; 1985 Stuttgart, galerie municipale ; 1985 Grafenau, *Exposition du 80ème anniversaire*, galerie Schlichtenmaier ; 1995-96 Grafenau, galerie Schlichtenmaier.

Traitant des sujets très divers, Alfred Wais s'est situé dans la continuité des expressionnistes de la Brücke.

Bibliogr. : A. W. : *Malerei der 70er und 80er Jahre, etc.*, Grafenau-Stuttgart, 1989 – Rainer Zimmermann : *Expressiver Realismus*, Munich, 1994.

Musées : Biberach (Kreissparkasse) – Stuttgart (Galerie der Stadt) – Stuttgart (Staatsgalerie).

WAIS Anton. Voir **WEISS** et **BOYS Antoni**

WAIT Robert

Mort en 1732. xviiie siècle. Actif en Écosse. Britannique.

Peintre de portraits.

On le classe parmi les bons portraitistes écossais de la fin du xviie siècle et du début du xviiie siècle. Il s'inspira de Kneller et de George Scongall. La Galerie d'Edimbourg conserve de lui *Portrait de Kenneth, 3e lord Duffus.*

WAITE Edward Wilkins

Né en 1854. Mort en 1927. xixe-xxe siècles. Britannique.

Peintre de paysages, paysages animés.

Petit-fils du miniaturiste William Watkin Waite, il fit ses études à Mansion House Grammar School à Leatherhead. En 1874, il s'embarqua pour le Canada où il devint bûcheron. Il revint en Angleterre et commença à peindre. Après son mariage, il s'installa à Abinger Hammer près de Dorking. Il vécut et travailla également à Blackhead (Londres).

Membre de la New Water Colours Society. Il exposa à Londres à partir de 1878 à la Royal Academy ; son nom figure encore sur les catalogues en 1910. Il réalisa de nombreuses peintures des environs d'Abinger Hammer.

Musées : Bristol : *Automne* – Le Cap : *Le coupeur de roseaux.*

Ventes Publiques : Londres, 15 déc. 1972 : *Paddington mill pond* : **GNS 1 600** – Londres, 25 oct. 1977 : *A roadside cottage*, h/t (49x74) : **GBP 1 200** – Londres, 9 mai 1978 : *La chaumière*, h/t (28x43) : **GBP 1 800** – Londres, 15 mai 1979 : *Après-midi de pêche* 1893, h/t (49x66,5) : **GBP 4 200** – Londres, 24 mars 1981 : *L'Auberge Pineapple*, h/t (51x76) : **GBP 3 300** – Londres, 1er nov. 1985 : *The house by the pond*, h/t (101,5x127,5) : **GBP 5 500** – Londres, 27 sep. 1989 : *Pêche à la ligne au bord d'une rivière tranquille* 1895, h/t (30,5x46) : **GBP 3 960** – Londres, 3 nov. 1989 : *Un bras d'eau dormante*, h/t (127x101,5) : **GBP 4 400** – Londres, 9 fév. 1990 : *Fittleworth au mois de mai dans le Sussex*, h/t (50,8x76,2) : **GBP 9 900** – Londres, 13 juin 1990 : *Le jeune pêcheur*, h/t (102x127) : **GBP 59 400** – Londres, 13 fév. 1991 : *L'annonce du printemps*, h/t (35,5x53) : **GBP 7 920** – Londres, 11 oct. 1991 : *Le coin de ruisseau préféré* 1892, h/t (54,6x43,2) : **GBP 8 800** – Londres, 13 mars 1992 : *Le vieux moulin à eau*, h/t (50,8x76,2) : **GBP 9 900** – Londres, 3 juin 1992 : *Le mois de mai à Fittleworth dans le Sussex*, h/t (51x76) : **GBP 11 000** – New York, 22-23 juil. 1993 : *Route traversant un village du Surrey*, h/t (50,8x76,2) : **USD 3 450** – Londres, 5 nov. 1993 : *L'endroit où fleurit l'aubépine* 1894, h/t (91,5x127) : **GBP 32 200** – Londres, 2 nov. 1994 : *La rivière en automne*, h/t (25,5x35,5) : **GBP 2 300** – Londres, 10 mars 1995 : *La route menant au village*, h/t (50,8x76,2) : **GBP 4 140** – Londres, 6 nov. 1995 : *La chute des feuilles* 1896, h/t (102,6x153,7) : **GBP 19 550** – Londres, 29 mars 1996 : *Le ruisseau qu'il aimait* 1892, h/t (54,6x43,2) : **GBP 21 850** – Londres, 12 mars 1997 : *Déjeuner au bord de la rivière* 1895, h/t (68,5x122) : **GBP 23 000** – New York, 9 jan. 1997 : *Après-midi d'automne à la ferme*, h/t (50,8x76,5) : **USD 9 775**.

WAITE Emily Burling

Née le 12 juillet 1887 à Worcester. xxe siècle. Américaine.

Peintre de portraits.

Elle fut élève à l'Académie de New York, ville où elle vécut et travailla.

WAITE James Clarke

xixe siècle. Australien.

Peintre de scènes de genre, portraits, paysages.

Il fut membre de la Society of British Artists. Il exposa à Londres, particulièrement à Suffolk Street, entre 1863 et 1885. On trouve aussi son nom assez fréquemment dans les catalogues des Expositions de la Royal Academy.

Musées : Melbourne : *Manières flatteuses – Portrait d'Abr. Louis Buvelot* – Montréal : *All fours – Home with the Bairns.*

Ventes Publiques : Melbourne, 11-12 mars 1971 : *Port Melbourne* : **AUD 2 000** – Melbourne, 14 mars 1974 : *La jeune liseuse* : **AUD 1 800** – Londres, 22 oct. 1976 : *La partie de cartes* 1871, h/t (75x63,5) : **GBP 1 400** – Londres, 12 déc. 1978 : *La partie de cartes* 1871, h/t (74,5x60,5) : **GBP 2 300** – Londres, 3 juil 1979 : *La diseuse de bonne aventure* 1869, h/t (76x64) : **GBP 1 200** – Londres, 20 oct. 1981 : *La Famille du pêcheur*, h/t (52,5x41) : **GBP 3 100** – Chester, 30 mars 1984 : *His first pair of trousers* 1895, h/t (57x74) : **GBP 3 000** – Londres, 18 déc. 1985 : *The forsaken nest*, h/t (68,5x84) : **GBP 2 800** – Londres, 12 juin 1992 : *Le nouveau bonnet*, h/t (40,6x51,5) : **GBP 3 080** – New York, 12 oct. 1993 : *Les trophés du soldat*, h/t (92,1x114,9) : **USD 39 100** – Londres, 6 nov. 1996 : *La Première Leçon de Pussy*, aquar. reh. de gche (32x39,5) : **GBP 2 300**.

WAITE Robert Thorne. Voir **THORNE-WAITE**

WAITT Richard

xviiie siècle. Britannique.

Peintre de portraits, natures mortes.

Il était actif entre 1708 et 1732.

Ventes Publiques : Londres, 17 mars 1978 : *Nature morte* 1724, h/t (58,2x76,7) : **GBP 2 000** – Londres, 8 avr. 1992 : *Portrait d'Alexander Brodie de Brodie vêtu d'un habit rouge*, h/t, de forme ovale (72,5x60) : **GBP 3 740** – New York, 26 fév. 1997 : *Portrait d'un homme présumé Sir Kenneth Mackenzie Bt. de Scatwell, en buste, en armure* 1713, h/t (73,6x61,6) : **USD 1 265**.

WAITZ Johann Christian Wilhelm ou **Waiz**
Né le 22 août 1766 à Weimar. Mort le 18 juillet 1796 à Weimar. XVIIIe siècle. Allemand.
Dessinateur et graveur au burin.
Le Musée de Weimar conserve de lui dix-huit dessins illustrant les œuvres scientifiques de Goethe.

WAITZMANN Johann
XVIIIe siècle. Actif à Kaaden et à Znaim en 1766. Autrichien.
Sculpteur.

WAITZMANN Karl
XVIIIe siècle. Actif à Graz et à Kaaden de 1738 à 1784. Autrichien.
Sculpteur.
Il sculpta de nombreuses statues à Kaaden ainsi que des autels dans cette ville et les villages des environs.

WAIZ Johann Christian Wilhelm. Voir **WAITZ**

WAKABAYASHI
Né en 1936 à Tokyo. XXe siècle. Japonais.
Sculpteur de figures, créateur d'installations.
Il a étudié la sculpture à l'École des Beaux-Arts de Tokyo. Après les figures, il a créé des sortes de boîtes dans lesquelles il place des objets.
Bibliogr. : In : *Dictionnaire de l'art moderne et contemporain*, Hazan, Paris, 1992.

WAKAYAMA Yasouji
Né au XXe siècle dans l'île de Hokkaido. XXe siècle. Japonais.
Dessinateur, illustrateur.
Après avoir travaillé avec Kôshirô Onchi, il présente ses premiers dessins au mineographe à l'Association Japonaise de Gravure en 1941, et les années suivantes, à l'Académie Nationale de Peinture (*Kokugakai*) et aux expositions du Ministère de l'Éducation. Il est l'auteur de nombreuses illustrations et est membre de l'Association Japonaise de Gravure.

WAKE Richard
Né en 1935 au Cap (Afrique du Sud). XXe siècle. Sud-Africain.
Sculpteur.
Il fit ses études à l'École d'Art Michaelis du Cap, de 1954 à 1957 ; à l'Académie de Stuttgart, en 1958-1959 ; au Cap de nouveau, ainsi qu'à l'École des Beaux-Arts de Paris, en 1960-1961. Depuis 1962, il enseigne à la Michaelis School of Fine Art du Cap, où il vit.
Il participe depuis 1962 à des expositions en Afrique du Sud. Il a montré des expositions personnelles de ses œuvres : au Cap, 1966, 1967, 1968 ; à Nuremberg, 1968 ; à Francfort-sur-le-Main, 1969, etc.
Il travaille le métal, plié et soudé, selon des formes relativement élémentaires, qui constituent d'intéressantes propositions d'occupation de l'espace, tant en extérieur qu'à l'intérieur.
Bibliogr. : Catalogue de l'exposition *Richard Wake*, Gal. Appel et Fertsch, Francfort-sur-le-Main, 1969.

WAKEFIELD Wilfred Robert
Né le 20 juin 1885 à Zanzibar. XXe siècle. Britannique.
Aquafortiste, aquarelliste.
Il vécut et travailla à Liverpool.

WAKELIN Roland
Né en 1887 en Nouvelle-Zélande. Mort en 1971. XXe siècle. Australien.
Peintre de paysages, intérieurs, natures mortes.
Il fut élève des Écoles des Beaux-Arts de Wellington, puis de Sydney, à partir de 1912. Il exposa presque annuellement ses œuvres à Sydney. Il est bien représenté dans les collections d'art moderne australien.
Attiré par les formes d'art nouvelles, en particulier postimpressionnisme et fauvisme, il vint travailler en Europe de 1922 à 1924.

R Wakelin

Musées : Sydney (Art Gal. of South Wales) : *Syncromy in Orange Major* 1919.
Ventes Publiques : Londres, 19 juin 1974 : *Paysage* : **GBP 850** – Rosebery (Australie), 7 sep. 1976 : *Scène d'intérieur* 1960, h/cart. : **AUD 480** – Londres, 27 juin 1979 : *Bateaux de pêche à l'ancre* 1945, h/cart. (48x71) : **GBP 460** – Sydney, 14 mars 1983 : *Kiama* 1948, h/cart. (42x55) : **AUD 1 700** – Sydney, 25 mars 1985 : *The street photographer*, h/cart. (64x76) : **AUD 3 000** – Sydney, 29 juin 1987 : *The Corso, Manly*, h/cart. (56x41) : **AUD 7 500** – Londres, 28 nov. 1991 : *Hangars à bateaux* 1920, h/cart. (26,4x31,2) : **GBP 8 800** ; *La vallée du Yarra à Heidelberg, province de Victoria* 1951, h/t/cart. (53,3x73,7) : **GBP 4 950** – Sydney, 2 déc. 1991 : *Nature morte*, h/cart. (35x55) : **AUD 2 000** – Sydney, 29-30 mars 1992 : *Paysage du NSW*, h/t (34x44) : **AUD 1 900**.

WAKEMAN William Frederick
Né le 12 août 1822 à Dublin. Mort le 15 octobre 1900 à Coleraine. XIXe siècle. Irlandais.
Dessinateur.
Il illustra de nombreux ouvrages de topographie et d'antiquités irlandaises.

WAKHEVITCH Georges
Né en 1907 à Odessa. Mort en 1984. XXe siècle. Depuis 1920 actif en France. Russe.
Peintre de marines, peintre à la gouache, peintre de décors de théâtre et de cinéma.
Après son arrivée en France, il fut élève de l'École des Arts Décoratifs, avec notamment en sculpture Bourdelle. En 1924, âgé de dix-sept ans, il exposa au Salon d'Automne. En 1926, la visite d'un studio de cinéma à Nice décida de sa carrière. Comprenant que la connaissance de la technique de la peinture ne lui suffirait pas dans son nouveau projet, il étudia l'architecture à l'École des Beaux-Arts. Il reçut encore alors les conseils du peintre anglais Edwin Scott.
Depuis 1928, il n'a plus cessé de créer des décors, d'abord pour le cinéma, puis pour le théâtre, l'opéra, le ballet. Il a collaboré comme décorateur à environ cent cinquante films, deux cents opéras, trois cents pièces de théâtre. Pour le cinéma, on peut citer : *L'homme à l'Hispano, Baroud, Prison sans barreaux, Les visiteurs du soir, L'éternel retour* ; pour le théâtre ou l'opéra : *Le jeune homme et la mort, Adventure Story* à Londres, *Jeanne la folle, Donogoo, Roméo et Juliette, Le Consul*, de Menotti à la Scala de Milan, un des tableaux des *Indes Galantes* à l'Opéra de Paris, *Le libertin, Thérèse Raquin*, à Edimbourg, etc. Ces quelques citations ne peuvent qu'être arbitraires, extraites d'une telle abondance. Décorateur de spectacle, Wakhevitch a évidemment toujours dû se plier aux exigences stylistiques des pièces ou films. Pourtant, on reconnaît un décor Wakhevitch, à la richesse généreuse des indications, et surtout à la qualité de la « construction » de l'espace, caractéristique de ses études d'architecture. Outre que de nombreuses parties de ses décors étaient peintes, Wakhevitch est simplement peintre en ce qu'il a presque toujours peint préalablement des études, esquisses et projets des décors à venir.
Bibliogr. : X..., in : *Encyclopédie des Arts Les Muses*, Grange-Batelière, Paris, 1974 – Catalogue de la vente *L'œuvre de Georges Wakhevitch*, Étude de Me Cl. Robert, Paris, 24 novembre 1975.
Ventes Publiques : Paris, 2 déc. 1985 : *Le pont du navire dans la tempête, 1er tableau pour l'opéra de Frank Martin* 1956-1957, gche (54x77) : **FRF 39 000** – Paris, 30 jan. 1995 : *Combat*, gche (55x74) : **FRF 20 000** – Paris, 27 juin 1995 : *Le bateau* 1957, gche (56x75) : **FRF 14 500**.

WAKIDI
Né en 1889 à Semarang (Indonésie). Mort en 1979. XXe siècle. Indonésien.
Peintre de paysages.
Il commença sa vie professionnelle en travaillant dans les champs pétrolifères de Sumatra, puis parallèlement à la peinture fut professeur d'art à l'école de Kayutanam. Il peignit les paysages de Minangkabau dans l'ouest de Sumatra.
Ventes Publiques : Singapour, 5 oct. 1996 : *Paysage de Sumatra*, h/t (68x122,5) : **SGD 13 800**.

WAKIM Wakim
Né en 1949, originaire de Beyrouth. XXe siècle. Libanais.
Peintre, dessinateur, céramiste, peintre de cartons de tapisseries. Tendance symboliste.
Il a étudié la sculpture entre 1967 et 1971. Il partit ensuite pour Paris où il fut, en 1972, élève de l'École des Beaux-Arts. En 1975, il s'initia à la céramique à l'École des Arts Appliquée de Paris et à la tapisserie dans l'atelier de Roger Caron.
Il expose collectivement, notamment à l'exposition *Liban. Le regard des peintres 200 ans de peinture libanaise* à l'Institut du Monde Arabe à Paris en 1989. Il montre ses œuvres dans des expositions personnelles, dont : 1981, Institut Goethe, Beyrouth ; 1983, galerie Damo, Beyrouth ; 1987, galerie Épreuve d'artiste, Beyrouth.
Il a réalisé un dessin évoquant le siège israélien de Beyrouth en 1982.

WAKITA Kazu
Né en 1908 à Tokyo. XXe siècle. Japonais.

Peintre.
De 1923 à 1930, il fait un séjour d'études en Europe, notamment à l'Université nationale des Beaux-Arts de Berlin, pendant cinq ans, avec Max Rabes et Erich Wolfsfeld. En 1956-1957 il fait un séjour aux États-Unis, invité par le Département d'État.
En 1951 et 1955, il figure à la Biennale de São Paulo, en 1952 au Salon de Mai de Paris, en 1953 à l'Exposition Indienne Internationale, en 1956 à la Biennale de Venise et à l'Exposition Guggenheim à New York, où il remporte un prix, en 1964 à l'exposition *Chefs-d'œuvre de l'Art Japonais*, au Musée d'Art Moderne de Tokyo à l'occasion des Jeux Olympiques.

WAKKERDAK Pieter Anthony
Né en 1729 à Rotterdam. Mort en 1774 à Delft. XVIIIe siècle. Hollandais.
Graveur.

WAKLEY Archibald
Mort le 24 mai 1906 à Londres, assassiné. XIXe siècle. Britannique.
Peintre.

WAKULWICZ Gazegorz
Né à Varsovie. XVIIIe siècle. Polonais.
Peintre.
Il fit ses études avec Norblin. L'église des Pères Augustins à Varsovie conserve un tableau de lui.

WAKUTHI MARAWILI
Né en 1921. XXe siècle. Australien.
Peintre.
Artiste aborigène.
Musées : Canberra (Australian Nat. Gal.) : *Crocodile and Dog* 1984.

WAL. Voir aussi **WALL**

WAL Jacob Marcus Van der
Né en 1644 à Haarlem. Mort en 1720 à Haarlem. XVIIe-XVIIIe siècles. Hollandais.
Peintre.
Élève d'Adrien Van Ostade ; il fut doyen de la gilde Saint-Luc en 1688.

WAL Johannes Van der ou **Wale** ou **Wall**
Né en 1728 à La Haye. Mort en 1788 à Hooge Vuurst. XVIIIe siècle. Hollandais.
Peintre de paysages, d'architectures et de décors.
Membre de l'Académie de La Haye en 1775 ; il se fixa plus tard à Amsterdam.

WAL Jozef. Voir **WALL**

WALACH Jan
Né vers 1885 à Istebna. XXe siècle. Polonais.
Peintre, graveur.
Il fut élève des Académies de Cracovie et de Paris. Il gravait sur bois.

WALBEEK Christina Adriana Van
XIXe siècle. Active à Amsterdam. Hollandaise.
Peintre verrier.

WALBEL Peter. Voir **WAIBEL**

WALBERG Sven Emanuel
Né le 8 juillet 1872 à Lund. Mort en 1946. XIXe-XXe siècles. Suédois.
Peintre de portraits et de chevaux.
Il fut élève de l'Académie de Copenhague.
Musées : Lund : plusieurs peintures.
Ventes Publiques : Göteborg, 13 avr. 1983 : *Militaire à cheval*, h/t (135x121) : **SEK 10 000**.

WALBOURN Ernest
Né en 1872. Mort en 1904. XIXe-XXe siècles. Britannique.
Peintre de genre, scènes animées, figures, portraits, paysages et paysages d'eau animés, paysages.
Ventes Publiques : Londres, 15 oct. 1976 : *Paysage à la rivière*, h/t (59,5x90) : **GBP 550** – Londres, 14 fév. 1978 : *Marée basse*, h/t (59,5x90) : **GBP 950** – Londres, 3 juil 1979 : *Jeune femme nourrissant des pigeons*, h/t (50x75) : **GBP 1 700** – Londres, 24 mars 1981 : *Filles de la campagne*, h/t (61x91,5) : **GBP 1 500** – Londres, 19 oct. 1983 : *Les Faucheurs*, h/t (101,5x152,5) : **GBP 2 800** – Londres, 12 juin 1985 : *Mère et enfant dans un jardin ensoleillé*, h/t mar./cart. (60x44) : **GBP 1 600** – Londres, 18 mars 1987 : *À la porte du jardin*, h/t (61x46) : **GBP 4 000** – Londres, 3 juin 1988 : *Près du gué*, h/t (72,7x111,2) : **GBP 3 080** – Londres, 15 juin 1988 : *Maison de pêcheur sur la corniche*, h/t (51x76) : **GBP 6 380** – Londres, 23 sep. 1988 : *La fille du meunier*, h/t (51x76) : **GBP 4 950** – Göteborg, 18 mai 1989 : *Jeune Fille dans un paysage d'automne*, h/t (77x52) : **SEK 8 000** – Londres, 2 juin 1989 : *La cueillette des jacinthes des bois*, h/t (51x76) : **GBP 8 580** – Londres, 13 déc. 1989 : *La berge d'une rivière*, h/t (102x152,5) : **GBP 5 500** – Londres, 21 mars 1990 : *Lyme Regis dans le Dorset*, h/t (51x76) : **GBP 5 720** – New York, 19 juil. 1990 : *La cueillette des fleurs*, h/t (50,8x76,3) : **USD 4 400** – Londres, 22 nov. 1990 : *À la porte du cottage*, h/t (50,8x76,2) : **GBP 2 420** – Londres, 13 fév. 1991 : *Cueillette des coquelicots au bord de la rivière*, h/t (41x61) : **GBP 4 950** – Londres, 11 oct. 1991 : *Rencontre sur le chemin*, h/t (61x91,5) : **GBP 5 500** – Londres, 19 déc. 1991 : *Au bord de la rivière*, h/t (50,8x76,2) : **GBP 9 350** – Londres, 12 juin 1992 : *Promenade dans le jardin*, h/t (91,4x60,9) : **GBP 6 050** – New York, 29 oct. 1992 : *Petite fille regardant les canards sur la mare*, h/t (41x61,5) : **USD 2 860** – Londres, 3 mars 1993 : *Sentier au bord de la rivière* 1900, h/t (61x107) : **GBP 5 405** – New York, 15 oct. 1993 : *Le moulin d'Hemmingford*, h/t (40,6x57,2) : **USD 4 025** – Montréal, 23-24 nov. 1993 : *Cueillette de fleurs au bord de la rivière*, h/t (40,5x61) : **CAD 3 250** – Londres, 25 mars 1994 : *Hameau au bord d'un ruisseau*, h/cart. (27,5x40,5) : **GBP 1 610** – Londres, 4 nov. 1994 : *Volailles dans une cour de ferme à Buckland dans le Devon*, h/cart. (45,7x61) : **GBP 3 220** – Londres, 6 nov. 1995 : *Le vieux séchoir* 1888, h/t (56x45,5) : **GBP 4 140** – New York, 17 jan. 1996 : *Paysage avec des moutons au bord d'une rivière*, h/t (60,3x91,8) : **USD 2 300** – Londres, 5-6 juin 1996 : *Près de Dorchester*, h/t (41x61) : **GBP 3 450** ; *En attendant le bac pour traverser la rivière*, h/t (50,8x76,2) : **GBP 1 840** – Londres, 6 nov. 1996 : *Près de la rivière*, h/t (73x109) : **GBP 6 900** – Londres, 5 juin 1997 : *Une jeune fille au bord de la rivière*, h/t (60,9x45,8) : **GBP 5 175**.

WALBURG Rudolph Van
Né vers 1632 à Amsterdam. XVIIe siècle. Hollandais.
Graveur de portraits.
Il travailla à Leyde.

WALBURGER. Voir **WALDBURGER**

WALCH
XVe siècle. Actif à Colmar vers 1467. Français.
Sculpteur.

WALCH Adam
XIXe siècle. Travaillant à Veszprem vers 1832. Hongrois.
Sculpteur.

WALCH Albert
Né le 10 octobre 1816 à Augsbourg. Mort le 25 mars 1882 à Berne. XIXe siècle. Suisse.
Peintre de genre et de portraits.
Professeur à l'École des Beaux-Arts de Berne. Le Musée de cette ville conserve de lui : *La muse Uranie, Portrait de Mme Haller-Futeter, Portrait d'une dame en costume de 1850, Portrait du docteur Stantz.*

WALCH Anton Joseph ou **Joseph Anton**
Né le 20 mars 1773 à Kaufbeuren. XVIIIe-XIXe siècles. Allemand.
Peintre.
Il peignit de nombreuses fresques pour des églises de Souabe et du Tyrol.

WALCH Charles
Né le 4 août 1898 à Thann (Haut-Rhin). Mort le 12 décembre 1948 à Paris. XXe siècle. Français.
Peintre de genre, figures, paysages, peintre à la gouache, aquarelliste, graveur, dessinateur, sculpteur.
Encore tout enfant, il savait vouloir dessiner et peindre. En 1918, il obtint une bourse de l'État pour venir travailler à Paris, où il suivit les cours de l'École des Arts Décoratifs, s'y liant d'amitié avec François Desnoyer. Il entra ensuite à l'École Nationale des Beaux-Arts. De modeste origine, il sollicita et obtint en 1923 un poste de professeur de dessin au collège Sainte-Croix de Neuilly qui l'aida à subsister matériellement jusqu'en 1937, pouvant ainsi exercer son art en toute indépendance. En 1934, il commença à recevoir les encouragements de Bonnard et Albert Marquet. Le critique Georges Besson, qui écrira plus tard plusieurs études sur son œuvre, le soutient. Il se liera d'amitié vers 1941 avec Georges Rouault. Il est largement représenté dans les musées d'art contemporain de France et à l'étranger. Chevalier de la Légion d'honneur en 1948, juste avant que la mort ne vint le surprendre à son chevalet.
À partir de 1925, il exposa régulièrement, à Paris, ses œuvres aux Salons des Indépendants, des Tuileries et au Salon d'Automne,

dont il devint sociétaire pour la peinture, la sculpture et la gravure en 1932 et où il fit partie du comité dès 1941. Il sera un des organisateurs du Salon d'Automne de la Libération en 1944. À l'Exposition Internationale de 1937, il se voit attribuer une médaille d'or. Le critique Louis Chéronnet organise, en 1938, sa première exposition d'ensemble, galerie Billiet-Vorms à Paris. En 1941, il est pris dans l'équipe de peintres de la galerie Louis Carré et montre une exposition personnelle de œuvres. Deux mois avant sa mort, le Musée de Mulhouse lui consacre une exposition personnelle. Parmi les expositions rétrospectives : 1949-1950, Musée d'Art Moderne de Paris, Paris ; 1954, *Présence de Walch*, au Maroc ; 1958, une salle au Salon d'Automne, Paris ; 1964, *Hommage à Charles Walch*, Musée du Havre ; 1968, Musée d'Unterlinden, Colmar ; 1984, galerie Jean-Pierre Joubert, Paris. Les œuvres de Walch sont des peintures joyeuses, exprimant l'enthousiasme et la vie : *Le Hibou* (1935), *Sur le chemin de l'école* (1945), *La Femme au chat* (1935), sculpture. Non qu'il ait sacrifié le moins du monde les problèmes de la forme à la chaleur de son message. Une construction simultanéiste de la surface peinte discipline chez lui l'ardeur des bleu de nuit et des orangés, ordonnant dans un espace unique les divers plans d'un visage de femme aux facettes de bouquets multicolores. Il accentuera plus encore, en lignes géométriques, l'espace de ses compositions.

C WALCH

Bibliogr. : René Huyghes : *Les Contemporains*, Tisné, Paris, 1949 – Bernard Dorival : *Les Peintres du XXe siècle*, Tisné, Paris, 1957 – Raoul-Jean Moulin, in : *Diction. Univers. de l'Art et des Artistes*, Hazan, Paris, 1967 – in : *Les Muses*, Grange Batelière, Paris, 1974 – in : *Dictionnaire universel de la peinture*, Le Robert, Paris, 1975 – Lydia Harambourg, in : *L'École de Paris 1945-1965. Diction. des Peintres*, Ides et Calendes, Neuchâtel, 1993.

Musées : Lyon (Mus ;) : *Les Marionnettes* – Paris (Mus. Nat. d'Art Mod.) : *La Luge* 1936 – Paris (Mus. d'Art Mod. de la Ville) : ensemble important de peintures.

Ventes Publiques : Paris, 21 jan. 1949 : *Chanteurs parisiens* : **FRF 14 000** – Paris, 5-6 juin 1956 : *La barque* 1945, aquar. : **FRF 132 000** – Paris, 14 déc. 1960 : *Vase de fleurs au jardin* : **FRF 10 100** – Versailles, 5 juin 1962 : *Jeune femme au vase de fleurs* : **FRF 4 500** – Paris, 12 juin 1964 : *La femme au bouquet*, gche : **FRF 15 000** – Versailles, 9 juin 1969 : *Fleurs et fruits dans un paysage* : **FRF 10 000** – Paris, 10 fév. 1971 : *Femme au bouquet*, gche : **FRF 5 000** – Paris, 25 mars 1971 : *Table fleurie dans un paysage* : **FRF 20 000** – Versailles, 2 déc. 1973 : *Mère et enfants dans l'intérieur au grand bouquet* : **FRF 13 800** – Versailles, 6 avr. 1974 : *Personnages au jardin*, aquar. : **FRF 10 000** – Versailles, 8 déc. 1974 : *Fleurs et jeunes femmes* : **FRF 15 000** – Paris, 22 juin 1976 : *La marchande de fleurs*, h/t (38x46) : **FRF 8 000** – Versailles, 22 juin 1977 : *Le goûter*, h/pan., parqueté (27,5x46) : **FRF 9 000** – Paris, 24 nov. 1978 : *Le bouquet annonciateur*, h/t (73x163) : **FRF 20 000** – Paris, 26 nov 1979 : *Couple au bouquet*, gche (48x55) : **FRF 5 700** – Paris, 23 avr 1979 : *Scène champêtre*, h/t (89x116) : **FRF 25 500** – Versailles, 3 juin 1981 : *Le Village enneigé*, h/t (50x61) : **FRF 28 500** – Versailles, 13 juin 1984 : *Couturières près du bouquet*, h/t (50x61) : **FRF 20 500** – Paris, 11 oct. 1988 : *Les jardiniers*, h/t (46x38) : **FRF 50 100** – Paris, 19 mars 1989 : *Après-midi* 1934, h/t (54x65) : **FRF 43 500** – Paris, 9 avr. 1989 : *Composition à la table fleurie*, h/t (81x65) : **FRF 70 000** – Paris, 26 mai 1989 : *Paysage*, gche (25x35) : **FRF 4 800** – Paris, 4 mai 1990 : *Joies Florales*, h/t (35x27) : **FRF 25 000** – Paris, 14 nov. 1990 : *Bouquet au vase bleu* 1945, gche (37,5x31) : **FRF 12 000** – Paris, 7 déc. 1990 : *Femme au vase de roses*, gche (63x48) : **FRF 45 000** – Fontainebleau, 16 juin 1991 : *Jeune femme au divan* 1940, h/t (65x54) : **FRF 48 000** – Paris, 27 mars 1992 : *Sur le jardin*, h/pan. (33x45) : **FRF 14 200** – Paris, 24 juin 1992 : *Composition décorative au bouquet*, gche/pap./t. (120x240) : **FRF 85 000** – Paris, 4 déc. 1992 : *Le jardinier*, h/t (54x65) : **FRF 37 000** – Paris, 6 avr. 1993 : *La conversation devant le bouquet de fleurs*, h/t (54x65) : **FRF 27 000** – Paris, 22 déc. 1993 : *Le couple et bouquet de fleurs dans un paysage*, h/t (81x65) : **FRF 45 000** – Paris, 10 avr. 1995 : *Scène familiale*, h/pap./t. (37,5x46) : **FRF 36 000** – Paris, 15 mai 1996 : *L'Aubette*, h/t (80x100) : **FRF 61 000** – Paris, 5 juin 1996 : *Au balcon*, h/pan. (54x46) : **FRF 19 000** – Paris, 27 juin 1997 : *La Maison rouge, femmes et enfant devant un bouquet de fleurs dans un vase*, h/t (81x64,5) : **FRF 43 000**.

WALCH Emanuel

Né le 28 août 1862 à Kaisers. Mort le 25 août 1897 à Tolblach. XIXe siècle. Autrichien.

Peintre.

Élève de L. Löfftz et d'Andreas Müller à Munich. Il peignit des tableaux d'autel, des fresques et des portraits pour des églises du Tyrol.

WALCH Fidelis

Né en 1830 à Imst. Mort à Bucarest. XIXe-XXe siècles. Autrichien.

Peintre.

Il fut élève de Kaulbach à Munich. Il travailla à Bucarest.

WALCH Georg

XVIIe siècle. Actif à Nuremberg de 1632 à 1654. Allemand.

Graveur au burin.

Il grava des portraits, des sujets religieux et des scènes historiques et fut l'un des premiers graveurs de son temps. Le Cabinet d'estampes du Musée Germanique de Nuremberg conserve de nombreuses œuvres de cet artiste.

WALCH Jacob. Voir **BARBARI Jacopo de'**

WALCH Johann

Né le 26 novembre 1757 à Kempten. Mort le 23 mars 1816 à Augsbourg. XVIIIe-XIXe siècles. Allemand.

Peintre, dessinateur, graveur au burin et miniaturiste.

Il fit ses études à Genève, à Vienne et à Rome. Il a surtout peint des portraits au miniature à l'aquarelle. Le Musée de Dresde conserve de lui une miniature (*Portrait de l'archiduc Charles d'Autriche*), et le Musée Municipal de Munich, *Portrait du curé Gottlieb Tobias Wilhelm*.

WALCH Johann ou **Hans Philipp**

XVIIe siècle. Actif à Nuremberg. Allemand.

Graveur au burin et éditeur.

Peut-être père ou frère de Georg Walch. Il grava des scènes historiques et des allégories.

WALCH Johann Sebastian Lorenz

Né le 17 avril 1787 à Augsbourg. Mort le 9 décembre 1840 à Augsbourg. XIXe siècle. Allemand.

Portraitiste, miniaturiste, graveur et peintre verrier.

Fils de Johann Walch. Il peignit d'abord, comme son père, des portraits en miniature, puis s'adonna presque exclusivement à la peinture sur vitraux. Il restaura les verrières de la cathédrale d'Augsbourg.

WALCH Josef

XVIIIe siècle. Actif au Tyrol. Autrichien.

Sculpteur.

Il sculpta les anges du maître-autel de l'église de Fiss.

WALCH Martin ou **Walckh**

XVe-XVIe siècles. Allemand.

Enlumineur.

Il enlumina une partie de la chronique du Concile de Constance en 1503.

WALCH Rudolf

XIXe siècle. Actif dans la seconde moitié du XIXe siècle. Autrichien.

Peintre.

Il a peint trois panneaux de la chaire de l'église St. Katharinenberg.

WALCH Thomas

Né le 29 décembre 1867 à Imst. Mort en 1943. XIXe-XXe siècles. Autrichien.

Peintre de scènes typiques.

Élève de Defregger à l'Académie de Munich, dont il imita la manière. Les Musées d'Innsbruck conservent des peintures de cet artiste.

Ventes Publiques : Lindau, 6 mai 1981 : *Die Traudel*, h/t (40x29) : **DEM 4 200** – Zurich, 29 oct. 1983 : *Femmes aux rouets*, h/pan. (49x69) : **CHF 4 000** – Munich, 23 juin 1997 : *Jeune Tyrolienne*, h/t (77,5x47) : **DEM 10 800**.

WALCHARTZ. Voir **WALSCHARTZ**

WALCHER Georg Jacob

Né à Leoben. XVIIe siècle. Travaillant à Graz en 1660. Autrichien.

Sculpteur.

WALCHER Jacques François

Né le 12 juillet 1793 à Paris. Mort en 1877 à Paris. XIXe siècle. Français.

Sculpteur et dessinateur.

Frère de Philipp Jacob Walcher et élève de l'Académie des

Beaux-Arts de Paris. Le Musée de Reims conserve de lui *Colbert*, statuette.

WALCHER Joseph Adolphe Alexandre
Né le 20 octobre 1810 à Paris. XIXe siècle. Français.
Sculpteur.
Élève de Cortot à l'Académie des Beaux-Arts de Paris. Il exposa au Salon de 1840 à 1849.

WALCHER Philipp Jacob
Mort vers 1835 à Paris. XIXe siècle. Français.
Sculpteur.
Originaire de Lorraine, il se fixa à Paris en 1785.

WALCKH Martin. Voir **WALCH**

WALCKIERS Gustave
Né le 17 mars 1831 à Bruxelles. Mort le 4 mars 1891 à Bruxelles. XIXe siècle. Belge.
Peintre de genre, paysages urbains.
Le Musée d'Anvers conserve de lui *La rue de la Régence à Bruxelles*, celui de Bruxelles, *La place Sainte-Catherine à Bruxelles en* 1890, le Musée de Courtrai, *La Grand-Place de Bruxelles*, celui de Liège, *Vue du boulevard du Nord à Bruxelles*, et celui de Tournai, *La rue Royale à Bruxelles*. Il a exposé au Salon.

Ventes Publiques : Paris, 6 nov. 1942 : *Vue de Bruxelles* : **FRF 320** – New York, 11 fév. 1981 : *Scène de marché* 1873, h/t (93x71) : **USD 5 250** – Londres, 8 juin 1983 : *Bruxelles, la Grande Place*, h/t (99x78) : **GBP 1 600**.

WALCOT William
Né en 1874 à Odessa. Mort en 1943. XIXe-XXe siècles. Britannique.
Aquarelliste de sites urbains, graveur, dessinateur, illustrateur.
Il fut élève de l'Académie de Saint-Pétersbourg et de l'Académie des Beaux-Arts de Paris. Il peignit et grava surtout des vues. Il a également illustré *Hérodias, Salammbô*, de Gustave Flaubert. Il gravait à l'eau-forte.

W Walcot

Ventes Publiques : Londres, 22 mars 1922 : *St Johns' College à Oxford*, aquar. : **GBP 36** ; *Le Forum à Rome*, aquar. : **GBP 41** – Londres, 27 avr. 1923 : *Intérieur de la cathédrale de Southwark*, dess. : **GBP 37** – Londres, 12 oct. 1973 : *Vues de Venise*, deux panneaux : **GNS 550** – Londres, 12 juil. 1974 : *Intérieur de Saint-Pierre de Rome* : **GNS 950** – Londres, 17 mars 1976 : *Mansion House*, gche et cr. (50,5x55,5) : **GBP 180** – Londres, 30 mars 1983 : *Trafalgar Square*, aquar. reh. de gche (43x67) : **GBP 780** – Londres, 30 mars 1983 : *Temple of Artemis* 1916, h., pl. et cr./cart. (46x67) : **GBP 1 600** – Londres, 26 sep. 1985 : *Bernini's columns, St. Peter's, Rome* 1912, aquar./trait de cr. (48x48) : **GBP 1 600** – Londres, 30 sep. 1986 : *Picadilly Circus* 1934, aquar. et pl. (46x61) : **GBP 2 600** – Londres, 27 oct. 1987 : *The Mansion House*, aquar. et cr. reh. de blanc (16,2x27) : **GBP 1 800** – Édimbourg, 22 nov. 1988 : *La plage de Swanage* 1918, h/cart. (21,5x29,3) : **GBP 7 500** – Londres, 2 mars 1989 : *Personnages sur les marches d'un temple*, h/t (50x57,5) : **GBP 2 200** – Glasgow, 6 fév. 1990 : *Le pont de Forth*, aquar. et sanguine/cr. (34x55) : **GBP 990** – Londres, 12 juin 1992 : *L'Arc de Wallington à Constitution Hill*, cr., aquar. et gche (41,9x54) : **GBP 2 860** – Londres, 5 nov. 1993 : *King's College à Cambridge*, cr., aquar. et gche (24,5x31,2) : **GBP 1 495**.

WALCOTT Harry Mills
Né le 16 juillet 1870 à Torringford (Connecticut). Mort en 1944. XIXe-XXe siècles. Américain.
Peintre de genre, pastelliste.
Il fut élève, à New York, de la National Academy, puis, à Paris, de Benjamin-Constant, à l'Académie Julian. Associé de la National Academy en 1903. Il reçut une mention honorable à Paris, au Salon de 1897, une médaille de bronze à Buffalo en 1901, une mention honorable à Pittsburgh en 1904, et une médaille d'argent à Saint Louis en 1904. On voit de lui *Lièvre et chiens* à l'Art Association de Richemond.
Ventes Publiques : New York, 1er déc. 1988 : *La course des enfants*, past./pap. (63,5x84,5) : **USD 24 200** – New York, 24 mai 1990 : *La chasse aux papillons* 1921, h/t (68,5x91,4) : **USD 44 000**.

WALCZAK Ireneusz
Né en 1960. XXe siècle. Polonais.
Peintre de compositions à personnages.
Diplômé de l'Académie des Beaux-Arts de Cracovie, il est l'assistant du professeur Jack Rykaly. Il a obtenu le Grand Prix du concours *Pomorski*. Il expose personnellement au Canada, en Finlande et en Suède.

WALD Emanuel, appellation erronée. Voir **WALCH Emanuel**

WALD Jakob
Né le 25 juillet 1860 à Mauthen. Mort le 29 décembre 1903 à Klagenfurt. XIXe siècle. Autrichien.
Sculpteur.
Élève de Rudolf Weyr à Vienne. Il travailla à Klagenfurt.

WALDAU Georg
Mort en 1674. XVIIe siècle. Suédois.
Peintre.
Il travailla pour la Cour de la reine Christine de Suède.

WALDAU Grete
Née le 14 mars 1868 à Breslau. XIXe siècle. Allemande.
Peintre d'architectures.
Élève de Streckfuss et de Carl Graeb à Berlin. Elle exécuta surtout des peintures murales.
Musées : Breslau, nom all. de Wroclaw : Cinq vues de Breslau – Gleiwitz : *Vue de Königshutte* – Vienne (Gal. Liechtenstein) : *L'église Saint-Sébald à Nuremberg* – Wilhelmshaven : *Châteaux*.

WALDAU Jakob
XVIIIe siècle. Travaillant à Kartlkrona en 1701. Suédois.
Sculpteur.

WALDBERG Isabelle
Née le 10 mai 1917 à Oberstammheim (Suisse). Morte le 12 avril 1990 à Chartres (Eure-et-Loir). XXe siècle. Depuis 1936 active en France. Suisse.
Sculpteur. Surréaliste, puis abstrait.
Née en Suisse dans une famille d'agriculteurs du canton de Thurgovie, Isabelle Waldberg s'est fixée à Paris dès 1936. Après avoir travaillé dans l'atelier de Hans Meyer à Zurich et fait des études d'art à Florence, elle vint à Paris où elle fut de 1936 à 1938 élève de Gimond, Wlérick et Malfray ; mais sa curiosité ne se borna pas à l'acquisition d'une technique solide de la sculpture telle qu'on la concevait alors. Isabelle Waldberg s'inscrivit à la Sorbonne pour s'initier à la sociologie et à l'art des peuples primitifs, tout en fréquentant les milieux d'avant-garde où elle rencontra, notamment, Alberto Giacometti et Jean Arp. Son intérêt pour la sociologie la rapprocha aussi de Georges Bataille dont l'influence sur la pensée de cette époque fut considérable. Elle se maria avec le critique Patrick Waldberg. Le séjour d'Isabelle Waldberg à New York de 1941 à 1946 la mit en contact avec André Breton, Marcel Duchamp, Max Ernst. Elle adhéra au groupe surréaliste. Elle retourna en France après la guerre. Elle a été professeur à l'École des Beaux-Arts de Paris à partir de 1973.
Elle participa à Paris à l'Exposition internationale du Surréalisme en 1947 ainsi qu'à l'exposition surréaliste au Musée de Sarrebruck en 1952, à l'exposition de la *Sculpture de fer* au musée de Berne en 1955 et à l'exposition internationale du *Mouvement* aux Musées d'Art moderne d'Amsterdam et de Stockholm en 1961. Elle exposa également, à Paris, au Salon de la Jeune Sculpture depuis sa fondation en 1949, aux Réalités Nouvelles, à Comparaisons, à Grands et Jeunes d'Aujourd'hui et, surtout, au Salon de Mai dont elle fut membre du comité directeur. Elle a pris également part à des expositions de groupe à Zurich, Lausanne, Milan, Vérone, Florence, Copenhague, Cologne, Munich, au Japon, etc.
Elle fit dans le musée de Peggy Guggenheim, *Art of This Century*, sa première exposition personnelle de constructions de tiges de bois flexibles en 1943, puis d'autres expositions personnelles à Paris en 1946 (galerie Jeanne-Bucher), 1952, 1960, 1962 (Musée Bourdelle), 1969, et 1976, de même qu'à la Maison de la Culture d'Amiens en 1967 et à celle de Colombes en 1973, à l'Hôtel de Ville de Paris en 1978, une exposition rétrospective en 1981 à Berne, une autre en 1983 à la galerie Artcurial à Paris.

Elle obtint un grand prix de sculpture de la ville de Zurich en 1935, le Prix de la Fondation Copley en 1959, le Prix Susse en 1960 et le Prix Bourdelle en 1961.
Aux États-Unis, elle assista à la naissance du nouvel art américain que créaient Gorky, Motherwell, Pollock, stimulés par la présence de Max Ernst, Masson et Matta. Période d'activité intense pour Isabelle Waldberg qui puise son inspiration dans l'art des Indiens et des Eskimos. On ne peut résumer l'évolution d'Isabelle Waldberg en notant simplement que dans les années cinquante elle est passée du bois au fer, puis au liège, au plâtre et au bronze. Les modulations structurelles de sa sculpture expriment son incessant effort dans le sens de la plénitude des formes, de l'ampleur des volumes et de la modernité de l'expression. Elle s'est forgé un style très personnel qui reste à la fois surréaliste par sa conception de l'imaginaire et non-figuratif, bien que les préoccupations charnelles n'en soient jamais absentes.
Bibliogr. : *Les Sculpteurs Célèbres*, Paris, 1954 – M. Seuphor : *La Sculpture de ce siècle*, Neufchâtel, 1959 – Marcel Jean : *Histoire de la peinture surréaliste*, Paris, Seuil, 1959 – D. Chevalier : *Dictionnaire de la Sculpture Moderne*, Hazan, Paris, 1960 et 1970 – R. de Solier : *Isabelle Waldberg* Paris, 1960 – José Pierre : *Le Surréalisme* Hazan, Paris, 1975 – in : *L'Art du xxe siècle*, Larousse, Paris, 1991 – in : *Dictionnaire de l'art moderne et contemporain*, Hazan, Paris, 1992.
Musées : Paris (Mus. Nat. d'Art Mod.) : *Construction*, bois – *La Glyptothèque*, bronze – Paris (Mus. d'Art Mod. de la Ville) : *Babylone*, bronze – *La Table de Trois*, bronze.
Ventes Publiques : Paris, 6 déc. 1966 : *Le Carcan*, bronze : **FRF 4 000** – Paris, 12 mars 1969 : *Suivi de*, bronze : **FRF 3 000** – Paris, 22 avr. 1986 : *Personnage au bouclier*, bronze patine verte (H. 25) : **FRF 7 000** – Paris, 22 mai 1989 : *Personnage*, bronze à patine brune (22x6x42) : **FRF 5 000** – Paris, 23 avr. 1990 : *Projet de sculpture*, cr. encre et reh. de gche (46,5x62) : **FRF 5 000** – Paris, 20 mai 1994 : *Le sextant* 1954, sculpt. (H. 105) : **FRF 41 000**.

WALDBERGER Wolfgang
Né en 1546 à Nördlingen. Mort le 28 mai 1622 à Nördlingen. xvie-xviie siècles. Allemand.
Sculpteur et architecte.
Il travailla pour la ville de Nördlingen et sculpta des tombeaux, des armoiries et des ornements.

WALDBURGER Hans
Né vers 1570 à Innsbruck. Mort avant le 12 août 1630 à Salzbourg. xvie-xviie siècles. Autrichien.
Sculpteur.
Élève de Hans Leonhard Waldburger. Il travailla à Salzbourg où il sculpta surtout des autels et des ornements. Il fut un des maniéristes les plus importants de son époque.

WALDBURGER Hans Leonhard ou **Walburger** ou **Walpurger** ou **Waltpurger**
Né vers 1543 à Augsbourg. Mort le 26 août 1622 à Innsbruck. xvie-xviie siècles. Autrichien.
Sculpteur.
Il travailla pour la Cour d'Innsbruck de 1571 à 1595.

WALDE Alfons
Né le 8 février 1891 à Oberndorf (près de Kitzbühl). Mort en 1958 à Kitzbühl. xxe siècle. Autrichien.
Peintre de compositions animées, scènes typiques, portraits, paysages, paysages animés.
Il fut élève de l'Académie de Vienne. Il exposa à partir de 1913. Il était également architecte. Il vécut et travailla à Kitzbühl. Skieur émérite, il peignait au cours de ses expéditions des types de montagnards tyroliens.

Musées : Innsbruck (Ferdinandeum) : *Course de traîneaux* – *Paysage d'hiver* – Kitzbühl (Heimat Mus.) : *Almen in Schnee* 1926 – Nuremberg (Mus. mun.) : *Portraits du sculpteur G. Ambrosi et du poète A. Petzold.*
Ventes Publiques : Vienne, 4 déc. 1968 : *Paysage de neige* : **ATS 25 000** – Vienne, 5 déc. 1973 : *Chalet dans un paysage de neige* : **ATS 90 000** – Vienne, 4 déc. 1974 : *Paysage du Tyrol* : **ATS 150 000** – Vienne, 17 sep. 1976 : *Le Cimetière* 1937, h/cart. (36x30,5) : **ATS 55 000** – Vienne, 18 mars 1977 : *Nu de dos au bas noirs* 1918, techn. mixte (42x28) : **ATS 30 000** – Vienne, 23 sep. 1977 : *Portrait de Lilian Lenz*, h/cart. (23,5x18,5) : **ATS 32 000** – Vienne, 13 juin 1980 : *La compétition de saut à skis, Kitzbühl*, techn. mixte (56,5x45) : **ATS 220 000** – Vienne, 12 nov. 1980 : *Paysage d'hiver*, h/cart. (49x70,5) : **ATS 220 000** – Vienne, 16 sep. 1981 : *Les Montagnards* 1934, h/cart. (34x52) : **ATS 250 000** – Vienne, 16 mars 1982 : *Bouquet de fleurs dans un vase*, techn. mixte (89x62,5) : **ATS 60 000** – Londres, 7 déc. 1983 : *Tauernhof-Kitzbühl, Tyrol* 1932, h/t (49,5x69,8) : **GBP 8 800** – Vienne, 31 mars 1984 : *Les Joies du ski*, techn. mixte/cart. (28,5x23,9) : **ATS 100 000** – Vienne, 18 juin 1985 : *Paysage d'hiver, Tyrol*, techn. mixte/pap. (42x29) : **ATS 65 000** – Londres, 30 juin 1987 : *Tiroler Bauernhof am Kaisergebirge* 1935, h/cart. (33x52,5) : **GBP 20 000** – Londres, 24 fév. 1988 : *Chalet au Tyrol*, h/cart. (39x46) : **GBP 11 550** – New York, 6 oct. 1989 : *La maison isolée*, h/cart. (70x49,5) : **USD 41 250** – Londres, 3 avr. 1990 : *Salle d'auberge*, h/cart. (55x61) : **GBP 44 000** – Londres, 17 oct. 1990 : *Chalets de montagne*, h/cart. (33,5x52,5) : **GBP 29 700** – Londres, 26 juin 1991 : *Paysage d'hiver*, h/cart. (42,5x67) : **GBP 39 600** – Londres, 16 oct. 1991 : *Sur le chemin de l'église le dimanche des Rameaux*, h/cart. (25,5x28,5) : **GBP 15 400** – Amsterdam, 12 déc. 1991 : *L'été au Tyrol* 1935, h/cart. (38x28) : **NLG 73 600** – Londres, 25 mars 1992 : *Village tyrolien (Aurach)*, h/cart. (60x42) : **GBP 33 000** – Munich, 25 juin 1992 : *Lotte dansant*, cr./pap. transparent (15x10) : **DEM 3 164** – Paris, 17 nov. 1992 : *Personnage dans un village du Tyrol*, h/t (75,5x55) : **FRF 140 000** – Londres, 2 déc. 1992 : *Fin de l'hiver* 1932, h/cart. (48x70) : **GBP 38 500** – Amsterdam, 8 déc. 1993 : *Paysans*, h/cart. (32x23) : **NLG 28 750** – Zurich, 7 avr. 1995 : *Village du Tyrol en été* 1935, h./contre-plaqué (47x54,5) : **CHF 70 000** – Londres, 11 oct. 1995 : *Rue de village au Tyrol* 1931, h/t (75x120) : **GBP 117 000** – Londres, 26 juin 1996 : *L'Église d'Aurach*, h/cart. (60x42,2) : **GBP 69 700** – Londres, 9 oct. 1996 : *Idylle hivernale* 1935, h/cart. (42x52) : **GBP 47 700** – Londres, 4 déc. 1996 : *Trattalmen* vers 1925, h/cart. (40x30) : **GBP 60 900**.

WALDE Martin
Né en 1957. xxe siècle. Autrichien.
Peintre, technique mixte, dessinateur, créateur d'installations. Tendance conceptuelle.
Il vit et travaille à Vienne. Il expose à la galerie Krinzinger à Vienne et à la galerie Camomille à Bruxelles. Il a montré un ensemble de ses œuvres à la galerie Sylvana Lorenz en 1996 à Paris.
Il travaille principalement la notion d'espace à partir de formes concaves et convexes, difficiles à percevoir, sur des surfaces planes, mais aussi les effets psychologiques déroutants des objets, comme le déversement au sol d'une matière gélatineuse ou l'utilisation de fouets dans une de ses réalisations.

WALDECK. Voir **WALLBECK-HALLGREN Thorgny Andreas**

WALDECK Carl Gustav
Né le 13 mars 1866 à Saint Charles. xixe siècle. Actif à Saint-Louis. Américain.
Portraitiste.
Élève des Académies de Saint Louis et de Paris. Le Musée Municipal de Saint Louis conserve deux peintures de cet artiste.

WALDECK Ian
xxe siècle. Sud-Africain.
Artiste.
Il a participé en 1995 à la Biennale *Africus* de Johannesburg.

WALDECK Jean Frédérich Maximilien de ou **Johann Friedrich Maximilian**, comte
Né le 17 mars 1766 à Prague. Mort le 30 mai 1875 à Paris. xviiie-xixe siècles. Autrichien.
Peintre de portraits et d'histoire.
Élève de Vien, de David et de Prud'hon. Il exposa au Salon de 1855 à 1870.

WALDEGRAVE C.
xviiie siècle. Actif à Londres dans la seconde moitié du xviiie siècle. Britannique.
Paysagiste.
Il exposa à Londres de 1769 à 1776.

WALDEMANN. Voir **WALDMANN**

WALDEMAR CHRISTIAN de Schleswig-Holstein, comte
Né le 26 juin 1622 à Fredericksborg. Mort le 29 février 1656 à Lublin. xviie siècle. Danois.
Peintre et aquafortiste.
Fils naturel du roi Christian IV de Danemark.

WALDEN Lionel
Né le 22 mai 1861 à Honolulu. Mort en 1933 à Norwich (Connecticut). XIXe-XXe siècles. Américain.
Peintre de genre, paysages, paysages animés, marines. Postimpressionniste, puis tendance naturaliste.
Il vint travailler dans l'atelier de Carolus-Duran à Paris et figura au Salon des Artistes Français, obtenant une mention honorable en 1899 et une médaille de troisième classe en 1903. Médaille d'argent à l'Exposition universelle de 1900. Il reçut la Légion d'honneur en 1910.
Après avoir peint des paysages sous des effets de lumière impressionniste, il donna une structure plus naturaliste à ses sujets.
Bibliogr. : Gérald Schurr, in : *Les Petits Maîtres de la peinture 1820-1920, valeur de demain*, Les Éditions de l'Amateur, t. IV, Paris, 1979.
Musées : Cardiff : *Clair de lune.*
Ventes Publiques : Paris, 28 juin 1944 : *Les moissonneurs* : **FRF 650** – Paris, 10 juil. 1983 : *Sillage*, h/t (104x210) : **FRF 38 000** – New York, 14 nov. 1985 : *Moor with scimitar*, aquar. (68,5x40,7) : **USD 1 900** – New York, 21 mai 1991 : *Brisants au soleil couchant*, h/t (132,1x196,9) : **USD 1 870**.

WALDENBURG Alfred von
Né le 17 décembre 1847 à Berlin. XIXe siècle. Allemand.
Paysagiste.
Élève de Franz Adam et de Ad. Lier à Munich, puis de Gude à Karlsruhe. Après des voyages en Italie, en Suisse et dans le Tyrol, il s'établit à Düsseldorf. Il exposa à Munich en 1874. Il a peint, notamment, des sites d'Italie. Le Musée de Strasbourg conserve de lui *Dans la vallée de Zillev* et *Le Lac de Cluein.*

WALDER Hans I
Né en 1549. Mort en 1592. XVIe siècle. Suisse.
Peintre et verrier.
Il travailla pour la ville de Zurich.

WALDER Hans II
Né en 1569. XVIe siècle. Suisse.
Peintre et verrier.
Fils de Hans I Walder. Il exécuta des vitraux pour la ville de Zurich.

WALDER-UNGER Margit. Voir **UNGER Margit**

WALDGRAVE C. Voir **WALDEGRAVE**

WALDHAUSER Anton
Né le 17 mars 1835 à Wodnian. Mort le 30 octobre 1913 à Deutsch-Bord. XIXe-XXe siècles. Autrichien.
Peintre.
Musées : Prague (Rudolfinum) : quatre cent trente-cinq œuvres.

WALDHERR Franz Christian
Né le 27 octobre 1784 à Saaz. Mort le 15 novembre 1835 à Prague. XIXe siècle. Autrichien.
Peintre.
Élève de Joseph Bergler à Prague et son imitateur. Il peignit des sujets religieux.

WALDHÜTER Sigmund ou **Walhueter**
XVIe siècle. Actif à Prague et à Innsbruck de 1563 à 1575. Autrichien.
Peintre.
Il illustra des livres de tournois et travailla pour le château d'Innsbruck.

WALDIE Jane. Voir **WATTS**

WALDINGER Adolf
Né en 1843. Mort en 1904 à Osijek. XIXe siècle. Autrichien.
Peintre.
Élève de l'Académie de Vienne. Il peignit des paysages réalistes.

WALDIS Anton
Né le 7 février 1863 à Schwyz. XIXe siècle. Suisse.
Peintre et dessinateur.

WALDIS-STOCKER Isidor
Né le 28 janvier 1871 à Weggis. XIXe-XXe siècles. Suisse.
Dessinateur.
Il vécut et travailla à Zoug.

WALDKIRCH Laurenz von
Né le 13 février 1659 à Schaffhouse. Mort le 29 mars 1707 à Schaffhouse. XVIIe siècle. Suisse.
Peintre de portraits et imprimeur.

WALDMAN Paul
Né en 1936 en Pennsylvanie. XXe siècle. Américain.
Sculpteur, graveur, lithographe.
Il traite exclusivement la forme humaine, dans un monde fait de symbolisme érotique et irréel. Ses compositions lithographiques ou « boîtes » sont intitulées *Voyages.* Les surfaces intérieures blanches de ces boîtes tridimensionnelles sont recouvertes d'un assemblage d'éléments découpés dans des gravures lithographiées et soigneusement raccordés entre eux. La boîte est ensuite recouverte d'une feuille de plastique transparent.

WALDMANN Johann Josef
Né le 14 mars 1676 à Innsbruck. Mort le 25 octobre 1712 à Innsbruck. XVIIIe siècle. Autrichien.
Peintre.
Fils de Michael II Waldmann. Il peignit dans le style du baroque précoce, des tableaux d'autel pour plusieurs églises d'Innsbruck et du Tyrol, ainsi que des façades décorées.

WALDMANN Kaspar
Né le 15 juillet 1657 à Innsbruck. Mort le 18 novembre 1720 à Innsbruck. XVIIe-XVIIIe siècles. Autrichien.
Peintre de fresques.
Fils de Michael I Waldmann. Le plus important des peintres de plafonds du Tyrol de son époque. On trouve ses œuvres dans de nombreuses églises et châteaux du Tyrol.

WALDMANN Michael I
Né vers 1605 près de Fribourg. Mort le 25 mars 1658 à Innsbruck. XVIIe siècle. Actif à Innsbruck. Autrichien.
Peintre.
Il se fixa à Innsbruck en 1629 et y travailla pour la Cour. Il peignit des sujets religieux et des décors.

WALDMANN Michael II
Né le 2 juillet 1640 à Innsbruck. Mort le 11 mai 1682 à Innsbruck. XVIIe siècle. Autrichien.
Peintre.
Il peignit des tableaux d'autel et des décorations. Le Musée Ferdinandeum conserve des dessins de cet artiste.

WALDMANN Oscar
Né le 25 juin 1856 à Genève. XIXe siècle. Suisse.
Sculpteur.
Élève de Gardet à Paris. Mention honorable en 1891, médaille d'argent en 1900 (Exposition Universelle). Il exposa à Paris à partir de 1885. Le Musée d'Art de Genève possède de lui *Victoire de l'Art sur la Force*, groupe.

WALDMÜLLER Ferdinand
Né le 1er septembre 1816 à Brunn. Mort le 11 mars 1885 à Vienne. XIXe siècle. Autrichien.
Peintre de portraits.
Fils de Ferdinand Georg Waldmüller, il fut élève de l'Académie des Beaux-Arts de Vienne. Il eut également une importante activité de compositeur.
Musées : Brême (Kunsthalle).

WALDMÜLLER Ferdinand Georg
Né le 15 janvier 1793 à Vienne. Mort le 23 août 1865 à Hinterbrühl, près de Vienne. XIXe siècle. Autrichien.
Peintre de genre, portraits, intérieurs, paysages, paysages d'eau, natures mortes, fleurs et fruits, lithographe. Tendance néoclassique.
Ses parents le destinaient à la vie religieuse, mais son goût pour la peinture l'emporta. Il fut élève de l'Académie des Beaux-Arts de Vienne dans les ateliers de Maurer et Lampi. En 1835, il fut nommé conseiller académicien. Il épousa une actrice et la suivit dans ses tournées jusqu'à ce qu'elle se fixât à Vienne. Il exposa à Vienne en 1832. On put voir de ses œuvres en 1994 à l'exposition *Chefs-d'œuvre du Belvédère de Vienne* au musée Marmottan à Paris.
Dans ses portraits, il s'inspira de la manière de Thomas Lawrence. En tant que portraitiste et peintre d'intérieurs, il exprime la façon charmante et peu aventureuse dont les Autrichiens de l'époque Biedermeier ressentirent les derniers échos du romantisme. Paysagiste, il décrit gracieusement les chemins couverts des forêts viennoises, les éclairages brumeux et ensoleillés sur la ville. A l'époque des grands paysagistes tragiques du romantisme allemand, on trouvait donc aussi des petits maîtres à l'inspiration idyllique.
Bibliogr. : Marcel Brion : *La peinture allemande*, Tisné, Paris, 1959.
Musées : Belgrade : *Mr et Mme Tatischek* – Berlin : *Après l'école – Le capitaine von Stierle Holzmeister – Aloisia, fille de l'artiste – Fleurs – Retour de l'église – Mère et enfant – Coup d'œil sur Ischl –*

Paysage du Prater – La tante de l'artiste – Avant le printemps, forêt de Vienne – Brême : *Portrait d'homme – Monsieur Lorenz* – Breslau, nom all. de Wroclaw : *L'adoption* – Budapest : *Portrait d'une dame – Emmanuel Szentgyörgyi – Mme Szentgyörgyi – Portrait d'un vieillard – Mendiant – Le stéréoscope* – Cologne : *La table d'anniversaire* – Dresde : *Portrait d'une dame – Mademoiselle Joséphine Johannes – Après la saisie* – Düsseldorf (Mus. mun.) : *Portrait d'une dame* – Essen : *Joies d'une grand-mère* – Francfort-sur-le-Main : *Paysage du Tyrol – Couple de paysans* – Graz : *Bonheur maternel – Tête de jeune fille – Jeune fille lisant – Recherche d'un abri avant la tempête* – Hambourg : *Garçon avec une lanterne – Deux vues du Prater de Vienne – Le retour du soldat – Fillettes et garçons* – Hanovre : *Le baron Moser* – Kaliningrad, ancien. Königsberg : *Après-midi du dimanche* – Kassel : *La fleuriste* – Munich : *Moulin au bord du Königssee – Portrait d'une dame âgée – Portrait d'une dame – Jeune homme avec chien de chasse dans un paysage de montagnes – Paysage crépusculaire avec des chèvres – Printemps dans la forêt de Vienne – Matinée de dimanche – La réconciliation – Mère et enfant sous un sureau en fleur* – Nuremberg (Mus. mun.) : *La cascade du Velino près Terni – Anton Mayr – Mathias Feldmüller – Approche du printemps dans la forêt de Vienne* – Prague (Gal. Mod.) : *Portrait d'un monsieur* – Salzbourg (Mus. mun.) : *George Castell* – Stettin (Mus. mun.) : *La vente forcée – Le Lac de Hintersee avec le Hochkalter – M. Bayer, beau-frère de l'artiste* – Stuttgart (Gal. Nat.) : *Vieille femme se chauffant les mains – Le dernier veau* – Vienne (Gal. Albertina) : Miniature – Vienne (Gal. du xixe siècle) : *Mme Rosina Wiser – Portrait de l'artiste – Dame en blanc – La mère de l'artiste – Nature morte avec des roses – L'empereur Ferdinand Ier – Ruine romaine à Schönbrunn – Le désert de Rettenbach près d'Ischl – Mme Aloisia Eltz dans son fauteuil – Josefine Schaulburg – M. François Haury – La chaîne du Höllengebirge près d'Ischl – La famille Eltz – Mme von Stadler – La famille Mathias Kerzmann – Le Lac de Saint-Wolfgang – Mme Antonie Schaumburg – Dame en robe verte – Nature morte avec des fruits et des fleurs – Auguste Leidl-Pflügl – M. Schaumburg avec un enfant – Grappes de raisins – Noces au village de Perchtoldsdorf – Motta près de Taormine – L'artiste – La ruine de Liechtenstein – Vue du Prater de Vienne – La seconde femme de l'artiste – Roses et bleuets – La force épuisée – Bûcherons dans la forêt de Vienne – Le château de Wildegg – Le matin de la Fête-Dieu – La soupe du couvent – Après la confirmation – Les voisins – Départ de la mariée quittant la maison paternelle – Retour du travail – Voyage refusé* – Vienne (Gal. Liechtenstein) : *Les montagnes près de Saint-Wolfgang – Le Lac du Fuschlsee – Rue de Saint-Wolfgang – Le Hochkalter avec la vallée de Wimbach – Zell-am-See – Chemin menant à la Schmittenhöhe près de Zell-am-See – Le Lac de Zell avec la Mer de Pierres – Le théâtre antique de Taormine – Vue de Mödling – Le Temple de Vénus à Girgenti – Le Temple de la Concorde à Girgenti – Le château de Liechstenstein* – Vienne (Gal. mun.) : *Georg et Elisabeth Waldmüller – Portrait d'une dame – Le marchand de raisins – Elise Höfer – L'empereur François Ier – Le torrent de Strubb – Barbara Schickh – Alpage – Vue d'Ischl – Le batelier Feldmüller – L'alpage de Hutteneck – Départ du conscrit – Dame en blanc – Le Tsarévitch Alexandre reçoit le prince de Metternich – Emanuel von Neuwall – M. G. Schartz von Mohrenstern – Le poète Franz Grillparzer – L'artiste – L'anniversaire de grand-père – La saisie – La seconde femme de l'artiste dans ses atours de fiancée – L'architecte Ernst – La reine des roses – Le départ de la fiancée – En allant à la messe au printemps – Vue de Klosterneubourg – Rencontre dans la forêt – Attelage de bœufs – La Vente à l'encan.*

Ventes Publiques : Paris, 6-9 mars 1872 : *La Fête de Noël* : **FRF 16 500** – Vienne, 1878 : *A la sortie de l'école* : **FRF 7 750** – Paris, 1889 : *Le Retour au pays* : **FRF 6 000** – Paris, 28 et 29 nov. 1923 : *Une enfant dans son berceau gardée par sa sœur* : **FRF 14 500** – Francfort-sur-le-Main, 11-13 mai 1936 : *Vieux violoniste* : **DEM 6 200** – Londres, 24 sep. 1943 : *Chanson paysanne* : **GBP 420** – Paris, 28 juin 1944 : *Mères et filles en robes bleues* 1833, attr. : **FRF 520 000** – Vienne, 15 sep. 1949 : *Chasse à courre au crépuscule*, copie d'après Ruysdael : **ATS 5 000** – Paris, 17 mars 1950 : *Le concert viennois* : **FRF 6 900** – Genève, 6 mai 1950 : *L'heureuse mère* 1863 : **CHF 4 200** – Vienne, 15 mars 1951 : *Dans l'étable* : **ATS 28 000** ; *Portrait d'homme* 1827 : **ATS 6 000** – Hambourg, 29 mars 1951 : *Portrait de femme* 1827 : **DEM 1 200** – Brunswick, 27-28 nov. 1952 : *Jeune mère et son enfant dans un intérieur* 1851 : **DEM 2 500** – Vienne, 8-10 déc. 1952 : *Paysage*, copie d'après Ruysdael : **ATS 2 000** – Vienne, 4 déc. 1962 : *L'enfant à la blouse rouge* : **ATS 35 000** – Vienne, 3-6 déc. 1963 : *Portrait de l'artiste Bandini* : **ATS 50 000** – Vienne, 2 juin 1964 : *Paysage avec maisons, Hallstatter See* : **ATS 280 000** – Vienne, 13 sep. 1966 : *Le petit bouquet de fleurs* : **ATS 400 000** – Vienne, 14 mars 1967 : *Jeunes paysannes dans un paysage* : **ATS 500 000** – Vienne, 18 juin 1968 : *Le bouquet de fleurs* : **ATS 450 000** – Londres, 21 oct. 1970 : *Petits paysans jouant avec une vache dans une cour de ferme* : **GBP 15 000** – Vienne, 15 juin 1971 : *Le Bénédicité* : **ATS 350 000** – New York, 24 fév. 1972 : *Nature morte aux raisins* : **USD 23 000** – Munich, 9 mai 1973 : *Portrait de la baronne Suttner* 1825 : **DEM 54 000** – Londres, 6 mars 1974 : *Vue de Dachstein, Autriche* 1833 : **GBP 24 000** – New York, 15 oct. 1976 : *Vue du lac d'Aussee* 1834, h/pan. (31x26) : **USD 50 000** – Zurich, 20 mai 1977 : *Paysage de printemps dans la forêt viennoise* vers 1863, h/pan. (44x55,5) : **CHF 210 000** – Vienne, 18 sept 1979 : *Vue de Nago sur le lac de Garde*, h/cart. mar./t. (49x64,5) : **ATS 1 000 000** – Vienne, 17 mars 1981 : *Le Marchand de tabac* 1824, h/pan. (65x50) : **ATS 1 600 000** – Vienne, 12 sep. 1984 : *Portrait du peintre Götzloff* 1841, cr. reh. de blanc (19,4x14,4) : **ATS 45 000** – Lucerne, 8 nov. 1984 : *Grand-mère et petits-enfants dans un intérieur* 1857, h/pan. (54x43) : **CHF 220 000** – Cologne, 20 mai 1985 : *Die Begegnung* 1860, h/pan. (54,5x68,5) : **DEM 300 000** – Londres, 17 juin 1986 : *Une mère heureuse* 1854, h/pan. (56x42,5) : **GBP 85 000** – Cologne, 19 nov. 1987 : *Le réveil des enfants*, h/pan. parqueté (55,5x44,5) : **DEM 400 000** – Vienne, 23 fév. 1989 : *Portrait d'une jeune femme en robe blanche*, aquar./ivoire (6,7x5,4) : **ATS 220 000** ; *Portrait de l'acteur Carl Wilhelm Lucas* 1839, h/pan. (31,6x26,5) : **ATS 330 000** – Londres, 20 juin 1989 : *Portrait de Madame Nina Leitner* 1846, h/pan. (29x23,5) : **GBP 39 600** ; *L'anniversaire du grand-père* 1849, h/t (58x79,5) : **GBP 1 485 000** – Paris, 28 sep. 1989 : *Portrait d'un père et de sa fille*, h/cart. (31,5x26) : **FRF 18 000** – Paris, 29 nov. 1989 : *Portrait de jeune femme* 1850, miniat. (9,6x7,9) : **FRF 11 000** – New York, 23 mai 1990 : *Le centre d'intérêt*, h/pan. (45,7x59,6) : **USD 198 000** – Londres, 28 nov. 1990 : *Nature morte de gibier*, h/t, d'après Jan Weenix (80x63) : **GBP 13 200** – Munich, 25 juin 1992 : *Portrait d'une dame âgée* 1847, h/bois (14,5x18,5) : **DEM 11 300** – Munich, 10 déc. 1992 : *Chien de chasse du comte Esterhazy* 1823, h/bois (15,5x20) : **DEM 61 020** – New York, 20 mai 1993 : *Paysage avec un berger offrant un bouquet de fleurs à une bergère* 1823, h/t (50,8x67,3) : **USD 68 500** – Londres, 19 nov. 1993 : *La fin de la moisson en Suisse allemande* 1844, h/pan. (39,4x60,3) : **GBP 128 000** – New York, 26 mai 1994 : *La saison des fleurs* 1851, h/pan. (85,1x64,8) : **USD 629 500** – Munich, 21 juin 1994 : *Le vieil invalide et les petits enfants* 1827, h/pan. (31,5x26) : **DEM 386 500** – Munich, 27 juin 1995 : *Portrait d'enfant* 1822, h/pan. (19x14,5) : **DEM 56 350** – Munich, 25 juin 1996 : *Comtesse Leopoldine Batthyany* 1826, h/pan. (62,5x49,5) : **DEM 41 400** – Londres, 9 oct. 1996 : *Jeunes filles lisant une lettre*, h/t : **GBP 287 500** – Munich, 3 déc. 1996 : *Joseph Maria comte Attems*, h/bois (29x22,5) : **DEM 21 600** – Munich, 23 juin 1997 : *Garde tyrolien* 1829, h/bois (79x57,5) : **DEM 68 400**.

WALDO J. Frank

Né en 1832 dans le Vermont. Mort vers 1914. xixe-xxe siècles. Américain.

Peintre.

Peintre autodidacte. Il s'installa en 1864 à Oshkosh dans le Wisconsin où il commença à vivre de sa peinture.

Musées : Oshkosh (Wisconsin).

Ventes Publiques : New York, 26 mai 1993 : *Vue du lac de Winnebago dans le Wisconsin* 1875, h/t (51x91,5) : **USD 29 900**.

WALDO Samuel Lovett

Né en 1783 à Windham. Mort en 1861 à New York. xixe siècle. Américain.

Peintre de portraits.

Il fit ses études en Amérique, passa trois ans à Londres, et retourna dans sa patrie.

Musées : New York (Metropolitan Mus.) : *Old Pat – Le mendiant indépendant – Le général Andrew Jackson – L'artiste à l'âge de trente ans – Portrait de Deliverance Mapes Walds, seconde femme de l'artiste* – New York (City Hall) – New York (New York Historical Society).

Ventes Publiques : New York, 25 jan. 1935 : *Philemon Halstcad* : **USD 525** ; *Mrs Philemon Halstcad* : **USD 525** – New York, 4 nov. 1960 : *Marie Underhill Van Zandt* : **USD 800** – New York, 26 mai 1971 : *Portrait d'un gentilhomme* : **USD 950** – New York, 27 oct. 1978 : *Major General Andrew Jackson*, h/t (84,5x67,3) : **USD 33 000** – New York, 23 avr. 1982 : *Portrait of Richard Simpson Fellows*, h/pan. (83,9x65,4) : **USD 4 250** – New York, 25 mai 1989 : *Portrait de Marie Underhill Van Zandt*, h/t (76x63,5) : **GBP 4 400**.

WALDOR Jean ou **Johannes** ou **Valdor**, dit **l'Ancien**
Né vers 1580 à Liège. Mort vers 1640. XVIIe siècle. Éc. flamande.
Dessinateur et graveur au burin.
Père de Jan Waldor le Jeune. Il travailla à Nancy pour la Cour de Lorraine. Il grava des portraits et des sujets religieux.

WALDOR Jean ou **Jan** ou **Johannes** ou **Valdor**, dit **le Jeune**
Né le 3 juin 1616 à Liège. Mort en 1670 à Paris. XVIIe siècle. Éc. flamande.
Peintre et graveur au burin.
Élève de Wierix. Il épousa en 1643, à Paris, Catherine Jaussens et fut « calcographe ordinaire du Roi » en 1646. En 1652, il était agent du prince électeur de Cologne. Quelques biographes croient qu'il y eut deux artistes de ce nom : le Jeune aurait quitté Paris après la mort de sa femme, se serait fait prêtre à Liège et aurait reçu un canonicat à l'église Saint-Denis.

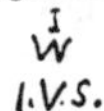

Musées : Pontoise : *Évêque bénissant*, dessin.

WALDORP Antonie
Né le 22 mars 1803 au Huisten Bosch (La Haye). Mort le 12 octobre 1866 à Amsterdam. XIXe siècle. Hollandais.
Peintre d'architectures, paysages animés, paysages, paysages urbains, paysages d'eau, lithographe.
Il fut élève de J. H. A. A. Breckenheymer, peintre décorateur. En 1849, il fit un voyage d'art avec Nuyen. Jusqu'en 1858, il habita La Haye, puis il se fixa à Amsterdam.

A.WALDORP

Musées : Amsterdam : *Le silence de la mer* – Amsterdam (Mus. mun.) : *Vue de Dordrecht – Le port de Zaandam* – Dordrecht : *Moulin et vue de Delft* – Haarlem : *Bateaux* – Hanovre : *Vue d'une ville hollandaise* – La Haye (Mus. mun.) : *La plage de Scheveningen – Pêcheurs sur la plage – Vue de Delft – Village au bord d'un étang – Vue de Dordrecht* – Weimar : *Vue d'une ville hollandaise*.
Ventes Publiques : Paris, 1850 : *Navires et figures sur une eau calme* : **FRF 2 640** – Bruxelles, 1873 : *Vue de la Meuse* : **FRF 2 050** – Gerestein, 1881 : *Eau calme* : **FRF 4 620** – Rotterdam, 1891 : *Vue sur le Delf* : **FRF 520** – Paris, 14 avr. 1891 : *Le coup de soleil* : **FRF 2 828** – Paris, 4-7 déc. 1907 : *Vue d'un canal en Hollande* : **FRF 450** – Paris, 15 déc. 1922 : *Une rue de ville* : **FRF 1 520** – Paris, 16 fév. 1927 : *Au bord du canal dans une ville de Hollande* : **FRF 3 100** – Paris, 26 juin 1933 : *La pêche en mer* : **FRF 700** – Versailles, 12 déc. 1971 : *Voiliers mouillés à une estacade* : **FRF 4 600** – Amsterdam, 4 mars 1974 : *Bateau au large de Dordrecht* 1840 : **NLG 30 000** – Amsterdam, 22 nov. 1974 : *Patineurs, Rotterdam*, aquar. : **NLG 2 800** – Amsterdam, 27 avr. 1976 : *Scène d'estuaire* 1852, h/t (67x93) : **NLG 27 000** – Londres, 4 mai 1977 : *Intérieur d'église* 1860, h/t, haut arrondi (100x76) : **GBP 750** – Amsterdam, 15 mai 1979 : *Vue de Scheveningen*, h/pan. (34x44,5) : **NLG 10 500** – Londres, 5 fév. 1982 : *Scène de port* 1832, h/t (91,5x111) : **GBP 2 200** – Londres, 6 juin 1984 : *Bateaux de pêche en mer*, h/pan. (83,5x117) : **GBP 9 500** – New York, 29 oct. 1987 : *The Royal Salute* 1845, h/pan. (63,5x84) : **USD 12 000** – Amsterdam, 16 nov. 1988 : *Un bateau toutes voiles dehors et d'autres embarcations au large*, h/pan. (10x12,5) : **NLG 2 990** – Amsterdam, 10 avr. 1990 : *Intérieur de la Nouvelle Eglise de Delft* 1837, cr., aquar. et gche/pap. (36,5x25,5) : **NLG 4 830** – Amsterdam, 2 mai 1990 : *Bateaux de pêche au port*, h/pan. (36,5x29) : **NLG 2 185** – Amsterdam, 6 nov. 1990 : *Canal dans une ville*, h/pan. (23x18) : **NLG 9 775** – Amsterdam, 5-6 fév. 1991 : *Petite ville hollandaise avec des personnages sur la place de l'église*, h/pan. (23,5x30) : **NLG 3 450** – Amsterdam, 17 sep. 1991 : *Barque de pêche navigant le long de la côte par forte brise* 1841, h/t (65,5x92) : **NLG 9 775** – New York, 19 fév. 1992 : *Capture de la frégate Den Briel* 1862, h/t (92x170,8) : **USD 16 500** – Amsterdam, 24 sep. 1992 : *Personnages élégants sur un pont de pierre*, h/pan. (30,5x22) : **NLG 5 750** – Amsterdam, 2 nov. 1992 : *Navigation par mer houleuse* 1864, h/t (44,6x59,5) : **NLG 10 350** – New York, 16 fév. 1993 : *Voiliers prenant le large* 1856, h/pan. (47,3x68) : **USD 1 540** – Londres, 7 avr. 1993 : *Voiliers au large des côtes hollandaises*, h/t (62x83) : **GBP 3 680** – Amsterdam, 20 avr. 1993 : *Personnages à l'intérieur d'une église* 1839, h/t (66x55) : **NLG 7 590** – Amsterdam, 21 avr. 1994 : *Gentilshommes et marins dans un canot s'approchant d'une galiote*, h/t (75,5x104,5) : **NLG 20 700** – Londres, 10 fév. 1995 : *Barques de pêche hollandaises sur l'Escaut*, h/t (74,5x109,2) : **GBP 4 025** – Amsterdam, 5 nov. 1996 : *Côte rocheuse et personnages sur un bateau de pêche*, h/t (42x63,5) : **NLG 8 496** – Amsterdam, 19-20 fév. 1997 : *Personnages dans l'église de Grote Kerk, Alkmaar* 1945, h/pan. (39x29,5) : **NLG 8 649**.

WALDRAFF Franz
Né le 14 avril 1878 à Tuttlingen. XXe siècle. Français.
Peintre, décorateur, illustrateur.
Il se fixa à Paris en 1902 et plus tard dans le Midi de la France (Menton). Il exécuta des décors, des panneaux, des illustrations de livres.
Musées : Paris (Mus. des Arts Décoratifs) : plusieurs œuvres.

WALDRÉ Vincent ou **Vincenzo**
Né vers 1742 à Vicence. Mort en août 1814 à Dublin. XVIIIe-XIXe siècles. Depuis environ 1770 actif en Angleterre et Irlande. Italien.
Peintre décorateur.
Il vint en Angleterre et fut protégé par le marquis de Buckingham. Il décora, notamment, sa résidence de Stove. En 1774, il exposa à Londres à la Free Society un sujet mythologique. Le marquis ayant été nommé Lord Lieutenant d'Irlande en 1787, Waldré le suivit à Dublin. Il fut nommé architecte du gouvernement et décora de peintures S. Patrick Hall. Il se maria en Irlande.

WALDREICH Johann Georg ou **Waldtreich**
Mort vers 1680. XVIIe siècle. Actif à Augsbourg. Allemand.
Graveur au burin.
Il grava des portraits de princes et des antiquités, ainsi que des illustrations de livres.

WALDRON William
XVIIIe-XIXe siècles. Actif à Dublin, de 1772 à 1801. Irlandais.
Peintre de fleurs et portraitiste.
Élève de J. Mannin.

WALDSCHMIDT Arnold
Né le 2 juin 1873 à Weimar (Thuringe). XIXe-XXe siècles. Allemand.
Dessinateur, peintre, sculpteur. Expressionniste.
Il fut élève de l'Académie de Karlsruhe. Il vécut et travailla à Berlin. Il est un représentant de l'expressionnisme naturaliste.
Musées : Cologne : *Taureau avec laboureur* – Francfort-sur-le-Main (Mus. Staedel) : *Repentir*.

WALDSPERGER Joseph
XVIIe siècle. Travaillant en 1635. Autrichien.
Sculpteur.
Il fut chargé de l'exécution d'une fontaine pour l'abbaye de Heiligenkreuz.

WALDSTEIN Johann Nepomuk de, comte
Né le 21 août 1809 à Dux. Mort le 9 juin 1876. XIXe siècle. Autrichien.
Portraitiste et peintre de genre amateur.

WALDSTEIN Maria Anna de, comtesse, épouse de **D. José Joaquin de Silva,** marquis de Santa Cruz
Née le 30 mai 1763 à Vienne. Morte le 21 juin 1808 à Forno. XVIIIe siècle. Autrichienne.
Miniaturiste.
La Galerie Royale de Florence conserve son autoportrait.

WALDTBURGER Hans. Voir **WALDBURGER**

WALDTMANN. Voir **WALDMANN**

WALDTREICH Johann Georg. Voir **WALDREICH**

WALDUR Anders Persson
Né en 1868. XIXe siècle. Suédois.
Peintre.
Les Musées de Lund et de Malmöe conservent des œuvres de cet artiste.

WALE Charles
XVIIIe siècle. Travaillant à Londres en 1780. Britannique.
Peintre.

WALE J. Van der. Voir **WAL Johannes Van der**

WALE Johannes, appelé aussi **Gallicus**
XIIIe siècle. Allemand.
Peintre.
Il a exécuté des fresques dans la cathédrale de Brunswick dans le second quart du XIIIe siècle.

WALE Joyce, née **Barton**
Née le 12 avril 1900 ou 1910 à Hockley Heat (Warwickshire). XXe siècle. Britannique.

Peintre de portraits, paysages, figures.
Elle fut élève de l'École des Beaux-Arts de Birmingham. Elle vécut et travailla à Londres.

WALE Lewis de. Voir **DEWALE**

WALE Mathieu de
XVIIe siècle. Éc. flamande.
Peintre verrier.
Il vécut à Ypres, travaillant vers 1613.

WALE Samuel
Né au XVIIIe siècle à Londres. Mort le 6 février 1786 à Londres. XVIIIe siècle. Britannique.
Peintre, illustrateur, décorateur et dessinateur.
D'abord apprenti chez un graveur d'argenterie, il fréquenta la S. Martin's Lane Academy, puis fut élève de Frank Hayman. Il peignit des plafonds dans le style de son maître, mais fut surtout illustrateur. Il fut un des membres fondateurs de la Royal Academy, et plus tard, son premier pensionné. Il vivait dans la même maison que l'architecte John Gwyne, dont il fut le collaborateur dans les dessins des décorations de Saint-Paul. Le Musée de Nottingham conserve de lui une série de dessins. Il exposa à Londres de 1760 à 1778, quatorze ouvrages à la Society of Artists et quatorze ouvrages à la Royal Academy.

WALEMONT Anthonis Van
XVIe siècle. Travaillant à Louvain en 1535. Éc. flamande.
Peintre verrier.

WALENTA Hermann
Né en 1923. XXe siècle. Autrichien.
Graveur.
Il a d'abord pratiqué la technique du monotype. S'inspirant de l'art chinois, il évoquait une réalité brumeuse et elliptique. Il évolua ensuite vers l'abstraction, hésitant entre une composition strictement conçue et l'improvisation lyrique.

WALES Georges C.
Né le 23 décembre 1868 à Boston. XIXe siècle. Américain.
Peintre et lithographe.
Élève de Paxton. Œuvres dans plusieurs musées des États-Unis et au British Museum de Londres.

WALES James
Né en 1747 ou 1748 à Peterhead, près d'Aberdeen. Mort le 13 novembre 1795 à Thana (côte de Malabar). XVIIIe siècle. Britannique.
Peintre de portraits, architectures, paysages animés, paysages, dessinateur.
Il fit preuve de remarquables dispositions dès le collège, et fit de nombreux paysages. Cependant, il exposa à Londres des portraits, à la Society of Artists et à la Royal Academy de 1783 à 1791, d'après le Dictionnaire de Grave et à partir de 1878, d'après le Bryan's Dictionary. En 1791, il partit pour les Indes anglaises.
On cite de cette époque les portraits de princes Hindous d'un réel intérêt. On cite également de lui vingt-quatre dessins du temple d'Ellora, qui furent gravés par Thomas Damell dans son ouvrage *Hindoo excavations* (1803).
Ventes Publiques : Londres, 14 mars 1990 : *Le « grand banian » sur la rivière Nerbuddah avec un groupe de gentilshommes anglais*, h/t (101,5x127) : **GBP 44 000**.

WALES Orlando
Né à Philadelphie (Pennsylvanie). XXe siècle. Américain.
Peintre.
Il fut élève de W. Chase et d'Alphonse Mucha.

WALES Shirley
Née en 1931 à Québec. XXe siècle. Canadienne.
Graveur.
Musées : Montréal (Mus. d'Art Contemp.) : *House of fire* 1961, eau-forte.

WALES Susan Makepeace Larkin
Née le 24 juillet 1839 à Boston. Morte en 1927. XIXe-XXe siècles. Américaine.
Peintre de paysages, aquarelliste.
Elle fit ses études à Boston, à Paris et à Rome.
Ventes Publiques : New York, 25 sep. 1992 : *Intérieur d'une serre*, aquar. et cr./pap./cart. (50,5x34,9) : **USD 1 430**.

WALES SMITH Arthur Douglas
Né le 20 janvier 1888 à Darjeeling. XXe siècle. Britannique.
Illustrateur.
Il n'eut aucun maître. Il vécut et travailla à Lymington. Il travailla pour des illustrés anglais.

WALESCART Francis ou **François**. Voir **WALSCHARTZ**

WALFORT Charles. Voir **VALFORT**

WALGREN. Voir **VALLGREN**

WALH Johan Salomon
Né en 1689 à Chemnitz-Meissen. Mort le 5 décembre 1765 à Copenhague. XVIIIe siècle. Danois.
Peintre de portraits.
Il fut élève de David Höyer à Leipzig. Appelé au Danemark en 1719, il devint peintre de la cour à partir de 1730 et administrateur du musée en 1737. Il se fit une célébrité par les portraits qu'il produisit, dit Weilbach ; plus appréciables par leur quantité que par leur valeur, rectifie Henmings.
Musées : Copenhague (Mus. Nat.) : *L'artiste Otto Kyhl, fou du roi – G. Morell* – Frederiksborg : *Buste de la reine Anna Sophie – Buste du peintre H. Krock – Buste de l'historien H. Gram – Buste du marin C. J. Drakenberg* – Oslo : *Portraits du roi Christian VI et de sa femme la reine Sophie Madeleine.*

WALHAIN Charles Albert
Né le 3 novembre 1877 à Paris. Mort en juin 1936. XXe siècle. Français.
Peintre de genre, portraits, paysages, sculpteur, illustrateur.
Il fut élève de Bonnat et de L. Glaize. Sociétaire des Artistes Français depuis 1901, il figura au Salon de ce groupement, depuis 1897, y obtenant une médaille de troisième classe en 1904, une mention en 1920, des médailles de bronze en 1922, d'argent en 1927, d'or en 1936. Chevalier de la Légion d'honneur en 1929. Il a aussi illustré *La peur de M. de Fierce*, de Claude Farrère.

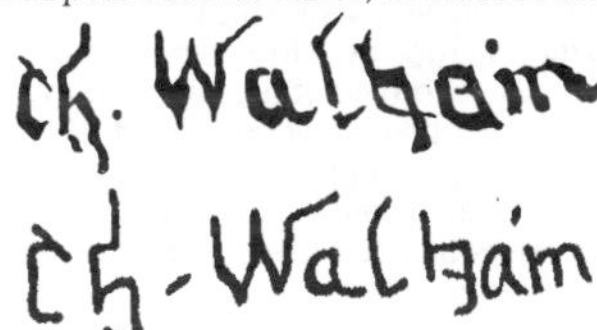

Ventes Publiques : Paris, 10 mars 1971 : *Portrait de S. A. R. Charles Philippe d'Orléans* : **FRF 5 000** – Paris, 20 juin 1988 : *Plage de Criqueboeuf*, h/cart. (24x33) : **FRF 10 500** – Paris, 21 oct. 1997 : *Fillette dans un intérieur*, h/t (55x46) : **FRF 3 300**.

WALHUETER. Voir **WALDHÜTER**

WALI DSCHAN ou **Véli Djan** ou **Jan** ou **Gan**
XVIe siècle. Actif à Tebriz dans la seconde moitié du XVIe siècle. Éc. persane.
Miniaturiste.
Élève de Siyawusch. Il fut peintre à la cour de Constantinople. Les musées de Boston, de Paris et de Vienne conservent des miniatures de cet artiste.

WALINS Gilbert ou **Waelkin, Wallinc, Wallync, Wallyns**
Mort en 1487 ou 1488 à Bruges. XVe siècle. Éc. flamande.
Peintre.
Il peignit des sujets religieux.

WALINS Michiel
Mort entre septembre 1492 et décembre 1493. XVe siècle. Actif à Bruges. Éc. flamande.
Peintre.
Père de Willem Walins. Maître de la gilde en 1480.

WALINS Willem
Né après le 29 août 1480. Mort en 1553. XVIe siècle. Actif à Bruges. Éc. flamande.
Peintre.
Maître de la gilde en 1506.

WALISZEWSKI Stanislaw
Né en 1781 à Varsovie. Mort le 10 août 1809 à Varsovie. XVIIIe siècle. Polonais.
Peintre.
Il étudia avec Jan Regalski. L'église des Pères Réformateurs conserve de lui : *Dieu, le Père et Sainte Madeleine* (copie d'après Titien).

WALISZEWSKI Zygmunt
Né le 27 novembre 1897 à Saint-Pétersbourg. Mort le 5 octobre 1936 à Cracovie. XXe siècle. Polonais.
Peintre.
Il fut élève de l'Académie de Cracovie.
Musées : Varsovie (Mus. Nat.) : Plusieurs peintures.

WALITSCHEK Hans
Né le 6 décembre 1909 à Weissenbourg. xxe siècle. Allemand.
Sculpteur sur bois.
Il fut élève de l'Académie de Berlin.
Musées : Gleiwitz : *Danseuse et berger.*

WALKER
xviiie siècle. Danois.
Dessinateur et graveur.
Il travaillait vers 1750.

WALKER Aileen, née **Hellely**
Née le 25 juin 1901 à Worksop. xxe siècle. Britannique.
Peintre.
Elle fit ses études à Londres, ville où elle vécut et exposa ses œuvres.

WALKER Aldo
Né en 1936 à Winterthur. xxe siècle. Suisse.
Sculpteur, dessinateur d'environnements, installations. Conceptuel.
Après des études techniques, il s'est formé en art en autodidacte. Il vit à Lucerne. Il participe à des expositions collectives consacrées aux courants apparentés au concept, au « process », au minimalisme : 1970 Lucerne, Kunstmuseum. La galerie Raeber de Lucerne le représente en permanence.
Ses réalisations tournent toujours autour, ou plutôt à partir d'une idée. Beaucoup des idées qui peuvent traverser un esprit éventuellement fertile s'avèrent matériellement irréalisables ; dans ces cas nombreux, Walker en dessine le projet de la façon la plus explicative possible, sans intention artistique, sans autre but que d'être clair. Comme souvent dans les activités apparentées au concept, la diversité des idées fortuites en rend leur ensemble inclassable. En effet, les projets et réalisations de Walker se propagent dans des directions toujours ouvertes, donc imprévisibles, mettant en jeu lieux, opportunités, matériaux sans exclusives. Peut-être peut-on discerner, chez Walker, dans le sérieux austère d'entreprises minimalistes ou « pauvres », parfois une discrète pointe d'humour.
Bibliogr. : Theo Kneubühler, in : *Art : 28 Suisses*, Édit. Gal. Raeber, Lucerne, 1972.
Ventes Publiques : Zurich, 3 avr. 1996 : *Lièvre et chien* 1983, acryl./t. (111x85) : **CHF 3 200**.

WALKER Anne
Née le 20 septembre 1933 à Boston (Massachusetts). xxe siècle. Active en France. Américaine.
Peintre à la gouache, graveur, dessinateur, aquarelliste, pastelliste de paysages, illustrateur.
Anne Walker a travaillé la gravure sur bois au Smith College avec Seong Moy. Elle a fréquenté, à Paris, l'Académie de la Grande Chaumière et, en 1955, s'initia à l'eau-forte dans l'atelier de J. Friedlaender. Elle réalise également des œuvres uniques à la gouache rehaussée de pastel. Elle a illustré des livres imprimés dont notamment : *Morning Notebook* avec Edward Kessler (Éditions Biren) et *Finisterra* avec Kenneth White (Éditions Fata Morgana) et des livres uniques ou à tirage très limité, des « livres-peints », sur des textes de B. Noël, J. Cortot, Thoreau, Baudelaire, Whitman, Rimbaud, Guillevic...
Anne Walker participe à des expositions collectives depuis les années soixante : Salon de Mai, Salon de la Jeune Gravure Contemporaine, Salon d'Automne dont elle fut un temps sociétaire. De même que : 1960, Boston Printmakers ; 1971, Biennale de Cracovie ; 1975-76, Festival International de Toulon ; 1980, Biennale d'Art Contemporain, Brest ; 1981, *Herbe et Arbre*, Centre culturel de Montbéliard ; 1982, Salon de la Gravure, Montrouge ; 1984, 1994, *Livres « A Mano »*, galerie Biren, Paris ; 1990, 6e Biennale de l'Estampe, Sarcelles ; 1990, *La Poésie dans un Jardin*, exposition itinérante Nantes-Nîmes-Avignon ; 1990, *Textes et Images*, Bibliothèque nationale, Luxembourg. Anne Walker a également réalisé des expositions personnelles en France et à l'étranger : 1972, galerie La Pochade, Paris ; depuis 1979, galerie Biren, Paris ; 1979, Galery of Graphic Arts, New York ; 1983, 1992, Librairie-galerie J. Matarasso, Nice ; 1982, galerie J.-M. Cupillard, Grenoble ; 1997, galerie Mantoux-Gignac, Paris.
Les gravures à l'eau-forte et à l'aquatinte en couleurs ont progressivement fait place aux peintures à la gouache rehaussées de pastel. À la représentation, en gravure, de cet environnement composé essentiellement de fibres, on perçoit la patience de la transfiguration qu'opère l'artiste-poète à partir de cette création aux origines lointaines. Les gouaches rehaussées de pastel sont plutôt une mise en mouvement des éléments de cette nature. L'atmosphère plus que le dessin, la fusion plus que l'analyse. L'espace de l'œuvre devient un récit de couleurs, entre la tonalité soutenue des verts, des bleus, des rouges, et le monochrome.
■ C. D.
Bibliogr. : Edward Kessler : préface du catalogue, exposition galerie La Pochade, 1974 – Clélia Piza : préface du catalogue, exposition galerie Biren, 1979 – Gilles Plazy : préface du catalogue, exposition *Jardins* galerie Biren, 1987 – M. P. Peronnet : *Les Livres Peints d'Anne Walker*, in : *Arts et Métiers du Livre*, n° 159, Janv.-fév. 1990 – Bernard Noël : *Le roman de l'émotion ou le travail d'Anne Walker*, Présence de l'Art contemporain, 1996.
Musées : Boston (Mus. of Fine Arts) – Cambridge (Houghton Library, Harvard College, Mass.) – Northampton (Smith College Library, Mass.) – Paris (BN) – Washington D. C. (Library of Congress).

WALKER Anthony
Né en 1726 à Thirsk. Mort le 9 mai 1765 à Londres. xviiie siècle. Britannique.
Dessinateur et graveur au burin et à l'eau-forte.
Il fut élève de la St. Martin's Lane Academy et de John Tinney. Il grava d'abord un nombre important de vignettes et de frontispices, d'après ses dessins. Il collabora à la Collection Boydell consacrée aux œuvres de Shakespeare.
Ventes Publiques : Londres, 13 nov. 1997 : *Différentes vues de Lisbonne avant le dernier tremblement de terre en date* 1756, grav., série de huit : **GBP 3 450**.

WALKER Arthur Georges
Né le 20 octobre 1861 à Londres. Mort le 13 septembre 1939 à Parkstone, Dorset. xixe-xxe siècles. Britannique.
Sculpteur, peintre de genre, mosaïste, illustrateur.
Il a été élève de l'Académie royale de Londres. Il travailla à Paris où il figura au Salon des Artistes Français, y obtenant une médaille de troisième classe en 1902. Il exposa à Londres à la Royal Academy à partir de 1884.
Musées : Copenhague : *L'épine* – Édimbourg : *Le Sommeil* – Londres (Nat. Gal.) : *Le baiser* – Londres (Tate Gal.) : *Christ at the Whipping post* 1925.
Ventes Publiques : Paris, 3 juin 1994 : *La leçon de musique dans une villa romaine*, h/t (122x180) : **FRF 32 000**.

WALKER Augusta ou **Wilhelmina Augusta**
Née à Dublin. xixe siècle. Active dans la seconde moitié du xixe siècle. Irlandaise.
Peintre de genre et écrivain.
Elle exposa à Londres de 1870 à 1876.

WALKER Bernard Eyre
Né le 16 septembre 1886 à Harlow. xxe siècle. Britannique.
Graveur à la manière noire.
Il fut élève de G. M. Synge.

WALKER Bernard Fleetwood ou **Fleetwood-Walker**
Né le 22 mars 1892 à Birmingham. Mort en 1965. xxe siècle. Britannique.
Peintre de scènes de genre, portraits, décorateur.
Il a été élève de l'École d'Art de Birmingham. Il étudia également à Londres et à Paris, où il figura au Salon à partir de 1928, obtenant une médaille de bronze en 1929.
Musées : Birmingham.
Ventes Publiques : Londres, 6 nov. 1981 : *Enfants de la ville*, h/t (86x76,8) : **GBP 1 500** – Londres, 12 nov. 1987 : *Mère et Enfant*, h/cart. (53x40,5) : **GBP 2 000** – Londres, 12 mai 1989 : *Portrait d'un petit garçon en pyjama*, h/cart. (40x30) : **GBP 550**.

WALKER Charles
xixe siècle. Britannique.
Aquafortiste.
Il publia des copies d'estampes rares de maîtres célèbres.

WALKER Charles Alvah
Né en 1848 à London (New Hampshire). Mort le 11 avril 1920 à Brookline (Massachusetts). xixe-xxe siècles. Américain.
Peintre de paysages, graveur.
Il gravait au burin, sur bois et à l'eau-forte (acier).
Ventes Publiques : Hyannis (Massachusetts), 7 août 1973 : *Paysage d'été* : **USD 1 400**.

WALKER Edmund
xixe siècle. Actif à Londres. Britannique.
Peintre de fleurs et de vues.
Il exposa des fleurs à la Royal Academy de 1836 à 1849. Le Victoria and Albert Museum, à Londres, conserve de lui une *Vue de l'exposition* de 1851, et deux *Vues de l'Exposition* de 1862 (aquarelles).

WALKER Elizabeth. Voir **REYNOLDS Elizabeth**

WALKER Ethel ou **Abney-Walker**

Née le 9 juin 1861 à Édimbourg (Écosse). Morte le 2 mars 1951 à Londres. XIXe-XXe siècles. Britannique.

Peintre de genre, figures, nus, portraits, paysages, intérieurs, natures mortes, compositions décoratives, sculpteur.

Elle s'intéressa à l'art vers l'âge de vingt-cinq ans. Elle a été élève, à Londres, de la Putney Art School, de l'École d'Art de Westminster sous la direction de Frederick Brown, et de la Slade School. Elle visita l'Espagne et le France où elle fit la connaissance de George Moore. Elle vivait et travaillait à Chelsea.
Elle fut membre du New English Art Club à partir de 1900. Elle envoya une décoration à la Société Nationale des Beaux-Arts, en 1922.
À ses débuts, elle fut redevable de Sickert et de Whistler. Vers 1900, elle se détourna du moule de la tradition pour s'exprimer dans un style original inspiré de l'impressionnisme, procédant par touches rapides et déliées. Elle peignit de nombreux portraits, des figures de jeunes filles, et des fleurs. Ce sont ses compositions décoratives qui traduisent le mieux son goût pour l'ésotérisme, et le symbolisme, notamment celles qu'elle envoya à la Tate Gallery en 1942 : *Zone de haine* et *Zone d'amour*.
Bibliogr. : In : *Les Muses*, Grange Batelière, Paris, 1974.
Musées : Londres (Tate Gal.) : *L'excursion de Nausicaa* 1920 – *Miss Buchanan* 1922 – *Miss Jean Werner Laurie* 1927-1928 – *The Hon. Mrs Adams* 1901 – *Vanessa* 1937 – *Seascape Autumn Morning* 1935 – *Autoportrait*.
Ventes Publiques : Londres, 9 déc. 1970 : *Marée basse* : **GBP 400** – Londres, 18 juil. 1973 : *Vase de fleurs* : **GBP 550** – Londres, 10 mai 1974 : *Jeune femme debout, près d'une cheminée* : **GNS 1 050** – Londres, 3 mars 1978 : *Bouquet de fleurs* 1932, h/t (71,2x92,7) : **GBP 950** – Londres, 2 mars 1979 : *La toilette*, h/t (63,5x76,2) : **GBP 850** – Londres, 22 fév. 1980 : *Autoportrait* 1925, h/t (61x51) : **GBP 650** – Londres, 11 mars 1981 : *Portrait de Violet Raye*, h/t (112x66,5) : **GBP 2 300** – Londres, 13 mars 1981 : *Faune debout*, bronze patine verte (H. 97,5) : **GBP 650** – Londres, 9 mars 1984 : *Portrait de jeune fille*, h/t (80x60) : **GBP 1 050** – Londres, 26 sep. 1985 : *Baigneuses*, aquar./trait de cr. (70x109) : **GBP 720** – Londres, 6 fév. 1985 : *Nature morte aux fruits*, h/t (76x63,5) : **GBP 1 900** – Londres, 12 juin 1987 : *Nature morte au vase de fleurs*, h/t (91,5x63,5) : **GBP 7 500** – Londres, 9 juin 1988 : *Le conte de fées*, h/t (60x50) : **GBP 1 760** ; *Buste d'un modèle italien*, bronze (H. 50) : **GBP 1 980** – Londres, 27 juin 1988 : *Les trois Grâces* 1928, aquar./pap. (69x83) : **GBP 2 860** – Londres, 2 mars 1989 : *Nature morte de fleurs dans un vase bleu*, h/t (75x62,5) : **GBP 12 100** – Londres, 7 mars 1991 : *Anes dans la baie de Robin des Bois dans le Yorkshire*, h/t (62,5x75) : **GBP 3 080** – Londres, 2 mai 1991 : *Matinée d'août dans la baie de Robin des Bois*, h/t (63,5x91) : **GBP 2 200** – Londres, 27 sep. 1991 : *Marine*, h/t (62x73,5) : **GBP 1 210** – Londres, 18 déc. 1991 : *Étude de nu féminin*, h/pan. (35x26,5) : **GBP 990** – Mill House Sonning Berkshire, 22 juin 1994 : *Nature morte de fleurs avec une perruche et une théière*, h/t (77x64,2) : **GBP 2 300** – Londres, 11 oct. 1995 : *Carlos, le marin*, h/t (61x51) : **GBP 1 035**.

WALKER Eyre ou **William Eyre**

Né en 1847 à Manchester (Lancashire). Mort en septembre 1930. XIXe-XXe siècles. Britannique.

Aquarelliste de paysages.

Il a été membre de la Royal Water Colours Society. Il exposa à Londres à partir de 1875, particulièrement à cet Institut. On trouve encore son nom sur le catalogue de 1910.

Musées : Manchester : Trois œuvres.
Ventes Publiques : Londres, 29 avr. 1987 : *Fleurs des champs* 1902, aquar./traits de cr. reh. de gche (35x49) : **GBP 2 100** – Londres, 29 oct. 1991 : *Étude de la rivière Greta* 1882, cr. et aquar. (42x66,3) : **GBP 1 650**.

WALKER F. F.

Né en 1805. XIXe siècle. Actif à Londres. Britannique.

Graveur au burin et sur acier.

WALKER Ferdinand Graham

Né le 16 février 1859 à Mitchell. XIXe siècle. Actif à Louisville. Américain.

Portraitiste et paysagiste.

Élève de Puvis de Chavannes, de Blanche et de Merson à Paris. Les Musées d'Albany, et de Lexington conservent des peintures de cet artiste.

WALKER Frances Antill L.

Née vers 1872. Morte le 16 janvier 1916 à Brooklyn (New York). XIXe-XXe siècles. Américaine.

Peintre de miniatures.

WALKER Francis S.

Né en 1848 à Meath (Irlande). Mort le 17 avril 1916. XIXe-XXe siècles. Irlandais.

Peintre de genre, paysages, illustrateur, dessinateur, graveur à la manière noire.

Il fut un brillant élève de l'École de la Royal Society, puis de la Hibernian Academy. Il obtint à cet Institut une bourse de voyage lui permettant d'aller à Londres poursuivre ses études. Il fut membre de la Hibernian Academy. Il commença à exposer à la Royal Academy en 1870.
À Londres, il trouva un rapide emploi au *Graphic* et à l'*Illustrated London News*. Plus tard, il produisit un nombre important d'eaux-fortes et d'estampes à la manière noire.
Musées : Leeds : *Le jardin du couvent*.
Ventes Publiques : Slane Castle (Irlande), 13 mai 1980 : *Paysages montagneux*, h/t, une paire (47,5x61) : **GBP 1 300**.

WALKER Frederick

Né le 12 avril 1841 à Liverpool. Mort le 17 mai 1874 à Denbigh. XIXe siècle. Britannique.

Peintre de paysages, peintre à la gouache, aquarelliste.

D'abord employé, il étudia à la School of Art, à Birkenbead. Il envoya quelques œuvres aux expositions de la Liverpool Academy. Cet artiste mourut trop jeune pour être pleinement intégré à l'école de Liverpool.
Il s'adonna au paysage et y fit preuve d'une grande sensibilité.

Musées : Liverpool (Walker Art Gal.) : *Clairière de forêt*.
Ventes Publiques : Londres, 10 fév. 1987 : *At the Sick Man's Door*, aquar. reh. de gche (18,8x13) : **GBP 3 000** – Londres, 6 nov. 1996 : *L'Abreuvoir, le soir*, aquar. et reh. de gche (20x14,5) : **GBP 1 725**.

WALKER Frederick ou **Fred**

Né le 24 ou 26 mai 1840 à Marylebone. Mort le 4 juin 1875 à Saint Fillans (comté de Perth). XIXe siècle. Britannique.

Peintre de scènes de genre, figures, portraits, intérieurs, paysages animés, paysages, peintre à la gouache, aquarelliste, graveur, dessinateur, illustrateur.

D'abord étudiant au British Museum de Londres, puis commis architecte, il devint élève des Écoles de la Royal Academy. En 1863, il commença à exposer à Londres ; l'année suivante, il fut élu associé de la Society of Painters in Water-Colours et membre en 1866. En 1867, il obtint une médaille d'argent à l'Exposition universelle de Paris, pour ses aquarelles. La Royal Academy l'admit comme associé en 1871. D'une santé délicate, il alla passer un hiver à Alger et revint en Angleterre pour y mourir. Frederick Walker eut une influence notable sur le développement de la peinture en Angleterre.
Il grava sur bois et collabora au journal *Once a week*, puis, sur la recommandation de Thackeray au *Cornhill Magazine* et autres.

Musées : Birmingham : *Le vieux portail* – Liverpool : *Vieilles lettres* – Londres (Nat. Portrait Gal.) : *L'artiste* – Londres (Victoria and Albert Mus.) : Une aquarelle – Londres (Tate Gal.) : *Les vagabonds* – *Le port de refuge* – Manchester : *The well sinkers* – Melbourne : *The right of way*.
Ventes Publiques : Londres, 1875 : *Intérieur d'un entrepôt de tapis au Maroc*, aquar. : **FRF 36 750** – Londres, 1886 : *Les baigneurs*, aquar. : **FRF 52 500** – Londres, 1887 : *Automne*, aquar. : **FRF 26 250** – Londres, 1899 : *La rivière Cuir*, aquar. : **FRF 8 125** – Londres, 12 mai 1922 : *Un couple bourgeois*, dess. : **GBP 210** – Londres, 16 fév. 1923 : *Pêcheur et son fils*, dess. : **GBP 58** – Londres, 22 juin 1923 : *Petit garçon conduisant un aveugle*, dess. : **GBP 672** – Londres, 29 fév. 1924 : *The Rescue*, dess. : **GBP 120** – Londres, 30 avr. 1926 : *La querelle*, dess. : **GBP 157** ; *The Peep-Schow*, dess. : **GBP 262** – Londres, 26 juil. 1929 : *The plough* :

GBP 283 – Manchester, 27 jan. 1937 : *Champ de violettes*, dess. : **GBP 210** – Londres, 25 juin 1937 : *Une rue*, dess. : **GBP 241** – Londres, 3 août 1945 : *Marlow Ferry*, dess. : **GBP 798** – Londres, 13 mars 1973 : *The harbour of refuge*, aquar. : **GNS 1 200** – Londres, 13 févr 1979 : *Jeune fille à la barrière*, aquar. et reh. de gche (18x27) : **GBP 900** – San Francisco, 28 fév. 1985 : *Isle of Wight*, h/t (47x81,3) : **USD 4 250** – New York, 9 jan. 1991 : *Garder chaud*, encre/pap. (15,5x21,5) : **USD 880** – Londres, 2 nov. 1994 : *Le retour du pêcheur* 1860, aquar. et gche (33,5x44,5) : **GBP 2 760** – Londres, 10 mars 1995 : *Le nouvel élève* 1860, cr. et aquar. avec reh. de blanc (30x32,4) : **GBP 8 280** – Londres, 17 nov. 1995 : *Scène dans une salle de dessin avec un imposant fauteuil*, aquar. et gche (24,1x19) : **GBP 3 220**.

WALKER George
Mort vers 1795. XVIIIe siècle. Britannique.
Peintre.
Il exposa à la Royal Academy entre 1792 et 1795.

WALKER George
XIXe siècle. Actif à Londres dans la première moitié du XIXe siècle. Britannique.
Paysagiste.
Il exposa à Londres de 1803 à 1815. Le Musée Victoria et Albert de Londres conserve de lui *Deptford avec des navires*.

WALKER George
XIXe siècle. Britannique.
Céramiste et peintre sur porcelaine.

WALKER George W.
Né en 1895. Mort le 29 juillet 1930 à Middletown. XXe siècle. Américain.
Caricaturiste.

WALKER Henry Oliver
Né le 14 mars 1843 à Boston (Massachusetts). Mort en 1929 à Belmont. XIXe-XXe siècles. Américain.
Peintre de genre, décorateur.
Il fut élève de Bonnat.
Musées : Boston : *Narcisse* – New York (Metropolitan Mus.) : *Vision matinale* – Washington D. C. : *Éros et la Muse* – *La Muse et la Reine*.

WALKER Hirst
Né le 24 novembre 1868 à Norton, près de Malton. XIXe siècle. Actif à Scarborough. Britannique.
Aquarelliste.
Les Musées de Bradford, de Huddersfield, de Hull, de Sheffield, de York et le Musée Victoria et Albert de Londres conservent des œuvres de cet artiste.

WALKER Horatio
Né en 1858 à Listowel (Ontario). Mort en 1938. XIXe-XXe siècles. Canadien.
Peintre de genre, sujets rustiques, figures, animaux.
Il travailla tout d'abord en tant que photographe. Lorsqu'il vint en France et en Europe en 1882, il fut impressionné par les peintres de Barbizon et les artistes de l'École de La Haye, dont les scènes rustiques pouvaient lui donner des idées de sujets à son retour au Québec en 1883. À partir de 1885, il s'établit à New York, partageant son temps entre le Québec et New York. Il fut élu membre associé de la National Academy en 1890 et académicien en 1891. Il fut aussi nommé associé du Royal Institute of Painters in Water Colours, à Londres. Parmi les récompenses qu'il obtint, il convient de citer : une médaille de bronze à l'Exposition universelle de Paris en 1889, une médaille d'or à Chicago en 1893, une médaille d'or à Buffalo en 1901, une médaille d'or à Charleston en 1902, une médaille d'honneur à Saint-Louis en 1904.
Il devint le chroniqueur de la vie paysanne, qu'il partageait avec les habitants du village de Sainte-Pétronille sur l'Ile d'Orléans. Il traitait ces scènes campagnardes dans un esprit très proche de celui de Millet ou de Théodore Rousseau.

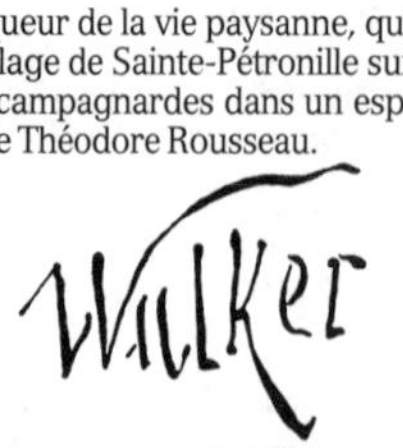

Bibliogr. : Gérald Schurr, in : *Les Petits Maîtres de la peinture 1820-1920, valeur de demain*, Les Éditions de l'Amateur, t. V, Paris, 1981 – Dennis Reid : *A concise history of canadian painting*, Oxford University press, Toronto, 1988.
Musées : Buffalo (Albericht Art Gal.) : *Moutons* – New York (Metropolitan Mus.) : Trois peintures – Ottawa (Nat. Gal. of Canada) : *Bœufs se désaltérant* 1899 – Québec (Mus. du Québec) : *Le labour, première heure du jour à Dawn* 1900 – Saint-Louis (City Mus.) : *Les bûcherons* – Washington D. C. (Corcoran Gal.) : *Ave Maria* – Washington D. C. (Nat. Gal.) : *Bergerie au clair de lune*.
Ventes Publiques : New York, 18 fév. 1960 : *La fille turque* : **USD 1 000** – Los Angeles, 22 mai 1973 : *Le retour des champs* 1922 : **USD 3 000** – Toronto, 19 oct. 1976 : *Troupeau au pâturage* 1889, aquar. (24x37) : **CAD 550** – Toronto, 14 mai 1979 : *Berger dans un paysage*, h/t mar./cart. (30,5x42) : **CAD 2 600** – New York, 23 jan. 1984 : *A frosty morning* 1910, h/t mar./cart. (53x79,5) : **USD 5 200** – Montréal, 17 oct. 1988 : *Chargement du traîneau au crépuscule* 1918, h/t (46x61) : **CAD 39 000** – Montréal, 1er déc. 1992 : *Le scieur de bois dans l'Ile d'Orléans*, h/pan. (21,5x26) : **CAD 4 000** – New York, 25 mars 1997 : *La Sablonnière* 1899, h/t/pan. : **USD 3 450**.

WALKER James
Né en 1748 à Londres. Mort vers 1808 à Londres. XVIIIe siècle. Britannique.
Peintre de portraits, graveur.
Il fut élève de Valentine Green. En 1784, il alla à Saint-Pétersbourg et y fut graveur de l'impératrice Catherine. Doté d'une pension, il revint en Angleterre en 1802, mais ayant fait naufrage, il perdit toutes ses planches.
Il se fit une rapide réputation par ses reproductions de portraits, notamment celles d'après Romney, puis il grava principalement en manière noire.

WALKER James
Né en 1819 en Angleterre. Mort en 1889 à Watsonville. XIXe siècle. Américain.
Peintre de batailles, portraits, marines.
Il peignit surtout des scènes de la guerre du Mexique (1846-1847).
Ventes Publiques : New York, 12 nov. 1971 : *Major General George H. Thomas* : **USD 1 000** – Los Angeles, 9 juin 1976 : *Camp incident* 1863, h/t (30,5x45,5) : **USD 1 600** – New York, 28 mai 1987 : *Review of the Grand Army of the Republic* 1865, h/t (63,5x76,2) : **USD 30 000** – New York, 2 déc. 1992 : *Bataille navale*, h/t (76,8x128,4) : **USD 4 400**.

WALKER James Alexander
Né en 1831 à Calcutta. Mort le 25 décembre 1898 à Paris. XIXe siècle. Britannique.
Peintre de sujets militaires.
Musées : Sète : *Alerte arabe*.
Ventes Publiques : Paris, 18 déc. 1922 : *Le gué pendant la chasse à courre* : **FRF 410** – Paris, 2 et 3 juil. 1929 : *Une halte* : **FRF 1 200** – Paris, 29 nov. 1937 : *Le Jockey* : **FRF 400** – New York, 14 mai 1976 : *Jeune paysanne offrant des fleurs à un soldat à cheval*, h/t (61,5x46,5) : **USD 850** – New York, 12 oct. 1978 : *Trois officiers de cavalerie en reconnaissance*, h/t (61x53,5) : **USD 1 900** – Paris, 12 déc 1979 : *Épisode de guerre*, h/t (89x117) : **FRF 8 200** – Londres, 14 juil. 1983 : *Le Trompette*, h/t (117x89) : **GBP 2 600** – New York, 9 juin 1988 : *Cavalière montant en amazone sur un cheval blanc* 1873, h/t (73,3x59,6) : **USD 4 400** – New York, 23 mai 1989 : *Dragons de la garde napoléonienne perdus dans la neige* 1882, h/t (59x90,2) : **USD 18 700** – Londres, 16 mars 1994 : *Cavalier arabe* 1873, h/t (24x18,5) : **USD 5 520**.

WALKER James William
Né en février 1831 à Norwich. Mort le 17 avril 1898 à Brockdish. XIXe siècle. Britannique.
Peintre de paysages et aquarelliste.
Il fut d'abord apprenti chez un peintre décorateur, puis étudia à la Norwich School of Design. Il enseigna le dessin à Londres, fut directeur de la School of Art, à Boston et enfin professeur de dessin à Southport. Il peignit des paysages du Pays de Galles, de Bretagne, d'Italie, etc. A partir de 1862, il exposa à Londres, notamment à la Royal Academy et au Royal Institute.
Musées : Londres (Victoria and Albert) : Une aquarelle – Norwich : *Birkdale, Port-Sud* – *Soir* – *Décembre, environs de Rivington* – *Lancashire* – *Approche de la tempête, Bristol* – *Canal* – *Père, mère et fils* – *Nature morte* – Vingt-huit aquarelles.

WALKER John
XVIIIe siècle. Britannique.

Paysagiste, dessinateur et graveur.
Fils de William Walker (né à Thirsk) dont il fut l'élève et probablement le collaborateur, puisqu'il termina les ouvrages laissés inachevés par ce dernier lors de sa mort en 1793. John Walker, actif à Londres, comme œuvres personnelles paraît avoir surtout gravé des vues publiées dans le *New Copper plats*, magazine de 1794 à 1796.

WALKER John
Né en 1931. XXe siècle. Américain.
Peintre.
Ventes Publiques : New York, 10 nov. 1988 : *Sans titre* 1982, h/t (40,5x31,3) : **USD 4 950** ; *Sans titre (Albe au crâne)*, h/t (205,7x141) : **USD 35 200** – New York, 3 mai 1989 : *Deux cultures I* 1983, h/t (216x170) : **USD 24 200** – New York, 9 nov. 1989 : *« Oceania III »* 1982, h/t (244x304,8) : **USD 35 750** – New York, 14 fév. 1991 : *« Ferrars red »* 1986, h/t (182,2x151,8) : **USD 13 200** – New York, 1er mai 1991 : *N° 5 forme ouverte et « Ferrars »* 1986, h/t (213,4x167,6) : **USD 14 300** – New York, 6 oct. 1992 : *Figure d'automne* 1985, h. et rés. synth./t. (212,1x167,6) : **USD 13 200** – New York, 17 nov. 1992 : *Étude océanique III*, fus. et craies de coul./pap. (76,2x57,1) : **USD 1 100** – Londres, 25 nov. 1993 : *Albe en vert* 1980, h/t (211x184) : **GBP 5 980**.

WALKER John
Né en 1939 à Birmingham (West Midlands). XXe siècle. Britannique.
Peintre.
De 1955 à 1960, il fut élève du Collège d'Art de Birmingham. En 1960-1961, il travailla à l'Académie de la Grande Chaumière, à Paris. En 1962, il obtint une bourse de voyage et le Premier Prix du Concours National des Jeunes Artistes. Il vit à Londres et à Leeds.
Depuis 1960, il figure dans de nombreuses expositions de groupe, notamment : 1968, *Peintres Européens d'Aujourd'hui*, au Musée des Arts Décoratifs de Paris et à New York ; 1968, *Prospect 68*, Düsseldorf ; 1969, Biennale de Paris et exposition *Une tendance de la peinture contemporaine*, Foire d'Art de Cologne ; etc. Il a également montré ses œuvres dans des expositions personnelles : 1967, 1968, Londres ; 1968, 1969, Leeds.
En ce qu'il pratique une sorte de peinture de champ, par vastes zones monochromes, il se rattache aux minimalistes américains. Il s'en écarte par un travail postimpressionniste de la matière colorée et parce qu'il laisse subsister quelques formes narratives.
Bibliogr. : In : Catalogue de l'exposition *Eine Tendenz der zeitgenössischer Malerei*, Kunstverein, Cologne, 1969.
Ventes Publiques : Londres, 28 juin 1984 : *Study IV* vers 1977-1978, acryl. et fus./pap. (126,5x97) : **GBP 1 200** – New York, 1er mai 1985 : *Oceania II* 1982, h/t (277x304,7) : **USD 20 000** – New York, 4 nov. 1987 : *Sans titre* 1984, fus. et cr. cire/aquat./pap. (74x56) : **USD 3 500**.

WALKER John Crampton
Né le 22 septembre 1890 à Dublin. XXe siècle. Irlandais.
Peintre, illustrateur.
Il fut élève de l'Académie de Dublin.

WALKER John Hanson
Né en 1844. Mort en 1933. XIXe-XXe siècles. Britannique.
Peintre de genre, figures.
Il exposa à Londres de 1869 à 1902. Il vécut et travailla à Londres.
Bibliogr. : Belinda Morse : *John Hanson Walker*, 1987.
Musées : Cheltenham (Gal.) : *Le baron de Ferrières* – Derby (Gal.) : *Herbert Spencer*.
Ventes Publiques : Londres, 15 mars 1982 : *Les bulles de savon*, h/t (71x92) : **GBP 3 000** – Londres, 1er nov. 1985 : *Tête de jeune fille rousse* 1906, h/t (44x33,5) : **GBP 1 400** – Londres, 14 juin 1991 : *Le modèle timide*, h/t (60,5x90,5) : **GBP 8 800** – Londres, 12 juin 1992 : *Portrait de Dora Garton, née Chevalier, assise* 1912, h/t (75x62,2) : **GBP 3 080** – Londres, 9 mai 1996 : *Une belle famille*, h/t (51x61) : **GBP 1 725** – Londres, 13 mars 1997 : *Portrait d'une fillette, peut-être la fille de l'artiste, Dorothy*, h/t (61x50,7) : **GBP 2 200**.

WALKER John Rawson
Né en 1796 à Nottingham. Mort le 27 août 1873 à Birmingham. XIXe siècle. Britannique.
Peintre de paysages.
Il abandonna le commerce pour s'établir peintre de paysages. Dès 1817, on le cite exposant à Londres et il continua à prendre part aux expositions de la métropole anglaise jusqu'en 1865. Notamment à la Royal Academy, à Suffolk Street et à la British Institution. En 1829, il exposa *Miss Elisabeth Hoare* Après avoir pratiqué avec succès dans sa ville natale, il alla s'établir à Londres, où il ne réussit pas moins bien. Il a peint, fréquemment des sites pittoresques des environs de Nottingham. On lui doit aussi des dessins au fusain. La Galerie de Derby possède de lui *La montagne du Paradis*, et le Musée de Nottingham, *Le vieux pont sur le Trent* ; *Vue près de Limby* ; *Panorama près de la terrasse du château de Nottingham* ; *Entrée de la caverne de Mortunes* ; *Rocher du château de Nottingham*.
Ventes Publiques : Londres, 29 fév. 1984 : *Paysages* 1820, h/t, une paire (61x46) : **GBP 1 400**.

WALKER Leonard
XXe siècle. Britannique.
Peintre verrier, aquarelliste.
Mari de Aileen Walker. Il exécuta des vitraux pour des églises de Londres, de Lahore et de Hong Kong.

WALKER Nelly Verne
Née le 8 décembre 1874 à Red Oak. XIXe-XXe siècles. Américaine.
Sculpteur.
Elle fut élève de L. Taft.
Musées : Chicago : *Portrait de mon fils*.

WALKER Pauline
XIXe siècle. Active à Southport. Britannique.
Peintre de natures mortes.
Elle exposa à Londres, à partir de 1870 et jusqu'en 1882 ; on ne cite qu'un envoi d'elle à la Royal Academy. Le Musée de Norwich conserve onze aquarelles d'elle.

WALKER Peter
XVIIe siècle. Travaillant à Kirby Hall en 1639. Britannique.
Sculpteur.

WALKER Peter Joseph
XVIIIe siècle. Actif à Oberdorf (près de Soleure) dans la seconde moitié du XVIIIe siècle. Suisse.
Sculpteur sur bois.
Il a sculpté des confessionnaux dans la cathédrale de Soleure vers 1773.

WALKER Rawson. Voir **WALKER John Rawson**

WALKER Robert
Né en 1607. Mort en 1658 ou 1660. XVIIe siècle. Britannique.
Peintre de portraits, graveur.
S'il ne fut pas élève de Van Dyck, il s'inspira de la facture de ce maître. Il atteignit la célébrité à l'époque de Cromwell, personnage qu'il portraitura plusieurs fois. Il a également gravé plusieurs portraits.
Musées : Londres (Nat. Portrait Gal.) : *L'artiste – John Lambert – Henry Ireton – Olivier Cromwell – William Faithorne – John Hampden – Peter Pett* – New York (Metropolitan Mus.) : *Henry Ireton* – Oxford (Ashmolean Mus.) : *Autoportrait – Cromwell en armure* – Saint-Pétersbourg (Mus. de l'Ermitage) : *Olivier Cromwell*.
Ventes Publiques : Londres, 6 juil. 1983 : *Portrait du Général John Lambert et de Oliver Cromwell*, h/t (138,5x164) : **GBP 12 000** – Hungerford (Angleterre), 21 nov. 1985 : *Portrait of Letitia Carre*, h/t (82,5x82,5) : **GBP 3 200** – Londres, 10 juil. 1991 : *Portrait de Sir Alan Brodrick, en buste, portant une armure et la main posée sur son casque*, h/t (88x87,5) : **GBP 3 080** – Londres, 10 avr. 1992 : *Portrait de l'essayiste John Evelyn vêtu d'une chemise blanche, en buste et accoudé à une table avec la main gauche posée sur un crâne*, h/t (87,9x64,1) : **GBP 253 000**.

WALKER Robert McAllister
Né le 6 avril 1875 à Fleetwood. XXe siècle. Britannique.
Peintre, aquafortiste.
Il vécut et travailla à Bothwell.

WALKER Ryan
Né le 26 décembre 1870 à Soringfield. XIXe siècle. Actif à New York. Américain.
Caricaturiste.

WALKER Sophia A.
Née le 22 juin 1855 à Rockland. XIXe siècle. Américaine.
Peintre, sculpteur et aquafortiste.
Élève de Lefebvre.

WALKER T. Dart
Mort le 21 juillet 1914 à New York. XIXe-XXe siècles. Américain.
Peintre de portraits, marines.

WALKER Theresa
Née en 1807. Morte en 1876. XIXe siècle. Australienne.

Sculpteur de médailles.
Elle a sculpté, au milieu du siècle, des médailles représentant des aborigènes vues de profil.
Musées : Canberra (Australian Nat. Gal.) : *The Aboriginal Encounter Bau Bob* 1838, médaille en cire – *Aboriginal woman* 1838, médaille en cire.

WALKER William
Né en novembre 1729 à Thirsk. Mort le 18 février 1793 à Londres. xviiie siècle. Britannique.
Graveur au burin.
Frère d'Anthony Walker et son élève. Il grava des illustrations de livres.

WALKER William
xviiie-xixe siècles. Actif à Londres de 1782 à 1808. Britannique.
Portraitiste.
Grand-père de Frederick William.

WALKER William
Né en 1780 à Hockney. Mort le 2 septembre 1863 à Sawbridgeworth. xixe siècle. Britannique.
Paysagiste, peintre de genre et de figures, aquarelliste.
Élève de Robert Smurke. Il alla en Grèce en 1803 pour y étudier l'architecture ancienne, ce qui lui permit, plus tard, de publier six vues pittoresques de la Grèce. En 1808, il fut membre de la Associated Artists in Water-Colours et en 1820 de la Old Water Colours Society. De 1813 à 1849, il exposa à la Royal Academy et à la Old Water Colours Society. Ses sujets sont généralement pris en Orient ou dans les contrées méditerranéennes. Le Victoria and Albert Museum, à Londres, conserve une aquarelle de lui (*Marché d'esclaves*).

WALKER William
Né le 1er août 1791 à Marckton, près de Masselburgh. Mort le 7 septembre 1867 à Londres. xixe siècle. Britannique.
Graveur au burin et à la manière noire.
Élève de John Witeheel, à Edimbourg. Il vint à Londres en 1816, et étudia la gravure au pointillé avec T. Woolnothe et la manière noire avec Thomas Lupton. De retour en Écosse en 1819, il reproduisit avec grand succès plusieurs portraits d'après Raeburn, notamment celui de Walter Scott et celui du maître peintre écossais. Il revint à Londres en 1832 et s'y établit. Sa femme Elisabeth Walker, née Reynolds (voir à ce nom), la distinguée miniaturiste, l'aida quelquefois dans ses travaux.

WALKER William
Né le 19 novembre 1878 à Glasgow (Écosse). Mort en 1961. xxe siècle. Britannique.
Peintre de paysages, paysages urbains, graveur.
Il fit ses études à Glasgow, à Londres et à Paris. Il gravait à l'eau-forte et à la manière noire.
Ventes Publiques : Londres, 18 mars 1980 : *Vendanges à Cephalonia*, aquar. (18,8x27) : **GBP 1 200**.

WALKER William Aiken
Né en 1838. Mort en 1921. xixe-xxe siècles. Américain.
Peintre de genre, scènes et paysages typiques animés.
Cet artiste s'est essentiellement attaché à l'illustration du monde et des activités de la culture du coton.
Ventes Publiques : New York, 30 jan. 1976 : *Les Vieux Planteurs de coton* 1888, h/t (51x40,5) : **USD 5 000** – New York, 28 jan. 1977 : *Les planteurs de coton*, h/cart., la paire (chaque 21x10,2) : **USD 2 800** – New York, 11 oct 1979 : *Le Bombardement de Fort Sumter* 1886, h/t : **USD 58 000** – La Nouvelle Orléans, 26 juin 1981 : *Hauling moss* 1884, h/cart. (15,2x25,3) : **USD 27 000** – Washington D. C., 6 mars 1983 : *Sailboat on Tampa Bay* 1898, aquar. (14x22) : **USD 1 000** – New York, 2 juin 1983 : *Going to market* vers 1884, h/t (25,4x45,8) : **USD 31 000** – New York, 31 jan. 1985 : *Newsboy* 1883, h/cart. (27,9x20,3) : **USD 21 000** – New York, 30 sep. 1988 : *Le travail et le plaisir de l'homme*, h/cart. (22,6x30,7) : **USD 2 420** – New York, 24 jan. 1989 : *La demeure des métayers*, h/cart. (15,6x30,6) : **USD 7 700** – New York, 28 sep. 1989 : *Le cueilleur de coton*, h/cart. (31x15,5) : **USD 4 400** – New York, 16 mars 1990 : *Vieil homme sur une mule*, h/cart. (20,3x30,5) : **USD 10 450** – New York, 27 sep. 1990 : *Le chasseur d'opossum*, h/cart. (31,5x15,5) : **USD 51 700** – New York, 30 nov. 1990 : *Scènes de la vie quotidienne dans les cases*, h/cart., une paire (16,7x32,5 et 17,2x31,7) : **USD 15 400** – New York, 14 mars 1991 : *Travailleurs dans les champs de coton*, h/cart., une paire (chaque 31,2x15,3) : **USD 12 100** – New York, 22 mai 1991 : *La charrette de coton*, h/t (45,8x76,2) : **USD 88 000** – New York, 23 mai 1991 : *Les esclaves avant la guerre* 1893, h/t (127x88,9) : **USD 77 000** – New York, 26 sep. 1991 : *Jour de lessive*, h/cart. (23,5x30,5) : **USD 11 000** – New York, 6 déc. 1991 : *La charrette aux provisions*, h/t (37x61) : **USD 99 000** – New York, 4 déc. 1992 : *La Récolte du coton*, h/t (30,5x50,9) : **USD 28 600** – New York, 23 sep. 1993 : *Le champ de coton*, h/cart. (23,5x31,1) : **USD 5 865** – New York, 9 mars 1996 : *Cueilleurs de coton*, h/t (25,7x43,5) : **USD 28 750** – New York, 22 mai 1996 : *Oncle Cy*, h/t (45,7x25,4) : **USD 16 100** – New York, 26 sep. 1996 : *Le Champ de coton*, h/pan. (23,5x31,1) : **USD 6 900** – New York, 30 oct. 1996 : *La Récolte du coton*, h/cart. (15,9x31,1) : **USD 8 050** – New York, 23 avr. 1997 : *Le Cueilleur de coton*, h/t (46x26) : **USD 14 950**.

WALKER William Eyre. Voir **WALKER Eyre**

WALKER William Henry
Né le 13 février 1871 à Pittston (Pennsylvanie). xixe-xxe siècles. Américain.
Peintre de portraits, paysages.
Il fut élève de l'Art Students League de New York.
Ventes Publiques : Londres, 14 mai 1985 : *A Mother's Meeting : a Lecture from Dr. Stopes*, aquar. et pl. (15,1x22,2) : **GBP 950**.

WALKER Winifred
Née en 1882 à Londres. Morte en 1966 à Bognor (Sussex). xixe-xxe siècles. Britannique.
Peintre, illustrateur.
Elle fit ses études à la Camden School of Art en 1900. En 1928, elle voyagea aux États-Unis. Elle enseigna l'art à l'Université de Los Angeles en 1947.
Elle participa à l'Exposition florale de Chelsea en 1911, puis en 1936. Elle exposa à l'Académie Royale en 1923 et 1928, et à Ghent où elle reçut une médaille de vermeil. Aux États-Unis, elle exposa ses peintures, en particulier à Philadelphie, où elle eut une médaille d'or en 1928. Elle participa au Salon de Paris en 1929. En 1941, elle exposa en Californie. Elle reçut le prix Nobel en 1963.
Elle commença à peintre des fleurs et des fruits qu'elle reproduisit fidèlement à travers des aquarelles pour les archives de la Société royale d'Horticulture. A partir de 1935, elle commença des recherches sur toutes les fleurs de Shakespeare, à Stratford sur Avon. Bon nombre de ses toiles furent perdues dans le naufrage de l'« Athenia », torpillé en 1939. Elle travailla alors à New York pour les nouveaux jardins botaniques de cette ville. John Millais lui demanda d'illustrer ses livres sur les *Rhododendrons* et les *Azalées* (1915). Elle écrivit et illustra un livre intitulé : *Toutes les plantes de la Bible* (1957).

WALKERSON
xviiie siècle. Actif à Londres dans la seconde moitié du xviiie siècle. Britannique.
Peintre de marines.
Il exposa à Londres en 1783.

WALKEYS William
Mort vers 1873 à Stroud. xixe siècle. Britannique.
Dessinateur.
Le Musée Britannique de Londres conserve un dessin de cet artiste.

WALKIEWICZ Feliks
Né en 1869. Mort le 22 septembre 1926 à Varsovie. xixe-xxe siècles. Polonais.
Lithographe.
Fils de Wladyslaw Walkiewicz.

WALKIEWICZ Wladyslaw
Né en 1833 à Varsovie. Mort en 1900. xixe siècle. Polonais.
Lithographe.
Élève de l'Académie de Varsovie. Il grava d'après des œuvres de peintres polonais.

WALKINSHAW A.
xviiie-xixe siècles. Travaillant à Londres de 1796 à 1810. Britannique.
Graveur de portraits et d'ex-libris.

WALKLEY David B.
Né le 2 mars 1849 à Rome. Mort en 1934. xixe-xxe siècles. Actif à Rock Creek. Américain.
Peintre.
Élève de l'Académie Julian de Paris et de l'Académie de Philadelphie.
Ventes Publiques : New York, 11 mars 1982 : *Fillette avec des roses trémières*, h/t (71,2x92,1) : **USD 6 750** – New York, 23 juin 1983 : *Femme et enfant dans un paysage*, h/t (50,8x68,6) : **USD 2 200**.

WALKOT Gerrit
Né à Amsterdam (?). Mort avant le 9 décembre 1760. XVIIIe siècle. Hollandais.
Graveur au burin.

WALKOWITZ Abraham
Né le 22 ou 28 mars 1880 ou 1878 à Tjumen (Sibérie). Mort en 1965. XXe siècle. Actif aux États-Unis. Russe.
Peintre de figures, paysages urbains, dessinateur, aquarelliste, graveur. Tendance abstraite.
Alors enfant, avec sa famille, il vint aux États-Unis. Il fut élève de la National Academy of Design de New York et de l'Académie Julian de Paris (1905-1907), où il fut influencé par Munch. À son retour à New York en 1907, il tente de se dégager de cette influence et se consacre essentiellement au dessin.
Il participa à New York à l'Armory Show en 1913 et à la Forum Exhibition en 1916. Il fit sa première exposition personnelle en 1908. Il exposa également à la galerie d'Alfred Stieglitz en 1912. Parmi les expositions rétrospectives : 1939, Brooklyn Museum ; 1949, Jewish Museum ; 1974, Salt Lake City. Il a reçu de nombreuses distinctions nationales.
C'est par son œuvre graphique qu'il a été reconnu comme l'un des pionniers du modernisme en Amérique. Il a exécuté des milliers de dessins, à la recherche du mouvement de la ligne abstraite, où le rythme le dispute aux réminiscences cubistes et futuristes. Il a collaboré à la revue new-yorkaise d'avant-garde *Inzikh* (« En soi » en yiddish). Il a dessiné une série de portraits de la danseuse Isadora Duncan qui lui valut sa renommée. Son thème favori est sans doute l'énergie de la vie et de l'architecture new-yorkaises, comme dans le dessin conservé au Whitney Museum, *New York* (1917). Après 1920 il peint des scènes de genre dans l'esprit d'un certain réalisme social. La cécité lui interdit de peindre après 1930.
BIBLIOGR. : In : *Dictionnaire universel de la peinture*, Le Robert, Paris, 1975 – in : *L'Art du XXe siècle*, Larousse, Paris, 1991.
MUSÉES : BROOKLYN : Importante donation – LOS ANGELES – NEWARK – NEW YORK (Whitney Mus.) : *New York* 1917 – NEW YORK (Mus. of Mod. Art) : *Hudson River with figures* 1912 – *75 Dance Figures of Isadora Duncan*.
VENTES PUBLIQUES : NEW YORK, 27 oct. 1977 : *Les pêcheurs*, h/t (78,4x73,6) : **USD 1 600** – NEW YORK, 6 déc 1979 : *Isadora Duncan dansant*, aquar., cr. et encre (28x17,8) : **USD 1 100** – NEW YORK, 10 juil. 1980 : *Paysage d'automne, Woodstock* 1918, h/cart., entoilé (45,7x61) : **USD 1 600** – NEW YORK, 23 juin 1983 : *Pêcheurs dans une barque*, h/t (66x101,6) : **USD 2 750** – SAN FRANCISCO, 20 juin 1985 : *Nature morte aux poires* 1906, h/t (51x61) : **USD 2 250** – NEW YORK, 24 juin 1988 : *Sans titre (forme humaine abstraite)*, cr. et fus./pap. (52x40,8) : **USD 1 540** – NEW YORK, 24 mai 1989 : *Carnaval*, h/t (63,5x101,6) : **USD 22 000** – NEW YORK, 28 sep. 1989 : *Baigneuse*, h/t renforcée (40x30,5) : **USD 6 600** – NEW YORK, 24 jan. 1990 : *Personnage en mouvement*, encre et cr./pap. (66,6x51,3) : **USD 3 520** – NEW YORK, 31 mai 1990 : *Roses*, h/t (35,6x27,9) : **USD 1 870** – NEW YORK, 17 déc. 1990 : *Figures dans un paysage*, aquar. et cr./pap. (25,4x35,6) : **USD 3 850** – NEW YORK, 14 nov. 1991 : *Abstraction en couleurs*, aquar./pap. (40x32,4) : **USD 1 980** – NEW YORK, 12 mars 1992 : *Baigneurs*, aquar. et cr./pap. (25,2x35,5) : **USD 4 620** – NEW YORK, 28 mai 1992 : *Salle de bain*, h/t cartonnée (45,7x61) : **USD 6 600** – NEW YORK, 11 mars 1993 : *À l'Opéra*, aquar. et fus./pap. (56x37,8) : **USD 5 750** – NEW YORK, 22 sep. 1993 : *Baigneuses*, h/t (56x102) : **USD 6 095** – NEW YORK, 12 sep. 1994 : *Le chemin de la maison* 1906, aquar./pap. (39,4x45,7) : **USD 2 530** – NEW YORK, 20 mars 1996 : *Baigneurs sur la plage*, h/t (66x101,6) : **USD 6 325** – NEW YORK, 25 mars 1997 : *Têtes, modèles, gratte-ciel*, pl. et encre, fus., cr., lav./pap., sept études (25,4x15,2 en moyenne) : **USD 2 645**.

WALL Benjamin
Né en 1746 à Färgelanda. XVIIIe siècle. Suédois.
Peintre.
Il a peint *Gethsémani* dans l'église de Grinstad en 1806.

WALL Brian
XXe siècle. Britannique.
Sculpteur de figures.
Il a travaillé avec Barbara Hepworth. Parti d'un géométrisme anguleux et strict, il a évolué dans le sens de la souplesse. Travaillant le métal, il le peint souvent en noir.
VENTES PUBLIQUES : LONDRES, 17 mars 1976 : *Two oblongs*, acier (H. 134) : **GBP 120** – LONDRES, 24 mai 1990 : *Figure debout*, acier soudé (H. 61) : **GBP 3 520**.

WALL Bruce
XXe siècle. Américain.
Peintre.
Il expose principalement aux États-Unis, à New York. Sa peinture envahie de monstres urbains et d'un expressionnisme très coloré, appartient à ce mouvement très diversifié des nouvelles figurations.
VENTES PUBLIQUES : NEW YORK, 10 nov. 1988 : *Metro Freako 6* 1984, deux pan. muraux acryl./mousse/t. (229x244,7x32) : **USD 7 150**.

WALL Jan Van der
Mort après le 28 octobre 1783. XVIIIe siècle. Actif à La Haye. Hollandais.
Peintre de paysages et d'architectures.

WALL Jeff
Né en 1946. XXe siècle. Canadien.
Artiste, photographe.
Il a étudié l'histoire de l'art. Il est l'auteur d'une thèse sur le photomontage dadaïste. Depuis 1987, il enseigne à l'Université de Colombie-Britannique. Il vit et travaille à Vancouver. Il participe à de multiples expositions collectives, dont : 1985, Nouvelle Biennale de Paris. Il montre ses œuvres dans de nombreuses expositions personnelles : 1978, Nova Gallery, Vancouver ; 1982, David Bellman Gallery, Toronto ; 1983, University of Chicago, Chicago ; 1984, Institute of Contemporary Arts, Londres ; 1985, Stedelijk Museum, Amsterdam ; 1988, Arc Musée d'Art Contemporain, Paris ; 1988, Nouveau Musée, Villeurbanne ; 1992, Palais des Beaux-Arts, Bruxelles, 1995, Galerie Nationale du Jeu de Paume, Paris.
Il a commencé par créer des œuvres conceptuelles, dont *Landscape Manual* (1969-1970), des photographies de vues de banlieue accompagnées de texte, rappelant les premiers livres d'artiste apparus aux États-Unis à la même époque. Ayant interrompu son travail de plasticien, Jeff Wall réalise, au début des années soixante-dix, de nouvelles œuvres en utilisant d'une manière originale le procédé de l'image photographique. Il « projette en avant » ses grands tirages cibachromes dans des caissons lumineux pourvus d'une lumière fluorescente blanche et dure, annulant les effets d'ombres. Toutes ses œuvres, principalement des mises en scène de personnages, des portraits, dont certains éléments sont parfois retravaillés, intègrent des références à la peinture, au cinéma et au théâtre. Ses photographies possèdent souvent l'esprit et la facture de la photographie de reportage, mais toujours en subtil décalage avec le réel qu'elles reconstituent. Si Jeff Wall écrit que « mon œuvre vise essentiellement à représenter le corps », l'environnement choisi leur confèrent également une dimension critique et sociale indéniable. ■ C. D.
BIBLIOGR. : E. Barents, Engl. Schirmer, J. Wall : *Jeff Wall. Transparencies*, Munich, 1986 – E. Barents, J. Wall, E. Migayrou : *Jeff Wall*, catalogue d'exposition, Le Nouveau Musée, Villeurbanne, 1988 – M. Stockebrand, J. Wall, A. Thielemann : *Jeff Wall*, catalogue d'exposition, Westfälischer Kunstverein, Munster, 1988 – in : *L'Art du XXe siècle*, Larousse, Paris, 1991 – in : Catalogue de la Nouvelle Biennale, Paris, 1985 – in : *Dictionnaire de l'art moderne et contemporain*, Hazan, Paris, 1992 – *Jeff Wall*, catalogue de l'exposition, Galerie Nationale du Jeu de Paume, Paris, 1995 – Frédéric Migayrou : *Jeff Wall. Simple indication*, La lettre volée, Bruxelles, 1996.
MUSÉES : FRANCFORT-SUR-LE-MAIN (Mus. d'Art Mod.) : *Le conteur* 1986 – PARIS (Mus. Nat. d'Art Mod.) : *Picture for Woman* 1979, cibachrome – *Double Autoportrait* 1979.
VENTES PUBLIQUES : NEW YORK, 7 mai 1996 : *Gamin à la TV* 1990, photo. coul. (35,6x36,8) : **USD 1 725**.

WALL John
Né en 1708 à Howick. Mort en 1776 à Worcester. XVIIIe siècle. Britannique.
Peintre amateur, aquafortiste, peintre verrier.
Il était également chimiste et physicien. Il peignit des sujets religieux et travailla pour la Manufacture de porcelaine de Worcester.

WALL Jozef ou **Wahl** ou **Wal** ou **Vall**
Né en 1754 à Varsovie. Mort le 21 janvier 1798 à Varsovie. XVIIIe siècle. Polonais.
Peintre et graveur à l'eau-forte.
Il étudia à Varsovie avec Bacciorelli, puis, comme boursier du roi Stanislas Auguste, il se rendit en Italie et en Allemagne pour continuer ses études. Il y fit pour le roi plusieurs copies d'après les grands maîtres. Il fut peintre à la cour royale de Pologne, professeur à l'Académie de Florence. Plusieurs autres Académies

l'admirent dans leur sein. Le Musée Mielzynski de Posen conserve de lui *Évêque grec* et *Dignitaire turc* et des dessins, et la Galerie de Varsovie, *Tête de vieillard ; Vieillard lisant son livre ; Portrait de la comtesse Denhoff.*

WALL Willem Hendrik Van der
Né le 15 octobre 1716 à Utrecht. Mort en 1790. XVIIIe siècle. Hollandais.
Sculpteur, stucateur, dessinateur et peintre (?).
Père de Willem Rutgaart Van der Wall. Élève de Jac. Cresant et de J.-B. Xavery. Il travailla pour les églises catholiques d'Utrecht. Le Musée National d'Amsterdam conserve de lui *Mère allaitant son enfant.*

WALL Willem Rutgaart Van der
Né le 9 mars 1756 à Utrecht. Mort le 5 décembre 1813 à Utrecht. XVIIIe-XIXe siècles. Hollandais.
Peintre et sculpteur.
Fils de Willem Hendrick Van der Wall. Il fut admis dans la gilde en 1795. Le Musée d'Orléans conserve de lui *Animaux et bergers dans une plaine*, dessin.

WALL William Allen
Né le 29 mai 1801 à New Bedford. Mort en 1885 à New Bedford. XIXe siècle. Américain.
Peintre de portraits, paysages, peintre à la gouache.
Il fut élève de Thomas Sully.
Ventes Publiques : New York, 23 sep. 1993 : *L'automne à New Bedford dans le Massachusetts*, gche/pap. (24,8x38,1) : **USD 1 610.**

WALL William Archibald
Né en 1828 à New York. XIXe siècle. Américain.
Paysagiste.
Fils de William Guy Wall. Il exposa à Dublin, à Londres et à New York de 1847 à 1872.
Ventes Publiques : Londres, 28 jan. 1971 : *The Hudson River* : **GBP 1 100** – Londres, 25 mai 1979 : *Vue d'une ville au bord d'un estuaire*, h/t (36x70,4) : **GBP 1 600** – Londres, 7 nov. 1996 : *Personnages devant l'étang d'un village* 1868, h/t (50,8x76,3) : **GBP 2 185.**

WALL William Guy
Né en 1792 à Dublin. Mort après 1862 probablement à Dublin. XIXe siècle. Actif de 1826 à 1862. Irlandais.
Peintre de paysages, paysages d'eau, peintre à la gouache, aquarelliste, dessinateur.
Il fit ses études à New York. Il exposa à Dublin et à Londres de 1840 à 1853.
Ventes Publiques : Portland, 22 sep. 1984 : *Indien au bord d'une rivière dans un paysage d'automne*, h/cart. (22,8x29,2) : **USD 2 200** – Portland, 28 sep. 1985 : *View on the Hudson* 1857, h/t (53,5x67,5) : **USD 10 000** – New York, 28 sep. 1989 : *Westpoint sur l'Hudson*, h/pan. (20,5x25,3) : **USD 6 600** – New York, 21 mai 1991 : *L'Hudson vers l'ouest*, aquar./pap. avec reh. de gche (24,8x43,2) : **USD 1 320** – New York, 31 mars 1994 : *La ville au-delà de la rivière* 1825, encre et lav./pap. (11,4x15,9) : **USD 575** – Londres, 30 mars 1994 : *Un lac irlandais*, h/t (71x107) : **GBP 6 440.**

WALL PERNÉ Gustaaf Frederik Van de
Né le 18 mai 1877 à Apeldoorn. Mort le 27 décembre 1911 à Amsterdam. XXe siècle. Hollandais.
Peintre de paysages, illustrateur, écrivain.
Il illustra des contes hollandais.
Musées : Amsterdam (Mus. mun.) : *Légende* – Amsterdam (Mus. Nat.) : *Cerf solitaire dans la pénombre d'une forêt de pins.*

WALLA Jozsef ou **Josef** ou **Vall**
Né vers 1844 à Budapest. Mort après 1907. XIXe siècle. Hongrois.
Graveur sur bois.
Il travailla à Paris et à Stuttgart, et se fixa à Budapest.

WALLACE Alfred, orthographe erronée. Voir **WALLIS**

WALLACE Benjamin A.
XIXe siècle. Actif dans la première moitié du XIXe siècle. Américain.
Peintre.
La Galerie d'Art de New York possède de lui *Portrait de Mme Clarkson Crolius.*

WALLACE Ellen. Voir **SHARPLES Ellen**, Mrs

WALLACE Harold Frank ou **Frank**
Né le 21 mars 1881 en Yorkshire. Mort en 1962. XXe siècle. Britannique.
Peintre de paysages, paysages animés, aquarelliste, dessinateur de sport.
Ventes Publiques : Londres, 27 fév. 1985 : *The falls pool, Helmsdale*, gche/cart. entoilé (37x53) : **GBP 1 200** – Glasgow, 5 fév. 1991 : *Le soir sur les plateaux*, aquar. avec reh. de blanc (36x51) : **GBP 1 320** – New York, 26 mai 1992 : *Exilé*, aquar. et gche/pap. fort (38x53,3) : **USD 1 320** – Perth, 1er sep. 1992 : *Cerfs à flanc de colline près de Atholl*, gche (35x51,5) : **GBP 1 210** – Londres, 13 nov. 1992 : *Instantané, un cerf dans les Highlands*, cr. et aquar. avec reh. de gche (36,9x54,2) : **GBP 600** – Perth, 31 août 1993 : *Cerf près d'un ruisseau*, aquar. et gche (35,5x51) : **GBP 1 380** – Londres, 4 nov. 1994 : *La dernière chance*, cr. et aquar. avec reh. de blanc (32,4x48,6) : **GBP 1 495** – Perth, 29 août 1995 : *Rude hiver pour les cerfs*, aquar. et gche (34,5x49,5) : **GBP 1 495.**

WALLACE James
Mort en mai 1911 à Londres. XIXe-XXe siècles. Britannique.
Peintre de genre, paysages, figures, paysages animés.
Ventes Publiques : Glasgow, 1er fév. 1994 : *Le forgeron* 1911, h/t (36x46) : **GBP 747.**

WALLACE Joan
XXe siècle. Américaine.
Peintre, technique mixte.
De 1983 à 1987 Joan Wallace et Geralyn Donohue ont travaillé ensemble et ont signé en commun leurs œuvres. Depuis 1990, elles exposent de manière indépendante. Elles vivent et travaillent à New York. Elles ont, chacune, montré leurs œuvres respectives, lors d'une exposition, à Paris, en 1992, organisée par la galerie Xenos Rippas.
Toutes deux, dans leur travail, interrogent et mettent en question les valeurs culturelles de la modernité. Avec, pour Joan Wallace, une préoccupation particulière liée au fantasme sexuel.
Bibliogr. : Jean-Yves Jouannais : *Joan Wallace et Geralyn Donohue*, in : *Art Press* n° 165, Paris, Janv. 1992.

WALLACE John
Né en Écosse. Mort en 1903. XIXe siècle. Britannique.
Peintre de scènes de genre, portraits, intérieurs, paysages animés, paysages, dessinateur, caricaturiste, illustrateur, lithographe.
Il fit ses études à l'École de la Royal Scottish Academy à Édimbourg. Il prit une part active et continue aux expositions de la Royal Scottish Academy et exposa quelquefois à Londres à partir de 1874. Il adopta le pseudonyme de *George Pipeshank.*
Il fit d'abord de la lithographie et réussit bien avec ce procédé. On cite de lui, notamment, une suite de portraits d'hommes célèbres. Il fit aussi des illustrations d'ouvrages. Ses tableaux sont de petits sujets, particulièrement des intérieurs dans le goût des Hollandais du XVIIe siècle. Il a aussi peint des paysages.
Ventes Publiques : Édimbourg, 30 août 1988 : *Baigneur dans un paysage de forêt* 1886, h/t (61x46) : **GBP 1 870** – Perth, 26 août 1991 : *Rue de village* 1893, h/t, une paire (chaque 45,5x61) : **GBP 2 090.**

WALLACE John
XIXe-XXe siècles. Britannique.
Peintre de paysages.
Il exposa à Londres de 1874 à 1904. Il vécut et travailla à Londres et à Newcastle.

WALLACE John
Né vers 1860. XIXe-XXe siècles. Américain.
Sculpteur.
On sait peu de choses sur lui. Ses œuvres sont des sortes de totems dans la tradition des Indiens « Haida », bien que dénotant une forte individualité.
Bibliogr. : Oto Bihalji-Merin : *Les peintres naïfs*, Delpire, Paris, s. d.

WALLACE Ottilie, née **McLaren**
Née le 2 août 1875 à Edimbourg (Écosse). XXe siècle. Britannique.
Sculpteur de bustes, monuments.
Elle fut élève de Rodin. Elle vécut et travailla à Londres. Elle sculpta des monuments aux Morts.

WALLACE Robin
Né le 17 mars 1897 à Kendall. XXe siècle. Britannique.
Peintre, graveur.
Il vécut et travailla à Londres.

WALLACE William
Né en 1801 à Falkirk. Mort le 8 juillet 1866 à Glasgow. XIXe siècle. Britannique.

Portraitiste.
Il travailla d'abord à Edimbourg, et à partir de 1833, à Glasgow. La National Gallery, à Edimbourg, conserve de lui *Portrait de Thomson de Duddington*. Un autre William Wallace travailla à Londres, où il exposa des motifs d'architectures, à partir de 1880, notamment à la Royal Academy.

WALLACHY Jenö ou **Eugène**
Né le 1er janvier 1855 à Szepesszombat. XIXe siècle. Hongrois.
Portraitiste.

WALLAERT D.
XVIIIe siècle. Actif à Paris. Français.
Graveur au burin.
Il grava d'après Ch. F. de Lacroix et J. Vernet.

WALLAERT Gaston
Né en 1889. Mort en 1954. XXe siècle. Belge.
Peintre de scènes de genre, graveur, lithographe.
Il fut élève de l'Académie de Bruxelles sous la direction de Montald et Fabry. Il effectua un séjour en Italie.
Bibliogr. : In : *Dict. biogr. illustré des artistes en Belgique depuis 1830*, Arto, Bruxelles, 1987.

WALLAERT Martin
Né en 1944 à Deinze. XXe siècle. Belge.
Peintre de paysages. Expressionniste.
Il fut élève de l'Académie et de l'Institut des Arts d'Anvers.
Bibliogr. : In : *Dict. biogr. illustré des artistes en Belgique depuis 1830*, Arto, Bruxelles, 1987.
Ventes Publiques : Anvers, 8 mai 1979 : *Petit garçon au chien*, h/pan. (95x74) : **BEF 60 000** – Lokeren, 20 mars 1993 : *Le village de Wannegem-Lede*, h. et cr./pap. (50x73,5) : **BEF 28 000** – Lokeren, 12 mars 1994 : *Ferme en hiver*, h/pan. (80x60) : **BEF 55 000**.

WALLAERT Pierre Joseph ou **Vallaert**
Né le 23 janvier 1753 ou le 16 mars 1755 à Lille (Nord). Mort vers 1812 à Paris. XVIIIe-XIXe siècles. Français.
Peintre de scènes de chasse, sujets de genre, paysages, paysages d'eau, marines, dessinateur.
Il fut élève de l'École de dessin de Lille. On peut croire, d'après ses œuvres connues qu'il dut aller en Italie. Il exposa au Salon de Paris, entre 1795 et 1810.
Il imita dans ses paysages la manière de Joseph Vernet.
Musées : Lille : *Paysage Italien* – Marseille : *Naufrage* – Toulouse : *Paysage*, dess. au lav.
Ventes Publiques : Paris, 24 mai 1923 : *Un port au matin ; Le Naufrage ; Pêcheurs halant leurs filets ; Clair de lune sur un estuaire*, quatre toiles : **FRF 3 400** – Paris, 18 mars 1942 : *Pêcheurs* : **FRF 5 100** – Paris, 28 fév. 1949 : *Scènes de port*, deux pendants : **FRF 50 000** – Paris, 19 juin 1981 : *Le Départ des pêcheurs au clair de lune ; Le Naufrage* 1812, h/t, deux pendants (chaque 80x127) : **FRF 56 000** – Orléans, 26 mai 1984 : *Le retour des pêcheurs*, h/t : **FRF 27 500** – Paris, 29 mars 1985 : *Marines par temps calme*, deux h/t, formant pendants (34x46) : **FRF 20 000** – Paris, 26 avr. 1993 : *La chasse à courre au cerf*, h/t (61x96) : **FRF 40 000**.

WALLAERTS Antoine. Voir **VALLAERTS Antoine**

WALLAIN Nanine. Voir **VALLAIN Nanine**

WALLANDER Alf
Né le 10 octobre 1862 à Stockholm. Mort le 29 septembre 1914 à Stockholm. XIXe-XXe siècles. Suédois.
Peintre de paysages animés, pastelliste, décorateur.
Il figura aux Expositions de Paris, y obtenant une mention honorable en 1889 et une médaille d'or en 1889 lors de l'Exposition universelle à Paris.
Musées : Göteborg – Stockholm : *Joueur d'orgue de Barbarie – Marchand d'oiseaux*.
Ventes Publiques : Los Angeles, 23 juin 1980 : *L'heure du thé*, past./pap. mar./t. (71x89) : **USD 1 300** – Stockholm, 17 avr. 1985 : *Intérieur*, past. (80x124) : **SEK 36 000** – Stockholm, 20 oct. 1987 : *Edgar Degas dans son atelier* 1891, past. (48x26) : **SEK 33 000** – Stockholm, 19 avr. 1989 : *Enfants jouant près des remises à bateaux l'été près de Dalarö*, h/pan. (25x34) : **SEK 16 000** – Stockholm, 16 mai 1990 : *Paysage avec des cyprès au-dessus d'un mur*, h/métal (25x20) : **SEK 4 500** – Stockholm, 14 nov. 1990 : *Paysage estival avec une villa près d'un étang aux environs de Dalarö* 1901, h/t (62x82) : **SEK 10 500**.

WALLANDER Gerda Charlotta, née **Wallander**
Née le 17 août 1860 à Stockholm. Morte le 14 janvier 1926 à Stockholm. XIXe-XXe siècles. Suédoise.
Peintre de genre, portraits, paysages urbains, intérieurs.
Cousine et femme d'Alf Wallander. Elle peignit des motifs de Stockholm, des scènes de café et des intérieurs de musées.
Musées : Malmoe : *En plein été*.

WALLANDER Vilhelm, ou **Joseph Wilhelm**
Né le 15 mai 1821 à Stockholm. Mort le 6 février 1888 à Stockholm. XIXe siècle. Suédois.
Peintre de sujets de genre, portraits, lithographe.
Il étudia à Düsseldorf.
Musées : Stockholm : *Concert rustique – Danse de noces à Wingaker*.
Ventes Publiques : Göteborg, 9 nov. 1977 : *Une bonne bouteille*, h/t (41x33) : **SEK 7 000** – Stockholm, 26 avr. 1982 : *Les premiers pas* 1855, h/t (26x32) : **SEK 28 500** – Stockholm, 30 oct. 1984 : *Réjouissances villageoises*, h/t (74x104) : **SEK 200 000** – Stockholm, 20 oct. 1987 : *Paysanne dansant dans un intérieur* 1864, h/t (51x70) : **SEK 225 000** – Göteborg, 18 mai 1989 : *La charrette à cheval* 1861, h/pan. (32x45) : **SEK 56 000** – Stockholm, 15 nov. 1989 : *Portrait de femme sur un balcon avec un paysage et une église à l'arrière-plan*, h/t (114x88) : **SEK 11 000** – Stockholm, 14 nov. 1990 : *Couple d'Italiens*, h/t (113x80) : **SEK 25 000** – Stockholm, 10-12 mai 1993 : *Paysans dansant dans un intérieur*, h/t (39x50) : **SEK 10 000**.

WALLAT Paul
Né le 1er juin 1879 à Rostock. XXe siècle. Allemand.
Peintre de marines, sculpteur, graveur.
Il fut élève de l'Académie de Berlin. Il gravait à l'eau-forte.
Musées : Rostock : *Le port de Hambourg* – Schwerin : *Pêcheur de haute mer – Sur la plage – Le long de la plage*.

WALLAYS Edouard Auguste
Né le 13 juillet 1813 à Bruges. XIXe siècle. Éc. flamande.
Peintre.
Élève de J. Geirnaert. Le Musée de Bruges conserve de lui *Prométhée enchaîné* et *Vue de la Salle des audiences de l'ancien Hôtel de Ville de Bruges*.

WALLBECK-HALLGREN Thorgny Andreas
Né le 12 juillet 1878 à Göteborg. Mort le 12 août 1925 à Stockholm. XXe siècle. Suédois.
Dessinateur, écrivain.
Il travailla pour plusieurs illustrés suédois.

WALLBERG Carl Henrik
Né en 1810. XIXe siècle. Suédois.
Peintre de genre et portraitiste.
Élève de D. W. Blom et de J. Way.

WALLE Eugénie Van de
XIXe siècle. Actif à Gand vers 1820. Belge.
Peintre de paysages.

WALLE Georges Van de, pseudonyme : **Cies de Kalle**
Né en 1861 à Gand. Mort en 1923. XIXe-XXe siècles. Belge.
Peintre animalier, paysages animés.
Il fit partie du premier groupe de Laethem-Saint-Martin, en compagnie de Frits Van den Berghe. Il mourut fou à l'hospice de Gand.
Ses compositions, représentant des pâturages, des prés animés de chevaux, moutons, bœufs, sont peintes dans des coloris vifs et recherchés. Il signait parfois ses toiles de son surnom : Cies de Kalle.
Bibliogr. : Gérald Schurr, in : *Les Petits Maîtres de la peinture 1820-1920, valeur de demain*, Les Éditions de l'Amateur, t. V, Paris, 1981 – in : *Dictionnaire biographique illustré des artistes en Belgique depuis 1830*, Arto, Bruxelles, 1987.

WALLECAN Alfred
Né en 1894 à Menin. Mort en 1960. XXe siècle. Belge.
Peintre de paysages, figures.
Il fut élève de l'École de Dessin de Menin, dont il devint par la suite le directeur. Il a surtout peint les paysages du pays de la Lys.
Bibliogr. : In : *Dict. biogr. illustré des artistes en Belgique depuis 1830*, Arto, Bruxelles, 1987.

WALLEE Louis ou **Vallée**
Né en 1773 à Berlenbourg. Mort le 12 mars 1838 à Salzbourg. XVIIIe-XIXe siècles. Autrichien.
Peintre de scènes de genre, paysages, aquarelliste.
Il se fixa à Salzbourg en 1796. Il exécuta des paysages, des vues et des scènes nocturnes de Salzbourg et des environs.

WALLEGHEM Pieter Van
XVIIIe siècle. Travaillant à Bruges au milieu du XVIIIe siècle. Éc. flamande.
Sculpteur.
Il exécuta des sculptures sur la chaire de l'église Notre-Dame de Bruges en 1743.

WALLEN Gustav Theodor
Né le 14 décembre 1860 à Stockholm. Mort en 1948. XIXe-XXe siècles. Suédois.
Peintre de sujets de genre, portraits, paysages, sculpteur.
Il figura aux expositions du Salon des Artistes Français de Paris ; obtenant une mention honorable en 1890, une médaille de troisième classe en 1892.
Musées : Stockholm (Mus. Nat.) : *Yvonne, jeune fille bretonne.*
Ventes Publiques : Stockholm, 29 oct. 1985 : *Sur les quais de la Seine*, h/t (75x100) : **SEK 50 000** – Stockholm, 14 nov. 1990 : *Paysage estival avec des constructions au bord d'un lac*, h/t (39x56) : **SEK 14 500.**

WALLEN J. T.
XIXe siècle. Français.
Peintre de genre.
Le Musée de Lyon conserve de lui *La maison mortuaire.*

WALLEN Jacobea Van der, plus tard Mme **Van der Hoeven**
XVIIIe siècle. Active à Rotterdam vers 1732. Hollandaise.
Dessinatrice.
Elle fut également cantatrice.

WALLENBERG Anna Eleonora Charlotta, née **von Sydow**
Née le 26 août 1838 à Stockholm. Morte en 1910. XIXe-XXe siècles. Suédoise.
Peintre de genre, portraits, paysages.
Elle fut élève de J. Kr. Boklund à Stockholm.

WALLENBERG Axel Gereon
Né le 22 mai 1898 à Nässjö. XXe siècle. Suédois.
Sculpteur de statues, figures, monuments.
Il fut élève de l'Académie de Stockholm. Il sculpta également des autels, des fonts baptismaux et des fontaines.
Ventes Publiques : Stockholm, 19 avr. 1989 : *Couple nu courant*, bronze (H. 47) : **SEK 37 000** – Stockholm, 14 juin 1990 : *Composition* 1970, bronze (H. 39,5) : **SEK 7 200** – Stockholm, 5-6 déc. 1990 : *Jeune fille au bouquet*, bronze à patine verte (H. 21) : **SEK 3 500.**

WALLENBERGER Johann ou **Walnberger**
XVIIIe-XIXe siècles. Actif à Eggenbourg, de 1792 à 1804. Autrichien.
Peintre et doreur.
Il a peint un *Saint Laurent* dans l'église de Freischling en 1794.

WALLENBERGER Karl
XVIIIe siècle. Actif à Eggenbourg, de 1722 à 1769. Autrichien.
Peintre et doreur.
Il peignit des fresques et le tableau du maître-autel dans l'église de Reinprechtspölla.

WALLENBORN François
Né le 23 mai 1899 à Novéant, près de Metz (Moselle). Mort le 16 décembre 1971. XXe siècle. Allemand.
Peintre de paysages urbains, aquarelliste, graveur, lithographe.
Il a été ingénieur électricien de formation et de profession. Il a figuré, à Paris, à l'exposition *Gravures Originales en Noir* en 1938. Une présentation d'un ensemble de ses œuvres eut lieu en 1988 à Sarrebruck à la Altstadtgalerie.
Il a principalement peint à l'aquarelle des vues de Metz, en particulier la cathédrale, les églises et des vieux quartiers, mais aussi des vues de Paris, et des principales villes de Belgique, de Suisse et d'Allemagne. Il a réalisé de nombreuses gravures en noir et blanc. Son style, traditionnel, s'apparente à celui des peintres du XIXe siècle.

WALLENQVIST Edvard
Né le 27 juillet 1894 à Ulricehamm. Mort en 1986. XXe siècle. Suédois.
Peintre de natures mortes, fleurs.
Il a été élève de C. Wilhelmson.
Musées : Nyköping – Stockholm.
Ventes Publiques : Stockholm, 26 nov. 1952 : *Fleurs* : **SEK 370** – Stockholm, 6 déc. 1989 : *Nature morte avec des arums et une plante dans un pot de céramique*, h/t (64x53) : **SEK 10 000** – Stockholm, 5-6 déc. 1990 : *Capucines, fleurs dans un vase sur une table drapée*, h/t (90x63) : **SEK 6 500.**

WALLENSTAIN Gh. ou **Valstein** ou **Valsteiner** ou **Walstein**
Né en 1795. Mort le 26 décembre 1858 à Bucarest. XIXe siècle. Roumain.
Portraitiste et peintre d'histoire.
Il fit ses études à Vienne et se fixa à Bucarest. La Pinacothèque de cette ville conserve de lui *Résurrection.*

WALLENSTEIN Julius
Né en 1805. Mort en 1888. XIXe siècle. Allemand.
Peintre.
Il travailla à Leipzig et à Dresde. Le Musée de Leipzig conserve de lui le *Portrait de Baudius.*

WALLENSTRAND Carl
XIXe siècle. Actif dans la première moitié du XIXe siècle. Suédois.
Miniaturiste.
Il exposa à Stockholm en 1809.

WALLEPAGY. Voir **VALEPAGI**

WALLER Anton ou **Georg Anton**
Né le 11 avril 1861 à Neumugl près de Marienbad. Mort le 10 mai 1934 à Düsseldorf (Rhénanie-Westphalie). XIXe-XXe siècles. Autrichien.
Peintre de sujets religieux.
Il exécuta des peintures dans l'abbaye de Tepl près de Marienbad et dans plusieurs églises de Westphalie.

WALLER Edvard
Né le 22 mars 1870 à Upsala. Mort le 13 mars 1921 à Paris. XIXe-XXe siècles. Suédois.
Sculpteur.
Il fut élève d'Injalbert et de Rodin à Paris. Il y exposa en 1906.
Musées : Göteborg : *Buste du peintre Ivar Arosenius* – Malmöe : *Buste du poète Anders Osterling* – Stockholm (Mus. Nat.) : *Statue d'Ivar Arosenius.*

WALLER Frank
Né le 12 juin 1842 à New York. Mort le 9 mars 1923 à Morristown. XIXe-XXe siècles. Américain.
Peintre de paysages animés, scènes de genre.
Il fut élève de J. G. Chapman à Rome.
Musées : New York (Metropolitan Mus.) : Plusieurs peintures.
Ventes Publiques : New York, 24 oct 1979 : *Paysage aux ruines, Égypte* 1861, h/t (52x90) : **USD 1 500** – New York, 21 mai 1991 : *Village arabe au bord du Nil* 1873, h/t (30,5x67,4) : **USD 3 300** – New York, 9 sep. 1993 : *La côte d'Afrique du Nord* 1887, h/t (21,6x47) : **USD 1 035.**

WALLER J.
XVIIIe siècle. Actif vers 1700. Britannique.
Portraitiste.
On cite de lui un *Portrait de Lord Cutts entouré de Mars, Minerve et Apollon* qui fut gravé par Bernard Lens.

WALLER John Green
XIXe siècle. Actif à Londres. Britannique.
Peintre.
Il exposa à Londres de 1835 à 1848 des portraits et des scènes de genre.

WALLER Kaspar
XVIe siècle. Actif à Vienne dans la seconde moitié du XVIe siècle. Autrichien.
Sculpteur.

WALLER Leonhard ou **Woller**
XVIe siècle. Travaillant à Vienne dans la seconde moitié du XVIe siècle. Autrichien.
Sculpteur.
Il a sculpté un crucifix pour la chapelle du Château impérial de Vienne en 1558.

WALLER Mary Lemon, née **Fowler**
Morte en 1931. XIXe-XXe siècles. Britannique.
Peintre de portraits.
Femme de Samuel Edmund Waller. Elle exposa à Londres de 1877 à 1916, ville où elle vécut.
Ventes Publiques : New York, 21 jan. 1978 : *Fillette en robe blanche*, h/t (168x107) : **USD 2 400** – Londres, 23 mars 1984 : *Gla-*

dys daughter of Major Lutley Jordan 1890, h/t (90,2x69,2) : **GBP 7 000** – Londres, 8 nov. 1996 : *Portrait en buste de Robert Berks Timmis* 1887, h/t (59,1x49,8) : **GBP 20 000**.

WALLER Napier
Né en 1893. Mort en 1972. xxe siècle. Australien.
Peintre de figures.
Musées : Canberra (Australian Nat. Gal.) : *Christian Waller with Baldur, Undine and Siren at Fair Hills* 1932, h/t.

WALLER Renz
Né le 3 novembre 1895 à Wiedenbruck. xxe siècle. Allemand.
Peintre de scènes de chasse, animalier.
Fils d'Anton Waller et élève de l'Académie de Düsseldorf. Il vécut et travailla à Düsseldorf. Il peignit surtout des scènes de chasse.
Musées : Berlin (Mus. mun.) : *Faucon ayant pris un héron* – Hagen (Mus. mun.) : *Canard sauvage*.
Ventes Publiques : Cologne, 18 mars 1989 : *Setter à poil long*, h/t (60x80) : **DEM 1 100**.

WALLER Richard
Né en 1811. Mort le 18 juin 1882 à Leeds (?). xixe siècle. Britannique.
Portraitiste.

WALLER Samuel Edmund
Né le 16 juin 1850 à Gloucester. Mort le 9 juin 1903 à Londres. xixe siècle. Britannique.
Peintre de genre et de chevaux, dessinateur.
Élève de John Kemp à Gloucester. Il exposa à Londres, à partir de 1871. Mari de Mary Lemon W. Il fut membre du Royal Institute of Oil Painters.

Musées : Londres (Tate Gal.) : *Succès – Petites amies et épouses* – Melbourne : *Jalousie* – Sydney : *Home ?*
Ventes Publiques : Londres, 1894 : *Vies désunies* : **FRF 3 525** – Londres, 28 nov. 1924 : *Farewell* : **GBP 105** – Londres, 19 juin 1925 : *Tel père, tel fils* : **GBP 152** – Londres, 28 jan. 1972 : *Le chasseur* : **GNS 1 200** – Londres, 19 mai 1978 : *Le départ pour la chasse* 1899, h/t (120x166,2) : **GBP 2 800** – Londres, 2 oct 1979 : *Un message secret* 1887, h/t (175x152) : **GBP 2 600** – Londres, 15 mars 1982 : *À la fenêtre* 1891, h/t (134x194) : **GBP 3 200** – New York, 11 avr. 1984 : *Home ? There was no sign of home, from Parapet to Basement'-Hood* 1877, h/t (96,5x152,5) : **USD 7 250** – New York, 6 juin 1985 : *An afternoon ride* 1894, h/t (92x125,7) : **USD 7 500**.

WALLERAND-ALLART
xvie siècle. Actif au début du xvie siècle. Français.
Sculpteur.
Il a sculpté *Mort et Mise au Tombeau du Christ* dans l'église Saint-André de Saint-Quentin.

WALLERT Axel
Né le 29 juin 1890 à Saint-Ilian. Mort en 1962. xxe siècle. Suédois.
Peintre de portraits, graveur, peintre de compositions décoratives.
Il fut élève de l'Académie de Stockholm. Il exécuta des peintures décoratives à l'Hôtel de Ville de Stockholm, ainsi que des portraits.

WALLERY Nicolas. Voir **VALLARI Nicolas**

WALLESHAUSEN-CSELENY Sigismond Antoine de
Né le 3 décembre 1887 à Fot (Hongrie). xxe siècle. Hongrois.
Peintre, graveur.
Il fut élève de Hollosy, il séjourna à Budapest, à Munich et à Paris. Il fut également romancier.
Musées : Budapest (Mus. mun.) – Budapest (Mus. Nat. des Beaux-Arts) – Meudon – Szeged.

WALLET Albert Charles
Né le 20 février 1852 à Valenciennes (Nord). Mort vers le 12 septembre 1918. xixe-xxe siècles. Français.
Peintre de genre, portraits, dessinateur.
Il fut élève de Cabanel et de Hiolle. Il débuta au Salon en 1876. Membre de la Société des Artistes Français depuis 1888, médaillé en 1884, 1893, 1895, et 1900 lors de l'Exposition universelle de Paris.
Musées : Valenciennes : *Paysage et Dryade*.
Ventes Publiques : Paris, 28 déc. 1928 : *Le saut de la haie ; Le marché aux chevaux*, deux dessins : **FRF 320**.

WALLET Emmanuel Herman Joseph
Né le 21 juin 1771 à Saint-Omer (Pas-de-Calais). Mort le 9 février 1855 à Douai (Nord). xviiie-xixe siècles. Français.
Portraitiste.
Élève de Regnault. Le Musée de Douai conserve de lui *Le colonel de Wavrechin sur son lit de mort*, dessin.

WALLET Eugène
Né au xixe siècle à Liancourt (Oise). xixe siècle. Français.
Graveur à l'eau-forte.
Il figura au Salon des Artistes Français ; mention honorable en 1885.

WALLET Georges
Né au xixe siècle à Elbeuf (Seine-Maritime). xixe siècle. Français.
Sculpteur.
Il figura au Salon des Artistes Français. Membre de cette société depuis 1889. Mention honorable en 1894.

WALLET Paul Louis Alexandre
Né le 24 avril 1818 à Amiens (Somme). xixe siècle. Français.
Paysagiste.
Il exposa au Salon de 1857 à 1870.

WALLET Taf
Né le 24 novembre 1902 à La Louvière. xxe siècle. Belge.
Peintre de figures, marines, natures mortes, graveur. Groupe Nervia.
Il étudia à l'Académie Royale des Beaux-Arts de Mons et de Bruxelles. Il a enseigné à l'Institut National Supérieur des Beaux-Arts d'Anvers. Plusieurs de ses œuvres sont dans les collections de l'État Belge, des provinces du Brabant, du Hainaut, d'Anvers et de plusieurs musées belges. Il vit et travaille à Schaerbeek.
Un ensemble de ses œuvres a été montré à la galerie d'Haudrecy en 1992 à Mons. Il a obtenu le Grand Prix de Rome en 1928 et le Prix Godecharle la même année.
Cofondateur du groupe *Nervia* en 1928 avec Anto Carte et Louis Buisseret, groupe qui se posait en défenseur de l'art figuratif. Sa peinture est effectivement traditionnelle. Il pratique un art optimiste, fait de couleurs claires traitées dans une pâte généreuse. Peintre de natures mortes et de marines – il a séjourné à Saint-Idesbald –, il exprime sérénité et joie de vivre. Il est également auteur de fresques, de mosaïques et de vitraux.

Bibliogr. : In : *Dict. biogr. illustré des artistes en Belgique depuis 1830*, Arto, Bruxelles, 1987.
Musées : Anvers (Mus. d'Art Mod.) – Bruxelles (Mus. d'Art Mod.) – Buenos Aires – Le Caire – Gand – Ixelles – Liège – La Louvière – Mons – Namur – Paris – Reims – Riga – Tallin – Tournai.
Ventes Publiques : Bruxelles, 28 oct. 1981 : *Fleurs des champs (recto) ; Paysage avec bétail près du ruisseau (verso)*, h/t, double face (93x70) : **BEF 75 000** – Bruxelles, 19 déc. 1985 : *Pêcheur de crevettes*, h/t (69x99) : **BEF 130 000** – Bruxelles, 27 mars 1990 : *Vase de fleurs*, h/t (60x50) : **BEF 75 000** – Lokeren, 21 mars 1992 : *Marine*, h/t (80x90) : **BEF 190 000** – Lokeren, 10 oct. 1992 : *Marée basse en fin de journée* 1967, h/t/pan. (16,5x35) : **BEF 26 000** – Lokeren, 10 déc. 1994 : *Nature morte* 1941, h/pan. (34x50) : **BEF 28 000** – Lokeren, 20 mai 1995 : *Les Portugaises* 1960, h/t (50x65) : **BEF 36 000**.

WALLGREN Otto Henrik
Né le 26 juillet 1795 en Skanie. Mort le 24 mai 1857 à Stockholm. xixe siècle. Suédois.
Peintre d'histoire et de genre et portraitiste.
Élève de l'Académie de Stockholm. Le Musée de Linköping conserve de lui *Paysans dans la cathédrale de Lund*, et le Musée National de Stockholm, *Burrhus se prosternant devant Néron*.

WALLGREN Villé. Voir **VALLGREN Villé**

WÄLLI Ernst
Né le 30 octobre 1875 à Aesch près de Winterthur. xxe siècle. Suisse.

Peintre de paysages.
Il fit ses études à Zurich, ville où il vécut.

WALLICK Arnold ou **Ahron** ou **Wallich** ou **Wulff Wallich**
Né le 11 mars 1780 à Copenhague. Mort le 3 novembre 1845 à Copenhague. XIXe siècle. Danois.
Peintre de décors.
Élève de l'Académie de Copenhague.

WALLIN David August
Né le 7 janvier 1876 à Ostra Husby. Mort en 1957. XXe siècle. Suédois.
Peintre de figures, paysages.
Il fut élève de l'Académie de Stockholm et de celle de Paris.
Musées : Malmöe : *Le comte Georg von Rosen.*
Ventes Publiques : Stockholm, 8 nov. 1972 : *Jeune fille dans un bois* : **SEK 8 000** – Göteborg, 5 avr. 1978 : *Jeune fille lisant sur la plage*, h/pan. (32x41) : **SEK 7 200** – Stockholm, 30 oct 1979 : *Baigneuse*, h/pan. (60x49) : **SEK 8 500** – Stockholm, 6 juin 1988 : *Paysage du Jämtland* 1916, h. (29x39) : **SEK 5 500** – Stockholm, 22 mai 1989 : *Paysage côtier rocheux*, h/pan. (11x18) : **SEK 3 500** – Stockholm, 6 déc. 1989 : *Baignade – mère et enfant sous les arbres*, h/pan. (32x40) : **SEK 9 000** – Stockholm, 14 juin 1990 : *Vue de Trälhavet depuis Osterskär*, h/pan. (46x55) : **SEK 9 000** – Stockholm, 5-6 déc. 1990 : *Sur une île de l'archipel* 1940, h/pan. (42x51) : **SEK 9 200** – Stockholm, 30 mai 1991 : *Chemin passant devant un bouquet de cyprès près de Volterra*, h/t (50x65) : **SEK 6 700** – Stockholm, 28 oct. 1991 : *Soleil d'automne dans le Jämtland*, h/t (45x54) : **SEK 4 700.**

WALLIN Ellis ou **Elias Theodor**
Né le 10 février 1888 à Upsala. Mort en 1972. XXe siècle. Suédois.
Peintre de paysages, portraits, natures mortes.
Il fut élève de l'Académie de Stockholm. Il a exposé, à Paris, au Salon des Tuileries.
Musées : Göteborg – Paris – Stockholm.
Ventes Publiques : Stockholm, 6 juin 1988 : *Rives d'un lac et bateaux en été* 1947, h. (53x64) : **SEK 7 500** – Göteborg, 18 oct. 1988 : *Jour d'été à Grundsund* 1942, h/t (63x53) : **SEK 4 200** – Stockholm, 28 oct. 1991 : *Vue du Riddarholmen à Stockholm* 1936, h/t (69x139) : **SEK 6 200.**

WALLIN Erik Nilsson
XVIIIe siècle. Suédois.
Peintre.
Il décora des intérieurs de fermes et d'églises.

WALLINC. Voir **WALINS**

WALLINGRE Louis
Né le 1er août 1819 à Villiers du Val de Ruz. Mort le 19 mai 1886 à Saint-Imier. XIXe siècle. Suisse.
Peintre.
Élève de R. A. Quinsac. Il peignit des fresques, des portraits, des paysages, des architectures et des scènes de genre.

WALLIS Alfred
Né le 18 août 1855 à Devonport (Cornouailles). Mort le 29 août 1942 à Madron Workhouse. XIXe-XXe siècles. Britannique.
Peintre de marines, paysages, dessinateur. Naïf.
Autodidacte, il vint au bord de la mer à l'âge de neuf ans, comme homme de cabine et cuisinier sur un vapeur tranatlantique voguant entre Penzance et Newfoundland. Vers 1880, il devint pêcheur à Mousehole et Newlyn, faisant des voyages saisonniers des côtes Est à l'Écosse. Puis il ouvrit un magasin d'articles de marine à St.-Ives (Cornouailles) en 1890. Il joignit l'Armée du Salut en juin 1904. Il commença à peindre peu de temps après la mort de sa femme, en 1925, afin d'occuper sa solitude. Sa production fut découverte par Ben Nicholson et Christopher Wood, et montrée au *7 & 5 group* en 1929.
Usant de couleurs délicates, son dessin, énergique, déformé dans le sens de l'expression dramatique, est accentué par une technique de peinture hardiment brossée. Il y a donc opposition entre la couleur poétique et ouatée, et la rudesse du dessin. Très pauvre, il a peint sur des supports de fortune : vieilles planches, ou papiers découpés n'importe comment. On cite de lui : *Shooner et bateau à vapeur.* ■ J. B.

A WALLIS

Bibliogr. : Oto Bihalji-Merin : *Les peintres naïfs*, Delpire, Paris, s. d – in : *Dictionnaire universel de la peinture*, Le Robert, Paris, 1975.
Musées : Londres (Tate Gal.) : *Shooner under the moon* 1935-1936 – *Voyage au Labrador* 1935-1936 – *Les maisons de St.-Ives, Cornouaille* – *Le Bateau Bleu* 1934.
Ventes Publiques : Londres, 23 avr. 1969 : *Barques de pêche rentrant au port* : **GBP 800** – Londres, 19 mars 1971 : *Deux voiliers au large de la côte* : **GNS 480** – Londres, 27 oct. 1972 : *Le trois-mâts en pleine mer* : **GNS 700** – Londres, 17 mars 1976 : *La barque*, h. et cr./cart. (42x51) : **GBP 420** – Londres, 27 juin 1979 : *Bateau en mer*, h/pap., forme irrégulière (24x39,5) : **GBP 780** – Londres, 13 juin 1980 : *Bellerenter de Brixham*, gche et cr. (17,8x28) : **GBP 450** – Londres, 11 nov. 1981 : *L'Île, Saint-Ives*, h/pap. (23,5x27,5) : **GBP 1 550** – Londres, 25 mai 1983 : *Le Port de St. Ives*, cr. et h/cart. (38x44) : **GBP 2 200** – Londres, 13 nov. 1985 : *Bateau et phare*, h/cart. (38x46) : **GBP 4 200** – Londres, 9 juin 1989 : *Cheval et cavalier (recto) ; Bateaux de pêche, (verso)*, cr. de coul. (19,7x26) : **GBP 2 090** – Londres, 21 sep. 1989 : *Port de Cornouailles*, cr./pap. gris (35x24,8) : **GBP 1 320** – Londres, 8 juin 1990 : *Paquebot entrant dans un port*, h. et cr./pap. jaune (26,5x33,5) : **GBP 4 950** – Londres, 20 sep. 1990 : *Bateaux amarrés dans un port*, h/cart. (16,5x37) : **GBP 4 400** – Londres, 8 mars 1991 : *Estuaire d'un port*, h. et cr./pap. (24x29) : **GBP 4 400** – Londres, 6 mars 1992 : *Cottages et arbres*, h/cart. (47,5x57) : **GBP 6 380** – Londres, 12 mars 1992 : *Bateau et phare*, cr. et h/cart. (20x34,5) : **GBP 8 625.**

WALLIS Arthur George
Né le 15 novembre 1862 à Exeter. XIXe siècle. Actif à Paignton. Britannique.
Paysagiste.

WALLIS Charles
XIXe siècle. Actif à Londres en 1823. Britannique.
Graveur au burin.

WALLIS George
Né le 8 juin 1811 à Wolverhampton. Mort le 24 octobre 1891 à Wimbledon. XIXe siècle. Britannique.
Peintre de genre, portraitiste, décorateur et écrivain.
Cet artiste qui prit une part active au développement des arts décoratifs en Angleterre travailla d'abord à Manchester de 1832 à 1837, peignant des portraits et des sujets de genre à l'huile et à l'aquarelle. En 1845, il organisa la première exposition des arts industriels et commença une série de lectures sur les arts décoratifs qui eurent un grand succès. Il fut un des organisateurs des Expositions de 1855, de 1862 et de 1867. Il fut directeur des Écoles d'Arts décoratifs à Manchester et à Birmingham (1852 à 1857). Il fut nommé conservateur des collections artistiques de South Kensington Museum (1860 à 1891). Ce fut un vulgarisateur fort intelligent.
Musées : Londres (Victoria and Albert Mus.) : *Étude de fleurs* – *L'exposition universelle de 1851* – *Le vieil arbre* – Une aquarelle – Nottingham : *Le désert.*

WALLIS George Augustus
Né le 15 février 1770 à Merton. Mort le 15 mars 1847 à Florence (Toscane). XVIIIe-XIXe siècles. Britannique.
Peintre de scènes mythologiques, paysages, dessinateur.
Il séjourna longtemps en Italie. Il exposa à Londres à partir de 1785.
Musées : Darmstadt : *Paysage*, deux foix – Florence (Mus. des Offices) : Huit dessins – Heidelberg : *Vallée d'Italie avec oliveraie* – *Rayons de soleil sur le golfe de Naples* – *Heidelberg sous l'arc-en-ciel* – Stuttgart : *Paysage héroïque avec Dante* – *Paysage héroïque avec trois Parques.*
Ventes Publiques : Londres, 7 avr. 1993 : *Paysage arcadien avec Télémaque se baignant avec des nymphes*, h/t (171,5x108,5) : **GBP 5 750** – Paris, 20 déc. 1995 : *Paysages antiques*, cr. noir et estompe/pap. chamois, une paire (70,5x100) : **FRF 9 000** – Heidelberg, 11-12 avr. 1997 : *Autoportrait au pinceau* 1805, h/bois (57,5x36) : **DEM 4 000.**

WALLIS Henry
Né le 21 février 1830 à Londres. Mort en décembre 1916 à Croydon. XIXe-XXe siècles. Britannique.
Peintre d'histoire, scènes de genre, paysages animés, paysages, aquarelliste.
Il étudia à la Royal Academy de Londres, puis à l'École des Beaux-Arts de Paris, dans l'atelier de Charles Gleyre. Il effectua divers voyages en Italie et en Égypte. Il exposa à Londres, de 1854 à 1893, notamment à la Royal Academy, puis au Royal Institute of Painters in Water Colours, dont il fut membre depuis 1880.
Il est connu pour deux pièces maîtresses de l'art préraphaélite : *La mort de Chatterton* et *Le casseur de pierres.*

Bibliogr. : In : *Diction. de la peinture anglaise et américaine*, coll. Essentiels, Larousse, Paris, 1991.
Musées : Birmingham (Mus. and Art Gal.) : *Le casseur de pierres* – Londres (Victoria and Albert Mus.) : *La maison de Shakespeare à Stratford-sur-Avon*, animaux peints par Landseer – Londres (Tate Gal.) : *La mort de Chatterton* 1855-1856 – Londres (Nat. Portrait Gal.) : *Portrait de Thomas Love Peacock*.
Ventes Publiques : Londres, 28 nov. 1972 : *Chatterton* : **GBP 18 000** – Londres, 27 mars 1973 : *Dr Johnson at Cave's, the publisher* 1854 : **GBP 800** – Londres, 19 mars 1979 : *Le tailleur de pierres*, h/t (38x46) : **GBP 6 600** – Londres, 1er nov. 1990 : *La dépêche de Trébizonde*, h/t (91,5x137,8) : **GBP 17 600** – Londres, 19 juin 1992 : *La pharmacie*, aquar./pap. (43,2x58,6) : **GBP 6 050** – Londres, 8 nov. 1996 : *La Conversation*, h/t (66x91,4) : **GBP 8 000**.

WALLIS Hugh
xixe-xxe siècles. Britannique.
Peintre de figures.
Lors de sa première exposition à la Royal Academy il habitait à Meadows Studios à Bushey, on en déduit qu'il fut élève de Herkomer. De 1899 à 1922 (date de sa dernière manifestation) il vivait à Altrincham près de Manchester, et était très actif dans la guilde des Travailleurs de l'Art du Nord. À la Royal Academy il exposa des paysages, des fleurs et des scènes de genre. Il participa également à une exposition de la guilde à l'École Municipale de Technologie de Manchester en 1904.
Ventes Publiques : Londres, 5 nov. 1993 : *La princesse Iseult de Bretagne*, h/cart. (21,5x24,1) : **GBP 7 475**.

WALLIS J. ou **Walliss**
xviiie siècle. Autrichien.
Médailleur.
Il était actif au milieu du xviiie siècle. Il grava des médailles à l'effigie de *Marie-Thérèse* et de *Joseph II*.

WALLIS Jean
Né en 1928. xxe siècle. Français.
Peintre de genre.
Il traite souvent le thème des bars et des spectacles de nuit.
Ventes Publiques : Versailles, 21 fév. 1988 : *Monte Carlo, l'orchestre des Blue Bells à l'Hôtel de Paris*, h. et peint. à l'essence/isor. (50x65) : **FRF 5 000** – Versailles, 15 mai 1988 : *Au music hall*, h/t (64,5x80,5) : **FRF 5 500** – Versailles, 11 jan. 1989 : *L'Antiquaire*, h/pan. (50x61) : **FRF 5 850** – Versailles, 24 sep. 1989 : *Gens de nuit* 1973, h/pap. (83x108) : **FRF 3 600**.

WALLIS John William, appellation erronée. Voir **WALLIS George Augustus**

WALLIS Joshua
Né en 1789. Mort le 16 février 1862 à Walworth. xixe siècle. Britannique.
Peintre de paysages et aquarelliste.
Malgré son talent indiscutable, notamment dans les paysages neigeux, il eut peu de succès. Il exposa à la Royal Academy de 1809 à 1820. On signale qu'il vernissait quelquefois ses dessins et aquarelles. On voit de lui au Victoria and Albert Museum trois aquarelles, dont une vernie.

WALLIS Katherine Elizabeth
Née à Peterboroug (Canada). xixe-xxe siècles. Canadienne.
Sculpteur, aquarelliste.
Elle a exposé à Paris au Salon de la Société Nationale des Beaux-Arts, aux Salons des Artistes Français, où elle obtint une mention en 1900 lors de l'Exposition universelle de Paris, au Salon d'Automne, de même qu'à Londres, Liverpool, Glasgow, Montréal, Ottawa.
Musées : Liverpool (Walker Art Gal.) : *Mon petit chou*, statuette en bronze.

WALLIS Lionel John
Né le 29 novembre 1881 à Preston Lancs. xxe siècle. Britannique.
Peintre de paysages, marines.
Il vécut et travailla à Plymouth.

WALLIS Neville Arthur Douglas
Né le 12 juin 1910 à Londres. xxe siècle. Britannique.
Graveur.

WALLIS Robert
Né le 7 novembre 1794 à Londres. Mort le 22 novembre 1878 à Brighton. xixe siècle. Britannique.
Graveur au burin.
Il a reproduit Turner avec un remarquable talent, notamment dans les poèmes de Samuel Roger. Il a travaillé également pour *England and Wales* et *The Southern Coast*.

WALLIS Rosa
Née le 5 mars 1857 à Stretton. xixe siècle. Active à Londres. Britannique.
Peintre de fleurs, aquafortiste.
Élève de l'Académie de Manchester.
Musées : Dudley : *Framboises* – Londres (Mus. Victoria and Albert) : *Amandiers en fleurs à Capri* – *La vallée de Gosau*.

WALLIS Trajan
xixe siècle. Britannique.
Peintre.
Fils de George Augustus Wallis et son élève.

WALLIS William
Né en 1796. xixe siècle. Britannique.
Graveur.
Frère de Robert Wallis. Il grava pour des illustrés.

WALLISS J. Voir **WALLIS**

WALLMAN Uno
Né en 1913 à Jämtland. xxe siècle. Suédois.
Peintre.
Il eut une enfance difficile. Il commença à peindre jeune, se formant à peu près seul. En 1934, le peintre Otte Skjol le remarqua, l'encouragea et lui fit obtenir une bourse de l'Académie de Stockholm qui lui permit de se perfectionner. Ces études achevées, il voyagea en Russie, en Chine. Continuant à mener une vie difficile, il obtint cependant encore un prix national. En 1946, il vint séjourner en France. Après 1947, il eut à exécuter plusieurs décorations murales importantes. Il reprit ensuite ses voyages en France, Italie, Espagne, Angleterre, Mexique. Il a montré de nombreuses expositions personnelles de ses œuvres, dont plusieurs en France, notamment en 1971.
Il pratique une peinture inspirée des imageries populaires, aussi bien des miniatures orientales que des icônes slaves. Cernant ses représentations d'un trait noir, il donne à ses peintures un aspect de mosaïque ou de vitrail. Il imagine tout un monde d'oiseaux et d'animaux fabuleux, enchevêtrés dans une végétation de forêt enchantée.
Ventes Publiques : Stockholm, 6 juin 1988 : *Saut à ski* 1965, h. (49x60) : **SEK 10 500** – Stockholm, 6 déc. 1989 : *Composition avec Romulus et Remus près de la Louve romaine* 1950, h/pan. (99x84) : **SEK 6 500** – Copenhague, 30 mai 1990 : *Paysage d'hiver* 1953, h/t (46x55) : **DKK 17 000** – Stockholm, 14 juin 1990 : *Paysage montagneux avec un lac* 1959, h/t (32x40) : **SEK 8 700** – Copenhague, 14-15 nov. 1990 : *Composition* 1975, h/t (60x50) : **DKK 7 000** – Stockholm, 28 oct. 1991 : *Paysage de Laponie en été*, h/t (45x37) : **SEK 6 700** – Stockholm, 13 avr. 1992 : *Chat avec une parure* 1957, h/pan. (49x60) : **SEK 8 200**.

WALLNER Andreas
Né le 18 août 1888 à Augsbourg (Bavière). xxe siècle. Actif en Suisse. Allemand.
Graveur au burin.
Il fut élève de Karl Götz. Il vécut et travailla à Winterthur. Il grava des armoiries et des ex-libris.

WALLNER Anton
xixe siècle. Travaillant à Vienne vers 1830. Autrichien.
Peintre et lithographe.
Il exposa à Vienne vers 1830.

WALLNER Katharina
Née le 30 août 1891 à Vienne. xxe siècle. Autrichienne.
Peintre de portraits, paysages, graveur.
Elle fut élève de Marie Egner, de Schneider et de Schattenstein. Elle gravait à l'eau-forte. Elle peignit en particulier des paysans.

WALLNER Thure
Né en 1888. Mort en 1965. xxe siècle. Suédois.
Peintre de paysages animés, animalier.
Ventes Publiques : Stockholm, 30 oct 1979 : *La plage*, h/pan. (26,5x34,5) : **SEK 4 500** – Stockholm, 30 oct. 1984 : *Oiseau ramenant un poisson dans son nid*, h/t (109x124) : **SEK 36 000** – Stockholm, 9 avr. 1985 : *Canards sauvages en plein vol*, h/t (64x100) : **SEK 63 000** – Stockholm, 15 nov. 1988 : *Grive des bouleaux dans un herbage*, h. (27x36) : **SEK 50 000** – Stockholm, 19 avr. 1989 : *Canards sauvages volant au-dessus de la lande fleurie*, h/t (65x100) : **SEK 120 000** – Göteborg, 18 mai 1989 : *Oies sauvages des montagnes*, h/t (34x55) : **SEK 130 000** – Stockholm, 15 nov. 1989 : *Renard sur un tapis de mousse en forêt*, h/t (50x70) :

SEK 115 000 – Stockholm, 16 mai 1990 : *Lièvre sur la lande fleurie*, h/pan. (35x27) : **SEK 41 000** – Stockholm, 14 nov. 1990 : *Sous-bois avec une perdrix*, h/t (60x81) : **SEK 50 000** – Stockholm, 29 mai 1991 : *Oiseau de proie apportant du poisson à ses petits dans le nid* 1914, h/t (61x46) : **SEK 27 000** – Stockholm, 28 oct. 1991 : *Lièvre sautillant dans un paysage montagneux*, h/pan. (35x27) : **SEK 14 500** – Stockholm, 13 avr. 1992 : *Renard avec une poule d'eau*, h/pan. (54x45) : **SEK 15 000** – Stockholm, 19 mai 1992 : *Manchots sur des rochers en Gotland*, h/pan. (33x24) : **SEK 21 000** – Stockholm, 30 nov. 1993 : *Lièvre à l'orée d'une forêt ensoleillée en hiver*, h/t (73x91) : **SEK 52 000**.

WALLON Frans ou **François** ou **Walloni**. Voir **DIEUSSORT**

WALLON Paul Alexandre Joseph

Né en 1845 à Paris. Mort le 1er février 1917 à Paris. XIXe-XXe siècles. Français.

Dessinateur de vues, sculpteur, architecte.

Il a sculpté des tombeaux dans la cathédrale de Saint-Brieuc et dans l'église Sainte-Suzanne de Breteuil.

WALLOT Jacques Albert

Né en 1938 à Montréal. XXe siècle. Canadien.

Sérigraphe.

Musées : Montréal (Mus. d'Art Contemp.) : 20 sérigraphies.

WALLRAVE Peter

XVIIIe siècle. Actif à Stockholm au milieu du XVIIIe siècle. Suédois.

Dessinateur.

Il fut dessinateur à la cour royale.

WALLROTH Christopher Johan

Né le 15 avril 1841 à Filipstad. Mort en 1916. XIXe-XXe siècles. Suédois.

Peintre de paysages animés, paysages.

Il fut élève de l'Académie des Beaux-Arts de Stockholm. Il peignit des motifs du Wärmland, surtout des forges.

Ventes Publiques : Göteborg, 24 mars 1976 : *Filipstad* 1874, h/t (52x78) : **SEK 5 100**.

WALLS William

Né en 1860. Mort en 1942. XIXe-XXe siècles. Britannique.

Peintre animalier, dessinateur.

Il fut élève de l'Académie d'Edimbourg. Il vécut et travailla à Corstorphine. Il exposa à Londres de 1887 à 1903.

Ventes Publiques : Écosse, 24 août 1976 : *Jaguars jouant*, h/t (91,5x122) : **GBP 310** – Édimbourg, 30 août 1988 : *Fillette tenant dans ses bras son lapin préféré*, h/t (61x45,5) : **GBP 1 815** – Perth, 29 août 1989 : *La cane Silkie et ses canetons*, h/cart. (30,5x40,5) : **GBP 2 310** – Perth, 26 août 1991 : *Juments et poulains au bord du Loch Duich*, h/cart. (45,5x61) : **GBP 3 300** – Londres, 29 oct. 1991 : *Carnet de croquis : études de lions*, cr. et craies de coul., 20 dessins (chaque 24,2x31,8) : **GBP 1 045** – Perth, 1er sep. 1992 : *Jeux de jeunes jaguars*, h/t (91,5x122) : **GBP 9 350** – Perth, 31 août 1993 : *Une couvée*, h/t. cartonnée (37x51) : **GBP 1 035** – Glasgow, 1er fév. 1994 : *Jeux de lionceaux*, h/t (61x91,5) : **GBP 4 600** – Glasgow, 14 fév. 1995 : *Lionceaux au repos*, h/t (61x91) : **GBP 5 290**.

WALLTER Ignaz

XVIIIe siècle. Travaillant à Vienne de 1770 à 1780. Autrichien.

Peintre et graveur au burin.

Il exécuta des portraits de la famille impériale et de la noblesse autrichienne.

WALLYNC ou **Wallyns**. Voir **WALINS**

WALMISLEY Frederik

Né en 1815. Mort en 1875. XIXe siècle. Britannique.

Peintre de genre et de portraits.

Élève de la Royal Academy et de H. P. Briggs ; il exposa à la British Institution, à Suffolk Street, à la Royal Academy, de 1838 à 1872. A la fin de sa vie, il fut paralysé des jambes.

Ventes Publiques : Londres, 20 mars 1974 : *Le repos des vendangeurs, Rome* : **GBP 800**.

WALMSLEY Thomas

Né en 1763 à Dublin. Mort en 1805 ou 1806 à Bath. XVIIIe siècle. Irlandais.

Peintre de paysages animés, paysages, peintre à la gouache, aquarelliste, décorateur.

Il était fils d'un officier anglais. Après une querelle avec ses amis, il vint à Londres et trouva de l'occupation chez un peintre de décors de théâtre. Il travailla aussi pour King's Theater et pour Covent Garden, puis il retourna à Dublin. Il exposa à la Incorporated Society of Artists en 1790 et à la Royal Academy à partir de 1796.

Il a peint les décorations pour le Crow Street Theater, à Dublin ; ainsi que de nombreux sites gallois.

Musées : Londres (Victoria and Albert Mus.) : *Paysage*, aquar.

Ventes Publiques : Londres, 20 mars 1979 : *Vue de l'île de Wight* 1800, gche (49,3x70) : **GBP 650** – Londres, 19 nov. 1981 : *Près du pont, Glamorganshire*, gche (42x58,5) : **GBP 1 200** – Londres, 21 nov. 1984 : *Voyageurs traversant un pont, dans un paysage montagneux*, h/t (46x57) : **GBP 3 000** – Londres, 8 avr. 1992 : *Paysage côtier avec des constructions en flammes la nuit*, h/t (68,5x114,5) : **GBP 3 740** – Londres, 2 juin 1995 : *Voyageurs près d'un château au crépuscule ; Voyageurs près d'un lac*, gche, une paire (41x52,5 et 35x49) : **GBP 2 185** – Londres, 9 mai 1996 : *Personnages près d'un moulin*, aquar. et gche (29,5x42,5) : **GBP 1 207**.

WALNBERGER Johann. Voir **WALLENBERGER**

WALNEFER Jean-Baptiste

Né vers 1724. Mort le 8 mai 1777 à Nancy. XVIIIe siècle. Français.

Sculpteur.

Il travailla au couvent des Sœurs Grises de Nancy et pour la cour de Lorraine. Le Musée Lorrain de Nancy conserve de lui *Médaillon à l'effigie de Louis XV*.

WALPERGEN Peter Friedrich von

Né en 1726. Mort en 1807. XVIIIe siècle. Actif à Heidelberg. Allemand.

Dessinateur.

Il était arpenteur. Le Musée Municipal de Heidelberg conserve de lui six *Vues de Heidelberg*.

WALPOLE Horation ou **Horace**

Né le 24 septembre 1717. Mort le 2 mars 1797 à Londres. XVIIIe siècle. Britannique.

Dessinateur amateur, collectionneur d'art et écrivain.

Élève de B. Lens.

WALPOLE J. ou **T.**

XVIIIe siècle. Travaillant vers 1780. Britannique.

Dessinateur amateur.

WALPURGER. Voir **WALDBURGER**

WALRAVE Eddy

Né le 23 janvier 1952 à Furnes. XXe siècle. Belge.

Sculpteur. Tendance abstraite.

Il a étudié à l'Académie Westhoeck de Koksyde et à l'Académie Saint-Luc de Gand. Il a principalement exposé en Belgique et aux Pays-Bas. Il a été lauréat du prix Godecharle en 1979.

Travaillant la pierre, il développe des formes organiques en spirales.

Bibliogr. : In : *Dict. biogr. illustré des artistes en Belgique depuis 1830*, Arto, Bruxelles, 1987.

WALRAVEN Isaac ou **Izaak**

Né le 23 mai 1686 à Amsterdam. Mort le 11 mars 1765 à Amsterdam. XVIIIe siècle. Hollandais.

Peintre d'histoire, scènes de genre, paysages animés, sculpteur et graveur d'ornements.

Il fut élève de Gerrit Rademaker.

Musées : Amsterdam : *Derniers moments d'Epaminondas* – Mannheim (Gal.) : *Alexandre, Apelle et Campaspe* – Utrecht : *Enfant avec un nid d'oiseau*.

Ventes Publiques : Versailles, 13 oct. 1968 : *Vue présumée du port de Dordrecht* : **FRF 10 000** – Londres, 6 mars 1974 : *Paysanne devant une chaumière ; Paysanne assise dans une cour*, les deux : **GBP 1 900**.

WALRAVEN Jan

Né en 1827. XIXe siècle. Hollandais.

Peintre de genre, paysages animés.

Ventes Publiques : New York, 2 avr. 1976 : *Enfants regardant des lapins*, h/t (46x36) : **USD 1 100** – Londres, 3 oct 1979 : *Fillettes nourrissant des pigeons*, h/pan. (46,5x37) : **GBP 950** – Londres, 25 mars 1981 : *Paysans et chèvres traversant une rivière*, h/t (62x75) : **GBP 3 000** – Chester, 7 oct. 1983 : *Fillettes nourrissant des lapins*, h/pan. (40,5x34) : **GBP 2 600** – New York, 31 oct. 1985 : *Mère et* *enfants dans un intérieur*, h/t (64,1x52) : **USD 5 000** – Édimbourg, 22 nov. 1989 : *Chevrette refusant de passer le ruisseau*, h/t (50,8x40) : **GBP 1 100** – Londres, 11 mai 1990 : *La traversée du gué*, h/t (61x74,2) : **GBP 5 280** – Amsterdam, 30 oct. 1990 : *Fermière tricotant sur un perron pendant que sa fille distribue des graines aux poules*, h/pan. (42x32) : **NLG 5 750** – New York, 28 fév. 1991 : *La photo de famille*, h/t (85,1x108,6) : **USD 22 000** – Londres, 2 oct. 1992 : *Le thé ; La tartine convoitée*, h/pan., une paire (39,3x29,8) : **GBP 2 420** – New York, 17 fév. 1993 : *Les bulles de savon*, h/t (66x54,6) : **USD 4 600** – Londres, 7 avr. 1993 : *Scène domestique*, h/pan. (49,5x38) : **GBP 5 175** – Amsterdam, 18 juin 1996 : *L'heure du thé* 1853, h/pan. (26,5x34) : **NLG 3 390**.

WALRAVENS Daniel

Né le 19 juillet 1944 à Créteil (Val-de-Marne). xxe siècle. Français.

Peintre. Abstrait.

Il a été élève libre de l'École des Arts Décoratifs de Paris, de 1962 à 1965. De 1965 à 1968, il travailla dans les ateliers de décors de théâtre. Il a exposé, à Paris, aux Salons Grands et Jeunes d'Aujourd'hui en 1970, des Réalités Nouvelles en 1971, ainsi qu'à la Maison de la Culture du Havre. Il montre ses œuvres dans des expositions particulières, dont : 1988, galerie Claire Burrus, Paris ; 1990, Dunkerque.

Il pratique une abstraction géométrique qui se rattache au courant minimaliste américain, avec ce que cela comporte d'intérêt pour l'art de l'Extrême-Orient. Lorsqu'il travaille sur des propositions monochromes, ses connaissances techniques appliquées à l'industrie des colorants lui permettent d'être un des seuls à exploiter les phénomènes de métamérisme. En sachant que l'on peut obtenir deux couleurs apparemment semblables par des mélanges qualitatifs et proportionnels différents, deux couleurs monochromes, mais de compositions pigmentaires différentes, seront métamères lorsqu'elles ne seront monochromes que sous un certain éclairage et plus sous d'autres.

Bibliogr. : In : *Dictionnaire de l'art moderne et contemporain*, Hazan, Paris, 1992.

WALS Gottfried ou **Waals** ou **Waels**, dit **Goffredo Tedesco**

Né vers 1590 à Cologne. Mort en 1638 à Naples. xviie siècle. Actif en Italie. Allemand.

Peintre de sujets religieux, scènes de genre, paysages animés, paysages, graveur.

Il fut élève d'Agostino Tassi à Rome. Il travailla surtout en Italie, il y rencontra Claude Lorrain à Naples et Bernardo Strozzi à Gênes. Il mourut à Naples, au cours d'un tremblement de terre. Il grava divers paysages, à l'eau-forte.

Bibliogr. : In : *Diction. de la peint. allemande et d'Europe centrale*, coll. Essentiels, Larousse, Paris, 1990.

Ventes Publiques : Londres, 23 juin 1982 : *Ferme au milieu d'arbres près d'une rivière*, h/cuivre, de forme ronde (diam. 25) : **GBP 4 800** – Amsterdam, 14 nov. 1988 : *Paysage de rivière avec bergers et bétail sur les rives*, h/cuivre (16,5x22) : **NLG 166 750** – Londres, 22 avr. 1994 : *L'Appel de saint Pierre et saint André*, h/cuivre (diam. 21,5) : **GBP 11 500** – Londres, 11 déc. 1996 : *Paysage de rivière animé de bergers et de leur bétail*, h/cuivre (20,4x25,7) : **GBP 40 000**.

WALSCAPELLE Jakob Van ou **Walskappel** ou **Waltskapelle**

Né en mai 1644 à Dordrecht. Mort le 16 août 1727 à Amsterdam. xviie-xviiie siècles. Hollandais.

Peintre de natures mortes, fleurs et fruits.

On croit qu'il fut élève de Cornelis Kick, mais il adopta une facture rappelant celle de J. D. de Heem. Ce fut un artiste plein de goût. On croit qu'il abandonna la peinture pour une autre profession.

Musées : Amsterdam : *Corbeille de fruits* – Bâle : *Fruits* – Berlin : *Fleurs et fruits* – Breslau, nom all. de Wroclaw : *Nature morte* – Francfort-sur-le-Main : *Fleurs – Fruits* – Hambourg : *Nature morte* – Karlsruhe : *Fruits* – Londres (Nat. Gal.) : *Fleurs, insectes, fraises* – Lyon : *Fleurs et fruits sur une table de marbre* – Varsovie : *Bouquet de fleurs*.

Ventes Publiques : Paris, 1872 : *Fruits* : **FRF 800** – Paris, 19 sep. 1892 : *Nature morte* : **FRF 500** – Berlin, 1898 : *Nature morte* : **FRF 1 262** – Paris, 9 mai 1921 : *Fleurs dans un vase en verre* : **FRF 330** – Paris, 25 mai 1949 : *Fleurs dans un vase* : **FRF 380 000** – Paris, 28 jan. 1955 : *Guirlande de fleurs et de fruits* : **FRF 155 000** – Paris, 8 déc. 1964 : *Nature morte aux roses* : **FRF 23 100** – Londres, 29 nov. 1974 : *Nature morte aux fleurs* : **GNS 5 500** – Amsterdam, 6 sep. 1976 : *Nature morte aux fleurs*, h/pan. (53x42) : **NLG 8 200** – Londres, 23 juin 1982 : *Fleurs d'été dans un vase*, h/t (62,5x45,5) : **GBP 12 000** – Munich, 13 mai 1987 : *Nature morte aux fleurs dans une niche*, h/pan. (34x42,5) : **DEM 85 000** – New York, 12 jan. 1989 : *Nature morte d'une composition florale et d'insectes sur un entablement*, h/pan. (60,5x46,5) : **USD 181 500** – New York, 22 mai 1992 : *Nature morte avec des pavots, des pivoines, des iris, des tulipes et des œillets et autres fleurs dans un vase sur un entablement de pierre avec des insectes*, h/t (68,6x55,9) : **USD 60 500** – New York, 12 jan. 1995 : *Pêches, raisin, framboises, melon et châtaignes sur un entablement de pierre avec un escargot, des papillons et autres insectes*, h/t (43,2x35,6) : **USD 255 500**.

WALSCHARTZ Francis ou **François** ou **Valescart** ou **Walescart**

Né vers 1595 à Liège. Mort en 1675 à Liège. xviie siècle. Éc. flamande.

Peintre de sujets religieux.

Il commença ses études à Anvers, puis fut, à Rome, élève de Saracino. On voit des œuvres de lui dans les églises de Liège et de Namur.

WALSCHE P. G. de

xixe siècle. Travaillant à Bruxelles de 1833 à 1843. Belge.

Paysagiste.

WALSER Adolf

Né en 1843 à Wisen. Mort en 1877 près de Kirchberg. xixe siècle. Suisse.

Peintre.

Il fit ses études à Munich. Le Musée de Soleure conserve de lui le *Portrait de Mme Magdalena Weber von Büren*.

WALSER Andréas

Né en 1908 à Coire (Grisons). Mort en 1929 ou 1930 à Paris. xxe siècle. Suisse.

Peintre de nus, portraits, paysages, natures mortes, dessinateur.

Il arrive à l'âge de vingt ans à Paris, où il fréquente Cocteau, Picasso, Crevel, Colette, Man Ray et Miro. Il meurt un an et demi après d'une overdose. Le Centre culturel suisse à Paris a organisé une exposition de ses œuvres en 1996.

Outre ses paysages et natures mortes, on cite ses baigneuses, ses autoportraits et un portrait en hommage à Picasso. De nombreux tableaux sont portés disparus. Il a également réalisé des photographies.

WALSER Jakob

xvie siècle. Actif dans la première moitié du xvie siècle. Suisse.

Peintre.

Il a peint les voûtes de l'église de Remus en 1522.

WALSER Karl

Né le 8 avril 1877 à Teufen. Mort en 1943. xxe siècle. Suisse.

Peintre de compositions à personnages, natures mortes, graveur, illustrateur et décorateur.

Il se forma à l'exemple de sources diverses, depuis les Baroques du xviie siècle italien jusqu'à Hodler et Böcklin. Il voyagea également beaucoup à travers le monde. Il vécut et travailla à Zurich. Peintre de compositions à personnages dans une première période, il peignait alors dans une technique désinvolte d'illustrateur habile. Peignant ensuite de plus en plus de natures mortes, il évolua vers un géométrisme post-cézanien.

Bibliogr. : Waldemar-George : *Quelques artistes suisses*, Le Triangle, Paris, 1928.

Musées : Cologne : *Carnaval* – Göteborg : *Canal à Delft* – Winterthur : *Saltimbanque*.

Ventes Publiques : Lucerne, 17 nov. 1973 : *Vue de la fenêtre* : **CHF 3 800** – Berne, 10 juin 1978 : *César et Cléopâtre* vers 1909, gche/trait de cr. (34,5x48,8) : **CHF 3 000** – Zurich, 29 nov. 1978 : *Jeune Homme au bras levé* 1938, h/t (65x60) : **CHF 2 000** – Zurich, 7 nov. 1981 : *Scène de théâtre* 1929, temp. (39,5x54) : **CHF 6 500** – Zurich, 8 juin 1985 : *La sérénade*, h/t (80x60,5) : **CHF 4 600** – Londres, 22 oct. 1986 : *Scène de rue, Berlin* vers 1910, gche et craie/pan. (64x81) : **GBP 6 000**.

WALSH David

Né en 1927 aux Indes. xxe siècle. Britannique.

Peintre.

Il fit ses études au Royal College of Art de Londres. Il expose à Barcelone, Bilbao, Chicago, Londres, Amsterdam. Il vit et travaille à Ibiza.

WALSH Nicholas
Né le 10 février 1839 à Dublin. Mort en 1877 en Italie. XIXe siècle. Irlandais.
Paysagiste.
Élève de l'Académie de Dublin où il exposa jusqu'en 1863. On cite de lui des *Scènes du siège de Paris* en 1871.

WALSKAPPEL Jacob Van. Voir **WALSCAPELLE**

WALSLEBEN Emil
Mort en 1887 à Berlin. XIXe siècle. Allemand.
Sculpteur.
Il sculpta des statues et des scènes historiques.

WALSTEIN Gh. Voir **WALLENSTAIN**

WALTBURGER. Voir **WALDBURGER**

WALTE Johann Georg
Né le 12 avril 1811 à Brême. Mort le 9 septembre 1890 à Brême. XIXe siècle. Allemand.
Peintre et lithographe.
Élève d'Albert Zimmermann à Munich. Le Musée de Brême conserve de lui de nombreux dessins et esquisses représentant les environs de cette ville.
Ventes Publiques : Heidelberg, 21 oct. 1977 : *Paysage fluvial boisé* 1854, h/t (56x43) : **DEM 2 600**.

WALTENBERGER Georg
Né le 14 août 1865 à Blieskastel. XIXe siècle. Allemand.
Peintre d'histoire.
En 1882, il fut élève de l'Académie de Munich. En 1893, il obtint une bourse de voyage. Médaillé à Munich en 1896, à Dresde en 1897. Il s'établit à Munich.

WALTER. Voir aussi **WALTHER**

WALTER
XIXe siècle. Britannique.
Graveur d'ex-libris.
Il était actif à Londres vers 1810.

WALTER, pseudonyme de **Walter Comelli**
Né le 24 mai 1920 à Tizzano val Parma (Italie). XXe siècle. Français.
Peintre. Expressionniste-abstrait.
Tout enfant il manifeste des dispositions pour la peinture et, dès sa sortie de l'école primaire, il devient effectivement peintre, mais de carrosseries. À vingt ans il apprend l'art de la laque et y acquiert bientôt une grande notoriété. Il vit et travaille à Annemasse. Walter expose depuis 1961 à Lyon, Paris, Annemasse où il dirige une maison de jeunes, à Annecy et Montreux.
Il y a néanmoins une séparation radicale entre le maître-laqueur en pleine possession d'une technique et le peintre en perpétuelle recherche. Tout naturellement après une période de natures mortes, de portraits et de paysages, Walter en arrive à un expressionnisme abstrait où la matière joue un rôle primordial, soit qu'il la saisisse dans des frottages, soit qu'il la discipline ou la magnifie dans des empâtements fortement construits.

WALTER A.
XIXe siècle. Travaillant à Londres en 1842. Britannique.
Peintre de marines.

WALTER Adam B.
Né en 1820 à Philadelphie. Mort le 14 octobre 1875 à Philadelphie. XIXe siècle. Américain.
Graveur de portraits.

WALTER Alice
Née en 1853 à Vienne. XIXe siècle. Autrichienne.
Peintre.
Élève de J. Schuster, d'O. Wisinger et de M. Eigner. Elle peignit des paysages et des scènes de genre.
Ventes Publiques : Vienne, 18 sept 1979 : *Paysage boisé*, h/t (73x47) : **ATS 18 000**.

WALTER August
XIXe siècle. Allemand.
Peintre.
Il exposa des paysages à Berlin en 1830. Le Musée de Schwedt conserve de lui *Arrivée du tsar Nicolas Ier à Schwedt*.

WALTER Christian J.
Né le 11 février 1872 à Pittsburgh (Pennsylvanie). Mort en 1938. XIXe-XXe siècles. Américain.
Peintre de paysages.
Il remporta une récompense de l'Association des Artistes de Pittsburgh en 1913 et continua à participer aux exposition de cette association jusque dans les années trente.
Ventes Publiques : New York, 26 oct. 1984 : *Twilight in the Catskills*, h/t (76,2x101,6) : **USD 3 750** – New York, 6 juin 1997 : *Crépuscule dans les Catskills* vers 1915, h/t (76,2x100,3) : **USD 43 125**.

WALTER Edgar
Né en 1877 à San Francisco (Californie). XXe siècle. Américain.
Sculpteur.
Il travailla à Paris, où il fut élève de Perrin et de Cormon et figura au Salon des Artistes Français ; mention honorable en 1901.
Musées : New York (Metropolitan Mus.) : *Homme primitif*.

WALTER Édouard
Né à Toul (Meurthe-et-Moselle). XIXe siècle. Français.
Peintre de portraits.
Élève de P. Delaroche. Il exposa au Salon de 1861.
Ventes Publiques : Londres, 23 mai 1985 : *Perspective view of the Free Trade hall ; Peter Street, Manchester* 1855, aquar. et pl. reh. de gche (49,5x73,5) : **GBP 3 400**.

WALTER Emma
XIXe siècle. Active dans la seconde moitié du XIXe siècle. Britannique.
Peintre de fleurs et de fruits.

WALTER Florence
Morte en 1887. XIXe siècle. Française.
Peintre de portraits et sculpteur.
Elle exposa au Salon en 1841 et en 1842. Se fixa à Angers.

WALTER Florian
Né le 4 mai 1739 à Purnitz. Mort le 30 juin 1810 à Vienne. XVIIIe-XIXe siècles. Autrichien.
Peintre et miniaturiste.
Il a peint un tableau d'autel pour l'église de Karlsdorf.

WALTER Franz
Né le 4 octobre 1733 à Purnitz. Mort le 30 juillet 1804 à Vienne. XVIIIe siècle. Autrichien.
Miniaturiste.
Frère de Florian Walter. Il exposa à Vienne à partir de 1777. Il peignit des portraits de membres de la famille impériale.

WALTER Franz
Né le 9 mars 1755. Mort après 1797. XVIIIe siècle. Actif à Strasbourg. Français.
Dessinateur et graveur amateur.
Il dessina des sites pittoresques d'Alsace et grava des illustrations.

WALTER Georg
XVIIe siècle. Travaillant en 1615. Autrichien.
Peintre sur faïence.
Le Musée de Graz conserve de lui un plat en faïence avec peintures et inscription.

WALTER Henri ou **Heinrich**
XIXe siècle. Français.
Peintre de paysages et lithographe.
Il exposa au Salon de 1842, 1846 et 1848, des dessins de paysages.

WALTER Henry
Né en 1786 à Londres. Mort le 23 avril 1849 à Torquay. XIXe siècle. Britannique.
Peintre de paysages, d'animaux et de sujets de sport.
Il fut surtout professeur et ses œuvres sont rares. Il exposa de 1820 à 1846, à la Royal Academy à la British Institution et à Suffolk Street particulièrement des sujets de sport. Le Musée d'Edimbourg conserve une aquarelle de lui *Le laboureur* et le Musée Britannique de Londres, *Portrait du peintre Sam. Palmer*.
Ventes Publiques : New York, 7 juin 1985 : *Deux cavaliers avec leurs chiens* 1818, aquar./traces de cr. (28,9x39,7) : **USD 2 000**.

WALTER Ivan Andréiévitch. Voir **WALTER Johann**

WALTER Jakob
XVIIe siècle. Actif à Olmütz en 1681. Autrichien.
Sculpteur.
Élève de Hans Ludwig Hertzog.

WALTER Johann
Mort le 10 mars 1903 à Latsch. XIXe siècle. Autrichien.
Peintre.

WALTER Johann Ernst Christian
Né le 24 avril 1799 à Ratzebourg. Mort le 28 mai 1860 à Odrup. XIXe siècle. Danois.
Graveur au burin et illustrateur.
Il se fixa à Copenhague en 1817. On cite de lui des *Vues de Copenhague*.

WALTER Johann Jakob. Voir **WALTHER**

WALTER Johann ou **Ivan Andréiévitch**
Né à Hambourg. XVIIe siècle. Russe.
Peintre de décorations et portraitiste.
Il se fixa en Russie en 1679.

WALTER Johannes
Né le 2 mars 1839 à Schaffhouse. Mort le 9 avril 1895 à Haarlem. XIXe siècle. Hollandais.
Graveur sur bois.
Élève de l'Académie de Leipzig.

WALTER Joseph
XVIIIe siècle. Actif à la fin du XVIIIe siècle. Autrichien.
Peintre.
Il fut élève de l'Académie des Beaux-Arts de Vienne.

WALTER Joseph, dit **de Bristol**
Né en 1783 à Bristol. Mort en 1856. XIXe siècle. Britannique.
Peintre de paysages d'eau, marines.
Il exposa à Londres de 1836 à 1847, notamment à la Royal Academy et à Suffolk Street.
Musées : Bristol : *Le « Great Western » à son 5e voyage de Bristol à New York – Le « Great Western » en 1838 – Le premier voyage du « Great Western » – Le steamer « Great Britain »*, deux fois – *Navires sur l'Avon – Le port de Bristol – Le coup de canon du soir – Marine – Le brick « Arale » de Bristol*.
Ventes Publiques : Londres, 26 jan. 1923 : *La marine anglaise de 1790*, dess. : **GBP 84** – Londres, 15 nov. 1968 : *L'Ajax* : **GNS 420** – Londres, 9 mai 1969 : *L'Ajax dans le détroit de Bristol* : **GNS 550** – Londres, 19 juil. 1972 : *Bateaux au large de Portsmouth* : **GBP 2 300** – Londres, 19 mai 1978 : *Vue du port de Plymouth* 1837, h/t (45x60,3) : **GBP 950** – Londres, 21 nov 1979 : *The evening sun*, h/t (62x75) : **GBP 4 000** – Biarritz, 6 déc. 1982 : *On the Thames looking from Blackwall to Greenwich*, h/pan. (26,5x35) : **GBP 2 800** – Londres, 6 juil. 1983 : *Three West Indiamen in the Bristol Channel*, h/t (40,5x56) : **GBP 3 600** – Londres, 10 juil. 1985 : *Vue de la Tamise*, h/pan. (26,5x35) : **GBP 5 000** – Londres, 24 avr. 1987 : *The Armament of 1790* 1847, h/t (92x154,3) : **GBP 18 000** – Londres, 29 jan. 1988 : *Bateau de commerce guidé par un pilote doublant un phare*, h/t (37,5x59,1) : **GBP 2 640** – Londres, 5 oct. 1989 : *Le navire Cochrane parmi d'autres dans le mer au large de Bristol* 1852, h/t (66x81) : **GBP 7 150** – Londres, 17 nov. 1989 : *Pêcheurs débarquant leur prise sur la grève de Burnham-on-sea* 1834, h/t (71,1x91,4) : **GBP 15 400** – Londres, 14 mars 1990 : *Navigation sur l'Avon à Pill près de Bristol*, h/t (39,5x55) : **GBP 12 650** – Londres, 12 juil. 1991 : *Vaisseau marchand à l'ancre et navigation dans un port*, h/t (56x97) : **GBP 20 900** – Londres, 30 mai 1996 : *Le navire amiral « Grande-Bretagne »* 1845, h/t (45,5x76) : **GBP 8 050** – Londres, 12 nov. 1997 : *Vaisseaux hollandais en haute mer*, h/t, une paire (chaque 34,5x49,5) : **GBP 10 350**.

WALTER Joseph Adolph Alexandre. Voir **WALCHER**

WALTER Julienne Pauline Isidorine, dite **Zoum**
Née le 9 avril 1902 à Ixelles (Bruxelles). Morte le 21 juin 1974 à Paris. XXe siècle. Active en France. Belge.
Peintre de genre, paysages, compositions à personnages, natures mortes, pastelliste. Postcubiste puis tendance abstraite.
Elle était la fille de Jean Vanden Eeckhoudt, petite-fille et arrière-petite-fille d'Isidore et de François Verheyden, elle devint française par son mariage en 1928. Son père guida ses débuts. À diverses époques, elle a participé à des Salons artistiques ou à des expositions collectives, en Belgique et en France. Entre 1923 et 1973, elle a montré des séries de ses peintures et pastels dans des expositions collectives et personnelles, surtout à Bruxelles et Paris, dans des villes de la province belge ou française, à Amsterdam, Oslo, etc. Comme en témoignent les renseignements précédents, Guy Runavot fait remarquer à juste titre, et d'autant que d'autres textes laissent entendre le contraire, qu'« on ne peut pas dire qu'elle ait été, de son vivant, méconnue. » En 1991 et 1992, on a pu voir à Paris quelques expositions de ses peintures et pastels. En 1992, le Musée Ingres de Montauban a montré une exposition rétrospective de l'ensemble de son œuvre.
Indépendante, Zoum Walter a laissé une œuvre, abondante d'une part, mais surtout composée de périodes très opposées. Elle commença à peindre très jeune, mais de ces premiers essais jusqu'en 1922, il ne reste que peu d'œuvres. Ensuite et jusqu'en 1928, elle peignit des paysages, presque tous du Midi de la France, de Roquebrune surtout, quelques-uns de Bruxelles, parfois animés de personnages, des natures mortes, au sujet desquels a été proposée la qualification de « postcubisme lyrique et naïf ». Ce fut pendant cette période qu'elle utilisa de plus en plus le pastel, la peinture à l'huile demeurant le médium de l'œuvre réfléchie, aboutie, le pastel étant celui de l'émotion spontanée. De 1929 à 1938, mariée, vivant désormais à Paris, il semble qu'elle désira parfaire sa formation de quasi-autodidacte, peignant des nus dont la facture ingresque atteste le caractère d'« académies ». Des peintures de cette époque et surtout des pastels restés plus libres de tout souci didactique, l'historien d'art belge Paul Fierens écrivait en 1932 : « Formes dépouillées, couleurs éclatantes... Une certaine façon de tout dire en quelques traits et quelques tons... » Vers 1937, on peut déceler chez elle une brève influence de la peinture de son père. Puis au sujet de la période de 1938 à 1945, Suzanne de Coninck parle de « liberté retrouvée dans le traitement du motif, l'assemblage d'éléments que la nature ne groupait pas, la répartition d'une lumière surréelle... » A partir de 1945, renouant avec les quelques paysages animés antérieurs, Zoum Walter peignit une série de compositions religieuses : *Figure orante – Les bergers – La visitation – Le jardin des oliviers*. De 1952 à 1957, elle délaissa les grandes compositions, peignit un portrait de sa fille Sylvie d'entre les peintures à l'huile raréfiées et de petits formats, mais multiplia les pastels de paysages : marines du Belt, jardins parisiens, vallons de l'Oise, Venise, partout surtout sensible aux horizons lointains, aux ciels immenses. Alors, à la suite de la mort de sa fille, elle s'arrêta de peindre jusqu'en 1963. Après cette double rupture, au cours de laquelle elle dut évidemment réfléchir, notamment à la cruauté de la réalité, elle reprit la peinture par un engagement dans l'abstraction, total en 1963, puis, jusqu'en 1969, indifférente aux usages et soucieuse de ne se laisser enfermer dans aucune formule, elle fit alterner figuration et abstraction, abstraction dans laquelle se perçoivent d'ailleurs parfois des réminiscences de choses vues, d'architectures urbaines en particulier, voire, depuis 1965, lourdes de symbole : *La forteresse* de 1966, ou encore aux confins du monde visible et de l'imaginaire. Puis elle revint après 1969, peut-être fortifiée de ce passage par la forme pure, au paysage du jardin de Crouy, des Alpilles de Provence, des forêts vosgiennes, du Marais poitevin. En 1972 et 1973, retrouvant ce qui constitue, croissant inéluctablement avec le temps, l'une des constantes de l'œuvre de Zoum Walter : les ciels, depuis ceux du Brabant en 1946, d'Île-de-France de 1947 à 1950, ceux des pastels de 1965-1966, les paysages se dépouillèrent une fois encore de tout détail, pour se fondre dans la ligne d'horizon toujours plus lointaine et plus basse, et laisser, avec le ciel et l'infini, envahir tout l'espace comme l'immensité d'une méditation cosmique. ■ Jacques Busse
Bibliogr. : Zoum Walter : *Pour Sylvie*, Ed. J. Antoine, Bruxelles, 1975 – Suzanne de Conninck et Jacques Michel : *Zoum Walter*, Ed. de Beaune, Paris, 1975 – *Cette Oasis artistique de Roquebrune*, Bulletin des Amis d'André Gide, n° 46, avr. 1980 – René Huyghe, in : *Les signes du temps et l'art moderne*, Flammarion, Paris, 1984 – *Sur trois tableaux*, Bulletin des amis d'André Gide, n° 70, avr. 1986 – François Walter et divers : *Zoum Walter*, Édit. Herscher, Paris, 1991, documentation très complète.
Musées : Banja Luka (Yougoslavie) : *Petite marine* s.d. – Épinal (Mus. dép. des Vosges) : *Le Villard* 1929, past. – *Modulation* vers 1965 – *Babel* 1967 – Ixelles : *L'orme de Gorbio* 1932 – Paris (Mus. Nat. d'Art Mod.) : *La forteresse* 1966 – Paris (Mus. mun. d'Art Mod.) : *Houlgate* 1956 – La Rochelle (Mus. des Beaux-Arts) : *Huîtrières pâles* 1969 – *Le grand nuage blanc* 1970 – *Printemps éclos* 1971 – *Les trois frères* 1972 – Uzès : *Les Fonds de Saint-Clair* 1925.
Ventes Publiques : Lokeren, 10 oct. 1992 : *La Lecture* 1949, h/cart. (40,5x46) : **BEF 75 000** – Paris, 4 mars 1994 : *La maison d'école*, h/t (63x57) : **FRF 50 000** – Lokeren, 20 mai 1995 : *La lecture* 1949, h/cart. (40,5x46) : **BEF 44 000** – Paris, 2 juin 1995 : *La haie rouge*, h/t (63x77) : **FRF 40 000** – Lokeren, 9 mars 1996 : *Nature morte au vase de fleurs* 1939, h/t (73x58) : **BEF 36 000**.

WALTER Karl
Né le 17 juillet 1868 à Karlsruhe. XIXe siècle. Allemand.
Peintre de paysages et de marines.
Élève des Académies de Karlsruhe, de Munich et de Paris. Le Musée de Karlsruhe conserve de lui *Soir d'hiver dans la Forêt Noire*.

WALTER Louis
XIXe siècle. Travaillant à Londres de 1853 à 1869. Britannique.
Peintre de genre, de paysages et d'architectures.

WALTER Martha C.
Née en 1880 à Philadelphie (Pennsylvanie). Morte en 1976. XXe siècle. Américaine.
Peintre de genre, figures, portraits, paysages, paysages animés.

Elle fut élève de William Merritt Chase à l'Académie des Beaux-Arts de Pennsylvanie. Au cours de son long voyage en Europe en 1908, elle se fixa à Paris, où elle suivit les cours de l'Académie de la Grande Chaumière et de l'Académie Julian. Elle retourna aux États-Unis avant la guerre de 1914.
Elle exposa au Salon de Paris à partir de 1904.
Elle peignit des scènes de plage : Saint-Malo, Trouville, Dinard, Saint-Jean-de-Luz, des rues, des parcs français et américains, des types d'émigrants, des scènes orientales. Ses compositions, peintes dans des tonalités claires, d'une touche limpide, sont baignées de lumière.
Bibliogr. : Gérald Schurr, in : *Les Petits Maîtres de la peinture 1820-1920, valeur de demain,* Les Éditions de l'Amateur, t. VI, Paris, 1985 - William H. Gerdts, D. Scott Atkinson, Carole L. Shelby, Jochen Wierich : *Impressions de toujours - Les peintres américains en France 1865-1915,* Mus. Américain de Giverny, Terra Foundation for the Arts, Evanston, 1992.
Musées : Giverny (Mus. Américain Terra Foundation for the Arts) : *À la crémerie* 1910 - Paris (ancien Mus. du Jeu de Paume) : *La cape* - Philadelphie : *Dorothy Lee Bell* - Toledo, USA : *Anne.*
Ventes Publiques : New York, 4 juin 1982 : *Le pique-nique,* h/cart. (60,4x84,5) : **USD 4 000** - New York, 18 mars 1983 : *La Table du petit déjeuner* vers 1903, h/t (60,4x50,9) : **USD 5 000** - New York, 4 avr. 1984 : *Le jardin du Luxembourg,* aquar. (19x22) : **USD 1 000** - New York, 22 juin 1984 : *Scène de plage,* h/t mar./cart. (38,1x45,7) : **USD 7 750** - New York, 15 mars 1985 : *Le jardin du Luxembourg,* h/pan. (11x15,5) : **USD 3 000** - New York, 3 déc. 1987 : *Tucks point, Manchester, Massachusetts,* h/cart. (40,6x50,8) : **USD 25 000** - New York, 25 mai 1989 : *A la plage,* h./gesso (35,5x45,5) : **USD 44 000** - New York, 27 sep. 1990 : *Le jardin du Luxembourg,* h/pan. (21x26,7) : **USD 8 800** - New York, 14 mars 1991 : *Le bébé en rouge,* h/cart. (27,3x22,5) : **USD 3 850** - New York, 12 avr. 1991 : *Les ombrelles vertes,* h/cart. (34,3x45,1) : **USD 24 200** - New York, 23 mai 1991 : *À la plage,* h/t (54x66) : **USD 46 750** - New York, 26 sep. 1991 : *Famille française,* h/cart. (23x28) : **USD 2 640** - New York, 5 déc. 1991 : *Le Ponton de Bass Rocks dans le Massachusetts,* h/t (102,2x81,3) : **USD 44 000** - New York, 27 mai 1992 : *Trouville,* h/cart. (37,5x45,7) : **USD 16 500** - New York, 28 mai 1992 : *Au bord de la mer,* h/cart. (35,7x46) : **USD 17 600** - New York, 23 sep. 1992 : *Quadro flamenco,* h/t cartonnée (37,3x45,7) : **USD 13 200** - New York, 24 sep. 1992 : *La plage de Biarritz depuis la terrasse,* h/cart. (37,5x45,7) : **USD 17 600** - New York, 4 déc. 1992 : *Groupe rose et violet,* h/cart. (35,6x45,4) : **USD 28 600** - New York, 11 mars 1993 : *Scène de plage en France,* h/t cartonnée (37,5x45,5) : **USD 12 650** - New York, 1er déc. 1994 : *Les Baigneurs* 1933, h/cart. (37,5x45,7) : **USD 34 500** - New York, 14 sep. 1995 : *La Baignade de Bathayres,* h/cart. (40,6x50,8) : **USD 23 000** - New York, 26 sep. 1996 : *Fort ressac, bars de rochers, Gloucester,* h/pan. (40,6x50,8) : **USD 34 500** - New York, 30 oct. 1996 : *Le Marché de Quimper,* h/cart. (35,6x45,1) : **USD 4 600** - New York, 23 avr. 1997 : *Dans le parc,* h/pan. (21,6x26,6) : **USD 14 950** - New York, 7 oct. 1997 : *Femmes au marché,* h/pan. toilé (38,1x45,7) : **USD 10 350.**

WALTER Ottokar
Né le 30 octobre 1853 à Vienne. Mort le 15 décembre 1904 à Vienne. XIXe siècle. Autrichien.
Peintre de chevaux et de portraits.

Élève de l'Académie de Vienne. Il peignit des portraits d'archiducs et d'aristocrates à cheval. L'Albertina de Vienne conserve de lui *L'empereur François-Joseph et l'archiduc François Ferdinand à cheval.*

WALTER Pierre François Prosper
Né le 8 juillet 1816 à Nancy. Mort le 11 mars 1855 à Nancy. XIXe siècle. Français.
Peintre.

Le Musée de Nancy conserve de lui *Coin de basse-cour,* signé « Walter 1855 ».

WALTER 1855.

WALTER Sebastian
Né en 1731. Mort le 14 novembre 1806 à Vienne. XVIIIe siècle. Autrichien.
Peintre d'histoire.

WALTER Solly
Né en 1846 à Vienne. Mort le 26 février 1900 à Honolulu. XIXe siècle. Américain.
Illustrateur.

Il s'établit à San Francisco en 1883.

WALTER Susa
Née en 1874 à Dorpat. XIXe-XXe siècles. Lettone.
Peintre de paysages.

Elle fut élève de Clara von Sievers à Berlin. Elle s'établit à Riga.

WALTER T. F.
XVIIIe siècle. Travaillant vers 1720. Hollandais.
Graveur.

Il grava des portraits.

WALTER W. C.
XIXe siècle. Travaillant en 1804. Britannique.
Portraitiste.

WALTER Wilhelmus Joannes
Né le 16 mai 1818 à Amsterdam. Mort le 10 juin 1894 à Ginneken. XIXe siècle. Hollandais.
Lithographe et peintre.

WALTER Zoum. Voir **WALTER Julienne Pauline Isidorine**

WALTER di Alemagna. Voir **GUALTIERO di Alemagna**

WALTER of Colchester
Né vers 1180. Mort le 2 septembre 1248. XIIIe siècle. Actif à Saint-Albans. Britannique.
Peintre, sculpteur sur bois et sur pierre.

Il fut le promoteur du style décoratif gothique en Angleterre. Il exécuta pour l'église de Saint-Albans un grand retable. Il était moine.

WALTER of Durham
Né vers 1230. Mort vers 1305. XIIIe siècle. Actif à Londres. Britannique.
Peintre.

Il exécuta des peintures dans le palais de Westminster.

WALTER da Monaco. Voir **MONICH Walter**

WALTER-COCL J. Rudolf
Né le 17 avril 1885 à Leitmeritz. XXe siècle. Autrichien.
Peintre, graveur.

Il vécut à Reichenberg. Il travailla pour l'Hôtel de Vienne de Tannwald et l'église de Ruppersdorf.

WALTER-HEILNER Katherine Langdon. Voir **CORSON**

WALTER-KURAU Johann
Né le 4 février 1869 à Mitau (nom allemand de Ielgava, Lettonie). Mort en 1932 à Berlin. XIXe-XXe siècles. Allemand.
Peintre d'intérieurs, paysages, natures mortes.

Il fut élève de l'Académie de Saint-Pétersbourg.
Musées : Dresde (Mus. mun.) : *Intérieur de l'Opéra.*
Ventes Publiques : Munich, 23 juin 1997 : *Nu féminin de dos,* h./fibres synth. (36,5x30,5) : **DEM 66 000.**

WALTERS Émile
Né le 31 janvier 1893 à Winnipeg (Canada). XXe siècle. Américain.
Peintre de paysages.

Il fut élève de l'Académie de Chicago. Il vécut et travailla à New York.
Musées : Houston - Huntington - New York - Reykjavik - Washington D. C. - Winnipeg.
Ventes Publiques : Los Angeles, 8 nov. 1977 : *Paysage de printemps* 1922, h/t (76,2x91,5) : **USD 3 750.**

WALTERS Evan
Né en 1893 à Llangyfelach. XXe siècle. Britannique.
Peintre de figures, portraits, paysages, fleurs.

Il fut élève de l'Académie de Londres. Il vécut et travailla à Londres. Il subit l'influence de Dunoyer de Segonzac, de Matisse et d'Augustus John.

WALTERS George Stanfield
Né en 1838 à Liverpool (Merseyside). Mort le 12 juillet 1924 à Londres. XIXe-XXe siècles. Britannique.
Peintre de paysages, paysages animés, marines, aquarelliste.

Il exposa à Londres à partir de 1860.

G.S.W
G.S.Walters.

Musées : Londres (Mus. Britannique) – Londres (Mus. Victoria et Albert).

Ventes Publiques : Londres, 9 mars 1976 : *Bords de rivière*, h/t (34x58,5) : **GBP 580** – Londres, 12 juil. 1977 : *The strand quay Wye*, h/t (44,5x60) : **GBP 680** – Londres, 19 mai 1978 : *Scène d'estuaire*, h/t (65x106) : **GBP 950** – Londres, 30 oct 1979 : *The great Tor* 1873, h/t (44x75) : **GBP 500** – Londres, 6 fév. 1981 : *Soir d'été en Hollande* 1878, h/t (66,6x106,6) : **GBP 1 300** – Londres, 29 mars 1984 : *Hay barges on the Medway* 1877, h/t (61x107) : **GBP 2 600** – New York, 14 nov. 1985 : *Coucher de soleil sur la Tamise*, h/t (66x106,7) : **USD 4 250** – Londres, 3 juin 1988 : *Coucher de soleil sur la Medway*, h/t (33x50,8) : **GBP 2 090** – Londres, 25 jan. 1989 : *Un port fluvial*, aquar. et gche (33,5x49) : **GBP 2 090** – Londres, 21 mars 1990 : *La pose des filets*, h/t (25,5x38,5) : **GBP 1 155** – Londres, 30 mai 1990 : *Le canot amenant les passagers à bord* 1888, aquar. avec reh. de blanc (32x50) : **GBP 1 430** – Londres, 1er nov. 1990 : *Barques de pêche quittant le port*, aquar./cart. (19,7x30,5) : **GBP 990** – Londres, 20 jan. 1993 : *Coucher de soleil en Hollande en automne*, h/t (38,5x28) : **GBP 1 265** – New York, 16 fév. 1993 : *Navigation au large de la côte* 1880, aquar./pap. avec reh. de blanc (30,5x47) : **USD 605** – Londres, 30 mars 1994 : *Santa Maria della Salute à Venise*, h/t (61x91,5) : **GBP 5 175** – Londres, 9 mai 1996 : *Le Passeur* 1866, aquar. et gche (20,5x38) : **GBP 782** – Montréal, 3 déc. 1996 : *Navigation au large de la côte* 1880, h/t (56,5x82) : **CAD 4 100** – Londres, 12 mars 1997 : *Aux Pays-Bas* 1886, h/t (57x92,5) : **GBP 6 325**.

WALTERS Janis. Voir **WALTER-KURAU Johann**

WALTERS Joséphine

Morte en 1883 à Brooklyn. XIXe siècle. Active à Hokokus. Américaine.

Peintre de paysages.

WALTERS Samuel

Né en 1811 à Londres. Mort en 1882. XIXe siècle. Britannique.

Peintre de paysages d'eau, marines.

Il exposa à Londres de 1834 à 1880, notamment à la Royal Academy, à la British Institution et à Suffolk Street.

Musées : Liverpool : *Le vapeur British Queen par grosse mer* – *Port de Liverpool*.

Ventes Publiques : Londres, 19 juin 1924 : *Le paquebot « Europe »* : **GBP 350** – Londres, 28 jan. 1971 : *Le trois-mâts « Susan Pardew »* : **GBP 520** – Londres, 17 fév. 1972 : *Marine* : **GNS 2 200** – Londres, 25 jan. 1974 : *Le « United States » par grosse mer* 1857 : **GNS 950** – Londres, 21 oct. 1977 : *Le voilier « Red Jacket »* 1854 ?, h/t (80x120,6) : **GBP 1 700** – Londres, 22 juin 1979 : *Le « May » au large de l'île de Man* 1849, h/t (59x90,2) : **GBP 6 500** – Londres, 5 mars 1982 : *Bateaux au large de Blackwall* 1866, h/t (70x100,2) : **GBP 2 800** – Londres, 6 juil. 1983 : *Voiliers au large d'Anglesy* 1834, h/t (69x109) : **GBP 9 000** – New York, 19 mai 1987 : *Le « The City of Washington » en mer*, h/t (92x152,3) : **USD 18 000** – Londres, 31 mai 1989 : *Le trois-mâts « John Stuart »* 1851, h/t (71x110) : **GBP 18 150** – Londres, 30 mai 1990 : *Le bâtiment « Guiding Star »* 1853, h/t (82x122) : **GBP 24 200** – Londres, 22 mai 1991 : *Le trois-mâts « Duncairn »*, h/t (62x93) : **GBP 12 100** – Londres, 22 nov. 1991 : *Le « Star of the East » attendant un pilote* 1854, h/t (83,8x129,6) : **GBP 33 000** – Londres, 20 jan. 1993 : *Déchargement d'un bateau de commerce dans Bootle Bay* 1869, h/cart., de forme ovale (23,5x30,5) : **GBP 1 495** – Londres, 3 nov. 1993 : *Navigation sur la Tamise*, h/t (51x76) : **GBP 9 200** – Londres, 11 mai 1994 : *La frégate « Susan » sous trois positions au large du phare de Perch Rock*, h/t (76x117) : **GBP 12 650** – Londres, 6 nov. 1995 : *Le bâtiment « Charles Kerr » au large de Table Mountain*, h/t (71x106) : **GBP 29 900** – New York, 12 avr. 1996 : *Bateau pilote n° 2* 1839, h/t (68,6x110,2) : **USD 14 950** – Londres, 30 mai 1996 : *Le Phare de Scarborough* 1862, h/t (18x26) : **GBP 1 610**.

WALTERS Suzanne

XIXe siècle. Américaine.

Peintre. Naïf.

La National Gallery of Art de Washington conserve d'elle *A la mémoire de Nicolas M. S. Catlin*, daté de 1852.

WALTHARD Elisäus. Voir **WALTHER**

WALTHARD Friedrich Johann Jakob

Né le 21 septembre 1818 à Berne. Mort le 30 septembre 1870 à Berne. XIXe siècle. Suisse.

Peintre d'histoire, scènes de genre, portraits, compositions décoratives, illustrateur.

Élève de Barthélémy Menn à Genève, il vint à Paris suivre les cours de Charles Gleyre. Il a travaillé ensuite à Munich, puis dans le canton de Berne et parfois dans les Grisons.

Il réalisa un grand panneau pour la salle du Grand Conseil Bernois : *Le dernier jour du vieux Berne*. Il illustra *Uli le valet de ferme* et *Uli le fermier*, de Jérémias Gottheld.

Bibliogr. : Gérald Schurr, in : *Les Petits Maîtres de la peinture 1820-1920, valeur de demain*, Les Éditions de l'Amateur, t. V, Paris, 1981.

Musées : Berne : *Méphistophélès et l'étudiant* – *Carabinier bernois blessé, après le combat de Grauholz* – *Le dernier jour de l'ancienne République Berne* – Neuchâtel : *Étude*.

WALTHARD Mathias ou **Mathys**. Voir **WALTHER**

WALTHARD Thüring. Voir **WALTHER**

WALTHER. Voir aussi **WALTER**

WALTHER ou **Waltherus**

XIIe siècle. Actif à Saint-Emmeran. Allemand.

Peintre.

Il était moine.

WALTHER

XVIe siècle. Travaillant à Copenhague de 1560 à 1562. Danois.

Peintre.

Il peignit des sujets bibliques et des portraits. Il était également un négociant d'art.

WALTHER

XVIIIe siècle. Travaillant en 1795. Autrichien.

Peintre verrier.

WALTHER

XVIIIe siècle. Britannique.

Tailleur de camées.

WALTHER Adolf Wilhelm. Voir **WALTHER Wilhelm**

WALTHER Andreas

Né vers 1506 à Breslau. Mort en 1568 à Breslau, probablement. XVIe siècle. Allemand.

Sculpteur.

Il exécuta de nombreux travaux pour la ville de Breslau et pour les églises de cette ville, surtout des tombeaux et des ornements.

WALTHER Balthasar

XVIe siècle. Allemand.

Peintre verrier.

Il travailla à Görlitz dont le Musée possède un vitrail représentant un *Saint Christophe*, exécuté par cet artiste.

WALTHER Carl

Né le 9 décembre 1880 à Leipzig (Saxe). XXe siècle. Allemand.

Peintre de portraits, paysages, graveur.

Il fut élève de l'Académie de Dresde, ville où il vécut et travailla. Il gravait à l'eau-forte.

Musées : Bamberg (Gal. mun.) : *Portrait d'une dame*.

WALTHER Christoph I

Né à Breslau (?). Mort en 1546 à Dresde. XVIe siècle. Allemand.

Sculpteur.

Il sculpta des tombeaux, des autels, des statues, des bas-reliefs et des ornements pour des églises de Breslau, de Meissen de Dresde et d'Oschatz.

WALTHER Christoph II

Né en 1534 à Breslau. Mort le 27 novembre 1584 à Dresde. XVIe siècle. Allemand.

Sculpteur.

Il sculpta des épitaphes, des fonts baptismaux, des autels et des bas-reliefs pour des églises et des édifices publics de Dresde, de Torgau et de Waldenberg.

WALTHER Clara

Née le 16 février 1860 à Pössneck. XIXe siècle. Allemande.

Peintre de portraits et de genre et aquafortiste.

Élève de Suchodolski à Dresde et de Löfftz à Munich. Elle s'établit à Munich où elle exposa en 1888.

WALTHER Elisäus ou **Walthard**

Mort après 1555. XVIe siècle. Actif à Berne. Suisse.

Peintre.
Probablement fils de Friedrich Walther. Il exécuta des armoiries et peignit pour la cathédrale de Berne.

WALTHER Emmi
Née en 1860 à Hambourg. XIXe siècle. Active à Munich. Allemande.
Peintre.
Le Musée de Dachau conserve d'elle *Vieilles femmes de Dachau.*

WALTHER Ernst Hermann
Né le 18 août 1858 à Landsberg-sur-la-Warthe. XIXe siècle. Actif à Dresde. Allemand.
Peintre.
Élève de l'Académie de Berlin. La Galerie Moderne de Dresde conserve de lui *Paysage.*

WALTHER Ferdinand
Né au XVIIIe siècle à Saint-Lambrecht. XVIIIe siècle. Actif à Saint-Veit-an-der-Glan. Autrichien.
Sculpteur et peintre.
Il a sculpté la chaire de l'église de Hochfeistritz.

WALTHER Franz Erhard
Né en 1939 à Fulda (Hesse). XXe siècle. Allemand.
Sculpteur, créateur d'installations.
Il a montré une exposition personnelle de ses œuvres à la Villa Arson à Nice en 1990.
Le corps est le thème dominant de son travail qu'il exprime et interroge en général avec du tissu.
Bibliogr. : In : *Dictionnaire de l'art moderne et contemporain,* Hazan, Paris, 1992.

WALTHER Friedrich
Né avant 1440 à Dunkelsbuhn. XVe siècle. Allemand.
Peintre et dessinateur.
En collaboration avec Hans Hürming, il peignit des tableaux d'autel dans la manière de Martin Schongauer. Il fit les dessins pour une série d'estampes illustrant une *Biblia Pauperum* publiée en 1471.

WALTHER Gustav
Né en 1828 à Ronnebourg, près de Gera (Thuringe). Mort en 1904 à Altenbourg (Thuringe). XIXe siècle. Allemand.
Peintre de portraits.
Il peignit pour les cours de Saint-Pétersbourg, de Gotha et de Dessau.
Musées : Altenburg : *Portrait du paysan Romhild de Korbussen.*
Ventes Publiques : Londres, 17 juin 1992 : *Jeune femme sous un oranger* 1864, h/t (71x59) : **GBP 2 860.**

WALTHER Hans ou **Johann**
Né en 1526 à Breslau. Mort en 1600 à Dresde. XVIe siècle. Allemand.
Sculpteur.
Il sculpta des statues, des bas-reliefs, des épitaphes et des autels pour des églises de Dresde, de Freiberg, de Strehla et de Petersberg.

WALTHER Johann Jakob ou **Jean-Jacques** ou **Walter**
Né vers 1600 en Saxe (?). Mort après 1679 à Strasbourg. XVIIe siècle. Allemand.
Peintre.
La Bibliothèque provinciale de Darmstadt et la Bibliothèque nationale de Paris conservent des œuvres de cet artiste. Il était également chroniqueur.
Ventes Publiques : Monte-Carlo, 22 fév. 1986 : *Pélican et souchet,* gche (25,7x40,7) : **FRF 210 000.**

WALTHER Johann Philipp
Né en 1798 à Mühlhausen, près de Neumarkt. Mort le 31 janvier 1868 à Nuremberg. XIXe siècle. Allemand.
Dessinateur, aquarelliste, peintre, graveur au burin et sur acier, aquafortiste et éditeur.
Il reproduisit surtout des vues de Nuremberg d'après de vieux maîtres. Les Musées de cette ville conservent de nombreuses estampes de cet artiste.

WALTHER Karl ou **Friedrich Karl**
Né le 19 août 1905 à Zeitz. Mort en 1981. XXe siècle. Allemand.
Peintre de paysages urbains, architectures.
Il fut élève de l'Académie de Leipzig, vécut et travailla à Munich. Il peignit des architectures et des vues de villes.

WALTHER

Musées : Stettin : *Grande forêt près de Leipzig.*
Ventes Publiques : Berlin, 4 nov. 1970 : *Vues de Berlin,* deux toiles : **DEM 5 000.**

WALTHER Mathias ou **Mathys I** ou **Walthard**
Né en 1517. Mort en 1601 ou 1602. XVIe siècle. Suisse.
Peintre verrier.
Les Musées de Berne et de Zurich conservent des vitraux peints par cet artiste.

WALTHER Mathias ou **Mathys II** ou **Walthard**
Né le 26 octobre 1592. Mort en 1654. XVIIe siècle. Actif à Berne. Suisse.
Peintre verrier et dessinateur.
Fils de Mathias I Walther. Le Musée de Berne conserve de lui une chronique ornée d'illustrations par cet artiste.

WALTHER Paul ou **Louis Clemens Paul**
Né le 28 octobre 1876 à Meissen (Saxe-Anhalt). XXe siècle. Allemand.
Sculpteur animalier.
Il n'eut aucun maître. Il sculpta surtout des animaux.
Musées : Chemnitz : *Héron* – Dresde : *Chèvre – Grue – Pie – Faisan – Perroquets – Antilope* – Leipzig : *Héron.*

WALTHER Sebastian ou **Bastian**
Né en 1576. Mort en 1645 à Dresde. XVIIe siècle. Allemand.
Sculpteur et architecte.
Il sculpta le tombeau de Lucas Cranach dans l'église de Wittenberg. Le Musée de Dresde conserve de lui *Nativité,* bas-relief en albâtre.

WALTHER Thüring ou **Walthard**
Né le 6 septembre 1546. Mort en 1615. XVIe-XVIIe siècles. Actif à Berne. Suisse.
Peintre verrier.
Frère de Mathias I Walther. Il fut un des peintres d'armoiries les plus connus de son époque. Les Musées de Berne et de Zurich conservent des vitraux armoriés peints par cet artiste.

WALTHER Wilhelm ou **Adolf Wilhelm**
Né le 18 octobre 1826 à Kämmerswalde. Mort le 7 mai 1913 à Dresde (Saxe). XIXe-XXe siècles. Allemand.
Peintre d'histoire, scènes de genre.
En 1842, il fut élève de l'Académie de Dresde dans l'atelier de Jules Hübner. Le 1er mai 1878, il fut nommé professeur à la même Académie. Il travailla à Dresde.

WALTHER da Monaco. Voir **MONICH Walter**

WALTHERR Gida ou **Gideon**
Né en 1852 à Budapest. XIXe siècle. Hongrois.
Peintre verrier.
Il fit ses études à Vienne. Il exécuta des vitraux dans la cathédrale de Veszprem.

WALTL Balthasar
Né en 1858 à Kirchdorf. Mort en 1908 à Innsbruck. XIXe siècle. Autrichien.
Peintre.
Élève de Seitz et de Gabel à Munich. Il peignit des fresques et des tableaux d'autel, des chemins de croix et des portraits. Le Musée de Kitzbühel conserve des œuvres de cet artiste.

WALTL Johann
XIXe siècle. Actif à Saint-Johann (Vallée de l'Inn) dans la première moitié du XIXe siècle. Autrichien.
Peintre.
Il fit ses études à Munich.

WALTMAN Harry Franklin
Né le 16 avril 1871 en Ohio. XIXe-XXe siècles. Américain.
Peintre de paysages.
Il fut élève de B. Constant et de J. P. Laurens à Paris. Il vécut et travailla à New York.

WALTMANN Jacob
Né en 1802 à Vienne. Mort en 1871 à Vienne. XIXe siècle. Autrichien.
Paysagiste.
Élève de l'Académie de Vienne. Le Musée du Belvédère de cette ville conserve de lui *Puszta en Hongrie.*
Ventes Publiques : Londres, 10 oct. 1984 : *Vue des ruines de Dürnstein* 1842, h/t (46x37) : **GBP 1 000.**

WALTNER Charles Albert
Né le 24 mars 1846 à Paris. Mort le 15 juin 1925 à Paris. XIXe-XXe siècles. Français.

Graveur de sujets d'histoire, portraits.
Il fut élève de Henriquel-Dupont, Gérome et Martinet. Il obtint le Premier prix de Rome. Il débuta au Salon en 1870 et obtint une médaille de deuxième classe en 1874, une médaille de troisième classe à l'Exposition universelle de 1878, une médaille de première classe en 1889, une médaille d'honneur en 1882, hors concours en 1889 (Exposition universelle de Paris), le Grand Prix en 1900 (Exposition universelle de Paris). Chevalier de la Légion d'honneur en 1882, membre de l'Institut en 1908.
Il collabora avec Félix Bracquemond aux gravures des *Souvenirs de l'Exposition de 1900*. Il gravait au burin et à l'eau-forte.

WALTNER Charles Jules
Né en 1820. XIXe siècle. Actif à Paris. Français.
Graveur au burin.
Père de Charles Albert Waltner. Il grava des sujets religieux.

WALTON Allan
Né le 20 octobre 1892 à Cheadle-Hulme. Mort en 1948. XXe siècle. Britannique.
Peintre de natures mortes, décorateur.
Il vécut et travailla à Londres.
Ventes Publiques : Londres, 21 sep. 1989 : *Nature morte avec des fleurs dans un pot*, h/t (60,3x44) : **GBP 1 760**.

WALTON C. W.
XIXe siècle. Actif à Londres vers 1850. Britannique.
Dessinateur de portraits, lithographe et éditeur.

WALTON Cecile
Née le 22 mars 1891 à Glasgow (Écosse). XXe siècle. Britannique.
Peintre, sculpteur, illustrateur.
Fille d'Edward Arthur Walton. Elle vécut et travailla à Edimbourg. Elle peignit des illustrations de livres.
Musées : Dunedin : *Le vase de Basile* – Liverpool : Dessin à la plume.

WALTON Constance, plus tard Mme **W. H. Ellis**
Née en 1866 à Glasgow. Morte en 1960. XIXe-XXe siècles. Britannique.
Peintre de fleurs.
Ventes Publiques : Glasgow, 6 fév. 1990 : *Nature morte avec des roses*, aquar. (46x63) : **GBP 2 640** – South Queensferry (Écosse), 1er mai 1990 : *Roses*, aquar. (40,5x67) : **GBP 2 860** – Perth, 26 août 1991 : *Roses dans un vase bleu et blanc*, aquar. avec reh. de blanc (49x67) : **GBP 3 300** – Glasgow, 4 déc. 1991 : *Roses dans une coupe*, aquar. (34x44,5) : **GBP 1 650** – Édimbourg, 28 avr. 1992 : *Roses*, aquar. (36x35) : **GBP 1 430** – Édimbourg, 23 mars 1993 : *Roses*, aquar. (47,5x59,5) : **GBP 2 530** – Glasgow, 16 avr. 1996 : *Roses*, aquar. (75x52) : **GBP 1 725**.

WALTON Edward Arthur
Né le 15 avril 1860 à Clanderston (Renfrewshire). Mort le 18 mars 1922 à Edimbourg (Écosse). XIXe-XXe siècles. Britannique.
Peintre de genre, portraits, paysages, paysages animés, marines.
Il fut membre de la Royal Scottish Academy et du Royal Institute of Painters in Water-Colours. Il exposa régulièrement à l'Académie écossaise. Il envoya aussi quelques ouvrages à la Royal Academy à Londres à partir de 1880. Il figura également aux Expositions de Paris où il obtint une mention honorable en 1892, et une médaille d'argent en 1900 à l'Exposition universelle de Paris.

Musées : Budapest : *Le ruisseau* – Édimbourg : *Le portefeuille* – Gand : *La jaquette rouge* – Glasgow : *Sir James King* – Karlsruhe : *Le cadran solaire* – Leeds : *Le Braes d'Ormiston, paysage* – Munich : *Idylle* – Venise (Gal. d'Art Mod.) : *Soirée*.
Ventes Publiques : Londres, 2 juil. 1926 : *Le cheval blanc* : **GBP 152** – Londres, 22 fév. 1972 : *Cheval blanc au bord d'une rivière* : **GBP 600** – Perth, 13 avr. 1976 : *Paysage à la ferme*, h/t (59,5x90) : **GBP 480** – Glasgow, 9 avr. 1981 : *Bluette*, h/t (75x78) : **GBP 8 000** – Édimbourg, 27 mars 1984 : *Herd boy* 1886, aquar. (56x60) : **GBP 15 500** – San Francisco, 21 juin 1984 : *The beaver hat*, h/t (201x107) : **USD 7 000** – Perth, 27 août 1985 : *La Rivière bleue*, aquar. reh. de blanc (55x74) : **GBP 1 500** – Glasgow, 4 fév. 1987 : *Fillette nourrissant des canetons*, aquar. et gche/pap. mar./cart. (48x56) : **GBP 21 000** – Édimbourg, 30 août 1988 : *Pêcheur au bord d'un ruisseau*, h/cart. (18x24) : **GBP 3 960** – Perth, 29 août 1989 : *L'eau des collines*, h/t (36x46) : **GBP 1 980** – Édimbourg, 22 nov. 1989 : *La pythonisse, Miss Jane Aitken*, h/t (84,4x61) : **GBP 10 450** – Édimbourg, 26 avr. 1990 : *Moutons broutant près d'un ruisseau* 1882, h/t (61x50,8) : **GBP 1 650** – Glasgow, 4 déc. 1991 : *Pêcheur au bord du ruisseau*, h/cart. (18,5x24) : **GBP 1 210** – Édimbourg, 19 nov. 1992 : *Pastorale*, aquar. (33,6x51,4) : **GBP 1 760** – Édimbourg, 23 mars 1993 : *Paysage du Surrey*, aquar. (51,5x64) : **GBP 2 300** – Édimbourg, 9 juin 1994 : *Chèvres près d'une ferme*, aquar. (38,7x54,6) : **GBP 3 680** – Perth, 29 août 1995 : *Cottage sur le coteau*, h/t (68,5x83,5) : **GBP 17 250** ; *Portrait de Miss Betty Mylne*, h/t (122,5x71) : **GBP 41 100** – Perth, 26 août 1996 : *Le jeune berger*, aquar. (28,5x21) : **GBP 6 325**.

WALTON Elyah
Né le 22 novembre 1832 à Birmingham. Mort le 25 août 1880 à Bromsgrove Lickey. XIXe siècle. Britannique.
Peintre de paysages.
Il fut élève de la Birmingham Art School of Design. A l'âge de quinze ans, il exposa à la Royal Academy à Londres. Il vint poursuivre ses études dans la métropole anglaise et les termina en 1850. Il voyagea en Égypte, en Grèce, en Suisse, en Norvège, en Écosse et fit de nombreux séjours à l'île de Wight. On cite particulièrement ses tableaux des Alpes. Le Musée de Birmingham conserve de lui *Mont Tofano, Tyrol*, celui de Cambridge, *Les tombeaux des califes près du Caire*, et le Victor and Albert Museum à Londres, une aquarelle *(Vue du Nil)*.
Ventes Publiques : Paris, 8 mai 1941 : *Just Shot* : **FRF 350** – Londres, 17 oct. 1984 : *Paysage montagneux* 1867, aquar. sur trait de cr. reh. de blanc (102,9x180,3) : **GBP 850**.

WALTON Florence L.
Née en 1889 à East Orange. XXe siècle. Américaine.
Peintre.
Elle fut élève de G. Bellow. Elle vécut et travailla à New York.

WALTON Frank
Né le 10 juillet 1840 à Londres. Mort le 23 janvier 1928. XIXe-XXe siècles. Britannique.
Peintre de genre, paysages, paysages animés, marines, aquarelliste.
En 1860, élève de l'École de la Royal Academy à Londres, il obtint la médaille d'or de Turner pour le paysage. Membre du Royal Institute of Painters in Water Colours, il en fut président. Il figurait encore dans le catalogue de l'Exposition de cette société en 1910 et résidait alors à Dorking.

Musées : Birmingham : *Doux automne* – Le Cap : Une aquarelle – Liverpool : *Dans les roseaux au bord de la rivière* – Melbourne : *L'été est parti sur les ailes des hirondelles*.
Ventes Publiques : Londres, 19 oct. 1976 : *Scène de moisson* 1863, h/t (29x37) : **GBP 420** – Londres, 29 juil. 1977 : *Feldemoor*, h/cart. (24x34) : **GBP 700** – Londres, 2 mars 1984 : *Courses de chevaux*, h/pan., une paire (17,7x31,7) : **GBP 1 200** – Londres, 25 jan. 1988 : *Après-midi d'été*, aquar. (29x44,5) : **GBP 5 500** – Londres, 15 juin 1990 : *Pêcheurs à la ligne près d'un lac*, h/t (53,3x76,2) : **GBP 1 452** – Londres, 7 juin 1996 : *Route de la Mare vers Laine Hill*, h/t (40,7x50,7) : **GBP 4 312** – Londres, 6 nov. 1996 : *Travaux des champs* 1863, aquar. et gche reh. (29,5x44,5) : **GBP 4 830**.

WALTON George
Mort avant 1906 en Angleterre. XIXe siècle. Britannique.
Peintre de genre et de portraits.
On le cite exposant à Londres de 1882 à 1888 et envoyant, notamment, des portraits à la Royal Academy. Il passa plusieurs années à Melbourne (Australie). Le Musée de Sydney conserve de lui *L'acolyte*.

WALTON Henry
Né vers 1746 à Dickleborough (Norfolk). Mort en 1813 à Londres. XVIIIe-XIXe siècles. Britannique.
Peintre de scènes de genre, portraits.
Il fut élève de Johann Joseph Zoffany. Il effectua plusieurs voyages à Paris. Il exposa à Londres, à la Royal Academy, ainsi qu'à la Society of Artists, dont il fut membre. Un grand nombre de ses ouvrages ont été gravés.

Bibliogr. : In : *Diction. de la peinture anglaise et américaine*, coll. Essentiels, Larousse, Paris, 1991.
Musées : Londres (Tate Gal.) : *Jeune fille plumant une dinde* 1776 – Londres (Nat. Portrait Gal.) : *Henry Petty-Fitzmaurice, marquis de Lansdowne* – *Edward Gibbon* – *L'acteur John Palmer dans le rôle du comte Almaviva*.
Ventes Publiques : Londres, 26 mars 1928 : *En allant au marché* : **GBP 420** – Londres, 12 juin 1931 : *Étalage de légumes* : **GBP 399** – Londres, 30 nov. 1960 : *Le jeune pêcheur à la ligne* : **GBP 1 400** – Londres, 7 juil. 1967 : *Enfants sur une terrasse* : **GNS 850** – Londres, 15 mars 1978 : *Portrait of the Rev. Charles Tyrell of Thurlow, Suffolk*, h/t (75x61,5) : **GBP 21 000** – Londres, 14 mars 1984 : *Portrait d'un gentilhomme avec son cheval*, h/t mar./pan. (37x42) : **GBP 19 000** – Londres, 11 mars 1987 : *Gentilhomme et cheval gris sellé dans un paysage*, h/t (63x76) : **GBP 30 000** – Londres, 15 juil. 1988 : *Gentleman allongé avec un garde-chasse, un chien et un fusil auprès de lui*, h/t (70,8x88,9) : **GBP 253 000** – New York, 28 oct. 1988 : *Mrs Fuller de Carlton Hall à Saxmundham dans le Suffolk, avec son fils Edward*, h/t (67,2x63,5) : **USD 96 250** – Londres, 1er mars 1991 : *Portrait du révérend Edward Wilson, en buste, en jaquette noire et jabot blanc*, h/t (76x63,5) : **GBP 1 760** – Londres, 12 juil. 1995 : *Portrait du révérend Charles Tyrell de Thurlow dans le Suffolk, assis sous un arbre devant un champ de blé et tenant un outil*, h/t (75x61,5) : **GBP 54 300**.

WALTON J. B.
xixe siècle. Travaillant à Londres en 1848. Britannique.
Peintre de portraits, peintre de miniatures.

WALTON James Trout
Né à York. Mort le 17 octobre 1867 à York. xixe siècle. Britannique.
Paysagiste.
Élève d'Etty. Il alla en Suisse et à Alger. Il a peint surtout le paysage pastoral anglais. Il exposa à Londres, de 1851 à 1867, notamment à la Royal Academy, à la British Institution et à Suffolk Street.

WALTON John Whitehead
xixe siècle. Actif à Londres. Britannique.
Peintre d'histoire et de portraits.
Il exposa à Londres, de 1834 à 1865, particulièrement des sujets d'histoire, à la Royal Academy. La National Portrait Gallery, à Londres, conserve de lui *Joseph Hume*.

WALTON Joseph
xixe siècle. Actif à York dans la seconde moitié du xixe siècle. Britannique.
Paysagiste.
Frère de James Trout Walton. La Galerie de York conserve de lui *Scène dans les communs du château*.

WALTON Marie Anne. Voir **FIELDING**

WALTON Parry
Mort en 1699 à Londres. xviie siècle. Britannique.
Peintre de natures mortes, copiste, restaurateur de tableaux.
Élève de Robert Walker. Il devint conservateur de la Galerie de tableaux de Jacques II. Il restaura notamment, le plafond de Rubens à Whitehall. Son fils lui succéda dans son emploi et fut également copiste. La Galerie de Durham conserve une *Nature morte* de cet artiste.

WALTON W. L.
xixe siècle. Actif à Londres au milieu du xixe siècle. Britannique.
Paysagiste.
Il exposa au Salon de 1834 à 1855.

WALTON William
Né le 10 novembre 1843 à Philadelphie (Pennsylvanie). Mort le 13 novembre 1915. xixe-xxe siècles. Américain.
Peintre de genre, peintre de paysages, écrivain d'art.
Il fut élève de l'Académie de Philadelphie. Il vécut et travailla à New York.

WALTPURGER. Voir **WALDBURGER**

WALTRAUD Maria Magdalena
Née en 1938 dans le Wurtemberg. xxe siècle. Allemande.
Peintre, illustrateur. Tendance naïve.
Cette artiste, de tendance naïve, vit principalement à São Paulo. Elle montre ses œuvres au Brésil, en Allemagne, en Suisse, en Italie, en France, notamment à Paris, lors d'expositions personnelles en 1965 et 1976. Elle reçut le deuxième Prix international des Peintres Naïfs à Côme, en 1971. En 1971 et 1975 elle a exécuté des cartes de vœux et illustrations pour l'UNICEF. Sa peinture est d'une grande fraîcheur poétique.

WALTSKAPELLE Jakob Van. Voir **WALSCAPELLE**

WALTZ Jean-Jacques. Voir **HANSI**

WALVIS Hans
Né vers 1595. Mort le 24 mai 1659 à Utrecht. xviie siècle. Éc. flamande.
Peintre.
Père de Johannes-Baptista Van Walvis. Il fut membre de la gilde d'Anvers en 1617.

WALVIS Johannes Baptista Van
Né en 1622 à Anvers. Mort après 1692 à Anvers. xviie siècle. Éc. flamande.
Peintre.
Fils de Hans Walvis. Il se fixa à Utrecht. Il peignit des sujets religieux.

WALWERT Georg Christoph
Né en 1748 à Nuremberg. Mort en 1812 à Nuremberg. xviiie-xixe siècles. Allemand.
Peintre, miniaturiste et graveur au burin.
Frère de Jakob Samuel Walwert. Élève de Georg Paul Nusbiegel à Nuremberg. Il exécuta des portraits, des vues et des sujets de sciences naturelles.

WALWERTH Jakob Samuel
Né en 1750 à Nuremberg. Mort en 1815. xviiie-xixe siècles. Allemand.
Graveur au burin, dessinateur et miniaturiste.
Élève de Preisler pour le dessin et de Schwenkhart pour la gravure. Il fut surtout employé par l'éditeur Michel, de Bâle, a des planches de botanique, d'anatomie et d'architecture.

WALWYN Francis
xviie siècle. Actif dans la première moitié du xviie siècle. Britannique.
Tailleur de camées.
Il travailla pour le roi Charles Ier d'Angleterre.

WALZEL August Friedrich
Né vers 1790 à Braunau-sur-l'Inn. Mort en 1860 (?). xixe siècle. Autrichien.
Lithographe.
Il travailla à Vienne et à Budapest.

WAMBACH Jacqueline
xxe siècle. Belge.
Peintre de paysages, intérieurs, natures mortes, fleurs. Postimpressionniste.
Elle a été élève de Paul Hagemans.

WAMBACH DE DUVE Marie
Née le 13 septembre 1865 à Anvers. xixe siècle. Belge.
Peintre de marines, de paysages et de fleurs.
Élève de Walters et de H. Schaefels. Elle exposa régulièrement à Anvers à partir de 1884.

WAMP Jean. Voir **VUMP Jean**

WAMPACHER Johann Georg ou **Wambacher** ou **Wanpacher** ou **Wanpachter**
Né en 1743 (?). xviiie siècle. Autrichien.
Peintre et graveur.
Élève de Martin Johann Schmidt à Stein. Il travailla pour l'église de Pöchlarn.

WAMPE J. B.
xviiie siècle. Actif à Gand vers 1736. Éc. flamande.
Peintre.

WAMPRECHTS Fernando
Né le 20 février 1959 à Barcelone (Venezuela). xxe siècle. Vénézuélien.
Peintre, technique mixte. Nouvelles figurations.
Il a étudié l'art en Autriche et aux États-Unis, à Atlanta entre 1980 et 1983. Il participe à des expositions collectives, parmi lesquelles : depuis 1982 et régulièrement, Salon Arturo Michelena, Valence (Venezuala) ; 1984, Salon des Artistes Plasticiens des Caraïbes, Valence ; 1990, *Les années quatre-vingt. Un panorama des arts visuels*, Galerie Nationale d'Art, Caracas. Il montre ses œuvres dans des expositions personnelles, dont : 1981, Centre d'art Parque, Valence ; 1993, galerie Mauro Messoni, Milan ; 1990, Sala Mendoza, Caracas ; 1994, galerie D'Museo, Caracas.

Wamprechts peint des figures, des natures mortes ou des objets, dans un style souvent impétueux, qui s'apparente à un expressionnisme de la forme et de la couleur. Au début des années quatre-vingt-dix, son style évolue. Par-delà les sujets encore reconnaissables, son style tend à un remplissage de la surface peinte composée alors de multiples de signes et de tracés divers colorés.

WAMPS Bernard Joseph ou **Wampe** ou **Vamps**
Né le 30 novembre 1689 à Lille. Mort vers 1750 à Lille. XVIIIe siècle. Français.
Peintre de sujets religieux.
Élève de Vuez et de Jean Restout. Premier prix de Rome en 1715. Après un séjour de cinq années à Rome Wamps revint dans sa ville natale et s'y établit.

B.J. Wampe inv et fecit 1744

Musées : Cambrai : *Agar dans le désert – Annonciation* – Douai : *Abraham et Melchisédech – Les cailles du désert – Gédéon et ses guerriers – Scène biblique – Exorcisme* – Lille : *Le jugement de Salomon.*

WAMPS Jan Baptist. Voir **WANS**

WANBACHER Johann Georg. Voir **WAMPACHER**

WAN CHANG-LIN. Voir **WAN SHANGLIN**

WAN CHEOU-K'I. Voir **WAN SHOUQI**

WAN CH'I-FAN. Voir **WAN QIFAN**

WANCKER Mathias
Né en 1756 (?) à Tepl. XVIIIe siècle. Autrichien.
Modeleur.
Il travailla sur faïence à Breslau et à Leobschütz.

WANDAHL Finn
Né le 24 avril 1900 à Copenhague. XXe siècle. Danois.
Sculpteur.
Il fut élève d'Angers J. Bundgaard. Il vécut et travailla à Gentofte.

WANDAHL William
Né le 7 août 1859 à Copenhague. XIXe siècle. Danois.
Paysagiste et acteur.
Père de Finn Wandahl et élève de l'Académie de Copenhague.

WANDEL Élisabeth, née **Möller**
Née le 14 janvier 1850 à Copenhague. Morte le 28 décembre 1926 à Copenhague. XIXe-XXe siècles. Danoise.
Peintre de portraits, paysages.
Elle fut élève de Carl Thomsen et de P. S. Kröyer. Elle exposa à partir de 1887 des portraits, des études de tête, et quelques paysages.

WANDEL Marie, née **Oelsen**
Née le 15 février 1899 à Horsens. XXe siècle. Danoise.
Peintre, décorateur.
Elle fut élève de l'Académie de Copenhague. Elle vécut et travailla à Gentofte.
Musées : Vejen : Deux peintures.

WANDEL Sigurd
Né le 22 février 1875 à Copenhague. Mort en 1947. XXe siècle. Danois.
Peintre de genre.
Fils d'Élisabeth Wandel et élève de Zahztmann à l'Académie de Copenhague.
Musées : Copenhague : *Groupe de figures – Soirée – Intérieur.*
Ventes Publiques : Londres, 16 mars 1989 : *Dans la nursery* 1928, h/t (68x93) : **GBP 3 300.**

WANDELAAR Jan ou **Jean**
Né le 14 avril 1690 à Amsterdam. Mort le 26 mars 1759 à Leyde. XVIIIe siècle. Hollandais.
Peintre et graveur au burin et à l'eau-forte.
Élève de Folkuna et de W. Van Gouiven. Il a gravé des sujets religieux et des portraits ainsi que des armoiries pour les éditeurs. Ce fut sur son initiative qu'une école publique de dessin fut ouverte à Amsterdam.

JW

WANDERER Friedrich Wilhelm
Né le 10 septembre 1840 à Munich (Bavière). Mort le 7 octobre 1910 à Munich. XIXe-XXe siècles. Allemand.
Peintre d'histoire, dessinateur, illustrateur, écrivain d'art.
Il fut élève de l'École des Arts et Métiers, dans l'atelier d'August von Kreling à Nuremberg. Il reçut une médaille à Munich en 1874. On cite de lui *Carton en mémoire de l'empereur Guillaume Ier et de l'empereur Frédéric III.*

WANDING Olivia Sophie Frederikke
Née le 26 août 1814 à Copenhague. Morte le 5 septembre 1881 à Copenhague. XIXe siècle. Danoise.
Peintre de fleurs.
Ventes Publiques : Londres, 29 mars 1990 : *Pensées et chèvrefeuille sur un entablement de marbre* 1836, h/t (18,4x23,5) : **GBP 2 200.**

WANDRACK Josef
Né en 1696. Mort le 10 août 1760 à Vienne. XVIIIe siècle. Autrichien.
Sculpteur.

WANDRE François Joseph de. Voir **DEWANDRE François Joseph**

WANDRE Nicolas François
Né en 1730. Mort le 7 septembre 1806. XVIIIe siècle. Éc. flamande.
Sculpteur.
Père de François Joseph Dewandre.

WANDS Charles
XIXe siècle. Travaillant à Glasgow vers 1800. Britannique.
Graveur au burin.

WANDSCHEER Marie ou **Maria**
Née le 19 novembre 1856 à Amsterdam. Morte le 19 septembre 1936 à Ede. XIXe-XXe siècles. Hollandaise.
Peintre de genre, natures mortes, fleurs, graveur.
Elle fut élève de Val. Bing à l'Académie d'Amsterdam. Elle gravait à l'eau-forte.
Ventes Publiques : Amsterdam, 25 avr. 1990 : *Avant le bal,* h/t (149x90) : **NLG 27 600.**

WANDSCHNEIDER Wilhelm
Né le 6 juin 1866 à Plau. Mort en 1942. XIXe-XXe siècles. Allemand.
Sculpteur de monuments, figures, nus.
Il fut élève de l'Académie de Berlin. Il sculpta de nombreux monuments, des monuments aux Morts et des crucifix.
Musées : Dortmund : *Jeunesse* – Schwerin (Mus.) : *Guerrier blessé – Caïn et Abel.*
Ventes Publiques : New York, 30 oct. 1992 : *Homme nu,* bronze (H. 79) : **USD 2 200.**

WANDZA Mihaly ou **Michel** ou **Wantza** ou **Vancza**
Né le 12 octobre 1781 à Perecsen. Mort vers 1854 à Miskolc. XIXe siècle. Hongrois.
Peintre, graveur et acteur.
Élève de l'Académie de Vienne. Il exécuta des allégories, des portraits, des natures mortes et des sujets mythologiques.

WANE Ethel
XXe siècle. Britannique.
Peintre de genre.
Fille de Richard Wane.

WANE Harold
Né vers 1879. Mort le 25 mars 1900 à Liverpool. XIXe siècle. Britannique.
Peintre de marines.
Fils et élève de Richard Wane. Il mourut au début de sa carrière, alors qu'il donnait les plus belles espérances comme peintre de marines.

WANE Richard
Né le 3 avril 1852 à Manchester. Mort le 8 janvier 1904 à Egremont (près de Liverpool). XIXe siècle. Britannique.
Peintre de paysages et de marines.
Il était de descendance française par sa mère. Orphelin très jeune, il fut recueilli par son frère, photographe à l'île de Man. Après avoir travaillé seul le paysage, il retourna à Manchester et y devint élève de Frédéric Schields et de la Manchester Academy. En 1883, il s'établit à Deganvry, dans le pays de Galles et y travailla durant sept années, exposant régulièrement à Liverpool. En 1890, il vint à Londres et y peignit quelques décors de théâtre. Il exposa fréquemment à Londres à partir de 1884, notamment à la Royal Academy. Il mourut laissant une veuve et

cinq filles dont l'aînée, miss Ethel Wane, fut peintre de genre. Le Musée de Liverpool conserve de lui *Les petits jardiniers* et *La veillée solitaire*, et celui de Wolverhampton, *L'heure du retour*.
Ventes Publiques : Los Angeles, 14 nov. 1972 : *Vue d'un port* : **USD 1 500** – Londres, 15 juin 1973 : *Deganvey port* 1888 : **GNS 750**.

WANEBACQ Rogier
XVe siècle. Actif à Tournai. Éc. flamande.
Peintre.
Il fut membre de la gilde en 1427.

WÄNERBERG Thorsten Adolf W. Voir **WAENERBERG**

WANG, les quatre. Voir **WANG SHIMIN, WANG JIAN, WANG HUI, WANG YUANQI**

WANG Albert Edvard ou **Edward**
Né le 1er septembre 1864 à Horsens. Mort le 30 octobre 1930 à Copenhague. XIXe-XXe siècles. Danois.
Peintre de paysages.
Il fut élève de Kröyer et de Zahrtmann.
Musées : Horsens – Vejle.
Ventes Publiques : Londres, 7 avr. 1993 : *Paysage estival* 1901, h/t (41x62) : **GBP 1 150**.

WANG Jens Waldemar
Né le 11 mars 1859 à Fredrikstad. Mort le 28 mai 1926 à Oslo. XIXe-XXe siècles. Norvégien.
Peintre, décorateur.
Il fut élève des Académies d'Oslo et de Paris. Il travailla pour le Théâtre National d'Oslo.

WANG AI ou **Wang Ngai**, surnom : **Xuyuan,** nom de pinceau : **Dayai**
Né en 1678, originaire de Xiexian, province du Anhui. Mort en 1749. XVIIIe siècle. Chinois.
Peintre.
Peintre de paysages dans le style de Huang Gongwang (1269-1354), il est actif dans la ville de Yangzhou (province du Jiangsu).

WAN GANG ou **Wan Kang**, surnom : **Wangchuan**
Originaire de Jiangyu, province de Jiangxi. XVIIIe siècle. Actif probablement sous le règne de l'empereur Qing Qianlong (1736-1796). Chinois.
Peintre.
Peintre de paysages et de fleurs de prunier.

WANGBERG Carl Adolph
Né en 1815 à Copenhague. XIXe siècle. Danois.
Peintre de genre et portraitiste.
Il fit ses études à Copenhague et à Munich. Il exposa à Vienne en 1846 et 1847 des portraits d'aristocrates.

WANG BING ou **Wang Ping**
XVIIIe siècle. Actif vers 1750. Chinois.
Peintre.
Peintre de paysages, disciple de Zhang Zongcang (1686-vers 1756), dont le National Palace Museum de Taipei conserve deux œuvres : *Vue du Mont Tianping* (à Suzhou), signée et accompagnée d'un poème de l'empereur Qing Qianlong daté 1751, et *Paysage de rivière*, signée.

WANG CHANG-KONG. Voir **WANG SHANGGONG**

WANG CHAO. Voir **WANG ZHAO**

WANG CHAO-HSIANG. Voir **WANG ZHAOXIANG**

WANG CHAO-LING. Voir **WANG SHAOLING**

WANG CHE-CHEN. Voir **WANG SHISHEN**

WANG CHE-I. Voir **WANG SHIYI**

WANG CHE-MIN. Voir **WANG SHIMIN**

WANG CHEN. Voir aussi **WANG SHEN** et **WANG ZHEN**

WANG CHEN ou **Wang Ch'ên** ou **Wang Tch'en**
XIIIe-XIVe siècles. Actif soit à la fin de la dynastie Song, soit pendant la période Yuan (1279-1368). Chinois.
Peintre.

WANG CHEN ou **Wang Ch'ên** ou **Wang Tch'en**
XVIe siècle. Actif probablement au début du XVIe siècle. Chinois.
Peintre.

WANG CHEN ou **Wang Ch'ên** ou **Wang Tch'en**, surnom : **Zining**, noms de pinceau : **Pengxin, Liudong Juschi**, etc.
Né en 1720, originaire de Taicang, province du Jiangsu. Mort en 1797. XVIIIe siècle. Chinois.
Peintre de paysages.
Arrière-petit-fils de Wang Yuanqi (1642-1715), il fait des paysages dans le style des grands maîtres Yuan.
Musées : Kyoto (Yûrinkan) : *Le lac Dongting au clair de lune*, signé, poème – Paris (Mus. Guimet) : *Paysage de rivière*, d'après Shen Zhou, rouleau miniature, poème du peintre – Pékin (Mus. du Palais) : *Paysage de rivière d'après Dong Yuan*, rouleau en longueur.
Ventes Publiques : New York, 4 déc. 1989 : *Paysage dans le style de Wang Meng*, kakémono, encre/pap. (133,5x63,5) : **USD 7 700** – New York, 31 mai 1990 : *Paysages*, encre/pap., album de 12 feuilles (41,6x33) : **USD 28 600** – New York, 26 nov. 1990 : *Album de paysages*, encre/pap., 10 feuilles (chaque 21,6x29,9) : **USD 7 700** – New York, 1er juin 1992 : *Deux paysages de rivières*, encre et pigments/pap., deux albums montés en kakémono (chaque feuille 33x47) : **USD 3 850** – New York, 2 déc. 1992 : *Paysage*, kakémono, encre et pigments/pap. (122x40,5) : **USD 4 125**.

WANG CHÊNG. Voir **WANG ZHENG**

WANG CHENGFENG ou **Wang Ch'êng-Fêng** ou **Wang Tch'eng-Feng**, surnom : **Bichen**, nom de pinceau : **Danlu**
Originaire de Cizhou, province du Hebei. XIXe siècle. Actif vers 1860. Chinois.
Peintre.
Peintre de paysages.

WANG CHENGPEI ou **Wang Ch'êng-P'ei** ou **Wang Tch'eng-P'ei**, surnoms : **Shoushi** et **Chunnong**, nom de pinceau : **Shizhai**
Né vers 1725, originaire de Xiuning, province du Anhui. Mort en 1805. XVIIIe siècle. Chinois.
Peintre de figures, paysages, fleurs.
Vice-président du Bureau des Revenus, poète et peintre de paysages, de figures et de fleurs, il pratiqua aussi la peinture au doigt.
Musées : Taipei (Nat. Palace Mus.) : *Pin et fleurs de prunier*, signé et accompagné d'un poème de l'empereur Qing Qianlong daté 1782.
Ventes Publiques : Taipei, 10 avr. 1994 : *Oiseaux et fleurs*, encre et pigments/pap. doré, ensemble de 12 éventails (chaque 17,6x53) : **TWD 1 035 000**.

WANG CHÊN-P'ÊNG. Voir **WANG ZHENPENG**

WANG CHE-TCH'ANG. Voir **WANG SHICHANG**

WANG CH'I. Voir aussi **WANG QI**

WANG CHI
Né au XXe siècle en Chine. XXe siècle. Chinois.
Graveur.
L'un des rénovateurs de la gravure sur bois, d'après les anciens procédés japonais. Il a gravé des aspects de villages chinois avec leur population fourmillante.

WANG CH'IAO. Voir **WANG QIAO**

WANG CHIEH. Voir **WANG JIE**

WANG CH'IEN. Voir **WANG QIAN**

WANG CHIEN. Voir **WANG JIAN**

WANG CHIEN-CHANG. Voir **WANG JIANZHANG**

WANG CHIH. Voir **WANG ZHI**

WANG CH'I-HAN. Voir **WANG QIHAN**

WANG CHIH-CH'ENG. Voir **WANG ZHICHENG**

WANG CHIH-JUI. Voir **WANG ZHIRUI**

WANG CHIH-MIN. Voir **WANG SHIMIN**

WANG CHIH-TCH'ENG. Voir **WANG ZHICHENG**

WANG CHING-MING. Voir **WANG JINGMING**

WANG CHIU. Voir **WANG JIU**

WANG CHI-YUAN. Voir **WANG JIYUAN**

WANG CHONG ou **Wang Ch'ung** ou **Wang Tch'ong**, surnoms : **Liren** et **Liji**, nom de pinceau : **Yayi Shanren**
Né en 1494, originaire de Suzhou, province du Jiangsu. Mort en 1533. XVIe siècle. Chinois.
Peintre de paysages, calligraphe.
Poète, calligraphe et peintre de paysages, il est élève de Wen Zhengming (1470-1559).
Ventes Publiques : New York, 4 déc. 1989 : *Un poème en calligraphie cursive*, kakémono, encre/pap. (119x31) : **USD 9 900** – New York, 31 mai 1990 : *Calligraphie en écriture cursive*, encre

sur éventail en pap. doré (15,9x47) : USD 2 750 – TAIPEI, 10 avr. 1994 : *Calligraphie en Xing Shu*, makémono, encre/pap. (26x111) : TWD 3 790 000.

WANG CHOU-KOU. Voir **WANG SHUGU**

WANG CHOU-TSIN. Voir **WANG SHUJIN**

WANG CHÜ-CHÊN. Voir **WANG JUZHENG**

WANG CHÜN. Voir **WANG JUN**

WANG CH'UNG. Voir **WANG CHONG**

WANG CHUNG. Voir **WANG ZHONG**

WANG CHUNG-LI. Voir **WANG ZHONGLI**

WANG CHUNG-YÜ. Voir **WANG ZHONGYU**

WANG Dawen

Né en 1942. XXe siècle. Chinois.

Peintre de paysages animés, paysages, fleurs. Traditionnel.

VENTES PUBLIQUES : HONG KONG, 16 jan. 1989 : *Vieil arbre et lotus*, makémono, encre et pigments/pap. (122x148,6) : **HKD 55 000** – HONG KONG, 30 mars 1992 : *Lotus*, makémono encadré, encre et pigments/pap. (68x79) : **HKD 38 500** – HONG KONG, 30 avr. 1992 : *Bouddha* 1991, encre et pigments/pap., album de douze feuilles (chaque 46,7x34,5) : **HKD 57 200** – HONG KONG, 28 sep. 1992 : *Reflets pourpres*, encre et pigments/pap. (80x116,2) : **HKD 52 800** – HONG KONG, 22 mars 1993 : *Guanyin peinte dans le style « Baimiao »* 1992, encre/pap. doré, album de 8 feuilles (chaque 34x28) : **HKD 85 250**.

WANG DEWEI ou **Wang Te-Wei**

XXe siècle. Chinois.

Peintre.

Peintre appliquant une technique traditionnelle sur des sujets contemporains de la Chine populaire.

WANG DIJIAN ou **Wang Ti-Chien** ou **Wang Ti-Kien**, surnom : **Tingji**, nom de pinceau : **Jiyin**

Originaire de la province du Zhejiang. XIIIe-XIVe siècles. Actif pendant la dynastie Yuan (1279-1368). Chinois.

Peintre.

Peintre de narcisses.

WANG DINGGUO ou **Wang Tin-Kouo** ou **Wang Ting-Kuo**

Originaire de Kaifeng, province du Henan. Actif pendant la dynastie des Song du Nord (960-1127). Chinois.

Peintre.

Après avoir quitté Kaifeng pour Hangzhou, avec l'empereur, il devient peintre de cour et exécute des fleurs et des oiseaux dans le style de Li Anzhong (vers 1117-1140).

WANG DUO ou **Wang To**, surnom : **Juesi,** noms de pinceau : **Xueshan Daoren, Yunyan Manshi**, etc.

Né en 1592, originaire de Mengjin, province du Henan. Mort en 1652. XVIIe siècle. Chinois.

Peintre de paysages, calligraphe.

Président du Bureau des Rites et calligraphe, il peignit des paysages dans les styles de Jing Hao (fin IXe-début Xe siècles) et de Guan Tong (fin IXe-début Xe siècles) et laissa plusieurs œuvres signées et datées.

VENTES PUBLIQUES : NEW YORK, 2 juin 1988 : *Calligraphies en écriture courante et religieuse*, makémono, encre/satin (27,3x240) : **USD 28 600** – NEW YORK, 25 nov. 1991 : *Calligraphie en écriture courante*, makémono, encre/soie (28x210,2) : **USD 30 800** – NEW YORK, 2 déc. 1992 : *Calligraphie en écriture courante*, kakémono, encre/satin (203,2x49,5) : **USD 6 600**.

WANG E ou **Wang Ö**, surnom : **Tingzhi**

Originaire de Fenghua, province du Zhejiang. XVe-XVIe siècles. Actif à la fin du XVe et au début du XVIe siècle. Chinois.

Peintre.

Peintre de cour pendant l'ère Hongzhi (1488-1505), il fut appelé par l'empereur, le Ma Yuan du jour. Pendant l'ère Zhengde (1506-1521), il fut nommé officier de la garde impériale. Il exécuta des paysages et des figures et laissa plusieurs œuvres, parmi lesquelles, un *Paysage* signé au National Palace Museum de Taipei, *Voyageurs dans la neige à la recherche de fleurs de prunier*, signé, à l'encre sur soie, au Musée du Palais de Pékin et *Deux hommes assis sur une terrasse, contemplant une cascade*, signé au Musée de l'Université de Philadelphie.

WANGEN Adalbert, appellation erronée. Voir **WAAGEN Adalbert**

WANGENSTEN Wilhelm

Né le 7 mars 1884 à Toten. XXe siècle. Norvégien.

Peintre.

Élève de Pola Gauguin à Oslo.

WANGER Franz

Né le 5 janvier 1880 à Zurich. XXe siècle. Suisse.

Sculpteur de monuments.

Il fut élève de Jos. Regl et de Rümann. Il sculpta surtout des fontaines à Zurich et en montagne.

WANG FANG, surnom : **Shuming**, nom de pinceau : **Chuoshu Laoren**

Né en 1799, originaire de Wujiang, province du Jiangsu. Mort en 1877. XIXe siècle. Chinois.

Peintre de paysages.

Peintre de paysages dans le style de Wang Yuanqi (1642-1715).

VENTES PUBLIQUES : NEW YORK, 1er juin 1992 : *Paysage dans le style de Wu Li*, kakémono, encre/pap. (104,1x55,9) : **USD 2 475** – NEW YORK, 21 mars 1995 : *Paysage*, kakémono, encre/pap. (101,6x48,3) : **USD 1 725**.

WANG FU ou **Wang Fou**, surnom : **Mengduan**, noms de pinceau : **Yushi, Jiulong Shanren, Qing-Cheng Shanren**, etc.

Né en 1362, originaire de Wuxi, province du Jiangsu. Mort en 1416. XIVe-XVe siècles. Chinois.

Peintre.

Au début de la dynastie Ming, plusieurs artistes continuent le style et l'esprit des maîtres Yuan, formant ainsi le relais avec l'école de Wu ; le plus important de ceux-ci est sans doute Wang Fu. En 1378, il est envoyé à Nankin la capitale, mais impliqué dans une mauvaise affaire, il doit partir à Datong, au nord de la province du Shanxi, comme soldat attaché à la garde des frontières. Il n'a alors que dix-neuf ans. En 1400, il rentre dans le sud et désormais vit retiré, près de Wuxi, à Jiulong shan, d'où l'un de ses noms de pinceau, l'homme de Jiulong shan. De là, il voyage au Sichuan, au Lac de l'Ouest, à Yang-zhou. En 1403, il est appelé à la capitale comme calligraphe et, en 1412, il est nommé secrétaire impérial. Par deux fois, en 1413 et 1414, il accompagne l'empereur à Pékin ; c'est alors qu'il exécute le rouleau des *Huit vues de Pékin* (Musée du Palais de Pékin). Il mourra à Pékin deux ans plus tard.

Excellent calligraphe, son talent dans ce domaine est moins connu que celui de Shen Zhou ou de Wen Zhengming, car il s'exerce surtout sur des textes administratifs, peu mis en valeur dans le monde lettré. Il est aussi bon poète et enfin, excelle dans la peinture de paysages, de bambous et de rochers. C'est sans doute Ni Zan (1301-1374) qui exerce sur lui l'influence la plus profonde, mais son encre mouillée et ses bambous rappellent Wu Zhen (1280-1354) et ses accumulations rocheuses évoquent Wang Meng (1298-1385). Ayant beaucoup voyagé, il aborde le paysage de façon très concrète et introduit dans ses peintures plus de personnages que les maîtres Yuan, bien qu'il les garde petits. Dans *Séparation entre amis au bord d'une rivière*, rouleau daté 1404, conservé au Musée Municipal d'Osaka, on retrouve la composition traditionnelle de Ni Zan, mais traitée à l'horizontale et animée de trois personnages. Le groupe de trois arbres au premier plan, se dresse en contraste avec rochers et eau et accentue le sentiment de solitude. Ce groupe se modifiera peu à peu et, introduit dans des combinaisons nouvelles, il prendra une importance accrue et deviendra le motif central de la peinture. Il faut noter sa façon de peindre les arbres dont presque toutes les branches sont silhouettées sur le feuillage sombre, ainsi que le jeu de l'encre sèche sur un fond de taches plus mouillées qui confère à l'ensemble un double sentiment de vigueur et de moelleux. On attribue à Wang Fu un traité, le *Shu Hua Chuanxilu*, dont l'authenticité reste assez douteuse ; le texte n'en sera découvert qu'au XIXe siècle et présente de singulières maladresses. ■ M. M.

BIBLIOGR. : P. Ryckmans : *Les « Propos sur la Peinture » de Shitao*, Bruxelles, 1970 – M. Pirazzoli-t'Serstevens : *Cours de l'École du Louvre*, Paris, 1970-1971.

MUSÉES : CAMBRIDGE (Fogg Art Mus.) : *Pousse de bambou, feuille d'album signée* – KYOTO (Yûrinkan) : *Lettré contemplant les fleurs de prunier dans la neige* signée et datée 1397, grande feuille d'album – LIAONING (Mus. prov.) : *Étude à Hushan* daté 1410, coul. sur pap., rouleau en longueur, colophon de Wen Zhengming – OSAKA (mun. Mus.) : *Séparation entre amis au bord d'une rivière*, rouleau en longueur – PÉKIN (Mus. du Palais) : *Le pont Luoge, paysage boisé au clair de lune*, rouleau en longueur – *Trois bambous sous la pluie*, signé – *Paysage de rivière avec falaises et montagnes*, encre sur pap., rouleau en longueur, une partie de l'œuvre est exécutée par Chen Shuji – SHANGHAI : *Bambou pen-*

ché, encre sur pap., rouleau en hauteur – *Bambou et rochers*, encre sur pap., rouleau en hauteur – STOCKHOLM (Nat. Mus.) : *Gorge étroite*, inscription de Wang Da datée 1396 et de Aosou – TAIPEI (Nat. Palace Mus.) : *Assis avec un ami dans un pavillon au pied de montagnes escarpées* – *Réunion littéraire dans un pavillon de montagne* daté 1404, encre et coul. légères sur pap., rouleau en hauteur signé – *Vieil arbre, bambou et rocher*, encre sur pap., rouleau en hauteur – *Trois jeunes bambous* signé et daté 1403, encre sur pap., rouleau – *Arbre solitaire* signé et daté 1404 – *Fête d'adieu à Fengcheng*, signé, poèmes du peintre et de douze autres amis présents à la réunion – *Lecture dans une hutte*, signé, deux poèmes – *La falaise du jade caché*, signé, colophon – *Homme assis dans un bosquet de bambous* – *Homme assis dans une chaumière près d'une rivière*, signé, poème du peintre – WASHINGTON D. C. (Freer Gal. of Art) : *Dix mille bambous le long de la rivière à l'automne* signé et daté 1410, rouleau en longueur, huit colophons.

VENTES PUBLIQUES : TAIPEI, 10 avr. 1994 : *Érudits prenant le thé sous un arbre*, encre/pap. doré, éventail : **TWD 207 000**.

WANG Fu'an
Né en 1880. Mort en 1960. XXe siècle. Chinois.
Peintre, calligraphe. Traditionnel.

VENTES PUBLIQUES : HONG KONG, 3 nov. 1994 : *Poème en calligraphie li shu* 1949, kakémonos, encre/pap. (chaque 131,5x19) : **HKD 12 650**.

WANG FULAI
XXe siècle. Chinois.
Peintre.

Dans le contexte de la « Révolution culturelle », il a été amené à peindre, de façon primitive mais authentique, en « imagier » d'autrefois, son univers de travaux des champs, labour, ensemencement, moisson (Voir HUXIAN, peintres paysans du).

WANG GAI ou **Wang Kai**, de son vrai nom : **Gai**, surnom : **Anjie**
Originaire de Xiushui, province du Zhejiang. XVIIe-XVIIIe siècles. Actif de 1677 à 1705 à Nankin. Chinois.
Peintre de paysages, graveur, illustrateur.

Peintre de paysages dans le style de Gong Xian (actif 1660-1700), Wang Gai est surtout connu comme l'auteur principal d'un célèbre traité, le *Jieziyuan Huazhuan* (Chieh-tzu yûan huachuan), la *Méthode de peinture du Jardin du Grain de Moutarde*, qui jouira en Occident d'une extrême célébrité, tandis qu'en Chine, le monde lettré affectera à son égard d'une sorte de dédain traditionnellement réservé aux ouvrages populaires, simples et abordables. Cela toutefois n'empêchera pas son succès et sa très large diffusion : il s'imposera comme un indispensable manuel d'étude et de référence pour toute initiation à la pratique picturale. Composé de trois parties, sa première partie paraît tout d'abord en 1679, les deux autres en 1701. Plusieurs traductions en seront faites en Occident, depuis celle de R. Petrucci, *Encyclopédie de la peinture chinoise*, à Paris en 1918, jusqu'à celle de Mai-mai Sze, *The Tao of Painting*, New York, 1956 ; il sera bien entendu traduit en japonais, sous le titre *Zenyaku Kaishi-en Gaden* et sera l'objet de multiples rééditions en Chine même, celle de 1887, parue à Shanghai, étant la première dont les illustrations relèvent d'un procédé lithographique ; les précédentes étaient des gravures sur bois, colorées. Le titre de l'ouvrage est le nom de la maison de son premier éditeur à Nankin, Shen Xinyu. La préface de cette première édition est due au beau-père de Wang Gai, Li Yu, qui passera pendant longtemps pour être l'auteur de tout le livre. De fait, Wang Gai n'est pas le seul responsable, mais travaille avec ses deux frères, Wang Shi (surnom : Micao) et Wang Nie (surnom : Sizhi). Il est lui-même l'auteur de la première partie ; il supervise les deux autres parties, écrites par ses frères.

Si le *Jardin du Grain de Moutarde* ne nous fait pas accéder aux sommets de la pensée esthétique, il ne nous en présente pas moins un document remarquable sur les méthodes d'enseignement académique, de conserve avec un étonnant dictionnaire des formes. Il pousse à sa perfection une méthode progressive d'initiation à la peinture, claire, simple et commode, qui s'imposera jusqu'à nos jours : on passe des premiers éléments de la forme, en analysant leurs structures graphiques, à la forme complète, qui n'est plus que le résultat de leurs combinaisons : de la pierre à la montagne, par exemple. De la même façon, les éléments de la composition sont étudiés isolément (rochers, arbres, montagnes...), puis dans des combinaisons complexes. Les planches sont d'une grande qualité graphique, accompagnées d'un texte court et clair. L'ensemble d'une incontestable valeur pédagogique est présenté d'une façon remarquablement méthodique : il comprend treize *livres* groupés en trois parties, la première sur le paysage, avec cinq livres : principes généraux, avec une section sur la préparation et l'utilisation des couleurs, le *Livre des arbres*, le *Livre des rochers*, le *Livre des gens et des choses* et un livre additionnel avec des exemples de paysages. Cette première partie est précédée d'une introduction de Wang Gai, intitulée *Qingzaitang Huaxue Qianshuo*, qui comporte un abrégé des théories classiques et d'excellents éléments de terminologie picturale. La seconde partie se constitue de quatre livres (le *Livre des orchidées*, le *Livre des bambous*, le *Livre du prunier* et le *Livre des chrysanthèmes*) et la troisième « quatre livres elle aussi » (le *Livre des herbes, des insectes et des plantes en fleurs*, le *Livre des poils et plumes et des plantes en fleurs* et deux livres d'exemples). ■ M. M.

BIBLIOGR. : Mai-Mai Sze : *The way of Chinese painting : its idea and technique*, Taipei, 1968 – P. Ryckmans : *Les « Propos sur la peinture » de Shitao*, Bruxelles, 1970.

MUSÉES : KYOTO (Sôraikan) : *Homme lisant dans un pavillon près d'une rivière* signé et daté 1683, d'après Juran – TOKYO (Nat. Mus.) : *Montagnes et pins, sur fond or* daté 1694.

VENTES PUBLIQUES : NEW YORK, 6 déc. 1989 : *Le plaisir des pruniers en fleurs* 1692, makémono, encre et pigments/pap. (30,5x469,9) : **USD 99 000**.

WANG GANG ou **Wang Kang**, surnoms : **Nanshi**, nom de pinceau : **Luyun Shanren**
Né en 1677, originaire de Nanhui, province du Jiangsu. Mort en 1770. XVIIe-XVIIIe siècles. Chinois.
Peintre de figures, fleurs.

De passage dans la capitale, il travaille avec Dong Pangda (1699-1769). Il est connu pour ses peintures de fleurs et de figures.

VENTES PUBLIQUES : NEW YORK, 31 mai 1990 : *Lettrés dans une forêt de pins*, kakémono, encre/pap. (80,6x32,4) : **USD 2 475**.

WANG GEYI
Né en 1897. XXe siècle. Chinois.
Peintre de fleurs et fruits. Traditionnel.

VENTES PUBLIQUES : HONG KONG, 17 nov. 1988 : *Nature morte avec un melon* 1949, kakémono, encre et pigments/pap. (84,3x34,5) : **HKD 35 200** – HONG KONG, 2 mai 1991 : *Glycine*, kakémono, encre et pigments/pap. (151,2x41,2) : **HKD 19 800** – HONG KONG, 30 mars 1992 : *Fleurs et rochers* 1982, kakémono, encre et pigments/pap. (95x44) : **HKD 16 500** – NEW YORK, 28 nov. 1994 : *Glycine, pivoine et rocher*, kakémono, encre et pigments/pap. (137,2x67,6) : **USD 920**.

WANG GONG ou **Wang Kong** ou **Wang Kung**, surnom : **Gongshou**, nom de pinceau : **Zhuping**
Originaire de Xiuning, province du Anhui. XVIIIe siècle. Actif à Wujin (province du Jiangsu). Chinois.
Peintre.

Peintre de paysages, de figures, de fleurs et d'oiseaux, il travaille dans le style de Wen Zhengming (1470-1559).

WANG GUAN ou **Wang Kouan** ou **Wang Kuan**, surnom : **Guoqi**
Originaire de Luoyang, province du Henan. Xe siècle. Actif vers 963-975. Chinois.
Peintre.

Peintre de personnages bouddhistes et taoistes, il étudie si bien les peintures murales de Wu Daozi (actif vers 720-760), dans les temples de Luoyang, et il en imite le style avec tant de bonheur, qu'on l'appelle le Petit Wu. Le Musée National de Stockholm conserve un ensemble de trois peintures représentant *Trois Bodhisattva* déguisés en vieux barbons, dont l'exécution semble postérieure à Wang Guan.

WANG GUI ou **Wang Kouei** ou **Wang Kuei**, surnom : **Junzhang**, nom de pinceau : **Zhongyang Laoren**
Originaire de Kaifeng, province du Henan. XIIIe-XIVe siècles. Actif à Changshu (province du Jiangsu) pendant l'ère Dade (1297-1307). Chinois.
Peintre.

Peintre de paysages.

WANG GUXIANG ou **Wang Kou-Siang** ou **Wang Ku-Hsiang**, surnom : **Luzhi**, nom de pinceau : **Youzhi**
Né en 1501, originaire de Suzhou, province du Jiangsu. Mort en 1568. XVIe siècle. Chinois.
Peintre.

Peintre de fleurs et d'oiseaux, il passe en 1529 les examens trien-

naux à la capitale et reçoit le grade de *jinshi* (lettré présenté). Habile dessinateur, il s'arrêtera de peindre vers le milieu de sa vie ; il reste donc peu d'œuvres de lui.
Musées : Cologne (Mus. für Ostasiatische Kunst) : *Branches de pêcher en fleurs*, éventail signé – Shanghai : *Bambous et chrysanthèmes*, encre sur pap., rouleau en hauteur – Taipei (Nat. Palace Mus.) : *Prunier et narcisse*, signé – *Haitang et magnolia*, peint avec Lu Zhi, signé, inscriptions de trois amis du peintre – *Sept peintures sur éventail de différentes fleurs*.

WANG HAO
Né en 1962 à Nankin. xxe siècle. Chinois.
Peintre de vues urbaines.
Il a étudié à l'Académie Centrale des Beaux-Arts. Il est le mari de l'artiste Rong Wei et travaillent parfois ensemble à leurs ouvrages. Il est professeur à l'Académie des Beaux-Arts.
Peintre hyperréaliste, il fait partie du groupe « New Age », lui, s'étant spécialisé dans la peinture de paysages, de paysages urbains, et d'architectures.
Bibliogr. : In : *Catalogue Christie's*, vente du 30 mars 1992.
Ventes Publiques : Hong Kong, 30 mars 1992 : *Promenade en ville* 1991, h/t (98x131) : **HKD 82 500** – Hong Kong, 4 mai 1995 : *Nu* 1993, h/t (91,4x71,1) : **HKD 48 300** – Hong Kong, 30 oct. 1995 : *Atelier* 1993, h/t (91,4x71,1) : **HKD 46 000**.

WANG HIAN. Voir **WANG XIAN**

WANG HIAO. Voir **WANG XIAO**

WANG HIEN-TCHEOU. Voir **WANG XIANZHOU**

WANG HI-MENG. Voir **WANG XIMENG**

WANG HIO-HAO. Voir **WANG XUEHAO**

WANG HIUE-HAO. Voir **WANG XUEHAO**

WANG HONG
Né en 1954 à Shanghai. xxe siècle. Chinois.
Peintre de figures, peintre à la gouache, aquarelliste.
En 1982 il sort diplômé de l'Académie Hubei de Peinture. En 1992, il obtient la médaille d'argent de l'Exposition Nationale d'Aquarelle de Pékin. Il est professeur au Shangai Light Industrie College dans le département des Arts.
Ventes Publiques : Hong Kong, 30 oct. 1995 : *Jeune fille des montagnes* 1995, gche/pap. (101,6x76,2) : **HKD 17 250**.

WANG HOUEI. Voir **WANG HUI**

WANG HSIAO. Voir **WANG XIAO**

WANG HSI-CHIH. Voir **WANG XIZHI**

WANG HSIEN. Voir **WANG XIAN**

WANG HSIEN-CHOU. Voir **WANG XIANZHOU**

WANG HSI-MÊNG. Voir **WANG XIMENG**

WANG HSIN. Voir **WANG XIN**

WANG HSIN-I. Voir **WANG XINYI**

WANG HSÜEH-HAO. Voir **WANG XUEHAO**

WANG HUAIQING ou **Huai**
Né en 1944 à Pékin. xxe siècle. Chinois.
Peintre de natures mortes.
Il est issu d'une famille d'artistes. Il entra à onze ans à l'école préparatoire aux Beaux-Arts puis, de 1963 à 1966, travailla sous la direction de Wu Guanzhong à l'École des Arts Appliqués.
En 1982, il a participé à Paris, au Salon de Mai. Il a figuré à l'exposition itinérante *La Peinture Chinoise Contemporaine du Peuple de la République de Chine* en 1987. Il a remporté la médaille d'or à l'Exposition Nationale de Peinture à l'Huile de Pékin en 1991.
Sur des fonds abstraits, dont la matière est travaillée, il peint des objets dont il agrandit les proportions.
Bibliogr. : In : *Catalogue Christie's*, vente du 30 mars 1992, Hong Kong.
Ventes Publiques : Hong Kong, 30 mars 1992 : *Dans le style de la grande dynastie Ming* 1991, h/t (145,5x130,5) : **HKD 220 000** – Hong Kong, 28 sep. 1992 : *Chaise, table et fenêtre* 1992, h/t (130,5x145,5) : **HKD 176 000** – Hong Kong, 29 oct. 1992 : *Méditation*, encre et pigments/pap. (68,8x50,7) : **HKD 49 500** – Hong Kong, 22 mars 1993 : *Grandes ouvertures et fermetures* 1992, h/t (145,5x112) : **HKD 184 000** – Taipei, 16 oct. 1994 : *Meuble Ming II*, h/t (132x147) : **TWD 460 000** – Hong Kong, 4 mai 1995 : *Maison en ville* 1985, h/t (99,1x799,4) : **HKD 138 000**.

WANG HUI ou **Wang Houei**
Originaire de Qiantang, province du Zhejiang. xiiie siècle. Chinois.
Peintre de figures.
Il fut actif à l'Académie de peinture sous les règnes des empereurs Song Lizong (1225-1264) et Duzong (1265-1274). Peintre de personnages bouddhistes et taoïstes, il travailla aussi avec la main gauche.

WANG HUI ou **Wang Houei**, surnom : **Shigu**, noms de pinceau : **Gengyan Sanren, Qinghui Zhuren, Jianmen Qiaoke**, etc.
Né en 1632, originaire de Changshu, province du Jiangsu. Mort en 1717. xviie-xviiie siècles. Chinois.
Peintre de paysages.
A la fin de l'époque Ming et au début de la dynastie Qing, un grand nombre d'artistes lettrés se groupent autour de Dong Qichang (1555-1636) créateur d'une orthodoxie nouvelle fondée sur l'étude et la copie des Anciens. Les plus illustres représentants de cette tendance, qui s'avèrent être des réformateurs inspirés, capables de redonner vie aux œuvres passées, sont les Quatre Wang, Wang Shimin et Wang Jian les deux plus âgés qui font le lien entre Dong Qichang et leurs élèves, Wang Yuanqi et Wang Hui. Tous quatre originaires de la province du Jiangsu, ils s'encouragent mutuellement et portent une admiration réciproque à leurs œuvres, peintures d'ailleurs fort appréciées en Chine, mais diversement reçues en Occident qui ne voit souvent que redites et monotonie là où il y a interprétation propre et individuelle.
Wang Hui, pour sa part, fait preuve d'un génie éclectique très remarquable dans la synthèse qu'il représente. D'origine modeste, il montre très tôt des dons particuliers pour la peinture et Wang Jian (1598-1677), qui le remarque, entreprend de diriger sa formation de calligraphe et de peintre, en 1651. Dès l'année suivante, il le présente à Wang Shimin (1592-1680) qui lui propose de venir travailler dans son studio de Taicang : cela va permettre à Wang Hui d'être en contact avec de vraies peintures. Il commence par étudier les styles de Dong Yuan et de Juran (actifs dans la seconde moitié du xe siècle) et des maîtres Yuan tel Huang Gongwang (1269-1354). Il acquiert vite une surprenante maîtrise technique et s'attache d'emblée aux problèmes d'organisation de l'espace ; ne pouvant se limiter à l'étude d'une seule école, il essaye bientôt, dans une sorte de vaste synthèse, d'embrasser la tradition picturale chinoise dans son ensemble. Vers 1667, il fait sa première étude importante d'après Li Cheng (actif 960-990), grand paysagiste des Song du Nord, dont le style était jugé trop spectaculaire par Dong Qichang qui le classait avec un mépris certain dans les artistes professionnels. Dans une œuvre de 1672, d'après Juran, Wang Hui parvient à recréer le paysage des Song du Sud, débarrassé de tout élément descriptif non essentiel, trouvant par là la voie de sa *grande synthèse* (*da cheng*) telle qu'il l'expose, en 1673, dans un album de douze feuilles, où il combine successivement les réalités différentes des écoles des Song du Nord et du Sud, parvenant ainsi à faire revivre les maîtres anciens de façon toute personnelle et sans la moindre servilité. Après 1680, il revient à des thèmes antérieurs où se mêlent souvent la luxuriance de Wu Zhen (1280-1354) et les couleurs de Zhao Mengfu (1254-1322). Son style habile et raffiné fait de lui le peintre préféré de l'empereur Qing Kangxi (1662-1722) qui, de 1691 à 1698, lui demande de superviser l'exécution d'une série de rouleaux commémorant son voyage dans le sud en 1689, commande officielle qui confirme Wang Hui dans sa position de peintre principal de l'empire, ce qu'aucun contemporain ne saura lui disputer. De retour dans sa ville natale après 1698, il continue de travailler mais avec une certaine tendance à se copier lui-même de telle sorte que seule sa rigoureuse discipline technique est en mesure de conférer de la grandeur à ses dernières œuvres. ■ M. M.
Bibliogr. : J. Cahill : *La peinture chinoise*, Genève, 1960 – Wen C. Fong : *Orthodoxy and Change in Early Ch'ing Landscape Painting*, in : *Oriental Art, vol. XVI, no 1*, 1970 – F. Denès : *Wang, les Quatre*, in : *Encyclopaedia Universalis, vol. XVI*, Paris, 1973.
Musées : Boston (Mus. of Fine Arts) : *Série de dix peintures* datée et signée 1689, éventail – Cleveland (Mus. of Art) : *Bouquets de bambous et montagnes lointaines* daté 1694, encre sur pap., rouleau en hauteur – Cologne (Mus. für Ostasiatische Kunst) : *Ancien temple dans les arbres feuillus entre deux abruptes falaises* daté 1692, d'après une copie de Juran par Shen Zhou, signé – *Paysage*, d'après Juran, inscription signée – Kyoto (Yûrintaikan) : *En bateau sur le lac au clair de lune*, d'après Tang Yin, signé, colophon du peintre – New York (Metropolitan Mus.) : *Pavillon près d'un lac* daté 1702, signé – Paris (Mus. Guimet) : *Hutte couverte de chaume dans les montagnes d'automne* daté 1674, signé – *Pay-*

sage de rivière dans les couleurs d'automne daté 1677, d'après Wang Meng, signé – *Paysage de rivière hivernale, oiseaux dans les saules défeuillés*, sceau du peintre – Pékin (Mus. du Palais) : *Gorge de montagne avec cascade* daté 1673, encre et coul. légères sur pap., d'après Wang Meng – *Demeure de lettré près d'une rivière* daté 1694, encre sur pap. – *Paysage* daté 1696, d'après Fan Guan, signé – *Paysage de rivière avec îlots et promontoires* daté 1697, encre et coul. sur pap., d'après Zhao Danian – *Le Mont Hua* daté 1703, d'après Wang Meng, signé – *Pavillons sur la berge avec un lettré, des arbres nus, dans les bambous et un vol de corbeaux* daté 1711, encre et coul. légères sur pap. – Princetown (University Mus. of Art) : *Paysage* daté 1660, d'après Huang Gongwang – Shanghai : *En composant dans la retraite rupestre*, coul. sur soie, rouleau en hauteur – *Dans le bosquet de bambous*, encre sur pap., rouleau en hauteur – *Taishan songfeng tu, vaste scène de montagne avec voyageurs* daté 1692, signé – Stockholm (Nat. Mus.) : *Vieux arbres et bambous* daté 1688, signé – Taipei (Nat. Palace Mus.) : *Pics et vallées à perte de vue* daté 1693, encre et coul. légères sur pap., rouleau en hauteur – *Paysage* daté 1678, encre et coul. sur soie, dans le style de Xu Daoning, rouleau en hauteur – *Paysage*, encre et coul. sur soie, rouleau en hauteur – *Vieux pins*, encre sur pap., dans le style de Shen Zhou, rouleau en hauteur – *Montagnes dans la brume et la pluie estivales*, encre et coul. sur soie, rouleau en longueur – *Vieux arbres près de la rivière à l'automne*, encre sur soie, rouleau en longueur – *Album de douze feuilles d'études de fleurs et de paysages* daté 1672, encre et/ou coul. sur pap., d'après différents maîtres anciens – *Paysage de montagne* daté 1666, d'après Guan Tong – *Studio près d'un arbre Wutong* daté 1673, d'après Wang Mong, signé – *Haut sommet* daté 1678, d'après Fang Congyi, signé – *Paysage* datés 1680, d'après Juran, signé, deux vers – *En buvant le thé* daté 1696, d'après Dong Qichang, signé, poème – *Fleurs de prunier* daté 1697, signé – *Village près d'une rivière à l'été* daté 1706, d'après Zhao Mengfu, signé, colophon – *Deux études de paysages en couleurs* datées 1712, d'après des maîtres Song, feuilles d'album signées.

Ventes Publiques : New York, 2 juin 1988 : *Village au bord de la rivière au printemps*, kakémono, encre/pap. (91,5x37,5) : **USD 13 200** – New York, 4 déc. 1989 : *Lecture dans un chalet en forêt*, makémono, encre et pigments/pap. (29,5x204) : **USD 104 500** – New York, 31 mai 1990 : *Montagnes tranquilles*, makémono, encre et pigments/soie (41,5x680,8) : **USD 82 500** – New York, 26 nov. 1990 : *Li Bo observant une cascade*, makémono, encre/pap. (31,8x298,4) : **USD 71 500** – New York, 29 mai 1991 : *Wang Meng ramassant des champignons* 1713, kakémono, encre et pigments/pap. (96x51,8) : **USD 33 000** – New York, 1er juin 1992 : *Montagne dans le nord*, makémono, encre et pigments/pap. (40,6x524,5) : **USD 440 000** – Taipei, 10 avr. 1994 : *Bac chargé de bambous traversant un lac*, makémono, encre et pigments/pap. (36,8x181) : **TWD 977 500**.

WANG I. Voir **WANG YI**

WANG I-MIN. Voir **WANG YIMIN**

WANG I-T'ING. Voir **WANG ZHEN**

WANG JEN. Voir **WANG REN**

WANG JE-TCH'ANG. Voir **WANG RICHANG**

WANG JIAN ou **Wang Chien** ou **Wang Kien**, surnom : **Yuanzhao**, noms de pinceau : **Xiangbi, Lianzhou, Ranxiang Anzhu**, etc.

Né en 1598, originaire de Taicang, province du Jiangsu. Mort en 1677. XVIIe siècle. Chinois.

Peintre de paysages, copiste.

Au début de l'époque Qing, la riche diversité de la peinture chinoise se perpétue, nonobstant l'accès au pouvoir d'une dynastie étrangère. Les individualistes se retirent gagnant des temples isolés, tandis que les autres peintres, acceptant souvent les charges que leur confie la nouvelle administration, se rangent presque tous sous la bannière de Dong Qichang (1555-1636) dont la forte influence et l'autorité étaient à l'origine d'une orthodoxie nouvelle, fondée sur l'étude des Anciens. Les Quatre Wang sont les plus illustres représentants de cette tendance, particulièrement peut-être les deux plus âgés d'entre eux, Wang Shimin (1592-1680) et Wang Jian, qui modéreront leurs propres élans pour rendre un hommage quasi-exclusif au passé.

L'un et l'autre originaires de Taicang, au Jiangsu, ils sont l'un et l'autre aussi fonctionnaires et occupent, pendant un temps, un poste dans le même district de Ludong. On désignera parfois les maîtres du début des Qing sous le nom d'école de Ludong. Wang Jian est alors nommé gouverneur de Lianzhou, dans la province du Guangdong. C'est au contact des collections familiales que se fait sa formation artistique et l'amitié qui le liera à Wang Shimin aura une influence réciproque sur l'œuvre de ces deux hommes qui relèvera des mêmes idéaux et de la même esthétique.

Wang Jian se fera peut-être plus véritablement copiste, d'où son rôle moins important mais tout aussi significatif, étant donné son talent à saisir l'esprit de son modèle et à le traduire avec une puissance certaine. Grand admirateur des maîtres Yuan, il s'intéresse également à Dong Yuan et Juran, grands paysagistes du Xe siècle et leur consacre de nombreuses études. Dans ses compositions inspirées de Huang Gongwang (1269-1354) et de Wu Zhen (1280-1354), on retrouve dans l'évocation des versants arrondis des montagnes, les longs traits de pinceau appelés rides en fibre de chanvre, rompus de touches d'encre onctueuse, empruntés en fait à Juran. D'autres œuvres portent un accent plus personnel, dont l'encre riche s'organise en éléments intégrés dans une composition nouvelle, plus libre à l'égard du passé et qui révèle parfois une sensibilité surprenante. ■ Marie Mathelin

Bibliogr. : J. Cahill : *La peinture chinoise*, Genève, 1960 – Wen C. Fong : *Orthodoxy and Chang in Early Ch'ing Landscape Painting*, in : *Oriental Art, vol. XVI, no 1*, 1970 – F. Denès : *Wang, les Quatre* : in : *Encyclopaedia Universalis, vol. XVI*, Paris, 1973.

Musées : Kyoto (Sôraikan) : *Paysages*, album signé de douze œuvres d'après des maîtres Song et Yuan – Pékin (Mus. du Palais) : *Longue rivière entre des monts profondément ridés* daté 1656, d'après Dong Yuan, rouleau en longueur – *Rivière serpentant entre des pentes de colline* signé et daté 1660, à la manière de Huang Gongwang, inscription de Wang Shimin – *Paysage de montagnes avec grands pins et pics élevés* daté 1667, à la manière de Wang Meng – *Paysage*, d'après Ni Zan, poème du peintre – Princeton (University Art Mus.) : *Études de paysages d'après des maîtres anciens*, douze feuilles d'album signées – Stockholm (Nat. Mus.) : *Huit petits paysages d'après des maîtres anciens* l'un d'eux est signé et daté 1665 – Taipei (Nat. Palace Mus.) : *Paysage*, d'après Huang Gongwang, rouleau en hauteur à l'encre et couleurs sur papier, poème du peintre – *Paysage*, encre et coul. sur soie, dans le style de Zhao Mengfu, rouleau en hauteur – *Collines à l'automne*, encre et coul. sur soie, d'après Wang Meng, rouleau en hauteur – *Paysage* daté 1665, encre et coul. légères sur pap., dans le style de Wang Meng, rouleau en hauteur – *Paysage* daté 1664, encre sur pap., dans le style de Ni Zan, rouleau en hauteur – Washington D. C. (Freer Gal. of Art) : *Nuages sur les rivières Xiao et Xiang* signé et daté 1668, encre et coul. sur pap., d'après Zhao Mengfu, rouleau en hauteur.

Ventes Publiques : New York, 31 mai 1989 : *Paysage d'après Dong Yuan*, kakémono, encre/pap. (56,2x28,2) : **USD 11 000** – New York, 1er juin 1989 : *Paysages du mont Yu*, makémono, encre/pap. (29,9x541,4) : **USD 33 000** – New York, 4 déc. 1989 : *Maisons dans une gorge de montagne en automne*, kakémono, encre/pap. doré (151x66) : **USD 99 000** – New York, 31 mai 1990 : *Paysage d'après Zhao Mengfu* 1669, kakémono, encre et pigment/pap. (193,4x91,7) : **USD 66 000** – New York, 26 nov. 1990 : *Paysage d'après Juran*, encre et reh. de coul./soie (53,3x33,4) : **USD 11 000**.

WANG Jian

Né en 1960. XXe siècle. Chinois.

Peintre.

Il est diplômé de l'Academie centrale de Drama à Pékin où il étudia dans la section de design. Il participe à de nombreuses expositions en Chine.

Ventes Publiques : Hong Kong, 30 oct. 1995 : *Parfum de rose* 1995, h/t (129,5x96,5) : **HKD 63 250** – Hong Kong, 30 avr. 1996 : *Double pureté* 1994, h/t (100x80) : **HKD 63 250**.

WANG Jianwei

Né en 1958 à Sixhuan. XXe siècle. Chinois.

Peintre de compositions à personnages. Figuration-onirique.

À partir de 1983, il étudie à l'Académie de Peinture de Chengdu, puis, de 1985 à 1987, à l'Académie d'Art de Zhejiang. Membre de l'Académie de Peinture de Pékin depuis 1987. Il expose régulièrement en Chine et à l'étranger. Il a obtenu en 1984 la médaille d'or de la VIe Exposition Nationale d'Art.

Il peint des personnages évoluant dans un espace baigné d'une atmosphère proche d'un onirisme symboliste.

Bibliogr. : In : *Catalogue Christie's*, vente du 30 mars 1992, Hong Kong.

Ventes Publiques : Hong Kong, 30 mars 1992 : *Fleur du cœur* 1989, h/t (100x80) : **HKD 66 000**.

WANG JIANZHANG ou **Wang Chien-Chang** ou **Wang Kien-Tchang**, surnom : **Zhong-Shu**, nom de pinceau : **Yantian**
XVIIe siècle. Actif à Quanzhou (province du Fujian) vers 1625-1650. Chinois.
Peintre.
Peintre de paysages dans le style de Dong Yuan (actif au Xe siècle) et de figures bouddhistes dans celui de Li Gonglin (1040-1106), dont la plupart des œuvres sont conservées au Japon. Le University Art Museum de Princeton possède toutefois une peinture signée et datée 1628, *Branches d'un vieux prunier en fleurs*.

WANG JIE ou **Wang Chieh** ou **Wang Kie**, surnom : **Moye**, nom de pinceau : **Xinhu** et **Obo**
Né en 1599, originaire de Taicang province du Jiangsu. Mort en 1660. XVIIe siècle. Actif à Wuxing (province du Zhejiang) dans la seconde moitié du XVIIe siècle. Chinois.
Peintre.
Poète, calligraphe et peintre de paysages.
Ventes Publiques : New York, 4 déc. 1989 : *Maison isolée près d'un ruisseau*, kakémono, encre et pigments/pap. (42,5x35) : **USD 3 080** – New York, 22 sep. 1997 : *L'Écoute de la musique* 1624, encre et coul./pap., kakémono et colophons de Ge Yingdian, Wen Jianguang et Chen Yuansu (128,3x61) : **USD 48 300**.

WANG JIH-CH'ANG. Voir **WANG RICHANG**

WANG JINGMING ou **Wang Ching-Ming** ou **Wang King-Ming**, surnom : **Dansi**, nom de pinceau : **Weixian**
Originaire de Jiading, province du Jiangsu. XVIIIe siècle. Actif dans la première moitié du XVIIIe siècle. Chinois.
Peintre.
Reçu, en 1713, aux examens triennaux de la capitale, il reçoit le grade de *jinshi* (lettré présenté) et sert au palais impérial. Dans ses paysages, il suit le style de Wang Yuanqi (1642-1715). Le National Palace Museum de Taipei conserve un de ses paysages signé.

WANG Jingrong ou **Ching-Jung**
Né en 1919 à Taiwan. XXe siècle. Chinois.
Peintre de paysages.
Il est diplômé de la section Beaux-Arts de l'Université Nationale Normale. Il fit une carrière d'enseignant parallèlement à son travail d'artiste.
Ventes Publiques : Taipei, 18 oct. 1992 : *Venise* 1990, h/t (60,5x72,6) : **TWD 352 000**.

WANG JINZHI
Né en 1938. XXe siècle. Chinois.
Peintre de fleurs, oiseaux, flore.
Peintre de la Section de l'Association des peintres de Chine dans la province du Yunnan. Il a figuré à l'exposition *Peintres traditionnels de la République populaire de Chine*, galerie Daniel Malingue, à Paris, en 1980. Il peint en particulier la flore du Xishuangbanna dans la province du Yunnan.
Bibliogr. : In : Catalogue de l'exposition *Peintres traditionnels de la République populaire de Chine*, galerie Daniel Malingue, Paris, 1980.

WANG Jiqian, dit **Wang C. C.**
Né en 1907. XXe siècle. Chinois.
Peintre de paysages, fleurs. Traditionnel.
Il observe avec attention le passage des saisons sur la végétation.
Ventes Publiques : Hong Kong, 17 nov. 1988 : *Paysage no 304* 1974, encre et pigments/pap. (89,5x60,4) : **HKD 165 000** – New York, 31 mai 1989 : *Paysage* 1937, kakémono, encre/pap. (90,8x50,5) : **USD 4 400** – Hong Kong, 15 nov. 1989 : *Paysage* 1986, kakémono, encre/pap. (62x67) : **HKD 44 000** – New York, 6 déc. 1989 : *Paysage d'après Wu Zhen*, kakémono, encre et pigments/pap. (98,8x31,8) : **USD 3 300** – New York, 31 mai 1990 : *Paysage enneigé*, kakémono, encre/pap. (44,5x58,4) : **USD 4 950** – Hong Kong, 15 nov. 1990 : *Paysage* 1987, kakémono, encre et pigments/pap. (125,4x60,8) : **HKD 286 000** – New York, 26 nov. 1990 : *Lotus* 1966, kakémono, encre/pap. (179x94,6) : **USD 4 675** – Hong Kong, 2 mai 1991 : *Paysage d'hiver* 1973, encre et pigments/pap. (61,5x89,3) : **HKD 209 000** – Hong Kong, 31 oct. 1991 : *Paysage no 334* 1975, kakémono, encre et pigments/pap. (60x89,1) : **HKD 396 000** – Hong Kong, 29 oct. 1992 : *Paysage* 1987, kakémono, encre et pigments/pap. (122,5x61,9) : **HKD 330 000** – New York, 16 juin 1993 : *Paysage*, kakémono, encre et pigments/pap. (59,7x93,3) : **USD 7 475** – New York, 29 nov. 1993 : *Paysage d'automne* 1986, kakémono, encre et pigments/pap. (65,1x82,2) : **USD 16 100** – Hong Kong, 28 avr. 1997 : *Cascade dans les nuages* 1934, encre et pigments/pap., kakémono (104,8x33,3) : **HKD 40 250**.

WANG JIU ou **Wang Chiu** ou **Wang Kieou**, surnom : **Cifeng**, nom de pinceau : **Erchi**
XVIIIe siècle. Actif à Suzhou (province du Jiangsu), vers 1760-1780. Chinois.
Peintre.
Peintre de paysages, il serait l'arrière-petit-fils de Wang Hui (1632-1717) et l'élève de Huang Ding (1660-1730).

WANG JIYUAN ou **Wang Chi-Yüan** ou **Wang Tsi-Yuan**
XXe siècle. Chinois.
Peintre de paysages. Écoles traditionnelle et moderne.
Disciple de Liu Haisu (né en 1895), il acquiert sa formation artistique au Japon tout d'abord, puis en France avec ce dernier. Après avoir tenu le poste de directeur de l'Académie de Shanghai pour un temps, il s'installe à New York où il enseigne à titre privé. Ses paysages sont parfois une combinaison heureuse de techniques traditionnelles et modernes.
Bibliogr. : M. Sullivan : *Chinese Art in the XXe Century*, Londres, 1959.

WANG JUN ou **Wang Chün** ou **Wang Kiun**, surnom : **Yanshan**
Originaire de Yizhen, province du Jiangsu. XIXe siècle. Chinois.
Peintre de paysages, fleurs.
Poète et peintre de fleurs de prunier.
Ventes Publiques : New York, 31 mai 1994 : *Paysages*, encre et pigments/pap., album de 10 feuilles (chaque 27,3x33) : **USD 3 737**.

WANG JUZHENG ou **Wang Chü-Chêng** ou **Wang Kiu-Tcheng**, appelé aussi **Hange**
Originaire de Hedong, province du Shanxi. XIe siècle. Actif probablement vers le milieu du XIe siècle. Chinois.
Peintre.
Peintre de figures dont le Museum of Fine Arts de Boston, conserve une œuvre qui lui est anciennement attribuée, *Dame assise sur une terrasse et regardant une perruche que porte un serviteur*, en couleurs sur soie.

WANG KAI. Voir **WANG GAI**

WANG KANG. Voir **WANG GANG**

WANG KEPING
Né en 1949 à Pékin. XXe siècle. Depuis 1984 actif en France. Chinois.
Sculpteur.
Il a figuré, en 1992, dans un groupe de trois sculpteurs exposés à la Salle Saint-Jean de la Mairie de Paris. En Chine, il s'opposa au conformisme révolutionnaire. Il travaille surtout le bois, exploitant ses formes naturellement anthropomorphiques.

WANG K'I. Voir **WANG QI**

WANG K'IAO. Voir **WANG QIAO**

WANG KIE. Voir **WANG JIE**

WANG K'IEN. Voir **WANG QIAN**

WANG KIEN. Voir **WANG JIAN**

WANG KIEN-TCHANG. Voir **WANG JIANZHANG**

WANG KIEOU. Voir **WANG JIU**

WANG KING-MING. Voir **WANG JINGMING**

WANG KIUN. Voir **WANG JUN**

WANG KIU-TCHENG. Voir **WANG JUZHENG**

WANG KONG. Voir **WANG GONG**

WANG KOUAN. Voir **WANG GUAN**

WANG KOUEI. Voir **WANG GUI**

WANG K'OUEN. Voir **WANG KUN**

WANG KOU-SIANG. Voir **WANG GUXIANG**

WANG KUAN. Voir **WANG GUAN**

WANG KUEI. Voir **WANG GUI**

WANG KU-HSIANG. Voir **WANG GUXIANG**

WANG KUN ou **Wang K'ouen** ou **Wang K'un**, surnom : **Shanhui**
Né en 1736, originaire de Gaoyu, province du Jiangsu. Mort en 1806. XVIIIe siècle. Chinois.

Peintre.
Peintre de fleurs, fils du peintre Wang Shi.

WANG KUNG. Voir **WANG GONG**

WANG Kunnan, ou **K'un-Nan**
Né en 1907 à Taichung. XXe siècle. Chinois.
Peintre. Occidental.
En 1924 il obtint le diplôme de l'Institut de Commerce de Taichung, mais étudie l'art en même temps. Entre 1932 et 1935 ses peintures furent sélectionnées quatre fois pour participer à l'Exposition des Beaux-Arts de Taiwan. Il fit également partie des jurys pour l'Association Centrale des Beaux-Arts de Taiwan. En 1986, il reçut le titre « d'artiste excellent et expérimenté ». Il eut une exposition rétrospective à Taipei en 1991.
Ventes Publiques : Taipei, 16 oct. 1994 : *Nature morte à la poupée* 1933, h/t (60,5x72,5) : **TWD 1 205 000.**

WANG LANG. Voir **QINLANG**

WANG LEANG-TCH'EN. Voir **WANG LIANGCHEN**

WANG LI, surnom : **Andao,** noms de pinceau : **Qiweng** et **Jisou**
Né en 1332, originaire de Kunshan, province du Jiangsu. XIVe siècle. Actif au début de la dynastie Ming. Chinois.
Peintre.
Peintre de paysages, il commence par travailler dans le style de l'école Ma-Xia (vers 1190-1230). Mais après une visite au Mont Huashan, étant fort impressionné par la grandeur de la nature, il réalise combien ses œuvres se limitaient aux styles des maîtres anciens et décide de travailler dans un contact plus authentique avec la réalité. « Mes yeux doivent prendre le Huashan comme maître », déclare-t-il. Il exécute quarante vues du Huashan, mais dès l'époque de Qing Qianlong (1736-1796), plus de vingt d'entre elles ont déjà disparu. Il n'en subsiste que onze, car la copie qu'en fait le peintre Lu Zhi (1496-1576) a elle aussi disparu. Le Musée de Shanghai conserve un de ces paysages du Huashan, en couleurs sur papier.

WANG LI, surnom : **Sanquan**
Originaire de Jiaxing, province du Zhejiang. XVIIe siècle. Actif au début du XVIIe siècle. Chinois.
Peintre.
Peintre de fleurs et d'oiseaux dans le style de Zhou Zhemian (vers 1580-1610).

WANG LIANGCHEN ou **Wang Leang-Tch'en** ou **Wang Liang-Ch'ên**, nom de pinceau : **Yanxia Zhuren**
XIIIe-XIVe siècles. Actif sous la dynastie Yuan (1279-1368). Chinois.
Peintre.
Peintre non mentionné dans les biographies d'artistes, dont la Freer Gallery de Washington conserve une œuvre signée : *Branche de vigne balancée par le vent sous la lune.*

WANG LIBEN ou **Wang Li-Pen**
Né vers le milieu du XIVe siècle, originaire de Jiashan, aujourd'hui Ningbo, province du Zhejiang. XIVe siècle. Actif pendant la dynastie Ming. Chinois.
Peintre.
Peintre de paysages et de figures dans le style de Liang Kai (actif vers le milieu du XIIIe siècle).

WANG LIN, surnom : **Chunpo**
Originaire de Nankin. XVIIIe siècle. Chinois.
Peintre.
Peintre de paysages, de figures et de fleurs.

WANG LINYI
Né en 1909 à Shanghai. XXe siècle. Chinois.
Sculpteur de monuments.
Élève de Xubeihong (1896-1953), il fait des études en France, à Paris et à Lyon. Depuis 1950, il est à la tête du département de Sculpture de l'Académie Nationale de Pékin. Il est l'un des rares artistes à avoir su, après son retour d'Occident, combiner la tradition linéaire chinoise et l'enseignement occidental. On lui doit plusieurs monuments officiels, par exemple, le mémorial Lin Sen à Chongqing (province du Sichuan), très caractéristique de sa production.
Bibliogr. : M. Sullivan : *Chinese Art in the XXth Century*, Londres, 1959.

WANG LI-PEN. Voir **WANG LIBEN**

WANG LIYONG ou **Wang Li-Yung**, surnom : **Bingwang**
Originaire de Tongchuan, province du Shenxi. XIIe siècle. Actif sous le règne de l'empereur Song Gaozong (1127-1162). Chinois.
Peintre.
Calligraphe et peintre de paysages et de figures, il est aussi fonctionnaire et passe les examens triennaux de la capitale, recevant le grade de *jinshi* (lettré présenté). La Nelson Gallery of Art de Kansas City conserve un de ses rouleaux en longueur signé et accompagné d'inscriptions attribuées à l'empereur Gaozong : *Dix différentes manifestations de Taishang Laojun.*

WANG LI-YUNG. Voir **WANG LIYONG**

WANG LO. Voir **WANG LUO**

WANG LÜ. Voir **WANG LI**

WANG LUI CHI'U
Né au XXe siècle en Chine. XXe siècle. Chinois.
Graveur.
L'un des rénovateurs de la gravure populaire sur bois, d'après les anciens procédés japonais. Il a interprété les horreurs de la guerre civile. *Woodcuts of War Time China*, édité à Shanghai, en fait mention.

WANG LUO ou **Wang lo**, surnom : **Gengnan**, noms de pinceau : **Jiating** et **Meijiao**
Originaire de Suzhou, province du Jiangsu. XVIIIe siècle. Actif vers 1712. Chinois.
Peintre.
Peintre de paysages dont le Museum of Fine Arts de Boston conserve une série de dix peintures sur éventail.

WANG MEIDING ou **Wang Mei-Ting**, surnom : **Yingxue**, noms de pinceau : **Hanyun** et **Liaotang**
Originaire de Xiuning, province du Anhui. XVIIIe siècle. Actif à la fin du XVIIIe siècle. Chinois.
Peintre.
Poète et calligraphe, il est aussi fonctionnaire et passe les examens triennaux à la capitale en 1793 (ou 1790). Peintre de paysages, il travaille d'abord dans le style de son époque, puis dans le style des maîtres Song et Yuan. Il fait aussi des fleurs, des « épidendrons » et des rochers.

WANG MENG ou **Wang Mong**, surnom : **Shuming**, nom de pinceau : **Huanghao Shanqiao**
Né vers 1300, originaire de Wuxing, province du Zhejiang. Mort en 1385. XIVe siècle. Chinois.
Peintre.
Malgré sa courte durée, la dynastie Yuan (1279-1368) joue un rôle important dans l'histoire de la peinture chinoise, particulièrement dans celle du paysage. Le style académique laisse la place peu à peu à un renouveau du style classique du Xe siècle, notamment celui des deux grands paysagistes du Xe siècle, Dong Yuan et Juran. Les quatre grands maîtres de la dynastie Yuan exerceront une influence fondamentale sur la peinture de paysage jusqu'au XIXe siècle ; ce sont Huang Gongwang, Wu Zhen, Ni Zan et Wang Meng. Cadet du groupe des quatre maîtres Yuan, Wang Meng est par sa mère, le petit-fils de Zhao Mengfu (1254-1322), à moins qu'il n'en soit le neveu. Il entre jeune dans la carrière officielle et occupe un poste dans l'office judiciaire de sa région. Il n'y reste que peu de temps et, pour fuir les guerres civiles à la fin de l'époque Yuan, il se retire sur le Huanghe shan, le mont de la Grue Jaune, où il passe la moitié de sa vie. Sous le règne de l'empereur Ming Taizu, il est nommé maire de Taianzhou, au Zhejiang, mais, accusé de collaboration avec Hu Weiyong, ministre d'État mis à mort pour complot politique, il est arrêté et meurt en prison. A l'encontre de Wu Zhen et de Ni Zan, Wang Meng n'est ni poète ni calligraphe, mais peintre exclusivement. Parfait technicien du pinceau, très admiré pour sa façon de peindre les rides des montagnes, la mousse sur les pierres, les pins et les profondeurs crevassées, il est l'auteur de grandes compositions touffues, d'aspect baroque, clairement organisées et parfaitement unifiées à travers les lignes maîtresses et l'équilibre des masses, où l'insistance est portée sur la structure, très élaborée et finie dans le moindre détail. Il y a une grandeur parfois dramatique dans ses paysages massifs et peuplés, orchestrés comme une symphonie, grâce à une concentration extrême de la volonté créatrice, à une véritable saisie du phénomène naturel. Il s'intéresse plus à la masse et aux qualités tactiles que ses contemporains : il cherche ou refuse l'espace, modèle ou modifie ses formes, dans un but uniquement expressif. Il utilise habituellement la couleur, dans des tonalités parfois intenses, et est pro-

digue de son encre, même dans les textures sèches. Sa forme de rides, véritable ponctuation dynamique et nerveuse, sera une source d'inspiration pour la postérité, notamment pour l'école de Wu ; on y décèle des affinités avec les « rides en fibre de chanvre » de Dong Yuan et Juran, auxquelles se mêlent des traits en longs filaments dits, « rides en poil de bœuf », fins et légers ou de construction plus libre, dits, en « fil embrouillé ». Les compositions sont compactes, denses ; il couvre la majeure partie de la surface de papier, d'où une impression de paysage bourgeonnant, quelle qu'en soit la saison. L'élément dominant est représenté par les masses rocheuses crevassées, empilées ou stratifiées dont l'allure convulsive rappelle le style de Guo Xi (XIIe siècle) ; le jeu emmêlé des formes naturelles s'exprime par un large usage de points ronds, apposés d'un geste prompt et ferme, avec un évident souci de recherche raffinée. Ces taches ont en effet le double rôle d'évoquer la texture et de faire jouer la lumière, celle d'une vision réaliste, mais vécue et repensée. Aucun peintre, peut-être, ne sait mieux que lui transposer les formations telluriques des montagnes, dans une vision luxuriante de la nature active, avec son mouvement ondulant et sa texture vibrante. Telle est la matière d'une œuvre étonnante, *Habitation dans la forêt à Juqu*, (Taipei, National Palace Museum), où le rempart serré des masses qui se compénètrent n'est rompu que par les crevasses étroites par où s'écoule l'eau, les quelques enclaves où se pressent les arbres autour des habitations. Aucun foyer n'est au centre de l'œuvre, qui réussit à peine à contenir les forces qui se manifestent à l'intérieur de ses limites. Les couleurs riches se répartissent en taches rouge brillant, orange et vert sur toute la surface picturale, et accentuent, ce faisant, le sentiment d'inquiétude qui émane de l'ensemble, où l'on s'étonne de découvrir des pavillons et des personnages traités avec une simplicité charmante. ■ M. M.

Bibliogr. : J. Cahill : *La peinture chinoise*, Genève, 1960 – M. Pirazzoli-t'Serstevens : *Cours de l'École du Louvre*, Paris, 1970-1971 – M. M. Chin : *Wang Mong*, in : *Encyclopaedia Universalis, vol. XVI*, Paris, 1973.

Musées : Chicago (Art Inst.) : *Vie paisible dans un vallon boisé* signé et daté 1361, encre et coul. sur pap., rouleau en hauteur – Indianapolis (Art Assoc.) : *L'ermitage au pied du Mont Hui*, encre sur pap., rouleau en hauteur – Liaoning (prov. Mus.) : *Le Mont Taipai*, coul. légères sur pap., rouleau en longueur – Osaka : *Rivière serpentant entre des montagnes boisées* signé et daté 1349, rouleau en longueur – Pékin (Mus. du Palais) : *Bosquet de bambous poussant sur une colline près d'un ruisseau* signé et daté 1367 – *Dans les montagnes pendant l'été* signé et daté 1368, poèmes de Lin Han et de l'empereur Qing Qianlong – *Le village de Lantian*, inscription du peintre – *Grands pins et cascades* daté 1297, avant la naissance du peintre – *Dix mille vallées et pins dans le vent*, signé – *Tai contemplant la cascade*, d'après Dong Yuan, signé – Shanghai : *Montagnes au printemps avec des pavillons d'étude sous les pins*, coul. légères sur pap., rouleau en hauteur, inscription du peintre – *Ermitage au Mont Bian*, encre sur soie, rouleau en hauteur – *Habitations dans la forêt à Juqu*, encre et coul. sur soie, rouleau en hauteur – *Pêcheur sur une rivière de montagne, sous les arbres en fleurs au printemps*, encre sur soie, rouleau en hauteur – *Champs printaniers à l'entrée de la vallée*, encre sur soie, d'après Dong Yuan, rouleau en hauteur – *Chaumière d'un sage au bord d'une rivière de montagne*, encre et coul. sur soie, d'après Dong Yuan, rouleau en hauteur – *Temple bouddhique dans les montagnes en automne* daté 1362, encre sur pap., rouleau en hauteur – *Pics et forêts*, encre sur soie, rouleau en hauteur – *Le pavillon d'herbe dans les monts de l'Est*, encre et coul. sur pap., rouleau en hauteur – *Chaumière dans les collines d'automne*, encre et coul. sur pap., rouleau en hauteur signé – Washington D. C. (Freer Gal.) : *Ferme dans un jardin fantastique*, petit rouleau en longueur dédié à Zhang Zhi et signé.

WANG MIAN ou **Wang Mien**, surnom : **Yuanzhang**, noms de pinceau : **Laocun** et **Zhushi Shannong**

Né en 1335, originaire de Kuaiji, province du Zhejiang. Mort en 1407. XIVe siècle. Chinois.

Peintre.

Issu d'une famille paysanne, Wang Mian devient jeune le disciple d'un lettré néo-confucianiste renommé, Hang Xing. Après avoir échoué aux examens triennaux de la capitale, il acquiert la réputation de non-conformiste et abandonne l'idée d'une carrière officielle. Semblant prévoir les désordres sociaux de la fin de la dynastie Yuan, il se retire au mont Jiuli où il cultive des pruniers. Parmi ses écrits, l'un de ses recueils de poésie s'intitule *Zhuzhai shiji*. Peintre de bambous et de rochers, il excelle particulièrement dans les représentations de fleurs de prunier, à l'encre ; son style deviendra caractéristique de ce genre à la fin de la période Yuan et au début de l'époque Ming.

Musées : Pékin (Mus. du Palais) : *Trois bambous*, colophon du peintre daté 1349 – *Branche de prunier en fleur*, poème du peintre – Shanghai : *Fleurs de prunier à l'encre* daté 1355, encre sur pap., rouleau en hauteur – Taipei (Nat. Palace Mus.) : *Branche de prunier en fleur de Wang Mien et bambou de Wu Zhen*, encre sur pap., rouleau en longueur, inscription des deux peintres – *Fleurs de prunier*, poème du peintre daté 1353 et poème de Tang Su – *Nanzhi Chunzao tu, longue branche de prunier en fleur*, poème du peintre daté 1357.

WANG Miao

Né en 1966 à Pékin. XXe siècle. Chinois.

Peintre de paysages. Occidental.

Il étudia dans le département de peinture murale de l'Académie centrale des Beaux-Arts de Pékin. Il est professeur de peinture à l'Académie de Sculpture et de Peinture murale de la Province de Henan.

Ventes Publiques : Hong Kong, 30 oct. 1995 : *Montagnes nuageuses dans mon propre style* 1995, cr./pap. (28,3x31,1) : **USD 9 200** – Hong Kong, 30 avr. 1996 : *La mare aux lotus ; Rugissement* 1995, cr. de coul./pap., une paire (chaque 31,7x31,7) : **HKD 23 000**.

WANG MIEN. Voir **WANG MIAN**

WANG MINGSHENG ou **Wang Ming-Shêng** ou **Wang Ming-Cheng**, surnom : **Fengjie**, nom de pinceau : **Xizhuang**

Né en 1722, originaire de Jiading, province du Jiangsu. Mort en 1797. XVIIIe siècle. Chinois.

Peintre.

Peintre de fleurs.

WANG MO ou **Wang Qia**

VIIIe siècle. Actif sous la dynastie Tang pendant l'ère Kaiyuan (713-742). Chinois.

Peintre.

Peintre dont on ne connaît ni l'origine ni le nom, d'où cette appellation de Wang Mo, ou Wang l'encre, car il pratique la méthode de l'encre éclaboussée, *pomo*. Sauvage de nature, il erre entre fleuves et lacs, dit-on, peignant des paysages, des pins, des pierres. Une fois ivre, il éclabousse d'encre son rouleau puis le travaille tantôt au pied, tantôt à la main, promenant son pinceau çà et là et suivant la configuration des taches d'encre. Pour faire des montagnes, des nuages et des eaux, sa main agit aussi vite que la création elle-même, signalent encore les textes, et son ingéniosité est comparable à celle d'un dieu, ses peintures n'offrant aucune trace de pinceau. Il aurait reçu cette méthode de Zheng Qian.

WANG MONG. Voir **WANG MENG**

WANG NGAI. Voir **WANG AI**

WANG-NGAN. Voir **WANG WU**

WANG NING

Originaire de la région du Jiangnan. XIe siècle. Chinois.

Peintre.

Peintre de fleurs et d'oiseaux, il travaille à l'Académie de peinture. Le National Palace Museum de Taipei conserve une de ses œuvres signées : *Mère poule avec ses poussins sur le dos*.

WANG Ö. Voir **WANG E.**

WANG P'an-yüan

Né en 1912 à Jiangsu. XXe siècle. Chinois.

Peintre de paysages, figures. Tendance symboliste.

Il fit ses études à l'Académie d'Art de Shanghai sous la direction de Zhang Yuan. En 1949, de retour à Taiwan, il devint professeur. Il participe à des expositions en Chine.

L'originalité de ses paysages tient à la représentation symbolique des espaces absorbant toute la toile, auxquels l'artiste veut rendre hommage, et à la fragilité des formes humaines ou familières confrontées à ces éléments.

Musées : Taichung (Mus. des Beaux-Arts).

Ventes Publiques : Taipei, 22 mars 1992 : *Voilier*, h/t (72,4x60,4) : **TWD 1 210 000** – Taipei, 18 oct. 1992 : *Paysage de neige* 1992, h/t (60,6x72,5) : **TWD 1 430 000** – Taipei, 16 oct. 1994 : *Fille de la lune*, h/t (53x45,3) : **TWD 402 500**.

WANG PING. Voir **WANG BING**

WANG P'OU. Voir **WANG PU**

WANG PU ou **Wang P'ou**, surnom : **Sugong**
Originaire de Xiuning, province du Anhui. XVIIe-XVIIIe siècles. Actif au début de la dynastie Qing (1644-1911). Chinois.
Peintre de figures, paysages.
Peintre de paysages dans le style des maîtres Yuan.
Ventes Publiques : New York, 26 nov. 1990 : *Pêcheur et sa barque dans un paysage*, kakémono, encre et pigments/pap. (118,1x29) : **USD 1 650**.

WANG QI ou **Wang Ch'i** ou **Wang K'i**, surnom : **Liruo**
Originaire de Suzhou, province du Jiangsu. XVIIe siècle. Actif vers 1600-1637. Chinois.
Peintre.
Peintre de fleurs et de paysages, petit-fils de Wang Zhiteng, l'auteur du *Wujun danqing zhi*, dont le National Palace Museum de Taipei conserve deux œuvres signées et datées, *Arbres d'automne près d'un pont* de 1606 et *Chrysanthèmes dans un jardin de rocaille*, de 1626.

WANG QI ou **Wang Ch'i** ou **Wang Ts'i**
Né en 1919, originaire de Chongqing, province du Sicuan. XXe siècle. Chinois.
Graveur de scènes typiques.
Après des études à l'Académie de Shanghai, il rejoint en 1931 le Bureau International de Publicité et le Comité sur les Travaux Culturels du Gouvernement Central. En 1942, il organise la Société de Recherche des Graveurs Chinois et fait des travaux intéressants sur les procédés de gravure d'après les techniques japonaises anciennes. En 1952, il devient professeur à l'Institut Central des Beaux-Arts (Pékin). Membre de l'Association nationale des graveurs. On lui doit des scènes populaires villageoises.
Bibliogr. : In : *Dictionnaire de l'art moderne et contemporain*, Hazan, Paris, 1992.

WANG QIA. Voir **WANG MO**

WANG QIAN ou **Wang Ch'ien** ou **Wang K'ien**, surnom : **Muzhi**, nom de pinceau : **Binghu Daoren**
Originaire de Qiantang, province du Zhejiang. XVIe siècle. Actif vers 1500. Chinois.
Peintre.
Gardien du temple des ancêtres impérial, il est peintre de fleurs de prunier.

WANG QIAN ou **Wang Ch'ien** ou **Wang K'ien**, surnom : **Yiqing**, noms de pinceau : **Cangchun** et **Tianfeng**
Originaire de Linhai, province du Zhejiang. XVIe siècle. Actif dans la première moitié du XVIe siècle. Chinois.
Peintre.
Peintre d'oiseaux.

WANG QIAO ou **Wang Ch'iao** ou **Wang K'iao**, surnoms : **Shuchu** et **Shiyu**, nom de pinceau : **Xiaozhu**
Originaire de Jiading. Actif sous la dynastie Ming (1368-1644). Chinois.
Peintre.
Peintre de fleurs, de plantes, d'insectes et de poissons.

WANG QIHAN ou **Wang Ch'i-Han** ou **Wang Ts'i-Han**
Originaire de Nankin. Xe siècle. Actif dans la seconde moitié du Xe siècle. Chinois.
Peintre.
Membre de l'Académie de Peinture à la cour de Li Houzhu (961-975), il est peintre de figures bouddhiques et taoïstes. Le Museum of Fine Arts de Boston conserve une peinture qui lui est anciennement attribuée : *Dame et enfants jouant.*

WANG REN ou **Wang Jen**, surnom : **Deren**
Né en 1404. Mort en 1465. XVe siècle. Chinois.
Peintre.

WANG REN FENG
Né au XXe siècle en Chine. XXe siècle. Chinois.
Graveur sur bois.
L'un des rénovateurs de la gravure populaire sur bois, d'après les anciens procédés japonais. Il a gravé des images patriotiques. *Woodcuts of War Time China*, édité à Shanghai, en fait mention.

WANG RICHANG ou **Wang Je-Tch'ang** ou **Wang Jih-Ch'ang**
Né en 1905. XXe siècle. Chinois.
Peintre.
Peintre de l'école moderne, il fait des études à l'École des Beaux-Arts de Paris. En 1947, il est nommé pour quelque temps directeur de l'Académie Nationale de Hangzhou.

WANG SANXI ou **Wang San-Hsi** ou **Wang San-Si**, surnom : **Banghuai**, nom de pinceau : **Zhuling**
Né en 1720. Mort après 1798. XVIIIe siècle. Chinois.
Peintre.
Peintre de paysages, neveu de Wang Yu (actif vers 1680-1729).

WANG SHANGGONG ou **Wang-Kong** ou **Wang Shang-Kung**
Originaire de Suzhou, province du Jiangsu. XVIe siècle. Actif vers 1590. Chinois.
Peintre.
Peintre de figures.

WANG SHAOLING ou **Wang Chao-Ling**
Né en 1908 à Daishan (province du Guangdong). XXe siècle. Chinois.
Peintre.
Peintre de l'école moderne, il est établi aux États-Unis depuis 1938 et compte parmi les artistes de tradition américaine dont il épouse le réalisme, plus concerné par la ligne et la couleur que par l'expression formelle. Il est pendant un temps assistant à la Columbia University.

WANG SHEN ou **Wang Chen**, surnom : **Jinqing**
Originaire de Taiyuan, province du Shanxi. XIe siècle. Actif pendant la seconde moitié du IXe siècle. Chinois.
Peintre.
Descendant de Wang Quanbin, ministre du Mérite au moment de la fondation de l'empire Song, il est marié à la princesse Dachang des Wei (1051-1080), seconde fille de l'empereur Yingzong et sœur cadette de l'empereur Shenzong. Il doit néanmoins quitter la capitale à la mort de sa femme, étant donné sa position politique au sein du parti conservateur et n'est réadmis dans le gouvernement que pendant l'ère Yuanyu, sous le règne de l'empereur Zhezong (1086-1093). Lettré bien connu, il est ami de Su Shi (1036-1101), Mi Fu (1051-1107), Li Gonglin (1040-1106), etc., et collectionne des peintures en connaisseur. Peintre de paysages, il est influencé par le style de Li Cheng (actif vers 960-980), mais pratique aussi les couleurs bleu et vert de Li Sixun (651-716) des Tang. Dans ses peintures de bambous à l'encre, il est proche de Wen Tong (mort en 1079).
Bibliogr. : Yoshiho Yonezawa et Michiaki Kawakita : *Arts of China : Paintings in Chinese Museums, New Collections*, Tokyo 1970.
Musées : Pékin (Mus. du Palais) : *Village de pêcheur sous une neige légère*, coul. légères sur soie, rouleau en longueur – Shanghai : *Rivière dans la brume et pics crevassés*, coul. sur soie, rouleau en longueur – Taipei (Nat. Palace Mus.) : *Les îles des Immortels* signé et daté 1124 ou 1064, encre et coul. sur soie, rouleau en longueur – *Aigle blanc dans un vieil arbre*, signé.

WANG SHENRAN
Né en 1898. XXe siècle. Chinois.
Peintre.
Il a été professeur à l'Institut central des Beaux-Arts. Il a figuré à l'exposition *Peintres traditionnels de la République populaire de Chine*, galerie Daniel Malingue, à Paris, en 1980.
Bibliogr. : In : Catalogue de l'exposition *Peintres traditionnels de la République populaire de Chine*, galerie Daniel Malingue, Paris, 1980.

WANG SHICEN
Né en 1914 à Hefei (province du Anhui). XXe siècle. Chinois.
Peintre de paysages.
Il fut professeur au Département des Beaux-Arts de l'École normale du Anhui. Il est membre permanent de l'Association des peintres et directeur adjoint de l'Institut de la peinture de la même province. Il a figuré à l'exposition *Peintres traditionnels de la République populaire de Chine*, galerie Daniel Malingue, à Paris, en 1980.
Il peint principalement les paysages de la montagne Jaune.
Bibliogr. : In : Catalogue de l'exposition *Peintres traditionnels de la République populaire de Chine*, galerie Daniel Malingue, Paris, 1980.

WANG SHICHANG ou **Wang Che-Tch'ang** ou **Wang Shih-Ch'ang**, nom de pinceau : **Lishan**
Originaire de la province du Shandong. XVe siècle. Actif probablement au XVe siècle. Chinois.
Peintre.
Peintre de paysages et de figures, dont la Freer Gallery de Washington conserve une œuvre signée, qui avait antérieurement été attribuée à Xu Shichang des Song : *Paysage de montagne, résidence de lettré près de la rivière*.

WANG SHIH-CH'ANG. Voir **WANG SHICHANG**

WANG SHIH-I. Voir **WANG SHIYI**

WANG SHIH-MIN. Voir **WANG SHIMIN**

WANG SHIMIN ou **Wang Che-Min** ou **Wang Shih-Min**, surnom : **Xunzhi**, noms de pinceau : **Yanke, Xilu Laoren, Xitian Zhuren**, etc.

Né en 1592, originaire de Taicang, province du Jiangsu. Mort en 1680. XVIIe siècle. Chinois.

Peintre de paysages.

Au début de l'époque Qing, la peinture chinoise se poursuit dans le sud, où la culture Ming reste très vivante. Un grand nombre de peintres, poursuivant les idéaux des lettrés qui les ont précédés, se rangent sous la bannière de Dong Qichang (1555-1636) dont la forte autorité et personnalité est à l'origine d'une orthodoxie nouvelle fondée sur l'étude et la copie des maîtres anciens. Les premiers adeptes de cette théorie s'avèrent être des réformateurs inspirés : parmi eux, les Quatre Wang, Wang Shimin, Wang Jian, Wang Hui et Wang Yuanqi, en sont les plus illustres représentants.

L'aîné d'entre eux, Wang Shimin, est issu d'une grande famille de lettrés et, ayant hérité du titre de son père, occupe sous le gouvernement des Ming une charge officielle, puis est envoyé comme fonctionnaire dans le sud de la Chine. A la chute de la dynastie, il se retire de la vie publique et, dès lors, mène une paisible existence au milieu de ses amis, s'adonnant à la peinture et à l'enseignement : il sera d'ailleurs le professeur de Wang Hui. Dès sa jeunesse en contact avec les œuvres anciennes conservées dans sa famille, il est lui-même un collectionneur avisé qui aime à étendre le répertoire de ses thèmes et de ses techniques.

A l'instar de Dong Qichang, son maître à peindre et à penser, il place au-dessus de tout les maîtres Yuan, Huang Gongwan (1269-1354) en premier lieu, dont les paysages banals à dessein, la texture dense et nourrie par des couches successives, exercent sur lui une fascination profonde. De fait, s'il travaille également dans les styles de Dong Yuan, de Juran, de Mi Fu, il n'atteint jamais un accord spirituel aussi parfait qu'avec Huang dont l'œuvre est la source renouvelée de son inspiration, pendant les quarante ans d'une carrière artistique qui parvient à son sommet vers 1668. Mais il ne s'agit pas d'une copie, plutôt d'une analyse des motifs de Huang, pentes et pics, sommets aplatis, arbres, pavillons, qu'il recompose mentalement et transpose de façon personnelle. Rejetant la ligne ferme et continue et les surfaces simples, le mouvement du pinceau et les graduations de l'encre jouent un rôle assez abstrait dans l'évocation des masses rocheuses enchevêtrées et de la végétation touffue, tandis que les ponctuations soulignant arbres et rochers sans distinction précise, et les lavis d'épaisseur inégale confèrent des résonances subtiles à la composition. Après 1670, la vitalité de Wang diminue et sans doute faut-il voir là l'ascension de son jeune élève Wang Hui, qu'il considère du reste comme le génie de son temps. Ses œuvres font preuve d'un académisme accentué et, dans leurs emprunts divers, éliminent délibérément tout ce qui vise à séduire ou à impressionner. La platitude et la maladresse n'y sont pas toujours voulues pour autant et ce n'est pas fortuit si l'absence d'espace ou d'atmosphère, la nature sans grandeur et le dessin sans habileté ont entraîné une certaine incompréhension de la part des Occidentaux et souvent même des Japonais.

Bibliogr. : J. Cahill : *La peinture chinoise*, Genève, 1960 – Wen C. Fong : *Orthodoxy and Change in Early Ch'ing Landscape Painting*, in : *Oriental Art* vol. XVI no 1, 1970 – F. Denès : *Wang, les Quatre*, in : *Encyclopaedia Universalis*, vol. XVI, Paris, 1973.

Musées : Boston (Mus. of Fine Arts) : *Paysage de rivière* datée 1636, peinture sur éventail signée – Pékin (Nat. Palace Mus.) : *Illustration d'un poème de Du Fu* datée 1665, coul. sur pap., feuille d'album – *Montagnes d'automne émergeant au-dessus des nuages*, deux inscriptions du peintre de 1649 et de 1661 – *Studio de lettré sous les pins au pied d'une montagne* daté 1661, signé – Shanghai : *Montagnes d'été*, encre sur pap., rouleau en hauteur – *Grands pins près des rochers s'élevant sur la rive* datée 1665, d'après Wang Meng et Ni Zan, inscription du peintre – Stockholm (Nat. Mus.) : *Bouquet* daté 1657, signé – Taipei (Nat. Palace Mus.) : *Pics verdoyants* daté 1672, encre et coul. sur soie, rouleau en hauteur signé – *Pics et arbres dans la brume montagnarde* daté 1674, encre et coul. sur soie, rouleau en hauteur – *Paysage* daté 1667, encre et coul. légères sur pap., dans le style de Wang Meng, rouleau en hauteur – *Paysage*, encre et coul. sur soie, dans le style de Zhao Mengfu, rouleau en hauteur.

Ventes Publiques : New York, 1er juin 1989 : *Paysage*, kakémono, encre/soie, dans le style de Huang Gongwang (113x62,2) : **USD 33 000** – New York, 4 déc. 1989 : *Kiosque au bord de la rivière*, kakémono, encre/pap. (66x35) : **USD 22 000** – New York, 31 mai 1990 : *Paysage*, makémono, encre/pap., d'après Huang Gongwang (27,6x234,3) : **USD 33 000** – New York, 2 déc. 1992 : *Paysage*, kakémono, encre/pap., d'après Huang Gongwang (115,7x55,2) : **USD 19 800**.

WANG SHISHEN ou **Wang Che-Chen** ou **Wang Shih-Shên**, surnom : **Jinren**, noms de pinceau : **Chaolin, Qidong Waishi,** etc.

Né en 1686, originaire de la province du Anhui. Mort en 1759. XVIIIe siècle. Actif à Yangzhou (province du Jiangsu) vers 1730-1750. Chinois.

Peintre de paysages, fleurs.

Ami de Qin Nong (1687-1764) et de Hua Yan (1682-1765), Wang Shishen compte parmi les Huit Excentriques de Yangzhou (*Yangzhou baguai*) et excelle dans les paysages floraux, tout particulièrement dans les fleurs de prunier, comme son contemporain Li Fangyin (1695-1754).

Les siennes toutefois visent à être avant tout des motifs excentriques plutôt que des portraits naturalistes ; le mouvement du pinceau y obéit à des règles calligraphiques qui lui sont propres, absolument indépendamment de l'évolution de la branche de prunier. De fait, la fragilité et la préciosité de ses œuvres en disent plus long sur le goût de l'artiste que sur le sujet traité et révèlent son aptitude à la décoration.

Bibliogr. : J. Cahill : *Fantastics and Eccentrics in Chinese Paintings*, New York, 1972.

Musées : Canton : *Après le portrait de Daoqi*, encre sur pap., rouleau en hauteur.

Ventes Publiques : New York, 6 déc. 1989 : *Prunus*, encre/pap., kakémono (128,3x51,5) : **USD 27 500** – New York, 22 sep. 1997 : *Branche de pruniers en fleurs* 1739, encre/pap. (38,7x27,3) : **USD 9 200**.

WANG SHIYI ou **Wang Che-I** ou **Wang Shih-I**, surnom : **Yumin**

Originaire de Taicang, province du Jiangsu. XVIIe siècle. Chinois.

Peintre.

Cousin de Wang Shimin (1592-1680), il fait des paysages dans le style de Li Tang (vers 1050-1130) et des figures dans celui de Song Xu. Le National Palace Museum de Taipei conserve une de ses œuvres signée : *Le Lac Dongting*.

WANG SHUGU ou **Wang Chou-Kou** ou **Wang Shu-Ku**, surnom : **Yuanfeng**, noms de pinceau : **Wuwo** et **Lugong**

Né en 1647, originaire de Hangzhou, province du Zhejiang. Mort en 1730. XVIIe-XVIIIe siècles. Chinois.

Peintre de figures.

Peintre de figures dans le style de Chen Hongshou (1599-1652).

Musées : Taipei (Nat. Palace Mus.) : *Chen Zhian jouant du qin à un homme qui s'endort*.

Ventes Publiques : New York, 25 nov. 1991 : *Album de personnages historiques* 1726, encre/soie, douze feuilles (chaque 21x35) : **USD 27 500**.

WANG SHUJIN ou **Wang Chou-Tsin** ou **Wang Shu-Chin**, surnom : **Shiquan**

Actif sous la dynastie Ming (1368-1644). Chinois.

Peintre.

WANG SIN. Voir **WANG XIN**

WANG SIN-I. Voir **WANG XINYI**

WANG SIREN ou **Wang Sseu-Jen** ou **Wang Ssù-Jên**, surnom : **Jizhong**, nom de pinceau : **Suidong**

Né en 1576, originaire de Shanyin, province du Zhejiang. Mort en 1646. XVIe-XVIIe siècles. Actif à la fin du XVIe siècle. Chinois.

Peintre de paysages, calligraphe.

Haut fonctionnaire, il passe les examens triennaux à la capitale et reçoit le grade de *jinshi* (lettré présenté), en 1595.

Poète, calligraphe et peintre, il fait des paysages dans le style de Mi Fu (1051-1107) et de Ni Zan (1301-1374).

Ventes Publiques : New York, 29 mai 1991 : *Paysage*, kakémono, encre/pap. (124,1x31,4) : **USD 30 800**.

WANG SI-TCHE. Voir **WANG XIZHI**

WANG SOU. Voir **WANG SU**

WANG SSEU-JEN. Voir **WANG SIREN**

WANG SSU JÊN. Voir **WANG SIREN**

WANG SU ou **Wang Sou**, surnom : **Xiaomou**
Né en 1794, originaire de Yangzhou, province du Jiangsu. Mort en 1877. XIXe siècle. Chinois.
Peintre de figures, animaux, paysages, fleurs.
Musées : Copenhague (Nat. Mus.) : *La fée Magu.*
Ventes Publiques : New York, 2 juin 1988 : *L'Empereur Minghuang et Yang Guifei*, encre/pap., kakémono (146,5x38) : **USD 1 210** ; *Paysage*, encre/pap., kakémono (119,5x52,7) : **USD 19 800** – New York, 1er juin 1992 : *Fleurs*, encre et pigments/soie, kakémono (121,9x52,7) : **USD 2 475** – New York, 16 juin 1993 : *Album de figures, paysages et animaux*, encre et pigments/pap., 12 feuilles (chaque 29,2x33) : **USD 16 100**.

WANG TAO ou **Wang T'ao**, surnom : **Suxing**, nom de pinceau : **Hengshan**
Originaire de Yangzhou, province du Jiangsu. XIXe siècle. Actif vers 1800. Chinois.
Peintre.
Peintre de fleurs et d'oiseaux dans le style des maîtres Yuan.

WANG TCHAO. Voir **WANG ZHAO**

WANG TCHAO-SIANG. Voir **WANG ZHAOXIANG**

WANG TCHE. Voir **WANG ZHI**

WANG TCHE-JOUEI. Voir **WANG ZHIRUI**

WANG TCH'EN. Voir **WANG CHEN**

WANG TCHEN. Voir **WANG ZHEN**

WANG TCHENG. Voir **WANG ZHENG**

WANG TCH'ENG-FENG. Voir **WANG CHENGFENG**

WANG TCH'ENG-P'EI. Voir **WANG CHENGPEI**

WANG TCHEN-P'ENG. Voir **WANG ZHENPENG**

WANG TCHE-TCH'ENG. Voir **WANG ZHICHENG**

WANG TCH'ONG. Voir **WANG CHONG**

WANG TCHONG. Voir **WANG ZHONG**

WANG TCHONG-LI. Voir **WANG ZHONGLI**

WANG TCHONG-YU. Voir **WANG ZHONGYU**

WANG TE-WEI. Voir **WANG DEWEI**

WANG TI-CHIEN. Voir **WANG DIJIAN**

WANG TI-KIEN. Voir **WANG DIJIAN**

WANG TING-KOUO ou **Wang Ting-Kuo**. Voir **WANG DINGGUO**

WANG TINGYUN ou **Wang T'ing-Yun**, surnom : **Ziduan**, nom de pinceau : **Huang-Hua Shanren**
Né en 1151, originaire de Hedong, province du Shanxi. Mort en 1202. XIIe siècle. Chinois.
Peintre.
Neveu du peintre Mi Fu (1051-1107), il est membre de l'Académie Hanlin, sous la dynastie Jin, il exécute des paysages, des bambous et des vieux arbres ; le Fuji Yûrinkan de Kyoto conserve un de ses rouleaux en longueur avec plusieurs colophons de sa main : *Bambou solitaire et arbre vieilli.*

WANG TO. Voir **WANG DUO**

WANG TSAO. Voir **WANG ZAO**

WANG TSEU-YUN. Voir **WANG ZIYUN**

WANG TS'I. Voir **WANG QI**

WANG TS'I-HAN. Voir **WANG QIHAN**

WANG TSI-YUAN. Voir **WANG JIYUAN**

WANG TSOUAN ou **Wang Tsuan**. Voir **WANG ZHUAN**

WANG TZU-YÜN. Voir **WANG ZIYUN**

WAN GUOZHEN ou **Wan Kouo-Tchen** ou **Wan Kuo-Chên**, surnom : **Bowen**
Originaire de Nanhai, province du Guangdong. XVIIe siècle. Actif vers 1600-1620. Chinois.
Peintre.
Peintre de bambous, de fleurs et d'oiseaux.

WANG WEI, surnom : **Moqi**
Né en 699, originaire de Tiayuan. Mort en 759. VIIIe siècle. Chinois.
Peintre.
Illustre poète et peintre, Wang Wei, dont le génie s'épanouit sous le règne de l'empereur Tang Xuanzong (712-756), est un représentant typique de cet âge d'or de la civilisation Tang à son apogée. Lauréat des concours impériaux, il est poète lettré et partage les goûts de son temps pour la musique, la calligraphie et la peinture, excellant dans chacun de ces arts. Il passe pour le créateur de la peinture monochrome et pour le plus grand des poètes paysagistes. Issu d'une famille de fonctionnaires, originaire de la province du Shanxi, il attire l'attention de la cour par la précocité de ses dons. En 721, il obtient un poste d'administrateur de la musique impériale, mais destitué pour quelque faute vénielle, il est muté en province. Ce n'est qu'en 734 qu'il regagne la capitale ; en 755, la révolte de An Lushan le surprend à la capitale et il est emprisonné, puis ultérieurement accusé de trahison. Nonobstant, il sera élevé au rang très considérable d'*assistant de droite* au département des affaires d'État. Il n'en paraît pas moins se désintéresser peu à peu de la vie publique au profit de la nature, de la religion et des arts, dans sa villa de Lantian, au sud-est de la capitale. Ses peintures et ses poésies immortaliseront ce site. S'il pratique la peinture de portraits bouddhistes et taoïstes, son plus grand titre de gloire reste d'être à l'origine de la peinture à l'encre monochrome au moment où le paysage commence à prendre son essor. On lui décernera le titre de *Patriarche des paysagistes de l'école du Sud*, d'autant qu'on lui attribue aussi la paternité de la méthode *pomo*, ou de l'encre brisée, qui consiste à rompre à l'aide d'accents plus appuyés la platitude qui menace toujours le lavis à l'encre, et du *cun*, ou ride, coups de pinceau qui rendent la texture de la matière. Ces procédés contrastent avec les coloris bleu, vert et or de Li Xisun et Li Zhaodao et avec le trait vigoureux, légèrement teinté, de Wu Daozi, ses contemporains ; ils deviendront caractéristiques de la peinture de lettré. Su Dongpo, le grand poète Song, dira, *Ses peintures sont des poèmes ; ses poèmes, des peintures.* Aucune œuvre de Wang Wei d'une authenticité certaine ne subsiste aujourd'hui, mais des copies, souvent tardives, permettent de se faire une idée de son style et donnent les éléments des compositions initiales. Parmi les plus connues, citons, le *Portrait de Fusheng* (Musée Municipal d'Osaka), le *Jiangshan xueji tu* (Éclaircie après la neige sur les monts près de la rivière) et une feuille d'album ayant appartenu à la Maison Impériale de Mandchourie, qui pourrait être une œuvre authentique ou une copie des Song du Nord ; elle porte un titre calligraphié par l'empereur Huizong, un colophon du peintre Dong Qichang daté 1621 et deux colophons de l'empereur Qing Qianlong et s'intitule, *Neige au bord de la rivière.* Comme théoricien de la peinture, on lui attribue deux traités, le *Shanshui Fu* et le *Huaxue Mijue*, dont l'authenticité est également mise en doute, car on les trouve parfois attribués à Jing Hao et à Li Cheng. Quel qu'en soit l'auteur, ces textes n'ont pas moins exercé une influence considérable sur la théorie du paysage, depuis l'époque des Song du Nord, et pour la première fois s'y trouvent formulées différentes notions, reprises dans les traités ultérieurs comme des vérités fondamentales. Tout cela explique pourquoi la postérité verra dans la sagesse des aspirations de Wang Wei et dans la pureté de son art, un modèle digne d'inspiration. ■ M. M.
Bibliogr. : S. Sakanishi : *The Spirit of the Brush*, Londres, 1957 – J. Cahill : *La peinture chinoise*, Genève, 1960 – P. Ryckmans : *Les Propos sur la peinture de Shitao*, Bruxelles, 1970 – Hou Ching-Lang : *Wang Wei*, in *Encyclopaedia Universalis, vol. XVI*, Paris, 1973.

WANG WEILLIE ou **Wang Wei-Leih**, surnom : **Wujing**
Originaire de Suzhou, province du Jiangsu. XVIe-XVIIe siècles. Actif vers 1590-1620. Chinois.
Peintre animalier, fleurs.
Peintre de fleurs et d'oiseaux, disciple de Zhou Zhemian (actif vers 1580-1610).
Ventes Publiques : New York, 6 déc. 1989 : *Oiseaux, fleurs et rochers*, kakémono, encre et pigments/soie (152x61) : **USD 7 150**.

WANG WEN, surnom : **Ziyu**, nom de pinceau : **Zhongshan**
Né en 1497, originaire de Wuxi, province du Jiangsu. Mort en 1576. XVIe siècle. Chinois.
Peintre de figures, paysages.
Peintre de paysages dans le style des maîtres Yuan.
Musées : Chicago (Art Inst.) : *Homme pêchant dans les roseaux près de la rivière* daté 1574, rouleau en longueur signé – Taipei (Nat. Palace Mus.) : *Haute montagne et ruisseau* signé et daté 1552, poème – *Deux hommes assis à terre, l'un fait bouillir l'eau du thé, l'autre écrit sur un rouleau*, inscription du peintre datée 1558 – *Maison du peintre à la montagne de l'Étang Rouge*, poème signé.

Ventes Publiques : New York, 6 déc. 1989 : *Assis seul dans un kiosque*, kakémono, encre/soie (103,5x42) : **USD 7 700**.

WANG WENZHI ou **Wang Wên-Chih** ou **Wang Wen-Tche**, surnom : **Yuqing**, nom de pinceau : **Wangan**
Né en 1730, originaire de Dantu, province du Jiangsu. Mort en 1802. xviiie siècle. Chinois.
Peintre de fleurs, calligraphe.
Calligraphe et peintre de fleurs de prunier.
Ventes Publiques : New York, 25 nov. 1991 : *Calligraphies variées*, encre/pap., album de 24 feuilles (chaque 23,8x13,7) : **USD 3 300** – Hong Kong, 4 mai 1995 : encre/pap., Album de 29 poèmes (dimensions variées) : **HKD 28 750** – Hong Kong, 29 avr. 1996 : *Manuscrit de mille mots*, encre or/pap. bleu, 7 feuilles (chaque 17x11) : **HKD 17 250**.

WANG WOU. Voir **WANG WU**

WANG WOU-T'IEN. Voir **WANG WUTIAN**

WANG WU ou **Wang Wou**, surnom : **Qinzhong**, nom de pinceau : **Wangan**
Né en 1632, originaire de Suzhou, province du Jiangsu. Mort en 1690. xviie siècle. Chinois.
Peintre animalier, paysages, fleurs.
Connaisseur, collectionneur et peintre de fleurs, d'oiseaux, d'insectes et de paysages, il est très apprécié par Wang Shimin (1592-1680).
Musées : Londres (British Mus.) : *Deux faisans et deux oiseaux blancs près d'un arbre en fleur* daté 1662, signé – Shanghai : *Album de huit feuilles d'études de fleurs, d'oiseaux et de papillons*, coul. sur pap., Taipei (Nat. Palace Mus.) : *En contemplant les chrysanthèmes dans le pavillon rupestre* daté 1667, signé, colophon – *Narcisses et plante Tianzhu* daté 1683, signé – *Fleurs et oiseaux* daté 1685, signé, poème.
Ventes Publiques : New York, 31 mai 1990 : *Paysage*, kakémono, encre/pap. (168,9x46,4) : **USD 3 850** – New York, 25 nov. 1991 : *Prunus*, kakémono, encre et pigments/pap. (73x61,3) : **USD 4 950** – New York, 1er juin 1992 : *Oiseaux et fleurs*, encre et pigments/pap., album de sept feuilles (26x39,4) : **USD 8 800** – New York, 18 mars 1997 : *Fleurs* 1673, encre et pigments/pap., album de douze feuilles (22,9x30,5) : **USD 9 200**.

WANG WUTIAN ou **Wang Wou-T'ien** ou **Wang Wu-T'ien**, surnom : **Suye**
Originaire de Mengjin, province du Henan. xviie siècle. Actif dans la seconde moitié du xviie siècle. Chinois.
Peintre.
Fonctionnaire et peintre de paysages, il passe les examens triennaux à la capitale en 1670 et reçoit le grade de *jinshi* (lettré présenté). Le Musée Guimet de Paris conserve de lui un album de *Huit Paysages d'après des maîtres anciens*, signé et daté 1721.

WANG WU-T'IEN. Voir **WANG WUTIAN**

WANG XIAN ou **Wang Hien** ou **Wang Hsien**, surnom : **Buyun**
Originaire de Wujiang, province du Jiangsu. xviiie siècle. Actif probablement sous le règne de l'empereur Qing Qianlong (1736-1796). Chinois.
Peintre.
Peintre de paysages dans le style de Dong Yuan et Juran, grands paysagistes du xe siècle ; le Musée de Berlin conserve une de ses œuvres signée, *Pin et prunier en fleur*.

WANG XIANZHOU ou **Wang Hien-Tcheou** ou **Wang Hsien-Chou**
Actif probablement sous la dynastie Ming (1368-1644). Chinois.
Peintre.

WANG XIAO ou **Wang Hiao** ou **Wang Hsiao**
Originaire de Sizhou, province du Anhui. xe siècle. Actif pendant la seconde moitié du xe siècle. Chinois.
Peintre.
Peintre de figures, de fleurs et d'oiseaux.

WANG Xiaoguang
Né en 1957. xxe siècle. Chinois.
Peintre de paysages. Style occidental.
Originaire de Pékin, il est diplômé depuis 1982 du Collège normal de Pékin où il étudia les Beaux-Arts. Il est professeur dans ce même collège. On peut rapprocher WANG Xiaoguang et WANG Xin.
Ventes Publiques : Hong Kong, 30 avr. 1996 : *Automne dans la vallée* 1995, h/t (90,5x116,2) : **HKD 86 250**.

WANG XIMENG ou **Wang Hi-Meng** ou **Wang Hsi-Mêng**
xiie siècle. Actif pendant l'ère Xuanhe (1119-1126). Chinois.
Peintre.
Il n'est pas mentionné dans les biographies d'artistes, mais d'après un rouleau en longueur signé et conservé au Musée du Palais de Pékin, peint dans un style archaïque en bleu profond sur soie, *Mille lis de montagnes et rivières*, il aurait travaillé à l'académie de Peinture pendant l'ère Xuanhe et serait mort à l'âge de vingt ans, après avoir réalisé cette œuvre à dix-huit ans.

WANG XIN ou **Wang Hsin**, ou **Wang Sin**, surnom : **Jinqing**
Originaire de Taiyuan, province du Sahnxi. xie-xiie siècles. Chinois.
Peintre de paysages.
Il était actif à Kaifeng (province du Henan). Peintre de paysages dans le style de Li Cheng (actif 960-990), il pratique aussi les coloris bleu et vert de Li Sixun (651-716) et de Li Zhaodao (actif 670-730).
Musées : Shanghai : *Brouillard épais sur la rivière, rouleau en longueur en couleurs sur soie*.

WANG XIN
Né en 1957 à Pékin. xxe siècle. Chinois.
Peintre de figures, paysages urbains.
De 1978 à 1982, il fut élève de l'Académie Centrale des Beaux-Arts. De 1982 à 1984 il fut conférencier dans la section d'architecture de l'Université de Qinghua. Il est professeur à l'Académie d'Art Dramatique de Chine à Pékin. Il participe à des expositions en Chine et à l'étranger. On peut rapprocher WANG Xiaoguang et WANG Xin.
Il peint des personnages reflétant la mélancolie dans l'esprit de Dante Gabriel Rossetti et de très habiles paysages.
Bibliogr. : In : *Catalogue Christie's*, 30 mars 1992, vente Hong Kong.
Ventes Publiques : Hong Kong, 28 sep. 1992 : *Mai vert et triste* 1991, h/t (80,7x121) : **HKD 242 000** – Hong Kong, 22 mars 1993 : *Les symboles du Temps* 1991, h/t (80,5x100) : **HKD 172 500** – Hong Kong, 4 mai 1995 : *Enfance au bord de la rivière* 1994, h/t (79,4x120) : **HKD 63 250**.

WANG XINYI ou **Wang Sin-I** ou **Wang Hsin-I**, surnom : **Chunfu**, nom de pinceau : **Yuanzhu**
Originaire de Suzhou, province du Jiangsu. xviie siècle. Actif dans la première moitié du xviie siècle. Chinois.
Peintre.
Disciple de Chen Huan, peintre de paysages actif vers 1600, il est aussi fonctionnaire et passe les examens triennaux à la capitale en 1613.

WANG XIZHI ou **Wang Hsi-Chih** ou **Wang Si-Tche**
Né en 321. Mort en 379. ive siècle. Chinois.
Calligraphe.
Célèbre calligraphe, grand maître de l'écriture cursive, *caoshu* ou écriture d'herbe, il aurait peint des figures et des animaux.

WANG XUEHAO ou **Wang Hio-Hao** ou **Wang Hsüeh-Hao**, surnom : **Mengyang**, nom de pinceau : **Jiaoxi**
Né en 1754, originaire de Kunshan, province du Jiangsu. Mort en 1832. xviiie-xixe siècles. Chinois.
Peintre de paysages.
Peintre de paysages dans le style de Wang Hui (1632-1717), il laisse plusieurs œuvres signées et datées.
Musées : Paris (Mus. Guimet) : *Hautes montagnes et arbres au premier plan*.
Ventes Publiques : New York, 31 mai 1989 : *Paysage*, kakémono, encre et pigment /pap. doré (133,6x39,7) : **USD 2 200** – New York, 28 nov. 1994 : *Album de 12 paysages sur éventails*, encre et pigments/pap. (chaque 17,8x52,7) : **USD 4 025**.

WANG YACHEN ou **Wang Ya-Ch'en** ou **Wang Yatch'en**
Né en 1893 dans la province du Zhejiang. xxe siècle. Chinois.
Peintre.
Après avoir étudié sous la direction de Liu Haisu, il part poursuivre sa formation en Europe, en 1928 et pratique alors un style impressionniste. À son retour il fonde à Shanghai l'Académie Xinhua, qui sera fermée par les Japonais en 1938. Il retourne progressivement à un style traditionnel. Ses peintures de poissons rouges sont connues.
Bibliogr. : M. Sullivan : *Chinese Art in the XXth Century*, Londres, 1959.
Ventes Publiques : Hong Kong, 17 nov. 1988 : *Poissons rouges*, kakémono, encre/soie (109x39) : **HKD 13 200** – New York, 29

nov. 1993 : *Paysage* 1931, kakémono, encre et pigments/pap. (135,3x23,8) : **USD 690.**

WANG YA-CHUN
Né en Chine. XXe siècle. Chinois.
Peintre.
Il travaille en Chine. En 1946 il présentait *Poissons dorés* à l'Exposition internationale d'Art moderne ouverte à Paris, au Musée d'Art Moderne, par l'Organisation des Nations unies.
Il est influencé par l'art français sans renier tout de la tradition classique chinoise.

WANG YA-TCH'EN. Voir **WANG YACHEN**

WANG YI ou **Wang I**, surnom : **Sishan**, nom de pinceau : **Qijue**
XIVe siècle. Actif à Hangzhou (province du Zhejiang), vers 1360. Chinois.
Peintre.
Peintre de paysages et de portraits, il est l'auteur d'un traité sur le portrait et la peinture en couleurs, le *Xiexiang Mijue*, qui reste assez sommaire.

WANG Yidong
Né en 1955 dans la province de Shandong. XXe siècle. Chinois.
Peintre de compositions à personnages, nus, portraits, paysages.
Il a étudié à l'École d'Art de Shandong, puis fut admis à l'Académie centrale des Beaux-Arts de Pékin, dont il sortit diplômé en 1982, y devenant la même année professeur.
Il expose en Chine et à l'étranger : en France, au Canada, en Italie, au Japon... Il a figuré à l'exposition *Peinture à l'Huile Contemporaine du Peuple de la République de Chine* aux États-Unis en 1987.
Sa peinture, d'une réalisme traditionnel, évoque principalement sa province natale : portraits d'habitants, mode de vie, paysages...
Bibliogr. : In : *Catalogue Christie's*, vente du 30 mars 1992, Hong Kong.
Ventes Publiques : Hong Kong, 30 mars 1992 : *Orage lointain* 1991, h/t (100x110) : **HKD 132 000** ; *Petite fille du Yimeng* 1990, h/t (60,5x50) : **HKD 187 000** – Hong Kong, 28 sep. 1992 : *L'arrivée de la pluie dans les monts Meng* 1991, h/t (190x185) : **HKD 704 000** – Hong Kong, 22 mars 1993 : *Petite fille* 1992, h/t (97,5x78,5) : **HKD 276 000** – Hong Kong, 4 mai 1995 : *Mariée* 1988, h/t (58,4x48,2) : **HKD 109 250** – Hong Kong, 30 avr. 1996 : *Le calme après le vent* 1990, h/t (79,7x99,7) : **HKD 172 500.**

WANG YIMIN ou **Wang I-Min**
Originaire de Yongkang, province du Zhejiang. XIIe siècle. Actif pendant l'ère Zhenghe (1110-1114). Chinois.
Peintre.
Moine bouddhiste, il retourne à la vie laïque et est connu comme peintre de figures et de paysages.

WANG YINGSHOU ou **Wang Ying-Cheou** ou **Wang Ying-Shou**, de son vrai nom : **Wang Shen**, surnom : **Ziqing**
XIXe siècle. Actif dans la première moitié du XIXe siècle. Chinois.
Peintre.
Petit-fils de Wang Yuanqi (1642-1715), il fait des paysages dans la tradition familiale.

WANG YITING. Voir **WANG ZHEN**

WANG YU, surnom : **Richu**, nom de pinceau : **Dongzhuang**
Originaire de Taicang, province du Jaingsu. XVIIe-XVIIIe siècles. Actif vers 1680-1729. Chinois.
Peintre de paysages.
Peintre de paysages, élève de son oncle Wang Yuanqi (1642-1715), il est l'auteur d'un court ouvrage, le *Dongzhuan Lun Hua*, qui rassemble sans ordre une série de notations discontinues, environ une trentaine. Bien qu'il se veuille le fidèle élève de Wang Yuanqi, il n'en fait pas moins preuve d'une pensée plus originale que celle de son maître et au lieu de prôner avant tout l'imitation des Anciens, insiste sur la création individuelle. Son traité s'attache plus aux problèmes théoriques que techniques et offre des réflexions tout à fait pénétrantes sur la critique, l'esthétique et les conditions spirituelles de la création artistique.
Bibliogr. : P. Ryckmans : *Les Propos sur la peinture de Shitao*, Bruxelles, 1970.
Musées : Paris (Mus. Guimet) : *Paysage de rivière* 1688, d'après Wang Meng.
Ventes Publiques : Hong Kong, 29 avr. 1996 : *Bosquets enneigés*, encre/pap. (70,9x89) : **HKD 184 000.**

WANG YUAN, surnom : **Ruoshui**, nom de pinceau : **Danxuan**
Originaire de Hangzhou, province du Zhejiang. XIVe siècle. Actif vers 1310-1350. Chinois.
Peintre.
Ami et disciple de Zhao Mengfu (1254-1322), il est bien connu comme peintre de fleurs, d'oiseaux et de paysages. Pour ceux-ci, il suit le style de Guo Xi (vers 1020-1100), tandis que ses peintures de fleurs et d'oiseaux se rapprochent de celui de Huang Quan (Xe siècle).
Musées : Boston (Mus. of Fine Arts) : *Petit oiseau sur une fine branche*, peint. à l'encre, le poème est signé Yue Dai actif au XVIe siècle – New York (Metropolitan Mus.) : *Les cent fleurs*, rouleau en longueur signé, coul. sur soie – Pékin (Mus. du Palais) : *Gros faisan sur un rocher – magnolia en fleur bambous et autres plantes* coul. sur soie, signé – *Oiseaux jouant dans l'étang aux lotus*, feuille d'album montée en rouleau en longueur, signé, colophons de Qiu Yuan, Ke Qiusi, etc – *Une poule et cinq poussins*, signé – *Hibiscus*, feuille d'album, cachet du peintre – *Coq, poule et trois poussins*, signé – Shanghai : *Bambou, rochers, et oiseaux* daté 1344, rouleau en hauteur, encre sur pap. – Taipei (Nat. Palace Mus.) : *Rencontre d'amis dans un pavillon sous les pins* daté 1299, rouleau en hauteur, encre sur soie – *Oiseaux sur un jeune pêcher et bambous* daté 1356, signé – *Deux oies sauvages dans les roseaux sur la rive* – Tokyo (Nezu Mus.) : *Pêcher et perruche*.

WANG YUANCHU ou **Wang Yüan-Ch'u** ou **Wang Yuan-Tch'ou**, surnom : **Ziyai**
XVIIe siècle. Actif probablement au milieu du XVIIe siècle. Chinois.
Peintre.
Peintre de paysages dans le style de Huang Gongwang (1269-1354).

WANG YUANQI ou **Wang Yüan-Ch'i** ou **Wang Yuan-K'i**, surnom : **Maojing**, noms de pinceau : **Lutai, Xilu Houren**, etc.
Né en 1642, originaire de Taicang, province du Jiangsu. Mort en 1715. XVIIe-XVIIIe siècles. Chinois.
Peintre de paysages.
Au début de l'époque Qing, l'essor de la peinture chinoise se poursuit dans les provinces du Sud ; de nombreux peintres, dans la tradition des idéaux lettrés de la fin des Ming, se groupent sous la bannière de Dong Qichang (1555-1636), lui-même à l'origine d'une orthodoxie nouvelle fondée sur l'étude et la copie des Anciens. Les plus illustres représentants de ce courant pictural sont les Quatre Wang qui, à travers une recherche fervente de l'Antiquité, libèrent leur propre créativité et parviennent à insuffler une vie nouvelle aux chefs-d'œuvre passés. Tous quatre originaires de la province méridionale du Jiangsu et portant le même patronyme, ils n'ont néanmoins aucun lien de parenté à l'exception de Wang Yuanqi, petit-fils de Wang Shimin.
Son œuvre, particulièrement attachante, est sans doute celle qui révèle la personnalité la plus hardie, bien que sa formation familiale et sa carrière officielle semblent le destiner à rester dans la lignée de ses prédécesseurs, notamment de son grand-père qui l'initie très jeune à la peinture. Obtenant le grade de *docteur* à vingt-neuf ans, il est d'abord magistrat de district, puis censeur et membre de l'Académie Hanlin. En 1700, l'empereur Qing Kangxi le nomme conseiller de ses collections artistiques et, en 1705, le charge de la commission de compilation du *Peiwenzhai shuhuapu*, catalogue en cent volumes des peintures et calligraphies de la bibliothèque impériale, publié en 1708. Et bien qu'il ne soit pas un peintre de cour à proprement parler, les dernières décennies de son existence le verront dominer l'Académie Impériale ; à travers lui se perpétuera l'une des vertus cardinales de la tradition lettrée : la capacité d'emprunter aux Anciens leurs formes et leurs techniques et de les interpréter de façon nouvelle, compte tenu de l'évolution apportée par les siècles, dans un but d'expression personnelle.
Dès ses premières œuvres, Wang Yuanqi s'avère un admirateur passionné de Huang Gonwang (1269-1354) dont il perçoit à merveille l'intériorité et la spontanéité. Mais bientôt, son pinceau énergique accentue certains traits et certaines valeurs tonales, conférant à la peinture plus de grandeur spatiale. S'efforçant de se détacher des modèles, il cherche, entre 1693 et 1696, à rendre la texture des pierres et s'éloigne progressivement de la méthode traditionnelle des rides et des ponctuations à l'encre pour

construire les roches en amoncellements de blocs par accumulation de traits qui dessinent une ombre dense aux contours. Quant aux troncs des arbres, ils sont eux aussi délimités par une ligne fine et précise. Parvenu à maturité, à partir des années 1700, il est amené à réduire les détails au profit des volumes et des plans, tendance qui domine les œuvres tardives et, plus généralement, les meilleurs d'entre elles. Quelques thèmes simples, venus le plus souvent de Huang Gongwang ou de Ni Zan (1301-1374), donnent lieu à d'infinies variations, riches d'allusions plastiques et unifiées par la cohérence interne à la composition. Celle-ci est en effet l'une des plus imaginatives et l'une des plus audacieuses de toute la peinture chinoise et place Wang Yuanqi bien à part des orthodoxes.
C'est sans doute cette approche plus intellectuelle de l'art qui lui vaut actuellement un regain d'intérêt de la part de certains connaisseurs occidentaux. Il laisse d'ailleurs un court recueil de propos, le *Yuchuang Manbi*, assez mince et banal, mais d'une grande valeur documentaire étant donné la personnalité de son auteur, si représentative des goûts d'une époque, et responsable d'une si large influence sur la postérité. Pour lui, la réussite d'une peinture repose sur l'intention qui en précède l'exécution et, reprenant l'adage classique formulé dès le VIIIe siècle par Wang Wei, *l'idée doit précéder le pinceau*, il insiste sur la formation systématique de l'artiste, selon une méthode laborieuse qui, pour ce qui le concerne, le retient parfois dix jours sur le rendu d'un cours d'eau et cinq sur celui d'une pierre. Le principal intérêt de ce bref traité aux notions relevant de la composition, notamment au principe de la *veine du dragon* (*longmai*), métaphore empruntée à l'ancienne géomancie chinoise et désignant les veines géantes comme des dragons, porteuses de vie dans la nature. Dans la peinture de paysage, ce terme se rapporte aux mouvements de la composition et traduit le rythme interne qui doit émaner de la peinture. Pour Wang Yuanqi, dans l'application qu'il fait de ce principe, les *ouvertures et fermetures* (*kaihe*), c'est-à-dire la répartition des plages vides et des zones pleines, et les *montées et descentes* (qifu), ou l'équilibre et déséquilibre des masses, sont les points essentiels dont dépend le passage de la vie à travers l'œuvre.
Les critiques occidentaux ont parfois rapproché l'œuvre de Wang de celle de Cézanne et, si l'on ne saurait pousser trop loin la similitude, la comparaison de leurs positions dans leurs traditions picturales respectives ne s'en avère pas moins aussi stimulante que fondée. L'un et l'autre consacrent en effet leur vie à l'étude des maîtres anciens, tout en s'attachant à ancrer leur art dans la nature par une observation inlassable du réel. Préoccupés avant tout par la réorganisation cérébrale du monde physique et par *l'interaction du vide et du solide*, comme le dit Wang Yuanqi, ils se concentrent avec la même énergie sur la réalisation d'un motif, *La montagne Sainte-Victoire* chez Cézanne, tel thème de Ni Zan, chez Wang. Et tous deux encore considèrent la couleur comme un élément essentiel ; cependant, si pour le premier le dessin et la couleur traduisent des sensations visuelles concrètes, pour le second, la calligraphie chinoise, complétée par la couleur, permet d'exprimer un état intérieur en accord avec la nature et l'esprit des Anciens. ■ M. M.

Bibliogr. : J. Cahill : *La peinture chinoise*, Genève, 1960 – P. Ryckmans : *Les Propos sur la peinture de Shitao*, Bruxelles, 1970 – F. Denès : *Wang, les Quatre*, in : *Encyclopaedia Universalis, vol. XVI*, Paris 1973.

Musées : Boston (Mus. of Fine Arts) : *Rivière dans la brume et montagnes* signé et daté 1694, éventail – *Montagnes herbues et grands arbres*, éventail signé – Chicago (Art Inst.) : *Paysage* signé et daté 1701, d'après Huang Gongwang – Cleveland (Mus. of Art) : *Paysage d'après Ni Zan*, encre et coul. légères, inscription datée 1707 – Honolulu (Acad. of Arts) : *Rivière traversée par un pont au pied de hautes montagnes* signé et daté 1708, d'après Huang Gongwang – Paris (Mus. Guimet) : *Paysage avec montagnes dans la brume* daté 1712, encre et coul. sur pap., rouleau en hauteur, colophon – *Paysage*, dans le style de Huang Gongwang et de Gao Kegong – Pékin (Mus. du Palais) : *Huit études de paysages*, encre et coul. sur pap., d'après des maîtres anciens – *Paysage*, inscription signée et datée 1708, d'après Ni Zan – *Montagne en terrasses, arbres et pavillons* daté 1701, encre et coul. bleu et vert – *Vallée de rivière dans la brume et arbres émergeant des nuages* daté 1702, encre et coul. sur pap., illustration d'un poème de Han Zhangni – *Paysage d'après Ni Zan et Huang Gongwang*, inscription signée et datée 1703 – Shanghai : *Rivière de montagne et hauts sommets*, coul. sur pap., d'après Huang Gongwang, inscription datée 1695 – Taipei (Nat. Palace Mus.) : *Couleurs d'automne sur le Mont Hua*, encre et coul. sur pap., rouleau en hauteur – *Paysage d'été* daté 1695, encre et coul. sur pap., rouleau en hauteur dans le style de Wang Meng – *Paysage*, encre et coul. légères sur pap., rouleau en hauteur dans le style de Huang Gongwang – *Paysage* daté 1697, encre et coul. légères sur pap., paysage en hauteur dans le style de Huang Gongwang – *Paysage* daté 1700, dans le style de Wang Meng – *Paysage* daté 1700, encre sur pap., rouleau en hauteur – *Paysage* daté 1700, encre sur pap., dans le style de Li Cheng, rouleau en hauteur – *Paysage* daté 1700, encre sur pap., dans le style de Wang Meng, rouleau en hauteur – *Paysage* daté 1701, encre sur pap., dans le style de Ni Zan, rouleau en hauteur – *Paysage* daté 1702, encre et coul. sur pap., dans le style de Huang Gongwang, rouleau en hauteur – *Paysage* daté 1702, encre sur pap., dans le style de Ni Zan, rouleau en hauteur – *Montagne à l'automne* daté 1703, encre et coul. sur pap., rouleau en hauteur – *Paysage* daté 1706, encre sur pap., dans le style de Ni Zan, rouleau en hauteur – *Paysage* daté 1707, encre sur pap., dans le style de Huang Gongwang, rouleau en hauteur – *Paysage* daté 1708, encre sur pap., dans le style de Wang Meng, rouleau en hauteur – *Paysage* daté 1708, encre sur pap., dans le style de Huang Gongwang, rouleau en hauteur – *Montagnes d'automne* daté 1707, encre et coul. légères sur pap., d'après Huang Gongwang, rouleau en hauteur – *Paysage* daté 1708, encre sur pap., rouleau en hauteur – *Paysage* daté 1708, encre sur pap., dans le style de Mi Fei, rouleau en hauteur – *Paysage d'automne* daté 1709, encre et coul. légères sur pap., rouleau en hauteur – *Paysage* daté 1709, encre sur pap., dans le style de Wu Zhen, rouleau en hauteur – *Ruisseaux et pins dans la vallée*, encre et coul. légères sur pap., rouleau en hauteur – Washington D. C. (Freer Gal. of Art) : *Paysage* daté 1704, encre sur pap., dans le style de Ni Zan, rouleau en hauteur.

Ventes Publiques : New York, 1er juin 1989 : *Paysage*, kakémono, encre/pap., dans le style de Huang Gongwang (87,5x51,5) : **USD 38 500** – New York, 4 déc. 1989 : *Montagne dans la brume au printemps*, kakémono, encre et pigments/pap. (55,9x101,6) : **USD 13 200** – New York, 6 déc. 1989 : *Paysage*, kakémono, encre/pap. (126,4x65,1) : **USD 49 500** – New York, 26 nov. 1990 : *Paysage*, kakémono, encre et pigments/soie, d'après Huang Gongwang (153x77,5) : **USD 11 000** – New York, 25 nov. 1991 : *Paysage*, kakémono, encre/pap., d'après Wang Meng (113,4x48,3) : **USD 82 500** – New York, 1er juin 1992 : *Paysage*, kakémono, encre et pigments/pap., d'après Nizan (94,9x48,3) : **USD 30 800** – New York, 2 déc. 1992 : *Paysage*, kakémono, encre et pigments/pap. (160,6x109,8) : **USD 11 000** – New York, 1er juin 1993 : *Paysage*, kakémono, encre et pigments/soie (142,2x60,3) : **USD 6 900** – New York, 18 sep. 1995 : *Paysage* 1707, kakémono, encre/pap., dans le style de Gao Kegong (100,3x46,4) : **USD 17 250**.

WANG Yuezhi, de son vrai nom **Liu Jin-Tong**
Né en 1894 à Taichung. Mort en 1937. XXe siècle. Chinois.
Peintre de figures, paysages. Style occidental, réaliste social.

Son nom originel est Liu Jin-Tong. Il commença ses études à l'école japonaise de Taipei, puis les poursuivit à l'Institut de peinture Kawabata de Tokyo, puis à l'École des Beaux-Arts de Tokyo. Malgré son attachement au Japon, il fut profondément influencé par le Mouvement du 14 mai en 1919, faisant naître des sentiments patriotiques et anti-japonais. Diplômé en 1921, il devint professeur à l'École d'art de Pékin. Vers 1924, il fonda avec He Tian-Jian une école privée à Pékin.
On peut diviser son travail en trois périodes : de 1921 à 1927, la continuation du style académique de l'École des Beaux-Arts de Tokyo. De 1928 à 1930, il dirige la section de peinture occidentale de l'Institut des Beaux-Arts de Hangchowet et il est très sensible aux extérieurs et paysages de la région que l'on retrouve dans ses peinture. De 1931 à 1937, le réalisme social est présent dans l'œuvre de Wang reflétant les turbulences de l'histoire de la Chine de cette période. ■ J. B.

Ventes Publiques : Taipei, 10 avr. 1994 : *Yu Quan Shan*, h./soie (82,5x35,5) : **TWD 690 000**.

WANG YUN, surnom : **Hanzao**, nom de pinceau : **Qingchi**
Né en 1652, originaire de Gaoyu, province du Jiangsu. Mort vers 1735. XVIIe-XVIIIe siècles. Chinois.
Peintre.

Peintre de figures dans le style de Qiu Ying (vers 1510-1551) et de paysages dans celui des peintres académiques Song.

Musées : Boston (Mus. of Fine Arts) : *Paysage de montagnes* signé et daté 1705, d'après Fan Kuan – Londres (British Mus.) : *Un immortel avec des pêches* signé et daté 1732 – Taipei (Nat.

Palace Mus.) : *Paysage*, encre et coul. sur soie, rouleau en hauteur – *Canard mandarin et fleurs de pêchers* daté 1700, d'après Lu Zhi, bambous de Wang Hui, poème de Wang Yun.
Ventes Publiques : New York, 18 mars 1997 : *Rassemblement littéraire* 1718, encre et coul./soie (208,3x129,5) : **USD 11 500**.

WANG YUNXIANG ou **Wang Yun-Hiang** ou **Wang Yün-Hsiang**, nom de pinceau : **Qingwei Daoren**
Originaire de Wuxi, province de Jiangsu. XIXe siècle. Active vers 1800. Chinoise.
Peintre.
Nonne bouddhiste, peintre d'orchidées.

WANG ZAO ou **Wang Tsao**, surnom : **Songnian**
XIIe siècle. Actif pendant l'ère Shaoxing (1131-1162). Chinois.
Peintre.
Peintre de buffles et de chevaux.

WANG ZHAO ou **Wang Chao** ou **Wang Tchao**, surnom : **Dechu**, nom de pinceau : **Haiyun**
Originaire de Xiuning, province de Anhui. XVIe siècle. Actif vers 1500. Chinois.
Peintre de figures, paysages.
Peintre de paysages et de figures dans les styles de Dai Jin et de Wu Wei.
Musées : Princeton (University Mus. of Art) : *Deux hommes assis sur une terrasse près des pins*.
Ventes Publiques : New York, 31 mai 1989 : *Pêcheurs*, kakémono, encre/pap. (122,5x49,5) : **USD 4 675**.

WANG ZHAOXIANG ou **Wang Chao-Hsiang** ou **Wang Tchao-Siang**
Probablement originaire de Yangzhou, province du Jiangsu. XVIIIe siècle. Chinois.
Peintre.
Peintre non mentionné dans les biographies d'artistes, mais dont le British Museum de Londres conserve une œuvre signée, *Petite fille tenant un oiseau*.

WANG ZHEN ou **Wang Chen** ou **Wang Tchen**, surnom : **Yiting** ou **I-T'ing**, nom de pinceau : **Bailong Shanren**
Né en 1868. Mort en 1938. XIXe-XXe siècles. Chinois.
Peintre de figures, paysages, animalier.
Peintre de l'école traditionnelle lettrée, il est actif à Shanghai et est très lié avec le peintre Wu Changshi.
Ventes Publiques : New York, 2 juin 1988 : *Bambous et hirondelles*, kakémono, encre/pap. (104x30,5) : **USD 880** – Hong Kong, 17 nov. 1988 : *Oiseau sur un rameau fleuri*, kakémono, encres/pap. (148x40) : **HKD 14 300** ; *Paysages des quatre saisons* 1920, ensemble de quatre kakémono, encre et pigments/pap. (chaque 148,5x38,4) : **HKD 275 000** – Hong Kong, 16 jan. 1989 : *Vase de chrysanthèmes posé à côté d'un panier de crabes* 1925, kakémono, encre et pigments/pap. (150,5x81,3) : **HKD 46 200** – Hong Kong, 18 mai 1989 : *Bodhidharma traversant une rivière sur un bambou*, kakémono, encre et pigments/satin (146,5x53) : **HKD 66 000** ; *Bodhidharma*, kakémono, encre et pigments/pap. (120x45,5) : **HKD 99 000** – Hong Kong, 15 nov. 1989 : *Bodhidharma* 1930, kakémono, encre et pigments/pap. (132,5x50,5) : **HKD 110 000** – New York, 6 déc. 1989 : *Oiseaux et fleurs* 1929, kakémono, encre et pigments/pap. (156,2x35,6) : **USD 3 300** – New York, 31 mai 1990 : *Shou Lao, le dieu de la Longevité*, kakémono, encre et pigments/pap. (141x68) : **USD 7 150** – Hong Kong, 15 nov. 1990 : *Album de sujets divers en 17 feuilles*, encre et pigments/pap. (chaque 24x30) : **HKD 198 000** – New York, 26 nov. 1990 : *Zhong Kui et le démon*, kakémono, encre et pigments/pap. (111,8x34,3) : **USD 3 850** – Hong Kong, 2 mai 1991 : *les hehe boys* 1930, kakémono, encre et pigments/pap. (154,6x81,6) : **HKD 77 000** – New York, 29 mai 1991 : *Poule et coq*, kakémono, encre et pigments/pap. (128,2x32,4) : **USD 2 750** – Hong Kong, 31 oct. 1991 : *Lettré dans un paysage* 1915, kakémono, encre et pigments/pap. (134,4x66) : **HKD 66 000** – Hong Kong, 30 avr. 1992 : *Contes d'un village de pêcheurs* 1915, makémono, encre et pigments/pap. (35,9x882,9) : **HKD 715 000** – Hong Kong, 29 oct. 1992 : *Oiseaux des quatre saisons*, encre et pigments/pap., ensemble de quatre kakémomos (chaque 248,5x61,5) : **HKD 396 000** – Hong Kong, 29 avr. 1993 : *Navigation sous le phare*, encre/pap. (132x50) : **HKD 184 000** – New York, 16 juin 1993 : *Serpent rouge dans les roseaux*, encre et pigments/pap., kakémono (132,1x49,2) : **USD 12 650** – Hong Kong, 3 nov. 1994 : *Les nigauds* 1916, encre et pigments/pap., kakémono (158x84) : **HKD 71 300** – New York, 18 sep. 1995 : *Portrait de Bouddha à l'infinie longévité*, encre et pigments/pap., kakémono (130,8x55,9) : **USD 4 025**.

WANG ZHENG, surnom : **Duanren**, nom de pinceau : **Duanrong**
XVIIIe siècle. Actif au début du XVIIIe siècle. Chinois.
Peintre.

WANG Zhenghua
Né en 1937 à Henan. XXe siècle. Actif aux États-Unis. Chinois.
Peintre de figures, nus, natures mortes, fleurs.
De 1956 à 1961, il fut élève de Wu Zuoren à l'Académie Centrale des Beaux-Arts. En 1980, il fit un voyage d'étude en Europe, en Italie (Académie Brera, Milan), en France et en Angleterre. Il s'est fixé à New York.
Il expose en Chine, mais surtout à l'étranger : au Japon, en Italie, en Algérie, aux États-Unis. Il a figuré en 1987 à l'exposition *Peinture à l'Huile Contemporaine du Peuple de la République de Chine* aux États-Unis.
Les sujets traditionnels de ses peintures sont traités dans une facture qui pourrait s'apparenter à un certain pointillisme et qui fait son originalité.
Bibliogr. : In : *Catalogue Christies*, 30 mars 1992, vente Hong Kong.
Ventes Publiques : Hong Kong, 30 mars 1992 : *Jonquilles* 1991, h/t (50,8x61) : **HKD 52 800** – Hong Kong, 22 mars 1993 : *Les vieux du village se chauffant au soleil* 1992, h/t (107x172,7) : **HKD 149 500** – Hong Kong, 4 mai 1995 : *Nu* 1988, h/t (120x99,7) : **HKD 57 500**.

WANG ZHENPENG ou **Wang Chên-P'êng** ou **Wang Tchen-P'eng**, surnom : **Pengmei**, nom de pinceau : **Guyun Qushi**
Originaire de Yongjia, province du Zhejiang. XIVe siècle. Actif dans la première moitié du XIVe siècle. Chinois.
Peintre.
Architecte et peintre d'architecture, il est bien connu pour sa technique *jiai hua* (peinture des limites) et fait aussi des paysages. Il est très apprécié par l'empereur Renzong (1312-1320) à qui il doit son nom de pinceau, l'Ermite des nuages solitaires.
Musées : Boston (Mus. of Fine Arts) : *Le bateau-dragon impérial*, éventail, attribution – Indianapolis (Art Inst.) : *Démons attaquant le bocal de verre contenant le fils de Hariti*, rouleau en longueur, attribution – Kansas City (Nelson Gal. of Art) : *Bâtiment palatial sur une terrasse*, feuille d'album signée – Pékin (Mus. du Palais) : *Le bateau-dragon impérial*, rouleau en longueur, cachets du peintre – *Le palais d'été impérial* signé et daté 1312, rouleau en longueur – Taipei (Nat. Palace Mus.) : *Festival du bateau-dragon* daté 1323, encre sur soie, rouleau en longueur – *Festival du bateau-dragon à l'époque Han* signé et daté 1310, encre sur soie, rouleau en longueur – *La résidence des Immortels dans la brume de la Mer de la Brume*, coul. sur soie.

WANG ZHI ou **Wang Chih** ou **Wang Tche**, surnom : **Zimei**
XVIIe siècle. Actif dans la première moitié du XVIIe siècle. Chinois.
Peintre.
Peintre de fleurs et d'oiseaux, non mentionné dans les biographies d'artistes.

WANG ZHICHENG Jean Denis ou **Wang Chih-Ch'eng** ou **Wang Tche-Tch'eng** ou **Ba Deni** ou **Pa Teni**, de son vrai nom : **Attiret**
Né le 31 juillet 1702 à Dole. Mort le 8 décembre 1768 à Pékin. XVIIIe siècle. Français.
Peintre d'histoire, batailles, paysages, aquarelliste.
L'empereur Qianlong des Qing (règne 1736-1796), voulant immortaliser ses victoires en Haute-Asie (1755-1759), avait fait exécuter dans un bâtiment du palais impérial de Pékin des scènes de bataille et a l'idée de faire graver sur cuivre ces peintures et demande aux artistes missionnaires en poste à Pékin de préparer des dessins destinés à la gravure des planches. Jean-Denis Attiret est au nombre de ces peintres jésuites. Fils d'un peintre breton, il se rend à Rome pour perfectionner son art de peindre, séjourne ensuite en Lombardie et au retour passe à Lyon. Il entre au noviciat d'Avignon le 31 juillet 1735 et devient frère coadjuteur dans la Compagnie de Jésus. Les Jésuites de Pékin réclamant un peintre pour aider le frère Castiglione (de son nom chinois, Lang Shining, 1688-1766), Attiret s'offre pour partir en Chine, s'embarque vers la fin de 1737 et arrive à Pékin en février-mars 1739. Pour son tableau d'entrée, il présente à Qianlong une *Adoration des Rois*, et l'empereur apprécie vivement la peinture d'histoire et de portrait. En Chine, Attiret devient paysagiste, peintre de batailles, de fleurs, d'animaux, d'architecture et de décoration, mais Qianlong n'aimant pas la peinture à l'huile, il

doit l'abandonner pour la peinture à l'eau. Il décore le palais d'été de Yuanmingyuan, œuvre qui disparaîtra dans l'incendie de 1860. Lors de la reddition d'Amour sana en 1754, Attiret est chargé par l'empereur de faire le portrait de ce chef et de ses vassaux qui venaient de se rendre. Le peintre, à cette occasion, séjourne donc deux mois à Jéhol, exécutant vingt-deux portraits à l'huile et quatre grands dessins de la cérémonie et des autres exercices. A la suite de ce séjour, l'empereur lui offre le mandarinat, mais il en refuse les honneurs et meurt à Pékin le 8 décembre 1768. Quant aux gravures des conquêtes de Qianlong auxquelles Attiret avait participé, elles seront exécutées en France sous la direction de Charles-Nicolas Cochin (1715-1790), secrétaire historiographe de l'Académie de Peinture, qui, pour ce faire, fera appel à quelques artistes renommés.
Bibliogr. : M. Pirazzoli-t'Serstevens : *Gravures des conquêtes de l'Empereur de Chine K'ien-long au Musée Guimet*, Paris, 1969.

WANG ZHIRUI ou **Wang Chih-Jui** ou **Wang Tche-Jouei**, surnom : **Rurui**
Originaire de Xiuning, province du Anhui. XVIIe siècle. Actif vers 1650. Chinois.
Peintre.
Peintre de paysages, il compte parmi les Quatre maîtres du Anhui.

WANG ZHONG ou **Wang Chung** ou **Wang Tchong**, surnom : **Wufang**
Originaire de Xiexian, province du Anhui. XVIIIe siècle. Chinois.
Peintre.
Peintre de paysages, de fleurs, d'oiseaux et de figures.

WANG ZHONGLI ou **Wang Chung-Li** ou **Wang Tchong-Li**, surnom : **Zhenzhi**
Originaire de Suzhou, province du Jiangsu. XVIIe siècle. Actif vers 1620. Chinois.
Peintre.
Peintre de fleurs et d'oiseaux dont le National palace Museum de Taipei conserve une œuvre signée et datée 1622, *Moineau et roses près d'une pierre*.

WANG ZHONGYU ou **Wang Chung-Yü** ou **Wang Tchong-Yu**
XIVe siècle. Actif pendant l'ère Hongwu (1368-1378). Chinois.
Peintre.
Le Musée du Palais de Pékin conserve de lui un *Portrait de Tao Yuanming*, précédé d'une longue inscription.

WANG ZHUAN ou **Wang Tsouan** ou **Wang Tsuan**, surnom : **Yigong**, nom de pinceau : **Suian**
Né en 1623. Mort après 1708. XVIIe siècle. Chinois.
Peintre.
Peintre de paysages, fils de Wang Shimin (1592-1680).

WANG ZIYUN ou **Wang Tseu-Yun** ou **Wang Tzu-Yün**
Né en 1901 dans la province du Jiangsu. XXe siècle. Chinois.
Sculpteur, peintre.
Après des études à Shanghai et à Pékin, il poursuit sa formation à Paris, de 1931 à 1937. Peintre de l'école moderne, il fonde avec Wang Yuezhi le *Beijing Yishu Yuan*, ou Institut d'Art de Pékin, et plus tard enseigne à l'Académie d'Art de Hangzhou. En 1943, il participe aux copies des fresques de Dunhuang.

WANICZEK Julia. Voir **RAYSKA Julia**

WANIER Daniel
XVIe siècle. Actif à Abbeville. Français.
Peintre verrier.
Il travailla à Auxi-le-Château en 1533.

WANIMILI
Né en 1949. XXe siècle. Australien.
Peintre. Traditionnel aborigène.
Artiste aborigène, il peint avec du noir et des ocres végétaux ou minéraux sur des écorces d'eucalyptus, des œuvres à caractère religieux ou social.
Bibliogr. : In : *Creating Australia – 200 years of art 1788-1988*, Adelaïde, 1988.
Musées : Darwin (Mus. and Art Gal. of the Northern Territory) : *Totems maternels* vers 1981.

WANING Cornelis Antonie Van
Né le 26 juillet 1861 à La Haye. Mort en 1929. XIXe-XXe siècles. Hollandais.
Peintre de paysages, marines.
Il fut élève de Johannes Bosboom.

C van Waning

Musées : Dordrecht : Marines – La Haye : Marines.
Ventes Publiques : Amsterdam, 23 avr. 1980 : *Vue de Dordrecht*, h/t (87x119) : **NLG 5 800** – Amsterdam, 19 avr. 1994 : *Vue de l'Ij à Amsterdam*, h/t (79x108) : **NLG 5 980**.

WANING J. Van
XVIIIe siècle. Actif dans la seconde moitié du XVIIIe siècle. Hollandais.
Peintre.

WANING Kees Van
Né en 1861. Mort en 1929. XIXe-XXe siècles. Hollandais.
Peintre de paysages, marines.
Ventes Publiques : Amsterdam, 24 avr. 1991 : *Barques de pêche sur le rivage avec leurs filets en train de sècher*, h/t (60x50) : **NLG 3 910** – Amsterdam, 23 avr. 1991 : *Vue d'une ville avec un pont basculant au dessus d'un canal*, h/t (26x57) : **NLG 1 725** – Amsterdam, 5-6 nov. 1991 : *Une chapelle caché par des arbres*, h/cart. (62x82) : **NLG 2 645** – Amsterdam, 3 nov. 1992 : *Voiliers dans un estuaire*, h/t (31,5x39) : **NLG 1 840** – Amsterdam, 14 juin 1994 : *Une ville avec un moulin au bord d'une rivière*, h/t (36,5x50,5) : **NLG 3 220**.

WANING Marie Van ou **Waning-Stevens**
Née le 2 décembre 1874 à Gorkum. XIXe-XXe siècles. Hollandaise.
Peintre de portraits, animaux, natures mortes.
Elle fut la femme et l'élève de Cornelis Antonie Van Waning. Elle exposa à Amsterdam en 1911.
Ventes Publiques : Amsterdam, 9 nov. 1993 : *Nature morte de roses blanches*, h/t (38,5x48) : **NLG 1 380** – Amsterdam, 19 avr. 1994 : *Nature morte de fleurs*, h/t (45,5x55) : **NLG 1 725**.

WANING Martin Van
Né le 4 septembre 1889 à La Haye. XXe siècle. Hollandais.
Peintre de portraits, marines, paysages, sculpteur.
Il réalisa aussi des lithographies.
Ventes Publiques : Amsterdam, 5-6 nov. 1991 : *Vue de Dordrecht*, h/pan. (75x140) : **NLG 2 875** – Amsterdam, 14 sep. 1993 : *Navigation sur une rivière*, h/t (70x50) : **NLG 1 380** – Amsterdam, 7 nov. 1995 : *Navigation dans un port hollandais*, h/cart. (30x40) : **NLG 1 534**.

WAN KANG. Voir **WAN GANG**

WANKEL Charlotte
Née en 1888 à Kambo. Morte en 1969 à Baerum. XXe siècle. Norvégienne.
Peintre de portraits.
Ventes Publiques : Copenhague, 13-14 fév. 1991 : *Portrait* 1937, h/t (70x50) : **DKK 18 000**.

WANKIE Wladyslaw ou **Wanke**
Né en 1860 à Varsovie. Mort le 23 janvier 1925 à Varsovie. XIXe-XXe siècles. Polonais.
Peintre de genre, paysages.
Il fut élève de l'Académie de Munich. Peintre, il écrivit également sur l'art. Il peignit des scènes de genre du XVIIIe siècle et des paysages de Bretagne.
Musées : Lemberg – Varsovie.

WAN K'I-FAN. Voir **WAN QIFAN**

WAN KOUO-TCHEN. Voir **WAN GUOZHEN**

WANKOWICZ Walenty ou **Valentin**
Né le 14 février 1800 à Kaluzyce. Mort le 12 mai 1842 à Paris. XIXe siècle. Polonais.
Peintre d'histoire, portraits.
Élève de l'Académie de Saint-Pétersbourg.
Il a peint les portraits de nombreuses personnalités lithuaniennes. On lui doit aussi de beaux portraits romantiques de Mickiewicz.
Musées : Cracovie : *L'artiste – Le poète A. Gorecki* – Moscou : *A. Mickiewicz jeune* – Varsovie : *Le poète A. Mickiewicz sur la montagne Ajudah – A. Mickiewicz*, deux fois – *Le musicien K. Lipinski – H. Hornowski – A. Towianski et sa femme – Napoléon pendant la retraite de Moscou*.
Ventes Publiques : Londres, 22 fév. 1995 : *Portrait d'une dame lisant* 1839, h/t (35x28) : **GBP 2 300**.

WAN KUO-CHÊN. Voir **WAN GUOZHEN**

WANLI Seif
Né en 1906 à Alexandrie. xxe siècle. Égyptien.
Peintre.
Il fut élève du peintre italien Ottorino Bicchi à Alexandrie en 1957. Il enseigne à l'académie des beaux-arts d'Alexandrie.
Il participe à des expositions collectives, notamment : 1971 *Visages de l'art contemporain égyptien* au Musée Galliéra de Paris. Il montre ses œuvres dans de nombreuses expositions personnelles au Caire, à Alexandrie et à l'étranger. Il a reçu en 1959 le IIIe prix de la Biennale d'Alexandrie.
Le ministère de la culture de son pays le chargea de rapporter dans des peintures à l'huile les particularités de la Nubie.
Bibliogr. : In : Catalogue de l'exposition *Visages de l'art contemporain égyptien*, Mus. Galliéra, Paris, 1971.
Musées : Alexandrie (Mus. des Beaux-Arts) – Le Caire (Mus. d'Art Mod.).

WANN Paul
Né le 26 septembre 1869 à Freudenthal. xixe-xxe siècles. Autrichien.
Peintre de paysages, fleurs, natures mortes.
Il fut élève de l'École des Arts Décoratifs de Vienne. Il peignit notamment des motifs de Silésie et de Troppau.

WANNENBURG Adolf
xviiie siècle. Actif à Amsterdam dans la première moitié du xviiie siècle. Hollandais.
Peintre.

WANNENMACHER Joseph
Né le 18 septembre 1722 à Tomerdingen. Mort le 6 décembre 1780 dans la même localité. xviiie siècle. Allemand.
Peintre.
Il fit ses études à Rome et peignit des sujets religieux dans de nombreuses églises de Souabe. Le Musée d'Ulm conserve de lui *Extase de sainte Thérèse*.

WANNENWECZ Hans Jakob
Né en 1693 à Bâle. Mort en 1744. xviiie siècle. Suisse.
Peintre et verrier.
Élève d'Andreas Holzmüller et de son père Hans Jörg Wannenwecz III.

WANNENWECZ Hans Jörg I ou **Wanenwetsch** ou **Wanewetsch**
Né en 1555. Mort le 15 juin 1621 à Bâle. xvie-xviie siècles. Suisse.
Peintre verrier.
Il exécuta des vitraux représentant des armoiries pour diverses familles de Bâle.

WANNENWECZ Hans Jörg II
Né en 1611. Mort après 1679. xviie siècle. Actif à Bâle. Suisse.
Peintre verrier.
Fils de Jakob Wannenwecz. Le Musée Municipal de Bâle conserve dix-neuf vitraux représentant les corporations de la ville.

WANNENWECZ Hans Jörg III
Mort en 1745. xviiie siècle. Actif à Bâle. Suisse.
Peintre verrier.
Père de Hans Jörg Wannenwecz. IV et de Hans Jakob W. Les Musées de Bâle et de Zurich et le Musée Victoria et Albert de Londres conservent des vitraux de cet artiste.

WANNENWECZ Hans Jörg IV
Né en 1700 à Bâle. Mort en 1773. xviiie siècle. Suisse.
Peintre et peintre verrier.
Fils de Hans Jörg Wannenwecz. III. Il travailla à Bâle et à Berne.

WANNENWECZ Jakob
Mort en 1654. xviie siècle. Actif à Bâle. Suisse.
Peintre verrier.

WANNER A.
xviiie siècle. Travaillant à Prague de 1700 à 1711. Autrichien.
Graveur au burin.
Il grava des sujets religieux.

WANNER August
Né le 21 février 1886 à Bâle. xxe siècle. Suisse.
Peintre de compositions religieuses, peintre de compositions murales, peintre verrier, graveur, sculpteur de statues.
Il vécut et travailla à Saint-Gall. Il exécuta des statues, des vitraux, des chemins de croix et des fresques à Saint-Gall et d'autres villes de Suisse.

WANNER Johann
Né à Inzing. xixe siècle. Actif dans la première moitié du xixe siècle. Autrichien.
Peintre.
Il peignit des médaillons pour l'église de Huben (Tyrol).

WANNEZ Édouard André
Né à Paris. xixe siècle. Français.
Peintre animalier.
Élève de Dubuisson et de Oudry. Il débuta au Salon de Paris en 1879 avec un tableau *Coq de bruyère*.

WANPACHER Johann Georg ou **Wanpachter**. Voir **WAMPACHER**

WANPOOL
xviiie siècle. Français.
Peintre de fleurs et de fruits.
Il exposa au Salon de Paris, de 1791 à 1799.

WAN QIFAN ou **Wan Ch'i-Fan** ou **Wan K'i-Fan**, surnom : **Bohan**
Originaire de la province du Fujian. xviiie siècle. Actif vers 1750. Chinois.
Peintre.
Peintre de bambous et d'oies sauvages.

WANS Jan Baptist ou **Wamps**, dit **le Capitaine**
Né le 28 mai 1628 à Anvers. Mort le 13 février 1684 à Anvers. xviie siècle. Éc. flamande.
Peintre de paysages.
Ce fut un bon peintre de paysages dans la manière de Poussin. Il fit aussi des copies de Van Dyck. Franc-maître en 1657. Il fut commandant de la garde civique de sa ville natale de là son surnom. Le Musée d'Anvers conserve un paysage de lui.

J. C W.

WANSART Adolphe
Né en 1873 à Verviers. Mort en 1954 à Bruxelles. xxe siècle. Belge.
Peintre de figures, portraits, paysages, dessinateur, sculpteur de monuments, médailleur.
Élève de l'Académie de Liège, puis de Jean François Portaels à l'Académie de Buxelles, il étudia, plus tard, dans l'atelier du sculpteur Charles Van der Stappen à cette même Académie. Il commença sa carrière artistique comme peintre et, en 1893, obtint le Prix Godecharle.
Ses peintures sont vigoureusement bâties et les couleurs en sont fougueuses. Vers 1900, il abandonne la peinture pour la sculpture. Les œuvres qu'il produit alors sont construites en plans simples, avec des formes schématisées. Les compositions obtenues sont d'une convaincante et reposante sérénité. Il était également médailleur.
Bibliogr. : Gérald Schurr, in : *Les Petits Maîtres de la peinture 1820-1920, valeur de demain*, Les Éditions de l'Amateur, t. III, Paris, 1976.
Ventes Publiques : Paris, 2 déc. 1976 : *Homme en buste*, bronze patiné (H. 86) : **FRF 7 000** – Paris, 4 déc. 1985 : *Frileuse*, bronze, patine noire (H. 91) : **FRF 20 000** – Lokeren, 21 mars 1992 : *Buste de ma femme accoudée* 1928, bronze (H. 72, l. 43) : **BEF 100 000** – Lokeren, 23 mai 1992 : *La fontaine d'amour à la villa des Cèdres à Cap-Ferrat* 1919, h/pan. (73x92) : **BEF 100 000**.

WANSART Éric
Né en 1899 à Uccle. Mort en 1976 à Ixelles. xxe siècle. Belge.
Sculpteur.
Fils du sculpteur Adolphe Wansart, il en fut élève. Il a réalisé des bas-reliefs pour la façade du palais des Congrès de Bruxelles.
Bibliogr. : In : *Dict. biogr. illustré des artistes en Belgique depuis 1830*, Arto, Bruxelles, 1987.

WANSCHER Johann Baptist ou **Wuntscher** ou **Wuntsche**
xviiie siècle. Actif à Linz dans la première moitié du xviiie siècle. Autrichien.
Sculpteur.
Il exécuta des ornements dans l'abbatiale de Schlierbach et des statues de jardin (surtout de nains) dans celle de Lambach et de Gleink.

WANSCHER Laura. Voir **ZEUTHEN**

WANSCHER Vilhelm
Né le 26 juillet 1875 à Horsens. XXe siècle. Danois.
Peintre, dessinateur.
Peintre, il écrivit également sur l'art.

WAN SHANGLIN ou **Wan Chang-Lin**, surnom : **Wang-gang**
Né en 1739, originaire de Nanchang, province du Jiangxi. Mort en 1813. XVIIIe-XIXe siècles. Chinois.
Peintre.
Peintre de paysages.

WAN SHOUQI ou **Wan Cheou-K'i** ou **Wan Shou-Ch'i**, surnom : **Nianshao**, nom de pinceau : **Shamenhuishou**
Né en 1603, originaire de Xuzhou, province du Jiangsu. Mort en 1652. XVIIe siècle. Chinois.
Peintre de figures, paysages, dessinateur.
Il fut poète et peintre de figures dans le style de Zhou Fang.
Musées : Londres (British Mus.) : *Jeune femme vue dans un pavillon à travers une fenêtre* 1631, feuille d'album signée – *La dame du jardin de neige odorant*, attribution.
Ventes Publiques : New York, 31 mai 1989 : *Contemplation dans un paysage*, kakémono, encre et légers pigments/satin (160x49,5) : **USD 880** – New York, 29 nov. 1993 : *Paysages*, encre/pap., makémono en quatre parties (chaque 21,9x76,2) : **USD 79 500**.

WANSLEBEN Arthur
Né le 19 décembre 1861 à Crefeld. Mort le 20 juin 1917 à Düsseldorf. XIXe-XXe siècles. Allemand.
Peintre de paysages, illustrateur.
Il fut élève de l'atelier de Cruba Jenssen et Eugène Dückerde à l'Académie de Düsseldorf, où il s'établit. Il exposa à Munich, notamment en 1888.
Musées : Aix-la-Chapelle : *Neige de mars.*
Ventes Publiques : Cologne, 29 mars 1974 : *Paysage fluvial* : **DEM 2 200** – Cologne, 11 juin 1979 : *Paysage fluvial boisé*, h/t (32,5x48,5) : **DEM 3 600** – Cologne, 23 mars 1990 : *Printemps à Altrhein* 1916, h/t (65x49) : **DEM 2 800**.

WANTE Ernest
Né le 28 septembre 1872 à Gand. Mort en 1960 à Anvers. XIXe-XXe siècles. Belge.
Peintre de compositions religieuses, portraits, paysages, peintre de compositions murales.
Il fut élève de l'Académie et de l'Institut supérieur d'Anvers, où il vécut et travailla. Il peignit surtout des sujets religieux.
Musées : Anvers : *Mort de sainte Gudule.*
Ventes Publiques : Paris, 4 mars 1983 : *Femme à l'écharpe déployée*, bronze doré, statuette éclairante (H. 31,5) : **FRF 12 200** – Amsterdam, 19 oct. 1993 : *Portrait de Polleken* 1910, h/pan. (18,5x14,5) : **NLG 1 150**.

WANTE Paul
Né en 1905 à Berchem. Mort en 1981 à Anvers. XXe siècle. Belge.
Sculpteur de compositions religieuses.
Il a réalisé des œuvres pour des églises d'Edegem, Louvain et Borgrhout, et des couvents.
Bibliogr. : In : *Dict. biogr. illustré des artistes en Belgique depuis 1830*, Arto, Bruxelles, 1987.

WANTER
XVIIIe siècle. Actif à Londres dans la seconde moitié du XVIIIe siècle. Britannique.
Peintre.
Il exposa en 1783.

WANTO Dominicus. Voir **TOL Dominicus Van**

WANTZA Mihaly ou **Michel**. Voir **WANDZA**

WANUM Ary Van
Né vers 1735. Mort vers 1780. XVIIIe siècle. Hollandais.
Dessinateur de marines.
L'Albertina de Vienne conserve de lui *Vue d'un canal avec voiliers.*
Ventes Publiques : Londres, 15 juin 1983 : *Voiliers sous la brise*, h/t (60,5x100,5) : **GBP 1 800**.

WANXOVISTCH Valentin ou **Vantrovistch**
Né en 1799 près de Minsk. Mort le 12 mai 1842 à Paris. XIXe siècle. Polonais.
Peintre.
Il fit ses premières études à l'École des Jésuites à Polotzk. En 1815, il étudia la peinture à l'Université de Vilna avec le professeur Rustem. En 1826, comme boursier de l'Université, il se rendit à Saint-Pétersbourg où il étudia à l'Académie des Beaux-Arts. Il obtint une médaille d'or. En 1839, il voyagea à l'étranger, visita Dresde, Munich et Paris. Le Musée de Cracovie conserve de lui *Portrait d'Antoine Goretzki*. Il a peint le portrait et l'histoire.

WANYAN TAO ou **Wan-Yen T'ao**, surnoms : **Zhongbao** et **Ziyu**, nom de pinceau : **Quxian Jushi**
XIIe siècle. Actif à la fin du XIIe siècle. Chinois.
Peintre.
Cousin de l'empereur Zhangzong (1190-1208) des Jin, il est Duc de Miguo et est connu comme lettré, collectionneur et peintre.

WAN-YEN T'AO. Voir **WANYAN TAO**

WAÔ, noms de pinceau : **Waô** et **Hôyôken**
XVIIIe siècle. Actif à Edo (actuelle Tokyo) vers 1711. Japonais.
Maître de l'estampe.

WAPPENSTEIN Ascher ou **Wapenstein**
XVIIIe-XIXe siècles. Travaillant à Vienne. Autrichien.
Médailleur et tailleur de camées.
Il grava des médailles commémorant des événements de son époque.

WAPPERS Gustave ou **Egidius Karel Gustaaf de**, baron
Né le 23 août 1803 à Anvers. Mort le 6 décembre 1874 à Paris. XIXe siècle. Belge.
Peintre d'histoire, scènes de genre, graveur.
Il fut élève de Herreyns et de Van Bree à l'Académie d'Anvers, et reçut dans sa ville natale le rayonnement des œuvres de P. P. Rubens. Il alla ensuite étudier les œuvres de Rembrandt en Hollande, puis les maîtres italiens à Paris, où il se mêle au mouvement romantique alors révolutionnaire aussi bien en art qu'en politique. En 1830, il revint en Belgique, champion de l'école romantique et y éclipsa l'influence du peintre classique Navez. Il devint l'illustrateur de la Révolution de 1830 en Belgique en peignant : *Épisode de la Révolution belge de 1830*. Les jeunes artistes se groupèrent autour de lui et il contribua puissamment au développement de l'art moderne belge. De 1839 à 1855, il fut directeur de l'Académie d'Anvers, nommé peintre du roi Léopold Ier, il fut créé baron et reçut de nombreuses décorations, notamment la croix d'officier de la Légion d'honneur. Il passa les dernières années de sa vie à Paris.
Ses sujets sont principalement empruntés à l'histoire des Pays-Bas. On cite notamment de lui : *Présentation au Temple*, à l'église des Jésuites d'Anvers et une *Pietà* à l'église Saint-Germain à Tirlemont. Il a gravé quelques eaux-fortes.

Musées : Amsterdam : *Van Dyck amoureux de son modèle* – Amsterdam (Mus. mun.) : *Louis XVII au Temple* – Anvers : *Jeune mère et son enfant* – *Les frères de Wit au moment où le peuple envahit leur prison* – *Jeune artiste absorbée dans la méditation* – *La Sulamite (cantique des cantiques)* – *L'artiste* – Bagnères-de-Bigorre : Une aquarelle – Bruxelles : *Épisode des journées de septembre 1830, sur la place de l'Hôtel de Ville de Bruxelles* – *Charles Ier marchant à l'échafaud* – *Léopold Ier prêtant serment* – *Léopold II enfant* – *Portrait d'homme* – Mulhouse : *Portrait du pasteur Tachard et de sa femme* – New York : *Les deux filles de l'artiste* – Périgueux : *Lévriers se désaltérant* – Utrecht : *Le bourgmestre Van der Werff et la milice de Leyde pendant le siège* – Wuppertal : *Faust et Marguerite.*
Ventes Publiques : Paris, 1850 : *Le Bourgmestre Van der Werff au siège de Leyde* : **FRF 6 000** ; *Deux jeunes filles dansant devant Louis XI* : **FRF 2 110** – Paris, 1873 : *Jan Steen présentant sa fiancée à sa sœur* : **FRF 1 000** – Paris, 12-15 mai 1902 : *La harpiste* : **FRF 240** – Paris, 21-22 nov. 1920 : *La Confidente* : **FRF 330** – Paris, 20 nov. 1942 : *La jolie fille de Perth* : **FRF 6 000** – Anvers, 10 mai 1979 : *Buste d'homme*, h/t (76x58) : **BEF 30 000** – New York,

29 mai 1980 : *Confidences* 1853, h/t (114x99) : **USD 7 000** – LONDRES, 24 juin 1981 : *Les Défenseurs de Rhodes*, h/t (43x81,5) : **GBP 1 300** – NEW YORK, 25 fév. 1983 : *Portrait d'un rabbin*, h/t (76,2x58,7) : **USD 4 500** – NEW YORK, 28 mai 1992 : *Pierre le Grand à Zaardam* 1836, h/t (102,9x128,9) : **USD 14 300** – MILAN, 17 déc. 1992 : *La tentation de saint Antoine* 1831, h/pan. (52x70) : **ITL 20 000 000** – PARIS, 6 avr. 1993 : *Portrait présumé de la marquise de Louvencourt* 1860 (131x98) : **FRF 15 000** – LONDRES, 17 juin 1994 : *Boccace lisant le Decameron à Jeanne de Naples* 1849, h/t (172,2x227) : **GBP 19 550** – AMSTERDAM, 3 sep. 1996 : *Surpris en position d'adultère*, h/pan. (59x47) : **NLG 2 767**.

WAQUANT Michèle
Née en 1948 à Québec. XXe siècle. Active aussi en France. Canadienne.
Artiste, multimédia.
Elle vit et travaille à Paris et Montréal.
Elle participe à des expositions collectives : 1978 *Tactile* au musée du Québec ; 1988 musée d'Art contemporain de Montréal, centre culturel canadien de Paris ; 1989 College of Art d'Alberta ; 1990 centre d'art contemporain d'Hérouville-Saint-Clair ; 1992 *Lato Sensu* à l'école des beaux-arts de Mulhouse. Elle montre ses œuvres dans des expositions personnelles : 1989 CREDAC d'Ivry-sur-Seine ; 1991 galerie Urbi et Orbi de Paris.
Elle réalise des photographies et des vidéos, privilégiant les atmosphères calmes.

WAR Jacob Dirksz de ou **Werre**
Mort en 1568. XVIe siècle. Actif à Amsterdam. Hollandais.
Peintre.

WARATH. Voir **WORATH**

WARATHI Innozenz Anton ou **Warähty** ou **Barrati** ou **Barati**
Né vers 1690 près de Sterzing. Mort le 8 décembre 1758 à Burghausen. XVIIIe siècle. Autrichien.
Peintre.
Il peignit surtout des fresques en Bavière et en Haute-Autriche, notamment les fresques de l'église de Varmbach, en 1637.

WARB, pseudonyme de **Warburg Sophie**, dite **Nicolaas**
Née en 1906 à Amsterdam. XXe siècle. Depuis 1928 active en France. Hollandaise.
Peintre. Abstrait néoconstructiviste.
Elle fut élève de l'Académie d'Amsterdam. À son arrivée à Paris, en 1928, elle fréquenta les Académies libres de Montparnasse.
Elle participe au Salon des Réalités Nouvelles, depuis le premier en 1946. Elle participe également à des expositions de groupe d'art abstrait, en France, en Hollande, dans plusieurs autres pays. Elle a montré des expositions personnelles de ses œuvres, à Paris, en 1947 et en 1954.
Surtout influencée par Vantongerloo et les constructivistes, elle pratique une abstraction géométrique désormais classique, y montrant une invention très élégante.
BIBLIOGR. : Michel Seuphor : *Diction. de la peint. abstr.*, Hazan, Paris, 1957.
VENTES PUBLIQUES : PARIS, 1er juin 1988 : *Conjuration N° 12* 1947, gche (18x24) : **FRF 2 500** – PARIS, 15 mars 1989 : *Midi* 1955, h/pan. (89x115) : **FRF 15 000** – PARIS, 29 sep. 1989 : *Composition*, gche (13x10) : **FRF 3 800** – PARIS, 24 juin 1992 : *Solidarité* 1952, h/pan. (33x45,8) : **FRF 12 000** – PARIS, 26 nov. 1994 : *Composition n° 19* 1939, h/pan. (50x50) : **FRF 18 000**.

WARBERG Henrietta, née **Boström**
XIXe siècle. Active à Stockholm de 1853 à 1860. Suédoise.
Dessinateur de portraits.

WARBURG Daniel
XIXe siècle. Américain.
Aquafortiste.
Frère d'Eugène Warburg. Il travailla à la Nouvelle-Orléans.

WARBURG Eugène
Né en 1825 à La Nouvelle-Orléans. XIXe siècle. Américain.
Sculpteur.
Il fit ses études en Europe et mourut jeune.

WARBURTON Samuel
Né le 30 mars 1874 à Douglas. XIXe-XXe siècles. Britannique.
Peintre de paysages, peintre de miniatures, aquarelliste.
Il vécut et travailla à Windsor. Il peignit des miniatures et des paysages à l'aquarelle.

WARD Alfred
XIXe-XXe siècles. Britannique.
Peintre de portraits, paysages, fleurs.
Actif de 1873 à 1927, on ne sait presque rien de Alfred Ward bien qu'il ait exposé régulièrement à Londres à la Royal Academy de 1874 à 1915. Pendant cette période il vivait à Kensington.
Il peignit des portraits, des paysages, des fleurs, des sujets symboliques.
VENTES PUBLIQUES : LONDRES, 1er nov. 1990 : *Amies* 1889, h/t (141,6x85,8) : **GBP 6 600**.

WARD C. V.
XVIIIe-XIXe siècles. Actif à New York. Américain.
Paysagiste.
Frère de J. C. Ward. Il grava d'après les modèles de son frère.

WARD Charles Caleb
XIXe siècle. Britannique.
Peintre de genre, animalier, paysages.
Il exposa à Londres, notamment à la Royal Academy, et occasionnellement, à la British Intitution et à Suffolk Street de 1826 à 1869.
MUSÉES : SALFORD : *Paysage près de Dolgelly*.
VENTES PUBLIQUES : NEW YORK, 22 oct. 1982 : *Le repos des chasseurs* 1880, aquar. (22,9x17,8) : **USD 5 250** – NEW YORK, 7 juin 1991 : *Deux setters gardant le carnier* 1867, h/t (50,5x75,9) : **USD 1 980** – LONDRES, 11 oct. 1991 : *Chez le maréchal ferrant* 1862, h/t (63,5x88,2) : **GBP 2 640**.

WARD Charles Daniel
Né le 19 juin 1872 à Taunton. XIXe-XXe siècles. Britannique.
Peintre de portraits, paysages.
Il fut actif de 1898 à 1935.
VENTES PUBLIQUES : LONDRES, 3 juil 1979 : *The progress of spring* 1905, h/t (89x180) : **GBP 3 400** – LONDRES, 5 nov. 1993 : *Le progrès du printemps* 1905, h/t (90x180) : **GBP 35 600**.

WARD Charlotte, née **Blakeney**
XIXe-XXe siècles. Britannique.
Peintre de portraits.
Femme du peintre Charles D. Ward.

WARD Cyril
Né le 12 novembre 1863 à Oakamoor. Mort en 1935. XIXe siècle. Britannique.
Peintre, aquarelliste.
MUSÉES : ROCHDALE.
VENTES PUBLIQUES : LONDRES, 10 avr. 1980 : *Derrible Point, Sark*, aquar. (60,5x96) : **GBP 450**.

WARD Edgar Melville
Né le 24 février 1839 à Urbana. Mort le 15 mai 1915 à New York. XIXe-XXe siècles. Américain.
Peintre de genre.
Il fut élève de l'Académie de New York et de l'École des Beaux-Arts de Paris.
MUSÉES : NEW YORK (Metrop. Mus.) : *Le Chaudronnier*.
VENTES PUBLIQUES : BOLTON, 21 juin 1984 : *The sailmaker*, h/t (45,7x38) : **USD 6 300**.

WARD Edward Matthew
Né le 14 juillet 1816 à Pimlico. Mort le 15 janvier 1879 à Windsor. XIXe siècle. Britannique.
Peintre d'histoire, aquarelliste, cartons de tapisseries.
Il montra très jeune de remarquables dispositions et, en 1835, entra à l'École de la Royal Academy. Chantrey et Wilkie, notamment lui donnèrent des conseils. En 1836, il alla à Rome, et y fut élève de l'Académie de Saint-Luc, où en 1838, une médaille d'argent lui fut décernée. En 1839, il alla à Munich étudier la peinture à fresques avec Cornelius. La même année, il envoyait à l'Exposition de la Royal Academy (il y exposait depuis 1834) une importante composition : *Cimabue et Giotto*. Associé de la Royal Academy dès 1846, il ne fut académicien qu'en 1855. A la fin de sa vie, il fut atteint de troubles cérébraux et se donna la mort au cours d'une crise.
Il peignit avec succès des sujets d'histoire. En 1853, huit compositions lui furent commandées pour la décoration du couloir de la Chambre des Communes au nouveau Parlement. Il produisit plusieurs cartons de tapisseries destinées au château de Windsor.
MUSÉES : CHERBOURG : *Trafalgar* – DUBLIN : Une aquarelle – HAMBOURG : *Le vétéran d'Aboukir* – LEICESTER : *La reine d'Angleterre au tombeau de Napoléon Ier* – LIVERPOOL : *L'antichambre de Whitehall pendant les derniers moments de Charles II* – *Jane Lane aidant Charles II à s'enfuir après la bataille de Worcester* – LONDRES (Nat. Portrait Gal.) : *Daniel Maclise* – LONDRES (Victoria and Albert

Mus.) : *Charles II et Nell Gwyn* – LONDRES (Tate Gal.) : *Le Dr Johnson attendant une audience dans l'antichambre de lord Chesterfield* 1748 – *Disgrâce de lord Clarendon après sa dernière entrevue avec le roi à Whitehall* 1667 – *Scène de la crise financière de 1720* – *Jacques II, dans son palais de Whitehall, recevant la nouvelle du débarquement de Guillaume d'Orange* – MANCHESTER : *Lord Macaulay dans son bureau* – MELBOURNE : *Joséphine signant l'acte de divorce* – PRESTON : *La famille royale de France dans la prison du Temple* – SALFORD : *Le dernier sommeil d'Argyll* – *L'exécution de Montrose* – SHEFFIELD : *Alice Lisli cachant des fugitifs après la bataille de Sedgemoor* – *Chute de Clarendon* – *Le juge Jeffreys menaçant Richard Baxter* – SUNDERLAND : *Anne Boleyn sur l'escalier de la reine, dans la Tour de Londres* – YORK, Angleterre : *Visite à l'atelier d'Hogarth*.

VENTES PUBLIQUES : PARIS, 1859 : *La disgrâce de Clarendon* : **FRF 20 930** – LONDRES, 1875 : *Le dernier sommeil d'Argyll* : **FRF 21 000** – LONDRES, 1877 : *Charles II et lady Russel* : **FRF 21 000** – LONDRES, 1880 : *Charlotte Corday, la toilette des morts* : **FRF 8 125** – LONDRES, 1891 : *Adieux de Marie-Antoinette à son fils* : **FRF 5 250** – LONDRES, 21 juil. 1922 : *La dernière rencontre de Marie-Antoinette et de son fils*, dess. : **GBP 32** – LONDRES, 28 juil. 1924 : *William III et ses amis de confiance* : **GBP 50** – PARIS, 30 mars 1942 : *Rêve de femme* : **FRF 1 550** – LONDRES, 29 juil. 1977 : *The South Sea Bubble* 1855, h/t (49,5x75) : **GBP 3 800** – LONDRES, 19 mars 1979 : *Scene in Lord Chesterfield's ante-room in 1748* 1845, h/t (58,5x78,5) : **GBP 3 600** – LONDRES, 12 juil. 1982 : *Dr Johnston awaiting an audiance of Lord Chesterfield*, h/t (71x93) : **GBP 1 000** – LONDRES, 19 juin 1984 : *King Lear and Cordelia* 1857, h/t (134,5x159) : **GBP 8 000** – NEW YORK, 28 fév. 1990 : *Marie Antoinette écoutant l'acte d'accusation la veille de son jugement*, h/t (73,7x61) : **USD 33 000** – LONDRES, 12 juin 1992 : *Les derniers instants de Marie-Antoinette avec son fils* 1856, h/t (122x183) : **GBP 104 500** – NEW YORK, 22-23 juil. 1993 : *Présentation du sculpteur Grinling Gibbons à la cour*, h/t (106,7x114,3) : **USD 12 650** – PERTH, 29 août 1995 : *Le dernier sommeil d'Argyll avant son exécution* 1854, h/t (53x61,5) : **GBP 3 680**.

WARD Edwin Arthur

XIXe-XXe siècles. Britannique.

Peintre de portraits, dessinateur.

Il fut actif à Londres de 1883 à 1927, où il exposa à partir de 1883 notamment à la Royal Academy et à Suffolk Street.

MUSÉES : SYDNEY : *Portraits*, deux dess.

VENTES PUBLIQUES : LONDRES, 6 nov. 1995 : *Portrait de Lord Randolph Churchill* 1896, h/t (33x47,5) : **GBP 7 130**.

WARD Enoch

Né en 1859 à Parkgate. Mort le 13 février 1922 à Hampton Wick. XIXe-XXe siècles. Britannique.

Peintre de paysages, illustrateur.

Il fut élève de la South Kensington School. Il peignit des paysages et des vues.

WARD Francis Swain

Né vers 1734 à Londres. Mort en 1794 à Negapatam. XVIIIe siècle. Britannique.

Peintre de paysages.

Membre de la Society of Artists, il y exposa vingt et une vues des Indes de 1765 à 1773. On lui doit aussi, au début de sa carrière, des vues de ruines, de châteaux d'Angleterre. Il entra comme officier au service de la Compagnie des Indes et fit dès lors de l'art en amateur.

WARD George Raphael

Né en 1797 à Londres. Mort le 18 décembre 1879 à Londres. XIXe siècle. Britannique.

Peintre et graveur.

Élève de son père, le graveur James Ward, et de la Royal Academy. Il copia en miniature les portraits de sir Thomas Lawrence. Il est plus connu comme graveur. Sa fille, Henrietta Ward, épousa le peintre d'histoire du même nom.

WARD Henrietta Mary Ada, née **Ward**

Née le 1er juin 1832 à Londres. Morte le 12 juillet 1924 à Londres. XIXe-XXe siècles. Britannique.

Peintre d'histoire.

Fille du graveur et miniaturiste George Raphael Ward, elle épousa le peintre Edward M. Ward et comme lui, peignit des sujets d'histoire. Elle exposa à la Royal Academy de Londres à partir de 1849.

MUSÉES : BRISTOL : *Chatterton* – LE CAP : *Les Favoris des cavaliers* – LEICESTER : *Le Potier Palissy* – LIVERPOOL : *George III et sa famille à Windsor*.

VENTES PUBLIQUES : LONDRES, 29 juil. 1977 : *One of the last days of Robert Burns* 1878, h/t (89x109,2) : **GBP 750** – LONDRES, 26 juil. 1985 : *Washing Day at the Liverpool docks* 1879, h/t (21,6x17,8) : **GBP 2 200** – LONDRES, 3 nov. 1993 : *Flora Emma Sarah Ward sur un cheval à bascule*, h/t (14,5x13) : **GBP 598**.

WARD Herbert

Né en 1863 à Londres. Mort le 7 août 1919 à Paris. XIXe-XXe siècles. Britannique.

Sculpteur, peintre de compositions animées, figures. Orientaliste.

De 1887 à 1889, il fit partie de l'expédition africaine de l'explorateur Stanley ; il avait déjà parcouru seul des terres alors inconnues. Il a écrit divers ouvrages, notamment : *Chez les Cannibales*. Ethnographe, historien, spécialiste de l'Afrique, il avait réuni une collection d'armes et une bibliothèque importantes, qui firent l'objet, avec ses propres sculptures, d'une vente publique, à Paris, le 6 novembre 1987. En France, il était chevalier de la Légion d'honneur et décoré de la croix de guerre (1915).

Surtout sculpteur et aussi peintre, il a exposé, à la Royal Academy de Londres et, à Paris, au Salon des Artistes Français.

Il réalisa le projet de, non seulement rendre compte, par la plume, de ses voyages, mais encore d'interpréter plastiquement des types d'humanité encore sauvage et saisis dans leur atmosphère, leur lumière natale. A. Dayot a écrit : « Rien d'anecdotique dans l'œuvre magistrale du sculpteur, mais un souci continuel de la synthèse... H. Ward fut vraiment le confident sincère et profondément émouvant de la race noire. »

MUSÉES : CARDIFF – JOHANNESBURG – NANTES : *Le Sorcier* – PARIS : *Types de la tribu d'Aruwimi* – WASHINGTON D. C.

VENTES PUBLIQUES : LONDRES, 26 fév. 1980 : *Indigène dansant*, bronze (H. 41) : **GBP 420** – PARIS, 6 nov. 1984 : *Jeune Africaine*, bronze, patine vert nuancé (H. 43,5) : **FRF 6 400** – PARIS, 6 nov. 1987 : *Le gardien du village Luba assis sur son siège, tenant la canne, emblème protégeant la ville*, bronze patine brune (H. 66) : **FRF 375 000** – PARIS, 30 mai 1988 : *La trompette* 1896, h/t (46x38) : **FRF 4 800** – PARIS, 24 juin 1988 : *Danseur à l'idole*, bronze à patine brune (H. 92,5) : **FRF 270 000** ; *Le défi*, bronze à patine brune (H. 79) : **FRF 280 000** – PARIS, 22 nov. 1988 : *Les Bantous*, bronze à patine brune (H. 58) : **FRF 280 000**.

WARD Irving

Né en 1867. Mort en 1924 à Baltimore. XIXe-XXe siècles. Américain.

Peintre de portraits, paysages.

WARD J. C.

XVIIIe-XIXe siècles. Actif à New York. Américain.

Paysagiste.

Frère de C. V. Ward. La Galerie de Kansas City conserve de lui *Pont naturel en Virginie*.

WARD James

Né le 23 octobre 1769 à Londres. Mort le 23 novembre 1859 à Cheshunt. XVIIIe-XIXe siècles. Britannique.

Peintre d'histoire, scènes de genre, portraits, animalier, aquarelliste, dessinateur, graveur.

Il fut d'abord graveur et élève de J. Raphael Smith, puis de son frère aîné William Ward l'Ancien.

Il débuta à la Royal Academy, comme peintre animalier en 1790, et son envoi en 1792, le classa parmi les bons peintres de ce genre. Deux ans plus tard le prince de Galles le nommait son peintre et graveur en manière noire. Associé à la Royal Academy en 1807, il fut académicien en 1811. En 1817, il obtint le prix des directeurs de la British Institution pour une *Allégorie de Waterloo*. En 1830, il se retira à Cheshunt où il acheva sa carrière.

Entre-temps, sa technique avait évolué et il avait changé de thèmes. Les tableaux animaliers de ses débuts tendaient au maximum de fidélité, à l'exemple des animaliers du XVIIIe siècle. A partir de 1795 environ, s'il traitait encore des sujets animaliers, il pratiquait une technique d'impétuosité qui en fera l'un des précurseurs du romantisme pictural, ce qui est particulièrement probant avec les *Taureaux combattant* de 1803-1804, du Victoria and Albert Museum de Londres, peinture qui sera admirée de Géricault et Delacroix. S'il annonce la technique romantique, lui-même se réfère désormais à Rubens. Entre 1811 et 1815, il consacra une grande part de son travail à l'exécution du *Défilé de Gordale*, aujourd'hui à la Tate Gallery de Londres, composition de dimensions imposantes, dont la facture reste froide malgré le romantisme de la composition. Il peignit ensuite une *Allégorie à la gloire de Wellington*, très oubliée dans la suite. Les grands sujets dépassaient sans doute les possibilités de sa fougue lyrique ; il se retrouva dans quelques compositions dramatiques, entre autres *Marengo, le coursier de Napoléon*, de 1826.

Bibliogr. : Anita Brookner, in : *Diction. Univers. de l'Art et des Artistes*, Hazan, Paris, 1967.

Musées : Bradford : *Scar Gordale* – Cambridge : *Combat entre lion et tigre* – Dublin : *Le hangar de la vache* – Une aquarelle – Londres (Victoria and Albert Mus.) : *Âne et cochon* – *Cochons* – *Truite chinoise* – *Pourceaux se battant* – *La baie de Pegwell* – *Cheval et âne* – *Vache et veau* – *Combat de taureaux avec le château de Saint-Donat à l'arrière-plan* – Cinq aquarelles – Londres (Nat. Portrait Gal.) : *L'artiste* – Londres (Nat. Gal.) : *Le château de Harlech et environs* – *Regents Park en 1807* – Londres (Tate Gal.) : *Deux paysages avec bétail* – Manchester : *Bâtiments de ferme avec bétail* – Esquisses et aquarelles – Melbourne : *Moutons* – Nottingham : *La rosée du matin, duel de cerfs* – *Paysage avec moutons* – *Taureau, vache et veau dans un paysage* – *Vue de la côte, orage* – Une aquarelle.

Ventes Publiques : Londres, 1827 : *Vue du parc de Tabley, lac et tourelle* : **FRF 4 987** – Londres, 1894 : *Un gentleman avec cheval et chien* : **FRF 7 800** – Londres, 22 juin 1922 : *Traite des vaches* : **GBP 95** – Londres, 12 juin 1925 : *Auberge de campagne* : **GBP 120** – Londres, 19 juil. 1929 : *A livery stable* : **GBP 1 207** – Londres, 27 nov. 1936 : *Le repos des chasseurs* : **GBP 294** – Londres, 16 déc. 1938 : *Chasse à Wychnor* : **GBP 1 470** – Londres, 26 oct. 1945 : *Portrait d'Adonis* : **GBP 483** – Londres, 19 jan. 1951 : *Vue extérieure de la taverne Bunch of Grapes* : **GBP 651** – Londres, 20 juil. 1951 : *Chasseurs à l'orée d'un bois* : **GBP 609** – Londres, 17 juil. 1959 : *Lionne avec un héron* 1816 : **GBP 630** – Londres, 30 nov. 1960 : *Paysage de neige* : **GBP 5 800** – Londres, 19 avr. 1961 : *Deux étalons se battant près d'un lac* : **GBP 400** – Londres, 20 nov. 1963 : *Le troupeau de vaches* : **GBP 420** – Londres, 18 mars 1964 : *Sir Charles Blunt fuyant devant un tigre* : **GBP 1 500** – Londres, 25 juin 1965 : *L'étalon arabe* : **GNS 6 500** – Londres, 23 nov. 1966 : *Courses de chevaux*, deux pendants : **GBP 4 000** – Londres, 3 avr. 1968 : *Un petit chien surplombant la mer* : **GBP 4 400** – Londres, 12 mars 1969 : *Le Révérend T. Levett* : **GBP 11 000** – Londres, 11 nov. 1969 : *Paysage fluvial*, aquar. : **GNS 700** – Londres, 18 mars 1970 : *Deux chevaux se battant au bord d'une rivière* : **GBP 6 500** – Londres, 17 nov. 1970 : *The falls of Clyde*, aquar. : **GNS 600** – Londres, 17 mars 1971 : *Étalons luttant au bord d'une rivière* : **GBP 7 000** – New York, 29 avr. 1972 : *John Levett, Esq. at Lychnor* 1817 : **USD 100 000** – Londres, 31 oct. 1973 : *The white sand poney* 1816 : **GBP 11 500** – Londres, 26 juin 1974 : *Taureau dans un paysage* 1801 : **GBP 1 400** – Londres, 31 mars 1976 : *Un chien dans un paysage* 1835, h/pan. (24x34) : **GBP 1 750** – Londres, 9 nov. 1976 : *Le laboureur*, aquar. et pl. (10,5x15,2) : **GBP 450** – Londres, 1er mars 1977 : *Ralph Lambton et ses chiens*, aquar. et cr. (16,3x22,3) : **GBP 2 800** – Londres, 24 juin 1977 : *Le cheval Marengo et le serpent* 1831, h/pan. (35,6x45,8) : **GBP 6 000** – Londres, 17 mars 1978 : *Chevaux de trait à l'écurie*, h/t (69,2x90,2) : **GBP 2 400** – Londres, 21 nov 1979 : *Pur-sang dans un paysage* 1812, h/pan. (81x109,5) : **GBP 6 500** – Londres, 29 mai 1980 : *Rustic Felicity*, mezzotinte en coul., coloriée, publiée en 1792 par T. Simpson (45,5x55,5) : **GBP 1 200** – Londres, 13 mars 1980 : *Un cheval cabré* 1822, cr. (18,5x23) : **GBP 650** – Londres, 13 mars 1980 : *Tête de cheval*, aquar., cr. et pl. : **GBP 1 200** – New York, 1er mai 1981 : *Sir Charles Blunt at the death of the boar* 1816, h/pan. (70x104) : **USD 40 000** – Londres, 16 mars 1982 : *Le serpent boa saisissant sa proie*, fus. et craies noire et blanche (32,5x44,5) : **GBP 2 400** – Londres, 17 fév. 1983 : *Adonis*, litho. (33,7x45) : **GBP 750** – New York, 10 juin 1983 : *Smolensko* 1826, h/pan. (52,1x66) : **USD 55 000** – Londres, 10 juil. 1984 : *Etude de trois arbres* 1817, craies noire et blanche/pap. gris (44,5x54) : **GBP 1 800** – Londres, 5 nov. 1985 : *A Livery Stable*, mezzotinte en coul. (51,4x60,8) : **GBP 1 400** – Londres, 14 mars 1985 : *Marengo* 1825, cr. (23x29) : **GBP 2 000** – Londres, 21 nov. 1985 : *Tintern Abbey* 1807, aquar./trait de cr. (22x24) : **GBP 1 000** – New York, 25 fév. 1988 : *Le marchandage de la pêche* 1797, h/t (31,4x36,5) : **USD 3 520** – New York, 3 juin 1988 : *Les dangers de la désobéissance et la désobéissance découverte* 1797, h/t (une paire) : **USD 49 500** – Londres, 15 juil. 1988 : *Garçonnet et son chien dans une étable avec un cheval et des chèvres*, h/t (63,2x76,5) : **GBP 6 600** – New York, 7 avr. 1989 : *Berger veillant sur son troupeau*, h/t (45x58,5) : **USD 7 150** – New York, 18 oct. 1989 : *Mastiff du Northumberland dans un paysage*, h/t (80x116,8) : **USD 33 000** – Londres, 15 nov. 1989 : *Dans l'écurie*, h/t (68,5x88,5) : **GBP 8 800** – Londres, 14 mars 1990 : *La tonte des moutons*, h/t (69,5x90) : **GBP 14 300** – Londres, 18 mai 1990 : *L'abbaye de Melrose*, h/pan. (12,6x18,4) : **GBP 3 300** – Londres, 12 juil. 1990 : *L'arc-en-ciel*, h/pan. (39,5x67) : **GBP 18 700** – Londres, 7 oct. 1992 : *Fileuse et son rouet*, aquar. et cr. (15,5x11) : **GBP 660** – Londres, 3 fév. 1993 : *Deux bœufs dans une étable appartenant au cheptel du Comte de Powis*, h/pan. (16x22) : **GBP 2 070** – Londres, 6 avr. 1993 : *Une truie et sa portée* 1808, h/t (46x60,5) : **GBP 11 500** – New York, 8 oct. 1993 : *Les enfants compatissants*, h/t (50,8x66,7) : **USD 17 250** – Londres, 10 nov. 1993 : *Une truie et sa portée* 1800, h/t (49,5x59,5) : **GBP 15 525** – Londres, 12 juil. 1995 : *Une génisse à courtes cornes*, h/pap./pan. (31x44,5) : **GBP 2 070** – Londres, 3 avr. 1996 : *Un hunter effrayé dans un paysage*, h/pan. (33,5x42,5) : **GBP 4 830** – New York, 6 déc. 1996 : *Adonis, cheval de bataille favori du roi George III*, h/t : **USD 420 500**.

WARD James

xixe siècle. Actif à Londres dans la première moitié du xixe siècle. Britannique.

Peintre de genre et portraitiste.

Il exposa à Londres de 1817 à 1831.

WARD James

Né en 1800 à Londres. Mort en 1884 à Londres. xixe siècle. Britannique.

Peintre de paysages et de sujets de sport.

Il était fils d'un boucher et commença sa carrière comme conducteur d'animaux. Ses dispositions pour la boxe le mirent en lumière, et il fut champion d'Angleterre de 1826 à 1832. Après avoir été établi à Liverpool, il fut, à Londres, le tenancier des divers débits de boisson dans le West-End. Il jouait de plusieurs instruments, était tireur de premier ordre, et fit preuve en peinture de curieuses dispositions. Il exposa notamment, en 1860, un match de boxe fort remarqué. Il se forma une remarquable collection de paysages anglais. C'était un brasseur d'affaires et il fit faillite trois fois.

Ventes Publiques : Londres, 20 mars 1974 : *Paysage animé de personnages* : **GBP 400**.

WARD James

Né en 1851 à Belfast. Mort en 1924 à Salisbury (Rhodésie). xixe-xxe siècles. Britannique.

Peintre.

Peintre, il écrivit également sur l'art.

WARD James Charles

xixe siècle. Actif à Londres entre 1830 et 1875. Britannique.

Peintre de paysages animés, paysages, natures mortes.

Il exposa de 1830 à 1859.

Ventes Publiques : Édimbourg, 30 août 1988 : *Vue de Kildonnan (Ile d'Arran) avec l'ile de Cladda et Ailsa Craig au lointain* 1851, h/t (71x91,5) : **GBP 1 210** – Toronto, 30 nov. 1988 : *Un pêcheur sur la grève* 1867, h/t (29,5x49,5) : **CAD 900** – Londres, 26 sep. 1990 : *Deux pêcheurs dans un torrent rocheux* 1863, h/t (100x141) : **GBP 2 750** – Londres, 29 mars 1995 : *Nature morte de fruits et de papillons* 1843, h/t (61x51) : **GBP 2 185**.

WARD John

xixe siècle. Actif à Londres. Britannique.

Peintre de paysages et de marines.

Il exposa de 1808 à 1861.

WARD John Quincy Adams

Né le 29 juin 1830 à Urbana. Mort le 1er mai 1910 à New York. xixe-xxe siècles. Américain.

Sculpteur de monuments, bustes.

Frère du peintre Edgar Ward, il fut l'élève de Henry Kirke Brown.

Il commença par réaliser de petits objets décoratifs en métaux précieux. Il sculpta de nombreux monuments pour des places publiques d'Amérique du Nord, parmi lesquels *Le Chasseur indien* pour Central Park de New York, inspiré d'un voyage en Dakota.

Bibliogr. : In : *Arts des États-Unis*, Gründ, Paris, 1989.
Musées : New York (Metrop. Mus.) : *William Tilden Blodgett*, buste.
Ventes Publiques : New York, 29 sep. 1977 : *William Shakespeare*, bronze patiné (H. 69,3) : **USD 1 500** – New York, 21 juin 1978 : *Chasseur indien* 1860, bronze patiné (H. 39,7) : **USD 12 000** – New York, 17 oct. 1980 : *Chasseur indien* 1860, bronze patine brun foncé (H. 41,3) : **USD 18 000** – New York, 22 oct. 1982 : *Chasseur indien* 1860, bronze patine dorée (H. 41,3) : **USD 6 000** – New York, 3 juin 1983 : *The Indian hunter* 1860, bronze patine brune et traces de vert de gris (H.40) : **USD 26 000** – New York, 15 mars 1986 : *Statue de Henry Baldwin Hyde*, bronze patine brun foncé (H. 52) : **USD 1 800** – New York, 1er déc. 1989 : *Le chasseur indien et son chien* 1860, bronze à patine brun-rouge (H. 40,7) : **USD 30 800** – New York, 14 nov. 1991 : *Le général George Brinton McClellan à cheval* 1864, relief de métal (H. 28,6) : **USD 715** – New York, 12 sep. 1994 : *Henry B. Hyde, fondateur de la compagnie d'assurances Equitable Life* 1903, bronze (H. 52,7) : **USD 2 875** – New York, 25 mai 1995 : *L'homme libre* 1863, bronze (H. 50,8) : **USD 37 375**.

WARD John, dit **of Hull**
Né en 1769 ou 1798. Mort en 1849 ou 1859. xixe siècle. Britannique.
Peintre de marines, navires.
Ventes Publiques : Londres, 17 nov. 1976 : *Marine*, h/pan. (20,2x26) : **GBP 380** – Londres, 24 juin 1977 : *Bateaux au large de la côte* 1831, h/pan. (25,4x34,3) : **GBP 1 600** – Londres, 26 juin 1981 : *A Merchantman in three positions on the river Humber with fisherfolk*, h/t (49,5x72,4) : **GBP 3 800** – Londres, 21 juin 1983 : *Le Baleinier Seringapatam*, aquar. (15x20) : **GBP 650** – Londres, 17 juin 1983 : *Scène de bord de rivière*, h/pan. (14x19,7) : **GBP 3 000** – Londres, 9 fév. 1990 : *Frégate de 50 canons toutes voiles dehors ; Frégate de 36 canons levant l'ancre*, h/t, une paire (chaque 15x22,9) : **GBP 8 800** – Londres, 14 mars 1990 : *Le vieux port et la garnison de Kingston sur Hull*, h/t (46,5x69,5) : **GBP 71 500** – New York, 19 jan. 1994 : *Barques de pêche à l'ancrage dans un estuaire par temps calme*, h/pan. (15,6x23,2) : **USD 2 300** – Londres, 13 juil. 1994 : *H. M. S. Britannia et autres bâtiments de l'escadre par mer calme*, h/t (30x45) : **GBP 26 450** – Londres, 12 avr. 1995 : *Le yacht Britannia et autres embarcations près d'un cap*, h/t (30,5x45) : **GBP 17 250** – Londres, 5 juil. 1996 : *Les bâtiments Swan et Isabella chassant la baleine dans l'artique ; Les baleiniers dans les mers du Sud*, h/t (35,7x54) : **GBP 58 700**.

WARD Leslie ou **Leslie Edward**, Sir, pseudonyme : **Spy**
Né le 21 novembre 1851 à Londres. Mort le 15 mai 1922 à Londres. xixe-xxe siècles. Britannique.
Peintre, dessinateur de portraits.
Fils du peintre Edward Matthew Ward, il fut élève de l'Académie de Londres.

LMW

Musées : Dublin – Liverpool – Londres.
Ventes Publiques : Londres, 4 fév. 1986 : *Edwin Austin Abbey, R.A.*, aquar. et cr. reh. de blanc/pap. gris vert (32x17,5) : **GBP 1 400**.

WARD Leslie Moffat
Né le 2 avril 1888 à Worcester. xxe siècle. Britannique.
Peintre, graveur.
Comme graveur, il privilégia la technique de l'eau-forte.

WARD Martin Theodore
Né en 1799 à Londres. Mort le 13 février 1874 à York. xixe siècle. Britannique.
Peintre animalier.
Fils de William Ward l'Ancien et élève de Landseer. Il travailla à Londres, au début de sa carrière et exposa à la Royal Academy, à la British Institution et à Suffolk Street de 1819 à 1858. Vers 1840, il alla s'établir dans le Yorkshire, mais il n'y trouva guère de succès, car on dit qu'il mourut très pauvre.
Ventes Publiques : Londres, 22 mars 1974 : *Cheval dans une écurie* 1824 : **GNS 400** – Londres, 25 nov. 1977 : *Chevaux et chiens dans un paysage* 1823, h/t (122x167,2) : **GBP 1 600** – Londres, 23 mars 1979 : *Cheval gris près d'un étang*, h/t (63,8x75,6) : **GBP 550** – New York, 1er mai 1981 : *Épagneul* 1826, h/t (25,5x33) : **USD 3 600** – Londres, 6 juil. 1983 : *Chiots jouant* 1820, h/t (62x74,5) : **GBP 3 800** – Londres, 20 juil. 1990 : *La mule entêtée*, h/t (25,5x31,8) : **GBP 990** – Londres, 26 oct. 1990 : *Un cheval bai brun dans une écurie*, h/t (46x62) : **GBP 880** – Londres, 5 sep. 1996 : *Terrier blanc et noir dans un paysage boisé*, h/t (36,7x43,2) : **GBP 2 300**.

WARD Mary, née **Webb**
xixe siècle. Active dans la première moitié du xixe siècle. Britannique.
Peintre de portraits, peintre de miniatures.
Femme de George Raphael. Ward. Elle exposa à Londres de 1824 à 1849.

WARD Nari
Né en 1963. xxe siècle. Depuis 1975 actif aux États-Unis. Jamaïcain.
Auteur d'installations.
Il est un ami proche de l'artiste David Hammons. Il a séjourné en 1994 comme résident au Magasin de Grenoble. Il vit et travaille à Harlem (New York).
Il participe à des expositions collectives : 1995 Biennale de Venise dans la section Aperto, *Au cœur de la nuit* au Kröller-Müller Museum d'Otterlo. Il montre ses œuvres dans des expositions personnelles : 1993 New Museum of Contemporary Art de New York ; 1995 Le Magasin de Grenoble.
Il travaille sur l'accumulation, puisant ses formes et objets dans son entourage, notamment dans la rue, vieux sommiers, poussettes, roues, bidons. Mémoire du lieu, ses installations renvoient également aux références personnelles de l'artiste.
Bibliogr. : Jean Marc Huitorel : *Nari Ward*, Art Press, n° 200, Paris, mars 1995.

WARD Orlando Frank Mantagu
Né le 15 juin 1878 à Rougham. xxe siècle. Britannique.
Peintre.
Il fut actif à Bath. Il fut également restaurateur.

WARD Samuel
Mort en 1639. xviie siècle. Actif à Ipswich. Britannique.
Caricaturiste.
Il était dans les ordres, mais s'étant rallié au parti puritain, il fut persécuté par l'archevêque Land, et condamné par la Chambre étoilée. Ses caricatures parurent vers 1621 et 1635. Le Musée Britannique de Londres conserve un dessin de cet artiste.

WARD T.
xixe siècle. Actif à Londres de 1819 à 1840. Britannique.
Peintre.

WARD Vernon de Beauvoir
Né en 1905. Mort en 1985. xxe siècle. Britannique.
Peintre de paysages animés, animalier, fleurs.

V. DE BEAUVOIR WARD

Vernon Ward

Ventes Publiques : Londres, 5 mars 1976 : *Mouettes survolant une plage* 1927, h/cart. (25,5x25,5) : **GBP 80** – Londres, 2 mars 1989 : *Nature morte avec des buddléias, des hortensias et des clématites*, h/t (75x62,5) : **GBP 3 300** – Londres, 12 mai 1989 : *Course à skis dans le massif de Mürren*, h/t (35x45) : **GBP 1 045** – Londres, 15 mars 1994 : *Goélands sur un quai* 1949, h/t (49,5x80) : **GBP 2 300** – Perth, 29 août 1995 : *L'arrivée des canards* 1945, h/t (47x61) : **GBP 2 760** – Londres, 14 mai 1996 : *Vol de pies huîtrières quittant les dunes* 1947, h/t (60,3x45) : **GBP 1 035**.

WARD William, l'Ancien
Né en 1766 à Londres. Mort le 21 décembre 1826 à Londres, subitement. xviiie-xixe siècles. Britannique.
Graveur de portraits, scènes de genre, animalier.
Un des maîtres de la gravure anglaise en manière noire et au pointillé. Il était le frère du peintre animalier James Ward et le père de William James le Jeune et Martin Théodore Ward. Il fut d'abord élève de J. R. Smith, puis son collaborateur.
Associé de la Royal Academy en 1811, il ne devint pas académicien. De 1785 à 1826, il exposa trente gravures à la Royal Academy.
Il était beau-frère de George Morland et reproduisit un grand nombre de ses peintures. Il reproduisit également des portraits d'après Reynolds et des tableaux d'animaux de son frère James.
Il fut graveur du prince Regent et du duc d'York.

Ventes Publiques : Paris, 7 juil. 1992 : *Le désastre ; L'histoire de la veuve*, grav. en coul., une paire : **FRF 14 000** – Paris, 29 mai 1996 : *Enfants jouant ; Gitanes*, deux sujets gravés mezzotinto (chacun 44x55,6) : **FRF 5 700**.

WARD William James, le Jeune

Né vers 1800 à Londres. Mort le 1er mars 1840 à Londres. xixe siècle. Britannique.

Graveur en manière noire.

Fils et élève de William Ward l'Ancien. Dès l'âge de douze ans, il obtint une médaille d'argent de la Society of Arts. Il montra un remarquable talent dans ses reproductions de sir Joshua Reynolds. Il a aussi gravé d'après John Johnson, sir Th. Lauwrence, John Lucas, F. Grant, T. Stewartson, George Mulway, Van Dyck, etc.

WARDÉ Paul

Né en 1955. xxe siècle. Actif en France. Libanais.

Peintre de compositions animées, figures, graveur.

Il vit et travaille à Paris.

Il participe à des expositions collectives : 1986, 1988 Biennale de l'estampe contemporaine à Paris ; 1987 Maison de la Suisse à Paris, où il a reçu la médaille d'argent de l'Académie européenne ; 1987 Séoul ; 1989 *Liban. Le regard des peintres* à l'Institut du monde arabe à Paris. Il montre ses œuvres dans des expositions personnelles : depuis 1986 régulièrement à Paris, notamment aux galeries Asfar et La Cordée.

Graveur, il réalise aussi des lithographies.

Bibliogr. : Catalogue de l'exposition : *Liban. Le regard des peintres. 200 ans de peinture libanaise*, Institut du monde arabe, Paris, 1989.

WARDI Rafael

Né en 1928. xxe siècle. Finlandais.

Peintre de compositions animées, figures, natures mortes.

Il a obtenu le Premier Prix d'État, en 1960.

Il se forma par l'étude des œuvres de Van Gogh, Bonnard, Morandi. De Bonnard, il a le goût des accords chauds et tendres. De Morandi, il a celui des objets de la vie quotidienne. Il peint souvent des compositions dont les personnages sont des enfants.

Bibliogr. : B. Dorival, sous la direction de... : *Peintres Contemporains*, Mazenod, Paris, 1964.

WARDIG ou **Wardighen**. Voir **WAERDIGH**

WARDLE Arthur

Né le 5 février 1864 à Londres. Mort le 16 juillet 1949 à Londres. xixe-xxe siècles. Britannique.

Peintre de compositions mythologiques, animaux, pastelliste, dessinateur.

Il ne suivit les cours d'aucune école d'Art, mais commença à peindre très jeune et bénéficia sans doute des conseils d'artistes résidant dans son quartier de Chelsea. À partir de 1892, il s'installa avec sa femme dans le Nord de Londres, à St John's Wood, surtout en raison de la proximité du parc zoologique, où l'on pouvait le voir faire des croquis par tous les temps. Il semble toutefois qu'il entreprit un voyage dans les années 1920 en Afrique centrale et occidentale, en Inde et dans le Sud-Est asiatique. À la fin de sa vie il vivait paisiblement à Goldhack Road, dans Shapherd's Bush et mourut en 1949 à peu près oublié.

Il n'avait que seize ans lorsque sa peinture *Étude de bétail sur les berges de la Tamise* fut acceptée à la Royal Academy, où il exposa jusqu'en 1938. En 1880, il envoya également deux autres peintures pour l'Exposition d'Hiver de la Société des Artistes Britanniques dans Suffolk Street. En 1910, on le trouve dans le catalogue de l'Exposition de Liverpool. Il fut élu membre de la Pastel Society en 1911. C'est vers 1890 que son style s'affirma dans la peinture des animaux. Il assit sa réputation en présentant au Salon de la Royal Academy de grandes toiles de scènes mythologiques, combinant des personnages avec des animaux, par exemple : *Diane* – la déesse endormie parmi ses chiens, *La flûte de Pan* – jeune faune charmant des léopards et d'alertes lapins, etc. Simultanément il exposait des peintures d'animaux purement naturalistes. Il créa ses œuvres maitresses en atelier entouré de croquis, de squelettes et de modèles réduits. Malgré sa notoriété acquise par ses grandes compositions, c'est au pastel qu'allaient ses préférences. Cependant, si ses peintures d'animaux sauvages lui valurent les louanges de la critique, ce sont ses portraits de chiens qui lui rapportèrent le plus d'argent, reproduits sur différentes marques de tabac, paquets de cigarettes, cartes postales, cartes à jouer, calendriers, boites de chocolat.

Musées : Leeds : *Deux léopards* – Londres (Tate Gal.) : *Jeune léopard avec un oiseau*.

Ventes Publiques : Londres, 5 oct. 1973 : *Tigre* : **GNS 550** – Londres, 23 avr. 1974 : *Le pot de fleurs renversé* 1892 : **GBP 720** – Londres, 29 juin 1976 : *Chiens de chasse à l'arrêt* 1902, h/t (62x74) : **GBP 850** – Londres, 14 juin 1977 : *Idylle d'été*, h/t (57x56,5) : **GBP 750** – Londres, 20 nov 1979 : *A close shave*, aquar. et reh. de blanc (26x36) : **GBP 440** – Londres, 15 mai 1979 : *Le repos des chasseurs*, h/t (45,5x66) : **GBP 2 800** – Londres, 15 déc. 1981 : *Tigers disturbed*, h/t (76x101,5) : **GBP 5 500** – Londres, 9 mai 1984 : *Tigres au repos au bord d'une rivière*, gche (39,5x50,5) : **GBP 2 600** – Londres, 19 juin 1984 : *Fate* 1904, h/t (96,5x150) : **GBP 8 000** – Londres, 3 juin 1988 : *L'heure solennelle où dans un ciel violet, sans nuage ni rayon, la lune ronde et rouge commence à luire* 1889, h/t (61x33) : **GBP 715** – Londres, 15 juin 1988 : *Bétail s'abbreuvant* 1887, h/t (48x79) : **GBP 1 210** – Londres, 23 sep. 1988 : *Donnant l'alarme*, h/t (46x66) : **GBP 3 300** – New York, 23 fév. 1989 : *Un Pékinois*, h/t (56,5x35,6) : **USD 14 300** – Londres, 17 mars 1989 : *Léopards guettant une proie*, h/t (41x48) : **GBP 12 100** – New York, 24 mai 1989 : *Deux Scott terriers dans un paysage*, h/t/pan. (58,4x43,3) : **USD 15 400** – Chester, 20 jul. 1989 : *La garde du gibier*, aquar. (52x38) : **GBP 2 420** – New York, 24 oct. 1989 : *Entourée de ses amis*, h/t (79,4x51) : **USD 23 100** – Londres, 3 nov. 1989 : *Léopards sur une piste*, past. (39,4x59,7) : **GBP 3 080** – Londres, 13 déc. 1989 : *Chiens de meute flairant une piste*, h/t (40,5x61) : **GBP 6 600** – Londres, 14 fév. 1990 : *Fox-terrier montant la garde près de lièvres abattus*, cr. et aquar. avec reh. de blanc (53,2x39,3) : **GBP 4 180** ; *La joie de vivre*, h/t (71x92,8) : **GBP 20 900** – Londres, 21 mars 1990 : *Tigres au point d'eau*, h/t (74x94) : **GBP 44 000** – Londres, 15 juin 1990 : *Ami ou ennemi*, h/t (35,6x45,7) : **GBP 14 300** – Londres, 15 jan. 1991 : *Trois fox-terriers explorant un terrier* 1886, h/t (91,4x71,2) : **GBP 3 300** – Londres, 8 fév. 1991 : *Aux aguets*, h/t (38x53,5) : **GBP 6 050** – New York, 7 juin 1991 : *Pas de fumée sans feu*, h/t (45,7x61) : **USD 31 900** – Perth, 26 août 1991 : *Épagneuls levant des canards sauvages*, h/t (46x61) : **GBP 7 700** – Londres, 13 mars 1992 : *Tigres à l'aube*, h/t (66x81,3) : **GBP 13 200** – New York, 5 juin 1992 : *Épagneul King Charles*, h/t (56,5x35,6) : **USD 17 600** – Londres, 13 nov. 1992 : *Henrietta Horn, levrette vainqueur de la Waterloo Cup en 1924*, h/t (71x92) : **GBP 5 280** – Londres, 5 mars 1993 : *Fox-Terriers sur une piste*, h/pan. (30,5x40,5) : **GBP 15 525** – New York, 17 fév. 1993 : *Le point d'eau des tigres*, h/t (73,7x94) : **USD 85 000** – Londres, 3 nov. 1993 : *L'attaque*, h/t (66x96,5) : **GBP 25 300** – Londres, 2 nov. 1994 : *Deux léopards guettant leur proie*, h/t (66x96,5) : **GBP 10 350** – Londres, 23 nov. 1994 : *Le domaine des ours polaires*, h/t (66x137) : **GBP 13 800** ; *Léopards au repos*, h/t (104x157) : **GBP 100 500** – Londres, 29 mars 1996 : *L'Élite du chenil*, h/t (40,6x61) : **GBP 15 525** – New York, 12 avr. 1996 : *Le Départ de la chasse*, h/t (101,6x128,3) : **USD 27 600** – Londres, 7 juin 1996 : *La Flûte de Pan*, h/t (108,6x154,9) : **GBP 76 300** – Londres, 5 sep. 1996 : *Promenade matinale*, h/t (35,6x61) : **GBP 805** – Londres, 17 oct. 1996 : *Les Adversaires : terrier et chat* 1890, h/t (73,7x61,5) : **GBP 5 980** – Londres, 14 mars 1997 : *Thistle-Down*, aquar. et gche avec reh. de blanc/cart. (39,3x46,3) : **GBP 2 070** – New York, 11 avr. 1997 : *Cinq Bigles* 1906, h/t (50,8x76,2) : **USD 20 700** ; *Ours polaires*, h/t (83,8x66) : **USD 12 650** – Londres, 6 juin 1997 : *Des fox-terriers sur une piste*, h/pan. (30,5x40,5) : **GBP 12 075** – Auchterarder (Écosse), 26 août 1997 : *Setters avec du gibier*, h/t (76x101,5) : **GBP 11 270** – Londres, 7 nov. 1997 : *L'Enchanteresse*, h/t (157,5x109,2) : **GBP 80 700** – Londres, 5 nov. 1997 : *En arrêt*, h/t (45,5x61,5) : **GBP 17 250**.

WARE Humphrey

xviiie siècle. Travaillant à Paris en 1753. Britannique.

Peintre d'éventails.

WARE Isaac
Mort le 3 janvier 1766 à Londres. XVIIIe siècle. Britannique.
Architecte, dessinateur et graveur.
Il tient une place notable dans l'histoire de l'architecture anglaise, mais nous n'avons à nous occuper de lui que comme dessinateur et graveur. Sa vie est assez romanesque. Il fut d'abord petit ramoneur, mais cette besogne ne l'empêchait pas de montrer du goût pour les arts. Lord Burhington, l'ayant remarqué un jour dessinant à Whitehall, le prit sous sa protection et l'envoya en Italie. Il a gravé avec goût plusieurs planches pour les ouvrages d'architectures qu'il publia. Ses dessins sont remarquables.

WAREN Sven
Né en 1729. Mort le 7 octobre 1835. XVIIIe-XIXe siècles. Suédois.
Peintre de portraits, peintre de miniatures.

WARENBERGER Simon. Voir **WARNBERGER**

WARENHEIM Erik. Voir **WARNHEIM**

WARF L. Van der
XVIIIe siècle. Actif à Groningue. Hollandais.
Portraitiste.

WARFFEMIUS Piet
Né en 1956 à La Haye. XXe siècle. Hollandais.
Peintre. Abstrait.
Il fut élève de l'académie royale de peinture de La Haye, de 1974 à 1979, dans la section peinture monumentale.
Il participe à des expositions collectives, notamment aux foires de Bâle et Cologne. Il montre ses œuvres dans des expositions personnelles aux Pays-Bas et en Allemagne depuis 1979.

WARGH Carl, pseudonyme : **Nyman**
Né en 1895 à Vasa. Mort en 1937. XXe siècle. Finlandais.
Peintre de figures, portraits, paysages, natures mortes.
Il fut élève des Académies de Munich et de Paris.
Musées : Helsinki (Ateneum).

WARGIN Petry
Né en 1931 à Montréal (Québec). XXe siècle. Canadien.
Peintre.
Musées : Montréal (Mus. d'Art Contemp.) : *Les Heures tombent* 1963.

WARGOUTZ André
Né le 22 mars 1887 à Saint-Étienne (Loire). XXe siècle. Français.
Peintre de fleurs, aquarelliste.
Il fut élève de Charles P. Renouard et de Marcel Baschet. Il vécut et travailla à Nogent-sur-Marne. Il exposa à Paris, au Salon des Artistes Français à partir de 1910.

WARHAM Joseph
Mort vers 1874. XIXe siècle. Travaillant à Stocke-on-Trent. Britannique.
Peintre sur porcelaine.

WARHOL Andy, de son vrai nom : **Varchola Andrej** ou **Warhola**
Né le 6 août 1928 à Pittsburgh (Pennsylvanie). Mort le 22 février 1987 à New York. XXe siècle. Américain.
Peintre de portraits, figures, natures mortes, dessinateur, graveur, illustrateur. Pop art.
Il est le fils d'émigrés tchèques, son père, mineur, étant mort en 1942 après trois ans de maladie, sa mère parlant un anglais approximatif. D'origine des plus modestes, il fut cependant élève de l'Institut d'Arts Appliqués de Pittsburgh, puis vint débuter en 1949 à New York comme dessinateur publicitaire. Un concours gagné le fit un peu connaître ; il fut demandé comme affichiste, s'installa à Lexington Avenue, quittant le « collectif », où il avait vécu depuis 1949, avec de jeunes peintres, danseurs et écrivains. Dessinateur de mode, il créait des dessins de chaussures pour le magazine *Glamour*, en 1950. Il fit aussi des cartes de Noël pour le magasin *Tiffany's*, des illustrations pour les revues *Vogue*, *Harper's Bazaar*, en fait des publicités pour des shampoings, des soutien-gorges, des parfums, du rouge à lèvres, etc. Pour ses dessins publicitaires, il avait reçu de nombreux prix, notamment en 1952, 1956, 1957 et 1958 par l'Art Directors Club, en 1954 un « certificat d'excellence » de l'American Institute of Graphic Arts. Ses débuts sous le signe exclusif de la publicité ne furent évidemment pas sans importance pour la suite et pour l'apparition et la définition du pop Art, et il est remarquable qu'à ce même moment, il fut employé comme décorateur de vitrines par le magasin *Bonwit*, où travaillaient aussi deux autres de ceux qui allaient devenir les créateurs du pop : Rauschenberg et Jaspers Johns. En 1956, il fit un voyage autour du monde : le Japon et Formose, l'Indonésie, le Cambodge, l'Inde, l'Égypte, l'Italie, la Hollande, négligeant Londres et Paris. En 1963, il s'installa au 47 de l'East Street, dans ces immenses locaux qu'il appelle « The Factory » (l'usine). Vers 1966, il délaissa quelque peu la peinture, pour se consacrer à l'animation de la « Factory », qui devint, avec l'élaboration de son propre personnage sophistiqué à l'extrême, l'objet même de son acte créateur. Outre la population de marginaux qui lui constituèrent une sorte de cour, la Factory fut transformée d'atelier de peinture en studio de tournage de cinéma. Avec Paul Morissey comme directeur de production, Warhol produisit de nombreux films, qui constituent une participation importante au cinéma « underground ». Parallèlement, il réalisa des décors pour une chorégraphie de Merce Cunningham (1968-1969), dirigea la revue *Interview*, la revue des Warhol Enterprises (1970), monta une pièce de théâtre *Pork* à New York et Londres (1970), fut acteur avec Elisabeth Taylor dans *The Driver's Seat* (1973), créa des affiches, notamment pour le film *Querelle* de Fassbinder (1982), pour le centenaire du Brooklyn Bridge (1983). Véritable phénomène de société, qui sut s'imposer médiatiquement, le nom de Warhol fut diffusé par diverses marques, sociétés et publications (Air France, Pioneer Electronics Corporation...). À la fin de sa vie, poursuivant ses activités diverses, il voyagea beaucoup, travaillant à de nombreux projets artistiques ou non.
Il a participé à de très nombreuses expositions collectives, notamment à toutes celles consacrées au pop art : 1956 *Recent Drawings USA* au Museum of Modern Art de New York ; 1962 *The New Realists* à la Sidney Janis Gallery de New York ; 1964 Exposition universelle de New York ; 1967 Expo 67 de Montréal ; 1968, 1982 Documenta de Kassel ; 1970 Expo 70 d'Osaka ; 1981 *Westkunst* au Museum der Stadt de Cologne ; 1982 *Zeitgeist* à Berlin... Il a montré ses œuvres dans de nombreuses expositions personnelles : depuis 1952 très régulièrement à New York depuis sa première manifestation à la Hugo Gallery *Andy Warhol : quinze dessins inspirés des écrits de Truman Capote*, 1962 pour la première fois à la Stable Gallery, 1964 pour la première fois à la Leo Castelli Gallery, 1971, 1979 Whitney Museum of American Art, 1980 Museum of Modern Art, 1983 America Museum of Natural History, 1986 Dia Art Foundation ; ainsi que : à partir de 1964 à la galerie Ileana Sonnabend à Paris ; 1965 Institute of Contemporary Art de Philadelphie ; 1966 Institute of Contemporary Art de Boston ; 1968 exposition itinérante organisée par le Moderna Museet de Stockholm ; 1969 Nationalgalerie de Berlin ; 1970 exposition itinérante organisée par l'Art Museum de Pasadena ; 1971 Museum Haus Lange de Krefeld, musée d'Art moderne de la ville de Paris ; 1972 Kunstmuseum de Bâle ; 1974 musée Galliera à Paris, Art Museum de Milwaukee, musée d'Art moderne de Bogota ; 1975 Museum of Modern Art de Baltimore ; 1976 exposition itinérante organisée par le Kunstverein de Stuttgart ; à partir de 1977 régulièrement à la galerie Daniel Templon à Paris ; 1977 Folkwang Museum d'Essen, musée d'Art et d'Histoire de Genève ; 1978 Kunsthaus de Zurich, Louisiana Museum à Humlebaek ; 1979 exposition itinérante organisée par le Wadsworth Atheneum de Hartford ; 1980 Centre d'art contemporain de Genève, Museum Ludwig de Cologne, Stedelijk Museum d'Amsterdam, The Jewish Museum de New York ; 1981 Museum Moderner Kunst de Vienne, Kestner-Gesellschaft de Hanovre, Städtische Galerie im Lenbachhaus de Munich ; 1982 exposition itinérante dans divers musées britanniques ; 1983 Aldrich Museum of Contemporary Art de Ridgefield ; 1987-1988 The Menil Collection à Houston ; 1990 musée national d'Art moderne à Paris ; 1995 fondation de l'Ermitage et musée olympique de Lausanne.
En 1953, il commence à réaliser des peintures où le graphisme évoque ses dessins tamponnés, technique utilisée dans ses créations publicitaires. L'année suivante, dans une boutique de mode faisant en même temps restaurant, il présente ses *Portraits-chaussures*, auxquels la revue *Life* consacra deux pages, peintures publicitaires des chaussures supposées de personnages à la mode : la Callas, l'acteur Marlon Brando, la star Greta Garbo, etc. Ensuite il montra une exposition des portraits, peints dans une technique très convenue rappelant un peu celle de Christian Bérard, des jeunes gens à la mode de la société américaine *The Boys of New York*. Un recueil de dessins, qui ne circule qu'entre initiés, complète ces portraits de détails anatomiques beaucoup plus intimes. À ce moment, sa technique picturale est encore traditionnelle, avec des effets de brosse, des pâtes diversifiées, bref un style personnel. Quand, en 1960, New York, après la décade

de l'expressionnisme abstrait, puis les quelques années de la vogue des collages et assemblages néodada, trouve un nouveau souffle avec l'apparition du pop, et que s'établissent soudainement la réputation internationale des Motherwell, De Kooning, Rauschenberg, Jasper Johns, Warhol est encore à l'extérieur du mouvement, à tel point qu'il achète quelques œuvres pop. Influencé, il peint en 1960 une série de peintures inspirées de personnages de bandes dessinées : Popeye, Superman, Batman, Dick Tracy, mais encore traitées dans un souci « plastique », avec des effets « artiste », et la même année aborde les peintures de réclames et de bouteilles de Coca-Cola. C'est juste ensuite qu'il comprend que cette opération de « mise en page du quotidien américain », de restitution au téléobjectif du paysage urbain moderne, exige une technique de « constat », impersonnelle et « froide ». Ayant perçu que l'élément capital de l'environnement de l'*homo americanis*, était le billet de banque, il en peint des séries, les variations se situant généralement dans les changements de couleurs. Ces dollars sont encore peints à la main, mais toutefois dans une technique tout à fait dépersonnalisée, pratiquant le dessin tamponné, de même que les séries suivantes, notamment des boîtes de *Campbell's Soup*, également révélatrices de la vie américaine, objet quotidien que l'on ne remarque même plus, sauf évidemment à le voir agrandi et promu au rang d'image d'art en tant que reflet de la réalité contemporaine. Warhol prend alors conscience que la peinture à la main ne convient absolument pas à une reproduction fidèle d'objets déjà graphiques en soi, et en outre destinée à être l'objet de séries répétitives, même avec quelques variantes ; dès lors, il utilise des écrans de sérigraphie obtenus par des procédés photomécaniques. Passant en revue, les divers « états » de l'objet, il en décline les facettes, ainsi les soupes Campell's sont-elles abordées sous l'angle du nombre (une ou cent ou deux cents boîtes représentées), du format (petites ou grandes), de la forme (intacte, fermée ou ouverte, déchirée ou écrasée), de l'arôme (aux haricots rouges, aux légumes épicés, à la poule au riz et haricots au lard), de la présentation (à l'unité, en pack, ou représenté sur des sachets). *Billets de banque, Campbell's Soup*, sont peints en 1962. Après ces deux séries, Warhol adopte la sérigraphie pour les séries suivantes : *Bouteilles de Coca-Cola*, produit typique destiné à la consommation de masse américaine ; *Tomates Heinz* ; *Lessive Brillo* ; et puis les séries consacrées à ces autres mythes de la société moderne, les vedettes de cinéma réduites au rang d'« objets », puisqu'elles ne sont perçues qu'à travers les images stéréotypées déjà reproduites à des milliers d'exemplaires : Marilyn Monroe, Liz Taylor. Tous ces thèmes donnent lieu par des procédés mécaniques à des agrandissements, répétitions, multiplications, variations alternées, notamment par recouvrement de couleurs acides et agressives (Marilyn dorée, turquoise, verte, bleue, en noir et blanc, menthe, citron) et estompages des formes déjà connues, qui en accentuent le pouvoir obsessionnel tout en manifestant la volonté de n'y rien ajouter. Aidé de Gérard Malanga, Warhol tire des centaines d'exemplaires des différentes séries en cours, aussitôt vendus, qui s'étalent sur diverses années. Il produit aussi de nouvelles séries en relation directe avec l'actualité, politique et sociale, consacrées aux terreurs qui ont remplacé, pour l'homme moderne, les anciennes terreurs sacrées (religieuses ou métaphysiques) : en 1962 les *Catastrophes* ; en 1963 les *Suicides*, les *Accidents de Voiture*, les *Émeutes Raciales*, la *Chaise Électrique*, les *Jackie* après l'attentat de J. F. Kennedy. Viennent l'année suivante le début des séries des *Fleurs*, des *Fugitifs activement recherchés*, des *Autoportraits*. En 1965, il annonce son intention de cesser la peinture pour se consacrer uniquement au cinéma. Après cette date, sa production picturale se fait moindre, privilégiant les activités de la « Factory » et notamment la réalisation de très nombreux films, en résumé traitant souvent de l'érotisme, de l'homosexualité, mais plus souvent encore de la double obsession de l'image arrêtée et en même temps du temps qui s'écoule. Ainsi ces films montrent pendant plus d'une dizaine d'heures un homme qui dort ou l'Empire State Building, l'homme qui dort bougeant quand même au rythme de sa respiration, le building s'animant selon les heures du jour et selon les éclairages nocturnes. D'autres films, moins provocateurs quant à la forme, sont consacrés à l'inventaire des déviations sexuelles. Néanmoins en 1966, il produit les séries des Papiers peints à motif de vaches, des « Autoportraits » et des « Nuages argentés ». En 1968 alors qu'il a été grièvement blessé d'un coup de revolver par Valérie Solanis la fondatrice et unique membre de la Society for cutting up man, il peint de petits portraits de Mme Nelson Rockfeller, mais à partir de cette date, (du fait de cette agression) il préfère néanmoins déléguer la réalisation de ses œuvres. En 1972, il se remet à la peinture avec la série des *Mao*, aux coups de pinceau bien visibles sur la surface sérigraphiée (la couleur étant appliquée au balai éponge dans les grands tableaux), aux gribouillages noirs sérigraphiés à part. Il réalise dès lors et jusqu'à sa mort de nombreux portraits de commande, de la princesse Caroline, au Shah d'Iran, de Mick Jagger à Michael Jackson. Travaillant par superposition, il associe une évocation abstraite de la personne et une image photographique, photomatons, diapositives, photographies (à l'Instamatic puis au Leica et enfin au Polaroïd employé avec un flash), illustrations de livres et revues. Dans les dernières années, parmi les diverses séries citons les *Crânes* (1976), les *Sportifs*, les *Faucilles et marteaux* ainsi que les *Torses* (1977), les *Peintures d'oxydation* et *Ombres* (1978), les *Inversions* et les *Peintures rétrospectives* (1979), les *Portraits de Beuys*, les *Chaussures à la poussière* et les *Portraits de juifs du XX*[e] *siècle* (1980), les *Croix*, les *Dollars*, les *Pistolets* et les *Mythes* (1981), les *Détails de peinture de la Renaissance*, les *Paraphrases de Munch* et les *séries des Test de Rorschach* (1984), les séries des *Pubs* (1985), de nouveau les *Camouflages*, les *Soupes Campbell's*, les *Voitures*, les *Autoportraits* et les *Fleurs* ainsi que les *Portraits de Fréderic le Grand* (1986) et l'année de la mort de l'artiste les *Portraits de Beethoven* et l'*Histoire de la télévision américaine*. Il convient de considérer à part la série des *Peintures d'oxydation* qui échappent au procédé mécanique habituel de Warhol de la sérigraphie et se révèle, au cœur de cette œuvre ancrée dans le réel, abstraite. Warhol revient, avec ces œuvres réalisées à la peinture au cuivre et « techniques diverses », à une technique plus artisanale, appliquant sur la toile un mélange de peinture acrylique et de poussières de métal sur lequel il urine, oxydant la matière non encore sèche et faisant apparaître des motifs abstraits verts dans l'esprit de l'abstraction lyrique. À la même époque, il introduit du chocolat fondu ou écrasé, de la confiture de fraise, et du sperme. Ces recherches sur la matière se retrouvent dans la série des *Tests de Rorschach* (d'après les tests de personnalités), qui mettent l'aléatoire en scène et s'inscrivent également dans l'abstraction. En 1984, il exécute des peintures en collaboration avec Jean Michel Basquiat et Francesco Clemente, ensemble ou séparément, obtenant des œuvres pittoresques par le mélange des styles, mais néanmoins d'une grande cohérence.

On a souligné la parenté qui unit le report photographique transcrit par la sérigraphie, avec le principe du « ready-made » de Marcel Duchamp. Dans les deux cas, il y a appropriation d'un objet ou d'une image, prélevés du contexte le plus quotidien. Chez Duchamp, l'objet prélevé tel quel est promu au rang d'objet d'art par le seul choix de l'artiste ; chez Warhol, la promotion est encore amplifiée par la reproduction en multiples exemplaires et les diverses ressources de la communication de masse, bien maîtrisées par l'ancien dessinateur publicitaire. Peintre ou cinéaste, Warhol utilise ces techniques pour ce qu'elles sont : des mass media, moyens de communication de masse, en vrai technicien de la publicité qu'il est, renvoyant à l'Amérique, isolée et amplifiée, sa propre image, que le personnage d'Andy Warhol concrétise encore plus parfaitement que ses œuvres. Sachant qu'il ne serait pas cru, il s'est ouvertement évalué lui-même : « Si vous voulez tout savoir sur Andy Warhol, vous n'avez qu'à regarder la surface de mes peintures, de mes films, de moi. Me voilà. Il n'y a rien dessous. » Artiste volontairement impersonnel dans son activité artistique, qui aborda néanmoins des sujets « engagés » (la chaise électrique, scènes d'émeutes raciales..), mais désira « être aussi connu que la boîte de Campbell's soup ! », Warhol modifia profondément le regard sur la réalité. Vulgarisant des mythes en les reproduisant à l'infini, et par le même procédé donnant le statut de mythe à des objets « vulgaires », ce manipulateur d'images sut élever, dans la lignée du pop art, au rang de beaux-arts le banal. Il fut aussi celui qui « fit de l'argent » à partir de la culture de masse, osant cyniquement (?) ajouter que l'argent (cette « saloperie ») l'intéressait plus que l'art et que « faire de l'argent était du grand art ». Artiste paradoxal qui aborda l'art dans sa perspective commerciale, il fut le premier à souligner l'avilissement de l'art par l'argent dans notre société de consommation, osant vendre quelque mille fois son prix la reproduction mécanique réalisée par un inconnu d'une boîte de soupe, pour financer son rêve d'être connu de tous.

■ Laurence Lehoux, Jacques Busse

Andy Warhol

Andy Warhol

Bibliogr. : *Catalogue de l'exposition Andy Warhol*, Mod. Mus., Stockholm, 1968 - Pierre Restany : *Les Nouveaux Réalistes*, Planète, Paris, 1968 - Lucy Lippard : *Pop Art*, Hazan, Paris, 1969 - Michel Chilo : *Pop Art*, Chroniques de l'Art Vivant, Paris, décembre 1969 - Pierre Cabanne, Pierre Restany : *L'avant-garde au xxe siècle*, Balland, Paris, 1969 - *Catalogue de l'exposition Andy Warhol*, Musée d'Art Moderne de la Ville de Paris, novembre 1970 - Christiane Duparc : *Made in U.S.A.*, Nouvel Observateur, Paris, 14 décembre 1970 - Otto Hahn : *Warhol*, Hazan, Paris, 1972 - S. Koch : *Hyperstar Andy Warhol. Son monde et ses films*, Le Chêne, Paris, 1974 - Andy Warhol : *Ma Philosophie de A à Z*, Flammarion, Paris, 1975 - Catalogue de l'exposition : *Andy Warhol*, Kunsthaus, Zurich, 1978 - Catalogue de l'exposition : *Andy Warhol. Screenprints 1965-1980*, Arts Council of Great Britain, Londres, 1981 - Frayda Feldman, Jörg Schellmann : *Andy Warhol, les gravures. Catalogue raisonné*, Ronald Feldman Fine Arts, Abbeville Press, Schellmann, 1985 - *Spécial Andy Warhol*, Artstudio, n° 8, Paris, print. 1988 - Ultraviolet : *Ma Vie avec Andy Warhol*, Albin Michel, Paris, 1989 - Kynaston McShine : *Andy Warhol. Une rétrospective*, Museum of Modern Art, New York, 1989 - Catalogue de l'exposition *Andy Warhol. Rétrospective*, Centres Georges Pompidou, Paris, 1990 - Hector Obalk : *Andy Warhol n'est pas un grand artiste*, Aubier, Paris, 1990 - Victor Bockris : *Andy Warhol*, Plon, Paris, 1990 - Jean-Luc Chalumeau : *Lectures de l'art*, Le Chêne, Paris, 1991 - Thomas E. Amm : *Andy Warhol. Catalogue raisonné*, Schimer-&Mosel, Munich, 1992 - Anne Cauquelin : *L'Art contemporain*, coll. *Que sais-je ?*, Presses universitaires de France, Paris, 1992 - Catalogue de l'exposition *Andy Warhol*, Fondation Antonio Mazzotta, Milan, Comité international olympique et Fondation de l'Ermitage, Lausanne, 1995 - John O'Connor, Benjamin Liu : *Unseen Warhol*, Rizzoli, Milan, 1996 - Philippe Trétiack : *L'Amérique de Warhol*, Assouline, Paris, 1997 - Jean-Luc Chalumeau : *Andy Warhol*, coll. *Découvrons l'art*, Cercle d'art, Paris, 1997.

Musées : Amsterdam (Stedelijk Mus.) : *Bellevue II* 1963 - Bâle (Kunstmus.) : *Accident de voiture optique* 1962 - *Cinq morts dix-sept fois en noir et blanc* 1963 - Bâle (Cab. des Estampes) : *À faire soi-même* 1962, mine de pb et cr. de coul. - Baltimore (Mus. of Art) : *Catastrophe argenté* 1963 - Boston (Mus. of Fine Arts) : *Catastrophe rouge* 1963 - Budapest (Magyar Nemzeti Gal.) : *Simple Elvis* 1963 - Buffalo (Albright-Knox Art Gal.) : *Cent Boîtes* 1962 - Chicago (Art Inst.) : *Mao* 1973 - Chicago (Mus. of Contemp. Art) : *Diptyque de Troy* 1962 - Cologne (Mus. Ludwig) : *Refermer la pochette avant d'enflammer l'allumette (Pepsi Cola)* 1962 - *129 Accident d'avion* 1962 - *Quatre-vingts billets de deux dollars, recto et verso* 1962 - *À faire soi-même* 1962, acryl. et Letraset - *Émeute raciale rouge* 1963 - *Les Fugitifs activement recherchés n° 7, Salvatore V.* 1964, sérig. - Dayton (Art Inst.) : *Billet de deux dollars imprimé n° 1* 1962 - Detroit (Inst.of Arts) : *Double Autoportrait* 1967 - Düsseldorf (Kunstsammlung Nordrhein-Westfalen) : *Grande Boîte de soupe Campbell's déchirée* 1962 - Francfort-sur-le-Main (Mus. für Mod. Kunst) : *Daily News* 1962 - *Catastrophe verte dix fois* 1963 - Houston (The Menil coll.) : *Frigo* 1960, h., encre et mine de pb - *Grande Boîte de soupe Campbell's* 1962 - *Double Joconde* 1963 - *Catastrophe mauve* 1963 - *Petite Chaise électrique* 1965, sérig. et acryl. - *Fleurs* 1966 - *Autoportrait au crâne* 1978 - La Jolla (Mus. of Contemp. Art) : *Fleurs* 1967 - Kansas City (The Nelson Atkins Mus. of Art) : *Baseball* 1962 - Londres (Tate Gal.) : *Diptyque de Marilyn* 1962 - *Autoportrait* 1967 - Los Angeles (County Mus. of Art) : *Catastrophe en noir et blanc* 1962 - Mayence (Landesmus.) : *Saturday's Popeye* 1960 - Minneapolis (Walker Art Center) : *Seize Jackie* 1964 - Mönchengladbach (Städt. Mus. Abteiberg) : *Réclame* 1960 - *192 billets de un dollar* 1962 - *Attention verre fragile* 1962 - *Boîte de soupe Campbell's (poule au riz, haricots au lard* 1962 - *Les Fugitifs activement recherchés n° 10, Louis Joseph M.* 1964 - Montréal (Mus. d'Art Contemp.) : *Mao Tse Tung* 1972, quatre sérig. - *Chaise électrique* 1963, sérig. - Munich (Bayerische Staastgemaäldesammlungen) : *Autoportrait* 1967 - New York (Metrop. Mus. of Art) : *Dr Scholl* 1960 - *Quatre Joconde* 1963 - *Autoportrait avec camouflage* 1986 - New York (Mus. of Mod. Art) : *Cumulus* 1960 - *Faitout* 1962, photogravure - *Rouleau de billets* 1962, mine de pb, cr. gras et stylo-feutre - *Boîte de soupe Campbell's* 1965 - *Marilyn Monroe dorée* 1962 - *Portraits des artistes* 1967 - *Sidney Janis* 1967 - *Mao* 1973, deux tirages électrostatiques séquentiels - *Sans Titre* 1974, sérig. du portfolio pour Meyer Schapiro - New York (Solomon R. Guggenheim Mus.) : *Catastrophe orange* 1963 - New York (Whitney Mus. of American Art) : *Avant et après 3* 1962 - *Ethel Scull trente-six fois* 1963 - New York (Dia Art Found.) : *Perruques* 1960, h. et past. gras - *Coca-Cola* 1960, h. et past. gras - *Boîte de soupe Campbell's (velouté de tomate)* 1960, encre, détrempe, mine de pb et h/t - *Télé à 199 dollars* 1960, encre et mine de pb - *Hedy Lamarr* 1962, mine de pb - *Joan Crawford* 1962, mine de pb - *Pied et pneu* 1963 - *Catastrophe de l'ambulance* 1963 - *Voiture en flammes blanche III* 1963 - *Hôpital* 1963 - *Les Obsèques d'un gangster* 1963 - *Les Fugitifs activement recherchés n° 2, John Victor G.* 1964 - Paris (Mus. Nat. d'Art Mod.) : *Dix Liz* 1963 - *Grande Chaise électrique* 1967 - *Autoportrait* 1978 - Princeton (Art Mus. of the University) : *Marilyn bleue* 1962 - Richmond (Virginia Mus. of Fine Arts) : *Triple Elvis* 1962 - Stockholm (Mod. Mus.) : *Grande Chaise électrique* 1967 - Stuttgart (Staatsgal.) : *Pêches au sirop* 1960 - Toronto (Art Gal. of Ontario) : *Elvis I et II* 1964 - Vienne (Mus. Mod. Kunst) : *Maquettes pour le portfolio Mick Jagger* 1975 - Washington D. C. (Hirshhorn Mus. and Sculpture Garden, Smithsonian Inst.) : *Les Lèvres de Marilyn Monroe* 1962 - Washington D. C. (Nat. Gal. of Art) : *Un Homme pour Meg* 1961 - Zurich (Kunsthaus) : *Grande Boîte de soupe Campbell's déchirée* 1962.

Ventes Publiques : New York, 9 déc. 1969 : *La Légende du petit âne*, paravent à trois panneaux : **USD 2 100** - New York, 14 mai 1970 : *Campbell Soup can with peeling label* : **USD 60 000** - New York, 18 nov. 1970 : *Jus de tomate Campbell*, bois : **USD 1 700** - New York, 17 nov. 1971 : *Autoportrait* : **USD 39 000** - New York, 18 mars 1972 : *Le Penseur*, aquar. : **USD 800** - New York, 26 oct. 1972 : *Electric Chair*, quatre toiles : **USD 21 000** - New York, 18 oct. 1973 : *Fleurs* 1962 : **USD 135 000** - Londres, 4 avr. 1974 : *Happy butterfly day*, aquar. : **USD 1 600** - Rome, 4 avr. 1974 : *Mrs Brown Mrs Mc Carthy Tunafish Disaster* 1963, sérig./t. métallisée : **ITL 70 000 000** - Rome, 10 mai 1977 : *Vache* 1966, sérig. en coul. (114x74) : **ITL 750 000** - Londres, 7 déc. 1977 : *Jeune homme avec fleur*, aquar./grav. (35x27,5) : **GBP 780** - Londres, 7 déc. 1977 : *Suicide (homme sautant dans le vide)*, acryl. et sérig. (206x200,5) : **GBP 40 000** - New York, 18 mai 1979 : *Mott's Box* 1964, sérig./bois, boîte (46x75x56) : **USD 3 800** - New York, 18 mai 1979 : *Ginger Rogers* 1962, mine de pb (60,5x45,5) : **USD 11 000** - New York, 18 mai 1979 : *One Dollar bill* 1962, aquar. et mine de pb (45,5x60,5) : **USD 10 000** - New York, 17 mai 1979 : *Fleur* 1965, sérig./t. (195,5x188) : **USD 12 000** - New York, 27 fév. 1981 : *One Dollar Bill* 1962, cr. (61x45,7) : **USD 4 500** - New York, 13 mai 1981 : *Campbell's soup can (Tomato soup)* 1962, h/t (51x40,5) : **USD 15 000** - New York, 9 nov. 1983 : *Triple Elvis* vers 1962-1964, acryl. sérigraphié/t. (208,3x299,7) : **USD 135 000** - New York, 1er mai 1984 : *Marilyn* 1967, sérig. en noir, argent et gris (91,5x91,5) : **USD 7 000** - New York, 10 mai 1984 : *One dollar bill* 1962, cr. (61x45,7) : **USD 9 500** - New York, 5 nov. 1985 : *S & H Green Stamps* 1962, acryl. tamponné/t. (182,4x136,3) : **USD 150 000** - New York, 11 nov. 1986 : *200 one dollar bills* 1962, polymer synth. sérigraphié/t. (203,8x234,3) : **USD 350 000** - New York, 5 mai 1987 : *White Car Crash 19 times* 1963, polymer synth. sérigraphié/t. (368,3x211,5) : **USD 600 000** - New York, 20 fév. 1988 : *Papillons*, offset et aquar./pap. (30,5x21,8) : **USD 3 300** ; *Mao*, sérig./t. (30,4x25,7) : **USD 24 200** - Londres, 25 fév. 1988 : *Portrait d'homme*, fus./pap. (101,5x75) : **GBP 5 500** - Londres, 20 oct. 1988 : *Grand Danois* 1976, cr. noir (71x104) : **GBP 6 380** - New York, 9 nov. 1988 : *Les Hommes de sa vie (Mike Todd et Eddie Fisher)* 1962, sérig./t. (42x68,5) : **USD 77 000** ; *Timbres Air Mail rouges* 1962, sérig./t. (51,1x40,6) : **USD 242 000** - Milan, 6 juin 1989 : *Mao* 1973, acryl. et sérig./t. (30,5x25) : **ITL 110 000 000** - New York, 4 oct. 1989 : *Sans titre*, encre/pap. (19,3x66) : **USD 22 000** - Zurich, 25 oct. 1989 : *Marilyn Monroe* 1979, acryl./t. (46x35,5) : **CHF 200 000** - New York, 8 nov. 1989 : *Triple Elvis* 1964, sérig./t. (208,2x122) : **USD 2 200 000** - Rome, 6 déc. 1989 : *Nu* 1978, fus./pap. (79,5x60) : **ITL 89 700 000** - Paris, 18 fév. 1990 : *Marilyn Monroe* 1979, sérig./t. (45,5x38) : **FRF 1 750 000** - New York, 27 fév. 1990 : *Rideau de fond pour une exposition de mode (chez Glamour)* 1955, temp. et encre sur 10 stores (ensemble 270x546) : **USD 286 000** - Montréal, 30 avr. 1990 : *Campbell soup II, vegetarian vegetable* 1969, sérig. (88,9x58,4) : **CAD 20 900** - New York, 7 mai 1990 : *Mythes*, sérig. de polymer synth./t. (254x254) : **USD 1 100 000** - Paris, 10 juin 1990 : *The Blue Monkey* 1983, acryl./t. (35x28) : **FRF 180 000** - Paris, 10 juil. 1990 : *Marilyn*, encre sérig./polymère synth./t. (50,5x40,7) : **FRF 740 000** - Zurich, 18 oct. 1990 : *Trois Auto-*

portraits, film et collage coul. (chaque 105x80) : **CHF 22 000** – PARIS, 23 oct. 1990 : *Deux Marilyn colorées* 1980, acryl. et sérig./t. (92x35) : **FRF 1 220 000** – PARIS, 20 nov. 1991 : *Queen Elizabeth* 1985, sérig. (100,3x80) : **FRF 28 000** – COPENHAGUE, 4 déc. 1991 : *La Reine Margrethe II de Danemark* 1985, sérig. coul. : **DKK 24 000** – MILAN, 14 avr. 1992 : *Vésuve* 1985, sérig. coul., unique (80x100) : **ITL 22 000 000** – LONDRES, 2 juil. 1992 : *Boîte de soupe Campbell en couleurs* 1965, sérig. et acryl./t. (92x61,5) : **GBP 126 500** – NEW YORK, 17 nov. 1992 : *Marilyn x 100* 1962, encre et peint. polymer/sérig./t. (2.057x5.677 mètres) : **USD 3 740 000** – LONDRES, 3 déc. 1992 : *Quatre Marilyn* 1962, acryl./sérig./t. (73x55) : **GBP 610 500** – ROME, 25 mars 1993 : *Fleurs* 1967, acryl./t. (21x21) : **ITL 18 000 000** – NEW YORK, 3 mai 1993 : *Un ancien téléphone* 1961, peint. synth. polymère et cr./t. (177,2x137,2) : **USD 552 500** – PARIS, 21 mars 1994 : *Children's Painting, Monkey* 1983, acryl. et sérig./t. (36x28) : **FRF 62 000** – PARIS, 13 juin 1994 : *Hector et Andromaque* 1982, acryl./t. (127x116) : **FRF 470 000** – NEW YORK, 2 nov. 1994 : *Marilyn tirée sur fond rouge* 1964, polymer et encres sérig./t. (101,6x101,6) : **USD 3 632 500** – ROME, 13 juin 1995 : *Fleurs* 1964, acryl. et h/t (35,5x35,5) : **ITL 27 600 000** – LONDRES, 28 juin 1995 : *Tunafish Disaster*, polymer et encre sérig./t. (114,9x200) : **GBP 320 500** – NEW YORK, 16 nov. 1995 : *Sans titre* 1984, peint. or/t., test de Rorschach, taches d'encre (421x315) : **USD 123 500** – HONFLEUR, 1er jan. 1996 : *Perrier*, acryl./t. (95x63) : **FRF 300 000** – MILAN, 20 mai 1996 : *Peinture d'ombre* 1979, poudre de diamant/sérig./t. (36x27,5) : **ITL 17 250 000** – PARIS, 19 juin 1996 : *Joseph Beuys* 1980, dess. cr./pap. (80x60) : **FRF 95 000** – LONDRES, 4 déc. 1996 : *Garçon*, polymère synth. et encres/t., triptyque (chaque 101,5x101,5) : **GBP 33 350** – PARIS, 7 oct. 1996 : *Clockwork Panda Drumer* 1983, acryl. et sérig./t. (35,5x28) : **FRF 1 200 000** – NEW YORK, 9 nov. 1996 : *Fleurs* 1970, litho. coul., série de dix (91,5x91,5) : **USD 112 500** – LONDRES, 5 déc. 1996 : *Joseph Beuys* 1980, polymère synth. et poudre de diamant/t. (210x180) : **GBP 221 500** – NEW YORK, 19 nov. 1996 : *Four-foot flowers* 1964, polymère synth. sérigraphié/t. (121,9x121,9) : **USD 519 500** – NEW YORK, 20 nov. 1996 : *Diamond dust shoes* 1980, acryl. et poudre de diamant/t. (203,2x177,8) : **USD 167 500** – PARIS, 7 mars 1997 : *Electric Chair*, sérig., série de dix (chacune 90,2x121,9) : **FRF 100 000** – NEW YORK, 7 mai 1997 : *Sans titre (Roll of Bills)* 1962, aquar., cr. et stylo/pap. (101,6x76,2) : **USD 233 500** – NEW YORK, 8 mai 1997 : *Joseph Beuys* 1980, polymère synth./t. (101,6x101,6) : **USD 200 500** – NEW YORK, 7 mai 1997 : *Big torn Campbell's soup can (Pepper Pot)* 1962, acryl. et mine de pb/t. (182,9x137,2) : **USD 3 522 500** – NEW YORK, 6 mai 1997 : *Coloured Campbell's soup can* 1965, h/t (91,4x61) : **USD 387 500** – PARIS, 20 juin 1997 : *Portrait de Joseph Beuys* 1980, acryl./t. (50x41) : **FRF 190 000** – LONDRES, 26 juin 1997 : *Portrait de Florinda Bolkan* 1981, polymère synth. et encres sérig./t. (101,6x101,6) : **GBP 40 000** – LONDRES, 23 oct. 1997 : *Bateau*, polymère synth. et encres sérig./t. (28x35,5) : **GBP 13 225**.

WARIN
XXe siècle. Français (?).
Peintre de paysages, pastelliste.
Il interprète librement la nature, usant d'un dessin simplificateur qui privilégie la ligne et le trait, la couleur et le rythme.
BIBLIOGR. : B. Quentin : *Warin : Le Mouvement des choses*, Valeur de l'art, no 26, Paris, oct. 1994.

WARIN. Voir aussi **VARIN**

WARIN Antoine. Voir **VARIN Antoine**

WARIN Claude ou **Varin**
Mort le 28 juillet 1654 à Lyon. XVIIe siècle. Français.
Médailleur.
On cite de lui soixante-dix médailles à l'effigie de personnalités de son temps.

WARIN François
XVIIe siècle. Français.
Médailleur.
Fils de Jean Warin III. Il fut graveur général des monnaies de France.

WARIN Jean I
XVe-XVIe siècles. Actif à Amiens. Français.
Sculpteur.
Il exécuta des statues et des armoiries.

WARIN Jean II
XVIIe siècle. Travaillant à Bouillon et à Mastricht de 1611 à 1615. Éc. flamande.
Médailleur et graveur au burin.

WARIN Jean III ou **Varin**
Né en 1604 à Liège, probablement. Mort le 26 août 1672 à Paris. XVIIe siècle. Français.
Médailleur, sculpteur et orfèvre.
Il fut graveur général des monnaies de France et l'un des plus éminents graveurs de son époque. Il exécuta des bustes de *Louis XIII* de *Louis XIV* et de *Richelieu* et de nombreuses médailles frappées à l'effigie de ces personnages ou représentant des monuments de son époque.
MUSÉES : BEAUFORT : *Le cardinal Richelieu*, médaille – PARIS (Mus. du Louvre) : *Louis XIII*, buste – PARIS (Mus. Jacquemart André) : *Le cardinal Richelieu*, buste.

WARING John Burley
Né le 29 juin 1823 à Lyme Regis. Mort le 23 mars 1875 à Hastings. XIXe siècle. Britannique.
Paysagiste, aquarelliste, architecte et écrivain d'art.
Élève de Samuel Jackson et de la Royal Academy. Il fit de nombreux voyages et passa notamment deux ans en Italie. Le Victoria and Albert Museum, à Londres conserve une œuvre de lui (aquarelle et crayon).

WARINUS
XIIIe siècle. Travaillant de 1250 à 1255. Britannique.
Peintre.

WÄRL Johann. Voir **WÖRLE**

WÄRL Mathias
XVIIIe siècle. Actif à Radovljica dans la première moitié du XVIIIe siècle. Yougoslave.
Peintre.
Il peignit quatre peintures représentant *La Passion* pour l'église de Bitnje en 1738.

WARLAND Marcel
Né en 1924 à Namur. XXe siècle. Belge.
Peintre.
BIBLIOGR. : In : *Dict. biogr. illustré des artistes en Belgique depuis 1830*, Arto, Bruxelles, 1987.
MUSÉES : BRUXELLES (Mus. d'Art Mod.) – LIÈGE – LOUVAIN-LA-NEUVE.

WARLENCOURT Joseph ou **Warlincourt**
Né le 19 janvier 1784 à Bruges. XIXe siècle. Belge.
Peintre d'intérieurs.
Élève de David et de l'École des Beaux-Arts. Il exposa au Salon de 1817 à 1841.

WARLEY. Voir **VARLEY**

WARLING Elisabeth Maria
Née le 8 avril 1858 à Stockholm. Morte en 1915. XIXe-XXe siècles. Suédoise.
Peintre de figures.
Elle fut élève de l'Académie de Stockholm.
MUSÉES : STOCKHOLM (Mus. Nat.) : *La Sœur de l'artiste – Frère et sœur*.
VENTES PUBLIQUES : STOCKHOLM, 16 mai 1990 : *Campement de cheminots sous les arbres au bord du chemin longeant un lac*, h/t (92x148) : **SEK 17 000**.

WARLOW Herbert Gordon
Né le 4 janvier 1885 à Sheffield. XXe siècle. Britannique.
Peintre, aquarelliste, graveur.
En tant que graveur, il privilégia la technique de l'eau-forte.

WARMBRODT Pierre Philippe
Né le 27 novembre 1905 à Saint-Imier. XXe siècle. Suisse.
Peintre de portraits, paysages, natures mortes.

WARMENHUYZEN Adriaen Van
XVIIe siècle. Travaillant à Alkmaar. Hollandais.
Peintre.
Élève de C. Van Everdingen.

WARMINSKY Jacques
XXe siècle. Français (?).
Sculpteur, graveur.
Dans une maison troglodyte, il a aménagé un labyrinthe décoré de gravures et de sculptures.

WARMOES Andries
XVIIIe siècle. Actif dans la seconde moitié du XVIIIe siècle. Hollandais.
Peintre de portraits.

Il peignit des portraits d'ecclésiastiques dans l'église de Zaandijk en 1785 et pratiqua la manière grise.

WARN E. B., Miss
XXe siècle. Britannique.
Peintre de portraits.
Elle travailla dans les années 1905.
Musées : Bristol : *Portrait de John Beddoe.*

WARNAER Jacob ou **Warnars**
XVIIe siècle. Actif à Haarlem. Hollandais.
Peintre.
Élève de Ph. Wouwerman.

WARNAR Wilhelm Hermann
Né en 1671 ou 1672 à Darmstadt. Mort le 30 mai 1729 à Haarlem. XVIIe-XVIIIe siècles. Hollandais.
Peintre.
Le Musée Teyler de Haarlem conserve cinq aquarelles de cet artiste.

WARNBERGER Simon
Né en 1769 à Pullack. Mort en 1847 à Munich. XVIIIe-XIXe siècles. Allemand.
Peintre de paysages, aquarelliste, dessinateur, aquafortiste, lithographe.
Élève de l'Académie de Munich. Il visita l'Autriche et l'Italie. Élu membre de l'Académie de Munich en 1824.

Musées : Munich : *Paysage italien,* deux fois – Schleissheim : *Paysage italien* – Spire : *Paysage italien.*
Ventes Publiques : Munich, 26 nov. 1981 : *Paysage au pont* 1830, h/pan. (38,49,5) : **DEM 12 500** – Munich, 26 mai 1992 : *Dans un jardin anglais,* encre, craie et cr. (23,5x18) : **DEM 1 725** – Munich, 10 déc. 1992 : *Moulin près d'une chute d'eau en Bavière,* encre et aquar./pap. (35x27,5) : **DEM 1 921.**

WARNCKE. Voir **WERNCKE**

WARNECK Alexander Grigoriévitch
Né le 15 février 1782 à Saint-Pétersbourg. Mort le 19 mars 1843 à Saint-Pétersbourg. XIXe siècle. Russe.
Portraitiste.
Élève de l'Académie de Saint-Pétersbourg.
Musées : Moscou (Gal. Roumianzeff) : *Jeune homme avec un violon* – Moscou (Gal. Tretiakov) : *L'artiste,* deux fois – *Le général N. I. Achwerdoff et sa femme* – *Le général Korssakoff* – *Le peintre A. W. Stupin* – Saint-Pétersbourg (Mus. de l'Ermitage) : *Mme M. S. Chatowa* – *W. I. Grégorovitch* – *L'actrice E. P. Kolossowa.*

WARNECKE Rudolf
XXe siècle. Allemand.
Peintre, graveur, sculpteur.
Bibliogr. : René Monzat : *La Culture graphique de la nouvelle droite,* Art Press, n° 223, avr. 1997.

WARNEKE Heinrich ou **Heinz**
Né le 30 juin 1895. XXe siècle. Depuis 1923 actif et naturalisé aux États-Unis. Allemand.
Sculpteur d'animaux.
Il fut l'un des premiers sculpteurs à tailler directement la pierre. Les formes, souvent empruntées au monde animal, sont épurées et souvent semi-abstraites.
Musées : Addison : *Orang-Outan en méditation* 1932 – Chicago (Art Inst.) : *Oies sifflant* 1930 – *Sangliers* 1932.
Ventes Publiques : New York, 4 juin 1993 : *Royal Minstrel,* bronze argenté (H. 43,5, L. 51,1) : **USD 2 875.**

WARNER
XVIIIe siècle. Actif à Londres dans la seconde moitié du XVIIIe siècle. Britannique.
Peintre de portraits, peintre de miniatures.
Il exposa à Londres de 1775 à 1788.

WARNER Alfred E.
Mort en 1912. XIXe-XXe siècles. Britannique.
Tailleur de camées.
Fils de William Warner, il vécut et travailla à Londres.

WARNER Everett Longley
Né le 16 juillet 1877 à Vinton (Iowa). Mort en 1963. XXe siècle. Américain.
Peintre de paysages, graveur.
Il fut élève de l'Art Students' League à Washington et New York, de l'Académie Julian à Paris. Il fut membre du Salmagundi Club, en 1909, et de l'Association Artistique Américaine de Paris. Il vécut et travailla à Lyme.
Comme graveur, il privilégia la technique de l'eau-forte.
Musées : Chicago : *Chute de neige dans la forêt* – Philadelphie : *Québec* – Saint-Louis : *Village du Tyrol* – Syracuse : *Flanc de colline en décembre* – Washington D. C. : *Broadway un soir de pluie.*
Ventes Publiques : New York, 21 oct. 1983 : *Ruisseau en hiver,* h/t (66x81,3) : **USD 2 700** – New York, 23 mai 1991 : *Village de montagne au Tyrol,* h/t (81,3x66) : **USD 11 000** – New York, 12 mars 1992 : *Matin d'hiver,* h/rés. synth. (66x81,3) : **USD 3 080** – New York, 26 sep. 1996 : *Chute de neige dans les bois* vers 1913, h/t (101,6x127) : **USD 28 750.**

WARNER G. E.
XIXe siècle. Actif à Londres. Britannique.
Tailleur de camées.
Il exposa à Londres de 1843 à 1847.

WARNER G. ou **C.**
XVIIIe siècle. Actif à la fin du XVIIIe siècle. Américain.
Graveur au burin.

WARNER Heinrich
Mort en 1535. XVIe siècle. Actif à Bâle. Suisse.
Peintre de sujets religieux.

WARNER Lee
XIXe siècle. Actif à Aldershot. Britannique.
Paysagiste.
Il exposa à Londres, en 1878, un tableau de fleurs. Le Victoria and Albert Museum, à Londres, conserve de lui *Lac Léman* (aquarelle).

WARNER Olin Levi
Né en 1844 à New-Suffield. Mort le 14 août 1896 à New York. XIXe siècle. Américain.
Sculpteur de portraits, bustes, statues, médaillons.
Il sculpta des portraits d'Indiens.
Musées : New York (Mus. Métropolitain) : *Diana* – *La nuit* – *Huit médaillons représentant des Indiens* – Washington D. C. : *Buste de J. Alden Weir.*
Ventes Publiques : New York, 5 déc. 1980 : *Twilight* 1878, bronze patiné (H. 85,7) : **USD 7 500** – Londres, 17 juil. 1984 : *Buste de Peggy Cottier,* bronze (H. 51,5) : **GBP 1 250** – New York, 31 mai 1990 : *Buste de Daniel Cottier* 1878, bronze (H. 28) : **USD 880.**

WARNER Stefano
XIXe siècle. Actif à Trente dans la seconde moitié du XIXe siècle. Italien.
Sculpteur.
Il travailla pour la cathédrale de Trente. Il sculpta des autels et des tombeaux.

WARNER Thomas
XVIIIe-XIXe siècles. Actif à Londres. Britannique.
Tailleur de camées.
Il exposa à Londres de 1790 à 1828.

WARNER William
Né vers 1813 à Philadelphie. Mort en 1848 à Philadelphie. XIXe siècle. Américain.
Portraitiste et graveur à la manière noire.

WARNER William
Mort en 1872. XIXe siècle. Actif à Londres. Britannique.
Tailleur de camées et de sceaux.
Père d'Alfred E. Warner. Il exposa à la Royal Academy de Londres de 1822 à 1846.

WARNERSEN Pieter ou **Warnersoen** ou **Warnerssen**
XVIe siècle. Travaillant à Kampen de 1540 à 1560. Hollandais.
Peintre, graveur sur bois.
Il fut aussi connu comme peintre de messages et imprimeur.

WARNHEIM Erik ou **Warenheim**
XVIIIe siècle. Actif de 1713 à 1757. Danois.
Sculpteur.
Il travailla pour le Château de Copenhague et pour des églises de cette ville.

WARNIA-ZARZECKI Joseph
Né en 1850 à Nantes. XIXe siècle. Polonais.
Peintre de genre, sujets typiques.
Élève des Académies de Varsovie et de Munich.

Il travailla à Constantinople et peignit des scènes de genre d'inspiration turque.

Ventes Publiques : Clermont-Ferrand, 24 avr. 1986 : *Déjeuner au bord de la Corne d'Or* 1890, h/t (152x250) : **FRF 425 000** – Londres, 25 nov. 1987 : *Les distractions du Pacha, 1896,* h/t (155x250) : **GBP 92 000.**

WARNICKE John G.
Mort en 1818 à Philadelphie. XIXe siècle. Américain.
Graveur au burin.
Il grava des portraits et des vues.

WARNIER Jacques
XVIe siècle. Actif à Noyon en 1526. Français.
Sculpteur.

WARNIER Nicolaas
XVIIe siècle. Actif à Middelbourg. Hollandais.
Peintre.
Membre de la gilde de 1645 à 1669.

WARNIR Johann
Né vers 1620. XVIIe siècle. Actif en Allemagne. Allemand.
Graveur.
On le connaît surtout comme copiste d'estampes d'Albrecht Durer. Elles sont signées Jh. Warner Æ. 1636 et Jh. W., Æ. On croit qu'il mourut fort jeune.

WARNOD André
Né le 21 avril 1885 à Giromagny (territoire de Belfort). Mort en 1960 à Paris. XXe siècle. Français.
Dessinateur, illustrateur, écrivain.
Il fut élève à l'École des Beaux-Arts de Paris et à celle des Arts Décoratifs.
Dès 1909, il travailla en tant que journaliste, tenant le courrier des Lettres et Arts de *Comoedia*, qu'il illustra de croquis pris sur le vif. Auteur de plusieurs ouvrages, dont *Ceux de la Butte*, il fut mêlé, depuis les temps héroïques du Bateau-Lavoir, à toutes les manifestations de l'art moderne, soutenant le cubisme, donnant le nom d'École de Paris à la réunion d'artistes travaillant autour de Chagall, Soutine, Zadkine, Pascin, Modigliani, Foujita. Il a aussi suivi du plus près, toutes les figures pittoresques de Montmartre. Nul ne sait évoquer d'un trait plus léger ce qui subsiste d'une « âme montmartroise ». Parmi ses ouvrages, il a notamment illustré ses souvenirs de prisonnier de guerre. Il fut un critique d'art très écouté en son temps. Chevalier de la Légion d'honneur.

Bibliogr. : Gérald Schurr, in : *Les Petits Maîtres de la peinture 1820-1920, valeur de demain,* Les Éditions de l'Amateur, t. VI, Paris, 1985.

WARNOD Christiane
Née à Paris. XXe siècle. Française.
Peintre.
Femme du critique et dessinateur André Warnod, elle expose régulièrement dans les principaux Salons parisiens.

WARNOW Hedwig. Voir **SCHLIEBEN Hedwig von**

WARNSINCK C. M., née **Haakman**
Morte le 14 juillet 1834 à Arnhem. XIXe siècle. Hollandaise.
Peintre de fleurs et de fruits.

WARNY Gilles de
XVe siècle. Actif à Tournai. Éc. flamande.
Sculpteur.
Il a sculpté le monument de Jehan Moriel en 1488.

WAROCZEWSKI Kazimierz
Né le 28 février 1856. Mort le 13 août 1927 à Varsovie. XIXe-XXe siècles. Polonais.
Peintre.
Il fut élève de l'Académie des beaux-arts de Saint-Pétersbourg.

WAROQUIER Henry de
Né le 8 janvier 1881 à Paris. Mort le 28 ou 31 décembre 1970 à Paris. XXe siècle. Français.
Peintre de figures, paysages, natures mortes, aquarelliste, peintre de cartons de mosaïques, peintre de cartons de tapisserie, graveur, illustrateur, sculpteur.
Une carrière exceptionnellement longue avait rendu le personnage de Waroquier familier à plusieurs générations de peintres. Dans son adolescence, il habita face à la boutique d'Ambroise Vollard et non loin de la Galerie Durand-Ruel et de l'Hôtel Bing, où il forma son goût en regardant les impressionnistes et les œuvres de l'Extrême-Orient. S'il y acquit le désir de peindre, il hésita un temps entre l'art et la biologie. Il fit de longues études au Museum d'Histoire Naturelle. Cependant, élève en architecture de Charles Génuys, il réussit au concours de professeur de composition décorative de l'École Estienne. Non mobilisé, il put poursuivre son œuvre pendant la guerre. Il fit de nombreux voyages en Espagne, Italie, Grèce, Hollande, Égypte et Palestine. Il était Commandeur de la Légion d'honneur et Commandeur de l'Ordre des Arts et Lettres.
Depuis les tout débuts du siècle, on était habitué à voir ses œuvres figurer en bonne place dans les principaux Salons annuels, notamment au Salon d'Automne dont il fut président, ainsi qu'à la Société des Peintres-Graveurs Indépendants, dont il était membre-fondateur, au Salon des Tuileries en 1938, au Salon des Artistes Indépendants en 1944. Diverses expositions personnelles de ses œuvres furent organisées : 1946 rétrospective très complète de l'ensemble de son œuvre au musée de Zurich ; 1952 cinquante sculptures au Musée d'Art Moderne de Paris ; 1955 ensemble de son œuvre gravé à la Bibliothèque Nationale de Paris ; puis diverses expositions rétrospectives au Musée des Arts Décoratifs de Paris et à l'Institut Français de Berlin.
Il avait commencé à peindre sous la double influence des impressionnistes et de l'Orient. De 1901 à 1910, il peignit surtout en Bretagne, à l'Ile-aux-Moines, à Belle-Isle-en-Mer, synthétisant la forme dans un dessin en arabesque cernée, proche du cloisonnisme des Nabis et du dessin elliptique des Orientaux. En 1912, il découvrit l'Italie et surtout les peintres de la Pré-Renaissance. Leurs fresques déterminèrent chez Waroquier l'apparition d'une nouvelle manière, que l'on a dite ensuite sa « manière blanche ». En 1917, il abandonna sa manière dite blanche et peignit au contraire dans une gamme très sombre, en général des paysages d'imagination. Il préféra bientôt au travail d'imagination le paysage sur nature, notamment à l'occasion d'un nouveau voyage en Italie, en 1920, et d'un voyage en Espagne, à Estella, en Navarre, en 1921. Ensuite, il aborda la nature morte, puis surtout ce à quoi il avait toujours tendu : la figure, introduite dans le paysage et qui prit bientôt le pas sur lui. De cette époque, en possession de son langage dans son entier, son œuvre présente une grande continuité dans l'expression du tragique et du sens de la mort, soit par des éclairages dramatiques frappant les paysages déjà exaltés par le dessin, soit directement par la figuration de visages pathétiques. *La Tragédie*, décoration qu'il peignit pour le Palais de Chaillot en 1937 pour l'Exposition universelle, et *L'Espagne meurtrie*, qu'il exposa au Salon des Tuileries de 1938, sont des exemples caractéristiques de cette période. À partir de 1936, il réalise des gravures, illustrant notamment *La Mort de Venise* de Maurice Barrès, *Visages* de Duhamel, *Les Amours de Marie* de Ronsard. Il pratiqua également la sculpture, environ cent cinquante pièces, principalement des bronzes et des terres cuites, fortement influencées par l'Extrême-Orient.
S'il n'a jamais fait figure de visionnaire ni de précurseur, il se montra toujours anxieux des recherches plastiques du moment, les repensant à son propre usage. Le fauvisme lui avait apporté la tragique violence de ses rouges et de ses noirs orchestrés et soutenus par les bruns. Des divergences cubistes, il avait choisi l'ordonnance de l'espace. La conscience anxieuse qu'il avait de son art lui avait imposé de cesser complètement de peindre et de sculpter, de 1931 à 1936, pour se consacrer au dessin et ainsi à la remise en question de sa vision. ■ J. B.

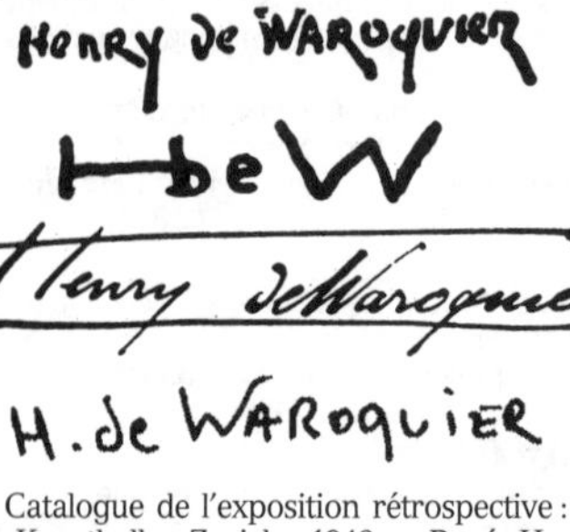

Bibliogr. : Catalogue de l'exposition rétrospective : *Henry de Waroquier,* Kunsthalle, Zurich, 1946 – René Huyghe : *Les Contemporains,* Tisné, Paris, 1949 – Jacqueline Auberty : *Henry de Waroquier. Catalogue de l'œuvre gravé,* Les grands graveurs français, Paris, 1951 – René Huyghe : *Les peintres graveurs français,* Paris, 1969 – in : *Les Muses,* t. XV, Grange Batelière, Paris, 1974.

Musées : Paris (Mus. d'Art Mod.) : *Vue de Pérouse – Vue de Sienne – Le Château de Grignan l'hiver – Nature morte aux raisins – La Brioche – Rigueur – Visage au diadème – Vue de Venise.*
Ventes Publiques : Paris, 30 avr. 1921 : *Paysage* : **FRF 430** – Paris, 2 mars 1925 : *Physalis* : **FRF 1 450** – Paris, 23 avr. 1925 : *Village au bord d'un torrent* : **FRF 700** – Paris, 21 déc. 1925 : *Campagne vicentine* : **FRF 2 150** – Paris, 22 juin 1928 : *Paysage d'Espagne* : **FRF 4 500** ; *Nature morte aux châtaignes* : **FRF 3 700** – Paris, 17 déc. 1928 : *Grand Canal à Venise* : **FRF 7 410** ; *Les Moustiers Sainte-Marie*, paravent de quatre feuilles : **FRF 9 000** – Paris, 14 juin 1929 : *Paysage ombrien* : **FRF 6 500** – Paris, 12 avr. 1930 : *Nu au peignoir blanc* : **FRF 2 600** – Paris, 24 nov. 1941 : *Bateaux dans la Giudecca, à Venise* : **FRF 10 000** – Paris, 14 oct. 1942 : *La campagne de Sienne* : **FRF 18 000** – Paris, 17 nov. 1944 : *Nature morte aux coquillages* : **FRF 35 000** – Paris, 27 fév. 1946 : *Venise*, aquar. : **FRF 10 100** – Paris, 4 avr. 1946 : *Jeune fille aux yeux clos* : **FRF 20 000** – Paris, 18 nov. 1946 : *Le Rio Ognisanti à Venise* : **FRF 30 100** – Paris, 24 mars 1947 : *Nature morte aux châtaignes* 1922 : **FRF 40 000** – Paris, 31 jan. 1949 : *Pérouse* : **FRF 26 500** ; *Venise*, gche : **FRF 17 500** ; *Volterra*, aquar. : **FRF 20 000** – Paris, 28 fév. 1951 : *Roses blanches et bijoux* : **FRF 31 000** – Paris, 25 avr. 1951 : *Campagne de Sienne*, aquar. : **FRF 24 300** – Bruxelles, 28 avr. 1951 : *Ferme dans la campagne d'Entrevaux* : **BEF 4 500** – Paris, 25 mai 1955 : *Assise* : **FRF 45 000** – Paris, 28 nov. 1963 : *Le Forum romain* : **FRF 3 800** – Versailles, 29 avr. 1964 : *Venise* : **FRF 5 800** – Genève, 27 nov. 1965 : *Lac italien* : **CHF 10 500** – Paris, 28 avr. 1967 : *La douleur*, bronze : **FRF 5 900** – Paris, 12 juin 1969 : *Nature morte*, aquar. gchée : **FRF 5 000** – Paris, 1er déc. 1969 : *Venise ; San Giorgio* : **FRF 20 000** – Paris, 12 mars 1970 : *L'arène, Espagne (époque blanche)* : **FRF 25 000** – Paris, 17 mars 1971 : *Ferme dans la campagne d'Entrevaux* : **FRF 10 000** – Paris, 6 déc. 1972 : *Vase et draperies* 1910 : **FRF 19 000** – Versailles, 19 juil. 1973 : *L'Arsenal à Venise*, aquar. : **FRF 7 000** – Paris, 10 déc. 1973 : *Poterie et draperie* 1910 : **FRF 21 000** ; *Animal se désaltérant*, bronze : **FRF 6 100** – Versailles, 10 mars 1974 : *Village au bord d'un torrent, vallée de Vallorcine* 1916 : **FRF 16 200** – Versailles, 15 juin 1976 : *Canal à Venise*, gche (53x74) : **FRF 3 700** – Paris, 14 déc. 1976 : *Chaumière bretonne* 1906, h/cart. (54x65) : **FRF 5 600** – Versailles, 18 déc. 1977 : *Village au bord d'un torrent, vallée de Vallorcine* 1916 (65x81) : **FRF 6 500** – Paris, 22 mars 1979 : *Entrevaux : l'Église au bord du Var*, aquar. (116x80) : **FRF 6 000** – Versailles, 4 mars 1979 : *Venise : le Palais Ducal et le Grand Canal*, h/t (27x46) : **FRF 4 800** – Fontainebleau, 17 juin 1984 : *L'arc-en-ciel* 1917, h/t (89x116) : **FRF 27 500** – Paris, 18 mars 1985 : *Rio à Venise*, aquar. (36x49,7) : **FRF 8 000** – Paris, 26 fév. 1988 : *Le port de Malcesine, lac de Garde*, aquar. et reh. de gche (35,5x49) : **FRF 9 100** – Paris, 24 avr. 1988 : *Aigle* 1937, cr. (44x32) : **FRF 2 000** – Lokeren, 28 mai 1988 : *Le pont de Vérone*, aquar. (36x50) : **BEF 55 000** – Paris, 24 juin 1988 : *Venise*, h/t mar./cart. (45x32) : **FRF 20 000** – Paris, 14 déc. 1988 : *Village espagnol* 1917, encre et mine de pb (21x27) : **FRF 7 000** ; *Poteries et draperies grises, époque blanche* 1920, h/t (65x81) : **FRF 22 000** – Paris, 12 fév. 1989 : *Le clown* 1919, gche et collage (34x23) : **FRF 18 000** – Paris, 15 mars 1989 : *Château-ferme en Bourgogne*, h/pan. (60x92) : **FRF 11 000** – Paris, 4 avr. 1989 : *visage renversé* 1919, encre de Chine et lav. (28x25) : **FRF 5 100** – Paris, 27 avr. 1989 : *Paysage* 1920, h/t (92x73) : **FRF 78 000** – Paris, 18 juin 1989 : *Deux échassiers* 1960, aquar. (43x43) : **FRF 6 000** – Paris, 15 déc. 1989 : *Roses thé dans un vase de Bohême*, peint./cart. (45,5x32,3) : **FRF 15 500** – Neuilly, 7 fév. 1990 : *Paysage ibérique au ciel d'or*, techn. mixte (44,5x31) : **FRF 20 000** – Calais, 4 mars 1990 : *Nature morte et vase de fleurs*, h/pan. (40x32) : **FRF 30 000** – Paris, 10 mai 1990 : *Femme dans un intérieur*, h/t (27x35) : **FRF 11 000** – Paris, 11 mai 1990 : *L'homme accablé*, pl. et lav. d'encre de Chine (45x28) : **FRF 17 000** – Metz, 14 oct. 1990 : *Venise*, gche/cart. (38x54,5) : **FRF 21 000** – Paris, 17 nov. 1990 : *L'institut de beauté* 1932, pl. et aquar. (30x50) : **FRF 33 000** – Paris, 12 déc. 1991 : *Étude pour la tragédie* 1937, h/pan. (71x106) : **FRF 110 000** – Paris, 2 fév. 1992 : *L'homme* 1939, peint./verre (44,5x28) : **FRF 21 500** – Paris, 22 mars 1993 : *Nature morte au pot vert rayé* 1912, gche (49x64) : **FRF 9 000** – Paris, 2 juin 1993 : *La grande place* 1919, temp./t. (79x83) : **FRF 50 000** – Paris, 9 mai 1994 : *Nature morte au raisin* 1929, h/t (55x46) : **FRF 12 500** – Deauville, 19 août 1994 : *Nature morte au pot vert rayé* 1912, aquar. et gche (50x65) : **FRF 17 000** – Lokeren, 11 mars 1995 : *Marché tunisien*, gche (30,5x46,5) : **BEF 110 000** – Paris, 30 mars 1995 : *Visage bleu*, gche et encre/pap. (27x21) : **FRF 16 000** – Paris, 10 avr. 1996 : *Masque et compas, époque blanche* 1916, h/t (73x92) : **FRF 26 000** – Paris, 10 juin 1996 : *Fleur*, gche, aquar. et fus./pap. (34x48,5) : **FRF 5 500** – Paris, 26 juin 1996 : *La Pleureuse* 1939, gche et collage (37,5x27) : **FRF 5 000** – New York, 12 nov. 1996 : *L'Eglise de Germolles* 1920, h/t : **USD 2 300** – Paris, 13 déc. 1996 : *Paysage*, gche et h/pap./t. (81x100) : **FRF 7 500** – Paris, 11 juin 1997 : *Nature morte à la cruche*, h/t (97x130) : **FRF 120 000** – Paris, 16 juin 1997 : *Minotaure à six cornes* 1935, bronze doré (H. 71) : **FRF 25 000** – Paris, 17 oct. 1997 : *Le Modèle* 1920, h/t (60x92) : **FRF 8 000**.

WAROQUIER Louis de
xixe siècle. Français.
Paysagiste.
Il exposa au Salon de Paris en 1844 et en 1848.

WAROQUIEZ Paul
Né le 10 octobre 1888 à Paris. xxe siècle. Français.
Sculpteur.
Il fut élève d'Antonin Mercié. Il exposa à Paris au Salon des Artistes Français à partir de 1913.

WAROU Daniel
Né vers 1674 en Suède. Mort le 23 novembre 1729 à Kremnitz. xviie-xviiie siècles. Hongrois.
Sculpteur, médailleur.
Il travailla pour les cours de Vienne et de Budapest. On cite de lui soixante-six médailles et un grand nombre de monnaies.

WARR John I
xixe siècle. Travaillant à Philadelphie de 1821 à 1828. Américain.
Graveur au burin.
Il grava des vignettes.

WARR John II
xixe siècle. Travaillant à Philadelphie de 1825 à 1845. Américain.
Graveur au burin.

WARRAND Marcel
Né le 7 février 1924 à Jambes. xxe siècle. Belge.
Peintre de figures, aquarelliste, pastelliste. Figuratif puis abstrait.
Il a été élève à l'Académie des Beaux-Arts de Namur, de 1940 à 1947. De 1954 à 1964, il enseigne le dessin à l'école des Métiers d'art de Maredsous, de 1967 à 1980 la peinture de chevalet dans un institut d'art décoratif de Bruxelles, puis à partir de 1964 le dessin à main libre à l'institut des Arts et Techniques artisanales de Namur. Il vit et travaille à Namur.
Il participe à de nombreuses expositions collectives en Belgique, notamment au Salon de la Jeune Peinture belge au palais des beaux-arts de Bruxelles en 1958, 1961 ; à Paris au Salon des Réalités Nouvelles en 1965 et 1966. Il montre ses œuvres dans des expositions personnelles depuis 1956 régulièrement à Liège, ainsi qu'à Anvers, Bruxelles et Namur.
Il évolue de l'animisme à un cubisme dérivé de Lhote, puis, en 1955, se détourne de la figuration pour l'abstraction volontiers gestuelle. Il pratique une peinture limpide, dominée par les blancs et gris. La texture lisse de ses tableaux est parcourue de modulations sourdes, d'irisations fugaces, de transparences fluides. Il fait appel aux techniques les plus diverses, notamment à la peinture sur aluminium.
Musées : Bruxelles (Mus. d'Art Mod.) – Ixelles – Liège (Mus. de la Boverie) – Liège (Mus. Saint-Georges) – Louvain : *L'Approche* – Tournai.

WARRATH Johann
xviie siècle. Actif à Schlägl. Autrichien.
Sculpteur.
Il sculpta le maître-autel dans la cathédrale de Budweis en 1648.

WARRATI Innozenz Anton. Voir **WARATHI**

WARREN A. W.
Né à Coventry. Mort en 1873. xixe siècle. Américain.
Peintre de marines.
Élève de T. H. Matterson. Le Musée de Brooklyn conserve de lui *Côte rocheuse*.

WARREN Alfred
xixe siècle. Actif à Londres. Britannique.
Lithographe.
Il grava des antiquités américaines et des paysages de Suède et de Norvège.

WARREN Alfred William
xixe siècle. Actif à Londres dans la première moitié du xixe siècle. Britannique.

Graveur.
Fils de Charles Turner Warren. Il grava des sujets de genre et travailla pour les libraires.

WARREN Asa
XIXe siècle. Américain.
Peintre de miniatures et de portraits.
Père d'Asa Coolidge Warren.

WARREN Asa Coolidge
Né le 25 mars 1819 à Boston. Mort le 22 novembre 1904 à New York. XIXe siècle. Américain.
Graveur au burin.
Fils d'Asa Warren et élève de Geo G. Smith et de J. Andrews. Il grava des billets de banque, des vignettes et des illustrations de livres.

WARREN Charles Turner
Né le 4 juin 1762 à Londres. Mort le 21 avril 1823 à Wandsworth. XVIIIe-XIXe siècles. Britannique.
Graveur au burin et sur acier.
Graveur de talent sur qui on sait peu de chose. Il fut d'abord graveur de cylindres pour l'impression des étoffes et, peu à peu, il s'adonna à la gravure artistique, travaillant d'abord à des illustrations de volumes de vers et de romans. Bell, Harrisson et Cadell, notamment l'employèrent. On le considère comme le premier graveur sur acier, ce qui lui valut une médaille d'or de la Society of Art. On cite notamment sa belle illustration de *Don Quichotte* d'après les dessins de Smirke. Il a aussi gravé d'après Lauvrence Wilkie Tresbay, F. Kirk, etc.

WARREN Edmund George
Né en 1834. Mort en août 1909. XIXe siècle. Britannique.
Peintre de genre, animaux, paysages, aquarelliste, peintre à la gouache.
Membre du Royal Institute. Il exposa à Londres à partir de 1852.
Musées : Londres (Victoria and Albert Mus.) : *Paysage avec figures* et *Dans le bois*, aquar.
Ventes Publiques : Londres, 31 oct. 1978 : *Paysage du Surrey* 1879, aquar. et gche (51,3x74) : **GBP 850** – Londres, 16 déc. 1980 : *Automne*, aquar. reh. de blanc, haut arrondi (62,2x47) : **GBP 600** – Chester, 6 juil. 1984 : *Les meules de foin* 1865, gche (48x66) : **GBP 4 400** – Londres, 27 fév. 1985 : *Avenue, Evelyn Wood*, aquar. reh. de gche (90x62) : **GBP 8 800** – Londres, 15 déc. 1987 : *Pêcheurs à la ligne au bord d'une rivière* 1881, aquar. et cr. avec touches de gche (45,7x65) : **GBP 4 000** – Londres, 25 jan. 1989 : *Cerf dans une clairière* 1869, aquar. et gche (75x50) : **GBP 8 580** – Londres, 31 jan. 1990 : *Le Repos des moissonneurs au pied des collines de Helsby vues depuis Frodsham dans le Cheshire* 1874, aquar. et gche (50x76) : **GBP 5 720** – Londres, 26 sep. 1990 : *Le passeur*, h/t (46x66) : **GBP 2 750** – Londres, 30 jan. 1991 : *Cueillette de fleurs en forêt*, aquar. et gche (50x73) : **GBP 2 200** – Londres, 8 fév. 1991 : *Robin des Bois et ses joyeux compagnons dans la forêt de Sherwood* 1859, techn. mixte/pap. (61x81,9) : **GBP 2 860** – Londres, 5 juin 1991 : *Robin des Bois et ses joyeux compagnons*, h/t (141x216) : **GBP 12 650** – Londres, 13 nov. 1992 : *Moissonneurs dans un vaste paysage champêtre*, aquar. et gche (58,4x97,2) : **GBP 9 020** – Londres, 3 nov. 1993 : *Les moissons*, aquar. (44x66) : **GBP 1 265** – Ludlow (Shropshire), 29 sep. 1994 : *Holmbury Common dans le Surrey* 1864, aquar. (30,5x42) : **GBP 8 625** – Londres, 2 nov. 1994 : *Cerfs à l'orée d'un bois de charmes* 1868, aquar. et gche (108x75,5) : **GBP 11 500** – Londres, 16 mai 1996 : *Vue de la baie de Dublin*, h/t (31,5x50,1) : **GBP 14 950** – Londres, 14 mars 1997 : *Les Moissonneurs* 1865, gche (25,5x36) : **GBP 8 280**.

WARREN Emily Mary Bibbens
XXe siècle. Britannique.
Peintre d'intérieurs, paysages.

WARREN Frances Bramley ou **Mrs Burroughs, Mrs Middleton**
Née avant 1870. Morte après 1901. XIXe-XXe siècles. Britannique.
Peintre de figures.
Elle est répertoriée sous le nom de Mrs Burroughs dans le catalogue de l'Académie Royale de 1889. Elle exposa également à la Royal Hibernian Academy de Dublin de 1890 à 1901 où elle est connue sous son nom d'épouse : Middleton.
Ventes Publiques : Londres, 18 déc. 1985 : *Jeune Egyptienne au serpent*, h/t (108x63,5) : **GBP 5 000** – Londres, 21 mars 1990 : *Le garde du palais*, h/t (152,5x96,5) : **GBP 880**.

WARREN Harold Broadfield
Né le 16 octobre 1859 à Manchester. Mort le 23 novembre 1934. XIXe-XXe siècles. Américain.
Peintre d'architectures, paysages, aquarelliste.
Il fut élève de Charles H. Moore. Il a réalisé de nombreuses vues de et éléments architecturaux de sites grecs, notamment du Parthénon d'Athènes.
Musées : Boston : *Parthénon, Les Propylées, Égine vue du Parthénon, L'Angle Nord-Ouest du Parthénon.*

WARREN Henry
Né le 24 septembre 1794 à Londres. Mort le 18 décembre 1879 à Londres. XIXe siècle. Britannique.
Peintre, aquarelliste et illustrateur.
Il hésita d'abord entre la sculpture, la musique et la peinture. Il choisit la sculpture et fut élève de John Gibson. En 1818, il abandonna l'ébauchoir pour les pinceaux et entra à l'école de la Royal Academy. Sa première peinture *L'amour dans les roses*, fut exposée à la Royal Academy en 1823. Il ne tarda pas à délaisser la peinture à l'huile pour l'aquarelle, forme dans laquelle il réussit brillamment. Membre de la New Society en 1835, il en fut nommé président en 1839. Il a écrit quelques ouvrages d'art.
Musées : Dublin : *Procession religieuse*, aquar. – Londres (Nat. Portrait Gal.) : *John Martin* – Londres (Victoria and Albert Mus.) : Une aquarelle.

WARREN John
XVIIIe siècle. Actif à Dublin. Irlandais.
Portraitiste.
Élève de l'École d'Art de Dublin. Il exposa de 1768 à 1777.

WARREN Knighton
XIXe siècle. Travaillant à Londres en 1891. Britannique.
Peintre.
Il exposa de 1878 à 1892. Le Musée de Nottingham conserve de lui *Portrait de Félix Joseph Esq.*, et celui de Sunderland, *Musicien égyptien*.
Ventes Publiques : Londres, 3 nov. 1977 : *Le garde du harem*, h/t (132x81,2) : **GBP 15 000** – Londres, 31 mars 1978 : *La belle du harem* 1887, h/t (137x109) : **GBP 1 800** – Londres, 3 oct. 1984 : *Ramsès et sa reine jouant aux dames*, h/t (196x274) : **GBP 10 000**.

WARREN Michael
Né en 1950 à Dublin. XXe siècle. Irlandais.
Sculpteur. Abstrait.
Il participe à des expositions collectives, notamment : 1982 Pittsburgh, Carnegie International ; 1983 Carnegie International Seattle, Art Museum ; 1985 New York *9 artistes irlandais*, galerie Armstrong ; 1988 Séoul, Parc de Sculpture olympique. Il montre des ensembles d'œuvres dans des expositions personnelles, dont : 1981 Belfast ; 1982 Paris, galerie Charley Chevalier ; 1983 Houston ; 1985, 1991 Cologne, galerie Der Spiegel ; 1989 Dublin, Douglas Hyde Gallery ; 1995 Paris, galerie Weiller ; 1996 Paris, galerie Lahumière.

WARREN Michel
Né le 10 août 1930 à Chantilly (Oise). Mort le 26 avril 1975 à Paris. XXe siècle. Français.
Peintre. Expressionniste-abstrait.
À seize ans, il fut dessinateur pour la mode. Longtemps directeur de galerie d'art, il fut des premiers à montrer les œuvres d'Alechinsky, de Messagier, Bram Van Velde et bien d'autres. Il eut ensuite une nouvelle galerie à New York. Depuis 1964, il peint lui-même, ayant exposé cette année-là à Bruxelles et Paris, puis à de nombreuses reprises de nouveau à Paris.
Pratiquant un expressionnisme à tendance abstraite, il peut se situer dans la suite de Bacon. Avec de belles pâtes généreusement maniées, il use de teintes à la fois délicieuses et irritantes.

WARREN Sophie S.
XIXe siècle. Active dans la seconde moitié du XIXe siècle. Britannique.
Peintre de marines et de paysages.
Elle exposa à la Royal Academy, Suffolk Street, etc., de 1865 à 1878 et vivait encore en 1893. On voit des aquarelles de cette artiste au Musée de Dublin et au Victoria and Albert Museum, à Londres.

WARRENER William Tom
Né au XIXe siècle à Lincoln. XIXe siècle. Britannique.
Peintre.
Il figura aux expositions de Paris ; mention honorable en 1887.

WARRINGTON James
XIXe siècle. Travaillant vers 1830. Irlandais.
Portraitiste.

WARRINGTON Robert
XIXe siècle. Travaillant à Belfast de 1831 à 1836. Irlandais.
Portraitiste et paysagiste.

WARSCHAG Jakab ou **Varsag**
Né à Budapest. XIXe siècle. Hongrois.
Peintre.
Élève de H. Neefe. Il peignit des portraits, des tableaux d'autel et des vues.

WARSHAWSKY Abel Georges
Né le 28 décembre 1883 à Sharon (Pennsylvanie). Mort en 1962. XXe siècle. Américain.
Peintre de portraits, paysages, illustrateur.
Il fut élève de Henry S. Mowbray et de Louis Lœb, à New York. Il expose à l'American Art Association et à la National Academy de New York, à la Pennsylvania Academy, au Carnegie Institute de Pittsburgh, au Salon d'Automne à Paris.
Il a également illustré *Paris en parade* de Forrest Wilson.
Musées : Chicago – Cleveland – Minneapolis – Paris (Mus. d'Art Mod.).
Ventes Publiques : New York, 10 juin 1992 : *Paysage de la côte californienne*, h/pan. (38,6x48,2) : **USD 2 420** – New York, 28 sep. 1995 : *Un lac en été*, h/t (66x81,3) : **USD 8 280** – New York, 28 nov. 1995 : *Conversation devant une chaumière*, h/t (46x55,5) : **USD 1 495** – New York, 21 mai 1996 : *Venise*, h/t (64,7x81,2) : **USD 4 025** – New York, 3 déc. 1996 : *La Place Saint-Marc* 1923, h/t (100,5x82,5) : **USD 14 950** – New York, 23 avr. 1997 : *Les Passionnés de soleil* vers 1912, h/t (81,3x64,7) : **USD 4 370**.

WARSHAWSKY Alexander
Né le 29 mars 1887 à Cleveland (Ohio). Mort en 1945. XXe siècle. Depuis 1914 actif en France. Américain.
Peintre de portraits, natures mortes.
Il fut élève de l'Académie de New York et de l'École d'Art de Cleveland. Il fut membre de l'American Art Association. Il travaille à Paris depuis 1914.
Il participe au Salon d'Automne à Paris, aux Expositions de Cleveland, Chicago et Los Angeles.

Musées : Cleveland – Los Angeles.
Ventes Publiques : New York, 15 avr. 1992 : *Les vieux aloès*, h/t (66x81,3) : **USD 2 530**.

WART Derk Anthoni Van de
Né le 10 juin 1767 à Amsterdam. Mort le 8 avril 1824 à Nimègue. XVIIIe-XIXe siècles. Hollandais.
Peintre, graveur au burin, musicien et écrivain.
Élève de J. Kuyper. Il peignit des portraits, des paysages et des miniatures.

WART Gérard
Né en 1929 à Ransart. Mort en 1981 à Charleroi. XXe siècle. Belge.
Sculpteur.
Il fut élève de l'école des arts et métiers de Maredsous. Il travaille le bois, la pierre, le béton et la terre cuite. Ses sculptures sont figuratives.

WARTEL
XIXe siècle. Français.
Paysagiste.
Il exposa au Salon de Paris en 1808 et en 1810.

WARTEL Geneviève Angélique, née **Pagès**
Née en 1796 à Nantes (Loire-Atlantique). XIXe siècle. Française.
Portraitiste.
Elle exposa au Salon de Paris en 1831 et en 1836.

WARTENA Fraukje ou **Froukje**
Né le 29 juillet 1857 à Akkrum, d'autres sources indiquent 1955. Mort en 1933. XIXe-XXe siècles. Hollandais.
Peintre de genre, intérieurs.
Il fut élève de Johannes H. Egenberger et de l'Académie d'Amsterdam.
Ventes Publiques : Amsterdam, 5-6 fév. 1991 : *Paysanne tricotant dans un intérieur du Brabant*, h/pan. (30x23) : **NLG 1 840**.

WARTER Georg
XVIe siècle. Travaillant à Klausen de 1583 à 1588. Autrichien.
Peintre et sculpteur.
Il peignit un tableau d'autel pour l'église de Klausen.

WARTER Johann
Né vers 1790 à Prague. XIXe siècle. Travaillant à Prague. Autrichien.
Peintre et lithographe.
Élève de l'Académie de Prague. Il peignit des scènes de la Bible et de l'histoire de Bohême.

WARTER Robert
Né le 2 mai 1914 à Strasbourg. XXe siècle. Français.
Peintre.
Il a suivi des cours à l'École des Beaux-Arts de Nancy, interrompus par la Seconde Guerre mondiale. De 1945 à 1948, il est à Paris où il suit les cours de l'École des Arts Décoratifs et des académies de la Grande Chaumière, Colarossi, Picard-Ledoux, Friesz. Il est alors professeur de dessin.
À partir de 1946, il expose régulièrement à Strasbourg, Colmar, Mulhouse, Épinal et Paris.
Musées : Haguenau – Mulhouse – Strasbourg.

WARTH Jakob, appellation erronée. Voir **WARTTIS Jakob**

WARTHMÜLLER Robert. Voir **MÜLLER**

WARTTIS Jakob
Né en 1570 à Zug. Mort en 1630 à Zug. XVIe-XVIIe siècles. Suisse.
Peintre.
Il peignit pour l'abbaye de Oftringen et le monastère des Capucins de Zug.

WARWICK B.
XIXe siècle. Actif à Londres de 1810 à 1850. Britannique.
Graveur d'ex-libris.

WARWICK J.
XIXe siècle. Actif à Londres de 1810 à 1850. Britannique.
Graveur d'ex-libris.

WARWICK John
Né vers 1770. XVIIIe siècle. Actif à Londres. Britannique.
Paysagiste et lithographe.
Peut-être à rapprocher de SMITH (John), dit WARWICK-SMITH.

WARWICK John
XIXe siècle. Travaillant à Londres dans la première moitié du XIXe siècle. Britannique.
Tailleur de camées.
Il exposa de 1808 à 1823.

WARZECHA Marian ou **Warzacha**
Né en 1930 à Cracovie. XXe siècle. Polonais.
Peintre.
Il fut lauréat en Histoire de l'Art à l'Université de Cracovie, et en Art scénique à l'Académie des Arts plastiques de la même ville. Il participe à de nombreuses expositions collectives à l'étranger aux États-Unis, en Italie, en Suisse. Il montre ses œuvres dans de nombreuses expositions personnelles à New York en 1961, à Los Angeles en 1962, à Rome en 1964, à Cracovie en 1975.
Il fait souvent intervenir des caractères typographiques dans ses œuvres et des écritures de toutes sortes.

WARZEE Adrienne, Mme **Feremans**
Morte en 1965. XXe siècle. Belge.
Peintre.

WARZÉE Géo
Né en 1902 à Seraing. Mort en 1973 à Wanze. XXe siècle. Belge.
Peintre de paysages, peintre de monotypes, graveur.
Il fut élève de l'Académie des Beaux-Arts de Liège. De 1947 à 1971, il a exposé au Cercle des Beaux-Arts de Liège.
Bibliogr. : Pierre Somville, in : *Le Cercle royal des Beaux-Arts de Liège 1892-1992*, Crédit Communal, Liège, s.d., 1892.

WASASTJERNA Thorsten
Né en 1863. Mort en 1924. XIXe-XXe siècles. Finlandais.
Peintre de figures, paysages.
Il fit ses études à Helsingfors (Helsinki), à Düsseldorf et à Paris.
Musées : Helsinki (Ateneum) : trois peintures.

WASCH Jeanne
Née le 31 octobre 1886 ou 1887 à Rotterdam. XXe siècle. Hollandaise.

Peintre de portraits, natures mortes.
Elle fut élève de Charles L. Zilcken, d'Albert Roelofs et de J. J. Aert.

WASCHLUNGER. Voir **WAXSCHLUNGER**

WASCHMANN Karl
Né le 20 avril 1848 à Vienne. Mort le 14 décembre 1905 à Vienne. XIXe siècle. Autrichien.
Médailleur, ciseleur et sculpteur sur ivoire.
Il fit ses études à Vienne et à Paris. Il exécuta des plaquettes frappées à l'effigie de célébrités ou représentant des événements de son époque.

WASCONCELLOS J. de
XXe siècle. Britannique.
Sculpteur.
Il a participé en 1946, à Paris, à l'Exposition d'Art Sacré anglais.

WASELIN de Fexhe
Mort en 1158 à Liège. XIIe siècle. Éc. flamande.
Peintre, musicien et écrivain.
Il peignit sur toile des sujets religieux exposés dans les églises pour le temps du Carême.

WASEM Jacques
Né le 20 avril 1906 à Neuchâtel. XXe siècle. Suisse.
Peintre de compositions, peintre verrier, peintre de cartons de mosaïques.
Il exécuta des vitraux pour les temples réformés de Genève, de Neuchâtel, de Vesenaz et d'Yvonand.

WASER Anna ou **Wasser**
Née en 1678 à Zurich. Morte le 20 septembre 1714 à Zurich. XVIIIe siècle. Suisse.
Peintre et miniaturiste.
Elle fut élève dès l'âge de douze ans de Joseph Werner, de Berne. Anna Waser ne tarda pas à rivaliser avec son maître et sa réputation s'étendit en Allemagne où elle eut de nombreuses commandes de princes et de personnages importants. Elle peignit également des Anglais et des Hollandais. On lui doit, comme peinture à l'huile, des sujets de pastorales, des fleuves et des portraits. Le Kunsthaus de Zurich conserve d'elle *L'artiste à l'âge de douze ans.*
Ventes Publiques : Zurich, 16 mai 1980 : *Flora* 1703, aquar. (13,1x9,5) : **CHF 8 500**.

WASER Johann Caspar
Né le 23 janvier 1737 à Stein-sur-le-Rhin. Mort le 5 septembre 1782 à Stein-sur-le-Rhin. XVIIIe siècle. Suisse.
Peintre et aquafortiste amateur.
Élève de Johann Caspar Füssli. Il grava des portraits et des scènes de genre.

WASER Josef Kaspar
XVIIIe siècle. Actif à Wolfenschiessen. Suisse.
Stucateur et ébéniste.
Il a sculpté les autels des églises d'Ennetbürgen, de Giswil et de l'abbaye de Sarnen.

WASHBURN Cadwallader
Né à Minneapolis (Minnesota). XXe siècle. Américain.
Peintre, graveur.
Il fut élève de l'Art Students' League à New York, de J. Sorolla-Bastida en Espagne et de Paul Albert Besnard à Paris. Il fut membre de la Fédération Américaine des Arts. Il obtint un second prix décerné par l'Association Artistique Américaine de Paris.
Musées : Amsterdam (Rijskmus.) – Londres (Victoria and Albert Mus.) – Londres (British Mus.) – Paris (Mus. d'Art Mod.) – Paris (BN).

WASHBURN Mary N.
Née vers 1861. Morte en octobre 1932 à Greenfield. XIXe-XXe siècles. Américaine.
Peintre.
Elle fut élève de Henry Golden Dearth à New York.

WASHINGTON Georges
Né le 15 septembre 1827 à Marseille (Bouches-du-Rhône). Mort en 1910 à Paris. XIXe-XXe siècles. Français.
Peintre de genre, sujets typiques, compositions animées, portraits, scènes de chasse, paysages, animaux. Orientaliste.
Il fut élève de François E. Picot. Il participa à Paris, à partir de 1857 au Salon des Artistes Français et durant près de cinquante ans ; il fut médaille de troisième classe en 1893.
Georges Washington eut son heure de renommée. Ses peintures présentent essentiellement des vues d'Algérie, du Maroc et des scènes animées de chevaux caracolant.

G. Washington
G. Washington

Musées : Dunkerque : *Cavaliers arabes – Portrait de Charles X* – Lille : *Nomades dans le Sahara en hiver* – Limoges : *Chevaux arabes à l'abreuvoir* – Sète : *Fantasia arabe.*
Ventes Publiques : Paris, 1875 : *Marche de caravane* : **FRF 730** – Paris, 16-17 mai 1892 : *Halte d'Arabes* : **FRF 360** – Paris, 1899 : *Cavaliers arabes à l'abreuvoir* : **FRF 450** – Marseille, 1900 : *En Voyage* : **FRF 510** – Paris, 28 nov. 1909 : *Cavalier marocain* : **FRF 350** ; *La halte* : **FRF 610** – Paris, 5 et 6 mai 1919 : *Fantasia arabe* : **FRF 590** – Paris, 3-4 mai 1923 : *Campement d'Arabes dans un oasis* : **FRF 2 200** – Paris, 4-5 juin 1926 : *L'escorte du prisonnier* : **FRF 3 500** – Paris, 29 et 30 mars 1943 : *Scène arabe* : **FRF 7 800** – Paris, 23 mars 1945 : *Caravane passant un gué* : **FRF 21 000** – Paris, 16 oct. 1946 : *Le campement arabe* : **FRF 30 000** – Paris, 12 nov. 1946 : *Halte dans le désert* : **FRF 21 000** – Paris, 6 juin 1950 : *La halte de la caravane* : **FRF 36 000** – Paris, 8 juin 1951 : *Fantasia* : **FRF 39 000** – Paris, 11 juin 1951 : *La halte des cavaliers arabes* : **FRF 42 000** – New York, 4 nov. 1971 : *Les Bohémiens* : **USD 850** – New York, 10 oct. 1973 : *La caravane* : **USD 1 800** – New York, 17 avr. 1974 : *Camp arabe* : **USD 2 300** – Paris, 2 déc. 1976 : *Cavaliers arabes à l'abreuvoir*, h/t (50x61) : **FRF 8 500** – Londres, 6 mai 1977 : *Cavaliers arabes près d'un puits*, h/t (49,5x61) : **GBP 1 800** – New York, 14 oct. 1978 : *Cavaliers arabes*, h/t (49,5x60) : **USD 2 400** – Paris, 3 déc 1979 : *A la fontaine*, h/pan. (21,5x41) : **FRF 8 500** – Paris, 7 déc. 1981 : *Combat de cavaliers arabes*, h/t (73x92) : **FRF 60 000** – Londres, 19 juin 1984 : *Charge de cavalerie arabe* 1900, aquar. et pl. reh. de gche blanche sur trait de cr. (52x68,5) : **GBP 5 500** – New York, 25 mai 1984 : *Le départ pour la chasse, près de Bône (Algerie)*, h/t (61x82,5) : **USD 28 000** – Londres, 28 nov. 1985 : *La rencontre dans l'oasis*, aquar. et cr. reh. de blanc (30x37,5) : **GBP 1 500** – Montpellier, 22 fév. 1986 : *L'Aman*, h/t (65x81) : **FRF 127 000** – Londres, 26 fév. 1988 : *La halte des cavaliers*, h/t (46,5x65,5) : **GBP 7 480** – La Varenne-Saint-Hilaire, 29 mai 1988 : *La halte des cavaliers auprès de la rivière*, h/t (50x61) : **FRF 96 000** – Paris, 24 juin 1988 : *Cavaliers arabes*, h/t (73x92) : **FRF 80 000** – Calais, 3 juil. 1988 : *Cavalier au bord de l'oued*, h/t (46x55) : **FRF 70 000** – Paris, 12 déc. 1988 : *Arabe, cheval se désaltérant*, h/pan. (16,3x23,5) : **FRF 20 000** – Paris, 20 mars 1989 : *Arabes*, h/t (24x22,2) : **FRF 9 500** – Paris, 21 nov. 1989 : *La halte des cavaliers*, h/t (46x61) : **FRF 150 000** – Londres, 22 nov. 1989 : *Le campement au bord de la rivière*, h/t (43x61) : **GBP 9 900** – Paris, 8 déc. 1989 : *Halte à la fontaine*, aquar. et gche (21x26) : **FRF 32 000** – New York, 22 mai 1990 : *Halte des guerriers arabes et de leurs chevaux dans un oued*, h/t (50,8x61,6) : **USD 16 500** – Paris, 30 mai 1990 : *Repos au bord de l'oued*, h/pan. (44,5x25) : **FRF 70 000** – Londres, 22 juin 1990 : *Cavaliers arabes traversant une rivière*, h/t (50,5x61,3) : **GBP 11 550** – Paris, 20 nov. 1990 : *Le porte-étendard*, h/t (73x60) : **FRF 115 000** – Paris, 25 mars 1991 : *Campement*, h/t (50,5x61) : **FRF 71 000** – Paris, 8 avr. 1991 : *Cavalier se désaltérant*, aquar. (51x35) : **FRF 28 000** – Londres, 4 oct. 1991 : *Cavaliers arabes traversant un gué*, h/t (50,5x61) : **GBP 6 600** – Paris, 18-19 nov. 1991 : *Le retour des cavaliers*, h/t (67x97) : **FRF 160 000** – Paris, 22 juin 1992 : *Nomades au bord d'un oued*, h/t (50x60,5) : **FRF 75 000** – Calais, 14 mars 1993 : *Cavaliers arabes*, h/pan. (166x24) : **FRF 16 000** – Londres, 17 mars 1993 : *Arabes près d'un puits dans le désert*, h/pan. (27x35) : **GBP 7 820** – Paris, 21 juin 1993 : *Guerrier arabe*, h/t (24x32,5) : **FRF 36 000** – New York, 15 fév. 1994 : *Cavaliers arabes*, h/t (95,5x125,5) : **USD 52 900** – Londres, 17 nov. 1994 : *Le retour de la chasse*, h/t (67,6x91,8) : **GBP 31 050** – Paris, 5 déc. 1994 : *La chasse au faucon*, h/t/pan. (49x60) : **FRF 200 000** – Paris, 6 nov. 1995 : *L'avant-garde*, h/t (61x46) : **FRF 65 000** – Londres, 15 mars 1996 : *Guerrier arabe sur son cheval*, h/t (81,3x64,5) : **GBP 21 275** – New York, 23-24 mai 1996 : *Cavaliers se désaltérant*, h/t (125,1x66,7) : **USD 14 950** – Londres, 21 nov. 1996 : *Cavaliers arabes près d'un oued*, h/t (65,6x92) : **GBP 12 075** – Paris, 9 déc. 1996 : *Étude de cavalier*, fus. et craie/pap. bleu (42,5x27) : **FRF 9 000** – Londres, 21 mars 1997 : *L'Abreuvage des chevaux*, h/t (51x62,2) :

GBP 8 625 – New York, 26 fév. 1997 : *Le Sheik*, h/t (61,6x50,5) : USD 7 475 – Calais, 6 juil. 1997 : *Cavaliers arabes passant le pont*, h/t (93x74) : FRF 64 000 – Londres, 21 nov. 1997 : *L'Oasis*, h/t (41,3x58,5) : GBP 8 050.

WASHUIZEN Abraham ou **Washuyzen**
XVIIIe siècle. Actif dans la seconde moitié du XVIIIe siècle. Hollandais.
Peintre verrier.
Il exécuta deux vitraux pour l'église des Prémontrés d'Alkmaar.

WASIELEWSKI Wilhelm von
Né le 9 février 1878 à Bonn. XXe siècle. Allemand.
Peintre de portraits, figures, paysages.
Il fut élève d'Arthur Volkmann. Il travailla à Munich.
Musées : Halle : *Portrait d'Arthur Volkmann.*

WASILEWSKI Jan
Né en 1860 à Wytegra. Mort le 7 décembre 1916 à Varsovie. XIXe-XXe siècles. Polonais.
Peintre de genre.
Il fut élève de l'Académie de Munich.
Musées : Varsovie : dessins.

WASILKOWSKA Maria, née **Nostitz-Jackowska**
Née en 1860 à Chalino. Morte le 12 novembre 1922 à Varsovie. XIXe-XXe siècles. Polonaise.
Peintre de portraits, pastelliste.
Elle fut élève de l'Académie de Saint-Pétersbourg.
Musées : Varsovie : *Portrait*, pastel.

WASILKOWSKI Kazimierz
Né le 17 juin 1861 à Lublin. Mort le 17 mai 1934 à Varsovie. XIXe-XXe siècles. Polonais.
Peintre de nus, illustrateur.
Mari de Maria Wasilkowski, il fut élève de l'Académie de Saint-Pétersbourg. Il peignit des nus et des scènes de contes de fées.

WASILKOWSKI Leopold
Né le 24 décembre 1865 à Lublin. Mort le 15 octobre 1929 à Varsovie. XIXe-XXe siècles. Polonais.
Sculpteur.
Il fut élève de l'Académie Julian de Paris. Il sculpta des tombeaux pour les cimetières de Varsovie et de Vilno.

WASIOLCK Josef
Né en 1921. XXe siècle. Polonais.
Peintre de paysages.
Il fut élève du peintre Tarcezewski à l'académie des beaux-arts de Cracovie en 1958. Il montre ses œuvres dans des expositions personnelles en Grande-Bretagne et au Danemark.
Musées : Cracovie (Mus. Nat.) – Lodz – Majdanek.

WASITI Yahyâ ibn Mahmûd, dit **Al**
Né sans doute à Wasit. XIIIe siècle. Actif au début du XIIIe siècle. Éc. persane.
Peintre.
La Bibliothèque Nationale de Paris conserve de lui un manuscrit des Séances ou Maqâmât d'al-Harîrî daté de 1237. L'inégalité de style des différentes miniatures représentées sur ce manuscrit ne permet pas de bien dégager l'originalité de ce peintre qui était également calligraphe.

WASKE Erich
Né le 24 janvier 1889 à Berlin. Mort en 1960. XXe siècle. Allemand.
Peintre, graveur, illustrateur.
Il exposa à Munich à partir de 1911. Il imita les impressionnistes en préférant les couleurs vives et passionnées. Il illustra des éditions d'ouvrages bibliques.

E. Waske
E. W.

Ventes Publiques : Munich, 29 nov. 1977 : *Village de Norvège*, h/t (72x87) : DEM 2 100.

WASKO Ryszard
Né en 1948. XXe siècle. Polonais.
Créateur d'installations. Tendance conceptuelle.
Artiste, il écrit également sur l'art et notamment sur son propre travail.
Il a participé à des expositions collectives : régulièrement en Pologne notamment au musée des Artistes internationaux à Lodz ; 1995 Munich ; 1996 galerie Lombard-Freid Fine Arts de New York. Il montre ses œuvres dans des expositions personnelles : 1981 Museum Folkwang d'Essen.
L'installation *Child Territories (Ongoing Project)* de 1996 réunit des chariots de bois véhiculant des blocs de parafine sur lesquels sont dessinés les drapeaux de divers pays.
Bibliogr. : Robert C. Morgan : *Latitudes éclatées*, Art Press, n° 212, Paris, avr. 1996.

WASLEY Frank
Né à Peckham. XIXe-XXe siècles. Britannique.
Peintre de paysages, marines, aquarelliste, peintre à la gouache, technique mixte.
Il fut actif de 1880 à 1914. Il a peint de nombreuses vues de Venise.
Musées : Sunderland : *Pluie au crépuscule – Dartmoor*, aquar.
Ventes Publiques : Paris, 27 juin 1951 : *Grande frégate mouillée à l'entrée d'un port* : FRF 16 500 – Londres, 9 janv 1979 : *London Bridge*, h/t (43x61) : GBP 850 – Londres, 20 mai 1992 : *Barques de pêche à l'aube*, h/t (61x91,5) : GBP 715 – Londres, 5 mars 1993 : *Santa Maria della Salute à Venise*, aquar. (22x29,3) : GBP 920 – Londres, 4 nov. 1994 : *L'entrée du Grand Canal à Venise ; Venise la nuit*, aquar. et gche (24,4x34,3) : GBP 2 185 – Londres, 3 mai 1995 : *L'attente de la flotte ; Le phare de Whitby* 1893, h/t, une paire (chaque 39x54,5) : GBP 667 – Londres, 29 mars 1996 : *Le Bassin avec le quai aux esclaves et le Palais des Doges à Venise*, aquar. et gche (26,1x52,7) : GBP 920.

WASLEY Léon John
Né en 1880 à Paris. Mort le 25 mars 1917 tombé à Verdun. XXe siècle. Britannique.
Sculpteur de figures.
Il exposa à Paris au Salon des Artistes Français à partir de 1906. Du Montmartre des années 1900, il était l'auteur du *Christ en Croix* qui ornait la salle du *Lapin Agile*.

WASMANN Friedrich ou **Rudolf Friedrich**
Né le 8 août 1805 à Hambourg. Mort le 10 mai 1886 à Meran. XIXe siècle. Allemand.
Peintre de portraits, paysages.
Élève des Académies de Dresde et de Munich.
Il se rattacha au groupe des Nazaréens.
Bibliogr. : Peter Nathan : *Friedrich Wasmann, sein Leben und sein Werk*, Munich, 1954.
Musées : Brême (Kunsthalle) : *Portrait d'une dame* – Düsseldorf : *Mme Zingerle* – Hanovre : *Ferme près de Meran – La Vallée de l'Adige – Homme costumé pour le Carnaval – Jeune fille devant un paysage* – Innsbruck (Ferdinandeum) : *Maria von Mörl – Johann von Planckenstein et sa femme* – Magdebourg : *Portrait d'homme – Portrait d'un vieillard – Jeune fille* – Stettin : *Portrait de M. von Menz* – Wuppertal : *Portrait d'une femme.*
Ventes Publiques : Cologne, 22 nov. 1973 : *Portrait d'homme* 1840 : DEM 25 000 – Vienne, 27 mai 1974 : *La vallée de l'Inn* : ATS 50 000 – Munich, 27 nov. 1980 : *Portrait d'une comtesse avec son enfant* 1850, h/t mar./cart. (33x23,5) : DEM 12 500 – Munich, 27 juin 1995 : *Portrait d'une dame du sud Tyrol*, h/pan. (33,5x25) : DEM 11 500 – Munich, 25 juin 1996 : *Portrait de Friedrich Windischmann*, h/t (42x32) : DEM 16 800.

WASNETZOW Victor. Voir **VASNETSOV Viktor**

WASOWICZ Waclaw
Né le 25 août 1891 à Varsovie. XXe siècle. Polonais.
Peintre de figures, portraits, paysages, marines, graveur.
Il fut élève de l'Académie de Cracovie. En 1928 il exposait : *Paysage hollandais, Paysage hivernal, Paysage d'été, Chaumière, Dans le port*, ainsi qu'un portrait, au Salon d'Automne de Paris dans la section Polonaise organisée par la Société d'Échanges Littéraires et Artistiques entre la France et la Pologne.
Musées : Varsovie (Mus. Nat.) : *Trois Femmes – Vues de Grèce*, deux toiles – *Vue de Pologne.*

WASS C. W.
XIXe siècle. Travaillant en 1822. Britannique.
Graveur.

WASSEF Pierre
Né en 1954 à Paris. XXe siècle. Français.
Dessinateur. Abstrait.
Il participe à des expositions collectives, notamment en 1986, 1987 et 1988 au Salon des Réalités Nouvelles à Paris. Il montre ses œuvres dans des expositions personnelles, en 1987 et 1988 à la Maison Mansart à Paris. Il a réalisé des fusains.

WASSEMBERG Henry Van
XVe siècle. Actif à Bruges en 1468. Éc. flamande.
Sculpteur.

WASSEMBERG Steven Van
XVe siècle. Actif à Bruges en 1468. Éc. flamande.
Sculpteur.

WASSENAAR Willem Abraham
Né le 14 décembre 1873 à Katwijk. Mort en 1956. XIXe-XXe siècles. Hollandais.
Peintre de portraits, paysages. Pointilliste.
Il fut élève de Jan Toorop.
VENTES PUBLIQUES : NEW YORK, 17 fév. 1994 : *Vaches paissant près d'un ruisseau*, aquar./pap. (45,8x64) : **USD 1 150** – AMSTERDAM, 11 avr. 1995 : *Canards sur une mare*, h/t (65x103) : **NLG 2 360** – AMSTERDAM, 16 avr. 1996 : *Portrait de femme*, h/t (41x30) : **NLG 1 770.**

WASSENAER Hessel Pietersz
XVIIIe siècle. Actif dans la seconde moitié du XVIIIe siècle. Hollandais.
Peintre.
Il fut membre de la gilde d'Alkmaar en 1764.

WASSENAER Symon
Mort avant le 9 septembre 1666. XVIIe siècle. Actif à Haarlem. Hollandais.
Peintre de marines.

WASSENBAUER. Voir **WASSERBAUER**

WASSENBECK C. X.
XVIIe siècle. Actif dans la seconde moitié du XVIIe siècle. Autrichien.
Peintre.
Il a peint *La Vierge remettant le chapelet à saint Dominique* qui se trouve dans l'église d'Eisenstadt.

WASSENBERG Matthieu ou **Maio**
Né le 4 septembre 1939 à Bree. XXe siècle. Belge.
Peintre à la gouache.
Il fut élève du Hoger Institut voor Sierkunst de Hasselt. Il reçut le Prix de Rome en Belgique en 1970.
Son travail semble issu du pop art.
VENTES PUBLIQUES : LOKEREN, 21 mars 1992 : *Grumbacher Blues*, gche (72,5x55) : **BEF 36 000.**

WASSENBERGH Élisabeth Geertruida, plus tard Mme **Fockens**
Née en 1726 ou 1729 à Groningue. Morte en 1781 ou 1782 à Groningue. XVIIIe siècle. Hollandaise.
Peintre de genre, portraits.
Fille de Jan Abel Wassenbergh. Elle peignit à la manière de Metsu et de Verkolje.
VENTES PUBLIQUES : PARIS, 25 mai 1949 : *La consultation* : **FRF 300 000** – PARIS, 12 mai 1950 : *La femme à la lettre* : **FRF 65 000** – AMSTERDAM, 6 mai 1993 : *Autoportait à l'âge de vingt-cinq ans, en robe bleue et corsage blanc et tenant sa palette et ses pinceaux* 1754, gche/vélin (14,3x11,7) : **NLG 16 100.**

WASSENBERGH Jan Abel
Né le 18 janvier 1689 à Groningue. Mort le 17 juillet 1750 à Groningue. XVIIIe siècle. Hollandais.
Portraitiste et peintre de genre.
Élève d'Adr. Van der Werff. Le Musée d'Amsterdam conserve de lui *Louisa Christina Trip, Adriaen Jooseph Trip Van Vredenberg, Johanna Bomdina Gabas, Les enfants Trip jouant dans la campagne*, le Musée d'Emden, *L'artiste*, et le Musée de Groningue, *Portrait d'une dame, Deux arlequins, L'avocat Wassenbergh, Élisabeth Geertruida Wassenbergh fille de l'artiste.*

AWassenbergh Fecit

VENTES PUBLIQUES : AMSTERDAM, 29 avr. 1985 : *Paysages* 1731, h/pan., une paire (12,5x19,5) : **NLG 18 500.**

WASSENHOVE Joos Van. Voir **JUSTE de Gand**

WASSER Anna. Voir **WASER**

WASSERBAUER Leopold
XVIIIe siècle. Actif à Vienne. Autrichien.
Sculpteur.
Il travailla pour la cathédrale de Gurk de 1739 à 1741.

WASSERBURGER Paula von, pseudonyme : **S. J. Lewikoff**
Née le 12 février 1865 à Vienne. XIXe-XXe siècles. Autrichienne.
Peintre d'animaux, paysages, fleurs.
Elle fut aussi écrivain.

WASSERMANN Paul
XVIIe siècle. Actif à Bozen au milieu du XVIIe siècle. Autrichien.
Sculpteur.
Il a sculpté des fonts baptismaux pour l'église de Sarntheim.

WASSERSCHOT Heinrich Van. Voir **WATERSCHOODT**

WASSET Ange
XIXe siècle. Française.
Peintre de fleurs.
Elle exposa au Salon de Paris en 1831 et 1834.
VENTES PUBLIQUES : PARIS, 27 et 28 déc. 1927 : *Bouquets de fleurs*, deux aquarelles : **FRF 820.**

WASSET J.
XIXe siècle. Française.
Peintre et aquarelliste.
Elle exposa au Salon de Paris en 1833 et en 1834.

WASSHUBER Andreas ou **Georg Andreas** ou **Wasshueber**
Mort le 17 décembre 1732 à Wiener-Neustadt. XVIIIe siècle. Actif à Wiener-Neustadt. Autrichien.
Peintre.
Il travailla pour l'abbaye de Heiligenkreuz. Il exécuta aussi des peintures dans l'abbaye des Capucins de Wiener-Neustadt.

WASSHUBER Josef Ferdinand
Né le 28 décembre 1698 à Wiener-Neustadt. Mort en 1765. XVIIIe siècle. Autrichien.
Peintre.
Fils d'Andreas Wasshuber. Il peignit des portraits et des sujets religieux.

WASSHUEBER Anton
XVIIIe siècle. Actif à Graz au début du XVIIIe siècle. Autrichien.
Peintre.
Il a peint un tableau d'autel pour l'église de Leobersdorf.

WASSILIEFF Féodor Alexandrovitch
Né le 10 février 1850 à Saint-Pétersbourg. Mort le 8 septembre 1873 à Yalta. XIXe siècle. Russe.
Peintre de paysages et de sujets rustiques.
Cet artiste, mort tout jeune, promettait un bel avenir, si l'on en juge par l'importance que lui donnent les Musées russes ; il est représenté dans les principales collections publiques de son pays.
MUSÉES : MOSCOU (Roumianzeff) : *Le parc – Le dégel* – MOSCOU (Gal. Tretiakov) : *Petite rivière – Étang – Motifs d'après nature – L'épaisseur – Une anse sur la Volga – Lever du soleil sur la Volga – Débarcadère sur la Volga – Le clouement en Crimée – Retour des travaux champêtres – Dans les montagnes de Crimée – Le soir – Moulin abandonné – Bateau sur la mer Noire – Le printemps – Nuit d'hiver – Jour nuageux – Petit chêne* – SAINT-PÉTERSBOURG (Mus. Russe) : *Le bosquet – Vue sur la Volga.*

WASSILIEFF Iégor Jakovlévitch
Né le 19 septembre 1815. Mort le 28 mai 1861 à Moscou. XIXe siècle. Russe.
Peintre d'histoire.
Élève de l'Académie de Saint-Pétersbourg.

WASSILIEFF Jakob
Né en 1730. Mort en 1760 à Saint-Pétersbourg. XVIIIe siècle. Russe.
Graveur au burin.
Élève d'Ivan Sokoloff et de Georg Friedrich Schmidt. Il grava des portraits, des vues et des illustrations.

WASSILIEFF Jakof Andréiévitch
Né en 1790. Mort le 29 juin 1839 à Saint-Pétersbourg. XIXe siècle. Russe.
Peintre de genre et portraitiste.
Élève de l'Académie de Saint-Pétersbourg.

WASSILIEFF Marie. Voir **VASSILIEFF**

WASSILIEFF Michail Nicolaiévitch
Né le 15 avril 1839 à Bolchoff. Mort le 2 octobre 1900 à Zarkojé Sélo. XIXe siècle. Russe.
Peintre d'histoire.
Élève de l'Académie de Saint-Pétersbourg. Le Musée Russe de Saint-Pétersbourg conserve de cet artiste une *Italienne.*

WASSILIEFF Nikolaï
Né en 1901 à Saint-Pétersbourg. XXe siècle. Actif en Allemagne. Russe.
Peintre de portraits, paysages, dessinateur.
Il fut élève de l'Académie des Beaux-Arts de Saint-Pétersbourg. Il poursuivit ses études à l'Académie de Weimar, puis se fixa à Berlin.
Ventes Publiques : Long Island, 17 nov. 1985 : *Femme au chapeau noir*, h/t (91,5x71,2) : **USD 2 000**.

WASSILIEFF Pavel Semionovitch
Né le 29 décembre 1834. Mort le 25 février 1904. XIXe siècle. Russe.
Peintre de cartons de mosaïque.
Il fut élève de l'Académie de Saint-Pétersbourg. Il exécuta des mosaïques dans la cathédrale Saint-Isaac de cette ville.

WASSILIEFF Semion Wassilievitch
Né en 1747. Mort le 22 mai 1798 à Saint-Pétersbourg. XVIIIe siècle. Russe.
Médailleur et graveur au burin.
Élève de Skorodumoff. Il grava des portraits et des vignettes.

WASSILIEFF Slavik. Voir **SLAVIK**

WASSILIEFF Timoféi Alexéiévitch
Né le 11 mars 1783. Mort le 13 novembre 1838. XIXe siècle. Russe.
Paysagiste.
Élève de l'Académie de Saint-Pétersbourg.

WASSILIEFF Wassili Wassiliévitch
Né en 1829. Mort en 1894. XIXe siècle. Russe.
Peintre d'histoire.
La Galerie Tretiakov, à Moscou, conserve de ce peintre *La Tzarine Alexandra*.

WASSILIEWSKI Alexander Alexéiévitch
Né le 21 janvier 1794. XIXe siècle. Russe.
Portraitiste.
Élève de l'Académie de Saint-Pétersbourg. Le Musée Russe de Saint-Pétersbourg conserve une peinture de cet artiste.

WASSILKOWSKY Sergéi Ivanovitch
Né en 1854 à Kharkoff. Mort en 1917. XIXe siècle. Russe.
Peintre de paysages.
Le Musée Russe de Saint-Pétersbourg possède de lui *Ai-Pétri sur la Crimée*, et la Galerie Tretiakov à Moscou, *Restes d'une forêt séculaire*.
Ventes Publiques : Londres, 15 mai 1968 : *Le traîneau* : **GBP 460** – New York, 25 jan. 1980 : *Paysage d'été*, h/pan. (16x27) : **USD 2 300**.

WASSIUTINSKY Antoni Afodiévitch
Né en 1858 à Mohilew-Podolsk. XIXe siècle. Russe.
Graveur en médailles.
Il figura aux Expositions de Paris ; mention honorable en 1891.

WASSLER Josef
Né le 14 février 1841 à Lana. Mort en 1908 à Meran. XIXe siècle. Autrichien.
Sculpteur.
Élève de Pendl à Meran. Il exécuta des ornements à l'intérieur d'églises, de style néo-gothique.

WASSMANN Friedrich. Voir **WASSMANN Rudolf Friedrich**

WASSMANN Olaus Carolus
Mort en 1784 à Randers. XVIIIe siècle. Danois.
Peintre.
Il travailla pour des maisons bourgeoises à Randers et Skive et exécuta des peintures de style rococo.

WASSMANN Rudolf Friedrich
Né en 1805 à Hambourg. Mort en 1865 ou 1886 à Meran. XIXe siècle. Allemand.
Peintre de portraits.
Élève de Naecke à Dresde, étudia aussi à Munich, puis à Rome. Il se lia d'amitié avec Cornelius. Il fut surtout influencé par le sens romantique de la nature de Joseph Anton Koch. On voit de lui au Musée de Hambourg : *Portrait de la sœur de l'artiste* ; *Portrait de la femme du pasteur Hubbe* et *Paysage tyrolien*.

WASSMUTH Hermann
Né le 18 août 1872 à Schaffhouse. XIXe-XXe siècles. Suisse.
Peintre de portraits, paysages.
Il fut élève des Académies de Munich et de Paris.

WASSNETZOFF Apollinarij Michailovitch. Voir **VASNETSOV Apollinari**

WASSNETZOFF Victor Victor. Voir **VASNETSOV Viktor**

WASSON George Savery
Né en 1855 à Groveland. XIXe siècle. Américain.
Peintre et écrivain.
Élève de l'Académie de Stuttgart. Il se fixa à Boston.

WASTEAU Julien François. Voir **WATTEAU**

WASTERLAIN Georges
Né en 1889 à Chapelle-lez-Herlaimont. XXe siècle. Belge.
Peintre de figures, sujets typiques, sculpteur de monuments.
Mineur et autodidacte en peinture, il privilégia les sujets sociaux.
Bibliogr. : In : *Dict. biogr. illustré des artistes en Belgique depuis 1830*, Arto, Bruxelles, 1987.
Ventes Publiques : Amsterdam, 27-28 mai 1993 : *Tête de femme*, terre-cuite (H. 43) : **NLG 1 380**.

WASTINES Michel Van der. Voir **WOESTINE**

WÄSTRÖM Johan Gustaf
XVIIIe-XIXe siècles. Suédois.
Peintre.
Il peignit des portraits et des sujets religieux.

WASTROWSKI Franciszek
Né en 1843 à Varsovie. Mort le 22 octobre 1900 à Varsovie. XIXe siècle. Polonais.
Peintre de genre et paysagiste.
Élève de F. Brzozowski. Les Musées de Varsovie conservent des peintures et des dessins de cet artiste.
Ventes Publiques : Londres, 25 juil. 1980 : *Berger et troupeau dans un paysage* 1877, h/t (37,5x48,2) : **GBP 600**.

WATAGIN Wassili Alexéivitch
Né le 2 janvier 1884 à Moscou. XXe siècle. Russe.
Sculpteur, peintre d'animaux, graveur, illustrateur.
Il fut surtout animalier et exécuta des illustrations d'ouvrages de sciences naturelles et de géographie.

WATANABE Junzo
Né en 1933 à Tokyo. XXe siècle. Japonais.
Peintre.
Il vit à Tokyo. Il participe à de nombreuses expositions de groupe, notamment dans les musées d'art contemporain de Tokyo et Kyoto, ainsi qu'à l'étranger : 1963 IIIe Biennale des Jeunes Artistes à Paris ; 1965 VIIIe Biennale de Tokyo ; 1968 Ire Triennale de l'Inde à New Delhi ; 1969 Ve Biennale des Jeunes Artistes à Tokyo ; etc. Il a obtenu de nombreux prix : 1957, 1958 et 1961 Prix Shinsikka de l'Association Shinseisaku ; 1962 Prix Maruzen ; 1969 Prix Stralem de la Ve Biennale des Jeunes Artistes à Tokyo. Il a montré de nombreuses expositions personnelles de ses œuvres, à Tokyo à partir de 1956 ; ainsi qu'à Paris, en 1970.
Dans une matière maigre de colorations vives et tendres, il fait évoluer un monde de créatures, à la Miró, indéterminées entre figuration, invention et abstraction.
Bibliogr. : Catalogue de l'exposition : *Junzo Watanabe*, Gal. Lambert, Paris, 1970.

WATANABE KAZAN. Voir **KAZAN Watanabe**

WATANABE Mikio
Né le 3 août 1954. XXe siècle. Depuis 1977 actif en France. Japonais.
Graveur.
Il participe à divers Salons et expositions collectives et expose individuellement à Paris et Genève. En 1989, il faisait partie, à la galerie Michèle Broutta de Paris, de l'exposition des dix jeunes graveurs sélectionnés en vue du Prix de la Fondation Grav'X.

WATANABE Sadao
Né en 1913 à Tokyo. XXe siècle. Japonais.
Dessinateur, graveur.
Élève de Sôetsu Yanagi et de Keisuke Serizawa, il est influencé par leur intérêt pour l'art folklorique. Il figure aux salons de l'Académie Nationale de Peinture (*Kokuga-kai*), de l'Académie Japonaise de Gravure et du Musée d'Art Populaire Japonais. Ces trois institutions lui décernèrent d'ailleurs divers prix. En 1962, il participe à la Biennale Internationale de l'Estampe de Tokyo. En 1961, il fait des expositions personnelles à San Francisco, New York et Saint-Louis.

WATANABE SHIKÔ. Voir **SHIKÔ**

WATANABE Tetsuya

Né en 1947 à Gifu-ken. XXe siècle. Japonais.

Auteur de happenings.

Il fut élève de l'école d'art plastique à Tokyo, où il vit et travaille depuis 1952.

Il participe à des expositions collectives : 1971 école d'art plastique à Tokyo ; 1973 Mozart Salon de Tokyo et Les Indépendants de Tokyo au musée municipal de Kyoto ; 1975 Théâtre Tenjosajiki de Tokyo et Nouvelle Biennale de Paris. Il montre ses œuvres dans des expositions personnelles à partir de 1965.

Il a réalisé des happenings, des films, des enregistrements sonores : « en tant qu'artiste vivant de nos jours, je désire établir un rapport plus progressif et dialectique entre la vision et la pensée physiologique de l'homme et celles mécaniques des médias même, ce qui nous portera à nous procurer une autre vision nouvelle » (Watanabe).

Bibliogr. : In : *Catalogue de la Nouvelle Biennale*, Idea Books, Paris, 1975.

WATEAU Jean Antoine. Voir **WATTEAU**

WATELE Henri ou **Wattelé** ou **Vatelé** ou **Vuatelet**

Né en 1640. Mort le 30 juillet 1677 à Paris. XVIIe siècle. Actif à Paris. Français.

Peintre.

On cite une centaine de planches exécutées par cet artiste.

WATELET Charles Joseph

Né le 11 février 1867 à Beauraing. Mort en 1954. XIXe-XXe siècles. Belge.

Peintre d'histoire, scènes de genre, figures, portraits, paysages.

Il fut élève de Jean François Portaëls à l'académie des beaux-arts de Bruxelles et d'Alfred Stevens. Il fut fait chevalier de la Légion d'honneur. Il exposa à Bruxelles et à Paris, à partir de 1902, au Salon des Artistes Français dont il fut membre sociétaire hors-concours. Il reçut une médaille de troisième classe en 1902, médaille d'or en 1925. Il a surtout réalisé des portraits de femmes.

Ch. Jos. Watelet

Musées : Rochefort : *Paysages* – Saintes : *Paysages* – Sens : *Henri IV et le capitaine Michaud* – Valenciennes : *Paysage avec chute d'eau* – Versailles : *Napoléon reçu au château du Louisbourg par le duc de Wurtemberg*.

Ventes Publiques : Paris, 29 oct. 1926 : *La coiffure* : **FRF 9 500** – Paris, 17 mars 1950 : *Femme et enfant* : **FRF 6 000** – Bruxelles, 24 fév. 1951 : *Le Soir* 1925 : **BEF 3 400** – Bruxelles, 18 juin 1980 : *Portrait d'un jeune garçon*, h/t (160x94) : **BEF 30 000** – New York, 27 mai 1983 : *L'Artiste devant son chevalet*, h/t (90,2x115) : **USD 7 500** – Bruxelles, 18 fév. 1985 : *Jeune femme nue* 1929, h/t (136,5x78,5) : **BEF 340 000** – Londres, 26 juin 1987 : *Nu à son miroir* 1929, h/t (136x78,5) : **GBP 16 000** – Lokeren, 28 mai 1988 : *Jeune Femme en robe de soirée noire* 1903, craie noire et aquar. (44x21) : **BEF 36 000** – Amsterdam, 19 sep. 1989 : *Portrait de Madame Tress, debout portant une robe rose* 1894, h/t (182,5x100) : **NLG 5 750** – Bruxelles, 9 oct. 1990 : *Portrait* 1923, h/t (100x80) : **BEF 85 000** – New York, 30 oct. 1992 : *Jeune Élégante vêtue de blanc* 1930, h/t (157,5x121) : **USD 6 600** – Lokeren, 20 mai 1995 : *Daisy*, h/t (41x32) : **BEF 65 000** – Rumbeke, 20-23 mai 1997 : *Portrait de la comtesse Van de Kerckhove*, h/t (147,5x111) : **BEF 174 795**.

WATELET Claude Henri

Né le 28 août 1718 à Paris. Mort le 12 janvier 1786 à Paris. XVIIIe siècle. Français.

Graveur d'histoire, scènes de genre, portraits, paysages, dessinateur, peintre.

Il a gravé des portraits, des paysages, des sujets d'histoire et de genre. Il était peintre amateur, écrivain et collectionneur.

Musées : Coutances : *Paysage avec personnages*.

Ventes Publiques : Paris, 1876 : *Une porte de la ville de Saint-Dizier*, dess. : **FRF 36** – Paris, 24 fév. 1892 : *Moulin à eau* : **FRF 1 550** – Paris, 6 déc. 1923 : *L'escalier d'un palais romain*, pl. et lav. : **FRF 600** – Paris, 25 mars 1925 : *Vue de l'île Copette*, pl. et lav. : **FRF 1 300** – Enghien-les-Bains, 20 nov. 1977 : *La Porte de Saint-Disier* 1760, aquar. (18x24,8) : **FRF 7 700** – Paris, 20 oct. 1994 : *Bord de rivière*, cr. noir (15x23,5) : **FRF 5 500** – Paris, 8 déc. 1994 : *Vue de l'île Copette* 1770, pl. et lav. gris (25,3x19,5) : **FRF 6 500** – Paris, 16 déc. 1996 : *Cour de poste* 1760, pl. et lav. d'encres brune et grise (16,7x30,5) : **FRF 3 500**.

WATELET Eugénie Sophie

Née à Soissons (Aisne). XIXe siècle. Française.

Peintre de fleurs.

Elle exposa au Salon en 1869 et 1870. Le Musée de Soissons conserve d'elle *Paysage*.

WATELET Louis Etienne

Né le 25 août 1780 à Paris. Mort le 21 juin 1866 à Paris. XIXe siècle. Français.

Peintre de compositions religieuses, paysages, lithographe, aquarelliste.

Il visita la Belgique, la France, Le Tyrol et l'Italie.

Il exposa au Salon de Paris de 1800 à 1857, obtenant une médaille de deuxième classe en 1810, une de première classe en 1819.

Watelet fut l'un des premiers paysagistes à mettre de la sincérité dans la peinture des cataclysmes de la nature qui eurent l'affection du public avec les éruptions du Vésuve du Chevalier Volaire. Paul Huet l'appréciait et qualifiait son style de vivant ; « il est presque un réformateur, disait-il, et présente un commencement d'émancipation... Monsieur Watelet marche en dehors de l'École, il a l'avantage d'être franchement lui ».

Watelet

Bibliogr. : Pierre Miquel : *Le paysage français au XIXe siècle, 1824-1874 L'école de la nature*, Maurs, chez l'auteur, 1975.

Musées : Abbeville : *Vue de la ville d'Abbeville* – Aix-en-Provence : *Vue d'une partie de la ville de Lyon et de l'ancien pont de pierre sur la Saône, remplacé en 1843 par le pont de Nemours* – Amiens : *Paysage vosgien* – Aurillac : *Site des bords de la Seine* – Bordeaux : Une aquarelle – Cambrai : *Saint Jérôme au désert* – Compiègne (Mus. du Palais) : *Saint Jérôme* – Dijon (Mus. des Beaux-Arts) : *Paysage avec moulin à eau* – Épinal : *Paysage des Vosges* – Koenigsberg : *Deux Paysages* – Langres : *Vue prise en Savoie* – Montpellier : *Paysage avec figures et animaux* – Narbonne : *Paysage* – Neuchâtel : *Moulin* – Sens : *Paysage historique* – Tarbes : *Paysage au Tyrol* – Valenciennes : *Paysage avec chute d'eau*.

Ventes Publiques : Paris, 30 nov.-1er-2 déc. 1920 : *La barque près de la vanne*, aquar. : **FRF 1 650** – Paris, 5 mai 1949 : *Le moulin à eau* 1829, aquar. : **FRF 5 200** – Paris, 6 juin 1951 : *Paysage au torrent* 1837 : **FRF 16 100** – Berlin, 7 juil. 1971 : *Paysage au moulin* : **DEM 5 500** – Versailles, 14 mai 1977 : *Paysage montagneux* 1821, h/t (32x25) : **FRF 6 500** – New York, 12 oct 1979 : *Un torrent de montagne* 1857, h/t (49x59,5) : **USD 10 000** – Versailles, 25 oct. 1981 : *Environs d'Allevard près de Grenoble* 1827, h/t (41,2x48,3) : **FRF 27 000** – New York, 1er mars 1984 : *Personnages et troupeau dans un paysage fluvial boisé* 1855, h/t (88,9x116,8) : **USD 2 500** – Paris, 11 déc. 1989 : *Bord de rivière*, h/t (32,5x45,8) : **FRF 38 000** – Paris, 27 mars 1991 : *Entrée en forêt*, h/t (24x32,5) : **FRF 29 000** – New York, 21 mai 1991 : *Paysan traversant un ruisseau sur une passerelle ; Vachère et son troupeau au bord d'un ruisseau* 1858, h/t, une paire (64,8x81,4) : **USD 9 900** – Monaco, 6 déc. 1991 : *Paysage au barrage* 1847, h/t (52,5x63) : **FRF 26 640**.

WATELIN Louis François Victor

Né le 25 octobre 1838 à Paris. Mort le 16 septembre 1907 à Paris. XIXe siècle. Français.

Peintre animalier, paysages, marines.

Élève de Diaz, avec qui il travailla dans la forêt de Fontainebleau, et d'Émile Van Marcke, dont il devint le gendre. Il travailla à Barbizon, voyagea en Hollande, en Perse, avec la mission J. de Morgan (1889-1890).

Il débuta au Salon de Paris en 1870 ; médailles en 1876, 1888 et 1889 (Exposition Universelle).

On cite de cet artiste : *La Pointe de Rodéguat, Marais de Sacy-le-Grand, La Mare aux fées, Le village de Recloses, Vallée de la Bresle, Château de Beynac, Palais de Théhéran, Tombeau de Daniel* ; il a peint aussi des animaux.

L Watelin

Musées : Bordeaux : *Rosée de septembre* – Cahors : *Vache dans un pré* – Gray : *Vaches au pâturage* – Reims : *Paysage avec moutons* – *Ferme en Normandie* – La Roche-sur-Yon : *Le chemin de Neslette*.

Ventes Publiques : Paris, 11 mars 1891 : *Vaches au pâturage* : **FRF 500** – Paris, 14 et 15 mai 1902 : *Animaux au bord de la mer* :

FRF 205 – Paris, 12 fév. 1909 : *Coin de forêt* : **FRF 225** – Paris, 12 mars 1911 : *Coin de forêt* : **FRF 250** – Paris, 3 mars 1919 : *Vaches au bord d'une mare au printemps* : **FRF 850** – Paris, 26 fév. 1926 : *Pâturage à la mare* : **FRF 1 300** – Paris, 17 jan. 1942 : *Paysage* 1873 : **FRF 28 100** – Paris, 20 fév. 1942 : *Village au bord de la rivière* : **FRF 4 200** – Paris, 13 jan. 1943 : *Berger et troupeau* : **FRF 6 200** – Paris, 18 avr. 1945 : *Bords de rivière* : **FRF 9 500** – Paris, 19 nov. 1954 : *Forêt de Fontainebleau* : **FRF 21 000** – Paris, 15 déc. 1973 : *Chemin de campagne* 1874 : **FRF 6 000** – Berne, 2 mai 1974 : *Forêt de Fontainebleau* : **CHF 5 000** – Lucerne, 20 mai 1980 : *Paysage* 1895, h/t (41x64,5) : **CHF 4 800** – Paris, 18 juin 1991 : *Bretagne, bord de mer* 1872, h/t (104x165,5) : **FRF 38 000** – Calais, 5 avr. 1992 : *Paysage à la mare*, h/t (27x33) : **FRF 5 500** – Paris, 12 juil. 1994 : *Le fort*, h/t/cart. (27,3x35,5) : **FRF 59 000** – Paris, 28 mai 1997 : *Paysage aux arbres et maisons*, h/cart. (40x30) : **FRF 6 900**.

WATER Willem Van de

Né à Amsterdam. xviiie siècle. Travaillant de 1745 à 1792. Hollandais.

Graveur sur bois.

WATERFORD Louisa de, marquise

Née en 1818 à Paris. Morte en 1891. xixe siècle. Britannique.

Peintre.

Elle peignit surtout des enfants et des sujets de l'Ancien Testament. La Tate Gallery de Londres conserve d'elle *Les disciples endormis sur le mont des Oliviers*.

Ventes Publiques : Orchadleigh Park, 21 sep. 1987 : *Enfants cueillant des mûres* 1887, aquar. et cr. reh. de blanc (20,2x32,5) : **GBP 2 800**.

WATERHOUSE

xviiie siècle. Actif à Londres dans la seconde moitié du xviiie siècle. Britannique.

Paysagiste.

Il exposa à Londres en 1780.

WATERHOUSE Alfred

Né le 19 juillet 1830 à Liverpool. Mort le 22 août 1905 à Yattendon. xixe siècle. Britannique.

Peintre d'architectures et architecte.

Il peignit surtout des motifs d'architecture italienne.

WATERHOUSE B.

xixe siècle. Actif à Sydney (Australie). Australien.

Dessinateur.

Il exposa à la Society of Artists de Sydney, en 1902, où le Musée lui acheta un dessin (*Sydney qui disparaît*).

WATERHOUSE Esther

xixe siècle. Active dans la seconde moitié du xixe siècle. Britannique.

Peintre de fleurs.

Femme de John William Waterhouse. Elle exposa à Londres de 1885 à 1889.

WATERHOUSE John William

Né en 1849 à Rome. Mort en 1917 à Londres. xixe-xxe siècles. Britannique.

Peintre d'histoire, compositions mythologiques, portraits.

Fils d'un peintre de Leeds qui alla à Rome y copier les maîtres anciens, John William fut élève de son père à Leeds. Il alla poursuivre ses études par des copies à la National Gallery et au South Kensington, à Londres. À vingt-deux ans, il entra à l'École de la National Academy. Il commença à exposer à cet Institut en 1874 (il prenait part depuis deux ans à d'autres expositions de la Métropole Anglaise). En 1885, il fut nommé associé à la Royal Academy et académicien en 1895. Il obtint une médaille d'argent à l'Exposition Universelle de Paris de 1889.

Bibliogr. : Anthony Hobson : *L'Art et la vie de J. W. Waterhouse*, Christie's Book, Londres, 1980.

Musées : Adélaïde : *Circé invidiosa* – Leeds : *La Dame de Schalott* – Liverpool : *Écho et Narcisse* – Londres (Tate Gal.) : *Sainte Eulalie* – *La Dame de Schalott* – *Consultant l'oracle* – *Le Cercle magique* – Manchester : *Hylas et les nymphes* – Melbourne : *Ulysse et les Sirènes* – Sydney : *Diogène*.

Ventes Publiques : Londres, 18 nov. 1921 : *Jour de lessive à Venise* : **GBP 147** – Londres, 16 juin 1922 : *La belle dame sans merci* : **GBP 210** – Londres, 16 mai 1924 : *Bulles* : **GBP 110** – Londres, 23 juil. 1926 : *Ophélie* : **GBP 472** ; *Apollon et Daphné* : **GBP 504** – Londres, 22 avr. 1927 : *Les Danaïdes* : **GBP 1 050** ; *Mariana dans le Sud* : **GBP 525** – Londres, 12 nov. 1943 : *La fuite*, dess. : **GBP 110** – Londres, 14 avr. 1967 : *Apollon et Daphné* : **GNS 300** – Londres, 19 jan. 1968 : *Ophélie* : **GNS 420** – Londres, 20 nov. 1970 : *La femme du roi Hérode allant au supplice* : **GNS 2 600** – Londres, 5 mars 1971 : *Ophélie* : **GNS 3 000** – Londres, 15 déc. 1972 : *Jeune fille assise dans un paysage* : **GNS 1 100** – Londres, 6 juil. 1976 : *Paysage avec une taverne*, past. (15,4x18,3) : **GBP 2 600** – Londres, 15 oct. 1976 : *Portrait de la femme de l'artiste*, h/t mar. (56x38,5) : **GBP 500** – New York, 13 oct. 1978 : *Jeunes filles sur une terrasse à Capri* 1890, h/t (85x49) : **USD 29 000** – Londres, 20 mars 1979 : *Le repos de la lavandière*, aquar. reh. de gche (37x18) : **GBP 1 400** – Londres, 25 mai 1979 : *La cueillette d'oranges*, h/t (115,6x80) : **GBP 18 000** – Londres, 23 mars 1981 : *Song of Springtimes* 1913, h/t (71x91,5) : **GBP 48 000** – Londres, 18 mars 1983 : *Les Narcisses* 1912, h/t (94x62,2) : **GBP 30 000** – New York, 15 fév. 1985 : *Danaides* 1904, h/t (154,3x111,1) : **USD 240 000** – Londres, 26 nov. 1986 : *Mrs A. P. Henderson* 1908, h/t, de forme ovale (76x63,5) : **GBP 6 500** – New York, 24 nov. 1987 : *Hyla et les Nymphes*, craies noire et blanche/pap., étude (36x41,5) : **USD 35 000** – Londres, 23 juin 1987 : *Gathering almond blossom*, h/t (95x61) : **GBP 60 000** – Londres, 3 juin 1988 : *Un marché à Rome*, h/t (99x122) : **GBP 1 760** – Londres, 21 juin 1989 : *Portrait d'une jeune fille*, h/t/cart. (28x22,5) : **GBP 13 750** – Londres, 21 nov. 1989 : *Miranda – La tempête* 1916, h/t (100,5x137) : **GBP 77 000** – Londres, 24 nov. 1989 : *Le réveil d'Adonis* 1899, h/t (95,9x188) : **GBP 308 000** – Londres, 19 juin 1990 : *Pandora* 1896, h/t (152x91) : **GBP 231 000** – Londres, 8 fév. 1991 : *Étude pour le Decameron au recto, Étude pour le personnage de Miranda dans la Tempête au verso*, cr. (22,4x29,3) : **GBP 2 090** – Londres, 19 juin 1991 : *Flore*, h/t (103x68,5) : **GBP 23 100** – Londres, 25 oct. 1991 : *Miranda (La Tempête, acte I)* 1916, h/t (100,4x137,8) : **GBP 88 000** – Londres, 13 nov. 1992 : *Vanité*, h/t (66x69,3) : **GBP 27 500** – New York, 26 mai 1993 : *Touchstone, le jocker*, aquar./pap. (38,1x24,8) : **USD 3 163** – Londres, 8-9 juin 1993 : *Le chant du printemps* 1913, h/t (72x92) : **GBP 122 500** – Londres, 11 juin 1993 : *Ophélie*, h/t (124,4x73,6) : **GBP 419 500** – Londres, 4 nov. 1994 : *La Boule de cristal* 1902, h/t (120,7x78,7) : **GBP 221 500** – Londres, 6 nov. 1995 : *Jason et Médée*, h/t (134x107) : **GBP 161 000** – Londres, 29 mars 1996 : *Borée* 1903, h/t (94x68,8) : **GBP 848 500** – Londres, 5 juin 1996 : *Tête d'un modèle*, fus., étude (26x22,5) : **GBP 4 370** – Londres, 6 nov. 1996 : *Flora et les Zéphyrs*, h/t, esquisse (104x204) : **GBP 232 500** – Londres, 20 nov. 1996 : *Narcisses* 1912, h/t (94,5x64) : **GBP 386 500** – Londres, 8 nov. 1996 : *La Charmeuse*, h/t (96,5x61) : **GBP 300 000** – Londres, 14 mars 1997 : *La Sirène* 1892, h/t (33,5x19,5) : **GBP 56 500** – New York, 23 mai 1997 : *Dante et Béatrice*, h/t/pan. (49,5x62,2) : **USD 40 250** – Londres, 6 juin 1997 : *Jeune fille nue dans un paysage*, h/t/pan. (82,2x54,6) : **GBP 9 775**.

WATERLAND Claes Simonsz ou **Waterlant**

xve siècle. Actif à Haarlem. Hollandais.

Peintre.

Frère de Mouryn Simonsz Waterland. Il a peint deux panneaux du retable de l'église Saint-Bavon de Haarlem en 1485.

WATERLAND Mouryn Simonsz ou **Waterlant**

xve siècle. Actif à Haarlem. Hollandais.

Peintre.

Frère de Claes Simonsz Waterland et son collaborateur.

WATERLAND Symon Van ou **Waterlant**

xve siècle. Actif à Haarlem en 1436. Éc. flamande.

Peintre.

Père de Claes et de Mouryn Waterland.

WATERLOO Anthonie ou **Waterlo** ou **Waaterloo**

Né en 1609 ou 1610 à Lille. Mort le 23 octobre 1690 à Utrecht. xviie siècle. Actif aussi en Hollande. Éc. flamande.

Peintre de paysages animés, paysages, graveur à l'eau-forte, dessinateur.

On sait peu de choses sur cet artiste. Il parait avoir passé la

majeure partie de sa vie en Hollande, partageant son temps entre Amsterdam, Leewarden et Utrecht. Il se maria en 1640 à Zevenbergen. Il voyagea en Allemagne, Hollande et Italie. Suivant la tradition, il possédait un château près d'Utrecht où Jan Weenix venait peindre les figures de ses tableaux.
Il est admis qu'il était autodidacte et cette théorie s'accorde bien avec la nature très particulière de sa technique. Il emploie une combinaison inhabituelle d'aquarelle, de gouache, de craies et aussi du fusain trempé dans de l'huile de lin. Ses dessins sont des œuvres à part entière, n'ayant aucunement le caractère d'esquisse. Ses estampes, au nombre de cent trente-six, représentent, le plus souvent, des paysages boisés.

Bibliogr. : In : *Diction. de la peinture flamande et hollandaise*, coll. Essentiels, Larousse, Paris, 1989.
Musées : Amsterdam : *Site boisé* – Bordeaux : *Paysage* – La Fère : *Entrée de forêt* – Florence (Mus. des Offices) : *paysage avec pêcheurs* – Munich : *Paysage forestier.*
Ventes Publiques : Paris, 1772 : *Paysage*, dess. : **FRF 120** – Paris, 1868 : *Départ pour la chasse au faucon* : **FRF 1 100** – Paris, 8-10 juin 1920 : *Le château dans les arbres*, pl. : **FRF 1 200** – Paris, 12 déc. 1949 : *Site boisé animé de personnages* : **FRF 17 000** – Paris, 6 juin 1951 : *Paysage boisé*, pierre noire et lav. : **FRF 14 500** – Stuttgart, 12-19 mai 1953 : *Paysage d'hiver*, dess. reh. : **DEM 125** – Londres, 8 déc. 1971 : *Paysage* : **GBP 2 600** – Vienne, 4 déc. 1973 : *Paysage boisé animé de personnages* : **ATS 130 000** – Londres, 6 juil. 1976 : *Paysage avec une taverne*, past. (15,4x18,3) : **GBP 2 600** – Londres, 8 déc. 1976 : *Paysage boisé au ruisseau, pierre noire*, lav. et aquar. (29,5x41,3) : **GBP 850** – Londres, 29 nov. 1977 : *Arbres au bord d'une rivière*, aquar. et craies de coul. (18,7x15) : **GBP 900** – New York, 21 nov. 1980 : *Paysage boisé à l'étang*, pierre noire, pl. et lav. (34,7x29,4) : **USD 6 500** – New York, 14 mars 1980 : *Paysage boisé à l'étang*, h/pan. (34,5x53,5) : **USD 15 000** – New York, 9 juin 1981 : *Ruines*, craie noire et lav. (19,7x31,1) : **USD 1 500** – Londres, 8 juil. 1983 : *Paysage boisé*, h/t (57x64,9) : **GBP 11 000** – Amsterdam, 26 nov. 1984 : *Paysage d'hiver*, craie noire et touches de craie orange et lav. reh. de blanc/pap. gris-bleu (32,5x25,8) : **NLG 30 000** – Amsterdam, 18 nov. 1985 : *Paysage boisé*, craie noire et blanche et touches de lav. reh. de blanc/pap. gris (35,2x27,3) : **NLG 21 000** – Hambourg, 11 juin 1986 : *Les Abords du village*, pl. et lav./traits de craies noire et rouge (9,2x28,3) : **DEM 3 400** – Berne, 17 juin 1987 : *Troupeau au pâturage*, encre reh. de blanc/pap. bleu (28x22,7) : **CHF 10 400** – Paris, 27 avr. 1988 : *Paysage boisé à l'étang*, h/t (72,5x94,5) : **FRF 27 500** – New York, 8 jan. 1991 : *Paysage d'hiver avec un homme traversant un ruisseau sur une passerelle* 1629, craies de coul., lav. brun et touches de gche et de blanc (19,8x15,8) : **USD 41 800** – Amsterdam, 25 nov. 1991 : *Paysage rocheux et boisé avec des voyageurs sur le chemin*, craie noire et lav. avec reh. de blanc/pap. bleu (27,9x28,8) : **NLG 1 840** – Londres, 6 juil. 1992 : *Vaste paysage avec une auberge parmi des arbres*, craie noire avec lav. de bleu, vert, gris et rouge et reh. de blanc (15,3x18,4) : **GBP 15 950** – Heidelberg, 15-16 oct. 1993 : *Deux promeneurs dans un bois*, eau-forte (29,3x23,7) : **DEM 1 200** – Amsterdam, 10 mai 1994 : *Route traversant un village (recto) ; Paysage rocheux avec des constructions (verso)*, encre et lav. sur deux feuilles jointes (9,2x28,3) : **NLG 63 250** – Amsterdam, 15 nov. 1994 : *Veste panorama avec des grands arbres au premier plan*, craie noire et lavis bleu, vert gris et brun (28,7x20) : **NLG 33 350** – Amsterdam, 15 nov. 1995 : *Paysage boisé avec des voyageurs traversant un petit pont*, craie noire, aquar. et gche/pap. bleu (18,8x15,2) : **NLG 23 600**.

WATERLOO Jan Pieter ou **Joannes Petrus**
Né le 4 octobre 1790 à Amsterdam. Mort le 1er décembre 1861 à Amsterdam. xixe siècle. Hollandais.
Peintre de paysages, dessinateur.
L'Hôtel de Ville d'Amsterdam conserve de lui *Vue de forêt.*
Ventes Publiques : Amsterdam, 9 nov. 1993 : *Vaste paysage avec des personnages sur un sentier*, h/t (61x74) : **NLG 6 670**.

WATERLOOS Adrian
Né en 1600 à Bruxelles. Mort en 1684 à Bruxelles. xviie siècle. Éc. flamande.
Graveur et médailleur.
Il fut graveur ordinaire du roi. On cite de lui de nombreuses médailles à l'effigie de princes et de personnalités de son temps.

WATERLOOS Denis, l'Ancien
Né vers 1593 à Bruxelles. Mort vers 1650. xviie siècle. Éc. flamande.
Graveur et médailleur.
Il grava des médailles en commémoration d'événements contemporains et à l'effigie de personnalités de son époque.

WATERLOOS Denis, le Jeune
Né en 1628 à Bruxelles. Mort en 1715 à Bruxelles. xviie-xviiie siècles. Éc. flamande.
Médailleur.
Fils de Denis Waterloos l'Ancien et assistant d'Adrian Waterloos.

WATERLOOS Henri Van ou **Watreloos**
xve siècle. Actif à Bruges en 1471. Éc. flamande.
Peintre et miniaturiste.

WATERLOOS J.
xviie siècle. Travaillant vers 1680. Hollandais.
Graveur en manière noire.
On cite de lui des sujets religieux, des types de paysans et des fleurs.

WATERLOOS Sigebert ou **Sibrecht**, l'Ancien
Mort le 30 août 1624 à Bruxelles. xviie siècle. Éc. flamande.
Médailleur et tailleur de sceaux.
Il travailla pour la cour de Bruxelles et exécuta des sceaux et des cassettes gravées.

WATERLOOS Sigebert ou **Sibrecht** ou **Ghysbrecht**, le Jeune
Né peu avant 1600 à Bruxelles. Mort après 1674. xviie siècle. Éc. flamande.
Médailleur.
Frère de Denis Waterloos l'Ancien.

WATERLOW Ernest Albert, Sir
Né le 24 mai 1850 à Londres. Mort le 25 octobre 1919 à Londres. xixe-xxe siècles. Britannique.
Peintre d'animaux, paysages, aquarelliste.
Il fit ses études à Londres, en Allemagne et en Suisse. Il commença à exposer à Londres en 1871, notamment à la Royal Academy, à Suffolk Street et surtout à la Old Water Colour Society, dont il fut président. Il fut membre associé à la Royal Academy en 1890, académicien en 1903.

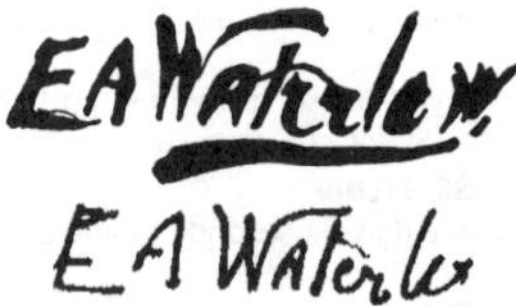

Bibliogr. : C. Collins Baker : *Sir E. A. Waterlow, his Life and Work*, The Art Annual, 1906.
Musées : Birmingham : *Bruyères du Suffolk* – Le Cap : *Départ d'un bateau pour la pêche au saumon* – Liverpool : *Chênes dans la forêt de Fontainebleau : pluie d'été* – Londres (Tate Gal.) : *Commérages* – Melbourne : *Corfe Castle, Dorsetshire* – Salford : *Automne* – Sydney : *Pêcheurs d'huîtres en Essex.*
Ventes Publiques : Londres, 16 juin 1922 : *Paysage du Surrey*, dess. : **GBP 53** – Paris, 18 avr. 1951 : *Vaches à la rivière* 1879 : **FRF 3 300** – Londres, 28 nov. 1972 : *L'Entrée des champs* : **GBP 600** – Londres, 25 oct. 1977 : *Paysage à la rivière, Devon*, h/t (44x74) : **GBP 750** – Londres, 22 mai 1979 : *Paysage d'hiver*, aquar. (44x75) : **GBP 460** – Londres, 20 mars 1984 : *Un chemin de campagne dans le Devonshire*, h/t (53x43) : **GBP 1 150** – Montréal, 30 oct. 1989 : *Scène forestière animée*, h/t (65x105) : **CAD 4 840** – Londres, 19 déc. 1991 : *Troupeau de moutons près d'une ferme dans un paysage enneigé*, h/t (76,2x101,6) : **GBP 4 620** – Londres, 11 juin 1993 : *Les deux chemins* 1876, aquar. (44,5x78,5) : **GBP 2 070** – Londres, 9 juin 1994 : *L'Hiver près de York*, h/t (60x105,5) : **GBP 2 760** – Londres, 29 mars 1995 : *Automne doré*, h/t (108x185) : **GBP 17 250** – Londres, 6 nov. 1995 : *Mai*, h/t (128,2x94,6) : **GBP 25 300** – Londres, 12 mars 1997 : *Châteaux de sable, Cornouailles du Nord* 1884, h/t (89x152) : **GBP 14 950** – Londres, 5 nov. 1997 : *Conduite du troupeau sur un pont*, h/t (102x152) : **GBP 8 050**.

WATERMAN Marcus
Né en 1834 à Providence. Mort en 1914. xixe-xxe siècles. Américain.
Peintre de sujets orientaux, paysages.
Musées : Boston : *Colline en automne.*
Ventes Publiques : New York, 11 mars 1982 : *Moulins à vent au bord d'un canal*, h/t (76,2x115) : **USD 1 800** – Bolton, 29 fév. 1984 : *Le marchand de bananes*, h/t (45,7x35,5) : **USD 2 500** – New York, 15 mars 1985 : *Le marchand de bananes*, h/t (46,4x36,2) : **USD 2 400** – New York, 12 mars 1992 : *Le marchand et le génie*, h/t (101,6x56) : **USD 3 850.**

WATERNEAU Herminie
Née à Paris. xixe siècle. Française.
Peintre de portraits et de genre.
Élève de Mme D. de Cool. Elle débuta au Salon de Paris en 1878.

WATERS Billie
Née le 6 avril 1896 à Richmond. xxe siècle. Britannique.
Peintre d'animaux, paysages, natures mortes.
Elle exposa à Londres en 1933. Elle vécut et travailla à Newlyn (près de Penzance).
Ventes Publiques : Londres, 9 juin 1988 : *Village méditerranéen*, h./gesso (42x30,9) : **GBP 1 078** – Londres, 10 nov. 1989 : *Nature morte de fleurs et de coquillages*, h/pan. (48,1x39,5) : **GBP 1 980** – Londres, 9 mars 1990 : *Le singe noir et blanc*, h/t (61x50,8) : **GBP 4 400.**

WATERS Edward
xviiie siècle. Actif à Londres dans la seconde moitié du xviiie siècle. Britannique.
Peintre d'architectures.
Il exposa à Londres de 1775 à 1797.

WATERS George Fite
Né le 6 octobre 1894 à San Francisco (Californie). xxe siècle. Américain.
Sculpteur de figures, statues, bustes.
Il fut élève de l'Art Students' League de New York, et de Rodin à Paris. Il fut membre de l'Association Artistique Américaine de Paris et de la Société Moderne. Il exposa trois bustes et un bas-relief au Salon de Paris, en 1923. Il se spécialisa dans le portrait.

WATERS George W.
Né en 1832 à Coventry. Mort en 1912 à Elmira. xixe-xxe siècles. Américain.
Peintre de portraits, paysages.
Il fit ses études à New York, à Dresde et à Munich.
Ventes Publiques : New York, 24 oct. 1984 : *Paysage ensoleillé*, h/t mar./isor. (37,5x52) : **USD 2 000** – New York, 30 sep. 1985 : *Pont dans un parc*, h/t (61x45,8) : **USD 2 500.**

WATERS Maynard
Né en 1938. xxe siècle. Australien.
Peintre de genre, paysages, paysages urbains.
Ventes Publiques : Sydney, 19 nov. 1984 : *Sunday, Spring Hill*, h/cart. (92x122) : **AUD 3 800** – Sydney, 4 juil. 1988 : *La route des travailleurs*, h/cart. (40x61) : **AUD 750** ; *Vue de l'observatoire de la colline*, h/t (61x92) : **AUD 2 200** – Sydney, 20 mars 1989 : *L'observation des oiseaux*, h/cart. (42x61) : **AUD 1 000** – Sydney, 3 juil. 1989 : *Le tondeur*, h/cart. (30x40) : **AUD 1 100** – Sydney, 16 oct. 1989 : *Une rue de Sydney*, h/cart. (46x61) : **AUD 1 100** – Sydney, 26 mars 1990 : *Entre terre et ciel*, h/cart. (91x122) : **AUD 5 500** – Sydney, 15 oct. 1990 : *Entre terre et ciel*, h/cart. (74x101) : **AUD 4 000** – Sydney, 2 déc. 1991 : *Depuis Balmain*, h/t (76x122) : **AUD 2 800** – Sydney, 29-30 mars 1992 : *Un matin à Balmain*, h/cart. (46x51) : **AUD 1 500.**

WATERS R.
xviiie siècle. Actif à Newcastle-on-Tyne dans la seconde moitié du xviiie siècle. Britannique.
Peintre d'architectures.
Il exposa de 1784 à 1885.

WATERS Sadie
Née au xixe siècle aux États-Unis. xixe siècle. Américaine.
Peintre de genre.
Elle figura aux expositions de Paris ; mention honorable en 1899 (Exposition Universelle).

WATERS Thomas
Né en 1814. Mort en 1889. xixe siècle. Actif à Caerphilly. Britannique.
Peintre amateur.
Le Musée de Cardiff conserve de lui : *The Van, Caerphilly.*

WATERS W.
xviiie-xixe siècles. Actif à Londres. Britannique.
Miniaturiste.
Probablement fils d'Edward Waters. Il exposa des portraits et des intérieurs de 1792 à 1800.

WATERS W. R.
xixe siècle. Actif à Douvres. Britannique.
Peintre de genre et portraitiste.
Il exposa à Londres de 1841 à 1867.

WATERSCHOODT Heinrich Van ou **Wasserschot** ou **Waterschoot**
Né à Anvers. Mort le 21 janvier 1748 à Munich. xviiie siècle. Hollandais.
Peintre de batailles, de genre et de fleurs.
Il travailla à Munich de 1744 à 1773. Il fut, dit le Bryan's Dictionary, le rival de Beich.

Musées : Augsbourg : *Paysage* – Munich (Mus. mun.) : *Fêtes à Allach* – *Le médecin sur la place du marché* – Munich (Mus. Nat.) : *Le coq de bruyère.*
Ventes Publiques : Londres, 25 oct. 1985 : *Soldats dans un paysage boisé*, h/t (42x59,7) : **GBP 2 800.**

WATERSON David
Né en 1870 à Brechin. xixe-xxe siècles. Britannique.
Dessinateur, graveur de scène de genre, paysages.
Il grava à la manière noire des paysages, des scènes de genre et des ex-libris.

WATHAY Ferenc ou **Franz**
Né en 1568 à Nagnyvag. Mort après 1604 probablement à Constantinople. xvie-xviie siècles. Hongrois.
Dessinateur, illustrateur, aquarelliste. Naïf.
Prisonnier des Turcs, condamné au cachot dans la *Forteresse des sept donjons* de Constantinople, il y devint poète et orna ses poèmes de dessins naïfs à la plume et à l'encre, rehaussés de touches d'aquarelle. Poèmes et dessins illustrent des scènes de captivité, ses propres aventures, qu'il exécuta à Temesvar et à Constantinople.
Musées : Temesvar : Deux dessins.

WATHEN James, dit **Jimmy Sketch**
Né au xviiie siècle à Hereford. Mort en 1828 à Hereford. xviiie-xixe siècles. Britannique.
Dessinateur.
Négociant, il voyageait pour son commerce, dessinant en route, avec une extrême facilité tous les sites, à sa convenance. Il remplit ainsi cent carnets de croquis. Il fut l'ami de lord Byron, rencontré en Italie. Wathen publia un récit de ses voyages, illustré de croquis, en 1814.

WATHER Philipp
Né en 1798 à Mulhouse. xixe siècle. Français.
Peintre, aquarelliste et graveur.
Il alla étudier l'eau-forte avec Riendel à Nuremberg, mais délaissa bientôt ce procédé pour la gravure sur acier. Il a peint à l'huile et, à l'aquarelle, au début de sa carrière, des vues de châteaux, des ruines, etc.

WATHERSTON Evelyn Mary
Née à Londres. xixe-xxe siècles. Britannique.
Peintre de portraits.
Elle commença ses études à Paris et, pendant neuf mois, fréquenta l'atelier Delécluse. Elle alla ensuite à l'école de la Royal Academy à Londres et en sortit vers 1910. Elle exposa à cet Institut, et aux principales expositions d'Angleterre.

WATHERSTON Marjory Violet
Née à Londres. xxe siècle. Britannique.
Peintre de portraits.
Elle commença ses études, en même temps que sa sœur miss Evelyn Mary Walherston à l'Académie Delécluse, à Paris, où elle travailla durant neuf mois. Elle fut ensuite élève à l'École de la Royal Academy à Londres, et y demeura jusqu'en 1910. Elle y obtint deux médailles, ainsi que la bourse de voyage de la British Institution. Elle exposa à Londres, à la Royal Academy, à la Royal Society of Oil Painters, à la Society of Portrait Painters et aux principales expositions de province.

WATHIEU André
Né en 1919 à Seraing. xxe siècle. Belge.
Peintre de paysages.

Il fut élève de l'académie des beaux-arts de Liège.
Bibliogr. : In : *Dict. biogr. illustré des artistes en Belgique depuis 1830*, Arto, Bruxelles, 1987.
Musées : Liège.

WATHNER Matyas ou **Mathias**
xixe siècle. Actif à Papa. Hongrois.
Stucateur.
Il travailla avec A. Adami dans la cathédrale de Szombathély.

WATIER Éric
Né en 1963. xxe siècle. Français.
Peintre, dessinateur, auteur d'installations, illustrateur, technique mixte. Abstrait.
Il fit des études d'architecture. En 1991, il fut artiste résident du Leopold Hoesch Museum de Düren.
Il participe à des expositions collectives : 1981, 1991 Centre régional d'art présent à Saint-Raphaël ; 1982 Biennale de Paris ; 1987, 1989 palais des expositions de Nice ; 1990 artothèque de Caen. Il montre ses œuvres dans des expositions personnelles depuis 1986 : 1986, 1987 Centre régional d'art présent à Saint-Raphaël ; 1988, 1990 Nice ; 1990 Nüremberg, Düren.

WATKEYS W.
xixe siècle. Actif à Londres dans la première moitié du xixe siècle. Britannique.
Paysagiste.
Il exposa à Londres de 1822 à 1823.

WATKIN Gaston
Né vers 1920 à Toulouse (Haute-Garonne). xxe siècle. Français.
Sculpteur.
Il fut Grand Prix de Rome en 1946. Il exposa régulièrement à Paris, au Salon d'Automne, dont il fut membre sociétaire. Il figurait en 1955 dans le groupe Évolution.

WATKINS Bartholomew
Né vers 1794 à Wexfrod. xixe siècle. Irlandais.
Paysagiste.
Élève de l'Académie de Dublin. Il s'y fixa et travailla jusqu'en 1864. Il était également restaurateur et négociant de tableaux.

WATKINS Bartholomew Colles
Né le 10 juin 1833 à Dublin. Mort le 20 novembre 1891 à Upper Lauragh. xixe siècle. Irlandais.
Peintre de paysages, aquarelliste.
Il fut élève de l'École de la Royal Academy de Dublin et se consacra à la peinture des sites pittoresques d'Irlande. Il exposa à Londres, à la Royal Academy de 1857 à 1875. Il futmembre, puis secrétaire de la Royal Hibernian Academy et prit une part active à ses expositions. Il mourut au cours d'une tournée d'études.
Musées : Dublin : *Paysage à Connemara* – Une aquarelle – Sydney : *Étang de Salomon, Connemara.*
Ventes Publiques : New York, 30 mai 1980 : *Kylemore lake, connemara*, h/t (28,6x50,7) : **USD 1 600** – York (Angleterre), 12 nov. 1991 : *Portrush en Irlande*, h/t (16,5x26) : **GBP 1 320** – Londres, 20 juil. 1994 : *Benvokie et Carrigarde près de Castlegregory dans le Countykerry*, h/t (18,5x32,5) : **GBP 1 265** – Londres, 2 juin 1995 : *Village de montagne à Kylemore dans le Comté de Galway*, h/t (33,5x52) : **GBP 4 600**.

WATKINS Dick
Né en 1937. xxe siècle. Australien.
Peintre. Abstrait.
Il pratique une abstraction colorée, dynamique, à partir de formes très découpées cernées de noir.
Bibliogr. : In : *Creating Australia – 200 years of art 1788-1988*, Adelaïde, 1988.

WATKINS Franklin Chenault
Né le 30 décembre 1894 à New York. xxe siècle. Américain.
Peintre.
Il fut élève de l'Académie de Philadelphie, où il vécut et travailla. Il exposa à partir de 1931. Il obtint un des prix Carnegie en 1945.
Ventes Publiques : New York, 23 mai 1979 : *Descent N° 1* vers 1935, h/t (30,5x51) : **USD 1 000**.

WATKINS H. G.
xixe siècle. Travaillant à Londres dans la première moitié du xixe siècle. Britannique.
Graveur au burin.
Il grava d'après H. Gastineau et A. Ch. Pugin.

WATKINS J.
xixe siècle. Actif à Londres en 1806. Britannique.
Peintre.

WATKINS John
xixe siècle. Actif à Londres. Britannique.
Peintre, aquarelliste et graveur.
Le Victoria and Albert Museum à Londres, possède de cet artiste, un dessin sur le sujet mythologique. Il exposa des sujets du même genre à partir de 1876, notamment à la Royal Academy et à Suffolk Street.

WATKINS John Samuel
Né en 1886 à Wolverhampton (Angleterre). Mort le 25 août 1942 en Australie. xxe siècle. Australien.
Peintre de genre.
Il fut élève de l'École des Beaux-Arts de Sydney et de l'Académie Colarossi à Paris.
Musées : Sydney.
Ventes Publiques : Rosebery (Australie), 7 sep. 1976 : *The plume tree*, h/cart. (37x45) : **AUD 1 400** – Sydney, 4 oct. 1977 : *Nocturne, King Street, Sydney*, h/cart. (33,5x23,5) : **AUD 1 400** – Melbourne, 26 juil. 1987 : *Le Parasol rouge* 1904, aquar. (27,5x35,5) : **AUD 2 400** – Sydney, 4 juil. 1988 : *Route de campagne*, h/t (30x45) : **AUD 850** – Sydney, 20 mars 1989 : *Portrait de Mrs Watkins*, h/t (79x57) : **AUD 2 800** – Sydney, 16 oct. 1989 : *Aperçu d'un village*, aquar. (26x36) : **AUD 1 000** – Londres, 31 jan. 1990 : *Près du puits*, aquar. (19x28) : **GBP 1 540** – New York, 16 mars 1990 : *Musicien*, h/t (152,7x91,5) : **USD 9 900** – Sydney, 15 oct. 1990 : *La marionnette*, h/cart. (28x49) : **AUD 1 700** – New York, 10 juin 1992 : *Le banc bleu*, h/t (59,6x74,9) : **USD 1 980** – Sydney, 29-30 mars 1992 : *Nu pensif*, h/pan. (122x28) : **AUD 950** – Amsterdam, 19 avr. 1994 : *Deux élégantes*, aquar., une paire (chaque 23x18) : **NLG 1 955**.

WATKINS Joseph
Né en 1838 dans le comté de Fermanagh. Mort le 22 novembre 1871 à Dublin. xixe siècle. Irlandais.
Sculpteur.
Élève de l'Académie de Dublin et de Baompani à Rome. Il sculpta surtout des portraits. Il exposa à Londres de 1867 à 1870.

WATKINS Kate, Mrs. Voir **THOMPSON Kate**

WATKINS Suzan
Née au xixe siècle à Lake. xixe siècle. Britannique.
Portraitiste.
Élève de Raphaël Colin à Paris. Elle figura au Salon des Artistes Français ; mention honorable en 1899, médaille de troisième classe en 1901.

WATKINS W.
xixe siècle. Actif à Londres de 1823 à 1831. Britannique.
Graveur au burin.

WATKINS W. H.
xixe siècle. Actif à Londres au milieu du xixe siècle. Britannique.
Peintre de portraits, peintre de miniatures.
Il exposa à Londres de 1843 à 1849.

WATLING Thomas
Né en 1762. Mort après 1806. xviiie siècle. Britannique.
Peintre de vues de villes, natures mortes, miniaturiste, dessinateur.
Sous le coup d'une condamnation, il arriva à Sydney en 1791. Il fit probablement quelques croquis pour « Le cas de la colonie Anglaise dans le nouveau pays de Galles du Sud », croquis qui furent repris à Londres par Edward Dayes et W. Alexander. Il fit aussi des natures mortes pour John White. Il semble aussi qu'il ait fait des miniatures à Calcutta de 1801 à 1803.
Musées : Londres (British Mus.) : Natures mortes.

WATMÜLLER, appellation erronée. Voir **WERTMÜLLER**

WATRELOOS, appellation erronée. Voir **WATERLOOS**

WATRIN Gérard
Né en 1860. Mort en 1924. xixe-xxe siècles. Belge.
Peintre de paysages.
Il a participé à Bruxelles aux expositions du Cercle des Beaux-Arts de 1893 à 1921.
Bibliogr. : Pierre Somville, in : *Le Cercle royal des Beaux-Arts de Liège 1892-1992*, Crédit Communal, Liège, 1992 ?
Musées : Liège (Mus. d'Art wallon) : *Cour à Glons* avant 1907, h/t.

WATRIN J. J. M.
Né en 1785 à Amsterdam. xixe siècle. Hollandais.
Peintre de portraits, peintre de miniatures.

WATRINELLE A.
XVIIe siècle. Travaillant en 1698. Français.
Sculpteur.
Il a sculpté le maître-autel de l'église d'Esves-le-Moutier.

WATRINELLE Antoine Gustave
Né le 24 octobre 1818 à Verdun (Meuse). Mort en juin 1913 à Ouistreham (Calvados). XIXe-XXe siècles. Français.
Sculpteur de statues, bustes.
Il fut élève du sculpteur Armand Toussaint. Il reçut le deuxième prix de Rome en 1858. Il exposa, à Paris, au Salon entre 1859 et 1860.
Musées : Bar-le-Duc : *Buste de Don Calmet – Buste d'Ed. Ant. Thouvenel* – Épinal : *Statue de David* – Provins : *Le Printemps.*

WATROUS Elizabeth Snowdon, née **Nichols**
Née en 1858 à New York. Morte le 4 octobre 1921 à New York. XIXe-XXe siècles. Américaine.
Peintre de genre, portraits.
Femme du peintre Harry Willson Watrons, elle fut élève de Jean Jacques Henner et de Carolus-Duran à Paris. Elle exposa à New York.

WATROUS Harry Willson
Né le 17 septembre 1857 à San Francisco (Californie). Mort en 1940 ou 1941. XIXe-XXe siècles. Américain.
Peintre de genre, paysages, natures mortes.
Il fut élève de Bonnat, Boulanger et Lefebvre et de l'Académie Julian de Paris. Il vécut et travailla à New York.
Musées : Brooklyn – Buffalo – Montpellier – New York – Portland – Saint-Louis – Washington D. C.
Ventes Publiques : New York, 26 jan. 1974 : *Nature morte* : **USD 1 600** – New York, 28 oct. 1976 : *Nature morte*, h/t (81,3x66) : **USD 3 000** – New York, 4-5 oct. 1977 : *Nature morte*, h/t (101,5x76,2) : **USD 2 400** – New York, 25 oct 1979 : *La jeune magicienne* 1914, h/t (82,5x64,2) : **USD 6 250** – New York, 8 déc. 1983 : *The Magician* 1914, h/t (82,5x64,2) : **USD 16 000** – New York, 30 mai 1985 : *The dregs* 1914, h/t (73,6x99,6) : **USD 37 000** – New York, 26 sep. 1990 : *La seconde épouse*, h/pan. (30,5x41,3) : **USD 6 600** – New York, 18 déc. 1991 : *Kwan-yin statuette chinoise*, h/t (50,8x45,7) : **USD 3 410** – New York, 3 déc. 1992 : *Solitaire*, h/t (60,3x45,7) : **USD 8 800** – New York, 10 mars 1993 : *Lady Nicotine*, h/t (47,6x34,9) : **USD 5 750** – New York, 4 mai 1993 : *Un vieux compte*, h/pan. (17,9x16) : **USD 2 070** – New York, 27 mai 1993 : *Une partie bloquée*, h/pan. (43,2x55,2) : **USD 5 750** – New York, 31 mars 1994 : *Paysage au clair de lune*, h/t. cartonnée (40,6x30,5) : **USD 1 725** – New York, 31 mars 1994 : *Nature morte aux fleurs d'or*, h/t (69,2x46,4) : **USD 9 200** – New York, 25 mai 1995 : *Les Figurines* 1914, h/t (73,7x99,1) : **USD 43 125** – New York, 23 avr. 1997 : *Nature morte à la coupe et aux vases orientaux*, h/t (53,3x40,6) : **USD 5 520.**

WATROUS Marie Day
Née à Pittsfield (Massachusetts). XXe siècle. Américaine.
Peintre de portraits, paysages, natures mortes.
Elle fut élève de l'École des Beaux-Arts de Boston, de Clément Serveau et Édouard Mac Avoy. Elle exposa à l'Académie des Beaux-Arts de Pennsylvanie, à l'American Women Club, au Salon des Tuileries de Paris. Elle fut membre du groupe des Douze Femmes Peintres et Sculpteurs Américains.

WATSON Adèle
Née le 30 avril 1873 à Toledo (Oklahoma). XIXe-XXe siècles. Américaine.
Peintre.
Elle fut élève de l'Art Students' League à New York et de Raphael Collin à Paris. Elle fut membre du Pen and Brush Club et de la Société des Artistes Indépendants.

WATSON Amelia Montague
Née le 2 mars 1856 à East Windsor Hill. XIXe siècle. Américaine.
Paysagiste et illustratrice.
Elle peignit des paysages de l'Est des États-Unis, et dessina des frontispices.

WATSON Caroline
Née en 1761 à Londres. Morte le 10 juin 1814 à Pimlico. XVIIIe-XIXe siècles. Britannique.
Graveur au pointillé.
Fille et élève de James Watson. Elle eut un remarquable talent de graveur au pointillé et en manière noire. Elle grava d'après Reynolds, Romney, Shelley, Gilbert Shaart, etc. Elle fut nommée graveur de la reine Caroline.

WATSON Charles A.
Né en 1857 à Baltimore. Mort le 23 octobre 1923 près de Easton. XIXe-XXe siècles. Américain.
Peintre de marines.
Il fut élève d'Antoine Castaigne, de Samuel Edwin Whiteman et de Dewing Woodward.

WATSON Charles John
Né en août 1846 à Norwich. Mort le 2 novembre 1927 à Londres. XIXe-XXe siècles. Britannique.
Peintre de paysages, marines, aquarelliste, dessinateur, graveur.
Il fut membre de la Royal Society of Painters Etchers. Il exposa des marines à Londres à partir de 1872, notamment à la Royal Academy et à Suffolk Street.
Peintre, il réalisa aussi des lithographies et des eaux-fortes.

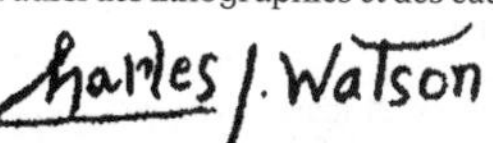

Musées : Norwich : *Ombres du soir, Barton Broad – Pont de White Friar, Norwich – Mauvais temps, embouchure du Yare – Trowse Hythe* – deux aquarelles.
Ventes Publiques : Londres, 13 nov. 1992 : *La façade ouest de la cathédrale de Salisbury* 1897, cr. et aquar. (37,5x50,2) : **GBP 770.**

WATSON Dan
Né le 13 mai 1891 à Ashwell. XXe siècle. Britannique.
Graveur.
Il vécut et travailla à Leicester. Il pratiqua la gravure sur bois.

WATSON Dawson. Voir **DAWSON-WATSON**

WATSON Douglas. Voir **WATSON Édouard Albert Douglas**

WATSON Dudley Crafts
Né le 28 avril 1885 à Lake Geneva. XXe siècle. Américain.
Peintre.
Il fut élève de l'Académie de Chicago. Il vécut et travailla à Milwaukee.

WATSON Édouard Albert Douglas
Né le 13 juin 1920 à Sydney. XXe siècle. Australien.
Peintre.
Il obtint diverses récompenses à Sydney, en 1939, 1942 et 1945. Il vint étudier à partir de 1947, en Angleterre, France, Espagne, Italie, Hollande, Belgique et Suisse.

WATSON Ella
Née en 1850 à Worcester. Morte le 23 mars 1917 à Somerville. XIXe-XXe siècles. Américaine.
Peintre de paysages.

WATSON Ernest W.
Né en 1884 dans l'État de Massachusetts. XXe siècle. Américain.
Graveur.
Il exécuta surtout des modèles de décoration au pochoir.

WATSON Eva Auld, Mrs
Née le 4 avril 1889 au Texas. XXe siècle. Américaine.
Peintre, illustratrice.
Elle travailla à Brooklyn. Elle fut membre de la Fédération Américaine des Arts.

WATSON Frances. Voir **SUNDERLAND Frances**

WATSON George
Né en 1767 à Overmains (Écosse). Mort le 24 août 1837 à Édimbourg. XVIIIe-XIXe siècles. Britannique.
Peintre de portraits.
Il fut d'abord élève d'Alexander Nasmtyh, puis travailla deux ans avec sir Joshua Reynolds. Il s'établit ensuite à Édimbourg et y obtint un grand succès. De 1808 à 1812, il fut président des Assosiated Artists. En 1830, il contribua à la fusion de ce groupe avec la Scottish Academy, dont il ne tarda pas à devenir président. Il exposa à Londres de 1808 à 1828, vingt et un ouvrages à la Royal Academy et vingt-quatre à la British Institution. Le Musée d'Édimbourg conserve de lui un autoportrait le portrait de sa femme et ceux de *Benjamin West* et de *William Smellié.*

Ventes Publiques : Londres, 31 mars 1922 : *Miss J. Mac Gregor Murray* : **GBP 105** – Londres, 28 juil. 1926 : *Elizabeth Dreyhorn Dennistown* : **GBP 378** – Londres, 4 fév. 1927 : *Un officier* : **GBP 162**.

WATSON George Spencer
Né en 1869 à Londres. Mort en avril 1933 à Londres. XIXe-XXe siècles. Britannique.
Peintre de genre, dessinateur.
Il fut élève de la Merchant Taylors' School, de la St John's Wood School, puis de la Royal Academy, à Londres.
Il exposa régulièrement à la Royal Academy à Londres à partir de 1891 et figura à Paris aux Salons des Artistes Français. Il reçut une mention honorable en 1907 et fut fait académicien en 1932. Il appartint également à la Société Royale des Artistes Britanniques, à la Société des Peintres de Portraits, et à la Guilde des Travailleurs de l'Art.
Ventes Publiques : Londres, 1er avr. 1927 : *Endormie*, dess. : **GBP 157** – Londres, 21 mars 1979 : *Portrait of George Edward Russell*, h/t (75x62) : **GBP 900** – Londres, 29 mars 1984 : *Prometheus consoled by the Spirits of the Earth* 1900, h/t (145x208) : **GBP 5 600** – Londres, 12 avr. 1985 : *Prometheus consoled by the Spirits of the Earth* 1900, h/t (145x208) : **GBP 7 000** – Londres, 27 sep. 1991 : *Le soir*, h/t (76x102) : **GBP 616** – New York, 12 oct. 1994 : *Femmes et bébé se baignant dans une fontaine* 1900, h/t (63,5x76,2) : **USD 10 925** – Londres, 6 nov. 1995 : *La fontaine* 1900, h/t (76,8x64,2) : **GBP 20 700**.

WATSON H. W. B.
Britannique.
Peintre de paysages.
Musées : Blackburn : *Fin du jour*.

WATSON Harry
Né le 13 juin 1871 à Scarborough. Mort le 17 septembre 1936 à Londres. XIXe-XXe siècles. Britannique.
Peintre de portraits, paysages, aquarelliste.
Il passa trois ans à Winnipeg (Canada), de 1881 à 1883. Il fit ses études à Londres, à la Scarborough School of Art de 1884 à 1888, puis à la Lambeth School of Art et au Royal College of Art de 1889 à 1894, où il obtint une bourse de voyage. Il enseigna à Regent Street Polytechnic dès 1913.
Il exposa à Londres à la Royal Academy dès 1896. Il fut membre de la Royal Society of Painters in Water-Colours en 1915, de la Royal West of England Academy en 1927 et du Royal Institute of Oil Painters en 1932.
Musées : Londres (Tate Gal.) : *À travers la rivière* 1913.
Ventes Publiques : Londres, 2 mars 1989 : *La robe blanche*, h/pan. (30x19,3) : **GBP 4 620**.

WATSON Henry
Né en 1822 à Cork. Mort le 27 juillet 1911 à Dublin. XIXe-XXe siècles. Irlandais.
Peintre de portraits, animaux, paysages, natures mortes.
Frère du peintre Samuel Waston, il fut élève de l'Académie de Dublin.
Ventes Publiques : Londres, 13 mai 1980 : *Le départ d'Andrea Dandolo pour les croisades* 1863, reh. de gche (123x99) : **GBP 1 100**.

WATSON Homer Ransford
Né en 1855 à Doon. Mort en 1936. XIXe-XXe siècles. Canadien.
Peintre de paysages.
Il fut membre de la Royal Canadian Academy.
Il exposa, à partir de 1879, à la Ontario Society of Artists, à la Royal Academy de Londres, au Glasgow Institute, à la Walker Art Gallery, à Liverpool.
Influencé par l'École de Barbizon, il en a appliqué les préceptes aux paysages canadiens.
Musées : Montréal : *L'Approche de l'orage dans les monts Adirondacks* – *Au-dessous du moulin*.
Ventes Publiques : Londres, 16 oct. 1969 : *Paysage d'hiver* : **GBP 780** – Toronto, 17 mai 1976 : *La clairière*, h/t mar./cart. (45x60) : **CAD 3 600** – Toronto, 9 mai 1977 : *Homme dans un sous-bois par clair de lune*, h/t (45x55) : **CAD 1 200** – Toronto, 15 mai 1978 : *Bergère et troupeau de moutons dans un paysage* 1888, h/t (40x56) : **CAD 4 000** – Toronto, 5 nov 1979 : *La Route de campagne*, h/cart. (31,3x41,3) : **CAD 2 700** – Toronto, 26 mai 1981 : *Le Retour du troupeau*, h/t (45x60) : **CAD 5 000** – Toronto, 3 mai 1983 : *Troupeau à l'abreuvoir*, h/t (40x43,8) : **CAD 3 400** – Toronto, 12 juin 1989 : *L'approche de l'orage*, h/t (31,8x41,9) : **CAD 3 000**.

WATSON James
Né vers 1740 à Dublin. Mort le 20 mai 1790 à Londres. XVIIIe siècle. Irlandais.
Graveur à la manière noire.
Père de Caroline et frère de William Watson. Il exposa à Spring Gardens en 1775 et résida pendant quatre ans à Little Queen Street, à Londres. Il grava de nombreux portraits de personnages éminents et quelques sujets religieux, particulièrement d'après Reynolds, Romney, Gainsborough, etc.

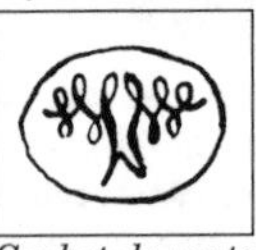
Cachet de vente

Ventes Publiques : Londres, 13 nov. 1997 : *Portrait d'un chien appartenant à Lord Edwd Bentinck* 1768, mezzotinte, quatre pièces : **GBP 3 680**.

WATSON John
Né en 1685 en Écosse. Mort le 22 août 1768 à Perth Amboy. XVIIIe siècle. Américain.
Peintre de portraits et miniaturiste.
Élève de la Trustee's Academy, à Edimbourg. Il partit pour l'Amérique en 1715, et se fixa à New Jersey, où il fut très apprécié. Le Musée de Philadelphie conserve de lui *Portrait du vice-amiral sir Peter Warren*.

WATSON John. Voir aussi **GORDON John Watson**

WATSON John Burgess
Mort en 1847 à Londres. XIXe siècle. Britannique.
Peintre d'architectures et architecte.
Il exposa à Londres de 1819 à 1838.

WATSON John Dawson
Né le 20 mai 1832 à Sedbergh. Mort le 3 janvier 1892 à Conway. XIXe siècle. Britannique.
Peintre de genre, paysages, aquarelliste, peintre à la gouache, aquafortiste, illustrateur.
IL s'établit à Londres en 1840. À quinze ans, il vint étudier à la Manchester School of Art, puis alla aux Écoles de la Royal Academy à Londres en 1851.
Il commença à exposer en 1851 à la Manchester Royal Institution. Il exposa à Londres à partir de 1853, notamment à la Royal Academy, à Suffolk Street et à la Old Water Colour Society, dont il devint membre. Il fut aussi membre de la Society of British Artists.
Il applique dans ses sujets de genre les principes des peintres préraphaélites : observation minutieuse et coloris intense.

Musées : Liverpool : *Bettwsy-Cold*, deux fois – Londres (Victoria and Albert Mus.) : Aquarelles – Londres (Norwich Mus.) : Aquarelles.
Ventes Publiques : Londres, 14 mai 1976 : *Le départ des jeunes mariés* 1879, h/t (119,3x215,8) : **GBP 800** – Londres, 29 jan. 1980 : *La ramasseuse de fagots* 1873, aquar. et reh. de gche (30,5x45) : **GBP 400** – Londres, 29 fév. 1980 : *Chasseur dans un paysage d'hiver* 1891, h/t (166,4x129,6) : **GBP 1 200** – Londres, 16 fév. 1984 : *Little Miss Orange* 1857, aquar. (25,3x17,8) : **GBP 4 00** – Londres, 9 juil. 1985 : *L'atelier du photographe*, h/t (25x35) : **GBP 2 300** – Londres, 29 oct. 1991 : *Le constructeur de modèles réduits* 1867, cr., aquar. et gche (34,9x27,3) : **GBP 660** – Londres, 8-9 juin 1993 : *Le point de rencontre* 1873, aquar. et gche (44,5x62,5) : **GBP 805** – Hadspen, 31 mai 1996 : *Devant la cheminée* 1860, h/t (58x43) : **GBP 4 140** – Londres, 5 juin 1996 : *Petite fille tricotant* 1856, h/cart. (31,5x26) : **GBP 5 750**.

WATSON Lizzi May, née **Godfrey**
XIXe siècle. Active dans la seconde moitié du XIXe siècle. Britannique.
Peintre de genre et portraitiste.
Femme de William Peter Watson. Elle exposa à Londres à partir de 1882.

WATSON Musgrave Lewthwaite
Né en 1804 à Hawkesdale (près de Carlisle). Mort le 28 octobre 1847 à Londres. XIXe siècle. Britannique.

Sculpteur, dessinateur et aquarelliste.
Ses parents en firent un homme de loi ; mais ses goûts artistiques se traduisent, à la mort de son père par son entrée à l'École de la Royal Academy. Sur le conseil de Flaxman, il alla en Italie où il produisit de remarquables aquarelles. A son retour à Londres, en 1828, il entra dans l'atelier de Chantrey et dans la suite s'établit comme sculpteur. A la mort de Chantrey, il acheva au New College les statues colossales de *Lord Eldon* et de *Stowell*. On lui doit également un des bas-reliefs de la colonne de Nelson, à Trafalgar Square, le *Monument au Dr Cameron*, la statue de la *Reine Élisabeth* à la Bourse de Londres, et le monument de son ami *Allan Curmingham*. Une maladie de cœur le terrassa au moment où sa réputation prenait essor.

WATSON P. Fletcher
Né vers 1842. Mort le 29 juin 1907. XIXe siècle. Actif à Manchester. Britannique.
Peintre d'architectures.
Il peignit des vues de Londres, de Milan, de Sienne, de Caen, de Burgos et de Tolède. Le Musée de Sydney conserve de lui une aquarelle : *Saint Mary's Porch, Oxford*.

WATSON Robert
XVIIIe siècle. Britannique.
Peintre d'histoire, portraits.
Il était actif à Londres dans la seconde moitié du XVIIIe siècle. Il exposa en 1778.

WATSON Robert
XIXe-XXe siècles. Britannique.
Peintre de paysages animés, animalier.
Il était actif entre 1877 et 1920.
Il s'est consacré à la peinture de la vie et des mouvements des troupeaux dans les Highlands.
Ventes Publiques : Londres, 2 févr 1979 : *Troupeau dans des paysages montagneux* 1904, deux h/t (90,2x70) : **GBP 2 000** – Auchterarder (Écosse), 30 août 1983 : *Troupeau des Highlands*, h/t (119,5x99) : **GBP 1 200** – Édimbourg, 30 août 1988 : *Le rassemblement du troupeau* 1902, h/t (77x127) : **GBP 3 300** – Toronto, 30 nov. 1988 : *Moutons dans les Highlands près d'un loch* 1909, h/t (50,5x75,5) : **CAD 2 600** – Glasgow, 7 fév. 1989 : *La rentrée du troupeau sous la tempête* 1903, h/t (25,5x40,5) : **GBP 605** – Perth, 28 août 1989 : *Bétail dans les Highlands* 1901, h/t (61x91,5) : **GBP 1 650** – South Queensferry (Écosse), 1er mai 1990 : *Bovins des Highlands ; Moutons dans la vallée* 1918, h/t, une paire (chaque 51x76) : **GBP 2 640** – Perth, 27 août 1990 : *Bovins des Highlands* 1894, h/t (119x108) : **GBP 4 950** – Perth, 1er sep. 1992 : *Moutons dans les Highlands* 1890, h/t (61,5x92) : **GBP 1 320** – Perth, 31 août 1993 : *Dans le brouillard des Highlands* 1900, h/t (61x91,5) : **GBP 2 415** – New York, 19 jan. 1994 : *Bovins des Highlands ; Moutons* 1892, h/t, une paire (chaque 27,9x38,1) : **USD 2 530** – Glasgow, 1er fév. 1994 : *Moutons sur un sentier longeant la côte* 1905, h/t (76x127) : **GBP 3 910** – Perth, 30 août 1994 : *Bovins descendant des Highlands* 1902, h/t (77x127) : **GBP 5 750** – Glasgow, 16 avr. 1996 : *Moutons dans un pâturage des Highlands* 1891, h/t (51x76) : **GBP 2 185** – Perth, 26 août 1996 : *Troupeau de moutons dans les Highlands* 1906, h/t (56x91,5) : **GBP 3 220** – Glasgow, 31 oct. 1996 : *Moutons broutant* 1914, h/t (50,8x76,2) : **GBP 2 415**.

WATSON Robert F.
Mort vers 1866. XIXe siècle. Britannique.
Peintre de marines.
Il exposa de 1845 à 1865 à Londres.
Musées : Sunderland : *Bateaux de pêcheurs*.
Ventes Publiques : Londres, 22 sep. 1988 : *Bateaux entrant dans le port de Shields* 1846, h/t (61x91,5) : **GBP 1 045**.

WATSON S.
XVIIIe siècle. Actif à Londres dans la seconde moitié du XVIIIe siècle. Britannique.
Paysagiste.
Il exposa de 1776 à 1795.

WATSON Samuel
Né en décembre 1663 à Heanor. Mort le 31 mars 1715 à Heanor. XVIIe-XVIIIe siècles. Britannique.
Sculpteur sur bois et sur pierre.
Il travailla, notamment, à Chatsworth, où l'on voit de lui de remarquables sculptures sur bois.

WATSON Samuel
Né en 1818 à Cork. Mort vers 1867 à Dublin. XIXe siècle. Irlandais.
Peintre.
Frère de Henry Watson. Il peignit des portraits, des paysages et des scènes rustiques.

WATSON Stewart
Né probablement à Edimbourg. XIXe siècle. Actif à Londres dans la première moitié du XIXe siècle. Britannique.
Portraitiste et peintre de genre.
Il exposa à Londres de 1843 à 1847. Il se fixa comme fermier au Canada.

WATSON Sydney Robert
Né le 21 mars 1892 à Enfield. XXe siècle. Britannique.
Peintre de paysages animés, paysages, graveur.
Il vécut et travailla à Leicester. Comme graveur, il privilégia la technique de l'eau-forte.
Ventes Publiques : Londres, 25 mai 1979 : *Loch Long : Argyllshire* 1912, h/t (39,3x59,6) : **GBP 1 600** – W.Lothian, 30 avr. 1985 : *Glen Coe, Argyllshire ; Loch Tay, Perthshire* 1910, h/t, une paire (34x47) : **GBP 1 500** – Perth, 28 août 1989 : *Glen Croe en Argyllshire* 1907, h/t (58,5x76) : **GBP 1 760** – Perth, 26 août 1996 : *Bovins des Highlands se désaltérant ; Moutons dans les Highlands* 1902, h/t, une paire (chaque 36x46) : **GBP 4 830** – Glasgow, 11 déc. 1996 : *Près du Loch Fyne, Argyllshire*, h/t, une paire (chaque 51x76) : **GBP 3 910**.

WATSON Thomas
Né en 1743 à Londres. Mort en 1781 à Londres. XVIIIe siècle. Britannique.
Graveur en manière noire.
Il a gravé de planches de valeur d'après Kneller. N. Dance, Sir Joshua Reynolds, etc. Il fut pendant un certain temps marchand d'estampes et associé de Duckenson. Il exposa à Spring Gardens en 1775.
Ventes Publiques : Londres, 13 nov. 1997 : *L'Habillage de Mademoiselle Chaton* 1781, mezzotinte (4,55x3,3) : **GBP 4 370**.

WATSON Thomas J.
Né en 1847 à Sedbergh. XIXe siècle. Britannique.
Peintre de genre, animaux, paysages.
Il exposa à Londres de 1869 à 1903, notamment à la Royal Academy, à Suffolk Street et à la Old Water Colour Society.
Musées : Melbourne : *Scène dans un cottage*, aquar.
Ventes Publiques : Perth, 26 août 1991 : *Bétail des Highlands se désaltérant dans un loch* 1903, h/t (61x91,5) : **GBP 2 860**.

WATSON W. Smellie
Né en 1796 à Édimbourg. Mort le 6 novembre 1874 à Édimbourg. XIXe siècle. Britannique.
Peintre de genre et de portraits.
Élève de son père George Watson. Il vint à Londres en 1815 et fut pendant cinq ans élève de l'école de la Royal Academy. David Wilkie lui donna également des conseils. Il vint s'établir à Édimbourg comme peintre de portraits, et y trouva de nombreux clients. Il fut, avec son père, un des fondateurs de la Scottish Academy. On voit de lui à la Galerie d'Édimbourg : *L'élève* et *Portrait de George Thomson*, et au British Museum de Londres, *Paysage*.

WATSON Walter J.
Né en 1879. XXe siècle. Britannique.
Peintre de paysages animés, paysages.
Walter Watson s'est consacré quasi totalement aux paysages du Pays de Galles du Nord et des Highlands.
Ventes Publiques : Los Angeles, 9 juin 1976 : *Troupeau dans un paysage* 1915, h/t (51,5x76,2) : **USD 600** – Londres, 3 juil 1979 : *On the Machno, North Wales* 1907, h/t (38,5x65) : **GBP 1 500** – Londres, 15 juin 1988 : *Plein-été près de Mostyn au Pays de Galles* 1900, h/t (91,5x72) : **GBP 5 610** – Londres, 23 sep. 1988 : *Bétail au bord d'un lac dans les Highlands* 1921, h/t (41x66) : **GBP 1 265** – Montréal, 1er mai 1989 : *Paysage du Nord Pays de Galles* 1925, h/t (33x48) : **CAD 3 400** – Londres, 27 sep. 1989 : *Sur la Llugwy en Galles du Nord* 1921, h/t (40,5x66) : **GBP 7 150** – Londres, 13 déc. 1989 : *Sur la Glaslyn en Galles du Nord* 1913, h/t (41x66,5) : **GBP 4 180** – Londres, 13 juin 1990 : *Les environs de Beddgelert en Galles du Nord* 1910, h/t (41x66) : **GBP 1 870** – Édimbourg, 28 avr. 1992 : *Loch Lyon dans le Perthshire ; Une rivière des Highlands* 1931, h/t (chaque 41x66) : **GBP 2 860** – Londres, 25 mars 1994 : *La vallée de la Lledr en Galles du Nord*, h/t (40,6x66) : **GBP 5 750** – Londres, 4 juin 1997 : *Sur la Lledr, Galles du Nord* 1912, h/t (40,5x66) : **GBP 8 625**.

WATSON William
Né le 7 novembre 1765 à Dublin. XVIIIe siècle. Irlandais.
Peintre d'histoire, portraits, pastelliste.

Il peignit des scènes historiques et des portraits.
Ventes Publiques : Londres, 16 mai 1996 : *Portrait de Miss Jones, tête et épaules, vêtue d'une robe blanche*, past. (55,5x43) : **GBP 1 840**.

WATSON William
Mort en avril 1921 à Londres. xxe siècle. Britannique.
Peintre d'animaux, paysages.
Il fut élève d'Edwin Landseer et de Rosa Bonheur. Il peignit surtout des troupeaux de moutons.
Musées : Liverpool – Minneapolis – Sheffield – Sunderland.
Ventes Publiques : Londres, 25 mai 1979 : *Troupeau traversant une rivière* 1871, h/t (86,3x139,7) : **GBP 1 000** – New York, 11 fév. 1981 : *Château en Écosse* 1908, h/t mar./cart. (61x91,5) : **USD 3 500** – Perth, 27 août 1985 : *Morning, Glen Coe and Loch Long* 1912, h/t (81x121) : **GBP 2 000** – Californie, 3 fév. 1988 : *Bétail de montagne un matin dans les Glen* 1913, h/t (81,5x122) : **USD 8 250** – Édimbourg, 30 août 1988 : *Moutons dans la lande* 1891, h/t (96x102) : **GBP 7 150** – Glasgow, 7 fév. 1989 : *Troupeau de moutons dans les Highlands* 1910, h/t (61x91,5) : **GBP 3 080** – New York, 24 oct. 1989 : *Glen Lean dans le comté d'Argyle ; Lorch Earn Head près de Perth* 1900, h/t, une paire (chaque 61,5x92,2) : **USD 19 250** – New York, 17 jan. 1990 : *Moutons dans les Highlands* 1891, h/t (61x91,6) : **USD 2 860** – Londres, 1er nov. 1990 : *Le chef du troupeau un matin à Loch Eilt dans le Invernesshire* 1908, h/t (61,6x92,1) : **GBP 4 400** – Glasgow, 5 fév. 1991 : *Bétail dans les Highlands*, h/t (76x127) : **GBP 1 870** – New York, 22 mai 1991 : *Glen Lean dans l'Argyleshire ; Loch Earn dans le Perth*, h/t, une paire (chaque 61,6x92,1) : **USD 16 500** – Perth, 26 août 1991 : *Moutons dans les Highlands* 1895, h/t (33x48,5) : **GBP 1 210** – New York, 28 mai 1992 : *Moutons au pré dans les Highlands* 1903, h/t (84,5x66,7) : **USD 6 600** – Perth, 1er sep. 1992 : *Bovins des Highlands se désaltérant dans un ruisselet* 1889, h/t (61x91,5) : **GBP 1 430** – New York, 18 fév. 1993 : *Le matin dans les Highlands* 1909, h/t (61,5x91,5) : **USD 5 500** – Édimbourg, 23 mars 1993 : *Au cœur des Highlands* 1892, h/t (61x91,5) : **GBP 1 725** – Perth, 31 août 1993 : *Le matin près de Glen Lean dans l'Argyleshire* 1901, h/t (76x127) : **GBP 3 450** – New York, 19 jan. 1995 : *Le matin à Glen Lyon dans le Perthshire* 1903, h/t (33,7x48,9) : **USD 3 450** – Londres, 12 avr. 1995 : *Gentleman chassant la perdrix dans un champ de raves*, h/t (44x59,5) : **GBP 4 485** – New York, 12 avr. 1996 : *La gibecière* 1859, h/t (61x92,1) : **USD 7 475** – Perth, 26 août 1996 : *La traversée du gué* 1895, h/t (77x127,5) : **GBP 8 050** – Auchterarder, 26 août 1997 : *Au bord d'un ruisseau des Highlands, Glen Croe, Argylshire* 1902, h/t (61x91,5) : **GBP 10 350**.

WATSON William Peter
Né à South Shields. Mort en septembre 1932 à Bosham. xxe siècle. Britannique.
Peintre de genre.
Il fut élève de l'Académie Julian de Paris. Il exposa à Londres à partir de 1883.

WATSON-GORDON John, Sir. Voir **GORDON John Watson**

WATT D.
xixe siècle. Travaillant à Édimbourg en 1830. Britannique.
Graveur d'ex-libris.

WATT Fiddes-Georges
Né le 15 février 1873 à Aberdeen (Écosse). Mort le 22 novembre 1960 à Aberdeen (Écosse). xixe-xxe siècles. Britannique.
Peintre de portraits, animaux, paysages, graveur.
Il fit ses études à Édimbourg à la Gray's School of Art et à la Royal Scottish Academy. Il exposa à Londres à la Royal Academy de 1906 à 1930, à la Royal Society of Portrait Painters en 1914, à la Royal Scottish Academy en 1924.
Ses travaux les plus connus sont les portraits du *Vicomte de Haldane* (Lincoln's Inn), du *Vicomte Reading* (Middle Temple) et de *Sir J. J. Thompson* (Royal Society). Il pratiqua la gravure à la manière noire.
Musées : Londres (Tate Gal.) : *La Mère de l'artiste* 1910.
Ventes Publiques : Édimbourg, 22 nov. 1988 : *Canards dans un ruisseau* 1902, h/pan. (26,6x35) : **GBP 2 200** – Édimbourg, 19 nov. 1992 : *Les canards à la ferme des Miller* 1899, h/t (101,6x76,2) : **GBP 9 350**.

WATT James Henry
Né en 1779 à Londres. Mort le 18 juin 1876 à Londres. xixe siècle. Britannique.
Graveur au burin.
Élève de Charles Heath. Il se créa un style très personnel qui lui valut une réputation méritée. Il a gravé des portraits et des sujets de genre.

WATT Linnie
xixe-xxe siècles. Britannique.
Peintre de genre, paysages, paysages urbains.
Elle vécut et travailla à Londres, où elle exposa de 1874 à 1908, surtout des paysages, des vues de villes et des scènes de genre.

WATT William G.
Né le 18 mai 1867 à New York. Mort en 1924 à New York. xixe-xxe siècles. Américain.
Graveur.
Il fut élève d'E. Heinemann et de l'Académie de New York. Il grava sur bois et à l'eau-forte d'après Lhermitte, J. N. Shannon et C. W. Hawthorne.

WATT William Henry
Né en 1804. Mort après 1845. xixe siècle. Britannique.
Graveur au burin.

WATTEAU François Léonard Dupont. Voir **DUPONT François Léonard**

WATTEAU François Louis Joseph
Né le 18 août 1758 à Valenciennes (Nord). Mort le 1er décembre 1823 à Lille (Nord). xviiie-xixe siècles. Français.
Peintre d'histoire, compositions religieuses, sujets allégoriques, scènes de genre, dessinateur.
Élève de son père, Louis Watteau, il obtint la médaille d'honneur en 1774 à l'Académie de Lille, puis alla étudier à Paris où il eut pour professeur Ducameau.
Il prit part au Salon de la Jeunesse en 1783, avec une *Fête dans un jardin* et revint à Lille où il fut en 1785 nommé adjoint de son père.
Il exposa dès lors régulièrement au Salon de Lille : mais alors que Louis Watteau était resté un continuateur de Ténier autant que de Pater, François avait pris à Paris le goût des réunions élégantes : il excellait dans la représentation des jolies robes. En 1784, il exposa une *Dame à sa toilette*, puis successivement une *Fête galante* (1786), le *Concert dans un salon* et la *Fête champêtre* (1787), la *Satisfaction du mariage* (1788), une *Fête des environs de Paris* (1790), une *Fête champêtre* (1794), une *Jeune femme jouant avec ses enfants* (1796).
En 1799, François Watteau aborda la peinture d'histoire, avec la *Bataille des Pyramides*, puis la peinture de mœurs locales avec la *Braderie*, scène du marché improvisé qui se tenait sur la place du Théâtre. De 1801 la *Procession de Lille* de 1803, *la défaite de Darius*. En 1806, François Watteau expose un *Choc de cavalerie* ; en 1815, *L'arrestation de Charrette* ; en 1820, une *Descente de croix* et un tableau allégorique sur la mort du duc de Berry. Mais c'est surtout par les œuvres de sa première période plus agréables de composition et de coloris, que François Watteau mérite de retenir l'attention. Telles sont le délicieux *Menuet sous un chêne*, la *Fête au Colisée*, le *Troisième ballet de Pourceaugnac*.
François Watteau a laissé un assez grand nombre de dessins à la pierre noire, parfois rehaussés de blanc, dont certains rappellent un peu ceux de Chardin, sans avoir pourtant leur légèreté d'exécution. ■ Tr. L.

F. W · J Watteau an 8 · FW · F Watteau 1793 · f. watteau f.

Musées : Arras : *Offrande à l'Amour* – *Sacrifice à Priape* – La Fère : *Combat* – Lille : *La satisfaction du mariage* – *La saint Nicolas* – *Le Colisée*, panneau décoratif – *Fête au Colisée* – *Fête de la levée du siège de Lille* – *La Braderie* – *La procession de Lille* – *Escarmouche de cavalerie* – *Bataille d'Alexandre contre Porus* – *Darius défait par Alexandre* – *Fête du Broquelet* – *François Decottignies, dit Brûle Matin, chansonnier Illois* – Marseille : *Fête villageoise* – Tournai : *Le cabaret* – *La dispute* – *Deux kermesses villageoises* – Valenciennes : *Menuet sous le chêne* – *Bataille des Pyramides* – *Siège de Beauvais* – *Le galant cavalier*.
Ventes Publiques : Paris, 13 jan. 1868 : *L'Escarpolette* : **FRF 1 000** – Paris, 1883 : *Modes parisiennes*, cray. noir et mine de plomb, deux dess. : **FRF 600** – Paris, 10 mars 1905 : *La Partie de campagne* : **FRF 2 130** ; *Le repos dans le parc* : **FRF 1 710** –

Paris, 21-22 juin 1920 : *Badinage*, cr. : **FRF 2 250** – Paris, 22 nov. 1923 : *L'Arrivée du coche d'eau* : **FRF 14 500** – Paris, 7-8 juin 1928 : *La Lecture*, dess. : **FRF 5 000** – Londres, 24 mars 1965 : *Soldats devant une auberge* : **GBP 1 000** – Paris, 22 oct. 1968 : *L'Offrande à l'Amour*; *Faune et Bacchante*, deux pendants : **FRF 14 800** – Paris, 24 juin 1977 : *Le conseil de la toilette ou la surprise*, h/pan. (36x47) : **FRF 15 100** – Paris, 25 avr 1979 : *Divertissement dans le parc*, h/t (44,5x62,5) : **FRF 108 000** – Paris, 15 juin 1983 : *La Marchande de poissons*; *La Marchande de légumes*, pierre noire et cr. de coul., deux dess. (chaque 23,5x71) : **FRF 22 000** – Paris, 20 oct. 1983 : *Diane découvre la grossesse de Callisto* ; *Diane au bain surprise par Actéon*, peint./bois (56,5x43 et 55,5x43,5) : **FRF 210 000** – Londres, 13 déc. 1984 : *Soldats au village*, gche (36,7x54,9) : **GBP 3 500** – Versailles, 12 mars 1989 : *La Halte des cavaliers* 1788, h/t (200x200) : **FRF 280 000** – Paris, 29 nov. 1993 : *Concert en plein air* ; *Promenade dans le parc*, h/t, deux pendants (42x49) : **FRF 120 000** – Paris, 22 mai 1996 : *Offrande à Vénus*, sanguine (16x25) : **FRF 10 000** – Londres, 11 déc. 1996 : *La Recrue forcée* ; *Soldats et paysans à table*, h/pan., une paire (26,2x33) : **GBP 18 400**.

WATTEAU Jean Antoine ou **Antoine** ou **Wateau**

Né le 10 octobre 1684 à Valenciennes (Nord). Mort le 18 juillet 1721 à Nogent-sur-Marne (Val-de-Marne). XVIIIe siècle. Français.

Peintre de compositions mythologiques, scènes de genre, figures, nus, paysages animés, dessinateur, graveur.

Il était le fils de Jean Philippe Watteau, maître couvreur et charpentier, et de Michelle Lerdenois, sa femme. Watteau montra fort jeune des dispositions remarquables pour le dessin. Il prenait plaisir à aller sur les places publiques copier les saltimbanques, les marchands d'orvietan. Il fut mis en apprentissage vers 1694 ou 1695 chez un peintre de la ville. Il y a tout lieu de croire qu'il s'agit ici de Jacques Albert Gérin, cité en 1681 pour avoir fourni à la municipalité de Valenciennes huit sujets de l'*Histoire de saint Gilles*, destinés à être reproduits en tapisserie par Philippe de May, célèbre ouvrier de son époque, cité encore en 1691 comme un des plus anciens jurés appelés à décider si le chef-d'œuvre de Julien Watteau, élève de Gaspard Mignon, peut être accepté (Ce Julien Watteau est-il parent d'Antoine ?). Cité encore pour avoir décoré plusieurs églises de Valenciennes et de la région. Le Musée de cette ville conserve un tableau de lui : *Enfant appuyé sur une tête de mort soufflant des bulles de savon*. Gérin mourut en 1702. C'est à cette époque que, suivant M. de Julienne, Watteau rencontra un autre peintre « ... qui se donnait pour habile dans les décorations de théâtre et qui, sur cette réputation, fut mandé en 1702 pour l'Opéra de Paris ». C'est sans aucun doute le peintre Métayer dont parle Gersaint. Watteau le suivit à Paris, peut-être contre le désir de ses parents, ce qui expliquerait les conditions difficiles dans lesquelles, suivant le même biographe, il aurait fait le voyage. Watteau, vers dix-huit ans, aurait donc travaillé pour l'Opéra. M. Lacaze posséda un grand fragment de décoration, peinture en détrempe fixée à l'essence, qui était attribué à Watteau. Peut-être datait-elle de cette époque ? Métayer, paraît-il, ne réussit pas à Paris et reprit le chemin des Flandres. Watteau, pour vivre, entra chez un peintre, ou plutôt un entrepreneur de peinture de commerce, établi sur le Pont de Notre-Dame. Il existait alors, comme on en trouve aujourd'hui du reste dans les parages de Saint-Sulpice, des peintres fournissant aux marchands de provinces de petits portraits de saints, des sujets de dévotion que ceux-ci achetaient à la douzaine et même à la grosse, dit Gersaint. Le patron de Watteau était le plus achalandé. Il employait parfois une douzaine d'élèves faméliques. Le travail était sérié ; les uns faisaient les ciels, d'autres, les têtes, ou les draperies ou posaient les blancs, de telle sorte que le tableau se trouvait fini quand il arrivait au dernier exécutant. Watteau fut très apprécié chez ce maître, étant propre à toutes ces besognes, il semble avoir été le grand artiste de la maison. Il réussissait remarquablement les *Saint Nicolas*, figure très demandée. Il dit un jour à Gersaint : « Je savais mon saint Nicolas par cœur et je me passais d'original. » Il faisait aussi d'autres personnages, toujours d'après des gravures. Caylus raconte à ce sujet une histoire relative à une tête de vieille à lunettes, d'après Gérard Dou. Ce fut probablement pour ce patron que Watteau peignit *Vertumne et Pomone* tableau dont parle Mariette comme ayant servi de montre à la boutique d'un peintre du Pont de Notre-Dame. Cette peinture gravée par Boucher appartient à M. de Julienne et figure, naturellement, dans l'œuvre reproduit de Watteau. La gravure de Boucher a l'avantage de nous présenter une œuvre de Watteau très jeune. Tel est aussi le cas d'un Saint, qui figure dans le même œuvre gravé. Watteau touchait, paraît-il, un salaire hebdomadaire de trois livres, plus la soupe. On conçoit qu'avec de pareils émoluments et une besogne aussi ennuyeuse, il ne fût pas très désireux de prolonger son séjour dans la boutique du Pont Notre-Dame.

Watteau fit la connaissance de Gillot, peintre de scènes de la comédie italienne, sans doute vers 1703-1704. On a dit que la rencontre avait été provoquée par Jean-Jacques Spoede, d'Anvers – que Gersaint appelle *Spoude* – ; cette intervention paraît impossible au moins à cette date. Dans l'acte de décès de sa femme, le 2 mai 1720, J.-J. Spoede se déclare âgé de 29 ans environ. Gersaint dit que Watteau se présenta chez Gillot ; Julienne, au contraire, affirme que Gillot « ayant vu quelques dessins, et quelques tableaux de sa main qui luy plurent, l'invita à venir demeurer avec luy ». Ce qui est certain, c'est qu'une grande intimité s'établit entre les deux artistes, et ils vécurent ensemble, probablement jusqu'en 1708. Gillot fournissait à l'Opéra des décors et des costumes ; Watteau eut de quoi s'occuper à ses côtés, mais agit-il simplement comme élève ? Ne produisit-il rien pour son compte ? C'est peu probable. Dans tous les cas, ce fut près de Gillot que le goût de Watteau se forma. Il était en bonne société pour donner libre carrière à sa propre fantaisie. Gillot est, près de Watteau, un médiocre dessinateur ; mais sa vision est remarquable pour exprimer le caractère des choses et des gens. Watteau en profita certainement. Du reste, après leur brouille, qui paraît avoir été des plus sérieuses, s'il refusait de répondre à Caylus sur les causes de cette séparation, le même auteur déclare que Watteau vantait les ouvrages de Gillot et ne laissait pas ignorer les obligations qu'il lui avait. Gillot avait une situation artistique importante ; Watteau, chez lui, fit certainement de nombreuses connaissances, y compris très probablement celle de Claude Audran, chez qui il alla travailler en quittant Gillot. Si l'on s'en tenait au texte de Julienne, il semblerait même que ce serait Gillot qui aurait provoqué son admission chez ce nouveau maître.

Audran, après avoir été le collaborateur de le Brun, dans la décoration de la galerie d'Apollon et du Palais de Versailles, avait obtenu la charge de concierge (lisez conservateur) du Palais du Luxembourg. Cela ne l'empêchait pas d'avoir une clientèle sérieuse, pour les commandes de laquelle il utilisait plusieurs artistes. Watteau fut bientôt son collaborateur préféré. Il peignait les figures dans les arabesques et les ornements qu'Audran exécutait souvent en camaïeu sur fond blanc ou or. Audran lui confia la décoration du château de La Muette, où il peignit trente figures tartares et chinoises. Ce fut au cours de cette collaboration, suivant Gersaint, que Watteau prit goût à la peinture d'ornement qui tient une place importante dans son œuvre. Mais la conséquence la plus heureuse pour Watteau de son libre accès du Luxembourg ce fut la possibilité d'étudier les décorations de Rubens. Là encore Watteau rencontrait le milieu le plus favorable. L'affinité de race, le brio de l'exécution, l'éclat du coloris, tout Rubens devait trouver un écho chez le jeune artiste. Ce fut aussi au Luxembourg qu'il exécuta un nombre considérable d'études d'arbres. En 1709, pendant son séjour chez Audran, et probablement sur son conseil, Watteau prit part au concours de l'Académie Royale. Le sujet était : *David accordant le pardon de Nobal à Abigail qui lui apporte des vivres*. Il entra en loges avec quatre concurrents, et n'obtint que le second prix : le premier fut attribué à Antoine Grison, qui ne fit pas beaucoup parler de lui après ce succès. Watteau, cependant, était las de travailler pour autrui. À ses temps perdus, il avait fait un tableau militaire, dit Gersaint. Il en avait fait plusieurs, comme le démontre une autre toile, *La marmotte*, du Musée de l'Ermitage. Il montra cette œuvre à son patron qui, craignant de perdre un collaborateur précieux, lui conseilla de ne pas s'occuper de pièces semblables, susceptibles de lui faire perdre le goût des travaux sérieux, mais, ajoute Gersaint, probablement informé à ce sujet, Watteau ne fut pas dupe d'Audran et se rendit fort bien compte du mobile de son maître. Vers 1709, Watteau fit un séjour à Valenciennes. Mais il ne pouvait, ni ne voulait rester en province. Il avait le désir d'aller se perfectionner en Italie et le prix obtenu à l'Académie Royale de Paris lui donnait quelques chances d'obtenir la pension à Rome. Dans tous les cas, le séjour à Valenciennes fut de peu de durée et il était de retour à Paris la même année, accompagné d'un jeune Valenciennois, Jean-Baptiste Pater. Watteau s'établit donc à son compte en 1709 à l'âge de 25 ans. Une chance nouvelle lui fut offerte. Crozat, dès qu'il le connut, mit à sa disposition ses admirables collections. Par une lettre à M. de Julienne, relative à une peinture de Rubens, qui lui était offerte, on connait l'émotion de Watteau en face d'une œuvre d'art : « ... Depuis le moment où je l'ai reçue, je ne puis rester en repos, et mes yeux ne se lassent pas de se retourner vers le pupitre où je l'ai placée comme dessus un tabernacle ! » (Archives de l'art français, années 1852-1853, t. XI, p. 212). Crozat possédait 20.000 dessins des plus illustres maîtres, des peintures représentant les plus grandes écoles : « ... il en profita avec avidité, dit Gersaint, et il ne connaissait d'autres plaisirs que celui d'examiner continuellement, et même de copier tous les morceaux des plus grands maîtres... » Ceci explique la rencontre d'admirables dessins où la main de Watteau se reconnaît d'une façon indiscutable, alors que les sujets sont connus de Titien, Rubens, Caliari ou autres. La Collection de dessins léguée au Louvre par M. His de la Salle comprend un superbe échantillon de ce genre. En 1712, on parla à l'Académie Royale de désigner au Roi parmi les élèves ayant obtenu des prix, ceux susceptibles d'aller à Rome avec la pension. Watteau n'avait pas abandonné son projet d'aller voir l'Italie. Afin d'obtenir des suffrages, il fit exposer deux tableaux à l'Académie dans la salle où passaient les académiciens. De La Fosse, quand il connut l'objet de cette exposition, fit appeler Watteau ; on a fait remarquer avec raison qu'il avait dû le rencontrer chez Crozat. Il le félicita chaleureusement sur ses ouvrages et lui dit qu'il était digne d'honorer l'Académie. Watteau fit les visites réglementaires, et fut agréé.

Le caractère de Watteau paraît avoir été assez mal apprécié, sauf par quelques intimes, tels que M. de Julienne, Gersaint, l'abbé Haranger. D'autres, notamment Caylus, ne l'ont pas compris. On lui a reproché ses fréquents changements d'avis, sa brusquerie. Caylus, à qui on ne saurait reprocher trop d'indulgence, dit qu'il était sombre, atrabilaire, timide, parfois caustique. Et le même auteur dit en même temps que, aux heures de travail, alors qu'aucune préoccupation mondaine extérieure ne venait le troubler, il devenait « le Watteau de ses tableaux, c'est-à-dire l'auteur qu'ils font imaginer, agréable, tendre et peut-être un peu berger ». Le désir de changer dont on lui fait grand grief avait très certainement une cause pathologique. Watteau était de constitution faible : pendant les premiers temps de son séjour à Paris, il vécut fort mal, inquiet. Il semble bien établi qu'il était atteint déjà du mal qui devait l'enlever si jeune : la tuberculose. De 1709 à 1716, l'existence de Watteau fut agrémentée de fréquents déménagements. En 1716, il céda aux instances de Crozat et vint s'installer chez le célèbre collectionneur. Crozat possédait, rue de Richelieu, au coin des boulevards un magnifique hôtel avec parc. Il avait à Montmorency un château somptueux. Watteau bénéficia de ce luxe, mais pas longtemps. La brillante société qui fréquentait chez le financier lui prenait beaucoup trop d'instants qu'il eût préféré consacrer aux commandes dont il était surchargé. Il quitta Crozat pour aller chez Sirois dont il accepta l'hospitalité, défendant qu'on fît connaître sa demeure à ceux qui la demanderaient. Cependant, il n'avait toujours pas peint son morceau de réception pour l'Académie, qui l'avait accueilli en quelque sorte sur parole, et qui commençait à s'impatienter. Ce fut en 1717 que Watteau lui présenta enfin *L'embarquement pour Cythère*. À la suite de la présentation de *L'embarquement pour Cythère*, il fut nommé académicien le 28 août 1717. Son ex-ami Gillot l'était déjà depuis près de deux ans. Watteau ne se trouva probablement pas assez indépendant chez le beau-père de Gersaint, et à la fin de 1718, ou au début de 1719, il alla habiter avec Wlenghels une maison dans le haut du faubourg Saint-Victor. En 1720, son état de santé était moins favorable que jamais. On lui avait vanté un célèbre médecin anglais, le Docteur Maed. Le désir de le consulter contribua probablement à le décider à se rendre à Londres. Ses affaires, à ce moment, paraissent avoir été assez embrouillées, car, malgré la somme énorme de travail qu'il avait fournie, M. de Julienne, qui avait pris en mains ses intérêts, ne put lui sauver que 6000 francs. Cette somme paraît bien modique si l'on songe au nombre de tableaux qu'il produisit et qui se vendaient fort cher. Mais Watteau professait un grand mépris pour l'argent et répondait à Caylus lui parlant de son avenir : « Il y a l'hôpital ; on n'y refuse personne. » À Londres, ses œuvres lui furent bien payées et ce fut là, dit Gersaint, qu'il prit du goût pour l'argent. L'état de langueur dans lequel il tomba ne lui permettait plus qu'un faible temps de travail. Il revint à Paris beaucoup plus mal au début de 1721. Après avoir passé six mois chez Gersaint, occupé quelques jours un logis qu'il avait obligé son ami à lui trouver, il alla occuper à Nogent-sur-Marne une maison mise à sa disposition par M. Le Febvre, intendant des Menus, à la sollicitation de l'abbé Haranger. Ce fut là qu'il s'éteignit, entouré des soins affectueux de Gersaint, de Julienne et de ses nombreux amis. Avant de mourir, le désir de revoir son pays natal l'avait pris ; il y espérait la guérison. Il fit part de ce projet à Gersaint, le chargeant de vendre le peu d'effets qu'il possédait. Le produit s'éleva à 3000 francs, lesquels joints aux 6000 francs réunis par M. de Julienne, furent remis à sa famille. Watteau légua ses dessins à quatre de ses meilleurs amis : Gersaint, M. de Julienne, M. Henin, l'abbé Haranger ; ceux-ci payèrent ses dettes et pourvurent aux frais de ses obsèques, à Nogent-sur-Marne.

Des expositions ont été consacrées à l'œuvre de Watteau, jusqu'à la très importante, en 1984-1985, présentée à la National Gallery de Washington, aux Galeries nationales du Grand Palais à Paris, puis au Château de Charlottenburg à Berlin.

L'œuvre de Watteau est considérable : plus de sept cents planches ont été exécutées d'après ses ouvrages, et encore est-on loin de connaître la totalité de ceux-ci. Reconnaissable dès les « arlequinades » de 1703-1707, les scènes satiriques comme *Qu'ai-je fait, assassins maudits !*, les burlesques comme *Le Singe Sculpteur* ou *Le chat malade*, de la même époque, et jusqu'au *Gilles* des dernières années, l'influence de Gillot sur Watteau fut profonde et durable. Lorsque, employé chez Audran, Watteau peignit quelques tableaux militaires, Spoede fut chargé de négocier son tableau : *Retour de campagne*, peinture pleine d'esprit et de charme, que Gersaint qualifie de chef-d'œuvre. Spoede alla voir Sirois, le beau-père de Gersaint. Le marché fut conclu au prix de 60 francs. Watteau partit pour Valenciennes avec la commande d'un deuxième tableau, qu'il envoya de Valenciennes et qui représentait une *Halte d'armée*, dit Gersaint. C'est probablement le *Camp volant* du Musée de l'Ermitage, à Saint-Pétersbourg. Cette peinture lui fut payée 200 francs. Durant son séjour dans sa ville natale, il peignit d'après nature plusieurs autres tableaux militaires. En effet, la ville, menacée par les Impériaux, était pleine de troupes. Watteau remplit des carnets de croquis sur nature. Il peignit aussi pour la société Valenciennoise. On cite notamment un paravent peint par lui dont la signature fut découverte au début du XXe siècle, qui semble bien de cette époque. Les deux tableaux de Sirois avaient commencé la réputation du jeune artiste et, dès son arrivée, des amateurs tels que le comte Caylus, M. de Julienne l'attendaient.

Chez Crozat, tandis que Watteau complétait la connaissance qu'il avait commencée au Luxembourg avec les grands maîtres. Les commandes ne lui manquaient pas. Il peignit, d'après les dessins de La Fosse, les *Quatre Saisons* dans la salle à manger de Crozat. Il traita le même sujet pour Julienne. Après son admission à l'Académie, ce brillant succès augmenta sans doute le nombre des commandes qui lui étaient proposées, mais ne changea pas son caractère, réputé difficile.

De 1709 à 1716, Watteau produisit un nombre considérable d'ouvrages. C'est à partir de cette époque qu'il se libéra des manières et des influences précédentes et trouva définitivement et l'esprit et la technique qui allaient constituer cette poésie qui est si particulière à son œuvre. Quant à l'esprit, il abandonne les scènes de mascarades du répertoire de Gillot, et se consacre désormais aux manèges de l'amour, depuis les jeux retenus des premières rencontres : *La proposition embarrassante*, jusqu'aux ultimes passes d'armes : *La surprise*. Il aime aussi à décrire les plaisirs de la musique : *Les charmes de la vie*. Il isole parfois des personnages dans le but d'approfondir leur portrait psychologique : *La Finette* et *L'Indifférent*, tous deux au Louvre, *Le donneur de sérénades* de Chantilly. Mais c'est peut-être encore plus la technique picturale nouvelle qui constitue la grande originalité de l'art de Watteau dans sa brève maturité : d'une part, il ne met plus en scène des personnages détachés devant un fond de décor, au contraire, par une touche hachurée, il fait un tout des personnages et de l'espace dans lequel ils se meuvent ou se situent, s'imbriquant dans les herbes, les branchages, la brume légère. S'il avait été auparavant sensible aux exemples des peintres de genre flamands, la pratique des collections de Crozat lui permet de découvrir ses véritables sources avec le sens de la grande décoration, l'aisance du dessin, des raccourcis, des arabesques élégantes, chez Véronèse, et le sens de la pâte picturale généreuse et sensuelle, la traduction voluptueuse de la lumière dorée enveloppant les beaux corps chez Titien. Lorsqu'en 1717, Watteau peignit, pour sa réception officielle à l'Académie, *L'embarquement pour Cythère*, lui fut attribué aussitôt le titre de « peintre des fêtes galantes ». Ce titre bien que justifié ne traduit que le côté le plus anecdotique du talent de Watteau. Par-delà le sujet, si prenant soit-il, c'est bien plus le rythme de la composition, la gamme colorée, chaude et dorée, la technique, légère et nerveuse, par petites touches spirituelles, entrecroisant les tons, le dessin, alerte, éblouissant, des personnages et du paysage, l'accord, la fusion, entre êtres et choses, acteurs et décor, personnages et nature, qui créent la poésie chez Watteau. Ainsi en est-il dans *L'Assemblée dans un parc* du Louvre, *La Réunion de plein-air* de Dresde, les *Divertissements champêtres* de la Wallace Collection, les *Fêtes d'amour*, encore à Dresde, *Les plaisirs du bal* de Londres, *La perspective* de Boston, dans ces deux dernières compositions, le décor habituel de paysage brumeux étant remplacé par des architectures imaginaires. Pour célébrer sa fête, permanente et irréelle, qui inspira peut-être plus tard celle du *Grand Meaulnes*, Watteau faisait revêtir aux personnes qui lui servaient de modèles, en particulier à une très belle servante qu'il avait, des costumes de fantaisie, dont il possédait une grande collection. La servante posait aussi pour les nus, celui de *La toilette*, de la Wallace Collection, celui de *L'amante inquiète*, de Chantilly, ainsi que pour de très nombreux croquis aux trois crayons, répertoire d'attitudes pour les peintures à venir, où elle essuie de la vaisselle, ôte sa chemise, ou met ses bas.

Watteau, à Londres, fut très employé. Il peignit deux tableaux et une *Compagnie de comédiens italiens*, précisément pour le docteur Mead. Ce fut à son retour de Londres, en 1721, qu'il peignit la fameuse *Enseigne de Gersaint*, « pour se dégourdir les doigts ». Il y consacra huit jours et encore n'y pouvait-il travailler que le matin, tant il était faible. Il peignit encore *Le rendez-vous de chasse*, pour Julienne ; *Le jugement de Pâris* ainsi que le *Gilles*, ces deux dernières œuvres au Louvre aujourd'hui, le *Gilles* ayant été auparavant propriété personnelle de Vivant-Denon. ■ J. B.

Bibliogr. : Edmond de Goncourt : *Catalogue raisonné de l'œuvre peint, dessiné et gravé d'Antoine Watteau*, Rapilly, Paris, 1875 – Émile Dacier et A. Vuaflart : *Jean de Jullienne et les graveurs de Watteau au* XVIIIe *siècle*, Société pour l'étude de la gravure française, Paris, 1922-1929 – K. T. Parker : *The drawings of Antoine Watteau*, Londres, 1931 – F. Ralin : *Watteau peintre d'arabesques*, Laurens, Paris, 1935 – K. T. Parker et J. Mathey : *Antoine Watteau. Catalogue complet de son œuvre dessiné*, Paris, 1957 – J. Mathey : *Peintures réapparues, inconnues ou négligées par les historiens. Identification par les dessins. Chronologie*, Paris, 1959 – E. C. Montagni : *L'Œuvre complet de Watteau*, Rizzoli, Milan, 1968 – René Huyghe : *L'univers de Watteau*, Screpel, 1968 – C. Pouillon : *Watteau*, Nouvelles Éditions Françaises, Paris, 1969 – Jean Ferré : *Watteau*, 4 vol., Athena, Madrid, 1972 – Y. Zolotov, sous la direction de... : *Antoine Watteau*, texte anglais, Saint-Pétersbourg, 1973 – Ettore Camesasca, Pierre Rosenberg : *Tout l'œuvre peint de Watteau*, 2 vol., Paris, 1970/1983 – D. Posner : *Watteau*, Londres, Berlin et New York, 1984 – P. Rosenberg : *Vies anciennes de Watteau*, Édition Hermann, Paris, 1984 – Pierre Rosenberg, sous la direction de : *Watteau*, numéro hors-série, Beaux-Arts Magazine, Levallois, 1984 – Pierre Rosenberg et M. Morgan Grasselli : catalogue de l'exposition *Watteau*, Washington, Paris, Berlin, 1984-1985.

Musées : Alençon (Mus. de la maison d'Ozée) : *Guitariste assis*, sanguine – Angers : *Fête de campagne* – Bagnères-de-Bigorre : *Étude* – Berlin : *La comédie française* – *La comédie italienne* – *Le déjeuner en plein air* – *Réunion en plein air* – *L'enseigne de Gersaint* – Berlin (Staatliche Mus.) : *La Danse* – *Trois militaires*, sanguine – *Double portrait d'homme*, dess. – Berlin (Mus. du Château de Charlottenbourg) : *Les Bergers* – *L'embarquement pour Cythère* vers 1719 – Caen : *Conversation* – Chantilly : *L'amour désarmé* – *Le plaisir pastoral* – *Mezzetin, le donneur de sérénades* – *L'amante inquiète* – Chartres : *Scène galante* – *Fête dans un parc* – Dijon : *Scène dans un parc* – Dresde : *Conversation en plein air* – *Fête d'amour* – Édimbourg : *Fête champêtre* – *Pastorale* – La Fère : *Le duo* – *Portrait de M. de la Rique* – *Retour de campagne* – Florence : *Chevaliers et dame dans un jardin* – Francfort-sur-le-Main (Städel Inst.) : *L'Île de Cythère* 1711-1712 – *Trois pélerins*, sanguine – Glasgow : *Départ de troupes* – *Halte de troupes* – Graz : *Réunion mondaine dans un parc* – Grenoble : *Paysage avec figures* – *Musiciens dans un paysage* – Haarlem (Mus. Teyler) : *Paysage au rocher*, dess. – *Persan vu à mi-corps* 1715 – Hanovre : *Jeune homme riant* – Helsinki : *L'escarpolette* – Langres : *L'amour désarmé* – Lille : *Intérieur d'un parc* – Londres (Wallace coll.) : *La leçon de musique* – *Le concert de famille* – *Arlequin et Colombine* – *Les Champs-Élysées* – *Les amusements champêtres* – *La cascade* – *Les charmes de la vie* – *Le rendez-vous de chasse* – *La toilette* – Londres (Dulwich College) : *Les Plaisirs du bal* – Madrid : *Contrat de mariage et bal champêtre* – *Vue des jardins de Saint-Cloud* – Moscou (Roumianzeff) : *Déclaration d'amour* – Nantes : *Arlequin, dans une carriole, rencontre Pantalon, Pierrot et Colombine* – *Fantassins en marche* – New York (Metropolitan Mus.) : *le Mezzetin* – *Les comédiens français* – Orléans : *Le singe sculpteur* – Paris (Mus. du Louvre) : *L'embarquement pour Cythère* – *Gilles* – *L'Indifférent* – *La Finette* – *Assemblée dans un parc* – *L'escamoteur* – *Le jugement de Pâris* – *Le faux pas* – *L'automne* – *Jupiter et Antiope* – *Scène de bergerie* – *Portrait d'un homme âgé* – *Trois têtes de nègre*, dess. – *Neuf études de têtes*, dess. – *Femme nue, à mi-corps*, sanguine – *L'intérieur d'un marchand d'étoffes*, sanguine – *Homme nu agenouillé* – *Trois études d'une musicienne*, dess. – Paris (Mus. du Petit Palais) : *Jeune Savoyard à la marmotte* vers 1715 – Paris (Bibl. de l'École des Beaux-Arts) : *Moïse sauvé des eaux* vers 1714-1715 – Potsdam : *La danse* – *Les bergers* – *L'amour champêtre* – *Le concert* – *La récréation italienne* – Reading : *La bonne aventure* – Rotterdam (Mus. Boymans Van Beuningen) : *Tête de garçonnet et mains*, deux études – Saint-Pétersbourg (Mus. de l'Ermitage) : *Proposition embarrassante* – *Savoyard avec marmotte* – *Le Mezzetin* – *Les fatigues de la guerre* – *Les délassements de la guerre* – *Camp volant* – *La Sainte Famille* vers 1718-1719 – San Francisco (Mus. of Fine Arts) : *La diseuse d'aventure* 1708-1710 – *La partie quarrée* vers 1714 – Strasbourg : *La laveuse de vaisselle* – Tours : *La promenade* – Troyes : *L'enchanteur* – *L'aventurière* – Valenciennes : *Le sculpteur A. J. Pater* – *Conversation sous les arbres d'un parc* – Vienne : *Le joueur de guitare* – Washington D. C. (Nat. Gal.) : *Les comédiens italiens* – *Cérès* vers 1716.

Ventes Publiques : Paris, 1737 : *Sujets champêtres*, deux tableaux : **FRF 531** – Paris, 1767 : *Les fêtes vénitiennes* : **FRF 2 615** ; *Deux dessins aux trois crayons* : **FRF 210** – Paris, 1770 : *Les Champs Élysées* : **FRF 6 505** – Paris, 1776 : *Trois têtes de nègres*, dess. au cr. rouge et noir sur la même feuille : **FRF 300** – Paris, 1783 : *Les plaisirs du bal* : **FRF 5 000** – Paris, 1829 : *La réunion dans le parc* : **FRF 12 600** – Paris, 1845 : *Le rendez-vous de chasse* ; *Les amusements champêtres*, ensemble : **FRF 29 350** – Londres, 1850 : *Paysage avec les acteurs de la Comédie italienne* : **FRF 18 370** – Paris, 1852 : *Le repos dans un parc* : **FRF 25 000** – Paris, 1857 : *Les deux cousines* : **FRF 55 000** – Paris, 1865 : *Rendez-vous de chasse à la sortie d'une forêt* : **FRF 31 000** ; *Les plaisirs du bal* : **FRF 37 000** – Paris, 1875 : *Têtes d'hommes et de femmes sur la même feuille*, dess. aux trois cr. : **FRF 7 700** – Londres, 1877 : *Les deux marquises* : **FRF 65 600** ; *Le Printemps* : **FRF 16 275** – Paris, 26 fév. 1880 : *La diseuse de bonne aventure* : **FRF 15 100** – Paris, 1882 : *L'Île enchantée* : **FRF 20 000** – Paris, 1883 : *Jeune femme assise tenant un éventail*, sanguine et crayon noir, rehauts de blanc : **FRF 4 200** – Paris, 1886 : *L'enseigne*, fragment de l'enseigne pour Gersaint : **FRF 8 700** – Londres, 1891 : *L'accord parfait* : **FRF 91 800** ; *L'occupation selon l'âge* : **FRF 136 500** – Paris, 16-17 mai 1892 : *Le bal* : **FRF 20 200** – Londres, 1893 : *Le bal champêtre* : **FRF 88 000** – Paris, 1894 : *Huit têtes, dont cinq de jeunes femmes, trois de jeunes garçons*, sanguine et crayon noir : **FRF 30 000** ; *Trois têtes de jeunes femmes coiffées de chapeaux de paille et collerettes au cou*, sanguine et pierre d'Italie : **FRF 24 000** – Paris, 1895 : *L'Île enchantée* : **FRF 41 000** – Paris, 1897 : *Figure du printemps*, dess. aux trois cr. : **FRF 24 100** ; *Un Mezzetin dansant*, dess. : **FRF 19 000** – Londres, 1899 : *L'accordée de village* : **FRF 32 500** – Londres, 1899 : *La Musette* : **FRF 36 225** – Paris, 4-5 déc. 1905 : *Les amants endormis* : **FRF 150 100** ; *Femmes*, étude pour « Les plaisirs de l'été » : **FRF 18 000** – Paris, 14-15 mai 1907 : *La collaboration* : **FRF 30 400** – Paris, 30 nov. 1908 : *Le bal*, attr. : **FRF 37 000** – Paris, 12-13 mai 1919 : *La danse paysanne* : **FRF 85 000** ; *L'été* : **FRF 75 000** ; *La cascade* : **FRF 60 000** ; *Un satyre*, pierre d'Italie, reh. de sanguine et de blanc : **FRF 35 000** – Paris, 21-22 juin 1920 : *Fête au dieu Pan* : **FRF 81 000** – Paris, 21 avr. 1921 : *L'alliance de la Musique et de la Comédie* : **FRF 33 000** – Londres, 4-6 mai 1922 : *Une fête champêtre* : **GBP 600** – Londres, 11 avr. 1924 : *La baignade* : **GBP 173** – Paris, 26 juin 1924 : *Étude d'homme, debout, vu de dos*, sanguine : **FRF 12 000** – Londres, 4 juil. 1924 : *Hyacinthe Rigaud* : **GBP 304** – Londres, 4 juil. 1924 : *Une fête champêtre* : **GBP 3 255** – Paris, 8 juin 1925 : *Tête de jeune femme*, cr. : **FRF 21 000** ; *La Porte de Valenciennes* : **FRF 96 000** ; *La noce villageoise* : **FRF 45 100** – Paris, 17-18 juin 1925 : *La Famille*, pierre noire et sanguine, reh. de blanc, étude : **FRF 260 000** ; *Tête de Gilles*, pierre noire et sanguine, reh. de blanc : **FRF 61 000** ; *L'Île enchantée* : **FRF 475 000** ; *L'Enseigne*, partie gauche de « L'Enseigne de Gersaint » : **FRF 470 000** ; *L'Été* :

FRF 60 000 – LONDRES, 26 juin 1925 : *Deux gentilshommes conversant avec des dames* : **GBP 714** – PARIS, 23 juin 1926 : *L'entretien dans le parc* : **FRF 41 000** – LONDRES, 6 déc. 1926 : *Le menuet ; L'arbre de mai*, ensemble : **GBP 1 522** – PARIS, 20 mai 1927 : *Trois figures*, sanguine rehaussée, étude : **FRF 90 000** – PARIS, 13-15 mars 1929 : *Personnages de la Comédie italienne*, dess. : **FRF 150 000** – LONDRES, 19 juil. 1929 : *Portrait de femme*, sanguine : **GBP 336** – LONDRES, 22 juil. 1929 : *Repos d'une armée* : **GBP 472** – LONDRES, 13 mai 1931 : *Feuille d'études*, sanguine : **GBP 1 550** – PARIS, 1er-2 déc. 1932 : *La Famille*, dess. à la pierre noire et à la sanguine avec reh. de blanc, étude : **FRF 212 000** – LONDRES, 4 déc. 1935 : *Feuille d'études*, sanguine : **GBP 1 400** ; *Un carme*, pierres de coul. : **GBP 1 300** – PARIS, 30 novembre-1er déc. 1936 : *Jeune femme*, sanguine et craie, rehauts de pierre noire, deux études : **FRF 320 000** ; *L'Île enchantée* : **FRF 560 000** – LONDRES, 22 juil. 1937 : *Feuille d'études*, dess. : **GBP 5 800** – LONDRES, 24 juin 1938 : *Mehemet Riza bey*, dess. : **GBP 945** – NEW YORK, 5 fév. 1942 : *L'Embarquement pour Cythère*, sanguine, étude : **USD 850** – NEW YORK, 24-25 nov. 1944 : *Le musicien* : **USD 8 700** – LONDRES, 13 juil. 1945 : *Sur l'île de Cythère* : **GBP 2 625** – PARIS, 16 avr. 1946 : *Étude de femme debout, vue de dos*, sanguine : **FRF 21 000** – NEW YORK, 4 jan. 1947 : *Danse paysanne* : **USD 14 000** – PARIS, 14 mai 1947 : *La danse*, attr. : **FRF 76 100** – NICE, 24 fév. 1949 : *Étude de mains pour son portrait aux trois crayons*, sanguine, rehauts de blanc : **FRF 32 000** – NEW YORK, 30 nov. 1950 : *Fête au dieu Pan* : **USD 12 500** – LONDRES, 25 avr. 1951 : *Trois personnages : un violoniste assis, un jeune homme debout, un homme assis, la main sur son genou*, sanguine : **GBP 400** – PARIS, 1er juin 1951 : *Le bal champêtre*, École de J. A. Watteau : **FRF 163 000** – PARIS, 29 juin 1951 : *Études de personnages et draperies*, cinq croquis dessinés aux trois crayons sur la même feuille. École de J. A. Watteau : **FRF 110 000** – LONDRES, 25 juil. 1952 : *Mezzetin (Angelo Costantino) pinçant de la guitare* : **GBP 1 102** – LONDRES, 22 avr. 1953 : *Jeune cavalier*, sanguine : **GBP 400** – LONDRES, 22 mai 1953 : *Fête champêtre* : **GBP 2 835** – PARIS, 3 déc. 1957 : *Un Crispin en cape courte*, sanguine, deux études : **FRF 1 300 000** – LONDRES, 28 nov. 1958 : *Deux femmes avec deux messieurs* : **GBP 3 750** – LONDRES, 10 juin 1959 : *Le rêve de l'artiste* : **GBP 1 200** – LONDRES, 20 juil. 1960 : *Conversation au parc* : **GBP 5 000** – LONDRES, 17 mai 1961 : *Le musicien* : **GBP 1 800** – PARIS, 11 avr. 1962 : *Portrait présumé de Madame de Julienne sous la figure allégorique de la Seine* : **FRF 200 000** ; *Un homme debout, de face, à demi drapé dans un manteau*, sangu. : **FRF 76 000** – PARIS, 30 mars 1963 : *Le guitariste*, sanguine et pierre noire : **FRF 180 000** – VERSAILLES, 26 fév. 1967 : *Le triomphe de Cérès*, huile, esquisse : **FRF 50 000** – VERSAILLES, 4 juin 1970 : *Préparatifs pour une fête galante* : **FRF 48 000** – NEW YORK, 21 oct. 1970 : *Jeune fille assise, un jeune homme derrière elle*, dess. et sang. : **USD 65 000** – PARIS, 15 mars 1973 : *Personnage assis, vu de dos*, pierre noire et sanguine : **FRF 200 000** – LONDRES, 21 mars 1973 : *La villageoise* 1707-1708 : **GBP 30 000** – LONDRES, 26 mars 1974 : *Jeune homme debout tourné vers la gauche et jeune homme agenouillé*, sanguine : **GNS 20 000** – LONDRES, 29 nov. 1974 : *La vraie gaieté* : **GNS 10 000** – LONDRES, 2 juil. 1976 : *Putti et lions d'après Rubens*, h/t (100,3x167) : **GBP 5 500** – PARIS, 6 avr. 1978 : *Trois études d'une femme, vue de dos et tournée vers la gauche, celle de gauche assise sur le sol, les autres debout*, sanguine (14,3x20,5) : **FRF 280 000** – PARIS, 14 déc 1979 : *Pierre Sirois*, pierre noire et sanguine (16x10,7) : **FRF 230 000** – LONDRES, 6 juil. 1982 : *Étude de têtes*, sanguine et craie blanche/fond de lav. de gris (10,7x12,8) : **GBP 6 000** – PARIS, 15 juin 1983 : *Études d'homme*, sanguine/deux feuilles jointes, trois croquis (20x34) : **FRF 215 000** – NEW YORK, 19 jan. 1984 : *Le retour de campagne*, h/pan. (33x45) : **USD 70 000** – MONTE-CARLO, 22 juin 1985 : *Scène pour plafond*, peint./pan. (140x115, médaillon central 74,5x73,5) : **FRF 260 000** – LONDRES, 30 juin 1986 : *Études : tête de fillette et chatons*, craies rouge et noire (19,6x12,3) : **GBP 115 000** – NEW YORK, 17 nov. 1986 : *Trois études de tête de jeune fille portant une toque*, craie rouge et noire (13,8x24,6) : **USD 775 000** – NEW YORK, 14 jan. 1988 : *Décoration de plafond*, h/pap. (centre 74,5x73,5) : **USD 51 700** – PARIS, 30 mai 1988 : *Portrait d'Antoine de La Roque*, h/t : **FRF 5 500 000** – HEIDELBERG, 14 oct. 1988 : *Leçon d'amour*, cuivre gravé (38,5x46,3) : **DEM 1 700** – MONACO, 16 juin 1989 : *La promenade*, h/t (36,2x32) : **FRF 4 218 000** – NEW YORK, 27 oct. 1989 : *Portrait d'une jeune fille avec la tête tournée vers la droite*, craies rouge et noire sur lav. gris sur pap. brut (20,2x14,6) : **USD 385 000** – LONDRES, 12 déc. 1990 : *La porte de Valenciennes*, h/t (32,5x40,5) : **GBP 638 000** – NEW YORK, 9 jan. 1991 : *Etude d'une jeune femme et de deux militaires armés de mousquets*, sanguine (17,8x20,4) : **USD 209 000** – MONACO, 22 juin 1991 : *Un homme s'appuyant sur un pilier*, craie rouge (13,3x7,9) : **FRF 99 900** – NEW YORK, 15 jan. 1992 : *Études de deux têtes de jeunes filles*, craies noire, blanche et rouge (13,2x19,4) : **USD 242 000** – LONDRES, 7 juil. 1992 : *Une femme vue de dos avec son bras gauche levé horizontalement*, craie rouge (12,9x9,2) : **GBP 8 800** – LONDRES, 23 avr. 1993 : *L'été, moissonneurs dans un champ ; L'hiver : citadins patinant sous les murailles d'une ville*, h/t, de forme ovale, une paire (70,5x52,2) : **GBP 34 500** – PARIS, 20 oct. 1994 : *Études de deux guitaristes, l'un de profil, l'autre de face déguisé en Pierrot*, sanguine (20,5x19,8) : **FRF 1 600 000** – NEW YORK, 10 jan. 1995 : *Couple assis*, sanguine (19,1x18,3) : **USD 74 000** – NEW YORK, 10 jan. 1996 : *Un enfant coiffé d'un bonnet bordé de fourrure debout près d'une table*, craies noire et rouge (17,6x11,9) : **USD 101 500** – NEW YORK, 21 oct. 1997 : *À la fête champêtre : la musette*, h/t (44x55) : **USD 475 500**.

WATTEAU Julien François ou **Wasteau** ou **Wattiau**
Né en 1672 à Valenciennes. Mort en 1718 à Valenciennes. XVIIe-XVIIIe siècles. Français.
Peintre.
Élève de Gaspard François Mignon à Valenciennes. Il peignit des scènes historiques.

WATTEAU Louis Joseph, dit **Watteau de Lille**
Né le 10 avril 1731 à Valenciennes (Nord). Mort le 27 août 1798 à Lille (Nord). XVIIIe siècle. Français.
Peintre de genre, sujets militaires, dessinateur, graveur.
Neveu de Jean Antoine Watteau, il ne put en recevoir les leçons, mais il vint étudier à l'Académie Royale de Paris et ne put manquer d'être influencé par les œuvres du maître des Fêtes galantes. En 1755, Louis Watteau se fixa à Lille, s'y maria et remplaça M. Dachon comme professeur à l'Académie.
Dès lors, il exposa régulièrement au Salon lillois. Il faut rappeler parmi ses envois : *Troupes en marche ; Un divertissement de camp* (1773) ; *Le Matin, le Midi, l'Après-midi, le Soir* (1774) ; la *Famille satisfaite ; Guinguettes militaires* (1775) ; *Bélisaire* (1776) ; tableau de réception à l'Académie de Lille ; une *Foire de Campagne* (1778) ; le *Repos des moissonneurs* (1779) ; la *Rosière de Salenci* (1780) ; la *Noce militaire* (1783) ; *l'Arrivée d'un soldat ayant son congé absolu* (1785) ; *La joie du militaire* (1788). Il faut ajouter à ces œuvres toute une série de tableaux militaires, départs de recrues, scènes de camp ou d'auberge comme la *Halte de soldats*. La *Conduite de la mariée*, et le *Prix du tir à l'arc* se trouvant dans la collection A. Lenglart, le *Camp de Saint-Omer* dans la collection Layens, les *Accords du mariage* dans la collection Godchaux.
Louis Watteau a un dessin facile, et un coloris chaud auquel il aime à opposer les tons bleutés des fonds de paysage. Meilleur harmoniste que Lancret et meilleur dessinateur il n'a pas, jusqu'ici, eu dans l'estime publique, la place qu'il mérite. L'artiste a laissé de nombreux croquis à la sépia ou à la mine de plomb d'une exécution preste et délicate et quelques eaux-fortes dont les sujets sont empruntés à la vie militaire. ■ Tr. L.

J. Watteau 1774

Musées : Chambéry (Mus. des Beaux-Arts) : *Mercure ramène la Paix et l'Abondance – Cephale et Procris* – Dijon : *L'heureuse pêche – Le retour du marché* – Liège : *Deux paysages avec figures* – Lille : *La danse rustique – Réception d'un soldat arrivant dans sa patrie – La halte de soldats – Fête de la Fédération à Lille – Vue de Lille prise du Dieu-de-Marcq 1774 – Bombardement de Lille en 1792 – Bombardement de Lille en 1792*, esquisse – *Le plat à barbe lillois* 1793 – *Lille a bien mérité de la Patrie – Épisode du siège de Lille* – Marseille : *Paysages* – Rouen : *La main chaude* – Tournai : *Scène galante – Rixe de soldats – Musiciens ambulants – Fête villageoise* – Valenciennes : *Les quatre heures de la journée : Matin, Midi, Vespres, Soir – L'arrivée d'un soldat ayant son congé absolu* 1785 – *La coquette – La jolie colombe – La buveuse – Les fiançailles – Deux scènes de camp – Trois scènes galantes – La joueuse de vielle – Le montreur de singes – L'Amour – L'ivresse – La famille satisfaite – Guinguettes militaires* 1775 – *Bélisaire* 1776 – Versailles : *La grand-place de Lille en octobre 1722*.

Ventes Publiques : Paris, 1860 : *Scène de campement* : **FRF 1 020** – Paris, 30-31 jan. 1894 : *Militaires en goguette* : **FRF 505** – Paris, 10-15 fév. 1898 : *La première gerbe* : **FRF 1 200** – Dijon, 12 fév. 1900 : *Le retour du marché ; L'heureuse pêche*, ensemble : **FRF 3 020** – Paris, 9-11 juin 1909 : *La tentation de saint Antoine* : **FRF 6 500** ; *Le rendez-vous surpris ; Les galants punis*, deux pendants : **FRF 3 400** – Paris, 25 mars 1919 : *Scène villageoise* : **FRF 1 150** – Paris, 8 mars 1920 : *La danse des chiens savants ; La danse de l'ours*, deux panneaux : **FRF 33 000** – Paris, 24 mai 1923 : *La chanson à boire ; Le repos des vendangeurs*, deux panneaux : **FRF 6 400** – Paris, 7 mars 1925 : *Troupes traversant un village* : **FRF 15 200** – Paris, 18 juin 1926 : *L'offre galante ; La déclaration*, ensemble : **FRF 25 000** – Paris, 9 fév. 1928 : *La châtelaine bienfaisante ; Le déjeuner champêtre*, ensemble : **FRF 29 500** – Paris, 24-25 mai 1928 : *Le charlatan* : **FRF 20 000** – Paris, 28 nov. 1928 : *Jeune femme assise*, dess. : **FRF 30 000** – Paris, 28 mai 1941 : *La partie de cartes* : **FRF 36 500** – Paris, 17 mars 1943 : *Le marchand de colombes ; La parade du charlatan ; La rose offerte ; Les musiciens ambulants*, suite de quatre compositions décoratives, dont trois datées de 1782 : **FRF 410 000** – Paris, 21 fév. 1944 : *Les plaisirs du camp ; Les plaisirs du camp ; La halte au cabaret*, trois panneaux : **FRF 163 500** – Paris, oct. 1945-juil. 1946 : *La collection champêtre* 1778 : **FRF 75 000** – Paris, 24 juin 1949 : *L'exode* : **FRF 17 500** – Paris, 19 juin 1950 : *Le galant militaire* : **FRF 15 500** – Paris, 7 juin 1955 : *Un campement* : **FRF 180 000** – Paris, 11 juin 1959 : *Les musiciens du village* : **FRF 520 000** – Londres, 24 mars 1961 : *Fête au village* : **GBP 787** – Londres, 24 juin 1964 : *Le retour de la campagne* : **GBP 2 000** – Paris, 18 déc. 1967 : *La guinguette militaire ; Le cabinet champêtre*, deux pendants : **FRF 12 500** – Londres, 10 juil. 1968 : *Fête champêtre* : **GBP 2 000** – Paris, 7 déc. 1970 : *Réjouissances militaires* : **FRF 14 000** – Paris, 27 mars 1971 : *La quatorzième expérience de Monsieur Blanchard ; Le retour à Lille des aéronautes Blanchard et Lépinard*, deux pendants : **FRF 155 000** – Paris, 28 juin 1972 : *Le départ des conscrits* : **FRF 20 000** – Londres, 6 juin 1974 : *Fête champêtre* : **GNS 2 800** – Versailles, 5 déc. 1976 : *La beuverie villageoise*, h/t (130x100) : **FRF 17 000** – Londres, 2 déc. 1977 : *Soldats et paysans buvant et fumant dans des paysages* l'une datée de 1773, h/t, la paire (67,3x86,3) : **GBP 6 000** – Londres, 29 juin 1979 : *Paysans et animaux dans des paysages* 1794, deux h/pan. (28,5x43,2) : **GBP 4 800** – Lille, 20 juin 1982 : *Fête villageoise*, h/pan. (44x61) : **FRF 50 000** – Paris, 13 déc. 1983 : *La Rixe* 1781, h/pan. (36,5x48) : **FRF 52 000** – New York, 6 juin 1985 : *Elégants personnages dans un paysage*, h/pan. (40,5x52) : **USD 10 000** – Monaco, 16 juin 1989 : *Scène galante devant une auberge* 1776, h/t (39x51) : **FRF 188 700** – New York, 5 avr. 1990 : *Fête galante*, h/pan. (56,5x77) : **USD 71 500** – Paris, 9 avr. 1990 : *La joyeuse assemblée*, h/pan. (21,5x27) : **FRF 110 000** – Londres, 7 juil. 1992 : *Étude de figures et d'animaux*, mine de pb et craie rouge (23,4x37,7) : **GBP 3 520** – Saint-Étienne, 15 fév. 1993 : *La sérénade champêtre* 1770, h/t (42x58) : **FRF 82 000** – Tonnerre, 11 avr. 1993 : *Le petit acrobate* 1770, h/pan. (43x59) : **FRF 112 000** – Monaco, 3 juil. 1993 : *Divertissement dans un campement militaire* 1785, h/pan. (33,5x42) : **FRF 88 800** – Monaco, 4 déc. 1993 : *Jour de marché dans un village avec des vendeurs de vaisselle, de chaussettes, de légumes et autres marchands ambulants sur une estrade* 1777, h/pan. (62,1x81,6) : **FRF 166 500** – Londres, 10 déc. 1993 : *Campement militaire avec des officiers buvant avec des paysannes* 1781, h/pan. (34x42) : **GBP 5 750** – Paris, 20 déc. 1993 : *Halte de cavaliers* 1779, cr. noir et lav. bistre (32,5x40) : **FRF 4 500** – New York, 11 jan. 1994 : *Le jeu de colin-maillard dans un village*, craie noire, encre et lav. (17,4x31,6) : **USD 3 220** – Paris, 19 déc. 1994 : *Les deux amies*, cr. noir (19,8x14,2) : **FRF 14 000** – New York, 16 mai 1996 : *Élégante compagnie dans un parc assistant à la représentation de la Comedia dell'Arte*, h/pan. (32,4x39,4) : **USD 12 650** – Paris, 22 nov. 1996 : *Portrait de jeune femme en pied*, cr. noir (20x12,7) : **FRF 4 100** – Paris, 25 avr. 1997 : *Couple dans un traîneau en forme de griffon*, pierre noire (13x20,5) : **FRF 11 000** – Paris, 17 juin 1997 : *La Halte des troupes à l'auberge ; Le Repas des troupes dans la campagne* 1788, t., une paire (66x81) : **FRF 370 000**.

WATTECAMP Adrien ou **Wattequan**

xviie siècle. Actif à Tournai de 1659 à 1664. Éc. flamande.

Peintre.

WATTELÉ Henri. Voir **WATELÉ**

WATTELE Jacob

Mort le 21 septembre 1708. xviie siècle. Actif à Anvers. Éc. flamande.

Enlumineur.

Il fut doyen de la gilde d'Anvers en 1694.

WATTELIN Louis François Victor. Voir **WATELIN**

WATTER Joseph

Né le 18 octobre 1838 à Ratisbonne. Mort le 18 août 1913 à Munich. xixe-xxe siècles. Allemand.

Peintre de genre, illustrateur.

En 1856, il fut élève de l'Académie de Munich. Il exposa à Vienne en 1873.

Musées : Kaliningrad, ancien. Königsberg : *Que va-t-il devenir ?*

Ventes Publiques : Munich, 19 sept 1979 : *Le joyeux postillon*, techn. mixte (23x17,5) : **DEM 3 500** – New York, 18 sep. 1980 : *Homme regardant par la fenêtre*, h/t (42x32) : **USD 4 000** – New York, 24 fév. 1982 : *Jeune paysanne cueillant des fleurs*, h/t (42,5x30,5) : **USD 1 700** – Amsterdam, 19 oct. 1993 : *Le papillon*, h/t (42,5x31) : **NLG 8 050** – New York, 16 fév. 1995 : *La jeune femme au papillon*, h/t (41,9x31,1) : **USD 8 050**.

WATTERSCHOOT Heinrich von. Voir **WATERSCHOOT**

WATTEVILLE Félicie de. Voir **VARLET**

WATTIAU Julien François. Voir **WATTEAU**

WATTICAUX Émile Nestor

Né à Laon (Aisne). Mort en 1903. xixe siècle. Français.

Peintre de genre.

Élève de Laporte. Il débuta au Salon de 1876. Sociétaire des Artistes Français.

WATTIER Édouard

Né le 1er mai 1793 à Lille. Mort le 20 juillet 1871 à Paris. xixe siècle. Français.

Peintre et lithographe.

Élève de Gros. Il exposa au Salon de 1827. Il lithographia des ouvrages de la collection de la duchesse de Berry et de la Galerie du Palais Royal.

WATTIER Emile Charles

Né le 17 novembre 1800 à Paris. Mort le 22 novembre 1868 à Paris. xixe siècle. Français.

Peintre de genre, portraits, aquafortiste, lithographe.

Élève du baron Antoine Gros, il exposa au Salon de Paris de 1831 à 1868.

Wattier fut un des précurseurs de la vogue de l'art du xviiie siècle. Il copia Boucher en lithographie et s'inspira de ce maître dans de nombreuses compositions, non sans valeur artistique.

Musées : Bagnères-de-Bigorre : *Le repos dans la campagne*, aquar. – Sèvres : *Portrait d'Alexandre Broguiart*.

Ventes Publiques : Paris, 1882 : *Portrait de Madame de Breteuil* : **FRF 1 400** – Paris, 12 fév. 1909 : *Le repas champêtre* : **FRF 440** – Paris, 11 mars 1931 : *La partie de cartes* : **FRF 4 100** – Paris, 5 juil. 1943 : *Scène galante* : **FRF 5 550** – Cologne, 14 nov. 1974 : *Les rivales* : **DEM 2 600** – Paris, 26 avr. 1991 : *Scène pastorale*, h/t (32,5x43) : **FRF 35 000** – Paris, 15 mai 1992 : *Jeune couple dans un parc*, pierre noire, sanguine et légers reh. de blanc (20x25,2) : **FRF 6 500** – Paris, 29 juin 1993 : *Les baigneuses*, h/pan. (19x24) : **FRF 6 200**.

WATTON Gwynifrede Dorothy

Née le 30 août 1891 à Llandudno. xxe siècle. Britannique.

Peintre de portraits, paysages.

Il vécut et travailla à Londres.

WATTRANG Anna Maria Klöcker von. Voir **EHRENSTRAHL**

WATTRIGANT Michel
XVIIe siècle. Actif à Tournai. Éc. flamande.
Sculpteur.
Il sculpta des tombeaux pour des églises de Tournai.

WATTS
XVIIIe siècle. Travaillant à Londres en 1775. Britannique.
Peintre de vues.

WATTS Arthur George
Né le 28 avril 1883 à Chatham. XXe siècle. Britannique.
Peintre d'affiches, illustrateur.
Il vécut et travailla à Londres. Il fut un des collaborateurs du journal *Punch*.

WATTS Frederick Waters ou **William**
Né en 1800. Mort en 1862. XIXe siècle. Britannique.
Peintre de paysages.
Il exposa à la Royal Academy, à la British Institution, à Suffolk Street, de 1821 à 1862.
MUSÉES : LONDRES (Victoria and Albert Mus.) : *On the wye*.
VENTES PUBLIQUES : LONDRES, 18 juil. 1930 : *On the stour* : **GBP 325** – PARIS, 8 mai 1942 : *Le vieux moulin* : **FRF 1 050** – NEW YORK, 14 oct. 1943 : *Près d'Arelsford* : **USD 600** – NEW YORK, 23 mai 1945 : *Bicklingamshire* : **USD 600** – LONDRES, 11 juil. 1947 : *La Tamise* : **GBP 315** – LONDRES, 22 déc. 1949 : *Village en bordure d'une rivière* : **GBP 199** – LONDRES, 8 déc. 1950 : *Le moulin à eau* : **GBP 141** – LONDRES, 11 fév. 1959 : *L'heure de la traite des vaches à Dedham* : **GBP 560** – LONDRES, 24 fév. 1961 : *Dedham Lock* : **GBP 1 260** – LONDRES, 1er août 1962 : *The lock near Dedham* : **GBP 920** – LONDRES, 29 mai 1963 : *Scène de rivière* : **GBP 2 600** – LONDRES, 15 juil. 1964 : *Old Locken, Buckinghamshire* : **GBP 1 950** – LONDRES, 17 juin 1966 : *Bords de Tamise* : **GNS 2 400** – NEW YORK, 3 nov. 1967 : *Pêcheurs sur un pont* : **USD 4 200** – LONDRES, 19 jan. 1968 : *Paysage fluvial* : **GNS 9 500** – LONDRES, 17 jan. 1969 : *Paysage fluvial* : **GNS 3 800** – LONDRES, 13 mars 1970 : *Paysage au moulin à vent* : **GNS 1 800** – LONDRES, 10 déc. 1971 : *Bords de rivière* : **GNS 13 000** – LONDRES, 23 juin 1972 : *Paysage au moulin à vent* : **GNS 17 000** – LONDRES, 27 mars 1973 : *The Stour of Dedham* : **GBP 9 000** – LONDRES, 26 avr. 1974 : *Paysage fluvial animé de personnages* : **GNS 4 500** – LONDRES, 14 mai 1976 : *Dedham Lock*, h/t (99x125,7) : **GBP 8 000** – LONDRES, 13 mai 1977 : *Paysage fluvial boisé animé de personnages*, h/t (87,6x115,5) : **GBP 8 500** – LONDRES, 19 juil 1979 : *At Bonchurch, Isle of Wight*, aquar. (25,5x35,5) : **GBP 420** – NEW YORK, 2 mai 1979 : *The lock*, h/t (48,3x72,4) : **USD 15 000** – NEW YORK, 28 oct. 1981 : *Dedham Vale, Suffolk*, h/t (96x127) : **USD 52 000** – LONDRES, 23 nov. 1984 : *Vue de Hampstead Heath*, h/t (115,6x180,3) : **GBP 48 000** – LONDRES, 19 juil. 1985 : *Mortlake on the Thames*, h/t (100,3x130,8) : **GBP 34 000** – LONDRES, 3 juin 1988 : *Le moulin à eau*, h/t (103x140) : **GBP 7 480** – LONDRES, 29 jan. 1988 : *Moissonneurs et bétail dans une prairie avec le village à l'arrière-plan*, h/t (43,2x61,5) : **GBP 3 080** – LONDRES, 23 sep. 1988 : *Le Cheval blanc*, h/t (50x72,5) : **GBP 13 200** – LONDRES, 12 juil. 1989 : *Paysage boisé avec des pêcheurs à la ligne près du pont d'un village*, h/t (94x119) : **GBP 63 800** – NEW YORK, 24 oct. 1989 : *Un lac en été*, h/t (87x102,2) : **USD 11 000** – LONDRES, 20 avr. 1990 : *Une écluse sur la Stour*, h/t (61x87,6) : **GBP 19 800** – LONDRES, 11 juil. 1990 : *La cathédrale de Winchester et la colline Sainte-Catherine vues du sud* 1843, h/t (54,5x75) : **GBP 39 600** – LONDRES, 10 avr. 1991 : *Paysage avec un moulin à vent*, h/t/cart. (46,5x65,5) : **GBP 7 150** – LONDRES, 8 avr. 1992 : *Paysages avec des cottages*, h/cart., ensemble de quatre (chaque œuvres 11,5x17) : **GBP 4 950** – LONDRES, 20 nov. 1992 : *Paysage fluvial avec un troupeau s'éloignant de la rivière et des voyageurs avec un fourgon bâché traversant le pont*, h/t (63,5x76,2) : **GBP 8 800** ; *Un barrage dans le Surrey*, h/t (54,6x71,1) : **GBP 18 700** – LONDRES, 12 nov. 1992 : *Paysage du Suffolk*, h/t (89x127) : **GBP 19 800** – LONDRES, 13 juil. 1993 : *Une écluse et des personnages dans une péniche*, h/t (35x47,6) : **GBP 6 900** – NEW YORK, 12 oct. 1993 : *Vue de Denham*, h/t (61x81,9) : **USD 10 925** – NEW YORK, 15 fév. 1994 : *La Tamise à Windsor*, h/t (45,7x60,8) : **USD 13 800** – ST. ASAPH, 2 juin 1994 : *Paysage avec une vue des environs de Dedham*, h/t (76x124,5) : **GBP 12 650** – NEW YORK, 24 mai 1995 : *L'Attente à l'écluse*, h/t (109,2x154,9) : **USD 63 000** – NEW YORK, 12 déc. 1996 : *Chaumière près d'une écluse*, h/t (50,8x77,5) : **USD 23 000** – LONDRES, 5 nov. 1997 : *Garçons à la pêche*, h/t (100,5x149) : **GBP 3 680**.

WATTS George
XIXe siècle. Actif à Londres dans la première moitié du XIXe siècle. Britannique.
Graveur sur bois.
Il se fixa en Allemagne en 1820 et exécuta des illustrations de livres de contes.

WATTS George Frederick
Né le 23 février 1817 à Londres. Mort le 1er juillet 1904 à Limmerlease. XIXe siècle. Britannique.
Peintre d'histoire, portraits, sculpteur. Symboliste. Préraphaélite.
En 1835, il entra aux Écoles de la Royal Academy, mais il les abandonna bientôt pour entrer dans l'atelier du sculpteur William Behnes. Cet artiste avait pour la statuaire grecque une vénération qu'il communiqua à son élève et, toute sa vie, Watts fut un passionné de l'époque de Phidias. Il ne prit qu'une leçon de peinture d'un vague miniaturiste, qui lui indiqua les couleurs nécessaires pour la copie d'un portrait de Peter Lely. Cette technique très rudimentaire lui suffit. Dès ses premiers essais, ses réflexions sur la nécessité de la noblesse du style, sur la simplicité définitive de la ligne, se totalisèrent. Ses progrès furent déconcertants de rapidité. Watts peignit son portrait en 1834.
Il débuta aux expositions de la Royal Academy en 1837. Il continua à prendre part aux expositions avec des portraits et de petits sujets de tous genres, nature morte comprise. En 1841 (?), Watts parut pour la première fois à la British Institution, où il n'envoya d'ailleurs que six ouvrages durant toute sa carrière, avec une *Vertumne et Pomone*. Il fut associé à la Royal Academy en 1867 et Académicien en 1868. Il fut aussi membre honoraire de la Cambrian Academy. Il exposa à Paris en 1878 (Exposition universelle), y obtint une médaille de première classe et fut décoré de la croix de la Légion d'honneur.
Ce fut en 1840 qu'il connut son premier client et admirateur. M. Constantin Lourdes, dont il peignit le portrait. Pendant cinq générations, les membres de cette famille prirent place devant le chevalet de l'artiste. Par ses allégories, Watts peut être rattaché au courant préraphaéliste, tel l'*Espoir*, de 1886, aujourd'hui à la Tate Gallery, son œuvre la plus célèbre. Watts prit part à la décoration du nouveau Parlement vers 1842, et y obtint, au concours préalable, un des trois premiers prix, avec *Caraclacus porté en triomphe dans les rues de Rome*. Le produit de ce tableau : sept mille cinq cents francs, fut utilisé pour un voyage en Italie. Admirablement reçu à Florence par le représentant de l'Angleterre près du Grand Duc de Toscane, qui lui offrit un logis à la Casa Ferroni, siège de l'ambassade d'Angleterre, puis à sa maison de campagne, la villa Caraggi, Watts vécut quatre années inoubliables. Ce fut à cette époque qu'il fit ses premiers essais de peinture à fresque. On en voit encore quelques exemples à la villa Caraggi. Watts ne copia aucun maître ancien ; il préféra les analyser tous. Titien, particulièrement l'impressionna. Il était de retour à Londres en 1847. Il triompha encore au concours de la décoration du Parlement avec le *Roi Alfred incitant les Saxons à résister aux Danois prêts à débarquer en Angleterre*. Douze mille cinq cents francs lui furent versés, indépendamment de la commande d'une peinture murale, *Saint George terrassant le dragon*. En 1858, Watts produisit en Angleterre, ses premières peintures à fresque. Bien que son œuvre comprenne surtout des portraits, en raison de ses compositions murales on l'a quelquefois comparé à Puvis de Chavannes.

G F W
G F Watts

MUSÉES : ABERDEEN : *L'artiste* – BIRMINGHAM : *Dame romaine* – *Le petit chaperon rouge* – DUBLIN : une esquisse – ÉDIMBOURG : *Méfait* – ESSEN : *Le messager de la mort* – FLORENCE (Mus. des Offices) : *L'artiste* – LEICESTER : *Orlando poursuivant Fata Morgana* – LIVERPOOL : *La cour de la Mort* – *Amour et Mort* – *Amour et Vie* – *Espoir* – *La femme de Pluton* – *Cupidon endormi* – *Promesses* – LONDRES (Nat. Gal.) : *Russell Guerney* – LONDRES (Victoria and Albert Mus.) : *Le siège près de la fenêtre* – *Le bain de Daphné* – *Thomas Carlyle* – *Trois essais de fresques* – LONDRES (Nat. Portrait Gal.) : *Edw. R. comte Lytton* – *Baron Lyons* – *Baron Leyndhurst* – *Baron Leighton of Stretton* – *W. E. H. Lecky* – *Vicomte Strafford de Reicliffe* – *Cecil John Rhodes*, inachevé – *Vicomte Shernrooke* –

Baron Tennyson – Comte de Schaftesbourg – Marquis de Salisbury – Comte Russel – Baron Lawrence – Sir Henry Taylor – Swinburne – H. Edw. Manning – Dante Gabriel Rossetti – Rob. Browning – Th. Carlyle – Sir Andrew Clark Bart – Wm. E. Gladstone – Ant. Panizzi – Sir J. P. Grant – Fr. Temple Hamilton, marquis de Dufferin et Arva – Sir Charles Hallé – G. D. C. duc d'Argyll – Math. Arnold – H.-H. Milmann – J. S. Mill – G. Meredith – Fr. Max-Muller – Wm Morris – J. Martineau – LONDRES (Tate Gal.) : *Psyché – Maman – La conscience, voix intérieure – Car il avait de grandes possessions – Chevaux, repos de midi – Minotaure – La Mort couronnant l'Innocence – Jonas – L'esprit de la chrétienté – Sic transit – Foi – Espérance – Amour et Vie – Ève tentée – Elle sera appelée femme – Ève repentante – Amour et Mort – Le messager – Chaos* – MANCHESTER : *Le bon Samaritain – Prière – Paolo et Francesca – Amour et Mort – Tête de Méduse*, marbre – MELBOURNE : *La Mort et l'Amour – Lord Tennyson* – MUNICH : *Le guerrier heureux* – NEW YORK (Métropolitan Mus.) : *Ariane à Naxos* – NORWICH : *Britomart – Le paria – La cour de la Mort* – une esquisse – NOTTINGHAM : *L'esprit du Christianisme* – PARIS (anc. Mus. du Jeu de Paume) : *Amour et Vie* – PRESTON : *Le génie de la poésie grecque* – SALFORD : *Rencontre d'Ésau et de Jacob* – SYDNEY : *Tennyson* – YORK, Angleterre : *La sentinelle saxonne*.

VENTES PUBLIQUES : LONDRES, 1886 : *Diane et Endymion* : **FRF 22 827** – LONDRES, 1887 : *L'Amour et la Vie* : **FRF 30 190** ; *L'Amour et la Mort* : **FRF 28 875** ; *L'Ange et la Mort*, dess. : **FRF 14 430** – LONDRES, 1890 : *Le chevalier de la Croix rouge* : **FRF 43 310** ; *Le cavalier sur le cheval blanc* : **FRF 38 960** – LONDRES, 1894 : *Portrait de G. Rossetti* : **FRF 7 085** – LONDRES, 1895 : *The Laystaellis* : **FRF 7 610** – LONDRES, 1898 : *L'Ève de la paix* : **FRF 35 425** – LONDRES, 1899 : *Nymphe nue, tenant une orange* : **FRF 20 280** – LONDRES, 15 juin 1923 : *Les montagnes de Carrara* : **GBP 231** – LONDRES, 16 mai 1924 : *Car il avait de grandes possessions* : **GBP 173** – LONDRES, 22 juil. 1927 : *Orphée et Eurydice* : **GBP 336** – LONDRES, 13 juin 1934 : *Sir Galahad* : **GBP 820** ; *Le choix* : **GBP 320** – LONDRES, 28 jan. 1959 : *Printemps joyeux vu de ma fenêtre* : **GBP 400** – LONDRES, 25 juin 1965 : *Portrait of Alfred, Lord Tennyson* : **GNS 800** – LONDRES, 9 juin 1967 : *Coucher de soleil sur le Nil* : **GNS 550** – LONDRES, 20 mars 1968 : *Portrait d'Ellen Terry* : **GBP 980** – LONDRES, 18 nov. 1970 : *L'Amour et la Mort* : **GBP 700** – LONDRES, 5 mars 1971 : *Sir Galahad* : **GNS 800** – LONDRES, 15 déc. 1972 : *Iris* : **GNS 1 100** – LONDRES, 8 juin 1973 : *Portrait d'un gentilhomme* : **GNS 4 400** – LONDRES, 29 juin 1976 : *La porte ouverte*, h/t (44x24) : **GBP 1 500** – LONDRES, 21 oct. 1977 : *Portrait of Henry Prinsep*, h/t (31x25,3) : **GBP 1 100** – LONDRES, 19 mars 1979 : *Love and Life*, h/t (115x57) : **GBP 10 600** – NEW YORK, 28 oct. 1982 : *Olympus on Ida* 1885, h/t (147,5x101,5) : **USD 12 500** – NEW YORK, 26 oct. 1983 : *Amour et Vie*, h/t (144,5x57,3) : **USD 24 000** – LONDRES, 27 juin 1985 : *Cricket*, litho. coloriées, suite de cinq œuvres (28x21,8) : **GBP 1 600** – LONDRES, 18 juin 1985 : *Endymion*, h/t (52x65) : **GBP 100 000** – LONDRES, 26 nov. 1986 : *Hope*, h/t (150x109) : **GBP 790 000** – LONDRES, 24 juin 1988 : *Portrait de Kharilaos Trikoupis* 1887, h/t (61x49,9) : **GBP 2 420** – NEW YORK, 23 mai 1989 : *Portrait de Mrs Charles Coltman Rogers de Stanage Park*, craies de coul./pap., étude (54,3x42,8) : **USD 7 700** – LONDRES, 20 juin 1989 : *Blanche*, h/t (68,5x50) : **GBP 13 200** – LONDRES, 1er déc. 1989 : *Portrait de Marie Stillman*, h/t (49x45) : **GBP 4 950** – LONDRES, 9 fév. 1990 : *Loch Ness*, h/t (91,5x71) : **GBP 9 350** – NEW YORK, 28 fév. 1990 : *The rain it rainet every day*, h/t (40,6x50,8) : **USD 33 000** – LONDRES, 15 juin 1990 : *Portrait de Claude Joseph Goldsmid-Montefiore en buste* 1897, h/t (76,8x63,8) : **GBP 6 380** – NEW YORK, 23 oct. 1990 : *...The dove that returnth not.*, h/t (175,3x71,1) : **USD 198 000** – LONDRES, 8-9 juin 1993 : *L'île de Cos*, h/t (27x53,5) : **GBP 10 923** – NEW YORK, 15 fév. 1994 : *Une ferme dans un paysage boisé*, h/t (55,9x76,2) : **USD 11 500** – LONDRES, 25 mars 1994 : *Portrait d'Alfred lord Tennyson en poète lauréat* 1864, h/t (62,3x50,7) : **GBP 45 500** – LONDRES, 6 nov. 1995 : *Portrait de Katie*, h/t (142x79) : **GBP 17 250** – LONDRES, 12 mars 1997 : *Portrait de Katie*, h/t (142x79) : **GBP 20 700** – NEW YORK, 23 mai 1997 : *L'Amour et la mort* vers 1878, h/t, étude (251,5x119,4) : **USD 32 200** – NEW YORK, 23 oct. 1997 : *Ganymède* 1888, h/t (66x53,3) : **USD 8 050**.

WATTS H. H.

XIXe siècle. Actif à Oxford dans la première moitié du XIXe siècle. Britannique.

Peintre de genre, portraits.

WATTS J.

XVIIIe siècle. Actif à Londres dans la seconde moitié du XVIIIe siècle. Britannique.

Peintre sur émail.

Il exposa des portraits en 1794 et en 1796.

WATTS James Thomas

Né en 1953 à Birmingham. Mort en 1930. XXe siècle. Britannique.

Peintre d'architectures, paysages, aquarelliste, dessinateur.

Il fut membre de la Royal Cambrian Academy. Il exposa à Londres de 1878 à 1922.

MUSÉES : LIVERPOOL : *Bas-côté de la Cathédrale*.

VENTES PUBLIQUES : LONDRES, 24 sep. 1987 : *Bouleaux au bord d'une rivière*, aquar. reh. de gche (30,5x40,5) : **GBP 1 100** – LONDRES, 25 jan. 1989 : *Colline boisée à Llanderfel*, aquar. (29x44) : **GBP 880** – LONDRES, 25-26 avr. 1990 : *Un après-midi de novembre dans un bois du Pays de Galles*, aquar. (25,5x20) : **GBP 2 750** – NEW YORK, 20 juil. 1994 : *As you like it*, aquar./pap. (55,2x76,8) : **USD 1 725** – LONDRES, 10 mars 1995 : *As you like it*, cr. et aquar. avec reh. de blanc (54,7x75,6) : **GBP 2 185**.

WATTS Jane, née **Waldie**

Née vers 1792. Morte le 6 juillet 1826. XIXe siècle. Britannique.

Paysagiste et écrivain.

Elle exposa en 1817 et en 1820.

WATTS John

XVIIIe siècle. Actif à Londres dans la seconde moitié du XVIIIe siècle. Britannique.

Graveur à la manière noire.

Il exposa à Londres de 1766 à 1778. Il grava d'après ses propres modèles, et d'après Reynolds et Van Dyck.

WATTS John

Né vers 1770. XVIIIe siècle. Actif à Londres. Britannique.

Paysagiste.

Il travailla surtout en Écosse et au Pays de Galles.

WATTS L.

XVIIIe siècle. Travaillant de 1750 à 1780. Britannique.

Graveur d'ex-libris.

WATTS Louisa M., née **Hugues**

XIXe siècle. Active dans la seconde moitié du XIXe siècle. Britannique.

Paysagiste.

Femme de James Thomas Watts. Elle exposa à la Royal Academy de Londres à partir de 1884.

WATTS Simon

XVIIIe siècle. Travaillant à Londres de 1760 à 1780. Britannique.

Graveur sur bois.

On cite de lui, avec la date de 1736, d'importantes gravures sur bois et des portraits de peintres. D'autres portraits, notamment celui de la reine Elisabeth sont datés de 1775.

WATTS Walter Henri

Né en 1776 aux Indes anglaises. Mort en 1842 à Londres. XIXe siècle. Britannique.

Miniaturiste.

Élève des Écoles de la Royal Academy, membre de la Society of Artists, in Water-Colour, il fit des miniatures et donna des leçons dans ce genre. Il exposa de 1803 à 1830, soixante-sept ouvrages à la Royal Academy, neuf à la British Institution et six à la Old Society. Il fit aussi du journalisme et collabora à la Morning Post, à la Morning Chronicle de 1820 à 1830. En 1816, il fut nommé miniaturiste de la princesse Charlotte.

WATTS William

Né en 1752 près de Moorfields. Mort le 7 décembre 1851 à Cobham. XVIIIe-XIXe siècles. Britannique.

Graveur de paysages, dessinateur et graveur au burin.

Il fut élève de Paul Sandly et de Edward Rooker. A la mort de ce dernier, il continua la publication du *Cooper plate Magazine*. De 1779 à 1788, il publia *Views of the Seats of the English Nobility and Gentry* Après un séjour d'un an en Italie. Il vécut successivement à Carmarthen, Bristol, Bath, où il résida douze ans. Au début de la Révolution Française, il vint à Paris et ayant engagé une partie de sa fortune dans les fonds publics, il subit de grosses pertes. Il produisit de nombreuses illustrations. Ayant reconstitué une petite fortune, il se retira à Cobham où il atteignit presque l'âge de cent ans.

VENTES PUBLIQUES : LONDRES, 30 mars 1983 : *Vue de Chiswick House*, cr. et lav. de coul. (17x23,5) : **GBP 800**.

WATTS William

XIXe siècle. Actif à Londres dans la première moitié du XIXe siècle. Britannique.

Peintre de genre, portraits.
Il exposa de 1821 à 1825.

WATTY
Né le 17 mai 1952 à Ostende. XXe siècle. Belge.
Sculpteur, graveur, auteur de performances, créateur d'environnements.
Il a principalement exposé en Belgique, notamment en 1987 à la IIe Biennale de gravure de Liège ; en 1988 au Métier d'art en Flandre occidentale de Mons et à *Kunst Beeld Nu'88* à Ostende.
Il réalise des sculptures, destinées à s'intégrer à l'environnement notamment naturel, comme la mer. Il a également réalisé des performances dansées.

WATY
XXe siècle. Français.
Peintre. Figuration libre.
En 1980, il fonde avec Franky boy Sevehon et Tristam le groupe de peinture Les Musulmans fumants, qui a exposé en 1982-1983 au Palace à Paris, en 1984 à la FIAC (Foire internationale d'Art contemporain).
Il montre ses œuvres dans des expositions personnelles : 1984 Paulo Salvador Gallery à New York ; 1985 galerie de Nesle à Paris ; 1986 Espace Orlandi à Genève ; 1988 The Black Bull Gallery à Londres.
Outre des peintures, parfois exécutées en commun, il a réalisé des pochettes de disques, des vidéo-clips.
Ventes Publiques : Paris, 18 oct. 1990 : *Sans titre* 1989, acryl./t. (81x80) : **FRF 5 000**.

WATZ Antonius
Né à Breslau. Mort en 1603. XVIe siècle. Suédois.
Sculpteur sur bois, stucateur et architecte.
Il se fixa en Suède en 1572. Il travailla pour le château et la cathédrale d'Upsala.

WATZAL Johannes
Né le 22 février 1887 à Eger. XXe siècle. Autrichien.
Sculpteur de monuments, bustes.
Il fut élève de l'École des Beaux-Arts de Vienne. Il sculpta des monuments sur des places publiques et des bustes.

WATZDORFF Henrich August von
Né le 14 février 1760 à Grez. Mort le 18 août 1824 à Darmstadt. XVIIIe-XIXe siècles. Allemand.
Peintre de paysages et d'animaux.
A l'Université de Leipzig, où il entra en 1778, il commença l'étude du dessin. Il fut officier. En 1786, on le cite comme élève de Klengel, à Dresde, puis peintre de paysage, à l'aquarelle, puis à l'huile. Il exécuta vers cette époque plusieurs copies d'après les Wouverman, Paul Potter, Ostade, Lingelbach. Il reprit du service durant les campagnes de 1793-1794. Abandonnant définitivement l'état militaire en 1796, il s'établit peintre de paysages et d'animaux dans le style hollandais. Il a gravé quelques eaux-fortes de même genre.

WATZEK Gustav ou **Vacek**
Né le 31 août 1821 à Roth-Kosteletz. Mort le 1er octobre 1894 à Roth-Kosteletz. XIXe siècle. Autrichien.
Peintre.
Élève de l'Académie de Prague. Il peignit des tableaux d'autel pour des églises de Prague et de Trautenau.

WATZKY Pierre
Né le 26 juin 1932 à Wittenheim. XXe siècle. Français.
Peintre.
Il a montré ses œuvres dans une exposition personnelle en 1976 à la galerie Artal de Strasbourg.
Bibliogr. : Marie Madeleine Watzky : *Pierre Watzky*, Mulhouse, 1976.

WAUCQUIER Étienne Omer. Voir **WAUQUIER**

WAUCQUIER Jehan ou **Waucquet** ou **Wauquet**
XVIe siècle. Actif à Tournai de 1570 à 1591. Éc. flamande.
Sculpteur sur bois.
Il sculpta le jubé de l'église Saint-Piat de Tournai.

WAUER William
Né en 1866 à Oberwiesenthal. Mort en 1962 à Berlin. XIXe-XXe siècles. Allemand.
Sculpteur de figures.
Bibliogr. : Carl Laszlo : *William Wauer*, Panderma, Bâle, 1979.
Ventes Publiques : Munich, 12 déc. 1978 : *Ciel de nuit*, h/t (34x44,5) : **DEM 3 300** – Berlin, 29 mai 1992 : *Portrait de Herwarth Walden*, bronze à patine brune (H. 52,5) : **DEM 67 800**.

WAUGH Coulton
Né en 1896 à Caldwell. XXe siècle. Américain.
Peintre de marines.
Fils du peintre Frederick Judd Waugh, il fut élève de son père. Il vécut et travailla à Providencetown. Peintre, il réalisa également des lithographies.

WAUGH Eliza, née **Young**
XIXe siècle. Américaine.
Miniaturiste.
Femme de Samuel Bell Waugh. Paraît identique à Eliza Young.

WAUGH Frederick Judd
Né le 13 septembre 1861 à Bordentown (New-Jersey). Mort en 1940. XIXe-XXe siècles. Américain.
Peintre de genre, paysages, marines, pastelliste, illustrateur.
Il étudia à l'Académie des Beaux-Arts de Pennsylvanie sous la direction de Thomas Eakins et de Thomas Anshutz. En 1892 il vint travailler à Paris à l'Académie Julian sous la direction de William Bouguereau. Dès son retour aux États-Unis, en 1907, il fut reconnu et ouvrit son atelier à Princetown.
Se basant sur des croquis pris en extérieurs, c'est en atelier qu'il réalisait des marines académiques mais très populaires.
Musées : Bristol – Brooklyn – Chicago – Durban – Liverpool : *Tempête de neige*, past. – Montclair – New York – Philadelphie – Toledo – Washington D. C.
Ventes Publiques : New York, 31 jan. 1946 : *Côte rocheuse* : **USD 900** – New York, 22 mai 1947 : *La vague* : **USD 1 450** – New York, 12 déc. 1956 : *Clair de lune matinal* : **USD 2 500** – New York, 16 fév. 1961 : *Lever de soleil sur l'océan* : **USD 950** – New York, 13 mai 1966 : *Vagues et rochers* : **USD 5 500** – New York, 20 mai 1967 : *Surf on the roaring Main* : **USD 4 500** – New York, 14 mars 1968 : *Marine* : **USD 8 750** – New York, 20 mars 1969 : *Paysage* : **USD 3 000** – New York, 7 avr. 1971 : *Bord de mer* : **USD 4 250** – New York, 19-20 avr. 1972 : *Maine waters*, gche : **USD 1 400** ; *Côte escarpée* : **USD 3 750** – New York, 28 sep. 1973 : *Côte escarpée* : **USD 4 250** – New York, 26 jan. 1974 : *Bord de mer* : **USD 6 000** – New York, 28 oct. 1976 : *Pleine lune à marée haute*, h/pan. (60,5x81,5) : **USD 4 250** – New York, 21 avr. 1977 : *Côte escarpée*, isor. (101,6x127) : **USD 6 250** – New York, 20 avr 1979 : *Great Manan coast*, h/t (63,5x76,2) : **USD 6 250** – New York, 19 juin 1981 : *Surf breaking against the rocks*, h/isor. (56x71) : **USD 18 000** – New York, 2 juin 1983 : *Sympathie* 1889, h/t (114,3x147,3) : **USD 37 000** – New York, 30 mai 1985 : *Sea-ward* 1899-1903, h/t (110,5x139,7) : **USD 18 500** – New York, 24 juin 1988 : *Le soir à Charing Cross Road à Londres*, h/cart. (18,2x14,5) : **USD 7 700** ; *Vagues déferlantes sur une côte rocheuse*, h/cart. (30x40) : **USD 2 860** – New York, 28 sep. 1989 : *Jour de mauvaise mer*, h/t (63,5x76) : **USD 6 600** – New York, 30 nov. 1989 : *Mer de nuages*, h/rés. synth. (99x123,2) : **USD 15 400** – New York, 16 mars 1990 : *Marée haute*, h/rés. synth. (76,2x91,5) : **USD 8 800** – New York, 31 mai 1990 : *Monhegan*, h/cart. (34,9x29,2) : **USD 3 300** – New York, 14 mars 1991 : *Mer déchaînée à Rough Coast*, h/rés. synth. (76,2x102) : **USD 15 400** – New York, 18 déc. 1991 : *La route de nulle part*, h/t (77,5x76,2) : **USD 2 310** – New York, 28 mai 1992 : *La Manche*, h/t (91,8x122,5) : **USD 10 450** – New York, 3 déc. 1992 : *Vers l'ouest à St. Ives*, aquar./pap./cart. (36,8x52,1) : **USD 7 700** – New York, 2 déc. 1993 : *Travailleurs des champs se reposant sous un arbre* 1889, h/t (46,4x55,2) : **USD 40 250** – New York, 13 sep. 1995 : *Au large de Low Rocks* 1909, h/t (82,5x87,6) : **USD 5 750** – New York, 21 mai 1996 : *La vague blanche*, h/rés. synth. (77,5x101,6) : **USD 3 450** – New York, 3 déc. 1996 : *Étroit bras de mer*, h/t (64,7x77,8) : **USD 4 025** – New York, 26 sep. 1996 : *Vagues déferlantes*, h/pan. (76,2x101,6) : **USD 14 950** – New York, 27 sep. 1996 : *Les Joueuses d'échecs* 1891, h/t (50,8x61) : **USD 32 200** – New York, 25 mars 1997 : *Heure avancée du soir*, h/pan. (76,2x101,6) : **USD 3 450** ; *Marine*, h/t (63,5x76,2) : **USD 6 900** – New York, 5 juin 1997 : *Reflets d'été* 1910, h/t (63,5x76,2) : **USD 20 700** – New York, 7 oct. 1997 : *Coucher de soleil sur la mer*, h/masonite (121x146) : **USD 34 500**.

WAUGH Ida
Née à Philadelphie. Morte en 1919 à Philadelphie. XXe siècle. Américaine.
Peintre de genre, portraits, animaux.
Fille du peintre Frederick Judd Waugh, elle fut élève de l'Académie de Philadelphie.
Ventes Publiques : Londres, 2 nov 1979 : *Jeunes noirs avec des chatons*, deux h/cart. (28,5x23,4) : **GBP 1 000** – Londres, 28 mai

1981 : *Brassée de chatons ; Trop nombreux pour les bras*, h/cart., une paire (chaque 31x24) : **GBP 1 800**.

WAUGH Samuel Bell
Né en 1814 à Mercer. Mort en 1885. XIXe siècle. Américain.
Portraitiste.
Père de Frederick Judd Waugh. Élève de J. R. Smith à Philadelphie.

WAULAKORPI Markku
Né en novembre 1947 à Tampere. XXe siècle. Finlandais.
Peintre de paysages.
Il fit ses études artistiques en Finlande, Suède, Norvège, de 1993 à 1994 à l'institut des beaux-arts Répine de Moscou. Il a fréquemment séjourné en Europe.
Il montre ses œuvres dans des expositions personnelles régulièrement dans son pays.
Il a représenté des paysages de son nord natal mais aussi du sud de l'Europe.

WAUMANS Conrad ou **Woumans**
Né le 19 juin 1619 à Anvers. XVIIe siècle. Éc. flamande.
Dessinateur et graveur au burin.
Élève de P. Pontius. On cite de lui quarante-trois portraits de personnalités de son époque.

WAUQUET Jehan. Voir **WAUCQUIER**

WAUQUIER Étienne Omer ou **Vauquière, Waucquier** ou **Wauquière**
Né le 16 octobre 1808 à Cambrai (Nord). Mort le 4 avril 1869 à Mons. XIXe siècle. Belge.
Peintre de genre, lithographe et sculpteur.
Élève de l'Académie de Mons. Il exposa au Salon de Paris, à partir de 1843 et jusqu'en 1865.
Musées : Bruxelles (Mus.) : *Étude pour le portrait du peintre Ant. Wiertz.*

WAUTERS. Voir aussi **WOUTERS**

WAUTERS Alex
Né en 1899 à Gand. Mort en 1965. XXe siècle. Belge.
Peintre, dessinateur.

Bibliogr. : Elsa Wauters-d'Haen : *Alex Wauters – catalogue de son œuvre*, Gand, 1976 – in : *Dict. biogr. illustré des artistes en Belgique depuis 1830*, Arto, Bruxelles, 1987.
Ventes Publiques : Anvers, 22 oct. 1985 : *Le chapeau bleu*, techn. mixte (67x55) : **BEF 110 000** – Lokeren, 21 mars 1992 : *Petite grue aux gants blancs* 1947, h/t (35x23) : **BEF 120 000** ; *L'accordéoniste II* 1939, h/t (105x105) : **BEF 110 000** – Lokeren, 10 oct. 1992 : *Belle de nuit* 1945, h/t/pan. (73x63) : **BEF 90 000** – Lokeren, 9 oct. 1993 : *La neige, le soir*, h/pan. (25x34) : **BEF 26 000** – Lokeren, 28 mai 1994 : *Prostituée sur un trottoir* 1956, encre et gche/pap. (65x47) : **BEF 120 000** – Lokeren, 11 oct. 1997 : *Prostituée à Uitkijk* 1956, encre et gche/pap. (65x47) : **BEF 150 000**.

WAUTERS Camille
Né le 13 novembre 1856 à Temse. Mort le 10 septembre 1919 à Lokeren. XIXe-XXe siècles. Belge.
Peintre de nus, paysages.
Il fut élève des Académies de Bruxelles, d'Anvers et de l'académie Julian à Paris. Il peignit surtout des paysages des bords de l'Escaut, de Barbizon et du Dauphiné, mais aussi du Proche-Orient.

Musées : Anvers : *Panorama du Caire.*
Ventes Publiques : Vienne, 17 mars 1982 : *Coucher de soleil*, h/pan. (24x42) : **ATS 32 000** – New York, 30 oct. 1985 : *Vue d'Assouan, Égypte* 1880, h/t (135,9x200,5) : **USD 6 500** – New York, 22 mai 1990 : *Nu debout* 1890, h/t (190,5x109,2) : **USD 11 000** – New York, 23 mai 1990 : *Vue d'Assouan en Égypte* 1890, h/t (136,5x200,7) : **USD 11 000** – Amsterdam, 23 avr. 1991 : *Paysage d'hiver au soleil couchant*, h/t (40x67,5) : **NLG 4 600** – Amsterdam, 28 oct. 1992 : *Vaste paysage de polder avec un voilier et un moulin à vent*, h/t (45,5x67) : **NLG 2 760** – Lokeren, 9 déc. 1995 : *L'Escaut à la tombée de la nuit*, h/t (44x68) : **BEF 80 000** – Lokeren, 18 mai 1996 : *Chemin de campagne*, h/t (80x120) : **BEF 65 000**.

WAUTERS Charles Augustin
Né le 23 avril 1811 à Boom. Mort le 4 novembre 1869 à Malines. XIXe siècle. Belge.
Peintre d'histoire, compositions religieuses, scènes de genre, graveur à l'eau-forte.
Élève des Académies de Malines et d'Anvers, puis de Van Bree. Il fut directeur de l'Académie de Malines. Un monument fut érigé à sa mémoire dans l'église Saint-André d'Anvers.
Musées : Karlsruhe : *Le voyageur* – Malines : *Salvator Rosa dans les Abruzzes – Floris de Montigny en prison à Madrid* – Ypres : *Sainte Clotilde distribuant des aumônes.*
Ventes Publiques : Paris, 1844 : *Polidore qui, de simple maçon, finit par devenir un grand peintre* : **FRF 410** – Londres, 8 oct. 1980 : *La lettre*, h/pan. (48x37) : **GBP 460** – Paris, 6 déc. 1995 : *Polidoro da Caravaggio dans son atelier* 1841, h/pan. (53x64,5) : **FRF 26 500**.

WAUTERS Constant ou **Wouters**
Né le 5 juin 1826 à Anvers. Mort le 22 septembre 1853 à Naples. XIXe siècle. Belge.
Peintre de sujets de genre, dessinateur.
Il fut élève de F. de Braekeleer. Il exposa à Anvers en 1846.
Musées : Anvers : une esquisse – Mons.
Ventes Publiques : Paris, 5 déc. 1923 : *Scène du XVIIIe siècle* : **FRF 705** – Newport, 17 sep. 1969 : *La promenade en barque* : **USD 750** – Londres, 13 juin 1973 : *La lettre* 1852 : **GBP 2 300** – Berne, 22 oct. 1976 : *Le brigand et sa famille*, h/t (68,5x56,5) : **CHF 12 000** – Londres, 23 fév. 1983 : *L'Odalisque*, h/t (69x54,5) : **GBP 1 300** – Amsterdam, 24 avr. 1991 : *Chagrins d'amour* 1850, h/pan. (30x24) : **NLG 4 600** – New York, 26 mai 1993 : *La conversation*, h/pan. (38,7x29,2) : **USD 4 888**.

WAUTERS Emile Charles
Né le 19 novembre 1846 à Bruxelles. Mort le 11 décembre 1933 à Paris. XIXe-XXe siècles. Actif en France. Belge.
Peintre d'histoire, portraits, paysages, panoramas, compositions murales, pastelliste.
Élève de Jean François Portaëls à l'académie des beaux-arts de Bruxelles, il fut membre des Académies de Belgique, de Suède, d'Amiens et fut correspondant de l'Institut de France. Il voyagea beaucoup.
Il débuta à Paris au Salon vers 1870, y obtenant les récompenses suivantes : médaille de deuxième classe en 1875, rappel en 1876. Il reçut une médaille d'honneur à l'Exposition universelle de 1878, un grand prix à celle de 1889. Il exposa aussi à Londres, à la Royal Academy à partir de 1884, à Anvers, Berlin, Munich et Vienne. Chevalier de la Légion d'honneur en 1878, il fut officier en 1889, puis commandeur et Grand Officier de l'Ordre de Léopold.
Peintre très officiel, il reçut plusieurs commandes de portraits de princes, personnalités belges, comédiennes. On lui confia également la décoration de l'Hôtel de Ville de Bruxelles.

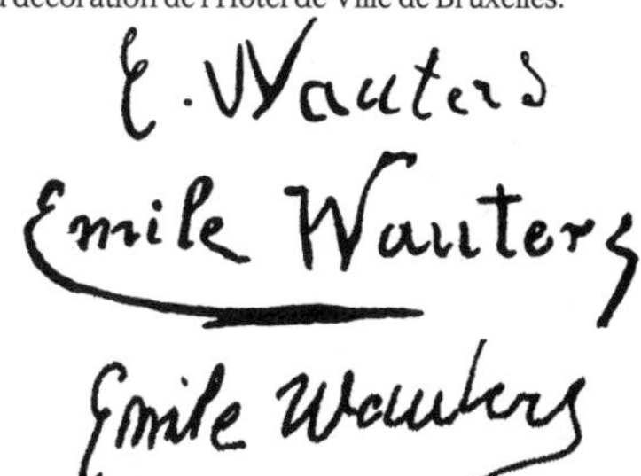

Bibliogr. : Gérald Schurr, in : *Les Petits Maîtres de la peinture 1820-1920, valeur de demain*, Les Éditions de l'Amateur, t. II, Paris, 1982.
Musées : Anvers : *Le Caire au pont de Kasr-el-Nil – Le printemps* – Bruxelles : *Hugo Van der Goes au couvent de Rouge-Cloître – Sobieski devant Vienne – Le baron Lambremont, ministre d'État* – pastel et croquis – Dresde : *Autoportrait* – La Haye (Mus. Mesdag) : *Orientaux* – Liège : *Tête d'amour – Marie de Bourgogne implorant des magistrats de Gand la grâce de ses conseillers Hugonet et d'Humbercourt* – Zurich (Kunst. Mus.) : *Portrait de Julien Ganz.*
Ventes Publiques : Paris, 6 avr. 1891 : *Folie de Van der Goes* : **FRF 5 800** – Paris, 1900 : *Stella* : **FRF 290** – Bruxelles, 24 mars 1976 : *Portrait du jeune comte de Somzée*, h/t (150x95) : **BEF 100 000** – Paris, 25 oct. 1978 : *Le marchand arabe*, h/pan. (44x36) : **FRF 8 000** – Londres, 18 mars 1983 : *Cavaliers*, h/t (74x44,5) : **GBP 2 000** – Anvers, 22 oct. 1985 : *Le jeune vendeur de*

fruits, h/t (105x88) : **BEF 300 000** – AMSTERDAM, 16 nov. 1988 : *Portrait d'une dame vêtue d'une robe de soie et portant une brassée de roses jaunes*, past./pap. (123x93) : **NLG 3 910**.

WAUTERS Françoise, Mrs **Taylor**
Née en 1920 à Liège. XXe siècle. Active en Grande-Bretagne. Belge.
Graveur.
Elle fut élève de l'académie de La Cambre. Graveur, elle réalisa aussi des lithographies.
BIBLIOGR. : In : *Dict. biogr. illustré des artistes en Belgique depuis 1830*, Arto, Bruxelles, 1987.
MUSÉES : BRUXELLES (Cab. des Estampes).

WAUTERS Franz. Voir **WOUTERS**

WAUTERS J. W.
Né en 1840. Mort en 1869. XIXe siècle. Belge.
Peintre de genre, portraits.
Fils de Charles Augustin Wauters.

WAUTERS Jan Lieven. Voir **WOUTERS Lieven**

WAUTERS Jef
Né le 26 février 1927 à Mariakerke (Gand). XXe siècle. Belge.
Peintre de compositions animées, genre, figures.
Il fut élève des académies Saint-Luc et de l'académie d'Anvers. Il participe à de nombreuses expositions de groupe, en Hollande, en France, en Belgique, en Italie, aux U.S.A. Il montre ses œuvres dans de nombreuses expositions personnelles dès 1951.
Peintre figuratif, il a eu longtemps une période expressionniste dramatique, peignant des toiles difficilement soutenables inspirées de la maladie et de la mort. Puis il se met à peindre des fillettes et des adolescentes aux yeux graves, pour déboucher sur un univers de cavalcades féeriques de chevaux de bois et de paysages italiens aux parasols multicolores.

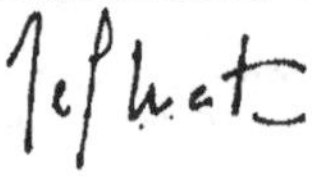

MUSÉES : DEINZE – LATEM – REGGIO DI CALABRIA.
VENTES PUBLIQUES : LOKEREN, 15 mai 1993 : *Enfants*, h/t (100x40) : **BEF 40 000** – LOKEREN, 9 oct. 1993 : *Jeune fille blonde* 1968, h/t (40x50) : **BEF 26 000** – LOKEREN, 9 déc. 1995 : *Titi sur fond rouge*, h/t (46x55) : **BEF 33 000**.

WAUTERS Joyce
Né en 1945 à Londres. XXe siècle. Actif en Belgique. Belge.
Graveur.
Il fut élève de l'académie de la Cambre. Il fut influencé par les arts d'Extrême-Orient.
BIBLIOGR. : In : *Dict. biogr. illustré des artistes en Belgique depuis 1830*, Arto, Bruxelles, 1987.

WAUTERS D'HAEN Elsa
Née en 1926 à Mont-Saint-Amand. XXe siècle. Belge.
Dessinateur. Fantastique.
Épouse du peintre Alex Wauters, elle en fut l'élève.
BIBLIOGR. : In : *Dict. biogr. illustré des artistes en Belgique depuis 1830*, Arto, Bruxelles, 1987.

WAUTHIER Herbert Francis
Né le 10 mars 1881 à Londres. XXe siècle. Britannique.
Dessinateur, décorateur.

WAUTHIER Jean
XVIe siècle. Actif à Lille à la fin du XVIe siècle. Français.
Sculpteur.
Il travailla pour la Halle des échevins de Lille en 1596.

WAUTIER Charles ou **Wautiers** ou **Woutiers**
XVIe siècle. Actif dans la seconde moitié du XVIe siècle. Éc. flamande.
Peintre.
Élève présumé de Rubens. Le Musée de Bruxelles conserve de lui deux portraits d'homme.

WAUTIERS Michaelina. Voir **WOUTIERS Magdalena**

WAVERE Jan ou **Henneken Van** ou **Wouvere**
Mort le 21 mai 1521 à Malines. XVIe siècle. Éc. flamande.
Peintre.
Il a peint le retable de la Passion dans l'église Saint-Dympna à Gheel.

WAVRA Fr. Lukas
Né en 1734. Mort en 1804. XVIIIe siècle. Actif à Hohenfurt. Autrichien.
Peintre.
Il travailla pour le monastère de Hohenfurt.

WAVRA Martin ou **Vavra**
XVIIIe siècle. Autrichien.
Peintre.
Il peignit des fresques dans l'église de Bedrichowitz et un portrait d'abbé dans le monastère de Wittingau.

WAWENBROVCK U.
Allemand.
Peintre de paysages.
MUSÉES : RENNES : *Paysage avec ruines et animaux.*

WAWRZENIECKI Marian
Né en 1863 à Varsovie. XIXe-XXe siècles. Polonais.
Peintre.
Il fit ses études à Varsovie et à Cracovie. Ethnographe et écrivain d'art, il fut aussi connu comme peintre.
MUSÉES : CRACOVIE – POSEN – VARSOVIE.

WAXMANN Martinus
XVIIe siècle. Actif à Frics vers 1630. Hongrois.
Graphiste.

WAXMUTH Jeremias. Voir **WACHSMUTH**

WAXSCHLUNGER Franz Anton ou **Wachsschlunger**
Né le 17 novembre 1706 à Munich. Mort le 10 juin 1731 à Munich. XVIIIe siècle. Allemand.
Peintre.
Peut-être identique à Franz Paul Waxschlunger ou à Paul Waxschlunger, peintres à Munich.

WAXSCHLUNGER Johann Georg
XVIIIe siècle. Allemand.
Peintre.
Fils de Johann Paul Waxchlunger. Il travailla à Munich de 1720 à 1725.
MUSÉES : HAMBOURG (Kunsthalle) : *Nature morte avec gibier* – MUNICH (Mus. nat.) : *Scène de chasse*, quatre œuvres.
VENTES PUBLIQUES : PARIS, 29 juin 1955 : *Querelle d'oiseaux* : **FRF 16 000** – COLOGNE, 21 mars 1980 : *Volatiles dans un paysage*, h/t mar. (42x71) : **DEM 4 000**.

WAXSCHLUNGER Johann Paul
Né vers 1660. Mort le 11 septembre 1724 à Munich. XVIIe-XVIIIe siècles. Allemand.
Peintre d'animaux, paysages animés, natures mortes, fleurs et fruits.
Élève de son père Johann Georg Waxschlunger. Il peignit dans la manière de Weenix. On voit des œuvres de lui dans la Galerie de Nymphenbourg. Il peignit surtout des natures mortes au gibier.

MUSÉES : MUNICH (Mus. nat.) : *Scène de chasse*, deux œuvres – *Deux chiens* – SCHLEISSHEIM : peintures décoratives et fresques.

WAY Andrew John Henry
Né en 1826 à Washington. Mort en 1888. XIXe siècle. Américain.
Peintre de portraits, natures mortes.
Père de George Brevitt Way. Il fit ses études à Cincinnati et à Baltimore.
VENTES PUBLIQUES : NEW YORK, 13 oct. 1976 : *Nature morte à la grappe de raisin* 1875, h/t (47x32) : **USD 1 200** – NEW YORK, 24 juin 1988 : *Abondance de fruits*, h/t (55x75) : **USD 3 575** – NEW YORK, 30 sep. 1988 : *Pêches mûres*, h/cart. (23,2x31,4) : **USD 3 300** – NEW YORK, 30 nov. 1989 : *Nature morte avec des huitres et un verre de bière*, h/t (36,2x31) : **USD 17 600** – NEW YORK, 25 sep. 1991 : *Nature morte aux huîtres* 1872, h/t (25,4x35,6) : **USD 18 700** – NEW YORK, 28 mai 1992 : *Le délice du gourmet*, h/cart. (25,4x30,8) : **USD 17 050** – NEW YORK, 12 sep. 1994 : *Grappe de raisin sur une treille*, h/t (50,8x35,6) : **USD 4 312** – NEW YORK, 23 avr. 1997 : *Nature morte avec des huîtres, un citron et du vin*, h/pan. (20,3x28) : **USD 13 800**.

WAY Benjamin
XVIIIe siècle. Travaillant en 1790. Britannique.
Dessinateur d'ex-libris.

WAY Charles Jones
Né le 25 juillet 1834 à Dartmouth. Mort en 1919. XIXe-XXe siècles. Britannique.

Peintre de paysages, aquarelliste.
Il commença ses études au Victoria and Albert Museum de Londres. En 1859, il vint au Canada et y peignit des paysages à l'aquarelle. Il fut président de la Society of Canadian of Artists, membre de la Royal Canadian Academy lors de sa fondation en 1880, membre honoraire de la Société des Peintres Suisses. Il a aussi habité Lausanne et Londres.

Musées : Montréal : *Monte Rotondo*, aquar.
Ventes Publiques : Londres, 16 oct. 1969 : *Paysage fluvial avec un canoë indien*, aquar. : **GBP 350** – Toronto, 27 mai 1980 : *Les éboulements* 1873, aquar. (21,9x42,5) : **CAD 3 000** – Toronto, 2 mars 1982 : *La Malbaie* 1872-1873, h/t (72,5x112,5) : **CAD 3 600** – Toronto, 14 mai 1984 : *Village de montagne au bord d'un lac* 1867, aquar. (43,1x66,9) : **CAD 1 200** – Berne, 26 oct. 1988 : *Côte méditerranéenne près de Bordighera* 1893, aquar. (17,5x36) : **CHF 750** – Toronto, 12 juin 1989 : *Bateaux de pêche près de la côte sous l'orage*, aquar. (26x40,6) : **CAD 1 000** – Zurich, 25 oct. 1989 : *Le village de Pully dans le Lavaux, vu de l'ouest*, aquar. (17,5x29) : **CHF 1 500** – Montréal, 30 oct. 1989 : *Ruisseau de montagne*, aquar. (49x37) : **CAD 1 650** – Montréal, 4 juin 1991 : *Vue d'Ottawa*, aquar. (16,5x25,5) : **CAD 1 200** – Zurich, 24 juin 1993 : *Tourbillon*, aquar. (26,5x41,8) : **CHF 1 800**.

WAY Fanny ou **Frances Elizabeth**, plus tard Mme **A. Thacker**
Née le 28 mars 1871 à Londres. XIXe-XXe siècles. Britannique.
Peintre de portraits, miniatures.

WAY George Brevitt
Né le 29 octobre 1854 à Baltimore. XIXe siècle. Américain.
Peintre de paysages.
Fils du peintre Andrew John Henry Way, il fit ses études à Paris.

WAY Johan Vilhelm Carl
Né le 18 juin 1792 à Rute. Mort le 10 avril 1873 à Stockholm. XIXe siècle. Suédois.
Miniaturiste.
Il exécuta aussi des vitraux.
Musées : Göteborg : *La reine Desideria* – Stockholm (Mus. nat.) : *La reine Desideria* – *L'inventeur John Ericsson* – Stockholm (Mus. nordique) : *Le capitaine d'artillerie Carl Gustaf Flodin*.
Ventes Publiques : Lucerne, 12 nov. 1985 : *La rivière vue de Monte Nero, Bordighera*, aquar. et gche (65x97) : **CHF 2 800**.

WAY Mary
Née à New London. XIXe siècle. Travaillant à New York en 1811. Américaine.
Peintre de portraits, miniatures.

WAY Nicolas Van der
Né à Amsterdam. XIXe-XXe siècles. Hollandais.
Peintre de genre.
Il fut élève de l'Académie des Beaux-Arts d'Amsterdam. Il figura au Salon de Paris. Il reçut une médaille d'argent en 1900 à l'Exposition universelle de Paris, une médaille de troisième classe en 1905.

WAY Thomas ou **Tom Robert**
Né en 1861 ou 1862. Mort le 1er mars 1913. XIXe-XXe siècles. Britannique.
Peintre.
Il réalisa des lithographies et écrivit sur l'art. Il influença Whistler.

WAY William Cosens
Né en 1833. Mort en 1905. XIXe siècle. Britannique.
Peintre de paysages, aquarelliste.
Il fut directeur de l'École d'art de Newcastle-on-Tyne. Il vécut et travailla à Newcastle. Il exposa à Londres, de 1867 à 1886, notamment à la Royal Academy et à Suffolk Street.
Musées : Londres (Victoria and Albert Mus.) : trois aquarelles.
Ventes Publiques : Londres, 27 mars 1979 : *Paysage*, h/t (38,5x48) : **GBP 850**.

WAYDELICH Raymond
Né en 1938 à Strasbourg. XXe siècle. Français.
Auteur d'assemblages, sculpteur.
Il étudia à l'école des Arts décoratifs de Strasbourg et de Paris. De 1971 à 1975, il fit des recherches sur l'archéologie, l'art et la mémoire. Il participe à des expositions de groupe en France et en Allemagne en 1974 et 1975. Il montre ses œuvres dans des expositions personnelles en Allemagne de 1973 à 1975 ; à Paris en 1975 et 1976 (*Les Baliseurs*) ; au musée archéologique de Strasbourg en 1995.
En février 1973, il créa *Lydia Jacob Story*, collages sous verre et sous forme de boîtes, réalisées à partir d'objets anciens et de passages du *Journal intime* de la couturière israélite du XIXe siècle, Lydia Jacob, trouvés au Marché aux Puces. S'intéressant à l'archéologie, ses objets, notamment objets quotidiens coulés dans de la cire, interrogent la culture actuelle et la perception qu'en auront les spectateurs des siècles à venir.
Bibliogr. : Claude Rossignol : *Raymond Waydelich*, Art Press, n° 206, Paris, oct. 1995.

WAYDERE Mathieu de. Voir **WAEYER**

WAYEMBOURG Jean de. Voir **JEAN de Nancy**

WAYENBECKERE Arnould. Voir **WAEYENBECKERE**

WAYER Jacob. Voir **WEYER**

WAYER Mathieu de. Voir **WAEYER**

WAYMER Enrico ou **Giovanni Enrico** ou **Vaymer**
Né le 17 mars 1665 à Gênes. Mort en novembre 1738 à Gênes. XVIIe-XVIIIe siècles. Italien.
Portraitiste et peintre d'histoire.
Élève de G.-B. Gaulli à Rome. Il peignit des sujets religieux pour plusieurs églises de Gênes. Il exécuta aussi les portraits de la famille royale de Turin.
Ventes Publiques : New York, 16 jan. 1986 : *Portrait de femme* 1734, pl., deux dess. (32,1x19,9 et 31,1x18,6) : **USD 1 400**.

WAYNE June
Née en 1918 à Chicago. XXe siècle. Américaine.
Peintre, graveur.
Elle fut dessinateur industriel puis radio-reporter jusqu'en 1943. Elle a fondé l'Atelier de Lithographie Tamarind à Los Angeles.
Elle travaille la lithographie depuis 1948 et ses gravures sont réputées pour la qualité technique et la variété. Ses thèmes sont généralement symboliques, traités sous l'angle de l'illusion et associent parfois la géométrie de la réfraction de la lumière ou les anamorphoses de l'expressionnisme abstrait.

WAYNER Pancratius
XVIe siècle. Allemand.
Peintre.
Actif à Landeshut, il travailla aussi à Breslau et à Hirschberg de 1512 à 1513.

WAZELIN de Fexhe. Voir **WASELIN de Fexhe**

WEAL
Né en 1878 à Reims (Marne). Mort en 1962. XXe siècle. Français.
Dessinateur, caricaturiste, illustrateur, affichiste.
Élève à l'École des Beaux-Arts de Paris, dès 1893, il entra successivement dans les ateliers de Gabriel Ferrier, Luc Olivier Merson, Fernand Cormon et William Adolphe Bouguereau.
Il débuta au Salon de Paris en 1894.
Prenant part à la vie politique, il fit de nombreuses caricatures des hommes au pouvoir et collabora, entre autres, au *Rire*, au *Figaro*, à *La Vie de Paris*, à *La Calotte*, à *L'Assiette au beurre*. Ses dessins montrent un trait fouillé et précis qui souligne des volumes définis au pinceau aquarellé. Entre 1911 et 1914, il publia une série de romans policiers intitulés : *Les Aventures de William Tharps*. En collaboration avec Louis Feuillade, il écrivit *Les Vampires*, en 1916.
Bibliogr. : Gérald Schurr, in : *Les Petits Maîtres de la peinture 1820-1920, valeur de demain*, Les Éditions de l'Amateur, t. II, Paris, 1982.
Musées : Paris (Mus. de Montmartre) : *Guillaume II* 1915, cr. rehaussé d'aquar.

WEAR Maud M.
Née le 8 décembre 1873 à Londres. XIXe-XXe siècles. Britannique.
Peintre.
Elle fut élève de la Royal Academy de Londres. Elle vécut et travailla à Beeding.

WEARING Gillian
Né en 1963 à Birmingham. XXe siècle. Britannique.
Artiste, créateur d'installations.

Il vit et travaille à Londres. Il participe à des expositions collectives, dont : 1992, *British art Group Show* au Musée des Beaux-Arts du Havre ; 1995 *X/Y* au Centre Georges Pompidou de Paris et Nouveau Musée de Villeurbanne ; 1996, *Traffic* au CAPC, Musée d'Art contemporain, Bordeaux ; 1996, *Life/Live. La scène artistique au Royaume-Uni en 1996* au Musée d'Art moderne de la Ville de Paris. Il montre ses œuvres dans des expositions personnelles, parmi lesquelles : 1996 Le Consortium de Dijon ; 1996 British Council à Prague.
Lors de l'exposition *Life/Live* au Musée d'Art moderne de la Ville de Paris en 1996, il présentait une vidéo *Boy Time*, montrant de jeunes garçons assis sur un muret quelque part dans une ville, attendant et somnolant là.

WEATHERCOCK James. Voir **WAINEWRIGHT Thomas Griffith**

WEATHERHEAD William Harris
Né en 1843. Mort en 1903. XIXe siècle. Actif à Londres. Britannique.
Peintre de genre, aquarelliste.
Il exposa à Londres à partir de 1862, notamment à la Royal Academy, à la British Institution, à Suffolk Street et au Royal Institute. Il fut membre du Royal Institute of Painters in Water-Colour.
Musées : Londres (Victoria and Albert Mus.) : *Frammy highland briddie* – Sydney : *Looking out for a Shot.*
Ventes Publiques : Londres, 8 mars 1977 : *Le retour du marin* 1869, h/t (61,5x74) : **GBP 820** – New York, 28 mai 1980 : *L'épicier du village* 1879, h/t (62,8x75,5) : **USD 2 300** – Londres, 17 oct. 1984 : *There is sorrow on the sea* 1885, aquar. (111,1x76,9) : **GBP 3 800** – Londres, 25 jan. 1989 : *La fille du pêcheur*, aquar. et gche (71x40,5) : **GBP 3 520** – Londres, 12 juin 1992 : *La traversée du ruisseau*, h/t (59,7x90,2) : **GBP 1 760** – Londres, 4 juin 1997 : *Affligée* 1893, aquar. reh. de griffures (58x79) : **GBP 8 970**.

WEATHERILL Elizabeth
XIXe siècle. Active à la fin du XIXe siècle. Britannique.
Peintre de paysages.
On peut noter une forte similitude entre son style et celui de George Wheatherill son parent.

WEATHERILL George
Né en 1810. Mort en 1890. XIXe siècle. Actif à Whitby. Britannique.
Peintre de paysages, marines, aquarelliste.
Il exposa à Londres de 1868 à 1873, notamment à Suffolk Street.

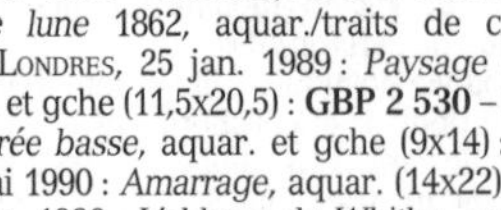

Musées : Cardiff : *Coucher de soleil en mer*, aquar.
Ventes Publiques : Londres, 16 déc. 1976 : *Le port de Whitby* 1874, aquar. (36x53) : **GBP 310** – Londres, 21 fév. 1980 : *Barques de pêche au port, Whitby, Yorkshire*, aquar. (12x21) : **GBP 600** – Londres, 22 juil. 1982 : *Whitby Abbey*, aquar. reh. de gche (18,5x25,5) : **GBP 1050** – Londres, 28 avr. 1983 : *Whitby, Yorkshire, clair de lune* 1862, aquar./traits de cr. (23,5x33,5) : **GBP 1 350** – Londres, 25 jan. 1989 : *Paysage côtier près de Whitby*, aquar. et gche (11,5x20,5) : **GBP 2 530** – Londres, 25-26 avr. 1990 : *Marée basse*, aquar. et gche (9x14) : **GBP 1 870** – Londres, 30 mai 1990 : *Amarrage*, aquar. (14x22) : **GBP 2 530** – Londres, 26 sep. 1990 : *L'abbaye de Whitby*, aquar. (29,5x38) : **GBP 935** – Londres, 20 jan. 1993 : *Les falaises près de Whitby*, aquar. (11,5x20) : **GBP 1 840** – Londres, 30 mars 1994 : *Barque échouée ; Navigation dans un port* 1888, aquar. et encre, une paire (chaque 12x21) : **GBP 4 830** – St. Asaph, 2 juin 1994 : *La côte près de Eastbourne*, aquar. (28x38) : **GBP 782** – Londres, 27 sep. 1994 : *Sur la plage ; Whitby*, aquar., une paire (12x20,5 et 13x23,5) : **GBP 4 370** – Londres, 7 juin 1996 : *Whitby*, cr. et aquar. (12x20,3) : **GBP 3 450**.

WEATHLY Francis. Voir **WHEATLY**

WEAVER John Pyefinch
Né le 29 janvier 1814 à Shrewsbury. XIXe siècle. Britannique.
Peintre.
Fils de Thomas Weaver. Il exposa à Liverpool de 1837 à 1843 des scènes de genre et des paysages.

WEAVER Kenneth
Né en 1961 à West Palm Beach (Floride). XXe siècle. Américain.
Peintre de figures, auteur d'installations, auteur de performances.
Il vit et travaille à New York.
Il participe à des expositions collectives à New York.
Il a réalisé dans les années soixante-dix la série *Sexual Positions*. Se qualifiant de peintre « post-warholien » et travaillant comme lui sur la reproduction mécanique des images, il emprunte aussi son « savoir-faire » au romantisme du XIXe siècle.
Bibliogr. : Francesco Bonami : *Kenneth Weaver*, Flash Art, vol. XXV, n° 166, New York, oct. 1992.

WEAVER M.
XVIIIe siècle. Actif dans la seconde moitié du XVIIIe siècle. Britannique.
Peintre de portraits.
Il travailla à Dublin. Il exposa à Londres en 1767.

WEAVER P. T.
Né en Irlande. XVIIIe siècle. Irlandais ou Américain.
Peintre de portraits.
Il travailla aux États-Unis vers 1797.

WEAVER Thomas
Né en novembre ou décembre 1774 à Worthen. Mort en 1843 à Liverpool. XVIIIe-XIXe siècles. Britannique.
Peintre de genre, portraits, animaux, paysages.
Père de John Pyefinch Weaver. Il n'eut aucun maître. Il exposa à Londres de 1801 à 1814, et à Liverpool jusqu'en 1822.
Il est connu pour ses scènes de sport et de chasse.
Ventes Publiques : Londres, 20 nov. 1968 : *Cheval dans un paysage* : **GBP 900** – Londres, 19 nov. 1969 : *William Aspinal à cheval* : **GBP 3 100** – Londres, 21 juin 1974 : *Cheval dans un paysage boisé* 1799 : **GNS 450** – New York, 15 oct. 1976 : *Red Rover avec son jockey* 1833, h/t (64x76) : **USD 2 100** – Londres, 25 nov. 1977 : *Chevaux à l'écurie* 1798, h/t (60,7x89,9) : **GBP 750** – Londres, 9 juil. 1980 : *Taureau dans un paysage* 1812, h/t (63x80) : **GBP 1 550** – New York, 4 juin 1982 : *Taureau du Hereford* 1827, h/t (62,8x76,2) : **USD 4 500** – Londres, 13 mars 1985 : *Mr. Corbett out shooting on his bay pony with his two hounds* 1800, h/t (47x65) : **GBP 19 000** – New York, 5 juin 1987 : *Hunters in a stable with a groom* 1809, h/t (68,6x89,5) : **USD 19 000** – Londres, 15 juil. 1988 : *Le taureau Petrarch debout dans un paysage boisé* 1812, h/t (63x80) : **GBP 8 250** – Londres, 2 nov. 1989 : *Trotteur bai sellé et attaché à un arbre dans un paysage*, h/t (61,6x76,2) : **GBP 2 860** – Londres, 15 nov. 1989 : *Cheval de selle bai avec un chien de meute et un terrier dans un vaste paysage* 1829, h/t (63x76) : **GBP 7 700** – Londres, 17 nov. 1989 : *Un porc primé dans sa soue* 1822, h/t (56x69) : **GBP 14 300** – Londres, 28 fév. 1990 : *Un trotteur bai brun dans un paysage*, h/t (56x66) : **GBP 2 200** – Londres, 10 avr. 1992 : *Un chasseur sur son hunter alezan avec un autre cheval devant l'écurie*, h/t (77,5x100,8) : **GBP 2 420** – Londres, 3 fév. 1993 : *Cheval bai brun sellé dans un paysage* 1809, h/t (68x88,5) : **GBP 1 610** – Londres, 8 nov. 1995 : *Un hunter gris sellé avec un épagneul dans un paysage* 1811, h/t (72,5x90) : **GBP 3 220**.

WEB. Voir **BALTUS Jean**

WEBB A. C.
Né le 1er avril 1888 ou 1892 à Nashville (Tennessee). XXe siècle. Américain.
Peintre, illustrateur, graveur.
Il fut élève de l'Art Students' League de New York. Il fut membre de l'Association Artistique Américaine de Paris. Quelques-unes de ses gravures furent acquises par le gouvernement français.
Musées : Buffalo – Washington D. C.

WEBB Archibald Bertram
Né le 4 mars 1887 à Ashford. XXe siècle. Britannique.
Peintre, aquarelliste, graveur, illustrateur, peintre d'affiches.
Il fut élève de la Saint Martin's School de Londres. Il dut s'installer à Perth pour raisons de santé. Il a réalisé des gravures sur bois.
Ventes Publiques : Londres, 19 mai 1978 : *Scène de bord de mer*, h/t (43,5x59,7) : **GBP 700**.

WEBB Boyd
Né en 1947 à Christchurch. XXe siècle. Actif en Grande-Bretagne. Néo-Zélandais.
Artiste.
Il fut élève du Royal College of Art de Londres.
Il participe à des expositions collectives : 1985 Nouvelle Biennale de Paris. Il montre ses œuvres dans des expositions personnelles : régulièrement à la galerie Anthony d'Offay à

Londres ; 1982 Badischer Kunstverein de Karlsruhe, Westfalischer Kunstverein de Munster ; City Art Gallery d'Auckland ; 1983 musée national d'Art moderne de Paris, Stedelijk Van Abbe Museum d'Eindhoven ; 1984 City Art Gallery de Leeds, Kunsthalle de Berne, Le Nouveau Musée de Villeurbanne, musée municipal de La Roche-sur-Yon ; 1987 Whitechapel Art Gallery de Londres ; 1990 FRAC Limousin (Fonds Régional d'Art Contemporain) à Limoges, Hirshhorn Museum and Sculpture à Washington ; 1991 OCO à Paris ; 1994 Harrison Museum and Art Gallery de Preston ; 1997 École des Beaux-Arts de Rouen, galerie Robert Doisneau à Nancy.

Il réalise d'abord des sculptures en fibre de verre puis enregistre avec son appareil photo des scénarios aux décors de carton-pâte, de toiles cirées et de rideaux, créés de toutes pièces. Mêlant l'artificiel et le naturel, animaux en plastique et objets réels, il conçoit des scènes burlesques qui s'inspirent de la peinture de genre.

Bibliogr. : Bernard Blistène : *Boyd Webb*, Stedelijk Van Abbe Museum, Eindhoven, 1983 – in : *L'Art du XXe siècle*, Larousse, Paris, 1991 – in : *Dict. de l'Art mod. et contemp.*, Hazan, Paris, 1992.

Musées : Bordeaux (FRAC Aquitaine) – Limoges (FRAC Limousin) – Londres (Tate Gal.) – Lyon (FRAC Rhône-Alpes) – Paris (Mus. nat. d'Art mod.) – La Roche-sur-Yon.

WEBB Charles Meer

Né le 16 juillet 1830 près de Londres. Mort le 9 ou le 11 décembre 1895 à Düsseldorf. XIXe siècle. Britannique.

Peintre de genre.

Il étudia à Amsterdam et à Anvers et fut élève de Camphausen à l'Académie de Düsseldorf ; il travailla à Düsseldorf, Anvers et Clèves.

Musées : Boston : *L'arrestation du contrebandier* – Brunswick : *Le braconnier découvert* – Chicago : *Les braconniers* – Cologne : *Paiement du fermage chez les paysans* – Londres (Victoria and Albert Mus.) : *Joueurs d'échecs* – Melbourne : *Joueurs d'échecs* – Munster : *L'alchimiste* – Prague : *Une nouvelle sorte* – Rostock (Mus. mun.) : *Le braconnier*.

Ventes Publiques : Bruxelles, 1873 : *Brouille au jeu* : **FRF 3 800** – Cologne, 17-20 oct. 1952 : *Scène de cabaret* 1895 : **DEM 1 100** – Londres, 8 nov. 1972 : *Un bibliophile belge* : **GBP 1 550** – Cologne, 6 juin 1973 : *La Vente aux enchères* 1871 : **DEM 36 000** – Londres, 14 juin 1974 : *Intérieur d'une librairie* : **GNS 1 400** – New York, 25 oct. 1977 : *Le galant entretien* 1863, h/t (79x86,5) : **USD 3 000** – Cologne, 1er juin 1978 : *Scène d'intérieur* 1869, h/t (35x29) : **DEM 2 600** – Anvers, 10 mai 1979 : *Le galant entretien*, h/t (80x87) : **BEF 220 000** – New York, 26 oct. 1983 : *Chez l'antiquaire* 1885, h/pan. (52x67) : **USD 8 250** – Londres, 26 nov. 1985 : *La vente aux enchères* 1871, h/t (94x146) : **GBP 30 000** – Cologne, 23 mars 1990 : *L'Atelier* 1859, h/t (50,5x40,5) : **DEM 22 000** – New York, 17 oct. 1991 : *La partie d'échecs* 1864, h/t (53,3x62,2) : **USD 2 530** – Amsterdam, 5-6 nov. 1991 : *Cour de ferme* 1890, h/t (45x81) : **NLG 3 105** – New York, 30 oct. 1992 : *La lecture du journal* 1887, h/t (94x126) : **USD 9 900** – Londres, 11 avr. 1995 : *Le bibliophile* 1885, h/pan. (51x65) : **GBP 12 650** – New York, 1er nov. 1995 : *L'Arrestation du braconnier* 1881, h/t (100,3x135,9) : **USD 10 350** – Londres, 9 oct. 1996 : *Dans la taverne* 1858, h/pan. (79x64,5) : **GBP 3 795** – Londres, 7 nov. 1996 : *Le Bibliophile* 1863, h/t (48x55,3) : **GBP 2 300**.

WEBB Clifford C.

Né le 14 février 1895 à Londres. XXe siècle. Britannique.

Peintre de paysages, architectures, aquarelliste, graveur.

Il fit ses études à Birmingham. Peintre, il pratiqua également la gravure sur bois et l'eau-forte. Il exécuta des paysages, des architectures et des vues.

WEBB Cother ou **John Cother**

Né en 1855 à Torquay. Mort le 19 novembre 1927 à Londres. XIXe-XXe siècles. Britannique.

Graveur.

Il fut élève de Thomas Landseer. Il grava d'après Turner et Claude Lorrain. Il pratiqua la manière noire.

WEBB Dora ou **Mohala Dora**

Née le 6 mai 1888 à Stamford. XXe siècle. Britannique.

Peintre de miniatures, sculpteur.

Elle fut élève d'Alyn Williams. Elle vécut et travailla à Malton Mowbray. Elle exposa à Londres et à Paris.

WEBB Duncan

Mort en 1832. XIXe siècle. Britannique.

Graveur au burin.

Il grava surtout des chevaux et des chiens d'après Ferneley et Allan Ramsay.

WEBB Edward

Né vers 1805. Mort en 1854. XIXe siècle. Actif à Londres. Britannique.

Aquarelliste et graveur au burin.

Le Victoria and Albert Museum, à Londres, conserve de lui : *Marché au poisson à Hastings*.

WEBB Jacob Lewis

Né en 1856 à Washington. XIXe siècle. Actif à New York. Américain.

Peintre.

WEBB James

Né vers 1825. Mort en 1895 à Londres. XIXe siècle. Britannique.

Peintre de paysages, marines.

Il exposa à Londres de 1850 à 1888, notamment à la Royal Academy, à la British Institution, à Suffolk Street.

Cet artiste paraît avoir été un indépendant et se plut à peindre ses tableaux d'après nature, en pleine sincérité.

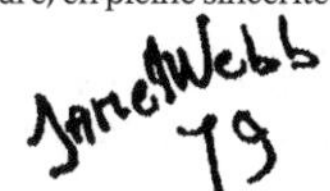

Musées : Adélaïde : *Sur la rade de Dordrecht* – Bristol : *Château de Bamborough – Cathédrale de Cologne – Les hommes travaillent et les femmes pleurent – Dordrecht* – Glasgow : *Vue de Constantinople – Orage à Clovelly, North Devon* – Leicester : *Vallon de Ross – Les hommes travaillent et les femmes pleurent – Namur* – Liverpool : *Bambro Castle* – Londres (Victoria and Albert Mus.) : *Bords de la mer, barques et pêcheurs* – Londres (Tate Gal.) : *Le Mont Saint-Michel* – Melbourne : *Rotterdam – Coup d'œil sur la Tamise – Glowcester* – Montréal : *Ehrenbreitstein sur le Rhin* – Nottingham : *Château de Montorgueil – Jersey* – Reading : *Ombres du soir – Saint Antoine, Bilbao – Sur la Tamise* – Sheffield : *Le Mont Saint-Michel – Namur* – Sydney : *Scène de rue au Caire*.

Ventes Publiques : Londres, 1886 : *Prairie* : **FRF 2 625** – Paris, 25 mai 1932 : *Le Pont-Neuf à Paris* : **FRF 1 380** – Londres, 10 avr. 1964 : *Vue de Cologne avec péniches sur le Rhin* : **GNS 380** – Londres, 11 oct. 1967 : *Vue d'une ville au bord d'un lac* : **GBP 500** – Londres, 7 fév. 1968 : *L'Ile de la Cité, Paris* : **GBP 1 450** – Londres, 11 juil. 1969 : *Heidelberg* : **GNS 720** – Londres, 15 déc. 1972 : *Vue de Carthagène* : **GNS 1 600** – Londres, 5 oct. 1973 : *Bateaux de pêche en mer* 1869 : **GNS 2 600** – Londres, 18 oct. 1974 : *Le Pont-Neuf, Paris* : **GNS 2 000** – Londres, 14 mai 1976 : *Scène d'estuaire* 1878, h/pan. (35x49,5) : **GBP 2 500** – Londres, 13 mai 1977 : *Mount Orgueil Castle, Jersey* 1859-1860, h/t (141x241,2) : **GBP 3 200** – Londres, 28 nov. 1978 : *Bateaux de pêche au large de la côte* 1852, aquar. (32x47,5) : **GBP 650** – Londres, 2 févr 1979 : *Orage au large de Douvres* 1856, h/t (109,8x180,5) : **GBP 5 000** – Londres, 5 juin 1981 : *Strattford-upon-Avon* 1884, h/t (140,2x123,2) : **GBP 6 500** – Londres, 15 déc. 1983 : *Vue de Cologne* 1869, aquar., cr. et gche (21,5x45,5) : **GBP 1 200** – Londres, 10 mai 1983 : *Une rue à Jérusalem* 1867, h/t (90x165) : **GBP 26 000** – Londres, 26 nov. 1985 : *Barques à l'ancre au large d'une ville d'Orient* 1874, h/t (91,5x152,5) : **GBP 15 000** – Londres, 3 juin 1988 : *Bateaux de pêche à l'ancrage* 1871, h/t (94,6x81,3) : **GBP 3 850** ; *Le sèchage des filets* 1862, h/t (61,5x107,5) : **GBP 8 250** – New York, 25 fév. 1988 : *Pêcheurs à leurs occupations sur une côte*, h/t (74,9x112,7) : **USD 4 400** – Londres, 24 juin 1988 : *Paysage rhénan* 1875, h/t (77,5x128,2) : **GBP 6 600** – Londres, 23 sep. 1988 : *Bateaux de pêche italiens* 1877, h/t (62x91) : **GBP 4 620** – Toronto, 30 nov. 1988 : *Deux-mâts au large d'une falaise* 1879, h/t (49,5x75) : **CAD 4 000** – Londres, 17 fév. 1989 : *Cadix*, h/t (76,3x127) : **GBP 7 700** – Montréal, 1er mai 1989 : *Constantinople* 1875, h/t (36x61) : **CAD 8 500** – Londres, 31 mai 1989 : *Jeunes hollandaises de Scheveningen* 1878, h/t (76x127) : **GBP 11 550** – New York, 25 oct. 1989 : *Naufrage près d'une île rocheuse* 1878, h/t (61x91,5) : **USD 6 600** – Montréal, 30 oct. 1989 : *Pêcheurs sur la rive*, h/t (75x113) : **CAD 6 600** – Londres, 3 nov. 1989 : *Vue de Constantinople* 1875, h/t (35,5x61) : **GBP 6 820** – New York, 17 jan. 1990 : *Bateaux de pêche dans un port* 1862, h/t (76,3x127) : **USD 9 900** – Londres, 21 mars 1990 : *Dordrecht* 1865, h/t (61x107) : **GBP 15 950** – Montréal, 30 avr. 1990 : *Bateaux de pêche au large*, h/t (20x41) :

CAD 3 630 – Londres, 18 oct. 1990 : *Le port de Rotterdam* 1884, h/t (355,5x122) : **GBP 6 050** – Londres, 1er nov. 1990 : *La Tamise avec le pont de Londres et la Cathédrale Saint Paul*, aquar. (22,4x35) : **GBP 550** – Londres, 8 fév. 1991 : *Ischia dans la baie de Naples* 1876, h/t (51x76) : **GBP 4 180** – Londres, 12 avr. 1991 : *Vue de la Cathédrale Saint Paul depuis la Tamise*, h/t (65,2x125,7) : **GBP 27 500** – New York, 17 oct. 1991 : *Rotterdam* 1876, h/t (76,2x127) : **USD 19 800** – Amsterdam, 5-6 nov. 1991 : *Vue de Cologne* 1870, h/t (183x275) : **NLG 94 300** – New York, 28 mai 1992 : *Le château de Bamborough*, h/t (76,2x127) : **USD 17 600** – Londres, 5 mars 1993 : *Ellseldt sur le cours moyen du Rhin*, h/t (76,2x114,3) : **GBP 13 800** – Londres, 30 mars 1994 : *Constantinople* 1874, h/t (61x102) : **GBP 14 950** – New York, 26 mai 1994 : *Les alentours de Dordrecht* 1878, h/t (76,2x127) : **USD 17 250** – Londres, 6 nov. 1995 : *Le retour de la flottille de pêche* 1877, h/t (76,3x127) : **GBP 10 350** – Montréal, 5 déc. 1995 : *Un canal en Hollande*, h/pan. (20,2x25,4) : **CAD 1 500** – Londres, 30 mai 1996 : *Côte accidentée*, h/t (61x91,5) : **GBP 1 092** – Londres, 5 juin 1996 : *Shoreham, Sussex* 1879, h/t (35,5x61) : **USD 12 075** – Londres, 5 sep. 1996 : *Bodium, Sussex* 1876, h/pan. (19x23,5) : **GBP 1 265** – Londres, 14 mars 1997 : *Port de mer* 1869, h/t (91x152,5) : **GBP 8 970** – Londres, 7 nov. 1997 : *Littlehampton* 1886-1887, h/t (105,4x128,2) : **GBP 11 500** – New York, 23 oct. 1997 : *Scène portuaire* 1874, h/t/pan. (50,2x76,2) : **USD 7 475**.

WEBB John Cother. Voir **WEBB Cother**

WEBB Joseph

Né en 1908 à Ealing. xxe siècle. Britannique.

Peintre de portraits, compositions d'imagination, peintre de décorations, graveur.

Il vécut et travailla à Malton Mowbray. Il exposa à Londres, à Liverpool, à New York et à Chicago. Il peignit des visions de rêve.

WEBB M. D., Miss. Voir **ROBINSON M. D.**

WEBB Mary

Née en 1901 à Sydney. xxe siècle. Depuis 1949 active en France. Australienne.

Peintre. Abstrait.

Elle fut élève dans une école libre de peinture, à Sydney, autour de 1930.

Elle participa en Australie, à diverses expositions de groupe, à partir de 1936, puis en France, notamment au Salon des Réalités Nouvelles, de 1950 à 1957. En 1945, elle montra une première exposition personnelle de ses œuvres, toujours à Sydney, puis en 1947 à Londres ; 1950, 1953 (...) à Paris.

Fixée à Paris, elle évolua vers une abstraction géométrique classique, à partir de 1949.

Bibliogr. : Michel Seuphor : *Diction. de la peint. abstr.*, Hazan, Paris, 1957.

WEBB Mary. Voir aussi **WARD**

WEBB Stephen

Né le 16 février 1849. Mort sans doute en juillet 1933. xixe-xxe siècles. Britannique.

Sculpteur de bustes.

Il se fixa à Londres à l'âge de 16 ans. Il sculpta les bustes de la reine Victoria et de plusieurs hommes d'État.

WEBB Thomas

xixe siècle. Britannique.

Médailleur.

Il grava à Birmingham, de 1800 à 1830, des médailles frappées à l'effigie de personnalités ou commémorant des événements de son époque.

WEBB Westfield

Mort vers 1772. xviiie siècle. Actif à Londres. Britannique.

Peintre de portraits, de paysages et de fleurs.

Il travailla à Saint Martin's Lane. Membre de la Society of Artists, il prit part aux expositions de ce groupement de 1762 à 1772.

WEBB William

Mort en 1850. xixe siècle. Actif à Tramworth. Britannique.

Peintre de portraits, animaux.

Il exposa à la Royal Academy de Londres, de 1819 à 1828.

Ventes Publiques : Londres, 21 juil. 1978 : *Douglas harbour*, h/t (55,2x96,5) : **GBP 1 000** – New York, 12 oct 1979 : *Le Marché aux chevaux* 1849, h/t (66x91,5) : **USD 47 000** – Londres, 26 juin 1981 : *Chevaux dans un paysage ; Chevaux devant une hutte* l'une de 1836, h/t, une paire (chaque 68,5x95,2) : **GBP 4 800** – Londres, 12 avr. 1991 : *Épagneul rapportant un canard sauvage de la rivière*, h/t (76x91,5) : **GBP 2 200** – New York, 4 juin 1993 : *Charles III, baron de Southampton avec la meute de Grafton*, h/t (92,7x129,5) : **USD 36 800** – Londres, 12 juil. 1995 : *Un hunter bai dans son écurie* 1832, h/t (62x85) : **GBP 4 370** – New York, 12 avr. 1996 : *Trois setters dans un paysage*, h/t (67,3x96,5) : **USD 5 750**.

WEBB William Edward

Né en 1862. Mort en 1903. xixe siècle. Actif à Manchester. Britannique.

Peintre de paysages, marines.

Il exposa à Manchester à partir de 1893, et à Londres, de 1900 à 1902.

Ventes Publiques : Londres, 26 juin 1968 : *Le cheval bai* : **GBP 1 100** – Londres, 29 jan. 1974 : *Marée basse* 1881 : **GBP 440** – Londres, 14 juil. 1976 : *Le marquis d'Anglesey à cheval*, h/t (46x61,5) : **GBP 300** – Londres, 12 juil. 1977 : *Le retour des pêcheurs*, h/t (75x50) : **GBP 650** – Londres, 15 mai 1979 : *Le marché aux poissons*, h/t (39x60) : **GBP 1 600** – Londres, 8 mai 1981 : *Paysage à la rivière, Norfolk*, h/t (59x89,5) : **GBP 2 600** – Londres, 6 juin 1984 : *Bateaux à quai* 1892, h/t (76x127) : **GBP 3 500** – Chester, 12 juil. 1985 : *Personnages sur un quai*, h/t (74x125) : **GBP 4 300** – Londres, 3 juin 1988 : *Prairies innondées autour du prieuré*, h/pap. (20x25,5) : **GBP 990** ; *Soleil couchant sur un estuaire hollandais*, h/t (25x35) : **GBP 1 045** ; *Bateaux de pêche, peut-être à Peel Harbour, Ile de Man*, h/t (56x96,5) : **GBP 3 520** – Londres, 23 sep. 1988 : *Un port* 1894, h/t (56x97) : **GBP 4 400** – Milan, 14 juin 1989 : *Retour de la pêche*, h/t (72x92) : **ITL 3 000 000** – Londres, 27 sep. 1989 : *Goélettes quittant le port* 1894, h/t (41x61) : **GBP 4 180** – New York, 17 jan. 1990 : *Paysage côtier*, h/t (55,9x96,6) : **USD 6 600** – Londres, 21 mars 1990 : *Un angle du château de Conway*, h/t (35,5x25,5) : **GBP 3 080** – Londres, 18 oct. 1990 : *Jour venteux à Peel Harbour*, h/t (61x91,5) : **GBP 5 720** – New York, 21 mai 1991 : *Bateaux au port*, h/t (64,8x102,9) : **USD 6 600** – Londres, 22 mai 1991 : *Peel Harbour ; Penzance*, h/t, une paire (chaque 55,5x96) : **GBP 11 000** – Londres, 20 mai 1992 : *Au large de North Shields*, h/t (61x91,5) : **GBP 4 180** – Londres, 20 jan. 1993 : *Navigation dans le port de Portsmouth*, h/t (56x96,5) : **GBP 15 870** – Montréal, 21 juin 1994 : *Débarquement de la pêche* 1892, h/t (55,8x96,5) : **CAD 5 400** – Londres, 2 nov. 1994 : *Barques de pêche à Venise*, h/t, une paire (chaque 47x61) : **GBP 7 475** – Londres, 30 mai 1996 : *Bateaux de pêche, Brixham, près de Torquay*, h/t (60,5x91) : **GBP 2 760** – Glasgow, 21 août 1996 : *Le Port de Peel, île de Man*, h/t (55,8x96,5) : **GBP 9 775** ; *Le Château de Peel depuis le port, île de Man*, h/t (55,8x96,5) : **GBP 7 130** ; *Rue principale animée dans un village*, h/t (35,5x45,7) : **GBP 1 265** – Lokeren, 6 déc. 1997 : *Marché sur le port*, h/t (60x91) : **BEF 140 000**.

WEBB William J. ou **Webbe**

xixe siècle. Actif de 1853 à 1878. Britannique.

Peintre de genre, sujets typiques, animaux, paysages. Tendance préraphaélite.

Il fit ses études à Düsseldorf. Entre 1855 et 1860 il vécut dans l'île de Wight. Il entreprit un voyage au Moyen Orient en 1862 et à partir de ce moment ses travaux montrent des personnages arabes et des scènes de rue à Jérusalem.

Personnage étrange, il n'appartint pas réellement au cercle des pré-raphaélites mais ses paysages et animaux peints dans les années 1850-1860, très détaillés, emprunts d'intenses qualités poétiques démontrent son attirance pour des idéaux esthétiques de ce groupe.

Bibliogr. : Allen Staley : *Le paysage pré-Raphelite*, 1973.

Ventes Publiques : Londres, 14 juil. 1972 : *Coucher de soleil* : **GNS 550** – Londres, 14 juin 1977 : *La chouette blanche* 1856, h/cart. (43x25) : **GBP 1 100** – Londres, 16 mars 1979 : *Le gardien de chèvres arabe* 1869, h/t (105,4x75) : **GBP 1 400** – Londres, 9 avr. 1980 : *Printemps* 1861, h/pan., de forme ronde (diam. 34) : **GBP 4 000** – Londres, 27 juil. 1984 : *Renard dormant dans un paysage*, h/t (54,6x78) : **GBP 2 200** – Londres, 12 juin 1985 : *Deux têtes de moutons* 1853, h/pan., de forme ronde (diam. 12,5) : **GBP 2 600** – Londres, 3 nov. 1989 : *Le voleur bien pris* 1860, h/t (56x76) : **GBP 2 420** – Londres, 30 mars 1994 : *La pie voleuse* 1856, h/cart. (50,5x40,5) : **GBP 10 925** – Londres, 4 nov. 1994 : *Le voleur attrapé* 1860, h/t (55,9x76,5) : **GBP 5 405** – Londres, 27 mars 1996 : *Un chamelier* 1866, h/pan. (33x25,5) : **GBP 1 725** – Londres, 4 juin 1997 : *Un berger jouant de la flûte* 1864, h/t (79,5x64) : **GBP 8 050**.

WEBB-GILBERT Charles
Né en 1869 à Talbot. Mort le 3 octobre 1925. XIXe-XXe siècles. Actif aussi en Grande-Bretagne. Australien.
Sculpteur de monuments.
Il fut l'un des plus importants sculpteurs de son époque en Australie. Il n'eut aucun maître. Il travailla aussi à Londres. Il a sculpté le monument aux morts de Saint-Quentin.
Musées : Londres (Tate Gal.) : *Le Critique*.

WEBB-ROBINSON M. D., Mrs. Voir **ROBINSON M. D.**

WEBBER. Voir aussi **WEBER**

WEBBER Henry ou **Heinrich** ou **Wäber**
Né le 15 juillet 1754 à Londres. Mort en 1826 à Londres. XVIIIe-XIXe siècles. Britannique.
Sculpteur.
Il était fils du sculpteur bernois Abraham Wäber. Il fut élève de la Royal Academy de Londres. Il sculpta des sujets antiques, le plus souvent des bas-reliefs.

WEBBER John ou **Johann** ou **Weber** ou **Wäber**
Né le 6 octobre 1750 ou 1752 à Londres. Mort le 5 ou 29 avril 1793 à Londres. XVIIIe siècle. Britannique.
Peintre de portraits, paysages, marines, aquarelliste, dessinateur, graveur, illustrateur.
Il était fils du sculpteur bernois Abraham Wäber. John fut envoyé à Paris faire son éducation artistique. Il revint à Londres en 1775, et compléta ses études aux écoles de la Royal Academy. Il exposa à Londres en 1776-1792. Agréé à la Royal Academy en 1785, il fut académicien en 1791.
Il accompagna le capitaine Cook dans son dernier voyage. Waber était de retour en 1780 et en rapportait les dessins qui illustrèrent la relation de l'illustre navigateur. Il publia aussi un certain nombre de vues relatives à ce voyage dessinées, gravées et imprimées en couleurs par lui. Son dessin de l'assassinat du capitaine Cook (il avait assisté à ce drame) fut gravé par Byran et Bartolozzi.
Musées : Dublin : *Vue à Otahiti, avec naturels* – Londres (Nat. Portrait Gal.) : *Portrait du navigateur James Cook* – Londres (Victoria and Albert Mus.) : *Épisode du voyage du capitaine Cook* – *Vue de l'île de Krakatoa, près l'archipel de la Sonde* – *Vue des îles de la Société* – *Environs de Dolgilly* – *Mill pound, près Shercrosbury* 1790.
Ventes Publiques : Paris, 6 déc. 1923 : *Le repos des moissonneurs*, lav. bistre et aquar. : **FRF 480** – Londres, 21 mai 1970 : *Vue de l'Ile de Cracatoa*, aquar. : **GBP 460** – Londres, 18 juin 1971 : *Indigènes sur leur bateau* : **GBP 1 400** – Londres, 20 mars 1973 : *Boats of the Friendly Islands* : **GBP 1 600** – Londres, 15 juil. 1976 : *Chepstow castle* 1788, aquar. (26,5x38) : **GBP 380** – Londres, 14 oct. 1977 : *Portrait of Otoo, king of Otaheite*, h/t, à vue ovale, marouflée/c (36,2x28) : **GBP 3 000** – Londres, 11 nov. 1982 : *Como* ; *Environs of Como* 1787, 2 aquar. et pl. (30,5x48,5 et 29,5x49) : **GBP 2 000** – Londres, 10 juil. 1984 : *View in the Island of Crakatoa*, aquar. cr. et pl. (35,5x57,5) : **GBP 15 000** – Londres, 13 nov. 1997 : *Vue de Ulietea* ; *La Mort du Capitaine Cook* ; *Sir Horace Baron de Nelson du Nil* 1788 et 1784, aquat., eau-forte, estampe et grav. au point, huit pièces : **GBP 5 060**.

WEBBER Wesley
Né en 1838 ou 1841 à Gardiner. Mort le 4 novembre 1914 à Boston (Massachusetts). XIXe-XXe siècles. Américain.
Peintre de sujets militaires, paysages, illustrateur.
Il peignit des paysages et des scènes de la guerre de Sécession.
Ventes Publiques : New York, 2 févr 1979 : *Sur la plage*, h/t (55,8x91,5) : **USD 1 900** – San Francisco, 21 juin 1984 : *Deser rock off the coast of Maine* 1875, h/t (61x112) : **USD 3 000** – New York, 15 mars 1985 : *La chasse à la baleine*, h/t (35,6x61) : **USD 2 200** – New York, 30 mai 1990 : *Paysage d'hiver animé*, h/t (68,6x55,9) : **USD 2 640** – New York, 10 juin 1992 : *Berger et ses moutons dans un paysage nuageux*, h/t (46,2x127) : **USD 6 050** – New York, 25 sep. 1992 : *Voilier au clair de lune*, h/t (66x91,4) : **USD 1 100** – New York, 11 mars 1993 : *Près de North Head à Grand Manon*, h/t (76x127) : **USD 13 800**.

WEBBER William John Seward
Né en 1843 à Exeter. XIXe siècle. Britannique.
Sculpteur.
Élève de J. Gendall à Exeter et de l'Académie de Londres. Il y exposa à partir de 1870.

WEBBER Zacharias
Né vers 1644 ou 1645 à Amsterdam. Enterré à Amsterdam le 17 janvier 1696. XVIIe siècle. Hollandais.
Peintre, dessinateur, aquafortiste et écrivain.
Élève de Gérard de Lairesse. Le Musée de Leeuwarden conserve de lui *Portrait du prédicateur Balh. Bekker*.
Ventes Publiques : Paris, 26 juin 1950 : *Scènes de la vie du Christ*, recueil de onze dessins, plume et lavis : **FRF 4 500**.

WEBBERS Carel
Né en 1766 à Willemstad. Mort le 10 mars 1837 à La Haye. XVIIIe-XIXe siècles. Hollandais.
Dessinateur, aquafortiste et poète.

WEBBERS S. ou **J.**
XVIIe siècle. Travaillant à Amsterdam de 1656 à 1665. Hollandais.
Graveur au burin.
Il grava des vues d'Amsterdam.

WEBER Abraham
Né à Eybestahl. Mort après 1683 à Dresde (?). XVIIe siècle. Autrichien.
Peintre.
Il se fixa à Dresde et y travailla pour la cour.

WEBER Adam. Voir **WEBER Evarist Adam**

WEBER Adolf
Né en 1925. XXe siècle. Suisse.
Peintre de figures, portraits, paysages, peintre à la gouache.
Musées : Aarau (Aargauer Kunsthaus) : *Portrait de garçon* 1950, h/t – *Maison paternelle* 1960, h/t – *Atelier de Eugen Maurer* 1962, gche – *Enfant jouant* – *Au bord du ruisseau*, gche.

WEBER Adolphe
Né le 4 mars 1842 à Boulay (Moselle). XIXe siècle. Français.
Peintre de compositions mythologiques, scènes de genre, portraits.
Élève de Laurent Charles Maréchal, Léon Cogniet, Alexandre Cabanel, à l'École des Beaux-Arts de Paris, où il entra en 1860, il fut pensionnaire du département de la Moselle.
Il participa au Salon de Paris entre 1865 et 1882, obtenant une médaille en 1867.
Ses compositions symbolistes, sous une structure assez académique, se ressentent d'une certaine recherche spirituelle.
Bibliogr. : Gérald Schurr, in : *Les Petits Maîtres de la peinture 1820-1920, valeur de demain*, Les Éditions de l'Amateur, t. III, Paris, 1976.
Musées : Metz : *Echo et Narcisse* – Orléans : *Le réveil de Psyché* – Pau : *Vénus portée par Zéphyr*.

WEBER Albert
Né le 14 mai 1884 à Paris. XXe siècle. Français.
Peintre.
Il fut élève de Louis A. Colas. Il a réalisé des lithographies.

WEBER Alfred
Né le 8 juin 1859 à Schaffhouse. XIXe siècle. Suisse.
Peintre de genre, portraits, paysages.
Il fut élève de L. Pétua et de J. Lefebvre.
Ventes Publiques : Los Angeles, 23 juin 1980 : *Trop chaud*, h/pan. (39,4x31,8) : **USD 5 250** – New York, 28 mai 1982 : *L'heure du thé*, h/pan. (40,6x33) : **USD 3 000** – Rome, 14 déc. 1989 : *Ça mord !*, aquar. (55x45) : **ITL 2 530 000**.

WEBER Alfred Charles
Né le 20 avril 1862 à Paris. Mort le 11 décembre 1922 à Paris. XIXe-XXe siècles. Français.
Peintre de genre, portraits, aquarelliste.
Il fut élève de Soyer et Cormon. Il exposa à Paris, aux Salons des Artistes Français à partir de 1881, dont il fut membre sociétaire à partir de 1905.

Alfred Weber

Musées : Le Havre : *Portrait de mon frère*.
Ventes Publiques : Paris, oct. 1945-juillet 1946 : *Cardinal dans son intérieur* : **FRF 6 000** – Paris, 16 jan. 1950 : *Une fausse note*, aquar. : **FRF 8 500** – Paris, 21-22 déc. 1953 : *Les favoris de Monseigneur*, aquar. : **FRF 25 000** – Los Angeles, 23 mai 1972 : *La lettre amusante* : **USD 900** – New York, 9 oct. 1974 : *La Prise* : **USD 1 500** – Zurich, 12 nov. 1976 : *Le Bon Vivant*, h/pan. (17x14) : **CHF 3 600** – Londres, 11 fév. 1977 : *Le Bénédicité* ; *h/p* (32x23) : **GBP 600** – New York, 28 mai 1980 : *Echec à la dame*, h/pan. (37x46,4) : **USD 7 000** – New York, 24 fév. 1983 : *Les Ragots*,

h/pan. parqueté (49x61) : **USD 2 700** – New York, 29 oct. 1992 : *Un soupçon de vin blanc*, h/pan. (33x23,5) : **USD 6 050** – New York, 16 fév. 1993 : *Cardinal chantant en s'accompagnant au piano*, aquar./cart. (37x25) : **USD 880** – New York, 15 fév. 1994 : *Les amis du cardinal*, h/pan. (61,6x50,2) : **USD 7 475** – Amsterdam, 19 avr. 1994 : *Le Cardinal*, aquar. (43,5x28) : **NLG 1 840** – Reims, 12 mars 1995 : *Cardinaux dégustant du champagne*, aquar., une paire (23x16 et 23x15,5) : **FRF 7 000** – Paris, 27 juin 1997 : *Cardinal le verre à la main*, aquar. (34x25) : **FRF 4 500**.

WEBER Antoine Jean

Né le 11 mai 1797 à Paris. Mort en 1875. XIXe siècle. Français.

Peintre et lithographe.

Élève de Gros et de Vaffard. Il entra à l'École des Beaux-Arts le 12 février 1813. Il exposa au Salon de 1827 à 1850 : médaille de deuxième classe en 1824. Il paraît avoir été protégé par la famille d'Orléans. On voit de lui au Musée de Versailles *Portrait du maréchal de Montluc* et *Portrait de la duchesse Suzanne de Bourbon*.

WEBER Anton

XVIIIe siècle. Travaillant vers 1713. Autrichien.

Sculpteur sur bois.

Il a sculpté les autels latéraux dans l'église Notre-Dame de Lorette de Saint-André en Carinthie.

WEBER Anton

Né le 4 août 1833 à Liebstadt (près de Weimar). Mort le 31 juillet 1909 à Bad Landeck. XIXe siècle. Allemand.

Peintre d'histoire, scènes de genre, portraits.

Il fut élève de Huebner à Dresde. Il reçut une médaille en 1859 et en 1860, à Dresde. Il fut nommé professeur de l'Académie de Berlin.

Musées : Dresde : *Portrait du graveur Seifert*.

WEBER August

Né en 1898 à Wädenswil. XXe siècle. Suisse.

Peintre de portraits, nus, figures, paysages, graveur.

Il fut élève de Willy Hummel à Zurich et de l'École des Beaux-Arts de Genève. Il vécut et travailla à Zurich. Il exposa à Zurich, à partir de 1917.

Graveur, il a réalisé des eaux-fortes.

WEBER August

Né le 10 janvier 1817 à Francfort-sur-le-Main. Mort le 9 septembre 1873 à Düsseldorf. XIXe siècle. Allemand.

Peintre de paysages, lithographe.

Élève de Schilbach, puis en 1836, du Stadelsche Institut et en 1838 de l'Académie de Düsseldorf, dans l'atelier de Schirmer. En 1861, professeur et, en 1869, membre de l'Académie de Berlin.

Musées : Cologne : *Paysage du soir* – Düsseldorf : *Paysage boisé – Paysage italien* – Kaliningrad, ancien. Königsberg : *Paysage de forêt* – Leipzig : *Paysage éclairé par la lune*.

Ventes Publiques : Cologne, 17-20 oct. 1952 : *Paysage de Westphalie* : **DEM 600** – Wuppertal, 5 mai 1953 : *Paysage* : **DEM 470** – Cologne, 26 mars 1971 : *Paysage d'Italie* : **DEM 9 000** – Cologne, 15 nov. 1972 : *La route de campagne* : **DEM 2 800** – Cologne, 29 mars 1974 : *Paysage au soir couchant* : **DEM 6 500** – Cologne, 16 juin 1978 : *Paysage boisé*, h/t (50x45) : **DEM 400** – Amsterdam, 14 juin 1994 : *Paysage boisé avec un puits près d'un ruisseau*, h/t (22x31) : **NLG 1 495**.

WEBER Carl

Né le 18 octobre 1850 à Philadelphie. Mort le 24 janvier 1921 à Ambler. XIXe-XXe siècles. Américain.

Peintre de paysages, aquarelliste, peintre à la gouache, dessinateur, technique mixte.

Fils du peintre Paul Weber.

Musées : Le Cap (Gal.) : deux peintures.

Ventes Publiques : New York, 29 avr. 1977 : *Vue de Philadelphie*, h/t (51x92,7) : **USD 1 700** – New York, 23 mai 1979 : *Paysage montagneux*, h/t (127x91,5) : **USD 1 800** – New York, 29 jan. 1981 : *Bateaux au large d'une côte rocheuse* 1893, h/t (106,7x171,4) : **USD 3 250** – New York, 15 mars 1985 : *Monroe County, Pennsylvania*, aquar. (47,9x79) : **USD 1 100** – New York, 24 jan. 1990 : *Bovins s'abreuvant à la mare au crépuscule*, aquar. gche et cr./pap. (35,5x67,7) : **USD 1 320** – New York, 22 mai 1991 : *Canotage sur la rivière Schuylkill*, h/t (50,9x92) : **USD 5 500** – Munich, 10 déc. 1991 : *L'été dans le Voralberg*, h/t (60,5x97) : **DEM 9 775** – New York, 31 mars 1994 : *Le printemps dans le comté de Delaware*, aquar./pap. (60,6x91,1) : **USD 1 380** – New York, 28 nov. 1995 : *Lac George* 1882, h/t (51x91,5) : **USD 7 130**.

WEBER Carl Anton

XVIIIe siècle. Travaillant en 1741. Suisse.

Peintre.

Il a peint le chœur de l'abbatiale de Saint-Gall.

WEBER David

Né le 15 avril 1790 à Zurich. Mort le 2 octobre 1865 à Vienne. XIXe siècle. Suisse.

Paysagiste et aquafortiste.

Il se fixa à Vienne en 1816.

WEBER Dominik

XIXe siècle. Actif à Fribourg dans la seconde moitié du XIXe siècle. Allemand.

Peintre.

Musées : Karlsruhe : *Deux jeunes filles avec une colombe*.

WEBER Ed. von. Voir **WEEBER Éduard von**

WEBER Ella

Née le 25 octobre 1860 à Vienne. XIXe siècle. Autrichienne.

Sculpteur.

Élève de R. Geyling à Vienne et de Denys Puech à Paris. Elle sculpta surtout des portraits.

WEBER Emil

Né le 19 octobre 1872 à Zurich. XIXe-XXe siècles. Suisse.

Peintre de figures, paysages.

Il fut élève de l'académie des Beaux-Arts de Munich. Il exposa à Zurich à partir de 1902.

Musées : Zurich (Kunsthaus) : *À la source*.

WEBER Émile

Né le 26 avril 1867 à Winterthur (Suisse). XIXe-XXe siècles. Actif et naturalisé en France. Suisse.

Peintre de paysages.

Il fut élève de Gérôme. Il se fixa à Mulhouse. Il exposa à Paris au Salon des Artistes Français à partir de 1926.

Il fut aussi cartographe.

WEBER Evarist Adam

Né le 27 novembre 1887 à Aix-la-Chapelle. XXe siècle. Allemand.

Peintre de figures, fleurs, paysages, graveur.

Il fut élève de l'Académie de Düsseldorf.

Il subit l'influence de Cézanne. Il grava surtout sur bois.

Musées : Aix-la-Chapelle : *L'Aveugle – L'Église de Laurensberg* – Munster (Mus. prov.) : *Dahlias*.

WEBER F. C.

XVIIIe siècle. Actif à Arth au milieu du XVIIIe siècle. Suisse.

Peintre.

Il travailla pour la chapelle de Rigi-Scheidegg.

WEBER Franz

Né en 1760. Mort le 17 juillet 1818 à Vienne. XVIIIe-XIXe siècles. Autrichien.

Graveur au burin.

Il grava quelques frontispices pour des œuvres de Schiller, ainsi que des illustrations et des almanachs.

WEBER Franz

Né en 1933. XXe siècle. Suisse.

Peintre de natures mortes.

Musées : Aarau (Aargauer Kunsthaus) : *Nature morte II*, h/t.

WEBER Franz Josef. Voir aussi **TEXTOR Franz Josef**

WEBER Franz Joseph ou **Wäber**

Né à Zug. XVIIe-XVIIIe siècles. Suisse.

Sculpteur.

WEBER Franz Thomas. Voir **WEBER Thomas**

WEBER Franz Xaver ou **Veber**

Né le 25 mars 1829 à Pécs. Mort le 28 décembre 1887 à Munich. XIXe siècle. Hongrois.

Peintre d'histoire et de genre.

Élève de l'Académie de Munich. Il peignit des scènes de l'histoire de Hongrie.

WEBER Frédéric ou **Friedrich**

Né le 10 mars 1813 à Liestahl. Mort le 17 février 1882 à Bâle. XIXe siècle. Suisse.

Graveur.

Élève d'Amsler à Munich. Il compléta son éducation à Paris, où il s'établit. Il fut médaillé au Salon en 1847, 1859 et 1863. Il fut membre correspondant de l'Académie des Beaux-Arts de Paris, et membre de l'Académie de Berlin.

WEBER Frederick Theodore

Né le 9 mars 1883 à Columbia (Caroline du Sud). XXe siècle. Américain.

Peintre, sculpteur, graveur.
Il fut élève de Laurens et de l'École des Beaux-Arts à Paris. Il fut membre de la Ligue Américaine des Artistes Professeurs.

WEBER Frida
Née le 24 décembre 1891 à Kassa. XXe siècle. Hongroise.
Peintre de natures mortes.

WEBER Frigyes ou **Friedrich**
XIXe siècle. Actif à Pest en 1856. Hongrois.
Sculpteur.

WEBER Georg
XVIIIe siècle. Autrichien.
Sculpteur.
Il exécuta des stucatures de style rococo dans l'église de Jochberg vers 1750.

WEBER Georg
Né le 4 mai 1884 à Tuggen. XXe siècle. Suisse.
Peintre de portraits, paysages, natures mortes.
Il fut élève de Karl Raupp et de Hugo von Habermann à Munich. Il exposa à Zurich à partir de 1915.

WEBER Georg Leonhard
Né entre 1665 et 1670. XVIIe siècle. Actif à Schweidnitz. Allemand.
Sculpteur.
Il sculpta pour l'église de Bunzlau et les églises de Breslau. On cite de lui le sarcophage de Saint-Ceslaus, sculpté en albâtre.

WEBER Giovanni Zanobio ou **Veber**
XVIIIe-XIXe siècles. Actif à Florence, de 1761 à 1806. Italien.
Médailleur.
Probablement élève d'A. Widemann à Vienne. Il grava des médailles commémorant des événements historiques de son époque.

WEBER Gottlieb Daniel Paul
Né le 19 janvier 1823 à Darmstadt. Mort le 12 octobre 1916 à Munich. XIXe-XXe siècles. Allemand.
Peintre de genre, animaux, paysages.
Il fut élève du peintre August Suras à Darmstadt, puis du Stadelsche Institut à Francfort, et de l'Académie de Munich. En 1846, il voyagea en Orient. En 1871, il s'établit à Munich. Il exposa à Vienne en 1868.
Musées : Darmstadt : *Attelage de bœufs – Le Torrent – Vieille Porte à Bessungen* – Lübeck : *Moutons au pâturage* – Magdebourg : *Paysage de forêt* – Mayence : *Paysans dans le jardin du château de Schwetzing – Paysage de la Haute-Bavière* – Munich (Nouvelle Pina.) : *Paysage du marais* – Wuppertal : *À l'orée du bois*.
Ventes Publiques : Berlin, 14 nov. 1952 : *Maison de paysans* 1867 : **DEM 300** – Londres, 18 fév. 1970 : *Le rendez-vous* : **GBP 600** – Cologne, 22 oct. 1971 : *Rothenburg an der Taube* : **DEM 2 600** – Düsseldorf, 20 juin 1973 : *Paysage boisé* : **DEM 4 600** – Munich, 25 nov. 1976 : *Lac de montagne* vers 1870, h/cart. (27x37) : **DEM 3 200** – New York, 14 jan. 1977 : *Troupeau à l'abreuvoir*, h/t (39,5x71) : **USD 3 100** – New York, 2 mai 1979 : *Troupeau à l'abreuvoir* 1873, h/t (70x112) : **USD 13 000** – New York, 24 jan. 1980 : *Troupeau à l'abreuvoir* 1873, h/t (70x112) : **USD 11 000** – Stuttgart, 9 mai 1981 : *Heidelberg* 1858, h/t (111x140) : **DEM 40 000** – New York, 21 oct. 1983 : *River bend* 1866, h/t (76,2x121,9) : **USD 12 500** – Cannes, 4 juin 1985 : *Paysage de Suisse* 1887, aquar. (55x96) : **FRF 12 000** – Lindau, 2 oct. 1985 : *Scène de bord de mer* 1850, h/t (62x94) : **DEM 18 000** – New York, 30 sep. 1988 : *Paysage de montagne avec un torrent* 1855, h/t (102,4x87) : **USD 4 400** – New York, 24 mai 1989 : *Les environs d'Obersdorf en Bavière*, h/t (71,8x122) : **USD 38 500** – New York, 19 juil. 1990 : *Personnage sur un sentier forestier* 1897, h/t (55,9x45,2) : **USD 2 200** – Munich, 26-27 nov. 1991 : *Paysage fluvial*, h/cart. (16,5x25) : **DEM 4 600** – New York, 18 déc. 1991 : *Paysage rural avec une rivière*, h/t (35,6x43,8) : **USD 1 870** – New York, 20 jan. 1993 : *Vue d'un château surplombant un lac dans un paysage montagneux* 1863, h/t (52,7x75,6) : **USD 5 750** – New York, 27 mai 1993 : *Paysage d'une rivière de montagne près de Philadelphie* 1855, h/t (28,6x38,7) : **USD 8 050** – Heidelberg, 5-13 avr. 1994 : *Chasseur et ses chiens dans la forêt de Fontainebleau*, h/pan. (50,5x64,5) : **DEM 4 800** – Munich, 21 juin 1994 : *Troupeau de vaches dans un paysage de montagnes*, h/t (83x131) : **DEM 10 925** – Heidelberg, 8 avr. 1995 : *L'arrivée de l'orage dans les marais de Dachau*, h/cart. (17x30) : **DEM 4 000** – New York, 25 mars 1997 : *La Batelière*, h/t (47,3x66) : **USD 4 025**.

WEBER Hannes Otto Bernhard
Né en 1911 à Düsseldorf. XXe siècle. Allemand.
Peintre de figures, paysages, intérieurs.
Il a participé à de nombreuses expositions collectives dans son pays et à l'étranger, notamment en 1962 à l'exposition *Artistes de Düsseldorf* au musée des Beaux-Arts d'Ostende.
On cite *Femme à la cruche* de 1957, *Bibliothèque nationale de Paris* de 1957 et *Tanière d'une écrevisse* de 1959.

WEBER Heinrich
Mort en 1566 à Lucerne, exécuté. XVIe siècle. Actif à Zurich. Suisse.
Peintre verrier.

WEBER Heinrich
XVIIIe siècle. Travaillant à Kladrau en 1747. Autrichien.
Sculpteur.
Il sculpta un autel dans l'abbatiale de Tepl.

WEBER Henrich
Né le 28 janvier 1892 à Birsfelden. XXe siècle. Suisse.
Dessinateur, peintre de paysages, décorateur.
Il débuta au Salon de Zurich en 1915 avec un *Paysage du Rhin*.

WEBER Henrik ou **Veber**
Né le 24 mai 1818 à Budapest. Mort le 14 mai 1866 à Budapest. XIXe siècle. Hongrois.
Peintre.
Il fit ses études à Vienne. Il peignit des portraits, des scènes historiques et bibliques, ainsi que des scènes de genre. Le Musée national de Budapest conserve des peintures de cet artiste.

WEBER Hildegarde. Voir **WEBER-LIPSI**

WEBER Hugo
Né en 1918 à Bâle. Mort le 15 août 1971 à New York. XXe siècle. Depuis 1946 actif et depuis 1955 naturalisé aux États-Unis. Suisse.
Peintre, peintre à la gouache, technique mixte, sculpteur. Abstrait.
Il fit ses études à Bâle et à Paris. En 1946, Moholy-Nagy l'appela à Chicago, où il s'installa, pour enseigner à l'Institute of Design. Il fut ensuite professeur à l'Illinois Institute of Technology. En 1955-1956, il séjourna à Bâle, puis de 1956 à 1960 à Paris. Il partagea ensuite son temps entre New York et Chicago.
Il a montré de nombreuses expositions de ses œuvres, aux États-Unis, au Canada, en France, où il a figuré au Salon des Réalités Nouvelles en 1957, en Suisse, en Norvège, au Liban, etc.
Dès 1945, il aurait réalisé, à Bâle, des reliefs transformables, constitués de boules de bois. Travaillant vite et d'une manière semi-automatique, « énergétique », aime-t-il à préciser, il obtient des formes ouvertes, en devenir. Ses peintures, abstraites, gestuelles, évoquent Fautrier dans le traitement de la matière.
Bibliogr. : Michel Seuphor : *Diction. de la peint. abstr.*, Hazan, Paris, 1957 – Frank Popper : *L'Art Cinétique*, Gauthier-Villars, Paris, 1970.
Ventes Publiques : Lucerne, 24 nov. 1990 : *La dame noire au trait jaune*, h/t (80x40) : **CHF 7 000** – Lucerne, 21 nov. 1992 : *Figure dansante à Cadaques* 1958, techn. mixte/pap. (50x65) : **CHF 7 500** – Lucerne, 4 juin 1994 : *Wünsche* 1964, h. et techn. mixte/pap. (29,5x37,5) : **CHF 3 000** – Lucerne, 26 nov. 1994 : *Passage* 1955, h/rés. synth. (61x122) : **CHF 14 000** – Paris, 27 mars 1995 : *Figures under roof* 1953, gche (56x76) : **FRF 4 600** ; *Window* 1954, h/t (96x96) : **FRF 30 000** – Lucerne, 20 mai 1995 : *Le regard de Kathryn* 1950, encre (30,5x39,8) : **CHF 1 400** – Lucerne, 7 juin 1997 : *Shift + Lift* 1954-1955, h/t (83x125) : **CHF 20 000**.

WEBER Ilse
Née en 1908 à Baden. XXe siècle. Suisse.
Peintre de figures, paysages, natures mortes, peintre à la gouache, dessinateur.
En 1936-1937 à Paris, elle fut élève d'Othon Friesz, soit à l'Académie de la Grande-Chaumière, soit peut-être encore à l'Académie Scandinave. Elle vit et travaille à Wettingen. Elle participe à des expositions collectives : 1967 ; Aarau, Aargauer Kunsthaus ; 1971 Aarau *Konfrontationen 2*, Aargauer Kunsthaus ; 1971 Aarau *Exposition des artistes d'Aarau*, Théâtre de Saint-Gall ; puis Lucerne, galerie Raeber.
C'est un art déstabilisant. Sous les dehors les plus modestes qui soient, souvent seulement du dessin, des paysages apparemment tout simples, on s'aperçoit vite que l'on a été piégé. D'abord, l'apparente modestie des moyens révèle bientôt au contraire une peinture et un dessin à l'allure mal fichue, alors que d'une sensibilité poétique dans la lignée de Paul Klee, dont l'apparente modestie de ses créations les fit aussi longtemps minimiser. Et puis, outre les moyens matériels de la création, ce sont

encore les images qui perturbent l'esprit, usant de subterfuges aussi insidieux que ceux d'Escher ou de Magritte : l'art de glisser l'insolite sous les dehors les plus innocents. ■ J. B.

Bibliogr. : Theo Kneubühler, in : *Art : 28 Suisses,* Galerie Raeber, Lucerne, 1972.

Musées : Aarau (Aargauer Kunsthaus) : *Intérieur* 1945, h/t – *Rue à Florence* vers 1947, h/t – *Nature morte* 1949 – *Nature morte avec pain* vers 1956-1957, gche/pap. – *Apparition* 1964 – *Hiver* 1962 – *Chalet suisse* 1972, cr. – *Paysage II* 1972, cr.

WEBER Jakob
Né le 18 juin 1637. Mort le 9 février 1685. xviie siècle. Suisse.
Peintre verrier.
Il était actif à Winterthur. On peut rapprocher Jacob Wäber et Jakob Weber.

Musées : Frauenfeld : vitraux – Londres (Victoria and Albert Mus.) : vitraux – Paris (Mus. de Sèvres) : vitraux – Saint-Gall : vitraux – Zurich : vitraux.

WEBER Johann Georg
D'origine allemande. Mort en 1751 à Saint-Pétersbourg. xviiie siècle. Russe.
Peintre.
Assistant de Grooth. Il peignit surtout des icônes pour l'église du château de Zarskoje Sélo.

WEBER Johann Jakob
Né le 3 avril 1803 à Siblingen. Mort le 16 mars 1880 à Leipzig. xixe siècle. Suisse.
Illustrateur.
Il favorisa surtout la gravure sur bois. Il fut également libraire.

Ventes Publiques : Londres, 4 juin 1969 : *La marchande de légumes* : **GBP 360** – Londres, 20 mai 1970 : *Scène de marché* : **GBP 300**.

WEBER Johann Theophil
xviiie siècle. Autrichien.
Sculpteur.
Élève de l'Académie de Vienne. Il sculpta des sujets mythologiques.

WEBER Johann Zanobius. Voir **WEBER Giovanni Zanobio**

WEBER Johannes
Né le 3 mai 1846 à Netstal. Mort le 25 septembre 1912 à Castagnola. xixe-xxe siècles. Suisse.
Peintre de paysages, illustrateur.
Il n'eut aucun maître.

WEBER Johannes
Né le 24 mai 1871 à Zollikon. xixe-xxe siècles. Suisse.
Peintre de paysages, portraits, figures, dessinateur.
Il fut élève de l'École des Arts décoratifs de Zurich et de Paris. Il débuta au Salon de Zurich en 1909.

WEBER John ou **Johann**. Voir **WEBBER**

WEBER Jörg ou **Georges**
Né le 4 août 1636 à Zug. xviie siècle. Suisse.
Graveur sur bois.
Il a sculpté le plafond de la chapelle Saint-Sébastien d'Inwil près de Baar.

WEBER Josef
xviiie siècle. Travaillant à Brunn vers 1750. Autrichien.
Sculpteur sur bois.

WEBER Josef Konrad
xviiie-xixe siècles. Actif à Ofen entre 1757 et 1800. Hongrois.
Sculpteur.

WEBER Joseph
Né vers 1803 à Mannheim. Mort après 1881 à Mannheim. xixe siècle. Allemand.
Peintre de portraits.
Il vécut longtemps à Cologne. On cite de lui : *Portrait du peintre Gibert Fluggen ; Portrait de l'artiste* et *Portrait du pasteur Hackenbraich,* tous les trois au Musée de Cologne. Le Musée de Karlsruhe conserve de lui *Portrait du conservateur Franz Joseph Zoll.*

Ventes Publiques : Heidelberg, 11-12 avr. 1997 : *Portrait de Karl von Peternel en uniforme des gardes du corps avec son chien* 1838, h/t (71x60,5) : **DEM 4 200**.

WEBER Joseph Anton
Né le 25 juin 1736 à Arth. Mort le 26 octobre 1804 à Schwyz. xviiie siècle. Suisse.
Peintre de fresques.
Il peignit les fresques dans les églises d'Ibach et de Schwyz-Village.

Ventes Publiques : Londres, 29 nov 1979 : *Vue du passage du Cerdon sur la route entre Lyon et Genève* 1788, aquar. et pl. (32x23,5) : **USD 2 100**.

WEBER Joseph Carl
Né le 16 janvier 1801 à Augsbourg. Mort le 25 octobre 1875 à Augsbourg. xixe siècle. Allemand.
Peintre et lithographe.
Élève de M. G. Eichler et de l'Académie de Munich. Le Musée municipal d'Augsbourg conserve de lui deux vues de la ville d'Augsbourg ainsi que plusieurs peintures, aquarelles et dessins.

WEBER Jozsef Lénart ou **Joseph Léonard**
Né vers 1702 à Budapest. Mort le 8 juin 1763 à Budapest. xviiie siècle. Hongrois.
Sculpteur.
Il travailla surtout pour l'église Sainte-Anne de Budapest. Le Musée municipal de cette ville conserve de lui quatre saints et plusieurs anges.

WEBER Julie, née **Arnaud**
xixe siècle. Française.
Peintre de fleurs, fruits, aquarelliste.
Elève de Redouté, elle exposa au Salon entre 1838 et 1844.

Ventes Publiques : Monaco, 2 déc. 1988 : *Bouquet de fleurs,* aquar. et gche, une paire (chaque 33,7x25,5) : **FRF 44 400**.

WEBER Kaspar
xviie siècle. Suisse.
Sculpteur sur bois.
Il a sculpté le jubé et la chaire de l'église Saint-Pierre de Zurich et le maître-autel de l'église Saint-Augustin de Constance.

WEBER Kurt
Né le 20 octobre 1893 à Weiz. xxe siècle. Autrichien.
Peintre de décorations.
Il fut élève de Erwin Knirr à Munich. Il vécut et travailla à Graz.

WEBER Lorenzo Maria ou **Veber**
Mort le 13 juin 1787 (?). xviiie siècle. Actif à Florence. Italien.
Médailleur et tailleur de camées.
Élève de Massimo Soldani. Il travailla pour la cour de Florence.

WEBER Lukas
Né en 1811 à Hottingen. Mort vers 1860 à Zurich. xixe siècle. Suisse.
Peintre et graveur au burin.
Il fit ses études à Zurich, à Munich et à Paris. Le Musée de Zurich conserve de lui un panorama (*Les rives du Lac de Zurich*).

WEBER Maria ou **Marie** ou **Philips-Weber**
xixe siècle. Active à Munich. Allemande.
Peintre de genre.
Élève de l'École d'Art à Munich. Elle exposa à Munich en 1876. Les Musées de Munich, de Nuremberg et le Vatican de Rome conservent des œuvres de cette artiste.

Ventes Publiques : New York, 24 janv 1979 : *Fillette au cerceau,* h/t (66x40,6) : **USD 950**.

WEBER Martin
xviie siècle. Actif à Nuremberg et à Prague en 1621. Autrichien.
Tailleur de camées.

WEBER Mathilde
Née le 31 mars 1891 à Winterthur. xxe siècle. Suisse.
Peintre de paysages, natures mortes.

WEBER Matthias
Né en 1757 à Zurich. Mort en 1794 à Breda. xviiie siècle. Suisse.
Graveur au burin.
Il grava des illustrations d'ouvrages de botanique.

WEBER Max
Né en 1881 à Bialystok (Pologne-Russie). Mort en 1961 à Great Neck (État de New York). xxe siècle. Depuis 1891 actif et naturalisé aux États-Unis. Polonais.
Peintre de compositions animées, figures, nus, paysages, natures mortes, aquarelliste, pastelliste. Expressionniste.
En 1891, il arriva à l'âge de dix ans, avec sa famille émigrée aux États-Unis. À partir de 1897, il fut élève du Pratt Institute de Brooklyn, où il eut pour maître Arthur Wesley Dow, peintre qui

était au fait des courants modernes ayant travaillé avec Gauguin. En 1905, il vint à Paris. Il y travailla à l'Académie de la Grande Chaumière, à l'Académie Colarossi, prenant connaissance du fauvisme et du cubisme, se liant avec le Douanier Rousseau, Matisse, Picasso. Chez le Douanier Rousseau, au cours des célèbres soirées musicales, il chantait au dessert. En 1910, il fut l'organisateur, à la Galerie 291 où il exposait lui-même, de la première exposition du Douanier Rousseau aux États-Unis. Il fut parmi les premiers élèves qu'eut Matisse, vers 1907, avec Patrick-Henry Bruce, A. B. Frost, l'Allemand Hans Purrmann. En 1908, il regagna les États-Unis, où il devint l'un des « vieux maîtres » de la peinture américaine, avec la génération des Bruce, Stuart Davis, Macdonald Wright, Georgia O'Keeffe, John Marin, Charles Demuth, Arthur Dove, Marsden Hartley, Feininger, Frank Hopper, qui occuperont le champ de la peinture américaine moderne jusqu'à l'apparition en 1945, d'une nouvelle génération se voulant plus spécifiquement américaine. Comme enseignant, notamment à l'Art Students' League, il eut une influence considérable sur de nombreux jeunes peintres, qui, à travers lui, eurent souvent des débuts placés sous le signe de l'expressionnisme, même s'ils devaient s'en écarter radicalement par la suite, ainsi, par exemple, en fut-il pour Rothko, qui fut son élève en 1926. Également écrivain, il est l'auteur de *Poèmes cubistes* et des *Essais sur l'art*.

Jusque vers les années dix, il n'avait que participé à des expositions de groupe, entre autres à Paris : aux Salons des Indépendants et d'Automne. À New York, il montra des expositions personnelles de ses œuvres, en 1909, 1911 à la galerie 291 d'Alfred Stieglitz, qui remportèrent alors surtout un succès de scandale. Une exposition personnelle de ses œuvres fut organisée au Musée de Newark en 1913 par John Cotton Dana, la première consacrée à un peintre américain vivant. En 1949, le Whithney Museum of American Art de New York lui consacra une rétrospective.

Il est considéré comme l'auteur, en 1909, de la première peinture cubiste américaine. Il pratiquait dans les années dix une peinture énergiquement expressionniste, même si des emprunts cubistes venaient en raffermir la construction, ce qui, après tout, définira dans la suite une grande part de l'œuvre d'un Picasso. Il est probable qu'il avait eu connaissance de la peinture des expressionnistes allemands de Die Brücke et l'on peut considérer qu'il fut le premier à introduire l'expressionnisme aux États-Unis. De cette période, on cite le plus souvent, en 1911, *Le Géranium*, à propos duquel sont cités les noms de Kirchner, Heckel, Schmidt-Rottluff ou Vlaminck. À partir de 1912 et jusqu'en 1917, ses œuvres accusent plus nettement l'influence cubo-futuriste, frôlant même à plusieurs reprises un paysagisme abstrait : *New York la nuit*, de 1915. Après 1917, il revint à l'expressionnisme cubisant de la période précédente, puis s'y maintint, y trouvant les possibilités d'expression lyrique qui convenaient à son tempérament judéo-slave. Dans les années quarante, il privilégie les scènes juives, souvenirs de son enfance en Pologne, et un style expressionniste. Autour de 1945, il revint pour un temps bref à l'abstraction, avec des formes tourmentées et flamboyantes surgissant de fonds monochromes. C'est avec une œuvre expressionniste, de la même inspiration que *Les Fugitifs*, ou *Chassidic Dance*, qu'il obtint une mention au Prix Carnegie de 1946.

MAX WEBER

Bibliogr. : Michel Seuphor : *Diction. de la peint. abstr.*, Hazan, Paris, 1957 - Michel Ragon : *L'Expressionnisme*, in : *Hre Gle de la peint.*, t. XVII, Rencontre, Lausanne, 1966 - José Pierre : *Le Cubisme*, in : *Hre Gle de la peint.*, t. XIX, Rencontre, Lausanne, 1966 - John Ashbery, in : *Diction. Univers. de l'Art et des Artistes*, Hazan, Paris, 1967 - Jules David Prown, Barbara Rose : *La Peinture américaine de la période coloniale à nos jours*, Albert Skira, Genève, 1969 - in : *Dict. univers. de la peinture*, Le Robert, Paris, 1975 - in : *Dict. de l'Art mod. et contemp.*, Hazan, Paris, 1992.

Musées : Brooklyn - Buffalo (Knox Art Gal.) - Cleveland - Detroit - Newark - New York (Mus. of Mod. Art) : *Le Géranium* 1911 - *Les Deux Musiciens* 1917 - New York (Whitney Mus. of American Art) : *Restaurant chinois* 1915 - Washington D. C. (Nat. Gal.).

Ventes Publiques : New York, 1er mai 1946 : *La vieille grange* : **USD 1 000** - New York, 27 jan. 1965 : *Paysage boisé*, aquar. : **USD 1 400** ; *La femme sculpteur* : **USD 4 000** - New York, 13 oct. 1965 : *Tête au chignon*, bronze : **USD 2 000** - New York, 11 mai 1966 : *Femme jouant avec un oiseau* : **USD 7 500** - New York, 16 mars 1967 : *Nature morte*, aquar. et gche : **USD 1 600** ; *La lecture* : **USD 7 000** - New York, 5 avr. 1967 : *Oiseau*, bronze : **USD 1 700** - New York, 15 fév. 1968 : *Nature morte*, aquar. et gche : **USD 1 200** - New York, 14 mars 1968 : *Nu couché* : **USD 3 250** - New York, 15 mai 1969 : *Morning*, aquar. : **USD 2 200** - New York, 22 oct. 1969 : *Le clarinettiste* : **USD 7 750** - New York, 29 jan. 1970 : *Les toits* : **USD 4 000** - New York, 3 mai 1972 : *Deux nus assis* : **USD 4 500** - New York, 14 mars 1973 : *Deux têtes sculpturales*, past. : **USD 9 500** ; *New York* : **USD 50 000** - Berne, 18 oct. 1973 : *Nu assis*, bronze : **CHF 5 500** - New York, 12 déc. 1974 : *Nature morte* 1950 : **USD 3 250** - New York, 28 oct. 1976 : *L'étudiant du Talmud* 1947, h/isor. (51x38) : **USD 2 600** - New York, 21 avr. 1977 : *Le sommeil* 1916, past./pap. (46x61) : **GBP 2 800** - Los Angeles, 9 nov. 1977 : *Soirée musicale*, h/cart. entoilé (100,3x125,7) : **USD 7 250** - New York, 21 avr. 1978 : *Figure en rotation*, bronze polychr. (H. 62,2) : **USD 13 000** - New York, 2 mai 1979 : *Trois nus* 1912, aquar. et pl. (32x23,5) : **USD 2 100** - New York, 20 avr 1979 : *Le Lac* vers 1911, h/cart. entoilé (26,6x33,6) : **USD 2 700** - Paris, 18 déc. 1981 : *Personnage cubiste* 1917, lav. et reh. de gche blanche (50x35) : **FRF 6 800** - New York, 8 déc. 1983 : *Trois femmes dans un jardin* 1913, h/t (50,8x40,6) : **USD 43 000** - New York, 1er juin 1984 : *Femme cubiste* vers 1912, pl. (26x17,8) : **USD 4 500** - New York, 6 déc. 1985 : *Baigneurs* 1910, aquar., gche et pl./cart. (62x47) : **USD 15 000** - New York, 26 sep. 1986 : *Anna* 1912, pl. (41,2x30,4) : **USD 1 600** - New York, 4 déc. 1987 : *Trois femmes* 1910, aquar. et gche/pap. mar./cart. (34,7x27,1) : **USD 30 000** - New York, 24 juin 1988 : *Palabres* 1950, h/t (62,5x75) : **USD 19 250** ; *Rabbin* 1956, gche/pap. (43,5x32,5) : **USD 8 800** - New York, 1er déc. 1988 : *Personnages dans un intérieur (les amis)* 1916, gche et fus./pap. (46,3x61) : **USD 31 900** - New York, 24 jan. 1989 : *Contemplation* 1946, past./pap. brun (44,5x32,5) : **USD 4 125** - New York, 1er déc. 1989 : *Repos* 1910, gche et cr./pap. (25,4x20,3) : **USD 52 800** - New York, 24 jan. 1990 : *Le balcon* 1930, aquar. et encre/pap. teinté (11x13) : **USD 3 850** - New York, 16 mars 1990 : *Le joueur de mandoline* 1951, h/t (63,5x51) : **USD 28 600** - New York, 23 mai 1990 : *Les plaisirs de l'été*, h/t (82,5x101,7) : **USD 26 400** - New York, 26 sep. 1990 : *Le miroir* 1950, h/t (58,4x71,1) : **USD 24 200** - New York, 30 nov. 1990 : *Après le bain* 1927, h/t (45,2x76,2) : **USD 19 800** - New York, 12 avr. 1991 : *Joueuse de mandoline* 1951, h/t (63,5x50,8) : **USD 16 500** - New York, 22 mai 1991 : *Trois femmes dans un jardin* 1913, h/t (51x41) : **USD 55 000** - New York, 25 sep. 1991 : *Discours* 1950, h/t (63,5x76,2) : **USD 26 400** - New York, 3 déc. 1992 : *Sommeil* 1938, aquar. et past./pap./cart. (45,7x61) : **USD 8 800** ; *Hommes dans un intérieur* 1919, temp./t (53,3x45,7) : **USD 99 000** - New York, 27 mai 1993 : *Parmi les arbres* 1911, h/t (46,4x38,7) : **USD 46 000** - New York, 17 mars 1994 : *Six têtes* 1910, aquar. et graphite/pap./cart. (31,8x20,3) : **USD 20 700** - New York, 25 mai 1995 : *Joueur de guitare* 1944, h/t (71,1x86,4) : **USD 31 050** - New York, 13 mars 1996 : *Tête primitive*, h/cart. (21,4x13,7) : **USD 9 200** - New York, 23 mai 1996 : *La famille* 1911, gche/pap./cart. (59,6x48,3) : **USD 17 250** - New York, 26 sep. 1996 : *Étude d'une jeune femme* 1912, aquar. et encre/pap. (29,2x22,2) : **USD 8 050** - New York, 25 mars 1997 : *Les Baigneuses* 1910, gche/pap./pan. (19,1x22,2) : **USD 8 050** - New York, 5 juin 1997 : *Répétition*, h/t (50,8x76,2) : **USD 27 600**.

WEBER Max

Né en 1897 à Zurich. xxe siècle. Suisse.

Sculpteur de nus, dessinateur.

Il n'eut aucun maître. Il sculpta surtout des nus.

Musées : Aarau (Aargauer Kunsthaus) : *Torse féminin* 1931-1932, bronze - *Garçon assis* vers 1935, plâtre - *Le Réveil* 1943, bronze - *Figure II* 1946, sanguine - *Figure IV* 1947, sanguine - *Figure V* 1947, sanguine - *Figure VI* 1947 sanguine - *Figure III* 1948, sanguine - *Autoportrait (tête)* vers 1957-1959, bronze.

WEBER Michael

xviie siècle. Actif dans la seconde moitié du xviie siècle. Autrichien.

Peintre.

Il a sculpté l'autel dans l'église de la Trinité de Gross-Wilfersdorf en 1672.

WEBER Otto

Né en 1832 à Berlin. Mort le 23 décembre 1888 à Londres. xixe siècle. Actif aussi en Angleterre. Allemand.

Peintre de genre, animaux, paysages, aquarelliste, aquafortiste.

Il fut élève de Carl Steffek à Berlin et de Thomas Couture à Paris. Étant en France au moment de la guerre de 1870, il se réfugia en

Italie, à Milan et Rome, jusqu'en 1873. Il s'établit ensuite à Londres et devint peintre à la Cour de la reine Victoria jusqu'à sa mort.
Il exposa à Berlin en 1854, puis au Salon de Paris, auquel il participa pour la première fois en 1864 et jusqu'en 1869, époque où il fut chassé par la guerre. Au moment où il vivait en Angleterre, il exposa régulièrement à la Royal Academy de 1874 à 1888. Il est membre de l'Académie de Londres.
Ses premiers envois au Salon de Paris : *Une noce à Pont-Aven* et *Bestiaux sous bois*, définissent les deux genres principaux qu'il pratiquait à l'époque : le Bretagne et son folklore, les paysages où les bovins tiennent une place essentielle.

Musées : Bourges : *La curée de chevreuil* – Lille : *Retour de l'église, scène bretonne* – Londres (Victoria and Albert Mus.) : *Paysage*, aquar. – Melbourne : *Les première neiges sur les Alpes tyroliennes*.
Ventes Publiques : Paris, 22 mars 1869 : *Animaux au pâturage (effet de soleil couchant)* : **FRF 880** – Paris, 1889 : *Troupeau de bœufs en Écosse* : **FRF 3 200** – Paris, 25-26 jan. 1943 : *Meute attaquant un sanglier*, aquar. : **FRF 750** – Londres, 8 nov. 1972 : *Paysanne sur une route de campagne* : **GBP 300** – Londres, 26 oct 1979 : *Chez le forgeron*, h/t (98,4x159,2) : **GBP 2 600** – Vienne, 17 mars 1981 : *Paysage de printemps* 1870, h/t (59x100) : **ATS 160 000** – Londres, 23 nov. 1983 : *Chevaux dans un champ*, h/t (44x67) : **GBP 2 500** – Londres, 26 sep. 1990 : *Bétail dans une prairie* 1873, h/t (48x86) : **GBP 1 430** – New York, 28 fév. 1991 : *Propos galants en Bavière*, h/t (85,7x132,4) : **USD 17 600** – New York, 17 fév. 1994 : *Femme et enfant sur un sentier boisé*, h/t (48x39,5) : **USD 1 150**.

WEBER Otto
Né le 5 avril 1876 à Saint-Gall. xxe siècle. Suisse.
Peintre de paysages.
Élève de Johann Stauffacher, il vécut et travailla à Zurich.

WEBER Otto
Né le 15 août 1895 à Bâle. xxe siècle. Suisse.
Peintre verrier, peintre de compositions religieuses.
Il exécuta des vitraux dans l'église Saint-Joseph, à Bâle.

WEBER Paul. Voir **WEBER Gottlieb Daniel Paul**

WEBER Philipp ou **C. Philipp**
Né le 28 juin 1849 à Darmstadt. Mort en 1920. xixe siècle. Américain.
Peintre de paysages.
Fils ou neveu de Paul Weber. Il se fixa à Philadelphie.
Ventes Publiques : New York, 24 juin 1988 : *Cascade dans les Montagnes Rocheuses* 1879, h/t (187,5x80) : **USD 4 950** ; *Promenade sur la rivière*, h/t (50x90) : **USD 2 750** – New York, 21 mai 1991 : *Panorama de Heidelberg* 1883, h/t (55,9x92,1) : **USD 10 450** – New York, 4 mai 1993 : *Un ruisseau dans les bois*, h/cart. (31,7x42,1) : **USD 1 035** – New York, 22 sep. 1993 : *Promenade dans les bois* 1880, h/t (54,5x46) : **USD 2 760** – New York, 23 avr. 1997 : *Sur la rivière Wissahicken*, h/t (56x91,5) : **USD 4 025**.

WEBER Roland
Né le 27 décembre 1932 à Vesoul (Haute-Saône). Mort en 1988. xxe siècle. Français.
Peintre. Abstrait.
En 1952 il fait ses études à l'École des Beaux-Arts de Dijon, dans la section sculpture. Puis il vient à Paris avec l'intention d'exposer. En 1957 sur le conseil de François Mathey, il part à la campagne pour travailler la peinture et expose en 1962 à Paris. En 1963 il rencontre Hermann Amann, puis Jacques Spiess en 1968. Il a montré ses œuvres dans de nombreuses expositions.
Peintre abstrait, sa palette est très colorée.
Musées : Aarau (Aargauer Kunsthaus) : *Le Dépôt de chemin de fer* 1959, h/t.
Ventes Publiques : Paris, 8 oct. 1989 : *Rouge vif* 1979, acryl./monochrome (65x50) : **FRF 5 000** – Paris, 18 fév. 1990 : *Fanion ordinaire de la couleur*, acryl./t (81x100) : **FRF 9 000**.

WEBER Rudolf
Né le 26 février 1872 à Vienne. xixe-xxe siècles. Autrichien.
Peintre de paysages.
Il fut élève de l'Académie de Vienne et d'Edouard Lichtenfels. Il exposa à Vienne. Il vécut et travailla à Stein.

WEBER Theodore Alexander
Né en 1838 à Leipzig. Mort en mars 1907 à Paris. xixe siècle. Actif et naturalisé en France. Allemand.
Peintre de paysages, marines.
Élève de Wilhelm Krause à Berlin en 1854, il vint à Paris en 1856 pour continuer ses études auprès d'Eugène Isabey. Il vécut à Londres et Bruxelles en 1870 et 1871 et adopta la nationalité française en 1878. En 1886, il fut promu peintre officiel de la Marine et du Ministère des Colonies.
Il participa au Salon de Paris de 1858 à sa mort, obtenant une mention honorable en 1861 et 1863, une mention honorable à l'Exposition Universelle de 1889 et une médaille de bronze à celle de 1900. Il exposa également à Munich en 1891 et 1892.
Il fut essentiellement peintre de ports de pêche de la Manche et de la côte belge.

Bibliogr. : Gérald Schurr : *Les Petits Maîtres de la peinture 1820-1920, valeur de demain*, Les Éditions de l'Amateur, t. IV, Paris, 1979.
Musées : Cologne : *Flessingue* – Dijon : *Naufrage de l'Euphémie* – Leipzig : *Après l'orage* – Melbourne : *Barques de pêcheurs partant de Boulogne* – Mulhouse : *En rade de Boulogne – Journée de pluie au Tréport* – Nice : *Clair de lune à Gravelingue* – Nottingham : *Bateaux de pêcheurs en mer* – Rio de Janeiro : *Naufrage* – Sydney : *Ostende*.
Ventes Publiques : Paris, 14 juin 1891 : *Remorqueur* : **FRF 2 500** – Paris, 7 juil. 1943 : *Bateaux à voile sortant du port* : **FRF 7 000** – Paris, oct. 1945-juil. 1946 : *Marine* : **FRF 15 500** – Paris, 23 juin 1954 : *Bateaux de pêche* : **FRF 28 000** – New York, 23 fév. 1968 : *La jetée* : **USD 850** – Berne, 23 oct. 1971 : *La Touque à Trouville* : **CHF 3 800** – Bruxelles, 12 déc. 1972 : *Plage du Tréport* : **BEF 120 000** – Cologne, 23 mars 1973 : *Bord de mer par gros temps* : **DEM 7 500** – New York, 17 avr. 1974 : *Voilier près d'un phare* : **USD 1 600** – Paris, 6 déc. 1976 : *Village au bord de la mer, en Bretagne*, h/t (33,5x55) : **FRF 8 800** – Versailles, 26 nov. 1978 : *Voiliers hollandais dans le port*, h/t (33x55) : **FRF 19 500** – Versailles, 27 mai 1979 : *Voiliers à la sortie d'un port*, h/t (32,5x55) : **FRF 12 500** – New York, 11 fév. 1981 : *Le Bateau de sauvetage*, h/t (82,5x136) : **USD 7 750** – New York, 29 fév. 1984 : *Personnages sur une jetée*, h/t (75,5x126) : **USD 6 500** – New York, 30 oct. 1985 : *La jetée*, h/t (56x86) : **USD 7 500** – Paris, 12 juin 1988 : *Retour de pêche*, h/t (33x58) : **FRF 33 000** – Cologne, 15 oct. 1988 : *Voiliers sur une mer houleuse*, h/t (33x55) : **DEM 5 500** – Saint-Dié, 16 oct. 1988 : *Le port d'Honfleur*, h/t (75x110) : **FRF 36 000** – Calais, 13 nov. 1988 : *Le retour des pêcheurs*, h/t (55x85) : **FRF 46 000** – Stockholm, 15 nov. 1988 : *Chalutiers et barques à rames près de la jetée*, h. (34x55) : **SEK 20 000** – New York, 23 fév. 1989 : *Secours aux naufragés au large du Mont Saint Michel*, h/t (108,5x191,2) : **USD 16 500** – Paris, 5 juin 1989 : *Voiliers dans le port d'Istanbul*, h/t (33x55) : **FRF 40 000** – Londres, 7 juin 1989 : *La rentrée au port le soir*, h/t (78,5x46) : **GBP 2 420** – Paris, 11 mars 1990 : *Le retour de la pêche*, h/t (33x85) : **FRF 48 000** – Londres, 30 mai 1990 : *Barques de pêche au large de Boulogne*, h/t (75x61) : **GBP 2 860** – Le Touquet, 11 nov. 1990 : *Bateaux à l'entrée du port*, h/t (47x77) : **FRF 34 000** – Paris, 13 mars 1991 : *Marine*, h/t (34x55) : **FRF 20 000** – New York, 30 oct. 1992 : *Navigation sur la mer houleuse*, h/t (61,2x90,5) : **USD 7 700** – Le Touquet, 8 nov. 1992 : *Voiliers près du rivage*, h/t (28x47) : **FRF 18 000** – Londres, 25 nov. 1992 : *Bateaux au large du port*, h/t (33x67) : **GBP 935** – New York, 26 mai 1994 : *Sur le Bosphore*, h/t (34,3x55,9) : **USD 10 350** – St. Asaph, 2 juin 1994 : *Un port plein d'activités*, aquar. (35,5x25,5) : **GBP 1 092** – Paris, 4 oct. 1995 : *Marine*, h/t (45x33) : **FRF 14 000** – Londres, 30 mai 1996 : *L'Entrée du port*, h/t (48x76,5) : **GBP 3 450** – Paris, 17 juin 1996 : *Embarcation de pêcheur au large*, h/t (67x43) : **FRF 9 500**.

WEBER Therese
Née en 1813 à Nymphenbourg. Morte le 28 décembre 1875 à Munich. xixe siècle. Allemande.
Peintre de paysages, fleurs, aquarelliste.
Élève de Christian Morgenstern et de C. Rottmann. Elle peignit d'abord surtout des fleurs, plus tard des éventails.
Musées : Bâle : *Vue d'Avignon* – Munich (Mus. mun.) : deux aquarelles.

WEBER Thoman
Né vers 1535 à Kempten. xvie siècle. Travaillant à Bâle. Suisse.
Peintre d'histoire.
Le Musée de Bâle conserve de lui *Tarquin et Lucrèce*.

WEBER Thomas ou **Franz Thomas**
Né le 1er août 1761 à Augsbourg. Mort le 2 juin 1828 à Augsbourg. XVIIIe-XIXe siècles. Allemand.
Peintre, graveur au burin, lithographe.
Élève de J. M. Söckler à Munich. Il grava des scènes tirées des guerres napoléoniennes. Il était également négociant d'art. Le Musée d'Augsbourg conserve de lui soixante-dix-neuf feuillets représentant des monuments de cette ville.

WEBER Werner
Né le 1er janvier 1892 à Zurich. Mort en 1977. XXe siècle. Suisse.
Peintre de paysages, natures mortes.
Il fut élève de l'École des Beaux-Arts de Paris. Il travailla à Rüschikon. Il exposa à Zurich à partir de 1917.

Werner Weber

VENTES PUBLIQUES : ZURICH, 18 nov. 1976 : *Nature morte*, h/t (35x45,5) : **CHF 2 000** – ZURICH, 30 mai 1979 : *Nu de dos*, h/t (116x73) : **CHF 8 000** – ZURICH, 20 nov. 1981 : *Nature morte au canard*, h/t (46x65) : **CHF 14 000** – ZURICH, 1er juin 1983 : *Pommes et bananes* 1929, h/pan. (37x52) : **CHF 7 000** – ZURICH, 3 déc. 1993 : *Nature morte avec des livres et des verres* 1958, h/t (47x62) : **CHF 9 000** – ZURICH, 3 avr. 1996 : *Nature morte aux poissons* 1917, h/t (50x40) : **CHF 1 800**.

WEBER Willy
Né en 1895 à Ludwigshafen. Mort en 1959 à Ludwigshafen. XXe siècle. Allemand.
Peintre de paysages, paysages d'eau, paysages de montagne.
VENTES PUBLIQUES : HEIDELBERG, 14 oct. 1988 : *Jardin au printemps à Gstadt sur le lac de Chiem* 1948, h/pan. (37x43) : **DEM 3 200** – VERSAILLES, 19 nov. 1989 : *Hohengerolseck, les montagnes bleues* 1928, h/t (90x120) : **FRF 11 000** – HEIDELBERG, 11 avr. 1992 : *Vue du lac de Chiem* 1953, h/cart. (24x30) : **DEM 1 350** – HEIDELBERG, 15-16 oct. 1993 : *Vaste paysage du Palatinat*, h/cart. (50x60) : **DEM 1 800** – HEIDELBERG, 15 oct. 1994 : *La vieille cabane de pêche* 1953, h/cart. (50x65) : **DEM 1 600**.

WEBER von Ohlungen
XVIIIe siècle. Travaillant en Alsace. Français.
Sculpteur sur bois.
Il a sculpté la chaire et le buffet d'orgues de l'église Saint-Nicolas de Haguenau.

WEBER-FREY Charles
Né le 10 octobre 1858 à Fribourg. Mort le 1er juillet 1902 à Asnières (Seine). XIXe siècle. Suisse.
Sculpteur.
Élève des Académies de Milan et de Munich. Le Musée provincial de Fribourg conserve de lui *Christ expirant*.

WEBER-JUNOD Margo. Voir **MARGO**

WEBER-LIPSI Hildegard ou **Hildegarde**
Née le 26 janvier 1901 à Wädenswil (près du lac de Zurich), d'origine allemande. XXe siècle. Depuis 1930 active en France. Française.
Peintre, aquarelliste, pastelliste, dessinateur. Abstrait.
Elle étudia à Zurich, puis aux écoles des beaux-arts de Karlsruhe, Londres et Paris. Elle épousa à Paris en 1930 le sculpteur Morice Lipsi. Elle a séjourné au Japon en 1963.
Elle a participé à de nombreuses expositions collectives : 1929 Salon d'Automne à Paris ; à partir de 1961 Salon des Réalités Nouvelles à Paris ; 1961 Salon de Montrouge. Elle a montré ses œuvres à plusieurs reprises à Francfort, à la galerie Appel und Fertsch, à Paris, Zurich, Bâle et Tokyo. Elle a obtenu la médaille d'or à l'Exposition mondiale de Paris en 1983.
Elle privilégia d'abord les paysages et natures mortes, influencée par les expressionnistes de 1910. Abstraites, à partir de 1950, ses œuvres se composent d'infinies modulations et révèlent une extrême sensibilité à ce qui l'entoure, au quotidien, et des images de paysages, de fêtes japonaises, de ballons, de feux d'artifice. Une tache, une trace, un faisceau de lignes, l'éclat d'une couleur, rendent compte d'un plaisir de peindre, de saisir l'instant dans ce qu'il a d'éphémère. Elle a également créé des masques.
MUSÉES : ROSEY, Hte-Saône (Centre Morice Lipsi) : collection rétrospective de ses peintures.

WEBER-TYROL Hans Josef, ou **Joseph**
Né le 31 octobre 1874 à Schwaz. Mort en 1957. XIXe-XXe siècles. Autrichien.
Peintre de sujets militaires, animaux, paysages.
Il fut élève de l'Académie de Munich. Il vécut et travailla à Eppan. Il exposa à Munich à partir de 1904.
Il peignit des scènes de la Première Guerre mondiale et des animaux.
MUSÉES : BOZEN – INNSBRUCK – MERAN – MUNICH – ROSENHEIM – VIENNE – WUPPERTAL.
VENTES PUBLIQUES : VIENNE, 17 sep. 1976 : *Paysage alpestre*, h/t (28,5x33,5) : **ATS 13 000** – VIENNE, 10 déc. 1985 : *Rattenberg*, h/t (70x83) : **ATS 110 0000**.

WEBERG Willie
Né en 1910. XXe siècle. Suédois.
Peintre de paysages, paysages urbains, natures mortes, fleurs.
VENTES PUBLIQUES : STOCKHOLM, 6 juin 1988 : *Paysage de neige II*, h. (54x45) : **SEK 11 200** – STOCKHOLM, 22 mai 1989 : *Nature morte avec une fleur dans un vase et autres ustensiles sur une table*, h/t (53x64) : **SEK 9 000** – STOCKHOLM, 5-6 déc. 1990 : *Riddarfjärden à Stockholm*, h/t (73x90) : **SEK 15 500** – STOCKHOLM, 30 mai 1991 : *Mariaberget vue au travers de la fenêtre*, h/t (116x89) : **SEK 33 000** – STOCKHOLM, 21 mai 1992 : *Vue sur Stockholm depuis l'atelier*, h/t (57x67) : **SEK 9 700**.

WEBSTER
XIXe siècle. Britannique.
Aquarelliste.
Le Victoria and Albert Museum, à Londres, conserve de lui *Lake near the Summit of Cader Idris* et *A castle* (aquarelles).

WEBSTER David
Né le 1er août 1947 à Wadsworth (Ohio). XXe siècle. Actif aussi en France. Américain.
Peintre, graveur, sculpteur. Abstrait.
Il participe à des expositions collectives : 1968, 1969, 1975 université de Miami ; 1982 Salon des Réalités Nouvelles à Paris ; 1983 Salon de Montrouge... Il montre ses œuvres dans des expositions personnelles : 1975 Davenport College de Yale University ; 1978 Miami ; 1980 Charlotteville (Virginie) ; 1981 New Orleans ; 1985 galerie Forain à Paris, R. Collection & Deborah Mannis à Los Angeles ; 1987 Gabrielle Bryers Gallery à New York ; 1990 galerie Montenay à Paris.
Il réalise des œuvres géométriquement très architecturées. Au sein de ces structures s'inscrivent divers motifs colorés : légers traits, vaguelettes, traînées, pointillés. Ces signes sont parfois associés à des objets réels.
BIBLIOGR. : Catalogue de l'exposition : *David Webster : Altars of meditation and menace*, Gabrielle Bryers Gallery, New York, 1987.

WEBSTER Eva. Voir **RUSSELL Frances,** Lady

WEBSTER George
XVIIIe-XIXe siècles. Britannique.
Peintre de sujets militaires, paysages, marines.
Il travailla à Londres et en Afrique. Il exposa à Londres à partir de 1797 et jusqu'en 1832.
VENTES PUBLIQUES : LONDRES, 2 avr. 1965 : *Vue du Zuyderzee* : **GNS 480** – ÉCOSSE, 30 août 1968 : *Bateau de guerre et barques devant le port de Douvres* : **GBP 1 600** – LONDRES, 17 juin 1970 : *Bateaux de guerre dans un estuaire* : **GBP 1 550** – LONDRES, 19 juil. 1972 : *Bateaux au large de Douvres* : **GBP 4 500** – LONDRES, 16 mars 1973 : *Bateaux de guerre en mer* : **GNS 3 500** – LONDRES, 18 juin 1976 : *Bateaux au large de Bonne Espérance*, h/t (62x79) : **GBP 2 000** – LONDRES, 13 mai 1977 : *Bateaux au large de Gravesend*, h/t (69x89) : **GBP 4 500** – TORQUAY, 12 juin 1979 : *Frégate et autres bateaux au large de Gênes*, h/t (49x64) : **GBP 5 000** – LONDRES, 18 mars 1981 : *Frégate et autres bateaux au large du château de Douvres*, h/t (69x89) : **GBP 8 500** – LONDRES, 16 mars 1982 : *Voiliers par forte mer*, aquar. (45,7x59,5) : **GBP 1 500** – LONDRES, 17 fév. 1984 : *Bateaux au large de Ramsgate*, h/t, une paire (29,2x39,3) : **GBP 5 500** – LONDRES, 26 juil. 1985 : *Scène d'estuaire*, h/t (31x41,2) : **GBP 3 200** – LONDRES, 17 nov. 1989 : *H.M.S. Crescent, frégate à 36 feux, au large de Devon*, h/t (42,8x50,1) : **GBP 10 450** – LONDRES, 20 avr. 1990 : *L'entrée dans le port de Portsmouth d'un trois-mâts suivi d'autres embarcations*, h/t (34,5x42) : **GBP 9 350** – LONDRES, 17 juil. 1992 : *Flottille de pêche hollandaise et bâtiment de guerre anglais dans l'estuaire d'une rivière*, h/t (32,3x41,9) : **GBP 4 400** – LONDRES, 9 nov. 1994 : *Navigation près de la côte*, h/t (47,5x68,2) : **GBP 5 175**.

WEBSTER H. Daniel
Né le 21 avril 1880 à Frankville. Mort en 1912. XXe siècle. Américain.

Sculpteur.
Il fit ses études à New York. Il travailla à Westport.

WEBSTER Herman Armour
Né le 6 avril 1878 à New York. Mort en 1965. xxe siècle. Américain.
Peintre, graveur d'architectures, paysages, dessinateur.
Il fut élève de l'Université de Yale. Il dédaigna le bénéfice des affaires à quoi son milieu le destinait, vint à Paris dès 1900 et s'inscrivit à l'Académie Julian où il reçut les leçons de J. P. Laurens. Eugène Bejot et Félix Bracquemond l'initièrent à la gravure. Il y connut Mucha et travailla encore la gravure avec Mac Laughlan. Il fut fait chevalier de la Légion d'honneur en 1926, et reçut la croix de guerre. En France, où il séjourne souvent, il a été nommé membre de la Société des Peintres Graveurs, en 1953 ; il fut également promu officier de la Légion d'Honneur.
Membre de la Société Nationale des Beaux-Arts en 1909, du Salon des Peintres-graveurs français, de la Royal Society of Painter-Etchers, de l'American Society of Etchers de New York, il participa à leurs expositions, ainsi qu'à Rome en 1911 ; à Leipzig en 1914 ; à San Francisco en 1915, où il obtint une médaille d'or ; à Londres en 1917 ; à Francfort ; au National Museum de Washington ; à l'Art Institute de Chicago ; à Brooklyn, où il obtient le Noyes Prize en 1930. Il a obtenu de nombreux prix : la Médaille d'Or de la San Francisco international Exhibition en 1915 ; le Noyes Prize de New York ; le Grand Prix de Gravure à l'Exposition Internationale de Paris en 1937 ; le Williams Purchase Prize de New York en 1953.
Grand voyageur, il a partout gravé des monuments, coins de rues et paysages. On cite de lui cent cinquante planches représentant des vues pittoresques de villes et de paysages européens, notamment de Venise, et du paysage français.

Bibliogr. : *Les Peintres Graveurs Français*, Paris, 1969.
Musées : Boston (Mus. of Fine Arts) – Brooklyn – Cambridge (Fogg Mus.) – Chicago (Art Inst. League) – Darmstadt – Londres (Victoria and Albert Mus.) – Paris (BN) – Paris (Mus. d'Art mod.) – Washington D. C. (Congressional Library) – Yale.

WEBSTER J.
xixe siècle. Travaillant en 1804. Britannique.
Peintre de portraits, miniatures.

WEBSTER Joseph Samuel
Mort le 6 juillet 1796 à Londres. xviiie siècle. Actif à Londres. Britannique.
Peintre de portraits, scènes de genre.
Ce peintre jouit, sous le règne de Georges III, d'une certaine réputation. Mac Ardell et J. Watson gravèrent d'après lui. Un portrait de sa main est conservé au siège de la corporation des drapiers.

WEBSTER Moses
Né en 1792 à Derby. Mort le 20 octobre 1870. xixe siècle. Britannique.
Peintre de paysages, fleurs.
Il fut d'abord peintre sur porcelaine dans sa ville natale et à Worscester. Il s'établit plus tard professeur de dessin à Derby et à Nottingham. Il mourut à l'hôpital. Le Victoria and Albert Museum, à Londres, conserve de lui une aquarelle.

WEBSTER Roland Harding
Né le 8 décembre 1873 à Chester. xixe-xxe siècles. Britannique.
Peintre, aquarelliste, pastelliste, dessinateur, peintre de compositions murales.
Élève de l'Académie de Manchester et de l'Académie Colarossi de Paris, il vécut et travailla à Ellesmere.
Il a réalisé des dessins pour la gravure au burin.

WEBSTER Simon
Mort vers 1820. xixe siècle. Britannique.
Peintre de paysages, miniaturiste et aquarelliste.
Il travailla à Londres à la fin du xviiie siècle. Il était membre de la Society of Artists. De 1762 à 1780, il exposa seize miniatures à ce groupement et un à la Free Society. Il collabora à l'illustration de l'ouvrage d'Ackerman : *Views of Cottages and Farm-Houses in England.*

WEBSTER Thomas
Né le 20 mars 1800 à Londres. Mort le 23 septembre 1886 à Cranbrook. xviiie-xixe siècles. Britannique.
Peintre d'histoire, scènes de genre, portraits, aquarelliste, graveur, dessinateur.
Son père appartenait à la maison du roi George III. Thomas Webster fut d'abord destiné à la musique, mais en 1820 il se décida pour la peinture. Il étudia à la Royal Academy de Londres, où il reçut les conseils de Füssli. Membre associé de la Royal Academy en 1840, il devint académicien en 1846 (il donnera sa démission en 1876 et sera nommé académicien honoraire). Il se retira à Cranbrook, dans le Kent, en 1856, suivi par d'autres peintres tels que Frederick Daniel Hardy, John Calcott Horsley et George Bernard O'Neill. Il exposa à Londres, de 1823 à 1879.
Il choisit comme sujet l'enfance, et il obtint un énorme succès. Beaucoup de ses peintures ont été gravées.
Bibliogr. : In : *Diction. de la peinture anglaise et américaine*, coll. *Essentiels*, Larousse, Paris, 1991.
Musées : Bury : *Le garçon aux nombreux amis* – Londres (Victoria and Albert Mus.) : *Maladie et santé – Départ pour la foire – Retour de la foire – Chœur de village – Vents contraires – Lecture de la Bible – La leçon – Enfant jouant – Enfant en prière* – Londres (Tate Gal.) : *L'école buissonnière – La maîtresse d'école – Le père et la mère de l'artiste* – Manchester : *Printemps* – New York (Metropolitan Mus.) : *La foire* – Preston : *Un thé*.
Ventes Publiques : Londres, 21 nov. 1924 : *Foire de village* : **GBP 183** – Londres, 6 juin 1958 : *La Glissade* : **GBP 630** – Londres, 13 mars 1970 : *La Lettre interceptée* : **GNS 350** – Londres, 12 juin 1973 : *Le Chœur du village*, aquar. : **GNS 460** – Londres, 9 avr. 1974 : *Le Goûter d'anniversaire* 1866 : **GBP 3 800** – Londres, 14 mai 1976 : *Leap Frog*, h/t (34,3x29,2) : **GBP 300** – Londres, 14 fév. 1978 : *Enfants jouant dans un intérieur*, h/t (58,5x89,5) : **GBP 1 200** – Londres, 25 mai 1979 : *L'école du village* 1838, h/pan. (44,4x36,8) : **GBP 1 100** – Londres, 5 juin 1981 : *The Wreck ashore* 1874, h/pan. (49,5x64,7) : **GBP 4 500** – Vienne, 16 fév. 1983 : *Le Colporteur*, h/pan. (71x92) : **GBP 4 000** – Londres, 9 juil. 1985 : *Views in the Row at Watergate street ; Chester* 1807, aquar., cr. et pl., une paire (27,3x43) : **GBP 950** – Londres, 29 jan. 1988 : *Les Ragots du village : à chaque parole une réputation meurt*, h/pan. (24,1x39,4) : **GBP 3 080** – Londres, 1er mars 1991 : *Une boîte à images*, h/pan. (17,5x27,3) : **GBP 1 650** – New York, 15 oct. 1993 : *L'Avenir dans les feuilles de thé*, h/pan. (49,5x66,7) : **USD 2 760** – Londres, 4 nov. 1994 : *Les gamins seront toujours des gamins*, h/t (51x64) : **GBP 2 300** – Londres, 6 nov. 1995 : *La Salle de classe*, h/cart., croquis (20,3x25,4) : **GBP 1 840** – Londres, 3 avr. 1996 : *Trois enfants apportant des carottes aux lapins* 1838, h/pan. (39x45) : **GBP 6 670** – Londres, 12 mars 1997 : *L'Allumage de la pipe*, h/pan. (30,5x25,5) : **GBP 5 980** – Londres, 5 juin 1997 : *Pris sur le fait* 1830, h/pan. (50,8x66,1) : **GBP 4 600**.

WEBSTER Walter Ernest
Né en 1878 à Manchester. Mort en 1959. xxe siècle. Britannique.
Peintre de genre, portraits, aquarelliste.
Il fut élève des Écoles de la Royal Academy à Londres, où il vécut et travailla. Il exposa à la Royal Academy, à Liverpool, notamment en 1910. Il prit part au Salon des Artistes Français à Paris en 1914 et y obtint une médaille d'argent.

Musées : Boston : une aquarelle.
Ventes Publiques : Londres, 7 nov. 1985 : *Jeune en robe de bal blanche*, aquar. et cr. (50,8x37) : **GBP 1 000** – Londres, 21 sep. 1989 : *Ray Fuller*, h/t (45,5x35,6) : **GBP 770** – Londres, 8 mars 1990 : *L'éventail japonais*, h/t (71,2x61,6) : **GBP 33 000** – Londres, 7 juin 1990 : *La ballerine en rose*, h/t (100,5x70) : **GBP 7 480** – Londres, 12 mars 1992 : *Une coquette*, h/t (54,5x63,5) : **GBP 6 325** – New York, 20 juil. 1995 : *La répétition*, h/t (76,2x45,7) : **USD 3 680**.

WECH Johann
xixe siècle. Actif à Vienne dans la seconde moitié du xixe siècle. Autrichien.
Peintre sur porcelaine.
Il travailla pour la Manufacture de porcelaine de Vienne de 1863 à 1866.

WECHELEN Jan Van
Né vers 1530 à Anvers. Mort après 1570. xvie siècle. Éc. flamande.

Peintre de compositions religieuses.
Il était maître de la gilde de Saint-Luc à Anvers en 1557.
Il a collaboré avec Cornelis Van Dalem en introduisant des petits personnages dans ses compositions. Lui-même peint des sujets religieux peuplés d'une foule de personnages.
Bibliogr. : In : *Diction. de la peinture flamande et hollandaise*, coll. *Essentiels*, Larousse, Paris, 1989.
Musées : Amsterdam (Rijksmus.) : *Prédication du Christ au temple* – Indianapolis (John Herron Art Inst.) : *Ecce Homo*.
Ventes Publiques : Londres, 24 mars 1971 : *Le Chemin de Croix* : **GBP 2 300** – New York, 5 juin 1980 : *Le Calvaire*, h/pan. (42x92) : **USD 22 500**.

WECHINGER Hieronymus ou **Jeronymus** ou **Jeremias**
Né à Ansbach. xvie siècle. Allemand.
Peintre d'histoire.
Il peignit, avec Jesse Herlin III *Le combat des Amalécites*, sur la façade de l'Hôtel de Ville de Nordlingen, vers 1594.

WECHSELBURG, Maître de. Voir **MAÎTRES ANONYMES**

WECHSLER Max
Né en 1925 à Berlin. xxe siècle. Depuis 1939 actif en France. Allemand.
Peintre, peintre de collages, dessinateur, technique mixte.
Il participe à des expositions collectives : 1987 FIAC (Foire Internationale d'Art Contemporain) à Paris. Il montre ses œuvres dans des expositions personnelles : 1968 Arc, musée d'Art moderne de la ville de Paris ; 1969 Maison des Jeunes et de la Culture d'Annecy ; 1986 galerie Jean Fournier à Paris ; 1992 galerie Charles Sablon à Paris. En 1989, il a reçu une commande pour la Grande Arche de la Défense.
Il commence à peindre en 1958, avec des huiles sur contreplaqué et toile, dans une veine surréaliste, puis cesse cette activité en 1972. Dans les années quatre-vingt, il renonce à la toile traditionnelle, qu'il lacère, ôte de son châssis, pour aboutir à un travail à partir de photocopies, découpées puis collées. S'intéressant à la lettre, il en explore par un travail d'effacement, de dispersion, de destruction, la lisibilité dans des œuvres parfois de très grand format.
Musées : Paris (Mus. d'Art mod. de la Ville) – Paris (FNAC) : *Les Illisibles – Sans Titre* 1986, collage de photocopies.

WECHTER Georg ou **Jörg**, l'Ancien
Né vers 1526. Mort le 28 mars 1686 à Nuremberg. xvie-xviie siècles. Allemand.
Peintre et aquafortiste.
Père de Georg le Jeune et de Hans Wechter I. Il grava des modèles pour des orfèvres ainsi que des armoiries.

WECHTER Georg, le Jeune ou **Wechter de Bamberg**
Né vers 1560 à Nuremberg. Mort avant 1630 à Bamberg. xvie-xviie siècles. Allemand.
Peintre, aquafortiste et éditeur.
Il grava des grotesques ainsi que des vues de Nuremberg et des environs. Il se fixa à Bamberg où il grava des portraits de personnalités de cette ville et des scènes de son temps.

WECHTER Hans I ou **Johannes**
Né vers 1550 à Nuremberg. Mort après 1606 à Eichstätt. xvie siècle. Allemand.
Dessinateur et graveur à l'eau-forte et au burin.
Fils de Georg Wechter l'Ancien. Il a gravé des vues, des paysages et des sujets religieux.

WECHTER Hans II
Né vers 1609. xviie siècle. Actif à Wolfenbuttel. Allemand.
Graveur au burin et calligraphe.
Il travailla pour la cour de Brunswick et grava des illustrations de la Bible.

WECHTLIN David
xvie siècle. Actif à Colmar. Français.
Peintre.
Il peignit le plafond de l'église Saint-Martin de Colmar en 1559.

WECHTLIN Hans I ou **Johannes Ulrich** ou **Wachelin** ou **Wachtlin** ou **Wachte** ou **Wechtilin** ou **Vuechtelin**, dit **le Maître aux Bourdons Croisés** et appelé en Angleterre **J. U. Pilgrim**
xvie siècle. Actif à Strasbourg. Français.
Peintre et graveur.
Cet artiste, sur qui on sait peu de chose, est cité travaillant à Strasbourg de 1508 à 1520. Il reçut le droit de cité en 1514. Il est mentionné dans l'acte « Hans Wechtel le peintre ». On le cite également à Nancy travaillant pour le duc René de Lorraine. On ne connaît pas ses peintures. Ce fut, dans tous les cas, un habile graveur en chiaroscuro. Ses estampes, gravées sur trois blocs, s'inspirent d'Albert Dürer et parfois de Holbein (Bartsch).
Ventes Publiques : Londres, 2 nov. 1949 : *Un archer*, dess. : **GBP 240**.

WECHTLIN Hans II
xvie siècle. Actif à Brisach. Français.
Peintre.
Il peignit des façades à Colmar.

WECHTLIN Jakob
xvie siècle. Travaillant à Strasbourg pendant la première moitié du xvie siècle. Français.
Peintre verrier.

WECK Charles Henri Rodolphe de
Né le 15 mars 1837 à Fribourg. xixe siècle. Suisse.
Sculpteur.
Fils de Louis et père d'Eugène de Weck.

WECK Eugène Henri Édouard de ou **Weck Boccard**
Né le 20 avril 1872 à Fribourg. Mort le 3 mai 1912 à Leysin. xixe-xxe siècles. Suisse.
Peintre de paysages, aquarelliste.
Il fut élève de François Bonnet.
Musées : Fribourg (Mus. cant.) : trois aquarelles.

WECK Louis Joseph de
Né le 27 novembre 1794. Mort le 27 mai 1882 à Fribourg. xixe siècle. Suisse.
Aquarelliste.
Père de Charles Henri Rodolphe de Weck.

WECK Mathilde R. de. Voir **MAYR VON BALDEGG**

WECKBRODT Ferdinand
Né en 1838 à Vienne. Mort en 1902. xixe siècle. Autrichien.
Peintre de paysages, paysages urbains.
Élève de l'Académie de Vienne. Il fut aussi restaurateur de tableaux.

Cachet de vente

Musées : Vienne (Mus. mun.) : *Vues du Vieux Vienne*.
Ventes Publiques : Paris, 24 nov. 1993 : *Rue animée*, aquar. (25,8x32,6) : **FRF 9 500** – Londres, 11 fév. 1994 : *Le Graben à Vienne*, aquar./pap. (26,8x33,3) : **GBP 1 725**.

WECKENMANN Johann Georg ou **Weggenmann** ou **Weckhemann**
Né le 20 mars 1727 à Uttenweiler. Mort le 29 mars 1795 à Haigerloch. xviiie siècle. Allemand.
Sculpteur et stucateur.
Il travailla à la cour des Hollenzollern. Il sculpta des statues pour l'église de Sigmaringen ainsi que de nombreux ouvrages de sculptures pour cette ville.

WECKESSER August
Né le 28 novembre 1821 à Winterthur. Mort le 11 janvier 1899 à Rome. xixe siècle. Suisse.
Peintre de compositions mythologiques, scènes de genre.
Élève de l'Académie de Munich et de Wappers à Anvers. Il travailla quelque temps à Paris et à Munich et se fixa à Rome en 1858.
Musées : Bâle : *Enfants dansant la saltarelle, à Capri, au bord de la mer* – Schaffhouse : *Incendie dans les Monts Sabins* – Winterthur : *Le départ d'Aloys Reding – Gertrud von Wart implorant la grâce de son mari* – Zurich (Kunsthaus) : *Distribution de pain pour la Saint Antoine à Cervara – Pan et les bacchantes – Ronde*.
Ventes Publiques : Lucerne, 26 nov. 1971 : *Vue d'une petite ville suisse* : **CHF 3 200** – Londres, 21 juin 1991 : *Amour maternel* 1886, h/t dans un cadre d'époque ornée de papillons et d'un feston d'épis de blé (96,5x68) : **GBP 17 600**.

WECKLER Georg
Né en 1800 à Riga. Mort le 7 septembre 1861 à Saint-Pétersbourg. xixe siècle. Russe.

Mosaïste.
Élève de l'Académie de Saint-Pétersbourg. Il exécuta des mosaïques pour la cathédrale Saint-Isaac de cette ville.

WECKNER Peter
XVIIIe siècle. Actif à Budapest dans la seconde moitié du XVIIIe siècle. Hongrois.
Sculpteur.

WECZERZIK Wenzel
XVIIIe siècle. Actif à Saaz au début du XVIIIe siècle. Tchécoslovaque.
Peintre.
Il a peint un tableau d'autel représentant *Saint Jean Népomucène* dans l'église de Saaz en 1719.

WEDDER. Voir **WEDER**

WEDDERKOPFF Cordélie von
XIXe siècle. Active à Stockholm dans la première moitié du XIXe siècle. Suédoise.
Paysagiste.
Elle exposa à Stockholm de 1806 à 1809.

WEDDIGE Carl
Né le 18 septembre 1815 à Rheine. Mort le 26 mars 1862 à Amsterdam. XIXe siècle. Hollandais.
Peintre de genre, portraits, lithographe.
Élève de l'Académie de Düsseldorf. Il se fixa à Amsterdam en 1842.
VENTES PUBLIQUES : COPENHAGUE, 2 mai 1984 : *Le Bénédicité* 1857, h/pan. (51x61) : **DKK 16 000** – AMSTERDAM, 30 oct. 1991 : *Intérieur avec une jeune femme lisant auprès d'un berceau à la lueur d'une chandelle* 1857, h/pan. (51,5x48,5) : **NLG 9 775**.

WEDE Willem Van
Né vers 1594 à Utrecht. Mort le 18 octobre 1614 à Rome. XVIIe siècle. Hollandais.
Peintre.

WEDEKIND Johan Heinrich ou **Wedekindt** ou **Wendekin**
Né le 15 août 1674. Mort le 8 octobre 1736. XVIIe-XVIIIe siècles. Suédois.
Portraitiste.
Il travailla à Lübeck, à Göteborg, à Reval et à Saint-Pétersbourg où il fut peintre à la cour de Pierre le Grand.

WEDEL Frederik Ernst
XVIIe siècle. Actif à Copenhague à la fin du XVIIe siècle. Danois.
Graveur au burin.
Il grava des scènes mythologiques et des portraits.

WEDENETZKI Pavel Pétrovitch ou **Wedenezki**
Né en 1766 à Nijni-Novgorod. XVIIIe siècle. Russe.
Peintre de portraits.
Élève de l'Académie de Saint-Pétersbourg. La Galerie Tretiakov de Moscou conserve deux portraits dessinés par cet artiste.

WEDENMEYER Heinrich Friedrich
Né le 26 décembre 1783 à Göttingen. Mort le 20 août 1861 à Göttingen. XIXe siècle. Allemand.
Peintre verrier et sur porcelaine.
Il exécuta les vitraux de l'église de la cour de Hanovre. Il était également négociant. Le Musée de Göttingen conserve des œuvres de cet artiste.

WEDEPOHL Theodor
Né le 12 avril 1863 à Exeter. Mort en 1923 à New York. XIXe-XXe siècles. Américain.
Peintre.
Il fut élève de l'Académie de Berlin. Il se fixa à New York.

WEDER Élihu
XIXe siècle. Actif aux États-Unis. Américain.
Peintre.
Il figura aux expositions de Paris ; reçut une mention honorable en 1889 à l'Exposition universelle. Certainement identique à Vedder Elihu.

WEDER Giovanni-Battista
Né en 1742. Mort après 1808 à Rome. XVIIIe siècle. Italien.
Tailleur de camées.
Il travailla pour le pape et l'impératrice de Russie. L'Ermitage de Leningrad conserve deux camées exécutés par cet artiste et représentant *Pierre le Grand* et *Catherine II*.

WEDERKINCH Holger
Né le 3 mars 1886 à Femo. XXe siècle. Danois.
Sculpteur d'animaux.
Il exposa à Paris au Salon de la Nationale des Beaux-Arts, dont il fut membre sociétaire, au Salon d'Automne à partir de 1924, à Copenhague, Brighton et Londres.
Il a réalisé en 1930 le *Monument de la France renaissante* en bronze érigé sur le pont de Bir-Hakeim. Cette œuvre grandiose surprit par son caractère fantastique.

WEDGEWOOD Geoffrey Heath
Né le 16 avril 1900 à Londres. XXe siècle. Britannique.
Graveur.
Il fut élève des Académies de Liverpool et de Londres. Il vécut et travailla à Liverpool.

WEDGWOOD John Taylor
Né vers 1783. Mort le 6 mars 1856 à Londres. XIXe siècle. Britannique.
Graveur au burin.
Il grava des portraits et des antiquités.

WEDIG Gotthardt ou **Godert** ou **Gottfrie von** ou **Wedige**
Né en 1583 à Cologne. Mort le 27 décembre 1641 à Cologne. XVIIe siècle. Allemand.
Peintre de genre, portraits, natures mortes.
MUSÉES : COLOGNE : *Musique de chambre* – DARMSTADT : *Nature morte à la lueur de la chandelle* – SIGMARINGEN : *Repos pendant la fuite* – SPIRE : *Portrait d'homme*.
VENTES PUBLIQUES : COLOGNE, 14 nov. 1963 : *Nature morte* : **DEM 48 000** – COLOGNE, 28 avr. 1965 : *Portrait d'un seigneur* : **DEM 8 050** – LUCERNE, 1e déc. 1967 : *Nature morte au perroquet* : **CHF 22 000** – NEW YORK, 22 mai 1992 : *Nature morte avec des fruits, du pain, deux verres de vin et de la vaisselle d'étain sur une table*, h/pan. (43,8x62,2) : **USD 55 000** – PARIS, 8 avr. 1995 : *Portrait de jeune femme à la fraise* 1640, h/pan. de chêne (87x69) : **FRF 60 000**.

WEDL Johann
Né en 1812 à Vienne. XIXe siècle. Autrichien.
Paysagiste.
Élève de l'Académie de Vienne. Il exposa dans cette ville de 1839 à 1844.

WEDRYCHOVSKI Lucien ou **Lucjan**
Né le 1er janvier 1854 à Maciejoronie. XIXe siècle. Polonais.
Peintre.
Il fit ses études à Munich avec les professeurs Straetuber, Herserich et Alexandre Wagner. Il alla ensuite à Cracovie où il entra dans l'atelier de Mateïko. Le Musée de Cracovie conserve de lui : *La tentation de saint Antoine* et *Étude de tête*.

WEDYKOVSKI Ignacy
Né à Cracovie. Mort à Cracovie. XVIIIe siècle. Vivant à la fin du XVIIIe siècle. Polonais.
Peintre.
Il peignit pour les églises de cette ville.

WEE Elisabeth-Marie de
Née en 1930 au Caire (Égypte). XXe siècle. Belge.
Sculpteur. Abstrait.
Elle a fait ses études à l'école Zamalek au Caire, à l'Académie de Bruxelles, à Paris à l'Académie de la Grande Chaumière et dans l'atelier de Zadkine.
Elle réalisa de nombreux portraits-bustes avant de s'intéresser à l'intégration de la sculpture dans l'architecture contemporaine. Parmi ses réalisations à Bruxelles on peut citer la Maison Van Geluwe, la bibliothèque allemande, la salle du conseil de la Caisse d'Epargne, l'Université à Liège, l'Institut Monte Sano à Gstaad en Suisse.
BIBLIOGR. : In : *Diction. Biogr. Ill. des Artistes en Belgique depuis 1830*, Arto, Bruxelles, 1987.

WEEBER Éduard von ou **Weber**
Né en 1834 à Vienne. Mort le 7 août 1891 à Vienne. XIXe siècle. Autrichien.
Peintre de paysages, aquarelliste, aquafortiste.
Élève de Jos. Hoeger et de P. J. N. Geiger à Vienne. Il peignit des aquarelles à la manière de Schwind et de Richter.
MUSÉES : VIENNE (Gal. Czernin) : *Paysage avec troupeau de vaches*.
VENTES PUBLIQUES : VIENNE, 17 mars 1982 : *Enfants au bord de l'étang* 1860, h/t (26x34,5) : **ATS 40 000**.

WEEBER Sylvester
XVIIIe siècle. Actif à Tannheim dans la première moitié du XVIIIe siècle. Autrichien.

Sculpteur.
Il sculpta les autels de l'église de Saint-Peter dans la Forêt Noire.

WEECKS Edwin, Lord. Voir **WEEKS**

WEEDE Adryaen Van
XVIe siècle. Travaillant à Utrecht en 1524. Hollandais.
Peintre.

WEEDON Augustus Walford
Né en 1838. Mort en 1908. XIXe siècle. Britannique.
Peintre de paysages, aquarelliste.
Actif à Londres, il fut membre du Royal Institute of Painters in Water-Colours en 1887. Membre de la Society of British Artists. Il exposa à Londres, à partir de 1859, notamment à la Royal Academy, à Suffolk Street et au Royal Institute. Il exposa aussi à Paris, reçut une médaille de bronze à l'Exposition universelle de 1899, une mention honorable à celle de 1900.

A.W.Weedon .190?

Musées : Melbourne : *Changement de pâturage – Glen Falloch*, deux aquar. – Sydney : *La côte Sud près d'Hastings*, aquar.
Ventes Publiques : Londres, 27 avr. 1982 : *Returning from Sandwich Market* 1894, aquar. (54x89) : **GBP 750**.

WEEGER Frans Andreas. Voir **WEGER**

WEEGEWIJS Hendrik
Né le 7 janvier 1875 à Nieuwer-Amstel. Mort en 1964. XXe siècle. Hollandais.
Peintre de genre, intérieurs, graveur.
Il fut élève de l'Académie d'Amsterdam. Il travailla dans cette ville, à Blaricum et Hilversum.
Graveur, il privilégia la technique de l'eau-forte.
Ventes Publiques : Amsterdam, 19 avr. 1994 : *L'heure du thé*, h/t (61,5x42,5) : **NLG 1 150** – Amsterdam, 9 nov. 1994 : *Un intérieur avec mère et enfants* 1907, h/t (52,5x62,5) : **NLG 3 450** – Amsterdam, 18 juin 1996 : *Paysanne labourant près de sa ferme*, h/t (60x90) : **NLG 1 092**.

WEEGMANN Reinhold
Né le 30 avril 1889 à Stuttgart. XXe siècle. Allemand.
Peintre, graveur.
Il fut élève de Gustav Igler et de Robert Van Haug. Graveur, il privilégia la technique de l'eau-forte.

WEEGSCHEIDER Joseph Ignaz. Voir **WEGSCHEIDER**

WEEHOFF Maerten Olafs ou **Weethoff** ou **Weetshoff**
Mort le 2 janvier 1731 à Alkmaar. XVIIIe siècle. Hollandais.
Peintre.

WEEHR Georg Philipp. Voir **WEHR**

WEEKES Henry
Né en 1807 à Canterbury. Mort le 28 mai 1877 à Londres. XIXe siècle. Britannique.
Sculpteur de statues, bustes.
De 1828 à 1877, il exposa à Londres : cent vingt-quatre ouvrages à la Royal Academy ; cinq à la British Institution ; quatre à Suffolk Street. Agréé à la Royal Academy en 1851, il fut académicien en 1865. Il était le père du peintre animalier Henry Weekes et du peintre de genre Herbert William Weekes.
Il fut le premier sculpteur à réaliser un buste de la Reine Victoria après son accession au trône.
Musées : Liverpool : *Lesbie – La mère suppliante*.
Ventes Publiques : Londres, 15 déc. 1982 : *Bust of Harriet, Viscountess Midleton*, marbre (H. 71) : **GBP 1 500** – Londres, 19 oct. 1983 : *Duck shooting*, h/t (51x76) : **GBP 3 800** – Londres, 13 déc. 1984 : *Fillette au cerceau*, marbre blanc (H. 130) : **GBP 4 500** – New York, 26 mai 1994 : *La fillette au cerceau* 1850, marbre (H. 130,8) : **USD 46 000**.

WEEKES Henry
XIXe siècle. Britannique.
Peintre d'animaux, de paysages, natures mortes.
Fils du sculpteur Henry Weekes. Il exposa à Londres de 1849 à 1888, notamment à la Royal Academy, à la British Institution et à Suffolk-Street.
Bibliogr. : Benedict Read, in : *Peintures victoriennes*, New Haven et Londres, 1982.
Musées : Leeds : *Un coin du garde-manger du baron* – Melbourne (Nat. Gal. of Victoria) : *Ânes dans un pâturage*.
Ventes Publiques : Londres, 21 juil. 1978 : *Le chien de garde* 1877, h/t (70x97,7) : **GBP 2 400** – Londres, 15 mai 1979 : *Anes et chien de garde* 1877, h/t (69x97) : **GBP 1 600** – Londres, 15 juin 1988 : *Nature morte au gibier tué*, h/t (86x67,5) : **GBP 4 730** – Londres, 13 juin 1990 : *Anesse et son poulain*, h/pan. (40x42,5) : **GBP 1 870** – Londres, 19 déc. 1991 : *Deux chiens de chasse gardant le cranier*, h/t (61x91,5) : **GBP 2 200** – Londres, 11 juin 1993 : *Mules à Anvers*, h/t (71,5x92) : **GBP 2 875** – Londres, 3 juin 1994 : *Nature morte de gibier dans un cellier* 1872, h/t (92,1x72,3) : **GBP 4 600** – New York, 20 juil. 1994 : *Maman et son petit aide*, h/t (66x101) : **USD 3 105**.

WEEKES Herbert William
Mort après 1904. XXe siècle. Britannique.
Peintre de genre, animaux.
Il était le fils du sculpteur Henry Weekes et le frère du peintre animalier Henry Weekes. De 1856 à 1909, il vécut à Londres, où il exposa régulièrement, notamment à la Grosvenor Gallery en 1886.
Spécialiste de la peinture d'animaux de basse-cour, et plus particulièrement des ânes et des oies, il donnait souvent à ses compositions un tour humoristique basé sur une approche anthropomorphique.
Ventes Publiques : Paris, 30 avr. 1951 : *Scène sicilienne* 1860 : **FRF 20 000** – Londres, 27 mars 1973 : *Chien et chats* : **GBP 850** – Londres, 9 mars 1976 : *Oies défilant devant un cochon*, h/cart. (23x34) : **GBP 850** – Londres, 14 juin 1977 : *Cochon regardant défiler des oies*, h/cart. (23x34) : **GBP 900** – Londres, 27 mars 1979 : *Not Goya's but very like 'em*, h/t (33x24) : **GBP 800** – Londres, 23 mars 1981 : *Acrobates de rue* 1874, h/t (127x185,5) : **GBP 3 000** – Londres, 14 juil. 1983 : *A borough council*, h/t (51x76) : **GBP 3 500** – Londres, 13 déc. 1984 : *A friendly Chat*, h/pan. (28x19) : **GBP 4 500** – Londres, 12 avr. 1985 : *An unappreciative audience*, h/cart. (19,5x28) : **GBP 3 800** – Londres, 12 juin 1985 : *Christmas greetings*, h/t (94x69) : **GBP 4 000** – Londres, 14 fév. 1986 : *In disgrace* 1888, h/t (30,5x35,5) : **GBP 1 700** – Londres, 15 juin 1988 : *L'Intrus*, une paire : **GBP 5 500** – New York, 24 oct. 1989 : *Entretien de fond de cour*, h/pan. (28x20,3) : **USD 11 000** – Londres, 9 fév. 1990 : *L'air favori* 1865, h/t (31x25,2) : **GBP 1 650** – Londres, 8 fév. 1991 : *Madame est chez elle*, h/cart. (29x46) : **GBP 10 450** – Londres, 13 fév. 1991 : *L'intrus*, h/pan. (28x19) : **GBP 2 530** – Londres, 19 déc. 1991 : *Troupeau d'oies aux prises avec deux veaux à l'entrée d'une prairie*, h/t (50,8x76,2) : **GBP 6 600** – Londres, 12 nov. 1992 : *Deux intrus*, h/t (56x40,5) : **GBP 3 300** – Londres, 3 fév. 1993 : *Accusé*, h/pan. (29x20) : **GBP 977** – New York, 4 juin 1993 : *Petits chiens de compagnie* 1879, h/t/cart., une paire (35,6x30,5) : **USD 11 500** – Londres, 5 juin 1996 : *A sweet thing in bonnets*, h/cart. (28,5x36) : **GBP 5 750** – Londres, 6 juin 1996 : *Le Messager du malheur*, h/pan. (28x31,7) : **GBP 1 380** – Londres, 6 nov. 1996 : *Jeux dans la neige* 1875, h/t (77x102) : **GBP 12 650** – Londres, 6 nov. 1996 : *Os de discorde* 1870, h/t (46x56) : **GBP 3 680** – New York, 12 déc. 1996 : *Âne et oies à côté d'une brouette*, h/t (50,8x76,2) : **USD 25 300**.

WEEKS. Voir aussi **WEEKES**

WEEKS Edwin, Lord ou **Weecks**
Né en 1849 à Boston. Mort le 16 novembre 1903 à Paris. XIXe siècle. Américain.
Peintre de genre, sujets typiques. Orientaliste.
Il alla à Paris pour suivre les cours de Jean Léon Gérome et de Léon Bonnat à l'École des Beaux-Arts. Il fit ensuite un voyage au Maroc, en Algérie, Égypte, Palestine, Inde en 1882, recueillant de nombreuses études. Il est l'auteur d'un ouvrage sur l'art mauresque. En 1878, il envoya deux figures à la Royal Academy. Dans la suite, il réserva ses envois pour le Salon de Paris. Membre de la Société des Artistes Français (créée en 1881), il y obtint les récompenses suivantes : mention honorable en 1884, troisième médaille en 1889, chevalier de la Légion d'honneur en 1896, médaille d'or en 1900.
Il a collaboré, à la fois comme écrivain et comme dessinateur, au Harpers' et au Scribner magazines. En peinture, il s'est essentiellemnt consacré à la peinture de scènes orientales. Il y fait preuve d'un véritable charme, très propice au genre, d'abord par le choix de sujets gracieux, ensuite par une technique intéressante qui complète le souvenir de Delacroix par une référence aux préraphaélites et des emprunts, dans la touche empâtée mais pourtant légère, dans le jeu des taches de soleil passant à travers les ombrages, à l'impressionnisme et surtout à Renoir.

E.L.WEEKS

Bibliogr. : Gérald Schurr : *Les Petits Maîtres de la peinture 1820-1920, valeur de demain*, Les Éditions de l'Amateur, t. V, Paris, 1981.

Musées : Brooklyn : *Prière dans la mosquée Muti Musjid* – Chicago : *Tombe d'un musulman à Almedabad* – New York (Metropolitan Mus.) : *Dernier voyage – Le radja partant à la chasse* – Paris (Mus. du Louvre) : *Café persan* – Philadelphie : *Trois mendiants de Cordoue* – Roubaix (Mus. de la Ville) : *La princesse de Bengale* vers 1899 – Washington D. C. : *Départ pour la chasse aux Indes – Marchands hindous – Scène de rue en Orient.*

Ventes Publiques : Paris, 1899 : *Scène au Caire* : **FRF 1 000** – Paris, 1er fév. 1943 : *La halte devant la mosquée* : **FRF 36 000** – Paris, 16 mars 1945 : *En Espagne, rencontre galante* : **FRF 12 000** – New York, 6 nov. 1968 : *Scène marocaine* : **USD 950** – Londres, 20 nov. 1973 : *La mariée hindoue* : **GBP 800** – New York, 14 mai 1976 : *Chameaux autour d'un puits*, h/t (100x195) : **USD 2 200** – Londres, 4 mai 1977 : *Arabes montant des chameaux, dans le désert, le soir* 1875, h/t (88x115) : **GBP 1 600** – New York, 12 mai 1978 : *La caravane au repos aux abords d'une ville* 1880, h/t (90x155) : **USD 5 500** – Washington D. C., 20 mai 1979 : *Dévotions au bord du Gange*, h/t (73,5x100) : **USD 11 000** – Paris, 18 fév. 1980 : *Scène de rue en Inde musulmane*, h/t (49x30) : **FRF 5 200** – New York, 29 mai 1981 : *Le Départ pour la chasse*, h/t mar./cart. (83,8x119,4) : **USD 15 000** – Portland, 5 nov. 1983 : *In the Orient* 1883, h/t (65x50,8) : **USD 15 000** – New York, 30 oct. 1985 : *A royal procession before the Jumma Musjid Agra*, h/t (87,6x136,5) : **USD 80 000** – New York, 25 fév. 1988 : *Caravane traversant un oued* 1880, h/t (89,8x153,2) : **USD 55 000** – New York, 24 jan. 1989 : *Deux jeunes femmes indigènes* 1905, h/t (63,8x52,5) : **USD 5 225** – New York, 22 fév. 1989 : *Départ d'une caravane à la porte de Shelah au Maroc*, h/t (90,2x155) : **USD 242 000** – Paris, 19 juin 1989 : *Scène orientale*, h/cart. (22x27) : **FRF 17 000** – New York, 25 oct. 1989 : *Au marché d'Ispahan*, h/t (47,6x57,2) : **USD 22 000** – New York, 28 fév. 1990 : *La visite*, h/t (87,6x66) : **USD 93 500** – New York, 24 mai 1990 : *Place du marché à Agra*, h/t (52,1x76,3) : **USD 71 500** – New York, 19 juil. 1990 : *Femme de Bombay et son enfant en vêtements de fête*, h/t/cart. en grisaille (41,3x24,8) : **USD 3 850** – New York, 17 déc. 1990 : *Cavalier marocain au crépuscule*, h/t (31,1x46,1) : **USD 3 300** – New York, 28 fév. 1991 : *Les Mille et une Nuits, le portier de Bagdad*, h/t (97,8x70) : **USD 16 500** – Paris, 8 avr. 1991 : *Cavaliers devant la mosquée*, h/t (65x81) : **FRF 122 000** – New York, 12 avr. 1991 : *L'entrée du grand bazar d'Ispahan*, h/t (101,6x81,3) : **USD 24 200** – New York, 3 déc. 1992 : *Temple bouddhiste* 1905, h/t (144,8x190,5) : **USD 110 000** – New York, 18 fév. 1993 : *Le préféré du Rajah*, h/t (100,5x80) : **USD 132 000** – New York, 27 mai 1993 : *Jour de fête à Bekanir au Beloutchistan*, h/t (140,9x187,3) : **USD 36 800** – New York, 13 oct. 1993 : *Ispahan*, h/t (142,2x188,6) : **USD 134 500** – New York, 15 fév. 1994 : *Marché aux chevaux des écuries persanes de Bombay*, h/t (80x100) : **USD 107 000** – Londres, 17 nov. 1994 : *Visite au scribe*, h/t (50x63,8) : **GBP 17 250** – Londres, 15 mars 1996 : *Caravane du Soudan entrant dans une fondak au Maroc*, h/t (82,5x100,5) : **GBP 227 000** – Londres, 14 mars 1997 : *Au puits* 1880, h/t (45,8x76) : **GBP 9 430.**

WEELE Herman Johannes Van der

Né le 13 janvier 1852 à Middelbourg. Mort le 2 décembre 1930 à La Haye. xixe-xxe siècles. Hollandais.

Peintre de sujets typiques, graveur.

Il fut élève de l'Académie de La Haye. Il figura au Salon de Paris ; et reçut une médaille de bronze en 1889 à l'Exposition universelle de Paris.

Il s'est spécialisé dans les scènes rustiques et a réalisé des eaux-fortes.

Musées : La Haye (Mus. Mesdag) : *Carriole paysanne – Bœuf attelé.*

Ventes Publiques : Londres, 29 sep. 1976 : *Scène de ferme*, h/t (44,5x67,5) : **GBP 320** – Amsterdam, 19 sep. 1978 : *Enfants dans une barque*, h/t (63x75) : **NLG 4 200** – Londres, 18 juin 1980 : *Berger et son troupeau*, h/t (52x66) : **GBP 1 500** – New York, 17 mai 1984 : *Bergère et troupeau de moutons*, h/t (90x69) : **USD 1 200** – Amsterdam, 5 juin 1990 : *Paysan avec un tombereau de sable dans les dunes*, h/t (101,5x87,5) : **NLG 5 750** – Amsterdam, 5-6 nov. 1991 : *Labourage*, h/t (68x89) : **NLG 2 300** – New York, 16 juil. 1992 : *Berger menant son troupeau le long d'un ruisseau*, h/t (66x90,2) : **USD 3 575** – Amsterdam, 28 oct. 1992 : *Femme portant un fagot*, h/t/pan. (53x36) : **NLG 1 955** – Amsterdam, 2-3 nov. 1992 : *Berger et son troupeau*, h/t (43,5x67,5) : **NLG 2 185** – Montréal, 23-24 nov. 1993 : *L'époque des labours*, aquar. (38x53,3) : **CAD 1 150** – Amsterdam, 7 nov. 1995 : *L'attelage de bœufs*, h/pan. (27x43) : **NLG 1 062** – Amsterdam, 16 avr. 1996 : *Paysan sur un chemin forestier*, h/t/pan. (31x50) : **NLG 1 121.**

WEELING Anselm

Né le 21 octobre 1675 à Bois-le-Duc. Mort le 29 octobre 1747 à Bois-le-Duc. xviiie siècle. Hollandais.

Peintre de genre.

Son père, officier, voulait en faire un soldat. Ses dispositions artistiques le firent placer comme élève chez le peintre Delang, mais il se forma réellement par l'étude des maîtres hollandais, et particulièrement Godfrief Schaleken et Adriaan Van der Werff. Il imita surtout le premier dans ses effets d'éclairage par les bougies.

WEELING H. G.

xviiie siècle. Travaillant à Middelbourg. Hollandais.

Peintre de genre, portraits.

WEELY Jan Van

Mort en 1616 à Amsterdam. xviie siècle. Hollandais.

Peintre.

Il fut également joaillier.

WEEMAELS Jacques

Né le 27 janvier 1943 à Uccle. xxe siècle. Britannique.

Peintre. Abstrait-géométrique.

Il a étudié à l'Académie Royale des Beaux-Arts de Bruxelles.

Sa peinture relève de l'abstraction géométrique. Il a créé des alphabets de formes géométriques combinables entre elles.

WEEMAES Margot

Née en 1909 à Louvain. xxe siècle. Belge.

Graveur de nus, dessinatrice, peintre verrier.

Elle fut élève de l'académie La Cambre. Elle a réalisé des vitraux pour diverses églises.

Bibliogr. : In : *Dict. biogr. illustré des artistes en Belgique depuis 1830*, Arto, Bruxelles, 1987.

Musées : Bruxelles (Cab. des Estampes).

WEEMEN Bernardus Van

Mort en 1753 à La Haye. xviiie siècle. Hollandais.

Peintre.

WEENIX Jan ou **Weeninx** ou **Woeninx**

Né en 1640 à Amsterdam. Mort en 1719 à Amsterdam. xviie-xviiie siècles. Hollandais.

Peintre d'histoire, figures, portraits, paysages, natures mortes, fleurs, décorateur.

Il était le fils de Jan Baptist Weenix. Bien qu'encore très jeune à la mort de son père, il avait été son élève, en même temps que son cousin Melchior d'Hondecœter, et en avait déjà reçu une sérieuse formation, à laquelle il resta fidèle et même qu'il perpétuera lorsqu'il enseignera à son tour à Amsterdam. De 1664 à 1668, il fut inscrit à la gilde des peintres d'Utrecht. Puis, il fut peintre à la cour de l'Électeur Palatin Jean Guillaume, travaillant aux décorations du château de Benberg. On considère que ce séjour coïncida avec l'époque de sa meilleure production. À la mort de l'Électeur Palatin, il revint se fixer à Amsterdam.

Un peu comme son père, il pratiqua une peinture composite, s'essayant à tous les genres, peinture d'histoire, portrait, natures mortes, paysages. Il dut surtout son succès à ses compositions de natures mortes de retour de chasse, genre qui connaissait une grande vogue comme élément du décor des maisons. Producteur de peintures dont la destination était de décorer, il y montra parfois une facture un peu hâtive quand la demande pressait. Il semble que ses peintures de petites dimensions aient échappé à cette critique. Parmi ses peintures les plus célèbres : *Gibier et ustensiles de chasse* de 1671 ; *Le cygne mort, Gibier, chiens et ustensiles de chasse* les *Produits de la chasse*, un des chefs-d'œuvre de cette peinture décorative hollandaise, où Jan Weenix s'était spécialisé dans les « retours de chasse », tandis que son cousin Melchior d'Hondecœter consacrait son savoir-faire, recueilli à la même source, à la peinture des oiseaux morts.

■ J. B.

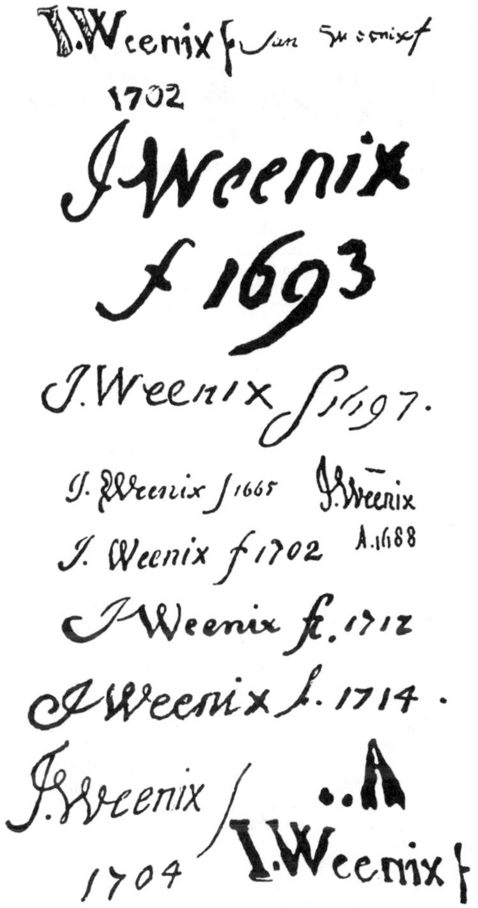

Bibliogr. : X..., in : *Encyclopédie des Arts Les Muses*, Grange Batellière, Paris, 1974.

Musées : Aix-la-Chapelle : *Volaille morte* – Amiens : *Portrait d'homme* – Amsterdam : *Portrait d'homme* – *Gibier et attirail de chasse* – *Fruits et gibier*, deux œuvres – *Maison de campagne* – Anvers : *Nature morte* – Aschaffenbourg : *Nature morte* – Augsbourg : *Retour de la chasse* – Bath : *Volaille* – Berlin : *Bouquet de fleurs* – *Lièvre mort et oiseaux* – Bonn : *Volaille morte* – Bruxelles : *Gibier et fruits* – *Trophée de chasse* – Budapest : *Jeune garçon et oie sauvage* – *Portrait d'homme* – *Deux portraits de femme* – *Oiseaux* – Burghausen : *Apothéose de Anna Maria de Palatinat* – Caen : *Dame au milieu d'un parc* – Cambridge : *Gibier et fruits* – Cologne : *Nature morte* – Copenhague : *Gibier mort* – *Gibier et fruits* – Dresde : *Grande nature morte avec chevreuil* – *Grande nature morte avec lièvre* – *Nature morte*, deux œuvres – Dublin : *Nature morte* – Düsseldorf : *Nature morte* – Francfort-sur-le-Main : *Butin de chasse*, deux œuvres – *Portrait d'un marchand* – Genève (Mus. Rath) : *Nature morte : gibier* – Grenoble : *Perdrix rouge et fruits* – Haarlem : *Anthony Sedelaer* – *Margarethe Versyl* – Hambourg : *Fleurs* – *Butin de chasse* – *Chasseur et gibier* – La Haye : *Cygne mort* – *Gibier* – Kassel : *Nature morte avec coq blanc* – *Lièvre mort* – *Lièvre* – Kiev : *Nature morte avec lièvre* – Leipzig : *Fleurs* – Londres (Nat. Gal.) : *Gibier et chien* – Londres (Wallace coll.) : *Fleurs et paon* – *Cacatoès blanc et autres oiseaux* – *Macard rouge et autres oiseaux* – *Gibier et chiens de chasse*, deux œuvres – *Gibier mort*, deux œuvres – *Gibier et petits oiseaux* – *Fleurs et fruits* – *Oie morte et paon* – *Paon mort et gibier* – *Lièvre et nature morte*, deux œuvres – *Lièvre et autre gibier* – *Oiseaux morts* – Lucques : *Lièvre mort* – Lyon : *Bouquet sur un banc de pierre* – Montpellier : *Gibier et ustensiles de chasse* – Munich : *Jeune chasseur avec lièvre et oiseaux dans un panier* – *Femme endormie au pied d'un monument* – *Loup, lièvre et oiseaux veillés par deux chiens* – *Cygne, chevreuil, lièvre et oiseaux morts* – *Lièvre mort et fusil* – *Lièvre attaché à une branche, oiseaux à terre* – *Perdrix morte et urne de pierre* – *Lièvre et paon* – *Lièvre, oie et faisan près d'une urne* – *Cerf et deux lièvres* – *Gibier mort sur la terrasse d'un château* – *Chasse au sanglier* – New York (Metropolitan Mus.) : *Fruits* – Oslo : *Lièvre mort et perdrix* – Paris (Mus. du Louvre) : *Gibier et attirail de chasse* – *Port de mer* – *Gibier* – Philadelphie : *Lièvres et oiseaux* – Posen : *Lièvre mort* – Le Puy-en-Velay : *Gibier, nature morte* – Rotterdam : *Cygne mort* – Saint-Pétersbourg (Mus. de l'Ermitage) : *Marchand de volaille* – *Trophée de chasse*, trois œuvres – Schleissheim : *Nature morte*, huit œuvres – Stockholm : *Lièvre mort dans une niche* – Tournai : *Nature morte* – Varsovie : *Canards morts* – Vienne : *Lièvre mort* – Vienne (Schonborn Buchlein) : *Gibier mort*, deux œuvres – *Perdrix et oiseaux morts* – Wiesbaden : *Lévrier blanc*.

Ventes Publiques : Amsterdam, 1706 : *Lièvre pendu, oiseaux morts et objets de chasse* : **FRF 310** – Paris, 1773 : *Lièvre et dindon morts à terre devant une maison de campagne* : **FRF 2 110** – Paris, 1848 : *Gibier, fruits et fleurs* : **FRF 3 800** – Paris, 1850 : *Lièvre, perdreaux et canard morts gardés par un chien, fleurs et accessoires et chasse* : **FRF 6 864** – Paris, 1861 : *Chien de chasse* : **FRF 15 600** – Paris, 1863 : *Nature morte, accessoires de chasse* : **FRF 17 500** – Paris, 1884 : *Le chien blanc* : **FRF 26 500** – Londres, 1894 : *Oiseaux morts, fruits et fleurs dans un jardin* : **FRF 17 621** – Paris, 28 fév. 1921 : *Jésus chassant les vendeurs du Temple* : **FRF 6 000** – Londres, 2 mars 1923 : *Gibier mort dans un jardin* : **GBP 672** – Paris, 14-15 avr. 1924 : *Le groupe mutilé* : **FRF 5 100** ; *L'arrivée au palais* : **FRF 11 300** – Londres, 20 juin 1927 : *Oiseaux morts* : **GBP 105** – Londres, 12 juin 1931 : *Un philosophe dans son cabinet de travail* : **GBP 273** – Paris, 3 mars 1944 : *Lièvre et perdrix* 1717 : **FRF 80 000** – New York, 8 mai 1947 : *Nature morte au gibier* : **GBP 675** – Paris, 14 mars 1951 : *Le chien blanc* : **FRF 250 000** – Bruxelles, 21 mai 1951 : *Trophées de chasse* : **BEF 19 000** – Cologne, 6-9 mai 1953 : *Nature morte au gibier* : **DEM 1 000** – Ellecom, 19-21 mai 1953 : *Portrait en buste d'une jeune fille* : **NLG 550** – Paris, 21 mars 1958 : *Trophées de chasse* : **FRF 1 420 000** – Londres, 25 fév. 1959 : *Chasseurs* : **GBP 520** – Londres, 30 juin 1961 : *Les jardins d'un château* : **GBP 2 100** – Londres, 27 juin 1962 : *Nature morte* : **GBP 900** – Paris, 30 mars 1963 : *La musicienne* : **FRF 15 000** – Londres, 25 fév. 1966 : *Chien, perdrix et faisan sur une terrasse* : **GNS 1 700** – Londres, 3 déc. 1969 : *Fleurs dans un paysage* : **GBP 3 000** – Paris, 2 déc. 1970 : *Le repos devant le palais* : **FRF 22 000** – Stockholm, 19 avr. 1972 : *Nature morte au gibier* : **SEK 12 000** – Florence, 20 juin 1973 : *Nature morte aux volatiles* : **ITL 5 000 000** – Londres, 13 juil. 1977 : *Nature morte au gibier*, h/t (147x120) : **GBP 3 000** – Londres, 29 juin 1979 : *Jeune garçon et gibier mort dans un paysage*, h/t (121x99) : **GBP 4 500** – Londres, 23 juin 1982 : *Gibier mort et paon blanc dans un parc*, h/t (188x159) : **GBP 3 800** – Amsterdam, 25 avr. 1983 : *Ruines romaines*, sanguine (21,9x18) : **NLG 2 200** – New York, 18 jan. 1983 : *Biche et héron morts avec trophées de chasse dans un paysage*, h/t (122x158,8) : **USD 24 000** – Paris, 25 mars 1985 : *Nature morte aux fruits et aux fleurs et à l'orfèvrerie devant un paysage montagneux* 1710, h/t (149x206) : **FRF 450 000** – New York, 14 jan. 1988 : *Nature morte de chasse avec un lièvre et des oiseaux pendus par les pattes*, h/t (105,5x87,5) : **USD 220 000** ; *Le départ du fils prodigue* 1716, h/t (95x120) : **USD 22 000** – Londres, 21 avr. 1989 : *Tableau de chasse en forêt avec un paon et un faucon et un cornet à poudre pendus à une branche, d'autres pièces de gibier et un fusil sur un entablement* 1710, h/t (131x111) : **GBP 19 800** – Monaco, 16 juin 1989 : *Chasseur et son chien assis au pied d'une statue de Minerve dans un paysage*, h/t (52x62) : **FRF 38 850** – Stockholm, 15 nov. 1989 : *Nature morte de fruits*, h. (55x46) : **SEK 49 000** – New York, 10 jan. 1990 : *Chasseur avec du gibier et un chien au pied de la statue d'un faune dans un vaste paysage boisé*, h/t (103x93) : **USD 539 000** – Stockholm, 16 mai 1990 : *Nature morte de gibier, faisans, perdrix...*, h/t (70x90) : **SEK 41 000** – Amsterdam, 12 juin 1990 : *Tableau de chasse avec un paon et un faucon pendus à une branche avec une perdrix et des passereaux près d'un fusil dans un paysage*, h/t (121,8x103,8) : **NLG 36 800** – Monaco, 7 déc. 1990 : *Bergère et son troupeau près d'un château en ruines*, h/t (84x101) : **FRF 199 800** – Londres, 14 déc. 1990 : *Épagneul à côté d'un paon mort, d'un canard et autres oiseaux tués au pied d'un pilastre dans le parc d'une villa*, h/t (139,7x143,2) : **GBP 20 900** – Londres, 7 fév. 1991 : *Portrait d'une dame assise de trois-quarts vêtue d'une robe bleue garnie de dentelle et de broderie d'or avec un maure lui présentant un plateau de fruits*, h/t, de forme ovale (73x61,5) : **GBP 1 870** – Paris, 13 déc. 1991 : *Nature morte aux trophées de chasse, au lièvre et au perdreau*, h/t (103,5x88) :

FRF 310 000 – New York, 12 jan. 1994 : *Un butor, des canards sauvages et autres passereaux sur la berge d'une rivière avec un couple au fond*, h/t (89,5x71,8) : **USD 40 250** – Amsterdam, 17 nov. 1994 : *Guirlande de fruits et de légumes suspendue à un arbre près d'une fontaine surmontée de la statue de Cérès avec un cacatoès et un écureuil au premier plan* 1703, h/t (76,5x55,8) : **NLG 23 000** – Londres, 8 déc. 1995 : *Gibier mort, lièvre, faisan, canard, perdrix, geai et panier de fruits au pied d'une urne sculptée dans un parc avec un chien et un jeune serviteur apportant une corbeille de fruits* 1705, h/t (122x163) : **GBP 331 500** – Londres, 3 juil. 1996 : *Nature morte avec du gibier et du matériel de chasse dans un parc* 1705, h/t (122x100) : **GBP 144 500** – New York, 6 fév. 1997 : *Portrait d'un gentilhomme dans un jardin avec son chien*, h/t (82,6x71,1) : **USD 6 325** – Paris, 13 juin 1997 : *Nature morte au lièvre et au coq sur un entablement*, t. (109x92) : **FRF 230 000** – Londres, 4 juil. 1997 : *Jeune gentilhomme courtisant une dame élégante sous une statue de Vénus sur un quai en compagnie festoyante, des personnages montant à bord d'un bac dans le lointain* 1675, h/t (128,3x109,2) : **GBP 62 000** – Londres, 3 déc. 1997 : *Famille paysanne se reposant près d'un socle soutenant une urne, un port dans le lointain*, h/pan. (48,3x64,2) : **GBP 17 250**.

WEENIX Jan-Baptist ou **Weeninx**, dit **l'Aîné**

Né en 1621 à Amsterdam. Mort avant le 19 novembre 1663 à Deutecum. xviie siècle. Hollandais.

Peintre d'histoire, compositions religieuses, figures, portraits, paysages, marines, natures mortes, graveur à l'eau-forte.

Il était le fils d'un architecte réputé, nommé aussi Jan Weenix. À la mort de son père, il fut placé chez un marchand de livres. Son apprentissage ne lui plaisant pas, il commença à dessiner par lui-même jusqu'à ce que en 1639, il devînt l'élève de Jan Micker et, à Utrecht, de Abraham Bloemaert, celui-ci étant spécialisé dans la peinture de figures. Enfin, à Amsterdam, il reçut les conseils du peintre et graveur Nicolas Moeyaert. À cette époque, il se maria ; de ses deux enfants l'un deviendra peintre à son tour, Jan. Vers 1672, il fit le voyage d'Italie, où il resta quatre ans, devenu protégé et employé, à Rome, du cardinal Giovanni Battista Pamphili, qui deviendra le pape Innocent X. Ce fut sans doute pour honorer son protecteur qu'il se fit appeler ensuite Jan Baptist, alors que jusque-là il s'était nommé seulement Jan ou Johannes. Il signera désormais ses tableaux : GIO(vanni) BATT(ist)A WEENIX. Il revint à Amsterdam vers 1646, puis se fixa à Utrecht, où il fut nommé commissaire de la gilde des peintres en 1649 et où il connut Pœlenburgh et Jan Both. Ensuite, il habita le château de Huys-Termeyen, où il enseigna la peinture à son fils Jan et au neveu de sa femme Melchior d'Hondecœter.

Jan Baptist a peint dans des genres très divers : des scènes bibliques, comme *L'enfant prodigue livré aux plaisirs*, des tableaux d'histoire : *Concert chez Henri IV*, *Repas chez Henri IV*. Mais surtout, il réussit à se faire une réputation comme peintre de paysages, de ports de mer, dans lesquels on retrouve parfois le souvenir romain des ports de Claude Lorrain, des scènes de marché et des natures mortes. Quel qu'en soit le sujet, ses tableaux sont en général une accumulation des composantes les plus diverses : ruines romaines, animaux en liberté ou animaux morts, personnages de la société côtoyant des gens du petit peuple, décors de mer avec des mouvements de bateaux, et puis, dans les compositions de natures mortes : des tapis richement décorés, des bouquets de fleurs, etc. Les objets sont souvent peints avec vérité, à la suite d'une observation attentive de la nature, tandis que les décors de paysages sont très artificiels, pouvant dans les meilleurs des cas friser le fantastique, comme dans *Les corsaires repoussés*, où tant d'éléments s'additionnent qu'il semble difficile d'en dégager le sens : qu'y fait donc ce chevalier en armure qui tient dans ses mains deux lièvres morts ? Dans ses paysages ou compositions moins étranges, comme le *Paysage romain avec des bergers et leur troupeau* du Kunstmuseum de Bâle, il parvient à réussir la synthèse du réalisme attentif propre à la peinture hollandaise et de la composition paysagiste à la romaine. Il n'est toutefois pas impossible qu'on redécouvre la peinture de Jan Baptist Weenix sous un nouveau jour, à la condition d'en effectuer une lecture nouvelle qui serait alors placée sous le signe de l'étrange. Des effets de clair-obscur amenés par des rais de soleil distribués au travers des éléments du décor, accentuent souvent le climat de mystère des représentations insolites. Le *Couple dans une barque* du Louvre, constitue un jalon curieux entre Claude Lorrain et les rêves d'évasion de Watteau. ■ J. B.

Bibliogr. : In : *Encyclopédie des Arts Les Muses*, Grange Batellière, Paris, 1974.

Musées : Aix-la-Chapelle : *Chasseur de qualité* – Amiens : *La petite bergère* – *Le colporteur* – Amsterdam : *Portrait d'homme vêtu d'un manteau rouge* – *Bouc couché* – *Gibier* – Anvers : *Port italien* – Bâle : *Paysage romain avec pâtres et troupeaux* – Berlin : *Rivage méditerranéen* – *Portrait d'une dame* – *Butin de chasse* – Bonn : *Bulle de savon* – Brême : *Nature morte* – Brunswick : *Portique au bord de la mer* – Budapest : *Ruines antiques* – Châteauroux : *Un marchand de pigeons* – Cherbourg : *Paysage* – Cologne : *Havre fortifié* – Copenhague : *Monument près d'un port* – *Chaudronnier* – Detroit : *Oiseaux morts* – Dijon : *Paysan et chèvre* – Dresde : *Campagne romaine* – Dublin : *Dans la campagne* – *La bergère endormie* – La Fère : *Le repas à la ferme* – *Animaux au repos* – Francfort-sur-le-Main : *Le drouineux* – Genève (Ariana) : *Famille de paysans allant à la foire* – *Groupe de personnes discutant* – *Paysage italien, avec scène de genre* – Glasgow : *Ruines d'un temple circulaire* – Hambourg : *Butin de chasse* – Hanovre : *Cavalier au repos* – La Haye : *Dame parlant à son métayer* – *Gibier* – Helsinki : *Grande dame sur la terrasse d'un jardin* – *Jeune noble hollandais* – Karlsruhe : *Marine* – Kassel : *Mère et enfant sur la côte italienne* – Leipzig : *Port italien* – Liège : *Portrait* – *Gibier mort* – Lille : *Scène rustique* – *Après la chasse* – Londres (Nat. Gal.) : *Scène de chasse* – Londres (Wallace coll.) : *Bords de la mer et ruines* – *Bords de la mer et bâtiments* – Mannheim : *Lièvre mort* – Munich : *Repasseur de ciseaux devant une maison somptueuse* – *Jeune fille devant un palais italien* – *Nature morte* – *Cruche et verre* – New York (Métropolitan Mus.) : *Port italien* – Paris (Mus. du Louvre) : *Les corsaires repoussés* – Paris (Mus. Marmottan) : *Fleurs* – Posen : *Butin de chasse* – *Fruits* – Prague : *Oiseaux morts* – *Bords de la mer* – *Outarde* – Rome (Doria Pamphily) : *Marchande de volaille avec son enfant endormi dans les bras* – *Marchand de poisson* – *Vente d'herbes* – Rotterdam : *Tobie dormant dans une vigne* – Saint-Pétersbourg (Mus. de l'Ermitage) : *Pastorale* – *Port de mer*, deux œuvres – *Troupeau* – *Choc de cavalerie* – Sibiu : *Paysage avec colonne* – Spire : *Rémouleur ambulant* – Stockholm : *Port méridional et ruine* – Stuttgart : *Voyageur au repos et chien* – Utrecht : *Portrait de René Descartes* – Vienne : *Port de mer* – Vienne (Gal. Czernin) : *Le départ du fils prodigue* – *Paysage avec moutons, chèvres, chien* – Wuppertal : *Nature morte avec lièvre* – Würzburg : *Deux grandes natures mortes* – *Cygne, aigle et chien* – *Chasseur*.

Ventes Publiques : Dordrecht, 2 mai 1708 : *Une maison publique* : **FRF 599** – Paris, 1776 : *Un homme tenant par la bride un cheval qui se cabre* : **FRF 5 001** – Paris, 1780 : *Petit garçon sur le point de frapper un chien qui vient d'étrangler un coq* : **FRF 201** – Paris, 1801 : *Femme assise tenant un coq mort* : **FRF 7 621** – Paris, 1843 : *Vue d'un port* : **FRF 6 820** – Paris, 1854 : *Gibier mort dans un parc* : **FRF 9 000** – Paris, 1873 : *La halte* : **FRF 5 000** – Cologne, 1879 : *Le jeune chasseur* : **FRF 8 775** – Paris, 1883 : *Chasseur rentrant de la chasse* : **FRF 6 000** – Londres, 1886 : *Paysage, gibier blessé dans le fond* : **FRF 19 700** – Paris, 20 mars 1900 : *Chasse* : **FRF 3 125** – Paris, 26-29 avr. 1904 : *Le chien blanc* : **FRF 20 000** – Paris, 14 mars 1910 : *Nature morte* : **FRF 4 000** – Paris, 17 juin 1921 : *Portrait d'une famille hollandaise* : **FRF 4 000** – Paris, 17-18 juin 1924 : *Portrait d'homme* : **FRF 5 000** – Londres, 26 juin 1925 : *Nature morte* : **GBP 388** – Paris, 28 jan. 1929 : *Port de mer italien* : **FRF 10 500** – Paris, 15 juin 1942 : *L'Innocence alarmée* : **FRF 31 500** – Londres, 10 mai 1944 : *Groupe familial* : **GBP 250** – Londres, 5 fév. 1947 : *Paysage* : **GBP 420** – Paris, 4 avr. 1949 : *Les petits espiègles*, attr. : **FRF 163 000** – Paris, 18 avr. 1950 : *Nature morte* : **FRF 82 000** – Paris, 8 nov. 1950 : *Paysage d'Italie avec fontaine et cavaliers*, attr. : **FRF 40 000** – Cologne, 22 mai 1951 : *Pâtre et troupeau* : **DEM 1 750** – Londres, 29 juin 1951 : *Nature morte* 1657 : **GBP 189** – Paris, 7 juin 1955 : *Le vase de fleurs* : **FRF 175 000** – Londres, 24 nov. 1961 : *Portrait d'un enfant* : **GNS 2 600** – Londres, 10 juil. 1963 : *Paysage boisé* : **GBP 1 400** – Vienne, 23 mars 1965 : *La chasse au faucon* : **ATS 130 000** – Londres, 1er avr. 1966 : *Paysage aux ruines animé de personnages* : **GNS 1 100** – Londres, 29 nov. 1968 : *Scène de port* : **GNS 6 000** – Londres, 3 déc. 1969 : *Nature* *morte au gibier* : **GBP 3 000** – Londres, 8 avr. 1970 : *La halte des voyageurs* : **GBP 1 550** – Vienne, 15 juin 1971 : *Marchands au bord de la mer* : **ATS 140 000** – Versailles, 9 déc. 1973 : *La chasse à courre* : **FRF 26 000** – Londres, 13 juil. 1977 : *Scène de bord de mer*, h/t (87,5x114) : **GBP 8 000** – Amsterdam, 29 oct 1979 : *Personnages parmi des ruines*, craies rouge et noire (23,7x30,6) : **NLG 2 000** – Londres, 16 avr. 1980 : *Femmes faisant leur marché* 1656, h/t (79x68) : **GBP 48 000** – Londres, 10 juil. 1981 : *Gibier mort et chasseur dans un paysage*, h/t (122x158,8) : **GBP 5 500** – New York, 15 jan. 1985 : *Marchand de légumes sous une voûte* 1650, h/t (79x68) : **USD 80 000** – New York, 12 jan. 1989 : *Chien de meute avec un quartier de viande observé par un chat*, h/t (114,5x129,5) : **USD 38 500** – Monaco, 16 juin 1989 : *Berger dans un paysage fluvial*, h/t (67x81) : **FRF 333 000** – Londres, 21 juil. 1989 : *Jeune couple assis sous une urne avec leur chien bondissant sur un quai de port méditerranéen* 1641, h/t (75x71,8) : **GBP 22 000** – Londres, 15 déc. 1989 : *Paysage italien avec un chasseur près d'une bergère attrapant une puce*, h/t (67,5x91) : **GBP 13 200** – New York, 5 avr. 1990 : *Jeune mendiant et son chien au bord d'une route avec des cavaliers passant sous une arche au fond*, h/t (78x65) : **USD 20 900** – Paris, 5 déc. 1990 : *Chienne en arrêt devant un lièvre mort*, h/t (122x104) : **FRF 400 000** – New York, 10 oct. 1991 : *Scène de port avec un marchand d'esclaves près d'une statue de Neptune*, h/t (106,7x139,7) : **USD 17 600** – Zurich, 4 juin 1992 : *Perdrix suspendue*, h/t (50x39,5) : **CHF 29 380** – New York, 15 jan. 1993 : *Élégante jeune femme dans un intérieur la main droite posée sur une table recouverte d'un tapis d'orient avec un paysage au fond*, h/t (81x71,4) : **USD 28 750** – Amsterdam, 16 nov. 1993 : *Un vieux porche dans un paysage italien*, encre et lav. (19x25,1) : **NLG 5 750** – Londres, 10 déc. 1993 : *Une femme s'occupant d'un bébé et d'autres paysans près de ruines ioniques et d'un obélisque et des vestiges d'un palais de sénateur romain*, h/t (89,3x115,7) : **GBP 40 000** – New York, 19 mai 1994 : *Portrait de la famille de Kempenaer (Le portrait de Margaretha)*, h/t (93,3x121,3) : **USD 332 500** – New York, 12 jan. 1995 : *Marchands de volailles et de légumes avec un chat volant de la nourriture, des voyageurs arrêtés devant un caprissio architectural avec un paysage au fond*, h/t (55,9x44,5) : **USD 57 500** – Londres, 3-4 déc. 1997 : *Scène de port méditerranéen avec des personnages au repos en premier plan, des ruines antiques plus loin*, h/t (91,5x117,5) : **GBP 221 500**.

WEER Georg Philipp. Voir **WEHR**

WEER Jan Van der

xviiie siècle. Hollandais.

Peintre d'animaux, aquarelliste.

Fils de Rochus Weer. Il travailla à Rome.

Ventes Publiques : Paris, 9 mars 1988 : *Deux oiseaux sur une branche* 1824, aquar. (36x25) : **FRF 12 000**.

WEER Rochus

Né vers 1687. xviiie siècle. Travaillant à Rome en 1745. Hollandais.

Peintre.

Père de Jan Van der Weer.

WEERDEN. Voir aussi **WERDEN**

WEERDEN Hendricus Stephanus Johannes Van

Né en 1804 à La Haye. Mort le 8 juillet 1853 à La Haye. xixe siècle. Hollandais.

Peintre.

Élève de Bartholomeus Johannes Van Hove et de Cornelis Kruseman. Le Musée communal de La Haye conserve de lui : *Frontispice de l'Hôtel de Ville de La Haye*.

WEERDEN Jacques Van. Voir **WERDEN**

WEERDER Heinrich. Voir **WERDER**

WEERDT Abraham Van ou **Werdt** ou **Waerdt**

Peut-être d'origine hollandaise. xviie siècle. Travaillant à Nuremberg de 1636 à 1680. Hollandais.

Graveur sur bois.

Il grava des illustrations pour la *Bible* de Luther et pour les *Métamorphoses* d'Ovide.

WEERDT Adriaan de ou **Weert**

Né vers 1510 à Bruxelles. Mort vers 1590 à Cologne. xvie siècle. Éc. flamande.

Peintre d'histoire, sujets mythologiques, dessinateur, graveur au burin.

Il alla étudier à Anvers avec Christian Van de Queborn, puis se rendit en Italie. Il s'adonna à l'étude particulière de Parmigianino, dont il adopta le style. De retour dans les Pays-Bas, il acquit rapidement une réputation d'excellent peintre. Il affirma ses qualités dans une série de tableaux sur la *Vie de la Vierge*. Les troubles dans les Flandres l'obligèrent à fuir Bruxelles pour Cologne, en 1566, et il mourut peu après.

WEERDT Daniel

D'origine hollandaise. xvie siècle. Travaillant à Frankenthal de 1566 à 1568. Hollandais.

Peintre.

WEERIE Geeraard. Voir **WERI**

WEERS Philipus. Voir **WERTS**

WEERT. Voir aussi **WEERDT**

WEERT Anna Virginie Caroline de

Née en 1867 à Gand. Morte en 1950 à Gand. xixe-xxe siècles. Belge.

Peintre de paysages, intérieurs, pastelliste, dessinateur. Néo-impressionniste.

Elle fut élève de Émile Claus. Elle s'attacha particulièrement à peindre des paysages et des intérieurs.

Bibliogr. : In : *Diction. Biogr. Ill. des Artistes en Belgique depuis 1830*, Arto, Bruxelles, 1987.

Musées : Gand.

Ventes Publiques : Anvers, 24 oct. 1973 : *Fermette* : **BEF 50 000** – Lokeren, 6 nov. 1976 : *Été*, past. (25x34) : **BEF 11 000** – Anvers, 26 avr. 1983 : *Le Toit rouge* 1944, h/t (50x61) : **BEF 100 000** – Lokeren, 16 mai 1987 : *Cap-Saint-Martin, sous-bois*, cr. coul. (39x47) : **BEF 48 000** – Lokeren, 10 oct. 1987 : *Matin au bord de l'eau* 1903, h/t (92x116,5) : **BEF 1 200 000** – Lokeren, 28 mai 1988 : *Femme au repos*, dess. à la craie noire (52,5x42) : **BEF 30 000** – Paris, 17 nov. 1991 : *Le village* 1919, h/t (22x41) : **FRF 19 000** – Lokeren, 21 mars 1992 : *La Roseraie* 1915, h/t (50x70) : **BEF 1 300 000** – Lokeren, 23 mai 1992 : *Vue de Gand* 1910, h/t (40x50) : **BEF 120 000** – Lokeren, 9 oct. 1993 : *Les Saules* 1909, h/t (91x118) : **BEF 1 300 000** – Lokeren, 28 mai 1994 : *Jardin fleuri* 1910, h/t (117x90) : **BEF 1 200 000** – Lokeren, 20 mai 1995 : *Le long de la Lys* 1909, h/t (91x118) : **BEF 1 100 000** – Lokeren, 9 mars 1996 : *Cap Martin, sous-bois*, dess. au cr. de coul. (39x47) : **BEF 75 000** – Lokeren, 7 déc. 1996 : *Paysage fluvial* 1903-1904, h/t (47,5x106) : **BEF 650 000** – Lokeren, 6 déc. 1997 : *La Lys à Afsnee* 1903-1904, h/t (47,5x106) : **BEF 650 000**.

WEERT Hendricus Johannes Martinus Van

Né le 9 mai 1892 à Warnsverld. xxe siècle. Hollandais.

Peintre, graveur.

Il fut élève de C. J. Mension. Il vécut et travailla à Delft. Graveur, il privilégia la technique de l'eau-forte.

WEERT Henricus Van. Voir **WEERTS**

WEERT Jacob de

Né le 12 septembre 1569 à Anvers. xvie siècle. Éc. flamande.

Graveur au burin.

On le cite travaillant à Paris pour les libraires vers 1060. Il fit, notamment de nombreux frontispices. Jean Le Clerc, publia de lui une *Passion du Christ*.

J de W. f

WEERT Jan Van

Né en 1871 à Hertogenbosch. Mort en 1955. xixe-xxe siècles. Hollandais.

Peintre de scènes typiques, paysages. Naïf.

Il fut dresseur de chevaux, entrepreneur de transports, hôtelier, cavalier de concours hippiques se produisant à Londres, Paris, etc. Ce fut après la Seconde Guerre mondiale, alors qu'il était âgé de soixante-quinze ans, qu'il commença à peindre.

Bien que fixé à Düsseldorf, il peignit surtout les rues d'Amsterdam, avec les canaux, les moulins à vent, les parties de luge.

Recensant ses souvenirs heureux, il a peint aussi naturellement des scènes d'hippisme.

Bibliogr. : Oto Bihalji-Merin : *Les peintres naïfs*, Delpire, Paris, s. d.

Ventes Publiques : Cologne, 30 nov. 1973 : *Paysage d'hiver* : **DEM 4 000.**

WEERT Jan Van. Voir aussi **WERTH**

WEERT Jan Baptist de

Né le 26 juillet 1829 à Lier. Mort le 6 novembre 1884 à Lier. XIXe siècle. Éc. flamande.

Peintre et illustrateur.

Élève de l'Académie d'Anvers. Il grava des scènes historiques et de vues de Lier.

WEERT Jean de

Né le 1er avril 1625 à Anvers. XVIIe siècle. Éc. flamande.

Graveur au burin.

Élève de Th. Van Meelern. Il grava d'après David Ryckaert III.

WEERTS Coenraad Alexander

Né le 7 février 1782 à Deventer. Mort vers 1846. XIXe siècle. Hollandais.

Peintre de figures, paysages, marines.

Élève de W. Van Leen et de J. A. Kaldenbach.

Musées : Bruxelles : *Marine.*

Ventes Publiques : Amsterdam, 7 nov. 1995 : *Personnages en été avec les faubourgs d'une ville au lointain*, h/pan. (19,5x23) : **NLG 1 770.**

WEERTS Henricus Van ou **Weert**

XVIIe siècle. Actif dans la seconde moitié du XVIIe siècle. Hollandais.

Peintre de fleurs.

Il travailla à Amsterdam.

WEERTS Jean Joseph

Né le 1er mai 1847 à Roubaix (Nord). Mort le 27 septembre 1927 à Paris. XIXe-XXe siècles. Français.

Peintre d'histoire, compositions religieuses, scènes de genre, portraits, compositions murales.

Tout d'abord élève de Constantin Mils dans sa ville natale, il entra ensuite à l'École des Beaux-Arts de Paris, où il fut élève d'Isidore Pils et d'Alexandre Cabanel.

Il débuta au Salon de Paris en 1869, obtint une médaille de deuxième classe en 1875 et une médaille d'argent à l'Exposition universelle de 1889. Il fut membre de la Société des Artistes Français en 1883, puis de la Société Nationale des Beaux-Arts en 1892. Chevalier de la Légion d'honneur en 1884, il fut officier en 1897, puis commandeur. En 1989, la ville de Roubaix lui a rendu hommage à l'hôtel de ville.

Il a produit de nombreux portraits, notamment de *Doumer, Chaumie, Robert-Fleury, Liard*, etc. On lui doit aussi des peintures pour les voussures de la salle des fêtes de l'Hôtel de Ville de Paris, les plafonds de l'Hôtel de Ville de Limoges, de l'Hôtel de la Monnaie, de la Sorbonne, où il a peint *La fête du Lendit.*

Bibliogr. : Gérald Schurr, in : *Les Petits Maîtres de la peinture 1820-1920, valeur de demain*, Les Éditions de l'Amateur, t. III, Paris, 1976.

Musées : Bordeaux : *L'exorcisme* – Dijon : *Le préfet Gaston Joliet en uniforme* – Dunkerque : *La Vierge évanouie au pied de la croix* – Évreux : *La mort de Marat* – Lille : *Légende de saint François d'Assise* – Paris (Mus. du Louvre) : *Portrait de F. Ravaisson – Le dessinateur Paul Renouard – Mort de Joseph Bara* – Roubaix : *Mise au tombeau – Gustave Nadaud – Bara* – Tourcoing : *Le muscadin – Le poète Jules Watteau – Mme Galli-Marié* – Une aquarelle.

Ventes Publiques : Paris, 30 mai 1923 : *Portrait de Madame X...* : **FRF 440** – Paris, 17 oct. 1944 : *Jeune garçon* : **FRF 1 650** – Calais, 13 nov. 1988 : *Nature morte à la coupe de fruits*, h/pan. (40x32) : **FRF 5 200** – Paris, 24 mai 1991 : *La fête du Lendit*, h/t (33,5x90) : **FRF 15 000.**

WEESE Gaspar ou **Wehse** ou **Wese**

XVIIIe siècle. Actif à Glatz. Allemand.

Peintre.

Il peignit des tableaux d'autel pour des églises de Glatz, d'Albendorf et de Hausdorf.

WEESE Max

Né le 27 juillet 1855 à Liegnitz. Mort le 26 mars 1933 à Liegnitz (?). XIXe-XXe siècles. Allemand.

Peintre de portraits.

Il fut élève des Académies de Berlin et de Munich.

Musées : Berlin (Mus. Lessing) : *Portrait du docteur E. W. Peschel – Prière avant la bataille* – Dresde (Mus. Korner) : *Schiller chez Körner à Loschwitz – Körner le matin du jour de sa mort* – Munster : *La Reine Louise et Blucher* – Zurich (Kunsthaus) : *L'Enfant de Munich.*

WEESER-KRELL Jakob

Né vers 1843. Mort le 13 août 1903 à Schloss Haus. XIXe siècle. Autrichien.

Aquarelliste et ingénieur.

WEE SHOO LEONG

Né en 1958 à Singapour. XXe siècle. Singapourien.

Peintre de natures mortes.

Il fit ses études à l'Académie des Beaux-Arts de Nanyang. Il atteint la célébrité en obtenant le Prix annuel de l'*UOB Paintings* en 1984. L'année suivante il remporta la médaille d'argent au Salon des Artistes Français à Paris.

Il se caractérise par une peinture réaliste méticuleuse de natures mortes.

Ventes Publiques : Singapour, 5 oct. 1996 : *Vanité* 1994, h/t (86x112) : **SGD 4 370** – Taipei, 13 avr. 1997 : *Vieilles amours* 1994, h/t (86,5x112) : **TWD 253 000.**

WEESOP

XVIIe siècle. Actif en Angleterre de 1641 à 1649. Éc. flamande.

Peintre de portraits.

Imitateur de Van Dyck.

Ventes Publiques : Londres, 12 avr. 1995 : *Portrait d'une Lady, de trois-quarts, vêtue d'une robe rose et portant un globe*, h/t (131x101) : **GBP 7 475.**

WEEVERS J. O.

XIXe siècle. Hollandais.

Peintre.

Le Musée de Lakenhal, à Leyde conserve de lui : *Ruelle de la ville de Katwyk-sur-mer et vue de la vieille église.*

WEEZEL Adolphe Pieter Herman Jacob Errens Van. Voir **ERRENS VAN WEEZEL**

WEFRING Gunnar

Né le 24 mai 1900 à Loyten. XXe siècle. Norvégien.

Peintre de paysages.

Il fut élève de l'Académie Royale d'Oslo, de celles de Munich et de Paris.

WEGELIN Adolf

Né le 24 novembre 1810 à Clèves. Mort le 18 janvier 1881 à Cologne. XIXe siècle. Allemand.

Peintre d'architectures.

De 1828 à 1832, il fut élève de l'Académie de Düsseldorf. Il continua ses études à Munich et, en 1836, s'établit à Cologne. Peintre de la cour de la reine Elisabeth de Prusse. Le Musée de Cologne conserve deux *Paysages* de lui, et le Musée de Riga, *Paysage du Rhin avec château.*

WEGELIN Daniel

Né le 19 avril 1802 à Saint-Gall. Mort le 10 avril 1885 à Thun. XIXe siècle. Suisse.

Peintre et dessinateur.

Le Musée de Lausanne conserve de lui des vues de Lausanne.

WEGELIN Émile

Né le 22 décembre 1875 à Lyon (Rhône). Mort le 26 juin 1962 à Lyon (Rhône). XXe siècle. Français.

Peintre de paysages, natures mortes, peintre à la gouache, aquarelliste.

De parents suisses, il vécut toute sa vie à Lyon, mis à part ses nombreux voyages. Il fait la connaissance d'Émile Noirot qui devient son fidèle compagnon, parcourant avec lui la France pour peindre des paysages d'après nature. Il fréquente tous les artistes de la région lyonnaise, en particulier : Guiguet, Drevet, Broullard, et travaille aussi avec Henri Grosjean. Puis il devient l'élève de Pierre Montézin, avec qui il voyage en France et à l'étranger, peignant à ses côtés jusqu'à deux, trois, parfois quatre

toiles par jour. Voyageur infatigable, il sillonne le pays, de la Normandie à la Corse, et fait de nombreux séjours en Suisse, Italie, Allemagne, Angleterre, Écosse, toujours à la recherche de nouveaux horizons.
Il exposait régulièrement au Salon du Printemps de la Société Lyonnaise des Beaux-Arts, où il obtint un premier prix en 1930 et fut hors-concours. Il fit aussi de nombreuses expositions personnelles à Lyon et dans la région, en Provence ainsi qu'à Genève, Lausanne et Fribourg. Une importante rétrospective de ses œuvres lui a été consacrée à la Société Lyonnaise des Beaux-Arts.
Paysagiste avant tout, Émile Wegelin est un peintre classique, amoureux de la nature, il a cependant surtout à la fin de sa vie, exécuté des natures mortes. Cet artiste fécond, influencé par Montézin et avec qui il partagea le motif en France et à Venise, a laissé une œuvre picturale importante, environ quatre mille toiles. Il affectionnait les paysages de bords de rivières.

WEGELIN

Ventes Publiques : L'Isle-Adam, 28 fév. 1988 : *Ruisseau en montagne*, h/t (54x73) : **FRF 7 000** – Paris, 21 nov. 1988 : *Les pêcheurs*, h. (27x40) : **FRF 4 500** – Lyon, 21 mars 1990 : *Chapelle*, h/pan. (33x45,5) : **FRF 3 200** – Soissons, 1er avr. 1990 : *Lac de montagne*, h/pan. (46x33) : **FRF 40 000** – Sceaux, 10 juin 1990 : *Jardin en Provence*, h/pan. (33x46) : **FRF 5 000** – Calais, 5 juil. 1992 : *Le parc fleuri*, gche (33x46) : **FRF 3 500** – Le Touquet, 14 nov. 1993 : *Ruisseau dans le vallon*, gche et aquar. (33x45) : **FRF 4 700**.

WEGELIN J.
xviiie siècle. Suisse.
Tailleur de sceaux.
Élève de Christ. Aepli et d'Andreas Vorster.

WEGENER Adam
xviie siècle. Travaillant à Gottorp en 1609. Allemand.
Sculpteur sur bois.

WEGENER Carl Gustav ou **Gustav**
Né vers 1812 à Potsdam. Mort le 18 février 1887 à Berlin. xixe siècle. Allemand.
Paysagiste et peintre de marines.
Il fit ses études à l'Académie de Berlin, puis visita l'Allemagne du Nord et la Scandinavie. Peintre de la cour de Prusse.
Ventes Publiques : Londres, 20 juin 1979 : *Paysage boisé* 1858, h/t (40,5x57) : **GBP 1 400**.

WEGENER Einar, plus tard **Lili Elbe**
Né en 1883 à Veyle. Morte le 15 septembre 1931 à Dresde. xxe siècle. Danois(e).
Peintre de portraits, paysages, intérieurs.
Élève de l'École des Beaux-Arts de Copenhague, il voyagea en Italie, en Angleterre et en France, où il se fixa, à Paris. Il a exposé à Paris en 1924, des paysages et des portraits, aux Salons d'Automne et des Indépendants, et à Copenhague. Il devint femme à la suite d'une intervention chirurgicale, en 1930, et prit le nom de Lili Elbe. Plusieurs de ses œuvres se trouvent dans les musées et les collections particulières du Danemark.

Einar Wegener

Ventes Publiques : Zurich, 8 juin 1985 : *Paysage montagneux au lac*, h/pan. (60x80,5) : **CHF 7 500** – Londres, 11 fév. 1994 : *Un boudoir* 1916, h/t (81,6x81,6) : **GBP 2 300**.

WEGENER Gerda
Née en 1885 ou 1889 à Copenhague. Morte en 1940. xxe siècle. À partir de 1912 active en France. Danoise.
Peintre de genre, portraits, aquarelliste, dessinatrice, illustratrice.
Épouse d'Einar Wegener, elle est originaire d'une famille française émigrée au Danemark au xviiie siècle. Elle étudia à l'École des Beaux-Arts de Copenhague puis voyagea en Italie, Angleterre, France. À partir de 1912 elle s'installa à Paris et adopta une vie mondaine brillante et superficielle. Elle a exposé aux Salons d'Automne, des Indépendants et des Humoristes.
Elle réalisait des portraits de son entourage reflétant la sophistication de la société parisienne des années 1930. Elle collabora à *La Vie Parisienne* – *Fantasio* – *Le Rire* – *La Baïonnette*, etc. Elle a également illustré *Contes de mon père le Jars*, ainsi que *Sur talons rouges*, d'Éric Allatini ; *Une aventure d'amour à Venise*, de Casanova ; *Contes* de La Fontaine.

GERDA WEGENER

Bibliogr. : Gérald Schurr : *Les Petits Maîtres de la peinture 1820-1920, valeur de demain*, Les Éditions de l'Amateur, t. III, Paris, 1976.
Ventes Publiques : Paris, 3 nov. 1950 : *Danse espagnole* 1925 : **FRF 2 100** – Paris, 3 déc. 1975 : *Femme à l'ombrelle*, aquar. (61x46) : **FRF 1 100** – Copenhague, 2 mars 1983 : *La Danseuse* 1929, h/t (116x73) : **DKK 19 500** – Copenhague, 19 avr. 1985 : *Jeux d'enfants*, gche et pl. (61x47) : **DKK 9 000** – Paris, 6 juin 1986 : *Les Trois Sœurs* 1929, past., fus. et craie (91x72) : **FRF 76 000** – Copenhague, 4 mai 1988 : *Jeune femme* 1927, cr. et aquar. (47x39) : **DKK 4 500** – Paris, 26 oct. 1988 : *Jeune femme au châle*, lav. d'aquar., encre de Chine reh. d'or (17,5x21,5) : **FRF 2 800** – Paris, 20 fév. 1990 : *Élégante* 1936, aquar. (77x62) : **FRF 40 000** – Londres, 29 mars 1990 : *Ève* 1940, h/t (769,5x73,5) : **GBP 8 800** – Copenhague, 21-22 mars 1990 : *Kabale* 1928, h/t (100x82) : **DKK 62 000** – Copenhague, 6 mars 1991 : *Nature morte avec des bouteilles, des verres, un journal et des cartes à jouer* 1927, h/t (47x38) : **DKK 40 000** – New York, 12 juin 1991 : *Deux femmes sur un balcon*, aquar. et fus./pap. et aquar. ; *Odalisque*, aquar., gche et cr./pap. (45,7x36,8 et 34,3x18,1) : **USD 4 950** – Paris, 27 nov. 1991 : *La Parisienne* 1921, h/t (157x80) : **FRF 45 000** – New York, 12 juin 1992 : *La petite modèle* 1922, aquar. et cr./pap. (35,6x27,9) : **USD 2 860** – Londres, 12 fév. 1993 : *La danseuse*, h/t (123x80) : **GBP 3 850** – Paris, 6 oct. 1993 : *Tête de femme*, h/cart. (40x32) : **FRF 7 500** – New York, 13 oct. 1993 : *Les femmes fatales* 1933, h/t (110,5x119,4) : **USD 107 000** – Copenhague, 16 mai 1994 : *Souvenir de Copenhague – Jeune fille en longue robe noire*, h/t (84x49) : **DKK 12 000** – Londres, 10 fév. 1995 : *Tentation*, encre et aquar./pap. (36x30,2) : **GBP 1 725** – Paris, 28 avr. 1995 : *La dame aux gants noirs* 1920, h/t (81x65) : **FRF 15 100** – New York, 1er nov. 1995 : *Air de Capri* 1923, h/t (99,7x80) : **USD 17 250** – Copenhague, 17 avr. 1996 : *Jeune fille en robe blanche tenant une rose* 1933, aquar. (88x72) : **DKK 17 000** – Londres, 31 oct. 1996 : *Vierge et Enfant*, cr. et aquar. avec reh. de blanc et peint. or (37,5x34,5) : **GBP 1 495** – Paris, 18 déc. 1996 : *Pierrot et Colombine*, aquar. gchée (32x26) : **FRF 5 900** – Londres, 26 mars 1997 : *Femme allongée sur un sofa* 1916, aquar. (27x43) : **GBP 5 175**.

WEGENER Gustav. Voir **WEGENER Carl Gustav**

WEGENER Johann Friedrich Wilhelm
Né le 20 avril 1812 à Dresde. Mort le 11 juillet 1879 à Dresde. xixe siècle. Allemand.
Peintre animalier, paysagiste et graveur à l'eau-forte.
Élève de l'Académie de Copenhague et de l'Académie de Dresde, dans l'atelier de Dahl. Il visita le Danemark, la Suisse, l'Italie et la France. En 1860, peintre de la cour de Saxe. Il exposa à Paris en 1835. Le Musée de Dresde conserve de lui *Incendie d'une forêt dans l'Amérique du Nord* et *Cerf dans l'eau*, et la Kunsthalle de Kiel, *Une heureuse trouvaille*.
Ventes Publiques : Cologne, 15 nov. 1972 : *La visite du dimanche* : **DEM 4 600** – Londres, 16 oct. 1974 : *L'incendie de forêt* 1848 : **GBP 500** – Vienne, 17 mars 1981 : *Cerfs et biches à l'orée d'un bois* 1846, h/t (32,5x44,5) : **ATS 60 000**.

WEGENER Jürgen
xxe siècle. Allemand.
Peintre, peintre de collages, sculpteur, auteur d'assemblages. Abstrait.
De 1958 à 1962, il fut élève de l'académie des beaux-arts de Francfort-sur-le-Main. Il montre ses œuvres dans des expositions personnelles régulièrement depuis 1960 à la galerie Appel und Fertsch de Francfort-sur-le-Main.
Il réalise des œuvres abstraites, peintures, collages ou volumes, chaotiques, associant lignes, angles, tracés sinueux gestuels, et parfois caractères typographiques, privilégiant couleurs primaires bleu, rouge, jaune, et noir.

WEGENER Salomon. Voir **WEGNER**

WEGENER Theodor ou **Gustav Theodor**
Né le 3 février 1817 à Roskilde. Mort le 17 août 1877 à Copenhague. xixe siècle. Danois.
Peintre.
Élève de l'Académie de Copenhague. Il a peint des scènes de genre et des tableaux religieux.
Ventes Publiques : Londres, 5 juil. 1978 : *Poséidon* 1841, h/t (68x86,5) : **GBP 1 100**.

WEGER Christian
xviiie siècle. Actif à Gossensass dans la seconde moitié du xviiie siècle. Autrichien.
Peintre.
Il a peint le chemin de croix de Morizing près de Bozen en 1775.

WEGER Franz Andreas ou **Wäger**
Né le 21 novembre 1767 à Salmansweiler. Mort après 1832. XVIIIe-XIXe siècles. Allemand.
Sculpteur.
Élève de l'Académie de Dresde et de G. A. Casanova. Il travailla surtout pour la Manufacture de porcelaine de Meissen. Les Musées de Dresde, de Freiberg, de Meissen et de Vienne conservent des œuvres de cet artiste.

WEGER Josef
Né en 1782 à Kastelruth. Mort en 1840 à Vienne. XIXe siècle. Autrichien.
Peintre et aquafortiste.
Élève de l'Académie de Vienne. On cite de lui une centaine de peintures et de portraits, conservés au Ferdinandeum d'Innsbruck.

WEGERER Julius
Né le 20 février 1886 à Mautern. Mort en 1960. XXe siècle. Autrichien.
Peintre de paysages, graveur.
Il fut élève de l'Académie de Vienne. On l'appelle le lyrique du paysage styrien, à cause de ses vues romantiques du sud-est de l'Autriche.
Musées : Graz : *Le Soir – Soirée au bord de la Liesing – Crépuscule.*
Ventes Publiques : Vienne, 18 jan. 1980 : *Paysage* 1921, h/t (51x74,5) : **ATS 18 000** – Vienne, 18 mars 1981 : *Paysage d'Autriche*, h/t (60x79) : **ATS 38 000.**

WEGERT August
Né en 1801 à Berlin. Mort le 26 octobre 1825 à Berlin. XIXe siècle. Allemand.
Peintre d'histoire et de portraits.
Élève de Schadow. Il concourut, en 1825, pour le grand prix de peinture, avec *Danaé et Persée*, et mourut, dit-on, du chagrin que lui causa son insuccès.

WEGGENMANN Johann Georg. Voir **WECKENMANN**

WEGGENMANN Markus
Né en 1953. XXe siècle. Suisse.
Peintre. Abstrait.
Il vit et travaille à Zurich.
Il montre ses œuvres dans des expositions personnelles, régulièrement en Suisse, en 1996 pour la première fois à la galerie Appel und Fertsch de Francfort-sur-le-Main.
Il pratique une abstraction en apparence austère, à partir de bandes. Néanmoins les bandes se révèlent irrégulières, au tracé incertain, et les couleurs se heurtent et se conjuguent dans une harmonie inhabituelle.

WEGGISHAUSEN Mathilde. Voir **MAYR VON BALDEGG Mathilde R. de Weck**

WEGMAN Bertha ou **Wegmann**
Née le 16 décembre 1847 à Soglio. Morte le 22 février 1926 à Copenhague. XIXe-XXe siècles. Danoise.
Peintre de figures, portraits, intérieurs, natures mortes, fleurs.
Elle figura aux Expositions de Paris ; elle reçut une médaille de troisième classe en 1882, et à deux reprises une médaille d'argent en 1889 et 1900 aux Expositions universelles de Paris.
Musées : Aalborg : *Un Soldat* – Breslau, nom all. de Wroclaw : *Été* – Copenhague : *La Sœur de l'artiste* – Frederiksborg : *Portrait de H. A. Hammerich, de P. A. F. S. Vedel et de F. Mehdehl* – Stockholm : *Jeune mère et son enfant dans un jardin, effet de soleil.*
Ventes Publiques : New York, 28 mai 1982 : *Pissarro peignant*, h/t (85x71) : **USD 4 200** – Londres, 24 juin 1988 : *Repos*, h/t (31,5x39) : **GBP 9 350** – Copenhague, 25 oct. 1989 : *Intérieur avec une jeune femme et son enfant assis sur un divan*, h/t (132x100) : **DKK 92 000** – Copenhague, 21 fév. 1990 : *Fleurs* 1875, h/t (31x43) : **DKK 9 500** – Copenhague, 25-26 avr. 1990 : *Jeune fille lisant*, h/t (35x33) : **DKK 21 000** – Copenhague, 6 sep. 1993 : *Fruits*, h/t (68x52) : **DKK 4 500** – Londres, 17 juin 1994 : *Cueillette des fleurs des champs*, h/t (37,3x21,2) : **GBP 2 875.**

WEGMAN William
Né le 2 décembre 1942 à Holyoke (Massachusetts). XXe siècle. Américain.
Dessinateur de figures, portraits, technique mixte.
Il fut élève du College of Art de Boston, puis de l'université de l'Illinois. Il vit et travaille à New York.
Il participe à de nombreuses expositions collectives : 1968 Walker Art Center de Minneapolis ; 1969 Museum of Contemporary Art de Chicago ; 1971 County Museum of Art de Los Angeles ; 1972 Contemporary Art Museum de Houston et Documenta de Cassel ; 1973 Whitney Museum of American Art de New York ; 1977 Museum of Arts de Philadelphie ; 1978 Walker Art Gallery de Liverpool ; 1980 musée d'Art moderne de la ville de Paris ; 1983 musée national d'art moderne de Paris ; 1987 The Alternative Museum de New York ; 1990 Museum of Modern Art de New York. Il montre ses œuvres dans des expositions personnelles, dont : 1971, 1973 galerie Sonnabend à Paris ; 1972, 1977 galerie Sonnabend à New York ; 1973, 1983, 1986 galerie Texas de Houston ; de 1979 à 1988 galerie Holly Solomon de New York ; 1982 Walker Art Center de Minneapolis ; 1983 Institute of Contemporary Art au Virginia Museum de Richmond ; 1985 Lowe Museum of Art de Miami, Museum of Art de Cleveland ; 1987 College of Art de Boston ; 1989 Maison de la culture de Saint-Étienne ; 1991 galeries contemporaines du centre Georges Pompidou à Paris ; 1997 Fonds régional d'art contemporain Limousin à Limoges.
Il est surtout connu pour ses photographies et vidéos montrant le chien baptisé Man Ray « jouant à l'homme », vivant, puis empaillé de 1970 à 1982, figure également présente dans ses peintures et dessins. Il réalise surtout des dessins à l'encre à l'humour acerbe, proche du nonsense, accompagnés de texte concis. Ses portraits et figures sont étranges, inventifs, le profil d'un nez et d'une oreille suffisant presque à rendre compte d'un visage. Pour ses peintures, il emprunte ses thèmes à des encyclopédies pour enfants des années cinquante.
Bibliogr. : Catalogue de l'exposition : *William Wegman*, Centre Georges Pompidou, Paris, 1991 – in : *Dict. de l'Art mod. et contemp.*, Hazan, Paris, 1992.
Ventes Publiques : New York, 8 mai 1990 : *Transport, magasinage, pesage et transfert* 1988, h. et acryl./t. (111,8x136,5) : **USD 82 500** – New York, 3 oct. 1991 : *Neige* 1979, montage de trois photo. Polaroïd (en tout 79,5x183) : **USD 9 350** – New York, 12 nov. 1991 : *Avion* 1986, h/t (41x58,7) : **USD 6 050** – New York, 27 fév. 1992 : *La cour des voisins* 1987, craies de coul./litho. (89,2x61) : **USD 2 640** – New York, 6 mai 1992 : *Soldes – version #2* 1981, photo. en coul. (74,3x55,9) : **USD 6 050** – New York, 9 mai 1992 : *Mendiants interdits*, aquar. et cr./pap. (20,6x23,5) : **USD 1 540** – New York, 17 nov. 1992 : *Chien peignant un homme* 1985, encre et gche/pap. (35,6x28,3) : **USD 2 860** – Londres, 25 mars 1993 : *Sans titre* 1980, photo. polaroïd en coul. (61x50,8) : **GBP 2 185** – New York, 9 mai 1996 : *Sans titre* 1980, photo. polaroïd en coul. (72,4x55,6) : **USD 5 750.**

WEGMANN. Voir **WÄGMANN**

WEGMANN Karl Jakob, dit **Kiw**
Né en 1928. XXe siècle. Suisse.
Peintre, peintre de collages, technique mixte.
Musées : Aarau (Aargauer Kunsthaus) : *Composition* 1969 – *Composition* 1969-1971, h./Plexiglas – *Composition* 1970-72, h. et collage.
Ventes Publiques : Zurich, 18 nov. 1976 : *Composition*, h/t (60x50) : **CHF 2 100** – Zurich, 10 nov. 1984 : *L'écuyère* 1968, past. sur trait de cr. (58x39) : **CHF 3 400** – Zurich, 6 juin 1984 : *Paysage* 1959, h/t (90x105) : **CHF 4 800** – Zurich, 25 oct. 1989 : *Trouvaille*, h/t (81x100) : **CHF 6 500** – Zurich, 21 avr. 1993 : *Composition* 1989, h/t (100x81) : **CHF 4 900** – Zurich, 3 avr. 1996 : *Composition*, h/t (29,8x400) : **CHF 1 200.**

WEGMAYR Sebastien ou **Wegmayer**
Né le 7 février 1776 à Vienne. Mort le 20 novembre 1857 à Vienne. XIXe siècle. Autrichien.
Peintre d'animaux, natures mortes, fleurs et fruits.
Élève de l'Académie de Vienne, où il fut nommé professeur en 1812.
Musées : Varsovie : *Fleurs* – Vienne : *Grand bouquet de fleurs.*
Ventes Publiques : Munich, 15-16 avr. 1953 : *Nature morte* : **DEM 340** – Vienne, 3 déc ; 1968 : *Nature morte aux fleurs et aux fruits* : **ATS 50 000** – Londres, 12 mars 1969 : *Nature morte aux fleurs* : **GBP 700** – New York, 12 oct 1979 : *Nature morte aux fleurs exotiques* vers 1830, h/t (136,5x114) : **USD 67 500** – Vienne, 23 mars 1983 : *Fleurs dans un vase*, h/t (63x49) : **ATS 160 000** – Cologne, 28 juin 1991 : *Nature morte de grappes de raisin, poires et nid d'oiseaux*, h/pan. (41,5x31) : **DEM 1 200** – Munich, 21 juin 1994 : *Nature morte de fruits sur un entablement de marbre avec un bouvreuil*, h/pan. (29,5x37,5) : **DEM 20 700** – Londres, 31 oct. 1996 : *Nature morte de pêches ; Nature morte de cerises*, cr. et aquar., une paire (22,5x36,5 et 22x40,5) : **GBP 2 300.**

WEGNER Alexander Matviéiévitch
Né en 1826. Mort le 27 février 1894 à Saint-Pétersbourg. XIXe siècle. Russe.
Peintre de portraits, peintre de miniatures.
Élève de l'Académie de Saint-Pétersbourg. Il peignit des portraits de la famille impériale de Russie.

WEGNER Franz Andreas. Voir **WEGER**

WEGNER Hans
XVIIe siècle. Travaillant à Copenhague de 1617 à 1618. Danois.
Sculpteur sur bois.

WEGNER Ludwig
Né en 1816 à Frankenthal. Mort le 13 novembre 1864 à Amsterdam. XIXe siècle. Hollandais.
Dessinateur de portraits.
Il fit ses études à Munich et à Vienne. Il s'établit à Amsterdam en 1850.

WEGNER Salomon ou **Waegener** ou **Wegener** ou **Wagener**
Né vers 1580 à Dantzig. Mort vers 1649. XVIIe siècle. Allemand.
Portraitiste.
Il fit ses études en Italie. En 1835, il fut nommé peintre de la cour du roi Ladislas IV. Le Musée Municipal de Dantzig conserve de lui *Portrait d'un enfant de la famille Ferber*, *Le pasteur Daniel Dilger* et *Le maire Nikolaust Pahl*.

WEGRZYNOVICZ Antoni
Mort en 1721 à Cracovie. XVIIIe siècle. Polonais.
Sculpteur, écrivain et peintre.
Il était moine et il décora le couvent des Réformateurs de Cracovie ; il fit aussi des illustrations pour des œuvres littéraires.

WEGSCHEIDER
XVIIe-XVIIIe siècles. Autrichien.
Sculpteur sur bois.
Il a sculpté entre 1669 et 1703 les stalles de l'abbatiale de Kremsmünster.

WEGSCHEIDER Joseph Ignaz ou **Wegschaider** ou **Weegscheider**
Né en 1704 à Riedlingen. Mort entre 1758 et 1760 à Riedlingen. XVIIIe siècle. Allemand.
Peintre.
Il a peint des plafonds, des fresques, des tableaux d'autels et des autels dans de nombreuses églises et dans des monastères de Bavière.

WEGSTEAD H. Voir **WIGSTEAD**

WEGUELIN John Reinhard
Né le 23 juin 1849 à South Stokes. Mort le 28 avril 1927 à Hastings. XIXe-XXe siècles. Britannique.
Peintre de genre, figures, aquarelliste, dessinateur, illustrateur.
Il exposa à Londres, notamment à la Royal Academy à partir de 1877. Il fut également écrivain.

MUSÉES : LE CAP : *Printemps*.
VENTES PUBLIQUES : NEW YORK, 4 mai 1979 : *L'offrande* 1887, h/t (102x58,5) : **USD 4 000** – LONDRES, 22 mars 1985 : *Lesbia* 1878, h/t (86,5x56) : **GBP 20 000** – LONDRES, 15 juin 1988 : *La Balancelle* 1878, h/t (46,5x31) : **GBP 3 520** – LONDRES, 1er nov. 1990 : *Le Bain*, h/t (50,8x25,7) : **GBP 5 500** – LONDRES, 28 nov. 1990 : *Les Balançoires* 1885, h/t (129x85) : **GBP 19 800** – LONDRES, 19 déc. 1991 : *Pastorale* 1905, cr. et aquar. (37,2x54,2) : **GBP 2 090** – LONDRES, 6 nov. 1996 : *Une Ménade*, h/pan. (29x19) : **GBP 2 530** – LONDRES, 7 nov. 1997 : *La Vendange* 1880, h/t (115x76,2) : **GBP 40 000**.

WEHBÉ Rachid
Né en 1917 à Beyrouth. XXe siècle. Libanais.
Peintre de portraits, paysages, aquarelliste, dessinateur.
Il fut élève du peintre Habib Srour. De 1941 à 1946, il vécut au Caire, où il s'intéressa à la musique et au théâtre. Il a été professeur à l'université libanaise, américaine et arabe de Beyrouth. Il est membre fondateur de l'Association des artistes, peintres et sculpteurs libanais. Il a fréquemment séjourné à l'étranger, notamment en Europe et URSS.
Il participe à de nombreuses expositions collectives, régulièrement à Beyrouth : 1930 école des Arts et Métiers ; à partir de 1961 aux Salons du musée Sursock et à l'académie libanaise des beaux-arts ; ainsi que : 1957 *Exposition des Artistes libanais* à Moscou, Leningrad, Kiev ; de 1957 à 1970 Biennale d'Alexandrie ; 1966 Biennale de São Paulo. Il montre ses œuvres dans des expositions personnelles à Beyrouth, au centre culturel arabe en 1948, à la galerie contemporaine en 1974. Il a été décoré de la médaille de l'instruction publique en 1955.
Il a réalisé des nombreux autoportraits, et des portraits, notamment de personnalités, et représenté la nature.
BIBLIOGR. : Catalogue de l'exposition : *Liban. Le regard des peintres. 200 ans de peinture libanaise*, Institut du monde arabe, Paris, 1989.

WEHEM Zacharias. Voir **WEHME**

WEHLE Heinrich Theodor
Né le 7 mars 1778 à Förstgen. Mort le 1er janvier 1805 à Bautzen. XVIIIe siècle. Allemand.
Peintre, dessinateur de paysages et graveur à l'eau-forte.
Élève de Nathe, puis de l'Académie de Dresde, dans l'atelier de Klengel. Il y étudia particulièrement le paysage. En 1802, il alla en Russie et fut chargé par le Czar d'une mission artistique dans le Caucase et en Perse. Il en rapporta de nombreux dessins.

WEHLE Johannes Raphael
Né le 4 juin 1848 à Radebourg. Mort le 16 septembre 1936 à Hellenberg. XIXe-XXe siècles. Allemand.
Peintre de genre, figures, illustrateur.
Fils du peintre Robert Wehle à Meissen, il fut élève de l'Académie de Dresde. En 1872, il alla à Munich, à Vienne et à Brunn. En 1888, il fut nommé professeur à Leipzig et le 1er décembre 1894, professeur à l'Académie de Dresde. Il exposa à Vienne en 1893.
MUSÉES : DRESDE : *Table pour petits chats*.
VENTES PUBLIQUES : COLOGNE, 23 mars 1990 : *Jeune femme assise sur un banc sous les arbres d'un parc* 1919, h/t (39,5x55) : **DEM 13 000** – LONDRES, 22 juin 1990 : *Rêverie* 1919, h/t (39,5x55) : **GBP 9 350**.

WEHLI Matthias
Né à Prague. XIXe siècle. Actif dans la seconde moitié du XIXe siècle. Autrichien.
Paysagiste.
Élève de l'Académie de Karlsruhe. Il exposa à Prague en 1858 et 1864 et à Vienne en 1860 et 1867.
VENTES PUBLIQUES : COLOGNE, 30 mars 1979 : *Lac alpestre* 1867, h/t (50x72) : **DEM 3 000**.

WEHME Zacharias ou **Vehm** ou **Wehem** ou **Wehm**
Né vers 1550 ou 1558 à Dresde. Mort le 5 ou 6 janvier 1606 à Dresde. XVIe siècle. Allemand.
Peintre et graveur sur bois.
Peintre à la cour de Saxe. Il a gravé des portraits.

MUSÉES : DRESDE : *Le prince Auguste revêtu de son armure*.

WEHMEYER Willem Fredrik
Né le 1er décembre 1819 à Hemstede. Mort le 28 juin 1854 à Amsterdam. XIXe siècle. Hollandais.
Graveur de portraits.

WEHNERT Edward Henry
Né en 1813 à Londres. Mort le 15 septembre 1868 à Londres. XIXe siècle. Britannique.
Peintre d'histoire, sujets allégoriques, scènes de genre, aquarelliste, illustrateur.
D'origine allemande, il alla faire ses études classiques à Göttingen et de retour à Londres, en 1833, commença à exposer dans la métropole anglaise, notamment à Suffolk Street et à la British Institution. Il résida pendant un certain temps à Paris et à Jersey et était de retour à Londres en 1837. La même année, la New-Society of Painters in Water-Colours, l'agréait comme associé. En 1858, il visita l'Italie.
MUSÉES : LONDRES (Victoria and Albert Mus.) : *George Fox prêchant dans une auberge – Triomphe de la Justice*, deux aquar. – MELBOURNE : *Mort de Jean Goujon*, aquar.
VENTES PUBLIQUES : LONDRES, 10 mai 1983 : *Sebastien Gomez, commonly called El Mulato de Murillo, discovered by his master*

at work in his studio 1848, aquar. (79,5x104,5) : **GBP 900** – CHESTER, 20 juil. 1989 : *Servante intervenant vivement auprès de Lady Ford pour la débarrasser de Falstaff (Les joyeuses commères de Windsor)* 1862, aquar. (69x103,5) : **GBP 880**.

WEHR Georg Philipp ou **Weehr** ou **Weer**
Né le 28 janvier 1649 à Lauda. Mort entre 1688 et 1690 probablement à Mayence. XVIIe siècle. Allemand.
Peintre.
Le Musée de Mayence conserve de lui un *Saint François d'Assise*.

WEHRL Hans. Voir **WERL**

WEHRLE Hermine
XIXe siècle. Travaillant en 1847. Autrichienne.
Peintre de scènes de chasse et aquarelliste.
Elle a peint dix aquarelles au château de Wetzlas.

WEHRLÉ Juliette, Mlle. Voir **DUBUFÉ-WEHRLÉ**

WEHRLE Maria
XIXe siècle. Travaillant à Vienne de 1867 à 1872. Autrichien.
Peintre.

WEHRLE Z.
XIXe siècle. Travaillant à Brunn en 1817. Autrichienne.
Miniaturiste.
Elle exposa à Troppau en 1905.

WEHRLEIN. Voir **VERLIN**

WEHRLEIN Venceslas ou **Werhleim**. Voir **VERLIN Venceslao**

WEHRLI Karl
Né en 1843 à Küttigen. XIXe siècle. Suisse.
Peintre verrier.
Il exécuta des vitraux dans les églises d'Emmenda, de Hauptsee et de Zug. Le Musée de Zurich conserve plusieurs vitraux de cet artiste.

WEHRLIN. Voir aussi **VERLIN**

WEHRLIN Johann Jacob
XVIIe siècle. Travaillant à Strasbourg en 1685. Français.
Graveur au burin.

WEHRLIN Karl Ludwig
Né en 1810 à Berne. Mort le 22 mars 1870 à Berne. XIXe siècle. Suisse.
Lithographe.

WEHRLIN Robert
Né le 8 mars 1903 à Winterthur (Zurich). Mort le 29 février 1964 à Winterthur. XXe siècle. Depuis 1925 actif en France. Suisse.
Peintre de portraits, nus, paysages, natures mortes, peintre à la gouache, peintre de compositions murales, cartons de vitraux, cartons de tapisseries, dessinateur, graveur, illustrateur.
Son père originaire du canton de Thurgovie a été conseiller cantonal, puis journaliste et écrivain ; sa mère était bernoise. Il a fréquenté le lycée de Winterthur ; bachelier à 18 ans, il fit ses études de droit dans les Universités allemandes : Heidelberg, Kiel, Francfort, de 1921 à 1924. À Davos, il se lie d'amitié avec E. L. Kirchner, cette rencontre oriente définitivement sa vie vers la peinture. En 1925, il se fixe à Paris, qu'il ne quittera plus jusqu'à sa mort. À part André Lhote dont il fut l'élève, il n'aura plus de maître. En 1936 il est membre de la Jeune Gravure Contemporaine. À Paris, il fréquente la colonie suisse à Montparnasse, les frères Giacometti, et particulièrement Germaine Richier qui sera témoin à son mariage en 1938. Il passe toute la guerre à Paris, sa femme est française. Chez l'imprimeur Clot, pendant la guerre il rencontre Jacques Villon dont il sera l'ami et l'admirateur jusqu'à sa mort. Il a fait des voyages d'études en Angleterre, Allemagne, Italie, Espagne, Mexique.
Il participe à des expositions de groupe notamment à Paris : Salons des Tuileries, des Indépendants, dès 1925 Salon d'Automne dont il deviendra sociétaire en 1944 pour la gravure et la peinture, à partir de 1937 Salon de la Jeune Gravure ; et régulièrement à l'étranger. Il montre ses œuvres dans des expositions personnelles : 1949, 1950, 1961, 1966 Zurich ; 1956 *Exposition Walter Linck, sculpteur, et Robert Wehrlin, peintre* au Musée de Winterthur ; 1958 Musée de Schaffhausen ; 1960, 1970 Winterthur ; 1965 rétrospective au Musée de Winterthur, et *Villon, Bissière, Wehrlin* rétrospective des trois disparus organisée par la Jeune Gravure Contemporaine au Musée de Charleville ; 1969 en Pologne, à Varsovie, à la « Vieille Orangerie » (annexe du Musée National) à Cracovie, au Palais des Princes Lubomirski de l'Institut de France ; 1970 Houston (U.S.A.) ; 1972 rétrospective à l'Hôtel de Ville par la Société d'Art de Thurgovie de Weinfelden (Suisse).
Sa première manière est expressionniste. C'est un peintre de paysages, de portraits, de natures mortes, de nus, d'art mural, vitraux, tapisseries. Ses gravures font l'objet de patientes recherches, croquis, dessins témoignent qu'il fut un « artisan » consciencieux, au métier vigoureux, à l'inspiration généreuse. Pour la Direction des Beaux-Arts de la Ville de Paris, il exécute, en 1943 des affiches : *Portraits de Musiciens*. En 1945-1947, il illustre *La Maternelle* de Léon Frapié (60 lithos, Éditions Littéraires de France, Paris) ; en 1947 *Les Fenêtres de Paris* (texte des frères J. et J. Tharaud, Société Graphique Suisse, Zurich) ; 1948 *Un Signe de Tête* (9 lithos en couleur sur un texte de René de Solier, Enderli, Winterthur) ; 1963 *Poésies* d'Hölderlin (Éd. Arcade Presse, Zurich). Il vient à la peinture abstraite par l'art monumental, les vitraux, la tapisserie. Il a exécuté plusieurs « sgraffito » à Winterthur, pour l'Église de Kollbrunn, pour la Maison Paroissiale de Veltheim, etc. ; deux peintures murales monumentales pour la Société Sulzer à Ober-Winterthur, pour Berne, décoration murale pour l'Institut National pour la protection de la Propriété Intellectuelle. Il réalise en 1958-1963 les vitraux de l'Église Française de Winterthur, de l'Église d'Elsau, du Crématoire Nordheim de Zurich, de l'Église de Bach et les vitraux en dalles de verre de l'Hôpital de Munsterlingen, ainsi que des cartons de tapisseries : *Guillaume Tell* (École de Trullikon) ; *Esculape* (Hôpital Cantonal de Winterthur) ; *La Chute de Glanzenberg* (École de Schieren) ; *Rendez-vous important* (Musée de Winterthur) ; *Évasion* (École Technique de Winterthur) ; *Litteris et Amicitiae* (École Cantonale de Winterthur) ; *L'Échelle de Jacob* (Maison Paroissiale de Veltheim) ; *La Roue de la Chance* (École de Wulflingen), etc. ; des tapisseries dans les Collections particulières : *Hommage à Proust* ; *Les Sept Sceaux* ; *La Nouvelle Jérusalem* ; *La Colère* ; *La Musique* ; *Composition Picaresque* ; *Composition Abstraite*, etc.
BIBLIOGR. : Catalogue de l'exposition : *Robert Wehrlin*, Galerie Orell Füssli, Zurich, 1966 – Lydia Harambourg, in : *L'École de Paris 1945-1965. Diction. des Peintres*, Ides et Calendes, Neuchâtel, 1993.
MUSÉES : KANTON THURGAU (Thurgauisches Mus.) : *Paysage Davos-Platz – Portrait de Suzanne D. – Nu allongé – Portrait de ma mère – Autoportrait – L'Officier de cavalerie – Portrait d'un inconnu – Nature morte à l'ananas – Portrait d'Eugène* – WINTERTHUR (Kunstverein) : *Paysage de Davos – Nature morte à l'artichaut – Trois du groupe – La Mort de mon ami – Nature morte aux cadres – Composition abstraite* – WINTERTHUR (Stadtrat) : *Davos Dischmatal – Deux garçons – Portrait de fille* – ZURICH (Société d'Art Graphique).
VENTES PUBLIQUES : LUCERNE, 25 juin 1976 : *Vue de Davos*, h/t (52,3x43) : **CHF 4 600** – ZURICH, 3 nov 1979 : *Davos*, h/cart. (55,5x71) : **CHF 14 000**.

WEHRSCHMIDT Daniel Albert ou **Veresmith**
Né en 1861 à Cleveland, de parents allemands. Mort le 22 février 1932. XIXe-XXe siècles. Allemand.
Peintre de portraits, graveur.
Il fut élève de Hubert Herkomer. Il fut peintre, graveur à la manière noire et lithographe.
MUSÉES : LONDRES (Gal. Nat.) : *Portrait du capitaine Rob. F. Scott.*
VENTES PUBLIQUES : NEW YORK, 24 juin 1988 : *Le magasin de poupées* 1917, h/t (60,7x29,7) : **USD 1 430**.

WEHSE Gaspar. Voir **WEESE**

WEIBEL Adolf
Né le 6 juillet 1870 à Muri. Mort en 1952. XIXe-XXe siècles. Suisse.
Peintre de paysages, graveur.
Il fut élève de l'École des Arts Décoratifs de Zurich, de Paris et de Karlsruhe. Il vécut et travailla à Aarau.
MUSÉES : AARAU (Aargauer Kunsthaus) : *Le Jura près d'Aarau – Le Golf d'Agno – Rapallo – Sienne.*

WEIBEL Andraes
XVIe siècle. Actif à Thun dans la seconde moitié du XVIe siècle. Suisse.
Peintre verrier.

WEIBEL Fidelis
Né à Chrudim. XVIIIe-XIXe siècles. Autrichien.
Peintre.
Élève de l'Académie de Vienne. Il peignit des architectures.

WEIBEL Hans
XVIe siècle. Travaillant à Thun et à Berne de 1538 à 1549. Suisse.
Peintre verrier.

WEIBEL Karl Rudolph ou **Weibel-Comtesse**
Né en 1796 à Berne. Mort le 25 juin 1856 à Chamonix (Haute-Savoie). XIXe siècle. Suisse.
Lithographe et aquarelliste.
Il exécuta des illustrations de livres sur la Suisse.

WEIBEL Louise
Née le 22 mai 1865 à Genève. XIXe siècle. Suisse.
Peintre de portraits, pastelliste.
Elle fit ses études à Paris. Elle peignit nombre de portraits d'enfants.

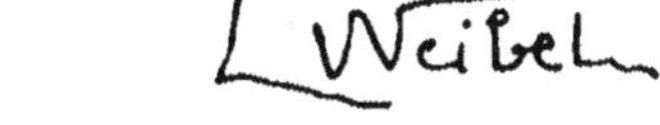

Musées : Berne : *Bretonne.*

WEIBEL Peter
Né en 1945 à Odessa. XXe siècle. Autrichien.
Artiste.
Il fut professeur à l'école des arts appliqués de Vienne puis enseigna à partir de 1985 la vidéo et les arts électroniques à l'université de Buffalo.
Il a d'abord réalisé des actions dans la lignée de l'actionnisme viennois prônant un art proche de la vie, puis il s'intéressa à la poésie visuelle et concrète. À partir de 1969, il se consacre à la photographie, la réalisation de films et la vidéo. Il mêle les genres associant image électronique, sculpture et installations. Son travail est une réflexion sur la culture de masse régie par l'électronique et l'image.
Bibliogr. : In : *Dict. de l'Art mod. et contemp.*, Hazan, Paris, 1992.

WEIBEL Philipp
Né à Saint-Blasien. Mort en 1786 à Vienne. XVIIIe siècle. Autrichien.
Peintre sur porcelaine.
Il travailla à la Manufacture de porcelaine de Vienne à partir de 1738.

WEIBEL Samuel ou **Jakob Samuel**
Né vers 1771 à Berne. Mort le 24 novembre 1846 à Berne. XVIIIe-XIXe siècles. Suisse.
Paysagiste et aquafortiste.
Il exécuta des vues de l'Oberland Bernois, du Jura et du Lac de Genève.
Ventes Publiques : Genève, 27 mai 1971 : *Panorama du lac Léman*, aquar. : **CHF 4 000** – Berne, 11 juin 1976 : *Vue de Sigriswil* vers 1820, aquar. sur trait de pl. (26,5x37,8) : **CHF 4 000** – Berne, 9 juin 1978 : *Paysage aux environs de Bienne* vers 1810, aquar./trait de cr. (22,2x34,8) : **CHF 8 200** – Berne, 25 juin 1982 : *Meykirch* 1823, eau-forte coloriée (12,7x19,3) : **CHF 3 300** – Berne, 24 juin 1983 : *Environs de Vevey* vers 1820, aquar. (35x51,2) : **CHF 9 200.**

WEIBHAUSER J. G.
XIXe siècle. Actif dans la première moitié du XIXe siècle. Autrichien.
Peintre.
Le Musée Municipal de Salzbourg conserve de lui *Portrait du chanoine Unger.*

WEIBL Thomas ou **Waibl**
Né vers 1702 à Gries. Mort en 1747 à Budapest. XVIIIe siècle. Autrichien.
Sculpteur.
Il travailla pour les églises Sainte-Catherine et Sainte-Anne de Budapest.

WEICHARD Michael. Voir **WICKART**

WEICHARDT Karl
Né à Nermsdorf (près de Weimar). Mort le 5 octobre 1906 à Dresde. XIXe siècle. Allemand.
Peintre d'architectures.
Il fut aussi architecte et écrivain.
Musées : Leipzig : *Vue de l'Arc de Constantin à Rome.*

WEICHART Georg. Voir **WEIKERT**

WEICHBERGER Eduard
Né le 5 mars 1843 à Eisenach. Mort le 19 août 1913 à Weimar. XIXe-XXe siècles. Allemand.
Peintre de genre, paysages, graveur.
Il fut élève de l'École d'art de Weimar dans les ateliers de Arnold Böcklin, Michells et May Schmidt. Il exposa à Munich en 1881.
Il a gravé à l'eau-forte des vues et des sujets de genre.
Musées : Iéna : *La Saale près de Wöllnitz – Tautenbourg* – Weimar : *Journée d'automne dans la forêt – Paysage – Forêt près de Milsebourg – Forêt près d'Ettmarshausen – Ruisseau près d'Ottern – Crâne et bouleaux – Groupe d'arbres dans une vallée – Prairie avec clôture – Village au printemps.*
Ventes Publiques : Cologne, 19 oct 1979 : *Vue de Weimar*, h/t (45,5x35) : **DEM 1 700** – Los Angeles, 16 mars 1981 : *Voyageur dans un paysage de neige*, h/t (43x35,5) : **USD 700.**

WEICHBERGER Philip
XXe siècle. Actif en France.
Peintre, peintre à la gouache. Tendance abstraite.
Il expose en Allemagne, aux États-Unis, en France.
Ventes Publiques : Paris, 24 avr. 1988 : *Composition* 1969, h/t (150x150) : **FRF 7 000** – Paris, 13 juin 1988 : *Byro* 1960, h/t (130x81) : **FRF 4 000** – Paris, 29 nov. 1989 : *Composition* 1963, h/t (52x65) : **FRF 8 200** – Neuilly, 7 fév. 1990 : *Ona* 1959, h/t : **FRF 11 000** – Neuilly, 16 avr. 1991 : *Tresi* 1960, h/t (89x116) : **FRF 10 000** – Paris, 19 mars 1993 : *St. Trop'58*, h/t (100x100) : **FRF 4 000.**

WEICHER Hans. Voir **WEINER**

WEI CHIH-HUANG. Voir **WEI ZHIUANG**

WEI-CH'IH I-SÊNG. Voir **WEICHI YISENG**

WEI CHIH-K'O. Voir **WEI ZHIKE**

WEI CHIU-TING. Voir **WEI JIUDING**

WEICHI YISENG ou **Wei-Ch'ih I-Sêng** ou **Weitch'e I-Seng**
Originaire du Khotan, en Asie Centrale. VIIe-VIIIe siècles. Actif à Changan dans la seconde moitié du VIIe siècle et peut-être jusqu'en 710. Chinois.
Peintre.
On l'appelle aussi le Petit Weichi, pour le distinguer de son père, Weichi Bochina, appelé lui, le Grand Weichi. Il serait membre de la famille royale du Khotan et est envoyé à la capitale Tang, Changan, par le roi du Khotan. Il y exécute de nombreuses fresques bouddhiques dans les temps de cette ville, extrêmement admirées. Ses peintures sont différentes de la tradition chinoise, dit-on, particulièrement ses fleurs en relief qui semblent émerger du mur. Le Musée du Palais de Pékin conserve une œuvre qui, si l'on en croit l'inscription qui l'accompagne, serait de Wu Daozi (actif vers 720-760), d'après Weichi Yiseng, et qui représente *Lokapala Vaisravana sur un trône, entouré de deux bodhisattva sous un dais* ; la Freer Gallery de Washington conserve, pour sa part, une peinture du même sujet dont l'exécution remonte sans doute à l'époque Yuan.

WEICHS Fanny. Voir **PAUSINGER Fanny von**

WEICHSELBAUM. Voir **WEIXLBAUM**

WEI CHÜ-CHING. Voir **WEI JUJING**

WEICKHARD Michael. Voir **WICKART**

WEIDE Wilhelm ou **Weyde**
Né à Berlin. XIXe siècle. Travaillant à Budapest de 1808 à 1841. Hongrois.
Peintre de genre et portraitiste.
Il exposa à l'Académie de Berlin de 1804 à 1808. Il peignit des portraits et des scènes de genre hongroises.

WEIDELE Ignaz
Né en 1775. Mort le 6 avril 1850 à Vienne. XIXe siècle. Autrichien.
Peintre d'histoire.

WEIDEMANN. Voir aussi **WEIDENMANN**

WEIDEMANN Friedrich Wilhelm
Né en 1668 à Osterbourg. Mort le 25 décembre 1750 à Berlin. XVIIe-XVIIIe siècles. Allemand.
Portraitiste.
Élève de Rutger von Langenfeld, puis de G. Kneller à Londres. Il peignit de nombreux portraits de la famille de Frédéric Guillaume Ier de Prusse et de ses soldats. Le Musée Hohenzollern de Berlin conserve de lui *Frédéric-Guillaume 1er et ses enfants, La reine Sophie-Charlotte* et *Frédéric II, prince héritier.*

WEIDEMANN Jakob
Né en 1923 à Steinkjer. XXe siècle. Norvégien.

Peintre, peintre de compositions murales. Abstrait.
Il fut élève de l'École des Arts Décoratifs de Bergen, de 1940 à 1943. En 1944, il s'enfuit en Suède, s'enrôlant dans les Forces Norvégiennes Libres. Il fut également élève de Sven Erixson, à l'Académie des Beaux-Arts de Stockholm. Après la guerre, il rentra en Norvège, y prenant place parmi les jeunes peintres d'avant-garde norvégiens en vue. Il a voyagé souvent en France et en Italie. Il vit et travaille à Oslo.
Il participe à de nombreuses expositions de groupe, notamment : 1959 Biennale de São Paulo ; 1961 Festival d'Édimbourg ; 1966 Biennale de Venise ; à partir de 1966 Salon de Mai à Paris ; à partir de 1968 Salon des Réalités Nouvelles à Paris ; 1969 *L'œil écoute* au Festival d'Avignon, etc. Il a également montré de nombreuses expositions personnelles de ses œuvres, depuis 1947 fréquemment à Oslo ; 1963, 1967, 1969, 1971, 1974 à Paris ; ainsi qu'en Allemagne et dans les Pays Scandinaves.
Abstrait presque d'emblée, il évolua d'une première période de tâtonnements à la période de 1957-1961, influencée par Poliakoff, le travail des matières chez celui-ci trouvant chez Weidemann des résonances avec les textures naturelles de la forêt scandinave. À partir de 1961, son langage se libéra de toute tendance géométrisante pour aboutir à des notations frémissantes, comparables à un impressionnisme abstrait, tentant de saisir la poésie de la nature sous toutes les lumières possibles. Il a réalisé des décorations murales : en 1956, dans une cantine d'usine à Oslo ; en 1960-1961, une série de peintures murales pour les bureaux de la compagnie Norsk Hydro à Oslo ; en 1965, pour l'église de Steinkjer.
Bibliogr. : B. Dorival, sous la direction de... : *Peintres Contemporains*, Mazenod, Paris, 1964 – Catalogue de l'exposition : *Jakob Weidemann*, Gal. Ariel, Paris, 1974.
Musées : Stockholm (Mod. Mus.).
Ventes Publiques : Londres, 19 juin 1991 : *Nature morte à la coupe de fruits* 1953, h/t (63,5x90,5) : **GBP 6 600**.

WEIDEMANN Theobald ou **Hans Theobald** ou **Weidenmann**
Mort en 1690 à Schupbach. xviie siècle. Actif à Winterthur. Suisse.
Sculpteur sur marbre.
Il travailla pour le Prince Électeur de Mayence ainsi que pour la cathédrale de Trèves en 1687.

WEIDENAUER J. H.
xviiie siècle. Travaillant à Porsgrunn dans la seconde moitié du xviiie siècle. Norvégien.
Peintre.
Il exécuta des portraits selon la manière de Niels Aal l'Ancien. Il peignit aussi des buffets d'orgues et des autels pour l'église d'Eidanger.

WEIDENHAUPT Andreas
Né le 13 août 1738 à Copenhague. Mort le 26 avril 1805 à Copenhague. xviiie siècle. Danois.
Sculpteur.
Élève de l'Académie de Copenhague. Il sculpta des bustes, des statues, des tombeaux et des bas-reliefs. Le Musée de Copenhague conserve de lui *Tête d'un vieillard barbu*.

WEIDENHAYN Carolina ou **Johanna Carolina**, née **Lundgren**
Née le 22 octobre 1822 à Stockholm. Morte en 1902. xixe siècle. Suédoise.
Graveur sur bois.
Elle fit ses études à Paris.

WEIDENMANN. Voir aussi **WEIDEMANN**

WEIDENMANN Johann Caspar
Né le 4 octobre 1803 à Winterthur. Mort le 5 septembre 1830 à Winterthur. xixe siècle. Suisse.
Peintre.
Musées : Winterthur : *Jeunes filles avec fleurs – Marie Schellenberg – Inconnu – Tête d'étude – Narcisse – Jeune fille italienne – Italienne – Fontaine près de Cervara – Escalier taillé dans le roc à Cervara – Motif des environs de Civitavecchia – Rocher dans les Monts Sabins* – trente-cinq autres peintures et soixante-cinq dessins – Zurich (Kunsthaus) : *Portrait de H. W. Bissen – Portrait du peintre Jos. Anton Koch*.
Ventes Publiques : Zurich, 16 mai 1974 : *Le petit soldat* : **CHF 4 000**.

WEIDENMANN Theobald ou **Hans Theobald**. Voir **WEIDEMANN**

WEIDHOFER Johann
xviie siècle. Travaillant à Iglau en 1612. Autrichien.
Peintre.

WEIDINGER Franz Xaver
Né le 17 juin 1890 à Ried. xxe siècle. Autrichien.
Peintre de portraits, paysages, natures mortes.
Il fut élève des Académies de Dresde et de Vienne. Il vécut et travailla à Bad Ischl.
Il peignit des types de Haute-Autriche.
Musées : Linz – Reichenberg – Vienne.

WEIDITZ Christoph
Mort en 1559 à Augsbourg. xvie siècle. Actif à Strasbourg vers 1500. Allemand.
Peintre, médailleur et dessinateur.
Il dessina les bois pour un ouvrage qu'il imprima en participation avec David Kaimel ou Kandel, en 1539 : *Bericht und Anzeigen Aller Herren Geschlecht der lablichen Slatt Augsbourg* 1538. Les gravures représentent les armoiries de la noblesse d'Augsbourg et sont signées des initiales C. W.

WEIDITZ Hans I ou **Wydytz**
xve-xvie siècles. Actif à Fribourg de 1497 à 1510. Allemand.
Sculpteur sur bois.
Un des maîtres les plus importants du début de la Renaissance. Il a sculpté l'autel des Rois Mages dans la cathédrale de Fribourg en 1505. Le Musée de Bâle conserve de lui *Adam et Ève*.

WEIDITZ Hans II
Né probablement avant 1500 à Fribourg. xvie siècle. Allemand.
Dessinateur.
On le cite à Augsbourg jusqu'en 1522 ; de là, il se rendit à Strasbourg, lieu d'origine de sa famille. Il travailla à Augsbourg pour les libraires Muller, Saint-Omar, J. Schonsperger le jeune, Grumm et Wrsungs. Il faisait sur les blocs de bois des dessins pour les graveurs. Ses estampes sont signées fréquemment H. W. et son style rappelle celui de Burgmair. En 1536 il travailla à Strasbourg pour le libraire J. Schott. On le considère comme un des meilleurs illustrateurs allemands. La liste de ses ouvrages est considérable. On cite particulièrement ses bois pour les œuvres de Pétrarque. On lui doit aussi, d'après la critique moderne un certain nombre d'estampes séparées, attribuées précédemment à Dürer, Burgmair et Cranach.

WEIDLICH Adolf Joseph
Né en 1816 à Elbogen. Mort le 9 février 1885 à Prague. xixe siècle. Autrichien.
Peintre d'histoire.
Élève de l'Académie de Prague. Il peignit des tableaux d'autel et des sujets historiques.

WEIDLICH Franz
Né en 1735 à Steinsschönau. Mort après 1795. xviiie siècle. Autrichien.
Tailleur de camées.

WEIDLICH Ignaz Joseph
Né en 1753 à Gross-Meseritsch. Mort en 1815 à Brunn. xviiie-xixe siècles. Autrichien.
Peintre.
Il peignit des tableaux d'autel pour plusieurs églises de Moravie. Le Musée de Brunn conserve de lui *Portrait de M. Pohl*.

WEIDLICH Johann
Né en 1785. Mort le 5 octobre 1838 à Vienne. xixe siècle. Autrichien.
Modeleur.

WEIDMANN Jakob Joseph
Né en 1768. Mort en 1829. xviiie-xixe siècles. Actif à Einsiedeln. Suisse.
Graveur au burin et sur bois.
Il grava des sujets religieux pour les pèlerins.

WEIDMANN Ulrich
Né le 7 mars 1840 à Zurich. Mort le 8 février 1892 à Coire. xixe siècle. Suisse.
Peintre.
Ventes Publiques : Lucerne, 10 nov. 1983 : *Posilipo et le Vésuve*, h/t (60x86) : **CHF 22 000**.

WEIDNER Carl A.
Né en 1865 à Hoboken. Mort en 1906. xixe siècle. Actif aux États-Unis. Allemand.
Peintre de portraits, peintre de miniatures.

Il fut élève de Paul Nauen à Munich. Il vécut et travailla à New York.

WEIDNER Joseph

Né en 1801 à Vienne. Mort vers 1870. XIXe siècle. Autrichien.

Peintre de genre, portraits.

Élève de l'Académie de Vienne. Il exposa à Vienne à partir de 1826.

Musées : Brunn : *Portrait du comte Ludwig Batthyany* – Vienne : *La sœur de l'artiste.*

Ventes Publiques : Vienne, 18 sep. 1973 : *Portrait d'une dame de qualité* : **ATS 22 000** – Vienne, 16 mars 1976 : *Portrait de Josef Panz* 1839, h/t (53,3x71,5) : **ATS 4 600**.

WEIDNER Willem Frederik

Né en 1817 à Haarlem. Mort le 18 mars 1850 à Haarlem. XIXe siècle. Hollandais.

Peintre de natures mortes, aquarelliste.

Musées : Bruxelles : Une aquarelle.

Ventes Publiques : Amsterdam, 5-6 nov. 1991 : *Nature morte avec des fleurs sur un entablement* 1841, h/pan. (33x24,5) : **NLG 5 175** – Amsterdam, 14 sep. 1993 : *Nature morte de fleurs dans un vase sur un entablement* 1841, h/pan. (32x24) : **NLG 2 990**.

WEIE Edvar ou **Edvard** ou **Viggo Thorvald Edvard**

Né le 18 novembre 1879 à Copenhague. Mort en 1943. XXe siècle. Danois.

Peintre de compositions mythologiques, portraits, intérieurs, paysages, natures mortes. Impressionniste.

Il fut élève de Zahrtmann et de P. H. Kristian. Il séjourna en Italie en 1907 puis en France en 1924. S'intéressant aux problèmes esthétiques, il est l'auteur de divers ouvrages.

En 1987, le Statens Museum for Kunst de Copenhague et le Kunstmuseum d'Aarhus ont présenté une exposition personnelle de ses œuvres en 1987.

Il fut considéré comme l'un des pères de la peinture danoise moderne, avec Harald Giersing. L'impressionnisme lui permit de prendre ses distances avec le sujet et de considérer comme l'objet même de la peinture, les couleurs, la lumière et les formes en elles-mêmes, dans une vision simplificatrice, privilégiant les vastes plans colorés. Du point de vue historique, il jouit d'une très grande réputation dans les Pays Scandinaves, tout en étant aussi estimé des générations de jeunes peintres abstraits. Il exécuta de grandes compositions aux thèmes romantiques et visionnaires, notamment *Poséidon* de 1917, *Deux Génies* de 1932, *Fauve et nymphe* de 1940.

Bibliogr. : In : *L'Art du XXe siècle*, Larousse, Paris, 1991.

Musées : Copenhague (Ny Carlsberg Glyptotek) : *Poséidon* – *Paysage près de Christiansö* – *L'Artiste* – Copenhague (Stat. Mus. for Kunst) – Göteborg – Oslo (Nat. Gal.) – Randers : *Preaestehavn* – Stockholm (Nat. Gal.) – Vejen : *La Mère de l'artiste.*

Ventes Publiques : Copenhague, 2 nov. 1950 : *Femme lisant* : **DKK 1 750** – Copenhague, 23 nov. 1950 : *La maison rouge* : **DKK 1 950** – Copenhague, 22 fév. 1951 : *Intérieur, femme lisant* : **DKK 3 100** – Copenhague, 22 mai 1951 : *Pot de fleurs* : **DKK 4 000** – Copenhague, 23-24 oct. 1952 : *Nature morte* 1933 : **DKK 2 600** – Copenhague, 22-23 déc. 1952 : *Rue* 1923 : **DKK 7 100** – Copenhague, 16-17 avr. 1953 : *Chemin en forêt* : **DKK 5 600** – Copenhague, 3 juin 1953 : *Rue d'une petite ville* : **DKK 1 800** – Copenhague, 3 et 15 sep. 1964 : *Fantaisie romantique* : **DKK 27 000** – Copenhague, 30 juin 1965 : *Marine* : **DKK 18 000** – Copenhague, 19 mai 1971 : *Nature morte* : **DKK 5 900** – Copenhague, 15 mars 1973 : *Le peintre Harald Giersing dans un intérieur* : **DKK 21 000** – Copenhague, 28 nov. 1974 : *Personnage assis* 1941 : **DKK 52 000** – Copenhague, 25 nov. 1976 : *Paniers d'oranges et fleurs*, h/t (52x56) : **DKK 52 000** – Copenhague, 12 mai 1977 : *Le chemin de campagne* 1938, aquar. (71x100) : **DKK 16 000** – Copenhague, 6 oct. 1977 : *Nature morte* 1935, h/t (76x62) : **DKK 59 000** – Copenhague, 24 nov 1979 : *Bords de canal en hiver* vers 1908, h/t (50x59) : **DKK 23 000** – Copenhague, 26 nov. 1981 : *Nature morte* 1930, h/t (97x91) : **DKK 40 000** – Copenhague, 11 mai 1983 : *Deux jeunes filles assises*, h/t (31x41) : **DKK 19 500** – Copenhague, 25 avr. 1985 : *Nature morte au pot de bégonias*, h/t (49x58) : **DKK 45 000** – Copenhague, 4 mai 1988 : *Nature morte* (51x73) : **DKK 100 000** – Copenhague, 10 mai 1989 : *Étude de nu masculin*, h/t (62x36) : **DKK 10 000** – Copenhague, 20 sep. 1989 : *Homme d'affaires assis*, h/t (78x68) : **DKK 45 000** – Copenhague, 9 mai 1990 : *Jeune fille dans un intérieur* 1914, h/t (60x60) : **DKK 52 000** – Copenhague, 31 oct. 1990 : *Nature morte* 1930, h/t (94x84) : **DKK 270 000** – Copenhague, 4 déc. 1991 : *Nature morte*, h/t (73x73) : **DKK 250 000** – Copenhague, 1er avr. 1992 : *Vue de Langelinie* 1925, h/t (64x81) : **DKK 230 000** – Copenhague, 21 oct. 1992 : *Étude pour « Vue de Langelinie »* 1932, h/t (55x66) : **DKK 24 000** – Copenhague, 20 oct. 1993 : *Intérieur* 1910, h/t (56x47) : **DKK 14 000** – Copenhague, 13 avr. 1994 : *Nature morte* 1935, h/t (120x101) : **DKK 300 000** – Copenhague, 17 avr. 1997 : *Jeune fille assise dans un intérieur* 1902, h/t (44x39) : **DKK 26 000** – Copenhague, 12-14 nov. 1997 : *Modèle allongée*, h/t (28x40) : **DKK 44 000**.

WEIER Jacob. Voir **WEYER**

WEIERHOLT Ole Nilssen

Né en 1718 à Sagene. Mort en 1792. XVIIIe siècle. Norvégien.

Sculpteur sur bois et peintre.

Il sculpta des autels, des chaires, et des grilles de chœur pour plusieurs églises de Norvège.

WEIERMANN. Voir **WEYERMANN**

WEIERS Hans

Né à Bonn. XXe siècle. Allemand.

Peintre, peintre à la gouache, graveur, sculpteur. Abstrait-informel.

Après des études de médecine, il s'est formé seul aux arts plastiques. Depuis les années soixante, il participe à des expositions collectives, en Allemagne, Italie, Suisse, Angleterre, etc., en 1983 à Paris au Salon d'Art Sacré. Depuis 1961, il montre des ensembles de ses travaux dans des expositions personnelles, notamment : 1966 Berlin, galerie von Kalkstein ; 1972, 1977 Paris, galerie Mouffe ; 1994 Paris, galerie Étienne de Causans ; 1996 Paris, galerie Art Présent ; etc.

WEI ERSHEN

Né en 1954 à Harbin. XXe siècle. Chinois.

Peintre de compositions animées, figures, nus, paysages.

Il fut élève dans la section peinture à l'huile de l'académie des beaux-arts Lu Xun, où il étudia par la suite le dessin classique. Il enseigne la peinture dans cette même Académie.

Il participe à de nombreuses expositions collectives dans son pays. En 1984 il a remporté la médaille de bronze à la VIe Exposition Nationale, et en 1989, la médaille d'or à la VIIe Exposition Nationale des Beaux-Arts. Sa notoriété s'est étendue au Japon. Il a travaillé avec le peintre Hu Jiancheng.

Bibliogr. : In : *Catalogue Christie's*, vente du 30 mars 1992, Hong Kong.

Musées : Pékin (Mus. Nat.).

Ventes Publiques : Hong Kong, 30 mars 1992 : *Terre* 1991, h/t (65x99,5) : **HKD 60 500**.

WEIGALL Alfred

XIXe siècle. Actif à Londres. Britannique.

Miniaturiste.

Il exposa à Londres de 1855 à 1866.

WEIGALL Arthur Howes

XIXe siècle. Actif à Londres. Britannique.

Peintre de genre et portraitiste.

Il exposa à Londres de 1856 à 1892, notamment à la Royal Academy et à la British Institution. Le Musée de Salford conserve de lui : *Le marchand de bois à brûler.*

Ventes Publiques : Londres, 27 mars 1973 : *La diseuse de bonne aventure* 1865 : **GBP 500** – Londres, 18 mars 1980 : *The hopeful suitor* 1878, h/t (90x70) : **GBP 1 200** – Londres, 18 fév. 1983 : *Marchands de bois, Marien Platz, Munich* 1864, h/pan. (31,7x24,2) : **GBP 2 200**.

WEIGALL Charles Harvey

Mort en 1877. XIXe siècle. Britannique.

Peintre de genre, d'animaux, aquarelliste, tailleur de camées et écrivain d'art.

Membre de l'Institute of Painters in Water-Colours, il exposa très fréquemment à cette société à la Royal Academy, à Suffolk Street, de 1810 à 1876. Le Musée de Dublin conserve de lui *Le droit contesté* (aquarelle) et le Victoria and Albert Museum, à Londres, *Paysage avec cottage et personnages* (aquarelle).

WEIGALL E.

XIXe siècle. Active à Londres dans la seconde moitié du XIXe siècle. Britannique.

Miniaturiste.

Fille de Henry W. Elle exposa de 1853 à 1860.

WEIGALL Henry

Né en 1800. Mort en 1883. XIXe siècle. Actif à Londres. Britannique.

Sculpteur, tailleur de camées et médailleur.
Il exposa à Londres de 1832 à 1855, quatorze ouvrages à la Royal Academy, deux à la British Institution et quatre à Suffolk-Street. Le Musée de Birmingham conserve de lui *Le duc de Wellington*, bronze.

WEIGALL Henry, Jr
Né en 1829 à Londres (?). Mort à Southwood. XIXe siècle. Britannique.
Peintre de figures et de portraits.
Il exposa à Londres, particulièrement à la Royal Academy et à la British Institution à partir de 1846.
Musées : Bristol : *Trompette de gardes à cheval* – Melbourne : *Portrait de Perry, premier évêque anglican de Melbourne.*
Ventes Publiques : Londres, 22 nov. 1990 : *Lady Rose Weigall et ses enfants réunis autour du piano à Southwood*, h/t (44,5x38,2) : **£ 2 420.**

WEIGALL Julia, plus tard Mme **Capes**
XIXe siècle. Travaillant de 1846 à 1864. Britannique.
Peintre de portraits en miniatures.
Fille de Charles Harvey W.

WEIGAND Friedrich
Né le 11 novembre 1842 à Vienne. XIXe siècle. Autrichien.
Graveur sur bois.

WEIGAND Konrad
Né le 12 décembre 1842 à Bamberg. Mort le 3 décembre 1897 à Nuremberg. XIXe siècle. Allemand.
Peintre d'histoire, portraitiste et illustrateur.
Élève de Kreling, puis de Wilh. von Diez à l'Académie de Munich. Il peignit à fresque, à Munich, *Les noces d'Albert Dürer* (1879). Médaillé de cette ville en 1879. Le Musée de Halle conserve de lui *Le Chevalier brigand Hans Schuttesamen est ramené prisonnier à Nuremberg*, et le Musée Municipal de Nuremberg, *Les noces de Luther.*
Ventes Publiques : Munich, 8 déc. 1982 : *Mère et enfant*, h/t (59,5x44,5) : **DEM 7 400.**

WEIGEL Christoph
Né le 9 novembre 1654 à Redwig en Bohême. Mort le 5 février 1725 à Nuremberg. XVIIe-XVIIIe siècles. Autrichien.
Graveur au burin et éditeur.
Après avoir séjourné à Hof, Iéna, Francfort, Vienne, Augsbourg, il s'établit à Nuremberg comme graveur et marchand d'estampes. Il a gravé, notamment un certain nombre de pièces de la Bible (*Sacra scriptura loquens in imaginibus*).

WEIGEL Hans
Né à Amberg. Mort avant 1578. XVIe siècle. Actif à Nuremberg. Allemand.
Dessinateur, graveur sur bois et imprimeur.
On le cite dès 1535. Il a gravé des portraits, des ornements. Ses œuvres sont signées H. W.

WEIGEL Johann Christoph
Né après 1654 à Redwitz. Mort en 1726 à Nuremberg. XVIIe-XVIIIe siècles. Allemand.
Graveur au burin et éditeur.
Il grava des paysages, des cartes, des costumes, des ustensiles et des décorations.

WEIGEL Johann Georg
XVIIe siècle. Actif à Murau dans la seconde moitié du XVIIe siècle. Autrichien.
Peintre de compositions religieuses.

WEIGEL Josef
XIXe siècle. Travaillant à Vienne en 1845. Autrichien.
Dessinateur.

WEIGEL Matthias
Originaire de Vienne. XVIIIe siècle. Autrichien.
Peintre.
Il travailla à Prague en 1708.

WEIGELE Henri
Né le 20 septembre 1858 à Schlierbach. Mort en 1927 à Neuilly (Hauts-de-Seine). XIXe-XXe siècles. Français.
Sculpteur.
Il fut élève de Jules Francesi. Il participa à Paris au Salon des Artistes Français, dont il fut membre sociétaire à partir de 1902 ; il reçut une mention honorable en 1893, une médaille de troisième classe en 1907 et une médaille de deuxième classe en 1909.
Musées : Liverpool : *Athénienne*, marbre et bronze.
Ventes Publiques : New York, 24 mai 1995 : *Deux femmes dansant* 1914, marbre (H. 180,3) : **USD 288 500** – New York, 1er nov. 1995 : *Diane*, marbre et bronze doré (H. 63,5) : **USD 57 500.**

WEIGELSFELSS Wenzel
XVIIIe siècle. Travaillant à Graz de 1745 à 1753. Autrichien.
Peintre.

WEIGENT Christian
Né en 1721 à Königswald près de Tetschen. Mort le 16 janvier 1758 à Prague. XVIIIe siècle. Autrichien.
Sculpteur.

WEIGHT Carel
Né le 10 septembre 1908 à Londres. XXe siècle. Britannique.
Peintre de genre, sujets militaires, portraits, figures, paysages, fleurs, aquarelliste, peintre de compositions murales.
Il commença à faire des études de chant, mais décida de faire de la peinture et fit ses études à la Hammersmith School of Art de 1928 à 1930, et au Goldsmith's College de 1931 à 1933. Il devint membre de la Royal Society of British Artists la même année. Il enseigna au Royal College of Art à partir de 1947, il fut professeur à la Painting School depuis 1957. Il fut membre du London Group en 1950, de la Royal Society of Painters in Water-Colours en 1954, membre associé de la Royal Academy en 1955.
Il exposa à Londres, à la Royal Academy dès 1931. Sa première exposition personnelle eut lieu en 1934.
Il fut artiste officiel de guerre en 1945 et envoyé en Italie, en Grèce et en Autriche. Il a peint un mural pour le Country Pavillon au Festival de Grande-Bretagne (South Bank) en 1951.

Carel Weight

Musées : Londres (Tate Gal.) : *Le Rendez-Vous* 1953 – *Les Chiens* 1955-1956 – *Miss Orodiva Pissarro* 1956 – *Paysage Siennois* 1960-1963.
Ventes Publiques : Londres, 11 mai 1973 : *The Albert Memorial* : **GNS 440** – Londres, 10 mai 1974 : *Hammersmith Palace* 1936 : **GNS 600** – Londres, 5 mars 1976 : *Enfant courant*, h/t (101,5x76,5) : **GBP 250** – Londres, 18 juil. 1984 : *Frey day, Chelsea, Albert bridge*, h/t (71x91,5) : **GBP 2 300** – Londres, 15 mai 1985 : *The practice of art*, h/t (101,5x122) : **GBP 3 400** – Londres, 9 juin 1988 : *Un homme et son chien près d'une ferme*, h/cart. (25x23,8) : **GBP 1 320** – Londres, 2 mars 1989 : *Paysage avec trois personnages*, h/t (35x50) : **GBP 7 700** – Londres, 8 juin 1989 : *Le gamin et le phare*, h/cart. (45x27,5) : **GBP 5 720** – Londres, 8 mars 1990 : *La rencontre*, h/cart. (49,4x49,4) : **GBP 4 950** – Londres, 3 mai 1990 : *L'hiver dans un parc*, h/cart. (37x44) : **GBP 5 280** ; *Deux personnages sombres*, h/cart. (51x40,5) : **GBP 6 050** – Londres, 24 mai 1990 : *Soleil, vapeur et vitesse*, h/cart. (70x66) : **GBP 26 400** – Londres, 8 juin 1990 : *« Sunday-go-to-meeting »* 1948, h/t (75x62) : **GBP 31 900** – Londres, 20 sep. 1990 : *Personnage dans les jardins de Abbotsford*, h/cart. (26x38) : **GBP 4 620** – Londres, 25 jan. 1991 : *Vieille femme dans un jardin*, h/t (91x122) : **GBP 7 700** – Londres, 2 mai 1991 : *Enfant sous la pluie*, h/cart. (35x45) : **GBP 2 750** – Londres, 7 juin 1991 : *L'Albert bridge à la tombée de la nuit* 1952, h/t (70x90) : **GBP 19 800** – Londres, 7 nov. 1991 : *La Tamise à Hammersmith*, h/t (63,5x76) : **GBP 16 500** – Londres, 6 mars 1992 : *Pygmalion* 1933, h/t (71x91,5) : **GBP 8 800** – Londres, 5 juin 1992 : *La tombée de la nuit* 1984, h/cart. (122x94) : **GBP 6 820** – Londres, 6 nov. 1992 : *L'essayage de masques* 1972, h/cart. (75,5x61) : **GBP 5 500.**

WEIGHTMAN
Mort en 1781. XVIIIe siècle. Britannique.
Miniaturiste.

WEIGL Franz
Né en 1810 à Vienne. XIXe siècle. Autrichien.
Peintre et illustrateur.
Élève de l'Académie de Vienne où il exposa de 1828 à 1842. Il peignit des portraits et des illustrations de contes.

WEIGL Hans
XVIIe siècle. Autrichien.
Sculpteur et peintre.
Il travailla à Beuern où il exécuta des chaires et des crucifix.

WEIGL Robert
Né le 16 octobre 1851 à Vienne. Mort le 26 décembre 1902 à Vienne. XIXe siècle. Autrichien.
Sculpteur.

Élève de l'Académie de Vienne. Il sculpta de nombreux bustes et statues de personnalités autrichiennes.

WEI HAOLING

XVIIIe siècle. Actif probablement sous le règne de l'empereur Qing Qianlong (1736-1796). Chinois.

Peintre.

Peintre de paysages non mentionné dans les biographies d'artistes.

WEIHENSTEFAN A. de. Voir **ALTUN**

WEI HIEN. Voir **WEI XIAN**

WEIHRAUTER Franz Richard

Né le 19 décembre 1892 à Munich. XXe siècle. Autrichien.

Peintre de figures, paysages.

Il fut élève de l'Académie de Munich. Il se fixa à Brixen. Il travailla également à Afers. Il peignit des paysages tyroliens et des figures.

WEI HSIEN. Voir **WEI XIAN**

WEIJAND Jaap ou **Jacob Gerrit** ou **Weyand**

Né le 8 mars 1886 à Amsterdam. Mort en 1960. XXe siècle. Hollandais.

Peintre de compositions religieuses, portraits, paysages, paysages urbains, architectures, natures mortes, fleurs, graveur.

Il fut élève de l'Académie des Beaux-Arts d'Amsterdam.
Il subit l'influence de l'œuvre de Le Fauconnier et du cubisme.

Musées : Amsterdam : *Portrait du directeur de musée W. F. Van Riemsdijk* – La Haye : *Mise au tombeau – Saint Jean à Patmos – Fleurs*.

Ventes Publiques : Amsterdam, 10 avr. 1989 : *Nature morte de fleurs sur une table* 1913, h/t (73,5x98,5) : **NLG 9 430** – Amsterdam, 10 déc. 1992 : *Vue de Bergen avec l'église et des ruines* 1927, h/t (52,5x85) : **NLG 3 680** – Amsterdam, 11 fév. 1993 : *Les environs de Groet, paysage de polder* 1931, h/pan. (15x20,5) : **NLG 1 092** – Amsterdam, 1er juin 1994 : *Bouquet* 1933, h/pan. (40,5x35) : **NLG 1 150**.

WEI JINGSHAN

Né en 1943 à Shanghai. XXe siècle. Chinois.

Peintre de natures mortes.

De 1959 à 1965 il fréquenta le Collège d'Art de Shanghaï. Il commença alors une carrière de professeur à l'Institut de Peinture et Sculpture de Shanghaï. En 1984 il partit pour les États-Unis poursuivre ses études à l'Université de Kansas et à l'Université de la ville de New York dont il obtint le diplôme en 1988.
Durant la première partie de sa carrière, il a exposé en Chine et participé au *Festival d'Art Asiatique* au Japon. Depuis son séjour aux États-Unis il expose à New York et au Canada.
Ses natures mortes, classiques, révèlent l'influence de l'Occident.

Bibliogr. : In : *Catalogue Christie's*, vente du 30 mars 1992, Hong Kong.

Musées : Pékin (Mus. Nat. d'Art de Chine) – Pékin (Mus. militaire de Chine).

Ventes Publiques : Hong Kong, 30 mars 1992 : *Nature morte* 1988, h/t (76,2x86,4) : **HKD 55 000**.

WEI JIUDING ou **Wei Chiu-Ting** ou **Wei Kieouting**, surnom : **Mingxuan**

Originaire de Tiantai, province du Zhejiang. XIVe siècle. Actif vers 1350-1370. Chinois.

Peintre.

Peintre de paysages dans le style de Wang Zhenpeng, il pratique le style *jiai hua* (peinture des limites).

WEIJS Abraham. Voir l'article **WYS Abraham**

WEIJTS Pauwels. Voir **WEYTS**

WEIKERT Georg ou **Johann Georg**

Né en 1745 à Vienne (?). Mort le 2 février 1799 à Vienne (?). XVIIIe siècle. Autrichien.

Portraitiste.

Élève de Martin Van Myten le Jeune. Il peignit les portraits de la famille impériale et de nombreuses personnalités de la cour.

Musées : Munich (Mus. mun.) : Deux miniatures – Naples : *Jeune noble* – Sibiu : *Le baron Samuel Brukenthal*.

WEIKHARD de Valvasor Johann. Voir **VALVASOR**

WEIKHARDT S. J.

XVIIIe siècle. Suédois.

Portraitiste.

Il peignit des portraits d'enfants.

WEI KIEOU-TING. Voir **WEI JIUDING**

WEIL Erzsebet ou **Élisabeth**

Née le 14 mai 1901 à Budapest. XXe siècle. Hongroise.

Peintre de figures, graveur.

Graveur, il privilégia la technique de l'eau-forte.

WEIL Fernand

XXe siècle. Français.

Peintre de compositions animées, paysages. Naïf.

Marchand de vins de son état, il découvrit la peinture sur le tard et mérita de figurer dans l'ouvrage d'Anatole Jakovsky sur la peinture naïve. Rareté chez ces humbles artistes de la fidèle réalité, il peint en pleine pâte et à la main lyrique.

Ventes Publiques : Paris, oct. 1945-juil. 1946 : *Route entre les arbres* : **FRF 4 100** ; *Paysage* : **FRF 6 000**.

WEIL François

Né en 1964. XXe siècle. Français.

Sculpteur.

Il montre ses œuvres dans des expositions personnelles : 1995 centre Chanot d'Arts plastiques et fondation Jean Arp à Clamart.
Il élabore d'étranges constructions, articulées, qui se jouent de l'équilibre, blocs de pierre soutenus par une armature de fer, de ressorts et d'étroits filins.

WEIL Jacob

XVIIIe siècle. Suisse.

Peintre.

Il peignit des batailles.

WEILAND Jacobus Adrianus

Né le 9 mai 1784 à Utrecht. Mort le 8 mai 1869 à La Haye. XIXe siècle. Hollandais.

Lithographe.

WEILAND James

Né à Toledo (Oklahoma). XXe siècle. Américain.

Peintre de portraits.

Il fut élève de l'Académie Royale de Munich et des Académies Delécluse et Colarossi à Paris. Il fut membre du Salmagundi Club.

WEILAND Joan. Voir **WIELANT**

WEILAND Johannes

Né le 23 novembre 1856 à Vlaardingen. Mort le 13 novembre 1909 à La Haye. XIXe siècle. Hollandais.

Peintre de genre.

D'après le catalogue du musée de Leeds, cet artiste, professeur à l'Académie de Rotterdam, a été médaillé plusieurs fois.

Musées : Albany : *La mère tendre* – Dordrecht : *Femme de pêcheurs à Scheveningen* – Leeds : *Vieille femme mendiant un abri – Convalescent* – Utrecht : *Dame se promenant avec un chien*.

Ventes Publiques : Londres, 21 juil. 1922 : *La leçon de tricot*, dess. : **GBP 68** – Amsterdam, 3 avr. 1950 : *Intérieur d'une ferme hollandaise* 1950 : **NLG 1 400** – Londres, 15 oct. 1969 : *Le Benedicite* : **GBP 620** – Los Angeles, 28 fév. 1972 : *Scène rustique* : **USD 1 300** – Londres, 12 juin 1974 : *Paysanne cousant* : **GBP 850** – Bruxelles, 27 oct. 1976 : *Jeune femme récurant des cuivres*, h/t (55x40) : **BEF 50 000** – New York, 12 mai 1978 : *La leçon de lecture*, h/t (66,5x54,5) : **USD 3 500** – Amsterdam, 28 oct. 1980 : *Paysanne épluchant des pommes de terre*, h/t (39x34) : **NLG 7 000** – Amsterdam, 19 mai 1981 : *Jeune paysanne et son enfant dans un intérieur* 1896, h/t (64x80,5) : **NLG 12 500** – Londres, 16 mars 1983 : *L'Étudiant*, h/t (58,5x49) : **GBP 1 200** – New York, 31 oct. 1985 : *Bébé endormi*, h/t (64,1x54,6) : **USD 4 250** – Amsterdam, 30 août 1988 : *L'artiste dans son atelier recevant la visite d'un amateur*, aquar./pap. (65x47) : **NLG 4 370** – Toronto, 30 nov. 1988 : *Le livre d'images de grand'mère*, h/t (94,5x62,5) : **CAD 7 000** – Amsterdam, 25 avr. 1990 : *Femme et ses enfants dans un intérieur rural*, h/t (79x98) : **NLG 27 600** – Amsterdam, 23 avr. 1991 : *La cuisson des crêpes*, h/t (64,5x51) : **NLG 9 775** – Amsterdam, 5-6 nov. 1991 : *Vieille femme près du feu*, h/t (54x38,5) : **NLG 5 750** – Amsterdam, 14-15 avr. 1992 : *Pêcheurs dans les dunes*, aquar. (18,5x30) : **NLG 1 035** – New York, 18 fév. 1993 : *La nouvelle poupée* 1901, h/t (134,6x106) : **USD 9 900** – Amsterdam, 8 fév. 1994 :

Nature morte avec des pommes et du raisin dans une assiette d'étain, h/t (38x50) : **NLG 3 220** – AMSTERDAM, 11 avr. 1995 : *La Lettre*, aquar. (50x36,5) : **NLG 4 484** – AMSTERDAM, 5 nov. 1996 : *La Leçon*, h/t (66x54,5) : **NLG 25 960**.

WEILAND Johannes
Né le 12 février 1894 à Vlaardingen. XXe siècle. Hollandais.
Graveur, peintre.
Il fut élève de Dirk Nijland. Il travailla à Rotterdam et à Wassenaar. Il pratiqua la gravure sur bois et à l'eau-forte.

WEILENMANN-GIRSBERGER Lina
Née le 12 mars 1872 à Zurich. Morte le 16 octobre 1927 à Zurich. XIXe-XXe siècles. Suissesse.
Peintre de portraits.
Elle fut élève d'Éduard Pfyffer.
MUSÉES : WINTERTHUR : *Portrait d'Alexandre Ernst.*

WEILER. Voir aussi **WEYLER**

WEILER Jean-Baptiste. Voir **WEYLER**

WEILER Lina de. Voir **WEILLER**

WEILER Marten
XVIe-XVIIe siècles. Travaillant à Stockholm de 1599 à 1617. Suédois.
Graveur au burin et tailleur de camées.

WEILHELM, Maître de. Voir **MAÎTRE des PANNEAUX DE POLLING**

WEILL Adine, épouse **Abou**
Née le 22 août 1912 à Saint-Quentin (Aisne). XXe siècle. Française.
Peintre de portraits, natures mortes, fleurs, pastelliste, lithographe.
Elle fut élève d'une des Écoles de Dessin de la Ville de Paris. Elle exposait à Paris, au Salon des Artistes Français depuis 1930, mention honorable pour la lithographie 1931, sociétaire 1932.

WEILL Alice
Née en 1875. Morte en 1953. XXe siècle. Française.
Peintre.
Elle exposait à Paris, aux Salons des Tuileries, et régulièrement aux Artistes Français, dont elle fut membre sociétaire en 1945. Elle reçut une mention honorable en 1931.

WEILL Edmond
Né le 29 juillet 1877 à New York. XXe siècle. Américain.
Peintre, graveur.
Il fut élève d'Edgar M. Ward. Il fut membre de la Société des Artistes Indépendants et du Salmagundi Club.

WEILL Lucien
Né le 10 mars 1902 à Bischeim (Haut-Rhin). XXe siècle. Français.
Peintre.
Il fut élève de P. A. Laurens. Il exposa, à Paris, au Salon des Artistes Français à partir de 1925, et reçut une médaille d'argent la même année.

WEILL Marcelle
Née le 4 janvier 1900 à Saint-Dié (Vosges). XXe siècle. Française.
Peintre de paysages.
Elle fut élève de Jules Adler et Pierre E. Montézin. Elle exposa à Paris au Salon des Artistes Français à partir de 1922.
VENTES PUBLIQUES : PARIS, 13 déc. 1989 : *Village au bord de l'eau*, h/t (56x81) : **FRF 6 000**.

WEILL Maurice
Né le 12 mai 1876 à Paris. XXe siècle. Français.
Graveur.
Il fut élève de Mauron. Il participa à Paris à partir de 1894 au Salon des Artistes Français, dont il fut membre sociétaire.

WEILL Victoria
Née le 12 novembre 1945 à New York City. XXe siècle. Américaine.
Peintre de paysages.
Elle fait ses études au Simmons College en 1968 avec Tom Wallace, puis de 1970 à 1972 avec Leo Manso à New York et à la Princetown Workshop, puis de 1972 à 1973 avec Reubentam, à l'école d'Art du Musée de Brooklyn. Elle montre ses œuvres dans des expositions personnelles à New York et à Paris.

WEILL-LESTIENNE Madeleine, Mme. Voir **LESTIENNE**

WEILLER. Voir aussi **WEYLER**

WEILLER Jean-Baptiste. Voir **WEYLER**

WEILLER Lina de
Née à Mannheim. XIXe siècle. Française.
Peintre de portraits et de genre.
Élève de Léon Cogniet. Elle exposa au Salon de 1857 à 1880.

WEILUC, pseudonyme de **Weil Lucien Henri**
Né en 1873 à Paris. Mort en 1947 à Paris. XIXe-XXe siècles. Français.
Dessinateur.
De 1907 à 1909, à Paris, il fut un des organisateurs du Salon des Humoristes, puis fut président du Salon des Dessinateurs humoristes.
Dessinateur humoristique, il collabora au journal *La Caricature* puis à diverses revues illustrées.
BIBLIOGR. : Marcus Osterwalder : *Dict. des illustrateurs 1800-1914*, Ides et Calendes, Neuchâtel, 1989.

WEIMAR Enrico. Voir **WAYMER**

WEIMAR Wilhelm
Né le 20 avril 1859 à Bieberich. Mort le 16 avril 1914 à Berlin. XIXe-XXe siècles. Allemand.
Peintre de genre, portraits, illustrateur.
Il étudia à Karlsruhe et à Berlin, où il s'établit et où il exposa en 1894.

WEIMBERLE Jakob ou **Weinerle** ou **Weimerl**
XVIIe siècle. Actif à Innsbruck à la fin du XVIIe siècle. Autrichien.
Peintre.

WEIMHER Pierre. Voir **WEINHER**

WEINACH Abraham
XVIIe siècle. Travaillant en 1605. Danois.
Sculpteur sur bois.

WEINACK Franz ou **Hermann Franz**
Né à Halle. Mort le 7 octobre 1915 à Goslar. XXe siècle. Allemand.
Peintre d'histoire, décorateur.
En 1880, il collabora avec Herman Wislicenus et Strecker aux décorations de la Goslarer Kaiser Hanssaal.

WEINBAUM Albert. Voir **WENBAUM**

WEINBAUM Jean
Né en 1926 à Zurich. XXe siècle. Depuis 1968 actif aux États-Unis. Suisse.
Peintre de sujets religieux, peintre de cartons de vitraux, peintre de cartons de céramiques. Abstrait.
De 1942 à 1946, il fait ses études à l'École d'Art de Zurich. Il vient à Paris en 1946. De 1947 à 1948, il est l'élève de Paul Colin et André Lhote et suit les cours à l'Académie de la Grande Chaumière. De 1952 à 1955 il participe au Groupe Espace à Paris, groupe consacré à l'intégration des arts dans l'architecture et dont faisaient partie notamment Fernand Léger, Jean Arp, Sonia Delaunay. En 1962 il fait un voyage aux États-Unis. De 1966 à 1968 il voyage en Asie, Inde, Ceylan, Thaïlande et Japon. En 1968 il s'établit à San Francisco.
Il montre ses œuvres dans de nombreuses expositions personnelles dès 1955 en France, en Suisse, aux U.S.A.
En 1951 il fait onze vitraux et des dessins de vêtements sacerdotaux pour la chapelle de Mosloy à la Ferté-Milon. Il exécute en 1957 vingt-deux vitraux et une fresque monumentale en céramique.
MUSÉES : PARIS (Mus. d'Art Mod.).

WEINBERG Gustaf Wilhelm
Né en 1770 à Göteborg. XVIIIe siècle. Suédois.
Paysagiste.
Il travailla à l'aquarelle et la gouache.

WEINBERG Jean Axel
Né le 9 mai 1910 à Paris. XXe siècle. Français.
Peintre.
Il participa à Paris au Salon d'Automne et au Salon de Mai.

WEINBERG Justus Fredric
Né en 1770 à Göteborg. Mort en 1832 à Göteborg. XVIIIe-XIXe siècles. Suédois.
Peintre et officier.
Frère de Gustaf Wilhelm W. et élève de l'Académie de Stockholm. Il peignit des paysages et des vues de villes. Le Musée de Göteborg conserve deux aquarelles de cet artiste.

WEINBERG Philip Wilhelm
XXe siècle. Suédois.

Peintre de paysages.
Fils de Gustaf Wilhelm Weinberg et officier, il travailla au début du XXe siècle.

WEINBERGER Anton
Né le 26 avril 1893 à Munich. Mort le 14 mars 1912 à Viesbaden. XXe siècle. Allemand.
Peintre de genre, animaux, paysages.
Il exposa à Vienne en 1886.
Musées : Mayence : *Environs de Wiesbaden, l'hiver.*
Ventes Publiques : Vienne, 11-13 juil. 1952 : *Eberjagd* : **ATS 3 000** – Vienne, 19-21 mars 1953 : *Schwarzwild* : **ATS 1 600** – Cologne, 15 juin 1989 : *Famille de cervidés dans un bois de bouleaux*, h/t (53x48) : **DEM 1 200.**

WEINBERGER Anton Rudolf
Né le 5 octobre 1879 à Rschiltza. XXe siècle. Autrichien.
Sculpteur d'histoire, figures, médailleur.
Il fut élève de l'Académie de Vienne. Il grava plus de cent médailles à l'effigie de personnalités de son époque ou représentant des événements contemporains.

WEINBERGER Lois
Né en 1947 à Stams. XXe siècle. Autrichien.
Peintre. Abstrait.
Il participe à des expositions collectives depuis 1989 : 1985, 1990 Neue Galerie am Landesmuseum Joanneum de Graz ; 1985 musée de Bochum ; 1985 Municipal Art Gallery de Los Angeles ; 1986 Foire de Bâle ; 1987 Kunstverein d'Aix-la-Chapelle ; 1989 Museum Moderner Kunst de Vienne ; 1991 musée d'Art contemporain de Lyon, Biennale de São Paulo ; 1992 Triennale internationale de Breslau, Salon Découvertes à Paris. Il montre ses œuvres dans des expositions personnelles depuis 1982 : 1983, 1985, 1989 galerie Krinzinger d'Innsbruck ; 1986, 1990 Neue Galerie am Landesmuseum Joanneum de Graz ; 1990 musée d'Art et d'Histoire de Fribourg ; 1992 Kunstverein de Salzbourg ; 1995 Secession de Vienne et Kunstverein de Marbourg.
Il interroge la surface du tableau la remplissant, la surchargeant pour au bout du compte en montrer la vacuité, malgré la richesse optique.

WEINDL Johann Michael
XVIIIe siècle. Actif à Graz. Autrichien.
Sculpteur.

WEINDL Leopold
Né en 1775. Mort le 30 septembre 1812 à Vienne. XIXe siècle. Autrichien.
Paysagiste.

WEINDL Paul Johann
Né en 1771. Mort le 14 mai 1811 à Vienne. XVIIIe-XIXe siècles. Autrichien.
Dessinateur et graveur au burin.
Élève de l'Académie de Vienne. Il exécuta des illustrations de livres d'anatomie et de pathologie.

WEINEDEL Carl
Né en 1795. Mort en 1845. XIXe siècle. Actif à New York. Américain.
Miniaturiste.

WEINER Abe
XXe siècle. Américain.
Peintre.
Il a figuré aux expositions internationales de la Fondation Carnegie, de Pittsburgh.
Par des assemblages d'éléments insolites, il provoque des effets de surprise.

WEINER Franz
XIXe siècle. Autrichien.
Peintre de fleurs et de fruits.
Il était actif dans la première moitié du XIXe siècle. Il exposa à Vienne en 1832 et en 1834.

WEINER Hans ou **Weinher** ou **Weinhör** ou **Weyners,** peut-être **Maître au Raisin** ?
Né vers 1570 à Munich. Mort après 1619. XVIe-XVIIe siècles. Allemand.
Peintre et graveur à l'eau-forte.
Élève de Sustris, puis de Christoph Schwarz. Il fut au service de la duchesse Maximiliana. Il signait ses estampes *H. W.*, mais plusieurs graveurs de son époque usant des mêmes initiales, on ne peut pas être parfaitement certain des attributions de chacun d'eux.

Ventes Publiques : Berne, 21 juin 1979 : *Ecce Homo* vers 1611, eau-forte : **CHF 1 300.**

WEINER Lawrence
Né en 1940 à New York. XXe siècle. Actif aussi en Hollande. Américain.
Artiste, sculpteur, auteur d'installations. Conceptuel.
Représentant type de l'art conceptuel tel qu'il est apparu à la fin des années soixante, tant aux U.S.A. qu'en Europe, Weiner a participé à de nombreuses expositions collectives depuis 1964, notamment : 1969 *Quand les attitudes deviennent forme* à la Kunsthalle de Berne, Art Institute de San Francisco, Art Museum de Seattle, Städtisches Museum de Leverkusen ; 1970 Museum of Modern Art de New York, Solomon R. Guggenheim Museum de New York ; 1971 Prospekt 71 à la Kunsthalle de Düsseldorf ; 1972 Kunstmuseum de Bâle, Westfälischer Kunstverein de Münster ; 1972, 1984 Biennale de Venise ; depuis 1972 régulièrement à la Documenta à Kassel ; 1979, 1982, 1985 Stedelijk Museum d'Amsterdam ; 1979 Nouvelle Biennale de Paris ; 1983 The Art Museum of the Ateneum d'Helsinki, Museum of Contemporary Art de Los Angeles ; 1984 Hirshhorn Museum and Sculpture Garden, Smithonian Institution de Washington ; 1986 Stedelijk Van Abbemuseum d'Eindhoven ; 1987 museo d'arte contemporaneo, Castello di Rivoli à Turin. Il montre ses œuvres dans des expositions personnelles depuis 1960 : de 1970 à 1977 galerie Yvon Lambert à Paris ; depuis 1971 à la galerie Leo Castelli de New York ; 1972 California Institute of the Arts de Los Angeles, Kunstverein de Münster ; 1973 Städtiches Museum de Mönchengladbach ; 1973, 1981 Kabinett für Aktuelle Kunst de Bremerhaven ; 1976 Stedelijk Van Abbemuseum d'Eindhoven et Kunsthalle de Bâle, Institute of Contemporary Art de Londres, P.S.1 Institute for Art and Urban Resources de New York ; 1979, 1980, 1988 Stedelijk Van Abbemuseum d'Eindhoven ; 1980 Museum of Contemporary Art de Chicago, Centre d'art contemporain de Genève ; 1983 Nordjyllands Kunstmuseum d'Alborg, Kunsthalle de Berne ; 1984 Elac (Espace lyonnais d'art contemporain) à Lyon ; à partir de 1985 galerie Daniel Templon à Paris ; 1985 Le Coin du Miroir à Dijon, musée Saint-Pierre d'art contemporain de Lyon, ARC musée d'Art moderne de la ville de Paris ; 1986 Art Gallery de New South Wales ; 1987, 1988 Le Magasin, centre national d'art contemporain de Grenoble ; 1988 Stedelijk Museum d'Amsterdam, Kunstmuseum Haus Esters de Krefeld ; 1990 Le Nouveau Musée de Villeurbanne ; 1990-1991 Hirshhorn Museum and Sculpture Garden, Smithonian Institution de Washington ; 1992 Dia Center for the Arts de New York ; 1993 Irish Museum of Modern Art de Dublin.
À ses tout débuts, à New York, il avait réalisé des peintures, à partir d'un motif privilégié l'hélice puis développé, dans un format rectangulaire, une réflexion picturale à partir de la figure du rectangle traité dans divers formats et coloris. Il présentait à la même époque des œuvres sur le terrain, notamment, en Californie, des cratères à partir d'explosions, dans la lignée du Land Art : « Je me suis rendu compte que je me préoccupais du principe des explosions, en oubliant leurs caractéristiques » (L. Weiner). En 1968, cessant définitivement de s'intéresser à la matérialité de l'œuvre, il en décrit, par des mots, les matériaux et les dimensions, rédigeant, les *Statements*, des cahiers d'énoncés (vingt-quatre la même année). Voulant s'opposer à la notion élitiste de l'art et à son caractère d'unicité, Weiner utilise exclusivement le langage comme moyen de communication, proposant une inscription – un énoncé – essentiellement des encres sur papier, sur les murs de la galerie ou sur un catalogue. Son « travail » n'est pas pour autant littéraire, car il se livre bien à un travail d'analyse picturale de l'objet ou du matériau ; toutes ses notations (toujours au passé puisque la pièce a déjà été élaborée avant sa présentation) parlent de matériaux courants (pierre, papier, eau, mercure, métaux) qui permettraient de construire la pièce qu'il décrit au public. Son travail se révèle une transcription en mot d'un acte créateur : *Un Litre de peinture laquée pour extérieur vert réglementaire projeté sur un mur en brique, Vernislaque vaporisé pendant deux minutes à une pression de 40 livres directement sur le sol, Résidus d'explosion de pétard à chaque angle de la zone d'exposition, Découpe de 91 centimètres carrés*

dans le revêtement, l'enduit de plâtre ou le lambris d'un mur sont à la fois des titres d'œuvre, mais aussi l'œuvre elle-même qui inspire une forme visuelle et en cela n'a plus besoin d'être réalisée. Partant du postulat que : 1 L'artiste peut construire la pièce – 2 La pièce peut être fabriquée 3 La pièce n'a pas besoin d'être évaluée et que chacune de ces éventualités se valent et se révèlent conforme à l'intention de l'artiste, le choix dépend de la décision du destinataire lors de la réception. L'artiste délègue souvent l'élaboration à l'acquéreur, qui peut l'interpréter, en faire une œuvre propre selon ses références : « Dès que vous avez entendu parler d'une de mes œuvres, elle vous appartient. Il m'est impossible de me glisser dans la tête de quelqu'un pour l'en retirer » fait remarquer Weiner. Le langage remplace la matière mais est aussi matière, ce qui fait que Weiner se considère comme « artiste d'atelier » et « sculpteur ». Utilisant des lettres peintes projetées ou lettres adhésives – parfois le texte est accompagné de photographies, disques, objets éphémères –, il porte par le choix de la typographie, de la couleur, de la taille des caractères, et de la ponctuation qui divise l'espace et l'articule, une attention à la mise en scène de ses matériaux que sont les mots.
Weiner souhaite que l'œuvre qui, selon lui, ne peut exister sans langage, se situe toujours dans un rapport dialectique avec les gens, qu'elle n'apparaisse jamais comme un exploit quelconque, mais avant tout comme un questionnement. Il remet radicalement en question dans les années soixante-dix la vision de l'artiste thaumaturge et l'art qu'il nomme expressionniste.
Bibliogr. : Lawrence Weiner : *Statements*, 1968 – Lawrence Weiner : *Traces*, 1970 – Pierre Restany, Pierre Cabanne : *L'avant-garde au xxe siècle*, Balland, Paris, 1969 – *Catalogue du 3e Salon International des Galeries Pilotes*, Musée Cantonal, Lausanne, 1970 – in : Catalogue de la Nouvelle Biennale, Paris, 1985 – Catalogue de l'exposition : *Lawrence Weiner*, Stedelijk Museum, Amsterdam, 1988-1989 – Catalogue raisonné : *Livres 1968/1989*, W. König, Cologne, 1989 – Robert Mahoney : *Une Contrée inexplorée : le Logos dans l'espace littéral*, in Artstudio, n° 15, Paris, hiver 1989 – Catalogue de l'exposition : *L'Art conceptuel, une perspective*, Musée d'Art moderne de la ville, Paris, 1989-1990 – in : *L'Art du xxe siècle*, Larousse, Paris, 1991 – Daniel Wheeler : *L'Art du xxe siècle*, Flammarion, Paris, 1991 – in : *Dict. de l'Art mod. et contemp.*, Hazan, Paris, 1992.
Musées : Los Angeles (Mus. of Contemp. Art) – Paris (Mus. Nat. d'Art Mod.) – Vienne (Mus. Mod. Kunst) : *Enlèvement d'un carré dans un tapis en service* 1969, encre sur pap.
Ventes Publiques : New York, 14 nov. 1991 : *« One steel I beam placed up on a boundary and allowed to rest »* 1968, marker/pap. (22,4x32,5) : **USD 16 500** – Paris, 17 oct. 1994 : *Back to back at point in time in relation to a support system* 1986, feutre, mine de pb, lettraset et adhésif/pap. (58x52) : **FRF 13 000** – New York, 3 nov. 1994 : *From major to minor from large to small* : **USD 19 550** – New York, 16 nov. 1995 : *Coals and stones + large wooden box to contain them*, installation avec des mots peints sur un mur avec un dess. au cr. et aquar. (taille variable) : **USD 17 250**.

WEINER Peter. Voir **WEINHER Pierre**

WEINER-KRAL Imro

Né le 26 octobre 1901 à Povazskej-Bystrici. Mort le 11 août 1978 à Bratislava. xxe siècle. Tchécoslovaque.

Peintre de genre, compositions d'imagination. Surréaliste.

Il fit d'abord des études d'architecture à l'École des Beaux-Arts de Prague. Il étudia ensuite la peinture à l'Académie de Düsseldorf. Il séjourna en 1923 à Berlin ; en 1924 à Paris ; en 1930 de nouveau à Paris. En 1932, il alla étudier à Berlin de nouveau, puis au Bauhaus de Dessau.
Il a participé à de nombreuses expositions de groupe, surtout à Bratislava et Brno. Il a montré ses œuvres dans de nombreuses expositions personnelles.
On rattache sa peinture au courant surréaliste. Le combat politique l'a également amené à se rapprocher de la narration du réalisme socialiste.
Bibliogr. : Catalogue de l'exposition : *50 ans de peinture tchécoslovaque, 1918-1968*, Musées tchécoslovaques, 1968.
Musées : Prague (Gal. Nat. de Tchécoslovaquie).

WEINERLE Jakob. Voir **WEIMBERLE**

WEINERT Albert

Né le 13 juin 1863 à Leipzig (Saxe). xixe siècle. Actif aux États-Unis. Allemand.

Sculpteur de monuments.

Il fut élève de l'École des Beaux-Arts de Bruxelles. Il fut membre de la Société des Artistes Indépendants. Il vécut et travailla à New York.
Il sculpta des monuments commémoratifs dans plusieurs villes d'Amérique.

WEINERUS Petrus. Voir **WEINHER Pierre**

WEINGART Joachim

Né en 1895 à Drohobycz. Mort en 1942 en Allemagne, porté disparu. xxe siècle. Polonais.

Peintre de figures, nus, paysages, natures mortes, fleurs.

Fils d'un marchand de vins, il fut tôt attiré par la peinture. En 1912, il résida à Weimar. Il fréquenta l'Académie des Beaux-Arts de Vienne vers 1914. Il travailla à Berlin, en 1916, en compagnie du sculpteur Archipenko. Arrêté par la Gestapo, en avril 1942, il fut interné au camp de Pithiviers, puis déporté en Allemagne et l'on perd ensuite sa trace.
Il fit ses premières expositions, en 1914 à Lemberg et à Vienne. Venu à Paris, en 1925, ses œuvres l'imposèrent rapidement au cours de plusieurs expositions. C'est à cette première époque parisienne qu'appartient l'une de ses peintures les plus puissantes : *La Femme*. Sa deuxième période marque une transition, très visible, par une facture où la matière est traitée avec modulation. Puis sa couleur revêt une grande intensité, une richesse de contrastes : *Bouquets de fleurs, Paysages*.
Ventes Publiques : Paris, 29 oct. 1926 : *Nature morte* : **FRF 2 000** – Paris, 29 déc. 1927 : *Fleurs* : **FRF 2 050** – Paris, 24 mars 1930 : *Torses de jeunes filles nues* : **FRF 200** – Paris, 25 juin 1979 : *Nature morte au vase rouge*, gche (65x50) : **FRF 4 000** – Paris, 25 juin 1979 : *La femme au chapeau*, h/t (92x73) : **FRF 5 000** – Paris, 20 mars 1988 : *La chemise ôtée*, h/t (73x60) : **FRF 22 000** – Strasbourg, 29 nov. 1989 : *Nature morte*, gche (65x50) : **FRF 3 500** – Paris, 8 avr. 1990 : *Bouquet de fleurs*, h/t (55x46) : **FRF 17 000** – Tel-Aviv, 19 juin 1990 : *Portrait de femme*, h/t (66x54) : **USD 1 760** – Paris, 14 jan. 1991 : *Jeune femme se déshabillant*, h/t (73x50) : **FRF 22 000** – Paris, 12 fév. 1992 : *Coupe de fruits et banjo*, gche/cart. (64,5x49) : **FRF 6 500** – Paris, 22 avr. 1992 : *Femme au buste nu*, h/t (73x60) : **FRF 16 000** – Paris, 27 mars 1994 : *Nature morte aux choux*, h/t (65x81) : **FRF 15 000** – Paris, 19 nov. 1995 : *Maternité*, h/t (81x62) : **FRF 11 000** – Paris, 16 mars 1997 : *Deux femmes dans un intérieur*, h/t (73x60) : **FRF 7 500** – Paris, 23 juin 1997 : *Femme en rose*, gche et fus./pap. (64x48,8) : **FRF 4 300**.

WEINGARTNER Anton

Né en 1808 à Lucerne. Mort en 1868. xixe siècle. Suisse.

Graveur sur bois, lithographe et peintre.

WEINGARTNER Éduard

xixe-xxe siècles. Suisse.

Sculpteur.

Fils du peintre Seraphin Weingartner.

WEINGARTNER Joseph

Né le 29 mai 1810 à Lucerne. Mort le 24 octobre 1894 à Lucerne. xixe siècle. Suisse.

Portraitiste et lithographe.

Il fit ses études à Lucerne et à Düsseldorf. Il exposa à Vienne en 1868. Il séjourna aussi en Turquie et en Russie.

WEINGÄRTNER Karl

Né en Croatie. xixe siècle. Actif dans la seconde moitié du xixe siècle. Autrichien.

Peintre.

Il peignit des scènes de l'histoire de Croatie.

WEINGÄRTNER Peter ou **Pedro**

Né à Porto-Alegre. xixe-xxe siècles. Brésilien.

Peintre d'histoire.

Il fut élève de Bouguereau et de Tony Robert-Fleury. Il travailla à Rio de Janeiro. Il peignit des scènes de l'antiquité.
Ventes Publiques : Rio de Janeiro, 31 oct. 1982 : *L'idylle* 1899, h/pan. (36x51) : **BRL 3 560 000** – Londres, 28 nov. 1984 : *Artiste dans son atelier* 1884, h/pan. (53,5x37,5) : **GBP 4 500**.

WEINGARTNER Seraphin

Né le 4 avril 1844 à Lucerne. Mort le 9 novembre 1919 à Lucerne. xixe-xxe siècles. Suisse.

Peintre, peintre de compositions murales, décorateur.

Il fut élève de l'Académie de Düsseldorf. Il peignit des décorations et des fresques sur des bâtiments publics de Lucerne.

WEINGOTT Victor Marcus

Né le 10 septembre 1887 à Londres. xxe siècle. Britannique.

Peintre, affichiste.

WEINHART Kaspar ou **Weinhard** ou **Weinhardt** ou **Weynhart**

Né à Benediktbeuren. Mort vers 1597 probablement à Würzburg. XVIe siècle. Allemand.

Sculpteur et architecte.

Il travailla pour le Nouveau Château de Baden-Baden et pour le château de Dachau.

WEINHEBER Josef

Né le 9 mars 1892 à Vienne. XXe siècle. Autrichien.

Peintre de paysages.

Il fut aussi poète.

WEINHER Hans. Voir **WEINER**

WEINHER Pierre, l'Ancien ou **Weimher** ou **Weinhör** ou **Weinerus** ou **Weyer** ou **Weynher**, peut-être **Maître au Raisin** ?

Mort en 1583 à Munich. XVIe siècle. Allemand.

Graveur au burin et graveur de monnaies.

Il travaillait pour le duc de Bavière. Il a gravé des portraits et des sujets religieux. Bartsch, qui catalogue douze de ses estampes, dit qu'il les signait *P. W. V. R.* et quelquefois *W. B. F.*

WEINHOLD Georg ou **Johann Georg**

Né le 6 avril 1813 à Nuremberg. Mort le 24 février 1880 à Rome. XIXe siècle. Allemand.

Peintre et lithographe.

Il commença ses études à Nuremberg, sous la direction de Reindel et les continua à Munich et à Dresde ; il visita ensuite la France, l'Espagne et l'Italie. Il a gravé d'après les vieux maîtres.

WEINHOLT Anne

XXe siècle. Australienne.

Peintre de paysages.

Elle a figuré en 1946 à l'exposition ouverte à Paris par l'UNESCO au Musée d'Art Moderne à Paris. Elle y présentait *Le Fossé*.

WEININGER Andor ou **Andreas**

Né en 1899 à Karancs, ou Karms. XXe siècle. Depuis 1958 actif aux États-Unis. Hongrois.

Peintre, aquarelliste, décorateur.

Il étudia l'architecture à Budapest. En 1916-1917, il commença à peindre. De 1921 à 1928, il fut étudiant au Bauhaus, au cours préparatoire de Johannes Itten, en peinture murale, puis avec Schlemmer pour le théâtre. En 1923, il conçut le projet d'un théâtre sphérique. Pendant cette période, il était aussi intéressé par la peinture de Van Doesburg. Après 1928, il eut une activité de décorateur à Berlin. De 1938 à 1951, aux Pays-Bas, il reprit son activité de peintre, devenant, en 1945, membre du groupe Creatic. Il poursuit son activité de peintre à Toronto, de 1951 à 1958, puis ensuite à New York.

Bibliogr. : In : Catalogue de l'exposition : *Bauhaus*, Musée Nat. d'Art Mod., Paris, 1969 – in : Catalogue de l'exposition *L'Art en Hongrie 1905-1930 – art et révolution*, Mus. d'art et d'industrie, Saint-Étienne ; Mus. d'art mod. de la ville de Paris, 1980.

Musées : Montréal (Mus. d'Art Contemp.) : *Sans titre* 1923, aq.

WEINKOPF Anton

Né en 1724. Mort le 26 février 1808 à Vienne. XVIIIe siècle. Autrichien.

Aquafortiste et dessinateur.

Il grava des ruines et des forteresses, ainsi que des sceaux.

WEINKOPF Anton

Né le 12 février 1886 à Vienne. XXe siècle. Autrichien.

Sculpteur de monuments, décorations, bustes, médailleur.

Il fut élève de l'Académie de Vienne. Il vécut et travailla à Graz.

Il sculpta des monuments aux morts, des décorations et des bustes.

WEINMAN Adolph Alexander

Né le 11 décembre 1870 à Karlsruhe (Allemagne). Mort en 1952. XIXe-XXe siècles. Depuis 1880 actif aux États-Unis. Allemand.

Sculpteur de compositions allégoriques, statues.

Il arriva en 1880 aux États-Unis et s'installa à New York. Il fut élève de l'Art Students' League de New York, d'Augustus Saint-Gaudens et Philip Martiny. Il fut membre de la Fédération Américaine des Arts. Il obtint de nombreuses récompenses.

Il sculpta des statues et des plaques commémoratives.

Musées : Brooklyn : *Indien* – Kansas City : *Tombée de la nuit* – New York (Metropolitan Mus.) : *Abraham Lincoln*.

Ventes Publiques : New York, 28 oct. 1976 : *Chief blackbird* 1903, bronze, patine brune (H. 47) : **USD 8 000** – New York, 27 oct. 1977 : *Narcisse* vers 1922, bronze, patine verte (H. 109,2) : **USD 5 000** – New York, 5 déc. 1980 : *Le duo*, bronze patiné (H. 61) : **USD 9 500** – New York, 23 avr. 1982 : *Chief Blackbird*, bronze, patine brune (H. 45,8) : **USD 21 000** – New York, 6 déc. 1985 : *Le joueur de baseball* 1901, bronze, patine brun-rouge (H. 48,2) : **USD 3 000** – New York, 5 déc. 1986 : *Le Lever du jour* ; *La Tombée de la nuit*, bronze, patine verte, deux pièces (H. 69,2 et 66,2) : **USD 36 000** – New York, 1er déc. 1988 : *La levée du jour et La tombée de la nuit*, bronze, une paire de personnages allégoriques (H. 67,3 et 65,4) : **USD 38 500** – New York, 26 sep. 1990 : *La levée du jour et La tombée de la nuit*, bronze, une paire de personnages allégoriques (H. 67,3 et 65,4) : **USD 44 000** – Reims, 16 déc. 1990 : *Le passage de la vie*, h/pan. (94x65) : **FRF 8 000** – New York, 5 déc. 1991 : *Le jour se lève – nu masculin ailé*, bronze (H. 67,6) : **USD 7 700** – New York, 3 déc. 1992 : *Le chef Sioux Oiseau noir-Ogalalla*, bronze à patine noire (H. 47) : **USD 28 600** – New York, 26 mai 1993 : *Le chef Sioux Oiseau noir-Ogalalla*, bronze (H. 40) : **USD 27 600** – New York, 28 nov. 1995 : *Womboli*, bronze d'une petite fille (H. 20) : **USD 3 450**.

WEINMANN J.

XVIIIe siècle. Actif à Presbourg dans la seconde moitié du XVIIIe siècle. Autrichien.

Graveur au burin.

Il grava des sujets historiques.

WEINMANN Johann

Né à Gitschin. Mort le 26 avril 1788 à Prague. XVIIIe siècle. Autrichien.

Peintre.

WEINMANN Marcus

Né à Klagenfurt. XVIIIe siècle. Actif dans la seconde moitié du XVIIIe siècle. Autrichien.

Graveur au burin.

Il fit ses études à Vienne et travailla à Graz et à Presbourg. Il grava des sujets religieux et des architectures.

WEINMANN R.

Né le 30 avril 1810 à Altstetten près de Zurich. Mort le 30 mai 1878 à Laufen près de Schaffhouse. XIXe siècle. Suisse.

Paysagiste.

Probablement élève de Heinrich Füssli. Il peignit des vues des Alpes et du Rhin.

WEINMANN Vagh. Voir **VAGH WEINMANN**

WEINMÜLLER Joseph ou **Anton**

Né en 1746 à Aitrang. Mort en 1812. XVIIIe-XIXe siècles. Allemand.

Sculpteur.

Élève de Straub à Munich. Il exécuta des statues dans le Parc de Schönbrunn et travailla surtout pour l'abbaye d'Ottobeuren.

WEINNARDT Anton

Né en 1731 à Prague. XVIIIe siècle. Autrichien.

Peintre.

WEINPOLTER Georg

Né en 1781. Mort le 4 avril 1854 à Vienne. XIXe siècle. Autrichien.

Sculpteur.

WEINREICH Gottfried

XVIIe siècle. Actif à Ljubljana. Autrichien.

Peintre.

WEINS Laurent ou **Weyns**

XVIe siècle. Éc. flamande.

Sculpteur.

Il travailla avant 1550 pour le beffroi et l'église Saint-Jacques de Bruges.

WEINSCHRÖTER Friedrich ou **Fritz**

XIVe siècle. Actif à Nuremberg vers 1363-1370. Allemand.

Peintre.

On croit qu'il était fils ou frère de Sebald Weinschröter ; il fut certainement son élève. Barthold Landauer qui habitait sa maison en 1400 paraît avoir été l'élève de ce primitif allemand. On ne cite pas d'œuvre de lui.

WEINSCHRÖTER Sefald

Né entre 1318 et 1328 à Nuremberg. Mort entre 1363 et 1370. XIVe siècle. Allemand.

Peintre.

Cet artiste, dont on ne connaît aucun ouvrage authentique jouit, de son temps, d'une réputation considérable. Il était fils d'un peintre mentionné dès 1311. Notre artiste fut banni de Nuremberg pour participation à l'insurrection de 1348. Il était de retour dans sa ville natale en 1357 et y achetait une maison (possédée plus tard par Michael Wolgemuth). Sefald Weinschröter est cité en 1360 comme citoyen de Nuremberg. Il fut peintre de l'Empereur Charles IV. En 1370 on le cite comme décédé.

WEINSTEIN Debora

Née en 1956. XXe siècle. Canadienne.

Peintre, technique mixte.

Elle commença ses études à l'Institut AVNI de Tel-Aviv, puis fréquenta l'Académie des Beaux-Arts de Florence et l'Atelier 17 à Paris. Elle a participé à des expositions collectives : 1982 Galerie Theorema à Florence ; 1984 *Huit Canadiens à Paris* à Troyes ; 1991 Galerie B. à Paris ; 1994 Palais de la femme à Paris.

Ventes Publiques : Paris, 21 mars 1992 : *Sans titre* 1990, techn. mixte (100x100) : **FRF 4 000**.

WEINSTEIN Matthew

Né en 1964. XXe siècle. Américain.

Peintre de figures, technique mixte. Polymorphe.

Il montre ses œuvres dans des expositions personnelles : 1996 galerie Lehman à Lausanne.

Ses peintures, où apparaissent des corps fragmentés (vertèbres, os, yeux) ou des lettres découpées, se révèlent riches en matière, couleurs et motifs. Décoratives, elles en appellent tout à la fois au baroque et à l'expressionnisme abstrait.

Ventes Publiques : New York, 23 fév. 1994 : *La bouche* 1989, h/tissu (183,5x228,6) : **USD 1 610** – New York, 19 nov. 1996 : *Joey : a mechanical boy* 1990, h/t (228,6x182,9) : **USD 3 220**.

WEINZORN Eugen

Né dans la première moitié du XIXe siècle à Ensisheim (Haut-Rhin). XIXe siècle. Français.

Dessinateur et modeleur.

Le Musée de Colmar conserve de lui deux médaillons représentant M. *Geiler von Kaysersberg* et *Le maire L. G. Morel*.

WEIPERT Michael

Né en 1824 à Vienne. XIXe siècle. Autrichien.

Paysagiste.

Élève de l'Académie de Vienne de 1845 à 1848.

WEIPPERT F.

XIXe siècle. Actif à Londres vers 1800. Britannique.

Peintre de marines.

Il exposa de 1800 à 1801.

WEIR Harrisson William

Né le 5 mai 1824 à Lewes. Mort le 3 janvier 1906 à Appledore (Kent). XIXe siècle. Britannique.

Peintre animalier, paysages, illustrateur, aquarelliste.

Il fut élève de George Baxter mais se forma surtout seul par l'étude de la nature.

Il exposa à Londres de 1843 à 1880, quelquefois à la Royal Academy, à la British Institution et à Suffolk Street et très fréquemment à la New-Water Colour Society dont il fut l'associé, en 1849 ; membre en 1851, et démissionnaire en 1870.

Il se fit promptement remarquer par ses études d'oiseaux et autres animaux. Il collabora au *London Illustrated news*, au Graphic et illustra plusieurs ouvrages de zoologie. Il écrivit et illustra un ouvrage : *Poultry and all about them*. Ce fut un ami de Darwin. Il fut toute sa vie le défenseur des animaux.

HWeir Del. 1883

HWeir

Musées : Londres (Victoria and Albert Mus.) : *Clair de lune*.

Ventes Publiques : Londres, 30 mai 1985 : *Les animaux de la ferme* 1867, aquar. reh. de blanc (35,5x48) : **GBP 900** – Londres, 28 mars 1996 : *Un teckel sur un fauteuil* 1872, h/t (50,8x60,9) : **GBP 6 325**.

WEIR John Ferguson

Né le 28 août 1841 à West Point. Mort le 8 avril 1926 à Providence. XIXe-XXe siècles. Américain.

Peintre de portraits, paysages, fleurs, sculpteur.

Fils du peintre Robert Walter Weir, peintre et écrivain, et frère de Julian Alden Weir. Il fut le premier directeur de l'École des Beaux-Arts de Yale. Il figura aux expositions de Paris ; il obtint une médaille de bronze en 1900 à l'Exposition universelle de Paris.

Musées : Boston : *Le Peintre Elihu Vedder* – New York (Mus. Métropolitain) : *À la forge* – Washington D. C. (Corcoran Gal.) : *Théiers*.

Ventes Publiques : New York, 27 oct. 1977 : *L'atelier de l'artiste* 1864, h/t (65x77,5) : **USD 21 000** – New York, 25 avr. 1980 : *Nature morte aux roses*, h/t (40x32,4) : **USD 7 000** – San Francisco, 3 oct. 1981 : *Le Lac de Côme* 1870, h/t (33x58,5) : **USD 2 500** – New York, 21 sep. 1984 : *Vue de Hudson* 1865, h/cart. (14,3x20,3) : **USD 6 000** – New York, 30 mai 1985 : *La basse-cour*, h/t (50,8x61) : **USD 6 000** – New York, 30 nov. 1990 : *Roses blanches et roses*, h/t (40,5x32,5) : **USD 52 800** – New York, 24 sep. 1992 : *Iris Japonais*, h/t (76,2x63,5) : **USD 12 650** – New York, 11 mars 1993 : *Isola Madre sur le lac Majeur* 1885, h/t (51,5x84,4) : **USD 6 325** – New York, 25 mars 1997 : *Coucher de soleil de campagne* 1863, h/pan. toilé (40,6x71,8) : **USD 3 162** ; *L'Artiste au travail, Alblasserdam, Hollande*, h/t (46,4x65,4) : **USD 1 840**.

WEIR Julian Alden ou **Alden**

Né le 30 août 1852 à West Point (New York). Mort le 8 décembre 1919 à New York. XIXe-XXe siècles. Américain.

Peintre de sujets allégoriques, portraits, intérieurs, paysages, natures mortes, pastelliste, aquarelliste, graveur. Impressionniste.

Fils de Robert Walter Weir (1803-1889), il fut élève de son père, peintre et professeur à l'école militaire de West Point de New York. Il étudia ensuite à la National Academy of Design de New York en 1867-1868 puis de Jean Léon Gérôme à l'école des beaux-arts de Paris à partir de 1873. En France, il se lie avec le peintre Bastien-Lepage en 1873, puis de nouveau aux États-Unis avec James McNeill Whistler. Il fut membre de la National Academy of Design, dont il devint président en 1915. Il enseigna à New York à l'Art Students'League et à la Cooper Union. En 1882 il acheta une ferme dans le Connecticut et trouva là sa principale source d'inspiration.

Il fit partie du groupe des *Dix Peintres américains* (dit le groupe The Ten) qui exposèrent ensemble en 1895. En 1982 à Paris, il était représenté à l'exposition *Impressionnistes Américains*, au Musée du Petit Palais. Le Metropolitan Museum de New York organisa une rétrospective en 1924.

Il débuta dans un style académique réfractaire aux techniques modernes et privilégia les sujets d'inspiration paysanne, campant des personnages dans des paysages. Il évolua ensuite et se mit à admirer les Impressionnistes français et l'art japonais, subissant l'influence de Manet, de Monet et de Pissarro. Il fut avec John Twachtman, Theodore Robinson et Childe Hassam un pionnier de l'Impressionnisme américain. Outre ses paysages, il peignit des scènes urbaines, notamment des scènes nocturnes new yorkaises, des paysages industriels. Également graveur, il privilégia la technique de l'eau-forte.

Bibliogr. : Catalogue de l'exposition : *J. Alden Weir 1852-1919 : Centennial Exhibition*, American Academy of Arts and Letters, New York, 1952 – Dorothy Weir Young : *The Life and Letters of J. Alden Weir*, Kennedy Graphics, Da Capo Press, New York, 1971 – Catalogue de l'exposition : *Impressionnistes américains*, musée du Petit Palais, Paris, 1982.

Musées : Brooklyn : *La fleuriste* – *L'usine de Willemantie* – *Ferme française* – Buffalo : *Intérieur avec figures* – Chicago : *Miss M.* – *Le Joueur de luth* – *Les Deux Sœurs* – Cincinnati : *Sentier dans la forêt* – *John H. Twachtman* – Cleveland : *Construction d'une digue* – Detroit : *Un Successeur de Grolier* – Montclair : *Vue sur le golfe* – New York (Metropolitan Mus.) : *Le Corsage vert* – *Loisir* – *Le Pont rouge* – Paris (Mus. du Louvre) : *Portrait de jeune fille* – Philadelphie : *Sieste dans la Nouvelle Angleterre* – Syracuse : *Portrait* – Washington D. C. (Corcoran Gal.) : *Miss de L.* – *Automne* – *Obweebetuck* – Washington D. C. (Gal. Nat.) : *Dame noble* – *Wyatt Eaton* – *Prairies dans le Haut Pays* – Washington D. C. (Phillips coll.) : *La Partie de pêche* vers 1910 – Washington D. C. (Hirshhorn Mus. and Sculpture Garden Smithsonian Inst.) : *Le Pont : nocture* 1910 – Wilmington (Delaware Mus.) : *Paysage et ferme* vers 1895 – Worcester : *Jeune fille américaine*.

Ventes Publiques : New York, 1895 : *La filature Willimantie* : **FRF 1 150** ; *Une ferme* : **FRF 500** – New York, 10 avr. 1930 : *Fruits* : **USD 600** – New York, 1er nov. 1935 : *Rêverie* : **USD 650** – New York, 16 mars 1967 : *Portrait de femme* : **USD 3 500** – New

York, 24 oct. 1968 : *Paysage*, past. : **USD 900** – New York, 21 mai 1970 : *La marchande de fleurs* : **USD 6 000** – New York, 24 jan. 1973 : *La ferme en hiver* 1894 : **USD 7 700** – New York, 16 oct. 1974 : *Harmonie en jaune et rose* 1916 : **USD 3 500** – New York, 25 avr. 1976 : *Étude d'une figure allégorique* 1892, past. (105,5x80) : **USD 500** – New York, 28 oct. 1976 : *Old sentinel of the farm*, h/t (96,5x74) : **USD 11 000** – New York, 27 oct. 1977 : *Paysage aux chaumières*, h/pan. (37,5x45,7) : **USD 5 500** – New York, 20 avr 1979 : *Deux jeunes femmes au panier de fleurs*, aquar. (25,4x17,8) : **USD 3 000** – New York, 20 avr 1979 : *Nature morte* 1885, h/pan. (19x15,2) : **USD 4 250** – New York, 27 mars 1980 : *Portrait de Miss Hoe* vers 1889, pointe-sèche (25,7x16) : **USD 1 300** – New York, 24 avr. 1981 : *Portrait d'Alexander Webb Well*, h/t (91,4x73,7) : **USD 60 000** – New York, 3 juin 1983 : *Attente devant la porte* 1896, past. et cr./pap. marron mar./cart. (35x24) : **USD 14 000** – New York, 6 déc. 1985 : *La dentellière* 1915, h/t (77,5x63,5) : **USD 55 000** – New York, 29 mai 1987 : *Nassau, Bahamas*, h/t (81,5x92) : **USD 400 000** – Los Angeles, 9 juin 1988 : *Le Ruisseau de Branchville*, past./pap. (23x21,5) : **USD 2 465** – New York, 24 juin 1988 : *Église dans un paysage*, aquar./pap. (33,4x41,3) : **USD 2 420** – New York, 1er déc. 1988 : *Portrait d'une petite fille*, h/t (76,2x63,5) : **USD 56 100** – New York, 25 mai 1989 : *Pivoines*, h/t (92x82) : **USD 38 500** – New York, 30 mai 1990 : *Les Berges d'un fleuve*, aquar./pap. (24,4x34,4) : **USD 1 430** – New York, 3 déc. 1992 : *Branchville dans le Connecticut*, aquar./pap. (15,2x17,8) : **USD 8 800** – New York, 27 mai 1993 : *Nature morte d'un calice d'argent, d'un bronze japonais et d'une bougie rouge*, h/t (43,8x28,9) : **USD 40 250** – New York, 21 sep. 1994 : *Édith Barron Park*, h/t (108x86,4) : **USD 8 050** – New York, 1er déc. 1994 : *Pluie d'automne* 1890, h/t (40,6x61,6) : **USD 32 200** – New York, 25 mai 1995 : *Scène de rivière*, h/t (58,4x75,6) : **USD 74 000** – New York, 4 déc. 1996 : *Maisons dans un pré* vers 1890, h/t (33x43,3) : **USD 20 700** – New York, 6 juin 1997 : *Lizzie Lynch, enfant* vers 1910, h/t (76,2x63,5) : **USD 79 500**.

WEIR Robert Walter

Né le 18 juin 1803 à New-Rochelle. Mort en 1889 à New York. XIXe siècle. Américain.

Peintre de genre, portraits, animaux, paysages.

Élève de J. W. Jarvis, puis de Benvenuti à Florence : il alla à Rome. De retour à New York, il fut élu membre de la National Academy, il fut pendant plus de quarante ans professeur à la West Point Military Academy, où Whistler fut son élève.

La plus connue de ses œuvres, *L'Embarcation des Pèlerins*, a été peinte pour la rotonde du Capitole de Washington. Mais son habileté est mieux venue dans des œuvres plus modestes comme le *Microscope*, conservée au musée de Yale, ou la *Vue sur l'Hudson*, conservée à Harvard.

Musées : Harvard : *Vue sur l'Hudson* – New York (Metropolitain Mus.) : *Portrait du général Winfield Scott* – Yale : *Microscope*.

Ventes Publiques : New York, 9 avr. 1960 : *Un homme d'études* : **USD 450** – New York, 1er oct. 1969 : *Scène de marché* : **USD 1 600** – New York, 24 juin 1973 : *Chiens de chasse* 1828 : **USD 2 200** – New York, 6 déc. 1984 : *Hudson river from West Point*, h/t mar./pan. (81,9x123,2) : **USD 60 000** – New York, 9 jan. 1991 : *Eaux calmes*, aquar./pap./cart. (16,2x24,6) : **USD 825** – New York, 22 mai 1991 : *Les joyeuses commères de Windsor, Dr Caius, Simple et Dame Quickly* 1830, h/t (52,8x44,5) : **USD 6 600**.

WEIR William

Mort en 1865. XIXe siècle. Actif à Londres. Britannique.

Peintre de genre.

Il exposa à Londres, de 1855 à 1865, notamment à la Royal Academy, à la British Institution et à Suffolk Street. Le Musée de Liverpool conserve de lui *Le violoniste aveugle*.

WEIRDT F. K. De. Voir **DEWEIRDT Fr. Charles**

WEIRICH Ignaz

Né le 22 juillet 1856 à Fugau. Mort le 1er décembre 1916 à Vienne. XIXe-XXe siècles. Autrichien.

Sculpteur de bustes, statues.

Il fut élève de l'Académie de Vienne. Il sculpta de nombreux bustes, bas-reliefs et statues pour des églises et bâtiments publics de Vienne.

WEIRLECHNER Georg

Mort le 2 juillet 1664. XVIIe siècle. Actif à Innsbruck. Autrichien.

Peintre.

WEI Rong

Née en 1963 à Pékin. XXe siècle. Chinoise.

Peintre de compositions animées, scènes typiques, figures, portraits, paysages urbains.

Elle suivit les cours des classes préparatoires à l'Académie Centrale des Beaux-Arts de Pékin jusqu'en 1984 à l'obtention de son diplôme. Elle appartient, avec d'autres femmes, au groupe New Age. Elle est actuellement conférencière à l'Académie Centrale des Beaux-Arts de Pékin. En 1990, elle a participé à Pékin, à l'exposition *8 Artistes féminins*.

Mariée au peintre Wang Hao, elle travaille souvent avec lui, dans un style photo-réaliste, peignant avec rigueur le monde qui les entoure, excluant toute marque de sentimentalisme.

Bibliogr. : In : *Catalogue Christie's*, vente à Hong Kong, 30 mars 1992.

Ventes Publiques : Hong Kong, 22 mars 1993 : *Jeunes filles pressées* 1992, h/t (51x61,4) : **HKD 36 800** – Hong Kong, 4 mai 1995 : *Souvenirs de Pékin* 1994, h/t (76,2x116,8) : **HKD 74 750** – Hong Kong, 30 oct. 1995 : *Dame de la fin des Qing* 1995, h/t (116,8x81,3) : **HKD 46 000** – Hong Kong, 30 avr. 1996 : *Les années 50* 1995, h/t (76,2x116,8) : **HKD 120 750**.

WEIROTTER Franz Edmund ou **Weyrotter**

Né le 23 mai 1733 à Innsbruck. Mort le 13 mai 1771 à Vienne. XVIIIe siècle. Autrichien.

Peintre à la gouache de paysages, marines, dessinateur, graveur à l'eau-forte.

Après avoir étudié dans sa ville natale et à Mayence, il vint à Paris étudier avec J. G. Wille. Il visita l'Italie, revint à Paris et, en 1767, fut nommé professeur à l'Académie de Vienne. En 1998, à l'occasion de la parution du catalogue de son œuvre graphique, la galerie Palatina de Heidelberg a exposé un ensemble de ses gravures et dessins.

Son œuvre est considérable : cent quatre-vingt-six planches. Ses dessins sont nombreux.

FEWF.W.

Bibliogr. : Dr. Thilo Winterberg : *Franz Edmund Weirotter, 1733-1771 Das graphische Werk*, Edit. Winterberg, Heidelberg, 1998.

Musées : Angers : Deux marines – Budapest : *Au bord de l'étang* – Hanovre : *Au port* – Innsbruck : *Paysages avec ruine* – *Paysage avec tour* – Stuttgart : *Campagne avec aqueduc*.

Ventes Publiques : Paris, 1772 : *Deux grands paysages*, dess. au lav. de bistre : **FRF 103** – Paris, 1847 : *Paysage des environs d'Amsterdam* : **FRF 28** – Paris, 1er déc. 1887 : *Paysage avec chaumières*, dess. : **FRF 34** – Paris, 19-22 mai 1919 : *Bord de canal en Hollande* : **FRF 165** – Paris, 8-10 juin 1920 : *Vue de la Seine, près de Meulan*, sanguine : **FRF 1 050** – Vienne, 12 mars 1974 : *Le retour des pêcheurs* : **ATS 130 000** – Munich, 12 mai 1982 : *Paysage fluvial*, h/t : **DEM 9 000** – Vienne, 23 mars 1983 : *Paysage aux chaumières* 1762, pl./pap. bleu, dess. en grisaille (12x18,3) : **ATS 22 000** – Amsterdam, 14 nov. 1983 : *Paysage boisé animé de personnages ; Paysage fluvial animé de personnages*, gche/parchemin, une paire (14,8x15,7) : **NLG 7 400** – Londres, 7 mars 1985 : *Vues de France et d'Italie*, eaux-fortes, suite de deux cent soixante quatre : **GBP 3 000** – Paris, 18 nov. 1994 : *Moulin de Quiquengrogne à Charenton ; Pont près du moulin de Quiquengrogne*, dess. à la pl. et au lav. brun aquar. et gché, une paire (chaque 23x37) : **FRF 21 000** – Paris, 2 déc. 1994 : *Groupes de paysans devant des chaumières*, dess. à la pl. et au lav., une paire (18,5x26,5) : **FRF 7 200** – Paris, 7 juin 1996 : *Paysages ; Vues de Rome ; Petits Paysages en frises ; Dans le goût de Rembrandt*, eaux-fortes (in 8° et in 4°) : **FRF 7 200**.

WEIRTER Louis ou **Whirter**

Né en 1873 à Édimbourg. Mort le 12 janvier 1932 à Londres. XIXe-XXe siècles. Britannique.

Peintre de sujets militaires, graveur.

Il fut peintre de guerre, surtout dans l'aviation, et réalisa des eaux-fortes. Il fut également un inventeur.

Musées : Londres (Mus. de la Guerre) : *Combat aérien* – Londres (Victoria and Albert Mus.) : *La Cathédrale Saint-Paul de Londres* – Ottawa : *La Bataille de Courcelette*.

WEIS. Voir aussi **WEISS**

WEIS Alois

XVIIIe siècle. Suisse.

Dessinateur.

Il dessina des architectures de Bâle.

WEIS Anton

XVIe siècle. Travaillant à Innsbruck. Autrichien.

Peintre.
Il travailla pour la cour d'Innsbruck et exécuta des portraits.

WEIS Ferdinand Friedrich Wilhelm. Voir **WEISS**

WEIS Johan. Voir **WEISS**

WEIS Johann
Né en 1745 à Prague. Mort le 13 novembre 1803 à Prague. XVIIIe siècle. Autrichien.
Sculpteur.

WEIS Johann Martin I ou **Weiss**
Né le 6 mars 1711. Mort le 24 octobre 1751. XVIIIe siècle. Actif à Strasbourg. Français.
Graveur au burin.
Élève de Poilly à Paris. Il grava surtout des architectures, des scènes de bataille et des événements contemporains.

WEIS Johann Martin II ou **Weiss**
Né le 5 août 1738 à Strasbourg. Mort après 1807. XVIIIe siècle. Français.
Graveur au burin.
Fils de Johann Martin Weis I. Il grava des armoiries, des ex-libris, des architectures et des événements de son époque.

WEIS Johann Nikolaus. Voir **WEIS Nikolaus**

WEIS John E.
Né le 11 septembre 1892 à Higginsport. XXe siècle. Américain.
Peintre de paysages, marines.
Il fut élève de Franck Duveneck. Il vécut et travailla à Cincinnati.

WEIS Josef. Voir **WEISS**

WEIS Mathias Anton. Voir **WEISS**

WEIS Nikolaus
Né le 9 septembre 1657 à Brixen. Mort le 11 septembre 1737 à Brixen. XVIIe-XVIIIe siècles. Autrichien.
Peintre.
Il peignit des animaux à la manière de Heinrich Roos ainsi que des natures mortes.
Musées : Innsbruck (Ferdinandeum) : *Berger avec son troupeau – Pâtre avec bétail et moutons.*
Ventes Publiques : Vienne, 10 juin 1980 : *Nature morte aux ustensiles de cuisine* 1681, h/t (93x116) : **ATS 50 000**.

WEIS Sosthène
Né le 29 janvier 1872 à Mertzig. Mort le 28 juillet 1941 à Luxembourg. XIXe-XXe siècles. Luxembourgeois.
Peintre de paysages, aquarelliste. Postimpressionniste.
Il fut élève à l'Athénée de Luxembourg. Il fit des études d'ingénieur architecte à Aix-la-Chapelle et à Munich et fut architecte d'état de 1905 à 1920.
En 1986, le musée de l'État du Luxembourg a organisé une exposition de ses œuvres présentée au palais des beaux-arts de Pékin.
Il profita de ses moments de loisirs pour peindre. Il s'est spécialisé dans les vues de la ville de Luxembourg et ses faubourgs. Dans un esprit romantique, il a privilégié les effets de variations de lumière et d'atmosphère.
Bibliogr. : Tony Lammar : *Hommage à Sosthène Weis*, Tony Lamar, 1985 – in : Catalogue de l'exposition *150 ans d'art luxembourgeois*, Mus. Nat. d'Hist. et d'Art, Luxembourg, 1989.
Musées : Luxembourg (Mus. Nat. d'Hist. et d'Art) : *La Fondation Pescatore à Luxembourg* 1917, aquar. – *Luxembourg-Grund* 1923, aquar. – *Luxembourg la vallée de la Pétrusse* 1924, aquar. – *Luxembourg, le pont Adolphe* 1924, aquar. – *Luxembourg-Grund* 1924, aquar. – *L'Alzette (Val-des-Bons-Malades)* 1925, aquar.

WEIS Ulrich
Mort avant 1692 à Brixen. XVIIe siècle. Actif à Sarntheim. Autrichien.
Peintre.
Père de Nikolaus W.

WEISBERG Vladimir Grigorievitch
Né en 1924 à Moscou. Mort le 3 janvier 1985 à Moscou. XXe siècle. Russe.
Peintre de figures, nus, portraits, natures mortes.
Il était le fils d'un disciple de Freud, considéré comme le premier psychanaliste russe. Il fut grièvement blessé pendant la guerre et déclaré « Invalide psychopathe du troisième groupe » et, en tant que tel, dispensé de l'obligation de travailler. Peintre figuratif, de portraits, de natures mortes, il a suivi l'enseignement du peintre Machkov, mais se déclare autodidacte. Il fait partie du « Groupe des Huit ».
Il présenta deux de ses toiles à la fameuse exposition du Manège, qui provoqua la fureur de Khrouchtchev, et fut accusé de pornographie pour avoir exposé un nu. Peintre de Russie soviétique et non-conformiste ou plutôt non-conforme, il put cependant se faire connaître à Jérusalem, Londres, Paris. Nombreuses expositions à Paris, Moscou, Bochum.
Au symposium organisé en 1962 par les linguistes de slavistique de l'Université de Moscou, il a fait une communication sur « La classification des couleurs », où il développe, entre autres, l'idée que jusqu'à Cézanne, le colorisme était surtout le fait du talent de peintres isolés comme le Gréco, ou de groupes d'artistes comme les Vénitiens du XVIe siècle. À partir de Delacroix, le colorisme acquiert progressivement des bases scientifiques, mais c'est seulement avec Cézanne qu'il devient un problème formel objectif, avec l'étude de l'élaboration des structures colorées. Au sujet de ses propres peintures, le nom de Giorgio Morandi est souvent cité. ■ J. B.

WEISBROD Karl Wilhelm ou **Albrecht Wilhelm Carl** ou **Weissbrod**
Né en 1743 à Ludwigsbourg. Mort vers 1806 à Verden. XVIIIe siècle. Allemand.
Graveur à l'eau-forte et dessinateur.
Fils et élève de Johann Philip Weisbrod. Il vint à Paris et travailla avec J.-G. Wille. Il a gravé des sujets de genre et des paysages. Vers 1780, il alla à Hambourg.

WEISBUCH Claude
Né le 8 février 1927 à Thionville. XXe siècle. Français.
Peintre de figures, graveur, illustrateur, dessinateur.
Il fut élève de l'École des Beaux-Arts de Nancy. Enseignant à l'École des Beaux-Arts de Saint-Étienne, il a influencé de nombreux jeunes artistes. Il a obtenu le Prix de la Critique en 1961.
Il participe à de nombreuses expositions collectives notamment à Paris : Salons de Mai, de la Jeune Peinture, d'Automne, des Peintres Témoins de leur Temps, de l'École de Paris, à la Biennale de Paris, aux Peintres Graveurs Français, dont il a été nommé membre titulaire en 1968. Il montre des expositions personnelles de ses gravures régulièrement depuis 1957 à Paris (à partir de 1974 à la galerie Hervé Odermatt et depuis 1982 à la galerie Taménaga), à Toronto, à partir de 1963 à Tokyo, à Turin, à Londres, en 1992 au musée de Nancy et à la mairie de Sarlat (rétrospective).
Il fut virtuose dans toutes les techniques de gravure. Souvent influencé par les différents courants de l'École de Paris, il semble toutefois attiré par un art d'expression violente et humaine. Il a illustré de nombreux ouvrages de bibliophilie : *Le Chevalier à la Charrette* de Chrestien de Troyes ; *L'Éloge de la Folie* d'Érasme.
Il a rapidement maîtrisé une écriture personnelle, dérivée du tracé « artiste » de Daumier.

Weisbuch
Weisbuch

Bibliogr. : In : *Les Peintres Graveurs Français*, Paris, 1969 – Catalogue de l'exposition : *Claude Weisbuch. Peintures et gravures*, La Serre, École régionale des beaux-arts, Saint-Étienne, 1986 – Jean Denis Bredin, Jean Marie Tasset : *Claude Weisbuch*, Séguier, Paris, 1989 – Lydia Harambourg, in : *L'École de Paris 1945-1965. Diction. des Peintres*, Ides et Calendes, Neuchâtel, 1993.
Musées : Mulhouse – Nancy – Paris – Paris (Mus. Nat. d'Art Mod.) – Paris (Mus. d'Art Mod. de la ville) – Paris (BN) – Rennes – Strasbourg.
Ventes Publiques : Paris, 19 juin 1974 : *Polichinelle qui crie* 1961 : **FRF 4 200** – Versailles, 12 mai 1976 : *Le polichinelle* vers 1952, h/t (100x81) : **FRF 5 000** – Paris, 21 nov. 1977 : *Meuble tableau*, bibliothèque Louis XVI à 3 portes : décor sur les 3 portes et les côtés : **FRF 12 000** – Paris, 11 juin 1979 : *Polichinelle endormi*, h/t (195x130) : **FRF 15 000** – Paris, 15 juin 1981 : *Clown*, h/t (107x135) : **FRF 14 500** – Toulouse, 13 juin 1985 : *Le violoniste*, h/t (87x114) : **FRF 35 000** – Paris, 22 juin 1988 : *Don Quichotte battu par les valets* 1959, h/t (72,5x99,5) : **FRF 28 000** – Paris, 21 nov. 1988 : *Après la pluie* 1959, h/t (65x92) : **FRF 24 000** – Paris, 12 avr. 1989 : *Nu se peignant*, past./pap. (100x65,5) : **FRF 30 000** – Calais, 10 déc. 1989 : *L'arlequin* 1967, h/t (93x73) : **FRF 80 500** – Paris, 25 mars 1990 : *Le vent* 1958, h/t (89x116) : **FRF 40 000** – Paris, 26 avr. 1990 : *Bataille*, h/t (73x92) : **FRF 150 000** – New

York, 12 juin 1991 : *Étude de tête d'homme*, h/t (24,1x33) : **USD 1 870** – New York, 27 fév. 1992 : *La chute de cheval*, h/t (150x150) : **USD 8 250** – Paris, 27 oct. 1992 : *Monsieur Loyal*, h/t (54x46,5) : **FRF 26 000** – New York, 26 fév. 1993 : *Portrait d'un homme assis* 1971, h/t (116,2x88,9) : **USD 4 313** – Stockholm, 10-12 mai 1993 : *Intérieur avec cinq hommes âgés*, h/t (114x146) : **SEK 14 000** – Paris, 7 juin 1993 : *Les saltimbanques*, h/t (161x130) : **FRF 80 000** – Paris, 19 mars 1994 : *Le soliste*, cr./pap. calque (58x44) : **FRF 4 800** – Le Touquet, 22 mai 1994 : *Le Violoniste*, h/t (50x61) : **FRF 45 000** – Castres, 5 juin 1994 : *Le Violoniste*, h/t (116x89) : **FRF 81 000** – New York, 24 fév. 1995 : *Portrait d'un clown*, h/t (129,5x96,5) : **USD 8 050** – Londres, 20 mars 1996 : *Portrait de clown*, h/t (146x114) : **GBP 3 105** – Paris, 7 juin 1996 : *Polichinelle* 1960, h/t (50x61) : **FRF 17 000** – Paris, 20 oct. 1996 : *Portrait d'homme assis* 1971, h/t (116x89) : **FRF 24 000** – Paris, 12 déc. 1996 : *Arlequin debout de dos*, h/t (116x90) : **FRF 19 500** – Paris, 23 fév. 1997 : *Don Quichotte*, h/t (46x55) : **FRF 25 000** ; *Le Cavalier*, cr. et craie/pap. (24x32) : **FRF 6 000** – Paris, 16 mars 1997 : *Le Concerto*, h/t (38x46) : **FRF 17 000** – Paris, 26 mai 1997 : *Premier Violon*, fus. et estompe/pap. (56x56) : **FRF 12 500** – Paris, 23 juin 1997 : *Le Violoniste*, h/t (46x38) : **FRF 18 000** – Paris, 19 oct. 1997 : *Arlequin* 1988, h/t (61x50) : **FRF 14 000** – Paris, 3 oct. 1997 : *Les Trois Paysannes* 1966, h/t (166x166) : **FRF 52 000**.

WEISE Gotthelf Wilhelm ou **Weisse**
Né en 1751 à Dresde. Mort vers 1810 à Cassel. XVIIIe-XIXe siècles. Allemand.
Graveur au burin.
Élève de Canale et de Stlolzel. Il a gravé des portraits et des paysages. Il fut graveur de la cour de Hesse Cassel.

WEISE Oluf Jepsen ou **Weyse** ou **Weysse**
Né vers 1750. Mort après 1796. XVIIIe siècle. Danois.
Miniaturiste et graveur.
Il dessina surtout des fleurs.

WEISE Robert
Né le 2 avril 1870 à Stuttgart. Mort le 3 novembre 1923 à Starnberg. XIXe-XXe siècles. Allemand.
Peintre de figures et de paysages.
De 1889 à 1893, élève de Crola, Pieter Jamsen et Arthur Lample à l'Académie de Düsseldorf ; de 1893 à 1895, de Doucet, William Bouguereau et Benjamin-Constant à l'Académie Julian, à Paris. Il visita la Belgique, la Hollande, l'Italie et l'Espagne. Il s'établit à Munich à partir de 1896.

ROBERT WEISE

Musées : Berlin : *Dame dans un paysage automnal* – Constance : *Étude* – Munich : *Portrait de famille* – Munster : *Enfant sous l'arbre de Noël* – Stuttgart : *La Terre nourricière* – *Dame avec chien*.

WEISEL Deborah D.
Née à Doylestown (Pennsylvanie). XXe siècle. Américaine.
Peintre et graveur.
Élève de l'Académie des Beaux-Arts de Philadelphie, Membre de la Fédération Américaine des Arts.

WEISENFELSS Thomas. Voir **WEISFELDT**

WEISER
XVIIIe siècle. Suisse.
Sculpteur.
Il travaillait à Berne vers 1783.

WEISER. Voir aussi **WEISSEER**

WEISER Bernard Antoon
XVIIIe-XIXe siècles. Belge.
Peintre de décorations.
Père de Bernard Pierre Weiser. Il était actif à Tournai.
Bibliogr. : In : *Dict. biogr. illustré des artistes en Belgique depuis 1830*, Arto, Bruxelles, 1987.

WEISER Bernard Pierre
Né le 30 octobre 1822 à Tournai. Mort à Anvers. XIXe siècle. Belge.
Peintre d'histoire, sujets religieux, scènes de genre et portraitiste.
Élève de son père, Bernard Antoon Weiser et de Gustave Wappers à l'Académie d'Anvers, où il devint professeur.
Bibliogr. : In : *Dict. biogr. illustré des artistes en Belgique depuis 1830*, Arto, Bruxelles, 1987.

Musées : Malines : *Fleurs des champs* – *Madeleine au pied de la Croix* – York, Angleterre : *Ribera peint ses deux filles*.

WEISER Franz
Né en 1874 à Innsbruck. XIXe-XXe siècles. Autrichien.
Sculpteur sur pierre et sur bois.
Élève des Académies de Munich et de Vienne. Il était actif à Munich. Il sculpta des statues pour l'église d'Altötting.

WEISER Gottfried
Mort vers 1932 à Bozen. XIXe-XXe siècles. Autrichien.
Sculpteur et stucateur.
Il exécuta des stucatures et des reliefs dans des maisons et restaurants de Bozen.

WEISER Joseph Emanuel
Né le 10 mai 1847 à Patschkau. Mort le 16 avril 1911 à Munich. XIXe-XXe siècles. Allemand.
Peintre d'histoire, de genre, portraits.
On le cite en 1864 parmi les élèves de W. Diez à Munich. En 1888 il fut membre honoraire de l'Académie des Beaux-Arts en Bavière. Il exposa à Vienne en 1872.
Musées : Breslau, nom all. de Wroclaw : *Personnage donnant à manger à un perroquet* – Dresde : *Le dernier refuge* – Munich (Nouvelle Pina.) : *Tête de vieillard* – Munich (Gal. mun.) : *Vieille maison à Bamberg* – *Dans l'atelier* – *Après le pillage*.
Ventes Publiques : Berlin, 17 mai 1895 : *Bonheur conjugal* : **FRF 637** – New York, 29 mai 1981 : *Vénus* 1886, h/pan. (73x42,5) : **USD 2 400** – Londres, 16 fév. 1990 : *La lettre*, h/pan. (30,5x22,5) : **GBP 1 210** – Munich, 27 juin 1995 : *Portrait d'une jeune femme*, h/t (51x42) : **DEM 1 495**.

WEISER Matthias ou **Weysser**
Né à Neisse. Mort avant le 8 février 1699 à Olmutz. XVIIe siècle. Autrichien.
Peintre.

WEISER Urbain
Né en 1888 à Bruxelles. XXe siècle. Belge.
Peintre de paysages.
Il fut professeur à l'École Industrielle et d'Art Décoratif d'Anderlecht.
Il peignait les vues pittoresques des vieilles villes.
Bibliogr. : In : *Dict. biogr. illustré des artistes en Belgique depuis 1830*, Arto, Bruxelles, 1987.

WEISFELDT Thomas ou **Weisenfelss** ou **Weissfeld** ou **Weissfelder**
Né en 1670 ou 1671 à Oslo. Mort le 18 avril 1721 à Breslau. XVIIe-XVIIIe siècles. Allemand.
Sculpteur sur bois.
Il travailla surtout pour l'abbatiale de Kamenz et sculpta des statues de saints.

WEISGERBER Albert
Né le 21 avril 1878 à Saint-Ingbert. Mort le 10 mai 1915 tombé près de Fromelles (Ypres). XXe siècle. Allemand.
Peintre de genre, graveur, illustrateur.
Il fut d'abord apprenti décorateur à Kaiserslautern, puis à Francfort. Puis, il fut élève de l'École des Beaux-Arts de Munich, et, de 1897 à 1901, de Gabriel von Hackl et Franz von Stuck à l'Académie. En 1906-1907, il séjourna à Paris et tout laisse penser qu'il vit les peintures des Fauves. Il succéda à Angelo Jank à l'Académie féminine de Munich. Il fut un des fondateurs de la Sécession et y exposa à partir de 1914.
Illustrateur, il produisit de très nombreux dessins pour la revue *Jugend* ; en 1902, il illustra *Contes pour les enfants et la maison* de Grimm, et *Till Eulenspiegel*. En 1907-1914, il peignit à Munich, peut-être plus près du fauvisme français (avec quelques références à Cézanne) que des expressionnistes allemands, dont il partageait pourtant un certain populisme. Avec Franz Marc et August Macke, il fit partie des peintres de cette génération dont les promesses furent sacrifiées à la guerre.

WEISGERBER.

WEISGERBER

Bibliogr. : Catalogue de l'exposition *Le Fauvisme Français et les Débuts de l'Expressionnisme Allemand*, Mus. Nat. d'Art Mod., Paris, 1966 – Saskia Franke Ishikawa : *A. Weisgerber. Katalog*

der Gemäilde, Institut für Landeskunde des Saarlandes, Saarbrücken, 1978 – Marcus Osterwalder, in : *Dictionnaire des illustrateurs 1800-1914*, Ides et Calendes, Neuchâtel, 1989.
Musées : Brême : *Fête champêtre – Le poète Ludwig Scharf* – Cologne : *L'antiquaire* – Darmstadt : *Moutons – Au bord de l'Attersee* – Dresde : *L'artiste* – Essen : *Saint Sébastien – Crucifiement* – Gdansk, ancien. Dantzig : Dessins et eaux-fortes – Hambourg : *Le sénateur Gustave Schemmann* – Hanovre : *L'artiste – Nu devant la glace* – Kaiserslautern : *Homme à la fenêtre – Berger et son troupeau – Procession – Cuirassier – Sermon* – Eaux-fortes – Leipzig : *Sentier dans la forêt* – Magdebourg : *Le peintre et ses sujets* – Manheim : *La mère de l'artiste – Couple couché en plein air* – Munich (Gal. mun.) : *Restaurant parisien* – Munich (Mus. Nat.) : *Femme des Somalis – Saint Sébastien – La Terre nourricière – Le poète Ludwig Scharf* – Sarrebruck : *Jeune fille dans le lointain – Dame avec chapeau – Famille en noir – L'artiste dans la forêt – Jeune fille couchée – La femme de l'artiste – Homme nu dans la forêt* – Schleissheim : *Journée d'été* – Stettin : *Restaurant* – Stuttgart : *Repos des Amazones* – Wiesbaden : *Femme se reposant* – Wuppertal : *Crucifixion – Le peintre Pascin*.
Ventes Publiques : Vienne, 1er et 4 déc. 1964 : *Le jardin anglais* : **ATS 10 000** – Munich, 16 et 18 mars 1966 : *Le marché aux bestiaux* : **DEM 6 000** – Cologne, 6 déc. 1968 : *Nu debout* : **DEM 8 000** – Hambourg, 7 juin 1969 : *Jérémie* : **DEM 18 000** – Munich, 27 nov. 1974 : *Scène de rue*, recto ; *Nu assis*, verso : **DEM 14 000** – Hambourg, 3 juin 1978 : *Nu allongé vu de dos* 1912, h/cart. (34x42) : **DEM 6 200** – Hambourg, 9 juin 1979 : *Garçons couchés* 1905, h/t mar./pan. (65,7x78,5) : **DEM 18 000** – Munich, 28 nov. 1980 : *Les politiciens du village* 1902, techn. mixte (40x21) : **DEM 3 000** – Londres, 6 oct. 1982 : *Scène de rue en hiver* 1907, h/t (69,2x78,7) : **GBP 2 300** – Berlin, 30 mai 1991 : *Sermon dans la forêt* 1906, h/t (50x61) : **DEM 53 280**.

WEISGERBER Carl
Né en 1891 à Ahrweiler. Mort en 1968. XIXe-XXe siècles. Allemand.
Peintre de genre, paysages.
Ventes Publiques : Paris, 18 avr. 1950 : *Faisans* : **FRF 3 100** – Cologne, 25 juin 1976 : *Jour d'hiver*, h/t (51x60) : **DEM 1 400** – Munich, 26 mai 1978 : *Deux cygnes noirs* vers 1957, h/t (70x90) : **DEM 2 500** – Cologne, 30 mars 1979 : *Basse-cour*, h/t (51x61) : **DEM 3 500** – Vienne, 4 déc. 1984 : *Cygnes*, techn. mixte et past. (47x59) : **ATS 40 000** – Cologne, 30 mai 1987 : *Cheval de cirque*, past. (47x60) : **DEM 1 600** – Cologne, 20 oct. 1989 : *Derrière le cirque*, h/t (70x90) : **DEM 4 400**.

WEISGERBER-POHL Grete, née **Pohl**
Née en 1878 à Prague. XXe siècle. Autrichienne.
Peintre et graveur.
Elle fut active à Londres. Elle exposa à Berlin à partir de 1922.

WEISHAMMER Hans
XVIe siècle. Travaillant au Tyrol en 1582. Autrichien.
Miniaturiste.

WEISHÄUPL Georg
Né en 1789 à Lembach. Mort le 25 décembre 1864 à Linz. XIXe siècle. Autrichien.
Miniaturiste et peintre de blasons.
Il exécuta les blasons de toutes les familles de noblesse de Haute-Autriche.

WEISHAUPT Victor ou **Weisshaupt**
Né le 6 mars 1848 à Munich. Mort le 23 février 1925 à Karlsruhe. XIXe-XXe siècles. Allemand.
Peintre de paysages, animalier.
Il fut, en 1870, élève de l'Académie des Beaux-Arts de Munich dans l'atelier de Wilhelm Diez. Il s'établit à Munich. En 1895, professeur à l'École d'art de Karlsruhe, à la place du peintre animalier, Heinrich Zügel. Médaillé à Munich en 1876 et 1890. Médaillé à Londres en 1878, à Berlin en 1880 et 1892, à Chicago en 1893, et à Paris, en 1900 (Exposition Universelle).
Musées : Berlin : *Troupeau – Avant le printemps* – Bucarest (Simu) : *Un taureau* – Budapest : *Vaches au pâturage* – Chemnitz : *Devant la petite ville – Vache* – Dresde : *Vaches buvant près d'un moulin à vent* – Düsseldorf : *Troupeau* – Karlsruhe : *Troupeau à l'abreuvoir – Taureau* – Munich : *Animaux – Paysans au labourage – Tableau champêtre* – Schleissheim : *Taureau – Petite rivière de marais* – Strasbourg : *Laveuse* – Wiesbaden : *Mouton au début du printemps*.
Ventes Publiques : Stuttgart, 16-17 avr. 1953 : *Jeune pâtre et troupeau de vaches* : **DEM 450** – Cologne, 15 nov. 1972 : *Vaches à l'abreuvoir* 1875 : **DEM 3 000** – Munich, 30 juin 1983 : *Taureau dans un paysage boisé*, h/cart. mar./pan. (63x76) : **DEM 4 500** – Londres, 13 juin 1996 : *À l'abreuvoir*, h/t (32,2x48,3) : **GBP 632**.

WEISHUN Samuel
Mort après 1676. XVIIe siècle. Travaillant à Dresde de 1627 à 1650. Allemand.
Graveur au burin et orfèvre.
Il a gravé des portraits. Zani affirme qu'il était aussi orfèvre.

WEISKIRCHER ou **Weiskirchner**. Voir **WEISSENKIRCHNER**

WEISKOP Josef Franz. Voir **WEISSKOPF**

WEISKOPF Batholomaus
Né en 1806 à Matrei. XIXe siècle. Autrichien.
Sculpteur de sujets religieux, peintre.
Élève de Sebastian Defregger.

WEISMANN Jacques ou **Weissmann**
Né le 18 septembre 1878 à Paris. XXe siècle. Français.
Peintre de figures, nus, paysages, pastelliste, illustrateur, sculpteur.
Élève de Fernand Cormon, de P. Boutigny et de F. Humbert. Expose au Salon des Artistes Français depuis 1905, médailles d'argent en 1923, d'or en 1932, sociétaire hors-concours ; aux Salons des Indépendants et d'Automne. Chevalier de la Légion d'honneur.
Ventes Publiques : Paris, 12 fév. 1920 : *Le sourire*, past. : **FRF 250** – Paris, 12 juin 1925 : *La conque marine*, past. : **FRF 650** ; *Intimité* : **FRF 1 100** – Paris, 27 mars 1947 : *Le modèle* : **FRF 100** – Paris, 19 mai 1950 : *Nu devant la commode* : **FRF 3 000** – Versailles, 25 oct. 1976 : *Le jardin des Tuileries*, h/t (16x22) : **FRF 2 000** – Paris, 28 oct. 1985 : *Portrait de Tino Rossi à la guitare* vers 1937, h/cart. (60x73) : **FRF 49 500** – Paris, 14 fév. 1989 : *Femme nue allongée*, h/t (33x46) : **FRF 12 000** – New York, 19 jan. 1995 : *Portrait de femme avec un bouquet* 1910, past./tissu (81,3x64,8) : **USD 1 610** – Paris, 20 oct. 1997 : *Femme nue devant un miroir*, h/pan. (35x27) : **FRF 4 800**.

WEISPACHER Peter ou **Weisspachauer**
XVIIIe siècle. Actif à Kufstein vers 1700. Autrichien.
Peintre.

WEISPACHER Sebastian
XVIIe siècle. Actif à Kufstein à la fin du XVIIe siècle. Autrichien.
Peintre.

WEISS. Voir aussi **WEISS** et **WYSS**

WEISS Adalbert
Né à Lesrdze. XIXe-XXe siècles. Polonais.
Peintre de portraits.
Il fut élève de C. C. (?) Kraken. Il figura aux expositions de Paris ; mention honorable en 1900 (Exposition Universelle).
Puissant coloriste, il savait aussi ordonner les formes dans un élan romantique.
Ventes Publiques : Enghien-les-Bains, 4 juil. 1982 : *Jeune fille à la cigarette*, h/t (46x40) : **FRF 15 000**.

WEISS Adolf
Né vers 1823 à Vienne. XIXe siècle. Autrichien.
Peintre.
Élève de l'Académie de Vienne. Il exposa dans cette ville en 1846.

WEISS Anton
Né en 1685 à Königsberg près d'Eger. XVIIIe siècle. Autrichien.
Peintre, dessinateur de vues de villes.
Il travaillait à Prague en 1742. Il dessina des vues de la ville.

WEISS Anton
Né le 6 février 1801 à Falkenau. Mort le 31 janvier 1851 à Böhmisch-Leipa. XIXe siècle. Autrichien.
Peintre de compositions religieuses, natures mortes, fleurs et fruits, aquarelliste, lithographe.
Il peignit des tableaux d'autel pour les églises de Falkenau, de Bürfgstein, de Neustad et de Welwitz.
Ventes Publiques : Paris, 9 mai 1962 : *Le vase de fleurs* : **FRF 230 000** – Londres, 2 juin 1982 : *Nature morte aux fruits*, h/pan. (24x22,5) : **GBP 1 000** – Amsterdam, 25 nov. 1991 : *Étude d'un rhododendron rouge* 1834, cr. et aquar. (26,1x30,9) : **NLG 1 380**.

WEISS Augustin
Né le 8 août 1664 à Moosbrunn. Mort en 1733 à Heiligenkreuz. XVIIe-XVIIIe siècles. Autrichien.
Sculpteur.

Il sculpta une partie des statues dans le cloître de l'abbaye de Heiligenkreutz.

WEISS Bartholomaus Ignaz

Né vers 1740 à Munich. Mort le 26 décembre 1814 à Munich. XVIIIe-XIXe siècles. Allemand.

Graveur à l'eau-forte, miniaturiste et peintre.

Élève de son père Franz Joseph Weiss ; il fut miniaturiste à la cour de Bavière. Il a gravé des sujets d'histoire et des sujets religieux d'après Rembrandt, Salv. Rosa, etc., et beaucoup d'après ses propres dessins. Le Musée d'Innsbruck conserve de lui *Sainte Barbe*.

I WF

WEISS Carl Jacob Hermann

Né le 27 avril 1822 à Hambourg. Mort le 21 avril 1897 à Berlin. XIXe siècle. Allemand.

Peintre de genre et d'histoire, graveur.

Élève du portraitiste Johannes Samuel Otto, à Berlin. Il continua ses études à Düsseldorf avec Schadow. En 1865, il fut nommé professeur à l'Académie de cette ville, à partir de 1850, il se consacra à l'histoire du costume et écrivit une œuvre importante, *Handbuch der Costumkimde*. Il visita le Midi de la France et fut nommé, en 1856, professeur à l'Académie de Berlin. Le Musée de cette ville conserve de lui des portraits de *Doring* dans les rôles de *Karl Moor* et du *Vieux Magister*.

WEISS Caspar

XVIe siècle. Travaillant à Vienne en 1509. Autrichien.

Sculpteur sur bois.

WEISS Caspar

Né le 4 janvier 1688 à Mulhouse (Haut-Rhin). Mort le 25 juillet 1745 à Mulhouse. XVIIIe siècle. Français.

Peintre.

Il peignit des portraits. Peut-être identique à Caspar Chrétien Guillaume W.

WEISS Caspar Chrétien Guillaume

XVIIIe siècle. Travaillant en Bade dans la première moitié du XVIIIe siècle. Allemand.

Miniaturiste.

Peut-être identique à Caspar W.

WEISS Charlotte

Née le 24 juin 1870 à Bâle. XIXe-XXe siècles. Suisse.

Peintre de paysages.

Elle fit ses études à Bâle et à Paris. Elle était active à Herrliberg. Elle peignit surtout des paysages.

WEISS David

Né le 15 janvier 1775 à Strigno. Mort en 1846 à Vienne. XIXe siècle. Italien.

Peintre ?, graveur de sujets religieux, scènes de genre, portraits, paysages ?

Élève de Friedrich Heinrich Füger à Vienne ; il alla en Italie, puis le fixa à Vienne.

Il gravait selon la technique dite « au pointillé ». Il a gravé des portraits, des sujets de genre et des sujets religieux. Il a travaillé pour les almanachs.

La muséographie jointe ne semble pas correspondre à ce graveur, mais bien plutôt à un peintre (ce que paraît confirmer la mention « grisaille » sur une esquisse du Musée d'Amsterdam) de nombreux paysages.

Musées : Amsterdam : *Vue prise près de Geestbrug – Aux environs de Barbizon – Le moulin – Paysage* – Une esquisse, grisaille – Groningen : *Polder à Noorden – Le vieux moulin* – La Haye (comm.) : *Vue de la plage – Environs de La Haye – Paysage – Prairie le soir* – La Haye (Mesdag) : *Effet de lune – Sur la plage de Scheveningue – Femme lavant* – Montréal : *Bords de la mer* – Montréal (Learmont) : *La vieille ferme – Canal hollandais – Dordrecht – Canal près de Haarlem* – Rotterdam : *Paysage avec moulin près de Schiedam*.

WEISS David

Né en 1946 à Zurich. XXe siècle. Suisse.

Sculpteur, artiste multimédia.

Il participe à des expositions collectives, dont : 1981 Innsbruck, Vienne, Francfort, Zoug, *30 Künstler aus der Schweiz* ; 1985 Paris, Nouvelle Biennale. Il expose individuellement : 1981 Winterthur, Kunstmuseum ; 1982 Vienne ; 1983 Cologne, Munich ; 1984 Paris, galerie Chantal Crousel ; 1985 Bâle, Kunsthalle ; etc. Travaille collectivement avec FISCHLI Peter (Voir à ce nom) sur des séquences narratives.

Bibliogr. : In : catalogue de la Nouvelle Biennale, Paris, 1985.

WEISS Eleazar. Voir **ALBIN Eleazar**

WEISS Emil Rudolf

Né le 12 octobre 1875 à Lahr. Mort le 7 novembre 1942 à Meersburg. XXe siècle. Allemand.

Peintre de genre, figures, portraits, paysages, natures mortes de fleurs et fruits, graveur, dessinateur, illustrateur, décorateur et poète.

Élève de Robert Poetzelberger, Karl (?) de Kalckreuth et Hans Thoma à l'Académie des Beaux-Arts de Karlsruhe. Il travailla à Stuttgart et à l'Académie Julian de Paris. De 1903 à 1906, il travailla chez Karl Ernst Osthaus (?) à Hagen. Après 1907, il enseigna le dessin dans des écoles de Berlin.

Il a créé des caractères typographiques à son nom. Il a collaboré à des publications de presse, *Pan*, *Insel*. Il est l'auteur illustrateur de *Der Wanderer* et a illustré des *Poésies* de Sappho, *Troïlus et Cressida* de Shakespeare.

Bibliogr. : Marcus Osterwalder, in : *Dictionnaire des illustrateurs 1800-1914*, Ides et Calendes, Neuchâtel, 1989.

Musées : Berlin : *Renée Sintenis* – Brême : *Pêches* – Cologne : *Fleurs – La fille de l'artiste* – Dresde : *Fleurs dans un vase blanc* – Essen : *Peter Behrens* – Karlsruhe : *Renée Sintenis – Fleurs* – Mulhouse : *Portrait de jeune fille au chat n° 95* – Nuremberg (Gal. mun.) : *Le peintre Erna Petri* – Ulm : *Paysage de la Forêt Noire* – Winterthur : *Nègre – Pommes – Fleurs* – Zurich : *Fleurs d'été*.

Ventes Publiques : Munich, 4 juin 1980 : *Die Insel* 1899, affiche litho. en coul. entoilée (80x57) : **DEM 1 500** – New York, 23 fév. 1989 : *Les passe-temps* 1874, h/t (61x46) : **USD 3 080** – New York, 26 mai 1993 : *Le garde nubien*, h/cart. (47x33) : **USD 20 700** – New York, 19 jan. 1994 : *Les passe-temps de l'après-midi* 1894, h/t (61x46) : **USD 2 070**.

WEISS Emile Georges, dit **Géo**

Né le 20 janvier 1861 à Strasbourg (Bas-Rhin). XIXe-XXe siècles. Français.

Peintre de genre, portraits, paysages, natures mortes, fruits.

Élève de Léon Bonnat et d'Antoine Grison, il débuta au Salon de Paris en 1880. Géo Weiss exposa régulièrement au Salon des Artistes Français ; à la fondation du Salon d'Automne, il fit partie de cette société, il devait, jusqu'à sa mort, y remplir les fonctions de trésorier ; il y comptait de nombreux amis. La plus grande partie de ses peintures ont été vendues en Serbie.

Il traita avec le même souci de précision le paysage et les sujets de genre ; ces derniers, généralement de petites dimensions, étaient fortement inspirés de Meissonier. Ses paysages sont également de facture minutieuse, où le soin du détail l'emporte souvent sur la vision de l'ensemble. Il peignit plus volontiers des sous-bois ou des bords de rivières à l'automne, dans une gamme claire, plaisante à l'œil des personnes qu'effarouchent les audaces. Il reste donc très voisin de la tradition de certains peintres suisses ou alsaciens, tels que Brion.

Musées : Dijon : *Le père de l'artiste* – Nantes : *Premier froid – Entre deux feux – Amateur de l'antiquité – La correction – L'autodafé – À mon côté – Le péché mignon – Le concert* – Strasbourg : *La sieste*.

Ventes Publiques : Vienne, 4 déc. 1973 : *Au café* : **ATS 38 000** – Londres, 4 nov. 1977 : *À la fontaine* 1889, h/t (46x38) : **GBP 1 800** – Londres, 17 mai 1985 : *Le repos des musiciens*, h/pan. (45,6x34,2) : **GBP 3 800** – Calais, 8 nov. 1987 : *La partie d'échecs* 1897, h/pan. (53x43) : **FRF 95 000** – New York, 25 fév. 1988 : *Marché aux fleurs* 1898, h/t (73,6x61) : **USD 22 000** – Versailles, 10 déc. 1989 : *Coucher du soleil sur la vallée*, h/t (59x76) : **FRF 5 000** – Londres, 14 fév. 1990 : *Les âges de la vie d'un homme*, h/pan. (53,5x65) : **GBP 2 640** – Paris, 6 avr. 1990 : *Cour de ferme*, h/t (27x35) : **FRF 4 500**.

WEISS Félix

Né en 1908 à Vienne. XXe siècle. Autrichien.

Sculpteur de statues, bustes.

Il fut élève de Bourdelle à Paris. Il exposa à Londres en 1933.

Musées : Pékin : *Buste de l'actrice Anna May Wong*.

Ventes Publiques : New York, 5 déc. 1985 : *Iwo Jima*, bronze, patine verte (H. 86,3) : **USD 21 000**.

WEISS Ferdinand Friedrich Wilhelm ou **Weis**

Né le 10 août 1814 à Magdebourg. Mort le 23 janvier 1878 à Berlin. XIXe siècle. Allemand.

Peintre de portraits et de genre.
Frère du peintre Carl Jacob Hermann W. Élève des Académies de Berlin et de Düsseldorf (atelier Schadow).
Musées : Berlin : *Le retour* – Mayence : *Le peintre Heinrich* – Potsdam : *Les trois enfants du médecin-général Puhlmann.*

WEISS Franz
xixe siècle. Actif à Vienne au début du xixe siècle. Autrichien.
Peintre sur porcelaine.
Il peignit des dessins d'or sur les porcelaines de la Manufacture de Vienne.

WEISS Franz Joseph
xviiie siècle. Suisse.
Peintre.
Il exécuta des tableaux d'autel pour l'église de Giswil.
Ventes Publiques : Monte-Carlo, 8 déc. 1984 : *Portrait de Maximilien III, Joseph, électeur de Bavière* 1759, gche (33,5x23,5) : **FRF 70 000**.

WEISS Frédéric
xixe siècle. Travaillant à Strasbourg dans la seconde moitié du xixe siècle. Français.
Peintre de portraits, dessinateur d'architectures et graveur à l'eau-forte.

WEISS Géo. Voir **WEISS Émile Georges,** dit **Géo**

WEISS Gottfried
Né en 1804 à Zurich. xixe siècle. Travaillant à Genève et à Zurich. Suisse.
Peintre et graveur.

WEISS Gustav
Né le 17 janvier 1886 à Saint-Gall. xxe siècle. Suisse.
Peintre de portraits, paysages, paysages urbains, graveur.
Élève de Erwin (?) Knirr à Mannheim et de Félix Valloton à Paris. Il était actif à Winterthur.
Musées : Winterthur : *Portrait de l'artiste – Printemps – Le Rhin près de Strasbourg – Petite rue à Ubeda.*

WEISS Hans Rudolf
Né en 1805 à Zurich. Mort vers 1875. xixe siècle. Suisse.
Peintre verrier.

WEISS Hermann. Voir **WEISS Carl Jacob Hermann**

WEISS Hugh
Né en 1925 à Philadelphie (Pennsylvanie). xxe siècle. Depuis 1948 actif en France. Américain.
Peintre de scènes animées, figures, animaux, dessinateur. Expressionniste, tendance surréaliste.
Il fit ses études à l'Université de Pennsylvanie, jusqu'à une maîtrise en philosophie ; puis à la Pennsylvania Academy of Fine Arts ; à la Fondation Barnes. Une bourse de l'Académie de Pennsylvanie lui permit de venir en France en 1948. Arrivé à Paris, il fut la proie facile pour toutes les sollicitations d'amitiés et d'influences diverses. Au bout du compte, en 1950, il entra en contact avec Corneille et Appel, dont l'orientation esthétique issue de COBRA convenait à sa propre aspiration profonde, qui était originellement de l'ordre d'un expressionnisme baroque.
Depuis 1947, il participe à un très grand nombre d'expositions de groupe, par exemple : Salon des Moins de Trente Ans, Paris 1948 ; Salon d'Automne et Salon de la Jeune Peinture, à partir de 1949 ; Salon des Jeunes Peintres, 1950, 1954, 1955 ; Salon de Mai, à partir de 1950, membre du comité depuis 1975 ; Sélections du Prix Othon Friesz, 1953, 1954, 1955 ; Réalités Nouvelles, à partir de 1954 ; Salon des Indépendants, à partir de 1957 ; Salon Grands et Jeunes d'Aujourd'hui, à partir de 1963 ; Salon Comparaisons, à partir de 1965 ; *Peinture Vivante 1965-1968*, à la Fondation Maeght de Saint-Paul-de-Vence, 1968 ; *L'animal, de la préhistoire à Picasso*, au Museum d'Histoire Naturelle de Paris, 1976 ; *Mythologies quotidiennes II*, au Musée d'Art Moderne de la Ville de Paris, 1977 ; Salon de Montrouge, depuis 1977 ; *De A à Z*, Paris galerie du Roi de Sicile, 1986 ; etc. ; ainsi que de très nombreux groupes aux États-Unis. En 1976, il a reçu la médaille d'or de la Triennale de New Delhi ; en 1977 lui fut attribué le Grand Prix du Salon de Montrouge, avec la peinture *Down* de 1974.
Depuis 1950, il montre régulièrement des expositions personnelles de ses peintures et dessins : en 1964 et suivantes, à Rotterdam, galerie Delta ; en 1967 et suivantes, à Paris galerie Lucien Durand ; en 1951 et suivantes, à New York ; 1965, Philadelphie ; 1966, Tübingen, et Lille ; 1971, Bruxelles ; 1975, 1977 Paris galerie Le Dessin ; 1976, Paris galerie Darthea Speyer, et Vitry-sur-Seine, rétrospective Galerie Municipale ; 1979, 1991, 1994, Tokyo galerie Nippon ; 1985, Paris galerie Breteau, Bruxelles Centre Culturel Américain ; 1987 Paris *Suite « Essuie-Tout »*, galerie du Roi de Sicile, et Musées de Grignon et de Dunkerque ; 1991, 1993, Paris galerie du Centre ; 1992 Musée de Maubeuge et Maison des Arts de Créteil, rétrospective ; 1996, Tokyo galerie Fine Art ; 1997, Paris *Les barques fragiles* galerie Hélène de Roquefeuil ; 1998, Paris *Les années 1950*, galerie Margaron ; etc.
Son exposition de 1998, à Paris galerie Margaron, a heureusement fait connaître ses peintures des années 1950, alors qu'il pratiquait une peinture qu'on peut attribuer soit au courant de l'abstraction informelle matiériste, soit à celui de l'expressionnisme abstrait, ou dans laquelle certains décèlent l'influence des peintures rupestres, d'autres celles conjuguées de Klee et de Miro. Tout cela n'est pas faux dans cette diversité des sources, aussi naturelle que saine dans la formation d'un jeune artiste. En tout cas, ce qu'on y remarque de très particulier par rapport au développement ultérieur de l'œuvre, c'est le rôle généreux, pratiquement prépondérant, de la couleur.
Cependant, il ne tarda pas à trouver son propre registre narratif et la technique appropriée. S'il est ensuite peut-être avant tout dessinateur, d'autant que la méthode de son activité créatrice n'est pas étrangère à l'écriture automatique de surréaliste mémoire, courant sur lapsus, calembours, rébus, dans ses peintures, où en effet le dessin commande, avec des colorations acides, plutôt jolies, avec des consistances fragiles d'aquarelle, il raconte le monde moderne, les gens, lui-même, tels qu'il les voit, aussi solennels que dérisoires. Jean-Louis Pradel en écrit : « Sur le petit théâtre que présente le peintre, tout n'est qu'illusion pour mieux nous faire perdre les nôtres. De paradoxes en ambiguïtés, de plaisanteries en canulars, le bon sens est malmené. Si le constat est pessimiste, il n'en est pas moins d'une fraîcheur anticonformiste révélatrice du bouillant tumulte que nos institutions s'efforcent de dissimuler ». Au fil des époques, certaines « choses » obsessionnelles émergent de ses profondeurs et occupent le terrain le temps d'une série jusqu'à évacuation, entre autres : années soixante : avions, ce qui permet de quitter le sol ; années soixante-dix : éléphants, qui lui ressemblent surtout par la trompe ; années quatre-vingts : coupoles baroques, unité de l'hétérogène ; années quatre-vingt-dix : les barques, pour nous embarquer où ? Dans des enchevêtrements inextricables, il agglomère pêle-mêle des jambes, des bras humains, avec des morceaux d'animaux, des têtes de chats parce qu'ils ne rient pas, des colonnes du temple, des coupoles de chapelles, et bien sûr sa propre figure de savant lunaire, auréolée d'une couronne blanche et aux gros yeux étonnés, rieurs prêts aux larmes, qui surveillent tout cela, qui s'agite, se mélange, au risque très assumé d'accouplements contre nature. ■ Jacques Busse
Bibliogr. : Gérald Gassiot-Talabot : Catalogue de l'exposition *Hugh Weiss*, Galerie Delta, Rotterdam, 1965 – F. Smejkal, in : *Opus International*, Paris, juin 1969 – Jean-Louis Pradel, in : *Opus International*, Paris, novembre 1972 – Gérard Xuriguéra, in : *Les années 50*, Arted, Paris, 1984 – Catalogue de l'exposition *Hugh Weiss – Suite « Essuie-Tout »*, galerie du Roi de Sicile, Paris, 1987 – in : *Diction. de l'Art Mod. et Contemp.*, Hazan, Paris, 1992 – Lydia Harambourg, in : *L'École de Paris 1945-1965. Diction. des Peintres*, Ides et Calendes, Neuchâtel, 1993.
Musées : Besançon – Bourg-en-Bresse – Dole – Dunkerque – Ivry – Paris (FNAC) – Paris (FRAC Île-de-France) : *Les témoins et les accidentés* – Paris (Mus. d'Art Mod. de la Ville) – Vitry.
Ventes Publiques : Paris, 14 oct. 1989 : *Down* 1974, acryl. et h/t : **FRF 38 000** – Paris, 14 mars 1990 : *L'accident d'Akhenaton* 1984, h/t (65x54) : **FRF 12 000** – Lokeren, 11 mars 1995 : *L'arroseur arrosé* 1967, acryl./t. (97,5x97,5) : **BEF 36 000**.

WEISS Ignaz ou **Franz Ignaz**
Mort le 30 mars 1756 à Prague. xviiie siècle. Autrichien.
Sculpteur.
Il sculpta un autel et les statues des douze apôtres dans l'abbatiale de Unter-Rotschov.

WEISS Isidoro
Né le 4 avril 1774 à Strigno. xviiie-xixe siècles. Italien.
Graveur au burin.
Il travailla en Pologne et grava de nombreux portraits de l'époque napoléonienne.

WEISS J.
Né à Hundwil. xixe siècle. Actif au début du xixe siècle. Suisse.
Peintre.
Il peignit des portraits et des sujets religieux. Le Musée de

Frauenfeld conserve de lui *Portrait de Jakob et de Susanna Rutishauser*, et le Musée National de Zurich, *Portrait du colonel Honerlag à Trogen*.

WEISS Jeannette
XXe siècle. Française.
Peintre et verrier.
Elle est active dans la seconde moitié du XXe siècle. Nombreuses expositions au Canada et en France.
Spécialiste du vitrail et de l'aluchromie qui est une technique de coloration de l'aluminium. Elle a toujours fait des choses monumentales.

WEISS Johan ou **Weis** ou **Weyse**
XVIIIe siècle. Travaillant de 1716 à 1731. Danois.
Sculpteur d'ornements et ébéniste.

WEISS Johann
Né en 1745 ou 1747 à Prague. Mort le 13 novembre 1787 à Prague. XVIIIe siècle. Autrichien.
Peintre.

WEISS Johann
Né en 1774. Mort le 15 mars 1809 à Vienne. XVIIIe siècle. Autrichien.
Graveur au burin.

WEISS Johann
Né en 1794. Mort le 29 avril 1861 à Vienne. XIXe siècle. Autrichien.
Médailleur et graveur de monnaies.
Il grava des médailles à l'effigie de princes et d'hommes illustres.

WEISS Johann Bernhard
XVIIIe siècle. Actif à Eggenbourg en 1755. Autrichien.
Sculpteur.

WEISS Johann Jakob. Voir **WYSS**

WEISS Johann Martin. Voir **WEIS**

WEISS Johann-Baptist
Né en 1812 à Munich. Mort en 1879 à Munich. XIXe siècle. Allemand.
Peintre de marines et graveur.
Il exposa à Munich en 1854. Il travailla en Suède et Norvège, en Angleterre, en Grèce, en Russie. La Pinacothèque de Munich conserve de lui *Un Trois-mâts*.

WEISS Johannes
XVe-XVIe siècles. Actif à Kaschau, de 1491 à 1521. Hongrois.
Sculpteur.

WEISS Johannes
Né le 23 mars 1704 à Mulhouse (Haut-Rhin). Mort le 11 mai 1757 à Mulhouse (Haut-Rhin). XVIIIe siècle. Français.
Peintre.
Il peignit des armoiries.

WEISS Johannes
Né en 1810 à Hundwil. XIXe siècle. Actif à Hérisau. Suisse.
Peintre de scènes de genre, portraits.
Élève de J. J. Tanner. Il exposa à Saint-Gall de 1832 à 1855.

WEISS José
Né le 22 janvier 1859 à Paris, de parents anglais. Mort en 1904 ou 1919. XIXe-XXe siècles. Britannique.
Peintre de paysages, paysages d'eau.
Il figura aux Expositions de Paris, de 1894 à 1914 ; mention honorable en 1899.

Ventes Publiques : Paris, 22 mars 1944 : *Paysages*, deux panneaux : **FRF 620** – New York, 14 juin 1973 : *Paysage fluvial* : **USD 1 600** – Cologne, 25 juin 1976 : *Paysage fluvial*, h/t (63x102) : **DEM 2 000** – Washington D. C., 24 sep. 1978 : *Paysage au crépuscule*, h/t (63,5x94) : **USD 1 050** – Amsterdam, 28 oct. 1980 : *Paysage fluvial*, h/t (59x89) : **NLG 2 800** – New York, 29 fév. 1984 : *Vue de Château-Gaillard*, h/t (52x77,5) : **USD 3 000** – New York, 15 fév. 1985 : *Paysage fluvial boisé en Picardie*, h/t (50,8x76,2) : **USD 2 200** – Londres, 26 fév. 1988 : *Paysage boisé*, h/t (61x91,5) : **GBP 770** – Londres, 5 mai 1989 : *Paysages boisés*, h/pan., une paire (chaque 25x38) : **GBP 3 300** – New York, 23 mai 1989 : *Jour d'été*, h/t (81,9x122,5) : **USD 11 000** – Londres, 26 sep. 1990 : *Printemps*, h/pan. (25,5x38) : **GBP 990** – Londres, 22 nov. 1990 : *Ruisseau dans un paysage boisé*, h/t (60,9x91,4) : **GBP 1 540** – Versailles, 25 nov. 1990 : *Au bord de la rivière après l'orage*, h/pan. (16x27) : **FRF 4 500** – Londres, 13 fév. 1991 : *Midi*, h/t (81,5x102) : **GBP 2 420** – Montréal, 4 juin 1991 : *Coucher de soleil*, h/t (35,5x50,8) : **CAD 1 200** – New York, 15 oct. 1991 : *La berge d'une rivière*, h/pan. (24,7x45,8) : **USD 1 650** – Paris, 21 oct. 1992 : *Paysage de la campagne anglaise*, h/t (91x141) : **FRF 14 000** – New York, 20 jan. 1993 : *Sur la rivière Arun dans le Sussex*, h/t (35,6x50,8) : **USD 1 725** – New York, 17 jan. 1996 : *Au cimetière*, h/pan. (17,1x27,3) : **USD 1 495**.

WEISS Josef ou **Weis**
Né vers 1760. Mort le 5 décembre 1842 à Salzbourg. XVIIIe-XIXe siècles. Autrichien.
Peintre et graveur de sceaux.
Le Musée Municipal de Salzbourg conserve de lui deux dessins à la plume (*Mercure* et *Une chanoine de Mattsee*).

WEISS Josef
XIXe siècle. Actif au début du XIXe siècle. Autrichien.
Dessinateur.
Il dessina surtout des cartes et des plans. Peut-être identique au précédent.

WEISS Joseph Andreas
Né le 31 juillet 1814 à Freising. Mort le 20 avril 1887 à Munich. XIXe siècle. Allemand.
Peintre d'histoire, architectures, paysages urbains.
Il travailla à Munich et exposa à Vienne en 1873. Peintre de la cour du Duc Max Eugen de Leuchtenberg, en 1839 il choisit de vivre à Saint-Pétersbourg, où il resta jusqu'en 1852.
Spécialisé dans la peinture d'architecture, il reçut commande de Nicolas 1er de deux grands panoramas de Moscou et de Saint-Pétersbourg, cadeaux de mariage de la Grande Duchesse Olga.
Musées : Munich (Pina.) : *Le double pont Schwanentor à Munich avant la démolition* 1859 – *La maison Brunnen sur l'ancienne place Dult avant la démolition* 1875 – *La porte Sendling* – *L'ancienne maison Thierseh à Munich* – *Vue de Munich* – Munich (Mus. mun.) : *Vue de Munich* – *Entrée du roi Otto Ier de Grèce à Munich* – *Vieille porte près du Pont Louis* – *Vue du temple protestant*.
Ventes Publiques : Cologne, 23 nov. 1977 : *Vue de Saint-Pétersbourg* 1872, h/t (46x73) : **CHF 600** – Londres, 17 juil. 1996 : *Vue du Kremlin à Moscou avec le Palais vu du fleuve, entouré de 14 petites vues des églises et des poternes* 1846, aquar. et cr. (27,5x20,5) : **GBP 17 250**.

WEISS Karl
Né en 1860 à Brunn. XIXe-XXe siècles. Autrichien.
Peintre.
Élève d'A. Hlavacek à Vienne. Il était actif à Vienne.
Ventes Publiques : Vienne, 19 jan. 1984 : *Scène de marché, Karmeliterplatz*, aquar. (14x23) : **ATS 18 000**.

WEISS Kurt
Né le 23 janvier 1895 à Laa. XXe siècle. Autrichien.
Peintre.
Élève de l'Académie de Vienne. Il était actif à Vienne. Il peignit des fresques sur la façade de maisons bourgeoises.

WEISS Mathias Anton ou **Weis**
XVIIIe siècle. Actif dans la première moitié du XVIIIe siècle. Autrichien.
Dessinateur d'architectures.
Il dessina des monuments d'Espagne et des monastères de Roumanie.

WEISS Michael
Né le 9 juin 1733 à Hermannstadt. Mort le 17 février 1791 à Hermannstadt. XVIIIe siècle. Autrichien.
Peintre.
Musées : Sibiu : une armoire ornée de peintures.

WEISS Michael
XVIIIe-XIXe siècles. Actif à Eggenbourg. Autrichien.
Sculpteur.
Il sculpta des autels pour les églises de Freischling et de Gars.

WEISS Niklaus ou **Wyss**
XVIIIe siècle. Actif à Einsiedeln. Suisse.
Peintre.
Il peignit des fresques et des tableaux d'autel pour l'abbatiale d'Einsiedeln.

WEISS Oscar
Né le 25 novembre 1882 à Zurich. Mort en 1965. XXe siècle. Suisse.
Peintre de nus, paysages.

Musées : Aarau (Aargauer Kunsthaus) : *Nu assis* 1932 – Genève (Atheneum) : *Paysage* – Zurich (Kunsthaus) : *Paysage*.
Ventes Publiques : Zurich, 8 nov. 1980 : *Lac de montagne* 1913, h/t (75x66) : **CHF 2 600** – Zurich, 10 nov. 1984 : *Autoportrait (recto) ; Bouquet de fleurs (verso)* 1959, h/pan., une paire (81x44) : **CHF 2 800**.

WEISS Paul
Né le 27 mai 1747 à Vienne. Mort le 1er janvier 1818 à Vienne. XVIIIe-XIXe siècles. Autrichien.
Peintre, dessinateur.
Ventes Publiques : Rome, 13 déc. 1995 : *Profil de l'Empereur Adrien ; Profil de l'Empereur Nerva*, aquar. et sépia/pap., une paire (32x21) : **ITL 2 070 000**.

WEISS Paul
Né le 19 juillet 1888 à Töss, près de Winterthur. XXe siècle. Suisse.
Peintre de portraits, paysages, graveur.
Il fut élève des Académies de Karlsruhe et de Munich.
Musées : Coire : *Vue sur le Lac de Zug – Rivière près de Hinterrheim* – Vevey : *Portrait d'une dame*.

WEISS Renzo
Né le 2 septembre 1856 à Trente. Mort le 24 février 1931 à Milan. XIXe-XXe siècles. Italien.
Peintre de paysages.

WEISS Rosario. Voir **WEISS-ZORRILLA Maria del Rosario**

WEISS Rudolf ou **Johann Rudolf**
Né le 3 septembre 1846 à Bâle. XIXe siècle. Suisse.
Peintre de sujets typiques, paysages, décors, aquarelliste. Orientaliste.
Il était actif à Bienne. Il peignit des décorations et des décors.
Musées : Berne : *Rue du Caire* – Bienne : *Ruines près de Baalbeck – Rue au Caire – Paysage au Lac de Bienne – La Wengeralp*.
Ventes Publiques : New York, 26 janv 1979 : *Village au bord d'un lac alpestre* 1905, h/t (61x90) : **USD 2 200** – Londres, 21 mars 1980 : *Scène de rue au Caire*, h/pan. (52x63,5) : **GBP 4 800** – Londres, 24 juin 1988 : *La dernière acquisition* 1888, h/pan. (61x49,3) : **GBP 8 800** – Londres, 14 juin 1995 : *L'heure de la prière loin du Caire*, aquar. (30x47) : **GBP 2 990** – Londres, 31 oct. 1996 : *Scène de rue au Caire*, cr. et aquar. (24,5x16) : **GBP 1 495**.

WEISS Rudolph ou **Rodolphe**
Né le 28 février 1869 à Usti (Bohême). XIXe-XXe siècles. Tchécoslovaque.
Peintre de genre, portraits.
Élève de l'École des Beaux-Arts de Vienne. Expose à Paris, au Salon des Artistes Français, à partir de 1920, à Bordeaux, Toulon, Londres et Vienne, où il obtint une médaille d'argent en 1920.

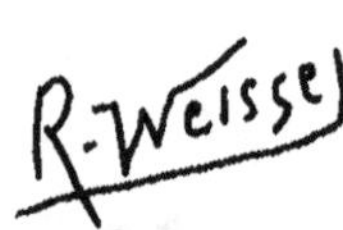

WEISS Thomas
XVIIe siècle. Actif à Salzbourg. Autrichien.
Graveur au burin.
Il grava des architectures de Salzbourg et des événements contemporains.

WEISS W.
Né à Falkenau. XIXe siècle. Travaillant à Amsterdam vers 1840. Hollandais.
Peintre de fleurs et de fruits.

WEISS Wojcieh Stanislav
Né le 4 mai 1875 à Leorda. XXe siècle. Polonais.
Peintre de nus, portraits, paysages, graveur et sculpteur.
Il fut élève de l'Académie de Cracovie. En 1928 il exposait *Modèle* et *Pivoines* à la Section Polonaise du Salon d'Automne, organisée par la Société d'Échanges Littéraires et Artistiques entre la France et la Pologne.
Musées : Cracovie – Paris (Mus. d'Orsay) : *Modiste – Le repos du peintre* – Posen – Varsovie.

WEISS Y ZORRILLA Maria del Rosario
Née le 2 octobre 1814 à Madrid. Morte le 31 juillet 1845 à Madrid. XIXe siècle. Espagnole.
Peintre de genre, portraits, graveur, lithographe.
Elle fut élève de Francisco Goya. Elle grava des portraits de son maître, de Vélasquez.
Dans sa brève carrière, elle a laissé des études très poussées, de visages, de plantes, et traité quelques portraits empreints de gravité.
Musées : Bordeaux (Mus. des Beaux-Arts) : *Une Sylphide*.

WEISSBERG Léon
Né en 1893 à Przeworsk (Galicie). Mort en 1943 en Allemagne, porté disparu. XXe siècle. Polonais.
Peintre de figures, nus, portraits, paysages, paysages urbains, natures mortes, fleurs.
D'une famille d'imprimeurs, il suit d'abord des cours de droit pour devenir avocat, tout en s'intéressant à la musique. Entre 1914 et 1918, il fréquente l'Académie d'Art de Munich et réside simultanément à Vienne. Il se rend ensuite, à pied, en Italie et en Hollande. Ayant rencontré Alfred Aberdam et Sigmund Menkes, il découvre Berlin en leur compagnie. En 1925, les trois amis viennent à Paris.
Fixé dans la capitale française, Weissberg peint des portraits et des paysages : œuvres poétiques et vigoureuses à la fois. Durant la Deuxième Guerre mondiale, il s'installe quelques mois à Rodez, puis travaille ensuite à Marseille, en 1942. Arrêté en février 1943, sur l'ordre de la Gestapo, il est envoyé dans un camp d'internement, puis à Drancy. En mars 1943, il est déporté en Allemagne et l'on perd totalement sa trace.
Ventes Publiques : Paris, 17 mars 1975 : *Maison dans les arbres* : **FRF 2 500** – Paris, 8 avr. 1990 : *La Place* (50x61) : **FRF 47 000** – Paris, 7 nov. 1990 : *Nu sur la chaise* 1927, h/t (81x60) : **FRF 90 000** – Paris, 14 avr. 1991 : *Portrait de jeune fille* vers 1941, h/cart. (27x21,5) : **FRF 23 000** – Paris, 18 avr. 1991 : *Annette au chapeau blanc*, h/t (65x54) : **FRF 100 000** – Paris, 19 nov. 1991 : *Nature morte*, h/t (46,5x55) : **FRF 9 000** – Paris, 17 mai 1992 : *Bouquet*, h/cart. mar./t. (35x27) : **FRF 15 000** – New York, 9 mai 1994 : *Femme*, h/t (54x45) : **USD 805**.

WEISSBROD Johann Baptiste Gabriel Eduard
Né le 19 juin 1834 à Munich. Mort le 7 novembre 1912 à Bâle. XIXe-XXe siècles. Suisse.
Peintre de compositions religieuses, scènes de genre, portraits, paysages.
Élève de l'Académie des Beaux-Arts de Munich et de Courbet à Paris.

WEISSBROD Karl Wilhelm ou **Albrecht Wilhelm Carl**. Voir **WEISBROD**

WEISSE Gotthelf Wilhelm. Voir **WEISE**

WEISSE Léon
Né à Metz (Moselle). Mort en 1896. XIXe siècle. Français.
Peintre de paysages.
Il débuta au Salon en 1880. Le Musée de Toul conserve un *Paysage* de lui.
Ventes Publiques : Paris, 2 juil. 1951 : *Le village* : **FRF 1 000**.

WEISSE Rodolphe. Voir **WEISS Rudolf**

WEISSENBERGER Franz
Né en 1819 à Vienne. Mort le 12 février 1875 à Vienne. XIXe siècle. Autrichien.
Sculpteur.
Élève de l'Académie de Vienne. Il sculpta des monuments, des statues équestres et des bustes.

WEISSENBRUCH Frederik Adrianus
Né le 8 octobre 1826 à La Haye. Mort le 15 août 1882 à La Haye. XIXe siècle. Hollandais.
Graveur sur bois.
Il travailla pour des illustrés et des revues d'histoire.

WEISSENBRUCH Frederik Hendrik
Né le 1er juin 1828 à La Haye. Mort le 23 juin 1887 à La Haye. XIXe siècle. Hollandais.
Aquafortiste, lithographe et restaurateur de tableaux.
Ventes Publiques : Londres, 28 févr 1979 : *Paysage au moulin*, aquar. (35,5x62,5) : **GBP 2 100**.

WEISSENBRUCH Isaac
Né le 27 août 1826 à La Haye. Mort le 13 novembre 1912 à Amsterdam. XIXe-XXe siècles. Hollandais.
Graveur sur bois.
Il travailla pour des illustrés hollandais.

WEISSENBRUCH Jan ou **Johannes Hendrik**
Né le 30 novembre 1824 à La Haye. Mort le 24 mars 1903 à La Haye. XIXe siècle. Hollandais.
Peintre de paysages, paysages urbains, aquarelliste, aquafortiste.

Il signe toujours J. H., mais pour le distinguer de son cousin Jan, on l'appelait Hendrik. Élève de Bartholomeus Johannes Van Hove à l'Académie de La Haye de 1843 à 1850, il exposa au Salon de Paris, obtint une médaille d'argent à l'Exposition Universelle de 1889 et une médaille d'or à celle de 1900.

Proche des peintres de Barbizon, il peint des bords de mer, pâturages, plages, bords de rivière dont les effets atmosphériques les apparentent aux toiles de Daubigny. Une de ses expressions favorites caractérise bien son œuvre : « Si la nature ne me donne pas de commotion, je ne ressens rien pour elle ».

Bibliogr. : Gérald Schurr, in : *Les Petits Maîtres de la peinture 1820-1920, valeur de demain*, Les Éditions de l'Amateur, t. V, Paris, 1981 – in : *Diction. de la peinture flamande et hollandaise*, coll. Essentiels, Larousse, Paris, 1989.

Musées : Amsterdam (Rijksmus.) : *Paysage près de Geestbrug* 1868 – *Paysage hollandais* – *Aux environs de Barbizon* – Amsterdam (Mus. mun.) : *Grange avec arbres* – La Haye (Gemeentemus.) : *Plage* 1887 – *Marché aux poissons* – *Souvenir de Haarlem* – La Haye (Mus. Mesdag) : *À la plage de Scheveningen* 1879, aquar. – Toledo, Ohio (Mus. of Art) : *Moulin au bord de l'eau* 1895, aquar.

Ventes Publiques : La Haye, 5-7 nov. 1947 : *Le Spaarne à Haarlem*, aquar. : **NLG 4 000** ; *Bateaux de pêche* : **NLG 8 800** – Amsterdam, 3-9 nov. 1964 : *Paysage avec vue sur la ville de Haarlem* : **NLG 5 200** – Amsterdam, 27-28 fév. 1968 : *Paysage aux environs de La Haye* : **NLG 22 000** – Amsterdam, 22 mai 1973 : *L'église du village* : **NLG 46 000** – New York, 9 oct. 1974 : *Paysage* 1894, aquar. : **USD 2 200** – Amsterdam, 27 avr. 1976 : *Paysage fluvial au crépuscule*, h/t (49x85,5) : **NLG 95 000** – Amsterdam, 15 nov. 1976 : *Paysage avec troupeau*, aquar. (17,5x24,5) : **NLG 3 600** – Amsterdam, 26 avr. 1977 : *Bord de mer*, aquar. (36,5x53,5) : **NLG 20 000** – Londres, 6 mai 1977 : *Paysage fluvial boisé animé de personnages*, h/t (35,5x63,5) : **GBP 4 300** – Amsterdam, 15 mai 1979 : *La ferme au bord du canal* 1889, h/t (57x78) : **NLG 13 000** – Amsterdam, 23 avr. 1980 : *Paysage au moulin*, aquar. (51x70) : **NLG 14 000** – New York, 27 fév. 1982 : *Vaches au pâturage*, aquar. reh. de blanc : **USD 1 200** – Toronto, 13 avr. 1983 : *Paysage marécageux*, aquar. (33x57,2) : **CAD 2 600** – Zurich, 19 juil. 1984 : *Paysage au canal et au pont de chemin de fer, Hollande* 1889, h/t (57,5x77,5) : **CHF 13 000** – New York, 13 fév. 1985 : *Les dunes près de Scheveningen* 1900, h/t (39,4x54,6) : **USD 1 900** – Londres, 24 juin 1988 : *Village hollandais au bord d'un canal*, cr. et aquar. (25,1x36) : **GBP 4 620** – Amsterdam, 16 nov. 1988 : *Paysage de polder avec un paysan dans une barque près de la ferme*, aquar./pap. (38x57) : **NLG 17 250** ; *Une ville portuaire avec de nombreux personnages sur le quai, un clocher au lointain* 1858, h/pan. (27x35,5) : **NLG 63 250** – Amsterdam, 10 avr. 1990 : *Lac sous un ciel nuageux*, aquar. et gche/pap. (52x71) : **NLG 13 800** – Amsterdam, 5 juin 1990 : *Promenade équestre*, h/pan. (20x15) : **NLG 16 100** – Amsterdam, 11 sep. 1990 : *Paysage boisé*, aquar./pap. (15x19,5) : **NLG 1 610** – New York, 19 juil. 1990 : *Paysage avec un moulin à vent*, aquar./pap. (19,1x29,3) : **USD 770** – Amsterdam, 30 oct. 1990 : *Une ferme le long d'une rivière*, h/t (38x54) : **NLG 17 250** – Amsterdam, 12 déc. 1990 : *Maison dans les dunes*, craie noire avec reh. de blanc/pap. (10x14) : **NLG 1 725** – Amsterdam, 24 avr. 1991 : *Après-midi d'été nuageux* 1871, h/pan. (27,5x60,5) : **NLG 78 200** – Amsterdam, 5-6 nov. 1991 : *Paysage des environs au nord de La Haye*, h/t (41,5x75,5) : **NLG 155 250** – Amsterdam, 14-15 avr. 1992 : *Paysage de polder avec un paysan écartant une barque du rivage avec une perche*, aquar. (34,5x45,5) : **NLG 31 050** – Amsterdam, 2 nov. 1992 : *Cottage dans un paysage*, h/pan. (24x32) : **NLG 7 820** – Amsterdam, 10 déc. 1992 : *Paysage fluvial boisé avec une barque*, aquar./pap. (27x22) : **NLG 5 175** – Amsterdam, 11 fév. 1993 : *Paysannes faisant sécher leur lessive devant la ferme*, h/t/pan. (32x25) : **NLG 5 520** – Amsterdam, 9 nov. 1993 : *Intérieur d'étable avec des poules* 1893, aquar. (33x47,5) : **NLG 32 200** – New York, 17 fév. 1994 : *Village*, aquar./pap. (14x23,5) : **USD 8 625** – Londres, 15 juin 1994 : *Paysage côtier hollandais* 1879, aquar. et fus. (26x53) : **GBP 6 900** – Amsterdam, 11 avr. 1995 : *Vache sur la berge d'une rivière* 1894, aquar. (44x75) : **NLG 23 600** – Amsterdam, 7 nov. 1995 : *Vue d'une ville*, aquar. (31x41,5) : **NLG 27 140** – Amsterdam, 5 nov. 1996 : *Paysage de rivière avec moulins*, h/t (50x75) : **NLG 123 900** – Amsterdam, 22 avr. 1997 : *Une charrette tirée par un cheval sur un chemin*, aquar. (30x23) : **NLG 15 340** – Londres, 21 nov. 1997 : *Paysage de polder avec un moulin à vent*, aquar. et gche/pap./cart. (40x54,9) : **GBP 17 250** – Amsterdam, 27 oct. 1997 : *Bateau près d'un moulin dans un paysage de polder*, aquar. (25x39) : **NLG 13 570** ; *Dans la grange*, h/pan. (21x31) : **NLG 23 600**.

WEISSENBRUCH Johannes ou **Jan**

Né le 18 mars 1824 à La Haye. Mort le 15 février 1880 à La Haye, en 1903 selon d'autres sources. XIXe siècle. Allemand.

Peintre de paysages animés, paysages, paysages urbains, aquarelliste, graveur.

Il fut élève de Salomon Leonardus Verveer.

Musées : Amsterdam : *L'église Saint-Denis, à Liège* – *Vieille rue à Batavia* – *Porte de la ville de Leerdam* – *J. H. L. Meyer* – Amsterdam (Mus. mun.) : *Vue d'une ville* – Bucarest (Simu) : *Aquarelle* – Dordrecht : *Cour dans l'Hôtel de Ville de Culembourg* – Édimbourg : *Aux environs de Dordrecht* – La Haye (comm.) : *Vue de l'ancienne halle des bouchers de La Haye* – *Paysage* – *Petit mur d'une ville* – La Haye (Mus. Mesdag) : *Place devant une église*.

Ventes Publiques : Amsterdam, 1881 : *L'ancienne porte de Leerdam* : **FRF 1 785** – Amsterdam, 1884 : *Vue de ville*, aquar. : **FRF 504** – Amsterdam, 1884 : *Vue de ville* : **FRF 2 196** – Londres, 22 juin 1923 : *Village common* : **GBP 131** – Londres, 9 mai 1924 : *Automne*, dess. : **GBP 42** – Amsterdam, 13 mars 1951 : *Vue de ville avec canal et pont-levis* : **NLG 1 050** – Amsterdam, 25 oct. 1966 : *Vue d'une ville au bord d'une rivière* : **NLG 7 500** – Amsterdam, 11 avr. 1967 : *Paysage avec château* : **NLG 8 600** – Amsterdam, 11 nov. 1970 : *Vue d'une petite ville de Hollande* : **NLG 6 400** – Anvers, 12 oct. 1971 : *Paysage*, aquar. : **BEF 50 000** – Londres, 12 oct. 1977 : *Village au bord de l'eau*, aquar. et pl. (11,5x18,5) : **GBP 620** – Amsterdam, 29 oct. 1984 : *Vue d'une ville*, h/t (60x82) : **NLG 64 000** – Londres, 25 mars 1987 : *Personnage au bord d'une rivière*, aquar. (52x33) : **GBP 4 800** – Amsterdam, 10 avr. 1990 : *Personnages sur un quai près de barques amarrées* 1846, encre, lav. et aquar./pap. (10x14,5) : **NLG 6 900** – Amsterdam, 2 mai 1990 : *Le marché au poisson* 1846, h/t (68x92) : **NLG 172 500** – Amsterdam, 23 avr. 1991 : *Personnages sur un sentier le long d'un canal*, h/pan. (10,5x14,5) : **NLG 8 625** – Amsterdam, 24 avr. 1991 : *Paysage fluvial avec des péniches et un couple conversant près d'un moulin à vent*, h./le couvercle d'une tabatière (7x11,5) : **NLG 11 500** – Londres, 19 juin 1991 : *Rue d'Amsterdam animée*, h/pan. (19x27) : **GBP 5 720** – Amsterdam, 21 avr. 1994 : *Patineurs sur le Hofvijver à La Haye*, h/pan. (32,5x43) : **NLG 89 700** – Londres, 14 juin 1995 : *Scène de village en Hollande*, h/t (42x53) : **GBP 5 980** – Paris, 28 mars 1996 : *Place devant une église*, h/pan. (19x14,9) : **FRF 44 000** – Amsterdam, 19-20 fév. 1997 : *Pêche sur les quais d'une ville*, aquar., cr. et encres noire et beige/pap. (14,5x20,5) : **NLG 3 228** – Amsterdam, 27 oct. 1997 : *Personnages sur une place*, aquar. (25x35) : **NLG 29 500**.

WEISSENBRUCH Willem

Né le 13 février 1864 à La Haye. Mort en 1941 à Aedenhout. XIXe-XXe siècles. Hollandais.

Peintre de paysages animés, paysages d'eau, natures mortes, aquafortiste.

Fils de Jan Hendrik Weiss et élève de l'Académie des Beaux-Arts de La Haye.

Il s'est totalement investi dans la peinture des paysages les plus caractéristiques de la Hollande et de la vie de ses habitants.

Ventes Publiques : Amsterdam, 16 mars 1976 : *Troupeau dans un paysage*, h/t (59x39,5) : **NLG 2 700** – Londres, 5 mai 1989 : *Moulins à vent au bord du canal*, h/t (76x100) : **GBP 2 420** – Amsterdam, 5 juin 1990 : *Vache sur la barge du passeur dans un polder* 1937, h/t (48x68) : **NLG 3 450** – Amsterdam, 11 sep. 1990 : *Paysage fluvial avec un personnage dans une barque* 1907, aquar. et gche/pap. (18,5x24) : **NLG 1 725** – Amsterdam, 30 oct. 1990 : *Lac avec des cygnes*, h/pan. (25x27,5) : **NLG 2 185** – Amsterdam, 24 avr. 1991 : *Paysage fluvial avec un moulin à vent*, h/t (39x50) : **NLG 5 520** – Amsterdam, 5-6 nov. 1991 : *Paysage de polder avec une ferme*, h/t (33x49) : **NLG 2 645** – Amsterdam, 3 nov. 1992 : *Paysage de polder avec un moulin*, h/t (39x49) : **NLG 3 680** – Amsterdam, 20 avr. 1993 : *Scène de plage*, h/t (40x60) : **NLG 7 820** – Amsterdam, 21 avr. 1994 : *Paysan dans un champ de choux*, h/pan. (16,5x23) : **NLG 4 830** – Amsterdam, 16 avr. 1996 : *Paysage de polder avec une barque*, h/pan. (21,5x33) : **NLG 3 540** – Amsterdam, 2 juil. 1997 : *Une ferme dans un paysage de polder par temps gris avec un paysan dans une barque en avant plan*, fus. et aquar./pap. (47x63,5) : **NLG 9 802**.

WEISSENFELD Anton
Mort en 1832. XIXᵉ siècle. Actif à Graz. Autrichien.
Portraitiste et miniaturiste.
Il exposa à Graz en 1890.
MUSÉES : GRAZ : *Portrait en miniature* – VIENNE : *Portrait de l'actrice Julie Rettich.*

WEISSENKIRCHNER Hanns
Mort en 1467. XVᵉ siècle. Actif à Salzbourg. Autrichien.
Peintre.

WEISSENKIRCHNER Hans Adam ou **Hans Johann Adam**
Né en 1646 à Laufen. Mort en 1695 à Graz. XVIIᵉ siècle. Autrichien.
Peintre.
Fils de Wolf W. l'Ancien. Le plus important artiste de sa famille. Il séjourna longtemps en Italie. Il orna de fresques la grande Salle du château d'Eggenberg. Le Musée de Graz conserve de lui : *Baptême du Christ, Vénus épiée par un satyre, La Vierge et l'Enfant.*
VENTES PUBLIQUES : MUNICH, 26-27 nov. 1991 : *Allégorie de la mort*, encre et lav. sur craie (20x27,5) : **DEM 1 840.**

WEISSENKIRCHNER Matthias Wilhelm
Né le 15 septembre 1670 à Salzbourg. Mort le 8 septembre 1727. XVIIᵉ-XVIIIᵉ siècles. Autrichien.
Sculpteur.
Fils de Wolf W. le Jeune et son élève. Il sculpta des tombeaux, des statues et des armoiries.

WEISSENKIRCHNER Wilhelm
Mort le 12 janvier 1627 à Salzbourg. XVIIᵉ siècle. Autrichien.
Peintre.
Père de Wolf W. l'Ancien. Il était aubergiste. Il peignit des épitaphes dans l'abbatiale de Tittmoning.

WEISSENKIRCHNER Wolf, l'Ancien
Né en 1609 à Salzbourg. Mort le 28 août 1677. XVIIᵉ siècle. Autrichien.
Sculpteur.
Père de Wolf W. le Jeune et de Hans Adam W. Il sculpta des sujets religieux pour de nombreuses églises de la province de Salzbourg.

WEISSENKIRCHNER Wolf, le Jeune
Né en 1639. Mort en 1703. XVIIᵉ siècle. Actif à Salzbourg. Autrichien.
Sculpteur.
Fils de Wolf W. l'Ancien. Représentant du baroque tardif. Il sculpta surtout des autels à Salzbourg et dans les environs, mais aussi des fonts baptismaux, des statues et des tabernacles.

WEISSER. Voir aussi **WEISER**

WEISSER Charles Louis Auguste
Né le 18 juin 1864 à Montbéliard (Doubs). XIXᵉ-XXᵉ siècles. Français.
Peintre de genre, paysagiste et peintre animalier.
Élève de Gérôme et d'Aimé Morot. Membre de la Société des Artistes Français depuis 1887 ; mention honorable en 1905, médaille de troisième classe en 1909.
MUSÉES : BESANÇON – CHOLET – MONTBÉLIARD – ROUEN : *Un fumeur.*
VENTES PUBLIQUES : PARIS, 5 fév. 1923 : *Vieux pêcheur préparant ses engins* : **FRF 190.**

WEISSER Friedrich
XVIIIᵉ siècle. Travaillant à Brunn en 1714. Autrichien.
Sculpteur et stucateur.
Il sculpta le maître-autel et un tabernacle pour l'église des Dominicaines de Brunn.

WEISSER Ludwig ou **Karl Ludwig**
Né le 2 juin 1823 à Herrenberg. Mort le 26 mai 1879 à Stuttgart. XIXᵉ siècle. Allemand.
Dessinateur, lithographe, écrivain et graveur.
Élève de Küstner et de l'École d'Art de Stuttgart. Il produisit un grand nombre d'illustrations. En 1858 il fut nommé conservateur du Cabinet des estampes de Stuttgart.

WEISSFELD Thomas ou **Weissfelder**. Voir **WEISFELDT**

WEISSGERBER Carl
Né en 1891 à Ahrweiler. XXᵉ siècle. Allemand.
Peintre de genre, paysages animés, animalier.
De 1918 à 1925, il fut élève de l'École des Beaux-Arts de Düsseldorf. Il a participé à de nombreuses expositions collectives dans son pays et à l'étranger, notamment en 1962 à l'exposition *Artistes de Düsseldorf* au musée des Beaux-Arts d'Ostende.

WEISSHAUPT Andreas. Voir **WYSSHAUPT**

WEISSHAUPT Victor. Voir **WEISHAUPT**

WEISSKIRCHNER. Voir **WEISSENKIRCHNER**

WEISSKOPF Jeremias
XVIIᵉ-XVIIIᵉ siècles. Actif à Pians. Autrichien.
Sculpteur.
Il a sculpté des statues sur l'autel de l'église de Hainbourg en 1713.

WEISSKOPF Josef Franz ou **Weisskopp** ou **Weiskop** ou **Weyszkpof**
Né à Prague. XVIIIᵉ siècle. Travaillant à Olmutz de 1708 à 1716. Autrichien.
Peintre.

WEISSMANN Christoph
XVIᵉ-XVIIᵉ siècles. Autrichien.
Peintre.
Il travailla pour la cathédrale de Ljubljana de 1608 à 1627.

WEISSMANN Franz
Né en 1914. XXᵉ siècle. Brésilien.
Sculpteur. Abstrait-géométrique.
Il fit partie du groupe *Frente*, créé en 1953 par Ivan Serpa à Rio. En 1959, au Musée d'Art Moderne de Rio, une exposition consacra officiellement le mouvement « néo-concret ».
BIBLIOGR. : Damian Bayon, Roberto Pontual, in : *La peinture d'Amérique latine au XXᵉ siècle*, Mengès, Paris, 1990.

WEISSMANN Martin
XVIIᵉ siècle. Actif à Klagenfurt, travaillant aussi à Munich en 1618. Autrichien.
Peintre.

WEISSMANN Matthäus
XVIIᵉ siècle. Autrichien.
Peintre.
Il peignit une Cène pour l'abbaye d'Admont en 1615.

WEISSMANN Matthias Friedrich
XVIIIᵉ siècle. Travaillant à Friedeck dans la première moitié du XVIIIᵉ siècle. Autrichien.
Sculpteur.
Il sculpta des chaires dans les églises de Teschen et d'Adelenhof.

WEISSMANN Nikodem
XVIᵉ siècle. Actif à Villach, à la fin du XVIᵉ siècle. Autrichien.
Peintre.
Il peignit pour l'église et le presbytère de Gornjigrad vers 1586.

WEISSMANN Tobias
XVIIᵉ siècle. Travaillant à Weng en 1621. Autrichien.
Peintre.

WEISZ Adolphe
Né le 11 mai 1838 à Budapest. XIXᵉ siècle. Actif et naturalisé en France. Hongrois.
Peintre de genre, figures typiques, portraits.
Élève de Ch. Jalabert. Sociétaire des Artistes Français depuis 1884 ; médaille de troisième classe en 1875, de deuxième classe en 1885, de bronze en 1900 (Exposition Universelle).

MUSÉES : DRAGUIGNAN : *Jeune fille dans les roseaux (Salon de 1898)* – LISIEUX : *Fiancée en costume slave* – PONTOISE : *Alsacienne, le fusil à la main.*
VENTES PUBLIQUES : PARIS, 12 déc. 1877 : *La visite* : **FRF 1 800** – PARIS, 1882 : *Alsacienne, le fusil à la main* : **FRF 1 930** – PARIS, 24 avr. 1894 : *Illustration pour « Gerfaut »*, dess. : **FRF 80** – PARIS, 23 au 25 mai 1898 : *La fiancée* : **FRF 490** – PARIS, 23-25 mai 1898 : *La fiancée* : **FRF 490** – PARIS, 3 et 4 mai 1923 : *La sœur quêteuse* : **FRF 300** ; *Namouna* : **FRF 700** – PARIS, 11 déc. 1942 : *Le galant entreprenant* : **FRF 7 000** – PARIS, 4 mai 1943 : *Jeune fille italienne* : **FRF 2 100** – PARIS, 27 avr. 1950 : *Portrait de femme assise* :

FRF 2 400 – PARIS, 9 avr. 1951 : *Le sommeil* : **FRF 18 000** – LONDRES, 8 oct. 1982 : *La leçon de musique*, h/pan. (45,7x38,1) : **GBP 2 200** – LONDRES, 17 mars 1995 : *Bébé surveillant des chatons depuis son berceau* 1868, h/pan. (42,2x28,8) : **GBP 3 220** – LONDRES, 13 juin 1997 : *L'Odalisque*, h/t (63,5x96,5) : **GBP 102 700** – NEW YORK, 12 fév. 1997 : *L'Odalisque*, h/t (63,5x96,5) : **USD 37 375**.

WEISZ Olden
Né au XIXe siècle à West-Point. XIXe siècle. Américain.
Peintre de genre.
Élève de Gérome à Paris. Mention honorable en 1882.

WEISZENBERG Ignaz G.
Né en 1794 à Teschen. Mort le 8 juin 1849 à Budapest. XIXe siècle. Hongrois.
Dessinateur.
Il fit ses études à Vienne. Il dessina des vues de Budapest.

WEITBRECHT Konrad ou **Georg Konrad**
Né le 24 mai 1796 à Ernsbach. Mort le 15 juillet 1836 à Stuttgart. XIXe siècle. Allemand.
Sculpteur.
Élève de Dannecker à Stuttgart et de la Brera de Milan. Il est surtout connu pour ses bas-reliefs. Le Musée National de Stuttgart possède de lui des bas-reliefs (*Enfant se faisant enlever une épine, Vieillard et jeune fille, Petit garçon lisant*).

WEI TCHE-HOUANG. Voir **WEI ZHIHUANG**

WEI-TCH'E I-SENG. Voir **WEICHI YISENG**

WEI TCHE-K'O. Voir **WEI ZHIKE**

WEITH Maria
Née en 1884. XXe siècle. Autrichienne.
Peintre.
Sœur d'Udo Weith. Elle était active à Vienne.

WEITH Udo ou **Otto**
Né le 26 avril 1897 à Vienne. Mort le 27 juillet 1935 à Vienne. XXe siècle. Autrichien.
Peintre de sujets religieux, décorateur.
Il fut élève de Joseph (?) Jungwirth à l'Académie des Beaux-Arts de Vienne. Il peignit des compositions religieuses, des fresques et des vitraux.

WEITKAMP Johan Hendrik
Né le 12 juin 1834 à Rotterdam. XIXe siècle. Hollandais.
Peintre, aquafortiste et lithographe.
Élève de l'Académie d'Amsterdam. Il peignit des paysages, des natures mortes, des portraits et des scènes de genre.

WEITMANN Josef
Né le 9 mars 1811 à Gmünd (Wurtemberg). XIXe siècle. Actif à Vienne. Autrichien.
Sculpteur d'animaux.
Élève de l'Académie de Vienne.

WEITMANN Minna
Née en 1839. Morte le 19 décembre 1875. XIXe siècle. Autrichienne.
Sculpteur.
Elle exécuta en biscuit des animaux, des fleurs et des scènes de genre.

WEITMEN Claude Jean-Baptiste ou **Jean-Baptiste**
Né en 1867 à Albertville (Savoie). Mort en 1918. XIXe-XXe siècles. Français.
Sculpteur de monuments, statues, bustes.
Il fut élève de l'École des Beaux-Arts de Lyon, puis de celle de Paris. Il figura au Salon des Artistes Français ; médaille de troisième classe en 1894.
Il est l'auteur du *Monument aux Morts d'Albertville 1870-1871*, sur la place devant la sous-préfecture ; outre celui du Musée de Chambéry, son buste du député de l'arrondissement, Pierre Blanc, surnommé « le vieil Allobroge », fut retiré par les Allemands en 1943 ; il a aussi sculpté le *Saint François-de-Salles* de la petite place à côté du pont sur le Thiou, près de l'Hôtel de Ville d'Annecy.
MUSÉES : CHAMBÉRY : *Buste de Pierre Blanc, député savoyard – Monument de Lamartine – Tête de vieillard.*

WEITSCH Friedrich Georg
Né le 8 août 1758 à Brunswick. Mort le 30 mai 1828 à Berlin. XVIIIe-XIXe siècles. Allemand.
Peintre d'histoire, scènes de genre, portraits, aquafortiste.
Fils de Johann Friedrich Weitsch. En 1776, il fut élève de W. Tischbein, à Cassel. En 1784, il alla en Italie, avec son frère cadet le peintre Joh. Anton August. En 1787, il fut nommé peintre de la cour de Prusse et en 1797 directeur de l'Académie de Berlin.
Il a gravé des paysages, des portraits, des sujets de genre.
MUSÉES : BERLIN (Mus. Nat.) : *Portraits de l'abbé Johann Friedrich Wilhelm Jerusalem, d'Humboldt, de Freidhoff, de Mölter, du comte Friedrich Wilhelm von der Schulenburg – Schadow et sa femme – Portrait d'un écrivain* – BRESLAU, nom all. de Wroclaw : *Le peintre Carl Bach* – BRUNSWICK : *Portrait de l'artiste – Le père de l'artiste* – DÜSSELDORF : *Le philosophe Friedrich Heinrich Jacobi* – HAMBOURG : *Le poète Tiedge* – RIGA : *Paysage avec ruine* – STETTIN : *Portrait d'une dame* – WUPPERTAL : *Mme Rudolphi.*
VENTES PUBLIQUES : MUNICH, 25 juin 1996 : *Autoportrait*, h/t (57x43) : **DEM 8 400**.

WEITSCH Johann Friedrich, appelé **Pascha-Weitsch**
Né le 16 octobre 1723 à Hessendamm. Mort le 6 août 1803 à Salzdahlum. XVIIIe siècle. Allemand.
Peintre animalier, paysages, aquafortiste.
Père de Friedrich Georg W.
Très isolé dans son siècle, Johann Friedrich Weitsch eut un réel sens de la nature, précurseur en cela des paysagistes romantiques. Alors que ses contemporains se référaient aux classiques hollandais, italiens ou français, pour peindre des « décors » de paysages derrière les personnages de leurs compositions, il sut aller dans les forêts de chênes du Brunswick et traduire les effets d'éclairage du soleil au travers des troncs et des branches.
BIBLIOGR. : Marcel Brion : *La Peinture allemande*, Tisné, Paris, 1959.
MUSÉES : BRUNSWICK : *Forêt de chênes près de Querum – La vallée de la Bode* – HANOVRE : *Paysage avec troupeau – Paysage d'hiver* – SCHWERIN : *Paysage avec cascade.*
VENTES PUBLIQUES : PARIS, 1928 : *Paysage boisé avec cascade* : **FRF 1 000** – PARIS, 11 mai 1949 : *Paysage de montagne* 1764 : **FRF 14 100** – BRUNSWICK, 4 et 5 oct. 1952 : *Chasse au cerf en forêt* 1797 : **DEM 750** – COPENHAGUE, 6 déc. 1990 : *Paysage romantique boisé avec des bovins sous les arbres*, h/bois (57x71) : **DKK 52 000**.

WEIWERS-PROBST Annette
Née en 1950 à Luxembourg. XXe siècle. Luxembourgeoise.
Peintre, technique mixte.
Elle fut élève de l'Académie des Beaux-Arts, de l'Institut Bischoffsheim, de l'Institut Saint-Luc à Bruxelles.
BIBLIOGR. : In : catalogue de l'exposition *150 ans d'art luxembourgeois*, Mus. Nat. d'Hist. et d'Art, Luxembourg, 1989.
MUSÉES : LUXEMBOURG (Mus. Nat. d'Hist. et d'Art) : *Sans titre* 1988.

WEIX Richard Julius. Voir **WEIXLGÄRTNER**

WEI XIAN ou **Wei Hien** ou **Wei Hsien**
Xe siècle. Actif à Nankin. Chinois.
Peintre.
Peintre de cour sous la dynastie des Tang du Sud (923-936), à l'époque des Cinq Dynasties, il est spécialiste de maisons, d'arbres et de figures. Le Musée du Palais de Pékin conserve une œuvre à l'encre sur soie qui lui est attribuée, mais qui est plus tardive, *Lettré dans un pavillon au pied de monts abrupts.*

WEIXLBAUM Johann ou **Weichselbaum** ou **Weixelbaum**
Né en 1752 à Vienne. Mort le 1er février 1840 à Vienne. XVIIIe-XIXe siècles. Autrichien.
Peintre sur porcelaine et miniaturiste.
Élève de Füger et de l'Académie de Vienne. Il travailla pour la Manufacture de porcelaine de cette ville. Il peignit des membres de la famille impériale. Le Musée de Brunn conserve de lui *Assiette avec une dame*, et celui de Vienne, *Assiette avec un profil d'Adrien.*

WEIXLBAUM Michel ou **Weichselbaum**
Né vers 1790 à Vienne. Mort en 1824 à Brady. XIXe siècle. Autrichien.
Peintre miniaturiste.
Il fit ses études à Vienne. En 1812, il vint à Lemberg, où il fit des portraits à l'huile et des miniatures. On cite parmi ses œuvres : *Portrait du comte Joseph Komorovskis* et *Portrait d'une jeune fille avec une rose à la main.*

WEIXLGÄRTNER Eduard ou **Josef Eduard**
Né le 3 août 1816 à Budapest. Mort le 13 novembre 1873 à Vienne. XIXe siècle. Autrichien.
Peintre et lithographe.

Il exécuta des scènes de genre et d'histoire, des vues de châteaux et des natures mortes.

WEIXLGÄRTNER Élisabeth
Née le 21 janvier 1912 à Vienne. XXe siècle. Autrichienne.
Peintre de genre, figures, graveur.
Fille de Joséphine Weixlgärtner. Élève de l'Académie de Vienne. Elle exécuta des scènes de la vie des paysans, des portraits et de grandes peintures murales.

WEIXLGÄRTNER Johann-Baptist Vincenz
Né le 21 janvier 1846 à Vienne. Mort le 11 mai 1892 à Vienne. XIXe siècle. Autrichien.
Peintre de portraits et de paysages, illustrateur et dessinateur pour la gravure sur bois.
Élève de Wurzinger à l'Académie de Vienne. Ses portraits furent gravés par Herùann Paar. L'Albertina de Vienne conserve de lui *Messe devant le lion d'Aspern.*

WEIXLGÄRTNER Joséphine ou **Pepi**, née **Neutra**
Née le 19 janvier 1886 à Vienne. XXe siècle. Autrichienne.
Sculpteur, graveur.
Elle fut élève de l'École des Arts Décoratifs de Vienne. Elle exécuta des portraits, des figures et des nus.

WEIXLGÄRTNER Richard Julius ou **Weix**
Né le 9 avril 1849 à Vienne. Mort le 6 août 1912 à Vienne. XIXe-XXe siècles. Autrichien.
Peintre-aquarelliste, illustrateur.
D'abord officier de marine, il fut élève de l'Académie des Beaux-Arts de Vienne en 1867. Il peignit surtout des vues de Dalmatie et exécuta des illustrations pour des revues de Vienne.

WEIXLGÄRTNER Vincenz
Né le 16 décembre 1828 à Budapest. Mort le 11 avril 1915 à Budapest. XIXe-XXe siècles. Hongrois.
Peintre, lithographe.
Il fut élève de l'Académie des Beaux-Arts de Vienne. Il peignit des sujets religieux et des portraits souvent sous le pseudonyme de « Meggyesz ».

WEI YANG
Né en 1928 dans la province de Zhejiang. XXe siècle. Chinois.
Peintre de paysages. Traditionnel.
Il fut diplômé en 1951 du département des beaux-arts de l'institut d'enseignement de la province du Hubei, où il a enseigné par la suite. Il réalise des encres sur papier.
Bibliogr. : In : catalogue de l'exposition *Peintres traditionnels de la République populaire de Chine*, galerie Daniel Malingue, Paris, 1980.

WEIZENBERG August Ludwig
Né le 25 mars 1837 à Erastfer. Mort le 23 novembre 1921 à Reval. XIXe-XXe siècles. Estonien.
Sculpteur de figures.
Il fut élève des Académies des Beaux-Arts de Berlin et de Saint-Pétersbourg.
Musées : Dundee : *Hamlet* – Reval : *Linda* – Riga : *Amarik.*

WEI ZHIHUANG ou **Wei Chih-Huang** ou **Wei Tche-Houang**, surnom : **Kaoshu**
Né en 1568, originaire de Nankin. Mort après 1645. XVIe-XVIIe siècles. Chinois.
Peintre.
Poète, calligraphe et peintre de paysages et de fleurs, dont le Musée Guimet de Paris conserve une peinture sur éventail signée et datée 1611, *Paysage dans le style Song.*

WEI ZHIKE ou **Wei Chih-K'o** ou **Wei Tche-K'o**, surnom : **Shuhe**, prendra le nom de **Wei Ke**
Originaire de la province du Hebei. XVIIe siècle. Actif à Nankin, vers 1620. Chinois.
Peintre.
Poète et peintre de paysages et de fleurs, il est frère cadet de Wei Zhihuang. Le Musée d'Art de Toledo aux États-Unis conserve de lui un rouleau horizontal, en couleurs sur papier, daté 1624, *Mille collines rivalisant de beauté et mille cours d'eau rivalisant de vitesse.*

WEJCHERT Witold
Né le 27 octobre 1867 à Varsovie. Mort le 22 novembre 1904 à Swider. XIXe siècle. Polonais.
Peintre de sujets de chasse.
Il fut élève des Académies des Beaux-Arts de Cracovie et de Munich.

WEJLE ?
XVIIIe-XIXe siècles. Actif aussi en Pologne. Allemand.
Peintre de paysages.
D'origine allemande, vivant vers 1800, il vint de Dresde à Varsovie. Vers 1807-1808, il séjourna à Poulavy, où il laissa plusieurs œuvres.

WEL Jean Van
Né le 10 décembre 1906 à Uccle. Mort le 3 avril 1990 à Leeuw-Saint-Pierre. XXe siècle. Belge.
Peintre de compositions et paysages animés, intérieurs, paysages, fleurs.
Il fut élève de l'Institut Saint-Luc de Bruxelles.
Il fut surtout connu pour ses peintures de courses hippiques. Sa peinture se caractérise par sa rapidité. Elle évoque un jaillissement de couleurs froides et chatoyantes où les bleus et verts dominent.
Bibliogr. : In : *Dict. biogr. illustré des artistes en Belgique depuis 1830*, Arto, Bruxelles, 1987.
Ventes Publiques : Bruxelles, 13 déc. 1990 : *Paysage avec chevaux et colombes*, gche/pap./cart. (77x56,5) : **BEF 45 600**.

WELBORNE J. W.
XIXe siècle. Actif à Londres dans la première moitié du XIXe siècle. Britannique.
Peintre de genre et portraitiste.
Il exposa à Londres de 1837 à 1839.

WELCH T.
XVIIIe-XIXe siècles. Travaillant à Londres de 1794 à 1820. Britannique.
Graveur d'ex-libris.

WELCH Thomas B.
Né en 1814 à Charleston. Mort en 1874 à Paris. XIXe siècle. Américain.
Graveur au burin.
Élève de J.-B. Longacre à New York. Il grava surtout des portraits et séjourna à Philadelphie de 1841 à 1845.

WELCOMME François
Né en 1944 à Courmangoux (Ain). XXe siècle. Actif en Belgique. Français.
Graveur. Tendance fantastique.
Il fut élève des Écoles Saint-Luc et de La Cambre à Bruxelles.
Il pratique l'eau-forte et la lithographie.
Bibliogr. : In : *Dict. biogr. illustré des artistes en Belgique depuis 1830*, Arto, Bruxelles, 1987.

WELCZ Consz ou **Wels**
XVIe siècle. Actif à Saint-Joachimstal. Autrichien.
Médailleur et orfèvre.
Le Musée du Louvre à Paris conserve de lui *Portrait de Charles V*, et l'Albertina de Vienne, l'esquisse d'un gobelet.

WELDEN Charlotte de, baronne, née **von Lamey**
Née en 1813. XIXe siècle. Autrichienne.
Dessinateur amateur.
Femme d'un général, elle dessina des scènes de batailles de la campagne d'Italie de 1848.

WELDON Charles Dater
Né en 1844 à Mansfield. Mort en 1935. XIXe-XXe siècles. Américain.
Peintre de figures, sujets divers, aquarelliste.
Il fut élève de Shirlaw à New York et de Munskacsy à Paris. Il était actif à New York. Associé de la National Academy en 1889, académicien en 1897. Médaille de bronze à Charleston en 1902.
Ventes Publiques : Paris, 23 avr. 1897 : *Libellule*, aquar. : **FRF 170** – New York, 4 avr. 1984 : *Un temple japonais*, h/t (61x107) : **USD 7 250** – San Francisco, 28 fév. 1985 : *La récolte de légumes* 1898, h/t (76,2x53,5) : **USD 3 000**.

WELDORP Anthonie
Né le 22 mars 1803 près de La Haye. Mort le 12 octobre 1866 à Amsterdam. XIXe siècle. Hollandais.
Peintre d'architectures et de marines.
Élève de J. H. A. Breckenheymer. Il fit d'abord des décors de théâtre et dans la suite, traita des sujets d'architecture et des marines.
Musées : Amsterdam : *Eau calme et bateaux* – Amsterdam (Mus. mun.) : *Vue de Dordrecht – Bateaux à Zaandam – Eau intérieure avec H. ten Kate* – La Haye (Mus. comm.) : *Wynand Jean Joseph Nuyen – Plaisirs du tir – Bateaux à Dordrecht* – Leipzig : *Paysage hollandais avec moulin et canal.*

WELEBA Wenzel Franz. Voir **WELLEBA**

WELECHEFF Dimitri Wassiliéwitch ou **Welesheff**
Né en 1841. Mort le 27 avril 1867. XIXe siècle. Russe.

Paysagiste.
La Galerie Tretiakov, à Moscou, conserve de lui *Coup de vent* (dessin).

WELFARE Daniel
Né en 1796. Mort en 1841 à Salem. XIXe siècle. Américain.
Peintre.
Élève de Thomas Sully.

WELHAVEN HEIBERG Astri
Née le 14 décembre 1883 à Oslo. XXe siècle. Norvégienne.
Peintre.
Elle fut élève de Harriet Backer et de Per Deberitz à Oslo.
MUSÉES : OSLO (Mus. Nat.) : *Printemps à Asker – Au Jardin* – TRONDHEIM (Gal.) : *Paysage avec des femmes.*

WELHAVEN KRAG Sigri
Né le 4 mai 1894 à Oslo. XXe siècle. Norvégien.
Sculpteur et céramiste.
Il fut élève de l'Académie des Beaux-Arts d'Oslo. Il a travaillé à Paris vers 1937. Il sculpta des bustes, des fontaines et des fonts baptismaux.

WELIE Antoon Van
Né le 18 décembre 1866 à Afferden (Pays-Bas). Mort en 1956. XIXe-XXe siècles. Hollandais.
Peintre de scènes de genre, figures typiques, portraits, peintre à la gouache, aquarelliste, pastelliste, illustrateur.
Il fut élève de Charles Verlat, Piet Van Der Ouderaa, Pieter Van Havermaet à l'Académie des Beaux-Arts d'Anvers. Il était membre du groupe *Als ik kan* (Comme je peux). Il travailla à Bois-le-Duc, où il fut professeur à l'Académie, à Londres et à Paris. Il exposa à Paris en 1904 et à Berlin en 1908.
Il peignit des portraits de membres de la société internationale. Il a illustré *Aglaveine et Célisette* de Maurice Maeterlinck.
BIBLIOGR. : In : *Dict. biogr. illustré des artistes en Belgique depuis 1830*, Arto, Bruxelles, 1987.
MUSÉES : ANVERS.
VENTES PUBLIQUES : PARIS, 11-13 juin 1923 : *Tête de jeune Néerlandaise*, aquar. gchée : **FRF 400** – AMSTERDAM, 16 nov. 1988 : *Les croyants* 1888, h/t (67x57,5) : **NLG 3 450** – AMSTERDAM, 8 nov. 1994 : *Douleur* 1895, past. (29x16,5) : **NLG 4 830.**

WELIKANOFF Vassili Ivanovitch
Né en 1858 au gouvernement de Saratoff. XIXe-XXe siècles. Russe.
Peintre de portraits.
Il fut élève de l'Académie des Beaux-Arts de Saint-Pétersbourg.

WELINCKHOVEN Alexander Van
Né en 1606 à Gorcum. Mort le 22 octobre 1629 à Rome. XVIIe siècle. Hollandais.
Peintre.
Il séjourna à Rome en 1625.

WELIONSKI Pius Adamowitsch. Voir **WELONSKI**

WELIS Gustave
Né en 1851 à Louvain. Mort en 1914. XIXe-XXe siècles. Belge.
Peintre de paysages ruraux, paysages urbains.
Il fut élève de l'Académie des Beaux-Arts de Louvain.
BIBLIOGR. : In : *Dict. biogr. illustré des artistes en Belgique depuis 1830*, Arto, Bruxelles, 1987.
MUSÉES : LOUVAIN.

WELKER Ernst
Né le 1er mai 1788 à Gotha. Mort le 30 septembre 1857 à Vienne. XIXe siècle. Autrichien.
Peintre d'architectures, paysages.
Élève de l'Académie de Vienne.
Il peignit des vues et des architectures des environs de Vienne et des Alpes.
VENTES PUBLIQUES : PARIS, 14 nov. 1927 : *Vue de la campagne rhénane*, aquar. : **FRF 1 200** ; *Voiture de paysans dans un chemin en montagne*, pl. : **FRF 1 600** – VIENNE, 22 juin 1976 : *Vue du Königsee*, h/t (48x62) : **ATS 15 000** – VIENNE, 23 mars 1983 : *Ruines dans un paysage fluvial*, aquar. (20x30) : **ATS 25 000.**

WELL Arnoldus Van
Né en janvier 1773 à Dordrecht. Mort le 3 janvier 1818. XVIIIe-XIXe siècles. Hollandais.
Peintre de paysages et de sujets de genre.
Élève d'Andries Vermeulen. Il peignit dans le style de Van Strys des intérieurs, des paysages d'hiver et des clairs de lune. Le Musée de Dordrecht conserve une peinture de cet artiste.

WELLA H. Emily
Née le 31 mai 1846 à Delaware. Morte en février 1925 à Rochester. XIXe-XXe siècles. Américaine.
Peintre.

WELLE Bernardus
Né en 1743. Mort le 21 mai 1829. XVIIIe-XIXe siècles. Hollandais.
Dessinateur.
Père de David Van Welle.

WELLE David Van
Né en 1772 à Rotterdam. Mort le 24 février 1848 à Rotterdam. XVIIIe-XIXe siècles. Hollandais.
Dessinateur.
Il dessina des portraits et des scènes contemporaines.

WELLE H. Van
XVIIIe siècle. Travaillant à Bruxelles au milieu du XVIIIe siècle. Éc. flamande.
Peintre.
Il peignit en collaboration avec G. P. Mensaert des scènes de la vie de la Vierge dans l'église des Jésuites de Bruxelles.

WELLE Pierre François De. Voir **DEWELLE**

WELLEBA Wenzel Franz
Né le 5 septembre 1785 à Prague. Mort le 4 juin 1856 à Prague. XIXe siècle. Tchécoslovaque.
Paysagiste et écrivain.
Élève de J. Hawle, de J. Bergler et de L. Kohl.

WELLEKENS Jan Baptist
Né en 1658 à Aelst. Mort en 1726 à Amsterdam. XVIIe-XVIIIe siècles. Hollandais.
Peintre et poète.
Élève d'A. de Grebber.

WELLEMANS Gregorius
XVIe siècle. Travaillant en 1517. Hollandais.
Sculpteur sur bois.

WELLENS Karel ou **Charles**
Né le 6 février 1889 à Lummen (Limbourg). Mort en 1959 à Hasselt. XXe siècle. Belge.
Peintre d'intérieurs, paysages, aquarelliste.
Il fut élève de l'Académie des Beaux-Arts de Louvain. Il fut l'un des promoteurs du musée en plein air de Bokrijk. Il expose aux Salons triennaux de Bruxelles, Anvers et Liège. Obtint en 1913, du Gouvernement belge, la grande médaille de vermeil.
Paysagiste, il privilégie la Campine et travaille souvent à l'aquarelle.
BIBLIOGR. : In : *Dict. biogr. illustré des artistes en Belgique depuis 1830*, Arto, Bruxelles, 1987.
VENTES PUBLIQUES : AMSTERDAM, 25 avr. 1990 : *Officiers dans un intérieur*, h/t (53x73) : **NLG 7 360.**

WELLENS de Cock. Voir **COCK Matthijs**

WELLER Carl
Né en 1853 à Stockholm. Mort en septembre 1920 à Washington. XIXe-XXe siècles. Actif aux États-Unis. Suédois.
Peintre.
Il fut élève de l'Académie des Beaux-Arts de Stockholm.

WELLER Daniel
Né en 1860. Mort en 1923 à Salt Lake City. XIXe-XXe siècles. Américain.
Peintre de portraits.

WELLER David Friedrich
Né le 6 juillet 1759 à Kirchberg. Mort le 21 avril 1789 à Dresde. XVIIIe siècle. Allemand.
Peintre d'histoire, de portraits, de fleurs et peintre sur porcelaine.
Il fit ses études à l'École de dessin à Meissen et entra ensuite comme peintre à la Manufacture de porcelaine de cette ville. Il peignit aussi des fleurs à l'huile, à la gouache. On lui doit aussi des portraits au pastel. Peu avant sa mort, il fut nommé peintre de la cour de Dresde. La Galerie de Dresde conserve de lui *Fleurs.*

WELLER J.
Né en 1698. XVIIIe siècle. Britannique.
Peintre de portraits.
Le British Museum à Londres conserve un bon portrait de cet artiste signé *Se ipse pinxit, aetat* 30. 1718, ainsi qu'un portrait de *John Powell.*

WELLER Johan Nicolaus
XVIIIe siècle. Actif dans la seconde moitié du XVIIIe siècle. Suédois.
Peintre.
Il décora le chœur de l'église de Follingbo et exécuta d'autres peintures pour des églises de l'île de Gotland.

WELLER Johann
Né en 1785. Mort le 12 mai 1817 à Vienne. XIXe siècle. Autrichien.
Peintre d'histoire.

WELLER Josef
Né à Sterzing. Mort le 12 mai 1817 à Vienne. XIXe siècle. Autrichien.
Peintre.
Élève de l'Académie de Vienne.

WELLER Samuel. Voir **ONWHYN Thomas**

WELLER Theodor Léopold
Né le 28 mai 1802 à Mannheim. Mort le 10 décembre 1880 à Mannheim. XIXe siècle. Allemand.
Peintre de genre.
Il étudia à l'Académie de Munich avec Peter Van Langer. Il continua ses études en 1825 à Rome. Médaillé en 1835. Il fut nommé directeur de la Galerie de Mannheim en 1851, et conserva ce poste jusqu'à sa mort.
Musées : Brunswick : *Pèlerinage de Napolitains* – Karlsruhe : *Italienne – Bohémienne disant l'avenir* – Mayence : *L'enfant mourant* – Munich (Mus. mun.) : Dessin – Munich (Nouvelle Pina.) : *Laboureur italien.*
Ventes Publiques : Cologne, 17 oct. 1969 : *Personnages autour d'un puits* : **DEM 3 000** – Munich, 30 nov. 1978 : *Chasseur frappant à la porte d'un chalet ; Jeune paysanne dans un chalet* 1836, deux h/t, haut arrondi, diptyque (46x34) : **DEM 25 000** – Londres, 6 mai 1981 : *Mère et enfant* 1843, h/t (60x48) : **GBP 1 200**.

WELLES E. F.
XIXe siècle. Britannique.
Peintre d'animaux et de paysages.
Il vécut à Worcester, travaillant de 1826 à 1856.

WELLES Florent ou **Wellens**
Né le 3 mars 1921 à Anderlecht. XXe siècle. Belge.
Sculpteur. Abstrait.
Autodidacte, il a participé aux expositions du groupe « Apport », et, de 1948 à 1951, a fait également partie du groupe « Cobra ». Il a été membre ensuite de « Tijd en mens ». Il expose peu, et avant tout à Bruxelles (1949-1961). En 1960 il a fait l'objet d'une petite rétrospective à Forest.
Sa production est limitée. Il exécute surtout d'insolites figures étirées en bois ou en plâtre. Dessinateur, il situe de préférence sur un fond glacé des lignes géométriques rappelant vaguement des statures humaines. Il semble surtout chercher à créer des rapports insolites qui retiennent l'attention.
Bibliogr. : In : *Dict. biogr. illustré des artistes en Belgique depuis 1830*, Arto, Bruxelles, 1987.

WELLESLEY H., Révérend Père
XIXe siècle. Britannique.
Graveur amateur.
Le cabinet des estampes modernes au Victoria and Albert Museum conserve un portrait à l'eau-forte du graveur F. C. Lewis. Au verso de l'épreuve on lit la mention suivante : *Portrait de mon père gravé par le Rév. Dr. Wellestey, Chas. G. Lewis.* Présente des similitudes avec le pasteur BATSON A. Wellesley.
Musées : Londres (Victoria and Albert Mus., Cab. des Estampes modernes) : *Portrait à l'eau-forte du graveur F. C. Lewis.*

WELLINCK Hendrik ou **Welling**
Né à Munster. XVIIe siècle. Travaillant à Amsterdam en 1693. Hollandais.
Peintre.

WELLING James
Né en 1951. XXe siècle.
Peintre multimédia.
Il montre ses œuvres dans des expositions collectives : 1984 Paris, *New York ailleurs et autrement*, à l'ARC du Musée d'Art Moderne de la Ville ; et dans des expositions personnelles, notamment : 1987 Paris, galerie Samia Saouma ; 1988 Lyon, galerie Philip Nelson ; Cologne, galerie Johnen & Schottle ; 1993 à New York, Paris et Calais.
Il recherche une nouvelle voie dans l'abstraction, aussi bien par la peinture que par la photographie. Il travaille par séries, s'intéressant à la révolution scientifique et industrielle, concernant ce qui tente de traduire l'information et l'espace dans des figures à deux dimensions, chez lui des formes simples ou des photographies d'agrégats de matières.
Ventes Publiques : Londres, 24-25 mars 1993 : *Sans titre* 1987, acryl./t. (132x132) : **GBP 805** – New York, 7 mai 1993 : *Sans titre (HC 79)* 1982, photo. en coul. dans un cadre (48x58,5) : **USD 2 875** – New York, 30 juin 1993 : *Sans titre*, h/t (132,1x132,1) : **USD 1 380** – New York, 8 nov. 1993 : *Sans titre (f48-f52)* 1986, acryl./t. en 5 pan. (en tout 61x335,3) : **USD 4 600** – New York, 7 mai 1996 : *Sans titre f 75*, acryl./t. (132,1x132,1) : **USD 1 725** – New York, 6 mai 1997 : *Sans titre* 1988, photo. en coul./pan., ensemble de quatre (chaque 65x61,6) : **USD 9 200**.

WELLINGS William
XVIIIe siècle. Actif à Londres de 1792 à 1795. Britannique.
Miniaturiste et silhouettiste.
Les Musées de Colchester, de Londres et de Windsor conservent des œuvres de cet artiste.

WELLINGTON Hubert
Né le 14 juin 1879 à Gloucester. XXe siècle. Britannique.
Peintre de paysages.
Il fit ses études à la Gloucester School of Art de 1898 à 1899 et à la Slade School de 1899 à 1900. Il exposa au New English Art Club en 1916 et occasionnellement au London Group dès 1916. Il fait sa première exposition particulière en 1963.
Il fut professeur et écrivain : conférencier à la National Gallery à Londres de 1919 à 1923, ainsi qu'au Royal College of Art de 1923 à 1932 ; principal au College d'Art d'Édimbourg de 1932 à 1942 ; conférencier à la Slade School de 1947 à 1949. Illustrateur de « William Rothenstein » en 1923, de « Jacob Epstein » en 1925, du « Journal d'Eugène Delacroix » en 1951, il collabora aux revues « The Spectator », « Saterday Review » et « Manchester Guardian ».

H. L. Wellington

Musées : Londres (Tate Gal.) : *The Big Barn, Frampton Mansell* 1915.

WELLISCH Josef
Né en 1718. Mort le 4 mai 1761. XVIIIe siècle. Actif à Hall (Tyrol). Autrichien.
Médailleur et graveur de monnaies.
Élève d'A. M. de Gennaro.

WELLIVER Neil
Né en 1929. XXe siècle. Américain.
Peintre de paysages, lithographe.
Il fut élève de Josef Albers.
Dans une première période, admirateur de l'œuvre de Mondrian, il fut abstrait-géométrique. Il revint à la figuration, avec des peintures de la forêt du Maine, qu'il traite toutefois par une systématisation du dessin et de la couleur héritée du constructivisme et qui pousse son paysagisme au stéréotype.

Welliver

Bibliogr. : Robert G. Edelman, in : *La peinture de paysage américaine*, in : Art Press, n° 156, Paris, mars 1991.
Ventes Publiques : New York, 16 mai 1980 : *Lower Ductrap* 1978, h/t (244x244) : **USD 26 000** – New York, 13 mai 1981 : *Spring Freshet* 1975, h/t (244x244) : **USD 25 000** – New York, 8 mai 1984 : *Light on pond, c.* 1972, h/t (184,1x182,9) : **USD 12 000** – San Francisco, 20 juin 1985 : *Bouleaux*, grav./bois (89x86) : **USD 900** – New York, 7 nov. 1985 : *Sans titre*, h/t (91,5x76,2) : **USD 2 500** – New York, 8 oct. 1988 : *La maison de castors*, h/t (244x244) : **USD 38 500** – New York, 3 mai 1989 : *Colline de l'ouest* 1978, h/t (243,8x304,8) : **USD 33 000** ; *Vicky II* 1973, h/t (152,5x152,5) : **USD 8 800** – New York, 9 mai 1990 : *Sans titre*, h/t (182,9x243,8) : **USD 30 250** – New York, 27 fév. 1992 : *Reflets* 1971, h/t (182,9x182,9) : **USD 28 600** – New York, 22 fév. 1993 : *Vicky II* 1973, h/t (152,5x152,5) : **USD 9 350** – New York, 29 sep. 1993 : *Épaves à Allagash* 1988, h/t (61x61) : **USD 10 350** – New York, 22 fév. 1995 : *Arbre mort* 1983, h/t (121,8x121,8) : **USD 13 800** – New York, 9 nov. 1996 : *Paysages* 1973, litho. en coul., série complète (101,6x101,6) : **USD 4 025**.

WELLMANN Robert
Né le 10 juillet 1866 à Russmarkt. XIXe-XXe siècles. Autrichien.

Peintre de paysages.
Il travailla à Budapest, à Munich, en Allemagne et en Transylvanie. Il se fixa à Cervara di Roma.
Musées : Munich (Pina.) : *Le soir dans les monts Sabins.*

WELLMORE E.
XIXe siècle. Actif dans la première moitié du XIXe siècle. Américain.
Graveur et miniaturiste.
Élève de J.-B. Longacre à Philadelphie.

WELLNER Andreas Simon Emiel
Né en 1821 à Copenhague. XIXe siècle. Danois.
Sculpteur et peintre de genre.
Élève des Académies de Copenhague et de Munich.

WELLS Archibald
Né le 10 mai 1874 à Glasgow. XIXe-XXe siècles. Britannique.
Peintre de paysages.
Il travailla à Rye.
Ventes Publiques : Perth, 29 août 1989 : *Les labours,* h/t (40,5x51) : **GBP 880.**

WELLS Charles S.
Né le 24 juin 1872 à Glasgow. XIXe-XXe siècles. Actif aux États-Unis. Britannique.
Sculpteur.
Élève de K. Bitter, d'A. Saint-Gaudens et de G. G. Bernard. Il fut actif à Minneapolis.

WELLS Denys George
Né le 21 janvier 1881 à Bedford. Mort en 1973. XXe siècle. Britannique.
Peintre de portraits.
Il fut élève de la Slade School de Londres. Il était actif à New-Malden.
Ventes Publiques : New York, 7 juin 1979 : *Le châle de cachemire,* h/t (41,7x33) : **USD 2 200** – Londres, 2 mars 1989 : *Jeune femme à l'éventail,* h/t (65x45) : **GBP 2 640** – Londres, 8 juin 1989 : *Dimanche après-midi* 1920, h/t (75x62,5) : **GBP 2 200.**

WELLS George
XIXe siècle. Britannique.
Peintre de genre.
Ventes Publiques : Londres, 13 déc. 1989 : *Fillette avec son lapin favori* 1873, h/t (32,5x27,5) : **GBP 770.**

WELLS Henry Ianworth
Né le 14 décembre 1828 à Londres. Mort le 16 janvier 1903 à Londres. XIXe siècle. Britannique.
Peintre de genre, portraits, miniaturiste.
Il exposa pour la première fois en 1846. Jusqu'en 1860, il peignit presque exclusivement la miniature, mais cette année même, il exposa son premier portrait à l'huile et se classa dès lors comme bon portraitiste. On considère comme son chef-d'œuvre. *La princesse Victoria recevant l'annonce de son accession au trône,* qu'il exposa en 1880. Associé à la Royal Academy en 1866, il devint académicien en 1870.
Musées : Dublin : *Portraits de W. E. H. Lechy et de sir Frederic Burton* – Hambourg : *Alice – Le Casseur de pierres – Portrait de G. C. Schwabe – Groupe de plusieurs peintres anglais* – Londres (Nat. Gal.) : *Portrait de Sir F. W. Burton – Portrait de W. E. Forster* – Londres (Tate Gal.) : *Portrait de Ch. West Cope – Volontaires au feu.*
Ventes Publiques : New York, 24 janv 1979 : *Portrait de femme* 1876, h/t (92,7x74,7) : **USD 950** – Londres, 8 fév. 1991 : *Le nid* 1847, aquar./ivoire (40x26,6) : **GBP 3 080.**

WELLS J. G.
XVIIIe siècle. Actif dans la seconde moitié du XVIIIe siècle. Britannique.
Graveur à la manière noire.
Il grava des vues d'Oxford, d'Édimbourg et des maisons de campagne.

WELLS Joanna Mary, Mrs **H. T.**, née **Boyce**
Née le 7 décembre 1831 à Londres. Morte le 15 juillet 1861 à Londres. XIXe siècle. Britannique.
Peintre d'histoire, scènes de genre, portraits, paysages.
Femme de Henry Tanworth W., ses dons se manifestèrent très rapidement et elle étudia aux académies Cary et Leigh. En 1855, à Paris, elle se joignit à un atelier de femmes sous la direction de Couture. En mai 1857, elle entreprit un voyage en Italie avec H. T. Wells qu'elle épousa en décembre de la même année à Rome. Ils regagnèrent Londres au printemps suivant. Elle mourut à l'âge de vingt-neuf ans, lors de la naissance de son second enfant.
Elle exposa de 1853 à 1861 à la Royal Academy et à Suffolk Street. Comme son frère ainé G. P. Boyce, elle fut influencée par Ruskin et les Préraphaélites.
Ventes Publiques : Londres, 23 sep. 1988 : *Pas une miette de plus* 1880, h/cart. (40,5x29) : **GBP 8 140** – Londres, 8 fév. 1991 : *Tête d'une femme de Mulatto,* h/pap./t. (16,5x12,7) : **GBP 6 600.**

WELLS John
XVIIIe-XIXe siècles. Britannique.
Dessinateur et graveur en manière noire.
Il travaillait à Londres de 1792 à 1809. Peut-être identique à J. G. Wells.

WELLS John
Né le 27 juillet 1907 à Londres. XXe siècle. Britannique.
Peintre, dessinateur.
Il vivait à Saint-Ives (Cornouailles). Docteur en médecine, il pratiqua jusqu'en 1946, avant de se consacrer exclusivement à la peinture. Outre ses participations à des expositions de groupe, en Angleterre et à l'étranger, il a montré des expositions personnelles de ses peintures, à Londres en 1948, à New York en 1952.
Il subit fortement l'influence du sculpteur Gabo, lors du séjour de celui-ci en Angleterre, comme en témoignent certaines épures de géométrie dans l'espace de cette époque, telle celle exposée au Salon des Réalités Nouvelles de Paris en 1947. Il évolua ensuite vers une abstraction géométrique, souvent fondée sur la réalité d'un paysage, dont l'ordonnance orthogonale calme et les rapports raffinés de gris discrets peuvent rappeler la peinture d'un Ben Nicholson.
Bibliogr. : Michel Seuphor, in : *Dictionnaire de la peinture abstraite,* Hazan, Paris 1957.
Musées : Londres (Tate Gal.) : *Brimstone moth variation* 1960.
Ventes Publiques : Londres, 19 oct 1979 : *Portrait of Edalji Dinshaw* 1938, h/t (194x100) : **GBP 600** – Londres, 10 nov. 1989 : *Menace* 1959, h/t cartonnée (33,1x50,8) : **GBP 1 375** – Londres, 8 mars 1991 : *Port* 1950, h/cart. (34x54,5) : **GBP 5 280** – Londres, 7 juin 1991 : *Paysage 1949-52-56,* h/cart. (18x30,5) : **GBP 1 485** – Londres, 8 nov. 1991 : *Composition abstraite,* h/cart. enduit au gesso (25,5x41) : **GBP 1 320** – Londres, 25 nov. 1993 : *Pays pierreux* 1948, h/t. cartonnée (30,5x41) : **GBP 3 450.**

WELLS John, appellation erronée. Voir **WELLS William Frederick**

WELLS John Sanderson
Né en 1872. Mort en 1911. XIXe-XXe siècles. Britannique.
Peintre de scènes de genre, de chasse, sujets de sport, animalier, aquarelliste.
Il exposa à Londres de 1895 à 1904.
Outre les scènes de chasse traditionnelles, il illustrait des épisodes célèbres de courses de chevaux.
Ventes Publiques : Londres, 9 mars 1976 : *Artiste et gentlemen,* h/t (39,5x49,5) : **GBP 800** – Londres, 29 juil. 1977 : *Scène de chasse,* h/pan. (22,2x30) : **GBP 750** – Londres, 25 mai 1979 : *La nouvelle flûte,* h/pan. (24,6x34,2) : **GBP 1 100** – Londres, 9 mai 1984 : *La sortie du théâtre,* aquar. (60,4x72,5) : **GBP 3 400** – Londres, 13 juin 1984 : *L'enlèvement ; Retrouvés,* h/t, une paire (35,5x45,7) : **GBP 1 600** – New York, 8 juin 1984 : *Le départ pour la chasse,* h/t (40,6x61) : **USD 8 000** – New York, 7 juin 1985 : *Le repos des chasseurs,* h/t (53,3x66) : **USD 11 000** – Cologne, 15 juin 1989 : *Chasse à courre,* h/pan. (37x45,5) : **DEM 2 100** – Londres, 27 sep. 1989 : *Le Salut matinal,* h/t (41x61) : **GBP 8 250** – Montréal, 30 oct. 1989 : *Par-dessus le mur,* h/t (39x54) : **CAD 7 150** – Londres, 9 fév. 1990 : *Embarquement à bord de la malle-poste,* h/t (40,7x61) : **GBP 5 500** – New York, 23 mai 1991 : *« Humorist » monté par Donoghue gagnant le Derby d'Epsom en 1921 ; « Service Kit » monté par Weston remportant la Steward's Cup devant Goodwood,* h/t (41x61) : **USD 15 400** – Londres, 7 oct. 1992 : *Chasse à courre, les piqueurs et la meute,* aquar. (27,5x43,5) : **GBP 880** – Londres, 3 nov. 1993 : *Meute pénétrant dans le couvert,* h/t (30,5x45,5) : **GBP 4 025** – Londres, 5 nov. 1993 : *Les Connaisseurs,* h/pan. (33x25,4) : **GBP 3 220** – Montréal, 23-24 nov. 1993 : *Le Retour de la meute,* h/t (59,6x87) : **CAD 4 000** – Londres, 30 mars 1994 : *Le Nouveau Maître,* h/t (60x87) : **GBP 7 475** – New York, 20 juil. 1995 : *Chasseurs se rendant au rassemblement,* h/t (41,3x61) : **USD 3 162** – Londres, 5 juin 1996 : *Course à travers la colline le jour du derby,* h/t (97x160,5) : **GBP 17 250** – Londres, 13 nov. 1996 : *« Humorist » gagnant le Derby d'Epsom en 1921,* h/t (41x61) : **GBP 9 775** – Londres, 27 mars 1996 : *Tableaux de chasse à courre,* h/t, série de quatre (chaque 51x76) : **GBP 34 500** – Londres, 12 mars 1997 : *Le Hasard de la route,* h/t (73,5x124,5) : **GBP 8 050.**

WELLS Josiah Robert
XIXe siècle. Actif à Londres dans la seconde moitié du XIXe siècle. Britannique.
Peintre de marines et de paysages.
Il exposa de 1872 à 1893.

WELLS Leonard Harry
Né le 25 mars 1903 à Nottingham. XXe siècle. Britannique.
Peintre de portraits.
Il était actif à Londres.

WELLS Luis Alberto
Né en 1939 à Buenos Aires. XXe siècle. Argentin.
Sculpteur, graveur, dessinateur.
Il était professeur de dessin, gravure et illustration.
Il fait des sculptures-objets, souvent en bois.

WELLS Madeleine Rachel
Née aux Indes. XXe siècle. Britannique.
Peintre.
Élève de Frank Brangwyn. Elle a exposé au Salon de la Société Nationale des Beaux-Arts, à Paris.

WELLS Marion F.
Né en 1848 (?). Mort le 22 juillet 1903 à San Francisco. XIXe siècle. Américain.
Sculpteur.

WELLS Newton Alonzo
Né le 9 avril 1852 à Lisbonne. XIXe siècle. Actif aux États-Unis. Portugais.
Peintre, sculpteur, illustrateur, architecte et décorateur.
Élève de Drowning à Syracuse, puis de B. Constant et de J.-P. Laurens à Paris. Il était actif à Chicago. Il peignit des fresques pour des bâtiments publics des États-Unis.

WELLS Rachel, Mrs, née **Lovell**, et **Vandervoort**
XVIIIe siècle. Américaine.
Sculpteur-modeleur de cire.
La présence de ces deux noms de naissance différents pose évidemment un problème. Toutes deux vivaient à la même époque et pratiquaient la même technique ; l'une travaillait à Philadelphie dans la seconde moitié du XVIIIe siècle.

WELLS Reginald Fairfax
Né en 1877. XXe siècle. Britannique.
Sculpteur et céramiste.
Élève d'E. Lanteri. Il travailla à la Manufacture de Chelsea.
VENTES PUBLIQUES : LONDRES, 6 juin 1973 : *Maternité*, bronze : **GBP 380**.

WELLS Thomas
XVIIIe-XIXe siècles. Britannique.
Médailleur, sculpteur-modeleur de cire.
Il travaillait à Londres et à Birmingham de 1786 à 1821.

WELLS William
Né en 1842. Mort le 28 mars 1880. XIXe siècle. Britannique.
Graveur sur bois.

WELLS William Frederick
Né en 1762 à Londres. Mort le 10 novembre 1836 à Mitcham. XVIIIe-XIXe siècles. Britannique.
Peintre de paysages, aquafortiste et aquarelliste.
Élève de J.-J. Barralet. Au début de sa carrière, il travailla tantôt à l'huile, tantôt au pastel. Ce fut un des premiers artistes anglais qui se soit adonné à l'aquarelle. Il fut un des fondateurs de la Old Water-Colours, en 1804, et en 1806, il en fut président. De 1795 à 1813, il exposa à la Royal Academy. Il voyagea, notamment en Suède et en Norvège. Il fut professeur de dessin à Addiscombe et consacra la fin de sa carrière presque exclusivement à l'enseignement. Le Victoria and Albert Museum conserve une aquarelle de lui, et celui de Nottingham, une *Vue de Suisse*.
VENTES PUBLIQUES : LONDRES, 22 mars 1979 : *Malvern from Fowley's walk*, aquar. (30,5x38,5) : **GBP 600**.

WELLS William Page Atkinson
Né en 1871 à Glasgow. Mort en 1923. XIXe-XXe siècles. Britannique.
Peintre de genre, paysages animés, paysages, paysages d'eau.
Il fut élève de la Slade School de Londres.
VENTES PUBLIQUES : GLASGOW, 2 oct. 1980 : *Huttes au bord de la mer*, h/t (31x45) : **GBP 580** – AUCHTERARDER (Écosse), 30 août 1983 : *Le Séchage des filets*, h/t (64x76) : **GBP 5 500** – PERTH, 27 août 1985 : *Shaldon beach*, h/t (33x40) : **GBP 2 000** – ÉDIMBOURG, 30 août 1988 : *Village en bordure d'une rivière*, h/t (30,5x46) : **GBP 3 300** – PERTH, 29 août 1989 : *Village en bordure d'une rivière*, h/t (30,5x46) : **GBP 3 520** – GLASGOW, 6 fév. 1990 : *Ballashrink, près de Colby dans l'île de Man*, h/t (106x152) : **GBP 11 550** – PERTH, 27 août 1990 : *Distribution de pâtée aux canards sous un arc en ciel*, h/t (36x46) : **GBP 7 480** – PERTH, 26 août 1991 : *Moisson*, h/t (51x71) : **GBP 3 850** – GLASGOW, 4 déc. 1991 : *La charrette de choux*, h/t (49,5x59,5) : **GBP 4 620** – PERTH, 1er sep. 1992 : *Une journée dans les champs*, h/t (36x46) : **GBP 3 520** – ÉDIMBOURG, 19 nov. 1992 : *Paysage printanier dans l'île de Man*, h/t (30x46) : **GBP 900** – PERTH, 30 août 1994 : *Un arc-en-ciel*, h/t (35,5x45,5) : **GBP 5 060** – GLASGOW, 14 fév. 1995 : *Cueillette de fleurs au printemps*, h/t (71x63,5) : **GBP 14 375**.

WELLSTOOD James
Né le 20 novembre 1855 à Jersey City. Mort le 14 mars 1880 à Jersey City. XIXe siècle. Américain.
Graveur au burin.
Élève de son père William W.

WELLSTOOD John Geikie
Né en 1813 à Édimbourg. Mort après 1889. XIXe siècle. Américain.
Graveur au burin.
Il travailla longtemps comme graveur de billets de banque aux États-Unis.

WELLSTOOD William
Né en 1819 à Édimbourg. Mort en 1900. XIXe siècle. Américain.
Graveur au burin.
Il se fixa à New York en 1830. Il grava des paysages et au pointillé.

WELMEER Christiaan
Né en 1742 à Amsterdam. Mort en 1814 à Amsterdam. XVIIIe-XIXe siècles. Hollandais.
Sculpteur.
VENTES PUBLIQUES : LONDRES, 9 avr. 1981 : *Nymphe*, bois et traces de polychrome (H. 86) : **GBP 1 000**.

WELONSKI Pius ou **Pie Adamowitsch**
Né en 1849 à Kumelany. Mort le 21 octobre 1931 à Varsovie. XIXe-XXe siècles. Polonais.
Sculpteur de figures, portraits, médaillons, peintre.
Il fit ses études à Varsovie, avec les professeurs Cengler et Pruszynski, ensuite à l'Académie des Beaux-Arts de Saint-Pétersbourg. Il obtint deux médailles d'or et le Prix de Rome. En 1877, il voyagea en Italie, en Allemagne et en France. Il resta quelque temps à Rome et puis revint à Varsovie. En 1891, il obtint une médaille d'or à l'exposition de Berlin.
MUSÉES : CRACOVIE : *Sclavus Saltans*, bronze – *Gladiateur*, bronze – *Sobieski à Vienne*, bronze – *Jean Kochanovski*, bronze – *Portrait de Liszt*, médaillon – MOSCOU (Roumianzeff) : *Gladiateur – Le poète Baïan* – SAINT-PÉTERSBOURG (Mus. Russe) : *Saint Jean Baptiste – Le poète Baïan*.

WELPER Jean Daniel
Né vers 1729 à Strasbourg. Mort le 4 février 1780 à Paris. XVIIIe siècle. Français.
Miniaturiste.
Peintre de la cour de Louis XV. Le Musée du Louvre à Paris conserve de lui *Portraits des filles de Louis XV masquées*.
VENTES PUBLIQUES : PARIS, 1865 : *Portrait du comte d'Augivilliers*, miniat. : **FRF 60**.

WELS Consz. Voir **WELCZ**

WELSCH Johann Friedrich
Né en 1796 à Nieder-Wesel. XIXe siècle. Allemand.
Portraitiste et peintre de genre.
Après avoir servi comme soldat, il étudia la peinture en Hollande et à Berlin. Il se fit remarquer par ses tableaux de genre et ses portraits. Durant plusieurs années, il travailla à La Haye. À la fin de sa vie, il fut nommé directeur de l'École de dessin de Munster. Il fut aussi restaurateur de tableau, il exposa à Karlsruhe en 1838.
VENTES PUBLIQUES : PARIS, 25 et 28 mars 1912 : *Portrait d'homme*, miniat./tabatière écaille : **FRF 1 450**.

WELSCH Paul
Né le 26 juillet 1889 à Strasbourg (Bas-Rhin). Mort le 16 juin 1954 à Paris. XXe siècle. Français.
Peintre de figures, paysages, natures mortes, compositions murales, graveur, illustrateur.
Il s'était plus ou moins destiné à des études de droit et plus spécialement aux sciences politiques, puis il rencontra Maurice Denis et Bernard Naudin qui le décidèrent à s'orienter vers la

peinture, et dont il fut l'élève de 1911 à 1914, avant d'entrer dans l'atelier de Charles Guérin en 1919.
Il exposait aux Salons des Indépendants et des Tuileries, et au Salon d'Automne, dont il était sociétaire. Il était chevalier de la Légion d'honneur.
En 1937, il fut chargé de l'exécution d'une grande peinture murale pour la Maison d'Alsace, à l'Exposition Internationale des Arts et techniques. En 1953, il réalisa la décoration de l'École Hôtelière de Strasbourg. Il a gravé des illustrations pour *Amis et Amies*, de Fernand Fleuret – *Les bourgeois de Witzheim*, d'André Maurois – *Rouge et Blanc*, de Maurice Betz – des bois en couleurs pour *Croquis de Provence*, d'André Suarès en 1952 et pour *La bonne chanson*, de Verlaine en 1954. Dès ses premières œuvres, on décèle un art tendu vers la sobriété, sobriété dans le choix de ses sujets, des citrons posés sur une chaise de paille, un torse de femme endormie, une calme baie méditerranéenne ou les majestueux valonnements de son Alsace natale, sobriété dans la recherche des lignes, des plans et des volumes essentiels. Selon Robert Rey : « Paul Welsch fut de ceux qui dépouillèrent le mieux les sites nord-africains et ceux de la Méditerranée des oripeaux colorés dont, jusqu'en 1900, on aimait à les revêtir abusivement. Sous leurs éclats accidentels, il sut apercevoir des raffinements plus austères, des beiges, des ocres clairs, des verts éteints qui constituent le véritable visage de ces régions ».
Bibliogr. : Gérald Schurr, in : *Les Petits Maîtres de la peinture 1820-1920, valeur de demain*, Les Éditions de l'Amateur, t. IV, Paris, 1979.
Musées : Albi – Mulhouse – Paris (Mus. d'Art Mod.) : *Femme endormie* – *Paysage de Dordogne* – Paris (Mus. du Petit Palais) : *Jeune femme tricotant* – Strasbourg (Mus. Rohan) : *Paysage corse*.
Ventes Publiques : Paris, oct. 1945-juil. 1946 : *Paysage en Dordogne* 1945, aquar. : **FRF 5 000**.

WELSER Georg Friedrich
Mort le 25 septembre 1723 à Innsbruck. XVIIIe siècle. Autrichien.
Peintre.

WELSER Hans Jakob
Né à Mitter-Strass. XVIIe siècle. Travaillant à Innsbruck à partir de 1652. Autrichien.
Peintre et doreur.
Il peignit des crucifix et des croix de cimetière.

WELSER Jakob
XVIIe siècle. Actif à Innsbruck en 1669. Autrichien.
Peintre.

WELSER Josef Anton
XVIIIe siècle. Travaillant à Innsbruck de 1736 à 1764. Autrichien.
Peintre.

WELSER Josef Ignaz
Né le 28 juillet 1697 à Innsbruck. Mort en 1784 à Innsbruck. XVIIIe siècle. Autrichien.
Peintre.
Il travailla pour les églises d'Innsbruck.

WELSER VON WELSERSHEIM Mathilde de, comtesse ou **Welser von Welsersheimb**
Née le 23 novembre 1830 à Ljubljana. Morte le 18 octobre 1904 à Graz. XIXe siècle. Autrichienne.
Lithographe amateur.
Elle grava un *Portrait du prince Edmund de Schwarzenberg* en 1847.

WELSH Devitt, ou **Horace Devitt**
Né le 2 mars 1888 à Philadelphie. XXe siècle. Américain.
Peintre, illustrateur et aquafortiste.
Il fut élève de Th. Anshutz et de W. Everett. Il grava des portraits et d'après des œuvres de Rembrandt et Jan Vermeer.

WELSH E.
XVIIIe siècle. Travaillant à Londres en 1771. Britannique.
Portraitiste et graveur à la manière noire.

WELSH Herbert
Né le 4 décembre 1851. XIXe siècle. Actif à Philadelphie. Américain.
Peintre.
Élève de Bonnat à Paris et d'O. Carmandi à Rome.

WELSH John
XVIIIe siècle. Travaillant à Londres de 1761 à 1764. Britannique.
Sculpteur.

WELSH William
Né en 1889. XXe siècle. Américain.
Peintre.
Musées : Chicago : *Prisonniers de guerre*.

WELSINCK Heymen
XVIIe siècle. Travaillant à Amsterdam de 1661 à 1662. Hollandais.
Graveur au burin et au pointillé.

WELSING G. ou **J.**
XVIIe siècle. Actif en Hollande dans la deuxième moitié du XVIIe s. Hollandais.
Peintre de figures, dessinateur.
Musées : Bruxelles : *Pierrot*.
Ventes Publiques : Paris, 25 juin 1993 : *Femme devant une fontaine* ; *Femme ramassant des fleurs*, encre et lav. sur croquis à la sanguine, une paire (chaque 19,5x15) : **FRF 10 500**.

WELSINK Hermanus
Né le 25 mars 1809 à La Haye. Mort le 28 juillet 1888 à Oisterwijk. XIXe siècle. Hollandais.
Aquafortiste.

WELTE Gottlieb
Né vers 1745 à Mayence. Mort vers 1790 près de Revel. XVIIIe siècle. Allemand.
Peintre et graveur à l'eau-forte.
Son père, peintre de paysage et d'animaux fut son premier maître. Il s'établit à Francfort, travaillant parfois pour ses confrères et, notamment peignant les figures dans les paysages de Schmitz. À la fin de sa vie, il fit un voyage à Rome. Il ne paraît pas avoir très bien réussi pécuniairement, car la tradition rapporte qu'il dut pour vivre, utiliser fréquemment ses talents musicaux. On catalogue cinquante-huit eaux-fortes de lui. Le Musée de Mayence conserve de lui *Le prisonnier* et *Le Buveur*. Le Blanc le cite avec le prénom de Théophil.
Ventes Publiques : Versailles, 11 nov. 1973 : *Les amoureux*, deux pendants : **FRF 13 000** – Londres, 20 juin 1978 : *Couple d'amoureux dans un paysage*, aquar. (22x28,6) : **GBP 2 000**.

WELTEN Wilhelm. Voir **VELTEN**

WELTER Christian Robert
Né le 29 octobre 1932 à Saigon (Sud-Viêt Nam). XXe siècle. Français.
Peintre de compositions à personnages, figures, nus, portraits, natures mortes, fleurs, sculpteur de figures, bustes. Polymorphe.
Autodidacte en art, il s'est formé par ses visites dans les musées et les conseils d'André-Spitz. Il participe à quelques expositions collectives, dont : 1981 au Coliseum de New York, 1984 au Festival d'Avignon, où il peignit les décors pour *Le Café* de Goldoni. Il montre des expositions personnelles en 1971 au Conseil Échevinal de la ville de Luxembourg, à Paris en 1974 à la galerie Katia Granoff, en 1984 au Château Grand-Ducal de Vianden, en 1985 à l'Espace Van Gogh d'Arles.
Il s'est acquis une technique étendue. Les grands sujets ne l'intimident pas, portrait de groupe des comédiens français dans *Les acteurs de bonne foi* de Marivaux, dans la grange de sa maison de Bourgogne une très vaste peinture murale en hommage à Véronèse. Une vue d'ensemble de son atelier ressemble à celle d'une galerie d'art, tant, délibérément, il s'approprie les divers styles historiques. Henri de Montherlant aima sa peinture.

WELTER Michael
Né le 24 mars 1808 à Cologne. Mort le 3 janvier 1892 à Cologne. XIXe siècle. Allemand.
Peintre d'histoire et de portraits.
Élève du peintre Mengelberg à Cologne. Il continua ses études à Berlin et à Paris. Exposa à Munich en 1879. On cite de lui : *Portrait du comte Durrieu* et *Sainte Elisabeth de Thüringen*. Il a fait de nombreuses peintures murales à Cologne, des fresques pour le théâtre de la même ville, et des tableaux pour l'église Saint-Cumbert et la St-Godehard-Kirche à Hildesheim.

WELTER Willy
Né en 1954 à Bastogne. XXe siècle. Belge.
Peintre, graveur.
Il fut élève de l'Académie Saint-Luc de Liège, où il est devenu professeur.
Il serait proche des paysagistes abstraits.
Bibliogr. : In : *Dict. biogr. illustré des artistes en Belgique depuis 1830*, Arto, Bruxelles, 1987.
Musées : Liège (Cab. des Estampes).

WELTEVREDEN. Voir **SCHAFT Dominicus**

WELTI Albert

Né le 18 février 1862 à Zurich. Mort le 7 juin 1912 à Berne. XIXe-XXe siècles. Suisse.

Peintre et graveur.

Élève de l'École industrielle de Zurich, de l'École Polytechnique et de l'Académie des Beaux-Arts de Munich, puis de Böcklin. Après avoir séjourné à Paris et à Vienne, il se rendit en 1889 à Munich, où grâce à l'aide d'un mécène allemand, il put se consacrer à la carrière artistique. Il prit part à diverses expositions de Paris ; à l'Exposition Universelle de 1900, il obtint une médaille de bronze.

En 1908, il fut chargé de la décoration de la salle du Conseil du Palais Fédéral de Berne ; il ne put achever sa vaste composition de la *Landesgemeinde*, celle-ci fut terminée après sa mort, par son collaborateur et ami Willhelm Balmer.

Il est compté au nombre des romantiques germaniques, pour lesquels le contenu poétique était inséparable de la qualité picturale. Toutefois, il n'y figure qu'au second plan. Il n'a pas hérité la sombre inspiration de son maître. Réaliste lyrique, il s'est fait le modeste interprète des scènes familières de la vie rustique.

Bibliogr. : Wilhelm Wartmann : *Albert Welti. Vollständiges Verzeichnis des graphischen Werkes*, Zurich, 1913 – Marcel Brion, in : *La Peinture allemande*, Tisné, Paris, 1959.

Musées : Bâle : *Les trois ermites – Paysage allemand – Rapt d'Europe* – Berne : *Soirée de noces – Combat de cavalerie – Indigènes dans la forêt vierge – Cavalier sur un cheval blanc – La fiancée – Les funérailles* – Genève : *Soir de noce* – Zurich : *Les parents de l'artiste – La femme et le fils de l'artiste.*

Ventes Publiques : Zurich, 18 nov. 1976 : *Le berger*, h/t (55x47,5) : **CHF 1 900** – Berne, 25 juin 1981 : *La Nuit de Walpurgis* 1897 ; *Départ pour le XXe siècle* 1899, eaux-fortes, une paire : **CHF 1 400** – Berne, 24 juin 1983 : *Rêverie* 1902-1903, temp. et h/pan. (40,6x30) : **CHF 21 000** – Zurich, 4 juin 1992 : *Paysage fluvial*, past./pap. (17x20,5) : **CHF 5 650** – Zurich, 24 nov. 1993 : *Paysage avec une maison*, past./pap. (17,5x19,5) : **CHF 3 450** – Zurich, 2 juin 1994 : *Lisière de forêt près de Brugg*, h/cart. (16x19) : **CHF 5 750** – Zurich, 8 déc. 1994 : *L'éveil du matin en montagne (Les clochettes de l'ermite)* 1893, h/cart. (67,5x53) : **CHF 69 000** – Zurich, 5 juin 1996 : *Amazone et son cheval à la fontaine* 1894-1902, temp./t. (37,5x46) : **CHF 59 800** – Zurich, 14 avr. 1997 : *Paysage d'automne*, past./pap. (18,5x21,5) : **CHF 10 925**.

WELTI Albert Jakob ou **Jacques Albert**

Né le 11 octobre 1894 à Höngg (près de Zurich). Mort en 1965 à Amriswil. XXe siècle. Suisse.

Peintre de scènes symboliques, portraits, paysages, fleurs, graveur.

Fils d'Albert W. et élève de Josef Huber à Düsseldorf. Il travailla aussi à Zurich, Berne, Munich, Genève et Madrid. Il fut aussi dramaturge et journaliste. À Paris, il a figuré au Salon d'Automne.

Ventes Publiques : Berne, 1er mai 1980 : *L'artiste et son modèle* 1927, h/t (136x95) : **CHF 2 000** – Berne, 26 oct. 1988 : *Bouquet printanier dans un vase de verre* 1941, h/t (68x45) : **CHF 1 700**.

WELTI Charles ou **Karl**

Né le 16 avril 1868 à Aarbourg. Mort le 15 septembre 1931 à Aarbourg. XIXe-XXe siècles. Suisse.

Peintre, aquafortiste, illustrateur.

Cousin d'Albert Welti. Il fit ses études à Munich et à Paris. Il grava des illustrations de livres d'enfants.

WELTI Hanns

Né le 19 août 1894 à Zurich. XXe siècle. Suisse.

Peintre d'intérieurs, paysages, paysages urbains, lithographe.

Il fut élève d'Eduard Stiefel.

Musées : Zurich (Kunsthaus) : *Femme à la fenêtre – Impressions de New York.*

WELTI Jakob Friedrich

Né le 1er octobre 1871 à Winterthur. XIXe-XXe siècles. Suisse.

Peintre de compositions allégoriques, portraits.

Élève d'Azbè à Munich. Il fut aussi critique d'art.

Musées : Winterthur : *La Tristesse – Portrait d'E. Jung – La force du peuple* – Zurich (Kunsthaus) : *Portrait de Rudolf Koller.*

WELTI Joseph

Né en 1921. XXe siècle. Suisse.

Peintre.

Musées : Aarau (Aargauer Kunsthaus) : *Reusstal.*

WELTI Paul

Né en 1895 à Zurich. XXe siècle. Suisse.

Peintre de paysages.

Il travailla à Männedorf.

Musées : Coire : *Maison rouge dans le Midi.*

Ventes Publiques : Cologne, 18 mars 1989 : *Soleil couchant près de Cuxhaven* 1928, h/t (70x100) : **DEM 1 400**.

WELVAERT Ernest

Né en 1880. Mort en 1946. XXe siècle. Belge.

Peintre de figures, groupes, paysages animés, paysages.

Ern. Welvaert.

Ventes Publiques : Lokeren, 14 avr. 1984 : *Deux enfants dans un champ* 1905, h/t (76x100) : **BEF 440 000** – Lokeren, 10 oct. 1987 : *Fillettes à la balançoire* 1910, h/t (95x130) : **BEF 700 000** – Lokeren, 28 mai 1988 : *St Martens Bodegem* 1934, h/t (54x65) : **BEF 130 000** – Lokeren, 8 oct. 1988 : *Coucher de soleil*, h/t (45x60) : **BEF 160 000** – Bruxelles, 19 déc. 1989 : *Mère et enfant dans un paysage*, h/t (107x130) : **BEF 625 000** – Lokeren, 10 oct. 1992 : *Pomone* 1918, h/t (95x120,5) : **BEF 1 300 000** – Lokeren, 4 déc. 1993 : *Gardien de vaches près du lac de Daknam*, h/t (97x132,5) : **BEF 1 500 000** – Lokeren, 8 oct. 1994 : *Paysan labourant à la tombée de la nuit* 1932, h/t (49x69) : **BEF 80 000** – Lokeren, 20 mai 1995 : *Enfants dans un champ*, h/t (61x80) : **BEF 480 000** – Lokeren, 18 mai 1996 : *Enfants dans un champ*, h/t (61x80) : **BEF 380 000** – Lokeren, 8 mars 1997 : *Mère et enfants dans un verger fleuri* 1918, h/t (100x130) : **BEF 1 600 000**.

WELY Jacques

Né vers 1873. Mort en 1910. XIXe-XXe siècles. Français.

Peintre de genre, figures, paysages, natures mortes, illustrateur.

Il travailla à Montfort-l'Amaury (Yvelines) à partir de 1908. Il a illustré *Âmes bretonnes*, de Camille Mauclair.

Ventes Publiques : Paris, 28 oct. 1922 : *Nature morte* : **FRF 135** – Paris, 7 déc. 1942 : *Rue à Locronan* : **FRF 500** ; *La chanteuse* : **FRF 500** – Paris, 24 mai 1944 : *Les comptes* : **FRF 1 300** – Paris, 12 juin 1950 : *Chez le notaire* 1907 : **FRF 4 300** – Londres, 20 juin 1984 : *La cueillette des cerises* 1909, h/pan. (33x41) : **GBP 950**.

WELZ Ivan Augustinovitch ou **Weltz**

Né en 1866 à Saratoff. XIXe-XXe siècles. Russe.

Peintre de paysages.

Il fut élève de l'Académie des Beaux-Arts de Saint-Pétersbourg.

Musées : Moscou (Gal. Tretiakov) : *Printemps dans les environs de Saint-Pétersbourg* – Moscou (Mus. Roumianzeff) : *Nuit en Crimée* – Toledo : *Vallée du Dniepr.*

WELZ Konrad

Né en 1967 à Pretoria. XXe siècle. Sud-Africain.

Artiste.

Il a participé en 1994 à l'exposition *Un Art contemporain d'Afrique du Sud* à la galerie de l'esplanade, à la Défense à Paris.

WELZL VON WELLENHEIM Apollonia, née **de Barbier**

Née le 18 septembre 1801. Morte le 1er octobre 1882. XIXe siècle. Autrichienne.

Peintre de fleurs.

WEMAËRE Pierre

Né en 1913 à Comines (Nord). XXe siècle. Français.

Peintre, peintre à la gouache, peintre de cartons de tapisseries, graveur, lithographe, céramiste. Expressionniste-abstrait. Groupe COBRA, apparenté.

Son père, général de cavalerie, s'était établi à Versailles avec sa famille, où Pierre Wemaëre est resté. Il commença à peindre en 1933, avec Eugène Delaporte, dont il imita la manière post-impressionniste. En 1936-1937, il était élève de Fernand Léger, en même temps que Asger Jorn. Avec celui-ci et Grekoff, il collabora à la réalisation du *Transport des Forces*, commande de l'État à Fernand Léger, pour l'Exposition Universelle de 1937. En 1938-1939, peut-être par l'intermédiaire de Jorn, il découvrit l'œuvre de Kandinsky et de Klee, découverte qui l'influença à son tour. De 1940 à 1946, pendant la Seconde Guerre mondiale, il cessa de peindre. En 1947, il retrouva Jorn, alors en train de fonder le groupe COBRA, mais ne fit pas partie du groupe, bien que se situant dans un esprit proche. En collaboration avec Jorn, il entreprit à cette époque la réalisation de tapisseries. Avec Jorn encore, il voyagea en Tunisie en 1948. Ce ne fut qu'en 1955 qu'il recommença à peindre.

En 1937 et 1938, il commença à exposer aux Salons des Indépendants et des Surindépendants. En 1938, il fit sa première exposition personnelle, en compagnie de Jorn, à Copenhague. Il participe ensuite à des expositions du groupe, à Paris, notamment au Salon de Mai, à Londres, Copenhague, Eindhoven, Venise, Rome.

Il montre régulièrement des expositions personnelles de ses peintures : à Paris, 1957 galerie Paul Facchetti ; 1960 et 1963 galerie Rive Gauche ; encore en 1968 ; à Copenhague, 1961, 1966 ; au Musée de Silkeborg, *Cent œuvres*, en 1962 ; il expose régulièrement à Silkeborg depuis 1969 ; au Musée de Randers, Danemark, une rétrospective *Trente années de peinture*, en 1971 ; 1980 Paris, rétrospective galerie Balcon des Arts ; 1990 Silkeborg, galerie Moderne, et Paris, galerie Philippe Vichot ; 1989, 1991 Thonon-les-Bains, galerie Annelise Petersen ; etc.

Lorsqu'il recommença à peindre, en 1955, la communauté d'esprit avec COBRA fut immédiate et multiple, dans le bestiaire fantasmagorique qu'il développa, dans le jaillissement de l'écriture spontanée, des empâtements brutaux, des couleurs sauvages. En 1972 et 1974, il a édité deux séries de lithographies ; en 1974, il a illustré de gravures un recueil de poèmes de Michel Chapuis. En 1974, il entreprend la réalisation d'une céramique de cinquante mètres de long, commande de l'État. Poursuivant son œuvre peint, issu d'une technique fébrile, dans un graphisme déchiré, il produit un fantastique bestiaire. D. Gros en a écrit : « Insolite, l'œuvre de Wemaëre produit des animaux fantastiques ; ironique, elle suscite des parodies d'humanité » ; et Y. Taillandier : « Avec des grimaces de fureur enfantine et des rires qui découvrent des dents immenses comme des fanons de baleines, ces êtres hybrides ressemblent à la fois à des cétacés, aux taureaux volants d'Assyrie et à de bizarres batraciens ailés. »

Toutefois, sans solution de continuité, simultanément en parallèle avec la production de son bestiaire fantastique, il peut se livrer totalement à la ligne et à la couleur abstraites pour elles-mêmes, avec l'indifférence souveraine, qu'il partage aussi avec COBRA, envers la dichotomie figuration-abstraction. Per Hovdenakk remarque : « L'expressionnisme abstrait nordique a des parallèles évidentes dans l'art français : des peintres comme Bazaine ou Manessier appartiennent aussi à la génération de COBRA. Vers les années quarante, les artistes danois développèrent la peinture des masques, tradition nordique, et les français créaient une peinture abstraite spontanée découlant des paysages, tradition française. » Au fil des ans, dans la peinture de Wemaëre, il semble que l'abstraction formelle ait supplanté la figuration expressionniste, sans qu'il y ait finalement d'intérêt pour le regardeur à s'interroger s'il s'agit d'œuvres figuratives ou abstraites ; il s'y agit avant tout de faits picturaux portant témoignage d'une personnalité singulière. ■ Jacques Busse

Bibliogr. : Herta Wescher, in : *Cimaise*, Paris, sept.-oct. 1957 – Christian Dotremont, Pierre Wemaëre : *Catalogue de l'œuvre de Pierre Wemaëre*, Musée de Silkeborg, 1963 – Jean-Claude Carrière : *Histoire d'un peintre*, Per Hovdenakk, in : *Pierre Wemaëre*, s.l., Paris ? ni d., vers 1979 – Lydia Harambourg, in : *L'École de Paris 1945-1965. Diction. des Peintres*, Ides et Calendes, Neuchâtel, 1993 – François Duret-Robert : Catalogue de l'exposition *Wemaëre*, galerie Philippe Vichot, Paris, 1990.

Musées : Aarhus : *Un terme au parc* 1937 – *Gouaille* 1964 – Eindhoven : *Composition* – Melbourne : *Le masque furieux* – Oslo (Sonia Henie Mus.) – Paris (Mus. d'Art Mod.) : *La foule en fleurs* 1963 – Randers : *Les vertueuses* 1961 – *Mauvaise rencontre* 1963 – *Amplitude* 1971 – *Composition*, gche – Silkeborg (Louisiana Mus.) : *105 œuvres* – Sydney : *Composition* – Versailles : *L'Offrande* 1980 – *Fougueusement* 1990.

Ventes Publiques : Copenhague, 22 oct. 1974 : *Aux halles* : **DKK 11 500** – Copenhague, 6 avr. 1976 : *Vers d'autres rivages* 1970, h/t (80x100) : **DKK 7 000** – Copenhague, 8 mars 1977 : *Composition Fofyer* 1958, h/t (118x90) : **DKK 12 000** – Londres, 22 oct. 1987 : *Masque peau neuve* : **GBP 700** – Versailles, 5 juin 1988 : *Enlèvement* : **FRF 30 000** – Copenhague, 30 mai 1990 : *Composition*, h/t (81x65) : **DKK 28 000** – Copenhague, 14-15 nov. 1990 : *Le rouge domine* 1969, h/t (55x46) : **DKK 11 000** – Paris, 24 juin 1991 : *L'Arbre à sequins* 1983, h/t (130x97) : **FRF 29 000** – Copenhague, 17 sep. 1991 : *Parfois violent* : **DKK 40 000** – Copenhague, 8-9 mars 1995 : *Retour de Handinanie* 1966, h/t (54x65) : **DKK 17 000** – Copenhague, 29 jan. 1997 : *Plein Été* 1961, h/t (65x54) : **DKK 12 000**.

WENBAN Sion Longley

Né le 9 mars 1818 à Cincinnati. Mort le 20 ou 28 avril 1897 à Munich. XIXe siècle. Américain.

Paysagiste et graveur à l'eau-forte.

Élève de Duveneck et de Hackl, il fit ses études à New York et à Munich. On cite de lui *Saules au bord d'un ruisseau.*

Sion L. Wenban (Nachlass).

Cachet de vente

WENBAUM Albert ou **Weinbaum**

Né vers 1880 à Kamenez-Podolski (Ukraine). Mort entre 1940 et 1944 en Allemagne. XIXe-XXe siècles. Depuis 1909 actif et naturalisé en France. Ukrainien.

Peintre de scènes et figures typiques, portraits, paysages, fleurs, illustrateur.

Il fut élève des académies des Beaux-Arts de Cracovie et d'Odessa. Il se fixa à Paris en 1909. Il peignit des fleurs, des portraits, des scènes parisiennes et des types juifs. Il exposait au Salon des Indépendants depuis 1909 et au Salon des Tuileries à partir de 1928. Wenbaum, disparu depuis la Seconde Guerre mondiale, fut une figure du Montparnasse de la grande époque. On peut dire que son art est spécifiquement juif ; il a illustré les *Images bibliques* de G. Kahn et peint de caractéristiques scènes de famille. Il a été sensible à la douloureuse poésie de nos faubourgs les plus déshérités.

Ventes Publiques : Paris, 23 déc. 1927 : *Fleurs* : **FRF 310** – Paris, 26 mars 1928 : *Paysage* : **FRF 450** – Paris, 8 mars 1929 : *Fleurs* : **FRF 410** ; *Musicien* : **FRF 820** – Paris, 22 mars 1944 : *Fleurs* : **FRF 1 250**.

WEN BOREN ou **Wen Po-Jen**, surnom : **Decheng**, noms de pinceau : **Wufeng, Baosheng** et **Sheshan Laonong**

Né en 1502. Mort sans doute en 1575. XVIe siècle. Chinois.

Peintre.

Neveu et disciple de Wen Zhengming (1470-1559) (il est le fils du frère de Wen Zhengming), il a une grande réputation de peintre et est certainement le disciple le plus intéressant de ce dernier. Il est néanmoins très critiqué à cause de son tempérament incontrôlé, irascible et querelleur. Il reprend dans ses paysages, la tradition de Shen Zhou (1427-1509) et des paysages de montagne grandioses de Wang Meng (1298-1385). A Wen Zhengming, il emprunte l'usage complexe des textures sèches, avec plus de grandeur ; son intérêt pour l'atmosphère et les compositions spacieuses semble devoir beaucoup aux maîtres Yuan. Ses peintures datées, des paysages pour la plupart, s'échelonnent entre 1526 et 1580 ; ce sont soit des sites de montagnes escarpées, soit des vues de rivière, qui donnent au lettré l'impression de se promener dans le site réel. Son chef-d'œuvre est un ensemble célèbre conservé au Musée national de Tokyo intitulé, *Siwan*, c'est-à-dire des illustrations des quatre saisons dans leurs dix mille phénomènes naturels. C'est ainsi que le printemps est représenté par dix mille pins, l'été par dix mille bambous luxuriants au bord d'une rivière, l'automne par dix mille vagues claires, l'hiver enfin par des pics innombrables sous la neige qui surplombent une rivière gelée. Ces peintures portent toutes une inscription de Dong Qichang (1555-1636) et l'une d'elles, l'hiver, est datée 1551. C'est sans doute une des réussites les plus remarquables de la peinture de paysage ; l'été, par exemple, est une magnifique composition de bambous, qui serpentent comme une mélodie au bord de la rivière, avec des jeux d'encre allant du noir profond à un gris presque blanc, des points de noir sombre au pied des bambous faisant chanter la vibration du vent dans les feuilles. Rarement, dans un paysage, l'air circule-t-il avec autant d'aisance, de mouvement, de légèreté, avec autant de retenue et de subtilité. ■ M. M.

Bibliogr. : J. Cahill : *La peinture chinoise*, Genève, 1960 – M. Pirazzoli-s'Terstevens : *Cours de l'École du Louvre*, Paris, 1970-1971.

Musées : Cleveland (Mus. of Art) : *La montagne des Immortels* signé et daté 1531, encre et coul. légères sur soie, d'après Wang Meng – *Le chant du luth*, encre et coul. légères sur soie, sur un poème de Bo Juyi, rouleau en longueur – New York (Metropolitan Mus.) : *Paysage de rivière* signé et daté 1528, petit rouleau en longueur – *Paysage de rivière avec personnages sur un pont*, rouleau miniature signé – Paris (Mus. Guimet) : *Paysage de rivière avec pavillon construit au-dessus d'une rivière*, encre et coul. légères sur pap. d'or, éventail, poème du peintre daté 1548 – *Paysage de montagne avec voyageurs chevauchant le long d'une rivière* signé et daté 1559, encre et coul. légères sur pap. d'or, éventail – *Feuilles et branches* signé et daté 1559, éventail – Pékin (Mus. du Palais) : *Temple dans les rochers* daté 1568, encre et coul. sur pap., rouleau en longueur – *Vue du lac Taihu* signé et daté 1569 – *Montagnes rocheuses et eaux cascadantes*, signé – SEATTLE (Art Mus.) : *Paysage de rivière et montagnes abruptes* signé et daté 1561, encre et coul. sur pap. – SHANGHAI : *Les pêcheurs solitaires sur la rivière aux berges fleuries* daté 1569, coul. légères sur pap., rouleau en hauteur – STOCKHOLM (Nat. Mus.) : *Paysage de montagne* signé et daté 1548 – TAIPEI (Nat. Palace Mus.) : *Yang Jijing jouant du luth*, inscription du peintre signée et datée 1528 – *Vaste vue de rivière* signé et daté 1547 – *L'île Dongting sur le lac Taihu*, poèmes dont un du peintre et un de Xie Shizhen daté 1559 – *L'île Fenghu* signé et daté 1563 – *Hutte en bambous sur le Songgang* signé et daté 1564, coul. légères – *Paysage* signé et daté 1564, poème daté 1570 – *Paysage de printemps* signé et daté 1568 – *Paysage du sixième mois* signé et daté 1568 – *Paysage* signé et daté 1570 – *Douze illustrations de poèmes anciens* dernière œuvre étant datée de 1570 ou 1572 – *Paysage avec personnages* signé et daté 1580 – *La montagne des Immortels* – *Homme marchant à l'ombre des pins* – *Vue de rivière au cinquième mois*, signé – *Taoïste brûlant de l'encens sur la montagne de l'Immortalité*, encre et coul. légères, signé – TOKYO (Nat. Mus.) : *Siwan, Paysage des quatre saisons*, quatre rouleaux en longueur, dont l'un est signé et daté 1551.

VENTES PUBLIQUES : NEW YORK, 4 déc. 1989 : *Le chalet du vieil homme ivre*, makémono, encre et pigments/pap. (30x127,5) : **USD 19 800** – NEW YORK, 25 nov. 1991 : *Scènes de la rivière Xunyang*, encre et pigments/pap., album de 14 feuilles (chaque 23,8x25,7) : **USD 253 000.**

WENCESLAUS. Voir **WENZEL**

WÊN CHÊNG. Voir **WEN ZHENG**

WÊN CHÊNG-MING. Voir **WEN ZHENGMING**

WEN CHEN-HÊNG. Voir **WEN ZHENHENG**

WÊN CHIA. Voir **WEN JIA**

WEN CHOU. Voir **WEN SHU**

WENCK Ernst

Né le 18 mars 1865 à Reppen près de Francfort-sur-Oder. Mort le 23 janvier 1929 à Berlin. XIXe-XXe siècles. Allemand.

Sculpteur.

Il fut élève de Fritz Schaper à l'Académie des Beaux-Arts de Berlin, il fit aussi des études à Paris et à Rome.

MUSÉES : BERLIN : *Fillette buvant* – *Linos.*

VENTES PUBLIQUES : LINDAU, 6 mai 1982 : *Nu accroupi*, bronze (H. 35,5) : **DEM 3 800.**

WENCKEBACH Oswald ou **Ludwig Oswald**

Né le 16 juin 1895 à Heerlen. Mort en 1962. XXe siècle. Hollandais.

Graveur sur bois et sculpteur.

Il fut élève de son oncle Willem Wenckebach.

VENTES PUBLIQUES : AMSTERDAM, 7 déc. 1995 : *Jacques op Kruk*, bronze (H. 15) : **NLG 2 832.**

WENCKEBACH Willem ou **Ludwig Willem Reymert**

Né le 12 janvier 1860 à La Haye. Mort en 1937. XIXe-XXe siècles. Hollandais.

Peintre de paysages, graveur.

Il fut élève de D. Van Lokhorst.

MUSÉES : UTRECHT : *Le matin dans les champs.*

VENTES PUBLIQUES : AMSTERDAM, 19 oct. 1993 : *Paysage de dunes en été* 1911, h/t (97,5x128,5) : **NLG 19 550.**

WENCKER Joseph

Né le 3 novembre 1848 à Strasbourg (Bas-Rhin). Mort le 21 décembre 1919 à Paris. XIXe-XXe siècles. Français.

Peintre d'histoire, compositions religieuses, scènes de genre, portraits.

Élève de Jean Léon Gérôme, Prix de Rome en 1876, il avait déjà débuté au Salon de Paris en 1873 et obtenu une mention honorable en 1876 ; médaille de deuxième classe en 1877. Il reçut une médaille d'or à l'Exposition Universelle de 1889. Chevalier de la Légion d'honneur en 1887, il fut promu officier en 1900.

C'est d'un trait assuré qu'il traite ses sujets d'histoire ou de genre, peints dans des tonalités vives.

BIBLIOGR. : Gérald Schurr, in : *Les Petits Maîtres de la peinture 1820-1920, valeur de demain*, Les Éditions de l'Amateur, t. II, Paris, 1982.

MUSÉES : ALENÇON : *Jeune fille et fleurs* – ANGERS : *Saül consultant la pythonisse* – CHÂTEAU-THIERRY : *Sainte Élisabeth* – MULHOUSE : *Sous la feuillée* – *Lecture dans un marché en Italie* – *Engel Dollfus* – *Georges Steinbach* – PARIS (Mus. du Louvre) : *Artémis* – LE PUY-EN-VELAY : *Saint Jean Chrysostome prêchant devant l'impératrice Eudoxie à Byzance* – STRASBOURG : *Italien.*

VENTES PUBLIQUES : PARIS, 1895 : *Dessin* : **FRF 60** – PARIS, 4 déc. 1941 : *Venise, la promenade en gondole* : **FRF 700.**

WEN CONGCHANG ou **Wen Ts'ong-Tch'ang** ou **Wen Ts'ung-Ch'ang**, surnom : **Shunzi**, nom de pinceau : **Nanuye**

XVIe-XVIIe siècles. Actif à la fin du XVIe et au début du XVIIe siècles. Chinois.

Peintre.

Petit-fils de Wen Boren (1502-vers 1575), il fait des paysages dans la tradition familiale.

WEN CONGJIAN ou **Wen Ts'ong-Kien** ou **Wên Ts'ung-Chien**, surnom : **Yanke**, nom de pinceau : **Zhenyan Laoren**

Né en 1574. Mort en 1648. XVIe-XVIIe siècles. Chinois.

Peintre.

Fils aîné de Wen Yuanshan (1554-1589), il fait des paysages dans la tradition familiale mais aussi dans le style de Ni Zan (1301-1374) et de Wang Meng (1298-1385). Il est en outre, peintre de figures, de fleurs et d'oiseaux. Le National Palace Museum de Taipei conserve plusieurs de ses œuvres, tels, *Personnage bouddhique*, signé et daté 1643, *Oiseau dans les Lotus*, signé et un *Paysage*, sur éventail signé.

WEND Franz

Né vers 1713. Mort le 15 janvier 1768 à Prague. XVIIIe siècle. Autrichien.

Peintre.

WENDA Oswald

Né le 30 septembre 1721 à Luditz. XVIIIe siècle. Autrichien.

Sculpteur.

Il sculpta des statues, des chaires et des tabernacles pour des églises de Luditz et de Karlsbad.

WENDE Franz

Mort en 1747 à Prague. XVIIIe siècle. Autrichien.

Peintre.

Peut-être identique à Franz Wend ou à Franz Anton Wendt.

WENDE Josef

Mort vers 1845. XIXe siècle. Actif à Pilnikau. Autrichien.

Sculpteur sur bois.

Il sculpta les stalles, la chaire et les autels de l'église de Pilnikau.

WENDEKIN Johan Heinrich. Voir **WEDEKIND**

WENDEL

XVIIIe siècle. Autrichien.

Sculpteur.

Il fit ses études à Vienne. Il était actif à Salzbourg au début du XVIIIe siècle. Il travailla à Prague et pour le château de Melnik.

WENDEL Jacobus ou **Abraham Jacobus**

Né le 31 octobre 1826 à Leyde. Mort le 23 septembre 1915 à Leyde. XIXe-XXe siècles. Hollandais.

Dessinateur et lithographe.

WENDEL Theodore

Né en 1859 à Midway, près de Cincinnati (Ohio), ou 1857. Mort en 1932. XIXe-XXe siècles. Américain.

Peintre de figures, paysages, graveur. Postimpressionniste.

Son père, d'origine allemande, dirigeait un grand magasin de Midway. Âgé de quinze ans, Théodore Wendel quitta sa famille, rejoignit un cirque, où il devint gymnaste et jongleur. Il entra à l'École de Dessin de l'Université de Cincinnati en 1876, puis étudia dans l'atelier de Frank Duveneck, à l'Académie royale de Munich en 1879. En compagnie de Duveneck, il séjourna ensuite deux ans en Italie, rencontra Whistler à Florence. Après quelques années aux États-Unis, vers 1885 il revint en Europe, travaillant à l'Académie Julian à Paris, passant les étés 1886, 1887 à Giverny, dans l'entourage de Claude Monet. Vers 1888, il retourna aux États-Unis, où il vécut à Conington, dans le Kentucky ; puis sur la côte de la Nouvelle-Angleterre, à Newport ; jusqu'en 1897 à Boston où il se maria et enfin, après un voyage en France et à Venise, à Ipswich (Massachusetts) vers 1900. Théodore Wendel a enseigné à plusieurs reprises.

Faisant partie du « Groupe des Dix », il exposa à la Galerie de Durand-Ruel à New York, et, d'où il se trouvait, envoyait des peintures à la Society of American Artists. En 1982 à Paris, il était représenté à l'exposition *Impressionnistes Américains*, au Musée du Petit Palais.

Ce fut en 1886 à Giverny qu'il délaissa les couleurs terreuses de son « époque Duveneck » pour des vraies couleurs vives et claires. Comme Theodore Robinson, il adopta la spontanéité et la technique impressionniste de Monet, sans toutefois le suivre dans la voie de l'abandon du sujet. Sur de petits formats, il saisissait des petites scènes intimistes. À partir de son installation à Ipswich, il peint des paysages à la touche légère, accrochant la lumière, certes dans l'esprit des impressionnistes français, mais, loin des douces brumes de la vallée de la Seine, en tenant compte des temps changeants de la Nouvelle-Angleterre et de la dureté de la lumière reflétée par l'océan. ■ J. B.

Bibliogr. : Catalogue de l'exposition : *Impressionnistes américains*, musée du Petit-Palais, Paris, 1982 – Gérald Schurr, in : *Les Petits Maîtres de la peinture 1820-1920, valeur de demain*, Les Éditions de l'Amateur, t. VII, Paris, 1989 – William H. Gerdts, D. Scott Atkinson, Carole L. Shelby, Jochen Wierich : *Impressions de toujours – Les peintres américains en France 1865-1915*, Mus. Américain de Giverny, Terra Foundation for the Arts, Evanston, 1992.

Musées : Cincinnati : *La marée basse – Les flots de l'Ohio* – Giverny (Mus. Américain Terra Foundation for the Arts) : *Le Ruisseau à Giverny* 1887.

Ventes Publiques : New York, 7 déc. 1984 : *Lower farm, Ipswich*, c. 1901, h/t (64,8x95,2) : **USD 9 500** – New York, 30 sep. 1985 : *Maisons au bord d'un étang*, h/t (43,1x66) : **USD 4 000** – New York, 30 sep. 1988 : *Femme marocaine* 1886, h/t (61x46,5) : **USD 5 500** – New York, 25 mai 1995 : *Jeune fille assise au bord d'un étang*, h/t (64,1x76,8) : **USD 37 375**.

WENDEL-STAMM Johann. Voir **WENDELSTAMM**

WENDELI Jakob

xviie siècle. Travaillant à Einsiedeln en 1605. Suisse.

Peintre verrier.

WENDELIUS Jakob

xviiie siècle. Travaillant à Gripsholm en 1722. Suédois.

Dessinateur et graveur au burin.

WENDELIUS Jan. Voir **WENDELSTAMM Johan**

WENDELSTADT Carl Friedrich

Né le 13 avril 1786 à Neuwied. Mort le 17 septembre 1840 à Gand. xixe siècle. Allemand.

Peintre, lithographe et graveur à l'eau-forte.

Élève de David à Paris. Il fut inspecteur de l'Institut Städel en 1817. Le Musée de Francfort conserve de lui *Portrait du docteur L. G. Grambs*. Il a gravé des sujets de genre, des sujets religieux et des paysages.

WENDELSTAMM Johan ou **Wendel-Stamm**

Né à Giessen. Mort avant le 17 décembre 1670 à Stockholm. xviie siècle. Suédois.

Sculpteur.

Il travailla pour la cour de Stockholm. Il sculpta des portails, des épitaphes et des bustes.

WENDEROTH Karl

Né dans la première moitié du xixe siècle à Kassel. xixe siècle. Allemand.

Portraitiste.

Il fit ses études à l'Académie de Dresde en 1803. En 1810, il vint à Varsovie, où il fit plusieurs portraits. Il peignit aussi des tableaux d'histoire et de genre.

WEN DIAN ou **Wen Tien**, surnom : **Yuye**, nom de pinceau : **Nanyun Shanqiao**

Né en 1633. Mort en 1704. xviie siècle. Chinois.

Peintre.

Fils de Wen Zhenheng et petit-fils de Wen Zhengming (1470-1559), il fait des paysages dans la tradition familiale mais aussi des pins et des bambous.

Musées : Pékin (Mus. du Palais) : *Rivière au pied d'une montagne*, poème et colophon du peintre datés 1687 – Shanghai : *Bosquet d'automne après la pluie*, encre sur soie, rouleau en hauteur – Taipei (Nat. Palace Mus.) : *Paysages*, deux feuilles d'album, inscription et cachets du peintre.

WEN DING ou **Wen Ting**, surnom : **Xuekuang**, nom de pinceau : **Houshan**

Né en 1766, originaire de Xiushui, province du Zhejiang. Mort en 1852. xviiie-xixe siècles. Chinois.

Peintre.

Connaisseur, collectionneur et peintre de paysages, de pins et de pierres, il suit le style de Wen Zhengming (1470-1559).

WENDLER

xvie siècle. Actif à Presbourg en 1513. Autrichien.

Sculpteur.

Il sculpta des armoiries.

WENDLER Bonaventura

xvie siècle. Actif à Bienne et à Nidau de 1551 à 1554. Suisse.

Peintre verrier.

WENDLER Friedrich Mariz

Né le 28 février 1814 à Dresde. Mort le 16 octobre 1872 à Dresde. xixe siècle. Allemand.

Peintre de genre.

Élève de l'Académie de Dresde. Il continua ses études à Munich et s'établit à Dresde. Le Musée de Dresde conserve de lui *Chasseur de chamois malheureux*, et le Musée Provincial de Graz, *Intérieur avec jeune couple et enfant au berceau*.

Ventes Publiques : Londres, 2 juin 1982 : *Pêcheurs à la ligne*, h/t (30,5x25,5) : **GBP 1 800**.

WENDLING Gustav

Né le 7 juin 1862 à Buddenstadt. Mort en 1932. xixe-xxe siècles. Allemand.

Peintre de genre, figures, intérieurs, paysages, marines, graveur.

Il fut élève d'Eug. Ducker à l'Académie des Beaux-Arts de Düsseldorf. Il visita l'Amérique du Nord, l'Italie, l'Allemagne, la Belgique, la Hollande, la France. Mention honorable à Berlin en 1890, médaille de bronze à Paris en 1900 (Exposition Universelle). Il obtint un prix au concours pour la décoration de l'hôtel de ville de Bochum.

Musées : Berlin : *Message du Haut Lac* – Düsseldorf : *Intérieur d'une église hollandaise* – Essen : *L'armateur*.

Ventes Publiques : Cologne, 20 mars 1981 : *Cour de ferme avec personnages* 1883, h/t (66x87) : **DEM 4 400** – Monaco, 20 juin 1992 : *Jeune femme contemplant ses bijoux* 185, h/t (90,5x117) : **FRF 46 620**.

WENDLING Henri Felix

Né en 1813 à Reims (Marne). Mort en 1896. xixe siècle. Français.

Sculpteur.

Élève de Jean-Baptiste Farochon et de Carpeaux. Il débuta au Salon de 1876.

WENDORFF Ignacy ou **Romanowski**

Né en 1793 en Russie. Mort le 17 septembre 1867 à Varsovie. xixe siècle. Polonais.

Peintre de genre, figures typiques, animalier, dessinateur.

Ses peintures représentent des types populaires, des chevaux et des scènes de genre.

Musées : Cracovie – Varsovie.

WENDT Alexander de

xviie siècle. Actif à Amsterdam en 1621. Hollandais.

Peintre.

WENDT François Willi

Né en 1909 à Berlin. Mort en 1970. xxe siècle. Depuis 1937 actif en France. Allemand.

Peintre.

De 1928 à 1934, il fit des études de philosophie et d'histoire de l'art, tout en ayant commencé à peindre ; ses premières œuvres non-figuratives datant de 1932. Une fois à Paris où il s'installa en 1937, il fut élève de Fernand Léger, en 1938. Il participa alors à une exposition de groupe et connut Kandinsky, Delaunay, Freundlich, Hartung, Poliakoff. Il a participé au Salon des Surindépendants, puis, après la guerre, aux Salons des Réalités Nouvelles et d'Octobre ; ainsi qu'à diverses manifestations de groupe. On a vu une exposition personnelle de ses peintures à Paris, en 1951. En 1971, le Salon des Réalités Nouvelles lui consacra un hommage posthume. Une exposition rétrospective lui a été consacrée, à Paris également, en 1972, dont le choix d'œuvres avait été effectué par les soins de Roger Van Gindertael.

Ses peintures sont constituées en général d'une arabesque qui s'enroule sur elle-même, déterminant ainsi des surfaces aux contours courbes, animées de colorations sobres, bien que claires.

Bibliogr. : R. Van Gindertael : *Propos sur la peinture actuelle*, Paris, 1955 – Michel Seuphor : *Dictionnaire de la peinture abstraite*, Hazan, Paris, 1957.

WENDT Franz Anton
XVIIIe siècle. Autrichien.
Peintre.
Il travaillait à Prague de 1728 à 1738. Peut-être identique au peintre Franz Wende ou au peintre Franz Wend.

WENDT Julia Bracken. Voir **BRACKEN**

WENDT William
Né le 20 février 1865 en Allemagne. Mort en 1946. XIXe-XXe siècles. Américain.
Peintre de paysages.
Il était autodidacte en art. Il s'installa à Chicago en 1880. Il épousa le peintre Julia Bracken. Il était membre de la Fédération Américaine des Arts. Il obtint de très nombreuses récompenses.
Bibliogr. : J. A. Walker : *Documents on the Life and Art of William Wendt, 1865-1946*, 1992.
Musées : Chicago : *La Californie - Le Silence de la nuit - Fry Arroyo - Si tout le monde est jeune.*
Ventes Publiques : New York, 24 oct 1979 : *California (?)* 1910, h/t (61x92) : **USD 1 500** - Los Angeles, 16 mars 1981 : *Ocean cliffs* 1915, h/t (63,5x76,2) : **USD 2 800** - San Francisco, 8 nov. 1984 : *Paysage montagneux* 1907, h/t (51x91,5) : **USD 4 750** - New York, 24 avr. 1985 : *Emerald Bay, Laguna beach*, h/t (30,5x40,5) : **USD 10 500** - New York, 29 mai 1987 : *Paysage*, h/t (50,5x76,2) : **USD 11 000** - New York, 30 sep. 1988 : *Santa Clara* 1909, h/t (71,2x91,5) : **USD 27 500** ; *Fontaine à Santa Barbara*, h/t (64x76,1) : **USD 8 250** - New York, 24 jan. 1989 : *Le Soil près de San Luis Obispo* 1926, h/t (75x90) : **USD 49 500** - New York, 1er déc. 1989 : *Les branches tordues à Mission Canyon*, h/t (76,1x101,6) : **USD 33 000** - New York, 24 jan. 1990 : *Panorama depuis le Mont Rubidoux en Californie ; Le lac Tahoe*, aquar./pap., une paire (22,2x28,8 et 22,2x28,5) : **USD 3 850** - Los Angeles-San Francisco, 7 fév. 1990 : *La course des nuages au-dessus d'un paysage printanier*, h/t (51x61) : **USD 35 750** - New York, 24 mai 1990 : *Où la paix s'étend* 1917, h/t (101,5x127) : **USD 55 000** - New York, 27 sep. 1990 : *Côte californienne* 1920, h/t (76,8x91,4) : **USD 44 000** - New York, 12 avr. 1991 : *Paysage de lagune* 1924, h/t (50,8x76,2) : **USD 17 600** - New York, 10 mars 1993 : *La route encaissée* 1930, h/t (63,5x76,2) : **USD 51 750** - New York, 21 sep. 1994 : *La coupe d'or* 1901, h/t (76,8x102,2) : **USD 74 000** - New York, 14 mars 1996 : *Après l'orage* 1926, h/t (63,5x76,2) : **USD 28 750** - New York, 3 déc. 1996 : *Paysage rocheux*, h/t/cart. (24,1x34,3) : **USD 2 415** - New York, 27 sep. 1996 : *Sycomores majestueux* 1928, h/t (60,9x81,3) : **USD 43 700** - New York, 25 mars 1997 : *Une femme dans un champ*, h/t (30,5x43,2) : **USD 12 650**.

WENESTA Andrzej ou **Wenesta-Waszkiewicz-Tubelkowski**
XVIIe siècle. Actif à Cracovie. Polonais.
Peintre.
Élève de M. Blechowski. Il a peint *Fiançailles de sainte Catherine* pour l'église Sainte-Catherine de Cracovie.

WENETZIANOFF Alexei Gavrilovitsch ou **Wenesziannoff** ou **Venetsianov**
Né en 1779 à Nieshin. Mort le 5 décembre 1847 à Safonkoroo. XIXe siècle. Russe.
Peintre de genre et de portraits, et caricaturiste.
Élève de V. Borovikovsky, à l'Académie de Saint-Pétersbourg, dont plus tard il devint membre. En 1824, il fonda un enseignement artistique destiné aux serfs de sa propriété.
Musées : Moscou (Roumianzeff) : *La communion d'un mourant - Vieille femme avec une béquille - Jeune paysan se chaussant -* Moscou (Gal. Tretiakov) : *Près de la bourse de Saint-Pétersbourg - À la promenade - Sur le champ labouré - À la moisson - Fileuse du gouvernement de Tver - Paysanne avec des bleuets - Tête de garçon - Tête de vieux paysan -* Saint-Pétersbourg (Mus. Russe) : *La divination par les cartes - La cuisinière - Groupe de paysans - Jeune paysan - Tête de vieillard - Une propriétaire vaquant à ses occupations - Portrait - Jeune fille au grenier - L'artiste - L'enclos.*
Ventes Publiques : Londres, 22 oct. 1987 : *Jeune paysanne assise* 1820, h/t (29,3x24) : **GBP 8 000**.

WENGEL Julius ou **Jules**
Né en 1865 à Heilbronn (Bade-Wurtemberg). Mort en 1934. XIXe-XXe siècles. Allemand.
Peintre de compositions religieuses, scènes de genre, portraits, paysages, illustrateur.
Élève à l'Académie des Beaux-Arts de Leipzig de 1879 à 1886, puis à celle de Dresde, où il fut diplômé en 1890, il vint à Paris, où il exposa dès 1889, participant au Salon de Paris jusqu'en 1897. Il exposa également en Angleterre, en Autriche et à Leipzig, où il fut médaillé en 1897. Il montre un certain goût pour le symbolisme et le mysticisme, notamment dans ses illustrations du *Tag Mahal*, poème du Suèdois Butenshon, 1895 ou pour *Goulab-Soubi*, conte de René de Pont-Jest, 1896. Il est aussi l'auteur de compositions religieuses qui se trouvaient dans l'église Saint-Michel d'Étaples, détruite durant la seconde guerre mondiale. Mais il est surtout connu pour ses portraits pour lesquels il met en valeur tout ce qui est chair : visages, mains, laissant esquissés au trait les vêtements et le décor.
Bibliogr. : Gérald Schurr, in : *Les Petits Maîtres de la peinture 1820-1920, valeur de demain*, Les Éditions de l'Amateur, t. V, Paris, 1981.

WENGEN Hans Rudolf
Né en 1704 à Bâle. Mort en 1772 à Bâle. XVIIIe siècle. Suisse.
Peintre de décorations.
Fils de Leonhard W.

WENGEN Johann Latthias
Né en 1805 à Bâle. Mort en 1874. XIXe siècle. Suisse.
Peintre de vues et de paysages.

WENGEN Leonhard
Né en 1680 à Bâle. Mort en 1721 à Bâle. XVIIIe siècle. Suisse.
Peintre de décorations.
Élève de H. Faust.

WENGENMAIR Josef
Mort le 21 mai 1804 à Méran. XVIIIe siècle. Travaillant à Méran à partir de 1748. Autrichien.
Peintre.
Il peignit de nombreuses fresques pour des églises du Tyrol. Le Musée d'Innsbruck conserve de lui *Christ en croix* et *Libération de saint Pierre*.

WENGER
XVIIIe siècle. Suisse.
Peintre.
Il travaillait à Kerns en 1763.

WENGER Ant.
XIXe siècle. Travaillant de 1800 à 1820. Allemand.
Portraitiste et aquafortiste.
Le Musée de Nuremberg conserve une étude de lui (*Tête de vieillard*).

WENGER F.
XIXe siècle. Actif au début du XIXe siècle. Autrichien.
Sculpteur.

WENGER Franz
XIXe siècle. Autrichien.
Peintre.
Actif à Braunau-sur-l'Inn, il travaillait à Pfaffstädt en 1826.

WENGER Franz
Né le 6 octobre 1831 à Hof (près de Mondsee). XIXe siècle. Autrichien.
Sculpteur sur bois.
Élève d'Otto König à Vienne. Il sculpta des autels et des bas-reliefs.

WENGER John
Né le 16 juin 1886 ou 1887 en Russie. Mort en 1976. XXe siècle. Depuis 1908 actif aux États-Unis. Russe.
Peintre d'intérieurs, architectures, peintre de décors de théâtre.
Il fut élève de l'École d'Art Impérial d'Odessa et de l'Académie Nationale de Dessin à New York, où il se fixa en 1908. Membre du Salmagundi Club.
Ventes Publiques : New York, 31 mars 1993 : *Le salon de musique*, h/cart. (61x50,8) : **USD 1 495** - New York, 21 mai 1996 : *Cathédrale (St Jean le divin en hiver)*, h/t (61x51) : **USD 1 840**.

WENGER Maurice
Né en 1928 à Genève. XXe siècle. Suisse.
Peintre. Abstrait-lyrique.
Il fut élève de l'École des Beaux-Arts de Paris, de 1947 à 1950, puis de l'École Normale de Dessin de Genève, de 1952 à 1954. Il participe à diverses expositions de groupe, parmi lesquelles : Salon Comparaisons en 1958 et 1959. Il a montré des expositions personnelles de ses peintures, à Genève, Paris, Lausanne, Zurich. Il pratique une abstraction gestuelle, influencée par la technique du *dripping*.

WENGERER C.
XVIIIe siècle. Suisse.
Peintre.

Il a peint une *Assomption* dans l'abbatiale de Werthenstein en 1727.

WENGLEIN Joseph ou **Josef**

Né le 5 octobre 1845 à Munich. Mort le 18 janvier 1919 à Bad Tölz. XIXe-XXe siècles. Allemand.

Peintre animalier, paysages, aquarelliste, dessinateur.

Il fut élève de l'Académie des Beaux-Arts de Munich et en 1870, de Adolf Lier dans son école privée. En 1886, il fut élu membre honoraire de l'Académie de Munich. Médaillé à Munich en 1883, à Berlin en 1889 et 1891, à Londres en 1876 et 1887.

Paysagiste, il s'est totalement investi dans les paysages de Bavière, de l'Isar, du Chiemsee (lac), dans lesquels il situe souvent des paysans, des scènes de chasse ou du bétail.

Musées : Bamberg : *Vue de la vallée de l'Isar* – Berlin : *Hiver au bord de l'Isar* – Breslau, nom all. de Wroclaw : *Le lit de l'Isar en amont de Tölz* – Cologne : *L'Isar après l'inondation* – Dresde : *Maison de paysans sous les arbres* – Francfort-sur-le-Main : *Plaines bavaroises* – Leipzig : *Automne en Bavière* – *L'Isar en automne* – *Le cimetière des enfants à Munich* – Mayence : *Dans les landes de Bavière* – Munich (Mus. mun.) : *L'artiste* – *Troupeau* – *Ruine* – Munich (Mus. Nat.) : *Femmes cherchant des pierres calcaires dans le lit de l'Isar près de Tölz* – *Dans les hauts marais de Bavière* – Munster : *L'Isar près de Tölz* – Prague : *Au bord du Lac de Chiemsee* – Schwerin : *Paysage au bord de l'Isar* – Wiesbaden : *Le torrent* – Wuppertal : *La chasse aux canards* – *Paysage* – Würzburg : *Paysage au bord de l'Isar.*

Ventes Publiques : Berlin, 17 mai 1895 : *Vue de Gross Hesselche* : **FRF 575** – Munich, 25 avr. 1951 : *Paysage* : **DEM 2 500** – Berlin, 25-26 sep. 1952 : *Vaches à l'abreuvoir* : **DEM 2 550** – Munich, 16-17 oct. 1952 : *Paysage* : **DEM 700** – Stuttgart, 19-21 mai 1953 : *Paysage de Haute-Bavière*, aquar. : **DEM 330** – Munich, 4-6 oct. 1961 : *Le Soir au Chiemsee* : **DEM 5 200** – Cologne, 5 mai 1966 : *Paysage d'automne* : **DEM 13 000** – Munich, 20 mars 1968 : *La Chasse aux canards* : **DEM 17 000** – Munich, 19-20 mars 1969 : *Paysage nuageux* : **DEM 21 000** – Lucerne, 13 juin 1970 : *Paysage boisé* : **CHF 12 000** – Cologne, 7 juin 1972 : *Paysage au lac* : **DEM 3 300** – Munich, 28 nov. 1974 : *Paysage boisé* : **DEM 25 000** – Cologne, 14 juin 1976 : *Paysage fluvial* 1897, h/t (51x61) : **DEM 8 500** – Cologne, 23 nov. 1978 : *Paysage marécageux* 1897, h/t (72x121) : **DEM 57 000** – Cologne, 22 nov 1979 : *Paysage de Bavière*, h/t (41,5x76,5) : **DEM 67 000** – Munich, 4 juin 1981 : *Troupeau dans un paysage fluvial* 1871, cr. et pl. reh. de blanc (29,5x47) : **DEM 3 000** – Lindau, 7 oct. 1981 : *Paysage de Bavière* 1881, h/t (112x160) : **DEM 20 000** – Zurich, 6 juin 1984 : *Après la chasse*, h/t (69x123) : **CHF 100 000** – Munich, 26 juin 1985 : *Paysage à la mare, Dachau* 1878, h/t (71,5x96) : **DEM 45 000** – Cologne, 18 mars 1989 : *L'Isartal près de Bad Tölz*, h/t (25x33) : **DEM 14 000** – Londres, 6 oct. 1989 : *Vaste paysage boisé avec du bétail s'abreuvant à une mare* ; *Barque sur un lac* 1889, h/pan., une paire (14x20) : **GBP 13 750** – Munich, 12 déc. 1990 : *Bétail dans les marécages* 1892, h/t (75x60) : **DEM 39 600** – Munich, 26-27 nov. 1991 : *Deux bûcherons sur un chemin montagneux*, aquar. et cr. (24x19) : **DEM 1 725** – Amsterdam, 14-15 avr. 1992 : *Bétail se désaltérant au crépuscule* 1876, h/pap./pan. (13x31) : **NLG 7 475** – Munich, 22 juin 1993 : *L'Automne en Isartal* 1899, h/t (74,5x104) : **DEM 48 300** – New York, 13 oct. 1993 : *Près du ruisseau* 1890, h/t (74,9x59,1) : **USD 24 150** – Munich, 21 juin 1994 : *Voiture à cheval sur une route de campagne enbourbée* 1873, h/t (43x97) : **DEM 28 750** – Heidelberg, 8 avr. 1995 : *Touffe de joncs dans les marais de Dachau*, h/cart. (27x21,3) : **DEM 3 700** – Vienne, 29-30 oct. 1996 : *Randonnée dans le matin gris*, h/t (150,5x213,5) : **ATS 276 000** – Heidelberg, 11-12 avr. 1997 : *Promenade du soir* 1871, h/t (59x107,5) : **DEM 5 500.**

WENGLER Johann Baptist

Né en 1815 à Plfugg-Wildschutten. Mort en 1889 à Vienne. XIXe siècle. Autrichien.

Peintre de genre, aquafortiste, lithographe.

Élève de l'Académie de Vienne et de M. Ranftl. Il exposa à Vienne de 1839 à 1869. Il peignit des scènes populaires, de foire, de noce et des bohémiens.

Ventes Publiques : Vienne, 15 oct. 1987 : *Dimanche à l'auberge* 1848, aquar. (25x20) : **ATS 25 000** – Londres, 11 oct. 1995 : *Danse dans le sous-sol* 1847, h/t (90x105) : **GBP 14 950.**

WENG LO. Voir **WENG LUO**

WENG LUO ou **Weng lo**, surnom : **Muzhong**, nom de pinceau : **Xiaohai**

Né en 1790, originaire de Wujiang, province du Jiangsu. Mort en 1849. XIXe siècle. Chinois.

Peintre. Traditionnel.

Second fils de Weng Guangping, il est peintre de figures et de portraits, tout d'abord, puis d'oiseaux, de fleurs, d'insectes et d'animaux, particulièrement de tortues, dans son vieil âge.

Ventes Publiques : New York, 31 mai 1990 : *Fleurs et insectes*, kakémono, encre et pigments/soie (101,6x40) : **USD 1 760** – New York, 26 nov. 1990 : *Oiseaux fleurs et insectes*, album de 12 feuillets encre et pigments/soie (chaque 15x20,3) : **USD 2 475.**

WENG Tonghe

Né en 1830. Mort en 1904. XIXe-XXe siècles. Chinois.

Peintre calligraphe. Traditionnel.

Ne traitant que rarement le paysage, Weng Tonghe était un spécialiste de la calligraphie, appliquée aux différents types d'écriture et présentée en kakémonos ou makémonos.

Ventes Publiques : New York, 31 mai 1989 : *Calligraphie en écriture courante*, makémono, encre/pap. (33,7x86,1) : **USD 3 575** – New York, 25 nov. 1991 : *Strophe en écriture courante, paire de kakémono*, encre/pap. (chaque 134,7x33) : **USD 1 430** – Hong Kong, 30 avr. 1992 : *Calligraphie en écriture courante*, encre/pap., ensemble de quatre kakémono (chaque 175,5x67,2) : **HKD 110 000** – Hong Kong, 29 avr. 1993 : *Strophes calligraphie en écriture cléricale*, encre/pap., une paire (chaque 181x47,5) : **HKD 27 600** – New York, 1er juin 1993 : *Paysage*, encre/pap., makémono (30,2x121,9) : **USD 2 070** – Hong Kong, 5 mai 1994 : *Calligraphie en écriture xing shu*, encre/pap., quatre kakémonos (chaque 172x45,4) : **HKD 62 100** – New York, 21 mars 1995 : *Calligraphie en écriture xing shu*, encre/pap., makémono (54,6x200,7) : **USD 1 840.**

WENIG Johann Gottfried, appelé aussi **Bogdan Bogdanovitch**

Né le 18 juillet 1835 à Reval. XIXe siècle. Russe.

Peintre.

Élève de l'Académie de Saint-Pétersbourg. Il peignit des portraits et des scènes de l'histoire de Russie.

WENIG Karl Gottlieb ou **Karl Bogdanovitch** ou **Veningue**

Né le 14 février 1830 à Reval. Mort le 24 janvier 1908 à Saint-Pétersbourg. XIXe-XXe siècles. Russe.

Peintre d'histoire et de genre.

Frère de Johann Gottfried W. et élève de l'Académie de Saint-Pétersbourg.

Musées : Gorki : *Les derniers moments de Grigori Otrepieff* – Kharkov : *Ivan le Terrible et sa nourrice* – Moscou (Gal. Roumianzeff) : *Les anges aveuglant les habitants de Sodome* – Moscou (Gal. Tretiakov) : *Auprès de la croix* – Saint-Pétersbourg (Mus. Russe) : *Jeune fille russe.*

Ventes Publiques : Milwaukee (Wis.), 23 mars 1980 : *le départ des chasseurs* 1887, h/pan. (69x49,5) : **USD 3 000.**

WENIGER J.

XIXe siècle. Autrichien.

Dessinateur de portraits.

Il travaillait à Hermannstadt (Sibiu, Roumanie) vers 1844.

WENIGER Maria P.

Née en 1880 en Allemagne. XXe siècle. Active aux États-Unis. Allemande.

Sculpteur de figures, statuettes.

Elle fit ses études à Munich. Elle était active à New York. Elle sculpta surtout des figurines et des danseuses.

WENIGER Otto

Né le 2 avril 1873 à Saint-Gall. Mort le 28 décembre 1902 à Saint-Gall. XIXe siècle. Suisse.

Peintre de portraits, paysages.

WENING Rudolf

Né le 4 février 1893 à Landquart. XXe siècle. Suisse.

Sculpteur, dessinateur.

Élève de Richard Kissling. Il s'établit à Zurich en 1927.

Ventes Publiques : Zurich, 3 nov 1979 : *Cerf*, bronze (H. 108) : **CHF 2 600.**

WENING-INGENHEIM Marie von

Née le 17 octobre 1849 à Wanghausen. XIXe siècle. Active à Vienne. Autrichienne.

Paysagiste.

Élève d'A. Darnaut à Vienne et d'A. G. Ditscheiner à Munich.

WENINGER Jost

XVe siècle. Actif à Innsbruck, de 1466 à 1482. Autrichien.

Peintre.

Il travailla pour l'archiduc Sigismond de Tyrol.

WENIX J. Voir **WEENIX Jan**

WEN JAN. Voir **WEN RAN**

WEN-JEN KAI. Voir **WENREN GAI**

WEN JEU-KOUAN. Voir **WEN RIGUAN**

WEN JIA ou **Wen Chia** ou **Wen Kia**, surnom : **Xiucheng**, nom de pinceau : **Wenshui**
Né en 1501. Mort en 1583. XVIe siècle. Chinois.
Peintre.
Second fils de Wen Zhengming (1470-1559), Wen Jia est un peintre très doué qui commence toutefois sa carrière artistique assez tard. Dans sa jeunesse, il est maître d'école à Huzhou, au Zhejiang, et est aussi connu comme poète, connaisseur et critique de peinture. Homme très cultivé, il est plus remarquable par l'érudition et le raffinement que par le génie créateur, aussi ses œuvres sont-elles de grande qualité, mais rarement marquées par une forte personnalité. Ses premiers paysages sont datés 1558-1559 et les meilleurs sont de petites études d'après nature. Comptant parmi les dernières de l'école de Wu, ses œuvres masquent souvent une réelle sophistication derrière un faux-semblant de naïveté et satisfont pleinement l'idéal esthétique des peintres lettrés, ennemis jurés de l'habileté voyante et de fini.
Bibliogr. : J. Cahill : La peinture chinoise, Genève, 1960.
Musées : New York (Metropolitan Mus.) : *Pavillons au bord de l'eau*, éventail signé – Osaka (mun. Mus.) : *Le chant du luth* daté 1569, encre et coul. légères sur pap., d'après un poème de Bo Juyi, rouleau en hauteur – Paris (Mus. Guimet) : *Paysage* daté 1558, encre et coul. légères sur fond moucheté d'or, éventail – *Pavillon au bord de l'eau*,, éventail – Pékin (Mus. du Palais) : *Pavillon et pont au pied d'une montagne* signé et daté 1574, encre sur pap. – Shanghai : *Longues journées dans les monts tranquilles*, coul. sur pap., rouleau en longueur – Taipei (Nat. Palace Mus.) : *Sur l'île des Immortels*, encre et coul. sur pap., rouleau en hauteur – *Couleurs d'automne sur le lac Shihu*, encre sur pap., feuille d'album – *Pics et torrents dans l'esprit des poèmes de Du Fu* daté 1572, encre et coul. légères sur pap., feuille d'album.
Ventes Publiques : New York, 6 déc. 1989 : *Paysages*, encre et pigments/pap., album de huit feuilles (chaque 16,5x18,4) : **USD 11 000**.

WÊN Jih-kuan. Voir **WEN RIGUAN**

WENK Willi
Né en 1890 à Riehen près de Bâle. XXe siècle. Suisse.
Peintre de paysages, paysages de montagne, graveur.
Musées : Bâle : *Paysage avec le Hörnli.*

WENKER Oskar
Né en 1894. Mort en avril 1929 à Berne. XXe siècle. Suisse.
Sculpteur.
Il fut élève d'Aldof Meyer et de W. Schwerzmann. Il sculpta des bas-reliefs.

WEN KIA. Voir **WEN JIA**

WÊN KUO. Voir **CHAOKUI**

WEN MIN. Voir **ZHAO MENGFU**

WENNE Abraham Meindersz Van der
Né vers 1656 à Amsterdam. Mort en 1693. XVIIe siècle. Hollandais.
Graveur au burin.
Élève d'A. Bloteling, à Londres.

WENNER Albert
Né le 5 juillet 1879 à Saint-Gall. XXe siècle. Suisse.
Peintre de figures, portraits, paysages.
Il fut élève de F. Lippisch à Berlin et de Ferdinand Hodler à Genève.

WENNER Violet B.
Née à Manchester. XXe siècle. Britannique.
Peintre.
Elle fut élève de l'École d'Art de Manchester et de Heinrich von Angeli.

WENNERBERG Brynolf ou **Gunnar Brynolf**
Né le 16 août 1823 à Lidköping. Mort le 3 octobre 1894 à Göteborg. XIXe siècle. Suédois.
Peintre de genre et peintre animalier.
Oncle de Gunnar Gunnarsson Wennerberg. Il fit ses études à Düsseldorf et à Paris. Il peignit surtout des chevaux et des scènes populaires.
Ventes Publiques : Londres, 20 oct. 1978 : *Danseuse*, h/cart. (51x35) : **GBP 70** – Munich, 8 mai 1985 : *Clowns et danseuses*, h/t (61x60,5) : **DEM 7 500**.

WENNERBERG Gunnar Gunnarsson
Né le 17 décembre 1863 à Shara. Mort le 22 avril 1911 à Paris, selon d'autres sources en 1914. XIXe-XXe siècles. Suédois.
Peintre de sujets allégoriques, fleurs et décorateur.
Il fut élève de Henri Gervex et de Gustave Courtois à Paris, où il exposa au Salon ; mention honorable en 1889 (Exposition Universelle). Dans la suite, il s'impliqua dans la décoration. Il fut directeur artistique de la Fabrique de porcelaine de Gustaffburg.
Musées : Paris (Mus. des Arts Décoratifs) : plusieurs œuvres – Stockholm : *Pivoines.*
Ventes Publiques : Stockholm, 5-6 déc. 1990 : *Hortensias*, h/t (65x92) : **SEK 16 000** – Stockholm, 13 avr. 1992 : *Allégorie Le Printemps saluant la beauté du matin* 1900, h/t (198x106) : **SEK 19 500**.

WENNERWALD Emil August Theodor
Né le 4 août 1859 à Copenhague. Mort en 1934 à Copenhague. XIXe-XXe siècles. Danois.
Peintre de paysages, paysages d'eau.
Il fut élève de C. V. Hansen et de l'Académie des Beaux-Arts de Copenhague.
Ventes Publiques : Copenhague, 3 juin 1953 : *Paysage de fjord* 1921 : **DKK 975** – Londres, 16 mars 1989 : *Paysage fluvial boisé*, h/t (77,5x101,5) : **GBP 4 950** – Londres, 6 oct. 1989 : *Jardin à Capri* 1923, h/t (61x71) : **GBP 1 100** – Copenhague, 21 fév. 1990 : *Paysage d'hiver* 1909, h/t (48x62) : **DKK 7 000** – Cologne, 23 mars 1990 : *Paysage estival avec une maison à l'arrière-plan* 1915, h/t (77x110) : **DEM 5 500** – Londres, 17 mai 1991 : *Dans la cour de la ferme* 1903, h/t (50,2x73,7) : **GBP 2 200** – Stockholm, 29 mai 1991 : *Parc animé*, h/t (64x63) : **SEK 6 000** – Londres, 22 nov. 1996 : *Terrasse couverte de vigne* 1913, h/t (52,7x68,5) : **GBP 2 990**.

WENNEZ de, chevalier, ou **Wernnez**
XVIIIe siècle. Français.
Peintre-aquarelliste de portraits, dessinateur.
Il travaillait vers 1766.
Musées : Bordeaux (Mus. des Beaux-Arts) : *Portrait de Messire Joseph de Boné*, dess. reh. d'aquar.
Ventes Publiques : Paris, 17 déc. 1924 : *Portrait de Paris de Monmartel*, cr. : **FRF 320**.

WENNG Karl Heinrich
Né le 24 juillet 1787 à Nordlingen. Mort à Stuttgorl. XIXe siècle. Allemand.
Peintre de paysages, graveur au burin et lithographe.
Il commença ses études artistiques dans sa ville natale, puis alla à Stuttgart travailler la gravure avec Muller. Il se consacra, cependant à la peinture. Il voyagea en Suisse, en Italie et vint enfin à Munich, où il reçut des conseils de Langer. En 1816, il fut professeur de dessin à l'Institut Lithographique de Stuttgart. Il y fit de nombreuses lithographies. En 1827, il alla à Munich et revint à Stuttgart en 1837. Il inventa un procédé lithographique permettant d'obtenir des épreuves sans presse.

WENNING Johannes
Né le 20 janvier 1849 à Dockum. XIXe siècle. Hollandais.
Peintre et calligraphe.
Père d'Ype Heerke W.

WENNING Ype Heerke
Né le 26 septembre 1879 à Leeuwarden. Mort en 1959. XXe siècle. Hollandais.
Peintre de paysages, aquafortiste.
Fils de Johannes W. Il fut élève de l'Académie des Beaux-Arts de La Haye.
Ventes Publiques : Amsterdam, 10 fév. 1988 : *Paysanne de Giethoorn près de sa ferme*, h/t (41x51) : **NLG 1 610** – Amsterdam, 3 nov. 1992 : *Vue du canal de Delft à Rotterdam*, h/pan. (21x32,5) : **NLG 1 380** – Amsterdam, 21 avr. 1993 : *Hiver un canal à Rotterdam avec l'église saint Laurent*, h/cart. (15,5x24) : **NLG 2 070** – Amsterdam, 21 avr. 1994 : *Volailles dans une cour de ferme*, h/cart. (17,5x24) : **NLG 2 185** – Amsterdam, 31 mai 1995 : *Pont basculant sur un canal*, h/t (40x60) : **NLG 3 540** – Amsterdam, 16 avr. 1996 : *Une femme tricotant devant sa maison*, h/pan. (23x33,5) : **NLG 2 478**.

WENOLT Johannes ou **Venolt**
XVIIIe siècle. Travaillant à Vienne en 1705. Autrichien.
Portraitiste.

WEN PENG ou **Wen P'eng**, surnom : **Shoucheng'**, nom de pinceau : **Sanqiao**
Né en 1498. Mort en 1573. XVIe siècle. Chinois.
Peintre.
Fils aîné de Wen Zhengming (1470-1559), il est connu comme calligraphe et peintre de bambous à l'encre, mais fait aussi des paysages et des fleurs.

WEN PI. Voir **WEN ZHENGMING**

WEN PO-JEN. Voir **WEN BOREN**

WEN RAN ou **Wen Jan**, surnom : **Quyuan**, nom de pinceau : **Kaian**
Né en 1596. Mort en 1667. XVIIe siècle. Chinois.
Peintre.
Fils de Wen Congjian (1574-1648) et descendant de Wen Zhengming (1470-1559), il peint des paysages dans la tradition familiale. A la chute de la dynastie Ming, en 1644, il se retire dans la montagne avec sa famille.
Ventes Publiques : New York, 31 mai 1989 : *Personnages dans un paysage*, makémono, encre et pigments/soie (22,5x210,9) : **USD 4 675.**

WENREN GAI ou **Wen-Jen Kai**, surnom : **Zhongji**
Originaire de Yuyao, province du Zhejiang. XVIe-XVIIe siècles. Actif à la fin du XVIe et au début du XVIIe siècles. Chinois.
Peintre de paysages, fleurs.
Il privilégia les bambous dans ses œuvres.

WENRICH Johann Georg
Né en 1811 à Vienne. Mort le 20 septembre 1880 à Bucarest. XIXe siècle. Autrichien.
Dessinateur et lithographe.

WEN RIGUAN ou **Wen Jeu-Kouan** ou **Wên Jih-Kuan**, appelé aussi : **Zi Wen** (ou Tzu Wên ou Tseu Wen), surnom : **Zhongyan**, noms de pinceau : **Riguan** et **Zhiguizi**
Originaire de Huating, province du Jiangsu. XIIIe siècle. Chinois.
Peintre.
Il était actif vers 1230. Moine au temple Manao, près de Hangzhou, il est spécialiste de peintures de vignes.

WENS Pauwels
XVIIe siècle. Actif à Haarlem en 1643. Hollandais.
Peintre de genre.
Ventes Publiques : Amsterdam, 2 mai 1990 : *Scène de fenaison avec des paysans se reposant en buvant tandis que d'autres chargent la charrette*, h/pan. (31x41) : **NLG 2 530.**

WEN SHU ou **Wen Chou**, surnom : **Duanrong**
Née en 1595, originaire de Suzhou, province de Jiangsu. Morte en 1634. XVIIe siècle. Chinoise.
Peintre.
Peintre de fleurs et d'insectes, elle est fille de Wen Congjian (1574-1648) et arrière-petite-fille de Wen Zhengming (1470-1559). Elle est mariée à Zhao Lingjun (1591-1640).
Ventes Publiques : New York, 25 nov. 1991 : *Fleurs d'automne, deux feuilles d'album montées en kakémono*, encre et pigment/soie (24,4x19,3) : **USD 2 750.**

WENSLIJNS Lambrecht
XVIe siècle. Travaillant à Anvers en 1553. Éc. flamande.
Peintre.

WEN TCHENG. Voir **WEN ZHENG**

WEN TCHENG-MING. Voir **WEN ZHENMING**

WEN TCHEN-HENG. Voir **WEN ZHENHENG**

WENTEL Cornelis Hendrik
Né le 11 avril 1818 à Alkmaar. Mort le 18 février 1860 à Alkmaar (?). XIXe siècle. Hollandais.
Graveur au burin et orfèvre.

WENTER MARINI Giorgio
Né le 18 février 1890 à Rovereto. XXe siècle. Italien.
Peintre, aquafortiste et architecte.
Il fut élève de M. Piacentini à Rome.

WEN TIEN. Voir **WEN DIAN**

WENTING. Voir **BO ER DU**

WEN TING. Voir **WEN DING**

WEN TONG ou **Wen T'ong** ou **Wên T'ung**, surnom : **Yuke**, noms de pinceau : **Jinjiang Daoren, Xiao-Xiao Xiansheng** et **Shishi Xiansheng**
Originaire de Zitong, province du Sicuan. Mort en 1079. XIe siècle. Chinois.
Peintre.
En 1049, il passe les examens triennaux à la capitale et reçoit le grade de *jinshi* (lettré présenté) ; il devient alors magistrat à Huzhou, dans la province du Zhejiang, et dès lors, est connu sous le nom de Wen Huzhou. Grand ami de Su Dongpo (1036-1101), il est célèbre comme peintre de bambous à l'encre, peinture de lettré par excellence.
Musées : New York (Metropolitan Mus.) : *Automne dans la vallée*, rouleau en longueur inscrit avec le nom du peintre – Pékin (Mus. du Palais) : *Arbres nus et grands bambous près d'un rocher*, éventail attribué – Taipei (Nat. Palace Mus.) : *Bambou*, encre sur soie, rouleau en hauteur, attr.

WENTORF Carl Christian Ferdinand
Né le 25 avril 1863 à Copenhague. Mort le 24 novembre 1914. XIXe-XXe siècles. Danois.
Peintre de genre, portraits, intérieurs.
Il fut élève de l'Académie des Beaux-Arts de Copenhague.
Musées : Frederiksborg : *Portrait de Peter Gregers Christian Jensen – Portrait du Docteur Niels Ryberg Finsen – Portrait de l'écrivain Sophus Gustav Bauditz – Portrait du chanoine Frederick Zeuthen.*
Ventes Publiques : New York, 30 oct. 1985 : *Berger et son troupeau dans un paysage* 1896, h/t (80,3x120,9) : **USD 5 500** – Londres, 16 mars 1989 : *L'aide à maman* 1892, h/t (37x45,5) : **GBP 1 870** – Londres, 11 fév. 1994 : *Intérieur avec un perroquet* 1896, h/t (44,7x36,2) : **GBP 1 955** – Londres, 17 mars 1995 : *La bataille de soldats de plomb* 1900, h/t (79x101) : **GBP 25 300.**

WENTSCHER Julius
Né le 27 novembre 1842 à Grandenz. Mort le 6 novembre 1918 à Berlin. XIXe-XXe siècles. Allemand.
Peintre de genre, paysages animés, paysages, marines.
Il fut élève de l'Académie des Beaux-Arts de Königsberg et de Hans Fredrik Gude à celle de Berlin. Mention honorable en 1889, médaillé à Berlin en 1899.
Musées : Kaliningrad, ancien. Königsberg : *Côte de Sambamde près de Rauscher.*
Ventes Publiques : Cologne, 15 oct. 1988 : *Soleil matinal sur le littoral* 1890, h/t (99x76) : **DEM 6 500** – Londres, 7 avr. 1993 : *Jeune femme admirant le travail d'un artiste*, h/t (64x52) : **GBP 2 300.**

WEN TS'ONG-KIEN. Voir **WEN CONGJIAN**

WEN TS'ONG-TCH'ANG. Voir **WEN CONGCHANG**

WÊN TS'UNG-CH'ANG. Voir **WEN CONGCHANG**

WÊN TS'UNG-CHIEN. Voir **WEN CONGJIAN**

WÊN T'UNG. Voir **WEN TONG**

WENTWORTH Cecil
Née à New York. Morte le 28 août 1933 à Nice (Alpes-Maritimes). XIXe-XXe siècles. Américaine.
Peintre de genre, portraits.
Elle fut élève de Cabanel à Paris. Elle exposa à Paris de 1889 à 1920, au Salon des Artistes Français : mention honorable en 1891, médaille de bronze en 1900 (Exposition Universelle), chevalier de la Légion d'honneur en 1901.
Musées : New York (Metropolit. Mus.) : *Le général G. B. McClellan* – Paris (Mus. d'Orsay) : *La Foi.*

WENTWORTH Daniel F.
Né le 1er mai 1850 à Norway. XIXe siècle. Américain.
Peintre de paysages.
Il fit ses études à Munich. Il était actif à Hartford.
Musées : Wadsworth (Atheneum) : *Dans la forêt d'Allach – Sur les prés.*

WENTWORTH Richard
Né en 1947 à Samoa. XXe siècle. Actif en Angleterre. Britannique-Polynésien.
Artiste, sculpteur, créateur d'installations.
Il vit et travaille à Londres. En 1967, au cours de sa formation, il travailla pour Henry Moore.
Il participe à des expositions collectives, parmi lesquelles : 1969 Londres, *Young Contemporaries* ; 1988 Le Havre, *Britannica : 30*

Years of Sculpture, Musée des Beaux-Arts André Malraux ; 1990, Biennale de Sydney ; 1995, Biennale d'Istanbul ; 1996 Paris, *Life/ Live. La scène artistique au Royaume-Uni en 1996*, Musée d'Art Moderne de la Ville. Il montre ses œuvres dans des expositions personnelles, parmi lesquelles : 1984, 1986, 1989, 1995, Lisson Gallery, Londres ; 1993-94, The Serpentine Gallery, Londres ; 1994, Musée des Beaux-Arts et de la Dentelle, Calais.
À partir de ses premières participations à des expositions, il se manifeste dans les courants issus du Ready Made. Il résume lui-même son programme de travail : « faire ce que l'on peut avec ce que l'on a ». Utilisant tous le objets les plus ordinaires que le hasard porte à sa disposition, par des opérations d'assemblage, n'évitant pas l'éventuel hétéroclite, il leur confère un sens nouveau, opérant un glissement permanent de l'objet au mot qu'il suggère et réciproquement, sans repousser la possible dérive humoristique.
Bibliogr. : Catalogue de l'exposition *Richard Wentworth*, Lisson gall. Londres, 1984 – in *Diction. de l'Art Mod. et Contemp.*, Hazan, Paris, 1992.
Ventes Publiques : Londres, 25 oct. 1995 : *Hero* 1986, acier galvanisé et botte de caoutchouc (45,8x30,5x40,6) : **GBP 1 840** – New York, 19 nov. 1996 : *Shrink*, fer galvanisé et laiton (43,2x127x76,2) : **USD 3 450.**

WENTZ J.
XVIe siècle. Actif à Bâle. Suisse.
Peintre.
Le Cabinet d'Estampes de Bâle conserve de lui un dessin à la plume, copie d'Holbein le Jeune.

WENTZEL. Voir aussi **WENZEL**

WENTZEL Georg
XVIIe siècle. Actif à Olmutz dans la seconde moitié du XVIIe siècle. Autrichien.
Peintre.
Élève de Gregor Müller.

WENTZEL Gustav ou **Nils Gustav**
Né le 7 octobre 1859 à Oslo. Mort le 10 février 1927 à Gom. XIXe-XXe siècles. Norvégien.
Peintre de scènes animées.
Il fut fidèle aux enseignements de Kristian Krohg. Il figura aux Expositions de Paris ; médaille d'argent en 1889 (Exposition Universelle).
Il fut un bon peintre de scènes réalistes.

H Gustav Wentzel

Musées : Drammen : *La rencontre* – Dronthem : *Dans l'atelier* – Lübeck : *Repas de paysans norvégiens* – Oslo (Mus. Nat.) : *Vieux paysans vivant de rentes viagères – Intérieur d'une cabane de pêcheurs – Le petit déjeuner*, deux fois – *Portrait du peintre Eyolf Soot – Repas de confirmation – Danse à Setesdal – Crépuscule d'hiver – Le dégel.*
Ventes Publiques : Copenhague, 12 nov. 1985 : *La leçon de tricot*, h/t (80x100) : **DKK 100 000** – Londres, 27-28 mars 1990 : *Les fileuses* 1892, h/t (60x74) : **GBP 33 000** – Londres, 19 juin 1991 : *Enfants guettant l'arrivée d'une voiture* 1915, h/t (120x100) : **GBP 14 850.**

WENTZEL Johann Friedrich ou **Wenzel**
Né le 10 août 1670 à Berlin. Mort le 20 janvier 1729 à Dresde. XVIIe-XVIIIe siècles. Allemand.
Peintre, décorateur, aquafortiste et portraitiste.
Il étudia la perspective avec Harms l'Ancien : il fut protégé par l'Électeur de Brandebourg, Frédéric, qui l'envoya en Italie. A son retour en Allemagne, il peignit des cartons représentant des sujets allégoriques pour tapisseries, et les fêtes de la cour. Il se fixa à Dresde après la mort de Frédéric.

WENTZEL Michael ou **Gottlob Michael** ou **Wenzel**
Né le 7 avril 1792 à Grasschöman. Mort le 4 août 1866 à Dresde. XIXe siècle. Allemand.
Peintre de fleurs et de natures mortes.
Il fut d'abord professeur de danse au théâtre de Leipzig, puis se mit à peindre des fleurs à la gouache, puis à l'huile, à Vienne. Il alla en Italie vers 1828, et dès lors se consacra à la peinture de paysages de panoramas, etc. Le Musée de Bautzen conserve de lui *La voiture de l'Amour*, celui de Leipzig, *Fleurs et fruits*, et celui de Zittau, *Paysage italien* et *Vue des Alpes*.
Ventes Publiques : Berne, 6 mai 1983 : *Nature morte* 1815, h/t (34x28) : **CHF 2 800.**

WENTZINGER Eugène
Né le 1er juillet 1892 à Mulhouse (Haut-Rhin). Mort le 1er juillet 1984 à Paris. XXe siècle. Français.
Peintre de paysages, paysages d'eau, natures mortes, fleurs.
Il fut élève de l'École des Beaux-Arts de Mulhouse. Il exposait annuellement à Moret-sur-Loing, où il avait une maison.
Il a surtout peint les paysages typiques d'Alsace et des environs de la forêt de Fontainebleau.

WENTZL
XVe siècle. Actif au Tyrol au début du XVe siècle. Autrichien.
Peintre.
Il travailla près de Meran. Il fut aussi appelé Maître Wenzlaus von Riffian, car il a peint les fresques de la chapelle du cimetière de cette ville.

WEN YUANSHAN ou **Wên Yüan-Shan** ou **Wen Yuan-Chan**, surnom : **Zichang**, nom de pinceau : **Huqiu**
Né en 1554. Mort en 1589. XVIe siècle. Chinois.
Peintre.
Fils de Wen Jia (1501-1583), il suit le style de son père dans sa calligraphie comme dans sa peinture. Wang Zhideng dit de lui qu'il est meilleur écrivain que peintre.

WENZ Leonhard
XVIIIe siècle. Actif à Bâle et à Berlin de 1700 à 1712. Suisse.
Peintre.

WENZEL
XVe siècle. Actif à Haguenau, de 1440 à 1473. Français.
Peintre.

WENZEL ou **Wenceslaus von Ollmütz** ou **Olmütz** ou **Olomücz**
XVe siècle. Actif de 1481 à 1497 à Ollmütz. Allemand.
Peintre, graveur, peut-être orfèvre.
Ce maître que Bartsch identifie avec le maître signant *W.*, alors qu'un grand nombre de critiques y voient l'initiale de Wolgemut, est connu par un certain nombre de planches, quatre-vingt-onze feuillets, semble-t-il, de sujets religieux, d'allégories, de blasons et surtout par une remarquable copie de la planche de M. Schongauer *La mort de la Vierge*, datée de 1481. Ollmütz travaillait encore au début du XVIe siècle.

WENZEL ou **Wentzel**
XVIe siècle. Actif à Salzbourg. Autrichien.
Peintre.
Il peignit des tableaux d'autel dans l'église du Nonnberg à Salzbourg.

WENZEL ?
Né à Dantzig. XVIIIe siècle. Polonais.
Peintre.
En 1749, il peignit les tableaux pour l'église d'Olive à Dantzig.

WENZEL Francesco
XIXe siècle. Actif à Naples dans la première moitié du XIXe siècle. Italien.
Lithographe.

WENZEL Giovanni
XIXe siècle. Italien.
Graveur au burin.
Il travailla à Rome à partir de 1844. Il grava d'après Michel-Ange et Raphaël.

WENZEL Johann Friedrich. Voir **WENTZEL**

WENZEL Michael. Voir **WENTZEL**

WENZEL le petit. Voir **NOSECKY Wenzel**

WENZEL-SCHWARZ Franz. Voir **SCHWARZ Wenzel** ou **Franz Wenzel**

WENZELL Albert Beck
Né en 1864 à Detroit. Mort le 4 mars 1917 à Englewood. XIXe-XXe siècles. Américain.
Peintre de genre, peintre de compositions murales, peintre à la gouache, aquarelliste, illustrateur.
Il fut élève de Alexander Strähuber et de Löfftz à l'Académie des Beaux-Arts de Munich et de Boulanger et de Jules Lefebvre à Paris. Il peignit surtout des peintures murales.
Ventes Publiques : Los Angeles, 24 juin 1980 : *Beverly Grostark and her two suitors*, h/t (107x81,3) : **USD 2 000** – New York, 26 juin 1981 : *Secrets du matin*, lav. et reh. de blanc (70,8x56) : **USD 1 600** – New York, 20 juin 1985 : *Élégantes sur la plage*, h/t,

en grisaille (43,2x73,7) : **USD 2 000** – New York, 9 jan. 1991 : *La nouvelle bague ; Habillées pour le bal* 1895, grisaille/pap. et aquar./pap. (61x99 et 101,5x73,3) : **USD 10 450** – New York, 14 mars 1996 : *Partie de poker à Washington* 1894, aquar. et gche/pap. (73,7x119,4) : **USD 7 475**.

WEN ZHENG ou **Wên Chêng** ou **Wen Tcheng**, surnom : **Quanshi**
XIVe-XVIIe siècles. Actif au début de la dynastie Ming (1368-1644). Chinois.
Peintre.
Peintre de grues dont le National Museum de Kyoto conserve deux œuvres signées : *Grue en vol* et *Grue debout sous la lune*.

WEN ZHENGMING ou **Wên Chêng-Ming** ou **Wen Tcheng-Ming**, de son vrai nom : **Bi**, surnom : **Zhengming**, adoptera **Zhengming** comme nom, surnom : **Zheng-Zhong**, nom de pinceau : **Hengshan**
Né en 1470, originaire de Suzhou, province du Jiangsu. Mort en 1559. XVe-XVIe siècles. Chinois.
Peintre.
S'il n'est pas le maître le plus brillant de son époque, Wen Zhengming est néanmoins celui dont l'attitude artistique en incarne le mieux l'idéal lettré, tant par la noblesse de son caractère que par ses œuvres littéraires, calligraphiques et picturales. C'est avec Shen Zhou (1427-1509) son maître, une des figures dominantes de l'école de Wu et de la peinture chinoise dans la première moitié du XVIe siècle. Issu d'une riche famille de fonctionnaires de Suzhou (son père Wen Lin (1445-1499) passe pour un des lettrés les plus érudits de son temps), il est élevé dans un confucianisme austère, mais dans un milieu cultivé. Néanmoins, il échouera à plusieurs reprises aux examens d'État et de brèves fonctions honorifiques à l'Académie Hanlin, à Pékin, ne le consoleront pas de sa déception. Sa jeunesse se passe à Suzhou, où il étudie la poésie, la calligraphie et la peinture sous l'égide de Wu Kuan (1435-1504), ami de Shen Zhou, de Li Yinzheng (1431-1493) et de Shen Zhou. Résidant à la capitale de 1505 à 1510, il s'y consacre à des tâches officielles, commentaire des classiques et rédaction d'une histoire de la dynastie Yuan. Puis de retour à Suzhou, qu'il ne quittera plus, il s'adonne surtout à la peinture et parvient à l'apogée de son art et de sa réputation. La plupart des œuvres qui nous sont parvenues datent de 1528 à 1558, mais dès le milieu de la période Ming, voire de son vivant, elles sont extrêmement copiées. Personnage introspectif, de nature réservée, ferme et conservatrice, Wen est en art un éclectique, érudit et archéologue, ce qui le mène à interpréter, avec une particulière méticulosité, différents maîtres Song et Yuan (Dong Yuan, Juran, Guo Xi, Li Cheng, Li Tang, Zhao Mengfu, les quatre grands maîtres Yuan), sans abandonner son originalité propre. Shen Zhou lui sert souvent d'intermédiaire pictural ou spirituel avec les maîtres anciens, comme s'il s'en inspirait à travers la vision que Shen en avait eue. Aussi la peinture semble devenir avec lui une recherche intellectuelle, une conversation cultivée avec le passé, sa personnalité s'exprimant dans sa manière individuelle d'approcher et de juger les styles anciens. C'est en cela qu'il peut être considéré comme l'un des fondateurs du style lettré (*wenren*) en peinture : son pinceau exprime plutôt des sentiments que des idées. On peut déceler dans son œuvre les deux faces de sa personnalité : une face claire qui s'exprime dans des paysages harmonieux, dans un style réservé, clair, intellectuel, d'une écriture élaborée, à l'encre sèche, qui sont fréquemment centrés sur un ou plusieurs personnages, tel un poète méditant, un pêcheur accostant, quelques lettrés en conversation. A côté, une face sombre, qui domine d'ailleurs la fin de sa vie, où paraît exploser un génie intraitable, dans des peintures libres, mouvementées, aux arbres et aux rochers baroques, tourmentés, comme éjectés. *Pins et cyprès à la cascade* (Taipei, National Palace Museum) est un des chefs-d'œuvre de cette dernière manière, exécuté en 1549. Dans ce format long et étroit qui lui est cher, la délicatesse le cède à la force impétueuse qui anime la main du maître, en gestes fluides et prestes, pour créer un enchevêtrement dense et touffu de pins et de cyprès, tordus sur eux-mêmes, qui s'élèvent par saccades, jusqu'à emplir toute la surface, soumise à une sorte d'élongation verticale qu'accentue le mouvement de la falaise et de la cascade. L'espace ouvert est ici réduit à un angle au sommet de la composition. Les arbres, enserrés dans une zone presque sans épaisseur, au-devant de la falaise, sont pratiquement sans relief et forment un thème graphique, agité, mais à deux dimensions, qui ignore espace et profondeur. Nous sommes aux antipodes du décor aéré de la peinture Song, mais face à une œuvre rauque, grinçante même, dont la violence calligraphique est mise en valeur par des couleurs sombres. Sa renommée de calligraphe est, de son temps, à l'égal de sa réputation de peintre, et là encore, il continue l'éclectisme raffiné de Zhao Mengfu, en se tournant vers le grand maître du IVe siècle, Wang Xizhi (307-365). Équilibré jusque dans ses tendances opposées, Wen Zhengming enfin est un remarquable professeur, qui forme et influence la plupart des peintres de Suzhou de la seconde moitié du XVIe siècle, parmi lesquels Wen Jia (1501-1583), Wen Boren (1502 vers 1575) et Quian Gu (1508-après 1574). ■ M. M.

Bibliogr. : J. Cahill : *La peinture chinoise*, Genève, 1960 – M. Pirazzoli-t'Serstevens : *Wen Tcheng-ming*, in : *Encyclopaedia Universalis vol. 16*, Paris, 1973.

Musées : Boston (Mus. of fine Arts) : *Fermes au bord d'une rivière de montagne*, poème du peintre – Chicago (Art Inst.) : *Automne dans les montagnes*, rouleau en longueur signé, dans le style de Ni Zan – Honolulu (Acad. of Arts) : *Sept genévriers, d'après Zhao Mengfu* daté 1532, rouleau en longueur signé, colophon de Chen Shun « Daofu » daté 1538 – Kansas City (Nelson Gal. of Art) : *Cyprès et vieux rochers* daté 1550, rouleau en longueur, encre sur pap., poème du peintre et plusieurs colophons d'amis – *Tempête sur le lac* daté 1516, illustration de deux lignes de poésie de l'époque Tang, feuille d'album, inscription du peintre – Londres (British Mus.) : *Rivière dans une vallée avec des pêcheurs et de petites maisons* daté 1540, long rouleau en longueur signé – Los Angeles (County Mus.) : *Paysage à la cascade*, colophon du peintre daté 1531 – New York (Metropolitan Mus.) : *Paysage de rivière sous la pluie*, éventail, poème du peintre – Osaka (mun. Mus.) : *Jardin avec un rocher et de grands chrysanthèmes* daté 1512 – Paris (Mus. Guimet) : *Petit paysage de montagne* daté 1508, encre sur pap., inscription du peintre – *Rocher et orchidée*, encre sur pap., rouleau vertical – *Magnolia nain près d'un rocher* daté 1551, rouleau en hauteur, coul. sur pap. – Pékin (Mus. du Palais) : *La déesse de la rivière Xiang et sa suivante* daté 1517 – *Jardin au clair de lune* daté 1532, poème du peintre – Princeton (University Art Mus.) : *Paysage de rivière*, feuille d'album signée – Shanghai : *Grands arbres à la fin du printemps*, rouleau en hauteur, coul. sur soie – *De retour à travers le village sous une neige légère*, rouleau en hauteur, coul. sur soie – *Vue du mont Tian Ping*, rouleau en hauteur, encre sur pap. – *Vieux arbres dans la brume*, rouleau en hauteur, encre sur pap. – *Chaumière près de la rivière Tiao*, rouleau en longueur, encre sur soie – *Le studio Zhen Shang* daté 1549, rouleau en longueur, coul. sur pap. – *Paysages et fleurs*, coul. sur pap. – Stockholm (Nat. Mus.) : *Frêle bambou et arbres nus près d'un rocher* daté 1533, poème du peintre – *Paysage de rivière*, rouleau en longueur signé – *La falaise rouge*, rouleau en longueur, illustration du poème de Su Dongpo – Taipei (Nat. Palace Mus.) : *Pins et cyprès à la cascade* daté 1549, rouleau en hauteur, encre et coul. sur soie – *Bambou et orchidée*, encre sur pap., feuille d'album – *Lettrés dans une gorge isolée* daté 1519, rouleau en hauteur signé, encre et coul. légères sur pap. – *Printemps au Jiangnan* daté 1547, rouleau en hauteur signé, encre et coul. sur pap. – *En marchant avec un bâton à l'ombre des pins* daté 1535, rouleau en hauteur, encre sur pap. – *Duluo yuan (Jardin du plaisir solitaire)* daté 1558 – *Montagnes gelées dans la neige et le vent*, encre et coul. sur soie, rouleau en hauteur – *En regardant le ruisseau assis sous les pins*, rouleau en hauteur, encre et coul. sur soie – *En regardant le ruisseau assis sous les pins*, rouleau en hauteur, encre sur pap. – *Lettrés dans un paysage*, rouleau en longueur, coul. sur soie – Washington D. C. (Freer Gal. of Art) : *Brume sur la rivière* signé et daté 1536, rouleau en longueur – *Chrysanthèmes et pins* daté 1541, rouleau en longueur signé, colophon du peintre – *La falaise rouge* daté 1552, rouleau en longueur, illustration d'un poème de Su Dongpo.

Ventes Publiques : New York, 2 juin 1988 : *Conversation sous les arbres*, encre/pap., éventail (50x17,8) : **USD 6 050** – New York, 1er juin 1989 : *Temple de la Prospérité*, encre et pigments/pap., kakémono (82,5x37) : **USD 176 000** – New York, 4 déc. 1989 : *Promenade dans une cour au clair de lune*, encre/pap., kakémono (66,7x33,7) : **USD 44 000** – New York, 6 déc. 1989 : *Peintures et Calligraphies*, quatre encres et pigments et sept encres sur soie et onze calligraphies, album de onze peintures (chaque feuille 24x19,4) : **USD 88 000** – New York, 31 mai 1990 : *Calligraphie en écriture courante*, kakémono, encre/pap. (158,1x70,5) : **USD 19 800** – New York, 25 nov. 1991 : *Calligraphie en écriture courante*, encre/pap., makémono (50,8x272,4) : **USD 19 800** – Taipei, 10 avr. 1994 : *Paysage*, encre/pap. doré, éventail (17,5x49) : **TWD 270 000** – New York, 21 mars 1995 : *Deux poèmes en écri-*

ture courante, encre/pap. doré, éventail (17,1x50,2) : **USD 2 300** – New York, 22 sep. 1997 : *Paysage bleu-vert*, encre et pigments/soie (213,4x96,5) : **USD 112 500**.

WEN ZHENHENG ou **Wên Chen-Hêng** ou **Wen Tchen-Heng**
Né en 1584. Mort en 1644. xviie siècle. Chinois.
Historien d'art.
Fonctionnaire et esthète, historien de l'art, il est l'auteur du *Changwu Zhi*, ouvrage important en douze livres, sur les divers accessoires de la vie de l'esthète. Le livre cinq est consacré à la peinture, vue sous l'angle du collectionneur essentiellement et à la calligraphie. Il constitue une source d'information notoire.
Bibliogr. : P. Ryckmans : *Les Propos sur la peinture de Shitao*, Bruxelles, 1970.

WENZINGER Christian ou **Johann Christian**
Né le 10 décembre 1710 à Ehrenstetten. Mort le 1er juillet 1797 à Fribourg. xviiie siècle. Allemand.
Sculpteur, peintre et architecte.
Un des plus importants sculpteurs du style rococo en Allemagne du Sud. Il sculpta des statues, des tombeaux et des chemins de croix pour plusieurs églises. De 1757 à 1760, il décora l'intérieur de la cathédrale de Saint-Gall. Le Musée de Fribourg conserve de lui *Sainte Nuit*, peinture.

WENZL Johann
xviiie siècle. Actif à Stuhlfelden de 1744 à 1763. Autrichien.
Peintre.
Il peignit un tableau d'autel pour l'église de Fellern en 1753.

WENZL Kaspar
xviiie siècle. Actif à Stuhlfelden de 1700 à 1738. Autrichien.
Peintre.

WENZLAUS von Riffian. Voir l'article **WENTZL**

WENZLER H. A.
Né au Danemark. Mort en 1871 à New York. xixe siècle. Actif aux États-Unis. Danois.
Peintre de portraits, paysages.
Il devint membre de l'Académie Nationale de New York en 1860.

WENZLER Heinrich
xixe siècle. Danois.
Graveur et lithographe.
Élève de l'Académie de Copenhague et de Alois Senefelder à Munich. Il était actif à Copenhague.

WERAT. Voir **WORATH**

WERBEK Jodokus ou **Justus**. Voir **VERBEECK Jodocus** ou **Justus**

WERBEL Adolf
Né en 1848 à Odessa. xixe siècle. Autrichien.
Peintre.
Élève de l'Académie des Beaux-Arts de Munich. Il exposa dans cette ville en 1922.
Ventes Publiques : Los Angeles, 8 fév. 1982 : *A final tribute* 1878, h/t (88,5x116) : **USD 2 750**.

WERBERGER Joseph
Né en 1800 à Nymphenbourg. xixe siècle. Allemand.
Peintre sur porcelaine.
Le Musée de Munich conserve de lui *La chambre de la reine*.

WERCHER Blesi
xve siècle. Actif à Bâle. Suisse.
Sculpteur sur bois.
Il sculpta surtout des plafonds. Le Musée National de Zurich conserve de lui un plafond provenant de l'église d'Egg.

WERCHOTUROFF Nikolaï Ivanovitch
Né en 1863. xixe siècle. Russe.
Peintre.
Il fut élève de l'Académie des Beaux-Arts de Saint-Pétersbourg.

WERCHOWZEFF Serge Fiodorovitch
xixe siècle. Russe.
Sculpteur.
Élève de l'Académie de Saint-Pétersbourg.

WERCHSTÄTTER Benedikt ou **Werckstötter**. Voir **WERKSTÄTTER Johann Benedikt**

WERCK Cornelis Van der
Né vers 1665. Mort en 1742 à Liège. xviie-xviiie siècles. Éc. flamande.
Sculpteur.
Élève d'Arnold Hontoire. Il travailla pour plusieurs églises de Liège, où il sculpta des statues, des autels, des anges et des bas-reliefs.

WERCOLLIER Jean-Baptiste
Né en 1868 à Luxembourg. Mort en 1946 à Luxembourg. xixe-xxe siècles.
Sculpteur de figures, portraits. Postromantique.
Il fut élève de l'École grand-ducale badoise des Métiers d'Art de Karlsruhe et de l'Académie des Beaux-Arts de Bruxelles. De 1898 à 1936, il fut professeur à l'École d'Artisans de l'État à Luxembourg. Il était le père du sculpteur Lucien Wercollier.
Bibliogr. : In : Catalogue de l'exposition *150 ans d'art luxembourgeois*, Mus. Nat. d'Hist. et d'Art, Luxembourg, 1989.
Musées : Luxembourg (Mus. Nat. d'Hist. et d'Art) : *Alphonse Georges Thyes, avant 1914*, bronze – *Tête de vieillard*, plâtre.

WERCOLLIER Lucien
Né en 1908 à Luxembourg. xxe siècle. Luxembourgeois.
Sculpteur. Abstrait.
Fils de Jean-Baptiste Wercollier. Il fut élève des académies des Beaux-Arts de Bruxelles et de Paris. En 1951, il a participé au Salon de Mai à Paris. En 1954, il fut cofondateur du premier Salon des Iconomaques à Luxembourg. En 1958, il a montré une exposition d'ensemble de ses œuvres, à Paris, galerie Saint-Augustin. En 1958 aussi, il a créé une sculpture pour le Pavillon du Luxembourg, à l'Exposition Universelle de Bruxelles. En 1983, le Musée National d'Histoire et d'Art lui a consacré une exposition rétrospective.
Ses premières sculptures se référaient à la plastique du corps humain de Maillol, puis à celle, plus lyrique, de Henri Laurens. À partir de 1950, il prit une plus grande liberté envers l'apparence naturaliste, pour aboutir à l'abstraction autour de 1952, une certaine abstraction aux références encore anthropomorphiques. À l'exemple de Brancusi, d'Arp, de Max Bill, il recherche la plus grande tension de la ligne, de la surface, du volume dans sa plus grande simplicité. Il privilégie la courbe par rapport à la droite et surtout à l'angle, dans des formes annelées, fermées sur elles-mêmes comme certains coquillages. Le travail du matériau contribue à l'extrême pureté de l'objet, soit bronze poli, soit marbre, dont l'éclat reste plus intérieur. ■ J. B.
Bibliogr. : In : Encyclopédie des Arts *Les Muses*, tome 15, Grange Batelière, Paris, 1969-1974 – Joseph-Émile Muller, in : *Nouveau dictionnaire de la sculpture moderne*, Hazan, Paris, 1970 – in : Catalogue de l'exposition *150 ans d'art luxembourgeois*, Mus. Nat. d'Hist. et d'Art, Luxembourg, 1989.
Musées : Luxembourg (Mus. Nat. d'Hist. et d'Art) : *L'Éternel féminin* 1960, bronze poli – *Bourgeonnement* 1964, bronze – *Éclosion* 1969, marbre – *L'œil* 1970, marbre – *Enlacement* 1976, albâtre – *Rêve d'amphore* 1977, albâtre.

WERDEHAUSEN Hans
Né en 1910 à Bochum. xxe siècle. Allemand.
Peintre.
Il fut élève de l'Académie des Beaux-Arts de Kassel. Il vivait à Essen. Il fut l'un des co-fondateurs du groupe Junger Westen, et est membre du Deutscher Künstlerbund. En 1950, il remporta le Prix Junger Westen. En 1957, il a été sélectionné pour le Prix Guggenheim ; en 1962, pour le Prix Marzotto. En 1959, il a été invité à la Documenta II de Kassel. Depuis la fin de la Seconde Guerre mondiale, il travaille dans l'abstraction, d'abord dans un esprit géométrique, puis, à partir de 1957, dans un tachisme informel, influencé parfois par la technique du dripping.
Bibliogr. : B. Dorival, sous la direction de... : *Peintres Contemporains*, Mazenod, Paris, 1964.
Musées : Amsterdam – Bâle – Bochum – Dortmund – Essen – Recklinghausen – Witten.

WERDEN, Maître de. Voir **MAÎTRES ANONYMES**

WERDEN Jacques Van ou **Weerden**
xviie siècle. Éc. flamande.
Dessinateur.
Il dessina des architectures et des scènes historiques. Le Musée de Bruxelles conserve de lui *Le château de Perk*.

WERDER Heinrich ou **Weerder**
Né vers 1540. Mort avant mai 1558. xvie siècle. Actif à Zurich. Suisse.
Peintre verrier.
Il exécuta de nombreux vitraux pour la ville de Zurich et pour l'abbaye de Wettingen.

WERDER Simprecht
xvie siècle. Travaillant à Berne de 1525 à 1538. Suisse.

Peintre et verrier.
Il travailla pour les villes de Berne et de Fribourg.

WERDER Urs
Né à Soleure. Mort en 1499. XVe siècle. Actif à Berne. Suisse.
Peintre verrier.
Il exécuta des vitraux pour des églises de Berne. Les musées de cette ville et de Fribourg conservent plusieurs vitraux peints par cet artiste.

WERDMÜLLER Heinrich
Mort en 1677. XVIIe siècle. Suisse.
Dessinateur amateur et officier.
Frère de Johann Rudolf W. Le Kunsthaus de Zurich conserve de lui *Duel au pistolet entre deux cavaliers*.

WERDMÜLLER Heinrich
Né en 1774 à Elgg. Mort en 1832 à Zurich. XVIIIe-XIXe siècles. Suisse.
Paysagiste.
Le Kunsthaus de Zurich conserve de lui dix-neuf dessins représentant des paysages suisses.

WERDMÜLLER Hermann
Né le 28 octobre 1843 à Zurich. XIXe siècle. Suisse.
Graveur sur bois.
Élève de Jakob Büchi. Il grava d'après Richter.

WERDMÜLLER Johann Heinrich
Né en 1742 à Jonen. Mort après 1813 à Zurich. XVIIIe-XIXe siècles. Suisse.
Peintre et aquafortiste.
Le Kunsthaus de Zurich conserve de lui *Portrait d'un ecclésiastique*.

WERDMÜLLER Johann Konrad
Né le 10 novembre 1819 à Zurich. Mort le 3 septembre 1892 à Fribourg. XIXe siècle. Suisse.
Dessinateur et graveur au burin.
Élève de l'Académie de Munich. Les musées de Zurich conservent de lui trente-cinq vues du vieux Zurich et cent feuillets représentant des objets artistiques.

WERDMÜLLER Johann Rudolph
Né en 1639 à Zurich. Mort en avril 1668, noyé. XVIIe siècle. Suisse.
Peintre et modeleur.
Son père, officier ayant servi à Venise et en Suisse, avait formé une collection par laquelle se forma le goût de notre artiste. Il fut pendant trois ans l'élève de Conrad Meyer, puis travailla seul, s'adonnant particulièrement au paysage et aux motifs d'architecture. Il étudia aussi la peinture de fleurs à Francfort. On lui doit également quelques portraits. Le Kunsthaus de Zurich conserve de lui *L'artiste*, *Portrait de Hauser von Wadenswil*, et plusieurs dessins.

WERDT. Voir aussi **WEERDT**

WERDT Armand von ou **Franz Johann Armand**
Né le 30 octobre 1805 à Berne. Mort le 25 juin 1841 à Castellamare près Naples. XIXe siècle. Suisse.
Peintre, aquafortiste amateur et officier.
Il peignit des vues et des scènes de genre.

WERDT Daniel von
Né en 1628. Mort en 1703. XVIIe siècle. Actif à Berne. Suisse.
Sculpteur sur bois.

WERDT Lucas Van der
Probablement d'origine flamande. XVIe siècle. Travaillant en Suède dans la seconde moitié du XVIe siècle.
Sculpteur.
Il sculpta des cénotaphes et des portails.

WERECHTCHAGUINE. Voir **VERECHTCHAGUINE**

WEREFKIN Marianne von ou **Wereffkin**
Née en 1860 ou 1870 à Tula (Russie). Morte en 1938 à Ascona (Suisse). XIXe-XXe siècles. Depuis 1896 active en Allemagne, depuis 1914 en Suisse. Russe.
Peintre de compositions à personnages, paysages, peintre à la gouache. Expressionniste.
Elle était des deux côtés d'origine aristocratique, son père était un militaire de haut grade et sa mère peignait en amateur. Après trois années à l'Académie des Beaux-Arts de Moscou, elle devint, en 1886 à Saint-Pétersbourg, où son père venait d'être muté, élève privilégiée d'Ilja Répine, le principal représentant du mouvement des *Ambulants* qui clôturait la peinture réaliste russe du XIXe siècle. En 1891, dans l'entourage de Répine, elle rencontra Alexej von Jawlensky. En 1896, à la mort de son père, elle poursuivit ses études à Munich, s'y établissant avec Jawlensky. De 1896 à 1906, elle cessa de peindre, se vouant totalement à la promotion de l'œuvre de Jawlensky. Sa propre culture littéraire, artistique, musicale, un ascendant et un charme naturels, contribuèrent à réunir bientôt autour d'eux un cercle de l'avant-garde internationale, dont, au hasard, Kandinsky, Diaghilev, Borissov-Moussatov, Kubin, Franz Marc, Paul Klee, la comédienne Éléonore Duse. À partir de 1901, en langue française, elle commença la rédaction de son journal, sous le titre *Lettres à un inconnu*. En 1903 et 1905, elle et Jawlensky firent des séjours en France, Paris, Bretagne, Provence. En 1906, elle recommença donc à peindre, fondant dans son salon de Munich une *Confrérie de saint Luc*. En 1908, ils passèrent l'été à Murnau, avec Gabriele Münter et Kandinsky. En 1909, elle contribua avec Jawlensky, dans leur appartement de Munich, à la fondation de la *Neue Künstlervereinigung München* (Nouvelle Association des Artistes de Munich), sous l'impulsion de Kandinsky, qui allait pourtant bientôt quitter le groupe pour fonder, en 1911 avec Franz Marc, le *Blaue Reiter*, moins éclectique. En 1912, Jawlensky et elle quittèrent le groupe, en protestation contre la publication de *Das neue Bild* d'Otto Fischer. En 1914, ils se réfugièrent à Ascona. En 1917 à Zurich, ils furent en relation avec le groupe Dada du Cabaret Voltaire. Après la révolution russe de 1917, elle ne reçut plus la rente d'origine familiale. Sans qu'il y eût lien de cause à effet, le couple se désagrégea et, en 1921, se sépara. Marianne von Werefkin se fixa définitivement à Ascona. Vers 1927, elle y créa une association d'artistes *La Grande-Ourse*, à laquelle, entre autres, participa Schmidt-Rottluff. La ville d'Ascona conserve les *Archives Werefkin*.
Marianne von Werefkin participa aux expositions collectives, en 1909-1910, de la Nouvelle Association des Artistes de Munich ; puis, en 1911, à celles du *Blaue Reiter* ; à la même époque aux expositions de la galerie *Der Sturm* à Berlin ; en 1928 à Berlin, avec le groupe de *La Grande-Ourse* qu'elle avait créé à Ascona. En 1916, elle exposa individuellement à la galerie Corray de Zurich. Après sa mort, elle était représentée : en 1938 à Zurich à l'exposition *M. von Werefkin, Ottilie W. Roederstein, Hans Brühlmann*, au Kunsthaus ; en 1983 à Paris à l'exposition *L'Avant-garde au féminin sur fond russe, 1907-1930*, organisée par Artcurial. Des expositions personnelles ont été consacrées à son œuvre : 1958 Wiesbaden *Marianne von Werefkin 1860-1938*, Städtisches Museum ; 1967 Ascona, Galleria Castelnuovo ; 1980 Wiesbaden *Gemälde und Skizzen*, Städtisches Museum ; 1988 Ascona Monte Verita, Munich Villa Stuck, *Marianne von Werefkin, Leben und Werk (Vita e Opere)*.
À ses tout débuts, très influencée par Répine, elle peignait des personnages et des scènes de la vie populaire russe, dans une facture déjà énergique. L'élargissement de sa culture personnelle aidant, Marianne von Werefkin avait tôt ressenti l'apport novateur de Van Gogh, de Gauguin et des Nabis. Par ces exemples, elle avait compris que la couleur en elle-même pouvait remplir des fonctions indépendantes de celle seule de l'imitation de la surface des choses en relation avec la lumière, l'éclairage, en particulier des fonctions symboliques, synesthésiques, expressionnistes. Franz Marc fut impressionné par la réflexion de Marianne von Werefkin et lui en attribuait la découverte. Disons que, depuis Van Gogh, Gauguin, cette réflexion était dans l'air du temps. Il est possible que, auprès du groupe du *Blaue Reiter*, en 1910 en Allemagne, ce fut peut-être elle l'initiatrice de cette nouvelle considération du rôle de la couleur. Apparemment, ce fut en 1910, à la suite de leur séjour commun à Murnau, que Kandinsky peignit sa première aquarelle abstraite, mais enfin on ne peut négliger qu'elle avait été préparée par une suite de réflexions et d'expérimentations autour du cavalier bleu retourné.
Cependant, dans sa propre peinture, Marianne von Werefkin ne se sépara jamais de l'apparence des choses. Quand elle fuit un monde qui ne la satisfait pas, ce n'est pas pour le nier, mais pour en créer un autre : « Tout m'ennuie dans le monde des objets. Je me suis créé une vie d'illusions ». Sa peinture entretient avec la réalité une relation totalement symboliste. Selon Jean-Claude et Valentine Marcadé : « On pourrait dire de sa peinture qu'elle est expressionniste-primitiviste avec une prédilection pour l'interprétation symboliste et mystique. Sa gamme de couleurs chaudes et sourdes a un accent nordique proche de Munch, mais tout imprégné du prisme solaire lituanien de son enfance. » À partir d'un dessin dur et primitif, de couleurs sourdes mais en

oppositions brutales, tout ce qu'elle représente est chargé d'un autre sens que celui de son apparence. Son répertoire de formes est constitué de motifs récurrents, équivalences imagées de ses obsessions intérieures : pour le sens, un personnage anonyme qui erre hagard, accablé, par chemin, route, ou pont, et, pour le décor, un fond de nature sauvage ou déchaînée. Son monde est bien la « forêt de symboles » baudelairienne. Dans son œuvre, comme certainement dans sa pensée, l'abstraction n'est pas l'abstraction plastique d'un Kandinsky, l'abstraction hors de toute la réalité du monde (pour autant que cela soit concevable), mais l'abstraction hors du contenu manifeste des apparences, pour en rejoindre le sens caché, le contenu latent. Pour elle, l'abstraction n'est pas une réalité en soi, extérieure à tout, l'abstraction est dans la vie et réciproquement. Dans les épanchemants intimes et exaltés que Marianne von Werefkin confiait à ses *Lettres à un inconnu*, elle écrivit : « J'aime les choses qui ne sont pas... Je suis insatiable dans la vie de l'abstraction ».

■ Jacques Busse

Bibliogr. : Gérald Schurr, in : *Les Petits Maîtres de la peinture 1820-1920, valeur de demain*, Les Éditions de l'Amateur, t. VI, Paris, 1985 - Bernd Fäthke : *Marianne von Werefkin, Leben und Werk 1860-1938*, Prestel, Munich, 1988 - in : Catalogue de l'exposition *Figures du Moderne 1905-1914 - L'Expressionnisme en Allemagne*, Mus. d'Art Mod. de la Ville, Paris, 1993.

Musées : Zurich (Kunsthaus).

Ventes Publiques : New York, 11 déc. 1963 : *Aus Prerow*, gche : **USD 1 900** - Londres, 1er déc. 1970 : *Le marché aux bestiaux*, gche : **GNS 700** - Berne, 18 nov. 1972 : *Deux femmes dans un jardin fleuri* : **CHF 20 000** - Düsseldorf, 20 juin 1973 : *Prerow*, gche : **DEM 5 400** - Zurich, 20 mai 1977 : *Soir de fête* vers 1910, temp. (57x77) : **CHF 11 000** - Hambourg, 9 juin 1979 : *Déclaration de guerre*, h/cart. (62x81) : **DEM 13 000** - Londres, 31 mars 1982 : *Frauenkirche, München* 1923, gche : **GBP 700** - Berne, 23 juin 1983 : *Paysanne dans un paysage* vers 1920-1930, pinceau et encre de Chine (26x40) : **CHF 1 900** - Zurich, 6 juin 1984 : *Voilier sur le lac Majeur* 1924, h/pan. (24x33) : **CHF 15 000** - Cologne, 30 mai 1987 : *Aus Prerow* 1907, h. et techn. mixte/pap. mar./cart. (48x68) : **DEM 65 000** - Munich, 26 oct. 1988 : *La maison neuve* 1917, h/cart. (36x29) : **DEM 25 300** - Berlin, 29 mai 1992 : *Les Abysses* 1923, temp./pap. (59,5x69,5) : **DEM 56 500** - Londres, 29 juin 1994 : *L'abîme* 1923, temp./cart./pan. (59,5x69,5) : **GBP 8 625**.

WEREJSKI Grigori

Né en 1886. xxe siècle. Russe.

Peintre de portraits, paysages, graveur.

Il fut élève de J. J. Schreider à Kharkov. Il peignit des paysages et grava des portraits.

WERENDL Franz

xviie-xviiie siècles. Actif à Graz de 1694 à 1734. Autrichien.

Peintre.

WERENFELS Rudolph ou **Jans Rudolf**

Né le 24 février 1629 à Bâle. Mort en mars 1673 à Bâle. xviie siècle. Suisse.

Peintre de portraits.

Il fit ses études à Amsterdam et en Italie. Il travailla pour les cours allemandes.

WERENSKIOLD Dagfin

Né le 16 octobre 1892 à Solberg. xxe siècle. Norvégien.

Peintre, peintre de cartons de vitraux, céramiste et sculpteur.

Fils d'Erik Theodor Werenskiold et son élève. Il sculpta des bustes, des groupes et des architectures.

Musées : Dronthem : *Famille de paysans* - Oslo (Mus. Nat.) : *Tête d'études - Le violoniste Jörgen Tjonstaulen - Bienheureux ceux qui sont persécutés.*

WERENSKIOLD Erik Theodor ou **Erich**

Né le 11 février 1855 à Kongsvinger. Mort le 23 novembre 1938 à Oslo. xixe-xxe siècles. Norvégien.

Peintre, dessinateur, graveur, lithographe, illustrateur.

Après avoir fait ses études classiques, de 1873 à 1875 il fut élève de la Tegneskol (École de dessin) à Oslo. Il se rendit à Munich, où il étudia la peinture de 1877 à 1880, sous la direction de Wilhelm von Lindenschmidt le jeune et de Ludwig von Löfftz : puis il vint à Paris, où il fut élève de Léon Bonnat, et y demeura jusqu'en 1883, pour y revenir en 1888-1889, découvrant l'impressionnisme. Il rentra dans sa patrie et y vécut par la suite. Vers 1910, il s'initia à la gravure ; vers 1920 à la lithographie.

En 1889 à Copenhague, il figurait dans une grande exposition impressionniste, avec Christian Krohg, Frits Thaulow, auprès de Manet, Cézanne, Guillaumin et autres. Il obtint un Grand Prix à Paris en 1889, pour l'Exposition Universelle.

De 1878 à 1910, il a illustré les *Contes et Légendes populaires* d'Asbjörnsen ; puis, en 1896-1899, les *Sagas royales* de Snorre Sturlason ; en 1903-1904, *La famille de Gilje* de Jonas Lie. Il peignait alors des scènes de genre et des portraits dans des tonalités sombres. Dans la suite de sa carrière, il peignit encore les portraits de nombreuses personnalités norvégiennes, écrivains, artistes, musiciens. Dans ses paysages et les peintures de paysans à leurs labeurs et occupations, comme dans ses scènes urbaines, il traduisit avec émotion le charme typique de son pays, s'inspirant d'abord des peintres de plein air français, dans des accords de couleurs clairs et raffinés. Vers 1890, accentuant la note lyrique de sa propre perception de l'impressionnisme, il peignit une série de scènes de genre enfantines. On cite encore ses essais de décorations murales, dans lesquels on pressent déjà l'art d'un Edvard Munch. Son dessin d'une façon générale et en particulier ses dessins d'analyses de formes, de décompositions de volumes, de transpositions, de plans, demeurent peut-être la part la plus intéressante de son œuvre. Avec Christian Krohg et Frits Thaulow, encore tributaires du symbolisme d'époque, ils furent les promoteurs de l'impressionnisme en Norvège au début du siècle, leur influence assez tôt dépassée par les vagues successives du fauvisme et du cubisme. Toutefois, Werenskiold, autour de 1907-1908, sut ne pas rester insensible aux dérives néo-impressionniste de Seurat dans ses dessins, et, avec un travail plus audacieux sur matière et couleur dans ses peintures, à celles postimpressionnistes de Van Gogh et surtout de Cézanne.

■ Jacques Busse

Erik Werenskiold 1883
Erik Werenskiold. 1885.
Erik Werenskiold
EW

Bibliogr. : In : Encyclopédie des Arts *Les Muses*, Grange Batelière, Paris, tome 15, Paris, 1969-1974 - in : *Diction. Univers. de la Peint.*, Le Robert, Paris, 1975 - Marcus Osterwalder, in : *Dictionnaire des illustrateurs 1800-1914*, Ides et Calendes, Neuchâtel, 1989 - in : *L'Art du xxe siècle*, Larousse, Paris, 1992.

Musées : Bergen : *Nu - Doffen Dahl - Pauvre enfant - Deux frères - Sisten - Les bateliers* - Copenhague : *Nettoyage d'un fossé - Enfant attendant - Björnstjerne Björnson - Le ministre Michelsen* - Dronthem : *Peter Anker-Pin couvert de neige* - Göteborg : *Dans la plaine - Automne* 1891 - *Rayon de soleil* - Haugesuni : *Nils Collet Vogt* - Helsinki : *Vieillard avec bonnet de fourrure* - Oslo (Nat. Gal.) : *Vue de Télémark - L'Enterrement d'un paysan* 1883-85 - *Portrait du poète Björnstjerne Björnson* 1885, deux fois - *Dr. O. J. Broch - Épuisement d'une fosse - Enfants - Le ministre Michelsen - Un ancien fermier - Soirée d'été à Kviteseid - Lykteskinn - Vue de Lysaker - Le bain - Nils Hansteen - Nicolaï Ulfsten - Le professeur Helland - Le peintre Kitty Kielland - Erika Nissen - Portrait d'Henrik Ibsen* 1895 - *Eilif Peterssen - Dagfin - Björn Björnson dirigeant* 1910 - Skien : *Le cimetière de Lomen - Jeunesse* - Stockholm (Nat. Mus.) : *Portrait d'Edvard Grieg* 1892 - *Fredrik Collet - Fuite à travers la forêt.*

Ventes Publiques : Copenhague, 2 oct. 1976 : *Travaux des champs*, h/t (17x26) : **DKK 9 000** - Copenhague, 24 nov. 1977 : *Travaux des champs* 1882, h/t (17x26) : **DKK 11 000** - Copenhague, 12 avr. 1983 : *Mère et enfant assis devant la fenêtre* 1889, gche (33x26) : **DKK 23 000** - Copenhague, 12 nov. 1985 : *Jeux d'enfants* 1894, h/t (61,5x57,5) : **DKK 45 000** - Londres, 16 mars 1989 : *Jeux d'enfants* 1891, h/t (60x85) : **GBP 18 700** - New York, 23 oct. 1990 : *Cueillette de fleurs des champs* 1881, h/pan. (27x35,6) : **USD 55 000** - Copenhague, 6 déc. 1990 : *Les enfants de l'artiste grimpés sur le rebord de la fenêtre*, h/t (53x70) : **DKK 110 000** - Londres, 17 mai 1991 : *Village norvégien* 1890, h/t (61,6x81,3) : **GBP 3 520** - Londres, 17 nov. 1993 : *Panorama depuis Lysaker*, h/t (86x115) : **GBP 4 025** - Londres, 15 juin 1994 : *Cueillette de fleurs des champs au bord du chemin* 1881, h/pan. (27x35,5) : **GBP 25 300**.

WERETSHCHAGIN Piotr Petrovitch, Vassili Petrovitch, et **Vassili Vassilievitch**. Voir **VERECHTCHAGUINE**

WEREX Johan. Voir **WIERIX**

WERF Jacobus Van der, l'Ancien

Né à Bennebroek près de Haarlem. Mort en 1818 dans la même localité. XIXe siècle. Hollandais.

Paysagiste.

Père de Jacobus Van der W. le Jeune.

WERF Jacobus Van der, le Jeune

Né en 1808 à Bennebroek près de Haarlem. XIXe siècle. Hollandais.

Peintre.

Fils de Jacobus Van der W. l'Ancien.

WERFER Jozsef, Karoly ou **Josef Karl**

Né en 1810 à Kaschau. Mort en 1867 à Budapest. XIXe siècle. Hongrois.

Lithographe.

Fils de Karoly W. Il travailla pour des illustrés.

WERFER Karoly

Né le 31 décembre 1789 à Lugos. Mort le 8 mars 1846 à Kaschau. XIXe siècle. Actif à Kaschau. Hongrois.

Lithographe.

Il grava une estampe représentant la cathédrale d'Erlau en 1837.

WERFF Adriaan Van der

Né le 21 janvier 1659 à Kralinger Ambach, près de Rotterdam. Mort le 12 novembre 1722 à Kralinger Ambach. XVIIe-XVIIIe siècles. Hollandais.

Peintre d'histoire, compositions religieuses, compositions mythologiques, sujets allégoriques, scènes de genre, portraits, graveur.

Il fut d'abord élève de Cornelis Pecolet, puis de Eglon Van der Neer. Il s'établit peintre d'histoire en 1676 bien qu'il n'eut que dix-sept ans. La connaissance qu'il fit de l'amateur Flink lui permit de travailler dans une admirable collection de dessins d'anciens maîtres. En 1696 l'Électeur Palatin passant à Rotterdam admira beaucoup les œuvres de notre artiste et lui commanda un *Jugement de Salomon* et son portrait destiné au duc de Toscane. Van der Werff alla porter ses ouvrages achevés à Düsseldorf. Son succès fut très grand. L'Électeur le pensionna et notre artiste dut consentir à passer six mois de l'année à cette cour. Il fut anobli en 1703.

Van der Werff a fait quelques tentatives de modelage. On lui prête aussi la gravure de quatre pièces à la manière noire. Son style simple et hiératique préfigure l'art néoclassique.

Musées : Aix : *Sainte Madeleine* – Aix-la-Chapelle : *Pastorale – Sainte Famille* – Amsterdam : *L'artiste – Portrait d'un peintre – Margarethe Rendorp – Deux amoureux – Déposition du Christ – Sainte Famille – Leçon de danse – Les bulles de savon – Vénus baisée par l'Amour – Vanitas* – Aschaffenbourg : *Ecce Homo* – Augsbourg : *Scène nocturne d'enfants – Enfant au jeu* – Bamberg : *L'expulsion d'Agar – Agar et Abraham – Couronnement de la Vierge – Diane et Callisto* – Bayreuth : *Repos pendant la fuite en Égypte* – Beaufort : *François d'Alençon* – Berlin : *Scène de bergers – Diane – Sainte Madeleine – Loth et ses filles – Sainte Famille – Isaac bénit Jacob – Jacob bénit Éphraïm et Manassé – Hommage à Priape* – Bordeaux : *Antiochus et Stratonice* – Brunswick : *Deuil de Didon – Le joueur d'échecs – Le colonel S. M. Harler – Adam et Ève chassés du Paradis* – Budapest : *Portrait de femme – Mise au tombeau – Suzanne au bain* – Cambridge : *Le serviteur de Tancrède devant Gismonda* – Le Cap : *Trois enfants jouant aux cartes* – Chambéry : *Chasteté de Joseph et la femme de Putiphar* – Coblence : *Portrait d'homme* – Cologne : *Portrait de femme* – Copenhague : *Jeune fille avec vase à fleurs* – Courtrai : *Vénus et l'Amour* – Darmstadt : *Allégorie de la Peinture* – Dresde : *Loth et ses filles – Couple amoureux – Portrait d'une famille – Vénus et l'Amour – Le Jugement de Paris – Sainte Madeleine – La Vierge et l'Enfant Jésus – Annonciation – Diogène cherche des hommes – Dame et Monsieur jouant aux échecs – Le reniement d'Agar – Vieil ermite* – Düsseldorf : *L'artiste devant son chevalet* – Édimbourg : *Bourgmestre et sa femme* – Erlangen : *La Visitation – Adoration des bergers – Présentation au temple – Jésus au temple – Le christ sur le Mont des Oliviers – Résurrection du Christ – Descente du Saint Esprit* – La Fère : *Scène d'intérieur* – Florence (Pitti) : *John duc de Marlborough* – Florence (Mus. des Offices) : *Jugement de Salomon – Adoration des bergers – L'Artiste* – Genève (Ariana) : *Bacchantes au milieu de la verdure, effet de nuit* – Glasgow : deux portraits de dames – *Samson et Dalila* – Hampton (hampton Court Palace) : *Adam et Ève* – Hanovre : *Le Christ et la Samaritaine* – La Haye (Rijksmus.) : *Portrait d'homme – Fuite en Égypte* – La Haye (Mus. mun.) : *C. G. Fagel – Élisabeth Dierquens* – Karlsruhe : *Adam et Ève chassés du Paradis* – Kassel : *Sainte Famille aux cerises – L'amoureux berger – Flore et petits génies, quatre paniers suspendus. Trois paniers de fleurs*, plafonds – Lille : *Sainte Madeleine* – Londres (Nat. Gal.) : *L'artiste – La souricière – Fuite en Égypte* – Londres (Wallace coll.) : *Vénus et l'Amour – Berger et Bergère* – Montpellier : *Suzanne au bain* – Munich : *Garçon laissant sortir un oiseau d'un panier et jeune fille – Ecce Homo – Le prince Johann Wilhelm – Marie Anne Louise de Médicis, femme de Johann Wilhelm – Repos en Égypte – Mise au tombeau – Diane découvrant la faute de Callisto – Madeleine pénitente – Annonciation – Madeleine dans une grotte – Christ en croix – Flagellation – Couronnement d'épines – Portement de croix – Vierge, Enfant Jésus et saint Jean – Allégorie – Amusement d'enfant – Le savant Fr. Junius* – New York (Mus. Metropolitain) : *Léda* – Paris (Mus. du Louvre) : *Adam et Ève – Annonciation aux bergers – La Madeleine au désert – Nymphes dansant – Groupe de figures à mi-corps* – Le Puy-en-Velay : *Henriette Marie de France femme de Charles Ier* – Rennes : *La découverte de Moïse* – Rotterdam : *Cimon et Pera – Allégorie de la Bienfaisance – Mise au tombeau* – Saint-Étienne : *La Vierge et l'Enfant* – Saint-Pétersbourg (Mus. de l'Ermitage) : *Adam et Ève chassés du Paradis – Bethsabée présente Abisag à David – Sainte Famille – Ecce Homo – Mise au tombeau – Assomption – La Madeleine au désert – Scène d'intérieur – L'artiste – Loth et ses filles* – Schleissheim : *Vénus et l'Amour – Le temple des Beaux-Arts – Le Jugement de Salomon – Le Christ en croix – Flagellation – Portement de croix – Sainte Madeleine* – Schwerin : *L'artiste – Portraits d'une dame – Deux joueurs d'échecs – Samson et Dalila* – Spire : *Diane et Callisto – Sainte Famille et le petit saint Jean-Baptiste – Jean-Guillaume du Palatinat* – Stuttgart : *Allégorie de la Musique – Vénus couchée et Amour endormi – Mauvaise pénitente* – Turin : *Adam et Ève devant le cadavre d'Abel – Paris et*

Énone – Utrecht : *Reniement d'Agar* – Vienne (Gal. Liechtenstein) : *Mise au tombeau* – Vienne (Gal. Schoenborn) : *Trois enfants jouant aux cartes* – *Femme priant* – *Deux femmes conversant* – Vienne (Mus. Nat.) : *Portrait d'homme* – Würzburg : *Portement de la croix* – *Couronnement de la Vierge*.

Ventes Publiques : Paris, 1762 : *Descente de Croix* : **FRF 6 721** – Paris, 1772 : *Les joueurs d'osselets* : **FRF 12 150** – Paris, 1793 : *Les Dénicheurs d'oiseaux* : **FRF 33 500** – Paris, 1852 : *Déposition de croix* : **FRF 8 000** – Paris, 1868 : *Déclaration d'amour* : **FRF 20 000** – Paris, 1876 : *Portrait d'un lecteur* : **FRF 3 000** – Paris, 1877 : *Le Jeu de cartes* : **FRF 4 600** – Paris, 1898 : *Le Galant Chasseur* : **FRF 1 900** – Paris, 18-25 mars 1901 : *La Peseuse d'or* : **FRF 2 225** – Paris, 28 fév. 1919 : *Portrait présumé de l'artiste* : **FRF 1 620** – Londres, 4 juil. 1924 : *Le Repos en Égypte* : **GBP 220** – Paris, 24 mai 1929 : *Portrait de femme* : **FRF 1 600** – Paris, 29 jan. 1932 : *L'Oiseau apprivoisé* : **FRF 1 535** – Paris, 13 fév. 1939 : *Vénus, Adonis et l'Amour* : **FRF 5 700** – Paris, 16 fév. 1939 : *Pygmalion et la statue de Galathée* : **FRF 3 750** – Paris, 28 jan. 1947 : *Sainte en prière* : **FRF 62 100** – Paris, 17 mars 1947 : *La tentation de saint Antoine* : **FRF 11 500** – Paris, 29 nov. 1948 : *Diane découvrant la grossesse de Callisto*, attr. : **FRF 50 100** – Paris, 30 mai 1949 : *Le Jeu de cartes* 1680 : **FRF 235 000** – Paris, 27 avr. 1950 : *Portrait d'homme en habit bleu* : **FRF 32 000** – Paris, 27 juin 1951 : *Hercule et Jupiter* : **FRF 55 000** – Paris, 2 déc. 1954 : *La Baigneuse* : **FRF 151 000** – New York, 29 av. 1960 : *Personnages à la fenêtre* : **USD 1 250** – Londres, 26 juin 1964 : *Allégorie de la Peinture* : **GNS 750** – Paris, 24 avr. 1972 : *Diane et Actéon* : **FRF 11 500** – Londres, 30 nov. 1973 : *L'Annonciation* : **GNS 3 500** – Londres, 29 mars 1974 : *Le vieillard et la belle endormie* : **GNS 8 000** – Amsterdam, 26 avr. 1976 : *Jésus et la femme de Samarie*, h/pan. (31,7x40,7) : **NLG 25 000** – Londres, 10 mars 1978 : *Portrait d'un gentilhomme*, h/t (52,5x40,5) : **GBP 2 000** – Londres, 15 fév. 1980 : *Enfant debout prés d'une statue*, h/t (47x38) : **GBP 8 000** – Versailles, 11 oct. 1981 : *Le Triomphe de Flore*, h/t (87x75,5) : **FRF 16 000** – Londres, 12 déc. 1984 : *Le galant entretien* 1678, h/pan. (49x37) : **GBP 58 000** – Amsterdam, 18 mai 1988 : *Petite fille accoudée à une corniche portant une chemise blanche, un châle de soie et un bonnet de dentelle, tenant des pêches, devant un parc et un piédestal* 1696 (48x38,3) : **NLG 241 500** – Londres, 17 juin 1988 : *Vénus et Adonis*, h/t (48x40) : **GBP 6 250** – Monaco, 16 juin 1989 : *Vertumne et Pomone* 1679, h/t (53x45) : **FRF 510 600** – Londres, 11 déc. 1992 : *Portrait de la femme de l'artiste, Margareta Rees, assise de trois quarts, vêtue d'une robe bleu sombre et d'une étole rose et tenant deux oranges* 1698, h/t (48x39,7) : **GBP 8 800** – Londres, 7 déc. 1994 : *Allégorie de la Victoire avec des putti*, h/pan./cart., Pan. décoratif de plafond (193x161) : **GBP 21 850** – Londres, 17 avr. 1996 : *Portrait d'une famille près d'une fontaine classique dans un parc*, h/t (76,5x59,7) : **GBP 12 650** – Londres, 11 déc. 1996 : *Portrait d'un jeune garçon sous une statue d'Hercule enfant*, h/t (47x38,1) : **GBP 25 300**.

WERFF Clara Adriana Van der

Née le 12 août 1895 à Almelo. XXe siècle. Hollandaise.

Lithographe.

Il fut élève de l'Académie des Beaux-Arts d'Amsterdam.

WERFF Pieter Van der

Né en 1665 à Kralingen près Rotterdam. Mort en 1722, enterré à Kralingen le 26 septembre 1722. XVIIe-XVIIIe siècles. Hollandais.

Peintre d'histoire, scènes de genre, portraits.

Frère cadet et élève d'Adriaan Van der Werff. Il fut doyen de la confrérie des peintres de Rotterdam en 1703 et 1715.

Pendant plusieurs années, il ne fit que des copies des œuvres de son frère. Plus tard, il produisit des œuvres originales dans la manière de son aîné, tableaux d'histoire, portraits, sujets de genre, presque toujours de petites dimensions. On cite comme un de ses meilleurs ouvrages un groupe de portraits des directeurs de la Compagnie des Indes Hollandaises.

P: v^r werff fecil
P: V. WERff fecit.
ANNO 1700
P: V^r werff . ff

P.v^r werff. fe
ANNO 1710
P: v^r werff. fecit
ANNO . 1713.
P: v^r werff. fec
ANNO . 1715

Musées : Amsterdam : *Saint Jérôme* – *Cupidon orné de fleurs* – *Leçon de dessin* – *Hercule enfant* – *Bacchus enfant* – Vingt-sept portraits de directeurs de la compagnie des Indes Néerlandaises – Budapest : *Madeleine pénitente* – Cambridge : *Bacchus et Ariane* – *Portrait d'une dame* – Courtrai : *Vénus et l'Amour* – Dresde : *Saint Jérôme* – *Mangeurs de moules* – Florence : *Les enfants et l'oiseau* – La Haye (comm.) : *Dr Adrien de Lange* – *Marguerite Bouter* – *Corneille Van Groenendyck* – *Sophie de Lange* – Kassel : *Vierge, Enfant Jésus et saint Jean-Baptiste* – *Les enfants et le nid* – *Les fillettes et les fleurs* – Lille : *L'heureux ménage* – *Sainte Marie-Madeleine* – Nottingham : *Christian de Weerdt* – Potsdam : *Déploration du Christ* – *Sainte Famille* – *Daphnis et Cloé* – *Loth et ses filles* – *Jeune fille se baignant* – Rotterdam : *Jean Talius* – *L'artiste* – Saint-Pétersbourg : *Pierre le Grand* – Schwerin : *Loth et ses filles* – Stockholm : *Intérieurs, dame tenant un cahier de musique* – Vienne : *Portrait d'un jeune homme* – *Vénus*.

Ventes Publiques : Paris, 1780 : *Allégorie sur la Peinture* : **FRF 2 600** – Paris, 1886 : *La mort de Cléopâtre* : **FRF 610** – Paris, 1899 : *Portrait de Guillaume d'Orange* : **FRF 750** – Paris, 21 fév. 1919 : *Portrait d'homme en manteau rouge* : **FRF 305** – Paris, 17 mars 1923 : *Jeune femme peignant ses cheveux blonds* : **FRF 9 600** – Paris, 24 mai 1923 : *Le peintre et son modèle* : **FRF 2 000** – Paris, 19 nov. 1928 : *La décollation de saint Jean-Baptiste* : **FRF 2 000** ; *La descente de croix* : **FRF 4 400** – Paris, 17 mai 1949 : *La collation* ; *Le repos dans le jardin*, deux pendants, attr. : **FRF 29 000** – Paris, 9 mars 1951 : *La souricière* : **FRF 22 000** – New York, 3-4 oct. 1952 : *La Sainte Famille* : **USD 90** – New York, 22-24 jan. 1953 : *Portrait d'une dame* 1709 : **USD 90** – Versailles, 19 nov. 1972 : *Portrait d'un gentilhomme* ; *Portrait d'une dame de qualité* : **FRF 10 000** – New York, 16 juin 1977 : *Portrait d'un jeune homme au violon*, h/t (40x30,5) : **USD 3 000** – Londres, 7 mars 1980 : *Nymphes dansant devant un berger* 1717, h/pan. (40,6x31,7) : **GBP 6 000** – Londres, 7 avr. 1982 : *Granida et Daifilo*, h/pan. (37,5x28) : **GBP 4 800** – New York, 7 nov. 1985 : *Deux personnages mythologiques dans un paysage boisé*, h/pan. (41x33) : **USD 6 500** – Neuilly, 9 mars 1988 : *Bethsabée au bain*, h/t (51x67,5) : **FRF 20 000** – Milan, 12 juin 1989 : *Le Christ et la Cananéenne*, h/t (37,5x49,5) : **ITL 8 000 000** – Londres, 11 avr. 1990 : *Allégorie de la Peinture*, h/pan. (45x34,5) : **GBP 15 400** – Paris, 25 avr. 1990 : *Diane et ses suivantes*, h/t (61x50) : **FRF 55 000** – New York, 1er juin 1990 : *Fillette à une fenêtre avec une perruche posée sur sa main et une autre sur sa cage*, h/pan. (31x24,5) : **USD 93 500** – New York, 31 mai 1990 : *Le Christ Enfant avec saint Jean Baptiste*, h/pan. (32,5x24,7) : **USD 16 500** – Londres, 7 fév. 1991 : *Portrait d'une dame portant une robe bleue garnie de dentelle et une écharpe brune*, h/t, de forme ovale (87,5x72,5) : **GBP 1 650** – New York, 11 avr. 1991 : *Nymphe et satyre dans un paysage*, h/t (45x37) : **USD 13 200** – Londres, 10 juil. 1992 : *Portrait d'un gentilhomme avec une armure et un manteau bordé d'hermine* ; *Portrait de sa femme vêtue d'une robe jaune et d'un manteau bordé d'hermine*, h/cuivre, de forme ovale (chaque 68x50,8) : **GBP 5 500** – Paris, 26 oct. 1992 : *Famille au bord d'un bassin*, h/t (65x78) : **FRF 49 000** – New York, 24 avr. 1995 : *Portrait d'une dame* 1715, h/t, de forme ovale (78,7x67) : **USD 2 587**.

WERGANT Fortunat ou **Bergant**

Né le 6 juillet 1721 à Mekinje près de Kamnik. Mort le 31 mars 1769 à Ljubljana. XVIIIe siècle. Yougoslave.

Peintre.

Un des plus importants peintres du style baroque de Slovénie. La Galerie Nationale de Ljubljana conserve de lui les portraits de l'*Abbé Tauffrer* et de l'*Abbé Konstanjavica Buset*.

WERGE Thomas

XIXe siècle. Actif à Londres dans la première moitié du XIXe siècle. Britannique.

Peintre de paysages et de marines.

Il exposa de 1821 à 1824.

WERGELAND Oscar Arnold
Né le 12 octobre 1844 à Oslo. Mort le 20 mai 1910 à Oslo. XIXe-XXe siècles. Norvégien.
Peintre de genre.
Il figura aux Expositions de Paris ; mention honorable en 1889 (Exposition Universelle).
Musées : Oslo (Mus. Nat.) : *Enfant malade* – Prague : *Après-midi de dimanche* – Trondhem : *Dans le jardin*.
Ventes Publiques : Londres, 19 mars 1980 : *La gardeuse d'oies*, h/t (59x40) : **GBP 3 200**.

WERI Geeraard ou **Weerie** ou **Wery** ou **Verry**
Né le 5 juillet 1605 à Anvers. Mort en 1644 à Anvers. XVIIe siècle. Éc. flamande.
Peintre de compositions religieuses.
Élève de Rubens. Il a peint une *Adoration des Rois* dans l'église de Verrebroek.

WERINHER. Voir **ELLINGER**

WERIS H. Maria
XVIIe siècle. Hollandais.
Peintre de natures mortes.
Le Musée de Tours conserve de lui : *Carafe de verre et bouquet de fleurs sur une table*.

WERK Cornelis Van der. Voir **WERCK**

WERK-KRUYFF M. Van der
Née le 19 novembre 1870 à Sassenheim. XIXe siècle. Hollandaise.
Peintre de portraits, animalier, illustrateur.
Elle fut élève de l'Académie d'Amsterdam. Elle illustra des livres pour enfants.

WERKENS Jan
XVIIe siècle. Actif à Venraal. Hollandais.
Sculpteur sur bois.
Il a sculpté le jubé de l'église de Boksmeer en 1634.

WERKMAN Hendrik Nikolaas
Né le 29 avril 1882 à Leens (province de Groningue). Mort le 10 avril 1945 à Groningue, fusillé par les Allemands. XXe siècle. Hollandais.
Peintre de figures, paysages, aquarelliste, graveur.
Il commença par être d'abord journaliste de 1903 à 1907 au *Groninger Dagblad*, puis, en 1908, imprimeur à Groningue, où il a passé sa vie. En 1917, âgé de trente-cinq ans, il commença à dessiner et peindre, figuratif expressionniste influencé par Van Gogh. En tant qu'imprimeur, il fit faillite en 1923. Ce fut aussi à ce moment qu'il abandonna la figuration en même temps que les matériaux traditionnels du peintre pour utiliser ceux de l'imprimerie. De 1923 à 1926, il composa et imprima lui-même une revue d'inspiration dadaïste *The Next Call*, encore considérée comme un témoignage historique pour ses innovations techniques. À ce moment, il entra en contact avec Michel Seuphor et Jozef Peeters, collaborant à la revue *Het Overzicht* (Le Panorama). En 1927, il créa la typographie du manifeste *De Ploeg*, et lia amitié avec Van Doesburg. À cette époque, il s'initia à la gravure à l'eau-forte et à la lithographie. En 1930, il collabora à la revue *Cercle et Carré* de Michel Seuphor. Pendant l'occupation allemande, il participa à la publication clandestine d'une revue et d'estampes. Considéré comme un artiste de culture bolchevique, il a été fusillé quelques jours avant la libération de Groningue.
Une exposition de ses compositions fut montrée à Paris, en 1927, à la galerie du Sacre du Printemps. En 1930, il prit part à l'exposition du groupe *Cercle et Carré*, créé par Michel Seuphor. En 1945 et 1962, le Stedelijk Museum d'Amsterdam organisa des expositions rétrospectives de son œuvre ; en 1952 à Paris, la librairie-galerie La Hune. En 1978, il était représenté à l'exposition *Abstraction-Création 1931-1936*, au Westfälisches Landesmuseum für Kunst und Kulturgeschichte de Münster, et au Musée d'Art moderne de la Ville de Paris. Le Stedelijk Museum d'Amsterdam a répertorié l'ensemble de sa production.
Jouant sur les mots, Werkman donna à toutes ses œuvres, issues de procédés typographiques déviés, l'appellation générique de « Impressions » (ses « drucksels »), en fait des peintures imprimées. Vers 1923, il composait et imprimait de grandes feuilles avec divers éléments d'impression, caractères majuscules des affiches publicitaires, ornements, etc., se limitant au noir et au gris. La série des *Cheminées* se compose de verticales et de rectangles disposés géométriquement. Après 1925, il utilisa plus librement les grands caractères d'affiches, en bois, compris comme des sigles abstraits, s'interférant dans des colorations vives. S'il se lia avec les promoteurs du mouvement *De Stijl*, il n'adhéra pas à la radicalité de ses principes, pratiquant en fait une technique proche du monotype et directement issue de la composition typographique. Dans ces compositions graphiques, d'une évidente élégance de mise en page, on retrouve l'écho soit du dadaïsme si particulier de Schwitters, soit plus justement celui du constructivisme d'un El Lissitzki : *Composition avec X* de 1927, ou encore *La Musique* inspirée par Stravinsky. Pour la publication du poème de Martinus Nijhoff *Het Jaar 1572*, il a créé les quarante compositions du *Blauwe-Schmit*.
Après 1938, il évolua à une figuration à caractère expressionniste, utilisant toujours les ressources de la typographie, substituant au matériel d'imprimerie des figures aux contours très nets, découpées dans du papier, mais dont les formes sont adoucies par des dégradés obtenus par un maniement délicat du rouleau encreur. Vers 1941, il publia les gravures titrées *Amsterdam Castricum*, inspirées des réserves du Stedelijk Museum d'Amsterdam. Dans cette dernière période, il sembla s'intéresser à l'expression du mouvement, par des procédés de glissement de la planche à imprimer, comme dans la *Porte tournante*, de 1941.
■ Jacques Busse
Bibliogr. : Catalogue de l'exposition rétrospective *N. H. Werkman*, Musée Municipal, Amsterdam, 1945 – X..., in *Art d'Aujourd'hui*, Paris, février 1952 – Catalogue de l'exposition *N. H. Werkman*, Gal. La Hune, Paris, 1952 – Michel Seuphor : *Dictionnaire de la peinture abstraite*, Hazan, Paris, 1957 – Catalogue de l'exposition *H. N. Werkman 1882-1945*, Stedelijk Mus., Amsterdam, 1962 – Michel Seuphor : *Le style et le cri*, Seuil, Paris, 1965 – Jacqueline Mayer, in : *Dictionnaire Universel de l'Art et des Artistes*, Hazan, Paris, 1967 – Frank Popper : *L'Art Cinétique*, Gauthier-Villars, Paris, 1970 – Michel Seuphor, in : *L'Art Abstrait*, tome 2, 1918-1938, Maeght, Paris, 1972 – in : Encyclopédie des Arts *Les Muses*, tome 15, Grange Batelière, Paris, 1969-1974 – in : *Diction. Univers. de la Peint.*, tome 6, Le Robert, Paris, 1975 – in : Catalogue de l'exposition *Abstraction-Création 1931-1936*, Westfälisches Landesmus. für Kunst und Kulturgeschichte, Münster, Musée d'Art moderne de la Ville, Paris, 1978 – in : *L'Art du XXe siècle*, Larousse, Paris, 1991.
Musées : Amsterdam (Stedelijk Mus.) : *Les Cheminées* 1923 – *composition avec lettre X* 1927-28, nombreuses œuvres.
Ventes Publiques : Amsterdam, 11 mai 1982 : *Aquarium*, gche (49,2x58) : **NLG 3 200** – Amsterdam, 8 oct. 1984 : *Vrouweneiland 17*, grav. en coul. (61,1x50,1) : **NLG 9 200** – Amsterdam, 26 mars 1985 : *Composition avec personnages* 1944, grav. (49,9x32,5) : **NLG 13 000** – Amsterdam, 6 déc. 1995 : *Personnage debout* 1929, aquar./pap. (18,5x30,5) : **NLG 2 070** – Amsterdam, 10 déc. 1996 : *La Ferme Pollux à Zuurdijk près de Gronningen* 1944, h/t (70x125) : **NLG 138 384**.

WERKMASTER Jerk
Né en 1896. XXe siècle. Actif à Stockholm. Suédois.
Peintre et graveur.

WERKSTÄTTER Johann Benedikt
Né vers 1708 à Neumarkt. Mort le 12 janvier 1772 à Salzbourg. XVIIIe siècle. Autrichien.
Peintre.
Le Musée de Salzbourg conserve de lui *Portrait d'Anna von Rehlingen*.

WERL Hans ou **Wörl, Werli, Werle, Werlin, Werlyn, Wernl, Wernle, Wernlner, Wernlin, Werndl, Wehrl, Worlin, Wöhrl, Wörle**
Mort en 1608 à Munich. XVIe siècle. Allemand.
Peintre.
Un des plus importants peintres de l'École Munichoise. Il travailla à la cour. Son chef-d'œuvre est le tableau du maître-autel de la chapelle de la Résidence de Munich *La Vierge dans la gloire*. Les musées de Munich et de Schleissheim conservent de nombreux portraits exécutés par cet artiste.

WERL Johann David ou **Wörl, Werle, Wehrl, Wernl, Wörle, Wöhrl**
Né à Memmingen. Mort fin 1621 ou 1622 à Munich. XVIIe siècle. Actif à Munich. Allemand.
Peintre de portraits et de sujets religieux.
Il travailla pour la cour de Munich. Le Musée de Schleissheim conserve de lui *La Vierge dans la gloire entourée de clercs et de laïcs* et *Portraits du duc Louis VII le barbu* et de *Frédéric Ier, le victorieux*.

WERLE Anton
XVIIIe siècle. Actif à Ljubljana. Yougoslave.
Il travailla pour l'évêque de Ljubljana.

WERLE Gregor ou **Georg**
XVIIIe siècle. Actif dans la première moitié du XVIIIe siècle. Autrichien.
Peintre.
Il travailla pour le prince Anton Schwarzenberg en Bohème et exécuta des tableaux d'autel dans l'église de Lichtenthal à Vienne.

WERLE J.
XIXe siècle. Travaillant à Znaim en 1838. Autrichien.
Portraitiste.

WERLEMANN Carl
Né en 1880 à Bruxelles. Mort en 1937. XXe siècle. Belge.
Peintre de figures, paysages ruraux, paysages urbains, dessinateur.
Il a souvent traité les aspects pittoresques du vieux Bruxelles.
Bibliogr. : In : *Dict. biogr. illustré des artistes en Belgique depuis 1830*, Arto, Bruxelles, 1987.

WERLEN Ludwig
Né le 24 septembre 1884 à Geschinen. Mort en 1928. XXe siècle. Suisse.
Peintre de figures, graveur.
Il fut élève de l'Académie de Munich. Il était actif à Brig.
Ventes Publiques : Berne, 18 mai 1973 : *Deux jeunes filles du Valais* 1917 : **CHF 6 000** – Lucerne, 18 nov. 1978 : *Paysage du Valais*, h/t (35x70,5) : **CHF 3 400**.

WERLI Hans ou **Werlin**. Voir **WERL**

WERLIN zum Burne
XIVe siècle. Français.
Peintre de sujets religieux, peintre de décorations murales.
Il a exécuté des fresques dans l'église de Guebwiller représentant des saints.

WERM Matheus
Né en 1633 à Maastricht. XVIIe siècle. Travaillant à Vienne. Hollandais.
Peintre.

WERMUTH Anna Margrit
Née en 1889. Morte en 1973. XXe siècle. Suisse.
Sculpteur de figures.
Musées : Aarau (Aargauer Mus.) : *Figure féminine*, bronze.

WERNAERS Urbain
Né en 1888 à Bruxelles. XXe siècle. Belge.
Peintre de paysages ruraux, paysages urbains.
À Bruxelles, il a collaboré au journal *Le Soir*.

WERNBERG Petter
Mort avant 1735. XVIIIe siècle. Suédois.
Peintre.
Il travailla à Gotenbourg et peignit surtout des crucifix et des plafonds.

WERNCKE Jochym ou **Warncke** ou **Werneke** ou **Wernke**
Mort en février 1604 à Lübeck. XVIe siècle. Allemand.
Sculpteur sur bois.
Il a sculpté des stalles dans l'église Notre-Dame de Lübeck ainsi que le jubé et plusieurs épitaphes.

WERNECK Paulo
Né en 1907 à Rio de Janeiro. XXe siècle. Brésilien.
Dessinateur.
En 1946, il présentait *Negrinho do Pastoreio* à l'Exposition ouverte à Paris, au Musée d'Art Moderne, par l'Organisation des Nations unies.

WERNER Adolf
Né le 8 juin 1862 à Lissa. Mort le 19 décembre 1916 à Milowitz. XIXe-XXe siècles. Autrichien.
Peintre de genre et portraitiste.
Il fut élève des académies des Beaux-Arts de Prague et de Vienne. Il était actif à Vienne.
Ventes Publiques : New York, 11 oct 1979 : *Mère et enfant regardant les chatons*, h/t (68,5x50,8) : **USD 2 600**.

WERNER Alexandre Frédéric. Voir **WERNER Fritz** ou **Alexander**

WERNER Alfons
Né le 8 décembre 1903 à Prague. XXe siècle. Autrichien.
Peintre et graveur.
Il fut élève de l'Académie des Beaux-Arts de Vienne. Il était actif à Graz.

WERNER Anton Alexander von
Né le 9 mai 1843 à Francfort-sur-l'Oder. Mort le 4 janvier 1915 à Berlin. XIXe-XXe siècles. Allemand.
Peintre d'histoire, portraits, dessinateur, illustrateur. Postromantique.
En 1860, il fut élève à l'Académie des Beaux-Arts de Berlin. En 1862, à l'École d'Art de Karlsruhe, dans l'atelier de Karl Friedrich Lessing et Adolf Schroedter. En 1866, il obtint le Prix du Berliner Michael Beer Stiftung. Il fut médaillé à Berlin en 1874 et 1880. En 1874, il devint membre et, en 1875, directeur de l'Académie des Beaux-Arts à Berlin ; en 1881, membre honoraire de l'Académie de Dresde ; en 1866, de celle de Munich ; en 1893, membre de l'Académie d'Anvers. En 1913, il a publié *Événements et impressions*.
On cite de lui *Portrait de l'artiste*. Ses peintures sont souvent inspirées d'ouvrages littéraires. Il a collaboré à l'illustration de nombreux recueils, *Résumé de l'histoire de Bavière*, *La guerre germano-française*, et notamment de lieder populaires allemands. Il eut une importante activité d'illustrateur d'ouvrages : 1867 *Juniperus* de Scheffel ; 1869 *Der Cid* de Herder, *Les Brigands* de Schiller et *Gaudeamus* de Scheffel ; 1870 *Psaumes de la montagne* de Scheffel et *Guillaume Tell* de Schiller ; 1871 *La Pucelle d'Orléans* de Schiller ; 1872 *Voyage de fiançailles de Hugdietrich* de Hertz ; 1873 *Trompettes de Säckkingen* de Scheffel ; 1887 *Toutes sortes d'histoires de fleurs, d'enfants et d'oiseaux* ; 1900 *Lied de Gabelbach* de Scheffel. Ses illustrations le montrent encore tributaire du souffle épique du romantisme. ■ J. B.
Bibliogr. : Marcus Osterwalder, in : *Dictionnaire des illustrateurs 1800-1914*, Ides et Calendes, Neuchâtel, 1989.
Musées : Berlin : *Portraits de Victor von Scheffe et de Herman von Lucanus* – *Épisode de la guerre de 1870-1871* – *Le général Constantin von Alvensleben* – Breslau, nom all. de Wroclaw : *Le roi Guillaume sur la tombe de ses parents le 19 juillet 1870* – *Lutte et unification de l'Allemagne*, cartons pour mosaïques – *Le prince royal Frédéric Guillaume au bal de la cour en 1878* – Cologne : *De Moltke* – Florence (Mus. des Offices) : *L'artiste* – Hambourg : *De Moltke à Versailles* – Hanovre : *L'empereur Guillaume Ier sur son lit de mort* – Karlsruhe : *Condamnation à mort de Konradin von Hohenstaufen* – Leipzig : *Le Prince Rouge*, aquar. – Mayence : *Bismarck* – Stuttgart : *Luther à la diète de Worms*.
Ventes Publiques : Paris, 30 avr. et 1er-2 mai 1902 : *Place de village en Italie* : **FRF 220** – Cologne, 27 mai 1971 : *Scène de la vie de Don Quichotte* : **DEM 3 200** – Berlin, 8 nov. 1977 : *Bal à la cour* 1897, h/pan. (71x50) : **DEM 8 500** – Hambourg, 4 juin 1980 : *Moltke dans son cabinet de travail à Versailles* 1870, aquar. et pl./trait de cr. (63,8x45,4) : **DEM 11 000** – Londres, 7 juin 1989 : *La danse tyrolienne*, h/t (49x59) : **GBP 550** – New York, 26 oct. 1990 : *Étude de coupole*, cr. et lav./pap. (26x17,1) : **USD 880** – Londres, 30 nov. 1990 : *Don Quichotte et les gardiens de chèvres* 1870, h/t (99x133,5) : **GBP 13 200** – Munich, 25 juin 1992 : *Trois généraux*, h/cart. (49,5x70) : **DEM 4 520** – Munich, 21 juin 1994 : *Bismarck assis*, cr./pap. (32,5x44) : **DEM 2 990** – Heidelberg, 8 avr. 1995 : *Portrait d'un homme agé avec une barbe fournie* 1881, craies noire et rouge (47,3x30,7) : **DEM 1 450**.

WERNER Augustin
Mort entre le 24 juin et le 25 octobre 1520 à Saint-Gall. XVIe siècle. Suisse.
Peintre.

WERNER Christophe Joseph I
Né vers 1670. Mort en 1750 à Dresde. XVIIe-XVIIIe siècles. Allemand.
Peintre de miniatures.
Fils de Joseph Werner le Jeune, frère de Paul Werner. Il épousa Anna Maria, née Hard. en 1705. En 1728, il fut nommé peintre à la cour royale de Dresde.

WERNER Christophe Joseph II
Né en 1718. Mort le 23 mars 1778 à Varsovie. XVIIIe siècle. Actif en Pologne. Allemand.
Peintre de portraits, peintre de miniatures.
Fils de Christophe Joseph Werner I. Élève de sa mère. Il fut peintre de la cour de Pologne, où il travailla pour le roi Stanislas Auguste. On connaît de lui le *Portrait du roi Stanislas Auguste*, signé : *peint par Christophe Joseph Werner à Varsovie 1764*.

WERNER Frank A.
Né le 15 avril 1877 à Akron. XXe siècle. Américain.
Peintre de portraits.

WERNER Franz
Né en 1770 à Brusau. Mort vers 1820. XVIIIe-XIXe siècles. Autrichien.
Peintre de sujets religieux, portraits.
Il fut élève de l'Académie des Beaux-Arts de Vienne. Il était actif à Brunn. Il peignit des tableaux d'autel pour des églises de Moravie et des portraits.

WERNER Franz
Né le 11 juin 1872 à Birkigt. Mort le 4 septembre 1910 à Birkigt. XIXe-XXe siècles. Autrichien.
Sculpteur.
Il fut élève de l'Académie des Beaux-Arts de Vienne.
Musées : Prague (Gal. Mod.) : *Statue de fontaine*, bronze.

WERNER Franz Paul. Voir **WERNER Paul**

WERNER Fredrik Emanuel
Né en 1780. Mort en 1832. XIXe siècle. Suédois.
Peintre, dessinateur et lithographe.
Élève de l'Académie de Stockholm. Il dessina des sujets mythologiques et religieux et peignit des vues de Stockholm et des environs.

WERNER Friedrich Bernhard
Né en 1690 à Reichenau. Mort en 1778. XVIIIe siècle. Allemand.
Dessinateur, graveur au burin.
Il fit ses études à Breslau, voyagea et séjourna presque dans toutes les grandes villes d'Europe. Il exécuta plusieurs dessins avec des vues de villes ou des paysages. Il fut nommé scénographe de la cour de Prusse. Il était également chroniqueur.
Ventes Publiques : Berne, 26 juin 1981 : *Solothurn* après 1730, grav./cuivre (20,5x29,5) : **CHF 1 300**.

WERNER Fritz ou **Alexander Friedrich**
Né le 3 décembre 1827 à Berlin. Mort le 16 avril 1908 à Berlin. XIXe-XXe siècles. Allemand.
Peintre d'histoire, de genre, paysages, aquarelliste, graveur au burin et à l'eau-forte.
Il se fit appeler Fritz Werner et fut élève d'Adolf von Menzel à Berlin et de J. L. Meissonier à Paris. Médaillé à Berlin en 1878, il devint membre de l'Académie de Berlin en 1880.

Cachet de vente

Musées : Berlin (Mus. Nat.) : *Vivandière entre les régiments Dessau et Bayreuth – L'empailleur – Le bibliothécaire – L'inauguration du monument de la reine Louise de Prusse* – Essen : *Derrière la digue* – Wiesbaden : *Vue d'Antibes*.
Ventes Publiques : Berlin, 1894 : *Figure d'un paysan riant* : **FRF 1 218** – Londres, 19 mai 1966 : *Le troupeau de buffles*, aquar. : **GBP 330** – Cologne, 12 juin 1980 : *Le jeune fumeur* 1862, h/t (37x51) : **DEM 4 800** – Londres, 22 juin 1983 : *Le Naturaliste* 1878, h/pan. (52x45) : **GBP 1 800** – New York, 25 fév. 1988 : *Sellés pour la promenade* 1866, h/pan. (34,9x43,8) : **USD 13 200** – Londres, 16 juin 1993 : *Une pipe après le dîner*, h/pan. (35x26,5) : **GBP 4 600**.

WERNER Fritz
Né en 1898. XXe siècle. Américain.
Peintre de natures mortes.
Ventes Publiques : New York, 12 sep. 1994 : *Nature morte avec une théière, des oranges et une pomme et le New York Times*, h/t (54,6x64,8) : **USD 2 300**.

WERNER G.
Né vers 1805 dans le canton de Zurich. XIXe siècle. Allemand.
Lithographe.
Il travailla à Uster et grava des scènes contemporaines.

WERNER Georg Adam
XVIIe siècle. Actif à Leoben en 1658. Autrichien.
Peintre.

WERNER Gotthard ou **Gudfast Adolf**
Né le 4 décembre 1837 à Linköping. Mort le 20 février 1903 à Rome. XIXe siècle. Suédois.
Peintre de compositions religieuses, scènes de genre, portraits.
Élève de l'Académie de Stockholm. Il étudia aussi en Allemagne. Il peignit des sujets religieux et des types populaires espagnols et égyptiens.
Musées : Göteborg : *Jeune mendiant* – Linkoping : *Prière du soir de l'arabe – Ève et le serpent – La Vierge et l'Enfant – L'artiste* – Stockholm (Mus. Nat.) : *Paysanne italienne – Débora*.
Ventes Publiques : Londres, 21 mars 1980 : *Danseuse romaines* 1875, h/t (47x66) : **GBP 600** – Cologne, 15 oct. 1988 : *Procession dans un village côtier en Italie, l'église à l'arrière-plan* 1871, h/t (110x190) : **DEM 2 400**.

WERNER Hans ou **Johannes** ou **Wernher**
Né vers 1560 à Mechenried. Mort le 13 septembre 1623 à Nuremberg. XVIe-XVIIe siècles. Allemand.
Sculpteur.
Il sculpta des statues, des tombeaux et des portails dans des églises et des palais de Nuremberg. Son style, sortant de la Renaissance, montre déjà des traces du style baroque.

WERNER Hendrik
XVIIe siècle. Danois.
Sculpteur sur bois.
Il sculpta l'autel dans l'église d'Elmelunde sur l'île de Möen avant 1648.

WERNER Hermann
Né le 25 janvier 1816 à Samswegen. Mort en février 1905 à Düsseldorf. XIXe siècle. Allemand.
Peintre de genre.
De 1838 à 1840, élève de l'Académie de Düsseldorf, puis de Steffeck, à Berlin. En 1862, il s'établit à Düsseldorft. Membre du Malkosten, Société des Artistes de Düsseldorf.
Musées : Kiel (Kunsthalle) : *Le petit maître d'école*.
Ventes Publiques : New York, 15 oct. 1976 : *Grand-mère et Petite-fille* 1874, h/t (48x39,5) : **USD 2 600** – Munich, 10 déc. 1992 : *Mère et son bébé regardant une portée de chatons*, h/t (67x51) : **DEM 5 085** – New York, 17 fév. 1993 : *Un arrêt pour se rafraîchir* 1876, h/t (59,7x71,1) : **USD 8 913** – Londres, 7 avr. 1993 : *Le Repas des enfants*, h/t (39x49,5) : **GBP 4 715** – Munich, 25 juin 1996 : *Les Petites Marchandes de fleurs* 1858, h/t (47,5x39,5) : **DEM 4 320** – Londres, 13 juin 1997 : *Le Jeune Moissonneur* 1875, h/pan. (27,3x24) : **GBP 12 075**.

WERNER Jacques Christophe
Né en 1798. Mort le 7 octobre 1856 à Paris. XIXe siècle. Français.
Peintre d'animaux, aquarelliste.
Peintre du Museum d'histoire naturelle au Jardin des Plantes. On lui doit un remarquable atlas des oiseaux européens. Le Museum conserve de lui plusieurs aquarelles sur vélin.

WERNER Jean Charles
XIXe siècle. Actif de 1830 à 1860. Français.
Peintre d'animaux.
Il travailla pour le Jardin des Plantes à Paris.

WERNER Johan
Né vers 1630. Mort en 1684. XVIIe siècle. Suédois.
Sculpteur, architecte et peintre.
Il exécuta des statues pour le château de Visingsborg et orna de peintures les plafonds de l'église de Brahe.

WERNER Johann
Né en 1815 à Raggendorf. XIXe siècle. Autrichien.
Paysagiste.
Élève de l'Académie de Vienne où il exposa en 1835 et en 1845.

WERNER Johann Christoph
XVIIe siècle. Travaillant en 1681. Autrichien.
Peintre.
Il travailla, avec Johann Frühwirt, au nouvel autel de la chapelle de la cour à Vienne.

WERNER Johann Ludwig
XVIIIe siècle. Travaillant à Copenhague en 1779. Danois.
Peintre sur porcelaine.

WERNER Johannes
Né le 16 décembre 1803 à Saint-Imier. XIXe siècle. Suisse.
Peintre et lithographe.

WERNER Josef
Né en 1945 à Graslitz (Tchécoslovaquie). XXe siècle. Tchécoslovaque.
Peintre de genre.
Il est actif près de Chiemsee.
Ventes Publiques : Heidelberg, 15-16 oct. 1993 : *Jour de fête* 1985, h/t (40x50) : **DEM 1 600**.

WERNER Joseph, l'Ancien
Né à Bâle. Mort après 1675 à Berne. XVIIe siècle. Suisse.
Peintre.

Père de Joseph Werner le Jeune. Il exécuta des peintures décoratives et des portraits.

WERNER Joseph, le Jeune
Né le 22 juillet 1637 à Berne. Mort en 1710 ? à Berne. XVIIe-XVIIIe siècles. Suisse.
Peintre d'histoire, compositions mythologiques, sujets allégoriques, portraits, paysages, miniaturiste, dessinateur, peintre à la gouache, graveur à l'eau-forte.

Fils d'un peintre peu connu dont il reçut sa première instruction. Il fut ensuite élève de Matthaus Merian, à Francfort.

Emmené à Rome en 1654 par un amateur, il y copia Pietro de Cortone et Andrea Sacchi, et, en fin de compte, il s'adonna à la miniature et devint peintre de portraits allégoriques. À son retour d'Italie, il passa par la France et y peignit le portrait de Louis XIV et plusieurs personnages de sa cour. Divers travaux lui furent commandés, sujets d'histoire et emblématiques. Les biographes allemands accusent Le Brun d'avoir usé de son influence pour amener Werner à quitter la France ; quel que fut le mérite de Werner on peut s'étonner que ses petites productions fussent de nature à porter ombrage au décorateur de Versailles. En 1667, Werner se rendit à la cour d'Augsbourg. Il y peignit à la Kreuzkirche et pour la femme de l'Électeur de Bavière. On le cite ensuite à Vienne exécutant le portrait de l'Empereur Léopold Ier. À partir de cette époque, il reprit la peinture à l'huile et y réussit pleinement. Il travailla également à Munich, Innsbruck, et en 1682, il revint à Berne où il demeura jusqu'en 1695. Werner fut de 1696 à 1707, directeur de la nouvelle Académie de Berlin. Il a gravé des sujets d'histoire. Il revint à Berne finir sa vie.

Musées : Berne : *L'artiste – La Justice couronnée par la Sagesse et la Vertu – Allégorie des Sciences – La Justice – Guerrière – L'Innocence et la Calomnie – Portrait d'Alric Frossart – Femme en robe rouge – David Salomon Stürler – Trois génies avec couronnes de laurier – Ours entouré de fleurs et de fruits* – Deux paysages – Karlsruhe : *Portrait d'un jeune homme en manteau vert.*

Ventes Publiques : Paris, 1777 : *Artémise avalant les cendres de Mausole*, miniat. : **FRF 541** – Paris, 13-14 fév. 1941 : *Portrait de Louis XIV*, gche, attr. : **FRF 17 000** – Versailles, 13 oct. 1968 : *Portrait présumé de Louis XIV*, gche : **FRF 12 000** – Stockholm, 26 oct. 1982 : *Diane chasseresse*, gche/parchemin (8,5x7) : **SEK 22 000** – Paris, 19 juin 1986 : *Vierge à l'Enfant*, gche (14,8x11,9) : **FRF 27 000** – Londres, 6 juil. 1990 : *Portrait de Jacob Meyer en habit noir et chemise blanche* 1654, h/cuivre (29,8x24,5) : **GBP 4 180** – New York, 11 jan. 1994 : *L'enlèvement d'Europe*, craie noire, encre et lav./pap. gris-bleu (17,7x28,2) : **USD 2 875** – Londres, 6 déc. 1995 : *Pallas Athénée*, gche reh. d'or/vélin (14,4x10,8) : **GBP 21 850** – Paris, 17 oct. 1997 : *Le Bain de Diane*, gche/vélin, miniature (10,7x8,5) : **FRF 121 000.**

WERNER Joseph
Né vers 1818 à Vienne. XIXe siècle. Autrichien.
Peintre de paysages, architectures, aquarelliste.

Élève de Thomas Ender. Il exposa à Vienne de 1830 à 1850.

WERNER Karl ou **Carl Friedrich Heinrich**
Né le 4 octobre 1808 à Weimar. Mort le 10 janvier 1894 à Leipzig. XIXe siècle. Allemand.
Peintre de genre, nus, portraits, architectures, paysages, aquarelliste, lithographe.

Élève de Hans Schnorr von Carolsfeld à l'Académie de Leipzig, il alla continuer ses études à Munich en 1829. En 1833, il se rendit en Italie et y demeura près de vingt ans. Il voyagea également en Espagne en 1857, Palestine en 1862 et 1864, en Grèce 1875, en Sicile 1877-1878, à Rome 1891.

Il visita à plusieurs reprises l'Angleterre et y fit d'assez longs séjours. Il fut nommé professeur à l'Académie de Leipzig.

Il exposa à Londres de 1860 à 1878, une fois à la Royal Academy et fréquemment à la New Water-Colour Society dont il fut associé, puis membre, avant de l'abandonner en 1883. Il fut aussi membre de l'Académie de Venise.

Ses compositions très variées, répondent toujours à un goût de l'effet décoratif et sont éclairées d'une lumière apaisante.

Bibliogr. : Gérald Schurr, in : *Les Petits Maîtres de la peinture 1820-1920, valeur de demain*, Les Éditions de l'Amateur, t. IV, Paris, 1979.

Musées : Leipzig : *Chaire et stalles dans l'église de Santa Maria à Venise – Grande salle de l'hôtel de ville à Leipzig – Chambre du Conseil à Leipzig – La porte Peter à Leipzig – Maison espagnole à Grenade – Le Rialto à Venise – Spalatro – Dalmatie – Débarcadère à Beyrouth – Bazar à Damas – Atelier de Karl Werner à Venise – Forteresse à Cobourg* – Londres (Victoria and Albert Mus.) : *Les trésors de Sienne* 1859 – *Jérusalem – Béthléem – Juifs se lamentant près du temple de Jérusalem* 1863 – *Joueurs d'échecs – Intérieur d'un ancien palais à Venise – Jeune garçon italien à Mayence – Princesse Lindegara – Prince Achned – La fillette de Nattino.*

Ventes Publiques : Londres, 20 juil. 1976 : *L'aqueduc de Claude dans la campagne romaine* 1840, aquar. (35,5x57,5) : **GBP 300** – Londres, 3 nov. 1977 : *Arabes priant devant la mosquée d'Omar, Jérusalem* 1868, aquar. (78,7x61) : **GBP 1 600** – Londres, 20 mars 1979 : *La Piazzetta, Venise* 1840, aquar. (24,5x33,3) : **GBP 1 600** – Londres, 29 avr. 1982 : *Cour intérieur d'une maison arabe* 1863, aquar. (34,5x49,5) : **GBP 3 000** – Londres, 24 nov. 1983 : *Le Roc sacré, Jérusalem* 1864, aquar. (34,3x48,9) : **GBP 17 000** – New York, 15 fév. 1985 : *Arabe dans une rue du Caire* 1865, aquar. reh. de gche/traits de cr. (44,5x30,5) : **USD 13 000** – Lindau, 2 oct. 1985 : *Intérieur d'une petite chapelle* 1837, h/cart. (30x25) : **DEM 6 500** – Londres, 24 juin 1988 : *Le jeteur de sorts à Venise* 1857, cr. et aquar. (53x42,9) : **GBP 880** – Londres, 28 mars 1990 : *Le paisible fumeur* 1865, aquar. (22x31) : **GBP 3 190** – Londres, 17 mai 1991 : *Musiciens à Philae* 1877, cr. et aquar. avec reh. de blanc/pap. (47x33,5) : **GBP 7 150** – Londres, 4 oct. 1991 : *Arabes devant un café maure* 1870, aquar./pap. (20,3x29) : **GBP 6 600** – Paris, 3 déc. 1991 : *Vue idéale de l'entrée du cloître de la Villa Rufolo à Ravello* 1840, aquar. (28,5x23) : **FRF 21 000** – Londres, 22 mai 1992 : *Un souk égyptien* 1868, cr. et aquar. avec reh. de blanc/pap. (49,6x34,3) : **GBP 8 580** – Londres, 2 oct. 1992 : *Les faubourgs du Caire* 1865, aquar./pap. (29,3x50,8) : **GBP 3 960** – Munich, 10 déc. 1992 : *Le temple de Remo et le forum à Rome*, aquar. avec reh. de blanc/pap. (18,7x24) : **DEM 2 712** – New York, 26 mai 1993 : *Temple en ruines au bord du Nil* 1867, h/pan. (57,8x47) : **USD 5 750** – Londres, 18 juin 1993 : *Dans la mosquée* 1869, aquar./pap. (62,3x45,7) : **GBP 31 050** – Londres, 11 fév. 1994 : *Baptême dans la cathédrale de Cefalu en Sicile* 1840, cr. et aquar./pap. (66,4x50,5) : **GBP 2 530** – New York, 12 oct. 1994 : *Dans la mosquée*, h/pan. (36,8x26,7) : **USD 23 000** – Londres, 17 nov. 1994 : *Intérieur du Dôme du Rocher à Jérusalem* 1864, cr. et aquar./pap. (34,6x50,2) : **GBP 32 200** – Londres, 15 mars 1996 : *Les faubourgs du Caire* 1864, encre et aquar. /pap. (47,7x64,4) : **GBP 16 100** – Tel-Aviv, 14 avr. 1996 : *Le mur des lamentations à Jérusalem* 1863, aquar., gche et cr./pap. (35x50) : **USD 21 850.**

WERNER Lambert
Né en 1900 à Stockholm. XXe siècle. Suédois.
Peintre. Abstrait.

Il fit des études artistiques à Berlin et Paris, où il a participé au Salon des Surindépendants. Il vit à Stockholm. On a vu des expositions personnelles de ses peintures abstraites, à Stockholm, Paris, Bâle, Berlin, Bruxelles, Lucerne.

Bibliogr. : Michel Seuphor : *Dictionnaire de la peinture abstraite*, Hazan, Paris, 1957.

Ventes Publiques : Stockholm, 20 fév. 1989 : *Cravates*, techn. mixte (72x52) : **SEK 4 000** – Stockholm, 5-6 déc. 1990 : *Composition abstraite* 1938, h/t (64x57) : **SEK 10 500.**

WERNER Lorenz
XVIIIe siècle. Russe.
Peintre.

Il exécuta les peintures des plafonds du château de Peterhof près de Saint-Pétersbourg de 1750 à 1752.

WERNER Louis
Né le 4 juin 1824 à Bernweiler. Mort le 12 décembre 1901 à Dublin. XIXe siècle. Français.
Portraitiste.

Élève de Gabriel Guérin à Strasbourg, puis de l'Acamédie de Paris. Il s'établit à Dublin en 1856. Il peignit quelques tableaux d'autels, mais surtout des portraits. Le Musée d'Altkirch conserve de lui *Portrait d'un étudiant.*

WERNER Paul ou **Franz Paul**
Né le 28 mars 1682 à Berne. XVIIIe siècle. Suisse.
Peintre animalier.

Il s'est spécialisé dans la représentation de volailles.

WERNER Rinaldo ou **Reinhold**
Né le 24 mai 1842 à Rome. Mort le 17 décembre 1922 à Londres. XIXe-XXe siècles. Allemand.
Peintre de genre et de paysages.
Fils du peintre Karl Werner. Il exposa à Munich en 1879, à Dresde en 1887.
Musées : Breslau, nom all. de Wroclaw : *Jeune fille romaine* – Londres (Tate Gal.) : *Intérieur de l'église Santa Maria in Via Lata de Rome.*

WERNER Theodor
Né le 14 février 1886 à Jettenbourg, près de Tübingen (Wurtemberg). Mort le 15 janvier 1969 à Munich. XXe siècle. Allemand.
Peintre, technique mixte, peintre à la gouache. Abstrait-lyrique. Groupe Abstraction-Création.
De 1902 à 1908, il fut élève d'un établissement de formation de professeurs de dessin. En 1908-1909, parallèlement à son activité de professeur, il fut élève de l'Académie des Beaux-Arts de Stuttgart. De 1909 à 1914, voyageant en Italie, Espagne, Hollande et en France, à Paris il fut élève de Charles Guérin. Après sa mobilisation pendant la durée de la guerre de 1914-1918, il se fixa comme peintre indépendant à Grossachsenheim, près de Stuttgart, de 1919 à 1929. Après des voyages presque annuels à Paris, il s'y fixa, de 1930 à 1935, où il fut membre du groupe *Abstraction-Création*, se liant surtout avec Hans Arp, mais aussi avec Braque et Miro. En 1935, il revint en Allemagne, à Potsdam, fut reconnu pour « artiste dégénéré », interdit d'exposition et de création, puis mobilisé comme dessinateur technique pendant la seconde guerre mondiale. En 1945-1946, la plus grande partie de son œuvre, qu'il avait réussi à cacher, fut détruite par un bombardement. De 1946 à 1959, vivant à Berlin-Charlottenburg, il lui fut décerné le titre de professeur, puis de membre d'honneur, puis, en 1956, de sénateur d'honneur de l'École Supérieure des Beaux-Arts de Berlin. Il ne put donner sa mesure qu'après la seconde guerre mondiale : membre du groupe Zen 49 de 1950 à 1955, il prit place parmi les principaux représentants de la peinture abstraite en Allemagne, avec Willi Baumeister, Fritz Winter, et s'en fit l'ardent propagateur. En 1954, il créa une peinture murale de dix-huit mètres de large dans la salle de concert de l'École Supérieure de Musique de Berlin. À partir de 1959, il se fixa à Munich.
Il a participé à de nombreuses expositions collectives, d'entre lesquelles : 1950, 1961, 1964 la Pittsburgh International Exhibition de l'Institut Carnegie ; 1952 *Peinture non-figurative en Allemagne* à la Kunsthalle de Mannheim, et Biennale de Venise ; 1955 *Peintures et Sculptures non-figuratives en Allemagne d'aujourd'hui*, Cercle Volney, à Paris ; 1955, 1959 Documenta I et II à Kassel ; 1956 *Cent ans de Peinture allemande* à la Tate Galerie de Londres ; 1957 *L'art allemand du XXe siècle*, Musée d'Art Moderne New York ; 1963 *Symbole et Mythe dans l'art contemporain*, Académie des Beaux-Arts Berlin ; 1973 *L'art de 1898 à 1973*, Kunsthalle Hambourg ; en 1978, il était représenté à l'exposition *Abstraction-Création 1931-1936*, au Westfälisches Landesmuseum für Kunst und Kulturgeschichte de Münster, et au Musée d'Art moderne de la Ville de Paris.
Il a montré en outre ses peintures dans des expositions personnelles, dont : depuis 1947 Berlin galerie Rosen, depuis 1951 Munich, depuis 1952 Cologne, 1955 New York, 1959 Londres, 1962 *Theodor Werner, Œuvres des années 1909 à 1961* à l'Académie des Beaux-Arts de Berlin et à Wuppertal, puis régulièrement à Munich des expositions rétrospectives posthumes, dont celles en 1990 et 1992, galerie Karl & Faber.
Si dans ses débuts il avait subi l'influence d'Adolf Hölzel, dans des paysages et des natures mortes rigoureusement composés dans des tons lumineux. Pendant son séjour parisien, sensible au cubisme de Braque, aux calligraphies de Miro, à l'abstraction de Arp, il évolua dans le sens d'une abstraction d'abord toute relative. Son appartenance au groupe Abstraction-Création de Paris, au début des années trente, témoigne toutefois de son adhésion précoce à l'abstraction.
Son œuvre présente plusieurs époques. Dans ses premières années de peinture abstraite, la composition des œuvres se fondait à partir d'une structure dessinée avec acuité et précision, presqu'à la façon des papiers découpés. D'une façon générale ensuite, un graphisme très souple de lignes qui s'entrecroisent généreusement, détermine ainsi des formes allongées en flammes vivement colorées, se détachant sur des fonds modulés dans des tons plus sobres. Parfois, il fonde la construction de certaines peintures sur une matière généreuse. Une série importante de peintures est fondée sur des idéogrammes décoratifs, visant à symboliser les composantes fondamentales de la nature. À partir du milieu des années cinquante, il a nettement évolué à l'abstraction lyrique, dont il a exploré les très diverses contrées, non sans éviter le risque de nombreuses rencontres avec ses devanciers. Malgré ces réminiscences, il a su individualiser sa production personnelle par sa richesse d'invention graphique et technique, et par un sens très imaginatif des harmonies colorées, allant de la gravité des plus sourdes à l'allégresse des plus éclatantes. ■ Jacques Busse

Bibliogr. : X., in : *Art d'Aujourd'hui*, Paris, août 1953 – Catalogue de l'exposition *Peinture et sculpture non-figuratives en Allemagne d'aujourd'hui*, Cercle Volney, Paris, 1955 – Michel Seuphor : *Dictionnaire de la peinture abstraite*, Hazan, Paris, 1957 – Catalogue de l'exposition *Theodor Werner*, Acad. des Arts, Berlin, 1962 – Sarane Alexandrian, in : *Dictionnaire Universel de l'Art et des Artistes*, Hazan, Paris, 1967 – in : Encyclopédie des Arts *Les Muses*, tome 15, Grange Batelière, Paris, 1969-1974 – in : *Diction. Univers. de la Peint.*, tome 6, Le Robert, Paris, 1975 – in : Catalogue de l'exposition *Abstraction-Création 1931-1936*, Westfälisches Landesmus. für Kunst und Kulturgeschichte, Münster, Musée d'Art moderne de la Ville, Paris, 1978 – Catalogue de l'exposition *Theodor Werner. Miniaturen auf Papier 1944-1968*, gal. Karl & Faber, Munich, 1990 – Catalogue de l'exposition *Theodor Werner, choix de travaux de 1939-1966*, Gal. Karl et Faber, Munich, 1992.
Musées : Mannheim (Kunsthalle) : *Asters* 1951.
Ventes Publiques : Düsseldorf, 14 nov. 1973 : *Composition VIII* 1963 : **DEM 3 000** – Berne, 7 mai 1976 : *Maisons* 1927, h/t (46x37,5) : **CHF 3 500** – Hambourg, 4 juin 1976 : *Composition* 1950, gche (51x72,6) : **DEM 1 600** – Munich, 12 déc. 1978 : *Les amoureux* 1947, gche (79,5x99) : **DEM 5 000** – Munich, 31 mai 1979 : *Verschollenes* 1951, h/t (100x81) : **DEM 4 500** – Cologne, 17 mai 1980 : *Orageux* 1952, gche/cart. noir (90x70) : **DEM 5 000** – Munich, 30 juin 1982 : *Kosmique* 1944, techn. mixte (39x48,5) : **DEM 4 000** – Munich, 29 juin 1983 : *Composition* 1959, h/cart. (49,5x71,5) : **DEM 6 000** – Munich, 6 juin 1984 : *Composition* 1953, temp. et craies de coul. (70x100) : **DEM 4 200** – Munich, 29 mai 1984 : *Formes noires sur fond gris-bleu* 1953, craies de coul. et encre de Chine (44x62) : **DEM 2 300** – Cologne, 4 déc. 1985 : *Composition* 1946, techn. mixte/pap. (37,5x54) : **DEM 9 500** – Munich, 6 juin 1986 : *Composition n° 88* 1953, techn. mixte (50x70) : **DEM 2 900** – Cologne, 30 mai 1987 : *Composition* 1949, temp. (36,5x51) : **DEM 8 500** – Amsterdam, 23 mai 1991 : *Sans titre* 1956, h/t (61x70) : **NLG 18 400** – Munich, 26-27 nov. 1991 : *Sans titre* 1962, temp., h. et cr. (68x48) : **DEM 7 130** – Munich, 26 mai 1992 : *Composition G 39* 1950, techn. mixte (36,5x51) : **DEM 11 500** – Munich, 1er-2 déc. 1992 : *Composition 36/59* 1959, h/cart. (50x72,5) : **DEM 6 670** – Heidelberg, 15-16 oct. 1993 : *Coq et poule* 1944, cr. (32,6x25,2) : **DEM 3 200.**

WERNER Willibald
XXe siècle. Allemand.
Peintre. Postimpressionniste.
Peintre qui travaillait dans l'ex-Allemagne de l'Est, avant réunification.
Ventes Publiques : Paris, 29 mai 1991 : *Le port de Rostock* 1964, h/pan. (68x110) : **FRF 13 500.**

WERNER Woty
Née en 1903 à Berlin. XXe siècle. Allemande.
Peintre, décorateur.
Elle vivait à Berlin-Charlottenburg. Femme de Theodor Werner, elle privilégia les arts dits décoratifs. Elle est surtout connue pour de beaux tissus aux compositions abstraites, qu'elle a exposés en Allemagne et à Paris. Elle a participé à l'exposition *Peinture et sculpture non-figuratives en Allemagne d'aujourd'hui*, au Cercle Volney, à Paris, 1955.
Bibliogr. : Catalogue de l'exposition *Peinture et sculpture non-figuratives en Allemagne d'aujourd'hui*, Cercle Volney, Paris, 1955.

WERNER von Tegernsee ou **Werinher** ou **Wernher**. Voir **ELLINGER**

WERNHER Hans ou **Johannes**. Voir **WERNER**

WERNICKE Julia
Née en 1860 à Buenos Aires. Morte le 25 octobre 1932 à Buenos Aires. XIXe-XXe siècles. Britannique.
Peintre animalier.
Elle fut élève d'Enrique Zügel à Munich. Voyagea en Europe : Leipzig, Berlin, Dresde.

WERNKE Jochym. Voir **WERNCKE**

WERNL Hans ou **Wernle, Wernler, Wernlin**. Voir **WERL**

WERNNEZ de, chevalier. Voir **WENNEZ**

WERNTZ Carl N.
Né le 9 juillet 1874 à Sterling. Mort en 1944. XIXe-XXe siècles. Américain.
Peintre de genre, paysages animés, illustrateur.
Il fut élève de John H. Vanderpoel à l'Art Institute de Chicago et d'Alphonse Mucha sans doute en Europe. Il était actif à Chicago.
Ventes Publiques : New York, 24 juin 1988 : *Promenade sur le lac*, h/t (94x74) : **USD 9 900**.

WERNY Hans
XVe siècle. Actif à Lucerne. Suisse.
Peintre et verrier.
Il travailla pour la ville de Lucerne.

WERPERGK Georg Bernard. Voir **VERBEECK Georg Bernard**

WERRE Jacob Dirksz de. Voir **WAR**

WERRO Hans
Mort en 1517. XVIe siècle. Actif à Fribourg. Suisse.
Peintre verrier.
Il peignit surtout des armoiries sur verre. Le Musée de Fribourg conserve de lui les armes de la famille Lanther.

WERRO Roland
Né en 1926 à Berne. XXe siècle. Suisse.
Peintre, aquarelliste, sculpteur. Figuratif, puis abstrait.
De 1950 à 1952, il fut élève de l'École des Beaux-Arts de Genève. En 1953-1955, il fit un séjour d'études à Paris, copiant Giorgione, Poussin et Corot au Louvre. Il vit à Berne.
Il participe à de nombreuses expositions de groupe, par exemple il a figuré au Salon des Réalités Nouvelles à Paris en 1953 ; à la VIIe Biennale de Tokyo en 1963 ; à l'exposition *22 jeunes Suisses* au Stedelijk Museum d'Amsterdam en 1969, et au Salon de Mai à Paris la même année ; à l'exposition *Le musée dans l'usine*, de la Fondation Peter Stuyvesant au Musée de Saint-Gall ; etc. Il a également montré ses œuvres au cours d'expositions personnelles, notamment à Lucerne en 1971.
Jusqu'en 1956, il fut un peintre de paysages et de natures mortes. Il opéra alors une double conversion : passant de la peinture au relief, et de la figuration à une abstraction géométrique. Dans la suite de son évolution, il crée des formes modulaires simples, colorées de tons francs, souvent destinées à des animations en extérieur, qui ne sont pas sans rapport avec le Minimal art américain.
Bibliogr. : Catalogue de l'exposition *Roland Werro*, Gal. Raeber, Lucerne, 1971 – Theo Kneubühler, in : *Art : 28 Suisses*, Édit. Gal. Raeber, Lucerne, 1972.
Ventes Publiques : Amsterdam, 23 mai 1991 : *Le cirque* 1959, h/t (81x100) : **NLG 2 300**.

WERSSILOWA-NERTCHINSKAJA Maria Nikolajévna
Née en 1854 en Sibérie. XIXe siècle. Russe.
Peintre de genre.
Elle fut élève de P. P. Tchistiakoff ; elle continua ses études à Düsseldorf, à Munich et à Paris.
Musées : Moscou (Gal. Tretiakov) : *Dans la cellule du couvent – Femme en pèlerinage.*

WERSTRAETE Théodore. Voir **VERSTRAETE**

WERT. Voir **WERDT**

WERTEL Nusyn
Né le 10 mai 1914 à Varsovie. XXe siècle. Français.
Peintre de compositions religieuses, figures, paysages.
De nationalité française, il était venu enfant à Paris, où il fit ses études. Élève de Georges Desvallières, il exécuta des compositions religieuses. Sociétaire des Artistes Indépendants, il expose aussi au Salon d'Automne.
C'est surtout par ses paysages, souvent élaborés en forêt de Fontainebleau, qu'il se fit connaître des collectionneurs. Il sait utiliser avec brio un métier savant de glacis, où les verts et les bleus profonds à la fois traduisent l'espace et expriment son émotion intérieure. Autour des années 1950, une évolution morale et technique oriente ses recherches dans le sens d'une abstraction à caractère expressionniste.

WERTH Jan Van ou **Weert**
XVe siècle. Actif à Liège en 1482. Éc. flamande.
Peintre et verrier.
Il exécuta des effigies de saints.

WERTHEIM Ignaz Joseph
Né en 1772. Mort le 13 avril 1829 à Vienne. XVIIIe-XIXe siècles. Autrichien.
Graveur au burin.
Il grava des scènes bibliques et des frontispices.

WERTHEIMER Andor von
Mort en janvier 1921 à Berlin. XIXe-XXe siècles. Hongrois.
Peintre.

WERTHEIMER Gustav
Né le 28 janvier 1847 à Vienne (Autriche). Mort le 24 août 1904 à Paris. XIXe siècle. Actif aussi en France. Autrichien.
Peintre d'histoire, scènes de genre, portraits. Tendance fantastique.
Élève de Joseph Führich à l'Académie de Vienne, il continua ses études à Munich puis à Paris, où il arriva en 1882 et où il résida de longues années. À la fin de sa vie, les amateurs l'abandonnèrent, et il mourut à l'hôpital Lariboisière.
Médaillé à Amsterdam, Londres, New Orleans et Paris, il obtint une mention honorable à l'Exposition Universelle de 1889. Il participa au dernier Salon de la Rose-Croix en 1897.
Ce fut surtout à Paris que Wertheimer obtint son plein succès : on cite notamment un de ses tableaux du Salon de 1886, *Le repas des lions chez Pezon*, qui attira l'attention générale. Ses compositions prennent un caractère fantastique, semblent appartenir au domaine du rêve et sont teintées d'angoisse et d'inquiétude.

G Wertheimer

Bibliogr. : Gérald Schurr, in : *Les Petits Maîtres de la peinture 1820-1920, valeur de demain*, Les Éditions de l'Amateur, t. III, Paris, 1976.
Ventes Publiques : Paris, 17 jan. 1903 : *La sirène* : **FRF 500** – Paris, 24 mai 1943 : *Les lions dans la palmeraie* : **FRF 2 400** – Paris, 6 déc. 1948 : *En barque* : **FRF 7 500** – Paris, 18 fév. 1974 : *L'enlacement* : **FRF 11 500** – Londres, 1er oct. 1980 : *La sirène* 1884, h/t (88x138,5) : **GBP 1 000** – New York, 23 mai 1989 : *La belle et la bête* 1886, h/t (114,3x175,2) : **USD 11 000** – Paris, 26 juin 1992 : *Portrait d'élégants au bord de la mer* 1882, h/t (100x81) : **FRF 21 000** – Amsterdam, 19 oct. 1993 : *Couple de lions près d'un temple égyptien*, h/t (85,5x136) : **NLG 5 175** – Paris, 22 déc. 1993 : *Les lionceaux*, h/t (55x73) : **FRF 4 100** – New York, 16 fév. 1994 : *Lions et Sphinx*, h/t (84,5x135,3) : **USD 13 800** – Paris, 13 nov. 1996 : *Lion et Lionnes*, h/t : **FRF 4 400**.

WERTHEIMER Jacqueline
Née le 28 juillet 1888 à Paris. XXe siècle. Française.
Peintre de portraits, natures mortes.
Elle fut élève de J.-B. Duffaud et de Jeanne Burdy. Elle exposait à Paris, au Salon des Artistes Français depuis 1909 ; sociétaire.

WERTHEIMSTEIN Carl von
Né vers 1846. Mort en 1866 à Vienne. XIXe siècle. Autrichien.
Sculpteur de figures, bustes.
Musées : Vienne (Mus. des Arts Décoratifs) : *Buste de Donizetti.*

WERTHEIMSTEIN Emil von
Né vers 1835. Mort le 19 avril 1869 à Vienne. XIXe siècle. Autrichien.
Peintre et aquafortiste.
Élève de K. Rahl à l'Académie de Vienne. Il exposa à partir de 1852 des portraits et des scènes de genre.

WERTHMANN Friedrich
Né en 1927 à Wuppertal. XXe siècle. Allemand.
Sculpteur. Abstrait.
Autour de 1948, il se forma lui-même à la sculpture, travaillant d'abord le bois et la pierre.
Werthmann expose dans de nombreuses manifestations de groupe. Il a montré de nombreuses expositions personnelles de ses œuvres, à Düsseldorf, Wuppertal, Bonn, au Kunstverein de Fribourg en 1959, au Folkwang Museum de Essen en 1968, au

Karl-Ernst-Osthaus Museum de Hagen en 1969. Il a réalisé de nombreux reliefs muraux ou praticables, notamment pour le Goethe Institut de New Delhi.

Il choisit l'abstraction à partir de 1952. En 1956-1957, il adopta le béton comme matériau, notamment dans la série des *Diastructures*. Il adopta ensuite l'acier inoxydable. Curieusement, au lieu de profiter de l'aspect industriel fini de ce matériau, il le malmène de toutes les façons jusqu'à lui conférer un aspect de matériau brut. Deux thèmes dominent désormais son œuvre : des reliefs muraux, souvent pénétrables, composés de sortes de rubans soudés soit parallèlement, soit en faisceaux, suivant des rythmes bien définis dans l'espace ; et la série de la sphère dont il a produit de très nombreuses variantes, les *Entéléchies*, sphère qui semble représenter pour lui le rythme universel, l'action concentrée sur elle-même, le symbole des forces et tensions planétaires. À partir de 1966, on vit apparaître des créations très éclatées, déchirées, assemblées en nœuds complexes, évoquant peut-être des sortes de grands insectes fantastiques. ■ J. B.

Bibliogr. : Herta Wescher, in : *Nouveau dictionnaire de la sculpture moderne*, Hazan, Paris, 1970 – Maren Heyne : *Catalogue raisonné Friedrich Werthmann. Skulpturen*, Wilheim Lehmbruck Mus., Duisburg, 1978.

Ventes Publiques : Cologne, 5 juin 1982 : *Entelechie Poitevine* 1961, sculpt. en acier, de forme ronde (diam. 54) : **DEM 6 000**.

WERTHNER August

Né le 23 août 1852 à Vienne. XIXe siècle. Autrichien.

Sculpteur.

WERTINGER Hans, dit **Schwab** ou **Schwabmaler** (le peintre de Souabe)

Né entre 1465 et 1470. Mort le 17 novembre 1533 à Landshut. XVe-XVIe siècles. Allemand.

Portraitiste, peintre verrier, dessinateur et enlumineur.

Il travailla pour la cour de Landshut en Bavière.

Musées : Munich : *Portraits du duc Guillaume IV de Bavière, de la duchesse Maria Jacoba et d'un prince palatin* – Nuremberg (Mus. Germanique) : *Allégories de neuf mois de l'année* – Prague (Rudolfinum) : *Alexandre et son médecin Philippe – Portraits de membres de la famille de Wittelsbach* – Saint-Pétersbourg (Mus. de l'Ermitage) : *Octobre*.

Ventes Publiques : Londres, 11 juil. 1930 : *Anne de Clèves* : **GBP 2 205** – Londres, 9 déc. 1987 : *Portrait du comte Georg von Wittelbach, évêque de Speyer*, h/pan. (51x35) : **GBP 125 000**.

WERTMULLER Adolf Ulrik

Né le 18 février 1751 à Stockholm. Mort le 5 août 1811 à Wilmington. XVIIIe-XIXe siècles. Suédois.

Peintre d'histoire, compositions mythologiques, figures, portraits, pastelliste.

Il eut une carrière internationale : il travailla à Paris de 1772 à 1788, faisant figure de peintre officiel de la reine Marie-Antoinette, reçu membre de l'Académie Royale de Paris le 31 mars 1784. Il devint plus tard membre de l'Académie de Stockholm. Nommé peintre du roi de Suède en 1787 ; il travailla en 1788-1790 à Bordeaux, 1790 à Madrid, 1791 à Cadix, en 1793 à Philadelphie. Il était encore en Amérique en 1797.

Musées : Bruxelles : *Dame avec son enfant* – Lund : *L'Amour dansant avec Bacchus* – Madrid (Prado) : *Dona Concepcion Aguirre y Yoldi – Le comte Jacobo de Rechteren* – Nancy : *Portrait de fillette* – New York (Mus. Metropolitain) : *Portrait de G. Washington* – Stockholm : *Marie-Antoinette se promenant avec ses deux enfants dans le parc de Trianon – Ariane abandonnée dans l'île de Naxos – Ariane – L'artiste – Georges Washington – Le capitaine Konig*.

Ventes Publiques : Paris, 1882 : *Portrait présumé de Louis XVII* : **FRF 8 000** – Paris, 13-15 mai 1907 : *Portrait d'enfant* : **FRF 1 500** – Paris, 29 nov. 1922 : *Portrait de femme en haute coiffure poudrée*, attr. : **FRF 1 320** – Paris, 22-23 déc. 1924 : *Portrait d'un homme coiffé d'un feutre noir* : **FRF 12 450** ; *Portrait d'un conseiller de la Sénéchaussée* : **FRF 2 450** – Londres, 9 juil. 1926 : *Aimée Franquetot de Coigny* : **GBP 273** – Stockholm, 13-15 déc. 1933 : *Portrait d'un jeune officier* : **SEK 2 400** – Londres, 3 juil. 1963 : *Portrait de Jean-Jacques Caffier* : **GBP 7 800** – Londres, 6 mai 1964 : *Marie-Antoinette entourée du Dauphin et d'une de ses filles*, past. : **GBP 1 100** – Paris, 31 mars 1966 : *Portrait d'Aimée de Coigny, la Jeune captive* : **FRF 16 500** – Londres, 27 mars 1968 : *Portrait d'une dame de qualité* : **GBP 1 000** – Stockholm, 31 mars 1971 : *Portraits de Mr John Forster et de sa femme*, deux toiles : **SEK 15 000** – Londres, 19 juil. 1974 : *Ariane* 1883 : **GNS 1 800** – Göteborg, 24 mars 1976 : *Portrait de Christina Charlotta Fock* 1798, h/t (66x54) : **SEK 8 100** – Stockholm, 1er nov. 1983 : *Portrait de jeune femme* 1789, h/t (64x49) : **SEK 38 000** – Stockholm, 17 avr. 1985 : *Portrait de M. Grassot le jeune*, h/t, de forme ovale (86x54) : **SEK 45 000** – Londres, 6 juil. 1990 : *Portrait de maître Campan enfant, assis en chemise blanche avec son caniche dans un jardin* 1786, h/t (99,8x81,5) : **GBP 13 200** – Londres, 19 avr. 1991 : *Portrait d'une dame en buste, vêtue d'une robe grise et avec des roses à son corsage* 1789, h/t (64,5x53,6) : **GBP 8 250** – La Ferté-Saint-Aubin, 17 nov. 1991 : *Portrait présumé du Dauphin Louis XVII* 1789, h/t (89x72) : **FRF 640 000** – Stockholm, 30 nov. 1993 : *Ariane à Naxos*, h/t (130x164) : **SEK 29 000** – New York, 11 jan. 1995 : *Portrait de la Reine Marie-Antoinette vêtue d'une robe brune rayée de bleu et de jaune et coiffée d'un chapeau blanc garni de roses ; Portrait du Roi Louis XVI en habit brun brodé d'argent et portant les insignes de l'ordre de Saint-Louis, du Saint-Esprit et de la Toison d'Or* datés 1793 et 1787, h/pan., de forme ovale (chaque 16,2x13,3) : **USD 29 900** – New York, 16 mai 1996 : *Ariane abandonnée ; Cupidon endormi* 1788, h/t, une paire (chaque 31,8x40) : **USD 37 375**.

WERTS Philipus ou **Weers**

XVIIe siècle. Actif à Anvers. Éc. flamande.

Peintre.

WERVE Claus de

Originaire de Gueldre. Mort le 8 octobre 1439 à Dijon (Côte-d'Or). XIVe-XVe siècles. Franco-Flamand.

Sculpteur de monuments, groupes, figures.

Il était le neveu de Claus Sluter. Vers 1380, il était actif à Haarlem. Certainement appelé par son oncle pour le seconder, il est mentionné, en décembre 1396, pour la première fois dans les comptes de la Chartreuse de Champmol. À la mort de Claus Sluter, en 1406, il fut appelé à lui succéder dans la charge de « tailleur d'images » du duc de Bourgogne. Le duc Jean sans Peur chargea Claus de Werve de terminer le *Tombeau de Philippe le Hardi*, mort en 1404, resté ébauché à la propre mort de Sluter. En 1411, Jean sans Peur lui commanda son propre tombeau, que Claus de Werve ne put exécuter. Il semble qu'il travailla aussi pour certains officiers de la cour du duc Philippe le Bon, tel Jean Chousat, fondateur de la Collégiale Saint-Hippolyte de Poligny. On attribue à Claus de Werve, comme l'une de ses dernières œuvres, les sept reliefs, retraçant des scènes de la Passion, du retable de l'église de Bessey-lès-Citeaux, également en Côte-d'Or.

Pendant cinq années, Claus de Werve travailla à l'achèvement du tombeau de Philippe le Hardi, de la sculpture du gisant, des anges accolés aux angles, du lion, qui symbolisait Philippe le Hardi, veillant aux pieds du gisant, de la guirlande des statuettes de pleurants qui entoure la base du tombeau, enfin à l'assemblage des différents éléments, tel que le tombeau se présente toujours. On ne doit pas perdre de vue que Claus Sluter avait certainement dessiné l'ensemble de la conception ; quant aux célèbres pleurants, on sait qu'il en avait laissé les modèles et qu'il en avait réalisé au moins deux avant sa mort. Pourtant, il semble que, bien que désireux de continuer à diriger l'atelier dans la même ligne que Sluter, le propre tempérament de Claus de Werve lui fit privilégier une certaine douceur du sentiment, bien déchiffrable dans la diversité familière des attitudes des pleurants, sur la puissance de l'expression qui caractérise les œuvres de Sluter, notamment au *Puits de Moïse*. ■ Jacques Busse

WERVEN Jacobus Van

Né en 1698 à Leyde. XVIIIe siècle. Hollandais.

Peintre.

Le Musée de Leyde conserve de lui *Vue de la ville et de l'Université de Leyde*.

WERWEE Alfred. Voir **VERWEE Alfred Jacques**

WERWICK Laurens Abraham Van

XVIIe siècle. Travaillant à Delft de 1640 à 1648. Hollandais.

Peintre sur faïence.

WERY Albert ou **Jacques Albert**

Né en 1650 à Mons. XVIIe siècle. Éc. flamande.

Paysagiste.

Influencé par Poussin.

WÉRY Bern

Né en 1956 à Bruxelles. XXe siècle. Belge.

Peintre, graveur. Tendance abstraite-paysagiste.
Il fut élève des académies des Beaux-Arts d'Ixelles et de Watermael-Boitsfort, de la Rijks Hoger Onderwijs voor Kunst d'Etterbeek et de la Kunstskolen de Holbaeck (Danemark). Il participe à des expositions collectives belges et internationales. Il a obtenu diverses distinctions, dont en 1991 le Prix de peinture Jos Albert ; en 1995 le Prix de peinture Constant Montald. Il expose individuellement, en Belgique, en 1996 à Paris, galerie Claudine Lustman.
Parfois avec un contenu implicite mystique, il évoque paysages et présences d'une terre promise.

WÉRY Émile Auguste
Né le 3 septembre 1868 à Reims (Marne). Mort en 1935 à Gressy (Marne). XIXe-XXe siècles. Français.
Peintre de figures, portraits, paysages, natures mortes, fleurs, peintre à la gouache. Postimpressionniste.
Élève de Léon Bonnat, Jules Lefebvre et François Flameng, il exposait au Salon des Artistes Français, obtenant une médaille de deuxième classe en 1897, une médaille de deuxième classe en 1898, un prix national en 1900. Médaille d'argent à l'Exposition Universelle de 1900, membre en 1901, sociétaire hors-concours, chevalier de lagion d'honneur en 1906, diplôme d'honneur en 1925. Il exposa également au Salon de la Société Nationale des Beaux-Arts, à celui des Artistes Décorateurs, aux expositions Universelles de Gand, Liège et Saint-Louis.
Ami de Matisse, à ses débuts, il ne suivit pas la même évolution et le perdit de vue. Wéry recherchait toujours l'effet décoratif, dans un style qui s'apparente à celui des impressionnistes, peignant surtout des paysages dans des tonalités vibrantes.

E. Wery

Bibliogr. : Gérald Schurr, in : *Les Petits Maîtres de la peinture 1820-1920, valeur de demain*, Les Éditions de l'Amateur, t. VI, Paris, 1985.
Musées : Montbéliard : *Vers la vallée* – Paris (Mus. d'Art Mod.) : *Portrait de dame âgée – Les bateliers d'Amsterdam* – Reims : *Le grand canal à Venise – Désespérance – Portrait de Charles Arnould, maire de Reims.*
Ventes Publiques : Paris, 30 mai 1910 : *Bretonne au bord de l'eau* : **FRF 320** – Paris, 15 mai 1944 : *Le petit pont* : **FRF 1 150** – Paris, 8 déc. 1950 : *La rue du village* 1899, gche : **FRF 6 200** – Nice, 15-16 juil. 1954 : *Tigre dans un paysage africain* : **FRF 6 000** – Reims, 21 oct. 1990 : *Vue de Saint-Jean-Pied-de-Port* 1904, h/t (66x81) : **FRF 17 000**.

WERY Fernand
Né en 1886 à Ixelles (Bruxelles). Mort le 20 août 1964 à Boitsfort. XXe siècle. Belge.
Peintre de genre, intérieurs, figures, portraits, paysages, natures mortes. Postimpressionniste.
Il fut élève de l'Académie des Beaux-Arts d'Ixelles et de Constant Montald à celle de Bruxelles. Il a reçu diverses distinctions, le Prix Oleffe. Il est devenu professeur à l'Académie de Watermael-Boitsfort. En 1991, la galerie d'Haudrecy à Knokke-le-Zoute a organisé une exposition d'un ensemble de ses œuvres.
Il a traité la vie paysanne et familiale, les types populaires, mais il était surtout le peintre de l'intimité de la femme et de l'enfant.
Bibliogr. : In : *Dict. biogr. illustré des artistes en Belgique depuis 1830*, Arto, Bruxelles, 1987.
Ventes Publiques : Bruxelles, 24 mars 1976 : *Jeune flûtiste*, h/pan. (55x40) : **BEF 28 000** – Lokeren, 28 mai 1988 : *Jeune femme dans un intérieur*, h/t (80x65) : **BEF 100 000** – Lokeren, 28 mai 1994 : *Grand'mère et enfant (recto) ; Jeune homme au pichet (verso)* : **BEF 44 000** – Lokeren, 20 mai 1995 : *Garçonnet au hareng* 1943, h/pan. (40,5x32,5) : **BEF 26 000**.

WERY Geeraard. Voir **WERI**

WERY Guy
Né en 1947 à Marche-en-Famenne. XXe siècle. Belge.
Graphiste, affichiste, graveur, sérigraphe. Hyperréaliste.
Il fit sa formation à Namur et à Woluwe-Saint-Lambert.
Bibliogr. : In : *Dict. biogr. illustré des artistes en Belgique depuis 1830*, Arto, Bruxelles, 1987.

WERY Joannes
XVIIe siècle. Hollandais.
Peintre.
Il a peint un *Saint Hubert* dans l'église Saint-Gervais de Maestricht.

WERY Marthe
Née en 1930 à Etterbeek (Bruxelles). XXe siècle. Belge.
Peintre, graveur. Abstrait-monochrome.
Elle fit des études d'art décoratif et d'histoire de l'art à Bruxelles et à Paris où elle fut élève de l'Académie de la Grande Chaumière et, en gravure, de l'*Atelier 17* de Stanley William Hayter.
Elle participe à des expositions collectives ; 1982 Biennale de Venise ; 1984 Montréal, Musée d'Art Contemporain ; 1987 Lyon, Espace d'Art Contemporain ; 1988 Lyon, *La couleur seule, l'expérience du monochrome* ; en 1991, elle figurait à l'exposition d'art belge du Musée d'Art Moderne de la Ville de Paris. Elle se produit aussi dans des expositions personnelles : 1965 Bruxelles, galerie Saint-Laurent ; d'autres à Bruxelles, Gand, Cologne ; en 1990-1991 à Anvers, galerie Micheline Szwajcer, à Bruges, galerie De Lege Ruimte, et au Consortium de Dijon ; 1993 Paris, galerie Claire Burrus.
Quand, à ses débuts, ses gravures, eau-forte, aquatinte, paraissaient d'une construction plus complexe, ses peintures, radicalement abstraites, exploitaient tôt les ressources visuelles des structures les plus simples, c'est-à-dire bientôt des quadrilataires réguliers monochromes. Elle réfère elle-même son travail aux constructivistes russes, à Mondrian et aux artistes de De Stijl, à ceux de l'Unisme polonais, aux grands minimalistes américains. Une notice de dictionnaire ne peut se livrer aux développements conceptuels qui prolifèrent préférentiellement au chevet des expositions d'œuvres qui développent des structures primaires ; on se référera aux deux articles cités en bibliographie, on y trouve des perles du genre. ■ J. B.
Bibliogr. : In : *Dict. biogr. illustré des artistes en Belgique depuis 1830*, Arto, Bruxelles, 1987 – René Denizot : *Marthe Wery*, in : Beaux-Arts, Paris, 1990 – Maïten Bouisset : *Marthe Wery*, in : Art Press, N° 180, Paris, mai 1993.
Musées : Lille (FRAC Nord-Pas-de-Calais) : *Sans titre* 1990.

WÉRY Maurice
Né en 1911 à Liège. Mort en 1978 à Liège. XXe siècle. Belge.
Peintre, graveur de figures, portraits, paysages, marines, illustrateur.
Il fut élève de Jean Donnay à l'Académie des Beaux-Arts de Liège, obtenant diverses distinctions. En tant que graveur à l'eau-forte, de 1945 à 1978, il a exposé au Cercle des Beaux-Arts de Liège.
Fait prisonnier sur le front de 1940, après son retour du camp, il réalisa des compositions proches du fantastique, voire du surréalisme. Il a aussi traité l'agitation de la ville moderne.
Bibliogr. : In : *Dict. biogr. illustré des artistes en Belgique depuis 1830*, Arto, Bruxelles, 1987 – Pierre Somville, in : *Le Cercle royal des Beaux-Arts de Liège 1892-1992*, Crédit Communal, Liège, s.d., 1892.
Musées : Liège (Cab. des Estampes).

WERY Pierre Nicolas
Né en 1770 à Paris. Mort en 1827 à Lyon. XVIIIe-XIXe siècles. Français.
Peintre de paysages.
Le Musée de Lyon conserve de lui : *Vue des restes de l'aqueduc romain d'Ecully.*

WERY Victor
Né vers 1815 à Lyon (Rhône). XIXe siècle. Français.
Paysagiste.
Élève de V. Bertin. Il exposa à Paris de 1839 à 1852.

WERZEFF N. V.
Né en 1830. Mort en 1904. XIXe siècle. Russe.
Peintre de genre.
Le Musée Roumianzeff conserve de lui *Rendez-vous interrompu.*

WES Ferdinandus. Voir **WEST**

WESCHKE Karl
Né en 1927 en Thuringe. XXe siècle. Allemand.
Peintre de paysages. Expressionniste.
Autodidacte en art. Sa peinture est expressionniste, tout à fait tragique et, bien qu'il soit surtout paysagiste, on peut penser devant ses œuvres à celles de l'Anglais Bacon.
Ventes Publiques : Londres, 23 oct. 1996 : *Peinture de la mer* 1967, h/cart. (122x183) : **GBP 3 220**.

WESCHTSCHILOFF Konstantin Alexandrovitch. Voir **WESTCHILOFF**

WESE Gaspar. Voir **WEESE**

WESEL Claude
Né en 1942 à Bruxelles. XXe siècle. Belge.
Peintre, sculpteur, orfèvre.
Il fut élève de l'École des Métiers d'Art de Maredsous et de l'École d'Art de La Cambre. Il semble surtout s'être spécialisé dans la création de bijoux, pour lesquels il exploite des matériaux divers, métal, plexiglas. En sculpture, il pratique la technique de la cire perdue.
Bibliogr. : In : *Dict. biogr. illustré des artistes en Belgique depuis 1830*, Arto, Bruxelles, 1987.

WESEMANN Alfred
Né le 5 février 1874 à Vienne. XIXe-XXe siècles. Autrichien.
Peintre animalier, aquafortiste.
Il fut élève de l'Académie des Beaux-Arts de Vienne.
Il peignit des animaux du Jardin zoologique de Schönbrunn à Vienne.
Ventes Publiques : Londres, 18 juin 1985 : *Flamants roses* 1909-1910, h/t (110x164) : **GBP 11 000**.

WESER Ernst Christian
Né le 12 novembre 1783 à Dresde. Mort le 23 décembre 1860 à Dresde. XIXe siècle. Allemand.
Miniaturiste.
Le Musée de Dresde conserve de lui *Portrait du docteur Pönitz*.

WESLAKE Charlotte
XIXe siècle. Travaillant à Londres de 1836 à 1870. Britannique.
Peintre de natures mortes et d'architectures.

WESLEY John
Né en 1928 à Los Angeles. XXe siècle. Américain.
Peintre animalier. Tendance Pop'art.
Il a commencé à peindre dans les années cinquante, s'établissant à New York en 1960. Affilié de fait au pop art, il a participé à des expositions collectives du mouvement.
On sait que le mouvement pop art comporte bien des ambiguïtés, notamment en ce qui concernerait la critique et l'attaque de la société de consommation, quand il paraît parfois la célébrer. Quant à Wesley, il n'en est trace ; il peint, d'un dessin net et surface plane, dans des tonalités suaves, presque exclusivement des animaux, écureuils, chimpanzés, vaches, etc., qu'il dispose en organisations symétriques. S'il sacrifie au mythe de la *pin'up*, c'est en tant que motif décoratif répété en guirlande encadrant le sujet central. La notice citée en référence associe Wesley plutôt à la culture Folk qu'au pop art.
Bibliogr. : In : *Diction. de l'Art Mod. et Contemp.*, Hazan, Paris, 1992.
Ventes Publiques : New York, 19 nov. 1981 : *Cheep !* 1962, h/t (183x183) : **USD 1 900** – New York, 23 fév. 1994 : *Newark*, acryl./t. (162,5x213,3) : **USD 4 830** – Francfort-sur-le-Main, 14 juin 1994 : *Mains occupées* 1992, acryl./t. (152,5x183) : **DEM 18 000**.

WESLY Fernand
Né en 1894 à Bruxelles. Mort en 1983 à Dilbeek. XXe siècle. Belge.
Peintre de portraits, paysages, natures mortes, fleurs, graveur.
Il fut élève de l'Académie des Beaux-Arts de Bruxelles.
Au cours de son évolution, il fut en contact avec le dadaïsme et l'abstraction.
Bibliogr. : In : *Dict. biogr. illustré des artistes en Belgique depuis 1830*, Arto, Bruxelles, 1987.

WESNER SAINT-BLÊME
Né en 1929 à Haïti. XXe siècle. Haïtien.
Peintre de scènes typiques. Populiste.
Il a figuré, avec *Chez nous*, à la section antillaise de l'exposition ouverte à Paris, en 1946, au Musée d'Art Moderne par l'Organisation des Nations unies.

WESPIN Guillaume, dit **Tabaguet** ou **Tabaget**
Mort vers 1643. XVIIe siècle. Actif à Dinant. Éc. flamande.
Sculpteur.
Frère de Jean et de Nicolas W.

WESPIN Jean, dit **Tabaguet** ou **Tabagué** ou **Tabachetti**
Né vers 1568. Mort en 1615. XVIe-XVIIe siècles. Actif à Dinant. Éc. flamande.
Sculpteur.
Frère de Guillaume et de Nicolas W. Il se fixa en Italie en 1587. Il sculpta le Chemin de Croix du Sacro Monte de Crea. Il exécuta surtout des statues en terre cuite polychrome.

WESPIN Nicolas, dit **Tabaguet** ou **Tabagué** ou **Tabachetti**
Né vers 1577 à Dinant. XVIIe siècle. Éc. flamande.
Sculpteur.
Frère de Guillaume et de Jean W. Il fut assistant de Jean à Crea.

WESSEL Adriaen Van
Né à La Haye. XVIIe siècle. Actif à la fin du XVIIe siècle. Hollandais.
Sculpteur.
Élève et imitateur de M. de Meester. Il travailla à La Haye jusqu'en 1696.

WESSEL Isaac Van
XVIIe siècle. Hollandais.
Peintre.
Membre de la gilde de Saint-Luc en 1670.

WESSEL Jakob
Né en 1707 à Dantzig. Mort en 1780 à Dantzig. XVIIIe siècle. Allemand.
Peintre de portraits, pastelliste.
Il étudia avec Jan Benedyks Hoffmann, puis travailla à Berlin avec Pesne. Il revint à Dantzig et y peignit surtout le portrait à l'huile et au pastel. Il fit le portrait du roi *Auguste III*.
Musées : Gdansk, ancien. Dantzig (Mus. mun.) : *Portrait de naturaliste Jakob Theodor Klein – Daniel Gralath – Peter Bentzmann – Heinrich Zernecke – Johann Adam Kuhn – Portrait d'un personnage inconnu*.
Ventes Publiques : Monaco, 19 juin 1994 : *Portraits de saints*, h/cuivre, une paire (chaque 17,5x14,5) : **FRF 14 430**.

WESSEL Wilhelm
Né en 1904 à Iserlohn (Westphalie). Mort en 1971. XXe siècle. Allemand.
Peintre.
En 1924, il fut élève de Kandinsky, au Bauhaus de Weimar, mais pour peu de temps. Il entreprit alors un voyage de quatre ans, en Turquie, Grèce, Palestine, Égypte. De 1927 à 1931, il fit des études d'archéologie sumérienne et byzantine à l'Université de Berlin, en même temps qu'il était élève de Hofer à l'Académie des Beaux-Arts. Après 1931, il fut professeur, puis militaire. Il résidait à Iserlohn.
En tant que propagateur de l'art abstrait, il fut l'organisateur de la première exposition d'art allemand de l'après-guerre, au Stedelijk Museum d'Amsterdam ; puis l'un des organisateurs, avec René Drouin, de l'exposition d'art allemand, au Cercle Volney à Paris, en 1955.
Il participe à de très nombreuses expositions collectives, parmi lesquelles : le Prix Lissone, 1955 ; Biennale des Arts Graphiques, Tokyo 1957 ; XXIXe Biennale de Venise, 1958 ; *Forme, structure, signification*, Munich, 1960 ; etc. Il a aussi montré des expositions personnelles de ses peintures, à Berlin, Wuppertal, Wiesbaden, Vienne, Stuttgart, Munich, Paris, etc.
Après 1945, il fut, avec W. Baumeister, l'un des premiers peintres allemands à traiter une formulation abstraite par des effets de matières, voire de matériaux intégrés à la masse picturale, se rapprochant par moments de l'informel.
Bibliogr. : *Catalogue du 1er Salon International des Galeries Pilotes*, Musée Cantonal, Lausanne, 1963 – B. Dorival, sous la direction de, in : *Peintres Contemporains*, Mazenod, Paris, 1964.
Ventes Publiques : Munich, 7 déc. 1982 : *Sienesisch* 1957, techn. mixte/t. (120x88) : **DEM 8 500** – Munich, 29 mai 1984 : *La tour de Sienne*, h/t (91x69) : **DEM 5 700**.

WESSEL-ZUMLOH Irmgard
Née en 1907 à Grevenbruck (Westphalie). XXe siècle. Allemande.
Peintre de compositions à personnages, natures mortes.
De 1929 à 1932, elle fut élève des Académies des Beaux-Arts de Königsberg et Berlin. Femme de Wilhelm Wessel depuis 1934. Elle vivait à Iserlohn. Après la seconde guerre mondiale, elle a participé à de nombreuses expositions de groupe, notamment le Prix Lissone en 1956 ; *Art Actuel Allemand*, exposition itinérante en Amérique du Sud, en 1962. Elle a reçu le Prix Karl-Ernst Osthaus en 1952 ; le Prix de l'Industrie en 1953 ; le Prix Wilhem Morgner en 1957. Elle a également montré des expositions personnelles de ses peintures.
Elle a peint d'abord des compositions à personnages, puis des natures mortes, dans lesquelles la couleur a pris progressivement le pas sur la représentation. En 1962, elle a peint une série de triptyques monumentaux.
Bibliogr. : B. Dorival, sous la direction de : *Peintres Contemporains*, Mazenod, Paris, 1964.
Ventes Publiques : Cologne, 17 mai 1980 : *Mitt Schriftzeichen* 1962, h/t (50x68) : **DEM 2 000**.

WESSELENYI TONZOR Ezster, née **Tonzor**
Née le 1er décembre 1900 à Tenke. XXe siècle. Hongroise.
Sculpteur.
Elle fit ses études à Budapest et à Nagybanya. Elle exécuta des plaquettes représentant des familles nobles de Hongrie.

WESSELHOEFT Mary Fraser
Née le 15 février 1873 à Boston (Massachusetts). XIXe-XXe siècles. Américaine.
Peintre, peintre verrier, décoratrice et aquafortiste.
Elle fut élève de l'École d'Art de Boston. Elle était active à Santa Barbara. Elle exposa à Berlin en 1912. Elle travailla pour des églises.

WESSELING Dirk
Né en 1899. XXe siècle. Hollandais (?).
Peintre de genre.
Ventes Publiques : Amsterdam, 5-6 nov. 1991 : *Un fermier près du moulin*, h/t (59x79) : **NLG 1 150**.

WESSELING Hendrik Jan
Né le 26 février 1881 à La Haye. Mort en 1950. XXe siècle. Hollandais.
Peintre de portraits, paysages, natures mortes, fleurs, dessinateur et aquafortiste.
Il fut élève d'un Frans Loots (?) à La Haye.
Ventes Publiques : Amsterdam, 5 juin 1990 : *Spaarndam*, h/t/cart. (25,5x32) : **NLG 1 150**.

WESSELMANN Tom
Né en 1931 à Cincinnati (Ohio). XXe siècle. Américain.
Peintre de compositions à personnages, figures, natures mortes. Pop'art.
Tom Wesselmann fit ses études de psychologie au Hiram College de l'Université de Cincinnati. Il fréquenta ensuite l'Art Academy de la ville dont il sortit diplômé en 1956. Puis, s'étant établi à New York, il y fut élève de la Cooper-Union. Il se trouva là dès le début des activités du premier groupe pop. Après un début de carrière dans le dessin animé, il décida de se consacrer totalement à la peinture à la fin des années cinquante.
Il a participé depuis à un nombre considérable d'expositions collectives, notamment celles consacrées au mouvement pop, aux États-Unis et à travers le monde entier, parmi lesquelles : 1962 New York, *New Realists*, galerie Sidney Janis, et Museum of Modern Art ; 1963, Institute of Contemporary Arts, Londres, Washington Gallery of Art, Albright Knox Art Gallery de Buffalo ; 1964, Art Institute de Chicago, Carnegie Institute de Pittsburgh, Moderna Museet de Stockholm, Musée d'Art Moderne de New York, Whitney Museum de New York ; 1968 Documenta de Kassel ; 1974 New York *American pop Art*, Whitney Museum ; 1984 New York *Blam ! The Explosing of pop Art*, Whitney Museum ; 1988 Biennale de Venise ; etc.
Il montre aussi de nombreuses expositions personnelles de son œuvre depuis la première en 1961 à la Tanager gallery de New York, entre autres : 1963 New York, Green gallery et Dwan gallery ; depuis 1966 New York, Sidney Janis gallery ; 1967 Paris, galerie Ileana Sonnabend ; 1968, Munich ; 1978 Boston, Institute of Contemporary Art ; 1986, 1989, 1990 Cannes, galerie Joachim Becker ; 1987 Paris, galerie de France ; 1988 Tokyo, galerie Tokoro, et rétrospective itinérante de Chicago à Tokyo *Graphics & Multiples* ; 1993 exposition itinérante *A Retrospective Survey, 1959-1992* ; 1994 Paris, Didier Imbert Fine Art ; 1996 Nice, après Allemagne, Belgique, Portugal, Pays-Bas, Musée d'Art Moderne et Contemporain ; etc.
Dans les débuts de sa manière pop, on trouvait des assemblages, issus de la technique dadaïste du collage, unissant, dans un processus d'appropriation de l'imagerie quotidienne du monde contemporain telle que la véhicule la publicité, bouteille de whisky ou de Coca-Cola, paquet de cigarettes, boîte de café de la marque en vogue, télévision, automobile. Ces premiers collages, au demeurant timides malgré leur dessin synthétique et leurs couleurs éclatantes, n'avaient pas la force d'impact des intégrations d'objets dans la peinture de Rauschenberg, ou de l'agrandissement gigantesque de saucisses ou de côtelettes par Oldenburg, ou encore de la reproduction répétitive obsessionnelle de boîtes de soupe en conserve par Warhol. Dans un deuxième temps, Wesselmann intégra dans ses sortes de natures mortes des objets réels en relief, ou leur moulage en plastique, fruits, bouteille de bière, poste de radio, dont il augmente progressivement l'échelle. Il élargit alors son répertoire à des paysages, constitués souvent du collage d'éléments hétérogènes, par exemple au premier plan la photographie publicitaire d'une automobile devant (en-dessous de) celle d'un paysage.
Très rapidement, et parallèlement aux natures mortes et paysages, Wesselmann trouva le thème et la technique qui allaient créer son image de marque : dès 1961, les *Great American Nudes*, sont des images de femmes nues, sur fond d'éléments types de la vie quotidienne américaine, télévision dans la chambre à coucher ou rideau de douche dans la salle de bains (Bathtub), elles-mêmes assez spécifiquement américaines par la silhouette, l'allure, le « glamour », traitées en contours nets et comme découpées dans du papier. La critique cautionne souvent une référence culturelle aux nus de Modigliani ou Matisse, là où il paraît plus raisonnable de reconnaître les pin-ups chères aux chauffeurs-routiers. Certaines des premières compositions avaient été obtenues par une technique apparentée au collage, par exemple collage d'un vrai rideau de douche en plastique, intégration d'un vrai téléphone qui sonne, d'une radio qui diffuse une musique planante ou absurde. Dans ces séries, il délaissa bientôt le collage-assemblage pour la seule technique picturale dans des formats croissants. Certains de ces nus portent des bas, rarement plus. Ce qui les habille le plus, et ce fut là l'astuce poético-technique de Wesselmann, c'est le fait que ces belles filles de luxe sont très bronzées... sauf aux étroites plages de la décence, dessinant en clair sur la peau brune les silhouettes de l'absence du soutien-gorge et du slip enlevés. Très souvent, avec les *Bedroom Paintings* de 1967-1969, Wesselmann ne peint que des fragments suggestifs de sa créature stéréotypée et du décor de sa chambre, imbriqués les uns dans les autres selon le principe fondamental de la rhétorique du collage : lèvres pulpeuses fardées, main aux ongles peints, cendrier avec cigarette qui continue de se consumer, galbe d'une jambe dressée, livre délaissé ouvert, deux seins pointés, de même qu'avec les *Smokers* de 1968, il peint une bouche largement dessinée au rouge vif exhalant la fumée de la cigarette. Le thème alléchant, la trouvaille des parties du corps non bronzées et d'autant plus dénudées, une mise en page de grand publicitaire, ont assuré le succès de Wesselmann. Dans les années suivantes, il est revenu à des images plus diversifiées et moins standardisées, toujours caractéristiques du processus d'appropriation de l'image publicitaire du monde moderne qui constitue l'un des ressorts du mouvement pop. À la fin des années soixante-dix, il a recouru à des découpages de ces fragments en grande dimension dans des tôles d'acier ou d'aluminium qu'il peint ensuite aux laques de couleurs éclatantes, ou, avec les *Shaped canvases*, à des moulages de matières plastiques qui lui ont permis de conférer le volume à ses nus, organisés en installation murale. Dans la suite de son évolution, ses filles américaines paraissent moins provocantes, même apaisées, non plus sur fond d'alcove mais d'emprunts culturels à Matisse, Mondrian ou Fernand Léger en phase rythmique et plastique avec quelque détail du modèle. Depuis 1984, avec les *Steel Drawings*, Wesselmann poursuit une recherche à objectif plus spécifiquement plastique : à partir de minuscules croquis, ceux-ci sont agrandis à échelle presque monumentale sur des plaques d'aluminium découpées selon le contour du dessin.
Tom Wesselmann a occupé une place bien à part dans le pop art américain de la première génération, par une imagerie racoleuse, frôlant la vulgarité, mais prônant ouvertement, comme Wallace Ting, un érotisme résolument hétérosexuel.

■ Jacques Busse

Bibliogr. : Pierre Restany, Pierre Cabanne, in : *L'avant-garde au XXe siècle*, Balland, Paris, 1969 – Lucy Lippard, in : *Pop Art*, Hazan, Paris, 1969 – in : Encyclopédie des Arts *Les Muses*, tome 15, Grange Batelière, Paris, 1969-1974 – Catalogue de l'exposition *Wesselmann : Recent Works*, galerie Tokoro, Tokyo, 1988.
Musées : Aix-la-Chapelle (Collect. Peter Ludwig) : *Baignoire n° 3* 1963 – Cologne (Wallraf-Richartz Mus.) – Grenoble (Mus. des Beaux-Arts) – New York (Mus. of Mod. Art).
Ventes Publiques : Paris, 5 déc. 1971 : *Study for nude* : **FRF 15 000** – Paris, 18 mars 1972 : *Grand Nu américain*, compos. lumineuse en relief : **FRF 40 500** – Paris, 10 juin 1972 : *Grand Nu américain*, gche : **FRF 8 300** – Paris, 15 nov. 1972 : *Grand Nu américain*, h. et collage : **FRF 96 000** – New York, 18 oct. 1973 : *Nature morte n° 37* 1964, assemblage d'objets divers : **USD 12 000** – Milan, 6 nov. 1973 : *Nu* 1966, gche : **ITL 2100000** ; *Bedroom painting* : **ITL 12 500 000** – Londres, 3 avr. 1974 : *Grand Nu américain n° 9* 1961 : **GBP 18 000** – New York, 4 mai 1974 : *Helen* 1966, aquar. et encre : **USD 8 000** – Munich, 28 mai 1974 : *Géant à la cigarette*, construction plastique et t. : **DEM 6 550** – Londres, 25 juin 1976 : *Paysage maritime* 1965, gche (22x18) : **GBP 300** – Milan, 9 nov. 1976 : *Double smoker study for proposed print* 1968, h/t (20x25) : **ITL 2 400 000** – Milan, 13 déc. 1977 :

Mouth 1966, techn. mixte (107x154) : **ITL 7 500 000** – New York, 17 nov. 1977 : *Great American Nude N° 62* 1965, liquitex/plâtre/pan. (110x152,5) : **USD 15 000** – New York, 2 nov. 1978 : *Nature morte n° 37* 1964, assemblage (122x152,5x10) : **USD 18 000** – New York, 22 mars 1979 : *Great american nude N° 78* 1977, cr. (10x22,8) : **USD 2 600** – New York, 19 oct 1979 : *Open ended nude, N° 89* 1978, aquar. et cr. (10,2x22,8) : **USD 3 200** – New York, 19 oct 1979 : *Great american nude N° 61* 1965, liquitex/pan. découpé (93x91,5) : **USD 6 000** – New York, 12 mai 1981 : *Grand Nu américain n° 73* 1965, h/t (183x223,5) : **USD 40 000** – New York, 5 mai 1982 : *Open ended nude N° 82* 1978, cr. de coul./cart. entoilé (10,2x22,8) : **USD 1 200** – New York, 10 nov. 1982 : *Study for the banner* 1967, gche et mine de pb (25x29) : **USD 3 200** – New York, 9 nov. 1982 : *Nature morte n° 37* 1964, assemblage (122x152,5x10) : **USD 18 000** – New York, 8 nov. 1983 : *Nature morte n° 31* 1963, bois, liquitex, pap. et télévision, construction (122x152,5x28) : **USD 44 000** – New York, 3 mai 1984 : *Smoker banner* 1971, construction en vinyl. (154x124) : **USD 3 500** – New York, 10 mai 1984 : *Marine* 1965, gche/pap., étude (21,5x23,5) : **USD 6 500** – New York, 10 mai 1984 : *Bedroom painting n° 25* 1968, cr., étude (21,5x29,2) : **USD 3 000** – New York, 9 mai 1984 : *Bedroom painting* 1977-1981, h/t (177,8x205,7) : **USD 31 000** – New York, 23 fév. 1985 : *Fumeur n° 8* 1975, aquar. et mine de pb, étude (38,1x56,5) : **USD 3 500** – New York, 3 mai 1985 : *Tiny shoe & tulips N° 34* 1981, liquitex/cart. dans une boîte en plexiglas (6,5x7,5x3,2) : **USD 1 500** – New York, 8 oct. 1986 : *Tiny Dropped Bra n° 34* 1981, liquitex/cart. bristol dans une boîte en plexiglas (9,2x20x9,8) : **USD 1 200** – New York, 5 mai 1987 : *Face and Goldfish Sketch* 1978, stylo-bille et cr. coul. (5,2x8,3) : **USD 2 000** – New York, 20 fév. 1988 : *Dessin pour Grand Nu américain n° 17* 1961, fus./pap. (122x121,5) : **USD 28 600** – Paris, 20 juin 1988 : *Étude de fumeur* 1967, h/t (20,5x25) : **FRF 45 000** – New York, 10 nov. 1988 : *Grand Nu américain - 10* 1961, collage et h/pan. (diam. 120,5) : **USD 132 000** – New York, 4 mai 1989 : *Petite nature morte 7* 1963, collage, acryl. et plastique/pan. (41,9x55,8) : **USD 275 000** – Londres, 25 mai 1989 : *Étude pour une lithographie de nu* 1976, cr. et past./pap. (40x65,5) : **GBP 37 400** – New York, 5 oct. 1989 : *Étude pour Grand Nu américain* 1975, aquar. et cr./pap. (38x56,5) : **USD 60 500** – New York, 7 nov. 1989 : *Grand Nu américain # 43* 1963, collage, vernis, acryl., pap. et h/cart., décor mural (121,9x121,3x20,2) : **USD 495 000** – Paris, 15 fév. 1990 : *Study for Cynthia Nude* 1981, h/t (58,5x72,5) : **FRF 700 000** – Milan, 27 mars 1990 : *Bedroom Painting n° 22* 1971, h/t (198x228) : **ITL 440 000 000** – Paris, 28 mars 1990 : *Femme au collier de chien mauve* 1981, acryl./t. (diam. 90) : **FRF 385 000** – New York, 7 mai 1990 : *Étoiles et Fleurs (pour Grand Nu américain # 97)* 1968, acryl., liquitex et vernis/trois pan. (en tout : 139x196,9) : **USD 385 000** – Paris, 18 juin 1990 : *Bedroom Painting n° 8*, h/t (132x116) : **FRF 3 200 000** – New York, 4 oct. 1990 : *Nu # 8* 1980, graphite et liquitex/bristol (20,4x47,5) : **USD 17 600** – New York, 14 fév. 1991 : *Sans titre - Petite nature morte # 15* 1964, h/cart. avec des reliefs de plastique (30,5x22,9x2,5) : **USD 30 800** – Paris, 30 mai 1991 : *Étude pour Bedroom painting n° 40* 1977, h/t (21,7x26,7) : **FRF 210 000** – New York, 13 nov. 1991 : *Nature morte # 21* 1962, acryl. et collage/cart. (121,8x152,3) : **USD 231 000** – Paris, 16 fév. 1992 : *Maquette pour Cigarette fumant 2* 1980, past./cart. découpé (12,5x16,4x8,7) : **FRF 27 000** – New York, 7 mai 1992 : *Vivienne (3-d)* 1987, vernis/alu. incisé (195,6x195,6x24,2) : **USD 93 500** – New York, 6 oct. 1992 : *Nature morte de fleurs sauvages et fruits avec un chapeau* 1989, vernis/acier incisé (177,8x198,1) : **USD 55 000** – New York, 18 nov. 1992 : *Grand Nu américain # 89* 1967, liquitex, h. et graphite/t. (111,7x196,2) : **USD 165 000** – Londres, 3 déc. 1992 : *Nu* 1967, cr. et gche/pap. (57x36,6) : **GBP 14 300** – Zurich, 21 avr. 1993 : *Grande Blonde* 1991, sérig. coul. (76,5x88,5) : **CHF 4 600** – New York, 9 nov. 1993 : *Tulipe et fumée de cigarette* 1983, vernis/alu. (208,3x307,3x188) : **USD 107 000** – Milan, 16 nov. 1993 : *Nu féminin dans un atelier* 1984, h/t (37x34,5) : **ITL 35 650 000** – New York, 3 mai 1994 : *Grand Nu américain # 52* 1963, acryl., pap. d'emballage et collage de pap. imprimé/pan. (152,4x121,9) : **USD 244 500** – Londres, 26 mai 1994 : *Visage dans une chambre avec son ombre* 1988, liquitex/cart. (116,8x127) : **GBP 23 000** – Paris, 21 juin 1995 : *Profil d'une femme* 1985, acryl. et graphite/pap. (40x46) : **FRF 100 000** – Londres, 26 oct. 1995 : *Maquette pour Nature morte à la ceinture* 1979, liquitex/cart. dans une boîte de Perspex (36x53x26) : **GBP 7 475** – Amsterdam, 7 déc. 1995 : *Nature morte* 1963, cr./pap. (29x21) : **NLG 3 540** – New York, 22 fév. 1996 : *Blonde Vivienne* 1988, h./alu. découpé (198,1x198,1x25,4) : **USD 111 400** – Lucerne, 8 juin 1996 : *Nu*, sérig. coul./pap. (76x89) : **CHF 4 200** – New York, 9 nov. 1996 : *Grand Nu américain 74* 1965, Plexiglas (111x99) : **USD 5 462** – Paris, 16 déc. 1996 : *Nu marine* 1965, graphite/pap. (19x25) : **FRF 25 000** – Londres, 6 déc. 1996 : *Nu 48* 1973, aquar. et cr./cart. (9,5x22,8) : **GBP 3 450** – New York, 19 nov. 1996 : *Beautiful Kate 26* 1981, liquitex et mine de pb/pan. (9,5x22,5) : **USD 3 680** – New York, 10 oct. 1996 : *Seascape nude* 1965, cr./pap. (19,1x25,4) : **USD 3 450** – New York, 20 nov. 1996 : *Étude de marine* 1965, gche et cr./pap. (21,9x23,8) : **USD 18 975** ; *Monica assise avec Mondrian* 1988, émail/acier découpé (156,2x102,9) : **USD 52 900** – New York, 7 mai 1997 : *Bedroom blonde with irises* 1987, émail et acier découpé (13,5,x21) : **USD 74 000** – New York, 8 mai 1997 : *Monica dans la chambre à coucher* 1986-1987, h./alu. découpé (149,8x193,1x24,2) : **USD 57 500** – Londres, 27 juin 1997 : *Étude de bouche pour la couverture du catalogue Minneapolis* 1968, h/t (25,5x20,5) : **GBP 16 100**.

WESSELOWSKI Ljudowik Romanovitch. Voir **WIESIOLOWSKI Ludwik**

WESSELS Frans

Né à Amsterdam. XVIIIe-XIXe siècles. Travaillant à Amsterdam de 1788 à 1811. Hollandais.

Graveur au burin.

WESSELY Anton

Né le 25 février 1848 à Vienne. XIXe siècle. Autrichien.

Peintre et surtout peintre animalier.

Élève de Karl Mayer à l'académie de Vienne.

WESSELY Eduard ou **Vesely**

Né le 2 février 1817 à Pirkstein. XIXe siècle. Autrichien.

Sculpteur.

Élève de l'Académie de Prague. Il sculpta des statues pour plusieurs églises de Prague et d'autres villes de Bohème.

WESSELY Rudolf

Né le 29 janvier 1865 à Vienne. XIXe siècle. Autrichien.

Peintre d'histoire.

Il fut élève des Académies de Vienne et de Karlsruhe.

WESSELY Rudolf

Né en 1894 à Vienne. XXe siècle. Autrichien.

Peintre de portraits, paysages.

Il fut élève de Joseph Jungwirth et de Karl Sterrer à l'Académie des Beaux-Arts de Vienne.

WESSEM Willem Van

Mort avant 1789. XVIIIe siècle. Hollandais.

Aquafortiste et dessinateur pour la gravure au burin et collectionneur.

Élève de Bernhard Schreuder. Il travailla à Amsterdam.

WESSHAUPT Andreas. Voir **WYSSHAUPT**

WESSMAN Björn

Né en 1949. XXe siècle. Suédois.

Peintre. Abstrait-paysagiste.

Peu connu en France, la galerie L'Œil écoute l'a exposé en 1989 et 1993. Dans une remémoration éventuelle de paysages, en tout cas d'une certaine profondeur entre ciel et terre, le propos très sensuel de Wessman est d'opposer les masses physiques de matières et de couleurs.

Bibliogr. : Dolène Ainardi, in Art Press, N° 180, Paris, mai 1993.

Ventes Publiques : Stockholm, 30 mai 1991 : *Paysage sauvage, diptyque*, acryl./t. (125x170 chaque) : **SEK 19 500** – Stockholm, 21 mai 1992 : *Arbre*, h/t (170x125) : **SEK 10 500**.

WEST

XIXe siècle. Britannique.

Peintre de miniatures et silhouettiste.

Actif à Londres, il travailla à Derby en 1811.

WEST Alexander

XIXe siècle. Actif à Manchester. Britannique.

Peintre de paysages.

Il exposa à Londres de 1880 à 1884, un paysage à la Royal Academy et quatre à Suffolk Street. On voit de lui au Victoria and Albert Museum, à Londres, une aquarelle, *Philae*, (1894).

Ventes Publiques : Tel-Aviv, 23 oct. 1997 : *Vue de Jérusalem* 1893, h/t (32x75) : **USD 5 750**.

WEST Benjamin, l'Ancien, Sir

Né le 10 octobre 1738 à Springfield (Pennsylvanie). Mort le 11 mars 1820 à Londres. XVIIIe-XIXe siècles. Américain.

Peintre d'histoire, sujets mythologiques, compositions religieuses, portraits, dessinateur, graveur.

A la mort de sa mère, en 1756, il alla à Philadelphie, puis à New

York, peignant le portrait. Il y réussit fort bien. En juin 1760, il arriva à Rome et y fut encouragé et soutenu par ses compatriotes. Il visita Florence, Bologne, Venise. En 1763, il vint à Londres, avec l'intention de n'y faire qu'un court séjour avant son retour en Amérique, mais l'accueil flatteur qu'il reçut dans la métropole anglaise le décida à s'y établir pour toujours. Il fit venir sa fiancée d'Amérique et se maria. Benjamin West occupa dès lors une place prépondérante parmi les peintres anglais. En 1765, il fut choisi comme directeur de la Incorporated society et trois ans plus tard, il était un des commissaires chargés d'organiser la Royal Academy. Il en fut membre fondateur et quatre ans plus tard, à la mort de sir Joshua Reynolds, il fut appelé au fauteuil présidentiel le 24 mars 1792. Comme il appartenait à la secte des quakers il sollicita de ne pas être anobli ainsi que son élection lui en donnait le droit. Peintre aujourd'hui très oublié, il fut considéré comme tellement remarquable par ses contemporains, qu'il fut maintenu pendant près de trente ans à la présidence de la Royal Academy. Il sera enterré à la cathédrale Saint-Paul.

Dès 1769, le roi George III lui avait commandé un *Départ de Régulus*. La technique, l'expression, n'en sont pas remarquables ; toutefois la difficulté de mettre en scène ensemble un grand nombre de personnages y est résolue avec science et brio. Dans *La mort de Wolfe*, de 1771, il habilla les personnages en costumes modernes, ce qui constituait une révolution dans la peinture d'histoire. Il traita un très grand nombre de scènes historiques, soit médiévales, soit contemporaines, puis, à la fin de sa vie, il peignit quelques compositions religieuses, telle *La mort sur un cheval clair*, de 1814, composition dont le romantisme tranche sur l'ensemble de son œuvre et peut la faire considérer comme sa peinture la plus intéressante.

B • W

Cachet de vente

Bibliogr. : Anita Brookner, in : *Dictionnaire Universel de l'Art et des Artistes*, Hazan, Paris, 1967.

Musées : Boston : *La Famille Addison Hope of Sydenham – Le Baiser volé* – Chicago : *Portrait d'un monsieur – Troïlus et Cressida – Que celui qui n'a jamais péché...* – Cleveland : *Mme B. West et son fils Raphaël* – Glasgow : *Oreste et Pylade devant Iphigénie – La Dernière Cène – Portrait d'une dame en Hébé* – esquisse – Kansas City : *Vénus consolant l'Amour* – Liverpool : *Cléambrote banni par Léonidas II – Mort de Nelson* – Londres (Victoria and Albert Mus.) : *Paysage – Hercule entre le plaisir et la vertu* – trois esquisses – trois aquarelles – Ottawa (Nat. Gal.) : *La Mort de Wolfe* – Philadelphie (Pennsylvania Acad.) : *La Mort sur un cheval clair.*

Ventes Publiques : Londres, 1771 : *Aggripine et les cendres de Germanicus* : **FRF 2 795** – Londres, 1805 : *Le Roi Lear pendant l'orage* : **FRF 5 390** – Paris, 1882 : *Dessin pour le combat naval de La Hague*, pl. et sépia, on y a joint deux gravures, ensemble : **FRF 300** – Londres, 1893 : *Portrait de M. Barrington* : **FRF 8 500** – Londres, 4 et 5 mai 1922 : *Traité de Penn avec les Indiens*, sépia : **GBP 63** – Londres, 2 mars 1923 : *Le capitaine James Cook* : **GBP 162** – Londres, 28 mars 1924 : *Mrs Elizabeth West* : **GBP 157** – Londres, 6 mai 1926 : *Benjamin Franklin* : **GBP 3 300** – Londres, 20 mai 1927 : *Mr et Mrs John Custance* : **GBP 315** – Londres, 20 jan. 1928 : *Saint James Park* : **GBP 273** – Londres, 2 mai 1929 : *Le traité de W. Penn* : **GBP 378** ; *La mort du général Wolfe* : **GBP 378** – Londres, 13 juil. 1945 : *Le général Kasanssko* : **GBP 210** – Zurich, 15 mars 1951 : *Achille devant le corps d'Hector* : **CHF 1 100** – Paris, 15 fév. 1954 : *Le parc de Windsor*, cr. reh. de pastel : **FRF 6 200** – Londres, 15 juil. 1959 : *Destruction de la flotte française à La Haye, 1692* : **GBP 2 000** – Londres, 18 mars 1964 : *La Plage de Ramsgate* : **GBP 3 800** – Londres, 14 mars 1967 : *Projet de décoration d'une chapelle*, aquar. : **GNS 750** – Londres, 11 oct. 1967 : *L'Âge d'or* : **GBP 7 000** – New York, 25 sep. 1968 : *Samuel présenté au Temple* : **USD 10 000** – Londres, 18 nov. 1970 : *Portrait de John Eardley Wilmot, esquire* : **GBP 36 000** – Londres, 17 nov. 1971 : *L'Adoration des bergers* : **GBP 4 600** – Paris, 7 mars 1972 : *Joseph reconnu par ses frères* : **FRF 10 000** – Londres, 27 avr. 1976 : *The Angel appearing to Britannia*, aquar., pl. et touches d'h. (32x14) : **GBP 260** – Londres, 19 nov. 1976 : *La Bataille de Trafalgar*, h/t (70x90) : **GBP 4 000** – Londres, 19 juil. 1978 : *L'ascension*, h/t (160x86,5) : **GBP 20 000** – Londres, 19 juin 1979 : *Un artiste près d'une amazone, dessinant dans le parc de Windsor* 1789, pl. et lav. (27,3x45,7) : **GBP 5 200** – Londres, 22 mars 1979 : *Paysage montagneux au lac*, aquar. et pl. (25,5x37) : **GBP 2 200** – Londres, 23 mars 1979 : *Portrait de Mrs William Abercromby of Classaugh*, h/t (72,2x57,8) : **GBP 18 000** – New York, 24 avr. 1981 : *Portrait du capitaine Bethal*, h/t (76,2x63,5) : **USD 11 500** – New York, 28 sep. 1983 : *Le Marchand de fruits* 1802, cr., pl. et lav. (10,7x15,7) : **USD 3 200** – New York, 30 mai 1984 : *La Mort du général Wolfe* 1765, aquar. et encre sépia reh. de blanc/pap. mar./isor., étude (43,2x61) : **USD 150 000** – Londres, 5 juil. 1984 : *Vénus et Adonis contemplant des Cupidons au bain*, h/t mar./pan. (73x99,5) : **GBP 27 000** – Londres, 22 nov. 1985 : *Erasistratus découvrant l'amour d'Antioche pour Stratonice* 1772, h/t (127x184,2) : **GBP 85 000** – Londres, 19 nov. 1986 : *Alexander the Third, King of Scotland, rescued from the fury of a stag by the intrepidity of Colin Fitzgerald* 1786, h/t (368,5x522,5) : **GBP 500 000** – Londres, 14 juil. 1987 : *Trois jeunes filles, l'une cousant* 1783, pl., encre brune et lav. brun et bleu (43,3x30) : **GBP 9 000** – Londres, 11 mars 1987 : *Portrait of Sir Joseph Banks, wearing a New Zealand mantle*, h/t (234x160) : **GBP 1 650 000** – Londres, 18 nov. 1988 : *Les Saintes Femmes au Saint-Sépulcre* 1768, h/t (74,3x58,4) : **GBP 19 800** – Londres, 14 juil. 1989 : *Le Christ montrant un petit enfant comme emblème du Royaume des Cieux* 1790, h/t/pan. (70x50,5) : **GBP 7 700** – New York, 10 jan. 1990 : *Les Anges apparaissant aux bergers*, h/pan. (64,8x51,4) : **USD 24 200** – New York, 9 jan. 1991 : *Étude du Roi David se relevant après la mort de son enfant*, craie noire, encre et lav. (24,4x37,5) : **USD 19 800** – Londres, 30 jan. 1991 : *Deux personnages célestes*, encre avec reh. de gche blanche (19x13) : **GBP 1 760** – Londres, 12 avr. 1991 : *Hector faisant ses adieux à Andromaque* 1769, h/t/cart. (152,5x93) : **GBP 19 800** – New York, 20 mai 1993 : *Hannah présentant Samuel à Élie* 1800, h/t (33,7x43,8) : **USD 37 375** – Londres, 15 déc. 1993 : *La Première Entrevue entre Télémaque et Calypso* 1801, h/t (101,5x143) : **GBP 20 700** – New York, 25 mai 1995 : *Portrait de la famille Drummond* 1781, h/t (152,4x129,5) : **USD 60 250** – New York, 4 déc. 1996 : *Mrs Benjamin West et son fils Raphaël*, h/t (76,2x61,6) : **USD 123 500**.

WEST Benjamin, le Jeune

XVIIIe siècle. Actif à la fin du XVIIIe siècle. Américain.

Dessinateur.

Frère de Raphael Lamar W. Il exposa un dessin à Londres en 1791.

WEST Charles

Né vers 1750 à Londres. XVIIIe siècle. Britannique.

Graveur au pointillé.

Il a gravé des sujets de genre. On cite notamment de lui une planche d'après Henry Walton : *L'âge d'argent* (1787).

Ventes Publiques : Londres, 13 nov. 1997 : *Vue du pont en fer passant sur la Severn à Coalbrookdale dans le Shropshire* 1782, aquat., une paire (4,8x6,05 et 3,6x4,85) : **GBP 4 600**.

WEST Edgar E.

XIXe siècle. Actif à Bedford Park. Britannique.

Peintre.

Il exposa à la Royal Academy en 1881. Le Victoria and Albert Museum, à Londres, conserve de lui *Maisons sur la côte de Normandie* (aquarelle).

Ventes Publiques : Chester, 19 mars 1981 : *Voiliers au large de Jersey*, aquar. avec reh. de gche (76x120,5) : **GBP 1 150**.

WEST Ferdinandus ou **Wes** ou **Vers**

XVIIe siècle. Travaillant à La Haye de 1637 à 1672. Hollandais.

Peintre.

Ventes Publiques : Rumbeke, 20-23 mai 1997 : *Portrait de groupe d'Alexander Van der Capellen, Heer Van Aartsbergen et Emilia Van der Capellen* 1653, h/t (137,5x171) : **BEF 372 896**.

WEST Francis Robert

Né en 1749 (?). Mort le 24 janvier 1809 à Dublin. XVIIIe-XIXe siècles. Actif à Londres. Irlandais.

Peintre de genre, portraits, dessinateur.

Il exposa à Londres, à la Royal Academy en 1790. La direction de la Royal Dublin Society's School lui fut confiée et il conserva ce poste jusqu'à sa mort.

Ventes Publiques : Londres, 21 nov. 1985 : *Personnages dans un intérieur faisant de la musique*, craie noire et estompe/trait de cr. (46x58,5) : **GBP 1 800** – Dublin, 12 déc. 1990 : *Berger avec ses moutons et du bétail* 1772, cr. de coul. et craies (55,9x38,1) : **IEP 600**.

WEST Franz

Né en 1947 à Vienne. XXe siècle. Autrichien.

Sculpteur, peintre, technique mixte, créateur d'installations.

Il fut élève de Bruno Gironcoli à l'Académie des Beaux-Arts de Vienne. Il vit et travaille à Vienne.
Il figure à des expositions collectives, dont : 1990 Biennale de Venise, Pavillon autrichien ; 1992 Kassel, Documenta 9 ; 1994 Los Angeles, *Sculpture Court Plaza*, Museum of Contemporary Art ; 1997, *Skulptur. Projekte in Münster 1997*. Il montre ses œuvres dans des expositions personnelles : 1990 Paris, galerie Ghislaine Hussenot ; 1991 Cologne, galerie Max Hetzler ; 1991, 1995, Villa Arson, Nice ; 1993 New York, galerie David Zwirner ; 1995, galerie Rodolphe Janssen, Bruxelles ; 1997, FRAC Champagne-Ardennes, Reims.
Franz West a une activité permanente de peintre de collages, non dénués d'un éventuel effet comique obtenu en détourant un personnage de placard publicitaire de l'objet même de la publicité, ce qui rend sa mimique insensée, cette activité semblant toutefois souvent marginale. En général du côté du volume, il utilise et assemble des bandes de pansements enroulées autour d'une infrastructure en tiges métalliques. Ses *Passstücke*, « sculptures corporelles » dont doit se saisir le spectateur-acteur, constituent un passage entre une sculpture en tant que telle et un état psychique auquel elle contribue, l'objet à porter infligeant au corps porteur des postures pénibles ou ridicules. Dans les années quatre-vingt, ses sculptures en papier mâché peint, tendant à l'abstraction formelle, se veulent incitatrices à une utilisation praticable, éventuellement sous-tendue par des textes, sinon même mobilière à l'insu du visiteur qui en devient utilisateur de bonne foi. Dans les années quatre-vingt-dix sont apparues les *Têtes de lémures*. De toute façon, il semble bien que Franz West soit attentif aux sollicitations du moment et ne cherche pas à inscrire l'ensemble de ses activités créatrices dans une continuité évidente.
Bibliogr. : In : *Diction. de l'Art Mod. et Contemp.*, Hazan, Paris, 1992 – Robert Fleck : *Franz West de la marge au centre*, in Art Press, N° 187, Paris, janv. 1994.
Musées : Genève (Mus. d'Art Mod. et Contemp.) – Reims (FRAC) : *Combo* 1996.
Ventes Publiques : Lucerne, 4 juin 1994 : *Franz West et Suvat* 1987, techn. mixte/pap. en deux parties (29x41,5) : **CHF 1 800** – Francfort-sur-le-Main, 14 juin 1994 : *Trou du cul* 1994, sculpt. (40x45x26) : **DEM 15 500** – Zurich, 30 nov. 1995 : *Accumulateur VI, fer, plâtre, papier mâché*, gaze et dispersion (164x65x50) : **CHF 6 325**.

WEST Gertrude
Née le 18 mars 1872 à Birmingham. XIXe-XXe siècles. Britannique.
Peintre de miniatures, fleurs.
Elle était active à Londres.

WEST Gladys M. G.
Née en 1897 à Philadelphie. XXe siècle. Américaine.
Peintre-décorateur.
Elle fut élève de l'Académie des Beaux-Arts de Philadelphie.

WEST Johann
XVIIe siècle. Actif à Bartfeld dans la seconde moitié du XVIIe siècle. Hongrois.
Sculpteur sur bois.
Il a sculpté le buffet d'orgues de l'église de Hermannstadt (Sibiu, Roumanie) en 1672.

WEST Johannes Hendrick Van
Né le 30 septembre 1803 à La Haye. Mort en 1881 à La Haye. XIXe siècle. Hollandais.
Peintre de genre.
Élève de C. Kruseman. Le Musée d'Amsterdam conserve de lui *Le billet doux*.

WEST Joseph
Né en 1797. XIXe siècle. Britannique.
Aquarelliste.
Il était actif à Bath. Il exposa à la British Institution de Londres, de 1824 à 1834. Voir aussi son homonyme.
Musées : Édimbourg : *Scène de Roméo et Juliette*.

WEST Joseph
Né à Farnhill près de Keighley. Britannique.
Peintre-aquarelliste.
Voir aussi son homonyme.
Musées : Doncaster – Wakefield.

WEST Joseph Walter
Né à Hull. XIXe siècle. Britannique.
Peintre.
Il figura aux expositions du Salon des Artistes Français de Paris ; mention honorable en 1901. Probablement identique à Walter West.
Ventes Publiques : Londres, 17 oct. 1984 : *A pageant in the Piazza, XVth Century Venice* 1930, temp./trait de cr. reh. d'or/pan. (40,6x34,3) : **GBP 1 250**.

WEST Michael
Né vers 1791. XIXe siècle. Irlandais.
Peintre.
Fils de Francis Robert West. Il exposa à Dublin en 1814.

WEST Michael
XXe siècle. Américain (?).
Peintre.
Ventes Publiques : New York, 26 fév. 1993 : *Sans titre*, h/t (43,2x63,5) : **USD 1 725**.

WEST Peter B.
Né en 1833 à Bedford. Mort le 3 octobre 1913 à Albion. XIXe-XXe siècles. Américain.
Peintre animalier et paysagiste.
Il s'établit aux États-Unis en 1863.

WEST Raphael Lamar
Né en 1769 à Londres. Mort le 22 mai 1850 à Bushey Heath. XVIIIe-XIXe siècles. Américain.
Peintre de genre, aquafortiste, lithographe.
Fils de Benjamin. Il peignit des scènes du théâtre de Shakespeare.
Ventes Publiques : Londres, 19 juil 1979 : *St. Georges secourant la princesse des griffes du dragon* 1783, pl. (67,5x50,5) : **GBP 900** – Londres, 8 juil. 1982 : *Un artiste dans un paysage, dessinant*, pl./trait de fus. (35x26,5) : **GBP 650** – New York, 11 jan. 1989 : *Peur*, encre (17,7x21,8) : **USD 550** – New York, 9 jan. 1991 : *Deux garçons sous un vieux cèdre*, encre (34,9x48,9) : **USD 1 210**.

WEST Richard Whatley
Né le 18 janvier 1848 à Dublin. Mort en février 1905 à Alassio. XIXe-XXe siècles. Irlandais.
Peintre de paysages.
Il n'eut aucun maître. Il peignit des paysages d'Irlande et des environs d'Alassio.
Ventes Publiques : New York, 20 juil. 1995 : *Cueillette des oranges à Alassio ; Sous la tour de Laiguegлia* 1889, h/cart., une paire (chaque 15,2x23,2) : **USD 2 875**.

WEST Robert
XVIIIe siècle. Actif à Londres. Britannique.
Dessinateur d'architectures.
Il a réalisé des dessins d'architecture et des plans.

WEST Robert
Né à Waterford. Mort en 1779 à Dublin. XVIIIe siècle. Irlandais.
Dessinateur.
Élève de Boucher et de Van Loo à Paris. Il travailla à Dublin.

WEST Robert Lucius
Né vers 1774 en Irlande. Mort le 3 juin 1850. XVIIIe-XIXe siècles. Irlandais.
Peintre de portraits, miniaturiste.
Fils de Francis Robert West. Membre fondateur de la Royal Ibernian Academy. Il succéda à son père comme directeur de la Royal Dublin Society's School et conserva ce poste jusqu'à sa mort.
Il exposa à la Royal Academy à Londres en 1793.
Musées : Dublin : *Autoportrait*, miniat. – *Portrait de J.H. Brocas* – *Portrait de lord Lifford*.
Ventes Publiques : Londres, 22 juin 1973 : *Portrait of Commander George C. Urmston* 1837 : **GNS 480** – Londres, 11 avr. 1980 : *Portrait of Commander George Constantine Urmston* 1817, h/t (99,7x78,7) : **GBP 850** – New York, 6 oct. 1995 : *Portrait de William Hoare Hume*, h/t, esq. (194,9x125,1) : **USD 16 100**.

WEST Samuel
XIXe siècle. Américain.
Peintre de portraits.
Il était actif à Philadelphie vers 1830.

WEST Samuel
Né vers 1810 à Cork. Mort après 1867. XIXe siècle. Irlandais.
Peintre d'histoire, portraits.
Il fit ses études à Rome. Il exposa à Londres de 1840 à 1867. Il peignit surtout des portraits d'enfants.
Ventes Publiques : New York, 27 mai 1993 : *Portrait de deux sœurs* 1856, h/t (94x73,7) : **USD 13 800**.

WEST Sophie
Née en 1825 à Paris. Morte le 12 mai 1914 à Pittsburgh. XIXe-XXe siècles. Depuis 1845 active aux États-Unis. Française.
Peintre de paysages.
Elle s'établit dans les États-Unis en 1845.

WEST Temple
Né vers 1740. Mort le 17 septembre 1783. XVIIIe siècle. Britannique.
Peintre amateur.
Il peignit des marines et des paysages et exposa à Londres en 1778.

WEST Victor. Voir **WUEST**

WEST Walter, ou Joseph Walter
Né vers 1860. Mort en juin 1933 en Middlesex. XIXe-XXe siècles. Britannique.
Peintre de paysages, graveur.
Il fut élève d'Edwin Moore et de la Royal Academy de Londres. Il y exposa à partir de 1885. Il était aussi aquafortiste, graveur au pointillé, lithographe et décorateur.
Musées : Londres (Tate Gal.) : *Vue du Lac de Côme.*

WEST William, dit **Waterfall** ou **Norway**
Né en 1801 à Bristol. Mort en janvier 1861 à Chelsea. XIXe siècle. Britannique.
Peintre de paysages animés, paysages.
Il vécut à Bristol la majeure partie de sa vie, exposant à Londres de 1824 à 1871, notamment à la Royal Academy, à la British Institution et surtout à la Society of British Artists (Suffolk Street) dont il fut membre à partir de 1851.
Il peignit particulièrement les côtes du Devonshire et des vues de Norvège.
Musées : Bristol : *Clifton – Roches d'ardoises à Ilfracombe – Col du Simplon* – Londres (Victoria and Albert Mus.) : *Passe dans la montagne en Norvège*, aquar.
Ventes Publiques : Paris, 20 juin 1951 : *L'orage* : **FRF 2 800** – Londres, 18 mars 1980 : *Paysage des Indes*, aquar. et cr. (22x32,5) : **GBP 900** – Londres, 14 juil. 1983 : *Cascade en Norvège*, h/t (71x91) : **GBP 2 000** – Londres, 1er nov. 1985 : *Paysage au torrent*, h/t (90,2x121,5) : **GBP 2 800** – Stockholm, 19 mai 1992 : *Paysage de montagne avec un torrent en Norvège*, h/t (115x183) : **SEK 19 000** – Londres, 13 avr. 1994 : *La cueillette de fleurs des bois* 1847, h/t (84x115,5) : **GBP 8 625**.

WEST William
XIXe siècle. Britannique.
Graveur d'ex-libris.
Il travaillait à Londres de 1830 à 1840.

WEST William Edward ou **Edmund**
Né en 1788 à Lexington. Mort en 1857 à Nashville. XIXe siècle. Américain.
Peintre de portraits.
Il fit ses études à Philadelphie et peignit surtout des portraits.
Ventes Publiques : Londres, 11 juil. 1990 : *Portrait de George Gordon, 6e Baron Byron portant le tartan et une chemise blanche*, h/t (73x60) : **GBP 8 800**.

WESTALL R.
XIXe siècle. Actif à Londres. Britannique.
Paysagiste.
Il exposa à Londres de 1848 à 1889.

WESTALL Richard
Né probablement en 1765 ou 1766 à Hertford. Mort le 4 décembre 1836 à Londres. XVIIIe-XIXe siècles. Britannique.
Peintre d'histoire, compositions mythologiques, scènes de genre, paysages, aquarelliste, illustrateur, graveur au burin.
D'abord apprenti chez un graveur d'armoiries. Dessinant à ses heures de loisir il fut à même d'exposer à la Royal Academy en 1784, et l'année suivante, d'entrer à l'école de cet Institut. Il fut élu associé de la Royal Academy en 1792 ; il fut académicien en 1794. Il fut professeur de dessin de la reine Victoria.
Dès le début de sa carrière, il fut employé par Boydell dans sa galerie de Shakespeare. Il peignit également de grandes compositions historiques dans lesquelles on peut constater plus d'imagination que de savoir. Ce fut également un fécond illustrateur, et, nombre de critiques estiment que c'était son véritable genre. On doit à Westall un grand nombre de sujets gracieux, reproduits par les graveurs de son temps.

Cachet de vente

Musées : Dublin : Une aquarelle – Glasgow : *Télémaque chez Calypso – Sainte Cécile – Télémaque débarquant dans l'île de Calypso* – Liverpool : *La dernière requête* – Londres (Nat. Portrait Gal.) : *Byron* – Londres (Nat. Gal.) : *Philip Samson, enfant* – Londres (Wallace coll.) : *Vénus et Amours folâtrant* – Londres (Victoria and Albert Mus.) : cinq aquarelles – Manchester : *Sacre d'Alfred le Grand par le pape Léon IV* – Nottingham : *Junon empruntant la ceinture de Vénus* – trois aquarelles.
Ventes Publiques : Paris, 1842 : *Psyché découvrant l'Amour endormi* : **FRF 1 170** – Paris, 1894 : *Scène pastorale* : **FRF 975** – Londres, 4-5 mai 1922 : *Lord Byron* : **GBP 273** – Londres, 22 mai 1924 : *Groupe de quatre petits paysans*, dess. : **GBP 105** – Londres, 28-29 juil. 1927 : *Portrait de femme* : **GBP 157** – Paris, 28 oct. 1927 : *Pastorale et Jeune homme et son précepteur*, deux aquarelles : **FRF 2 000** – Londres, 12 juin 1931 : *Portrait de femme* : **GBP 304** – Londres, 31 mars 1944 : *Strephon et Phyllis*, dess. : **GBP 189** – New York, 9 oct. 1974 : *L'épée de Damoclès* 1812 : **USD 4 250** – New York, 18 nov. 1976 : *Pacohontas plaidant pour la vie du capitaine John Smith*, h/t (101,5x127) : **USD 800** – Londres, 22 nov 1979 : *The surrender of Calais*, aquar. et pl. (43x60) : **GBP 600** – Londres, 23 mars 1979 : *Berger et moutons dans un paysage boisé* 1832, h/t (99,2x121,2) : **GBP 1 200** – New York, 8 jan. 1981 : *David Garrick dans le rôle du roi Lear*, h/t (73x59,5) : **USD 3 000** – New York, 23 fév. 1983 : *Scènes de Guy Mannering de Walter Scott*, aquar. et cr., suite de quatre (13,5x10,7) : **USD 1 200** – Londres, 2 mars 1983 : *Helen of the Scaean gate, come to view the combat between Paris and Menelaus* 1808, h/t (153x192) : **GBP 2 600** – Londres, 19 nov. 1985 : *Strephon and Phyllis* 1794, aquar. et cr. reh. de blanc (44,5x35,2) : **GBP 13 000** – Londres, 15 juil. 1988 : *Portrait d'une dame et de sa fille vêtues de robes blanches*, h/t (76,8x63,8) : **GBP 6 380** – Londres, 12 juil. 1989 : *Hotspur, Worcester, Mortimer et Owen Glendower conspirant pour diviser le royaume, Henry IV de Shakespeare* : **GBP 60 500** – Londres, 12 avr. 1991 : *La déesse de Rome apparaissant à César sur les rives du Rubicon*, h/t (73x94) : **GBP 4 400** – Londres, 12 juil. 1991 : *Le Christ priant au Mont des Oliviers*, h/t (292,4x231,4) : **GBP 4 400** – York (Angleterre), 12 nov. 1991 : *Héloïse*, h/t (192x145,5) : **GBP 11 000** – Monaco, 20 juin 1992 : *Un troupeau attaqué par des lions – épisode de l'Histoire d'Achille* 1809, h/pan. (115,5x158) : **FRF 155 400** – Londres, 12 juil. 1995 : *Una et le lion*, h/t (126,5x101) : **GBP 5 750** – Paris, 2 déc. 1996 : *Jeune Femme et enfant au bord d'une rivière* 1802, cr., aquar. et gche (26x38,5) : **FRF 10 000**.

WESTALL William
Né le 12 octobre 1781 à Hartford. Mort le 22 janvier 1850 à Saint-John's Wood. XIXe siècle. Britannique.
Peintre de paysages, aquarelliste, graveur au burin, lithographe.
Frère et élève de Richard Westall. Il travailla aussi à l'école de la Royal Academy. À l'âge de 19 ans, il partit comme dessinateur de l'expédition en Australie du capitaine Flinders. Ayant fait naufrage sur les côtes d'Australie, il fut sauvé par un navire frêté pour les mers de la Chine. Ce fut, pour notre artiste l'occasion de visiter le céleste Empire. Il alla ensuite à Bombay et après un séjour aux Indes Anglaises, il revint en Angleterre en 1805, après avoir failli se noyer à Madère et avoir perdu la presque totalité de ses études. Il mourut victime d'un accident.
Il exposa à Londres de 1801 à 1849, particulièrement à la Royal Academy et à la British Institution. Associé en 1810 et membre en 1811 de la Old Water-Colour Society, il démissionna en 1812, et fut la même année associé de la Royal Academy.
Ses travaux sont surtout des aquarelles topographiques.
Musées : Londres (Victoria and Albert Mus.) : *Port Jackson – Sydney* 1804 – *Cottage – Église de village – Scène dans une rue – Château de Lancastre – Hôtel de ville et marché de Darlington – Micklegate (York) – Preston – La Bourse – Newcastle – Marché et hôtel de ville – Lancastre – Kendael – Wesmoreland* – Londres (Manchester) : *Windermere* – Nottingham : deux vues de châteaux – *Château de Donsington – Moulin à Willnthorpe – Château de Mattock – Château de Piervakam – Fountain Abbey – Prieuré*

de Mattock - Claverton (Sommersetshire) - Abbaye de Winbach - Château de Tong - Paysage avec Monuments - Scène sur un lac - Paysage avec montagnes dans le lointain - Résidence de sir G. O. Turner - Howkestone, Den Yorkshire - Wytham - Groupe de fruits.
Ventes Publiques : Londres, 22 juil. 1959 : *Le jardin du marchand Hong* : **GBP 440** - Londres, 13 déc. 1972 : *Richmond hill* : **GBP 6 000** - Londres, 5 juin 1973 : *L'entrée de Newmarket animée de personnages et chevaux*, aquar. : **GNS 1 300** - Londres, 9 nov. 1976 : *Vue de Macao* vers 1804, aquar. et pl. (20x27,5) : **GBP 800** - Londres, 14 oct. 1977 : *Wreck Reef*, aquar. (28x41) : **GBP 2 800** - Londres, 18 mars 1980 : *Bergers et moutons dans un paysage de neige* 1826, aquar. et cr. (18,5x27) : **GBP 1 250** - Londres, 16 juil. 1981 : *Nouveau Collège d'Oxford, vue depuis les jardins*, aquar. avec reh. de gche (27x31) : **GBP 720** - Melbourne, 6 avr. 1987 : *Femmes indigènes d'Australie occidentale* 1801, cr. (17x24,5) : **AUD 34 000** - Londres, 28 mai 1987 : *Port Jackson-Nouvelles-Galles-du-Sud* 1808, aquar., traits de cr./pap. mar./cart. (10,2x18,9) : **GBP 4 200** - Londres, 29 jan. 1988 : *Rochers dans un cours d'eau de montagne*, h/t (112,1x163,2) : **GBP 8 800** - Londres, 18 nov. 1988 : *Les ruines de Newstead Abbey avec la tombe du chien de Byron, Botswain*, h/t (45,8x58,7) : **GBP 3 520** - Londres, 21 mars 1990 : *Près d'un torrent de montagne*, h/t (91,5x71) : **GBP 2 750** - Londres, 16 mai 1990 : *Paysage montagneux avec des chênes-liège et un berger menant ses chèvres sur la chemin longeant la rivière*, h/t (49,5x75) : **GBP 3 740** - Londres, 27 mars 1996 : *Promenade le long de la rivière* 1847, h/t (86x117,5) : **GBP 6 900** - Londres, 3 avr. 1996 : *Le vieux Richmond depuis les prairies bordant la Tamise*, h/pan. (29,5x50) : **GBP 9 775**.

WESTBROECK Willem
Né en 1918 à Rotterdam. xxe siècle. Hollandais.
Peintre de paysages. Naïf.
Il a exercé divers métiers.
Ses paysages débordent de couleur verte qui, pour lui, symbolise la vie, la nature menacée et l'espoir.

WESTCHILOFF Constantin Alexandrovitch, ou **Konstantin Alexandrovich** ou **Westchilov**
Né le 20 novembre 1877. Mort en 1945. xxe siècle. Russe.
Peintre de genre, figures, portraits, paysages, marines.
Il fut élève de l'Académie des Beaux-Arts de Saint-Pétersbourg.
Il exposa à Saint-Pétersbourg en 1906 des portraits et des scènes contemporaines. Apparemment voyageur, il peint les paysages des contrées ou sites visités.
Ventes Publiques : New York, 30 oct. 1985 : *La place Saint-Marc, Venise* 1925, h/t (64,2x100,5) : **USD 2 800** - New York, 24 jan. 1989 : *Paysage du Maine*, h/t (85x1025,5) : **USD 1 980** - Paris, 24 jan. 1990 : *Les Falaises de Capri*, h/t (50x61) : **FRF 4 000** - Paris, 28 oct. 1990 : *Sous-bois*, h/t (54x73) : **FRF 7 500** - New York, 21 mai 1991 : *Vue de Santa Maria della Salute au clair de lune*, h/t (50,8x61) : **USD 2 420** - Paris, 10 juin 1992 : *Vagues déferlant sur la falaise*, h/t (60x49) : **FRF 6 000** - Paris, 27 nov. 1992 : *Ruisseau dans la neige avec des sapins et la montagne au fond*, h/t (53x64) : **FRF 3 200** - New York, 20 juil. 1994 : *Grande marine à Capri* 1930, h/t (66x95,3) : **USD 2 990** - Londres, 11-12 juin 1997 : *Stenka Razin et une beauté persanne*, h/t (102x168) : **GBP 9 200**.

WESTCOTT Lilian. Voir **HALE**

WESTCOTT Philipp
Né en 1815 à Liverpool. Mort le 5 janvier 1878 à Manchester. xixe siècle. Britannique.
Peintre de portraits.
Il passa la première partie de sa carrière à Londres, où il exposa de 1844 à 1861, particulièrement à la Royal Academy. Plus tard, il partit pour le nord de l'Angleterre, résidant presque constamment à Liverpool et à Manchester, où il bénéficia d'une solide réputation.
Musées : Liverpool : *Sir J. Bent* - Salford : *William Lochett - Stephen Helis - E. R. Longworthy - Joseph Brotherton - John Kay.*
Ventes Publiques : Londres, 28 jan. 1977 : *Portrait de Master Henry Collison* 1859, h/t (141x100,4) : **GBP 1 200**.

WESTENBERG Pieter George
Né en 1791 à Nimègue. Mort le 26 décembre 1873 à Brummen. xixe siècle. Hollandais.
Peintre d'architectures, animalier, paysages.
Élève de Jan Hulswit.

Cachet de vente

Musées : Amsterdam : *Un coin d'Amsterdam en hiver* - Haarlem : *Vue d'une ville* - La Haye : *Deux vaches au gué* - Rotterdam (Mus. Boymans) : *Paysage.*
Ventes Publiques : Amsterdam, 19 mai 1981 : *La Route enneigée* 1820, h/t (56x71) : **NLG 9 600** - Amsterdam, 30 oct. 1991 : *Vue de l'Ij à Amsterdam en hiver* 1860, h/pan. (35x43) : **NLG 6 325** - Londres, 16 juin 1993 : *Figures dans un paysage hollandais* 1853, h/t (73x89) : **GBP 6 900**.

WESTENDORP-OSIECK Betsy. Voir **OSIECK Betsy**

WESTENGAARD Johanne Marie. Voir **FOSIE Johanne Marie**

WESTENHOLT H.
xviie siècle. Travaillant à Sejerslev en 1675. Danois.
Portraitiste.

WESTER Cornelis
Né le 9 février 1809 à Bergum. xixe siècle. Hollandais.
Portraitiste.
Élève de T. Eernstmann et de W. B. Van der Kooj.

WESTERBAEN Jan Jansz, l'Ancien
Né vers 1600 à La Haye. Mort le 16 septembre 1686 à La Haye. xviie siècle. Hollandais.
Peintre de portraits.
Élève de Everard Kryn Van de Maes en 1619. Il fut admis en 1624 dans la gilde de Saint-Luc à La Haye. En 1642 et 1643, un Jean Westerbaen fut commissaire de la gilde. En 1650 et 1651, Johann Westerbaen remplissait les mêmes fonctions. On a émis l'hypothèse que ce pouvait être le fils de notre artiste, mais la chose paraît peu probable vu l'âge de celui-là. Westerbaen fut un des organisateurs de la nouvelle confrérie des peintres à La Haye. Malgré la durée de sa carrière, ses tableaux sont extrêmement rares.
Musées : La Haye : *Arnoldus Geerstranus - Mme Geerstranus née Suzanne Pret. Oostydk* - La Haye (Mus. mun.) : *Portraits de femme.*
Ventes Publiques : Helswijk, 1900 : *Portrait de Geerstranus, ministre à La Haye* : **FRF 284** - Londres, 9 févr 1979 : *Portrait d'un gentilhomme* 1624, h/t (95,2x81,8) : **GBP 1 900**.

WESTERBAEN Jan Jansz, le Jeune
Né vers 1631 à La Haye. Mort avant 1672 à La Haye. xviie siècle. Hollandais.
Peintre de portraits.
Il fut probablement d'abord élève de son père Jan Jansz Westerbaen l'Ancien, et en 1648, d'Adr. Hanneman. En 1656, il fut un des fondateurs de la confrérie des peintres de La Haye.
Musées : Liverpool : *Sir John Bent* - Salford : *E. R. Langworthy - Stephen Weelis - William Lockett - Joseph Brotherton - John Kay.*
Ventes Publiques : Amsterdam, 19-20 fév. 1997 : *Portrait d'une jeune lady en buste portant une robe noire* 1652, h/pan. (29,5x23) : **NLG 8 649**.

WESTERBEEK Cornelis
Né le 13 avril 1844 à Sassenheim. Mort le 22 octobre 1903 à La Haye. xixe siècle. Hollandais.
Peintre de paysages animés, animalier.
Il fut élève de l'Académie des Beaux-Arts de La Haye.
S'il a entièrement sacrifié au genre pastoral, il est resté en outre attaché aux paysages typiques hollandais.

C Westerbeek

Musées : Amsterdam : *Vaches au bord de l'eau - Coucher de soleil* - Minneapolis : *Scène pastorale en Hollande.*
Ventes Publiques : Bruxelles, 26 mars 1974 : *Bétail dans un paysage marécageux* : **BEF 100 000** - Cologne, 26 mars 1976 : *Trou-*

peau au pâturage 1898, h/t (51x80) : **DEM 3 800** – Londres, 6 mai 1977 : *Bergère et troupeau dans un paysage* 1898, h/t (29,2x45,7) : **GBP 1 100** – Londres, 5 avr 1979 : *Le retour du troupeau* 1897, h/t (51x76) : **GBP 1 900** – Londres, 16 juin 1982 : *Berger et troupeau de moutons* 1900, h/t (63x109) : **GBP 1 900** – Londres, 26 fév. 1988 : *Bétail broutant dans une prairie*, h/t (51,3x80,7) : **GBP 1 320** – Amsterdam, 10 fév. 1988 : *Vaches dans un pré traversé d'un cours d'eau près d'un moulin*, h/pan. (22x36) : **NLG 7 475** – Édimbourg, 22 nov. 1988 : *La rentrée du troupeau*, h/t (60,8x101,6) : **GBP 3 000** – Amsterdam, 28 fév. 1989 : *Vaches dans une prairie avec des moulins à vent au fond* 1888, h/t (56x88,5) : **NLG 10 925** – Édimbourg, 26 avr. 1990 : *Fin de journée* 1897, h/t (50,8x80) : **GBP 1 980** – Amsterdam, 2 mai 1990 : *Vaches sur les berges d'une rivière avec des moulins à distance*, h/t (24,5x40) : **NLG 3 680** – Amsterdam, 11 sep. 1990 : *Bétail près d'un ruisseau un après-midi d'été*, h/pan. (12x19,5) : **NLG 2 530** – Amsterdam, 23 avr. 1991 : *Paysage de polder un jour brumeux avec des vaches dans un pré* 1886, h/t (60x90) : **NLG 3 680** – Londres, 4 oct. 1991 : *Bergère et son troupeau* 1899, h/t (61x99) : **GBP 2 860** – Amsterdam, 5-6 nov. 1991 : *Paysage de polder avec des vaches au bord de l'eau* 1896, h/t (58,5x98,5) : **NLG 6 210** – Amsterdam, 18 fév. 1992 : *Paysage fluvial avec des vaches et un moulin à distance* 1892, h/t (70x112) : **NLG 5 175** – Amsterdam, 20 avr. 1993 : *Bétail dans un pré*, h/t (57x106) : **NLG 4 600** – Amsterdam, 19 oct. 1993 : *Vaches se désaltérant par une chaude journée d'été* 1889, h/t (64,5x110) : **NLG 10 925** – Londres, 17 mars 1995 : *Berger et son troupeau*, h/t (60,2x100,4) : **GBP 1 495** – Lokeren, 11 mars 1995 : *Paysage de polder avec des vaches et des moutons* 1891, h/t (70x95) : **BEF 80 000** – Londres, 31 oct. 1996 : *Moutons en marche* 1891, h/t (61x91) : **GBP 2 070** – Amsterdam, 19-20 fév. 1997 : *Ferme dans un paysage de polder au crépuscule* 1891, h/t (61x101) : **NLG 6 919** – New York, 26 fév. 1997 : *Berger avec son troupeau* 1900, h/t (80x139,7) : **USD 8 625**.

WESTERBERG Eduard. Voir **VESTERBERG Eduard**

WESTERDUIN Anne, ou **Anneke**

Née le 19 septembre 1945 à Ostende. xxe siècle. Belge.

Peintre, peintre de collages, dessinateur, peintre de décors de scène.

Elle fut élève de l'Académie des Beaux-Arts de Bruges. Pratique surtout le collage. Elle a également réalisé des décors de théâtre.

Bibliogr. : In : *Dict. biogr. illustré des artistes en Belgique depuis 1830*, Arto, Bruxelles, 1987.

WESTERFELDT Abrahan Van. Voir **WESTERVELD**

WESTERGAARD H. V.

Mort en août 1928 à Copenhague (?). xixe-xxe siècles. Danois.

Peintre et aquafortiste.

WESTERGREN Magnus ou **Andreas Magnus**

Né le 2 février 1844 à Stockholm. xixe siècle. Suédois.

Dessinateur.

Élève de l'Académie de Stockholm. Il dessina des sujets d'histoire naturelle.

WESTERHEN Rogier de

D'origine flamande. xve siècle. Travaillant à Dijon vers 1400. Éc. flamande.

Sculpteur.

Il fut assistant de Claus Sluter à la Chartreuse de Champmol.

WESTERHON Victor

Né le 4 janvier 1860 à Abo. Mort le 19 novembre 1919. xixe-xxe siècles. Finlandais.

Peintre de genre et de paysages.

Il figura aux Expositions de Paris ; médaille d'argent en 1889 (Exposition Universelle) et 1900 (Exposition Universelle).

Musées : Abo – Helsinki : *À l'atelier – Jour d'octobre à Aland – Paysage à Aland.*

WESTERHOUT Alexander Hendricksz Van ou **Westerholdt**

Né vers 1588 à Utrecht. Mort le 9 décembre 1661 à Gouda. xviie siècle. Hollandais.

Peintre verrier.

Élève de Jan Van Burg. Il exécuta les vitraux de l'église Saint-Jean de Gouda.

WESTERHOUT Arnold

Né le 21 février 1651 à Anvers. Mort le 18 avril 1725 à Rome. xviie-xviiie siècles. Éc. flamande.

Graveur au burin, peintre et dessinateur.

Il reçut les premiers éléments de son art dans sa ville natale et alla compléter son éducation en Italie. Il travailla à Florence pour le grand-duc Ferdinand. Il s'établit à Rome en 1700 et y termina sa carrière. Son œuvre est importante.

WESTERHOUT Balthasar Van

Mort le 21 avril 1728 à Prague. xviiie siècle. Actif à Anvers. Éc. flamande.

Graveur au burin.

Élève de L. Goutier à Anvers. Il grava des portraits et des scènes historiques.

WESTERIK Jakobus dit **Co**

Né en 1924 à La Haye. xxe siècle. Hollandais.

Peintre, aquarelliste, dessinateur, graveur, lithographe.

De 1942 à 1947, il fut élève de l'Académie des Beaux-Arts de La Haye. Depuis 1968, il a été professeur à l'Académie de La Haye. Son œuvre a été présenté dans plusieurs expositions rétrospectives : 1971 Amsterdam, Stedelijk Museum ; 1983-84 Berlin, Kunsthalle, et La Haye, Gemeentemuseum.

Sa peinture reflétait d'abord à la fois son admiration pour la précision narrative des primitifs flamands et l'influence directe des peintres de la Neue Sachlichkeit (Nouvelle Objectivité) autour d'Otto Dix dans les années vingt. Sa production est remarquablement réduite, entre 1946 et 1981 environ soixante-dix peintures. Ses thèmes s'inspirent de la vie quotidienne dans sa diversité familière ou dramatique. Après une période d'observation figurative, s'il garde le contact avec le réel, c'est ensuite avec des objectifs d'introspection psychologique, pouvant déborder sur le pathologique paroxystique, ce qui alors rapproche son œuvre du courant du « réalisme magique » de l'après-guerre. Le personnage humain, souvent représenté en gros plan, ou fragmenté à son seul visage ou à une partie de son corps, se trouve mentalement aux prises avec les éléments, la terre, l'eau, une nature hostile, l'herbe ordinaire étant devenue arborescente le submerge, le sol mouvant l'aspire inexorablement. Dans l'œil du cyclone, le personnage anonyme, sans regard quand il n'est pas de dos, personne qui comme le cyclope se nommerait plutôt personne, est comme absent à ce qui se passe, on ne maîtrise pas les cauchemars, ce sont eux qui commandent. ■ J. B.

Bibliogr. : In : *Diction. Univers. de la Peint.*, Le Robert, Paris, 1975 – W. A. L. Beeren : *Co Westerik, Schilder*, Venlo, 1981 – in : Catalogue de le Nouvelle Biennale, Paris, 1985 – in : *L'Art du xxe siècle*, Larousse, Paris, 1991.

Musées : Amsterdam (Stedelijk Mus.) : *Coupé par l'herbe* 1966 – *Homme à l'haleine invisible* 1977 – La Haye (Gemeentemus.) : *Homme dans l'eau, femme en bateau* 1959 – *Homme avec un chien dans une chambre* 1966, dessin – *Soldat dans un paysage* 1972 – Rotterdam (Boymans Van Beuningen Mus.) : *Femme dans une petite chambre.*

Ventes Publiques : Amsterdam, 22 mai 1990 : *Regards vers le mur* 1966, encre et aquar./pap. (22,5x17) : **NLG 3 220** – Amsterdam, 12 déc. 1990 : *La taille des rosiers* 1970, encre et aquar./pap. (23x28) : **NLG 4 600** – Amsterdam, 11 déc. 1991 : *Composition* 1974, aquar. et encre/pap. (14x14,5) : **NLG 1 725** – Amsterdam, 10 déc. 1992 : *Une femme avec des fleurs assise près d'une table* 1960, encre et aquar./pap. (19,5x23,5) : **NLG 1 725** – Amsterdam, 8 déc. 1993 : *Plante, homme, femme et enfant* 1968, encre et aquar./pap. (24x17) : **NLG 1 725** – Amsterdam, 31 mai 1994 : *Homme écrivant devant son bureau* 1974, encre et aquar./pap. (19x23) : **NLG 2 645** – Amsterdam, 1er juin 1994 : *Mère et un enfant qui pleure* 1958, h/cart. (50x55) : **NLG 31 000** – Amsterdam, 4 juin 1996 : *Femme au nuage de pluie* 1969, h/t (40x50) : **NLG 25 960** – Amsterdam, 2 déc. 1997 : *Étude de paysage* 1958, h/pan. (85x90) : **NLG 46 128.**

WESTERLOO Els Van

Né en 1945 à Amsterdam. xxe siècle. Hollandais.

Sculpteur de figures, animalier.

Il est souvent exposé par la galerie Lieve Hemel d'Amsterdam.

Bibliogr. : In : Catalogue de l'expos. *Une patience d'ange*, gal. Lieve Hemel, Amsterdam, 1995.

WESTERLUND Kerstin Jacob

Né le 4 août 1941 à Stockholm. xxe siècle. Suédois.

Peintre, graveur, muraliste.

Entre 1960 et 1964, il fit ses études à l'École d'Art de Konstfack, puis, de 1965 à 1970 à l'Académie des beaux-arts de Konsthögskolan. Il a participé à des expositions internationales au Danemark en 1973, et à Santa Cruz de Tenerife en 1986. Il a exposé à Stockholm en 1970, 1973, 1975, 1981 et 1983 ; à Göteborg en 1974 et 1984 ; à Tempere, Lathis, Kemi (Finlande) en 1977. En dehors

de ses toiles peintes souvent à l'acrylique, il a réalisé des peintures murales, notamment à la salle des mariages de la mairie de la villede Solna, à l'Hopital de Roslagen, près de Stockholm, et dans le métro de Stockholm. Ses œuvres sont traitées de manière hyperréaliste, souvent avec un arrière-plan poétique.
Musées : Göteborg – Lahden (Art Mus.) – Stockholm (Nat. Mus.) – Tampere (Mus. of Mod. Art).

WESTERMAN Harry James
Né le 8 août 1876 à Parkersburg. xxe siècle. Américain.
Peintre et illustrateur.
Il était actif à Columbus.

WESTERMAN Jurrian
xviiie siècle. Travaillant à Amsterdam de 1720 à 1730. Hollandais.
Sculpteur sur pierre et sur bois.
Il sculpta les buffets d'orgues dans l'Ancienne Église d'Amsterdam et dans la Grande Église de Zwolle.

WESTERMANN Gerard
Né le 25 décembre 1880 à Leeuwarden. xxe siècle. Hollandais.
Peintre et graveur.
Il fut élève de l'Académie des Beaux-Arts d'Amsterdam, ville où il resta actif. Il exposa en 1933.
Ventes Publiques : Amsterdam, 24 mai 1989 : *Le jour de la Reine* 1935, h/cart. (188x129) : **NLG 1 840**.

WESTERMANN Hans
Né vers 1810 à Copenhague. Mort le 8 ? juin 1852. xixe siècle. Danois.
Paysagiste amateur.

WESTERMANN Horace Clifford
Né en 1922 à Los Angeles. Mort en 1981 à Danbury (Connecticut). xxe siècle. Américain.
Sculpteur d'assemblages, graveur.
Il étudia à l'Art Institute de Chicago. Il participait à des expositions collectives : 1961 New York, *The Art of Assemblage*, Museum of Modern Art ; 1972, invité à Documenta V à Kassel. Nombreuses expositions personnelles depuis 1958 à Chicago, Los Angeles et New York ; grande rétrospective au Los Angeles County Museum en 1968 ; en 1978 au Whitney Museum de New York.
Il a travaillé en marge de la « Monster school » de Chicago et sous la lointaine influence du surréalisme. Parmi ses premières œuvres se trouvent des boîtes en verre au contenu énigmatique, jouets, chaussures usées, moulages en métal de figurines indistinctes, photographies déchirées, etc. D'autres œuvres sont constituées de figurines en bois qui rappellent des dessins d'enfant, placées sur des planches et entourées de sortes de cactus en bois également. Il a taillé dans la pierre une série de ces citrouilles évidées en lanternes, qui animent si bien les apparitions de fantômes. Après 1960, il met un sérieux d'artisan dans le respect des matériaux. Ses gravures restent volontairement des ébauches, ses lithographies à la manière des bandes dessinées se plaisent dans le monde des cow-boys et des Indiens. Ainsi son œuvre s'installe-t-elle naturellement entre les rêveries de l'enfance et la mythologie américaine, n'évitant ni l'érotique, ni le macabre. D'autres œuvres se densifient d'un contenu de contestation sociale, par exemple, rejoignant des thèmes pop' sur la société de consommation, érigeant la boutelle de Coca-Cola sur un socle de marbre, ou magnifiant un objet mi-coffre-fort mi-prison.
Bibliogr. : In : *Diction. de l'Art Mod. et Contemp.*, Hazan, Paris, 1992.
Ventes Publiques : New York, 9 nov. 1982 : *Death ship of no port* 1968, bois rouge de Californie, ébène, cuivre et peau de chèvre (24x42,5x16,5) : **USD 30 000** – New York, 11 mai 1983 : *Bullseye* 1963, encre noire/miroir avec cadre, mur relief (34x34x6,5) : **USD 8 500** – New York, 1er nov. 1984 : *Groenland* 1976, aquar. et pl./pap. (49x64,8) : **USD 10 500** – New York, 9 mai 1984 : *Soldier* 1976, bois assemblage (H. 88,9) : **USD 18 000** – New York, 11 nov. 1986 : *Abandoned death ship of no port with a list* 1969 (12,7x56,5x10,5 pour le bateau et 27,8x75x20,4 pour la boîte) : **USD 19 000** – New York, 4 oct. 1989 : *Sans titre* 1978, aquar. et encre/pap. (30,5x22,8) : **USD 7 150** – New York, 5 oct. 1989 : *Objet sous pression* 1960, bois, métal et jauge de pression (185,4x35x41,3) : **USD 110 000** – New York, 31 oct. 1989 : *See America 1st.*, aquar., encre et collage/pap. (46,3x55,8) : **USD 4 180** – New York, 27 fév. 1990 : *Soldier* 1976, assemblage de bois sculpté (89x63,5x63,5) : **USD 33 000** – New York, 7 mai 1991 : *Sans titre*, coffret de bois avec une lettre, décoré de feutres de coul., stylo bille, timbres (24,7x22,9x19,3) : **USD 4 620** – New York, 7 mai 1992 : *Séquoia de Californie – au sujet du dernier de l'espèce* 1966, séquoia, cuivre et miroir (26x63,5) : **USD 7 150** – New York, 17 nov. 1992 : *Sans titre* 1976, stylo bille noir/pap. (28x34,2) : **USD 1 100** – New York, 19 nov. 1992 : *La maison des cochons pendus* 1972, pin, cuivre et gomme sur base de bois (138,5x99,1x45,1) : **USD 34 100** – New York, 10 nov. 1993 : *Air propre* 1964, bois, verre et mastic (40x57,8x37,2) : **USD 54 050** – New York, 2 mai 1995 : *C'est essentiellement un physique inhabituel* 1957, boîte techn. mixte avec l'intérieur aménagé (21,6x30,5x23,5) : **USD 25 300** – New York, 6 mai 1997 : *Where Angels Fear to Tread* 1962, bois (47x81,3x23,2) : **USD 18 400**.

WESTERMARK Helena
Née en 1857 à Helsinki. Morte en 1938. xixe-xxe siècles. Finlandaise.
Peintre.
Elle était aussi écrivain. Elle figura aux expositions de Paris ; mention honorable en 1889 (Exposition Universelle).

WESTERMAYER Konrad ou **Conrad**
Né le 30 janvier 1765 à Hanau (Hesse). Mort le 5 octobre 1834 à Hanau. xviiie-xixe siècles. Allemand.
Peintre et graveur au burin.
Il fit d'abord des portraits au pastel, sur parchemin et des miniatures. Il alla étudier à l'Académie de Kassel puis étudia la gravure à Weimar. En 1807, il s'établit professeur à Hanau. Le musée de cette ville conserve environ cinq cents planches gravées par cet artiste.

WESTERMAYER Peter
xviiie siècle. Autrichien.
Peintre de portraits, miniatures.
Il peignit des aristocrates hongrois.

WESTERMAYER Peter Paul
Né en 1756. Mort le 31 août 1825 à Vienne. xviiie-xixe siècles. Autrichien.
Graveur de portraits, vues de villes.
Probablement fils de Peter Westermayer.

WESTERMEYER Peter. Voir **WESTERMAYER**

WESTERN Henry
Né le 10 octobre 1877 à Londres. xxe siècle. Britannique.
Peintre de portraits, miniaturiste.

WESTERVELDT Abraham Van ou **Westerfeldt**
Mort en 1692 à Rotterdam. xviie siècle. Hollandais.
Peintre et calligraphe.
On connaît de lui *Portrait du prince Bazyli Multan*. Il fit aussi des tableaux représentant les scènes de batailles entre les polonais et les cosaques. Le Musée de Kiev conserve de lui *Audience à une délégation de cosaques*.

WESTERVOORT Arend Van
Né vers 1700 à Westvoort. Mort avant le 2 janvier 1754. xviiie siècle. Hollandais.
Graveur au burin.
Il travailla à Amsterdam.

WESTERWOUDT Joannes Bernardus Antonius Maria
Né le 20 décembre 1849 à Amsterdam. Mort le 2 avril 1906 à Arnhem. xixe-xxe siècles. Hollandais.
Peintre de genre.
Il fut élève des académies des Beaux-Arts d'Amsterdam et d'Anvers ; il se fixa à Haarlem.
Musées : Amsterdam (Rijksmus.) : *Le Noordermarkl à Amsterdam un jour de marché*, esquisse.

WESTFALIA Giovanni di. Voir **VELDENAER Johann**

WESTFALL Stephen
Né en 1953. xxe siècle. Américain.
Peintre. Abstrait-géométrique.
Il a aussi une importante activité de critique d'art. Il participe à des expositions collectives : 1995 New York, *Contemplative Geometry*, galerie André Emmerich ; 1997 Saint-Étienne, *Abstraction/Abstractions – Géométries provisoires* au musée d'Art moderne. Il montre ses œuvres dans des expositions personnelles : 1997, 1998, galerie Zürcher, Paris.
Avec toutes les réserves d'usage, la peinture de Westfall se situe entre celle de Josef Albers auquel il se réfère et les propositions minimalistes des années quatre-vingt.

WESTFELDT Patrick McLosky
Né le 25 mai 1854 à New York. Mort le 2 juin 1907 à Asheville. xixe-xxe siècles. Américain.
Peintre de paysages, aquarelliste.

WESTHOFF Clara. Voir **RILKE-WESTHOFF**

WESTHOVEN Huybert Van

Né vers 1643. Mort avant 1687. XVIIe siècle. Actif à Amsterdam. Hollandais.

Peintre de natures mortes.

Ventes Publiques : New York, 12 jan. 1995 : *Nature morte avec des fruits dans une corbeille, un homard sur un plat de porcelaine, un citron pelé dans un rohmer, avec un nautile et divers ustensiles sur une entablement de marbre et une tapisserie*, h/t (120x102,2) : **USD 63 000**.

WESTIN Frederick

Né le 22 septembre 1782 à Stockholm. Mort le 13 mai 1862 à Stockholm. XIXe siècle. Suédois.

Peintre d'histoire, compositions mythologiques, portraits.

Élève de l'Académie de Stockholm. Il étudia aussi à Paris et en Italie. Ses portraits furent très prisés.

Musées : Gripsholm : *La Famille Bernadotte* – Helsinki : *Bélisaire et son guide* – Stockholm : *L'Amour avec son arc planant au-dessus du globe terrestre*.

Ventes Publiques : Stockholm, 30 oct 1979 : *Portrait de la reine Desideria* 1839, h/t (80x66,5) : **SEK 11 000** – New York, 20 jan. 1993 : *Portrait du roi Oscar II*, h/t (66x54) : **USD 4 313** – Stockholm, 30 nov. 1993 : *Diane et Endymion*, h/t (62x50) : **SEK 10 500**.

WESTLAKE Alice, née **Hare**

Née vers 1840. Morte en 1923. XIXe-XXe siècles. Britannique.

Peintre de portraits, aquafortiste.

Elle était active à Londres. Elle exposa à la Royal Academy de 1875 à 1877.

Musées : Londres (Nat. Gal.) : *Portrait de Thomas Hare*.

WESTLAKE Nathaniel Hubert John

Né en 1833 à Romsey. Mort le 9 mai 1921. XIXe-XXe siècles. Britannique.

Peintre, peintre verrier.

Il fit ses études à Londres, à Anvers et à Paris. Il était aussi écrivain d'art.

Il exécuta des vitraux pour des églises de Dublin, de Worcester et de Peterborough.

WESTLING C. R.

XIXe siècle. Finlandais.

Peintre de vues de ville, architectures, aquarelliste.

Musées : Helsinki : *Le Sénat à Helsingfors*, aqu.

WESTMACOTT George

XVIIIe-XIXe siècles. Travaillant à Londres de 1775 à 1820. Britannique.

Sculpteur.

Il sculpta des bustes.

WESTMACOTT Henry

XIXe siècle. Britannique.

Sculpteur.

Père de James Sherwood W. Il exposa à Londres de 1833 à 1835.

WESTMACOTT James Sherwood

Né le 27 août 1823 à Londres. XIXe siècle. Britannique.

Sculpteur.

Élève de l'Académie de Dresde. Il exposa à Londres de 1852 à 1867 des statues et des bustes.

Ventes Publiques : Londres, 29 mars 1983 : *Ruth au puits* 1852, marbre de Carrare (H. 56) : **GBP 850**.

WESTMACOTT Richard, Sir

Né le 15 juillet 1775 à Londres. Mort le 1er septembre 1856 à Londres. XIXe siècle. Britannique.

Sculpteur de monuments, sujets mythologiques, statues.

Il était fils d'un statuaire, dont il reçut les premiers principes d'art. Il alla en Italie et arriva à Rome en janvier 1793. Après avoir obtenu une médaille d'or à l'Académie de Saint-Luc, il alla travailler à Florence. En 1797, après avoir visité Bologne et Venise, il regagna l'Angleterre, traversant l'Allemagne pour en visiter les musées. Il arriva à Londres à la fin de la même année 1797. À cette date commencent ses envois aux expositions de la Royal Academy ; il les continua jusqu'en 1839, et soixante-cinq de ses ouvrages y figurèrent. Il fut associé à la National Academy en 1805 et académicien en 1815. En 1827, il fut nommé professeur de sculpture et anobli en 1837.

Il fit plusieurs statues pour l'abbaye de Westminster, notamment celles de Pitt, de Fox. En 1820, il produisit son premier groupe classique *Hero et Leandre*, suivi, en 1822, d'une *Psyché*, et en 1824, d'un *Cupidon prisonnier*. Il exécuta également plusieurs statues pour la cathédrale Saint-Paul. On cite encore sa statue de Lord Erskine, à Lincoln's Inn ; celle de Nelson, à la Bourse de Liverpool. On lui doit aussi plusieurs monuments.

Musées : Cambridge : *Buste en marbre de John Disney*.

Ventes Publiques : Londres, 6 juin 1973 : *Mercure et Vulcain*, marbre : **GBP 2 900** – Londres, 13 déc. 1985 : *Napoléon fuyant le champ de bataille de Waterloo*, marbre (H. relief 173x480) : **GBP 45 000**.

WESTMACOTT Richard, le Jeune

Né en 1799 à Londres. Mort le 19 avril 1872 à Kensington. XIXe siècle. Britannique.

Sculpteur de sujets mythologiques, statues.

Fils de sir Richard Westmacott. Il voulait être avocat, mais cédant aux désirs de son père, il s'adonna à la sculpture. Après la première éducation paternelle, il entra aux Écoles de la Royal Academy en 1818, et, de 1820 à 1826, il continua ses études en Italie. De 1827 à 1855, il exposa quatre-vingt-deux ouvrages à la Royal Academy et quatre à la British Institution, des sujets mythologiques pour la plupart. En 1838, il fut associé à la Royal Academy et académicien en 1849. En 1857, il fut nommé professeur de sculpture. Il a publié quelques ouvrages d'art, et a collaboré notamment à l'*Encyclopedia Metropolitana*, *The English Encyclopedia* et *The Penny Encyclopedia*.

On cite notamment de lui une statue de l'archevêque Howley dans la cathédrale de Canterbury.

WESTMAN Barbara

Née à Boston (Massachusetts). XXe siècle. Américaine.

Peintre, dessinateur, illustrateur.

Elle étudia d'abord l'histoire de l'art, puis, pendant un séjour de trois années en Europe, les arts graphiques en Allemagne. Revenue aux États-Unis en 1956, elle fut élève de l'École du Musée des Beaux-Arts de Boston, dans le département d'arts graphiques.

Elle montre ses travaux graphiques dans des expositions collectives et personnelles, notamment à Paris, depuis 1995 galerie Mantoux-Gignac.

Elle s'est investie dans le dessin, qu'elle pratique au pinceau et à l'encre, la gravure sur linoleum, l'illustration, dont des couvertures du *New Yorker Magazine* et des livres pour enfants dont elle est aussi l'auteur. Elle trace des vues de villes animées, dont le parti volontairement synthétique et sommaire intègre sa dimension humoristique et définit son style.

Musées : Boston (Mus. des Beaux-Arts) – Boston (Athenæum) – Cambridge (Mus. Busch-Reisingeer) – Harvard University (Mus. Peabody).

WESTMAN Bengt ou **Westmann**

Mort en 1713 ou 1714, jeune. XVIIIe siècle. Actif à Stockholm. Suédois.

Médailleur.

Élève d'Arvid Karisten. Il grava des médailles représentant des batailles.

WESTMAN Benjamin

XVIIIe-XIXe siècles. Suédois.

Dessinateur de figures.

Il exposa à Stockholm de 1794 à 1801.

WESTMAN Edvard ou **Edouard**

Né le 16 mai 1865 à Gèfle. Mort le 23 septembre 1917 à Kapellshär. XIXe-XXe siècles. Suédois.

Peintre de paysages.

Il figura aux expositions de Paris ; mention honorable en 1889 (Exposition Universelle).

WESTMAN Pehr

Né en 1757 à Hemsö. Mort à Nora. XVIIIe siècle. Suédois.

Sculpteur d'ornements et d'autels.

Il travailla, en style rococo, puis classique. Le Musée d'Härnösand conserve de lui une porte et un lit d'apparat.

WESTMAN Swen R.

Né le 6 octobre 1887 à Stockholm. XXe siècle. Suédois.

Peintre de paysages, graveur.

C'est à Paris qu'après avoir étudié seul, il vint se perfectionner en 1914 ; la guerre survenant, il voyagea en Espagne, peignant beaucoup dans l'île de Majorque. Exposant du Salon d'Automne, il y a présenté ses meilleurs paysages d'une savante composition.

Il exposa un ensemble de ses œuvres à Stockholm en 1931.

L'œuvre de ce peintre a été largement analysée par les critiques suédois, notamment par M. Tor Hedberg et le docteur Carl

Asplund. Le critique Child Aronson le loue d'une « sensibilité picturale juvénile » gardant son œuvre « de ce dogmatisme arbitraire qui ronge l'Art de nos jours ».

WESTMORELAND Priscilla Anne Fane de, comtesse
Née le 13 mars 1793. Morte le 18 février 1879 à Londres. XIXe siècle. Britannique.
Peintre de genre et portraitiste.
Elle exposa à la British Institution de Londres de 1833 à 1842, sous le nom de BURGHERST. Elle peignit des scènes historiques.

WESTOBY E.
XIXe siècle. Actif dans la première moitié du XIXe siècle. Britannique.
Peintre de portraits et de paysages.
Il exposa à Londres de 1806 à 1823.

WESTON Harold F.
Né en 1894 à Merion. XXe siècle. Américain.
Peintre de figures, paysages. Expressionniste, puis abstrait.
Il exposa à New York en 1922.
Son œuvre est d'abord influencé par celui de Van Gogh. Sans doute est-il le peintre palestinien Weston que l'on retrouve à Tel-Aviv, après 1945, pratiquant un art, à la limite de l'abstraction, influencé de Paul Klee, et qui, en 1952, figura au Salon des Réalités Nouvelles de Paris.
Musées : Philadelphie – Rochester – Washington D. C.

WESTON Lambert
Né en 1804. Mort en février 1895. XIXe siècle. Actif à Douvres. Britannique.
Paysagiste.
Il exposa à Londres en 1844.

WESTON T.
XIXe siècle. Travaillant à Londres de 1816 à 1828. Britannique.
Peintre d'architectures.

WESTON Thomas
XVIIe siècle. Actif à Londres dans la seconde moitié du XVIIe siècle. Britannique.
Graveur au burin.

WESTPFAHL Conrad
Né en 1891 à Berlin. Mort en 1976 à Wetzhausen. XXe siècle. Allemand.
Peintre, peintre à la gouache, peintre de collages. Abstrait-lyrique.
De 1910 à 1912, il fut élève de Orlik à Berlin, puis de l'Académie de Munich. En 1925, il visita l'Italie. De 1926 à 1933, il partagea son temps entre Paris et Cassis-sur-Mer. À partir de 1933, sous le régime nazi, il se réfugia à Athènes, puis de 1940 à 1950, revint en Bavière, à Poecking sur le lac Starnberg. En 1951, il se fixa à Munich, avant son installation à Schweinfurt-am-Main. Il fait partie du groupe *Zen 49*, qui a réuni une grande partie des artistes abstraits allemands de l'après-guerre. Il a également propagé la cause de l'art abstrait dans de nombreux essais.
Si, en raison des circonstances qui interdisaient l'art d'avant-garde en Allemagne, on ne le connut qu'après la fin de la seconde guerre mondiale, des collages obtenus par déchirements, antérieurs à 1933, montrent son intérêt d'alors pour les démarches non objectives. Dans l'évolution de son œuvre, il se rattache à l'abstraction lyrique, sans que ni le geste, ni la tache, ne prennent chez lui une importance manifeste. ■ J. B.
Bibliogr. : Michel Seuphor, in : *Diction. de la peint. abstr.*, Hazan, Paris, 1957 – B. Dorival, sous la direction de..., in : *Peintres Contemporains*, Mazenod, Paris, 1964.
Ventes Publiques : Heidelberg, 15 oct. 1994 : *Un rêve : jeunes femmes nues dans un paysage* 1937, gche et cr. (49,5x62,9) : **DEM 1 400**.

WESTPHAL Friedrich ou **Fritz Bernarhd**
Né le 5 octobre 1804 à Schleswig. Mort le 24 décembre 1844 à Copenhague. XIXe siècle. Danois.
Peintre d'histoire, de genre et de portraits.
Élève de l'Académie de Copenhague. Il peignit aussi des décors.

WESTPHALEN August
Né le 2 janvier 1864 à Neumünster. XIXe-XXe siècles. Allemand.
Peintre de genre, paysages, illustrateur.
Il était actif à Berlin. Il exposa à Munich en 1891 et à Berlin.
Il peignit des motifs de la lande de Lunebourg.
Musées : Kiel : *Ferme.*

WESTREICHER Engelbert
Né le 20 septembre 1825 à Pfunds. Mort le 20 janvier 1890 à Lins. XIXe siècle. Autrichien.
Sculpteur.
Élève de Fr. Renn à Imst. Il sculpta des chaires, des buffets d'orgues et des autels.

WESTRHEENE Tobias Willemsz Van
Né le 26 septembre 1825 à Hof (près de Delft). Mort le 4 octobre 1871 à La Haye. XIXe siècle. Hollandais.
Lithographe, peintre et écrivain d'art.
Élève de Willem Hendrik Schmidt.

WESTWOOD Charles
Né à Birmingham. Mort vers 1855. XIXe siècle. Britannique.
Graveur au burin.
Il grava des paysages et des illustrations.

WESTWOOD John, l'Ancien
Né en 1744. Mort en 1792 à Sheffield. XVIIIe siècle. Britannique.
Médailleur.
Il grava des médailles pour commémorer des événements contemporains.

WESTWOOD John II
Né en 1774 à Sheffield. Mort en 1850. XVIIIe-XIXe siècles. Britannique.
Médailleur.
Il grava des médailles à l'effigie de personnalités de son époque et de Shakespeare.

WET Emanuel de ou **Wett**
Né à Hambourg (?). XVIIe siècle. Travaillant à Amsterdam. Hollandais.
Peintre d'histoire.
Frère de Jean de Wet et comme lui élève de Rembrandt. Il a peint des paysages dans la manière de Uylembrouck. Peut-être identique à Gerrit de Wet.

WET Gerrit de ou **Wett, Wette, Weth**
Né en 1616 à Amsterdam. Mort en 1674 à Leyde. XVIIe siècle. Hollandais.
Peintre d'histoire, compositions religieuses, paysages.
Élève de Rembrandt, dont il imita le style. Il peignit aussi des paysages.

Musées : Amsterdam : *Saül salue en David, le vainqueur de Goliath* – Copenhague : *La fille de Jephté conduite à l'autel* – Lille : *La fille de Jephté.*
Ventes Publiques : Paris, 23 nov. 1927 : *Le baptême de l'eunuque* : **FRF 2 500** – Cologne, 22 nov. 1984 : *Samson et Dalila*, h/pan. (48x64) : **DEM 24 000** – Londres, 20 juil. 1990 : *David et Abigail*, h/t (50x69) : **GBP 4 400** – Paris, 25 jan. 1993 : *Scène d'offrande*, h/t (52,5x41) : **FRF 18 000**.

WET Jacob Jacobsz de, dit **le Jeune**
Né en 1640 à Haarlem. Mort le 11 novembre 1697 à Amsterdam. XVIIe siècle. Hollandais.
Peintre de compositions religieuses, compositions mythologiques, figures.
Fils de Jacob Willemsz de Wet, dit l'Ancien, dont il fut l'élève. Il semble avoir travaillé en Angleterre, vers 1685-1688.
Il peignit des sujets bibliques à la manière de son père, mais en leur donnant des effets lumineux fantastiques, mystérieux.
Bibliogr. : In : *Diction. de la peinture flamande et hollandaise*, coll. Essentiels, Larousse, Paris, 1989.
Musées : Haarlem : *Jeune fille, une pêche à la main* – Hambourg (Kunst.) : *La découverte de Moïse enfant sur le Nil* – Rouen : *Visite de Minerve aux muses.*
Ventes Publiques : Londres, 14 avr. 1978 : *Moïse sauvé des eaux*, h/pan. (61x84) : **GBP 3 200** – Amsterdam, 9 mai 1995 : *La nourriture des cinq mille*, h/pan. (50,5x82) : **NLG 2 360** – Amsterdam, 13 nov. 1995 : *Le Christ prêchant devant la foule*, h/pan. (94,4x157) : **NLG 14 950**.

WET Jacob Willemsz de ou **Wett**, dit **l'Ancien**
Né vers 1610 à Haarlem. Mort en 1671 ou 1672 à Haarlem. XVIIe siècle. Hollandais.
Peintre d'histoire, compositions religieuses, sujets mythologiques.
Certains biographes le supposent fils de Jean, ce qui paraît peu

probable étant donné la terminaison du deuxième prénom qui marquerait plutôt un « fils de Willem ». Le doute augmente si l'on compare les date et lieu de naissance. Jacob est cité dans la gilde de Haarlem de 1636 à 1671, et en 1661, il en était le doyen. D'autre part, on cite en 1677 un Jacob de Wet dans la gilde de Saint-Luc, à Cologne. Est-ce le même artiste ? On trouvera plus bas la liste des tableaux attribués, généralement à Jacob de Wet. Il convient de remarquer que certains d'entre eux pourraient être de Jean de Wet.

Musées : Aix-la-Chapelle : *Adoration des Rois – Le prophète Élie et la veuve de Sarepte* – Amsterdam : *Christ bénissant les enfants – Assomption*, attribution contestée – Breslau, nom all. de Wroclaw : *Magnanimité de Scipion* – Brunswick : *Jésus au Temple – L'incendie de Troie* – Budapest : *Nomination de saint Pierre – Circoncision* – Copenhague : *Scène de l'Apocalypse* – Darmstadt : *Résurrection de Lazare* – Graz : *Annonce aux bergers* – Haarlem : *Le Christ guérissant un malade – Les œuvres de miséricorde – Gibier mort* – Halle : *La reine de Saba* – Hambourg : *Paysage avec Tobie et l'ange* – Helsinki : *Scène du « Pasteur Fido » de Guarani* – Kassel : *Le Christ au Mont des Oliviers* – Kiev : *Le veau d'or – La fille de Jephté* – Leipzig : *Délivrance de saint Pierre* – Lille (Mus. des Beaux-Arts) : *Paysage avec la fuite en Égypte* – Londres (Nat. Gal.) : *Paysage* – Munich : *Abraham bénissant Agar et Ismaël* – Munster : *Baptême du chancelier d'Éthiopie – Repentir de Judas* – Saint-Pétersbourg (Mus. de l'Ermitage) : *Résurrection de Lazare – La multiplication des pains – Eliezer et Rébecca* – Schleissheim : *Les trois jeunes gens dans la fournaise* – Schwerin : *Portement de la Croix* – Sibiu : *Adoration des bergers* – Stuttgart : *Résurrection de Lazare* – Varsovie : *Le Christ, ami des enfants* – Würzburg : *Junon et Argos*.

Ventes Publiques : Paris, 19 déc. 1928 : *Jésus parmi les docteurs* : **FRF 6 000** – Paris, 17 déc. 1941 : *Junon et Argus* : **FRF 6 800** – Berlin, 27 fév. 1953 : *Le sermon du Christ dans la barque* : **DEM 350** – Paris, 8 déc. 1964 : *Apparition de l'Ange aux bergers* : **FRF 5 500** – Londres, 5 déc. 1969 : *Joseph vendu par ses frères* : **GNS 1 000** – Londres, 28 avr. 1972 : *Saint Jean Baptiste dans le désert* : **GNS 2 300** – Copenhague, 30 avr. 1974 : *Joseph racontant ses rêves* : **DKK 26 000** – Amsterdam, 26 avr. 1976 : *L'Adoration du veau d'or*, h/pan. (53x68,6) : **NLG 14 000** – Poitiers, 26 fév. 1977 : *Scène d'intérieur*, h/t mar./bois (19x25,5) : **FRF 7 500** – Paris, 8 mars 1982 : *Laissez venir à moi les petits enfants*, h/bois (59,5x61) : **FRF 10 500** – Londres, 11 déc. 1985 : *L'enlèvement d'Europe*, h/pan. (51x66) : **GBP 6 800** – Paris, 14 juin 1988 : *Scène de marché*, h/pan. (61x84) : **FRF 17 500** – Amsterdam, 29 nov. 1988 : *Daniel tuant le dragon vénéré par le roi de Babylone*, h/t (75x64,5) : **NLG 17 250** – Stockholm, 15 nov. 1988 : *Jason et la Toison d'Or*, h. (34x55) : **SEK 25 000** – New York, 7 avr. 1989 : *Shadrech, Meshach et Abed-Nego dans la fournaise*, h/pan. (59,5x84) : **USD 4 400** – Londres, 19 mai 1989 : *Le Sacrifice d'Iphigénie*, h/pan. (90,7x125,8) : **GBP 4 950** – Cologne, 15 juin 1989 : *Moïse retrouvé au pied des rochers*, h/pan. (60x84) : **DEM 2 800** – Londres, 26 oct. 1990 : *Rebecca et Eliezer près du puits*, h/t (57,2x47,3) : **GBP 5 500** – New York, 10 oct. 1991 : *Joseph accueillant son père Jacob et sa famille en Égypte*, h/t (59,7x83,2) : **USD 6 050** – Paris, 11 avr. 1992 : *Le Retour de Tobie*, h/pan. (41x53) : **FRF 29 000** – Stockholm, 19 mai 1992 : *La Ronde autour du Veau d'or*, h/pan. (76x110) : **SEK 45 000** – Amsterdam, 11 nov. 1992 : *Saint Jean baptisant le Christ*, h/pan. (51,5x63) : **NLG 9 430** – New York, 18 fév. 1993 : *L'Annonce faite aux bergers*, h/pan. (47,6x36,8) : **USD 3 738** – Londres, 27 oct. 1993 : *L'Adoration du Veau d'or*, h/t (66x82) : **GBP 2 300** – Amsterdam, 17 nov. 1994 : *La Découverte de Moïse*, h/pan. (40x53,3) : **NLG 9 775** – Londres, 7 déc. 1994 : *Jésus prêchant sur le lac de Galilée*, h/pan. (52,5x67) : **GBP 3 450** – New York, 11 jan. 1995 : *Joseph vendu comme esclave*, h/t (96,5x136,6) : **USD 27 600** – Amsterdam, 14 nov. 1995 : *Le Triomphe de Mordecai*, h/pan. (60,5x84) : **NLG 18 880** – Rome, 23 mai-4 juin 1996 : *Minerve et la Muse sur le mont Hélicon*, h/t (83,5x109) : **GBP 14 375 000** – New York, 2 oct. 1996 : *Jephté et sa fille*, h/t (57,8x75,5) : **USD 4 370** – Amsterdam, 11 nov. 1997 : *Le Christ dans la maison de Marie et de Marthe*, h/pan. (76x114) : **NLG 23 600** – New York, 26 fév. 1997 : *L'Entrée dans Jérusalem*, h/pan. (51,7x66,5) : **USD 1 380**.

WET Jean de ou **Wett, Wette, Weth**

Né probablement avant 1617 à Hambourg. xviie siècle. Allemand.

Peintre d'histoire.

Probablement identique à Jacob de Wet dit l'Ancien. Il fut élève de Rembrandt à Amsterdam, puis alla s'établir dans sa ville natale. Il adopta une manière s'inspirant des premières œuvres de son maître, celles très poussées, et du style de Gérard Dow. Il traita notamment les sujets bibliques. Une *Résurrection de Lazare*, datée de 1633 (au Musée de Darmstadt), un *Christ dans le Temple* daté de 1635 permettent de supposer qu'il naquit avant 1617, où il aurait eu bien jeune une maîtrise exceptionnelle. On voit encore de lui *La générosité de Scipion* au Musée de Breslau et une autre *Résurrection de Lazare* à celui de Lille.

Ventes Publiques : Paris, 1881 : *Judas et Thamar* : **FRF 500** – Paris, 1888 : *Vue de la ville de Clèves* : **FRF 1 500** – Paris, 19 sep. 1892 : *L'enlèvement d'Europe* : **FRF 4 000** – Paris, 15 juin 1903 : *Jésus prêchant* : **FRF 1 050** – Paris, 7 fév. 1907 : *L'Adoration des Mages* : **FRF 1 550** – Londres, 23 mars 1923 : *La Présentation au Temple* : **GBP 17** – Londres, 2 mai 1929 : *Jacob allant à la rencontre de Joseph* : **GBP 54** – Londres, 22 mai 1930 : *Saint Philippe baptisant l'eunuque* : **GBP 29** – Londres, 12 déc. 1934 : *« Noli me tangere »* : **GBP 36** – Londres, 21 mai 1935 : *La Nativité* : **GBP 16** – Nice, 12 et 13 avr. 1943 : *Jésus chassant les marchands du temple* : **FRF 38 400**.

WET Louis de

xxe siècle. Belge.

Peintre.

Peintre figuratif, sa peinture est l'œuvre d'un être torturé, fasciné par l'être vivant, révélant le squelette sous les chairs, sorte de dualité entre « la vie et la mort », peinture ritualiste, où le sexe prend aussi sa place.

WETERBEE George. Voir **WETHERBEE**

WETERING DE ROOY Johannes Embrosius Van de ou **Wetering Van de Rooij**

Né le 7 août 1877 à Woudrichem. Mort en 1922. xxe siècle. Hollandais.

Peintre de paysages, paysages d'eau animés, intérieurs, paysages urbains, graveur.

Il fut élève de Fr. J. Jansen et de J. E. H. Akkeringe. Il était actif à La Haye.

Il peignait les paysages typiques hollandais et était aussi graveur à l'eau-forte.

Ventes Publiques : Amsterdam, 16 nov. 1988 : *Moulins à vent le long d'un canal à Kinderdijk*, h/t (61x89) : **NLG 2 760** – Amsterdam, 28 fév. 1989 : *Paysans bavardant dans une barque au large de la jetée et des voiliers sur le canal à l'arrière-plan*, h/t (34,5x42 ; 5) : **NLG 1 380** – Amsterdam, 5 juin 1990 : *Marécages*, h/t (32,8x69) : **NLG 1 035** – Amsterdam, 11 sep. 1990 : *Paysans sur un chemin dans un paysage printanier avec des arbres en fleurs*, h/t (42x67,5) : **NLG 2 875** – Amsterdam, 5-6 fév. 1991 : *Paysanne cousant devant une cheminée dans une maison*, h/t (47,5x43,5) : **NLG 2 070** – Amsterdam, 7 nov. 1995 : *Vue de Merwede près de Gorinchem*, h/t (29,5x42,5) : **NLG 2 360** – Amsterdam, 18 juin 1996 : *Vue de Monster*, h/t (40x50) : **NLG 1 035**.

WETH. Voir **WET**

WETH Pieter de. Voir **WITH**

WETHERBEE George Faulkner, dit **Geo**

Né en décembre 1851 à Cincinnati. Mort le 23 juillet 1920 à Londres. xixe-xxe siècles. Américain.

Peintre de genre, paysages animés, aquarelliste.

Il était membre du Royal Institute of Painters in Water Colour, exposa à Londres à partir de 1873, notamment à la Royal Academy, à Suffolk Street et au Royal Institute.

Musées : Le Cap : *A Pageant of Spring*.

Ventes Publiques : Londres, 6 fév. 1981 : *La moisson est faite, l'été est fini* 1884, h/t (78,6x151,1) : **GBP 2 600** – Londres, 19 oct. 1983 : *Harvest* 1884, h/t (77,5x147) : **GBP 4 900** – Ludlow (Shropshire), 29 sep. 1994 : *Le Coupeur de bois* 1886, aquar. (42x30) : **GBP 977** – Londres, 6 nov. 1995 : *Les Ailes du matin*, h/t (79x128) : **GBP 4 600** – Londres, 27 mars 1996 : *Moissonneurs dans un champ* 1882, aquar. et gche (34x19) : **GBP 1 092**.

WETHERED Maud Llewellyn
Née le 15 février 1898 à Bury. XXe siècle. Britannique.
Sculpteur et graveur.
Elle était fille de Vernon Wethered et fut élève de la Slade School de Londres.

WETHERED Vernon
Né le 13 avril 1865 à Bristol. XIXe-XXe siècles. Britannique.
Peintre de paysages amateur.
Élève de la Slade School. Il vivait à Londres. Il exposa à Londres en 1928. Il était le père de Maud Llewellyn Wethered.
Il subit l'influence de Fred Brown.

WETHERELL J. S.
XIXe siècle. Actif au début du XIXe siècle. Britannique.
Peintre.

WETHERILL Anne
XVIIIe siècle. Travaillant à Lille de 1780 à 1781. Britannique.
Paysagiste et portraitiste.
Elle exposa à Lille en 1780.

WETHERILL Elisha Kent Kane
Née le 1er septembre 1874 à Philadelphie. Morte en 1929. XIXe-XXe siècles. Américaine.
Peintre de paysages animés, paysages urbains, marines, graveur.
Elle était active à New York. Elle exposa à New York en avril 1923. Elle subit l'influence de Whistler. Elle peignit des scènes de rue et du port de New York. Elle était aussi aquafortiste.
Ventes Publiques : New York, 11 oct 1979 : *Jeune femme en robe blanche*, h/t (139,5x142) : **USD 6 500** – New York, 24 juin 1988 : *Les bonnes choses*, h/t (149,2x134) : **USD 7 425** – New York, 24 mai 1989 : *Port désaffecté* 1916, h/t (101,6x91,4) : **USD 14 300** – New York, 2 déc. 1992 : *Village de montagne*, h/t (53,2x55,8) : **USD 1 100**.

WETHERILL Roy
Né le 11 mai 1880 à New Brunswick. XXe siècle. Américain.
Peintre.
Il était actif à Kansas City.

WETHERS Richard
Mort en 1554 à Londres. XVIe siècle. Britannique.
Peintre.

WETHLI Louis I
Né le 17 octobre 1842 à Hottingen. Mort le 21 février 1914 à Zurich. XIXe-XXe siècles. Suisse.
Sculpteur de monuments.
Père de Louis Wethli II et de Moritz Wethli.
Il sculpta des monuments commémoratifs et des tombeaux.

WETHLI Louis II
Né le 31 décembre 1867 à Zurich. XIXe-XXe siècles. Suisse.
Sculpteur de figures.
Fils de Louis Wethli I.
Il sculpta des statues et des bustes.

WETHLI Moritz
Né le 5 décembre 1870 à Zurich. Mort le 9 mai 1925 à Scherlingen. XIXe-XXe siècles. Suisse.
Sculpteur.
Fils de Louis Wethli I.

WETLESEN Wilhelm Laurits
Né le 25 novembre 1871 à Sandefjord. Mort le 15 juin 1925 à Oslo. XIXe-XXe siècles. Norvégien.
Peintre.
Il fut élève de l'Académie des Beaux-Arts de Copenhague.
Musées : Oslo (Gal. Nat.) : *Devant le paradis – Motif de Sienne – Myrull.*

WETLI Hugo
Né en 1916. Mort en 1972. XXe siècle. Suisse.
Dessinateur de scènes de genre.
Musées : Aarau (Aargauer Kunsthaus) : *Musique de chambre.*
Ventes Publiques : Berne, 3 mai 1979 : *New York*, h/pap. (55x88) : **CHF 4 300** – Berne, 7 mai 1981 : *Promenade* 1940, temp. (35x27) : **CHF 2 200** – Berne, 12 mai 1984 : *La cathédrale* 1961, h/t (63x83) : **CHF 9 500**.

WETSCHEL Johann ou **Wetschl**
Né en 1724. Mort le 4 août 1773 à Vienne. XVIIIe siècle. Autrichien.
Peintre d'architectures.
Il travailla pour le plafond du château de Krumau.

WËTSTEIN Robert
Né à Zurich. XIXe siècle. Suisse.
Peintre de genre.
À Paris, il fut élève de Gérôme. Il figura aux expositions de Paris ; mention honorable en 1900 (Exposition Universelle).

WETT. Voir aussi **WET**

WETT
XIXe siècle. Autrichien.
Peintre verrier.
Il travaillait à Karlsbad vers 1820.

WETT J. A.
XIXe siècle. Autrichien.
Dessinateur de vues.
Il travaillait à Brunn en 1839.

WETTE. Voir **WET**

WETTER Otmar
Né le 23 juin 1791 à Saint-Gall. Mort en 1848. XIXe siècle. Suisse.
Peintre amateur.
Il voyagea en Italie et copia des œuvres de vieux maîtres. Il peignit des scènes de genre et des paysages.

WETTERBERGH Alexis ou **Julius Alexis**
Né en 1816 à Jönköping. Mort en 1872 à Stockholm. XIXe siècle. Suédois.
Portraitiste.
Élève de l'Académie de Stockholm. Il peignit des aquarelles.
Musées : Helsinki : *Le peintre N. J. O. Blommér* – Stockholm : *Homme âgé* – Vaxjo : *G. O. Hylten-Cavallius.*

WETTERHOFF-ASP Georg Sigurd
Né en 1870. XIXe-XXe siècles. Danois.
Peintre et sculpteur.
Il fit ses études à Copenhague et à Paris.
Musées : Helsinki : *La cloche de la vie et de la mort*, bronze.

WETTERLING Alexander Clemens
Né en 1796 en Uppland. Mort en 1858 à Stockholm. XIXe siècle. Suédois.
Dessinateur, peintre d'histoire, paysagiste et officier.
Il travailla pour des illustrés. On cite de lui aussi des scènes populaires italiennes et suédoises et des batailles.

WETTERLUND Axel, ou **Johan Axel**
Né le 15 janvier 1838 à Habo. Mort le 24 octobre 1927 à Cologne. XIXe-XXe siècles. Suédois.
Sculpteur de figures, statues, animalier.
Il sculpta des statues pour le château royal de Stockholm et des statues et figures religieuses.
Ventes Publiques : Stockholm, 15 nov. 1988 : *Deux lions luttant*, bronze (H. 46) : **SEK 20 000** – Stockholm, 19 avr. 1989 : *Lionne allongée*, bronze (H. 15) : **SEK 6 300** – Stockholm, 29 mai 1991 : *Lionne*, bronze (L. 39) : **SEK 3 700**.

WETTERSTRAND Carl Gustaf
Né en 1855 à Stockholm. Mort le 24 décembre 1923 près d'Ektorp. XIXe-XXe siècles. Suédois.
Peintre de compositions murales.
Il exécuta des peintures décoratives dans plusieurs châteaux et dans le théâtre de Stockholm.

WETTERWIK Carl
Né en 1910. Mort en 1951. XXe siècle. Suédois.
Peintre de paysages.
Ventes Publiques : Stockholm, 26 mars 1953 : *Paysage* : **SEK 400**.

WETTLER Laurenz
Né le 17 mars 1791 à Rheineck. Mort en 1822 à Rheineck. XIXe siècle. Suisse.
Peintre et dessinateur.
Il fit ses études à Rome. Il peignit des portraits italiens. Il exposa à Saint-Gall en 1819.

WETTSTEIN Friedrich ou **Johann Friedrich**
Né en 1658. Mort en 1744. XVIIe-XVIIIe siècles. Actif à Bâle. Suisse.
Portraitiste.
Élève de Théodore Roos à Strasbourg.

WETTSTEIN Robert
Né le 11 juin 1863 à Hedingen. XIXe-XXe siècles. Suisse.
Peintre de genre, portraits.

Élève de l'Académie de Zurich et de l'École des Beaux-Arts de Paris. Il était actif à Zurich.

WETZEL George Julius
Né le 8 février 1870 à New York. XIXe-XXe siècles. Américain.
Peintre.
Il fut élève de l'Art Students' League de New York sous la direction de Kenyon (?) Cox et William Chase. Il était membre de la Fédération Américaine des Arts.

WETZEL Johann Jakob, dit **F. Hegi**
Né en 1781 à Hirslanden. Mort en septembre 1834 à Richterswil. XIXe siècle. Suisse.
Peintre de paysages, aquarelliste, dessinateur, écrivain.
Élève de H. Bleuler. Il dessina surtout des vues et peignit des aquarelles. On cite plus de cent trente-six vues de Suisse et d'Italie exécutées par cet artiste.
Ventes Publiques : Berne, 11 juin 1976 : *Interlaken et vue de la Jungfrau* vers 1810, aquar. (24,4x20) : **CHF 2 700** – Berne, 22 juin 1984 : *Vue de Lucerne* 1819-1820, aquat. coloriée (21,3x28) : **CHF 3 000** – Berne, 21 juin 1985 : *Vue de Stanzstad*, aquat. coloriée (22,6x30,6) : **CHF 3 000** – Zurich, 2 juin. 1994 : *Vue de Wesen*, aquar. coloriée (19x27) : **CHF 4 025**.

WETZEL Theodor
Né en 1899. XXe siècle. Suisse.
Peintre de paysages, natures mortes.
Il était actif à Zurich.
Musées : Zurich (Kunsthaus) : une peinture.

WETZELSBERG Ferdinand von
Né le 20 août 1795 à Vienne. Mort en novembre 1846 à Krems. XIXe siècle. Autrichien.
Dessinateur amateur.
Élève de l'Académie de Vienne. Il dessina des armoiries, des vues, des tombeaux et des plans.

WETZL
XIXe siècle. Actif à Tulln. Autrichien.
Peintre.
Il a peint le tableau du maître-autel de l'église de Reidling en 1812.

WETZMER Johann
XVe siècle. Travaillant en 1496. Autrichien.
Sculpteur.
Il a sculpté le tombeau d'Urban Schlundt dans l'église de Stein.

WETZSTEIN Balthasar
XVIIe siècle. Travaillant à Saint-Gall de 1627 à 1635. Suisse.
Peintre verrier.

WETZSTEIN P. German
XVIIe siècle. Travaillant à Werthenstein en 1635. Suisse.
Dessinateur d'architectures.

WEURLANDER Johan Fridolf
Né en 1851 à Kuopio. Mort en 1900 à Kuopio. XIXe siècle. Finlandais.
Paysagiste.
Élève de Hj. Munsterhjelm à Helsinki. Il continua ses études à Munich et à Düsseldorf.

WEVER Auguste de
Né le 10 juin 1836 à Bruxelles. XIXe siècle. Belge.
Sculpteur de groupes, médailleur, tailleur de sceaux.
Il travailla chez Charles Wiener.
Ventes Publiques : Londres, 10 nov. 1983 : *Heureux présage* vers 1870, bronze patine brun rouge (H.70) : **GBP 900** – Paris, 16 nov. 1992 : *Le charmeur de serpent*, bronze (H. 78) : **FRF 12 000** – Lokeren, 7 oct. 1995 : *Paul et Virginie*, bronze (H. 62, l. 27) : **BEF 44 000** – Lokeren, 9 déc. 1995 : *Chasseur de lion*, bronze (H. 86) : **BEF 80 000**.

WEVER Cornelis
XVIIIe siècle. Actif à Amsterdam. Hollandais.
Peintre.
Inscrit dans la gilde de Saint-Luc, à Amsterdam le 7 mars 1778, il n'y figura plus à partir de 1792. Le Musée d'Amsterdam conserve de lui : *Portrait de Jan Maurits Quinkhard*.

WEWERKA Johann
Né le 9 septembre 1782 à Hruschov. Mort le 10 février 1821 à Reichenberg. XIXe siècle. Autrichien.
Sculpteur.
Il a sculpté la fontaine sur la Place de la Nouvelle Ville de Reichenberg en 1820.

WEX Willibald
Né le 12 juillet 1831 à Karlstein, près de Reichenhall. Mort le 29 mars 1892 à Munich. XIXe siècle. Allemand.
Peintre de paysages.
Musées : Mulhouse : *Environs de Munich*.
Ventes Publiques : Vienne, 22 mars 1966 : *Paysage alpestre* : **ATS 22 000** – Lucerne, 28 nov. 1970 : *Paysage aux environs de Munich* : **CHF 4 500** – Munich, 29 mai 1976 : *Paysage alpestre* 1872, h/t (86x114) : **DEM 5 000** – New York, 24 janv 1979 : *Coucher de soleil*, h/t (40,5x55,7) : **USD 1 600** – Londres, 24 mars 1982 : *Vue de Tegernsee* 1874, h/pan. (34x64) : **GBP 1 100** – Vienne, 16 mai 1984 : *Paysage au crépuscule*, h/pan. (27x47) : **ATS 45 000** – New York, 19 jan. 1994 : *Torrent dans un paysage montagneux* 1872, h/t (65,4x95,9) : **USD 2 070** – Munich, 21 juin 1994 : *Clair de lune*, h/t (27x42) : **DEM 4 830**.

WEXELBERG F. G.
Né vers 1745 à Salzbourg. XVIIIe siècle. Autrichien.
Dessinateur et graveur au burin.
Il grava des vues de Suisse et des illustrations de la *Nouvelle Héloïse*.

WEXELSEN Christian Delphin
Né le 24 mars 1830 à Tholen. Mort le 4 janvier 1883 à Oslo. XIXe siècle. Norvégien.
Peintre de paysages.
Élève de Gude. Il séjourna à Düsseldorf, vers les années 1855 et 1859, puis rentra dans sa patrie qu'il ne quitta plus.
Nature d'artiste grave, profonde et sincère malgré la lenteur de son développement. Il a peint indistinctement la montagne et la vallée, mais toujours en conformité avec la nature, rappelant, par là, la façon d'Eckersberg.

Musées : Oslo : *Vue du fjord de Christiania* – *Vue du fjord de Kure* – *Vue sur Holmsbu* – *Vestre Aker* – Trondhem : *Alpage avec des vaches*.
Ventes Publiques : Copenhague, 8 déc. 1976 : *Vue d'un fjord* 1873, h/t (41x60) : **DKK 6 600**.

WEXLER Yaacob
Né en 1912 à Latvia. XXe siècle.
Peintre de collages.
Il émigra en Israël en 1935 et travailla la terre dans un kibboutz pendant la journée, se consacrant à la peinture la nuit. Il abandonna le kibboutz pour s'engager dans les forces de la Hagana et lutter pour l'indépendance ; il n'eut de ce fait plus guère le temps de s'adonner à son art.
Ventes Publiques : Tel-Aviv, 2 jan. 1989 : *Carriole et personnages à Tel-Aviv*, h/t (54x65) : **USD 1 210** – Tel-Aviv, 4 avr. 1994 : *Composition en gris* 1961, h/t (95,2x95,2) : **USD 2 760** – Tel-Aviv, 7 oct. 1996 : *Composition* 1961, collage et h/t (134x135) : **USD 4 025**.

WEXLPAUER Hans
XVIIe siècle. Autrichien.
Sculpteur.
Il sculpta des tombeaux, des autels et des crucifix pour des églises de Klagenfurt.

WEY Alois
Né en 1894. Mort en 1985. XXe siècle. Suisse.
Peintre d'architectures, technique mixte. Art-brut.
Bibliogr. : Michel Trévoz, in : *Art brut*, AT Verlag, 1990.
Musées : Aarau (Aargauer Mus.) : *Palais I, II, III, IV, V*, techn. mixte/pp.
Ventes Publiques : Zurich, 10 nov. 1984 : *Composition* 1911, past. (60x54) : **CHF 2 200** – Lucerne, 8 juin 1996 : *Maisons* 1978, cr. de coul. avec or et argent/cart. (49x49) : **CHF 2 000** – Zurich, 8 avr. 1997 : *Sans titre*, techn. mixte (60x43) : **CHF 2 000**.

WEYAND Jaap. Voir **WEIJAND Jaap**

WEYANDT Ludwig ou **Weygant** ou **Wyandt**
D'origine suédoise. XVIIe-XVIIIe siècles. Allemand.
Peintre.
Il travailla pour le château de Gottorp. Le Musée de Kiel conserve de lui *Portrait de la duchesse Hedwig Sophia*.

WEYCK Hendrick L. de
XVIIe siècle. Travaillant en 1626. Hollandais.
Aquafortiste.
Il grava des sujets mythologiques.

WEYDE Van der, dit **Jnr.**
XIXe siècle. Américain.
Peintre de scènes typiques, dessinateur.
Il ne paraît pas identique à Harry Van der Weyde.
VENTES PUBLIQUES : NEW YORK, 28 mai 1992 : *La chasse au buffle* 1858, encre et lav./pap./cart. (11x18,4) : **USD 4 180**.

WEYDE Gizela, plus tard Mme **Leweke**
Née en 1894 à Kaschau. XXe siècle. Hongroise.
Peintre, restaurateur de tableaux.
Elle fit ses études à Budapest et à Halle. Elle était aussi écrivain d'art.
MUSÉES : PRESBOURG : peintures.

WEYDE Henry Van der
XIXe siècle. Britannique.
Peintre de miniatures.
Il était actif à Norwood. De 1875 à 1880, il exposa trois miniatures à la Royal Academy à Londres.

WEYDE Julius
Né le 4 janvier 1822 à Berlin. Mort le 27 février 1860 près de Stettin. XIXe siècle. Allemand.
Peintre de genre, intérieurs.
Il fut élève de l'Académie des Beaux-Arts de Berlin et de Jenneman à Anvers, puis de Delaroche à Paris. En 1848, il s'établit à Berlin.
MUSÉES : KIEL (Kunsthalle) : *Auberge près de Trieste*.
VENTES PUBLIQUES : COLOGNE, 16 oct. 1970 : *Famille tyrolienne dans un intérieur* : **DEM 5 800** – LONDRES, 12 oct. 1977 : *La Marchande de fleurs*, h/t, de forme ovale (76,5x61) : **GBP 800** – LONDRES, 25 mars 1981 : *Jeune paysanne de Trieste* 1855, h/t (79x59) : **GBP 1 500** – COLOGNE, 28 juin 1991 : *Les gâteries de grand'papa* 1848, h/t (64x75) : **DEM 18 000**.

WEYDE Wilhelm. Voir **WEIDE**

WEYDEN François Van der, dit **François de Laprérie**. Voir **LAPRÉRIE François de**

WEYDEN Gosvin ou **Goossen Van der**
Né vers 1465 à Bruxelles. Mort vers 1538 à Anvers. XVe siècle. Vivait encore à Anvers en 1538. Éc. flamande.
Peintre de compositions religieuses.
Fils de Peter Van der Weyden et de Katherine Van der Noot. S'établit à Anvers. Noté comme franc-maître dans la corporation de Saint-Luc, comme employant plusieurs apprentis, de 1503 à 1517. Doyen de la corporation en 1514 et en 1530. En 1535, il peignit *Le couronnement de la Vierge* pour l'abbaye de Tongerloo. Il se maria deux fois et eut un fils de sa seconde femme Roger Van der W. le Jeune.
MUSÉES : BERLIN (Mus. Nat.) : *La Vierge et l'Enfant* – PARIS (Mus. Marmottan) : *Le Christ en Croix*.
VENTES PUBLIQUES : PARIS, 7 déc. 1950 : *La Sainte Famille* : **FRF 700 000** – LONDRES, 29 mars 1968 : *Descente de Croix ; Le Calvaire ; Le Christ à la colonne*, triptyque : **GNS 6500** – LUCERNE, 13 juin 1970 : *Mise au Tombeau ; Jésus portant la Croix ; Le Christ flagellé*, triptyque : **CHF 124000** – NEW YORK, 18 mai 1972 : *Le retour du fils prodigue ; Le départ du fils prodigue ; Le fils prodigue seul, parmi les porcs (recto), Jésus bénissant (verso)*, triptyque : **USD 45000** – MONTE-CARLO, 8 déc. 1984 : *La Sainte Famille*, h/pan. (99,5x70) : **FRF 80 000** – LONDRES, 9 déc. 1992 : *Vierge à l'Enfant couronnée par des anges entourée de sainte Catherine d'Alexandrie et de sainte Marguerite d'Antioche*, h/pan. (72,5x64) : **GBP 68 200**.

WEYDEN Harry Van der
Né le 8 septembre 1868 à Boston (Massachusetts). XIXe-XXe siècles. Américain.
Peintre de genre, scènes animées, paysages, marines.
Élève de Jean-Paul Laurens, Jules Lefebvre et Benjamin-Constant à Paris, de Fred Brown à Londres. Membre du Groupe des Peintres Américains de Paris et de l'Association Américaine Artistique de Paris. Il était actif à Rye. Il obtint plusieurs récompenses dont une médaille de bronze au Salon de Paris en 1900 (Exposition Universelle).
Il peignit des scènes de la guerre de 1914.
MUSÉES : CHICAGO : *La veille de Noël*.
VENTES PUBLIQUES : PARIS, 11 déc. 1942 : *La herse* 1903 : **FRF 2 500** – PARIS, 4 avr. 1948 : *L'église de Montreuil-sur-Mer* : **FRF 3 200**.

WEYDEN Peter ou **Pieret Van der**
Né en 1437 à Bruxelles. Mort en 1514. XVe-XVIe siècles. Éc. flamande.
Peintre.
Fils du grand peintre Roger ou Rogier Van der Weyden et de Élisabeth Goffarts. Élève de son père. On ne connaît pas d'œuvre de lui. Peut-être est-il identique au Maître de la Légende de sainte Catherine.

WEYDEN Roger Van der I ou **Rogier**, appelé aussi **Roger** ou **Rogier de la Pasture** ou **de Bruges** ou **de Bruxelles**
Né en 1399 ou 1400 à Tournai. Mort le 18 juin 1464 à Bruxelles. XVe siècle. Éc. flamande.
Peintre de compositions religieuses, portraits. Gothique tardif.
Il s'appelait Rogier de la Pasture, mais il échangea plus tard son nom wallon pour le nom flamand de Roger Van der Weyden, sous lequel il est le plus généralement connu. On a pensé longtemps qu'il était né à Bruxelles, puisqu'il avait étudié avec Jean Van Eyck, son aîné de treize ans, mais il paraît prouvé actuellement que Van der Weyden, né à Tournai, a été avec Jacques Daret l'élève de Robert Campin. Au moment où à Gand les frères Van Eyck peignaient leurs chefs-d'œuvre, florissait à Tournai, dans le Hainaut, une autre école où brilla particulièrement Robert Campin, que des travaux récents ont permis d'identifier avec un primitif anonyme, d'abord appelé le « Maître de l'autel de Mérode », et plus tard le « Maître de Flémalle ». Si nous connaissons les élèves de Robert Campin, nous ignorons les maîtres dont il procède ; ses œuvres en tous cas parlent pour lui : l'*Annonciation de l'autel de la famille de Mérode* à Bruxelles, la *Madone* du Musée de Francfort, *L'Autel Van Werl* du Musée de Madrid, le *Portrait d'Homme*, du Musée de Berlin, la *Nativité* du Musée de Dijon. Campin fut un peintre vigoureux, grand coloriste et l'on perçoit déjà dans son œuvre toutes les qualités qui s'épanouiront plus tard chez son élève le plus éminent, Roger Van der Weyden. On peut lire dans les registres de la Gilde des Peintres de Tournai que Robert Campin engagea le jeune Roger comme apprenti le 5 mars 1427 ; un autre document nous apprend qu'il fut reçu comme maître peintre à Tournai le 1er août 1432. Malheureusement pour la clarté de sa biographie, il est notoire que Van der Weyden vivait dès 1425 à Bruxelles, où il était marié et avait eu un fils, et où depuis 1435 il aurait été peintre en titre de la ville ; certaines opinions n'admettent pas qu'il ait été déjà considéré par le Magistrat de Tournai en 1426 comme un peintre de valeur (il en avait reçu une récompense) avant d'avoir été admis comme apprenti chez Campin. On a même conclu à l'existence de deux Van der Weyden, tous deux nés à Tournai et dont l'aîné aurait habité Bruxelles, l'autre Bruges : hypothèse peu acceptable ; il est plus raisonnable d'admettre l'existence d'un seul Van der Weyden, qui aurait acquis la célébrité avant d'avoir reçu les leçons d'un maître connu. À Tournai, le peintre Jacques Daret demeura neuf ans dans l'atelier de Campin avant de recevoir le titre d'apprenti et ne fut reçu maître que cinq ans plus tard. En résumé, Van der Weyden a fort bien pu exécuter des œuvres de valeur avant d'obtenir le titre d'apprenti.
L'œuvre connu de Van der Weyden est considérable et presque uniquement religieux, à part quelques portraits. La plus célèbre et la plus caractéristique de ses compositions est sans doute cette *Descente de Croix*, destinée à l'autel de la Confrérie des Archers de Louvain, aujourd'hui à l'Escurial. La scène est magistralement ordonnée. La croix se dresse au milieu du tableau dans un panneau plus élevé ; le corps du Sauveur est soutenu par trois disciples, qui entourent les Saintes Femmes, à gauche la Vierge, défaillante est assistée par saint Jean et une jeune femme. Une même émotion étreint ces personnages dispersés et les unit profondément. Tout est douleur et dignité, la noblesse des attitudes n'altère en rien leur émouvant réalisme. C'est bien là une des plus belles manifestations de ce sens dramatique qui sera une des qualités éminentes de l'art de Van der Weyden.
En 1443 Nicolas Rolin, chancelier de Philippe le Bon, fonda à Beaune, non loin de Dijon, le célèbre Hôtel-Dieu dont les religieuses ont gardé le pittoresque habit du moyen-âge et dont les coteaux produisent un des meilleurs vins de France. Van der Weyden fut chargé de la décoration de la chapelle de l'Hospice et il y peignit son *Jugement dernier*. Dans le panneau central qui, comme celui de la *Descente de Croix* de l'Escurial, est plus élevé que les deux autres, le Christ trône sur un arc-en-ciel, tandis qu'au-dessous de lui, sur la terre, saint Michel, entouré de quatre anges qui jouent de la trompette, pèse dans sa balance les péchés et les mérites ; à droite les damnés sont bousculés dans les

abîmes de l'Enfer, à gauche un ange conduit les élus vers le Paradis. Cette vaste composition, est l'œuvre la plus considérable de l'Art gothique flamand après l'*Adoration de l'Agneau* des Van Eyck.
Le Musée d'Anvers s'honore d'une des œuvres capitales de Van der Weyden : le *Triptyque des Sept Sacrements*, commandé par Jean Chousat, évêque de Tournai, originaire de Poligny, dans laquelle se mêlent si harmonieusement la vie mystique et l'humble vie quotidienne. Sur le panneau central un prêtre officie dans une vaste nef, dont les diverses chapelles latérales sont réservées à l'administration des six sacrements, le septième, l'Eucharistie, étant représenté par l'autel où le prêtre dit sa messe ; une magnifique lumière baigne toute cette composition. Le Musée de Berlin possède l'*Autel saint Jean* et un ravissant portrait de jeune femme, dont les voiles blancs encadrent gracieusement le visage sérieux. À la Pinacothèque de Munich se trouve une des œuvres de maturité de Van der Weyden : l'*Adoration des Mages*, au Louvre : *Le Christ rédempteur entre la Vierge et saint Jean*, et *La Salutation Angélique*. Les États-Unis ont recueilli deux beaux portraits, au Musée de New York celui de *Méliaduse d'Este*, que Van der Weyden dut rencontrer à la Cour de Ferrare ; c'est une figure grave et méditative de grand seigneur épris de science ; le jeune prince tient dans sa main un marteau de minéralogiste. Ce portrait est empreint de cette tristesse nostalgique que l'on retrouvera si fréquemment dans les portraits de Hans Memling, lui-même élève de Van der Weyden. Enfin la collection Mellon à New York s'enorgueillit de ce *Portrait de jeune femme* qui, comme celle du Musée de Berlin nous offre son beau visage mélancolique et sensuel. Mais il est une œuvre entre toutes où l'art de Van der Weyden a trouvé son suprême épanouissement, une œuvre où, plus encore sans doute que dans ses grandes compositions, il a pu donner toute la mesure de son originalité : il s'agit de cette *Pietà* du Musée de Bruxelles, si intime et si poignante ; tous les comparses du grand drame ont disparu, la scène, où le soir tombe, est presque vide et l'on y sent peser un lourd silence ; seuls sont demeurés auprès du Christ, qui a été descendu de la Croix, la Vierge, saint Jean et Marie-Madeleine, la Vierge tient le corps sur ses genoux et elle applique étroitement sa joue sur celle de son fils. Pour faciliter ce contact, le disciple bien-aimé écarte délicatement le voile qui entoure le visage de la mère ; à quelque distance, Marie-Madeleine prie avec ferveur, au premier plan un crâne souligne l'horreur de la scène. Nulle part le pathétique de Van der Weyden n'atteint cette intensité, il est obtenu avec des moyens plastiques fort simples, le drame ici ne comporte aucune emphase et les attitudes des personnages y sont comme ceux de *La Descente de Croix* de l'Escurial d'une précision et d'un naturel parfaits. Tel fut Van der Weyden. À l'art quelque peu impassible des Van Eyck il a ajouté cette émotion contenue des visages et leur désolation infinie devant la grandeur des mystères dont ils sont les acteurs ou les témoins. Enfin, au hiératisme majestueux des Van Eyck, il substitue le mouvement. De même, à ses portraits de femmes Van der Weyden saura donner un attrait et une sensualité que l'on ne trouve pas chez ses prédécesseurs et qu'il a eu le mérite très grand de transmettre à ses élèves Thierry Bouts et Hans Memling, avec lesquels l'École de Bruges, après un déclin progressif, devait encore briller d'un dernier mais très vif éclat. ■ Jean Dupuy, J. B.

Bibliogr. : A. Wauters : *Roger Van der Weyden, ses œuvres, ses élèves, ses descendants*, Bruxelles, 1856 – A. Pinchart : *Roger de la Pasture, dit Van der Weyden*, Bruxelles, 1876 – P. Lafond : *Roger Van der Weyden*, Bruxelles, 1912 – Jules Destrée : *Roger Van der Weyden*, Van Oest, Paris, 1930 – Hulin de Loo : *Rogier Van der Weyden*, Biogr. nat., Belgique, XXVII, 1938 – Édouard Michel : *Rogier Van der Weyden*, Paris-Berne, 1945 – Vogelsang : *R. Van der Weyden*, Form and color, New York, 1949 – H. Beenken : *Rogier Van der Weyden*, Munich, 1951 – Martin Davies : *L'Œuvre complet*, Rizzoli, Milan, 1983.

Musées : Anvers : *Philippe de Groye – Les Sept Sacrements : Eucharistie, Baptême, Confirmation, Confession, Ordination, Mariage, Extrême-onction, Annonciation*, triptyque – Berlin : *Autel de Marie (Sainte Famille, Christ pleuré, Apparition du Christ à Marie) – Autel de Jean (Naissance de saint Jean, Baptême de saint Jean, Baptême du Christ, Décollation de saint Jean) – Adoration de l'Enfant Jésus – La Sybille de Thèbes – Apparition de l'étoile aux Mages (recto) – Annonciation et Ange Gabriel (verso)*, triptyque – *Jeune femme – Sainte Marguerite et sainte Apollonie – Le Jugement dernier – Charles le Téméraire – Vierge et Enfant Jésus* – Bonn : *La Sibylle de Tibur* – Boston : *La Vierge et l'Enfant peints par saint Luc* – Bruxelles : *Laurent Froment – Un chevalier de la Toison d'or – Déposition de croix – Vierge et Enfant Jésus*, deux œuvres – Caen : *La Vierge et l'Enfant* – Chartres : *Les Saintes Femmes au pied de la Croix* – Cherbourg : *Descente de Croix* – Chicago : *Jean de Gros – La Vierge et l'Enfant* – Cologne : *Tête de saint Jean* – Douai : *Apparition de la Vierge – Jugement dernier*, diptyque – Florence : *Mise au tombeau* – Francfort-sur-le-Main : *Vierge et Enfant Jésus – Naissance de saint Jean – Baptême du Christ – Décollation de saint Jean*, triptyque – La Haye : *Descente de Croix* – Londres (Nat. Gal.) : *Mise au tombeau – Mater dolorosa – Ecce Homo – Sainte Madeleine lisant – Portrait de femme – Exhumation du corps de saint Hubert* – Madrid (Prado) : *Crucifiement*, deux œuvres – *Fiançailles de la Vierge – Châtiment du péché originel – La monnaie de César*, deux œuvres – *Jugement dernier* – Munich : *Saint Luc peignant la Vierge – Adoration des Mages – Annonciation – Présentation au Temple* – New York : *Le Christ apparaît à la Vierge – Annonciation – Méliaduse ou Francesco d'Este – Sainte Famille* – Oxford : *Tête de saint Joseph* – Paris (Mus. du Louvre) : *La Vierge et l'Enfant – Le Christ entre la Vierge et saint Jean* – Saint-Pétersbourg (Mus. de l'Ermitage) : *Saint Luc peignant le portrait de la Vierge* – Turin : *Visitation et donateur* – Vérone : *La Vierge et l'Enfant – Le Christ apparaît à la Vierge – Vienne : Crucifiement – La Vierge debout – Sainte Catherine* – Washington D. C. (Nat. Gal.) : *Portrait de jeune femme.*

Ventes Publiques : Paris, 1862 : *La Vierge allaitant l'Enfant* : **FRF 1 045** ; *Autel à volets (Descente de Croix, Messe du pape Grégoire, Donatrice en prière)* : **FRF 1 218** – Paris, 1865 : *Le Christ*, dess. à la pointe d'argent : **FRF 275** – Paris, 1868 : *Vierge et des saints* : **FRF 6 800** – Paris, 1870 : *Joseph trahi par ses frères* ; *Le mariage de Joseph*, ensemble : **FRF 9 000** – Paris, 27 jan. 1882 : *Le calvaire* : **FRF 20 100** – Paris, 1898 : *Mater dolorosa* : **FRF 15 000** – Paris, 1900 : *Ecce Homo* : **FRF 16 000** – Londres, 31 mars 1922 : *Adoration des Mages* : **GBP 2 415** – Londres, 18 juil. 1924 : *Tête de saint Stephan* : **GBP 609** – Londres, 24 juin 1938 : *Le songe du pape Serge* : **GBP 14 700** – Paris, 12 mars 1943 : *L'Annonciation*, École de R. V. der W. : **FRF 365 000** – Paris, 25 mai 1949 : *Groupe de trois hommes (fragment d'une Adoration des Rois mages)* : **FRF 1 900 000** – Paris, 1er juin 1949 : *Pietà*, École de R. V. der W. : **FRF 600 000** – Londres, 3 nov. 1950 : *Portrait d'un homme jeune* : **GBP 7 035** – Bruxelles, 4 déc. 1950 : *Descente de Croix*, triptyque sur fond d'or, École de R. V. der W. : **BEF 50 000** – Londres, 25 juil. 1952 : *Pietà* : **GBP 504** – Londres, 26 juin 1959 : *La messe de saint Grégoire* : **GBP 12 600** – Lucerne, 15 et 16 juin 1967 : *Portrait de Philippe le Bon* : **CHF 40 000**.

WEYDEN Roger Van der II ou **Rogier**
Mort entre 1537 et juillet 1573. XVIe siècle. Éc. flamande.
Peintre.
Fils de Goswin Van der Weyden. Franc-maître dans la gilde d'Anvers en 1528. En 1536, il prend comme apprenti Jan de Jonghe. Il vivait encore en avril 1537. On ne connaît pas d'œuvre authentique de lui.

WEYDEVELDT Van. Voir **LÉONARD Agathon**

WEYDINGER
Né en 1730 à Klosterneubourg. XVIIIe siècle. Travaillant à Sèvres à partir de 1767. Français.
Peintre et doreur.
Père de Joseph Léopold W.

WEYDINGER Joseph Léopold
Né en 1768. XVIIIe-XIXe siècles. Français.
Peintre et doreur.
Il travaillait pour la Manufacture de Sèvres de 1800 à 1816.

WEYDINGER Pélagie Adèle
Née le 26 septembre 1803 à Sèvres (Hauts-de-Seine). Morte le 7 janvier 1870 à Sèvres. XIXe siècle. Française.
Peintre de fleurs.
Fille de Joseph Léopold W. Elle travailla pour la Manufacture de Sèvres.

WEYDITZ. Voir **WEIDITZ**

WEYDMANS Claes. Voir **WEYDTMANS**

WEYDOM
XVIIe siècle. Travaillant vers 1675. Hollandais.
Aquafortiste.

WEYDTMANS Claes ou **Nicolas Jansz** ou **Wytmans**
Né vers 1570 à Bois-le-Duc. Mort le 3 ou 9 février 1642 à Rotterdam. XVIe-XVIIe siècles. Hollandais.

Graveur au burin, peintre sur verre ou sur faïence et cartographe.
Il grava des vues et des sujets religieux et exécuta des vitraux pour l'église de Haestrecht.

WEYE Hubert Van der
XVIe siècle. Travaillant à Amsterdam en 1586. Hollandais.
Peintre.

WEYEN Herman ou **Weyer**
Mort le 27 février 1672 à Paris. XVIIe siècle. Éc. flamande.
Graveur au burin (?) et éditeur.
La Galerie Harrach à Vienne conserve de cet artiste deux allégories peintes. Il a gravé des sujets religieux.

WEYEN Laurent
Né en 1643. XVIIe siècle. Travaillant à Paris en 1670. Français.
Graveur au burin et éditeur.
Fils de Herman W. Il grava des illustrations pour des œuvres de Molière.

WEYENBERGH Berthe Florence Van
Née le 9 février 1914 à Anderlecht (Brabant). XXe siècle. Belge.
Peintre de miniatures, fleurs.
Elle a commencé par étudier l'art graphique, notamment à l'École de dessin A.B.C. de Paris. Elle fera la connaissance du peintre Omer. Elle a exposé à Bruxelles, Hanovre, Luxembourg et Florence. Elle signe Florence ou Flor.

WEYER Herman. Voir **WEYEN**

WEYER Hermann ou **Weyher**
XVIIe siècle. Actif à Cobourg de 1600 à 1620. Allemand.
Peintre d'histoire, compositions religieuses, dessinateur.
Probablement identique à H. E. Weyer. Il dessina des scènes bibliques et historiques.
Musées : Berlin – Brunswick – Darmstadt – Leyde – Vienne.
Ventes Publiques : Londres, 4 juil. 1994 : *Vénus et Cupidon*, encre et lav. (13,x17,5) : **GBP 920**.

WEYER Jacob ou **Weier**
Mort le 8 mai 1670 à Hambourg. XVIIe siècle. Allemand.
Peintre d'histoire et de batailles.
Peut-être identique à Matthias W. On n'a pas de renseignements sur le début de sa vie. En 1648, on le mentionne dans la corporation des peintres de Hambourg. La National Gallery, à Londres, conserve une *Scène de bataille*, signée I. Wieier 1645, peinte dans la manière de Philippe Wouwerman. Mais le rédacteur du catalogue de 1906 émet des doutes sur la juste attribution de cette œuvre et la croit plutôt de Johann Matthias, un élève de Wouwerman.
Musées : Brunswick : *Camp militaire* – Hambourg : *Attaque d'un camp – Portement de la Croix – Chasse au faucon* – Londres (Nat. Gal.) : *Scène de bataille* – Munster : *Portement de la Croix* – Sibiu : *Combat entre fantassins et cavaliers*.
Ventes Publiques : Londres, 11 mars 1983 : *Soldats prenant d'assaut la porte d'une ville*, h/pan. (52x69,2) : **GBP 2 600** – Londres, 2 juil. 1991 : *Chef de clan indigène avec son arc et son carquois*, encre et lav. avec reh. de blanc/pap. bleu (19,9x15,5) : **GBP 3 300** – Londres, 3 avr. 1992 : *Cavaliers et fantassins à l'assaut d'une ville incendiée*, h/pan. (52,5x69,8) : **GBP 9 350**.

WEYER Johannes Hermannus Van de
Né le 31 décembre 1818 à Utrecht. Mort le 17 octobre 1889 à La Haye. XIXe siècle. Hollandais.
Dessinateur sur pierre.

WEYER Matthias
Né à Hambourg. Mort vers 1690. XVIIe siècle. Allemand.
Peintre de genre.
Élève de Decker et collaborateur de Wouwerman. Probablement identique à Jacob W.

WEYER Pierre. Voir **WEINHER**

WEYER Pieter Wilhelmus Van de
Né le 5 avril 1816 à Utrecht. Mort le 2 juin 1880 à Utrecht. XIXe siècle. Hollandais.
Dessinateur sur pierre.

WEYER Sophie. Voir **JADELOT,** Mme

WEYERLECHNER Johann Georg
XVIIe siècle. Autrichien.
Peintre.
Il travailla pour la cour d'Innsbruck de 1625 à 1632.

WEYERMAN Jacob Campo, dit **Campovivo**
Né le 9 août 1677 à Bréda. Mort le 9 mars 1747 à La Haye, en prison. XVIIIe siècle. Hollandais.
Peintre de fleurs, aquafortiste, écrivain.
Il étudia à Delft avec Ferd. Van Kessel et Th. Van der Will, puis à Anvers avec Simon Hardimé. En Italie il est connu sous le nom de Campovivo.
Il est connu pour ses pamphlets, ses satires, et par une *Vie des peintres*. son ouvrage critique sur la Compagnie des Indes Hollandaises le fait condamner à la prison à vie en 1738.

Musées : Amsterdam : *Fleurs* – Karlsruhe : *Fleurs dans un vase* – Kassel : *Fleurs*.
Ventes Publiques : Londres, 1er fév. 1985 : *Fleurs dans une urne, sur un entablement*, h/t (109,8x83,8) : **GBP 6 000** – Paris, 12 déc. 1995 : *Bouquet de fleurs dans un vase sur un entablement*, h/t (54x41,5) : **FRF 35 000**.

WEYERMANN Nikolaus ou **Weiermann**
XVe-XVIe siècles. Travaillant à Berne de 1471 à 1503. Suisse.
Sculpteur de bas-reliefs.
Il sculpta, avec Hans Venner, le plafond de l'église de Köniz.

WEYERS Andreas Michael
Né à Ribe. XIXe siècle. Actif dans la première moitié du XIXe siècle. Danois.
Peintre.
Élève de Hendrik Krock à Copenhague.

WEYERS Anne Marie
Née en 1945. XXe siècle. Belge.
Peintre, dessinateur, pastelliste, aquarelliste, graveur, lithographe, illustrateur.
Elle s'est formée, en art, à Prague et à Florence. Elle est également poète.
Bibliogr. : In : *Dictionnaire biographique illustré des artistes en Belgique depuis 1830*, Arto, Bruxelles, 1987.

WEYET Albertine
XIXe siècle. Française.
Peintre de portraits et miniaturiste.
Elle exposa au Salon en 1806.

WEYGANT Ludwig. Voir **WEYANDT**

WEYGERS Désiré
XIXe siècle. Belge.
Sculpteur, médailleur.
Élève de Charles Van der Stappen. Il exposa à Bruxelles en 1897. Il a collaboré à la restauration de la façade de l'Hôtel de Ville de Bruxelles.

WEYHE Christoph von
XXe siècle. Allemand.
Peintre.
Il a montré un ensemble de ses œuvres à la galerie Le Monde de l'Art Rive gauche à Paris en 1995.
Il s'attache à rendre des impressions du port de Hambourg, fragments d'architectures, de passerelles, de rambardes, de bateaux, dans des toiles aux fonds noirs ou colorés.

WEYHER. Voir aussi **WEYER**

WEYHER Hermann. Voir **WEYER**

WEYHER Suzanne
Née en 1878 à Paris. Morte en 1924 au Lavandou (Var). XXe siècle. Française.
Peintre de paysages, fleurs.
Femme de Jean Schlumberger.
Musées : Paris (Art Mod.) : *Anémones* – Strasbourg : *Paysage*.

WEYL Emilie Jenny, née **Schawol**
Née à Lure (Haute-Saône). XIXe siècle. Française.
Sculpteur.
Élève de Mme Léon Bertaux. Elle débuta au Salon en 1876 ; mention honorable en 1889 (Exposition Universelle) ; et en 1900 (Exposition Universelle). Le Musée de Cahors conserve d'elle *Quinze ans*.

WEYL Jacob von. Voir **WYL**

WEYL Max
Né le 1er décembre 1837 à Mühlen. Mort le 6 juillet 1914 à Washington D. C. XIXe-XXe siècles. Actif aux États-Unis. Allemand.
Peintre de paysages, paysages animés, vues urbaines.
Il se fixa aux États-Unis en 1853.
Musées : Buffalo – Washington D. C.

Ventes Publiques : Washington D. C., 29 fév. 1976 : *Paysage de printemps*, h/t (65x86,5) : **USD 1 100** – Washington D. C., 30 sept 1979 : *Bords de Potomac* 1878, h/t (30,5x61) : **USD 2 700** – New York, 14 fév. 1990 : *Le ramassage du petit bois*, h/t (755,5x101,6) : **USD 1 650** – New York, 31 mai 1990 : *Venise*, h/t (35,3x25,1) : **USD 1 430**.

WEYLER Jean-Baptiste ou **Weyller, Weiler, Weiller**
Né le 3 janvier 1747 à Strasbourg. Mort le 25 juillet 1791 à Paris. xviiie siècle. Français.
Peintre de portraits sur émail, miniaturiste et pastelliste.
Reçu académicien le 25 septembre 1779. Il exposa au Salon de 1775 à 1791. Le Musée de Strasbourg conserve de lui *Pierre le Grand, Fontenelle, Bossuet*, et celui de Versailles, *L'artiste*.
Ventes Publiques : Paris, 1872 : *Portrait de Paul Potter*, miniat. : **FRF 2 050** – Paris, 1897 : *Tête de femme*, dess. : **FRF 695** – Paris, 1898 : *Portrait du comte d'Angevilliers*, miniat. : **FRF 18 100** – Paris, 26 avr. 1923 : *Portrait présumé de Cromwell*, miniat. : **FRF 5 000** – Paris, 8 mai 1926 : *Portrait d'homme*, miniat. : **FRF 6 650** – Paris, 26 nov. 1936 : *Portrait de Mir-Joad, ambassadeur extraordinaire*, miniat. : **FRF 11 400** – Paris, 17 mai 1950 : *Louis Michel Van Loo tenant un fusain à la main droite et un carton à dessin dans la main gauche*, miniat., attr : **FRF 75 000** – Paris, 15 déc. 1950 : *Portrait présumé du maréchal de Turenne*, émail : **FRF 125 000**.

WEYLER Louise. Voir **BOURDON Louise**

WEYLER Michel
Né en 1851 à Echternach. Mort en 1926 à Ettelbruck. xixe-xxe siècles. Luxembourgeois.
Peintre de figures, natures mortes, pastelliste.
De 1878 à 1884, il fut élève d'Alexandre Jean-Baptiste Vion à Paris, où il exposait au Salon une nature morte en 1881. Après 1894, pour cause de maladie, il a cessé de peindre.
Bibliogr. : In : catalogue de l'exposition *150 ans d'art luxembourgeois*, Mus. Nat. d'Hist. et d'Art, Luxembourg, 1989.
Musées : Luxembourg (Mus. Nat. d'Hist. et d'Art) : *Nature morte à la selle de cheval* 1883 – *Fillette en robe bleue* 1889, past.

WEYMANN Jeannette von
Née le 18 novembre 1849 à Méhadia. xixe siècle. Autrichienne.
Paysagiste et peintre de fleurs.
Élève de l'Académie de Graz.

WEYNANTS Hendrik
xviiie siècle. Travaillant à Amsterdam en 1730. Hollandais.
Graveur au burin.

WEYNERS Hans. Voir **WEINER**

WEYNHART Kaspar. Voir **WEINHART**

WEYNHER Pierre. Voir **WEINHER**

WEYNOUTS Simon. Voir **FRISIUS Simon Weynouts**, dit **Simon de VRIES**

WEYNS Jan Harm
Né en 1864 à Zwolle. Mort en 1945. xixe-xxe siècles. Hollandais.
Peintre de portraits, paysages, paysages urbains.
Il fut élève de J. D. Huiber à Zwolle.
Musées : La Haye (Mus. mun.) : *Asile à Rotterdam* – Rotterdam (Mus. Boymans) : *Villa près de Rotterdam*.
Ventes Publiques : Amsterdam, 6 nov. 1990 : *Le Delfshavense Dchie à Rotterdam en hiver*, h/pan. (35x28) : **NLG 2 185**.

WEYNS Jules
Né en 1849. Mort en 1925. xixe-xxe siècles. Belge.
Sculpteur.
Il fut élève à l'Académie d'Anvers. Il vécut et travailla à Anvers. Il exposa à Londres en 1887, à Berlin en 1890 et à Bruxelles en 1897.

WEYNS Laurent. Voir **WEINS**

WEYR Rudolf von
Né le 22 mars 1847 à Vienne. Mort le 30 octobre 1914 à Vienne. xixe-xxe siècles. Autrichien.
Sculpteur de monuments, statues.
Il fut élève de Franz Bauer à l'Académie des Beaux-Arts de Vienne, où il enseigna ensuite.
Il sculpta de nombreux monuments dans cette ville, des statues, des bas-reliefs et des ornements.

WEYROTTER Franz Edmund. Voir **WEIROTTER**

WEYSE Johan. Voir **WEISS**

WEYSE Oluf Jepsen. Voir **WEISE**

WEYSS. Voir **WEISS**

WEYSSE Oluf Jepsen. Voir **WEISE**

WEYSSENHOFF Henri ou **Henryk**
Né le 26 juillet 1859 à Pokrevnee. Mort le 23 juillet 1922 à Varsovie. xixe-xxe siècles. Polonais.
Peintre de genre, paysages, animalier, graveur.
Il fut élève de l'Académie de Saint-Pétersbourg. Il figura aux différentes expositions de Paris, obtint une médaille d'argent en 1900 lors de l'Exposition universelle.
Musées : Varsovie (Mus. Nat.) : cinq peintures.

WEYSSER. Voir aussi **WEISER**

WEYSSER Karl
Né le 7 septembre 1833 à Durlach. Mort le 28 mars 1904 à Heidelberg. xixe siècle. Allemand.
Peintre de genre, architectures, paysages.
En 1855, il étudia à l'École d'Art à Karlsruhe avec Descoudres. De 1861 à 1864, il continua ses études à Munich.
Musées : Altenburg : *Vue de Strasbourg* – Heidelberg : Douze vues de Heidelberg – Karlsruhe : *Dietkirchen-sur-la-Lahn – Enfants dans une cour – Le château de Gutenstein dans la vallée du Danube – La porte Saint-Laurent dans la cathédrale de Strasbourg – L'artiste* – Leipzig : *Vue de Bergheim*.
Ventes Publiques : Cologne, 21 oct. 1966 : *Scène de rue, dans une petite ville* : **DEM 3 300** – Berlin, 4 nov. 1970 : *Vue d'une ville au bord d'une rivière* : **DEM 5 000** – Cologne, 26 mars 1971 : *Petite ville au bord d'une rivière* : **DEM 4 600** – Cologne, 22 nov. 1973 : *Scène de marché* : **DEM 3 000** – Londres, 18 juin 1980 : *Le château de Zwingenberg au bord du Neckar* 1891, h/t (49x40) : **GBP 3 400** – Munich, 7 déc. 1993 : *Ruelle de village* 1885, h/t (39x31,5) : **DEM 11 500** – Heidelberg, 8 avr. 1995 : *Le couvent de Bebenhausen* 1858, encre brune (32,9x41,5) : **DEM 1 700**.

WEYSSER Matthias. Voir **WEISER**

WEYSZKOPF Josef Franz. Voir **WEISSKOPF**

WEYTS Pauwels, l'Ancien ou **Weijts**
xvie siècle. Actif à Bruges. Hollandais.
Peintre.
Père de Pauwels W. le jeune. Il fut membre de la gilde de Dordrecht en 1588.

WEYTS Pauwels, le Jeune ou **Weijts**
Mort le 26 mai 1629 à Delft. xviie siècle. Hollandais.
Peintre.
Il fut membre de la gilde de Dordrecht en 1620.

WEZ Arnould de. Voir **VUEZ**

WEZELAAR Han
Né le 25 novembre 1901 à Haarlem (Pays-Bas). Mort en 1984. xxe siècle. Hollandais.
Sculpteur de figures.
Il fut élève de l'École des Arts et Métiers d'Amsterdam, puis de Zadkine, à Paris. Il a exposé, à Paris, au Salon des Tuileries depuis 1931 et à Amsterdam.
Ventes Publiques : Amsterdam, 10 avr. 1989 : *Baigneuse* 1932, bronze (H. 47) : **NLG 9 200** – Amsterdam, 30 mai 1995 : *Rembrandt* 1969, bronze à patine verte (H. 80) : **NLG 5 000** – Amsterdam, 4 juin 1997 : *Couple africain*, bronze, une paire (chaque H. 44,5) : **NLG 19 604**.

WEZER
xviiie siècle. Actif à la fin du xviiie siècle. Français.
Peintre de miniatures.
On cite de lui la miniature d'un officier français.

WEZYK Jakob
Né en Lituanie. Mort à Sokal. xive-xve siècles. Lituanien.
Peintre.
Il travailla pour la cour de Cracovie. Il peignit des sujets religieux.

WHAGEN Arthur
Né au xixe siècle à Memel. xixe siècle. Allemand.
Sculpteur.
Il figura aux expositions de Paris ; mention honorable en 1861.

WHAITE Henry Clarence
Né le 27 janvier 1828 à Manchester (Lancashire). Mort le 5 juin 1912 à Conway. xixe-xxe siècles. Britannique.
Peintre de scènes de genre, paysages, paysages animés.
Il a d'abord été élève de la Manchester School of Design, puis de Leigh, de la Art School à Sommerset House ainsi qu'aux Écoles de la Royal Academy. Il fut un des fondateurs de la Manchester Academy et président de la Royal Cambriam Academy à Londres. Il séjourna en Suisse, et en Italie en 1869.

Il exposa pour la première fois une *Expulsion du Paradis terrestre* au Royal Institute de Manchester. Cette peinture lui valut une médaille. D'autres succès suivirent ce premier. Il exposa à Londres à partir de 1851, notamment à la Royal Academy, à Suffolk Street et à la Old Water Society, dont il fut élu membre.
Son voyage en Suisse l'amena à donner dans ses peintures une large place au paysage. L'influence de Ruskin fut considérable. Dès lors, il s'inspira grandement de Turner.
Musées : Blackburn : *Le jardin du couvent – Thirlmere* – Cardiff : *Estuaire de Mowddach – Pont Romain, Snowdonia*, aquar. – Leeds : *Tempête dans les dunes* – Liverpool : *Castle Rock, Cumberland – Le barde* – Nottingham : *L'arc-en-ciel* – Warrington : *Ferme de montagne*.
Ventes Publiques : Londres, 6 fév. 1981 : *Nettoyage du bateau*, h/t (40,6x57,2) : **GBP 1 300** – South Queensferry (Écosse), 1er mai 1990 : *Arthur dans la vallée de la peur*, h/t (102x153) : **GBP 3 410** – Londres, 5 juin 1991 : *L'agneau blessé* 1891, aquar. (42x74) : **GBP 990** – Glasgow, 4 déc. 1991 : *La hauteur des collines*, h/t (147,5x101,5) : **GBP 1 100** – Londres, 6 nov. 1995 : *Arthur dans le Gruesome Glen*, h/t (106x156) : **GBP 4 370**.

WHAITE James
xixe siècle. Travaillant à Manchester. Britannique.
Peintre de paysages, aquarelliste.
Il exposa à Londres, à la Royal Academy de 1867 à 1881.
Musées : Londres (Victoria and Albert Mus.) : *Llun Idwall*.
Ventes Publiques : Londres, 26 jan. 1987 : *Midi ; Soirée, Hayfield*, aquar. reh. de gche, une paire (30,5x46) : **GBP 1 900** – Perth, 27 août 1990 : *Loch Awe* 1883, aquar. (57x93) : **GBP 1 210** – Londres, 9 mai 1996 : *Promenade le long du ruisseau*, aquar. et gche (39,5x60) : **GBP 805**.

WHAITE R. Thorne
xixe-xxe siècles. Actif dans la seconde moitié du xixe siècle. Britannique.
Aquarelliste.

WHALL Christopher Whitworth
Né vers 1849. Mort le 23 décembre 1924. xixe-xxe siècles. Britannique.
Peintre, peintre verrier, peintre de cartons de vitraux.
Père de Veronica Whall. Il fut élève de l'Académie de Londres. Il y exposa en 1875. Il vécut et travailla à Londres. Il exécuta des vitraux pour plusieurs églises de Londres, de Brighton et de Canterbury.
Ventes Publiques : Londres, 6 juin 1980 : *Le semeur*, h/t (147,3x71,6) : **GBP 750**.

WHALL Veronica
Née le 8 avril 1887 à Dorking. xxe siècle. Britannique.
Peintre verrier, peintre de cartons de vitraux.
Fille de Christopher Whitworth Whall. Elle fut élève de l'École des Beaux-Arts de Londres.
Musées : Londres (Mus. Victoria et Albert) : plusieurs cartons de vitraux.

WHARAM M.
xviiie siècle. Travaillant à Londres de 1795 à 1797. Britannique.
Peintre animalier.

WHARTON Philip Fishbourne
Né en 1841 à Philadelphie. Mort le 27 juillet 1880 à Media. xixe siècle. Américain.
Peintre de genre.
Élève de l'Académie de Philadelphie.

WHATLEY Henry
Né en 1842. Mort en 1901. xixe siècle. Actif à Bristol-Clifton. Britannique.
Peintre de figures, paysages, aquarelliste.
Musées : Bristol.
Ventes Publiques : Londres, 27 mars 1996 : *Beauté classique*, aquar. (62x94) : **GBP 2 415**.

WHEATLEY Francis ou **Wheatly**
Né en 1741 ou 1747 à Londres. Mort le 28 juin 1801 à Londres. xviiie siècle. Britannique.
Peintre de portraits, de paysages et de genre, graveur.
Fils d'un maître tailleur. D'abord élève de la Slipley's drawing school puis des écoles de la Royal Academy. On cite parmi ses premiers ouvrages un plafond peint pour Lord Melbourne à Brocket Hall. Il travailla également aux décorations de Vauxhall. Il s'établit comme peintre de portrait. Une aventure amoureuse lui fit quitter Londres pour Dublin. Il enleva la femme de son ami et confrère le peintre John Gresse. Le succès de Wheatly ne fut pas moindre dans la capitale de l'Irlande. Il y peignit des portraits et notamment une grande composition représentant la chambre irlandaise des communes, dans laquelle il introduisit un grand nombre d'effigies de personnages politiques irlandais. De retour à Londres, il fut fort bien accueilli par le public, et il se classa parmi les peintres de genre et de sujets rustiques les plus populaires. Boydell lui commanda douze sujets pour la *Shakespeare Gallery* et Macklin le choisit comme collaborateur à la *Poet's Gallery*. Il produisit enfin son ouvrage le plus connu : *Les cris de Londres*, douze sujets que les graveurs les plus en vogue reproduisirent. Il fut membre de la Free Society of Artist. Associé à la Royal Academy en 1790 et académicien en 1791. Il exposa à Londres de 1765 à 1783. Quarante-cinq ouvrages à la Society of Artists, à la Free Society et quatre-vingt-sept à la Royal Academy. Il a beaucoup dessiné à la plume indiquant les ombres à l'encre de Chine. On cite de lui une eau-forte et une gravure à la manière noire.
Musées : Budapest : *La famille heureuse* – Dublin : *Les volontaires de College Green en 1779 – Enfant avec chien – Revue des troupes dans le parc Phénix par le général Irwin – Le rêve de Marie* – Une aquarelle – Dundey : *La mort de l'oiseau – L'enterrement de l'oiseau* – Liverpool : *Courtoisie* – Londres (Nat. Portrait Gal.) : *L'artiste – Henry Grattan – Arthur Philip* – Londres (Tate Gal.) : *Monsieur avec son chien* – Londres (Victoria and Albert Mus.) : *L'intérieur de la Galerie Shakespeare – Les ducs d'York, Clarence, duchesse de Devonshire – Sir J. Reynolds – Boydell – Le licenciement – Près d'Ilfracombe – Intérieur avec une femme et deux enfants – Vue de Keswick* – New York (Metropolitan Mus.) : *Région du pays de Galles – Retour de la mariée* – Nottingham : *Soldats se rafraîchissant – Le wagon contenant la moisson* – Victoria d'Australie : *Mort d'un oiseau – Enterrement d'un oiseau*.
Ventes Publiques : Londres, 1871 : *La fille vertueuse* : **FRF 1 590** – Paris, 16-18 mai 1907 : *Le bac* : **FRF 1 850** ; *La découverte* : **FRF 900** – Londres, 3 fév. 1922 : *Retour de fenaison* : **GBP 105** – Londres, 28 juil. 1922 : *Les bruits de Londres* : **GBP 409** – Paris, 12 et 13 déc. 1924 : *Vénus et l'Amour*, aquar. : **FRF 1 520** – Londres, 15 mai 1925 : *Retour du soldat* : **GBP 231** – Londres, 8 juin 1928 : *Célibat, flirt, mariage et vie de femme mariée*, suite de quatre peintures, ensemble : **GBP 8 505** – Londres, 12 déc. 1928 : *Scène rustique*, aquar. : **GBP 105** – Londres, 3 mai 1929 : *Portraits de la famille Winstanley Wood*, deux pendants : **GBP 2 100** ; *Deux enfants de Ralph Winstanley Wood* : **GBP 2 415** – New York, 2 avr. 1931 : *La réconciliation* : **USD 1 300** – New York, 7 et 8 déc. 1933 : *Enfants jouant* : **USD 1 350** – New York, 18 et 19 avr. 1934 : *Le tendre père* : **USD 700** – Paris, 18 juin 1937 : *Le repos des voyageurs*, aquar. sur trait de pl. : **FRF 1 000** – Londres, 3 déc. 1937 : *École villageoise* : **GBP 283** – Londres, 25 avr. 1940 : *Querelle d'amoureux*, dess. : **GBP 157** – Nice, 12 et 13 juil. 1943 : *Villageoise près d'une chaumière*, attr. : **FRF 23 000** – Londres, 16 juil. 1943 : *La famille Pitt* : **GBP 2 835** – New York, 15-16 nov. 1946 : *Chasseur et ses chiens* : **USD 2 300** – Paris, 18 déc. 1946 : *Le bouquet*, attr. : **FRF 150 000** – Londres, 24 juin 1960 : *Une conversation* : **GBP 630** – Londres, 19 avr. 1961 : *Les baigneurs* : **GBP 4 200** – Londres, 28 juin 1963 : *La femme du pêcheur* : **GNS 1 700** – Londres, 24 nov. 1965 : *Portrait de Mr Bailey of Stanstead Hall* : **GBP 2 600** – Londres, 11 oct. 1967 : *La maîtresse d'école* : **GBP 1 100** – New York, 25 sep. 1968 : *Le chat et la cage à oiseau* : **USD 4 250** – Londres, 20 nov. 1970 : *Deux enfants et une jeune paysanne dans une cour de ferme* : **GNS 550** – Londres, 14 nov. 1972 : *Paysage au lac*, aquar. : **GNS 1 800** – Londres, 13 déc. 1972 : *Le désastre* : **GBP 2 000** – Londres, 4 avr. 1973 : *Soldat à cheval achetant des poulets* 1788 : **GBP 23 000** – Londres, 22 mars 1974 : *Scène de ferme* : **GNS 1 600** – Londres, 31 mars 1976 : *La marchande de pois*, h/t (85,5x110) : **GBP 2 200** – Londres, 9 nov. 1976 : *Une ferme aux abords d'un village*, aquar. et pl. (21,5x29,5) : **GBP 750** – Londres, 25 nov. 1977 : *Groupe familial dans un intérieur* vers 1787, h/t (99,6x125) : **GBP 12 000** – Londres, 14 juin 1977 : *Paysage fluvial avec ruines animé de personnages* 1798, aquar. (38,5x48,3) : **GBP 1 500** – Londres, 15 mars 1978 : *Portrait du Colonel and Mrs. Campbell avec leur fille Elizabeth*, h/t (100x112,5) : **GBP 18 000** – Londres, 14 déc 1979 : *Le Départ* 1799, aquar. (30,3x25,3) : **GBP 700** – Londres, 18 juil 1979 : *Le Désastre* 1788, h/t (78x66,5) : **GBP 4 400** – Londres, 19 mars 1981 : *Jeune Lady prenant son petit déjeuner*, mine de pb, cr. et lav., de forme ovale (32,5x24,5) : **GBP 750** – Londres, 16 juil. 1981 : *Matin dans la campagne* 1800, aquar./trait de cr. (35,5x47,5) : **GBP 1 300** – Londres, 13 déc. 1982 : *Mrs Wheatley, née Clara Maria Leigh, the artist's wife* 1788, h/t, de forme ovale (39x33,3) : **GBP 3 500** – New

YORK, 23 fév. 1983 : *Le Camp des gitans* 1782, cr., aquar. et pl. (18,4x23,8) : **USD 1 300** – LONDRES, 29 mars 1983 : *The Salmon Leap at Leixlip, Ireland* 1784, aquar. et cr. (35,5x53,5) : **GBP 5 500** – LONDRES, 15 juil. 1983 : *Portrait de Mr Ironmonger*, h/t (82,5x69,8) : **GBP 20 000** – LONDRES, 9 juil. 1985 : *A girl crossing a stile* 1798, aquar. et cr. (21,2x14,8) : **GBP 1 600** – LONDRES, 20 nov. 1986 : *Paysans au repos près d'un arbre*, aquar. et pl., de forme ovale (32,5x48) : **GBP 2 200** – LONDRES, 19 nov. 1987 : *The travelling tinker*, lav. en coul./traits de pl. (55x88) : **GBP 1 250** – LONDRES, 25 jan. 1988 : *Campagnards sur le pont d'un village*, aquar. (65,5x96,5) : **GBP 902** – NEW YORK, 25 jan. 1988 : *Portrait de Ralph Winstanley Wood et de son fils dans un paysage boisé*, h/t (71,1x88,9) : **USD 66 000** – LONDRES, 15 juil. 1988 : *La femme du pêcheur* 1796, h/t (55,9x45,7) : **GBP 11 000** – LONDRES, 18 nov. 1988 : *Scène de la vie des pêcheurs sur une côte rocheuse* 1783, h/pan. (28x23,5) : **GBP 2 750** – NEW YORK, 12 jan. 1989 : *Paysage avec du bétail s'abreuvant près d'un moulin à eau*, h/t (63,5x75) : **USD 15 400** – NEW YORK, 12 oct. 1989 : *La réconciliation*, h/t (47x35,5) : **USD 6 600** – LONDRES, 14 mars 1990 : *Portrait de Sir Richard Peers Symons portant un manteau bleu sur un habit jaune tenant son chapeau et sa canne d'une main et flattant son chien de l'autre*, h/t (91,5x71) : **GBP 11 000** – LONDRES, 11 juil. 1990 : *Campement de gitans en Irlande* 1783, h/pan. (42x51) : **GBP 7 150** – LONDRES, 12 avr. 1991 : *Au marché*, h/t (56,5x47) : **GBP 3 080** – LONDRES, 15 nov. 1991 : *Le retour du soldat* 1785, h/t (49x38,1) : **GBP 16 500** – NEW YORK, 17 jan. 1992 : *Portrait de Robert Campbell avec sa femme Ann et sa fille Elizabeth-Mary sous un arbre sur la rive de la Tamise à Greenwich*, h/t (101,6x113,7) : **USD 110 000** – NEW YORK, 22 mai 1992 : *Portrait de Miss Fridiswede Moore* 1782, h/t (73,7x61) : **USD 22 000** – NEW YORK, 15 jan. 1993 : *Le retour du marché*, h/t (55,9x45,7) : **USD 6 900** – LONDRES, 2 juin 1995 : *Paysanne rapportant un fagot* 1800, craies de coul. et reh. d'aquar./pap. (42,5x30) : **GBP 4 830** – PARIS, 18 déc. 1995 : *Le concert dans un parc*, h/t (59,5x84) : **FRF 17 000** – NEW YORK, 4 oct. 1996 : *Le Roi Alfred dans la maison des petites gens* 1792, h/t (206x149,8) : **USD 23 000**.

WHEATLY Clara Maria. Voir **POPE**, Mrs

WHEATLY Edith Grace, née **Wolfe**

Née le 26 juin 1888 à Londres. Morte en 1970. XXe siècle. Britannique.

Peintre, sculpteur.

Elle fit ses études à la Slade School de 1906 à 1908 et à l'atelier Colarossi à Paris. Femme de John Wheatly.

MUSÉES : LIVERPOOL (Walker Gal.) – LONDRES (Mus. Britannique) – LONDRES (Tate Gal.).

VENTES PUBLIQUES : LONDRES, 2 nov. 1983 : *The turning mill*, h/t (126x100) : **GBP 1 200**.

WHEATLY John

Né en 1892 à Abergavenny. XXe siècle. Britannique.

Peintre, graveur.

Il fut élève de la Slade School de Londres. Mari d'Edith Grace Wheatly. Il gravait à l'eau-forte.

MUSÉES : CAPETOWN – LONDRES – MANCHESTER.

WHEATLY Oliver

Né à Birmingham (West Midlands). XIXe-XXe siècles. Britannique.

Sculpteur.

Il fut élève de Aman-Jean à Paris. Il exposa à Londres de 1892 à 1920.

WHEATLY Samuel

Mort en 1771. XVIIIe siècle. Actif à Dublin. Irlandais.

Graveur au burin.

Il grava surtout des cartes géographiques.

WHEELER Alfred

Né en 1852. Mort en 1932. XIXe-XXe siècles. Britannique.

Peintre de scènes de chasse, animalier.

Spécialisé dans les chevaux et les chiens. Certainement s'agit-il d'un des membres de la famille Wheeler, dont les prénoms, Alfred, John Arnold, John Alfred, prêtent à confusion, d'autant que les dates paraissent fragiles, sans pouvoir être vérifiées aux expositions de la Royal Academy où aucun n'a figuré. Cependant, cet Alfred Wheeler apparaît comme le plus probable Wheeler junior.

VENTES PUBLIQUES : LONDRES, 24 janv 1979 : *Merry Hampton avec son jockey* 1887, h/cart. (28x26,5) : **GBP 420** – CHESTER, 5 mai 1983 : *Chasse à courre*, h/t (45,5x61) : **GBP 1 150** – NEW YORK, 9 juin 1988 : *Sur la piste* 1893, h/t (30,5x45,8) : **USD 2 750** ; *Le Passage de la haie*, h/pan. (31x49) : **USD 4 400** – LONDRES, 18 oct. 1989 : *Transaction, pur-sang bai monté par son jockey* 1872, h/t (62,5x75) : **GBP 2 530** – LONDRES, 14 fév. 1990 : *Fox à poil ras*, h/cart. (15,2x19,1) : **GBP 990** – LONDRES, 21 mars 1990 : *La poursuite* 1883, h/pan. (48,5x64) : **GBP 1 650** – LONDRES, 15 jan. 1991 : *Études de têtes de chiens de races différentes*, h/cart. (30,4x46,9) : **GBP 990** – LONDRES, 3 juin 1992 : *Bulldogs* 1916, h/cart., une paire (30,5x33) : **GBP 2 090** – NEW YORK, 5 juin 1992 : *Le Rappel de la meute ; Fin de journée de chasse*, h/t, une paire (chaque 50,8x61,6) : **USD 8 800** – LONDRES, 17 oct. 1996 : *Donovan, cheval bai, avec son lad* 1889, h/t (44,5x59,7) : **GBP 2 530** – NEW YORK, 11 avr. 1997 : *Chiens courants* 1875, h/t (20,3x30,5) : **USD 3 450** – LONDRES, 12 nov. 1997 : *Ormonde monté par Fred Archer* 1886, h/t (74x99) : **GBP 13 800**.

WHEELER Almira

XIXe siècle. Britannique.

Paysagiste et brodeur.

Il vécut à Worcester, travaillant en 1819.

WHEELER C. W.

XIXe siècle. Travaillant en 1835. Britannique.

Peintre de marines.

WHEELER Charles Arthur

Né le 4 janvier 1881 à Dunedin (Nouvelle-Zélande). Mort en 1977. XXe siècle. Australien.

Peintre de portraits, figures, paysages, dessinateur.

Il fut élève de l'École des Beaux-Arts de Melbourne, travailla ensuite à Paris et à Londres. Il retourna à Melbourne en 1920, après la guerre, où il enseigna à son tour à l'École des Beaux-Arts de Melbourne.

Il a exposé à la Royal Academy de Londres et au Salon des Artistes Français de Paris.

MUSÉES : MELBOURNE : *Trois jeunes femmes lisant des poèmes* – SYDNEY : *Le portefeuille* – *La côte* – *Autoportrait* – autres œuvres.

VENTES PUBLIQUES : LONDRES, 4 juin 1971 : *Portrait of T. E. Lawrence*, bronze : **GNS 750** – ROSEBERY (Australie), 29 juin 1976 : *Bord de mer animé de personnages*, h/t (60x81) : **AUD 1 550** – LONDRES, 1er déc. 1988 : *La statue de Gordon devant le parlement*, craies de coul. (17,3x24,9) : **GBP 770**.

WHEELER Charles Thomas, Sir

Né le 14 mars 1892 à Codsale. Mort en 1974. XXe siècle. Britannique.

Sculpteur de statues, monuments.

Il fut élève et assistant d'Ed. Lantéri. Il vécut et travailla à Londres. Il sculpta des monuments aux morts.

MUSÉES : LONDRES (Tate Gal.) : *L'Enfant Jésus* – *Le Printemps, Aphrodite II* 1943.

VENTES PUBLIQUES : LONDRES, 11 mars 1981 : *Buste, Aphrodite I*, albâtre (H. avec socle 109) : **GBP 2 300** – LONDRES, 9 nov. 1984 : *Céres*, bois (H. 155) : **GBP 2 300** – LONDRES, 8 nov. 1985 : *Night* 1929, marbre noir (H. 26) : **GBP 4 200** – LONDRES, 14 nov. 1986 : *Girl and spirit*, bronze patine verte (H. 82) : **GBP 1 300** – LONDRES, 26 mars 1993 : *Portrait de Muriel Wheeler, la femme de l'artiste* 1934, bronze patine or (H. 46) : **GBP 1 552**.

WHEELER Clifton A.

Né le 4 septembre 1883 à Hadley. XXe siècle. Américain.

Peintre.

Il fit ses études à Indianapolis et à New York. Il vécut et travailla à Indianapolis.

MUSÉES : INDIANAPOLIS : *Crépuscule en janvier*.

WHEELER Dora. Voir **KEITH Dora**

WHEELER E. J.

XIXe siècle. Actif dans la seconde moitié du XIXe siècle. Britannique.

Illustrateur.

Collaborateur du *Punch*.

WHEELER E. Kathleen

Née en 1884 en Angleterre. XXe siècle. Américaine.

Sculpteur de chevaux.

Elle vécut et travailla à Hillside.

WHEELER Helen Cecil

Née le 10 septembre 1877 à Newark (New Jersey). XXe siècle. Américaine.

Peintre.

Elle vécut et travailla à Newark.

WHEELER Janet D.

Née à Detroit (Michigan). XXe siècle. Américaine.

Peintre de portraits.
Elle fut élève de Bouguereau et Courtois à Paris. Elle fut membre de la Fédération Américaine des Arts et obtint une médaille d'or à Philadelphie, en 1902.

WHEELER John Alfred ou **John Arnold**
Né en 1821. Mort en 1877 ou 1878. XIXe siècle. Britannique.
Peintre animalier.
Spécialisé dans les chevaux et les chiens. Certainement s'agit-il d'un membre d'une famille Wheeler, dont les prénoms, Alfred, John Arnold, John Alfred, prêtent à confusion, d'autant que les dates paraissent fragiles et ont peut-être été mélangées, sans pouvoir être vérifiées aux expositions de la Royal Academy où aucun n'a figuré. Les dates qui lui sont attribuées rendent impossible de l'identifier avec un Wheeler junior.
Ventes Publiques : Londres, 6 juin 1980 : *Portrait of the 9th Duke of Beaufort*, h/t (90,8x70,5) : **GBP 900** – Londres, 15 juin 1988 : *Deux chevaux d'attelage dans une cour* 1856, h/t (62x91,5) : **GBP 4 950** – Londres, 10 déc. 1992 : *Une paire de chevaux d'attelage bai avec un terrier dans une étable* 1856, h/t (62,5x87) : **GBP 4 800** – Londres, 26 nov. 1992 : *Un hunter bai dans un boxe* 1868, h/t (71x91) : **GBP 3 220**.

WHEELER John Arnold, Jr
XIXe-XXe siècles.
Peintre.
Pour autant que cet artiste ait existé, certainement s'agirait-il d'un membre d'une famille Wheeler, dont les prénoms, Alfred, John Arnold, John Alfred, prêtent à confusion, d'autant que les dates paraissent fragiles, ont peut-être été mélangées et sont ici totalement absentes, sans pouvoir être vérifiées aux expositions de la Royal Academy où aucun n'a figuré. Les quelques œuvres attribuées en ventes publiques à ce John Arnold Wheeler junior peuvent l'être à tous les autres membres de ce groupe.
Ventes Publiques : Londres, 18 juin 1976 : *Le relais de poste* 1892, h/t (84x144,6) : **GBP 1 200** – Mentmore, 25 mai 1977 : *Le cheval de course « Ladas »* 1894, h/t (73,5x96,5) : **GBP 900** – Londres, 1er mars 1985 : *Donovan avec son groom sur un champ de courses* 1889, h/t (45,7x61) : **GBP 2 400** – Londres, 5 juin 1991 : *À découvert* ; *La poursuite*, h/t (chaque 22x29,5) : **GBP 1 980** – Londres, 11 oct. 1995 : *Sur une piste*, h/cart. (27x45) : **GBP 632**.

WHEELER John Arnold ou **John Alfred**, Sr., dit **of Bath**
Né en 1821. Mort en 1877 ou 1903. XIXe siècle. Britannique.
Peintre de scènes hippiques, portraits de cavaliers, animalier.
Il travailla à Bath et c'est sans doute lui qui exposa à Londres en 1875, bien que ne figurant pas aux expositions de la Royal Academy. Il paraît être le mieux identifié des membres de la famille Wheeler, dont les prénoms, Alfred, John Arnold, John Alfred, prêtent à confusion, d'autant que les dates avancées demeurent fragiles. Il serait le premier d'une lignée de peintres qui auraient repris ses spécialités.
À part de rares peintures d'histoire, il s'est spécialisé dans la représentation portraiturée de cavaliers avec leurs chevaux favoris, soit de chasse, soit de course.
Ventes Publiques : Londres, 16 juil. 1976 : *Donovan avec son jockey*, h/t (42x52,5) : **GBP 420** – Londres, 27 juin 1978 : *Scène de chasse*, h/t (85x126) : **GBP 1 500** – New York, 8 juin 1984 : *The Duke of Portland's bay colt St. Simon with Fred Archer up*, h/t (71,1x91,5) : **USD 8 500** – New York, 6 juin 1985 : *Philospher, saint Patrick et Von der Tann dans un paysage* 1883, h/t (91x125) : **USD 8 500** – Londres, 9 fév. 1990 : *Membre de la chasse de Beaufort* 1860, h/t (71,1x91,4) : **GBP 6 820** – Stockholm, 16 mai 1990 : *Cheval noir dans sa stalle* 1891, h/t (63x76) : **SEK 24 000** – Londres, 5 juin 1991 : *Sur la berge d'un lac* 1873, h/t (60x90) : **GBP 3 850** – Londres, 15 nov. 1991 : *Le Général Gough et son escorte recevant la reddition des chefs Sikh après la bataille de Ferozeshah en décembre 1845*, h/t (76,5x111,1) : **GBP 4 180** – Londres, 8 avr. 1992 : *Lord Worcester sur son Hunter favori Beckford suivi de son chien*, h/t (33,5x44,5) : **GBP 3 300** – Londres, 13 nov. 1992 : *Bendigo et Ormonde montés par les jockeys Jack Watts et Fred Archer*, h/t (60,9x106,9) : **GBP 5 280** – Londres, 3 fév. 1993 : *Dans l'écurie* 1868, h/t (45x60,5) : **GBP 1 265** – New York, 4 juin 1993 : *Trois Ladas*, h/t (50,2x60,3) : **USD 4 888** – Londres, 10 mars 1995 : *Fire Irons, le cheval préféré de George Griffiths William* 1864, h/t (62,2x50,8) : **GBP 1 265** – Londres, 13 nov. 1996 : *Miss Jummy montée par son jockey* 1886, h/t (85,5x111) : **GBP 7 475** ; *Le Paddock* ; *Le Départ* ; *L'Arrivée* ; *Le Retour à l'écurie*, h/t, quatre toiles (74x66 et 74,5x68,5) : **GBP 19 550** ; *Ormonde* 1886, h/cart. (38,5x46,5) : **GBP 3 680**.

WHEELER Mary Ann, plus tard Mme **Johnston**
XIXe siècle. Active à Londres de 1835 à 1843. Britannique.
Peintre de portraits et miniatures.

WHEELER Muriel
Née en 1888. Morte en 1979. XXe siècle. Britannique.
Sculpteur de figures.
Femme de Charles Thomas Wheeler. Elle exposa à la Royal Academy en 1925.
Ventes Publiques : Londres, 26 mars 1993 : *Petit personnage tenant un poisson*, fontaine de bronze (H. 91,5) : **GBP 2 530**.

WHEELER Steve
XXe siècle. Américain.
Peintre.
Il a figuré à la Fondation Carnegie de Pittsburgh.

WHEELER T.
XIXe siècle. Actif à Londres dans la première moitié du XIXe siècle. Britannique.
Miniaturiste.
Il exposa à la Royal Academy de 1815 à 1845.

WHEELER William
Né le 23 janvier 1895 à Londres. Mort en 1972. XXe siècle. Britannique.
Sculpteur, décorateur.
Ventes Publiques : New York, 31 jan. 1985 : *Pan* ; *Amphitrite* ; *Venus* ; *Diane* 1939, pb., suite de quatre sculptures (H. 84) : **USD 5 750**.

WHEELER William R.
Né en 1832 à Michigan. Mort en 1894. XIXe siècle. Américain.
Portraitiste.
Il travailla à Hartford en 1855.
Ventes Publiques : New York, 17 déc. 1990 : *Paysage de Nouvelle Angleterre* 1897, h/t (52,1x104,1) : **USD 4 400**.

WHEELOCK
XIXe siècle. Américain.
Illustrateur.
Il illustra des livres sur des régions des États-Unis.

WHEELOCK Lila Audubon
Née en 1890 à Parsaic Park. XXe siècle. Américaine.
Sculpteur animalier.
Elle fut élève de l'Académie de New York. Elle sculpta surtout des animaux.

WHEELOCK Warren
Né le 15 janvier 1880 à Sutton (Massachusetts). Mort en 1960. XXe siècle. Américain.
Peintre, sculpteur, graveur.
Il fut élève de l'Institut Pratt. Membre de la Société des Artistes Indépendants.
Ventes Publiques : New York, 17 nov. 1978 : *Abraham Lincoln à cheval*, bronze, patine brune (H. 52,5) : **USD 850**.

WHEELWRIGHT H.
XVIIIe siècle. Travaillant en 1795. Britannique.
Graveur de portraits.

WHEELWRIGHT J. Hadwen
XIXe siècle. Actif à Londres. Britannique.
Peintre de genre, figures, aquarelliste.
Il exposa à Londres de 1834 à 1849, douze ouvrages à la Royal Academy, six à la British Institution, et sept à Suffolk Street. On voit de lui au Musée de Dublin cinq aquarelles d'après Giotto, Fra Angelico, etc.
Musées : Dublin : Cinq aquarelles.
Ventes Publiques : Londres, 15 nov. 1991 : *Chasseurs passant une rivière*, h/pan. (26,3x34,3) : **GBP 1 100**.

WHEELWRIGHT Rowland
Né le 10 septembre 1870 à Ipswich (Suffolk). Mort en 1955. XIXe-XXe siècles. Actif en Australie. Britannique.
Peintre de scènes de genre, figures, illustrateur.
Il fit ses études à Bushey.

Musées : Cheltenham : *Enid conduisant des chevaux* – Preston : *Jeune fille et cheval*.

Ventes Publiques : Copenhague, 9 nov. 1977 : *Chevalier en armure et nymphes*, h/t (122x185) : **DKK 10 500** – Londres, 29 fév. 1980 : *« Geraint and Enid »* 1907, h/t (185,6x122,5) : **GBP 1 600** – Londres, 8 juin 1989 : *Sark*, h/t (43,8x58,8) : **GBP 3 850** – Londres, 9 fév. 1990 : *La pause de midi*, h/t (101,6x152,6) : **GBP 19 800** – Londres, 13 mars 1992 : *L'heure du repas*, h/t (101,6x152,6) : **GBP 13 200** – Londres, 12 nov. 1992 : *L'approche de l'orage*, h/t (91,5x183) : **GBP 6 600** – Londres, 3 mars 1993 : *Un tigre*, h/cart. (50x60) : **GBP 2 645** – Londres, 29 mars 1996 : *Jeanne d'Arc faite prisonnière* 1906, h/t (138,4x228,6) : **GBP 47 700**.

WHELAN Blanche
Née à Los Angeles (Californie). XXe siècle. Américaine.
Peintre.
Elle fut élève de l'École d'Art de Los Angeles et de Nicolas Haz. Membre de la Fédération Américaine des Arts.

WHELAN Leo
Né le 10 janvier 1892 à Dublin. XXe siècle. Irlandais.
Peintre de portraits.
Il fut élève de sir W. Orpen.

WHELER Robert Bell
Né le 1er janvier 1785 à Stratford-on-Avon. Mort le 15 juillet 1857 à Stratford-on-Avon. XIXe siècle. Britannique.
Dessinateur.
Ce savant dessina des antiquités et des architectures.

WHELPLEY P. M.
XIXe siècle. Travaillant à New York vers 1845. Américain.
Graveur au pointillé à la manière noire.

WHESSELL J.
XIXe siècle. Actif à Londres dans la première moitié du XIXe siècle. Britannique.
Peintre.
Il exposa à la Royal Academy de 1802 à 1808 surtout des chevaux et des vues. Peut-être identique à John W.

WHESSELL John
XVIIIe siècle. Actif à Londres vers 1760. Britannique.
Graveur au pointillé.
Il grava d'après Gainsborough, Morland et Stothard.

WHETSEL Gertrude P.
Née le 21 septembre 1886 à Mc Cune. XXe siècle. Américaine.
Peintre.
Elle fut élève de Clyde Leon Keller. Elle vécut et travailla à North Portland.

WHEWELL Herbert
Né en 1863 à Bolton. XIXe siècle. Actif à Gomshall. Britannique.
Paysagiste.

WHICHELO C. John M.
Né en 1784. Mort en septembre 1865 à Londres. XIXe siècle. Britannique.
Peintre d'histoire, paysages, marines, aquarelliste.
Il exposa à Londres de 1810 à 1863 à la Royal Academy, à la British Institution, à la Old Water Colour Society (deux cent dix ouvrages). Il fut associé à ce dernier groupement en 1823.
Vers 1818, il était peintre de paysages et de marines du prince de Galles. Il s'occupa beaucoup d'enseignement.
Musées : Londres (Victoria and Albert Mus.) : *Dunes dans le Sussex*.
Ventes Publiques : Londres, 15 mars 1929 : *La bataille de Trafalgar* : **GBP 378** – Londres, 18 mars 1980 : *Bateaux au clair de lune* 1827, aquar. (17,2x25,3) : **GBP 450** – Londres, 30 juin 1981 : *Bateaux au large de la côte* 1836, aquar. (34,3x41,5) : **GBP 650** – Londres, 8 mai 1985 : *The launching of H.M.S Trafalgar at Chatham, 26 July* 1820-1836, aquar. et cr. reh. de blanc (74x99) : **GBP 3 500** – York (Angleterre), 12 nov. 1991 : *Les hautes Alpes depuis Ouchy près de Genève* 1847, aquar. (41,5x61,5) : **GBP 1 760** – Londres, 10 juil. 1996 : *La Baie de Naples avec le Vésuve en éruption la nuit* 1822, h/t (62x74) : **GBP 14 950** – New York, 11 avr. 1997 : *La Bataille de Trafalgar*, h/t (74,9x105,4) : **USD 14 950**.

WHICHELO H. M.
XIXe siècle. Travaillant de 1817 à 1849. Britannique.
Paysagiste.
Fils de C. John M. W. Il exposa à Londres de 1817 à 1844.

WHILE Ethel, née **Collingwood**
Née à Mitcham. XXe siècle. Britannique.
Sculpteur.
Femme de Harry Samuel While.

WHILE Harry Samuel
Né le 12 avril 1871 à West Bromwich. XIXe-XXe siècles. Britannique.
Sculpteur.
Il vécut et travailla à Londres. Il sculpta surtout des figurines.

WHIMPER. Voir **WHYMPER**

WHIRTER Louis. Voir **WEIRTER**

WHISSON Ken
Né en 1927. XXe siècle. Australien.
Peintre. Tendance abstraite.
Dans ses toiles aux couleurs brossées, l'espace est fragmenté. Il était représenté à l'exposition *Creating Australia. 200 years of Art. 1788-1988* à la Art Gallery of South Australia en 1988 à Adelaïde.
Musées : Canberra (Australian Nat. Gal.) : *Jean's farm*.

WHISTLER James Abbott Mac Neill
Né le 10 juillet 1834 à Lowell (Massachusetts). Mort le 17 juillet 1903 à Londres. XIXe siècle. Américain.
Peintre de genre, portraits, paysages, pastelliste, aquarelliste, graveur, lithographe, écrivain.
Son père, le major Georges Whistler, descendait d'une vieille famille hollandaise ; ingénieur militaire, il accepta de partir en Russie pour y tracer le chemin de fer Saint-Pétersbourg-Moscou ; son fils, encore enfant, l'accompagna. Georges Whitstler resta en Russie jusqu'à sa mort survenue en 1849. Sa veuve revint en Amérique avec son fils qui, tout en s'adonnant au dessin, travailla, pour entrer à l'École militaire de West-Point. Il y parvint en 1851, mais son caractère indépendant le décida bientôt à renoncer à la carrière militaire. Il fut nommé dessinateur hydrographe pour le département de Wallington. Ce fut de cette époque que datent ses premières eaux-fortes. Mais là encore, il s'accorda assez mal de la contrainte administrative et démissionna en 1855. Il quitta alors l'Amérique et se fixa en Europe où il travailla successivement à Londres et à Paris. Il entra dans l'atelier de Gleyre où il fut condisciple et ami de Degas, Legros, Braquemond, et surtout de Fantin-Latour. En 1879, Whistler quitta Londres et alla travailler quelque temps en Italie. Revenu en Angleterre, il fut reçu en 1884, membre de la British Artists Society, dont il fut président de 1886 à 1888. Il demeura à Londres jusqu'en 1896, date de la mort de sa femme ; il vint ensuite à Paris où il retrouva le même succès. Il y fut notamment l'intime de Degas et de quelques littérateurs parmi lesquels Jean Lorrain et surtout Mallarmé, qui traduisit de l'anglais sa conférence-programme « Dix heures ». Il mourut de l'influenza au cours d'un voyage à Londres.
En 1859, il avait tenté pour la première fois d'exposer au Salon une toile *Au piano* que le jury refusa et qui fut admise l'année suivante par la Royal Academy de Londres. Courbet aima cette peinture, donna quelques conseils dans le sens du réalisme au jeune Whistler, qui devait aller le visiter à deux reprises à Trouville, en 1864 et en 1865. Son envoi de 1860, *La jeune fille en blanc*, fut également refusé par le Jury, mais exposé au Salon historique des Refusés. Whistler qui, jusqu'alors avait partagé son temps entre Londres et Paris, fut assez sensible à ce double échec et se fixa en Angleterre. En 1877, il envoya à la première exposition de Grosvenor Gallery ses *Nocturnes*. Le public ne se rendit pas très bien compte de la valeur et de l'intérêt de cette tentative et les critiques d'art se montrèrent franchement hostiles. Ruskin écrivit, à propos du *Nocturne en noir et or : la chute du feu d'artifice*, peinture presque abstraite : « I never expected to bear a coxcomb ask two hundred guineas for bringing a pot of paint in the public face » (je n'ai jamais vu un fat oser demander deux cents guinées pour jeter un pot de peinture à la face du public). Cette appréciation sous la plume de Ruskin dont la réputation comme critique d'art était considérable constituait pour un artiste un véritable péril. Whistler s'en rendit compte et assigna l'écrivain en mille livres de dommages et intérêts. Après un procès très long, il obtint gain de cause en principe et un liard d'indemnité. Le

peintre se vengea de ce demi-insuccès par une œuvre satirique *L'Art et les critiques d'art*. Cependant, Whistler obtenait en France quelques récompenses : une médaille de troisième classe en 1883 ; une médaille d'or en 1889 (Exposition Universelle) ; il fut chevalier de la Légion d'honneur en 1889 ; officier en 1891, Grand Prix en 1900 (Exposition Universelle). Après sa mort, il fut représenté dans certaines expositions collectives, dont en 1938 : *Trois Siècles d'art aux États-Unis* au musée du jeu de Paume à Paris ; en 1949, ses œuvres étaient exposées au Lyman Allyn Museum à New London (Connecticut) ; en 1963, au Westmoreland County museum of Art de Greensburg (Pennsylvania). En 1989, il figurait à l'exposition *200 ans de peinture américaine, Collection du Musée Wadsworth Atheneum*, présentée à Paris, aux Galeries Lafayette. En 1994-1995, la National Gallery of Art de Washington, la Tate Gallery de Londres et le Musée d'Orsay de Paris ont organisé une grande rétrospective de son œuvre, peintures, aquarelles, pastels, dessins, gravures, illustrations.
Dessinateur, il collabora à quelques publications : *Scribner's, Good Works*, et à quelques illustrations d'ouvrages littéraires : *Extraits de poètes modernes anglais, Ballades légendaires* de Thornbury. Ayant, pour des raisons utilitaires, appris la gravure, sa première publication en France fut, en 1858, une série d'eaux-fortes imprimées par Delâtre et mises en vente au prix de 50 francs pièce. Vers 1859, il tira une série d'eaux-fortes de la Tamise, tirée à cent exemplaires. Whistler commença alors sa carrière de portraitiste qui constitue une partie remarquable de son œuvre. En 1879, en Italie, il exécuta quarante eaux-fortes de Venise, un grand nombre de pastels et quelques peintures, particulièrement lumineuses. Membre de la British Artists Society, sa réputation de portraitiste atteignit alors son apogée.
Plusieurs sources d'influences peuvent se distinguer dans son œuvre : Velasquez, Rossetti, les impressionnistes et les Japonais. De Velasquez il apprit la pureté des grandes lignes et la science des tons blancs et gris. À Rossetti, il emprunta le charme et la fascination de la femme « aux yeux brillants d'un chagrin immortel ». Aux impressionnistes il doit sa science des valeurs chromatiques et des atmosphères délicatement nuancées. Parlant de ce qu'il devait à ceux-ci, il déclarait : « La nature contient les éléments en couleurs et la forme de tous les tableaux comme le clavier contient les notes de toute la musique. Mais l'artiste est né pour prendre et grouper avec science ces éléments, comme le musicien recueille ses notes et forme des accords jusqu'à ce qu'il fasse naître du chaos des sons de glorieuses harmonies. » Whistler étudia également l'art des Japonais avec passion. Il s'appliqua à en reproduire la sobriété et cette vivacité qu'il qualifiait lui-même : « Le fantastique balancement des formes, et des espaces irréguliers, le choix arbitraire du point de vue, et la splendeur fanée d'où se dégage le symbole du spirituel. » Mais Whistler ne fut pas seulement un adaptateur de ses admirations, sa technique demeure très personnelle.
Dès 1872, son talent de portraitiste se révéla dans le portrait de sa mère exposé à la Royal Academy cette année-là. Reprenant pour son compte la théorie de Rembrandt et de La Tour « l'artiste, dit-il, doit mettre dans sa toile autre chose que le visage porté par le modèle le jour où il est peint. La dignité de la femme passe avant le costume et ne dépend pas de lui ». Au cours des années suivantes, il s'affirma encore avec les portraits de *Carlyle*, de *Miss Alexander*, de *Theodore Duret*, du *comte de Montesquiou Fezensac*, etc. Entre-temps il exécutait la décoration de la salle à manger de monsieur Teyland, pour lequel il peignit au-dessus de la cheminée sa *Princesse du Pays de la porcelaine*.
En 1877, avec ses *Nocturnes*, il voulait : « omettre les formes et au moyen des couleurs rivaliser avec le musicien qui, lui, se sert des sons ». Cette tendance se manifestait dans les titres mêmes de ses compositions : *Notes, Harmonie, Arrangements, Symphonies*, etc., titres qui indiquaient clairement ses affinités, tout au moins en intention, avec les impressionnistes. ■ Marcelle Bénézit, J. B.

Bibliogr. : F. Wedmore : *Whistler's Etchings*, 1899 – R. Way, G. R. Dennis : *The art of J. M. Whistler*, 1903 – A. J. Eddy : *Recollections and Impressions of Whistler*, 1903 – J. and E. R. Pennell : *Whistler, Life and Work*, 1908, traduction française, Hachette, Paris, 1913 – F. N. Levy : *Catalogue of Paintings in oil and pastel*, Metropolitan Museum, New York, 1910 – D. C. Seitz : *Writings by and about Whistler : a Bibliography*, Edinburgh, 1910 – E. G. Kennedy : *The etched work of Whistler*, The Grolier Club of the City of New York, 1910 – *Catalogue of Works*, Victoria and Albert Museum, Londres, 1928 – *Whistleriana*, Freer Gallery, Washington, 1928 – Catalogue de l'exposition : *Whistler peintre et graveur*, Paris, Centre Culturel Américain, 1961 – Nervyn Levy : *Whistler Lithographs*, Jupiter Books, Londres, 1975 – Edward G. Kennedy : *The Etched Work of Whistler*, 3 vol., Grolier Club of the City of New York, 1910, Fine Arts, San Francisco, 1978 – Andrew MacLaren, Margaret MacDonald, Robin Spencer : *The paintings of James Mac Neill Whistler*, 2 vol., Yale University Press, New Haven, Londres, 1980 – Marcus Osterwalder, in : *Dictionnaire des illustrateurs 1800-1914*, Ides et Calendes, Neuchâtel, 1989 – Margaret F. Mac – Donald – *James Mc – Neil Whistler : Dessins, pastels et aquarelles – Catalogue raisonné*, New Haven et Londres, 1995 – Isabelle Lenaud Lechien : *Whistler, le peintre et le polémiste*, Édit. de l'Amateur, Paris, 1995.

Musées : Amsterdam : *Effie Deans* – Boston (Mus. of Fine Arts) : *Restes du Vieux Westminster* – Chicago (Art Inst.) : *Atelier du peintre – Sur la plage – Nocturne in black and gold : Entrance to Southampton Waters* 1876-77 – Cincinnati (Taft Mus.) : *Au piano* – Detroit (Inst. of Arts) : *Nocturne en noir et or : la chute du feu d'artifice* vers 1874 – Glasgow (Art Gal. and Mus.) : *Arrangement en gris et noir n° 2 : Thomas Carlyle* – Hartford (Wadsworth Atheneum Mus.) : *Côte de Bretagne (Seule avec la marée)* 1861 – Londres (Tate Gal.) : *Nocturne en bleu et or : le vieux pont de Batter sea – Miss Cicely Alexander, harmonie en gris et vert* – New Britain (Mus. of American Art) : *La plage à Selsey Bill* vers 1865 – New York (Metrop. Mus.) : *Arrangement en couleur chair et en noir : Théodore Duret* – Paris (Mus. du Louvre) : *Arrangement en gris et en noir : la mère de l'artiste* – Paris (Mus. d'Orsay) : *Variations en violet et vert* 1871 – Philadelphie (Mus. of Art) : *Pourpre et rose : La Lange Lijzen des Six marks* – Washington D. C. (Freer Gal. of Art) : *Rose et argent : la princesse au pays de porcelaine* – Washington D. C. (Nat. Gal.) : *Jeune fille en blanc ou symphonie en blanc*.

Ventes Publiques : Londres, 10 fév. 1894 : *Le salon de musique* : **FRF 4 975** – Paris, 1894 : *Nocturne* : **FRF 4 000** – Paris, 24 mars 1900 : *Revue navale à Southampton*, aquar. : **FRF 950** – Paris, 3 mai 1902 : *L'Enfant* : **FRF 14 100** – Paris, 2-3 et 4 juin 1920 : *La conversation*, aquar. : **FRF 3 000** ; *La dormeuse*, cr. : **FRF 570** – Paris, 26 et 27 mai 1924 : *Sommeil*, dess. : **FRF 2 500** – Londres, 28 juil. 1924 : *Mr Beaumont* : **GBP 136** – Londres, 24 avr. 1925 : *Canal de Venise*, dess. : **GBP 609** ; *Sur la lagune*, dess. : **GBP 378** – Paris, 5 et 6 juin 1925 : *La Tamise* : **FRF 2 450** – Londres, 2 juil. 1926 : *Chelsea Rags* : **GBP 567** – New York, 25 et 26 mars 1931 : *Notes en rose et argent*, aquar. : **USD 2 150** ; *Or et brun*, aquar. : **USD 1 100** ; *Blanc et argent*, aquar. : **USD 1 100** – Londres, 5 avr. 1934 : *Bourgeons d'amandier* : **GBP 483** – New York, 15 nov. 1935 : *Nocturne* : **USD 12 000** – Londres, 16 juin 1936 : *Nocturne en bleu et or* : **GBP 945** – Londres, 28 mai 1937 : *Jeune fille dansant*, dess. : **GBP 183** – Londres, 7 juil. 1939 : *Au piano* : **GBP 6 045** ; *Symphonie en blanc* : **GBP 3 465** ; *Nocturne en bleu et or* : **GBP 682** – New York, 17 oct. 1942 : *Mr Graves* : **USD 1 750** – New York, 25 fév. 1943 : *Lady A. Campbell* : **USD 900** – New York, 2 avr. 1943 : *Place du marché à Dieppe* : **USD 625** – Londres, 25 avr. 1945 : *Milman's Row, Chelsea* : **GBP 350** – New York, 18 oct. 1945 : *Marine* : **USD 1 450** – New York, 13 déc. 1945 : *La Tamise* : **USD 2 700** – New York, 28 mars 1946 : *Un canal à Venise*, aquar. : **USD 1 400** – New York, 21 mars 1947 : *Scène de plage*, aquar. : **USD 800** – Londres, 28 juil. 1950 : *Trois personnages* : **GBP 700** – Paris, 28 juin 1951 : *Amsterdam, le port*, dess. à la mine de pb : **FRF 6 800** – New York, 13 déc. 1958 : *La Tamise vue du pont de Battersea* : **USD 4 500** – New York, 18 fév. 1960 : *Venise, Archway*, past. : **USD 1 700** – Londres, 4 mai 1960 : *Étude d'une tête de jeune fille* : **GBP 600** – New York, 25 jan. 1961 : *Venise au soleil couchant*, past. : **USD 2 700** – Londres, 21 nov. 1962 : *A canal in Venice*, past. : **GBP 1 900** ; *Girl in black* : **GBP 2 600** – New York, 23 avr. 1964 : *Vue de la lagune à Venise, par soleil couchant*, past. : **USD 1 200** – Londres, 5 mars 1965 : *La plage de Pourville* : **GNS 2 700** – Londres, 14 juil. 1965 : « *The gold girl* », dess. : **GBP 2 600** – Londres, 1er mai 1968 : *La mère Gérard* : **GBP 1 100** – Londres, 8 nov. 1968 : *Harmonie en or et marron*, past. : **GNS 1 000** – Londres, 21 nov. 1969 : *Bateaux dans un estuaire*, aquar. : **GNS 1 150** – Londres, 20 mars 1970 : *Vue de Chelsea*, aquar. : **GNS 1 200** – Londres, 11 déc. 1970 : *Une jeune fille des rues* : **GNS 10 000** – New York, 28 oct. 1971 : *Zuydersee*, aquar. : **USD 8 000** – New York, 18 oct. 1972 : *The Golden Bay* : **USD 15 000** – New York, 19 déc. 1972 : *Le retour des pêcheurs*, aquar. : **GNS 3 800** – Paris, 1er déc. 1973 : *La Lecture au malade* : **FRF 45 000** – New York, 23 mai 1974 : *Mulet dans une rue d'Ajaccio*, aquar. : **USD 2 000** – New York, 29 avr. 1976 : *Personnages au bord de la mer*, h/bois (12,5x21,5) : **USD 9 250** – New York, 7 mai 1976 : *Nocturne*, eau-forte et pointe-sèche (20,1x29,6) : **USD 3 000** – New York, 28 oct. 1976 : *Forget me not*, aquar. (25x17,8) : **USD 4 500** – New York, 11 nov. 1977 : *Nocturne* 1878, lithotinte/Chine appliqué (17x26) : **USD 1 200** – New York, 28 oct. 1977 : *Blue and Violet-Iris*, past. (27,4x17,7) : **FBP 8 250** – Londres, 17 juin 1977 : *Henry Irving dans le rôle de Philippe II d'Espagne*, h/t mar./pan. (31x19,5) : **GBP 2 400** – New York, 10 mai 1979 : *Les mendiants*, eau-forte et pointe sèche (30,5x21) : **USD 3 000** – New York, 7 juin 1979 : *Autoportrait*, craie noire/ pap. brun (17x14) : **USD 10 000** – Londres, 13 juin 1980 : *Personnages devant un porche*, aquar. (12x21) : **GBP 3 000** – Londres, 6 nov. 1981 : *Drawing Room Scene*, pl. (7,6x6,1) : **GBP 1 000** – New York, 4 juin 1982 : *Portrait of Miss Amy Brandon Thomas* vers 1890, h/t (50,5x30,5) : **USD 27 000** – New York, 3 juin 1983 : *Vue de Venise* vers 1878-1880, past./pap. gris (15,6x27) : **USD 40 000** – New York, 3 mai 1984 : *Nocturne* 1879, eau-forte en brun (20,1x29,8) : **USD 12 000** – New York, 21 sep. 1984 : *Femme à la fontaine, Heidelberg*, cr. (14,1x19,8) : **USD 3 200** – New York, 8 mai 1985 : *Rotherhithe* 1860, eau-forte et pointe séche (27,6x20,3) : **USD 5 500** – New York, 6 déc. 1985 : *Green and gold, the dancer*, aquar./cart. (27,5x18,2) : **USD 140 000** – New York, 28 mai 1987 : *Variations en violet et vert*, h/t : **USD 2 585 000** – New York, 28 mai 1987 : *Variation in violet and green* 1871, h/t (61x35,5) : **USD 2 350 000** – New York, 30 sep. 1988 : *Portrait de femme*, cr./pap. (14x10,8) : **USD 4 950** – New York, 24 mai 1989 : *Gris et rose, modèle vêtu d'un drapé et tenant un éventail*, past. et aquar./pap. (27,3x17,9) : **USD 38 500** – New York, 23 mai 1990 : *Bleu et or, la goélette*, h/pan. (8,7x14,8) : **USD 176 000** – New York, 24 mai 1990 : *Vue au-dessus de la lagune*, cr. et past./pap. (22,8x19,7) : **USD 31 900** – New York, 27 sep. 1990 : *Mère Gérard*, h/pan. (24,5x17,3) : **USD 33 000** – New York, 29 nov. 1990 : *Harmonie en bleu et perles, les sables de Dieppe*, h/pan. (22,9x14) : **USD 231 000** – New York, 22 mai 1991 : *Les fenêtres de la boutique*, h/pan. (13,2x22,3) : **USD 220 000** – New York, 6 déc. 1991 : *Cour d'un palais vénitien*, fus. et past./pap. gris, h/t (30x20,2) : **USD 22 000** – Munich, 26 mai 1992 : *Drouet, sculpteur* 1859, eau-forte (22,5x15) : **DEM 1 322** – New York, 25 sep. 1992 : *Les cadets de Westpoint*, encre/pap. (18,4x11,4) : **USD 4 675** – New York, 3 déc. 1992 : *Côte d'opales les sables de Dieppe*, aquar./pap. (21,3x12,4) : **USD 49 500** – New York, 27 mai 1993 : *La Giudecca en hiver, gris et bleu*, craie et past./pap. (20,3x29,8) : **USD 54 625** – Paris, 11 juin 1993 : *Newspaper-stall, rue de Seine*, eau-forte (8,2x19,7) : **FRF 4 200** – Paris, 3 fév. 1995 : *The music room*, eau-forte (14,5x21,5) : **FRF 4 000** – New York, 14 sep. 1995 : *Printemps*, craie et past./cart. (27,9x17,1) : **USD 431 500** – New York, 22 mai 1996 : *Sous le Frari* 1879-1880, craie et past./pap. (29,8x12,7) : **USD 129 000** – Paris, 21 nov. 1996 : *La Piazetta* 1879-1880, eau-forte (25,6x17,9) : **FRF 25 500** – New York, 5 déc. 1996 : *Jeune esclave grecque*, past./pap. (26x17,8) : **NLG 222 500**.

WHISTLER Rex John

Né le 24 juin 1905 à Eltham (Kent). Mort le 18 juillet 1944 en Normandie, au front. xxe siècle. Britannique.

Peintre, peintre de compositions murales, aquarelliste, graveur.

Il fut élève de la Slade School de Londres. Il vécut et travailla à Londres. Il grava des ex-libris et exécuta des peintures décoratives dans la Tate Gallery, à Londres. *A memorial exhibition, Rex Whistler, 1905-1944*, est le titre d'une exposition qui lui fut consacrée par le Victoria et Albert Museum de Londres, la Graves Art Gallery de Sheffield et la City Art Gallery de Manchester.

Bibliogr. : *Décors de théâtre par Rex Whistler, « The masque »*, Londres, 1947 – Laurence Whistler et Ronald Fuller – *Le travail de Rex Whistler*, Londres 1960.

Musées : Londres (Tate Gal.) : *Autoportrait* 1933 – Dix illustrations de *Königsmark* 1940-1941.

Ventes Publiques : Londres, 15 avr. 1964 : *Wilton House* : **GBP 380** – Londres, 20 déc. 1967 : *Les douze mois*, suite de 12 bois : **GBP 780** – Londres, 19 juin 1974 : *Décor pour An ideal husband d'Oscar Wilde*, trois aq. : **GBP 950** – Londres, 8 juin 1984 : *Projet de couverture pour The Friend of Shelley*, aquar. et pl. (22,8x17,8) : **GBP 1 100** – Londres, 13 nov. 1985 : *Cranborne Manor, Dorset*, h/cart. (35,5x46) : **GBP 3 000** – Londres, 10 déc. 1986 : *An oriental quayside*, pl. (28x20) : **GBP 1 800** – Londres, 25 oct. 1995 : *Projet de rideau de scène pour Pride and prejudice*, aquar., gche et encre/pap. (17,5x36,5) : **GBP 5 175**.

WHITACRE Géraldine. Voir **ALLEN Géraldine Whitacre**

WHITACRE John. Voir **ALLEN John Whitacre**

WHITAKER George

Né le 28 août 1834 à Exeter. Mort le 16 septembre 1874 à Dartmouth. xixe siècle. Britannique.

Ingénieur, peintre de marines et de paysages et aquarelliste.

Il fut d'abord ingénieur, puis s'adonna à l'art. Il fut élève de Charles Williams. Il se fixa à Exeter et peignit avec succès les côtes du Devonshire. Ses marines, ses paysages, ses vues du Pays de Galles et de Suisse, obtinrent des succès. Le Victoria and Albert Museum, à Londres, conserve de lui *Moulin et chaumières à Stoke Gabriel Devonshire*.

Ventes Publiques : Londres, 27 oct. 1983 : *Voilier au large de la jetée* 1871, aquar. sur traits de cr. (61x94) : **GBP 750**.

WHITAKER George William

Né vers 1841 à Fall River. Mort le 6 mars 1916 à Providence (Rhode Island). xixe-xxe siècles. Américain.

Peintre de marines, paysages, natures mortes.

Il est surtout connu pour ses marines qu'il exposa à Londres entre 1859 et 1873.

Ventes Publiques : New York, 25 oct. 1985 : *Bedford hills* 1893, h/t (129,5x178) : **USD 2 700** – New York, 24 jan. 1990 : *L'entrée au port* 1871, aquar. et cr./pap. (61,5x93,4) : **USD 1 870** – New York, 15 avr. 1992 : *Nature morte de fruits* 1893, h/t (61x86,4) : **USD 1 320** – New York, 31 mars 1993 : *Nature morte avec des poires, du raisin et des prunes* 1897, h/t (25,4x39,4) : **USD 1 380**.

WHITAKER Henry

xixe siècle. Actif à Londres dans la première moitié du xixe siècle. Britannique.

Dessinateur.

Il exposa à Londres en 1838.

WHITAKER James William ou **Wittaker**

Né le 24 août 1828 à Manchester. Mort le 6 septembre 1876 près de Bettws-y-Cœd, noyé accidentellement. xixe siècle. Britannique.

Peintre de vues et aquarelliste.

Il fut d'abord graveur de cylindres pour l'impression des étoffes. Ayant réalisé quelques économies, il s'établit comme peintre de paysage à Llanrast, dans le Pays de Galles. Il exposa à Londres, principalement à la Old Society, dont il fut associé en 1862, et membre en 1864. Le Victoria and Albert Museum, à Londres, conserve de lui deux aquarelles (vues du Pays de Galles), le Musée de Manchester, deux aquarelles, et celui de Reading, une aquarelle.

WHITAKER W.

xixe siècle. Actif à Londres dans la première moitié du xixe siècle. Britannique.

Portraitiste.

Il exposa à la Royal Academy en 1828.

Ventes Publiques : Londres, 5 sep. 1996 : *Étude pour une tête de terrier airedale*, h/pan. (15,8x15,8) : **GBP 632**.

WHITBURN Thomas

xixe siècle. Britannique.

Peintre de figures.

Il exposa à Londres de 1853 à 1875.

WHITBY William
XVIIIe siècle. Actif à Londres dans la seconde moitié du XVIIIe siècle. Britannique.
Peintre de figures et de portraits.
Il exposa à Londres de 1772 à 1791.

WHITCOMB Henry
Né le 6 septembre 1878 à Birmingham (West Midlands). XXe siècle. Britannique.
Peintre, graveur.
Il vécut et travailla à Bournemouth.

WHITCOMBE Thomas
Né entre 1752 et 1760 à Londres. Mort vers 1824. XVIIIe-XIXe siècles. Britannique.
Peintre de sujets militaires, marines.
Il exposa à Londres des marines, presque exclusivement à la Royal Academy de 1783 à 1824.
Musées : Londres (Nat. Gal.) : *Bataille navale de Camperdown.*
Ventes Publiques : Londres, 1er juin 1928 : *Le glorieux premier juin* 1794 : **GBP 325** – Londres, 13 juin 1929 : *La victoire de lord Rodney* : **GBP 441** – Londres, 2 nov. 1949 : *Navire de guerre britannique au large du cap de Bonne-Espérance* 1817 : **GBP 250** – Londres, 6 nov. 1959 : *Vue de la forteresse à Guernesey* : **GBP 630** – Londres, 24 juin 1960 : *Vue de la Tamise à Chelsea* : **GBP 2 100** – Londres, 17 mars 1961 : *Un schooner américain* : **GBP 399** – Londres, 13 juil. 1962 : *La capture du pirate Liguria* : **GNS 650** – Londres, 24 nov. 1965 : *Trois bateaux de guerre anglais faisant feu sur un bateau de guerre espagnol* : **GBP 480** – Londres, 15 nov. 1968 : *Bataille navale* : **GNS 1 350** – Édimbourg, 15 oct. 1969 : *La capture de la frégate « Sirène »* : **GNS 2 000** – Londres, 17 juin 1970 : *Bateaux au port de Portsmouth* : **GBP 3 200** – Londres, 17 mars 1971 : *Frégates anglaises* : **GBP 1 000** – Londres, 23 juin 1972 : *Le Trois-mâts au large de Blackwell Reach* : **GNS 14 000** – Londres, 23 nov. 1973 : *Frégate au large de Portsmouth* 1805 : **GNS 10 000** – Londres, 21 juin 1974 : *Bateaux de guerre en mer* : **GNS 3 800** – Londres, 18 juin 1976 : *Le Crown au large de Douvres* 1791, h/t (101,5x134,5) : **GBP 3 200** – Londres, 18 mars 1977 : *Le « Medina » au large de Douvres*, h/t (91,4x137) : **GBP 6 000** – Londres, 19 juil. 1978 : *A British East Indiaman in two positions*, h/t (91,5x145,5) : **GBP 4 500** – Londres, 22 juin 1979 : *Bateaux au large de la côte*, h/t (42x60) : **GBP 1 600** – Londres, 9 juil. 1980 : *Le « Medina » et autres bateaux au large de Portsmouth* 1818, h/t (89x135,5) : **GBP 7 000** – Londres, 17 juin 1981 : *H. M. S. Vansittart au large de Sainte-Hélène*, h/t (80x120,5) : **GBP 5 500** – Londres, 13 juil. 1984 : *La bataille de Trafalgar* 1805-1806, h/t (90,2x152,4) : **GBP 22 000** – Londres, 13 mars 1985 : *H.M.S. Guernesey and other shipping off Elisabeth Castle, Island of Jersey* 1813, h/t (118x180,5) : **GBP 55 000** – Londres, 22 sep. 1988 : *Le seul engagement entre le U.S.S. Chesapeake et H.M.S. Shannon en 1813*, h/t (57,1x71) : **GBP 19 800** – Londres, 18 nov. 1988 : *Un deux-mâts et d'autres voiliers pris dans la tempête au large de Gibraltar* 1824, h/t (81x121,8) : **GBP 4 400** – Londres, 31 mai 1989 : *Un trois-mâts dans deux positions au large de Douvres* 1810, h/t (81,5x122) : **GBP 7 700** – Londres, 17 nov. 1989 : *Le matin du 25 janvier 1782, pendant la bataille de St-Kitts entre les flottes anglaise et française* 1787, h/t (75,9x121,6) : **GBP 38 500** – Londres, 9 fév. 1990 : *Bateau de ligne en vue des côtes*, h/t (76,7x122) : **GBP 11 000** – Londres, 20 avr. 1990 : *Le « Eagle », de la flotte de sa Majesté, changeant de cap avec d'autres embarcations et des pêcheurs au premier plan* 1787, h/t (90,5x125,8) : **GBP 26 400** – Londres, 14 nov. 1990 : *Le port de Ramsgate*, h/t (29,5x45) : **GBP 5 060** – Londres, 20 mai 1992 : *Bataille navale*, h/t (91,5x137) : **GBP 30 800** – New York, 5 juin 1992 : *La frégate « Canton » quittant les Downs en 1796*, h/t (66x99,1) : **USD 22 000** – Londres, 18 nov. 1992 : *Bâtiment de la Compagnie des Indes « Surrey » au large de la côte de Douvres* 1817, h/t (104,5x166) : **GBP 30 800** – Londres, 14 juil. 1993 : *Navire marchand par grosse mer*, h/t (81,5x112) : **GBP 10 350** – New York, 6 oct. 1994 : *Bâtiment de la Compagnie des Indes « Marquis d'Ely » naviguant au large des côtes avec le Fort Saint-Georges de Madras à Distance*, h/t (81x121,7) : **USD 16 675** – Londres, 6 nov. 1995 : *Vue de Bristol – docks et quai* 1787, h/t (121x74) : **GBP 19 550** – Londres, 30 mai 1996 : *Frégate de l'honorable Compagnie des Indes orientales*, h/t (91x147) : **GBP 9 775** – Londres, 9 avr. 1997 : *Navire sous la tempête à Table Bay* 1794, h/t (92,5x60) : **GBP 34 500** – Londres, 9 juil. 1997 : *Bateau de guerre anglais au large du rocher de Gibraltar*, h/t (50x72) : **GBP 10 925** – Londres, 29 mai 1997 : *Un canot britannique et autres navires au large du littoral*, h/t (54x76,5) : **GBP 8 625.**

WHITE. Voir **HADOL Paul**

WHITE, Mrs
XIXe siècle. Britannique.
Peintre de paysages.
Elle exposa vingt-cinq peintures de 1809 à 1844, à Londres.

WHITE Adam Seaton
Né le 10 avril 1893 à Bangor. XXe siècle. Britannique.
Sculpteur, peintre.
Mari de Gwendolen White. Il fut élève de la Slade School de Londres. Il vécut et travailla à Cheltenham.

WHITE Alden
Né le 11 avril 1861 à Acushnet. XIXe siècle. Actif à Acushnet Station. Américain.
Aquafortiste.
Élève de V. Preissing.

WHITE Arthur C.
Mort en janvier 1927. XXe siècle. Britannique.
Sculpteur, ciseleur.
Il fut élève de l'Académie de Londres et assistant de sir Bertram Mackennal. Il vécut et travailla à Londres.

WHITE Belle Cady
Né en 1876 à Chatham. XXe siècle. Américain.
Peintre de portraits, natures mortes.

WHITE C. F.
XIXe siècle. Actif dans la première moitié du XIXe siècle. Britannique.
Dessinateur et officier.
Il dessina des paysages des Indes et de l'Himalaya.

WHITE Charles
Né en 1751 à Londres. Mort le 28 août 1785 à Londres. XVIIIe siècle. Britannique.
Dessinateur et graveur au burin.
Élève de Pranker. Il fit d'abord de petits sujets. Plus tard on le cite employé à des travaux plus sérieux notamment à de nombreuses planches pour les ruines de Rome et pour des ouvrages d'histoire naturelle. On cite de lui des dessins comiques particulièrement une *Mascarade au Panthéon.*

WHITE Charles
XVIIIe siècle. Actif dans la seconde moitié du XVIIIe siècle. Britannique.
Dessinateur de vues, miniaturiste, graveur au burin et architecte.
Il exposa à Londres de 1768 à 1783. À rapprocher du précédent.

WHITE Charles
Né le 9 janvier 1780 à Chelsea. XIXe siècle. Britannique.
Peintre de fleurs.

WHITE Charles Henry
Né le 14 avril 1878 à Hamilton (Ohio). XXe siècle. Américain.
Peintre, graveur.
Il fut élève de Whistler, de Laurens et de Benjamin-Constant à Paris. Il gravait à l'eau-forte.

WHITE Charles William
Né vers 1730 à Londres. Mort vers 1807. XVIIIe siècle. Britannique.
Graveur en manière noire.
Élève de George White. On le cite travaillant de 1750 à 1785. Il a gravé d'après Stothard, Gosway, Pether Bunbury, etc.

WHITE Edward Richard
XIXe-XXe siècles. Britannique.
Peintre de scènes de genre.
Il vécut et travailla à Londres. Il exposa de 1868 à 1904.

WHITE Edwin
Né en 1817 à South Hadley. Mort le 7 juin 1877 à Saratoga Springs. XIXe siècle. Américain.
Peintre.
Il peignit des scènes de l'histoire américaine. Le Musée Métropolitain de New York conserve de lui *Le savant.*
Ventes Publiques : New York, 29 avr. 1977 : *The fisher boy* 1840. ; *h/t* (76,2x57,5) : **USD 7 750** – New York, 31 jan. 1985 : *Georges Washington reading the burial service over the body of Braddock* 1860, h/t (145,5x115) : **USD 2 700.**

WHITE Emile
XXe siècle. Américain.
Peintre.
Dans une facture naïve, avec cependant des accents poétiques

rappelant Paul Klee, il évoque la solitude de l'homme au cœur de la civilisation démesurée des grandes villes américaines. Écrasés par les gratte-ciel, il situe soit de minuscules personnages esseulés et perdus, soit des foules de manifestants réclamant la solidarité universelle.

Bibliogr. : Oto Bihalji-Merin : *Les peintres naïfs*, Delpire, Paris, s. d.

WHITE Erica

Né le 13 juin 1904. XXe siècle. Britannique.

Sculpteur, peintre.

Il vécut et travailla à Kingdown.

WHITE Ethelbert

Né le 27 février 1891 à Isleworth. Mort en 1972. XXe siècle. Britannique.

Peintre de paysages, paysages animés, graveur au burin, graveur à l'eau-forte, graveur sur bois, aquarelliste, illustrateur, peintre d'affiches.

Il vécut et travailla à Londres.

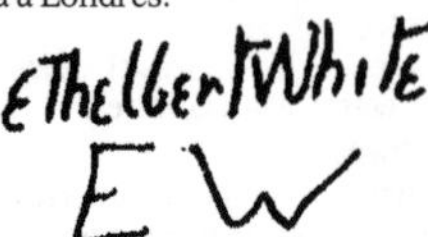

Musées : Birmingham – Leeds – Londres (Tate Gal.) : *Sous les collines* 1933 – Manchester – Sradford – Whitworth.

Ventes Publiques : Londres, 29 juil. 1988 : *La ferme dans la vallée*, h/pan. (38,2x48,2) : **GBP 1 430** – Londres, 12 mai 1989 : *Promenade dans les bois*, h/pan. (40x50) : **GBP 1 375** – Londres, 8 juin 1989 : *Un jour de brise*, h/t (50,8x61) : **GBP 4 400** – Londres, 8 mars 1990 : *L'époque de la moisson*, h/t (87,8x108) : **GBP 2 420** – Londres, 3 mai 1990 : *Une ferme dans le Sussex*, h/t (49x61) : **GBP 2 090** – Londres, 25 jan. 1991 : *La baie de Palma à Majorque*, h/t (46x56) : **GBP 1 320** – Londres, 25 sep. 1992 : *Une cour de ferme*, cr., aquar. et gche (30,5x37) : **GBP 660**.

WHITE Florence

XIXe-XXe siècles. Britannique.

Peintre de genre, portraits, peintre de miniatures.

Elle vécut et travailla à Londres. Elle exposa de 1881 à 1917.

WHITE George

Né vers 1671, certaines sources donnent 1689. Mort le 27 mai 1732 à Londres. XVIIe-XVIIIe siècles. Britannique.

Peintre de portraits, dessinateur et graveur à la manière noire et au burin et miniaturiste.

Fils et élève de Robert White. Il peignit d'abord le portrait à l'huile et en miniature. À la mort de son père George White termina les planches qu'il laissait inachevées et en ayant produit quelques-unes dans le même genre, son succès le fit se consacrer à la gravure. Il a gravé au burin et à la manière noire. Son œuvre est important. La National Gallery, à Londres, conserve de lui *Portrait du poète W. Somerville*.

WHITE George Fleming

Né le 1er juin 1868 à Des Moines (Iowa). XIXe siècle. Américain.

Peintre.

Élève de l'Académie de New York, puis d'Azbe et de Raoul Frank à Munich.

WHITE George Gorgas

Né à Philadelphie. Mort le 24 février 1898 à New York. XIXe siècle. Américain.

Illustrateur.

Il dessina des scènes de la Guerre de Sécession et collabora aux plus importants illustrés américains.

WHITE George Harlow

Né en 1817. Mort en 1888. XIXe siècle. Canadien.

Aquarelliste et paysagiste.

Il exposa à Londres, à la Royal Academy de 1839 à 1883. Élu membre de la Royal Canadian Academy dès sa fondation en 1880. Le Musée de Montréal conserve de lui *Eton sur la Tamise* et *Creceth Castle*.

Ventes Publiques : Londres, 27 juin 1978 : *La vieille ferme*, h/t (61x92) : **GBP 650** – Toronto, 26 mai 1981 : *Paysage montagneux* 1875, aquar. (32,5x47,5) : **CAD 3 800** – Toronto, 3 mai 1983 : *La Place du marché, Québec* 1876, aquar. (7,5x13,1) : **CAD 1 200** – Auchterarder (Écosse), 28 août 1984 : *Loch Lomond*, h/t (66,7x151) : **GBP 1 500**.

WHITE Gilbert

Né le 18 juillet 1877 à Grand Haven (Michigan). XXe siècle. Américain.

Peintre.

Il fut élève de J.-P. Laurens, B. Constant et Whistler, à Paris. Il vécut et travailla à Grand Rapids.

Il a exposé, à Paris, au Salon des Artistes Français à partir de 1903, à l'American Artists Professional League of Paris, aux Expositions universelles de Londres et de San Francisco. Officier de la Légion d'honneur, Croix de Guerre.

Musées : Brooklyn – Houston – Paris (Mus. d'Art Mod.) : *Les Andelys au coucher du soleil.*

WHITE Gleeson

Né en 1851. Mort le 19 octobre 1898 à Londres (?). XIXe siècle. Britannique.

Dessinateur, peintre, décorateur et critique.

Il était fils d'un libraire et exerça cette profession jusqu'en 1890, y réalisant une honnête aisance. Il vint à Londres et y fonda la remarquable publication artistique *Studio*, dont l'influence a été si considérable et si heureuse pour le développement de l'art en Angleterre. Ce fut aussi un excellent, élégant et fécond dessinateur d'art décoratif.

WHITE Gwendolen, née **Jones**

Née le 21 juin 1903 à Bridgenorth. XXe siècle. Britannique.

Graveur sur bois, illustrateur, calligraphe.

Femme d'Adam Seaton White.

WHITE H. Hopley

XIXe siècle. Actif à Londres. Britannique.

Peintre de genre, portraitiste et paysagiste amateur.

Il exposa de 1805 à 1856.

WHITE H. Mabel

XIXe siècle. Active à la fin du XIXe siècle. Britannique.

Sculpteur.

Élève d'O. Waldmann. Elle exposa à Londres à partir de 1898.

WHITE Henri ou **Henry**

Mort après 1861. XIXe siècle. Britannique.

Graveur sur bois.

Élève de Benrck et de James Lee. Il s'établit à Londres et produisit un grand nombre d'illustrations.

WHITE Henry Cook

Né le 15 septembre 1861 à Hartford. XIXe siècle. Américain.

Peintre de paysages.

Élève de D. W. Tryon et de l'Art Students' League de New York. Membre de la Fédération Américaine des Arts.

Ventes Publiques : New York, 14 fév. 1990 : *Sur la rivière Hockanum* 1891, h/t (30x41) : **USD 2 200**.

WHITE J.

XVIIIe siècle. Actif à Londres. Britannique.

Dessinateur.

WHITE Jacob Caupel

Né le 1er octobre 1895 à New York. XXe siècle. Américain.

Peintre, illustrateur, graveur.

Il fut élève de l'Académie Julian, à Paris. Membre de la Fédération Américaine des Arts.

WHITE John

Mort en 1593. XVIe siècle. Américain.

Peintre de scènes de genre, paysages, aquarelliste, dessinateur.

Il travailla à Londres. Il fut un des premiers colons en Virginie, vers 1585.

Il dessina des scènes de voyages de Walter Raleigh. Plusieurs de ses œuvres furent gravées par Théodore de Bry et publiées dans le *Bref et Vrai Rapport sur la Nouvelle Terre de Virginie* 1588, de Th. Hariot.

Musées : Londres (British Mus.) : aquarelles et dessins.

WHITE John

Né le 19 septembre 1851 à Édimbourg (Écosse). Mort en 1933. XIXe-XXe siècles. Britannique.

Peintre de scènes de genre, portraits, paysages, paysages d'eau, marines, peintre à la gouache, aquarelliste.

Il fut élève de l'Académie des Beaux-Arts d'Édimbourg. Il travailla à Beer.

Bibliogr. : In : *Diction. de la peinture anglaise et américaine*, coll. Essentiels, Larousse, Paris, 1991.

Musées : Exeter : *Une noce au village de Shere*.

Ventes Publiques : Londres, 15 mai 1979 : *The mil pond* 1876, h/t (44x60) : **GBP 500** – Londres, 13 mai 1980 : *La route longeant le champ de blé*, reh. de gche (25,5x34,5) : **GBP 460** – Londres, 24 mai 1984 : *Clovelly*, aquar. (53x36) : **GBP 1 300** – Londres, 27 fév. 1985 : *Scènes familières dans un village de pêcheurs*, aquar. reh. de gche, une paire (29x45) : **GBP 1 400** – Londres, 26 jan. 1987 : *Silver and Gold, on the Ax near Axmouth*, aquar. reh. de gche (29x46) : **GBP 1 600** – Londres, 25 jan. 1988 : *Lynmouth dans le nord du Devon*, aquar. (25,5x35,5) : **GBP 1 980** – Londres, 25 jan. 1989 : *Clovelly dans le Devon*, aquar. et gche (37x25,5) : **GBP 1 155** ; *À la porte du cottage* 1881, aquar. et gche (35,5x25,5) : **GBP 3 080** – Londres, 1er nov. 1990 : *L'époque de l'espoir* 1889, aquar. avec reh. de blanc (44,2x64,4) : **GBP 2 840** – Londres, 7 oct. 1992 : *Littoral*, aquar. avec reh. de blanc (27x77,5) : **GBP 2 090** – Londres, 3 mars 1993 : *Le coche près d'une auberge au bord de l'eau à Porlock dans le Somerset*, aquar. (34x52) : **GBP 1 380** – Édimbourg, 13 mai 1993 : *Vue de Exeter bay*, aquar. avec reh. de gche (17,8x27) : **USD 1 925** – Londres, 11 juin 1993 : *Le ruisseau et la mer à Branscombe dans l'East Devon*, aquar. et gche (28x45,7) : **GBP 2 070** – New York, 15 fév. 1994 : *Les chaussures de papa* 1892, h/t (66x99) : **USD 21 850** – New York, 9 mars 1996 : *Retour à la maison*, aquar./pap. (54,6x36,8) : **USD 1 265** – Londres, 27 mars 1996 : *Le jeu* 1877, h/t (51x41) : **GBP 3 450**.

WHITE John Blake
Né en 1781 ou 1782 à Charleston. Mort en 1859. XIXe siècle. Américain.
Peintre d'histoire et de portraits et écrivain.
Il était avocat et, en même temps, s'adonna à la peinture. Il vint à Londres travailler pendant quatre ans avec Benjamin West et de retour en Amérique, s'établit à Charleston. Il produisit un nombre important de grandes compositions d'histoire et de portrait. John Blake White a aussi écrit des pièces de théâtre et des essais sur l'art.

WHITE L.
XIXe siècle. Travaillant en 1812. Américain.
Portraitiste.
Élève de Th. Birch à Philadelphie.

WHITE Mark
XVIIIe siècle. Actif à Cork dans la seconde moitié du XVIIIe siècle. Irlandais.
Peintre de miniatures.
Élève de l'École d'Art de Dublin.

WHITE Nelson Cook
Né le 11 juin 1900 à Waterford. XXe siècle. Américain.
Peintre de marines, portraits, natures mortes.
Fils de Henry Cook White et son élève. Il exposa à New York en 1929 et 1930.

WHITE Orrin Augustine
Né le 5 décembre 1883 à Hanover (États-Unis). Mort en 1969. XXe siècle. Américain.
Peintre de paysages.
Il fut élève de l'Académie de Philadelphie. Il vécut et travailla à Pasadena.

Musées : Cleveland : *Coucher du soleil* – Los Angeles : *Les sommets de la Sierra*.
Ventes Publiques : Los Angeles, 17 nov. 1980 : *High Sierras*, h/t (101,6x76,2) : **USD 3 000** – Los Angeles-San Francisco, 7 fév. 1990 : *Les collines de Santa Barbara*, h/t (30,5x41) : **USD 4 950** – Los Angeles-San Francisco, 10 oct. 1990 : *Montagnes de Californie*, h/t. cartonnée (41x51) : **USD 3 025** – New York, 14 nov. 1991 : *Un ruisseau dans la Sierra*, h/t (50,8x61) : **USD 3 300** – New York, 4 mai 1993 : *La colline brune*, h/t (63,5x76,2) : **USD 4 370**.

WHITE Richard
XVIIe siècle. Travaillant en 1638. Britannique.
Sculpteur.
Élève de Nicholas Stone l'Ancien.

WHITE Robert
Né en 1645 à Londres. Mort en novembre 1703 à Bloomsbury. XVIIe siècle. Britannique.
Dessinateur, graveur au burin et à la manière noire.
Il fut élève de David Loggan, pour qui il dessina et grava un certain nombre de pièces d'architecture. Il fit beaucoup de dessins au crayon sur parchemin et les grava ensuite, notamment pour la *Vie des Peintres*, de Sandraart. En 1674, il grava le titre du premier almanach d'Oxford. Robert White a produit énormément, notamment, il a gravé des portraits. La National Portrait Gallery, à Londres, conserve deux portraits dessinés par lui.
Musées : Londres (Nat. Portrait Gal.) : *Portraits*, deux dess.
Ventes Publiques : Londres, 17 nov. 1981 : *Portrait de Charles Seymour*, cr./parchemin (13,5x9,8) : **GBP 550**.

WHITE Scott ou **Clarence Scott**
Né le 14 mars 1872 à Boston (Massachusetts). XIXe-XXe siècles. Américain.
Peintre de paysages.
Il fut élève de Ch. H. Woodbury. Il vécut et travailla à Belmont.

WHITE Sorewe
D'origine hollandaise. XVIIe siècle. Travaillant à Londres de 1632 à 1635. Hollandais.
Portraitiste.

WHITE Sydney W.
XIXe-XXe siècles. Britannique.
Peintre.
Il vécut et travailla à Londres. Il exposa à la Royal Academy en 1892.
Musées : Dulwich (Gal.) : *Portrait de J. H. Smith*.

WHITE Thomas
Né vers 1730 à Londres. Mort vers 1775 à Londres. XVIIIe siècle. Britannique.
Graveur au burin.
Peut-être fut-il élève de Ryland. Dans tous les cas, il l'aida dans ses planches en faisant les fonds. Dans la suite il fournit une grande partie des estampes pour le *Vitruvius Britannicus*, de Woll et Gaudon.

WHITE W.
XIXe siècle. Actif à Londres dans la première moitié du XIXe siècle. Britannique.
Portraitiste.
Il exposa à Londres de 1824 à 1838.

WHITE Walter Charles Lewis
Né le 15 septembre 1876 à Sheffield. XXe siècle. Américain.
Peintre.
Il fut élève d'Emil Carlsen et de F. A. Bridgeman. Il vécut et travailla à Saint-Albans.

WHITE Warren
XIXe siècle. Travaillant à Paris en 1828. Britannique.
Peintre verrier.
Il exécuta avec Jones les vitraux de l'église Sainte-Élisabeth de Paris.

WHITE William
XIXe siècle. Actif à Londres dans la seconde moitié du XIXe siècle. Britannique.
Sculpteur.
Il exposa de 1863 à 1886.

WHITE William Johnstone
XIXe siècle. Actif à Londres. Britannique.
Peintre de genre, graveur au burin et dessinateur.
Il exposa à Londres, notamment à la Royal Academy de 1804 à 1810. Le Musée de Nottingham conserve de lui *Officier blessé* et *Deux orientaux offrant à un autre un sceptre et une couronne* (aquarelles).

WHITECHURCH Robert
Né en 1814 à Londres. Mort après 1883 à Washington. XIXe siècle. Britannique.
Graveur de portraits.
Il grava au pointillé, à la manière noire et au burin, à Philadelphie et à Washington.

WHITECOMBE Thomas. Voir **WHITCOMBE**

WHITEFORT Annette
XIXe siècle. Travaillant à Gand vers 1824. Belge.
Peintre de genre.

WHITEHAND Michael J.
Né en 1941. XXe siècle. Britannique.
Peintre de marines.
Il es l'un des nombreux artistes britanniques qui, beaucoup plus que peintres de marines, se spécialisent dans la représentation de bateaux célèbres, le plus souvent des voiliers de grandes compétitions.
Ventes Publiques : Londres, 20 jan. 1993 : *Les yachts « Endeavour », « Britannia » et « Velsheda » au large des Needles dans l'île*

de *Wight*, h/t (80x106) : **GBP 2 530** – LONDRES, 16 juil. 1993 : *« White Heather » et « Lulworth » au large des Needles*, h/t (71x106,5) : **GBP 4 370** – LONDRES, 11 mai 1994 : *Le « Britannia » et le « Westward » au large des Needles*, h/t (79x104) : **GBP 5 175** – LONDRES, 30 mai 1996 : *« Westward », « Adela »*, h/t (81x109) : **GBP 2 990** – LONDRES, 29 mai 1997 : *Le Britannia disputant le Whiteheather au large de Cowes, Île de Wight avec le yacht royal Britannia en arrière-plan*, h/t (96,5x132,5) : **GBP 6 325**.

WHITEHAND Robert
XVIIe siècle. Travaillant à Bruxelles vers 1680. Éc. flamande.
Graveur au burin.
Il grava des armoiries, des architectures et des vues de châteaux.

WHITEHEAD Elizabeth
XIXe siècle. Britannique.
Peintre de fleurs.
Elle était active à Leamington dans la seconde moitié du XIXe siècle. Elle exposa à Londres de 1880 à 1900.

WHITEHEAD Frederick
XIXe-XXe siècles. Britannique.
Peintre de paysages, paysages urbains, architectures, natures mortes, graveur.
Il vécut et travailla à Leamington. Il exposa à Londres à partir de 1870, à la Royal Academy et à Suffolk Street. Il gravait à l'eau-forte.
MUSÉES : MELBOURNE : *Stony Weir*.
VENTES PUBLIQUES : LONDRES, 16 oct. 1973 : *Les Fermes* : **GBP 620** – LONDRES, 17 mars 1976 : *Vue de Warwickshire* 1918, h/t (59x90) : **GBP 320** – LONDRES, 7 juin 1996 : *La Frome près de Dorchester* 1901, h/t (91,4x71,1) : **GBP 5 175**.

WHITEHAEAD Tom
Né le 5 juin 1886 à Brighouse. XXe siècle. Britannique.
Peintre de genre, portraits, graveur.
Il gravait à l'eau-forte.

WHITEHORNE James
Né le 22 août 1803 à Wallingford. Mort en 1888. XIXe siècle. Américain.
Portraitiste.
Élève de l'Académie de New York. Il subit l'influence de Robertson, de Trumbull, de Morse et de Dunlap.

WHITEHOUSE James Horton
Né le 28 octobre 1833 à Staffordshire. Mort le 29 novembre 1902 à Brooklyn. XIXe siècle. Américain.
Dessinateur.
Il s'établit à New York en 1857. Le Musée Métropolitain de cette ville conserve de lui *Le vase d'argent de William Cullan Bryant*.

WHITELAW John William
XIXe-XXe siècles. Britannique.
Peintre de genre, portraits, paysages.
Il vécut et travailla à Leeds de 1882 à 1900.

WHITELEY Brett
Né le 7 avril 1939 à Sydney. Mort en 1992. XXe siècle. Actif en Angleterre. Australien.
Peintre, aquarelliste, dessinateur, photographe de paysages, paysages urbains, portraits, nus, sculpteur. Figuratif.
Il fait ses études à l'École Julian Ashton de 1957 à 1959. Il obtint le Premier Prix de la section des jeunes peintres, à l'exposition de Bathurst en 1956, en 1961 une bourse d'études pour l'Italie, la Grande Bretagne et la France où, la même année, il reçut le Prix International de la IIe Biennale des Jeunes de Paris. Il vit à Londres depuis 1961.
Au cours d'expositions collectives, la plupart en Nouvelle-Galles-du-Sud, il a remporté très tôt un grand nombre de distinctions et prix. Il montre également souvent ses œuvres dans des expositions personnelles, la première à Londres en 1962, puis à Sydney, Melbourne, Perth, Londres, New York, et Brisbane.
Son art procède d'une très grande habileté, on pourrait dire de très grandes habiletés. Il est bon perspectiviste, bon portraitiste jusqu'à la caricature, son dessin fonctionne depuis le rendu le plus minutieux jusqu'à la suggestion la plus elliptique, depuis la mine-de-plomb la plus dure et aigüe jusqu'au lavis le plus barbouillé. En vrai figuratif, il traite les sujets les plus divers, paysages, paysages urbains, portraits, nus, etc. Souvent heureusement ses habiletés, ses traits de virtuose qui pourraient paraître de peu de contenu plastique, sont sauvés par le point-de-vue humoristique que Whiteley porte sur les choses, et qui le lui renvoient bien, en ce qu'il n'en manque pas envers lui-même. ■ J. B.

BIBLIOGR. : Divers : *Brett Whiteley 1978-1988*, Craftsman House, Sydney, 1988 – Brett Whiteley : *Paris, regard de côté*, Australian Galleries, 1990 – in : *Creating Australia. 200 years of Art. 1788-1988*, catalogue d'expositions, Art Gallery of South Australia, Adelaïde, 1988 – in : *Dictionnaire universel de la peinture*, Le Robert, Paris, 1975 – in : *Dictionnaire de l'art moderne et contemporain*, Hazan, Paris, 1992.
MUSÉES : ADELAÏDE (Gal. d'Art d'Australie-du-Sud) : *Christie and Hectorina* – LONDRES (Tate Gal.) : *Peinture rouge sans titre* 1960 – LONDRES (Victoria and Albert Mus.) – PERTH (Gal. d'Art d'Australie-de-l'Ouest) – SYDNEY (Gal. d'Art de Nlle-Galles-du-Sud) – WELLINGTON (Gal. Nat. de Nlle-Zélande).
VENTES PUBLIQUES : LONDRES, 1er nov. 1967 : *Femme au bain IV* : **GBP 450** – LONDRES, 22 nov. 1972 : *Requite* : **GBP 950** – SYDNEY, 6 oct. 1976 : *Autoportrait*, encre de Chine/pap. de riz (96,8x60,5) : **AUD 650** – MELBOURNE, 11 mars 1977 : *Camelias blancs* vers 1959, h/cart. (26,5x26) : **AUD 1 000** – SYDNEY, 21 mars 1979 : *Figure studies* 1976, deux dess. à la pl. (76x56) : **AUD 2 800** – SYDNEY, 10 mars 1980 : *Sans titre*, gche (36x52) : **AUD 1 000** – SYDNEY, 30 juin 1980 : *Nu*, h/t (154x171) : **AUD 17 800** – SYDNEY, 21 sep. 1981 : *Paysage*, h/t (32x27) : **AUD 5 500** – SYDNEY, 19 nov. 1984 : *Autoportrait au miroir*, pl. et lav. (61x80) : **AUD 3 000** – SYDNEY, 23 sep. 1985 : *Arkie*, h/techn. mixte/pan. (83x65) : **AUD 20 000** – LONDRES, 1er déc. 1988 : *Sans titre*, techn. mixte (46,3x37,5) : **GBP 13 200** – LONDRES, 25 mai 1989 : *Sans titre peinture chaude* 1962, h., techn. mixte et collage/cart. (85x75) : **GBP 6 600** – SYDNEY, 2 déc. 1991 : *Lavender Bay sous la pluie*, sérig. (102x74) : **AUD 750** – MELBOURNE, 20-21 août 1996 : *The orange fiji fruit dove* vers 1980, h/t (184x202,5) : **AUD 299 500**.

WHITEMAN Samuel Edwin
Né en 1860 à Philadelphie (Pennsylvanie). Mort le 27 octobre 1992. XIXe-XXe siècles. Américain.
Peintre.
Il figura aux expositions de Paris et obtint une mention honorable en 1889 lors de l'Exposition universelle de Paris.

WHITEREAD Rachel
Née en 1963 à Londres. XXe siècle. Britannique.
Sculpteur.
Elle participe à des expositions collectives, parmi lesquelles, depuis 1987 : Whitechapel Gallery à Londres, Hayward Gallery à Londres, Martin-Gropius-Bau à Berlin, Tate Gallery à Londres ; 1995, *Générique II-Double mixte*, Galerie Nationale du Jeu de Paume, Paris ; 1997, *Skulptur. Projekte in Münster 1997*. Elle montre ses œuvres dans des expositions personnelles, la première ayant eu lieu en 1987 à la Carlisle Gallery à Londres, puis : 1992, Fondation Caja de Pensiones, Barcelone ; 1993, Stedelijk Van Abbemuseum, Eindhoven ; 1994, Kunsthalle, Bâle ; 1995, galerie Claire Burrus, Paris.
Figure originale de la nouvelle sculpture anglaise apparue à la fin des années quatre-vingts, Rachel Whiteread a commencé par exécuter des petites sculptures qu'elle plaçait dans des espaces situés à l'intérieur d'un volume ou d'un lieu creux. Elle réalise ensuite des empreintes en négatif d'objets, des moulages en plâtre ou en résine, de matelas convexes, de lits concaves, de lavabos ou encore de baignoires. Cette manière de procéder – mouler l'espace au-dessous d'une table par exemple – donne irrémédiablement aux objets un aspect d'étrangeté. Avec la pièce *Ghost* (1990), c'est l'espace intérieur d'une pièce qui avait été ainsi moulé : portes, fenêtres, cheminée, moulures et plancher, et pour *House* (1993) tout l'espace d'une maison à trois étages. Si le travail de Rachel Whiteread possèdent des caractéristiques formelles liées à l'art minimal et conceptuel – dont notamment la caractéristique vide –, il révèle également des points de vue sur les notions de transformation, de passage d'un état à un autre et sur le souvenir.
BIBLIOGR. : Stuart Morgan : *Rachel Whiteread. La mélancolie des moulages*, in : *Art Press*, n° 172, Paris, septembre 1992.
VENTES PUBLIQUES : LONDRES, 27 juin 1996 : *Torse*, rés. (23,5x17,5x8) : **GBP 14 375** – LONDRES, 5 déc. 1996 : *Sans titre* 1992, plâtre en trois morceaux (24x91,5x86,25) : **GBP 23 000** – LONDRES, 6 déc. 1996 : *Poignée de porte* 1993, bronze (5,5x17,5x6,5) : **GBP 3 450** – NEW YORK, 6-7 mai 1997 : *Sans titre (Lit ambré double)* 1991, caoutchouc et mousse (119,4x137,2x104,1) : **USD 167 500** – LONDRES, 30 mai 1997 : *Sans titre (Torse)*, gypse (L. 30) : **GBP 14 950** – LONDRES, 23 juin 1997 : *Sans titre (Étagère)* 1997, plâtre et acier (30x105x22,5) : **GBP 26 000**.

WHITESIDE Frank Reed
Né le 20 août 1866 à Philadelphie (Pennsylvanie). Mort en 1929. XIXe-XXe siècles. Américain.

Peintre de paysages, paysages animés.
Il fut élève de l'Académie de Philadelphie, de Laurens et de Constant à Paris.
Ventes Publiques : New York, 15 mai 1991 : *Troupeau de buffles* 1891, h/t (50,8x91,4) : **USD 2 310.**

WHITESIDE Henry Leech
Né le 5 décembre 1891 à Brownsville (Pennsylvanie). xxe siècle. Américain.
Peintre.
Il fut élève de Hugh Breckenridge et Hawthorne. Membre de la Fédération Américaine des Arts.

WHITESIDE R. Cordelia
xixe-xxe siècles. Britannique.
Peintre de portraits.
Elle vécut et travailla à Londres. Elle exposa de 1892 à 1909.

WHITFIELD Edward Richard
Né en 1817 à Londres. xixe siècle. Britannique.
Graveur.
Élève d'Auguste Fox. Il grava d'après Le Dominiquin et P. Briggs.

WHITFIELD Emma Morehead
Née le 5 décembre 1874 à Greensboro. xixe-xxe siècles. Américaine.
Peintre.
Elle fut élève de l'Académie de New York et de Raphaël Collin à Paris.

WHITING Ada, Mrs
Active à Victoria. Australienne.
Miniaturiste.
Le Musée de Sydney conserve d'elle trois portraits.

WHITING Almon Clark
Né le 5 mars 1878 à Worcester (Massachusetts). xxe siècle. Américain.
Peintre.
Il fut élève de Constant, Laurens et Whistler à Paris. Membre de l'Association Artistique Américaine de Paris et du Salmagundi Club.
Musées : Toledo : *Notre-Dame de Paris.*

WHITING Frederic
Né en 1874 à Londres. Mort en 1962. xixe-xxe siècles. Britannique.
Peintre de sujets militaires, scènes de sport, portraits, animaux, aquarelliste, graveur, illustrateur.
Il fut élève de la Royal Academy de Londres. Il exposa à Londres à partir de 1911.
Journaliste, il dessina des scènes de la guerre des Boxers et de la guerre russo-japonaise.

FREDERIC WHITING
FREDERIC WHITING

Musées : Brighton : *Tête de jeune fille* – Leicester : *Le Faucon* – Liverpool : *Vanité.*
Ventes Publiques : Londres, 14 juil. 1982 : *Preparing for the race,* aquar. et craie noire (37,5x45) : **GBP 1 100** – Londres, 9 nov. 1984 : *Charles Garvice and his daughters, Winifred and Olive on horseback* vers 1912, h/t (198x238) : **GBP 11 000** – Londres, 8 mars 1990 : *Chevaux dans un champ dans les Downs du sud,* h/t (49,4x59,7) : **GBP 2 640** – Édimbourg, 2 mai 1991 : *Jockeys menant leurs chevaux au départ,* h/t (63,5x76,2) : **GBP 3 850** – Londres, 12 mai 1993 : *Le Chasseur,* aquar. (38x44,5) : **GBP 1 495** – Londres, 13 nov. 1996 : *Jockey,* aquar. (56,5x38) : **GBP 3 450.**

WHITING John Downes
Né le 20 juillet 1884 à Ridgefield. xxe siècle. Américain.
Peintre, illustrateur.
Il fut élève de John H. Niemeyer et de Lucius W. Hitchcock. Il vécut et travailla à New Haven.

WHITLEY G.
xixe siècle. Actif à Londres. Britannique.
Paysagiste.
Il exposa à Londres en 1868 et 1869, notamment à la Royal Academy et à Suffolk Street. Le Musée de Sydney conserve de lui *Sur la route d'Essex, Wallthamstowe.*

WHITLEY Gladys Ethel
Née le 17 juillet 1886 à Londres. xxe siècle. Britannique.
Peintre de portraits.
Elle fut membre de la Royal Society en 1921.

WHITLEY Kate ou **Kate Mary**
Née vers 1860 à Londres. Morte le 24 août 1920. xixe-xxe siècles. Britannique.
Peintre de genre, natures mortes, aquarelliste.
Elle exposa à Londres à partir de 1884, notamment à la Royal Academy et à la New Water-Colours Society. Membre du Royal Institute of Painters in Water-Colours.
Musées : Leicester : *The Inner Side of Limpets.*
Ventes Publiques : Londres, 12 juin 1992 : *Nature morte de gibier avec des citrons près d'une cruche de pierre et d'une bassine d'argent sur un entablement de marbre* 1878, aquar. et gche (50,8x73,8) : **GBP 1 760.**

WHITLEY W.
xviiie siècle. Actif à Londres de 1784 à 1790. Britannique.
Médailleur et tailleur de camées.
Il grava des médailles à l'effigie de souverains de son époque et représentant des sujets mythologiques.

WHITMAN Robert
Né en 1935. xxe siècle. Américain.
Peintre, auteur de performances.
Il étudia à la Rutgers University. Il montre ses œuvres dans des expositions personnelles, dont la première en 1959 à New York. Adepte de l'« action painting », il participa à de nombreux « happenings ». Dans cette perspective théâtrale, il confie à des acteurs, au milieu d'animaux en papier mâché, de rideaux en plastique, dans un tintamarre de haut-parleurs, de spots et de projections de films le soin de présenter : *La Lune Américaine* (1960), *Bouche* (1961) et *Fleur* dans une galerie de New York, puis *Eau* (1963) à Los Angeles. Participant aux *Nine Nights of Theater and Engineering* (1966), exposition organisée par l'Experiments in Art and Technology, il présente l'année suivante des projections au laser dans l'obscurité d'une galerie de New York. Puis il s'attache à l'« environnement du cinéma » : fenêtres, coiffeuses, éviers et douches, le tout accompagné de la projection de films traitant scrupuleusement de la banalité quotidienne.

WHITMAN Sarah de St-Prix Wyman
Née en 1842 à Baltimore. Morte en 1904 à Boston. xixe siècle. Américaine.
Peintre.
Élève de W. M. Hunt à Boston et de Th. Couture à Paris.
Musées : Boston : *Gloucester Harbour – Les landes en automne – Coucher du soleil – Nuit chaude – Portrait de Martin Brimmer – Roses – Soir* – Worcester : *The Hayrick.*

WHITMER Helen Crozier
Née le 6 janvier 1870 à Darby. xixe siècle. Active à Pittsburgh. Américaine.
Peintre.
Élève de Breckenridge, d'Anshutz, de Robert Henri, de Thouron et de Vonnoh.

WHITMORE Samuel
xviiie-xixe siècles. Travaillant de 1770 à 1819. Irlandais.
Paysagiste et peintre de décors.
Élève de Robert Carver à Dublin. Il travailla pour des théâtres de Dublin et pour le Covent Garden de Londres.

WHITNEY Anne
Née en septembre 1821 à Watertown. Morte le 23 janvier 1915 à Boston (Massachusetts). xixe-xxe siècles. Américaine.
Sculpteur de statues, poète.
Elle fit ses études à Rome, à Paris et à Munich.
Musées : Saint-Louis : *Rome.*

WHITNEY Gertrude. Voir **VANDERBILT WHITNEY**

WHITNEY Helen Reed
Née le 1er juillet 1878 à Brookine. xxe siècle. Américaine.
Peintre.
Elle fut élève de Hale, de Benson et de Tarbell. Elle vécut et travailla à Moylan.

WHITNEY Isabel L.
Née à Brooklyn. xxe siècle. Américaine.
Peintre de décorations murales, graveur.
Elle fut élève d'Arthur Dow et Howard Pyle. Membre de la Société des Artistes Indépendants.

WHITNEY Josepha
Née le 27 septembre 1872 à Washington D. C. xixe-xxe siècles. Américaine.

Peintre.
Elle fut élève de Messer, de Perrie et de Cherouzet. Elle vécut et travailla à New Haven.

WHITNEY Margaret Q.
Née le 12 février 1900 à Chicago (Illinois). XXe siècle. Américaine.
Sculpteur.
Elle a été élève de Ch. Grafly. Elle vécut et travailla à Montclair.

WHITNEY Philip R.
Né le 31 décembre 1878 à Council Bluffs. XXe siècle. Américain.
Peintre.
Il a été élève de Fred Wagner et de l'Académie de Philadelphie. Il vécut et travailla à Moylan.

WHITNEY-SMITH Edwin
Né le 2 août 1880 à Bath. Mort le 8 janvier 1952 à Londres. XXe siècle. Britannique.
Sculpteur.
Il vécut et travailla à Londres.
Musées : Londres (Tate Gal.) : *L'Irlandais* 1900-1910.

WHITTAKER James William. Voir **WHITAKER**

WHITTAKER John Barnard
Né en 1836 ou 1837 en Irlande. Mort en 1926. XIXe-XXe siècles. Américain.
Peintre de scènes de genre, figures.
Il travailla à Brooklyn.
Musées : Brooklyn : *Portrait de W. H. Cary.*
Ventes Publiques : New York, 21 nov. 1980 : *« Hide an seek »*, h/t (45,7x35,5) : **USD 2 600** – New York, 28 nov. 1995 : *Fillette pelant des pommes*, h/t (30,5x25,5) : **USD 2 070** – New York, 20 mars 1996 : *Priscilla*, h/t (91,4x73,7) : **USD 3 450.**

WHITTAKER W.
XIXe siècle. Actif à Londres en 1827. Britannique.
Miniaturiste.

WHITTEMORE Grace Connor
Née le 29 octobre 1876 à Columbia (Caroline du Sud). XXe siècle. Américaine.
Peintre.
Elle a été élève de Daingerfield et de Snell. Elle vécut et travailla à East Orange.

WHITTEMORE William John
Né le 26 mars 1860 à New York. Mort en 1955. XIXe-XXe siècles. Américain.
Peintre de portraits, aquarelliste.
Il a été élève de l'Art Students League à New York, de Lefebvre et Constant à Paris. Membre de la Fédération Américaine des Arts. Il obtint plusieurs récompenses dont une médaille d'argent à l'Exposition de Paris en 1889 lors de l'Exposition universelle.
Ventes Publiques : New York, 24 juin 1988 : *Portrait de femme dans un intérieur*, past./pap. (75x62,5) : **USD 1 540** – New York, 31 mai 1990 : *Le bouton de rose*, h/t (50,8x31) : **USD 990** – New York, 25 sep. 1992 : *Portrait d'une jeune fille* 1903, aquar./pap./cart. (54x43,2) : **USD 2 475.**

WHITTING T.
XIXe siècle. Actif à Londres en 1818. Britannique.
Peintre.

WHITTLE Thomas, l'Ancien
XIXe siècle. Actif à Londres et à Bexley de 1854 à 1868. Britannique.
Peintre de paysages, natures mortes.
Père de Thomas W. le jeune.
Ventes Publiques : Londres, 29 fév. 1980 : *Paysage montagneux avec troupeau au bord d'un lac* 1858, h/t (74,2x125,7) : **GBP 700** – Londres, 2 oct. 1985 : *Nature morte aux fruits* 1873, h/t (45x60) : **GBP 3 800** – Londres, 13 déc. 1989 : *Nature morte avec un pot de fleurs, un nid et des fushias* 1872, h/t (61x45) : **GBP 990.**

WHITTLE Thomas, le Jeune
XIXe siècle. Travaillant à Londres et à Bexley de 1865 à 1885. Britannique.
Peintre de paysages, natures mortes.
Fils de Thomas W. l'Ancien.
Ventes Publiques : Londres, 20 mars 1979 : *Paysages boisés* 1865, deux h/t (29x43) : **GBP 1 000** – Londres, 3 fév. 1993 : *Le château de Windsor* 1881, h/t (46x61) : **GBP 2 300.**

WHITTOCK Nathaniel
XIXe siècle. Actif à Oxford et à Londres. Britannique.
Dessinateur et lithographe.
Il travailla à Oxford et à Londres. Il a fait plusieurs ouvrages d'éducation artistique.

WHITTOME Irène
Née en 1942 à Vancouver (Colombie-Britannique). XXe siècle. Canadienne.
Graveur, créateur d'assemblages, installations.
Elle s'est formée à la gravure, de 1965 à 1968, auprès de Hayter dans son célèbre *Atelier 17*. Elle vit et travaille à Montréal.
Elle réalise des installations selon le procédé de l'assemblage, composées de cordes, bois et photographies. Son travail évoque des idées dérivées de l'anthropologie et plus généralement des mises en scène de comportements culturels.
Bibliogr. : In : *Dictionnaire de l'art moderne et contemporain*, Hazan, Paris, 1992.
Musées : Montréal (Mus. d'Art Contemp.) : *Screen Doors for T* 1971, trois eaux-fortes.

WHITTON E.
XVIIIe siècle. Travaillant à Londres de 1775 à 1780. Britannique.
Tailleur de camées.

WHITTREDGE Worthington Thomas
Né le 22 mai 1820 à Springfield. Mort le 25 février 1910 à Summit. XIXe-XXe siècles. Américain.
Peintre de scènes de genre, portraits, paysages animés, paysages, paysages de montagne, animaux, fleurs, dessinateur.
Il étudia à l'Académie des Beaux-Arts de Cincinnati, il poursuivit ses études à Düsseldorf, puis en Italie, principalement à Rome. Il s'établit à New York, au début des années 1860, il devint comme paysagiste l'un des principaux membres de la Hudson River School. Il accompagna trois fois différentes expéditions militaires dans les Montagnes Rocheuses et au Nouveau Mexique pour observer les paysages et les mœurs de tribus indiennes. Il figura au Salon des Artistes Français de Paris, obtenant une mention honorable en 1889, pour l'Exposition Universelle.
Il commença par réaliser des daguerréotypes, des peintures d'enseignes, des portraits, puis il se consacra au paysage américain, manifestant une attention particulière pour les effets de lumière. Au cours des dix dernières années de sa vie, il rédigea une autobiographie, publiée la première fois en 1905, qui reste une source d'information importante sur toute la Hudson River School. Il écrit : « Je n'avais jamais vu de plaines ni quoique ce soit leur ressemblant. Cela m'impressionna profondément. J'y prêtais une plus grande attention qu'aux montagnes et très peu de mes paysages de l'Ouest ont été réalisés à partir de croquis de montagnes ; ce sont plutôt des plaines avec des montagnes à distance. Quiconque traverse la plaine avec ses troupeaux de buffles et d'antilopes, ses chevaux sauvages, ses cervidés et ses lièvres ne peut manquer d'être marqué par l'immensité et le silence et l'impression générale d'une vie primitive et innocente. »
Bibliogr. : Worthington Whittredge : *Autobiography*, in : Journal du Brooklyn Museum, John I. H. Baur, 1942 – in : *Diction. de la peinture anglaise et américaine*, coll. Essentiels, Larousse, Paris, 1991.
Musées : Buffalo : *Matin dans la forêt* – Cincinnati : *Le moulin* – New York (Metropolitan Mus.) : *Soir dans la forêt* – *Réunion en plein air* – *The Trout Pool* – Washington D. C. (Corcoran Gal.) : *Le Trout Pool dans les montagnes Catskills* – Washington D. C. (Mus. Nat.) : *Après-midi dans le verger.*
Ventes Publiques : Londres, 15 nov. 1963 : *Le campement indien au bord de la rivière* : **GNS 700** – New York, 17 nov. 1966 : *Ruisseau* : **USD 1 200** – New York, 19 mars 1969 : *Paysage, Vanchase* : **USD 5 000** – New York, 28 sep. 1973 : *Paysage à la rivière* : **USD 3 250** – New York, 23 mai 1974 : *Paysage près de Brunnen sur le lac des Quatre-Cantons* 1859 : **USD 6 000** – New York, 28 oct. 1976 : *La prairie*, h/t (33,5x53,5) : **USD 7 500** – New York, 27 oct. 1978 : *Sunday morning, New England* vers 1860/70, h/t (39,4x59,7) : **USD 10 000** – New York, 24 oct 1979 : *Bouleaux au bord de la rivière*, aquar. (43,5x31,5) : **USD 1 900** – New York, 25 oct 1979 : *Bords du Hudson en automne*, h/t (49,5x67,3) : **USD 14 000** – New York, 23 avr. 1981 : *Sunshine on the brook*, h/t (59,1x39,4) : **USD 17 500** – New York, 2 juin 1983 : *Encampment on the Platte river* 1865, h/t (32,4x41,9) : **USD 62 500** – New York, 31 mai 1985 : *Heureux comme un roi* 1843, h/t (91,5x122) : **USD 16 000** – New York, 5 déc. 1986 : *A wagon train on the Plains, Platte River*, h/t mar. (26,7x54,5) : **USD 140 000** – New York, 24 jan. 1989 : *Campagne romaine* 1857, h/t (63,8x98,8) :

USD 9 350 – New York, 24 mai 1989 : *Seconde plage de Newport*, h/t (77,9x127,6) : **USD 1 870 000** – New York, 30 nov. 1989 : *Le rocher « Le siège de l'archevêque » surplombant Newport à Rhode Island*, h/t (34,2x56,5) : **USD 451 000** – New York, 16 mars 1990 : *Rivière ombragée au printemps* 1903, h/t (53x36,9) : **USD 16 500** – New York, 23 mai 1990 : *L'anse de Kauterskill*, h/t (41,7x62,3) : **USD 28 600** – New York, 27 sep. 1990 : *La pause de l'après-midi*, h/t (81x114,5) : **USD 30 800** – New York, 30 nov. 1990 : *Le lit d'un torrent rocheux*, h/t (56,3x40,5) : **USD 8 800** – New York, 12 avr. 1991 : *Roses trémières et lis rouges*, h/t (38,1x26,7) : **USD 20 900** – New York, 6 déc. 1991 : *Heureux comme un roi !*, h/t (92x122) : **USD 22 000** – New York, 27 mai 1992 : *La Platte River dans le Colorado*, h/t (48,9x76,2) : **USD 99 000** – New York, 23 sep. 1993 : *Campement indien au bord de Platte River dans le Colorado*, h/t (36,8x55,9) : **USD 140 000** – New York, 25 mai 1994 : *Campement indien sur les berges de la rivière Platte*, h/t (36,8x55,9) : **USD 228 000** – New York, 25 mai 1995 : *Réserve indienne*, h/t (38,1x76,2) : **USD 266 500** – New York, 22 mai 1996 : *Whitehall : l'évêché de Berkeley à Middleton, Rhode Island* vers 1880-1882, h/t (30,5x45,7) : **USD 40 250** – New York, 5 déc. 1996 : *La Traversée du gué* 1870, h/t (38,1x57,8) : **USD 200 500** – New York, 26 sep. 1996 : *Un ruisseau forestier* 1900, h/t (64,8x96,5) : **USD 16 100** ; *Newport*, h/t (36,8x56,5) : **USD 23 000** ; *Sur la rivière Cache la Poudre, Colorado*, h/t (31,1x55,9) : **USD 32 200** – New York, 27 sep. 1996 : *Automne sur le Delaware* vers 1875, h/t (68,6x88,9) : **USD 36 800** – New York, 23 avr. 1997 : *Homme chassant dans les bois*, h/t (62,3x53,3) : **USD 11 500**.

WHITTY C. J. S.

XIXe siècle. Actif à Londres en 1840. Britannique.

Dessinateur.

Il dessina des vues de l'île de la Jamaïque.

WHOOD Isaac

Né en 1688 ou 1689. Mort le 24 février 1752 à Londres. XVIIIe siècle. Actif à Londres. Britannique.

Peintre de portraits, dessinateur.

Il exécuta, pour le compte du duc de Bedford, de nombreuses peintures qui se trouvent aujourd'hui à Woburn Abbey.

Musées : Dublin : *Portrait au crayon du doyen Swift*.

Ventes Publiques : Londres, 19 nov. 1982 : *Portrait of Anna Maria Pratt* 1745, h/t (132,2x99) : **GBP 2 600** – Londres, 3 avr. 1996 : *Portrait de Henry Pelham vêtu d'un habit rouille et d'un gilet vert, en buste*, h/t (90x70) : **GBP 1 610**.

WHORF John

Né le 10 janvier 1903 à Winthrop. Mort en 1959. XXe siècle. Américain.

Peintre de compositions animées, paysages, paysages animés, paysages urbains, aquarelliste.

Il a été élève de l'Académie de Boston.

Musées : Brooklyn : une aquarelle.

Ventes Publiques : New York, 30 nov. 1960 : *Pêcheurs*, aquar. : **USD 425** – New York, 24 mai 1972 : *Carolina Cabin*, aquar. : **USD 950** – Hyannis (Mass.), 7 août 1973 : *Paysage d'été* : **USD 1 300** – New York, 22 mars 1978 : *Carolina cabin* 1917, aquar. (43x53,5) : **USD 2 200** – New York, 27 juin 1979 : *Baigneuse*, aquar. (37x53) : **USD 850** – New York, 23 sep. 1981 : *Barques de pêche*, h/t (76,2x101,6) : **USD 2 000** – New York, 22 juin 1984 : *Feu de camp tôt le matin*, aquar. (36,8x55,9) : **USD 2 800** – New York, 15 mars 1985 : *The strike : Morning mist*, aquar. (54,5x75,2) : **USD 2 600** – New York, 24 jan. 1990 : *Maisons près d'un lac*, aquar. et gche/pap. (35,2x54,6) : **USD 2 860** – New York, 25 sep. 1991 : *Les quais de New York en hiver*, aquar./pap. (54x76,2) : **USD 7 150** – New York, 18 déc. 1991 : *Cour d'immeuble au printemps*, aquar./pap. (58,4x36,8) : **USD 1 100** – New York, 28 mai 1992 : *Le pont de Brooklyn vu depuis le bassin portuaire*, h/t (52x63,5) : **USD 26 400** – New York, 4 déc. 1992 : *Le travail des pêcheurs par un matin brumeux* 1953, aquar./pap. (53,8x74,7) : **USD 9 900** – New York, 11 mars 1993 : *Notre Dame*, aquar./cart. (56x76) : **USD 3 220** – New York, 31 mars 1994 : *Le chasseur*, aquar. et cr./pap. (33x50,2) : **USD 4 025** – New York, 13 sep. 1995 : *Barques de pêche échouées sur le rivage*, aquar./pap. (38,7x56) : **USD 2 990** – New York, 20 mars 1996 : *Matin d'opale*, aquar. et cr./pap. (38,1x57,8) : **USD 4 312** – New York, 25 mars 1997 : *Pêcheur d'éponge*, aquar. et cr./pap. (37,5x53,3) : **USD 4 600** – New York, 23 avr. 1997 : *Canards sauvages au crépuscule*, aquar./pap. (56,4x42,5) : **USD 5 520**.

WHYDALE E. Herbert

Né le 12 avril 1886 à Elland. XXe siècle. Britannique.

Peintre, graveur.

Il vivait et travaillait à Royston. Il gravait à l'eau-forte.

WHYMPER Charles

Né le 31 août 1853 à Londres. Mort en 1941. XIXe-XXe siècles. Britannique.

Peintre de scènes de chasse, animaux, peintre à la gouache, aquarelliste, graveur, illustrateur.

Fils de Josiah Wood Whymper, il étudia à la Royal Academy et fut élève de Joseph Wolf. Sa première exposition eut lieu en 1876. Il vécut à Londres et à Houghton.

Peintre avant tout de sujets d'ornithologie, il a aussi réalisé des scènes de pêche à la ligne. Il illustra également de nombreux ouvrages.

Musées : Worcester : trois aquarelles.

Ventes Publiques : Londres, 20 oct. 1981 : *Scènes de chasse* 1885, lav. et reh. de gche, deux dessins (58,5x95) : **GBP 900** – Londres, 23 nov. 1982 : *Rhinocéros se désaltérant*, h/t (73,5x124,5) : **GBP 1 400** – Chester, 18 jan. 1985 : *Biches et canards sauvages dans un paysage*, reh. de gche (45x63,5) : **GBP 2 200** – Auchterarder, 1er sep. 1987 : *Perdrix dans un paysage d'hiver*, aquar. et gche (43x62) : **GBP 4 000** – Glasgow, 7 fév. 1989 : *Un faisan*, aquar. et gche (36x46) : **GBP 2 090** – Perth, 28 août 1989 : *Nid de tétras*, h/t (61x91) : **GBP 8 800** – Perth, 26 août 1991 : *Braconnier*, aquar. et gche (25x36) : **GBP 4 620** – Perth, 30 août 1994 : *Perdrix*, h/t (60x74) : **GBP 11 500** – Londres, 23 nov. 1994 : *Chouette*, aquar. et gche (29x24) : **GBP 1 092** – Londres, 5 sep. 1996 : *Couple de perdrix dans un marais*, h/t (88,9x49,5) : **GBP 2 070**.

WHYMPER Edward

Né le 27 avril 1840. Mort le 19 septembre 1911 à Chamonix (Haute-Savoie). XIXe-XXe siècles. Britannique.

Aquarelliste, graveur sur bois, illustrateur, écrivain.

Fils de Josiah Wood Whymper. Alpiniste, il fut le peintre des Alpes et illustra plusieurs guides.

Ventes Publiques : Londres, 24 mars 1981 : *L'Ascension du Matterhorn*, h/t mar./cart., suite de quatre peint. (71x48) : **GBP 1 200**.

WHYMPER Emily Hepburn

Morte en 1886. XIXe siècle. Britannique.

Aquarelliste.

Deuxième femme de Josiah Wood W. Elle exposa des paysages à Londres de 1877 à 1885.

WHYMPER Josiah Wood ou **Whimper**

Né le 14 avril 1813 à Ipswich. Mort le 7 avril 1903 à Haslemere. XIXe siècle. Britannique.

Peintre de genre, paysages animés, paysages, aquarelliste, graveur sur bois.

Il exposa à Londres à partir de 1844, quelquefois à la Royal Academy et à Suffolk Street et très régulièrement au Royal Institute of Painters in Water-Colours dont il fut membre en 1857.

Musées : Sydney : *Le moulin d'Arundel*.

Ventes Publiques : Londres, 23 juil. 1985 : *Les ramasseurs de fagots* 1874, aquar. reh. de blanc (45,5x68) : **GBP 900** – Londres, 1er nov. 1990 : *Personnages dans une charrette sur un chemin dégagé* 1850, aquar. (23,5x35,6) : **GBP 660**.

WIAACKLER Olof

Né le 29 janvier 1843 à Ischapenthal près de Ischopau en Saxe. Mort en 1893 ou 1894 à Dresde. XIXe siècle. Allemand.

Peintre.

En 1859 et en 1860, il étudia à l'Académie de Dresde et de 1861 à 1874 à l'École d'art de Weimar, avec les professeurs Michaelis, Max Schmidt et Th. Hagen. En 1883, il quitta Weimar pour se fixer à Dresde. Cet artiste était fort goûté de feu la grande-duchesse de Saxe la princesse Sophie des Pays-Bas.

WIAERDA Pieter Van

XVIIe siècle. Actif à Amsterdam en 1667. Hollandais.

Peintre.

WIALOFF Konstantin

Né en 1900. XXe siècle. Russe.

Peintre, graveur.

Il vivait et travaillait à Moscou.

WIALY Louis René. Voir **VIALY Louis René**

WIANDT Ludwig. Voir **WEYANDT**

WIANTA
XXe siècle. Indonésien.
Peintre. Abstrait.
Il a montré une exposition personnelle de ses œuvres à la Jernander Arts Gallery en 1991 en Belgique. Sa peinture se réfère aux batiks géométriques de son pays.

WIARDA Joannes
XVIIIe siècle. Travaillant à Dockum en 1715. Hollandais.
Peintre.

WIARDA Tobias
XVIIe siècle. Travaillant à Amsterdam en 1670. Hollandais.
Peintre.

WIBAILLE Gabriel Émile
Né le 5 mai 1802 à Paris. XIXe siècle. Français.
Sculpteur et graveur au burin.
Élève de Paul Legrand. Il exposa au Salon en 1843 et 1847.

WIBBER. Voir **WITTWER**

WIBEKES Bartholt. Voir **WIEBKE**

WIBERG Koren-W. Johann Christian
Né en 1870 à Bergen. XIXe siècle. Norvégien.
Peintre.
Élève de F. Smith-Hald et de F. Kolstö.

WIBERT Rémy. Voir **VUIBERT Rémy**

WIBMER Jacob
Né en 1814 à Windischmatrei. Mort en 1881 à Deutschlandsberg. XIXe siècle. Autrichien.
Peintre et sculpteur.
Élève de l'Académie de Vienne, il peignit surtout des paysages, des fleurs et des fruits et sculpta plusieurs crucifix pour des églises de campagne.
Ventes Publiques : Vienne, 23 avr. 1974 : *Nature morte aux fleurs et aux fruits* : **ATS 20 000**.

WIBMER Karl
Né en 1864 à Marbourg (Styrie). Mort en 1891 à Schladming. XIXe siècle. Autrichien.
Peintre de genre et paysagiste.
Il fit ses études à l'Académie de Vienne, à Berlin et à Weimar. Le Musée de Graz conserve deux œuvres de cet artiste (*Délivré* et *Forges à Schladming*).

WICAR Jean Baptiste Joseph ou **Vicar** ou **Vicart**
Né le 22 janvier 1762 à Lille. Mort le 27 février 1834 à Rome. XVIIIe-XIXe siècles. Français.
Peintre d'histoire, sujets mythologiques, portraits, paysages, dessinateur, graveur.
Il fut élève de l'école de dessin de Lille et en 1780, élève de David pour la peinture et de Lebas et Borin pour la gravure. Il accompagna David à Rome. En 1784, il alla à Florence et y dessina une grande partie des œuvres décorant le Palais Pitti. En un an il dessina quatre cents tableaux et statues. À son retour en France il en commença la gravure. De 1789 à 1807 il en publia quatre volumes. Il alla une seconde fois à Rome en 1793 et revint en France pour prendre part à la direction du Conservatoire et exposa au Salon de Paris à partir de cette date. Bonaparte, en 1796, le choisit comme un des commissaires chargés de choisir les œuvres d'art revenant à la France par les traités de paix. Vers 1800 Wicar s'établissait à Rome et commençait l'incomparable collection de dessins anciens, de modèles en cire d'émaux, etc., qu'il légua plus tard à la Société des Sciences et des Arts de Lille. À Rome, il fut considéré comme un excellent peintre de portraits. En 1805, il devint membre de l'Académie de Saint-Luc et plus tard, fut nommé directeur de celle de Naples. Sa collection, dans laquelle figure l'admirable tête de cire attribuée à Raphaël est une des parties les plus intéressantes du musée des Beaux-Arts de Lille.

Wicar inv et fecit-1785 Lutetiæ

EQS IOANS BAPTA WICAR IN PXIT
ROMA 1816

Bibliogr. : H. Oursel : *Le chevalier Wicar : peintre dessinateur et collectionneur lillois*, catalogue de l'exposition, Lille, 1984.

Musées : Agram : *Portrait d'un vieillard* – Lille : *La Patrie* – *La Justice* – *Sept figures académiques d'après nature* – *Les sept diacres* – *Le retour de l'enfant prodigue* – *La Vierge ayant à ses pieds le corps du Christ* – *Sainte Famille* – *Trois hommes en costume florentin* – *Jupiter* – *Le Jugement de Salomon* – *La résurrection du fils de la veuve de Naïm* – *Portrait de Lesage, député de Lille à la Convention* – *Portrait de l'artiste* – *Virgile lisant l'Énéide devant Auguste* – *Portrait de Murat* – Rome (Mus. Napoleonico) : *Portraits de Louis Bonaparte avec son fils Louis-Napoléon, de Charlotte Bonaparte* – *Portrait de Lucien Bonaparte et de sa famille*, dess., dans un album – Rome (Vatican) : *Glorification du Concordat* – Valence : *Vénus et l'Amour*, dess. – Versailles : *Signature du Concordat par Pie VII* – *Portrait de Louis Bonaparte*.
Ventes Publiques : Paris, 20 et 21 avr. 1932 : *Tête de jeune homme, de profil* : **FRF 330** – Paris, 1er mai 1942 : *Bords d'un fleuve avec embarcations* : **FRF 7 200** – Monte-Carlo, 14 fév. 1983 : *Portrait du capitaine du 18e régiment de chasseurs à cheval* 1805, h/t (72x58) : **FRF 40 000** – Londres, 27 nov. 1986 : *Portraits de personnages d'Italie*, cr., deux albums comprenant soixante-seize dess. (25x20) : **GBP 5 500** – Londres, 3 juil. 1991 : *Autoportrait*, h/t dans un cercle (25,5x25) : **GBP 34 100** – Londres, 11 déc. 1992 : *Jeune homme de profil*, h/pap./cart. (25x23,5) : **GBP 2 310** – New York, 15 jan. 1993 : *Portrait d'un officier du régiment de la Reine*, h/t (75,6x62,2) : **USD 17 250** – Paris, 25 avr. 1997 : *Paysan conduisant ses vaches sur un chemin* ; *Paysan et son troupeau se reposant à l'orée d'un village*, une paire (35,7x50,3) : **FRF 18 000** – Paris, 20 juin 1997 : *Portrait d'homme à la veste de velours*, t. (28x21) : **FRF 142 000**.

WICART Nicolaas
Né en 1748 à Utrecht. Mort en 1815. XVIIIe-XIXe siècles. Hollandais.
Peintre de paysages animés, paysages, aquarelliste, peintre sur porcelaine.
Musées : Bruxelles – Haarlem – Londres (British Mus.) – Londres (Victoria and Albert Mus.) – Vienne (l'Albertina).
Ventes Publiques : Paris, 2 mars 1928 : *La tour* ; *Les vieux remparts*, deux aquarelles : **FRF 2 250** – Paris, 17 fév. 1947 : *Le château* ; *Bord de rivière*, deux aquarelles formant pendant : **FRF 4 500** et **5 000** – Londres, 3 mai 1979 : *Paysage avec un village à l'arrière-plan*, aquar. et pl. (24x33,2) : **GBP 380** – Amsterdam, 16 nov. 1981 : *Pêcheurs dans une barque*, pl. et lav./trait de craie noire (24,7x33,3) : **NLG 2 400** – Paris, 19 déc. 1988 : *Bord de rivière*, lav. d'encre de Chine (29x43) : **FRF 3 000** – Heidelberg, 14 oct. 1988 : *Paysage fluvial hollandais*, aquar. (36,6x50,8) : **DEM 1 300** – Amsterdam, 25 nov. 1991 : *Vue du village de Pernis sur la rivière Maas*, encre et lav. (16,4x25,1) : **NLG 2 070** – Amsterdam, 17 nov. 1993 : *Une route avec des personnages bavardant près d'un bouquet d'arbres*, craie noire et lav. (33x46) : **NLG 2 013** – Amsterdam, 12 nov. 1996 : *Famille de paysans marchant sur un pont dans un paysage*, cr., encre grise et aquar. (31,7x40) : **NLG 1 416**.

WICCART. Voir **WICKART**

WICHE J.
XIXe siècle. Travaillant à Londres. Britannique.
Peintre de portraits, peintre de miniatures.
Il exposa à la Royal Academy de 1811 à 1826. Le British Museum, à Londres, conserve deux dessins de cet artiste.

WICHERA Raimund, chevalier de Brennerstein
Né le 18 août 1862 à Frankstadt. Mort en 1925. XIXe-XXe siècles. Autrichien.
Peintre de genre, portraits, paysages.
Il a été élève de Makart à l'Académie de Vienne.
Ventes Publiques : Vienne, 17 mars 1981 : *Le Cerf vainqueur*, h/t (63x81) : **ATS 70 000** – New York, 23 fév. 1989 : *Dames élégantes dans un jardin d'agrément*, h/t (69,8x86,3) : **USD 7 150** – Londres, 25 nov. 1992 : *Jeune femme avec une ombrelle dans une prairie*, h/pan. (30x11,5) : **GBP 1 045**.

WICHEREN Johan Jocke Gabriel Van
Né le 9 mars 1808 à Leeuwarden. Mort le 8 octobre 1897 à Leeuwarden. XIXe siècle. Hollandais.
Portraitiste et lithographe.
Élève de W. B. V. d. Kooi et d'O. de Boer.

WICHERLINK
XVIIIe siècle. Hollandais.
Peintre.

WICHERS-WIERDSMA Rosine Maria
Née le 30 octobre 1891 à Franeker. XXe siècle. Hollandaise.

Peintre, médailleur, dessinateur.
Elle a été élève d'A. J. v. Schootens à Hilversum, de l'École d'Art de Laren et de l'International Schildersatelier d'Amsterdam.

WICHERSKI Aleksander Z.
Né vers 1856 à Odessa. XIXe siècle. Polonais.
Paysagiste, poète et musicien.
Il peignit surtout des vues des pays qu'il visita en 1855, l'Ukraine, la Caucasie, la Palestine, l'Allemagne, la Suisse et l'Italie.

WICHERT Félix
Né le 8 mai 1812 à Tilsit. Mort en février 1902 à Berlin. XIXe siècle. Allemand.
Portraitiste et peintre de genre.
Élève de Steffeck et de Eschke. Il s'établit à Berlin, après avoir servi dans l'armée et voyagé en Europe. On cite notamment de lui un portrait équestre de Guillaume Ier empereur d'Allemagne. Il fut décoré de l'ordre de l'Aigle noir.

WICHGRAF Fritz
Né le 9 mai 1853 à Potsdam. XIXe siècle. Allemand.
Portraitiste et peintre de genre.
Élève de Alb. Bauer à Weimar, de H. von Angeli à Vienne, et de Diez et Lofftz, à Munich. Il travailla à Berlin et exposa à Vienne en 1887.

WICHLHAMER Mathias. Voir l'article **GUGGENBICHLER Johann Meinrad**

WICHMAN Erich. Voir **WICHMANN**

WICHMANN Adolph Friedrich Georg
Né le 18 mars 1820 à Celle. Mort le 17 février 1866 à Dresde. XIXe siècle. Allemand.
Peintre d'histoire et de genre.
Père de Johannes Wichmann. De 1838 à 1847, il fut élève de l'Académie de Dresde, dans l'atelier de Bendemann. Il alla ensuite à Venise et à Rome jusqu'en 1851. Il vint ensuite s'établir à Dresde.
Musées : Chemnitz : *Marchande de raisin – Le repas de noces* – Dresde (Mod. Gallerie) : *L'Arétin faisant la lecture dans le jardin du Titien à Venise* – Munich (Nouvelle Pinac.) : *Vénitienne*.
Ventes Publiques : Munich, 21 sep. 1978 : *Joie maternelle* 1860, h/t (71x97) : **DEM 6 000**.

WICHMANN Erich
Né le 11 août 1890 à Utrecht. Mort en 1929. XXe siècle. Hollandais.
Peintre, dessinateur, décorateur.
Il fit ses études chez Van der Laars à Utrecht. Il travailla à Amsterdam, Utrecht, Paris (1921) et Milan (1924).

WICHMANN Erna. Voir **ELMQUIST-WICHMANN**

WICHMANN Henrik
Mort avant 1774. XVIIIe siècle. Travaillant à Copenhague. Danois.
Peintre de portraits.

WICHMANN Johannes
Né le 24 juin 1854 à Blasewitz. XIXe siècle. Allemand.
Peintre de genre.
Fils du peintre d'histoire Adolf W. Élève de Julius Hubner à Dresde. En 1879, il obtint une bourse de voyage en Italie.

WICHMANN Karl Friedrich
Né le 28 juin 1775 à Potsdam. Mort le 9 avril 1836 à Berlin. XIXe siècle. Allemand.
Sculpteur.
Frère de Ludwig Wilhelm W. Élève d'Ungers et de Schadow. Il exécuta surtout des bustes.

WICHMANN Ludwig Wilhelm
Né le 10 octobre 1788 à Postdam. Mort le 29 juin 1859 à Berlin. XIXe siècle. Allemand.
Sculpteur.
Frère de Karl Friedrich W. et père d'Otto Gottfried W. Élève de Schadow et de Bosio et de David à Paris en 1818. Nommé professeur à l'École des Beaux-Arts de Berlin en 1818, il passa deux ans en Italie, et retourna à Berlin en 1821. Le Musée de Berlin conserve de lui *Buste en marbre de T. Chr. Fulner* et celui de *W. Hegel*, celui de Magdebourg, *Porteuse d'eau*, dont le plâtre se trouve au Musée de Bruxelles ; le Goethe National Museum de Weimar conserve aussi un *Buste de Hegel* exécuté par cet artiste.

WICHMANN Nicolaus
Mort en 1729 à Copenhague. XVIIIe siècle. Danois.
Portraitiste.
Père de Peder Wichmann. À partir de 1703, il fut peintre à la cour de Copenhague.

WICHMANN Nicolaus Benedictus
XIXe siècle. Actif au début du XIXe siècle à Stockholm. Suédois.
Peintre.

WICHMANN Otto Gotfried
Né le 25 mars 1828 à Berlin. Mort le 17 mars 1858 à Rome. XIXe siècle. Allemand.
Peintre de genre et d'histoire.
Fils du sculpteur Ludwig Wilhelm W. Pendant deux ans, élève de Robert Fleury à Paris. Il continua ses études à Rome. Otto Wichmann possédait un remarquable talent et une grande force d'expression. La Galerie Nationale de Berlin conserve de lui *Paul Véronèse à Venise* et *Catherine de Médicis préparant des poisons*.

WICHMANN Peder
Né en 1706 à Copenhague. Mort le 18 mai 1769 à Copenhague. XVIIIe siècle. Danois.
Portraitiste.
Fils et élève de Nicolaus W. Il fit le portrait de plusieurs personnalités de la cour de Danemark.
Ventes Publiques : Copenhague, 27 mars 1979 : *La duchesse Louise (1724-1751)*, h/t (76,5x65) : **DKK 13 000** – Copenhague, 7 nov. 1984 : *Portrait du général Levetzau-Plessen von der Lühe*, h/t (78x62) : **DKK 16 000**.

WICHMANN-ELMQVIST Erna. Voir **ELMQUIST-WICHMANN Erna**

WICHT John von
Né en 1888 en Allemagne. XXe siècle. Depuis 1923 actif aux États-Unis. Allemand.
Graveur.
Son œuvre est caractérisé par de vastes formes flottantes et abstraites, dans une large gamme de couleurs intégrées. Ses grandes compositions sont le résultat d'un montage graduel réalisé par le procédé direct et répété de l'impression au pochoir.

WICHTERLOVA Hana
Née en 1903 à Prostejov. XXe siècle. Tchécoslovaque.
Sculpteur. Tendance abstraite.
De 1919 à 1925, elle fut élève de l'Académie des Beaux-Arts de Prague, notamment sous la direction de Jan Stursa. Elle est devenue membre de la société d'artistes *Manès*. Elle figure dans des expositions de groupe, en Tchécoslovaquie et à l'étranger.
Autour de 1930, elle fut sensible à l'influence cubiste du sculpteur et du peintre tchécoslovaques Otto Gutfreund et Emil Filla. Elle a atteint dans les années trente, à un symbolisme de la forme proche de l'abstraction. Elle traversa ensuite une longue période de non-création, jusqu'autour de 1950. Elle a alors produit une série de têtes, réduites aux lignes essentielles, ainsi que des formes épurées détachées de toute intention imitative.
Bibliogr. : Raoul-Jean Moulin, in : *Nouveau dictionnaire de la sculpture moderne*, Hazan, Paris, 1970.
Musées : Liberec (Gal. Région) : *Bronze* 1929-1930.

WICHTERS Karel. Voir **WUCHTERS**

WICINSKI Henryk
Né en 1908 à Lodz. Mort en 1943 à Cracovie. XXe siècle. Polonais.
Peintre, sculpteur. Groupe de Cracovie.
Militant communiste, il avait adhéré de 1932 à 1937 au Groupe de Cracovie. La majeure partie de son travail fut détruite pendant la Seconde Guerre mondiale.
Bibliogr. : In : *Dictionnaire de l'art moderne et contemporain*, Hazan, Paris, 1992.

WICK Georg
XVIIe siècle. Travaillant à Innsbruck de 1629 à 1634. Autrichien.
Peintre.

WICK Jan Classen Van ou **Wijck, Wyck, Wycke**
D'origine hollandaise. Mort le 10 février 1613 à Copenhague. XVIIe siècle. Danois.
Peintre de portraits, cartons de tapisseries, graveur, graveur au burin, dessinateur.
Il fut peintre à la cour de Danemark à partir du 1er février 1598.

WICKART ou **Wickhart** ou **Wikart**
XVIIIe siècle. Travaillant à Prague. Autrichien.
Graveur.

WICKART Beat Konrad ou **Wikart**
Né le 13 août 1677 à Zug. Mort le 3 juillet 1742 à Zug. XVIIIe siècle. Suisse.
Sculpteur.

WICKART Johann Baptist
Né le 16 avril 1635 à Zug. Mort le 28 mai 1705 à Zug. XVIIe siècle. Suisse.
Sculpteur.
Il sculpta les statues du maître-autel de l'église Saint-Michel de Zug de 1686 à 1689.

WICKART Johann Joseph ou **Wiccart** ou **Wikart**
Né en 1775 à Einsiedeln (Zoug). Mort en 1839 à Einsiedeln. XIXe siècle. Suisse.
Sculpteur-modeleur de cire.
Il fut aussi orfèvre. Le Musée de Zofingen conserve une terre cuite (*La bataille de Marten*) exécutée par cet artiste.

WICKART Josef ou **Wikart** ou **Vikart**
Né à Vienne. Mort le 24 février 1729 à Brunn. XVIIIe siècle. Travaillant à Brunn. Autrichien.
Peintre.
Il subit l'influence des Carracci et peignit surtout des scènes religieuses, en particulier des tableaux d'autels dans l'église Saint-Jacques de Brunn.

WICKART Michael, l'Ancien ou **Weickhard** ou **Wikhart**
Né en 1600 à Zug. Mort en 1682 à Zug. XVIIe siècle. Suisse.
Sculpteur et architecte.
Il décora plusieurs autels pour des églises des environs de Zug.

WICKART Thomas Anton
Né le 12 mai 1793 à Zug. Mort le 22 mai 1876 à Zug. XIXe siècle. Suisse.
Peintre.
Professeur de dessin à Zug, il peignit des paysages et des vues de Zug.

WICKENBERG Per ou **Petter Gabriel**
Né le 1er octobre 1812 à Malmö. Mort le 19 décembre 1846 à Pau (Basses-Pyrénées). XIXe siècle. Suédois.
Peintre de genre, paysages, dessinateur.
Étudia à l'Académie de Stockholm, où il peignit des scènes de genre. Puis il se spécialisa dans les vues de côtes et les marines. Il séjourna à Berlin en 1836 et 1837 et vint ensuite à Paris.
Avec son *Paysage de Suède en hiver*, il obtint une médaille au Salon à Paris. Son *Intérieur français* peint en 1842 eut aussi beaucoup de succès.
Ses toiles dégagent une grande mélancolie qui est bien près de celle des peintres hollandais.
Musées : Leipzig : *Mère près du lit de son enfant – Famille de pêcheurs – Pêche en hiver – Mère lisant* – Stockholm : *Paysage hollandais, bateaux de pêche, clair de lune – Paysage d'hiver, eau gelée – Bétail dans un paysage* – Esquisses et dessins.
Ventes Publiques : Paris, 1852 : *Deux jeunes filles revenant du bois* : **FRF 860** – Paris, 1869 : *Paysage de Suède, effet d'hiver* : **FRF 12 000** – Paris, 1889 : *La mère de famille* : **FRF 500** – Paris, 30 nov. 1908 : *Effet d'hiver* : **FRF 2 200** – Paris, 16 juin 1941 : *Paysage d'hiver* : **FRF 19 000** – Stockholm, 1er nov. 1983 : *Paysage d'hiver*, h/t (53x72) : **SEK 52 000** – Stockholm, 20 oct. 1987 : *Paysage d'hiver* 1839, h/t (50x69) : **SEK 120 000** – Calais, 11 déc. 1994 : *Le retour de pêche* 1838, h/t (31x28) : **FRF 15 000**.

WICKENBURG Alfred, comte
Né le 26 juillet 1885 à Gleichenberg. Mort en 1978. XXe siècle. Autrichien.
Peintre, graveur.
Il fit ses études à Munich, à Paris chez J.-P. Laurens de 1906 à 1909 et à Stuttgart. Il vivait et travaillait à Graz. Il a été, avec Thöny, l'un des fondateurs de la « Sécession » de Graz. Dans la suite, il a rallié un « cubisme concret ».
Musées : Bruxelles : *Fleurs*, aquar. – Graz (Joanneum) : *Paysages*, aquar. et dess. – Graz (Mus. prov. de Styrie) : *Dormeuse surprise – Natures mortes et fleurs* – Vienne (Albertina) : *Vue d'Aussee – Composition fantastique* – dessins divers – Vienne (Gal. Mod.) : *Schönbrunn – Nature morte aux pommes et aux poires*.
Ventes Publiques : Vienne, 21 juin 1983 : *Nature morte aux fleurs*, h/t (38x43) : **ATS 25 000**.

WICKENBURG Istvan Stefan de, comte
Né le 16 juin 1859 à Arad. XIXe siècle. Hongrois.
Peintre amateur.
Élève de Jos. v. Berres. Il peignit des vues, du port de Fiume et des natures mortes.

WICKENDEN Robert ou **Wyckenden**
Né le 8 juillet 1861 à Rochester (Angleterre). Mort en 1931 au Canada. XIXe-XXe siècles. Britannique.
Peintre de scènes de genre, paysages, portraits, aquarelliste, lithographe, écrivain d'art, poète.
Ce charmant et délicat artiste a montré une égale supériorité dans toutes les formes d'expression d'art auxquelles il s'est adonné. Il est aussi bon peintre que brillant écrivain, aussi subtil lithographe que sensible poète. Il commença son éducation artistique dans sa ville natale, visita les États-Unis dans sa jeunesse, étudiant à New York avec Caroll Beckwith et Chase. Il vint à Paris au début de 1883 et fut élève à l'École des Beaux-Arts dans les ateliers d'Ernest Hebert et de Luc Olivier Merson. Wickenden a comme écrivain, une place très remarquée. C'est l'historiographe autorisé des maîtres de l'École de Barbizon. Il vécut au début de sa carrière à Auvers-sur-Oise, dans l'intimité de la famille Daubigny et il y trouva une précieuse source d'information. Ses études, sur J.-F. Millet, Corot, Charles Jacque prouvent par la vérité de leur documentation que nul mieux que lui en Amérique ne connaît ces artistes dont il déclare énergiquement avoir subi l'influence dans sa compréhension du Beau.
Il débuta au Salon de Paris en 1884 par un *Intérieur de la Forêt de Fontainebleau* et *La glaneuse en forêt*. Les années 1885 et 1886 le trouvèrent à New York, exposant à la National Academy, à l'American Art Association, à la Water Colour Society. La même année 1886, il prenait part à Londres aux Expositions de la French Gallery et de la Dudley Gallery. Revenu, à Paris, il envoya des peintures et des aquarelles aux Salons de 1888, 1889, 1890. Wickenden avait trouvé dans la lithographie un procédé se prêtant à merveille à sa conception poétique de la forme. Il s'associa pleinement au mouvement si intéressant qui remit en honneur la lithographie originale. Il fit partie de la Société des lithographes français, de la Société des peintres lithographes. Il exposa dans cette catégorie aux Salons de 1893, 1894, 1895, 1896, 1899 et 1900, obtenant une mention honorable en 1894. Il prit part également aux Expositions universelles de 1889 et 1900 et en 1895 à l'exposition du centenaire de la lithographie. Pour être complet mentionnons sa participation aux expositions de 1888, à Munich ; à Chicago, en 1893 ; à Lyon, en 1894 ; à Anvers, en 1895. Wickenden, en 1896, fit au Canada un voyage qui influa considérablement sur sa carrière, il y commença une série de portraits de personnalités notables. Il peignit, notamment sir Adolphe Chapleau, gouverneur de Québec ; l'honorable S. N. Parent ; l'archevêque Béin ; sir Louis Jette ; sir William Van Horne ; l'abbé Casgrin. Il produisait entre-temps de puissants tableaux traduisant la vie rustique canadienne, tels que son *Défricheur canadien*, fort remarqué à l'Exposition universelle de Paris, en 1900, et qui est conservé aujourd'hui au Palais législatif de Québec. En 1811, Wickenden, qui, après son brillant succès, avait fixé son domicile en Amérique, revint en Europe pour exécuter le portrait du roi d'Angleterre Édouard VII, commandé pour le palais du gouvernement de la Nouvelle Écosse, à Halifax. Dans cette œuvre capitale l'artiste a mis toute sa science, s'inspirant à la fois de la tradition des grands portraitistes anglais et de la conception des maîtres de l'école de Van Dyck. L'ouvrage valut à son auteur les éloges les plus flatteurs des membres de la famille royale d'Angleterre et des artistes anglais et américains à qui elle fut soumise. ■ E. Bénézit

R.J.W'94

Ventes Publiques : Vienne, 13 mars 1979 : *Le faucheur*, h/t (89x140) : **ATS 17 000**.

WICKEY Harry Herman
Né le 24 octobre 1892 à Stryker. XXe siècle. Américain.
Graveur à l'eau-forte.
Il vécut et travailla à New York.

WICKHART. Voir **WICKART**

WICKINS John
XVIIIe siècle. Travaillant à Dublin. Irlandais.
Portraitiste.
Élève de J. Ennis. Il exposa à Dublin en 1770 et 1771, puis se fixa à Londres.

WICKMAN Carl Johan ou **Wikman**
XVIIIe siècle. Suédois.
Médailleur.
Il fut médailleur à la cour de Stockholm de 1747 à 1795 et exécuta de nombreuses médailles à l'effigie de la famille royale de Suède.

WICKMAN Johan Gabriel
Né en 1752. Mort le 24 janvier 1821 à Stockholm. XVIIIe-XIXe siècles. Suédois.

Peintre miniaturiste et médailleur.
Il obtint une médaille de l'Académie de Stockholm en 1792.

WICKSTEAD Philip
XVIIIe siècle. Britannique.
Portraitiste.
Élève de J. Zoffany, il se trouva à Rome en 1773, puis se fixa à la Jamaïque dans cette ville et dont il peignit plusieurs vues.
Ventes Publiques : Londres, 6 avr. 1973 : *Portrait of Mrs Barratt of Pottley Hall* : **GNS 1 000**.

WICKSTEED C. F.
Mort en 1846. XIXe siècle. Actif à Londres. Britannique.
Peintre.
Il exposa à la Royal Academy à partir de 1802.

WICKSTEED James
XVIIIe siècle. Irlandais.
Graveur sur pierre.
Il travailla à Dublin, à Bath et à Londres où il exposa à la Royal Academy de 1779 à 1824.

WICKY Franz Albert
Né le 28 septembre 1874 à Mulhouse (Haut-Rhin). Mort en août 1916 à Stuttgart (Bade-Wurtemberg). XIXe-XXe siècles. Français.
Peintre de paysages, portraits.
Il fut élève de l'Académie de Stuttgart, il y travailla.

WICZOLKOWSKI. Voir **WYCZOLKOWSKI**

WIDAYAT
Né en 1923 à Kutoarjo (Indonésie). XXe siècle. Indonésien.
Peintre.
Il a étudié à l'Académie des Beaux-Arts d'Indonésie de Yogyakarta. Il a séjourné en 1960 au Japon, où il a étudié l'art de la céramique et des jardins traditionnels. En 1974, il a remporté le prix de la Biennale de peinture à l'Exposition de Jakarta. Il expose en Indonésie et à l'étranger.
Ventes Publiques : Singapour, 5 oct. 1996 : *Manula remontant dans la mémoire de Dikejar Anjing* 1996, h/t (195x148) : **SGD 93 950**.

WIDDER Felix
Né le 28 avril 1874 à Arad. XIXe-XXe siècles. Hongrois.
Peintre de portraits.
Il vivait et travaillait à Budapest. Il traite ses portraits en pied.

WIDEBECK Maria Cecilia
Née le 1er mars 1858 à Strängnäs. Morte le 5 mai 1929 à Stockholm. XIXe-XXe siècles. Suédoise.
Dessinateur, décorateur.
Elle fit ses études à l'École Technique de Stockholm de 1880 à 1885. Elle exécuta surtout des dessins pour tissus.

WIDEMANN. Voir aussi **WIEDEMANN**

WIDEMANN Anton Franz ou **Wiedemann** ou **Wiedmann**
Né le 21 juin 1724 à Dux. Mort le 13 décembre 1792 à Vienne. XVIIIe siècle. Autrichien.
Médailleur.
Élève de B. Schega à Vienne vers 1749, il exécuta de nombreuses médailles à l'effigie des familles royales de Bavière, de France et d'Autriche.

WIDEMANN David ou **Widmann**
Né vers 1600 à Strasbourg. Mort le 25 juillet 1658 à Rome. XVIIe siècle. Français.
Graveur au burin.

WIDEMANN Elias ou **Widmann** ou **Wiedemann**
XVIIe siècle. Actif à Vienne et à Augsbourg, de 1634 à 1666. Allemand.
Graveur et dessinateur.
Il fut surtout employé par les libraires. Il a produit un grand nombre de portraits et de frontispices. On cite comme son ouvrage le plus intéressant une série de portraits de personnages illustres, publiée à Augsbourg en 1648. Le British Museum de Londres conserve une suite, *Portraits des rois de Hongrie de 601 à 1652*, gravée par cet artiste.

WIDEMANN Lazar. Voir **WIDMANN**

WIDEMANN Wilhelm
Né le 28 octobre 1856 à Schwäbisch-Gmünd. Mort le 4 septembre 1915 à Berlin. XIXe-XXe siècles. Allemand.
Sculpteur.
Il vécut et travailla à Berlin. Il figura aux expositions de Paris, obtint une médaille d'argent en 1900 lors de l'Exposition universelle.

WIDENHAUER. Voir **TAUNAY R. F.**

WIDENHUBER Othmar
XVIe siècle. Travaillant à Saint-Gall de 1528 à 1532. Suisse.
Sculpteur.

WIDER Samuel
Né à Laufen sur la Salzach. Mort en 1728 à Salzbourg. XVIIIe siècle. Autrichien.
Sculpteur.
Il était frère convers de l'ordre des Capucins. Il exécuta des figurines de crèche et des personnages de Chemin de Croix.

WIDERING Johann Peter ou **Widerin** ou **Widerlin** ou **Widrin**
Né vers 1684 à Stanz. XVIIIe siècle. Autrichien.
Sculpteur.
Il exécuta des statues de saints pour le monastère de Melk et plusieurs autres églises de pèlerinage d'Autriche.

WIDERKEHR Franz Xaver ou **Wiederkehr**
XVIIe-XVIIIe siècles. Travaillant à Mellingen. Suisse.
Sculpteur.
Il exécuta deux autels pour l'église du monastère de Rheinau, de 1707 à 1709.

WIDERKEHR Hans Georg ou **Wiederkehr**
XVIIe siècle. Travaillant à Mellingen. Suisse.
Peintre.
Il peignit une *Légende de saint Bernard* en vingt-quatre tableaux pour le monastère de Saint-Urban (canton de Lucerne).

WIDERKEHR Joseph ou **Wiederkehr**
XVIIIe siècle. Travaillant à Mellingen. Suisse.
Peintre.
Il fut père du monastère de Wettingen.

WIDERKEHR Kaspar
Mort avant 1775. XVIIIe siècle. Actif à Mellingen. Suisse.
Peintre et sculpteur.
Il étudia à Rome pendant quinze ans et peignit deux tableaux pour l'autel de l'église de Mellingen.

WIDERKEHR Uli Hans
XVe siècle. Travaillant à Mellingen. Suisse.
Sculpteur sur bois.

WIDES
XXe siècle. Belge (?).
Peintre de figures. Expressionniste.
Ses figures peintes, notamment la série des *Enceintes*, montre un tempérament fait d'intensité, tant dans les formes rudes et brutales qui envahissent l'espace de la toile, que dans le choix d'une gamme chromatique ténébreuse mais jouant sur les contrastes d'intensité.

WIDEV Wilhelm
Né le 16 février 1818 à Sepnitz. Mort le 15 octobre 1884 à Berlin. XIXe siècle. Allemand.
Peintre de genre.
Élève de S. von Otto à Berlin. Il travailla aussi à l'Académie d'Anvers et séjourna en Angleterre, en Russie, à Paris et vécut à Rome assez longtemps. En 1873, il revint à Berlin et s'y établit.
Musées : Berlin : *Mme Fanny Lewald-Stahr* – Cologne : *Tombola en Italie* – Hambourg : *Grand-messe dans une église romaine.*
Ventes Publiques : Paris, 30 avr. et 2 mai 1902 : *L'Amour soumis* : **FRF 205**.

WIDFORSS Gunnar Mauritz
Né en 1874 ou 1879. Mort en 1934. XXe siècle. Américain.
Peintre de paysages, peintre à la gouache, aquarelliste.
Il s'est surtout appliqué à évoquer les paysages caractéristiques de la Sierra Nevada et des canyons.
Ventes Publiques : Los Angeles, 9 juin 1976 : *Paysage désertique*, aquar. (33x49,5) : **USD 1 100** – San Francisco, 8 oct. 1980 : *Sierra peaks* 1921, aquar. (23x31) : **USD 2 000** – Los Angeles, 23 juin 1981 : *Vue de Palm Springs*, aquar. (33,5x53,5) : **USD 2 800** – New York, 23 mars 1984 : *Torbale*, aquar. (43,2x39,1) : **USD 1 100** – New York, 30 sep. 1985 : *Western ruins*, aquar. (38,1x55,4) : **USD 3 000** – Los Angeles, 9 juin 1988 : *La Sierra Nevada*, aquar. (58,5x49,5) : **USD 6 600** – New York, 24 mai 1990 : *Paysage de désert près de Palm Springs*, aquar./pap. (61x83,8) : **USD 16 500** – New York, 14 nov. 1991 : *Montagnes enneigées* 1926, aquar. et gche/pap. (103x76,2) : **USD 9 350** – New York, 10 mars 1993 : *Le Grand Canyon* 1929, aquar./pap. (50,2x44,5) : **USD 10 925** – New York, 2 déc. 1993 : *Le Grand Canyon*, aquar./pap. (38,1x43,2) : **USD 21 850** – New York, 20 mars 1996 : *Sequoias* 1925, aquar./

pap. (61x45,7) : **USD 4 025** – New York, 3 déc. 1996 : *Sierra Nevada*, aquar./pap. (34,3x50,2) : **USD 4 370** ; *Érables*, aquar./pap. (46x55) : **USD 7 475**.

WIDGERY Frederick John

Né en mai 1861. Mort en 1942. XIXe-XXe siècles. Britannique.

Peintre de paysages, peintre à la gouache, aquarelliste.

Fils de William Widgery. Il a été élève de l'Exeter School of Art et de l'Académie d'Anvers.

Ventes Publiques : Londres, 21 juil. 1978 : *Paysage fluvial*, h/t (38x76,2) : **GBP 800** – Londres, 25 jan. 1988 : *Lydford Moors à Dartmoor*, gche (44x59,5) : **GBP 660** – Londres, 25 jan. 1989 : *« Hey tor » près de Dartmoor*, aquar. et gche (35,5x53,5) : **GBP 990** – Londres, 22 nov. 1990 : *Lande de bruyère*, cr. et gche (27,3x45,2) : **GBP 495** – Londres, 11 oct. 1995 : *Ruisseau à Dartmoor*, aquar. et gche (36x50,5) : **GBP 747**.

WIDGERY William

Né en 1822 à Upcott, North Molton (Devon). Mort en 1893 à Exeter. XIXe siècle. Britannique.

Peintre animalier, paysages, marines, aquarelliste.

Père de Frederick John W. Il fut, au début de sa vie, ouvrier maçon et ses goûts artistiques se traduisirent par de nombreuses copies d'après Landseer et Rosa Bonheur. Il travailla ensuite d'après nature.

Doué d'une extraordinaire facilité de travail, il produisit un nombre considérable d'œuvres. On estime à plus de trois mille le nombre de ses tableaux. Il alla deux fois en Italie et visita la Suisse. Il a particulièrement bien traduit l'aspect des côtes du Devonshire et des Cornouailles.

Ventes Publiques : Londres, 5 oct. 1989 : *Les brisants sur la côte du Devon*, h/t (76x152) : **GBP 1 430** – Londres, 9 fév. 1990 : *La pêche dans une rivière rocheuse*, h/t (76,2x127) : **GBP 4 180** – Londres, 14 juin 1991 : *Pêcheurs au bord d'un ruisseau dans la lande*, cr. et aquar. (25,4x113,7) : **GBP 605** – Londres, 12 mai 1993 : *Poneys et mouton dans un pâturage à Dartmoor en hiver*, h/t (131x183) : **GBP 2 645** – Londres, 13 mars 1997 : *Paysage de rivière paisible*, h/t (76,3x127) : **GBP 2 800** – Londres, 5 nov. 1997 : *Poneys du Dartmoor* 1867, h/t (61x107) : **GBP 4 140**.

WIDHOPFF D. O.

Né le 5 mai 1867 à Odessa. Mort en 1933 à Saint-Clair-sur-Epte (Yvelines). XIXe-XXe siècles. Actif puis naturalisé en France. Ukrainien.

Peintre de paysages, natures mortes, peintre de cartons de tapisseries, caricaturiste, illustrateur.

Il débuta comme dessinateur dans le *Courrier Français* en 1908. Il exposait aux Salons des Indépendants, d'Automne et des Tuileries. Ce Russe du Sud fut un parfait Parisien du nord : un Montmartrois de la belle époque, lié à la rive gauche seulement, si l'on peut dire ainsi, par ce *Widhopff* de pierre, bellement taillé par Chana Orlof. Cet artiste a exécuté aussi des cartons de tapisseries pour les Gobelins et Beauvais.

D.O. Widhopff

D O Widhopff

Bibliogr. : Marcus Osterwalder, in : *Dictionnaire des illustrateurs 1800-1914*, Ides et Calendes, Neuchâtel, 1989.

Ventes Publiques : Paris, 29 oct. 1926 : *Vallée de la Seine* : **FRF 1 650** – Paris, 14 mai 1943 : *Nature morte* : **FRF 800** – Paris, 7 déc. 1953 : *Nature morte au pichet* : **FRF 4 100**.

WIDING Gotthard

Né en 1883 à Kryrkefalla. XXe siècle. Suédois.

Peintre.

WIDITZ. Voir **WEIDITZ**

WIDLICZKA Leopold

Né le 14 novembre 1870 à Vienne. XIXe siècle. Travaillant à New York. Autrichien.

Peintre.

Élève de l'Académie de Vienne et de celle de Munich. Il exposa à Vienne en mars 1899. Il peignit des paysages, des natures mortes et, de préférence, des portraits d'enfants. Il se fixa à New York en 1922.

WIDMAN Georg. Voir **WITMAN**

WIDMAN Hans

XVIe siècle. Travaillant à Graz vers 1575. Autrichien.

Peintre.

WIDMAN Johan

XVIIIe siècle. Suédois.

Peintre faïencier.

On trouve des œuvres de cet artiste, qui travaillait à la Manufacture de Marienberg vers 1766, à Gotenbourg et à Hambourg.

WIDMAN Veit. Voir **WITMAN**

WIDMANN

XVIIIe siècle. Travaillant à Tans. Autrichien.

Sculpteur.

WIDMANN. Voir aussi **WIDEMANN** et **WIEDEMANN**

WIDMANN Fritz August Vitalis

Né le 27 avril 1869 à Berne. Mort le 26 février 1937 à Nidelbad. XIXe-XXe siècles. Suisse.

Peintre de scènes de genre, portraits, paysages.

Il suivit les cours du « Technikum » à Winterthur en 1887 et 1888 où il fut élève de Pétua et Wildermuth. Après un séjour à Berne et à Karlsruhe en 1890, il termina ses études à Munich.

Musées : Aarau (Aargauer Kunsthaus) : *Après-midi d'été* – *Sur le Hallwilersee* – Berne : *Bords de rivière* – d'autres œuvres – Coire – Lucerne – Soleure – Winterthur – Zurich.

Ventes Publiques : Zurich, 27 et 28 nov. 1952 : *Soir à Venise* : **CHF 280** – Zurich, 24 nov. 1993 : *Jour de lessive*, h/pan. (67x120) : **CHF 5 520**.

WIDMANN Georg

XVIe siècle. Travaillant en Bohême. Autrichien.

Peintre décorateur.

Il décora les châteaux de Teltsch, de Kurzweil et de Neuhaus, de 1580 à 1594.

WIDMANN Johann I

XIXe siècle. Travaillant à Hopfgarten. Autrichien.

Sculpteur.

Père de Johann W. II. Il exécuta plusieurs statues d'autel pour des églises des environs de Kitzbühel.

WIDMANN Johann II

Né en 1877 à Scheffau. Mort en 1928 à Scheffau. XXe siècle. Autrichien.

Peintre, décorateur, restaurateur de tableaux.

Fils de Johann Widmann I.

WIDMANN Johanna

Née le 24 juin 1871 à Berne. XIXe-XXe siècles. Suisse.

Peintre de portraits.

Sœur de Fritz August Vitalis Widmann, elle travailla à Biederstein près de Munich.

WIDMANN Lazar

Né vers 1700 à Pilsen. Mort entre 1746 et 1756 à Beneschau. XVIIIe siècle. Autrichien.

Sculpteur sur pierre et sur bois.

Il exécuta surtout de petites statues de saints.

WIDMANN Sebastian

XVIIe siècle. Travaillant à Innsbruck vers 1621. Autrichien.

Peintre.

WIDMAR Melchior

D'origine suisse. Mort en 1706 à Gémone. XVIIe siècle. Suisse.

Peintre.

Il décora une chapelle de Gémone où il travailla à partir de 1680. Le Musée de Lemberg conserve de lui : *Libération de Vienne en 1683* et *Portraits de Jean III Sobieski* et *de Léopold Ier*.

WIDMER Hans

Né le 22 juillet 1872 à Berne. Mort le 14 décembre 1925 à Berne. XIXe-XXe siècles. Suisse.

Peintre de scènes typiques, portraits, compositions animées, paysages.

Il fit ses études à Genève, et à l'école des Beaux-Arts de Munich, puis travailla à Paris dans les ateliers de Benjamin Constant et de Jean-Paul Laurens. Il se fixa en 1897 en Suisse où il s'adonna au paysage et au portrait (type de paysans).

Musées : Berne : *Séance du conseil communal à Brienzwyler* – *Tête d'enfant* – *Vaches à l'étable* – Genève : *À votre santé* – *Le souverain*.

Ventes Publiques : Berne, 22 oct. 1983 : *Le Retour du troupeau* 1918, h/t (64x116) : **CHF 3 100** – Berne, 26 oct. 1988 : *Fête villageoise à Haslital* 1920, h/t (51x64) : **CHF 1 400**.

WIDMER Hans Melchior
Mort le 24 janvier 1630. XVIIe siècle. Actif à Zug. Suisse.
Peintre.
Il devint membre de la Confrérie de Saint-Luc en 1625.

WIDMER Heiny
Née en 1927. XXe siècle. Suisse.
Peintre de paysages.
MUSÉES : AARAU (Aargauer Kunsthaus) : *Impressions de paysages* 1964.

WIDMER Johann Michael. Voir **WITTMER**

WIDMER Leonhard
Né en 1808 à Meilen. XIXe siècle. Suisse.
Lithographe.

WIDMER Max
Né en 1910. XXe siècle. Suisse.
Peintre de paysages, paysages animés, paysages urbains.
MUSÉES : AARAU (Aargauer Kunsthaus) : *Maisons dans le Verzascatal* 1948 – *Paysage (mars)* 1948.

WIDMER Peter
Né en 1943. XXe siècle. Suisse.
Dessinateur, sculpteur d'environnements.
Il fut élève de l'École des Métiers d'Art de Lucerne et de l'Académie des Beaux-Arts de Düsseldorf.
Il travaille surtout sur des projets d'espaces praticables, soit par le dessin, soit en assemblant les maquettes avec du treillis métallique et des feuilles de plastique.
BIBLIOGR. : Theo Kneubühler, in : *Art : 28 Suisses*, Édit. Gal. Raeber, Lucerne, 1972.

WIDMER Philipp
Né le 24 octobre 1870 à Killwangen. XIXe siècle. Travaillant à Nuremberg. Suisse.
Sculpteur.
Élève de l'Académie de Munich et de l'École des Arts Décoratifs de Nuremberg. Il a exécuté une statue de pêcheur sur le Hechtplatz de Zurich.

WIDMOSER Josef
Né le 25 juillet 1911 à Haiming. XXe siècle. Autrichien.
Peintre, peintre verrier, peintre de cartons de vitraux.
Il a exécuté de nombreux vitraux pour des bâtiments publics d'Innsbruck et du Tyrol.

WIDNMANN Max von
Né le 16 octobre 1812 à Eichstädt (Bavière). Mort le 6 mars 1895 à Munich. XIXe siècle. Allemand.
Sculpteur.
Élève de l'Académie de Munich et de Schwanthaler. Nommé, en 1849, professeur à l'Académie de Munich. Le Musée de Leipzig conserve de lui *Homme défendant une femme et un enfant contre une panthère.*

WIDON Franz Josef. Voir **WIEDON**

WIDRIN Johann Peter. Voir **WIDERING**

WIDT. Voir **WIT**

WIDT Emanuel. Voir **WITTE**

WIDTER Konrad
Né le 28 juin 1861 à Vienne. Mort le 30 mars 1904 à Vienne. XIXe siècle. Autrichien.
Sculpteur et médailleur.
Élève de C. Kundmann à l'Académie de Vienne.

WIDTMANN Johannes ou **Wittman** ou **Wittmann**
XVIIIe siècle. Travaillant à Eger. Hongrois.
Peintre et doreur.
Il décora les églises d'Eger, de Kiskŏre, Tiszapüspŏki, Kŏmlö et Tiszaörs.

WIEBEKUS Bartholomäus
Originaire de Hartsberg. XVIIe siècle. Travaillant à Amsterdam en 1687. Hollandais.
Peintre.

WIEBKE Bartholt ou **Wibekes**
XVIIe siècle. Travaillant à Hoorn vers 1679, 1682. Hollandais.
Peintre de natures mortes.
Le Musée de Cassel conserve de lui *Oiseaux morts*, et celui de Dresde, *Fruits et insectes.*

WIECINGNIER Hennes ou **Hannes** ou **Hans** ou **Wiezingnez** ou **Wietzinger**
XVe siècle. Français.
Peintre.
Actif à Nantes au début du XVe siècle, il se confond pour certains auteurs avec Hans Witz. Voir ce nom.

WIECKOWSKI Zbigniew
XXe siècle. Depuis 1973 actif en France. Polonais.
Peintre, peintre de décors et costumes de théâtre. Surréaliste-abstrait ou expressionniste-abstrait.
Il a étudié à l'Académie des Beaux-Arts de Cracovie entre 1958 et 1964. Il a travaillé comme scénographe pour les théâtres municipaux de plusieurs villes polonaises et a réalisé des projets de décors et de costumes pour une cinquantaine de pièces. En France, il a réalisé les décors et costumes pour *Rashomon* en 1975, *On ne badine pas avec l'amour* en 1977.
Il participe à des expositions collectives, dont : 1977, 1978, 1979, Salon des Indépendants, Paris ; 1979, Salon d'Automne, Paris ; 1980, Salon des Artistes Français, Paris.
Il montre ses œuvres dans des expositions personnelles, parmi lesquelles : 1975, Université de la Sorbonne, Paris ; 1977, galerie Periodic'Art, Zurich ; 1978, galerie Valmay, Paris ; 1979, galerie Vienner, Paris ; 1979, Ambassade de Pologne ; 1980, Fondation Besserat de Ballefonds, Reims ; 1980, galerie Helmia, Strasbourg.
Dans sa peinture, les masses et les couleurs paraissent être en mouvement. Les formes sont dessinées en lignes volontaires.

WIECZOREK Max
Né le 22 novembre 1863 à Breslau (Allemagne). XIXe siècle. Travaillant à Los Angeles. Américain.
Peintre.
Étudia en Italie et en Allemagne. Élève de Fernand Keller et Max Thedy. Membre de la Fédération Américaine des Arts. Il obtint de nombreuses récompenses. Les Musées de Los Angeles conservent de ses œuvres.

WIECZOREK Tadeusz
Né en 1956. XXe siècle. Polonais.
Peintre.
Il a étudié à l'Académie des Beaux-Arts de Varsovie en 1980. Il expose depuis 1981, notamment au Salon des Indépendants de Poznan, au quarantième Salon d'Hiver de Radom en 1986. Il montre ses œuvres dans des expositions personnelles en Hollande, Allemagne et Belgique.

WIECZORKOWSKI Elsa-Eliza ou **Zorkow**
Née en 1938 à Berlin. XXe siècle. Active en Belgique. Allemande.
Peintre de figures, technique mixte. Expressionniste, tendance informelle.
Elle est d'origine berlinoise, d'un père Russe-Polonais et d'une mère Française-Allemande. Elle a visité plusieurs pays, États-Unis, Israël, Grèce, Japon, Tunisie, Canada, Afrique-du-Sud. Elle a commencé par apprendre en autodidacte la peinture, puis a suivi des cours de dessin, peinture et lithographie à Anderlecht. Elle a ouvert sa propre école de peinture en 1991 à Bruxelles (Ateliers Malou).
Elle a participé à la Biennale de la Femme au Grand Palais à Paris en 1992. Elle montre ses œuvres dans des expositions personnelles, dont : 1985, la première, Centre Medicis, Bruxelles ; 1987, 1989, Hôtel de Ville, Bruxelles ; 1991, Hôtel Communal de Schaerbeek ; 1991, galerie À deux, Bruxelles ; 1993, galerie Horizons.
Dans ses peintures à la facture gestuelle et aux couleurs brossées, les figures encore identifiables se mêlent et se confondent parfois dans l'intensité des « formes-couleurs » fondée sur le « cycle éternel » des émotions et des sentiments intérieurs. Elle utilise parfois la technique du collage dans ses œuvres.

WIEDEMAN Guillermo, Wilhelm, Guillaume
Né en 1905 à Munich (Bavière). XXe siècle. Actif depuis 1939 puis naturalisé en Colombie. Allemand.
Peintre à la gouache, aquarelliste. Figuratif, puis abstrait.
Il fit ses études en Allemagne. Il a exposé à plusieurs reprises à Bogota, à la Biennale de São Paulo, à Caracas, Munich et à Boston en 1962.
Dès son arrivée en Colombie, il fut profondément influencé par le paysage tropical et par les types noirs de la côte colombienne. Expressionniste tout d'abord, la rigueur de sa manière le conduira à une abstraction dont la pureté et l'organisation sau-

ront échapper à la froideur. Lyrique et même violent dans la rigueur des formes et des espaces, sa couleur reste d'une grande beauté et la matière de ses œuvres d'une grande sensibilité. Il s'est beaucoup consacré aux techniques de l'aquarelle et de la gouache. Il est un des premiers, sinon le premier artiste en Colombie, à s'être exprimé dans le langage de l'abstraction, et de ce fait, il eut une certaine influence sur les artistes nationaux. ■ Luis Caballero

Bibliogr. : B. Dorival, sous la direction de..., in : *Peintres Contemporains*, Mazenod, Paris, 1964 – Damian Bayon, Roberto Pontual, in : *La peinture d'Amérique latine au xxe siècle*, Mengès, Paris, 1990.

WIEDEMANN. Voir aussi **WIDEMANN**

WIEDEMANN Nikodem ou **Wiemann** ou **Wiedermann** ou **Wittmann**

Né vers 1738 à Odran. Mort le 9 janvier 1797 à Olmütz. xviiie siècle. Autrichien.

Sculpteur.

Il fut le dernier sculpteur en style baroque d'Olmütz et exécuta des statues pour l'autel de Saint-Vincent Ferrer de l'église paroissiale de cette ville en 1777.

WIEDEN Ludwig

Né le 10 novembre 1869 à Blumenbach. xixe siècle. Travaillant à Vienne. Autrichien.

Peintre de portraits, de paysages et de natures mortes.

Mari de Grete Wieden-Veit, il fit ses études à Vienne et à Munich. Il exposa à Vienne à partir de 1906. Ses tableaux de guerre furent particulièrement remarqués en 1918. Le Musée de la Ville de Vienne conserve plusieurs portraits exécutés par cet artiste, de personnalités de son époque.

WIEDEN-VEIT Grete

Née le 21 octobre 1879 à Vienne. xxe siècle. Autrichienne.

Peintre de portraits, paysages, natures mortes, affichiste, caricaturiste.

Femme de Ludwig Wieden. Elle fit ses études à Vienne et à Munich. Ses portraits sont réalisés en pied.

WIEDENHOFER Oskar

Né le 29 décembre 1889 à Bolzano (Trentin-Haut-Adige). xxe siècle. Autrichien.

Peintre de portraits.

Il fit ses études chez Feuerstein, Marr, Stuck et Lenbach à l'Académie de Munich. Il travailla à Seis-am-Schlernet. Il exposa en 1912, 1917 et 1926.

Musées : Budapest (Mus. de l'Armée) – Vienne (Mus. de l'Armée).

Ventes Publiques : Londres, 10 oct. 1984 : *Salomé avec la tête de saint Jean Baptiste* 1914, h/t (150,5x121,5) : **GBP 1 300**.

WIEDERKEHR. Voir **WIDERKEHR**

WIEDERKERR Joseph de

xixe siècle. Français.

Peintre de paysages et aquarelliste.

Il exposa au Salon de Paris entre 1831 et 1842.

WIEDERMANN Georg

Né en 1795 à Vienne. Mort le 14 octobre 1825 à Vienne. xixe siècle. Autrichien.

Peintre de paysages.

WIEDERMANN Joseph

Né en 1810 à Vienne. Mort le 24 avril 1853 à Vienne. xixe siècle. Autrichien.

Graveur au burin.

WIEDERMANN Nikodem. Voir **WIEDEMANN**

WIEDEWELT Johannes

Né le 1er juillet 1731 à Copenhague. Mort le 17 décembre 1802 à Copenhague. xviiie siècle. Danois.

Sculpteur de monuments, portraits.

Fils de Just W. Il étudia à Paris chez G. Coustou de 1750 à 1754. Il exécuta surtout des monuments funéraires pour la famille royale et des familles de nobles du Danemark.

Ventes Publiques : Copenhague, 8 déc. 1976 : *Portrait de Conrad Fabritius de Tengnagel*, marbre (Diam. 38) : **DKK 26 000**.

WIEDEWELT Just

Né le 18 novembre 1677 à Copenhague. Mort le 8 septembre 1757 à Copenhague. xviiie siècle. Danois.

Sculpteur.

Père de Johannes W. Il fit ses études chez Th. Quellinus, puis à Anvers, travailla à Paris de 1698 à 1715 et devint sculpteur à la cour de Copenhague en 1734.

WIEDMANN Anton Franz. Voir **WIDEMANN**

WIEDON Franz Josef

Né en 1703. Mort après 1782 à Vienne. xviiie siècle. Autrichien.

Peintre.

Il participa à la décoration du monastère Hradisch près d'Olmütz en 1737, de la chapelle du château de Schönbrunn en 1740 et de plusieurs églises de pèlerinage de Vienne et de ses environs.

WIEDWEGER Josef

xixe siècle. Travaillant à Unterzirkizen. Autrichien.

Sculpteur d'autels.

Il exécuta un autel orné de nombreuses sculptures sur bois pour l'église de Widweg.

WIEGAND Balthasar. Voir **WIGAND**

WIEGAND Charmion von

Née en 1899 ou 1900 à Chicago (Illinois). Morte en 1983. xxe siècle. Américaine.

Peintre, écrivain d'art. Abstrait-géométrique.

Elle est la fille de Karl H. von Wiegand, correspondant de journaux américains en Europe. Elle-même eut toujours une activité importante dans le journalisme et la critique d'art. Elle a fait ses études à l'Université de Colombia. Elle a beaucoup voyagé, San Francisco, Arizona, Europe, Mexique, etc. Parmi ses articles on peut citer *Oriental tradition and Abstract Art* publié en 1957 dans *The World of Abstract Art*. Elle vécut et travailla à New York.

Elle a pris part à de nombreuses expositions de groupe, notamment : depuis 1941, les *American Abstract Artists*, célèbre groupe dont elle fut nommée présidente en 1951 ; 1950, 1955, Salon des Réalités Nouvelles, Paris ; 1955, 1957, Whitney Annual, Whitney Museum, New York ; 1960, *Construction et Géométrie en Peinture, de Malevitch à demain*, Galerie Chalette, New York, 1960 ; etc.

Elle a montré de nombreuses expositions personnelles de ses peintures, surtout à New York depuis 1942 (galeries Rose Field et Saidenberg), et à Seattle, Washington, 1958 ; Ascona, 1959 ; etc.

À partir de 1920, Charmion von Wiegand a entretenu des contacts étroits avec les artistes new-yorkais d'avant-gardes, connaissant Hartley, Max Weber, Stella, Stuart Davis. Elle ne commença à peindre qu'en 1926 et en autodidacte. Ses premières œuvres étaient partagées entre expressionnisme spontané et naïveté. En fait, ce fut la rencontre et l'amitié avec Mondrian, lors de son arrivée aux États-Unis en 1940, qui furent déterminantes pour sa peinture. Elle en subit profondément l'influence et devint dès lors, sinon un peintre néo-plasticien au sens strict, du moins l'un des représentants importants aux États-Unis de l'abstraction géométrique. ■ J. B.

Bibliogr. : Michel Seuphor : *Dictionnaire de la peinture abstraite*, Hazan, Paris, 1957 – B. Dorival, sous la direction de : *Peintres Contemporains*, Mazenod, Paris, 1964 – in : *Les Muses*, Grange Batelière, Paris, 1974 – in : *L'Art du xxe siècle*, Larousse, Paris, 1991.

Musées : Buffalo (Albright-Knox) : *The Wheel of the Seasons* 1957.

Ventes Publiques : New York, 31 mai 1985 : *City rhythm* 1948, h/t (43,5x31) : **USD 5 000** – New York, 15 mai 1991 : *N° 161* 1961, gche/pap./cart. (33,7x33) : **USD 4 125** – New York, 15 avr. 1992 : *Contrepoint II* 1947, collage/cart. (21,6x20,3) : **USD 4 950** – New York, 20 mars 1996 : *Greenwich village* 1946, h/t (50,8x45,7) : **USD 14 950**.

WIEGAND Edit. Voir **WIGAND**

WIEGAND Gustav Adolph

Né le 2 octobre 1870 à Brêmen (Allemagne). Mort en 1957. xixe siècle. Travaillant à New York. Américain.

Peintre.

Élève de l'Académie Royale de Dresde et d'Eugénie Bracht, de Chase à New York. Membre du Salmagundi Club.

Ventes Publiques : New York, 18 nov. 1977 : *Paysage d'automne ; h/t* (63,5x76,2) : **USD 1 100** – New York, 18 mars 1983 : *Chaumière au bord du lac*, h/t (28x38,1) : **USD 1 500** – New York, 30 mai 1990 : *Nature morte avec des tulipes rouges et des iris*, h/t (76,3x63,5) : **USD 3 025** – Montréal, 5 nov. 1990 : *Paysage du soir*, h/t (61x91) : **CAD 990** – New York, 21 mai 1991 : *Les Montagnes bleues dans les Adirondacks*, h/t (79,3x92,1) : **USD 6 050** – New York, 9 sep. 1993 : *Rivière à truites ; Première neige*, h/pan., une paire (chaque 25,4x20,3) : **USD 1 610** – New York, 31 mars 1994 : *Paysage estival*, h/cart. (30,5x25,4) : **USD 1 725** – New York, 28 sep. 1995 : *Paysage d'automne*, h/t (61x71,4) : **USD 3 105**.

WIEGANDT Bernhard
Né le 13 mars 1851 à Cologne (Rhénanie-Westphalie). Mort le 28 mars 1918 à Ellen. XIXe-XXe siècles. Allemand.
Peintre de paysages, peintre de décors de théâtre.
Il travailla à Berlin, à Hanovre où il fut peintre de théâtre, vécut au Brésil de 1875 à 1880, fut élève de l'Académie de Munich, puis se fixa à Brême.

B. Wiegandt

Musées : Brême : *La Güldenkammer à l'Hôtel de Ville de Brême – Portrait du docteur Segelken.*
Ventes Publiques : Londres, 29 oct. 1987 : *Rue Saint-Clemente, Rio de Janeiro* 1884, h/t (96,5x69,8) : **GBP 21 000** – New York, 20 nov. 1989 : *Paysage brésilien* 1879, aquar./pap./cart. (48,6x34,3) : **USD 17 600** – New York, 18 mai 1994 : *Paysage brésilien* 1880, aquar./cart. (27,3x41,1) : **USD 13 800**.

WIEGEL Saxo Vilhelm August
Né le 5 janvier 1843 à Copenhague. XIXe siècle. Danois.
Peintre.
Élève de l'Académie de Copenhague de 1868 à 1872, il exposa des portraits en 1872 et des scènes de guerre en 1873.

WIEGELE Franz
Né le 23 février 1887 à Nötsch (Carinthie). Mort en 1944. XXe siècle. Autrichien.
Peintre de portraits.
Il fit ses études à l'Académie de Vienne de 1907 à 1911.
Il exécuta surtout des portraits de femmes. De l'impressionnisme à l'expressionnisme, il a suivi une évolution semblable à celle d'Anton Kolig.
Musées : Klagenfurt : *Grand-mère et petit-fils – Femme aux œillets* – dessins – Vienne (Albertina) : dessins – Vienne (Gal. Mod.) : *Nus dans la forêt – Portrait d'une Suédoise – Portrait de famille avec l'artiste – Deux paysannes de la vallée de Gail* – Vienne (Mus. mun.) : *Future mère* – Winterthur : dessins.
Ventes Publiques : Vienne, 20 mars 1968 : *Portrait de Hedwig* : **ATS 65 000** – Vienne, 17 sep. 1976 : *Portrait d'homme (recto) ; Nature morte (verso)* : **ATS 65 000** – Berne, 21 juin 1980 : *Nu couché* 1920, cr. (23,5x40) : **CHF 3 300** – Vienne, 22 mars 1983 : *Nu debout*, h/t (50x32) : **ATS 80 000**.

WIEGERS Jan
Né le 31 juillet 1893 à Kommerzijl. Mort en 1959 à Amsterdam. XXe siècle. Hollandais.
Peintre de figures, portraits, paysages, paysages animés, paysages urbains, natures mortes, aquarelliste, graveur, lithographe, sculpteur. Expressionniste.
Il a étudié à l'Académie Minerva à Groningen, à l'Académie de La Haye et à celle d'Amsterdam. En 1920-1921, il rencontra à Davos E. L. Kirchner, dont il subit fortement l'influence, et dont il réalisera un portrait en 1925. Il a été un des cofondateurs du groupe *Der Ploeg* en 1918. Nommé professeur à l'Académie d'Amsterdam à partir de 1953. Un ensemble de ses œuvres a été montré en 1961 au Stedelijk Museum d'Amsterdam.
La critique le loue pour l'intensité de sa couleur, le rouge et le bleu en particulier. Il exécuta des portraits, des paysages et des natures mortes, notamment lors de ses voyages en France et en Suisse. Il gravait à l'eau-forte, mais aussi le bois.
Bibliogr. : In : *Dictionnaire universel de la peinture*, Le Robert, Paris, 1975 – in : *L'Art du XXe siècle*, Larousse, Paris, 1991.
Musées : Amsterdam (Stedelijk Mus.) : *Paysage aux arbres rouges* – Groningen (Groninger Mus.) : *Portrait de Madame Jordens* 1918.
Ventes Publiques : Berne, 12 juin 1969 : *Paysage près de Davos* : **CHF 4 000** – Berne, 10 juin 1976 : *Davos-Frauenkirch* 1959, aquar. (33,6x49,4) : **CHF 2 500** – Amsterdam, 15 nov. 1976 : *Au café*, h/pan. (29x24,5) : **NLG 5 800** – Amsterdam, 20 mars 1978 : *Roses dans un vase* 1944, h/t (29,5x40) : **NLG 3 200** – Amsterdam, 31 oct 1979 : *Paysage de neige* 1920, aquar. (36x46) : **NLG 5 000** – Munich, 27 nov 1979 : *Nu à l'ombrelle* 1955, h/t (95,5x70) : **DEM 3 750** – Amsterdam, 19 nov. 1984 : *Géraniums* 1922, h/t (66,5x52,5) : **NLG 11 500** – Amsterdam, 19 nov. 1985 : *Nu jaune debout* 1927, h/t (68x52,5) : **NLG 14 000** – Amsterdam, 8 déc. 1988 : *Paysage avec une ferme et des meules* 1932, h/t (40x53,5) : **NLG 3 220** – Amsterdam, 10 avr. 1989 : *Autoportrait* 1937, h/pan. (39,5x37,2) : **NLG 3 450** – Amsterdam, 24 mai 1989 : *Ferme dans un paysage sous un ciel nuageux* 1938, h/t (51x60) : **NLG 8 625** – Amsterdam, 13 déc. 1989 : *Paysage de montagnes enneigées* 1946, h/t (65x81) : **NLG 20 700** – Amsterdam, 22 mai 1990 : *Ticino en Suisse* 1937, h/t (55x66) : **NLG 10 925** – Cologne, 29 juin 1990 : *Danseuse*, h/t (74x54) : **DEM 2 200** – Amsterdam, 11 sep. 1990 : *Jeune femme assise* 1944, h/t (60x50) : **NLG 4 830** – Amsterdam, 12 déc. 1990 : *Fleurs dans un vase* 1846, h/t (68x52,5) : **NLG 17 250** – Amsterdam, 22 mai 1991 : *Fermes en Groningue*, h/t (40x75) : **NLG 13 800** – Amsterdam, 11 déc. 1991 : *Paysage de Twents*, h/t (75x60) : **NLG 27 600** – Amsterdam, 12 déc. 1991 : *Nature morte au panier* 1953, h/t (68,5x53) : **NLG 14 950** – Amsterdam, 10 déc. 1992 : *Portrait d'une petite fille tenant un ours en peluche* 1936, h/t (55x45) : **NLG 2 875** – Amsterdam, 8 déc. 1993 : *Harmonie en jaune*, h/t (60x57) : **NLG 25 300** – Amsterdam, 7 déc. 1994 : *Nature morte avec un bol, une pomme et quelques noisettes* 1940, h/t (48x63) : **NLG 4 830** – Amsterdam, 7 déc. 1995 : *Vue d'un village en France* 1924, h/t (62x71) : **NLG 24 780** – Amsterdam, 5 juin 1996 : *Bâtiments de ferme* 1929, h/t (80x70) : **NLG 28 750** – Amsterdam, 4 juin 1996 : *Le Port d'Amsterdam*, techn. mixte (37,5x48) : **NLG 2 124** – Amsterdam, 2 déc. 1997 : *Roses dans un vase* 1938, h/t (55x45) : **NLG 11 532**.

WIEGERSMA Hendrik ou **Henk**
Né le 7 octobre 1891 à Lith. XXe siècle. Hollandais.
Peintre de paysages, figures.
Médecin, il commença à peindre des figures vers 1925, puis des paysages. Il a exposé à La Haye, Amsterdam, Rotterdam et Bruxelles.
Ventes Publiques : Amsterdam, 30 nov. 1982 : *Vue de la rivière Mass*, h/t (93x120) : **NLG 6 000**.

WIEGHE Pasquier ou **Paeschier Van der**
XVe siècle. Travaillant à Bruges de 1457 à 1479. Éc. flamande.
Enlumineur.

WIEGHELS G. ou **Wiegels**
Né à Düsseldorf (Rhénanie-Westphalie). Mort en 1907 à Paris. XIXe-XXe siècles. Allemand.
Peintre de paysages, paysages urbains, aquarelliste.
Il fut l'un des premiers locataires du célèbre Bateau-Lavoir, rue Ravignan à Montmartre, où il se pendit.
Il a tracé avec vivacité et brio des vues de Paris, dans un style qui s'apparente à celui de Forain.
Bibliogr. : Gérald Schurr, in : *Les Petits Maîtres de la peinture 1820-1920, valeur de demain*, Les Éditions de l'Amateur, t. IV, Paris, 1979.

WIEGHORST Olaf Carl
Né en 1899. Mort en 1988, 1975 d'après le Mayer. XXe siècle. Américain.
Peintre de scènes animées typiques, paysages animés, animaux, paysages, peintre à la gouache, aquarelliste.
Bien que ne faisant pas partie des plus connus, il est un de ces peintres qui se sont fait une spécialité de ce qu'au cinéma on appelle le « western », qui regroupe, sous l'angle le plus folklorique possible, aussi bien l'histoire, la vie, les coutumes des Indiens que celles des gauchos et cow-boys dans les décors impressionnants des déserts de l'Arizona qui leur sont communs.
Ventes Publiques : New York, 21 avr. 1977 : *Cavalier mexicain*, h/t (30,5x40) : **USD 3 000** – New York, 25 oct 1979 : *Cow-boy dans un paysage*, h/t (46,6x50,8) : **USD 7 250** – Los Angeles, 24 juin 1980 : *Hopi Indian* 1961, pl. et cr. (30x22,2) : **USD 2 000** – Los Angeles, 16 mars 1981 : *Indien à cheval*, aquar. et pl. (30,5x23) : **USD 3 400** – New York, 23 juin 1983 : *Indien à cheval*, aquar. et encre (31,8x25,4) : **USD 8 000** – Copenhague, 7 nov. 1984 : *Trois cow-boys sous un ciel étoilé* 1940, h/t (39x55,5) : **DKK 170 000** – New York, 30 mai 1985 : *Trois cow-boys au clair de lune* 1940, h/t (61x58,4) : **USD 15 000** – New York, 28 mai 1987 : *Drag dust*, h/t (55,9x76,2) : **USD 18 000** – Los Angeles, 9 juin 1988 : *Rodéo*, aquar. et encre (28x23) : **USD 4 675** – New York, 24 juin 1988 : *Cow-boy à cheval au crépuscule*, h/t (50x60) : **USD 13 200** – New York, 28 sep. 1989 : *L'unique chance*, h/t (70,1x96,6) : **USD 8 800** – New York, 30 nov. 1989 : *Les chevaux de l'intendance* 1952, h/t (61x76,2) : **USD 57 200** – New York, 16 mars 1990 : *Le désert de l'Arizona*, h/t (71x96,8) : **GBP 17 600** – New York, 23 mai 1990 : *Le cheval gris* 1953, h/t (51x61) : **USD 11 000** – New York, 30 mai 1990 : *Rodéo* 1926, encre, lav. et gche/cart. (45,2x33,4) : **USD 3 850** – New York, 29 nov. 1990 : *La conduite d'un troupeau de bovins*, h/t (61x76,1) : **USD 19 800** – New York, 14 nov. 1991 : *Avant le rodéo*, encre/pap. (35,5x27,9) : **USD 1 320** – New York, 5 déc. 1991 : *Campement au clair de lune*, h/t (63,5x76,2) : **USD 14 300** – New York, 3 déc. 1992 : *La sentinelle cheyenne* 1977, h/t (35,6x30,5) : **USD 17 600** – New York, 31 mars 1993 :

Jument et poulain, cr./pap. (15,2x20,3) : **USD 2 933** – New York, 2 déc. 1993 : *La colonne de vivres du gouvernement* 1979, h/t (61x76,2) : **USD 34 500** – New York, 17 mars 1994 : *Cow-boy dans une tempête de neige*, gche, aquar. et encre/pap. (31,1x25,4) : **USD 5 750** – New York, 21 sep. 1994 : *Une attaque inattendue*, h/t (71,1x96,5) : **USD 26 450** – New York, 4 déc. 1996 : *Scène du Colorado* 1976 (71,2x97,2) : **USD 29 900** – New York, 27 sep. 1996 : *Corral navajo* 1959, h/t (61x76,2) : **USD 17 250**.

WIEGMAN Jan
Né le 11 février 1884 à Zwolle. xxe siècle. Hollandais.
Graveur, illustrateur, affichiste.
Il a été élève de Tjeerd Bottema, il exécuta des illustrations pour des livres d'enfants et des affiches.
Ventes Publiques : Amsterdam, 1er déc. 1997 : *Maisons en bordure de forêt*, h/t (59,5x73,5) : **NLG 23 600**.

WIEGMAN Mathieu ou **Mattheus Johannes**
Né le 31 mai 1886 à Zwolle. Mort en 1971. xxe siècle. Hollandais.
Peintre de compositions religieuses, paysages, natures mortes, graveur.
Frère de Petrus Cornelis Constantin Wiegman. Élève de l'Académie d'Amsterdam, il séjourna à Bergen de 1908 à 1922. Il vécut et travailla également à Amsterdam.
On lui doit surtout des compositions religieuses. Son style s'inspire de celui de Cézanne.
Ventes Publiques : Amsterdam, 28 nov. 1978 : *Scène champêtre*, h/t (29x43) : **NLG 3 000** – Amsterdam, 23 avr. 1980 : *Nature morte*, h/t (72x91) : **NLG 6 800** – Amsterdam, 18 mars 1985 : *Le violoncelliste Jo Thielen* 1922, h/t (130x113) : **NLG 6 000** – Amsterdam, 13 déc. 1989 : *Paysage méditerranéen*, h/t (38x46) : **NLG 7 475** – Amsterdam, 22 mai 1990 : *Nature morte avec un verre, une cruche et une coupe de fruits*, h/t (32x29,5) : **NLG 4 600** – Amsterdam, 5-6 fév. 1991 : *Nature morte avec des citrons sur un plat et un flacon sur un entablement drapé*, h/t (40x30) : **NLG 4 370** – Amsterdam, 22 mai 1991 : *Maison au bord d'une route dans le midi de la France*, h/pap./cart. (40x49) : **NLG 2 530** – Amsterdam, 11 déc. 1991 : *Église de village en France*, h/t (60x73,5) : **NLG 8 625** – Amsterdam, 12 déc. 1991 : *Fleurs au soleil*, h/t (73x60) : **NLG 5 520** – Amsterdam, 19 mai 1992 : *Place de village*, h/t (73x60) : **NLG 6 900** – Amsterdam, 8 déc. 1994 : *Le Vieux Jardin*, h/t (73x60) : **NLG 10 120** – Amsterdam, 18 juin 1996 : *Nature morte*, h/pan. (39x47,5) : **NLG 1 900** – Amsterdam, 3 sep. 1996 : *Neuchâtel*, h/t (60x73) : **NLG 1 153** – Amsterdam, 17-18 déc. 1996 : *Arbres en fleurs* 1956, h/t (38x46) : **NLG 6 490** – Amsterdam, 2 déc. 1997 : *Rolduc*, h/t (81x65) : **NLG 19 604** – Amsterdam, 2-3 juin 1997 : *Nature morte*, h/t (40x30) : **NLG 8 260** – Amsterdam, 2 juil. 1997 : *Dahlias*, h/pan. (76x61) : **NLG 10 378**.

WIEGMAN Piet ou **Petrus Cornelis Constantin**
Né le 18 avril 1885 à Zwolle. Mort en 1963. xxe siècle. Hollandais.
Peintre, graveur, céramiste.
Frère de Mattheus Johannes Wiegman. Il vécut et travailla à Schoorl. Il subit l'influence de Cézanne, mais peignit surtout des scènes de la vie des paysans et des petits-bourgeois.
Ventes Publiques : Amsterdam, 26 avr. 1977 : *Les maisons*, h/t (118x158) : **NLG 7 800** – Amsterdam, 1er déc. 1997 : *Joueur de guitare*, h/t (71,5x99) : **NLG 14 750**.

WIEGMANN Jenny
Née le 1er décembre 1895 à Spandau (Brandebourg). xxe siècle. Allemande.
Sculpteur, peintre de cartons de vitraux.
Elle exposa à Berlin, Munich, Düsseldorf, Essen, Rome, Chicago, New York, Buenos Aires. Elle exécuta des vitraux pour les églises de Hagen, Heppenheimer et Sosnitzer.
Musées : Bielefeld – Hagen – Kassel.

WIEGMANN Marie Élisabeth, née **Hancke**
Née le 7 novembre 1826 à Silberberg. Morte le 4 décembre 1893 à Düsseldorf. xixe siècle. Allemande.
Peintre de genre et portraitiste.
Femme de Rudolf W., élève de Hermann Stilke et de Carl Sohn à Düsseldorf. Elle continua ses études en Hollande, en Angleterre et en Italie. Médaillée à Berlin. On voit d'elle au Musée de Hanovre *Les enfants du planteur*, et à celui de Berlin, *Portrait de Karl Schnaase*.

WIEGMANN Rudolf
Né le 17 avril 1804 à Adensen. Mort le 17 avril 1865 à Düsseldorf. xixe siècle. Allemand.
Peintre d'architectures, graveur, lithographe et écrivain d'art.
Mari de Marie W., il fit ses études à Göttingen et à Rome de 1828 à 1832. On cite de lui : *L'intérieur de l'église de Saint-Marc à Venise*. Il a gravé des sujets religieux.

WIEHE Carl Vilhelm
Né le 8 novembre 1788 à Copenhague. Mort le 17 février 1867 à Copenhague. xixe siècle. Danois.
Peintre amateur.
Élève de l'Académie de Copenhague en 1820. Il exposa de 1824 à 1827. Le Musée des Beaux-Arts de Frederiksborg conserve plusieurs portraits exécutés par cet artiste.

WIEHL Anton
xixe siècle. Autrichien.
Dessinateur amateur.

WIEHL Franz
xixe siècle. Autrichien.
Peintre de genre et portraitiste.
Il travailla à Vienne de 1837 à 1848 et à Prague de 1855 et 1858.

WIEL Marinus Van de
Né en 1892 à La Haye. xxe siècle. Hollandais.
Peintre de paysages.
Garçon de café, il peint à ses moments de loisirs. Ce sont surtout des paysages de jardins fleuris qu'il dépeint avec une extrême minutie.
Bibliogr. : Dr. L. Gans : *Catalogue de la collection de peinture naïve Albert Dorne*, Pays-Bas, s. d.

WIELAND Adèle. Voir **LILLJEGVIST Adèle**

WIELAND Franz Matthias ou **Willand**
Originaire de Vienne. xviiie siècle. Autrichien.
Peintre sur porcelaine.
Fils de Johann W., il travailla avec celui-ci jusqu'en 1786.

WIELAND Hans Beatus
Né le 11 juin 1867 à Gallusberg. Mort en 1945 ou 1947 à Kriens. xixe-xxe siècles. Suisse.
Peintre de paysages, graveur.
Il fut élève de l'École de dessin de Bâle en 1884 et 1885, puis jusqu'en 1892, élève de l'Académie de Munich, où il eut pour maîtres Gysis, Löfftz et Lindenschmits. Il passa à Rome l'hiver de 1893, et figura aux expositions de Paris où il obtint une médaille de bronze en 1900 lors de l'Exposition universelle. On conserve des œuvres de lui dans presque tous les musées des villes de Suisse.
Musées : Aarau (Aargauer Kunsthaus) : *Étude de tête* 1893 – Bâle : *Enterrement* – Genève : *Rotenthurn* – Glarus : *Pays natal* – Lucerne : *La nuit* – Saint-Gall : *Paysage d'hiver* – Soleure : *La veuve* – Zurich : *Le glacier Silvretta* – *La mort, reine des armées*.
Ventes Publiques : Genève, 27 oct. 1971 : *Paysage de neige* : **CHF 3 000** – Lucerne, 19 nov. 1976 : *Travaux des champs* 1925, h/t (85x100) : **CHF 3 800** – Zurich, 19 mai 1979 : *Bivio en hiver* vers 1923, h/t (47,5x66,5) : **CHF 6 500** – Berne, 23 oct. 1982 : *Vue de Matterhorn* 1902, aquar. sur trait de pl. (33,5x24) : **CHF 2 400** – Zurich, 29 oct. 1983 : *Paysage alpestre en été* 1939, h/t (58x72) : **CHF 4 000** – Berne, 12 mai 1984 : *Jeune femme dans l'atelier*, aquar. (64x43) : **CHF 3 200** – Londres, 23 mai 1985 : *Paysage alpestre ensoleillé* 1933, h/t (67x87) : **CHF 4 800** – Lucerne, 15 mai 1986 : *Paysage d'hiver de l'Engadin*, aquar. (55,5x78) : **CHF 3 500** – Zurich, 4 juin 1992 : *Panorama du Simplon* 1913, h/t (45x50) : **CHF 6 780** – Zurich, 30 nov. 1995 : *Automne à Walensee* 1929, h/t (58x72) : **CHF 4 370** – Zurich, 10 déc. 1996 : *Printemps précoce dans les Alpes*, h/t (120x151) : **CHF 13 800**.

WIELAND Johann ou **Willand**
Originaire de Vienne. xviiie siècle. Autrichien.
Peintre sur porcelaine.
Père de Franz Matthias W., il travailla avec celui-ci jusqu'en 1786.

WIELAND Joseph
Mort le 21 septembre 1706 à Hall en Tyrol. xviie siècle. Autrichien.
Sculpteur.

WIELAND Joyce
Née en 1931 à Toronto (Ontario). xxe siècle. Canadienne.
Peintre.
Elle est la femme de Michaël Snow. Elle a d'abord été publicitaire. Au retour d'un voyage de plusieurs mois en Europe, elle travaille dans une entreprise cinématographique et ce contact avec les films aura une profonde influence sur son œuvre. Dans

un esprit proche également du pop'art, elle met en scène, sous forme de séquences, des objets, des images, des extraits de films et leur donne force expressive. Sa démarche s'apparente aussi à celle des objecteurs français qui, en manipulant l'objet, veulent lui donner un impact psycho-émotif. Les évocations de Joyce Wieland font souvent appel à ses souvenirs d'enfance. C'est particulièrement perceptible dans l'importance qu'elle accorde aux jouets.

WIELAND Karl
XIXe siècle. Travaillant à Vienne. Autrichien.
Peintre.
Il exposa à l'Académie de Vienne en 1840.

WIELANDY Charles
Né le 26 juillet 1748 à Londres. Mort le 10 février 1837 à Genève. XVIIIe-XIXe siècles. Britannique.
Médailleur et tailleur de sceaux.
Fils et élève de Jean Nicolas W. Il travailla à Genève à partir de 1794.

WIELANDY Jean Nicolas
Né en 1691. Mort en 1777. XVIIIe siècle. Britannique.
Sculpteur-modeleur de cire, ciseleur.
Père de Charles W et frère de Joseph Étienne W. Il travailla à Londres et à Genève.

WIELANDY Joseph Étienne
Né le 26 janvier 1750 à Londres. Mort le 20 novembre 1828 à Cologny. XVIIIe-XIXe siècles. Britannique.
Tailleur de sceaux.
Frère de Jean Nicolas W.

WIELANT Joan ou **Weiland**
Mort en 1717. XVIIIe siècle. Travaillant à Haarlem. Hollandais.
Peintre.
Il devint membre de la gilde en 1696 et peignit des paysages avec figures.

WIELDIERS Joseph
Né le 25 septembre 1866 à Anvers. XIXe siècle. Belge.
Graveur au burin.

WIELEN F. A. Van der
Né en 1843 à Grave. Mort en 1876 à Franzensbad. XIXe siècle. Belge.
Peintre.
Il fit ses études à l'Académie d'Anvers et travailla à Philadelphie.

WIELEN Geneviève Van der
Née en 1954 à Verviers. XXe siècle. Belge.
Peintre.
Elle a étudié à l'Académie Saint-Luc de Liège. Elle réalise des monotypes.
BIBLIOGR. : In : *Dictionnaire biographique illustré des artistes en Belgique depuis 1830*, Bruxelles, Arto, 1987.
MUSÉES : LIÈGE (Mus. d'Art Wallon).

WIELGORSKY M. J.
Né en 1794. Mort en 1866. XIXe siècle. Russe.
Peintre de paysages et de marines.
La Galerie Tretiakov à Moscou, conserve de lui une toile *Ville maritime*.

WIELGUS Jindrich
XXe siècle. Tchécoslovaque.
Peintre.
Actif en 1988. « Artiste émérite ».

WIELIAERT Germain. Voir **VIELLAERT Germain**

WIELICH ou **Wieling** ou **Wielings**. Voir **WILLING**

WIELOGLOWSKI Artur Waclaw Starykon
Né en 1860 à Ordonow. Mort le 2 juin 1933 à Varsovie. XIXe-XXe siècles. Polonais.
Peintre de chevaux.
Il fit ses études à Cracovie en 1880, à Munich et à Vienne.

WIELSCH Franz
Né le 9 mai 1873 à Vienne. XIXe-XXe siècles. Autrichien.
Peintre, graveur.
Il fit ses études à l'Académie de Vienne. Il gravait à l'eau-forte.

WIEMANS Andries Cz.
Né le 25 avril 1826 à Dordrecht. XIXe siècle. Hollandais.
Peintre et lithographe.
VENTES PUBLIQUES : CREWKERNE (Angleterre), 17 mars 1977 : *Paysage d'été*, h/pan. (34,5x51) : **GBP 650**.

WIEMERS Hendrikus Johann
Né le 19 décembre 1838 à Amsterdam. XIXe siècle. Hollandais.
Sculpteur sur pierre et sur bois.
Il étudia à l'Académie d'Amsterdam de 1860 à 1864, travailla dans la même ville jusqu'en 1918, puis à Arnheim de 1918 à 1924.

WIEMGRABER Wolfgang
XVIIIe siècle. Actif à Steyr au début du XVIIIe siècle. Autrichien.
Peintre.

WIEMKEN Walter Kurt
Né le 14 septembre 1907 à Bâle. Mort le 30 décembre 1940 dans les gorges de Castel San Pietro (Tessin). XXe siècle. Suisse.
Peintre de portraits, figures, paysages, paysages urbains, aquarelliste, dessinateur.
Il fut élève de l'École des Arts et Métiers de Bâle, puis, à Munich, il eut pour maîtres Ehmke et Kleinen, en 1926-1927. Il séjourna à Paris en 1927-1928. Il partagea ensuite son temps entre Bâle, Paris, Collioure, avec des voyages dans le Tessin, en Yougoslavie, Bretagne et Belgique.
Dans une première époque, il avait subi l'influence du courant expressionniste germanique et russe des années dix. Dans la seconde partie de son œuvre, les excès ont fait place à une poésie raffinée. Il a exécuté de nombreuses peintures murales, notamment à Bâle. Cet artiste, qui devait disparaître à l'âge de trente-trois ans (son corps n'a été retrouvé que le 23 janvier 1941) a exprimé un profond pessimisme : souffrance, misère, violence et mort.
BIBLIOGR. : Georg Schmid : *W. K. Wiemken*, 1940 – Dorotha Christ : *Walter Kurt Wiemken* Rencontre, Lausanne, vers 1968 – Rudolf Hanhart : *Walter Kurt Wiemken. Das gesemte Werk*, F. Reinhard, Basel, Prestel Verlag, Munich-Zurich, 1979.
MUSÉES : AARAU (Aargauer Kunsthaus) : *Au bord de l'abîme* 1936 – BÂLE : plusieurs peintures.
VENTES PUBLIQUES : ZURICH, 3 nov. 1972 : *La femme du pendu*, aquar. : **CHF 6 000** – LUCERNE, 16 juin 1972 : *Paysage de banlieue* : **CHF 9 500** – BERNE, 21 juin 1973 : *Paysage* 1927 : **CHF 8 000** – ZURICH, 28 nov. 1974 : *Paris* 1928, aquar. : **CHF 9 000** – ZURICH, 13 nov. 1976 : *Villeneuve-Saint-Georges* 1930, aquar. (32,5x45,5) : **CHF 11 000** – BERNE, 9 juin 1977 : *Contrastes* 1931, aquar./t. de cr. (22x41,7) : **CHF 5 200** – BERNE, 22 juin 1979 : *Truite bleue* vers 1935, gche (52x37,7) : **CHF 5 800** – BERNE, 21 juin 1980 : *Le rêve* 1930, dess. à la pl. reh. de coul. (23,3x35,2) : **CHF 5 000** – BERNE, 26 juin 1982 : *Couple dans un café en plein air* vers 1926, aquar./trait de pl. (25,2x22,8) : **CHF 7 500** – ZURICH, 14 mai 1983 : *Portrait d'un Noir* 1931, encre de Chine (42,5x28) : **CHF 1 900** – BERNE, 2 mai 1985 : *Zouave assis* 1931, pl. (42,5x28) : **CHF 2 300** – BERNE, 20 juin 1985 : *Erzählung* 1931, temp./trait de cr. (22x41,7) : **CHF 6 000** – ZURICH, 7 oct. 1987 : *Le Prisonnier*, temp./cart. (35,5x29) : **CHF 26 000** – ZURICH, 4 juin 1992 : *Paysage du Tessin avec un château* 1926, aquar., fus. et encre/pap. (39,5x27) : **CHF 9 040** ; *Autoportrait* 1926, h/cart. (30x22) : **CHF 11 300** – LUCERNE, 23 mai 1992 : *Couple avec un chien au soleil*, techn. mixte/pap. (21,9x21) : **CHF 7 500** – ZURICH, 9 juin 1993 : *Solitude dans un parc à Bâle*, fus. et aquar./pap. (28,4x41,5) : **CHF 8 050** – ZURICH, 24 nov. 1993 : *Portrait surréaliste* 1933, h/t (80x65) : **CHF 25 300** – ZURICH, 21 avr. 1994 : *La femme des potences* 1931, temp. et encre/pap. (24x27) : **CHF 8 500** – ZURICH, 7 avr. 1995 : *Falaises sur la côte* 1935, h/cart. (34,7x49,7) : **CHF 8 000**.

WIENAND Fritz
Né le 19 juin 1901 à Pforzheim (Bade). XXe siècle. Allemand.
Sculpteur.
Il a étudié tout d'abord le dessin et la peinture à l'École des Beaux-Arts de Francfort-sur-le-Main, puis à Munich, dans l'atelier de Heymann. Il se consacre à la sculpture, qui convient mieux à son tempérament de novateur ; fait deux séjours en Italie et se fixe à Paris, en 1927. Il a exposé à Paris en 1931, à Francfort et à Cologne.
Cet artiste s'est spécialisé dans la représentation de l'homme et de la femme. Avec des moyens sobres, qui témoignent néanmoins d'une grande habileté technique, il exécute des nus féminins gracieux et sveltes, qui contrastent curieusement avec ses hommes accablés par la vie, le travail ou la nostalgie de vivre.

WIENECKE Johann Cornelius
Né le 24 mars 1872 à Heiligenstadt. XIXe-XXe siècles. Hollandais.
Graveur, médailleur.
Il fit ses études à Amsterdam, Anvers, Bruxelles et pendant cinq ans à Paris. Il vécut et travailla à Utrecht. Il exécuta des médailles à l'effigie de la famille royale de Hollande.

WIENENDAELE Van. Voir **WYNENDAELE Van**

WIENER Isidor
Né en 1886 en Russie. Mort en 1970. xxᵉ siècle. Actif aux États-Unis. Russe.
Peintre.
Il émigra aux États-Unis, en 1903. Autodidacte, il explore par l'aquarelle ses souvenirs et les légendes de Moldavie. Puis il peint à l'huile des épisodes de l'Ancien Testament, enfin des scènes de la vie contemporaine.
Musées : New York (Mus. Historique) : *La traversée de la Mer Rouge.*

WIENER Jakob
Né le 2 mars 1815 à Hörstgen, d'origine hongroise. Mort en 1899 à Bruxelles. xixᵉ siècle. Belge.
Médailleur.
Frère de Karl et de Leopold W. Il étudia à Paris chez Levesque de 1835 à 1839. Il dessina et grava les premiers timbres belges.

WIENER Karl
Né le 25 mars 1832 à Venlo. Mort le 15 août 1888 à Bruxelles. xixᵉ siècle. Belge.
Médailleur et graveur sur pierre.
Frère de Jakob et de Leopold W. Élève de Jakob W. La Bibliothèque royale de Bruxelles conserve la plupart des médailles gravées par cet artiste.

WIENER Leopold
Né le 2 juillet 1823 à Venlo. Mort le 11 février 1891 à Bruxelles. xixᵉ siècle. Belge.
Sculpteur et médailleur.
Frère de Jakob et de Karl W. Il fit ses études à Bruxelles et à Paris chez David d'Angers et J. J. Barre. Le Musée de la Porte de Hal conserve de cet artiste un *Buste du comte Amédée de Beauffort* et un bas-relief.

WIENER-NEUSTADT Aegidius von. Voir **AEGIDIUS von Wiener-Neustadt**

WIENHOLT Anne
Née à Leura (Nouvelles-Galles-du-Sud). xxᵉ siècle. Australienne.
Peintre.
Elle étudia la peinture à Sydney, puis à l'Art Students' League de New York, à Brooklyn où elle reçut les conseils de Tamayo, et la gravure avec Hayter. Elle visita l'Angleterre, la France et l'Italie.

WIENNEN Baltzer ou **Balzer**. Voir **WINNE**

WIENNINGER A.
xixᵉ siècle. Travaillant à Taus. Autrichien.
Peintre.

WIENS Siegfried puis **Stephen M.**
Né le 26 février 1871 à Londres. Mort le 25 juin 1956 à Worthing. xixᵉ-xxᵉ siècles. Britannique.
Peintre de portraits, sculpteur.
Éduqué en partie en Allemagne, il fit ses études aux Royal Academy Schools dès 1890. Il exposa à la Royal Academy dès 1893. Il changea son prénom de Siegfried en Stephen en 1920.
Musées : Londres (Tate Gal.) : *La fille et le Lézard* 1906.

WIER Willem
Né sans doute vers 1653 à Deventer. Mort vers 1677 ou 1678 à Amsterdam. xviiᵉ siècle. Hollandais.
Graveur au burin.

WIERCZ. Voir **WIERIX**

WIERDSMA R. M. Voir **WICHERS-WIERDSMA**

WIERER Alois
Né le 2 janvier 1878 à Prague. xxᵉ siècle. Autrichien.
Peintre.
Il a été élève de Franz Thiele de 1902 à 1905.

WIERICX. Voir **WIERIX**

WIERINGA Franciscus Gerardus
Né vers 1758 à Groningue. Mort en 1817. xviiiᵉ-xixᵉ siècles. Hollandais.
Peintre de paysages et graveur.
Fils et élève de l'ornemaniste Jan W., travailla également avec J. Andriessen. Il travailla aussi à la Galerie de Düsseldorf. En 1790, il revint à Groningue où il peignit le paysage, particulièrement les couchers de soleil et les scènes d'hiver et donna des leçons. Il obtint une médaille d'or à l'Académie de Leyde. Le Blanc le cite comme graveur.
Ventes Publiques : Paris, 23 avr. 1937 : *La chaumière sur la route*, aquar. : **FRF 730** – New York, 30 mai 1979 : *Paysages d'été* 1812, deux h/t (65x82,5) : **USD 14 500** – New York, 10 juin 1983 : *Paysage boisé animé de personnages* 1812, h/t, une paire (65x82,5) : **USD 19 000.**

WIERINGA Nicolaas
xviiᵉ siècle. Travaillant à Leeuwarden, en Frise, entre 1647 et 1673. Hollandais.
Peintre de portraits.
Le Musée d'Amsterdam conserve de lui *Portrait d'un chef militaire*, celui de Leeuwarden, *Portrait de Gerlant Van Aylva* et *Portrait d'une dame.*

WIERINGEN Cornelis Claesz Van
Né vers 1580 à Haarlem. Mort le 29 décembre 1633 probablement à Haarlem. xviiᵉ siècle. Hollandais.
Peintre d'histoire, paysages, paysages d'eau, marines, graveur, dessinateur.
Il est le père de Nicolas Wieringen.
Cet artiste montra un grand talent dans ses paysages, dans ses marines, particulièrement dans les orages. Il a gravé aussi à l'eau-forte un nombre important de pièces de même genre.

Musées : Amsterdam : *Navires de guerre espagnols près des côtes d'Amérique* – Haarlem : *Arrivée à Flessingue de Frédéric V du Palatinat et de sa femme Élisabeth* – *Prise de Dameth* – Madrid (Prado) : *Combat naval.*
Ventes Publiques : Bruxelles, 12 mars 1951 : *Pêcheurs sur la plage et marine* : **BEF 44 000** – Bruxelles, 11-12 mai 1966 : *Arrivée de bateaux de pêche à Scheveningen* : **BEF 140 000** – Londres, 10 mai 1967 : *Voiliers devant la côte* : **GBP 2 100** – New York, 9 juin 1983 : *Bateaux au large d'un port*, h/pan. (27,5x46) : **USD 8 000** – Amsterdam, 26 nov. 1984 : *Paysage de bord de mer animé (recto)*, pl. et encre brune ; *Paysage (verso)*, lav. de gris/craie noire (13,6x25,3) : **NLG 30 000** – Londres, 9 avr. 1990 : *Trois-mâts dans l'estuaire de la Meuse à Dordrecht tirant une salve parmi d'autres embarcations*, h/pan. (42,5x80,7) : **GBP 115 500** – Londres, 6 juil. 1992 : *Embarcation approchant d'un quai déserté*, encre (12,6x17,1) : **GBP 6 820** – Amsterdam, 6 mai 1993 : *Vaisseau de guerre hollandais tirant une salve d'honneur à l'approche d'une île rocheuse ; Goelette entrant dans un estuaire par forte brise*, une paire h/t (39x69) : **NLG 29 900** – Amsterdam, 12 nov. 1996 : *Paysage montagneux fantastique, moulin près d'un pont*, cr. et encre brune/traces de craie noire (22,9x34,1) : **NLG 42 480.**

WIERINGEN Nicolas
xviiᵉ siècle. Actif à Haarlem vers 1636. Hollandais.
Peintre de marines.
Fils et élève de Cornelis W. Il est cité dans la gilde en 1636.

WIERINK Willem Bernard
Né le 4 janvier 1856 à Amsterdam. xixᵉ siècle. Hollandais.
Peintre, sculpteur sur bois, graveur à l'eau-forte, lithographe, décorateur et illustrateur.

WIERIX Anthonie ou **Wierx** ou **Wiercz** ou **Wiricx**
Né vers 1552 à Anvers. Mort vers 1624. xviᵉ-xviiᵉ siècles. Éc. flamande.
Dessinateur et graveur.
Frère de Johan et Hieronymus W. On sait fort peu de choses sur ces trois habiles graveurs qui occupent une place si considérable dans l'histoire de la gravure des Pays-Bas au xviᵉ siècle. Dans une étude qu'il leur a consacrée *Catalogue raisonné de l'œuvre des trois frères Jan, Jérôme et Antoine Wierix.* Bruxelles 1866, M. Alvin catalogue deux mille planches de ces artistes. L'exécution d'Anthonie, au moins dans ses grandes pièces, est plus large, plus libre que celle de ses aînés.

Bibliogr. : Louis Joseph Alvin : *Catalogue raisonné de l'œuvre des trois frères Jean, Jérôme et Antoine Wierix*, Bruxelles, 1866.

WIERIX Hieronymus ou **Jérôme** ou **Wierx** ou **Wiercz** ou **Wiricx**
Né vers 1553 à Anvers. Mort le 1ᵉʳ novembre 1619. xviᵉ-xviiᵉ siècles. Éc. flamande.
Dessinateur et graveur.
Frère d'Anthonie et de Johan. On croit qu'il fut élève de Johan dont il imita le style. Le peu de différence d'âge permettrait de

supposer que, instruits à une source commune, il y eut plutôt collaboration des deux frères. Leur exécution est si semblable qu'il est parfois presque impossible de distinguer avec sûreté l'œuvre de chacun. A cette similitude de travail, s'ajoutent des monogrammes prêtant à la confusion. Hieronymus a surtout gravé des sujets de dévotion, des allégories, des saints, des pères de l'église. Nombre de ces estampes sont gravées d'après ses dessins. Il a signé des initiales : *HI. W.*, ou *HI. W. F.* ou *J. Hieronymus W. fe.* Le Musée de Bruxelles conserve une œuvre de cet artiste : *Moine en extase.*

Bibliogr. : Louis Joseph Alvin : *Catalogue raisonné de l'œuvre des trois frères Jean, Jérôme et Antoine Wierix*, Bruxelles, 1866.

WIERIX Johan ou **Werex, Wierx, Wiercz** ou **Wiricx**

Né vers 1549 à Anvers. XVIe-XVIIe siècles. Éc. flamande.

Peintre de scènes mythologiques, sujets religieux, portraits, graveur, dessinateur.

On ne sait pas qui fut son maître. Johan Wierix, comme ses frères Anthonie et Hieronymus, forma son style par l'étude d'Albrecht Dürer. Il signa ses planches fréquemment *I. W. F.* et quelquefois *I. H. W. F.*

Il copia avec une exactitude remarquable plusieurs estampes de Dürer. Il se servit du burin avec un brio remarquable et ce fut un dessinateur expérimenté. Il exécuta avec le topographe J. W. Valvasor, dix-sept dessins pour une *Passion.*

Bibliogr. : Louis Joseph Alvin : *Catalogue raisonné de l'œuvre des trois frères Jean, Jérôme et Antoine Wierix*, Bruxelles, 1866.

Musées : Bruxelles : *Madeleine repentante.*

Ventes Publiques : Paris, 1877 : *Diane surprise par Actéon*, pl. et bistre : **FRF 220** – Paris, 27 nov. 1950 : *Le calvaire*, pl. et lav. : **FRF 50 000** – Paris, 10 déc. 1951 : *Calvaire*, pl. : **FRF 20 000** – Berne, 6 oct. 1952 : *Le Christ tombe sous le poids de la croix* ; *Le Christ sur la croix*, deux dessins à la plume : **CHF 250** – Paris, 15 mai 1993 : *Les effigies des peintres célèbres des Pays-Bas* 1572, recueil de six grav. : **FRF 3 000** – Paris, 3 juin 1994 : *Adam et Ève*, plume, encre brune/vélin (15,6x12,6) : **FRF 80 000.**

WIERSMA Ids

Né le 21 juin 1878 à Brantgun. Mort en 1965. XIXe siècle. Hollandais.

Peintre, graveur au burin et lithographe.

Il travailla à La Haye, Amsterdam, Snech et Drachten. Le Musée Van Ardheden de Groningue conserve plusieurs aquarelles et dessins de cet artiste.

Ventes Publiques : Amsterdam, 11 avr. 1995 : *Nature morte* 1902, h/t/pan. (28x22) : **NLG 1 416.**

WIERSZPERGER Veit. Voir **WIRSBERGER**

WIERTH Niklaus. Voir **WIRT**

WIERTZ Antonie Joseph ou **Antoine**

Né le 22 février 1806 à Dinant. Mort le 18 juin 1865 à Bruxelles. XIXe siècle. Belge.

Peintre d'histoire, scènes mythologiques, sujets religieux, portraits, sculpteur.

En 1806, il est né en Belgique française. En 1820, la Belgique étant alors hollandaise, il alla à Anvers et y fut élève de Willem Jacob Herreyns et Mathieu Ignace Van Brée. En 1829, il vint étudier à Paris. En 1832, la Belgique étant devenue constitutionnellement belge, ayant obtenu la pension pour Rome, il partit pour l'Italie et y séjourna plusieurs années. De retour à Bruxelles, il ne tarda pas à acquérir une réputation énorme ; il fut un instant le peintre national, une médaille fut frappée à son effigie. Plus tard, sur ses indications, un atelier fut édifié aux frais de l'État pour lui permettre l'exécution de ses ouvrages, atelier qui n'est pas sans rappeler celui de Gustave Moreau, à Paris. L'artiste prétendit faire pâlir les chefs-d'œuvre des Michel-Ange ou Rubens. De fait, il les égala par la surface peinte. Ce sont d'énormes « machines » démonstratives, issues de son idéologie romantique et souvent puérile, mais d'où émergent quelques morceaux de vraie peinture. Il convient de noter la hauteur de son caractère : à ce moment où il eût pu vendre ses ouvrages un prix considérable, il s'y refusa obstinément pour ne pas entacher l'expression de sa pensée de la moindre idée de vanité. À sa mort, on donna à la maison qu'il habitait l'aspect d'un temple en ruine et ses œuvres y furent réunies. Le Musée Wiertz, à Bruxelles, doit être vu.

Après les avoir montrées à Bruxelles, Wiertz put exposer un ensemble de ses peintures, dont une version du *Démembrement de Patrocle* de 520 x 852 cm., au Salon de Paris. L'accueil fut tellement catastrophique qu'il en conçut une haine définitive envers la France. En 1991, il figurait à l'exposition d'art belge du Musée d'Art Moderne de la Ville de Paris, au titre des artistes du XIXe siècle avec Félicien Rops, James Ensor et Fernand Khnopff.

Antoine Wiertz a laissé des esquisses de jeunesse : *Longchamp, La villa Borghèse*, pleines de fraîcheur d'inspiration. Lors de son séjour en Italie, il y peignit notamment le tableau actuellement au Musée de Liège : *Les Grecs et les Troyens se disputant le corps de Patrocle*, et le *Portrait de la princesse Lætitia Bonaparte*. Il peignit alors de nombreux portraits. Ensuite, peut-être en accord avec ses diverses sources thématiques d'inspiration, visions infernales, sentiment de la fragilité de la vie, scènes de sorcellerie, la technique picturale de Wiertz surprend par une au moins égale dispersion entre Rubens, Ingres, Goya, parfois à la limite du pastiche. On voit dans son œuvre une composition, emphatique peut-être mais émouvante en ce qu'elle ne retrace qu'une réalité toujours vécue : *Faim, Folie et Crime*, peinte dans la tradition des réalistes flamands. Mais surtout l'œuvre d'Antoine Wiertz révèle aussi une peinture qui lui a valu, avec quelques autres, un regain d'intérêt de la part de la critique moderne : *La belle Rosine*, composition inspirée de Schiller, confrontation romantique entre un squelette et une superbe fille nue et dorée. Dans d'autres œuvres se rencontrent encore démons et êtres macabres, qui ont fait considérer Wiertz comme un précurseur du symbolisme, voire du surréalisme. Il tient une place tout à fait exceptionnelle dans la peinture belge de la première moitié du XIXe siècle. Il rêva de sublime, et, dans nombre de cas, il ne s'éleva pas au-dessus du mélodrame banal. Malgré la boursouflure de son discours peint, il est le chaînon qui reliera les peintres-lansquenets du XVIe siècle, courtisant à la fois la ribaude et la mort, Urs Graf, Hans Baldung Grien, et les taquineurs de spectres Ensor, Rops et Delvaux.

■ Jacques Busse

Bibliogr. : Robert Genaille, in : *Diction. Univers. de l'Art et des Artistes*, Hazan, Paris, 1967 – Catalogue de l'Exposition *Symbolistes et Surréalistes Belges*, Gal. Nat. du Grand Palais, Paris, 1972 – André Fermigier : *Explorateur de l'Imaginaire*, Nouvel Observateur, Paris, 14 février 1972 – in : *Beaux-Arts Magazine*, mai 1989.

Musées : Anvers : *Les Grecs et les Troyens se disputant le corps de Patrocle*, esquisse – *Const. Van den Nest* – Bruxelles (Mus. Wiertz) : *La belle Rosine* 1847 – *La jeune sorcière* 1857 – *Un Grand de la Terre* 1860 – *Une scène de l'Enfer* 1864 – Liège : *Les Grecs et les Troyens se disputant le corps de Patrocle.*

Ventes Publiques : Londres, 19 jan. 1945 : *Garçon nubien* : **GBP 241** – Bruxelles, 28 avr. 1951 : *Vénus et l'Amour* 1840 : **BEF 8 000** – Bruxelles, 21 mai 1980 : *Le suicide*, h/t (14x20) : **BEF 32 000** – Monaco, 8 déc. 1990 : *Une scène de l'enfer*, h/t, esquisse (53x67) : **FRF 66 600.**

WIERTZ Henricus Franciscus

Né le 7 octobre 1784 à Amsterdam. Mort le 7 juin 1858 à Nimègue. XIXe siècle. Hollandais.

Peintre et lithographe.

Élève de Jacobus Lauwers et de Johannes de Frey ; il travailla dans sa ville natale, et, à partir de 1811, à Nimègue. Le Musée d'Amsterdam conserve de lui *Coquilles et plantes maritimes*, et celui de Nimègue, *Scène foraine.*

WIERUSZ-KOWALSKI Alfred von. Voir **KOWALSKI-WIERUSZ**

WIERX. Voir **WIERIX**

WIESBÖCK Carl L. ou **Wiesbeck**

Né en 1811. Mort le 22 août 1874 à Vienne. XIXe siècle. Autrichien.

Peintre, copiste, restaurateur et collectionneur d'art.

Élève de Waldmüller, il exposa à Vienne en 1850. Le Musée des Beaux-Arts de Vienne conserve de lui trois aquarelles et un tableau à l'huile (*La vieille église Saint-Pierre*).

WIESCHEBRINK Franz

Né le 14 mars 1818 à Burgsteinfurt. Mort le 3 décembre 1884 à Düsseldorf. XIXe siècle. Allemand.

Peintre de scènes de genre.
Il fut élève de l'Académie des Beaux-Arts de Düsseldorf.
Musées : Breslau, nom all. de Wroclaw : *Le fidèle gardien* – Münster – Trieste.
Ventes Publiques : Cologne, 13 oct. 1972 : *La famille heureuse* : **DEM 5 500** – Los Angeles, 27 mai 1974 : *La visite de l'abbé* : **USD 2 100** – Londres, 18 nov. 1994 : *L'objet de toutes les attentions*, h/t (82,5x77,5) : **GBP 12 075**.

WIESCHEBRINK Heinrich
Né le 25 octobre 1852 à Düsseldorf. Mort le 29 septembre 1885 à Cassel. xixe siècle. Allemand.
Peintre de genre, portraitiste et paysagiste.
Fils de Franz W. Élève de l'Académie de Düsseldorf, dans l'atelier de J. Robig. Il fut nommé professeur à l'Académie de Cassel. Le Musée Obernier de Bonn conserve un tableau de genre de cet artiste (*Ave Maria*).

WIESE Gerhard Severin Heiberg
Né le 2 décembre 1842 à Bergen. Mort le 2 mars 1925 à Erstad. xixe-xxe siècles. Norvégien.
Peintre.
Il travailla à Paris en 1881 et 1882.

WIESENTHAL Franz
Né le 25 avril 1856 à Kis-Topolcsany. xixe siècle. Hongrois.
Peintre de genre et portraitiste.
Il fit ses études au Polytechnikum de Stuttgart et à l'Académie de Vienne.
Ventes Publiques : Vienne, 22 juin 1983 : *Les Chevaux de trait*, h/t (72,5x96,5) : **ATS 50 000**.

WIESER. Voir aussi **WISER**

WIESER Christoph. Voir **WISER**

WIESER Hyacinth Van
Né le 3 septembre 1848 à Vienne. Mort en 1878 à Rome. xixe siècle. Autrichien.
Peintre.
Frère de Joseph von W., élève de l'Académie de Vienne, il obtint le Prix de Rome pour son œuvre : *Edgar conduisant Gloster aveugle*.

WIESER Joseph von
Né en 1853 à Vienne. xixe siècle. Autrichien.
Aquarelliste et architecte.
Frère de Hyacinth von W. Élève de l'Académie de Vienne, il s'associa avec Arnold Lotz de 1880 à 1889.

WIESER Joseph Léopold. Voir **WISER**

WIESER Lorenz ou **Wiser**
Né le 5 août 1708 à Tittmoning. Mort en juillet 1767 à Salzbourg. xviiie siècle. Autrichien.
Sculpteur et tailleur de pierres.
Il décora surtout des autels.

WIESING. Voir **WIRSING**

WIESINGER-FLORIAN. Voir **WISINGER-FLORIAN**

WIESIOLOWSKI Ludwik
Né en 1854 dans la région de Posen. Mort le 12 mai 1892 à Varsovie. xixe siècle. Polonais.
Peintre de paysages.
Élève de l'École de Dessin de Varsovie et de l'Académie de Saint-Pétersbourg.
Musées : Odessa : *La femme adultère* – *Tibère faisant noyer des femmes dans la mer* – Varsovie : *David jouant de la harpe* – *Mort d'Alexandre Sobieski*.

WIESLANDER Agnes
Née le 21 juillet 1873 à Hjärnarp. Morte le 1er décembre 1934. xixe-xxe siècles. Suédoise.
Peintre de portraits, compositions animées, natures mortes, fleurs.
Elle fit ses études à Copenhague, Paris, Göteborg et Stuttgart. Elle peignit en particulier des scènes de sa province natale.

WIESLER Adolf
Né le 7 décembre 1878 à Graz. xxe siècle. Autrichien.
Peintre de paysages, dessinateur.
Il travaillait à Baden près de Vienne.
Musées : Graz : *Intérieur de l'église de Pöllau* – *Paysage d'hiver*.

WIESMANN Victor Hugo
Né le 11 juin 1892 à Wiesendangen. xxe siècle. Suisse.
Peintre, dessinateur.
Il fit ses études à Paris et à Munich. Il travaillait à Oberrieden.
Musées : Berne : *L'artiste*.

WIESNER Frigezer ou **Mezey**
Né le 6 septembre 1887 à Moor. xxe siècle. Hongrois.
Peintre de paysages, portraits.
Il vivait et travaillait à Budapest.

WIESNER Richard
Né le 6 juillet 1900 à Ruda (Moravie). xxe siècle. Tchécoslovaque.
Peintre de portraits, compositions à personnages.
Il vivait à Prague. Il a participé à des expositions de groupe, notamment à la Biennale de Venise, en 1960.
Dans une première période, à partir de 1930, il peignit des portraits, faisant la synthèse entre le naturalisme de la fin du xixe siècle et l'expressivité des courants d'avant-garde des années dix en Europe centrale. Après 1945, dans des compositions à personnages, il accentua les caractéristiques de sa filiation avec les expressionnistes, exacerbant les couleurs et les lignes jusqu'à la limite de la lisibilité. On lui doit des peintures monumentales.
Bibliogr. : B. Dorival, sous la direction de : *Peintres Contemporains*, Mazenod, Paris, 1964.
Musées : Prague (Gal. Nat. de Peinture Mod.).

WIESSLER William
Né en 1887. xxe siècle. Américain.
Peintre.
Élève de F. Duveneck. Il vivait et travaillait à Cincinnati.

WIESSNER Conrad
Né le 1er juin 1796 à Nuremberg. Mort le 4 août 1865 à Wallhalben. xixe siècle. Allemand.
Peintre, dessinateur, graveur à l'eau-forte.
Il fut d'abord dessinateur topographique. En 1811, il entra à l'Académie de Nuremberg dans l'atelier de A. Gabler. Il alla ensuite à Munich. A son retour à Nuremberg, il fut directeur de l'Albrecht Dürer Verein. Il fut pendant un certain temps à la tête de la Manufacture de porcelaine de Ratisbonne. En 1827, il revint à Nuremberg et paraît avoir achevé sa carrière particulièrement comme professeur. On trouve des œuvres de cet artiste à la Bibliothèque Nationale de Nuremberg et au cabinet des Estampes de Berlin.

WIESTNER Lukas ou **Wüestner**
Né à Altdorf. xviie siècle. Suisse.
Peintre et graveur au burin.

WIESZCZYCKI T.
xixe siècle. Travaillant à Paris. Polonais.
Graveur au burin.

WIESZENIEWSKI Mikoloy
Né vers 1880. Mort après 1925. xxe siècle. Polonais.
Peintre de paysages, décorateur.
Il travailla à Samarcande et peignit plusieurs paysages du Turkestan.

WIETHASE Edgard
Né le 31 août 1881 à Anvers. Mort le 16 avril 1965 à Uccle (Brabant). xxe siècle. Belge.
Peintre de paysages, paysages animés, intérieurs, animalier, aquarelliste.
Il fut élève, à l'Académie d'Anvers, de C. Boom, C. Mertens, P. Verhaert. Il poursuivit sa formation à l'Institut d'Anvers.
Musées : Anvers.
Ventes Publiques : Lokeren, 25 fév. 1984 : *Fillette au cerf-volant* 1913, h/t (159x119) : **BEF 180 000** – Lokeren, 8 oct. 1988 : *La cour ensoleillée*, h/pan. (25,5x35) : **BEF 50 000** – Bruxelles, 27 mars 1990 : *Le verger*, h/t (50x63) : **BEF 105 000** – Lokeren, 21 mars 1992 : *La rentrée de la moisson*, h/cart. (50x55) : **BEF 65 000** – Lokeren, 23 mai 1992 : *Ruisseau dans un sous-bois*, h/pan. (25x35,5) : **BEF 65 000** – Lokeren, 10 oct. 1992 : *Une ferme en automne* 1908, h/t/pan. (44x62) : **BEF 33 000** – Lokeren, 9 oct. 1993 : *Chevaux*, h/pan. (50x65) : **BEF 26 000** – Lokeren, 28 mai 1994 : *Amaryllis* 1928, h/pan. (91x63,5) : **BEF 80 000** – Lokeren, 8 oct. 1994 : *Intérieur avec une nature morte* 1925, h/cart./pan. (65x91) : **BEF 70 000** – Lokeren, 11 mars 1995 : *Chat dans un intérieur* 1931, h/pan. (81x90) : **BEF 75 000** – Lokeren, 20 mai 1995 : *Jardin fleuri*, h/t (45x50) : **BEF 180 000**.

WIETKIEWICZ Stanislaw Ignacy. Voir **WITKIEWICZ**

WIF Oluf
Mort peu après 1723. xviiie siècle. Travaillant à Kongsberg vers 1720. Norvégien.
Médailleur.
Il fit ses études à Dresde et travailla pour la famille royale de Saxe.

WIFFEL Frédéric ou **Viffel**
Né vers 1739. Mort le 1er février 1805 à Paris. XVIIIe siècle. Français.
Sculpteur.
Membre de l'Académie de Paris en 1771, il exposa en 1774 et décora plusieurs façades de maisons.

WIGAN Isaac, dit **Desseres**
Né en 1615 à Anvers. Mort vers 1662 ou 1663. XVIIe siècle. Éc. flamande.
Peintre de natures mortes.
Il fut élève de Vincent Malo. Il a peint des tables servies, des fruits, des fromages, des huîtres, etc.

WIGAND Balthasar
Né en 1771 à Vienne. Mort le 7 juin 1846 à Felixdorf. XVIIIe-XIXe siècles. Autrichien.
Peintre d'histoire, batailles, portraits, paysages, miniatures, peintre à la gouache, aquarelliste, dessinateur.
Il peignit surtout des figures caractéristiques du vieux Vienne.
Musées : Liechtenstein (Gal.) : *La fileuse à la croix, panorama de Vienne* – Vienne (Mus. des Beaux-Arts) : *Portrait du Dr. Albert Figdor-Stiftung* – *Vues de Vienne*, douze œuvres.
Ventes Publiques : Vienne, 20 mars 1973 : *Manœuvre de cavalerie* : **ATS 28 000** – Vienne, 14 sep. 1976 : *Le casino de Hietzing*, aquar. (11,5x19,2) : **ATS 45 000** – New York, 12 juin 1982 : *Intérieur* vers 1810-1815, gche, aquar. et cr./pap. (16x22,2) : **USD 4 250** – Monte-Carlo, 8 déc. 1984 : *Vue de Schönbrunn*, gche (8,5x15) : **FRF 17 000** – New York, 15 fév. 1985 : *Das Prater Fest* 1814, gche et pl. (12,3x18) : **USD 3 000** – Lucerne, 12 nov. 1986 : *La Bataille de la Ferté-Champenoise, 14 mars 1814*, gche (14x22,5) : **CHF 5 000** – Vienne, 15 oct. 1987 : *Les Grandes Manœuvres* 1837, aquar. (16x24) : **ATS 80 000** – Vienne, 23 fév. 1989 : *Dianabad sur le Danube*, gche (5,5x11,5) : **ATS 88 000** – Monaco, 6 déc. 1991 : *La bataille de Wagram* 1809, aquar. et encre (17,3x36) : **FRF 37 740** – Londres, 20 mai 1993 : *Le Café dans les jardins du Prater*, gche/pap. (7,4x11,8) : **GBP 3 680** – Munich, 7 déc. 1993 : *Revue d'un régiment de cavalerie autrichien*, aquar./pap. (10,5x12,5) : **DEM 6 900** – Munich, 25 juin 1996 : *Sainte-Hélène près de Baden*, aquar./pap. (8,5x14,5) : **DEM 8 640** – Munich, 3 déc. 1996 : *Départ du navire de noces de Anna Amalia de Budapest*, gche/pap. (7,5x10) : **DEM 9 000**.

WIGAND Edit
Née le 2 janvier 1891 à Pancsova. XXe siècle. Hongroise.
Peintre, sculpteur de bustes.
Elle fit ses études à Budapest, Berlin et Nagybanya et exécuta surtout des bustes.

WIGAND Friedrich
Né vers 1800 à Saint-Pétersbourg. Mort le 8 août 1853 à Rome. XIXe siècle. Russe.
Peintre de compositions animées.
Il travailla à Dresde et à Rome à partir de 1823.
Ventes Publiques : Londres, 27 nov. 1981 : *Soldats italiens et paysans festoyant dans un paysage* 1850, h/t (71x99) : **GBP 3 000** – Londres, 18 fév. 1983 : *Soldats et paysans festoyant dans un paysage* 1850, h/t (71x99) : **GBP 1 500**.

WIGBOLDI Hindricus
XVIIe siècle. Hollandais.
Graveur au burin et dessinateur.
Il travailla à Groningue avec Jacobus W. vers 1637.

WIGBOLDI Jacobus
XVIIe siècle. Hollandais.
Graveur au burin et dessinateur.
Il travailla à Groningue avec Hindricus W. vers 1637.

WIGDAHL Anders Guttormsen
Né le 10 mai 1830 à Vigdal. Mort le 31 août 1914 à Gaupne. XIXe-XXe siècles. Norvégien.
Peintre de paysages.
Il travailla surtout à Bergen.

Musées : Bergen.
Ventes Publiques : Londres, 18 jan. 1980 : *Pêcheurs à la ligne au bord d'une rivière* 1886, h/t (87,6x130,2) : **GBP 420**.

WIGDEHL Michaloff
Né le 16 juillet 1857 à Gildeskal. Mort le 14 juillet 1921 à Oslo. XIXe-XXe siècles. Norvégien.
Peintre de paysages.
Musées : Oslo (Gal. Nat.) – Trondhojem.

WIGFORS Olof
Né en 1774 à Falun. Mort en 1836 à Kalmar. XVIIIe-XIXe siècles. Suédois.
Peintre décorateur.

WIGGERS Dirk
Né le 26 mars 1866 à Amersfoort. Mort le 14 février 1933. XIXe-XXe siècles. Hollandais.
Peintre de natures mortes, paysages, paysages urbains, paysages animés, graveur.
Il travailla à Heelsem, Rotterdam, Nimègue. Il gravait à l'eau-forte.
Musées : Amsterdam – Dordrecht – La Haye – Rotterdam (Mus. Boymans) : *Près de Heelsum*.
Ventes Publiques : Amsterdam, 25 avr. 1990 : *Vue de Leerdam*, h/t (40,5x63) : **NLG 3 450** – Amsterdam, 5 juin 1990 : *Vue de Rhenen sur le Rhin*, h/t (38x65) : **NLG 1 610** – Amsterdam, 17 sep. 1991 : *Lumière du soir à Holleweg dans le Limbourg* 1895, craie noire et past./pap. (48x66) : **NLG 2 300** – Amsterdam, 11 fév. 1993 : *Paysage fluvial avec le passeur et un clocher au lointain*, h/t (70x100) : **NLG 3 450** – Amsterdam, 14 sep. 1993 : *Paysage*, h/t (39x61,5) : **NLG 1 610** – Amsterdam, 9 déc. 1993 : *Les environs de Groesbeek* 1914, h/t (75x105) : **NLG 8 050** – Amsterdam, 14 juin 1994 : *Vue d'une ville orientale la nuit*, h/t/cart. (54x82) : **NLG 3 220**.

WIGGINS F.
XVIIIe siècle. Travaillant à Londres vers 1790. Britannique.
Peintre de miniatures.

WIGGINS Guy Carleton
Né le 22 ou 23 février 1883 à Brooklyn (New York). Mort en 1962. XIXe-XXe siècles. Américain.
Peintre de paysages animés, paysages urbains.
Fils et élève de John Carleton Wiggins, et de la National Academy.

Musées : Chicago : *Neige* – Los Angeles : *La Cinquième Avenue* – Muskegon (Hackley Art Gal.) : *Les Vieux Docks* – New York (Metropolitan Mus.) : *La Tour métropolitaine* – New York (Brooklyn Inst. Mus.) : *Collines du Berkshire en juin* – New York (Newark Mus.) : *Matin d'hiver* – Washington D. C. (Nat. Gal.) : *Columbus circus en hiver* – *Le Port de Gloucester*.
Ventes Publiques : New York, 23 avr. 1964 : *Wall Street* : **USD 1 200** – New York, 10 déc. 1970 : *La Cinquième Avenue sous la neige* : **USD 3 750** – New York, 7 avr. 1971 : *New York, East River* : **USD 4 000** – New York, 20 avr. 1972 : *Trinity Church* : **USD 2 750** – Los Angeles, 28 nov. 1973 : *Tempête de neige à New York*, aquar. : **USD 1 850** – New York, 12 déc. 1974 : *New York sous la neige* : **USD 2 700** – New York, 29 avr. 1977 : *Paysage d'automne*, h/t (30,5x40) : **USD 1 600** – New York, 2 févr 1979 : *Fifth Avenue in winter*, h/t (30,5x40,6) : **USD 5 000** – New York, 11 déc. 1981 : *L'Anniversaire de Washington*, h/t (51,3x41,9) : **USD 22 000** – New York, 2 juin 1983 : *Winter, church of St. Nicholas* 1935, h/t (61x50,8) : **USD 18 000** – Bolton, 15 mai 1985 : *Approaching of Spring* 1921, h/t (63,5x76,2) : **USD 15 000** – New York, 24 juin 1988 : *New York en hiver*, h/t (40x47,5) : **USD 5 500** – New York, 30 sep. 1988 : *La Grange rouge*, h/t (40,6x56) : **USD 4 180** ; *Neige sur l'avenue* 1927, h/t (40,7x30,5) : **USD 14 300** – New York, 1er déc. 1988 : *Vue d'un port* 1913, h/t (63,5x76,7) : **USD 40 700** – New York, 24 mai 1989 : *Broadway à Herald Square*, h/t (50,8x61) : **USD 39 600** – New York, 28 sep. 1989 : *La Cinquième Avenue l'hiver*, h/cart. (41x30,5) : **USD 8 800** – New York, 1er déc. 1989 : *New England boat yard*, h/t (61,3x76,3) : **USD 35 200** – New York, 31 mai 1990 : *Nature morte au pichet blanc et aux fruits*, h/t (40,9x50,8) : **USD 3 080** – New York, 27 sep. 1990 : *La Bibliothèque de New York*, h/cart. (30,2x40,1) : **USD 13 200** – New York, 29 nov. 1990 : *La Station de fiacres en hiver*, h/t (71,1x106,7) : **USD 24 200** – New York, 30 nov. 1990 : *La Cinquième Avenue en hiver* 1942, h/t cartonnée (30,5x23) : **USD 19 800** – New York, 12 avr. 1991 : *Chute de neige sur la Cinquième Avenue vers le sud*, h/t (61x50,8) : **USD 18 700** – New York, 25 sep. 1991 : *Blizzard à Chicago*, h/t (63,5x76,2) : **USD 20 900** – New York, 27 mai 1992 : *Jour d'hiver dans Nassau Street*, h/t (61x50,8) : **USD 20 900** – New York, 28 mai 1992 : *L'Autobus à impériale en hiver*, h/t (64x76,2) : **USD 38 500** – New York,

3 déc. 1993 : *Sur le chantier de construction de bateaux*, h/t (61x76,5) : **USD 25 300** – New York, 1er déc. 1994 : *L'Entrée de Central Park en hiver*, h/cart. (30,5x40,6) : **USD 18 400** – New York, 25 mai 1995 : *L'Hiver à la Bibliothèque*, h/t (63,5x76,2) : **USD 42 550** – New York, 22 mai 1996 : *La Bibliothèque de New York en hiver*, h/t (63,5x76,2) : **USD 65 750** – New York, 4 déc. 1996 : *Anniversaire de Washington, l'hiver* 1929, h/t (61x50,8) : **USD 68 500** – New York, 26 sep. 1996 : *La Bibliothèque municipale, New York*, h/t (63,5x76,2) : **USD 35 650** – New York, 25 mars 1997 : *Matin d'été*, h/t (63,5x76,2) : **USD 5 462** – New York, 23 avr. 1997 : *Route enneigée*, h/t (50,8x61) : **USD 5 520** – New York, 5 juin 1997 : *La Cinquième Avenue en hiver* 1939, h/t (76,2x101,6) : **USD 43 700** – New York, 7 oct. 1997 : *Les Bois* 1923, h/t (63,5x76,2) : **USD 16 100**.

WIGGINS John Carleton

Né le 4 mars 1848 à Turners' Orange (New York). Mort le 12 juin 1932 à Old Lyme. XIXe-XXe siècles. Américain.

Peintre d'animaux, paysages animés, paysages urbains.

Père de Guy Carleton Wiggins, élève de George Inness à New York. Associé de la National Academy en 1890. Académicien en 1906. Il a obtenu de nombreuses médailles aux expositions américaines.

Musées : Chicago (Art Inst.) : *Lac et montagnes* – *La lune se levant au-dessus d'un lac* – New York (Brooklyn Inst. Mus.) : *Bétail à l'abreuvoir* – *Moutons dans un paysage* – *Paysage* – New York (Metropolitan Mus.) : *Bœuf du Holstein* – New York (Newark Art Mus.) : *Moutons dans un paysage* – Washington D. C. (Corcoran Gal.) : *Octobre* – Washington D. C. (Nat. Gal.) : *Soir après l'orage*.

Ventes Publiques : New York, 22 juin 1984 : *Moisson de septembre* 1884, h/t (81,3x137,2) : **USD 1 300** – New York, 18 déc. 1991 : *Dans une prairie du Chester* 1879, h/t (68,6x101,6) : **USD 3 025** – New York, 12 mars 1992 : *Canotage au crépuscule à Long Island*, h/t (61x91,8) : **USD 6 600** – New York, 25 sep. 1992 : *Brebis et agneaux dans une prairie au printemps* 1918, h/t (50,8x61) : **USD 1 980** – New York, 4 déc. 1992 : *Les Palissades* 1871, h/t (40,5x71) : **USD 7 700** – New York, 31 mars 1994 : *Prairie normande avec une ferme au fond*, h/t (53,3x64,8) : **USD 1 725**.

WIGGINS Myra Albert, Mrs

Née le 15 décembre 1869 à Salem (Oregon). XIXe siècle. Américaine.

Peintre de natures mortes.

Élève de W. Chase et de l'Art Students' League. Membre de la Ligue Américaine des Artistes Professeurs et de la Fédération Américaine des Arts.

WIGGINS Sidney Miller

Né le 12 janvier 1881 à New Haven (New York). XXe siècle. Américain.

Peintre, graveur.

Il a été élève de J. Sloan et de Robert Henri. Membre du Salmagundi Club. Il travaillait à New York. Il gravait à l'eau-forte.

WIGGLI Oscar

Né en 1927 à Solothurn. XXe siècle. Suisse.

Sculpteur. Abstrait.

Il a figuré avec des sculptures abstraites, souvent en métal, au Salon des Réalités Nouvelles de Paris, de 1959 à 1962.

Musées : Aarau (Aargauer Kunsthaus) : *Composition* 1970-1971.

Ventes Publiques : Zurich, 4 juin 1997 : *Sculpture 27 G*, fer (H. 35,5) : **CHF 8 050**.

WIGHT Moses

Né en 1827 à Boston (Massachusetts). Mort en 1895 à Boston. XIXe siècle. Américain.

Peintre de scènes de genre, portraits.

Il fut élève de Ernest Hébert et de Léon Bonnat à Paris où il travailla à partir de 1865. Il fit aussi des études en Italie.

Musées : Baltimore (Peabody Inst.) : *Liseuse à la cheminée* – Boston : *Portrait de A. v. Humboldts* – Worcester : *Portrait du juge Thomas Kinnicut*.

Ventes Publiques : Los Angeles, 8 mars 1976 : *Jeune femme pensive*, h/pan. (47,5x36) : **USD 800** – Los Angeles, 6 juin 1978 : *The autumn poet*, h/t (56x44,5) : **USD 1 400** – New York, 3 juin 1982 : *The afternoon visit*, h/t (55,3x46,2) : **USD 3 000**.

WIGHTERS Karel. Voir **WUCHTERS**

WIGHTMAN Thomas

Né en 1811. Mort en 1888 à New York probablement. XIXe siècle. Américain.

Peintre.

Il fut membre de la National Academy de Design à partir de 1849.

WIGHTMAN Thomas

D'origine anglaise. XIXe siècle. Actif au début du XIXe siècle. Américain.

Graveur au burin.

Il travailla à Boston.

WIGHTMAN Winifred Ursula, née **Nicolson**

Née en 1881 à Saint-Pétersbourg. XXe siècle. Britannique.

Peintre de miniatures.

Elle fit ses études à Édimbourg, travailla à Saint-Pétersbourg, puis à Londres.

WIGLEY William Edward

Né en juillet 1880 à Birmingham (West Midlands). XXe siècle. Britannique.

Peintre de portraits.

WIGMANA Gerard

Né le 27 septembre 1673 à Workum. Mort le 27 mai 1741 à Amsterdam. XVIIe-XVIIIe siècles. Hollandais.

Peintre de compositions religieuses, sujets allégoriques, scènes de genre, nus, graveur.

Il alla jeune en Italie et étudia, d'après la tradition, les œuvres de Raphaël et de Jules Romain. A son retour en Hollande, il peignit des tableaux fort critiqués, peut-être parce que leur auteur s'intitulait, avec peu de modestie, le Raphaël Hollandais. Le mauvais accueil de ses concitoyens l'amena à passer en Angleterre où il ne fut pas mieux accueilli. Il revint à Amsterdam et y finit sa carrière.

On lui doit un grand nombre de gravures au burin. Il eut également une activité d'architecte et d'écrivain.

wigmana

Musées : Utrecht : *Allégorie de la Peinture*.

Ventes Publiques : Paris, 18 avr. 1905 : *Présentation de l'Enfant Jésus* : **FRF 300** – Nice, 21-23 déc. 1942 : *Alexandre le Grand rendant la femme du peintre Apelle à son mari* : **FRF 40 000** – Nice, 23 juin 1943 : *Le temps, l'amour et la femme* : **FRF 5 500** – Londres (Lincolnshire), 1er mai 1984 : *Chevalier prenant congé d'une dame de qualité* 1739, h/pan. (44,4x34,2) : **GBP 7 500** – New York, 15 jan. 1993 : *Nu féminin endormi sur un lit*, h/pan. (54x40,6) : **USD 10 638**.

WIGMANA Johannes

XVIIe-XVIIIe siècles. Hollandais.

Peintre.

Fils de Gerard W.

WIGSTEAD H.

Né le 13 novembre 1793 à Londres. XIXe siècle. Britannique.

Peintre de genre, caricaturiste et graveur à l'eau-forte.

Il exposa de 1784 à 1788 à la Royal Academy.

Ventes Publiques : Londres, 7 juil. 1977 : *Le marchand de livres et l'auteur*, aquar. et pl. (24x32,5) : **GBP 2 600**.

WIHLBOLG Gerhard

Né le 23 avril 1897 à Löderup. XXe siècle. Suédois.

Peintre de portraits, paysages, natures mortes.

Il fut élève de l'Académie de Stockholm.

WIHMER Karl

Né en 1864 à Marbourg. Mort en 1891 à Schladming. XIXe siècle. Allemand.

Peintre de genre.

Élève des académies de Vienne, Berlin et Weimar : il fit un voyage d'études en Allemagne, en Italie et en Afrique du Nord, puis se fixa à Schladming. Le Musée de Graz conserve de lui *Délivré* et *La forge*.

WIIG-HANSEN Svend. Voir **HANSEN Svend Wiig**

WIIK Maria Katarina

Née le 3 août 1853 à Helsingfors (Helsinki). Morte le 19 juin 1928. XIXe-XXe siècles. Finlandaise.

Peintre de genre, portraits, figures, natures mortes.

Elle exposa à partir de 1878 et obtint une médaille de bronze à l'Exposition Internationale de Paris en 1900. Elle fut élève de Puvis de Chavannes de 1877 à 1880 et de 1881 à 1884.

M. Wiik.

Musées : Helsinki (Ateneum) : *L'artiste* – *La sœur de l'artiste* – *B. O. Schauman*.

Ventes Publiques : Londres, 16 mars 1989 : *Jeune garçon faisant* la lecture à une fillette dans un intérieur 1912, past. (47,5x61,5) : **GBP 35 200** – Stockholm, 19 mai 1992 : *Nature morte de groseilles à grappe*, h/pan. (14,5x20) : **SEK 19 000**.

WIIRALT Eduard
Né le 20 mars 1898 à Goubanitzy (district de Saint-Pétersbourg). Mort le 8 janvier 1954 à Paris. xxe siècle. Depuis 1925 actif aussi en France. Estonien.
Graveur.
Il a été élève de l'École des Arts de Tallin, en 1915 et de l'École des Beaux-Arts Pallas, à Tartu en 1920. Il a particulièrement étudié la sculpture dans cette dernière école. Il obtint une Bourse en 1922-1923 et poursuivit ses études à l'Académie de Dresde. Il devint professeur de l'École Pallas de 1924 à 1925. Il se fixa à Paris de 1925 à 1938, une première fois, puis, de 1946 à sa mort, de nouveau à Paris.
Il exposa à Paris et dans les principales villes d'Europe, d'Amérique et d'Afrique du Sud. Il obtint une médaille d'or à Vienne en 1937.
Ce graveur, technicien consommé de son art, introduisit un expressionnisme curieux dans ses gravures : le fantastique y côtoie le réel et se mêle étrangement à lui. Son œuvre comprend plus de quatre cents planches ; il est représenté dans de nombreuses collections publiques. Il a illustré : *Supplément au Traité de la Concupiscence de Bossuet* de François Mauriac, *La Gabrielli* de Pouchkine, *Critiques et Essayistes* d'André Thérive.
Bibliogr. : Pierre Mornand : *Wiiralt*, Paris, 1945 – Alexis Rannif : *Wiiralt*, Flensbourg, 1946.

WIJ. Voir aussi **WY**

WIJCK Thomas. Voir **WYCK Thomas**

WIJCKAERT. Voir **WYCKAERT**

WIJDOOGEN N. M.
Né en 1814. Mort en 1888. xixe siècle. Hollandais.
Peintre de paysages animés typiques, marines.
Ventes Publiques : Amsterdam, 16 nov. 1988 : *Marins amenant les voiles de leur bateau et d'autres voiliers au fond*, h/t (36x50,5) : **NLG 4 830** – Amsterdam, 30 oct. 1990 : *Pêcheurs sur la grève près d'une barque échouée avec un village au fond*, h/t (96,5x62) : **NLG 12 650** – Amsterdam, 8 fév. 1994 : *Paysage d'hiver avec des patineurs près d'habitations* 1894, h/t (60,5x86) : **NLG 6 900**.

WIJGERS Simonne
Née en 1935. xxe siècle. Belge.
Peintre de portraits, nus.
Autodidacte.
Bibliogr. : In : *Dictionnaire biographique illustré des artistes en Belgique depuis 1830*, Arto, Bruxelles, 1987.

WIJK Mary, née **Dickson**
Née en 1854, d'origine anglaise. Morte en 1911. xixe-xxe siècles. Suédoise.
Peintre.

WIJKMAN Anders
xviiie siècle. Travaillant à Avesta au début du xviiie siècle. Suédois.
Graveur au burin et médailleur.

WIJNANTS. Voir aussi **WYNANTS**

WIJNANTS Ernest Louis Adolphe ou **Wynants**
Né le 24 septembre 1878 à Malines (Anvers). Mort le 8 décembre 1964 à Malines. xxe siècle. Belge.
Sculpteur de figures mythologiques, figures, nus, bustes, peintre.
Il fut élève de l'Académie des Beaux-Arts de Bruxelles. Ses sources d'inspiration sont tantôt antiques, gothiques ou baroques.

E Wynants

Musées : Amsterdam : *Pureté* – Anvers : *Ève* – *Colportrice* – *Mère et enfant* – Bruxelles (Mus. roy.) : *Buste de femme* – *Bacchante* – Gand : *Écho* – *Torse féminin* – *Buste de femme* – Ixelles : *Buste féminin* – Liège : *Torse féminin* – Washington D. C. : *Scherzo*.
Ventes Publiques : Bruxelles, 12 déc 1979 : *Adolescente nue debout Echo*, bronze (H. 144) : **BEF 170 000** – Anvers, 25 oct. 1983 : *Figure esthétique*, bois (H. 106) : **BEF 100 000** – Lokeren, 1er juin 1985 : *Jeune fille debout*, bronze patiné (H. 63) : **BEF 190 000** – Lokeren, 22 fév. 1986 : *Flora*, bronze (H. 124) : **BEF 330 000** – Lokeren, 28 mai 1988 : *Femme du pays minier* 1924, bronze (h. 73,5) : **BEF 150 000** – Lokeren, 21 mars 1992 : *Mère et enfant*, bronze (H. 65,5, l. 35) : **BEF 280 000** – Lokeren, 23 mai 1992 : *Méditation* 1936, bronze à patine dorée (H. 155,5, l. 47,5) : **BEF 800 000** – Lokeren, 12 mars 1994 : *Jetteke dans un intérieur*, h/t (58x45) : **BEF 44 000** – Lokeren, 12 mars 1994 : *Tournesol*, bronze cire perdue (H. 35, l. 36) : **BEF 120 000**.

WIJNANTS Jan. Voir **WYNANTS**

WIJNANTSZ A. Voir **WYNANTSZ**

WIJNEN Dominicus Van, appelé aussi **Ascanius**. Voir **WYNEN**

WIJNGAERDT Anthonie Jacobus Van. Voir **WYNGAERDE**

WIJNGAERDT Petrus Theodorus Van. Voir **WYNGAERDE**

WIJS Abraham. Voir l'article **WYS Abraham**

WIK Wilhelm
Né en 1897. Mort en 1987. xxe siècle. Suédois.
Peintre. Abstrait-géométrique.
Ses peintures sont constituées de figures géométriques simples, carrés, losanges, peintes de couleurs les plus crues, et articulées entre elles à la façon des jeux de cubes.
Ventes Publiques : Stockholm, 6 juin 1988 : *Jour rouge, composition géométrique*, h. (73x60) : **SEK 5 200** – Stockholm, 6 déc. 1989 : *Rencontre de couleurs, composition géométrique*, h/t (54x46) : **SEK 5 000** – Stockholm, 5-6 déc. 1990 : *Totem*, h/t (130x97) : **SEK 8 000** – Stockholm, 21 mai 1992 : *Nature morte avec des cannas et un cruchon*, h/pan. (49x58) : **SEK 4 000**.

WIKART. Voir **WICKART**

WIKH Johann
xviiie siècle. Actif à Vienne. Autrichien.
Sculpteur.

WIKMAN
Né à Säter. xviiie siècle. Suédois.
Peintre.
Il décora, avec Michael Möller, l'église de Torsaker en 1772.

WIKMAN. Voir aussi **WICKMAN**

WIKSTROM Bror Anders
Né vers 1840 à Stora Lassana. Mort le 27 avril 1909 à New York. xixe-xxe siècles. Suédois.
Peintre.
Élève de l'Académie de Stockholm et d'E. Perseus. Il travailla à New Orleans.

WIKSTRÖM Emil Erik
Né le 13 avril 1864 à Turku ou à Abo. Mort en septembre 1942 à Helsinki. xixe-xxe siècles. Finlandais.
Sculpteur de monuments, bustes, médailleur.
Il travailla à Paris, obtint une médaille de bronze à l'Exposition universelle de 1900 (Paris) et un Grand Prix à l'Exposition universelle de 1937. Il sculpta le fronton de la Chambre des Représentants à Helsinki, des monuments et des bustes.
Musées : Abo – Göteborg – Helsinki : *Cueilleuse de fraises*, plâtre – *Invocation*, marbre – *Mère et enfant*, marbre – Tampere – Turku.

WIKSTRÖM Hans
Né le 9 septembre 1759 à Rättvik. Mort le 29 septembre 1833 à Hedesunda. xviiie-xixe siècles. Suédois.
Peintre de genre, scènes typiques, peintre de compositions murales, sculpteur de meubles.
Il fut le peintre le plus célèbre de scènes paysannes de la région de Gästrikland. Le Musée de Stockholm conserve plusieurs décorations pour des meubles et des fresques destinées à des fermes.

WIL von, Meister. Voir **MAÎTRES ANONYMES**

WIL Hans. Voir **WILD**

WIL Jakob von. Voir **WYL**

WILAND. Voir **WIELAND**

WILANDER Samuel
Né en 1779. Mort le 2 avril 1832 à Stockholm. xixe siècle. Suédois.
Peintre de miniatures amateur.
Le Musée d'Helsinki conserve de lui *Portrait du lieutenant Udelius*.

WILARS de Honnecourt. Voir **VILLARD de Honnecourt**

WILBAULT Nicolas, surnommé **Duchastel**
Né le 20 juillet 1686 à Château-Porcien (Ardennes), baptisé. Mort le 4 mai 1763 à Château-Porcien. XVIIIe siècle. Français.
Peintre d'histoire, de genre, portraits.
Oncle de Jacques Wilbaut. Il fut membre de l'Académie de Dresde. Il travailla à Leipzig.
Ventes Publiques : Paris, 13 juin 1921 : *Portrait de femme en robe blanche, bordée de fourrure* : **FRF 360.**

WILBAUT Jacques ou **Vilbaut**
Né le 28 mars 1729 à Château-Porcien (Ardennes). Mort le 18 juin 1816 à Château-Porcien. XVIIIe-XIXe siècles. Français.
Peintre d'histoire, sujets religieux, portraits, paysages.
Il fut élève et neveu de Nicolas Wilbaut.
Musées : Reims : *Portraits de Nicolas Wilbaut - L'artiste et sa femme - L'abbé Lelondrelle - Jacob Gérard - J.-B. Caqué - M. Sutaine - Mme Sutaine - Maillefer - Et. Bidal, marquis d'Asfeld - Sainte Famille - Nicolas Bergeat.*
Ventes Publiques : Paris, 23 avr. 1990 : *Portrait de femme*, h/t (80x64) : **FRF 40 000.**

WILBERG Christian Johannes
Né le 20 novembre 1839 à Havelberg. Mort le 3 juin 1882 à Paris. XIXe siècle. Allemand.
Peintre de paysages et d'architectures.
Élève de Pape, Weber, Gropius et O. Achenbach. Il visita l'Italie, l'Autriche, l'Allemagne du Sud, l'Asie Mineure. Il a aussi gravé des monuments.
Musées : Berlin (Gal. Nat.) : *Sous la coupole de Saint-Pierre - L'arc de triomphe de Titus - La Villa Mondragone - Place à Venise - Vue de Venise - Salle des tribunes du Palais des Doges - Intérieur de la Chapelle Palatine à Palerme - Allée de bouleaux au parc de Vollratsruh - La dune à Misdroy* - Breslau, nom all. de Wroclaw : *La chapelle Palatine à Palerme* - Dresde : *Memento mori* - Hambourg : *Paysage de Grèce.*
Ventes Publiques : Berlin, 1894 : *Vue de l'hôtel de ville de Bamberg* : **FRF 2 131** ; *Intérieur de la chapelle impériale de Goslar* : **FRF 937** - Cologne, 24 nov. 1971 : *Paysage d'Italie* : **DEM 4 000** - Paris, 23 jan. 1984 : *Vue du Vésuve* 1874, h/t (31x56) : **FRF 28 000.**

WILBERG Martin Ludwig
Né le 11 octobre 1853 à Havelberg. XIXe siècle. Allemand.
Peintre de genre et portraitiste.
En 1899, professeur au Musée des Arts et Métiers, à Berlin jusqu'en 1905. Il exposa à Munich en 1893.
Ventes Publiques : Munich, 30 nov. 1978 : *Le vieux savant dans un intérieur* 1881, h/t (60,5x80) : **DEM 6 000.**

WILBOUT Essaias
Né vers 1583. Enterré à Amsterdam le 28 décembre 1644. XVIIe siècle. Travaillant à Noorwitz. Hollandais.
Peintre.
Il est d'origine anglaise.

WILBRANT François
Né le 16 décembre 1824 à Namur. Mort le 4 février 1873 à Sint-Josse-ten-Noode, près de Bruxelles. XIXe siècle. Belge.
Décorateur et peintre de décors.

WILCKE Johann Friedrich. Voir **WILKE**

WILCKENS August
Né le 25 juin 1870 à Kabdrup. Mort le 3 août 1939 à Snderho (Île de Fanö). XIXe-XXe siècles. Allemand.
Peintre de genre.
Il fut élève de H. Zügel à l'Académie de Dresde, membre du *Elbier Gruppe*. Il décora plusieurs églises d'Allemagne du Nord.
Musées : Dessau : *Heures d'angoisse* - Dresde : *Deuil (intérieur d'une chambre de paysans frisons)* - Flensbourg : *Méditation* - Hadersleben : *Sur la dune* - Kiel : *Mariage dans l'île de Fanö* - Krefeld : *Fiancées de l'île de Fanö.*
Ventes Publiques : Munich, 28 nov. 1984 : *Le départ du pêcheur* vers 1899, h/t (131x98,5) : **DEM 9 800** - Cologne, 18 mars 1989 : *Portrait de jeune fille avec des poupées dans les bras*, h/cart. (50x36) : **DEM 2 500.**

WILCKENS VAN VERELT Jan. Voir **VERELT Jan Wilckens Van**

WILCOX, Mrs, née **Frye**
XVIIIe siècle. Irlandaise.
Peintre.
Fille de Thomas F.

WILCOX Frank Nelson
Né le 3 octobre 1887 à Cleveland (Ohio). XXe siècle. Américain.
Peintre, aquarelliste, graveur à l'eau-forte.
Il fut élève de H. G. Keller.
Musées : Cleveland : deux œuvres.

WILCOX John Angel James
Né en 1835 à Portage. XIXe siècle. Travaillant à Boston. Américain.
Peintre de genre et d'histoire, portraitiste et paysagiste, graveur au burin et à l'eau-forte, illustrateur.

WILCOX Urquhart
Né en 1876 à New Haven (Connecticut). XXe siècle. Travaillant à Buffalo. Américain.
Peintre.
Musées : Buffalo (Albright Art Gal.) : *Le rêve.*

WILCOX W. H.
XIXe siècle. Américain.
Peintre de paysages.
Il peignit en 1853 plusieurs vues des lacs de la région de New York.

WILCOXSON Frederick John
Né le 12 janvier 1888 à Liverpool (Merseyside). XXe siècle. Britannique.
Sculpteur.
Il travailla à Londres. Il exécuta plusieurs statues commémoratives.

WILCZ Georg Friedrich. Voir **WILZ**

WILCZYNSKI Jozef
XIXe siècle. Polonais.
Dessinateur.
L'*Album de Wilno* de 1857 contient plusieurs *Vues de Volhynie* exécutées par cet artiste.

WILCZYNSKI Roman
XIXe siècle. Actif dans la première moitié du XIXe siècle. Polonais.
Peintre, aquarelliste.
Le Musée de Varsovie conserve de lui une miniature représentant l'artiste.

WILD. Voir aussi **WILDT** et **WYLD**

WILD, les, famille d'artistes
XVIIe-XIXe siècles. Allemands.
Peintres.
Cette famille décora de nombreuses églises et chapelles de Bavière.

WILD Carel Frederik Louis de
Né le 26 août 1870 à Lassel (Hesse). Mort le 12 avril 1922 à Larchmont (New York). XIXe-XXe siècles. Hollandais.
Peintre, graveur à l'eau-forte, restaurateur de tableaux.
Il fit ses études à l'Académie de La Haye.
Musées : Dordrecht - New York : *Nature morte aux poissons.*

WILD Caspar
Né vers 1804 à Zurich. XIXe siècle. Français.
Peintre de paysages et d'architectures.
Il fit ses études à Paris et y travailla. Le Musée de Montargis conserve un paysage de cet artiste (*Panorama de Venise*).
Ventes Publiques : Paris, 1851 : *Vue de Venise* : **FRF 380** ; *Couvent de Sorrente* : **FRF 450** - Paris, 1863 : *Vue de Dunkerque*, aquar. : **FRF 230.**

WILD Charles
Né en 1781 à Londres. Mort le 4 août 1835 à Londres. XIXe siècle. Britannique.
Peintre d'architectures, paysages, paysages d'eau, peintre à la gouache, aquarelliste, dessinateur.
Il peignit surtout des églises d'Angleterre, de Belgique, d'Allemagne et de France.
Musées : Dublin (Nat. Gal.) - Londres (British Mus.) - Londres (Victoria and Albert Mus.).
Ventes Publiques : Paris, 24 jan. 1945 : *Venise, le Grand Canal*, aquar. : **FRF 4 200** - Londres, 30 jan. 1991 : *Le chœur de l'église de York Minster*, aquar. avec reh. de gche (59x43,5) : **GBP 495.**

WILD Elisa, Mrs. Voir **GOODALL Elisa**

WILD Frank Percy
Né en 1861 à Leeds. Mort en 1950. XIXe-XXe siècles. Britannique.
Peintre de scènes animées. Postimpressionniste.
Il se destinait d'abord au métier d'ingénieur puis décida d'étudier la peinture. Il entreprit un périple sur le continent qui le

mena à l'Académie des Beaux-Arts d'Anvers, à l'Académie Julian à Paris et en Espagne. Vers 1892 il quitta Leeds pour s'installer définitivement à Gret Marlow.
Il commença à exposer à la Royal Academy en 1889 où il envoya quinze peintures jusqu'en 1926. Il participa également aux expositions de la Société Royale des Artistes Britanniques à partir de 1893 et fut élu membre en 1900. Il exposa aussi sur le continent et aux États-Unis.
Son tableau *Le pique-nique* montre clairement l'influence des peintres français bien que les personnages et le paysage soient typiquement anglais.
Ventes Publiques : Londres, 12 avr. 1985 : *Femme dans une barque cueillant des nénuphars*, h/t (62x89) : **GBP 4 000** – Londres, 14 juin 1991 : *Le pique-nique* 1887, h/t (30,5x40,8) : **GBP 17 600** – Londres, 7 nov. 1997 : *Apprenant à faire avancer un bateau à la perche*, h/t (86,5x112) : **GBP 51 000**.

WILD Georg
xvie siècle. Travaillant à Vienne vers 1523. Autrichien.
Miniaturiste.

WILD Hans ou **Wil**
xve siècle. Travaillant à Ulm et en Alsace, dans la seconde moitié du xve siècle. Allemand.
Peintre verrier.

WILD Ida
Née le 12 octobre 1853 à Paris. xixe siècle. Française.
Peintre.
Élève de Topart et de Mme Debillemont-Chardin. Exposait au Salon des Artistes Français depuis 1882.

WILD Jacob
xviie siècle. Travaillant vers 1683. Suisse.
Sculpteur sur bois.
Le Musée de Zurich conserve deux colonnes en bois de chêne sculptées par cet artiste.

WILD Johann Salomon
Né le 9 février 1819 à Saint-Gall. Mort le 20 septembre 1896 à Saint-Gall. xixe siècle. Suisse.
Peintre de natures mortes et décorateur.
Le Musée de Saint-Gall conserve la plupart des œuvres de cet artiste.

WILD Jörg
Né à Baden en Argovie. xve-xvie siècles. Travaillant à Lucerne entre 1496 et 1520. Suisse.
Sculpteur sur bois.

WILD Roger
Né le 27 août 1894 à Lausanne. xxe siècle. Depuis 1910 actif en France. Suisse.
Peintre de compositions animées, portraits, dessinateur, peintre de décors et de costumes de théâtre, illustrateur, lithographe, affichiste.
Roger Wild fit ses études au Collège de Vaugirard, puis fréquenta les Ateliers de Montparnasse. Vers 1910 il se lia avec Modigliani et Pascin et avec les poètes Max Jacob, Maurice Chevrier et André Salmon qui saluèrent ses débuts. Appelé sous les drapeaux en 1914 il fit toute la guerre au 9e Régiment des Zouaves et obtint deux citations.
Après la guerre il se fit connaître au Salon de l'Araignée. Il exposa également au Salon d'Automne dont il fut sociétaire dans les sections : Peinture, Dessin et Livre. L'Exposition 1937 lui décerna des Diplômes d'Honneur dans les sections : Peintures, Livres, Affiches. Chevalier de la Légion d'honneur.
Familiarisé de bonne heure avec l'œuvre de Lautrec, Roger Wild marque d'abord une prédilection pour la faune des faubourgs, les forains, la danse, la tauromachie, l'Espagne flamenca. D'autre part, il a fait des quantités (plus de quatre cents) de portraits d'écrivains et d'artistes dont certains ont été réunis et forment trois albums de *Visages Contemporains*. Il a collaboré à de nombreux journaux et périodiques et notamment aux *Nouvelles Littéraires*, au *Figaro*, au *Littéraire*. Comme artiste du livre, il a illustré de nombreux auteurs (Mallarmé, Baudelaire, Balzac) et bon nombre de contemporains. Il a dirigé, aux Éditions du Tambourinaire, la publication et assumé l'illustration de divers ouvrages d'art intéressant notamment la musique, la tauromachie, l'art du ballet. On lui doit des costumes et décors (notamment pour l'Opéra : *Impressions de Music-Hall* de Pierné et *L'Appel de la Montagne* d'Honegger) ainsi que de nombreuses lithographies et affiches. André Levinson, Max Jacob, Léon-Paul Fargue et Waldemar-George ont écrit sur son œuvre.
Bibliogr. : In : *Les Muses*, Grange Batelière, Paris, 1974.

WILD Thomas
xviie siècle. Actif au début du xviie siècle. Éc. alsacienne.
Sculpteur sur bois.
On lui attribue la chaire de l'église Saint-Pierre et Saint-Paul d'Oberehnheim (Bas-Rhin) qui se trouve actuellement dans le musée de la même ville.

WILDA Charles
Né le 20 décembre 1854 à Vienne. Mort le 11 juin 1907 à Vienne. xixe siècle. Autrichien.
Peintre de scènes typiques, paysages, paysages d'eau. Orientaliste.
Frère de Gottfried A. Wilda, il fut élève de L. C. Müller et de l'Académie des Beaux-Arts de Vienne. Il exposa à Vienne de 1887 à 1906.
Il peignit surtout des scènes de style oriental.

GH WILDA

Ventes Publiques : Vienne, 13 avr. 1976 : *La marchande orientale* 1906, h/t (68x41) : **ATS 20 000** – Londres, 31 mars 1978 : *Le marchand d'antiquités* 1884, h/pan. (46x29) : **GBP 2 200** – Londres, 20 juin 1980 : *Le garde* 1888, h/pan. (56x37) : **GBP 5 000** – New York, 28 mai 1982 : *Danseuse arabe* 1883, h/pan. (41,2x24) : **USD 9 000** – New York, 1er mars 1984 : *Le joueur d'orgue de Barbarie* 1882, aquar. et gche (38,7x47) : **USD 1 400** – Londres, 30 mai 1984 : *Un jeune Nubien* 1886, h/pan. (26x16) : **GBP 2 200** – Londres, 22 nov. 1989 : *Musicien de rue au Caire* 1890, h/pan. (43x58) : **GBP 31 800** – New York, 23 mai 1991 : *Marchands de rue arabes* 1890, h/pan. (60,3x46,4) : **USD 33 000** – Londres, 20 mars 1992 : *Au bord d'un rivage* 1897, h/t (91,5x67,5) : **GBP 22 000** – Londres, 19 juin 1992 : *Le diseur de bonne aventure* 1894, h/t (58,5x81) : **GBP 35 200** – New York, 12 oct. 1994 : *Les antiquaires* 1890, h/pan. (60,3x46,4) : **USD 51 750** – New York, 20 juil. 1995 : *Le retour du pêcheur* 1882, h/pan. (34,9x26) : **USD 6 325** – Londres, 20 nov. 1996 : *La Princesse Turandot* 1904, h/pap./t. (54x54) : **GBP 19 550** – Londres, 19 nov. 1997 : *Marchands au Caire* 1894, h/t (64x92) : **GBP 21 850**.

WILDA Gottfried A.
Né le 15 juillet 1862 à Vienne. xixe siècle. Autrichien.
Peintre de sujets de sport, animaux.
Frère et élève de Charles Wilda. Il peignit nombre de chevaux.

WILDE August de
Né le 2 juin 1819 à Lokeren. Mort le 7 octobre 1886 à Saint-Nicolas. xixe siècle. Belge.
Peintre de scènes de genre, portraits.
Il fut élève de l'Académie des Beaux-Arts d'Anvers.
Ventes Publiques : Londres, 2 déc. 1935 : *Le grand-père* 1845 : **GBP 25** – Londres, 24 mars 1939 : *Jeune fille dans un poulailler* 1845 : **GBP 16** – Londres, 10 nov. 1971 : *Le contrat de mariage* : **GBP 650** – New York, 24 mai 1973 : *La visite chez grand-père* 1865 : **USD 4 250** – Londres, 18 jan. 1980 : *Vieille femme nourrissant son chien* 1851, h/t (51,2x41,2) : **GBP 850** – Cologne, 19 nov. 1981 : *Vieille femme à la fenêtre*, h/t (52,5x45) : **DEM 9 500** – Londres, 21 juin 1984 : *Enfants jouant dans un intérieur*, h/t (72,2x59,6) : **GBP 1 800** – Londres, 27 fév. 1985 : *La famille heureuse* 1847, h/t (46,5x37,5) : **GBP 1 600** – Lokeren, 8 oct. 1988 : *Les arlésiennes* 1882, h/t (121x99) : **BEF 360 000** – Lokeren, 23 mai 1992 : *La baratte à beurre* 1869, h/t (59x70) : **BEF 170 000** – Lokeren, 10 oct. 1992 : *Femme veillant sur le berceau de son enfant en réparant ses filets* 1870, h/t (95,5x72) : **BEF 75 000** – Lokeren, 10 déc. 1994 : *La baratte à beurre* 1869, h/t (59x70) : **BEF 95 000** – Amsterdam, 16 avr. 1996 : *Flirt* 1869, h/t (59,5x70) : **NLG 8 850** – Lokeren, 8 mars 1997 : *Het Vogelkooitje* 1841, h/t (46x40) : **BEF 135 000** – Lokeren, 6 déc. 1997 : *L'Idylle secrète* 1877, h/t (94,5x72) : **BEF 330 000**.

WILDE B.
xviiie siècle. Actif à Amsterdam. Hollandais.
Sculpteur.

WILDE Egbertus de
xviiie siècle. Travaillant à Amersfoort vers 1718. Hollandais.
Sculpteur sur bois.

WILDE F.
xviiie siècle. Actif à Amsterdam. Hollandais.
Sculpteur.

WILDE Franz de
Né vers 1683. xviiie siècle. Hollandais.
Graveur à l'eau-forte.

L'Ermitage de Leningrad conserve un dessin à la plume, d'après un tableau de D. Teniers, de la main de cet artiste.

WILDE Gerald

Né le 2 octobre 1905 à Clapham (Londres). XXe siècle. Britannique.

Peintre. Abstrait.

Il fit ses études à l'École d'Art de Chelsea de 1926 à 1931, et de 1932 à 1934 avec P. H. Jowett et H. S. Williamson. Il fit sa première exposition particulière à la Hanover Gallery en 1948.

Musées : Londres (Tate Gal.) : *Composition en rouge* 1952.

WILDE Jacob de, dit **Jacob de Holandere**

XVe siècle. Travaillant à Bruges. Éc. flamande.

Peintre.

WILDE Jan Willemsz Van der

Né en 1586 à Leyde. Mort vers 1636 à Leeuwarden. XVIIe siècle. Hollandais.

Peintre.

Il peignit des scènes religieuses, des natures mortes et des portraits. Le Musée de Leeuwarden conserve de cet artiste deux portraits, celui d'un jeune homme et celui d'une jeune femme.

WILDE Johan Sophus Just Alexander

Né le 4 octobre 1855 à Lindegaarden. Mort en 1929. XIXe-XXe siècles. Danois.

Peintre d'intérieurs, paysages.

Musées : Copenhague : deux œuvres.

WILDE Maria de

Née le 7 janvier 1682 à Amsterdam. XVIIIe siècle. Hollandaise.

Graveur à l'eau-forte et dessinateur.

On conserve cinquante gravures représentant la collection d'antiquités de son père Jacob de W. et un autoportrait de cette artiste.

WILDE Oscar Fingall O'Flahertie Wills

Né en 1856 à Dublin (Irlande libre). Mort le 30 novembre 1900 à Paris. XIXe siècle. Britannique.

Peintre (?), dessinateur (?).

Écrivain, dramaturge, conteur, essayiste et critique d'art, on ne connaît aucun dessin ou peinture du poète de *La Geôle de Reading*, néanmoins il prétendait avoir suivi des cours de dessin à Paris, durant un congé. Pas un de ses condisciples d'Oxford n'avait connaissance de ses dons artistiques. Il aurait déclaré (mais c'était l'homme aux boutades continuelles) que sans ressources il aurait peint de « magnifiques » tableaux dans un grenier. L'occasion lui en fut donnée à l'Hôtel d'Alsace, rue des Beaux-Arts, où il occupait une chambre minuscule et fréquentait dans le même temps les milieux artistiques de Paris : aucune toile « magnifique » ne fut peinte, malgré l'atmosphère et la situation requises par Wilde. On dit qu'il griffonna des dessins sur certains de ses livres, mais rien n'est moins sûr. Comme critique d'art et amateur, ses préférences vont à Whistler et à Aubrey Beardsley (qui illustra sa *Salomé*). Il admirait aussi Rodin et Toulouse-Lautrec (qui fit de Wilde un magistral et impitoyable portrait). Wilde repose actuellement au cimetière du Père-Lachaise, après avoir été inhumé à Bagneux. ■ P.-A. T.

WILDE Paul

Né en 1893. Mort le 1er mars 1936 à Bâle. XXe siècle. Suisse.

Peintre, sculpteur.

WILDE Samuel de, pseudonyme : **Paul**

Né en 1748. Mort le 19 janvier 1832 ou 1842 à Londres. XVIIIe-XIXe siècles. Actif aussi en Angleterre. Hollandais.

Peintre de portraits, aquarelliste, graveur, dessinateur.

Il exposa à la Royal Academy de Londres, entre 1778 et 1821.

Il peignit des portraits, surtout d'acteurs. Il exécuta aussi des gravures à l'eau-forte qu'il signa sous le pseudonyme de *Paul*.

Musées : Dublin : *L'acteur Charles Macklin* – Londres (Victoria and Albert Mus.) : *William Farren dans le rôle de Pompée* – nombreuses aquarelles représentant des portraits d'acteurs – Londres (British Mus.) : vingt et un dessins à la plume et craie – Manchester : *Jeunes filles faisant de la musique* – Oxford : *Portrait de Rich. Suett.*

Ventes Publiques : Londres, 7 fév. 1910 : *J. Bannister* : **GBP 10** ; *Samuel Thomas Russelt* : **GBP 21** – Londres, 9 mai 1910 : *Une scène de Th. Weathercock* : **GBP 21** – Londres, 7 avr. 1925 : *Scène de théâtre* 1796 : **GBP 27** – Londres, 7 mai 1926 : *Macklin en Pertinax* : **GBP 42** – Londres, 16 juin 1939 : *Sir Gilbert Pumpkin et Kitty Sprinqhtly* : **GBP 15** – Londres, 27 juin 1973 : *Les sept âges de l'homme* 1810 : **GBP 850** – Londres, 22 nov. 1974 : *Portrait of Samuel Thomas Russell as Jerry Sneak* : **GNS 3 200** – Londres, 20 nov. 1992 : *Portrait de Joseph Shepherd Munden dans le rôle de Francis Gripe dans la pièce The busy body*, h/t (36,8x27,9) : **GBP 1 650** – Penrith (Cumbria), 13 sep. 1994 : *Portrait de Mrs Mark Currie assise et vêtue d'une robe gris pâle*, h/t (26x20) : **GBP 517** – Londres, 13 mars 1997 : *Portrait d'une actrice, en pied, vêtue d'une robe noire à fraise, près d'une fenêtre ouverte, paysage dans le lointain ; Portrait d'une actrice, en pied, vêtue d'une robe bleue, noire et blanche, dans un intérieur*, h/t, une paire (36,2x28,6) : **GBP 1 500**.

WILDE William

Né en 1826 à Nottingham. Mort en 1901. XIXe siècle. Britannique.

Peintre de paysages.

Il exposa à Londres de 1864 à 1880, notamment à Suffolk Street. Le Musée de Nottingham conserve une aquarelle de lui. Peut-être le même artiste que W. Wilde, dont le Victoria and Albert Museum, à Londres, conserve une œuvre.

Ventes Publiques : Londres, 26 avr. 1974 : *Nottingham Castle* : **GNS 750**.

WILDEGG Ludwig Rudolf Effinger von. Voir **EFFINGER VON WILDEGG**

WILDEMAN Willem

XVIIIe siècle. Actif à Amsterdam. Hollandais.

Graveur sur bois.

WILDENBERG Conrad de

Né à Langres. XIXe siècle. Français.

Peintre de paysages.

Élève de M. N. Hugard et de Lalanne. Il débuta au Salon en 1880.

WILDENBERG L. Van de

XIXe siècle. Actif à Bruxelles. Belge.

Lithographe.

WILDENRADT Johann Peter von

Né le 27 juin 1861 à Helsingör. Mort le 18 juillet 1904. XIXe siècle. Danois.

Peintre de paysages, paysages d'eau.

Il fit ses études à l'Académie des Beaux-Arts de Copenhague.

Musées : Marseille.

Ventes Publiques : Londres, 16 mars 1989 : *Une forêt en Provence* 1888, h/t (150x101) : **GBP 2 750** – Copenhague, 5 avr. 1989 : *Forêt* 1894, h/t (125x74) : **DKK 9 000** – Paris, 27 nov. 1989 : *Bord de mer*, h/t (24x36,5) : **FRF 6 000** – Londres, 11 oct. 1995 : *Une forêt en hiver* 1894, h/t (62x39) : **GBP 736**.

WILDENS Jan

Né en 1584 ou 1586 à Anvers. Mort le 16 octobre 1653 à Anvers. XVIIe siècle. Éc. flamande.

Peintre de compositions mythologiques, sujets religieux, scènes de chasse, portraits, paysages animés, paysages, paysages urbains.

Père de Jeremias Wildens. Il fut élève de Pieter Verbinlst. En 1604, il fut maître dans la gilde d'Anvers.

Rubens l'employa à peindre des fonds de tableaux et des arbres. Paul de Vos, Diepenbeeck, Jordaens, D. Teniers, Bockhorst, Snyders l'employèrent dans le même genre. Il peignit aussi sous sa signature des paysages, des vues de ville, etc.

JAN WILDENS
FECIT 1624

Musées : Amiens : Paysages – *Enfant sur un cheval de bois* – *Portrait d'homme* – *Saint Charles Borromée* – Amsterdam : *Vue d'Anvers* – Anvers : *Paysage à la danse paysanne* – *La plaine* – Augsbourg : *Paysage après l'orage* – Bergen : *Paysage* – Berlin (Kaiser Friedrich) : *Paysage à l'arc-en-ciel* – Dresde : *Paysage d'hiver avec chasseur* – Porto (Nouveau Mus.) : *Astrologue* – *Banquier* – Vienne (Albertina) : *Paysage*, dess. – Vienne (Kst. His. Mus.) : *Paysage aux chasseurs*.

Ventes Publiques : Paris, 1859 : *Paysage* : **FRF 360** – Paris, 1875 : *Vue d'Anvers prise de l'Escaut* : **FRF 920** – Paris, 1878 : *Paysage*, figures de Jordaens : **FRF 3 600** – Paris, 15 juin 1949 : *Étalage de poissons sur une plage* : **FRF 11 000** – Bruxelles, 12 mars 1951 : *Paysage animé* 1634 : **BEF 22 000** – Paris, 27 avr. 1953 : *Mercure et Argus* : **FRF 200 000** – Londres, 23 juil. 1965 : *Paysages boisés animés de personnages*, deux pendants : **GNS 1 700** – Vienne, 29 nov. 1966 : *La visite à la ferme* : **ATS 140 000** – Cologne, 24 nov. 1971 : *Les voleurs de grands chemins* : **DEM 11 000** – Londres, 27 mars 1974 : *Scène de chasse* *à l'orée d'un bois* : **GBP 24 000** – Londres, 2 avr. 1976 : *Vue d'Anvers*, h/t (117x234) : **GBP 6 500** – Londres, 12 avr. 1978 : *Paysage fluvial boisé animé de personnages*, h/pan. (103x179) : **GBP 12 500** – Amsterdam, 18 nov. 1980 : *Rue de village animée de personnages*, pl. et lav. (18,7x27,6) : **NLG 6 200** – Vienne, 11 mars 1980 : *Cavaliers et paysans dans un paysage*, h/pan. (16x29,3) : **ATS 160 000** – Londres, 17 déc. 1981 : *Brigands dans un sous-bois*, h/pan. (50,2x73,8) : **GBP 14 000** – New York, 10 juin 1983 : *Paysage d'hiver avec patineurs*, h/t (67x113) : **USD 26 000** – Amsterdam, 26 nov. 1984 : *Paysage boisé*, pl. et lav. (20,8x30,8) : **NLG 12 000** – Amsterdam, 14 nov. 1988 : *Méléagre et Atalante chassant l'ourse calédonienne*, h/t (132x215) : **NLG 89 700** – New York, 10 jan. 1990 : *La fable du Lièvre et de la tortue*, h/t (182,8x136,2) : **USD 24 200** – Londres, 3 juil. 1991 : *Le Jardin de l'Eden*, h/t, avec Paul de Vos (167x234) : **GBP 137 500** – Londres, 30 oct. 1991 : *Vaste paysage boisé avec des chasseurs et des chiens* 1615, h/t (122,5x214) : **GBP 35 200** – Paris, 26 juin 1992 : *Paysage de forêt avec le départ pour la chasse*, h/t (116x183) : **FRF 200 000** – New York, 15 jan. 1993 : *Paysage avec des personnages et des vaches près d'une rivière*, h/t (120,7x186,7) : **USD 40 250** – Londres, 8 déc. 1993 : *Découverte de Moïse dans un vaste paysage boisé*, h/t (129x198,3) : **GBP 18 400** – Londres, 8 juil. 1994 : *Chiens attaquant un sanglier*, h/t, en collaboration avec F. Snyders (208x344) : **GBP 73 000** – New York, 12 jan. 1995 : *Personnages attendant le passeur*, h/pan. (129,5x138,4) : **USD 74 000** – Londres, 5 juil. 1996 : *Paysage fluvial et boisé avec des pêcheurs et des paysans sur un sentier*, h/t (116,8x172,7) : **GBP 84 000** – Londres, 16 avr. 1997 : *Satyres découvrant Diane et ses nymphes endormies dans un paysage boisé*, h/pan., en collaboration avec l'atelier de Hendrik Van Balen et l'atelier de Jan Brueghel le Jeune (69,7x105) : **GBP 14 950** – Amsterdam, 11 nov. 1997 : *Le Christ avec les Pharisiens sur une route de campagne* vers 1635, h/t (66,3x78,8) : **NLG 10 955**.

WILDENS Jeremias

Né le 27 septembre 1621 à Anvers. Mort le 30 décembre 1653. xviie siècle. Éc. flamande.

Peintre de paysages animés, paysages.

Fils de Jan Wildens, il fut son élève.

Ventes Publiques : New York, 4 nov. 1983 : *Nature morte au gibier*, h/t (81x119,5) : **USD 6 500** – Amsterdam, 28 nov. 1989 : *Paysage boisé avec des voyageurs faisant halte au bord de la route*, h/t (64,7x94) : **NLG 29 900**.

WILDER André

Né le 2 août 1871 à Paris. Mort en 1965. xxe siècle. Français.

Peintre de paysages, paysages urbains, paysages animés, marines. Postimpressionniste.

Élève de Jean Léon Gérôme et de Marius Michel, il participa aux Salons de la Société Nationale des Beaux-Arts, d'Automne, des Tuileries. Il exposa chez Bernheim en 1904 et 1909, puis visita la Belgique et la Hollande. Il fit également des expositions à Rotterdam, Londres, New York, Bruxelles, Zurich, Barcelone, Sarragosse, San Francisco, Riga et Tokyo.

Certaines de ses œuvres se trouvent aux Ministères des Affaires Étrangères, de l'Intérieur, aux Préfectures de la Haute-Loire et de la Loire-Atlantique, à l'hôtel de ville de Constantine ; sa toile : *Le pont de Poissy* a été achetée par la Ville de Paris.

Influencé par Monet, il peint sur le motif des paysages préparés au vermillon, laissant apparaître un cerne rouge autour des formes vibrantes. Attaché à l'impressionnisme, il peint dans la manière de Sisley et surtout de Maufra, qu'il a rencontré à Trébeurden en 1895.

A-Wilder

Bibliogr. : Gérald Schurr, in : *Les Petits Maîtres de la peinture 1820-1920, valeur de demain*, Les Éditions de l'Amateur, t. II, Paris, 1982.

Musées : Paris (Mus. d'Art Mod.) : *L'Oise à Janville*.

Ventes Publiques : Paris, 21 fév. 1920 : *Vue de Notre-Dame* : **FRF 1 020** – Paris, 21 avr. 1943 : *Canal en Hollande* : **FRF 7 200** – Paris, 24 jan. 1947 : *Marine* : **FRF 10 000** – Paris, 7 déc. 1953 : *Les bateaux, port d'Anvers* : **FRF 25 000** – Cologne, 26 mars 1971 : *Paysage d'été* : **DEM 3 500** – Rouen, 17 déc. 1972 : *Paysage au bord de l'eau* : **FRF 4 500** – Versailles, 13 nov. 1974 : *Thoniers partant pour la pêche au Guilvinec* : **FRF 4 500** – Versailles, 14 mars 1976 : *Route à Port-Mort*, h/t (60x73) : **FRF 2 600** – Versailles, 17 fév. 1980 : *Voiliers dans l'estuaire* 1900, h/t (66x81) : **FRF 6 500** – Paris, 7 déc. 1983 : *Bougival* 1921, h/t (89x115) : **FRF 10 500** – Rambouillet, 20 oct. 1985 : *Péniche sur la Seine* 1928, h/t (50x65) : **FRF 23 000** – Paris, 27 oct. 1988 : *Maison de campagne*, h/t (36,5x44,5) : **FRF 7 500** – La Varenne-Saint-Hilaire, 21 mai 1989 : *Péniche sur l'Oise* 1910, h/t : **FRF 56 000** – Paris, 20 nov. 1989 : *Départ pour la pêche*, h/t (60x73) : **FRF 36 000** – Paris, 24 avr. 1990 : *Les Hauteurs de Meudon*, h/t (89x130) : **FRF 150 000** – Paris, 5 juil. 1990 : *Falaise en bord de mer*, h/t (27x41) : **FRF 13 000** – Saint-Dié, 21 juil. 1991 : *Les Quais à Paris*, h/isor. (50x50) : **FRF 16 500** – New York, 24 fév. 1994 : *L'Église de la Madeleine* 1918, h/t (65,4x81,3) : **USD 1 840** – Rennes, 15 nov. 1994 : *Port au moulin à marée basse* 1912, h/t (60x73) : **FRF 57 500** – Paris, 24 nov. 1996 : *Bateau de pêche en Bretagne* 1904, h/t (54x65) : **FRF 14 500**.

WILDER Arthur B.

Né le 23 avril 1857 à Poultney (Vermont). xixe siècle. Américain.

Peintre de paysages.

Élève de l'Art Students' League de New York. Membre de la Fédération Américaine des Arts.

WILDER Georges Chrétien

Né le 9 mars 1797 à Nuremberg. Mort le 13 mai 1855 à Nuremberg. xixe siècle. Allemand.

Graveur et dessinateur.

Frère de Jean Christophe Jakob W., élève de Zwinger pour le dessin et de Gabler pour la gravure. En 1819, il alla à Vienne et y travailla jusqu'en 1833. Il a gravé la plupart des édifices de Nuremberg et de Ratisbonne. Il a gravé des vues et des paysages.

Ventes Publiques : Paris, 1823 : *Vue de la chapelle du couvent d'Ebrach à Nuremberg*, dess. à la pl. lavé en coul. : **FRF 25** ; *Vue de la cathédrale Saint-Étienne à Vienne*, aquar. : **FRF 20**.

WILDER James

Né en 1724 à Londres. xviiie siècle. Britannique.

Peintre.

La National Portrait Gallery de Dublin conserve un portrait à l'aquarelle de *Sylv. Harding* peint par cet artiste.

WILDER Jean Christophe Jakob

Né le 8 décembre 1783 à Altdorf. Mort le 16 janvier 1838 à Nuremberg. xixe siècle. Allemand.

Graveur à l'eau-forte.

Il a gravé des paysages et des sujets de genre, d'après Klein, F. Kobell, Schallhas et d'après ses propres dessins. Frère de Georges Chrétien W.

Ch.W

WILDERMANN Hans

Né le 21 février 1884 à Cologne (Rhénanie-Westphalie). xxe siècle. Allemand.

Peintre, sculpteur, peintre de décors, graveur.

Il travaillait à Breslau.

Musées : Cologne : *Voyage en rêve* – Dortmund : *Triptyque : transfiguration, Élie, saint Jean-Baptiste – Buste de Christian Morgenstern – Saint Jean-Baptiste*, bois – Vienne (Albertina) : *Fleurs des champs*.

Ventes Publiques : Cologne, 23 oct. 1981 : *Nature morte* 1932, h/pan. (78x69,5) : **DEM 13 000**.

WILDERMUT Jakob, l'Ancien

xve siècle. Actif à Biel. Suisse.

Peintre verrier.

On a de lui quelques travaux à Zurich, Biel, Nuremberg, Fribourg.

WILDERMUT Jakob, dit **Jacob le Verrier**

Mort probablement en 1540. xvie siècle. Actif au début du xvie siècle à Neuenbourg. Suisse.

Peintre verrier.

Fils de Jakob l'Ancien. A laissé quelques vitraux dans les hôtels de ville et les églises de Neuenbourg, de Biel, de Berne, etc.

WILDERMUT Jakob, le Jeune, dit **Jacob le Verrier le Jeune**

xvie siècle. Suisse.

Peintre verrier.

Fils et élève de Jakob le verrier, sa vie est moins connue. Il travaillait encore en 1546, comme en fait foi une verrière découverte dans les environs de Bienne.

WILDERMUTH Hans

Né le 19 décembre 1846 à Zurich. Mort le 9 avril 1902 à Zollikon. xixe siècle. Suisse.

Peintre de portraits et de paysages, décorateur.

Il fit ses études à Bâle et à l'École des Beaux-Arts de Paris.

WILDHACK Andreas
Né le 10 janvier 1842 à Vienne. Mort en 1924. XIXe-XXe siècles. Autrichien.
Peintre de portraits, peintre de miniatures, aquarelliste, pastelliste.
Père de Paula Wildhack. Il fut élève de l'Académie de Vienne. Il exécuta aussi des miniatures sur ivoire.

WILDHACK Josef
Né le 5 mars 1821. Mort le 19 juin 1877 à Vienne. XIXe siècle. Autrichien.
Peintre de miniatures, portraits.
Élève de l'Académie de Vienne, il y travailla, puis devint peintre attitré de l'archiduchesse Sophie.

WILDHACK Paula
Née le 7 avril 1872 à Vienne. XIXe-XXe siècles. Autrichienne.
Peintre de portraits, paysages, natures mortes.
Fille d'Andreas Wildhack. Elle fut élève de son père et d'Olga Wisinger-Florian.

WILDI Andreas
Né en 1949. XXe siècle. Suisse.
Peintre.
Musées : Aarau (Aargauer Kunsthaus) : *En équilibre*.

WILDIERS Joseph
Né le 19 novembre 1832 à Anvers. Mort le 25 septembre 1866. XIXe siècle. Belge.
Graveur.
Élève de E. Corr. Il travailla de 1855 à 1861 pour la Société Royale des Beaux-Arts.

WILDING
XVIIIe siècle. Actif à Londres. Britannique.
Miniaturiste.
Il exposa à Londres de 1762 à 1769. On conserve de lui deux portraits en miniature, celui d'un enfant et celui d'une dame.

WILDMAN Edmund, le Jeune
XIXe siècle. Actif à Londres. Britannique.
Peintre de genre et portraitiste.
Élève de W. Turner dont il fit le portrait en 1837. Il exposa de 1829 à 1847.

WILDMAN John Robert
XIXe siècle. Britannique.
Peintre de scènes de genre, portraits.
Il exposa à Londres, entre 1823 à 1839.
Ventes Publiques : Londres, 18 mars 1964 : *Les chasseurs* : **GBP 1 000** – New York, 5 oct. 1995 : *Portrait d'une petite fille accoudée sur une margelle de pierre, vêtue d'une robe blanche et d'une capeline à plume*, h/t (76,2x63,5) : **USD 23 000**.

WILDMAN William Ainsworth
Né le 21 mars 1882 à Manchester (Lancashire). XXe siècle. Britannique.
Peintre de paysages, graveur à l'eau-forte.
Peut-être descendant du peintre de paysages Ainsworth, qui exposait à Londres vers 1834.
Musées : Londres (Victoria and Albert Mus.) : une aquarelle.

WILDMANN Ignaz
Né en 1784. Mort le 23 mai 1828 à Vienne. XIXe siècle. Autrichien.
Peintre de fleurs.

WILDMANN Michael. Voir **WILLMANN Michael Lukas Leopold**

WILDNER Maria
Née le 12 mars 1874 à Reichenberg. XIXe-XXe siècles. Hongroise.
Peintre de natures mortes.
Femme d'Oscar Glatz. Elle travaillait à Budapest. Elle exposa en 1901 à Munich et en 1913 à Vienne.

WILDRAKE George. Voir **TATTERSALL George**

WILDT. Voir aussi **WILD**

WILDT Adolfo
Né le 1er mars 1868 à Milan (Lombardie). Mort le 12 mars 1931. XIXe-XXe siècles. Italien.
Sculpteur de sujets allégoriques, figures, monuments, dessinateur. Symboliste.
Malgré la sonorité germanique de son nom, l'artiste est milanais, issu d'une famille lombarde depuis plusieurs générations. Sa jeunesse fut très pauvre et ses débuts difficiles. Mais son énergie devait surmonter tous les obstacles ; et, bien que jusqu'à l'âge de vingt-sept ans, il ait été obligé pour assurer sa vie matérielle, de se livrer à des travaux manuels, il ne cessait de poursuivre méthodiquement et avec une constance jamais ralentie ses études auxquelles il ne pouvait, cependant, consacrer que des heures prises sur son sommeil. Il travailla en 1879 et 1880 dans l'atelier du sculpteur Grandi. Il a écrit un traité théorique sur *L'Art du marbre*.
Ses efforts furent récompensés et les œuvres dues à son ciseau à cette époque, œuvres presque de jeunesse, qui sont sinon les plus admirables, du moins les plus pures, lui valurent en peu de temps une assez grande notoriété. De cette époque, en effet, date *La veuve*, entrée à la Galerie Nationale d'Art Moderne à Rome, en 1894. Magnifique début par une œuvre d'un réalisme aussi simple que sain. Puis vinrent *Martyre*, *L'homme qui se tait*, *L'homme qui dort*, empreints d'un beau classicisme. Mais les années qui suivirent furent plus dures. L'artiste, de 35 à 40 ans, cherche sa voie. Il est en possession de tout son talent, mais sa véritable personnalité ne s'est pas encore affirmée. Et l'impuissance de s'exprimer librement à sa fantaisie lui donna une angoisse, une anxiété qui, longtemps contenues, se muèrent, quand sa voie se révéla, en une précipitation qui accentua d'autant plus les caractéristiques de sa nouvelle manière. L'artiste exprime alors son sentiment directement dans le marbre, donnant ainsi la forme définitive du premier jet et de toute la force de son impression première. Ce sont *Le masque de la douleur*, exposé plus tard à Rome en 1911 (marbre de Carrare), *Le prisonnier*, la double figure *Caractère fier, âme simple*, enfin la fameuse fontaine, son œuvre magistrale, *Le Saint, Le Sage* et *La Jeunesse*, trilogie allégorique présentée au public en 1912. La faculté motivée de l'œuvre de cette seconde partie de la vie de Wildt tient surtout à la manière prodigieuse dont il a figé dans le marbre l'impétuosité de l'effort. La recherche d'une forme anatomique sans défaut et la pureté de la ligne extérieure ne sont pas ici les seuls intérêts. On trouve surtout sous le masque de l'artiste la traduction d'une pensée intérieure, qui anime le sujet d'une vie intense.
Il a également réalisé de nombreux monuments funéraires, parmi lesquels celui d'*Aroldo Bonzagni* (1919) au Cimetière monumental de Milan, une série de bustes, ceux de *Toscanini*, de *Paolucci de' Calboli* et de *Pie XI*, un monument commémorant la victoire de Bolzano. ■ Marguerite de la Chapelle, C. D.
Bibliogr. : In : *Les Muses*, Grange Batelière, Paris, 1974.
Musées : Brooklyn : *Vergine*, masque – Florence (Mus. des Offices) : *L'artiste*, masque – Kaliningrad, ancien. Königsberg : *L'homme qui se tait* – *Martyre* – *Torse d'homme* – Milan (Gal. d'Art Mod.) : *L'artiste* – *Trilogie allégorique : le Saint, le Sage et la Jeunesse* – Rome (Gal. d'Art Mod.) : *Buste d'Arturo Toscanini* 1923 – *La veuve*.
Ventes Publiques : Rome, 8 juin 1989 : *Le visage de la Vierge*, marbre (25x16x10) : **ITL 24 000 000** – Rome, 19 avr. 1994 : *Ogni pensiero un'azione...*, encre, cr. et peint. or/pap. parcheminé (22,5x24,5) : **ITL 8 050 000** – Milan, 5 déc. 1994 : *Visage de femme*, marbre (244x14x11) : **ITL 25 300 000**.

WILDT Anton
Né le 11 juin 1830 à Kozeluch (Bohême). Mort en 1883 à Prague. XIXe siècle. Autrichien.
Sculpteur.
Il décora surtout des façades de maisons à Prague.

WILDT Cornelis
XVIIe siècle. Actif à La Haye en 1662. Hollandais.
Peintre.
Apprenti d'A. Hanneman.

WILDT Franz Wenzel
Né en 1791. Mort en 1829. XIXe siècle. Actif à Elbogen. Autrichien.
Sculpteur.
Fils de Johann Josef W. Il exécuta plusieurs statues de saints pour une chapelle de Elbogen.

WILDT Johann
XIXe siècle. Actif à Elbogen jusqu'en 1850. Autrichien.
Sculpteur.
Fils de Johann Josef W. Il exécuta surtout des statues de saints pour des églises de Bohême.

WILDT Johann Josef
XVIIIe siècle. Travaillant à Elbogen, en Bohême, vers 1760. Autrichien.
Sculpteur.

Il exécuta la chaire de l'église de Schlaggenwald et une statue de *Saint Florian*.

WILDT Johann Wilhelm
Né en 1814. Mort en 1871. XIXe siècle. Actif à Haidinger près d'Elbogen. Autrichien.
Peintre sur porcelaine.
Fils de Karl W.

WILDT Josef
Né en 1831 à Elbogen. XIXe siècle. Travaillant à Pilsen de 1850 à 1884. Autrichien.
Sculpteur.
Fils de Karl W. Il exécuta plusieurs statues de saints pour des places de villages en Bohême.

WILDT Josef
Né en 1874. XIXe-XXe siècles. Autrichien.
Sculpteur.
Fils de Franz Wenzel Wildt et grand-père du peintre Walter Ditz. Il travaillait à Elbogen.

WILDT Karl
Né en 1786. Mort en 1843. XIXe siècle. Actif à Elbogen. Autrichien.
Peintre et sculpteur.
Fils de Johann Josef W.

WILDT Ludwig
Né en 1824 à Elbogen. XIXe siècle. Travaillant à Pilsen à partir de 1840. Autrichien.
Sculpteur.
Fils de Karl W. Il exécuta des monuments funéraires et décora la chapelle du cimetière de Tuschkau.

WILEBOORTS Thomas, dit **Bosschaert**. Voir **WILLEBORTS**

WILENSKI Reginald Howard
Né en 1887 à Londres. XXe siècle. Britannique.
Peintre, écrivain d'art.

WILEQUIN DE GASCOIGNE
XVe siècle. Français.
Peintre.
Il travailla au banquet de Lille en 1453 ; cité par Siret.

WILES Francis
Né le 7 janvier 1889. XXe siècle. Irlandais.
Sculpteur de monuments.
Il travaillait à Dublin. Il sculpta un lion en granit pour le monument aux morts de Newcastle.

WILES Gladys Lee, Mme **Jopson**
XIXe-XXe siècles. Américaine.
Peintre.
Fille d'Irwing Ramsey Wiles. Elle fut élève de Cox et Chase.

WILES Henry
XIXe siècle. Actif à Londres. Britannique.
Sculpteur.
Le Musée de Cambridge conserve trois marbres de cet artiste : *Buste de H. A. J. Munro, L'expulsion* (groupe) et *Ève*.

WILES Irving Ramsey
Né le 8 avril 1861 à Utica (État de New York). Mort en 1941 ou 1948. XIXe-XXe siècles. Américain.
Peintre de genre, figures, portraits, paysages, paysages animés, illustrateur.
Il fut tout d'abord élève de son père L. M. Wiles, puis de Chase et de Beckwith à New York, et de Carolus Duran et Lefebvre à Paris. Il fit partie de l'Association artistique américaine de Paris et de la Fédération américaine des arts. Il obtint de nombreuses récompenses.
MUSÉES : NEW YORK (Metropolitan Mus.) : *Le père de l'artiste – Portrait de Geo. Arnold Hearn* – WASHINGTON D. C. (Corcoran Gal.) : *L'étudiant* – WASHINGTON D. C. (Nat. Gal.) : *Le Kimono brun*.
VENTES PUBLIQUES : LOS ANGELES, 8 nov. 1977 : *La liseuse*, h/t (74x53,6) : **USD 5 500** – NEW YORK, 20 avr 1979 : *Yacht bassin, Greenport, Long Island* 1902, h/t (46,3x56,5) : **USD 7 750** – SAN FRANCISCO, 24 juin 1981 : *Le Kimono rouge*, h/t (71x61) : **USD 8 000** – NEW YORK, 18 mars 1983 : *Jeune femme lisant dans un jardin*, h/pan. (21,8x12,3) : **USD 8 500** – NEW YORK, 27 jan. 1984 : *Jeune fille en blanc* 1895, aquar. reh. d'encre de Chine blanche (22,8x21) : **USD 1 900** – NEW YORK, 31 mai 1985 : *Bateau à l'ancre*, h/t (23x41) : **USD 7 500** – NEW YORK, 29 mai 1986 : *Rêverie* 1893, past. : pap. (47x38) : **USD 26 000** – NEW YORK, 1er déc. 1988 : *Au bord de l'eau*, h/t (31,1x50,2) : **USD 28 600** – NEW YORK, 24 jan. 1989 : *Buste de femme vêtue à l'orientale*, h/t (26,2x20) : **USD 2 475** – NEW YORK, 24 mai 1989 : *Journée d'été*, h/pan. (22,8x35,5) : **USD 77 000** – NEW YORK, 30 mai 1990 : *Portrait de femme*, h/pan. (24,4x15,8) : **USD 8 800** – NEW YORK, 21 mai 1991 : *Nature morte avec une cafetière d'étain*, h/t cartonnée (30,5x40,6) : **USD 1 100** – NEW YORK, 6 déc. 1991 : *Dans le jardin*, h/t (66x50,8) : **USD 99 000** – NEW YORK, 27 mai 1992 : *La mare enchantée*, h/t (68,6x100,3) : **USD 30 800** – NEW YORK, 28 mai 1992 : *Caboteurs à Peconic Bay*, h/t (51x67) : **USD 26 400** – NEW YORK, 24 sep. 1992 : *Le long de la plage*, h/pan. (24,1x33) : **USD 30 800** – NEW YORK, 11 mars 1993 : *Rêverie*, h/t (28,5x23,5) : **USD 16 100** – NEW YORK, 25 mai 1994 : *Le petit chapeau vert* 1916, h/t (97,8x69,9) : **USD 74 000** – NEW YORK, 29 nov. 1995 : *Contemplation* 1900, h/t (35,6x25,4) : **USD 33 350** – NEW YORK, 14 mars 1996 : *Scène de rue* 1886, h/pan. (15,2x22,2) : **USD 32 200** – NEW YORK, 7 oct. 1997 : *Femme assise en vert*, past./pan. (35x28) : **USD 14 950**.

WILES Lemuel Maynard
Né le 21 octobre 1826 à Perry. Mort le 28 janvier 1905 à New York. XIXe siècle. Américain.
Peintre de scènes de genre, paysages, architectures.
Il est le père d'Irwing Ramsey Wiles. Il eut pour professeurs William M. Hart à Albany et Jasper F. Cropsey à New York. Il gagnait aussi sa vie comme professeur d'Art dans des universités et fonda sa propre école Silver Lake Art School en 1878 qui connut un grand succès pendant dix-sept ans.
Il est surtout connu pour ses paysages de l'Hudson.
VENTES PUBLIQUES : NEW YORK, 18 nov. 1976 : *Paysage*, h/t (48x68) : **USD 500** – NEW YORK, 21 juin 1979 : *Diligence dans un paysage de neige* 1871, h/t (44,5x75) : **USD 2 100** – PORTLAND, 17 juil. 1982 : *Coucher de soleil*, h/t (69x61) : **USD 2 800** – NEW YORK, 26 oct. 1984 : *Pass of the Genesee at Smokey Hollow* 1868, h/t (55,9x92,1) : **USD 5 000** – NEW YORK, 30 sep. 1985 : *Summer afternoon upper Genesee* 1891, h/t (30,8x51) : **USD 10 000** – NEW YORK, 30 sep. 1988 : *Silver lake*, h/cart. (12x20) : **USD 2 750** – NEW YORK, 30 mai 1990 : *Scène de rue*, h/t (40,7x50,8) : **USD 5 775** – NEW YORK, 10 juin 1992 : *L'abbaye de Melrose* 1883, h/t (44,4x29,9) : **USD 1 100** – NEW YORK, 23 sep. 1992 : *Le cours supérieur de l'Hudson dans les environs de West Point* 1872, h/t (35x61) : **USD 14 300** – NEW YORK, 26 mai 1993 : *La vallée de Genesee à Sainte-Hélène* 1868, h/t (23x38,5) : **USD 14 950** – NEW YORK, 25 mai 1995 : *La bible de maman* 1858, h/t (40,6x61) : **USD 6 900** – NEW YORK, 27 sep. 1996 : *Petite baie près de la pointe ouest* 1867, h/t (55,7x91,4) : **USD 14 950**.

WILEWSKI Jacek
Né le 19 mars 1952 à Varsovie. XXe siècle. Depuis 1968 actif et depuis 1983 naturalisé en Suisse. Polonais.
Sculpteur et dessinateur de figures, portraits, nus. Tendance expressionniste.
En 1979, il est diplômé en sculpture et gravure de l'école des Beaux-Arts de Lausanne. Il présente ses œuvres depuis 1978 dans des expositions personnelles ou collectives, en Suisse, au Luxembourg, en Belgique.
Ses sculptures, qu'elles soient figuratives ou abstraites, sont brutales et poignantes. Ses dessins, souvent assez sobres, n'en sont pas moins expressifs de sentiments aussi variés que la douleur ou l'érotisme.

WILEY William T.
Né en 1937 à Bedford (Indiana). XXe siècle. Américain.
Peintre, technique mixte.
Il a étudié à l'Institut d'art de San Francisco. Il est un des principaux représentants, avec Roy de Forest et Robert Hudson, du courant Funk art né au milieu des années soixante en Californie, mouvement hétéroclite d'inspiration dadaïste et néodadaïste en réaction contre la domination principalement new-yorkaise du monde de l'art et ses représentants d'un art abstrait trop sûrs d'eux-mêmes.
Comme ceux de ses collègues californiens, l'art de William T. Wiley est avant tout direct et un brin provocateur. Alliant humour et autobiographie, entre peinture et sculpture, son travail est généralement composé d'objets trouvés.
BIBLIOGR. : In : *Dictionnaire de l'art moderne et contemporain*, Hazan, Paris, 1992.
MUSÉES : DES MOINES (Art Center) : *Thank you Hide*.
VENTES PUBLIQUES : NEW YORK, 22 mars 1979 : *The new kid* 1972, litho. reh. d'acryl. et pl. (68,5x84) : **USD 1 200** – NEW YORK, 13 mai 1981 : *Lightning* 1962, bois peint. et techn. mixte, construction

(33,5x23,5) : **USD 2 000** – New York, 9 nov. 1982 : *The bite dispite*, aquar., bois et techn. mixte, deux pièces (56x76,2 et 147,5x30,5x35,5) : **USD 6 250** – New York, 10 mai 1983 : *Tankards avail* 1976, acryl., craies coul. et encres/t. (183x183) : **USD 13 000** – New York, 7 nov. 1985 : *Convenient disguises* 1979, craie de coul., stylo feutre et encre de coul. (120x66) : **USD 5 000** – New York, 8 fév. 1986 : *Change of chalk for Gulligulls Traveles-force tissue* 1976, craies coul. (64,8x77,5) : **USD 1 500** – New York, 10 Nov. 1988 : *Etoile montante* 1960, h/t (172x184,2) : **USD 35 200** – New York, 27 fév. 1990 : *Sans titre* 1972, h/t à bords inégaux (108x210,8) : **USD 26 400** – New York, 10 oct. 1990 : *Une autre branche de la connaissance*, branche d'arbre, coffret de bois, tissu et métal peints en ocre, construction (H. 91,6) : **USD 1 980** – New York, 13 fév. 1991 : *Bonnet d'âne* 1974, cr., stylo bille, tampon à l'encre noire, photo., plastique, bouton, fil de fer et pl. (H. 73,7) : **USD 1 320** – New York, 8 nov. 1993 : *Nouveau réveil pour Pandora* 1985, bois, t., cr., métal, plastique, cuir, céramique et ficelle (114,2x28,5x15,2) : **USD 3 450** – New York, 1er nov. 1994 : *Complexe de constructions* 1981, fus., acryl. et craies de coul./t. (249,5x249,5) : **USD 18 400** – New York, 16 nov. 1995 : *Rien n'a autant d'importance que lui-même* 1972, acryl., encre et cr./t. (48,3x44,5) : **USD 14 950** – New York, 19 nov. 1996 : *Studio Space* 1975, acryl. et fus./t. (210,8x205,1) : **USD 31 050**.

WILFERT Karl, l'Ancien
Né le 8 avril 1847 à Schönfeld (Bohême). Mort en 1916 à Karlsbad (ancien nom allemand de Karlovy Vary). XIXe-XXe siècles. Autrichien.
Sculpteur de statues.
Il exécuta des statues commémoratives pour plusieurs villes de Bohême.

WILFERT Karl, le Jeune
Né le 17 février 1879 à Eger. XXe siècle. Autrichien.
Sculpteur.
Fils de Karl Wilfert l'Ancien, élève de son père et de l'Académie de Prague, il exécuta des statues commémoratives et des fontaines pour plusieurs villes de Bohême.

WILFING Jozsef
Né en 1819 à Sopron. Mort en 1879. XIXe siècle. Autrichien.
Peintre et peintre verrier.
Il fit ses études à Vienne, peignit des portraits et exécuta des vitraux pour plusieurs églises de Sopron.

WILFRED Thomas
Né en 1889 à Nestved. XXe siècle. Depuis 1916 actif aux États-Unis. Danois.
Peintre. Cinétique.
En 1919, Wilfred perfectionna son premier instrument de projection de formes colorées, qu'il appela « Clavilux », correspondant à une nouvelle forme d'art qu'il appela « Lumia ». Il donna la première représentation de son appareil de projections colorées le 10 janvier 1922. L'appareil se présente comme une sorte d'orgue à tuyaux, avec un clavier, ces deux éléments pouvant rester dissimulés, les projections se faisant sur un écran translucide, par le relais de projecteurs télécommandés. Un exemplaire de cet appareil est installé en permanence au Musée d'Art Moderne de New York, projetant sur un écran de 1,80 m × 2,40 m. Le maniement du clavier manuel peut être remplacé par une programmation, soit enregistrée, soit laissée aux combinatoires de l'électronique. Ses compositions les plus connues sont : *City Window* (promenade à travers New York pendant une nuit d'octobre) ; *Abstract 1924* ; *Rythm in Steel* ; *Unfolding* ; *Convolux* ; *Aspiration* (397 variations), etc.
Bibliogr. : Frank Popper : *L'Art Cinétique*, Gauthier-Villars, Paris, 1969.
Musées : New York (Mus. d'Art Mod.).

WILGE Van der. Voir **WILLIGEN Anthonis Pietersz Van der**

WILGUS John ou **William John**
Né en 1819. Mort en 1853. XIXe siècle. Actif à Buffalo en 1839. Américain.
Peintre.
Ventes Publiques : New York, 4 déc. 1986 : *Portrait du Capitaine Cole (Ut-Ha-Wah)* vers 1838, h/t (105,5x80) : **USD 130 000**.

WILHELM. Voir aussi **GUGLIELMO, GUILLAUME, GUILLELMUS** et **WILLIAM**

WILHELM II d'Orange, prince
Né le 27 mai 1626 à La Haye. Mort le 6 novembre 1650. XVIIe siècle. Hollandais.
Dessinateur amateur.
Stathouder des Pays-Bas.

WILHELM V d'Orange, prince
Né le 8 mars 1748 à La Haye. Mort le 9 avril 1806 à Brunswick. XVIIIe siècle. Hollandais.
Dessinateur amateur.
Stathouder héritier des Pays-Bas. On conserve de lui un dessin représentant *Une vieille femme pelant une pomme*.

WILHELM Arthur L.
Né le 14 décembre 1881 à Muscatine. XXe siècle. Américain.
Peintre.
Il fut élève de l'Académie de Chicago. Il travailla à Saint-Paul (Minnesota).

WILHELM Charles. Voir **PITCHER William J. C.**

WILHELM Diethelm
Mort le 1er mai 1737 à Au. XVIIIe siècle. Suisse.
Sculpteur et stucateur.
Il travailla avec son oncle Franz W. à la décoration du monastère d'Engelberg (canton d'Unterwald) à partir de 1733.

WILHELM Franz
Mort le 14 juin 1737 à Au dans la Forêt de Bregenz. XVIIIe siècle. Suisse.
Sculpteur et stucateur.
Il travailla avec son neveu Diethelm W. à la décoration du monastère d'Engelberg (canton d'Unterwald) à partir de 1733.

WILHELM Grete, née **Hujber**
Née le 9 juillet 1887 à Radein, en Styrie. Morte le 24 juin 1942 à Vienne. XXe siècle. Autrichienne.
Peintre de paysages, natures mortes, animalier.
Elle exposa de 1919 à 1941 à Vienne. Elle peignit également des figurines et des têtes de marionnettes.

WILHELM Heinrich
Né entre 1580 et 1590. Mort le 3 avril 1652 à Stockholm. XVIIe siècle. Suédois.
Sculpteur et architecte.
Ses œuvres consistent surtout en monuments funéraires pour des familles nobles de Stockholm.

WILHELM Heinrich
Né le 14 septembre 1608 à Ratisbonne. Mort le 21 octobre 1654 à Gschwendendorf. XVIIe siècle. Autrichien.
Sculpteur.
Il participa à la décoration de la sacristie et de la pharmacie de l'abbaye Saint-Florian en 1653 et 1654.

WILHELM Heinrich ou **Wilhelmi**
Né en 1816 à Xante. Mort en 1902 ou 1912 à Düsseldorf. XIXe siècle. Allemand.
Peintre de genre.
Il travailla surtout à Düsseldorf et peignit particulièrement des scènes enfantines. Ses œuvres furent recherchées pour les États-Unis.
Ventes Publiques : Vienne, 11 mars 1980 : *Enfant dans un intérieur nourrissant des poussins* 1877, h/t (67x57) : **ATS 380 000** – New York, 1er avr. 1981 : *Le Mendiant et le Singe*, h/t (60x44,5) : **USD 2 900** – Londres, 27 nov. 1985 : *La famille du cordonnier*, h/t (43x34,5) : **GBP 4 000** – New York, 23 fév. 1989 : *Les Pouces verts de Grand'mère* 1880, h/t (61x48,2) : **USD 20 900** – Cologne, 23 mars 1990 : *Les Dénicheurs*, h/pan. (36,5x28) : **DEM 15 000**.

WILHELM Jodok Friedrich
Né le 20 janvier 1797 à Bezau (vallée de Bregen). Mort le 5 novembre 1843 à Stetten, près Lœrrach. XIXe siècle. Suisse.
Sculpteur, dessinateur, stucateur, architecte et peintre.
Marié en 1825, et établi à Stetten, près Lœrrach, il passa sa vie à travailler pour les églises de la région. Ses œuvres consistent en autels sculptés, en têtes d'anges, saints, etc. On en trouve dans les églises de Bâle, Berne, Courroux, Courgenay, etc. Il décora entièrement l'église de Mernelier en 1841 et plusieurs chapelles des cantons d'Argoire et de Soleure dans les deux années qui précédèrent sa mort.

WILHELM de Cologne, maître
Mort avant 1378. XIVe siècle. Actif à Cologne. Allemand.
Peintre.
De tous les maîtres de l'école de Cologne, le Meister Wilhelm est indiscutablement le plus intéressant, et le mieux connu, encore que les détails biographiques soient assez restreints à son sujet. Il fut en outre le fondateur d'une école qui coexista à la fin du XIVe siècle et au cours du XVe siècle, sans se confondre avec l'ensemble

des autres maîtres de Cologne, connus ou anonymes, certains se confondant peut-être avec lui, tels le maître de Sainte-Véronique, le maître de l'autel des Clarisses de Cologne, le maître du Triptyque de Berlin, qui créèrent, avant Stéphane Lochner, ce style gothique rhénan caractérisé par sa joliesse, parente des sentiments exprimés dans les romans « courtois ». De Wilhelm de Cologne, que l'on trouve mentionné en 1380 dans la Chronique de Limbourg sous le nom de Wilhelm von Herle (voir ce nom), comme étant le meilleur peintre de toute la Germanie, on sait que dès 1358 il habitait à Cologne avec sa femme Gietta. En 1370, il peignit des miniatures dans un manuscrit. La même année, il fut chargé d'exécuter une série de compositions pour la grande salle de l'hôtel de ville et le prix considérable qui lui fut payé pour ce travail témoigne de l'estime en laquelle il était tenu. Sa personnalité, longtemps indistincte de celle des maîtres qui vivaient à ses côtés, a été dégagée, grâce à diverses découvertes dans les archives de Cologne. Une partie des fresques de l'hôtel de ville figure aujourd'hui au Musée de Cologne. Toutefois, un certain nombre des fresques réunies sous son nom semblent avoir été peintes par un autre artiste, sans doute le même qui exécuta des peintures d'autel à l'église Sainte-Claire, citées ci-dessus, et à la cathédrale, tableaux jadis attribués au Meister Wilhelm et aujourd'hui séparés de son œuvre. Parmi ses autres productions quasi certaines, on cite : *Sainte Catherine et Elisabeth*, au Musée de Nuremberg, et *Sainte Véronique*, au Musée de Munich. Le Meister Wilhelm fut un fondateur d'école. Ce qui distingue les peintres qui procédèrent de sa technique des autres maîtres de Cologne, c'est que tandis que ces derniers manifestaient une tendance très marquée à se rapprocher de l'école flamande, les disciples de Meister Wilhelm restèrent foncièrement allemands. A la fin du XIVᵉ siècle, nous trouvons trois maîtres de Cologne disciples directs de Wilhelm von Herle. L'un d'eux est l'auteur de quatre tableaux : *La Visitation* ; *L'Annonciation* ; *La sainte Face* ; *La Vierge, sainte Catherine, sainte Barbara* (triptyque) au Musée de Cologne. Un second disciple du Meister Wilhelm figure au même musée avec une *Annonciation* et *Sainte Anne* et un autre saint. Enfin, vers 1400, on trouve un maître de cette école dont le Musée de Cologne possède un *Crucifiement* et, le Musée de Berlin : *Cinq scènes de la Passion*, une *Sainte Catherine* et une *Sainte Elisabeth*. Au début du XVᵉ siècle, on trouve encore à Cologne un maître de l'école de Meister Wilhelm, auteur d'une *Scène des Martyrs* et d'un *Saint Antoine Ermite*. Enfin, vers 1410, travaillait encore un élève de Meister Wilhelm, différent de ceux dont nous venons de parler et auquel le Musée de Cologne doit : *Le martyre de sainte Ursule*. Avec cet artiste se termine la liste des élèves directs du grand peintre de Cologne. Mais son influence avait été si considérable qu'il continua à avoir sinon des disciples, du moins des imitateurs de sa manière, opposant les principes de l'art allemand à l'envahissement de l'art flamand. On connaît trois successeurs non identifiés à Meister Wilhelm, dans la première partie du XVᵉ siècle. L'un d'eux est l'auteur d'un *Crucifiement avec Marie et saint Jean*, au Musée de Cologne ; le second a aussi à ce même musée un triptyque : *La mise en croix*, *Sainte Véronique*, *La mort de Marie* et *Quatre saints*, et au Musée de Nuremberg : *Les quatre apôtres*. Cet artiste paraît avoir vécu vers 1415. Enfin un dernier imitateur de Wilhelm de Cologne est le peintre un peu postérieur dont le Musée de Nuremberg conserve : *L'ensevelissement d'un saint*. A partir de 1402, l'art flamand triomphe de plus en plus dans les provinces rhénanes et y détrône définitivement l'art gothique allemand.

Ventes Publiques : Londres, 29 mai 1908 : *La Vierge* : **GBP 58.**

WILHELM von Herle. Voir **HERLE**

WILHELM a Santa Anastasia

XVIIIᵉ siècle. Serbe.

Peintre de sujets religieux.

Il travailla à Ljubljana et peignit un *Christ chargé de sa croix* en 1754.

WILHELM von Schwaben

Mort le 8 mai 1535 à Schwaz (Tyrol). XVIᵉ siècle. Autrichien.

Peintre.

Il fit partie de l'ordre des Franciscains. Il décora le cloître du couvent des Franciscains à Schwaz.

WILHELM von Weissenburg

XVᵉ siècle. Français.

Peintre.

Il travailla à Strasbourg de 1454 à 1460 et à Colmar vers 1474.

WILHELMINE Frederike Sophie de Prusse, princesse

Née le 7 août 1751 à Berlin. Morte le 9 juin 1820 au château de t'Loo en Hollande. XVIIIᵉ-XIXᵉ siècles. Hollandaise.

Peintre de portraits, miniatures.

Elle exposa à Berlin en 1812.

Musées : Berlin (Mus. Hohenzollern) : *Portrait d'une dame – Joueuse de luth* – Stockholm : *L'artiste – Portrait d'une dame.*

WILHELMS, pseudonyme de **Marboutin Fernand**

XXᵉ siècle. Français.

Peintre amateur.

Il était expert, à la Salle Drouot. On connaît de lui des tableaux d'une facture large et savante et qui sont d'un homme de goût et de culture.

WILHELMS Carl Wilhelm

Né le 20 octobre 1889 à Saint-Pétersbourg. XXᵉ siècle. Russe.

Sculpteur.

Il fut élève de Bourdelle, à Paris, vers 1920. Il exécuta surtout des bronzes.

Musées : Helsinki (Ateneum) – Tampere.

WILHELMS Henrik

XVIIᵉ siècle. Suédois.

Peintre décorateur.

Il travailla à Stockholm vers 1660.

WILHELMSON Carl Wilhelm

Né le 12 novembre 1866 à Fiskebackskill. Mort en 1928 à Göteborg. XIXᵉ-XXᵉ siècles. Suédois.

Peintre de genre, portraits, paysages animés, marines, compositions murales.

En 1887, il commença ses études à l'École Valand de Göteborg, où il fut élève de Carl Larsson. En 1889, il vint à Paris et y resta jusqu'en 1897 ; il y fut l'élève de Tony Robert-Fleury et de Jules Lefebvre. Il étudia dans l'atelier de Benjamin Constant qui lui enseigna le portrait. Il retourna en Suède d'où il fit un premier voyage en Espagne en 1910 et un autre en 1913. À partir de 1912, il dirigea une école de peinture à Stockholm.

Exposant au Salon des Artistes Français, il obtint une mention en 1895 et une médaille d'argent à l'Exposition Universelle de 1900. De Jules Lefebvre, il acquit le goût d'un dessin robuste et l'amour du réalisme. Il fut un des grands peintres de la vie populaire suédoise et y consacra presque toutes ses toiles ; il peignit le Bohuslän, ses pêcheurs et ses villages, parfois à petites touches serrées. D'autre part, à la suite de ses voyages en Espagne, il traita des sujets populaires de la vie des villages espagnols, mettant en scène des Andalouses, des Bohémiennes et des ballerines. Le dessinateur domine chez lui, d'où son goût pour les portraits qui s'échelonnent au long de son œuvre. Il réalisa également de grandes décorations pour la Poste centrale de Stockholm et pour une école de Göteborg.

C. Wilhelmson

Bibliogr. : Gérald Schurr, in : *Les Petits Maîtres de la peinture 1820-1920, valeur de demain*, Les Éditions de l'Amateur, t. V, Paris, 1981.

Musées : Copenhague : *Les sœurs – L'enfant – Jour d'automne*, aquar. – Stockholm : *Femmes de pêcheurs en route pour l'église, en Suède.*

Ventes Publiques : Stockholm, 16 nov. 1949 : *Deux jeunes pêcheurs* 1903 : **SEK 9 725** – Stockholm, 26 mars 1953 : *Jeune fille dans un jardin* : **SEK 3 000** – Stockholm, 31 mars 1971 : *Femme assise dans un intérieur* : **SEK 10 500** – Stockholm, 8 nov. 1972 : *Petite ville sous la neige* : **SEK 10 000** – Stockholm, 30 oct 1979 : *La rue du village*, h/t (67x35,5) : **SEK 21 100** – Stockholm, 22 avr. 1981 : *Paysage au moulin* 1916, h/t (130x86) : **SEK 84 000** – Stockholm, 29 nov. 1983 : *Scène d'intérieur*, h/t (114x141) : **SEK 70 000** – Stockholm, 29 oct. 1985 : *Scène de rue en Andalousie* 1920, h/t (175x100) : **SEK 345 000** – Stockholm, 4 nov. 1986 : *Fidèles assis dans une église*, h/t (80x90) : **SEK 600 000** – Stockholm, 19 oct. 1987 : *Scène d'intérieur avec jeune fille arrangeant des fleurs et une autre lisant* 1923, h/t (130x87) : **SEK 2 100 000** – Stockholm, 15 nov. 1988 : *Le littoral avec une maison sur un promontoire et une plage de sable*, h. (33x47) : **SEK 45 000** – Londres, 21 juin 1989 : *Les cygnes sur le lac* 1898, h/t (48x63) : **GBP 8 800** – Stockholm, 15 nov. 1989 : *Porto Pi à Palma de Majorque* 1920, h/t (55x64) : **SEK 120 000** – Londres, 27-28 mars 1990 : *Mère et enfant malade* 1912, h/t (74,5x94,5) : **GBP 187 000** – Londres, 29 mars 1990 : *La passerelle de Lidingöbron* 1918, h/t (46x38) : **GBP 22 000** – Stockholm, 16 mai 1990 : *Paysage côtier avec une construction en haut d'une falaise*, h/t (33x47) : **SEK 32 000** – Londres, 29 nov. 1990 : *La fille du pêcheur* 1895, h/t (48x76) : **GBP 82 500** – Stockholm, 29 mai 1991 : *Chapelle sur les rochers à*

Fiskebäckskil 1918, h/t (60x78) : **SEK 36 000** – Stockholm, 5 sep. 1992 : *Jeunes filles devant la porte*, h/t (107x81) : **SEK 170 000** – Stockholm, 10-12 mai 1993 : *Deux jeunes filles*, h/t (95x78) : **SEK 57 000**.

WILHELMUS, Frère. Voir **WILLIAM**

WILHJELM Carl Tobias

Né le 20 novembre 1855 à Copenhague. Mort le 3 juin 1902 à Copenhague. XIXe siècle. Danois.

Sculpteur de décorations.

Élève de Th. Stein. Il travailla pour la cathédrale de Ribe.

WILHJELM Edith Franziska

Née le 10 août 1893 à Copenhague. Morte le 16 décembre 1919 à Charlottenlund. XXe siècle. Danoise.

Peintre.

Fille de Carl Tobias Wilhjelm.

WILHJELM Joyannes Martin Fastings

Né le 7 janvier 1868 à Bartoftegaard. Mort le 21 décembre 1938 à Copenhague. XIXe-XXe siècles. Danois.

Peintre de scènes de genre, fleurs.

Il figura aux expositions de Paris où il obtint une mention honorable en 1900 lors de l'Exposition universelle.

Musées : Copenhague : *Prière pour obtenir la pluie – Idylle sur la lande.*

Ventes Publiques : Copenhague, 31 oct. 1974 : *Le retour des pêcheurs* : **DKK 7 300** – Copenhague, 25 mai 1978 : *Le retour des pêcheurs* 1913, h/t (125x187) : **DKK 8 000** – Copenhague, 5 avr. 1989 : *Après-midi d'été à Grenen*, h/t (120x183) : **DKK 4 000** – Londres, 14 fév. 1990 : *Sur la plage* 1918, h/t (54x63) : **GBP 2 090** – Copenhague, 25-26 avr. 1990 : *Travailleurs dans les champs*, h/t (46x63) : **DKK 20 000** – Copenhague, 1er mai 1991 : *La lettre de grand'mère* 1910, h/t (82x79) : **DKK 14 000** – Londres, 11 fév. 1994 : *Dans l'orangeraie* 1913, h/t (65,4x82,5) : **GBP 2 300** – New York, 16 fév. 1994 : *Rhododendrons*, h/t (74,3x91,4) : **USD 18 400**.

WILIGELMO ou **Wiligelmus**

XIe siècle. Travaillant à Modène. Italien.

Sculpteur.

Il exécuta plusieurs statues de la façade de la cathédrale. Une inscription sur la façade, datée de 1099, atteste qu'il en fut le principal sculpteur. Il convient sans doute de lui attribuer les personnages qui animent la partie inférieure de cette façade, ainsi que le panneau de la *Genèse* et les piédroits du portail principal. Ces sculptures sont du pur roman caractéristique de l'Europe méridionale : relief peu accentué, personnages trapus et expressifs, clarté du récit des scènes représentées. On attribue aussi à son atelier les parties sculptées de la cathédrale de Crémone et l'on retrouve des influences de ce style jusqu'en Italie du Sud, en particulier à Bari.

Bibliogr. : Peter Murray, in : *Diction. Univers. de l'Art et des Artistes*, Hazan, Paris, 1967.

WILIMOWSKY Charles A.

Né en 1885 à Chicago (Illinois). XXe siècle. Américain.

Peintre, graveur.

Il fut élève de J. C. Johansen et de W. M. Chase. Il gravait à l'eau-forte.

WILK Th.

XVIIIe siècle. Britannique.

Sculpteur.

Le Musée de Chicago conserve de lui *Esclave*, statuette en plomb.

WILKE Diane

Née en 1963 à Mexico. XXe siècle. Active en France. Mexicaine.

Peintre. Néopop art.

Elle vit et travaille à Paris. Elle fut élève du cours préparatoire Charpentier, puis de l'École des Beaux-Arts. Elle participe à des Salons : 1987 des Réalités Nouvelles et Novembre à Vitry ; 1989, 1990 de la Jeune Peinture. Elle expose individuellement, à Mexico et en 1989 à Paris, galerie Étienne de Causans.

Elle pratique une peinture très nette dont les figurations rappellent celles de l'époque du pop art.

WILKE Hannah

Née en 1940. Morte en 1993. XXe siècle. Américaine.

Sculpteur, technique mixte, photographe.

Elle a montré ses œuvres dans une dernière exposition personnelle, en 1993, à la Ronald Feldman Gallery à New York.

Elle a été une représentante, dans les années soixante-dix, du mouvement féministe en art. Elle utilisait son propre corps, souvent nu, comme moyen d'expression, dans des photographies ou des performances, telle cette suite de photographies où on voyait son corps constellé de chewing-gum en forme de petits orifices. Provocatrice, elle jouait sur l'ambiguïté du corps féminin objet de consommation et de plaisir, mais aussi espace d'expériences narratives proprement féminines. Sa dernière exposition en 1993, des photographies montées en diptyque, montrait la déchéance de son corps meurtri par la maladie et sa souffrance.

Bibliogr. : Robert G. Edelman : *Hannah Wilke*, in : *Art Press*, n° 191, Paris, mai 1994.

WILKE Johann Friedrich ou **Wülck**

Né vers 1684 à Wesselnheim. Mort en 1757 à Francfort-sur-le-Main. XVIIIe siècle. Français.

Peintre.

On lui attribue dans le Musée de Strasbourg un *Portrait de l'architecte J. P. Pflug.*

WILKE Rudolf

Né le 27 octobre 1873 à Braunschweig. Mort le 4 novembre 1908 à Braunschweig. XXe siècle. Allemand.

Dessinateur caricaturiste, illustrateur.

Il a étudié auprès d'Hollosy à Munich, puis de 1894 à 1905 à l'Académie Julian à Paris. Il a collaboré à *Simplicissimus* et à *Jugend*. Un album de ses dessins, *Skizzen*, a été publié en 1909 par Hyperion.

Bibliogr. : Marcus Osterwalder, in : *Dictionnaire des illustrateurs 1800-1914*, Ides et Calendes, Neuchâtel, 1989.

WILKE William Hancock

Né en 1880 à San Francisco (Californie). XXe siècle. Américain.

Graveur, décorateur.

Il fut élève d'A. F. Mathews et de Laurens à Paris.

WILKENS Ellen

Née le 30 mai 1889. XXe siècle. Danoise.

Peintre de portraits, paysages, natures mortes.

Elle fut élève d'E. Mundt et de l'Académie de Copenhague, ville où elle vécut et travailla.

WILKENS Theodorus

Né vers 1690 à Amsterdam. Mort vers 1748 à Amsterdam. XVIIIe siècle. Hollandais.

Paysagiste.

Il travailla à Rome et à Amsterdam.

Musées : Berlin : cinq paysages d'Italie – Bruxelles : *Vue de Consiglione* – Haarlem (Mus. Teyler) : *Paysage italien* – Vienne (Albertina) : trois paysages italiens.

Ventes Publiques : Amsterdam, 29 oct 1979 : *Paysage au lac animé de personnages* 1742, aquar. et pl./trait de pierre noire (25,9x42) : **NLG 3 200** – Paris, 29 oct. 1980 : *Paysage d'Italie animé de personnages*, dess. (35x24,8) : **FRF 7 000** – Amsterdam, 19 avr. 1982 : *Paysage au lac animé de personnages* 1742, aquar. et pl./trait de craie noire (25,9x42) : **NLG 7 400**.

WILKES Benjamin

XVIIIe siècle. Travaillant au début du XVIIIe siècle. Britannique.

Peintre de portraits, dessinateur et graveur.

Il a peint des sujets d'histoire et des portraits, mais il est surtout connu par des gravures d'insectes. On cite notamment douze planches dans l'ouvrage de Bombs *New Collection of English Moths and Butterflies* et un ouvrage qu'il publia en 1749, *The English moths and Butterflies*, contenant cent vingt planches fort intéressantes.

WILKIE David, Sir

Né le 18 novembre 1785 à Cults. Mort le 1er juin 1841 près de Malte, en mer. XIXe siècle. Britannique.

Peintre d'histoire, de genre, de portraits, aquafortiste.

Fils du ministre protestant le Rév. David Wilkie, notre artiste fut envoyé à Édimbourg, à l'âge de quatorze ans étudier à la Trustees Academy. En 1804, il revint dans son pays et travailla seul, peignant de petits tableaux de genre et des portraits. Il alla s'établir à Londres en mai 1805 et entra comme élève aux écoles de la Royal Academy. Il commença à prendre part aux expositions de cet institut en 1806 et y continua ses envois jusqu'en 1842. Dès ses débuts son succès fut immense, ses tableaux s'enlevèrent, des hommes comme sir George Beaumont, l'éminent fondateur de la National Gallery lui donnèrent le plus large patronage. On crut voir ou on voulut voir en lui une sorte de Teniers écossais. En 1810, il fut associé à la Royal Academy et académicien l'année suivante. En 1814, il vint à Paris. En 1817, il fit un voyage en Écosse au cours duquel il rencontra son illustre compatriote Walter Scott, dont il fit le portrait et celui des membres de sa famille en leur donnant des costumes de paysans. Il fit en Écosse de nouveaux voyages en 1822, en 1824 et en 1825. Une grave perturbation dans la santé de Wilkie se produisit cette année-là. On lui conseilla les voyages. Il visita Paris, Milan, Gènes, Pise, Florence, Innsbruck, Munich, Dresde, Toeplitz, Prague, Vienne, gagnant ensuite l'Italie par Trieste, il arriva à Rome. Il visita ensuite la Suisse et de là se rendit en Espagne. La vie intime avec les admirables maîtres de l'école espagnole eut sur Wilkie une influence énorme. Il semble qu'il comprit la mesquinerie de son exécution antérieure. Le fait devait défavorablement impressionner le public bourgeois qui, jusqu'alors lui avait fait fête. Il revint en Angleterre en 1828. En 1830, il succéda à sir Thomas Leslie comme peintre ordinaire du roi. En 1840, il commença un voyage qu'il voulait faire en Orient, gagnant Constantinople où il peignit des portraits du sultan, par le Rhin et le Danube. Il visita ensuite Smyrne, Rhodes, Beyrouth, Jérusalem, Alexandrie, Malte. Il était en route pour Gibraltar quand il tomba subitement malade et mourut. Son corps fut immergé. L'œuvre de Wilkie est considérable. Il a gravé quelques sujets de genre.

Musées : Berlin : *Le violoniste aveugle* – Besançon : *Intérieur de forge* – Cardiff : une aquarelle – Dublin : *Napoléon et Pie VII à Fontainebleau – The deep-o-Day Boy's Cabin* – Édimbourg : *La famille de Walter Scott à Abbotsford – Mrs Hunter, sœur du peintre – John Knox – L'artiste* – une esquisse, une étude, trois aquarelles – *Joséphine et la diseuse de bonne aventure – L'ensevelissement des insignes de la royauté écossaise* – Glasgow : *La reine Victoria* – deux esquisses – Graz : *Le marchand d'estampes* – Leicester : *Washington Iving recherchant la trace de Christophe Colomb au couvent de la Rabida* – Lille : *Le comte de Kellie* – Londres (Nat. Portrait Gal.) : *L'artiste – Abr. Raimbech* – Londres (Victoria and Albert Mus.) : *La jarre brisée – Le refus – Petit garçon sur un cheval blanc recevant un message – Les filles de Walter Scott – Paysage, Bohémiens, deux ânes et un chien* – esquisse – aquarelles – *Les pensionnaires de Chelsea lisant la gazette annonçant la victoire de Waterloo* – Londres (Nat. Gal.) : *Le violoniste aveugle – Le festival au village – Le Joueur de cornemuse* – Londres (Tate Gal.) : *Méhémet Ali – Mrs Young – Thomas Damill – Les premières boucles d'oreilles – Newsmongers – La prédication de Knox devant les lords de la congrégation* 1559 – deux esquisses – Londres (Wallace) : *La toilette au cottage – Cavalier buvant* – Minneapolis : *Colomb au monastère de La Rabida* – Montréal (Learmont) : *L'école de village* – Munich : *Ouverture d'un testament* – New York (Metropolitan Mus.) : *Retour du guerrier* – Nottingham : *Famille de Highlanders* – esquisse – aquarelles – Toledo : *Guillaume IV* – Victoria, Australie : *Les politiques de village* – quatre esquisses – Worcester : aquarelles.

Ventes Publiques : Londres, 1832 : *Le jour du terme* : **FRF 19 685** – Londres, 1848 : *Bain de moutons* : **FRF 17 335** – Londres, 1876 : *Le lapin sur le mur* : **FRF 26 250** – Londres, 1890 : *Visite de l'huissier* : **FRF 57 740** – Londres, 1897 : *Le samedi soir au village* : **FRF 32 800** – Paris, 16-18 mai 1907 : *John Knox prêchant* : **FRF 2 100** ; *Le repos du chasseur* : **FRF 6 100** – Paris, 14 mars 1910 : *La foire de campagne* : **FRF 5 000** – Paris, 22 mai 1919 : *Les marchands de porcelaine* : **FRF 7 900** – Londres, 5 mars 1926 : *Fête villageoise* : **GBP 215** – Paris, 27-28 mai 1926 : *La nouvelle gouvernante* : **FRF 16 700** – Paris, 22 déc. 1948 : *Le concert au cabaret* : **FRF 30 100** – Paris, 31 mars 1950 : *Le jour du fermage*, miniat. : **FRF 14 000** – Londres, 20 oct. 1950 : *Une distillerie irlandaise* : **GBP 493** – New York, 30-31 jan. 1953 : *The Farmer's Rent Day* : **USD 130** – Londres, 20 fév. 1959 : *Le colporteur* : **GBP 1 737** – Londres, 29 mars 1963 : *La Reine Victoria à cheval* : **GNS 480** – Londres, 19 nov. 1965 : *Paysage boisé* : **GNS 1 000** – Londres, 7 juil. 1967 : *Portrait de Joseph Wilson avec son fils* : **GNS 950** – New York, 25 sep. 1968 : *La fête villageoise* : **USD 7 000** – Londres, 2 avr. 1969 : *Portrait du duc de Wellington* : **GNS 1 900** – Édimbourg, 15 oct. 1969 : *La fête champêtre*, aquar. : **GNS 380** – Londres, 14 juil. 1972 : *Sancho Pança enfant* : **GNS 3 800** – Londres, 22 mars 1974 : *Personnages entendant les nouvelles de la bataille de Waterloo* : **GNS 6 500** – Londres, 8 juin 1976 : *Intérieur d'un moulin* 1818, aquar. (19x29,5) : **GBP 1 500** – Londres, 25 nov. 1977 : *The Chelsea pensioners receiving the Gazette annoucing the battle of Waterloo* 1822, h/pan. (29,7x44,4) : **GBP 9 000** – Londres, 20 juin 1978 : *Queen Adelaide and her ladies, Miss Hudson and Miss Byng* 1833, cr., pl. et lav. reh. de blanc (31x27) : **GBP 3 000** – Londres, 19 juin 1979 : *Mrs Whittal's child and nurse*, craies noire et blanche, aquar. et gche/pap. brun (28x26,3) : **GBP 1 600** – New York, 24 janv 1979 : *Farewell* 1823, aquar. et pl. (22,9x29,2) : **USD 3 500** – Londres, 23 nov 1979 : *Baigneuse ; Suzanne et les vieillards* 1815, h/pan., une paire (37x28,5) : **GBP 3 800** – Auchterarder (Écosse), 1er sep. 1981 : *Sheep-washing*, h/pan. (46x61) : **GBP 1 500** – Londres, 23 nov. 1984 : *The death of the Red Deer* 1821, h/pan. (24,1x34,2) : **GBP 26 000** – Londres, 19 nov. 1985 : *Lady descendant de son carrosse* 1822, aquar. et cr. reh. de blanc/pap. bis (12,7x17,8) : **GBP 3 500** – Londres, 12 mars 1987 : *La Pétition*, aquar./traits de cr. (15,5x18) : **GBP 3 600** – Londres, 20 avr. 1990 : *Henry Warden amené devant Frère Eustace après son prêche pour la cause protestante*, h/t (35,5x33,6) : **GBP 16 500** – Londres, 14 nov. 1990 : *La mort de sir Philip Sidney*, h/cart. (36x25) : **GBP 7 700** – Londres, 9 avr. 1992 : *Études de figures dans une taverne* 1806, encre et cr./pap. (25x37) : **GBP 825** – Londres, 13 juil. 1993 : *Le Commodore blessé dans sa retraite à l'hôpital de Greenwich en 1800* 1830, cr., craie et aquar. (42,5x53) : **GBP 16 100** – Londres, 12 avr. 1995 : *Étude pour l'entrée de George VI à Holyrood House* 1822, h/pan. (32x23) : **GBP 2 300**.

WILKIE Edmund Francis

XIXe siècle. Britannique.

Paysagiste.

Père de Henry Charles W.

WILKIE Henry Charles

Né le 30 mai 1864. XIXe siècle. Britannique.

Peintre d'animaux et de portraits.

Élève d'Edmund Francis W. Il fit ses études aux académies Colarossi et Julian de Paris.

WILKIE James

Né le 28 mai 1890 à Billesley. XXe siècle. Britannique.

Peintre.

Il fut élève de la Slade School de Londres.

WILKIE Leslie Andrew

Né le 27 juin 1879 à Melbourne. Mort en 1935. XXe siècle. Australien.

Peintre de portraits, natures mortes.

Petit-neveu de sir David Wilkie. Il a été élève de l'Académie de Melbourne. Il visita l'Europe en 1904-1905. Il fut, jusqu'à sa mort, directeur de la National Art Gallery d'Australie du Sud. Les musées d'Australie conservent de ses œuvres.

Ventes Publiques : Sydney, 15 oct. 1990 : *Nature morte de fleurs*, h/t (36x26) : **AUD 800**.

WILKIE Robert

Né le 10 juillet 1888 à Sinclairtown. XXe siècle. Britannique.

Peintre d'intérieurs, paysages.

Il travaillait à Glasgow.

Ventes Publiques : New York, 17 avr. 1974 : *Paysage d'été* : **USD 850**.

WILKIN Charles

Né en 1750. Mort le 28 mai 1814 à Londres. XVIIIe-XIXe siècles. Actif à Londres. Britannique.

Miniaturiste et graveur au pointillé.

Il obtint un prix à la Society of Artists en 1771. Il a surtout gravé au pointillé. Il mourut victime d'un accident. On cite un Charles Wilkin qui, de 1783 à 1808, exposa vingt-quatre miniatures à la Royal Academy et qui nous paraît identique avec le graveur. Cette supposition paraît d'autant mieux fondée que le fils de Charles, Franck Wilkin, fut aussi miniaturiste.

Ventes Publiques : New York, 5 juin 1979 : *Portrait de Robert Emmet*, aquar. et cr. (20,3x14) : **USD 900**.

WILKIN Franck W.

Mort en septembre 1842 à Londres. XIXe siècle. Britannique.

Peintre de portraits, miniaturiste et graveur au burin.

Fils et élève de Charles Wilkin. Il produisit d'abord des miniatures, puis s'adonna au portrait au crayon noir. Il exposa à Londres de 1806 à 1837. Il fit aussi quelques tentatives de peinture d'histoire, notamment une *Bataille d'Hasting* ; mais il ne paraît pas avoir réussi dans ce genre.

Cachet de vente

WILKIN Henri, dit **le Romain**
Né en 1753. Mort en 1820. XVIIIe-XIXe siècles. Actif à Spat. Belge.
Peintre.
Élève de Niv. H. Jos. de Fassin à Liège. Il séjourna à Rome.

WILKIN Henry
Né en 1801 à Londres. Mort le 29 juillet 1852 à Brighton. XIXe siècle. Britannique.
Peintre de portraits, pastelliste et miniaturiste.
Fils et élève de Charles Wilkin. On le cite comme ayant produit des portraits au pastel, mais il paraît surtout avoir été miniaturiste. C'est dans ce genre qu'il est classé dans ses envois aux expositions de Londres, de 1831 à 1847 avec cinquante-sept ouvrages à la Royal Academy et dix-sept à Suffolk Street.

WILKINS Henry
XIXe siècle. Actif dans la première moitié du XIXe siècle. Britannique.
Dessinateur et architecte.
Il dessina des vues de Pompéi en 1819.

WILKINS Robert
Né vers 1740. Mort vers 1790. XVIIIe siècle. Britannique.
Peintre de marines.
Il peignit surtout des batailles navales, des orages, des clairs de lune, des incendies de navires. Il exposa à Londres de 1772 à 1788. En 1765, il obtint un prix de la Society of Arts.

WILKINS T.
XVIIIe siècle. Actif à la fin du XVIIIe siècle. Britannique.
Dessinateur.
Le British Museum de Londres possède de lui *Paysage italien*. Probablement identique à Theodorus Wilkens.

WILKINS William Noy
Né vers 1820 à Dublin. XIXe siècle. Irlandais.
Paysagiste amateur.
Il exposa à Londres entre 1845 et 1864.

WILKINSON
Né vers 1795. XIXe siècle. Britannique.
Graveur de figures, portraits, sujets divers.
Il était actif à Londres. On cite de cet artiste peu connu, une bonne gravure à la manière noire, *Naufrage du Halsewell*, d'après Northcote. Il a gravé aussi des portraits.

WILKINSON Arthur Stanley
Mort vers 1930. XIXe-XXe siècles. Britannique.
Peintre de scènes et paysages animés, peintre à la gouache, aquarelliste.
Il fut actif jusque vers 1930.
Ventes Publiques : Londres, 16 oct. 1986 : *Chaumières dans des paysages*, aquar. reh. de gche, une paire (24x34) : **GBP 1 250** – Londres, 3 juin 1988 : *Propriété dans le sud*, h/t (50,7x76,2) : **GBP 1 430** – Londres, 3 nov. 1989 : *Retour à la maison*, h/t (50x76,5) : **GBP 1 650** – Londres, 30 jan. 1991 : *Les environs de Chiddingley dans le Sussex ; Cottage dans un jardin fleuri dans le Sussex*, aquar. et gche (chaque 27x38) : **GBP 880** – New York, 21 mai 1991 : *La côte de Coverack en Cornouailles un matin d'été*, aquar./pap. (29,8x49,5) : **USD 880** – Londres, 5 nov. 1993 : *Un jardin dans le Devonshire*, cr. et aquar. (17,8x43,5) : **GBP 943** – Londres, 9 mai 1996 : *Le ramassage du foin ; Le chemin de la ferme à Amberley dans le Sussex*, aquar., une paire (chaque 35,5x52,5) : **GBP 1 725**.

WILKINSON Charles
Né en 1830 à Paris. XIXe siècle. Britannique.
Sculpteur, paysagiste et aquarelliste.
Il exposa à Paris de 1845 à 1848 et à Londres, notamment à la Royal Academy, à Suffolk Street et à la New Water-Colour society à partir de 1881. Le Musée de Sydney conserve de lui *La Tamise près de Great Marlow* (aquarelle).

WILKINSON Edward Glegg
XIXe-XXe siècles. Britannique.
Peintre.
Il exposa à Londres de 1882 à 1904.

WILKINSON Emma Mary
Née le 22 juillet 1864 à Birmingham. XIXe siècle. Britannique.
Peintre.

WILKINSON Evelyn Harriet, née **Mackenzie**
Née le 9 juin 1893 à Wu-king-fu. XXe siècle. Britannique.
Peintre de fleurs.
Elle fit ses études à Édimbourg.

WILKINSON Georgiana
XIXe siècle. Active à Londres dans la seconde moitié du XIXe siècle. Britannique.
Paysagiste.
Elle exposa à Londres de 1855 à 1876.

WILKINSON Gladys H.
Née au XIXe siècle en Angleterre. XIXe-XXe siècles. Britannique.
Peintre.
Elle figura aux expositions de Paris ; mention honorable en 1909.

WILKINSON Henry
XIXe siècle. Actif dans la première moitié du XIXe siècle. Britannique.
Paysagiste.
Il peignit des paysages d'Espagne.

WILKINSON Hugh
XIXe-XXe siècles. Actif à Londres. Britannique.
Paysagiste.
Il exposa à Londres, notamment à la Royal Academy et à Suffolk Street, de 1870 à 1913. Le Musée de Sydney conserve de lui : *Pays désolé dans le Hampshire*.
Ventes Publiques : Londres, 20 juil 1979 : *Paysage boisé* 1887, h/t (121,2x184,4) : **GBP 600**.

WILKINSON James
XVIIIe-XIXe siècles. Travaillant à Dublin de 1773 à 1801. Irlandais.
Dessinateur.

WILKINSON Joseph
XIXe siècle. Actif en Angleterre. Britannique.
Dessinateur et aquafortiste amateur.
Il publia en 1810, avec Ackermann une série de dessins de sites pris dans les comtés du nord de l'Angleterre.

WILKINSON Kate, née **Stanley Smith**
Née le 20 avril 1883 à Londres. XXe siècle. Britannique.
Peintre de paysages.
Femme de Reginald Wilkinson et élève de Lucy Kemp-Welch. Elle travaillait à Winchelsea. Elle a exposé au Royal Institute à partir de 1921 et au Salon des Artistes Français, à Paris, à partir de 1923.

WILKINSON Nevile Rodwell
Né le 26 octobre 1869 à Highgate. XIXe siècle. Actif à Dublin. Britannique.
Aquarelliste et aquafortiste amateur.
Élève de l'École d'art de Kensington. Il exécuta le *Titania-Palace*.

WILKINSON Norman
Né le 24 novembre 1878 à Cambridge (Cambridgeshire). Mort en 1971. XXe siècle. Britannique.
Peintre de marines, paysages côtiers, graveur.
Il peignit des vues des Dardanelles en 1916 et gravait à l'eau-forte.

NORMAN WILKINSON
NORMAN WILKINSON
NORMAN WILKINSON

Ventes Publiques : Londres, 19 oct 1979 : *The Royal Yacht Britannia on the Medway*, h/t (76,2x114) : **GBP 3 000** – Londres, 2 mars 1989 : *La cathédrale St Paul depuis la Tamise*, h/t (75x100) : **GBP 7 920** – Londres, 31 mai 1989 : *Le St Vincent de la flotte de Sa Majesté dans le port de Portsmouth*, aquar./pap. (33x55) : **GBP 2 310** – Londres, 5 oct. 1989 : *Le paquebot Tilbury*, h/t (46x61) : **GBP 2 420** – Londres, 30 mai 1990 : *Yacht à vapeur du Royal Yacht Club* 1901, aquar. (46x74) : **GBP 1 320** – Londres, 20 jan. 1993 : *Navigation au large de Venise*, h/t/cart. (30,5x40,5) : **GBP 1 725** – Édimbourg, 23 mars 1993 : *La rivière Garry à Char-*

lie's Island, h/t (61x81) : **GBP 1 150** – Glasgow, 1er fév. 1994 : *Partie de pêche sur la lac Pitlochry*, aquar. et gche (33x51) : **GBP 1 610** – Londres, 3 mai 1995 : *Croiseurs dans la mer du nord*, h/t (68,5x102) : **GBP 1 725** – Glasgow, 11 déc. 1996 : *The iron groin, river shiel*, h/t (46x61) : **GBP 920**.

WILKINSON Norman
Né en 1882. XXe siècle. Britannique.
Peintre de figures, décors de théâtre, illustrateur.
Il vécut et travailla à Londres. Il exécuta des décors et des costumes pour plusieurs théâtres de Londres.

WILKINSON Reginald Charles
Né le 17 décembre 1881 à Londres. XXe siècle. Britannique.
Peintre de paysages, figures, pastelliste.
Mari de Kate Wilkinson. Il vivait et travaillait à Minchelsea. Il a exposé au Royal Institute of Oil Painters, à la Pastel Society et au Salon des Artistes Français à Paris.

WILKINSON Robert
XVIIIe siècle. Actif à Londres dans la seconde moitié du XVIIIe siècle. Britannique.
Paysagiste.
Il exposa de 1773 à 1778.

WILKINSON W. H.
Britannique.
Peintre de genre.
Le Musée de Salford conserve de lui : *An old offender*.

WILKS Maurice Canning
Né en 1911. Mort en 1983. XXe siècle. Irlandais.
Peintre de paysages.
Il a peint les paysages typiques d'Irlande, notamment de la région de Connemara.
Ventes Publiques : Celbridge (Irlande), 29 mai 1980 : *Bords de rivière*, h/t (50x67,4) : **GBP 600** – Belfast, 28 oct. 1988 : *Soleil levant sur une forêt à Connemara*, h/t (35,7x45,7) : **GBP 825** ; *Estuaire d'une rivière*, aquar. (25,7x36,3) : **GBP 418** ; *Vent de Nord-Ouest à Torr Head*, h/cart. (63,5x76,7) : **GBP 2 420** – Belfast, 30 mai 1990 : *Conversation dans une allée bordée d'arbres*, h/t (50,8x61,6) : **GBP 4 180** – Montréal, 4 juin 1991 : *Ombre et soleil à Achill Island*, h/t (40,5x50,8) : **CAD 4 000** – Dublin, 26 mai 1993 : *White Park Bay dans le comté de Antrim*, h/t (45,7x53,3) : **IEP 2 420** – Londres, 2 juin 1995 : *Dans les monts de Connemara près de Recess*, h/t (51x61) : **GBP 3 450** – Londres, 9 mai 1996 : *La côte du nord-ouest à Inishowen dans le comté de Donegal*, h/t (61x71,1) : **GBP 4 600**.

WILL Augustus
Né en 1834. Mort le 24 janvier 1910 à Jersey City. XIXe-XXe siècles. Américain.
Illustrateur.

WILL Blanca
Née le 7 juillet 1881 à Rochester. XXe siècle. Américaine.
Sculpteur, illustrateur.

WILL Frank. Voir **FRANK-WILL**

WILL Johann Georg. Voir **WILLE**

WILL DE WRAY. Voir **HOWARD Wil**

WILLADING Julie von, plus tard Mme **Fäsi**
Née le 10 février 1780 à Berne. Morte le 22 mars 1858 à Berne. XIXe siècle. Suisse.
Peintre amateur.
Elle peignit des paysages, des portraits et des scènes de genre.

WILLAERT Arthur, dit **Traelliw**
Né le 4 mars 1875 à Gand (Flandre-Orientale). XXe siècle. Belge.
Peintre de portraits, animaux, marines.
Il fut élève de l'École d'Art de Gand.
Musées : Buenos Aires – Hornu – Rosario.
Ventes Publiques : Londres, 21 oct. 1988 : *Sans titre*, h/t (85,1x116,2) : **GBP 1 320**.

WILLAERT Ferdinand
Né le 15 janvier 1861 à Gand (Flandre-Orientale). Mort en 1938. XIXe-XXe siècles. Belge.
Peintre de genre, figures, portraits, architectures, paysages urbains. Postimpressionniste.
Élève de l'Académie des Beaux-Arts de Gand, il y fut professeur, dès 1884. Plus tard, après des voyages en Espagne et au Maroc, il devint directeur de l'Académie des Beaux-Arts de Termonde en 1893. Chevalier de l'Ordre de Léopold, officier de la Couronne de Belgique.
Il participa régulièrement au Salon de Paris et au Salon de la Société Nationale des Beaux-Arts, dont il devint sociétaire. Il exposa également au Cercle Artistique de Gand, à Bordeaux, à Saint-Louis, à l'exposition de Pittsburg, aux États-Unis, organisée par l'Institut Carnegie en 1913. Médaille de bronze à l'Exposition Universelle de 1900.
Il a peint des figures, mais s'est surtout fait remarquer par ses paysages de Belgique, traités selon une touche impressionniste.

Bibliogr. : Gérald Schurr, in : *Les Petits Maîtres de la peinture 1820-1920, valeur de demain*, Les Éditions de l'Amateur, t. III, Paris, 1976.
Musées : Anvers : *Couvent des Béguines* – Bruges : *Vieux portail* – Bruxelles : *Pêcheurs attendant la marée* – Gand : *Le quai Saint-Antoine* – *Vieux canal à Gand* – Mons : *Vieux canal à Gand* – Oldham : *Le grand couvent des Béguines à Gand* – Paris (Mus. du Louvre) : *Entrée du couvent des Béguines à Termonde* – Pau : *La Lys à Gand* – Philadelphie : *Vieux canal à Gand* – Tourcoing : *Canal à Gand*.
Ventes Publiques : Paris, 4 jan. 1945 : *Voiliers en mer* : **FRF 107 000** – Paris, 25 fév. 1976 : *Barque de pêche à marée basse*, h/pan. (21x27) : **FRF 2 100** – Bruxelles, 17 déc. 1980 : *Le béguinage de Gand* 1904, h/t (99x130) : **BEF 100 000** – Amsterdam, 11 sep. 1990 : *La Marocaine*, h/pan. (32,5x26) : **NLG 1 380** – Lokeren, 21 mars 1992 : *Blanchisseuses sur un vieux ponton à Gand*, aquar. (51x37,5) : **BEF 130 000** – Lokeren, 23 mai 1992 : *La Zeelandaise* 1912, gche (68x59) : **BEF 170 000** – Lokeren, 23 mai 1992 : *Le quai de la Lys à Gand en hiver* 1893, ht (75x102) : **BEF 360 000** – Lokeren, 9 oct. 1993 : *Les quais de la Lys en hiver à Gand* 1893, ht (75x102) : **BEF 360 000** – Lokeren, 4 déc. 1993 : *Canal à Bruges* 1906, ht (92,5x73) : **BEF 150 000** – Lokeren, 11 mars 1995 : *Sortie de l'église après l'office du soir dans un village de France* 1896, ht (100x71,5) : **BEF 100 000**.

WILLAERT Joseph
Né le 23 avril 1936 à Leke. XXe siècle. Belge.
Peintre d'intérieurs. Pop'art.
Autodidacte. Sa peinture s'écarte résolument de la peinture de chevalet. Il intègre des objets manufacturés à des compositions. Son travail relève du pop'art.

Musées : Ostende.
Ventes Publiques : Lokeren, 28 mai 1988 : *Les persiennes* 1981, h/t (84x99) : **BEF 45 000** – Lokeren, 21 mars 1992 : *La fenêtre aux persiennes laquées* 1979, h/t/cart. (60x50) : **BEF 28 000** – Lokeren, 23 mai 1992 : *Intérieur* 1973, h/t (179,5x120) : **BEF 44 000** – Lokeren, 12 mars 1994 : *Intérieur* 1973, h/t (179,5x120) : **BEF 44 000**.

WILLAERT Raphaël Robert, dit **Raph Robert**
Né le 22 novembre 1878. XXe siècle. Belge.
Peintre de portraits, animaux, paysages.
Frère de Ferdinand Willaert.
Musées : Hurnu – Liège.

WILLAERTS Abraham
Né vers 1603 à Utrecht. Mort le 18 octobre 1669 à Utrecht. XVIIe siècle. Hollandais.
Peintre d'histoire, scènes de genre, figures, portraits, marines.
Fils et élève d'Adam Willaerts, il étudia ensuite avec Jan Bylaert, puis vint à Paris dans l'atelier de Simon Vouet. Il quitta Paris avec la réputation d'un excellent peintre de portraits, d'histoire et de marines. Il passa par Bruxelles avant de rentrer en Hollande et demeura plusieurs années au service du prince Maurice. On le cite comme doyen de la gilde d'Utrecht en 1631. Il voyagea en Italie, on le dit prenant part, comme soldat hollandais, à l'expédition d'Angola, dont il rapporta des costumes et des paysages. Il est également mentionné comme participant à l'expédition de Jean Maurice de Nassau au Brésil, entre 1637 et 1644.
Certaines œuvres montrent sa connaissance de l'art caravagesque, tandis que quelques scènes rappellent l'art des Le Nain.

Bibliogr. : In : *Diction. de la peinture flamande et hollandaise*, coll. Essentiels, Larousse, Paris, 1989.
Musées : Amiens : *Cour de ferme* – Amsterdam : *Le baron Jacob Van Wessemaer, seigneur d'Obdam* – *Cornelis Tromp* – Bergen : *Plage* – Berlin : *Les amiraux C. Tromp et M. H. Tromp* – Cambridge : *Portrait de famille* – La Fère : *Le petit joueur de flûte* – Grenoble : *Joueur de cornemuse* – *Maternité* – Haarlem : *Falaise* – Munich : *Portrait de famille* – Utrecht : *Portrait d'homme*.
Ventes Publiques : Paris, 19 oct. 1950 : *Baigneuses en bordure de mer* : **FRF 28 500** – Londres, 10 fév. 1965 : *Bord de mer animé de pêcheurs* : **GBP 1 700** – Vienne, 17 mars 1970 : *Le naufrage* : **ATS 63 000** – Paris, 4 avr. 1974 : *Le retour des pêcheurs* 1636 : **FRF 60 000** – New York, 8 jan. 1981 : *Scène de bord de mer* 1641, h/pan. (55x89) : **USD 40 000** – Londres, 15 avr. 1983 : *Scène de bord de mer avec une ville fortifiée à l'arrière-plan* 1643, h/pan. (55,2x80,5) : **GBP 7 500** – Paris, 25 nov. 1985 : *Marine*, h/pan. (22x26) : **FRF 32 000** – Amsterdam, 12 juin 1990 : *Vaisseau de guerre hollandais au large et pêcheurs déchargeant leur prise sur la grève au premier plan*, h/t (66,5x86,3) : **NLG 63 250** – Amsterdam, 11 nov. 1992 : *Pêcheurs se partageant la prise sur la grève avec des frégates au fond*, h/pan. (56x76) : **NLG 74 750** – Neuilly, 5 déc. 1993 : *Le retour de la pêche*, h/pan. (34x43) : **FRF 94 000** – New York, 15 mai 1996 : *Village sur une côte hollandaise avec des bateaux à l'ancre et des villageois se distrayant devant l'auberge*, h/t (71,7x109,9) : **USD 43 700**.

WILLAERTS Adam ou **Willarts** ou **Willers**
Né en 1577 à Anvers. Mort le 4 avril 1664 ou 1669 à Utrecht. XVIIe siècle. Hollandais.
Peintre d'histoire, sujets religieux, batailles, scènes de genre, paysages animés, paysages, paysages d'eau, marines.
On ne dit pas qui fut son maître. En 1600, il quitta Anvers pour Utrecht et s'y établit avec la réputation d'un excellent peintre. En 1611, il fut reçu membre de la Gilde et en fut doyen en 1620.
Il peignait des rivières et des canaux, des marines, des scènes de marchés aux poissons, des processions, animées de petites figures bien dessinées.

Bibliogr. : W. Van de Watering : *Les maîtres anciens dans la collection de Mahmoud S. Rabbani*, 1983.
Musées : Amsterdam : *Combat naval devant Gibraltar* 1607 – *Côte montagneuse* – *Plage* – *Tempête sur mer* – *L'amiral Van Heemsberk triomphant de la flotte espagnole près de Gibraltar, 1607* – Bâle : *Combat naval* – Barnard Castle : *Embarquement* – *Le Christ prêchant dans un bateau* – Copenhague : *Bataille navale entre Espagnols et Hollandais* – Douai : *Marine* – Dresde : *Paysage marin hollandais* – Emden : *Marine* – Enschede : *Plage* – Francfort-sur-le-Main : *Mer agitée* – Genève (Ariana) : *Mer agitée* – Haarlem : *Combat entre galères hollandaises et espagnoles* – Hambourg : *Chèvres au bord de la mer* – Leipzig : *Riche contrée au bord de l'eau et personnages* – Londres (Mus. de la Marine) : *La Princesse royale partant de Margate* – Lucques : deux marines – Madrid : *Marine avec embarcations* – Montpellier : *Marine, effet de lune* – New York (Metropolitan Mus.) : *Rivière avec des bateaux* – Nuremberg : *Canal hollandais* – Oxford : *Flotte ancrée dans un port* – *Le marché aux poissons* – Rotterdam : *L'embouchure de la Meuse à Den Briel* – Saint-Pétersbourg (Mus. de l'Ermitage) : *Paysage avec rivière* – Stockholm : *Côte rocheuse avec navires et figures* – Utrecht : *Saint-Paul à Malte* – *Plage* – *Navires hollandais devant la côte anglaise* – Vienne : *Port de mer, tempête* – Würzburg : *Marine* – *Port de mer et marché aux poissons*.
Ventes Publiques : Paris, 1882 : *Paysage* : **FRF 520** – Paris, 1888 : *Une plage* : **FRF 560** – Paris, 18 fév. 1928 : *Marché aux poissons dans un port hollandais* : **FRF 5 010** – Paris, 26-27 juin 1947 : *La tempête* 1649 : **FRF 25 000** – Paris, 6 déc. 1952 : *La fête au village* : **FRF 720 000** – Londres, 23 jan. 1953 : *The Mouth of a River* 1620 : **GBP 168** – Londres, 9 déc. 1959 : *La côte près de Scheveningen* : **GBP 750** – Londres, 29 juin 1962 : *Paysage au bord de mer* : **GNS 800** – Londres, 12 mai 1967 : *La flotte hollandaise s'éloignant de l'île d'Amboyna* : **GNS 3 800** – Londres, 27 nov. 1968 : *L'arrivée de l'Électeur Palatin* : **GBP 8 000** – Londres, 3 déc. 1969 : *Voiliers devant la côte* : **GBP 2 000** – Écosse, 28 août 1970 : *Bateaux par grosse mer* : **GBP 1 200** – Londres, 8 déc. 1971 : *Bord de mer animé* ; *Bord de rivière animé*, deux peint. : **GBP 3 700** – Londres, 12 juil. 1972 : *Scène de bord de mer* : **GBP 5 800** – Paris, 29 nov. 1973 : *Marine* : **FRF 85 000** – Londres, 10 juil. 1974 : *Bateaux au large de la côte* 1624 : **GBP 6 500** – Amsterdam, 26 avr. 1976 : *Scène de bord de mer*, h/pan. (19,5x25,2) : **NLG 60 000** – Paris, 8 déc. 1977 : *Bord de rivière* 1620, h/t (41,5x94) : **FRF 700 000** – Amsterdam, 30 mai 1978 : *Scène de bord de mer*, h/pan. (109x179) : **NLG 60 000** – Londres, 30 nov 1979 : *Scène de bord de mer* 1613, h/pan. (31,6x53,2) : **GBP 15 000** – Lyon, 9 mars 1981 : *Le Marché aux poissons sur la grève* 1643, h/pan. (25,5x40,5) : **FRF 82 000** – Amsterdam, 14 mars 1983 : *Village de pêcheurs*, h/pan. (32,5x57) : **NLG 36 000** – New York, 5 juin 1985 : *Scène de bord de mer* 1626, h/pan. (91,5x127) : **USD 30 000** – Londres, 8 juil. 1988 : *Pêcheurs vendant leur prise sur une plage près d'un bateau de guerre hollandais avec un château sur un éperon rocheux au fond* 1616, h/pan. (40,9x77,3) : **GBP 35 200** ; *Paysage côtier en Scandinavie avec des pêcheurs déchargeant leur prise et des galiotes au large se dirigeant vers un îlot rocheux* 1616, h/pan. (41,2x79,7) : **GBP 88 000** – Monaco, 16 juin 1989 : *Galiotes dans un estuaire, l'une tirant une salve d'honneur tandis qu'un gentilhomme embarque depuis le rivage* 1632, h/pan. (44,5x96,5) : **FRF 976 000** – Londres, 5 juil. 1989 : *Navigation dans une baie avec des pêcheurs rapportant leur prise sur la grève* 1617, h/pan. (35,5x67,5) : **GBP 52 800** ; *Le départ des pèlerins de Delft* 1620, h/pan. (28,5x46) : **GBP 225 500** – Stockholm, 15 nov. 1989 : *Voiliers et pêcheurs dans une baie*, h. (17,5x27) : **SEK 530 000** – Londres, 11 avr. 1990 : *Une grève avec des pêcheurs déchargeant leurs bateaux*, h/pan. (26,5x36) : **GBP 7 700** – Stockholm, 16 mai 1990 : *Scène mythologique dans un paysage côtier avec une embarcation accostant*, h/pan. (28x47) : **SEK 145 000** – Londres, 20 juil. 1990 : *La vision de saint Augustin* 1654, h/t (50,5x81,6) : **GBP 5 500** – Paris, 5 déc. 1990 : *Départ pour une promenade en mer*, h/pan. (55x94) : **FRF 380 000** – New York, 10 jan. 1991 : *Flotte anglaise au large d'une côte rocheuse* 1621, h/t (103,5x179,5) : **USD 66 000** – Stockholm, 29 mai 1991 : *Déchargement de navires sur une grève avec une ville au lointain*, h/pan. (17,5x27) : **SEK 350 000** – Londres, 23 avr. 1993 : *L'apparition de l'Enfant Jésus à saint Augustin*, h/pan. (28x47,5) : **GBP 13. 800** – Paris, 29 nov. 1993 : *Vaisseau de guerre et galère rentrant au port*, h/t (67x108,5) : **FRF 203 000** – New York, 12 jan. 1995 : *Pêcheurs déchargeant leur prise et une frégate au large* 1640, h/pan. (45,7x64,1) : **USD 21 850** – Amsterdam, 7 mai 1996 : *Paysage côtier avec des marins dans un canot, un navire marchand au mouillage et des villageois leur faisant des adieux* 1641, h/pan. (45,7x63,5) : **NLG 21 850** – Amsterdam, 6 mai 1997 : *Navires sombrant au large d'une côte rocheuse* 1644, h/t (96x134,5) : **NLG 34 220**.

WILLAERTS Cornelis
Né vers 1600 à Utrecht. Mort le 9 avril 1666 à Utrecht. XVIIe siècle. Hollandais.
Peintre de scènes mythologiques, compositions religieuses.
Fils d'Adam Willaerts, il fut son élève.
Musées : Saint-Pétersbourg (Mus. de l'Ermitage) : *Bacchus et Ariane* – *Persée et Andromède*.
Ventes Publiques : Vienne, 16 mars 1971 : *Neptune et Thetys* : **ATS 20 000** – New York, 17 jan. 1996 : *La Découverte de Moïse* ; *Berger près d'un puits*, h/pan., une paire (chaque 34,3x54,6) : **USD 4 887** – Londres, 30 oct. 1996 : *L'Enlèvement d'Europe*, h/pan. (56,4x90,7) : **GBP 2 300**.

WILLAERTS Isaac
Né vers 1620 à Utrecht. Mort le 24 juin 1693 à Utrecht. XVIIe siècle. Hollandais.
Peintre de scènes de genre, paysages d'eau, marines.
Il est fils d'Adam Willaerts.

Musées : Emden : *Poissons morts* – Rotterdam (Mus. Boymans) : *Paysage au bord d'une rivière* – Utrecht : *Marine*.

Ventes Publiques : Vienne, 19 mars 1963 : *Voiliers rentrant au port* : **ATS 35 000** – Cologne, 15 avr. 1964 : *Scène de port* : **DEM 7 000** – Amsterdam, 7 mai 1974 : *Scène de bord de mer* : **NLG 36 000** – Londres, 12 déc 1979 : *Scène de bord de mer*, h/t (62x108) : **GBP 12 500** – Paris, 7 juil. 1988 : *Vue d'un port animé* 1650, h/pan. parqueté (35x96) : **FRF 28 000** – New York, 21 oct. 1988 : *Navigation au large de côtes rocheuses* 1668, h/t (62x100,5) : **USD 33 000** – Amsterdam, 14 nov. 1991 : *Pêcheurs étalant leur prise sur la grève devant une jetée surmontée d'une tour en ruines* 1638, h/pan. (19,8x26,2) : **NLG 9 200** – Amsterdam, 17 nov. 1994 : *Paysage côtier méditerranéen avec un bâtiment de guerre hollandais au large d'une jetée*, h/pan. (35x21,8) : **NLG 14 950** – Londres, 1er nov. 1996 : *Pêcheurs débarquant*, h/pan. (28,6x41,3) : **GBP 2 875**.

WILLAETZ Adam Eduard de. Voir **WILLARST**

WILLAME Jean

Né le 16 mars 1932 à Romerée (Namur). xxe siècle. Belge.

Sculpteur. Abstrait.

Il a étudié à l'École d'art de Naredsous. Il est membre du groupe Axe 59. Il a exposé au Salon des Réalités Nouvelles à Paris et participe à de nombreuses expositions collectives à Munich, Montréal, Florence, Cologne. Il a présenté sa première exposition particulière en 1958 à l'École d'art de Naredsous.

Abstraites, ses sculptures sont une recherche de volumes denses à partir de formes simples. Elles possèdent un caractère monumental. Depuis 1968, les formes se sont allégées, allongées, évidées par endroits, et présentent des courbes d'une grande pureté. Il utilise le bois et la pierre.

WILLAND Franz Matthias et **Johann**. Voir **WIELAND**

WILLARD Asaph

Mort le 14 juillet 1880. xixe siècle. Actif à Hartford. Américain.

Graveur au burin.

Il grava des billets de banque, des portraits, des scènes de genre et des cartes géographiques.

WILLARD Frank Henry

Né le 21 septembre 1893 à Anna. xxe siècle. Américain.

Caricaturiste.

Il travailla pour des journaux de Chicago, ville où il résida.

WILLARD Salomon

Né le 26 juin 1783 à Petersham. Mort le 27 février 1862 à Quincy. xixe siècle. Américain.

Sculpteur et architecte.

Il sculpta des monuments à Charlestown et à Calbrudge.

WILLARS. Voir **VILLARS**

WILLARST Adam Eduard de ou **Willaetz** ou **Willartz** ou **Willars**

xviiie siècle. Danois.

Miniaturiste et dessinateur.

Il travailla pour la cour de Copenhague. Le Musée de Frederiksborg conserve de lui *Conquête de Heligoland par les Danois*, en 1718.

WILLARTS Adam. Voir **WILLAERTS**

WILLATS Stephan

xxe siècle. Britannique.

Artiste, photographe. Conceptuel.

Il participe à des expositions collectives, dont : 1996, *Les Contes de fées se terminent bien* au Fonds régional d'art contemporain de Haute-Normandie au château de Val Freneuse à Sotteville-sous-le-Val, aux côtés notamment de Paul MacCarthy, Stephan Balkenhol, Patrick Corillon, Pierre et Gilles, Lawrence Weiner. Il montre ses œuvres dans des expositions personnelles, parmi lesquelles : 1992, galerie Gabriel Maubrie, Paris (première exposition en France).

Utilisant le procédé du roman-photo qu'il monte sur panneaux, il met en scène des individus subissant le poids de la société moderne, architecture, environnement, travail, occupations domestiques...

Bibliogr. : Catalogue de l'exposition : *Les Contes de fées se terminent bien*, Les Impénitents, FRAC Normandie, Rouen, 1996.

WILLATS Steve

xxe siècle. Actif dans la seconde moitié du xxe siècle. Américain (?).

Peintre. Lumino-cinétique.

Il crée des environnements à l'intérieur desquels des stimuli de lumières colorées provoquent des réactions contrôlables chez les spectateurs-participants.

Bibliogr. : Frank Popper : *L'Art Cinétique*, Gauthier-Villars, Paris, 1969.

WILLATZ Laurenty Wawrzyniec

xviie siècle. Actif à Vilno dans la seconde moitié du xviie siècle. Lituanien.

Graveur au burin.

Il grava des portraits.

WILLAUME Antoine

xviie siècle. Actif à Nancy à la fin du xviie siècle. Français.

Peintre.

WILLAUME Jean

Né à Nancy. Mort au xviie siècle à Metz. xviie siècle. Français.

Peintre d'histoire et portraitiste.

Il travailla pour le maréchal de La Ferté.

WILLAUME Louis

Né le 31 mai 1874 à Lagny (Seine-et-Marne). xixe-xxe siècles. Français.

Peintre de paysages urbains, graveur, illustrateur.

Il fut élève de Bouguereau et G. Ferrier. Il a exposé, à Paris, au Salon des Artistes Français à partir de 1899, obtint une mention honorable en 1910, une médaille d'argent en 1922, une médaille d'or et le prix Corot en 1923, une médaille d'or à la section de la gravure en 1929, devint sociétaire hors-concours en 1929. Il a également exposé au Salon de la Société Nationale des Beaux-Arts à Paris, au Salon de la Société de la Gravure originale en noir, de même qu'à Roubaix, Barcelone, Genève et Tokyo.

Il a surtout représenté des paysages de Paris et des environs. On cite entre autres ouvrages illustrés par cet artiste, *Le Charme de Paris (jardins, quais et fontaines)*, d'Edmond Pilon, *Paris, ses eaux et ses fontaines*, de Georges Montorgueil ; *Les Géorgiques*, de Virgile.

Musées : Douai – Paris (Musées d'Art Mod. de la Ville) – Paris (Chalcographie du Mus. du Louvre) – Tarbes.

WILLAUME Nicolas

Né le 25 novembre 1619 à Nancy. xviie siècle. Français.

Peintre.

Il était fils de Jean Willaume.

WILLAUME Rémy. Voir **VILLAUME Rémy**

WILLCOCK George Barrell

Né en 1811 à Exeter. Mort en 1852. xixe siècle. Actif à Londres. Britannique.

Peintre de paysages, architectures.

Il exposa à Londres de 1839 à 1852, notamment à la Royal Academy, à Suffolk Street et à la British Academy.

Musées : Londres (Tate Gal.) : *Chilston Lane – Torquay*.

Ventes Publiques : Londres, 13 nov. 1969 : *Paysage* : **GNS 310** – Londres, 25 jan. 1974 : *Paysage boisé* : **GNS 1 200** – Londres, 14 mai 1976 : *Charlecombe church*, h/cart. (29x39,5) : **GBP 380** – Londres, 27 juin 1978 : *Le vieux moulin*, h/t (74x61) : **GBP 1 800** – Londres, 25 mai 1979 : *Hampstead Heath*, h/t (75x125,2) : **GBP 1 800** – Londres, 2 mars 1983 : *Paysages aux moulins, Devon*, h/t, une paire (30,5x40,5) : **GBP 4 400** – Londres, 26 sep. 1990 : *Le Moulin de Nympt près de Moreton dans le Devon* ; *Le Moulin de Holly Street à Chagford dans le Devon* 1847, h/t, une paire (chaque 46x62) : **GBP 7 150** – New York, 15 oct. 1991 : *Le moulin de Fingal*, h/t (50,8x61) : **USD 2 420** – Londres, 13 avr. 1994 : *Saint Paul depuis Haupstead Heath* 1848, h/t (46x69,5) : **GBP 3 220** – Londres, 7 nov. 1996 : *Enfants pêchant près d'un moulin*, h/t (25,3x35,6) : **GBP 2 070**.

WILLCOX Anita. Voir **PARKHURST Anita**

WILLE Anton

Né en 1709 à Ried. Mort en 1766 à Ried. xviiie siècle. Autrichien.

Peintre.

Il peignit des tableaux d'autel pour les églises de Schruns et de Nüziders.

WILLE August von

Né le 18 avril 1829 à Kassel. Mort le 31 mars 1887 à Düsseldorf. xixe siècle. Allemand.

Peintre de scènes de genre, paysages, paysages d'eau, architectures.

Il fut élève de l'Académie des Beaux-Arts de Düsseldorf. Il exposa à Paris en 1855.

Musées : Aix-la-Chapelle : *La Moselle au clair de lune – Paysage avec crucifix – Le braconnier* – Cologne : *Morceau d'architecture* – Düsseldorf : *Beilstein-sur-la-Moselle*.

Ventes Publiques : Cologne, 26 mars 1971 : *Bords du Rhin* : **DEM 2 400** - Cologne, 24 mars 1972 : *Carnaval à Düsseldorf* : **DEM 7 500** - Cologne, 25 nov. 1976 : *Paysage romantique*, h/t (40x56) : **DEM 5 500** - Cologne, 21 mars 1980 : *Paysage montagneux*, h/cart. (23,5x48) : **DEM 2 200** - Cologne, 25 oct. 1985 : *Autoportrait dans l'atelier* 1856, h/t (67x55) : **DEM 10 000** - Cologne, 23 mars 1990 : *Conversation près de la clôture*, h/t (24x34,5) : **DEM 5 000** - Munich, 12 juin 1991 : *Le retour au château* 1858, h/t (79x95) : **DEM 22 000** - Amsterdam, 22 avr. 1992 : *La vallée du Rhin avec la barque du passeur et une embarcation amarée au rivage ; Rivière au clair de lune avec des passagers débarquant d'un bateau et gagnant la côte à bord d'une chaloupe*, h/t, une paire (chaque 25,5x48,5) : **NLG 23 000**.

WILLE Clara ou **Klara von**, née **von Bëttcher**

Née en 1838. Morte le 15 mars 1883 à Düsseldorf. XIXe siècle. Allemande.

Peintre de scènes de genre, animaux.

Elle fut élève de Karl Sohn de Knaus et de Rosa Bonheur. Elle exposa à Berlin en 1868.

Ventes Publiques : Cologne, 23 mars 1990 : *Trois jeunes chiens joueurs* 1868, h/t (52x61) : **DEM 13 000**.

WILLE Fritz von

Né le 21 avril 1860 à Weimar (Thuringe). Mort le 16 février 1941 à Düsseldorf (Rhénanie-Westphalie). XIXe-XXe siècles. Allemand.

Peintre de paysages, paysages animés, paysages urbains, fleurs, lithographe.

De 1879 à 1882, il fut élève de Andreas Müller et de Peter Jansen à l'Académie des Beaux-Arts de Düsseldorf. Il visita l'Allemagne et l'Italie. Il vint s'établir à Düsseldorf. Il exposa à Vienne en 1885.

Musées : Aix-la-Chapelle : *Ferme dans le Venn* – Berlin : *Un nid d'oiseaux* – Bonn : *La fin de l'hiver* – Cologne : *Dernière neige* – Duren : *Chemin dans la lande* – *Le lac de Weinfeld* – *Dans les nues* – Düsseldorf : *Eifelgold* – Essen : *Schleiden* – Krefeld : *Des volcans éteints* – Dortmund : *Avant l'orage* – Munster : *Dernière neige* – Stuttgart : *Village dans le Venn*.

Ventes Publiques : Cologne, 25 oct. 1968 : *Paysage de printemps* : **DEM 5 300** - Cologne, 14 mars 1969 : *Paysage* : **DEM 4 400** - Cologne, 26 mars 1971 : *Paysage à la tour* : **DEM 4 000** - Cologne, 24 mars 1972 : *Vue d'un village* : **DEM 4 500** - Cologne, 18 oct. 1974 : *Paysage* : **DEM 4 000** - Cologne, 25 juin 1976 : *Vue du château de Ham*, h/t (80x100) : **DEM 10 000** - Cologne, 11 mai 1977 : *Paysage au Crucifix* 1910, h/t (90x130) : **DEM 5 000** - Cologne, 1er juin 1978 : *Paysage fluvial* 1919, h/t (121,5x151,5) : **DEM 14 000** - Cologne, 22 juin 1979 : *Paysage de neige* 1911, h/t (91x115,5) : **DEM 8 500** - Cologne, 26 juin 1981 : *Paysage orageux*, h/t (129,5x150) : **DEM 20 000** - Cologne, 25 nov. 1983 : *Vue du Roertal*, h/t (50x65,5) : **DEM 16 000** - Cologne, 28 juin 1985 : *Paysage d'hiver* 1910, h/t (41x50) : **DEM 14 000** - Cologne, 15 oct. 1988 : *Genêts en fleurs au bord d'un lac de cratère avec une chapelle à l'arrière-plan*, h/t (51x61) : **DEM 13 000** - Cologne, 20 oct. 1989 : *Touffe de genêt dans un paysage de montagne*, h/t (50,5x60,5) : **DEM 12 000** - Genève, 19 jan. 1990 : *Paysage* 1907, h/t (53,8x68) : **CHF 6 000** - Cologne, 23 mars 1990 : *Champs de coquelicots, marguerites, etc.*, h/t (126x150) : **DEM 83 000** - Cologne, 29 juin 1990 : *Le village fortifié de Reifferscheid*, h/t (61,5x81) : **DEM 13 000** - Cologne, 28 juin 1991 : *Le Nürburg au printemps*, h/t (79x99) : **DEM 33 000** - Londres, 7 avr. 1993 : *La chapelle Saint-Pierre à Cochem*, h/t (50x37) : **GBP 2 760** - Munich, 21 juin 1994 : *La dernière neige*, h/t (89x118) : **DEM 36 800**.

WILLE Johan Georg ou **Jan Georges** ou **Will**

Né le 5 novembre 1715 à Bieberthal. Mort le 5 avril 1808 à Paris. XVIIIe-XIXe siècles. Allemand.

Graveur de scènes de genre, portraits, paysages, dessinateur.

Il fut placé chez un armurier de Königsberg comme apprenti graveur damasquineur. En 1736, le désir de voir Paris lui fit quitter furtivement son maître et sa famille. Il fit en partie la route à pied. Ses débuts à Paris furent d'abord assez difficiles : il les raconte avec la bonhomie qui le caractérise dans les mémoires publiées par G. Duplessis en 1857. Un portrait du maréchal de Belle-Isle, d'après Rigaud, commença sa réputation. Son expression à la fois souple et ferme, le bon goût de son interprétation lui valurent le succès le plus honorable. Agréé de l'académie de Paris le 30 août 1755, il fut nommé Académicien le 24 juillet 1761, et prit une part active aux travaux de l'illustre compagnie. J. G. Wille eut tous les honneurs, appartenant aux Académies de Paris, Rouen, Augsbourg, Valence, Berlin et Dresde. Il fut graveur du roi de France, de l'empereur d'Allemagne, du roi de Danemark ; et fut promu chevalier de la Légion d'honneur. Il eut une grande influence sur le développement de la gravure en Allemagne. La droiture, la sagesse de son caractère le faisaient unanimement respecter. Il fut le correspondant, le maître, le mentor, de nombre de jeunes gens qui vinrent s'instruirent près de lui, tels que Baader, Schenau, Schulze, Schnutzez. J. G. Muller, Bervic, Chevillet, les Guttenberg, Dennel. Témoin impassible de la Révolution, il se trouva ruiné. Pour comble de malheur, il devint aveugle.

Au début de sa carrière, il fit un peu de peinture sous la direction de Largillière, mais il y renonça vite. Par contre, ses dessins furent toujours de qualité. Comme graveur, Wille se consacra d'abord presque exclusivement à la gravure de portrait, réalisée au burin. Il reproduisit dans la suite, avec autant de succès, de petits tableaux de genre, des maîtres hollandais et flamands du XVIIe siècle, dont il appréciait particulièrement le talent ; il grava également quelques pièces de même genre d'après ses contemporains. Il fit aussi, un peu en amateur, un grand commerce d'estampes, de tableaux, de dessins, de monnaies et de médailles. Son action comme graveur, s'étend de 1738 à 1790.

Bibliogr. : Ch. Le Blanc : *Le Graveur en taille-douce ou catalogue raisonné des estampes dues aux graveurs les plus célèbres, No 1 : Jean-Georges Wille*, Leipzig, Weizel, 1847-1848.

Musées : Dublin : *Lit de paysan*, dess. – Pontoise : *Deux têtes de choux*, dess. d'après Weenix.

Ventes Publiques : Paris, 1883 : *Portrait de Fr. Poisson de Vandières*, sanguine : **FRF 1 150** - Paris, 1886 : *La toilette* : **FRF 1 380** - Paris, 1897 : *Vue de Paris*, dess. : **FRF 400** - Paris, 21 jan. 1924 : *Le reniement paternel* : **FRF 4 250** - Paris, 1er juin 1927 : *La servante indiscrète* : **FRF 2 750** - Paris, 12 déc. 1932 : *Le neveu de Rameau*, dess. au cr. : **FRF 1 620** - Paris, 31 mars 1943 : *Les jardiniers* 1775, lav. de bistre : **FRF 3 600** - Paris, 6 juin 1951 : *Fillette nue debout*, sanguine : **FRF 14 000** - Versailles, 20 juil. 1976 : *Portrait de Voltaire*, sanguine (45x34) : **FRF 6 000** - Paris, 29 oct. 1980 : *Paysage animé d'une scène familière autour d'un puits* 1758, pl. et lav. de bistre (20,3x27,3) : **FRF 9 500** - Londres, 9 juil. 1981 : *Tête de jeune homme*, sanguine (62x46,5) : **GBP 620** - New York, 21 jan. 1983 : *Paysans dans un paysage*, pl. et lav. (23x33,7) : **USD 900** - New York, 12 jan. 1990 : *Etude de main* 1739, craies blanche et noire/pap. bleu (30,7x26,7) : **USD 6 270** - New York, 22-23 mars 1991 : *Une cabane de jardin* 1764, encre et lav. (20x17,2) : **USD 2 640** - New York, 22-23 mars 1991 : *Tanneurs au bord d'un canal* 1788, craie noire et lav. (21,3x28,9) : **USD 3 300** - Paris, 22 déc. 1993 : *Les bergeries* 1775, pl., encre noire et lav. (20,5x29) : **FRF 6 500** - Paris, 16 mars 1994 : *Jeune femme près d'une chaumière* 1765, pl. et lav. (18x26,2) : **FRF 7 200** - Paris, 18 nov. 1994 : *Paysage avec des moulins*, pl. et lav. (12,8x20) : **FRF 4 200** - Paris, 30 juin 1995 : *Main et nœud*, pierre noire et reh. de blanc/pap. (30,5x23) : **FRF 17 000**.

WILLE Marianne

Née le 9 décembre 1868 à Graz (Styrie). Morte le 24 février 1927 à Graz. XIXe-XXe siècles. Autrichienne.

Peintre de portraits.

Elle fit ses études à Graz et à Munich. Elle travailla à Reutlingen.

WILLE Pierre Alexandre, dit **Wille** fils

Né le 19 juillet 1748 à Paris. Mort le 9 janvier 1821. XVIIIe-XIXe siècles. Français.

Peintre de scènes de genre, portraits, aquarelliste, graveur, dessinateur.

Fils et élève de Jean Georges Wille, il travailla aussi avec Greuze. Il fut agréé à l'Académie des Beaux-Arts le 25 juin 1774. Il exposa au Salon de Paris, entre 1775 et 1819.

Musées : Angers : *Vieillard* – Bordeaux (Mus. des Beaux-Arts) : *Tête de femme* – Cambrai : *La mère mourante* – Marseille : *Portrait d'une jeune fille*.

Ventes Publiques : Paris, 1868 : *Jeune femme à sa toilette* : **FRF 1 400** - Paris, 1881 : *Portrait de Mlle d'Angivilliers* : **FRF 800** - Paris, 30 mars 1895 : *La marchande de bouquets*, aquar. : **FRF 800** - Paris, 14 fév. 1898 : *Le café du Caveau au Palais Royal*, aquar. : **FRF 2 150** - Paris, 1899 : *Portrait de vieille femme*, dess. au cr. noir : **FRF 800** - Paris, 4-6 déc. 1919 : *Les Baigneuses*, mine de pb : **FRF 2 300** - Paris, 23 fév. 1920 : *Le marchand de bouquets* : **FRF 37 200** - Paris, 22-23 mai 1924 : *La visite à la ferme* : **FRF 25 000** - Londres, 20 mai 1927 : *La lettre* : **GBP 441** - New York, 11 jan. 1929 : *Les soins maternels* : **USD 2 900** ; *Les délices paternels* : **USD 2 900** - Paris, 10 déc. 1930 : *Les musiciens ambu-*

lants, pl. et lav. de sépia : **FRF 4 500** – PARIS, 28 fév. 1938 : *La visite à la nourrice*, gche : **FRF 2 350** – PARIS, 20 oct. 1948 : *Le cortège nuptial* 1809, cr. de coul. : **FRF 22 000** – PARIS, 24 mai 1950 : *L'heureuse famille*, attr. : **FRF 34 000** – PARIS, 20 déc. 1950 : *La fleuriste* 1788, aquar. : **FRF 42 500** – PARIS, 18 juin 1951 : *Les musiciens ambulants*, aquar. : **FRF 48 000** – PARIS, 4 déc. 1963 : *Les chanteurs ambulants* : **FRF 4 200** – VERSAILLES, 23 mars 1964 : *La jeune femme à la miniature* : **FRF 6 500** – PARIS, 7 avr. 1976 : *La belle bouquetière*, sanguine (32x23) : **FRF 6 000** – PARIS, 5 déc 1979 : *Portrait de Charlotte Corday d'Armans*, sanguine (43x33) : **FRF 8 500** – PARIS, 22 oct. 1982 : *Scène d'intérieur* 1789, pl. reh. d'aquar., de lav. et de gche blanche : **FRF 17 000** – VERSAILLES, 14 mars 1982 : *L'homme au verre de vin* daté An II de la République, h/bois (14,5x10) : **FRF 10 500** – LONDRES, 29 nov. 1983 : *L'Arracheur de dents ambulant* 1803, aquar., cr. et pl. (33,4x23,6) : **GBP 2 400** – VERSAILLES, 3 mars 1984 : *Paysan et paysanne* 1776, h/bois, deux pendants (17,6x12,8) : **FRF 14 000** – PARIS, 5 déc. 1986 : *La Leçon mal apprise* 1807, pl., lav. et aquar. (32x24) : **FRF 13 000** – MONACO, 17 juin 1988 : *Le sommeil du père*, h/t (90x71) : **FRF 99 900** – PARIS, 12 déc. 1988 : *Tête d'enfant* 1783, sanguine (27,5x23,5) : **FRF 19 000** – LONDRES, 20 juil. 1990 : *Intendante faisant ses comptes*, h/t (41x33) : **GBP 11 000** – MONACO, 7 déc. 1990 : *Le cortège nuptial* 1809, cr. de coul./pap. (67x99) : **FRF 277 500** – NEW YORK, 14 jan. 1992 : *Tête de vieil homme* 1792, encre (23,5x18,5) : **USD 2 750** – NEW YORK, 13 jan. 1993 : *Deux petites filles contemplant un dessin*, aquar. avec reh. de gche (14,2x10,2) : **USD 2 588** – MONACO, 2 juil. 1993 : *Portrait de Madame Wille portant un chapeau de feutre au dessus d'un bonnet de dentelle et une cape de fourrure* 1793, craies rouge, noire et blanche/pap. beige (39,8x31,6) : **FRF 144 300** – PARIS, 22 mai 1994 : *Portrait de femme assise* 1772, sanguine (25x19) : **FRF 11 500** – PARIS, 28 avr. 1995 : *La marchande de bouquets*, pl. et aquar. (28x22,6) : **FRF 6 500** – PARIS, 10 avr. 1996 : *Portrait de jeune femme à la rose* 1782, h/t (35x29,5) : **FRF 30 000**.

WILLEBEECK Petrus ou **Peter**

XVIIe siècle. Actif de 1632 à 1647. Éc. flamande.

Peintre de sujets religieux, natures mortes, fleurs et fruits, sculpteur.

MUSÉES : VIENNE (Gal. Harrach) : *Buste du Christ*.

VENTES PUBLIQUES : LONDRES, 19 juin 1968 : *Nature morte aux fruits* : **GBP 600** – LONDRES, 31 oct 1979 : *Nature morte aux fruits*, h/pan. (75x61) : **GBP 11 500** – LONDRES, 24 avr. 1981 : *Buste de Christ dans une niche décorée de branchages de fruits* 1647, h/pan. (83,8x62,8) : **GBP 3 800** – NEW YORK, 18 jan. 1983 : *Le Christ dans une niche entouré de fruits* 1647, h/pan. (83,8x62,8) : **USD 7 000** – LONDRES, 10 avr. 1987 : *Nature morte aux fruits*, h/pan. (67x55) : **GBP 30 000** – LONDRES, 21 avr. 1989 : *Nature morte avec une pièce d'argenterie surmontée de saint Michel, une pêche et un couteau, du raisin noir et des feuilles sur un entablement drapé et une coupe de faïence avec du raisin, une pomme*, h/pan. (75x61,5) : **GBP 93 500**.

WILLEBEEK LE MAIR Henriette

Née le 23 avril 1889 à Rotterdam. XXe siècle. Hollandaise.

Peintre de portraits, illustrateur.

Elle fut élève de Maasdijk, d'Ezerman et de Boutet de Monvel. Elle illustra des livres pour enfants.

WILLEBORTS Thomas ou **Wileboorts** ou **Willeboorts** ou **Willeboirts**, dit **Bosschaert**

Né en 1614 à Berg-op-Zoom. Mort le 23 janvier 1654 à Anvers. XVIIe siècle. Éc. flamande.

Peintre d'histoire, compositions religieuses, compositions mythologiques, figures, portraits.

Élève de Gérard Seghers en 1628, il devint, en 1637, franc-maître de la gilde et bourgeois d'Anvers. Il voyagea en Allemagne, Italie, Espagne. Il travailla pour les stathouders Frédéric-Henri et Guillaume II. Il a peint des grisailles dans des tableaux de son maître. On cite également sa participation au cycle de peintures d'histoire pour l'Orangezaal à la Huis ten Bosch de La Haye.

Il s'inspira surtout de Rubens et de Van Dyck, dont il copia certaines œuvres. Le type de ses personnages est reconnaissable à l'allongement exagéré de leur visage et de leur silhouette, au côté chiffoné de leur draperie, à une certaine morbidité générale.

T. WILLEBOIRTS.

BIBLIOGR. : In : *Diction. de la peinture flamande et hollandaise*, coll. Essentiels, Larousse, Paris, 1989.

MUSÉES : AMSTERDAM (Rijksmus.) : *Mars armé par Vénus* – ANVERS : *Balthasar Moretus* – *Balthasar Moretus sur son lit de mort* – *G. Gevaerts* – *G. Wendelinus* – *E. Puteanus* – AUGSBOURG : *Sainte Cécile* – BRUXELLES : *Les anges annoncent à Abraham la naissance d'Isaac* – BURGHAUSEN : *Saint Sébastien* – CAEN : *Portrait de femme* – DIEPPE : *Flora* – LA HAYE (Mauritshuis Mus.) : *Fuite en Égypte* – *Adieux de Vénus et d'Adonis* – *L'Amour avec un lion* – LA HAYE (Mus. comm.) : *Fuite en Égypte* – NUREMBERG : *La Vierge apparaît à saint François d'Assise* – *Vénus et Amour* – OTTAWA (Nat. Gal.) : *La mort d'Adonis* – ROUEN (Mus. des Beaux-Arts) : *La Charité* – SCHLEISSHEIM : *Saint Gaétan* – *Les anges retirent les flèches des blessures de saint Sébastien* – VIENNE : *Le prophète Élie*.

VENTES PUBLIQUES : PARIS, 1854 : *Portrait de Bosschaert debout devant un chevalet* : **FRF 400** – PARIS, 29 mai 1900 : *Femme cueillant des fleurs* : **FRF 700** – PARIS, 2 déc. 1954 : *Autoportrait* : **FRF 120 000** – NEW YORK, 7 juin 1978 : *Héro et Léandre*, h/t (156x117) : **USD 9 000** – ROME, 22 mars 1988 : *San Sebastiono*, h/t (112x89) : **ITL 9 000 000** – LONDRES, 19 mai 1989 : *La mort d'Adonis*, h/t (167x205,8) : **GBP 16 500** – AMSTERDAM, 11 nov. 1992 : *Abraham chassant Agar*, h/pan. (62,5x82,5) : **NLG 29 900** – NEW YORK, 19 mai 1995 : *Hero et Léandre sur le rivage de l'Hellespont*, h/t (153,7x116,8) : **USD 76 750**.

WILLELMUS. Voir **GUILLAUME** et **GUILLELMUS**

WILLEM

XVIe siècle. Hollandais.

Sculpteur.

Il était actif à Zutphen. Il y décora des statues d'anges l'escalier de l'église Sainte-Walburg en 1547.

WILLEM, pseudonyme de **Holtrop Bernhard Willem**

Né en 1941 à Ermelo, près d'Amsterdam. XXe siècle. Depuis environ 1970 actif en France. Hollandais.

Dessinateur d'humour, caricaturiste, illustrateur.

En 1998 à Paris, l'Institut Néerlandais lui a consacré une exposition d'ensemble *Willem, Deadlines des 60's aux 90's*.

Son activité de dessinateur prolifique s'exerce dans des médias diversifiés : bande dessinée, caricature, illustration, reportage. Il est l'auteur de plus de quarante livres, collabore à de nombreux périodiques, dont, en France : *Charlie Hebdo, Hara-Kiri, L'Écho des Savanes, 50 Millions de Consommateurs, Politis*, le journal *Libération* et en Hollande : *Vrij Nederland, De Nieuwe Linie* et *Provo*, l'organe du mouvement populaire de contre-culture du même nom. Il a reçu le Prix du Festival de la Caricature d'Épinal, le Prix de l'Humour Noir Grandville, le Grand Prix National des Arts Graphiques.

Sa verve s'exerce envers l'hypocrisie et la cruauté, ses cibles privilégiées sont les nazis, les dictateurs, les services secrets, les militaires, les obsédés sexuels.

WILLEM Tordsen. Voir **TORDSEN Willem**

WILLEM von Brugge ou **Guillaume**

XVe-XVIe siècles. Éc. flamande.

Peintre de portraits.

WILLEM de Hollandere

XVIe siècle. Travaillant à Bruges de 1525 à 1526. Éc. flamande.

Peintre de cartons.

WILLEM Van Lombeke. Voir **RYTSERE Willem de** ou **le**

WILLEM Van Zandfoort

XVe siècle. Actif à Haarlem de 1466 à 1467. Hollandais.

Sculpteur.

WILLEMAERT Albert Philippe ou **Willemart**

XVIIe siècle. Travaillant vers 1670. Hollandais.

Peintre et graveur à l'eau-forte et au burin.

Il a gravé des paysages.

WILLEMANS Gregorius

XVe-XVIe siècles. Actif à Anvers. Éc. flamande.

Sculpteur.

Il travailla pour la grille du chœur de la cathédrale d'Utrecht.

WILLEMANS Michael. Voir **WILLMANN**

WILLEMART Louise

Née le 11 octobre 1863 à Paris. XIXe siècle. Française.

Peintre de portraits, peintre de miniatures.

Élève de Jeanne Burdy, de F. Humbert et d'A. Tanoux. Expose au Salon des Artistes Français depuis 1914.

VENTES PUBLIQUES : NEW YORK, 16 fév. 1993 : *Jeune femme élégante avec une rose rose*, h/t (45,7x38,6) : **USD 2 420**.

WILLEME François ou **Auguste François**

Né à Givonne (près de Sedan, Ardennes). Mort en février 1905 à Roubaix (Nord). XIXe siècle. Français.

Peintre et sculpteur.
Élève de l'École des Beaux-Arts de Paris. Inventeur de la photosculpture.

WILLEMENT Thomas
Né en 1786. Mort en 1871 à Faversham. XIXe siècle. Britannique.
Peintre héraldiste et de cartons de vitraux.
Il fut le peintre héraldiste du roi George IV et de la reine Victoria à Londres. Il publia plusieurs ouvrages de science héraldique, qu'il illustra lui-même. Ce fut aussi un peintre verrier de talent.

WILLEMET. Voir **NOFUS Willemet**

WILLEMIN Nicolas Xavier
Né le 5 août 1763 à Nancy-Euville. Mort le 25 janvier 1839 à Paris. XVIIIe-XIXe siècles. Français.
Graveur au burin et dessinateur.
Élève de Taillasson et de Lagrenée. Il exposa au Salon en 1800 et 1824.

WILLEMS Adolphe
Né en 1875 à Dendermonde. XXe siècle. Belge.
Peintre de sujets religieux, intérieurs, paysages.
Il fut élève d'Isidore Meyers et de J. Rooseels. Il peignit des vues, des intérieurs d'églises et des scènes religieuses.
Ventes Publiques : Lokeren, 8 mars 1997 : *Église de Saint-Martin*, h/t (116x70) : **BEF 14 000**.

WILLEMS C. ou **Cornelis**. Voir **BOUTER Cornelis**

WILLEMS Charles Henri
Né à Sèvres (Hauts-de-Seine). XIXe-XXe siècles. Français.
Peintre de portraits, figures, paysages.
Fils de Florent Willems, il fut élève de Jean Léon Gérôme à l'École des Beaux-Arts de Paris.
Il figura au Salon des Artistes Français de 1890 à 1913, devenant membre de cette société en 1901, et obtenant une mention honorable en 1903.
Bibliogr. : Gérald Schurr, in : *Les Petits Maîtres de la peinture 1820-1920, valeur de demain*, Les Éditions de l'Amateur, t. IV, Paris, 1979.
Musées : Sète : *Pâturage*.
Ventes Publiques : Paris, 12 juin 1995 : *Baigneuses au hammam du sérail* 1893, h/t (46,5x55) : **FRF 36 000**.

WILLEMS Florent
Né le 8 janvier 1823 à Liège. Mort en octobre 1905 à Neuilly-sur-Seine (Hauts-de-Seine). XIXe siècle. Actif en France. Belge.
Peintre de genre, portraits, restaurateur, décorateur.
Élève de l'Académie de Malines, il exposa pour la première fois en 1840. Il vint se fixer à Paris en 1844 et s'y établit. Très tôt reconnu comme restaurateur et peintre de talent, il fut chargé de la restauration du *Saint Jean* de Raphaël, au musée du Louvre, et y consacra deux années de travail. Son succès fut grand, chevalier de la Légion d'honneur en 1853, officier en 1864, commandeur en 1878, il fut aussi dans l'ordre de Léopold, chevalier en 1851, officier en 1855, commandeur en 1860. Alfred Stevens fut son élève et son grand ami.
Il se plut à mettre en peinture de petites anecdotes des XVIe et XVIIe siècles, faisant de l'histoire un peu à la manière d'Alexandre Dumas, dans un style proche de ceux de Metsu ou de Ter Borch. Il est également l'auteur de cartons de tapis et de dessins de meubles.

F. Willems
Florent Willems
Florent Willems
F Willems

Bibliogr. : Gérald Schurr, in : *Les Petits Maîtres de la peinture 1820-1920, valeur de demain*, Les Éditions de l'Amateur, t. II, Paris, 1982.
Musées : Amsterdam (Mus. mun.) : *Dans le bleu* – Anvers : *Marché au XVIIe siècle* – Bruxelles : *La fête chez la duchesse* – *La toilette de la mariée* – *La fête des grands parents* – *L'amateur d'estampes* – *La veuve* – Dublin : *Figures dans l'intérieur de Saint-Jacques d'Anvers, par Gernisson* – Hambourg : *La lettre* – *Jeune femme* – Liège : *La lecture* – Nice – Vannes : *La veuve* – Vienne (Mus. Czernin) : *Dame avec petit chien*.
Ventes Publiques : Paris, 6 avr. 1891 : *La frileuse* : **FRF 2 000** – Paris, 12-15 mai 1902 : *À la santé du roi* : **FRF 3 700** – Paris, 18 juin 1930 : *Le plat de fraises* : **FRF 4 000** – Paris, 17 mai 1944 : *La leçon de musique* : **FRF 30 500** – New York, 18-19 avr. 1945 : *La pavane* : **USD 1 000** – Lucerne, 16-20 juin 1953 : *Jeune fille dans un intérieur* : **CHF 500** – Bruxelles, 29 oct. 1970 : *Le repas* : **BEF 100 000** – Londres, 13 juin 1973 : *Le choix du bracelet* : **GBP 650** – Bruxelles, 19 déc. 1974 : *Le petit frère* 1864 : **BEF 440 000** – Bruxelles, 27 oct. 1976 : *La jeunesse du roi Henri IV*, h/bois (105x68) : **BEF 95 000** – Berne, 21 oct. 1977 : *La Suivante et le Page*, h/pan. (50x34) : **CHF 3 000** – Paris, 12 mars 1979 : *Jeune femme dans un intérieur*, h/pan. (81x53) : **FRF 28 500** – San Francisco, 3 oct. 1981 : *L'Amateur d'art* 1852, h/pan. (91,5x68,5) : **USD 3 750** – New York, 26 mai 1983 : *La Visite à la mariée*, h/t (92x72,5) : **USD 9 000** – Bruxelles, 9 déc. 1985 : *A la basse-cour*, h/t (56x45,5) : **BEF 440 000** – Amsterdam, 16 nov. 1988 : *Jeune femme en robe d'intérieur rose, dans un intérieur bourgeois, ouvrant une cage pour nourir les oiseaux*, h/pan. (80x53) : **NLG 18 400** – Londres, 5 mai 1989 : *Le panier de fleurs* 1863, h/pan. (27x19) : **GBP 1 100** – Londres, 6 juin 1990 : *La diseuse de bonne aventure*, h/pan. (85x69,5) : **GBP 7 700** – Amsterdam, 24 avr. 1991 : *Fleurs fraîches pour la jeune artiste peintre*, h/pan. (90x64,5) : **NLG 20 700** – Paris, 22 sep. 1992 : *Jeune mère endormie*, h/pan. (74x100) : **FRF 19 000** – Londres, 19 mars 1993 : *La liseuse* 1958, h/pan. (80,7x63,8) : **GBP 12 650** – Lokeren, 7 oct. 1995 : *Dame debout dans un intérieur et tenant un bouquet de fleurs*, h/pan. (58,5x47) : **BEF 240 000** – New York, 14 sep. 1995 : *Lewis et Clark explorant la passe du nord-ouest*, h/t (129,5x175,3) : **USD 16 675** – New York, 23-24 mai 1996 : *La Visite à la mariée*, h/pan. (92,1x72,4) : **USD 23 000** – Londres, 13 mars 1997 : *Dame dans un intérieur*, h/pan. (63x49) : **GBP 3 220**.

WILLEMS H.
XVIIe siècle. Hollandais.
Peintre de portraits.
Peut-être identique à Winolt Willems.
Musées : Lisbonne : *Portrait de femme*.

WILLEMS Jan I
XVIe siècle. Travaillant à Louvain vers 1500. Éc. flamande.
Peintre de figures.
Père de Jan W. II.

WILLEMS Jan II
Mort le 16 février 1548. XVIe siècle. Actif à Louvain. Éc. flamande.
Peintre.
Il travailla pour la ville de Louvain et surtout pour l'église Saint-Pierre de cette ville.

WILLEMS Joseph
Né à Bruxelles. Mort le 1er novembre 1766 à Tournai. XVIIIe siècle. Éc. flamande.
Modeleur de porcelaine.
Élève de P. D. Plumier à Bruxelles. Il travailla pour la Manufacture de porcelaine de Chelsea.

WILLEMS Joseph
Né en 1845 à Malines (Anvers). Mort en 1910 à Malines. XIXe-XXe siècles. Belge.
Sculpteur.
Il figura aux expositions du Salon des Artistes Français de Paris, obtenant une médaille de bronze en 1889, pour l'Exposition Universelle.
Musées : Courtrai : *Projet pour le monument Palfyn à Courtrai*.
Ventes Publiques : Lokeren, 20 mars 1993 : *Un aigle et sa proie*, bronze (H. 62, l. 87) : **BEF 85 000**.

WILLEMS Marcus
Né en 1527 à Malines. Mort en 1561 à Malines. XVIe siècle. Éc. flamande.
Peintre d'histoire.
Élève de Michiel Van Coxie. Il décora plusieurs églises notam-

ment celle de Saint-Rombouts, à Malines, où il peignit une *Décollation de saint Jean-Baptiste*. Il fut du nombre des artistes chargés de la décoration de la ville et il peignit sur un arc de triomphe une *Histoire de Didon*. Il fournit des dessins pour les peintres verriers et pour les tapissiers de hautes lisses. Il fit un court séjour en Angleterre.

WILLEMS Peeter

XVIe siècle. Travaillant à Louvain de 1524 à 1531. Éc. flamande.

Peintre et tailleur de sceaux.

Frère de Jan W.

WILLEMS Pieter

XVe-XVIe siècles. Actif à Haarlem. Hollandais.

Peintre et enlumineur.

Il travailla pour l'église Saint-Bavon et pour la ville de Haarlem.

WILLEMS Winolt ou **Wyllems**

XVIIe siècle. Hollandais.

Peintre.

Actif à Rinsumageest, il travailla à Leeuwarden de 1606 à 1636. Le Musée National d'Amsterdam conserve de lui *Portrait d'un jeune garçon*. Peut-être identique à H. Willems.

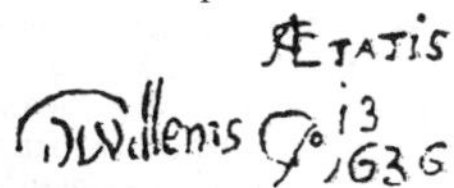

Ventes Publiques : Paris, 27 et 28 mai 1926 : *Portrait d'un jeune amateur* : **FRF 18 500**.

WILLEMSEN Peter. Voir **WILLIAMSON**

WILLEMSEN W. J.

Né le 15 août 1866 à Arnhem. Mort le 9 janvier 1914 à Arnhem. XIXe-XXe siècles. Hollandais.

Peintre de portraits, paysages, graveur.

Il gravait à l'eau-forte.

WILLEMSENS Abraham

Mort en 1672. XVIIe siècle. Éc. flamande (?).

Peintre de genre, scènes animées.

Il peignait les scènes de genre du monde rural.

Ventes Publiques : Londres, 19 avr. 1991 : *Paysans trayant des chèvres et filtrant le lait dans des ruines de chapelle avec un jeune garçon jouant du pipeau*, h/t (92,2x124) : **GBP 33 000** – New York, 14 jan. 1993 : *Chasseur demandant son chemin à une famille de paysans se rendant au marché*, h/pan. (52,7x75,6) : **USD 33 000** – Londres, 10 déc. 1993 : *Paysanne filant près d'un berceau d'osier dans une grange*, h/pan. (53,7x75,2) : **GBP 16 100** – New York, 18 mai 1994 : *Jeune paysanne avec ses enfants dans la cour d'une auberge avec une vieille femme sermonant son mari paillard*, h/t (67,3x82,5) : **USD 23 000** – Londres, 21 oct. 1994 : *Une servante rassemblant des légumes et un paysan nourrissant son âne dans une cour de ferme*, h/t (37,7x42) : **GBP 8 050** – Londres, 5 avr. 1995 : *Personnages et animaux dans une cour de ferme*, h/t (87x117,5) : **GBP 8 050** – New York, 31 jan. 1997 : *Paysans se reposant près d'un puits avec un gardien de moutons jouant du pipeau, une ferme au loin*, h/t (51,4x60,9) : **USD 17 250**.

WILLEMSENS Sidrach

Né en 1626. XVIIe siècle. Actif à Anvers. Éc. flamande.

Graveur au burin.

Élève d'Abraham von Merlen.

WILLEMSS Roeloff

XVIe siècle. Travaillait à Utrecht de 1569 à 1593. Hollandais.

Peintre.

WILLEMSSENS Louis ou **Ludovicus**

Né en 1630 à Anvers. Mort en 1702 à Anvers. XVIIe siècle. Éc. flamande.

Sculpteur.

Il travailla à Anvers. Il sculpta la chaire de l'église St-Jacques d'Anvers ainsi que de nombreuses statues pour des églises d'Anvers, de Paderborn et de Tournai.

WILLEMSZ Cornelis

XVe-XVIe siècles. Actif à Haarlem. Hollandais.

Peintre.

Il travailla pour l'église Saint-Bavon de Haarlem.

WILLEMSZ Pieter

Né vers 1593. Mort après 1650. XVIIe siècle. Actif à Amsterdam en 1650. Hollandais.

Peintre d'architectures.

Ventes Publiques : Londres, 10 déc. 1993 : *Intérieur d'un palais*, h/pan. (38,5x63,8) : **GBP 13 800**.

WILLEMSZ Willem

XVIIe siècle. Travaillant à La Haye et à Delft de 1611 à 1620. Hollandais.

Peintre.

WILLEMSZ-HORST Gerrit. Voir **HORST Gerrit Willemsz**

WILLENBERGER Johann ou **Willenberg**

Né le 23 juin 1571 à Trzebnitz près de Breslau. Mort en 1613 à Prague. XVIe-XVIIe siècles. Autrichien.

Dessinateur et graveur sur bois.

Il dessina et grava des vues de villes et des architectures ainsi que des scènes contemporaines.

WILLENIGH Michel ou **Willenich**

Né à Alexandrie. Mort en août 1891. XIXe siècle. Naturalisé en France. Égyptien.

Peintre de marines.

Élève de J. Lefebvre, de G. Boulanger et de Kuwasseg. Il débuta au Salon en 1870. Sociétaire des Artistes Français.

Musées : Brest : *Vue de la rade de Brest et d'une Escadre cuirassée* – Le Havre : *La catastrophe du 26 mars*.

Ventes Publiques : Paris, 22 juin 1942 : *Liverpool, l'embouchure de la Mersey* 1881 : **FRF 1 500** – Paris, 5 fév. 1951 : *Tartanes au port ; Bateaux de pêche*, deux pendants : **FRF 10 500** – Paris, 21 fév. 1955 : *Le Bas-Meudon* : **FRF 25 000**.

WILLENRATH Matthias

Né au XVIIIe siècle au Vorariberg. XVIIIe siècle. Suisse.

Stucateur.

Il travailla pour l'église de Sarnen vers 1773.

WILLENS Robert

XXe siècle. Belge.

Peintre de figures. Surréaliste.

Il a principalement exposé, entre 1975 et 1985, à la galerie La Marée à Bruxelles. Il était représenté à l'exposition *Le surréalisme en Belgique I* à la galerie Isy Brachot à Paris en 1986.

Les peintures de Robert Willems mettent en scène toute une galerie de personnages incongrus et plein d'humour : « le petit homme des Carpates », « la femme à deux têtes », « le caillou silencieux », « les sœurs siamoises », « la fille qui vole »..., dans des attitudes, bien sûr, à la hauteur de leur étrangeté. Sa figuration est sobre, l'artiste privilégiant la ligne sur des fonds neutres.

WILLEQUET André

Né le 3 janvier 1921 à Bruxelles. XXe siècle. Belge.

Sculpteur, dessinateur, graveur. Figuratif, puis tendance abstraite.

Il a étudié avec Oscar Jespers à l'École des Arts visuels de la Cambre à Bruxelles, ainsi qu'au Royal College of Art de Londres, où il fit la connaissance de Henry Moore et de Epstein. Il obtint le prix de Rome en 1947.

Il a montré un ensemble de ses œuvres dans une exposition personnelle à la galerie Ruben Forny en 1991 à Bruxelles, une autre en 1994 à la galerie Serge Goyens de Heusch.

D'abord figuratives, les sculptures de Willequet ont ensuite tendu vers plus de simplicité, vers une sobriété de plus en plus grande, allant jusqu'à l'abstraction. Il travaille le bois, notamment dans la série des *Totems*, le bronze et la pierre. Taillées en général en un seul bloc qui laisse une présence très sensuelle, ses œuvres sont très rythmées. En 1964, il commence à travailler également à la cire perdue, afin, écrit-il d'« Investir l'espace lui-même, le structurer, le traiter comme le plus noble des matériaux ». Dans cet esprit, il crée les séries des *Sites* et des *Places*. *Temple du Dieu d'Eau*, présenté en 1991, est ainsi constitué de trois murs en oblique disposés de façon à créer un centre, où une forme, posée au sol, fait figure d'entrée dans le « temple » jusqu'à un disque circulaire.

WILLER Jacob

XVIIe siècle. Autrichien.

Peintre de portraits.

Il travailla pour le château de Grafenegg en 1647.

WILLERMET Antoine Gabriel

Né en 1783. XIXe siècle. Français.

Peintre sur porcelaine.

Il travailla à la Manufacture de Sèvres de 1825 à 1848.

WILLEROTTER Matthias

XVIIIe siècle. Allemand.

Stucateur.

Il exécuta les stucatures dans le réfectoire de l'abbaye de Mindelheim de 1739 à 1740.

WILLERS A. C.
XVIIe-XVIIIe siècles. Hollandais.
Portraitiste.
Le Musée Municipal de Leyde conserve de lui *Portrait de Maria Rumpf, épouse du professeur Ant. Hulsius.*

WILLERS Adam. Voir **WILLAERTS**

WILLERS Ernst
Né le 14 février 1803 à Oldenbourg. Mort le 1er avril 1880 à Munich. XIXe siècle. Allemand.
Paysagiste.
Élève de l'Académie de Düsseldorf avec Cornelius et à Dresde avec J. Chr. Dahl. En 1837, il alla en Italie et s'établit à Rome. En 1847, ou 1857, il visita la Grèce, envoyé par le gouvernement. En 1863, il revint en Allemagne et s'établit à Munich.
Musées : Brême : *Paysage montagneux d'Italie* – Hambourg : *Heligoland vue d'une fenêtre* – Hanovre : *Civitella – Portrait de W. von Kestner* – Kiel : *Paysage grec* – Munich (Gal. Schack) : *Vue d'Athènes* – Oldenbourg : plusieurs études et dessins.
Ventes Publiques : Londres, 16 juin 1978 : *Friedrichs Weinberg* 1830, h/cart. (24x33) : **GBP 700**.

WILLERUP Frederik Christian
Né le 5 février 1742. Mort le 7 mai 1819 à Copenhague. XVIIIe-XIXe siècles. Danois.
Sculpteur sur pierre et sur bois et stucateur.
Élève de J. Wiedewelt et de l'Académie de Copenhague. Il sculpta surtout des figures de proue de navires. Le Musée de Copenhague conserve de lui quatre statues en bois représentant *Les vents*, et celui de Frederiksborg, *Portrait du constructeur de navires H. Gerner.*

WILLERUP Oscar ou **Peter Oscar**
Né le 8 juillet 1864 à Pöseldorf près de Hambourg. Mort le 6 septembre 1931 à Ordrup près de Copenhague. XIXe-XXe siècles. Danois.
Peintre sur faïence, peintre de cartons de mosaïques.
Il a été élève de l'Académie de Copenhague. Il exécuta des vitraux et des mosaïques dans les églises Saint-Marc et Saint-Thomas de Copenhague.

WILLES William
Né à Cork. Mort en 1851 à Cork. XIXe siècle. Irlandais.
Paysagiste.
Élève de N. Grogan. Il exposa à Cork en 1815.

WILLET Annie Lee
Née le 15 décembre 1866 à Bristol. XIXe siècle. Active à Philadelphie. Américaine.
Peintre verrier et à fresque.
Femme de William W. Élève de l'Académie de Philadelphie. Elle exécuta de nombreux vitraux pour des églises de New York et de Philadelphie.

WILLET Henry Lee
Né en 1899 à Pittsburgh (Pennsylvanie). XXe siècle. Américain.
Peintre verrier, peintre de cartons de vitraux.
Fils de William Willet. Il exécuta des vitraux pour des églises de Detroit et de Wilmington.

WILLET William
Né le 1er novembre 1868 à New York. Mort en 1921 à Philadelphie (Pennsylvanie). XIXe-XXe siècles. Américain.
Peintre verrier, peintre de cartons de vitraux, décorateur, écrivain.
Auteur de nombreux vitraux à New York, Germantown, Pittsburgh et West Point.

WILLETT Arthur Reginald
Né le 18 août 1868 en Angleterre. XIXe siècle. Actif à New York. Américain.
Peintre de fresques.
Assistant de E. H. Blashfield.

WILLETTE Adolphe Léon
Né le 31 juillet 1857 à Châlons-sur-Marne (Marne). Mort le 4 février 1926 à Paris. XIXe-XXe siècles. Français.
Peintre de scènes de genre, figures, pastelliste, dessinateur, caricaturiste, illustrateur, lithographe, affichiste, écrivain.
Fils du colonel Willette, aide de camp du maréchal Bazaine et père d'Anne Willette. Il a été élève de Cabanel à l'École des Beaux-Arts. Il fut fait chevalier de la Légion d'honneur en 1906 et officier en 1912.
Il débuta au Salon (futur Salon des Artistes Français) en 1881 avec la *Tentation de saint Antoine*. Partageant bientôt son temps entre la peinture, le dessin, le pastel et la lithographie, il exposa régulièrement au Salon, un envoi est encore répertorié en 1922 *Plaisir d'amour*. Willette eut au Salon une mention honorable en 1894. Il a fait à Paris un certain nombre d'expositions particulières. Il a participé à la fondation en 1904 de la Société des dessinateurs humoristes, dont Forain est le président. Il a également participé à la fondation du cabaret montmartrois *Le Chat Noir* pour lequel il peint l'enseigne et une grande composition *Parce domine* (œuvre qui fut refusée au Salon de 1884).
On peut distinguer deux genres très différents dans son œuvre de dessinateur. D'une part, ses dessins à tendance politique où il poursuivit de sa haine certaines personnalités, notamment le général de Gallifet, et ses dessins montmartrois, où il a excellé a reproduire des Pierrots et Colombines dont on a pu dire qu'ils évoquaient le souvenir de Watteau. Comme lithographe, il a composé surtout des affiches. Il collabora sur la recommandation de Villemessant au *Figaro* vers 1880, à la revue de théâtre les *Premières illustrées* entre 1881 et 1888, et, bien sûr, au *Chat Noir*, puis, très sollicité, au *Courrier Français*, au *Triboulet*, au *Rire*, au *Père Peinard*, au *Père Duchesne*, à *L'Assiette au beurre* et à *L'écho de Paris*, au *Matin*. Polémiste ardent il fonda en 1888 *Le Pierrot* (25 numéros paraîtront jusqu'en 1891), *Le Pied de Nez*, et *La Vache enragée*, et fut, en 1910, un des fondateurs du journal *Les Humoristes*. Il a illustré de nombreux ouvrages, parmi lesquels : *La sœur de Pierrot* (1893) d'A. Alexandre ; *Les Pierrots* et *Les Giboulées d'avril* de Melandri, *Farandole de Pierrots* (1890) de L. Vanier, *Paris dansant* de Georges Montorgueil, *Les nuits de Paris*, de Rodolphe Darzens, les *Chansons* de Paul Delmet. Il a parfois écrit les textes des ouvrages qu'il a illustrés. Parmi ses nombreuses réalisations citons encore les panneaux décoratifs peints pour l'auberge du Clou, avenue Trudaine à Paris, ceux de la Salle des commissions à l'hôtel de ville de Paris.

■ Marcelle Bénézit, C. D.

Bibliogr. : In : *Les Muses*, Grange Batelière, Paris, 1974 – Marcus Osterwalder, in : *Dictionnaire des illustrateurs 1800-1914*, Ides et Calendes, Neuchâtel, 1989.
Ventes Publiques : Paris, 1894 : *Je suis la sainte Démocratie*, dess. : **FRF 995** – Paris, 1897 : *Hommage aux Goncourt sujet allégorique*, encre de Chine, reh. de blanc : **FRF 650** – Paris, 1898 : *Le supplice de Damiens*, dess. : **FRF 500** – Paris, 1898 : *Parce Domine* : **FRF 5 850** – Paris, 10 juin 1898 : *Le temps des cerises ; Après l'enterrement de Pierrot ; La Fortune ; La soupe au fromage ; La rixe ; Soir de noce*, six pan., ensemble : **FRF 14 500** – Paris, 17 mars 1910 : *Le chevalier Printemps nous prépare un chef-d'œuvre*, dess. : **FRF 750** – Paris, 13-14 mars 1919 : *La belle au bois dormant* : **FRF 3 400** – Paris, 20-22 mai 1920 : *La Muse de Montmartre* : **FRF 2 600** – Paris, 5 juin 1923 : *Projet de vitrail pour Le Chat noir*, en six compartiments : **FRF 4 800** – Paris, 5-6 juin 1925 : *Le chevalier Printemps* : **FRF 8 300** – Paris, 16 mars 1927 : *Tout le monde mange, excepté le poète* : **FRF 12 500** ; *Parce Domine* : **FRF 20 000** – Paris, 18-19 juin 1928 : *La veuve de Pierrot*, dess. reh. : **FRF 28 000** – Paris, 22 fév. 1943 : *Les pierrots facétieux* : **FRF 17 000** – Paris, 15 nov. 1950 : *Christ en croix*, gche : **FRF 11 800** – Paris, 5 fév. 1951 : *La lecture* 1905, cr. noir et sanguine : **FRF 7 000** – Paris, 16 mai 1955 : *La femme au chat noir* : **FRF 16 500** – Milan, 9 avr. 1968 : *Farandole sous le croissant de lune* : **ITL 1 100 000** – Paris, 2 juin 1972 : *Jeune femme en robe noire* : **FRF 13 500** – Paris, 7 déc. 1973 : *Désarmée, France sera encore plus belle* : **FRF 4 200** – Paris, 7 mai 1974 : *Scène de magie* : **FRF 6 000** – Versailles, 25 oct. 1976 : *Joyeuse équipée en calèche* 1905, h/t (25x77) : **FRF 4 900** – Londres, 4 mai 1977 : *Le Moulin de la Galette*, h/t (170x130) : **GBP 2 400** – Bourg-en-Bresse, 1er oct. 1978 : *Arlequin*, h/t (68x38) : **FRF 13 500** – Londres, 15 juin 1979 : *Putti* 1920, h/t (241x165) : **GBP 900** – Paris, 20 fév. 1980 : *Autoportrait*, past. (40x32) : **FRF 4 500** – Londres, 28 nov. 1984 : *La danseuse du Moulin-Rouge*, h/t (100x31) : **GBP 2 200** – Monte-Carlo, 6 oct. 1985 : *Ève* 1905, h/t (231x330) : **FRF 30 000** – Paris, 23 mai 1986 : *Le Roi Soleil*, pl., aquar., dess. (28,5x21,5) : **FRF 10 000** – Paris, 7 nov. 1990 : *Pourquoi pas*, dess. à la pl. (24x16,5) : **FRF 4 000** – Paris, 5 déc. 1990 : *Désarmée, la France sera encore plus belle* 1901, h/t (115,5x84) : **FRF 39 000** – Paris, 29 jan. 1992 : *L'Amour, la joie, aux Épinettes...* 1921, aquar. et gche (48,5x38) : **FRF 3 000** – Paris, 3 déc. 1992 : *Autoportrait en*

travesti, h/t (56x46) : **FRF 3 500** – Paris, 2 déc. 1994 : *Femme pensive*, cr. de coul. (38,5x32) : **FRF 12 000** – Paris, 6 nov. 1995 : *Scène de la cour des miracles*, h/t (350x178) : **FRF 17 000**.

WILLETTE Anne
xxe siècle. Française.
Peintre.
Fille d'Adolphe Willette. Élève d'André Lhote. Elle a exposé dans les Salons annuels parisiens et fut sélectionnée pour le Prix Friesz 1954 et pour le Prix Paquement 1955. Ses œuvres sont sérieusement construites dans une gamme solaire.

WILLEUMIER Mara Augusta
Née le 14 décembre 1879 à Amsterdam. xxe siècle. Hollandaise.
Dessinateur, graveur, décorateur.
Elle travailla à Amsterdam. Elle gravait à l'eau-forte.

WILLEWALDE Alexander Bogdanovitch
Né en 1857 à Saint-Pétersbourg. xixe siècle. Russe.
Peintre de batailles.
Fils de Bogdan W. et élève de l'Académie de Saint-Pétersbourg.

WILLEWALDE Bogdan ou **Gottfried Pavlovitch**
Né le 31 décembre 1818 à Pavlovsk près de Saint-Pétersbourg. Mort le 11 mars 1903. xixe siècle. Russe.
Peintre de batailles.
Élève de l'Académie de Saint-Pétersbourg. Il fut le peintre officiel de la cour de Nicolas Ier et d'Alexandre II.
Musées : Moscou (Gal. Tretiakov) : *Attaque des hussards de la Garde près de Varsovie en 1831* – Saint-Pétersbourg (Mus. Russe) : *Vue de Vladikavkas – Bataille de Bistritz*.

WILLFOHRT Johann Ludwig
Né en 1802. Mort le 8 mars 1863. xixe siècle. Russe.
Graveur au burin.

WILLHAMSEN J. F.
xixe siècle. Danois.
Peintre.
Il figura aux expositions de Paris ; mention honorable en 1889 (Exposition Universelle).

WILLIAM. Voir aussi **WILLIAMS**

WILLIAM, Frère ou **Wilhelmus**
xiiie siècle. Actif dans la première moitié du xiiie siècle. Britannique.
Dessinateur.
Musées : Londres (Mus. Britannique) : *Christ*, dess.

WILLIAM A. Sheldon ou **Williams**
Mort en mars 1880. xixe siècle. Britannique.
Peintre de scènes de chasse, sujets de genre, animaux, dessinateur, illustrateur.
Il s'établit à Winchfield et exposa à Londres, à la Royal Academy et à Suffolk Street de 1867 à 1880.
Il collabora à plusieurs journaux illustrés de Londres.
Ventes Publiques : New York, 3 juin 1994 : *Quatre phases de la chasse à courre* 1867, h/pan. (chaque 25,4x38,1) : **USD 11 500**.

WILLIAM Fred. Voir **WILLIAMS Frederick Ronald, dit Fred**

WILLIAM Jéléna Nikolajévna
Née en 1862. xixe siècle. Russe.
Peintre.
La Galerie Tretiakov, à Moscou, conserve d'elle *Le soir tombe*.

WILLIAM de Florence
xiiie siècle. Britannique.
Peintre.
Cet artiste était un moine qui peignit à l'abbaye de Westminster, au vieux château de Windsor et à Guildford.

WILLIAM of Ireland
xiiie siècle. Actif à la fin du xiiie siècle. Irlandais.
Sculpteur.
Il sculpta des colonnes pour les funérailles d'Éléonore d'Angleterre dont trois sont conservées à Geddington, à Northampton et à Waltham.

WILLIAM de Nuncques. Voir **DEGOUVE DE NUNCQUES**

WILLIAM of Walsingham
xive siècle. Britannique.
Peintre.
Il collabora aux peintures de la chapelle Saint-Étienne du Palais de Westminster à Londres.

WILLIAM of Westminster
xiiie siècle. Britannique.
Peintre.
Peintre d'Henri III d'Angleterre. Il travailla pour l'abbaye de Westminster et on lui attribue les premières fresques conservées en Angleterre.

WILLIAMS. Voir aussi **WILLIAM**

WILLIAMS A. Sheldon. Voir **WILLIAM**

WILLIAMS Alexander
Né en 1846 dans le comté de Monagham. Mort en décembre 1930. xxe siècle. Irlandais.
Peintre de paysages, marines, aquarelliste.
Il fut membre de l'Académie d'Irlande en 1891. Il exposa à Montréal, à Toronto et à Vancouver.
Ventes Publiques : Slane Castle (Irlande), 12 mai 1981 : *Port de Bellingham, Howth*, h/t (76x145) : **GBP 1 000** – Belfast, 30 mai 1990 : *Un lac devant une gorge ensoleillée*, h/t. cartonnée (35,6x61) : **GBP 462** – Londres, 26 sep. 1990 : *Le port de Dublin* 1890, aquar. avec reh. de blanc (71x121) : **GBP 3 080** – Dublin, 12 déc. 1990 : *Navigation par grosse mer au large de Howth Head* 1872, h/t (48,2x71,1) : **IEP 1 900** – Dublin, 26 mai 1993 : *Mauvais temps sur Achill Coast à Blacksod Bay*, aquar. avec reh. de blanc (43,8x74,3) : **IEP 935** – Londres, 2 juin 1995 : *Un pays désolé*, h/cart. (25x38) : **GBP 977** – Londres, 16 mai 1996 : *Barques de pêche à voiles à Achill Island*, h/cart. (25,5x44,5) : **GBP 1 150**.

WILLIAMS Alfred Walter ou **William**
Né en 1823, ou 1824. Mort en mars 1905 à Sainte-Maxime-sur-Mer (Var). xixe siècle. Britannique.
Peintre de genre, paysages animés, paysages de montagne, paysages, aquarelliste, dessinateur.
Fils d'Edward Williams, il fut probablement son élève. Il prit des leçons d'aquarelle avec William Bennett. En 1854, il excursionna dans le nord de l'Italie et la Suisse et puisa au cours de ce voyage le goût de la peinture de montagne. Il fut membre du Club Alpin en 1878. Il alla aux Indes anglaises en 1900 et exposa au Club Alpin des études faites au cours de ce voyage. L'année de sa mort, on vit de lui, au même club diverses études de montagnes. De 1843 à 1890, il exposa fréquemment à Londres, notamment à la Royal Academy, à la British Institution et à Suffolk Street.
Au début de sa carrière, il fit des dessins sur bois pour les graveurs, avant de se consacrer à la peinture de paysages.
Musées : Leicester : *Lande de Reigate* – Londres (Victoria and Albert Mus.) : *Marécage gallois, moutons – Champs de blé et moissonneurs – Le Mont Rose au soleil levant – Vu d'au-dessus d'Alagna* – Sunderland : *Scène dans l'île de Skye*.
Ventes Publiques : Londres, 5 oct. 1973 : *Paysage* : **GNS 1 700** – Londres, 16 nov. 1976 : *Barmouth sands, North Wales* 1887, h/t (59x89,5) : **GBP 480** – Londres, 13 mai 1977 : *Scène champêtre*, h/t (75x100,3) : **GBP 2 800** – Londres, 25 mai 1979 : *Scène de moisson sous un ciel orageux* 1850, h/t (29,2x44,4) : **GBP 1 100** – Londres, 16 oct. 1981 : *Sur la Lyn, Galles du Nord* 1857, h/t (99,7x150,5) : **GBP 2 500** – Londres, 2 oct. 1985 : *Vue d'une ville alpestre* 1856, h/t (59x75) : **GBP 2 000** – Toronto, 30 nov. 1988 : *La fenaison à Caderidris dans les Galles du Nord* 1850, h/t (29,5x44,5) : **CAD 3 000** – Londres, 3 nov. 1989 : *Football devant l'auberge du Canon* 1844, h/t (76x106,6) : **GBP 26 400** – New York, 19 juil. 1990 : *Paysage écossais*, h/t (59x89) : **USD 5 500** – Londres, 14 juin 1991 : *Nuées d'orage* 1856, h/t (103,5x152) : **GBP 3 300** – Londres, 4 nov. 1994 : *La récolte du foin au bord d'un lac* 1854, h/t (45,6x76,5) : **GBP 1 610** – Milan, 12 juin 1996 : *Paysage et paysans* 1859, h/t (91x167) : **ITL 14 950 000**.

WILLIAMS Alice
xixe-xxe siècles. Britannique.
Sculpteur de monuments.
Femme de Morris Meredith Williams. Elle exécuta des monuments aux morts.

WILLIAMS Alyn
Né le 29 août 1865 à Wrexham (Pays de Galles). xixe siècle. Britannique.
Miniaturiste.
Élève de la Slade School de Londres et de J. P. Laurens à Paris. La Guildhall Gallery de Londres conserve de lui les portraits d'Édouard VII et de la reine Alexandra.

WILLIAMS Ann Mary
xixe siècle. Active dans la première moitié du xixe siècle. Britannique.
Illustrateur et peintre de genre.
Sœur et collaboratrice de Samuel W.

WILLIAMS Anne
xviiie siècle. Active à Londres dans la seconde moitié du xviiie siècle. Britannique.

Portraitiste et pastelliste.
Elle exposa de 1768 à 1783.

WILLIAMS Arthur. Voir **GILBERT Arthur**

WILLIAMS Benjamin
Mort en 1920 à Birmingham (West Midlands). XXe siècle. Britannique.
Peintre.
Ventes Publiques : Londres, 24 avr. 1985 : *Autoportrait*, aquar./trait de cr. (51x35,5) : **GBP 1 300** – Londres, 16 déc. 1986 : *Maker unknown*, aquar. et cr. (103x68) : **GBP 1 700**.

WILLIAMS C.
XIXe siècle. Travaillant à Londres en 1815. Britannique.
Graveur à la manière noire.
Il grava des illustrations de voyages en Russie.

WILLIAMS Charles
XVIe siècle. Britannique.
Stucateur.
Il décora des salles du château de Longleat près de Bath.

WILLIAMS Charles Frederik
XIXe siècle. Actif à Londres. Britannique.
Paysagiste.
Il exposa de 1841 à 1880.

WILLIAMS Charles Sneed
Né le 24 mai 1882 à Evansville (Indiana). XXe siècle. Américain.
Peintre.
Il fit ses études à Louisville, à New York et à Londres. Il vécut et travailla à Louisville.
Musées : Richmond.

WILLIAMS Charlotte
Née en 1804. Morte en 1846. XIXe siècle. Irlandaise.
Peintre de fleurs.
Fille de Solomon W.

WILLIAMS Christopher
Né le 7 janvier 1873 à Maesteg. Mort avant 1935. XIXe-XXe siècles. Britannique.
Peintre d'histoire, scènes de genre, portraits.
Il fut élève de la Royal Academy de Londres.
Musées : Cardiff : *Paolo et Francesca*.

WILLIAMS Deborah
Née à Dublin. XIXe siècle. Irlandaise.
Peintre de fleurs.
Fille de Solomon W.

WILLIAMS Dwight
Né le 25 avril 1856 à Camillus (État de New York). Mort le 12 mars 1932 à Cazenovia près de Syracuse (État de New York). XIXe-XXe siècles. Américain.
Peintre de paysages, paysages urbains.
Il fut élève de John C. Perry. Il fut membre de la Fédération américaine des arts.
Ventes Publiques : New York, 15 nov. 1993 : *Venise*, h/t (28x40,6) : **USD 2 530**.

WILLIAMS Edward, l'Ancien
XVIIIe siècle. Actif à Londres dans la seconde moitié du XVIIIe siècle. Britannique.
Graveur.
Il est le beau-frère de James Ward, et le fondateur d'une célèbre famille d'artistes anglais. Il a gravé plusieurs planches d'après Rowlandson et H. Wigstead.

WILLIAMS Edward, le Jeune
Né en 1782 à Londres. Mort le 24 juin 1855 à Londres. XIXe siècle. Britannique.
Peintre d'animaux, paysages animés, paysages, paysages d'eau, miniatures.
Fils du graveur Edward Williams et élève de son oncle le célèbre graveur James Ward. Il fut placé comme apprenti chez un doreur. Il eut six fils qui furent tous artistes. Trois d'entre eux, pour éviter la confusion, changèrent leur nom ; Henry John (1811-1865), en celui de Boddington, Sydney Richard (1821-1886), en celui de Percy ; Arthur, en celui de Gilbert (voir ces noms).
De 1811 à 1855, il exposa trente-six ouvrages à la Royal Academy, vingt et un à la British Institution, trente-huit à Suffolk Street.
Des essais de paysages notamment de clair de lune, obtinrent un tel succès qu'il se consacra à la peinture. À la fin de sa carrière, il choisit fréquemment pour motifs les bords de la Tamise.
Musées : Leeds : *Scène de village* – Londres (Victoria and Albert Mus.) : *La traite des vaches*.
Ventes Publiques : Londres, 14 fév. 1978 : *Paysage fluvial à l'aube*, h/t, haut arrondi (37x62) : **GBP 650** – Londres, 2 oct 1979 : *La mare aux canards*, h/pan. (29x40,5) : **GBP 1 700** – Londres, 5 juin 1981 : *Paysages boisés*, h/pan., une paire (chaque 36,2x49) : **GBP 2 800** – Londres, 25 juil. 1983 : *The harvest moon*, h/t (81x120) : **GBP 3 050** – Londres, 12 juin 1985 : *Paysage fluvial animé de personnage*, h/t (44x64) : **GBP 1 400** – Londres, 9 fév. 1990 : *Bétail s'abreuvant dans la Tamise près du Collège d'Eton au crépuscule*, h/t (45x61) : **GBP 2 640** – Londres, 14 mars 1990 : *Paysage fluvial avec des personnages déchargeant des barques près d'un moulin à vent*, h/pan. (57x90) : **GBP 6 380** – Londres, 31 oct. 1990 : *Paysage fluvial et boisé avec des pêcheurs et un gardien de troupeau et son bétail*, h/pan. (61,5x76) : **GBP 2 750** – Londres, 14 nov. 1990 : *Paysage avec du bétail se désaltérant près d'un moulin pendant que le gardien parle avec un pêcheur à la tombée de la nuit*, h/pan. (60x86,5) : **GBP 16 500** – Londres, 14 juin 1991 : *Paysans dans un paysage boisé*, h/pan., une paire (chaque 21x27) : **GBP 4 950** – Londres, 11 oct. 1991 : *Paysage animé*, h/pan. (62,8x76,2) : **GBP 6 050** – Londres, 3 juin 1994 : *Pêcheurs et moulins dans un estuaire au clair de lune*, h/pan. (49,9x61,6) : **GBP 3 680** – Londres, 6 nov. 1995 : *Paysage de Wargrave avec du bétail se désaltérant*, h/t (78,2x110,5) : **GBP 8 625**.

WILLIAMS Edward Charles
Né en 1807. Mort en 1881. XIXe siècle. Actif de 1839 à 1845. Britannique.
Peintre de sujets de genre, paysages, paysages d'eau.
Il est le fils d'Edward Williams le Jeune.

Musées : Bath.
Ventes Publiques : Londres, 15 déc. 1937 : *Chiddingfold, Surrey* : **GBP 120** – Milan, 17 déc. 1952 : *Marine* : **ITL 36 000** – Londres, 31 juil. 1964 : *Bords de la Tamise* : **GNS 320** – Londres, 8 juil. 1966 : *La charrette devant la ferme* : **GNS 1 200** – Londres, 26 juin 1968 : *Paysage au moulin* : **GBP 850** – Londres, 12 mars 1969 : *Chaumière à l'orée d'un bois* : **GBP 3 600** – Londres, 22 oct. 1971 : *Musiciens des rues* : **GNS 1 000** – Londres, 13 déc. 1972 : *Paysage boisé animé de personnages* : **GBP 3 000** – Londres, 15 juin 1973 : *Paysage fluvial boisé* : **GNS 1 900** – New York, 9 oct. 1974 : *Paysage au moulin* : **USD 3 750** – Londres, 13 fév. 1976 : *Paysage fluvial*, h/t (57,2x103) : **GBP 1 300** – New York, 7 oct. 1977 : *Moutons dans un paysage au moulin*, h/t (63,5x76) : **USD 4 000** – Londres, 20 mars 1979 : *La Forge du village, Polock* 1875, h/t (60x104) : **GBP 2 600** – Londres, 6 mars 1981 : *Paysage fluvial boisé animé de personnages*, h/t (63,5x75,5) : **GBP 3 800** – New York, 19 oct. 1984 : *Le moulin à eau*, h/t (63,5x88,9) : **USD 2 750** – Londres, 21 juin 1985 : *Devant la forge*, h/t (76,2x125,8) : **GBP 24 000** – New York, 25 fév. 1988 : *Goring-on-Thames* 1859, h/t (61x106,7) : **USD 7 700** ; *Le bain des moutons* 1856, h/t (76x126) : **USD 3 080** – Londres, 23 sep. 1988 : *Les journaliers*, h/pan. (62x83) : **GBP 4 950** – Toronto, 30 nov. 1988 : *Cader vu depuis Barmouth en Galles du Nord*, h/t (24x34,5) : **CAD 1 000** – Londres, 3 nov. 1989 : *Le passeur sur la Tamise*, h/t (76x127) : **GBP 6 050** – Londres, 18 mai 1990 : *Paysage avec un moulin à vent et une maison rustique avec des paysans au premier plan*, h/pan. (40,5x55) : **GBP 3 300** – Londres, 13 fév. 1991 : *Sur le chemin de la ferme*, h/t/cart. (39x57) : **GBP 2 310** – Londres, 19 déc. 1991 : *Le moulin* ; *Enfants pêchant dans la mare*, h/t, une paire (21x24,8) : **GBP 3 850** – New York, 16 juil. 1992 : *En amont de la Tamise* 1867, h/t (61x106,7) : **USD 4 400** – Londres, 5 mars 1993 : *Chemin de halage le long de la Tamise*, h/t (76,9x128,3) : **GBP 3 680** – Londres, 9 juin 1994 : *La Tamise près de Marlow*, h/t (61x107) : **GBP 4 025** – New York, 17 jan. 1996 : *Plage de Hollande*, h/t (48,3x76,2) : **USD 920** – Londres, 29 mars 1996 : *Le Vieil Hastings* 1874, h/t (66,77x107,9) : **GBP 5 175** – Londres, 5 sep. 1996 : *Carrière dans la forêt de Dean*, h/t (61x91,5) : **GBP 1 035** ; *Paysans à gué*, h/pan. (48,2x60,9) : **GBP 805** – Londres, 9 oct. 1996 : *Sur la rivière*, h/t (72x114) : **GBP 5 520**.

WILLIAMS Edward Ellerker
Né le 27 avril 1793. Mort le 8 juillet 1822. XIXe siècle. Britannique.
Dessinateur, amateur.

Il fut ami de Shelley dont il dessina le portrait. Le British Museum à Londres conserve de lui *L'artiste* et *Deux bateaux*, dessins.

WILLIAMS Edwin

XIXe siècle. Actif à Chellenham. Britannique.

Peintre de figures et de portraits.

Il exposa à Londres de 1843 à 1875, notamment à la Royal Academy, et quelquefois à Suffolk Street et à la British Institution. La National Portrait Gallery, à Londres, conserve de lui *Esquisse peinte d'un portrait de sir Charles Napier.*

WILLIAMS Ellen

Née en 1790. XIXe siècle. Irlandaise.

Peintre de fleurs.

Fille de Solomon W.

Ventes Publiques : Celbridge (Irlande), 29 mai 1980 : *La marchande de fleurs*, h/cart. (46x35) : **GBP 420.**

WILLIAMS Emily

XIXe siècle. Irlandaise.

Peintre de fleurs.

Fille de Solomon W.

WILLIAMS Florence Elisabeth, née **Thomas**

XIXe siècle. Britannique.

Peintre de fruits et de fleurs.

Femme d'Alfred Walter W. Elle exposa de 1852 à 1864.

WILLIAMS Florence White

Née à Putlney (Vermont). XXe siècle. Américaine.

Peintre, illustrateur.

Elle fut élève de Henry B. Snell et Frederick Grant. Elle fut membre de la Fédération Américaine des Arts.

WILLIAMS Frank W.

XIXe siècle. Actif à Londres. Britannique.

Peintre de genre.

Il exposa de 1835 à 1874.

WILLIAMS Frederick Ballard

Né le 21 octobre 1871 à Brooklyn (État de New York). Mort en 1956. XIXe-XXe siècles. Américain.

Peintre de scènes de genre.

Il fut élève de C. Y. Turner et de E. M. Ward. Il vécut et travailla à New York. Il subit l'influence de Watteau, de Diaz et de Monticelli.

Musées : Brooklyn : *Chant d'amour – Diane* – Buffalo : *Vivacetto* – Chicago : *Fête auprès d'un lac* – Montclair : *Vieux viaduc près d'une cascade* – Muskegon : *Le grand Cañon* – New York (Mus. Metropolitan) : *L'Allegro – La vallée heureuse* – Saint Louis : *Vue sur la mer* – Washington D. C. : *Une clairière auprès de la mer – Les Conway Hills.*

Ventes Publiques : Milwaukee (Wis.), 2 nov. 1980 : *Scène de genre*, h/pan. (76,2x63,5) : **USD 2 000** – New York, 19 juin 1981 : *Les Plaisirs de l'été*, h/t (54x102,2) : **USD 1 000** – New York, 27 jan. 1984 : *Afternoon delight*, h/t (40,7x61,6) : **USD 1 300** – New York, 14 fév. 1990 : *Il était une fois, il y a bien longtemps...*, h/t (101,7x107) : **USD 2 090** – New York, 21 mai 1991 : *Sous-bois*, h/t (76x114) : **USD 1 760** – New York, 9 sep. 1993 : *La vallée heureuse* 1908, h/t (71,1x91,4) : **USD 4 140** – New York, 21 mai 1996 : *Le secret*, h/pan. (23x30,5) : **USD 4 600** – New York, 25 mars 1997 : *Une assemblée élégante*, h/t (51,4x76,2) : **USD 3 737.**

WILLIAMS Frederick Dickinson

Né en 1829 ou 1847 (?) à Boston (Massachusetts). Mort le 27 janvier 1915 à Brooklyn (New York). XIXe-XXe siècles. Américain.

Peintre de scènes de genre, paysages animés.

Ventes Publiques : New York, 30 mai 1985 : *Foggy evening in Boston* 1864, h/cart. (25,4x22,8) : **USD 5 500** – New York, 14 nov. 1991 : *Un sentier forestier* 1876, h/t (46,3x66) : **USD 1 540** – New York, 2 déc. 1992 : *Promenade sur un chemin de campagne* 1875, h/t (45,8x77,5) : **USD 3 520.**

WILLIAMS Frederick Ronald, dit **Fred**

Né en 1927 à Melbourne. Mort en 1982. XXe siècle. Australien.

Peintre de paysages, graveur.

Il fit ses études à l'École de la National Gallery de Melbourne. Il séjourna cinq années à Londres, de 1951 à 1956, élève à l'École d'Art de Chelsea et à l'École Centrale des Arts et Métiers de Londres, où il prit connaissance du travail de James McNeill Whistler. Il visita également la Chine en 1976. Il vécut et travailla près de Melbourne à Upwey. Il fit de nombreuses expositions particulières en Australie. Il était représenté à l'exposition *Creating Australia. 200 years of Art. 1788-1988* à la Art Gallery of South Australia en 1988 à Adelaide.

Il peignait les grands espaces australiens, non pas tels qu'on les voyait, mais tels qu'on pouvait les imaginer, dans une manière, à tendance abstraite, qui se rapproche de la calligraphie. Il exécutait souvent les peintures après avoir travaillé une image dans ses gravures. Les commentateurs ont noté l'influence de la perception picturale chinoise et japonaise dans son œuvre, où la suggestion prime sur la description. ■ J. B.

Bibliogr. : James Mollison : *Fred Williams Etchings*, Sydney, 1968 – Timothy Morrell, in : *Creating Australia. 200 years of Art. 1788-1988*, Art Gallery of South Australia, Adelaide, 1988.

Ventes Publiques : Sydney, 6 oct. 1976 : *Paysage* 1968, h/t (91,5x107) : **AUD 6 500** – Sydney, 10 mars 1980 : *Nu assis*, past. (51x39) : **AUD 800** – Armadale (Australie), 11 avr. 1984 : *Three men on ship* 1952, techn. mixte (16,5x27,5) : **AUD 1 200** – Sydney, 19 nov. 1984 : *You-Yang landscape*, h. et temp. (177x135) : **AUD 75 000** – Sydney, 23 sep. 1985 : *Paysage*, gche (36x47) : **AUD 8 000** – Londres, 20 nov. 1986 : *Paysage*, gche (23,5x35,2) : **GBP 2 200** – Melbourne, 26 juil. 1987 : *Killecranke Bay, Flinders Island, deux images horizontales*, gche/pap. (56x77,5) : **AUD 26 000** – Melbourne, 26 juil. 1987 : *Werribee Gorge* 1975, h/t (107x102) : **AUD 120 000** – Sydney, 20 mars 1989 : *Nature morte à la bouteille verte*, h/cart. (61x46) : **AUD 3 000** – Londres, 30 nov. 1989 : *Paysage brûlé*, h/t (71,1x91,4) : **GBP 47 300** – Sydney, 26 mars 1990 : *L'épluchage des pommes de terre*, h/cart. (18x15) : **AUD 2 000** – Melbourne, 20-21 août 1996 : *Echuca landscape* vers 1960-1962, h/pan. (90x72) : **AUD 88 300.**

WILLIAMS George Alfred

Né le 8 juillet 1875 à Newark (New Jersey). XXe siècle. Américain.

Peintre, illustrateur.

Il fut élève de l'Académie de New York et de W. M. Chase. Il vécut et travailla à Kennebunkport. Il illustra des livres de légendes et d'histoire naturelle. Il était aussi écrivain.

Musées : Chicago : *Le drame de la vie* – Newark : *La légende de Tristan et Iseult*, six fresques.

WILLIAMS George Augustus

Né en 1814. Mort en 1901. XIXe siècle. Britannique.

Peintre de paysages.

Ventes Publiques : Londres, 8 mars 1977 : *Bords de rivière*, h/t (24x56,5) : **GBP 700** – Londres, 26 oct 1979 : *Paysage fluvial boisé animé de personnages* 1840, h/t (48,8x74,3) : **GBP 4 500** – Londres, 9 juil. 1985 : *Soir d'hiver, prés Pangbourne* 1867, h/t (61x91,5) : **GBP 4 600** – Londres, 4 juin 1997 : *Une trouée dans les nuages* 1861, h/t (60,5x122) : **GBP 8 625.**

WILLIAMS George Augustus

Né en 1820. Mort en 1895. XIXe siècle. Britannique.

Peintre de scènes de genre, paysages.

Il est le fils d'Edward Williams. Il exposa à Londres de 1841 à 1885, notamment à la Royal Academy, à la British Institution et à Suffolk Street.

Bibliogr. : Jan Reynolds : *Les Williams, une famille de peintres*, 1975.

Musées : Montréal : *Réjouissances anglaises* – Warrington : *Route au printemps.*

Ventes Publiques : Londres, 15 déc. 1972 : *Paysage boisé* : **GNS 950** – Londres, 27 mars 1973 : *Paysage d'hiver au soir couchant* : **GBP 2 100** – Londres, 9 juil. 1974 : *Chiswick Church* : **GBP 1 000** – Chester, 14 mai 1981 : *Le Chemin de la ferme* 1843, h/t (29x48) : **GBP 2 100** – Chester, 17 mars 1983 : *Magpie Ait le matin près de Henley-on-Thames*, h/t (74x104) : **GBP 7 000** – Londres, 23 sep. 1988 : *Calme soirée* 1851, h/t (46x91,5) : **GBP 3 520** – Londres, 2 juin 1989 : *Soirée d'été*, h/t (36x61) : **GBP 1 980** – Londres, 3 nov. 1989 : *Le passeur de Richmond dans le Surrey* 1854, h/t (50,2x76,2) : **GBP 5 280** – Londres, 26 sep. 1990 : *Le repos des bergers*, h/t (35,5x51) : **GBP 1 760** – Glasgow, 22 nov. 1990 : *Gelée blanche*, h/t (61x106,7) : **GBP 2 200** – Londres, 11 oct. 1991 : *La charrette de glace par un matin de givre* 1859, h/t (61x101,6) : **GBP 6 050** – Londres, 30 mars 1994 : *L'auberge du village*, h/t (41x51) : **GBP 4 600** – Londres, 10 mars 1995 : *Paysage du Surrey au printemps*, h/t (40,6x61) : **GBP 3 450** – Londres, 6 nov. 1995 : *Les environs de Weybridge*, h/t (61x107) : **GBP 7 590** – Londres, 6 nov. 1996 : *Famille de bohémiens près de la rivière ; Après la pêche*, h/t, une paire (chaque 30,5x50,5) : **GBP 5 060.**

WILLIAMS Gluyas
Né le 23 juillet 1888 à San Francisco (Californie). XXe siècle. Américain.
Dessinateur de caricatures.
Il travailla à Boston et collabora à plusieurs revues illustrées.

WILLIAMS Grecian. Voir **WILLIAMS Hugh William**

WILLIAMS H.
XVIIIe siècle. Actif à Londres dans la seconde moitié du XVIIIe siècle. Britannique.
Peintre de paysages et de marines.
Il exposa de 1779 à 1792.

WILLIAMS Harry
Né à Liverpool. Mort en 1877. XIXe siècle. Actif dans la seconde moitié du XIXe siècle. Britannique.
Peintre d'animaux, paysages animés, paysages.
Il exposa à Londres de 1854 à 1877.
Musées : Liverpool (Gal.).
Ventes Publiques : Tokyo, 15 fév. 1980 : *Paysage fluvial animé de personnages* 1856, h/t (29,2x44,4) : **JPY 550 000** – Londres, 18 mai 1990 : *Bétail sur un chemin boisé près d'une église* 1851, h/t (61x76,2) : **GBP 1 100** – New York, 20 juil. 1995 : *Au large de la côte de Nouvelle-Angleterre*, h/t (61x106,7) : **USD 6 037**.

WILLIAMS Henry
Né en 1787. Mort le 21 octobre 1830 à Boston (?). XIXe siècle. Américain.
Graveur au burin et peintre.
Il grava des portraits au pointillé.
Musées : Boston : *Benjamin Jacobs* – Worcester : *Samuel Larkin*.

WILLIAMS Henry
Né en 1807 à Merthyr Tydvil. Mort le 4 février 1886 à Penpont. XIXe siècle. Britannique.
Paysagiste.
Il exposa à Londres de 1832 à 1839.

WILLIAMS Henry John. Voir **BODDINGTON Henry John**

WILLIAMS Hugh William, dit **Grecian Williams**
Né en 1773. Mort le 23 juin 1829 à Édimbourg. XVIIIe-XIXe siècles. Britannique.
Peintre de paysages animés, paysages, architectures, aquarelliste, dessinateur.
Fils d'un officier de marine il naquit à bord d'un bateau. Orphelin très jeune, il fut élevé en Écosse, à Édimbourg, par sa grand-mère maternelle et son mari italien Ruffini qui encouragea l'enfant à étudier la peinture sous la direction de David Allan. Il se fit rapidement la réputation d'un bon peintre. En 1811, il devint membre de la New Society of Painters in Water-Colour. À partir de 1816, puis durant plusieurs années, il voyagea sur le continent grec, dans les îles de la Grèce et en Italie. À son retour en Écosse en 1818, il exposa le résultat de ses études.
Sous l'influence de David Allan, Williams acquit très tôt la maîtrise du dessin à l'encre et de l'usage de la couleur. Ses premiers travaux furent des aquarelles de paysages d'Écosse en majorité mais aussi du nord de l'Angleterre, du Pays de Galles et d'Irlande. De son voyage en Grèce, il rapporta une série d'aquarelles à partir desquelles il publia *Travels in Holy Greece and the Ionian Island*, en 1820, puis furent réalisées des gravures, *Select views in Greece*, publiées de 1827 à 1829, qui lui valurent le surnom de « Grecian ».
Ventes Publiques : Londres, 6 mars 1973 : *Le Parthénon*, aquar. : **GNS 1 400** – Londres, 5 mars 1974 : *Doune Castle*, aquar. : **GNS 550** – Londres, 15 juil. 1976 : *Vue de l'Acropole*, aquar. (59,5x95) : **GBP 4 100** – Londres, 1er mars 1977 : *Le golfe de Corinthe*, aquar. et cr. (59,5x89,5) : **GBP 1 100** – Londres, 22 mars 1979 : *Vue de Florence*, aquar. (39,5x65) : **GBP 1 000** – Londres, 16 juil. 1981 : *Vue de l'Acropole*, aquar./trait de cr. avec reh. de blanc (40,5x65,5) : **GBP 1 500** – Londres, 15 nov. 1983 : *Vue de l'Acropole*, cr., pl. et aquar. (36,5x53,5) : **GBP 1 100** – Londres, 10 juil. 1986 : *Stirling Castle, the river Forth beyon* 1795, aquar./traces de cr. (47x66) : **GBP 1 300** – Londres, 4 nov. 1987 : *Vue de Corinthe* 1822, aquar./traces de cr. reh. de touches de gche (62x98) : **GBP 18 000** – Édimbourg, 26 avr. 1990 : *Llangollen* 1796, aquar. et encre (16,5x27) : **GBP 1 265** ; *Entre Lowood et Ambleside* 1796, aquar. et encre (15,6x22,2) : **GBP 1 045** ; *Le pont de Kenmore sur le Loch Tay* 1796, cr., encre et aquar. (16,2x24,2) : **GBP 1 210** – Édimbourg, 2 mai 1991 : *Une laitière et deux vaches près d'une rivière* ; *Pêcheur près d'un torrent* 1816, cr. et aquar., une paire (68,5x54) : **GBP 770** – Édimbourg, 13 mai 1993 : *Figures dans la vallée de Crissa et le Mont Parnasse au fond*, cr. et aquar. (62,8x97,2) : **GBP 14 300**.

WILLIAMS Isaac I
Né en 1817 à Philadelphie. XIXe siècle. Américain.
Paysagiste et portraitiste.
Élève de J. Neagle. Il peignit des maisons de campagne des environs de Philadelphie.

WILLIAMS J.
XIXe siècle. Actif à Haidarabad en 1836. Britannique.
Peintre.
Il peignit des portraits de princes indiens.

WILLIAMS J. Fred
Mort en 1879 à Charlestown. XIXe siècle. Américain.
Peintre de marines.

WILLIAMS J. G.
XIXe siècle. Actif à Londres. Britannique.
Portraitiste.
Il exposa de 1824 à 1857.

WILLIAMS J. M.
XIXe siècle. Actif à Londres dans la première moitié du XIXe siècle. Britannique.
Peintre d'architectures.
Il exposa de 1834 à 1849.

WILLIAMS J. T.
XIXe siècle. Actif à Londres dans la première moitié du XIXe siècle. Britannique.
Tailleur de camées et graveur d'ex-libris.
Il exposa à Londres de 1831 à 1835.

WILLIAMS James
XVIIIe siècle. Actif à Londres dans la seconde moitié du XVIIIe siècle. Britannique.
Peintre de portraits et de natures mortes.
Il exposa à Londres de 1763 à 1776.

WILLIAMS James Francis
Né en 1785 dans le Perthshire. Mort le 31 octobre 1846 à Glasgow. XIXe siècle. Britannique.
Peintre de scènes de genre, paysages, paysages d'eau, marines, décorateur.
Il fut, jeune homme, peintre de décors de théâtre à Londres. Il revint à Édimbourg vers 1810 et dès l'année suivante, renonçant au théâtre pour l'art pur, il prit part aux expositions des Associated Artists, à Édimbourg. Lors de la fondation de la Royal Scottish Academy en 1826, il fut un des membres fondateurs, puis nommé trésorier de cet Institut. De 1800 à 1840, il exposa des marines à Londres, notamment à la Royal Academy, à la British Institution et à Suffolk Street.
Musées : Cardiff : *Le talisman – Viendra-t-il ?* – Édimbourg : *Vue des côtes d'Écosse* – Glasgow : *Mariée espagnole* – Londres (Tate Gal.) : *Ars longa, vita brevis*.
Ventes Publiques : Haddington (Écosse), 21-22 mai 1990 : *Le château de Dalhousie vu depuis la rivière Esk* 1828, h/t (52x72,5) : **GBP 5 720** – Édimbourg, 15 mai 1997 : *Le Château et le Keir Estate vus des jardins royaux de Stirling* 1809, h/t (63,5x91,5) : **GBP 4 370**.

WILLIAMS John
XVIIIe siècle. Travaillant en 1743. Britannique.
Portraitiste.

WILLIAMS John, dit **Anthony Pasquin**
Né en 1761 à Londres. Mort le 3 novembre 1818 à Brooklyn. XVIIIe-XIXe siècles. Britannique.
Dessinateur, graveur au burin et critique d'art.
Il fut élève de l'École de la Royal Academy et de Matthew Darly. Il partit pour l'Amérique et y acheva sa carrière. Le British Museum à Londres, conserve une esquisse de cet artiste.

WILLIAMS John
XIXe siècle. Actif à Londres. Britannique.
Paysagiste.
Il exposa de 1831 à 1876.
Ventes Publiques : Londres, 24 oct. 1978 : *Bohémiens sur une route* ; *Camp de bohémiens* 1842, deux h/t (24x29) : **GBP 2 200**.

WILLIAMS John Alonzo
Né le 23 mars 1869 à Sheboygan (Wisconsin). XIXe siècle. Américain.
Peintre et illustrateur.
Élève de l'Art Students' League à New York. Membre du Salmagundi Club.

WILLIAMS John Edgar
XIXe siècle. Actif à Londres. Britannique.
Peintre de scènes de genre, portraits.
Il exposa à Londres : à la Royal Academy, à la British Institution, à Suffolk Street, de 1846 à 1883.
Musées : Nottingham : *Portrait de Philip James Bailey.*
Ventes Publiques : Londres, 14 mai 1976 : *Portrait de Mary Elizabeth Howard* 1865, h/t à vue ovale (60x49,5) : **GBP 550** – Copenhague, 2 nov. 1982 : *Portrait du géologue Joseph Walter Tayler avec un esquimau*, h/t (142x112) : **DKK 170 000**.

WILLIAMS John Haynes. Voir **HAYNES John William**

WILLIAMS John Michael
XVIIIe siècle. Actif à Londres. Britannique.
Peintre de portraits.
Il exposa à Londres de 1760 à 1773, trois ouvrages à la Society of Artists et dix-huit à la Free Society. La National Portrait Gallery, à Londres, conserve de lui *Portrait de James Gibbs.*

WILLIAMS John Scott
Né le 18 août 1877 à Liverpool (Merseyside). XXe siècle. Américain.
Peintre verrier, peintre de cartons de vitraux, décorations murales, graveur.
Il fut élève de l'Académie de Chicago. Il exécuta des peintures murales dans plusieurs hôtels et bâtiments publics des États-Unis. Il gravait à l'eau-forte.

WILLIAMS Joseph Lionel
Mort le 19 septembre 1877 à Londres. XIXe siècle. Britannique.
Peintre de genre, aquarelliste et graveur sur bois.
Il exposa à Londres à la Royal Academy et à la Society of British Artists (Suffolk Street) de 1834 à 1874. Au début de sa carrière il collabora activement à l'*Art Journal* et à l'*Illustred London News*. Il fournit aussi de nombreuses illustrations d'ouvrages. Le Musée de Sheffield conserve de lui une toile de genre *Bavardage.*
Ventes Publiques : Londres, 13 févr 1979 : *Enfants construisant un bateau* 1867, aquar. et reh. de blanc, haut arrondi (16x23) : **GBP 500**.

WILLIAMS Lucy Gwendolen
Née à Liverpool (Merseyside). XIXe-XXe siècles. Britannique.
Sculpteur de bustes, statuettes, aquarelliste.
Elle fut élève de la Royal Academy de Londres. Elle sculpta des bustes et des statuettes d'enfants.
Musées : Leeds – Liverpool.

WILLIAMS Margaret Lindsay
Née à Cardiff (Pays de Galles). XXe siècle. Britannique.
Peintre de portraits.
Elle fut élève de l'Académie de Londres. Elle peignit des personnalités de son époque.

WILLIAMS Mary
Née en 1788. XIXe siècle. Irlandaise.
Peintre de fleurs.
Fille de Solomon W.

WILLIAMS Mary Anne
XIXe-XXe siècles. Britannique.
Graveur.
Elle fut active entre 1858 et 1908. Elle gravait à l'eau-forte.

WILLIAMS Mary Rogers
Née à Hartford (Connecticut). Morte le 17 septembre à Florence. XIXe-XXe siècles. Américaine.
Peintre.
Élève de W. M. Chase et de D. W. Tryon.

WILLIAMS Micah
Né en 1782 ou 1783. Mort en 1837. XIXe siècle. Actif entre 1815 et 1830 dans le New Jersey. Américain.
Peintre de portraits, aquarelliste, pastelliste.
Il a peint des portraits à l'aquarelle, au pastel et à l'huile. Le Musée de Boston conserve de lui : *Femme lisant* (vers 1820).
Ventes Publiques : New York, 27 janv 1979 : *Une dame ; Un gentilhomme*, deux past. (63x51) : **USD 6 000** – New York, 28 jan. 1982 : *Portraits de femme et d'homme*, deux past. (61x50,8) : **USD 4 500** – New York, 19 oct. 1985 : *Portrait d'une dame*, past./pap. (63,5x54,1) : **USD 3 000** – New York, 1er fév. 1986 : *Homme en veste noire ; Femme au livre*, past., une paire (61x48,2) : **USD 3 000** – New York, 24 jan. 1987 : *Portrait d'un jeune garçon*, past./pap. (56x43,3) : **USD 16 000**.

WILLIAMS Mildred Emerson
Née le 9 août 1892 à Detroit (Michigan). XXe siècle. Américaine.
Peintre.
Elle fut élève de R. Henri et de M. Young. Elle vécut et travailla à New York.
Musées : Detroit : *Nature morte.*

WILLIAMS Morris Meredith
Né à Cowbridge. XIXe-XXe siècles. Britannique.
Peintre, graveur, illustrateur, peintre verrier, peintre de cartons de vitraux.
Mari d'Alice Williams et élève de la Slade School de Londres.
Musées : Liverpool : *L'été mourant – Bronze doré – Sœur Helen.*

WILLIAMS Neil
Né en 1934 à Bluff (Utah). XXe siècle. Américain.
Peintre. Abstrait-lyrique.
Il a étudié à la California School of Fine Arts. Il expose régulièrement à New York depuis 1960.
Il donne des formes particulières aux toiles elles-mêmes, et reprend ces formes dans la peinture elle-même, géométrique, brillamment colorée. Après 1960, il se tourne vers une abstraction lyrique beaucoup moins agressive.
Ventes Publiques : New York, 7 mai 1991 : *Tubby in love* 1965, acryl./t. mises en forme (234,3x365,7) : **USD 2 860**.

WILLIAMS Pauline Bliss
Née le 12 juillet 1888 à Springfield. XXe siècle. Américaine.
Peintre miniaturiste.
Elle fut élève de Frank Vinc. Du Mond et de Robert Henri.

WILLIAMS Penry
Né en 1798 à Merthyr Tydvil. Mort le 27 juillet 1885 à Rome. XIXe siècle. Britannique.
Peintre de scènes de genre, portraits, paysages, paysages d'eau, marines, aquarelliste, graveur.
Il vint à Londres, enfant, grâce à l'appui de riches protecteurs gallois, et entra à l'École de la Royal Academy et commença à y exposer en 1824. En 1827, il partit pour l'Italie et s'y établit.
Il peignit des personnages italiens.
Musées : Cardiff : aquarelles – Copenhague (Mus. Thorvaldsen) : *La Campagne romaine* – Dublin : *La tambourineuse* – Leicester : *Paysans italiens en repos* – Londres (Victoria and Albert Mus.) : aquarelles – Melbourne : *Bateaux sur la rivière Ninfa.*
Ventes Publiques : Londres, 18 fév. 1970 : *Paysage boisé* : **GBP 420** – Cologne, 26 mars 1971 : *Mère et enfant priant* : **DEM 4 400** – Écosse, 31 août 1973 : *Jeune romaine* 1883 : **GBP 420** – Londres, 20 mars 1979 : *At the spring* 1883, h/t (76x54,5) : **GBP 1 900** – Londres, 18 mars 1980 : *Enfants dans la campagne romaine* 1828, aquar. (29x22) : **GBP 700** – Londres, 5 oct. 1984 : *Vue du Ponte Rotto, Rome* 1870, h/t (35,5x52) : **GBP 1 500** – Chester, 12 juil. 1985 : *The Temple of Venus, Rome*, h/t (43x63) : **GBP 1 400** – Londres, 3 nov. 1989 : *Paysans près de la tombe de Cecilia Metalla dans les faubourgs de Rome* 1848, h/t (30,5x45,5) : **GBP 4 950** – New York, 18 fév. 1993 : *Personnages dans un paysage fluvial au crépuscule*, h/t (61x91,5) : **USD 5 500** – New York, 22-23 juil. 1993 : *Un vieil homme et un gamin dans un paysage*, h/t (64,1x77,5) : **USD 1 610** – Londres, 25 mars 1994 : *Sorrente et Capri*, h/t, une paire (27,3x40,2 et 20,3x29,2) : **GBP 4 370** – Londres, 27 sep. 1994 : *Vendanges* 1868, h/t (31,5x77,5) : **GBP 4 140**.

WILLIAMS Piotr Vladimirovitch
Né en 1902 à Moscou. Mort en 1947. XXe siècle. Russe.
Peintre, décorateur de théâtre.
Il fut élève, entre 1918 et 1923, des Vkhoutémas, où il eut pour professeur Korovine, Kontchalovski, Chterenberg et Kandinsky. En 1928, il visita la France, l'Allemagne et l'Italie. Il fut directeur du Musée de la culture picturale et membre de son conseil artistique. Il fut également membre du groupe des Concrétistes, d'OST (Société des Stankovistes) dont il fut cofondateur, et d'IZO (section arts plastiques).
Il participa à des expositions collectives : au début des années vingt, première Exposition du groupe de l'Art révolutionnaire actif ; de 1925 à 1928, aux expositions du groupe OST ; 1926, Dresde et New York ; 1930 Venise. Il a été représenté aux expositions *Paris Moscou* au Centre Georges Pompidou à Paris en 1979 et *Les Années trente en Europe. Le temps menaçant,* au Musée d'Art moderne de la ville de Paris en 1997.
À partir de 1929, il se consacra plus particulièrement au théâtre et réalisa de nombreuses mises en scène de spectacles pour différents théâtres, dont : le Théâtre d'Art de Moscou, le Théâtre Musical K. Stanislavsky et V. Nemirovitch-Dantchenko, le Théâtre Evgueni Vakhtangov, le Théâtre de la Révolution, le Bolchoï.

Bibliogr. : Catalogue de l'exposition : *Les Années trente en Europe. Le temps menaçant*, Musée d'Art moderne de la ville, Paris Musées, Flammarion, Paris, 1997.
Musées : Moscou (Gal. Tretiakov) : *Montage d'atelier* 1932 – *Portrait de Vsevolod Meyerhold* 1925 – *Le circuit automobile* 1930.

WILLIAMS Richard
XIXe siècle. Actif à Dublin. Irlandais.
Sculpteur.
Fils de Solomon W. et élève de John Smith à Dublin. Il exposa à Londres de 1822 à 1832.

WILLIAMS Richard James
Né le 16 mars 1876 à Hereford. XXe siècle. Britannique.
Peintre, illustrateur.
Il travailla à Worcester et illustra des livres pour enfants. Il devint directeur de la Worcester School of Arts and Crafts. Il a exposé au Royal Institute of Painters in Water-Colours.
Bibliogr. : Marcus Osterwalder, in : *Dictionnaire des illustrateurs 1800-1914*, Ides et Calendes, Neuchâtel, 1989.

WILLIAMS Robert
XXe siècle. Américain.
Peintre de compositions animées.
Il vit et travaille à Los Angeles. Sa peinture, très proche de l'imagerie de la bande dessinée, représente des scènes incongrues, fantastiques, entre complaisance et dénonciation du mauvais goût.

WILLIAMS Robert ou **Roger**
XVIIe-XVIIIe siècles. Travaillant de 1680 à 1704. Britannique.
Graveur à la manière noire.
Il grava presque uniquement des portraits de notables anglais.

WILLIAMS Samuel
Né le 23 février 1788 à Colchester. Mort le 19 septembre 1853 à Londres. XIXe siècle. Britannique.
Graveur sur bois, dessinateur et illustrateur.
Il fut apprenti d'un peintre en bâtiment. Ses études de dessin lui permirent de s'adonner à la gravure sur bois, d'abord pour des ouvrages d'histoire naturelle, ensuite pour l'illustration. On cite notamment une édition de *Robinson Crusoé*. Il exposa à la Royal Academy de 1831 à 1845.

WILLIAMS Solomon
Né à Dublin. Mort le 2 août 1824 à Dublin. XIXe siècle. Irlandais.
Peintre d'histoire et de portraits.
Élève de la Dublin Academy. Il alla ensuite étudier en Italie pendant plusieurs années et y exécuta quelques bonnes copies, notamment d'après Titien. Il fut nommé membre de l'Académie de Bologne. A son retour à Dublin, il fut très bien accueilli et sauf quelques séjours à Londres, il passa sa vie dans la capitale de l'Irlande. A la fondation de la Royal Hibernian Academy, il en fut un des membres fondateurs. De 1791 à sa mort, il exposa dix-neuf ouvrages à la Royal Academy et treize à la British Institution. Le Musée Fitzwilliam de Cambridge conserve de lui *Portrait de Daniel Mesman*.

WILLIAMS Sue
Née en 1954. XXe siècle. Américaine.
Peintre.
Elle a montré un ensemble de ses œuvres à la galerie Philippe Rizo à Paris en 1994.
Son travail, présenté sous forme de plusieurs figures peintes dans l'espace de la toile, est une dénonciation de l'aliénation sexuelle féminine et des valeurs viriles de l'Amérique puritaine.
Ventes Publiques : New York, 16 nov. 1995 : *Grand marché du sexe* 1991, acryl./pap./t. (121,9x106,7) : **USD 10 925** – New York, 9 mai 1996 : *Union d'un homme et d'une femme* 1992, bronze (31,8x38,1x26,7) : **USD 16 100** – New York, 19 nov. 1996 : *In denial of the shady boner motel* 1992, acryl./t. (106,6x122) : **USD 9 200** – New York, 7 mai 1997 : *Après la Révolution* 1992, h/t (137,2x162,6) : **USD 10 350**.

WILLIAMS Sydney Richard. Voir **PERCY**, pseudonyme de **Sydney Richard WILLIAMS**

WILLIAMS T. H.
XIXe siècle. Travaillant à Exeter et à Plymouth. Britannique.
Peintre de paysages, marines, dessinateur, graveur.
Il exposa des marines à Londres, à la Royal Academy et à la British Institution de 1801 à 1830. On le cite également comme dessinateur et graveur et auteur des séries suivantes : *Picturesques Excursions in Devonshire and Cornwall* ; 1804, *The Environs of Exeter*, 1815 ; *A Tour in the Isle of Wright* ; *A Walk on the coast of Dorsetshire*, 1828.

WILLIAMS Terrick John
Né le 20 juillet 1860 à Liverpool (Merseyside). Mort le 20 juillet 1936 à Plymouth (Devon). XIXe-XXe siècles. Britannique.
Peintre de genre, paysages animés, paysages urbains, marines.
Il fut élève de Bouguereau et Tony Robert-Fleury. Il figura, Paris, au Salon des Artistes Français. Il obtint une médaille de troisième classe en 1908, de deuxième classe en 1911. En France, il a peint des paysages normands, bretons et parisiens.

Terrick Williams

Musées : Liverpool : *Porte de mosquée à Tanger* – Preston : *Rubans et dentelles* – Sydney : *Au quai de Saint-Tropez*.
Ventes Publiques : Londres, 12 oct. 1973 : *Venise* : **GNS 400** – Londres, 9 mai 1974 : *Marseille au crépuscule* 1914 : **GNS 450** – Londres, 10 nov. 1976 : *L'aube, Venise*, h/t (50x60,5) : **GBP 280** – Londres, 19 nov. 1980 : *Concarneau* 1929-1930, h/t (48,58,5) : **GBP 2 300** – Londres, 13 mars 1981 : *Brouillard et lever du soleil, Douarnenez* 1918-1919, h/t (91,5x127) : **GBP 4 200** – New York, 25 fév. 1983 : *Le Repas du soir*, h/t (101,5x153) : **USD 8 000** – San Francisco, 21 juin 1984 : *Le Retour des pêcheurs* 1898, past. (49x75) : **USD 850** – Londres, 13 nov. 1985 : *Paysage de Douvres, au ciel nuageux* 1928-1929, h/t (50x75,5) : **GBP 2 600** – Londres, 14 nov. 1987 : *Scène de port, Douarnenez* 1918-1919, h/t (91,5x127) : **GBP 16 000** – Londres, 9 juin 1988 : *Le Port d'Honfleur*, h/pan. (15x22,5) : **GBP 2 640** – Stockholm, 15 nov. 1988 : *Matin ensoleillé, voiliers amarrés le long de la jetée*, h. (27x41) : **SEK 110 000** – New York, 24 mai 1989 : *Brixham en rouge et or*, h/t (101,6x152,4) : **USD 30 800** – Londres, 8 mars 1990 : *Concarneau*, h/t (61x76,3) : **GBP 9 350** – Stockholm, 16 mai 1990 : *Villageoises dans une rue bordée de maisons de pierre*, h/t (30x46) : **SEK 25 000** – Londres, 7 juin 1990 : *Péniche amarrée à Bruges*, h/pan. (16x23) : **GBP 1 870** – Londres, 20 sep. 1990 : *Le Canal obscur à Venise* 1925, h/t (25x39) : **GBP 3 080** – Londres, 25 jan. 1991 : *Le Port*, h/pan. (23,5x16) : **GBP 2 090** – Londres, 7 mars 1991 : *Clair de lune à Venise*, h/t (25x39,5) : **GBP 2 420** – Londres, 2 mai 1991 : *Le marché à Honfleur*, h/t (25,5x39,5) : **GBP 2 750** – New York, 22 mai 1991 : *Douvres* 1926, h/t (71,1x91,4) : **USD 7 700** – Londres, 27 sep. 1991 : *Les Falaises de Douvres*, h/t. cartonnée (26,5x40,5) : **GBP 880** – Londres, 25 sep. 1992 : *Le Vieux Paris, le Panthéon et le boulevard Saint Michel* 1916, h/t (31x41) : **GBP 3 300** – New York, 14 oct. 1993 : *L'entrée de la Kasbah*, aquar./pap. (40,6x27) : **USD 2 530** – Perth, 29 août 1995 : *Tarbert à Loch Fyne*, h/t (27x40,5) : **GBP 690**.

WILLIAMS Thomas
Né vers 1800. Mort vers 1840. XIXe siècle. Britannique.
Graveur sur bois.
Frère et élève de Samuel Williams. Il a gravé des bois pour les *Fables* de Northcott et pour les illustrations de la Bible de Martin. Il exposa à Londres de 1831 à 1840, notamment à la Royal Academy et à la British Institution.

WILLIAMS W.
XVIIIe-XIXe siècles. Travaillant de 1760 à 1815. Britannique.
Dessinateur et graveur de portraits et d'ex-libris.

WILLIAMS W.
XIXe siècle. Britannique.
Paysagiste.
Il exposa de 1841 à 1876.

WILLIAMS Walter Heath
Né en 1836. Mort en 1906. XIXe siècle.
Peintre de scènes de genre, paysages animés, paysages d'eau, architectures.
Il était actif à Londres jusqu'en 1876.
Ventes Publiques : Londres, 20 juin 1972 : *La moisson près de la rivière* : **GBP 2 400** – Londres, 27 mars 1973 : *Paysage fluvial boisé* : **GBP 1 000** – Londres, 9 avr. 1974 : *Paysage fluvial* : **GBP 1 200** – Londres, 15 oct. 1976 : *Snowdon from Llyn Ffynnon, Nort Wales*, h/t (29x44) : **GBP 350** – Londres, 6 déc. 1977 : *Paysage boisé* 1858, h/t (64x76) : **GBP 700** – Londres, 15 mai 1979 : *Scène champêtre*, h/t (39x60) : **GBP 3 000** – Londres, 25 mai 1979 : *Paysage fluvial boisé animé de personnages*, h/t (64,8x100,3) : **GBP 2 200** – Londres, 23 juin 1981 : *Le Château de Windsor*, h/t (76x127) : **GBP 2 400** – Londres, 23 oct. 1981 : *Paysage fluvial boisé avec pont et personnages* 1816, h/t (64,7x100,4) : **GBP 1 200**

– Londres, 14 juil. 1983 : *Vues des environs de Gomshall, Surrey*, h/t, une paire (chaque 61x91,5) : **GBP 5 000** – Londres, 29 nov. 1984 : *Enfants jouant dans un paysage boisé*, h/t, une paire : **GBP 3 500** – Londres, 12 avr. 1985 : *Paysage champêtre animé de personnages*, h/t (65x101) : **GBP 3 200** – Chester, 19 avr. 1985 : *The Twyanant Valley, North Wales* 1872, h/t (54x94) : **GBP 1 900** – Londres, 15 juin 1988 : *La pêche*, h/t (46x66) : **GBP 1 980** ; *Un chemin au bord de la rivière au pied d'un château* 1869, h/t (60x105) : **GBP 6 600** – Londres, 23 sep. 1988 : *Moissonneurs au bord de la rivière près de Minster dans le Kent*, h/t (61x107) : **GBP 7 700** – Londres, 27 sep. 1989 : *Paysage du Kent* 1854, h/t (32x49) : **GBP 4 620** – Londres, 27 sep. 1989 : *Scène de la vie campagnarde*, h/t (66,5x102) : **GBP 5 500** – Londres, 13 déc. 1989 : *Moisson*, h/t (46x66) : **GBP 2 090** – Londres, 15 juin 1990 : *Les moissonneurs*, h/t (61x107) : **GBP 6 600** – Londres, 12 juin 1992 : *Paysages du Sussex*, h/t, une paire (30,5x61) : **GBP 4 180** – Londres, 13 nov. 1992 : *L'abbaye de Rievaulx* ; *L'abbaye de Fountains*, h/t, une paire (chaque 30,5x46) : **GBP 5 720** – New York, 26 mai 1993 : *Wharfedale* 1876, h/t (77,5x64,1) : **USD 6 900** – Londres, 11 juin 1993 : *Vaste paysage fluvial et boisé avec des paysans au premier plan et une maison et une barque au lointain*, h/t (66,4x102,6) : **GBP 3 680** – Londres, 5 nov. 1993 : *Personnages près d'un lac des Highlands* 1861, h/t (61x91,5) : **GBP 8 970** – Londres, 27 sep. 1994 : *Fenaison*, h/t (47,5x63,5) : **GBP 1 265** – Londres, 29 mars 1995 : *Llyn Dinas en Galles du Nord* 1869, h/t (33x51) : **GBP 2 875** – Londres, 6 nov. 1995 : *Printemps et Été*, h/t, une paire (46x66,5) : **GBP 6 900** – Londres, 6 nov. 1995 : *Paysage d'été dans le Surrey*, h/t (61x92) : **GBP 5 750** – Londres, 13 mars 1997 : *Soir paisible sur la rivière*, h/t, une paire (20,3x35,9) : **GBP 3 400**.

WILLIAMS Walter Reid

Né le 23 novembre 1885 à Indianapolis (Indiana). xxe siècle. Américain.

Sculpteur.

Il fut élève de Ch. Mulligan et de B. Pratt ainsi que d'A. Mercié à Paris. Il vécut et travailla à Chicago.

WILLIAMS Warren

Né en 1863. Mort en 1918. xixe siècle. Britannique.

Peintre et illustrateur.

Élève de J. Finnie à Liverpool. Les Galeries de Durban et de Pitermaritzburg conservent des peintures de cet artiste.

Ventes Publiques : Chester, 18 jan. 1985 : *Pêcheurs sur la plage*, aquar. reh. de gche, une paire (25,5x35,5) : **GBP 960** – Chester, 20 juil. 1989 : *Feu du soir sur la grève de Conway*, h/t (24,7x43,7) : **GBP 1 078** – Londres, 31 jan. 1990 : *Le confluent des fleuves Lledr et Conway à Bettws y Coed*, aquar. avec reh. de blanc (31,5x49,5) : **GBP 1 100** – Londres, 20 juil. 1994 : *Retour de la pêche*, aquar. avec reh. de blanc (44x74,5) : **GBP 1 322** – Perth, 29 août 1995 : *Ben Nevis*, aquar. avec reh. de blanc (44,5x74,5) : **GBP 1 840**.

WILLIAMS William Joseph

Né en 1759 à New York. Mort en 1823 à Charleston. xviiie-xixe siècles. Américain.

Portraitiste.

Il a peint en 1792 un *Portrait de Washington*.

Ventes Publiques : Londres, 20 mars 1979 : *Paysage fluvial boisé*, h/t (38,5x59,5) : **GBP 1 900**.

WILLIAMS William Oliver

xixe siècle. Actif dans la seconde moitié du xixe siècle. Britannique.

Peintre de genre, portraits.

Il exposa de 1851 à 1863.

WILLIAMS William, dit **de Norwich**

Né en 1727. Mort en 1791 ou 1797. xviiie siècle. Depuis 1776 actif aux États-Unis. Britannique.

Peintre de sujets de genre, portraits, paysages.

Il travailla à Norwich. Il semble qu'il se soit fixé à Londres pour un temps comme l'attestent plusieurs adresses d'envois à la Royal Academy, avant de s'établir à Bath. Il obtint une récompense à la Society of Arts en 1758 et exposa à la Royal Academy. « Marin et peintre », comme il se désigne lui-même dans son roman autobiographique, *Journal du marin Llevelyn Penrose*, il s'installe à Bristol en 1776. Il peint alors plus de deux cents toiles aux États-Unis.

Il a commencé par peindre des portraits de notables de Norwich. Toutefois, son sujet favori était des scènes de la vie paysanne : *Retour du journalier* ; *Une famille paysanne*... qu'il a traité en différents formats. Si les fonds de paysages sont traités avec une élégance naïve, dès qu'un bateau paraît c'est l'exactitude du dessin qui l'emporte. Le portrait, lui, peut avoir toute la vivacité et la naturelle fantaisie de *Deborah Hall* (1766). D'autre part, il eut le mérite d'aider considérablement Benjamin West à ses débuts.

Musées : New York (Brooklyn Mus.) : *Deborah Hall* 1766 – Winterthur : *Portrait en pied de David Hall – Autoportrait*.

Ventes Publiques : Londres, 14 déc. 1962 : *Portrait of Dr. William Greene of Thundercliffe Grange* ; *Portrait de Catherine née Waterhouse*, deux toiles : **GNS 1 300** – Londres, 22 nov. 1968 : *La famille de paysans devant leur chaumière* : **GNS 380** – Londres, 19 nov. 1969 : *Portrait of the Reverend John Basset Coolins* : **GBP 3 000** – Londres, 22 mars 1972 : *Mr William Trow and his groom* : **GBP 3 800** – Londres, 17 juil. 1974 : *Portrait of Catherine Green* 1772 : **GBP 450** – Londres, 29 juin 1976 : *Pêcheurs au bord de l'eau* 1854, h/t (55x86) : **GBP 1 400** – New York, 4 juin 1980 : *Couple dans une forêt sous l'orage* 1763, h/t (61x73,5) : **USD 2 000** – Canterbury, 26 mars 1985 : *Chasseurs à cheval et meute dans un paysage* 1791, h/t (84x155) : **GBP 19 500** – New York, 10 jan. 1990 : *Famille paysanne devant sa maison* 1776, h/t (75x91,6) : **USD 8 800** – Londres, 15 nov. 1991 : *Le retour du journalier*, h/t (92x75) : **GBP 4 400** – Londres, 14 juil. 1993 : *Portrait d'un gentilhomme en tenue de chasseur, nettoyant son fusil et accompagné de ses chiens dans un paysage* 1785, h/t (75x61,5) : **GBP 6 670** – Londres, 15 déc. 1993 : *Retour au cottage* 1786, h/t (75x92,1) : **GBP 4 600**.

WILLIAMS William, dit **de Plymouth**

Né en 1808. Mort en 1895. xixe siècle.

Peintre de paysages, paysages d'eau.

Ventes Publiques : Londres, 23 mars 1979 : *Paysage boisé animé de personnages* 1838, h/t (78,2x104,2) : **GBP 1 300** – Londres, 20 mars 1984 : *Vue d'un estuaire* 1883, h/t (51x77) : **GBP 1 050** – Londres, 11 juil. 1990 : *Paysage avec une vue de Penzance et du Mont Saint Michel*, h/t (62x90) : **GBP 9 900** – Londres, 13 fév. 1991 : *Vue de Torbay* 1857, h/cart. (33x51) : **GBP 2 200** – Londres, 2 nov. 1994 : *La rivière Dart à Topsham* 1882, h/t (86x127) : **GBP 2 990** – Londres, 4 juin 1997 : *Dans les prés* 1847, h/t (48x65) : **GBP 3 450** – Londres, 5 nov. 1997 : *La Route du marché* 1841, h/t (63x91,5) : **GBP 2 300**.

WILLIAMS-LYOUNS Herbert Francis

Né le 19 janvier 1863 à Plymouth. xixe siècle. Britannique.

Peintre et graveur sur bois.

Il fit ses études à Boston et à Paris. Il peignit des sujets religieux et mythologiques, des paysages et des marines. Le Musée de Boston conserve de lui *La suite de Satan*, et la Galerie de Liverpool, vingt gravures sur bois.

WILLIAMSEN Peter. Voir **WILLIAMSON**

WILLIAMSON Ada C.

Né en 1882 à Camden. xxe siècle. Américain.

Peintre.

Il vécut et travailla à Philadelphie.

WILLIAMSON Albert Curtis

Né à Brampton (Ontario). xxe siècle. Canadien.

Peintre.

Il fut élève de Cormon et de l'Académie Julian de Paris.

WILLIAMSON Bernardine Francis

Né le 16 janvier 1862 à Richmond. xixe siècle. Américain.

Dessinateur.

Il dessina à la plume de très nombreux portraits.

WILLIAMSON Charters

Né en 1856 à Brooklyn. xixe siècle. Actif à New York. Américain.

Peintre de genre.

Élève de Gérome à Paris.

WILLIAMSON Clara Mac Donald

Née en 1875 à Iredell (Texas). xxe siècle. Américaine.

Peintre de compositions animées.

En 1946, le Dallas Museum of Fine Arts lui organisa une exposition. Elle passa son enfance parmi les cow-boys et les prospecteurs, avec les chevaux et les troupeaux de buffles. En 1943, lorsqu'elle se mit à peindre, ce furent tous ces souvenirs d'enfance colorés qu'elle raconta. Elle a peint souvent des files de bêtes à cornes ininterrompues, qui font penser à certaines frises peintes égyptiennes.

Bibliogr. : Oto Bihalji-Merin : *Les peintres naïfs*, Delpire, Paris, s. d.

WILLIAMSON Daniel

Né en 1783 à Liverpool. Mort le 16 juin 1843 à Liverpool. xixe siècle. Britannique.

Peintre de paysages animés, paysages.

Il est le fils aîné de John Williamson. En 1810, lors de la création de la Liverpool Academy, il en fut un des membres fondateurs.
Ventes Publiques : Paris, 27 avr. 1988 : *La vallée de Saint-John* 1840, h/pan. (25x38,2) : **FRF 30 000** ; *Pêcheurs à Borrowdale* 1840, h/pan. (25x38,2) : **FRF 15 000**.

WILLIAMSON Daniel Alexander
Né le 24 septembre 1822 ou 1823 à Liverpool. Mort le 12 février 1903 à Broughton-in-Furness. XIXe siècle. Britannique.
Peintre de portraits, paysages, aquarelliste, dessinateur. Préraphaélite.
Fils de Daniel Williamson, il fut probablement son élève. Il vint à Londres en 1852 et se joignit au groupe des préraphaélite. Il prit part à diverses expositions collectives : à Liverpool de 1848 à 1851 ; à Londres de 1849 à 1871.
Il fut d'abord dessinateur chez un fabricant de meubles, puis fit des portraits. Il s'adonna ensuite au paysage, son véritable genre. Dans sa première manière, il fit preuve d'une extraordinaire préciosité, mais il vint bientôt à une conception plus sincère de la forme et il s'inspira de David Cox.
Musées : Liverpool (Walker Art Gal.) : neuf peintures à l'huile – cent aquarelles.
Ventes Publiques : Londres, 12 juin 1985 : *Le retour du troupeau un soir d'hiver*, h/t (33x56) : **GBP 3 000** – Londres, 2 juin 1989 : *La Tyne à Hexham* 1894, h/t (95x140) : **GBP 5 500**.

WILLIAMSON Francis
XVIe siècle. Britannique.
Peintre verrier.
Il fut chargé de l'exécution de quatre vitraux dans la chapelle du Collège de Cambridge en 1530.

WILLIAMSON Francis John
Né le 17 juillet 1833 à Londres. Mort le 12 mars 1920 à Esher. XIXe-XXe siècles. Britannique.
Sculpteur.
Il exposa à Londres à partir de 1853, particulièrement à la Royal Academy.
Musées : Birmingham : *Monuments de George Dawson et de Joseph Priestly* – Londres (Nat. Portrait Gal.) : *Le prince Léopold, duc d'Albany* – *Sir William Stirling Maxwell* – *Lady Sterling Maxwell* – Manchester : *Betty et Dinah*.
Ventes Publiques : Londres, 1er oct. 1986 : *H.R.H. Princess Alice of Albany* 1884, marbre (H. 65) : **GBP 2 600**.

WILLIAMSON Frederick
XIXe-XXe siècles. Actif à Londres. Britannique.
Peintre d'animaux, paysages animés, paysages, aquarelliste.
Il exposa à Londres de 1856 à 1900, particulièrement à la Royal Academy, à la British Institution et à Suffolk Street.
Musées : Londres (Victoria and Albert Mus.) – Sydney.
Ventes Publiques : Londres, 26 juin 1980 : *Moutons couchés au pied d'un arbre* 1871, aquar./trait de cr. (24x40,5) : **GBP 460** – Londres, 1er avr. 1980 : *Troupeau dans un paysage* 1860, h/pan. (26,5x41) : **GBP 600** – Londres, 27 fév. 1985 : *Moutons couchés dans un paysage*, aquar. (25x36) : **GBP 1 800** – Londres, 29 avr. 1987 : *Luscombe Chine, île de Wight*, aquar. (22x35) : **GBP 1 100** – Londres, 5 oct. 1989 : *Vue de la côte de Scarborough*, h/t (40,5x61) : **GBP 1 045** – Londres, 31 jan. 1990 : *Calme prairie*, aquar. avec reh. de blanc (25x35) : **GBP 880** – Londres, 25-26 avr. 1990 : *Sussex*, aquar. (20x34) : **GBP 2 200** – Londres, 5 mars 1993 : *Moutons sur la lande* 1870, cr. et aquar. (27,2x45,7) : **GBP 1 840** – Londres, 8-9 juin 1993 : *Moutons au pâturage* 1892, aquar. (43x68) : **GBP 1 150** – Édimbourg, 9 juin 1994 : *Sur les collines du Surrey*, aquar. (26,7x47,6) : **GBP 2 530**.

WILLIAMSON J. B.
XIXe siècle. Actif à Londres. Britannique.
Peintre de marines et de paysages.
Professeur à l'École d'art de Taunton, puis à la Gower Street School of Art. Il exposa de 1868 à 1871. Le Victoria and Albert Museum, à Londres, conserve de lui *Baie de Seaton* (aquarelle).

WILLIAMSON J. Maynard
Né en 1892 à Pittsburgh (Pennsylvanie). XXe siècle. Américain.
Peintre, illustrateur.
Il fut élève de Frank Vincent Du Mond.

WILLIAMSON John
Né en 1751 à Ripon. Mort le 27 mai 1818 à Liverpool. XVIIIe-XIXe siècles. Britannique.
Peintre de portraits, décorateur.
Il travailla un certain temps à Birmingham comme décorateur. En 1773, il vint avec sa famille, deux fils et quatre filles, demeurer à Liverpool et s'y établit avec succès comme peintre de portraits. En 1810, il fut un des fondateurs de la Liverpool Academy, mais démissionna l'année suivante. On lui doit un *Portrait de William Roscoe*, le célèbre collectionneur anglais.
Musées : Liverpool (Walker Art Gal.) : *Portrait de P. Litherland* – Londres (Nat. Portrait Gal.) : *Portrait de William Roscoe*.

WILLIAMSON John
Né en 1826 en Écosse. Mort le 28 mai 1885 à Glenwood. XIXe siècle. Américain.
Peintre d'animaux, paysages, paysages de montagne, paysages d'eau, fleurs.
Il travailla à Brooklyn et peignit surtout des motifs des bords du Hudson et des Catskill Mountains.
Ventes Publiques : New York, 3 mai 1972 : *Bords de l'Hudson* : **USD 4 250** – New York, 13 nov. 1974 : *Paysage avec troupeau* 1872 : **USD 1 600** – New York, 18 nov. 1977 : *Glenwood-on-Hudson, New York* 1872, h/t (33x56) : **USD 1 700** – New York, 28 avr. 1978 : *Fleurs* 1863, h/t (35,5x25,4) : **USD 2 250** – New York, 20 mars 1980 : *Lac Georges* 1880, h/t (66,3x91,5) : **USD 1 200** – New York, 23 sep. 1981 : *Vue sur l'Hudson, Yonkers* 1872, h/t (33x55,9) : **USD 3 000** – New York, 21 sep. 1984 : *Indian county* ; *Wallkill valley*, h/cart., deux cartons (25,5x15,3) : **USD 10 800** – New York, 15 mars 1985 : *Lake George in autumn* 1880, h/t (71x127) : **USD 7 000** – New York, 28 sep. 1989 : *Un sycomore*, h/t (58,5x43,5) : **USD 1 980** – New York, 21 mai 1991 : *Vue de Clifford* ; *Roseaux*, h/pan., une paire (chaque 11,5x11,5) : **USD 1 650** – New York, 22 mai 1991 : *Promenade le long de l'Hudson* 1859, h/t (62,2x95,5) : **USD 14 300** – New York, 28 mai 1992 : *Le rivage pour débarquer à Bolton sur le Lake George* 1878, h/t (77,5x127,8) : **USD 35 200** – New York, 11 mars 1993 : *Ruisseau à truites à Bishkill (New York)* 1882, h/t (55,9x40,6) : **USD 5 750** – New York, 17 mars 1994 : *Vue du Susquehanna près de Lanesboro* 1850, h/t (43,2x58,4) : **USD 8 050** – New York, 30 nov. 1995 : *Fleurs et papillons* 1862, h/cart. (36,3x22,8) : **USD 28 750** – New York, 23 avr. 1997 : *Marblestown, Ulster County, New York*, h/t (50,5x40,5) : **USD 13 800**.

WILLIAMSON Peter ou **Willemsen** ou **Williamsen**
XVIIe siècle. Actif à Londres en 1680. Britannique.
Graveur au burin.
Élève de D. Loggan. Il a gravé des portraits, notamment celui de *Charles II* et de la reine *Catherine de Bragance*. On croit qu'il était aussi marchand d'estampes.

WILLIAMSON Samuel
Né peut-être en 1792 à Liverpool. Mort le 7 juin 1840 à Liverpool. XIXe siècle. Britannique.
Peintre de figures, paysages animés, paysages, paysages de montagne, marines.
On le dit né en 1792, cependant d'autres auteurs disent qu'en 1781, en arrivant à Liverpool, son père John Williams avait déjà ses deux fils. Samuel Williamson étudia particulièrement les œuvres de Berghem et s'en inspira dans ses productions. Il fut vite apprécié à Liverpool. En 1810, lors de la fondation de la Liverpool Academy, il fut nommé associé et, l'année suivante, académicien. Il fit plusieurs voyages sur le continent. Il prit part à diverses expositions collectives, à la Royal Academy de Londres en 1811 ; ainsi qu'à Manchester, Birmingham et Leeds.
Musées : Liverpool : *Marine* – *Paysage* – *Paysage, rochers, bétail* – *Le vieux chêne* – Londres (Victoria and Albert Mus.) : *Montagnes, paysage d'Italie*.
Ventes Publiques : Londres, 15 oct. 1976 : *Jeune fille, paysans, et animaux dans un paysage* 1838, h/t (74x69) : **GBP 800** – Londres, 10 oct. 1980 : *Berger et bergère dans un paysage montagneux* 1838, h/t (73,5x67,3) : **GBP 900**.

WILLIAMSON Sue
Né en 1941 à Lichfield (Staffordshire). XXe siècle. Actif en Afrique du Sud. Britannique.
Artiste.
Il a participé en 1994 à l'exposition *Un Art contemporain d'Afrique du Sud* à la galerie de l'Esplanade, à la Défense à Paris.

WILLIAMSON Thomas
XIXe siècle. Travaillant à Londres de 1800 à 1832. Britannique.
Graveur au burin et au pointillé et éditeur d'estampes.
Il grava des paysages, des scènes de genre et des portraits.

WILLIAMSON W. M.
XIXe siècle. Actif à Londres. Britannique.

Peintre de paysages, aquarelliste.
Il exposa à la Royal Academy de Londres, entre 1868 et 1873.
Musées : Londres (Victoria and Albert Mus.) : *Gaterway of Dentdelion Manor House near Margate*, aquar.

WILLIAMSON William Henry ou **Harry**
Né en 1820. Mort en 1883. XIXe siècle. Actif à Londres. Britannique.
Peintre de paysages d'eau, marines.
Il exposa à Londres, de 1853 à 1875, trois ouvrages à la Royal Academy, cinq à la British Institution et quatorze à Suffolk Street.
Musées : Bristol : *Journée de brise sur la Manche.*
Ventes Publiques : Londres, 12 mars 1985 : *Bateaux de pêche par forte mer au large du port de Penzance*, h/t (75x127) : **GBP 1 400** – Londres, 22 sep. 1988 : *La pose des filets de pêche à la tombée de la nuit* 1873, h/cart. (17,8x38,2) : **GBP 550** – Stockholm, 15 nov. 1988 : *Navire près d'une côte rocheuse*, h. (31x61) : **SEK 13 000** – Londres, 18 oct. 1990 : *Bateaux de pêche sortant d'un port méridional*, h/t (38x51) : **GBP 605** – Londres, 3 juin 1992 : *Le Mont Saint-Michel ; Après la tempête*, h/t, une paire (30,5x61) : **GBP 1 650** – New York, 16 fév. 1994 : *Barques de pêche au large de Folkestone* 1864, h/t (66x101,6) : **USD 6 325** – Paris, 11 avr. 1996 : *Voiliers dans la tempête* 1873, h/t (31x46) : **FRF 10 500** – Londres, 5 juin 1997 : *Retournant au port* 1867, h/t (73,6x120,6) : **GBP 3 795.**

WILLIARD Hans Anton
Né le 21 février 1832 à Dresde. Mort le 13 mai 1867 à Dresde. XIXe siècle. Allemand.
Peintre d'architectures, aquarelliste, dessinateur et lithographe.
Élève de l'Académie de Dresde. Il exécuta des vues de châteaux, de villes et de monuments publics.
Ventes Publiques : Heidelberg, 11 avr. 1981 : *Paysage*, pl. et lav./trait de cr. avec reh. de blanc (13x34,3) : **DEM 1 200.**

WILLIBRORD, pater. Voir **VERKADE Jan**

WILLICH Cäser
Né le 11 novembre 1825 à Frankenthal. Mort le 15 juillet 1886 à Munich. XIXe siècle. Allemand.
Peintre de genre.
Il fut élève de Jacob Schlesinger à Berlin, puis en 1846, élève de Karl Schorn à Munich. Il continua ses études en Suisse, à Anvers et chez Couture à Paris. Exposa à Cologne en 1861 et à Vienne en 1868. On cite, notamment de lui un *Portrait de Richard Wagner*, se trouvant au Musée municipal de Leipzig et un *Paysage romain* au Musée de Lübeck.

WILLIENCOURT. Voir **ASSELIN DE WILLIENCOURT Marie Ophélie**

WILLIG R.
XIXe siècle.
Peintre de portraits.
Le Musée de Liverpool conserve de cet artiste *Portrait d'Alexandre de Humboldt.*

WILLIGEN Adriaan Van der
Né le 12 mai 1766 à Rotterdam. Mort le 17 janvier 1841 à Haarlem. XVIIIe-XIXe siècles. Hollandais.
Dessinateur et écrivain d'art.
Il dessina des vues de Paris et des vues exécutées au cours d'un voyage à Naples.

WILLIGEN Anthonis Pietersz Van der ou **Wilge**
Né en 1591 à Zierikzee. Mort vers 1640. XVIIe siècle. Hollandais.
Médailleur, tailleur de sceaux, graveur au burin et orfèvre.
Il grava à Zierikzee et à La Haye des médailles commémoratives.

WILLIGEN Christine Abichaël Van der
Née le 7 mai 1850 à Haarlem. Morte en 1932 à Laren. XIXe-XXe siècles. Hollandaise.
Peintre de paysages, fleurs, aquarelliste, graveur.
Elle fut élève de F. G. W. Oldewelt et de H. M. Krabbé. Elle figura aux expositions de Paris, obtenant une mention en 1900 lors de l'Exposition universelle dans cette ville.
Musées : Anvers (Mus. mun.) – Haarlem (Mus. Teyler).

WILLIGEN Claes Jansz Van der
Né vers 1630 à Rotterdam. Mort le 23 septembre 1676 à Rotterdam. XVIIe siècle. Hollandais.
Peintre de paysages animés, paysages, paysages d'eau.

Musées : Rotterdam (Mus. Boymans) : *Paysage des bords du Rhin.*
Ventes Publiques : Paris, 9 mars 1951 : *Port sur le Rhin, animé de nombreux personnages et de vaisseaux* : **FRF 62 000** – Paris, 30 nov. 1954 : *Paysage* : **FRF 230 000** – Cologne, 11 nov. 1964 : *Paysage* : **DEM 4 500** – Cologne, 27 juin 1974 : *La rue du village* : **DEM 12 000** – Amsterdam, 24 mars 1980 : *Paysage au moulin*, h/pan. (55x75) : **NLG 19 000** – Vienne, 26 mai 1982 : *Paysage fluvial animé de personnages*, h/pan. (49x93) : **ATS 250 000** – Zurich, 30 nov. 1984 : *Personnages sur une route de campagne près d'un moulin à eau*, h/pan. (73x107) : **CHF 24 000** – New York, 4 avr. 1990 : *Paysage montagneux avec des personnages traversant une rivière sur une passerelle de bois*, h/pan. (62,2x49,5) : **USD 6 050** – Amsterdam, 14 nov. 1991 : *Femme et son enfant bavardant avec un voyageur sur un sentier forestier*, h/pan. (24,3x29,5) : **NLG 4 830** – New York, 22 mai 1992 : *Un homme sur une passerelle de bois menant à une ville avec une montagne au fond* 1876, h/pan. (62,9x48,9) : **USD 8 800.**

WILLIGEN Jan Claesz Van der
XVIIe siècle. Actif à Rotterdam dans la première moitié du XVIIe siècle. Hollandais.
Sculpteur.
Il est le père de Claes Jansz Van der Willigen.

WILLIGEN Jan Van der
Mort le 25 décembre 1693 à Anvers. XVIIe siècle. Éc. flamande.
Peintre.
Il est le frère de Pieter Van der Willigen.

WILLIGEN Pieter Van der
Né en 1635 à Berg-op-Zoom. Mort le 8 juin 1694 à Anvers. XVIIe siècle. Éc. flamande.
Peintre de portraits, de paysages et de natures mortes.
Élève de Th. Willeboirts à Anvers.

WILLIMANN Alfred
Né le 26 février 1900 à Zurich. Mort en 1957 à Zurich. XXe siècle. Suisse.
Graveur. Abstrait. Groupe Abstraction-Création.
Il fut élève d'E. Würtenberger et d'E. Schlatter. Entre 1929 et 1954, il a été professeur de dessin et de photomontage à la Kunstgewerbeschule (École des Arts Appliqués) de Zurich. En 1932, il adhéra au groupe *Abstraction-Création.*
En 1978, il était représenté à l'exposition *Abstraction-Création 1931-1936*, au Westfälisches Landesmuseum für Kunst und Kulturgeschichte de Münster, et au Musée d'Art moderne de la Ville de Paris.
Certaines de ses œuvres présentent des formes élégamment découpées sur des fonds très sobres où la référence à la réalité n'est pas complètement évacuée. D'autres sont des illustrations de notions abstraites, telle la lumière, qui est citée en toutes lettres par le mot « Licht » et matérialisée par un faisceau lumineux peint se confondant au centre de la toile avec son fond.
Bibliogr. : In : Catalogue de l'exposition *Abstraction-Création 1931-1936*, Westfälisches Landesmuseum für Kunst und Kulturgeschichte, Münster, Musée d'Art moderne de la Ville, Paris, 1978.

WILLIME Johannes
Mort le 7 mai 1730 à Budapest. XVIIIe siècle. Hongrois.
Peintre.

WILLING John Thompson
Né le 5 août 1860 à Toronto. XIXe siècle. Canadien.
Peintre et graveur.

WILLING Nicolaus ou **Weeling** ou **Wieling** ou **Wielings** ou **Willingh** ou **Willings**
Né vers 1640 à La Haye. Mort le 29 mars 1678 à Berlin ou 1689 selon d'autres sources. XVIIe siècle. Hollandais.
Peintre de scènes mythologiques, sujets de genre.
On trouve son nom parmi les membres de la corporation de Saint-Luc à La Haye en 1661. L'Électeur de Brandebourg, Frédéric Guillaume le nomma peintre de sa cour en 1671.

Son style tient plus à l'école flamande qu'à l'école hollandaise.

N. Willing. fe

Musées : Haarlem : *Pan enchaîné par les nymphes.*
Ventes Publiques : Londres, 12 mars 1976 : *L'enlèvement d'Europe*, h/t (66x84,5) : **GBP 950**.

WILLINGEN Jan Van der. Voir **WILLIGEN**

WILLINGES Johann

Né dans l'Oldenbourg. Mort le 14 ou le 24 août 1625 à Lübeck. XVIIe siècle. Allemand.

Peintre.

Il subit à Venise l'influence du Tintoret et fut l'un des peintres les plus réputés de Lübeck vers 1600. Il peignit surtout des sujets religieux.

Musées : Berlin – Brême – Copenhague – Königsberg – Lemberg – Lübeck.

WILLINK Carel ou **Albert Carel**

Né le 7 mars 1900 à Amsterdam. Mort en 1983 à Amsterdam. XXe siècle. Hollandais.

Peintre de compositions animées, figures, paysages urbains, architectures, graveur, dessinateur. Réaliste-magique, symboliste.

Entre 1918 et 1920, il étudia l'architecture à l'Institut Royal pour Ingénieurs de Delft. Il fut ensuite élève de Hans Baluschek à Berlin, où il résida de 1920 à 1923, et fut proche du groupe *Der Sturm*. Il se forma également à Paris dans l'atelier de Le Fauconnier. Revenu en Hollande, il se fixa à Amsterdam. Il a publié, en 1950, ses écrits sur la peinture dans un ouvrage intitulé *La peinture à un stade critique*.

Il participa aux expositions du Novembergruppe : en 1923 à Berlin, l'année suivante à Belgrade. Six de ses œuvres ont été présentées en 1997 à l'exposition *Les Années trente en Europe. Le temps menaçant* au musée d'Art moderne de la Ville de Paris.

Il a montré sa première exposition personnelle d'importance en 1934 à la galerie G.J. Nieuwenhuizen Segaar à La Haye en 1934, puis, entre autres : 1939, Musée Boymans Van Beuningen, Rotterdam ; 1946, 1948, 1952, galerie Huinck & Scherjon ; 1951, Palais des Beaux-Arts, Bruxelles ; 1956, 1961, 1980, Stedelijk Museum, Amsterdam ; 1960, Stedelijk van Abbemuseum, Eindhoven ; 1968, Gemeentemuseum, Arnhem ; 1973, rétrospective, Musée Boymans van Beuningen, Rotterdam ; 1974, galerie Fricker, Paris.

Carel Willink traversa d'abord une brève période éclectique, successivement cubiste, notamment sous l'influence à la fois de Klee et de Léger, constructiviste, puis futuriste. Ensuite, vers sa trentième année, il se rapprocha, presque en même temps que Raoul Hynckes et Pyke Koch, mais dans l'esprit des surréalistes et de De Chirico, du courant de la *Neue Sachlichkeit*. Il consacra en effet son activité à dépeindre ce qu'il appelle une « réalité magique », conception qui, chez lui, ne se modifiera pas par la suite. Souvenir de ses premières études, l'architecture, dont il maîtrise parfaitement la perspective et les diverses constructions de l'espace, joue un grand rôle dans son œuvre. Dans un premier temps, il peignit des villes désertes au style néo-classique, aux maisons délaissées, ou bien des êtres humains et des animaux perdus et errants, allégories de la fin d'une civilisation, d'une prémonition du désastre. Il utilisa également les thèmes du mannequin, des ruines et des objets symboliques. Hans Redeker écrit à son propos : « Cette interprétation le pose en modèle pour le réalisme magique néerlandais, en tant que représentant le plus spécifique et symbolique, dont l'œuvre incarne une sorte d'idéologie picturale des années trente ». À partir de 1945, il avait pris pour thèmes des jardins exotiques, des paysages fantastiques, des rivages féeriques, des savanes que peuplent des animaux sauvages vivant en harmonie. Car l'œuvre de Willink n'est pas uniquement le récit de l'angoisse et de l'expression dramatique, elle est également poésie et rêve, « ... ce monde peut aussi soudain révéler la grâce des choses comme une harmonie émouvante et merveilleuse », écrivait-il.

Willink

Bibliogr. : B. Dorival, sous la direction de : *Peintres Contemporains*, Mazenod, Paris, 1964 – Hans Redecker : *Carel Willink ou le réalisme magique aux Pays-Bas*, Septentrion, 1972 – José Vovelle : *Le surréalisme en Belgique*, Bruxelles, 1972 – Jean-Claude Guilbert : *Le réalisme fantastique*, La Haye, 1973 – Walter Kramer : *Willink*, Nijgh & Van Ditmar, La Haye, Rotterdam, 1973 – in : *Lexicon der Phantastischen Malerei*, Dumont, Cologne, 1977 – in : *L'Art du XXe siècle*, Larousse, Paris, 1991 – Catalogue de l'exposition : *Les Années trente en Europe. Le temps menaçant*, Musée d'Art moderne de la Ville, Paris Musées, Flammarion, Paris, 1997.

Musées : Amsterdam (Stedelijk Mus.) : *Paysage d'Arcadie* 1925 – *Les Derniers Visiteurs de Pompéi* 1931 – Anvers (Mus. roy.) – Arnhem (Gemeentemuseum) – Eindhoven (Stedelijk Van Abbemuseum) : *Peintre et sa femme* 1934 – Gand (Mus. des Beaux-Arts) – Groningen (Groniger Mus.) – La Haye (Gemeentemuseum) : *Wilma* 1932 – *Siméon le Styliste* 1939 – La Haye (Stedelijk Mus.) – Hilversum (Gemeentemuseum Hilversum) – Maastricht (Stichting Limburgs Mus.) – Nimègue (Gemeentemuseum Nijmegen) – Otterlo (Rijksmuseum Kröller-Müller) – Rotterdam (Mus. Boymans van Beuningen) : *Ariane* 1926 – *Les Derniers visiteurs de Pompéi* 1931 – Utrecht (Centraal Mus.) : *Le Prédicateur* 1937.

Ventes Publiques : Amsterdam, 26 mai 1976 : *Les trois Grâces*, past. (65x48) : **NLG 1 900** – Amsterdam, 15 nov. 1976 : *Autoportrait* 1973, h/t (118x80) : **NLG 36 000** – Amsterdam, 5 nov. 1981 : *Melpomène* 1945, h/t (40x53) : **NLG 38 000** – Amsterdam, 24 oct. 1983 : *Portrait de Wilma* vers 1930, pl. (25,5x20,5) : **NLG 2 300** – Amsterdam, 15 mars 1983 : *Composition* 1920, h/t (64x103,5) : **NLG 31 000** – Amsterdam, 18 mars 1985 : *Jeune femme aux fleurs* 1925, h/t (134x88) : **NLG 58 000** – Amsterdam, 10 avr. 1989 : *Composition abstraite*, h/t (39x51) : **NLG 12 650** – Amsterdam, 13 déc. 1989 : *Le poète à l'écharpe – autoportrait* 1929, h/t (52x40) : **NLG 39 100** – Amsterdam, 10 avr. 1990 : *Autoportrait* 1920, aquar. et cr./pap. (32x31) : **NLG 11 500** – Amsterdam, 22 mai 1990 : *L'artiste* 1921, fus./pap. (59x46) : **NLG 5 175** – Amsterdam, 13 déc. 1990 : *Sans titre* 1950, fus./pap. (63x48,5) : **NLG 2 300** – Amsterdam, 11 déc. 1991 : *Paysage de Bormis* 1928, h/t (97x78) : **NLG 92 000** – Amsterdam, 12 déc. 1991 : *Nu féminin debout* 1929, h/t (147x78) : **NLG 80 500** – Amsterdam, 18 fév. 1992 : *Nu féminin assis* 1926, cr./pap. (47x41) : **NLG 6 900** – Amsterdam, 19 mai 1992 : *La rue Rossini à Hilversum* 1946, h/t (64x50) : **NLG 57 500** – Amsterdam, 21 mai 1992 : *Sans titre* 1950, craies de coul./pap. (63,5x45,5) : **NLG 10 350** – Amsterdam, 10 déc. 1992 : *Composition* 1923, aquar./pap. (14x36) : **NLG 9 775** – Amsterdam, 7 déc. 1994 : *Membres du Parlement*, h/t (51x34,5) : **NLG 31 050** – Amsterdam, 4 juin 1996 : *Trafalgar Square* 1973, h/t (110x155) : **NLG 194 700** – Amsterdam, 5 juin 1996 : *Mur du musée des Thermes de Rome* 1961, h/t (100x75) : **NLG 80 500** – Amsterdam, 17-18 déc. 1996 : *Meisjesportret met kralen* 1925, h/t (47x34) : **NLG 143 960** – Amsterdam, 2-3 juin 1997 : *Nature morte aux fruits* 1931, h/t (57x64) : **NLG 76 700** – Paris, 11 juin 1997 : *La Tentation de saint Antoine* 1921, h. (89x59) : **FRF 430 000** – Amsterdam, 2 juil. 1997 : *Nu avec une chaise* 1926, cr./pap. (46x29) : **NLG 5 766** – Amsterdam, 1er déc. 1997 : *Fuga Monialium, ontvluchte nonnen* 1967, h/t (150x110) : **NLG 259 600**.

WILLINK Johan ou **Wouter Ed. Johan**

Né le 1er septembre 1867 à Amsterdam. XIXe siècle. Hollandais.

Peintre et aquafortiste.

Élève de l'Académie d'Amsterdam.

WILLIOT Albert Jean

Né le 9 mars 1902 à Neuilly-sur-Seine (Hauts-de-Seine). XXe siècle. Français.

Peintre de portraits, paysages.

Il fut élève de L. Jonas et de L. F. Biloul. Il a exposé, à Paris, au Salon des Artistes Français depuis 1924.

WILLIOT Louis Auguste Adolphe

Né le 29 mars 1829 à Saint-Quentin (Aisne). Mort le 13 octobre 1865 à Moret (Seine-et-Marne). XIXe siècle. Français.

Peintre de paysages.

Élève de L. Cogniet et de E. Ciceri. Il entra à l'École des Beaux-Arts le 6 avril 1855. Il exposa au Salon de 1855 à 1865.

WILLIS Albert Paul

Né le 15 novembre 1867 à Philadelphie. XIXe siècle. Américain.

Paysagiste.

Élève de Frank. V. Du Mond.

WILLIS Browne

Né en 1682 à Blandford. Mort en 1760 à Oxford. XVIIIe siècle. Britannique.

Dessinateur.
Il fut membre de la Saint Martin's Lane Academy et dessina des monnaies et des médailles. On le connaît surtout comme antiquaire.

WILLIS Edmund Aylburton
Né le 12 octobre 1808 à Bristol. Mort le 3 février 1899 à Brooklyn. XIXe siècle. Américain.
Peintre d'animaux et de paysages.
Fils de John Willis.
VENTES PUBLIQUES : NEW YORK, 6 juin 1985 : *Un pointer* 1829, h/t (29x34,5) : **USD 2 000.**

WILLIS Ethel Mary
Née en 1874 à Londres. XIXe-XXe siècles. Britannique.
Peintre, graveur.
Elle fut élève de la Slade School de Londres. Elle gravait à l'eau-forte.
MUSÉES : TORONTO – WELLINGTON (Mus. nat.).

WILLIS Frank
Né le 15 novembre 1865 à Windsor. Mort le 4 août 1932 à Windsor. XIXe-XXe siècles. Britannique.
Graveur.
Gendre et élève de Ch. W. Sharpe. Il gravait à l'eau-forte.

WILLIS Henry Brittan
Né en 1810 à Bristol. Mort le 17 janvier 1884 à Londres. XIXe siècle. Britannique.
Peintre de sujets de genre, animaux, paysages, aquarelliste, dessinateur, lithographe.
Il fut élève de son père, peintre de paysages, dont on ne dit pas le prénom. Henry Brittan travailla d'abord dans sa ville natale, fit un voyage en Amérique en 1842 et, à son retour, l'année suivante s'établit à Londres. Associé à la Old Water-Colours Society en 1862 et membre en 1863, il prit une part active aux expositions de ce groupement. Quelques-uns de ses ouvrages parurent également à la Royal Academy et à la British Institution.
MUSÉES : BRISTOL : *Château de Slatwood (Kent) – Scène près de Dursley* – LEICESTER : *Vaches à l'abreuvoir, paysage* – LONDRES (Victoria and Albert) : Six aquarelles – SYDNEY : *Angleterre* – Deux aquarelles – YORK, Angleterre : *Après le travail.*
VENTES PUBLIQUES : LONDRES, 1894 : *Paysage avec des vaches*, aquar. : **FRF 1 475** ; *Le matin, scène dans le Sussex*, dess. : **FRF 1 175** – LONDRES, 1898 : *Bestiaux passant un gué en Écosse*, aquar. : **FRF 2 225** – LONDRES, 12 mai 1922 : *À Portmadoc*, dess. : **GBP 52** – LONDRES, 16 fév. 1923 : *Près de Portmadoc*, dess. : **GBP 42** – LONDRES, 15 juin 1973 : *Troupeau dans un paysage* 1860 : **GNS 1 400** – LONDRES, 27 juin 1978 : *Scène champêtre* 1858, h/t (75x100) : **GBP 1 000** – LONDRES, 20 juil 1979 : *Chevaux et troupeau dans un paysage*, h/t (132,2x113,4) : **GBP 3 000** – LONDRES, 30 juil. 1981 : *Troupeau à l'abreuvoir dans un paysage fluvial boisé*, h/t (54x104,8) : **GBP 1 100** – CHESTER, 30 mars 1984 : *Le temps de la moisson* 1856, h/cart. (21,5x33) : **GBP 1 550** – LONDRES, 23 sep. 1988 : *La pause de midi*, h/t (122x185,5) : **GBP 7 700** – LONDRES, 12 juil. 1991 : *Bétail s'abreuvant à la mare près de la ferme*, h/t (101,6x125,7) : **GBP 13 200** – LONDRES, 16 juil. 1991 : *Épagneul king Charles* 1836, h/t (50,8x69,8) : **GBP 6 050** – LONDRES, 8-9 juin 1993 : *Devant l'auberge de La Couronne* 1849, h/t (37x46,5) : **GBP 1 725** – LUDLOW (Shropshire), 29 sep. 1994 : *La Pause du déjeuner*, aquar. (37,5x50) : **GBP 4 025** – LONDRES, 12 mars 1997 : *Cour de ferme dans le Heresfordshire* 1874, aquar. (54,5x98) : **GBP 7 130** – LONDRES, 5 juin 1997 : *Bétail s'abreuvant devant un château en ruines* 1856, h/t (60,8x91,4) : **GBP 3 450** – LONDRES, 5 nov. 1997 : *Bétail s'abreuvant* 1855, h/t (91,5x143,5) : **GBP 14 950.**

WILLIS J. A. C.
Australien.
Paysagiste.
Le Musée de Sydney conserve de lui *Vallée de Capertee* (aquarelle).

WILLIS John
Né à Wexford. Mort le 24 février 1836 à Wexford. XIXe siècle. Britannique.
Peintre.
Élève de son oncle Rob. T. Wyke.

WILLIS John
XIXe siècle. Actif à Londres. Britannique.
Peintre d'architectures.
Il exposa à la Royal Academy de 1829 à 1852. Le Musée de Bristol conserve de lui *Intérieur de la chapelle du lord maire* (aquarelle).

WILLIS John Henry
Né le 9 octobre 1887 à Tavistock. XXe siècle. Britannique.
Peintre.
Il vécut et travailla à Londres.

WILLIS Richard Henry Albert
Né le 5 juillet 1853 à Dingle. Mort le 15 août 1905 à Ballinskelligs. XIXe siècle. Irlandais.
Peintre, sculpteur et décorateur.
Élève de James Brenan. Il peignit des paysages. La Galerie de Manchester conserve de lui *L'amour chrétien.*

WILLIS Samuel William Ward
Né en 1870 à Londres. XIXe-XXe siècles. Britannique.
Sculpteur.
Élève de l'Académie de Londres. Il sculpta des statuettes représentant des chevaux de course et des chiens, ainsi que des monuments aux morts.

WILLISON George
Né en 1741 en Écosse. Mort en 1797 à Édimbourg. XVIIIe siècle. Britannique.
Portraitiste.
Après avoir fait ses études à Rome, il vint à Londres et, pendant quelques années, il peignit des portraits. Il exposa à la Society of Artists et à la Royal Academy de 1767 à 1777. Un voyage qu'il fit aux Indes anglaises lui permit de réaliser une fortune. Il revint à Édimbourg finir sa carrière.
MUSÉES : MELBOURNE (Nat. Gal. of Victoria) : *Portrait de M. Fairweather – Portrait de Robert Maxwell – Portrait du Cap. Horsburgh – George Denyster de Dunnicken.*
VENTES PUBLIQUES : LONDRES, 3 juil. 1963 : *Portrait de Nancy Parsons en costume oriental* : **GBP 1 300** – LONDRES, 17 juin 1970 : *Portrait de Mohamed Ali* : **GBP 400.**

WILLMAN
XVIIe siècle. Travaillant à Stockholm. Suédois.
Peintre.
Il travailla pour le château royal de Stockholm.

WILLMANN Edouard ou **Willemann**
Né le 22 novembre 1820 à Karlsruhe. Mort le 11 novembre 1877 à Karlsruhe. XIXe siècle. Allemand.
Dessinateur et graveur au burin.
Élève de Frommel. Professeur à l'École d'Art de Francfort. On cite de lui quelques dessins au Musée de Pontoise.

WILLMANN Michael Lucas Léopold ou **Willemans** ou **Wildmann**
Né en 1630 à Königsberg. Mort le 26 août 1706 à Leubus. XVIIe siècle. Allemand.
Peintre de sujets religieux, paysages, compositions murales, graveur, dessinateur. Baroque.
Il commença ses études avec son père Pierre, puis se rendit à Amsterdam pour se perfectionner. Il y fit plusieurs copies de Rembrandt et de Rubens. Il voyagea en Allemagne, séjourna à Prague, à Breslau. En 1660, il vint à Berlin où l'électeur Frédéric Guillaume le nomma peintre de la cour à Königsberg. Comme son contemporain C. A. Ruthardt, Willmann entra dans les ordres, dans un monastère cistercien de sa Silésie natale où il finit ses jours, sans pour autant cesser de peindre.
Il avait un véritable sens de la nature, même s'il s'inspirait dans ses paysages de Rembrandt ou de Ruysdael, et les paysagistes allemands du XVIIIe siècle dériveront de lui en même temps que du peintre de paysages de ruines Philipp Peter Ross, dit Rosa de Tivoli. Une fois en religion, les compositions religieuses se multiplièrent dans son œuvre, tout en laissant encore une large place aux fonds de paysages. Dans ses peintures religieuses, il semble plutôt avoir pris Van Dyck pour modèle. Willmann prit également part au grand mouvement de décoration de l'époque baroque allemande, en peignant des façades de maisons. En 1695, il peignit l'église de Grüssau ; dans ces décorations spécifiquement germaniques et dégagées de toute influence italianisante, il laissa encore une large place à un paysage à la fois traité naturaliste et empreint pourtant de lyrisme.

M : Willman fe:
A° 1696.

BIBLIOGR. : Marcel Brion : *La peinture allemande*, Tisné, Paris, 1959.

Musées : Bordeaux : *David vainqueur de Goliath* – Breslau, nom all. de Wroclaw : *Descente de croix* – *Sainte Famille*, deux œuvres – *Jésus portant la croix* – *Paysage forestier avec saint Jean-Baptiste* – *Tobie et l'ange dans un paysage de montagne* – *L'abbé Arnold de Leubus* – *Vision de saint Bernard de Clairvaux* – *Saint Jérôme* – *Scène de la légende de saint Bernard de Clairvaux*, deux paysages – *Martyre de sainte Barbe* – *Sainte Monique* – *Saint Grégoire le Grand* – *Apothéose d'un saint de l'ordre des Cisterciens* – *Sainte Catherine* – *Sainte Apolline* – *Autoportrait* – *Saint Ambroise* – *Saint Augustin* – *La création* – *Apothéose de saint Wenceslas, roi de Bohême* – Dresde : *Portrait d'un garçon* – Nuremberg (Mus. germanique) : *Suzanne et les vieillards*.
Ventes Publiques : Londres, 7 déc. 1988 : *L'écorchement de saint Bartholomé*, h/t (38,5x31) : **GBP 1 650** – New York, 15 jan. 1992 : *La mort de Priam*, encre et lav. (21,3x30,5) : **USD 3 080** – New York, 20 mai 1993 : *Christ sur la croix*, h/pan. (54x38,1) : **USD 8 913**.

WILLMANN Rudolf Bernhard
Né le 23 décembre 1868 à Strasbourg (Bas-Rhin). Mort le 28 juin 1919 à Munich (Bavière). xixe-xxe siècles. Français.
Peintre de natures mortes.
Il travailla à Munich, Rome, Florence et à Paris, où il figura au Salon des Artistes Français et obtint une mention honorable en 1904.
Musées : Munich (Pina.) : *Faisan et Nature morte* – Nuremberg (Mus. mun.) : *Vieux verre*.

WILLMORE Arthur
Né le 6 juin 1814 à Birmingham. Mort le 3 novembre 1888 à Londres. xixe siècle. Britannique.
Graveur.
Frère cadet et élève de James Tilbitts Willmore. Il collabora activement à l'*Art Journal* et grava un grand nombre d'illustrations. Il a aussi produit de bonnes gravures d'après les contemporains.

WILLMORE James Tilbitts
Né le 15 septembre 1800 à Bristwald's End. Mort le 12 mars 1863 à Londres. xixe siècle. Britannique.
Dessinateur et graveur au burin et sur acier.
Il fut d'abord apprenti du graveur William Radclyffe à Birmingham, puis vint à Londres où il fut élève de Charles Heath. Il exposa à la Royal Academy à partir de 1843 et y fut nommé associé la même année. Il grava, notamment, d'après Turner.

WILLOOS, pseudonyme de **Lejeune René**
Né le 12 mars 1946 à Saint-Hubert. xxe siècle. Belge.
Peintre de figures, paysages urbains, natures mortes, peintre à la gouache, aquarelliste, poète, écrivain.
René Lejeune ou Willoos, son nom de peintre, est abbé. Il a suivi quelques mois les cours de dessin de l'Académie d'Alost, puis a travaillé plusieurs années, à partir de 1972, avec Marie Howett. Il a été professeur au séminaire de Bastogne, puis s'est occupé d'une paroisse à Lima.
Il montre ses œuvres dans des expositions personnelles, la première en 1977 à Bruxelles, puis : 1979, Nimègue ; 1981, Namur ; 1986, Bastogne ; 1990, Musée d'Art italien de Lima en 1990 ; 1991, Bruxelles ; 1993, Gand.
Derain, Matisse et David Hockney sont les principales références de ce peintre qui utilise la couleur en aplats, parfois cernés de traits, des couleurs vives, dans la gamme des bleus, rouges et verts. Il a commencé par peindre les alentours de Bastogne, puis, en 1981, il a réalisé plusieurs séries de gouaches au Pérou, pays dans lequel il revint travailler en 1988.
Bibliogr. : René Lejeune, Michel Francard : *Willoos*, La Quadrature du Cercle, Bruxelles, 1992.

WILLOUGHBY William
Mort en 1888. xixe siècle. Américain.
Peintre d'animaux.
Actif dans les années cinquante, il travailla à Boston. Il est connu pour avoir fait un portrait du fameux pur-sang Philo da Punta.
Ventes Publiques : Londres, 23 juin 1978 : *Priam monté par Sam Day*, h/t (49,5x60,7) : **GBP 2 800** – Londres, 15 juil. 1988 : *Un taureau à cornes courtes dans un pré, Boston à l'arrière plan*, h/t (43,2x57,3) : **GBP 4 950** – Londres, 15 nov. 1989 : *Un pur-sang bai brun avec son jockey, son entraîneur et son propriétaire sur un champ de course*, h/t (31x43) : **GBP 3 960** – Londres, 9 fév. 1990 : *Le Stump à Boston vu de la rivière Witham*, h/t (35,5x48) : **GBP 770** – Londres, 13 avr. 1994 : *L'église de Boston sur la place du marché ; L'église de Boston*, h/t, une paire (41,5x61,5 et 46,5x61,5) : **GBP 6 900**.

WILLROIDER Joseph
Né le 16 juin 1838 à Villach. Mort le 12 juin 1915 à Munich (Bavière). xixe-xxe siècles. Autrichien.
Peintre de paysages, paysages animés, paysages d'eau, graveur.
Élève de l'Académie des Beaux-Arts de Munich. Il exposa à Vienne en 1887, à Munich en 1890. Il a peint notamment des vues du Tyrol. On lui doit aussi des gravures à l'eau-forte.
Musées : Graz : *Paysage de Carinthie* – Kaliningrad, ancien. Königsberg : *Écluse avec canards* – Munich : *Près du pont de Furstenfeld* – Sydney : *Paysage avec bétail*.
Ventes Publiques : New York, 24 jan. 1980 : *Moutons dans un paysage montagneux*, h/t (24,1x36,8) : **USD 5 500** – Vienne, 15 sep. 1982 : *La vallée*, h/t (22x29) : **ATS 70 000** – Munich, 27 juin 1984 : *Paysage fluvial*, h/t (52x72) : **DEM 17 000** – Munich, 18 sep. 1985 : *Paysage fluvial boisé*, h/t mar./cart. (24x34) : **DEM 8 000** – Amsterdam, 9 nov. 1994 : *Cour de ferme*, h/pan. (37x29) : **NLG 5 750** – Vienne, 29-30 oct. 1996 : *Lavandière au bord du lac*, h/pan. (28,5x41) : **ATS 109 250**.

WILLROIDER Ludwig
Né le 11 janvier 1845 à Villach. Mort le 22 mai 1910 à Bernried. xixe siècle. Allemand.
Peintre de sujets religieux, animaux, paysages, paysages d'eau, paysages de montagne, aquarelliste, graveur.
Frère cadet de Joseph Willroider, il fut son élève, puis il étudia à Munich. Membre honoraire de l'Académie d'Art de Munich, il y fut médaillé en 1888. Il grava à l'eau-forte.

Lud. Willroider

Musées : Berlin (Gal. nat.) : *Chèvres au pâturage* – Breslau, nom all. de Wroclaw : *En automne* – *La rencontre d'Emmaüs* – Cincinnati : *Paysage de l'Italie du Nord* – Mayence : *Après la marée* – Munich : *La marée montante* – *Crépuscule* – *Dans le Günz* – Vienne : une aquarelle – Wuppertal : *Crépuscule* – *Paysage alpestre* – Würzburg : *Crépuscule*.
Ventes Publiques : Munich, 10-11 déc. 1952 : *Bord de rivière* : **DEM 300** – Munich, 15-16 avr. 1953 : *Paysage de moisson* : **DEM 400** – Vienne, 18 sep. 1962 : *Troupeau de moutons dans la forêt bavaroise* : **ATS 50 000** – Lucerne, 21 juin 1968 : *Paysage avec troupeau* : **CHF 9 000** – Cologne, 27 mai 1971 : *Vue de Chiemsee* : **DEM 4 200** – Munich, 9 mai 1973 : *Paysage fluvial* : **DEM 9 000** – Munich, 28 nov. 1974 : *Paysage alpestre* : **DEM 8 000** – Munich, 29 mai 1976 : *Paysage fluvial*, h/t (66x107) : **DEM 16 000** – Munich, 27 mai 1978 : *Paysage fluvial boisé*, h/t (25,5x23,5) : **DEM 8 600** – Munich, 27 nov. 1980 : *Paysage fluvial au crépuscule*, gche (45x62) : **DEM 7 500** – Londres, 26 nov. 1980 : *Musicien ambulant dans un paysage boisé*, h/t (79,5x64) : **GBP 6 500** – Munich, 4 juin 1981 : *Pêcheur à la ligne près d'un moulin*, fus. et craie noire (54x70) : **DEM 2 500** – São Paulo, 23 juin 1981 : *La Rue du village*, techn. mixte/cart. (63x53,5) : **AUD 30 000** – Vienne, 17 nov. 1982 : *Pêcheur à la ligne au bord d'une rivière*, h/t (61x51) : **ATS 40 000** – Munich, 28 juin 1983 : *La Rue du village*, fus. et gche (63x53) : **DEM 8 000** – Vienne, 16 nov. 1983 : *Paysage à l'étang*, h/t mar./cart. (30x42) : **ATS 50 000** – Munich, 14 mars 1985 : *Paysage fluvial au crépuscule*, h/cart. mar./pan. (35x52) : **DEM 20 000** – Amsterdam, 5 juin 1990 : *An der Günz* 1904, h/t (77,5x100,5) : **NLG 36 800** – Munich, 10 déc. 1991 : *Le passeur*, h/t (43,5x53,5) : **DEM 17 250** – New York, 29 oct. 1992 : *Ruisseau dans un sous-bois* 1871, h/t (41,9x51,4) : **USD 3 575** – Heidelberg, 9 oct. 1992 : *Paysage de prairies avec un arbre au bord d'un ruisseau près de Günzburg*, fus. (46,5x61,2) : **DEM 1 000** – New York, 26 mai 1993 : *Averse en forêt*, h/t (101,6x71,1) : **USD 20 700** – Vienne, 29-30 oct. 1996 : *Le Vieux Chêne*, h/t (96x79,5) : **ATS 172 500** – Munich, 23 juin 1997 : *Gardienne d'oies près d'un ruisseau* 1905, h/t (64x87) : **DEM 13 800**.

WILLS Cornelis. Voir **WILS**

WILLS Inigo
xviiie siècle. Travaillant à Londres de 1760 à 1780. Britannique.
Graveur d'ex-libris.

WILLS James, R. P
Mort en 1777. xviiie siècle. Actif de 1740 à 1777. Britannique.
Peintre d'histoire, portraits.
Il étudia à Rome où il prit le goût de la peinture historique. De retour en Angleterre, dans les années 1740, il appartint à l'Académie St Martin's Lane dont il fut quelques temps directeur. Se sentant appelé au sacerdoce, il entra dans les ordres en 1754.

Il continua d'exposer à Londres, de 1760 à 1766, à la Free Society et à la Society of Artists, dont il fut aumônier de 1768 à 1773. Il est très probable que sous le pseudonyme de Dufresnoyt, il fut le critique sévère, pour ne pas dire amère, de la rubrique *Académie Royale du Morning Chronicle* en 1769-1770.
Ventes Publiques : Londres, 17 nov. 1989 : *Portrait de groupe de la famille Croftes de Saxham Parva dans le Suffolk, sur une terrasse*, h/t (157x170,2) : **GBP 90 200**.

WILLS T.
XIXe siècle. Actif à Londres dans la seconde moitié du XIXe siècle. Britannique.
Sculpteur.
Frère de W. Wills. Il exposa de 1856 à 1884.

WILLS W.
XIXe siècle. Actif à Londres dans la seconde moitié du XIXe siècle. Britannique.
Sculpteur.
Frère de T. Wills. Il exposa de 1856 à 1884.

WILLS William Gorman
Né le 28 janvier 1828 à Blackwell Lodge, (comté de Kilherny). Mort le 13 décembre 1891 à Londres. XIXe siècle. Irlandais.
Peintre de compositions mythologiques, portraits, pastelliste.
Après avoir commencé ses études à la Hibernian Academy, il vint à Londres et s'y établit avec succès comme peintre de portraits. Ce fut aussi un auteur dramatique très applaudi. Il exposa à la Royal Academy de Londres.
Il peignit plusieurs membres de la famille royale d'Angleterre. Ses pastels furent particulièrement appréciés.
Ventes Publiques : Londres, 10 mai 1985 : *Ophelia and Laertes* 1879, h/t (203x98) : **GBP 3 500** – Londres, 12 nov. 1992 : *Ophélie et Laerte*, h/t (202x98) : **GBP 6 820**.

WILLSON. Voir aussi **WILSON**

WILLSON Harry
XIXe siècle. Actif à Londres. Britannique.
Peintre de vues et lithographe.
Il exposa de 1813 à 1852 des vues de Rome et de Venise.

WILLSON James Mallery
Né le 28 décembre 1890 à Kissiminee. XXe siècle. Américain.
Peintre, graveur.
Il fut élève de Maynard, de Robert Henri et de Fogarty. Il vécut et travailla à New York. Il gravait à l'eau-forte.

WILLSON John J., orthographe erronée. Voir **WILSON John J.**

WILLSON Martha Buttrick, plus tard Mme **Hovard D. Day**
Née le 16 août 1885 à Providence (Rhodes Island). XXe siècle. Américaine.
Peintre de miniatures.
Elle fut élève de Lucia Fairchild Fuller et de l'Académie Julian à Paris. Membre de la Fédération Américaine des Arts.

WILLUMS Olaf Abrahamsen
Né le 25 avril 1886 à Porsgrunn. Mort en 1967. XXe siècle. Norvégien.
Graveur de paysages, paysages animés, scènes folkloriques.
Il fut élève de Haldvan Strom et de Jog. Nordhagen. Il vécut et travailla à Oslo. Il grava des paysages et des types folkloriques norvégiens.
Ventes Publiques : Londres, 16 mars 1989 : *La grille du parc*, h/t (80x80) : **GBP 3 080**.

WILLUMS Signy
Née le 9 août 1879 à Bjornor. XXe siècle. Norvégienne.
Peintre de portraits, paysages.
Elle fut élève de l'Académie d'Oslo. Elle vivait et travaillait à Oslo.

WILLUMSEN Bode Bertel Willum
Né le 6 mars 1895 à Copenhague. XXe siècle. Danois.
Sculpteur, céramiste, peintre.
Fils du peintre Jens Ferdinand Willumsen, il fut son élève.
Musées : Berlin (Mus. des Arts décoratifs) – Copenhague (Mus. des Arts décoratifs) – Lyon (Mus. des Arts décoratifs) – Stockholm (Mus. des Arts décoratifs).

WILLUMSEN Edith Wilhelmine, née **Wessel**
Née le 1er janvier 1875 à Aalborg. XXe siècle. Active aussi aux États-Unis. Danoise.
Sculpteur de statuettes, décorateur.
Deuxième femme de Jens Ferdinand Willumsen. Elle vécut et travailla à Hellerup, mais aussi aux États-Unis et sculpta des statuettes de femmes et d'enfants.

WILLUMSEN Jan Björn
Né le 20 janvier 1891 à Paris. Mort en 1964. XXe siècle. Danois.
Peintre de portraits, figures.
Fils de Jens Ferdinand Willumsen. Il vécut et travailla à Copenhague. Il exposa à Londres en 1927 des types populaires des Baléares.
Ventes Publiques : Londres, 17 fév. 1989 : *El flamenco*, h/t (69x81) : **GBP 1 045**.

WILLUMSEN Jens Ferdinand
Né le 7 septembre 1863 à Copenhague. Mort en 1958 à Cannes (Alpes-Maritimes). XIXe-XXe siècles. Actif aussi en France. Danois.
Peintre de figures, portraits, paysages, paysages animés, dessinateur, graveur, sculpteur, céramiste, architecte, pastelliste, écrivain d'art.
Il a été élève de Kroyer à l'Académie des Beaux-Arts de Copenhague. Il voyagea en France, à Paris (1888-1889), puis en Espagne la même année, où il ressentit l'influence du Greco. Il retourna à Paris, où il vécut de 1890 à 1894. Dès 1890, au cours d'un séjour à Pont-Aven et au Pouldu, il se lia avec Gauguin et Sérusier. De retour dans son pays, il fonda, avec un groupe de peintres et de sculpteurs, le Salon *Den Frie Udstilling* (Le Salon Libre), en opposition avec l'académisme du Salon officiel. De 1897 à 1900, il fut directeur artistique de la fabrique de porcelaine Bing et Gröndal à Copenhague. Il publia en 1927 un livre sur le Greco. Il figura, à Paris, aux Salons des Indépendants et du Champ-de-Mars.
Il pratiqua à ses débuts un art à tendance symboliste et traditionnel dans la facture. Mais, non sans personnalité, il est le créateur ensuite d'une forme d'art décoratif, extrêmement luxuriant, tenant à la fois du symbolisme nabi et des floraisons d'ornements fin de siècle annonciatrices du Nouveau Style. De l'époque où il connut directement Gauguin, date la première esquisse du *Grand Relief*, qu'il réalisera, de 1923 à 1928, en bronze doré et en marbre, et qui fut exposé en 1957 à Frederikssund. Il fut marqué par la rencontre avec Gauguin et Sérusier et sa peinture se rapprocha du synthétisme nabi. Le fait qu'il recourait volontiers aux techniques les plus diverses qu'il utilisait ensemble dans des œuvres très surchargées, lui était commun avec nombre d'artistes de l'époque, Gauguin lui-même, Klimt ou les décorateurs 1900. Après 1900, il peignit surtout des paysages de montagnes – les Alpes en particulier lors d'un voyage en 1901 – ou des bords de mer ensoleillés. Parfois, son tempérament pessimiste d'homme du Nord lui inspirait des paysages d'expression dramatique, tel le *Après la tempête* de 1905. Après sa grande période décorative des années 1890-1910, son tempérament expressionniste reprit le dessus, l'influence du Greco reparaissant. Il voyagea alors en Espagne, en Algérie et en Grèce, peignant des paysages très hauts en couleur et d'une grande liberté de facture. En 1929-1930, il séjourna à Venise, où il peignit des vues de la ville dans une gamme colorée encore plus exacerbée. Comme il mourut à près de quatre-vingt-quinze ans, il connut une longue vieillesse, dont il exprima la solitude dans une trilogie d'autoportraits qu'il intitula *La mort du Titien* (1935-1938). Il se consacra à la fin de sa vie essentiellement à la sculpture et à la céramique. L'éloignement relatif des musées danois où figurent la plupart de ses œuvres, notamment ce bas-relief de 1891 : *Les tailleurs de pierres*, pour lequel il a utilisé ensemble le bronze, le stuc et le bois, a peut-être empêché d'attribuer à Willumsen une place plus importante parmi les créateurs de cette époque qu'une exposition qualifia de *Sources du XXe siècle*. ■ J. B.

J-F- W/

Bibliogr. : In : *Les Muses*, Grange Batelière, Paris, 1974 – in : *Dictionnaire universel de la peinture*, Le Robert, Paris, 1975 – in : *L'Art du XXe siècle*, Larousse, Paris, 1991.
Musées : Copenhague (Statens Mus. for Kunst) : *Les tailleurs de pierres* – nombreuses autres œuvres – Frederikssund (Mus. Willumsen) : *Scène de la vie des quais à Paris* 1890 – Göteborg : *Enfants à la plage* – Oslo (Nasjonalgalleriet) : *Les montagnes russes : toboggan* – *Après l'orage* 1905 – Stockholm (Gal. Thielska) : *Soleil sur les montagnes du Sud* 1902.
Ventes Publiques : Copenhague, 27 oct. 1949 : *Fillette aux pou-*

pées 1911 : **DKK 14 100** ; *Anne Willumsen jouant du violon* 1923 : **DKK 10 300** - Copenhague, 5 mars 1952 : *Intérieur rustique* 1882 : **DKK 1 900** - Copenhague, 22-23 jan. 1953 : *A la fontaine publique* 1915 : **DKK 11 100** ; *Bûcheron* 1909 : **DKK 3 400** ; *Bûcheron marchant* 1909 : **DKK 2 600** - Copenhague, 30 nov. 1965 : *La place Saint-Marc à Venise* : **DKK 11 100** - Copenhague, 10 mai 1967 : *Le nid d'aigle* : **DKK 9 600** - Copenhague, 26 mars 1968 : *Paysage montagneux* : **DKK 10 500** - Copenhague, 13 mai 1970 : *La plage* : **DKK 22 000** - Copenhague, 2 nov. 1972 : *Le joueur de boules* : **DKK 25 000** - Copenhague, 14 mars 1974 : *Personnages sur la place Saint-Marc à Venise* 1930 : **DKK 27 000** - Copenhague, 29 avr. 1976 : *Paysage alpestre* 1901, h/t (98x208) : **DKK 20 000** - Copenhague, 6 oct. 1977 : *Une place de Tolède* 1915, temp. (97x77) : **DDK 33 000** - Copenhague, 30 août 1977 : *Vue de Venise* 1920, h/t (61x73) : **DKK 24 000** - Copenhague, 23 janv 1979 : *Vue de Venise*, h/t (60x73) : **DKK 9 000** - Copenhague, 1er avr. 1982 : *Arabes devant la maison du marabout* 1931, h/t (73x92) : **DKK 21 000** - Copenhague, 10 mai 1984 : *Paysage montagneux enneigé* 1936, h/t (46x55) : **DKK 23 000** - Londres, 26 juin 1985 : *A mother's vision : Two floating boys* 1909, h/t (220x220) : **GBP 6 500** - Copenhague, 20 sep. 1989 : *Panorama depuis Chamonix, la mer de glace et le mont Mallet* 1920, h/t (47x62) : **DKK 60 000** - Londres, 29 mars 1990 : *La baignade des enfants* 1904, h/t (51x61) : **GBP 30 800** - Copenhague, 9 mai 1990 : *Oliveraie dans le midi de la France* 1913, craie grasse (47x42) : **DKK 4 500** - Copenhague, 31 oct. 1990 : *Jeune baigneur* 1909, h/t (31x25) : **DKK 31 000** - Copenhague, 4 déc. 1991 : *Lavandières au bord d'une rivière à Nice* 1919, h/t (84x106) : **DKK 315 000** - Londres, 22 mai 1992 : *Le rêve d'une mère* 1909, h/t (221x221) : **GBP 3 300** - Copenhague, 2 avr. 1992 : *Jeune Martiniquaise* 1918, past. (62x48) : **DKK 13 000** - Copenhague, 21 oct. 1992 : *Sophus Clausen disant son poème « Imperia » devant Helge Rode* 1914, past. (42x52) : **DKK 29 000** - Copenhague, 20 oct. 1993 : *Sommets en Suisse* 1926, h/t (50x73) : **DKK 50 000** - Copenhague, 13 avr. 1994 : *Joueurs de pétanque* 1939, h/t (73x92) : **DKK 80 000** - Copenhague, 14 fév. 1996 : *Intérieur d'une boucherie avec le boucher et une vieille femme* 1886, cr. (25x28) : **DKK 4 500**.

WILLUMSEN Juliette, née **Meyer**

Née le 20 avril 1863 à Copenhague. XIXe siècle. Danoise.

Sculpteur.

Première femme de Jens Ferdinand Willumsen. Le Musée des Arts décoratifs de Copenhague possède des œuvres de cette artiste.

WILLY A.

Né en 1854 à Bruxelles. Mort en 1930 à Helsinki. XIXe-XXe siècles. Belge.

Peintre, graveur, dessinateur, céramiste.

WILLYAMS Cooper

XVIIIe-XIXe siècles. Britannique.

Dessinateur.

Il illustra ses récits de voyages. Il était prêtre.

WILMANN Preben

Né le 10 décembre 1901 à Vedbäk. XXe siècle. Danois.

Peintre de genre.

Il fut élève des académies des beaux-arts de Copenhague et de Paris. Il fut aussi écrivain d'art. Il peignit des scènes de milieux ouvriers et de jeunesse.

WILMAR Axel

XXe siècle. Danois.

Peintre. Abstrait.

Il vécut et travailla à Copenhague. Il a exposé des compositions abstraites au Salon des Réalités Nouvelles de Paris, en 1950 et 1953.

WILMART Fernand Alexandre Joseph Henri Théodore

Né le 21 octobre 1887 à Liège. Mort le 12 janvier 1967 à Woluwe-Saint-Lambert. XXe siècle. Belge.

Peintre.

WILMART Georges Herman

XVIIe siècle. Travaillant à Bruxelles de 1623 à 1687. Éc. flamande.

Enlumineur et calligraphe.

La Bibliothèque nationale de Paris conserve des œuvres de cet artiste.

WILMARTH Chris, pour **Christopher**

Né en 1943. Mort en 1987. XXe siècle. Américain.

Sculpteur, auteur d'assemblages.

Il étudia à la Cooper Union de New York.

Il montre ses œuvres pour la première fois dans une exposition personnelle à New York en 1968. Il a reçu la Guggenheim Fellowship en 1970.

Au début, ses sculptures sont fortement influencées par Brancusi. Vers 1968, il réalise des compositions avec des cylindres et des demi-cylindres de bois associés à des disques de verre. Il abandonne le bois et élabore des éléments de verre, faisant jouer le contraste entre les pièces laissées transparentes et des pièces rayées ou dépolies. Puis il complète les effets de ce matériau par les apports complexes de la réflexion, de la translucidité, de la transparence entre les surfaces de courbures variées. Wilmarth a ainsi contribué aux recherches constructivistes avec un matériau nouveau pour la sculpture quoique si familier à l'architecture. D'ailleurs l'aspect architectural de son projet est devenu évident lorsqu'en 1972 il y a inclus des plaques de métal qui permirent de donner une plus grande échelle à ses œuvres et de leur conférer une structure plus rigoureuse.

Ventes Publiques : New York, 7 nov. 1985 : *Clearing V for a standing man* 1973, pap. froisé, mine de pb et agrafes (47x37) : **USD 1 400** - New York, 5 nov. 1987 : *New Blue Start* 1978, verre et acier (91,5x91,5x17,8) : **USD 39 000** - New York, 9 nov. 1988 : *Second Roebling 2* 1974, verre et acier, relief mural (101,5x101,5x6) : **USD 41 800** - New York, 7 mai 1990 : *Glissement latéral* 1973, acier et verre (70x132x29) : **USD 99 000** - New York, 15 fév. 1991 : *Sans titre*, bois et verre (diam. 21) : **USD 7 700** - New York, 25-26 fév. 1992 : *Les limites des neuf points clairs* 1975, aquar. et graphite/pap. (38,1x106) : **USD 2 200** - New York, 27 fév. 1992 : *Sans titre* 1973, deux pan. de verre et fils d'acier (72,4x71,1x5,1) : **USD 38 500** - New York, 10 nov. 1993 : *Dispersion* 1977, verre gravé, fil d'acier et plaque d'acier (106,8x106,8x7,8) : **USD 57 500** - New York, 16 nov. 1995 : *Carré en relief* 1977, verre gravé, acier et fil d'acier (121,9x198,1x30,5) : **USD 41 400** - New York, 22 fév. 1996 : *Errance* 1977, verre, plaque et fil d'acier (106,8x106,8x7,8) : **USD 48 300** - New York, 20 nov. 1996 : *Stream* 1972, verre et fil d'acier (182,9x94x17,8) : **USD 29 900** - New York, 7 mai 1997 : *Fourth Stray* 1978, verre et acier (106,7x106,7x10,8) : **USD 60 250**.

WILMARTH Euphemia

Née vers 1860. Morte le 21 juillet 1906 à Pasadena. XIXe siècle. Active à New Rochelle. Américaine.

Peintre.

WILMARTH Lemuel Everett

Né le 11 novembre 1835 à Attleboro. Mort le 11 novembre 1918 à Brooklyn. XIXe-XXe siècles. Américain.

Peintre de scènes de genre, natures mortes.

Il fut élève de l'Académie des Beaux-Arts de Philadelphie et de l'École des Beaux-Arts de Paris.

Ventes Publiques : New York, 30 jan. 1976 : *Nature morte aux fruits*, h/t (38,5x24) : **USD 550** - New York, 27 jan. 1984 : *Pêches et raisins* 1885, h/t (38x24,1) : **USD 6 500**.

WILMER John Riley

Né en 1883. Mort en 1941. XXe siècle. Britannique.

Peintre de compositions religieuses, scènes de genre, figures, aquarelliste, peintre à la gouache.

Il étudia avec Charles Napier Hemy, et fut en rapport avec Henry Scott Tuke et Thomas C. Gotch. Il semble qu'il ait vécu à Falmouth. Il exposa à la Royal Academy de 1911 à 1926.

Il est le plus connu des « derniers romantiques » de Cornouailles. Il peignit un tableau d'autel pour l'église de Falmouth où il est enterré.

Ventes Publiques : Londres, 12 déc. 1978 : *Dardamians view the monster dead* 1906, aquar. et gche (37,5x53,5) : **GBP 1 500** - Londres, 15 mai 1979 : *The song of Love* 1921, aquar. (29x23) : **GBP 550** - Londres, 14 oct. 1987 : *Laura* 1919, aquar. reh. de gche (27x15) : **GBP 1 700** - Londres, 26 sep. 1990 : *L'amie d'Omar* 1919, aquar. (29,5x23) : **GBP 1 870** - Londres, 12 nov. 1992 : *Les vêpres siciliennes* 1920, h/t (122x213,5) : **GBP 7 150** - Londres, 3 nov. 1993 : *Constance en captivité* 1929, aquar. (28x22,5) : **GBP 2 070** - Londres, 6 nov. 1995 : *Vision de peintre, Angela Dorothea* 1903, aquar. et gche (16,3x43,8) : **GBP 3 450** - Paris, 12 mars 1997 : *Le Rêve d'Omar Khayyâm*, h/t (123,5x192) : **FRF 44 000**.

WILMER William A.

Né vers 1820 (?). Mort vers 1855. XIXe siècle. Américain.

Graveur de portraits.

Élève de J. B. Longrace à Philadelphie. Il grava des portraits d'Américains, ses contemporains.

WILMET Louis

Né en 1881 à Fosse-sur-Namur. XXe siècle. Belge.

Peintre de compositions religieuses, portraits, peintre de compositions murales.
Bibliogr. : In : *Dict. biogr. ill. des artistes en Belgique depuis 1830*, Arto, Bruxelles, 1987.

WILMINK Machiel
Né en 1894. xxe siècle. Hollandais.
Graveur.
Il vécut et travailla à Rotterdam.

WILMOT Colin
Né en 1940 dans le Cambridgeshire (Angleterre). xxe siècle. Actif en Italie. Britannique.
Sculpteur.

WILMOT Jean François
Né le 15 juin 1811 à Saint-Imier. Mort le 5 avril 1857 à Saint-Imier. xixe siècle. Suisse.
Peintre sur émail.

WILMOTS Paul Antoon
Né en 1938 à Saint-Trond. xxe siècle. Belge.
Peintre verrier.
Il fut élève de l'académie de Saint-Trond, où il a enseigné par la suite, et du Provinciaal Hoger Instituut voor Kunstonderwijs à Hasselt. Il réalise des vitraux, notamment pour des églises et couvents du Limbourg.
Bibliogr. : In : *Dict. biogr. ill. des artistes en Belgique depuis 1830*, Arto, Bruxelles, 1987.

WILMS Joseph ou **Peter Joseph**
Né le 1er août 1814 à Bilk. Mort le 28 octobre 1892 à Düsseldorf. xixe siècle. Allemand.
Peintre de genre, de natures mortes et de fruits.
Élève de l'Académie de Düsseldorf dans l'atelier de Wintergerst, de Th. Hildebrand et W. von Schadow. Il s'établit à Düsseldorf.
Ventes Publiques : New York, 30 juin 1981 : *Nature morte au verre de vin* 1863, h/t (41x34) : **USD 5 000**.

WILNO
xviiie-xixe siècles. Actif à La Haye. Hollandais.
Médailleur.

WILPER S.
xviiie siècle. Travaillant vers 1750. Autrichien.
Portraitiste.
On cite de lui une miniature représentant le père de Louis XVI.

WILQUIN Philippe. Voir **GILQUIN Philippe**

WILREICH H.
xviie siècle. Danois.
Peintre.
Il peignit des portraits.

WILS Cornelis
xviie siècle. Actif à Anvers. Éc. flamande.
Peintre de portraits.
Élève de Willem de Vos. Peut-être identique à Cornelio Vilzo, travaillant à Rome en 1617. L'Ermitage de Leningrad possède de lui *Portrait d'homme*.

WILS Jan ou **Wiltz**
Né vers 1600 à Haarlem. Mort en 1666 à Haarlem. xviie siècle. Hollandais.
Peintre de scènes de genre, paysages animés, paysages, paysages urbains, paysages de montagne.
Sa fille ayant épousé Nicolas Berghem, les deux artistes travailleront fréquemment ensemble, Berghem ajoutant aux paysages de Wils des personnages et des animaux. Un grand nombre de peintures issues de cette collaboration sont à présent classées comme des œuvres du seul Berghem. Wils a produit également quelques paysages dans la manière de Jan Roth.
Musées : Haarlem (Mus. Teyler) : *Vue de Lyon* – Hambourg : *Paysage* – Londres (Nat. Gal.) : *Paysage rocheux*.
Ventes Publiques : Paris, 1777 : *Paysage avec rochers*, avec personnages peints par Wouwermans : **FRF 702** – Paris, 1900 : *Paysage hollandais* : **FRF 420** – Paris, 25 avr. 1940 : *Le Départ des paysans* ; *L'Arrivée des paysans*, ensemble : **FRF 2 650** – Londres, 24 mars 1976 : *Chasseurs dans un paysage* 1649, h/t (93,5x112) : **GBP 6 500** – Londres, 30 nov. 1983 : *Muletiers dans un paysage*, h/t (87x99) : **GBP 2 900** – Amsterdam, 16 nov. 1994 : *Paysage montagneux avec des personnages au bord d'un torrent*, h/t (103x91,5) : **NLG 21 850**.

WILS Lydia
Née le 9 novembre 1924 à Anvers. Morte le 12 septembre 1981 à Bruxelles. xxe siècle. Belge.
Peintre de genre, figures, paysages.
Pleine d'imagination et de fantaisie, sa peinture est primesautière, parfois cocasse. Si les figures relèvent d'une stylisation presque expressionniste, sa peinture a néanmoins des résonances symbolistes, voire surréalistes.

Lydia Wils

Musées : Bruxelles (Mus. d'Art mod.).
Ventes Publiques : Lokeren, 4 déc. 1993 : *Le printemps* 1963, h/t (100x80) : **BEF 160 000** – Lokeren, 9 mars 1996 : *Femme et paon* 1974, h/t (70x80) : **BEF 55 000** – Lokeren, 8 mars 1997 : *Nature morte* 1954, h/pan. (90x72,5) : **BEF 25 000**.

WILS Peter
xviie siècle. Hollandais.
Dessinateur de cartes géographiques.
Actif à Leyde, il travailla à Alkmaar et à Haarlem de 1635 à 1644.

WILS Steven
Mort le 4 février 1628 à Anvers. xviie siècle. Éc. flamande.
Peintre.
Élève d'Abr. Janssens. Il peignit des scènes mythologiques et allégoriques.

WILS Vilhelm Julien, ou **Wilhelm**
Né le 5 août 1880 à Kolding. xxe siècle. Danois.
Peintre de genre, compositions animées, figures, paysages, natures mortes.
Élève de Peter A. Schou et de Johan Rohde, il vécut et travailla à Copenhague. Il peignit des paysages et des scènes de la vie de la bohème artiste.
Musées : Copenhague (Mus. nat.) : *Motif de Lerso*.
Ventes Publiques : Copenhague, 30 nov. 1988 : *Femme en robe rouge*, h/t (93x68) : **DKK 4 800** – Copenhague, 20 oct. 1993 : *Nature morte de pommes sur une table*, h/t (28x42) : **DKK 4 000** – Copenhague, 19 oct. 1994 : *Nature morte*, h/t (80x63) : **DKK 12 000**.

WILSDORFER Matthias
xixe siècle. Travaillant à Gross-Gerharts en 1811. Autrichien.
Sculpteur sur bois.

WILSING Heinrich. Voir **WYLSYNCK**

WILSON Alexander
Né le 6 juillet 1766 à Paisley. Mort le 23 août 1813 à Philadelphie. xviiie-xixe siècles. Américain.
Graveur, dessinateur.
Il était ornithologue. Il dessina et grava plusieurs planches pour illustrer son ouvrage *Ornithologie de l'Amérique*.

WILSON Alexander
xixe siècle. Actif à Bagshot. Britannique.
Peintre de paysages.
Il exposa à Londres de 1803 à 1819, dix-neuf ouvrages à la Royal Academy et deux à la British Institution. Le Musée de Cardiff conserve de lui deux *Vues de Cardiff* (nord et ouest) et un *Paysage d'Italie*.

WILSON Andrew
Né en 1780 à Édimbourg. Mort le 27 novembre 1848 à Édimbourg. xixe siècle. Britannique.
Peintre de paysages et graveur au burin.
Il fut d'abord élève d'Alexander Nasmyth, puis alla en 1876 aux écoles de la Royal Academy à Londres. Un voyage en Italie compléta son éducation. En 1803, il y fit un second voyage, s'établit pendant trois ans à Gênes pour y acheter des tableaux de maîtres anciens. Il fut membre de l'Académie ligurienne. Napoléon Ier admirant un de ses ouvrages et apprenant qu'il était anglais, déclara : « Le talent n'a pas de pays ». À son retour en Angleterre, il s'adonna particulièrement à l'aquarelle. Il exposa à Londres de 1808 à 1834 et prit une part active aux expositions d'Édimbourg. Il fut associé de la Royal Scottish Academy. On voit de lui au Musée d'Édimbourg, *Tivoli* ; *Villa d'Adnan* ; *Burnstisland* et au Victoria and Albert Museum, *Vue d'Oxford* (1827) ; *Château d'Harlech* (1807) ; *Étude près de Sandburst* ; *Dunes près de Saint-Andrews* (1820), *Leith road, navires* (1829) et *Saint Jean de Latran à Rome*.
Ventes Publiques : Édimbourg, 14 nov. 1978 : *Une route bordée d'arbres* 1820, h/t (34,5x44,5) : **GBP 1 800** – Londres, 18 juil 1979 : *Bell Inn at Hurley in Berkshire*, h/t (58x82) : **GBP 2 600** – Londres, 13 mars 1980 : *Liverton Mill near Edinburgh*, aquar. et cr. (40,5x51) : **GBP 600**.

WILSON Bassett
xxe siècle. Britannique.
Peintre de paysages.
Il a exposé à Paris, New York et Londres des paysages de divers pays, notamment d'Espagne et du Yorkshire.

WILSON Benjamin
Né en 1721 à Leeds. Mort le 6 juin 1788 à Londres. xviiie siècle. Britannique.
Peintre de portraits, graveur.
Venu à Londres très jeune comme petit employé, il étudia la peinture à ses loisirs. Il reçut des conseils du Dr Berdmore, de Hudson, de Hogarth et de Lambert. De 1748 à 1750, il travailla en Irlande. En 1750, il revint à Londres et y fut, pendant quelque temps, le portraitiste à la mode. Il succéda à Hogarth en 1761 comme « sergeant painter ».
On lui doit des gravures à l'eau-forte. Il peignit les portraits du roi et de la reine, en 1776. Il chercha, par la vigueur de ses ombres à donner plus de vigueur à ses figures.
Musées : Dublin : *M. et Mme Richardson* – Dulwich : *Portrait d'une dame* – Londres (Nat. Gal.) : *Portrait de James Parsons.*
Ventes Publiques : New York, 15-16 mai 1946 : *La famille Wilkinson* : **USD 4 200** – Londres, 17 juin 1970 : *Portrait de femme* : **GBP 420** – Londres, 23 juin 1972 : *Couple dans un jardin* : **GNS 18 000** – Londres, 26 mars 1976 : *Portrait d'un gentilhomme dans un paysage*, h/t (89x70) : **GBP 1 000** – New York, 11 nov. 1978 : *Portrait of Colonel Henry Smart*, h/t (73x58) : **USD 1 400** – Londres, 21 mars 1979 : *Governor William Watts of Bengal concluding the treaty of 1757 with Mir Jaffir and his son Miram*, h/t (134x273) : **GBP 12 000** – Londres, 21 nov. 1984 : *Portrait of a Lady*, h/t (75x62) : **GBP 2 600** – Londres, 3 mai 1985 : *Portrait of Sir George Savile*, h/t (240x152,4) : **GBP 1 900** – Londres, 12 avr. 1995 : *Portrait d'une Lady, vêtue d'une robe bleue, debout dans un paysage avec son petit chien*, h/t (74,5x62) : **GBP 3 450.**

WILSON Bob, pour **Robert**
Né le 4 octobre 1941 à Waco (Texas). xxe siècle. Américain.
Peintre, pastelliste, dessinateur, graveur, sculpteur, auteur d'environnements.
En 1963, il étudie au Pratt Institute de Brooklyn et commence à participer à des productions théâtrales. En 1964, il séjourne en Europe où il suit les cours de peinture de George Mac Neill à Paris, visite la Documenta de Kassel et séjourne à Bayreuth. En 1966, il obtient un diplôme d'architecture intérieure. La même année, il renonce à la peinture suite à une dépression nerveuse et se consacre à la mise en scène.
En 1961, il présente ses peintures dans une première exposition personnelle dans une galerie à Dallas. Il montre par la suite ses œuvres picturales, sculptures, dessins, lithographies et gravures, dans des expositions personnelles régulièrement à New York : 1976 galerie Iolas ; 1976, 1987 galerie Paula Cooper ; 1977 galerie Marian Goodman (...) ; ainsi que : 1989 Stedelijk Museum d'Amsterdam, galerie Yvon Lambert à Paris ; 1991 centre Georges Pompidou à Paris, galerie Annemarie Verna à Zürich...
En 1968, il réalise une sculpture monumentale *Poles*, présente une de ses premières performances *BYRDwoMAN* et commence à réaliser de nombreux spectacles. Parallèlement à ses activités de metteur en scène notamment pour le théâtre, des spectacles de danse et opéras classiques, pour lesquels il réalise des pièces de mobilier qu'il considère comme des sculptures à part entière, il présente des bandes vidéo, des environnements sonores et des dessins. Attribuant un rôle essentiel au mobilier, il associe objets du quotidien et formes inédites de design qui ne sont pas éléments de décor mais participent pleinement à l'action dramatique. Le travail de Wilson, pluridisciplinaire, se révèle une synthèse entre les arts et les sens. Véritable collaboration entre des images, des lumières et des sons (texte et musique), il propose une vision créative, neuve, de l'expérience théâtrale et plonge le spectateur au cœur de l'espace/temps scénique.
Bibliogr. : Philippe du Vignal : *Bob Wilson, passé, présent, futur*, Art Press, n° 163, Paris, nov. 1991 – Catalogue de l'exposition : *Robert Wilson*, Centre Georges Pompidou, Paris, 1991.
Musées : Amsterdam (Stedelijk Mus.) : *De Materie* 1989, mine de pb, past. gras, craie – Berne (Kunstmus.) : *The Golden Windows* 1981, mine de pb – Houston (Menil coll.) : *Great Day in the morning* 1982, mine de pb, cr. – New York (Mus. of Mod. Art) : *Great Day in the morning* 1982, mine de pb, série de quatre dessins.

WILSON Charles
xixe siècle. Britannique.
Peintre de paysages.
Il exposa à Londres de 1832 à 1855.

WILSON Charles Edward
Né vers 1870. Mort vers 1936. xixe-xxe siècles. Britannique.
Peintre de genre, paysages animés, aquarelliste, dessinateur.
Il était actif à Sheffield. Il exposa à Londres à partir de 1891, particulièrement à la New Water Society.
Musées : Londres (Victoria and Albert Mus.) : *Blowing bubble* – *Pêcheurs rustiques*, aquar.
Ventes Publiques : Londres, 24 jan. 1980 : *Les bulles de savon* 1908, aquar. (26x18,5) : **GBP 600** – Londres, 27 avr. 1982 : *Playing marbles*, aquar. (33x48) : **GBP 1 700** – Londres, 17 oct. 1984 : *Les petits poussins*, aquar. sur trait de cr. (25,5x18) : **GBP 4 800** – Chester, 18 jan. 1985 : *Jeune paysanne donnant à manger à deux veaux*, reh. de gche (33x49,5) : **GBP 4 200** – Londres, 22 mai 1986 : *Jeune pêchant au bord d'une rivière* 1898, aquar. (49x32) : **GBP 7 600** – Londres, 10 fév. 1987 : *Visite à Granny*, aquar. et cr. reh. de blanc (35,2x47,7) : **GBP 7 600** – Londres, 25 jan. 1988 : *Les dénicheurs* 1898, aquar. (28x41) : **GBP 5 280** – New York, 24 mai 1989 : *Distribution de grain aux poulets*, aquar. (28x19) : **USD 3 850** – Londres, 31 jan. 1990 : *Le livre d'images*, aquar. (32x22) : **GBP 11 000** – Montréal, 30 avr. 1990 : *Scène côtière avec un jeune fille nue* 1889, aquar. (24x34) : **CAD 1 210** – Londres, 25-26 avr. 1990 : *Un pêcheur à la ligne campagnard*, aquar. (35,5x25,5) : **GBP 9 680** – Londres, 30 jan. 1991 : *Distribution de grain aux poussins*, aquar. avec reh. de blanc (32x21) : **GBP 5 720** – Londres, 5 juin 1991 : *Mutuelles observations*, aquar. (37x26,5) : **GBP 7 150** – Londres, 3 juin 1992 : *Le petit joueur de pipeau*, aquar. (38x28) : **GBP 8 250** – Londres, 12 juin 1992 : *Un brin de causette* 1903, cr. et aquar. (52x35,5) : **GBP 6 820** – Londres, 13 nov. 1992 : *Le garçon de ferme*, cr. et aquar. (38,7x26,4) : **GBP 5 060** – Londres, 8-9 juin 1993 : *Rêveries* 1887, aquar. (26x37) : **GBP 11 500** – Londres, 30 mars 1994 : *La confection d'un patchwork*, aquar. (50x39) : **GBP 5 980** – Londres, 29 mars 1995 : *La cueillette des primevères*, aquar. (33x50) : **GBP 8 970** – Londres, 6 nov. 1996 : *Appel muet*, aquar. (36x25) : **GBP 9 775** – Londres, 5 nov. 1997 : *Le Livre d'histoires*, aquar. (56x38,5) : **GBP 18 400.**

WILSON Charles Heath
Né en 1840 à Édimbourg. Mort le 3 juillet 1882 à Florence. xixe siècle. Britannique.
Peintre de paysages, aquarelliste, dessinateur, graveur au burin, écrivain d'art.
Fils et élève d'Andrew Wilson, qu'il accompagna dans ses voyages en Italie. En 1843, il fut nommé directeur de la Édimbourg School of Art et en 1848 directeur de la Glasgow School of Design. En 1869, il abandonna l'enseignement pour aller rejoindre sa famille en Italie. Il s'établit à Florence. Il y écrivit un remarquable ouvrage sur Michel-Ange, publié en 1876.

WILSON Charles Theller
Né en 1855. Mort le 3 janvier 1920 à New York. xixe-xxe siècles. Américain.
Peintre.

WILSON Claggett
Né le 3 août 1887 à Washington. xxe siècle. Américain.
Peintre de genre, paysages, aquarelliste.
Il fut élève de Francis L. Mora et de J. P. Laurens à Paris. Il vécut et travailla à New York.
Musées : Brooklyn : *Le Coin* – *Bohémienne dansant* – New York (Metropolitan Mus.) : une aquarelle.

WILSON Coggeshall
Né au xixe siècle à New York. xixe siècle. Américain.
Peintre.
Il figura aux expositions de Paris ; reçut une mention honorable en 1902.

WILSON D. W.
xixe siècle. Travaillant à New York de 1820 à 1825. Américain.
Graveur au burin.

WILSON Daniel
xixe siècle. Actif à Londres. Britannique.
Graveur au burin.
Élève de Ch. Turner.

WILSON David Forrester
Né en 1873 à Glasgow. Mort en 1950. xxe siècle. Britannique.
Peintre de figures, animaux, paysages, peintre de compositions murales.
Il fut élève de l'École d'Art de Glasgow. Il exécuta des peintures murales à l'Hôtel de Ville de Glasgow.

Ventes Publiques : Perth, 24 avr 1979 : *Le départ pour les champs*, h/t (79x89) : **GBP 380** – Édimbourg, 22 nov. 1989 : *Femme dans un drapé classique accroupie et tenant un semoir*, h/t (50,8x53,3) : **GBP 4 400** – Édimbourg, 28 avr. 1992 : *Brebis et agneau*, h/t (40,5x51) : **GBP 715** – Édimbourg, 23 mars 1993 : *Moutons au pâturage*, h/t (61x91,5) : **GBP 782**.

WILSON Donald Roller
xxe siècle. Américain.
Peintre.
Bibliogr. : Donald Roller Wilson : *Les Rêves de Donald Roller Wilson*, New York, 1979.
Ventes Publiques : New York, 4 mai 1993 : *Pleine lune* 1976, h/t (101,6x81,3) : **USD 17 250**.

WILSON Dora Lynell A.
Née en 1883 à Newcastle. Morte en 1946. xxe siècle. Active en Australie. Britannique.
Peintre de portraits, pastelliste.
Élève de l'École des Beaux-Arts de Melbourne, elle alla travailler en Grande-Bretagne, France et Corse, Italie et Espagne.

DORA L. WILSON

Musées : Melbourne – Sydney.
Ventes Publiques : Melbourne, 7 nov. 1984 : *The brass bowl*, past. (69x52,5) : **AUD 6 250** – Melbourne, 26 juil. 1987 : *Nu debout à la draperie dorée*, past. (74x44) : **AUD 11 000**.

WILSON Edward A.
Né le 4 mars 1886 à Glasgow. xxe siècle. Américain.
Illustrateur.
Élève de l'Académie de Chicago et de Howard Pyle, il vécut ensuite et travailla à New York.

WILSON Eli Marsden
Né le 24 juin 1877 à Ossett. xxe siècle. Britannique.
Dessinateur de paysages, graveur.
En tant que graveur, il privilégia la technique de l'eau-forte.

WILSON Eric
Né le 5 janvier 1911 à Sydney. Mort en 1946. xxe siècle. Australien.
Peintre.
Il fut élève de l'École des Beaux-Arts de sa ville natale. Il travailla aussi à Londres, notamment à l'Académie Amédée Ozenfant. Il a beaucoup peint en France et surtout à Paris. Il retourna en Australie en 1939, où il devint professeur.
Musées : Sydney.
Ventes Publiques : Sydney, 6 oct. 1976 : *Le bon Samaritain*, h/t (122,5x127) : **AUD 11 000** – Melbourne, 11 mars 1977 : *Nature morte aux fleurs*, h/t mar./cart. (51x48,5) : **AUD 1 200**.

WILSON Frank Avray
Né en 1914. xxe siècle. Britannique.
Peintre, technique mixte.
Ventes Publiques : Londres, 22 fév. 1990 : *Sans titre* 1954, h/t (183x109,2) : **GBP 6 600** – Londres, 24 mai 1990 : *Aia friday*, h/t (122x122) : **GBP 7 700** – Londres, 9 nov. 1990 : *Configuration – vert et noir* 1954, h. et collage/cart. (86,5x56,5) : **GBP 2 640** – Londres, 8 mars 1991 : *Composition* 1959, h/t (122x46) : **GBP 3 630** – Londres, 11 juin 1992 : *Abstraction rouge* 1967, h/pan. (64x76) : **GBP 1 320**.

WILSON Fred
xxe siècle. Américain.
Auteur d'installations.
Il vit et travaille à New York.
Il montre ses œuvres dans des expositions personnelles : 1993 Haas Lillienthal House de San Francisco, où il présentait dans diverses pièces les « traces » de la vie d'un vieillard de cent vingt ans, avec ses biens, lectures, photographies, vêtements.
Bibliogr. : Anna Novakov : *Fred Wilson*, Art Press, n° 185, Paris, nov. 1993.

WILSON George
xviiie-xixe siècles. Actif à Londres. Britannique.
Peintre de genre, paysages.
Il exposa de 1785 à 1820.

WILSON George
Né en 1848 à Tochineal (près de Cullen). Mort le 1er avril 1890 à Castle Park (Huntly). xixe siècle. Britannique.
Peintre de paysages.
Ses études classiques terminées à Édimbourg, il vint à Londres et fut élève à l'atelier de Heatherley, des Écoles de la Royal Academy et de la Slade School, où il eut sir Edward Poynter comme professeur. Il voyagea ensuite en Italie, en Algérie. Il exposa à Londres, à la Dudley Gallery et à la New Water-Colours Society. Ce fut un artiste d'une remarquable délicatesse.

WILSON George
Né le 22 avril 1882 à Lille (Nord). xxe siècle. Actif en Grande-Bretagne. Français.
Peintre, dessinateur.
Il vécut et travailla à Londres.

WILSON Helen Russel
Née à Wimbledon. Morte en 1924 à Tanger. xxe siècle. Britannique.
Peintre.
Elle fut élève de F. Grangwyn.

WILSON Herbert
xixe siècle. Actif à Londres dans la seconde moitié du xixe siècle. Britannique.
Portraitiste.
Il exposa de 1858 à 1876.

WILSON Ian
Né en 1940. xxe siècle. Américain.
Artiste. Conceptuel.
Il vit et travaille dans l'état de New York.
Il a participé à des expositions collectives, notamment : 1969 Seattle Art Museum ; 1970 Museum of Modern Art de New York ; 1989 *L'Art conceptuel, une perspective* au musée d'Art moderne de la Ville de Paris.

WILSON J. T.
xixe siècle. Actif à Londres dans la première moitié du xixe siècle. Britannique.
Peintre.
Il exposa de 1833 à 1853. Le Victoria and Albert Museum, à Londres, conserve une aquarelle de cet artiste.

WILSON J. T.
xixe siècle. Actif à Londres. Britannique.
Paysagiste.
Il exposa à la Royal Academy et à Suffolk Street de 1856 à 1882. Le Victoria and Albert Museum, à Londres, conserve de lui *Ruisseau et cottage à Thursley*. A rapprocher du précédent.

WILSON James
Né vers 1735. Mort après 1786. xviiie siècle. Travaillant à Londres. Britannique.
Graveur à la manière noire.
Il a gravé des portraits et des sujets de genre, notamment d'après Reynolds.

WILSON James Frederick
Né le 4 mars 1887 à Newport. xxe siècle. Britannique.
Peintre, graveur.
Il fut élève de P. E. Galpin et de Charles Hunt. Il fut aussi architecte. Graveur, il privilégia la technique de l'eau-forte.
Musées : Londres (Victoria and Albert Mus.).

WILSON James Watney
xixe siècle. Actif à Londres dans la seconde moitié du xixe siècle. Britannique.
Peintre de genre, portraits.
Il exposa de 1871 à 1884.

WILSON Jane
Née en 1924 à Seymour (Iowa). xxe siècle. Américaine.
Peintre. Abstrait-paysagiste.
En 1945 et 1947, elle obtint les diplômes de l'Université d'État d'Iowa. De 1945 à 1947, elle enseigna l'histoire de l'art. Elle vécut et travailla à New York.
Elle participe à des expositions collectives, notamment : Stable Annuals, Art Institute de Chicago, Museum of Art de San Francisco. Elle a montré de nombreuses expositions personnelles de ses peintures : 1951 St.-John College à Maryland ; régulièrement à partir de 1953 à New York ; etc.
Si sa peinture se rattache au courant général de l'abstraction, elle se fonde cependant sur des sensations ressenties à partir de paysages.
Bibliogr. : B. Dorival, sous la direction de... : *Peintres Contemporains*, Mazenod, Paris, 1964.
Musées : New York (Mus. of Mod. Art) – New York (Chrysler Art Mus.).
Ventes Publiques : New York, 31 mars 1993 : *Gueules-de-loup et pommes*, h/t (76,2x101,6) : **USD 1 840**.

WILSON John, dit **Jock Wilson**
Né le 13 août 1774 près d'Ayr. Mort le 29 avril 1855 à Folkestone. XVIIIe-XIXe siècles. Britannique.
Peintre de paysages animés, paysages, paysages d'eau, marines, décorateur.
Après avoir été apprenti chez un décorateur, il reçut des conseils d'Alexander Nasmith. Il fut pendant quelque temps professeur de dessin à Montrose et y peignit des paysages. En 1798, il alla s'établir à Londres et y fut fréquemment employé comme peintre de décors de théâtre. Son tableau *Bataille de Trafalgar* lui valut un prix de la British Institution. À la fin de sa vie il se retira à Folkestone. Wilson exposa à Londres de 1807 à sa mort et fut un des fondateurs de la Society of British Artists, et il n'exposa pas moins de trois cents ouvrages à Suffolk Street. Il exposa aussi fréquemment à Édimbourg et fut nommé membre honoraire de la Royal Scottish Academy.

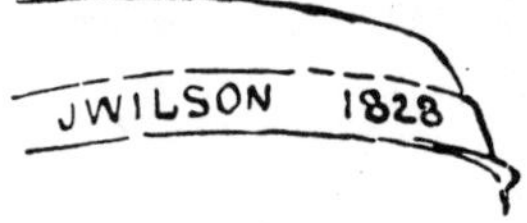

Musées : Budapest : *Naufrage* – Édimbourg : *Bateau – Scène de côtes – Marine* – Glasgow : *Paysage avec bestiaux* – Leeds : *Scène de rivage* – Londres (Victoria and Albert Mus.) : *Bords de la mer, effet d'orage – Paysage, cottage* – Salford : *Après la tempête* – Sheffield : *Marine.*
Ventes Publiques : Londres, 17 juin 1974 : *Voilier en mer* : **GBP 380** – Londres, 20 juil. 1976 : *Bateaux au large de la côte*, deux h/t (29x49) : **GBP 750** – Londres, 25 nov. 1977 : *Bateaux en mer* 1828, h/pan. (24,7x36,8) : **GBP 950** – Londres, 6 févr 1979 : *Bateaux au large de Tunemouth*, h/t (28x49,5) : **GBP 580** – Londres, 2 mars 1983 : *Le Retour des pêcheurs*, h/pan. (30,5x51) : **GBP 1 400** – Berne, 26 oct. 1988 : *Voilier près des côtes au sud de l'Angleterre*, h/t (30x50) : **CHF 4 500** – New York, 20 jan. 1993 : *Deux personnages près d'un ruisseau* 1843, h/t (63,5x76,2) : **USD 4 025** – Londres, 3 mars 1993 : *Au large de la pointe de Flamborough ; Barques de pêche au large de la côte*, h/t, une paire (chaque 30,5x56) : **GBP 3 450** – New York, 19 jan. 1995 : *Barques de pêche dans la bourrasque*, h/t (48,3x73,7) : **USD 1 725.**

WILSON John
XIXe siècle. Actif à Londres. Britannique.
Médailleur, tailleur de camées.
Il exposa de 1824 à 1858.

WILSON John J.
Né le 2 juin 1836 à Leeds. Mort en 1903 à Leeds. XIXe siècle. Britannique.
Peintre de paysages, aquarelliste.
Il prit quelques leçons avec Edwin Moore de York, et, plus tard avec Richard Waller à Leeds, mais il se forma surtout par l'étude de la nature. Ses œuvres prirent rapidement une des premières places, sinon la première aux expositions de Leeds et de la York School of Art. Il y obtint de nombreux prix. En 1873, il fonda le Leeds Fine Art Club, et en fut président jusqu'à sa mort.
Musées : Leeds : *Le château d'Arundel*, aqu. – Sheffield : *Un moulin à eau dans le nord du pays de Galles – Vieille jetée à Calais.*

WILSON John James
Né en 1818 à Londres. Mort le 30 janvier 1875 à Folkestone. XIXe siècle. Britannique.
Peintre de paysages, paysages d'eau, marines.
Fils de John Wilson et son élève, il imita sa manière. Il exposa quatre-vingt-un ouvrages entre 1831 et 1875.

Musées : Sheffield (Gal.).
Ventes Publiques : Londres, 13 nov. 1973 : *Bateaux par grosse mer* 1870 : **GBP 540** – Londres, 15 oct. 1976 : *Saint Valéry en Caux* 1844, h/t (65x113) : **GBP 2 400** – Londres, 8 mars 1977 : *Près des Needles, île de Wight* 1863, h/t (64x112,5) : **GBP 1 700** – Londres, 5 avr 1979 : *Scène de bord de mer, Normandie*, h/t (51x76) : **GBP 1 800** – Londres, 23 oct. 1981 : *Bateaux de pêche au large du port de Boulogne*, h/t (105,2x181,5) : **GBP 2 200** – Londres, 6 juin 1984 : *Bateaux de pêche rentrant à Saint-Valery* 1868, h/t (92x168) : **GBP 7 800** – Paris, 18 juin 1985 : *Marine* 1863, h/t (77x124) : **FRF 24 500** – Londres, 15 juin 1988 : *Cour de ferme*, h/t (30x51) : **GBP 1 540** – Londres, 22 sep. 1988 : *Frégates sur mer houleuse* 1879, h/t (50,8x76) : **GBP 2 750** – Londres, 31 mai 1989 : *Embarcations dans un estuaire*, h/t (61x84) : **GBP 4 400** – Perth, 28 août 1989 : *Le port de Leith près d'Édimbourg* 1870, h/t (40,5x56) : **GBP 13 200** – Londres, 27 sep. 1989 : *Red Hall à Reigate*, h/t (30,5x50,5) : **GBP 1 540** – Stockholm, 15 nov. 1989 : *Paysage côtier animé*, h/t (30x55) : **SEK 15 000** – South Queensferry, 1er mai 1990 : *Le cours de la Trout près de Ratho* 1877, h/cart. (23x30) : **GBP 605** – Londres, 30 mai 1990 : *Bateaux de pêche au large du Mont Saint-Michel*, h/t (30,5x51) : **GBP 990** – Londres, 10 avr. 1991 : *Paysage boisé avec des personnages sur un sentier*, h/t (49,5x75) : **GBP 3 960** – Londres, 20 mai 1992 : *Canot*, h/t (76x127) : **GBP 880** – Londres, 3 mars 1993 : *Navigation par légère brise à Étretat en France* 1850, h/t (92x142) : **GBP 8 625** – Londres, 29 mai 1997 : *Au large des Needles* 1864, h/t (37x61) : **GBP 4 370.**

WILSON Jonathan
Né vers 1777. Mort en 1829 à Londres. XIXe siècle. Britannique.
Médailleur et tailleur de sceaux.
Il travailla à Sheffield de 1795 à 1825, puis à Londres.

WILSON Joseph
XVIIIe-XIXe siècles. Travaillant à Belfast et à Dublin de 1770 à 1800 environ. Irlandais.
Portraitiste.

WILSON Lucy Adams
Née en 1855 à Warren (Oklahoma). XIXe siècle. Active à Miami. Américaine.
Peintre.
Élève de l'École d'Art d'Indianapolis et de l'Art Students' League de New York. Le Musée de Miami conserve des œuvres de cette artiste.

WILSON Lyons ou **William Lyons**
Né le 26 avril 1892 à Leeds. XXe siècle. Britannique.
Peintre de paysages, illustrateur.

WILSON Margaret, née **Beard**
Née le 25 avril 1890 à Boscombe. XXe siècle. Britannique.
Peintre de portraits, paysages.
Elle fut élève de la Royal Academy et de la Slade School de Londres, où elle vécut et travailla.
Musées : Londres (Albert and Victoria Mus.) – Londres (Mus. britannique).

WILSON Matthew
Né en 1814 à Londres. Mort en février 1892 à Hartford. XIXe siècle. Américain.
Portraitiste.
Élève de H. Inman.

WILSON Melva Beatrice
Née en 1866 à Maddison. Morte le 2 juin 1921 à New York. XIXe-XXe siècles. Américaine.
Sculpteur de monuments, peintre.
Elle sculpta des monuments funéraires et travailla pour la cathédrale de Saint Louis. Ce fut également une poétesse.

WILSON Patten
Né en 1868 à Cleobury Mortimer. Mort en 1928 à Londres. XIXe-XXe siècles. Britannique.
Illustrateur, dessinateur.
Il fut élève de Fred Brown. Il travailla avec l'éditeur Lane et succèda à Beardsley pour achever la *Keynote Serie*. Il vécut et travailla à Londres.
Il a illustré Coleridge, Dickens, Shakespeare.
Bibliogr. : In : *Dict. des illustrateurs 1800-1914*, Ides et Calendes, Neuchâtel, 1989.
Ventes Publiques : Londres, 5 juin 1984 : *Deceit : design for Frieze Panel Decoration*, aquar. et pl. (34,5x23,5) : **GBP 2 200** – Londres, 7 oct. 1992 : *Parsifal* 1900, h/t (170,5x118) : **GBP 1 100.**

WILSON Richard
Né le 1er août 1714 à Penegoes. Mort le 15 mai 1782 à Colommendy (Pays de Galles). XVIIIe siècle. Britannique.
Peintre de portraits, paysages animés, paysages, paysages d'eau, dessinateur.
Il fut envoyé à Londres, en 1729 et y fut élève du portraitiste Thomas Wright. Ce fut également dans ce genre que débuta Wilson et qu'il y acquit une grande réputation. Il alla en Italie. Une de ses études de paysage suscita l'admiration de Zuccarelli et de Joseph Vernet et ces deux artistes engagèrent leur confrère anglais à

s'adonner au paysage. Durant son séjour à Rome, sa réputation s'établit assez solidement pour que de nombreux élèves vinssent se grouper autour de lui et que Raphaël Mengs fit son portrait en échange d'un tableau. A son retour à Londres en 1758, il fut fort apprécié par les artistes. Présenté au duc de Cumberland, il reçut la commande d'un tableau. Cette œuvre parut à la première exposition de la Society of Artists en 1760. D'autres toiles lui furent commandées pour le roi. Mais Wilson, ayant probablement conscience de sa valeur, se pliait mal aux exigences de la courtisanerie, il avait son franc-parler ; cela suffit pour lui faire perdre la faveur de la cour. Il fut nommé membre fondateur de la Royal Academy en 1768. Cependant, jusqu'à la mort de son frère, qui lui laissa une petite fortune, la vie lui fut très difficile.
Son voyage en Italie fut primordial, il y découvrit le paysage, non seulement à travers la nature qui l'entourait mais aussi à travers les paysages de Claude Gellée. Imprégné de ces deux visions, Wilson, de retour en Angleterre, redécouvrit le paysage anglais. Il réussit alors à allier sa connaissance du paysage selon C. Gellée à la nature réelle. Après avoir peint des paysages idéalisés, italianisants, il s'attacha plutôt à peindre des paysages anglais naturalistes. Enfin, il s'orienta vers une forme de paysage que l'on peut appeler romantique, comme le montrent, par exemple, *Solitude ; Cader Idris*, ou le *Mont Snowdon vu de Llyn Nantlle*.

Musées : Berlin : *Paysage*, deux œuvres – Cardiff : *Paysage – Paysage classique – Près du lac Averne* – Dublin : *Paysage – Solitude* – Édimbourg : *Paysage d'Italie – Rivière avec personnages* – Glasgow : *Près de Tivoli – Lac de Côme – Paysage avec scène de rivière – Le couvent, crépuscule – Paysage avec figures – Esquisse* – Liverpool (Walker Art Gal.) : *Le Mont Snowdon* – Londres (Nat. Gal.) : *Ruines de la villa Mécène à Tivoli – Meurtre des Niobides – Scène de rivière – Vue d'Italie – Autre vue avec ruines – La villa Hadrien – Le lac Averne, au loin, Naples – Sur la rivière Wye – Scène dans les rochers près de la rivière – Baigneurs – Scène de rivière et ruines* – Londres (Victoria and Albert Mus.) : *Paysage, rivière et ruines – Paysage – Paysage, le soir – Paysage italien, ruines, groupe de Vénus, Adonis et Amours – Paysage, bâtiments en ruines bordant une baie – Paysage italien avec rivière et figures – Paysage avec ruines – Paysage, rivière et ruines – Le bon Samaritain* – Londres (Nat. Portrait Gal.) : *L'artiste – Le prince de Galles (George Frederick) – Le duc d'York (Edouard Auguste) et leur tuteur Francis Ayscough* – Manchester (Art Gal.) : *La Villa d'Hadrien* – Melbourne : *Paysage* – Montréal (Learmont) : *Tivoli* – Munich : *Paysage avec arbres* – Nottingham : *Snowdon* – Paris (Mus. du Louvre) : *Paysage* – Reading : *Tivoli – Château et lac* – Sydney : *Scène de côtes en Italie* – Warrington : *Paysage italien*.

Ventes Publiques : Londres, 1806 : *La mort de Niobé* : **FRF 21 000** – Londres, 1827 : *Vue de l'Arno* : **FRF 12 355** – Londres, 1872 : *Paysage près de Rome* : **FRF 8 135** – Londres, 1875 : *Vue sur l'Arno* : **FRF 47 250** – Londres, 1882 : *Vue au lointain de Rome au coucher du soleil* : **FRF 26 250** – Londres, 1898 : *Le temple de Vénus* : **FRF 10 000** – Paris, 1899 : *Vue de Sion House et de la Tamise* : **FRF 13 780** – Londres, 26 mai 1922 : *Vue d'Albano près de Rome* : **GBP 168** – Londres, 16 mai 1924 : *Paysage italien* : **GBP 120** – Paris, 30 mai 1924 : *Paysage (recto) ; un portrait de femme ébauché dans le genre d'Hoppner (verso)* : **FRF 1 050** – Paris, 22 mai 1925 : *Paysage italien avec figures* : **FRF 950** – Londres, 17 juil. 1925 : *Scène de rivière* : **GBP 147** – Londres, 17-18 mai 1928 : *Scène de rivière* : **GBP 4 305** – Londres, 15 mars 1929 : *Vue d'une rivière* : **GBP 1 785** – Londres, 14 juin 1929 : *Vue de Londres* : **GBP 1 312** ; *La Tamise à Twickenham* : **GBP 6 720** ; *Le lac de Némi* : **GBP 3 255** – Londres, 20 juin 1930 : *Le château de Pembroke* : **GBP 1 470** ; *Snowdon* : **GBP 609** – New York, 18-19 avr. 1934 : *Le moine blanc* : **USD 625** – Londres, 30 avr. 1937 : *Le château de Dolbaddour* : **GBP 525** ; *Scène de rivière* : **GBP 693** – Londres, 4 juin 1937 : *La Tamise à Twickenham* : **GBP 1 029** – Paris, 31 mars 1943 : *Pêcheur au bord d'un fleuve*, pl. et sépia : **FRF 5 500** – New York, 15-16 mai 1946 : *Pont sur une rivière* : **USD 1 600** – New York, 24 oct. 1946 : *Paysage avec rivière* : **USD 3 600** – Londres, 13 déc. 1950 : *Paysage de la vallée de la Narrow* : **GBP 460** – Londres, 3 juil. 1952 : *Scène de lac* : **GBP 378** – Milan, 20 nov. 1952 : *Paysage* : **ITL 180 000** – Londres, 21 nov. 1952 : *A View on the Thames at Kew* : **GBP 189** – Londres, 15 mai 1953 : *Paysage étendu* : **GBP 3 465** ; *Paysage étendu* : **GBP 3 255** – Londres, 22 mai 1953 : *Carnaroon Castle* : **GBP 1 260** – Londres, 6 nov. 1959 : *Vue d'un pont sur la rivière Dee* : **GBP 1 680** – Londres, 24 fév. 1960 : *Château en ruines près de la mer* : **GBP 2 700** – Londres, 14 juin 1961 : *Paysage étendu* : **GBP 4 800** – Londres, 28 nov. 1962 : *Le Tibre près de Rome* : **GBP 6 000** – Londres, 20 nov. 1963 : *Scène de rivière avec enfants pêchant* : **GBP 1 400** – Londres, 23 mars 1966 : *Paysage romain avec le Ponte Molle* : **GBP 3 000** – Écosse, 31 août 1967 : *Le Ponte Molle à Rome* : **GBP 1 800** – Londres, 3 avr. 1968 : *Paysage fluvial au soir couchant* : **GBP 3 400** – Londres, 23 juin 1972 : *Solitude* : **GNS 45 000** – Londres, 22 juin 1973 : *Vue du lac Nemi* : **GNS 60 000** – Londres, 17 juil. 1974 : *Solitude* : **GBP 1 000** – Londres, 26 mars 1976 : *Bergers et bergères dansant dans un paysage au soir couchant*, h/t (136x184) : **GBP 150 000** – Londres, 24 juin 1977 : *Paysage fluvial d'Italie*, h/t (123,2x203,8) : **GBP 6 000** – Londres, 22 nov 1979 : *Arc près d'un château*, pierre noire et reh. de blanc/pap. gris (12,7x19) : **GBP 450** – Londres, 23 mars 1979 : *Vue de la Campagne romaine avec bergers près de la tombe des Horace et des Curiace* 1754, h/t (99x134,5) : **GBP 14 000** – Londres, 19 mars 1981 : *Voilier passant sous un vieux pont*, craie noire (20x23,5) : **GBP 650** – Londres, 15 nov. 1983 : *Temple de Mercure à Baja*, cr., craies noire et blanche/pap. gris (29x42) : **GBP 1 400** – Londres, 6 juil. 1983 : *Cicero's villa*, h/t (59,5x77) : **GBP 21 000** – Londres, 20 nov. 1985 : *Portrait of Flora Macdonald*, h/t (114,5x92) : **GBP 26 000** – Londres, 18 nov. 1988 : *St Pierre et le Vatican et Rome vue de la Villa Madama*, h/t, une paire (chaque 69,9x130,8) : **GBP 29 700** – Londres, 14 mars 1990 : *La via Nomentana (au nord-est de Rome)*, h/t (53x79) : **GBP 7 700** – Londres, 26 oct. 1990 : *La cascade et la villa de Mecène à Tivoli avec un artiste dessinant au premier plan*, h/t (41,9x71,8) : **GBP 4 620** – Londres, 14 nov. 1990 : *Rivière au clair de lune avec une joyeuse société dans une clairière au fond*, h/t (42x52) : **GBP 6 820** – New York, 11 avr. 1991 : *Paysage avec la tombe des Horace et des Curiace et une villa au fond*, h/t/métal (96,5x132) : **USD 22 000** – Londres, 12 avr. 1991 : *Les bords de l'Arno*, h/t (70,5x104,5) : **GBP 13 200** – Londres, 12 juil. 1991 : *Syon House depuis Richmond Gardens*, h/t (109,5x147) : **GBP 46 200** – Londres, 14 juil. 1993 : *Vue du lac d'Agnano avec le Vésuve au fond*, h/t (42x52) : **GBP 10 350** – New York, 14 jan. 1994 : *Le lac Avernus*, h/t (40,6x53) : **USD 11 500** – St. Asaph, 2 juin 1994 : *Le Tibre près de Rome*, h/t (37,5x46) : **GBP 16 100** – New York, 11 jan. 1996 : *Le moine blanc*, h/t (42,5x59,1) : **USD 20 700** – Londres, 3 avr. 1996 : *Paysage gallois avec un château en ruines au bord d'un lac*, h/pan. (18,5x21,5) : **GBP 8 050** – Londres, 13 nov. 1996 : *Le Lac Avernus*, h/t (66x91) : **GBP 19 550** – Londres, 9 avr. 1997 : *Le Moine blanc*, h/t (52x70) : **GBP 28 750** – Londres, 9 juil. 1997 : *Vue de Lynn Peris avec le château de Dolbadarn*, h/t (93x126) : **GBP 32 200** – Londres, 12 nov. 1997 : *Le Lac Avernus*, h/t (62x74,5) : **GBP 7 475**.

WILSON Richard

XXe siècle. Britannique.

Sculpteur, auteur d'installations.

Il montre ses œuvres dans des expositions personnelles : 1992 galerie de l'Ancienne Poste/Le Channel, scène nationale à Calais. Il débute dans les années soixante-dix avec des performances mettant en scène des déchets industriels. Il s'intéresse ensuite à l'espace qui accueillera son travail sculptural et conçoit en fonction de celui-ci des installations, composées de volumes aux formes minimales qui s'inspirent de l'architecture.

Bibliogr. : Maïten Bouisset : *Richard Wilson*, Beaux-Arts, Paris, 1992 – Paul Ardenne : *Richard Wilson*, Art Press, n° 169, Paris, mai 1992.

WILSON Robert

Né à Birmingham. XVIIIe-XIXe siècles. Britannique.

Dessinateur d'ornements.

Le Victoria and Albert Museum à Londres, conserve un carnet d'esquisses de cet artiste.

WILSON Robert Burns

Né en 1851 à Parker. Mort le 31 mars 1916 à Brooklyn. XIXe-XXe siècles. Américain.

Peintre.

Il fut aussi poète.

WILSON Scottie. Voir **SCOTTIE Wilson**

WILSON Sol

Né en 1896. Mort en 1974. XXe siècle. Américain.

Peintre de marines.

Il reçut une mention honorable au jury du Carnegie à Pittsburgh de 1947, avec un *Naufrage*, habilement décrit.

Ventes Publiques : New York, 10 juin 1992 : *La voile déchirée*, h/t (117x101,6) : **USD 1 760**.

WILSON Stanley R.

Né le 27 mai 1890 à Camberwell. XXe siècle. Britannique.

Peintre, graveur.

Il vécut et travailla à Londres.

WILSON Sydney Ernest
Né le 13 juin 1869 à Isleworth. XIXe-XXe siècles. Britannique.
Graveur.
Il grava à la manière noire d'après Gainsborough, Lawrence, Raeburn, Reynolds et Romney.

WILSON Thomas
XIXe siècle. Actif à Londres dans la première moitié du XIXe siècle. Britannique.
Paysagiste.
Il exposa de 1834 à 1839.

WILSON Thomas Harrington
XIXe siècle. Actif à Londres. Britannique.
Peintre de genre, portraits, graveur au burin.
Il exposa de 1842 à 1886.

WILSON Thomas Walter
Né le 7 novembre 1851. Mort en 1912. XIXe siècle. Actif à Londres. Britannique.
Peintre de paysages, dessinateur, illustrateur.
Il fut membre du Royal Institute. Il exposa de 1870 à 1892 un total de cent trois œuvres dont cinquante huit furent exposées à la New Water-Colours Society.
Il s'est spécialisé dans les paysages.

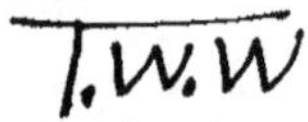

Musées : Sydney (Gal. nat.) : *Sans père ni mère.*
Ventes Publiques : New York, 15 oct. 1991 : *Westgate sur mer* 1876, h/t (43,2x71,2) : **USD 2 200.**

WILSON William
XVIIIe siècle. Actif à Londres. Britannique.
Peintre de sujets de genre, portraits, paysages animés, paysages, peintre à la gouache, dessinateur, graveur.
Il a gravé à la manière noire, notamment, un portrait de la comtesse de Newburg, d'après Dahl.
Ventes Publiques : Paris, 16 juin 1988 : *La colère* 1988, acryl./pan. en relief (81x65) : **FRF 7 000** – Perth, 28 août 1989 : *Personnages sur un quai,* h/t (35,5x25,5) : **GBP 825** – Glasgow, 6 fév. 1990 : *Maison de pêcheurs en Cornouailles* 1947, gche et encre (33x46) : **GBP 990** – Stockholm, 16 mai 1990 : *Partie de chasse aux perdrix,* h/t (69x69) : **SEK 90 000.**

WILSON William
XIXe siècle. Actif à Londres dans la première moitié du XIXe siècle. Britannique.
Peintre de paysages.
Il exposa de 1801 à 1836.
Ventes Publiques : Londres, 2 nov 1979 : *Vue de Quebec en hiver* 1851, h/t (76,8x107,9) : **GBP 13 500** – Londres, 1er mars 1985 : *Vue de Caen* 1856, h/t (76,2x63,5) : **GBP 1 400.**

WILSON William
Né en 1952, de mère française et de père togolais. XXe siècle. Actif aussi aux États-Unis. Français (?).
Peintre de compositions animées, pastelliste, auteur d'assemblages.
Il a réalisé des décors pour les chorégraphies de Dominique Bagouet et des clips pour les Rita Mitsouko. Il a reçu le prix de la Villa Médicis hors les murs en 1986, une bourse d'études aux États-Unis en 1987.
Il montre ses œuvres dans des expositions personnelles à Paris, notamment : 1995 galerie Loft à Paris.
Ses compositions ludiques, riches en histoires et références culturelles, notamment africaine et occidentale, sont à rapprocher, dans leur spontanéité, leur fraîcheur, de la Figuration libre. D'un voyage en Arizona, il a rapporté des pastels peuplés de petits personnages (cow-boys, indiens, clowns), d'animaux, de végétaux.

WILSON William A.
XIXe siècle. Actif à Londres. Britannique.
Peintre de vues.
Il exposa de 1834 à 1865.

WILSON William Charles
Né vers 1750. XVIIIe siècle. Actif à Londres. Britannique.
Graveur au burin.
Il a reproduit avec fidélité plusieurs paysages de Claude Lorrain et de Poussin.

WILSON William Hardy
Né en 1905 à Édimbourg. Mort en 1972. XXe siècle. Britannique.
Peintre de paysages, paysages urbains, marines, aquarelliste, peintre à la gouache, technique mixte.
Il fit ses études à Édimbourg au College of Art, puis à Londres au Royal College of Art. Il fit de fréquents séjours sur les côtes françaises. Il vécut et travailla à Édimbourg. Il a obtenu de nombreuses distinctions officielles.
Il participe à des expositions collectives, notamment à Édimbourg. Surtout peintre de paysages, il choisit souvent pour thèmes la vie des ports de pêche. Il a peint aussi des paysages parisiens.
Musées : Aberdeen (Art Gal.) – Édimbourg (Scottish Nat. Gal. of Mod. Art) – Glasgow – Londres (British Mus.).
Ventes Publiques : Sydney, 6 oct. 1976 : *Baigneuses,* aquar. (33x28,2) : **AUD 400** – Londres, 6 juin 1980 : *Vue d'une ville,* h/pan. (29,8x24,7) : **GBP 800** – Melbourne, 6 avr. 1987 : *Pique-nique à Hyde Park,* aquar. (26x37) : **AUD 3 000** – Neuilly, 7 fév. 1990 : *Sans titre* 1986, h/pap. (97x130) : **FRF 9 000** – Glasgow, 16 avr. 1996 : *Le bateau bleu,* aquar. et gche (54x69,5) : **GBP 4 025** – Perth, 26 août 1996 : *Menton,* aquar. et encre (40x55) : **GBP 2 070.**

WILSON York
Né en 1907 à Toronto (Ontario). XXe siècle. Canadien.
Peintre, peintre à la gouache, peintre de collages, technique mixte.
Musées : Montréal (Mus. d'Art contemp.) : *Toccata en orange* 1964, gche et pap. collé.

WILSON-BIGAUD
Né en 1931 à Port-au-Prince. XXe siècle. Haïtien.
Peintre.
Il fut l'un des plus jeunes représentants d'une école haïtienne constituée en dehors de toute tradition dans les années quarante. En 1946, il présentait *Moment de joie* à l'exposition ouverte à Paris au Musée d'Art moderne par l'Organisation des Nations unies. *Voir aussi BIGAUD Wilson.*

WILSON-STEER Philip. Voir **STEER Philip Wilson**

WILSYNCK. Voir **WYLSYNCK**

WILT. Voir aussi **VERWILT**

WILT Frans
XVIIIe siècle. Travaillant à La Haye en 1779. Hollandais.
Miniaturiste.

WILT Hans
Né le 29 mars 1867 à Vienne. Mort le 29 mars 1917 à Vienne. XIXe-XXe siècles. Autrichien.
Peintre de paysages.
Élève diplômé à Dresde en 1892, il exposa à Vienne en 1890-1898, et à Paris, où il a reçu une médaille de bronze en 1900 à l'Exposition universelle.
Musées : Vienne (Gal. nat.) : une peinture.
Ventes Publiques : New York, 27 mai 1983 : *Un jardin au printemps, Salzburg* 1914, gche (46,4x66,1) : **USD 1 200** – Paris, 7 mars 1989 : *Bouleaux près d'un étang au clair de lune,* h/t (92x98) : **FRF 40 000.**

WILT Theodor de ou **Dirk**
XVIe siècle. Actif à Utrecht et à Rome de 1552 à 1556. Hollandais.
Peintre.

WILT Theodor de
XVIIe siècle. Travaillant à Rome en 1606. Hollandais.
Miniaturiste.
Probablement parent du précédent.

WILT Thomas Van der
Né le 29 octobre 1659 à Piershil. Mort en 1733 à Delft. XVIIe-XVIIIe siècles. Hollandais.
Peintre de compositions religieuses, sujets allégoriques, portraits, graveur.
Il fut élève de N. Verkolje. Il a gravé à la manière noire des portraits.
Musées : Berlin : *Le jeu de trictrac* – Linz (Mus. provincial) : *Portrait d'homme.*
Ventes Publiques : Gand, 1837 : *Sainte Famille* : **FRF 190** – Londres, 26 juin 1974 : *Jeune femme à la fenêtre* 1695 : **GBP 4 000** – Cologne, 26 mars 1976 : *Allégorie de la vérité* 1720, h/t (80x66) : **DEM 7 500** – Zurich, 10 nov. 1983 : *La Partie de trictrac,* h/t

(70x60,5) : **CHF 10 000** – PARIS, 18 déc. 1987 : *Portrait d'homme tenant une partition*, h/pan. à vue ovale (24x19) : **FRF 18 000** – AMSTERDAM, 29 nov. 1988 : *Portrait d'une femme assise sur une terrasse portant un châle sur ses épaules et un bonnet noir* 1699, h/pan. (40x31,4) : **NLG 6 325**.

WILTHEW Gerard Herbert Guy
Né en 1876 à Shortlands. Mort en 1930. XXe siècle. Britannique.
Peintre de genre, portraits.
MUSÉES : LE FAOUËT : *Le bénitier* vers 1914.

WILTON Charles
XIXe siècle. Actif à Londres dans la première moitié du XIXe siècle. Britannique.
Peintre de genre, portraits.
Il exposa à Londres de 1837 à 1847.

WILTON Joseph
Né le 16 juillet 1722 à Londres. Mort le 25 novembre 1803 à Londres. XVIIIe siècle. Britannique.
Sculpteur.
Élève de l'Académie Royale de Paris. Il sculpta surtout des monuments funéraires et des bustes. Le British Museum, à Londres, conserve de lui *Buste de Chesterfield*, et le Victoria and Albert Museum, dans la même ville le *Buste de Cromwell*.
VENTES PUBLIQUES : LONDRES, 30 juin 1966 : *Tête d'homme chauve*, marbre : **GNS 360** – LONDRES, 19 juin 1970 : *Portrait en buste d'un gentilhomme*, marbre : **GBP 2 200**.

WILTSCHUT Huig Van Dorre
XVIIe-XVIIIe siècles. Actif à Rotterdam. Hollandais.
Paysagiste.
Le Musée Boymans, à Rotterdam, conserve de lui *Paysage avec fermes et personnages*, signé Wilschut. En 1700, dans la gilde de Delft, Houbraken signale deux frères Dore qui allèrent en Italie avec Joh. Glauber, en 1671.

WILTZ Arnold
Né en 1889 à Berlin. Mort en 1937 à New York. XXe siècle. Actif aux États-Unis. Allemand.
Peintre. Surréaliste.
Il n'eut aucun maître.

WILTZ Jan. Voir **WILS**

WILVERDINCK E. Alex.
XIXe siècle. Hollandais.
Peintre.
VENTES PUBLIQUES : PARIS, 30 juin 1950 : *Vue de Rotterdam* 1884 : **FRF 5 000**.

WILZ Georg Friedrich ou **Wilcz**
XVIIe siècle. Actif à Bruck-sur-la-Mur en 1660. Autrichien.
Peintre.

WIM. Voir **WOERKOM Willem Van**

WIMAR Charles ou **Karl Ferdinand**
Né le 20 février 1829 près de Bonn. Mort le 28 novembre 1863 à Saint Louis (USA). XIXe siècle. Actif aux États-Unis. Allemand.
Peintre de scènes de genre, portraits, paysages.
Il fut élève de Leutze à Düsseldorf. Il travailla à Saint Louis.
La Chasse aux bisons de 1860 a été présenté à Paris en 1987 au Salon d'Automne dont une section était consacréee *À la découverte de l'Ouest Américain*.
On lui doit surtout des portraits d'Indiens. Son chef-d'œuvre est sans doute *Indiens s'approchant de Fort Benton* (1859), scène où la tristesse enveloppe silhouettes et paysage d'un climat émotionnel très dense.
MUSÉES : MICHIGAN CITY (Mus. de l'Université) : *L'attaque d'un train d'émigrants* 1856 – OKLAHOMA CITY (Nat. Cowbay Hall Fame) : *La Chasse aux bisons* 1860 – SAINT LOUIS : *Le cheval de cavalerie captif* – SAINT LOUIS (Washington University) : *Indiens s'approchant de Fort Benton* 1859.
VENTES PUBLIQUES : NEW YORK, 23 mai 1974 : *Dragons poursuivant des Indiens* 1853 : **USD 50 000** – NEW YORK, 29 avr. 1976 : *Paysage au soir couchant* 1859, h/cart. (17,2x25) : **USD 2 100** – NEW YORK, 23 avr. 1981 : *Iron Horn*, h/t (18,5x10,8) : **USD 12 000** – NEW YORK, 3 déc. 1987 : *Portrait d'un Indien* vers 1860, h/t/mar./cart. de la couverture d'un livre, de forme ovale (24,2x19,7) : **USD 47 500** – NEW YORK, 27 mai 1993 : *Sur le sentier de la guerre* 1856, h/t (26x31,1) : **USD 57 500** – NEW YORK, 1er déc. 1994 : *Indien chassant le buffle* 1856, h/t (29,8x37,5) : **USD 222 500**.

WIMBERGER Johann Cyprianus
Né en 1671 à Wels. Mort en 1719 à Wels. XVIIe-XVIIIe siècles. Autrichien.
Peintre.
Il travailla, comme son père Lorenz Wimberger, pour l'abbaye de Kremsmünster. On cite de lui surtout des armoiries.

WIMBERGER Lorenz
Né en 1640. Mort en 1704 à Wels. XVIIe siècle. Autrichien.
Peintre.
Père de Johann Cyprianus Wimberger. Il travailla pour l'abbaye de Kremsmünster de 1670 à 1703.

WIMMER Eduard Josef
Né le 2 avril 1882 à Vienne. XXe siècle. Autrichien.
Décorateur, peintre de décors.
Il fit ses études à l'École des Arts décoratifs de Vienne et fut un des promoteurs de la Wiener Werkstätte.
MUSÉES : VIENNE.

WIMMER Franz
Né le 15 septembre 1892 à Vienne. XXe siècle. Autrichien.
Peintre, graveur, illustrateur.
Il publia des suites *Danse macabre* ; *Nous autres hommes ! ! !* et illustra des œuvres de Rilke. Peintre, il pratiqua aussi la gravure sur bois.

WIMMER Georg
Né le 3 février 1892 à Berg (près de Hassbach). XXe siècle. Autrichien.
Graveur.
Il n'eut aucun maître. Il vécut et travailla à Vienne. Il grava sur bois des ex-libris.

WIMMER Rudolf
Né le 10 avril 1849 à Gottsdorf. Mort le 29 novembre 1915 à Munich. XIXe-XXe siècles. Allemand.
Peintre de genre, portraits.
Il étudia à Munich et à Anvers. Il exposa à Munich en 1879, et à Berlin en 1886. On cite de lui : *Portrait du prince régent Luitpold de Bavière*.

MUSÉES : MUNICH (Mus. mun.) : *Portrait de Guillaume II* – NUREMBERG (Mus. mun.) : *Le Régent Luitpold*.
VENTES PUBLIQUES : COLOGNE, 30 mars 1979 : *Nature morte*, h/t (200x150) : **DEM 6 000**.

WIMPERIS Edmund Monson ou **Morison**
Né le 6 février 1835 à Chester. Mort le 25 décembre 1900 à Londres. XIXe siècle. Britannique.
Peintre de sujets de genre, paysages animés, paysages, paysages d'eau, aquarelliste, dessinateur, illustrateur.
Éminent représentant de la nouvelle école d'aquarellistes anglais, et distingué illustrateur. D'abord employé de banque dans sa ville natale, il fut à l'âge de 16 ans, placé comme élève chez le graveur Mason-Jackson et y demeura sept ans. Il exposa à Londres à partir de 1859. Membre de la Society of British Artists, il figura fréquemment à Suffolk Street ainsi qu'à la New Water-Colours Society dont il fut vice-président, de 1895 jusqu'à sa mort. Esprit pratique et réaliste, il joua un rôle important dans les modifications apportées à cet important groupement artistique, notamment dans l'édification de son actuel local d'exposition. S'il n'eut tenu qu'à lui, la réunion des deux grandes sociétés anglaises d'aquarellistes eût été réalisée, il ne put triompher des résistances inintelligentes et des rancunes mesquines. Il prit part au Salon des Artistes Français de Paris en 1889, pour l'Exposition universelle et y obtint une médaille de bronze.
Il dessina d'abord sur bois pour les graveurs d'illustrations sans grand succès. Il s'associa alors avec W. J. Polmer et durant cinq ans, illustra un grand nombre d'ouvrages pour les grands éditeurs de Londres. À la fin de cette association, il travailla particulièrement pour Cundall et illustra un volume des poètes du temps d'Elisabeth. Il s'adonnait en même temps à l'aquarelle. Reprenant la grande tradition des maîtres paysagistes anglais, il chercha son inspiration et sa forme dans l'étude de la nature utilisant dans sa technique les procédés de Constable et de Müller

dans la peinture à l'huile, et de David Cox et Peter de Wint dans l'aquarelle.

Musées : Blackburn : *Marais dans le Yorkshire* – Cardiff : une aquarelle – Leicester : *Charroi de poisson, Mount's Bay, Cornouailles* – Londres (Victoria and Albert Mus.) : une aquarelle – Sydney : une aquarelle.

Ventes Publiques : Londres, 1899 : *Vue dans le Sussex* : **FRF 3 275** – Londres, 9 déc. 1921 : *Moorland Stream*, dess. : **GBP 105** ; *Lande du Yorkshire* : **GBP 178** ; *Dans la vallée de l'Exe* : **GBP 252** ; *Un pré* : **GBP 225** – Londres, 19 mai 1922 : *Gathering bracken* : **GBP 131** – Londres, 16 juin 1922 : *Chaumières à Gosport*, dess. : **GBP 99** ; *Le vieux moulin*, dess. : **GBP 105** ; *A l'abreuvoir* : **GBP 183** ; *Gardeuse d'oies au puits* : **GBP 220** – Londres, 16 fév. 1923 : *La maison du garde-chasse*, dess. : **GBP 110** – Londres, 27 avr. 1923 : *Scène familiale* : **GBP 210** – Londres, 11 juin 1923 : *Après-midi d'automne* : **GBP 315** – Londres, 29 juin 1923 : *Lande du Yorkshire*, dess. : **GBP 267** ; *Lisière d'un bois* : **GBP 693** ; *Le lock* : **GBP 336** ; *Sur la Guse* : **GBP 315** – Londres, 10 déc. 1923 : *Water Meadows* : **GBP 383** – Londres, 2 mai 1924 : *Passage d'un orage* : **GBP 735** – Londres, 15 mai 1925 : *Chaumière* : **GBP 367** – Londres, 29 juin 1925 : *Ombre et lumière* : **GBP 304** – Londres, 1er déc. 1925 : *Paysage d'automne* : **GBP 451** – Londres, 30 avr. 1926 : *Le chien favori*, dess. : **GBP 168** – Londres, 11 mars 1927 : *Scène rustique*, dess. : **GBP 367** – Londres, 25 nov. 1927 : *Près de Woodham Mortimer* : **GBP 609** ; *Traversée du ruisseau* : **GBP 546** ; *A Bury* : **GBP 493** ; *Une vieille ferme* : **GBP 378** – Londres, 17 sep. 1943 : *Water meadows* : **GBP 294** – Londres, 5 juil. 1946 : *La fin du jour* : **GBP 220** – Londres, 9 mars 1951 : *Pâturage* : **GBP 157** – Londres, 5 fév. 1960 : *La prairie inondée* : **GBP 220** – Londres, 18 avr. 1962 : *La lisière de la Lande* : **GBP 320** – Londres, 22 jan. 1964 : *La moisson* : **GBP 850** – Londres, 10 mars 1965 : *La moisson* : **GBP 1 000** – Londres, 8 juil. 1966 : *L'attente du ferry-boat* : **GNS 6 000** – Londres, 3 avr. 1968 : *Vue du Sussex* : **GBP 1 000** – Londres, 17 fév. 1971 : *Paysage fluvial au moulin animé de personnages* : **GBP 1 400** – Londres, 20 juin 1972 : *Paysage orageux* : **GBP 2 600** – Londres, 27 mars 1973 : *Troupeau dans un paysage* 1890 : **GBP 1 500** – Londres, 9 juil. 1974 : *Paysage du Sussex* 1888 : **GBP 1 500** – New York, 2 avr. 1976 : *Paysage du Sussex*, h/t (51x77) : **USD 1 300** – Londres, 14 juin 1977 : *Scène de moisson*, h/t (60x90) : **GBP 1 200** – Londres, 3 juil 1979 : *Le bac*, h/t (63,5x103) : **GBP 4 800** – Londres, 11 mars 1980 : *Moutons au pâturage*, aquar. (54,5x87) : **GBP 700** – Londres, 24 mars 1981 : *Scène de moisson, Surrey* 1900, h/t (79x119,5) : **GBP 2 100** – Londres, 14 mai 1985 : *Le retour du troupeau* 1869, aquar. reh. de blanc (47x69,5) : **GBP 850** – Londres, 10 mai 1985 : *Cheval et enfant traversant un ruisseau* 1891, h/t (36,8x57,2) : **GBP 2 800** – Londres, 3 nov. 1989 : *La traversée de la rivière*, h/t (76x61) : **GBP 6 380** – Londres, 31 jan. 1990 : *Le château d'Arundel* 1876, aquar. (40x62) : **GBP 660** – Londres, 21 mars 1990 : *Les cabanes des bûcherons* 1896, h/t (61x91,5) : **GBP 6 600** – Londres, 26 sep. 1990 : *Cabanes de bûcherons*, h/t (61x91,5) : **GBP 4 400** – Londres, 14 juin 1991 : *Personnages près d'un ruisseau dans un paysage vallonné* 1880, cr. et aquar. (25,7x38,7) : **GBP 440** – Édimbourg, 28 avr. 1992 : *Pont dans les Highlands* 1892, h/t (61x91) : **GBP 880** – Londres, 3 juin 1992 : *Attelage se désaltérant* ; *Passerelle* 1890, h/t, une paire (chaque 76,5x61) : **GBP 8 800** – Perth, 31 août 1993 : *La route au travers de la lande à Inveroykel*, h/t (76x127) : **GBP 10 350** – New York, 19 jan. 1994 : *Travailleurs dans un champ* 1891, h/t (38,1x58,4) : **USD 3 795** – St. Asaph, 2 juin 1994 : *Le Mont Snowdon depuis les environs de Aberglaslyn* 1882, aquar. et cr. (33x49,5) : **GBP 2 990** – New York, 24 mai 1995 : *Repos au bord du chemin* 1887, h/t (101,6x127) : **USD 13 800** – Londres, 5 sep. 1996 : *Château à Ludlow* 1891, h/t (71,1x99) : **GBP 1 380** – Londres, 6 nov. 1996 : *Chemin à travers les marais* 1880, h/t (59x90) : **GBP 6 210** – Londres, 13 mars 1997 : *Moulin dans un vaste paysage* 1899, h/t (60,8x91,4) : **GBP 2 600**.

WINANCE Alain

Né en 1946 à Tournai. xxe siècle. Belge.

Peintre, graveur.

Il fut élève des académies des beaux-arts de Tournai et de Mons. Il enseigna à l'académie de Tournai. Graveur, il privilégie les techniques de l'eau-forte, l'aquatinte, et du burin.

Bibliogr. : In : *Dict. biogr. ill. des artistes en Belgique depuis 1830*, Arto, Bruxelles, 1987.

WINANCE Jean

Né en 1911 à Ettelbrück. xxe siècle. Actif en Belgique. Luxembourgeois.

Peintre de figures, paysages, graveur, peintre de compositions murales.

Il fit ses études à l'Académie Royale des Beaux-Arts de Bruxelles et à l'Institut Supérieur des Beaux-Arts d'Anvers. Il a été membre du groupe Nervia qui, entre 1928 et 1938, réunissait les peintres figuratifs wallons. Il enseigne à l'académie de Tournai puis à l'Académie Royale des Beaux-Arts de Mons.

Il s'attache au détail, fouillant le réel, adoptant fréquemment pour motif la femme et l'enfant, ou les voiles de bateaux. Il a réalisé une fresque pour l'église de Warchin.

Bibliogr. : In : *Dict. biogr. ill. des artistes en Belgique depuis 1830*, Arto, Bruxelles, 1987.

Musées : Tournai.

WINANS Walter

Né en 1852. Mort le 12 août 1920 à Londres. xixe-xxe siècles. Actif en Grande-Bretagne et aux États-Unis. Russe.

Peintre de genre, sculpteur de sujets de sport.

Russe d'origine, il effectua la plus grande partie de sa carrière en Angleterre où il était connu pour ses bronzes à sujets sportifs et plus particulièrement les chevaux. Il travailla également aux États-Unis comme peintre de genre et sculpteur.

Ventes Publiques : Los Angeles, 22 mai 1973 : *Homme armé et son cheval*, bronze patiné : **USD 950** – Londres, 16 mars 1977 : *Custer's Last Stand* 1891, bronze (H. 44,5, larg. 77,5) : **GBP 5 900** – Londres, 7 juin 1984 : *Cheval et cow-boy* 1892, bronze, à patine brune (H. 36) : **GBP 2 800** – New York, 25 oct. 1989 : *Jockey de trot attelé* 1890, bronze à patine brune (L. 51,5) : **USD 4 400** – New York, 22 mai 1990 : *Cheval de cirque*, bronze (H. 55,8, L. 64,8) : **USD 6 600** – New York, 23 mai 1990 : *Groupe équestre : Buffalo Bill s'apprêtant à monter son cheval sauvage* 1892, bronze à patine brun rouge (H. 35,3) : **USD 17 600** – New York, 30 nov. 1995 : *Buffalo Bill s'apprêtant à monter un cheval sauvage* 1892, bronze, groupe équestre (H. 35,6) : **USD 10 925**.

WINBERG Ivan Ivanovitch

Né le 9 janvier 1834 à Saint-Pétersbourg. Mort le 5 avril 1852 à Saint-Pétersbourg. xixe siècle. Russe.

Peintre de miniatures.

Fils d'Ivan Winberg.

WINBERG Ivan ou **Iwan**

Peut-être d'origine suédoise. xixe siècle. Actif dans la première moitié du xixe siècle. Russe.

Peintre de portraits, miniatures.

Musées : Dresde : *Portrait d'Alexandre II de Russie*.

Ventes Publiques : Paris, 11 avr. 1951 : *Jeune femme brune*, miniat. : **FRF 22 000** ; *Homme en habit noir*, miniat. : **FRF 9 000** – Paris, 28 fév. 1996 : *Buste du Tsar Nicolas Ier de Russie en grand uniforme* ; *Portrait de la Tsarine Alexandra en tenue de cour*, miniatures sur ivoire (chaque 17x13) : **FRF 110 000**.

WINBERG Johan Anders

xixe siècle. Travaillant au début du xixe siècle. Suédois.

Peintre.

Il exposa à Stockholm en 1802.

WINBY Frederick Charles

Né le 29 juillet 1875 à Newport. xxe siècle. Britannique.

Peintre, graveur.

Il vécut et travailla à Londres. Graveur, il privilégia la technique de l'eau-forte.

WINCELHOVEN. Voir **WINKELHOVEN**

WINCK. Voir aussi **WINK**

WINCK Christian ou **Johann Christian Thomas** ou **Wink**

Né le 19 décembre 1738 à Eichstädt (Bavière). Mort le 6 février 1797 à Munich. xviiie siècle. Allemand.

Peintre de sujets religieux, scènes de genre, portraits, graveur.
Frère et élève de Chrisostomus Winck, Christian Winck fut d'abord peintre de théâtre à Vienne, puis peintre de tableaux religieux. Il était aussi graveur à l'eau-forte. En 1769, il fut nommé peintre de la cour de Munich, et, en 1770, fut un des fondateurs de l'École de dessin de cette ville, transformée plus tard en Académie. Il décora plusieurs églises bavaroises. Ses décorations d'églises ont ceci de particulier qu'il y introduisait les habitants du village dans leurs habits réels, qui pouvaient ainsi se reconnaître dans la représentation de scènes sacrées.
Musées : Aix-la-Chapelle : *Adoration des bergers* – Augsbourg : *Tentation du Christ* – Düsseldorf : *Ascension* – Francfort-sur-le-Main : *Allégorie* – Mayence : *La Vierge Auxiliatrice* – *Assomption* – *Joseph fait distribuer du blé à ses frères* – Munich : *Le peintre G. de Marées* – Nuremberg (Mus. germanique) : *Porsenna et sa mère* – *Abraham et Melchisédec* – Schleissheim : *Apothéose de Max Joseph III de Bavière* – Vienne (Mus. du Baroque) : *Les joies de la vie champêtre.*
Ventes Publiques : Munich, 1er-2 oct. 1952 : *Apothéose d'un homme de guerre souvent victorieux* : **DEM 750** – Vienne, 30 nov. 1976 : *Descente de Croix*, h/t (55,5x34,5) : **ATS 50 000** – New York, 15 jan. 1985 : *L'Agonie dans le jardin* 1773, h/t (75x50,8) : **USD 10 000** – Amsterdam, 12 juin 1990 : *Fauconnier avec ses chiens après la chasse*, h/t (38,8x40,2) : **NLG 6 900**.

WINCK Johann Amandus. Voir **WINK**

WINCK Joseph Gregor. Voir **WINK**

WINCK Ludwig
Né le 24 juillet 1827 à Hambourg. Mort le 19 mars 1866 à Hambourg. XIXe siècle. Allemand.
Sculpteur.
Le Musée de Hambourg conserve de lui *Buste en marbre du pasteur Ramtenberg.*

WINCKEL. Voir aussi **WINKEL**

WINCKEL Emiel Marie
Née en 1879. XXe siècle. Belge.
Peintre de portraits, figures, miniatures.
Bibliogr. : In : *Dict. biogr. ill. des artistes en Belgique depuis 1830*, Arto, Bruxelles, 1987.

WINCKEL Thérèse Émilie Henriette aus dem. Voir **WINKEL**

WINCKELE Peerken Van. Voir **ELSE Peeter Van**

WINCKELMANN. Voir aussi **WINKELMANN**

WINCKELMANN Frieda. Voir **KRETSCHMANN-WINCKELMANN Frieda**

WINCKH Joseph Gregor. Voir **WINK**

WINCKLER. Voir aussi **WINKLER**

WINCKLER Franz
Né à Vienne. XVIIIe siècle. Travaillant à partir de 1766. Autrichien.
Graveur au burin.
Élève de l'Académie de Vienne.

WINCKLER Johan Gottfried
Né en 1734. Mort en 1791 à Frederiksvaerk. XVIIIe siècle. Danois.
Graveur au burin, dessinateur de cartes et ciseleur.

WINCKLER Josef
XVIIIe siècle. Travaillant en 1720. Autrichien.
Sculpteur.
Il a sculpté le maître-autel de l'église de Kaisersteinbruch.

WINCKLER Monique
Née le 29 décembre 1922 à Strasbourg (Bas-Rhin). XXe siècle. Française.
Peintre de figures, animaux, paysages, natures mortes, fleurs. Naïf.
Elle est autodidacte et a exposé en 1972 à Cannes, Monaco, Genève, en 1973 à Bruxelles où elle reçut le diplôme de l'ordre du Mérite Belgo-Hispanique, à la galerie Katia Granoff à Cannes et en 1976 au Salon d'Automne à Paris.

WINCKLER Olof ou **Winkler**
Né le 29 janvier 1843 à Zschopental. Mort le 26 septembre 1895 à Dresde. XIXe siècle. Allemand.
Peintre.
Élève d'Alexandre Michelis à Weimar. Il exposa à Vienne en 1891. Le Musée communal de La Haye conserve de lui *Paysage rocailleux.*
Ventes Publiques : Cologne, 20-23 mars 1953 : *Paysage de montagne* : **DEM 450**.

WINCLE Chrétien Van de
XVe siècle. Actif à Gand de 1407 à 1418. Éc. flamande.
Peintre.

WINCLE Philippe Van de
XVe siècle. Actif à Gand en 1468. Éc. flamande.
Peintre.

WIND Franz Ludwig
Né le 14 novembre 1719 à Kaiserstuhl. Mort le 25 août 1789 à Kaiserstuhl. XVIIIe siècle. Suisse.
Sculpteur de sujets religieux, figures, bas-reliefs, ornements.
Il s'adonna à la sculpture sur bois et sur pierre et se fit une originalité d'un style baroque qu'il employa toute sa vie.
Ornements d'églises et stalles, figures de saints, armoiries d'Hôtels de Ville sont ses spécialités. Dans la ville de Zunzach le pilier du milieu du pont sur le Rhin qui représente saint Jean Népomucème est dû à son ciseau ainsi d'ailleurs que la grande porte du château de Schwarz-Wasserstelz, près de Zurzach.

WIND Gerhard
Né en 1928 à Hambourg. XXe siècle. Allemand.
Peintre. Abstrait.
Il fut élève de l'académie de Hambourg et de l'école des beaux-arts de Düsseldorf, où il vit et travaille depuis 1954. Il a participé à de nombreuses expositions collectives dans son pays et à l'étranger, notamment en 1962 à l'exposition *Artistes de Düsseldorf* au musée des Beaux-Arts d'Ostende. Il montre ses œuvres dans des expositions personnelles en Allemagne et à l'étranger. Ses œuvres abstraites révèlent une forte influence de l'art construit.

WIND Hans
Mort vers 1463 probablement à Lucerne. XVe siècle. Actif à Fribourg. Suisse.
Peintre de sujets religieux.
Il passa sa vie à Fribourg, Berne et Lucerne où il fut nommé bourgeois en 1451. Il fit pour l'Hôtel de Ville de Lucerne deux tableaux religieux dont un représente *La Vierge.*

WIND Jorgen Henrik
Né en 1794 dans l'île de Langeland. Mort en 1819 dans l'île de Langeland. XIXe siècle. Danois.
Peintre de miniatures.
Il fut élève de l'Académie des Beaux-Arts de Copenhague.

WIND Josef
Né le 16 juin 1864 à Munich. XIXe siècle. Allemand.
Sculpteur de figures.
Il fut élève de l'Académie des Beaux-Arts de Munich.
Musées : Munich (Glyptothèque) : *Enfant portant un canope.*
Ventes Publiques : Paris, 8 fév. 1983 : *Charmeuse de serpent*, bronze (H. 76,5) : **FRF 8 300** – Paris, 17 nov. 1997 : *La Charmeuse de serpents*, bronze à patine claire (H. 56) : **FRF 8 000**.

WINDBERG Ivan. Voir **WINBERG**

WINDBICHLER Erich
Né le 15 septembre 1904 à Salzbourg. XXe siècle. Autrichien.
Sculpteur, peintre.
Il fut élève de l'Académie de Weimar et de Walter Klemm. Il vécut et travailla à Eisenach.

WINDE Baltzer ou **Balser**. Voir **WINNE**

WINDECK Paul
Mort en 1535 à Sélestat. XVIe siècle. Français.
Sculpteur.
Il sculpta le *Calvaire* du cimetière de Oberehnheim et un *Crucifix* pour l'église de Zellenberg.

WINDEKENS Joss Van
Mort en 1713. XVIIIe siècle. Actif à Bruges. Éc. flamande.
Peintre.
Élève de Jan Maes. Il peignit des tableaux d'autel pour les églises Saint-Antoine et Notre-Dame de Bruges.

WINDELL Baltzer ou **Balser**. Voir **WINNE**

WINDEN H. Van der
XVIIIe siècle. Travaillant à Amsterdam en 1758. Hollandais.

Aquafortiste.
Il grava des vues d'après Jan de Beyer.

WINDER. Voir aussi **WINTER**

WINDER Arthur
Né en 1873 à Vienne. XIXe-XXe siècles. Autrichien.
Sculpteur.
Musées : Bucarest (Mus. Simu) : une œuvre en collaboration avec Kompatscher.

WINDER Berthold
Né le 27 juillet 1833 à Vienne. Mort le 12 mai 1888 à Vienne. XIXe siècle. Autrichien.
Peintre.
Élève de l'Académie de Vienne. Le Musée Municipal de cette ville conserve de lui *La brasserie de Saint-Marx*.

WINDER Franz Joseph. Voir **WINTER**

WINDER Gustav
Né en 1837 à Vienne. XIXe siècle. Autrichien.
Peintre.
Élève de l'Académie de Vienne. Il fut assistant chez C. Rahl.

WINDER Johannes
XIXe siècle. Travaillant vers 1800. Autrichien.
Peintre.
Il peignit douze *Scènes de la Passion* pour le calvaire d'Unterrain.

WINDER Rudolf
Né le 4 décembre 1842 à Vienne. XIXe siècle. Autrichien.
Sculpteur.
Élève de Fernkorn. Frère de Berthold Winder. Il sculpta des statuettes. Il exposa à Vienne en 1873.
Ventes Publiques : Londres, 6 nov. 1986 : *Buffle* vers 1893, bronze patine noire et ivoire (H. 27) : **GBP 680**.

WINDER Sigmar
XIXe siècle. Actif dans la seconde moitié du XIXe siècle. Autrichien.
Peintre.
Frère de Berthold Winder. Le Musée municipal de Vienne conserve de lui *Fruits*.

WINDFELD-HANSEN Knud
Né le 27 décembre 1883 à Vejle. XXe siècle. Danois.
Peintre.
Il fut élève de Harald Slott-Moller. Il exposa à Charlottenbourg de 1907 à 1922 et à Paris en 1925.

WINDFELD-SCHMIDT Jörgen
Né en 1885. XXe siècle. Danois.
Sculpteur.

WINDGRUBER Josef
Né en 1797. Mort le 2 juillet 1847. XIXe siècle. Actif à Vienne. Autrichien.
Peintre de fleurs.

WINDGRUBER Michael
XVIIIe-XIXe siècles. Travaillant à Vienne de 1785 à 1813. Autrichien.
Peintre sur porcelaine.
Il peignit des paysages pour la Manufacture de porcelaine de Vienne.

WINDHAGER Franz
Né le 3 décembre 1879 à Vienne. Mort en 1959. XXe siècle. Autrichien.
Peintre, graveur de compositions allégoriques, nus, illustrateur.
Il fut élève de Christian Griepenkerl à l'Académie de Vienne. Il exposa de 1908 à 1940.
Il grava des nus, des allégories et des illustrations de livres.
Musées : Vienne (Gal. autr.) : *Kermesse* – *Le Pont* – Vienne (Mus. mun.) : *Le Jardin tyrolien à Vienne* – *Jeune Fille debout* – *Kermesse*.
Ventes Publiques : Milan, 24 mars 1982 : *Les musiciens des rues*, h/t (49,5x62) : **ITL 2 700 000** – Vienne, 10 sep. 1985 : *Nu dans un paysage* 1909, h/t (66x82) : **ATS 40 000**.

WINDHAM Joseph
Né le 21 août 1739 à Twickenham. Mort le 21 septembre 1810. XVIIIe-XIXe siècles. Britannique.
Dessinateur.
Au cours de ses nombreux voyages en France, en Italie, en Suisse, il fit un grand nombre de dessins. On cite particulièrement des ruines de Rome. Plusieurs ont été gravées dans l'ouvrage de Cameron sur les bains romains.

WINDHEIM Dorothée von
Née en 1945 à Volmerdingssen. XXe siècle. Active en Italie. Allemande.
Artiste, peintre, technique mixte.
Elle fut élève de l'école des beaux-arts d'Hambourg, puis travailla à la restauration du palazzo Pitti à Florence.
Son travail, à partir de moyens divers (reports sur mousseline, pellicule sensible), s'intéresse à reproduire la nature, son corps, des éléments architecturaux et propose une réflexion sur la duplication. Au milieu de années quatre-vingt, elle centre son activité sur le Saint Suaire de Turin.
Bibliogr. : In : *L'Art du XXe s.*, Larousse, Paris, 1991.

WINDHORST Johann Christoph
Né le 1er juin 1884 à Schiedam. XXe siècle. Hollandais.
Peintre, graveur.
Il fut élève d'A. Zœtmulder et de F. H. Brœksmit. Il vécut et travailla à La Haye.

WINDING Hans Laurits Struch
Né en 1750 à Kullerup. Mort le 19 novembre 1831. XVIIIe-XIXe siècles. Danois.
Aquafortiste.
Il dessina des scènes satiriques pour la revue Samleren.

WINDISCH Josef
Né le 8 décembre 1884 à Graz. XXe siècle. Autrichien.
Peintre de paysages, fleurs, graveur.
Il travailla à Dachau. Graveur, il privilégia la technique de l'eau-forte.

WINDISCH Nanette. Voir **ROSENZWEIG-WINDISCH Nanette**

WINDISCH-GRAETZ Ernst Veriand von und zu, prinz
Né le 21 avril 1905 à Prague. XXe siècle. Autrichien.
Peintre et graveur.
Arrière-petit-fils de l'empereur François-Joseph d'Autriche. Élève des Académies de Vienne et de Munich. Il exposa à Vienne à partir de 1930, et à Paris en 1933.

WINDMAIER Anton
Né le 4 avril 1840 à Pfarrkirchen. Mort le 13 janvier 1896 à Munich. XIXe siècle. Allemand.
Peintre de paysages animés, paysages, décorateur.
Il exposa à Vienne en 1873, à Berlin en 1894 et à Munich. Vingt mois avant sa mort, il devint aveugle.
Musées : Munich : *Paysage d'hiver* – Stuttgart : *Paysage d'hiver*.
Ventes Publiques : Lucerne, 25 nov. 1972 : *Paysage boisé* : **CHF 8 200** – Londres, 2 août 1979 : *Paysage boisé* 1878, h/t (35,5x76) : **GBP 1 600** – Londres, 8 oct. 1982 : *Paysage d'hiver avec personnages aux abords d'un village*, h/t (24,8x50,2) : **GBP 1 600** – Londres, 17 mars 1983 : *La Gardeuse d'oies* 1875, h/t (50x100) : **GBP 4 000** – Cologne, 23 mars 1990 : *Paysage d'hiver*, h/t (62x43) : **DEM 5 500** – Stockholm, 16 mai 1990 : *Chasseurs dans la plaine enneigée au soleil couchant*, h/t (25x50) : **SEK 20 000** – Munich, 12 juin 1991 : *Journée d'hiver*, h/t (39,5x99) : **DEM 12 100** – Heidelberg, 11 avr. 1992 : *Jour pluvieux*, h/pan. (14x34) : **DEM 7 800** – New York, 16 juil. 1992 : *Coucher de soleil sur un paysage campagnard* 1875, h/t (50,8x75,6) : **USD 2 200** – Munich, 21 juin 1994 : *Paysage d'automne* 1879, h/t (35x70,5) : **DEM 9 775** – Londres, 16 nov. 1994 : *Soleil couchant dans les bois*, h/t (109x158) : **GBP 4 600**.

WINDMULLER Eugen
Né le 29 décembre 1842 à Marienwerder. Mort le 13 septembre 1927 à Düsseldorf. XIXe-XXe siècles. Allemand.
Peintre de genre, paysages.
Il fut élève de l'École d'art et en 1862, de l'Académie d'art de Dantzig. De 1863 à 1869, il fut aussi élève de l'Académie de Düsseldorf. Il exposa à Berlin en 1897.
Musées : Görlitz : un paysage.

WINDRAUCH Hans ou **Wyntrauch**
XVIe siècle. Danois.
Stucateur.
Il travailla pour les châteaux de Frederiksborg et de Kronborg, de 1575 à 1585.

WINDSOR-FRY Gladys. Voir **FRY**

WINDSOR-FRY Harry
Né à Torquay. XIXe-XXe siècles. Britannique.
Peintre.
Il exposa à partir de 1884.
Musées : Liverpool (Gal.) : une peinture.

WINDT Chris Van der, pour **Christoffel**
Né le 22 août 1877 à Bruxelles. Mort en 1952. XXe siècle. Hollandais.
Peintre de genre, intérieurs, paysages, aquarelliste, peintre à la gouache, dessinateur, graveur.
Il n'eut aucun maître. Il a peint de nombreuses vues de ferme. Graveur, il privilégia la technique de l'eau-forte.
Musées : Amsterdam (Mus. mun.) : *Grange* – Leyde (Mus. mun.) : *Ferme.*
Ventes Publiques : Londres, 11 mai 1925 : *Intérieur hollandais* 1905, dess. : **GBP 8** – Amsterdam, 16 nov. 1988 : *Paysanne sur le chemin de la ferme, en été,* aquar. et gche/pap. (16,5x18,5) : **NLG 977** ; *Paysanne dans une cour de ferme,* h/pan. (17,5x22) : **NLG 2 530** – Amsterdam, 28 fév. 1989 : *Paysage hollandais avec des maisons le long d'un canal et une paysanne faisant la lessive,* h/t (40,5x61) : **NLG 4 370** – Amsterdam, 25 avr. 1990 : *Maison rustique au bord de l'eau,* aquar. (45x63) : **NLG 7 820** – Amsterdam, 5-6 fév. 1991 : *Une ferme le long du canal,* h/t/pan. (18x24) : **NLG 1 380** – Amsterdam, 24 avr. 1991 : *Paysage fluvial avec une péniche amarrée près d'une ferme,* h/t (50,5x60) : **NLG 4 370** – Amsterdam, 11 fév. 1993 : *Les phares à Rijswijk,* h/t/cart. (17x28) : **NLG 2 530** – Amsterdam, 14 sep. 1993 : *Ferme entourée de fossés,* h/t/pan. (30x41) : **NLG 4 370** – Amsterdam, 21 avr. 1994 : *Une ferme au bord d'un ruisselet* 1906, aquar./pap. (44x64) : **NLG 8 625.**

WINDT Gerard Carl Ledewijk
Né le 1er septembre 1868 à La Haye. XIXe-XXe siècles. Hollandais.
Peintre de paysages.

WINDT Laurent Van der
Né le 3 novembre 1878 à Bruxelles. Mort le 11 août 1916 à Leyde. XXe siècle. Hollandais.
Peintre, graveur.
Frère du peintre Chris Van der Windt.

WINDT Philip Pieter
Né le 4 septembre 1847 à La Haye. Mort en septembre 1921 à La Haye. XIXe-XXe siècles. Hollandais.
Peintre de genre, compositions animées, marines, aquarelliste.
Peintre, il a également réalisé des lithographies.
Musées : Haarlem (Mus. Teyler) : une aquarelle.
Ventes Publiques : Londres, 19 oct. 1976 : *Barques de pêche au large de Scheveningen,* aquar. (37,6x52,6) : **GBP 200** – Amsterdam, 11 sep. 1990 : *Cavalier sonnant la charge* 1914, h/pan. (50x40) : **NLG 2 070.**

WINDTER
XVIIIe siècle. Britannique.
Peintre de portraits, miniatures.
Il peignit le portrait de *George II d'Angleterre.*

WINDTER. Voir aussi **WINTER**

WINDTER Johann Wilhelm ou **Winter**
Né vers 1696. Mort le 27 mars 1765. XVIIIe siècle. Allemand.
Graveur au burin et dessinateur.
Il travailla pour les cours de Bayreuth et d'Ansbach et excella surtout dans le portrait. Ce fut un des meilleurs graveurs du XVIIIe siècle. La Bibliothèque municipale de Nuremberg conserve de nombreuses œuvres de cet artiste.

JWW

WINDUS William Lundsay
Né en 1822 à Liverpool. Mort le 9 octobre 1907 à Londres. XIXe siècle. Britannique.
Peintre d'histoire, scènes de genre.
De 1847 à 1859, il exposa à Londres deux ouvrages, à la Royal Academy, deux à Suffolk Street et un à la British Institution.
Bibliogr. : In : *The Pre-Raphaelites,* Tate Gallery, Londres, 1985.
Musées : Liverpool : *Cranmer s'efforçant d'obtenir de Catherine Howard l'aveu de son crime* – *Morton devant Claverhouse.*
Ventes Publiques : Londres, 1862 : *Burd Helen* : **FRF 9 220** – Londres, 1894 : *Burd Helen* : **FRF 13 910** – Londres, 29 jan. 1974 : *La chaumière* 1870 : **GBP 260** – Londres, 15 mars 1983 : *Trop tard* 1857, h/cart. (12x9,5) : **GBP 4 500** – Londres, 6 nov. 1996 : *Trop tard,* h/cart., étude (12x9,5) : **GBP 4 600.**

WINE Liévin de, orthographe erronée. Voir **WINNE**

WINEBRENNER Harry Fiedling
Né le 4 janvier 1884 à Summerville. XXe siècle. Américain.
Peintre de scènes typiques, illustrateur, sculpteur.
Il fut élève de Lorado Taft, de Charles J. Mulligan et de Antonio Sciortino. Il vécut et travailla à Santa Monica. Il peignit des scènes de la vie des Indiens.

WINECKY Joseph
XIXe siècle. Actif à Vienne. Autrichien.
Aquarelliste.
Il exposa de 1836 à 1868 des portraits, des paysages et des scènes de genre.

WINEKE Christian
Né le 1er novembre 1680 à Copenhague. Mort le 22 août 1746 à Copenhague. XVIIIe siècle. Danois.
Médailleur.
Il grava des médailles à l'effigie des membres de la famille royale du Danemark et à l'occasion d'événements de son époque.

WING. Voir aussi **DEWING**

WING C. W.
XIXe siècle. Britannique.
Lithographe.
Il grava des *Vues de Brighton* en 1826.

WING Jeremias Van. Voir **WINGHE**

WINGATE James Lawton, Sir
Né en 1846 à Kelvinhaugh (près de Glasgow). Mort en avril 1924 à Édimbourg. XIXe-XXe siècles. Britannique.
Peintre d'architectures, paysages.
Il fut membre de la Royal Scottish Academy. Il exposa à Londres à partir de 1880, notamment à la Royal Academy.

Wingate

Musées : Édimbourg : *Ruines dans la forêt* – Glasgow : *L'Avenue* – *Vieille Église à Muthill.*
Ventes Publiques : Londres, 21 juil. 1922 : *Machrichanish* : **GBP 105** – Londres, 30 mai 1924 : *Scène près d'un loch* : **GBP 357** ; *Retour du marché* : **GBP 168** – Paris, 23 déc. 1949 : *Crépuscule sur la mer* 1915 : **FRF 4 800** – Écosse, 30 août 1974 : *Paysage* : **GBP 400** – Perth, 13 avr. 1976 : *Bord de mer, Arran,* h/t (40x51) : **GBP 140** – Glasgow, 4 juin 1979 : *Le séchage des filets,* h/t (63,5x76) : **GBP 2 900** – Auchterarder (Écosse), 28 août 1984 : *L'échoppe du menuisier* 1876, h/t (37x27) : **GBP 1 800** – Édimbourg, 30 août 1988 : *Près de Collinton,* h/t (25,5x35,5) : **GBP 1 265** ; *Le déchargement de la pêche* 1885, h/t (76x107) : **GBP 9 900** – Glasgow, 7 fév. 1989 : *Promenade dans une clairière,* h/t (46x61,5) : **GBP 1 100** ; *Vue de Bello Lynarda (maison de Gallilée) près de Florence en Italie,* h/t (70x126,5) : **GBP 4 400** – Londres, 2 juin 1989 : *Après-midi de printemps* 1878, h/t (26,5x36,5) : **GBP 3 080** – Perth, 28 aout 1989 : *Le débarquement de la pêche* 1885, h/t (76x107) : **GBP 11 000** – Édimbourg, 22 nov. 1989 : *Nid de cygnes sur la Reeds* 1880, h/t (85,1x106,7) : **GBP 6 600** – Perth, 27 août 1990 : *Route à travers champs* 1873, h/t (41x58,5) : **GBP 1 760** – Glasgow, 5 fév. 1991 : *Sur la lande,* h/t (35,5x46) : **GBP 1 320** – Édimbourg, 28 avr. 1992 : *Rue de village,* h/t (41x51) : **GBP 605** – Édimbourg, 13 mai 1993 : *Paysage de lande,* h/t (35,5x50,8) : **GBP 880** – Glasgow, 1er fév. 1994 : *Moisson à Arran,* h/t (36,5x51,5) : **GBP 690** – Glasgow, 16 avr. 1996 : *La cueillette des mûres,* h/t (34x25,5) : **GBP 1 955.**

WINGE. Voir aussi **WINGHEN**

WINGE Hanna, née **Tengelin**
Née le 4 décembre 1838 à Stockholm. Morte le 9 mars 1896 à Enköping. XIXe siècle. Suédoise.
Peintre et dessinateur.
Élève de J. J. Ringdahl et de l'Académie de Stockholm. Elle exposa de 1860 à 1885.

WINGE Jeremias Van. Voir **WINGHE**

WINGE Marten Eskil
Né le 21 septembre 1825 à Stockholm. Mort le 23 avril 1896 à Enköping. XIXe siècle. Suédois.
Peintre de sujets mythologiques.
D'abord employé des postes, il fut élève de l'Académie de Stockholm et compléta son éducation à Düsseldorf et avec Couturier à Paris. Il visita Rome et Munich. De retour à Stockholm, il fut professeur à l'Académie ; et peintre de la cour en 1864. Il a fait quelques illustrations. Il fut le peintre des légendes scandinaves et les traita avec la rudesse qui les caractérise. La composition en est ample mais simple, les musculatures sont puissantes, les couleurs blafardes et sombres s'harmonisant avec les sujets.

Musées : Göteborg : *Ingebord attendant Hjalmar* – Helsinki : *Tête de vieillard* – Stockholm : *Lake et Sigyn Kraka dévêtue dans un paysage* – *Lutte de Thor contre les géants.*

WINGE Philips Van. Voir **WINGHE**

WINGE Sigurd
Né le 14 mars 1909 à Hambourg. Mort en 1970 à Trondheim. xxe siècle. Norvégien.
Peintre, sculpteur, peintre de compositions murales.
Il fut élève de l'académie des beaux-arts d'Oslo, où il eut pour professeur Axel Revold. En 1933, il séjourna en Allemagne, où il découvrit l'expressionnisme et les arts primitifs allemands. Il vécut et travailla à Oslo.
Il s'intéressa rapidement aux compositions monumentales, réalisant notamment des mosaïques, dans lesquelles il mêle les matériaux, comme le verre, la terre cuite, la pierre.

Bibliogr. : In : *L'Art du xxe s.*, Larousse, Paris, 1991.
Musées : Oslo (Nat. Gal.) : *Ange, trouve le chemin* 1946, mosaïque de verre, pierre et métal.

WINGEN Emanuel Van. Voir **WINGHEN**

WINGEN Jérémias Van. Voir **WINGHE**

WINGENDORP G.
xviie siècle. Actif à Leyde dans la seconde moitié du xviie siècle. Hollandais.
Graveur au burin.
Il grava des portraits et des frontispices.

WINGERT Edward Oswald
Né le 29 février 1864 à Philadelphie. xixe-xxe siècles. Américain.
Peintre.
Il fut élève de Thomas Hovenden, Thomas P. Anschütz et de Porter. Il travailla à Philadelphie.

WINGES Jean Baptiste Ignace, appellation erronée. Voir **ZWINGER Jean Baptiste Ignace**

WINGFIELD James Digman
Né au début du xixe siècle. Mort en 1872 à Londres. xixe siècle. Actif de 1832 à 1872. Britannique.
Peintre de scènes de genre, paysages, architectures.
Il travailla à Londres et exposa fréquemment à la Royal Academy, à la British Institution, à la Society of British Artists, de 1838 jusqu'à sa mort. La vente de ses œuvres eut lieu en juillet 1873.

Musées : Nottingham : *Cérémonie d'ouverture de la grande exposition de Hyde Park (Londres, 1er mai 1851).*
Ventes Publiques : Londres, 5 nov. 1969 : *La galerie de tableaux à Stafford House* : **GBP 820** – Londres, 2 juil. 1971 : *La galerie de peintures à Stafford House* : **GNS 700** – Londres, 29 fév. 1980 : *Hampton Court* 1846, h/t (54,6x90,1) : **GBP 2 400** – Londres, 26 juil. 1985 : *The Great Exhibition* 1851, h/pap. mar./cart. (36,8x49,5) : **GBP 2 400** – Londres, 15 juin 1990 : *L'atelier du peintre* 1856, h/t (45,7x61) : **GBP 8 800** – Londres, 11 juil. 1990 : *La galerie de peintures de Strafford House* 1848, h/t (87,5x117) : **GBP 28 600** – Londres, 3 juin 1994 : *Le fauconnier*, h/t (40,5x33) : **GBP 1 725.**

WINGFIELD Lewis Strange
Né le 25 février 1842 à Powerscourt. Mort le 17 novembre 1891 à Londres. xixe siècle. Irlandais.
Peintre d'histoire et de genre.
Élève de Couture et d'Édouard Frère. Membre de la Royal Hibernian Academy. Il exposa à Londres, notamment à la Royal Academy de 1869 à 1875. Sa santé fort délicate le gêna presque constamment dans l'exécution de ses travaux. On doit retenir de lui qu'il fut un remarquable coloriste et qu'il posséda à un haut degré le goût de la science du costume. Ce fut aussi un brillant acteur, et bien que de noble famille, il parut à diverses reprises sur le théâtre de Haymarket. Son caractère aventureux lui fit accepter le poste de correspondant de guerre durant la guerre de 1870-1871. Il y remplit même celui de chirurgien. Il agit de même durant la campagne du Soudan, en 1884. Il voyagea dans les Indes Anglaises, en Chine. Ce fut également un fécond romancier et on lui doit près de vingt volumes, il fit jouer également avec succès des pièces de théâtre, composa de la musique et fut un remarquable collectionneur d'œuvres d'art et d'antiquités. Le Musée d'Orléans conserve de lui une *Jeanne d'Arc*.

WINGFIELD Peter
Né en 1718 à Dublin. Mort en 1777. xviiie siècle. Irlandais.
Peintre sur émail et orfèvre.
Il travailla à Londres à partir de 1767 comme miniaturiste.

WINGHE Jacob Van ou **Winghen**
Né à Amsterdam. Mort le 7 août 1652 à Rome. xviie siècle. Hollandais.
Peintre.

WINGHE Jeremias Van ou **Wingen** ou **Winghen**
Né sans doute en 1578 à Bruxelles. Mort en 1645, 1648 ou 1658 à Francfort-sur-le-Main. xvie-xviie siècles. Éc. flamande.
Peintre d'histoire, portraits, dessinateur.
Élève de son père Joos Van Winghe, il travailla à Amsterdam et en Italie, puis retourna dans sa ville natale. Il imita l'art de son père.

Bibliogr. : In : *Diction. de la peinture flamande et hollandaise*, coll. Essentiels, Larousse, Paris, 1989.
Musées : Darmstadt : *Portrait d'un bijoutier* – Francfort-sur-le-Main : *Portrait de Maria Salomé von Stalburg.*
Ventes Publiques : Paris, 5 déc. 1990 : *Nature morte aux écrevisses*, h/t (60x76) : **FRF 320 000** – Londres, 19 avr. 1991 : *Phinées tuant Zimri et Cozbi la Midianite*, h/cuivre (61x49,5) : **GBP 9 900.**

WINGHE Jodocus ou **Joos** ou **Joost** ou **Joas Van**
Né en 1542 ou 1544 à Bruxelles. Mort le 18 décembre 1603 à Francfort-sur-le-Main. xvie siècle. Éc. flamande.
Peintre de compositions religieuses, compositions mythologiques, scènes de genre, cartons de tapisseries. Maniériste.
Il visita l'Italie fort jeune et passa quatre ans à Rome. À son retour à Bruxelles, il devint le peintre du duc de Parme et, en 1568, fut le peintre attitré d'Alexandre Farnèse. En 1584, il se fixa à Francfort et y acheva sa carrière.
À travers ses œuvres, il montre une connaissance de l'art de Bartholomeus Spranger, mais aussi des peintures de mascarades vénitiennes et de l'école de Fontainebleau. Il a également fait un grand nombre de dessins pour les graveurs et pour les tapisseries de hautes lisses.
Bibliogr. : In : *Diction. de la peinture flamande et hollandaise*, coll. *Essentiels*, Larousse, Paris, 1989.
Musées : Amsterdam : *Banquet de nuit et mascarade* – Bruxelles (Mus. roy. des Beaux-Arts) : *La fête nocturne* – Budapest : *Adoration des mages* – *Diane* – Düsseldorf (Kunstmus.) : *Samson et Dalila* – Gotha : *Loth et ses filles* – Saint-Pétersbourg (Mus. de l'Ermitage) : *Jupiter et Cérès* – Vienne (Kunstmus.) : *Deux versions de Apelle et Campaspe.*
Ventes Publiques : Paris, 9-10 nov. 1953 : *La Présentation au temple*, aquar. : **FRF 14 500** – New York, 22 oct. 1970 : *Scène de marché* : **USD 3 250.**

WINGHE Philips Van ou **Winge**
Né en 1560 à Louvain. Mort en 1592 à Florence. xvie siècle. Éc. flamande.
Dessinateur, médailleur.
Élève de son oncle Ant. Morillon à Louvain. Ce savant exécuta des moulages d'après des œuvres de la Renaissance.

WINGHEN Emanuel Van
xviie siècle. Actif dans la seconde moitié du xviie siècle. Éc. flamande.
Graveur au burin.
Élève de J. Neeff à Anvers. Il travailla à Francfort-sur-le-Main de 1690 à 1697.

WINGMARK Mattias
Mort en 1810. xixe siècle. Actif à Götenborg. Suédois.
Sculpteur.

WINIARSKI Ryszard
Né en 1936 à Lvov. XXe siècle. Polonais.
Peintre.
Il a fait ses études à l'École Polytechnique d'abord et par la suite à l'Académie des Beaux-Arts à Varsovie, où il vit et travaille.
Ses œuvres ont été exposées au Carnegie Institute à Pittsburgh (1967). En 1966 Winiarski a obtenu pour une série de compositions le premier prix octroyé par un Symposium d'Artistes et de Savants organisé par les Établissements de l'Industrie chimique Azoty à Pulawy.
Dans ses ouvrages fondés sur ses connaissances mathématiques, il essaye de résoudre le problème de la présentation visuelle des distributions statistiques où les sphères des distributions ont pour la plupart une structure tirée au sort. Dans toutes ses œuvres le point de départ consiste en un programme préalablement adopté et rigoureusement défini. Certaines compositions constituent un enregistrement des distributions statistiques fixées par une méthode mécanique, par exemple par un procédé photographique.
Bibliogr. : Mieczyslaw Porebski : Catalogue de l'exposition *Peinture Moderne Polonaise – Sources et recherches*, Musée Galliéra, Paris, 1969 – in : Catalogue de l'exposition *Abstraction-Création 1931-1936*, Westfälisches Landesmus. für Kunst und Kulturgeschichte, Münster, Musée d'Art moderne de la Ville, Paris, 1978.

WINIECKI Wladyslaw
Né en 1941. XXe siècle. Polonais.
Peintre.
Il fait ses études à l'Académie des Beaux-Arts de Varsovie où il vit et travaille.

WINK Christian ou **Johann Christian Thomas**. Voir **WINCK**

WINK J.
XIXe siècle. Allemand.
Peintre de natures mortes et d'animaux.
Médaille de bronze à Paris en 1900 à l'Exposition universelle.
Musées : Melbourne (Nat. Gal. of Victoria) : *Nature morte et écureuils – Nature morte et lapins.*
Ventes Publiques : Paris, 23 déc. 1926 : *Fleurs*, deux toiles : **FRF 2 200**.

WINK Johann Amandus
Né en 1748 à Eichstädt (Bavière). Mort en 1817 à Munich. XVIIIe-XIXe siècles. Allemand.
Peintre de natures mortes, fleurs et fruits.
Ventes Publiques : Londres, 24 avr. 1981 : *Nature morte aux fruits* 1811, h/t (44,4x100,4) : **GBP 5 200** – Amsterdam, 29 nov. 1988 : *Nature morte de légumes, fruits et gibier sur une console de pierre* 1788, h/t (59x74,7) : **NLG 8 050** – Londres, 18 oct. 1989 : *Natures mortes de fleurs dans des vases*, h/pan., une paire (chaque 35,5x27) : **GBP 83 600** – New York, 10 jan. 1991 : *Nature morte de fruits, fleurs et insectes sur un entablement de marbre* 1797, h/cuivre, une paire (47x66,5) : **USD 93 500** – Munich, 12 juin 1991 : *Un épagneul King Charles* 1797, h/t (40x57) : **DEM 33 000** – New York, 10 oct. 1991 : *Importante composition avec des fruits et des fleurs d'été entremêlés survolés de papillons et autres insectes sur un entablement de marbre*, h/t (49,5x38,1) : **USD 77 000** – Munich, 10 déc. 1991 : *Chat sauvage tenant sous sa patte une mésange charbonnière morte* 1797, h/t (40x56) : **DEM 17 250** – New York, 16 jan. 1992 : *Nature morte d'importantes compositions de fruits avec des oiseaux sur entablement*, h/cuivre, une paire (chaque 30,5x42,2) : **USD 165 000** – Londres, 11 déc. 1992 : *Cochons d'Inde et lapins dans des paysages montagneux* 1806, h/pan., une paire (17,2x23,2) : **GBP 8 250** – Londres, 10 déc. 1993 : *Nature morte de fruits sur des entablements de marbre, avec des papillons, libellule, chenille et escargots* 1798, h/pan. (30,8x37,6) : **GBP 78 500** – New York, 15 jan. 1993 : *Nature morte d'une rose, de volubilis et autres fleurs dans un vase*, h/t (33,7x26) : **USD 9 775** – Londres, 22 avr. 1994 : *Nature morte avec un singe et des fruits sur un entablement* 1804, h/pan. (23x30) : **GBP 12 650** – New York, 18 mai 1994 : *Composition de fleurs et de fruits sur un entablement de marbre* 1800, h/pan. (42x31,5) : **USD 46 000** – New York, 14 jan. 1994 : *Nature morte de fleurs et de fruits avec des insectes et une souris* 1801, h/t (31,1x41,4) : **USD 25 300** – Monaco, 2 déc. 1994 : *Coupes de fruits sur un entablement*, h/pan., une paire (chaque 18x14) : **FRF 39 960** – Paris, 9 déc. 1994 : *Bouquet de fleurs sur un entablement* 1826, gche (52,5x43) : **FRF 45 000** – Londres, 28 mars 1996 : *Épagneul nain blanc et roux avec une pomme dans un paysage* (41,3x57,7) : **GBP 10 925**.

WINK Joseph Gregor ou **Winckh** ou **Winck** ou **Winkh**
Né le 8 mai 1710 à Deggendorf. Mort le 11 avril 1781 à Hildesheim. XVIIIe siècle. Allemand.
Peintre de sujets religieux, scènes de genre, fresques.
Il décora de fresques une partie de la cathédrale de Hildesheim, l'église des Jésuites de Büren ainsi que de nombreuses églises, abbayes et châteaux des environs.
Musées : Augsbourg (Mus. mun.) : *Dernière communion de saint Wolfgang.*
Ventes Publiques : Monaco, 5-6 déc. 1991 : *Musicien au verre de vin*, h/t (48x36) : **FRF 38 850**.

WINKEL Hans Georg
XVIIe siècle. Actif à Bregenz dans la seconde moitié du XVIIe siècle. Autrichien.
Sculpteur.

WINKEL Irène
Née le 16 mai 1891 à Moscou. XXe siècle. Active en Allemagne. Russe.
Peintre, graveur.
Elle fut élève de l'académie des beaux-arts de Dresde, puis de Martin Brandenburg et d'Emil Orlik.

WINKEL Joseph
Né le 4 mars 1875 à Cologne. Mort le 18 décembre 1904 à Düsseldorf. XIXe siècle. Allemand.
Peintre de genre.
Élève d'Ed. von Gebhardt et d'Arthur Kampf à Düsseldorf. Le Musée de Cologne conserve de lui une *Danse macabre.*

WINKEL Philipp Van den
XVe siècle. Travaillant à Bruges vers 1450. Éc. flamande.
Peintre.

WINKEL Pieter Van
XVIIIe siècle. Travaillant à Haarlem de 1738 à 1754. Hollandais.
Dessinateur de cartons et aquafortiste.

WINKEL Thérèse Émilie Henriette aus dem ou **Winckel**
Née le 20 décembre 1779 à Weissenfels. Morte le 7 mars 1867 à Dresde. XIXe siècle. Allemande.
Peintre.
Fille d'un officier saxon, elle se fit une réputation dans la société allemande comme peintre et comme harpiste. Le Musée municipal de Bautzen conserve de nombreuses œuvres de cette artiste.

WINKELES. Voir **WINKLES**

WINKELHOVEN Anton Van ou **Wincelhoven**
XVIe siècle. Actif à Malines en 1577. Éc. flamande.
Peintre.

WINKELHOVEN Jan Van
Né en 1588 à Malines. XVIIe siècle. Éc. flamande.
Peintre.
Membre de la gilde en 1618.

WINKELHOVEN Peeter I Van ou **Wincelhoven**
XVIe siècle. Actif à Malines en 1547. Éc. flamande.
Peintre.

WINKELHOVEN Peeter II Van
Né en 1601 à Malines. XVIIe siècle. Éc. flamande.
Peintre et sculpteur.

WINKELHOVEN Walter ou **Gauthier**
XVIIe siècle. Actif à Malines de 1675 à 1689. Éc. flamande.
Sculpteur sur bois et doreur.
Il sculpta des cadres d'apparat pour des peintures.

WINKELIRER Josef
Né en 1800 à Düsseldorf. XIXe siècle. Allemand.
Peintre d'histoire, portraits, paysages.
Élève de l'Académie de Düsseldorf. Le Musée de Leipzig conserve de lui *Le Christ prêchant sur la montagne.*

WINKELMANN Frieda. Voir **KRETSCHMANN-WINCKELMANN Frieda**

WINKELMANN Johann Frederic ou **Friedrich**
Né en 1767 ou 1772 à Hanovre. Mort en 1821 à Hanovre. XVIIIe-XIXe siècles. Allemand.
Peintre de portraits.
Il fit ses études avec Oeser et Graf, et obtint une bourse du roi d'Angleterre pour le portrait du duc d'York. Après avoir voyagé en Allemagne, en Italie, en Pologne, il s'établit à Dresde, où il reçut des conseils de Grassi. A Paris, il fit une copie du tableau de David *Napoléon traversant les Alpes*. Cette copie se trouve à Hambourg.

WINKELMANN Johann Leonhard
Originaire de Westphalie. XVIIIe siècle. Travaillant à Prague en 1706-1707. Autrichien.
Dessinateur.

WINKELMASZ Peter
XVe siècle. Autrichien.
Peintre et verrier.
Il travailla pour l'église Saint-Pierre de Salzbourg de 1461 à 1489.

WINKER Johann ou **Winter**
Né vers 1651 dans les Flandres. Mort le 20 janvier 1716 à Rome. XVIIe-XVIIIe siècles. Éc. flamande.
Peintre.
Il s'établit à Rome en 1684.

WINKFIELD Frederick Arthur
XIXe-XXe siècles. Actif à Fulham de 1873 à 1920. Britannique.
Peintre de paysages, paysages d'eau, marines.
Il exposa à Manchester de 1873 à 1875 et à Londres jusqu'en 1909.
Ventes Publiques : Londres, 26 sep. 1985 : *Vue de Liverpool depuis Egremont ; Voiliers par temps ensoleillé*, h/t, une paire (22x35) : **GBP 1 400** – Londres, 21 mars 1990 : *Liverpool vu d'Egremont ; Frégates par beau temps*, h/t, une paire (chaque 22,5x34,5) : **GBP 2 420** – Londres, 11 mai 1994 : *Waterloo Bridge*, h/t (35,5x61) : **GBP 4 715**.

WINKLER Alois
Né le 21 juin 1848 à Weerberg. Mort le 7 avril 1931 à Schwaz. XIXe-XXe siècles. Autrichien.
Sculpteur de compositions religieuses.
Il fut élève de Dominik Trenkwalder à Innsbruck, où il vécut et travailla. Il travailla pour les églises de cette ville. Il sculpta les maîtres-autels des églises de Schwaz et de Taufers, ainsi que des tombeaux et des crucifix.

WINKLER Andreas
Né le 28 novembre 1793 à Mühlen (près de Taufers). Mort le 26 février 1832 à Mühlen. XIXe siècle. Autrichien.
Peintre.
Élève de l'Académie de Vienne. Il peignit les tableaux d'autel des églises de Lappach et de Niederrasen.

WINKLER Erwin
XVIIIe-XIXe siècles. Travaillant à Vienne de 1784 à 1805. Autrichien.
Modeleur de porcelaine.

WINKLER Ferdinand
Né le 10 avril 1879 à Graz. XXe siècle. Autrichien.
Sculpteur de figures, monuments.
Il fut élève de l'académie des beaux-arts de Vienne, où il vécut et travailla. Il sculpta des monuments aux morts.
Musées : Graz (Gal. nat.) : *Anier.*
Ventes Publiques : New York, 20 juil. 1995 : *Dame au miroir*, bronze (H. 34,9) : **USD 1 150**.

WINKLER Franciscus
Né à Saint-Gotthard. XVIIIe siècle. Autrichien.
Peintre.
Élève de l'Académie de Vienne. Il se fixa à Budapest en 1770.

WINKLER Franz Josef, appellation erronée. Voir **WINTER Franz Josef**

WINKLER Fritz
Né le 7 août 1894 à Dresde. XXe siècle. Allemand.
Peintre d'animaux, paysages, marines, aquarelliste, graveur.
Il fut élève de l'académie des beaux-arts de Dresde.
Musées : Dresde (Gal. mod.) : *Cheval blanc.*
Ventes Publiques : Munich, 1er-2 déc. 1992 : *Voilier* 1927, aquar. et encre (32x50) : **DEM 1 035**.

WINKLER Georg
Né le 31 janvier 1862 à Fladnitz. Mort le 2 février 1933 à Graz. XIXe-XXe siècles. Autrichien.
Sculpteur d'animaux, statues, décorateur.
Il fut élève de l'académie des beaux-arts de Vienne. Il sculpta des tombeaux et des statues d'animaux.

WINKLER Georg Christoph
Mort après 1716. XVIIIe siècle. Actif à Graz. Autrichien.
Sculpteur.
Il sculpta la colonne de la Vierge et probablement la statue de saint Joseph sur la façade de l'abbatiale d'Admont en 1712.

WINKLER Georg Friedrich
Né le 14 mars 1772 à Dresde. Mort le 4 septembre 1829 à Dresde. XVIIIe-XIXe siècles. Allemand.
Peintre de décors de théâtre.
Fils d'un machiniste de théâtre, il commença fort jeune son métier de peintre de décors. Il étudia à Vienne et fut nommé au théâtre de la cour, à Dresde en 1800. En 1815, il fut appelé au même poste à la cour de Berlin. Il a publié un ouvrage sur son art.

WINKLER Hans
XVIe siècle. Travaillant à Zug. Suisse.
Sculpteur sur bois.
Il sculpta surtout des plafonds. Le Musée national de Zurich conserve un de ces plafonds provenant de l'église de Stallikon (1515).

WINKLER Jakob
XVIe siècle. Actif dans la première moitié du XVIe siècle. Suisse.
Sculpteur sur bois et ébéniste.
Il a sculpté le plafond de l'église de Mettmenstetten en 1521.

WINKLER Jean
XVIIIe siècle. Actif au Tyrol dans la seconde moitié du XVIIIe siècle. Autrichien.
Peintre.
Il a peint le plafond de l'église d'Albeins, en 1789.

WINKLER Jean Christophe ou **Johann Christoph**
Né en 1701 à Augsbourg. Mort vers 1770 à Vienne. XVIIIe siècle. Allemand.
Graveur au burin et éditeur.
Il a gravé des sujets d'histoire, des portraits et des illustrations de livres d'art.

WINKLER Johann Georg
Né à Hall (Tyrol). XVIIIe siècle. Actif dans la seconde moitié du XVIIIe siècle. Autrichien.
Peintre.
Élève de l'Académie de Vienne.

WINKLER Johann Michael
Né en 1729 à Schleissheim. Mort le 28 janvier 1796 à Vienne. XVIIIe siècle. Autrichien.
Miniaturiste.
Il fut peintre à la cour de Vienne et peignit des portraits de membres de la famille impériale.

WINKLER John W.
Né le 30 juillet 1890. XXe siècle. Depuis 1907 actif aux États-Unis. Autrichien.
Peintre d'architectures, paysages urbains, graveur.
Fixé en Amérique en 1907, il exécuta des architectures et des motifs de la ville chinoise de San Francisco. Graveur, il a privilégié la technique de l'eau-forte.

WINKLER Josef
XVIIIe siècle. Actif à Mahrisch-Trübau. Autrichien.
Sculpteur.
Il travailla pour l'église de Biskupitz en 1776.

WINKLER Joseph
Né vers 1839 à Traunstein. Mort en juillet 1877 à Munich. XIXe siècle. Allemand.
Peintre de paysages.
La Pinacothèque de Munich conserve de lui *Paysage de haute montagne au clair de lune.*

WINKLER Michael
XVIIe siècle. Autrichien.
Sculpteur.
Il travailla pour l'église Saint-Maurice de Bozen en 1693.

WINKLER Olaf. Voir **WINCKLER**

WINKLER Othmar
Né en 1906 à Brixen. XXe siècle. Autrichien.
Sculpteur de portraits, figures.
Il travailla à Bruneck, à Gröden et, à partir de 1929, à Rome où il exposa en 1932 des portraits et des figures.

WINKLER S.
XIXe-XXe siècles. Polonais.
Peintre de fleurs.
Peintre et théoricien, il a exposé en 1928 un tableau de fleurs, avec les peintres du groupe Praesens, à la Section Polonaise du Salon d'Automne, à Paris, organisée par la Société d'Échanges Littéraires et Artistiques entre la France et la Pologne.

WINKLER Woldemar
Né le 17 juin 1902 près de Dresde. XXe siècle. Allemand.

Peintre, sculpteur de figures, auteur d'assemblages. Fantastique.

Après la Première Guerre mondiale, il se destine à la décoration intérieure et entre à l'Académie de Dresde en 1921. Il y étudie la peinture et le dessin avec Carl Rade. À partir de 1928 il y enseigne lui-même la peinture et en devient directeur en 1929. Après la Deuxième Guerre mondiale, il s'installe en Allemagne Occidentale. Dès lors il se consacre à la peinture et fait de nombreuses expositions.

Le monde de Winkler n'est pas paisible. Avec ce que le hasard lui met sous la main, vieux morceaux de bois, fonds de boîtes rouillées, déchets de toutes sortes, mais aussi simple papier blanc, Winkler se met à fabuler et transforme les matériaux d'origine. Fantastique, voire surréaliste, l'œuvre de Winkler propose un fourmillement d'êtres hybrides saisis de frénésie.

WINKLER, sœur Beata

Née à Wolfsberg (Carinthie). xxe siècle. Autrichienne.

Peintre. Abstrait.

Elle fait ses études à l'Académie des Beaux-Arts de Vienne en 1945, et obtient en 1951 une bourse d'études pour Paris. En 1952 elle entre au monastère des Bénédictines de Vanves. Elle montre ses œuvres dans des expositions particulières à Brest et à Reims. Elle fait des collages, des gouaches et du batik. Son expression est tachiste. Elle a exécuté des tentures murales en batik pour de nombreuses chapelles de la région parisienne, ainsi que pour le Vatican, le Musée de Reims, et aussi d'après les maquettes de Léon Zack : deux batiks pour la ville du Puy et un batik pour Saint-Pierre-Mousserole au Pays Basque.

WINKLES B. ou **Winkeles**

xixe siècle. Britannique.

Graveur sur acier.

Il grava des architectures et surtout les cathédrales de France.

WINKLES Henry

xixe siècle. Actif à Karlsruhe. Britannique.

Graveur.

Il a gravé des vues et des architectures. Il exposa à Londres de 1819 à 1832.

WINKOOP Johan Walraven Van

Né le 17 mars 1893 à Djember (Java). xxe siècle. Hollandais.

Peintre, graveur.

Il fut élève de G. W. P. Van Dockkum. Il vécut et travailla à Utrecht.

WINN James Herbert

Né le 10 septembre 1866 à Newburyport (Massachusetts). xixe-xxe siècles. Américain.

Peintre, sculpteur, graveur.

Il fut élève de l'Institut d'Art de Chicago. Il fut membre de la Ligue Américaine des Artistes Professeurs. Il travailla à Chicago et Pasadena.

WINNBERG Ake

Né en 1912. Mort en 1974. xxe siècle. Suédois.

Peintre d'intérieurs, paysages, natures mortes.

Ventes Publiques : Stockholm, 26 mars 1953 : *Vue de ville* : **DKK 265** – Göteborg, 18 mai 1989 : *Nature morte avec des pommes*, h/t (48x60) : **SEK 9 000** – Göteborg, 17 oct. 1989 : *Lit*, h/t (50x60) : **SEK 5 200**.

WINNE Arent de

xvie siècle. Éc. flamande.

Peintre.

Père de Jan et de Lieven Winne. Il travailla pour un autel de l'église de Seveneecken (Gand) en 1511.

WINNE Baltzer ou **Balser** ou **Wiennen** ou **Winde** ou **Windell** ou **Wyn** ou **Wynne**

Mort sans doute en 1633 à Lübeck. xviie siècle. Allemand.

Sculpteur sur bois et ébéniste.

Il exécuta de nombreuses œuvres pour les églises et l'Hôtel de Ville de Lübeck. On cite de lui le buffet d'orgues dans l'église Saint-Égide.

WINNE Jan de

xvie siècle. Travaillant à Gand de 1583 à 1585. Éc. flamande.

Peintre.

Fils d'Arent de Winne. Membre de la gilde en 1583.

WINNE Lievin de

Né le 24 janvier 1821 à Gand. Mort le 13 mai 1880 à Bruxelles. xixe siècle. Belge.

Peintre d'histoire, compositions religieuses, scènes de genre, portraits.

Élève de Félix de Vigne, il hésita entre les scènes de genre et les sujets religieux, avant de préférer le portrait, sous l'influence de Jules Breton, qu'il connut en 1853 à Paris.

Il devint portraitiste officiel de la Cour de Belgique, mais sans ostentation, peignant ses personnages sur un fond simple, dans des coloris sobres, cherchant à rendre leur personnalité psychologique.

Bibliogr. : Gérald Schurr, in : *Les Petits Maîtres de la peinture 1820-1920, valeur de demain*, Les Éditions de l'Amateur, t. IV, Paris, 1979.

Musées : Anvers : *Le capitaine Van de Woestyne – L'architecte Roelandt* – Bagnères-de-Bigorre : *Le peintre au travail* – Bruxelles : *Portrait du roi Léopold Ier de Belgique – Charles d'Hoy, Jean Cardon et Mme Cardon* – Gand : *Léopold Ier – Portrait d'une dame – Frère Orban – Le docteur Vermeulen – Mme de Vigne – Le peintre Félix de Vigne – La duchesse d'Arenberg – L'architecte Edmond de Vigne – M. A. Neyt junior.*

WINNE Philips de ou **Wynts**

Mort avant 1479 à Anvers. xve siècle. Éc. flamande.

Peintre.

WINNER Gerd

Né en 1936 à Brunswick. xxe siècle. Allemand.

Peintre de paysages urbains.

La renommée de Winner a largement dépassé les frontières allemandes. Il a été invité à la Biennale de Paris en 1971.

Winner utilise une technique très personnelle de report photographique sur toile. À partir de documents photographiques qu'il réunit, il redétermine, recompose, colore, interprète et porte à des dimensions monumentales tout ou partie de ces documents initiaux. Il apporte un soin extrême aux matières, à l'enrichissement des ombres et des lumières, aux contrastes et aux couleurs purement inventées. S'inscrivant dans le courant réaliste qui s'est rapidement développé tant en Europe qu'aux U.S.A. dès la fin des années soixante, Winner s'y caractérise par un évident romantisme. Il paraît avoir une prédilection pour les thèmes les plus quotidiens, banaux, maussades, auxquels il donne une évidente grandeur. On cite parmi les séries qu'il a déjà réalisées : les *Balayeuses* ; les *Locomotives* ; les *Vespasiennes de Berlin* ; les *Bus londoniens* ; les *Cabines téléphoniques* ; les *Docks londoniens*.

Ventes Publiques : Munich, 1er-2 déc. 1992 : *Marcus*, sérig. en coul./t (172,5x112,5) : **DEM 1 265**.

WINNER William E.

Mort en 1883. xixe siècle. Actif à Philadelphie. Américain.

Peintre de scènes de genre, portraits, paysages.

Il exposa à Philadelphie de 1843 à 1881.

Ventes Publiques : New York, 22 oct. 1969 : *Fairmount park, Philadelphia* : **USD 1 750** – New York, 2 déc. 1982 : *Newsboy* 1864, h/cart. (65,5x51,3) : **USD 6 500** – New York, 23 mai 1991 : *Panorama de Philadelphie depuis le parc Fairmount* 1871, h/t (81,3x111,8) : **USD 28 600**.

WINNEWISSER Rolf

Né en 1949 à Niedergösgen. xxe siècle. Suisse.

Peintre, aquarelliste, peintre à la gouache.

Il fut élève de l'École des Métiers d'Art de Lucerne. Il vit à Lucerne.

Certaines de ses réalisations, presque toujours dessinées et rehaussées d'aquarelle, ne dédaignent pas de s'approcher du dessin d'humour ; la plupart obéissent à la fantaisie du moment, avec un évident plaisir poétique.

Bibliogr. : Theo Kneubühler, in : *Art : 28 Suisses*, Gall. Raeber, Lucerne, 1972.

Musées : Aarau (Aargauer Kunsthaus) : *L'Arche* 1975, aquar. – *Sans Titre* 1977, gche – *Sans Titre* gche.

WINNINGER Franz

Né le 4 octobre 1893 à Vienne. xxe siècle. Actif en Allemagne. Autrichien.

Peintre de paysages.

Il fit ses études à Vienne, à Munich et à Paris. Il vécut et travailla à Berlin.

Il peignit des paysages d'Afrique.

WINOGRADOFF. Voir **VINOGRADOV**

WINQVIST Berta

Née en 1840. XIXe siècle. Suédoise.

Peintre de paysages et d'architectures.

Élève de l'Académie de Stockholm.

WINQVIST Jacob August

Né le 25 juillet 1810 à Göteborg. Mort le 16 janvier 1892 à Stockholm. XIXe siècle. Suédois.

Dessinateur, paysages.

Il exposa à Stockholm de 1840 à 1863. Il collabora à plusieurs illustrés suédois et danois. Les Musées d'Oestersund et de Stockholm conservent des œuvres de cet artiste.

WINRICH Hermann. Voir **WYNRICH**

WINS Johan Willem Marius

Né le 2 mars 1881 à Macassar. XXe siècle. Hollandais.

Peintre, graveur.

Il fut élève de C. Nuys et de J. C. Nijland. Graveur, il privilégia la technique de l'eau-forte.

WINSBERG Jacques

Né le 17 mars 1929 à Paris. XXe siècle. Français.

Peintre de portraits, paysages, natures mortes.

Il a commencé à montrer sa peinture vers 1950, alors qu'il était comédien, ayant joué dans *Huis-clos* de Sartre, fait du mime, chanté dans les cabarets. Il a séjourné à diverses reprises en Espagne. Depuis 1956, il vit et travaille à Eygalières.

Il participe à de nombreuses expositions de groupe dans le monde entier, notamment régulièrement à Paris, au Salon d'Automne dont il fut membre sociétaire à partir de 1954, aux Salons d'Art Sacré, Comparaisons, Terres Latines, de Mai ; 1959 Ire Biennale de Paris ; ainsi qu'au Japon, au Canada, en Tunisie, Allemagne, en 1958 à la Biennale de la Jeune Peinture contemporaine à Bruxelles, en 1959 au musée des Beaux-Arts de Caracas. En 1956, il a obtenu le Prix de la Jeune Peinture. Il a montré plusieurs expositions personnelles de ses œuvres à Paris, régulièrement depuis 1954, ainsi que : 1968 musée de l'Athénée à Genève, 1969 centre culturel de la Sada à Nîmes, 1971 Maison de la culture de Bourges.

Peintre figuratif, il exprime ses sensations devant la nature et les êtres. Son œuvre se situe autour de quelques thèmes principaux : la Camargue, l'Espagne, la tauromachie, des natures mortes, des portraits.

Bibliogr. : Raymond Nacenta : *L'École de Paris*, Gazette des Beaux-Arts, Paris.

Musées : Londres (Tate Gal.).

WINSENTS Barteld

XVIIe siècle. Hollandais.

Sculpteur sur bois.

Il a sculpté la chaire dans l'église de Sneek.

WINSLOW Carl

Né le 19 février 1796 à Copenhague. Mort le 6 octobre 1834 à Copenhague. XIXe siècle. Danois.

Dessinateur de portraits et acteur.

Petit-fils de Peter Christian Winslow.

WINSLOW Earle B.

Né le 21 février 1884 à Northville (Michigan). XXe siècle. Américain.

Peintre.

Il fut élève de l'Art Students' League de New York et de l'Art Institute de Chicago. Il fut membre du Salmagundi Club.

WINSLOW Eleanor C. A.

Née en mai 1877 à Norwich. XXe siècle. Américaine.

Peintre, illustrateur.

Elle vécut et travailla à New York.

WINSLOW Henry

Né le 13 juillet 1874 à Boston (Massachusetts). XIXe-XXe siècles. Actif en Grande-Bretagne. Américain.

Peintre, graveur.

Il fut élève de l'École des Beaux-Arts de Paris et de Whistler. Il vécut et travailla à Londres.

Peintre, il pratiqua aussi l'eau-forte et la gravure au burin.

Ventes Publiques : Londres, 6 fév. 1974 : *Paris-Soir* : **GBP 600** – Londres, 16 mars 1977 : *Paris soir*, h/cart. (51x49) : **GBP 780.**

WINSLOW Peter Christian

Né en 1708 à Baarse. Mort après 1756 en Russie. XVIIIe siècle. Danois.

Médailleur.

Il grava des médailles à l'effigie de princes de la cour ou représentant des événements contemporains.

WINSOR Jackie

Née en 1941. XXe siècle. Américaine.

Sculpteur.

Connue aux États-Unis depuis les années soixante-dix, elle montre pour la première fois ses œuvres dans une exposition personnelle en France en 1988 au centre d'art contemporain du domaine de Kerguéhennec.

Héritier des minimalistes, elle en retient les formes élémentaires mais non pas les principes de modules et de modèles standardisés. Elle travaille à partir de matériaux pauvres (chanvre, planches de bois, objets du quotidien). Son travail, produit d'une nécessité intérieure, se révèle intime, séduisant, échappant à la neutralité de l'œuvre minimale.

Bibliogr. : Anne Dagberg : *Jackie Winsor après le minimalisme*, Art Press, Paris, fin 1988.

Musées : Paris (FNAC) : *Bound Gird* 1971-1972.

Ventes Publiques : New York, 2 mai 1991 : *Coffret de gaze* 1981, bois et gaze (82,5x82,5x82,5) : **USD 19 800.**

WINSTALEY Paul

XXe siècle. Britannique.

Peintre d'intérieurs, paysages.

Il montre ses œuvres dans des expositions personnelles : 1997 galerie Nathalie Obadia à Paris.

Il réalise des paysages, des espaces occupés de quelques pièces de mobilier, souvent en diptyque, tremblés, monochromes gris ou sépia, qui évoquent des photographies. Son univers d'où l'homme est absent dit la vacuité.

Bibliogr. : *Paul Winstaley. Par le vide attiré*, Beaux-Arts, n° 152, Paris, janv. 1997.

WINSTANLEY Hamlet

Né en 1698 à Warrington. Mort le 18 mai 1756 à Warrington. XVIIIe siècle. Britannique.

Peintre et graveur au burin.

Fils de Henri Winstanley. Il fut élève de sir Godfrey Kneller et s'établit d'abord comme peintre de portraits. Après un voyage en Italie, il se fixa à Londres comme graveur. Il a gravé notamment une suite de vingt-cinq planches reproduisant des tableaux de la collection de Lord Derby.

WINSTANLEY Henry

Né en 1644 à Littlebury. Mort le 18 novembre 1703 près de Plymouth. XVIIe siècle. Britannique.

Aquafortiste et ingénieur.

Père de Hamlet Winstanley. Il grava des architectures.

WINSTANLEY William

XVIIIe-XIXe siècles. Américain.

Peintre.

Il exposa à New York en 1795 et à Londres en 1806.

WINSTON Charles

Né le 10 mars 1814 à Lynington. Mort le 3 octobre 1864 à Londres. XIXe siècle. Britannique.

Peintre verrier, amateur et écrivain d'art.

Il a légué à la nation anglaise une importante collection de copies de vitraux.

WINSTON J.

XVIIIe-XIXe siècles. Actif à Londres. Britannique.

Dessinateur d'architectures.

Il exposa de 1797 à 1812, surtout des bâtiments de Londres.

WINT Jean Baptiste Van

Né vers 1835 à Anvers (?). Mort le 8 décembre 1906 à Bruxelles. XIXe siècle. Belge.

Sculpteur de figures religieuses, statues.

Il sculpta des statues de saints, des bas-reliefs et des calvaires pour des églises d'Anvers et d'Ostende.

WINT Peter de

Né le 21 janvier 1784 à Stone (Staffordshire). Mort le 30 juin 1849 à Londres. XIXe siècle. Britannique.

Peintre de sujets de genre, paysages, paysages d'eau, paysages de montagne, architectures, aquarelliste, dessinateur.

Élève de John Raphaël Smith chez lequel il se lia intimement avec Hilton, le peintre d'histoire, frère de sa future femme. Descendant d'une famille hollandaise émigrée en Amérique, il n'avait pu se résoudre à abandonner sa vocation d'artiste et à suivre la profession de médecin qu'exerçait son père. Il entra, en 1807, aux écoles de l'Académie Royale, mais n'y exposa qu'accidentellement. En 1810, il devint associé de la Société des Aquarellistes. Nommé membre en 1812, il y fit de nombreux envois. Il voyagea fort peu en dehors de sa patrie qui lui fournit, et particulièrement le Lincolnshire, tous les sujets de ses travaux. Il fut enterré dans la Sovoy Chapel, à Westminster. Peter de Wint est considéré comme l'un des plus délicats aquarellistes anglais.

Influencé par Girtin, il produisit de grandes aquarelles d'un agencement calme, d'ailleurs il a toujours gardé une manière simple et limpide dont l'influence hollandaise n'est peut-être pas étrangère. Lorsqu'il peignait à l'huile, il laissait transparaître l'influence de Turner. Il travailla à l'adaptation de croquis de voyages, tels que *Le Paysage sicilien* du Major Light (1823) ou les *Vues du Midi de la France* de John Hugues (1825).

Musées : Birmingham : *Église de Bray sur la Tamise – La moisson – Cour de ferme* – Blackburn – Cardiff – Dublin – Édimbourg – Glasgow : aquarelles – Leicester : *Lincoln* – une aquarelle – Londres (Victoria and Albert Mus.) : *Champ de blé – Orage, un ermite entre dans sa grotte – Fenaison – Paysage boisé – Vue de l'île de Wight* – aquarelles – Manchester – Norwich – Nottingham : *Aquarelles* – Reading : *Fenaison* – Sydney : *Aquarelle*, étude – Victoria, australie : *Champ moissonné.*

Ventes Publiques : Londres, 1875 : *Lancastre* : **FRF 25 000** ; *Southall* : **FRF 43 500** – Londres, mars 1878 : *Vue de Lincoln* : **FRF 19 025** – Londres, 1892 : *Vue de Cambridge* : **FRF 15 740** – Londres, 1897 : *Lincoln, le matin* : **FRF 12 850** – Londres, 1898 : *Près du bord de la rivière de Wilham* : **FRF 14 950** ; *Environs du château de Lowter* : **FRF 11 800** – Londres, 1899 : *Les glaneurs dérangés* : **FRF 14 425** – Londres, 9 avr. 1910 : *Pull's Ferry ; Water Gate, Norwich* : **GBP 252** – Londres, 16 avr. 1910 : *Dans un champ de blé* : **GBP 102** ; *Cross Deep Twickenham* : **GBP 136** ; *Randall's Mill* : **GBP 105** ; *Berncastel sur la Moselle* : **GBP 56** ; *Fermes près d'un étang* : **GBP 63** – Londres, 6 mai 1910 : *Lincoln, la cathédrale à une certaine distance* : **GBP 141** – Londres, 23 mai 1910 : *Saint-Albans* : **GBP 99** – Londres, 16 juin 1922 : *La moisson*, dess. : **GBP 462** – Londres, 7 juil. 1922 : *Whitby*, dess. : **GBP 840** ; *Douvres*, dess. : **GBP 892** – Londres, 27 avr. 1923 : *La moisson*, dess. : **GBP 336** ; *Barden Tower*, dess. : **GBP 252** – Londres, 29 juin 1923 : *Crowland Abbey*, dess. : **GBP 420** ; *Vue de Lynn*, dess. : **GBP 546** – Londres, 19 juin 1925 : *Labourage*, dess. : **GBP 315** – Londres, 30 avr. 1926 : *Torksey Castle*, dess. : **GBP 577** – Londres, 22 juil. 1927 : *La cathédrale de Gloucester*, dess. : **GBP 367** – Londres, 23 mars 1928 : *Matlock village*, dess. : **GBP 525** – Londres, 20 juil. 1928 : *Village au bord de la Tamise*, dess. : **GBP 388** – Londres, 16 mai 1930 : *Swaledale, paysage boisé*, dess. : **GBP 252** – Londres, 19 juil. 1935 : *Champ de foin*, dess. : **GBP 315** – Londres, 6 mars 1936 : *Paysage montagneux*, dess. : **GBP 252** – Londres, 12 déc. 1938 : *La rivière Norfolk*, dess. : **GBP 178** – Londres, 12 sep. 1941 : *Femmes dans un paysage*, dess. : **GBP 378** ; *Basden Taver en automne*, dess. : **GBP 325** – Londres, 30 nov. 1945 : *Prairie près d'une rivière*, dess. : **GBP 420** – Londres, 14 déc. 1949 : *Panorama d'Exeter*, aquar. : **GBP 750** – Londres, 24 mars 1950 : *Paysage montagneux*, h/t : **GBP 262** – Londres, 18 oct. 1950 : *Fenaison*, h/t : **GBP 190** – Londres, 15 nov. 1950 : *Le chemin du village*, h/t : **GBP 100** – Londres, 15 déc. 1950 : *La fontaine*, aquar. : **GBP 115** – Londres, 24 jan. 1951 : *La cathédrale de Gloucester*, dess. : **GBP 160** – Londres, 30 nov. 1960 : *Bolton Abbey*, dess. : **GBP 260** – Londres, 13 juil. 1965 : *Vue panoramique de Lincoln*, aquar. : **GNS 2 400** – Londres, 22 fév. 1966 : *Cavalier près de Kenilworth Castle*, aquar. : **GNS 400** – Londres, 6 juin 1967 : *Vue de Clare College, Cambridge*, aquar. : **GNS 480** – Londres, 11 juin 1968 : *Vue du château de Windsor*, aquar. : **GNS 800** – Londres, 11 mars 1969 : *Paysage au moulin*, aquar. : **GNS 3 000** – Londres, 16 juin 1970 : *Lincoln Castle*, aquar. : **GNS 1 200** – Londres, 18 mars 1971 : *Gloucester cathedral*, aquar. : **GBP 1 500** – Londres, 11 juil. 1972 : *Paysage près de Lowther*, aquar. : **GNS 1 000** – Londres, 6 nov. 1973 : *Troupeau se désaltérant*, aquar. : **GNS 2 800** – Londres, 18 juil. 1974 : *Melton near Norwick*, aquar. : **GBP 2 000** – Londres, 1er avr. 1976 : *L'écluse*, aquar. (21x28,5) : **GBP 3 100** – Londres, 1er mars 1977 : *Les meules de foin*, aquar., deux feuilles (25x53,5) : **GBP 3 800** – Londres, 19 juin 1979 : *Cavalier dans un paysage*, aquar. (28,5x45,7) : **GBP 13 000** – Londres, 23 nov 1979 : *Scène de moisson*, h/cart. (17,2x25,4) : **GBP 1 000** – Londres, 11 nov. 1982 : *Scène de moisson*, aquar. et cr. (15,5x63) : **GBP 13 000** – Londres, 15 nov. 1983 : *Matlock High Tor from the South*, aquar. et cr. (43,6x60,5) : **GBP 21 000** – Londres, 6 juil. 1983 : *Jeune fille en robe bleue dans un paysage*, h/t (42x52) : **GBP 1 200** – Rome, 20 nov. 1984 : *Un bûcheron et autres personnages*, craie noire et blanche/pap. gris-bleu (18,5x26,3) : **GBP 550** – Londres, 19 mars 1985 : *St. John's Hospital, Canterbury*, aquar. (27,8x45,5) : **GBP 11 000** – Londres, 12 mars 1987 : *Lincoln Castle*, aquar. (32,5x49) : **GBP 25 000** – Londres, 12 juil. 1989 : *Paysage au clair de lune*, h/t (51x61) : **GBP 6 600** – Londres, 9 fév. 1990 : *Personnages dans un champ de blé mis en meules dans un vaste paysage montagneux*, h/t (45,7x60,6) : **GBP 2 090** – Londres, 1er mars 1991 : *Moisson*, h/pap./cart. (50,5x24,2) : **GBP 2 200** – Londres, 10 avr. 1991 : *Paysage fluvial au crépuscule*, h/cart. (35x45,5) : **GBP 15 400** – Londres, 8 avr. 1992 : *Rivière courant au pied des falaises, probablement à Dovedale dans le Derbyshire*, h/cart. (28,5x44) : **GBP 4 400** – Londres, 9 avr. 1992 : *Shamblands*, aquar. et cr. (32x48,5) : **GBP 11 550** – Londres, 10 nov. 1993 : *Le château de Kilgarran*, h/pan. (23,5x34) : **GBP 2 530** – St. Asaph (Angleterre), 2 juin 1994 : *Fenaison*, aquar. (15x28) : **GBP 4 140.**

WINT Roger de

Né en 1942 à Bruxelles. xxe siècle. Belge.

Peintre, graveur, céramiste.

Il fit ses études dans les Académies de Bruxelles et de Watermael-Boitsfort et devint professeur de dessin et de gravure à l'Académie de Bruxelles. Il a reçu le prix Pro-Civitate en 1971. Il a réalisé en collaboration avec Roger Somville une décoration murale intitulée *Notre temps* à la station de métro Hankar à Bruxelles.

Bibliogr. : In : *Diction. Biogr. Ill. des Artistes en Belgique depuis 1830*, Arto, 1987.

Musées : Bruxelles (Cab. des Estampes) – Chicago (Art Inst.) – Ixelles – Leipzig – Liège – Miami – New York – Portland – San Francisco – Ypres.

WINT Wepko Reindert Van de, dit **Van de Wint Rudi** et **Jochum**, dit **de Schildres** (les peintres)

Né en 1942 à Den Helder. xxe siècle. Hollandais.

Peintre.

On ne saisit pas bien la raison d'être de ses diverses appellations prénominales. Il fut élève de l'Académie des Beaux-Arts d'Amsterdam.

Il participe depuis 1966 à des expositions collectives : 1967, 1978 Stedelijk Museum de Schiedam ; 1969 Städtische Kunstgalerie de Bochum ; 1971 Stedelijk Museum d'Amsterdam, Ateneum d'Helsinki, palais des beaux-arts de Bruxelles ; 1974 Serpentine Gallery de Londres ; 1975 Rheinisches Landesmuseum de Bonn, Biennale de Paris ; 1979, 9e Biennale de Paris. Il montre ses œuvres dans des expositions personnelles : 1966 Amsterdam ; 1967, 1969 Rotterdam ; 1971 Haarlem ; 1974 Hedendaagse Kunst d'Utrecht.

Parmi ses œuvres : *Tradition vue à l'envers (progression arithmétique)* et *Diagonales associées.*

Bibliogr. : In : *Catalogue de la IXe Biennale de Paris*, Idea Books, Paris, 1979.

Musées : Amsterdam (Stedelijk Mus.) – La Haye (Gemeentemus.).

WINT-ROTMANS J. K. Van de

Née en 1901 à Den Helder. xxe siècle. Hollandaise.

Peintre d'intérieurs. Naïf.

Maîtresse de maison, elle s'est mise à peindre avec méticulosité ce qui constitue le cadre dans lequel se déroule le plus clair de son existence : sa maison dans ses moindres recoins.

Bibliogr. : Dr. L. Gans : *Catalogue de la collection de Peinture Naïve Albert Dorne*, Pays-Bas, s.d.

WINTER Abraham Hendrik

Né en 1800 à Amsterdam ou à Utrecht. Mort le 28 mai 1861 à Amsterdam. xixe siècle. Hollandais.

Peintre de sujets de genre, portraits, animaux, paysages animés, graveur, lithographe.

Il fut élève de Pieter Christoffel Wonder. Il grava à l'eau-forte.

Musées : Amsterdam : *Bergerie – Johannes Petrus Schonberg* – Laval : *Le tondeur de moutons.*

Ventes Publiques : Paris, 7 juin 1943 : *L'attente du chien fidèle* : **FRF 1 220** – New York, 3 juin 1994 : *Deux épagneuls King Charles dans un paysage*, h/t (40x43,8) : **USD 5 750.**

WINTER Adriaan de

xviie siècle. Actif à la fin du xviie siècle. Hollandais.

Graveur au burin.

Il travailla à Amsterdam, surtout pour l'éditeur P. Mortier. Il grava des portraits et des paysages.

WINTER Adriaan Van

Né vers 1795. Mort en décembre 1820 à Leyde. xixe siècle. Hollandais.

Peintre de paysages.

WINTER Adrianus Joh. Jac. de
Né le 28 mai 1882 à Utrecht. XXe siècle. Hollandais.
Peintre d'animaux, graveur. Expressionniste.
Il fit ses études à l'académie des beaux-arts d'Amsterdam.
Musées : Utrecht : *Oiseau du paradis.*

WINTER Ægidius. Voir **WINTER Gillis**

WINTER Alice Beach
Née le 22 mars 1877 à Green Ridge. XXe siècle. Américaine.
Peintre, illustrateur.
Femme de Charles Allan Winter, elle vécut et travailla à New York.
Ventes Publiques : New York, 24 oct 1979 : *Portrait d'enfant* 1919, h/t (50,5x40,5) : **USD 1 700.**

WINTER Andrew
Né le 7 avril 1892 à Sindi (Estonie). Mort en 1958. XXe siècle. Américain.
Peintre de marines, graveur.
Il fut élève de l'Académie Nationale de Dessin et de l'Académie Américaine à Rome. Il fut membre du Salmagundi Club. Il a figuré aux expositions de l'Institut Carnegie de Pittsburgh.
Ventes Publiques : New York, 24 juin 1988 : *Au large de Long Island* 1928, h/t (62,5x75) : **USD 3 850** – New York, 30 mai 1990 : *Bains de soleil* 1940, h/t (61x91,6) : **USD 7 150** – New York, 17 déc. 1990 : *Le bateau poste*, h/t (50,8x76,3) : **USD 2 090** – New York, 9 sep. 1993 : *Le petit phare* 1939, h/t (64,1x76,2) : **USD 1 610** – New York, 21 mai 1996 : *La côte dans le Maine*, h/t (51x76) : **USD 1 840** – New York, 26 sep. 1996 : *Soirée d'hiver, Monhegan* 1932, h/t (73,7x101) : **USD 20 700.**

WINTER Anthonie de
Né à Utrecht. XVIIe siècle. Travaillant à Amsterdam de 1668 à 1697. Hollandais.
Graveur au burin.
Il grava des objets d'art pour orfèvres et des ornements.

WINTER Anton
Né le 26 juillet 1912 à Gries-Sellrain. XXe siècle. Autrichien.
Peintre de portraits.
Il fut élève de Toni Kirchmayr à Munich. Il vécut et travailla à Innsbruck.

WINTER Bernhard
Né le 14 mars 1871 à Neuenbrock. Mort en 1964. XIXe-XXe siècles. Allemand.
Peintre de genre, portraits.
Il fut élève de Ferdinand W. Pauwels à l'Académie de Dresde. Il se fixa à Oldenbourg.
Musées : Brême : *Noce de paysans dans l'ancien temps* – Jever : *Portrait* – Oldenbourg : *Danse de paysans – Préparation du lin – Atelier d'un savetier – Fonderie.*
Ventes Publiques : Brême, 30 juin 1984 : *Le gardien de cochons dans un paysage à la tombée du jour* 1897, h/t (90,5x105) : **DEM 6 500.**

WINTER Bryan. Voir **WYNTER**

WINTER C.
Mort en 1890. XIXe siècle. Britannique.
Dessinateur.
Il travailla à Norwich. Le British Museum de Londres conserve de lui deux aquarelles.

WINTER Charles Allan
Né le 26 octobre 1869 à Cincinnati. Mort en 1942. XIXe-XXe siècles. Américain.
Peintre de portraits, illustrateur.
Mari d'Alice Beach Winter, il fut élève de l'Académie de Cincinnati et de l'École des Beaux-Arts de Paris. Il vécut et travailla à New York.
Ventes Publiques : New York, 30 sep. 1982 : *Sphinx*, h/t (31,5x26,2) : **USD 4 000** – New York, 21 oct. 1983 : *Noor-ed-Deen ; The slave girl Ennes-el-Jelees*, gche/pan. plâtré, une paire (30,5x25,5) : **USD 2 500** – New York, 20 juin 1985 : *La Corne d'Abondance*, h/t (66x45,8) : **USD 2 500** – New York, 17 mars 1994 : *Sphinx*, h/t (76,8x61) : **USD 8 050** – New York, 31 mars 1994 : *Portrait d'une jeune femme coiffée d'un diadème*, h/t (43,2x38,1) : **USD 4 313.**

WINTER Ezra Augustus
Né le 10 mars 1886 à Manistee (Michigan). XXe siècle. Américain.
Peintre de compositions murales, illustrateur.
Il fut élève de l'Académie des Beaux-Arts à Chicago et de l'Académie Américaine à Rome. Il fut membre du Salmagundi Club et de la Fédération Américaine des Arts.
Il décora de peintures murales de nombreux monuments publics américains.

WINTER F. A. Th. Voir **FATHWINTER**

WINTER F. de
XVIIe siècle. Britannique.
Médailleur, tailleur de sceaux et graveur de monnaies.
Il grava des médailles à l'effigie de *Guillaume III d'Angleterre* et de la *Reine Marie.*

WINTER Franchoys de. Voir **WINTERE**

WINTER Franz Joseph ou **Winder**
Né vers 1690. Mort après 1756. XVIIIe siècle. Allemand.
Peintre et aquafortiste.
Élève de Caspar Sing et peintre à la cour de Munich. Le Musée National de Munich conserve de lui *Quatre portraits de la duchesse Amalia Maria de Bavière ; Saint Jacques le Mineur ; Le chancelier W. Xaver von Kreitmaier.*

WINTER Frederick
Mort en 1924. XXe siècle. Britannique.
Sculpteur de bustes, médailleur.
Il exposa à Londres de 1873 à 1899 des bustes et des médaillons.
Musées : Londres (Nat. Gal.) : *Buste de William Henry Smith, homme d'État.*

WINTER Fritz
Né le 22 septembre 1903 à Altenbögge (canton de Hamm, Westphalie), d'autres sources indiquent 1905. Mort en 1975 ou 1976 à Herrsching. XXe siècle. Allemand.
Peintre, peintre à la gouache. Abstrait.
Fils aîné d'une famille de huit enfants, il dut travailler, de 1919 à 1926, comme apprenti électricien à Ahlen. Un voyage à pied en Hollande lui révéla la peinture de Van Gogh. Il commença à peindre en autodidacte. En 1926-1927, il fut mineur. Au vu de ses premiers essais, il fut admis au Bauhaus de Dessau, en 1927, où il resta jusqu'en 1930, suivant l'atelier de théâtre de Schlemmer, et les cours de peinture de Klee et Kandinsky. Diplômé, il fut dessinateur publicitaire, à Berlin, en 1930, avec Heinz Loew ; il y fut aussi le collaborateur de Naum Gabo, rencontre également importante dans son évolution personnelle. En 1931, il fut nommé professeur à l'Académie Pédagogique de Halle, où il initia les futurs professeurs à l'expression abstraite. Au cours de voyages en Suisse, il garda le contact avec Paul Klee, et surtout se lia avec Kirchner, chez lequel il séjourna quelques mois, près de Davos. L'accession du régime nazi en Allemagne, l'empêcha d'exposer, sinon de continuer à peindre. En 1933, il s'était fixé à Munich, puis se fixa définitivement à Diessen-am-Ammersee en 1935. Outre quelques voyages, Winter s'occupa alors à des travaux décoratifs. Surtout, il s'était fixé à Diessen, chez Madame Schreiber, qui lui permit de continuer son activité de peintre, et qu'il épousa ensuite. Mobilisé en 1939, il fut blessé à plusieurs reprises, puis fait prisonnier par les Russes jusqu'en 1949, date à laquelle il s'installa au bord du Lac Ammer. L'Allemagne de l'après-guerre s'efforça alors de réparer la répression dont avaient été victimes les artistes d'avant-garde pendant la période nazie : en 1953, Winter fut nommé assistant à la Landeskunstschule de Hambourg ; en 1955, il fut nommé professeur à l'École Supérieure des Beaux-Arts de Kassel. Fritz Winter fut membre des Académies de Munich et de Berlin.
Il a été invité à participer à de nombreuses expositions collectives internationales : 1950 Salon des Réalités Nouvelles à Paris, Biennale de Venise, Triennale de Milan ; 1955 Biennale de São Paulo, Documenta I de Kassel ; 1958 Exposition universelle de Bruxelles ; 1959 Documenta II de Kassel ; 1963 Premier Salon International des Galeries Pilotes au Musée cantonal de Lausanne ; ainsi qu'à New York, Londres, Rome, Turin, Bâle, Berne, Paris, etc. En mai 1968, Winter était représenté par plusieurs peintures à l'exposition consacrée au Bauhaus, qui, après Stuttgart, fut montrée à Amsterdam, Londres, Paris et New York. La première exposition individuelle de ses peintures, qui avait eu lieu à Berlin en 1931 à la galerie Möller, demeura donc sans suite immédiate. Le monde occidental offrit après la Seconde Guerre mondiale une nouvelle chance de se faire connaître à ces artistes qui avaient été réduits au silence pendant une quinzaine d'années. La première exposition personnelle à l'étranger de Winter eut lieu à New York, en 1955. En l'honneur de ses soixante ans, la ville de Kassel organisa une exposition d'ensemble de l'œuvre de

Winter, qui fut montrée successivement dans les musées de Hanovre, Coblence, Stuttgart, Mannheim, Düsseldorf et Berlin. Après sa mort, des expositions ont été présentées en 1973 au musée d'Art et d'Histoire de Fribourg, en 1988 au Pavillon des Arts à Paris. Il reçut de nombreux prix et distinctions : 1950 prix Ströher ; 1951 prix Domnick ; 1952 prix Conrad von Sœst ; 1958 prix à l'Exposition universelle de Bruxelles, prix des Arts de la Ville de Berlin et un Prix Marzotto ; 1959 Grand Prix d'Art de la Province de Nordrhein-Westfalen.

Sa peinture au début des années trente se rattachait à une construction de l'espace pictural postcubiste. Le plan de la toile morcelé en multiples facettes triangulaires ou en losanges, rappelle les formations cristallines. Toutefois, les exemples de Kandinsky ou de Delaunay l'ont orienté vers la non-figuration. Les quelques peintures qui lui avaient été achetées par les musées allemands, furent décrétées « art dégénéré », et vendues à Zurich en 1934, à Londres en 1938. Revenu en 1949 en Bavière, au bord du lac Ammer, après les manifestations d'un appétit de réalité qui se traduisirent par quelques peintures expressionnistes et surréalistes, il reprit sa peinture à peu près où il l'avait laissée dix ans auparavant, avec les mêmes formes cristallines peintes en couleurs sourdes. Il participa alors à la création du groupe Zen 49, avec Baumeister, Geiger, Fietz et d'autres. Plus qu'une réelle connaissance de la philosophie Zen, c'était le désir de se regrouper entre peintres d'avant-garde abstraits qui s'exprimait ainsi. Au bout de peu de temps, la gamme sourde de bruns sombres fit place à des tonalités plus légères. En 1950-1951, un voyage à Paris lui fit connaître les œuvres de Schneider, de Soulages et surtout de Hartung. À la construction de l'espace en facettes prismatiques, il substitua une occupation plus gestuellement graphique du plan, les éléments purement graphiques, traits ou larges traînées de brosse, délimitant quelques surfaces occupées solidement par des tons cassés mais consistants, ces formations graphiques complexes se situant sur un fond général de tonalité claire. Parallèlement à la démarche de Hartung, Winter s'est voulu, tout au moins dans la deuxième période de sa vie de créateur, à l'écoute des grands courants de forces qui traversent l'univers et le constituent, ce qui fonde peut-être le plus son appartenance au groupe Zen 49. Selon ses propres paroles ou écrits, Winter a voulu créer une peinture « génétique », retraçant à sa façon le processus de la naissance à la vie : « Nous travaillons à des objets et à des tableaux dont les commencements remontent à des millénaires... Nous relions aux origines les millénaires futurs... En peinture, forme et couleur sont l'expression de la connaissance... L'artiste doit élargir son espace intérieur » ou encore ailleurs : « Toute représentation humaine correspond au désir de répéter la création, afin de comprendre par elle l'univers ». Affaibli depuis 1959 par la maladie, Winter doit se limiter à des peintures de petites dimensions, surtout des gouaches. Paradoxalement, jamais sa gamme colorée ne fut aussi sereine que depuis sa nouvelle épreuve, et, paradoxalement aussi, c'est en cette période de faiblesse physique que se sont multipliés dans ses œuvres les titres de : *Forces élémentaires*, ou *Instincts de la terre*, etc. Haftmann a écrit de cette peinture à l'affût des énergies souterraines qui donnent forme au monde minéral : « Il rend ainsi visibles les expériences qui ne sont pas accessibles à une peinture figurative : la poussée du vital, les forces profondes de la terre, le végétatif, les souffles et les courants ». ■ J. B.

Fu'inter

4 Wi—W 75

Bibliogr. : Domnick : *Abstrakte Malerei*, Stuttgart, 1947 – Michel Seuphor : *Dictionnaire de la peint. abstr.*, Hazan, Paris, 1957 – Herbert Baerlocher : Catalogue de l'exposition *Œuvres de Fritz Winter des années 1924-1938*, Gal. Marbach, Berne, 1963 – Dr. Franz Roh : *Winter*, in : *Peintres Contemporains*, Mazenod, Paris, 1964 – Catalogue de l'exposition d'ensemble *Winter*, Musée de Kassel, 1965 – Sarane Alexandrian, in : *Diction. Univers. de l'Art et des Artistes*, Hazan, Paris, 1967 – Karlheinz Gabler : Catalogue de l'exposition *Fritz Winter – Œuvres de 1949-1956*, Gal. Marbach, Berne, 1968 – Karlheinz Gabler : *L'Œuvre graphique de Fritz Winter*, Frankfurter Kunstkabinett Hanna Bekker vom Rath, Francfort, 1968 – Catalogue de l'exposition *Bauhaus* :, Musée national d'Art moderne, Paris, 1969 – Gabriele Lohberg : *Fritz Winter. La Vie et l'œuvre*, Bruckmann, Munich, 1986.

Musées : Breslau, nom all. de Wroclaw – Cologne – Essen (Mus. Folkwang) : *Tournoiement* 1953 – Hambourg – Kassel : *Horizontale lointaine* 1964 – Mannheim – Munich – Munster – New York (Solomon R. Guggenheim Mus.) : *Instinct tellurique* 1952 – New York (Mus. of Mod. Art) – Recklinghausen – Stuttgart – Wuppertal.

Ventes Publiques : New York, 9 jan. 1964 : *Octobre* : **USD 1 000** – Cologne, 4 déc. 1968 : *Composition aux prismes* : **DEM 8 000** – Paris, 13 oct. 1969 : *Nach unten (vers le bas)* : **FRF 4 500** – Cologne, 29 avr. 1971 : *Forces de la Terre* : **DEM 4 500** – Cologne, 1er déc. 1971 : *Composition en rouge*, gche : **DEM 3 400** – Hambourg, 10 juin 1972 : *Composition* : **DEM 3 400** – Hambourg, 16 juin 1973 : *Composition* 1957 : **DEM 11 500** – Paris, 19 juin 1974 : *Composition* 1959 : **FRF 14 800** – Hambourg, 4 juin 1976 : *Composition* 1949, h/pap. (50,1x70,1) : **DEM 5 600** – Munich, 26 nov. 1976 : *Composition* 1932, gche (49x63) : **DEM 1 600** ; *Composition* 1949, h/pap. (50,1x70,1) : **DEM 5 600** – Munich, 26 mai 1977 : *Composition* 1954, temp. et collage (75x100) : **DEM 3 200** – Hambourg, 4 juin 1977 : *Composition* 1957, h/t (135,5x145) : **DEM 7 800** – Cologne, 2 déc. 1978 : *Composition* 1957, gche (48x68) : **DEM 6 500** – Cologne, 5 déc 1979 : *Composition en vert* 1931, h/t mar./pan. (100,6x68,7) : **DEM 17 000** – Hambourg, 6 juin 1980 : *Composition* 1954, gche (70,5x95,6) : **DEM 6 000** – Cologne, 30 mai 1981 : *Composition* 1936, h/pap. (63x48) : **DEM 13 000** – Rome, 20 avr. 1982 : *Sans titre* 1955, techn. mixte (68x98) : **ITL 1 800 000** – Munich, 29 nov. 1983 : *Crépuscule* 1957, h/t (100x145) : **DEM 55 000** – Hambourg, 9 juin 1984 : *Devant l'horizon* 1949, gche (50,2x69,9) : **DEM 19 000** – Milan, 19 déc. 1985 : *Composition* 1955, gche (75x101) : **ITL 7 000 000** – Londres, 30 juin 1988 : *Sans titre* 1961, h/t (80x89) : **GBP 12 100** – Londres, 6 avr. 1989 : *Le passage* 1954, h. et détrempe/pap./t (74,3x99) : **GBP 8 250** – Zurich, 25 oct. 1989 : *Composition* 1944, techn. mixte/pap. (29,5x21) : **CHF 33 000** – New York, 9 nov. 1989 : *Composition* 1954, h/pap./t (73,6x99) : **USD 17 600** – Londres, 22 fév. 1990 : *Dessin sur fond vert* 1952, aquar., gche et craie/pap. (47x68) : **GBP 7 700** – Londres, 5 avr. 1990 : *Intervalles* 1954, gche/pap./t (74,5x100) : **GBP 15 400** – Munich, 31 mai 1990 : *Sans titre*, h/t (251x205,5) : **DEM 143 000** – Paris, 21 juin 1990 : *Spater garten* 1956, h/t (69,5x80,5) : **FRF 175 000** – Londres, 28 juin 1990 : *Inter-rouge* 1965, h/t (98,5x130) : **GBP 30 800** – Londres, 18 oct. 1990 : *Sans titre* 1951, past. et cr. de coul./pap. (30x60) : **GBP 8 250** – New York, 14 nov. 1990 : *Octobre* 1957, h/t (114,3x152) : **USD 66 000** – Londres, 21 mars 1991 : *La fin d'une tonalité* 1951, h. et gche/pap./cart. (48,5x69) : **GBP 12 100** – Berlin, 30 mai 1991 : *La puissance*, h/t (90x140,3) : **DEM 133 200** – Munich, 26-27 nov. 1991 : *Force motrice de la terre* 1944, techn. mixte (29,5x21) : **DEM 126 500** – Londres, 5 déc. 1991 : *Changement* 1953, h/t (135,9x145,4) : **GBP 44 000** – Londres, 26 mars 1992 : *Centre rouge* 1966, h/t (90,4x80) : **GBP 22 000** – Berlin, 29 mai 1992 : *Composition* 30 mars 1964, h/t (97x129,5) : **USD 96 050** – Heidelberg, 9 oct. 1992 : *Le Chemin rouge* 1957, litho. en rose et noir (28,3x41,6) : **DEM 1 050** – Berlin, 27 nov. 1992 : *Rouge foncé*, h/t (114x146) : **DEM 169 500** – Munich, 1er-2 déc. 1992 : *Forces telluriques* 1944, techn. mixte (29,5x21) : **DEM 103 500** – Zurich, 13 oct. 1993 : *Forme percée* 1951, techn. mixte/pap. (30x60,2) : **CHF 4 800** – New York, 5 mai 1994 : *Grande composition en bleu* 1953, h/t (160x189,9) : **USD 112 500** – Londres, 26 mai 1994 : *Sans titre* 1961, h/t (80x89) : **GBP 18 400** – Zurich, 13 oct. 1994 : *Agréable Jeu de lignes* 1956, h/pap./t (50x70) : **CHF 7 000** – Paris, 27 oct. 1994 : *Sans titre, composition abstraite* 1952, h/cart. (50x70) : **FRF 78 000** – Zurich, 14 nov. 1995 : *Noël 51*, encre et past./pap. (30x60) : **CHF 6 000** – Londres, 30 nov. 1995 : *Bleu* 1966, h/t (71x60,5) : **GBP 17 250** – Lucerne, 8 juin 1996 : *Vert vertical* 1953, h/pap. (70x50) : **CHF 22 000** – Amsterdam, 4 juin 1996 : *Vent dans les herbes* 1952, techn. mixte (49,5x69) : **NLG 16 520** – Londres, 27 juin 1996 : *Linéaire avant gris* 1954, h/t (115,3x146,5) : **GBP 32 200** – Lucerne, 23 nov. 1996 : *Côte à côte* 1953, h/pap./t (50x70) : **GBP 18 000**.

WINTER Georg. Voir **WINTER Johann Georg**

WINTER George

XIXe siècle. Travaillant en Indiana et à New York. Américain.
Peintre de genre.

WINTER Georges

Né le 21 janvier 1875 à Saint-Pétersbourg. XXe siècle. Actif en Finlande. Russe.

Sculpteur.
Il vécut et travailla à Antrea. Il figura aux expositions de Paris et reçut une médaille de bronze en 1900 à l'Exposition universelle.
Musées : Helsinki (Ateneum Mus.) : *La Récompense de la vie – Chaleur de la vie*.

WINTER Gheleyn de. Voir **WINTERE**

WINTER Gillis de ou **Ægidius**
Né vers 1650 à Leeuwarden. Mort en 1720 à Amsterdam. XVIIe-XVIIIe siècles. Hollandais.
Peintre.
Élève d'E. Brakenburgh. La Kunsthalle de Hambourg conserve de lui *Marché au poisson* et *Marché aux légumes*.

Ventes Publiques : Vienne, 20 sep. 1977 : *Scène de taverne*, h/pan. (39,5x31,7) : **ATS 70 000** – Londres, 6 juil. 1983 : *Intérieurs de cuisine*, h/t, une paire (64x80) : **GBP 4 000** – Londres, 12 juil. 1985 : *Scène de taverne*, h/pan. (36,2x28,5) : **GBP 3 500**.

WINTER Hans ou **Winters**
XVIe siècle. Actif à Berne. Suisse.
Sculpteur.
Il travailla pour la cour de Celle et sculpta surtout des tombeaux dans la cathédrale de cette ville.

WINTER Hendrik ou **Wynter**
Mort entre 1671 et 1677 à Bois-le-Duc. XVIIe siècle. Hollandais.
Graveur au burin et tailleur de sceaux.
Il grava des portraits, des vues et des figures.

WINTER Henri ou **Hendrik Van**
Né le 30 août 1717 à Amsterdam. Mort en 1783. XVIIIe siècle. Hollandais.
Peintre, dessinateur et marchand de tableaux.
Élève de Cornelis Pronck. Il exécuta des architectures et des vues.
Musées : Bruxelles : *Panorama de Rheenen – Vues d'Oudewater, de Veenendael et de Franeker*, dess. – Genève (Mus. Rath) : *Combat d'oiseaux*.
Ventes Publiques : Paris, 1861 : *Plage à marée basse* : **FRF 800**.

WINTER J.
XVIIIe siècle. Hollandais.
Dessinateur et graveur au burin.
Probablement élève de B. Picart. Il grava des *Inondations*.

WINTER J.
XIXe siècle. Travaillant à Vienne en 1833. Autrichien.
Peintre de portraits, peintre de miniatures.

WINTER Jan de
Né en 1936 à Malines. XXe siècle. Belge.
Peintre, dessinateur, graphiste.
Élève de l'Académie de Malines et de l'Institut Supérieur d'Anvers. Il tourne en dérision les travers de la société de consommation.
Bibliogr. : In : *Diction. Biogr. Ill. des Artistes en Belgique depuis 1830*, Arto, Bruxelles, 1987.

WINTER Johann. Voir **WINKER**

WINTER Johann Georg ou **Wintter**
Né le 30 septembre 1707 à Groningue. Mort le 11 janvier 1770 à Munich. XVIIIe siècle. Allemand.
Peintre de portraits et de fresques.
Fils d'un officier de l'armée bavaroise. Il fut élève de Müller et Angehard à Munich. Il s'y établit comme peintre de portraits, travaillant en même temps à Augsbourg. En 1744, il fut nommé peintre de la cour de l'empereur Charles VII. Il peignit aussi quelques fresques pour l'électeur de Cologne au Château de Bonn.
Musées : Augsbourg : *Assomption* – Munich : *Deux oies sauvages – La princesse Maria Anna Karolina de Bavière, en religieuse*.

WINTER Johann Wilhelm. Voir **WINDTER**

WINTER Joseph. Voir **WINTER Franz Joseph**

WINTER Joseph Georg ou **Wintter**
Né le 30 mai 1751 à Munich. Mort le 13 septembre 1789 à Munich. XVIIIe siècle. Allemand.
Peintre, dessinateur et graveur à l'eau-forte et au burin.
Élève de son père Jean Georges. Il a gravé des vues et des animaux. On lui doit aussi, ce sont ses meilleures pièces, des sujets de chasse. Au début de sa carrière, il dessina des cartons pour tapisseries de hautes lisses. On lui doit aussi des dessins de sujets pittoresques dans la manière de Ridinger.

Ventes Publiques : New York, 16 mars 1979 : *Cerfs dans des paysages boisés* 1782, deux h/pan. (46x34) : **USD 7 250** – Paris, 28 juin 1982 : *La chasse à coure, l'hallali* 1788, pl. et lav. gris reh. de blanc (34x56) : **FRF 9 100** – Vienne, 22 juin 1983 : *Cerfs et biches dans un paysage boisé* 1782, h/pan. (45x34) : **ATS 60 000**.

WINTER Louis ou **Ludovicus de**
Né le 23 mars 1819 à Anvers. Mort le 19 janvier 1900 à Anvers. XIXe siècle. Belge.
Peintre de paysages.
Élève de Jac. Jacobs et de J. B. de Jonghe.
Musées : Gand : *Pêcheurs jetant leurs filets au clair de lune*.
Ventes Publiques : Vienne, 29-30 oct. 1996 : *Naufrage d'un navire sous la clarté de la lune* 1854, h/t (76x106) : **ATS 109 250**.

WINTER Martin
Mort à Wiener-Neustadt. XVIIIe siècle. Actif à la fin de 1749 ou au début de 1750. Autrichien.
Sculpteur.
Il sculpta des portails et des jubés pour les églises de Wiener-Neustadt et l'abbatiale de Zwettl.

WINTER Melchior
Mort le 25 juin 1800 à Vienne. XVIIIe siècle. Autrichien.
Peintre de figures.
Il travailla pour la Manufacture de porcelaine de Vienne.

WINTER Milo Kendall
Née le 7 août 1888 à Princetown. XXe siècle. Américaine.
Illustratrice.

WINTER Pharaon Abdon Léon de
Né le 17 novembre 1849 à Bailleul (Nord). Mort en 1924 à Lille (Nord). XIXe-XXe siècles. Français.
Peintre de genre, portraits.
Il fut élève de Alexandre Cabanel, de Jules Breton et de Alphonse Colas. Il débuta à Paris au Salon en 1875 et fut membre de la Société des Artistes Français à partir de 1884. Il reçut des médailles au Mans, à Lyon, à Anvers, et à Paris une médaille de troisième classe en 1889 lors de l'Exposition universelle.
Musées : Amiens : *Pendant la neuvaine* – Dunkerque : *L'Enfant prodigue*.

WINTER Raphael ou **Wintter**
Né en 1784 à Munich. Mort en 1852 à Munich. XIXe siècle. Allemand.
Peintre de scènes de chasse, animaux, paysages, aquarelliste, graveur, lithographe.
Élève de son père Johann Georg et de son beau-père Mettenleiter. Il visita l'Italie et fonda à Rome un établissement lithographique. Il fut plus tard directeur de l'Institut Royal lithographique de Munich.
Il a gravé à l'eau-forte des paysages et des animaux.

Ventes Publiques : Munich, 25 nov. 1976 : *Scène de chasse* 1841, aquar. (30x39,5) : **DEM 3 200**.

WINTER Samuel
Né en 1824 à Budapest. Mort le 12 janvier 1903 à Budapest. XIXe siècle. Hongrois.
Lithographe.
Il fit ses études à Vienne et grava des portraits.

WINTER William Arthur
Né en 1908 à Winnipeg (Manitoba). XXe siècle. Canadien.
Peintre de genre, figures.
Il a présenté *Combat de chiens*, en 1946, à l'exposition ouverte à Paris, au Musée d'Art Moderne, par l'Organisation des Nations unies.
Ventes Publiques : Toronto, 17 mai 1976 : *Boy with marbles*, h/cart. (30x40) : **CAD 300** – Toronto, 27 mai 1980 : *Scène de rue en hiver*, h/cart. (50x60) : **CAD 1 200** – Toronto, 12 juin 1989 : *Marchandes de quatre-saisons*, h/t (35x40,6) : **CAD 750** – Montréal, 30 avr. 1990 : *Petite fille* 1981, h/pan. (41x31) : **CAD 880**.

WINTER William Tatton
Né en 1855 à Ashtonunder-Lyhe. Mort le 22 mars 1928 à Reigate. XXe siècle. Britannique.

Peintre de paysages.
Élève des Académies de Manchester et d'Anvers.
Ventes Publiques : Londres, 21 avr. 1922 : *Un jour de vent* : **GBP 52** – Londres, 25 jan. 1988 : *Carshalton* 1897, aquar. (35,5x30) : **GBP 495** – Londres, 31 jan. 1990 : *Gitanes la nuit*, aquar. (49x60) : **GBP 3 080** – Londres, 25-26 avr. 1990 : *Le printemps à Hanchford près de Reigate*, aquar. et gche (25x35) : **GBP 440** – Londres, 30 jan. 1991 : *La cathédrale de Southwark et un pont sur la Tamise à Londres*, aquar. (33,5x47,5) : **GBP 935** – Londres, 12 mai 1993 : *Silence dans la brume à Tilford Heath près de Farnham*, aquar. et gche (43,5x59) : **GBP 782.**

WINTER Zéphyr de
Né le 15 janvier 1891 à Lille (Nord). xxe siècle. Français.
Peintre de portraits, intérieurs.
Fils du peintre Pharaon Winter, il en fut l'élève. Il exposa à Paris à partir de 1914 au Salon des Artistes Français, dont il fut membre sociétaire Hors-Concours ; ainsi qu'au Salon des Artistes Lillois, aux Cercles Artistiques de Tournai et de Roubaix. Il reçut une médaille d'argent et le prix de la Savoie en 1921, une médaille d'or en 1929, une médaille d'or en 1937 à l'Exposition internationale.
Musées : Lille (Faculté Catholique).

WINTER VON SCHIESZL Magdalena, née **Roth**
Née le 1er novembre 1938 à Baia-Mare. xxe siècle. Depuis 1978 active en Allemagne. Roumaine.
Peintre de paysages, aquarelliste, peintre de collages, illustrateur. Abstrait-paysagiste.
Elle fut élève de l'Institut d'art Ion Andreescu. Elle vit et travaille à Munich. Elle participe à de nombreuses expositions collectives, en Roumanie, Allemagne, Finlande notamment en 1983 à la Biennale du Lathi Art Museum. Elle montre ses œuvres dans des expositions personnelles notamment à Landshut en 1978, 1979 et 1981 à la Kunstkreisgalerie.
En Roumanie, elle réalisa des illustrations de livres pour enfants. Elle crée aussi des affiches. Peintre, elle pratique surtout l'aquarelle avec des paysages empreints de mystère. Lacs, étangs, buissons, forêts ne sont que suggestions et évoquent un monde éphémère, insaisissable.
Bibliogr. : Ionel Jianou et divers : *Les Artistes roumains en Occident*, American Romanian Academy of Arts and Sciences, Los Angeles, 1986.

WINTER-SCHROETER Wilhelm. Voir **SCHROETER Wilhelm**

WINTERBEEK Georges
Né en 1925 à Ixelles. xxe siècle. Belge.
Peintre de paysages urbains, aquarelliste, dessinateur, illustrateur.
Il a réalisé des vues de Bruxelles, du Brabant, de Paris et Venise.
Bibliogr. : In : *Dict. biogr. ill. des artistes en Belgique depuis 1830*, Arto, Bruxelles, 1987.

WINTERE Franchoys de ou **Winter** ou **Winttere** ou **Wyntere**
Mort après 1535. xvie siècle. Actif à Bruges. Éc. flamande.
Peintre.
Fils de Gheleyn de Wintere.

WINTERE Gheylen de ou **Winter** ou **Winttere** ou **Wyntere**
Mort en 1492 à Anvers. xve siècle. Travaillant à Bruges en 1478. Éc. flamande.
Peintre.

WINTERE Marc de
Né en 1953 à Waregem. xxe siècle. Belge.
Graphiste, graveur. Abstrait.
Il fit des études d'arts décoratifs à l'Académie de Courtrai et de graphisme libre à l'Académie de Saint-Luc. Il a été professeur à l'Académie de Waregem et a reçu le prix Pro Civitate en 1973.
Bibliogr. : In : *Diction. Biogr. Ill. des Artistes en Belgique depuis 1830*, Arto, 1987.

WINTERFELDT Friedrich Wilhelm von
Né le 23 août 1830 à Dinslaken, près de Wesel. Mort le 16 juin 1893 à Düsseldorf. xixe siècle. Allemand.
Peintre.
Élève de H. Gude à Düsseldorf. Après avoir été de 1850 à 1853, officier de cavalerie dans l'armée prussienne, il voyagea beaucoup en Allemagne peignant des paysages inspirés des sites qu'il traversait.

WINTERGEST Joseph
Né le 3 octobre 1783 à Wallerstein. Mort le 25 janvier 1867 à Düsseldorf. xixe siècle. Allemand.
Peintre d'histoire.
Il fit ses études à Munich et à Vienne. En 1811, il vint à Rome, où il prit part à la fondation de la Confrérie de Saint-Luc, à l'instigation de Overbeck. Il s'initia à la restauration des peintures très délaissées des artistes allemands du Moyen Age. En 1823, il fut nommé inspecteur à l'Académie de Düsseldorf. Il peignit particulièrement des sujets bibliques ou romanesques, s'inspirant des maîtres de l'école française et des vieux italiens. Il fut directeur du Musée de Düsseldorf. Le Musée de Gmund conserve de lui *Portrait d'un enfant*.

WINTERHALDER Anton ou **Winterhalter**
Né le 27 juin 1699 à Vöhrenbach. Mort en septembre 1758 à Olmutz. xviiie siècle. Autrichien.
Sculpteur.
Il se fixa à Olmutz en 1740. Frère de Josef I Winterhalder et son assistant. Il travailla pour les églises d'Olmutz et de Znaim.

WINTERHALDER Erwin
Né le 19 mai 1879 à Winterthur. xxe siècle. Suisse.
Sculpteur.
Il vécut et travailla à Zurich.

WINTERHALDER Josef I ou **Winterhalter**
Né le 10 janvier 1702 à Vöhrenbach. Mort le 25 décembre 1769 à Vienne. xviiie siècle. Autrichien.
Sculpteur et peintre.
Élève de l'Académie de Vienne. Un des grands maîtres du baroque autrichien. Il sculpta la chaire et des statues pour l'abbatiale du Saint-Mont, près d'Olmutz. Il travailla aussi pour la ville d'Ungarisch-Brod et sculpta les statues de l'église Saint-Thomas de Brunn. Le Musée Provincial de cette ville conserve plusieurs dessins de cet artiste.

WINTERHALDER Josef II ou **Winterhalter**
Né le 25 janvier 1743 à Vöhrenbach. Mort le 17 janvier 1807 à Znaim. xviiie siècle. Actif à Znaim. Autrichien.
Peintre.
Il subit l'influence de Troger. Il exécuta des fresques et des tableaux d'autel dans plusieurs abbayes de Moravie. Le Musée Provincial de Brunn possède un grand nombre de dessins de cet artiste.
Ventes Publiques : Vienne, 17 mars 1964 : *La Présentation au Temple* : **ATS 25 000** – Vienne, 18 sept 1979 : *L'Annonciation*, h/pan. (80,5x51,5) : **ATS 38 000.**

WINTERHALTER Franz Xaver
Né le 20 avril 1806 à Menzenschräend (Forêt-Noire). Mort le 9 juillet 1873 à Francfort. xixe siècle. Allemand.
Peintre de sujets allégoriques, scènes de genre, portraits, paysages, aquarelliste, pastelliste, lithographe.
Après avoir étudié la gravure chez un oncle à Fribourg, il alla en 1823, travailler à Munich à l'Institut lithographique de Piloty. Il reçut à cette époque des conseils du peintre de portraits Stieler. S'étant établi à Karlsruhe comme peintre de portraits, il fit avec succès une effigie du grand duc Léopold de Bade et fut nommé peintre de sa cour. En 1834, il vint à Paris et, protégé par la reine Marie-Amélie, dont il fit le portrait, il fut bientôt à la mode, non seulement en France, mais dans les principales contrées de l'Europe et ses admirateurs tentèrent de le faire considérer comme le successeur de sir Thomas Lawrence, mort quelques années plus tôt (7 janvier 1830). Winterhalter, grâce peut-être plus à son « savoir-faire », à sa « diplomatie », n'en fut pas moins le peintre attitré des souverains du milieu du xixe siècle.
Il prit part à diverses expositions collectives : au Salon de Paris de 1835 à 1868, obtenant une médaille de deuxième classe en 1836, une de première classe en 1837, une de première classe en 1855 (Exposition Universelle) ; au Salon de la Royal Academy de Londres, de 1852 à 1867. Il fut promu chevalier de la Légion d'honneur en 1839, officier en 1857. Une exposition lui fut consacrée au Musée du Petit Palais à Paris, en 1988.
Il peignit le roi Louis-Philippe et les principaux membres de la famille d'Orléans, le prince impérial (Salon de 1864), l'empereur François-Joseph, la grande-duchesse Hélène de Russie, le roi Léopold Ier, le prince Albert et leur famille et célébra surtout la gloire de la reine Victoria. De même, grâce à lui nous sont restitués les fastes du Second Empire au château des Tuileries et dans

le parc de Compiègne autour de Napoléon III et de l'impératrice Eugénie. Il fit aussi quelques paysages.

F. Winterhalter

Musées : Ajaccio : *Eugénie, impératrice des Français – Maréchal Sébastiani* – Amsterdam : *Sophie Mathilde, reine des Pays-Bas* – Calais : *Louis-Philippe Ier* – Castres : *Louis-Philippe Ier – Napoléon III* – Chantilly : *Duc d'Aumale* – Cleveland – Compiègne (Mus. du Château) – Florence (Mus. des Offices) : *L'artiste* – Karlsruhe : *Louis-Philippe Ier – Léopold, grand duc de Bade – L'artiste – Scène de genre romaine – Scène du Décameron de Boccace* – Lille : *Fr. Kuhlmann, chimiste lillois* – Londres (Nat. Portrait Gal.) : *Albert prince consort* – Londres (Wallace) : Une aquarelle – Malibu (Paul Getty Mus.) – Munich : *Cte Jenison Walworth* – New York (Metropolitan Mus.) : *Concours de beauté entre des femmes se baignant* – Nice : *L'impératrice Eugénie* – Paris (Mus. du Louvre) : *L'impératrice Eugénie – Mme Rimsky-Korsakov* – Reims : *Louis-Philippe* – Saint-Pétersbourg (Mus. de l'Ermitage) – Versailles : *Princesse de Saxe-Cobourg-Scialfeld, duchesse de Kent – La reine Victoria – Albert, prince consort – Marie Christine, reine douairière d'Espagne – Maréchal Sébastiani – L'impératrice Eugénie et les dames de sa cour.*

Ventes Publiques : Paris, 1872 : *Le Décaméron* : **FRF 14 000** – New York, 1899 : *Suzanne et les vieillards* : **FRF 2 050** – Paris, 31 mai 1919 : *La jeune mère* : **FRF 750** – Paris, 12 mai 1925 : *Le bain de l'enfant*, past. : **FRF 550** – Paris, 18 mai 1927 : *Portrait de jeune femme brune en robe claire à crinoline* : **FRF 1 550** – Londres, 1er juil. 1927 : *L'impératrice entourée des dames de sa cour* : **GBP 3 937** ; *L'impératrice Eugénie* : **GBP 651** – Paris, 27 déc. 1927 : *Portrait présumé de la duchesse Montfort-Duplessis*, past. : **FRF 4 950** – Paris, 11 mai 1931 : *Portrait de la princesse O.* 1860 : **FRF 70 000** – Londres, 7 juil. 1939 : *La Reine Victoria et le prince de Galles* : **GBP 504** ; *La reine Victoria* : **GBP 651** – Paris, 16 oct. 1940 : *Portrait de la duchesse d'Albe* : **FRF 24 600** – Paris, 19 juin 1942 : *Portrait de femme*, past. : **FRF 13 100** – Londres, 9 juil. 1947 : *Louis-Philippe et la reine Victoria* : **GBP 520** – Marseille, 23 avr. 1949 : *Portrait de jeune femme* : **FRF 10 000** – Bruxelles, 19 avr. 1951 : *Portrait de Léopold Ier en grand uniforme* : **BEF 50 000** – Paris, 6 juin 1962 : *Portrait de jeune fille en blanc* : **FRF 8 800** – Londres, 16 juil. 1965 : *Portrait de jeune fille* : **GNS 2 000** – Paris, 14 juin 1967 : *Portrait de jeune fille en blanc* : **FRF 17 000** – Vienne, 18 juin 1968 : *Le lac d'Annecy* : **ATS 50 000** – Londres, 18 mars 1970 : *Portrait d'Adelina Patti* : **GBP 5 500** – Paris, 5 mars 1972 : *Comtesse Stackelbert* : **FRF 19 000** – Versailles, 27 mai 1973 : *Portrait de la princesse Metternich* : **FRF 9 800** – Londres, 26 juil. 1974 : *La sieste* 1841 : **GNS 1 200** – Zurich, 25 nov. 1977 : *Portrait de jeune fille*, h/t (64x51) : **CHF 12 000** – Enghien-les-Bains, 18 nov 1979 : *Portrait présumé de Mme Destrée* 1865, past. (45x36) : **FRF 145 000** – Lindau, 7 oct. 1981 : *Portrait de la reine Victoria d'Angleterre*, h/t (88x70) : **DEM 30 000** – Paris, 21 avr. 1982 : *Portrait de Hélène, duchesse d'Orléans, née princesse de Mecklenburg-Schwerin* 1844, cr. et aquar. (36x22,2) : **FRF 15 000** – Paris, 5 déc. 1983 : *Portrait d'homme* 1858, cr. noir (27,5x21,5) : **FRF 6 500** – Paris, 17 juin 1983 : *Portrait de femme*, h/pan., de forme ovale : **FRF 16 500** – Paris, 19 juin 1986 : *Fillette au chapeau de paille* 1846, h/t (146x114) : **FRF 1 200 000** – Paris, 19 juin 1986 : *Fillette au chapeau de paille* 1846, h/t (146x114) : **FRF 1 280 000** – Londres, 26 jan. 1987 : *La Reine Victoria, le prince consort et la famille royale*, cr. (19,5x26,5) : **GBP 2 500** – Londres, 25 jan. 1988 : *Portraits de la tsarine Maria Feodorovna, princesse Dagmar de Danemark et de Alexandra, princesse de Galles, princesse de Danemark* 1868, aquar. (29x21,5) : **GBP 8 250** – Monaco, 17 juin 1988 : *Portrait du duc de Wurtemberg* 1845, h/t (95,5x63) : **FRF 116 550** – Monaco, 3 déc. 1988 : *Portrait en buste d'une petite fille vêtue d'une robe noire à col de dentelle et coiffée d'un chapeau noir à plumes* 1850, h/t, de forme ovale (81x65) : **FRF 1 265 000** – Londres, 20 juin 1989 : *Portrait de la Baronne Mallet* 1851, h/t, de forme ovale (120x80,5) : **GBP 187 000** – Monaco, 3 déc. 1989 : *Jeune fille de l'Arricia* 1838, h/t (147x114) : **FRF 9 990 000** – Paris, 15 déc. 1989 : *Portrait de Karl Spindler* 1830, t. (70x58) : **FRF 250 000** – Londres, 19 juin 1991 : *Portrait d'un gentleman* 1852, h/t (115,5x89,5) : **GBP 38 500** – Monaco, 21 juin 1991 : *Portrait de la Comtesse Duchatel et de son fils* 1841, h/t (246x156) : **FRF 999 000** – Paris, 21 oct. 1991 : *Portrait d'une fillette à la rose assise sur un coussin de brocard or devant une draperie écarlate* 1840, h/t (92x73,5) : **FRF 820 000** – Paris, 27 mai 1993 : *Portrait d'homme* 1850, cr. noir (25x20) : **FRF 6 000** – Londres, 18 mars 1994 : *Portrait d'une jeune femme vêtue d'une robe blanche et tenant un face-à-main*, h/t (100,7x81,3) : **GBP 20 700** – Paris, 17 nov. 1995 : *Portrait présumé de Mademoiselle de Montessier* 1859, h/t (117x90) : **FRF 1 000 000** – Londres, 12 juin 1996 : *Portrait de Louis-Charles-Philippe d'Orléans, le duc de Nemours* 1839, h/t (107x89) : **GBP 14 375** – Vienne, 29-30 oct. 1996 : *Les Ramasseurs de raisins* 1839, h/t (65x81) : **ATS 1 895 000** – Monaco, 14-15 déc. 1996 : *Portrait du comte de Paris en robe de baptême* 1842, h/t (122x96,6) : **FRF 314 900** – New York, 23 oct. 1997 : *Jeune fille de l'Ariccia* 1838, h/t (147,3x114,3) : **USD 1 762 500**.

WINTERHALTER Hermann

Né le 23 septembre 1808 à Saint-Blaise. Mort le 27 février 1891 à Karlsruhe. xixe siècle. Allemand.

Peintre de scènes de genre, portraits.

Il est le frère de Franz Xaver Winterhalter. Il étudia à Munich et à Rome, puis il s'établit à Paris, et enfin à Karlsruhe. Il exposa au Salon de Paris de 1838 à 1869, obtenant une troisième médaille en 1844.

Musées : Leipzig : *Portrait de moine* – Lille : *La fleur préférée* – Londres (Wallace Gal.) : *Jeune fille de Frascati.*

Ventes Publiques : Paris, 25 juin 1926 : *Il dolce farniente* : **FRF 3 000** ; *La Fontaine* : **FRF 3 400** – Paris, 8 mai 1929 : *Rêverie* : **FRF 5 500** – Paris, 21 déc. 1931 : *Les deux frères* : **FRF 3 500** – Paris, 3 déc. 1985 : *Portrait de trois demoiselles de la famille de Chateaubourg* 1850, h/t, de forme ovale (100x79,5) : **FRF 250 000** – Paris, 25 mars 1987 : *Portrait de jeune femme vue de face tenant un éventail* 1862, h/t (138x97) : **FRF 140 000** – Paris, 10 juin 1988 : *La belle Italienne*, h/t (50x37) : **FRF 68 000** – Paris, 16 déc. 1991 : *Portrait de Madame Alfred André* 1859, h/t (86x68) : **FRF 265 000** – Londres, 10 fév. 1995 : *Portrait d'une dame en buste, vêtue d'une robe noire et tenant un œillet*, h/t (80,7x64,8) : **GBP 2 760** – New York, 24 mai 1995 : *Portrait d'une jeune fille, présumée Paula, Princesse Essling, Duchesse de Rivoli*, h/t, de forme ovale (66x54,6) : **USD 33 350** – Paris, 16 oct. 1997 : *Portrait du Prince Pierre de Berghes*, t., de forme ovale (60x70) : **FRF 46 000**.

WINTERLIN Anton ou **Winterle**

Né le 15 juin 1805 à Degerfelden. Mort le 30 mars 1894 à Bâle. xixe siècle. Suisse.

Peintre de scènes de chasse, paysages animés, paysages, paysages de montagne, architectures, dessinateur.

Musées : Bâle : huit carnets d'esquisses et deux vues.

Ventes Publiques : Berne, 17 nov. 1983 : *Glaciers des Bois avec Aiguille du Dru et Aiguille Verte* 1883, h/t (81x100) : **CHF 9 000** – Zurich, 29 nov. 1985 : *Vue d'Interlaken* 1878, h/t (79x117) : **CHF 20 000** – Berne, 26 oct. 1988 : *Deux chasseurs et leurs chiens dans un sentier forestier*, h/t (32,5x24,5) : **CHF 2 300** – Berne, 12 mai 1990 : *Paysages boisés*, h/t, une paire (chaque 16,5x23,8) : **CHF 6 000** – Zurich, 9 juin 1993 : *Chamonix avec l'Aiguille du Chardonnet et l'Aiguille verte* 1850, h/t (63x100) : **CHF 20 700** – Zurich, 2 juin 1994 : *Welensee sur Weesen* 1848, cr. et aquar./pap. (52x77) : **CHF 19 550**.

WINTERLIN Johann Kaspar

Né à Lucerne. Mort le 27 février 1634 à Muri. xviie siècle. Suisse.

Peintre, graveur au burin, enlumineur, calligraphe et musicien.

Il travailla dans l'abbaye de Muri. On cite de lui plusieurs vues d'abbayes.

WINTERNITZ Richard

Né le 20 mai 1861 à Stuttgart. Mort le 22 octobre 1929 à Munich. xixe-xxe siècles. Allemand.

Peintre de genre.

Il fut élève de l'École d'Art à Stuttgart. Il exposa à Munich de 1888 à 1897.

Musées : Bucarest : *Repasseuse* – Munich (Gal. mun.) : *Intérieur* – Munich (Mus. Nat.) : *Violoniste* – Schleissheim : *L'artiste* – Stuttgart : *À la fenêtre.*

WINTEROWSKI Leonard

Né en 1886. Mort en 1927. xxe siècle. Polonais.

Peintre.

WINTERS Hans. Voir **WINTER**

WINTERS Robin

Né vers 1950 en Californie. xxe siècle. Américain.

Peintre, dessinateur, sculpteur de figures, technique mixte.

Il séjourne régulièrement aux Pays-Bas. Il vit et travaille à New York.

Il montre ses œuvres dans des expositions personnelles : 1990 centre d'art contemporain de Genève ; 1991 galerie Laage Salomon à Paris.
Il privilégie la figure, en bronze, en verre, qu'il traite de manière ludique, l'affublant notamment, dans une série, de couvre-chefs les plus divers. Son œuvre qui revendique son caractère marginal, artisanal et volontiers rudimentaire, enfantin, s'inscrit dans la filiation de Beuys ou de Polke.
Bibliogr. : Hervé Legros : *Les Songes drolatiques de Robin Winters*, Beaux-Arts, Paris, été 1991.
Ventes Publiques : Paris, 5 déc. 1990 : *Opera*, techn. mixte/t. (85x74) : **FRF 20 000** – New York, 7 mai 1992 : *Un autre cadeau inadéquat* 1986, acryl., cr. et reliefs métalliques /t. (182,9x152,4) : **USD 4 400.**

WINTERS Terry
Né en 1949 à Brooklyn (New York). XXe siècle. Américain.
Peintre, peintre à la gouache, technique mixte, dessinateur.
Il fut élève du Pratt Institute de New York.
Il montre ses œuvres dans des expositions personnelles : 1985 Kunstmuseum de Lucerne.
Influencé par Jasper Johns, il travailla sur la visualisation des couleurs et leur dénomination, puis s'intéressa à la mise en scène des matières minérales dont sont issus les pigments. Dans les années quatre-vingt, il s'attache à la structure des formes végétales et animales (pollen, embryon), et décrit le foisonnement de la nature.
Bibliogr. : In : *L'Art du XXe s.*, Larousse, Paris, 1991.
Musées : New York (Mus. of Mod. Art) – New York (Whitney Mus. of American Art).
Ventes Publiques : New York, 10 nov. 1988 : *Sans titre* 1955, cr./pap. (31,8x23,2) : **USD 1 650** – New York, 4 mai 1989 : *Schéma* 1985, cr. de peint. et fus./pap. (30,8x21,6) : **USD 28 600** – New York, 9 nov. 1989 : *Sans titre* 1983, h/tissu (76,2x55,8) : **USD 60 500** – New York, 27 fév. 1990 : *Sans titre* 1984, fus./pap. (105,4x75) : **USD 26 400** – New York, 7 nov. 1990 : *Sans titre* 1984, fus., craie, cr. et past./pap. (105,5x75) : **USD 22 000** – New York, 30 avr. 1991 : *« Stamina II »*, h/t (153x21,3) : **USD 77 000** – New York, 13 nov. 1991 : *« Stamina I »* 1982, h/tissu (152,3x213,3) : **USD 55 000** – New York, 6 mai 1992 : *P* 1987, gche/pap. (28x37) : **USD 9 350** – New York, 19 nov. 1992 : *Sans titre* 1983, h/t (117,5x152,4) : **USD 33 000** – New York, 24 fév. 1993 : *Le jardin de Thopraste (1)* 1982, h/tissu (221x177,8) : **USD 79 200.**

WINTERSBERGER Lambert Maria
Né le 23 avril 1941 à Munich. XXe siècle. Allemand.
Peintre, peintre de collages.
Il fait ses études à Munich avec le professeur Spreng, puis à Florence à l'Académie des Beaux-Arts, où il étudie avec Purificato et Conti. En 1964 il s'installe à Berlin. En 1992, il séjourne huit semaines aux Antilles.
Il montre ses œuvres dans de nombreuses expositions personnelles en Allemagne dès 1965.
En peu de temps il développe son monde imaginaire, ses propres formes et ses couleurs d'une façon très personnelle et inhabituelle. Peintre figuratif, d'une perfection froide il a suivi au départ l'exemple du Pop'Art prenant son inspiration dans le monde de la publicité de 1965 à 1966. En 1967 toujours fasciné par les magazines, il fait des collages où il assemble des torses, des bras, des jambes, des doigts, des bouches de femmes, avec une certaine réminiscence de combinaisons surréalistes. Ceci l'amène aux *Morphogonies*, motifs monochromes sur un fond de couleur représentant différentes parties du corps articulées les unes dans les autres. Puis vinrent les séries *Oral* et *Bidet*, qui reviennent comme un leitmotiv dans son travail. Wintersberger dit qu'il peint de tels sujets « à cause d'une oppression générale ».
Ventes Publiques : Munich, 29 mai 1979 : *Spaltung 21* 1970, acryl./t. (107,5x99) : **DEM 1 600** – Munich, 1er-2 déc. 1992 : *Sodome et Gomorre* 1969, h/pap./tissu (120x175) : **DEM 5 175** – Lucerne, 20 nov. 1993 : *Clivage 11* 1969, h/t (140x115) : **CHF 1 100** – Amsterdam, 4 juin 1996 : *Vis à doigts* 1968, acryl./t. (170x175) : **NLG 5 310.**

WINTERSTEIN Erhard
Né le 18 mai 1841 à Radebeurg (près de Dresde). Mort le 18 septembre 1919 à Leipzig. XIXe-XXe siècles. Allemand.
Peintre d'histoire, compositions religieuses, portraits.
Il fut élève de Jules Hubner à Dresde. En 1893, il fut nommé professeur à l'Académie. Il peignit de nombreux tableaux d'autels pour des églises de Saxe.

WINTHER Albert
Né le 6 août 1851 à Fredericia. Mort le 13 juillet 1935 à Leipzig. XIXe-XXe siècles. Actif en Allemagne. Danois.
Peintre.
Il fut élève de l'académie des beaux-arts de Leipzig, où il vécut et travailla.

WINTHER Anton
XIXe siècle. Travaillant en 1846. Danois.
Portraitiste.

WINTHER Arnold ou **Laurits Arnold**
Né le 18 juillet 1855 à Copenhague. Mort le 12 avril 1883 à Copenhague. XIXe siècle. Danois.
Peintre de fleurs.
Élève de l'Académie de Copenhague. Il travailla à la Manufacture de porcelaine de cette ville.
Ventes Publiques : New York, 23-24 mai 1996 : *Nénuphars* 1880, h/t (74,9x56,5) : **USD 12 650.**

WINTHER Frederik Julius August
Né le 20 septembre 1853 à Copenhague. Mort le 4 avril 1916 à Copenhague. XIXe-XXe siècles. Danois.
Peintre de paysages, marines.
Il fut élève de l'académie des beaux-arts de Cophenhague et de Carl Neumann. Il exposa de 1877 à 1915.
Musées : Malmö : plusieurs paysages.
Ventes Publiques : Londres, 19 juin 1991 : *Littoral boisé à Liselund près de Moen* 1896, h/t (143,5x112,5) : **GBP 2 640.**

WINTHER Poul
Né en 1939 à Skagen (Jutland). XXe siècle. Danois.
Peintre.
Autodidacte, il vit et travaille dans sa ville natale.
Il débuta au Salon d'Automne de Copenhague en 1958. Depuis il participe à des expositions collectives : 1962 exposition d'art graphique à Paris ; 1963 Helsinki ; 1967 exposition d'art danois moderne à Philadelphie ; 1968 Varsovie et Triennale des Arts Graphiques de Stockholm ; 1969 Exposition internationale d'art graphique de Florence, Biennale internationale des Arts graphiques de Tokyo ; 1973 *Art Danois* aux Galeries Nationales du Grand-Palais à Paris.
Peintre, il réalise des compositions entre abstraction et figuration inspirées des fragments d'épaves, morceaux de bois, de liège, ramassés au bord de la mer, riches en histoire. Ces transpositions intellectuelles de « résidus » de nature, porteurs de mémoire, privilégient la forme, les lignes et les couleurs.
Bibliogr. : In : Catalogue de l'exposition *Art Danois*, Gal. Nat. du Grand-Palais, Paris, 1973.

WINTHER R.
XXe siècle. Danois.
Peintre.
Il appartient au groupe « Linien » dont font partie également les peintres danois Blask, Kragh-Jacobsen et Albert Mertz, tous dévoués à un modernisme accentué.

WINTHER Soren Seidelin
Né le 16 septembre 1810 à Hundslund. Mort le 11 mai 1847 à Rome. XIXe siècle. Danois.
Sculpteur sur pierre et sur ivoire.
Élève de l'Académie de Copenhague. Il se fixa à Rome en 1843.

WINTHERKOLLER Alexi
Né en Souabe. XVIIIe siècle. Suisse.
Sculpteur.
Il sculpta des ornements sur la façade de l'Orphelinat de Zurich vers 1770.

WINTHUYZEN Y LOSADA Francisco Javier de ou **Winthuysen**
Né en 1874 ou 1875 à Séville. Mort en 1956 à Barcelone. XIXe-XXe siècles. Espagnol.
Peintre de paysages et d'architectures.
Élève de Gonzalo Bilbao y Martinez. Il exposa à Madrid en 1916 et en 1924.

WINTOUR John Crawford
Né en octobre 1825 à Édimbourg. Mort le 29 juillet 1882 à Édimbourg. XIXe siècle. Britannique.
Peintre de sujets de genre, paysages, paysages d'eau.
Il exposa à la Royal Scottish Academy et en fut nommé associé en 1859.
Cet artiste qui tient une place intéressante parmi les peintres écossais de paysages du milieu du XIXe siècle, réussit également

dans ses peintures à l'huile et dans ses aquarelles. Il se plut à chercher ses motifs dans les environs d'Edimbourg et dans le sud de l'Écosse. Wintour a une personnalité bien tranchée, sa couleur est puissante et ses œuvres pleines de sentiment.
Musées : Édimbourg : *Killiecrambit.*
Ventes Publiques : Londres, 26 sep. 1990 : *L'étang de Leith*, h/t (41x62) : **GBP 2 200** – South Queensferry (Écosse), 23 avr. 1991 : *Le ruisseau du village* 1867, h/t (76x56) : **GBP 2 860** – Perth, 31 août 1993 : *Bavardages* 1846, h/t (45,5x60) : **GBP 1 725** – Perth, 29 août 1995 : *Bavardages*, h/t (45x61) : **GBP 1 840** – Auchterarder (Écosse), 26 août 1997 : *La Mare aux reflets* 1862, h/t (76x63) : **GBP 12 075**.

WINTRINGHAM Frances M.
Né le 15 mars 1884 à Brooklyn (New York). xxe siècle. Américain.
Peintre.
Il fut élève de George W. Bellows et de Charles W. Hawthorne. Il vécut et travailla à New York.

WINTTER. Voir **WINTER**

WINTTERE Franchoys et **Gheleyn de**. Voir **WINTERE**

WINTZ Guillaume ou **Wilhelm**
Né en 1823 à Cologne. Mort en 1899 à Paris. xixe siècle. Actif puis naturalisé en France. Allemand.
Peintre d'animaux, paysages animés, paysages.
En 1885, il débuta au Salon des Artistes Français de Paris, dont il devint sociétaire.
Musées : Pontoise : *Vaches au pâturage et gardeuse – Vaches au pré – Moutons au pâturage – Troupeau dans la neige, le soir.*
Ventes Publiques : Paris, 30 et 31 mai 1892 : *Bœufs dans la neige au clair de lune* : **FRF 1 900** – Paris, 17 et 18 juin 1927 : *Le troupeau à la mare* : **FRF 1 050** – Paris, 24 mai 1943 : *Les moutons dans la prairie* 1872 : **FRF 1 100** – Paris, 13 juin 1945 : *Vaches dans un pré* : **FRF 2 100** – Paris, 23 jan. 1950 : *Pâturage au clair de lune* : **FRF 12 500** – Cologne, 28 nov. 1973 : *Lac alpestre* 1853 : **DEM 1 900** – Londres, 11 fév. 1976 : *Bergère et troupeau dans un paysage boisé*, h/pan. (30,4x49,5) : **GBP 280** – Cologne, 12 juin 1980 : *Lac alpestre* 1853, h/t (67,5x92) : **DEM 2 000** – New York, 28 oct. 1981 : *Berger et son troupeau dans un paysage boisé* 1872, h/t (73,7x100,4) : **USD 2 200** – Rome, 7 juin 1995 : *Pâturage en hiver*, h/t (200x126) : **ITL 8 625 000**.

WINTZ Raymond
Né le 25 mars 1884 à Paris. xxe siècle. Français.
Peintre de paysages, marines, graveur.
Il fut élève de Jules Adler, Gabriel Ferrier. Il exposa à partir de 1910 au Salon des Artistes Français, dont il fut membre sociétaire Hors-Concours. Il reçut une médaille d'argent en 1922, une médaille d'or et le prix Corot en 1924, une médaille pour la gravure en 1933.
Peintre, il a également réalisé de nombreuses lithographies.

HWintz
RWintz

Ventes Publiques : Paris, 25 fév. 1944 : *Paysages*, deux toiles : **FRF 5 200** – Paris, 4 juin 1951 : *Plage bretonne* : **FRF 7 000** ; *Pardon breton* : **FRF 4 000** – Paris, 14 déc. 1988 : *Thonniers à Groix*, h/t (81x65) : **FRF 8 800** – Paris, 3 juil. 1991 : *Procession bretonne*, h/t (54x73) : **FRF 7 000** – Le Touquet, 8 juin 1992 : *Le sentier côtier en Bretagne*, h/t (46x55) : **FRF 12 500**.

WINTZ Wilhelm. Voir **WINTZ Guillaume**

WINZENHORLEIN A.
xixe siècle. Actif à Vienne de 1840 à 1846. Autrichien.
Lithographe.

WINZER Charles Freegrove
Né le 1er décembre 1886 à Varsovie. xxe siècle. Britannique.
Peintre, illustrateur.
Il travailla au Maroc, en Espagne, en Angleterre, aux Indes, au Népal et à Ceylan. Il fut inspecteur des Beaux-Arts pour Ceylan. Il exposa à Paris au Salon d'Automne à partir de 1909, à Londres, Chelsea, Venise.
On cite entre autres ouvrages illustrés par cet artiste, *Seize Poèmes* de Flecker, *The Chinese Drama* de Johnson.
Musées : Cambridge – Cardiff – Havard – Katmandou – Moscou.

WINZER Icke
Né en 1937 à Berlin. xxe siècle. Allemand.
Peintre. Abstrait.
Il vit et travaille à Francfort-sur-le-Main.
Il participe à des expositions collectives depuis 1970 : 1971, 1989 foire artistique de Bâle ; 1972 Kunsthalle de Brême ; 1973, 1980 Kunstmuseum de Düsseldorf ; 1973 Kunstverein de Münster ; 1980 Biennale artistique des pays méditerranéens à Alexandrie ; 1985 Museum für moderne Kunst de Francfort ; 1988, 1990 foire artistique de Cologne. Il montre ses œuvres dans des expositions personnelles : 1970, 1984 galerie m de Bochum ; 1972 Städtisches Museum Schloss Morsbroich de Leverkusen, musée de Bochum ; 1974 Institute of Contemporary Art de Londres ; 1976 Städtische Kunstsammlungen de Ludwigshafen ; depuis 1983 régulièrement à la galerie Appel & Fertsch de Cologne.
Il pratique une peinture gestuelle aux sonorités sombres, d'où se dégage un certain lyrisme.
Bibliogr. : Catalogue de l'exposition : Galerie Appel und Fertsch, Francfort-sur-le-Main, 1991, Galerie Nordenhake, Stockholm, 1992.
Musées : Bochum – Darmstadt (Landesmus.) – Düsseldorf (Mus. für Mod. Kunst) – Karlsruhe (Badisches Landesmus.) – Kiel (Kunsthalle) – Leverkusen (Städt. Mus. Schloss Morsbroich) – Stuttgart (Staatsgal.).

WIPF
Né à Ammerschwihr. Allemand.
Peintre d'histoire.
Il fut élève de l'École des Beaux-Arts de Paris.
Musées : Colmar : *La Mort d'Abel.*

WIPF Eva
Née en 1929. Morte en 1978. xxe siècle. Suissesse.
Sculpteur, auteur d'assemblages.
Musées : Aarau (Aargauer Kunsthaus) : *Sans Titre* 1974 – *Sans Titre* vers 1975 – *Sans Titre* vers 1975.

WIPPLINGER Franz
Né vers 1805 à Vienne. Mort le 15 août 1847 à Waidhofen-an-der-Ybbs. xixe siècle. Autrichien.
Peintre de paysages.
Il fut élève de l'Académie des Beaux-Arts de Vienne.
Ventes Publiques : Cologne, 25 juin 1976 : *Paysage de Berchtesgaden*, h/cart. (31x41,5) : **DEM 1 200**.

WIPPLINGER Franz
Né en 1880. xxe siècle. Actif en Suisse. Autrichien.
Sculpteur de compositions religieuses.
Il sculpta avec Aloys Payer des bas-reliefs et des ornements d'autels pour les églises d'Einsiedeln et de Zurich.

WIRALT Édouard. Voir **WIIRALT Eduard**

WIRBEL Véronique
Née en 1950. Morte en 1990. xxe siècle. Française.
Peintre de figures.
Un hommage lui a été rendu après sa mort, en 1992, au musée des Arts d'Afrique et d'Océanie à Paris.
Son travail, peuplé de démons et merveilles, est fortement influencé par l'art primitif notamment africain.
Bibliogr. : *Véronique Wirbel. Regards croisés*, Artension, n° 35, Rouen, avril-mai 1992.
Ventes Publiques : Paris, 26 oct. 1990 : *Le croqueur*, acryl./t. (146x114) : **FRF 25 000** – Neuilly, 22 mars 1992 : *Là, peut-être la nuit* 1989, acryl./t. (146x114) : **FRF 28 000** – Paris, 18 oct. 1992 : *Jeux d'enfance* 1989, acryl./t. (162x114) : **FRF 17 000** – Paris, 3 fév. 1993 : *Quand vient la nuit* 1990, acryl./t. (130x97) : **FRF 14 000** – Paris, 20 nov. 1994 : *« Aux z'arts citoyens ! »* 1989, acryl./t. (146x114) : **FRF 17 000** – Paris, 26 mars 1995 : *Le sommeil* 1989, h/t (89x130) : **FRF 13 000** – Paris, 31 mai 1995 : *Ce n'est qu'un au revoir* 1990, acryl./t. (120x120) : **FRF 11 800**.

WIRGMAN Charles
Né en 1832. Mort en 1891. xixe siècle. Britannique.
Peintre.
Frère de Theodore Blake W. Il se fixa à Yokohama en 1860 et peignit des scènes et des paysages japonais. Une exposition de ses œuvres eut lieu à Londres en 1921. Le Musée Britannique de cette ville conserve des dessins de cet artiste.

WIRGMAN Theodore Blake
Né le 29 avril 1848 à Louvain. Mort le 16 janvier 1925 à Londres. xixe-xxe siècles. Britannique.
Peintre d'histoire, genre, portraits, aquarelliste, graveur, illustrateur.
Artiste d'origine suédoise, il entra à Londres aux Écoles de la Royal Academy, à l'âge de 15 ans, et y obtint deux ans plus tard,

une médaille d'argent pour un dessin d'après l'antique. Il vint à Paris prendre des leçons d'Hébert, puis, il retourna à Londres.
À Paris, il participa à diverses expositions, notamment en 1900 à l'Exposition universelle où il reçut une mention honorable.
Il collabora au *Graphic*, travailla pour John Millais, le duc et la duchesse d'Albany, etc.

J. B. Wirgman 1881

Musées : Bradford : *Cueillez les boutons de rose pendant que vous le pouvez*, aquar. – Chicago : *Portrait* – Londres (Nat. Portrait Gal.) : *Portrait de Thomas Henry Huxley et de sir John Everett Millais*.
Ventes Publiques : Londres, 5 nov. 1974 : *Jeanne d'Arc* : **GBP 520** – Londres, 29 juin 1976 : *Jeanne d'Arc*, h/pan. (79,5x14,5) : **GBP 600** – New York, 12 oct. 1994 : *Jeanne d'Arc*, h/pan. (80x15,2) : **USD 13 800**.

WIRICX. Voir **WIERIX**

WIRION Mansuy
XVIIe siècle. Actif à Bouquenon et à Saint-Nicolas. Français.
Peintre.
Il travailla entre 1627 et 1631 à l'église de Saar-Union.

WIRIOT DE BOUZEY Pierre. Voir **WOEIRIOT DE BOUZEY**

WIRKER Ferenc ou **Franz**
Né le 1er janvier 1897 à Budapest. XXe siècle. Hongrois.
Peintre de paysages, paysages urbains.
Il fut élève de l'Académie de Budapest. Il vécut et travailla à Adony.
Il peignit des paysages et des vues de villes.

WIRKMANN Fabian
Né le 18 août 1866 à Kaschau. XIXe-XXe siècles. Hongrois.
Peintre de paysages.

WIRKNER Johann
XVIIIe siècle. Travaillant à Schlackenwerth dans la première moitié du XVIIIe siècle. Autrichien.
Sculpteur.
Il exécuta des sculptures dans l'église Sainte-Anne de Nikolsbourg vers 1710.

WIRKNER Wenzel
Né le 25 février 1864 à Carlsbad (Bohême). XIXe-XXe siècles. Actif en Allemagne. Autrichien.
Peintre de paysages.
Il travailla à Prague, puis à Munich, où il se fixa.
Musées : Munich : *Moulin en forêt.*

WIRKSTROM B. A.
Né en 1848. Mort en 1910 à New York. XIXe-XXe siècles. Actif aux États-Unis. Suédois.
Peintre de paysages.
Musées : La Nouvelle Orléans : quatorze peintures.

WIROSTEK Eduard ou **Wyrostek**
D'origine hongroise. XIXe siècle. Travaillant à Vienne de 1845 à 1850. Hongrois.
Peintre de genre et paysagiste.
La Galerie Nationale de Budapest conserve de lui *Le monastère du Saint-Gothard.*

WIRSBERGER Veit ou **Wirsperger** ou **Wierszperger** ou **Wursperger**
Né vers 1468 à Wirsberg. Mort après 1534 à Nuremberg. XVe-XVIe siècles. Allemand.
Sculpteur sur pierre et sur bois.
Il fit ses études à Bamberg. Il subit l'influence de Dürer et de Veit Stoss. Il sculpta de nombreuses statues, des crucifix et des calvaires pour des églises de Nuremberg et de Franconie. Le Musée Municipal de Baden-Baden conserve de lui *Saint Paul,* statue en grès.

WIRSCH Johann Melchior ou **Würsch**. Voir **WYRSCH**

WIRSCHING Aranka, née **Kovacs**
Née le 27 novembre 1887 à Budapest. XXe siècle. Hongroise.
Peintre de paysages, fleurs.
Elle fut élève de l'Académie de Budapest. Elle vécut et travailla à Dachau.
Musées : Munich (Gal.) – Nuremberg (Gal.).

WIRSCHING Otto
Né le 29 janvier 1889 à Nuremberg. Mort le 1er décembre 1919 à Dachau. XXe siècle. Allemand.
Peintre, graveur, illustrateur.
Mari d'Aranka Wirsching, il fut élève de l'Académie de Munich. On cite de lui *Danse macabre Anno* de 1915. Il illustra des œuvres de Dante et de Schopenhauer. Il pratiqua la gravure sur bois et au burin.
Ventes Publiques : Munich, 28 nov. 1980 : *Paysage de Dachau* 1915, h/pan. (35x34,5) : **DEM 6 500** – Heidelberg, 23 avr. 1983 : *Laboureurs sous un ciel d'orage*, aquar. sur traits cr. (32,5x46,5) : **DEM 3 200**.

WIRSING Adam Louis ou **Ludwig**
Né en 1733 à Dresde. Mort le 18 juillet 1797 à Nuremberg. XVIIIe siècle. Allemand.
Graveur au burin, enlumineur et éditeur.
Il a gravé des portraits et des vues.

WIRSPERGER Veit. Voir **WIRSBERGER**

WIRSTA Thémistocle
Né en 1923 en Ukraine. XXe siècle. Actif en France. Russe-Ukrainien.
Peintre, sculpteur. Figuratif puis abstrait.
Il travaille à Paris et dans le sud de la France.
Il participe à des expositions collectives, notamment à Paris au Salon de la Société Nationale des Beaux-Arts.
Ses huiles et acryliques figuratives évoluent vers des œuvres abstraites, vers 1957-1958, au lyrisme prononcé, qui évoquent des mondes végétaux et fleuris. Parallèlement à ses peintures, il réalise des reliefs, à partir du métal, évoquant un monde cosmique.

WIRSUM Karl
XXe siècle. Américain.
Peintre. Imagiste.
Il fut élève de l'Art Institute de Chicago. Il a participé aux trois expositions *Hairy who* (Hirsutes), qui se sont tenues à l'Hyde Park Art Center de Chicago, sous la direction du professeur d'art Don Baum.
Il fit partie des « imagistes », dont les œuvres furent influencées par le surréalisme, l'art primitif, la tradition expressionniste européenne et l'art brut de Dubuffet, à la composition chargée et la facture bâclée.
Ventes Publiques : New York, 30 juin 1993 : *Asperges* 1965, h/t (68,6x48,3) : **USD 1 150**.

WIRT. Voir aussi **WIRTH** et **WÜRTH**

WIRT Kaspar
XVIe siècle. Travaillant à Kufstein en 1506. Autrichien.
Peintre.
Peintre à la cour de Maximilien Ier.

WIRT Niklaus
Mort probablement en 1585. XVIe siècle. Actif à Wil (canton de Saint-Gall). Suisse.
Peintre verrier.
On le trouve membre du Conseil Municipal de Wil de 1573 à 1584. Au Musée de Saint-Gall on voit treize peintures sur verre de lui. Cinq autres peintures sur verre se trouvent au presbytère de cette ville. Enfin à l'Hôtel-de-Ville, un *Saint Jean l'Évangéliste,* toujours sur verre, date de 1583. Son monogramme représente un N et un W entrelacés.

WIRTANEN Kaapo
Né le 26 juin 1886 à Vammala. XXe siècle. Finlandais.
Peintre de figures, portraits, intérieurs, paysages.
Il fit ses études à Helsinki, où il vécut et travailla. Il y exposa à partir de 1919.
Musées : Helsinki – Tampere – Turku – Wiipuri.

WIRTENSOHN Johann et **Joseph**
XVIIIe siècle. Autrichiens.
Stucateurs.
Ils travaillaient à Bregenz. Les deux frères exécutèrent des stucatures pour l'Hôtel-de-Ville de Frauenfeld.

WIRTH Abraham
Né en 1616 (?). Mort le 9 janvier 1681. XVIIe siècle. Actif à Lichtensteig. Suisse.
Peintre verrier.
Il exécuta des armoiries sur verre.

WIRTH Anna Marie
Née le 16 mai 1846 à Saint-Pétersbourg. Morte en 1922. XIXe-XXe siècles. Allemande.

Peintre de genre et de natures mortes.
Élève de H. Canon à Vienne. Elle travailla à Munich où elle exposa jusqu'en 1922.
Ventes Publiques : Lucerne, 2 juin 1981 : *Nature morte aux citrons*, h/pan. (23x32) : **CHF 9 000** – Londres, 21 mars 1984 : *Personnages dans un intérieur consultant une carte* 1922, h/pan. (35x49) : **GBP 3 400**.

WIRTH Eduard
Né le 1er janvier 1870 à Chotieborsch. Mort le 9 juin 1935 à Brunn. xixe-xxe siècles. Autrichien.
Peintre de paysages, peintre de décorations.
Il fut élève de l'académie des beaux-arts de Venise. Il se fixa à Brunn.

WIRTH Ernst Emil
Né le 19 décembre 1882 à Zurich. xxe siècle. Suisse.
Peintre de paysages, peintre de décorations.

WIRTH Franz Xaver. Voir **WÜRTH**

WIRTH Henri Prosper
Né le 29 juin 1869 à Paris, d'un père luxembourgeois et de mère française. Mort le 25 mars 1947 à Deuil (Seine-et-Oise). xixe-xxe siècles. Français.
Peintre de portraits, paysages, marines, peintre de compositions murales.
Il fut élève de Gérome. Il obtint différentes médailles à Paris, Bruxelles, Milan, Londres, Turin, Amsterdam, etc.
Il exécuta d'importantes commandes de décorations. Il décora les pavillons du Luxembourg et de la Police Parisienne, à l'Exposition Internationale de 1937.
Ventes Publiques : Paris, 22 mai 1950 : *Fleurs d'automne* : **FRF 5 200** – Versailles, 9 mars 1980 : *Bacchanales dans la forêt*, h/t (102x188) : **FRF 5 500**.

WIRTH Hubert
Né en 1954 à Orbey (Haut-Rhin). xxe siècle. Français.
Peintre, peintre de monotypes, graveur, dessinateur.
Il vit et travaille à Colmar et expose surtout en Alsace.

WIRTH Johann Baptist et **Johann Nepomuk**. Voir **WÜRTH**

WIRTH Paul
xvie siècle. Actif de 1571 à 1578.
Peintre de compositions religieuses.
Cet artiste n'est connu que par quelques œuvres, signées d'un monogramme et datées des années 1570. Son style rappelle la famille des Brueghel.
Ventes Publiques : New York, 13 oct. 1989 : *Le roi David et sa suite conduisant en musique l'Arche d'Alliance à Jérusalem* 1571, h/pan. (53,5x72) : **USD 7 700**.

WIRTH Willi
Né en 1928 à Dortmund. xxe siècle. Allemand.
Peintre d'intérieurs.
De 1946 à 1949, il étudia à Düsseldorf à l'école des Arts et Métiers puis à l'école des Beaux-Arts, où il enseigna.
Il a participé à de nombreuses expositions collectives dans son pays et à l'étranger, notamment en 1962 à l'exposition *Artistes de Düsseldorf* au musée des Beaux-Arts d'Ostende.
Ses espaces se révèlent gouvernés par la ligne, dans une vision simplificatrice, géométrisante de l'espace.

WIRTHLIN Sylvia
Née en 1933. xxe siècle. Suissesse.
Dessinateur.
Musées : Aarau (Aargauer Kunsthaus) : *Dansant autour de l'arbre* 1978, dess.

WIRTZ. Voir aussi **WIRZ**

WIRTZ Anton
Né le 20 août 1872 à La Haye. xixe-xxe siècles. Hollandais.
Graveur.

WIRTZ Félix Joseph
Né en 1743 à Soleure. Mort en 1795. xviiie siècle. Suisse.
Peintre.
Élève à Rome de Domenico Corvi. On voit de lui au Musée de Soleure trois œuvres : *Le Christ à Emmaüs, Le Christ et sainte Madeleine, Mort de sainte Madeleine.*

WIRTZ Johann. Voir **WIRZ**

WIRTZ W.
Né en 1888 à La Haye. xxe siècle. Hollandais.
Graveur, peintre.
Il fut élève de l'académie des beaux-arts de La Haye et de Hendrik Jansen.

WIRTZ-DAVIAU Bernadette, Mme
Née le 9 juin 1894 à Nantes (Loire-Atlantique). xxe siècle. Française.
Peintre de portraits, paysages, marines, fleurs.
Elle fut élève de J.-P. Laurens à l'Académie Julian, et admise à l'École des Beaux-Arts de Paris. Elle fut aussi critique d'art, ses études artistiques écrites concernant surtout le régionalisme du Centre-Ouest. Elle vécut et travailla à Apremont (Vendée).
Elle participa à Paris aux Salons de la Société Nationale des Beaux-Arts, d'Automne, des Indépendants, des Femmes Peintres et Sculpteurs. Elle a montré ses œuvres dans quelques expositions personnelles à Paris. En 1952, l'Académie Française lui a octroyé le Prix Thorlet.
Elle a notamment travaillé pour ses paysages en Vendée : à Apremont, l'Ile d'Yeu, Noirmoutiers, également en Italie, Belgique, Hollande, Tchécoslovaquie. Peintre de portraits, elle a notamment réalisé ceux de S.A.I. prince Napoléon, du général Flipo attaché militaire à Prague, de la duchesse de Massa, etc.

WIRY Victor
Né à Lyon (Rhône). xixe siècle. Français.
Paysagiste.
Élève de V. Bertin. Il exposa au Salon entre 1839 et 1852.

WIRZ. Voir aussi **WIRTZ**

WIRZ Alfred
Né en 1955. xxe siècle. Suisse.
Sculpteur, technique mixte.
Musées : Aarau (Aargauer Kunsthaus) : *Stèle à ceux qui marchent* 1977, plâtre, argile, bronze – *Stèle*.

WIRZ Anna ou **Nanette**
Née en 1783. xixe siècle. Suisse.
Peintre.
Femme de Johann Heinrich Wirz.

WIRZ Caspar
Né en 1592. xviie siècle. Actif à Zurich. Suisse.
Peintre verrier.
Il travailla pour la ville de Zurich et s'établit à Reutlingen en 1618.

WIRZ Conrad
Mort en 1540 au plus tard. xvie siècle. Actif à Zurich. Suisse.
Peintre verrier.
Un des meilleurs peintres verriers du début de la Renaissance en Suisse. Il travailla pour l'abbaye de Wettingen.

WIRZ Hugo
Né en 1948. xxe siècle. Suisse.
Peintre, peintre à la gouache, dessinateur.
Musées : Aarau (Aargauer Kunsthaus) : *Œuf à partir d'une pierre* 1972, encre – *Paysage avec torchon* 1973, gche.

WIRZ Joachim
Né en 1803. Mort en 1834. xixe siècle. Suisse.
Paysagiste.
Frère de Johann Wirz, né en 1805.

WIRZ Johann ou **Wirtz**
Né le 25 novembre 1640 à Zurich. Mort en 1709 ou 1710. xviie siècle. Suisse.
Peintre de compositions religieuses, portraits, graveur.
Il est le fils d'un professeur de théologie.
Il fut inspiré surtout par les idées mystiques, les scènes apocalyptiques, etc. On connaît de lui ses *Effigies Justitiæ et Fortunæ*, qui datent de 1699. Il grava à l'eau-forte, et son œuvre principale consiste en illustrations de la vision de saint Jean.
Musées : Zurich : *Gravures.*

WIRZ Johann
Né en 1805 à Othmarsingen. Mort le 27 septembre 1867 à Berne. xixe siècle. Suisse.
Peintre de scènes de genre, paysages animés.
Il est le frère de Joachim Wirz.
Ventes Publiques : Paris, 30 juin 1993 : *Gentilhomme et ses chiens* 1842, h/t (96x80) : **FRF 29 500**.

WIRZ Johann Heinrich
Né le 30 mai 1784 à Erlenbach. Mort le 23 avril 1837 à Feuerthalen. xixe siècle. Suisse.
Paysagiste.
Élève et assistant de Johann Heinrich Bleuler. On lui attribue des œuvres se trouvant au Kunsthaus de Zurich.

WIRZ Johann Jacob
Né le 2 janvier 1694 à Zurich. Mort en 1773 à Rickenbach. XVIIIe siècle. Suisse.
Dessinateur amateur.
Il dessina à la plume et au crayon d'argent. Le Kunsthaus de Zurich conserve des œuvres de cet artiste.

WIRZ Nikolaus
XVIIe siècle. Suisse.
Peintre.
Il peignit un tableau d'autel pour l'église de Giswil en 1643.

WISARD Gottlieb Emanuel. Voir **WYSARD**

WISBOOM Jochem
Né en 1768 à Hardinxveld. Mort en mars 1813 à Hardinxveld. XVIIIe-XIXe siècles. Hollandais.
Peintre de natures mortes.

WISBYE Peter Christian
Né au début du XIXe siècle. Mort avant 1849 à Copenhague. XIXe siècle. Danois.
Paysagiste.
Élève de l'Académie de Copenhague. Il exposa de 1820 à 1825.

WISCHAK Augustin
XVIe siècle. Travaillant à Neuchâtel. Suisse.
Peintre.
Frère de Maximilian Wischak.

WISCHAK Gregor
Mort en 1506 à Schaffhouse. XVe siècle. Suisse.
Peintre.
Père de Maximilian Wischak.

WISCHAK Maximilian ou **Wisschack** ou **Wysschock**
Né vers 1500 à Schaffhouse. Mort avant 1556 à Bâle. XVIe siècle. Suisse.
Peintre et verrier.
Fils de Gregor Wischak. Il travailla à Bâle et dans le château de Königsfelden. Le Musée de Wintherthur conserve dix vitraux de cet artiste.

WISCHER Heinrich. Voir **WÜSCHER**

WISCHNIAKOFF Ivan Jakovlévitch
Mort le 8 août 1761 à Saint-Pétersbourg. XVIIIe siècle. Russe.
Peintre de décorations.
Élève et assistant de Louis Caravaque. Il travailla pour les châteaux de Saint-Pétersbourg et des environs.

WISCHNIOWSKY Josef
Né le 25 juin 1856 à Freiberg (Moravie). Mort le 14 janvier 1926 à Niederndorf (près de Kufstein). XIXe-XXe siècles. Autrichien.
Peintre de genre, portraits, paysages.
Il fut élève de l'académie des beaux-arts de Munich.
MUSÉES : BRUNN : *L'Artiste.*

WISE C.
Né en Angleterre. Mort vers 1889 aux États-Unis. XIXe siècle. Américain.
Graveur de portraits.
Il se fixa aux États-Unis en 1850.

WISE Gillian
Née le 16 février 1936 à Ilford Essex. XXe siècle. Britannique.
Peintre, sculpteur. Abstrait.
Elle fit ses études à l'École d'Art de Wimbledon de 1954 à 1957. Elle s'intéressa aux écrits de l'artiste « concrétionniste » américain Charles Biederman, avec qui elle correspondit et qui la mit en relation avec Anthony Hill et le groupe constructiviste en Angleterre. Elle exposa pour la première fois avec les Jeunes Contemporains (1957).
MUSÉES : LONDRES (Tate Gall.) : *Relief brun, noir et blanc avec prismes* 1962.

WISE William
XIXe siècle. Travaillant à Londres et à Oxford de 1823 à 1876. Britannique.
Portraitiste et graveur.
Il grava d'après Buron, Mantega et James Ward.

WISELTIER Joseph
Né le 6 octobre 1887 à Paris. XXe siècle. Américain.
Peintre, graveur, décorateur.
Il fut élève de Arthur W. Dow, Alon Bement et Shell. Il vécut et travailla à West Hartford. Il fut membre de la Fédération Américaine des Arts et directeur de l'Éducation Artistique pour le Connecticut.

WISENSTEIGER Christoph
XVIe siècle. Travaillant à Vienne en 1589. Autrichien.
Peintre.

WISER. Voir aussi **WIESER**

WISER Anton
Mort le 12 septembre 1730 à Brixen. XVIIIe siècle. Autrichien.
Sculpteur.
Père de Josef Konrad Wiser. Il travailla pour l'église de Tschötsch près de Brixen.

WISER Christoph I ou **Wieser**
Né à Silz. Mort après 1613. XVIIe siècle. Actif à Innsbruck. Autrichien.
Peintre.
Il travailla pour la cour d'Innsbruck.

WISER Christoph II
Mort le 17 mars 1623 à Innsbruck. XVIIe siècle. Autrichien.
Peintre.
Peut-être fils de Christoph I Wiser.

WISER Hans Georg
Né le 13 avril 1597 à Innsbruck. Mort le 20 novembre 1661 à Innsbruck. XVIIe siècle. Autrichien.
Peintre.
Il travailla pour la cour et pour l'église Saint-Nicolas d'Innsbruck.

WISER Josef Konrad
Né le 1er mars 1693 à Brixen. Mort le 31 mai 1768 à Brixen. XVIIIe siècle. Autrichien.
Sculpteur sur pierre et sur ivoire et dessinateur.
Fils d'Anton Wiser et son élève. Il travailla pour la cathédrale de Brixen et il sculpta le buffet d'orgues de l'église paroissiale de cette ville.

WISER Josef Leopold ou **Wieser**
XVIIIe siècle. Actif à Ljubljana. Yougoslave.
Miniaturiste, dessinateur et architecte.
Il travailla pour le théâtre de Ljubljana et exécuta des vues de cette ville.

WISER Lorenz. Voir **WIESER**

WISET Carl Emmanuel
XVIIe siècle. Travaillant à Munster en 1654. Éc. flamande.
Peintre de marines.

WISGALL Conrad
Né en 1757. Mort le 18 octobre 1870 à Vienne. XVIIIe-XIXe siècles. Autrichien.
Paysagiste.
Il est mort à l'âge de 113 ans.

WISHAGEN. Voir **WISSCHAVENS**

WISHART Hugh
XVIIIe-XIXe siècles. Travaillant à New York de 1789 à 1816. Américain.
Graveur et orfèvre.

WISHAUPT. Voir **WYSSHAUPT**

WISIAK Anselm ou **Wissiak** ou **Bizjak**
Né le 21 avril 1837 à Kranj. Mort le 9 mars 1876 à Kranj. XIXe siècle. Yougoslave.
Peintre.
Il peignit des tableaux d'autels pour les églises de Ratece, Rova, Dravlje et Trzic.

WISIAK Eduard ou **Wissiak** ou **Biziak**
Né le 11 octobre 1841 à Kranj. Mort le 21 juillet 1874 à Kranj. XIXe siècle. Yougoslave.
Peintre.
Fils et élève de Franz Wisiak. Il peignit une *Annonciation* pour l'église de Kranj.

WISIAK Franz
Né le 10 octobre 1810 à Kranj. Mort le 21 mai 1880 à Kranj. XIXe siècle. Yougoslave.
Peintre.
Père d'Anselm et d'Eduard Wisiak. Il peignit des fresques dans l'église de Krize près de Trzic en 1848.

WISINGER Ignaz ou **Wizinker**
XVIIIe siècle. Autrichien.
Peintre.
Il travailla pour les églises Saint-François de Pilsen et l'abbatiale de Schlüsselbourg près de Blatna entre 1717 et 1728.

WISINGER-FLORIAN Olga, née **Florian**
Née le 1er novembre 1844 à Vienne. Morte le 27 février 1926 à Vienne. XIXe-XXe siècles. Autrichienne.

Peintre de genre, paysages, fleurs.
De 1868 à 1873, elle fut pianiste. Élève de von August Schaeffer et d'Emil Schindler à Vienne, elle travailla également à Paris. Elle fut présidente de l'association autrichienne des Femmes écrivains et artistes.
Elle reçut une mention honorable en 1888, une médaille de bronze en 1900 à l'Exposition Universelle.
Musées : Munich (Pina.) : *Fleurs de printemps – Fleurs des champs* – Vienne : *Allée dans un parc.*
Ventes Publiques : Vienne, 15 juin 1971 : *Fleurs d'été* : **ATS 160 000** – Vienne, 20 sep. 1972 : *Vase de fleurs* : **ATS 38 000** – Vienne, 22 mai 1973 : *Arbres en fleurs* : **ATS 70 000** – Vienne, 13 mars 1974 : *Soleil d'octobre* : **ATS 75 000** – Vienne, 22 juin 1976 : *Nature morte*, h/t (73x100) : **ATS 35 100** – Vienne, 13 juin 1978 : *Premiers rayons de soleil*, h/t (113x157) : **ATS 75 000** – Vienne, 18 sept 1979 : *Les Fruits de l'été*, h/t (111x91) : **ATS 140 000** – Vienne, 17 mars 1981 : *La Route de campagne*, h/cart. (98,5x131) : **ATS 150 000** – Londres, 23 mars 1984 : *Deux jeunes filles dans un sous-bois*, h/pan. (53,2x67,2) : **GBP 17 000** – Neuilly-sur-Seine, 16 mars 1989 : *Fleurs et papillons*, h/pan. (20x30) : **FRF 70 000** – Londres, 28 mars 1990 : *Lis dans un jardin*, h/t (112,5x89) : **GBP 33 000** – Munich, 10 déc. 1991 : *Vase avec des coquelicots et des marguerites jaunes*, h/cart. (50,5x50,5) : **DEM 25 300** – Munich, 25 juin 1992 : *Le jardin botanique à Euxinograd en Bulgarie*, h/cart. (68x100,5) : **DEM 113 000** – Munich, 27 juin 1995 : *Le vieux cimetière de Goisern*, h/cart. (42,5x39,5) : **DEM 43 700** – Munich, 25 juin 1996 : *Cuisine campagnarde*, h/cart. (32x38,5) : **DEM 12 000.**

WISKOTSCHILL Thaddäus Ignatius ou **Wiskotzil** ou **Wiskottschill**
Né vers 1754. Mort le 21 janvier 1795 à Dresde. xviiie siècle. Allemand.
Sculpteur.
Il exécuta de nombreuses sculptures pour la cour et la ville de Dresde. Il fut l'inventeur du procédé permettant la fonte de statues en fer de très grandes dimensions. Le Musée de Dresde conserve plusieurs œuvres de cet artiste.

WISLICENUS Hans
Né le 3 décembre 1864 à Weimar. Mort le 14 décembre 1939 à Berlin. xixe-xxe siècles. Allemand.
Peintre d'histoire, scènes de genre, portraits, figures.
Il fut élève de l'académie des beaux-arts de Düsseldorf. Il exposa à Berlin en 1891. On cite de lui *Portrait de Frédéric le Grand* et *Portrait de Hermann Wislicenus, père de l'artiste.*

WISLICENUS Hermann
Né le 20 septembre 1825 à Eisenach. Mort le 25 avril 1899 à Goslar. xixe siècle. Allemand.
Peintre d'histoire.
Élève de Bendemann et de Schnorr à l'Académie de Dresde. Il alla ensuite à Rome. En 1868, il fut nommé professeur à l'Académie de Weimar, puis à celle de Düsseldorf. En 1861, membre honoraire de l'Académie de Dresde et en 1869, directeur de l'Académie de Düsseldorf. Il a exécuté des décorations au château de Goslar et au Musée de Weimar.
Musées : Berlin : *Les quatre saisons* – Dresde : *Abondance et misère – Projet pour un rideau de théâtre* – Leipzig : *Prométhée – Cornélie et les jeunes Gracques – Brutus condamnant ses fils à mort* – Munich (Gal. Schack) : *L'Imagination portée par des Rêves* – Weimar : *Le suaire de Véronique.*

WISLICENUS Max
Né en 1861 à Weimar. Mort en 1957 à Schloss Pillnitz. xixe-xxe siècles. Allemand.
Peintre.
Il appartient au groupe de la Sécession.
Ventes Publiques : Lucerne, 7 juin 1984 : *Nu*, h/t (152x152) : **CHF 3 000** – Lucerne, 30 sep. 1988 : *Flamme*, h/cart. (69x49) : **CHF 1 100.**

WISLIN Charles
Né le 4 décembre 1852 à Gray (Haute-Saône). xixe siècle. Français.
Peintre de paysages. Postimpressionniste.
Élève de Jean Paul Laurens et de Jules Noël, il débuta au Salon de Paris en 1880 et fut membre de la Société des Artistes Français à partir de 1883. Mention honorable à l'Exposition Universelle de 1889.
Ses paysages de France montrent son goût pour les recherches d'éclairage changeant selon les heures du jour et les saisons. Sa technique est souvent proche de celle des impressionnistes.
Bibliogr. : Gérald Schurr, in : *Les Petits Maîtres de la peinture 1820-1920, valeur de demain*, Les Éditions de l'Amateur, t. VI, Paris, 1985.

WISMAN Andreas
xviie siècle. Actif à Kronstadt. Autrichien.
Dessinateur.

WISMES Jean Baptiste Heraclée Olivier de, baron
Né le 16 septembre 1814 à Paris. Mort le 7 janvier 1887 à Nantes (Loire-Atlantique). xixe siècle. Français.
Graveur à l'eau-forte, dessinateur amateur.
Élève de Dejuinne, de Hubert et de Dantan. Il débuta au Salon en 1857 ; mention honorable en 1859 et 1863. Savant.

WISMES Louis Marie Armel de
Né le 20 avril 1845 à Nantes (Loire-Atlantique). Mort le 1er mai 1886 à Pau (Pyrénées Atlantique). xixe siècle. Français.
Peintre.
Fils de Jean-Baptiste Héraclée Olivier de Wismes. Il était également diplomate. Élève de P. A. Coutan, de Hippolyte Dubois et de J. Lefebvre.

WISNIESKI Oskar
Né le 3 décembre 1819 à Berlin. Mort le 10 août 1891 à Berlin. xixe siècle. Allemand.
Peintre d'histoire et de genre, lithographe et graveur sur bois et à l'eau-forte.
De 1834 à 1837, élève de l'Académie de Berlin. Il travailla aussi à Paris et en Italie. En 1884, membre de l'Académie de sa ville natale. Le Musée National de Berlin conserve de lui *Les derniers honneurs* ; et celui de Königsberg, *Harangue de Frédéric le Grand à la bataille de Leuthen.*

WISNIEWSKI Andrezy ou **Andrzej**
Né en 1947 à Varsovie. xxe siècle. Actif en Belgique. Polonais.
Peintre de figures, paysages, graveur.
Ingénieur forestier, il a étudié ensuite à l'école des beaux-arts.
Il montre ses œuvres dans des expositions personnelles, notamment en Belgique.
Il emprunte ses thèmes d'une grande simplicité, le passage d'un lièvre, d'un coyote, la vue d'une montagne, d'un cactus, à ses voyages en Islande, Argentine, au pays des indiens Hoppi, en Italie (avec la série des *Bâtards*), mais aussi à son quotidien comme les rues de Bruxelles. Dans ses tableaux riches en matière et lithographies, il travaille sur la mémoire, enregistrant les jours ou les nuits, le passage du temps.

WISNIOWIECKI Tadeusz
xixe-xxe siècles. Polonais.
Sculpteur de bustes.
Il fut élève de l'académie des beaux-arts de Cracovie.
Musées : Rapperswil : *Buste de Chopin.*

WISS. Voir aussi **WYSS**

WISS Alfons
Né le 9 juin 1880 à Fullenbach. xxe siècle. Suisse.
Sculpteur de statues, scènes de genre.
Il fut élève d'Alfred Schnetzer à Saint-Gall. Il sculpta des statues.
Musées : Olten : *Vieille Femme – Après le bain – Jeune Homme – Paysan de Souabe – Jeune Mère et enfant.*

WISSAERT François
Né le 14 février 1855. xixe siècle. Actif à Bruxelles. Belge.
Médailleur.
Père de Paul Wissaert et élève de l'Académie de Bruxelles.

WISSAERT Paul
Né le 13 mai 1885 à Bruxelles. xxe siècle. Belge.
Sculpteur, médailleur.
Fils du médailleur François Wissaert, il fit ses études à Bruxelles, à Paris et à Florence.

WISSANT Charles ou **Wissandt**
Né à Strasbourg (Bas-Rhin). xixe siècle. Français.
Peintre de paysages et dessinateur.
Élève de Guérin. Il débuta au Salon de 1869. Le Musée du Havre conserve de lui : *Hôtel-de-Ville du Havre* (aquarelle).
Ventes Publiques : Paris, 26 fév. 1926 : *La rivière*, aquar. : **FRF 240** ; *La mer à Biarritz*, aquar. : **FRF 180** – Paris, 28 juin 1950 : *Vues de Suisse*, deux aquarelles formant pendants : **FRF 700** – Londres, 26 juil. 1982 : *Vues de Paris pendant la Commune* 1871, suite de 17 aquar. et pl. avec traces de gche (15 de 13,5x21 ; 17x23 ; 32x23,5) : **GBP 9 500.**

WISSANT Charles ou **F. Charles** ou **Wissandt**
xixe siècle. Travaillant à Strasbourg de 1809 à 1842. Français.

Dessinateur d'architectures.
Père de Charles Wissant. Il dessina des vues de Strasbourg.

WISSCHACK Maximilian. Voir **WISCHAK**

WISSCHAVENS Jan
XVIe siècle. Travaillant à Malines. Éc. flamande.
Sculpteur et architecte.
Assistant de Fr. Mynshereen.

WISSCHAVENS Sebastian
XVIe siècle. Actif à Malines. Éc. flamande.
Peintre.
Membre de la gilde en 1530.

WISSEL Abraham Van der
Né en 1865, ou 1867 dans l'île de Marken. Mort en 1926. XIXe-XXe siècles. Hollandais.
Peintre de paysages animés.
Il fut élève de P. Q. Schipperus à Rotterdam.
Il a peint les activités quotidiennes des paysans hollandais de son époque.
Ventes Publiques : Amsterdam, 17 sep. 1991 : *Paysan manœuvrant une barque à la perche sur un ruisseau vers un pont basculant,* h/t (47x66) : **NLG 2 300** – Amsterdam, 24 sep. 1992 : *Ramasseurs de fagots à l'orée d'un bois en automne,* h/t (74x105) : **NLG 2 185.**

WISSEL Adolf
Né en 1894 à Velber-Hanovre. Mort en 1973. XXe siècle. Allemand.
Peintre de genre, portraits.
Il fut élève de l'École des Arts Appliqués de Hanovre, où il vécut et travailla, de 1911 à 1914, puis de l'Académie des Beaux-Arts de Kassel de 1922 à 1924.
Famille des paysans de Kalenberg de 1939 a été présentée en 1997 à l'exposition *Les Années trente en Europe. Le temps menaçant* au musée d'Art moderne de la ville de Paris.
Il s'est inspiré du monde paysan, dont il exalte les valeurs, dans des scènes de genre, qui connurent un vif succès sous le régime nazi.
Bibliogr. : Catalogue de l'exposition : *Les Années trente en Europe. Le temps menaçant,* Musée d'Art moderne de la ville, Paris Musées, Flammarion, Paris, 1997.

WISSEL Gillis Van der
Né vers 1676 à Haarlem. XVIIIe siècle. Actif à Amsterdam. Hollandais.
Graveur au burin.

WISSELINGH Johannes Pieter Van
Né en mai 1812 à Amersfoort. Mort le 18 juin 1899 à Utrecht. XIXe siècle. Hollandais.
Peintre de scènes de genre, paysages animés, paysages, aquarelliste, graveur, dessinateur.
Il a gravé à l'eau-forte des paysages et des sujets de genre.
Musées : Bruxelles : cinq aquarelles, trente-huit dessins – La Haye (Mus. mun.) : *Paysage.*
Ventes Publiques : Amsterdam, 7 sep. 1976 : *Paysage,* h/t (51x74) : **NLG 6 400** – Amsterdam, 30 oct. 1990 : *Lavandières au bord d'une mare avec un château à l'arrière plan,* h/pan. (39,5x51,5) : **NLG 3 680** – Amsterdam, 16 avr. 1996 : *Paysage boisé avec un personnage près d'un ruisseau,* h/t (57x94) : **NLG 1 652.**

WISSELINGH M. Van
Née le 6 mai 1855 à Amsterdam. XIXe siècle. Hollandaise.
Peintre et décorateur.

WISSEZONE Jaquet Cornelis
XVe siècle. Actif à Zierickzee dans la seconde moitié du XVe siècle. Hollandais.
Portraitiste.
Élève de Phil Truffin.

WISSHAK. Voir **WISCHAK**

WISSIAK. Voir **WISIAK**

WISSINCK Henie Van
XVe siècle. Éc. flamande.
Peintre.
Actif à Louvain, il travailla à Bruxelles de 1468 à 1480 environ.

WISSING William ou **Willem** ou **Wissmig**
Né en 1653 à Amsterdam. Mort le 10 septembre 1687 à Burleigh. XVIIe siècle. Hollandais.
Peintre de portraits.
Il fut élève de Willem Doudyns, à La Haye. Il vint ensuite à Paris, puis visita l'Angleterre, d'abord aide de sir Peter Lely, il fut, après la mort de ce maître, le peintre de portrait à la mode à Londres. Il peignit la famille royale et notamment le duc de Mormouth, dont il reproduisit plusieurs fois l'effigie. La venue de sir Godfrey Kneller diminua un peu son succès, cependant, après la mort de Charles II, Jacques II le nomma peintre de la cour et il fut envoyé en Hollande peindre les portraits de Guillaume d'Orange et de la princesse Marie, son épouse. Il mourut peu après son retour en Angleterre.

W W P

Musées : Amsterdam : *Guillaume III d'Orange* – Bath : *Laurence Hyde – Le prince Guillaume d'Orange* – Londres (Nat. Portrait Gal.) : *J. Wilmot, comte de Rochester – Duc de Mornouth Bucclengh – La reine Marie II – Marie, femme de Jacques II – Baron John Cutts – Prince Georges de Danemark.*
Ventes Publiques : Londres, 1er mai 1925 : *Marie de Modène* : **GBP 315** – Londres, 28 juil. 1926 : *Lady Wyndham enfant* : **GBP 231** – Londres, 17 et 18 mai 1928 : *La duchesse de Portsmouth* : **GBP 262** – Paris, 24 oct. 1934 : *Portrait présumé de lady Kennedy* : **FRF 1 150** – Londres, 17 nov. 1967 : *Portrait de Mary de Modène* : **GNS 850** – Mentmore, 25 mai 1977 : *James II,* h/t (200x127) : **GBP 1 700** – Paris, 30 mars 1980 : *Portrait de la reine Béatrice d'Este,* h/t, vue ovale : **FRF 10 100** – Londres, 22 avr. 1983 : *Portrait de James, 12e Earl et 1er Duke of Ormonde,* h/t (125,6x101,6) : **GBP 7 500** – Londres, 26 avr. 1985 : *Portrait of a gentleman,* h/t (75x61,6) : **GBP 3 800** – Londres, 18 nov. 1988 : *Portrait d'une dame assise vêtue d'une robe brune et d'un manteau bleu près d'une urne de fleurs,* h/t (125x101,3) : **GBP 4 950** – Amsterdam, 28 nov. 1989 : *Portrait de John Vernal portant un costume sombre et un col de dentelle* 1688, h/t (76x63,5) : **NLG 4 830** – New York, 10 oct. 1990 : *Portrait de la Reine Anne alors Princesse de Danemark assise avec sa couronne près d'elle,* h/t (127,5x101) : **USD 4 950** – Londres, 1er mars 1991 : *Portrait du Prince George de Danemark, de trois-quarts en habits de cour* 1750, h/t (124x102) : **GBP 7 700** – Londres, 8 avr. 1992 : *Portrait d'une Lady avec sa fille,* h/t (45x36) : **GBP 6 600** – Londres, 14 juil. 1993 : *Portrait de la Reine Anne alors Princesse de Danemark, assise de trois-quarts et vêtue d'une robe bleue et d'un manteau rouge bordé d'hermine* 1687, h/t (124,5x101) : **GBP 54 300** – Londres, 12 juil. 1995 : *Portrait de Madame Henriette de Keroualle debout de trois-quarts dans un paysage* 1674, h/t (121x99) : **GBP 23 000.**

WISSLER Anders Henrik
Né le 3 février 1869 à Linköping. Mort le 28 février 1941 à Brevik. XIXe-XXe siècles. Suédois.
Sculpteur de bustes, statues, céramiste.
Il fut élève de l'académie des beaux-arts de Stockholm. Il sculpta des statues, des bustes et des fontaines.

WISSLER Jacques
Né en 1803 à Strasbourg (Bas-Rhin). Mort le 25 novembre 1887 à Camden. XIXe siècle. Américain.
Graveur au burin, lithographe et portraitiste.
Il fit ses études à Paris.

WIST Heinrich. Voir **WÜST**

WISTELIUS Ivan Ivanovitch
Né en 1802. Mort le 4 février 1872 à Saint-Pétersbourg. XIXe siècle. Russe.
Peintre et lithographe.
Élève de l'Académie de Saint-Pétersbourg.

WISTINGHAUSEN Alexandrine von
Née en 1850 à Reval. XIXe siècle. Estonienne.
Paysagiste.
Élève de Jul. von Klever à Saint-Pétersbourg et d'O. de Champeaux à Paris.

WISZNEWIECKI Alexéï
XIXe siècle. Travaillant à Saint-Pétersbourg en 1848. Russe.
Portraitiste.

WISZNEWIECKI Michail
Né en 1801. Mort en 1871. XIXe siècle. Russe.
Peintre d'histoire et portraitiste.
Élève de l'Académie de Saint-Pétersbourg.

WISZNIEWSKI Kazimierz
Né en 1894 à Varsovie. XXe siècle. Polonais.
Graveur.
Il fit ses études à Varsovie.

WIT. Voir aussi **WITT** et **WITTE**

WIT Andries de. Voir **WITH**

WIT Cornelis de. Voir **WITTE**

WIT Denis de
XVIIIe siècle. Travaillant à Amsterdam en 1777. Hollandais.
Peintre de fleurs.

WIT E. de
XVIIe siècle. Hollandais.
Peintre.

WIT Elias. Voir **WITTE Pieter**, dit **Peter Candid**

WIT Emanuel. Voir **WITTE**

WIT Franciscus de, dit **Febus** ou **Apol**
Né à Gand. XVIIe siècle. Éc. flamande.
Peintre d'histoire.
Il fut également poète. Il travailla à Rome.

WIT Frederik de ou **Widt** ou **Witt**
XVIIe siècle. Actif à Amsterdam vers 1650. Hollandais.
Graveur de portraits.
Il grava au burin principalement des cartes géographiques et des portraits. Il fut également éditeur.
Musées : Paris (BN) : *Portrait de l'amiral Cornelis Tromp.*

WIT Gregor de
Né le 9 juin 1892 à Hilversum. XXe siècle. Hollandais.
Peintre de compositions religieuses, peintre de compositions murales.
Il a peint neuf fresques dans le réfectoire de l'abbaye de Metten.

WIT Isaak Jansz de
Né le 9 décembre 1744 à Amsterdam. Mort le 13 mars 1809 à Haarlem. XVIIIe siècle. Hollandais.
Graveur au burin.
Il a gravé des paysages, des sujets de genre et des sujets religieux.

WIT Jakob de ou **Witt**
Né en 1695 à Amsterdam. Mort le 12 novembre 1754 à Amsterdam. XVIIIe siècle. Hollandais.
Peintre de compositions mythologiques, sujets allégoriques, scènes de genre, aquarelliste, graveur, dessinateur, décorateur.
Vers 1709, il entra comme élève chez Albert Van Spiers pour trois ans. En 1712, il vint à Anvers et se plaça sous la direction de Jakob Van Hal. Il quitta ce maître après deux ans et étudia les œuvres de Rubens et de Van Dyck. Il fit dessiner les trente-six compartiments de la décoration de l'église des Jésuites d'Anvers par Rubens. Ces dessins furent, plus tard, gravés par Jan Put.
Jakob de Wit fut particulièrement employé dans la peinture de plafonds et la décoration d'appartements, consistant en sujets allégoriques ou emblématiques. Il réussit particulièrement les figures d'enfants jouant peints en grisaille. On lui doit également des gravures à l'eau-forte.

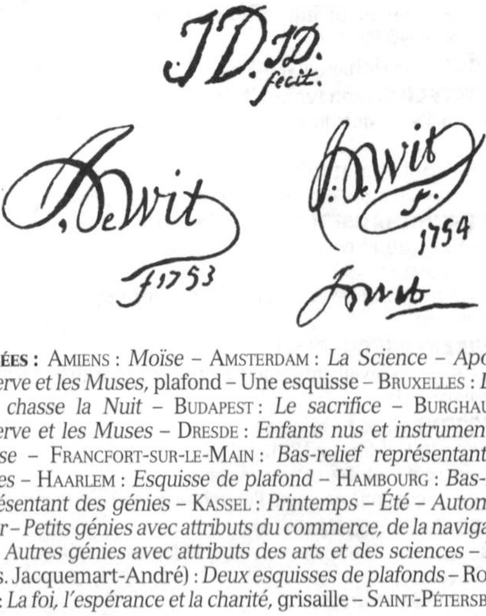

Musées : Amiens : *Moïse* – Amsterdam : *La Science – Apollon, Minerve et les Muses*, plafond – Une esquisse – Bruxelles : *L'Aurore chasse la Nuit* – Budapest : *Le sacrifice* – Burghausen : *Minerve et les Muses* – Dresde : *Enfants nus et instruments de chasse* – Francfort-sur-le-Main : *Bas-relief représentant des génies* – Haarlem : *Esquisse de plafond* – Hambourg : *Bas-relief représentant des génies* – Kassel : *Printemps – Été – Automne – Hiver – Petits génies avec attributs du commerce, de la navigation, etc – Autres génies avec attributs des arts et des sciences* – Paris (Mus. Jacquemart-André) : *Deux esquisses de plafonds* – Rotterdam : *La foi, l'espérance et la charité*, grisaille – Saint-Pétersbourg (Mus. de l'Ermitage) : *La Vanité – Départ de l'Amour pour la chasse – Deux bacchanales d'enfants* – Toulon : *Enfants jouant*, deux œuvres.

Ventes Publiques : Paris, 1777 : *Enfants tenant des attributs de la chasse* : **FRF 250** – Paris, 1875 : *Le buste de Flore couronné par les Amours* : **FRF 3 000** – Londres, 1894 : *L'été ; L'Automne*, deux grisailles : **FRF 4 339** – Paris, 7 mai 1897 : *Des amours* : **FRF 1 250** – Paris, 9-11 avr. 1902 : *Amours dans des nuages* : **FRF 1 320** – Paris, 26 nov. 1919 : *Scène mythologique*, aquar. : **FRF 700** – Londres, 15 déc. 1922 : *Amours cueillant des fleurs* 1734 : **GBP 52** – Londres, 3 déc. 1926 : *Bacchanale*, grisaille : **GBP 37** – Londres, 13 avr. 1927 : *Un corps de garde* : **GBP 75** – Paris, 20 fév. 1928 : *Bacchus enfant* : **FRF 15 500** – Paris, 7 et 8 juin 1928 : *Jeux d'enfants ; Le sacrifice de l'amour*, dess. : **FRF 3 000** – Paris, 28 nov. 1928 : *Monument funèbre*, pl. : **FRF 1 700** – Londres, 20 fév. 1929 : *Amours jouant autour du buste de Bacchus* : **GBP 58** – Paris, 10 et 11 avr. 1929 : *Plafond*, pl. : **FRF 1 400** ; *Plafond*, pl. : **FRF 2 000** – Londres, 2 déc. 1929 : *Les saisons*, quatre dessus de porte : **GBP 173** – Londres, 27 nov. 1931 : *Les arts*, grisaille, dessus de porte : **GBP 46** – Londres, 22 juil. 1938 : *Le Pharaon et Jacob* : **GBP 31** – Paris, 29 et 30 mars 1943 : *Femmes et Amours*, fusain, rehauts de blanc : **FRF 1 600** – Berne, 6 nov. 1952 : *Enfants et bouc*, dess. à la pl. : **CHF 100** – Paris, 8 fév. 1954 : *L'Adoration des Bergers* : **FRF 27 000** – Amsterdam, 11 avr. 1967 : *Cérès* : **NLG 5 000** – Munich, 10 déc. 1969 : *Putti*, aquar. : **DEM 3 800** – Londres, 7 juil. 1972 : *Allégorie du Traité d'Aix-la-Chapelle*, grisaille : **GNS 2 200** – Paris, 29 nov. 1976 : *Jeux d'amour*, pl. et lav. (17,5x17) : **FRF 4 200** – Hambourg, 2 juin 1977 : *L'Ascension d'une Sainte*, dess. à la pl. aquar./t. de cr. (31,5x43,5) : **DEM 5 200** – Paris, 26 oct. 1978 : *Allégorie du Commerce*, h/bois, en grisaille (31,5x25) : **FRF 6 800** – Amsterdam, 17 nov. 1980 : *Quatre Putti et un éléphant*, pl. et lav./trait de craie rouge et reh. de blanc (15,5x21) : **NLG 7 200** – Amsterdam, 22 avr. 1980 : *le Triomphe de Vénus* 1725, h/t (200x137,5) : **NLG 17 000** – New York, 25 mars 1982 : *Putti* 1745, h/pan., de forme irrégulière, en grisaille (91,5x72,5) : **USD 2 750** – Paris, 10 oct. 1983 : *Moïse prêchant dans le désert*, pl. et lav. d'encre de Chine reh. de gche blanche (29,2x26,5) : **FRF 12 000** – New York, 10 juin 1983 : *Méléagre et Atalante* 1733, h/t (125x165) : **USD 5 000** – Paris, 18 mars 1985 : *Ange au tombeau*, pl. et lav. d'encre de Chine/fond de sanguine (31,5x22,5) : **FRF 5 000** – Amsterdam, 29 avr. 1985 : *Allégorie de la Science* 1724, h/t (121x91) : **NLG 36 000** – Amsterdam, 14 nov. 1988 : *Dessin pour un plafond représentant l'apothéose de Flore* 1738, h/t (49x62) : **NLG 29 900** – Paris, 16 déc. 1988 : *Les bulles de savon* 1720, h/t (160x75) : **FRF 65 500** – New York, 12 jan. 1989 : *Putti et chiens de meute près d'un cerf mort (allégorie de la chasse)* 1733, h/t en grisaille (131x102) : **USD 16 500** – Londres, 18 oct. 1989 : *Allégorie des quatre saisons* 1722, h/t (131,5x147) : **GBP 12 650** – Amsterdam, 28 nov. 1989 : *Allégorie de l'automne – deux putti tenant des grappes de raisin sur un nuage* 1728, h/t (99,5x92) : **NLG 23 000** – Rome, 8 mai 1990 : *Les quatre saisons*, h/t (135x150) : **ITL 42 000 000** – New York, 8 jan. 1991 : *Allégorie de la Charité*, sanguine à l'intérieur d'un cercle dessiné (34,4x34) : **USD 3 500** – Amsterdam, 25 nov. 1991 : *Allégorie de l'automne ; Bacchus enfant et des Putti près d'un vase* 1747, encre et lav. (22,9x17) : **NLG 4 830** – Monaco, 5-6 déc. 1991 : *Groupe de personnages bibliques comprenant Moïse, David et Abraham* 1748, encre et lav. (37,2x21,2) : **FRF 17 760** – Paris, 13 mai 1992 : *Deux amours à la guirlande* 1728, h/t (87x110,5) : **FRF 50 000** – Amsterdam, 10 nov. 1992 : *Anges avec les symboles de la foi*, h/t en grisaille, une paire, imitation de bas-reliefs (chaque 75x31) : **NLG 32 200** – Amsterdam, 25 nov. 1992 : *Allégorie du printemps*, cr. et aquar., projet de plafond (23,9x32,3) : **NLG 23 000** – Londres, 9 déc. 1992 : *Trois putti avec une lyre et une trompette et un caducée* 1748, h/t (116,6x149,5) : **GBP 9 020** – New York, 14 jan. 1994 : *Cinq putti récoltant des fruits et du maïs*, h/t en grisaille (144,8x118,1) : **USD 27 600** – New York, 19 mai 1994 : *Putti transportant une peinture*, h/t (74,9x97,8) : **USD 27 600** – Londres, 3 avr. 1995 : *Un ange*, craies de coul. (23,6x22,5) : **GBP 1 035** – Paris, 28 avr. 1995 : *Étude pour un plafond*, pl. et lav. gris (21,3x32,5) : **FRF 6 000** – Paris, 31 mai 1995 : *Groupe de 5 amours*, aquar. (17,5x26,5) : **FRF 14 000** – New York, 10 jan. 1996 : *Quatre putti sur des nuages*, craie noire, encre et aquar. (17,2x21,6) : **USD 4 600** – Amsterdam, 12 nov. 1996 : *Le Temps rognant les ailes de Cupidon*, cr., encre brune et lav. reh. de blanc/craie rouge (18,9x15,1) : **NLG 17 700** – Paris, 9 déc. 1996 : *Allégorie de la Géographie*, h/t (102x163,5) : **FRF 170 000** – New York, 3 oct. 1996 : *Hiver*, h/t (180,3x77,5) : **USD 6 900** – Londres, 30 mai 1997 :

Deux putti avec des légumes 1741, h/t, grisaille (83,6x69,5) : **GBP 9 775** – AMSTERDAM, 11 nov. 1997 : *Allégorie des Bienfaits de la Paix* 1753, h/t, modello pour plafond (42,7x59,8) : **NLG 48 434**.

WIT Jan de
XVIIe siècle. Éc. flamande.
Peintre.
Sans doute faut-il voir ici Jacob Wet, l'Ancien. Inscrit sous ce nom dans la gilde de Haarlem en 1644. Le Musée de cette ville conserve de lui *Gibier mort*. Le Musée de Hanovre conserve au nom de Jan de Witt un tableau *Vénus et Adonis*. L'artiste est indiqué né en 1595, mort en 1664. Ce sont, à un siècle près, les dates de Jacob de Wit. N'y a-t-il pas là une erreur de l'auteur du catalogue, et l'œuvre n'est-elle pas de Jacob ?

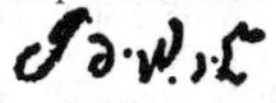

WIT Jan de. Voir aussi **WET Jacob de**, l'Ancien

WIT Jean Pépin de. Voir **PÉPIN Jean**

WIT Johannes de
Né vers 1658 à Nuwhuysz. XVIIe siècle. Hollandais.
Graveur au burin.

WIT Petrus Josephus de
Né le 11 mars 1816 à Anvers. Mort le 13 novembre 1870 à Anvers. XIXe siècle. Éc. flamande.
Peintre d'ornements et de décorations.

WIT Pieter de. Voir **WITH**

WIT Pieter ou **Peter de**. Voir **WITTE**

WIT Prosper Joseph Pierre
Né en 1860 ou 1862 à Anvers. Mort en 1947 ou 1951 à Schaerbeek. XIXe-XXe siècles. Belge.
Peintre de paysages et d'intérieurs.
Il fut élève de l'Académie d'Anvers.

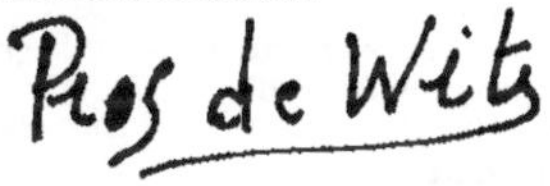

BIBLIOGR. : In : *Diction. Biogr. Ill. des Artistes en Belgique depuis 1830*, Arto, 1987.
MUSÉES : LIÈGE : *Ferme ensoleillée*.
VENTES PUBLIQUES : BRUXELLES, 4 avr. 1938 : *La sortie du village* : **BEF 1 000** – BRUXELLES, 27 mars 1979 : *Été en Flandres* 1935, h/t (60x79) : **BEF 26 000** – LOKEREN, 20 oct. 1984 : *Femme nettoyant des cuivres*, h/t (80x100) : **BEF 150 000** – LOKEREN, 28 mai 1988 : *Paysage hollandais* 1908, h/pan. (27x37) : **BEF 50 000** – BRUXELLES, 19 déc. 1989 : *La Dyle à Malines*, h/t (50x70) : **BEF 105 000** – BRUXELLES, 27 mars 1990 : *Les effeuilleuses de choux*, h/t (60x80) : **BEF 180 000** – CALAIS, 20 oct. 1991 : *Pont du cheval à Bruges*, h/pan. (26x35) : **FRF 8 000** – LOKEREN, 23 mai 1992 : *Estaminet à Grimbergen*, h/t (45x55) : **BEF 40 000** – AMSTERDAM, 28 oct. 1992 : *Arbres le long d'un ruisseau*, h/t (40x60) : **NLG 2 530** – LOKEREN, 9 oct. 1993 : *Pont Audemer*, h/t (150x120) : **BEF 95 500** – LOKEREN, 28 mai 1994 : *Paysan avec une charrette à bœufs*, h/pan. (27x36) : **BEF 52 000** – LONDRES, 6 juil. 1994 : *Portrait de Dirck Wilre dans le chateau de Elmina*, h/t (103,2x141,4) : **GBP 749 500**.

WIT Wilhelm de. Voir **WITTE**

WITAN Kartschov
Né près de Trevna. XVIIIe siècle. Bulgare.
Peintre.
Il fut le fondateur de l'École de Trevna. Il fit ses études en Grèce et peignit surtout des icônes pour des églises de la Bulgarie du Nord.

WITAN Tzonjov Dimitrov Witanov
XVIIIe-XIXe siècles. Bulgare.
Peintre d'icônes et sculpteur sur bois.
Il fut un descendant de Kartschov Witan et imita son style.

WITBERG Karl ou **Alexander Lavrentiévitch** ou **Vitberg**
Né le 15 janvier 1787 à Saint-Pétersbourg. Mort le 12 janvier 1855 à Saint-Pétersbourg. XIXe siècle. Russe.
Peintre d'histoire et de portraits, architecte.
Le Musée Roumianzeff, à Moscou, conserve de lui, *Saint Pierre délivré de sa prison*, et le Musée Tretiakov, dans la même ville, *Portrait de l'écrivain A. J. Herzen*.

WITCHELL Thomas
XVIIIe siècle. Britannique.
Peintre de portraits, peintre de miniatures.
Il exposa à Londres de 1778 à 1780.

WITDOECK Franciscus Donatus
Né en 1766 à Anvers. Mort en 1834 à Anvers. XVIIIe-XIXe siècles. Éc. flamande.
Dessinateur d'architectures.
Père de Petrus Josephus Witdoeck et élève de Jena Blom.

WITDOECK Jan ou **Witdouck** ou **Withouck**
Né en 1604 ou 1615 à Anvers. XVIIe siècle. Éc. flamande.
Graveur au burin et éditeur.
Élève de P. P. Rubens. Il a gravé des sujets religieux. Il fit partie des graveurs de l'atelier de Rubens et travailla sous l'œil du maître.

WITDOECK Petrus Josephus ou **Pierre Joseph**
Né le 4 janvier 1803 à Anvers. Mort en 1840. XIXe siècle. Éc. flamande.
Peintre et architecte.
Fils de Franciscus Donatus Witdoeck et élève de F. de Braekeleer. Il peignit surtout des architectures et des scènes historiques. Le Musée de Courtrai conserve de lui *Gibier*.
VENTES PUBLIQUES : PARIS, 26 jan. 1951 : *Le sculpteur dans la cathédrale* 1852 : **FRF 4 000** ; *L'ultime vision* 1851 : **FRF 2 000** – PARIS, 4 mai 1951 : *Portraits du comte et de la comtesse de Bréda, assis dans un intérieur* 1841 et 1847, deux pendants : **FRF 11 000**.

WITE Robert. Voir **WHITE**

WITEL Kaspar ou **Gaspar Van**. Voir **VANVITELLI**

WITEVELDE. Voir **WYTEVELDE**

WITH Andries de ou **Wit**
XVIIe siècle. Actif à Utrecht dans la seconde moitié du XVIIe siècle. Hollandais.
Peintre.
Élève de Johan Van der Meer. Il travailla à Rees près de Clèves.

WITH Artus de
XVIIe siècle. Hollandais.
Sculpteur.
Il a sculpté l'épitaphe de l'amiral Van der Hulst dans l'Ancienne Église d'Amsterdam dans la seconde moitié du XVIIe siècle.

WITH Clemens de
XVIIe siècle. Travaillant à Rome en 1681. Hollandais.
Peintre.

WITH Emanuel. Voir **WITTE**

WITH Jette
XXe siècle. Danoise.
Peintre de figures, peintre de collages.
Élève de l'école de peinture Oskar Kokoschka de Salzbourg, de l'académie royale des beaux-arts de Copenhague et de l'académie des beaux-arts de Paris. Elle expose au Danemark, en Hollande, Allemagne, France, notamment aux musées de Bayeux, de Toulon, en Grande-Bretagne, Italie et au Portugal. Elle a reçu le prix de la fondation culturelle du ministère de l'agriculture du Danemark. Son travail par des couleurs vives, une facture dynamique, met en scène l'homme et son énergie vitale.
VENTES PUBLIQUES : PARIS, 23 mars 1991 : *La marée noire aux macareux*, acryl./t. (97x130) : **FRF 6 500**.

WITH Johann
XVIe siècle. Actif dans la seconde moitié du XVIe siècle. Hollandais.
Dessinateur.
Il dessina des scènes de la vie des Indiens de Virginie.

WITH Pieter de ou **Wit** ou **Weth**
XVIIe siècle. Actif dans la seconde moitié du XVIIe siècle. Hollandais.
Peintre de genre, dessinateur et aquafortiste.
Influencé par Rembrandt. Le Musée du Louvre, à Paris, et le Musée Boymans, à Rotterdam conservent des œuvres de cet artiste. Le Musée National, à Kiev, possède de lui *Joyeuse compagnie* et *Réunion de danse*, et le Musée Britannique, à Londres, deux paysages.

WITHALM Andreas
Né le 7 octobre 1777 à Vienne. Mort le 19 juillet 1835 à Vienne. XIXe siècle. Autrichien.
Graveur au burin.

WITHAM Frans Van der
XVIe siècle. Travaillant à Bois-le-Duc de 1531 à 1540. Hollandais.
Sculpteur de statues d'enfants et de saints.

WITHBY M. A. T.
XIXe siècle. Actif dans la première moitié du XIXe siècle. Britannique.
Paysagiste.
Il a peint des vues des Pyrénées, de Grèce, d'Angleterre et de Dresde.

WITHERBY Henry Forbes
Mort en 1908 à Holmehurst. XIXe siècle. Britannique.
Paysagiste.
Il exposa à partir de 1854.

WITHERINGTON William Frederick
Né le 25 mai 1785 à Londres. Mort le 10 avril 1865 à Londres. XIXe siècle. Britannique.
Peintre de scènes de genre, figures, paysages animés.
Il quitta le commerce pour entrer aux Écoles de la Royal Academy. Il exposa à Londres de 1808 à 1863, notamment à la Royal Academy, dont il fut associé en 1830 et membre en 1840. Il exposa aussi à la British Institution.
Il fit d'abord des paysages animés de figures, puis le paysage diminua dans ses œuvres pour faire place au pur sujet de genre.
Musées : Liverpool : *L'ours dansant* – Londres (Victoria and Albert Mus.) : *La houblonnière – La houblonnière*, aquar.
Ventes Publiques : Londres, 1899 : *John Gilpin* : **FRF 4 050** – Londres, 18 juil. 1962 : *La fenaison* : **GBP 380** – Londres, 9 déc. 1964 : *Le marché* : **GBP 550** – Londres, 7 fév. 1968 : *La cueillette des fruits* : **GBP 1 150** – Londres, 2 juil. 1971 : *The Stickleback Fishery* : **GNS 800** – Londres, 28 jan. 1972 : *Dimanche matin* : **GNS 700** – New York, 9 oct. 1974 : *Le retour du marché* : **USD 4 750** – New York, 15 oct. 1976 : *Le repos des moissonneurs*, h/t (102x137) : **USD 2 900** – Londres, 25 oct. 1977 : *Le départ pour le marché*, h/t (110x84,5) : **GBP 2 800** – Londres, 14 fév. 1978 : *Dimanche matin*, h/pan. (44x54,5) : **GBP 700** – Londres, 18 mars 1980 : *Femme et enfant jouant avec un chat* 1827, aquar. reh. de blanc (26,3x18,8) : **GBP 500** – Londres, 9 déc. 1981 : *Jardiniers vendants leurs produits au marché*, h/t (85,5x115) : **GBP 8 000** – Londres, 13 juin 1984 : *Pêcheurs au bord d'un étang*, h/t (71x64) : **GBP 1 100** – Londres, 19 juil. 1985 : *The ancient Temple at Hulwud*, h/t (69,8x87) : **GBP 9 500** – Londres, 18 nov. 1987 : *The homestead* 1855, h/t (68,5x89) : **GBP 15 000** – Londres, 12 juil. 1989 : *Paysage de l'est de l'île de Bombay* 1827, h/t (70x105) : **GBP 25 300** – Londres, 2 nov. 1989 : *Paysage de Ross-shire à trois miles de l'embouchure de Cromarty* 1859, h/t (71x91,5) : **GBP 1 760** – Londres, 17 nov. 1989 : *Les cueilleurs de houblon*, h/t (111,8x86,3) : **GBP 12 100** – New York, 28 fév. 1990 : *La poste du village* 1853, h/t (61x91,5) : **USD 28 600** – Londres, 14 nov. 1990 : *Les petites glaneuses*, h/t (60x49,5) : **GBP 3 850** – Londres, 25 oct. 1991 : *L'heure du dîner*, h/t (87,6x116,9) : **GBP 19 800** – Londres, 13 avr. 1994 : *Les cueilleurs de houblon*, h/t (85,5x114,5) : **GBP 28 750** – Londres, 5 nov. 1997 : *La Fenaison*, h/t (46x61) : **GBP 12 650**.

WITHERS Alfred
Né le 15 octobre 1856 à Londres. XIXe siècle. Britannique.
Peintre de paysages, d'architectures et aquafortiste.
Il exposa à Londres à partir de 1881, notamment à la Royal Academy et à Suffolk Street. Le Musée de Munich conserve de lui *Le moulin*.

WITHERS Edward
XVIIIe siècle. Travaillant à Derby jusqu'en 1775. Britannique.
Peintre sur porcelaine.
Il peignit des fleurs sur porcelaine à la Manufacture de Derby.

WITHERS Walter
Né le 22 octobre 1854 à Handsworth, d'autres sources indiquent 1845. Mort le 13 octobre 1914 à Ellham, d'autres sources indiquent 1913. XIXe-XXe siècles. Actif en Australie. Britannique.
Peintre de genre, portraits, paysages animés, paysages, aquarelliste. Impressionniste.
Il fut élève des Écoles du South Kensington à Londres et de l'Académie Julian à Paris. Il vint en Australie en 1882, et s'établit à Victoria (Melbourne). Il obtint le premier prix Wynne en 1897 et en 1900, et fut président de la Victorian Artists Society à partir de 1904. Il a surtout travaillé en Australie.

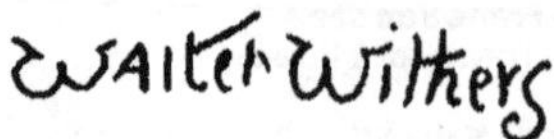

Musées : Adelaïde (Art Gal. of South Australia) : *Tôt le matin, Heidelberg* 1898 – Melbourne (Nat. Gal. of Victoria) : *Hiver tranquille* – Sydney : *L'orage – À l'approche du village*.
Ventes Publiques : Melbourne, 11 et 12 mars 1971 : *Le jeune pêcheur* : **AUD 750** – Melbourne, 14 mars 1974 : *Arbres*, aquar. : **AUD 900** ; *Paysage à l'étang* : **AUD 8 000** – Sydney, 6 oct. 1976 : *Troupeau dans un paysage d'été*, h/cart. (24x15) : **AUD 1 250** – Versailles, 27 mars 1977 : *Perroquet blanc à la nature morte*, aquar. (62x50) : **FRF 10 000** – Melbourne, 11 mars 1977 : *Cariole dans un paysage boisé* 1906, h/t mar./cart. (45,5x30,5) : **AUD 6 800** – Sydney, 10 mars 1980 : *Moutons sur la plage*, aquar. (28x47) : **AUD 1 200** – Sydney, 20 oct. 1980 : *Eau tranquille* 1896, h/t (65,5x45,5) : **AUD 6 500** – Sydney, 2 mars 1981 : *The Broken Fence*, h/pan. (25x35) : **AUD 7 500** ; 11 avr. 1984 : *Paysage*, aquar. (22x33,5) : **AUD 1 100** – Armadale (Australie), 11 avr. 1984 : *An Eltham road* 1904, h/t (30x50) : **AUD 34 000** – Sydney, 8 juil. 1985 : *The Diggers return, Eltham road*, h/t (31x51) : **AUD 26 000** – Melbourne, 30 juil. 1986 : *Beach promenade* 1904, aquar. (20x31) : **AUD 3 000** – Melbourne, 26 juil. 1987 : *Morning mist, Eltham*, h/t (61,5x73,5) : **AUD 380 000** – Londres, 1er déc. 1988 : *Le moissonneur*, aquar. (20,9x34,8) : **GBP 3 080** – Londres, 28 nov. 1991 : *Moutons au pâturage*, h/t (50,8x40,6) : **GBP 8 250**.

WITHERSTINE Donald Frederick
Né le 9 février 1896 à Herkimer (État de New York). XXe siècle. Américain.
Peintre.
Il fut élève de George Elmer Browne, de l'Art Institute de Chicago et de l'Académie des Beaux-Arts de Philadelphie. Il fut membre du Salmagundi Club.

WITHEUYS Jan
XVIIIe siècle. Travaillant à Amsterdam en 1730. Hollandais.
Graveur sur bois.

WITHOFS Jan
Né le 22 décembre 1943 à Genk. XXe siècle. Belge.
Sculpteur, graveur. Abstrait.
Il fit ses études à Hasselt. Son art relève du néo-constructivisme.

WITHOLT Koort
XVIIe siècle. Hollandais.
Peintre.
Élève de Ph. Wouwerman et de Jac. de Weth à Haarlem.

WITHOOS Alida
Née en 1659 ou 1660 à Amersfoort. Morte après 1715 à Hoorn. XVIIe-XVIIIe siècles. Hollandaise.
Peintre de sujets allégoriques, animaux, paysages animés, fleurs.
Fille de Matthias Withoos, elle fut son élève.
Musées : Montpellier (Mus. Fabre) : *Papillons et fleurs*.
Ventes Publiques : Paris, 1er juin 1927 : *Reptiles, papillons et fleurs* : **FRF 380** – Paris, 13 juin 1945 : *Fleurs* : **FRF 17 500** – Paris, 17 mars 1989 : *Composition allégorique : ancolie, papillons et lézard*, h/t (45x34) : **FRF 56 000** – Londres, 30 mars 1989 : *Jardin d'une villa italienne avec des sculptures et des paons*, h/t (60,3x50,5) : **GBP 1 320**.

WITHOOS Franz
Né en 1657 à Amersfoort. Mort en 1705 à Hoorn. XVIIe siècle. Hollandais.
Peintre d'animaux, natures mortes, fleurs, aquarelliste.
Dernier fils de Matthias Withoos, il fut son élève. Il suivit la carrière artistique comme son père et ses frères, mais il leur demeura inférieur en qualité. Il visita Batavia et y exécuta des travaux.
Il privilégia la représentation d'insectes, de plantes et de fleurs.
Ventes Publiques : Milan, 12 juin 1989 : *Nature morte de fleurs et plantes, un hérisson et un nid*, h/t (76x66) : **ITL 26 000 000**.

WITHOOS Jan
Né en 1648 à Amersfoort. Mort en 1685. XVIIe siècle. Hollandais.
Peintre de paysages et de vues.
Il travailla sous la direction de son père, Matthias Withoos et se perfectionna ensuite en Italie où il exécuta plusieurs aquarelles des environs de Rome. Il peignit également sur vélin et s'adonna à la reproduction des insectes et des plantes. Bien qu'il eût réussi à Rome, il revint en Hollande, et n'y fut pas moins bien accueilli. Il fut appelé à la cour du duc de Saxe-Lauenburg et y acheva sa carrière.

WITHOOS Maria
XVIIe-XVIIIe siècles. Active à Amersfoort aux XVIIe et XVIIIe siècles. Hollandaise.

Aquarelliste.
Fille de Matthias Withoos.

WITHOOS Matthias ou **Matthaus**, dit **Calzetta Bianca**
Né en 1621 ou 1627 à Amersfoort. Mort en 1703 à Hoorn. XVIIe siècle. Hollandais.
Peintre de genre, portraits, animalier, paysages, vues de villes, natures mortes, fleurs et fruits.
Il eut pour maîtres Jacob Van Campen et Otto Marcellis, qu'il accompagna en Italie, travaillant à Rome durant deux ans, employé par le cardinal de Médicis. De retour en Hollande et notamment à Amersfoot en 1652, il y fut tout de suite très apprécié. La guerre l'ayant obligé à se retirer dans le nord de la Hollande, il se fixa à Hoorn en 1672.
En Italie, il se fit une brillante réputation comme peintre de plantes, fleurs, insectes et reptiles. Ses animaux, fruits et fleurs sont d'exactes reproductions de la nature et servent à composer des *Vanités*.

Bibliogr. : In : *Diction. de la peinture flamande et hollandaise*, coll. Essentiels, Larousse, Paris, 1989.
Musées : Abbeville : *Trois Natures mortes* – Amersfoort : *Plusieurs vues d'Amersfoort* – Amsterdam (Rijksmus.) : *Port sur le Zuyderzee* – Avignon : *Intérieur de tabagie* – Bâle : *Nature morte* – Bruxelles : *Insectes et coquillages* – Château-Thierry : *Fleurs* – Dunkerque : *Scène de chasse* – La Fère : *Nature morte* – Le Mans : *Paysages et fleurs* – Mayence : *Parc romain* – New York (Mus. historique) : *Paysage* – Nottingham : *Chardons, papillons, etc., sur fond de paysage* – Schwerin : *Paysage*.
Ventes Publiques : Paris, 1838 : *Paysage* : **FRF 300** – Paris, 1901 : *Fruits et gibier sur une table près d'un vase en pierre* : **FRF 255** – Paris, 23 déc. 1932 : *Trophée de chasse* : **FRF 600** – Paris, 8 fév. 1954 : *Vanitas* : **FRF 19 100** – Paris, 8 fév. 1954 : *Vanitas* : **FRF 19 100** – Lucerne, 23-26 nov. 1962 : *Nature morte aux animaux* : **CHF 12 000** – Londres, 5 avr. 1963 : *Paysage boisé avec chasseurs* : **GNS 1 200** – Lucerne, 4 déc. 1965 : *Nature morte* : **CHF 23 000** – Londres, 29 juil. 1966 : *Omnia Vanitas* : **GNS 1 200** – New York, 11 mars 1978 : *Nature morte aux fleurs dans un paysage*, h/t (82x96) : **USD 8 500** – Londres, 4 mai 1979 : *Vase de fleurs dans une niche*, h/t (132x97,2) : **GBP 9 500** – New York, 25 mars 1982 : *Loutre dans un paysage boisé* 1665, h/t (44,5x51,5) : **USD 6 000** – Londres, 5 juil. 1984 : *Otarie et poissons au bord d'une rivière* 1665, h/t (44x52) : **GBP 6 000** – New York, 7 avr. 1989 : *Nature morte de fleurs des champs*, h/pan. (65,5x55) : **USD 15 400** – Londres, 7 juil. 1989 : *Nature morte de fleurs sauvages sur fond de forêt avec un hérisson se cachant dans le feuillage*, h/pan. (67,5x56,7) : **GBP 30 800** – New York, 13 oct. 1989 : *Nature morte de coquelicots, volubilis, chèvrefeuille et autres plantes dans un paysage*, h/t (86,5x61) : **USD 7 150** – Monaco, 2 déc. 1989 : *Bouquet de fleurs dans un paysage*, h/t (76x62) ; *Nature morte aux écrevisses*, h/t (60x76) : **FRF 320 000** – Amsterdam, 14 nov. 1991 : *Vanité avec des livres, un sablier, une lampe un planisphère, des cranes et la pelette du peintre et des fleurs dans des jardins Renaissance italiens*, h/t, une paire (66,4x57,4) : **NLG 28 750** – Amsterdam, 17 nov. 1994 : *Une loutre et sa prise sur une rive avec Rome au loin*, h/t (102,5x99,5) : **NLG 9 200** – New York, 12 jan. 1995 : *Paysage fantastique avec une urne sur un mausolée avec un bâtiment derrière et des personnages dans un parc à l'arrière plan*, h/t (40,6x35,6) : **USD 16 100** – Amsterdam, 13 nov. 1995 : *Vanité avec un globe céleste, une lanterne, des crânes, des manuscrits et des livres avec des roses trémières et des chardons près de ruines classiques*, h/t (71,8x53) : **NLG 13 800** – New York, 3 oct. 1996 : *Canards et sous-bois près d'une rivière, un moulin et un paysage montagneux au loin*, h/t (64,5x52,1) : **USD 4 600** – New York, 22 mai 1997 : *Paysage aux oiseaux dans les fleurs et les broussailles d'un bois* 1660, h/t (146,7x154,9) : **USD 101 500** – Amsterdam, 11 nov. 1997 : *Vanité : un globe céleste, une lanterne, des crânes, des manuscrits et des livres avec des roses trémières et des chardons près de ruines classiques*, h/t (71,8x53) : **NLG 10 378**.

WITHOOS Peter ou **Pieter**
Né en 1654 à Amersfoort. Mort en 1693 à Amsterdam. XVIIe siècle. Hollandais.
Peintre d'animaux, fleurs, peintre à la gouache, aquarelliste.
Il était le second fils de Matthias Withoos, qui lui enseigna son art. Ses œuvres qui représentent principalement des oiseaux, des insectes et des fleurs font preuve d'un talent délicat.

Musées : Berlin : *Trois feuillets de papillons* – Haarlem (Mus. Teyler) : *Trois feuillets de papillons* – Nottingham : *Pigeon et autres oiseaux* – Vienne (Albertina) : *Pic-vert*.
Ventes Publiques : Londres, 23 mars 1971 : *Étude de papillons*, aquar. : **GBP 540** – Londres, 25 juin 1974 : *Papillons*, aquar. : **GNS 1 000** – Londres, 30 mars 1976 : *Laurier-rose*, aquar. (35x24,3) : **GBP 1 000** – Londres, 3 mai 1979 : *Études d'insectes*, aquar. et gche/parchemin (18,3x21) : **GBP 3 000** – Amsterdam, 16 nov. 1981 : *Papillons et autres insectes*, aquar. et pl. (20,2x29,2) : **NLG 5 800** – Munich, 29 juin 1982 : *Papillons et autres insectes*, aquar. sur trait de pl. (20x29) : **DEM 6 000** – Londres, 9 déc. 1982 : *Mouches, papillons et insectes*, pl. et aquar. reh. de blanc (29,8x22,5) : **GBP 1 800** – Londres, 6 juil. 1983 : *Nature morte aux fleurs dans un paysage avec une hermine* 1679, h/t (59,5x51,5) : **GBP 3 000** – Paris, 15 juin 1990 : *Un pluvier argenté*, aquar. (17,2x20,5) : **FRF 25 000** – Amsterdam, 25 nov. 1991 : *Étude de trois papillons et deux insectes* ; *Étude de papillons*, encre et aquar., une paire (17,3x21,8) : **NLG 3 220** – Paris, 16 déc. 1992 : *Nature morte aux fleurs, lézards et insectes*, h/t (37,5x33) : **FRF 55 000** – New York, 13 jan. 1993 : *Grande mésange*, gche/vélin (17x19,5) : **USD 6 613** – Paris, 16 nov. 1993 : *Un mandarin et moineaux*, pl., aquar. et gche (21,5x20) : **FRF 5 200**.

WITHOUCK Heyndrick ou **Wthouck**
XVIe siècle. Hollandais.
Peintre.
Il peignit des scènes religieuses et des allégories.

WITHOUCK Jan. Voir **WITDOECK**

WITJENS Willem
Né le 8 novembre 1884 à La Haye. Mort en 1962. XXe siècle. Hollandais.
Peintre de paysages, graveur.
Il fut élève de E. W. Kerling et de H. J. Van der Werle. Il exposa à La Haye en 1925.
Ventes Publiques : Amsterdam, 28 fév. 1989 : *Vue du chateau de Heeswijk*, h/t (84x98) : **NLG 2 990** – Amsterdam, 17 sep. 1991 : *L'hiver à Maastricht*, h/t/cart. (30,5x41) : **NLG 2 300** – Amsterdam, 5-6 nov. 1991 : *Turnershill dans le Sussex* 1953, h/t (83x112) : **NLG 2 530** – Amsterdam, 20 avr. 1993 : *La cour de derrière*, h/t/pan. (38,5x49) : **NLG 1 725** – Amsterdam, 11 avr. 1995 : *Le port de Harderwijk* 1954, h/cart. enduit (49x68) : **NLG 1 770**.

WITKAMP Ernest Sigismund
Né le 13 mars 1854 à Amsterdam. Mort le 1er octobre 1897 à Amsterdam. XIXe siècle. Hollandais.
Peintre de sujets de genre, portraits, paysages, aquarelliste, graveur.
Il fut élève de l'Académie des Beaux-Arts d'Amsterdam. On lui doit des gravures à l'eau-forte.
Musées : Amsterdam (Mus. mun.) : *Dans les champs*.
Ventes Publiques : Amsterdam, 20 oct. 1976 : *Portrait d'un rabbin* 1877, h/cart. (45x36) : **NLG 1 850** – Amsterdam, 30 oct. 1990 : *Promenade solitaire le matin à Barvaux* 1883, h/t (37x58,5) : **NLG 3 450** – Amsterdam, 16 avr. 1996 : *Citadins sur une place*, aquar. (37,5x49) : **NLG 2 360** – Amsterdam, 2 juil. 1997 : *Repas frugal*, h/pan. (50,5x40) : **NLG 9 802**.

WITKIEWICZ Stanislaw
Né le 8 mai 1851 à Poszawasz. Mort le 5 septembre 1915 à Lovrana. XIXe-XXe siècles. Polonais.
Peintre de paysages.
Il fut élève des académies des beaux-arts de Saint-Pétersbourg et de Munich. Il fut également architecte et écrivain d'art. Il peignit des paysages de la Tatra.
Musées : Cracovie – Varsovie.

WITKIEWICZ Stanislaw Ignacy ou **Witkacy**
Né le 24 février 1885. Mort le 18 septembre 1939 à Varsovie, par suicide. XXe siècle. Polonais.
Peintre de portraits. Tendance futuriste.
Doué d'une personnalité particulièrement riche, Stanislaw

Ignacy Witkiewicz, fils du peintre Stanislaw Witkiewicz, a joué un rôle important dans un mouvement qui a révolutionné l'art polonais de l'entre-deux-guerres : il était précurseur du théâtre moderne, théoricien de l'art, philosophe. Son esprit et son talent se développaient dans le milieu intellectuel du courant de la « Jeune Pologne ». Il avait beaucoup voyagé, surtout en France, et il avait également pris part à une expédition anthropologique en Australie, organisée par Bronislaw Malinowski (1914). Witkiewicz fut également auteur de plusieurs traités philosophiques et d'ouvrages sur la théorie du théâtre, ainsi que de nombreuses pièces de théâtre ; par la force et la perspicacité toutes particulières de ses visions et par une modification radicale des règles classiques régissant les situations, le temps de l'action et le dialogue, ces pièces constituent une anticipation du théâtre moderne de « l'absurde ». Des éléments analogues apparaissent dans ses romans. Au moment de la débâcle de 1939, Witkiewicz s'est suicidé. On peut comprendre ce geste comme une conséquence ultime de sa conception radicale de l'irréductible indépendance de l'individu.

En 1928 à Paris, il exposait deux compositions, *Violence, Portrait double* et sept portraits dont le *Portrait de l'artiste*, à la Section Polonaise du Salon d'Automne, organisée par la Société d'Échanges Littéraires et Artistiques entre la France et la Pologne. En 1983, son travail a été présenté à l'exposition *Présences polonaises* au centre Georges Pompidou à Paris.

En 1918, après son retour d'Union Soviétique (pendant la guerre, il avait été incorporé dans l'armée tzariste), il adhéra à un groupe de peintres d'avant-garde, fondé à Cracovie en 1917, d'abord sous le nom « d'expressionnistes polonais » et ensuite sous celui de « formistes ». Contrairement à une tendance qui dominait parmi les membres du groupe et qui visait à la fois à une organisation rythmique cubiste et une simplicité s'inspirant de l'art populaire, Witkiewicz procédait par superposition symbolique de l'expression, accentuait la confusion de la disposition linéaire et la déformation des motifs figuratifs, en révélant ainsi la profondeur d'une expérience subjective. Un « horror vacui » spécifique dans ses tableaux a, pour ainsi dire, son point de référence dans le modèle de « l'art nouveau », d'autre part, une grande liberté d'associations évoque (surtout dans ses tableaux des années 1917-1923) comme un écho du surréalisme. Influencé par le dynamisme des futuristes et par l'expressivité des peintres de la *Brücke*, il peut rappeler Gontcharova. Dans maints articles et essais esthétiques (par exemple dans son traité intitulé *Les Nouvelles Formes en peinture et les malentendus qu'elles provoquent* 1919), il proclamait la nécessité d'une pleine émancipation de la « forme pure », des liens que lui impose un contenu figuratif. Witkiewicz préconisait la déchéance définitive de l'art, pour lequel il ne voyait pas de place dans le monde moderne, et, en 1924, il se voua au portrait, fondant notamment une firme de portraits sur commande ; dans ce domaine, son art, pratiqué professionnellement, manifestait souvent une énorme force d'expression résultant d'une décontraction intellectuelle au profit de l'automatisme psychique provoqué par l'usage de narcotiques.

Bibliogr. : José Pierre : *Futurisme et Dadaïsme* in : *Hre Gle de la peinture*, tome 20, Rencontre, Lausanne, 1966 – Mieczyslaw Porebski, in : *Catalogue de l'exposition « Peinture Moderne Polonaise – Sources et Recherches »*, Musée Galliéra, Paris, 1969 – Anna Micin'sca : *Stanislaw Ignacy Witkiewicz*, Interpress, Varsovie, 1990.

Musées : Cracovie – Lodz (Mus. Szutki) : *La Lutte* 1921-1922 – *Portrait de Michael Choromanski* 1930 – *Portrait du docteur Pakowski* 1934 – Slupsk – Varsovie (Mus. Literatury) : *Portrait de Karol Ludwik Koninski* 1933.

WITKOWSKI Kamil ou **Romuald Kamil** ou **Romuald Adam**

Né le 6 février 1876 à Skierniewice. Mort en 1958. XXe siècle. Polonais.

Peintre de portraits, natures mortes.

Il fut élève de l'École de Dessin de Varsovie, puis de l'Académie des Beaux-Arts de Cracovie. Il fut membre fondateur du groupe des Formistes en 1920, participa au mouvement Blok en 1924. En 1928 il exposait, avec les artistes du groupe Praesens, trois toiles : *Automobile, Livres, Portrait de l'artiste*, à Paris à la Section Polonaise du Salon d'Automne, organisée par la Société d'Échanges Littéraires et Artistiques entre la France et la Pologne.

Influencé par l'impressionnisme à ses débuts, il évolua, sensible aux recherches cubistes, privilégiant la forme dans un souci de simplification.

Bibliogr. : In : *Dict. univers. de la peinture*, Le Robert, vol. VI, Paris, 1975.

Musées : Varsovie (Mus. Nat.) : *Poissons*.

WITKOWSKI Karl

Né en 1860 en Autriche. Mort le 17 mai 1910 à Newark. XIXe-XXe siècles. Actif aux États-Unis. Américain.

Peintre de sujets de genre, portraits.

Il fut élève de J. Matejko à Cracovie.

Ventes Publiques : New York, 11 avr. 1973 : *Jeunes garçons fumant* 1889 : **USD 3 750** – New York, 10 juil. 1980 : *Gamins des rues*, h/t (61x50,8) : **USD 2 900** – New York, 23 sep. 1981 : *Enfant jouant à la balle* 1889, h/t, une paire (66x51) : **USD 12 000** – New York, 2 juin 1983 : *Secrets*, h/t (61x71,2) : **USD 8 500** – New York, 30 sep. 1988 : *Le chasseur fatigué*, h/t (61x51) : **USD 4 400** – New York, 25 mai 1989 : *Jeune garçon réparant une balle de baseball*, h/t (61,3x46) : **USD 14 300** – New York, 27 sep. 1990 : *Gamins jouant avec les allumettes*, h/t (51x61) : **USD 22 000** – New York, 22 mai 1991 : *Leur première cigarette* 1889, h/t (71x56) : **USD 11 000** – New York, 14 nov. 1991 : *Pelant une pomme* 1900, h/t (55,8x45,7) : **USD 4 400** – New York, 18 déc. 1991 : *Gamin au perroquet*, h/t (61x50,8) : **USD 4 950** – New York, 12 mars 1992 : *Un petit air d'harmonica*, h/t (53,3x38,1) : **USD 7 700** – New York, 2 déc. 1992 : *Jeune garçon mangeant une tartine*, h/t (55,9x35,5) : **USD 3 300** – New York, 10 mars 1993 : *Secrets*, h/t (61x71,1) : **USD 8 625** – New York, 22 sep. 1993 : *Amourette* 1910, h/t (76,2x63,5) : **USD 16 100** – New York, 3 déc. 1993 : *Les voleurs de pommes*, h/t (74x48,6) : **USD 26 450**.

WITMAN Georg ou **Widman**

XVIe siècle. Autrichien.

Peintre.

Il travailla avant 1550 pour l'église de Saint-Lorenzen dans la vallée du Pustertal.

WITMAN Veit ou **Bitman** ou **Widman**

Né à Bozen. XVIIe siècle. Travaillant à Borgo di Valsugana jusqu'en 1697. Autrichien.

Peintre.

Il a peint *La Vierge et saint François d'Assise* dans l'église Saint-Sébastien de Tonadico.

WITMER. Voir **WITTMER**

WITMONT Heerman

Né vers 1605. Mort après 1683. XVIIe siècle. Actif à Delft. Hollandais.

Peintre de paysages, marines, dessinateur.

Il fut membre de la gilde en 1644.

Ventes Publiques : Londres, 15 juin 1928 : *Vaisseaux de guerre* : **GBP 136** – Londres, 10 fév. 1965 : *Vue de Scheveningen* : **GBP 380** – Londres, 15 nov. 1968 : *Bataille navale* : **GNS 1 400** – Londres, 30 oct. 1991 : *Navigation au large des côtes*, h/pan. (50,5x72,5) : **GBP 15 950** – Londres, 9 juil. 1993 : *Bateau de pêche hollandais par mer houleuse avec des marins dans une barque pilote*, h/t (37x52) : **GBP 12 075** – Londres, 8 déc. 1993 : *Bâtiment de guerre ancré au large d'une côte fortifiée*, pl./pan. (51,5x73) : **GBP 16 100**.

WITMONT Klaes Jansz Van ou **Wyttmont**

Né en 1619. XVIIe siècle. Hollandais.

Peintre de fleurs.

Élève d'Antoni Hendricksz Lust à Amsterdam.

WITRINGA. Voir **VITRINGA**

WITSEL Anton

Né en 1911 à Amsterdam. XXe siècle. Hollandais.

Peintre, dessinateur.

Il travaille d'abord comme marin et peint pendant ses loisirs. Pendant l'occupation allemande aux Pays-Bas il prend contact avec les communautés juives. Il devient le dessinateur de la synagogue clandestine. Depuis, il se consacre à la description de la judaïcité et à la dénonciation des drames racistes.

WITSEN Jonas

Né le 6 août 1705 à Amsterdam. Mort le 9 décembre 1767. XVIIIe siècle. Hollandais.

Dessinateur et aquafortiste amateur.

WITSEN Nicolaes Cornelisz

Né en 1641 à Amsterdam. Mort le 10 août 1717 à Amsterdam. XVIIe-XVIIIe siècles. Hollandais.

Peintre, aquafortiste, collectionneur, écrivain d'art.

Il peignit surtout des paysages d'hiver dans la manière de Peter Breughel. Il a été maire d'Amsterdam.

WITSEN Salomon Van
Né le 29 octobre 1833 à La Haye. Mort le 23 novembre 1911 à La Haye. XIXe-XXe siècles. Hollandais.
Peintre de portraits, graveur.
Il fut élève de Bartholomeus et de Hubertus Van Hove. Graveur, il privilégia la technique de l'eau-forte.
Musées : La Haye (Mus. mun.) : *L'Artiste – Portrait d'homme*.

WITSEN Willem Arnoldus
Né le 13 août 1860 à Amsterdam. Mort le 14 avril 1923 à Amsterdam. XIXe-XXe siècles. Hollandais.
Peintre de genre, architectures, paysages, graveur.
Il fut élève de August Allebé. Il participa à diverses expositions à Paris, et reçut aux Expositions universelles une mention honorable en 1889 et une médaille d'or en 1900.
Il interpréta la ville en façades sévères, géométriques, vues de face et rendues en un coloris foncé. Graveur, il privilégia la technique de l'eau-forte.

Musées : Amsterdam (Mus. mun.) : *Le Oude Schans*.
Ventes Publiques : Amsterdam, 4 avr. 1951 : *Amsterdam, le Damrak sous la neige* : **NLG 2 000** – Amsterdam, 3 et 9 nov. 1964 : *Trois fiacres au stationnement*, aquar. : **NLG 3 500** – Amsterdam, 24 et 26 mai 1965 : *Vue d'Amsterdam*, aquar. : **NLG 3 600** – Amsterdam, 22 oct. 1974 : *Scène de canal en hiver, Amsterdam* : **NLG 17 000** – Amsterdam, 27 avr. 1976 : *Paysage d'hiver*, aquar. (37x51) : **NLG 15 000** – Amsterdam, 15 nov. 1976 : *Ville au bord d'un fleuve*, h/t (57x67,5) : **NLG 7 000** – Amsterdam, 17 juin 1980 : *Vue d'Amsterdam*, h/t (65x95) : **NLG 4 800** – Amsterdam, 15 mai 1984 : *Vue d'une ville en hiver*, aquar. (60,5x71) : **NLG 8 000** – Paris, 13 avr. 1989 : *Rue du nord sous la neige*, h/pan. (31x44,5) : **FRF 22 000** – Amsterdam, 30 oct. 1990 : *Paysage d'hiver avec Amsterdam à l'arrière plan*, h/t (40,4x61) : **NLG 2 760** – Amsterdam, 23 avr. 1991 : *Vue d'Amsterdam*, h/t (29x43) : **NLG 15 525** – Amsterdam, 28 oct. 1992 : *Nu allongé sur un lit*, craie rouge et cr./pap. (38,5x55,5) : **NLG 5 175** – Amsterdam, 2 nov. 1992 : *Vue de la « Montelbaanstoren » à Amsterdam*, h/t (50,5x68,5) : **NLG 10 350** – Amsterdam, 10 déc. 1992 : *L'écluse de Prins Hendrikkade à Amsterdam*, h/t (51x42) : **NLG 21 850** – Amsterdam, 19 avr. 1994 : *Portrait de Mr Den Tex*, h/pan. (25x20) : **NLG 2 300** – Amsterdam, 7 nov. 1995 : *Barques à quai le long d'un canal d'Amsterdam*, h/t (53x70) : **NLG 27 140** – Amsterdam, 30 oct. 1996 : *Portrait d'une dame à chapeau à plumes*, h/pan. (29,5x22) : **NLG 10 955** – Amsterdam, 2 juil. 1997 : *Phlox dans un vase*, h/t (69x52) : **NLG 8 072**.

WITSENHUYSEN Jan Van
XVIIe siècle. Actif à La Haye. Hollandais.
Peintre.
Élève d'Anth. Van Ravesteyn.

WITT. Voir aussi **WIT** et **WITTE**

WITT Anton Peter
Né le 18 octobre 1900 à Prague. XXe siècle. Autrichien.
Graveur de portraits, animaux.
Il fut élève de l'École des Arts Décoratifs de Dresde. Il vécut et travailla à Aussig-Pokau.
Il grava des portraits, des animaux et des ornements sur verre.

WITT Emanuel. Voir **WITTE**

WITT Frederik de. Voir **WIT**

WITT Hans
Né le 29 août 1891 à Vienne. XXe siècle. Autrichien.
Peintre de portraits, paysages, fleurs.
Il fut élève de l'académie des beaux-arts de Vienne. Il exposa de 1924 à 1932.
Musées : Vienne (Mus mun.) : *Au bord du Danube*.

WITT Hendrik de
Né en 1671. Mort le 26 mars 1716 à Moscou. XVIIe-XVIIIe siècles. Russe.
Graveur au burin.
Il grava des vues de Moscou et des scènes historiques.

WITT Jakob de. Voir **WIT**

WITT Joannes Emanuel Benedictus
Né le 13 mai 1821 à La Haye. Mort le 22 décembre 1893 à Utrecht. XIXe siècle. Hollandais.
Dessinateur.
Élève de J. E. J. Van den Berg.

WITT Johann
Né en 1735 à Rössel. XVIIIe siècle. Allemand.
Sculpteur sur bois.
Il travailla à Königsberg et à Rössel.

WITT Johann
Né en 1834 à Lübeck. Mort en 1886 à Zurich. XIXe siècle. Allemand.
Dessinateur et peintre décorateur.
Venu en Suisse dès son tout jeune âge, il fonda avec E. Olt, un atelier d'art décoratif. Décora quelques monuments et participa à une exposition en 1873.

WITT John Henry Harrison
Né le 21 mai 1840 à Dublin. Mort en 1901 à New York. XIXe siècle. Américain.
Peintre de scènes de genre, portraits, animaux, miniatures.
Il n'eut aucun maître. Il fit les portraits de plusieurs gouverneurs et de fonctionnaires de l'État d'Ohio.
Ventes Publiques : Paris, 16 et 17 nov. 1923 : *Portrait de femme au corsage décolleté*, miniat. : **FRF 200** – New York, 25 oct 1979 : *Jeunes femmes assises dans un jardin, lisant*, h/t (33,6x43) : **USD 2 700** – New York, 11 mars 1982 : *Jeunes femmes en conversation*, h/pan. (40,6x30,5) : **USD 2 100** – New York, 28 mai 1987 : *Enfants jouant au bord d'un ruisseau*, h/cart. (45,8x57,8) : **USD 16 000** – New York, 28 sep. 1995 : *Le petit chien paresseux*, h/t (92,7x64,8) : **USD 9 775**.

WITT Paul de. Voir **WITTE**

WITTE de
XVIIIe siècle.
Peintre.
Le Musée d'Ypres conserve de lui : *Grand vase de cuivre rempli de fleurs*.

WITTE Adrien Lambert Jean de
Né le 2 août 1850 à Liège. Mort en 1935 à Liège. XIXe-XXe siècles. Belge.
Peintre de genre, figures, portraits, paysages, aquarelliste, aquafortiste.
Il fut élève de l'Académie de Liège où il devint professeur, puis directeur de 1900 à 1913. Il partit pour Rome en 1873 et y resta six ans. Il fit un long séjour à Paris en 1885.
Artiste très cultivé, il était lié avec tous les artistes liègeois de son temps, devint l'un des grands portraitistes, laissant, par exemple, un très beau portrait de Félicien Rops. Il est connu pour avoir renouvelé l'art de l'eau-forte en Belgique, ses talents de graveur ayant fait quelque peu oublier ses qualités de peintre.

Bibliogr. : In : *Diction. Biogr. Ill. des Artistes en Belgique depuis 1830*, Arto, 1987 – Gérald Schurr, in : *Les Petits Maîtres de la peinture 1820-1920, valeur de demain*, Les Éditions de l'Amateur, t. VII, Paris, 1989.
Musées : Bruxelles : *Les lavandières* – Liège (Mus. de l'art wallon) : *La lessiveuse – Dame au corset rouge – Dame se chaussant – Homme à la pipe – Paysage – Dame en bleu – Joueur de morra – Taverne italienne*.

WITTE Cornelis de ou **Wit**
XVIe siècle. Actif à Bruges dans la seconde moitié du XVIe siècle. Éc. flamande.
Peintre de paysages.
Frère de Peter Candid.

WITTE Emanuel ou **Manuel** ou **Witt, With, Widt, Wit**
Né en 1617 à Alkmaar. Mort en 1692 à Amsterdam. XVIIe siècle. Hollandais.
Peintre de sujets religieux, scènes de genre, portraits, architectures, intérieurs.
Il fut élève d'Evert Van Aelst. Maître à la gilde d'Alkmaar en 1636, il est cité à Rotterdam en 1639 et 1640. En 1641 il était membre de la gilde de Delft, avant de s'installer en 1652 à Amsterdam, où il mit fin à ses jours quarante ans plus tard.
Il débuta comme peintre de portraits. Il ne paraît pas y avoir réussi et s'appliqua à rendre les intérieurs d'églises, genre dans

lequel il fit preuve de remarquables qualités. Peu d'artistes ont mieux que lui traduit la lumière mystérieuse des temples. Ses figures sont traitées avec esprit et dessinées avec une grande sûreté de touche. Il est probable que, comme la plupart des peintres d'intérieurs d'églises qui se multiplièrent à cette époque, il profita de la vogue connue par Saenredam. Le genre fut pratiqué excellemment par nombre de ces peintres et il est finalement illusoire de tenter de prononcer lesquels y ont le mieux réussi. Quant à Witte, par rapport aux autres, il s'en distingue par des colorations plus prononcées, alors que les peintres d'intérieurs d'églises se limitent généralement à des gammes de gris, ainsi que par quelque chose de gai dans l'agencement des personnages à l'intérieur de l'église, vivacité de l'anecdote qu'il a en commun avec Saenredam, aimant à représenter la foule venant traiter des affaires les plus diverses dans le temple. De l'ensemble de son œuvre, se distingue un chef-d'œuvre, isolé, ne ressortant ni au genre du portrait, ni à celui des intérieurs d'églises, une : *Femme au clavecin*. Dans une enfilade de pièces, constituant une remarquable étude de perspective, la lumière venue de fenêtres que l'on ne voit pas éclaire certains murs, des parties de carrelages ou de tapis, des meubles, une servante affairée dans une des pièces du fond, tandis que, en clair-obscur, d'autres murs, d'autres meubles à peine devinés, restent dans l'ombre, les zones de lumière alternant avec les zones d'ombre. Au fond, dans le prolongement du couloir général au travers des pièces, une fenêtre ouvre encore l'espace sur la lumière froide comme métal du ciel hollandais. Dans la première pièce, on voit les grandes baies vitrées sur la droite d'où tombe la clarté qui éclaire au passage une nature morte d'objets familiers sur un guéridon ; la jeune fille assise de dos devant son clavecin, mais de qui l'on aperçoit le visage, dans un miroir qui lui fait face ; quelques parties, découpées nettement par la séparation de la lumière et de l'ombre, du carrelage et du tapis ; dans le haut, sous le plafond caissonné en bois peint, un lustre de type hispano-flamand ; enfin, dans la partie gauche de cette pièce, un fauteuil confortable sur lequel on a jeté des vêtements à la hâte et, dans l'ombre de l'angle extrême, un grand lit à baldaquin rouge sombre. La scène, avec en résumé les divers aspects de la vie quotidienne du personnage représenté, les jeux de la lumière et de l'ombre choisissant d'exalter tel ou tel détail et de rejeter les autres, le climat psychologique de cette scène intime que semble démentir la froideur du constat iconographique en accord avec le tranchant de couteau de la teinte du ciel, tout évoque Vermeer, par exemple celui de *L'atelier du peintre*, ou de *La dame debout à l'épinette*. C'est pourquoi il semblait opportun de signaler cette peinture, due à Witte, de quinze ans l'aîné de Vermeer. ■ J. B.

Musées : Amsterdam : *Deux intérieurs d'églises gothiques – Chœur de la Nieuwe Kerke à Amsterdam avec le tombeau de Ruyter* – Anvers : *Intérieur d'un temple protestant* – Berlin : *Intérieur d'église Renaissance – Intérieur d'une synagogue – Intérieur d'une église gothique – Intérieur de la Vieuwekerke d'Amsterdam* – Bruxelles : *Intérieur d'église* – Dublin : *Intérieur de la nouvelle église de Delft avec le tombeau de Guillaume le Taciturne* – Dunkerque : *Samuel amenant devant Saül le roi des Amalécites prisonnier* – La Fère : *Intérieurs d'églises* – Hambourg : *Intérieurs d'églises* – Hanovre : *Intérieurs d'églises* – Leipzig : *Marché au poisson* – Lille : *Intérieur d'un temple protestant – Intérieur de l'église de Delft* – Londres (Nat. Gal.) : *Intérieur d'église avec personnages* – Londres (Wallace Coll.) : *Intérieur d'une église protestante* – Orléans : *Intérieur d'église – Intérieur d'un temple protestant* – Le Puy-en-Velay : *Intérieurs d'églises* – Rotterdam : *Intérieur d'église – Marché au poisson – Portrait d'homme – Portrait de femme – Femme au clavecin* – Strasbourg : *Intérieurs d'églises* – Weimar : *Intérieurs d'églises*.

Ventes Publiques : Amsterdam, 13 mai 1705 : *Une église catholique* : **FRF 140** – Audenarde, 1821 : *Intérieur d'une église réformée* : **FRF 460** – Paris, 1837 : *Vue de l'intérieur de l'église neuve de Delft* : **FRF 1 500** – Bruxelles, 1865 : *Intérieur d'un temple avec divers personnages* : **FRF 1 050** – Paris, 1873 : *Le tombeau du Taciturne à Delft* : **FRF 5 511** – Amsterdam, 1880 : *Intérieur d'une cathédrale* : **FRF 15 750** – Paris, 1890 : *Intérieur de l'église Sainte-Ursule à Delft* : **FRF 8 900** – Anvers, 1898 : *Intérieur d'un temple protestant* : **FRF 8 500** – Paris, 25-28 mai 1907 : *Intérieur d'église* : **FRF 1 380** – Paris, 12 juin 1919 : *Intérieur d'église* : **FRF 4 050** – Londres, 15 déc. 1922 : *Intérieur d'église* 1688 : **GBP 367** – Paris, 12-13 juin 1925 : *Intérieur d'église* : **FRF 11 500** – Londres, 9 déc. 1927 : *Intérieur d'église et fidèles* : **GBP 283** – Paris, 25 jan. 1929 : *Intérieur d'église et fidèles* : **FRF 6 500** – Londres, 22 mars 1929 : *Intérieur d'église avec personnages* 1661 : **GBP 735** – New York, 10 avr. 1929 : *Intérieur d'église* : **USD 1 750** – Londres, 27 juin 1930 : *Intérieur d'église à Amsterdam* 1662 : **GBP 787** – Londres, 8 mai 1931 : *Intérieur de cathédrale* : **GBP 325** – Genève, 9 juin 1934 : *Intérieur d'église* : **CHF 6 500** – Londres, 9 juil. 1937 : *Intérieur de cathédrale* : **GBP 588** – Munich, 28 oct. 1937 : *Intérieur d'église* : **DEM 13 000** – Londres, 9 juin 1944 : *Intérieur de la Bourse, à Amsterdam* : **GBP 1 627** ; *Intérieur d'église* : **GBP 420** – Londres, 12 juin 1950 : *Intérieur d'église* : **GBP 252** – Londres, 21 juin 1950 : *La synagogue d'Amsterdam pendant un service* : **GBP 1 200** – Paris, 7 déc. 1950 : *Intérieur de temple* : **FRF 150 000** – Amsterdam, 13 mars 1951 : *Intérieur d'église, le sermon* 1688 : **NLG 2 100** – Paris, 25 avr. 1951 : *Intérieur de la synagogue portugaise d'Amsterdam* : **FRF 1 520 000** – Paris, 1er juin 1951 : *Le marché au poisson*, attr. : **FRF 150 000** – Paris, 3 déc. 1959 : *Intérieur d'une église avec personnages* : **FRF 1 400 000** – Londres, 4 avr. 1962 : *Intérieur d'une église* : **GBP 450** – Londres, 27 mars 1963 : *Intérieur d'église animé de nombreux personnages* : **GBP 11 200** – Londres, 19 mars 1965 : *La cuisine* : **GNS 1 400** – Lucerne, 2 déc. 1967 : *Entrée de palais animée de personnages* : **CHF 18 000** – Londres, 29 nov. 1968 : *Groupe familial dans un intérieur* : **GNS 60 000** – Londres, 27 juin 1969 : *Intérieur d'église* : **GNS 19 000** – Londres, 24 juin 1970 : *Intérieur d'église* : **GBP 2 800** – Londres, 29 juin 1973 : *Intérieur d'une église protestante gothique* : **GNS 16 000** – Londres, 29 nov. 1974 : *Intérieur d'église, Amsterdam* : **GNS 10 000** – Paris, 7 avr. 1976 : *L'Intérieur de la Oude Kerk à Amsterdam*, h/t (66x56) : **FRF 100 000** – Londres, 25 mars 1977 : *Intérieur d'église* 1671, h/t (54,6x49,7) : **GBP 6 000** – Londres, 30 mars 1979 : *Intérieur de la Oude Kerk, Delft* 1682, h/t (61x47,5) : **GBP 17 000** – New York, 8 jan. 1981 : *Intérieur d'église* 1672, h/t (79x10) : **USD 35 000** – New York, 18 jan. 1983 : *Intérieur d'une église gothique avec fossoyeurs à l'avant-plan* 1683, h/t (79x61) : **USD 32 000** – Londres, 19 avr. 1985 : *Intérieur de la Oude Kerk à Amsterdam, avec nombreux personnages écoutant un sermon*, h/t (67,3x73,7) : **GBP 120 000** – New York, 4 juin 1987 : *Intérieur de la Oude Kerk, Amsterdam* 1678, h/t (80,5x69,5) : **USD 300 000** – Londres, 7 juil. 1989 : *Aile latérale d'un temple protestant avec un gentilhomme donnant des instructions à un tailleur de pierre* 1679, h/t (80,5x70) : **GBP 33 000** – New York, 11 oct. 1990 : *Intérieur de la Oude Kerk d'Amsterdam pendant l'office*, h/pan. (48x38) : **USD 7 700** – Paris, 25 juin 1991 : *Le chœur de la Oude Kerk d'Amsterdam*, h/t (58,5x49,5) : **FRF 110 000** – Londres, 3-4 déc. 1997 : *Intérieur d'une église protestante hollandaise* vers 1672, h/t (64,8x53,5) : **GBP 106 000**.

WITTE Gaspar ou Jasper de

Né en 1624 à Anvers. Mort le 20 mars 1681 à Anvers. xviie siècle. Éc. flamande.

Peintre de compositions religieuses, sujets de genre, paysages animés, paysages, paysages d'eau, paysages de montagne.

On ne dit pas qui fut son maître. Il visita l'Italie. Son succès fut considérable.

À son retour à Anvers il produisit de petits paysages d'une exécution très poussée et, généralement, ornés de ruines. Il a peint aussi des vues d'Italie.

GASPAR DE WITTE f.

Musées : Anvers : *Paysage avec étang – Paysage, avec au fond, Saint-Pierre de Rome – La diseuse de bonne aventure – Jésus guérissant un aveugle* – Aschaffenbourg : *Paysage alpestre* – Budapest : *L'abreuvoir* – Courtrai : *Le château de Hoog Moscher à Courtrai* – Kiev : *Paysage de forêt* – Lille : *Paysage* – Saint-Pétersbourg : *Concert dans un parc* – Turin : *Paysage avec des ruines* – Vienne (Gal. Nat.) : *Paysage d'Italie* – Vienne (Gal. Liechtenstein) : *Paysage avec pont.*

Ventes Publiques : Paris, 1872 : *Paysage avec architecture* : **FRF 1 120** – Paris, 1873 : *Port de mer*, en collaboration avec Gouban : **FRF 2 500** – Paris, 26 mars 1900 : *Paysage* : **FRF 1 020** – Paris, 23 fév. 1928 : *Halte de paysans et de voitures au bord d'un canal* : **FRF 4 500** – Paris, 27 avr. 1928 : *Halte de chasseurs près d'une fontaine* : **FRF 3 100** – New York, 11 déc. 1930 : *Pastorale* : **USD 550** – Paris, 9 déc. 1951 : *Le pique-nique* : **FRF 110 000** – New York, 25 mars 1964 : *Troupeau dans un paysage* : **USD 1 300** – Bruxelles, 28 fév. 1967 : *Paysage montagneux animé de personnages* : **BEF 180 000** – Paris, 7 mai 1976 : *Le repas champêtre*, h/t (77x112,5) : **FRF 25 000** – Paris, 23 juin 1983 : *L'Entrée d'un village ; Divertissements villageois*, peint./métal, deux pendants (chaque 28,5x36,3) : **FRF 125 000** – Paris, 12 déc. 1995 : *La Kermesse flamande*, h/cuivre (29x37) : **FRF 110 000** – Paris, 24 juin 1996 : *Le Retour du chasseur dans un paysage valloné*, h/pan. (51,5x73) : **FRF 120 000**.

WITTE Ghiselin de
Né à Gand. XVe siècle. Éc. flamande.
Peintre.

WITTE Gillis de
XVIe siècle. Actif dans la seconde moitié du XVIe siècle. Éc. flamande.
Sculpteur.
Probablement élève de Cornelis Floris II. Il sculpta une épitaphe dans l'église Saint-Sauveur de Gand.

WITTE Gonzalve de
Né à Anvers. XXe siècle. Belge.
Peintre de portraits, paysages, pastelliste.
Il exposa aux Salons Triennaux de Bruxelles, Gand et Liège.

WITTE J. A.
XVIIe siècle. Hollandais.
Peintre de natures mortes.

WITTE Jakob ou **Jacques de**. Voir **WIT**

WITTE James, appellation erronée. Voir **WET Jacob de**

WITTE Jan de
Né vers 1535 à Bruxelles (?). Mort en 1596 à Frankenthal. XVIe siècle. Éc. flamande.
Peintre.
Il fut exilé de Bruxelles par le duc d'Albe en 1566. Il travailla pour la margrave de Bade en 1585.

WITTE Jean Baptiste
Né le 16 mai 1627 à Anvers. XVIIe siècle. Éc. flamande.
Peintre.
Frère de Gaspar de Witte. Il séjourna en Italie de 1654 à 1655.

WITTE L.
XVIIe siècle. Actif dans la première moitié du XVIIe siècle. Éc. flamande.
Peintre.
Le Musée de Budapest conserve de lui *Les cavaliers.*

WITTE Laurent de
XVe siècle. Travaillant à Anvers de 1464 à 1482. Éc. flamande.
Peintre.

WITTE Lieven de, dit **Livieno da Anversa,** ou **Lieven d'Anvers**
Né en 1512 ou 1513 à Gand. Mort après février 1578. XVIe siècle. Éc. flamande.
Peintre d'histoire, miniaturiste dessinateur et architecte.
Il semble avoir surtout travaillé à la décoration de monuments ; on dit pourtant qu'il produisit des tableaux d'histoire. Il fit aussi des dessins de vitraux, notamment pour ceux de la cathédrale de Saint-Bavon, à Gand. On croit qu'il travailla aux miniatures du Bréviaire Grimani, conservé à la Bibliothèque de Venise (Voir l'article Lieven). Il est permis de supposer étant donné son surnom qu'il visita l'Italie.

WITTE Paul de ou **Witt**
Mort en 1538 à Rome. XVIe siècle. Actif à Rome. Éc. flamande.
Sculpteur.
On l'a considéré comme probablement identique à un certain Paulus Albus.

WITTE Philippe de
Né le 28 juillet 1802 à Moorslede. Mort le 13 mai 1876 à Courtrai. XIXe siècle. Éc. flamande.
Peintre.
Élève de l'Académie d'Anvers. Il peignit des tableaux d'autel pour les églises et monastères de Courtrai, Comines, Coyghem, Heule, Jérusalem, Maltebrugge, Meulebeke, Moorslede et Vlamertinghe. Le Musée de Courtrai conserve de lui *Le mendiant.*

WITTE Pieter I de ou **Wit**
Né en 1586 à Anvers. Mort en 1651 à Anvers. XVIIe siècle. Éc. flamande.
Peintre de sujets religieux, figures, paysages.
Il est le père de Gaspar de Witte. Il fut élève de Pieter Van der Hulst.
Il travailla pour la ville d'Anvers et peignit onze tableaux pour l'église Notre-Dame d'Oudenarde.

WITTE Pieter II de
Né le 29 septembre 1617 à Anvers. Mort le 15 juillet 1667. XVIIe siècle. Éc. flamande.
Peintre de paysages.
Fils naturel de Pieter de I Witte, il fut son élève. Il fut maître à Anvers en 1647.

WITTE Pieter III de, dit **Petrus Albus**
Né en 1620 à Anvers. Mort en 1660 à Rome. XVIIe siècle. Éc. flamande.
Peintre de paysages.
Il a peint des paysages dans la manière de Claude Gellée.

WITTE Pieter de ou **Wit**, dit **Peter Candid** ou **Pietro d'Elia Candido**
Né en 1540 ou 1548 à Bruges. Mort en 1628 à Munich. XVIe-XVIIe siècles. Éc. flamande.
Peintre de compositions religieuses, compositions murales, fresquiste, cartons de tapisseries, sculpteur, architecte. Maniériste.
On ne sait pas qui fut son maître. Il partit pour l'Italie, très jeune, vers 1559, certainement avec son père, le sculpteur Élie Candid. La tradition le mentionne comme un ami intime de Vasari qui l'employa à ses travaux à la Sala Reggia au Vatican, à partir de 1570. Le grand duc de Toscane lui confia des travaux, probablement après 1574, date de la mort de Vasari. Il peignit à l'huile et à fresque au Palais Pitti. En 1576, il fut membre de l'Accademia del Disegno et fit des séjours à Volterra entre 1578 et 1580. Maximilien, électeur de Bavière, l'appela en 1586 à la cour de Munich et Pieter de Witte acheva sa carrière au service du duc Guillaume V. Il y réalisa, à Notre-Dame de Munich, le mausolée de Louis Ier de Bavière, ainsi que les statues de la Résidence. Il dessina aussi des cartons de tapisserie de haute lisse. Très italianisé par sa formation, il a transmis en Bavière un style maniériste venu de Florence. Ses formes sont sculpturales, tout en étant étirées, ses couleurs non franches, passent du bleu vert au rouge violacé, au vert bouteille.

Bibliogr. : In : *Diction. de la peinture flamande et hollandaise*, coll. Essentiels, Larousse, Paris, 1989.

Musées : Budapest : *Sainte Catherine d'Alexandrie – L'archange saint Michel* – Genève (Mus. Ariana) : *Cérémonie religieuse* – Leipzig : *Adoration des bergers* – Munich (Alte Pina.) : *Portrait de la duchesse Madeleine de Bavière* – Paris (Mus. du Louvre) : *La Vierge et l'Enfant Jésus adorés par saint Jean-Baptiste, saint François d'Assise et sainte Catherine d'Alexandrie* – Vienne : *Sainte Famille – Sainte Ursule – La chute des anges.*

Ventes Publiques : Paris, 10 juin 1941 : *Figure d'ange debout*, lav. et reh. de gche : **FRF 11 000** – Londres, 28 mars 1969 : *Le mariage mystique de sainte Catherine* : **GNS 5 500** – Londres, 17 nov. 1970 : *Putti*, deux bronzes patinés : **GBP 1 000** – Zurich, 11 nov. 1982 : *La Vierge et l'Enfant avec saint Jean Baptiste enfant*, h/t (97x76) : **CHF 83 000** – New York, 10 jan. 1990 : *Sainte Apollonie – Sainte Rosalie*, h/t, une paire (54,6x45,1) : **USD 15 400** – Milan, 29 nov. 1990 : *L'Annonciation*, h/cuivre (22x17) : **ITL 21 000 000**.

WITTE Theodor von
Mort en 1919 en Courlande, tombé au combat. xxe siècle. Russe-Letton.
Peintre de portraits, paysages.
Il fut élève de Konstantin Juon et de Nikolaus Rœrich.

WITTE Wilhelm de ou **Wit**
Mort en 1652. xviie siècle. Éc. flamande.
Peintre.
Fils de Pieter de Witt, dit Peter Candid.

WITTEK Johanna von. Voir **SCHUSTER-WITTEK**

WITTEK VON SALTZBERG Robert
Né le 23 avril 1856 à Teplitz. Mort le 11 novembre 1936 à Salzbourg. xixe-xxe siècles. Autrichien.
Peintre de paysages, natures mortes, dessinateur.

WITTEL Gaspar Van. Voir **VANVITELLI**

WITTEN Hans, dit **Witten de Cologne**
xve-xvie siècles. Allemand.
Sculpteur sur bois et sur pierre, peintre.
En tant que peintre, Hans Witten von Köln n'est connu que par des documents. Mais, si on l'identifie au sculpteur qui signait ses œuvres H. W., et désigné jusqu'ici par Maître anonyme aux initiales H. W., on sait alors que sa carrière se déroula à Chemnitz, de 1501 à 1508, où il travailla à l'église du château qui avait été autrefois abbaye bénédictine ; ensuite à Annaberg, où l'on trouve la signature : H. W., à une porte de l'église Sainte-Anne, dit la « Belle Porte », et qui est datée 1512. Également signé et daté de 1512, on connaît le retable de Borna ; une représentation de *Sainte Hélène* à l'Hôtel-de-Ville de Halle ; la chaire de pierre de la cathédrale de Freiberg, dite « chaire tulipe », en raison du décor végétal dont elle est ornée et qui est remarquable de virtuosité technique. On cite encore à son actif la chaire de la cathédrale de Brunswick et l'autel de l'église de Ehrenfriedersdorf.

WITTENAU Johann et **Johann Georg von**, freiherren. Voir **DUBSKY**

WITTENBEEKER Christian
xviiie siècle. Travaillant à Amsterdam vers 1726. Hollandais.
Stucateur.
Il exécuta des ornements du portail de l'Hôtel-de-Ville de Oud-Diemen.

WITTENBERG Jan Hendrik Willem
Né le 30 janvier 1886 à La Haye. Mort en 1963. xxe siècle. Hollandais.
Peintre de portraits, paysages, natures mortes, fleurs, graveur.
Il fut élève de l'académie des beaux-arts de La Haye. Il peignit des portraits d'enfants, des natures mortes et des paysages d'hiver.
Musées : La Haye (Mus. mun.) : deux peintures.
Ventes Publiques : Amsterdam, 24 avr 1979 : *Nature morte* 1925, h/t (34x38) : **NLG 4 400** – Amsterdam, 10 nov. 1982 : *Vase d'amaryllis* 1931, h/t (50,7x40) : **NLG 4 200** – Amsterdam, 13 déc. 1989 : *Amaryllis dans un vase* 1932, h/t (49x39) : **NLG 2 760** – Amsterdam, 17 sep. 1991 : *Marabout debout dans une niche*, h/t (60,5x43) : **NLG 3 220** – Amsterdam, 2-3 juin 1997 : *Cactus dans un pot blanc* 1927, h/t/pan. (17x15,5) : **NLG 9 676**.

WITTENBORN Rainer
Né en 1941 à Berlin. xxe siècle. Allemand.
Peintre, technique mixte.
Il fut élève de l'académie des beaux-arts de Munich, de 1960 à 1966. Il vit et travaille à Munich. De 1979 à 1990, il a séjourné régulièrement au Canada, dans le cadre de ses projets de recherche.
Il participe à des expositions collectives : 1974 Städtische Galerie im Lenbachhaus de Munich ; 1977 Westfälischer Kunstverein de Munster et Documenta de Kassel. Il a reçu de nombreux prix et distinctions : 1969 prix d'encouragement de la ville de Munich, 1971-1972 prix de la Villa Massimo à Rome, 1973 prix de l'état de Bavière, 1977 bourse de recherche à la villa Massimo à Rome.
Dans les années soixante-dix, il interroge le paysage, ses modifications et notamment son aménagement. Ses peintures à l'acrylique ou techniques mixtes mettent en scène des cartes, relevés topographiques, dans un esprit conceptuel.
Ventes Publiques : Zurich, 18 nov. 1976 : *Two dates*, acryl./t. (170x200) : **CHF 4 800**.

WITTENBROUCK. Voir **UYTTENBROECK**

WITTENHORST Martinus de
xviie siècle. Travaillant à Leyde et à Kampen de 1648 à 1664. Hollandais.
Peintre.

WITTER Anna
Née le 14 mars 1884 à Slagelse. Morte le 30 novembre 1938 à Copenhague. xxe siècle. Danoise.
Sculpteur, peintre de fleurs, peintre de décorations, céramiste.
Elle fut élève de l'académie des beaux-arts de Copenhague. Elle travailla à la Manufacture de porcelaine de cette ville.
Musées : Frederiksborg.

WITTEROOS Thomas Jansz
Mort en 1575. xvie siècle.
Peintre de portraits, paysages.
Il est répertorié en tant que cartographe officiel à la cour de Geldre entre 1569 et 1573.
Il a peint en 1566 une vue de la Haye, représentant la place devant le port avec les deux bâtiments : le Hofvijver et le Binnenhof ; vue que l'on pense être la plus ancienne de la ville après celle du Musée historique de La Haye, datée de 1553. On lui doit également des portraits, dont celui du *Dr. Cornelis Van Cuyck Van Mierop*. Comme Holbein, il utilise des fonds bleus, ce qui est rare dans l'histoire du portrait.
Ventes Publiques : Amsterdam, 20 juin 1989 : *Vue ancienne de La Haye ; Portrait du Dr Cornelis Van Cuyck Van Mierop* 1966, h/bois, boîte de buis peinte sur deux faces (diam. 11,4) : **NLG 75 900**.

WITTERVULGHE Joseph ou **Witterwulque**
Né le 1er novembre 1883 à Bruxelles. Mort le 10 novembre 1967 à Uccle. xxe siècle. Belge.
Sculpteur de compositions religieuses, figures, monuments.
Il fut élève de Julien Dillens, Charles Van der Stappen et Thomas Vincotte à l'académie des beaux-arts de Bruxelles.
Il a réalisé une série de maternités et des reliefs pour le pont des Arches à Liège.
Bibliogr. : In : *Dict. biogr. ill. des artistes en Belgique depuis 1830*, Arto, Bruxelles, 1987.
Ventes Publiques : Londres, 6 nov. 1986 : *Buste de femme* vers 1880, bronze patine brun vert (H. 61) : **GBP 1 000**.

WITTEVELDE Bouin Van. Voir **WYTEVELDE Baldwin Van**

WITTEVRONGEL Roger
Né le 23 avril 1933 à Blankenberge. xxe siècle. Belge.
Peintre de compositions d'imagination, intérieurs, pastelliste, aquarelliste, dessinateur, graveur. Surréaliste puis abstrait puis réaliste puis hyperréaliste.
Il fit ses études à l'Académie des Beaux-Arts de Gand.
Il a participé à de nombreuses expositions collectives tant en Belgique qu'à l'étranger. Depuis sa première exposition personnelle à Gand en 1958, Wittevrongel a exposé à Bruxelles, Rotterdam, Anvers, Blankenberge, Paris.
Il fut d'abord influencé par le surréalisme ; les toiles du début montrent des squelettes, des figures monstrueuses, des ailes et des têtes d'oiseaux, des branchages, des os et des racines, des tumeurs, des entrailles, bref un monde en décomposition que sa métamorphose destine à la mort. Se séparant peu à peu de la figure, Wittevrongel en arrive à des visions abstraites quoique encore fantastiques. Cette période non figurative est néanmoins temporaire et, revenant à la représentation, il a abordé une période réaliste qu'on est même allé jusqu'à qualifier d'hyperréaliste. Bien que Wittevrongel n'exploite pas un thème unique, il entretient dans son œuvre un climat de désolation, d'abandon, décrivant ateliers déserts, lits défaits, murs aveugles, portails métalliques fermés ou déchets de construction à l'abandon.

WITTHALM Janos ou **Jean**
Né le 24 avril 1889 à Fonyod. xxe siècle. Hongrois.
Peintre de figures, paysages.
Il fit ses études à Munich. Il vécut et travailla à Budapest.

WITTIBER. Voir **WITTWER**

WITTICH-EPERJESI Karoly ou **Charles**
Né le 18 juillet 1872 à Filkehaza. xixe-xxe siècles. Hongrois.
Peintre de genre, portraits, paysages, peintre de miniatures.
Il fit ses études à Budapest et à Munich. Il vécut et travailla à Budapest. Il a réalisé de nombreuses vues de châteaux forts.

WITTIG Bartholomäus ou **Bartholomé** ou **Wittich**
Né vers 1613 à Oels ou Breslau (Silésie). Mort en mars 1684 à Nuremberg. XVIIe siècle. Allemand.
Peintre de genre et dessinateur.
Le Musée de Nuremberg conserve de lui *Malades et blessés dans une cour d'hôpital*, et celui de Vienne, *Repas de nuit*.
Musées : Berlin : *Agar et Ismaël – Peter von Cornelius – Deux cariatides* – Francfort-sur-le-Main : *Paysage et fuite en Égypte* – Leipzig : *Agar et Ismaël – Rapt d'Hylas* – Weimar : *Agar et Ismaël*.

WITTIG Edward ou **Édouard**
Né en 1879 à Varsovie. Mort le 3 mars 1941 à Varsovie. XXe siècle. Polonais.
Sculpteur.
Il fut élève de l'académie des beaux-arts de Vienne et d'Alexandre Charpentier à Paris. De 1915 à 1920, il fut professeur à l'école des beaux-arts et à l'école polytechnique de Varsovie, puis de 1937 à 1939 à l'académie des beaux-arts de Cracovie. Il participa à divers salons parisiens.
Il subit d'abord l'influence de Rodin. Il comprit le style monumental et évolua vers une simplification des formes. Parmi ses œuvres, citons. *Destin, Niké polonaise, L'Idole, Ève*, un *Monument aux aviateurs tombés pendant la guerre* (détruit en 1939 et reconstruit en 1967).
Bibliogr. : In : *Dict. de la sculpture*, Larousse, Paris, 1992.
Musées : Paris (Mus. d'Art Mod.) : *Sphinx* – Varsovie (Mus. Nat.) : *Victoire polonaise*.

WITTIG Lotte. Voir **OLDENBURG-WITTIG**

WITTINCK Johannes
XVIIe siècle. Travaillant à Rome en 1626. Hollandais.
Peintre.

WITTINE Gabriel
XVIIe siècle. Travaillant à Klagenfurt de 1685 à 1686. Autrichien.
Sculpteur et stucateur.
Il a sculpté des portails et des ornements dans le château de Strassburg (Carinthie).

WITTINE Johann Peter ou **Bettiny** ou **Bittini**
XVIIe-XVIIIe siècles. Travaillant à Klagenfurt de 1668 à 1707. Autrichien.
Stucateur.

WITTING Gustavo
Né le 7 août 1827 à Naples (Campanie). XIXe siècle. Italien.
Peintre de portraits, paysages, aquarelliste, graveur.
Fils de Teodoro Guglielmo. Il appartenait à l'École du Pausilippe. Il grava à l'eau-forte des paysages.
Ventes Publiques : Londres, 22 mars 1984 : *Santa Maria Novella, Florence* 1849, aquar. et cr. (24x34,2) : **GBP 650** – Milan, 29 oct. 1992 : *Femme assise sur une terrasse* 1846, aquar./pap. (12,5x18) : **ITL 1 380 000**.

WITTING Teodoro Guglielmo
Né vers 1793 à Francfort-sur-le-Main. Mort vers 1860 à Naples (Campanie). XIXe siècle. Italien.
Peintre de paysages, paysages urbains, graveur.
Il est le père de Gustavo Witting. Il grava à la manière noire des paysages, des vues et des costumes.
Ventes Publiques : Londres, 26 fév. 1988 : *Piazza della Signoria à Florence*, h/t (48x62,2) : **GBP 3 300**.

WITTING Walther Günther Julian
Né le 21 septembre 1864 à Dresde. Mort le 21 avril 1940. XIXe-XXe siècles. Allemand.
Peintre de genre, portraits, paysages, aquarelliste, graveur, décorateur.
Il étudia à Dresde, à Weimar et à Paris. Il exposa à Vienne en 1890 et reçut la même année une médaille à Londres.
Musées : Chemnitz : *Vue de Capri* – Dresde (Mus. mun.) : *L'Artiste – Le Comte de Hohenthal*.
Ventes Publiques : Paris, 16 mai 1925 : *Vue de la baie de Naples*, aquar. : **FRF 190** – Munich, 4 juin 1981 : *Paysage fluvial* 1898, h/t (38,5x59,5) : **DEM 4 000**.

WITTINGEN, Maître de. Voir **MAÎTRE de l'AUTEL DE TREBON**

WITTKAMP Jan Bernard ou **Johann Bernhard**
Né le 29 septembre 1820 à Riesenbeck. Mort le 15 juin 1885 à Anvers. XIXe siècle. Allemand.
Peintre d'histoire, sujets de genre, portraits.
Il fut élève de Wappers et de Nicaise de Keyser. De Delft en 1847 et d'Anvers en 1869, il fit des envois à l'Exposition de La Haye.
Musées : Brême : *Hugo Grotius, banni de Hollande, arrivant à Rostock le 26 août 1695* – Gand : *Un geôlier* – Haarlem : *La femme de Loth – Portrait du pasteur Fr. Th. Sehlüter* – La Haye : *Portrait de Françoise Dunkler* – Magdebourg : *Mère et enfant*.
Ventes Publiques : Paris, 1881 : *Page examinant son épée* : **FRF 220** – New York, 12 oct 1979 : *Une main secourable*, h/t (129,5x103) : **USD 3 000** – New York, 17 jan. 1990 : *Le sauvetage*, h/t (129,5x103) : **USD 3 300**.

WITTLIN Alois E.
Né en 1903 à Bâle. XXe siècle. Suisse.
Peintre de portraits, paysages.
Il fut élève d'E. de Saussure et de Traugott Senn à Berne. Il peignit des paysages et des portraits, influencé par Van Gogh et Cézanne.

WITTMANN Charles
Né en 1874 ou 1876 à Rupt-sur-Moselle (Vosges). Mort en 1953. XXe siècle. Français.
Peintre d'intérieurs, paysages, paysages urbains. Post-impressionniste.
Fils d'Ernest Wittmann, il fit ses études artistiques à Paris.
Il exposa au Salon de Paris de 1902 à 1914.
Il donne des visions impressionnistes de scènes de rues parisiennes, paysages et scènes d'intérieurs, dans des tonalités vives.
Bibliogr. : Gérald Schurr, in : *Les Petits Maîtres de la peinture 1820-1920, valeur de demain*, Les Éditions de l'Amateur, t. II, Paris, 1982.
Musées : Besançon : *Les Boulevards à Paris* 1902 – Épinal (Mus. départ. des Vosges) : *La Vieille Église Saint-Jean à Troyes* 1908.
Ventes Publiques : Paris, 2 juin 1950 : *Au Luxembourg* : **FRF 7 800** – Paris, 30 oct. 1970 : *Le pont*, h/t (65x81) : **FRF 1 300** – Paris, 19 mai 1995 : *Le rayon joaillerie des Magasins Réunis à Nancy*, h/t (60x81) : **FRF 13 700** – Paris, 29 mai 1996 : *Pont à Venise*, h/t (54x65,5) : **FRF 4 000**.

WITTMANN Ernest
Né le 25 septembre 1846 à Sarre-Union (Bas-Rhin). XIXe siècle. Français.
Peintre de figures, paysages, sculpteur.
Père de Charles Wittmann, il fut élève de Théodore Devilly à l'École de dessin de Metz, puis à l'École des Beaux-Arts de Nancy.
Il exposa au Salon de Paris à partir de 1888.
Connu pour ses statuettes en terre cuite d'une grande qualité humoristique, il peignit des types populaires et des paysages de Lorraine, dont la composition bien strucurée par plans et volumes rappelle son métier de sculpteur.
Bibliogr. : Gérald Schurr, in : *Les Petits Maîtres de la peinture 1820-1920, valeur de demain*, Les Éditions de l'Amateur, t. V, Paris, 1981.
Musées : Toul : *Une cabane dans les Vosges*.
Ventes Publiques : Versailles, 18 fév. 1979 : *Bûcheron dans la campagne*, h/t (73x50) : **FRF 3 950** – Londres, 19 mars 1980 : *Écolier étudiant*, h/t (63x82) : **GBP 400** – Paris, 27 mars 1985 : *L'Homme à la hotte ; Le bûcheron ; Couple marchant ; Le terrassier ; Le paysan à la pipe ; L'homme au baluchon*, grès de Mougin, six statuettes (H. 29 et 35) : **FRF 11 850** – Paris, 3 fév. 1986 : *Couple de vieillards sur un banc* 1903, bronze patine brun vert (H. 30) : **FRF 8 100**.

WITTMANN Félix
Né vers 1744 à Prague. XVIIIe siècle. Autrichien.
Peintre.

WITTMANN Franz ou **Johann Franz**
XVIIIe siècle. Actif à Ybbs dans la seconde moitié du XVIIIe siècle. Autrichien.
Sculpteur.
Il sculpta des autels pour les églises de Blindenmarkt, de Fernschnitz et de Gross-Pöchlarn.

WITTMANN Jeno ou **Eugène**
Né le 11 octobre 1885 à Budapest. XXe siècle. Hongrois.
Peintre, sculpteur.
Peintre, il pratiqua aussi la sculpture sur bois.

WITTMANN Johanne. Voir **WIDTMANN**

WITTMANN Zgismond, dit **Sigur**
Né en 1911 à Budapest. Mort en 1944 à Belfort, au champ d'honneur. XXe siècle. Depuis 1933 actif en France. Hongrois.
Peintre de compositions religieuses, portraits, paysages, peintre à la gouache, aquarelliste, graveur, dessinateur.
Il fut élève de l'école des beaux-arts de Budapest et de l'école des beaux-arts de Berlin. Il s'installe à Paris en 1933. Il s'engagea volontairement dans l'armée française en 1937 puis dans les Forces françaises libres en 1942.
Il participa au Salon des *Peintres, graveurs contemporains* à Paris et exposa à Marseille.

WITTMER. Voir aussi **WITTWER**

WITTMER Johann Michael ou **Widmer**
Né le 15 octobre 1802 à Murnau. Mort le 9 mai 1880 à Rome ou à Munich. XIXe siècle. Allemand.
Peintre de compositions religieuses, portraits, paysages, graveur.
Il fut élève de Langer. En 1828, il obtint une bourse de voyage pour Rome. En 1833, il accompagna le Kronprintz de Bavière en Grèce, en Asie Mineure et en Sicile. Il exposa à Munich en 1858 et à Cologne en 1861.
Il a gravé des portraits et des paysages.
Musées : Copenhague : *Ésope racontant des fables au peuple* – Munich (Pina.) : *Le cadavre de sainte Catherine – Naissance de saint Jean – Adoration des bergers.*
Ventes Publiques : Munich, 19 et 20 mars 1969 : *Constantinople* : **DEM 9 000** – Cologne, 14 juin 1976 : *Noé rendant grâce*, h/t (100x136) : **DEM 10 000** – Londres, 15 juil. 1980 : *Scènes de la vie du roi Otto Ier de Grèce et de son frère le prince héritier Maximilian de Bavière* 1833, trois aquar. et cr. reh. de blanc et or (35,6x58,4) : **GBP 12 000** – Munich, 8 mai 1985 : *La Sainte Famille pendant la fuite en Egypte* 1832, h/t (72x103) : **DEM 10 000** – Londres, 19 juin 1992 : *Les quatre pères de l'église latine : St Jérôme, St Grégoire, St Ambroise et St Augustin* 1864, 4 pan. à l'h. avec le sommet ogival (en tout 56,5x90,5) : **GBP 7 920** – Munich, 10 déc. 1992 : *Fontaine persane à Smyrne* 1856, h/cart. (45,5x60,5) : **DEM 19 210.**

WITTMEYER Johann
Né vers 1725 à Vienne. XVIIIe siècle. Autrichien.
Sculpteur.
Il travailla à Prague en 1749.

WITTNER Gerhard
Né en 1926 à Heidelberg. XXe siècle. Allemand.
Peintre. Abstrait-minimaliste.
Il vit et travaille à Francfort-sur-le-Main.
Depuis 1959, il expose régulièrement à Francfort-sur-le-Main, notamment à la galerie Appel und Fertsch, et dans d'autres villes d'Allemagne.
Venu de l'abstraction géométrique, il a évolué dans le sens des minimalistes américains. De larges bandes horizontales de couleurs monochromes ne visent qu'à provoquer la perception de leur réalité la plus concrète, absolument débarrassée de toute implication associative, ce à quoi ces sévères bandes ne se prêtent évidemment pas, fermement cantonnées dans leur rôle de structures primaires.
Ventes Publiques : Francfort-sur-le-Main, 14 juin 1994 : *Portrait 287/91* 1991, acryl./fibres synth. (85x95) : **FRF 7 800.**

WITTUSEN Laura Margarethe
Née le 12 février 1828 à Moesgaard près d'Aarhus. Morte le 7 avril 1916 à Aarhus. XIXe-XXe siècles. Danoise.
Peintre de figures, portraits, fleurs.
Elle fit ses études à Copenhague. Elle exposa dans cette ville, entre 1863 et 1872.
Ventes Publiques : Londres, 1er oct. 1993 : *Corbeille de fleurs*, h/pan. (48x58) : **GBP 14 950.**

WITTWAR. Voir **WITTWER**

WITTWER Christian
XVIIe siècle. Actif à Imst et à Bludesch de 1613 à 1626. Autrichien.
Peintre.

WITTWER Georg ou **Johann Georg**, dit **Miess**
Né le 17 avril 1739 à Imst. Mort le 30 décembre 1809 à Imst. XVIIIe siècle. Autrichien.
Peintre.
Il peignit des fresques et des tableaux d'autel pour des églises d'Imst et du Tyrol. Le Musée Municipal d'Imst conserve de lui *Saint Sébastien* et *Cène*.

WITTWER Hartman ou **Witwer**
Mort en 1827. XIXe siècle. Actif à Lemberg. Autrichien.
Sculpteur.
Il sculpta des tombeaux dans la cathédrale de Lemberg.

WITTWER Jacob
Né le 13 juillet 1679 à Imst. Mort le 30 mars 1758 à Imst. XVIIIe siècle. Autrichien.
Sculpteur.
Père de Joseph Wittwer II. Il travailla pour l'église de Kappl (Tyrol).

WITTWER Johann
Né le 9 mai 1745 à Imst. XVIIIe siècle. Autrichien.
Peintre de figures.
Frère de Georg Wittwer.

WITTWER Josef Anton
Né le 21 novembre 1751 à Imst. Mort le 8 février 1794 à Imst. XVIIIe siècle. Autrichien.
Sculpteur.

WITTWER Joseph I
Né le 10 janvier 1682 à Imst. Mort le 16 août 1753 à Imst. XVIIIe siècle. Autrichien.
Peintre.
Il assista son frère Jacob dans ses travaux pour l'église de Kappl.

WITTWER Joseph II ou **Georg**
Né le 11 décembre 1719 à Imst. Mort le 15 janvier 1785 à Imst. XVIIIe siècle. Autrichien.
Sculpteur.
Fils de Jacob Wittwer. Il exécuta des sculptures pour les églises de Fendels, d'Ischgl, de Ried et de Strengen.

WITTWER Paul ou **Claudius**
Né le 24 septembre 1719 à Imst. Mort le 9 décembre 1751 à Imst. XVIIIe siècle. Autrichien.
Peintre.
Fils de Joseph I Wittwer.

WITTWER-GELPKE Martha
Née en 1874 ou 1875 à Bâle. Morte en 1959. XIXe-XXe siècles. Suissesse.
Peintre de genre, portraits, paysages, fleurs, peintre à la gouache, aquarelliste.
Elle fit ses études à Munich et à Stuttgart.
Ventes Publiques : Zurich, 5 mai 1976 : *Jeune fille tricotant*, h/t (66x88) : **CHF 5 800** – Zurich, 12 mai 1977 : *Baigneuses*, h/t (79x60,5) : **CHF 3 800** – Zurich, 23 nov. 1978 : *Vase de fleurs*, aquar. (40x30) : **CHF 3 200** – Zurich, 22 nov. 1978 : *Paysage*, h/t (59x81) : **CHF 6 500** – Zurich, 24 oct 1979 : *Femmes dans un jardin*, h/t (65,5x86,5) : **CHF 13 000** – Zurich, 22 mai 1980 : *Ascona*, aquar. (34,7x25,5) : **CHF 5 000** – Zurich, 26 mars 1981 : *Jeune fille lisant*, h/t (54x73) : **CHF 6 500** – Zurich, 10 nov. 1982 : *Cathédrale*, aquar. (37x27,5) : **CHF 4 200** – Zurich, 9 nov. 1983 : *Nature morte aux fleurs*, aquar. (30x37) : **CHF 5 000** – Zurich, 1er juin 1983 : *Femmes dans un jardin*, h/t (38x64) : **CHF 6 000** – Zurich, 15 nov. 1986 : *Bouquet de fleurs*, gche (29,8x36,8) : **CHF 6 000** – Zurich, 25 oct. 1989 : *Prière*, h/t (102x141) : **CHF 24 000** – Zurich, 22 juin 1990 : *Désir ardent*, h/t (38x64) : **CHF 4 000** – Zurich, 4 déc. 1991 : *Zurich le matin*, h/pan. (34,2x70,5) : **CHF 3 200** – Zurich, 14-16 oct. 1992 : *Le chemin de la source*, h/t (111x87,5) : **CHF 8 500** – Zurich, 21 avr. 1993 : *Bégonia*, gche (40x29,5) : **CHF 3 200** – Zurich, 24 juin 1993 : *Le chant du ruisseau*, h/t (79x60,8) : **CHF 5 000** – Zurich, 21 avr. 1994 : *L'éveil du printemps*, h/t (81x59) : **CHF 5 000** – Zurich, 23 juin 1995 : *Forêt en automne*, aquar. (39,5x30) : **CHF 4 800.**

WITVELT Adriaen Jansz Van
Né vers 1581. Mort le 20 septembre 1638. XVIIe siècle. Actif à Leyde. Hollandais.
Peintre.

WITVELT Hendrick. Voir **WYTVELD**

WITWER. Voir **WITTWER**

WITZ Emanuel
Né en 1717 à Bienne. Mort le 11 décembre 1797 à Bienne. XVIIIe siècle. Suisse.
Portraitiste.
Il fit ses premières études dans la maison paternelle, puis vint à Paris en 1738 où il fut l'élève de Galloche. Puis il suivit dans ses voyages lord George Keith, séjourna dans le Midi de la France, dans les Pyrénées, visita une partie de l'Espagne, Madrid, Lisbonne. Invité par la duchesse de Parme, il passa en Italie, puis

revint en Suisse en 1760 où il se fixa jusqu'à sa mort. Son œuvre se compose des portraits de tous les grands personnages qu'il a approchés (comte de Kollowrath, baron de Wassenaer, cardinal Migazzi, duchesse de Parme, etc.).

Musées : Porentruy : *Deux portraits de curé* – Zurich (Kunsthaus) : *Aquarelle.*

WITZ Hans

xve siècle. Actif à Rottweil. Suisse.

Peintre, peut-être orfèvre.

Certains biographes veulent que son nom ait été Witzinger et qu'il ait adopté la première syllabe seule de ce patronyme. D'autres l'ont confondu avec un Hans Wiecingnier ou Wietzinger travaillant à Nantes au début du xve siècle ou avec Mestre Hance de Constance. Mais Hans Wietzinger de Nantes était probablement un autre peintre, ainsi que Hance de Constance. Un Johannes Sapientis de Basilea est mentionné à Genève entre 1455 et 1477. A la fin du xixe siècle, on lui restitua certaines peintures jusque-là attribuées à Rogier Van der Weyden.

WITZ Johannes

Né le 1er février 1674 à Mulhouse (Haut-Rhin). Mort le 30 juillet 1712 à Mulhouse. xviie-xviiie siècles. Français.

Peintre.

WITZ Konrad ou **Sapientis Conradus**

Né entre 1400 et 1410 à Rottweil (Wurtemberg). Mort à Bâle ou à Genève, entre 1444 et fin 1446. xve siècle. Suisse.

Peintre, sculpteur sur bois.

Originaire d'une famille de Rottweil, sur le Neckar, Konrad Witz a exécuté ses principales œuvres en Suisse. Néanmoins, il est avec Stephan Lochner, le plus brillant représentant des artistes de l'Allemagne du Sud, dits « peintres des conciles ». Venu à Bâle durant le premier concile (1431), il fut inscrit à la corporation des peintres en 1434, reçu bourgeois de la ville en 1435, s'y maria avec Ursule Treyger, qui lui donna cinq enfants. En 1435, il peignit son œuvre la plus importante connue sous le nom de *Retable de Bâle* ; c'était un vaste polyptyque inspiré par la doctrine *« Speculum humanæ salvationis » (Le Miroir du Salut)*, essai de concordance de l'Antiquité païenne avec l'Ancien et le Nouveau Testament (doctrine déjà chère aux humanistes du xive siècle, notamment Dante et sa « Divine Comédie »). Ce *Retable du Miroir du Salut*, fut dispersé au cours des siècles : des panneaux qui ont été conservés, neuf sont restés au Kunstmuseum de Bâle ; un autre est au musée de Berlin et deux à Dijon. Le retable était probablement destiné au monastère des chanoines de Saint-Augustin à Bâle. On peut beaucoup épiloguer sur les influences révélées par le style et la technique de Witz. On lui a supposé pour maîtres Niklaus Lawlin Rüsch, un Souabe comme lui fixé à Bâle, auteur de la *Crucifixion de la Chartreuse*, ainsi qu'un Alsacien, Hans Tieffenthal de Sélestat. On peut, plus généralement mais avec plus de certitude, reconnaître l'influence flamande, notamment celle de Van Eyck, dans le rendu des drapés, le souci du détail, l'organisation de l'espace intérieur de la scène représentée, l'intériorité des visages, la vivacité des couleurs modulées de l'ombre à la lumière. Au début du xve siècle, les Conciles de Constance et de Bâle, où les hommes d'église étaient accompagnés d'artistes et de savants, opérèrent un brassage des idées entre Italie, Allemagne et Nord de l'Europe Occidentale. Dans le *Retable du Miroir du Salut*, lorsqu'on a décelé l'influence de la peinture flamande, on passe alors au contraire à l'examen des différences, et l'on trouve que le modelé des volumes est très caractérisé, robuste, sculptural, géométriquement simplifié, donnant l'impression d'une occupation réelle de l'espace, notamment le guerrier Sabothaï dans son armure aux volumes modelés géométriquement comme en ronde-bosse, pouvant rappeler la traduction du volume dans l'espace telle que la pratiquait Paolo Uccello. Les personnages participent d'ailleurs de cette robustesse, solidement plantés sur leurs jambes, avec des traits et des expressions rudes, sans aller jusqu'aux exagérations grimaçantes d'un Hans Multscher. Les effets de perspective sont souvent poussés, ce qui accentue l'illusion de volume concret donnée par les personnages. Pour reparler des plis et des drapés, on doit remarquer leur caractère plus cassé que chez Van Eyck, ou les Flamands en général, sauf peut-être chez le Maître de Flémalle, en qui certains ont voulu voir un possible maître pour Witz. Ces plis cassés sont caractéristiques du style germanique. On a encore voulu rapprocher Konrad Witz du Maître de l'Annonciation d'Aix et, par voie de conséquence, de toute l'école bourguignonne du début du siècle. Toutes ces tentatives pour établir des filiations d'influences du Nord au Sud, confirment en fait l'effet de brassage opéré par les conciles, ainsi que le fait historique des contacts entre Flandres et Italie, contacts qui, à mi-chemin, vont donner leur impulsion spécifique à la peinture germanique et à la peinture française à partir de la cour de Bourgogne. A Bâle, Konrad Witz peignit également un *Christ en croix* (Musée de Berlin, depuis 1908) et une *Sainte Famille.* Il entra en relations, toujours pendant les importants Conciles de Bâle (1431 à 1443), avec l'évêque de Genève, François de Mies ; ce dernier l'invita à venir peindre le maître-autel de la cathédrale Saint-Pierre. En 1444, il exécuta sa seconde œuvre capitale dite *Retable de Genève*, la partie principale subsistante en est *La Pêche miraculeuse*, qui porte l'inscription *« Hoc opus pinxit magister Conradus Sapientis de Basilca »*. En fait, le panneau central du *Retable de Genève*, ou *Retable de Saint-Pierre*, a disparu. Le Musée d'Art et d'Histoire de Genève en possède les deux volets, peints chacun sur les deux faces. L'un porte d'un côté *Le donateur François de Mies aux pieds de la Vierge*, de l'autre la *Délivrance de saint Pierre.* Le deuxième volet porte d'un côté *Les Rois Mages*, de l'autre la célèbre *Pêche miraculeuse.* On a énormément écrit sur le décor de paysage de cette *Pêche miraculeuse.* En effet, c'est peut-être la première fois dans l'histoire de la peinture qu'un paysage, ici celui des rives du Lac Léman, est rendu avec une telle fidélité, un tel réalisme du quotidien. On oublie parfois de remarquer le charme poétique et parfaitement irréaliste alors de la scène même de la pêche miraculeuse, et puis encore, entre le réalisme du paysage et la fable de la pêche merveilleuse, la troublante présence, que l'on pourrait dire physique, des saints personnages, en particulier celle du Christ, bien ici et pourtant ailleurs à la fois. Cette ambiguïté de la présence des personnages de l'histoire sainte ou de la légende dorée, on la retrouve sur l'autre volet, dans les attitudes tellement humaines, familières, de saint Pierre, un peu éberlué, que l'ange vient délivrer. A Genève, il peignit encore la *Conversation de sainte Catherine avec sainte Madeleine*, du Musée de Strasbourg. Cette peinture aurait un caractère plus bourgeois que religieux, la boîte à parfums de la Magdaléenne et la roue de la vierge d'Alexandrie n'y figurant que comme accessoires indispensables ; la femme et la fille du peintre y sont, a-t-on pu penser, représentées dans des poses avantageuses. M. Louis Réau a écrit à ce propos : « Si Conrad Witz avait vécu à l'époque de Nattier, il aurait peint sa femme en Minerve et sa fille en Hébé ». En tout cas, dans cette œuvre ravissante, il faut remarquer, à l'appui des remarques stylistiques précédentes, les plis de la robe de Sainte Catherine qui s'articulent en lignes brisées les uns aux autres, comme s'écartant à partir d'un centre. Ce qui a pu accréditer l'interprétation familiale de cette peinture, c'est la représentation, en fond de tableau, d'une « boutique d'imagier », telle que devait être celle même de Maître Witz.

D'autres œuvres lui sont encore attribuées : à Bâle, on voit un *Saint Christophe*, également situé dans un décor d'eau et de rochers, mais sans le réalisme du paysage du Lac Léman de la *Pêche miraculeuse.* Le Kunstmuseum de Bâle conserve un *Joachim et Anne.* Nuremberg possède une *Annonciation* ; Naples une *Vierge avec des Saints personnages*, où l'on a voulu voir la première œuvre de la main de Witz. Une *Danse des Morts*, en très mauvais état de conservation, qui se trouve dans le cimetière des Frères Prêcheurs de Bâle, lui a été également attribuée. Certaines caractéristiques de son style, le sens du modelé des volumes notamment, et la disproportion relative de la grosseur de la tête par rapport au corps, fréquente à l'époque, ont pu faire penser que, de même que de nombreux artistes du temps, Konrad Witz aurait été également sculpteur sur bois. Aucune œuvre ne vient confirmer la supposition. Ce qui demeure certain, c'est l'influence de l'école bourguignonne, déjà signalée, et notamment de ses sculpteurs et, en premier lieu, de Claus Sluter. Enfin, il faut faire état de ce que certains biographes le font avoir vécu à Constance, en Savoie aussi ; il faut craindre ici une confusion avec Hans Witz et avec le Mestre Hance de Constance. Konrad Witz n'a pas exercé d'influence directe à proprement parler. Lui-même plutôt a fait partie d'un grand courant général de brassage entre les styles et les âmes des peintures du Nord de l'Europe Occidentale et de l'Italie. A ce titre, il a participé à la formation d'une peinture spécifiquement germanique. En outre, tel qu'il est dans ses œuvres, il nous est parvenu comme un peintre très individualisé, avec ses tours de mains particuliers et surtout avec une poésie de l'ambiguïté entre le réalisme et le merveilleux.

■ P.-A. Toutain, Jacques Busse

Bibliogr. : Marcel Brion : *La peinture allemande*, Tisné, Paris, 1959 – Pierre du Colombier, in : *Diction. Univers. de l'Art et des Artistes*, Hazan, Paris, 1967.

Musées : Bâle (Mus. des Beaux-Arts) : *Prêtre avec couteau de sacrifice et Livre de la Loi – La Synagogue – Saint Barthélemy – Esther et Ahasvérus – Antipater montre à Jules César sa poitrine couverte de blessures pour confondre les accusations d'Antinoüs – Abisaï, Benaja et Sabothaï apportant de l'eau au roi David – Melchissedeck, roi de Salem, offre à Abraham qui revient de la bataille, le pain et le vin – Saint Christophe portant l'enfant Jésus – Joachim et Anne se rencontrant à la porte dorée du temple* – Berlin : *La reine de Saba devant Salomon – Christ en Croix – Saint Christophe – La Rédemption* – Genève (Art et Histoire) : *La Délivrance de saint Pierre*, retable – *Le cardinal de Mies en prière* – Naples : *Sainte Conversation* – Nuremberg (Mus. Germanique) : *Annonciation* – Strasbourg : *Conversation de sainte Catherine avec sainte Madeleine.*
Ventes Publiques : Nice, 7-10 juil. 1943 : *Les Saintes Femmes au tombeau du Christ*, attr. : **FRF 165 000**.

WITZANI. Voir **WIZANI**

WITZEL. Voir **OPDENHOFF George Willem**

WITZIG Hans
Né le 21 septembre 1889 à Wil. xxe siècle. Suisse.
Peintre, graveur, illustrateur.
Il fit ses études à Winterthur. Il vécut et travailla à Zurich. Il fut aussi écrivain. Il exécuta des illustrations de livres de contes.

WITZINGER. Voir **WIECINGNIER Hennes** et **WITZ Hans** et **Konrad**

WITZMANN Hans
Né le 2 décembre 1874 à Vienne. Mort le 13 avril 1914 à Hocheppan. xixe-xxe siècles. Autrichien.
Peintre, décorateur.

WIUM Harald William
Né le 24 juillet 1840 à Copenhague. Mort le 11 mars 1906. xixe siècle. Danois.
Paysagiste.
Élève de l'Académie de Copenhague. Il exposa de 1866 à 1871. Le Musée Municipal de Copenhague conserve des peintures de cet artiste.

WIVELL Abraham I
Né le 9 juillet 1786 à Marylebone. Mort le 29 mars 1849 à Birmingham. xixe siècle. Britannique.
Peintre de portraits, miniaturiste et dessinateur.
Après avoir été cordonnier, il fut fabricant de perruques, exposant des miniatures de sa façon à la devanture de sa boutique. Ayant fait et exposé les effigies des conspirateurs du complot de Cato Street lors de leur jugement, il obtint un tel succès qu'il abandonna les perruques pour l'art. Il produisit de nombreux portraits de personnages en vue, inventa un appareil de sauvetage en cas d'incendie et termina sa carrière comme portraitiste à Birmingham. Il exposa des portraits à l'huile à la Royal Academy en 1822 et 1830, mais il réussit surtout dans ses portraits au crayon.

WIVELL Abraham II
xixe siècle. Britannique.
Peintre de figures et de portraits.
Fils d'Abraham I Wivell. Il exposa à Londres de 1850 à 1865.

WIWEL Niels
Né le 7 mars 1855 à Store Lyndby (près de Hillerod). Mort le 14 décembre 1914 à Copenhague. xixe-xxe siècles. Danois.
Peintre de genre, dessinateur, illustrateur.
Il fut élève de l'académie des beaux-arts de Copenhague. Il exposa à Oslo en 1876.
Musées : Zurich (Kunsthaus) : *Le Petit Musicien.*
Ventes Publiques : Copenhague, 23 mai 1996 : *l'Écheveau* 1881, h/t (67x92) : **DKK 27 000**.

WIWERNITZ Johann Hermann
xviie siècle. Suisse.
Peintre.
Il a peint une *Descente de croix* pour le maître-autel de l'église de Cabbiolo.

WIWULSKI Antoni
Né en 1877. Mort le 10 janvier 1919 à Vilno. xxe siècle. Polonais.
Sculpteur de monuments, compositions religieuses.
Il fut aussi architecte. Il sculpta des monuments et des crucifix à Cracovie et à Vilno.

WIZANI Carl ou **Charles Auguste** ou **Witzani**
Né le 2 avril 1767 à Dresde. Mort le 29 avril 1818 à Breslau. xviiie-xixe siècles. Allemand.
Peintre de paysages et graveur à l'eau-forte.
Frère aîné de Friedrich Wizani. Il travailla avec Canaletto. Il abandonna l'art pour l'état militaire. Il termina sa vie par un suicide. La Galerie de Dresde conserve de lui *Paysage avec troupeau de moutons.*

WIZANI Friedrich ou **Johann Friedrich** ou **Witzani** ou **Witzanio**
Né le 9 septembre 1770 à Dresde. Mort le 13 septembre 1835 à Dresde. xviiie-xixe siècles. Allemand.
Peintre, dessinateur de paysages et graveur à l'eau-forte.
Élève de Zingg. Il fut pendant un certain temps employé à la Manufacture de Meissen. Il s'établit ensuite comme peintre de vues. On lui doit des estampes en couleur de même genre.
Ventes Publiques : Londres, 12 fév. 1980 : *Hamburg mit den Jungfernstieg vom Walle*, eau-forte coloriée (35x45,7) : **GBP 1 000**.

WIZINKER Ignaz. Voir **WISINGER**

WIZON Tod
xxe siècle.
Peintre.
Il a montré ses œuvres dans une exposition personnelle en 1994 à la galerie Daniel Templon.
Ventes Publiques : New York, 9 mai 1992 : *Caillots*, acryl./pan. (91,4x101,6) : **USD 1 320**.

WL. Pour les patronymes commençant par ces lettres, voir aussi **VL**

WLADIMIR
xve-xvie siècles. Russe.
Peintre de fresques et de panneaux.
Il peignit des icônes pour le monastère de Wolokolamsk et dans l'église du monastère Saint-Thérapon près de Kiriloff.

WLADIMIROFF Ivan, l'Ancien
xviie siècle. Travaillant à Moscou de 1655 à 1677. Russe.
Peintre d'icônes.

WLADIMIROFF Ivan, le Jeune
xviie siècle. Travaillant à Moscou de 1664 à 1677. Russe.
Peintre d'icônes.

WLADIMIROFF Ivan Alexéiévitch. Voir **VLADIMIROV**

WLADIMIROFF Jossif, l'Ancien
xviie siècle. Russe.
Peintre d'icônes.
Il travaillait à Moscou de 1642 à 1664.

WLADIMIROFF Semjon
Né vers 1807. xixe siècle. Russe.
Graveur au burin.
Élève d'Utkin. Il grava des portraits, des illustrations et des images pieuses.

WLASOFF Serge Féodorovitch ou **Sergueï**
Né en 1859. Mort en 1924. xixe-xxe siècles. Russe.
Peintre de genre, paysages.
Il participa à diverses expositions à Paris, notamment en 1900 à l'Exposition universelle où il reçut une médaille de bronze.
Musées : Helsinki (Ateneum Mus.) : deux peintures.
Ventes Publiques : Copenhague, 2 juin 1976 : *Paysage d'hiver*, h/t (39x61) : **DKK 4 500**.

WLERICK Robert
Né le 13 avril 1882 à Mont-de-Marsan (Landes), d'une famille belge. Mort le 3 mars 1944 à Paris. xixe-xxe siècles. Français.
Sculpteur de bustes, nus, monuments, dessinateur.
Il fut élève de l'École des Beaux-Arts de Toulouse de 1899 à 1903 puis de l'Académie de Paris, où il vint s'installer.
Dès 1905, il exposa à la Société Nationale des Beaux-Arts puis aux Salons des Tuileries, dont il fut un des membres fondateurs, et d'Automne. En 1910, Rodin soutint ouvertement, au Salon de la Nationale des Beaux-Arts, sa *Fillette landaise*. On peut mentionner, parmi les diverses expositions collectives de cet artiste : en 1966 l'exposition *Dessins de sculpteurs de Rodin à nos jours* au musée des Beaux-Arts de Strasbourg ; en 1995 *Robert Wlérick – Études, Esquisses, Dessins* au musée Bourdelle de Paris.
À Paris, il avait été remarqué, dès son arrivée, par Rodin, Schnegg et Despiau. On lui doit de nombreux bustes, des nus, quelques monuments aux morts, à Morceux, Labrit, Saugnac, Muret. Son œuvre se développa en dehors des divers courants qui firent évoluer les langages plastiques dans son époque. Son art mesuré lui valut de nombreuses commandes de monuments : celui de *Condorcet* à Ribemont, celui de *Victor Bérard* à Morez-

du-Jura, la *Fontaine* de Castelnaudary, etc. C'est aussi lui qui exécuta la statue équestre du maréchal Foch dressée devant le Palais de Chaillot.

Bibliogr. : In : Catalogue de l'exposition *Dessins de sculpteurs de Rodin à nos jours*, musée des Beaux-Arts, Strasbourg, 1966 – A. H. Martinie : *Robert Wlérick*, Art et Décoration, nov. 1928 – Élise-Émile Magne *Une heure chez Wlérick*, A.B.C. artistique et littéraire, vers 1930 – Claude-Roger Marx : *Robert Wlérick*, Librairie de France, Paris, 1931 – Gustave Kahn : *Robert Wlérick*, L'Art et les Artistes, nov. 1933 – Robert Mesuret : *De Garcia à Despiau, les artistes landais*, Richesses de France, Ed. J. Delmas, Paris, mars 1959 – Stéphane Béatrice Gilis : *Vie et Œuvre du sculpteur Robert Wlérick*, maîtrise d'Histoire de l'art, université de Bordeaux III, 1978.

Musées : Alger : *Jeune Fille des Landes* – Bordeaux : *Jeune Fille des Landes* – Le Mans : *Marie Jean Antoine Condorcet* – Mont-de-Marsan (Mus. Despiau-Wlérick) : ensemble important – New York (Metropolitan Mus.) : *Torse féminin* – Paris (Mus. d'Art Mod.) : *Gaby* – *Le Peintre Péterelle* – *Torse d'athlète* – *Rolande* – Paris (Mus. d'Art Mod. de la ville de Paris) : *Madame Renoux* – *Thérèse assise* – *Torse de jeune femme* – *Jeune Femme accroupie* – *Jeunesse* – Poitiers (Mus. de l'abbaye Sainte-Croix) : *Sa petite Landaise* 1912 – *Mme Lloyd* 1933.

Ventes Publiques : Paris, 23 fév. 1945 : *Nu debout de dos*, dess. : **FRF 10 200** ; *Nu debout de côté*, sanguine : **FRF 13 000** – Paris, 15 mars 1979 : *Jeune femme*, bronze (H. 125) : **FRF 28 000** – Paris, 15 juin 1983 : *Jeune femme nue tenant un vase sur l'épaule*, bronze patiné (H. 76) : **FRF 17 000** – Aire-sur-l'Adour, 1er juin 1986 : *Rolande*, bronze patiné : **FRF 86 000** – Paris, 25 mai 1988 : *Sourire de France*, terre cuite (H. 32) : **FRF 9 000** – Paris, 25 mars 1993 : *Nu assis*, sanguine (44x31,5) : **FRF 7 400** – Paris, 23 juin 1993 : *Raymond Corbin* 1932, bronze cire perdue (H. 34) : **FRF 22 000** – Nanterre, 20 oct. 1994 : *Le Modèle* 1938, sanguine (38x27) : **FRF 7 000** – Paris, 17 avr. 1996 : *Nu allongé* 1926, sanguine/pap. (26x39) : **FRF 4 000** – Paris, 20 jan. 1997 : *Méditation* 1928-1929, bronze patiné (H. 51) : **FRF 39 000** ; *Odette debout* vers 1940, mine de pb et estompe (39,5x26) : **FRF 6 500** – Paris, 27 oct. 1997 : *Baigneuse assise* 1921, bronze patiné, épreuve (H. 51) : **FRF 29 000** – Paris, 19 oct. 1997 : *Buste de Madame Renou* 1924, bronze patine noire (35x16x27) : **FRF 23 000**.

WLEUGHELS. Voir **VLEUGHELS**

WLISCHINSKY
XIXe siècle. Travaillant à Paris et à Berlin en 1814. Polonais.
Peintre de portraits, peintre de miniatures.

WLODARSCH Laurentius
Né à Cracovie. XVe-XVIe siècles. Travaillant à Eperjes en 1493 et à Kassa en 1515. Hongrois.
Peintre.

WLODARSKI Marek, de son vrai nom **Streng Henryk**
Né en 1903 à Lvov. Mort en 1960 à Varsovie. XXe siècle. Polonais.
Peintre de compositions animées, figures. Surréaliste.
Il étudia à Lvov et à Vienne. Au cours d'un séjour à Paris en 1925, il fut ami de Fernand Léger. Il enseigna à l'école des beaux-arts de Varsovie, où il s'installa définitivement en 1945.
Il exposa au Salon de Varsovie, puis à partir de 1927 à Paris. En 1981, le musée national de Varsovie a montré une exposition d'ensemble de son œuvre.
Il fut l'un des représentants du surréalisme polonais. Par-delà cette orientation, on peut aussi déceler dans sa peinture une influence constructiviste. Après la Seconde Guerre mondiale, il a exercé une certaine influence, en tant que représentant des générations de l'entre-deux-guerres et des aventures cubiste, constructiviste, surréaliste. Influencé dans les années vingt par l'univers mécanisé de Léger, il réalise des paysages urbains, des scènes de cirque, puis évolue vers l'abstraction. Vers 1935, sensible aux évolutions de la société, ses peintures mettent en scène le monde moderne, la lutte des classes. À partir de 1945, il revient aux recherches abstraites qu'il avait poursuivies durant l'entre-deux-guerres.

Bibliogr. : Catalogue de l'exposition *M. Wlodarski*, Musée national, Varsovie, 1981 – in : *Dict. de l'art mod. et contemp.*, Hazan, Paris, 1992.

WNUKOFF Filip
Mort en 1765. XVIIIe siècle. Actif à Saint-Pétersbourg. Russe.
Graveur au burin.
Il grava des vues de palais de Saint-Pétersbourg et des environs. Il est certainement apparenté, et peut-être même identique à Jekim Wnukoff.

WNUKOFF Jekim
Né en 1723. XVIIIe siècle. Actif à Saint-Pétersbourg. Russe.
Graveur au burin.
Il grava des vues de palais de Saint-Pétersbourg et des environs. Peut-être identique au précédent.

WÖBER Silvester
Né à Tannheim. XVIIIe siècle. Autrichien.
Stucateur et sculpteur.
Il a sculpté le maître-autel de l'église de Tannheim.

WOBIZ Johann Jakob. Voir **WUBITSCH**

WOBORNIK Wendelin David
Né le 30 décembre 1885 à Senftenberg. XXe siècle. Autrichien.
Peintre de portraits, architectures, paysages, graveur.
Il fut élève de K. Reisner et de Vladimir Fleming à Prague, où il vécut et travailla.

WOBRECK Simon de ou **Wobrok, Woberck, Obrek, Ulbrick, Vobere**
XVIe siècle. Actif à Gaarkem dans la seconde moitié du XVIe siècle. Hollandais.
Peintre.
Il travailla à Palerme à partir de 1557. Il peignit de nombreux tableaux d'autel pour des églises de cette ville, dont *La mort de la Vierge*, dans l'église Saint-Nicolas du Bourg de Palerme, en 1581. Le Musée de Catania conserve de lui *Les rois Mages*, et le Musée de Palerme, *Madone au rosaire*.

WO CHA. Voir **WO ZHA**

WOCHER Gustav von
Né le 4 septembre 1779 à Ludwigsbourg. Mort le 25 mars 1858 à Vienne. XIXe siècle. Autrichien.
Peintre de paysages.
Il fut général.

WOCHER Marquard Fidel Dominikus
Né en 1760 à Mimmenhausen. Mort en 1830 à Bâle. XVIIIe-XIXe siècles. Suisse.
Miniaturiste et dessinateur, graveur à l'aquatinte et au burin.
Élève de son père Tiberius Wocher et d'Aberli à Berne. Il travailla à Paris.

MWOCHER
BASEL . ANNO
1804

Musées : Bâle : *Portrait du général Hatze*, miniat. – Berlin : *Deux vues des environs de Thun* – Bruxelles : *Paysage* – Posen : *Paysage* – Zurich (Kunsthaus) : *Portrait de Salomon Landolt*.

Ventes Publiques : Paris, 1885 : *Paysage*, encre de Chine : **FRF 85** – Paris, 21 oct. 1981 : *Vue prise du cimetière de Thoune* 1804, grav. au trait : **FRF 15 000** – Amsterdam, 12 sep. 1985 : *Einsiedeln im Canton Schweiz* 1790, eau-forte coloriée (36x49,9) : **NLG 6 500**.

WOCHER Tiberius Dominikus
Né en 1728 à Mimmenhausen. Mort le 24 décembre 1799 à Reute près de Waldsee. XVIIIe siècle. Suisse.
Peintre de portraits et aquafortiste.
Père de Marquard Wocher.

Musées : Bâle : *Pietà* – *Portrait d'un homme inconnu* – Soleure : *L'artiste*.

Ventes Publiques : Paris, 8 déc. 1922 : *Scène de genre*, pl. : **FRF 200** – Paris, 29 et 30 nov. 1926 : *Groupe de personnages orientaux* ; *Le départ du régiment*, deux dessins, lavis et gouache : **FRF 375** – Lucerne, 12 nov. 1985 : *Vieillard assis au pied d'un arbre conversant avec trois femmes* 1777, pl. et lav. (11,5x17) : **CHF 2 000** – Paris, 14 nov. 1986 : *Jeux d'enfants à la campagne*, pl., lav. de bistre et encre de Chine/léger croquis cr., deux dess. (17,1x22,2) : **FRF 10 800** – Paris, 7 juil. 1987 : *Personnages orientaux* 1788, pl. et lav., deux dess. (22,6x16,6) : **FRF 10 500**.

WODA Albert
XXe siècle.
Graveur.
Graveur à la manière noire.

WODICZKO Krzystof
Né en 1943 à Varsovie. xxe siècle. Depuis 1977 actif aux États-Unis. Polonais.
Sculpteur, auteur d'assemblages, auteur d'interventions, dessinateur.
Il fut élève de l'académie des beaux-arts de Varsovie, dans les sections de design et d'architecture intérieure. Dans les années soixante-dix il enseigna à l'institut de technologie de Varsovie. Il s'installe d'abord au Canada ensuite à New York. En 1991-1992, il enseigne à l'école des beaux-arts de Paris.
Il participe à des expositions collectives : 1969, 1975 Biennale de Paris ; 1970 festival d'art de Zielona Gora ; 1974 Perspectiva 74 à Buenos Aires ; 1977, 1987 Documenta de Kassel ; 1986 Biennale de Venise ; 1989 *Les Magiciens de la terre* au centre Georges Pompidou à Paris. Il montre ses œuvres dans des expositions personnelles : depuis 1971 régulièrement à Varsovie ; 1975 rétrospective au Krannert Center for the performing arts à l'université de l'Illinois ; 1985 Maison du Canada à Londres ; 1989 rétrospective des projections de l'artiste à la galerie Maubrie de Paris ; 1991 rétrospective au musée de Lodz ; 1992 rétrospective à la fondation Tapies de Barcelone, Walker Art Center de Minneapolis ; 1997 Fonds Régional d'Art contemporain des pays de la Loire à Nantes.
Après des travaux à tendance conceptuel, il réalise des véhicules inattendus (voiture de police, pour sans abri ou Xenobacule), divers instruments (*Les Bâtons d'étranger* et *Les Porte-Parole*) et depuis le début des années quatre-vingt des projections dans des espaces publics. Il travaille sur la communication construisant notamment des pièces qui associent sons, couleurs et lumières. Ses projections d'images géantes prennent place sur des monuments publics, généralement symboliques (l'Arc de la Victoire à Madrid, Mémorial Lénine à Berlin-Est, Civil War Memorial de Boston...), en vue de « briser la distance qui nous sépare du monument en créant quelque chose de terriblement réel et vivant, comme un fantôme qui hanterait le monument » (K. Wodicsko). Cette prise de parole individuelle dans la cité se veut le symbole du droit de tout citoyen de s'exprimer librement face au pouvoir, aux institutions. Ses recherches qui s'inscrivent dans un projet politique reposent sur le concept d'« art public critique » qu'il définit lui-même comme une « stratégie de remise en question des structures urbaines et des moyens qui conditionnent notre perception quotidienne du monde. Un engagement qui remet en question le fonctionnement symbolique, psychopolitique et économique de la ville ».
Bibliogr. : *Catalogue de la IXe Biennale de Paris*, Idea Books, Paris, 1979 – Jean Christophe Royoux : *Krysztof Wodiczko. Nouvelles Disgressions sur l'étranger*, Galeries Magazine, n° 49, juin-juil. 1992 – Régis Durand : *Krysztof Wodiczko. Pour une politique esthétique*, Art Press, n° 173, Paris, oct. 1992.
Musées : Lodz (Mus. Szutki) : *Échelle* 1975 – Paris (FNAC) : *Projection sur le monument du Landgrave Frederic II Friedrichplatz de Kassel, Documenta 8* 1987, photo., caisson lumineux, néon, Plexiglas – Poznan (Mus. Nat.).

WODNANSKY Wilhelm
Né le 14 janvier 1876 à Vienne. xxe siècle. Autrichien.
Peintre de genre, animaux, peintre de compositions murales, graveur.
Il fut élève de l'École des Arts Décoratifs de Vienne. Il fut aussi orfèvre.
Il peignit surtout des fresques. Il exposa à Vienne à partir de 1901.
Musées : Vienne (Gal. autr.) : *Chèvres – Été – Paysage*.

WODNIANSKY Johann Evangelist
xviiie siècle. Travaillant à Prague de 1700 à 1730. Autrichien.
Dessinateur, graveur, peut-être peintre.
Il grava des sujets religieux.

WODZINOWSKI Vincent ou **Wincenty** ou **Wodziniwski**
Né en 1864 à Iadomia. xixe-xxe siècles. Polonais.
Peintre de genre.
Il fit ses études à l'École des Beaux-Arts de Varsovie avec les professeurs Wojciech Guerson et Antoine Kamiensky, puis à l'École des Beaux-Arts de Cracovie avec Jan Matejko. En 1889, il obtint une médaille d'or et une bourse de voyage. Il alla à Munich où il travailla à l'Académie des Beaux-Arts avec le professeur Wagner. Il obtint à Munich une médaille en argent et la même récompense à l'Exposition de Lemberg en 1899. À partir de 1898, il fut professeur de peinture à l'École supérieure des femmes.
Musées : Cracovie : un tableau de genre.

Ventes Publiques : New York, 2 avr. 1976 : *Le jardin de l'église*, h/t (75,5x114) : **USD 800**.

WODZINSKI Josef
Né le 19 mars 1859 à Korytnica. xixe siècle. Polonais.
Peintre de sujets de genre, paysages.
Il fut élève de W. Gerson à Varsovie et de l'Académie des Beaux-Arts de Munich.
Musées : Posen : *Au bord de la mer*.
Ventes Publiques : Londres, 11 fév. 1976 : *Enfants jouant aux dés* 1887, h/t (75x109) : **GBP 800**.

WOEHL Albin. Voir **ALBIN**

WOEIRIOT Claude
Né avant 1531. xvie siècle. Français.
Graveur sur bois et au burin.
Fils de Jacquemin Woeiriot Il travailla à Paris de 1547 à 1558.

WOEIRIOT Jacquemin
Né à Neufchâteau. xvie siècle. Français.
Graveur et orfèvre.
Il travaillait de 1503 à 1533. Il grava des illustrations de *Livres d'Heures* et d'œuvres scientifiques, ainsi que des sujets religieux. Père de Claude Woeiriot.

WOEIRIOT DE BOUZEY Pierre ou **Woeriot** ou **Woiriot** ou **Woriot** ou **Wiriot** ou **Viriot**
Né en 1532 à Neufchâteau. Mort après 1596. xvie siècle. Français.
Sculpteur, orfèvre, graveur sur bois et au burin.
On le signale d'abord sculpteur du duc de Lorraine. Il alla ensuite en Italie et en 1555 il s'établit à Lyon. Il produisit dans cette ville des estampes de sujets d'histoire, des portraits et des ornements pour les orfèvres. En 1561 il s'adonna à la gravure sur bois et y réussit fort bien. Ses planches sont généralement marquées d'un monogramme formé des lettres P.D.B. Ses bois portent une croix de Lorraine. Le savant iconographe, Firmin Didot, a publié sur Woeiriot une intéressante étude.

Ventes Publiques : Paris, 1896 : *Pallas en buste*, dess. à la pl. : **FRF 30**.

WOELFLE Arthur William
Né le 17 décembre 1873 à Trenton (New-Jersey), d'autres sources donnent 1879. Mort en 1936. xixe-xxe siècles. Américain.
Peintre de compositions murales, portraits, natures mortes.
Élève de l'Art Students' League de New York, de l'Académie Nationale de Dessin, il étudia également à Paris et à Munich. Membre du Salmagundi Club et de la Fédération Américaine des Arts.
Ventes Publiques : New York, 5 déc. 1980 : *Madison Square*, h/t (102x81,2) : **USD 8 500** – New York, 24 juin 1988 : *Dame du Directoire, portrait de la femme de l'artiste*, h/t (125x100) : **USD 1 210** – New York, 18 déc. 1991 : *Dame en blanc*, h/t (101,6x76,2) : **USD 3 300** – New York, 31 mars 1994 : *Sous le « El » à New York*, h/t (50,8x61) : **USD 1 725** – New York, 9 juin 1995 : *Nature morte avec des truites et un panier de pêche*, h/t (73,7x106,7) : **USD 3 737**.

WOELLMY Frédérick, orthographe erronée. Voir **VOELLMY Fritz**

WOENS Joannes Bapt. Voir **WOONS**

WOENSAM Anton ou **Wonsam**, dit **Anton von Worms**
Né probablement avant 1500 à Worms. Mort en 1541 à Cologne. xvie siècle. Allemand.
Peintre, graveur et dessinateur sur bois.
Fils et très probablement élève de Jaspar Woensam. Anton vint de Worms à Cologne avec son père avant 1510. Il se maria dans cette ville et y passa la majeure partie de sa vie. Bien que les artistes de Cologne aient subi généralement l'influence des artistes des Pays-Bas, il semble s'être surtout inspiré de l'École de Nuremberg et particulièrement des œuvres de Dürer. Ses peintures sont rares ; par contre, les bois qu'il dessina témoignent d'une remarquable fécondité. On ne cite pas moins de deux cent vingt-trois ouvrages auxquels il fournit des illustrations. On cite parmi ses estampes les plus remarquables le grand *Panorama de Cologne*, en neuf feuilles que Peter Tuendel publia en 1531. Il marquait ses bois des lettres A. W. et quelquefois T. W.

Musées : Berlin : *Le jugement dernier – Deux évêques sur une balustrade – Jésus et saint Jean-Baptiste – Martyre d'un saint et sainte Catherine* – Bonn : *Saint Pierre et donateur – Saint Paul* – Budapest : *Crucifiement* – Chambéry (Mus. des Beaux-Arts) : *L'Arrestation du Christ – La Flagellation du Christ* – Cologne : *Martyre d'un saint – Volet d'autel – Crucifiement – Sainte Cécile – Emprisonnement du Christ* – Darmstadt : *Vierge et enfant Jésus dans un paysage* – Munich (Ancienne Pina.) : *Volet d'autel.*

Ventes Publiques : Londres, 28 mai 1937 : *Portrait de gentilhomme* : **GBP 483** – Londres, 6 juil. 1983 : *Le Calvaire (Le Chemin de Croix)*, h/pan. (46,5x95) : **GBP 38 000**.

WOENSAM Jaspar, dit **Jaspar von Worms**

Né à Worms. Mort entre 1546 et 1549 à Cologne. XVIe siècle. Allemand.

Peintre.

Père d'Anton Woensam. On croit qu'il vint à Cologne en 1510. Il y prit une place marquante et de 1513 à 1546, occupa différentes fonctions publiques. On ne cite pas d'ouvrages de lui.

WOENSEL Petronella Van

Née le 11 mai 1785 à La Haye. Morte le 12 décembre 1839 à La Haye. XIXe siècle. Hollandaise.

Peintre d'animaux, natures mortes, fleurs et fruits, lithographe.

Elle fut élève de Van Os, et jouit de son temps d'une réputation méritée. Elle aima représenter les insectes.

Ventes Publiques : Amsterdam, 27 avr. 1965 : *Nature morte aux fleurs* : **NLG 5 000** – Brême, 16 oct. 1982 : *Nature morte aux fruits* 1830, h/t (84x65) : **DEM 9 000** – Londres, 18 oct. 1989 : *Nature morte de fleurs dans un vase et nid sur un entablement de marbre*, h/pan. (43,5x36) : **GBP 8 800** – New York, 10 oct. 1991 : *Nature morte d'une importante composition de fleurs et fruits sur un entablement drapé*, h/t (55,9x44,5) : **USD 25 300**.

WOERIOT DE BOUZEY Pierre. Voir **WOEIRIOT DE BOUZEY**

WOERKOM Willem Van, pseudonyme : **Wim**

Né le 8 mars 1905 à Nimègue. XXe siècle. Actif aussi en Belgique. Hollandais.

Graveur.

Il fut élève d'Isidoor Opsomer à Anvers. Il travailla à Nimègue et à Anvers. Il pratiqua la gravure à l'eau-forte, sur bois et sur verre.

WOERNDLE VON ADELSFRIED. Voir **WÖRNDLE VON ADELSFRIED**

WOERULE Wilhelm

Né le 23 janvier 1849 à Stuttgart. XIXe siècle. Allemand.

Graveur.

Élève de l'École d'Art, à Stuttgart. Il exposa à Vienne en 1890.

WOESTIJNE Gustave Van de ou **Woestyn** ou **Woestyne**

Né le 2 août 1881 à Gand (Flandre-Orientale). Mort en 1947 à Bruxelles, à Louvain selon d'autres sources. XXe siècle. Belge.

Peintre de compositions religieuses, scènes de genre, figures, portraits, paysages, natures mortes, graveur. Groupe de Laethem-Saint-Martin.

Il fut élève de l'Académie des Beaux-Arts de Gand, mais, de santé fragile, il dut très jeune séjourner à la campagne. De 1925 à 1928, il fut directeur de l'Académie des Beaux-Arts de Malines, où il eut son fils Maximilien Van de Woestijne parmi ses élèves. Il fut encore professeur à l'Institut Supérieur des Beaux-Arts d'Anvers, puis à l'Institut Supérieur des Arts Décoratifs de Bruxelles. Il mourut des suites d'une longue maladie mentale.

En 1981, les Musées Royaux des Beaux-Arts d'Anvers organisèrent une rétrospective de son œuvre.

Dès 1899, il se fixa à Laethem-Saint-Martin, petit village au bord de la Lys. Accompagné de son frère, le poète d'expression flamande Karel Van de Woestijne, ils retrouvèrent à Laethem-Saint-Martin Georges Minne, Valerius de Saedeler et Albert Servaes. À eux tous, ils formèrent le premier groupe de Laethem-Saint-Martin, le second devant être constitué par Permeke, Van den Berghe, De Smet. Aucun programme précis ne les réunit, sinon une admiration commune pour les Primitifs flamands récemment redécouverts, notamment à Bruges. Ils admirent aussi Fra Angelico. Il s'agit surtout pour eux de dépasser l'impressionnisme et de retrouver la réalité concrète et quotidienne des choses. C'est un mouvement en réaction, comme le sont presque toujours au départ les mouvements d'idées, en peinture ou ailleurs, en réaction contre les délicatesses des impressionnistes tardifs, en réaction peut-être obscurément aussi contre la prise de position de l'impressionnisme envers la réalité, qu'il met en doute en la confrontant sans cesse avec ses reflets et ses brumes. Par voie de conséquence, c'est également un mouvement réaliste. La seconde génération de Laethem-Saint-Martin dépassera ce stade même du réalisme jusqu'à ce qu'on a pu appeler l'expressionnisme belge. Pour sa part, dans les premières années du groupe, Van de Woestijne peignit surtout de petits portraits, aux expressions rêveuses, dans une technique minutieuse inspirée des Primitifs, et qui ne sont pas sans rappeler l'esprit des Préraphaélites anglais. D'autres de ces petits portraits sont des figures de paysans, aux expressions rendues par un dessin aigu, directement inspiré de Brueghel. À cette époque, Van de Woestijne se convertit et une seconde partie de son œuvre est consacrée à des compositions, soit franchement religieuses, traitées dans la manière symboliste d'un Maurice Denis, soit présentant des paysages de la campagne sous un jour idyllique : tel ce *Dimanche après-midi*, de 1914. Pendant la Première Guerre mondiale, il se réfugia en Angleterre, où il se retrouva avec Tytgat, Daeye, puis Permeke. Certains autres sont restés à Bruxelles, d'autres à Anvers, Van den Berghe et De Smet sont à Amsterdam ; donc les peintres des deux générations de Laethem-Saint-Martin ont été dispersés par la guerre, et pourtant, quand ils se retrouvèrent, ils s'aperçurent que, bien qu'ayant travaillé chacun de son côté, ils avaient tous évolué dans le sens d'une peinture plus rude, plus près de la vérité de la terre grasse et des hommes aux mains robustes. Accueillies par la galerie Sélection, les deux générations de Laethem-Saint-Martin matérialisèrent leur communauté de vision sous le terme générique d'Expressionnisme national, ce qui les différenciait de l'expressionnisme qui s'était violemment manifesté dans le Munich des années dix. Van de Woestijne, aristocrate de goûts et d'allure, s'était jusqu'alors exprimé dans une peinture de distinction retenue. Pourtant, dans les années vingt, son dessin se durcit en se géométrisant, la couleur se fit plus insistante, l'expression générale plus dramatique. Dans la suite de ses peintures religieuses, il délaissa l'élégie pour l'expression de la souffrance physique et de la solitude morale traduites dans des visages de Christs émouvants. ■ J. B.

GW

Bibliogr. : Maurice Raynal : *Peinture Moderne*, Skira, Genève, 1953 – Michel Ragon : *L'expressionnisme*, in : *Hre Gle de la peint.*, tome 17, Rencontre, Lausanne, 1966 – Joseph-Émile Muller, in : *Diction. Univers. de l'Art et des Artistes*, Hazan, Paris, 1967 – in : *L'Art du XXe s.*, Larousse, Paris, 1991.

Musées : Amsterdam (Mus. Nat.) : *La Fugue* – Anvers : *L'Aveugle – Les Deux Printemps – Jésus montrant ses stigmates – Azur – Saint Bernard en extase – Les Dormeurs* 1918 – Batavia : *Mangeur de bouillie aveugle* – Boston : *Portrait* – Bruxelles (Mus. roy. des Beaux-Arts) : *Dimanche après-midi* 1914 – *Les Fleurs de mon jardin – Nature morte – Paysage fantastique – Le Christ donnant son sang – Le Baiser de Judas* – Deinze – Gand (Mus. des Beaux-Arts) : *La Femme de l'artiste – Jésus-Christ offrant son sang* – Grenoble : *Tête d'homme* – La Haye (Gemmentemus.) : *Fugue* 1925 – Liège : *Le Violoniste aveugle* – Londres : *Enfants à table.*

Ventes Publiques : Bruxelles, 27 jan. 1943 : *Tête de femme* : **BEF 16 000** – Bruxelles, 26 nov. 1949 : *Nature morte* 1939 : **BEF 9 000** – Bruxelles, 21 oct. 1950 : *La tentation* : **BEF 50 000** – Bruxelles, 28 avr. 1951 : *Nature morte* : **BEF 11 000** – Bruxelles, 1er mars 1967 : *Le Bénédicité* : **BEF 110 000** – Anvers, 1er et 2 oct. 1968 : *Tête de paysan* : **BEF 150 000** – Anvers, 27 avr. 1971 : *Tête de femme* : **BEF 800 000** – Anvers, 19 avr. 1972 : *Femme devant l'étang*, aquar. : **BEF 280 000** – Anvers, 10 oct. 1972 : *L'aveugle à la bouillie* : **BEF 1 200 000** – Bruxelles, 24 mars 1976 : *Le printemps* 1910, h/t (102x52) : **BEF 2 200 000** – Anvers, 25 oct. 1977 : *Verger* 1938, h/pan. (81x136) : **BEF 320 000** – Bruxelles, 13 juin 1979 : *Annonciation* 1920, h/t (67x64) : **BEF 280 000** – Anvers, 25 oct. 1983 : *Étude pour La Cène* 1927, dess. (125x90) : **BEF 320 000** – Bruxelles, 23 mars 1983 : *De Pap eeter* 1911, h/t fond or (55x45) : **BEF 1 700 000** – Londres, 16 oct. 1990 : *Portrait de Valerius de Saedeleer* 1914, h/t (220x140) : **GBP 220 000** – Lokeren, 23 mai 1992 : *Le violoniste aveugle*, craie (24x17,5) : **BEF 160 000** – Amsterdam, 27-28 mai 1993 : *Deeske dormant accroupi*, cr. de coul., feuille d'or et crau./cart. (59x48) : **NLG 195 500** ; *Les buveurs de liqueur* 1921, fus. et h/t (110,5x99) : **NLG 253 000** – Amsterdam, 1er juin 1994 : *Portrait*, temp. et peint. or/t. (28x22,5) : **NLG 23 000** – Amsterdam, 6 déc. 1995 : *Tête de fermier* 1914, cr. vert/t. préparée (32x29) : **NLG 25 300** – Lokeren, 9 déc. 1995 : *L'aveugle* 1903, craie verte (33x24) : **BEF 850 000**.

WOESTIJNE Maximilien Van de ou **Woestyn** ou **Woestyne**
Né le 25 décembre 1911 à Louvain (Brabant). XXe siècle. Belge.
Peintre de portraits, nus, paysages, marines, natures mortes. Tendance surréaliste.
Il fut élève de son père à l'Académie des Beaux-Arts de Malines.
VENTES PUBLIQUES : ANVERS, 19 oct. 1976 : *Nuit de sortilèges* 1969, h/pan. (46x38) : **BEF 20 000** – BRUXELLES, 21 mai 1980 : *« Rainy Day »* 1971, h/t (54x64) : **BEF 34 000**.

WOESTINE Michel Van der ou **Wastines** ou **Woestyne**
XVe siècle. Travaillant à Tournai en 1446. Éc. flamande.
Enlumineur.

WOESTINE Roger Van der
Né à Gand. XIVe-XVe siècles. Actif de 1382 à 1416. Éc. flamande.
Peintre.
On cite son nom vers 1382-1383. On croit qu'il était parent de Bernard et Singer Van der Woestine, cités dans la corporation des peintres en 1456.

WOESTINE Zegher ou **Soyer**
XIVe-XVe siècles. Actif à Gand de 1352 à 1416. Éc. flamande.
Peintre.

WOESTYNE Gustave Van de. Voir **WOESTIJNE**

WOESTYNE Maximilien Van de. Voir **WOESTIJNE**

WOESTYNE Michel Van der. Voir **WOESTINE**

WOETS Flavien Félix
Né le 4 mai 1822 à Paris. XIXe siècle. Français.
Peintre de paysages, paysages d'eau.
Il exposa au Salon de Paris, entre 1846 et 1857.
VENTES PUBLIQUES : PARIS, 5 avr. 1950 : *Le passage du bac* : **FRF 2 700**.

WOGAN Robert
XVIIIe siècle. Irlandais.
Peintre de miniatures.
Il exposa à Dublin de 1768 à 1775. Également joaillier.

WOGAN Thomas
Mort en 1781 à Dublin. XVIIIe siècle. Irlandais.
Miniaturiste.
Il exposa à la Royal Academy de 1776 à 1778.

WOGENSKY Robert ou **Wogenscky,** parfois **Wogenski**
Né le 16 novembre 1919 à Paris. XXe siècle. Français.
Peintre, peintre de cartons de tapisseries, peintre de décorations murales.
D'origine polonaise, sa famille vit en France depuis plusieurs générations. Il est le frère de l'architecte André Wogensky. Il est élève, en 1938, de l'École des Beaux-Arts de Paris. En 1939, il rencontre Jean Lurçat. Après les dispersions diverses occasionnées par la guerre, il retrouve Lurçat en 1945. En 1947, il est nommé professeur à l'Atelier-École de Tapisserie d'Aubusson. En 1947 encore, il fait partie des membres fondateurs de l'Association des Peintres Cartonniers de Tapisseries qui regroupe alors Marc Saint-Saëns, Jean Picart-le-Doux, Jacques Lagrange, Jean-Claude Guignebert et un peu plus tard Louis-Marie Jullien. En 1949, la direction des Arts et Lettres le nomme membre de la commission d'achat d'une coopérative d'État « Tapisserie de France », aux côtés de Lurçat, Gromaire et autres. Il se fixe de nouveau à Paris en 1949. En 1950, il est nommé professeur d'art mural à l'École Nationale des Beaux-Arts de Nancy. En 1952, à l'occasion d'une exposition de tapisseries, il est invité à parcourir la Pologne. Divers séjours en Bretagne lui donneront l'occasion d'une série de paysages qu'il expose à Paris en 1955. En 1956, il est nommé professeur de composition et d'art mural à l'École des Arts Appliqués de Paris, il y enseignera jusqu'en 1985. Dans les années 1960, il fait de nombreux séjours dans le Midi, avant d'y acquérir une maison. Il voyage en 1972 à New York, Chicago, Los Angeles et San Francisco. Entre 1973 et 1976, il organise au Cercle d'études architecturales, présidé par Jean Prouvé, plusieurs conférences et rencontres entre architectes, peintres et sculpteurs, et participe aux voyages d'étude de ce cercle, notamment en Chine et en Égypte.
L'œuvre tissé de Wogensky comporte cent cinquante neuf numéros, certains de format monumental et parallèlement à son travail de tapisserie, il n'a cessé de peindre et a réalisé plusieurs compositions murales : 1947, la tapisserie *La Musique et la danse*, pour la Maison de France à Düsseldorf ; 1954, les décors et costumes de *La mouette* de Tchekhov, pour le Centre Dramatique de l'Est ; 1959, *Cassiopée*, pour la Commission des Affaires Culturelles à l'Assemblée Nationale ; une mosaïque et une céramique pour des groupes scolaires en Moselle ; 1962, une tapisserie de 30 mètres carrés : *L'espoir*, pour le Centre Hospitalier Universitaire Saint-Antoine, à Paris, construit par l'architecte André Wogensky ; au cours des années soixante, il exécute plusieurs cartons pour le Mobilier National (*Chant des étoiles*), pour le Centre touristique Français de New York (*Les Quatre Éléments*), pour le Ministère de l'Agriculture (*Univers végétal*), pour l'Université de Strasbourg (*Cosmos*) ; 1966 et 1969, deux grandes peintures murales pour la Faculté de Médecine à Paris ; 1968, une tapisserie monumentale pour l'École de Chimie de Strasbourg : *Cosmos* ; 1970, la tapisserie *Galaxie*, pour le Palais du Luxembourg (Sénat) ; 1971, un relief polychrome : *La conquête de l'air*, à Viry-Châtillon ; 1985, une tapisserie intitulée *Un oiseau, des Étoiles* est réalisée par la Manufacture de Beauvais ; 1988, une peinture murale pour l'Hôtel de Ville de Fontenay-sous-Bois.
Il participe à de nombreuses expositions collectives, parmi lesquelles : 1946, une de ses tapisseries figure à l'exposition *La tapisserie française, du Moyen Age à nos jours*, au Musée d'Art Moderne de Paris, puis au Rijkmuseum d'Amsterdam et au Metropolitan Museum de New York ; à partir de 1947, il figura aux nombreuses expositions organisées par l'Association des Peintres Cartonniers de Tapisseries ; d'autres expositions, en peinture, au Musée de La Haye, aux musées d'Art Moderne de Rio de Janeiro et de São Paulo ; 1958, sa tapisserie *Le sommeil* figura à l'exposition *Tapisseries*, au Musée des Arts Décoratifs de Paris, au Musée de Milan, puis est attribuée à l'Ambassade de France à Tokyo ; 1958, il composa également à la demande des Arts et Lettres, une grande tapisserie *L'Amour, la Paix et la Poésie*, pour le pavillon français de l'Exposition universelle de Bruxelles, où il obtint un diplôme d'honneur du jury international ; 1962, première Biennale Internationale de la Tapisserie du Musée Cantonal de Lausanne avec *Chant des étoiles* ; 1963, *École de Paris*, galerie Charpentier, Paris ; 1969, *Vingt-cinq ans de tapisserie*, Musée des Gobelins, Paris ; 1974, *Jean Paulhan à travers ses peintres*, Grand Palais, Paris ; 1975, Première Biennale de la Tapisserie Française, Menton ; 1985, *Hommage à Jean Paulhan*, Maison de la poésie, Paris ; 1985, *La Tapisserie en France. La tradition vivante de 1945 à 1985*, École des Beaux-Arts, Paris ; 1988, Institut français, Saragosse.
Il montre plusieurs expositions personnelles, dont : 1949, première exposition personnelle de peintures à Paris, sur les thèmes des *Miroirs*, des *Lanternes*, des *Cages* ; 1950, ensemble de tapisseries ; d'autres expositions personnelles de ses peintures sur le thème des *Moissons*, à Stockholm et Göteborg ; 1952, ensemble de tapisseries, en Pologne ; 1953, ensemble de peintures, paysages et diverses compositions à New York ; 1962, deux expositions personnelles, l'une de ses nouvelles peintures à la galerie Pierre Domec, *La mer, Eau mystérieuse, Eau grise*, l'autre de tapisseries à la galerie La Demeure, *Serpent d'étoiles, Aracynthe, Flore* ; 1964, 1967, peintures, galerie Pierre Domec, Paris ; 1965, quinze tapisseries (*Ciel englouti, Soleil marin, Mer étoilée*), galerie La Demeure, Paris ; 1970, 1973, 1977, galerie La Demeure, Paris ; 1974, Musée des Beaux-Arts, Palais Saint-Pierre, Lyon ; 1985, galerie Inard, Paris ; 1988, Chapelle des Jésuites, Nîmes ; 1988, Musée des Tapisseries, Aix-en-Provence ; 1988, peinture, Galerie Suisse de Paris ; 1989, Musée Départemental de la Tapisserie, Aubusson ; 1990, Musée de la Tapisserie Contemporaine, Angers ; 1992, Musée des Beaux-Arts, Niort ; 1993, galerie Galarte, Paris ; 1995, peinture, galerie Arlette Gimaray, Paris ; 1996, *Peintures 1990-1996*, Salle Chemellier, Angers.
À l'exemple de Lurçat, Robert Wogensky s'oriente vers la tapisserie, et son premier carton *Les oiseaux* date de 1945 (édité par Denise Majorel, future directrice de la galerie La Demeure). Ses compositions en tapisserie chantent la nature dans ses différents éléments : le ciel, les constellations, l'eau, et en particulier les oiseaux. Ces derniers sont d'abord traités dans une manière figurative, puis traduits uniquement par le mouvement, en signes graphiques très synthétiques, à la limite du symbole abstrait, en fusion avec les forces de l'air et du ciel. Dans le domaine de la peinture, il réalise les séries *Miroirs* et *Cages* (1945), *Moissons* (1950), une autre, vers 1959, consacrée aux paysages de Bretagne, avec des toiles très sombres : *Roscoff*, les *Moissonneurs*. Il peignit également dans le Midi de la France une série d'aquarelles et d'huiles sur le thème de l'eau. Cet univers marin, vu de ses profondeurs mystérieuses, avec des végétations étranges, des transparences glauques, des effets de déformation,

des harmonies colorées de vision onirique ou intra-utérine, procura à Robert Wogensky l'occasion de prendre ses distances par rapport à une figuration contraignante et d'accéder à une expression plastique plus ouverte. Son exposition de 1995 à Paris, montrait ses peintures de 1992 à 1995, soit une série encore non exposée et correspondant justement dans l'ensemble de son œuvre à une évolution importante. Dans cette nouvelle période, Wogensky passe résolument à des figures géométriques abstraites, alors que jusque là il était resté volontairement en retrait du géométrique et de l'abstrait. Ces figures géométriques, d'ailleurs tracées à main levée donc sans raideur et comportant même quelques ambiguïtés perspectives qui en laissent la lecture ouverte, sont des représentations de solides en trois dimensions, figurés uniquement par leurs arêtes, ce qui les laisse vides et transparents. Ces parallélépipèdes solides occupent la presque totalité du rectangle du tableau. Leur transparence les apparente à des fenêtres ou plutôt à des espaces intérieurs ouvrant sur l'extérieur. Il s'agit donc jusqu'ici de la construction structurelle de l'œuvre, construction toute « mentale » (selon Vincy), à partir de laquelle Wogensky donne corps, c'est-à-dire son contenu « sensible », à cette structure encore vacante en y instaurant comme le conflit entre une lumière-couleur en deçà et une lumière-couleur au-delà. À partir de cette double donne du mental et du sensible, la série s'est développée dans le jeu combinatoire inépuisable de tous les gauchissements possibles du parallélépipède et de tous les couples possibles des lumières-couleurs intérieures et extérieures. ■ J. B.

Bibliogr. : Jean Paulhan : *Robert Wogenscky, peinture et tapisserie*, Gal. Domec, Paris, 1962 – P. W. Meister : *Wogensky, Tourlière*, Francfort, 1963 – B. Dorival, sous la direction de : *Peintres Contemporains*, Mazenod, Paris, 1964 – R. Moutard-Uldry : *Robert Wogenscky*, Cahiers d'Art, n° 241, Genève, 1967 – Guy Weelen : *Tapisseries de Robert Wogenscky : Oiseaux solaires. Oiseaux marins*, catalogue d'exposition, Gal. La Demeure, Paris, 1970 – X... : *Wogenscky Robert*, in : Encyclopédie *Les Muses*, tome 15, Grange Batelière, Paris, 1974 – in : *Dictionnaire de la peinture*, Le Robert, Paris, 1975 – Pierre Cabanne : *Robert Wogensky*, catalogue d'exposition avec abondante documentation, galerie Arlette Gimaray, Paris, 1995.

Musées : Cambrai : *La cage* 1945 – Paris (Mus. Nat. d'Art Mod.) : *Roscoff* 1959 – *Eau profonde* 1964.

Ventes Publiques : Stockholm, 22 mai 1989 : *Nature morte*, h/t (35x28) : **SEK 3 500** – Paris, 17 juin 1996 : *Oiseaux marins*, tapisserie (185x300) : **FRF 11 000**.

WÖGNER Mathias. Voir **WAGNER**

WOHLENHOFER Janos. Voir **WOLLENHOFER**

WOHLFAHRT Franz Xaver

XVIIIe siècle. Actif à Voitsberg dans la seconde moitié du XVIIIe siècle. Autrichien.

Peintre.

WOHLFAHRT Fredrik ou **Carl Thure Fredrik**

Né le 10 octobre 1837 à Göteborg. Mort en 1909. XIXe siècle. Suédois.

Peintre de genre.

Il fit ses études à Düsseldorf et à Paris.

WOHLFAHRT Johannes

Né le 4 avril 1900 à Graz (Styrie). XXe siècle. Autrichien.

Peintre, graveur.

Il a été élève de l'Académie de Vienne.

Musées : Darmstadt (Mus. mun.) : *Les rochers rouges*.

WOHLFAHRT Mathias

XVIIIe siècle. Actif à Voitsberg dans la première moitié du XVIIIe siècle. Autrichien.

Peintre.

Père de Franz Xaver Wohlfahrt.

WOHLFAHRT Wilhelm ou **Bernhard Wilhelm**

Né en 1812 à Göteborg. Mort le 1er avril 1863 à Stockholm. XIXe siècle. Suédois.

Peintre de genre et portraitiste, dessinateur et critique d'art.

Élève de Chr. D. Forsell. Le Musée de Göteborg conserve de lui *Portrait de l'actrice Emilie Högqvist, Portrait de la cantatrice Jenny Lind* et *Portrait de Hilda Prytz*.

WOHLFART Anton. Voir **WOLFARTH**

WOHLFART Frank

Né le 29 juillet 1942 à L'Hopital (Moselle). XXe siècle. Français.

Peintre de compositions à personnages, graveur. Tendance expressionniste.

Il a suivi les cours de l'École des Beaux-Arts de Paris, les cours de gravure de Jean Delpech à Paris. Il est le fondateur de l'Association Estampe du Rhin. Il a obtenu le prix des jeunes peintres de Strasbourg en 1967, une bourse de la fondation Goethe en 1985. Il est professeur à l'École des Arts Décoratifs de Strasbourg.

Il figure à des expositions collectives, parmi lesquelles : 1981, *Coucou les voilà !*, Musée d'Art Moderne, Strasbourg ; 1984, 1985 Foire d'art Sélest'art, Sélestat ; 1985, 1986, Salon Grands et Jeunes d'Aujourd'hui, Paris ; 1986, 1988, 1989, Salon de la Jeune Peinture, Paris ; 1986, 1987, Salon Mac 2000, Paris ; 1988, 1989, Salon de Mai, Paris ; 1988, Biennale du Pastel, Saint-Quentin.

Il montre ses œuvres dans des expositions personnelles, dont la première en 1978 aux Lynn Kotler Galleries à New York, puis : 1981, galerie du Petit Pont, Strasbourg ; 1985, galerie Valmay, Paris ; 1987, 1989, galerie Nicole Buck, Grenoble ; 1988, galerie Antoine de Galbert, Grenoble ; 1988, galerie Huit Poissy, Paris ; 1991, galerie Hofmann, Paris ; 1991, galerie 1, Orléans.

Dans les années quatre-vingt, Frank Wohlfart a réalisé une suite de peintures ayant pour thème des personnages, deux ou parfois plus, en général nus, centrés dans la toile, et montrés dans des sortes de corps à corps. Brossées avec entrain – les traces de l'outil étant largement visibles –, ces figures presque sans réelle identité, mais tout de chair, déclinent des attitudes, des comportements entre ébats et lutte.

WOHLFEIL Erwin

Né le 1er mars 1900 à Ippik. XXe siècle. Letton.

Peintre, graveur.

Il a été élève de l'Académie de Riga.

Musées : Posen : *Petite ville en Livonie – Rue de village* – Riga (Mus. mun.) : *Paysages*.

WOHLGEMUTH Karl ou **Wolgemuth**

XVIIIe siècle. Travaillant à Krummau de 1708 à 1731. Autrichien.

Peintre.

Il exécuta des peintures pour l'abbaye de Saint-Florien de 1731 à 1732.

WOHLGEMUTH Michel ou **Michael** ou **Wolgemuth**

Né en 1434 à Nuremberg. Mort le 30 novembre 1519 à Nuremberg. XVe-XVIe siècles. Allemand.

Peintre de sujets religieux et de portraits et dessinateur pour la gravure sur bois.

D'abord élève de son père, Valentin, chez qui il travailla longtemps, puis élève et aide de Hans Pleydenwurff dont il épousa la veuve. Wohlgemuth occupa une situation considérable dans sa ville natale et semble y avoir été considéré comme le peintre le plus éminent de son temps. Il voyagea sans doute aux Pays-Bas vers 1450, et séjourna à Munich. La première œuvre qu'on lui attribue est le retable du maître-autel de l'église Saint-Jacques de Straubing. En 1479, il fut choisi pour peindre le tableau d'autel à l'église Notre-Dame de Zwickau, qui est considéré comme son chef-d'œuvre. En 1484, on lui attribue le retable de Feuchtwangen. Il fut le maître d'Albrecht Dürer de 1486 à 1490. La critique moderne veut que cette renommée ait été quelque peu usurpée et que nombre des œuvres qui lui sont données aient été exécutées par ses élèves. On cite dans ce cas le tableau d'autel de Perinzdorfer, considéré longtemps comme un de ses chefs-d'œuvre, qui aurait été peint par son beau-fils Wilhelm Pleydenwurff et ses aides ; la décoration de l'Hôtel-de-Ville de Goslav, qui valut à Wohlgemuth le titre de citoyen de cette ville en 1501, serait également de ses élèves. Wohlgemuth était sculpteur sur bois ou employait dans sa boutique des artistes de ce genre. Il fit aussi de la gravure sur bois. En collaboration avec son beau-fils W. Pleydenwurff, il illustra deux ouvrages qui furent publiés vers 1491-1494 dont la *Chronique Universelle*, de Schedel (connue sous la désignation de *Chronique de Nuremberg*) pour laquelle il grava plus de six cent cinquante planches. Par contre on lui refuse d'avoir fourni à Dürer des dessins pour ses premières gravures. On cite de lui ou de son atelier : à Crailsheim, à l'église paroissiale *Scènes de la Passion*, à Hersbruck, à l'église paroissiale, *ailes d'un tableau d'autel*, à Nuremberg, à la chapelle de la Sainte Croix, *Tableau d'autel*, exécuté vers 1480 et 1485 et à l'église de Saint-Lorentz, *Lamentation sur le corps du Christ*, Ailes d'un tableau d'autel (*Sainte Catherine* et *Découverte de la Vraie Croix*) ; *Saint Wolfgang, saint Erhard* et un troisième évêque (1464) ; *Massacre de saint Grégoire* (1473) ; *Le Christ ; le Christ en croix, la Vierge, saint Jean et un donateur ; la Vierge et les apôtres*, à Schwabach, à l'église paroissiale, prédelle et tableau d'autel, terminé en 1508. On conteste aujourd'hui à Wohlgemuth la plupart des portraits, qui lui étaient attribués de son vivant. Par contre, Dürer lui voua une admiration assez grande pour avoir peint son portrait à deux reprises, la seconde fois alors qu'il était âgé de quatre-vingt-deux ans.

Musées : Bourg : *Vie de saint Jérôme*, triptyque – Compiègne : *Portement de croix (recto) – Multiplication des pains (verso) – Flagellation (recto) – Circoncision (verso) – Jésus montrant ses plaies – Jésus descendu aux enfers* – Constance : *Ange songeur* – La Fère : *Descente de croix* – Lille : *Le Christ insulté* – Munich : *Résurrection – Prière du Christ au jardin des oliviers – Crucifiement – Descente de croix – Les douze apôtres* – Vienne (Czernin) : *Adoration des rois*.

Ventes Publiques : Cologne, 1862 : *La résurrection du Christ* : **FRF 345** – Paris, 1881 : *La circoncision* : **FRF 1 420** – Paris, 1891 : *Jésus devant Pilate* : **FRF 655** – Paris, 1892 : *La Vierge aux anges* : **FRF 10 000** – Paris, 11 avr. 1924 : *Sujet biblique*, pl. : **FRF 450** – Paris, 13 mai 1927 : *Scène de la vie de Saül*, École de M. W. : **FRF 20 000** – Paris, 12 fév. 1937 : *La Résurrection*, attr. : **FRF 118 000** – Paris, 23 nov. 1942 : *La procession*, École de M. W. : **FRF 80 000** – New York, 29 avr. 1943 : *Le Christ* : **USD 600** – Londres, 26 oct. 1945 : *Le jugement de Salomon* : **GBP 441**.

WOHLGEMUTH Valentin
Mort en 1469 ou 1470 à Nuremberg. XVe siècle. Allemand.
Peintre.
Père de Michel Wohlgemuth.

WOHLMUTH Josef
XIXe siècle. Travaillant à Vienne de 1840 à 1876. Autrichien.
Peintre d'architectures et aquarelliste.
Le Musée de Salzbourg et le Musée Municipal de Vienne conservent des peintures de cet artiste.

WOHLSCHLAGER Andrä
XVIIIe siècle. Actif à Salzbourg. Autrichien.
Peintre.
Il travailla à Seekirchen en 1717.

WOHNLICH Karl ou **Carl**
Né le 26 décembre 1824 à Friedland. Mort le 20 novembre 1885 à Dresde. XIXe siècle. Allemand.
Peintre d'histoire, de genre et de sujets religieux et portraitiste.
Élève de Philipp Foltz, Karl von Piloty et Moritz von Schwind. Il fit un voyage d'études en Italie, travailla à Breslau vers 1864, puis se fixa à Dresde. Le Musée de Breslau conserve de lui *La bataille des Mogols à Leignitz*.

WÖHRER Hans
Né en 1897 à Gloggnitz. XXe siècle. Autrichien.
Peintre de paysages.
Armurier de son métier, il a peint de minutieux paysages des montagnes, où des ruines de châteaux forts apparaissent entre les branches des pins aux aiguilles piquantes.

Bibliogr. : Dr. L. Gans : *Catalogue de la Collection de Peinture Naïve « Albert Dorne »*, Pays-Bas, s. d.

WÖHRL Hans et **Johann David**. Voir **WERL**

WÖHRLE Carl
XIXe siècle. Travaillant en 1813. Autrichien.
Portraitiste.
Le Musée de Brunn conserve de lui *Portrait du cardinal Maria Thaddäus von Trautmannsdorff, archevêque d'Olmutz*.

WOICESKE R. William
Né à Bloomington (Illinois). XXe siècle. Américain.
Peintre de vitraux, graveur.
Il fut élève de John Carlson et de l'École des Beaux-Arts de Saint Louis. Il était membre de la Fédération Américaine des Arts.

WOINOFF Michail Féodorovitch
Né le 2 novembre 1759 à Saint-Pétersbourg. Mort le 24 mars 1826 à Saint-Pétersbourg. XVIIIe-XIXe siècles. Russe.
Peintre d'histoire.
Élève de l'Académie de Saint-Pétersbourg.

WOIRIOT DE BOUZEY Pierre. Voir **WOEIRIOT DE BOUZEY**

WOISERI J. I. Bouquet
XIXe siècle. Actif à La Nouvelle-Orléans au début du XIXe siècle. Américain.
Graveur au burin.
Il grava des plans de villes et des almanachs.

WOITOVITSCH Pietr ou **Pierre**. Voir **WOJTOWICZ Piotr**

WOJCICKI Klemens
Né en 1744. Mort le 31 décembre 1814 à Varsovie. XVIIIe-XIXe siècles. Polonais.
Peintre de sujets religieux, portraits.

WOJNAROWICZ David
Né en 1954. Mort en 1992. XXe siècle. Américain.
Peintre technique mixte, peintre de collages, sculpteur.

Ventes Publiques : New York, 8 oct. 1988 : *Regard mondial* 1983, vernis/rés. synth. (123,3x123,3) : **USD 3 300** – New York, 10 nov. 1988 : *Le rêve de Peter Hujar*, vernis et collage/rés. synth. (122,1x122,1) : **USD 2 200** – New York, 4 mai 1989 : *Sans titre – crâne de cochon en billets de banque* 1985, acryl. et collage sur os (36,2x20,6x38,1) : **USD 4 400** – New York, 8 mai 1990 : *Totem*, sculpt. murale acryl./bois (H. 127) : **USD 5 280** – New York, 10 oct. 1990 : *Usine*, acryl. et collage/rés. synth. (122x122) : **USD 6 050** – New York, 12 nov. 1991 : *« Time »* 1982, bombage au vernis sur rés. synth. (122,5x244,5) : **USD 2 750** – New York, 19 nov. 1992 : *Sans titre* 1983, bombage de vernis, encre et collage de pap./rés. synth. (122x183) : **USD 11 000** – New York, 24 fév. 1993 : *La carte d'un visage* 1984, acryl.et collage de pap./rés. synth. (121,9x121,9) : **USD 7 700** – New York, 22 fév. 1995 : *Diptyque II* 1982, bombage de vernis/rés. synth. (121,8x243,8) : **USD 5 175** – New York, 19 nov. 1996 : *Homme brûlant* 1983, acryl., vernis et collage pap./maçonnerie (122x122) : **USD 5 520**.

WOJNAROWSKI Jan Kanty
Né en 1815. XIXe siècle. Actif à Cracovie. Polonais.
Peintre et architecte.
Élève de J. Pewzka et de W. Stattler. Il exposa à Lemberg de 1854 à 1876.

WOJNARSKI Jan
Né en 1880 à Tarnow. XXe siècle. Polonais.
Graveur.
Il a été élève de l'Académie de Cracovie. Il gravait à l'eau-forte.

WOJNIAKOWSKI Kazimierz
Né en 1771 à Cracovie. Mort le 20 décembre 1812 à Varsovie. XVIIIe-XIXe siècles. Polonais.
Peintre d'histoire et portraitiste.
Avant tout portraitiste, il peignit également des scènes galantes et des sujets historiques ou religieux. Témoin de l'insurrection de 1794, il exécuta les portraits des héros de la lutte pour l'indépendance, notamment celui de Tadeusz Kosciuszko, celui du général Jozef Kossakowski, et s'attacha à reproduire des événements historiques de son temps. Bien que formé par Bacciarelli, à Varsovie, son penchant pour le réalisme le rapproche de l'école de Jean-Pierre Norblin de La Gourdaine.

Musées : Posen : *L'artiste*, deux fois – *La femme de l'artiste – Kosciuszko – Marie-Thérèse Tyszkiewicz – L'Espérance* – Varsovie (Mus. Nat.) : *Fête de jardin – Trois portraits*.

WOJTKIEWICZ Witold
Né en 1879 à Varsovie. Mort en 1909 ou 1911 à Cracovie. XXe siècle. Polonais.
Peintre de compositions animées, portraits, dessinateur, illustrateur. Expressionniste, tendance fantastique, surréaliste.
Il commença ses études artistiques à l'École de Gerson à Varsovie et les continua à l'École des Beaux-Arts de Cracovie, de 1903 à 1906.
Il exposa à Vienne, Berlin, et Paris, où André Gide écrivit la préface du catalogue de l'exposition qu'il lui organisa, en 1907, à la Galerie Druet.
Son art lie l'expressionnisme au monde imaginaire : il peignit des scènes d'enfants inspirées de contes et des sujets de fantaisie. Il avait également subi l'influence de Toulouse-Lautrec. Il a illustré, entre autres : de A. Dygasinski, *Lebensfreuden* (1905) ; de Nietzsche, *Dziela Werke* (1905) ; de K. Glinski, *Krolewsky piesn* (1906) ; de O. Wilde, *Dialogiosztuce* (1906) ; de K. Chledosski, *Rzym Ludzie* (1909) ; *Bogurodzica* (1910).

Bibliogr. : Gérald Schurr, in : *Les Petits Maîtres de la peinture 1820-1920, valeur de demain*, Les Éditions de l'Amateur, t. V, Paris, 1981 – in : *Dictionnaire des illustrateurs 1800-1914*, Ides et Calendes, Neuchâtel, 1989.

Musées : Cracovie : *Le compositeur J. Raczynski* – Varsovie : *Les chuchotements du printemps – La croisade des enfants – Poupées – Marionnettes – Pierrot – Mi-carême à Paris*.

WOJTOWICZ Piotr ou **Woitovitsch Pietr** ou **Pierre**
Né le 10 juin 1862 à Przemysl. XIXe siècle. Polonais.
Sculpteur.
Il fit ses études à l'Académie des Beaux-Arts de Vienne avec le professeur Zumbusch. Le Musée de Cracovie conserve de lui : *L'Enlèvement des Sabines, Esclave* et une étude.

WOLAND Peter ou **Wolang** ou **Wollandt**
XVIe siècle. Actif à Murten et à Thoune. Suisse.
Peintre verrier.
De 1553 à 1560, cet artiste travailla à Murten. De 1568 à 1595, il est à Thoune. De lui on voit quelques vitraux à des fenêtres de certains monuments publics à Berne, Minten et Thoune, ainsi que de quelques maisons particulières.

WOLBERS Hermanus Gerhardus
Né le 27 mai 1856 à Heemstede. Mort en décembre 1926 à La Haye. XIXe-XXe siècles. Hollandais.
Peintre de sujets de genre, paysages, graveur.
Il fut élève de W. Vester et d'A. J. Van Wijngaerdt. Il peignit surtout des paysages.
Ventes Publiques : Amsterdam, 14 juin 1994 : *L'heure de la traite*, h/t (41x60) : **NLG 1 840**.

WOLBREK Simon de. Voir **WOBRECK**

WOLCK Bertel
Né le 28 octobre 1816 à Nyborg. Mort le 26 août 1886 à Aarhus. XIXe siècle. Danois.
Peintre de portraits et de décorations.
Élève de l'Académie de Copenhague. Il exposa des miniatures de 1850 à 1851.

WOLCKER Johann Georg
Né en 1700 à Burgau. Mort en 1766 à Augsbourg. XVIIIe siècle. Allemand.
Peintre.
Élève de J. G. Bergmüller. Il peignit le plafond de l'abbatiale de Stams en Tyrol, ainsi que de nombreux plafonds et tableaux d'autel dans des églises de Bavière et du Tyrol. Les Musées de Munich conservent plusieurs peintures de cet artiste.

WOLCOTT John, appelé aussi **Peter Pindar**
Né en 1738 à Dodbrook. Mort le 13 janvier 1819 à Somerstown. XVIIIe-XIXe siècles. Britannique.
Peintre amateur et poète.
Il peignit des paysages de son pays.

WOLCOTT Katherine
Née le 8 avril 1880 à Chicago (Illinois). XXe siècle. Américaine.
Peintre.
Elle a reçu les conseils de Benjamin Constant, à Paris. Elle fut membre de la Fédération américaine des Arts.

WOLD-TORNE Kris ou **Kristine Laache** ou **Wold-Thorne**
Née le 1er février 1867 à Holmsbu. XIXe siècle. Norvégienne.
Peintre et décoratrice.
Femme d'Oluf Wold. Elle peignit des portraits et des natures mortes. Figura aux expositions de Paris ; mention honorable en 1900 (Exposition Universelle).

WOLD-TORNE Oluf ou **Wold-Thorne**
Né le 7 novembre 1867 à Soon. Mort le 19 mars 1919 à Oslo. XIXe-XXe siècles. Norvégien.
Peintre de cartons de tapisseries, cartons de vitraux, décorateur.
Mari de Kris Wold et élève de l'Académie de Copenhague.
Il dessina des modèles de meubles ou de vases, des motifs de broderies, des cartons de tapisseries et de vitraux.
Musées : Bergen : *Vue de Tanum – Fleurs des champs – Jésus à Gethsémani – Jeune fille avec des fleurs – Jeune fille avec un oiseau prisonnier – Vieille dame à cheval* – Göteborg : *Établissement de bains* – Lillehammer : *Grange jaune – Bain de soleil – Lydia à la lecture – Vue de Borre* – Oslo : *La femme de l'artiste – Poulain – L'artiste – Intérieur italien – Chat en faïence – Nature morte – Embarquement vers l'Ile Heureuse – Lilas et perroquet* – Stockholm : *Lilas*.

WOLDE Ferdinand Van
Né le 10 février 1891 à Groningue. XXe siècle. Hollandais.
Lithographe, peintre.

WOLF. Voir aussi **WOLFF**

WOLF Abraham
XVIIe siècle. Travaillant à Utrecht en 1615. Hollandais.
Peintre.

WOLF Alexander
Né le 9 octobre 1864 à Beringen. XIXe-XXe siècles. Suisse.
Peintre de genre et paysagiste.
Élève de Toby Rosenthal et de G. Jakobides à Munich. Il peignit des décorations dans des hôtels et des églises. Il exposa à Zurich en 1914.

WOLF Alois
Né en 1820 à Prague. XIXe siècle. Autrichien.
Peintre de genre et paysagiste.
Élève de l'Académie de Prague. Il exposa dans cette ville de 1845 à 1861 et à Budapest de 1856 à 1858.

WOLF Alois
Né à Meran. XIXe siècle. Actif dans la première moitié du XIXe siècle. Autrichien.
Paysagiste.
Élève de l'Académie de Munich.

WOLF Andreas. Voir **WOLF Johann Andreas**

WOLF Anton
Né en 1778 à Prague. Mort le 8 octobre 1818 à Prague. XIXe siècle. Autrichien.
Peintre et dessinateur.
Il dessina des portraits et des monnaies.

WOLF Anton
XIXe siècle. Travaillant à Trpin vers 1838. Autrichien.
Peintre.
Il peignit un tableau d'autel *(Sainte Famille)* pour l'église de Trpin.

WOLF August ou **Augusto**
Né en 1842. Mort en 1915. XIXe-XXe siècles. Actif aussi en Italie. Allemand.
Peintre de figures, copiste.
Il fit ses études à Nuremberg et à Karlsruhe avant de s'intaller à Munich en 1869, où il travailla pour le comte Adolf Friedrich von Schack, qui collectionnait des œuvres de peintres allemands contemporains et des copies de maîtres italiens et flamands. Il envoya Wolf à Venise en 1871 pour copier des œuvres maîtresses. Il réalisa quarante-huit copies pendant les onze années qu'il passa dans cette ville. À son retour il eut d'autres commandes, notamment de l'archiduc de Oldenburg.
Ventes Publiques : New York, 26 mai 1993 : *Odalisque* 1885, h/t (91,4x72,4) : **USD 6 325** – Amsterdam, 8 oct. 1994 : *Diane chasseresse, d'après Rubens*, h/pan. (65x155) : **NLG 5 750**.

WOLF Benjamin ou **Wolff**
Né le 25 août 1758 à Dessau. Mort le 15 octobre 1825 à Amsterdam. XVIIIe-XIXe siècles. Allemand.
Portraitiste.
Nommé, en 1814, conservateur du Musée de peinture d'Amsterdam. On voit de lui, dans ce Musée, *Christine Sibylle Charlotte Bakhuysen* et *Hendrik Arend Van den Brinck*, et au Musée de Bruxelles, *Les peseurs de monnaies*.

WOLF Bernard
Né le 8 juillet 1860 à Eaubonne (Seine-et-Oise). XIXe-XXe siècles. Français.
Portraitiste et paysagiste.
Élève de J. Lefebvre et de G. Courtois. Il exposa au Salon de 1890 à 1908.

WOLF Caspar ou **Kaspar** ou **Wolff**
Né en 1735 à Muri (canton d'Argovie). Mort en 1798 ou 1783 à Mannheim. XVIIIe siècle. Suisse.
Peintre d'animaux, paysages, paysages de montagne, architectures, peintre à la gouache, aquarelliste, dessinateur.
Il étudia d'abord dans son pays natal, puis fit quelques voyages en Suisse, en Allemagne et à Paris, où il fut élève de Lantherbourg. De retour en Suisse, il se fixa à Berne.
Dans cette dernière ville, il produisit un nombre considérable de tableaux à l'huile et d'aquarelles. Son chef-d'œuvre est l'illustration du titre de l'*Alpes helveticæ* de Dunker.
Musées : Bâle : *La caverne des ours dans le canton de Soleure – Paysage du Jura*.
Ventes Publiques : Berne, 17 juin 1967 : *La cascade* : **CHF 16 000** – Londres, 13 juin 1974 : *Vue du Breithorn* : **GNS 480** – Zurich, 12 nov. 1976 : *Le peintre dans un paysage de haute montagne*, h/t (52x65) : **CHF 17 000** – Zurich, 15 mai 1981 : *Capriccio*, h/t (27,3x19,7) : **CHF 9 000** – Berne, 18 mai 1984 : *Paysage au lac, Scherzlingen*, h/t (54x82) : **CHF 80 000** – Paris, 21 juin 1990 : *Ours attrapant une otarie*, encre noire et gche blanche et jaune/pap.

brun (23x33,5) : **FRF 10 000** – Zurich, 12 juin 1995 : *La chapelle de Kussnacht*, encre et aquar./pap. (19x29) : **CHF 2 530**.

WOLF Elias, l'Ancien
XVIe-XVIIe siècles. Slovène.
Peintre de sujets religieux.
Père d'Elias Wolf le Jeune. Il travaillait à Ljubljana de 1592 à 1626.

WOLF Elias, le Jeune
Né vers 1595 à Ljubljana. Mort le 22 mai 1653 à Ljubljana. XVIIe siècle. Slovène.
Peintre.
Il peignit des vues et travailla pour la cathédrale de Ljubljana en 1626.

WOLF Elias
Né le 29 juillet 1823 à Bienne. Mort le 1er février 1889 à Bâle. XIXe siècle. Suisse.
Peintre et dessinateur de scènes militaires, portraits.
Père de Léon Wolf. Il fut élève de H. Hess à Bâle. Il fut surtout dessinateur.

WOLF Ella
Née le 24 juin 1868 à Vienne. XIXe siècle. Autrichienne.
Peintre de natures mortes et de portraits.

WOLF Elza. Voir **REIF**

WOLF Erzsebet
Née le 11 mai 1888. XXe siècle. Hongroise.
Peintre de paysages, intérieurs.

WOLF Florence. Voir **GOTTHOLD**

WOLF Franz
Né en 1795. Mort le 15 octobre 1859 à Vienne. XIXe siècle. Autrichien.
Portraitiste et paysagiste.
Élève de l'Académie de Vienne et de Hubert Maurer. Il exposa à partir de 1841. Le Musée de Vienne conserve de lui *Le Palais Clam*.
Ventes Publiques : Brême, 8 oct. 1977 : *Paysage fluvial*, h/t (31x40) : **DEM 2 600**.

WOLF Franz
XIXe siècle. Travaillant à Vienne de 1820 à 1840. Autrichien.
Lithographe.
Peut-être identique au précédent. Il grava des scènes historiques, des panoramas, des architectures et des vues.

WOLF Franz Karl, l'Ancien
Né en 1733 à Prague. Mort le 4 octobre 1803 à Prague. XVIIIe siècle. Autrichien.
Dessinateur et peintre amateur.
Père d'Anton Wolf. Il dessina des architectures.

WOLF Franz Karl, le Jeune
Né en 1764 à Prague. Mort le 3 septembre 1836 à Prague. XVIIIe-XIXe siècles. Autrichien.
Dessinateur et graveur.
Il dessina et grava surtout des châteaux de Bohême. Les Musées de Brunn et de Prague conservent des planches de cet artiste.

WOLF Franz Xaver
Né le 11 juin 1896 à Vienne. Mort en 1989. XXe siècle. Autrichien.
Peintre de figures, natures mortes, fleurs, paysages, graveur.
Il fut élève des Académies des Beaux-Arts de Vienne et de Munich. Il gravait à l'eau-forte.

F. X. Wolf

Musées : Berlin – Vienne.
Ventes Publiques : Londres, 28 fév. 1973 : *Vin, Femme et Chanson* 1937 : **GBP 900** – Vienne, 14 sep. 1976 : *Gentilhomme lisant dans une bibliothèque*, h/pan. (50x40) : **ATS 45 000** – Londres, 21 avr. 1978 : *Le Concert*, h/pan. (48,9x53,5) : **GBP 3 500** – Amsterdam, 30 oct 1979 : *Prélats dans une bibliothèque*, h/pan. (59x49) : **NLG 9 600** – New York, 11 avr. 1981 : *La Leçon de Torah*, h/pan. (51x40) : **USD 4 250** – Detroit, 20 mars 1983 : *La Partie d'échecs*, h/pan. (49,5x60) : **USD 2 750** – New York, 30 oct. 1985 : *La lettre*, h/pan. (64,8x50,2) : **USD 2 800** – Londres, 16 fév. 1990 : *Nature morte d'une composition florale dans un vase*, h/pan. (59,6x50,2) : **GBP 11 000** – New York, 19 juil. 1990 : *Un bon déplacement*, h/pan. (29,9x32,4) : **USD 2 750** – Londres, 15 fév. 1991 : *Grande composition florale dans un vase de cristal sur un entablement de marbre*, h/pan. (66x50,8) : **GBP 6 600** – Londres, 22 mai 1992 : *Partie d'échecs*, h/pan. (45,7x49,6) : **GBP 2 420** – Paris, 26 juin 1992 : *La Lettre*, h/pan. (47,5x42) : **FRF 28 000** – New York, 20 jan. 1993 : *Étude dans la bibliothèque*, h/pan. (49,5x44,5) : **USD 1 150** – New York, 16 fév. 1994 : *Le concert*, h/pan. (49,5x55,2) : **USD 8 050** – Londres, 10 fév. 1995 : *Rhapsodie – composition florale avec des lis, des roses et autres fleurs d'été dans un vase sur un entablement de marbre*, h/pan. (64,2x50,2) : **GBP 10 580**.

WOLF Friedrich
Né le 25 juin 1833 à Dresde. Mort le 3 février 1884 à Dresde. XIXe siècle. Allemand.
Peintre de genre.
Il exposa à Dresde de 1844 à 1883.

WOLF Friedrich
XIXe siècle. Travaillant à Vienne vers 1850. Autrichien.
Portraitiste.

WOLF Friedrich Johann ou **Frédéric Jean**
XVIIIe siècle. Travaillant à Paris à la fin du XVIIIe siècle. Français.
Graveur au burin et au pointillé.

WOLF Georg
Né le 3 janvier 1858 à San Francisco (Californie). XIXe siècle. Américain.
Sculpteur.
Il fut élève de Schaper à l'Académie des Beaux-Arts de Berlin.

WOLF Georg
Né en 1882 à Niederhausbergen. Mort en 1962 à Uelzen. XXe siècle. Allemand.
Peintre de paysages animés.

G Wolf
G Wolf

Ventes Publiques : Cologne, 26 mars 1976 : *Cour de ferme en hiver*, h/t (50x70) : **DEM 2 700** – Cologne, 22 juin 1979 : *Chèvres au pâturage*, h/t (71x100) : **DEM 5 500** – Cologne, 20 mars 1981 : *Retour des champs*, h/t (70,5x93,5) : **DEM 14 000** – Cologne, 26 oct. 1984 : *Le départ du troupeau*, h/t (47x60) : **DEM 10 500** – Cologne, 21 nov. 1985 : *Troupeau de chèvre dans un paysage*, h/t (43x52,5) : **DEM 6 000** – Cologne, 15 oct. 1988 : *Paysan gardant ses vaches au pré*, h/pan. (40x55) : **DEM 6 000** – Cologne, 23 mars 1990 : *Journée d'été à la campagne*, h/t (50x60) : **DEM 4 500** – Cologne, 28 juin 1991 : *Les labours*, h/t (35x48) : **DEM 4 500**.

WOLF Grete
XXe siècle. Autrichienne.
Peintre.
Elle vécut et travailla à Vienne.

WOLF Hans
Mort en 1542. XVIe siècle. Actif à Bamberg. Allemand.
Peintre.
Peintre de la cour du Prince-Évêque de Bamberg. Il fut l'ami d'Albrecht Dürer. La Galerie de Schleissheim possède de lui *Déploration du Christ*.
Ventes Publiques : Paris, 21 juin 1963 : *La Vierge et l'Enfant* : **FRF 7 200** – Paris, 12 juin 1967 : *La Vierge et l'Enfant* : **FRF 11 500**.

WOLF Hans Wilhelm
Né en 1638 à Zurich. Mort le 12 avril 1710 à Zurich. XVIIe-XVIIIe siècles. Suisse.
Peintre verrier.
Marié en 1661. Il a peint beaucoup de vitraux dans les églises suisses, monuments publics et maisons particulières. Le Musée de Zurich conserve un nombre important d'œuvres de lui, notamment des grisailles.

WOLF Harriet Daniela
Née le 10 septembre 1894 à Hambourg. XXe siècle. Allemande.
Peintre, graveur.
Elle fut élève de Fr. Nölken et de Fr. Ahlers-Hestermann.

WOLF Henry
Né le 3 août 1852 à Eckeversheim (Bas-Rhin). Mort le 18 mars 1916 à New York. XIXe-XXe siècles. Naturalisé aux États-Unis. Français.

Graveur.

Il a été élève de Jacques Lévy. Il a figuré aux expositions de Paris où il obtint une mention honorable en 1889 lors de l'Exposition universelle, une médaille de troisième classe en 1895, une médaille d'argent en 1900 lors de l'Exposition universelle.

WOLF Jacob. Voir aussi **WOLFF**

WOLF Jacob

XVIIe siècle. Travaillant à Burgeis dans le Tyrol en 1676. Éc. tyrolienne.

Sculpteur.

Il a sculpté la statue de *Saint Antoine* dans l'église de Schleis.

WOLF Jacob de

Mort en 1685. XVIIe siècle. Actif à Groningue. Hollandais.

Peintre.

Il peignit des sujets mythologiques.

WOLF Jacques

Né à Rouen (Seine-Maritime). XXe siècle. Français.

Peintre.

Sociétaire du Salon d'Automne, à Paris, il a également exposé au Salon des Tuileries.

Ventes Publiques : Versailles, 25 oct. 1976 : *Nu assis aux bras levés* 1930, h/t (91x64) : **FRF 710** – Versailles, 5 mars 1989 : *Jeune mauresque la cruche*, h/t (81x54) : **FRF 4 000.**

WOLF Jean

Né le 14 juin 1841 à Lotzwil. XIXe siècle. Suisse.

Paysagiste, graveur et dessinateur.

Élève de Jakob Hanselmanus, puis fixé à La Chaux-de-Fonds pendant dix ans et de nouveau attaché à l'atelier de Hanselmanus. Il s'adonna surtout au paysage et s'inspira des environs de Genève où il s'installa à partir de 1903. Il envoya successivement des toiles à l'exposition des Beaux-Arts de Bâle et au Salon suisse.

WOLF Johan ou **Janez**

Né le 26 décembre 1825 à Leskovez. Mort le 12 décembre 1884 à Ljubljana. XIXe siècle. Yougoslave.

Peintre.

Élève de l'Académie de Venise. Il peignit de nombreux tableaux d'autel et des fresques dans des églises de Slovénie. On cite de lui les fresques du baptistère de Vipava.

WOLF Johann

Né le 22 août 1749 à Frain. Mort le 3 août 1831 à Vienne. XVIIIe-XIXe siècles. Autrichien.

Portraitiste.

Ventes Publiques : Londres, 13 juin 1996 : *L'Heure du bain*, h/t (45,7x41,8) : **GBP 2 760.**

WOLF Johann Andreas, dit aussi **Jonas**

Né le 11 décembre 1652 à Munich. Mort le 9 avril 1716 à Munich. XVIIe-XVIIIe siècles. Allemand.

Peintre de compositions religieuses, portraits, dessinateur.

Il eut pour maîtres son père Jonas Wolf, mort en 1680, et le sculpteur B. Ableitner. Il fut peintre de la cour de Munich.

Il a décoré plusieurs églises de Bavière, et s'inspira pendant un certain temps de la manière de Schoufild et de Karl Loth.

Musées : Munich (Pina.) : *Autoportrait* – *Portrait de l'Électeur Max Emanuel* – *Portrait de sa femme Theresa Hunsgnude.*

Ventes Publiques : Heidelberg, 14 oct. 1988 : *Providentia deorum*, encre brune/lav. (38,8x27,7) : **DEM 2 300.**

WOLF Josef

Né le 6 décembre 1896 à Innsbruck (Tyrol). XXe siècle. Autrichien.

Peintre de scènes religieuses, allégoriques, sculpteur de bustes.

Il fut élève de l'Académie de Vienne.

WOLF Joseph

Né en 1767. Mort en 1792 à Vienne. XVIIIe siècle. Autrichien.

Peintre.

Il fut élève de Heinrich Füger.

WOLF Joseph ou **Matthias** ou **Wolff**

Né en 1820 à Mörs, près de Coblence. Mort le 20 avril 1899 à Londres. XIXe siècle. Allemand.

Peintre d'animaux, peintre à la gouache, aquarelliste, illustrateur.

Il fut élève des frères Becker, lithographes à Coblence. Après un court séjour à la ferme de son père, où il continua sur nature ses études des oiseaux, il se plaça chez un lithographe de Darmstadt. Celui-ci le mit en rapport avec un naturaliste distingué, le docteur Kaup, pour qui il fit de nombreux croquis. Afin de se perfectionner en dessin, il entra à l'Académie des Beaux-Arts d'Anvers. En 1848, il vint à Londres et y trouva de nombreux travaux. Il fut protégé par le duc de Westminster et le duc d'Argyll et l'ami de Rossetti, Volner et Landseer, et employé au British Museum. En 1849, il visita la Norvège et les contrées du Nord.

Il exposa à Londres de 1849 à 1881, notamment à la Royal Academy, à Suffolk Street et au Royal Institut. Il fut associé de ce groupement et membre en 1874.

Il peignit un grand nombre de tableaux d'oiseaux, s'amusant à les représenter dans les mutations de l'éclairage ; il fit de nombreuses illustrations pour la Zoological Society.

Musées : Blackburn : *Faucon du Groënland* – Londres (Victoria and Albert Mus.) : *Plarmigan, été* – *Plarmigan, hiver.*

Ventes Publiques : Londres, 22 nov 1979 : *Margellus Albellus*, aquar. et reh. de gche (34x51) : **GBP 1 000** – Londres, 1er avr. 1980 : *Volatiles*, h/t, forme ronde (diam. 29) : **GBP 500** – Londres, 26 jan. 1984 : *Combat de cerfs* 1881, cr. (56,5x89,5) : **GBP 800** – Perth, 27 août 1990 : *Nichée de poussins à dos noirs*, aquar. (18x26,5) : **GBP 2 200** – Londres, 25 fév. 1992 : *Cigognes* 1879, aquar. (49,5x64,8) : **GBP 1 760** – Édimbourg, 28 avr. 1992 : *Lièvres polaires dans la neige* 1876, aquar. (24x19) : **GBP 1 870** – Londres, 16 mars 1993 : *Oiseau pêchant en eau peu profonde* 1892, aquar. (60,5x50,2) : **GBP 4 370** – Londres, 11 juin 1993 : *Éléphant adulte*, h/t (58,7x79,1) : **GBP 7 820** – Londres, 4 oct. 1994 : *Chouette des neiges*, cr. et aquar. avec reh. de blanc (54,3x36,9) : **GBP 34 500** – Londres, 23 nov. 1994 : *Vautour barbu attaquant un isard* 1861, h/t (232x171) : **GBP 9 200** – Londres, 10 mars 1995 : *Chats sauvages en Écosse* 1873, cr. et aquar. avec des touches de blanc (42,5x33) : **GBP 1 495** – Perth, 29 août 1995 : *Faucon des neiges*, aquar. et gche (34x22) : **GBP 805** – Londres, 15 déc. 1995 : *Faucon*, aquar. et gche (54,3x36,8) : **GBP 8 050** – Auchterarder (Écosse), 26 août 1997 : *Jeux d'ombres* ; *Traqué* ; *Sauvé de justesse*, aquar., trois pièces (chaque 20,5x15) : **GBP 8 050.**

WOLF Laurent

Né en 1944 à la Chaux-de-Fonds. XXe siècle. Suisse.

Peintre.

Il a obtenu une licence de sociologie à Genève en 1967, un doctorat à Paris en 1970. Il a été chargé d'enseignement dans plusieurs universités et instituts de recherche entre 1968 et 1971, à Paris et à Genève. Ses recherches scientifiques ont concerné la production et l'usage de l'espace (urbanisme, architecture, habitat, objets, etc.). Depuis 1970, son activité principale est la peinture. Il a obtenu le prix de la jeune peinture à la Biennale de La Chaux-de-fonds, le prix Victor Choquet en 1978 à Paris, une bourse fédérale suisse des Beaux-Arts en 1980 et 1981.

Il participe à des expositions de groupe, parmi lesquelles : 1973, 1974, Biarritz ; 1974, 1976, 1978, 1980, 1982, La Chaux-de-Fonds ; 1982, Montréal ; 1982, Toronto ; 1983, Varsovie, Cracovie.

Il montre ses œuvres dans des expositions personnelles, dont : 1974, galerie du Manoir, La Chaux-de-Fonds ; 1976, Centre culturel du Marais, Paris ; 1977, 1979, 1980, 1981, 1983, galerie Jean Peyrol-L'Œil Sévigné, Paris ; 1980, galerie Vérena Muller, Berne.

En affinité intellectuelle, cela ne fait aucun doute, avec les études antérieures de l'artiste consacrées à la sociologie de l'espace urbain, la peinture de Laurent Wolf représente des architectures. Des espaces construits, des portiques ou des sortes de labyrinthes, parfois à peine perceptibles, sans âmes qui vivent, peints dans des teintes de pastel doux et clair. La composition et le fini de ces images font penser à des maquettes.

WOLF Léon

Né le 24 octobre 1873 à Bâle. Mort le 2 août 1900 à Bâle. XIXe siècle. Suisse.

Peintre de figures, portraits, paysages, intérieurs.

Il fut élève de l'Académie Julian de Paris.

Musées : Lugano : *Jeune fille de Bretagne* – Saint-Gall : *Cuisine de ferme.*

WOLF Ludwig. Voir **WOLF Ulrich Ludwig**

WOLF Luise ou **Louise**

Née le 10 février 1798 à Leipzig. Morte le 4 juillet 1859 à Bogenhausen, près de Munich. XIXe siècle. Allemande.

Peintre de sujets religieux et de genre, paysagiste et portraitiste.

Élève de Langer, Cornelius Overbeck et Schnorr. Elle peignit des sujets religieux dans le style médiéval, des miniatures et des portraits à l'aquarelle. Un ensemble de ses peintures fut gravé par Barpes, Walde et Petznch et publié à Göttingen.

WOLF Matthias. Voir **WOLF Joseph**

WOLF Peter
Né en 1768. Mort le 27 janvier 1836 à Vienne. XVIIIe-XIXe siècles. Autrichien.
Portraitiste.
Musées : Sibiu : *L'artiste* – Vienne (Mus. de l'Armée) : *Le lieutenant-colonel Georg von Vega.*

WOLF Raimund Anton
Né le 15 mars 1865 à Czernowitz. Mort le 9 septembre 1924 à Vienne. XIXe-XXe siècles. Autrichien.
Peintre de paysages, graveur.
Il a été élève d'Anton Lhota et de Fr. Sequens. Il gravait à l'eau-forte.
Musées : Vienne (Mus. mun.) : des architectures du 3e arrondissement de Vienne.
Ventes Publiques : Londres, 17 juin 1992 : *Femme lisant dans un paysage estival,* past. (76x98) : **GBP 1 650** – New York, 20 juil. 1994 : *Paysage,* h/t (45,7x73) : **USD 2 070.**

WOLF Remo
Né le 29 février 1912 à Trente (Trentin-Haut-Adige). XXe siècle. Italien.
Peintre, graveur, illustrateur.
Il a été élève des Académies de Parme et de Florence. Il gravait le bois.

WOLF Ulrich Ludwig ou **Ludwig** ou **Wolff**
Né le 27 juillet 1776 à Berlin. Mort le 28 octobre 1832 à Berlin. XIXe siècle. Allemand.
Peintre d'histoire, de chevaux, illustrateur, dessinateur et aquafortiste.
Élève de Meil et Carsteno à l'Académie de Berlin. Membre de cette Académie. Son succès comme illustrateur fut considérable et le fit renoncer à la peinture. On cite aussi de lui des gravures à l'eau-forte et des lithographies.

WOLF Wallace L. de
Né le 24 février 1854 à Chicago. XIXe siècle. Américain.
Paysagiste.
Il n'eut aucun maître. Le Musée de Chicago conserve des peintures de cet artiste.

WOLF-FERRARI Teodoro. Voir **FERRARI Teodoro Wolf**

WOLF-REIF Elza. Voir **REIF Elza**

WOLF-ROTHENHAN Adolf
Né le 21 septembre 1868 à Brunn. XIXe-XXe siècles. Travaillant à Vienne. Autrichien.
Peintre.
Élève de Wilhelm von Diez à l'Académie de Munich.

WOLFAERTS Artus ou **Wolffort, Wolffordt, Wolfordt, Wolfaert, Wolfart, Wolfert**
Né en 1581 à Anvers. Mort en 1641 à Anvers. XVIIe siècle. Éc. flamande.
Peintre de compositions religieuses, sujets de genre.
Artus Wolfaerts occupait une place marquante parmi les peintres d'Anvers et Van Dyck fit son portrait.
Il prit souvent le sujet de ses compositions dans la Bible ; ses tableaux sont fréquemment agrémentés de paysages et de motifs d'architecture. Il fit aussi des tableaux de chevalet dans le genre de Teniers.

AW A W F

Musées : Madrid (Mus. du Prado) : *La Fuite en Égypte – Repos en Égypte.*
Ventes Publiques : Londres, 18 mai 1979 : *Femmes à leur toilette,* h/pan. (38x43) : **GBP 2 200** – Paris, 10 mai 1984 : *Jésus parmi les docteurs,* h/métal (72x87) : **FRF 15 500** – New York, 4 juin 1987 : *Saint André,* h/t (116,2x91,4) : **USD 65 000** – Paris, 12 déc. 1989 : *Saint Jean l'Évangéliste, Saint Luc, Saint Marc,* trois pan. de chêne (deux planches) : **FRF 170 000** – Paris, 12 déc. 1990 : *La résurrection de Lazare,* h/cuivre (59x77) : **FRF 32 000** – New York, 31 mai 1991 : *Saint Bartholomé,* h/t (115,6x99,1) : **USD 35 200** – Londres, 27 oct. 1993 : *Étude d'homme en costume oriental,* h/pan. (63,5x49) : **GBP 9 200.**

WOLFAERTS Jan Baptist
Né en 1625 à Anvers. Mort peut-être en 1687. XVIIe siècle. Éc. flamande.
Peintre de paysages.
Fils et probablement élève d'Artus Wolfaerts. Après avoir voyagé en Italie, il revint en Hollande et s'installa à Haarlem. On le cite dans la gilde de cette ville en 1648. Il imita la manière d'Albert Cuyp.

Bwolfert. 1646.
J Bo wolfert. 1650

Musées : Anvers : *Scène de chasse* – Haarlem : *Paysage* – Lille : *Paysage de montagnes* – Saint-Pétersbourg (Mus. de l'Ermitage) : *Paysage* – Sibiu : *Écurie.*
Ventes Publiques : Vienne, 12 mars 1974 : *Paysage animé de personnages* : **ATS 100 000** – Vienne, 13 mars 1979 : *Le joueur de flûteau dans un paysage,* h/pan. (47x63,5) : **ATS 100 000.**

WOLFART Friedrich Carl. Voir **WOHLFAHRT Fredrik**

WOLFARTH Anton ou **Wohlfart**
Né le 30 mars 1759 à Vienne. Mort le 21 mai 1804 à Vienne. XVIIIe siècle. Autrichien.
Peintre et graveur au burin.
Élève de Joh. Chr. Brand. Il exécuta des paysages des environs de Vienne.

WOLFCOZ ou **Vuolfcoz**
IXe siècle. Travaillant à Saint-Gall dans la première moitié du IXe siècle. Suisse.
Enlumineur, calligraphe.
Il était moine. La Bibliothèque de l'abbaye de Saint-Gall possède trois manuscrits enluminés et ornés par cet artiste.

WOLFE Edward
Né le 29 mai 1897 à Johannesbourg. Mort en 1982. XXe siècle. Sud-Africain.
Peintre de portraits, figures, paysages, fleurs.
Il est arrivé à Londres en 1916 où il suivit les cours de la Slade School. En 1922, il loua un atelier à Montparnasse et se lia avec Larionov, Gontcharova et Zadkine. Il exposa à Londres en 1932. Il subit l'influence de Cézanne et de Matisse.

Edward Wolfe

Bibliogr. : John Russel-Taylor : *Edward Wolfe,* Londres, 1986.
Musées : Londres (Tate Gal.) : *Le château de Langharne* 1937-1938.
Ventes Publiques : Londres, 21 jan. 1972 : *Vase de fleurs* : **GNS 370** – Londres, 10 nov. 1976 : *Haut de Cagnes,* h/t (72x97) : **GBP 380** – Londres, 23 mai 1984 : *Nature morte aux fleurs sur une table,* h/t (101,5x79) : **GBP 1 700** – Londres, 13 nov. 1985 : *Portrait d'une fillette,* past. et gche (47,5x37,5) : **GBP 3 000** – Tel-Aviv, 26 mai 1988 : *Plante à une fenêtre,* h/t (86,5x61) : **USD 11 000** – Londres, 12 mai 1989 : *Plâtre abstrait,* h. et plâtre/cart. (30x40) : **GBP 825** – Londres, 21 sep. 1989 : *Abstraction,* h/t (29,3x80,1) : **GBP 1 320** – Londres, 10 nov. 1989 : *Portrait de Pat Nelson,* h/t (89x68,6) : **GBP 7 150** – Londres, 3 mai 1990 : *Vallée boisée en Afrique du sud,* aquar., gche et past./pap. (35,5x51,5) : **GBP 2 090** – Londres, 8 juin 1990 : *Voilier amarré le Lady Anne* 1933, h/t. cartonnée (38x47) : **GBP 3 520** – Londres, 25 jan. 1991 : *Abstraction,* h. et collage/pap./cart. (33x48) : **GBP 715** – Londres, 7 mars 1991 : *Fleurs,* h/t/cart. (110,5x80) : **GBP 8 250** – Londres, 6 juin 1991 : *Le silo à orge à Gozo* 1965, h/t (70x74,5) : **GBP 5 500** – Londres, 27 sep. 1991 : *Paysage de Taxco,* h/t (53x77) : **GBP 3 740** – Londres, 18 déc. 1991 : *La ferme de Jamieson à Ardmore en Irlande,* past. (46x61) : **GBP 880** – Londres, 6 mars 1992 : *La jeune mexicaine* 1936, h/t (61x47,5) : **GBP 3 520** – Londres, 25 sep. 1992 : *Intérieur avec un vase de fleurs et des animaux en bois,* h/t (97x71) : **GBP 1 980** – Londres, 12 mars 1992 : *Asolo – paysage des environs de Venise* 1966, h/t (63,5x76) : **GBP 5 750.**

WOLFE George
Né le 11 janvier 1834 à Bristol. Mort en 1890 à Clifton. XIXe siècle. Britannique.
Peintre de paysages, paysages d'eau, architectures, marines, peintre à la gouache, aquarelliste.

Il exposa à Londres : à la Royal Academy, à la British Institution et à Suffolk Street, de 1855 à 1875.
Musées : Bristol : *Château de Mont-Orgueil à Jersey* – Aquarelles – Londres (Victoria and Albert Mus.) : Aquarelle.
Ventes Publiques : Londres, 4 oct. 1973 : *Château de Mont-Orgueil à Jersey* : **GNS 1 700** – Londres, 10 oct. 1985 : *La plage*, aquar. reh. de gche (55,5x106) : **GBP 1 400** – Londres, 20 nov. 1986 : *St. Ives, Cornouailles*, aquar./traits cr. reh. de gche (49,5x72) : **GBP 4 000** – Londres, 21 juil. 1987 : *Le Déchargement du bateau* 1859, aquar. reh. de gche (43x66) : **GBP 1 100** – Londres, 25 jan. 1989 : *Un message venu de la mer*, aquar. et gche (55,5x104,5) : **GBP 3 960** – Londres, 25-26 avr. 1990 : *Barques de pêche échouées sur la grève près de Poole dans le Dorset*, aquar. et gche (34,5x52) : **GBP 1 430** – Londres, 26 sep. 1990 : *Vue d'un village de la côte ouest*, aquar. avec reh. de gche (55x104) : **GBP 1 760** – Londres, 11 mai 1994 : *St. Martin à Jersey ; Vale Castle à Guernesey*, aquar. et gche, une paire (chaque 30x49) : **GBP 3 910** – Londres, 6 nov. 1995 : *Mousehole en Cornouailles* 1860, aquar. et gche (71,5x122,5) : **GBP 5 520**.

WOLFE Robert
Né en 1935 à Montréal (Québec). xxe siècle. Canadien.
Peintre.
Musées : Montréal (Mus. d'Art Contemp.) : *L'entaille bleu noire* 1962 – *Sans titre* 1962 – *Plus loin* 1963 – *Taureau déguisé* 1965 – *Hommage à la S.P.U.* 1971 – *Grande réserve* 1971 – *Une soutane inutile* 1971 – *Présence du noir* 1976.

WOLFENDER Michel
Né le 3 août 1926 à Saint-Imier. xxe siècle. Suisse.
Peintre de costumes et de décors de théâtres.
Il a étudié à l'École des Beaux-Arts de Genève. Il vient à Paris en 1956 et suit des cours à l'Académie de la Grande Chaumière, et à l'Académie A. Lhote. Il travaille à l'Atelier de gravure Calevaert-Brun. Il réalise de nombreuses expositions particulières et collectives en Suisse et en France.
En 1965 il fait des costumes de ballets pour le *Viking Dance Theatre* à Londres, et des décors de théâtre pour la *Femme Cheval* de B. Schütt à Paris.

WOLFENSBERGER Hanna Dorothea Burdon
Née le 15 juillet 1800 à Haitfordhouse. Morte le 4 janvier 1877 à Belsito, près de Rapperswil. xixe siècle. Suisse.
Peintre de genre et portraitiste.
Femme de Johann Jakob Wolfensberger. Elle copia aussi d'anciens maîtres.

WOLFENSBERGER Johann Jakob ou **Wolfensperger**
Né le 20 février 1797 à Rumlikon, près de Russikon (Oberland). Mort le 15 mai 1850 à Zurich. xixe siècle. Suisse.
Peintre de paysages, architectures, aquarelliste, dessinateur.
Il commença à peindre tout seul d'après nature et se perfectionna à Naples auprès de Fussli. En 1821, on le trouve en Sicile, en 1825, à Rome, où il fréquente les peintres français et Horace Vernet. En 1832, il est en Grèce et y peint plusieurs toiles pour le roi Othon. Après avoir visité Constantinople, Smyrne, Malte, il revient à Naples, traverse l'Italie et rentre en Suisse où il fait une exposition de deux cent esquisses rapportées de ses voyages. Puis il part pour Londres où il se marie en 1841. De retour en Suisse, il devint membre de la Société des Beaux-Arts. Des œuvres de lui sont conservées dans la collection de la Société des Beaux-Arts de Zurich.
On cite de lui des vues de Rome, des cascades à Subiaco et à Tivoli, des paysages de Turquie, etc.
Ventes Publiques : Munich, 11 déc. 1968 : *Vue d'Athènes*, aquar. : **DEM 5 400** – Paris, 11 mars 1985 : *Vue du Forum* 1828, aquar. (26x35) : **FRF 23 000** – Londres, 29 nov. 1991 : *Vue d'Athènes avec l'Acropole à l'arrière plan*, cr. et aquar./pap./t. (52x75) : **GBP 3 300**.

WOLFERS Marcel
Né le 18 mai 1886 à Ixelles (Bruxelles). Mort en 1976 à Vieux Sart. xxe siècle. Belge.
Sculpteur de monuments, statues, médailleur, décorateur, céramiste.
Il a été élève d'Isidore de Rudder. Chevalier de l'Ordre de Léopold. Il exposa à Paris à partir de 1911. Il vivait et travaillait à Woluwe-Saint-Pierre.
Il sculpta de nombreux monuments, statues et fontaines en Belgique. Auteur de monuments à Louvain, Jodoigne, Woluwe, La Hulpe, et d'un chemin de croix à Marcinelle.
Bibliogr. : In : *Dictionnaire biographique illustré des artistes en Belgique depuis 1830*, Arto, Bruxelles, 1987.
Musées : Barcelone – Bruxelles – Ixelles – Mons.
Ventes Publiques : Bruxelles, 5 oct. 1978 : *Buste de ballerine*, moulage (H. 61) : **BEF 42 000** – Lokeren, 20 mai 1995 : *Constantia* 1951, bronze sur socle de pierre (H. 19,5, l. 6,5) : **BEF 36 000**.

WOLFERS Philippe
Né le 16 avril 1858 à Bruxelles. Mort en 1929. xixe-xxe siècles. Belge.
Sculpteur sur pierre et sur ivoire, orfèvre, décorateur, médailleur.
Fils de Louis et père de Marcel Wolfers. Il fait partie de la lignée des grands orfèvres bruxellois. Lauréat de l'Académie de Bruxelles en 1875, il entre en 1876 dans les ateliers paternels et expose ses créations dès 1894. Il fut membre de la Société Royale des Beaux-Arts, commandeur de l'ordre de la Couronne, officier de l'Ordre de Léopold et de la Légion d'honneur.
Il exposa à partir de 1902, montrant ses œuvres à Bruxelles, Paris et Londres.
Ce fut un créateur de bijoux fécond, à qui l'on doit peut-être l'ensemble de bijoux « 1900 » le plus étonnant. À partir de 1897, il signe ses bijoux de son monogramme et ne les réalise qu'en un seul exemplaire. Dans des matériaux rares, pendentifs et ceintures figurent des sujets insolites qui ont pour titres : *Le jour et la nuit, Méduse, Fée au paon, Cygne et Jacinthe, Cygne au serpent, Caresse du Cygne*. En 1904 il fait son dernier bijou et se consacre à la sculpture jusqu'à sa mort. Il emploie alors des matières précieuses, émaux, opales, améthystes, et les incruste dans le bronze ou le marbre. On lui doit d'aimables figures, telles que *Les Heures*, ou *Floréal*.
Bibliogr. : In : *Symbolistes et surréalistes belges*, catalogue de l'exposition, Gal. Nat. du Grand Palais, Paris, 1972.
Musées : Bruxelles : *Floréal*.
Ventes Publiques : Paris, 7 déc. 1965 : *La femme au paon*, marbre, bronze et émaux translucides : **FRF 7 500** – Monte-Carlo, 18 nov. 1978 : *Deux danseuses nues* vers 1920, bronze (H. 62) : **FRF 17 000** – Bruxelles, 20 fév. 1980 : *Deux nymphes dansant*, bronze (H. 15) : **BEF 42 000** – Anvers, 29 avr. 1981 : *Nu féminin*, bronze (H. 103) : **BEF 65 000** – New York, 17 déc. 1983 : *Groupe de danseuses*, marbre (H. 58,4) : **USD 4 000** – Bruxelles, 21 jan. 1985 : *Bilitis*, bronze, cire perdue (H. 73) : **BEF 170 000** – Bruxelles, 29 avr. 1986 : *Jeune femme aux fleurs*, marbre blanc (H. 53,5) : **BEF 110 000**.

WOLFERT. Voir **WOLFAERTS**

WOLFF. Voir aussi **WOLF**

WOLFF
xixe siècle. Français.
Peintre de portraits et d'histoire.
Il exposa au Salon entre 1810 et 1814.

WOLFF Aage Jacob Emil. Voir **WOLFF Emil**

WOLFF Andreas. Voir **WOLF Johann Andreas**

WOLFF Arnoldus
Né le 24 janvier 1759 à Amsterdam. xviiie siècle. Hollandais.
Graveur.
Il résida à Angers de 1759 à 1790.

WOLFF Bénita, baronne. Voir **FEILITZSCH-WOLFF**

WOLFF Caspar. Voir **WOLF**

WOLFF David
Né le 8 août 1732 à Bois-le-Duc. Mort en février 1798 à La Haye. xviiie siècle. Hollandais.
Graveur sur verre.
Il exécuta des verres gravés nommés « Verres de Wolff ». Le Musée National d'Amsterdam conserve plusieurs œuvres de cet artiste.

WOLFF Eduard von
Né le 2 avril 1833 à Belluno. Mort le 31 décembre 1902 à Trieste. xixe siècle. Autrichien.
Peintre.
Élève de l'Académie de Vienne et de celle de Venise. Il peignit des portraits, des paysages et des tableaux d'autel.

WOLFF Emil
Né le 2 mars 1802 à Berlin. Mort le 21 septembre 1879 à Rome. xixe siècle. Allemand.
Sculpteur.
Élève de Schadow. Il fut directeur de l'Académie de Saint-Luc à Rome.
Musées : Berlin : *Circé* – Breslau, nom all. de Wroclaw : *Buste du*

conseiller Franck – COPENHAGUE : *Hermès de Thorvaldsen* – HELSINKI : *Télèphe nourri par une biche* – LIVERPOOL : *Le gardien de chèvres* – MUNICH : *Buste du général von Heideck* – WEIMAR : *Buste de la grande-duchesse Sophie de Saxe.*
VENTES PUBLIQUES : LONDRES, 3 juil. 1985 : *Jeune garçon en Bacchus ; Fillette en Ménade*, marbre, une paire (H. 97,5) : **GBP 6 500** – LONDRES, 6 nov. 1986 : *Buste du Prince Albert* vers 1842, marbre blanc (H. 61) : **GBP 1 900.**

WOLFF Emil ou **Aage Jacob Emil**
Né en 1807 à Copenhague. Mort le 12 juin 1830. XIXe siècle. Danois.
Peintre de paysages.
Élève de l'Académie de Copenhague, il exposa des paysages de 1827 à 1829. Les Musées de cette ville conservent des peintures de cet artiste.

WOLFF Eugen
Né le 22 août 1873 à Filseck. Mort en 1937 à Munich (Bavière). XIXe-XXe siècles. Allemand.
Peintre.
Il a été élève de l'École des Beaux-Arts de Stuttgart, de l'Académie de Karlsruhe et de Zügel à Munich. Il visita l'Allemagne du Nord, la Hollande, et se fixa à Hechingen.
MUSÉES : SCHLEISSHEIM : *Soleil du matin* – STUTTGART : *Galerie ancienne* – ULM : *Le salon rouge* – VENISE : *Boudoir.*

WOLFF F. G.
Né en 1758. Mort en 1825. XVIIIe-XIXe siècles.
Miniaturiste.
Le Musée de Pontoise conserve de cet artiste une miniature, *Le comte Bernard*, signée *F. Wolff*, 1814.

WOLFF François Jean
Né le 19 octobre 1740 à Genève. XVIIIe siècle. Suisse.
Peintre sur émail.
Frère et collaborateur de Jean Conrad Wolff.

WOLFF Friedrich Wilhelm ou **Franz Alexander Friedrich Wilhelm**
Né le 6 avril 1816 à Fehrbellin. Mort le 30 mai 1887 à Berlin. XIXe siècle. Allemand.
Sculpteur animalier.
Il étudia à Berlin, à Paris et à Munich. Il s'établit à Berlin.
MUSÉES : BERLIN : *Boule-dogue et deux petits* – *Chien* – *Buste de Fr. Kugler* – HAMBOURG : *Famille de carlins* – *Chien.*
VENTES PUBLIQUES : NEW YORK, 9 juin 1988 : *Jeune paysan russe nourrissant deux chevaux*, bronze (H.19) : **USD 3 300.**

WOLFF Georg
XIXe siècle. Allemand.
Peintre animalier.
VENTES PUBLIQUES : WUPPERTAL, 17 sep. 1952 : *Moutons* : **DEM 400.**

WOLFF Gustav
Né le 28 mars 1863. Mort en 1965. XIXe siècle. Américain.
Peintre.
Il a été élève de l'École d'Art de Saint-Louis. Il vivait et travaillait à New York. Il exposa à partir de 1905.
MUSÉES : SAINT-LOUIS : *Le Ruisseau.*
VENTES PUBLIQUES : NEW YORK, 24 avr. 1985 : *Squatters paradise*, h/t (50,8x40,6) : **USD 1 700.**

WOLFF Heinrich
Né le 18 mai 1875 à Nimptsck. Mort en mars 1940 à Munich. XXe siècle. Allemand.
Graveur à l'eau-forte.
Il figura aux expositions de Paris ; médaille d'argent en 1900 (Exposition Universelle).

WOLFF Hermanus Josephus
Né le 20 février 1876 à La Haye. XXe siècle. Hollandais.
Graveur, lithographe, aquarelliste, pastelliste.
Il a été élève de l'Académie de La Haye. Il gravait à l'eau-forte.

WOLFF Jacob ou **Wolf**
Né vers 1546 à Bamberg. Mort avant le 16 juillet 1612 à Nuremberg. XVIe-XVIIe siècles. Allemand.
Sculpteur et architecte.
Il fut un des principaux architectes et sculpteurs de la reconstruction du château de Marienberg de Wurtzbourg. On lui doit aussi les ornements de la « Maison Peller » de Nuremberg.

WOLFF Jean Conrad
XVIIIe siècle. Travaillant à Genève dans la seconde moitié du XVIIIe siècle. Suisse.
Peintre sur émail.
Frère et collaborateur de François Jean Wolff.

WOLFF Johan
XVIIIe siècle. Actif à Stockholm. Suédois.
Sculpteur sur bois.
Il travailla avec Johan Foss à l'autel de la cathédrale de Göteborg.

WOLFF Johan Henrik
Né en 1727 à Copenhague. Mort le 8 décembre 1788 à Altona. XVIIIe siècle. Danois.
Médailleur.
Il grava des médailles à l'effigie d'aristocrates et de personnalités de son époque. On cite de lui la médaille exécutée à la mort de Frédéric V.

WOLFF Johann Eduard
Né le 27 novembre 1786 à Königsberg. Mort le 6 septembre 1868 à Königsberg. XIXe siècle. Allemand.
Portraitiste.
Élève de l'Académie de Berlin. En 1819, membre de l'Académie de cette ville. On cite de lui à la Galerie Nationale de Berlin, *Portraits des philosophes Fr. August Wolf et E. M. Arndt*, et au Musée de Königsberg, *Portraits de C. F. Zeller et de F. C. Kessel.*

WOLFF Johannes Josephus
Né le 10 septembre 1779 à Rotterdam. XIXe siècle. Hollandais.
Graveur au pointillé et à l'eau-forte et éditeur.
Il travailla à Rotterdam jusqu'en 1829.

WOLFF José
Né en 1884 à Liège. Mort en 1964 à Liège. XXe siècle. Belge.
Peintre de portraits, nus, paysages, natures mortes, affichiste.
Il a été élève de De Witte et Carpentier à l'Académie Royale des Beaux-Arts de Liège. De 1902 à 1910, il fréquenta l'atelier Cormont à Paris. Entre 1910 et 1913, il séjourna à Séville, où il se lia avec le peintre Goneales Boldao. Il a exposé au Cercle royal des Beaux-Arts de Liège de 1931 à 1962.

BIBLIOGR. : Pierre Somville, in : *Le Cercle royal des Beaux-Arts de Liège 1892-1992*, Crédit Communal, Liège, s.d., 1992.
MUSÉES : LIÈGE (Mus. de l'Art Wallon) : *Effet de neige. Passage d'eau aux Grosses Battes* 1917.
VENTES PUBLIQUES : LIÈGE, 11 déc. 1991 : *Maison au bord de la rivière*, h/t (50x60) : **BEF 60 000.**

WOLFF Joseph. Voir **WOLF**

WOLFF Karl Konrad Albert
Né le 6 avril 1814 à Fehrbellin. Mort le 20 juin 1892 à Berlin. XIXe siècle. Allemand.
Sculpteur.
Frère de Friedrich Wilhelm Wolff. Élève de Rauch. Il fit un an d'études en Italie. Nommé, en 1866, professeur à l'Académie de Berlin. Le Musée de cette ville conserve de lui *Dionysos et Eros*, et celui de Düsseldorf, *Buste en marbre de Schadow.*

WOLFF Karoly
Né le 4 mai 1869 à Pankota. XIXe siècle. Actif à Arad. Hongrois.
Peintre de figures et de paysages.
VENTES PUBLIQUES : LONDRES, 13 juin 1996 : *Femme s'habillant à la lumière de la lampe*, h/t (101x76) : **GBP 2 165.**

WOLFF Lukas
Né en Franconie. Mort en 1749 à Tepl. XVIIIe siècle. Autrichien.
Peintre.
Il peignit dans le cloître de l'abbaye de Tepl des scènes de la vie de saints.

WOLFF Maerten de
Né vers 1594. Mort en 1636 à Amsterdam. XVIIe siècle. Actif à Anvers. Éc. flamande.
Peintre.

WOLFF Martin
Né le 19 mai 1852 à Berlin. Mort en 1919. XIXe-XXe siècles. Allemand.
Sculpteur.
Il fut élève de l'Académie de Berlin et de son père Albert Wolff. Il travailla à Vienne, à Paris, en Italie et se fixa à Berlin.
MUSÉES : BERLIN : *Thésée trouvant les armes de son père.*

WOLFF Matthias. Voir **WOLF Joseph**

WOLFF Nicolaj ou **Wulff**
Né le 5 février 1762 à Copenhague. Mort en 1813 à Dresde. XVIIIe-XIXe siècles. Danois.
Peintre.
Élève de l'Académie de Copenhague. Il peignit des portraits et des architectures.

WOLFF Peter
Né le 25 février 1877 à Concordia (Argentine). XXe siècle. Suisse.
Peintre, peintre de compositions murales.
Il a été élève de l'Académie de Copenhague et de celle de Munich. Il se fixa à Zurich. Il peignit des fresques sur des façades de maisons bourgeoises en Suisse.

WOLFF Richard
Né le 8 septembre 1880 à Esseg. XXe siècle. Autrichien.
Peintre de paysages.
Il a été élève des Académies de Vérone, de Venise et de Munich. Il vécut et travailla à Bozen. Il peignit des vues de Dolomites.
Musées : Bozen.

WOLFF Robert Jay
Né en 1905 à Chicago (Illinois). XXe siècle. Américain.
Peintre, sculpteur. Abstrait-lyrique.
Il fut élève de la Yale University. En 1927, il se perfectionna en peinture et sculpture, à Londres, puis à Paris, de 1929 à 1931. Il revint à New York et Chicago en 1932. Il fut le collaborateur de Moholy-Nagy, quand celui-ci fonda la School of Design de Chicago, qui devint ensuite l'Institute of Design. Après la Seconde Guerre mondiale, pendant laquelle il fut mobilisé, il fut nommé professeur de dessin au Brooklyn College. Il vécut à Brooklyn et Ridgefield dans le Connecticut.
Il montre ses peintures dans de nombreuses expositions personnelles ou de groupe, à New York, Chicago, San Francisco, dans les principales villes des États-Unis ; ainsi qu'à Paris, notamment au Salon des Réalités Nouvelles en 1950 et 1952 ; à Munich, Rome, etc.
Il a renoncé à la sculpture pour se consacrer entièrement à la peinture à partir de 1935. Peintre abstrait, il insiste, selon les cas, soit sur le graphisme, ses peintures se rattachant alors quelque peu à l'abstraction lyrique d'un Hartung, soit sur la tache colorée, ses peintures prenant alors l'aspect d'un paysagisme abstrait postcubiste.
Bibliogr. : Michel Seuphor : *Dictionnaire de la peinture abstraite*, Hazan, Paris, 1957.

WOLFF T. H.
XIXe siècle. Actif à Rome. Britannique.
Sculpteur.
Il exposa à la Royal Academy, à Londres, en 1839 et en 1841. Le Musée de Salford conserve un marbre de lui *(Le paon blessé)*.

WOLFF Wilhelm. Voir **WOLFF Friedrich Wilhelm**

WOLFF-BEFFIE Abraham
Né le 2 juillet 1879 à Amsterdam. XXe siècle. Hollandais.
Graveur sur pierre, peintre.

WOLFFART. Voir **WOLFAERTS**

WOLFFBRANDT Valdemar ou **Adam Benjamin Valdemar**
Né le 13 mai 1887 à Holmegaard (près de Nästved). Mort le 29 janvier 1939 à Nästved. XXe siècle. Danois.
Peintre de paysages, animaux.

WOLFFHART ou **Wolffordt**. Voir **WOLFAERTS**

WOLFFORT Artus. Voir **WOLFAERTS**

WOLFFRAM Gottfried. Voir **WOLFRAM**

WOLFFRAM Joseph. Voir **WOLFRAM**

WOLFFSEN Aleijda. Voir **WOLFSEN**

WOLFGANG
XVIe siècle. Travaillant à Zurich en 1515. Suisse.
Sculpteur sur bois et sur pierre.
Il sculpta deux anges pour la cathédrale de Zurich.

WOLFGANG
XVIe siècle. Actif à Kassa de 1524 à 1534. Hongrois.
Sculpteur.

WOLFGANG
XVIe siècle. Travaillant à Graz en 1539. Autrichien.
Peintre.

WOLFGANG Andreas Matthäus
Né en 1660 à Chemnitz. Mort en 1736 à Augsbourg. XVIIe-XVIIIe siècles. Allemand.
Graveur au burin et orfèvre.
Fils aîné et élève de Georg Andreas Wolfgang l'Ancien. Il fit un voyage en Angleterre en compagnie de son cadet Johann Georg et au retour, fut capturé par des pirates barbaresques. Emmené en esclavage à Alger, il fut racheté par son père. Il s'établit à Augsbourg et y jouit d'une réputation appréciable. Il a gravé des portraits, des batailles et des sujets de genre.

WOLFGANG Georg Andreas, l'Ancien
Né en 1631 à Chemnitz. Mort en 1716 à Augsbourg. XVIIe-XVIIIe siècles. Allemand.
Graveur sur bois, au burin et à la manière noire et orfèvre.
D'abord graveur damasquineur, il fut élève de Kusell chez qui il apprit la gravure au burin et la gravure sur bois. Il grava surtout des sujets d'histoire et des portraits.

WOLFGANG Georg Andreas, le Jeune
Né en 1703 à Augsbourg. Mort le 22 janvier 1745 à Gotha. XVIIIe siècle. Allemand.
Peintre.
Il travailla pour la cour de Gotha, peignant des portraits et des scènes historiques.

WOLFGANG Gustav Andreas
Né en 1692 à Augsbourg. Mort en 1775 à Augsbourg. XVIIIe siècle. Allemand.
Peintre et graveur.
Fils de Georg Andreas l'Ancien et élève de son frère Johann Georg dont il imita le style. Il a surtout gravé des portraits.

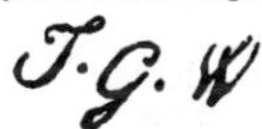

Ventes Publiques : Londres, 11 juin 1981 : *Ecclésiastique à sa fenêtre prêchant*, aquar. et pl./parchemin mar./pan. (28,9x40,3) : GBP 700.

WOLFGANG I. V.
XVIIIe siècle. Travaillant à Vienne en 1700. Autrichien.
Médailleur.
Il grava deux médailles représentant le *Château de Schönbrunn*.

WOLFGANG Johann Georg
Né en 1662 ou 1664 à Augsbourg. Mort le 21 décembre 1744 à Berlin. XVIIe-XVIIIe siècles. Allemand.
Graveur.
Fils cadet et élève de Georg Andreas Wolfgang. Il alla à Alger avec son frère Andreas Matthäus, capturé par des pirates. A son retour en Allemagne, il fut appelé en 1704 à la cour de Prusse et nommé premier graveur du roi. Il a laissé un œuvre considérable composé en majeure partie de portraits. Son exécution est nette et précise.

WOLFGANG von Assling. Voir **ASSLINGER Wolfgang von**

WOLFGANG von Kies. Voir l'article **PRACHNER Wolfgang**

WOLFHART. Voir aussi **WOLFAERTS**

WOLFHART Diebold
XVIe siècle. Actif à Thoune dans la seconde moitié du XVIe siècle. Suisse.
Peintre verrier.
Il travailla pour la ville de Thoune de 1577 à 1586.

WOLFINGER Albert ou **Wolfincher**
Né à Tarbes (Hautes-Pyrénées). XIXe siècle. Français.
Peintre de portraits.
Élève de Gérome. Il exposa au Salon de 1877 à 1878.

WOLFINGER Max
Né en 1837 à Mannheim (Bade-Wurtemberg). Mort le 12 décembre 1913 à Aarau. XIXe-XXe siècles. Suisse.
Peintre de paysages.
Il a été élève de Wilhelm Dünckel à Mannheim.
Musées : Aarau.

WOLFL Adalbert
Né le 9 mai 1827 à Frankenstein. Mort le 7 novembre 1896 à Breslau. XIXe siècle. Allemand.

Peintre de vues et d'architectures.
Il étudia d'abord la théologie à l'Université de Breslau, puis travailla seul la peinture. Il voyagea en Italie, en Autriche, séjourna dans le Tyrol et vint enfin se fixer à Breslau. Il a peint plusieurs églises de cette ville.
Musées : Breslau, nom all. de Wroclaw : *Église Sainte-Marie-Madeleine à Breslau – Église Sainte-Barbe à Breslau – Le coin de Sainte-Barbe à Breslau – Deux vues de la Ohle à Breslau – Hôtel de Ville de Breslau – Église Saint-Vincent à Breslau – Façade de l'Hôtel de Ville de Breslau.*

WÖLFL Va
Né en 1943 à Barth (Poméranie). xxe siècle. Polonais.
Artiste.
Il a étudié avec Soucek et Kokoschka en 1966. Il vit et travaille à Essen (Allemagne).
Wölfl s'exprime par des happenings, des événements, mettant en scène tout un rituel aux résonances religieuses parodiques. Son langage se veut provoquant, volontiers morbide.

WÖLFLI Adolf ou **Woelfli**
Né le 29 février 1864 à Bowil ou Nüchtern (Emmenthal, canton de Berne). Mort le 6 novembre 1930 à Berne, à l'hôpital psychiatrique de la Waldau des suites d'un cancer de l'intestin. xixe-xxe siècles. Suisse.
Dessinateur de compositions animées, figures, écrivain, poète, musicien. Art brut.
Issu d'une famille de sept enfants, il fut placé, entre 1873 et 1879, comme domestique chez plusieurs fermiers de Schangnau. Il semble qu'il fut maltraité. De 1880 à 1889, il fut soit valet de ferme soit manœuvre dans les cantons de Berne et Neuchâtel. Il fréquenta irrégulièrement l'école, mais apprit à lire et à écrire. Il fut accusé en 1890 de tentatives de sévices sur des fillettes, ce qui lui valut deux ans de prison. Entre 1892 et 1895, il reprit son emploi de manœuvre dans diverses fermes. En 1895, après un attentat à la pudeur sur une autre fillette de trois ans et demi, il fut décidé de l'interner pour schizophrénie. Il y restera jusqu'à sa mort. En 1921, le docteur Walter Morgenthaler, médecin-chef à la Waldau, publia *Ein Geisteskranker als Künstler* (Un aliéné artiste), première monographie concernant Wölfli artiste. En 1945, Dubuffet le découvrit et acquit des dessins qui font désormais partie de la « Collection de l'Art Brut » à Lausanne.
La Fondation Wölfli, à Berne, s'emploie depuis 1975 à faire connaître l'œuvre. Une exposition des œuvres de Wölfli a été présentée en 1991 au Centre culturel suisse de Paris.
Wölfli commença à dessiner en 1899, donc à l'âge de trente-cinq ans. Après des débuts hésitants, il acquit une grande habilité et une aptitude remarquable à la composition dans l'espace, ne se servant, en dessin, que de crayons de couleurs. Mais son œuvre dépasse les simples domaines des arts graphiques. Il écrivit en prose et en vers à partir de 1908, et a composé de la musique dans un solfège inventé, dont l'interprétation est possible jusqu'à un certain point. Toutes ces activités ont pris, à la fin de sa vie, de plus en plus de place dans sa vie psychique, elles ont, de l'avis même des médecins, pris le pas sur les effets pathologiques de sa folie. Il a composé, entre 1908 et 1930, une autobiographie sous la forme de milliers de pages écrites, illustrées de dessins et de partitions. Son œuvre se divise en plusieurs périodes : 1908-1912, réalisation de *Du berceau au tombeau* ; 1912-1916, réalisation des *Livres de géographie* ; 1917-1927, réalisation de livres contenant des compositions musicales et des dessins ; 1922, il exécuta *Le Grand Paravent*, dont il couvrit les huit faces de somptueux graphismes, chaque panneau illustrant le thème du péché originel ; 1928-1930, réalisation de la *Marche funèbre*.
La mythologie personnelle de Wölfli possède une démesure certaine. Celle-ci apparaît dans ses écrits. Chez lui tout est gigantesque, soit mesuré en milliers de lieux, tels les arbres, les grottes, les falaises, les fontaines, les serpents, soit pesant des millions de tonnes. Il invente même des nombres encore toujours plus grands : le « Reganiff », le « Suriff », le « Teratif »... Son œuvre graphique intimement liée à ses écrits, puisqu'elle participe du décorum de ses nombreuses pages, se présente comme une suite de dessins parfois compartimentés dans des cadres souples tel un patchwork coloré, ou s'alliant à des figures décoratives. Sans appliquer aucune perspective, l'ensemble possède une structure chargée que vient compenser l'ondulatoire des courbes des différentes portions de dessins minutieusement travaillés. S'y rencontrent des figures, des portraits, des saints, particulièrement « St. Adolf II », personnification de la signature des œuvres de l'artiste à partir de 1916, des animaux, des végétaux, ou des objets comme des pipes ou des ustensiles de cuisine. Il a également composé des séries de feuilles couvertes de chiffres, ornées de photographies et d'illustrations de presse. Bien qu'il ait souvent commenté son travail par écrit au dos de ses œuvres, la vision de Wölfli, son univers, demeure d'une grande complexité, et ne peut être appréhendé qu'en mettant en relations symboliques et inédites différentes approches de notre réalité. Les surréalistes le tinrent en très haute estime. ■ C. D.
Bibliogr. : Dr Walter Morgenthaler : *Wölfli*, trad. fr., Collection de l'Art Brut, 1964 – José Pierre : *Le Surréalisme*, in : *Hre Gle de la peint.*, t. XXI, Rencontre, Lausanne, 1966 – *Wölfli. Dessinateur-compositeur*, L'Âge d'Homme, 1991 – Françoise Monnin : *Tableaux choisis. L'art brut*, Editions Scala, Paris, 1997 – Jean-Louis Ferrier : *Les Primitifs du xxe siècle. Art brut et art des malades mentaux*, Terrail, 1997.
Musées : Aarau (Aargauer Kunsthaus) : *Sa Majesté le roi Edouard VII, sa Majesté la reine Victoria* 1912 – *Pader=Boorn-=Cohrn* 1912 – *Königsruh Riesen=Stadt* 1912 – *Ritterl. Comtesse Karoline von Ball=Moos* 1912 – Berne (Mus. des Beaux-Arts, Fond. Wölfli) : *Côte ouest-européenne ou océan Atlantique* 1911 – *Cambridge* 1910 – *La Cathédrale Helveetia à Amazohn Hall Nord* 1911 – *Le Pont de chemin de fer à pied et pour véhicules de Drachenfels-Trimbach en Chine* 1909 – *Räbloch à Saint-Adolf Ring* 1930 – *La Tour Ysaar. Saint-Adolf, prisonnier* 1916 – Lausanne (coll. de l'Art Brut) : *London-Nord* 1911 – *Crucifixion de Jesus-Christ* 1914 – *La Violette géante* 1916 – *Plan de la ville de biscuit à Bière ville St-Adolf* 1917.
Ventes Publiques : Berne, 21 juin 1980 : *Couronnement* 1914, cr. de coul./trait de cr. (51,2x67,8) : **CHF 14 000** – Berne, 25 juin 1981 : *Bei Kandersteg* 1927, cr. coul. et collage (31,4x45,4) : **CHF 3 300** – Berne, 17 nov. 1983 : *Heiligenrein – Skt. Adolf – Thurm* 1919, past. et cr. fixé/tissu transparent (77x56) : **CHF 9 500** – Berne, 19 nov. 1984 : *Halleluia – Skt. Adolf...* vers 1917, cr. noir et de coul. (62,2x47,4) : **CHF 7 000** – Berne, 20 juin 1985 : *Le Diamant le Régent* 1928, cr. coul. et mine de pb (34,1x25,4) : **CHF 8 500** – Berne, 20 juin 1986 : *Gott-Vater-Himmel-Hall* 1914, cr. noir et coul. (72x102) : **CHF 22 000** – Berne, 17 juin 1987 : *Feuille aux sept masques* vers 1920-1921, cr. noir et cr. coul. (34x25,3) : **CHF 9 500** – Lucerne, 15 mai 1993 : *Rosalia von der Welde, Grande Reine de l'élégance* 1927, grosses mines coul. et cr./pap. fort (34,5x48,5) : **CHF 21 000** – Zurich, 24 nov. 1993 : *Dessin de la coupe des alvéoles dentaires d'un portier géant*, cr. noir et coul./pap. (25x32,5) : **CHF 5 175** – Lucerne, 4 juin 1994 : *Grand Hotel Räbloch* 1930, cr. noir et coul. (32,2x20,5) : **CHF 5 600** – Zurich, 8 déc. 1994 : *Le Cruel Chasseur Lüzon* 1926, cr. noir et coul./pap. (31x47) : **CHF 9 200** – Zurich, 7 avr. 1995 : *Mandala*, cr. coul./pap. (25,5x34) : **CHF 7 500** – Berne, 21 juin 1996 : *Château Bremgarten*, cr. noir et coul./pap. Japon, triptyque (en tout 100x267) : **CHF 52 000** – Londres, 24 oct. 1996 : *Rooses Anger*, cr. coul./pap. (30,9x95) : **GBP 14 375**.

WOLFORDT. Voir **WOLFAERTS**

WOLFOVICZ Eugenia
Née à Buenos Aires. xxe siècle. Active aussi en Italie et en France. Argentine.
Sculpteur. Tendance abstraite-minimaliste.
Après des études d'art et de biologie en Argentine, elle part travailler le marbre à Pietrasanta, près de Carrare. Depuis 1981, elle participe à de nombreuses expositions de groupe, notamment à Paris : salons des Réalités Nouvelles, de la Société Nationale des Beaux-Arts, Grands et Jeunes d'Aujourd'hui, d'Automne, des Indépendants, des Artistes Français, de Mai...
Sa sculpture, le plus souvent en marbre, présente un aspect dépouillé, parfois austère. Elle interroge le spectateur sur d'éventuels sens cachés, notamment dans le cycle des *Portes*.
Ventes Publiques : Paris, 5 fév. 1990 : *Poupée paléolithique* 1989, marbre blanc de Carrare (38x13,5x9) : **FRF 7 000**.

WOLFOWICZ Jozef
Mort en 1624. xviie siècle. Polonais.
Peintre.
Il a peint le tableau du maître-autel de la cathédrale de Lemberg en 1598.

WOLFRAEDT Daniel ou **Wulfraet**
Né à Amsterdam. Mort après 1677. xviie siècle. Hollandais.
Peintre.
Il peignit des paysages avec des animaux.

WOLFRAET Mathijs. Voir **WULFRAET**

WOLFRAM André, pseudonyme de **Aichele**
Né en 1924 à Fribourg-en-Brisgau (Bade-Wurtemberg). xxe siècle. Allemand.

Peintre, aquarelliste.

Il s'est formé à l'École Professionnelle de Sculpture puis à l'Académie des Beaux-Arts de Stuttgart. Il a aussi étudié l'iconographie. Il a voyagé dans les Balkans, en Grèce au mont Athos. Il vient à Paris en 1956 et se consacre entièrement à la peinture.

Il participe à des expositions de groupe en Allemagne et aux États-Unis. Il montre ses œuvres dans de nombreuses expositions particulières en Allemagne, en France et en Suisse.

Il est très attiré par l'Orient, qui a eu une grande influence sur sa peinture, surtout sur sa palette. Il a copié durant des années les icônes de la religion orthodoxe à laquelle il s'est converti. Il a aussi fait de nombreuses aquarelles.

WOLFRAM Gottfried ou **Wolffram**

XVIIe siècle. Danois.

Sculpteur de portraits, bas-reliefs.

Ce tailleur d'ambre et sculpteur sur ivoire travailla au Danemark à la fin du XVIIe siècle. Il exécuta un bas-relief représentant le roi Christian V en ivoire.

WOLFRAM Joseph

XIXe siècle. Actif à Vienne dans la seconde moitié du XIXe siècle. Autrichien.

Paysagiste.

Il exposa de 1860 à 1873 des types populaires hongrois et des bohémiens.

Ventes Publiques : Londres, 13 juin 1978 : *Bouquetins surpris par un léopard* 1890, aquar. et reh. de blanc (60,5x96) : **GBP 2 800** – Vienne, 5 déc. 1984 : *La basse-cour* 1885, h/pan. (25,5x31) : **ATS 32 000.**

WOLFRAM Markus. Voir **ULFRUM Markus**

WOLFROM Friedrich Ernst

Né le 9 avril 1857 à Magdebourg. XIXe siècle. Allemand.

Peintre d'histoire et aquafortiste.

Élève de l'Académie de Dresde avec Jules Hubner. Il continua ses études à Munich et dans l'atelier de Makart à Vienne. Le Musée de Görlitz conserve de lui *Un rêve de printemps* et *Journées de mai.*

Ventes Publiques : New York, 29 mai 1980 : *Enfant dans une brouette*, h/t mar./cart. (108x88) : **USD 1 900.**

WOLFROMM Claude Chantal

Née le 20 novembre 1924 à Paris. XXe siècle. Française.

Peintre de paysages, natures mortes.

Elle a reçu les conseils d'Othon Friesz. Elle a participé à partir de 1946 aux expositions du Salon d'Automne à Paris. Après une exposition personnelle en 1952, elle paraît s'être retirée des circuits d'exposition.

Soucieuse avant tout de traduire la saveur des choses, elle montrait régulièrement au Salon d'Automne, des natures mortes et des paysages d'un dessin expressif et dans une matière généreuse. Ses paysages parisiens sont empreints d'une particulière gravité.

WOLFS Hubert

Né en 1899 à Malines (Anvers). Mort en 1937 à Malines. XXe siècle. Belge.

Peintre de paysages, natures mortes. Abstrait, tendance expressionniste.

Peintre autodidacte. Il partagea son temps entre la peinture et d'autres métiers : horloger ou cordonnier.

Il exécuta des toiles tantôt dadaïstes, tantôt abstraites issues du néoplasticisme. Il subit de nombreuses influences, mais Michel Seuphor précise qu'il peignit des toiles abstraites non seulement en 1920 mais également au cours des années qui suivirent et qu'en 1930 il réalisa une toile qui évoque curieusement ce que l'on nommera l'*action painting* dans les années cinquante.

Musées : Gand – Malines.

WOLFSEN Aleijda ou **Aleyda** ou **Wolffsen, Wolfson**

Née le 24 octobre 1648 à Zwolle. Morte après 1690. XVIIe siècle. Hollandaise.

Peintre de portraits, miniatures.

Élève de Caspar Netscher, elle travailla à La Haye et paraît avoir aussi habité Iwolle avec son mari, Pieter Soury. Elle était fille de Hendrik Wolfsen, mort à La Haye en 1684 alors qu'il était sécrétaire de la chambre des Calculs de la Généralité.

Elle peignit en 1674 le prince Guillaume III d'après nature et en 1680 son propre portrait.

Musées : La Haye (Mus. comm.) : *Portrait de femme* – Saint-Pétersbourg (Mus. de l'Ermitage) : *Portrait d'une jeune fille.*

Ventes Publiques : Paris, 1899 : *Portrait d'homme* : **FRF 330** – Paris, 15 juin 1931 : *Fillette assise* : **FRF 1 350** – Paris, 7 mars 1951 : *Portrait de jeune femme en robe de soie chaudron* 1682-1683 : **FRF 23 000** – New York, 16 mars 1979 : *Portrait d'une dame de qualité*, h/t (38x30,5) : **USD 2 000** – Versailles, 8 mars 1981 : *Le Violoniste*, h/bois (23x18) : **FRF 17 000** – Amsterdam, 29 nov. 1988 : *Portrait d'une dame assise, portant une robe brodée bleue à manches blanches et des perles dans ses cheveux accoudée à une table près d'un livre et d'un globe*, h/t (51,5x40) : **NLG 18 400** – Amsterdam, 14 nov. 1990 : *Portrait d'une jeune femme tenant une rose* 1691, h/t (53x45) : **NLG 10 925** – Londres, 1er avr. 1992 : *Portrait d'un gentilhomme* 1680, h/t (48,5x39,5) : **GBP 1 650** – Londres, 11 mars 1993 : *Portrait d'une dame vêtue d'une robe fleurie et cueillant un rameau d'oranger*, h/t (52x41) : **GBP 2 070** – Paris, 11 mars 1997 : *Hommage de la fillette à l'amour*, t. (46x38,5) : **FRF 58 000.**

WOLFSHAGEN Antoine Van der

XVe siècle. Actif à Louvain dans la seconde moitié du XVe siècle. Éc. flamande.

Peintre.

WOLFSKRON

Peintre de genre.

Musées : Arras : *Le joueur de flûte.*

WOLFSKRON Adolf de, baron

Né le 10 février 1808 à Vienne. Mort le 13 juillet 1863 à Baden, près Vienne. XIXe siècle. Autrichien.

Dessinateur, archéologue.

Il dessina des architectures du Tyrol et de Moravie.

WOLFVOET Victor

Né le 4 mai 1612 à Anvers. Mort le 23 octobre 1652 à Anvers. XVIIe siècle. Éc. flamande.

Peintre de genre.

Élève de son père, puis de Rubens. Cité dans la gilde d'Anvers en 1644. Il peignit à l'église Saint-Jacques d'Anvers, une *Visitation*, copie d'un sujet traité par son maître. Le Musée de Dresde conserve de lui *La tête de Méduse*, et le Mauritshuis de La Haye, *Melchisédech donnant du pain et du vin à Abraham* et *Les Israélites recueillant la manne.*

WOLGEMUTH. Voir **WOHLGEMUTH**

WOLHUETTER Sigmund

XVIe siècle. Travaillant à Prague de 1548 à 1557. Autrichien.

Enlumineur.

Le Musée des Beaux-Arts de Vienne conserve trois *Livres des tournois* enluminés par cet artiste.

WOLINSKI Georges

Né le 28 juin 1934 à Tunis. XXe siècle. Français.

Dessinateur, illustrateur.

En 1960, il publie ses premiers dessins dans *Hara Kiri* alors à son 7e numéro, et y collaborera régulièrement jusqu'au dernier numéro en 1970. En mai 1968, il est l'une des signatures du journal *Action*. Il est cofondateur avec Siné de *L'enragé*. Il collabore ensuite à *Hara Kiri Hebdo, Charlie Hebdo*, puis à partir de 1977 à *L'Humanité*, de même qu'à *Paris Match*, au *Journal du Dimanche*, à *Lui* et *L'Écho des Savanes.*

Il a publié plus d'une cinquantaine d'albums de dessins. Il a souvent dénoncé les conservatismes de la société et les comportements politiques autoritaires.

Ventes Publiques : Paris, 27 nov. 1993 : *Monsieur prendra bien un pousse-café (L'Écho des savanes)*, feutre noir et coul./pap. (24x32) : **FRF 5 500.**

WOLINSKI Joseph

Né le 13 juillet 1872 ou 1873 à Altona (Hambourg). XIXe-XXe siècles. Actif en Australie. Allemand.

Peintre.

Il ne vint en Australie qu'en 1883. Il fut élève de l'École d'Art de Sydney et de l'Académie Colarossi de Paris. Il était également chanteur. Il exposa à la Royal Academy de Londres, au Salon des Artistes Français de Paris et à la National Academy de New York.

Musées : Sydney (Gal. Nat.).

WOLINSKI P. J.

Né à Lemberg. XVIIIe siècle. Polonais.

Peintre.

En 1740, il décora à fresques l'église des Pères Bernardins à Lemberg.

WOLKENAR Nicolas

Né en 1954 à Herve. XXe siècle. Belge.

Peintre. Abstrait.
Il s'est formé à l'Académie Saint-Luc de Liège, où il devint par la suite professeur.
Bibliogr. : In : *Dictionnaire biographique illustré des artistes en Belgique depuis 1830,* Arto, Bruxelles, 1987.

WOLKENSTERN Johann Georg. Voir **NIVOLSTELLA Johann Georg**

WOLKER. Voir **WOLCKER**

WOLKOFF. Voir **VOLKOV**

WOLKONSKY Maria, princesse. Voir **LOUGUININE-WOLKONSKY Marie,** princesse

WOLKONSKY Piotr ou **Pierre de**, prince
Né en mars 1901 à Saint-Pétersbourg. XXe siècle. Russe.
Peintre de paysages, sculpteur.
Il a été élève de sa mère Maria Wolkonsky et d'Ernest Laurent. Il exposa en 1923 à Londres des motifs de Capri et de Venise, puis à partir de 1924, à Paris, aux Salons des Artistes Français, d'Automne et des Tuileries.
Musées : Paris (Mus. d'Art Mod. de Paris) : *Nature morte aux fruits.*
Ventes Publiques : Paris, 23 fév. 1925 : *Crépuscule dans le port, Capri* : **FRF 1 050** – Paris, 26 fév. 1926 : *Matinée ensoleillée à Venise* : **FRF 620** – Paris, 2 mai 1947 : *Le forum romain* : **FRF 800**.

WOLKOWITZ Ernst
Né en 1818 à Posen. XIXe siècle. Polonais.
Peintre d'histoire et portraitiste.
Il peignit des portraits de la gilde des tireurs de Posen.

WOLKOWYSKI Alexandre
Né le 27 juin 1883 à Vitebsk (Biélorussie). Mort le 28 juin 1961 à Paris. XXe siècle. Depuis 1910 actif en France. Russe.
Sculpteur.
D'abord élève de Injalbert, il a travaillé à Paris à partir de 1910. Il fut sociétaire du Salon d'Automne à partir de 1920.
Il s'est fait connaître par des œuvres où se manifeste une imagination gracieuse, heureusement mariée à la sobriété du style. Plus qu'à l'école russe, dont il n'a conservé aucun des caractères baroques, cet artiste, complètement assimilé, se rattache en fait à la phalange de transition de l'école française qui, à l'orée de ce siècle, autour de Modigliani, de Maillol, de Zadkine, de tant d'autres, cherchait par la stylisation des masses, à dégager en sculpture un nouvel équilibre entre le réalisme et l'abstraction, et préparait ainsi la venue des jeunes sculpteurs d'aujourd'hui.
Ventes Publiques : Grenoble, 14 mai 1984 : *Jeune femme nue se tenant la tête,* bronze (H. 41) : **FRF 11 000** – Paris, 20 nov. 1991 : *Deux baigneuses,* bronze cire perdue (H. 34) : **FRF 30 000**.

WOLLANDT Peter. Voir **WOLAND**

WOLLASTON J.
Né vers 1672 à Londres. Mort à Londres. XVIIe-XVIIIe siècles. Britannique.
Peintre de portraits et musicien.
La tradition rapporte qu'il saisissait remarquablement bien la ressemblance et il eut, de son temps, une certaine réputation. C'était aussi un bon violoniste et un flûtiste distingué, prenant part aux concerts publics. Un portrait du musicien *Thomas Britton* peint par lui, figure à la National Portrait Gallery, à Londres.

WOLLASTON John
Mort en 1775 à Bath. XVIIIe siècle. Britannique.
Peintre de portraits.
Il exerça d'abord sa profession à Londres. Il émigra en Amérique et on le cite à Philadelphie en 1758. Il rapporta une connaissance du rococo alors à la mode.
En tant que portraitiste, il flattait surtout ses sujets, mais ne savait pas faire ressortir leur personnalité. Il peignit le portrait de la mère de Washington.
Musées : Brooklyn : *Sir Charles Hardy* – Detroit : *Colonel William Allen et sa femme* – Londres (Nat. Gal.) : *Whitefield prêchant* – New York (Metropolitan Gal.) : *Cadwalader Colden – Alice Christie Colden* – Philadelphie : *Captain Archibald Kennedy.*
Ventes Publiques : New York, 21 mai 1970 : *Portraits de Mr et Mrs Edward Dorsey,* deux toiles : **USD 5 750** – New York, 19 avr. 1972 : *Mr and Mrs Edward Dorsey,* deux pendants : **USD 5 000** – New York, 25 oct. 1973 : *Portrait of Alexander Mc Nutt, esquire* 1750 : **USD 4 250** – New York, 2 févr 1979 : *Charles Carroll of Duddington* 1753/54, h/t (127x101) : **USD 5 000** – New York, 3 juin 1983 : *Portrait de Mr Brandt Schuyler ; Portrait de Mrs Margareta Van Wyxk Schuyler* 1750, h/t, une paire (70x55 et 69,2x54,2) : **USD 12 000** – New York, 20 juin 1985 : *Portrait of Edward Hillman,* h/t (114,3x90,8) : **USD 4 000** – Londres, 26 oct. 1990 : *Portrait d'un officier en uniforme, en buste,* h/t (83,2x67,3) : **GBP 2 420** – New York, 9 oct. 1991 : *Portrait d'un officier en uniforme,* h/t (76,2x63,5) : **USD 4 400** – Londres, 15 nov. 1991 : *Portrait de Sir Rowland Alston vêtu d'un habit de velours gris sur un gilet de satin blanc brodé d'or,* h/t (126,4x101,6) : **GBP 4 400**.

WOLLEB Hans Heinrich ou **Wolleben**
XVe-XVIe siècles. Travaillant à Bâle de 1490 à 1527. Suisse.
Peintre verrier.
Il exécuta des vitraux à Bâle. Il travailla aussi à Berne et à Fribourg.

WOLLEBOS Jan
Mort en 1629. XVIIe siècle. Actif à Malines. Éc. flamande.
Paysagiste.
Élève de Michel Verschueren.

WOLLEK Charles ou **Carl**
Né le 31 octobre 1862 à Brunn. Mort le 8 septembre 1936 à Vienne. XIXe-XXe siècles. Autrichien.
Sculpteur de monuments, statues, bustes, médailleur.
Il a figuré aux expositions de Paris où il obtint une mention honorable en 1894. Il exposa à Vienne à partir de 1889. Il sculpta des monuments aux morts, des statues et des bustes, surtout pour des places et monuments publics de Vienne.
Musées : Vienne (Gal. Nat.) : *Jeunes éléphants – Femme chevauchant une licorne.*
Ventes Publiques : Londres, 17 mars 1983 : *Un Viking* vers 1890, bronze patine brune (H. 56) : **GBP 500**.

WOLLEN William Barnes
Né en 1857. Mort en 1936. XIXe-XXe siècles. Britannique.
Peintre de scènes de genre, sujets militaires, sujets de sport, portraits.
Actif à Londres en 1857. Il a été membre du Royal Institute. Il exposa à Londres à partir de 1879, notamment à la Royal Academy et au Royal Institute. Il exposa également à Paris en 1889, lors de l'Exposition universelle, y obtint une médaille d'argent.

Ventes Publiques : Londres, 18 mars 1980 : *Napoléon entouré de ses généraux* 1906, h/t (89x122) : **GBP 2 000** – Londres, 8 fév. 1991 : *La patrouille* 1906, aquar. avec reh. de blanc (54x45,5) : **GBP 715**.

WOLLENHOFER Janos ou **Wohlenhofer** ou **Vollnhofer**
XVIIIe-XIXe siècles. Actif à Budapest. Hongrois.
Peintre.
La Galerie Nationale de Budapest conserve de lui les portraits de l'*Archiduc Joseph* et du *Comte Joseph Majiath.*

WOLLER Leonhard. Voir **WALLER**

WOLLERDIK
XVIIIe siècle. Travaillant en 1753. Hollandais (?).
Peintre.
Le Musée Municipal de Montepulciano conserve de lui *Paysage avec figures,* œuvre datée de 1753.

WOLLES Camille
Né le 1er juillet 1864 à Saint-Josse-ten-Noode. Mort en 1942 à Hingene. XIXe siècle. Belge.
Peintre de paysages.
Frère de Lucien Wolles. Il a été élève d'E. Blanc-Garin.
Bibliogr. : In : *Dictionnaire biographique illustré des artistes en Belgique depuis 1830,* Arto, Bruxelles, 1987.
Musées : Bruxelles.

WOLLES Lucien
Né le 31 mars 1862 à Schaerbeck, près de Bruxelles. Mort en 1939. XIXe-XXe siècles. Belge.
Peintre de portraits, d'intérieurs, pastelliste, dessinateur.
Il a été élève à l'Académie des Beaux-Arts de Düsseldorf puis de Bruxelles, où il suivit les cours de Jean-François Portaëls ; il exposa au Salon de Paris, obtenant une mention honorable en 1890. Médaille de bronze à l'Exposition universelle de 1900.
Bibliogr. : Gérald Schurr, in : *Les Petits Maîtres de la peinture 1820-1920, valeur de demain,* Les Éditions de l'Amateur, t. III, Paris, 1976 – in : *Dictionnaire biographique illustré des artistes en Belgique depuis 1830,* Arto, Bruxelles, 1987.

Musées : Bruxelles (Mus. d'Art Mod.) : *Portrait de femme* 1901 – *Camille Lemonnier* 1905 – *Émile Verhaeren* 1905 – *Iwan Gilkin* 1905 – *Edmond Picard* 1906.

WOLLHEIM Gert Heinrich

Né en 1894. Mort en 1974. xxe siècle. Actif aux États-Unis. Allemand.

Peintre de figures, portraits, peintre à la gouache, aquarelliste, dessinateur.

Wollheim

Ventes Publiques : Munich, 25 mai 1976 : *Lusiana Elegie* 1956, h/t (91,5x122) : **DEM 2 700** – Cologne, 5 déc 1979 : *Autoportrait* 1922, cr. (47x35,3) : **DEM 3 400** – Cologne, 5 déc 1979 : *Das Gretchen* 1921, h/t (130,5x105) : **DEM 8 000** – Cologne, 4 déc. 1985 : *La folle*, h/t (100,5x80,7) : **DEM 56 000** – Londres, 21 fév. 1989 : *Phantasmes de peintres* 1956, h/t/cart. (122x91,8) : **GBP 5 500** – Bruxelles, 13 déc. 1990 : *Gymnastique de chambre* 1924, aquar. et gche/pap. (39x49) : **BEF 364 800** – New York, 2 nov. 1993 : *Deux travailleurs endormis* 1936, h/pan. (50x76) : **USD 1 495**.

WOLLNER-BEUK Hedwig

Née le 19 avril 1890 à Vienne. xxe siècle. Autrichienne.

Peintre de portraits, paysages.

Elle a été élève de L. Michalek et de R. Jettmar.

Ventes Publiques : Londres, 22 nov. 1996 : *La Lettre d'amour*, h/t (77x70,5) : **GBP 1 035**.

WOLLSCHLÄGER Wilhelm

xixe siècle. Actif à la fin du xixe siècle. Allemand.

Peintre de paysages.

Ventes Publiques : Munich, 7 déc. 1993 : *Torgau et l'Elbe*, h/pan. (64x93,5) : **DEM 11 500**.

WOLLUST Johann Conrad. Voir **EICHLER**

WOLMAN Gil

Né en 1929 à Paris. xxe siècle. Français.

Peintre. Groupe lettriste.

Il vit et travaille à Paris. Autour de 1950, il fit partie du groupe des peintres lettristes.

Avec ou sans le groupe lettriste, il expose dans diverses manifestations collectives, notamment : 1960, *Festival d'art d'avant-garde*, galerie des Quatre Saisons, Paris ; 1961, *Les peintres lettristes*, galerie Weiller, Paris ; de 1962 à 1968, Salon Comparaisons, Paris ; 1963, *La lettre et le signe dans la peinture contemporaine*, galerie V. Schmidt, Paris ; 1963, Biennale des Jeunes, Paris ; 1964, Musée de Verviers ; etc.

Il montre ses œuvres dans des expositions personnelles ; 1964, *Art Scotch*, galerie V. Schmidt, Paris ; 1966, *Faux Témoignage*, galerie V. Schmidt, Paris ; 1968, *Dissolution et reconstitution du mouvement*, galerie V. Schmidt, Paris ; 1970, *Introspective 1950-1970*, galerie V. Schmidt, Paris ; 1972, galerie V. Schmidt, Paris ; 1973, *Ex-position*, galerie Weiller, Paris ; 1975, *Otto portraits : un artiste déchirant un critique déchiré*, galerie l'Œil de Bœuf, Paris ; 1977, *Wolman et le mouvement séparatiste*, Foire internationale d'art contemporain, Paris ; 1980, *Wolman, déchet d'œuvre*, galerie Lara Vincy, Paris ; 1986, *Polyphonix*, galerie Lara Vincy, Paris ; 1988, *Je suis la proie des mots, les mots m'écrivent*, galerie Spiess, Paris.

En 1964, il se sépara du groupe lettriste, pour adopter des démarches le rapprochant, soit des affichistes, Hains, Villeglé, et autres, soit d'une attitude ethnologique antérieure à l'art sociologique : en effet, il utilisa divers procédés permettant de décoller, tant bien que mal, des parties des caractères d'imprimerie constituant des documents d'usage quotidien, tracts, affichettes, etc., les rendant par l'arrachage imparfait illisibles. Il a appelé ce procédé : l'« art scotch ».

Bibliogr. : Alain Jouffroy : *Vive Wolman*, Opus International, janvier 1973 – Gil Wolman : *Wolman résumé des chapitres précédents*, galerie Spiess, Paris, 1981 – Gil Wolman : *Vivre et Mourir* et *Introduction et Séparation du mot*, galerie Spiess et Nane Stern, Paris, 1984.

Musées : Paris (FNAC) : *La Sorbonne occupée* 1968 – *Lénine* 1970, collage découpé.

WOLMAR Gustaf Andersson

Né le 5 juillet 1880 à Kristinehamn. xxe siècle. Danois.

Peintre de paysages, figures.

Il a été élève des Académies de Copenhague et de Munich. Il vécut et travailla à Charlottenlund.

Musées : Aalborg – Copenhague – Malmö – Stockholm.

WOLMARK Alfred Aaron

Né le 28 décembre 1877 à Varsovie. Mort le 6 janvier 1961 à Londres. xxe siècle. Actif en Angleterre. Polonais.

Peintre de figures, portraits, nus, paysages, natures mortes, dessinateur.

Encore enfant il partit avec sa famille pour Londres. Il a été élève de l'Académie Royale de Londres à partir de 1894. Il y exposa à partir de 1901. Il figura, en 1910, à la première exposition post-impressionniste à Londres. Il vécut et travailla à Londres.

Une présentation de son œuvre eut lieu en 1975 à la Société des Beaux-Arts de Londres.

Dès 1906, sa peinture fut bien accueillie à l'Exposition de la Whitechapel à Londres. On note l'influence de Rembrandt dans ses œuvres de jeunesse, peu à peu les couleurs deviendront plus vibrantes. Il peignit les portraits de Thomas Hardy, Somerset Maugham, Israël Zangwill...

WOLMARK

Musées : Londres (Tate Gal.) : *Fisher girl of Concarneau* 1911 – Strafford (Mus. Shakespeare) : plusieurs portraits des héros célèbres des drames de Shakespeare.

Ventes Publiques : New York, 25 avr. 1968 : *Juifs pieux assis autour d'une table* : **USD 3 750** – Londres, 27 oct. 1972 : *Paysage du pays de Galles* : **GNS 300** – Londres, 29 fév. 1980 : *Rabbins dans un intérieur* 1900, h/t (167x228,6) : **GBP 12 000** – Londres, 23 mai 1984 : *Géranium et bananes*, h/t (33,5x46) : **GBP 1 100** – Londres, 15 mai 1985 : *In costume*, h/t (91,5x71,2) : **GBP 8 000** – Londres, 6 mars 1987 : *In costume – Sarah and Gitel*, h/t (91,5x71,2) : **GBP 19 000** – Tel-Aviv, 26 mai 1988 : *La fille aux yeux violets*, h/t (38,5x28,5) : **USD 4 180** – Londres, 29 juil. 1988 : *Le bûcheron*, h/t (60,7x50,7) : **GBP 1 430** – Londres, 8 juin 1989 : *Fleurs dans un vase*, h/t (47,5x32,5) : **GBP 3 850** – Londres, 8 mars 1990 : *La jeune fille aux yeux bleus*, h/t. cartonnée (45,2x36,9) : **GBP 4 400** – Tel-Aviv, 19 juin 1990 : *Crête de montagnes et arbres*, h/t (51x61) : **USD 5 060** – Londres, 20 sep. 1990 : *Les négresses*, h/t (85x49,5) : **GBP 1 980** – Londres, 18 oct. 1990 : *Les reines-marguerites dans un vase bleu* 1944, h/t (64,8x49,5) : **GBP 2 200** – Tel-Aviv, 1er jan. 1991 : *Juif priant*, h/cart. (39,5x29,5) : **USD 3 300** – Londres, 25 sep. 1992 : *Nu avec une draperie*, h/t (113x86,5) : **GBP 3 410** – Tel-Aviv, 20 oct. 1992 : *Sarah et Gitel*, h/t (91,5x71) : **USD 11 000** – Londres, 12 mars 1992 : *Femme indienne debout vêtue d'un sari*, h/t (91,5x56) : **GBP 575** – Londres, 20 juil. 1994 : *Nature morte de roses jaunes et roses*, h/t/cart. (40,5x33) : **GBP 621**.

WOLNOUCHIN Serjéi Michaïlovitch

Né en 1859. xixe siècle. Russe.

Sculpteur.

Élève de l'École d'Art de Moscou. Il sculpta des monuments.

WOLNY Georg

xviiie siècle. Autrichien.

Peintre.

Élève de J. G. Etgens à Brunn. Il peignit deux tableaux d'autel dans le presbytère de l'église de Freiberg où il travailla de 1761 à 1776.

WOLONSKA, née **de Martin**

xixe siècle. Russe (?).

Peintre.

Elle fut élève de Redouté.

Ventes Publiques : Monaco, 18-19 juin 1992 : *Vase de fleurs*, aquar./vélin (45x34,5) : **FRF 22 200**.

WOLOSKOFF A. K.

Russe.

Peintre de marines.

Le Musée Roumianzeff, à Moscou, conserve de cet artiste : *La ville de Viborg, la nuit, vue de la mer.*

WOLOSKOFF Alexeï Jakoolévitch

Né en 1828. Mort en 1882. xixe siècle. Russe.

Peintre de paysages.

La Galerie Tretiakov, à Moscou, conserve de cet artiste *Le soir*.

WOLS, pseudonyme de **Schültze-Battmann Otto Alfred,** ou **Schülze-Battman,** ou encore **de Schültze Otto Alfred Wolfgang**

Né le 27 mai 1913 à Berlin. Mort le 1er septembre 1951 à Paris. xxe siècle. Depuis 1932 actif en France. Allemand.

Peintre à la gouache, aquarelliste, dessinateur, illustrateur, photographe, poète. Surréaliste, puis abstrait-informel, tachiste.

L'incertitude de son état-civil, selon les divers auteurs consultés, correspond au flou du personnage que l'on « rencontrait dans Saint-Germain-des-Prés, marchant à petits pas, appuyé sur une canne ; il avait la tête baissée, le regard fuyant, un front dégarni couronné de cheveux fous, et était littéralement *bourré* de drogue et d'alcool. À trente-cinq ans, il paraissait près du double de son âge » (Pierre Cabanne). Il était né dans une famille de juristes, originaire de Saxe, où l'on cultivait la musique. Né à Berlin, il fut élève à Dresde, ville natale de son père, qui y était chef de la Chancellerie de l'État de Saxe, depuis 1919 jusqu'à sa mort en 1929. Très doué, il réussissait en tout : poésie, dessin, mais peut-être surtout en musique ; il jouait de plusieurs instruments et d'abord du violon. Il semble établi qu'il abandonna le lycée à l'âge de dix-sept ans, qu'il s'initia à la photographie en 1931 avec Genja Jonas. En 1932, il alla à Francfort, où il fut élève du célèbre ethnologue de l'époque Frobenius, très discuté par la suite, à l'Institut d'Études Africaines. La même année, il fut élève pendant quelques mois du Bauhaus à Berlin, y connaissant Gropius, Mies Van der Rohe et Moholy-Nagy, ce dernier lui donnant des lettres de recommandation pour Léger et Ozenfant. Il fit donc un premier séjour à Paris en 1932. Il y rencontra Max Ernst, Tristan Tzara, Miró, Calder, auquel il aurait donné des leçons d'allemand, et Grety qui deviendra sa femme. Ayant depuis l'enfance pratiqué la photographie, il en fit son métier, tout en commençant à peindre ses premières aquarelles. En 1933, il fit un voyage en Espagne (Barcelone, Majorque, Ibiza) dans le but d'en rapporter des photographies, qui seront montrées à son retour à Paris. Il retournera en Espagne l'année suivante. En 1935, il fit trois mois de prison pour son refus de se soumettre au service militaire allemand. Il fut de retour en France en 1936. Il continuera de vivre de son métier de photographe jusqu'en 1939. En 1937, il était photographe officiel à l'Exposition Internationale de Paris, pour le Pavillon de l'Élégance et de la Parure, et prit le pseudonyme de Wols, Wol de Wolfgang et le S de Schultze. La peinture n'était alors dans sa vie que l'une des possibilités dont il disposait pour s'exprimer. Les rencontres dont il avait bénéficié jeune, soit au Bauhaus, soit lors de son premier séjour à Paris, le faisaient évoluer, dans ses premiers essais, du surréalisme à un expressionnisme fantastique, de Miró et Ernst à Kokoschka, Otto Dix, Georg Grosz, Paul Klee. En tant que ressortissant allemand, il fut placé dans un camp d'internement civil, à la déclaration de guerre de 1939. Quand il en fut libéré en 1940, il prit la décision de n'être plus que peintre. Il se réfugia d'abord à Cassis. Il chercha en 1941 à émigrer aux États-Unis et confia une centaine d'aquarelles à l'écrivain Kay Boyle afin de les montrer dans ce pays, ayant droit à une exposition l'année suivante à New York. Il réfugia ensuite à Dieulefit, où Henri-Pierre Roché le prit sous sa protection, lui achetant une cinquantaine de gouaches. Henri-Pierre Roché, l'auteur de *Jules et Jim*, aura été, sans que cela se sache trop, un étonnant découvreur pour la plupart des jeunes peintres qui devaient participer à l'ensemble de l'aventure de l'art abstrait, depuis la première génération des années dix, jusqu'à l'apparition de l'abstraction lyrique et de l'informel. À partir de 1942, l'amitié d'Henri-Pierre Roché ne devait plus se relâcher envers Wols. C'est au cours de l'année 1943 qu'il devint véritablement dépendant de l'alcool, ruinant sa santé. En 1945, il regagna Paris, se fixa en 1951 à Champigny-sur-Marne. Pour autant qu'il ne lui fût pas indifférent, Wols ne profita pas de son succès. Il mourut cette même année d'une intoxication alimentaire achevant un organisme usé.

Il a participé à des expositions collectives, dont : 1947, Salon des Réalités Nouvelles, Paris ; 1947, *L'Imaginaire*, galerie du Luxembourg, Paris, exposition organisée par Georges Mathieu et Camille Bryen ; 1948, *H.W.P.S.M.T.B.*, pour Hartung, Wols, Picabia, Stahly, Mathieu, Tapié, Bryen, galerie Colette Allendy, Paris ; 1948, *White and Black*, galerie Deux-Îles, Paris ; 1949, galerie René Drouin, Paris ; 1951, *Véhémences confrontées*, galerie Nina Dausset, œuvres de Bryen, Capogrossi, De Kooning, Hartung, Mathieu, Pollock, Riopelle, Russell, Wols, présentées par Michel Tapié ; 1952, *Un art autre*, Studio Facchetti, Paris ; 1958, rétrospective couvrant la période 1946 à 1951, XXIXe Biennale de Venise, année où le grand public découvrit sa dimension véritable. Depuis sa mort : 1981, *Paris-Paris*, Centre Georges Pompidou, Paris ; 1985, *German Art in the 20th Century*, Royal Academy, Londres ; 1985, Goethe-Institut, Londres ; *Les années cinquante*, Musée National d'Art Moderne, Paris ; 1997, *Des peintres au Camp des Milles, septembre 1939-été1941*, galerie Espace 13, Aix-en-Provence.

De son vivant, il a montré quelques expositions personnelles de ses œuvres, parmi lesquelles : 1937, (photographies), galerie de la Pléiade, Paris ; 1942 (aquarelles), Betty Parsons Gallery, New York ; 1945 (aquarelles et dessins), galerie René Drouin, Paris ; 1947 (quarante peintures), galerie René Drouin, Paris ; 1949 galerie del Milione, Milan ; 1950 Hugo Gallery, New York. Plusieurs expositions posthumes : 1952 *Wols*, galerie Nina Dausset, Paris ; 1957 galerie René Drouin, Paris ; 1958 galerie Claude Bernard, Paris ; 1973 rétrospective, Galerie Nationale de Berlin, puis Musée d'Art Moderne de la Ville de Paris ; 1988 grande rétrospective, Kunsthaus de Zurich et Kunstsammlung Nordrhein-Westfalen de Düsseldorf.

Une grande partie des œuvres que Wols a réalisées avant 1939 été détruite. Il exécuta, entre 1937 et 1939, des aquarelles proches du style de Tanguy vers 1927-1928, d'Ernst vers 1935 et de Brauner vers 1932. Parmi elles, citons : *Mademoiselle Docteur* vers 1937-1939, *Formes imaginaires* vers 1939-1940, *Banjo* vers 1939-1940. Concernant son œuvre d'avant 1940, Pierre Restany parle de « notations fouillées, précises, d'un expressionnisme anecdotique et caricatural » décrivant soit des « monstres tortionnaires », soit de la « vermine grouillante, directement évocatrice de Lautréamont ». Il est clair que ce fut pendant le séjour à Cassis, au sortir du camp d'internement, que Wols prit conscience et possession de ses nouveaux moyens d'expression graphique, correspondant d'ailleurs aux sensations qu'il avait désormais à traduire, et dont il serait vain de dissimuler qu'elles étaient liées aux excitants dont il usait. Sur cette période de Cassis, Wols a écrit lui-même un poème, plus explicite que n'importe quel autre commentaire : « À Cassis les pierres, les poissons – les rochers vus à la loupe – le sel de la mer et le ciel – m'ont fait oublier l'importance humaine – m'ont invité à tourner le dos – au chaos de nos agissements – m'ont montré l'éternité – dans les petites vagues du port – qui se répètent – sans se répéter... », ajoutant dans ce même poème : « Il faut savoir que tout rime », phrase à laquelle Herbert Read ajoute : « Les formes que crée l'artiste tirent leur signification du fait qu'elles ont leur écho dans le cosmos, dans la structure des métaux, des fibres, des tissus organiques, dans les schémas de diffraction électronique, dans les modulations de fréquence, dans les ondes d'explosions... »

Après la période de Cassis, où il découvrit l'essentiel de sa technique, de son vocabulaire et de sa poétique, pendant les dernières années de la guerre, jusqu'en 1945, il poursuivit en alternance, plusieurs séries d'aquarelles et de dessins. Celles, à partir de 1941, des *Têtes*, ou lorsqu'elles ne sont pas reconnaissables, des cellules organiques : *Le Nasobem (la tête de Janus)* vers 1943, *Crâne de Poète* vers 1944. Il inventait alors des créatures un peu monstrueuses, germination de foules de personnages enracinés, semblant souvent se livrer à des ébats érotiques, thème véhément dans son écriture comme dans sa représentation ; il est encore lié aux influences expressionnistes des années de jeunesse. Il réalisa d'autres séries d'aquarelles, notamment celle des animaux de mer (*Le poisson* vers 1944, *Les Mollusques* vers 1944), celle des *Bois Rouges*, ou encore une série de compositions abstraites sur fond clair vers 1945-1946, de même qu'une série sur les bateaux, et enfin une série sur les villes. Cette dernière développant le thème des paysages de villes imaginaires proliférantes est une sorte de poésie directement liée aux moyens graphiques, prolongeant l'écho de l'admiration que Wols avait pour Klee.

Plus que les thèmes, c'est l'écriture picturale de Wols qui est en train de devenir son propre objet : caractéristique de la myopie intériorisée provoquée par les drogues, c'est une accumulation sans fin de minuscules traits, qui se prolongent les uns les autres, se répètent, se doublent, s'ajoutent, deviennent des milliers, couvrant de leurs minuscules pattes de mouche l'espace de la feuille, accrochant ou non des significations au passage : fenêtres, maisons, villes, ou bien petits monstres se déchirant entre eux, ou bien sortes d'insectes inquiétants, ou bien, de plus en plus souvent, rien d'autre que ces traits proliférant pour eux-mêmes, créant une sorte de nouvel « espace-matière », car c'est bien de cela qu'il s'agit dans l'apport de Wols à ce moment-là : après l'espace réversible des cubistes ; après l'espace-couleur de l'abstraction constructiviste ; après l'espace-temps des gestuels ; avec l'écriture de Wols apparaît une nouvelle forme d'extension spatiale « informelle », que l'on peut appeler « espace-matière ». C'est cette écriture que Wols développera désormais jusqu'à sa mort, y ajoutant de délicates couleurs aquarellées, puis la traitant à l'huile à partir de 1946, écriture se détachant toujours plus de toute représentation, même fortuite, au bénéfice de la seule constitution d'un espace concret, fait du réseau serré de milliers d'éléments modulaires, comme alvéolaires, créant une sorte de vide solide, tel cet air pâteux que l'on respire et qui étouffe au profond de certains cauchemars. De nouveau à Paris à partir de 1945, il ne vivait que dans de petites chambres d'hôtel, souvent couché, où il travaillait sans matériel spécial, entouré de neuf petits instruments de musique sur lesquels il jouait en général du Bach, sa femme confectionnant des chapeaux pour assurer leur subsistance. Ce fut encore Henri-Pierre Roché qui le mit en contact avec René Drouin, qui organisa son exposition de 1945, qui ne trouva guère d'audience. Par contre, lorsque Drouin organisa sa deuxième exposition, des peintures à l'huile cette fois, le 23 mai 1947 il vint un visiteur, Georges Mathieu, qui devait largement contribuer à placer Wols sur la trajectoire qui allait et le faire connaître, et propager son influence. Mathieu écrivit à la suite de cette visite : « Wols a tout pulvérisé... Il vient d'anéantir à la fois Picasso, Kandinsky, Kirchner, Klee, en les dépassant en nouveauté, en violence, en raffinement... Avec cette exposition s'achève la dernière phase de l'évolution formelle de la peinture occidentale telle qu'elle s'est annoncée depuis soixante-dix ans, depuis la Renaissance, depuis dix siècles. » Ce fut peut-être à l'occasion de cette exposition que la critique prononça pour la première fois le mot de « taches ». Jusqu'alors, Wols, le solitaire qui avait écrit : « parmi tout ce qui se trouve sur terre, l'homme est ce qu'il y a de plus gênant », n'avait que peu d'amis : Camille Bryen, Antonin Artaud, Sartre, Simone de Beauvoir. Georges Mathieu va s'employer avec un remarquable esprit d'entreprise à réunir les jeunes artistes qui pratiquaient alors « une abstraction qui n'est pas enfermée dans les règles ou dans les dogmes », c'est-à-dire une abstraction opposée à l'académisme de l'abstraction géométrisante de tous les néoconstructivismes ; il fut l'instigateur de trois expositions regroupant, entre autres, Wols, Mathieu, Bryen : *L'Imaginaire* en 1947, *H.W.P.S.M.T.B.* en 1948, *White and Black* la même année. Ces groupes suscitent l'apparition de l'appellation « abstractivisme lyrique », qui devient rapidement « abstraction lyrique ». Mathieu toujours, qui avait découvert la nouvelle peinture américaine en 1946, organisa également, en 1947, une confrontation entre ces nouveaux peintres américains et les tenants de l'abstraction lyrique du groupe parisien : les Tobey, Pollock, De Kooning, Rothko, avec les Wols, Mathieu, Bryen, confrontation qui contribua à éclairer les affinités profondes entre les deux courants, dans la pratique de l'écriture automatique en peinture, et surtout dans l'élaboration, encore confusément formulée, d'un nouveau « tissu spatial » d'une densité perceptible par nos sens. Que ce nouveau tissu spatial se soit rapidement ensuite perverti dans les gracieusetés gratuites de l'envahissement tachiste, ne doit rien ôter de l'importance historique des découvreurs, ni de la teneur poétique de leur œuvre. L'audience de Wols s'est alors assez sensiblement améliorée. Ce fut à ce moment qu'il commença l'illustration d'ouvrages de Sartre (*Visages*, 1948 ; *Nourritures*, 1949), Kafka (*L'Invité des morts*, 1948), Jean Paulhan (*La Bergère d'Écosse*, 1948 ; *Poèmes chinois traduits*), René de Solier (*Naturelles*, 1948), Antonin Artaud (*Le Théâtre de Séraphin*), Camille Bryen (*Bâleine-Ville*, 1949). A propos de l'apport nouveau de l'écriture plastique de Wols dans ces années de l'immédiat après-guerre, on a évoqué le climat « existentialiste » qui régnait alors sur Paris. Mise à part l'amitié de Wols et de Sartre, si l'on entend là l'existentialisme de Saint-Germain-des-Prés, c'est-à-dire une folie générale d'exister consécutive à la fin de la guerre, alors l'imagination visionnaire et hallucinée de Wols faisait bien partie de ce contexte ; mais si, plus sérieusement, on entend par existentialisme ce courant de pensée d'origine hégelienne et introduit en France par Sartre, selon lequel « l'existence précède l'essence » et l'urgence vitale n'a plus à se fonder sur une réflexion ontologique, alors les imaginations torturées de Wols n'ont pas grand-chose à voir là. Il n'empêche que Sartre a écrit superbement sur ces peintures, existentielles ou non : « des substances innombrables et rigoureusement individuées, qui ne symbolisent rien ni personne et semblent appartenir simultanément aux trois règnes de la nature, ou peut-être à un quatrième ignoré jusqu'ici ».

Michel Tapié a très bien défini, techniquement, Wols, en tant que « catalyseur d'une non-figuration lyrique, explosive, antigéométrique, informelle ». Pierre Restany l'a également bien cerné, historiquement : « À la jonction de l'expressionnisme et du surréalisme, le grand apport de Wols réside dans la synthèse qu'il a opérée entre des éléments aussi disparates... Il s'est servi de la leçon de Klee pour réaliser l'intégration de la matière au-delà de l'écriture et de la notation de détail. » Pourtant, il manque une dimension à ces définitions, précisément celle de l'intériorité du processus fatal ; Camille Bryen dit : « Comme l'écriture d'un homme – peuplé par l'unité du monde – qui joue dans la chair de sa vie ; » le plus important, ce n'est pas de savoir comment, ni quand, mais ce qu'il a vu, celui qui disait : « Voir, c'est fermer les yeux... À chaque instant, dans chaque chose, l'éternité est là. »

■ Jacques Busse

WOLS

Bibliogr. : Camille Bryen, Henri-Pierre Roché : *Wols*, catalogue d'exposition, Galerie René Drouin, Paris, 1945 – René Guilly : *Wols*, catalogue d'exposition, Gal. René Drouin, Paris, 1947 – Pierre Restany, in : *Les peintres contemporains*, Mazenod, Paris, 1964 – *Wols*, catalogue d'exposition, Kunstverein, Frankfurt-am-Main, 1965 – Michel Ragon : *Vingt-cinq ans d'art vivant*, Casterman, Paris, 1969 – Pierre Cabanne, Pierre Restany : *L'avant-garde au* xx*e siècle*, Balland, Paris, 1969 – Michel Seuphor, Michel Ragon : *La peinture abstraite*, Maeght, Paris, 1972-1974 – *Wols*, catalogue d'exposition, Kunsthaus, Zurich, 1988-1989 – Wols : *Aphorismes*, Éditions du Nyctalope, Amiens, 1989 – Lydia Harambourg, in : *L'École de Paris 1945-1965. Diction. des Peintres*, Ides et Calendes, Neuchâtel, 1993 – *Des peintres au Camp des Milles, septembre 1939-été 1941*, catalogue d'exposition, galerie Espace 13, Aix-en-Provence, Actes Sud, Arles, 1997.

Musées : Aix-la-Chapelle (Svermondt-Ludwig Mus. der Stadt) : *Les visages du camp* 1942 – Berlin (Nat. Gal.) : *Composition jaune* vers 1947 – *Peinture* vers 1947 – Cologne (Mus. Ludwig) : *La Tapisserie* vers 1947 – Essen (Mus. Folkwang) : *Regard halluciné* vers 1947 – Houston (Menil coll.) : *Sans titre* vers 1944 – *Sans titre* vers 1944-1945 – *Le Poisson* vers 1944 – *Oui, oui, oui* vers 1946-1947 – *Its all over* vers 1947 – *Manhattan* vers 1947 – *L'Oiseau* vers 1949 – Karlsruhe (Staatliche Kunsthalle) : *Composition en rouge* 1946 – Lyon – Milan (Pina. Breda) : *Composition IV* vers 1946 – Munich (Staatliches Graphische Sammlung) : *Show Boat* vers 1939-1940 – Munich (Staatsgalerie Mod. Kunst) : *Composition* vers 1946 – Münster (Westfälisches Landesmuseum für Kunst und Kulturgeschichte) : *Le Moulin à vent* 1951 – New York (Mus. of Mod. Art) : *Voile de Véronique* 1946-1947 – Paris (Mus. Nat. d'Art Mod.) : *Composition* vers 1944 – *L'Aile de Papillon* vers 1946-1947 – *La Grenade Bleue* vers 1948-1949 – Paris (Mus. d'Art Mod. de la Ville de Paris) – São Paulo (Mus. de Arte) : *Harmonie en rouge-blanc-noir* 1947 – Sukura (Kawamura Memorial Mus. of Art) : *Circuit fermé* vers 1948-1949 – Troyes (Mus. d'Art Mod.) : *Sans titre* 1945 – Zurich (Kunsthaus) : *Le Bateau ivre* vers 1951.

Ventes Publiques : Paris, 23 avr. 1947 : *Composition*, aquar. : **FRF 3 000** – Paris, 5 déc. 1949 : *Composition*, gche : **FRF 2 500** – Paris, 29 mars 1960 : *La ville*, aquar. : **FRF 4 500** – Milan, 21 nov. 1961 : *Le Rêve*, aquar. : **ITL 1 150 000** – Paris, 2 déc. 1963 : *La Ville*, aquar. : **FRF 5 700** – Cologne, 26 mai 1964 : *Composition*, aquar. : **DEM 5 000** – Milan, 25 nov. 1965 : *La Ville*, aquar. : **ITL 3 400 000** – Berne, 11 juin 1966 : *Banjo*, aquar. : **CHF 14 500** – Genève, 11 nov. 1967 : *Illumination*, aquar. : **CHF 11 000** – Londres, 29 nov. 1967 : *Composition* : **GBP 800** – Genève, 19 nov. 1968 : *Voilier courage*, aquar. : **CHF 15 000** – Versailles, 16 mars 1969 : *Composition mécanique*, aquar. : **FRF 10 100** – Berne, 19 juin 1970 : *La Ville*, aquar. : **CHF 27 500** – Versailles, 29 nov. 1970 : *La Croix blanche* : **FRF 35 000** – Hambourg, 5 juin 1971 : *Le Pêcheur et sa femme*, aquar. : **DEM 20 000** – Milan, 28 oct. 1971 : *La Flèche* : **ITL 11 500** – Hambourg, 10 juin 1972 : *La Reine des grenouilles*, aquar. : **DEM 17 000** – Londres, 29 mars 1973 : *Composition* 1947 : **GBP 2 200** – Genève, 7 déc. 1973 : *Composition* 1937, aquar. : **CHF 34 000** – Londres, 2 déc. 1974 : *Ville mythique*, aquar. : **GNS 6 500** – Londres, 29 juin 1976 : *Regard halluciné* 1950, h/t (81x81) : **GBP 17 000** – Hambourg, 4 juin 1976 : *La Reine des grenouilles* 1942, encre de Chine et aquar. (24x17,3) : **DEM 26 000** – Milan, 9 nov. 1976 : *Racines* 1940, temp. et encre de Chine (24x15,5) : **ITL 4 400 000** – Hambourg, 4 juin 1977 : *Blanc et gris (3 motifs)* vers 1947, pl. et gche (18,3x14,2) : **DEM 9 500** – Berne, 9 juin 1977 : *Constructions hasardeuses* 1940, aquar. et gche/t. de pl. (34x26,8) : **CHF 24 000** – Hambourg, 4 juin 1977 : *Sans titre (l'Arbre)* 1946, h/t (40,2x32,5) : **DEM 100 000** – Berne, 22 juin 1979 : *Cœur* vers 1945, pointe sèche : **CHF 3 000** – Hambourg, 9 juin 1979 : *Amarylis suave* 1950, encre de Chine et aquar. (14,1x13,4) : **DEM 11 500** – Munich, 27 nov 1979 : *Personnage et animaux fabuleux*, aquar. et pl. (22,7x31,1) : **DEM 15 000** – Londres, 3 juil 1979 : *Nu* 1949, h/t (81x65) : **GBP 30 000** – Paris, 26 avr. 1982 : *Balcony* 1939, aquar. et encre de Chine (29x33) : **FRF 65 000** – New York, 20 mai 1982 :

Ni fleur, ni papillon 1942-1945, encre de Chine et aquar. (52x37) : **USD 6 000** – LONDRES, 27 mars 1984 : *Tête grotesque*, aquar. pl. et encre de Chine (18,5x12) : **GBP 19 000** – LONDRES, 27 mars 1984 : *Monstre dans la ville* 1932, pl. encre de Chine et aquar. (22x30,5) : **GBP 16 000** – LONDRES, 27 mars 1984 : *Vert strié noir rouge*, h/t (100,4x81) : **GBP 120 000** – LONDRES, 27 juin 1985 : *Voitures arlequines* 1944-1945, aquar. et pl. (13x17,8) : **GBP 12 000** – LONDRES, 31 mars 1987 : *Composition* vers 1945-1946, aquar. et pl./pap. (26,7x18,7) : **GBP 16 000** – PARIS, 22 juin 1988 : *Composition rouge*, aquar./traits de pl. (16x20) : **FRF 75 000** ; *Le Bateau*, aquar./traits de pl. (20x31) : **FRF 200 000** – LONDRES, 20 oct. 1988 : *On lui fait une radio* 1939, encre et aquar. (22,5x28) : **GBP 17 600** – LONDRES, 1er déc. 1988 : *Rêve de plumage*, gche, encre et aquar./ pap. (16,12,5) : **GBP 39 600** – PARIS, 15 fév. 1989 : *Composition fond gris*, dess. au lav., reh. de gche blanche (15x11,5) : **FRF 35 000** – PARIS, 13 avr. 1989 : *Composition*, aquar./traits de plumes (25,5x18,5) : **FRF 147 000** – PARIS, 21 nov. 1989 : *Composition*, pl. et aquar. (10,5x15,5) : **FRF 40 000** – STRASBOURG, 29 nov. 1989 : *Le Bateau*, dess. (50x65) : **FRF 24 000** – LONDRES, 22 fév. 1990 : *Sans titre*, aquar. et encre/pap. (11,5x20,5) : **GBP 50 600** – PARIS, 19 mars 1990 : *Vie jaillissante* 1948, gche (28x19) : **FRF 105 000** – PARIS, 30 mai 1990 : *La Ville*, dess. aquar. (27,5x19) : **FRF 122 000** – LONDRES, 28 juin 1990 : *Sans titre*, h/t (65x81) : **GBP 583 000** – LUCERNE, 24 nov. 1990 : *Constructions hasardeuses* 1940, aquar./vélin (34x26,8) : **CHF 88 000** – PARIS, 16 fév. 1992 : *Cité*, encre et aquar. (12x16,5) : **FRF 75 000** – LONDRES, 2 juil. 1992 : *Composition*, gche, aquar. et encre/pap. (29x19,5) : **GBP 14 300** – NEW YORK, 12 nov. 1992 : *Sans titre* 1940, aquar. et encre/pap./pap. (26,7x33) : **USD 39 600** – PARIS, 24 nov. 1992 : *Personnages* 1939, aquar. et encre de Chine/pap. (30x23) : **FRF 115 000** – PARIS, 11 juin 1993 : *Sans titre* 1943, encre de Chine et aquar. (26,5x18,5) : **FRF 130 000** – LONDRES, 3 déc. 1993 : *Le Cirque de météores*, encre de Chine, aquar., gche et grattage/ pap. imprimé (15,5x11,5) : **GBP 8 050** – PARIS, 3 déc. 1993 : *Baleine ville* 1945, eau-forte/vélin (29x22,5) : **FRF 43 000** – PARIS, 24 juin 1994 : *Le Tourbillon* 1947, h/t (41x32,5) : **FRF 425 000** – LONDRES, 30 juin 1994 : *Sans titre*, encre de Chine et aquar./pap. (14x10,5) : **GBP 26 450** – PARIS, 12 oct. 1994 : *Barrières rouges*, aquar. et encre (16x12,5) : **FRF 48 000** – LONDRES, 30 nov. 1995 : *Trois Météores*, aquar./pap. (15,3x11) : **GBP 28 750** – PARIS, 7 déc. 1995 : *Sans titre I*, aquar. et encre/pap. (25x17) : **FRF 51 000** – LONDRES, 27 juin 1996 : *Sans titre*, h/t (35x27) : **GBP 100 500** – LONDRES, 5 déc. 1996 : *Sans titre*, aquar./pap. (23,5x30) : **GBP 14 950** – ZURICH, 8 avr. 1997 : *Oreille* vers 1945, eau-forte (18x11,5) : **CHF 1 100** – LONDRES, 29 mai 1997 : *Le Mélomane* vers 1940-1941, encre et aquar./pap. (41x33) : **GBP 19 550** – PARIS, 29 avr. 1997 : *Composition* 1948, grav. aquarellée/pap. (14x8,5) : **FRF 25 000** – PARIS, 4 oct. 1997 : *Faisceau noir* 1949, aquar. et encre/pap./cart. (24,5x15) : **FRF 50 000**.

WOLSCHOT Hendrik ou **Wolschodt**
XVIIe siècle. Actif à La Haye en 1664. Hollandais.
Sculpteur.

WOLSELEY Garnet Ruskin
Né le 24 mai 1884 à Londres. XXe siècle. Britannique.
Peintre de portraits, architectures, fleurs.
Il a été élève de la Slade School.
MUSÉES : LOUISVILLE : *Bygone Sussex*.
VENTES PUBLIQUES : LONDRES, 13 fév. 1991 : *Un endroit au soleil*, h/t (61x51) : **GBP 7 260**.

WOLSER Thomas
XIVe-XVe siècles. Autrichien.
Peintre.
Il a peint une fresque sur la façade de l'église Saint-Nicolas de Meran.

WOLSKI Stanislaw Polian
Né le 8 avril 1859 à Varsovie. Mort le 2 mai 1894 à Varsovie. XIXe siècle. Polonais.
Peintre d'histoire, batailles, sujets de genre.
Il fut élève de W. Gerson à Varsovie et de l'Académie des Beaux-Arts de Munich. Il peignit des scènes des guerres napoléoniennes et des scènes du cirque.
VENTES PUBLIQUES : NEW YORK, 28 mai 1981 : *Promenade en troïka* 1882, h/t (71x35) : **USD 5 500** – NEW YORK, 25 fév. 1988 : *Chute de la troïka*, h/t (60,3x87) : **USD 6 600** – SAINT-DIÉ, 15 oct. 1989 : *Troïkas dans la neige*, h/t, deux pendants (18,5x32) : **FRF 17 500**.

WOLSKI Xawery
XXe siècle. Actif en France. Polonais.
Sculpteur.
Il a étudié à l'Académie des Beaux-Arts de Varsovie, puis à celle de Cracovie, et à l'École des Beaux-Arts de Paris. En 1985, il séjourne à Carrare pour y étudier le marbre. Il a montré une première exposition personnelle de ses œuvres *Parcours privés*, en 1992, à la galerie Boulakia à Paris.
Ses sculptures sont fondées sur le principe de répétition, voire de l'envahissement, dont les éléments, posés sur le sol, tels ces maillons de chaîne ou ces croix, s'emboîtent. Des modules de formes diverses réalisés en terre cuite teintée avec des oxydes de métaux donnent une couleur sombre, parfois noire à la masse ainsi formée.
BIBLIOGR. : In : *Dossier Pologne*, *Art Press* n° 168, Paris, avril 1992.

WOLSTENHOLME Dean, l'Ancien
Né en 1757 dans le Yorkshire. Mort en 1837. XVIIIe-XIXe siècles. Britannique.
Peintre de scènes de chasse, sujets de sport, animaux.
Il exposa à Londres, notamment à la Royal Academy de 1803 à 1824.
MUSÉES : WORCESTER, États-Unis : *Scène de chasse*.
VENTES PUBLIQUES : LONDRES, 12 mai 1927 : *William Dean* : **GBP 380** – LONDRES, 23 nov. 1928 : *Pêche à la truite* ; *Chasse au faisan*, ensemble : **GBP 945** – LONDRES, 14 déc. 1928 : *Chasse au renard* : **GBP 630** – LONDRES, 7 juin 1929 : *John Ward à cheval* : **GBP 525** – LONDRES, 26 juin 1929 : *Sujet de chasse* : **GBP 340** – LONDRES, 13 mai 1931 : *Chasse au renard : le départ, la découverte, la chasse*, ensemble : **GBP 2 000** – LONDRES, 30 mai 1947 : *Chasse dans l'Essex* : **GBP 546** – LONDRES, 20 juil. 1951 : *Chasse à courre* : **GBP 525** – LONDRES, 20 nov. 1963 : *Suite de quatre toiles représentant des moments de chasse* : **GBP 1 200** – LONDRES, 31 mars 1976 : *Chasseur et ses deux chiens dans un paysage*, h/t (51x61) : **GBP 1 700** – LONDRES, 23 juin 1978 : *Scène de chasse*, h/t (47,6x59) : **GBP 1 000** – NEW YORK, 12 janv 1979 : *Le Rendez-vous de chasse*, h/t (51x61) : **USD 4 500** – LONDRES, 9 déc. 1981 : *Le Rendez-vous* 1816, h/t (85x115) : **GBP 15 000** – NEW YORK, 10 juin 1983 : *The Essex hounds at High Easter, Great Dunmow, Essex*, h/t (76x104) : **USD 20 000** – LONDRES, 20 nov. 1985 : *The Oxford coach changing horses at the Bell Inn*, h/t (65x87,5) : **GBP 13 000** – LONDRES, 20 avr. 1990 : *La chasse au faisan, à la perdrix, au coq de bruyère, à la bécasse*, h/t, quatre tableaux (chaque 21,3x33) : **GBP 11 000** – LONDRES, 26 oct. 1990 : *Charbonnier et son tombereau de charbeau sur l'embarcadère* 1819, h/t (63,3x87,6) : **GBP 4 400** – NEW YORK, 5 juin 1993 : *Scènes de chasse à courre*, h/t, une paire (chaque 30,5x40,6) : **USD 11 500** – LONDRES, 9 juil. 1997 : *Douze chiens dans un paysage, église et moulin en arrière-plan*, h/t (51,5x72) : **GBP 14 950**.

WOLSTENHOLME Dean ou **Charles Dean**, le Jeune
Né en 1798 à Waltham Abbey. Mort en 1882 ou 1883. XIXe siècle. Britannique.
Peintre de scènes de chasse, sujets de sport, graveur.
Fils de Wolstenholme l'Ancien, il fut probablement son élève. Il exposa à Londres de 1819 à 1859, notamment à la Royal Academy, à la British Institution et à Suffolk Street.
Il grava à la manière noire.
VENTES PUBLIQUES : NEW YORK, 28 oct. 1936 : *La reine Elizabeth partant à la chasse* : **USD 800** – LONDRES, 23 nov. 1966 : *Les chevaux de relais* : **GBP 600** – LONDRES, 22 mars 1974 : *Scène de chasse* : **GNS 900** – LONDRES, 28 avr. 1976 : *Scènes de chasse*, deux toiles (49,5x79) : **GBP 4 000** – LONDRES, 24 juin 1977 : *Scène de chasse*, h/t (48,3x76,2) : **GBP 700** – LONDRES, 22 juin 1979 : *Scènes de chasse*, quatre h/pan. (35,5x47) : **GBP 5 000** – NEW YORK, 9 juin 1988 : *La diligence de Londres*, h/t (69,8x89,5) : **USD 6 050** – LONDRES, 14 fév. 1990 : *Un retrieur noir avec un faisan dans la gueule* 1831, h/t (48,2x66,1) : **GBP 2 200** – LONDRES, 31 oct. 1990 : *Le gué pour traverser la Ford près de Highgate*, h/t (23,5x44) : **GBP 1 100** – NEW YORK, 5 juin 1992 : *Partie de pêche aux brochets et aux perches*, h/pan. (40x56,5) : **USD 19 800** – NEW YORK, 5 juin 1993 : *Les chiens sur une piste* ; *Mise à mort*, h/t, une paire (22x29,8) : **USD 3 450** – LONDRES, 13 juil. 1993 : *Le pur-sang bai « Surplice », vainqueur du Derby en 1849, monté par son jockey*, h/t (35,7x45,8) : **GBP 2 760** – LONDRES, 12 nov. 1997 : *En selle* ; *La Ligne droite*, h/pan., une paire (chaque 13,5x16,5) : **GBP 9 200**.

WOLSZTAJN Willy
Né en 1949 à Ixelles (Bruxelles). XXe siècle. Belge.
Peintre, dessinateur, graveur, affichiste, peintre de compositions murales.
Il a été élève de l'Académie de Watermael-Boitsfort et de l'École

normale Charles-Buls à Bruxelles. Il a poursuivi sa formation à Belgrade en 1976-1977.
Bibliogr. : In : *Dictionnaire biographique illustré des artistes en Belgique depuis 1830*, Arto, Bruxelles, 1987.

WOLTER, dit **Maître Wolter**
XVIe siècle. Actif au début du XVIe siècle. Allemand.
Peintre et sculpteur sur bois.
Il a peint le maître-autel de l'église Saint-Godehard de Hildesheim. On lui attribue plusieurs statues se trouvant sur l'autel Saint-Benoît de la même église.

WOLTER Hendrik Jan
Né le 15 juillet 1873 à Amsterdam. Mort en 1952. XIXe-XXe siècles. Hollandais.
Peintre de figures, portraits, paysages, graveur.
Il a été élève de l'Académie d'Anvers.

Musées : Amsterdam – Anvers – Madrid – Rotterdam.
Ventes Publiques : Amsterdam, 15 nov. 1976 : *Nu couché*, h/t (70,3x92,8) : **NLG 5 200** – Amsterdam, 15 nov. 1976 : *Couple de paysans au marché d'Amesfoort*, aquar. (96x102) : **NLG 9 800** – Amsterdam, 1er nov. 1977 : *Scène de marché*, h/pan. (34,7x32,3) : **NLG 6 400** – Amsterdam, 24 avr 1979 : *Vue de Londres*, h/t (84,5x98,5) : **NLG 9 500** – Amsterdam, 2 mai 1984 : *Scène de canal, Venise*, h/cart. (23x33,5) : **NLG 4 200** – Amsterdam, 19 nov. 1985 : *Vue d'un port*, h/t (50x60,5) : **NLG 6 000** – Toronto, 30 nov. 1988 : *Matin brumeux à St-Ives en Cornouailles*, h/pan. (33,5x42) : **CAD 1 900** – Amsterdam, 10 avr. 1989 : *Port de pêche à marée basse* 1911, h/t (63,5x79) : **NLG 27 600** – Amsterdam, 25 avr. 1990 : *La lagune vénitienne* 1931, h/t (80x84) : **NLG 57 500** – New York, 22 mai 1990 : *Scène de marché à Amersfoort*, h/t (100x105,4) : **USD 24 200** – Amsterdam, 5 juin 1990 : *Le pont basculant*, h/t (64x88) : **NLG 19 550** – Amsterdam, 5-6 fév. 1991 : *Rokin vers le Dam à Amsterdam en hiver*, h/t (31x46) : **NLG 14 950** – Amsterdam, 24 avr. 1991 : *Vaisseaux recouverts de neige dans un port*, encre et aquar./pap. (15x16,5) : **NLG 1 495** – Londres, 17 mai 1991 : *Port de pêche à marée basse* 1911, h/t (65x81) : **GBP 4 400** – Amsterdam, 17 sep. 1991 : *Port d'Enkhuisen*, h/pan. (35x44) : **NLG 3 450** – Amsterdam, 14-15 avr. 1992 : *Une mare à Laren près de Hut Van Mi*, h/t (83,5x98) : **NLG 55 200** – Amsterdam, 20 avr. 1993 : *Barques échouées sur les berges de la rivière Lynn en Angleterre*, aquar. (38x58) : **NLG 2 300** – Amsterdam, 19 oct. 1993 : *Barques de pêche amarrées dans un port*, h/cart. (51x61) : **NLG 16 100** – Amsterdam, 31 mai 1994 : *Barques de pêche dans la baie de Polperro en Angleterre*, h/t (140x130) : **NLG 230 000** – Londres, 18 nov. 1994 : *Le long du canal*, fus. et past./cart. (75x63,5) : **GBP 2 530** – Amsterdam, 16 avr. 1996 : *Vieux pêcheur avec ses petits-enfants avec une crique à l'arrière-plan* 1935, h/t (180x104) : **NLG 21 240** – Amsterdam, 30 oct. 1996 : *À côté de la cheminée*, h/t (67x55) : **NLG 13 838** – Amsterdam, 17-18 déc. 1996 : *Vue du vieil arsenal* vers 1915-1916, h/t (66x91) : **NLG 94 400** – Amsterdam, 22 avr. 1997 : *Vue de la rivière Amstel sous la neige*, h/pan. (60x74) : **NLG 20 060** – Amsterdam, 1er déc. 1997 : *Bateaux de pêche au port*, h/t (31,5x45,5) : **NLG 15 930**.

WOLTERBEEK Anna Henriette
Née le 1er octobre 1834 à Amsterdam. XIXe siècle. Hollandaise.
Paysagiste.
Élève de B. Wijnveld. Le Musée National d'Amsterdam conserve d'elle *Forêt vierge*.

WOLTERBEEK Pieter
Né vers 1790 à Amsterdam. Mort en 1864. XIXe siècle. Hollandais.
Paysagiste et aquarelliste.

WOLTERS Eugène
Né en 1844 à Venloo. XIXe siècle. Belge.
Peintre de sujets de genre, portraits, paysages, marines.
Il fut élève de l'Académie des Beaux-Arts d'Anvers, puis de Lamarinière.

Ventes Publiques : Paris, 1er juil. 1992 : *Marine* 1889, h/t (77x104) : **FRF 20 000** – Amsterdam, 20 avr. 1993 : *Le retour du jeune soldat* 1891, h/t (64x49) : **NLG 2 300**.

WOLTERS Henriette, née **Van Pee**
Née le 5 décembre 1692 à Amsterdam. Morte le 3 octobre 1741 à Amsterdam, ou à Haarlem. XVIIIe siècle. Hollandaise.
Peintre de miniatures.
Fille et élève de Theodorus Van Pee. Travailla aussi avec Jacques Christophe le Blond. Elle fut bientôt célèbre et peignit des miniatures pour les plus riches familles d'Amsterdam. En 1719, elle épousa le peintre Herman Wolters. Le tzar Pierre le Grand et le roi Frédéric Guillaume de Prusse tentèrent vainement de la faire venir à leur cour. On a gravé d'après elle : *Hermann Schyn, médecin anabaptiste*, par J.-C. Philips, ainsi que par J. Houbraken.
Musées : Amsterdam (Mus. Nat.) : *L'artiste* – *Le mari de l'artiste* – Leyde : *L'artiste*, deux fois.

WOLTERS Herman
Né le 9 janvier 1682 à Zwolle. Mort en 1755 ou 1756. XVIIIe siècle. Hollandais.
Peintre de portraits.
Il épousa la miniaturiste Henriette Van Pee et l'aida quelquefois dans ses travaux, notamment dans les draperies. Le Musée National d'Amsterdam conserve de lui *L'artiste* et *La femme de l'artiste*.

WOLTERS Van VELP Willem. Voir **WOUTERS Van Velp**

WOLTRECK Franz
Né le 20 août 1800 à Zerbst. Mort le 5 décembre 1847 à Dessau. XIXe siècle. Allemand.
Sculpteur de bustes, médaillons.
Il fut élève de l'Académie des Beaux-Arts de Kassel et de Werner Henschel, puis de David d'Angers à Paris.
Il sculpta surtout des bustes et des médaillons de contemporains célèbres.
Musées : Anhalt : *Buste du peintre Joh. Christian Reinhart* – *Buste du philosophe Franz Baader* – Versailles : *Buste de Jean de La Quintinie*, plâtre – Zerbst : *Buste du botaniste Carl Sigismund Kunth* – *Buste d'A. Chr. Merlin de Thionville* – *Buste de Mazarin* – *Buste de Frederike Louise Wilhelmine-Amalie, duchesse d'Anhalt-Dessau* – *Buste du conseiller August von Rode* – *Buste du duc Heinrich d'Anhalt-Cöthen* – *Buste de l'architecte Fr. Ziebland* – *Buste de Samuel Hahnemann* – *Buste de Hans Memling*.
Ventes Publiques : New York, 19 jan. 1994 : *Buste de Samuel Hahnemann* 1854, bronze (H. 50,8) : **USD 2 645**.

WOLTZE Berthold
Né le 24 août 1829 à Havelberg. Mort le 28 novembre 1896 à Weimar. XIXe siècle. Allemand.
Peintre de scènes de genre, portraits, pastelliste.
Il fut élève de l'Académie des Beaux-Arts de Berlin. En 1854, il obtint une bourse de voyage pour Paris et Rome. Il reçut une mention honorable à Berlin en 1887. Il fut professeur à Weimar. Ses portraits au pastel étaient fort appréciés.

Musées : Chemnitz : *Insolvable* – Weimar : *Portrait du grand-duc Charles Alexandre de Saxe*.
Ventes Publiques : Cologne, 11 nov. 1964 : *Le pain d'épice* : **DEM 3 800** – Los Angeles, 6 nov. 1978 : *Un moment embarassant*, h/t (73,6x58,5) : **USD 6 500** – New York, 17 oct. 1991 : *Départ pour l'Amérique*, h/t (73,7x58,4) : **USD 13 200** – Londres, 16 juin 1993 : *Départ pour l'Amérique*, h/t (73,5x58,5) : **GBP 6 900**.

WOLUCKI Karol
Né vers 1750. Mort après 1783. XVIIIe siècle. Polonais.
Peintre de genre et portraitiste.
Vers 1810 on découvrit à Vienne un tableau de genre dans le style de l'école flamande signé : *pinxit Carolus Wolucki A. D. 1781*. Le tableau se trouve à Lemberg.

WOLUWE Jan Van
XIVe siècle. Actif en Flandres. Éc. flamande.
Peintre.
On considère ce primitif comme un des plus anciens artistes flamands. Il fut peintre de la cour du duc de Brabant et exécuta plusieurs travaux pour la duchesse vers 1378 et 1386, notamment un diptyque destiné à son oratoire. Il fut également enlumineur.

WOLVECAMP Théo
Né en 1925 à Hengelo. Mort en 1992. XXe siècle. Hollandais.
Peintre. Groupe Cobra.
Il fut élève de l'École d'Art d'Arnhem. Il vit à Amsterdam depuis

1947. En 1948, il prit part à la fondation du groupe *Cobra*, participant ensuite aux manifestations du groupe.
Il prend également part à de nombreuses expositions collectives, notamment *Phases 1*, à Paris en 1956 ; *Phases 2*, à Amsterdam en 1957 ; *Vitalita nell'Arte*, à Venise en 1959 ; etc. Le Stedelijk Museum Van Abbe d'Eindhoven lui a consacré une exposition particulière en 1962.
Comme plusieurs membres de Cobra, il met l'accent sur les éléments expressifs de son écriture, aussi bien en ce qui concerne le graphisme que la couleur toujours exacerbée. Bien que tendant souvent à l'abstraction, il part de thèmes concrets : enfants, animaux, oiseaux, paysages et arbres.

wolvecamp

Bibliogr. : B. Dorival, sous la direction de : *Peintres contemporains*, Mazenod, Paris, 1964 – in : *Dictionnaire de l'art moderne et contemporain*, Hazan, Paris, 1991.
Ventes Publiques : Amsterdam, 1er nov. 1977 : *Composition* 1955, h/t (90x95) : **NLG 3 800** – Amsterdam, 24 oct. 1983 : *Composition avec un animal* 1958-1959, h/t (85x70) : **NLG 7 000** – Londres, 25 fév. 1988 : *Sans titre*, h/t (24,1x29,3) : **GBP 880** – Copenhague, 8 fév. 1989 : *Composition* 1974-76, h/t (100x80) : **DKK 35 000** – Amsterdam, 10 avr. 1989 : *Composition* 1958, h/t (133,5x89) : **NLG 43 700** – Copenhague, 30 mai 1990 : *Composition*, lav. (15x20) : **DKK 3 500** – Amsterdam, 12 déc. 1990 : *Composition* 1969, h/t (135x149) : **NLG 23 000** – Amsterdam, 11 déc. 1991 : *Composition abstraite* 1954, h/t (155x100) : **NLG 17 250** – Amsterdam, 12 déc. 1991 : *Paysage en vert*, h/t (120x95) : **NLG 13 800** – Amsterdam, 10 déc. 1992 : *Composition abstraite*, h/t (50x40) : **NLG 17 250** – Amsterdam, 26 mai 1993 : *Sans titre*, h/t (150x200) : **NLG 18 400** ; *Sans titre*, h/t (205x150) : **NLG 20 700** – Copenhague, 3 nov. 1993 : *Composition* 1956, h/t (100x69) : **DKK 88 000** – Amsterdam, 31 mai 1994 : *Composition*, h/t (100x100) : **NLG 18 400** – Amsterdam, 6 déc. 1995 : *Composition n° 22* 1957, h/t (115x120) : **NLG 18 400** – Amsterdam, 10 déc. 1996 : *Sans titre*, h/t (200x175) : **NLG 19 604** – Amsterdam, 17-18 déc. 1996 : *Sans titre*, h/t (80x96) : **NLG 17 700**.

WOLVENS Henri Victor, pseudonyme de **Wolvenspergens**
Né le 6 juin 1896 à Bruxelles. Mort le 31 janvier 1977 à Bruxelles. xxe siècle. Belge.
Peintre de figures, intérieurs, paysages, graveur, dessinateur. Réaliste, tendance expressionniste.
Il a étudié à l'Institut Saint-Luc de Bruxelles, puis fut élève d'Ottervaere à l'Académie de Saint-Josse, puis de nouveau à Bruxelles à l'Académie Royale. Il a également fréquenté l'atelier libre du groupe *Labor*. Il fut membre des *Compagnons des Arts*. Il a commencé à exposer à partir de 1925. Un ensemble de ses œuvres a été montré en 1995 au Centre Xavier Battini à l'Isle-sur-la-Sorgue.
Il débuta en peignant les thèmes de la vie populaire. Un intense sentiment de mélancolie imprègne ses premières toiles, sentiment qui se dissipe ensuite. Il use à l'époque de lourdes pâtes amoncelées. Libéré de cette période de lourde tristesse où les masses anguleuses de couleurs sombres s'entrechoquaient, il débouche en pleine clarté. Tout n'est ensuite que vie triomphante, lumière irradiante. Wolvens est un des représentants majeurs de l'animisme : réalisme doublé de spiritualisme qui visait également à une synthèse de l'impressionnisme et de l'expression. Il a exercé à ce titre une certaine influence. Peintre de figures, d'intérieurs, de paysages, il décrit souvent les choses humbles, voire banales : une petite gare, un passage à niveau, la banlieue, un bout de digue ou un morceau de plage belge. Il a montré une délectation à peindre la Mer du Nord, vue du haut de dunes en plein été. Il a réalisé un album de trente dessins, *Mer du Nord*, avec des poèmes de Maurice Carême.

H. V. Wolvens

Bibliogr. : G. Marlier : *H. V. Wolvens*, Arcade-Séquoia, 1964 – Denijs Peeters : *Henri Victor Wolvens*, Anvers, 1977.
Musées : Anvers – Bruges – Bruxelles – Ostende.
Ventes Publiques : Anvers, 13 et 15 oct. 1964 : *Cerisiers en fleurs* : **BEF 70 000** – Anvers, 5 oct. 1965 : *Le palais des Thermes à Ostende* : **BEF 70 000** – Anvers, 23 avr. 1969 : *Plage* : **BEF 65 000** – Londres, 12 nov. 1970 : *Les promeneurs* : **GBP 1 200** – Anvers, 27 avr. 1971 : *Grande plage* : **BEF 70 000** – Anvers, 19 avr. 1972 : *Vue d'une gare* : **BEF 100 000** – Anvers, 3 avr. 1973 : *Restaurant multicolore* 1962 : **BEF 150 000** – Anvers, 2 avr. 1974 : *Saint-Cloud*, aquar. : **BEF 80 000** – Lokeren, 9 nov. 1974 : *Les cabines sur la plage* 1969 : **BEF 160 000** – Anvers, 7 avr. 1976 : *Station en Flandres* 1962, h/t (80x100) : **BEF 140 000** – Anvers, 7 avr. 1976 : *Nature morte* 1966, aquar. (72x109) : **BEF 85 000** – Breda, 26 avr. 1977 : *La grande maison du coin*, h/t (100x150) : **NLG 7 500** – Anvers, 18 avr. 1978 : *Le petit déjeuner* 1959, aquar. (54x73) : **BEF 54 000** – Bruxelles, 13 juin 1979 : *La panne* 1966, h/t (80x120) : **BEF 310 000** – Bruxelles, 19 mars 1980 : *Vase de fleurs*, aquar. (64x49) : **BEF 60 000** – Bruxelles, 25 mars 1981 : *La Plage* 1957, h/pan. (60x100) : **BEF 280 000** – Anvers, 25 oct. 1983 : *Fleurs*, gche (64x50) : **BEF 70 000** – Anvers, 23 oct. 1984 : *Le palais des thermes à Ostende* 1954, h/pan. (107x121) : **BEF 320 000** – Lokeren, 1er juin 1985 : *Terrasse dans le parc de Saint-Cloud* 1960, aquar. (56x72) : **BEF 95 000** – Lokeren, 28 mai 1988 : *Le kiosque* 1974, h/t (70x100) : **BEF 300 000** – Lokeren, 8 oct. 1988 : *Le voilier blanc*, h/pan. (40x60) : **BEF 200 000** – Londres, 19 oct. 1989 : *Paysage aux arbres en fleurs*, h/t (99,1x61) : **GBP 3 850** – Lokeren, 21 mars 1992 : *La mer moutonneuse* 1962, h/t (60x80) : **BEF 330 000** – Lokeren, 23 mai 1992 : *Chez Siska* 1961, h/pan. (16x26,5) : **BEF 75 000** – Lokeren, 10 oct. 1992 : *La barrière du parc*, h/t (50x70) : **BEF 170 000** – Lokeren, 15 mai 1993 : *Nature morte (recto) ; Nu (verso)* : **BEF 300 000** – Lokeren, 9 oct. 1993 : *Intérieur avec une coupe de fruits* 1934, h/t (75x60) : **BEF 330 000** – Lokeren, 4 déc. 1993 : *Port de plaisance* 1957, h/t (115x140) : **BEF 700 000** – Lokeren, 10 déc. 1994 : *Pont sur une rivière* 1945, h/t (60x100) : **BEF 550 000** – Lokeren, 20 mai 1995 : *La grande terrasse au Zoute* 1963, h/t (100x150) : **BEF 800 000** – Lokeren, 18 mai 1996 : *Vue en ville*, h/t (40x50) : **BEF 70 000** ; *La Passerelle à Blankenberge*, h/t (60x80) : **BEF 240 000** – Lokeren, 7 déc. 1996 : *Cabines de plage* 1962, h/t (55x78) : **BEF 330 000**.

WOMRATH Andrew Kay
Né le 25 octobre 1869 à Frankford. xixe siècle. Américain.
Peintre et illustrateur.
Élève de l'Académie de New York et de L. O. Merson à Paris. Il travailla à Menton.

WONDER Pieter Christoffel ou **Cornelis**
Né le 10 janvier 1780 à Utrecht. Mort le 12 juillet 1852 à Amsterdam. xixe siècle. Hollandais.
Peintre de scènes de genre, portraits, intérieurs, graveur, dessinateur.
De 1802 à 1804, il étudia à l'Académie des Beaux-Arts de Düsseldorf. Il vint à Londres et y travailla de 1823 à 1831, exposant, notamment des tableaux de genre, à la Royal Academy et à la British Institution. Il revint en Hollande, s'établit à Amsterdam et y fut membre de l'Académie.
Ses œuvres sont surtout des portraits, des groupes de famille, des conversations. On lui doit aussi des dessins et des eaux-fortes.

P.C.W.F. P.C.W.F.
P. C. W. f 1814

Musées : Amsterdam : *Le Temps* – Dordrecht : *Les peintres Abraham et Jacob Van Strij* – La Haye (Mus. mun.) : *Joueurs de tric-trac* – Londres (Nat. Portrait Gal.) : *Administrateurs et amateurs d'art sous le règne de George IV*, quatre groupes – Utrecht : *L'artiste* – *J. Kobell* – *Mlle Suerman* – *La cuisinière* – *La marchande de poisson*.
Ventes Publiques : Anvers, 1853 : *La marchande de pommes, effet de lumière* : **FRF 30** – Liège, 1863 : *La marchande de crêpes* : **FRF 620** – Londres, 23 mars 1984 : *Trois jeunes femmes dans un salon*, h/t (70x89,5) : **GBP 16 000** – Londres, 15 nov. 1995 : *Jeune femme arrosant un pot de fleurs sur sa fenêtre*, h/pan. (38x27) : **GBP 3 680** – Amsterdam, 11 nov. 1997 : *Portrait en buste d'un gentilhomme assis à une table et lisant un document*, h/pan. (11,9x10) : **NLG 3 459**.

WONDRA August
Né le 11 novembre 1857 à Darmstadt (Hesse). Mort le 18 février 1911. xixe-xxe siècles. Allemand.
Peintre, céramiste, orfèvre.

Il fut élève de Heinrich Hoffmann à Darmstadt.
Musées : Darmstadt : un paysage.

WONG Harold. Voir **HUANG ZHONGFANG**

WONG MOO-CHEW
Né en 1942 à Kuala-Lumpur (Malaisie). xxe siècle. Malais.
Peintre.
Il a étudié la peinture dans une école chinoise et fut boursier de l'École des Beaux-Arts de Paris, où il a fait ses études sous la direction de Singier.
Il fait preuve de finesse gestuelle, d'une fantaisie heureuse, d'un goût affirmé pour les couleurs et d'un sens bien équilibré du dessin.

WONSAM Anton. Voir **WOENSAM**

WONSETLER John Charles
Né le 25 août 1900 à Camden. xxe siècle. Américain.
Peintre, enlumineur, peintre de compositions murales.
Il a été élève de Thornton Oakley. Il vivait et travaillait à Philadelphie.
Il exécuta des peintures murales pour plusieurs bâtiments publics et des hôtels des États-Unis.

WONSIEDLER Alexander Josef
Né le 18 décembre 1791 à Graz. Mort le 20 septembre 1858 à Graz. xixe siècle. Autrichien.
Peintre.
Élève de l'Académie de Vienne. Représentant des Nazaréens en Styrie. Il peignit un grand nombre de tableaux d'autel pour des églises de Styrie et de Hongrie.

WON SOU-YEOL
Née le 30 octobre 1949 à Sco Chejudo (Corée du Sud). xxe siècle. Depuis 1984 active en France. Coréenne.
Peintre, dessinatrice. Abstrait-lyrique.
De 1972 à 1980, elle fut élève du directeur artistique Lee Man-Ik à Séoul. De 1980 à 1984, elle étudia la langue et la littérature française, la culture européenne et l'esthétique à l'Université Sung Shing de Séoul. En 1984, elle fut sélectionnée pour devenir élève de l'École des Beaux-Arts de Dijon, où elle fut élève de l'artiste conceptuel Jaume et du peintre Jacques Busse, jusqu'en 1986 ; puis de l'École des Beaux-Arts de Cergy-Pontoise, où elle retrouva Xifra et fut élève du peintre Jean-Claude Silbermann, jusqu'à l'obtention de son diplôme en 1990.
Elle participe à des expositions collectives, dont : 1991 Paris, *Trois peintres*, Centre Culturel Coréen ; 1992, 1995 Paris, Salon des Réalités Nouvelles ; 1993, 1995 Paris, Salon de Mai ; 1993, 1994, 1995 Paris, Salon Grands et Jeunes d'Aujourd'hui ; 1994 Salon de Montrouge, et Salon de la Jeune Peinture ; 1995 Paris *Coréens de Paris*, galerie Aréa ; 1996 Séoul, galerie Y. D Bhak ; etc. Elle montre des ensembles de ses peintures dans des expositions personnelles : 1992 Paris, galerie Bernanos ; 1993 Rouen ; 1994 Paris, galerie Tenri ; 1995 Paris, galerie Pierre Michel D. ; 1996 Séoul, galerie Y D Bhak.
Au cours de sa formation, son intérêt se porta sur les œuvres de Franz Kline, Hans Hartung, Pierre Soulages, De Kooning. Dans ces débuts, en 1988, elle privilégiait les tons chauds, jaune, orangé, rouge ; en 1989, elle développait davantage les tons froids, vert et bleu. À partir de 1990, elle fut durablement attirée par le noir et le blanc, qu'elle expérimenta dans une technique de spontanéité gestuelle et dans des recherches de matières épaisses, recherchant les effets de craquelure, qui peuvent évoquer fractures sismiques et coulées de laves.

WONSOWICZ, Mme
xixe-xxe siècles. Polonaise.
Peintre.
Elle travaillait à la fin du xixe siècle et au commencement du xxe siècle. Elle cultiva un art complexe inspiré de l'art français.

WONTNER William Clarke
Mort vers 1922. xixe-xxe siècles. Britannique.
Peintre de portraits, scènes de genre.
Il exposa de 1879 à 1912. Il vivait et travaillait à Londres.
Ventes Publiques : Tokyo, 1er oct. 1969 : *Portraits de jeunes filles*, deux toiles : **JPY 2 000 000** – Londres, 26 juin 1974 : *Portrait de jeune femme* 1907 : **GNS 340** – Londres, 14 avr. 1976 : *Amine, beauté d'Orient* 1904, h/t (133x86,5) : **GBP 2 200** – Londres, 14 juin 1977 : *On the balcony* 1914, h/t (126x49,5) : **GBP 3 000** – Londres, 2 févr 1979 : *Une jeune bohémienne* 1921, h/t (61x51,2) : **GBP 2 600** – Londres, 23 mars 1981 : *Safie, l'une des Trois Dames de Bagdad* 1900, h/t (127x95) : **GBP 16 500** – Londres, 29 nov. 1985 : *Yasemeen, from the Arabian Nights* 1919, h/t (125,7x74,9) : **GBP 10 000** – New York, 21 mai 1987 : *The turban* 1925, h/t (63,5x51) : **USD 14 000** – New York, 1er mars 1990 : *Portrait de Maria*, h/t (64x53,4) : **USD 33 000** – Londres, 12 mai 1993 : *Portrait d'Olga*, h/t (63x53) : **GBP 897** – New York, 27 mai 1993 : *Portrait d'une jeune femme au châle brodé*, h/t (63,5x53,4) : **USD 46 000** – Londres, 11 juin 1993 : *Safie* 1900, h/t (127,5x96) : **GBP 73 000** – New York, 12 oct. 1994 : *La porte fermée* 1897, h/t (76,2x63,5) : **USD 74 000** – Londres, 4 juin 1997 : *Jouant du luth* 1905, h/t (87x69,5) : **GBP 12 075**.

WOOD A.
xixe siècle. Actif à Harewood au début du xixe siècle. Britannique.
Aquarelliste.
Le Musée de Leeds conserve de cet artiste trois aquarelles *(Un cottage à Harewood, Une ferme à Harewood, A Harewood)*.

WOOD Andrew
xvie siècle. Britannique.
Sculpteur sur bois.
Assistant de John Drummond au château de Stirling.

WOOD Béatrice
xxe siècle. Américaine.
Dessinatrice, illustratrice.
Avant la guerre de 1914, elle avait étudié l'art dramatique à Paris. Elle passa ensuite une année en Italie avec Gordon Craig. De retour à New York, elle fit la connaissance d'Edgar Varèse, et par celui-ci de Marcel Duchamp. Avec Duchamp et Henri-Pierre Roché, elle fonda la revue *The Blind Man*, en 1917, et composa l'affiche *The Blindman's Ball*. Elle dessinait aussi, encouragée par Duchamp, et publia plusieurs de ses esquisses à tendance non objective dans la revue d'Allen Norton *Rogue*.
Bibliogr. : In : *Dada*, catalogue d'exposition, Mus. Nat. d'Art Mod., Paris, 1966.

WOOD Carlos C.
Né en 1792 à Liverpool. Mort en 1856. xixe siècle. Actif aux États-Unis, au Chili. Britannique.
Peintre de paysages, aquarelliste.
Il est né à Liverpool dans une famille de marins et fut très jeune attiré par l'art. En raison de démêlés avec la police, il dut émigrer à Boston où il travailla la peinture de paysages. Il ne devait alors probablement pas se prénommer Carlos. Il partit pour l'Amérique du Sud, participa à la campagne d'indépendance du Chili et s'y fixa. Il fut nommé professeur à l'Institut National de Santiago, en 1834, il créa les uniformes de l'armée et dessina les plans topographiques de Valparaiso. En 1852 il retourna en Angleterre.
Ventes Publiques : New York, 29 mai 1985 : *La bataille de Maypu* 1832, aquar. et encre brune reh. de blanc (39x57,2) : **USD 11 000** – New York, 17 mai 1994 : *Le port de Valparaiso*, aquar./pap. fort (39,2x55,4) : **USD 27 600**.

WOOD Catherine
xixe-xxe siècles. Britannique.
Peintre de paysages, paysages animés, natures mortes.
Elle épousa le peintre d'architectures et de paysages Richard Henry Wright en 1892. Elle peignit des vues d'Égypte, d'Italie, de Grèce et de Suisse.
Ventes Publiques : Londres, 26 oct 1979 : *The fly-fisherman's work-bench* 1910, h/t (37,5x45) : **GBP 950** – Londres, 9 juin 1994 : *Un intérieur*, h/t (42x28) : **GBP 5 175**.

WOOD Christopher
Né le 7 avril 1901 à Knowsley, près de Liverpool (Merseyside). Mort le 21 août 1930 à Londres, écrasé par un train en gare de Salisbury. xxe siècle. Britannique.
Peintre, décorateur de théâtre, créateur de costumes de ballets.
Il a été élève de l'Académie Julian à Paris en 1921. Il a rencontré Picasso en 1923. Il voyagea beaucoup en Europe et en Afrique du Nord, mais c'est en Bretagne, à partir de 1929, et en Cornouailles qu'il travaillait surtout. En Grande-Bretagne, c'est avec Ben Nicholson qu'il était très lié, sans que leurs peintures n'aient rien en commun.
Sa première exposition personnelle eut lieu à Londres, en 1927. Des expositions rétrospectives furent organisées en 1931, 1938, 1959.
Wood subit l'influence d'Henri Rousseau, de Matisse et d'Utrillo. Il peignait d'une manière presque naïve, surtout des scènes de la vie des ports de pêches et des bateaux. Diaghilev, sur la proposition de Picasso, lui avait demandé les décors et les costumes pour

un ballet *Roméo et Juliette*, qui ne fut jamais monté. Il travailla au décor du ballet *Luna Park*.

Christopher Wood

Bibliogr. : B. Dorival, sous la direction de... : *Peintres contemporains*, Mazenod, Paris, 1964 – in : *Dictionnaire universel de la peinture* t. VI, Le Robert, Paris, 1975.
Musées : Londres (Tate Gal.) – Paris (Mus. Nat. d'Art Mod.) : *Portrait de Max Jacob*.
Ventes Publiques : Londres, 4 nov. 1959 : *Fenêtre à Marseille* 1927 : **GBP 520** – Londres, 6 juil. 1960 : *Dahlias et pieds d'alouette* : **GBP 1 500** – Londres, 26 avr. 1961 : *Iris dans un grand vase blanc* : **GBP 280** – Londres, 20 juin 1962 : *Cumbrian landscape* : **GBP 400** – Londres, 13 nov. 1964 : *Les pâquerettes* : **GNS 480** – Londres, 20 avr. 1966 : *Les pêcheurs* : **GBP 750** – Londres, 11 déc. 1968 : *Nu sur fond bleu* : **GBP 700** – Londres, 20 mars 1970 : *PZ 77 in a Cornish harbour* : **GNS 3 600** – Londres, 29 mars 1971 : *La maison rouge* : **GNS 1 400** – Londres, 19 mai 1972 : *Cassis* : **GNS 800** – Londres, 18 juil. 1973 : *L'église de Tréboul* 1930 : **GBP 5 800** – Londres, 19 juin 1974 : *Les joueurs de cartes* : **GBP 1 800** – Londres, 22 juin 1977 : *Le jockey* 1923, h/t (70,5x53) : **GBP 1 500** – Londres, 9 juin 1978 : *Luna Park Ballet* 1930, aquar. et cr. (35,5x30,5) : **GBP 880** – Londres, 27 juin 1979 : *Vase de fleurs* 1927, h/t (59x44,5) : **GBP 3 000** – Londres, 13 juin 1980 : *Paysage de France*, craies coul. et cr. (35,5x53,5) : **GBP 600** – Londres, 17 oct. 1980 : *Femmes dansant*, gche (58,5x46) : **GBP 1 600** – Londres, 10 juin 1981 : *Scène de plage* 1928, cr. (45,5x61) : **GBP 600** – Londres, 10 mars 1982 : *Cornish farmhouse* 1928, h/t (53x63,5) : **GBP 5 000** – Londres, 21 sep. 1983 : *Quayside, Dieppe*, cr. (32x39,5) : **GBP 750** – Londres, 9 mars 1984 : *Pot de fleurs* 1926, h/t (61x45,7) : **GBP 3 800** – Londres, 13 nov. 1985 : *Le soir en Bretagne* 1929, h/cart. (56x81) : **GBP 17 000** – Londres, 19 fév. 1987 : *Scène de rue, Paris* ; *Le Pont Saint-Ange à Rome*, cr., deux dess. (chaque 24x32) : **GBP 750** – Londres, 13 mai 1987 : *Nature morte sur une table* 1925, h/t (61x74) : **GBP 21 000**.

WOOD Craig

D'origine écossaise. xxe siècle. Britannique.

Sculpteur, créateur d'environnements, dessinateur.

Il montre régulièrement ses œuvres à la galerie des Archives à Paris, notamment en 1994.
Plusieurs de ses sculptures sont constituées d'enveloppes de matière plastique remplies d'eau que l'artiste dispose comme des dalles sur le sol. Son travail relève, entre autres, du post-minimalisme.
Musées : Amiens (FRAC Picardie) : *Airfreshener Drawings I-IV* 1992, ensemble de 4 dess.

WOOD Eleanora C.

xixe siècle. Active à Londres. Britannique.

Peintre animalier.

Elle exposa de 1832 à 1856.

WOOD Eleonor Stuart

Née à Manchester. xixe siècle. Britannique.

Peintre de portraits et de natures mortes.

Membre de la Society of Ladies Artists. Elle exposa à Londres, notamment à la Royal Academy à partir de 1876. Le Musée de Liverpool conserve d'elle *William Edwards Tirebuck*.
Ventes Publiques : Londres, 13 févr 1979 : *Jeune Espagnole au tambourin* 1896, aquar. et reh. de blanc (61x43) : **GBP 800**.

WOOD Ella Miriam

Née le 18 février 1888 à Birmingham (West Midlands). xxe siècle. Britannique.

Peintre.

Elle fut élève d'E. Woodward et de Chase. Elle travailla à la Nouvelle-Orléans.

WOOD Emmi Stewart

xixe-xxe siècles. Britannique.

Peintre de paysages.

Elle exposa à Londres de 1888 à 1910.

WOOD Francis Derwent

Né le 15 octobre 1871 à Keswick. Mort le 19 février 1926 à Londres. xixe-xxe siècles. Britannique.

Sculpteur de portraits, figures, peintre, graveur.

Il a été élève de Otto Weltring et Hermann Götz à Carlsruhe. Il fut l'assistant de Legros à la Slade School of Art à Londres.
Il effectua un séjour à Paris. Il fut professeur de sculpture à la Glasgow School of Art de 1897 à 1901. Il exposa à la Royal Academy à Londres. Il figura également aux expositions de Paris où il obtint une mention honorable en 1897.
Une de ses sculptures *Monument des mitrailleurs* (1925) est exposée au Hyde Park Corner à Londres.

F. D. W.

Bibliogr. : In : *Dictionnaire de la sculpture*, Larousse, Paris, 1992.
Musées : Baroda : *Le maharadja Gaekwar de Baroda* – Dublin (Gal. mun.) : *Le capitaine Shawe-Taylor* – Dublin (Gal. Nat.) : *Le chanteur Denis O'Sullivan* – Liverpool : *Robert Fowler* – *Christine Drummond Sickert* – Londres (Tate Gal.) : *Le nouvelliste américain Henry James* – *Le colonel T. E. Lawrence* – *Miss Bess Norriss* – *Psyché* – Washington D. C. (Nat. Gal.) : *William Pitt* 1920.
Ventes Publiques : Londres, 29 mars 1983 : *Deux tritons supportant un globe* vers 1910, bronze patiné (H. 66) : **GBP 1 800** – Londres, 21 nov. 1989 : *Léda et le cygne* 1912, marbre (H. 38) : **GBP 3 080** – Londres, 11 juin 1992 : *Nymphe avec un satyre* 1907, bronze (H. 56) : **GBP 3 080** – New York, 10 nov. 1992 : *Nu allongé* 1901, plâtre peint. (L. 32) : **USD 880**.

WOOD Frank Watson

Né en 1862. Mort en 1953. xixe-xxe siècles. Britannique.

Peintre d'histoire, de marines, batailles, peintre à la gouache, aquarelliste.

Ventes Publiques : Londres, 25 mai 1983 : *Berwick-on-Tweed* 1900, h/t (71x91,5) : **GBP 1 100** – Londres, 3 juin 1987 : *H.M.S. « New Zealand » entrant dans le port de Plymouth* 1919, aquar. reh. de blanc (28x70) : **GBP 1 050** – Londres, 22 mai 1991 : *Clair de lune sur Portsmouth* 1912, aquar. avec reh. de gche (25,5x76) : **GBP 880** – Londres, 20 mai 1992 : *La salve d'honneur pendant la revue du grand Jubilée d'argent le 16 juillet 1935*, aquar. (30x63) : **GBP 660** – Londres, 11 mai 1994 : *La bataille du Jutland* 1917, aquar. et gche (45x95,5) : **GBP 2 875** – Londres, 9 mai 1996 : *Le Collège naval royal de Dartmouth* ; *Le Collège naval royal d'Osvorne (Ile de Wight)* 1912, aquar. et gche (chaque 16x37) : **GBP 1 150**.

WOOD Franklin T.

Né le 9 octobre 1887 à Hyde Park (Massachusetts). xxe siècle. Américain.

Graveur.

Il fut élève de John Wright. Il vécut et travailla à Rutland. Il gravait à l'eau-forte.

WOOD G. Swinford

Mort en 1906. xixe siècle. Britannique.

Peintre.

Il exposa à Londres de 1861 à 1863.

WOOD George

xixe siècle. Britannique.

Peintre d'histoire, scènes de genre, portraits, natures mortes.

Il exposa à Londres de 1844 à 1854.

WOOD George Bacon

Né en 1832 à Philadelphie. Mort en 1910 dans le Massachusetts. xixe-xxe siècles. Américain.

Peintre de paysages.

Il fut élève de l'Académie des Beaux-Arts de Philadelphie.
Ventes Publiques : East Dennis (Massachusetts), 28 mars 1986 : *Scène de marché*, aquar. (15,2x24) : **USD 1 900** – New York, 14 mars 1991 : *L'hiver le long du canal* 1875, h/t (36x61) : **USD 15 400**.

WOOD Grant

Né le 13 février 1892 à Anamosa (Iowa). Mort en février 1942 à Cedar Rapids (Iowa). xxe siècle. Américain.

Peintre de scènes de genre, portraits, paysages, natures mortes, animaux, peintre à la gouache, technique mixte, dessinateur, illustrateur, décorateur de théâtre.

À la mort de son père, en 1901, la famille déménagea à Cedar Rapids. Grant Wood étudia d'abord le design à la Minneapolis School of Design, durant les étés 1910 et 1911. Devenu designer professionnel, il suivit des cours d'art, le soir, à l'Université d'Iowa et à l'Art Institute à Chicago. Fin 1915, il abandonna le design et retourna à Cedar Rapids, puis, après son service militaire, enseigna la peinture et le dessin à l'école publique de sa ville. En 1920, il peignit durant l'été à Paris en compagnie de Marvin Cone. Il revint en France pour un séjour de deux ans, en 1923-1924, où il fut élève de l'Académie Julian à Paris, en profita égale-

ment pour peindre à Sorrento en Italie. En 1928, il séjourna de nouveau en Europe, cette fois-ci en Allemagne, où il découvrit les primitifs allemands et hollandais dont la minutie et le fini de leur art l'enthousiasmèrent et eurent une influence certaine sur son propre style. En 1934, il fut nommé directeur du Works Progress Administration-Federal Arts Project pour l'Iowa, organisation fédérale venant en aide aux artistes, et devint professeur associé de l'Université d'Iowa. Il a illustré *La ferme sur la colline* de Madeline Horn.
Il a figuré et est régulièrement représenté dans de nombreuses expositions collectives. Il a montré plusieurs expositions de ses œuvres : 1919, la première, avec Marvin Cone, Killian's Department Store, Cedar Rapids ; 1926, galerie Carmine, Paris ; 1935, Lakeside Press Galleries, Chicago ; 1935, Ferargil Galleries, New York. Plusieurs rétrospectives ont été organisées depuis sa mort, dont : 1942, Annual Exhibition of American Painting, Art Institute de Chicago ; 1957, *Grant Wood and the American Scene*, Municipal Art Gallery, Davenport ; 1959, University of Kansas Museum of Art, Kansas city ; 1983, *Grant Wood : The Regionalist Vision*, exposition itinérante, Art Institute of Chicago, M.H. De Young Memorial Museum de San Francisco ; 1995-1996, *Grant Wood, un maître américain révélé*, exposition itinérante organisée par le Musée d'Art de Davenport (Iowa), et présentée au Joslyn Art Museum de Omaha (Nebraska) et au Musée d'Art de Worcester (Massachusetts).
Avec Thomas Hart Benton et John Steuart Curry mort prématurément en 1946, Wood représente les peintres dits de l'« American Scene », connus également sous l'appellation un peu péjorative de l'école du paysage régionaliste américain. Ces artistes ont dépeint la vie rurale des États-Unis comme un sujet digne d'intérêt dans la tradition des maîtres européens. Ils eurent leur heure de gloire et de reconnaissance vers 1930, lors de la Grande Dépression. Le public, dans un ressourcement vers les mythes des pionniers et des conquêtes, y trouva le réconfort intellectuel et moral nécessaire dans cette période de doute collectif. Wood désirait la véritable naissance d'un art national américain. Il écrivit même un manifeste, *Revolt Against the City* (1935), appelant à une renaissance de l'art américain trop dépendant de l'art européen, spécialement de l'art français et de son abstraction. Il désirait fédérer les écoles régionalistes, pour aboutir à une nouvelle peinture réaliste, encourageant des concours régionaux de peinture.
Le succès n'est pas venu facilement pour Wood. Il vécut toute sa vie dans son Iowa natal, trouvant là son inspiration et ses sujets. Au début de sa carrière, son style décoratif fut influencé par le mouvement Arts and Crafts. Il peignit ensuite dans une manière qui pourrait se comparer à celles, aux États-Unis, de John Sloan, Edward Hopper, en France, d'Édouard Vuillard et Maurice Utrillo. Amorcé à partir de 1928, Wood réalise un changement complet de son style avec *American Gothic* (1930), son œuvre maîtresse. Elle remporta une médaille de bronze en 1930 lors d'une exposition à l'Art Institute de Chicago. Elle est, avec le tableau *Mother* de Whistler une des œuvres les plus populaires aux États-Unis. *American Gothic* représente un couple de fermiers devant la façade de leur maison construite dans le style « gothic carpenter ». Il révèle une influence des primitifs hollandais et allemands dans le traitement minutieux des détails, dans l'architecture de la ferme à l'arrière-plan, avec son unique fenêtre de style gothique, ou dans la peinture du camée de la femme. Maints américains se sont reconnus dans cette œuvre symbolisant l'Amérique puritaine des pionniers. Un grand nombre de pastiches en ont été ensuite produits, donnant la tonalité des tendances sociales et politiques de l'air du temps. Wood donne à l'école du paysage régionaliste américain une tendance toute particulière en découpant parfaitement les contours et traitant les formes selon des volumes géométriques. Ses matériaux favoris sont le crayon, les craies, le fusain sur du papier d'emballage brun utilisé par les bouchers. Sur ce fond brun, les craies rouges ou sanguines donnent une chaude tonalité. Il a peint les gens et les paysages du Middle West. Son régionalisme, à la fois idéalisé et inspiré par un univers personnel nourri de fables et de légendes, est un hommage au peuple des pionniers, à la vie rurale, au labeur plus qu'à l'argent. Si, dans la précision des détails, Grant Wood semble surtout se souvenir de l'art d'Holbein, il ajoute un élément satirique, irréel qui le rapproche du surréalisme. *Parson Weems' Fable* (1930) évoque la fameuse histoire de George Washington, alors enfant, reconnaissant spontanément devant son père sa faute, celle d'avoir couper un cerisier avec sa petite hache. Wood peint le jeune Washington, avec la tête du premier portrait du président peint par Gilbert Stuart, tandis que le conteur, Parson Mason Locke Weems, à la droite du tableau, ouvre une tenture sur la scène. Wood n'admit pas la véracité de cet épisode raconté uniquement dans la cinquième édition, de la *Vie de Washington* de Parson Weem, et le traita avec humour. Cette interprétation choqua néanmoins certains patriotes. *Daughters of the Revolution* (1932) est un autre tableau très connu de Wood. « La seule satire que j'ai jamais peinte », dit-il. Trois figures de dames peu attirantes, aux lèvres pincées, au regard mêlant curiosité et rigueur déplacée, voire hypocrisie, posent devant un tableau d'Emmanuel Leutz *Washington Crossing the Delaware*. Il a été peint à la suite d'un différent qu'il eut avec ces femmes responsables d'un Memorial en hommage aux vétérans de la Première Guerre mondiale. Dans cet esprit satirique, il a illustré en 1937, *Main Street*, de Sinclair Lewis.
L'intérêt pour les peintres de l'American Scene disparut peu à peu, alors que la crise économique reflua et que le sentiment national s'accommoda de moins en moins avec l'attention que suscitait à nouveau l'Europe. Cette indifférence affecta profondément Wood. Il écrivit à son ami Benton, que, s'il réussissait à surmonter sa maladie – qui finalement l'emporta à l'âge de 50 ans –, il recommencerait à peindre sous un autre nom et dans un style différent. ■ C. D.

Grant Wood

GRANT WOOD 1938

Bibliogr. : Darrel : *Artist in Iowa ; A life of Grant Wood*, 1944 – Hazel E. Brown : *Grant Wood and Marvin Cone : Artists of an era*, Des Moines, Iowa, 1972 – James Dennis : *Grant Wood : A Study in American Art and Culture*, New York, 1975 – Joseph S. Czestochowski : *John Stewart Curry et Grant Wood : Portrait de l'Amérique rurale*, Columbia, Missouri et Londres, 1981 – Wanda Corne : *Grant Wood : The Regionalist Vision*, catalogue d'exposition, Institute of Arts de Minneapolis, Yale University Press, New Haven et Londres, 1983.

Musées : Cedar Rapids (Art Center) : *Yellow Shed and Leaning tree* vers 1919 – *The runners, Luxembourg Gardens* 1920 – *Overmantel painting* 1930 – *Turret Lathe Operator* 1925 – *The Shop inspector* 1925 – *The painter* 1925 – *Doorway, Périgueux* 1927 – *Tree planting* 1933 – *July Fifteenth, Summer Landscape* 1939 – *Approching Storm* 1940 – Chicago (Art Inst.) : *American Gothic* 1930 – Cincinnati (Art Mus.) : *Grandmother Wood's Farmhouse* 1926 – *Daughters of the Revolution* 1932 – Davenport (mun. Art Gal.) : *Stone City, 1930* – *January* 1937 – *February* 1941 – *December afternoon* 1941 – *Autoportrait non terminé* 1932-1941 – Fort Worth (Amon Carter Mus.) : *Parson Weem's Fable* 1939 – Madison (University of Wisconsin) : *Adolescence* 1933-1940 – New York (Metropolitan Mus.) : *Midnight Ride of Paul Revere* 1931 – Rhode Island (Mus. of Art) : *Plowing on Sunday*, couverture de livre – Williamstown (Williams College Mus. of Art) : *Death on the Ridge Road* 1934.

Ventes Publiques : New York, 11 nov. 1959 : *La Domestique*, cr. et gch/cart. : **USD 4 250** – New York, 29 jan. 1970 : *Central Park* : **USD 3 500** – New York, 13 déc. 1972 : *The Baust House, Amana, Iowa* vers 1920-22 : **USD 3 500** – New York, 13 déc. 1973 : *Animaux*, techn. mixte : **USD 21 000** – New York, 21 mars 1974 : *Scène de marché à Nuremberg* 1928 : **USD 2 600** – New York, 10 nov. 1977 : *Family Doctor* 1941, litho. (25,6x30,4) : **USD 2 200** – New York, 18 nov. 1977 : *La ferme* 1932, isor. (33x38) : **USD 3 300** – New York, 14 nov 1979 : *Légumes* 1938, litho. coloriée (18x24,4) : **USD 1 600** – New York, 25 oct 1979 : *The sentimental yearner* 1936, cr. coul., mine de pb et reh. de blanc/pap. mar./isor. (52x40,5) : **USD 22 000** – New York, 20 avr 1979 : *Grand mère reprisant* 1935, gche et cr. coul./pap. (66,5x49,5) : **USD 52 500** – Los Angeles, 15 oct 1979 : *Le Portail du monastère*, h/t (61,5x50) : **USD 1 800** – New York, 27 mars 1981 : *American Gothic*, cr. (12,1x8,9) : **USD 19 000** – New York, 18 mars 1983 : *Adolescence* 1933, pinceau, lav. d'encre, mine de pb et craie blanche (62,3x37) : **USD 130 000** – New York, 2 juin 1983 : *Spilt milk* 1935, gche (66,7x49,5) : **USD 70 000** – New York, 10 oct. 1984 : *Sultry night* 1937, litho. (23,1x29,7) : **USD 3 250** – New York, 6 déc. 1984 : *Le vase bleu*, h/cart. (45,1x31,8) : **USD 5 250** – New York, 6 mars 1985 : *Sultry night* 1939, litho. (22,9x29,8) : **USD 3 500** –

New York, 30 mai 1985 : *Arbor Day* 1932, h/pan. (63,5x76,1) : **USD 1 250 000** – New York, 3 déc. 1987 : *Février* 1940, fus. (43,2x60,9) : **USD 135 000** – New York, 28 sep. 1989 : *Le Journalier*, gche et cr. coul./pap. (27,3x20,9) : **USD 52 800** – New York, 24 mai 1990 : *Servante aux pommes* 1935, cr., gche et cr. coul./pap. (66,7x49,5) : **USD 148 000** – New York, 27 sep. 1990 : *Nature morte d'automne*, h/cart. (38x33) : **USD 12 100** – New York, 26 mai 1993 : *Propagandiste* 1936, fus., cr. et craie/pap. brun (51,7x41,2) : **USD 112 500** – New York, 25 mai 1995 : *Labours (Moisson)* 1936, fus., craies, cr./pap. (59,7x74,9) : **USD 453 500** – New York, 22 mai 1996 : *Retour de Bohême* 1935, past./pap. (59x50,8) : **USD 118 000** – New York, 4 déc. 1996 : *En barratant*, gche et cr. coul./pap. (64,8x48,3) : **USD 90 500**.

WOOD James F. R.
Mort en juillet 1920. xxe siècle. Britannique.
Miniaturiste.

WOOD Jessie Porter
Née le 27 février 1863 à Syracuse. xixe siècle. Active à Washington. Américaine.
Peintre, illustratrice et décoratrice.

WOOD John
Né en 1720 à Londres. Mort vers 1780. xviiie siècle. Britannique.
Graveur de paysages, architectures.
Il fut élève de Chatelain. Il grava notamment des architectures et une suite de paysages publiée par Boydell en 1747.

WOOD John
Né le 29 juin 1801 à Londres. Mort le 19 avril 1870 à Londres. xixe siècle. Britannique.
Peintre d'histoire, compositions mythologiques, sujets religieux, nus, portraits.
Fils d'un maître de dessin, il fut élève de H. Sass et de la Royal Academy de Londres. En 1825, il y obtint un prix. Il obtint aussi un prix à Manchester avec *Elisabeth à la Tour de Londres* et un prix de 25 000 francs pour un *Baptême du Christ*. Malgré ces multiples succès officiels, les amateurs ne lui vinrent pas et il mourut fort pauvre. Il exposa à Londres, de 1823 à 1862, notamment à la Royal Academy (cent dix-huit ouvrages) ; à la British Institution (soixante-huit ouvrages) et à Suffolk Street (trente ouvrages).
En 1834, la commande d'un tableau d'autel lui fut faite pour l'église Saint-James à Bermondsey.
Musées : Dublin : *Le compositeur Michael Will. Balfe* – Dulwich : *Le peintre Th. Stothard – Diane et Endymion – Les orphelins* – Édimbourg : *Mrs Henry Siddons* – Londres (Nat. Portrait Gal.) : *Sir Wm. Beechey*, portrait commencé par Beechey lui-même – *John Britton* – Londres (Victoria and Albert Mus.) : *Deux têtes de femmes* – Nottingham : *Gentilhomme du temps de la reine Elizabeth – Caledon et Amélie – Adam et Ève pleurant sur le cadavre d'Abel.*
Ventes Publiques : Londres, 21 mars 1990 : *Les deux sœurs* 1839, h/t (77x63,5) : **GBP 1 650** – Londres, 18 mai 1990 : *Portrait de Miss Sebella Christine Hainoff vêtue d'une robe blanche à ceinture rose et tenant un épagneul* 1829, h/t (76x63,2) : **GBP 2 860** – Londres, 6 avr. 1993 : *Nu féminin de dos portant une torche*, h/cart. (41x26) : **GBP 1 495**.

WOOD John George
Mort en 1838. xixe siècle. Actif à Londres. Britannique.
Peintre, aquafortiste, aquarelliste et dessinateur.
Il exposa à Londres de 1793 à 1811 à la Royal Academy, des paysages, particulièrement des sites du pays de Galles. Il a publié plusieurs ouvrages illustrés.

WOOD John Warrington
Né en 1839 à Warrington. Mort en 1886 à Warrington. xixe siècle. Britannique.
Sculpteur.
Il exposa à Londres de 1868 à 1884, particulièrement à la Royal Academy. On voit de lui dans les Musées à Liverpool, *Buth et Noemi* (groupe marbre) et *Statue de sir A. B. Walker Baronnet*, à Warrington, *Saint Michel terrassant le démon* et *Miss Beaumont*, ainsi que quatre bustes.

WOOD Joseph
Né en 1778 à Clarkstown. Mort vers 1832 à Washington. xixe siècle. Américain.
Portraitiste.
Il travailla à New York et à Philadelphie.

WOOD Katheryn Leone
Née le 25 juillet 1885 à Kalamazov (Michigan). xxe siècle. Américaine.
Peintre de portraits, écrivain.
Elle fut élève de Fred. Freer et de Lawton Parker.

WOOD Lawson
Né en 1878 à Highgate. Mort en 1957. xxe siècle. Britannique.
Dessinateur de caricatures, aquarelliste.
Fils de Lewis Pinhorn Wood et élève de la Slade School de Londres. Il vivait et travaillait à Londres pour des maisons d'édition et des revues illustrées.

LAWSON WOOD

WOOD Lewis John
Né en 1813 à Londres. Mort en 1901. xixe siècle. Britannique.
Peintre de paysages, paysages urbains.
Il exposa à Londres à partir de 1831. Associé au Royal Institute en 1867, il en fut membre en 1887, mais démissionna l'année suivante. À partir de 1836, date à laquelle il voyagea sur le continent, il renonça aux sites du Pertshire qu'il avait jusqu'alors cherché à traduire, pour des vues de Bretagne, Normandie, Belgique. Il avait une extraordinaire facilité de travail et son œuvre est considérable.
Bibliogr. : Gérald Schurr, in : *Les Petits Maîtres de la peinture 1820-1920, valeur de demain*, Les Éditions de l'Amateur, t. IV, Paris, 1979.
Musées : Calais : *Vue de Calais* – Londres (Victoria and Albert Mus.) : *Vue dans le Limbourg.*
Ventes Publiques : Paris, 28 avr. 1937 : *La cathédrale et la Place de Calende à Rouen* : **FRF 1 050** – Londres, 11 juil. 1972 : *Vue d'une petite ville* : **GBP 320** – Londres, 26 juil. 1974 : *La cathédrale de Caen* 1856 : **GNS 550** – Londres, 19 juil 1979 : *Le marché, Francfort-sur-le-Main* 1878, aquar. (59,5x44,5) : **GBP 800** – Torquay, 12 juin 1979 : *Scarorough*, h/cart. (23x33) : **GBP 650** – Londres, 6 mars 1981 : *Vue de Vitré* 1851, h/pan. (40x29,9) : **GBP 1 100** – Londres, 7 oct. 1983 : *L'Église de St. Bavon, Gand*, h/cart. (25,4x17,8) : **GBP 1 100** – Chester, 12 juil. 1985 : *Limberg-Troyes* 1872, aquar. reh. de gche, une paire (32x21,5) : **GBP 950** – Londres, 31 jan. 1990 : *Limbourg-sur-Lahn en Allemagne* 1872, aquar. avec reh. de gche (31x21) : **GBP 880** – Londres, 15 juin 1990 : *Place des Cordeliers à Dinan ; Rue de la Poste à Dinan* 1866, h/t (30,5x22,8) : **GBP 3 850** – New York, 19 juil. 1990 : *Jour de marché à Rouen*, h/t (55,9x40,7) : **USD 2 640** – New York, 17 fév. 1993 : *Cathédrales de Rouen et de Chartres*, h/t/rés. synth., une paire (54,9x40,6) : **USD 5 060**.

WOOD Lewis Pinhorn
xixe-xxe siècles. Britannique.
Peintre de paysages.
Père de Lawson Wood. Il vécut et travailla à Chiswick. Il exposa à Londres de 1870 à 1912.
Ventes Publiques : Londres, 30 avr. 1984 : *Ramasseurs de fagots dans un paysage de neige* 1881, aquar. et gche sur trace de cr. reh. de blanc (33x49) : **GBP 650**.

WOOD Marshall
Mort en juillet 1882 à Brighton. xixe siècle. Britannique.
Sculpteur.
Il exposa à Londres à partir de 1854.
Musées : Manchester : *Psyché* – Melbourne : *Le premier ministre Sir John O'Shanassy – Daphné* – Montréal : *Hébé – Son of a Shirt* – Sydney : *Hébé – Sappho – Dorothée – Proserpine – Perséphone – La reine Victoria – Le roi Edouard VII – Jeune fille des Monts Sabins.*

WOOD Matthew
Né vers 1813. Mort le 4 septembre 1855, par suicide. xixe siècle. Britannique.
Peintre de scènes de genre, portraits, copiste.
Il exposa à Dublin de 1826 à 1838 et à Londres de 1841 à 1855 (à la Royal Academy, à la British Institution et à Suffolk Street). Il est cependant surtout connu comme copiste.
Ventes Publiques : Belfast, 28 oct. 1988 : *Portrait de la comtesse Anne de Carrick vêtue de marron et vert, de profil* 1837, h/pan. (31,2x15,9) : **GBP 1 485**.

WOOD Ogden
Né en 1851 à New York. Mort le 13 septembre 1912 à Paris. xixe-xxe siècles. Américain.
Peintre de paysages.
Il fut élève d'E. Van Marcke.

WOOD Robert
xviie-xviiie siècles. Britannique.

Graveur de portraits et d'ex-libris.
Il travaillait à Édimbourg de 1700 à 1710.

WOOD Robert
Né en 1926. Mort en 1979. XXe siècle. Américain.
Peintre de paysages, marines.
VENTES PUBLIQUES : LOS ANGELES, 9 juin 1976 : *Bord de mer* 1936, h/isor. (51x91,5) : **USD 4 500** – LOS ANGELES, 9 mars 1977 : *Paysage de Californie au crépuscule* 1943, h/t (63,5x76) : **USD 2 000** – LOS ANGELES, 12 mars 1979 : *Paysage d'automne*, h/t (61x91,5) : **USD 6 750** – LOS ANGELES, 5 oct. 1981 : *Point Lobos, Carmel*, h/t (53x119,5) : **USD 9 000** – NEW YORK, 20 juin 1985 : *Bluebonnets*, h/t (63,5x76,2) : **USD 6 000** – NEW YORK, 30 sep. 1988 : *Paysage d'automne*, h/t (30,7x48,7) : **USD 2 860** – NEW YORK, 24 jan. 1989 : *Crépuscule en Arizona*, h/t (60x75) : **USD 5 226** – LOS ANGELES-SAN FRANCISCO, 7 fév. 1990 : *Littoral rocheux*, h/t (63,5x76) : **USD 8 250** – NEW YORK, 30 mai 1990 : *Une ferme dans un paysage vallonné*, h/t (76,3x101,6) : **USD 2 860** – LOS ANGELES-SAN FRANCISCO, 12 juil. 1990 : *Brisants sur les rochers*, h/t (61x81) : **USD 4 400** – NEW YORK, 26 sep. 1990 : *Bleuets au texas*, h/t (63,5x76,2) : **USD 8 800** – NEW YORK, 17 déc. 1990 : *Paysage d'automne*, h/t (63,5x76,3) : **USD 3 300** – NEW YORK, 15 mai 1991 : *Paysage de l'Ouest*, h/t (63,5x76,2) : **USD 3 300** – NEW YORK, 18 déc. 1991 : *Côte rocheuse escarpée*, h/t (63,5x76,2) : **USD 3 410** – NEW YORK, 9 sep. 1993 : *Le printemps dans le Vermont*, h/t (45,7x61) : **USD 2 760** – NEW YORK, 15 nov. 1993 : *Quand le désert refleurit en Arizona*, h/t (63,5x76,6) : **USD 4 025** – NEW YORK, 21 mai 1996 : *Paysage de l'Ouest*, h/t (64x76,5) : **USD 1 955**.

WOOD Robert Sydney
Né le 14 mars 1895 à Plymouth (Devon). XXe siècle. Britannique.
Peintre de paysages.
Il vivait et travaillait à Belfast.

WOOD Shakespeare
Né à Belfast (?). Mort en 1886 à Rome. XIXe siècle. Britannique.
Sculpteur.
Il exposa à la Royal Academy de 1868 à 1871. La Galerie Nationale d'Edimbourg possède de lui deux médaillons, celui du phrénologue *George Combe* et celui de *Thomas de Quincey*, et le Musée de Sydney, *Cometh up as a Flower*, marbre.

WOOD Starr
Né en 1870 à Londres. XIXe siècle. Britannique.
Caricaturiste.
Il n'eut aucun maître. Il travailla pour des revues humoristiques.

WOOD Thomas
Né le 24 avril 1800 à Londres. Mort en 1878 à Conisborough. XIXe siècle. Britannique.
Peintre de paysages, de marines et d'architectures, aquarelliste et dessinateur.
Élève des Écoles de la Royal Academy. Il s'établit comme peintre de paysages à l'aquarelle. De 1828 à 1853, il exposa à Londres, notamment à la Royal Academy et y fit apprécier son réel talent. De 1835 à 1871, il fut maître de dessin à Harrow School, mais devenu aveugle, il dut renoncer à ces fonctions. Le Victoria and Albert Museum, à Londres, conserve de lui *Château de Mont-Orgueil, île de Jersey*.

WOOD Thomas P.
XIXe siècle. Actif dans la première moitié du XIXe siècle. Britannique.
Paysagiste et architecte.
Il exposa à Londres de 1829 à 1844.

WOOD Thomas W.
XIXe siècle. Actif à Londres de 1855 à 1872. Britannique.
Peintre de portraits, animaux, illustrateur.
Il illustra des livres d'animaux.
MUSÉES : LONDRES (Gal. Nat.) : *Portrait de l'homme d'État canadien Robert Baldwin*.

WOOD Thomas Waterman
Né le 12 novembre 1823 à Montpelier (Vermont). Mort le 14 avril 1903 à New York, ou 1913. XIXe siècle. Américain.
Peintre d'histoire, scènes de genre, portraits, paysages.
Il fut élève de Chester Hardin à Boston. En 1858, il séjourna en Europe, notamment à Paris. Il s'établit à New York en 1867, étant nommé membre de la National Academy en 1871, il en devint président en 1891.
Il connut un important succès comme paysagiste et surtout portraitiste. Il peignit également des épisodes de la guerre de sécession d'Amérique, parmi lesquels : *The Contraband* – *The Volunteer*. Ses sujets et sa manière le rapprochent de l'œuvre d'Eastman Johnson.

T. W. WOOD

BIBLIOGR. : In : *Diction. de la peinture anglaise et américaine*, coll. Essentiels, Larousse, Paris, 1991.
MUSÉES : BROOKLYN : *Portrait de J. E. Simmons* – MONTPELIER, Vermont (Wood Art Gal.) – NEW YORK (Metropolitan Mus.) : *L'artiste* – *The Veteran* – WASHINGTON D. C. : *Richard Rush*.
VENTES PUBLIQUES : NEW YORK, 20 fév. 1969 : *Petite fille au panier de fraises* : **USD 1 200** – NEW YORK, 28 fév. 1970 : *Les œufs frais* : **USD 1 900** – NEW YORK, 21 juin 1978 : *Pompier avec une fillette dans les bras* 1870, h/pan. (61x35) : **USD 3 600** – NEW YORK, 24 oct 1979 : *Autoportrait* 1889, h/t (76x63,5) : **USD 1 000** – NEW YORK, 25 avr. 1980 : *Both sides of the question* 1877, gche et aquar./pap. mar./t. (50,2x70,5) : **USD 31 000** – NEW YORK, 3 déc. 1982 : *Grandma's out* 1880, h/t (50,8x36,2) : **USD 13 000** – WASHINGTON D. C., 12 juin 1983 : *When we were boys together* 1888, aquar. (69x99) : **USD 25 000** – NEW YORK, 6 déc. 1984 : *Politics in the workshop* 1867, h/t (68,6x56,5) : **USD 46 000** – NEW YORK, 30 mai 1985 : *Cakes and wine* 1890, h/t (61x45,7) : **USD 40 000** – NEW YORK, 1er déc. 1988 : *Politesse au bord du trottoir (Veux-tu un cigare ?)* 1887, h/t (46,5x61) : **USD 35 200** – NEW YORK, 25 mai 1989 : *La jeune vendeuse de violettes* 1868, h/t (35,6x27,9) : **USD 18 700** – NEW YORK, 28 sep. 1989 : *Le secret* 1886, h/t (61x45,7) : **USD 11 000** – NEW YORK, 23 mai 1990 : *Autoportrait* 1889, h/t (76,1x63,5) : **USD 8 800** – NEW YORK, 4 déc. 1992 : *Les œufs frais* 1881, h/t (71,1x50,8) : **USD 121 000** – NEW YORK, 11 mars 1993 : *La clientèle négligée* 1883, h/t/pan. (76,5x51) : **USD 51 750** – NEW YORK, 13 sep. 1995 : *Le rouet* 1867, h/t (27,4x21,2) : **USD 6 900** – NEW YORK, 3 déc. 1996 : *Buckwheat Cakes* 1890, h/t (61x45,8) : **USD 6 900** – NEW YORK, 23 avr. 1997 : *Le Déchiffrage* 1879, h/t (50,8x36,3) : **USD 18 400** – NEW YORK, 5 juin 1997 : *Pas un œuf* 1887, h/t (76,2x50,8) : **USD 46 000**.

WOOD Ursula
Née en 1868. XIXe siècle. Britannique.
Décoratrice et graveur.
Élève de la Royal Academy de Londres. Elle grava des vues de Venise.
VENTES PUBLIQUES : LONDRES, 14 nov. 1984 : *The bath* 1900, h/t (122x101,5) : **GBP 17 000** – LONDRES, 5 mars 1987 : *The market stall* 1895, h/t (59,6x44,5) : **GBP 13 000**.

WOOD Virginia Hargraves
XXe siècle. Américaine.
Peintre, graveur, illustratrice.
Elle fut élève de Chase et Hawthorne. Membre de la Fédération Américaine des Arts, elle illustra plusieurs livres. Elle est renommée pour ses portraits de femmes et d'enfants. Elle est également la fondatrice de la Société des Beaux-Arts de Virginie.

WOOD Wallace
Né le 9 décembre 1894 à Londres. XXe siècle. Britannique.
Aquarelliste de paysages urbains.
Il a été élève de la Slade School de Londres. Il peignit des vues de Londres.

WOOD Wilfrid René
Né le 1er décembre 1888 à Manchester (Lancashire). XXe siècle. Britannique.
Aquarelliste, graveur.
Il a été élève de la Slade School de Londres.
MUSÉES : MANCHESTER : Cinq vues de Manchester.

WOOD William
Né vers 1768 à Ipswich. Mort le 15 novembre 1809 à Londres. XVIIIe siècle. Britannique.
Miniaturiste.
Cet artiste perfectionna les procédés de la peinture sur ivoire. Il exposa à la Royal Academy de 1791 à 1807. Il eut dans le monde artistique un rôle prépondérant. Il fut un fondateur de la Society of Associated Artists en 1808 et en fut le président.

WOOD William
Né en 1774 à Kendal. Mort le 26 mai 1857 à Ruislip. XVIIIe-XIXe siècles. Britannique.
Dessinateur.
Zoologiste et médecin, il illustra des ouvrages de zoologie et dessina des *Vues de Calcutta*.

WOOD William R. C.
Né le 15 avril 1875 à Washington D.C. Mort le 30 avril 1915 à Baltimore (Maryland). XXe siècle. Américain.

Peintre de paysages, décorateur.
Il a été élève d'E. Witheman à Baltimore.

WOOD William Thomas
Né le 17 juin 1877 à Ipswich (Suffolk). Mort en 1958. XXe siècle. Britannique.
Peintre de paysages, fleurs.
Il vivait et travaillait à Londres.
Musées : Hull – Leeds – Londres – Manchester – Perth.
Ventes Publiques : Londres, 3 juin 1988 : *Coquelicots dans un vase*, h/t (25,5x30) : **GBP 880** – New York, 29 oct. 1992 : *Roses blanches et roses* 1932, h/t (30,5x26,5) : **USD 1 100**.

WOODALL William
XVIIIe siècle. Britannique.
Peintre de paysages.
Il exposa à Londres de 1773 à 1787.

WOODBURN Robert
Mort en 1803 à Waterford. XVIIIe siècle. Irlandais.
Portraitiste.
Élève de Robert Home. Il exposa à Dublin de 1792 à 1802.

WOODBURN Thomas
XVIIIe siècle. Travaillant à Dublin vers 1766. Irlandais.
Paysagiste.
Élève de Robert West.

WOODBURN William
Né vers 1735. Mort en mars 1818 à Dublin. XVIIIe-XIXe siècles. Irlandais.
Peintre de genre et paysagiste.
Ventes Publiques : Londres, 29 nov. 1968 : *Paysage fluvial*, d'après Joseph Vernet : **GNS 500**.

WOODBURY Charles Herbert
Né le 14 juillet 1864 à Lynn. Mort en 1940. XIXe-XXe siècles. Américain.
Peintre de scènes de genre, marines, graveur.
Il a été élève de Bouguereau et Lefebvre à Paris. Il a obtenu une médaille de bronze en 1900 lors de l'Exposition universelle à Paris. Il gravait à l'eau-forte.
Musées : Boston – Detroit – Indianapolis – New York – La Nouvelle Orléans – Pittsburgh – Providence – Saint Louis – Salt Lake City – Savannah – Washington D. C. – Worcester.
Ventes Publiques : New York, 29 avr. 1976 : *Scène de plage*, h/t (51x68,5) : **USD 2 600** – New York, 25 oct 1979 : *Tempête de neige* vers 1918, h/t (50,8x69) : **USD 2 800** – New York, 19 juin 1981 : *Femmes sur la plage*, h/t mar./cart. (25,4x35,5) : **USD 3 200** – Bolton, 13 sep. 1984 : *Bord de mer*, h/t (50,8x69) : **USD 1 300** – New York, 27 mars 1985 : *Un chemin de campagne*, h/t (92,7x98) : **USD 2 600** – New York, 24 mai 1989 : *La parade de la victoire à Boston* 1919, h/t (73,7x91,4) : **USD 82 500** – New York, 14 nov. 1991 : *La vague déferlante*, h/t (73,6x91,4) : **USD 4 400** – New York, 20 mars 1996 : *Promenade de l'après-midi en Hollande en été* 1891, h/t (30,5x45,7) : **USD 3 450**.

WOODBURY Marcia Oakes
Née le 20 juin 1865 dans le South Berwick. Morte le 7 novembre 1913 à Ogunquit. XIXe-XXe siècles. Américaine.
Peintre.
Elle fit ses études à New York et à Paris.
Musées : Boston : *Mère et fille*, triptyque.

WOODCOCK Hartwell L.
Né en 1853 à Belfast (États-Unis). Mort le 14 décembre 1929 à Belfast. XIXe-XXe siècles. Américain.
Peintre de paysages.

WOODCOCK Percy F.
Né en 1855 à Athen (Ontario). XIXe siècle. Canadien.
Peintre de genre et de paysages.
Élève de Gérome et de Constant à Paris. Il exposa au Salon en 1883. Membre de la Royal Canadian Academy. Le Musée de Montréal conserve de lui *Il m'aime* et *Ferme canadienne*.

WOODCOCK Robert
Né vers 1691. Mort le 10 avril 1728 à Londres. XVIIIe siècle. Britannique.
Peintre de paysages d'eau, marines, copiste.
Il abandonna un poste dans l'administration de l'État pour se consacrer à l'art. Il travailla seul mais avec conscience, et volonté ; parvint à une exécution très exacte de ses modèles dans leurs moindres détails.
Il copia un grand nombre de tableaux de W. Van de Velde. Il fut aussi compositeur de musique distingué.
Ventes Publiques : Londres, 3 juil. 1964 : *Le lancement d'un navire de guerre* : **GNS 650** – Londres, 19 nov. 1982 : *Bateau de guerre anglais en mer*, h/t (103x87,6) : **GBP 5 000** – Londres, 20 avr. 1990 : *La salve matinale avec des pêcheurs en premier plan*, h/t (71,3x90) : **GBP 5 500**.

WOODCOCK T. S.
Né à Manchester. XIXe siècle. Britannique.
Graveur au burin.
Il se fixa à New York en 1830, mais revint en Angleterre après 1840.

WOODFIELD Charles
Né vers 1650. Mort en 1724. XVIIe-XVIIIe siècles. Britannique.
Peintre de paysages.
Élève d'Isaac Fuller. Il a peint des motifs d'architecture, des antiquités, des vues topographiques. Ses œuvres sont rares.

WOODFORDE Samuel
Né en 1763 à Castle Cary. Mort le 27 juillet 1817 à Bologne. XVIIIe-XIXe siècles. Britannique.
Peintre de scènes mythologiques, sujets de genre, portraits, paysages, aquarelliste.
Il entra en 1782 aux Écoles de la Royal Academy et en 1785, grâce à l'appui de sir R. C. Hoore, il alla en Italie. Il y travailla trois ans. En 1791, de retour à Londres, il fut employé par Boydell pour la Shakespeare Gallery. En 1800, il fut élu associé de la Royal Academy, où il exposait depuis 1784, et académicien en 1807. Il se maria en 1815 et partit pour un nouveau voyage en Italie.
Il peignit aussi des fantaisies et des portraits.
Musées : Londres (Victoria and Albert Mus.) : *Pan enseignant la flûte à Apollon* 1790, aquar.
Ventes Publiques : Londres, 17 mars 1982 : *Stonehenge*, h/t (101x126,5) : **GBP 1 600** – New York, 17 jan. 1990 : *Portraits du Major G. Austin Moultrie et de sa femme*, h/t, une paire (76,3x63,5) : **USD 2 750**.

WOODHAM Derrick
Né en 1940 à Blackburn (Lancashire). XXe siècle. Britannique.
Sculpteur. Abstrait.
Il fut élève de la Saint-Martin School of Art, du Royal College of Art, du Leicester College of Art, et de la West of England Academy. Il vit et travaille à Londres.
Il participe à de nombreuses expositions de groupe, entre autres : *Towards Art 1* et *Towards Art 2*, en 1962 et 1965 ; fait partie de la sélection anglaise à la Biennale de Paris, 1965, qui obtint un prix collectif ; *L'Œil Anglais*, New York, 1965 ; *Structures Primaires*, Jewish Museum, New York, 1966 ; 1967, *Art Cool 1967*, Aldrich Museum, Ridgefield (Connecticut) ; 1968, *Artistes Britanniques – Six Peintres – Six Sculpteurs*, Musée d'Art Moderne de New York, 1968 ; etc. Il a également montré une exposition personnelle de sa sculpture, à New York, en 1966.
Il crée des figures de géométrie dans l'espace, à grande échelle, faites d'éléments tubulaires de fibre de verre, usinés industriellement. Ces figures, toujours relativement simples, se rattachent évidemment à la constitution de structures primaires des minimalistes américains. Elles ont pour but de rendre perceptible des portions d'espace, à observer de l'extérieur, ou à pénétrer, sans aucune référence à d'autres réalités que ces volumes en tant que tels.

WOODHOUSE B. G.
Britannique.
Paysagiste.
Le Musée de Norwich conserve de lui *Jardins de Thorpe*, aquarelle.

WOODHOUSE John
Né en 1835 à Dublin. Mort en 1892 à Dublin. XIXe siècle. Irlandais.
Sculpteur et médailleur.
Associé de la Royal Hibernian, Academy. Le Musée de Dublin conserve de lui *Aug. Nich. Burke*, médaillon en cire.

WOODHOUSE John Thomas
Né en 1780. Mort le 20 mars 1845 à Cambridge. XIXe siècle. Britannique.
Peintre amateur de genre et de portraits.
Élève de l'Université de Cambridge, il fit sa réputation artistique par les portraits de ses amis. De 1801 à 1834, il exposa cinq tableaux de genre à la Royal Academy.

WOODHOUSE Samuel
XIXe siècle. Travaillant à Dublin de 1809 à 1815. Irlandais.
Peintre de portraits et de paysages.

Le Victoria and Albert Museum, à Londres, conserve de lui *Portrait du révérend Towshend et de sa sœur.*

WOODHOUSE William

Né en 1805 à Dublin. Mort le 6 décembre 1878 à Woodville. XIXe siècle. Irlandais.

Médailleur et tailleur de sceaux.

Père de John W. et élève de Th. Halliday.

Ventes Publiques : Écosse, 30 août 1974 : *Chevaux dans un paysage* : **GBP 950** – Londres, 26 oct 1979 : *Morecambe bay*, h/t (42x52,3) : **GBP 4 000**.

WOODHOUSE William

Né en 1857. Mort en 1939. XIXe-XXe siècles. Britannique.

Peintre animalier.

Il commença à dessiner d'après nature très jeune, puis étudia à la Lancaster School of Art. Il exposa régulièrement à la Walker Art Gallery de Liverpool et participa à l'Exposition d'Art du Lancashire de Preston à partir de 1927. Après sa mort, une exposition rétrospective de quatre-vingt-neuf de ses peintures eut lieu à Preston en 1939.

W·Woodhouse

Ventes Publiques : Londres, 9 mars 1976 : *Léopard au repos* 1913, h/t (44x60) : **GBP 600** – New York, 10 juin 1983 : *The rubdown*, h/t (76,8x63,5) : **USD 3 500** – Londres, 12 juin 1985 : *L'ânier*, h/t (97x122) : **GBP 3 800** – New York, 4 juin 1987 : *After a day's hunting* 1894, h/t, une paire (76,2x61) : **USD 31 000** – Londres, 3 juin 1988 : *Jument et son poulain dans un verger*, h/t (61x50,8) : **GBP 1 870** – Glasgow, 6 fév. 1990 : *Chien de chasse près d'un cerf abattu*, h/t (51x76) : **GBP 1 650** – New York, 27 mai 1992 : *Maréchal-ferrant dans sa forge*, h/t (76,5x63,7) : **USD 5 500** – Londres, 16 mars 1993 : *Perdrix rouges dans la bruyère*, h/t (49,5x59,7) : **GBP 5 175** – Londres, 3 nov. 1993 : *Morecambe bay*, h/t (43,5x53) : **GBP 7 475** – Londres, 15 mars 1994 : *Tadorne de Belon à marée basse*, cr. et aquar. (35,8x54) : **GBP 1 840** – Édimbourg, 9 juin 1994 : *Un oiseau de proie nocturne chassant une souris*, h/t (77,5x62,3) : **GBP 3 680** – Londres, 4 nov. 1994 : *Sur la plage de Morecombe*, h/t (71,1x91,5) : **GBP 11 500** – Londres, 14 mai 1996 : *Couple de faisans dans les bois*, cr. et aquar. avec reh. de blanc (36x53,3) : **GBP 1 380** – Perth, 26 août 1996 : *En attendant le maître*, h/t (35,5x45,5) : **GBP 3 220** – Londres, 17 oct. 1996 : *Setter anglais avec un faisan*, h/t (59,7x50,2) : **GBP 7 130**.

WOODIN Samuel

XVIIIe-XIXe siècles. Britannique.

Portraitiste, paysagiste, peintre de genre et animalier.

Il exposa à Londres de 1798 à 1843.

WOODING J.

XVIIIe siècle. Britannique.

Graveur au burin.

On le cite comme le maître de William Brombay, travaillant à la fin du XVIIIe siècle. Ses peintures représentent les mêmes sujets. Il fut nommé associé à la Royal Academy en 1876.

WOODINGTON

XVIIIe siècle. Travaillant à Londres en 1765. Britannique.

Portraitiste.

WOODINGTON William Frederick

Né le 10 février 1806 à Sutton Coldfield. Mort le 24 décembre 1893 à Brixton. XIXe siècle. Britannique.

Peintre et sculpteur.

Il vint à Londres en 1815 pour étudier la gravure et trois ans plus tard, fut apprenti de Robert William Sievier, mais le maître renonçant à la gravure pour la sculpture, l'élève l'imita. De 1825 à 1882, il exposa des figures de fantaisie, des reliefs de sujets bibliques ou d'histoire profane. Il travailla notamment au monument de Nelson, à Trafalgar Square, à la cathédrale Saint-Paul, à la Bourse de Liverpool, pour laquelle il exécuta six statues.

WOODLE Margaret

Née aux États-Unis. XXe siècle. Américaine.

Sculpteur.

Elle fut élève d'Ossip Zadkine.

WOODLEY C.

XIXe siècle. Actif dans la première moitié du XIXe siècle. Britannique.

Dessinateur d'architectures et miniaturiste.

Il exposa de 1819 à 1827.

WOODLOCK David

Né en 1842. Mort en décembre 1929. XIXe-XXe siècles. Britannique.

Peintre d'histoire, genre, portraits.

Il vivait et travaillait à Liverpool. Il exposa à Londres, notamment à la Royal Academy et à Suffolk Street à partir de 1881.

David Woodlock

Musées : Liverpool : *Joséphine à la Malmaison – Vieux amis.*

Ventes Publiques : Londres, 27 oct. 1983 : *Ann Hathaway's cottage – the courtship of Will Shakespeare*, aquar. sur traces cr. (49x34) : **GBP 1 100** – Londres, 18 avr. 1984 : *Fillette au puits*, h/t (64x48) : **GBP 1 000** – Chester, 19 avr. 1985 : *The flower garden*, reh. de gche (53,5x43) : **GBP 1 700** – Londres, 28 oct. 1986 : *The farmer's boy* 1899, aquar. reh. de blanc (34,5x24) : **GBP 1 300** – Londres, 24 sep. 1987 : *Jardin de ferme* 1905, aquar. reh. de blanc (48x73,5) : **GBP 2 000** – Londres, 25 jan. 1988 : *Un jardin fleuri dans la rue du Moulin à Warwick* 1905, aquar. (64x49) : **GBP 6 600** ; *Jour de printemps*, aquar. (34x24) : **GBP 825** – Londres, 25 jan. 1989 : *Le charme d'un gondolier*, aquar. (34,5x24) : **GBP 1 320** – Chester, 20 jul.1989 : *Cueillette de fleurs dans le jardin*, aquar. (24x16,7) : **GBP 1 540** – Londres, 31 jan. 1990 : *Le grain des volailles*, aquar. et gche (24x17) : **GBP 1 155** ; *Jeune fille et son chien de berger dans les bois*, aquar. (64x48) : **GBP 2 200** – Londres, 26 sep. 1990 : *Les nouveaux docks de Liverpool*, aquar. avec reh. de gche (24x34) : **GBP 1 210** – Londres, 5 juin 1991 : *Distribution du grain aux volailles*, aquar. et gche (33,5x40,5) : **GBP 2 530** – Londres, 29 oct. 1991 : *Le printemps*, cr. et aquar. (42,5x24,8) : **GBP 3 300** – Londres, 3 juin 1992 : *Palais ducal à Venise*, aquar. et gche (49,5x34) : **GBP 3 190** – Londres, 3 fév. 1993 : *La provende des pigeons* 1897, h/t (76x55,5) : **GBP 1 437** – Londres, 9 juin 1994 : *L'entrée du cimetière de Welford*, aquar. (33,5x24,5) : **GBP 1 725** – Londres, 7 juin 1995 : *Place Saint-Marc à Venise*, aquar. avec reh. de blanc (74,5x51,5) : **GBP 2 760** – Londres, 5 juin 1996 : *Scène champêtre dans le Berkshire*, aquar. (24,5x17) : **GBP 1 725** – Londres, 14 mars 1997 : *Vieille Chaumière à Tatchbrook* 1911, cr. et aquar. avec reh. de blanc (74,8x56,8) : **GBP 18 400** – Londres, 4 juin 1997 : *Shelling Peas, Cottage, Haslemere, Surrey*, aquar. (34x24) : **GBP 2 300**.

WOODMAN Charles Edward

Né en 1852. Mort en 1903. XIXe siècle. Britannique.

Dessinateur d'architectures.

Le Musée Victoria et Albert, à Londres, conserve de lui deux carnets d'esquisses.

WOODMAN Charles H.

Né en 1823. Mort en 1888. XIXe siècle. Britannique.

Paysagiste.

Fils de Richard Woodman le Jeune. Le Musée Victoria et Albert, à Londres, conserve neuf aquarelles de cet artiste.

WOODMAN Edith. Voir **BURROUGHS Edith**

WOODMAN John

XIXe siècle. Travaillant à Londres dans la première moitié du XIXe siècle. Britannique.

Graveur au burin.

Il grava des paysages et des architectures des Indes.

WOODMAN Richard, l'Ancien

XVIIIe-XIXe siècles. Actif à Londres. Britannique.

Graveur au burin.

Père de Richard Woodman le Jeune. On le cite travaillant jusqu'en 1810. Il a produit des sujets gracieux, recherchés aujourd'hui tels que *Children at play*.

WOODMAN Richard, le Jeune

Né le 1er juillet 1784 à Londres. Mort le 15 décembre 1859 à Londres. XIXe siècle. Britannique.

Graveur, dessinateur, aquarelliste, paysagiste et miniaturiste.

Fils et probablement élève de Richard Woodman l'Ancien. Il fut aussi élève de R. M. Meadows. En quittant ce maître, il fut employé à des fac-similés de dessins de Westall. En 1808, il alla en Italie pour occuper un poste de conservateur d'estampes, mais il n'y demeura pas longtemps. A son retour à Londres, il grava d'importantes planches de sport. A la fin de sa vie, il se consacra à l'aquarelle. La Galerie Nationale de Londres conserve de lui *Portrait de Charlotte Augusta, princesse de Galles.*

WOODMAN Richard Horwell

XIXe siècle. Actif à Londres. Britannique.

Paysagiste.

Fils de Richard W. le jeune. Il exposa à Londres de 1842 à 1885.

WOODMAN Thomas
XIXe siècle. Actif à Londres dans la première moitié du XIXe siècle. Britannique.
Graveur au burin.
Il inventa un procédé de chromolithographie.

WOODROFFE
XVIe siècle. Britannique.
Sculpteur sur bois.
Il sculpta les portes du jubé de la Chapelle du King's College de Cambridge de 1532 à 1535.

WOODROFFE Paul
Né en 1875 à Madras (Inde). Mort en 1945 à Londres. XXe siècle. Britannique.
Peintre, peintre de cartons de vitraux, dessinateur, illustrateur, affichiste.
Il s'est formé à la Slade School à Londres. Il vécut et travailla à Campden. Il a figuré aux principales expositions nationales de Grande-Bretagne. Il fut proche du mouvement Arts and Crafts de William Morris. Il a illustré plusieurs ouvrages, parmi lesquels : de Mother Goose, *Nursery Rhymes* (1895) ; de Herrick, *Country Garland of the Ten Songs Gathered from the Hesperides* (1897) ; de Saint-François, *The Little Flowers* (1899) ; de Saint-Augustin, *The Confessions* (1900) ; *Aucassin and Nicolette* (1902). Dans le domaine de la presse, il a collaboré à *The Quarto, The Parade, Illustrated London News.*
Bibliogr. : In : *Dictionnaire des illustrateurs,* Ides et Calendes, Neuchâtel, 1989.

WOODROFFE R. ou **Woodrouffe**
XIXe siècle. Actif à Londres. Britannique.
Peintre d'architectures, de chasse, d'animaux et de sujets de sport.
Il exposa à Londres de 1835 à 1854 des sujets de sport, notamment à la Royal Academy et à la British Institution. Le Victoria and Albert Museum, à Londres, conserve de lui *Vue de la tour et de l'Abbaye à Bath,* aquarelle.

WOODROFFE-HICKS Evelyn Anne
Morte en décembre 1930. XXe siècle. Britannique.
Peintre de paysages.

WOODROW Bill
Né en 1948 à Henly (Oxfordshire). XXe siècle. Britannique.
Sculpteur d'assemblages, dessinateur.
De 1968 à 1971, il est élève à la Saint-Martin School of Art de Londres, puis, en 1972, à la Chelsea School. Il est devenu professeur au Royal College of Art de Londres.
Il figure à de très nombreuses expositions collectives, dont : 1981, *Objects and Sculpture,* Arnolfini Gallery, Bristol et Institute of Contemporary Art, Londres ; 1982, *Leçons de choses,* Kunsthalle, Berne ; 1985, Nouvelle Biennale de Paris ; 1986, *Painting and Sculpture Today,* Indianapolis Museum of Art ; 1987, *British Sculpture since 1965,* Museum of Contemporary Art, Chicago ; 1988, *Britannica. Trente ans de sculpture,* Musée des Beaux-Arts André-Malraux ; 1996, *Un Siècle de sculpture anglaise,* Galerie nationale du Jeu de Paume, Paris.
Il montre ses œuvres dans des expositions personnelles, parmi lesquelles : 1980, The Gallery, Acre Lane, Londres ; 1982, galerie Eric Fabre, Paris ; 1982, 1983, Lisson Gallery, Londres ; 1983, Art and Project, Amsterdam ; 1983, Museum Van Hedendaagse Kunst ; 1984, Musée de Toulon ; 1987, Kunstverein, Munich ; 1988, Seattle Art Museum, Seattle ; 1989, Musée des Beaux-Arts André-Malraux du Havre et Musée des Beaux-Arts de Calais ; 1989, Galerie Moderne, Ljubljana ; 1994, Bruxelles.
Faisant partie des artistes regroupés sous le label de la « Nouvelle sculpture anglaise » apparue au début des années quatre-vingt, il commence en fait à produire et exposer des œuvres dès 1972. Mais il interrompt pendant six ans sa pratique de la sculpture pour se consacrer à l'enseignement. Ses premières sculptures se fondent sur la relation entre la nature et l'homme, dans la veine de Richard Long. En 1978, lorsqu'il produit de nouveau, il prend comme sujet principal de ses réalisations, l'objet. Un objet quotidien ou de rebut qui est transformé. Dans une première série de travaux, Woodrow applique la technique de la marqueterie à la matière de ses sculptures, dans une seconde période, il coule dans du béton des objets dont il montre ensuite l'aspect presque fossilisé. *New Object* (1979-1980) est une œuvre charnière, témoin d'une autre manière dans son travail. Elle est composée de plusieurs objets, appareils électriques, carcasses de voitures, portes, capots, dont il combine les formes entre eux. « Mes premières œuvres étaient très directes en ce sens qu'elles contenaient un bien de consommation ou quelque chose qui les y reliait. » Dans cette période de récupération de matériaux, on peut rapprocher la stratégie d'assemblage de Woodrow de la « Gestalt ». Il démontre alors, que, sans altérer l'identité des objets, par leur seul rapprochement dans un ensemble nouveau, créé, en les découpant, les réassemblant et souvent les peignant, ils se révèlent, sur le plan formel, comme étant plus et autres. Ces ensembles se révèlent autres également parce qu'ils évoquent aussi tout un univers narratif et imagé, lié par exemple à la poésie des objets, au cinéma, aux animaux, au jeu de langage... Woodrow intègre à ses réalisations d'autres objets qui, d'ailleurs, vont s'élargissant en nombre : poste de radio, parapluie, écran de télévision..., les reliant les uns aux autres, par des « cordons », selon le terme qu'il utilise. Depuis 1989, il a abandonné son travail avec des matériaux de récupération. Moins que des objets, il découpe des éléments, des tôles sorties de l'usine, en gardant la couleur du gris acier par exemple, les bords étant repliés tenus par des onglets de fer. Il utilise également le verre et le bronze. Ses réalisations sont plus grandes, les surfaces de métal plus vastes. L'artiste procède toujours à une transformation, mais en d'autres artefacts non identifiables, nées de son imaginaire. Son art évolue dans le sens d'un dépouillement formel au contenu poétique et imagé plus riche. ■ C. D.
Bibliogr. : In : *Nouvelle Biennale,* catalogue d'exposition, Paris, 1985 – Catherine Grenier : *Fables et vérités,* in : *Artstudio* n° 10, Paris, automne 1988 – in : *Dictionnaire de l'art moderne et contemporain,* Hazan, Paris, 1991.
Musées : Montréal (Mus. d'Art Contemp.) : *Parrot Fashion* 1984, capot de voiture et moteur hors-bord peints.
Ventes Publiques : New York, 9 nov. 1989 : *Charge* 1986, fils électriques, tuyau de cuivre et vernis (137,2x87,5x40,5) : **USD 33 000** – New York, 27 fév. 1990 : *Surveillance du débit de la rivière* 1985, métal peint. et bois (109,2x91,4x95,2) : **USD 13 200** – New York, 7 mai 1992 : *Aiguillage* 1986, tête de cheval de bois, boîte de métal, pare-choc de voiture, vernis et peint. acryl. (142,9x187x300) : **USD 16 500** – New York, 24 fév. 1993 : *La porte du désir* 1985, acryl./acier (213,4x90,8x63,5) : **USD 4 950** – Londres, 26 mars 1993 : *L'oiseau bleu,* métal découpé et peint. posé sur une planche à repasser en ruines (146x58,5x37) : **GBP 2 300** – New York, 4 mai 1993 : *Bateau de fantaisie et la table du capitaine,* acryl. et bombage de vernis sur cart. et bois (175,3x175,3x129,5) : **USD 8 625** – New York, 3 mai 1994 : *À la lumière du jour* 1986, acryl./acier (276,9x116,8x69,9) : **USD 6 325.**

WOODRUFF John Kellogg
Né le 6 septembre 1879 à Bridgeport (Connecticut). XXe siècle. Américain.
Peintre, sculpteur.
Il fut élève de Walter Shulaw, Arthur W. Dow et Charles J. Martin. Il fut membre de la Société des Artistes Indépendants.
Musées : Brooklyn.

WOODRUFF William
XIXe siècle. Travaillant à Philadelphie de 1817 à 1824. Américain.
Graveur au burin.
Il grava surtout des portraits.

WOODS Fanny. Voir **FILDES Fanny,** Lady

WOODS Henry
Né le 22 avril 1846 à Warrington. Mort le 27 octobre 1921 à Venise. XIXe-XXe siècles. Britannique.
Peintre de genre, paysages, illustrateur.
Il commença ses études à l'École d'Art de sa ville natale et y obtint une bourse de voyage. Il vint travailler aux Écoles du South Kensington Museum (aujourd'hui Victoria and Albert Museum). En 1876, il alla en Italie et fixa sa résidence à Venise. Il exposa à Londres, à partir de 1868, principalement des sujets vénitiens. Associé à la Royal Academy en 1882, il fut académicien en 1893. Il reçut une médaille de bronze à Paris en 1889 lors de l'Exposition universelle.

Henry Woods

Musées : Le Cap : *Fête vénitienne* – Hambourg : *Marchand ambulant à Venise* – *Dans la cour du palais des doges* – *Le Rialto* – *Enrôlement* – Leicester : *Roues de moulin à eau à Savasso* – Liverpool : *L'admiration* – Londres (Tate Gal.) : *Cupid's spell* – Warrington : *Porteur d'eau vénitien.*

Ventes Publiques : Londres, 1894 : *Après-midi d'été à Venise* : **FRF 4 997** – Londres, 2 mai 1924 : *Le premier-né* : **GBP 210** – Londres, 11 nov. 1924 : *Sous la vigne* : **GBP 220** – Londres, 23 juil. 1971 : *Le Grand Canal* : **GNS 1 650** – Londres, 14 juil. 1972 : *Scène de Canal, Venise* : **GNS 1 300** – Londres, 26 oct 1979 : *Le Raccommodage des filets* 1880, h/t (93,4x68) : **GBP 550** – Cologne, 20 mars 1981 : *Le Marché à Venise* 1881, h/t (63x88) : **DEM 27 000** – Londres, 10 mai 1985 : *Le galant pêcheur* 1898, h/t (96,5x50,6) : **GBP 5 000** – Londres, 13 nov. 1992 : *La roue à eau*, h/t (59x48,6) : **GBP 3 300** – New York, 17 fév. 1993 : *Le marchand d'éventail vénitien* 1882, h/t (71,1x98,4) : **USD 28 750** – Londres, 11 juin 1993 : *La marchande de citrouilles à Venise* 1884, h/t (33x24,1) : **GBP 1 495** – Londres, 3 juin 1994 : *En attendant le passeur avec l'église du rédempteur sur la rive opposée à Venise* 1894, h/t (68,5x44,5) : **GBP 8 625** – Londres, 6 nov. 1995 : *Une audience à Venise* 1916, h/t (48x44,5) : **GBP 3 680** – Londres, 8 nov. 1996 : *À l'ombre de l'école, San Rocco, Venise* 1890, h/t (65,5x33) : **GBP 7 500** – Londres, 13 mars 1997 : *Les Lavandières, Venise* 1911, h/t (65,4x42,5) : **GBP 3 500**.

WOODS Joseph

Né le 24 août 1776 à Stoke Newington. Mort le 9 janvier 1864 à Lewes. XIXe siècle. Britannique.

Dessinateur, architecte.

Élève de D. A. Alexander. Il était également botaniste. Il dessina des architectures de France, de Grèce et d'Italie.

WOODSIDE John Archibald, Sr

Né en 1781. Mort en 1852. XIXe siècle. Actif à Philadelphie à partir de 1817. Américain.

Peintre d'histoire, sujets allégoriques, portraits, animaux, natures mortes.

Ventes Publiques : New York, 3 juin 1982 : *A Pennsylvania country fair* 1824, h/t (50,5x66) : **USD 260 000** – New York, 23 mars 1984 : *Figure allégorique* 1851, h/t (43,2x35,5) : **USD 2 000** – New York, 18 oct. 1989 : *Nature morte de gibier dans un paysage*, h/t (45,7x61,5) : **USD 8 800** – New York, 5 juin 1993 : *Cheval et entraineur*, h/t (63,5x81,7) : **USD 32 200**.

WOODSON Marie L.

Née le 9 septembre 1875 à Selma (Alabama). XXe siècle. Américaine.

Peintre, graveur.

Elle fut élève de l'Art Institute de Chicago. Elle fut membre de la Fédération américaine des Arts.

WOODTHORPE V.

XIXe siècle. Actif à Londres au début du XIXe siècle. Britannique.

Graveur au burin.

Il grava des ex-libris et des frontispices.

WOODVILLE Richard Caton

Né en 1825 à Baltimore. Mort en 1855 à Londres. XIXe siècle. Britannique.

Peintre d'histoire, batailles, scènes de genre.

Il fut élève de l'Académie de Düsseldorf, puis de Carl Ferdinand Sohn. Il séjourna à Paris, ensuite à Londres, où il fut membre du Royal Institute of Painters in Water-Colour. Il exposa à Londres, notamment à la Royal Academy et à la British Institution à partir de 1852.

Bibliogr. : In : *Diction. de la peinture anglaise et américaine*, coll. Essentiels, Larousse, Paris, 1991.

Musées : Baltimore (Walters Art Gal.) : *Politics in an Oyster House* – *Soldier's Experience* – Bristol : *La reine Victoria faisant chevalier Herbert Ashman* – Liverpool : *Charge de lanciers à la bataille d'Omdurman* – *Sauvetage des canons* – Washington D. C. (Corcoran Gal.) : *Waiting for the Stage*.

Ventes Publiques : Londres, 19 mai 1971 : *L'embuscade* : **GBP 340**.

WOODVILLE Richard Caton

Né en 1855 à Londres. Mort en 1926 ou 1927. XIXe-XXe siècles. Britannique.

Peintre d'histoire, scènes de batailles, illustrateur.

Il se spécialisa, comme son père, dans la représentation des scènes de batailles. Il étudia à Düsseldorf et à Paris. Il exposa à la Royal Academy à partir de 1879. Ce fut un illustrateur prolifique, notamment pour le *Illustrated London News*.

Il peignit des batailles du Moyen Age et du XVIIIe siècle, ainsi que des épisodes des campagnes d'Egypte et d'Afrique, mais il paraît avoir particulièrement apprécié l'époque napoléonienne. Sa technique brillante, son dessin réaliste lui permirent d'être comparé à Meissonier.

R.C Woodville

Ventes Publiques : Londres, 9 mars 1976 : *La retraite de Moscou* 1911, h/t (122x183) : **GBP 1 600** – Londres, 29 juil. 1977 : *Candahar : les Highlanders et les Gurhas attaquant*, h/t (129x183,3) : **GBP 2 700** – Londres, 3 mai 1979 : *Churchill porte un message à Kitchener à Omduhrman*, h/pan. (35,5x56) : **GBP 550** – Londres, 24 mars 1981 : *A Prussian peace party under fire* 1885, h/t (89x69) : **GBP 1 250** – New York, 19 oct. 1984 : *Conquered but not subdued* 1899, h/t (92x61) : **USD 5 000** – Londres, 2 oct. 1985 : *L'Inspection des troupes au palais Saint-James en hiver*, h/t (65x100) : **GBP 2 000** – Stockholm, 16 mai 1990 : *Cavalier arabe avec le fanion du Prophète* 1896, h/t (65x49) : **SEK 31 000** – Londres, 7 juin 1996 : *Le Lendemain d'Iéna et d'Auerstaedt, 1806* 1909, h/t (91,4x152,3) : **GBP 33 350** – Londres, 5 nov. 1997 : *Bonaparte et les survivants de Saint-Jean-d'Acre, le 10 mai 1799* 1910, h/t (125,5x92) : **GBP 37 800**.

WOODWARD Alice Bolingbroke

XIXe-XXe siècles. Britannique.

Peintre, illustratrice.

Elle travailla à Londres de 1886 à 1911. Peintre, elle a également illustré des livres d'enfants.

WOODWARD Dewing. Voir **DEWING-WOODWARD,** Mlle

WOODWARD Ellsworth

Né le 14 juillet 1861 à Bristol. XIXe siècle. Actif à la Nouvelle-Orléans. Américain.

Peintre.

Élève de l'Académie de Düsseldorf. La Galerie Nationale de Washington conserve de lui *En attendant le relais*.

WOODWARD George Montard

Né vers 1760 dans le comté de Derby. Mort en novembre 1809 à Londres. XVIIIe siècle. Britannique.

Dessinateur, caricaturiste et écrivain.

On signale ses dessins à partir de 1792. Rowlandson grava sa composition *Cupid's magic Lantern* en 1798. On cite encore de lui *The Musical Mania*, 1802, *Exentric Excursions in England*, 1798, *Le Brun travestied*, 1800, *The Caricature Magazine*, 1807, *Comic Woots in Prose and Poetry*, 1808. Il semble avoir été gai compagnon, aimant fort à boire. Il mourut dans un cabaret de Bow Street.

Ventes Publiques : Londres, 20 mars 1979 : *A dearth of business of Every-body put of town !*, aquar. et pl. (48,3x65) : **GBP 450**.

WOODWARD Hildegarde

Née au XXe siècle à Worcester (Massachusetts). XXe siècle. Américaine.

Peintre.

Elle fit ses études à l'École du Musée des Beaux-Arts de Boston et vint les compléter à Paris. Elle exposa à Boston et à New York.

WOODWARD John Douglas

Né en 1848 dans le Middlesex. Mort le 5 juin 1924 à New Rochelle. XIXe-XXe siècles. Américain.

Peintre, illustrateur.

Il fut élève de F. C. Welsh à Cincinnati. Il illustra des livres de voyages.

WOODWARD Mabel May

Née le 28 septembre 1877 à Providence (Rhode Island). Morte en 1945. XXe siècle. Américaine.

Peintre.

Elle fut élève de W. M. Chase à New York.

Ventes Publiques : New York, 26 mai 1971 : *Bord de mer* : **USD 1 400** – New York, 13 déc. 1972 : *Scène de plage* : **USD 3 500** – New York, 14 déc. 1973 : *Scène de plage* : **USD 4 740** – New York, 12 déc. 1974 : *Scène de plage* : **USD 2 600** – New York, 29 avr. 1976 : *Scène de plage*, h/t (40,6x48,3) : **USD 1 900** – New York, 2 févr 1979 : *Scène de plage en Floride*, h/t mar./cart. (24,7x33,6) : **USD 1 100** – Bolton, 17 nov. 1983 : *Fillette cueillant* *des fleurs* 1919, h/t (56x40,6) : **USD 16 500** – Londres, 6 nov. 1985 : *Mère et enfant*, h/t (52x41) : **GBP 5 800** – New York, 23 juin 1987 : *The favorite doll*, h. : t. (50,8x40,5) : **USD 20 000** – New York, 30 sep. 1988 : *Fontaine ancienne en Sicile*, h/t (25,4x33,6) : **USD 3 850** – New York, 26 sep. 1991 : *Un après-midi à la plage*, h/t/rés. synth. (39,5x49) : **USD 24 200** – New York, 6 déc. 1991 : *Un après-midi à la plage*, aquar. et cr./cart. (38x56) : **USD 27 500** – New York, 3 déc. 1992 : *Après-midi au jardin d'enfants*, h/t (63,5x76,2) : **USD 27 500** – New York, 4 déc. 1992 : *La poupée préférée*, h/t (51,2x40,8) : **USD 24 200** – New York, 14 sep. 1995 : *À la plage*, h/t (40,6x50,8) : **USD 25 300** – New York, 23 avr. 1997 : *À la plage*, h/pan. (20x25,5) : **USD 9 200**.

WOODWARD Robert Strong

Né le 11 mai 1885 à Northampton (Massachusetts). Mort en 1960. xxe siècle. Américain.

Peintre de paysages.

Autodidacte. Membre du Salmagundi Club et de la Fédération Américaine des Arts. Il obtint de nombreuses récompenses.

Musées : Springfield.

Ventes Publiques : Los Angeles, 17 mars 1980 : *Mon jardin d'hiver* 1927, h/t (76,2x91,5) : **USD 2 200** – Bolton, 26 nov. 1985 : *Paysage boisé au clair de lune*, h/t (76,2x63,5) : **USD 2 600**.

WOODWARD Stanley Wingate

Né le 11 décembre 1890 à Malden (Massachusetts). Mort en 1970. xxe siècle. Américain.

Peintre de marines, graveur, illustrateur.

Il fut élève de l'Académie des Beaux-Arts de Philadelphie, d'Eric Pape et d'Edward Blashfield. Il fut membre du Salmagundi Club et de la Fédération Américaine des Arts. Il obtint de nombreuses récompenses. Il a surtout peint des marines.

Ventes Publiques : Los Angeles, 8 mars 1976 : *Côte rocheuse*, h/t (101,5x127) : **USD 900** – Bolton, 15 mai 1985 : *September moonlight, Maine*, h/t (63,5x79) : **USD 3 000** – New York, 20 mars 1996 : *Clair de lune sur le bout du monde*, h/t (86,4x101,6) : **USD 2 530**.

WOODWARD Thomas

Né en 1801 à Pershore. Mort en novembre 1852 à Worcester. xixe siècle. Britannique.

Peintre de sujets de sport, scènes de genre, portraits, animaux, paysages animés.

Il fut élève d'Abraham Cooper. Il exposa à Londres de 1821 à 1852, notamment à la Royal Academy et à la British Institution.

TW 1829

Musées : Londres (Tate Gal.) : *L'attrapeur de rats*.

Ventes Publiques : Londres, 15 mars 1967 : *Poney dans un paysage* : **GBP 480** – Londres, 3 avr. 1968 : *Charles Hubert Woodward sur un poney* : **GBP 1 300** – Londres, 19 juil. 1972 : *Paysans et chevaux* : **GBP 1 200** – Londres, 14 juil. 1976 : *Deux lièvres et une grenouille* 1842, h/pan. (34x46) : **GBP 1 150** – Londres, 27 mars 1981 : *Un pur-sang gris dans un paysage boisé* 1822, h/t (47,6x59,6) : **GBP 2 600** – New York, 10 juin 1983 : *Gone to earth*, h/t (63,5x76,2) : **USD 5 500** – Londres, 1er mars 1985 : *Trois chevaux galopant dans un paysage*, h/t (45,7x55,3) : **GBP 1 500** – Londres, 24 avr. 1987 : *Run to earth* 1844, h/t (101,6x126,9) : **GBP 21 000** – Londres, 15 juil. 1988 : *Deux chiens de meute, Messmate et Coventry* 1844, h/t (43,1x50,2) : **GBP 8 250** – Londres, 12 juil. 1989 : *Billy, le meilleur chien de château de Holt* 1848, h/t (137x147,5) : **GBP 33 000** – Londres, 14 juil. 1989 : *Les quatre fox-terriers préférés de William Wigram, Rantipole, Rummager, Racer et Reveller avec un autre chien au chenil* 1845, h/t (137,2x188) : **GBP 209 000** – Londres, 17 nov. 1989 : *Messmate et Coventry, deux foxhounds* 1844, h/t (101,6x126,9) : **GBP 66 000** – Londres, 16 juil. 1991 : *Setter anglais flairant une piste* 1829, h/cart. (45,7x55,8) : **GBP 880** – New York, 9 juin 1995 : *« Old Brush », hunter bai, avec une jument alezane dans un pré* 1829, h/t (63,5x76,2) : **USD 23 000** – New York, 26 fév. 1997 : *L'Honorable James MacDonald sur un poney*, h/pan. (39,4x29,2) : **USD 2 990**.

WOODWARD William

Né le 1er mai 1859 à Seekonk (Massachusetts). xixe siècle. Américain.

Peintre, architecte, graveur et décorateur.

Il fit ses études à Providence, à Boston et à Paris, y recevant les conseils de Boulenger. Membre de la Fédération Américaine des Arts. Le Musée de la Nouvelle-Orléans conserve de lui *Nature morte* et *Faïence de la Nouvelle-Orléans*.

WOODWARD-DEWING, Mlle. Voir **DEWING-WOODWARD,** Mlle

WOODWELL Joseph R.

Né en 1843 à Pittsburgh (Pennsylvanie). Mort le 30 mai 1911 à Pittsburgh. xixe-xxe siècles. Américain.

Peintre de paysages, marines.

Il travailla à Barbizon, à Paris et à Pittsburgh.

WOOG Madeleine

Née le 23 décembre 1892 à La Chaux-de-Fonds. Morte le 22 avril 1929 à Zurich. xxe siècle. Suisse.

Peintre.

Elle fut élève de Ch. L'Eplattenier. Elle exposa à Winterthur en 1920.

Musées : La Chaux-de-Fonds : *L'artiste*, quinze peintures, parmi lesquelles deux fois l'œuvre cité – Le Locle : *Portrait d'homme*.

WOOG Raymond

Né le 25 octobre 1875 à Paris. xxe siècle. Français.

Peintre de genre, portraits, paysages, natures mortes.

Mari de Madeleine Woog, il fut élève de Gustave Moreau. Il exposait au Salon de la Société Nationale des Beaux-Arts depuis 1911. Chevalier de la Légion d'honneur.

Parmi ses portraits, traités avec vigueur, citons ceux d'*Anatole France* – *Pablo Casals* – *Fernand Gregh*, présentés à l'exposition *Marcel Proust et son temps*, au Musée Jacquemart-André à Paris, en 1971.

Bibliogr. : Gérald Schurr, in : *Les Petits Maîtres de la peinture 1820-1920, valeur de demain*, Les Éditions de l'Amateur, t. II, Paris, 1982.

Musées : Paris (Mus. d'Orsay) : *Enfant à la poupée*.

Ventes Publiques : Paris, 4-5 mars 1920 : *Noël moderne* : **FRF 1 420** – Londres, 15 juil. 1938 : *Anatole France* : **GBP 105** – Paris, 13 mars 1939 : *Fillette à la poupée* : **FRF 2 200** – Paris, 13 mars 1949 : *Portrait* : **FRF 4 500** – Paris, 7 fév. 1951 : *Vase de fleurs* : **FRF 4 000** – San Francisco, 20 juin 1985 : *L'enfant à la poupée* 1909, h/cart. (41x33) : **USD 4 250** – Versailles, 19 nov. 1989 : *Toréador* 1906, h/t (136x66) : **FRF 8 500** – Paris, 22 mars 1994 : *Le toréador* 1906, h/t (136x66) : **FRF 3 800** – Paris, 10 oct. 1994 : *Jeune fille sur la plage*, h/t (20x31) : **FRF 4 000**.

WOOL Christopher

Né en 1955. xxe siècle. Américain.

Peintre. Abstrait.

Il a montré une exposition personnelle de ses œuvres à la galerie Samia Saouma en 1995 à Paris.

Wool s'est fait connaître à ses débuts avec des peintures reproduisant uniquement des mots, ou, à la fin des années quatre-vingt et au début des années quatre-vingt-dix, des motifs décoratifs. Il peint souvent sur des plaques d'aluminium, qu'il traite ensuite par émaillage. Cette technique donne un aspect solide et monumental à sa peinture et une apparence de lyrisme, puisque sa figuration composée de formes, tracés aériens et *dripping*, est en fait minutieusement travaillée par strates et recouvrements.

Bibliogr. : Paul Ardenne : *Christopher Wool*, in : *Art Press* n° 207, Paris, nov. 1995.

Musées : Paris (FNAC) : *Sans titre (95037)* 1995.

Ventes Publiques : New York, 8 mai 1990 : *Pendant l'année de la Chèvre* 1985, vernis/bois (121,9x70,8) : **USD 26 400** – New York, 13 nov. 1991 : *Sans titre* 1988, alkyd/pap. (127,3x97) : **USD 11 000** – New York, 25-26 fév. 1992 : *Sans titre étude 13* 1987, alkyd/alu. (121,9x61) : **USD 17 600** – New York, 27 fév. 1992 : *Sans titre (S. 23)* 1988, alkyd et projections/alu. (122x81,2) : **USD 19 800** – New York, 6 mai 1992 : *Sans titre (P.16)* 1987, alkyd sur alu. (182,9x121,9) : **USD 44 000** – Londres, 2 juil. 1992 : *Sans titre (W6)* 1990, vernis/alu. (274,3x183) : **GBP 27 500** – New York, 17 nov. 1992 : *Sans titre* 1989, alkyd et acryl./alu. (182,9x121,9) : **USD 33 000** – New York, 19 nov. 1992 : *Sans titre (P. 65)*, alkyd/alu. (183,2x121,9) : **USD 18 150** – New York, 24 fév. 1993 : *Sans titre (P72)* 1988, alkyd/alu. (243,8x182,9) : **USD 19 800** – New York, 3 nov. 1994 : *Sans titre (P140)*, alkyd sur alu. (228,6x152,4) :

USD 46 000 – NEW YORK, 16 nov. 1995 : *Sans titre* 1991, alkyd/ pap. (132,1x101,6) : **USD 10 350** – NEW YORK, 9 mai 1996 : *Sans titre* 1987, alkyd sur alu. et acier (182,9x121,9) : **USD 19 550** – NEW YORK, 21 nov. 1996 : *Rideau d'acier* 1986, acier émaillé (186,7x121,8) : **USD 8 625** – NEW YORK, 20 nov. 1996 : *Sans titre n° S128* 1994, émail/alu. (137,2x101,6) : **USD 17 250** – LONDRES, 26 juin 1997 : *Sans titre (P98)* 1989, alkyd et acryl./alu. (228,6x152,4) : **GBP 16 100**.

WOOLASTON John. Voir **WOLLASTON**

WOOLCOTT Wilfred Robert

Né le 26 mars 1892 à Cullompton. XXe siècle. Britannique.

Peintre.

Il vécut et travailla à Westcliff-on-Sea.

WOOLDRIDGE Harry Ellis

Né en 1845. Mort le 13 février 1917. XIXe-XXe siècles. Britannique.

Peintre, fresquiste.

Il a été élève de l'Académie de Londres. Il fut également critique musical. Il peignit des fresques dans l'église de Hampstead.

WOOLES W. E.

XIXe siècle. Travaillant à Londres de 1828 à 1834. Britannique.

Sculpteur sur pierre, sculpteur-modeleur de cire, médailleur.

WOOLF Michael Angelo

Né en 1837 à Londres. Mort le 4 mars 1899 à Bridgeport (?). XIXe siècle. Britannique.

Peintre de genre, caricaturiste, acteur et dessinateur.

Il émigra enfant aux États-Unis. D'abord acteur, dessinateur apprécié de plusieurs périodiques américains importants, il devint à la fin de sa vie peintre de genre et réussit dans cette spécialité.

WOOLF Samuel Johnson

Né en 1880 à New York. Mort en 1948. XXe siècle. Américain.

Peintre de portraits, paysages urbains, scènes typiques.

Entre 1901 et 1941, il exposa plusieurs fois à la National Academy of Design à New York.

Il peignait des portraits de personnalités telles que Babe Ruth, Albert Einstein ou Eugène O'Neill dans une technique traditionnelle de l'Art Student's League, et des scènes du quartier des émigrants de New York. Il se voulait le témoin de la vie de son époque dans le Lower East Side de New York.

VENTES PUBLIQUES : NEW YORK, 30 sep. 1988 : *La carte des batailles*, h/t (67,2x53,2) : **USD 3 300** – NEW YORK, 6 déc. 1991 : *Le bas de l'East Side à New York*, h/t (152x101,5) : **USD 60 500** – NEW YORK, 28 mai 1992 : *Le lever*, h/t (157,5x108,5) : **USD 16 500** – NEW YORK, 23 sep. 1993 : *Expérience de chimie*, h/t (158,8x109,2) : **USD 10 925** – NEW YORK, 12 sep. 1994 : *Le marché aux volailles*, h/t (53,7x74,3) : **USD 4 887**.

WOOLFE Edward

Né en 1899 à Johannesbourg. XXe siècle. Sud-Africain.

Peintre de figures, fleurs.

WOOLLARD Florence Eliza

Née le 17 novembre 1878 à Clapham. XXe siècle. Britannique.

Peintre de paysages.

Elle fut élève de W. Sickert et de Beatrice Bland. Elle vécut et travailla à Londres.

WOOLLATT Edgar

Mort en août 1931. XXe siècle. Britannique.

Peintre.

Père de Leighton Hall Woollatt.

WOOLLATT Leighton Hall

Né le 8 septembre 1905 à Nottingham (Nottinghamshire). XXe siècle. Britannique.

Peintre, sculpteur.

WOOLLET William

Né le 15 août 1735 à Maidstone. Mort le 23 mai 1785 à Londres. XVIIIe siècle. Britannique.

Dessinateur et graveur au burin.

Fils d'un riche aubergiste. Il fut envoyé à Londres comme apprenti du graveur John Tirmey, mais Woolet se forma surtout seul, inventant d'heureux procédés de gravure. Il acquit une réputation considérable et justement méritée. C'est sans contredit un des plus habiles graveurs anglais, et il réussit également dans tous les genres. En 1775, il fut nommé graveur du roi. En 1776, il fut nommé membre de la Society of Artists et en fut le secrétaire. Son œuvre est considérable. Un catalogue en a été publié en 1885 par Louis Fagan.

VENTES PUBLIQUES : LONDRES, 10 fév. 1928 : *La rencontre* : **GBP 178**.

WOOLLEY

XVIIIe siècle. Travaillant à Philadelphie et à New York vers 1757. Américain.

Portraitiste.

WOOLLEY C.

XIXe siècle. Travaillant vers 1800. Britannique.

Illustrateur.

WOOLLEY W.

XVIIIe siècle. Travaillant à Londres de 1773 à 1791. Britannique.

Peintre de paysages, d'architectures, de figures et de portraits.

WOOLLEY William

XIXe siècle. Travaillant vers 1800. Américain.

Graveur à la manière noire.

On cite de lui deux portraits de *Washington* et un de *Mrs Washington*.

WOOLMER Alfred Joseph

Né le 20 décembre 1805 à Exeter. Mort le 19 avril 1892 à Londres. XIXe siècle. Britannique.

Peintre de sujets allégoriques, scènes de genre, sculpteur.

Il fit son éducation artistique en Italie et, dans la suite, s'inspira de la manière de Watteau. Membre de la Society of British Artists. Il exposa à Londres, notamment à la Royal Academy de 1827 à 1886.

MUSÉES : CARDIFF : *Elle ne dit jamais son amour* – GLASGOW : *Watt dans son atelier* – LEICESTER : *Les baigneurs* – LIVERPOOL : *Le matin après la bataille d'Hastings* – YORK, Angleterre : *La chanson du soir*.

VENTES PUBLIQUES : LONDRES, 22 fév. 1972 : *Nymphes se baignant dans un paysage boisé* : **GBP 350** – LONDRES, 8 mars 1977 : *Lady Godiva*, h/t, de forme ovale (79x62) : **GBP 750** – LONDRES, 8 juin 1978 : *Printemps*, h/t (114,3x87,5) : **GBP 2 100** – LONDRES, 9 oct 1979 : *Le Galant Entretien*, h/t, coins supérieurs arrondis (57x49) : **GBP 1 400** – LONDRES, 24 mars 1981 : *Le Ménestrel* 1849, h/t (127x101,5) : **GBP 1 800** – NEW YORK, 25 fév. 1983 : *Sympathy*, h/pan. (60,4x49,7) : **USD 1 500** – LONDRES, 15 juin 1988 : *Dora*, h/t (62x52) : **GBP 4 180** – LONDRES, 3 nov. 1989 : *À la fenêtre*, h/t (46x35,6) : **GBP 1 980** – LONDRES, 13 déc. 1989 : *Pyrame et Thisbé* 1871, h/t (36x30,5) : **GBP 3 080** – NEW YORK, 28 fév. 1990 : *Dans le boudoir*, h/t (74,9x60,3) : **USD 5 500** – LONDRES, 5 mars 1993 : *Dora*, h/t (61,6x52,1) : **GBP 7 130** – ST. ASAPH (Angleterre), 2 juin 1994 : *Repos*, h/t (56x48) : **GBP 4 370** – LONDRES, 4 nov. 1994 : *Les sirènes*, h/t (97,2x127,3) : **GBP 4 830** – LONDRES, 7 juin 1995 : *La leçon de tir à l'arc*, h/t (76x64) : **GBP 2 070** – LONDRES, 5 sep. 1996 : *Pyrame et Thisbé* 1871, h/t (35,5x29,8) : **GBP 2 300** – LONDRES, 5 nov. 1997 : *Au bal*, h/t, de forme ovale (40,5x33) : **GBP 2 300**.

WOOLNER Thomas

Né le 17 décembre 1825 à Hadleigh (Suffolk). Mort le 7 octobre 1892 à Londres. XIXe siècle. Britannique.

Sculpteur, peintre et dessinateur. Préraphaélite.

Dès son jeune âge il fit preuve de remarquables dispositions pour le modelage. Il vint à Londres, exposa à la Royal Academy à partir de 1842. Il se maria en 1864 et mourut laissant six fils et quatre filles. Associé de la Royal Academy en 1871, il fut académicien en 1874.

Il fit partie du groupe des Préraphaélites et vécut dans une étroite intimité avec Rossetti, F. G. Stephens, William Holman Hunt, Madox Brown, W. Bell Scott. Il sculpta surtout des portraits.

MUSÉES : CAMBRIDGE : *John Stevens Henslow – Henry Welkinson Cookson* – LONDRES (Nat. Portrait Gal.) : *Fr. Denison Maurice*, masque plâtre – *Sir Wm Jackson Hooker – Sir James Brooke – Richard Cobden – Thomas Caryle* – MELBOURNE (Nat. Gal. of Victoria) : *Sir Redmond Barry – Ch. Jos. La Trobe, super-intendant de Victoria – Rev. James Clow – Edward Wilson, colon victorien* – SYDNEY : *W. C. Wentworth-Esq.*

WOOLNOTH Charles Nicholls

Né en 1815 à Londres. Mort le 25 mars 1906 à Glasgow. XIXe siècle. Britannique.

Peintre de paysages, paysages d'eau, peintre à la gouache, aquarelliste.

Il fut membre de la Royal Water-Colours Society. Il exposa à Londres de 1838 à 1875.

MUSÉES : GLASGOW : *Ben Ledi* – LONDRES (Victoria and Albert Mus.) : *Environs de Crieff, Perthshire*.

Ventes Publiques : Perth, 31 août 1993 : *Loch Lomond*, aquar. et gche (52,5x79) : **GBP 1 380** – Édimbourg, 9 juin 1994 : *La Tweed près de Melrose avec les Cheviots à distance*, aquar. avec reh. de blanc (50,3x81,3) : **USD 1 495**.

WOOLNOTH Thomas A.
Né en 1785. Mort en 1857. xixe siècle. Actif à Londres. Britannique.
Peintre de scènes de genre, portraits, graveur.
Il fut élève de Heath. Il a gravé au burin des portraits.
Musées : Londres (Nat. Portrait Gal.) : *Portrait de John Campbell*.
Ventes Publiques : Londres, 2 nov. 1994 : *La séparation de Sir Thomas Moore et de sa famille*, h/t (126x171,5) : **GBP 5 520**.

WOOLNOTH William
xviiie siècle. Travaillant à Londres vers 1770. Britannique.
Graveur au burin.
Il grava des architectures d'Angleterre et d'Espagne.

WOOLRYCH Bertha Hewit
Née en 1868 dans l'Ohio. xixe siècle. Américaine.
Peintre et illustratrice.
Femme de F. Humphry Woolrych. Elle fit ses études à Saint Louis et à Paris.

WOOLRYCH F. Humphry W.
Né en 1868 à Sydney. xixe siècle. Actif à Saint Louis. Américain.
Peintre.
Élève des Académies de Berlin et de Paris. Il peignit des paysages.

WOONS Joannes Bapt.
xviiie siècle. Travaillant à Anvers de 1720 à 1744. Éc. flamande.
Sculpteur.
Il sculpta le tombeau de saint Boniface dans l'église Saint-Jacques d'Anvers.

WOORDEWIND Gilles. Voir **MEEREN Ægidius Van der**

WOORT Van der. Voir **VOORT Van der**

WOOT Walther ou **Watien**
Né à Liège. xviie siècle. Travaillant à Rome en 1638. Éc. flamande.
Peintre.

WOOT DE TRIXHE Tilman
xviie siècle. Actif dans la première moitié du xviie siècle. Éc. flamande.
Peintre.
Il peignit quatre tableaux d'autel pour l'église des Jésuites de Liège.

WOOTTON John
Né vers 1686, selon certains biographes, en 1678 ou 1682 à Warwickshire. Mort en 1765 à Londres, aveugle. xviie-xviiie siècles. Britannique.
Peintre de batailles, scènes de chasse, portraits, animaux, paysages animés, paysages, natures mortes, illustrateur.
Il fut élève de Jan Wyck. Il acquit promptement une réputation de « peintre de chevaux de course », et il fut fréquemment employé à Newmarket. Il fut également fort renommé pour ses scènes de bataille.
Il fit aussi de nombreux sujets de chasse. Sept scènes de chasse au renard furent gravées d'après lui par Pierre Charles Canot. Il portraitura le duc de Cumberland. Il peignit aussi des paysages dans le style de Claude Lorrain. On lui doit en outre des illustrations pour les fables de Gay (1727).
Bibliogr. : In : *Diction. de la peinture anglaise et américaine*, coll. Essentiels, Larousse, Paris, 1991 – Arline Meyer : *John Wootton 1682-1764, Landscapes and Sporting Art in Early Georgian England*, Londres, 1984.
Musées : Cambridge (Mus. Fitswilliam) : *Paysage classique* – Londres (Tate Gal.) : *Chasse du duc de Beaufort* – Londres (Nat. Army Mus.) : *George II à Dettingen*.
Ventes Publiques : Londres, 30 juin 1926 : *Départ pour la chasse* : **GBP 326** – Londres, 28 juin 1929 : *Newmarket* : **GBP 787** – Londres, 18 juil. 1941 : *Chasse au renard* : **GBP 294** – Londres, 16 fév. 1945 : *Paysage étendu* : **GBP 441** – Londres, 20 nov. 1963 : *La Halte des chasseurs* : **GBP 6 400** – Castle Howard, 6 avr. 1968 : *Paysage animé de nombreux cavaliers, Newmarket* : **GBP 7 000** – Londres, 2 avr. 1971 : *Chevaux de courses à l'exercice*, deux pendants : **GNS 11 000** – Londres, 27 nov. 1974 : *Le Cheval Victorious* : **GBP 15 000** – Londres, 18 juin 1976 : *Godolphin, ch arabe* 1731, h/t (99x124,4) : **GBP 10 000** – Londres, 24 juin 19 *Cheval bai dans un paysage boisé* 1748, h/t (128,3x9 **GBP 3 600** – Londres, 16 mars 1978 : *Cavaliers et leurs ch* aquar. (14x21) : **GBP 1 450** – Londres, 22 juin 1979 : *Chasseu meute dans un paysage boisé*, h/t (101,6x124,5) : **GBP 20 0** Londres, 27 mars 1981 : *Paysage d'Italie*, h/t (43,2x57 **GBP 1 100** – Londres, 15 nov. 1983 : *Tête de cheval* 1745, p encre brune (22x17,2) : **GBP 1 200** – New York, 10 juin 1983 : *Courses à Newmarket*, h/t (89x125,7) : **USD 70 000** – Londres mars 1985 : *A bay racehorse the property of Richard Smyth, being held by a groom and with hounds* 1737, h/t (227,5x3 **GBP 245 000** – Londres, 19 nov. 1986 : *Releasing the hounds* (44,5x101) : **GBP 90 000** – Londres, 15 juil. 1988 : *Paysage a avec des personnages près de ruines classiques en Italie* 1752 (140,3x202) : **GBP 19 800** – Londres, 18 nov. 1988 : *The Ham Court Chestnut Arabian tenu par son lad arabe dans un pays de ruines classiques*, h/t (129,6x153,5) : **GBP 132 000** – Lond 14 juil. 1989 : *Lévrier près d'une colonne dans un paysage*, (86,4x132) : **GBP 16 500** – New York, 10 jan. 1990 : *Berger leurs troupeaux près d'une mare dans un paysage montagn* h/t (66x59,7) : **USD 10 450** – Londres, 12 juil. 1990 : *Ruines de denby House dans le Northamptonshire*, h/t (86x **GBP 12 100** ; *Tableau de chasse dans un paysage*, (124,5x101,5) : **GBP 15 400** – Londres, 31 oct. 1990 : *Course chevaux à Newmarket Heath*, h/t (61x73) : **GBP 1 650** – Lond 12 avr. 1991 : *Jument baie emmenée par son palefrenier pour bouchonnée à Newmarket*, h/t (104,2x125,8) : **GBP 39 6** Londres, 10 avr. 1992 : *Capriccio romain avec l'Arc de Consta Saint-Pierre et des personnages au premier plan*, (111,8x125,2) : **GBP 7 920** – Londres, 18 nov. 1992 : *Chien meute dans un paysage gardant une perdrix*, h/t (124x9 **GBP 8 250** – Londres, 7 avr. 1993 : *Le Cheval arabe Godol* 1734, h/t (99x119,4) : **GBP 19 550** – Londres, 8 nov. 1995 : *sang bai avec son jockey à Newmarket*, h/t (101x12 **GBP 52 100** – New York, 12 déc. 1996 : *Le duc de Marlboro assiège une forteresse sur la Meuse* 1709, h/t (101,6x1 **USD 79 500** – Londres, 9 juil. 1997 : *L'Étalon Byerley Turk par un valet* 1731, h/t (226x208,5) : **GBP 276 500** – Londres nov. 1997 : *Brocklesby Betty montée par un jockey à Newma avant sa célèbre victoire sur Astridge Ball le 7 octobre 1718*, (99x125) : **GBP 89 500**.

WOPFNER Joseph
Né le 19 mars 1843 à Schwaz (Tyrol). Mort le 23 juillet 19 Munich (Bavière). xixe-xxe siècles. Autrichien.
Peintre de portraits, sujets militaires, paysages ani paysages, graveur.
Il se fixa à Munich. Dans une première période, il fut peintr portraits et de paysages divers. Ensuite, il se spécialisa co peintre de paysages du Chiemsee (Lac de Chiem).

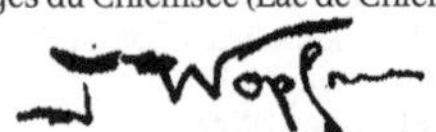

Bibliogr. : Rudolf Oldenbourg : *Die Münchner Malerei im 19* Bruckmann.
Musées : Constance – Munich : *Chemin de pêche au lac de Ch* Zurich, *Ave Maria*.
Ventes Publiques : Francfort-sur-le-Main, 1894 : *Ave Ma* **FRF 4 062** – Munich, 15-16 avr. 1953 : *La Procession de la F Dieu sur le lac de Chiem* : **DEM 2 400** – Cologne, 16 juin 19 *Scène de moisson* : **DEM 2 600** – Cologne, 6 juin 1973 : *Vu Chiemsee* : **DEM 34 000** – Munich, 21 mars 1974 : *Le Ravau des filets* : **DEM 15 000** – Munich, 26 oct. 1977 : *Bateau de pê sous l'orage, Chiemsee*, h/pan. (27x32) : **DEM 16 000** – Colo 23 nov. 1978 : *Vue du Chiemsee* 1916, h/pan. (14x **DEM 15 000** – New York, 12 oct 1979 : *Moissonneurs au b d'une rivière*, h/pan. (31x41) : **USD 47 000** – Vienne, 19 mai 19 *La Traversée en barque* 1867, h/t (112x178) : **ATS 200 00** Londres, 28 nov. 1984 : *Charrette de foin au bord d'un lac*, h/ (13x17) : **GBP 13 000** – Munich, 5 déc. 1985 : *Pêcheurs dans barque sur le Chiemsee*, h/t (43x85,5) : **DEM 55 000** – Munich nov. 1989 : *Traversée du lac de Chiem avec des barques char de foin*, h/pan. (36,5x47) : **DEM 57 200** – Munich, 12 déc. 19 *Transport de foin par barque sur le Chiemsee*, h/t (32,5x **DEM 35 200** – Munich, 12 juin 1991 : *La Moisson* 1874, (52,5x109) : **DEM 110 000** – Munich, 25 juin 1992 : *Barques pêcheurs sur le lac de Chiem*, h/t (38,5x57,5) : **DEM 31 640** – N York, 29 oct. 1992 : *Dans le verger*, h/cart. (41,6x57,2) : **USD 9**

– Heidelberg, 9 oct. 1992 : *Paysage de montagne avec des bouleaux ensoleillés* 1906, h/pan. (9,6x13) : **DEM 4 200** – New York, 22-23 juil. 1993 : *Pêcheurs au bord d'un lac*, h/pan. (14x17,8) : **USD 13 800** – Londres, 11 oct. 1995 : *Ave Maria*, h/t (35,5x59,7) : **GBP 13 800** – Vienne, 29-30 oct. 1996 : *Siège de Strasbourg, septembre 1870*, h/t (60,5x109,5) : **ATS 138 000**.

WOPKES Gerben
XVIIe siècle. Travaillant à Bolsward au milieu du XVIIe siècle. Hollandais.
Dessinateur et verrier.
Il dessina le projet de la chaire de l'église de Bolsward.

WORATH Elias ou **Waerat, Warater, Warath, Werat, Wörath, Barath, Parater, Baratti**
Mort en 1687. XVIIe siècle. Actif à Taufers. Autrichien.
Peintre.
Fils de Jakob Worath I.

WORATH Jakob I
XVIe-XVIIe siècles. Autrichien.
Sculpteur, peintre.
Père d'Elias Worath, il travailla à Sand-in-Taufers de 1573 à 1605. Il fut aussi fondeur de cloches.

WORATH Jakob II
XVIIe siècle. Travaillant à Taufers en 1650. Autrichien.
Peintre.
Il exécuta des peintures dans l'église de Winnebach. Il fut également hôtelier.

WORATH Jakob III
XVIIIe siècle. Travaillant à Sand-in-Taufers en 1721. Autrichien.
Peintre.

WORATH Johann
Né le 25 novembre 1605 à Hall (Tyrol). Mort le 5 février 1680 à Aigen près de Schlägl. XVIIe siècle. Autrichien.
Sculpteur.
Père de Johann Anton et de Stephan Worath. II. Il peignit des tableaux d'autel et des fresques dans les églises d'Aigen, de Schlägl, de Rosenthal et d'Oberhaid.

WORATH Johann Anton
Né en 1646 à Aigen. Mort en 1684. XVIIe siècle. Autrichien.
Sculpteur.
Il travailla pour l'église des Minorites de Krumau en 1679.

WORATH Johann Stefan
Mort en 1727 à Innsbruck. XVIIIe siècle. Actif à Sand-in-Taufers. Autrichien.
Peintre.

WORATH Karl
XVIIIe siècle. Travaillant à Tarvis en 1706. Autrichien.
Peintre.

WORATH Mathäus
XVIIe siècle. Actif à Taufers, de 1610 à 1618. Autrichien.
Sculpteur.
Il a peint le tableau d'autel dans l'église de Neuhaus près de Gais en 1618.

WORATH Mathias
Mort le 18 juillet 1675. XVIIe siècle. Autrichien.
Peintre.

WORATH Raffael
Mort le 5 février 1668. XVIIe siècle. Actif à Brixen. Autrichien.
Sculpteur.
Il sculpta des statues, des autels, des crucifix et des tombeaux à Brixen et dans les environs.

WORATH Stephan I
XVIIe siècle. Actif à Brixen au milieu du XVIIe siècle. Autrichien.
Sculpteur.

WORATH Stephan II
Né à Aigen. Mort en 1679 à Vienne. XVIIe siècle. Autrichien.
Sculpteur.
Fils de Johann Worath.

WÖRB Christof
XVIIIe siècle. Autrichien.
Sculpteur.
Il sculpta huit petits autels pour l'église Maria Stein à Hall (Tyrol).

WORCESTER Albert
Né en 1878 à West Campton. XXe siècle. Américain.
Peintre de nus, portraits, graveur.
Il fut élève de L.-O. Merson et de J.-P. Laurens à Paris. Il vécut et travailla à Detroit.

WORDEN Laicita Warburton, plus tard Mme **Kenneth Gregg**
Née le 25 septembre 1892 à Philadelphie (Pennsylvanie). XXe siècle. Américaine.
Peintre, sculpteur, illustratrice.

WORDSWORTH Andrew
Né le 15 novembre 1955 à Rinteln (Allemagne). XXe siècle. Actif en France, Italie. Britannique.
Peintre de paysages, natures mortes, aquarelliste, sculpteur.
Fils d'un militaire de l'armée d'occupation. Après ses études en lettres anglaises à l'Université de Cambridge, de 1974 à 1977, il fit ses études artistiques à l'École des Beaux-Arts de Paris, de 1978 à 1984. Il vécut encore à Paris jusqu'en 1987, se fixa ensuite en Italie.
Il participe à des expositions collectives en Angleterre et à Paris. Il fit sa première exposition personnelle en 1990 à Montepulciano.
Dans les années quatre-vingt, séjournant longuement près de Sienne et en Sicile, il en peignait, surtout à l'aquarelle, les paysages presque trop beaux, trop « pittoresques », pour être « picturalement » exploités, sauf parfois, en éliminant les détails anecdotiques, il les restituait avec l'œil de Turner. Dans ces mêmes années, il produisait quelques sculptures, en bois d'olivier ou de chêne, dont la configuration anthropomorphique, proche de l'abstraction, impliquait une réflexion sur la relation réalité-création.

WOREL Joseph Antoine Marie
Né vers 1800 à Reims (Marne). XIXe siècle. Français.
Dessinateur, peintre de portraits et lithographe.
Cet artiste se fit connaître par ses portraits. On cite ceux de *Crépu, curé de Lagrée* (et on a de celui-ci une lithographie, signé Worel), *Rossy de Montalban ; Dutruc ; Bellon ; Donin ; Genton ; Lahure ; Hélie de Gières ; Dupré de Woreppe ; Givaudan ; Faure ; Bougie*. Le 2 janvier 1834, il ouvrit à Grenoble un cours de dessin. Les tableaux de l'église de Charnècles furent restaurés par cet artiste.

WORES Theodore
Né le 1er août 1860 à San Francisco (Californie). Mort en 1939. XIXe-XXe siècles. Américain.
Peintre, aquarelliste, illustrateur.
Il fut élève d'Alexander Wagner et de F. Duveneck à Munich.
Ventes Publiques : Los Angeles, 24 juin 1980 : *Petite Indienne devant sa tente* 1903, h/cart. (24x30,5) : **USD 2 100** – New York, 17 mars 1984 : *Musiciens chinois* 1884, h/t (75x88) : **USD 23 000** – San Francisco, 20 juin 1985 : *Portrait d'une Chinoise de profil* 1882, h/pan. (58,5x41) : **USD 3 000** – Los Angeles-San Francisco, 7 fév. 1990 : *Portrait d'une fillette tenant un livre* 1912, h/t (107x81) : **USD 13 200** – Los Angeles-San Francisco, 12 juil. 1990 : *Golden Gate Park* 1927, h/t (30,5x41) : **USD 3 575** – Los Angeles-San Francisco, 10 oct. 1990 : *Scène du Japon : Cueillette du lilas ; Scène du Japon : Parmi les iris* 1897, aquar./pap., une paire (chaque 54x18,5) : **USD 7 150** – New York, 3 déc. 1992 : *Après-midi de loisir avec des danseuses et des musiciennes*, h/t (182,9x121,9) : **USD 55 000** – New York, 22 sep. 1993 : *Enfants devant un autel en plein air*, h/pan. (38,5x30) : **USD 9 775** – New York, 1er déc. 1994 : *Restaurant chinois* 1884, h/t (82,6x55,9) : **USD 60 250**.

WORIOT DE BOUZEY Pierre. Voir **WOEIRIOT DE BOUZEY**

WORK George Orkney
Mort en octobre 1921 à Skipton. XIXe-XXe siècles. Britannique.
Peintre de figures, paysages.
Il vécut et travailla à Liverpool.

WORKMAN David Tice
Né en 1884 à Wahpeton. XXe siècle. Américain.
Peintre de fresques, graveur.
Il a été élève de Benson et de Hale à Boston. Il travailla à Minneapolis. Il gravait à l'eau-forte.

WORKMAN Harold
Né le 3 octobre 1897 à Oldham. XXe siècle. Britannique.
Peintre d'architectures.
Il a vécu et travaillé à Southborne.

WÖRL. Voir **WERL** et **WÖRLE**

WÖRL Hans et **Johann David** ou **Wörle**. Voir **WERL**

WÖRLE Gotthard
Né à Fliess. XVIIIe siècle. Autrichien.
Sculpteur d'autels.
Il a sculpté le maître-autel de l'église de Vils.

WÖRLE Johann ou **Wörl** ou **Wärl**
XVIIIe siècle. Autrichien.
Peintre.
Il peignit des plafonds et des tableaux d'autel pour les églises de Galtür, d'Arzl, d'Imst, de Längenfeld et de Tarrenz.

WÖRLE Raimund
Né en 1906 à Hötting. XXe siècle. Autrichien.
Peintre de portraits, paysages, natures mortes.
Il a été élève de M. von Esterle. Il vécut et travailla à Innsbruck où il exposa en 1934.

WORLIDGE Thomas
Né en 1700 à Peterborough. Mort le 23 septembre 1766 à Londres. XVIIIe siècle. Britannique.
Peintre de portraits, miniatures, graveur, dessinateur.
Il travailla d'abord à Bath comme peintre de miniatures et dessinateur de portraits au crayon et à l'encre de Chine. S'étant établi à Londres, il produisit, sans grand succès, des portraits à l'huile et au pastel, particulièrement dans le monde des actrices de l'époque. Il s'adonna enfin à la gravure et y réussit mieux. Il s'inspira de la manière de Rembrandt dans ses têtes et portraits. Il grava aussi des joyaux et l'on publia après sa mort une suite de cent quatre-vingt-deux planches de ce genre; quelques épreuves du premier état furent tirées sur satin. Ces estampes sont aujourd'hui fort rares.

Musées : Londres (Victoria and Albert Mus.) : *Portrait de Garrick dans le rôle de Tancrède* – Quatre portraits à l'eau-forte – Londres (Nat. Portrait Gal.) : *Portrait du roi George II* – Londres (British Mus.) : *Portrait de Voltaire*, dess. à la craie.
Ventes Publiques : Londres, 23 nov 1979 : *Portrait d'un gentilhomme*, h/t (94x71,2) : **GBP 800** – Londres, 17 nov. 1981 : *Autoportrait*, cr., de forme ronde (diam. 14) : **GBP 850** – New York, 25 mars 1983 : *David Garrick en Tancrède*, h/t (99,5x70,5) : **USD 2 400** – Londres, 10 avr. 1991 : *Portrait du roi George II portant un habit pourpre sur un gilet blanc brodé d'or et d'argent et le torse barré d'un ruban bleu et tenant un bâton dans la main droite*, h/t (94x71) : **GBP 4 180**.

WORM Johannes
Né vers 1649. XVIIe siècle. Hollandais.
Peintre.
Élève de Nic. Rosendael à Amsterdam.

WORM Nicolaas Van der
Né en 1757 à Leyde. Mort le 12 mai 1828 à Leyde. XVIIIe-XIXe siècles. Hollandais.
Peintre et aquafortiste.
Il exécuta des scènes de genre et des portraits.

WÖRMER Axel Viggo
Né le 1er janvier 1846 à Copenhague. Mort le 8 février 1878 à Copenhague. XIXe siècle. Danois.
Peintre de décorations.
Fils de Peter Gregers Wörmer et élève de l'Académie de Copenhague.

WÖRMER Peter Gregers
Né le 4 avril 1789 à Copenhague. Mort le 4 ou 6 mars 1856 à Copenhague. XIXe siècle. Danois.
Peintre.
Élève de l'Académie de Copenhague. Il exposa de 1809 à 1812.

WORMS Anton von. Voir **WOENSAM Anton**

WORMS Gastao
Né en 1905 à São Paulo. XXe siècle. Brésilien.
Peintre de natures mortes.
Il a exposé à la Galerie Steiner de São Paulo, au Brésil. Il a figuré en 1946 à l'Exposition ouverte à Paris, au Musée d'Art Moderne, par l'Organisation des Nations unies.
Ses nus des années trente peuvent se rattacher à l'école de Paris, et faire songer à ceux de Derain.

WORMS Jaspar von. Voir **WOENSAM Jaspar**

WORMS Jules
Né le 16 décembre 1832 à Paris. Mort le 25 novembre 1924. XIXe-XXe siècles. Français.
Peintre de genre, aquarelliste, graveur, illustrateur.
Il a d'abord étudié chez Lafosse, puis il entra à l'École des Beaux-Arts de Paris en 1849 et débuta au Salon de Paris en 1859. Il exposa au Salon des Artistes Français, dont il devint sociétaire en 1883. Médailles en 1867, 1868, 1869 ; chevalier de la Légion d'honneur en 1876. Il obtint une médaille de troisième classe à l'Exposition Universelle de 1878 et une nouvelle médaille à celle de 1889.
À la suite d'un voyage en Espagne en 1863, il représenta de nombreux sujets espagnols qui lui valurent un grand succès. Aimable anecdotier, il peignit des gitanes, des toreros, des possada, qui ont plutôt un aspect « opéra-comique » qu'un réel goût de terroir. À partir de 1868, il se tourna vers des scènes de salon sous le Directoire, peintes avec un soin méticuleux, mais non sans humour. Il a illustré : de Chévigné : *Les Contes rémois* (1877) ; de Victor Hugo, *Han d'Islande* dans « Les Bons romans » (1860) ; de A. Kampfen, *La tasse de thé* (1866). En 1866 également, il a contribué à l'illustration des *Chansons* de Béraner, en 1873 aux *Fables* de La Fontaine, et en 1884 il a collaboré à l'illustration d'un *Don Quichotte*.

Bibliogr. : Gérald Schurr, in : *Les Petits Maîtres de la peinture 1820-1920, valeur de demain*, Les Éditions de l'Amateur, t. III, Paris, 1976 – in : *Dictionnaire des illustrateurs 1800-1914*, Ides et Calendes, Neuchâtel, 1989.
Musées : Dijon : *Un muletier* – Laval : *Chanteur aveugle à Burgos* – Nancy : *Le Retour du marché*, aquar. – Paris (Mus. d'Art Mod.) : *La Romance à la mode*.
Ventes Publiques : Paris, 9 avr. 1874 : *Le départ du torero* : **FRF 7 100** – Paris, 1886 : *Un jour de marché en Espagne* : **FRF 11 500** – Paris, 7 mai 1943 : *La ferme* : **FRF 4 000** – New York, 20 fév. 1946 : *La visite du prêtre* : **USD 1 000** – Paris, 18 déc. 1950 : *Danseuse au tambourin – L'aiguiseur de couteaux*, deux pendants : **FRF 22 500** – Londres, 18 fév. 1970 : *La première cigarette* : **GBP 320** – Paris, 20 juin 1972 : *Scène d'intérieur en Espagne* : **FRF 5 300** – New York, 9 oct. 1974 : *Cavaliers espagnols dans un patio* : **USD 4 000** – New York, 15 oct. 1976 : *Une lettre importante*, h/t (50x65,5) : **USD 3 000** – Los Angeles, 12 mars 1979 : *Le doux regard*, h/t (44,5x53,4) : **USD 6 250** – Londres, 27 nov. 1981 : *La Sérénade*, h/t (72,5x92,7) : **GBP 6 000** – New York, 1er mars 1984 : *Le marchand d'œufs*, h/t (61x82) : **USD 22 000** – Londres, 22 mars 1985 : *Un patio animé de personnages*, h/t (63,5x89) : **GBP 9 000** – Londres, 17 fév. 1989 : *La riche veuve*, h/pan. (49,5x72,4) : **GBP 4 400** – New York, 25 oct. 1989 : *Les pourparlers de mariage*, h/t (71,4x102,2) : **USD 41 800** – Londres, 15 fév. 1990 : *La leçon de guitare*, h/t (51x61) : **GBP 6 050** – Paris, 13 juin 1990 : *La Belle Espagnole conversant avec un marchand*, aquar. (27x21,5) : **FRF 10 000** – New York, 29 oct. 1992 : *L'Arrivée du prétendant*, h/t (61x81,3) : **USD 28 600** – New York, 29 oct. 1992 : *Conversation sur la place du village*, h/pan. (34,9x27) : **USD 2 420** – Londres, 12 fév. 1993 : *Conversation galante*, h/pan. (37,5x28) : **GBP 1 980** – Saint-Étienne, 15 fév. 1993 : *Le campement*, h/t (50x80) : **FRF 15 500** – New York, 28 mai 1993 : *Visite à la promise*, h/pan. (45,4x55,3) : **USD 6 900** – Londres, 27 oct. 1993 : *Les fourriers de la cavalerie française*, h/t (50x79) : **GBP 4 370** – New York, 12 oct. 1994 : *La danse du vito à Grenade*, h/t (58,4x81,3) : **USD 57 500** – Paris, 18 déc. 1995 : *Tambour arabe sur un dromadaire*, aquar. gchée (17x11) : **FRF 7 500** – Londres, 31 oct. 1996 : *Les Anes* 1913, h/t (38,5x51) : **GBP 1 610** – New York, 12 fév. 1997 : *La Lecture des nouvelles*, h/t (73,7x101,6) : **USD 40 250**.

WORMS Renée. Voir **DAVIDS Renée,** Mme

WORMS Roger
Né le 19 juin 1907 à Épernay (Marne). Mort en 1980. XXe siècle. Français.
Peintre de paysages, marines, natures mortes.
Il a été élève de l'École des Arts Décoratifs de Paris, dont il

deviendra professeur. Il a fondé le Salon « Le Sport et les Artistes ».
Sociétaire, à Paris, du Salon d'Automne et du Salon des Indépendants, il a également figuré au Salon des Peintres Témoins de leur Temps et fut invité au Salon des Tuileries. Il a participé, en 1936, à l'Exposition des Artistes de ce temps, au Petit Palais.
Insoucieux des théories, il admire sans honte Manet et les impressionnistes. Cavaillès et Brianchon plus près de nous méritent son estime. C'est encore un de ces peintres qui s'expriment avec leur pinceau, qui ne cherchent qu'à communiquer un reflet de ce qui les émeut, notamment, depuis 1934, des marines, des paysages de Bretagne, des natures mortes, peints dans des harmonies glauques. Il a montré au lycée Janson-de-Sailly, au Ministère des sports et loisirs et à la mairie de Mazamet, que la vaste composition murale ne pouvait l'embarrasser. En 1937, pour l'Exposition Internationale de Paris, il décora le Pavillon des Sports. Il a exécuté de nombreux vases pour la Manufacture de Sèvres.
Musées : Albi – Amiens – Montpellier – Oran – Paris (Mus. d'Art Mod.).
Ventes Publiques : Genève, 28 juin 1969 : *La Lampe ancienne* : **CHF 5 000** – Versailles, 25 avr. 1976 : *Le Pont-Neuf*, h/t (97x130) : **FRF 2 200** – Versailles, 28 oct 1979 : *La fenêtre ouverte sur le port* 1948, h/t (73x50) : **FRF 3 800** – La Varenne-Saint-Hilaire, 29 mai 1988 : *La fenêtre ouvrant sur le port* 1952, h/t (81x60) : **FRF 4 000** – Paris, 15 mars 1989 : *La fileuse*, h/t (60,5x73) : **FRF 15 000** – Paris, 19 mars 1990 : *Le Baou à Saint-Jeannet*, h/t (46x61) : **FRF 15 500** – Versailles, 21 oct. 1990 : *Le Baou à Saint-Jeannet*, h/t (46x61) : **FRF 19 500** – Neuilly, 7 avr. 1991 : *Le Baou à Saint-Jeannet*, h/t (46x61) : **FRF 19 000** – Paris, 26 avr. 1991 : *La fenêtre ouverte* 1948, h/t (65x46) : **FRF 11 500** – Paris, 24 mars 1997 : *Le Tarn rouge à Albi* 1944, h/t (60x73) : **FRF 9 500** – Paris, 4 nov. 1997 : *Les Parcs à huîtres de Belon*, h/t (55x81) : **FRF 4 500**.

WORMS-GODFARY Jules
Né à Strasbourg. Mort en 1898. XIXe siècle. Français.
Sculpteur.
Médecin. Il exposa à Paris de 1886 à 1888. Le Musée de Morlaix conserve une œuvre de lui.

WORMS-JACOBLER Edith
Peintre.
Ventes Publiques : Paris, 23 fév. 1944 : *Corbeille de fleurs et de fruits* : **FRF 7 200**.

WORMSER Eugène
Né en septembre 1814 à Sélestat (Bas-Rhin). XIXe siècle. Allemand.
Peintre de genre et de paysages.
Élève de Ch. Rémond et de P. Delaroche. Il exposa de 1866 à 1870.

WORMSER Henri
Né le 20 avril 1909 à Paris. XXe siècle. Français.
Peintre.
Il a subi l'influence de Jacques Villon. On vit de ses œuvres au Salon de Mai.
Ventes Publiques : Paris, 31 mai 1954 : *Le déjeuner*, aquar. : **FRF 16 000**.

WÖRNDLE Christof
Originaire de Wilten. XVIIIe siècle. Autrichien.
Peintre.
Il travailla à Rome en 1713.

WÖRNDLE Philipp Jakob
Originaire de Wilten. XVIIIe siècle. Autrichien.
Peintre.
Il travailla à Rome en 1713.

WÖRNDLE VON ADELSFRIED August
Né le 22 juin 1829 à Vienne. Mort le 26 avril 1902 à Vienne. XIXe siècle. Autrichien.
Peintre d'histoire et dessinateur.
Élève d'Edmund W. von Adelsfried et de Führich à l'Académie de Vienne. Il travailla aussi avec Cornelius à Rome. Nommé professeur à la Kaiserliche Theresianischen Akademie en 1872. Il exposa à partir de 1852. Il exécuta des fresques et des chemins de croix. Le Musée du Belvédère à Vienne conserve de lui *Les rois mages en route*.

WÖRNDLE VON ADELSFRIED Edmund
Né le 28 juillet 1827 à Vienne. Mort le 3 août 1906 à Innsbruck. XIXe siècle. Autrichien.
Paysagiste et aquafortiste.
Père de Wilhelm von Adelsfried et élève de l'Académie de Vienne dans les ateliers de Ender et de Steinfeld. Il reçut aussi les conseils de Führich. Il exécuta des peintures murales dans des églises et dans des édifices publics. Il exposa à partir de 1851. Il a peint des sujets historiques et légendaires. Le Musée d'Innsbruck conserve de lui *Paysage encadrant le combat de Samson avec le lion*.

WÖRNDLE von ADELSFRIED Wilhelm
Né le 16 juin 1863 au château de Weiherbourg près d'Innsbruck. Mort le 29 janvier 1927 à Glatz. XIXe-XXe siècles. Autrichien.
Peintre d'histoire.
Fils d'Edmund Wörndl et élève de l'Académie de Vienne. Il fut assistant de son père et s'établit à Glatz comme peintre d'église en 1900.

WÖRNLE Hedwig
Née le 28 mars 1884 à Winterthur (Zurich). Morte en 1939 à Zurich. XXe siècle. Suisse.
Peintre de paysages.
Elle fit ses études à Zurich et à Dachau.

WÖRNLE Wilhelm
Né le 23 janvier 1849 à Stuttgart (Bade-Wurtemberg). Mort le 24 mars 1916 à Vienne. XIXe-XXe siècles. Autrichien.
Peintre, graveur.
Il fut élève de l'Académie de Stuttgart. Il grava les peintures du Musée de Budapest et quelques paysages. Il gravait à l'eau-forte.

WORNUM Rodolph Nicholson
Né le 29 décembre 1812 à Thornton près de Durham. Mort le 15 décembre 1877 à Londres. XIXe siècle. Britannique.
Peintre d'histoire.
Se destina d'abord au barreau. Il étudia ensuite de 1834 à 1839 à Munich, Dresde, Rome et Paris. En 1840, il s'établit à Londres comme peintre d'histoire et concourut honorablement pour la décoration du Nouveau Parlement. Une mention lui fut décernée. Très instruit dans l'histoire de l'art, il publia en 1846 un catalogue de la National Gallery qui, dix ans plus tard, lui valut d'être appelé à la conservation de ce Musée. Il a également publié plusieurs livres d'art, notamment une *Vie d'Holbein*.

WOROBIEFF Alexander Matvéjévitch
Né en 1829. Mort le 12 janvier 1855. XIXe siècle. Russe.
Portraitiste.
La Galerie Tretiakov, à Moscou, conserve de lui : *Portrait de K.-V. Tretiakov* et *Portrait de femme*.

WOROBIEFF Maxim Nikiforovitch ou **Maksim** ou **Vorob'ev**
Né le 6 août 1787. Mort le 29 août 1855 à Saint-Pétersbourg. XIXe siècle. Russe.
Peintre et graveur au burin.
Élève de Ivanoff et de l'Académie de Saint-Pétersbourg.
Musées : Moscou (Gal. Roumianzeff) : *Nuit d'automne et nuit d'été à Saint-Pétersbourg – Paysage – Plusieurs vues du Kremlin – La Place Rouge à Moscou – Dans le Kremlin – Le manège et les portes de Troitzky à Moscou – Le pont Oustinsky, au Kremlin – L'atelier du peintre dans le monastère de Tchoudovo à Moscou – Jérusalem la nuit – Pendant la guerre turque 1828-1829 – Vue d'Italie, la nuit – Arrivée de l'impératrice Alexandra Feodorovna à Palerme en 1845 – Le soir à Saint-Pétersbourg près de la Bourse* – Dessins – Saint-Pétersbourg (Mus. Russe) : *Entrée du temple de la Résurrection du Christ, à Jérusalem – Le Kremlin – Intérieur de l'église d'Arménie, à Jérusalem – Coucher de soleil aux environs de Saint-Pétersbourg – Vue intérieure de la grotte de la Nativité, à Bethléem – Intérieur de l'église du Golgotha*.
Ventes Publiques : Londres, 28 nov. 1985 : *Le Palais d'Hiver, Saint-Pétersbourg* 1816, aquar. et pl. (31x51) : **GBP 3 200** – Londres, 6 oct. 1988 : *Vue du palais d'hiver à Saint-Pétersbourg* 1818, aquar. et encre (32,8x51,5) : **GBP 7 150** – Londres, 5 oct. 1989 : *Vue d'une dacha* 1849, encre et aquar./pap. (25,4x37) : **GBP 2 200**.

WOROBIEFF Sokrat Maximovitch
Né en 1827. Mort en 1888 à Saint-Pétersbourg. XIXe siècle. Russe.
Peintre de paysages.
Probablement fils de M. N. Worobieff. Il visita l'Italie et y trouva un grand nombre de sujets de tableaux.
Musées : Moscou (Gal. Roumianzeff) : *Vue du domaine de N. A. Loof* – Deux paysages – Trois vues d'Italie – *Monastère des capucins d'Amalfi* – *Château au bord de la mer en Italie* – Moscou (Gal.

Tretiakov) : *Vue sur une métairie* – *En Italie* – Étude – Deux vues d'Italie.

WORONICHIN Alexéï Iljitch

Né le 7 février 1788. Mort le 26 juin 1846 à Saint-Pétersbourg. XIXe siècle. Russe.

Sculpteur.

Élève de l'Académie de Saint-Pétersbourg. Il travailla pour la Manufacture de porcelaine de cette ville.

WORONICHIN Andréï Nikiforovitch

Né le 17 octobre 1759 à Nowojé Oussoljé. Mort le 21 février 1814 à Saint-Pétersbourg. XVIIIe-XIXe siècles. Russe.

Peintre d'architectures.

La Galerie Tretiakov, à Moscou, conserve de lui : *La cathédrale Kasansky, à Saint-Pétersbourg*, et le Musée Russe à Leningrad, *Maison de campagne du comte Stroganoff, à Saint-Pétersbourg.*

WOROTILKIN Léonid Iélisséïévitch

Né en 1829. Mort le 22 janvier 1866. XIXe siècle. Russe.

Peintre d'histoire et portraitiste.

Élève de l'Académie de Saint-Pétersbourg.

WOROTILOFF Ivan

Né en 1783. XIXe siècle. Russe.

Sculpteur.

Élève de l'Académie de Saint-Pétersbourg. Il travailla pour la cathédrale de Kazan et celle de Cronstadt.

WOROWETZ Stefan. Voir **BOROWETZ**

WORP Willem Van der

Né le 28 décembre 1803 à Zutphen. Mort le 29 mai 1878 à Warnsveld. XIXe siècle. Éc. flamande.

Peintre et lithographe.

Élève de l'Académie d'Anvers.

WORRALL Ella

Née le 7 novembre 1863 à Liverpool. XIXe siècle. Britannique.

Miniaturiste.

WORRALL Otwell

XVIIIe siècle. Actif à Liverpool dans la seconde moitié du XVIIIe siècle. Britannique.

Dessinateur de portraits.

WORRELL Abraham Bruiningh Van

XVIIIe-XIXe siècles. Hollandais.

Peintre d'animaux, paysages animés, paysages, graveur, lithographe.

Il travailla à Middelbourg et à Londres. On lui doit diverses eaux-fortes.

Musées : Colchester : *Le vieux moulin de Colchester* – Londres (British Mus.) : *Bœuf avec paysage* – *La girafe.*

Ventes Publiques : Paris, 23 juin 1926 : *Vaches au pâturage* : **FRF 580** – Londres, 14 juin 1974 : *Troupeau dans un paysage* 1872 : **GNS 550** – Londres, 24 nov. 1976 : *Troupeau au bord d'une rivière*, h/t (49,5x60) : **GBP 1 000** – Londres, 4 nov. 1977 : *Le jeune Van Dyck prenant congé de Rubens*, h/t (69,2x89,4) : **GBP 1 200** – Londres, 20 juin 1980 : *Bergers et troupeau dans un paysage*, h/t (62,2x74,2) : **GBP 1 900** – Londres, 30 jan. 1981 : *Berger et troupeau dans un paysage fluvial boisé*, h/t (62,2x74,2) : **GBP 2 000** – Londres, 16 nov. 1983 : *The giraffe, accompanied by his keeper, William Mayor* 1828, h/t (76x63,5) : **GBP 40 000** – Londres, 12 déc. 1996 : *Jeune fille avec un chien, une vache et un mouton dans un paysage* ; *Mère allaitant son enfant avec une vache et un mouton dans un paysage*, h/pan., une paire (23,5x19,5) : **GBP 2 185.**

WORRELL James

XIXe siècle. Actif au début du XIXe siècle. Américain.

Portraitiste.

WORSDALE James

Mort en 1767 à Londres. XVIIIe siècle. Britannique.

Peintre de portraits.

Élève, et d'après la tradition, fils naturel de sir Godfrey Kneller. Il se fâcha avec son maître pour avoir épousé sans le consentement de celui-ci une nièce de sa femme. Cet incident ne nuisit pas à sa carrière.

Il peignit notamment un portrait de *George II*. Il fut aussi acteur.

Musées : Dublin : *Le feu de l'enfer*, parabole.

Ventes Publiques : Londres, 6 juil. 1983 : *Portrait de Thomas Pelham-Holles, 1er Duc de Newcastle*, h/t (140,5x115,5) : **GBP 2 000** – Londres, 16 mai 1990 : *Portrait d'un gentilhomme*, h/t, de forme ovale (75x62) : **GBP 2 090.**

WÖRSEL Troels

Né en 1950 à Copenhague. XXe siècle. Actif en Allemagne. Danois.

Peintre, auteur de performances.

Il vit et travaille à Cologne. Il participe à des expositions collectives, parmi lesquelles : 1975, 9e Biennale de Paris ; 1983, *New Figuration. Contemporary Art from Germany*, Frederick S. Wight Art Gallery, Los Angeles ; 1987, Biennale Nordique, Malmö ; 1990, Rauma Biennale Balticum (Finlande) ; 1991, *Questions de sens*, Centre d'Art d'Ivry et Centre d'art Contemporain, Corbeil-Essonnes. Il montre ses œuvres dans des expositions personnelles, dont : 1973, 1981, Graphic, Cophenhague ; 1982, Städtisches Kunstmuseum, Bonn ; 1983, Visual Art Museum, New York ; 1986, galerie Daniel Buchholz, Cologne ; 1988, 1990, galerie Engström, Stockholm ; 1989, Centre d'art Nordique, Helsinki ; 1990, David Nolan Gallery, New York ; 1997, Musée des Beaux-Arts, Nantes.

Wörsel a une conception bien définie de la peinture : « Un tableau dont les valeurs sont purement formelles ne m'intéresse pas (...) c'est un travail pour les dessinateurs de rideaux mais pas pour les peintres ». À son aise dans une approche structuraliste de l'art, l'œuvre, selon lui, est avant tout une structure, un certain nombre de faits premiers. Il poursuit : « Le contenu d'une peinture ne se réfère à rien d'autre qu'à sa propre structure sémantique. » Ainsi de sa suite de toiles, datant de 1985, les « tableaux-sauce », sortes d'allégories du travail du peintre qui, identiquement à l'art culinaire, remue des matériaux liquides. La mise en exergue des rapports de sensations entre ces deux domaines se poursuit avec sa série de peintures représentant des étiquettes de bouteilles de vin. Une autre partie de son travail consiste à reprendre des éléments iconographiques de son œuvre antérieure et à interpréter des tableaux historiques, comme ceux de Mondrian.

WÖRSER Leonhard. Voir **WORSTER**

WORSEY Thomas

Né en 1829. Mort le 27 avril 1875 à Birmingham. XIXe siècle. Britannique.

Peintre de natures mortes, fleurs.

Il fut membre de la Royal Birmingham Society of Artists. Il exposa à Londres, notamment à la Royal Academy, à la British Institution et à Suffolk Street de 1856 à 1875.

Musées : Reading : *Roses.*

Ventes Publiques : Londres, 2 nov. 1989 : *Nature morte de roses posées sur de la mousse* 1869, h/t (40,7x33,1) : **GBP 2 200** – Londres, 3 nov. 1989 : *Camélias et églantine sur un entablement* 1874, h/t (53,5x45,5) : **GBP 2 200** – Londres, 26 sep. 1990 : *Pensées et primevères sur de la mousse* 1862, h/t (30,5x25,5) : **GBP 1 100** – Londres, 13 fév. 1991 : *Vase de fleurs avec un papillon*, h/t (42x33) : **GBP 1 100** – Londres, 11 oct. 1991 : *Primevères, œillets, fleurs de pommier avec un nid sur un sol moussu* 1856, h/t (40,6x33) : **GBP 2 860** – Londres, 19 déc. 1991 : *Violettes et nid sur un sol moussu*, h/t (26x21) : **GBP 715** – Londres, 3 juin 1992 : *Pélargoniums et azalées* 1872, h/t (33,5x41) : **GBP 2 750** – Londres, 7 oct. 1992 : *Nature morte de fleurs dans un vase* 1853, h/t (71x58) : **GBP 2 860** – Londres, 4 juin 1997 : *Nature morte aux vases chinois*, h/pan. (30,5x25) : **GBP 4 025** ; *Nature morte aux fleurs d'été* 1863, h/t/pan. (38x31,5) : **GBP 2 875.**

WORSLEY Charles Nathaniel

Né probablement en Nouvelle-Zélande. Mort vers 1922. XIXe-XXe siècles. Australien.

Peintre de genre, paysages.

Il exposa à Londres de 1886 à 1922.

Musées : Sydney : *Une rue à Valence*, aquarelle.

Ventes Publiques : Londres, 3 nov. 1976 : *Bergère et troupeau dans un sous-bois*, aquar. (49,5x33,5) : **GBP 620** – Londres, 1er juin 1977 : *Pingouins au bord de la mer, Nouvelle-Zélande*, aquar. (74x53) : **GBP 1 000** – Londres, 30 mai 1979 : *Pingouins sur une plage de Nouvelle-Zélande*, aquar. (49,5x75) : **GBP 450.**

WORSLEY H. F.

XIXe siècle. Travaillant à Bath et à Londres de 1828 à 1843. Britannique.

Peintre d'architectures et de paysages.

WORST Jan

Né en 1625. Mort en 1680 en Hollande. XVIIe siècle. Hollandais.

Peintre et dessinateur.

Il visita l'Italie en compagnie de son ami Jan Lingelbach. Il fit durant ce voyage de nombreux dessins, qu'il reproduisit plus tard en tableaux. Le Musée Boymans, à Rotterdam, conserve de lui un dessin.

Ventes Publiques : Paris, 1776 : *Ruines d'anciens monuments*, dess. à la pl. lavé de bistre et d'encre de Chine : **FRF 86.**

WORSTER Leonhard ou **Hans Leonhard** ou **Wurster** ou **Wörser**
XVIIe siècle. Autrichien.
Sculpteur et ébéniste.
Il sculpta des statues d'empereurs pour l'église des Capucins de Vienne en 1636.

WORSWICK Lloyd
Né le 30 mai 1899 à Albany (État de New York). XXe siècle. Américain.
Sculpteur, graveur.
Il a été élève d'Urich, Cedarstrom, Brewster et Olinsky. Il fut membre de la Fédération Américaine des Arts.

WORTEL Ans
Né en 1929. XXe siècle. Hollandais.
Peintre de figures, technique mixte, peintre à la gouache, aquarelliste, dessinateur.
Ventes Publiques : Amsterdam, 29 oct. 1980 : *Composition* 1962, h/t (140x100) : **NLG 4 400** – Amsterdam, 14 sep. 1993 : *De tijd dat we nog samen hoorden zong ieder al z'n eigen kant uit* 1970, h/t d'emballage (50x40,5) : **NLG 2 185** – Amsterdam, 8 déc. 1994 : *Portrait de ma tante Van Vroeger* 1966, h/t (100x75) : **NLG 2 070** – Amsterdam, 7 déc. 1995 : *Les Porteurs de pluie* 1962, acryl./t. (140x100) : **NLG 3 540** – Amsterdam, 10 déc. 1996 : *Kijkers naar de dag van morgen*, stylo, encre et gche/pap. (23x48,5) : **NLG 2 075** – Amsterdam, 17-18 déc. 1996 : *Die vast wil houden die binnen wil laten* 1977, gche et peint. or/pap. (118,5x53,5) : **NLG 4 248**.

WORTELMANS Damien. Voir **OORTELMANS**

WORTH Thomas
Né en 1834 ou 1839 à New York. Mort en 1917. XIXe siècle. Américain.
Dessinateur, illustrateur.
Il illustra des classiques et collabora à des revues.
Ventes Publiques : Paris, 19 avr. 1996 : *Le maître d'hôtel*, h/cart. (29,5x22) : **FRF 14 000** – New York, 26 sep. 1996 : *Le Violoniste* 1868, h/pan. (30,5x22,2) : **USD 9 200**.

WORTHINGTON Beatrice Maude
Née en 1883 à Wigan. XXe siècle. Britannique.
Sculpteur.
Elle a été élève d'E. Lanteri à Londres.

WORTHINGTON William Henry
Né vers 1790 à Londres. XIXe siècle. Vivait encore en 1839. Britannique.
Peintre de genre et graveur au burin.
Il a travaillé notamment à la reproduction des marbres du British Museum. Il fournit aussi des gravures pour l'*Histoire d'Angleterre* de Pickering. Il exposa des tableaux de genre de 1819 à 1839, notamment à la Royal Academy et à la British Institution.

WORTLEY Archibald James Stuart
Né le 27 mai 1849. Mort le 11 octobre 1905. XIXe siècle. Britannique.
Peintre de scènes de chasse, sujets de sport, genre, portraits.
Il fut élève de J. E. Millais.
Musées : Londres (Gal. Nat.) : *Portrait de Sir Walter Besant* – *Portrait de James Rice*.
Ventes Publiques : Londres, 1890 : *Le gros paquet* : **FRF 8 395** – Londres, 28 sep. 1976 : *Scène de chasse* 1883, h/t (49,5x79) : **GBP 340** – Londres, 12 déc. 1978 : *Portrait of Miss Tombs* 1889, h/t (102x68) : **GBP 3 200** – Londres, 7 oct. 1980 : *Mrs. Grenville Wells* 1892, h/t (108x152,5) : **GBP 750** – Londres, 13 déc. 1989 : *Miss Tombs* 1889, h/t (105x70) : **GBP 13 200**.

WORTLEY Caroline Elizabeth Mary Stuart, née **Creighton**
Née en 1778. Morte le 23 avril 1856 à Londres. XIXe siècle. Britannique.
Aquafortiste amateur.
Elle grava des scènes des drames de Shakespeare ainsi que des vignettes.

WORTLEY Mary Caroline Stuart, plus tard Mme **Wentworth**
XIXe siècle. Active dans la seconde moitié du XIXe siècle. Britannique.
Portraitiste et écrivain.
Sœur d'Archibald James Stuart Wortley. Elle exposa à Londres de 1875 à 1893.

WORTMAN Johann Hendrick Philip
Né en 1872 à La Haye. Mort en septembre 1898 à Rome. XIXe siècle. Hollandais.
Sculpteur.
Élève de l'Académie d'Amsterdam. Il sculpta des bustes de membres de la famille royale de Hollande.

WORTMANN Christian Albrecht
Né vers 1680 en Poméranie. Mort en 1760 à Kassel. XVIIIe siècle. Allemand.
Graveur au burin.
Élève de Wolfgang. A l'âge de vingt-cinq ans, il fut nommé graveur de la cour du Landgrave de Hesse-Kassel. En 1727, il alla à Saint-Pétersbourg et y fit le portrait de plusieurs personnages importants.

WOSINNSKY Jozsef
Né le 20 août 1894 à Eisenstadt (Burgenland). XXe siècle. Hongrois.
Peintre, graveur.
Il fut élève de J. Vaszary à Budapest.

WOSMAER de Vosmaer. Voir **WOUTERS Jacob**

WOSMIK Vincenz
Né le 5 avril 1860 à Humpolecz. XIXe siècle. Autrichien.
Sculpteur.
Il fut élève d'Anton Wagner et de l'Académie de Vienne. Il vécut et travailla à Prague. Il figura aux expositions de Paris et reçut une mention honorable en 1900 à l'Exposition Universelle.

WOSSENICK J. P. ou **Wossenik**. Voir **VOSSINIK J. P.**

WOSSIDLO Margarete
Née le 9 avril 1865 à Malinie près de Pleschen. XIXe siècle. Allemande.
Peintre et aquafortiste.
Elle fit ses études à Breslau, à Berlin et à Dachau. Le Musée Municipal de Stettin conserve d'elle *Vue de Stettin*.

WOST H.
XVIIe siècle. Travaillant vers 1650. Hollandais.
Peintre de genre.

WOSTAN, pseudonyme de **Wojcieszynski Stanislas**
Né en 1915 à Kozmin. XXe siècle. Polonais.
Sculpteur.
Il a été élève, en 1935, de l'Institut des Beaux-Arts de Poznan, en gravure, puis en peinture, sculpture et céramique. Fait prisonnier par les Allemands pendant la guerre, il rejoignit l'armée polonaise en France, où il fut de nouveau fait prisonnier. Libéré en 1945, il revint à Paris, où il prit contact avec l'art moderne, tant en peinture qu'en sculpture.
Dès 1949, il participa, à Paris, au Salon de la Jeune Sculpture, où il obtint un prix. Il a figuré au Salon des Réalités Nouvelles en 1954 et 1956, à la Biennale de São Paulo en 1955. Il a montré une première exposition personnelle de ses œuvres à Paris, en 1954, avec une suite de bas-reliefs en ciment sur le thème du *Mur des Lamentations*.
Il travaille le ciment, le métal, la pierre et le bois en taille directe. Il fait aussi fondre certaines sculptures en bronze. Son expression, à mi-chemin entre figuration et plasticité pure, oscille entre le tragique et le baroque.
Bibliogr. : Denys Chevalier, in : *Dictionnaire de la sculpture moderne*, Hazan, Paris, 1960 – in : *L'Art du XXe siècle*, Larousse, Paris, 1991.
Musées : Paris (Mus. Nat. d'Art Mod.) : *Grand Duc* 1952.

WOSTRY Carlo
Né en 1865 à Trieste (Frioul-Vénétie-Julienne). Mort en 1943. XIXe-XXe siècles. Italien.
Peintre d'histoire, scènes de genre, paysages animés, paysages urbains, graveur, sculpteur, médailleur.
Il fit ses études à Vienne, puis à Munich. Il exposa au Salon de Paris entre 1893 et 1902, obtenant une mention honorable en 1898. Il a surtout exposé à Trieste. Il fut nommé professeur à l'École des Arts Décoratifs de Trieste en 1926.
On cite de lui quelques bons portraits, mais il est aussi l'auteur de toiles grouillantes de personnages, soit à la ville, soit à la campagne. A été particulièrement remarquée, la peinture *les Grands Boulevards vers 1890*, de la vente des 10-11 juin 1987 à Paris, dans laquelle Wostry a représenté, dans la foule, Proust à vingt ans en uniforme, Sarah Bernhardt, les frères Goncourt, Willy.

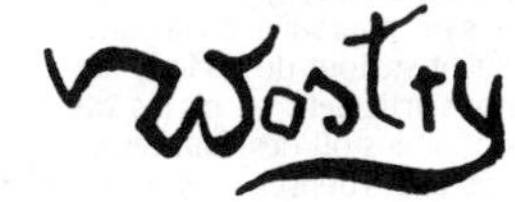

Bibliogr. : Gérald Schurr, in : *Les Petits Maîtres de la peinture 1820-1920, valeur de demain*, Les Éditions de l'Amateur, t. III, Paris, 1976.
Musées : Rome (Mus. d'Art Mod.) : *Larmes* – Trieste (Mus. Revoltella) : *Scène champêtre* – *Autoportrait* – *La source du Clitumno*.
Ventes Publiques : Vienne, 17 sep. 1974 : *Les Trois Grâces* : **ATS 30 000** – Londres, 24 nov. 1976 : *Le Quartet* 1909, h/t (99x99) : **GBP 1 000** – Paris, 10-11 juin 1987 : *Les Grands Boulevards vers 1890*, h/t (150x170) : **FRF 335 000** – New York, 26 mai 1993 : *Le Grand Escalier* 1898, h/t (64,1x53,3) : **USD 20 700** – Londres, 18 juin 1993 : *Près du poêle*, h/t (134,5x114) : **GBP 5 980** – Londres, 31 oct. 1996 : *Trois Jeunes Ladies* 1895, h/t (43,5x78) : **GBP 3 450** – Londres, 21 nov. 1996 : *Steeplechase* 1899, h/t (65,5x50,2) : **GBP 36 700**.

WOSZCZANKA Maxim
xviie siècle. Actif à Mohilev. Polonais.
Dessinateur et graveur au burin.
Il grava des illustrations d'un livre sur la Turquie.

WOSZCZANKA Wassili
xviie-xviiie siècles. Travaillant à Mohilev de 1698 à 1702. Polonais.
Graveur sur bois.
Il grava des images pieuses.

WO TCHA. Voir **WO ZHA**

WOTHERSPOON W. W.
Mort en 1888. xixe siècle. Américain.
Peintre.
Membre de l'Académie de Dessin en 1848.

WOTRUBA Fritz
Né le 25 avril 1907 à Vienne. Mort en 1975 à Vienne. xxe siècle. Autrichien.
Peintre de figures, sculpteur de monuments, graveur, dessinateur.
À l'âge de quatorze ans, il apprit le métier de graveur. Ce ne fut qu'en 1925-1926 qu'il décida d'apprendre la sculpture dans l'atelier de Anton Hanak à l'Académie des Beaux-Arts de Vienne. À partir de 1929, il travailla seul. L'architecte Josef Hoffmann, le fondateur des Wiener Werkstätte (Ateliers Viennois), avec qui Gustave Klimt avait souvent collaboré, s'intéressa à lui et le soutint. D'autre part, il se lia avec les écrivains Hermann Broch et Robert Musil, et le compositeur Alban Berg. En 1939, à la suite de l'annexion de l'Autriche par l'Allemagne hitlérienne, Wotruba émigra en Suisse, d'abord à Zoug, puis à Bâle en 1942, et à Berne en 1943. Il revint à Vienne en 1945, et fut élu membre de l'Académie des Beaux-Arts, où il professa.
Participant à des expositions de groupe, il figurait, en 1929, à une exposition d'Art autrichien à Paris, avec un *Torse d'homme*, qui retint l'attention de Maillol, croyant avec peine qu'il était l'œuvre d'un jeune homme de vingt-deux ans. Depuis, il a été représenté dans les manifestations artistiques internationales importantes, notamment : 1945, 1950, Biennale de Venise ; à partir de 1948, Salon de Mai, Paris ; en 1959 et 1964, Documenta de Kassel ; etc. Il montra ses œuvres dans deux expositions individuelles, en 1931 à Essen et Zurich, en 1945 au Musée d'Art Moderne de Paris. Parmi les expositions posthumes : 1988, Kunsthaus, Zurich.
À l'époque, sa réputation était plutôt fondée sur le sérieux de sa technique, en particulier sur sa maîtrise de la taille directe du calcaire brut, à l'exemple peut-être des statues qui peuplent les jardins publics viennois. Son *Homme accroupi*, de 1931, aujourd'hui au Musée de Vienne, assura sa réputation auprès du public. Jusque-là, ses œuvres étaient rigoureusement classiques, non sans une expression retenue. Les œuvres qu'il réalisa en Suisse montrent un retour à une concision archaïque, romane. L'année 1945 fut son « année zéro ». Remettant tout son acquis en cause, s'il conserva le thème-prétexte du corps humain, il organisa désormais les volumes pour eux-mêmes, blocs de pierre grossièrement taillés afin de conserver l'essence du matériau, dans ce qu'il a appelé les *Cathédrales humaines*, tel le *Roc féminin*, de 1947-1948, aujourd'hui au Middelheim Park Museum d'Anvers, ou la *Grande forme couchée* de 1951. Bien que continuant à travailler de préférence la pierre, Wotruba a coulé parfois en bronze ces puissantes statues grandeur nature, tel le *Torse* de 1955. Son œuvre s'est poursuivi, balançant entre figuration et abstraction, évoluant surtout de période sévères, pendant lesquelles les formes s'articulent en sortes de cylindres à peine dégrossis, à des périodes où des courbes viennent adoucir les lignes, et des saillies et des dépressions animer plus délicatement la surface. À partir de 1961, il semble que Wotruba soit revenu durablement à la rigueur constructive. Plusieurs de ces créations monumentales sont venues à leur tour animer les squares ou les cimetières de Vienne. ■ J. B.

F. Wotruba

Bibliogr. : F. Heer : *Fritz Wotruba*, Sculpture du xxe siècle, Le Griffon, Lausanne, 1961 – Sarane Alexandrian, in : *Diction. Univers. de l'Art et des Artistes*, Hazan, Paris, 1967 – Jorg Lampe, in : *Nouveau diction. de la sculpture moderne*, Hazan, Paris, 1970 – L. Vachtova : *Wotruba : Zeichnungen 1925-1950*, catalogue d'exposition, Kunsthaus, Zurich, 1988 – in : *Dictionnaire de l'art moderne et contemporain*, Hazan, Paris, 1992 – in : *L'Art du xxe siècle*, Larousse, Paris, 1991.
Musées : Londres – Paris (Mus. Nat. d'Art Mod.) – Pittsburgh – Vienne : *Homme accroupi* 1931 – Winterthur – Zurich.
Ventes Publiques : New York, 27 fév. 1963 : *Nu couché*, bronze : **USD 2 200** – New York, 23 mars 1966 : *Figure debout*, bronze : **USD 11 500** – New York, 5 avr. 1967 : *Femme debout*, pierre : **USD 10 000** – New York, 19 nov. 1969 : *Nu couché*, bronze : **USD 2 500** – Londres, 23 avr. 1971 : *Figure III*, bronze : **GNS 700** – Vienne, 7 juin 1972 : *Cathédrale humaine*, bronze : **ATS 350 000** – Cologne, 30 nov. 1973 : *Figure debout*, bronze : **DEM 6 800** – Vienne, 13 mars 1974 : *Tête de femme*, pierre : **ATS 100 000** – Vienne, 17 mars 1976 : *Figure debout II* 1961, bronze (H. 40,5) : **ATS 50 000** – Vienne, 25 juin 1976 : *Nu debout* vers 1954, pl. et sanguine (41x24) : **ATS 10 000** – Vienne, 18 mars 1977 : *Nu couché*, plâtre (L. 27) : **ATS 50 000** – New York, 20 oct. 1978 : *Nu couché* 1931, bronze, patine brune et or foncé (L. 55,3) : **USD 4 000** – Vienne, 21 sept 1979 : *Crucifix*, pl. (40x30) : **ATS 18 000** – Hambourg, 9 juin 1979 : *Nu debout* vers 1930, pierre (H. 137) : **DEM 16 000** – New York, 2 avr. 1981 : *Figures* 1959, pl. et gche (29,5x41,5) : **USD 1 100** – New York, 3 nov. 1982 : *Figure couchée* vers 1960, pierre (L. 140) : **USD 14 000** – Cologne, 7 déc. 1983 : *Figure IV* 1964, bronze patiné (H. 36,5) : **DEM 14 000** – Vienne, 11 sep. 1984 : *Nu debout*, pl. (29x16) : **ATS 15 000** – Hambourg, 8 juin 1985 : *Figure couchée IV* 1972, bronze (H. 12 et L. 45) : **DEM 15 000** – Londres, 3 déc. 1986 : *Figure assise* 1948, bronze (H. 82) : **GBP 16 000** – Londres, 3 juil. 1987 : *Couple* 1952, pl., pinceau, encre noire, aquar. et cr./pap. (30,7x21,8) : **GBP 1 500** – Londres, 24 fév. 1988 : *Personnage debout*, bronze (H.38,7) : **GBP 9 900** – New York, 5 oct. 1989 : *Petit personnage debout*, bronze (H. 39) : **USD 17 600** – New York, 26 fév. 1990 : *Homme debout*, fer bruni (H. 36,8) : **USD 11 000** – Munich, 1er-2 déc. 1992 : *Figure* 1965, encre aquarellée (42x29,5) : **DEM 6 210** – Heidelberg, 15 oct. 1994 : *Assis*, bronze (H. 20,5) : **DEM 1 800** – New York, 7 nov. 1995 : *Homme debout* 1950, bronze (H. 35,5) : **USD 11 500** – Berne, 20-21 juin 1996 : *Homme nu entre deux femmes nues* 1942, pl., encre de Chine et lav. (30x24,5) : **CHF 4 200** – Lucerne, 23 nov. 1996 : *Nu féminin* 1941, pinceau, encre de Chine et gche/pap. (29,7x21) : **GBP 2 950**.

WOTTAWA Babette
xixe siècle. Travaillant à Vienne de 1824 à 1830. Autrichienne.
Portraitiste et illustratrice.

WÖTZER J. L.
xixe siècle. Suisse.
Sculpteur.
Il exposa des statues à Zurich de 1846 à 1849.

WOU Claes Claesz
Né vers 1592. Mort le 15 mai 1665 à Amsterdam. xviie siècle. Actif à Amsterdam. Hollandais.
Peintre de paysages d'eau, marines.

C.C.WOV
C.C.WoV

Musées : Anvers – Emden – Graz – Philadelphie – Stockholm – Twenthe.
Ventes Publiques : Paris, 4 fév. 1924 : *Entrée d'un port par mer légèrement brisante* : **FRF 4 200** – Londres, 24 mai 1968 : *Marine* : **GNS 550** – Amsterdam, 15 nov. 1976 : *Bateaux par forte mer*, h/pan. (54x82,5) : **NLG 12 500** – Paris, 8 déc. 1977 : *Marine*, h/pan. (25x35) : **FRF 25 000** – Paris, 27 fév. 1981 : *Voiliers croisant au large d'un port*, h/pan. (67x114) : **FRF 23 500** – Paris, 14 mars 1983 : *Navires au large sur mer agitée avec fond de paysage*, h/bois (65x112) : **FRF 36 000** – New York, 31 mai 1989 : *Vaisseau de guerre sur une mer houleuse avec un arc-en-ciel*, h/pan.

(63,5x122) : USD 20 900 – Amsterdam, 16 nov. 1993 : *Tempête sur une côte rocheuse*, h/pan. (15x19,5) : **NLG 24 150** – Londres, 6 déc. 1995 : *Bateaux pris dans la tempête*, h/t (50x64) : **GBP 4 600** – Amsterdam, 10 nov. 1997 : *Trois-mâts hollandais au large d'une côte rocheuse durant la tempête ; Trois-mâts hollandais en mer à l'approche de l'orage* vers 1600, h/pan. (48,5x92,8 et 49,4x94,2) : **NLG 36 902**.

WOU CHAN-T'AO. Voir **WU SHANTAO**

WOU CHE. Voir **WU SHI**

WOU-CHOUEN HO-CHANG. Voir **WUZHUN HESHANG**

WOU CHOU-MING. Voir **WU SHUMING**

WOUDANUS Jan Cornelisz Van't. Voir **WOUDT**

WOUDE Engelbert Van der
Né vers 1644 à Bruges. Mort après 1718. xviie-xviiie siècles. Éc. flamande.
Peintre amateur.

WOUDE Jan Van der
xviiie siècle. Travaillant à Amsterdam vers 1749. Hollandais.
Graveur au burin.

WOUDEN Jan Claesz Van der
Mort après 1689. xviie siècle. Actif à Alkmaar. Hollandais.
Peintre.
Le Musée Municipal d'Alkmaar conserve de lui *La porte de Kennemer à Alkmaar*.

WOUDT Jan Cornelisz Van't ou **Wout**, dit **Woudanus**
Né vers 1570 à Het Woud (près de Delft). Mort en 1615 à Leyde. xvie-xviie siècles. Hollandais.
Peintre et dessinateur.
Il se fixa à Leyde en 1594 et s'y maria. Il exécuta des vues de Leyde. Le Musée de cette ville conserve de lui *Sortie des femmes de Weinsberg*.

I woudans pinxt

WOU EUL-TCH'ENG. Voir **WU ERCHENG**

WOU HI-TSAI. Voir **WU XIZAI**

WOU HONG. Voir **WU HONG**

WOU HOUAN. Voir **WU HUAN**

WOU I. Voir **WU YI**

WOU I-LIN. Voir **WU YILIN**

WOU I-SIEN. Voir **WU YIXIAN**

WOU JONG-KOUANG. Voir **WU RONGGUANG**

WOU KEN. Voir **WU GEN**

WOU K'I. Voir **WU QI**

WOU-KIAI. Voir **WUJIE**

WOU-KI ZAO. Voir **ZAO Wou-Ki**

WOU K'OUAN. Voir **WU KUAN**

WOU KOUEI-TCH'EN. Voir **WU GUICHEN**

WOU KOU-SIANG. Voir **WU GUXIANG**

WOULFART. Voir **WULFART**

WOU LI. Voir **WU LI**

WOU LIEN. Voir **WU LIAN**

WOU LING. Voir **WU LING**

WOULPE Vincent ou **Vulp** ou **Fox**
xve siècle. Travaillant à Londres dans la première moitié du xve siècle. Britannique.
Peintre.
Il peignit des bannières et des pavillons ainsi que des cartes.

WOUMANS Conrad. Voir **WAUMANS**

WOUMARD. Voir **VOUMARD**

WOU MEOU. Voir **WU MOU**

WOU MONG-FEI. Voir **WU MENGFEI**

WOU NA. Voir **WU NA**

WOU PAO-CHOU. Voir **WU BAOSHU**

WOU PIN. Voir **WU BIN**

WOU PING. Voir **WU BING**

WOU PO-LI. Voir **WU BOLI**

WOU SIAO. Voir **WU XIAO**

WOU SIAO-CHEN
xviie siècle. Actif à la fin de l'époque Ming. Chinois.
Peintre.
Il a peint des animaux, notamment des tigres.

WOU SIN-LAI. Voir **WU XINLAI**

WOU T'AI-SOU. Voir **WU DAISU**

WOU T'AO. Voir **WU TAO**

WOU TAO-TSEU. Voir **WU DAOZI**

WOU TA-TCH'ENG. Voir **WU DACHENG**

WOU TA-YU. Voir **WU DAYU**

WOU TCH'ANG. Voir **WU CHANG**

WOU TCH'ANG-CHE. Voir **WU JUNQING**

WOU TCHAO. Voir **WU ZHAO**

WOU TCHEN. Voir **WU ZHEN**

WOU TCHO. Voir **WU ZHUO**

WOU TCHOU-FENG. Voir **WU ZHUFENG**

WOUTER Ijsbrantsz
xve siècle. Actif à Anvers et à Leyde en 1463. Hollandais.
Sculpteur.

WOUTER VAN HEUSDEN
Né à Rotterdam. xxe siècle. Hollandais.
Graveur à l'eau-forte.
On vante la technique de ses estampes d'esprit surréaliste.
Musées : Boymans – Rotterdam.

WOUTERMAERTENS Constant
Né le 4 août 1823 à Courtrai. Mort le 22 mai 1867 à Courtrai. xixe siècle. Belge.
Peintre d'animaux, natures mortes.
Il est le frère d'Édouard Woutermaertens.
Musées : Courtrai : *Lièvre et canard.*
Ventes Publiques : Amsterdam, 9 nov. 1993 : *Deux chiens de cirque*, h/t (31x41,5) : **NLG 2 300**.

WOUTERMAERTENS Édouard
Né le 15 août 1819 à Courtrai. Mort le 30 octobre 1897 à Courtrai. xixe siècle. Belge.
Peintre d'animaux, paysages animés.
Il est le frère de Constant Woutermaertens. Il fut élève de L. Robbe. Il forma à son tour d'autres peintres animaliers, des œuvres desquels le Musée de Courtrai est riche.

WOUTERMAERTENS

Musées : Bruges – Courtrai : *Moutons au pâturage – L'enclos de l'étable des moutons* – Hambourg.
Ventes Publiques : Paris, 22 déc. 1919 : *La sortie du troupeau* : **FRF 310** – Paris, 13 mars 1942 : *La bergerie* : **FRF 600** – Paris, 14 mai 1945 : *Intérieur de bergerie* 1863 : **FRF 4 000** – Paris, 12 déc. 1949 : *Troupeau au pâturage* : **FRF 19 000** – Stuttgart, 2 nov. 1977 : *Le retour du troupeau*, h/t (54x42) : **DEM 4 800** – New York, 26 janv 1979 : *Le gardien du troupeau*, h/pan. (27x45) : **USD 1 400** – Londres, 8 juin 1983 : *Berger avec son troupeau*, h/t (64,5x80) : **GBP 950** – Amsterdam, 19 sep. 1989 : *Moutons et brebis à l'ombre d'un arbre*, h/pan. (18x23,5) : **NLG 1 955** – Londres, 6 oct. 1989 : *La fraîche matinée* 1899, h/t (50x68) : **GBP 1 980** – Paris, 25 juin 1990 : *Moutons dans la bergerie*, h/pan. (24x22) : **FRF 3 300**.

WOUTERS. Voir aussi **WAUTERS** et **WOUTERSZ**

WOUTERS Augustus Jacobus Bernardus
Né le 20 novembre 1829 à Utrecht. Mort en 1904. xixe siècle. Hollandais.
Peintre de paysages, graveur, lithographe.
Il travailla à Amsterdam en 1867. On lui doit des eaux-fortes.
Musées : Bruxelles : *Ferme.*
Ventes Publiques : Amsterdam, 19 sep. 1989 : *Rivière boisée avec un moulin à eau*, h/pan. (19,5x28,5) : **NLG 1 725** – Amsterdam, 24 sep. 1992 : *Paysage vallonné et boisé avec un château à distance*, h/t (61x83) : **NLG 1 840**.

WOUTERS Constant. Voir **WAUTERS**

WOUTERS Egbert
xviie siècle. Travaillant à Rotterdam en 1666. Hollandais.
Peintre.

WOUTERS Frans, Franz ou **François**
Baptisé le 2 octobre 1612 ou 1614 à Lierre. Mort en 1659 à

Anvers, accidentellement, d'un coup de fusil. XVIIe siècle. Éc. flamande.

Peintre de compositions mythologiques, sujets allégoriques, scènes religieuses, paysages animés, paysages, graveur.

Il fut élève de Rubens à Anvers. Il fut nommé peintre de la cour de l'empereur Ferdinand II ; à la mort de ce souverain, il alla en Angleterre et fut peintre du prince de Galles, futur Charles II. De retour en Flandre, après la chute des Stuart, il revint à Anvers et en 1648, fut nommé directeur de l'Académie des Beaux-Arts.

Bien qu'il ait peint surtout le paysage, notamment des sites de la forêt de Soignies près de Bruxelles, et les agrémentant de personnages finement peints, il exécuta aussi de grandes compositions, dans le style de Rubens. On cite notamment à l'église Saint-Pierre, à Louvain, *Le Christ donnant à saint Pierre les clefs de l'Église*, et à l'église des Augustins, à Anvers : *La Visitation*. On cite de lui quatre paysages gravés à l'eau-forte.

F. Wouter 1630 FW fecit. F.W. P.

Musées : Anvers : *Vanitas* – Aschaffenbourg : *La chasse au cerf* – Augsbourg : *Diane partant pour la chasse* – Bergues : *Adoration des rois Mages* – Besançon : *L'Amour présentant un miroir à Vénus* – Bonn : *Satyre et sa famille* – Budapest : *Junon aux enfers* – Copenhague : *Vénus pleurant Adonis* – Dijon : *Concert champêtre* – Dole : *Concert champêtre* – Florence (Mus. des Offices) : *Adonis prend congé de Vénus* – Gand : *Sainte Famille avec des anges* – Gotha : *L'enlèvement d'Europe* – Hampton Court : *Rondes d'Amours* – *Paysage avec arc-en-ciel* – Hanovre : *Petits génies jouant* – Kassel : *Paysage sous la lune* – Lille : *Prométhée enchaîné* – *Pomone avec la corne d'abondance* – Londres (Nat. Gal.) : *Nymphes et Satyres* – Nancy : *Andromède* – Olmutz : *Diane et Callisto* – Périgueux : *Triomphe de Silène* – Saint-Pétersbourg (Mus. de l'Ermitage) : *Orphée* – Schleissheim : *Repos de Diane* – Stuttgart : *Jupiter et Junon* – Vienne (Gal. Liechtenstein) : *Pomone et les trois Génies* – *Niobé et ses enfants persécutés par Diane* – Vienne (Mus. Nat.) : *Diane et ses compagnes dans la forêt* – *Diane dormant et ses chiens* – *Cortège de bacchantes* – *Agar et Ismaël* – *Sainte Famille et saint Antoine de Padoue* – *Sainte Famille et des anges*.

Ventes Publiques : New York, 31 jan. 97 : *Vénus et Adonis avec un putto et des chiens de meute à la lisière d'un bois*, h/pan. (40x56,2) : **USD 18 400** – Paris, 31 jan. 1912 : *Diane surprise par Actéon* : **FRF 200** – Paris, 21 avr. 1923 : *La reine de Saba chez le roi Salomon* : **FRF 800** – Paris, 4 déc. 1941 : *Danaé* : **FRF 4 800** – Paris, 8 juil. 1942 : *La Présentation au roi* 1654 : **FRF 11 800** – Paris, 12 mars 1943 : *L'Incendie au bord de la rivière, au clair de lune* : **FRF 12 000** – Londres, 7 juin 1974 : *Vénus et Adonis* : **GNS 3 500** – Munich, 29 mai 1976 : *Paysage d'Arcadie*, h/pan. (73x105) : **DEM 31 000** – New York, 12 oct. 1989 : *Les Trois Grâces soutenant une corbeille de fleurs dans un paysage*, h/pan. (31,2x24,8) : **USD 16 500** – New York, 13 oct. 1989 : *Paysage boisé avec des nymphes et des satyres*, h/pan. (53x84) : **USD 17 600** – Paris, 1er déc. 1989 : *Le repos des nymphes*, h/t (59x82,5) : **FRF 40 000** – Londres, 8 déc. 1989 : *Le Cortège de Silène*, h/t (133x174) : **GBP 22 000** – Paris, 9 avr. 1990 : *Suzanne et les vieillards*, h/pan. de chêne (59x78) : **FRF 180 000** – Londres, 11 avr. 1990 : *Paysage boisé avec Céphalus pleurant la mort de Procris*, h/pan. (44x57) : **GBP 9 900** – Amsterdam, 13 nov. 1990 : *Le triomphe de Neptune*, h/cuivre (41,3x50) : **NLG 34 500** – New York, 10 oct. 1991 : *Énée fuyant Troie*, h/cuivre (56x40,5) : **USD 7 150** – Paris, 25 mai 1992 : *Jupiter, Diane et Junon recevant faune et faunesse*, pl. et lav. (14,5x23,9) : **FRF 10 500** – Vienne, 29-30 oct. 1996 : *Le Temps ravissant la Vérité, observé par la Discorde* 1637, h/pan. (42x46,5) : **ATS 103 500** – Londres, 30 oct. 1997 : *Chasseurs avec leurs chiens dans un paysage boisé avec un pont*, h/t (61,5x77,7) : **GBP 14 950** – Londres, 31 oct. 1997 : *Vaste paysage avec des chevriers se reposant sur un chemin, un village dans le lointain*, h/pan. (26,7x42,2) : **USD 3 680**.

WOUTERS Gomar

Né vers 1649 ou 1658 à Anvers. XVIIe siècle. Éc. flamande.

Peintre d'histoire et graveur à l'eau-forte.

Il peignit surtout à Rome et l'on ne cite pas de tableaux de lui. Il a gravé des sujets d'histoire et d'importantes estampes de vues de Rome, dans le style de Callot. Elles sont signées *G. Wouters, cavalier, del et sculp.*

GW

WOUTERS Henri

Né le 6 mai 1866 à Zwolle. XIXe siècle. Hollandais.

Peintre de genre et graveur.

Élève de J. D. Huysters Wynvelds et Allebé. Il figura aux expositions de Paris, médaille de bronze en 1900 (Exposition universelle).

WOUTERS Jacob ou **Jacques** ou **Vouters**, dit **Wosmaer de Vosmaer**

Né en 1584 à Delft. Mort en 1641 à Delft. XVIIe siècle. Hollandais.

Peintre de paysages, natures mortes, fleurs et fruits.

Après un voyage en Italie, il revint dans sa ville natale, où il figure dans la guilde en 1633, et s'y maria. Il est probablement apparenté aux Wosmaer de Delft.

Il peignit d'abord de remarquables paysages. Il abandonna parfois ce genre, pour peindre des fleurs et des fruits.

Musées : New York : *Fleurs* – Orléans : *Fleurs*.

Ventes Publiques : Paris, 8 juin 1925 : *Vase de fleurs* : **FRF 3 200** – New York, 12 jan. 1978 : *Nature morte* 1619, h/pan. (76,5x61) : **USD 82 000** – Monaco, 19 juin 1988 : *Nature morte de fleurs dans un vase de verre* 1619, h/pan. (76,5x61,3) : **FRF 999 000** – New York, 12 jan. 1989 : *Étude de trois scarabées*, h/pan. (7,5x16) : **USD 8 800** – Londres, 6 déc. 1995 : *Nature morte de fleurs dans un vase de verre posé dans une niche de marbre* 1619, h/pan. de chêne (76,5x61,5) : **GBP 155 500**.

WOUTERS Jan Ludewick de ou **Wauters**

Né en 1731 à Gand. Mort après 1777. XVIIIe siècle. Éc. flamande.

Peintre de paysages animés, paysages, graveur.

On mentionne de lui des gravures au burin.

il DeWouters

Musées : Kassel (Gal.) : *Paysages au clair de lune*, trois œuvres.

Ventes Publiques : Paris, 6 nov. 1991 : *Pêcheurs en barque au clair de lune*, h/pan. (28x41) : **FRF 16 000**.

WOUTERS Johan ou **Jan**. Voir **WOUTERSZ**

WOUTERS Lieven ou **Jan Lieven** ou **Wauters**

XVIIIe siècle. Actif à Anvers dans la seconde moitié du XVIIIe siècle. Éc. flamande.

Graveur au burin.

Il grava des portraits d'artistes.

WOUTERS Marcus Hendriksz

XVIIe siècle. Actif à Rome en 1631. Hollandais.

Peintre.

WOUTERS Pieter

XVe-XVIe siècles. Hollandais.

Sculpteur sur bois.

Il sculpta un *Jugement dernier* pour la cathédrale de Bois-le-Duc en 1513.

WOUTERS Pieter

Né en 1617 à Lier. XVIIe siècle. Éc. flamande.

Peintre.

Frère de Frans Wouters et élève de P. Van Avont.

WOUTERS Rik, pour **Hendrick**

Né le 2 août 1882 à Malines (Anvers). Mort le 11 juillet 1916 à Amsterdam (Hollande), des suites d'opérations chirurgicales. XXe siècle. Belge.

Peintre de portraits, figures, paysages, natures mortes, pastelliste, sculpteur, graveur, dessinateur. Fauve.

Il avait appris très jeune à travailler le bois auprès de son père, artisan-sculpteur sur bois. Il travailla à l'Académie de Malines et étudia la sculpture jusqu'à vingt-huit ans avec Charles Van der Stappen et J. Dillens à l'Académie de Bruxelles. Entre 1905 et 1908, il s'établit à Boitsfort, faubourg de Bruxelles. Il commença à peindre, en autodidacte, soit à partir de 1904, soit vers 1908. Il rencontra en 1909 le peintre français Simon Lévy qui lui fit compléter son information sur l'art contemporain. Le marchand d'art et couturier Georges Giroux le prit sous contrat. Mobilisé à la déclaration de guerre, il se retrouva avec son unité, consigné au camp de Zeist. Là, on découvrit qu'il était atteint d'une grave maladie cervicale. Opéré, il ne survécut pas. Mort à trente-quatre ans, le sculpteur n'avait eu que peu de temps pour se réaliser complètement, mais surtout le peintre, qui n'avait réellement

commencé son œuvre qu'en 1912 et avait été mobilisé au début de la guerre, et qui n'avait disposé que de deux années. Il obtint le prix Godecharle en 1907.
Jeune, en tant que sculpteur, il avait exposé régulièrement aux Salons de « L'Art Contemporain » et montra ses sculptures en 1914. Une exposition de ses peintures eut lieu en 1912 à la galerie Giroux à Bruxelles. Il exposa aussi à Amsterdam. Parmi les expositions posthumes : 1916, rétrospective, Stedelijk Museum, Amsterdam ; 1923, rétrospective, Salon d'Automne, Paris ; 1935, rétrospective, Palais des Beaux-Arts, Bruxelles ; 1946, rétrospective regroupant 23 sculptures et 44 peintures, aquarelles, dessins et eaux-fortes, Ville de Malines ; 1994, rétrospective de 235 œuvres, Musée d'Ostende.
Il fut d'abord sculpteur. Ses principaux bustes et statues datent des années 1907-1913. En accord avec l'état d'esprit impressionniste, il s'y montre sensible aux attitudes passagères, il aime à faire jouer la lumière sur l'épiderme sensible que ses doigts ont donné à la surface de la chose sculptée, ce qui le rapproche de Degas, par le modelé nerveux, de Bourdelle, par le côté monumental. Il sculpta en pied le portrait de *Madame Giroux*, que l'on appelle aussi *La coquette*. En général, il faisait poser sa femme, Nel, qu'il représentait le plus souvent dans les drapés fortuits des attitudes fugitives de la vie familière : *Au soleil* ; *Soucis domestiques*. Il donna un remarquable exemple pour l'époque de transcription du mouvement en sculpture, avec la *Vierge folle*, de 1912, inspirée de la danseuse Isadora Duncan. Sculpteur, il a encore laissé un *Buste de James Ensor*, ainsi qu'un *Buste de l'artiste*. Ce ne fut qu'en 1912 qu'il décida d'abandonner la sculpture pour se consacrer entièrement à la peinture, probablement à la suite de la découverte de l'œuvre de Ensor, ainsi que pour avoir vu des Cézanne au cours d'un voyage à Paris, et probablement aussi des Renoir. De Cézanne, il retint une leçon de construction dans l'espace, mais ce qui l'avait soudain captivé chez Ensor, ou chez Renoir, c'était la révélation de la couleur, dont le sculpteur qu'il avait été jusque-là était entièrement privé. Et c'est en tant que peintre de la couleur qu'il se manifeste aussitôt. Dès ses premières peintures importantes, en 1912, *La repasseuse* le place aux côtés du meilleur Bonnard, *Fleurs d'anniversaire* est de la qualité d'un Matisse qui aurait conservé le modelé. L'art de Rik Wouters est tout de spontanéité gaie, marqué par le thème de la femme. Ces femmes se découpant sur des fonds à ramages violents ne peuvent pas ne pas évoquer Matisse, ce qui l'a fait nommer le « Fauve Brabançon », mais la manière en est plus pleine, modelée, ainsi que modulée par taches juxtaposées. Peintre, on cite encore : *La dame au collier d'ambre, Les champignons*. La maladie et l'approche de la mort ont fait prendre à son œuvre une tournure d'où sourd l'angoisse, où parfois le noir assombrit les compositions, leur imposant sa force. ■ J. B.

Rik Wouters

Bibliogr. : Mme Wouters : *La vie de Rik Wouters à travers son œuvre*, Belgique, 1944 – *Rik Wouters*, catalogue d'exposition, Malines, 1946 – R. Avermaete : *Rik Wouters*, Arcade-Séquoia, Paris, 1963 – Michel Ragon : *L'Expressionnisme*, in : *Hre Gle de la Peint.*, t. XVII, Rencontre, Lausanne, 1966 – Joseph-Émile Muller, in : *Diction. Univers. de l'Art et des Artistes*, Hazan, Paris, 1967 – Francine-Claire Legrand, in : *Nouveau diction. de la sculpt. moderne*, Hazan, Paris, 1970 – in : *Dictionnaire universel de la peinture*, Le Robert, Paris, 1975 – in : *L'Art du xxe siècle*, Larousse, Paris, 1991 – Olivier Bertrand et Stefaan Hautekeete : *Rik Wouters. Jalons d'une vie*, Anvers, Pandora, 1994.

Musées : Amsterdam (Mus. mun.) : *Buste* – *Soucis domestiques* – *Repos* – Amsterdam (Cab. des Estampes) – Anvers (Mus. roy. des Beaux-Arts) : *La Vierge folle*, sculpt. – *Rêverie*, sculpt. – *La repasseuse* 1912 – *L'Éducation* – *L'artiste* – *Nature morte* – *Dame en blanc* – Bâle – Bruxelles (Mus. roy. des Beaux-Arts) : *L'artiste*, buste – *Coupe avec pommes* – *Dame au collier d'ambre* – *Paysage près de Boitsfort* – *Portrait de Simon Lévy* – *Le flûtiste* – *Nature morte* – Gand – Grenoble – La Haye – Liège – Ostende (Mus. des Beaux-Arts) : *James Ensor*, sculpt. – Paris (Mus. Nat. d'Art Mod.) : *Portrait de Mme Rik Wouters* – Rotterdam.

Ventes Publiques : Bruxelles, 7 déc. 1946 : *La chapelle de Notre-Dame de Bonne Odeur* : **BEF 80 000** – Bruxelles, 24 mars 1950 : *La procession* : **BEF 9 000** – Bruxelles, 21 oct. 1950 : *L'allée rose* 1912 : **BEF 90 000** ; *L'automne*, aquar. : **BEF 8 500** – Bruxelles, 2 déc. 1950 : *Les pommes* 1912, aquar. : **BEF 12 000** – Bruxelles, 29 nov. 1952 : *Reflets*, aquar. : **BEF 17 000** ; *La maison haute*, aquar. : **BEF 15 000** – Bruxelles, 28 mars 1953 : *Nature morte* : **BEF 36 000** ; *Nu couché*, aquar. : **BEF 42 000** ; *Le déjeuner*, aquar. : **BEF 24 000** – Londres, 6 déc. 1961 : *Le balcon, inscription : Amsterdam*, aquar. : **GBP 550** – Anvers, 13 et 15 oct. 1964 : *Les roses rouges*, aquar. : **BEF 62 000** ; *La coupe blanche* : **BEF 330 000** – Bruxelles, 8 et 9 déc. 1965 : *La repasseuse*, aquar. : **BEF 140 000** ; *Femme accoudée* : **BEF 425 000** ; *Buste de James Ensor*, bronze : **BEF 425 000** – Anvers, 11 et 13 avr. 1967 : *Terrasse de café à Paris*, aquar. : **BEF 90 000** – Anvers, 23 et 24 avr. 1968 : *Poule sur un journal* : **BEF 140 000** – Anvers, 15 oct. 1969 : *Femme au balcon*, aquar. : **BEF 140 000** ; *La petite rieuse*, bronze : **BEF 80 000** – Anvers, 14 oct. 1970 : *Paysage (Amersfoort)*, aquar. : **BEF 85 000** – Londres, 12 nov. 1970 : *Nature morte* : **GBP 3 500** ; *Buste penché au chignon*, bronze : **GBP 1 000** – Bruxelles, 26 avr. 1971 : *Nèle écrivant*, aquar. : **BEF 260 000** ; *Les pommes pourries* : **BEF 540 000** ; *Edgard Tytgat*, bronze : **BEF 80 000** – Anvers, 23 oct. 1973 : *Nel Wouters*, bronze : **BEF 130 000** – Anvers, 2 avr. 1974 : *La petite rieuse*, bronze : **BEF 100 000** – Anvers, 22 oct. 1974 : *Deux femmes dans un bois*, aquar. : **BEF 160 000** ; *La coupe blanche* : **BEF 800 000** – Anvers, 6 avr. 1976 : *Tête de jeune fille*, bronze (H. 35) : **BEF 100 000** – Anvers, 7 avr. 1976 : *Femme à sa toilette* ; *À sa fenêtre*, dess. double face (54x43) : **BEF 100 000** – Bruxelles, 26 oct. 1977 : *Femme à la fenêtre* 1915, lav. (38x40) : **BEF 220 000** – Breda, 26 avr. 1977 : *Rik au bandeau*, h./journal (30x43) : **NLG 3 600** – Breda, 26 avr. 1977 : *La rieuse*, plâtre doré (H. 24) : **NLG 5 400** – Anvers, 17 oct. 1978 : *La femme à la matinée bleue* 1912, aquar. (29x32) : **BEF 280 000** – Anvers, 18 avr. 1978 : *Contemplation* 1911, plâtre (H. 44) : **BEF 400 000** – Anvers, 23 oct 1979 : *Femme assise dans un fauteuil d'osier*, aquar. (35x48) : **BEF 300 000** – Anvers, 23 oct 1979 : *Nature morte*, h/cart. (18x26) : **BEF 100 000** – Amsterdam, 31 oct 1979 : *Portrait de Dia Beets*, bronze (H. 29) : **NLG 18 000** – Anvers, 22 avr. 1980 : *Portrait de Nel* 1915, dess. (68x50) : **BEF 150 000** – Amsterdam, 20 mai 1981 : *Portrait de Nel Wouters* 1911, craies noire et brune (84,5x64,7) : **NLG 18 500** – Bruxelles, 28 oct. 1981 : *Le Chandail rouge*, aquar. (50x67) : **BEF 220 000** – Lokeren, 21 fév. 1981 : *Le Sourire* 1907, bronze (H. 22) : **BEF 80 000** – Versailles, 13 juin 1984 : *Chez l'ogre, décor pour le Petit Poucet* 1913, aquar. (83x103) : **FRF 46 000** – Bruxelles, 13 déc. 1984 : *Femme lisant*, dess. (21x27) : **BEF 90 000** – Londres, 25 juin 1985 : *Les rideaux rouges* 1913, h/t (100x81) : **GBP 115 000** – Anvers, 23 avr. 1985 : *Tête de jeune femme*, bronze : **BEF 200 000** – Londres, 3 déc. 1986 : *Torse de jeune femme* 1909, bronze (H. 66) : **GBP 19 500** – Bruxelles, 19 mars 1986 : *Esquisse d'une couseuse*, encre de Chine (40x51) : **BEF 156 000** – Londres, 1er juil. 1987 : *Portrait de jeune femme*, fus. (41,5x30) : **GBP 4 500** – Lokeren, 28 mai 1988 : *Nel* 1931, fus. (18x18) : **BEF 70 000** – Londres, 19 oct. 1988 : *La matinée bleue*, gche (42x29) : **GBP 19 800** – Amsterdam, 24 mai 1989 : *Portrait de Nel assise près d'une table dans un intérieur*, encre/pap. (37x27,5) : **NLG 25 300** – Londres, 19 oct. 1989 : *Nu couché* 1915, aquar. et encre/pap. (39,5x57) : **GBP 28 600** – Londres, 29 nov. 1989 : *Personnages en forêt* 1914, h/t (90x99,5) : **GBP 88 000** – Paris, 4 mars 1991 : *La brasserie*, aquar. (47x57) : **FRF 225 000** – Amsterdam, 11 déc. 1991 : *Portrait du capitaine Stoett*, bronze (H. 26) : **NLG 8 625** – Lokeren, 21 mars 1992 : *Femme devant une fenêtre* 1915, aquar. (32x48) : **BEF 1 500 000** – Lokeren, 20 mars 1993 : *La tour Saint-Rombouts* 1911, eau-forte/pap. Japon (31,7x16,3) : **BEF 30 000** – Amsterdam, 27-28 mai 1993 : *La femme aux gants gris* 1911, h/t (165,5x126) : **NLG 540 500** – Amsterdam, 31 mai 1994 : *Femme en rose*, aquar./pap. (28x37) : **NLG 28 750** – Lokeren, 8 oct. 1994 : *Femme dans un intérieur* 1915, aquar. (32x48) : **BEF 1 500 000** – Lokeren, 20 mai 1995 : *Femme dans un paysage*, pl. (32x24) : **BEF 180 000** – Lokeren, 7 oct. 1995 : *Le rouget* 1912, aquar. (46,7x59,3) : **BEF 500 000** – Londres, 26 juin 1996 : *Nature morte aux champignons et fleurs*, aquar. et encre/pap. (51,5x75,5) : **GBP 5 750** – Lokeren, 5 oct. 1996 : *Le Rayon de soleil* 1908, plâtre, relief (29x25) : **BEF 30 000** ; *Femme accoudée* 1912, pl. et lav. (24,8x26,8) : **BEF 190 000** – Lokeren, 18 mai 1996 : *Intérieur d'étable* 1902, h/t (100x76) : **BEF 480 000** – Lokeren, 11 oct. 1997 : *Femme vue de dos* 1912, encre de Chine, brosse et h/pap. (29,8x42,3) : **BEF 1 700 000** – Lokeren, 6 déc. 1997 : *Femme assise de dos* 1912, brosse et encre de Chine (30x43) : **BEF 160 000**.

WOUTERS Wilhelmus ou **Wilm Hendrikus Marie**

Né le 6 février 1887 à La Haye. Mort en 1959. xxe siècle. Hollandais.

Peintre, graveur.

Il a été élève d'A. P. Hahn. Il a vécu et travaillé à Amsterdam.

Ventes Publiques : Amsterdam, 17 sep. 1991 : *Nature morte de* *fleurs dans un pot, une statue de porcelaine et autres objets sur une table*, h/t (61,5x77) : **NLG 1 035**.

WOUTERS Willem
Né en 1635 à Haarlem. XVIIe siècle. Hollandais.
Peintre.
Élève de Judith Leyster et de Frans Hals.

WOUTERS Van VELP Willem ou **Wolters**
Mort avant 1745 à Haarlem. XVIIIe siècle. Hollandais.
Peintre.

WOUTERSEN Johan ou **Jan,** dit **Stap**. Voir **WOUTERSZ**

WOUTERSEN Van DOESBURGH Elsa, appelée aussi **Doessburg Elsa Van**
Née le 7 décembre 1875 à Amsterdam. Morte en 1957. XXe siècle. Hollandaise.
Peintre de genre, figures, miniatures, graveur.
Elle a été élève de l'Académie d'Amsterdam. Elle participa à l'Exposition universelle de Bruxelles, en 1910. Elle peignit surtout des miniatures et gravait à l'eau-forte.
Ventes Publiques : Amsterdam, 14 sep. 1993 : *Devant le miroir*, h/t (69x57) : **NLG 1 610**.

WOUTERSIN L. J.
XVIIe siècle. Hollandais.
Peintre.
Il peignit des portraits.

WOUTERSZ. Voir aussi **WOUTERS**

WOUTERSZ Assuérus. Voir **ASUÉRUS WOUTERSZ**

WOUTERSZ Jan
XVIIe siècle. Actif à Rotterdam en 1655. Hollandais.
Peintre.

WOUTERSZ Johan ou **Jan** ou **Wouters** ou **Woutersen**, dit **Stap**
Né en 1599 (?) à Amsterdam. Mort en février 1663 à Amsterdam. XVIIe siècle. Hollandais.
Peintre de genre.

WovTe

Musées : Aix-la-Chapelle : *La guérison du paralytique* – Amsterdam : *Le bureau de l'intendant* – *Le notaire dans son bureau* – Bâle : *Judas rendant les deniers* – Genève (Mus. Ariana) : *L'étude du notaire* – Schleissheim : *L'intendant faisant ses comptes*.
Ventes Publiques : Bruxelles, 28 avr. 1983 : *Cinq joyeux drilles*, h/bois (48x62) : **BEF 80 000**.

WOUTIERS Antoon
XVIIe siècle. Éc. flamande.
Peintre.
Il peignit le *Feu d'artifice* du 9 mai 1690 à Anvers.

WOUTIERS Charles. Voir **WAUTIER**

WOUTIERS Magdalena ou **Michaelina** ou **Wautiers**
Née à Mons. XVIIe siècle. Active à Mons vers 1650. Éc. flamande.
Peintre de compositions religieuses, sujets mythologiques, portraits, fleurs.
On connaît peu de chose sur cette artiste. Pontius grava d'après elle en 1643 un portrait du général espagnol Andres Cantelmo. On cite également des peintures de saints, une procession de baccahanale et un portrait d'homme.
Bibliogr. : M.L. Hairs – *Les peintres de fleurs flamands du XVIIe siècle*, 1985.
Musées : Bruxelles (Mus. des Beaux-Arts) : *Portrait d'homme* – Vienne : *Saint Joachim et saint Joseph*.
Ventes Publiques : Amsterdam, 29 nov. 1988 : *L'éducation de la Vierge*, h/t (143,6x120) : **NLG 41 400** – Amsterdam, 16 nov. 1993 : *Guirlande de fleurs* 1652, h/pan. (41,5x57) : **NLG 34 500**.

WOU TING. Voir **WU DING**

WOU T'ING-HOUEI. Voir **WU THINGHUI**

WOU T'ING-K'ANG. Voir **WU TINGKANG**

WOU T'ING-YU. Voir **WU TINGYU**

WOU TONG-TS'ING. Voir **WU DONGQING**

WOU TSAI-YEN. Voir **WU ZAIYAN**

WOU TSEU. Voir **WU ZI**

WOU TSING-T'ING. Voir **WU JINGTING**

WOU TS'IN-MOU. Voir **WU QINMU**

WOU TSIUN-TS'ING. Voir **WU JUNQING**

WOU TSO-JEN. Voir **WU ZUOREN**

WOU-TSONG MING. Voir **WUZONG MING**

WOU TSONG-YUAN. Voir **WU ZONGYUAN**

WOUVERE Jan ou **Henneken Van**. Voir **WAVERE**

WOUVERMANS Philips. Voir **WOUWERMAN**

WOUW Antoon Van
Né en 1862. Mort en 1945. XIXe-XXe siècles. Sud-Africain.
Sculpteur de statues, architecte.
Il fut élève de l'Académie de Rotterdam. Il sculpta des statues du président Kruger, de boers et d'indigènes.
Ventes Publiques : Londres, 2 juil. 1968 : *Kaffir dormant*, bronze : **GNS 600** – Londres, 14 mai 1970 : *L'accusé*, bronze : **GBP 420** – Londres, 19 fév. 1971 : *Bad news*, bronze : **GNS 3 400** – Londres, 31 mai 1972 : *Noir assis*, bronze : **GBP 1 500** – Londres, 8 nov. 1974 : *Chasseur indigène*, bronze : **GNS 2 400** – Londres, 11 mai 1976 : *Buste d'un indigène*, bronze (H. 49,2) : **GBP 1 200** – Londres, 2 nov. 1977 : *Le mineur noir* vers 1900, bronze patine brune (H. 60) : **GBP 1 400** – Londres, 26 fév. 1980 : *Le président Kruger* 1907, bronze (H. 24,5) : **GBP 4 200** – Johannesburg, 3 juil. 1984 : *Shangaan* 1907, bronze, patine brun foncé (H. 31) : **ZAR 16 000** – New York, 16 oct. 1991 : *Chasseur indigène* 1902, bronze (H. 48,3) : **USD 19 800** – New York, 13 oct. 1993 : *Buste d'un indigène* 1907, bronze (H. 30,5) : **USD 10 925**.

WOUWE Arnold Van den
XVe siècle. Éc. flamande.
Sculpteur.
Il assista Jacques de Gérines au tombeau de Jeanne de Brabant dans l'église des carmes de Bruxelles en 1458.

WOUWE Heynken Van
XVe siècle. Actif à Anvers dans la seconde moitié du XVe siècle. Éc. flamande.
Sculpteur.
Élève de Jan Mertens.

WOUWE Jacob Van den
XVe siècle. Travaillant à Bruxelles en 1462. Éc. flamande.
Peintre.

WOUWE Pieter
XVIIe siècle. Actif à Widdelbourg dans la seconde moitié du XVIIe siècle. Hollandais.
Sculpteur.
Membre de la gilde de 1653 à 1685.

WOU WEI. Voir **WU WEI**

WOU WEI-YE. Voir **WU WEIYE**

WOU WEN-TCHENG. Voir **WU WENZHENG**

WOUWER Abraham Van den
XVIIe siècle. Actif dans la première moitié du XVIIe siècle. Hollandais.
Peintre.
Élève de Karel Claessens. Le Musée d'Anhalt conserve de lui *Société de paysans*.

WOUWER Cartiaan Van de
Né vers 1564 à Anvers. XVIe siècle. Éc. flamande.
Sculpteur.
Il travailla à Amsterdam.

WOUWER Jan Van den
XVIIe siècle. Éc. flamande.
Sculpteur.
Il sculpta des épitaphes à Hal dans le Tyrol.

WOUWER Karel Van de
XVIIe siècle. Actif dans la première moitié du XVIIe siècle. Éc. flamande.
Sculpteur sur bois.
Élève d'Andres Oliviers à Anvers.

WOUWER Roger Van de
Né en 1933 à Bruxelles. XXe siècle. Belge.
Peintre. Surréaliste.
Il vit et travaille à Berchem. Il a figuré à l'exposition *Le surréalisme en Belgique I*, à la galerie Isy Brachot à Paris en 1986.
La démarche de Roger Van der Wouwer, ainsi que l'écrit à son propos Scutenaire, est de « tendre des pièges en forme de toile », mais des pièges de poètes, tous ceux que les objets, une bouteille, un piano..., en particulier recèlent.

WOUWERMAN Jan ou **Wouwermans**
Né le 30 octobre 1629 à Haarlem. Mort le 1er décembre 1666 ou 1669 à Haarlem. XVIIe siècle. Hollandais.

Peintre de paysages animés, paysages, aquafortiste.
Troisième fils de Paul Joosten Wouwerman, peintre dont il ne reste aucune œuvre connue, il fut élève de Jan Wynants. Il entra dans la gilde des peintres de Haarlem en 1655. Il imita le style de son maître avec tant de fidélité que ses ouvrages sont souvent attribués à Jan Wynants.

Bibliogr. : In : *Diction. de la peinture flamande et hollandaise*, coll. Essentiels, Larousse, Paris, 1989.
Musées : Amsterdam : *Chevalier – Le cheval bigarré – La ferme* – Bonn : *La chaumière au bord du ruisseau* – Budapest : *Paysage* – Copenhague : *Château dans les dunes* – Douai : *Habitation hollandaise* – Haarlem (Mus. Frans Hals) : *L'église Saint-Bavon du côté de l'ouest* – Hanovre : *Église, l'hiver* – Kassel : *Lande avec cavaliers* – Londres (Nat. Gal.) : *Paysage d'eau, de dunes et de montagne* – Lyon : *Route au soleil couchant* – Rotterdam (Mus. Boymans Van Beuningen) : *Paysage dans les dunes* – Saint-Pétersbourg (Mus. de l'Ermitage) : Trois paysages – Stockholm : *L'été dans les dunes de Hollande – L'hiver dans les dunes* – Vienne (Mus. Harrach) : *Paysage*.
Ventes Publiques : Paris, 1842 : *Paysage avec une rivière et des personnages* : **FRF 200** – Paris, 1884 : *Paysan au repos* : **FRF 630** – Paris, 1897 : *Paysage accidenté* : **FRF 1 250** – New York, 13 jan. 1978 : *Paysage escarpé*, h/pan. (63,5x101,5) : **USD 14 000** – New York, 12 janv 1979 : *Paysage fluvial*, h/pan. (31x44,5) : **USD 30 000** – New York, 18 jan. 1984 : *Paysans et troupeau sur les dunes*, h/t (48,3x67,5) : **USD 9 500** – New York, 3 juin 1988 : *Paysage avec un chien courant sur la dune*, h/pan. (16,5x19,5) : **USD 13 200** – Amsterdam, 6 mai 1993 : *Paysage de dunes avec des paysans sur un sentier près d'un lac*, h/pan. (26x35,8 et 26,4x34,6) : **NLG 55 200** – Amsterdam, 11 nov. 1997 : *Des voyageurs dans les dunes sur un chemin près d'un lac, des fermes dans le lointain*, h/t (68,7x99) : **NLG 14 991**.

WOUWERMAN Philips ou **Wouwermans**
Né en 1619 à Haarlem. Enterré à Haarlem le 23 mai 1668. XVIIe siècle. Hollandais.
Peintre de compositions religieuses, sujets militaires, genre, batailles, paysages, animaux.
Mort à 48 ans, Wouwerman, fils d'un modeste peintre d'Alkmaar, Paul-Joosten Wouwerman, devait être un éblouissant créateur de paysages et de batailles, mais plus encore le témoin de la vie élégante de son époque et de son cadre : châteaux, fêtes, chasses, veneurs, et surtout chevaux. On a dit qu'il vécut et qu'il mourut pauvre. Cela explique peut-être, mieux que toute autre argumentation le halo particulier qu'il sut donner, en plus de six cents tableaux, qu'il situait souvent dans des paysages italiens, à ce luxe d'une époque, le cheval, avec ce qu'il entraîne en rêves brillants, les cavalcades, les campements, les marchés, les écuries, les forges. Tout un monde que Wouwerman suit de son pinceau. Et s'il n'a pas participé à toutes ces joies ainsi que le veut la tradition, du moins l'a-t-il fait par ses œuvres. Cet artiste à dix-neuf ans, enleva une jeune fille catholique qu'il épousa à Hambourg. Mais après ce départ foudroyant, sa vie que l'on voudrait – et qu'il a rêvée – celle d'un fougueux cavalier, sera très bourgeoise et très ordonnée. A Hambourg, il travailla quelque temps chez Everard Decker. En 1640, il partit pour Haarlem, où il fut reçu dans la Guilde de Saint-Luc. Élève de Wynants, c'est lui qui animera de chevaux les pasyages de son maître. Cet homme a peuplé par sa peinture les écuries de ses rêves. D'autres que lui – avant et après – ont vu le cheval, mais aucun n'a mis pour traduire la vie « sociale » de l'animal et ses qualités, autant de minutieuse passion. Ils n'y ont vu qu'un bel objet, un beau sujet, un admirable mouvement. Mais ils l'ont peint du « dehors », oserai-je dire. Le cheval que Wouwerman peint, il le voudrait dans son écurie. C'est cela qui sous-jacent anime l'œuvre et la fait vibrante. Et il en est ainsi de tout le reste : de ces scènes qu'il n'a peut-être pas vécues, de ces chevaux qu'il n'a pas eus dans son manège, et n'a jamais montés. Il peint le noble animal en technicien (et pourrait à ce titre illustrer Buffon) mais aussi en poète. Rien du laborieux savoir du harnais, des selles, de l'arçon, n'a de secrets pour lui. Cette science si pieuse et si minutieuse fait de lui un chroniqueur. Si nous regardons et osons interpréter son portrait, il apparaît que Wouwerman était un homme de chevaux et non un homme de cheval. Il y a en lui un côté rustre de maquignon. Il aime le beau garrot, la belle croupe. Il est un « naïf », un homme de métier. Avant tout Wouwerman appartient à une civilisation morte dont il est un des derniers poètes. Tous les autres peintres de chevaux ont été des amoureux du turf, peignant le cheval dégénéré. Wouverman, lui, est l'homme du débotté, de l'auberge, l'un des derniers et des plus authentiques répondants d'un monde révolu. ■ Robert Rebufa

Bibliogr. : C. Hofstede de Groot : *Verzeichnis der Werke. Hollandische Maler*, 10 vol., Esslingen et Paris, 1907-1928.
Musées : Aix : *Apparition de l'ange aux bergers – Chevaux conduits à l'abreuvoir*, deux œuvres – Ajaccio : *En voyage* – Amsterdam : *Paysans se défendant contre des soldats – Victoire des paysans – Camp*, deux œuvres – *Cheval blanc ruant – Deux paysages – Chasse au cerf – École d'équitation – Chasse au héron – Le maréchal-ferrant – À l'abreuvoir*, deux œuvres – *Cheval blanc – L'écurie* – Angers : *La fête au village* – Anvers : *Halte de cavaliers – Halte – Chasse* – Aschaffenboorg : *Un cheval – Cavaliers devant une auberge* – Augsbourg : *Départ pour la chasse au faucon – Halte pendant la chasse* – Bagnères-de-Bigorre : *La halte* – Bâle : *Chevaux et âne – Paysage* – Berlin : *Le manège – Halte de chasseurs près d'un fleuve – Départ pour la chasse – Chevaux devant la forge – Paysage d'hiver – Chariot de foin – Le chemin des dunes* – Bernay : *Duel au pistolet* – Besançon : *Choc de cavalerie* – Bonn : *Scène de camp* – Bourg : *Escarmouche entre cavaliers et fantassins* – Brême : *Cheval pommelé devant la forge* – Brunswick : *Ascension* – Bruxelles : *Départ pour la chasse – Épisode de chasse* – Budapest : *Manège – Le bain* – Caen : *Le maréchal-ferrant* – Calais : *Bataille en 1620* – Cambridge : *Intérieur d'écurie – Chasseurs d'oiseaux – Deux chevaux* – Chantilly : *Combat de cavalerie* – Château-Gontier : *Visite d'une dame à cheval au camp* – Cheltenham : *Marché aux chevaux* – Cologne : *Halte à la fontaine* – Copenhague : *Chasse à courre – Au dehors de l'auberge* – Cracovie : *Vaches et chevaux* – Dijon : *Départ pour la chasse*, deux œuvres – *Retour de la chasse – Campement* – Dresde : *Paysage avec voiture couverte en rouge – Cheval blanc devant une auberge – Cavalier devant une hutte de paysans – Charretier à l'auberge de montagne – Annonciation aux bergers – Dame sur un cheval blanc – Retour de la chasse – Chasse au chevreuil – Cheval blanc dans une crevasse de rocher – Saint Jean baptiste prêchant – Nourriture des pauvres dans un cloître – Marché aux chevaux – Campement près d'un fleuve – Repos devant la maison du maréchal-ferrant – Chevaux passant un fleuve – La maison du bourreau – Paysage de dunes, cheval blanc buvant – Étable de l'hôtellerie – Cavalier embrassant une jeune fille – Halte de cavaliers devant une*

forge de montagne – Cavalier et cheval dans une cour d'auberge – Combat devant une place-forte – Départ pour la chasse au faucon – Paysage montagneux avec eau et personnages – Repos de chasseurs – Trompette à cheval devant la tente d'une vivandière – Pêcheurs au bord de la mer, dunes – Repos de chasseurs dans les rochers – Chevaux au gué – Combat sur un pont – Repos de cavaliers au cabaret – Retour de la chasse – Départ pour la chasse – Porte-drapeau et tente de la vivandière – Repos de cavaliers près de la fontaine – Chariot de paysans et cavaliers – Chute d'eau – Chasse à l'ours et au sanglier – Forge de campagne – Abreuvoir – Repos pendant la marche – Chasse au cerf près d'un fleuve – Campement près d'un fleuve – Combat entre cavaliers turcs et chrétiens – Combat de cavaliers devant une porte ronde – Campement de Bohémiens – Cavalier et pêcheurs sur le rivage – Cavalier et paysan buvant – Duel de cavaliers – Combat près d'un château en ruines – Partie de campagne – Petite écurie avec chevaux – Écurie et voyageurs – Escarmouche sur la hauteur – Chariots attaqués par des voleurs – Combat de cavaliers devant un moulin en feu – Cavaliers luttant avec des paysans – Pêcheur – Départ pour la chasse – Devant la forge – DUBLIN : *Halte de cavalerie – Annonciation aux bergers* – DUNKERQUE : *Petit cheval blanc* – ERLANGEN : *Départ du camp – Bohémiens – Famille de paysans* – LA FÈRE : *Paysan déchargeant une charrette – Le renseignement* – FRANCFORT-SUR-LE-MAIN : *Halte devant une caverne – Le maréchal-ferrant – Cavalier devant une tente – Le cheval de labour – Chevaux à l'écurie – Paysage de dunes* – GDANSK, ancien. Dantzig : *Cavaliers au camp* – GENÈVE (Ariana) : *Cavaliers devant l'auberge* – GENÈVE (Mus. mun.) : *Le prophète Élisée raillé par des enfants* – GLASGOW : *Paysage avec paysans, voiture, etc. – Paysage avec cavalier – Halte de voyageurs – Chasseurs avec faucons – Maréchal-ferrant – Paysage avec figures (paysage de Lingelbach) – Paysage avec figures* – GÖTEBORG : *Départ pour la chasse* – GRAZ : *Épisode de la guerre de Trente Ans* – HAARLEM : *Cerfs – Chèvres* – HAMBOURG : *Abreuvoir – Paysan pansant son cheval – Paysage avec voyageurs – Pêcheurs sur le rivage – Cavalier dans les dunes – Adoration des bergers*, attribution douteuse – HAMPTON COURT : *Soldats pillant – Fenaison* – HANOVRE : *Paysage* – LA HAYE : *Halte de chasseurs – Grande bataille – Arrivée à l'hôtellerie – Départ de l'hôtellerie – Chasse au faucon – Manège de campagne – Chariot de foin – Camp – Repos des chasseurs* – HELSINKI : *Devant la forge* – KANSAS CITY : *Cavalier et jeune bohémienne* – KASSEL : *Retour de la chasse au faucon – L'école d'équitation devant la grande porte – La grande écurie – L'écurie d'une maison en ruines – Intérieur d'écurie avec cavaliers – Laboureurs au repos de midi – Quatre cavaliers à la forge – Paysans au repos*, deux œuvres – *Fourgon – Chasse au cerf – Chemin de campagne avec paysans et chasseurs – Scène de guerre – Scène de bataille – La moisson – Marché avec le vieux cheval blanc – Trois scènes de rivage – Le repos au puits – Combat entre Européens et Orientaux – Le cheval pie à la forge – Le cheval blanc à la forge* – LEIPZIG : *Dunes – Cheval pie devant la forge – Paysage* – LIÈGE : *Chevaux et figures* – LIER : *Deux chevaux* – LILLE : *Halte de Chasse – La halte* – LONDRES (Nat. Gal.) : *Ramassant des fagots – Paysage – Banc de sable sur une rivière – Chasse aux cerfs – Cavalerie contre infanterie – Deux vedettes veillant – Halte d'officiers – Intérieur d'étable – Au bord de la mer* – LONDRES (Wallace) : *Foire aux chevaux – Maréchal ferrant un cheval – Bords de la mer et figures*, deux œuvres – *Reste d'armée décampée – Ruisseau dans la montagne – Cheval blanc dans un paysage* – LYON : *Halte* – MADRID (Prado) : *Parade – Les deux chevaux – Partie de chasse*, deux œuvres – *Chasse au lièvre – Repos de chasseurs – Réunion à l'auberge – Arrêt de chasseurs près d'une hôtellerie – Rencontre de cavalerie et d'infanterie – Dispute entre cavaliers et piétons, et convoi incendié – Combat* – MANNHEIM : *Deux chevaux blancs – Ânes et moutons – Pillage* – MELBOURNE (Nat. Gal. of Victoria) : *Cheval blanc et personnages* – MONTPELLIER : *Repos du laboureur – Les Petits-Sables – Le coup de l'étrier – Foire aux chevaux – Arrivée* – MOSCOU : *Halte de voyageurs – Promenade à cheval – La chasse au faucon – Retour de la chasse* – MUNICH : *Chasse au cerf – Cavalier descendu de son cheval, sur une passerelle – Gentilhomme descendu de cheval, à la chasse au faucon – Quelques gentilshommes montant à cheval dans une écurie*, deux œuvres – *Voiture de charge arrêtée près d'une rivière, chevaux dételés – Charretier faisant boire ses chevaux au ruisseau – Chevaux conduits à l'eau par des enfants (lavandières) – Manège – Paysage avec patineurs – Bataille de Nordlingen 1634 – Pillage d'un village par des Suédois – Chasseurs et dames se rafraîchissant – Paysans, mère allaitant son enfant, chien, cheval – Camp de Bohémiens – Paysage – Cavaliers approchant d'une rivière* – NANTES : *Départ de cavaliers – Cavaliers d'avant-garde* – NAPLES : *Trois batailles – Paysages (le 1er avec un cheval blanc, le 2e avec des paysans et chevaux)* – NARBONNE : *Convoi de bœufs* – NEW YORK : *Halte au pont* – NICE : *Halte de cavaliers* – NIORT : *Passage d'un gué – Camp* – OLDENBOURG : *Cavalier et mendiant* – PARIS (Mus. du Louvre) : *Le bœuf gras en Hollande – Le pont de bois sur le torrent – Départ pour la chasse – Départ pour la chasse au faucon – Chasse au cerf – Manège – Intérieur d'écurie – Deux chocs de cavalerie – Halte de chasseurs et de cavaliers devant une hôtellerie – Halte de cavaliers près d'une tente – Halte de militaires – Paysans conduisant une charrette de foin – Les pèlerins* – PORTO : *Départ pour la chasse* – PRAGUE : *Trois chevaux au pâturage* – READING : *Bataille* – ROME (Colonna) : *Chasse au cerf – Combat* – ROME (Orsini) : *Choc de cavalerie* – ROME (Gal. Nat.) : *Dunes* – ROTTERDAM : *Village pillé par des soldats – Cheval* – SAINT-PÉTERSBOURG (Mus. de l'Ermitage) : *La course au chat – Manège en plein air*, quatre œuvres – *Écurie – Écurie d'auberge – Les voyageurs*, deux œuvres – *Le gué aux chevaux – Gué – Route, Voituriers – Voyageurs dans une grotte – Marchands forains – Halte de voyageurs*, trois œuvres – *Cour d'auberge – Forge – Repos au cours d'une promenade à cheval – Port de mer – Environs de Haarlem*, deux œuvres – *Chevaux au pâturage – Le moulin brûlé – Combat d'Impériaux contre les Turcs – Cavalerie polonaise contre cavalerie ottomane – Combat de Polonais et de Suédois – Escarmouche d'avant-postes – Halte de cavaliers*, deux œuvres – *La tente de la vivandière*, deux fois – *Chasse au faucon*, trois œuvres – *Départ pour la chasse*, trois œuvres – *Retour de la chasse au faucon – Chasse au cerf – Cerf aux abois – Aventure de chasse – Les jeunes oiseleurs – Compagnie joyeuse – Paysans devant un cabaret – Scène d'hiver – Les moissonneurs – Paysage – Côte hollandaise – Baigneurs* – SCHLEISSHEIM : *Départ pour la chasse au faucon* – SCHWERIN : *Portrait de femme – À l'abreuvoir – Chasse à l'ours – Combat entre cavaliers et fantassins – Campement de bohémiens – Forge de village* – SIBIU : *Paysage – Chevaux de somme en montagne* – SPIRE : *Écurie – Chasseur au faucon* – STOCKHOLM : *Traîneau de luxe sur la glace – Manège*, trois œuvres – *Chariots de bagages sous un hangar – Charrette de foin au bord d'un fleuve – Charlatan à la foire – Grand paysage de dunes en Hollande – Pêcheurs sur le rivage – On abreuve les chevaux* – STRASBOURG : *Devant la barrière de la douane* – STUTTGART : *Paysan montrant son cheval à un seigneur* – TURIN : *Combat sur un pont – Bataille* – UTRECHT : *Cavalier dans l'écurie* – VALENCE : *Repos sous les arbres* – VALENCIENNES : *Départ pour la chasse* – VIENNE (Gal. Liechtenstein) : *Baigneuses – L'abreuvoir – Repos dans une ruine – Chasseurs au faucon – Bataille – Attaque de la diligence* – VIENNE (Mus. Nat.) : *Combat de cavalerie – Trois cavaliers devant la tente de la vivandière – Dunes – Manège et gué – Attaque de voleurs*, deux œuvres – *Halte pendant la chasse – Paysage* – WIESBADEN : *Devant l'écurie.*

VENTES PUBLIQUES : AMSTERDAM, 1706 : *Une bataille* : **FRF 1 450** – PARIS, 1749 : *Marche d'armée* : **FRF 6 600** – PARIS, 1769 : *Le Grand Marché aux chevaux* : **FRF 14 500** – PARIS, 1777 : *Un marché de chevaux et un mariage* : **FRF 19 800** – PARIS, 1794 : *Les Occupations champêtres* : **FRF 40 000** – LONDRES, 1807 : *Récolte du foin* : **FRF 44 620** – LONDRES, 1819 : *Apparition de l'ange aux bergers* : **FRF 110 862** – PARIS, 1846 : *Halte au retour de la chasse* : **FRF 37 050** – PARIS, 1863 : *Le Débarquement des marchandises* : **FRF 40 700** – PARIS, 18 avr. 1868 : *La Récolte des foins* : **FRF 50 000** – PARIS, 28 avr. 1874 : *Les Bords du Rhin* : **FRF 34 000** – LONDRES, 1892 : *Halte de chasse* : **FRF 91 000** – PARIS, 28-29 mars 1898 : *Le Trompette* : **FRF 65 100** – PARIS, 17 juin 1904 : *Le Départ pour la chasse* : **FRF 17 500** – PARIS, 16 avr. 1907 : *Campement militaire* : **FRF 15 000** – PARIS, 9 juin 1911 : *Le Cheval rétif* : **FRF 10 600** – PARIS, 16-19 juin 1919 : *Halte de chasse* : **FRF 10 000** – PARIS, 3 juil. 1920 : *La Halte* : **FRF 15 200** – LONDRES, 31 mars 1922 : *Foire aux chevaux* : **GBP 430** ; *Paysage* : **GBP 536** – LONDRES, 6 juil. 1923 : *Lisière d'une forêt* : **GBP 525** – PARIS, 2 juin 1924 : *Le Gué* : **FRF 41 000** – LONDRES, 22 mai 1925 : *Soldats en marche* : **GBP 1 102** ; *Départ pour la chasse* : **GBP 630** ; *Chasse au faucon* : **GBP 735** – PARIS, 12-13 juin 1925 : *Le Maréchal-ferrant* : **FRF 27 000** – PARIS, 12 juin 1926 : *Halte de chasseurs* : **FRF 31 100** – LONDRES, 17-18 mai 1928 : *La Course au hareng* : **GBP 4 200** ; *Déchargement d'un bateau* : **GBP 1 365** ; *Retour du marché* : **GBP 1 417** – LONDRES, 8 juin 1928 : *Soldats en marche* : **GBP 1 680** – PARIS, 14 déc. 1933 : *La Chasse aux canards* : **FRF 42 000** – GENÈVE, 7 déc. 1935 : *Paysage avec cavaliers* : **CHF 24 550** – LONDRES, 19 avr. 1937 : *Scène devant une auberge* : **GBP 850** – LONDRES, 30 avr. 1937 : *Foire aux chevaux* : **GBP 1 029** – PARIS, 17 mars 1943 : *Départ pour la chasse au faucon* : **FRF 250 000** ; *Chasse au cerf*, attr. : **FRF 80 000** – LONDRES, 9 juin

1944 : *Paysage* : **GBP 1 155** ; *Extérieur d'un magasin* : **GBP 1 627** – New York, 25 oct. 1945 : *Halte de chasse* : **USD 950** – Londres, 1er mars 1946 : *Chasse au sanglier* : **GBP 840** – Paris, 2 déc. 1948 : *Chasseurs, chiens, gibier dans une cour en ruine*, pl. et lav. : **FRF 39 000** – Nice, 24 fév. 1949 : *La Halte* : **FRF 90 000** – Paris, 4 avr. 1949 : *Départ pour la chasse au faucon*, École des W. : **FRF 100 000** – Paris, 25 mai 1949 : *Halte de cavaliers* : **FRF 480 000** – Londres, 2 nov. 1949 : *Départ pour la chasse au faucon* : **GBP 620** – Londres, 17 fév. 1950 : *Chasseurs achetant du poisson sur une grève* : **GBP 630** – New York, 2 mars 1950 : *La Halte des cavaliers* : **USD 850** – Tours, 23 mars 1950 : *Le Déménagement rustique* : **FRF 481 000** – Amsterdam, 21 nov. 1950 : *Le Maréchal-ferrant* : **NLG 1 350** – Paris, 9 mars 1951 : *Le Monticule sablonneux* : **FRF 720 000** – Paris, 16 avr. 1951 : *L'Attaque du convoi*, École de Ph. W. : **FRF 90 000** – Bruxelles, 29 mai 1951 : *Scène de bataille* : **BEF 4 600** – Cologne, 4-6 déc. 1952 : *Scène militaire* : **DEM 1 800** – Stuttgart, 19-21 mai 1953 : *Paysage de rivière avec baigneurs, chevaux et cavaliers* : **DEM 1 950** – Londres, 2 juil. 1958 : *Paysage* : **GBP 2 100** – Londres, 8 juil. 1959 : *La chasse au faucon* : **GBP 4 200** – Londres, 14 juin 1961 : *La Colline de sable* : **GBP 7 200** – Londres, 28 nov. 1962 : *Soldat à cheval chez le forgeron* : **GBP 2 600** – Londres, 3 juil. 1963 : *Paysage avec un homme dormant* : **GBP 6 000** – New York, 29 avr. 1965 : *Ville d'Italie* : **USD 1 850** – Londres, 6 juil.1966 : *Le Repos des chasseurs* : **GBP 4 200** – Londres, 23 juin 1967 : *Partie de chasse dans un paysage fluvial* : **GNS 15 000** – Londres, 27 mars 1968 : *Scène de chasse dans un paysage* : **GBP 6 500** – Londres, 3 déc. 1969 : *Paysans et chevaux dans un paysage boisé* : **GBP 8 000** – Londres, 25 nov. 1970 : *Paysan saluant un cavalier* : **GBP 7 500** – Londres, 8 déc. 1971 : *Marché aux chevaux* : **GBP 15 500** – Londres, 12 juil. 1972 : *Paysan saluant un cavalier* : **GBP 11 000** – Londres, 11 juil. 1973 : *Soldats pillant un village* : **GBP 18 000** – Cologne, 14 nov. 1974 : *Chevaux à l'abreuvoir* : **DEM 65 000** – Londres, 26 nov. 1976 : *Retour de chasse*, h/pan. (35,5x40,5) : **GBP 35 000** – Zurich, 20 mai 1977 : *Le repos du cavalier*, h/pan. (32,5x24,3) : **CHF 32 000** – New York, 30 mai 1979 : *Marché villageois* 1653, h/t (61,5x80) : **USD 35 000** – Londres, 10 avr. 1981 : *La Chasse au faucon*, h/pan. (34,2x47) : **GBP 70 000** – Londres, 8 juil. 1983 : *Le Départ pour la chasse*, h/pan. (48,2x63,9) : **GBP 125 000** – New York, 17 jan. 1985 : *Scène de bataille*, h/t (102x145) : **USD 65 000** – Londres, 11 avr. 1986 : *Paysan donnant du fourrage à ses chevaux, des baigneurs au bord d'un ruisseau et une charrette de foin*, h/pan. (35,5x41,2) : **GBP 100 000** – Paris, 27 mai 1987 : *Cavalier au piquet ou le Sauteur*, pierre noire, pl. et lav. de gris (14,5x20,5) : **FRF 35 000** – New York, 13 jan. 1987 : *Cavaliers prenant des rafraîchissements*, h/t (66x81,2) : **USD 420 000** – New York, 14 jan. 1988 : *Cavaliers attendant le bac au bord d'une rivière de montagne* 1649, h/t (65,5x79,5) : **USD 231 000** – Monaco, 17 juin 1988 : *La grande chasse à l'oiseau*, h/t (74,9x114) : **FRF 4 773 000** – Cologne, 15 oct. 1988 : *Troupe de cavaliers devant le campement*, h/pan. (37x52) : **DEM 4 000** – Paris, 22 nov. 1988 : *Campement militaire*, sanguine (28x19,5) : **FRF 4 200** – New York, 31 mai 1989 : *La chasse au cerf*, h/cuivre (27x35) : **USD 638 000** – Paris, 27 juin. 1989 : *Promeneurs le long d'une dune*, pan. de chêne non parqueté (18,5x22,5) : **FRF 620 000** – Stockholm, 15 nov. 1989 : *Paysage boisé avec des soldats faisant une pause*, h. (50x69) : **SEK 42 000** – Amsterdam, 28 nov. 1989 : *Jeune laitière conversant avec un voyageur pendant sa pause au bord du chemin*, h/t (32,5x24,3) : **NLG 52 900** – Cologne, 23 mars 1990 : *Engagement de cavalerie*, h/t, une paire (36x46) : **DEM 18 000** – Amsterdam, 22 mai 1990 : *Paysans devant l'étal du boucher*, h/pan. (40x31,5) : **NLG 126 500** – Lille, 9 juin 1990 : *La halte des voyageurs*, h/t (60,5x68) : **FRF 1 800 000** – Stockholm, 14 nov. 1990 : *Officiers et leurs chevaux dans un campement*, h/t (38x31) : **SEK 17 000** – Londres, 12 déc. 1990 : *Brigands dans un vaste paysage* 1649, h/t (68x98,5) : **GBP 143 000** – Londres, 3 juil. 1991 : *La plage de Scheveningen*, h/t (20,5x17) : **GBP 55 000** – Londres, 13 déc. 1991 : *Paysage d'hiver avec un cheval gris mangeant son picotin et des paysans chargeant un cheval brun de fagots tandis que des enfants jouent sur la glace*, h/pan. (31,4x43) : **GBP 13 200** – Londres, 15 avr. 1992 : *Voyageurs laissant leurs montures au repos dans une étable*, h/pan. (29,5x38) : **GBP 54 000** – Stockholm, 19 mai 1992 : *Cavaliers dans un paysage*, h/t (42x53) : **SEK 12 500** – New York, 22 mai 1992 : *Départ d'une élégante société pour la chasse au faucon*, h/pan. (48,3x64,1) : **USD 467 500** – Londres, 9 déc. 1992 : *Partie de chasse au faucon dans un paysage vallonné*, h/pan. (40,7x56,5) : **GBP 253 000** – New York, 15 jan. 1993 : *Un entrepôt au bord de la Meuse*, h/pan. (37,5x47,5) : **USD 442 500** – Londres, 23 avr. 1993 : *Pêcheurs déchargeant leur prise sur la grève*, h/t (52,7x73,7) : **GBP 40 000** – Bayeux, 10-11 nov. 1993 : *La halte des cavaliers*, h/pan. (38,5x51) : **FRF 1 150 000** – Rome, 23 nov. 1993 : *Chevaux passant le gué*, h/t (28,5x38,5) : **ITL 28 750 000** – Londres, 18 avr. 1994 : *Cavalier au manège*, craie noire et lav. (15,2x20,2) : **GBP 3 450** – New York, 12 jan. 1995 : *Vaste paysage d'hiver avec des enfants autour d'un feu et un hameau au fond*, h/pan. (19,7x25,7) : **USD 288 500** – Londres, 6 déc. 1995 : *Cavaliers faisant boire leurs chevaux à la rivière*, h/pan. de chêne (37,5x28) : **GBP 54 300** – New York, 12 jan. 1996 : *Pêcheurs étalant leurs poissons sur la grève à côté d'une charrette de foin sur laquelle se reposent une paysanne et son enfant avec au fond des barques sur la mer houleuse*, h/pan. (31,2x41,3) : **USD 376 500** – Nantes, 13 juin 1996 : *Halte de cavaliers*, h/pan. (24,5x33) : **FRF 660 000** – Londres, 13 déc. 1996 : *Paysans sur un rocher regardant une vallée*, h/pan. (36,5x41) : **GBP 43 300** – New York, 31 jan. 1997 : *Un paysage de rivière et montagnes avec voyageurs et leur bétail sur un chemin, attendant un bac*, h/t (68,6x83,2) : **USD 200 500** – Amsterdam, 7 mai 1997 : *Voyageurs sur un sentier de montagne*, h/pan. (39,8x31,9) : **NLG 149 916** – New York, 30 jan. 1997 : *Une jument et un étalon devant une maison (L'Étalon)*, h/pan. (36,2x31,8) : **USD 635 000** – Londres, 18 avr. 1997 : *Soldats faisant la fête avec une domestique à l'extérieur d'une tente*, h/pan. (40,7x35) : **GBP 210 500** – Londres, 3 déc. 1997 : *Des brigands attaquant des pâtres au bord d'un cours d'eau*, h/pan. (30,8x38,2) : **GBP 18 400** – Londres, 3-4 déc. 1997 : *Campement militaire avec un trompette à cheval et d'autres cavaliers devant une tente*, h/pan. (36,6x41) : **GBP 353 500**.

WOUWERMAN Pieter ou **Wouwermans**

Né le 3 septembre 1623 à Haarlem. Enterré le 9 mai 1682 à Amsterdam. XVIIe siècle. Hollandais.

Peintre de sujets militaires, batailles, scènes de chasse, sujets de genre, paysages animés, paysages, paysages d'eau.

Deuxième fils de Paul Joosten Wouwerman et frère cadet de Philips, dont il fut élève et dont il imita la manière. Il fut reçu dans la confrérie de Saint-Luc à Haarlem en 1646. Il se maria en 1654, mais peut-être ses affaires ne furent-elles pas très brillantes car il voyagea. On croit qu'il résida à Paris ; le fait paraît s'établir parce que dans plusieurs de ses tableaux, la capitale française se voit dans les fonds. On assure également qu'il habita Anvers où son fils Paul fut en apprentissage. Les œuvres de Pieter sont souvent attribuées à Philips Wouwerman.

Musées : Aix : *Paysage* – Amsterdam : *Assaut de la ville de Cœverdan 1672* – *Partie de chasse* – Anvers : *Combat entre cavaliers et fantassins* – Arras : *Choc de cavalerie* – Augsbourg : *Arrivée au cantonnement* – Besançon : *Halte forcée* – Bourg : *Halte forcée* – Brême : *Scène de campement* – Breslau, nom all. de Wroclaw : *Cheval blanc et cavalier* – Brunswick : *Tableau de chasse* – *Vue du Pont-Neuf à Paris* – Bruxelles : *La leçon d'équitation* – Budapest : *Chasse au cerf* – Cambridge : *Campement dans le voisinage d'une auberge* – Cleveland : *Paysage avec figures* – Cologne : *Cavaliers près d'un pont* – Copenhague : *La Place Dauphine à Paris* – Dijon : *Halte de voyageurs* – *Halte de chasse* – Dulwich : *Deux paysages* – La Fère : *L'arrivée à l'hôtellerie* – *Repos au cours de la chasse* – Florence (Gal. Nat.) : *Chasseurs à cheval* – Florence (Pitti) : *Destruction de la flotte anglaise, près de Chatham 1667, par de Witt et Ruyter* – Glasgow : *Halte après la pluie* – Haarlem : *Kermesse* – Hambourg : *Paysage de dunes* – Hanovre : *Le cavalier devant l'auberge* – Kassel : *Cavaliers de qualité devant une auberge de village* – Leipzig : *Tournoi de paysans* – *Halte pendant la chasse* – Liège : *Cavaliers* – Lyon : *Scène d'hiver* – Mannheim : *Attaque de cavaliers* – Montpellier : *Paysage* – Moscou (Roumianzeff) : *Combat entre Turcs et Chrétiens* – *Combat* – *Choc de cavalerie* – *Camp* – Munich : *Société de chasse* – Nantes : *Cavalier en observation sur une petite île, au loin attaque d'un pont* – *Un cavalier fait boire son cheval, un autre fait l'aumône* – Paris (Mus. du Louvre) : *La tour et la porte de Nesles vers 1664* – Posen : *Cheval blanc* – Reims : *Repos devant l'auberge* – Rennes : *Marché aux chevaux* – Riga : *Chasseur et bergère* – Saintes : *La halte* – Saint-Pétersbourg (Mus. de l'Ermitage) : *Halte de cavaliers* – *Campement militaire* – *Scène de la vie de camp* – *Chasse au cerf* – *Espion arrêté* – *Chevaux au pâturage* – Schwerin : *Écurie* – Stockholm : *Combat entre Turcs et Polonais* – *Officier à cheval* – *Halte*, deux œuvres – Stutt-

GART : *Repos au puits* – VIENNE (Czernin) : *Chevaux à l'abreuvoir* – WURTZBOURG : *Rabattage*.
VENTES PUBLIQUES : AMSTERDAM, 1706 : *Écurie* : **FRF 489** – PARIS, 1842 : *Choc de cavalerie* : **FRF 520** – PARIS, 1856 : *Carrousel sous Louis XIV, Place Royale* : **FRF 6 150** – BRUXELLES, 1865 : *Chasse au cerf* : **FRF 1 900** – PARIS, 1883 : *Le Pâturage* : **FRF 3 000** – PARIS, 4-7 déc. 1907 : *Halte de chasse* : **FRF 7 050** – PARIS, 28 fév. 1919 : *Le Marché aux chevaux* : **FRF 1 220** – PARIS, 24 mars 1920 : *Dame hollandaise à cheval* : **FRF 2 810** – PARIS, 12-13 juin1925 : *Choc de cavalerie* : **FRF 17 000** – LONDRES, 9 mai 1930 : *La course de chats* : **GBP 220** – LONDRES, 19 jan. 1951 : *Le Pont-Neuf à Paris* : **GBP 231** – NEW YORK, 12 nov. 1952 : *The Encounter* : **USD 275** – COLOGNE, 6-9 mai 1953 : *Chasseurs à cheval* : **DEM 750** – LUCERNE, 19 juin 1964 : *La Moisson* : **CHF 6 500** – LONDRES, 8 déc. 1965 : *Soldats pillant les paysans dans un paysage* : **GBP 3 800** – LONDRES, 5 avr. 1967 : *Le Camp militaire* : **GBP 800** – VIENNE, 18 juin 1968 : *Cavaliers près d'une tente* : **ATS 130 000** – PARIS, 29 nov. 1969 : *La Tour du Louvre* : **FRF 35 000** – AMSTERDAM, 26 mai 1970 : *Scène de chasse au bord d'une rivière* : **NLG 11 000** – VIENNE, 21 mars 1972 : *La Chasse au faucon* : **ATS 220 000** – VIENNE, 22 mai 1973 : *Campement militaire* : **ATS 160 000** – COLOGNE, 14 nov. 1974 : *Soldats se reposant sur la place du village* : **DEM 26 000** – LONDRES, 2 avr. 1976 : *Paysages fluviaux boisés*, trois h/t (127x170) : **GBP 5 200** – AMSTERDAM, 24 mai 1977 : *Homme et cheval gris dans un paysage d'été au crépuscule*, h/pan. (32x37,5) : **NLG 30 000** – AMSTERDAM, 18 mai 1981 : *Cavalier et paysans dans un paysage montagneux*, h/t (49x65) : **NLG 13 000** – COLOGNE, 21 mai 1984 : *Cavaliers et chevaux à l'écurie*, h/t (39x44,5) : **DEM 55 000** – LONDRES, 13 déc. 1985 : *Cavaliers dans un campement militaire*, h/t (33x41) : **GBP 6 500** – AMSTERDAM, 29 nov. 1988 : *Charge de cavalerie entre Musulmans et Chrétiens*, h/pan. (90x152) : **NLG 19 550** – LONDRES, 31 mars 1989 : *La pause des chasseurs près d'une fontaine au bord du chemin*, h/pan. (49,8x69,2) : **GBP 8 250** – AMSTERDAM, 20 juin 1989 : *Voyageuse surveillant un homme abordant une servante devant l'auberge*, h/pan. (35,5x28,5) : **NLG 16 100** – LONDRES, 15 déc. 1989 : *Voyageurs polonais près de ruines*, h/pan. (34,2x47,3) : **GBP 8 580** – LONDRES, 28 fév. 1990 : *Engagement de cavalerie à l'entrée d'une grotte*, h/t (53x63,5) : **GBP 13 200** – LONDRES, 14 déc. 1990 : *Cavaliers au manège*, h/t (40x47) : **GBP 4 400** – NEW YORK, 11 avr. 1991 : *Cavalier amenant un autre cheval par la bride pour boire à la rivière où se baignent des gamins*, h/t (28x35,5) : **USD 77 000** – LONDRES, 5 juil. 1991 : *Chasseur tirant près de son cheval dans un vaste paysage montagneux*, h/pan. (35,8x41,2) : **GBP 4 620** – PARIS, 27 avr. 1994 : *La Halte des cavaliers (Le Coup de l'étrier ?)*, h/t (41x32,5) : **FRF 19 000** – PARIS, 11 avr. 1995 : *Attaque de voyageurs à l'entrée d'une ville*, h/pan. (37x50) : **FRF 31 500** – AMSTERDAM, 11 nov. 1997 : *Dame à cheval avec des chasseurs et leurs chiens dans un paysage valloné*, h/pan. (33,5x44,1) : **NLG 23 600** ; *Paysage italien avec sur la berge d'une rivière des brigands faisant feu sur des cavaliers*, h/pan. (39,6x52,9) : **NLG 23 064**.

WOU YING-TCHEN. Voir **WU YINGZHEN**

WOU YONG-SIANG. Voir **WU YONGXIANG**

WOU YUAN-K'AI. Voir **WU YUANKAI**

WOU YUAN-TCHE. Voir **WU YUANZHI**

WOU YUAN-YU. Voir **WU YUANYU**

WOU YUN. Voir **WU YUN**

WOVEGROVE
XXe siècle. Belge.
Sculpteur animalier.
Il fut élève de l'École des Arts Décoratifs de Belgique.
Il pratiquait la technique à la cire perdue, qui permet une grande précision des détails.
VENTES PUBLIQUES : PARIS, 28 oct. 1990 : *Lionne attaquant deux gazelles*, bronze à la cire perdue (H. 37, L. 104, l. 17) : **FRF 40 000** – PARIS, 4 déc. 1995 : *Lionne et deux antilopes*, bronze à la cire perdue (H. 37,5x104,5) : **FRF 9 000**.

WOYCICKI Klemens. Voir **WOJCICKI**

WOYNIAKOVSKI Kazimierz. Voir **WOJNIAKOWSKI**

WOYT Jacob ou **Woyth**
XVIe siècle. Hollandais.
Peintre.

WOYTY-WIMMER Hubert
Né le 14 octobre 1901 à Radautz. XXe siècle. Autrichien.
Graveur, illustrateur, décorateur.
Il a été élève d'Erwin Puchinger à Vienne. Il grava des ex-libris et des illustrations de livres. Il gravait à l'eau-forte et au burin.

WO ZHA ou **Who Cha** ou **Wo Tcha**
XXe siècle. Chinois.
Graveur. Réaliste.
Ses œuvres, surtout des gravures sur bois, sont imprégnées d'une force certaine.

WRABECZ Franz ou **Vrabec**
Né à Böhmisch-Brod. Mort en 1799 à Presbourg. XVIIIe siècle. Tchécoslovaque.
Peintre.
Élève de l'Académie de Vienne. Il travailla à Böhmisch-Brod où il peignit des fresques.

WRABETZ Anton
Né le 3 décembre 1876 à Vienne. Mort en 1946. XXe siècle. Autrichien.
Peintre de portraits, natures mortes.
Il a été élève de Julius von Berger et de Sigmund L'Allemand à l'Académie de Vienne.
MUSÉES : VIENNE (Mus. mun.) : *Fleurs*.
VENTES PUBLIQUES : VIENNE, 1-3 oct. 1952 : *Fleurs* 1919 : **ATS 1 500** – VIENNE, 14 jan. 1976 : *Vase de roses* 1929, h/pan. (45x36) : **ATS 16 000** – VIENNE, 7 avr. 1981 : *Vase de roses* 1920, h/pan. (48x36) : **ATS 32 000** – VIENNE, 12 sep. 1984 : *Nature morte aux fruits*, h/pan. (70x93) : **ATS 40 000** – AMSTERDAM, 21 avr. 1994 : *Nature morte de roses dans un vase avec à côté un médaillon et un ruban sur un guéridon*, h/pan. (35,5x49,5) : **NLG 3 220**.

WRAGE Joachim Hinrich ou **Hinnerk**
Né le 2 mars 1843 à Hitzhusen. Mort le 4 juillet 1912 à Malente-Gremsmühlen. XIXe-XXe siècles. Allemand.
Peintre de paysages.
Il a été élève de l'Académie de Düsseldorf dans l'atelier d'Oswald Achenbach. En 1875, il continua ses études à Berlin.
MUSÉES : BERLIN (Mus. Nat.) : *Le glacier de Roseg* – KIEL : *Plage de Sylt* – *Paysage du Holstein* – ROSTOCK (Gal. mun.) : *Au bord du lac de Dieksee*.

WRAGHE Gilles
XVe-XVIe siècles. Travaillant à Anvers de 1490 à 1500. Éc. flamande.
Sculpteur sur bois.
Il sculpta le retable de l'église Notre-Dame d'Anvers en 1500.

WRAGHE Johann
Mort vers 1576 à Emden. XVIe siècle. Hollandais.
Peintre.
Il a peint un *Jugement de Salomon* dans l'Hôtel-de-Ville d'Emden.

WRAGHE Johannes ou **Hans**
Né à Anvers. XVIe siècle. Actif dans la seconde moitié du XVIe siècle. Éc. flamande.
Peintre.
Il travailla à Pérouse comme assistant de Hendrik Van den Broeck. Il peignit une fresque *Naissance de la Vierge* dans l'église de Mongiovino près de Pérouse.

WRANGEL Jürgen ou **Hans Jürgen** ou **Wrangel von Brehmer**
Né le 29 octobre 1881 au château de Häckeberga. Mort en 1957. XXe siècle. Suédois.
Peintre, graveur.
Il fut élève de l'Académie de Colarossi de Paris. Il séjourna à Paris jusqu'en 1940.
MUSÉES : GÖTEBORG – HAMBOURG – LONDRES – STOCKHOLM.
VENTES PUBLIQUES : STOCKHOLM, 26 nov. 1952 : *Chênes* 1933 : **DKK 650** – STOCKHOLM, 6 juin 1988 : *Le brouillard* 1931, h. (53x64) : **SEK 5 200**.

WRANGEL Maria de, comtesse, née **Asplund**
Née le 18 mars 1861 à Jönköping. Morte le 12 avril 1923 à Ostersund. XIXe-XXe siècles. Suédoise.
Peintre de genre, portraits, paysages.
Elle a été élève de l'Académie de Stockholm et de R. Collin à Paris.

WRANGELL Helene de, baronne
Née le 11 juin 1835 à Nowgorod. Morte le 3 novembre 1906 à Saint-Pétersbourg. XIXe siècle. Russe.
Peintre de paysages, d'animaux.
Élève de Vladimir Sherwood à Moscou. Elle peignit des scènes de la vie des paysans russes. La Galerie Tretiakov, à Moscou, et le Musée de Riga conservent des peintures de cette artiste.

WRANGELL Nils ou **Nikolai de**, baron
Né le 27 juillet 1800 à Nurms. Mort le 11 octobre 1870 à Munich. XIXe siècle. Allemand.

Peintre de portraits.
Élève de l'Académie de Dresde. Il exposa à Reval en 1857. Le Musée de Reval conserve de lui *Portrait de la comtesse Anna Apponyi*.

WRASKE Johann Christian
Né le 4 mai 1817 à Hambourg. Mort le 21 juillet 1896 à Hambourg. XIXe siècle. Allemand.
Peintre de portraits et d'histoire.
De 1847 à 1852, il fut élève de l'Académie de Düsseldorf. Le Kunsthalle de Hambourg conserve de lui *Les filles du Cid* et *Les Niobides*.

WRATISLAW Franz Adam de, comte
Né le 27 février 1759 en Bohême. Mort le 23 février 1815 à Stalecz. XVIIIe-XIXe siècles. Tchécoslovaque.
Peintre amateur.
Il peignit surtout des châteaux des environs de Tabor.

WRAY Henry Russel
Né le 3 octobre 1864 à Philadelphie. XIXe siècle. Actif à New York. Américain.
Peintre et aquafortiste.

WRAY Robert Bateman
Né en 1715 à Salisbury. Mort le 2 mars 1779. XVIIIe siècle. Britannique.
Tailleur de camées.
Il tailla des camées à l'effigie de Shakespeare, de Milton, de Newton et de Kniller. Le Musée Britannique à Londres, conserve de lui un album contenant cinquante-quatre esquisses pour des camées.

WRBA Georg
Né le 3 janvier 1872 à Munich (Bavière). Mort le 9 janvier 1939 à Dresde (Saxe). XIXe-XXe siècles. Allemand.
Sculpteur.
Il fut élève de l'Académie de Munich et d'Eberlé. Il obtint, en 1897, une bourse de voyage, et alla en Italie. Il a été professeur à l'Académie de Dresde.
Musées : Brême : *Europe – Diane* – Hambourg : *Europe* – Leipzig : *Buste du maire Tröndlin* – Munich (Gal. Nat.) : *Buste féminin*.
Ventes Publiques : Cologne, 19 oct 1979 : *Diane chasseresse*, bronze (H. 72) : **DEM 5 000** – Munich, 16 nov. 1984 : *Europe*, bronze (H. 43,5) : **DEM 4 500** – Munich, 8 nov. 1985 : *Europe et le taureau*, bronze, patine brun foncé (H. 44) : **DEM 4 500**.

WRCHETCH E. H.
XIXe siècle. Russe.
Peintre de paysages.
La Galerie Tretiakov, à Moscou, conserve de cet artiste : *L'automne*.

WREDE Carl ou **Callu Henrik**
Né le 9 septembre 1890 à Elimäki. Mort le 30 avril 1924 à Helsinki. XXe siècle. Finlandais.
Sculpteur.
Il fit ses études à Helsinki et fut à Paris élève de Rodin et de Bourdelle. Il exposa à Copenhague en 1919.
Musées : Helsinki (Ateneum) : *Buste de Valter Runeberg – Buste du cardinal Herzog* – Rome (Mus. du Vatican) : *Buste du pape Benoît XV*.

WREDE Maria Élisabeth
Née en 1898 à Salzbourg. Morte en 1981 à Paris. XXe siècle. Active en France. Autrichienne.
Peintre de portraits, paysages, aquarelliste, peintre à la gouache.
Vers 1925, elle fut introduite dans les milieux littéraires parisiens : Paul Valéry, Henri Mondor, Marcel Jouhandeau. À partir de 1940, elle voyagea beaucoup en Amérique latine, notamment au Mexique, en 1945 aux États-Unis, en 1946 à Londres, et revint à Paris en 1948, d'où elle continua à rayonner à travers l'Europe. Elle fit plusieurs expositions entre 1960 et 1975. De 1950 à 1970, elle eut une activité de portraitiste mondain. Au cours de ses innombrables voyages, elle peignit, à l'aquarelle ou à la gouache, les paysages rencontrés dans une écriture elliptique.
Ventes Publiques : Paris, 16 mai 1988 : *Village et vue sur la mer, Corse*, aquar. (45x64) : **FRF 500** ; *Théâtre antique*, aquar. gchée (46x64) : **FRF 820** ; *Le forum romain*, gche (44x55) : **FRF 600**.

WRÉE Jean-Baptiste. Voir **VRÉ Jean-Baptiste**

WREN Christophe, Sir
Né le 20 octobre 1632 à East Knoyle. Mort le 25 février 1723 à Hampton Court. XVIIe-XVIIIe siècles. Britannique.
Architecte et graveur à la manière noire.
La carrière de Wren avait commencé comme celle d'un savant mathématicien, étant considéré comme tel, avec déférence, par Newton et Pascal. Il s'intéressait à la science appliquée, par exemple à des problèmes que posaient la transfusion sanguine ou les injections intraveineuses. En bon humaniste, plusieurs domaines ont retenu son attention et particulièrement celui de l'architecture. À la suite du grand incendie de Londres en 1666, il entreprit la reconstruction de la cathédrale Saint-Paul et de cinquante églises paroissiales, entre 1670 et 1711. D'un esprit souple et tolérant, il admet la diversité dans ses constructions, comme le prouvent des monuments aussi différents que la résidence de Kensington, la bibliothèque de Trinity College à Cambridge ou les hôpitaux de Chelsea et de Greenwich. On croit que ce célèbre architecte apprit, par Evelyn, le procédé de gravure à la manière noire, que le prince Rupert avait apporté en Angleterre. On cite de lui deux *Têtes de nègres* dont le British Museum possède des épreuves.

WREN Emma. Voir **COOPER**

WRENCH Mary
XVIIIe-XIXe siècles. Actif à Philadelphie. Américain.
Miniaturiste.
Élève de Ch. W. Peale.

WRENK Franz ou **François**
Né le 5 septembre 1766 à Strathani. Mort le 1er février 1830 à Vienne. XVIIIe-XIXe siècles. Autrichien.
Graveur à la manière noire.
Il fut professeur à l'Académie des ingénieurs à Vienne. Il a gravé des portraits d'après Fuger, des sujets de genre et des paysages d'après Vernet.

WRENN Charles Lewis
Né le 18 septembre 1880 à Cincinnati (Oklahoma). XXe siècle. Américain.
Peintre de portraits, illustrateur.
Il fut élève de William Chase et de l'Art Students League de New York. Il fut membre du Salmagundi Club.

WRENN Elizabeth Jencks
Née le 8 décembre 1892 à Newbury. XXe siècle. Américaine.
Sculpteur.
Femme de Harold Holmes Wrenn.

WRENN Harold Holmes
Né le 27 avril 1887 à Norfolk (Virginie). XXe siècle. Américain.
Peintre, architecte.
Mari de Elizabeth Jencks Wrenn.

WREZL Georg ou **Brecl**
XVIIe siècle. Travaillant à Kranj de 1610 à 1650. Yougoslave.
Peintre.

WRIGGLESWORTH Edwin
Né le 1er mars 1898 à Great Grimsby. XXe siècle. Britannique.
Décorateur, graveur.
Il peignit sur verre et grava à l'eau-forte.

WRIGHT, Mrs, née **Guise**
Morte fin 1802. XVIIIe siècle. Britannique.
Miniaturiste.
Femme de John ou Inigo W.

WRIGHT Alan
XIXe-XXe siècles. Britannique.
Peintre, illustrateur.
Il vivait et travaillait à Londres. Il exposa à Londres à partir de 1890. Il illustra des livres pour enfants.

WRIGHT Alice Morgan
Née le 10 octobre 1881 à Albany (État de New York). Morte en 1976. XXe siècle. Américaine.
Sculpteur.
Il a été élève de Mac Neil, Gutzon Borglum, à New York et d'Injalbert, à Paris. Membre de la Société des Artistes Indépendants à Paris.
Ventes Publiques : New York, 23 avr. 1997 : *Le soir se fit, le jour se fit, cinquième jour*, bronze patine verte (H. 52,1) : **USD 5 175**.

WRIGHT Alma Brockerman
Née le 22 novembre 1875 à Salt Lake City (Utah). XXe siècle. Américaine.
Peintre de fresques murales.
Elle a été élève de Bonnat et Laurens, de l'École des Beaux-Arts et des Académies Julian et Colarossi, à Paris. Membre de l'Asso-

ciation Artistique Américaine de Paris et de la Ligue Américaine des Artistes Professeurs. Elle a exécuté des fresques dans des églises d'Amérique.

WRIGHT Andrew
Mort en 1543 à Londres. XVIe siècle. Actif à Southwark. Britannique.
Peintre.
Sergeant Painter d'Henri VIII au début du règne de ce prince. On ne cite pas d'œuvres de lui.

WRIGHT Austin
Né en 1911 à Chester (Cheshire). XXe siècle. Britannique.
Sculpteur, peintre de cartons de tapisseries.
Il obtint un diplôme de langues vivantes à Oxford, avant de se consacrer à la sculpture.
En 1957, il fut invité à la IVe Biennale de São Paulo, où il obtint le Prix Ricardo Xavier. Sa première exposition n'eut lieu qu'en 1950, à York, suivie d'une autre, à Londres, en 1956.
Il a exécuté diverses commandes officielles : sculptures pour une école de Manchester ; tapisseries pour les cathédrales de Manchester, Derby, Wakefield. En sculpture, il a une prédilection pour le plomb, qui donne à ses compositions un caractère déchiqueté très particulier. Figuratif, avec des libertés dans l'expression de la forme, il aime à traiter des figures grandeur nature dans les activités familières de la vie quotidienne. Ses sculptures de dimensions réduites, dont l'expression est plus resserrée, sont peut-être plus convaincantes.
Bibliogr. : Michael Middleton, in : *Nouveau diction. de la sculpt. moderne*, Hazan, Paris, 1970.

WRIGHT Benjamin
Né en 1575 ou 1576 à Londres. XVIIe siècle. Britannique.
Graveur au burin et éditeur d'estampes.
Il grava surtout des cartes et des armoiries.

WRIGHT Catherine Wharton, Mrs, née **Morris**
Née le 26 janvier 1899 à Philadelphie (Pennsylvanie). XXe siècle. Américaine.
Peintre de portraits, paysages, poète.
Elle a été élève de Henry B. Snell et Leopold Seyffert. Elle vécut et travailla à Glenside. Elle fut membre de la Fédération Américaine des Arts.

WRIGHT Charles Cushing
Né le 1er mai 1796 à Damascota. Mort le 7 juin 1857 à New York. XIXe siècle. Américain.
Graveur au burin et médailleur.
Il n'eut aucun maître. Il grava des monnaies et des médailles à l'effigie de *G. Washington*.

WRIGHT Charles H.
Né le 20 novembre 1870 à Knightstown (Indiana). XIXe siècle. Américain.
Peintre et illustrateur.
Élève de l'Art Students' League de New York. Membre du Salmagundi Club.

WRIGHT Charles Lennox
Né le 28 mai 1876 à Boston (Massachusetts). XXe siècle. Américain.
Peintre, illustrateur.
Il fut élève de Dagnan-Bouveret.

WRIGHT Edward
Mort vers 1773 à Londres. XVIIIe siècle. Britannique.
Paysagiste et peintre de marines.
Fils de Richard W. et frère d'Elizabeth W.

WRIGHT Elizabeth
XVIIIe siècle. Active dans la seconde moitié du XVIIIe siècle. Britannique.
Peintre de paysages et de natures mortes.
Sœur d'Edward W. Elle exposa de 1772 à 1776.

WRIGHT Ethel, plus tard Mme **Barclay**
Née à Londres. XIXe siècle. Britannique.
Peintre de portraits.
Elle débuta au Salon des Artistes Français de Paris en 1887.
Musées : Oldham.
Ventes Publiques : New York, 25 fév. 1988 : *Souvenirs lointains*, h/t (144,8x95,2) : **USD 11 000**.

WRIGHT F. E.
Né en 1849 à South Weymouth. XIXe siècle. Américain.
Peintre de portraits.
Élève de Bonnat, Chapu, Boulanger et Lefebvre à Paris. Il travailla à Boston.

WRIGHT Ferdinand de
Né le 31 juillet 1822 à Haminanlahti (près de Kuopio). Mort le 31 juillet 1906 à Haminanlahti près de Kuopio. XIXe siècle. Finlandais.
Peintre de paysages, animaux, natures mortes, aquarelliste, dessinateur.
Il figura aux expositions du Salon des Artistes Français de Paris, obtenant une médaille de bronze en 1889, pour l'Exposition Universelle.
Il dessina les oiseaux du Nord. Les ornithologues recherchent ses planches : *Oiseaux suédois*.
Musées : Helsinki : *Couple de canards sauvages – Paysage d'hiver à Savolaks – Perspective à Haminanlaks – Grand-duc attaquant un lièvre – Aigle de mer dévorant sa proie – Brouillard du matin, paysage finlandais – Pigeon ramier mort – Pies autour d'un cadavre de coq de bruyère – Pinsons et linottes – Coq et poule – Nature morte de l'atelier – Idylle rustique – Combat entre deux coqs de bruyère – Aquarelle*.
Ventes Publiques : Stockholm, 31 oct 1979 : *Paysage fluvial* 1861, h/t (47x66) : **SEK 51 000** – Stockholm, 19 oct. 1987 : *Colombes* 1867, h/pap. (26x34) : **SEK 360 000** – Londres, 16 mars 1989 : *Rouges-gorges* 1895, h/t (40,5x33) : **GBP 18 700**.

WRIGHT Frank
Né à Nottingham (Nottinghamshire). XXe siècle. Actif en Nouvelle-Zélande. Britannique.
Peintre de paysages, marines.
Il vivait et travaillait à Auckland (Nouvelle-Zélande).
Musées : Auckland (Gal. Nat.).

WRIGHT Frank Arnold
Né le 17 mai 1874 à Londres. XIXe-XXe siècles. Britannique.
Sculpteur de monuments.
Il a été élève de l'Académie Royale de Londres. Il vécut et travailla à East Molesey. Il sculpta surtout des monuments aux morts.

WRIGHT Fred W.
Né le 12 octobre 1880 à Crawfordsville (Indiana). XXe siècle. Américain.
Peintre de portraits.
Il fut élève de l'Académie Julian et de P. Marcel Baronneau à Paris, de l'Art Students League de New York. Membre du Salmagundi Club.

WRIGHT Georg Jonas von
Né le 27 mars 1754 à Tammela. Mort le 3 novembre 1800 à Näs. XVIIIe siècle. Suédois.
Peintre-miniaturiste.
Musées : Göteborg : *Portrait de Kristina Augusta von Fersen*.

WRIGHT George
Né en 1860 ou 1880. Mort en 1942. XIXe-XXe siècles. Britannique.
Peintre de scènes et paysages animés, figures, animalier, scènes de chasse.
Autour du monde de la chasse et des chevaux, il traitait à l'huile les sujets qui firent le succès des estampes anglaises du XIXe siècle.

Ventes Publiques : Londres, 25 jan. 1974 : *Scène de chasse* : **GNS 9 000** – Londres, 2 avr. 1976 : *La Partie de polo*, h/t (19x19) : **GBP 1 800** – Londres, 28 jan. 1977 : *Diligence et chasseurs dans un paysage*, h/t (49,5x75) : **GBP 2 300** – New York, 12 oct 1979 : *Scène de chasse*, h/t (40x62) : **USD 9 000** – New York, 19 juin 1981 : *Traversée de la Manche* 1889, h/t mar./isor. (61x101,6) : **USD 37 000** – New York, 11 avr. 1984 : *Le départ de la diligence*, h/t (34,5x52) : **USD 11 000** – New York, 7 juin 1985 : *The first cast*, h/t (55,8x91,5) : **USD 15 000** – Londres, 3 juin 1988 : *Scène de chasse à courre*, h/t (25,5x40,5) : **GBP 6 600** ; *La Chasse* 1878, h/t (30,5x40,5) : **GBP 1 320** – New York, 9 juin 1988 : *Frank Freeman, le piqueur de Pytchley*, h/t (76,2x96,5) : **USD 28 600** – Londres, 15 juin 1988 : *L'Arbre couché*, h/t (30,5x46) : **GBP 17 050** – Londres, 23 sep. 1988 : *Saut par-dessus la haie*, h/t (30,5x40,5) : **GBP 7 150** – Londres, 27 sep. 1989 : *Devant l'auberge de la Cloche à Stilton*, h/t (40,5x61) : **GBP 12 650** – Londres, 3 nov. 1989 : *Un futur vainqueur de Derby dans les Downs près de Marlborough*, h/t

(56x91,5) : **GBP 28 600** – New York, 1er mars 1990 : *Chasse à courre*, h/t (45,7x61) : **USD 11 000** – Londres, 20 avr. 1990 : *La partie de chasse*, h/t (40,6x61) : **GBP 9 900** – Londres, 13 juin 1990 : *Son deuxième cheval ; Pied à terre*, h/t, une paire (chaque 30,5x46) : **GBP 13 750** – Londres, 5 juin 1991 : *Le Coche devant l'auberge de la Cloche à Stilton*, h/t (40,5x61) : **GBP 7 700** – New York, 16 oct. 1991 : *Scènes de chasse*, h/t, une paire (chaque 40,6x61) : **USD 16 500** – New York, 5 juin 1992 : *Piqueur et meute le matin*, h/t (40,6x61) : **USD 17 600** – Londres, 12 nov. 1992 : *Un coche attelé de quatre chevaux en pleine campagne*, h/t (51x76) : **GBP 8 580** – Londres, 5 mars 1993 : *Sur une piste*, h/t (30,5x45,8) : **USD 4 600** – Londres, 3 juin 1994 : *Devant l'auberge ; Départ dans la neige*, h/t, une paire (36,2x58 et 35,5x51,5) : **GBP 11 500** – New York, 9 juin 1995 : *La Piste perdue*, h/t (40,6x50,8) : **USD 6 900** – Londres, 17 oct. 1996 : *Meute traversant devant un fiacre*, h/t (34,2x49,5) : **GBP 8 970** – New York, 11 avr. 1997 : *Presque prêts*, h/t (35,6x61) : **USD 6 325** – Londres, 5 nov. 1997 : *Trois chevaux de chasse bais : Belvoir, Winsome, Dandy*, h/t (61x96,5) : **GBP 5 520**.

WRIGHT George Frederick
Né le 19 décembre 1828 à Washington. Mort le 28 janvier 1881 à Hartford. xixe siècle. Américain.
Peintre de portraits.
Il fut élève de l'Académie des Beaux-Arts de New York. Il peignit un portrait d'*Abraham Lincoln*.

WRIGHT George Hand
Né le 6 août 1872 à Fox Chase (Pennsylvanie). Mort en 1951. xixe-xxe siècles. Américain.
Peintre de genre, dessinateur, illustrateur, graveur.
Il a été d'abord élève du Spring Garden Institute, puis a poursuivi sa formation à l'Académie des Beaux-Arts de Philadelphie. Il a été membre du Salmagundi Club, de la Société des Artistes Indépendants, de la Société des Illustrateurs, des Westpoint Artists, de la Society of American Etchers. Il fut élu à l'Académie Nationale en 1936.
Il a collaboré, dans le domaine de la presse, au *Scribner's*, au *Century*, à *Harper's*, au *Saturday Evening Post*...
Bibliogr. : In : *Dictionnaire des illustrateurs 1800-1914*, Ides et Calendes, Neuchâtel, 1989.
Ventes Publiques : New York, 6 oct. 1973 : *La diligence* : **USD 5 000** – New York, 8 déc. 1983 : *Scène de plage*, past. (48,3x63,5) : **USD 2 500** – New York, 28 sep. 1983 : *Turning point* 1894, h/t (48,8x74,4) : **USD 5 500** – New York, 30 mai 1985 : *A monopolise* 1887, h/t (68,6x86,3) : **USD 29 000** – New York, 16 mars 1990 : *La traversée*, h/pan. (18x25,3) : **USD 4 950** – New York, 17 mars 1994 : *L'heure du choix* 1894, h/t (48,9x74,3) : **USD 10 350**.

WRIGHT Gilbert Scott
Né en 1880. Mort en 1958. xxe siècle. Britannique.
Peintre de genre.
Il traitait des sujets similaires à ceux de George Wright ; on peut penser à une parenté éventuelle.
Ventes Publiques : Londres, 29 juin 1976 : *Chasse à courre*, h/t (49,5x70) : **GBP 1 200** – Londres, 13 mai 1977 : *Le relai-poste*, h/t (53,5x90,2) : **GBP 3 000** – Londres, 13 oct. 1978 : *Les fugitifs*, h/t (49,5x89,5) : **GBP 1 800** – Londres, 1er avr. 1980 : *Le relais des chevaux*, h/t (39x67) : **GBP 2 700** – New York, 11 avr. 1984 : *La chasse au renard*, h/t (51x61) : **USD 4 500** – New York, 7 juin 1985 : *Passing the York to London coach*, h/t (61x91,5) : **USD 15 000** – Paris, 29 avr. 1988 : *Le bandit de grand chemin et L'attaque de la calèche*, deux h/t (20,5x31) : **FRF 18 000** – Londres, 3 juin 1988 : *Badinage campagnard*, h/t (40,6x66) : **GBP 3 300** – Londres, 27 sep. 1989 : *La halte du coche Londres-Exeter*, h/t (61x81,5) : **GBP 19 800** – Londres, 3 nov. 1989 : *Au galop derrière la meute*, h/t (61x92) : **GBP 8 800** – Londres, 15 juin 1990 : *Le maître d'équipage pendant une pause*, h/t (72,4x52,1) : **GBP 7 920** – New York, 7 juin 1991 : *L'étape à l'auberge*, h/t (61x91,4) : **USD 5 225** – Londres, 19 déc. 1991 : *Chasse à courre sur une piste*, h/t (61x91,5) : **GBP 4 400** – New York, 4 juin. 1993 : *Devant la taverne « George Inn »*, h/t (30,5x45,7) : **USD 3 738** – Londres, 3 nov. 1993 : *Diligences arrêtées par la neige*, h/t (66x107,5) : **GBP 16 100** – New York, 15 fév. 1994 : *Le rassemblement au départ de la chasse*, h/t (40,6x60,9) : **USD 18 400** – Londres, 4 nov. 1994 : *Le calme perturbé*, h/t (39x64,7) : **GBP 9 200** – New York, 12 avr. 1996 : *Le jour du passage des coches*, h/t (54x91,4) : **USD 23 000**.

WRIGHT H. Pooley
xviie siècle. Britannique.
Peintre de miniatures.

WRIGHT J. H.
xixe siècle. Actif dans la première moitié du xixe siècle. Britannique.
Graveur à la manière noire et peintre.
Il exposa à Londres à partir de 1808. Il grava des paysages et des antiquités.

WRIGHT James Henry
Né en 1813. Mort en 1883 à Brooklyn. xixe siècle. Américain.
Peintre de portraits, paysages.
Ventes Publiques : New York, 30-31 oct. 1929 : *Le lieutenant général Winfield Scott* : **USD 1 300** – New York, 24 juin 1988 : *Portrait d'un gentleman* 1869, h/t (125x100) : **USD 660** – Édimbourg, 30 août 1988 : *Une fermette près d'un lac*, h/t (65x81) : **GBP 715**.

WRIGHT John, ou Inigo
Né vers 1745 à Londres. Mort en 1820 à Londres, par suicide. xviiie-xixe siècles. Britannique.
Peintre-miniaturiste de portraits, graveur.
Cet artiste exposa à la Royal Academy de 1795 à 1819. Il était aussi graveur au burin.
Musées : Londres (British Mus.) : *Portrait de John Hoppner* – *Portrait de W. Owen*, copies.

WRIGHT John
Né en 1857 à Harrogate. Mort le 15 décembre 1933 à Brasted. xixe-xxe siècles. Britannique.
Peintre-aquarelliste, graveur.
Mari de Louise Wood Wright et élève de l'Académie d'Anvers. Il exécuta des motifs de Venise et des Indes Occidentales. Il gravait à l'eau-forte.

WRIGHT John Buckland. Voir **BUCKLAND-WRIGHT**

WRIGHT John Carl
Né en 1802 à Altona. Mort en 1876 à Altona. xixe siècle. Allemand.
Peintre de portraits et de paysages.
Le Musée d'Altona conserve trois paysages de cet artiste.

WRIGHT John Massey
Né le 14 octobre 1777 à Londres. Mort le 13 mai 1866 à Londres. xixe siècle. Britannique.
Peintre de sujets de genre, paysages, décors de théâtre, aquarelliste, dessinateur, illustrateur.
Il était fils d'un facteur. À seize ans, il fut présenté à Hothard et fit quelques dessins d'après ses compositions pour la Shakespeare Gallery. La connaissance qu'il fit du peintre de décors de théâtre John Wilson amena notre artiste à travailler avec lui. Il fréquenta plus tard David Roberts, S. Stanfield, Barker qui l'aidèrent de leurs conseils. De 1808 à 1866 Wright exposa à Londres, à la Royal Academy, à la British Institution, à la Society of British Artists et à la Old Water-Colours Society. En 1824, il fut associé, puis membre de la Old Water-Colours Society.
Jusqu'en 1820, il peignit à l'huile, puis s'adonna à l'aquarelle. Il peignit des panoramas avec Barker et fut également un remarquable dessinateur.
Musées : Dublin : *Aquarelles* – Leeds : *Aquarelles* – Londres (Victoria and Albert Mus.) : *Scène de don Quichotte* – *Don Quichotte hors de l'auberge* – Sept aquarelles – Manchester : Aquarelles – Nottingham : *Aquarelles* – *Autoportrait*.
Ventes Publiques : Londres, 18 mars 1980 : *Falstaff and Mrs. Ford*, aquar. (22x18,5) : **GBP 380** – Ludlow (Shropshire), 29 sep. 1994 : *La chorale du village*, aquar. (47x71,5) : **GBP 5 175**.

WRIGHT John Michael
Né en 1617 en Écosse. Mort en 1694 à Londres. xviie siècle. Britannique.
Peintre de portraits.
Il fut élève de George Jamesone à Édimbourg. Il alla en Angleterre, puis en Italie. En 1648, il fut nommé membre de l'Académie Saint-Luc à Rome. De retour en Angleterre, en 1656, il prit aux côtés de Peter Lely la place de peintre de portraits, attaché à la cour. En 1686, il accompagna l'ambassade de lord Castlemaine près du pape, à Rome. À son retour, il trouva sa réputation fortement éclipsée par celle de Godfrey Kneller.
À la suite de son premier séjour en Italie, ses portraits montrèrent des souvenirs italianisants pour aller jusqu'au maniérisme. Influencé également par l'art français et hollandais, il arrivait à l'artiste de faire poser ses modèles dans des costumes classiques.
Bibliogr. : In : *Diction. de la peinture anglaise et américaine*, coll. Essentiels, Larousse, Paris, 1991.

Musées : Édimbourg : *Chef écossais* – Hampton Court : *L'acteur John Lacy dans trois rôles* – Londres (Nat. Portrait Gal.) : *Thomas Chiffinch – Élisabeth Claypole – Thomas Hobbes – Sir Matthew Hale – John Ray*.

Ventes Publiques : Londres, 1899 : *Thomas Hobbes de Malmesbury* : **FRF 2 750** – Londres, 10 juil. 1931 : *Portrait de femme* : **GBP 252** – Londres, 27 nov. 1968 : *William Lord Craven* : **GBP 520** – Londres, 17 juin 1981 : *Portrait de trois dames de qualité*, h/t (115x170) : **GBP 3 700** – Londres, 15 juil. 1983 : *Portrait de Miss May*, h/t (101,6x106,6) : **GBP 45 000** – Londres, 20 nov. 1985 : *Portrait of Charles de la Trémoille, prince de Tarente* 1655, h/t (80x60) : **GBP 19 000** – Londres, 12 juil. 1989 : *Portrait d'une Lady assise portant une robe lamée d'or et un mantelet bleu*, h/t (124,5x100) : **GBP 4 400** – Londres, 16 mai 1990 : *Portrait d'un gentilhomme, présumé être James Scott 1er duc de Monmouth*, h/t (75x63,5) : **GBP 3 080** – Londres, 10 avr. 1991 : *Portrait de Sir Walter Bagot debout dans un paysage portant une tunique drapée à l'ancienne avec son chien près de lui* 1676, h/t (120x95) : **GBP 8 800** – Londres, 14 juil. 1993 : *Portrait de lady Elizabeth Somerset, lady Powis de trois quarts, portant une robe brune et un mantelet bleu avec des ruines à l'arrière-plan*, h/t (124,5x99) : **GBP 20 700** – Londres, 13 avr. 1994 : *Portrait de Arthur Annesley, 1er Comte d'Anglesey assis, vêtu d'un habit brodé à jabot de dentelle blanche*, h/t (122,5x100) : **GBP 31 050** – Penrith (Cumbria), 13 sep. 1994 : *Portrait de Robert Henley*, h/t (112x178) : **GBP 10 350**.

WRIGHT John William

Né en 1802 à Londres. Mort le 14 janvier 1848 à Londres. xixe siècle. Britannique.

Peintre de genre et aquarelliste.

Fils du peintre de miniatures John Wright. Il fut élève de T. Philips. Il exposa à Londres et fut nommé associé à la Old Water-Colours Society en 1831, membre en 1842 et secrétaire en 1845. Il exposa également à la Royal Academy de 1825 à 1846. On cite de lui quelques miniatures. Il fit aussi des illustrations. Il mourut pauvre. Le Musée Britannique de Londres conserve de lui *Costumes d'été et d'hiver* en 1824.

WRIGHT Joseph, dit **Wright of Derby**

Né le 3 septembre 1734 à Derby. Mort le 29 août 1797 à Derby. xviiie siècle. Britannique.

Peintre de sujets de genre, portraits, paysages animés, paysages, dessinateur.

Il vint à Londres et y fut élève de Thomas Hudson et de Mortmer. Il revint dans sa ville natale et s'y établit comme peintre de portraits. En 1773, il partit pour l'Italie, visitant Rome puis Naples, où il dessina d'après Michel-Ange et la statuaire antique. À son retour en Angleterre, en 1775, il résida d'abord à Bath et en 1777, retourna à Derby. Membre de la *Lunar Society*, société réunissant savants et néophytes de l'industrie, il assista à diverses expériences scientifiques, qui ont contribué dans les Midlands à la naissance du monde moderne.

En 1765 et 1766 il exposa à l'Incorporated Society. En 1781, la Royal Academy de Londres l'admit comme associé et en 1784, il fut nommé académicien, mais il déclina l'honneur. Une exposition lui fut consacrée en 1990 à la Tate Gallery de Londres, au Musée du Grand Palais à Paris, puis au Metropolitan Museum de New York.

Peintre de la société bourgeoise de Liverpool et du Derbyshire, Wright of Derby fait le portrait de nombreux notables, d'industriels et d'hommes de science dont il est le parent et l'ami. C'est un peintre provincial qui s'est attaché à décrire les débuts de la révolution industrielle dans les Midlands. Il associe à la nouveauté des sujets, l'originalité d'un traitement pictural « luministe » ; ainsi, son utilisation de violents clairs-obscurs donnés par une source de lumière artificielle, le rapproche de Honthorst et des « caravagistes » d'Utrecht. Dans l'*Expérience sur un oiseau dans la pompe à air*, *L'Observation du planétaire* ou dans *La Forge*, il se fait l'interprète méticuleux de ses contemporains. Il traite ces thèmes modernes sous l'aspect de réunions familières à la chandelle, et donne un caractère philosophique à des sujets qui n'auraient pu être que des scènes de genre galantes. Wright aborde également, dans d'impressionnants effets de lumière, des sujets macabres avec *Miravan ouvrant le tombeau de ses ancêtres* 1772 ou le *Vieil homme et la mort* 1773. À la suite de son voyage en Italie (1773-75), il s' intéresse davantage aux paysages de type volcanique (éruptions du Vésuve) et aux feux d'artifice, notamment ceux du château Saint-Ange à Rome. Dès son retour en Angleterre, son œuvre se renouvelle dans ses sources d'inspiration : les thèmes inspirés par la littérature antique ou moderne et de l'histoire classique. Un grand nombre de ses ouvrages ont été gravés. ■ Sandrine Vézinat

Bibliogr. : Benedict Nicolson : *Joseph Wright of Derby*, 1968.

Musées : Bath : *Portrait de G. Morland* – Cambridge : *Viscount Fitz-William* – Derby : *Savant expliquant le ciel étoilé – L'alchimiste – Portrait de James Wonthrope – Mortimer – Les trois enfants de Hugh et de Sarah Wood – Paysages avec pont et arc-en-ciel – Le vagabond – Les chutes d'eau de Tivoli – L'éruption du Vésuve* – Liverpool : *La dame de Camus – Lundi de Pâques à Rome, la Girandola* – Londres (Nat. Portrait Gal.) : *L'artiste – Sir Richard Arkwright – Erasmus Darwin* – Londres (Nat. Gal.) : *Expérience sur un oiseau dans la pompe à air* – Londres (Tate Gal.) : *Sir Broske Boothby* – Manchester : Aquarelle – Minneapolis : *Portrait* – Nottingham : *Sir Richard Arkwright* – Paris (Mus. du Louvre) – Vienne : *Le Révérend Basil Bury Beridge* – Wolverhampton : *Enfant jouant aux bulles de savon* – York, Angleterre : *Fabrication d'une ancre*.

Ventes Publiques : Londres, 4 fév. 1927 : *Mrs Bromhead* : **GBP 210** – Londres, 14 juin 1929 : *R. Brinsley Sheridan* : **GBP 220** – Londres, 15 juil. 1959 : *Trois enfants sur une terrasse avec leurs chiens* : **GBP 550** – Londres, 20 nov. 1964 : *Jeune homme à la collerette lisant à la lumière d'une bougie* : **GNS 1 200** – Londres, 19 nov. 1965 : *Portrait de Francis et Charles Mundy dans un paysage* : **GNS 3 600** – Londres, 22 nov. 1967 : *Portrait de Madame William Pigot* : **GBP 1 200** – Londres, 17 juin 1970 : *Portrait of Thomas Day* : **GBP 16 000** – Londres, 23 avr. 1971 : *Portrait of Susannah Hope* : **GBP 1 600** – Londres, 13 déc. 1972 : *Le couvent de St Cosimato sur les bords de l'Arno* : **GBP 20 000** – Londres, 28 nov. 1973 : *Fillette tenant un lapin* : **GBP 5 500** – Londres, 22 mars 1974 : *La maison du bûcheron* : **GNS 14 000** – New York, 9 oct. 1976 : *Mrs. Ann Carver*, h/t (127x101,5) : **USD 19 000** – Londres, 19 juil. 1978 : *Paysage boisé d'Italie*, h/t (45,5x77) : **GBP 5 800** – Londres, 23 nov 1979 : *Villa au bord de la mer*, h/t (53,2x90,7) : **GBP 6 500** – Londres, 19 mars 1981 : *Tête de jeune fille au turban* 1768, craies noire et blanche et estompe/pap. gris (43,5x29) : **GBP 4 000** – Londres, 16 juil. 1982 : *Paysage boisé au lac avec château au clair de lune*, h/t (58x76,2) : **GBP 55 000** – Londres, 23 nov. 1984 : *Mr. and Mrs. Thomas Coltman about to set out on a ride*, h/t (127x101,6) : **GBP 1 300 000** – Londres, 19 juil. 1985 : *Portrait of John Whetham of Kirklington*, h/t (127x101,6) : **GBP 380 000** – Londres, 9 juil. 1986 : *Bandits dans une grotte du Royaume de Naples au coucher du soleil*, h/t (122x174) : **GBP 1 100 000** – New York, 15 jan. 1988 : *Portrait de Miss Bentley dans une robe blanche et tenant un lapin*, h/t (129,6x100,3) : **USD 44 000** – Londres, 15 juil. 1988 : *Portrait de Mrs. Parke of Highfield en robe bleue brodée de perles*, h/t (76,5x63,5) : **GBP 26 400** – Londres, 18 nov. 1988 : *Construction classique surplombant la mer*, h/t (53,5x91,4) : **GBP 88 000** – New York, 12 jan. 1989 : *Portrait de Miss Frances Warren, agenouillée dans une robe bleue avec un agneau dans les bras*, h/t (124,5x99) : **USD 71 500** – Londres, 12 juil. 1989 : *Portrait de Sir Robert Burdett Bt., de Foremark dans le Derbyshire*, h/t (125,5x100) : **GBP 31 900** ; *Portrait de Maître Richard Sale enfant portant une veste jaune sur une chemise blanche*, h/t (51,5x43) : **GBP 44 000** – Londres, 15 nov. 1989 : *Deux jeunes garçons jouant aux archers*, h/t (181,5x137) : **GBP 88 000** – Londres, 11 juil. 1990 : *Portrait de John Whetham, debout de trois quarts vêtu d'un manteau vert bordé de fourrure*, h/t (127x101,5) : **GBP 418 000** – Londres, 12 avr. 1991 : *Portrait d'une dame portant une robe bleue et blanche garnie de rubans et coiffée d'un chapeau de paille avec un ruban bleu dans un paysage*, h/t (76,2x63,5) : **GBP 24 200** – Londres, 8 avr. 1992 : *Portrait de Maître Curzon, assis dans un paysage, vêtu d'une robe bleue et d'une coiffure noire et tenant une colombe*, h/t (51,5x42,5) : **GBP 17 600** – Londres, 9 nov. 1994 : *Le lac Nami*, h/t (50x75) : **GBP 5 290** – Londres, 12 juil. 1995 : *Portrait de Miss Théodora Fortune vêtue d'une robe jaune, en buste*, h/t, de forme ovale (99x86,5) : **GBP 20 700** – Londres, 3 avr. 1996 : *Portrait d'une Lady, vêtue d'une robe rouge ornée de perles*, h/t (75x62) : **GBP 38 900** – New York, 15 mai 1996 : *Portrait de Miss Frances Warren vêtue d'une robe bleue, agenouillée dans un parc et tenant un agneau dans ses bras*, h/t (124,5x99) : **USD 101 500** – Londres, 13 nov. 1996 : *Portrait de Samson Copestake of Kirk Langley ; Portrait de sa sœur Elizabeth*, h/t, une paire (chaque 74x61,5) : **GBP 56 500** – Londres, 9 juil. 1997 : *Portrait de Edward Abney*, h/t (125x99,5) : **GBP 8 625**.

WRIGHT Joseph

Né le 16 juillet 1756 à Bordentown. Mort en 1793 à Philadelphie. xviiie siècle. Américain.

Peintre de portraits, sculpteur, modeleur, médailleur.
Il est le fils de Mrs. Patience Wright sculpteur. En 1772, il vint à Londres et fut élève de Benjamin West et de Hoppner. Il exposa à la Royal Academy en 1780 un portrait de sa mère modelé en cire. En 1782, il retourna en Amérique.
Il y peignit des portraits tout en travaillant près de sa mère à des modelages de cire. Il fit plusieurs fois le portrait de *Washington* et exécuta des dessins de médailles.
Musées : Philadelphie : *Portrait de Washington – L'artiste entouré de sa famille* – Washington D. C. (Mus. Corcoran) : *Benjamin Franklin.*
Ventes Publiques : New York, 28 mai 1992 : *Portrait de Benjamin Franklin*, h/t (80,5x63,8) : **USD 55 000**.

WRIGHT Joseph Michael. Voir **WRIGHT John Michael**

WRIGHT Louisa
xviiie siècle. Active dans la seconde moitié du xviiie siècle. Britannique.
Peintre de fruits.
Femme de Richard W. Elle exposa à Londres de 1770 à 1777.

WRIGHT Louise, Mrs, née **Wood**
Née en 1865 à Philadelphie. xixe siècle. Active à Londres. Américaine.
Peintre de paysages et graveur.
Femme de John W. Élève de l'Académie des Beaux-Arts de Philadelphie, de Whistler et de l'Académie Julian à Paris, et de F. W. Jackson en Angleterre.

WRIGHT Macdonald. Voir **MACDONALD-WRIGHT Stanton**

WRIGHT Maginel. Voir **ENRIGHT,** Mrs.

WRIGHT Magnus von
Né le 13 juin 1805 à Haminanlahti. Mort le 5 juillet 1868 à Helsingfors. xixe siècle. Finlandais.
Peintre, dessinateur et sculpteur.
Musées : Helsinki : *Jaseurs – Raisins et pommes – Groupe d'oiseaux suspendus – Trois grandes gélinottes des bois et un geai – Site montagneux de Haminanlaks – Vue de Skatudden à Helsingfors – Matin d'hiver à Annegatan (rue à Helsingfors) – La propriété Hongola à Urdrata – Vue de Lofo à Helsingfors (les récits occidentaux) – Buste de femme*, plâtre.

WRIGHT Margaret Hardon
Née le 28 mars 1869 à Newton (Massachusetts). xixe siècle. Américaine.
Aquafortiste.
Élève de W. H. W. Bicknell à Boston et de L. O. Merson à Paris. Elle grava des ex-libris.

WRIGHT Margaret Isobel
Née en 1884. Morte en 1957. xxe siècle. Britannique.
Peintre de genre, peintre à la gouache, aquarelliste.
Elle a consacré de nombreuses peintures au monde des enfants.
Ventes Publiques : Glasgow, 6 fév. 1990 : *Jeu de billes*, aquar. (51x42) : **GBP 5 280** – Perth, 27 août 1990 : *En attendant sa mère*, aquar. avec reh. de gche (49,5x30,5) : **GBP 1 650** – Glasgow, 5 fév. 1991 : *Enfants dans un parc*, h/cart. (44x34) : **GBP 2 310** – South Queensferry (Écosse), 23 avr. 1991 : *Enfants cueillant des fleurs*, aquar. (51x62) : **GBP 3 300** – Glasgow, 1er fév. 1994 : *Jeux au bord de la rivière*, aquar. (52,5x63) : **GBP 2 415** – Édimbourg, 9 juin 1994 : *Dans les bois au printemps*, h/t. cartonnée (44,5x34,3) : **GBP 2 875**.

WRIGHT Marsham Elwin
Né le 27 mars 1891 à Sidcup. xxe siècle. Américain.
Peintre, graveur.
Il vivait et travaillait à Minneapolis.

WRIGHT Meg
Né en 1868 à Édimbourg. xixe siècle. Britannique.
Peintre de portraits, paysages.

WRIGHT Michael. Voir **WRIGHT John Michael**

WRIGHT Moses. Voir **WIGHT**

WRIGHT Patience Lovell, née **Lovell**
Née en 1725 à Bordentown. Morte le 25 mars 1786 à Londres. xviiie siècle. Britannique.
Sculpteur-modeleur de cire.
Mère de Joseph W. Elle sculpta à Londres les portraits de membres de la famille royale, d'aristocrates et de personnalités de son temps.

WRIGHT Reginald Wilberforce Mills
Né le 7 janvier 1889 à Bath (Angleterre, Avon). xxe siècle. Britannique.
Peintre de paysages, paysages urbains, marines.
Il peignit des vues du vieux Bath.

WRIGHT Richard, dit parfois **Wright de l'Île de Man** ou **de Liverpool**
Né en 1735 à Liverpool. Mort vers 1774. xviiie siècle. Britannique.
Peintre de sujets de genre, paysages d'eau, marines.
Artiste original et s'étant formé par la seule étude de la nature et en dehors de toute assistance artistique. Il gagne en 1764 un prix offert par la Society of Arts de Liverpool. La même année, il triomphait encore dans un concours pour une composition maritime ; le prix était de cinquante guinées. Woollet en fit la gravure.
On voit une peinture de lui au château de Hampton Court : *Le yacht royal amenant la reine Charlotte en Angleterre.*
Musées : Liverpool : *Partie de pêche.*
Ventes Publiques : Londres, 23 nov. 1966 : *La pêche* : **GBP 420** – Londres, 26 mars 1976 : *Le retour des pêcheurs*, h/t (79x103) : **GBP 1 200** – Londres, 18 mars 1977 : *Frégates anglaises et bateaux de pêche au large d'une côte escarpée*, h/t (77,4x151) : **GBP 1 100**.

WRIGHT Richard Henry
Né en 1857. Mort en 1930. xixe-xxe siècles. Britannique.
Peintre d'architectures, paysages.
Il exposa à Londres de 1885 à 1913. Mari de Catherine Morris Wood.

R·H Wright

Ventes Publiques : Londres, 4 fév. 1986 : *London from the Tower Bridge* 1914, aquar. et cr. (26,2x39) : **GBP 1 100** – Londres, 25 jan. 1988 : *La cathédrale St-Paul vue de la Tamise* 1898, aquar. (18x26,5) : **GBP 1 100** – New York, 14 jan. 1988 : *Caravelles britanniques sur une mer houleuse*, h/t (96x148,5) : **USD 49 500** – Londres, 25-26 avr. 1990 : *La cathédrale de Lincoln*, aquar. (22x30,5) : **GBP 1 045** – Londres, 29 oct. 1991 : *Le marché au poisson à Venise*, cr. et aquar. (19,7x26) : **GBP 1 210**.

WRIGHT Robert Murdock
xixe-xxe siècles. Britannique.
Peintre de paysages.
Il exposa à Londres de 1889 à 1897.

WRIGHT Robert W.
xixe-xxe siècles. Britannique.
Peintre de genre.
Il vivait et travaillait à Londres. Il exposa de 1871 à 1906.

Rob. W Wright

Ventes Publiques : Londres, 25 oct. 1977 : *Le billet doux* 1889, h/t (69x90) : **GBP 2 400** – Londres, 25 mai 1979 : *Le Vieux Violon* 1894, h/pan. (29,8x39,3) : **GBP 750** – Londres, 23 oct. 1981 : *Feeding the doves* 1878, h/t (41,3x51,5) : **GBP 1 400** – Londres, 2 oct. 1985 : *Hungry mouths* 1879, h/t (34x29) : **GBP 1 800** – Londres, 24 sep. 1987 : *La Porte du jardin*, aquar./traits de cr. reh. de gche (28x17) : **GBP 1 050** – Londres, 23 sep. 1988 : *Trésors de famille* 1900, h/pan. (15x20) : **GBP 1 650** – Londres, 21 mars 1990 : *L'arrivée du père* 1882, h/pan. (20x25,5) : **GBP 2 420** – Londres, 26 sep. 1990 : *Les marrons grillés ; Retour des pêcheurs* 1880, h/pan., une paire (chaque 25,5x19) : **GBP 3 630** – Londres, 13 nov. 1992 : *La lecture du journal* 1897, h/pan. (28x22,8) : **GBP 2 750** – Londres, 12 nov. 1992 : *En retard pour revenir de l'école* 1881, h/pan. (19x25,5) : **GBP 1 760** – Édimbourg, 13 mai 1993 : *Le violon remonté*, h/pan. (30,5x40,5) : **GBP 1 980** – Londres, 2 nov. 1994 : *La lecture du journal ; La tasse qui réconforte* 1886, h/pan. (chaque 25,5x20) : **GBP 3 450** – Londres, 5 juin 1997 : *Nourrissant les lapins ; Le Jeune Musicien* 1886 et 1887, h/pan., une paire (25,4x19,6) : **GBP 10 350**.

WRIGHT Royston. Voir **ADZAK Roy**

WRIGHT Rufus
Né en 1832 près de Cleveland. Mort en 1882. xixe siècle. Américain.
Peintre de sujets de genre, portraits.
Il fut élève de George Baker à l'Académie des Beaux-Arts de New York. Il y exposa de 1876 à 1878.
Ventes Publiques : New York, 21 oct. 1983 : *Nature morte aux*

pêches 1870, h/t (55,2x40,6) : **USD 2 100** – New York, 18 déc. 1991 : *Nature morte avec des pêches* 1870, h/t (55,9x40,6) : **USD 3 575**.

WRIGHT Russel
Né le 3 avril 1905 à Lebanon. xxe siècle. Américain.
Dessinateur, décorateur, peintre de décors, architecte.
Il a vécu et a travaillé à New York. Il exécuta des dessins pour des costumes.

WRIGHT Stanton Macdonald. Voir **MACDONALD-WRIGHT**

WRIGHT T.
xixe siècle. Actif à Londres dans la première moitié du xixe siècle. Britannique.
Peintre de paysages et d'architectures.
Il exposa de 1801 à 1842, des vues d'Italie et du Midi de la France ainsi que des vues de châteaux anglais.

WRIGHT Thomas
xviiie siècle. Actif à Londres vers 1729. Britannique.
Peintre de portraits.
Il fut le maître de Richard Wilson. On cite de lui un portrait qui prouve qu'il ne manquait pas de talent.

WRIGHT Thomas
Né en 1711 à Durham. Mort en 1786. xviiie siècle. Britannique.
Dessinateur d'architectures.
Il dessina des antiquités irlandaises, des architectures et des sujets d'histoire naturelle.

WRIGHT Thomas
Né le 2 mars 1792 à Birmingham. Mort le 30 mars 1849 à Londres. xixe siècle. Britannique.
Peintre de portraits et graveur.
Élève de Meyer. Il commença sa carrière comme aide de son camarade d'atelier William Thomas Fry, dont il terminait les planches, puis il s'établit comme graveur de portraits. Il travailla particulièrement de retour en Angleterre en 1826, mais il reprenait le chemin de la Russie en 1830 et y demeurait jusqu'en 1845, peignant des portraits qu'il gravait lui-même. Il était membre des Académies de Saint-Pétersbourg, de Stockholm et de Florence. Le Musée Britannique conserve de lui deux portraits (dessins).
Ventes Publiques : Londres, 18 mars 1970 : *Vue du lac Nemi* : **GBP 1 600** – Londres, 11 juil. 1984 : *Belvoir Castle*, h/t (87x120) : **GBP 2 800**.

WRIGHT Thomas
xixe siècle. Actif à Londres. Britannique.
Miniaturiste.
Il exposa à Londres de 1815 à 1848, quatorze miniatures à la Royal Academy.

WRIGHT W.
xixe siècle. Travaillant en 1825. Britannique.
Dessinateur de portraits.

WRIGHT Wilhelm von
Né le 5 avril 1810 à Haminanlahti. Mort le 2 juillet 1887 à Marieberg. xixe siècle. Finlandais.
Peintre de natures mortes et graveur.
Le Musée d'Helsinki conserve de lui, *Canards suspendus au mur d'une cuisine* et *Lièvre mort avec attributs de chasse* (aquarelle).

WRIGHT of Derby. Voir **WRIGHT Joseph**

WRIGHTSON J.
Mort en 1865. xixe siècle. Britannique.
Graveur au burin.
Il travailla à Boston et à New York de 1854 à 1860 et grava des paysages et des illustrations de livres.

WRIGLEY Thomas
Né en juin 1883 à Denton. xxe siècle. Britannique.
Peintre, graveur.
Il vécut et travailla à Wellson-Sea.

WRIOTHESLEY E. L. H., Mme. Voir **RUSSELL Elizabeth Laura Henrietta**

WRITS Willem
xviiie siècle. Travaillant à Amsterdam de 1760 à 1786. Hollandais.
Dessinateur d'architectures et aquafortiste.
Il grava des paysages hollandais et des architectures d'Amsterdam.

WRITSCH F.
xviiie siècle. Travaillant en 1776. Scandinave.
Peintre.
Musées : Bucarest (Mus. Simu) : *Paysage*.

WROBEL Stéphane
Né le 8 août 1927 à Barlin (Somme). xxe siècle.
Peintre de paysages, paysages urbains, aquarelliste.
Il vit et travaille à Hamelet. Il expose aux États-Unis, Washington, Baltimore, New York, Miami et, en France, régulièrement à la galerie Levasseur à Paris.
Un peu à la manière de Stanislas Lépine, dans une veine post-impressionniste mesurée, il peint surtout des vues de Paris, la Seine, les jardins, les Grands Boulevards...
Musées : Paris (Mus. du Vieux Montmartre) – Verdun (Mus. de Douaumont).

WROBLEWSKI Andrzej
Né en 1927 à Wilno. Mort en 1957, perdu dans les Carpathes. xxe siècle. Polonais.
Peintre, peintre à la gouache, dessinateur, aquarelliste. Réaliste-socialiste.
Entre 1945 et 1952, il fit ses études à Cracovie. Il fit aussi des voyages d'études en Hollande et en Yougoslavie. Il était à la fois un fervent militant progressiste et une personnalité dans le milieu artistique de Cracovie, ville où il vivait et travaillait.
En 1956, peu de mois avant sa mort, il montra une exposition personnelle de ses peintures, aquarelles, gouaches, dessins et monotypes. Après sa mort, deux expositions rétrospectives lui ont été consacrées : en 1958, à Cracovie et Varsovie ; en 1969, à Poznan.
À partir de 1948, il prit part aux expositions importantes de l'avant-garde polonaise, notamment à Cracovie, mais aussi à Varsovie, 1950 à 1954 ; Bucarest, en 1953, où il obtint un diplôme, etc. Après une brève période abstraite, en 1948, il devint un adepte de l'art engagé dans cette voie que l'on a dite du réalisme socialiste. Il fut l'un des organisateurs, dans cet esprit, du *Cercle Autodidactique* (ou Groupe Autodidacte), fondé par les étudiants des Beaux-Arts de Cracovie. Toutefois, son réalisme ne se satisfait pas de la seule représentation édifiante de la réalité ; les formes sont synthétisées avec force dans leurs grands volumes et les lignes les plus expressives ; la couleur, sourde et rabattue en général, est porteuse de métaphores. Usant d'un ensemble de symboles, il a exprimé le destin tragique de l'homme contemporain sur des thèmes définis : *Les fusillés*, *Les tombes*, *Hiroshima*, *La ville*, *Le chauffeur*, *Elle et Lui*. Le sentiment général qui domine dans tous ces thèmes, est celui de la solitude de l'homme devant la fuite du temps et la destinée, le heurt de l'homme avec l'incommunicabilité du monde des choses. Ces peintures occupèrent son activité dans les années 1949 à 1953. Après 1953 jusqu'à sa mort, il se limita presque exclusivement à la technique de la gouache, dans des œuvres au pessimisme encore plus prononcé, avec des moyens plastiques encore simplifiés dans le sens de l'efficacité elliptique. ■ J. B.
Bibliogr. : B. Dorival, sous la direction de... : *Peintres contemporains*, Mazenod, Paris, 1964 – Mieczyslaw Porebski, in : *Peinture Moderne Polonaise*, Sources et Recherches, catalogue de l'exposition, Musée Galliera, Paris, 1969 – in : *Dictionnaire de l'art moderne et contemporain*, Hazan, Paris, 1991.

WROBLEWSKI Jan
xviie siècle. Polonais.
Peintre.
Il a peint un tableau d'autel dans l'église de Pakosch.

WROBLEWSKI Konstantin
Né en 1868. xixe siècle. Russe.
Peintre de paysages.
Élève de l'Académie de Saint-Pétersbourg. La Galerie Tretiakov, à Moscou, conserve une peinture de cet artiste.

WRONBETZKOY Paolo
xixe siècle. Actif en Italie. Italien.
Sculpteur.
Il figura aux Expositions de Paris ; mention honorable en 1889 (Exposition Universelle).

WROTH David
xxe siècle. Australien.
Peintre de compositions animées. Traditionnel.
Il demeura fidèle aux techniques et thèmes de l'art aborigène. Il enseigna son art au peintre Jimmy Pike.

WROUBEL Mikaïl Alexandrovitch ou **Vrubel**
Né le 5 mars 1856 à Omsk. Mort le 1er avril 1910 à Saint-Pétersbourg. xixe-xxe siècles. Russe.

Peintre de compositions religieuses, mythologiques, allégoriques, peintre de décorations murales, peintre de décors de théâtre, illustrateur, sculpteur, décorateur, restaurateur.

Il fut élève de Tchistiakov, après des études de droit, à l'Académie des Beaux-Arts de Pétersbourg, de 1880 à 1884. Ce fut à cette époque qu'il restaura les fresques du XIIe siècle de l'église Saint-Cyrille de Kiev. Il semble qu'il les compléta parfois. Il fut alors exclu de l'équipe de la restauration de la cathédrale de Saint-Vladimir, par le peintre religieux Vasnetsov, ce qui interrompit son activité de peintre de décorations murales dans les églises et bâtiments publics de Russie. Les décorations de cette première partie de sa carrière sont nettement influencées par l'art byzantin. Grand voyageur pour l'époque, il visita l'Italie, la Suisse, la France. Il séjourna un an à Venise, où la découverte des Vénitiens de la Renaissance eut une influence profonde sur sa propre peinture. Il se fixa à Moscou en 1889. Il était membre de l'Association des Artistes Russes. Il fut élu à l'Académie en 1905.

Il participait à partir de 1900 à aux expositions du « Monde des Arts », groupement qui réunissait les éléments progressistes de la peinture russe de l'époque. Il participait aussi aux expositions de l'Association des Artistes de Moscou.

Il peignit à Moscou de rares tableaux, mais qui comptent parmi ce qui fut fait de meilleur dans la Russie de la fin du XIXe siècle : *Pan, Le crépuscule, Le Démon*. Il traita souvent de démons et de sujets fantastiques, ce qui l'apparente à Grottger et à Wypiarski. Il toucha à tous les domaines, sculpture, art décoratif, décors de théâtre : opéra *La dame de pique*, opéra *Hänsel et Gretel* de Gumperdink, etc., illustrations : Pouchkine, Lermontov : *Le démon*, etc. Sa carrière fut stoppée par la maladie, il devint paralytique, aveugle et fou.

Bibliogr. : Louis Réau, in : *Diction. Univers. de l'Art et des Artistes*, Hazan, Paris, 1967 - in : *L'Art Russe des Scythes à nos jours*, catalogue de l'exposition, Gal. Nat. du Grand Palais, Paris, 1967 - Kaplanova, Sofya : *Wrubel*, Aurora, Saint-Pétersbourg, 1975 - in : *Dictionnaire universel de la peinture*, Le Robert, Paris, 1975.

Musées : Kiev : *Le Démon - Le Christ marchant sur les eaux - Prophétesse - Pan - Soirée - Danse des Naïades - Cygne - L'artiste* - Moscou (Gal. Tretiakov) : *Projet d'un rideau de théâtre - Mikoula Selïalinovitch - Le Démon*, esquisse - *Esquisse* - Saint-Pétersbourg (Mus. Russe) : *Venise - La Reine de la Mer - La Danse de Tamara*.

Ventes Publiques : Genève, 25 nov. 1983 : *Démon*, aquar. et fus. (30x57) : **CHF 13 000** - Paris, 13 mars 1985 : *Mozart et Saliéri, acte II* 1898, encre de Chine et lav., esq. (38,2x54,1) : **FRF 18 100** - Londres, 6 mars 1986 : *Tritons et naïades*, aquar. (25,5x49) : **GBP 1 000**.

WRYGHT John

XVIe siècle. Actif à Leicester en 1541. Britannique.

Peintre.

Assistant d'Adr. Poole à Belvoir.

WSSEL de GUIMBARDA Manuel

Né en 1833 à Trinidad (Cuba), de père espagnol. Mort en 1907 à Carthagène. XIXe siècle. Espagnol.

Peintre d'histoire, sujets de genre, figures typiques, portraits, aquarelliste, compositions murales.

Il fut élève de Ribera Fernandez à l'École des Beaux-Arts de Madrid. Il vécut à Séville entre 1866 et 1886, où il fut nommé professeur de l'École des Beaux-Arts en 1877, puis il s'établit définitivement à Carthagène. Il figura aux expositions de Séville en 1866 et 1867. Il fut promu Chevalier de l'Ordre de Carlos III et Commandeur de l'Ordre d'Isabelle la Catholique.

Il est surtout connu comme portraitiste. En collaboration avec Alfonso Siles Badia, il peignit le plafond du théâtre principal de Carthagène (Murcie).

Bibliogr. : In : *Cien Años de pintura en España y Portugal, 1830-1930*, Antiqvaria, t. XI, Madrid, 1993.

Musées : Madrid (Gal. Mod.) : *Bacchus*, aquar.

Ventes Publiques : San Francisco, 24 juin 1981 : *La Danseuse au tambourin* 1879, h/t (58x76) : **USD 7 000** - Barcelone, 28 nov. 1985 : *Femmes faisant la cuisine dans une rue* 1881, h/t (104x78) : **ESP 925 000** - Rome, 31 mai 1990 : *Vie espagnole dans une cour*, h/t (59x72) : **ITL 15 000 000** - Paris, 6 nov. 1995 : *Les Gardiens du palais* 1878, h/t (43x28) : **FRF 130 000**.

WSSJEWOLOSHSKIJ Ivan Alexandrovitch

Né le 21 mars 1835. Mort le 28 octobre 1910 à Saint-Pétersbourg. XIXe-XXe siècles. Russe.

Dessinateur, caricaturiste.

Il exécuta des décors et dessina des caricatures.

WTEWAEL Antonis Jansz. Voir l'article **UYTEWAEL Joachim**

WTEWAEL Joachim Antonisz. Voir **UYTEWAEL Joachim**

WTEWAEL Paulus Van. Voir **WTTEWAEL**

WTEWAEL Peter

Né en 1596. Mort en 1660. XVIIe siècle. Hollandais.

Peintre de sujets religieux, mythologiques, allégoriques, de genre, animalier.

Bibliogr. : A.W. Lowenthal, in : *Joachim Wtewael et le maniérisme hollandais*, 1986.

Ventes Publiques : Londres, 21 juil. 1989 : *Vanitas : jeune enfant allongé près d'un crâne*, h/cuivre (16,4x21) : **GBP 2 090** - Amsterdam, 10 nov. 1992 : *Mercure et Argus*, h/t (77,5x95,3) : **NLG 27 600** - New York, 19 mai 1993 : *« Putti » soufflant des bulles de savon entouré de « Memento Mori »*, h/pan. (49,5x30,8) : **USD 5 175** - New York, 12 jan. 1994 : *Vieille femme comptant son argent*, h/t (94x63,5) : **USD 20 700** - Amsterdam, 13 nov. 1995 : *Saltimbanque tenant une flûte* 1653, h/pan. (56,8x36,3) : **NLG 40 250** - Londres, 1er nov. 1996 : *La Mise au tombeau*, h/pan. (58,7x84,8) : **GBP 6 900** - Londres, 4 juil. 1997 : *Un berger jouant du biniou sur un tertre, un chien et son troupeau dans le lointain ; Une bergère allongée avec un agneau, un chien courant et un bélier* vers 1627-1628, h/t, une paire (106,7x139,7 et 106,7x131,2) : **GBP 62 000**.

WTHOUCK Heyndrick. Voir **WITHOUCK**

WTTENBROUCH Moyses Van. Voir **UYTTENBROECK Moyses Van**

WTTENWAEL. Voir **UYTEWAEL, WAEL** et **WTEWAEL**

WTTEWAEL Paulus ou **Wtewael** ou **Utenwael** ou **Utewael** ou **Uytenwael** ou **Wtenwael**

XVIe siècle. Hollandais.

Graveur au burin.

Il était actif à Utrecht de 1570 à 1599. Il grava des scènes mythologiques, des portraits et des plans de villes.

PA' VS. V. WAEL F.

P. V. W. A

WU BAOSHU ou **Wou Pao-Chou** ou **Wu Pao-Shu**, surnom : **Songyai,** nom de pinceau : **Tuoxian**

Originaire du Wuxi, province du Jiangsu. XIXe siècle. Chinois.

Peintre.

Petit-fils de Wu Mou (actif vers 1750), il est connu comme peintre de fleurs, de fruits, d'orchidées et de bambous. Il fait aussi des portraits de femmes et à la fin de sa vie, des peintures à l'encre de fleurs de prunier.

WUBBELS Jan

XVIIIe siècle. Actif dans la seconde moitié du XVIIIe siècle. Hollandais.

Peintre de paysages d'eau, marines.

Ventes Publiques : New York, 5 oct. 1995 : *Barques à voiles et autres embarcations par mer calme avec une barque de passeur au premier plan et Amsterdam au fond* 1767, h/t (54,6x69,1) : **USD 36 800**.

WU BIN ou **Wou Pin** ou **Wu Pin**, surnom : **Wenzhong,** nom de pinceau : **Zhixian**

Originaire de Putian, province du Fujian. XVIe-XVIIe siècles. Actif à la cour pendant l'ère Wanli (1573-1620). Chinois.

Peintre.

Originaire de la côte sud-orientale, il s'installe à Nankin, capitale méridionale de la dynastie Ming, où il occupe un poste de fonctionnaire et devient peintre de la cour, dont l'empereur, dit-on, admire beaucoup les œuvres. Après avoir suivi le style traditionnel de l'école de Suzhou, dominante à l'époque dans le domaine du paysage, il subit à Nankin l'influence d'un groupe de peintres amateurs tournés vers la peinture de paysage du début de la dynastie Song. Il s'oriente donc dans une recherche du paysage fantastique comme le prouvent les dernières œuvres qui subsistent, et compte parmi les maîtres fantastiques de la fin des Ming.

Bibliogr. : J. Cahill : *Fantastics and Eccentrics in Chinese Paintings*, New York, 1972.

Musées : New York (Metropolitan Mus.) : *Pente de montagne boisée près d'une rivière*, éventail, poème du peintre daté 1603 -

TAIPEI (Nat. Palace Mus.) : *Les dix-huit ahrats* signé et daté 1583, d'après Li Longmian, rouleau en longueur – *Pics abrupts et ravins profonds formant un vaste paysage* signé et daté 1609 – *Figures bouddhiques*, daté – *Deux oiseaux sur une branche d'abricotier en fleurs*, poème de Qing Qianlong – *Vingt-cinq études de figures bouddhiques*, feuille d'album.

WU BING ou **Wou Ping** ou **Wu Ping**
Originaire de Biling (Wujin), province du Jiangsu. XIIe siècle. Actif à la fin du XIIe siècle. Chinois.
Peintre.
Membre de l'Académie de Peinture sous le règne de l'empereur Song Guangzong (1190-1194), il est peintre de fleurs et d'oiseaux.
MUSÉES : NEW YORK (Metropolitan Mus.) : *Oiseaux sur les branches d'un arbre fruitier*, deux feuilles d'album attribuées – PÉKIN (Mus. du Palais) : *Fleurs de camélia rouge*, feuille d'album signée – PHILADELPHIE : *Canards et iris, inscrit avec le nom du peintre* – TAIPEI (Nat. Mus.) : *Papillons dans les herbes hautes*.

WUBITSCH Georg, dit aussi **Bobic**
Né avant 1622 à Moste. Mort après 1661 à Moste. XVIIe siècle. Actif à Moste près de Kamnik. Yougoslave.
Peintre.
Il peignit des sujets religieux.

WUBITSCH Johann Jakob ou **Wobiz**
Mort le 6 décembre 1747 à Graz. XVIIIe siècle. Autrichien.
Peintre.
Il exécuta des arbres généalogiques et décora l'intérieur du mausolée de Ferdinand II.

WU BOLI ou **Wou Po-Li** ou **Wu Po-Li**, nom de pinceau : **Chaoyun Zi**
Originaire de Guangxing, province du Jiangxi. XVe siècle. Actif pendant l'ère Yongle (1403-1424). Chinois.
Peintre.
Peintre d'arbres et de bambous.

WU Buyun
Né en 1904 en Chine. XXe siècle. Chinois.
Peintre.
Il obtint le diplôme de l'Université des Philippines en 1931. Après un séjour prolongé à Hong Kong, il émigra au Canada dans les années 1970. En 1979-1980, il fut professeur invité à l'Institut Central des Beaux-Arts de Pékin. Il a participé à des expositions en Chine, aux États-Unis et au Canada.
VENTES PUBLIQUES : TAIPEI, 18 oct. 1992 : *Champs au printemps* 1966, h/t (66x81,5) : **TWD 737 000** – TAIPEI, 10 avr. 1994 : *Crépuscule à Hong Kong* 1961, h/t (68x83) : **TWD 1 370 000** – TAIPEI, 16 oct. 1994 : *La vie au bord de la mer* 1958, h/rés. synth. (42x50,8) : **TWD 575 000.**

WUCANOVITCH Bety. Voir **VUKANOVIC Beta**

WUCANOVITCH Risto. Voir **VUKANOVIC Rista**

WU CHANG ou **Wou Tch'ang** ou **Wu Ch'ang**, surnom : **Changbo**
Né en 1620. Mort en 1650. XVIIe siècle. Chinois.
Peintre de paysages, dessinateur.
Fils de Wu Zhen (actif vers 1610), il fait des paysages dans le style de son père.
VENTES PUBLIQUES : NEW YORK, 29 nov. 1993 : *Printemps tardif dans une vallée*, kakémono, encre et pigments/soie (200,3x96,2) : **USD 23 000.**

WU CHANGSHI ou **Wu Ch'ang-Shih**. Voir **WU JUNQING**

WU CHANGSHUO. Voir **WU JUNQING**

WU CHAO. Voir **WU ZHAO**

WU CHÊN. Voir **WU ZHEN**

WU CH'ENG-YEN ou **Wu Ch'en**
Né en 1921 à Changsu. XXe siècle. Chinois.
Peintre de paysages, natures mortes, fleurs.
Il fut élève de Hsu Pei-hung et de Lu Ssi-pai à l'Université Centrale. Il a participé à de nombreuses expositions nationales et remporté un grand nombre de récompenses. Il est professeur du Département des Beaux-Arts à l'Université de la Culture Chinoise. Il appartient à la Société chinoise de Peinture à l'huile et à la Société d'aquarelle de Taiwan.
Peintre académique de bouquets dont rien, semble-t-il, ne viendra déranger l'ordonnance.
VENTES PUBLIQUES : TAIPEI, 22 mars 1992 : *Pivoines* 1990, h/t (60,3x72,5) : **TWD 440 000** – TAIPEI, 18 oct. 1992 : *Crépuscule sur la rivière Tamsui*, h/t (49x59,5) : **TWD 330 000** – TAIPEI, 10 avr. 1994 : *Paysage au printemps* 1977, h/t (65x91) : **TWD 414 000.**

WUCHERER Fritz
Né le 8 mars 1873 à Bâle. Mort en 1948. XXe siècle. Suisse.
Peintre de paysages, graveur.
Il fut élève d'Anton Burger. Il exposa à Francfort à partir de 1933.
MUSÉES : FRANCFORT-SUR-LE-MAIN (Mus. mun.) : *Vues de Francfort.*
VENTES PUBLIQUES : HEIDELBERG, 21 oct. 1977 : *Paysage d'été* 1919, h/t (46x66) : **DEM 5 200** – FRANCFORT-SUR-LE-MAIN, 8 avr. 1978 : *Paysage* 1907, h/t (47x67) : **DEM 3 600.**

WU CH'I. Voir **WU QI**

WU-CHIEH. Voir **WUJIE**

WU CHING-T'ING. Voir **WU JINGTING**

WU CH'IN-MU. Voir **WU QINMU**

WU CHO. Voir **WU ZHUO**

WUCHTERS Abraham
Né vers 1610 à Anvers. Mort en mai 1682 à Copenhague. XVIIe siècle. Danois.
Peintre de portraits, miniatures, dessinateur.
Il vint, vers 1636, en Danemark, appelé par le roi Christian IV. Il passa trente ans de sa vie, de 1639 à 1669, à l'Académie des Beaux-Arts de Soroe comme professeur de dessin et peintre de portraits. Ensuite il se fixa à Copenhague (1670). Il se maria avec une sœur de Karel von Mander le jeune, plus tard avec une sœur de Haelwegh, le chalcographe connu, et finalement il épousa la veuve de Karel von Mander dont il avait déjà épousé la sœur.
On croit qu'il est l'auteur du tableau d'autel de Soroe faussement attribué à Mander. Son œuvre est considérable et beaucoup de ses tableaux ont été gravés par Haelwegh.

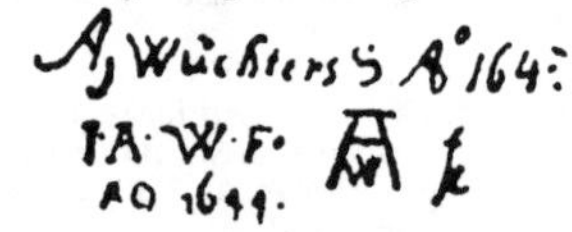

MUSÉES : COPENHAGUE : *Le roi Christian IV* – *Portrait d'un inconnu* – *Portrait d'une inconnue* – *Ulrik Christian Gyldentone* – MALMÖE : *Miniature* – OSLO : *Marthe Jensdatter Runs* – *Portrait de dame* – VIENNE : *Christian IV de Danemark.*
VENTES PUBLIQUES : PARIS, 23 nov. 1942 : *Les offrandes aux grands prêtres* : **FRF 55 000** – PARIS, 7 mars 1949 : *Les offrandes aux grands prêtres* : **FRF 67 000** – COPENHAGUE, 16 avr. 1985 : *Portrait d'homme*, h/cuivre, de forme ovale (24x18) : **DKK 24 000** – NEW YORK, 10 oct. 1991 : *Portrait d'une femme âgée portant un bonnet de fourrure* 1652, h/pan. (70,5x50,2) : **USD 18 700** – COPENHAGUE, 5 mai 1993 : *Portrait du bourguemestre de Copenhague Christoffer Gabel*, h/cuivre, de forme ovale (50x37,5) : **DKK 30 000.**

WUCHTERS Daniel
XVIIe siècle. Éc. flamande.
Peintre.
Il travailla à Moscou de 1662 à 1668. Le Musée National de Berlin conserve de lui, *Magnanimité de Scipion* (grisaille).

WUCHTERS Karel ou **Wichters** ou **Wighters** ou **Wughters**
Né entre 1688 et 1690. XVIIIe siècle. Actif à Anvers. Éc. flamande.
Peintre.
Élève de Kaspar Jacob Van Opstal II. Il peignit des scènes historiques et des fleurs.

WU CHU-FENG. Voir **WU ZHUFENG**

WU CHÜN-CH'ING. Voir **WU JUNQING**

WU-CHUN HO-SHANG. Voir **WUZHUN HESHANG**

WU DACHENG ou **Wou Ta-Tch'eng** ou **Wu Tach'eng**
Né en 1835, originaire de la province du Jiangsu. Mort en 1902. XIXe siècle. Chinois.
Peintre de paysages, dessinateur, calligraphe.
Peintre, calligraphe, archéologue et collectionneur, il fut élève de Tao Shaoyuan.
VENTES PUBLIQUES : NEW YORK, 2 juin 1988 : *Paysage à la manière de Huang He Shanqiao*, kakémono, encre/pp (90x31,5) : **USD 1 100** – HONG KONG, 15 nov. 1990 : *Trois paysages d'après Wang Hui et Yun Shouping* 1892, kakémono en trois parties (respectivement 21,7x133, 21,7x106,5, 21,7x108,4) : **HKD 165 000** – HONG KONG, 2 mai 1991 : *Paysage de la montagne Changbai*, makémono, encre et pigments/soie (42,3x235,5) : **HKD 79 200** –

New York, 1er juin 1992 : *Calligraphie en écriture officielle*, encre/pap., album de 23 feuilles (chaque 23,5x14) : **USD 9 900** – New York, 1er juin 1993 : *Album de paysages*, encre/pap., 12 feuilles (chaque 22,5x27,9) : **USD 3 450** – Taipei, 10 avr. 1994 : *Paysages*, encre/pap., ensemble de quatre kakémonos (chaque 177,5x46) : **TWD 368 000** – New York, 21 mars 1995 : *Paysage*, encre/pap., kakémono en 5 parties (chaque paysage 30,5x31,8, calligraphie de préface 31,1x109,2) : **USD 4 600**.

WU DAISU ou **Wou T'ai-Sou** ou **Wu T'ai-Su**, surnom : **Xiuzhang**, nom de pinceau : **Songzhai**
Originaire de Kuaiji, province du Zhejiang. XIIIe-XIVe siècles. Actif sous la dynastie Yuan (1279-1368). Chinois.
Peintre.
Peintre de fleurs de prunier, il est l'auteur d'un court traité sur ce sujet, le *Songzhai meipu*.

WU DAN ou **Wou Tan** ou **Wu Tan**, surnom : **Zhongbo**
Originaire de Nankin. XVIIe siècle. Actif vers 1672-1689. Chinois.
Peintre.
Peintre de paysages dont le Museum of Fine Arts de Boston conserve une œuvre signée et datée 1676, *Arbres défeuillés au pied d'une montagne dans la brume*, et la Freer Gallery de Washington, une autre signée et datée 1675, *Paysage*, rouleau en longueur.

WU DAOZI ou **Wou Tao-Tseu** ou **Wu Tao-Tzu**, appelé aussi : **Wu Daozuan**
Originaire de Yangzhai, province du Henan. VIIIe siècle. Actif vers 720-760. Chinois.
Peintre.
Sous le règne de l'empereur Xuanzong des Tang (712-756), la capitale Changan devient le centre politique, commercial et culturel de l'Asie et voit éclore la fleur de la poésie et de la peinture : Wu Daozi y fait figure de *Peintre divin de cent générations*. Les nombreux écrits qui le concernent ressortissent en fait du domaine légendaire, mais font apparaître le caractère extraordinaire de son génie. Sa biographie est en réalité peu connue ; orphelin et peu fortuné, il aurait appris la peinture et la sculpture sous l'égide de Zhang Xiaoshi, spécialiste de peintures murales et d'images religieuses. Sa peinture, dont l'élégance s'allie à un réalisme puissant, porte d'ailleurs la marque de sa formation de sculpteur. Ses débuts sont, semble-t-il, difficiles : il prend un poste très subalterne de scribe dans la province du Sichuan et met à profit ce séjour pour dessiner des paysages, puis il se rend à Luoyang en menant une vie d'errance et ce n'est que pendant l'ère Kaiyuan (713-740) qu'il est remarqué par l'empereur. Il rentre alors à la cour et, sur ordre impérial, prend alors le nom de Wu Daoxuan, vers 736. Il devient *doyen de la peinture* et doit apprendre les arts nobles que sont la calligraphie, avec le célèbre Zhang Xu, et la poésie avec He Zhizhang. Ces tentatives toutefois s'avèrent peu fructueuses, aussi se consacre-t-il uniquement à la peinture. De nombreuses légendes pittoresques existent à son sujet, qui veulent que ses cinq dragons peints dans le palais impérial se soient animés les jours de pluie, tandis que les étendards de ses cinq empereurs s'agitent et que la fraîcheur de l'eau de ses paysages est tout à fait perceptible. Wu Daozi diffère de ses contemporains par la sobriété et la légèreté de ses coloris, dans ses paysages comme dans ses personnages, dont les mouvements se traduisent par des ondulations extrêmement vigoureuses. En outre, sa rapidité d'exécution reste légendaire : un jour que l'empereur l'envoie au Sichuan avec Li Sixun pour peindre les fameuses vues du fleuve Jialingjiang, il n'en rapporte aucun croquis, contrairement à Li ; ayant mémorisé ce paysage extraordinaire, il achève en une demi-journée la vaste peinture murale des *Trois Cents Li le long du fleuve Jialingjiang*, alors que Li Sixun mettra plusieurs mois pour en venir à bout. Sont catalogués plus de trois cents décorations murales de sa main, mais l'on sait qu'entouré de nombreux disciples, il se contente souvent d'en tracer les contours. Il est à l'origine d'une technique nouvelle, le *baimiao*, dessin à l'encre très fin. Rien ne subsiste aujourd'hui de cet œuvre et les estampages qui ont pu en être tirés sont eux-mêmes d'une authenticité fort douteuse. On peut penser néanmoins que les récentes découvertes, en Chine, de tombes princières décorées de peintures offriront une aide estimable à la compréhension des sources picturales de l'art de Wu Daozi.
■ M. M.

Bibliogr. : J. Cahill : *La peinture chinoise*, Genève, 1960 – Hou Ching-lang : *Wou Tao-tseu*, in : *Encyclopaedia Universalis, vol. 16*, Paris, 1973.

WU DAYU ou **Wou Ta-Yu** ou **Wu Ta-Yü**
Né en 1903 à Yixing (province du Jiangsu). Mort en 1988 à Shanghai. XXe siècle. Chinois.
Peintre.
Peintre du mouvement *Lingnanpai*. Il fait partie de la première génération de peintres chinois convertit aux idées modernes. En 1922, il poursuivit ses études, débutées à Canton, dans l'atelier du sculpteur Bourdelle à Paris. En 1924, avec Lin Fengmian, ils fondèrent une Association artistique. De retour en Chine en 1927, il devint professeur de peinture occidentale à l'Institut National des Beaux-Arts de Hangzhou. Il devint aveugle à la fin de sa vie. Sa grande maîtrise du fauvisme lui valut une certaine célébrité.
Ventes Publiques : Taipei, 15 oct. 1995 : *Série des personnages d'opéra*, h/t/pap. cartonné (53x38) : **TWD 368 000** – Taipei, 14 avr. 1996 : *Symphonie de couleurs*, h/t/pap. cartonné (52,5x37,8) : **TWD 598 000** – Taipei, 20 oct. 1996 : *Figures abstraites*, h/pap. cartonné (63x44) : **TWD 1 480 000** – Taipei, 13 avr. 1997 : *Fleurs abstraites*, h/t/pap. cartonné (60x48) : **TWD 1 590 000**.

WU DE-CHUN
Né en 1953. XXe siècle. Taiwanais.
Sculpteur.
À ses débuts, il a été influencé par César, auprès duquel il a travaillé. Il a exposé à la galerie Jacques Barrère à Paris en 1996.
Ses œuvres réalisées en fer ou en fonte récupérés, montrent une certaine virtuosité dans leur assemblage, notamment les groupes de personnages qui peuvent se replier en accordéon pour ne plus former qu'un seul volume.
Ventes Publiques : Paris, 22 déc. 1989 : *L'envol d'Icare* 1987, acier soudé (81x32x32) : **FRF 7 000** – Paris, 10 juin 1990 : *L'Orateur*, sculpt. acier soudé (H. 112) : **FRF 35 000** – Paris, 23 oct. 1990 : *1^2=1* 1988, sculpt. en acier (H. 42) : **FRF 10 000** – Paris, 14 oct. 1993 : *1^2=1* 1988, sculpt. en fer soudé (H. 41,5) : **FRF 18 000** – Paris, 16 juin 1997 : *Personnage mythologique*, fer soudé (46x31x20) : **FRF 19 500** – Paris, 4 oct. 1997 : *Guerrier* 1991, fer soudé (84x47) : **FRF 20 000**.

WU DING ou **Wou Ting** ou **Wu Ting**, surnom : **Zijing**, nom de pinceau : **Xian**
Originaire de Xiuning, province du Anhui. XVIIe-XVIIIe siècles. Actif à la fin du XVIIe et au début du XVIIIe siècle. Chinois.
Peintre.
Peintre de paysages dans le style du moine Hongren.

WU DONGCAI ou **Tung-Ts'ai**
Né en 1910 à Taipei. Mort en 1981. XXe siècle. Chinois.
Peintre de natures mortes.
Sa scolarité terminée, il travailla sous la direction de Li Shiaqiao. Très vite son talent fut reconnu. En 1928 il reçut le Prix Kariba à l'Exposition d'aquarelle de Taiwan et, en 1929, il fut sélectionné pour la Troisième Exposition de Taiwan. Il est membre des associations officielles artistiques de Chine.
Ventes Publiques : Taipei, 18 oct. 1992 : *Lys*, h/t (60,5x50) : **TWD 660 000** – Taipei, 18 avr. 1993 : *Nature morte*, h/t (49,5x60) : **TWD 632 500** – Taipei, 16 oct. 1994 : *Nature morte*, h/t (60,5x73) : **TWD 1 035 000**.

WU DONGQING ou **Wou Tong-Ts'ing** ou **Wu Tung-Ch'ing**
Originaire de Changsha, province du Sichuan. XIe siècle. Chinois.
Peintre.
Célèbre pour ses peintures de figures bouddhistes et taoïstes.

WUELUWE Heynderick Van
Né probablement à Bruxelles. Mort le 23 octobre 1533 à Anvers. XVIe siècle. Éc. flamande.
Peintre.
Maître à Anvers en 1483. Père de Jan Wueluwe.

WUELUWE Jan
XVIe siècle. Actif à Anvers dans la première moitié du XVIe siècle. Éc. flamande.
Peintre.
Fils de Heynderick Van Wueluwe.

WU ERCHENG ou **Wou Eul-Tch'eng** ou **Wu Êrhch'eng**, surnom : **Xuanshui**, nom de pinceau : **Guangyu**
XVIe-XVIIe siècles. Actif probablement aux XVIe et XVIIe siècles. Chinois.
Peintre.

WUERMER Carl
Né le 3 août 1900 à Munich (Bavière). Mort en 1982. XXe siècle. Actif aux États-Unis. Allemand.

Peintre de paysages, graveur.
Émigré, il fit ses études à l'Institut d'Art de Chicago et à l'Art Students League. Il a été élève de Wellington J. Reynolds. Il vivait et travaillait à New York et résidait à Woodstock. Il figura, à plusieurs reprises, aux expositions de la Fondation Carnegie de Pittsburgh. Dans les années 1920-30 il eut plusieurs expositions personnelles à Grand Central Art Gallery. Il a peint des paysages locaux aux différentes saisons. Il gravait à l'eau-forte.
Ventes Publiques : New York, 15 avr. 1970 : *Paysage d'hiver* : **USD 900** – New York, 27 oct. 1977 : *Le champ de paquerettes* 1925. ; *h/t* (71x76,2) : **USD 1 300** – New York, 30 jan. 1980 : *Paysage de printemps*, h/t (63,5x76,2) : **USD 2 300** – New York, 19 juin 1981 : *Solitude hivernale*, h/t (76,2x101,7) : **USD 8 000** – New York, 8 déc. 1983 : *Paysage fluvial d'hiver*, h/t (76,2x91,4) : **USD 8 500** – New York, 31 mai 1985 : *Paysage d'automne*, h/t (76,5x101,5) : **USD 5 000** – New York, 28 sep. 1989 : *Paysage d'hiver avec des bouleaux*, h/t (63,4x79) : **USD 4 400** – New York, 14 fév. 1990 : *Matin brumeux*, h/t (49,2x63,5) : **USD 5 500** – New York, 21 sep. 1994 : *Un après-midi de décembre*, h/t (50,8x61,6) : **USD 5 750** – New York, 28 nov. 1995 : *Journée d'hiver ensoleillée*, h/t (63,5x76,3) : **USD 8 625** – New York, 20 mars 1996 : *Village vu depuis un pont couvert*, h/t (61,6x78,7) : **USD 4 312** – New York, 3 déc. 1996 : *Dans la vallée*, h/t (61x76,3) : **USD 3 680** ; *Hiver dans la vallée*, h/t (50,7x61) : **USD 6 325**.

WUERPEL Edmund Henry
Né le 13 mai 1866 à Saint Louis. XIXe siècle. Actif à Clayton. Américain.
Peintre.
Il fit ses études à Saint Louis et à Paris, à l'École des Beaux-Arts et à l'Académie Julian. Les Musées de Buenos-Aires et de Saint Louis conservent des peintures de cet artiste.

WUERST Emiel H.
Né en 1856 à Saint-Albans (?). Mort le 4 juillet 1898. XIXe siècle. Américain.
Sculpteur.
Élève de Rodin, de H. Chapu et d'A. Mercié.

WUERTHLE Frédéric ou **Würthle**
Né en 1820 à Constance. XIXe siècle. Allemand.
Peintre de paysages, graveur à l'eau-forte et sur acier.
Il a gravé des paysages. Le Musée Municipal de Munich conserve de lui une aquarelle, treize dessins et dix-huit estampes.

WUEST Johann Heinrich. Voir **WÜST**

WUEST Victor ou **West**
D'origine hollandaise. XVIIIe siècle. Travaillant à Lucerne à partir de 1700. Suisse.
Sculpteur sur bois.

WÜESTNER Lukas. Voir **WIESTNER**

WUEZ Arnould de. Voir **VUEZ Arnould de**

WU GEN ou **Wou Ken** ou **Wu Kên**
XVIIIe siècle. Chinoise.
Peintre.

WÜGER Jakob, appelé en religion **P. Gabriel**
Né le 2 décembre 1829 à Steckhorn. Mort le 31 mai 1892 au Mont Cassin. XIXe siècle. Suisse.
Peintre.
Élève de W. Kaulbach à Munich. Il exposa à partir de 1857. Il peignit plusieurs tableaux d'autel pour des églises suisses ainsi que des portraits. Il fit partie de l'ordre des Bénédictins.

WUGHTERS Karel. Voir **WUCHTERS**

WUGK August
Né en 1850 à Lille (Nord). Mort le 15 octobre 1879 à Rome. XIXe siècle. Français.
Peintre d'histoire, portraits, natures mortes.
Il fut élève d'Alexandre Cabanel. Il débuta au Salon de Paris en 1870.
Ventes Publiques : Londres, 22 fév. 1995 : *Portrait d'une mauresque*, h/t (51x36) : **GBP 862**.

WU GUANZHONG
Né en 1919 à Yixing (province du Jiangsu). XXe siècle. Chinois.
Peintre de paysages. Traditionnel.
Il s'initia, sous la direction de Pan Tianshou et de Lin Fengmian, à la peinture occidentale à l'Académie d'Art de Hangzhou, puis étudia la peinture à l'huile à l'Institut Central des Beaux-Arts de Beijing (Pékin). Diplômé, il fut nommé professeur au Ministère de l'Éducation. De 1946 à 1950, il vint se perfectionner en France, à l'École des Beaux-Arts de Paris avec Souverable et dans l'atelier d'André Lhote. Dans le même temps, il étudiait l'histoire de l'art à l'École du Louvre. De retour en Chine en 1950, il occupa des postes de professeurs dans les principales écoles d'art du pays.
Ses thèmes classiques d'arbres dans une lumière automnale, expliquent sans doute que Guanzhong n'ait pas été inquiété par la révolution culturelle. Néanmoins ces sujets, prétextes à des recherches de formes et de matière, témoignent d'un sens développé de la couleur et d'une certaine liberté dans la composition.
Bibliogr. : Peter Sturman : *Wu Guanzhong et le goût de la peinture de la Chine nouvelle*, Orientations, mars 1990 – Lucy Lim : *Wu Guanzhong, un artiste chinois contemporain*, catalogue d'exposition, Fondation de Culture Chinoise, San Francisco, 1989 – in : *Dictionnaire de l'art moderne et contemporain*, Hazan, Paris, 1991.
Musées : Paris (Mus. Cernuschi) : *Pandas* 1985.
Ventes Publiques : New York, 2 juin 1988 : *Le Bassin aux poissons dorés*, encre/pap., kakémono (67,3x56) : **USD 6 600** – Hong Kong, 17 nov. 1988 : *Paysage de montagne*, encre et pigments/pap., makémono (71,7x145,2) : **HKD 143 000** – Hong Kong, 16 jan. 1989 : *Trois racines*, encre et pigments/pap., makémono (89,6x94,6) : **HKD 242 000** – Hong Kong, 18 mai 1989 : *Les Ruines de Gaochang dans le Turfan*, encre et pigments/pap. (101,6x105) : **HKD 1 870 000** – Hong Kong, 15 nov. 1989 : *Wangshiyuan*, encre et pigments (95x181) : **HKD 572 000** – New York, 31 mai 1990 : *Lotus dans une mare*, encre et pigments/pap., makémono (124,5x67,3) : **USD 11 000** – Hong Kong, 15 nov. 1990 : *Les Habitants de Lohan* 1988, encre et pigments/pap. (91x179) : **HKD 704 000** – Hong Kong, 2 mai 1991 : *Le Fleuve Jaune coule vers l'est*, encre et pigments/pap. (96x180) : **HKD 660 000** – Hong Kong, 31 oct. 1991 : *Le Bouddha allongé de Dazu*, encre et pigments/pap. (96x178) : **HKD 440 000** – Taipei, 22 mars 1992 : *Le Jardin du Palais* 1975, h/t (72,5x53,5) : **TWD 1 980 000** – Hong Kong, 30 mars 1992 : *Hong Kong la nuit*, encre et pigments/pap., makémono (68,6x138,3) : **HKD 330 000** ; *La Force du torrent* 1985, h/t (73x60,5) : **HKD 550 000** – New York, 1er juin 1992 : *Paysage de rivière*, encre et pigments/pap., kakémono (47x34,3) : **USD 6 050** – Hong Kong, 28 sep. 1992 : *Village de Dong* 1980, h/cart. (59x61) : **HKD 528 000** – Taipei, 18 oct. 1992 : *Début de printemps dans un parc* 1973, h/t (60,5x40,5) : **TWD 1 540 000** – New York, 2 déc. 1992 : *Arbre de Banyan*, encre et pigments/pap. (71,4x69,2) : **USD 27 500** – Hong Kong, 22 mars 1993 : *Village de montagne en Chine du Nord* 1974, h/cart. (61,5x46) : **HKD 345 000** – Taipei, 18 avr. 1993 : *Plantation de thé* 1987, h/t (45,7x53,4) : **TWD 1 370 000** – Hong Kong, 5 mai 1994 : *Les Montagnes de Daba* 1979, encre/pap. (46,5x103,5) : **HKD 482 000** – Taipei, 16 oct. 1994 : *Port de pêche*, encre/pap., croquis (40x28,5) : **TWD 299 000** ; *Maison neuve dans un village* 1975, h/cart. (59x47) : **TWD 1 810 000** – Hong Kong, 3 nov. 1994 : *La Cité antique de Jiaohe* 1981, techn. mixte, encre, pigments, pl. et gche/pap. (102x106) : **HKD 2 550 000** – Taipei, 15 oct. 1995 : *L'Aube sur Guilin* 1976, h/cart. (43x47) : **TWD 862 500** – Taipei, 14 avr. 1996 : *La Montagne Lu* 1974, h/cart. (46x60) : **TWD 2 250 000** – Hong Kong, 29 avr. 1996 : *Vue de la rivière Li*, encre et pigments/pap. (68x136) : **HKD 625 000** – Singapour, 5 oct. 1996 : *Éléphants thaï à Chiengmai* 1990, encre et pigments/pap. (69x71) : **SGD 46 000** – Taipei, 20 oct. 1996 : *Vue de Jiangnam* 1974, h/pan. (46x60) : **TWD 1 260 000** – Taipei, 13 avr. 1997 : *Cour de naxi à Lijiang* ; *Bateaux dans un port* 1978 et 1980, encre/pap., une paire (20,5x30,5 et 23x32) : **TWD 322 000** ; *Vieil arbre de la rivière* 1977, h/t (61x42) : **TWD 2 030 000** ; *Paysage de Liujia Ping* vers 1977, h/t (61x42) : **TWD 1 480 000** ; *Qingcheng Shan* ; *Cour familiale à Yunnan* 1978, encre/pap., une paire (30,5x20,5 et 31x20) : **TWD 345 000** – Hong Kong, 28 avr. 1997 : *Poissons en observation* 1974, h/pan. (44,7x44,5) : **HKD 878 500** – Taipei, 19 oct. 1997 : *Au pied de la Grande Muraille* 1974, h/pan. (45,8x61) : **TWD 2 360 000** ; *Xiao Xing* 1977, h/pan. (46x60) : **TWD 2 470 000** – Hong Kong, 2 nov. 1997 : *Gorges Yangzi*, encre et pigments/pap. (178,8x95,6) : **HKD 592 000**.

WU GUICHEN ou **Wou Kouei-Tch'en** ou **Wu Kueich'ên**, surnom : **Xianghun**, noms de pinceau : **Feiqing** et **Xiaoxian**
Originaire de Jindan, province du Jiangsu. XIXe siècle. Chinois.
Peintre.
Peintre de fleurs, élève de Pan Yijian (1740-1830).

WU GUXIANG ou **Wou Kou-Siang** ou **Wu Kuhsiang**
Né en 1848, originaire de Jiaxing, province du Zhejiang. Mort en 1903. XIXe siècle. Chinois.

Peintre de sujets de genre, paysages animés, dessinateur. Traditionnel.
Ventes Publiques : New York, 4 déc. 1989 : *Théière, rocher et chrysanthème*, kakémono, encre et pigments/pap. (126x52) : **USD 770** – New York, 6 déc. 1989 : *Jeu du « Qin » dans un chalet en montagne* 1887, kakémono, encre et pigments/pap. (149,3x32,1) : **USD 1 980** – Hong Kong, 2 mai 1991 : *Lettré dans une barque contemplant la pleine lune*, kakémono, encre et pigments/pap. (132x51) : **HKD 19 800** – Hong Kong, 30 avr. 1992 : *Personnages légendaires* 1902, ensemble de quatre kakémono, encre et pigments/pap. (chaque 145,5x38,7) : **HKD 55 000** – Hong Kong, 30 oct. 1995 : *Le bruit du silence*, kakémono, encre et pigments/pap. (177,8x47) : **HKD 29 900**.

WU HAO
Né en 1931 à Nankin. xxe siècle. Chinois.
Peintre, sculpteur, graveur sur bois, graphiste.
Il est membre de nombreuses associations : Association de Peinture Orientale, Société Graphique Moderne de Chine, etc. Il participe à des expositions en Chine, à Taiwan et en Europe, notamment à l'Exposition des Artistes Internationaux en Italie. Il a remporté un grand nombre de récompenses.
Il combine souvent les techniques occidentales et les sujets folkloriques chinois.
Ventes Publiques : Taipei, 22 mars 1992 : *Automne* 1991, h/t (73x100) : **TWD 660 000** – Taipei, 18 oct. 1992 : *Jeune fille aux papillons* 1981, h/t (90,5x73) : **TWD 418 000** – Taipei, 14 avr. 1996 : *Enfants burlesques* 1967, h/t (72,5x120) : **TWD 506 000**.

WU HONG ou **Wou Hong** ou **Wu Hung**, surnom : **Yuandu**, nom de pinceau : **Zhushi**
Originaire de Jinqi, province du Jiangsu. xviie siècle. Actif à Nankin vers 1670-1680. Chinois.
Peintre de paysages, paysages d'eau, peintre sur soie.
Peintre de paysages qui fait partie des Huit maîtres de Nankin.
Musées : Stockholm (Nat. Mus.) : *Paysage d'hiver – Bambous sous la neige*.
Ventes Publiques : New York, 31 mai 1990 : *Navigation sur la rivière*, kakémono, encre et pigments dilués/soie (120,6x55) : **USD 71 500**.

WU HOU-FAN. Voir **WU HUFAN**

WÜHRER Louis Charles
Né à Paris. xixe-xxe siècles. Français.
Peintre de paysages.
Il exposa au Salon de 1887 à 1905.

WUHRMANN Adolf
Né le 3 novembre 1872 à Ohringen. xixe-xxe siècles. Suisse.
Peintre de paysages, lithographe.
Il vivait et travaillait à Winterthur.

WU HSIAO. Voir **WU XIAO**

WU HSIN-LAI. Voir **WU XINLAI**

WU HSI-TSAI. Voir **WU XIZAI**

WU HSUAN-SAN. Voir **WU XUANSAN**

WU HUAN ou **Wou Houan**, surnom : **Mingxian**
Originaire de Suzhou, province du Jiangsu. xviiie siècle. Actif probablement vers 1770. Chinois.
Peintre.
Peintre de fleurs et d'oiseaux dans le style des maîtres Yuan.

WU HUFAN ou **Wou Hou-Fan**
Né en 1894 dans la province du Jiangsu. Mort en 1968. xxe siècle. Chinois.
Peintre de paysages, fleurs, oiseaux.
Peintre de l'école académique, il fut actif à Suzhou et à Shanghai. Son style est extrêmement minutieux.
Ventes Publiques : Hong Kong, 12 jan. 1987 : *Lotus* 1935, encre et coul./pap. (65,7x48,3) : **HKD 60 000** – New York, 2 juin 1988 : *Bambous, arbres et rochers*, encre/pap., kakémono (74x25,4) : **USD 1 650** – Hong Kong, 17 nov. 1988 : *Paysage* 1934, encre et pigments/pap., kakémono (104x26) : **HKD 35 200** – Hong Kong, 16 jan. 1989 : *Village de montagne* 1939, encre et pigments/pap., kakémono (100,4x33,6) : **HKD 52 800** – Hong Kong, 18 mai 1989 : *Paysage* 1945, encre et pigments, kakémono (133,5x67) : **HKD 77 000** – New York, 31 mai 1989 : *Bambous sur un rocher* 1945, encre et pigments/pap., kakémono (105,4x39) : **USD 2 200** – New York, 6 déc. 1989 : *Vers la maison*, encre et pigments/pap., makémono (32,4x90,8) : **USD 4 675** – Hong Kong, 15 nov. 1990 : *Bambous* 1948, encre/pap., kakémono (67,5x34) : **HKD 30 800** – Hong Kong, 2 mai 1991 : *La nymphe de la rivière Lo*, encre/pap. (56x29,8) : **HKD 121 000** – Hong Kong, 31 oct. 1991 : *Paysage*, encre et pigments/pap., makémono (35x67) : **HKD 57 200** – New York, 25 nov. 1991 : *Feuilles d'automne*, encre et pigments/pap., kakémono (82,6x34,3) : **USD 9 350** – Hong Kong, 30 mars 1992 : *Paysages*, encre, or et pigments/pap., d'après les anciens maîtres, album de 8 feuilles (chaque 15x22) : **HKD 60 500** – Hong Kong, 30 avr. 1992 : *Lotus* 1943, encre et pigments/pap. (86,4x35,9) : **HKD 121 000** – New York, 1er juin 1992 : *Pin*, encre et pigments/pap. (82,6x34) : **USD 17 600** – Hong Kong, 29 oct. 1992 : *Paysage avec trois pins* 1943, encre et pigments/pap., kakémono (107,3x53,2) : **HKD 352 000** – New York, 2 déc. 1992 : *Lotus* 1936, encre et pigments/pap., makémono (49,5x61,9) : **USD 15 400** – Hong Kong, 22 mars 1993 : *Printemps en montagne avec des pêchers en fleurs*, encre et pigments/pap., kakémono (95x51,5) : **HKD 680 000** – Hong Kong, 5 mai 1994 : *Sujets variés*, encre et pigments dilués/pap., encre/pap., ensemble de quatre peint. : **HKD 322 000** – New York, 27 mars 1996 : *Montagnes brumeuses*, encre et pigments/pap., kakémono (73,3x34,9) : **USD 6 900** – Hong Kong, 28 avr. 1997 : *Paysages d'après les anciens maîtres*, encre et pigments/pap., album de huit feuilles (32x38,7) : **HKD 80 500**.

WU HUNG. Voir **WU HONG**

WU I. Voir **WU YI**

WUIBERT Rémy. Voir **VUIBERT Rémy**

WUIDAR Léon
Né le 18 août 1938 à Liège. xxe siècle. Belge.
Peintre, graveur, dessinateur. Abstrait-géométrique.
Il a étudié à l'Académie Royale des Beaux-Arts de Liège. Il a été professeur à l'École normale de Liège entre 1960 et 1980. Depuis 1976, il est professeur à l'Académie de Liège.
Bibliogr. : In : *Dictionnaire biographique illustré des artistes en Belgique depuis 1830*, Arto, Bruxelles, 1987.

WU I-HSIEN. Voir **WU YIXIAN**

WU I-LIN. Voir **WU YILIN**

WUILLAUME Rémy. Voir **VILLAUME Rémy**

WUILLE Georg
xixe siècle. Actif à Thann (Haut-Rhin) vers 1800. Français.
Peintre de portraits, peintre de miniatures.

WUILLEM Louis
Né en 1888 à Loverval. Mort en 1958 à Loverval. xxe siècle. Belge.
Peintre de paysages.
Outre les paysages familiers de sa région natale, il a peint ceux d'Italie, et de France (Provence et Normandie).
Bibliogr. : In : *Dictionnaire biographique illustré des artistes en Belgique depuis 1830*, Arto, Bruxelles, 1987.

WUILLERET Pierre
Né vers 1580 à Romont. Mort en 1643 à Fribourg. xviie siècle. Suisse.
Peintre.
Il a peint dix-huit fresques dans l'église des Franciscains de Fribourg. Le Musée de cette ville conserve deux peintures de cet artiste.

WUILLERMET Charles
Suisse.
Peintre de portraits.
Le Musée de Lausanne conserve de lui *Portrait du père de l'artiste*, et le Musée de Berne une étude pour ce portrait.

WUILLEUMIER Willy
Né le 11 septembre 1898 à Châtelaine, près de Genève. xxe siècle. Suisse.
Sculpteur de bustes, animalier.
Il vivait et travaillait à Paris. Il a sculpté des bustes et des animaux en terre cuite, en fer et en bronze. Il a exposé à Paris, aux Salons d'Automne et des Tuileries, de même qu'à Berne, Genève, Mulhouse et Tokyo.

WUISLE Philippe Van der
xve siècle. Éc. flamande.
Peintre.
Il travailla à Lille et à Dantzig.

WU Jian
Né en 1942 à Hangzhou. xxe siècle. Chinois.
Peintre de compositions à personnages, scènes typiques.
Il commença en 1961 ses études dans la section de peinture à l'huile de l'Académie des Beaux-Arts de Shanghai. De 1979 à

1981, il enseigna l'art à l'École normale, puis à l'Université Jiaotong de Shanghai jusqu'à son départ pour les États-Unis en 1986 où il fut admis à l'Académie d'Art de San Francisco.
Il peint des scènes typiques de paysans et des paysages dans une manière académique traditionnelle.
Musées : Hong Kong (Mus. d'Art Tsui) – Shanghai (Mus. Lu Xun).
Ventes Publiques : Hong Kong, 30 mars 1992 : *Repos* 1991, h/t (61x91,5) : **HKD 46 200** – Hong Kong, 28 sep. 1992 : *Le ruisseau bleu* 1992, h/t (76x101,7) : **HKD 49 500** – Hong Kong, 22 mars 1993 : *Jeunes filles bavardant à l'ombre* 1992, h/t (75x61) : **HKD 46 000** – Hong Kong, 4 mai 1995 : *Matinée ensoleillée* 1995, h/t (76,2x101,6) : **HKD 51 750**.

WUJIE ou **Wou-Kiai** ou **Wu-Chieh**
XIVe-XVIIe siècles. Actif pendant la dynastie Ming (1368-1644). Chinois.
Peintre.

WU Jinan
Né en 1950. XXe siècle. Chinois.
Peintre de paysages. Style occidental.
Il fit ses études à l'Université de Pékin où il est devenu professeur de science forestière et paysagiste.
Ventes Publiques : Hong Kong, 30 avr. 1996 : *La tour de la cloche par un matin enneigé* 1995, h/t (89,5x129,2) : **HKD 40 250**.

WU JINGTING ou **Wou Tsing-T'ing** ou **Wu Ching-T'ing**
XXe siècle. Chinois.
Peintre.

WU JUNG-KUANG. Voir **WU RONGGUANG**

WU JUNQING ou **Wou Tsiun-Ts'ing** ou **Wu Chün-Ch'ing** ou **Wu Changshi** ou **Wou Tch'ang-Che** ou **Wu Ch'ang-Shih**, noms de pinceau : **Foulao** et **Fou Daoren**
Né en 1844 à Anji (province du Zhejiang). Mort en 1927 à Shanghai. XIXe-XXe siècles. Chinois.
Peintre.
Célèbre calligraphe et peintre, Wu Junqing fait partie de ce groupe de peintres lettrés qui, dans la Chine du XIXe siècle, prennent comme modèles les grands individualistes du XVIIe siècle que sont Bada shanren et Shitao. Élevé dans une famille confucéenne de culture, il se familiarise très tôt avec les classiques. En 1861, il doit fuir vers le Nord avec son père, devant les troubles de la guerre civile. Il y restera cinq ans et, à son retour ayant tout perdu, prend un modeste poste dans l'administration, poste qu'il gardera du reste toute sa vie, n'ayant d'autre ambition que de vivre simplement.
Graveur de sceaux dès sa jeunesse, l'écriture sigillaire *shigu* (écriture en forme de tambour) est pour lui une véritable révélation ; cette calligraphie, qui remonte à la plus haute antiquité, à ce que l'on appelle l'école des Stèles, présente de remarquables qualités plastiques par son rythme et sa vigueur et la pierre qui lui sert de support oblige à une certaine stylisation des traits et à une grande régularité dans le graphisme. Le parfum archaïque de ce style imprègne la calligraphie dynamique de Wu et cette élégance vigoureuse se retrouve dans ses peintures de fleurs et de plantes. Il vient d'ailleurs tard à la peinture, et sa rencontre avec le peintre Ren Bonian, de dix ans son aîné, est déterminante pour lui. Sur les conseils de celui-là, il se met désormais à *écrire* ses peintures, dans des compositions denses, aux couleurs nuancées et s'il rejoint la fantaisie des Huit Excentriques de Yangzhou, de Zhang Xie notamment, il reste toutefois plus réservé et plus structuré. La pureté de son jeu d'encre et la spontanéité de sa ligne parviennent à évoquer l'essence même de la vie des plantes.
Bibliogr. : M. Sullivan : *Chinese Art in the XXth Century*, Londres, 1959 – M. M. Chin : *Wou Tch'ang-che*, in : *Encyclopaedia Universalis*, vol. 16, Paris, 1973 – in : *Dictionnaire de l'art moderne et contemporain*, Hazan, Paris, 1991.
Ventes Publiques : Hong Kong, 17 fév. 1984 : *Feuillages, fleurs et fruits* 1905, encre et coul., album de douze pages (26,7x33,4) : **HKD 170 000** – Hong Kong, 12 jan. 1987 : *Chrysanthèmes* 1915, encre et coul., kakémono (122x54,6) : **HKD 24 000** – Hong Kong, 19 mai 1988 : *Paysage enneigé* 1894, encre noire/pap. (23,1x17,5) : **HKD 27 500** – Hong Kong, 17 nov. 1988 : *Fleurs* 1916, encre et pigments/pap., kakémono (137,2x66,5) : **HKD 99 000** ; *Glycine* 1919, encre et pigments/pap., kakémono (182x53,3) : **HKD 330 000** ; *Bouddha* 1925, encre et pigments/pap., kakémono (129x50,4) : **HKD 385 000** – Hong Kong, 18 mai 1989 : *Les choux*, encre/pap., kakémono (129,2x34,2) : **HKD 165 000** ; *Ensemble de quatre fleurs et rochers*, encre et pigments/pap., quatre kakémono (chaque 151x41) : **HKD 1 045 000** – New York, 31 mai 1989 : *Lotus d'après Zhu Da* 1919, encre/pap., kakémono (109,2x29,2) : **USD 8 250** – Hong Kong, 15 nov. 1989 : *Prunus* 1925, encre et pigments/pap., kakémono (151x82,5) : **HKD 506 000** – New York, 4 déc. 1989 : *Lotus rouge*, encre et pigments/pap., kakémono (130x39) : **USD 5 500** – New York, 31 mai 1990 : *Lotus d'après Shitao*, encre et pigments/pap., kakémono (121,9x41) : **USD 9 350** – Hong Kong, 15 nov. 1990 : *Fleurs et bambous*, encre et pigments/pap., ensemble de quatre kakémono (145,5x47) : **HKD 418 000** ; *Trois pêches* 1883, encre et pigments/pap., kakémono (27,5x40,8) : **HKD 24 200** – New York, 26 nov. 1990 : *Les courges jaunes*, encre et pigments/pap., kakémono (134,6x33) : **USD 7 150** – Hong Kong, 2 mai 1991 : *Bambous sacrés et rochers* 1915, encre et pigments/pap., kakémono (137,5x67,5) : **HKD 374 000** – New York, 29 mai 1991 : *Pivoines*, encre et pigments/pap., kakémono (136,5x57,5) : **USD 12 100** – Hong Kong, 31 oct. 1991 : *Neuf pêches* 1921, encre et pigments/pap., kakémono (151,5x81) : **HKD 528 000** – Hong Kong, 30 avr. 1992 : *Chrysanthèmes et rochers* 1917, encre et pigments/pap., kakémono (137,9x68,2) : **HKD 165 000** – Hong Kong, 29 oct. 1992 : *Prunus* 1915, encre et pigments/pap., kakémono (152x83) : **HKD 418 000** – New York, 1er juin 1993 : *Magnolia et pivoines*, encre et pigments/pap., kakémono (149,9x81,3) : **USD 13 800** – Hong Kong, 5 mai 1994 : *Branche de pêcher* 1915, encre et pigments/pap., kakémono (177x97,2) : **HKD 368 000** – Hong Kong, 29 avr. 1996 : *Géranium* 1924, encre et pigments/pap., kakémono (142x40,5) : **HKD 78 200** – Hong Kong, 28 avr. 1997 : *Fleurs*, encre et pigments/pap., album de douze feuilles (41,6x42,5) : **HKD 437 000**.

WUKANOVITCH. Voir **WUCANOVITCH**

WU KÊN. Voir **WU GEN**

WU KUAN ou **Wou K'ouan** ou **Wu K'uan**, surnom : **Yuanbo**, nom de pinceau : **Paoan**
Né en 1435, originaire de Suzhou, province du Jiangsu. Mort en 1504. XVe siècle. Chinois.
Peintre de paysages, calligraphe.
Peintre membre de l'Académie Hanlin, il fut président du Bureau des Rites et grand ami de Shen Zhou (1427-1509).
Ventes Publiques : New York, 2 juin 1988 : *Calligraphie*, makémono, encre/pap. (30,5x415,5) : **USD 30 800** – New York, 4 déc. 1989 : *Douze poêmes glorifiant les pruniers en fleurs près d'un lac enneigé*, calligraphie en écriture courante, album de 18 feuilles (chaque 26x14) : **USD 17 600**.

WU KUEI-CH'ÊN. Voir **WU GUICHEN**

WU KU-HSIANG. Voir **WU GUXIANG**

WÜLCK Johann Friedrich. Voir **WILKE**

WULF. Voir aussi **WOLF, WOLFF** et **WULFF**

WULF Johan
XVIIe siècle. Travaillant de 1675 à 1690. Suédois.
Peintre.
Il travailla pour le château de Käggleholm et pour l'église d'Ovansjö.

WULF Pieter ou **Pierre de**
XVe siècle. Éc. flamande.
Enlumineur et copiste.
Il est mentionné dans les comptes de la gilde des enlumineurs à Bruges, en 1489. Il eut pour élève Jan Moes du couvent des Carmes de la même ville.

WULFART Marius
Né le 7 novembre 1905 à Paris. XXe siècle. Français.
Peintre.
Fils de Max Wulfart. N'ayant pas eu de maître, il s'inspira de l'ensemble de l'œuvre de son père. Achats de l'État et de la Ville de Paris.
Musées : Tarbes.
Ventes Publiques : Cannes, 26 sep. 1978 : *Enfants dans un parc*, h/t (73x60) : **FRF 6 000** – Paris, 19 juin 1979 : *Jeune fille*, isor. (41x33) : **FRF 3 800**.

WULFART Max
Né le 1er janvier 1876 à Frauenbourg (Russie). XXe siècle. Depuis environ 1900 actif en France. Russe.
Peintre de portraits, intérieurs.
Il a été élève de Cormon et de J.-P. Laurens à Paris. Il a exposé, à Paris, au Salon des Artistes Français à partir de 1914. On cite ses portraits d'*Anatole France*, d'*Alphonse XIII*, d'*Albert Einstein*. Plusieurs de ses œuvres figurent dans différents musées de France, et sa composition *Vers l'infini*, à l'Hôpital de Nevers.

Ventes Publiques : Paris, 9 mai 1949 : *Port breton* : **FRF 600** – Paris, 28 mai 1954 : *Aquarelle* : **FRF 15 000** – Paris, 12 fév. 1992 : *Le Pont-Marie*, h/t (33x46) : **FRF 3 500**.

WULFF Baltzer
Né à Kölding. XVIIe siècle. Danois.
Peintre.
Il peignit un arbre généalogique des princes d'Oldenbourg en 1608.

WULFF Jens Andersen, dit **Jens Andersen Steenhugger**
Mort en 1648 à Copenhague. XVIIe siècle. Danois.
Sculpteur.

WULFF Michel. Voir **MICHEL**

WULFF Nicolaj. Voir **WOLFF**

WULFF Willie
Né le 15 mars 1881 à Copenhague. XXe siècle. Danois.
Sculpteur de bustes, monuments, architecte.
Il a été élève de l'Académie de Copenhague. Il sculpta des monuments, des fontaines et des bustes.
Musées : Copenhague – Londres – Lyon – Munich.

WULFF Zacharias de
XVIIIe siècle. Travaillant de 1713 à 1752. Danois.
Dessinateur.

WULFFAERT Adrien ou **Adrianus**
Né en septembre 1804 à Coes. Mort fin février 1873 à Gand. XIXe siècle. Belge.
Peintre de genre.
Élève de l'Académie de Bruges.
Musées : Albany : *Inondation en Hollande* – Bruges : *Corps de garde de la compagnie des chasseurs francs de Bruges en 1830* – *Enfant sortant du bain.*
Ventes Publiques : Paris, 24 mai 1944 : *La Jeune Femme à la lettre* 1847 : **FRF 6 600** – Cologne, 20 mars 1981 : *La Lettre* 1845, h/pan. (55x45) : **DEM 6 500**.

WULFFAERT Clara, née **Rooman**
Née à Anvers. XIXe siècle. Hollandaise.
Peintre de genre.
Femme d'Adrien W.

WULFFHAGEN Franz. Voir **WULFHAGEN**

WULFFLEFF Charles Albert
Né le 2 octobre 1874 à Londres. XIXe-XXe siècles. Français.
Architecte, aquarelliste.
Il a été élève de H. Deglane. Il a exposé, à Paris, aux Salons des Artistes Français, et à celui des Amis de Versailles. Chevalier de la Légion d'honneur.
Ventes Publiques : Paris, 17 déc. 1943 : *Au jardin des Deux Habitations, Martinique* 1924, aquar. : **FRF 230**.

WULFHAGEN Franz ou **Wulffhagen**
Né en 1624 à Brême. Mort en 1670 à Brême. XVIIe siècle. Allemand.
Peintre et aquafortiste.
On ne sait rien de sa vie d'artiste. Son œuvre a été fortement influencée par les maîtres hollandais contemporains. On a de lui plusieurs portraits d'empereurs allemands à l'Hôtel de Ville de Brême, *Prière des Rois* à la cathédrale, *Les Noces de Cana*, et quelques portraits dans des maisons privées. Enfin la *Délivrance de saint Pierre*, son œuvre la plus connue est conservée au Musée de Brême.

F.W

Ventes Publiques : Monte-Carlo, 25 juin 1984 : *Le Christ et la femme adultère*, h/pan. (76x107) : **FRF 50 000**.

WULFRAET Daniel. Voir **WOLFRAEDT**

WULFRAET Margaretha
Née le 19 février 1678 à Arnhem. Morte après 1741 à Arnhem. XVIIIe siècle. Hollandaise.
Peintre de genre et d'histoire et portraits.
Fille de Mathijs W. Le Musée d'Helsinki conserve d'elle : *Jeune homme en robe de chambre de soie rouge.*

M.W

Ventes Publiques : Paris, 1869 : *Le repos de la Sainte Famille* : **FRF 21**.

WULFRAET Mathijs ou **Wolfraet**
Né le 1er janvier 1648 à Arnhem. Mort en 1727 à Amsterdam. XVIIe-XVIIIe siècles. Hollandais.
Peintre de sujets allégoriques, scènes de genre, portraits.
Il fut élève d'Arent Diepraen. Il travailla quelque temps à Francfort.

M W 1690
M Wulfraet
M Wulfraet . F 1694

Musées : Amsterdam : *Portrait de deux époux* – Francfort-sur-le-Main (Mus. mun.) : *Portrait d'un homme distingué et de sa femme* – Gdansk, ancien. Dantzig : *Allégorie du sac du Palatinat par Louis XIV* – Schwerin : *L'artiste.*
Ventes Publiques : Amsterdam, 18 mai 1706 : *Paysan et paysanne* : **FRF 40** – Paris, 1847 : *Paysage avec berger et troupeau* : **FRF 165** – Paris, 7 mars 1923 : *La Madeleine repentante* : **FRF 800** – Roubaix, 23 oct. 1983 : *La Musicienne*, h/bois (31,5x25,5) : **FRF 29 000** – Amsterdam, 20 juin 1989 : *Un homme buvant du chianti*, h/t (39,7x32,7) : **NLG 5 750** – Paris, 25 juin 1993 : *La visite du médecin*, h/t (40x33) : **FRF 38 000**.

WULFSKERKE Cornelie Van
XVe-XVIe siècles. Éc. flamande.
Enlumineur.
Elle était religieuse à Bruges au couvent de Notre-Dame de Sion, pour lequel elle décora certains livres de chœur (1503).

WULFSOHN Benno
Né le 21 décembre 1882 à Mitau (nom allemand de Ielgava, Lettonie). XXe siècle. Letton.
Peintre, graveur.
Il a été élève des Académies de Berlin et de Munich.

WU LI ou **Wou Li**, surnom : **Yushan**, nom de pinceau : **Mojing**
Né en 1632, originaire de Changshu, province du Jiangsu. Mort en 1718 à Shanghai. XVIIe-XVIIIe siècles. Chinois.
Peintre de paysages animés, paysages, paysages d'eau, paysages de montagne, dessinateur.
Wu Li est avec Yun Shouping (1633-1690) souvent associé au groupe des Quatre Wang, pour former alors les Six Grands Maîtres orthodoxes du début de la dynastie Qing. Grand ami de Wang Hui, dont il a presque le même âge, il est comme lui élève de Wang Shimin (1592-1680). Il attire particulièrement les Occidentaux pour la simple raison qu'il se convertit au christianisme à cinquante ans et entre dans la Compagnie de Jésus. Si l'on en croit les archives chinoises, il visiterait l'Occident, mais en réalité, il ne va pas plus loin que Macao, île côtière au sud de la Chine qui est colonie portugaise ; il y fait ses études religieuses puis, de retour sur le continent, il évangélise dans les régions de Jiading et de Shanghai. Il est enterré au cimetière jésuite de Shanghai sous le nom chrétien de Acunha.
Sa peinture, quant à elle, ne porte aucune trace d'influence occidentale mais, comme chez les Quatre Wang, est toute tournée vers les maîtres du passé des Song et des Yuan, notamment vers Huang Gongwang (1269-1354). Dans ses paysages, d'un style sec et intellectuel, certaines formes n'appartiennent qu'à lui : les pics et les bancs rocheux qui se tordent de façon tout à fait particulière, les grandes masses composées d'éléments plus petits, enflés, voire pointus, au sommet ou sur les flancs, qui paraissent exercer une pression dans la direction opposée et confèrent de la tension à l'ensemble. Les contours de rochers et les troncs d'arbres sont constitués de points d'encre *(dian)* répétés qui leur donnent une texture de fourrure, technique qui provient de Wang Shimin.
Bibliogr. : J. Cahill : *La peinture chinoise*, Genève, 1960.
Musées : Boston : Dix éventails signés de paysages – Cleveland (Mus. of Art) : *Myriade de vallées et odeur des pins*, signé – Londres (British Mus.) : Album de petits paysages, vraisemblablement des copies – New York (Metropolitan Mus.) : *Paysage avec un lettré dans une hutte*, inscription datée 1703 – Pékin (Mus. du Palais) : *Ruisseau de montagne, d'après Wu Zhen* – *Paysage de montagnes, pont sur la rivière* – *Études de paysages d'après des maîtres anciens* – Shanghai : *Lac, ciel et couleurs de printemps*, coul. sur pap., rouleau en hauteur – Taipei (Nat. Palace Mus.) : *Paysage dans le style de Wu Zhen*, encre et coul. légères sur pap., rouleau en hauteur – *Nuages blancs et montagnes vertes*, encre et coul. sur soie, rouleau en longueur – Dix feuilles d'album de pay-

sages d'après des maîtres Song et Yuan, encre et/ou coul. sur pap. – Washington D. C. (Freer Gal. of Art) : *Paysage*, d'après Wang Meng, poème du peintre daté 1707.
Ventes Publiques : New York, 21 mars 1995 : *Paysage*, encre/pap., éventail (17,8x52,1) : **USD 2 530.**

WU LI ou **Wou Li**, surnom : **Gongzhitan,** nom de pinceau : **Zhuxu**, etc.
Originaire de Jiaxing, province du Zhejiang. xviiie siècle. Actif vers 1790. Chinois.
Peintre de figures, paysages, fleurs.

WU LIAN ou **Wou Lien** ou **Wu Lien**, surnom : **Qiuyi**
xviiie siècle. Chinois.
Peintre.
Peintre non mentionné dans les biographies d'artistes, dont le British Museum de Londres conserve une œuvre qui porte son sceau : *Dame et enfants*.

WU LIEN. Voir **WU LIAN**

WU LING ou **Wou Ling**, surnom : **Xinzhi**
Originaire de Suzhou, province du Jiangsu. xviie siècle. Actif dans la première moitié du xviie siècle. Chinois.
Peintre de fleurs et d'oiseaux.

WULLIAM Claude Louis
Né à Lyon (Rhône). xixe siècle. Français.
Lithographe et architecte.
Élève de Savoye de Lyon. Il débuta au Salon en 1874.

WÜLLNER Leopold
xixe siècle. Actif à Vienne dans la première moitié du xixe siècle. Autrichien.
Peintre de portraits, illustrateur.
Il exposa de 1838 à 1843.

WÜLSER Samuel
Né en 1897. Mort en 1977. xxe siècle. Suisse.
Peintre.
Musées : Aarau (Aargauer Kunsthaus) : *Maria in cucina – Jeune fille devant la cheminée – Attilio – Autoportrait.*

WUMARD Michel. Voir **VOUMARD Michel**

WU MENGFEI ou **Wou Mongfei**
xxe siècle. Chinois.
Peintre. Traditionnel.
En 1920, il fut cofondateur du collège des Beaux-Arts de Shanghai, le *Sili Shanghai Yishu Daxue*.

WU MOU ou **Wou Meou** ou **Wu Mao**, surnoms : **Chaoying** et **Yiquan**
Originaire de Wusi, province du Jiangsu. xviiie siècle. Actif vers 1750. Chinois.
Peintre de fleurs.

WU NA ou **Wou Na**, surnom : **Zhong Yan**
Originaire de Hangzhou, province du Zhejiang. xviie siècle. Actif à la fin du xviie siècle. Chinois.
Peintre.
Peintre de paysages dans le style de Lan Ying et de fleurs dans celui de Sun Di.

WUNDERER Jean-Jacques
Né en 1764 à Strasbourg. xviiie siècle. Français.
Peintre.
Il fut élève de Jean-Baptiste Weyler à Paris.

WUNDERER Lukas
Né en 1947 à Bâle. xxe siècle. Suisse.
Dessinateur, aquarelliste. Conceptuel.
Il fut élève de l'École des Métiers d'Art de Bâle et de l'École de Céramique de Berne. Il vit et travaille à Bâle.
Il travaille dans une technique de dessin industriel, par héliographie et rehauts de couleurs en résine synthétique. Il met en situation graphique des concepts soit directement matérialisés, comme par exemple *Palette* par un échantillonnage de couleurs, soit évoqués par un simple vocable, comme *Œuvre d'art*.
Bibliogr. : Theo Kneubühler, in : *Art : 28 Suisses*, Édit. Gal. Raeber, Lucerne, 1972.

WUNDERLICH Max Julius
Né le 20 octobre 1878 à Sereth. xxe siècle. Autrichien.
Sculpteur de bustes, monuments, scènes allégoriques, graveur, écrivain.
Il fit ses études à Vienne. Il sculpta des monuments aux morts.

WUNDERLICH Paul
Né en 1927 à Berlin. xxe siècle. Allemand.
Peintre, sculpteur, graveur, lithographe. Tendance surréaliste.
Il fut élève de Titze et Grimm, à l'École des Beaux-Arts de Hambourg, de 1947 à 1951. De 1951 à 1960, il enseigna les techniques graphiques dans la même école. De 1960 à 1963, il vécut à Paris. En 1963, il fut nommé professeur à l'École Supérieure des Beaux-Arts de Hambourg. Il a remporté diverses récompenses, entre autres : 1960, Prix Artistique de la Jeunesse pour la Gravure, Mannheim ; 1962, Prix de Lithographie M.-S. Collins, Philadelphie ; 1967, 2e Prix Marzotto.
Il participe à de très nombreuses expositions de groupe, parmi lesquelles : 1966, *Figuration fantastique*, Berlin ; 1967, exposition du Prix Marzotto, Milan, Prague, Bruxelles ; *6 peintres allemands*, Paris ; 1968, exposition du Prix Marzotto, Hambourg, Londres, Paris ; *Art fantastique*, Hanovre ; *Art fantastique en Allemagne*, Kunstverein, Hanovre ; *L'art Vivant*, Fondation Maeght, Saint-Paul-de-Vence ; etc.
Il montre de très nombreuses expositions individuelles de son œuvre, notamment des expositions de gravures et lithographies : dans les musées de Bochum, Mannheim, Düsseldorf, Karlsruhe, etc.
Sa technique de peinture consiste essentiellement à modeler les formes par tout un jeu d'ombres sur des compositions presque monochromes, ce qui rend la modulation des ombres d'autant plus importante. Il travaille en général d'après des photographies prises par sa femme, Karin Szekessy. Il décrit des personnages féminins, légèrement voilés ou parfois quelque peu dévêtus, à la ligne très étirée, comme chez les maniéristes d'autrefois. Ces femmes évoluent dans des décors étranges, presque désertiques, que ne hantent que de mystérieuses silhouettes d'hommes ou d'animaux. Ses sculptures, faites de matériaux très polis, matérialisent en solide ces mêmes silhouettes, plus abstraites cependant, évoquant les parties du corps sans en rechercher l'exactitude, supprimant bras et tête par exemple pour mieux exprimer le tronc et les jambes toujours filiformes, comme des pattes d'échassiers. ■ J. B.

P Wunderlich

Bibliogr. : Heinz Spielmann : *Paul Wunderlich. Sculpture*, 1938 – *Catalogue du « Kunstmarkt »*, Cologne, 1968 – Dieter Brusberg : *Paul Wunderlich. Werkverzeichnis der Lithographien*, 2 vol., Propylaen Verlag, Berlin et Hanovre, 1971 – in : *Dictionnaire universel de la peinture*, Le Robert, Paris, 1975 – Jens Christian Jensen : *Paul Wunderlich. Werkverzeichnis der Gemälde, Gouachen und Zeichnungen 1957-1978*, Volker Huber Verlag, Offenbach am Main, 1979 – Carsten Riediger : *Paul Wunderlich. Werkverzeichnis der Druckgraphik 1948-1978*, Huber Verlag, Offenbach am Main, 1983.
Ventes Publiques : Hambourg, 6 juin 1969 : *Bubblegum*, gche : **DEM 4 600** – Hambourg, 5 juin 1970 : *Diana*, gche : **DEM 8 500** – Munich, 28 mai 1971 : *Le Lanceur de couteaux* : **DEM 10 000** – Paris, 18 mars 1972 : *Composition* : **FRF 14 000** – Berne, 17 juin 1972 : *Tête de cygne*, aquar. : **CHF 4 000** – Paris, 26 nov. 1973 : *Fumée bleue*, past. : **FRF 15 500** – Göteborg, 26 mars 1974 : *Deux nus*, gche : **SEK 30 000** – Paris, 12 juin 1974 : *Puppentanz* 1962 : **FRF 41 000** – Munich, 25 mai 1976 : *Le Rouge et le Bleu* 1969, litho. : **DEM 1 350** – Londres, 3 déc. 1976 : *Accouplement*, gche et cr. (65x100) : **GBP 2 100** – Hambourg, 4 juin 1977 : *Nu et chaise* 1969, gche et craie (88,1x70,5) : **DEM 6 500** – Hambourg, 3 juin 1978 : *Roses noires pour Ursula* 1964, litho. en coul. : **DEM 1 700** – Hambourg, 3 juin 1978 : *Femme debout* 1959, isor. (120,7x89,7) : **DEM 21 000** – Anvers, 17 oct. 1978 : *Nike*, bronze (H. 47) : **BEF 36 000** – Göteborg, 10 mai 1979 : *Gymnastique matinale*, cr. et pl. (64x50) : **SEK 6 000** – Hambourg, 9 juin 1979 : *Léda et le cygne* 1964, techn. mixte (100x70,2) : **DEM 10 000** – New York, 8 nov 1979 : *Crépuscule* 1971, h/t (160x130) : **USD 17 000** – Munich, 28 nov. 1980 : *Nike*, bronze (H. 46,5) : **DEM 3 000** – New York, 5 mai 1982 : *Joana posant III* 1970, h/t (146x114) : **USD 17 000** – Hambourg, 10 juin 1983 : *Adam et Ève* 1970, gche (84x67) : **DEM 8 800** – New York, 1er nov. 1984 : *Die rote Blume* 1970, h/t (129,5x162,5) : **USD 22 000** – Cologne, 5 juin 1985 : *Olympia avec chat* 1977, gche/trait de cr. (62,5x90) : **DEM 16 000** – Düsseldorf, 15 oct. 1986 : *Nike*, bronze (H. 60) : **DEM 28 000** – Londres, 25 fév. 1988 : *Anton avec une écharpe avec un nu et un autoportrait* 1973, acryl./t. (130,2x97) : **GBP 8 250** – Londres, 8 sep. 1988 : *À trois* 1973, aquat./t. (115,5x89,5) : **GBP 8 250** ; *Olympia à la feuille* 1977,

acryl./t. (130,2x162) : **GBP 15 400** – New York, 8 oct. 1988 : *Le Magicien au gilet rouge* 1976, cr. et gche/cart. (156,3x120) : **USD 8 250** – Londres, 20 oct. 1988 : *Avec vue sur le mur* 1972, acryl./t. (130x97) : **GBP 7 150** – Stockholm, 21 nov. 1988 : *Daphné*, bronze (H. 24) : **SEK 6 500** – Milan, 14 déc. 1988 : *Dagmar avec une fleur*, détrempe/pap. (90x73) : **ITL 5 000 000** – Paris, 12 fév. 1989 : *Sans titre* 1970, gche (84x67) : **FRF 24 000** – Rome, 21 mars 1989 : *Adam et Ève (hommage à Dürer)* 1970, h/t (146,5x114) : **ITL 25 000 000** – Londres, 25 mai 1989 : *Pénombre, Nu debout dans un paysage* 1971, acryl./t. (162x130) : **GBP 13 200** – Paris, 13 déc. 1989 : *Poisson* 1973, h/t (54x65) : **FRF 68 000** – Paris, 18 fév. 1990 : *Deux spartiates allemands posant sur Jupiter et Thétis ; Hommage à Ingres*, h. et mine de pb/t. (130x97) : **FRF 250 000** – Londres, 22 fév. 1990 : *Herzdame II* 1977, acryl. et cr./t. (40x30) : **GBP 12 100** – New York, 23 fév. 1990 : *Torse noir* 1969, acryl. et craies de coul./pap./cart. (87x62,9) : **USD 5 280** – New York, 7 mai 1990 : *Femme de profil* 1970, gche, encre et acryl./cart. (89,5x73) : **USD 6 600** – Copenhague, 30 mai 1990 : *Personnage*, bronze (H. 59) : **DKK 9 000** – New York, 1er mai 1991 : *Sans titre* 1971, h/pap. cartonné (82,5x63,5) : **USD 5 500** – Heidelberg, 11 avr. 1992 : *Odalisque mélancolique* 1975, litho. en coul. (76x57,5) : **DEM 1 300** – Amsterdam, 21 mai 1992 : *Sans titre* 1969, aquar., cr. et collage/pap. (88x68) : **NLG 9 775** – Stockholm, 21 mai 1992 : *Composition en grisaille*, h/t (91x73) : **SEK 32 000** – Munich, 26 mai 1992 : *Bosomfriends II* 1965, litho. en coul. (46x57,5) : **DEM 6 325** – Lokeren, 10 oct. 1992 : *Chaussure*, bronze doré (H. 20, l. 13) : **BEF 70 000** – Amsterdam, 26 mai 1993 : *Nike*, bronze (H. 59) : **NLG 7 245** – Londres, 20 mai 1993 : *Une famille à table* 1981, gche, aquar. et cr./pap. (68,5x85,1) : **GBP 4 600** – Paris, 23 juin 1993 : *Femme assise* 1972, aquar. et cr. en coul. (67x85) : **FRF 15 000** – New York, 3 mai 1994 : *Minotaure*, bronze et acier inox. (78x18,4x14,5) : **USD 805** – Lokeren, 8 oct. 1994 : *Minotaure* 1989, bronze (H. 182) : **BEF 180 000** – Paris, 16 mars 1995 : *Fumée bleue II* 1972, acryl./t. (116x89) : **FRF 49 500** – Amsterdam, 6 déc. 1995 : *Minotaure*, bronze et acier inox./base de bronze (78x18,5x14,5) : **NLG 2 875** – Paris, 11 avr. 1997 : *Nu à la chaise* 1972, gche (87x68) : **FRF 17 100** – Amsterdam, 2-3 juin 1997 : *Amazone*, bronze (H. 55) : **NLG 3 068**.

WUNDERLICH Pierre. Voir **DZIWAK**

WUNDSAM Joseph

Né en 1800. Mort le 2 juin 1833 à Vienne. XIXe siècle. Autrichien.

Peintre de fleurs.

WUNIANSKY. Voir **WODNIANSKY**

WUNNENBERG Carl

Né le 10 novembre 1850 à Urdingen. Mort le 11 février 1929 à Cassel (Hesse). XIXe-XXe siècles. Allemand.

Peintre de genre.

Il a été élève de l'Académie de Düsseldorf, dans les ateliers de Wilhelm Sohn. Deger et Ed. von Gebhardt. En 1871, il alla à Rome et à Paris. En 1882, il fut nommé professeur à l'Académie d'Art de Cassel. Il a obtenu une médaille à Londres.

C.WÜNNENBERG.

C.WÜNNENBERG

Musées : Kassel : *Le concert, Paysan italien et son enfant à l'église – La sacristie de l'église Ara Coeli de Rome.*

Ventes Publiques : Paris, 23 juin 1954 : *Les pigeons à Stabiac* : **FRF 20 000** – Londres, 1er nov. 1974 : *Jeune femme en robe noire* 1876 : **GNS 400** – Cologne, 11 mai 1977 : *Vue d'une ville*, h/t (47x65,5) : **DEM 2 400** – New York, 1er avr. 1981 : *La Lettre* 1845, h/pan. (55x45) : **DEM 6 500** – Vienne, 23 mars 1983 : *Premières fleurs*, h/t (76,5x47) : **ATS 160 000** – Cologne, 15 oct. 1988 : *Jeune pâtre italien*, h/t (112,5x68) : **DEM 2 000** – New York, 28 fév. 1991 : *Le château de Stolzenfels près de Coblence*, h/t (66x96,5) : **USD 8 800** – Amsterdam, 14-15 avr. 1992 : *Le triage du linge* 1873, h/t (49x39) : **NLG 3 910**.

WUNSCH Albert

Né le 24 mai 1834 à Luxembourg. Mort le 2 juin 1903 à Diekirch. XIXe siècle. Luxembourgeois.

Médailleur.

WÜNSCH Carl Christian

XIXe siècle. Travaillant de 1805 à 1812. Autrichien.

Aquafortiste.

Il peignit six vues des environs de Carlsbad.

WUNSCH Marie ou **Mizzi**

Née le 17 juillet 1862 à Weinhaus. Morte le 29 mars 1898 à Meran. XIXe siècle. Allemande.

Peintre de genre.

Élève d'Eugen Blas à Venise. Elle exposa à Munich et à Vienne en 1891. Le Musée Municipal de Bautzen conserve d'elle *Hansel et Gretel*, et celui de Riga, *La balançoire*.

Ventes Publiques : Londres, 18 juin 1980 : *Portrait d'un jeune garçon*, h/t (34x28) : **GBP 1 200** – New York, 22 jan. 1982 : *Les confidences*, h/t (122x75) : **USD 3 500**.

WUNTSCHE Johann Baptist ou **Wuntscher**. Voir **WANSCHER**

WUNUWUN Jack

XXe siècle. Australien.

Peintre.

Chef du clan des Murrungun, en Australie, il a présenté à l'exposition *Magiciens de la terre* à Paris, en 1989, trente petites écorces peintes représentant le cycle du *Chant de l'Etoile du Matin*, véritable hymne à la création du monde.

Bibliogr. : In : catalogue de l'Exposition : *Magiciens de la terre*, Centre Georges Pompidou et la Grande Halle La Villette, Paris, 1989.

WUOLFCOZ. Voir **WOLFCOZ**

WUOLFGISO

VIIIe siècle. Suisse.

Enlumineur et calligraphe.

La Bibliothèque de Schaffhouse conserve un manuscrit enluminé par cet artiste.

WUORI Kaarlo

Né le 19 août 1863 à Ruovesi. Mort le 22 juin 1914 à Tampere. XIXe-XXe siècles. Finlandais.

Peintre de portraits.

Musées : Helsinki : *Portrait du peintre Elias Munkka.*

WÜÖRNER Hans

XVIe-XVIIe siècles. Actif à Schwyz. Suisse.

Peintre verrier.

Il travailla pour la ville de Schwyz et plusieurs églises du canton du même nom.

WÜÖRNER Johann Sebastian

Né en 1649. Mort en 1727. XVIIe-XVIIIe siècles. Actif à Schwyz. Suisse.

Peintre.

Il peignit des fresques dans l'église Saint-Antoine d'Ibach en 1709.

WU PAO-SHU. Voir **WU BAOSHU**

WU PIN. Voir **WU BIN**

WU PING. Voir **WU BING**

WU PO-LI. Voir **WU BOLI**

WU QI ou **Wou K'i** ou **Wu Ch'i**, surnom : **Yuxuan**

Originaire de la province du Zhejiang. XVIIIe siècle. Chinois.

Peintre.

Peintre non mentionné dans les biographies d'artistes, dont le British Museum de Londres conserve une œuvre signée, *Daim près d'un arbre et pies.*

WU QI ou **Wou K'i** ou **Wu Ch'i**, surnom : **Yiju**, nom de pinceau : **Xueyai Daoren**

Originaire de Qiantang, province du Zhejiang. XVIIIe siècle. Actif vers 1750. Chinois.

Peintre.

Peintre de figures dans le style de Chen Hongshou (1768-1822).

WU QIANHUI

Né en 1913 dans le Guangdong. XXe siècle. Chinois.

Peintre.

Il est maître-peintre à la corporation d'art artisanal de la province du Guizhou.

Bibliogr. : In : Catalogue de l'exposition *Peintres traditionnels de la République populaire de Chine*, galerie Daniel Malingue, Paris, 1980.

WU QINGMU ou **Wu Ch'in-Mu**

Né en 1894. Mort en 1953. XXe siècle. Chinois.

Peintre de paysages animés, paysages, fleurs. Traditionnel.

Peintre traditionnel lettré, il est élève de Zhang Danian et se spécialise, à Pékin, dans les fleurs et les oiseaux.

Ventes Publiques : New York, 4 déc. 1989 : *Chute d'eau dans une vallée en automne,* kakémono, encre et pigments/pap. (129,5x48,2) : **USD 605** – Hong Kong, 2 mai 1991 : *Album de paysages* 1935, huit double feuilles, encre/pap. et encre et pigments/pap. (chaque 16,2x21,8) : **HKD 37 400** – New York, 16 juin 1993 : *Personnage sous un pin,* kakémono, encre/pap. (81,6x26,7) : **USD 2 185** – Hong Kong, 30 oct. 1995 : *Monastère sur une colline en automne,* kakémono, encre et pigments/pap. (137,1x65,8) : **HKD 63 250.**

WU Qingxia
Né en 1910. xxe siècle. Chinois.
Peintre de compositions animées, figures. Traditionnel.
Ventes Publiques : New York, 31 mai 1989 : *Neuf poissons* 1941, kakémono, encre et pigments/pap. (101x43,5) : **USD 1 210** – New York, 11 avr. 1990 : *Jeune fille au papillon,* kakémono, encre et pigments/pap. (66x45,8) : **USD 550** – Hong Kong, 5 mai 1994 : *Lohan dans un paysage et calligraphie* 1928, encre et pigments/pap., éventail (19,2x46,8) : **HKD 17 250** – Hong Kong, 3 nov. 1994 : *Retour d'une Princesse Wenji* 1937, encre et pigments/pap. (18,2x46,8) : **HKD 20 700.**

WU QINMU ou **Wou Ts'in-Mou** ou **Wu Ch'in-Mu**. Voir **WU QINGMU**

WÜRALT Eduard
Né en 1898 en Russie. xxe siècle. Estonien.
Graveur de scènes allégoriques, portraits, paysages, illustrations.
Il a été élève de l'École d'Art de Reval, ville où il vécut. Il grava des illustrations de livres, des paysages, des portraits d'enfants et des allégories.

WU Rangzhi
Né en 1799. Mort en 1870. xixe siècle. Chinois.
Peintre, calligraphe. Traditionnel.
Ventes Publiques : New York, 25 nov. 1991 : *Zhongkui,* kakémono, encre et pigments/pap. (104,1x39,4) : **USD 2 750** – New York, 31 mai 1994 : *Calligraphie en écriture mandarin,* encre/pap., ensemble de 4 kakémonos (132,1x31,4) : **USD 6 325** – Hong Kong, 29 avr. 1996 : *Calligraphie en Cao Shu,* encre/pap., ensemble de 6 kakémonos (chaque 142x36,5) : **HKD 46 000.**

WÜRBEL Franz
Né en 1822 à Vienne. Mort en septembre 1900 à Berlin. xixe siècle. Autrichien.
Peintre de sujets de genre, portraits, graveur, lithographe.
Il fut élève de l'Académie des Beaux-Arts de Vienne. Il grava des portraits et des scènes de genre et d'autre part dessina les figurines des billets de banque.
Ventes Publiques : Londres, 6 mai 1977 : *Arabes jouant au trictrac,* h/t (96x142) : **GBP 700** – Londres, 11 mai 1990 : *Musiciens arabes,* h/t (88,3x111,1) : **GBP 2 640** – New York, 14 oct. 1993 : *Une partie de backgammon,* h/t (97,8x143,5) : **USD 16 100.**

WÜRBEL Franz Th.
Né en juin 1858 à Vienne. xixe siècle. Autrichien.
Peintre de portraits, illustrateur, lithographe.
Il est le fils de Franz Würbel. Il fut élève de l'Académie des Beaux-Arts de Vienne.

WÜRBEL Joseph
xixe siècle. Actif à Vienne dans la seconde moitié du xixe siècle. Autrichien.
Médailleur.
Élève de l'Académie de Vienne. Il grava des médailles à l'effigie de membres de la cour de Vienne, ainsi que des médailles commémoratives.

WÜRBS Karl
Né le 11 août 1807 à Prague. Mort le 6 juillet 1876 à Prague. xixe siècle. Autrichien.
Dessinateur et peintre.
Élève de l'Académie de Prague. Il peignit des paysages, des architectures et des vues de villes de Bohême et de Moravie. Le Musée Municipal de Prague conserve de lui : *Le vieil Hôtel de Ville de Prague, L'église gothique de Halle, Saint Nicolas de Znaim, Le portail de Rötz, Vue de Rötz, La construction du Pont suspendu de Prague, Rue de Prague.*

WURCZINGER Mihaly. Voir **WURZINGER**

WÜRDEN Charles
Né le 13 février 1849 à Bruxelles. xixe siècle. Belge.
Médailleur.
Il fit ses études à l'Académie de Bruxelles. Fils de Jean W.

WÜRDEN Jean
Né le 7 octobre 1807 à Cologne. Mort le 14 juin 1874 à Bruxelles. xixe siècle. Belge.
Graveur et orfèvre.
Il fit ses études à Cologne et à Paris et se fixa à Bruxelles. Père de Charles W.

WÜRFFLER Claus
xve siècle. Actif à Bâle de 1404 à 1433. Suisse.
Peintre.

WÜRGRABER Johann Wolf
Mort en 1715. xviiie siècle. Actif à Steyr. Autrichien.
Miniaturiste.

WÜRHER Louis Charles. Voir **WÜHRER**

WURLES Karl
Mort en 1876 à Prague. xixe siècle. Tchécoslovaque.
Peintre de paysages et architecte.
Il fut professeur à l'Académie de Prague et directeur du Musée de cette ville.

WURM Erwin
xxe siècle. Autrichien.
Artiste.
Il figure dans des expositions collectives, parmi lesquelles : 1990, section « Aperto » de la Biennale de Venise. Il montre des expositions personnelles de ses œuvres, notamment en 1992 à la galerie Arnaud Lefebvre à Paris.
Soit il accroche au mur des vêtements pliés, soit il fait deviner l'absence d'objets. Tout le travail d'Erwin Wurm consiste à désigner en amont de l'objet la présence d'une conscience.
Musées : Dole (FRAC de Franche-Comté) : *Pull-over N&B* 1992 – *Pull-over vert* 1992.

WURMFELD Sanford
Né en 1942 à New York. xxe siècle. Américain.
Sculpteur. Abstrait-minimaliste.
Il vit à New York, où il expose surtout, ainsi que dans les manifestations consacrées à l'art minimal, dans l'esprit duquel il travaille. Ses sculptures polychromes sont constituées de volumes très simples, des « structures primaires », ne voulant figurer rien d'autre que le volume d'espace qu'ils occupent, afin d'en communiquer une sensation claire, non entachée d'associations d'idées avec des réalités autres. La polychromie faite d'aplats, joue également un rôle uniquement spatial, les couleurs créant la sensation de plans différents, soit pour souligner les plans des sculptures, soit au contraire pour en briser l'apparence et faire ainsi apparaître d'autres phénomènes de la perception.
Bibliogr. : E. C. Goossen : *L'art du réel – U.S.A – 1948-1968,* catalogue d'exposition, Centre National d'Art Contemporain, Paris, 1968.

WURMSER Nicholas ou **Nicolaus**
Né à Strasbourg. xive siècle. Français.
Peintre d'histoire.
Cet artiste fut appelé à Prague par l'empereur Charles IV, et travailla en collaboration avec Theodoric de Prague et Tommaso da Modena, à la décoration de Schlosz Karlstein, de 1357 à 1360. Il paraît établi que les sujets représentant, la légende de Saint Wencelas et de Sainte Ludmilla furent peints par lui. Ces œuvres ont subi de telles restaurations qu'il est difficile sinon impossible d'apprécier leur valeur initiale. Une autre peinture, détruite en 1597, mais dont la copie existe dans un manuscrit conservé à la Bibliothèque de Vienne et représentant *L'arbre familial de la Maison de Luxembourg,* est également exécutée par lui. Ce sont les seules œuvres, avec le *Christ en Croix* du Musée de Vienne, que, jusqu'à présent, on paraît pouvoir lui attribuer avec certitude.
Ventes Publiques : Cologne, 1862 : *La naissance du Sauveur :* **FRF 116.**

WURNKI Ivan. Voir **VURNIK Ivan**

WU RONGGUANG ou **Wou Jong-Kouang** ou **Wu Jung-Kuang**, surnom : **Borong**, noms de pinceau : **Hewu, Kean, Shiyun Shanren**, etc.
Né en 1773, originaire de Nanhai, province du Guang-dong. Mort en 1843. xviiie-xixe siècles. Chinois.
Peintre d'animaux, paysages, fleurs, peintre sur soie.
Poète, calligraphe et peintre, il fait des paysages dans le style de Wu Zhen (1280-1354) et des fleurs et oiseaux dans celui de Yun Shouping (1633-1690).
Ventes Publiques : New York, 31 mai 1994 : *Pivoine, narcisses et rocher,* encre et pigments/soie (76,8x111,8) : **USD 2 300.**

WURSCHBAUER Carl
Né en 1774 à Graz. Mort le 18 mai 1841 à Carlsbourg. XVIIIe-XIXe siècles. Autrichien.
Médailleur.
Il fit ses études à Vienne. Il travailla en Transylvanie.

WURSCHBAUER Ignaz ou **Franz Ignaz**
Mort le 2 juin 1767 à Graz. XVIIIe siècle. Autrichien.
Sculpteur et médailleur.
Élève de Raphaël Donner et d'A. M. Gennaro à l'Académie de Vienne. Il grava des médailles à l'occasion d'événements contemporains et de centenaires.

WURSCHBAUER Johann Baptist I
Né à Vienne. Mort le 8 septembre 1800 à Schmöllnitz. XVIIIe siècle. Autrichien.
Médailleur.
Il grava des monnaies pour l'État autrichien à Vienne et à Graz.

WURSCHBAUER Johann Baptist II
Né en 1770 à Graz. Mort après 1829. XVIIIe-XIXe siècles. Autrichien.
Médailleur et graveur de monnaies.
Fils de Johann Baptist W. I.

WURSCHBAUER Joseph
XVIIIe siècle. Actif à Vienne dans la première moitié du XVIIIe siècle. Autrichien.
Sculpteur et orfèvre.
Élève de l'Académie de Vienne.

WURSINGER Charles
XIXe siècle. Actif en Autriche. Autrichien.
Peintre.
Il figura aux expositions de Paris ; médaille de troisième classe en 1867 (Exposition Universelle).

WURSPERGER Veit. Voir **WIRSBERGER**

WURST Richard. Voir **PAUL Richard**

WURSTER Leonhard. Voir **WORSTER**

WÜRSTL Ludwig
Né au Tyrol. Mort le 6 février 1892 à Rome. XIXe siècle. Autrichien.
Peintre.

WÜRTBAUER Benedikt. Voir **WURZELBAUER**

WÜRTENBERGER Carl Max ou **Karl Maximilian**
Né le 27 février 1872 à Steisslingen. Mort le 26 octobre 1933 à Illenau. XIXe-XXe siècles. Allemand.
Sculpteur de bustes, portraits.
Frère d'Ernst Wurtenberger. Il s'adonna au portrait et fit de nombreux bustes dont celui de Charles Struzzi (1900).
Musées : Karlsruhe (Kunsthalle) : *Buste de Hans Thoma.*

WÜRTENBERGER Ernst
Né le 23 octobre 1868 à Steisslingen. Mort le 5 février 1934 à Karlsruhe (Bade-Wurtemberg). XIXe-XXe siècles. Suisse.
Peintre de portraits, graveur, illustrateur, écrivain d'art.
Il fit ses études à Munich, à Paris, puis à Florence, où il fut élève de Böcklin.
Musées : Bâle : *Portrait d'Arnold Böcklin – Le buveur – Deux jeunes paysannes – Funérailles* – Constance : *Le maire Weber – Le peintre au travail – Le veuf – Le sculpteur Julius Seidler – Le poète Emil Strauss* – Francfort-sur-le-Main : *Paysan* – Fribourg : *Portrait d'un enfant – La salle des domestiques* – Karlsruhe : *Sur le banc de l'école – L'échange – Tête de femme sur fond clair – Le poète C. F. Meyer – Le peintre et écrivain H. E. Kromer* – Lucerne : *Famille – Le prétendant* – Saint-Gall : *Deux bergers – Joueur de flûte* – Schaffhouse : *Avare et dissipateur – Champ de blé à la lisière de la forêt – Auprès du poêle – Portrait d'une femme – Portrait d'une jeune paysanne* – Winterthur : *Jeune paysanne – Le comité de l'association artistique de Winterthur – Jésus au Temple* – Zurich : *Le peintre Rudolf Koller – L'échange – C. Attenhofer – L'artiste.*
Ventes Publiques : Zurich, 2 nov 1979 : *Le jardinier* 1905, aquar./pan. (70x50) : **CHF 2 200** – Berne, 1er mai 1980 : *Jeune fille assise* 1911, h/t (65x44) : **CHF 5 000.**

WÜRTENBERGER Thusnelda
Née le 20 avril 1870 à Steisslingen. XIXe siècle. Active à Kreuzlingen. Suisse.
Peintre.
Sœur d'Ernst et de Carl Max W. Elle fit ses études à Munich et peignit des scènes religieuses et des portraits.

WÜRTH. Voir aussi **WIRT** et **WIRTH**

WÜRTH Christian
Né en 1755. Mort le 29 janvier 1782 à Vienne. XVIIIe siècle. Autrichien.
Médailleur et graveur de monnaies.
Élève d'A. Domanöck. On cite de lui une médaille à l'effigie du *Prince Wenzel Kaunitz.*

WÜRTH Ernst
Né le 20 septembre 1901 à Wormeldingen. XXe siècle. Luxembourgeois.
Peintre de paysages, sculpteur.
Il a été élève de l'École des Beaux-Arts de Paris. Il peignit des paysages du Luxembourg.

WÜRTH Franz Xaver ou **Wirth, Würt**
Né en 1749 à Vienne. Mort le 24 septembre 1813 à Vienne. XVIIIe-XIXe siècles. Autrichien.
Graveur.
Il fut élève de Matthias Donner. On cite de lui une centaine de médailles commémoratives. Il grava également des monnaies.

WÜRTH Hermann
Né le 23 mai 1888 à Bâle. XXe siècle. Suisse.
Sculpteur de statues.
Il fit ses études à Paris et à New York. Il sculpta des statues, des fontaines et des bas-reliefs.

WÜRTH Johann Baptist, l'Ancien ou **Wirth**
Né vers 1745. Mort en 1790 à Kremnitz. XVIIIe siècle. Hongrois.
Médailleur et graveur de monnaies.
Élève de l'Académie de Vienne. Il a gravé des médailles à l'effigie de l'impératrice *Marie-Thérèse d'Autriche.*

WÜRTH Johann Baptist, le Jeune
Né le 19 juin 1769 à Carlsbourg. Mort le 21 avril 1859 à Vienne. XVIIIe-XIXe siècles. Autrichien.
Médailleur et graveur de monnaies.
Fils de Johann Baptist Würth l'Ancien. Il travailla pour la Monnaie de Vienne.

WÜRTH Johann Nepomuk ou **Wirth**
Né le 6 avril 1753 à Vienne. Mort le 27 novembre 1811 à Vienne. XVIIIe-XIXe siècles. Autrichien.
Médailleur et graveur de monnaies.
Il travailla pour la cour de Vienne. On cite de lui cinquante-quatre médailles à l'effigie de la famille impériale d'Autriche et commémorant divers événements contemporains.

WURTH Xavier
Né en 1869 à Liège. Mort en 1933 à Liège. XIXe-XXe siècles. Belge.
Peintre de portraits, paysages.
Il a été, de 1889 à 1893, élève d'A. De Witte et d'Em. Berchmans à l'Académie royale des Beaux-Arts de Liège. En 1911, il séjourna en Italie et se lia d'amitié avec R. Heintz et Aug. Donnay. Il a été professeur de dessin à l'Académie royale des Beaux-Arts de Liège. Il a exposé au Cercle des Beaux-Arts de 1892 à 1933.
Il a principalement peint les paysages de l'Ardenne.

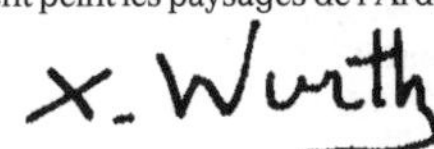

Bibliogr. : Pierre Somville, in : *Le Cercle royal des Beaux-Arts de Liège 1892-1992*, Crédit Communal, Liège, s. d., 1992.
Musées : Liège (Mus. de l'Art Wallon) : *Effet de neige. L'Ourthe vers Hamoir* 1901.
Ventes Publiques : Toronto, 30 nov. 1988 : *Paysage estival*, h/t (76x99) : **CAD 1 700.**

WÜRTHLE Frédéric. Voir **WUERTHLE**

WÜRTZ Adam
Né en 1927. XXe siècle. Hongrois.
Graveur, illustrateur.
Il s'est formé à l'Académie des Beaux-Arts de Budapest de 1948 à 1953, où il fut élève de Gyula Hincz, Bertalan Por, Karoly Koffan et Sandor Bortnyik. Il vit et travaille à Budapest.
Depuis 1955, il participe régulièrement à des expositions. Il figure dans des expositions collectives, parmi lesquelles : 1966, Biennale des Jeunes Artistes à Paris, où il remporte un prix ; 1966, Biennale de Venise. Il montre ses œuvres dans des expositions personnelles, la première en 1959 à Budapest, puis : 1964, Budapest ; 1965, Vienne. Il expose aussi en Italie, en République

Fédérale Allemande, en Pologne, en Tchécoslovaquie, en Angleterre, au Japon. Il a obtenu un prix à l'Exposition de Livres d'Art de Leipzig en 1959, pour ses illustrations et le Prix Munkacsy lui a été décerné deux fois.
Parallèlement à ses compositions graphiques, il a une activité fort importante dans l'illustration de livres d'art (livres pour enfants). Dans ses gravures, comme dans ses illustrations, il traite soit de thèmes folkloriques, soit s'inspire des grands classiques de la littérature mondiale.
Bibliogr. : Géza Csorba : *Art Hongrois Contemporain*, catalogue d'exposition, Musée Galliera, Paris, 1970.

WÜRTZEN Carl Gotfred
Né le 12 juillet 1825 à Naestved. Mort le 13 février 1880 à Copenhague. XIXe siècle. Danois.
Peintre de paysages.
Il fut élève de l'Académie des Beaux-Arts de Copenhague où il exposa de 1847 à 1880.
Ventes Publiques : Copenhague, 10 fév. 1993 : *Vue des anciens fours à chaux de Classens*, h/t (42x63) : **DKK 6 000**.

WURTZER. Voir **WURZER**

WURZEL Ludvik
Né le 24 janvier 1865 à Prague. Mort le 25 novembre 1913 à Prague. XIXe-XXe siècles. Tchécoslovaque.
Sculpteur.
Il a été élève de B. Schnirch à Prague.
Musées : Pilsen – Prague.

WURZELBAUER Benedikt ou **Wurtzlbaur** ou **Wurtbauer**
Né le 25 septembre 1548 à Nuremberg. Mort le 2 octobre 1620 à Nuremberg. XVIe-XVIIe siècles. Allemand.
Sculpteur et fondeur.
Il sculpta des fontaines à Nuremberg, des statues et des figurines. Les Musées de Francfort, de Munich et de Nuremberg conservent des œuvres de cet artiste.

WURZELBAUER Hans ou **Johann**
Né le 24 juin 1595 à Nuremberg. Mort le 23 janvier 1656 à Nuremberg. XVIIe siècle. Allemand.
Sculpteur et fondeur.
Fils et élève de Benedikt W. Il travailla pour l'Hôtel de Ville d'Augsbourg. Il sculpta des tombeaux et le grand crucifix de l'église Saint-Sébald de Nuremberg.

WURZER Georg Wenzel
XVIIIe siècle. Actif à Eisenstadt vers 1724. Autrichien.
Sculpteur.

WURZER Johann Peter ou **Wurtzer**
Mort le 15 mai 1771 à Graz. XVIIIe siècle. Autrichien.
Graveur au burin.
Fils de Valentin W. Il grava des sujets religieux.

WURZER Matthias ou **Johann Mathias** ou **Wurtzer** ou **Wuzer**
XVIIIe siècle. Autrichien.
Peintre de paysages et d'animaux.
Le Musée de Posen conserve de lui *Paysages avec bétail*, et la Galerie de Vienne, *Scène de chasse*. Ne pas confondre avec son homonyme classé à WUZER.

WURZER Valentin
Mort le 19 décembre 1742 à Graz. XVIIIe siècle. Autrichien.
Graveur au burin.
Père de Johann Peter W.

WURZER Wilhelm Johann
Né le 12 mars 1773 à Bamberg. Mort le 20 octobre 1846 à Bamberg. XVIIIe-XIXe siècles. Allemand.
Sculpteur.
Il a sculpté des autels, des armoiries, des statues et des chaires dans des églises de Bamberg et de Franconie.

WÜRZINGER Carl
Né en 1817 à Vienne. Mort le 16 mars 1883 à Dobling. XIXe siècle. Autrichien.
Peintre d'histoire et de portraits.
Élève de l'Académie de Vienne. Il continua ses études en Italie. En 1856, il fut nommé professeur à l'Académie de Vienne. Le Musée du XIXe siècle de Vienne conserve de lui *Portrait de Ferdinand II*.
Ventes Publiques : Vienne, 7 nov. 1984 : *Das amüsante affchen* 1857, h/t (87x68) : **ATS 40 000**.

WURZINGER Mihaly ou **Wurczinger** ou **Vurczinger**
XVIIIe-XIXe siècles. Actif à Eperjes. Hongrois.
Peintre.

WÜSCHER Heinrich Peter Ferdinand ou **Wüscher-Beck** ou **Wüscher-Benhi**
Né le 6 mai 1855 à Schaffhouse. Mort le 2 septembre 1932 à Schaffhouse. XIXe-XXe siècles. Suisse.
Peintre, archéologue.
Fils du décorateur Johann Jakob Wüscher. Il voyagea en Italie et en France, et fut élève à Paris de Léon Gérome. On cite de lui quelques œuvres au couvent grec de Grotta Ferata de Rome et la restauration des fresques du XVe siècle de la chapelle du couvent de Stein-sur-le-Rhin.

WÜSCHER Johann Jakob
Né le 20 mai 1826 à Schaffhouse. Mort le 20 novembre 1882 à Schaffhouse. XIXe siècle. Suisse.
Peintre décorateur.
Père de Heinrich Peter Ferdinand Wüscher, il fit ses études à Vienne et à Munich. En 1850 à une exposition à Saint-Gall, il envoya douze projets de plafonds.

WU SHANTAO ou **Wou Chan-T'ao** ou **Wu Shant'ao**, surnom : **Daiguan**, nom de pinceau : **Saiweng**
Originaire de Xiexian, province du Anhui. XVIIe siècle. Chinois.
Peintre.
Fonctionnaire (il passe les examens triennaux à la capitale provinciale en 1639 et reçoit le grade de *juren* (licencié) et peintre de paysages dans le style des maîtres Yuan ; le Musée de Shanghai conserve une de ses œuvres, *Pavillon désert à l'automne*, rouleau en hauteur en couleurs sur papier.

WU SHI ou **Wou Che** ou **Wu Shih**
XVIIIe siècle. Chinois.
Peintre.

WU SHIXIAN ou **Wu Shih-Hsien**
Mort en 1960. XXe siècle. Chinois.
Peintre de paysages. Traditionnel.
Ventes Publiques : Hong Kong, 15 nov. 1990 : *Paysage d'automne d'après Shen Zhou* 1905, kakémono, encre et pigments/pap. (153,8x18,8) : **HKD 39 600** – Hong Kong, 31 oct. 1991 : *Paysage* 1915, kakémono, encre et pigments/pap. (99,8x44,3) : **HKD 22 000** – Hong Kong, 29 oct. 1992 : *Maisons de pêcheurs*, kakémono, encre/pap. (146x78,8) : **HKD 93 500** – New York, 16 juin 1993 : *Paysage* 1950, encre/pap. (49,5x79,4) : **USD 3 738** – Hong Kong, 4 mai 1995 : *Paysage* 1914, encre et pigments/pap. (55,9x108) : **HKD 172 500**.

WU SHUMING ou **Wou Chou-Ming** ou **Wu Shuming**
XIIe-XIIIe siècles. Chinois.
Peintre.
Peintre de cour, il fut actif probablement sous la dynastie des Song du Sud (1127-1279).

WUSSIN Daniel ou **Wussim** ou **Wusyn** ou **Vusin**
Né en 1626 à Graz. Mort en 1691 à Prague. XVIIe siècle. Autrichien.
Graveur au burin.
Il grava à Prague des frontispices et des reproductions de maîtres anciens.

WUSSIN Johann Franz
Né en 1663 à Prague. XVIIe siècle. Autrichien.
Graveur au burin.
Fils de Daniel W. Il grava des paysages, des portraits et des frontispices.

WUSSIN Kaspar Zacharias
Né en 1664 à Prague. Mort le 12 février 1747 à Prague. XVIIe-XVIIIe siècles. Autrichien.
Graveur au burin.
Fils de Daniel W. Il grava des architectures de Prague et des vues.

WUST Alexander
Né le 13 décembre 1837 à Dordrecht. Mort le 3 mai 1876 à Anvers. XIXe siècle. Américain.
Peintre de scènes de chasse, animaux, paysages animés, paysages d'eau, paysages de montagne, aquarelliste.
Il est le fils de Christoffel Wust.

A. Wust 75.

A. Wust

Musées : Anvers : *Chasse au cerf en Amérique* – Dordrecht : *Montagnes de Norvège – Torrent en Norvège au clair de lune – Le Mount Washington en New Hampshire – Paysage au clair de lune* – La Nouvelle Orléans : *Cascade près de Romsdal – Cascades norvégiennes.*

Ventes Publiques : Paris, 1873 : *Lever du jour dans une forêt d'Amérique* : **FRF 8 000** – New York, 24 oct 1979 : *Paysage boisé, Adirondacks* 1873, h/t (187,5x122) : **USD 3 200** – New York, 6 déc. 1985 : *Coucher de soleil* 1868, h/t (80,2x46) : **USD 12 000** – New York, 16 mars 1990 : *Le long de la rivière* 1865, aquar./pap. (33,3x57,4) : **USD 1 650** – Amsterdam, 9 nov. 1994 : *Chèvres dans un paysage montagneux* 1873, h/t (31x60,5) : **NLG 1 725.**

WÜST Charles Louis ou **Carl Ludwig**
Né vers 1716 à Nuremberg. Mort en 1785 à Nuremberg. XVIIIe siècle. Allemand.
Graveur.
Élève de J. M. Preisler. Il a gravé des sujets religieux.

WUST Christoffel
Né le 4 décembre 1801 à Bois-le-Duc. Mort en 1853. XIXe siècle. Américain.
Peintre de scènes de genre, portraits, paysages.
Il est le père d'Alexander Wust. Il peignit des paysages d'Amérique du Nord.

Ventes Publiques : Amsterdam, 24 avr. 1991 : *Le marchand de fruits* 1842, h/pan. (42,5x35,5) : **NLG 6 325** – Amsterdam, 20 avr. 1993 : *Personnages en traîneau sur une rivière gelée ; Enfants jouant sur un canal gelé* 1858, h/t, une paire (28,2x36) : **NLG 12 075.**

WÜST Hans Ulrich
Né en 1649 à Zurich. Mort en 1688. XVIIe siècle. Suisse.
Sculpteur sur bois.
Frère de Heinrich W. Il était sourd-muet. Il fut aussi tourneur.

WÜST Heinrich
Né en 1644. Mort en 1691. XVIIe siècle. Suisse.
Peintre de paysages et de portraits.
Frère de Hans Ulrich W. Il était sourd-muet.

WÜST Johann Heinrich ou **Wüest**
Né le 14 mai 1741 à Zurich. Mort le 7 avril 1821 à Zurich. XVIIIe-XIXe siècles. Suisse.
Peintre de compositions allégoriques, scènes de chasse, sujets de genre, paysages, graveur.
Il fit ses premières études à la maison paternelle, puis à Amsterdam sous la direction du peintre de Schaffhouse, Jakob Maurer. En 1766 l'artiste, après avoir visité Rotterdam, Anvers et Bruxelles, vint à Paris où il se perfectionna. Puis il retourna en Suisse à pied en 1769. Marié en 1774 avec Katharina Hirzel, il séjourna dès lors en Suisse où son talent lui amena de nombreux élèves dont on cite : Johann Kaspar Huber, Heinrich Frendweiler. Veuf, il se remaria en 1785 avec Elisabetha Rollenbutz.
Il fut, en Suisse, avec J. L. Alberli, le précurseur du paysage romantique alpestre. La collection de la Société des Beaux-Arts de Zurich conserve de lui quelques paysages, *Vues du Rhône* et *Glaciers*. Il grava à l'eau-forte, et quelques œuvres de lui ont été gravées à l'aquatinte, notamment : *La cascade d'Erlenbach.*

Musées : Berne : *Baigneuses dans la forêt – Nymphes au bain.*

Ventes Publiques : Zurich, 31 mai 1965 : *La chasse à courre* : **CHF 8 000** – Cologne, 5 mai 1966 : *Paysage fluvial* : **DEM 3 800** – Genève, 24 avr. 1970 : *Paysages boisés animés de personnages*, deux pendants : **CHF 18 000** – Zurich, 12 nov. 1976 : *Paysages boisés animés de personnages* 1789, deux h/pan. (40,5x57,3) : **CHF 33 000** – Berne, 6 mai 1977 : *Paysages* 1793, h/pan., une paire (36,5x48,5 et 37x48,5) : **CHF 12 000** – Londres, 30 nov 1979 : *Vue de Lucerne* 1793, h/pan. (48,2x66,6) : **GBP 4 000** – Zurich, 15 mai 1981 : *Vue de Zurich* 1793, h/pan. (50x67) : **CHF 22 000** – Zurich, 25 mai 1984 : *La cascade d'Erlenbach* 1779, h/pan. (48x35,5) : **CHF 8 000** – Berne, 18 mai 1984 : *Paysage boisé* 1774, h/t (50x68,5) : **CHF 11 000** – Londres, 24 mai 1985 : *Scène de bord de rivière*, h/pan. (29,8x40) : **GBP 4 500** – Zurich, 2 juin 1994 : *Le retour*, h/t (33,5x48,5) : **CHF 5 750.**

WUST Wilhelm
Né à Francfort-sur-le-Main. XIXe siècle. Naturalisé en France. Allemand.
Peintre de portraits et miniaturiste.
Élève de Hébert et de Bonnat. Il débuta au Salon en 1869.

WUSTEN Hélène Van der
Née le 18 mars 1948 à Amsterdam. XXe siècle. Hollandaise.
Peintre, illustrateur, peintre de décors de théâtre.
Elle s'est formée à l'Académie de la ville de Maastricht, puis à l'Académie Rietvel d'Amsterdam. Elle vit et travaille à Maastricht. Elle expose à Amsterdam et à Maastricht.

WUSTENBERGH Jean Joseph
XIXe siècle. Actif à Malines dans la première moitié du XIXe siècle. Belge.
Peintre.

WUSYN. Voir **WUSSIN**

WU TA-CH'ENG. Voir **WU DACHENG**

WU T'AI-SU. Voir **WU DAISU**

WU TAN. Voir **WU DAN**

WU TAO ou **Wou T'ao** ou **Wu T'ao**, surnom : **Botao**, nom de pinceau : **Tiefu**
Né en 1840, originaire de Shimu, province du Zhejiang. Mort en 1895. XIXe siècle. Chinois.
Peintre de paysages.

Ventes Publiques : New York, 4 déc. 1989 : *Paysages*, encre/pap., album de huit feuilles (chaque 19,5x28) : **USD 1 320** – Hong Kong, 29 avr. 1993 : *Paysage*, kakémono, encre et pigments/pap. (176x92,5) : **HKD 59 800** – New York, 18 sep. 1995 : *Paysage*, kakémono, encre et pigments/pap. (251,5x121,9) : **USD 7 475.**

WU TAO-TZU. Voir **WU DAOZI**

WU TA-YÜ. Voir **WU DAYU**

WU THINGHUI ou **Wou T'ing-Houei** ou **Wu T'inghui**
Originaire de Wuxing, province du Zhejiang. XIVe siècle. Chinois.
Peintre.
Peintre de paysages en bleu et vert, de fleurs et d'oiseaux ; le National Palace Museum de Taipei conserve un de ses rouleaux en hauteur, à l'encre et couleurs légères sur soie, *La fête des bateaux-dragons.*

WU TING. Voir **WU DING**

WU TINGKANG ou **Wou T'ing-K'ang** ou **Wu T'ing-K'ang**, surnom : **Yuansheng**, noms de pinceau : **Zanfu, Kangfu, Jinzhai** et **Ruyun**
Originaire de Tougcheng, province du Anhui. XVIIIe siècle. Actif au milieu du XVIIIe siècle. Chinois.
Peintre.
Peintre de fleurs de prunier et d'épidendrons.

WU TINGYU ou **Wou T'ing-Yu** ou **Wu T'ing-Yü**, surnom : **Zuoqian**
Originaire de Xiuning, province du Anhui. XVIIe siècle. Actif dans la première moitié du XVIIe siècle. Chinois.
Peintre.
Peintre de figures et de paysages dans le style de Ding Yunpeng (actif vers 1584-1638).

WUTKY Michael
Né en 1739 à Krems. Mort le 23 septembre 1823 à Vienne. XVIIIe-XIXe siècles. Autrichien.
Peintre de paysages animés, paysages, paysages d'eau, architectures.
Il fut élève de l'Académie des Beaux-Arts de Vienne.

M Wutky

M. Wutky M. Wutky

Musées : Budapest : *Paysage maritime avec rochers* – Varsovie : *Paysage près de Naples – Paysage près de Rome* – Vienne (Gal. Harrach) : *Lac d'Averne – Éruption du Vésuve.*

Ventes Publiques : Vienne, 30 nov. 1976 : *Éruption du Vésuve, la nuit*, h/t (135x118) : **ATS 45 000** – Vienne, 14 sep. 1983 : *Paysage boisé escarpé animé de personnages*, h/t (77x62,5) : **ATS 80 000** – Londres, 20 mai 1993 : *Vue de Tivoli*, h/t (137,5x253,5) : **GBP 28 750** – Londres, 18 juin 1993 : *Capriccio du Colisée dans un paysage italien animé*, h/t (100x138) : **GBP 11 500.**

WU TSAI-YEN. Voir **WU ZAIYAN**

WU TSO-JÊN. Voir **WU ZUOREN**

WU-TSUNG MING. Voir **WUZONG MING**

WU TSUNG-YÜAN. Voir **WU ZONGYUAN**

WUTTKE Carl

Né le 3 janvier 1849 à Tretnitz. Mort le 4 juillet 1927 à Munich (Bavière). XIXe-XXe siècles. Allemand.

Peintre de paysages, sujets orientaux.

De 1871 à 1873, il fut élève de l'Académie de Berlin et de Omaglio à Munich. En 1880, il continua ses études avec Eugen Ducker à Düsseldorf. En 1885, il s'établit à Munich. Il voyagea en Italie et visita Naples.

C. Wuttke.

Ventes Publiques : Berne, 25 nov. 1976 : *Vue du Caire*, h/cart. (42x60) : **CHF 1 800** – Londres, 28 nov. 1984 : *Les Pyramides* 1907, h/t (57x84,4) : **GBP 1 800** – New York, 23 mai 1990 : *La place du marché* 1884, h/t (81,3x64,3) : **USD 11 000** – Londres, 17 nov. 1995 : *Place de la « Bocca della verita » à Rome* 1883, h/t (65,5x100,5) : **GBP 16 100** – Rome, 5 déc. 1995 : *Paysage*, h/cart. (14x20,5) : **ITL 1 414 000**.

WU TUNG-CH'ING. Voir **WU DONGQING**

WUTZER Matthias. Voir **WURZER**

WU TZŬ. Voir **WU ZI**

WUUREN J. Van

Né au XIXe siècle à Molenaarsgraaf. XIXe siècle. Hollandais.

Peintre de paysages.

Élève de M. J. Van der Weele. Il figura aux expositions de Paris ; mention honorable en 1900 (Exposition Universelle).

WU WEI ou **Wou Wei**, surnom : **Shiyin,** nom de pinceau : **Lufu** ; plus tard**,** surnom : **Ziweng**, nom de pinceau : **Xiaoxian**

Né en 1459, originaire de Jiangxia, province du Hubei. Mort en 1508. XVe siècle. Chinois.

Peintre de sujets de genre, portraits, paysages animés, paysages, paysages d'eau, dessinateur.

Wu Wei est, avec Dai Jin (1388-1462), l'un des rares représentants de la peinture professionnelle de l'époque Ming, c'est-à-dire l'école de Zhejiang, dont le nom et l'œuvre ait survécu en dépit de l'anathème des peintres lettrés. À partir du XVIIe siècle, en effet, la peinture professionnelle cessera d'être une composante significative du monde pictural chinois et ne se perpétuera plus qu'au niveau d'un artisanat relativement anonyme. Mais le discrédit dans lequel tombera ultérieurement l'école du Zhejiang ne doit pas faire oublier qu'elle connaît son heure de gloire. On ne possède que quelques indications schématiques sur la biographie de Wu Wei ; il fait carrière dans l'Académie Impériale, sous le règne de deux empereurs successifs, Xianzong et Xiaozong et les historiographes lui attribuent une forte propension au vin et à la fréquentation des courtisanes ainsi qu'une surprenante rapidité d'exécution.

Son art est à la fois un dérivé et un développement de celui de Dai Jin et il va beaucoup plus loin dans le sens de l'audace simplificatrice : la vigueur frénétique et la célérité de son pinceau transcendent avec superbe le prétexte anecdotique de ses scènes de genre et ses personnages, réduits d'une façon fruste et abrupte à quelques traits nerveux, explosent d'une vitalité qui les portent au bord de la caricature. La critique lettrée lui reprochera évidemment le caractère trop explicite et agressif de ses peintures et la vulgarité de ses sujets. Wu Wei possède d'ailleurs plusieurs manières, la plus courante comprenant de grands paysages à effet, avec figures, peints à l'encre sur soie.

Bibliogr. : J. Cahill : *La peinture chinoise*, Genève, 1960 – P. Ryckmans : *Tai Tsin et Wou Wei*, in : *Encyclopaedia Universalis*, vol. 15, Paris, 1973.

Musées : Boston (Mus. of Fine Arts) : *Homme assis contemplant un arbre*, signé – Londres (British Mus.) : *Dame Lao Yu et le phénix Luan* – Pékin (Mus. du Palais) : *Homme assis sur le sol et lisant en s'appuyant sur un buffalo*, coul. sur soie, signé – Shanghai : *Le poète Lin Hejing*, coul. sur soie, rouleau en hauteur – Stockholm (Nat. Mus.) : *Pêcheurs tirant leurs filets*, encre et coul. sur pap., rouleau en longueur signé – *Quatre vues de ruisseaux et de rivières*, feuilles d'album dont l'une est signée – Taipei (Nat. Palace Mus.) : *Montagnes enneigées*, encre sur soie, rouleau en hauteur – *Immortel avec son serviteur et une grue*, signé – *Un Immortel avec une fougère*, signé.

Ventes Publiques : New York, 31 mai 1990 : *Personnages, eau et buffle*, encre/soie, cinq pages d'album assemblées en makémono (chaque 27,7x51) : **USD 14 300** – New York, 29 nov. 1993 : *Érudit jouant du qin sous un pin*, kakémono, encre/pap. (27,9x48,9) : **USD 25 300**.

WU WEIYE ou **Wou Wei-Ye** ou **Wu Wei-Yeh'**, surnom : **Jungong**, nom de pinceau : **Meicun**

Né en 1609, originaire de Taicang, province du Jiangsu. Mort en 1671. XVIIe siècle. Chinois.

Peintre de paysages.

Poète célèbre et peintre de paysages, il est l'auteur d'un poème descriptif, intitulé, *Les neuf amis de la peinture*, et qui se réfère à Dong Qichang, Li Liufang, Yang Wencong, Cheng Jiasui, Zhang Xuezeng, Bian Wenyu, Shao Mi, Wang Shimin, et Wang Jian.

Musées : Paris (Mus. Guimet) : *Studio dans les grands arbres au pied d'une montagne*, colophon du peintre – Pékin (Mus. du Palais) : *Jours d'été dans les montagnes* – Taipei (Nat. Palace Mus.) : *Paysage de rivière* signée et datée 1658, feuille d'album.

Ventes Publiques : New York, 4 déc. 1989 : *Pluie de printemps ou le Lac du canard mandarin*, makémono, encre/pap. (24,5x144) : **USD 9 900**.

WU WENZHENG ou **Wou Wen-Tcheng** ou **Wu Wên-chêng**, surnom : **Nanxiang**

Originaire de Xiexian, province du Anhui. XIXe siècle. Actif vers 1820. Chinois.

Peintre de paysages, fleurs.

Peintre de paysages dans le style des maîtres Yuan et de fleurs dans celui de Shen Zhou (1427-1509).

Ventes Publiques : New York, 6 déc. 1989 : *Chutes d'eau dans les collines verdoyantes*, kakémono, encre et pigments/pap. (181,6x95,6) : **USD 2 200**.

WU XIAO

XVIIe siècle. Chinois.

Peintre de sujets de genre, dessinateur.

Ventes Publiques : New York, 4 déc. 1989 : *Érudit transporté en palanquin sur un sentier de montagne*, kakémono, encre et pigments/pap. (91x75,5) : **USD 9 350**.

WU XIAO ou **Wou Siao** ou **Wu Hsiao**, surnoms : **Sugong** et **Bingxian**, nom de pinceau : **Pianxia**

Originaire de Suzhou, province du Jiangsu. XVIIIe siècle. Chinoise.

Peintre d'animaux, fleurs.

Femme de Xu, elle peint des fleurs et des oiseaux.

WU XINLAI ou **Wou Sin-Lai** ou **Wu Hsin-Lai**, surnom : **Tiansheng**, nom de pinceau : **Wangluzi**

Originaire de Xiexian, province du Anhui. XVIIIe siècle. Actif vers 1730-1750. Chinois.

Peintre.

Peintre de figures et de paysages.

WU XIZAI ou **Wou Hi-Tsai** ou **Wu Hsi-Tsai**, de son vrai nom : **Tingyang**, surnom : **Rangzhi**, nom de pinceau : **Wanxiang Jushi**

Né en 1799, originaire de Yisheng, province du Jiangsu. Mort en 1870. XIXe siècle. Chinois.

Peintre.

Peintre de fleurs.

WU XUANSAN ou **Wu A-Sun** ou **Wu Hsuan-San**

Né en 1942 à Taïwan. XXe siècle. Chinois.

Peintre de compositions.

Il s'est d'abord formé à l'Université Nationale Normale de Taiwan, a poursuivi ses études à l'École San Fernando de Madrid (1973). Depuis 1980, il effectue des séjours à New York, Taipei et dans différentes villes méditerranéennes. Il montre ses œuvres en Chine, au Japon, aux États-Unis, en Espagne, et au Brésil.

Les peintures de Xuansan Wu mêlent des influences expressionnistes et fauvistes. Ses portraits débordent les marges du tableau, se rappellent selon plusieurs perspectives, sont vigoureusement brossés et colorés. Il peint également des paysages.

Musées : Japon (Mus. en Plein Air Hakone) – Japon (Mus. des Arts du XXe siècle Ikeda) – Madrid (Mus. de l'Acad. roy.) – Nouvelle Zélande (Mus. d'Art Mod.) – São Paulo (Mus. d'Art Mod.) – Tennessee.

Ventes Publiques : Hong Kong, 30 mars 1992 : *Homme et femme* 1991, h/t (91x116,5) : **HKD 264 000** – Taipei, 22 mars 1992 : *Oasis* 1991, h/t (98,3x117,4) : **TWD 880 000** – Taipei, 18 oct. 1992 :

Portrait 1981, h/t (72,8x60,5) : **TWD 418 000** – TAIPEI, 18 avr. 1993 : *Yeliu*, h/t (41x53) : **TWD 253 000** – TAIPEI, 10 avr. 1994 : *Ruelle* 1979, h/t (48,5x38,5) : **TWD 230 000** – TAIPEI, 15 oct. 1995 : *Symphonie de l'aube* 1967, h/t (90,5x117) : **TWD 517 500** – TAIPEI, 14 avr. 1996 : *Image de Taipei* 1966, collage de pap. et h/t (65,2x80,5) : **USD 172 500**.

WU YI ou **Wou I** ou **Wu I**, surnom : **Suyou**
XVIIe siècle. Chinois.
Peintre.
Disciple de Dong Qichang (1555-1636) dont le National Palace Museum de Taipei conserve un paysage signé et accompagné d'un poème daté 1638. Il était actif à Shanghai vers 1638.

WU YILIN ou **Wou I-Lin** ou **Wu I-Lin**, surnom : **Shengzheng**
Originaire de Changshu, province du Jiangsu. XVIIIe siècle. Chinois.
Peintre.
Peintre de fleurs et d'oiseaux dans le style de Ma Yuanyu, dont le British Museum de Londres conserve une œuvre : *Trois pivoines et un martin-pêcheur.*

WU YINGZHEN ou **Wou Ying-Tchen** ou **Wu Ying-Chên**, surnom : **Hanwu**
Originaire de Wujiang, province du Jiangsu. XVIIIe siècle. Active à la fin du XVIIIe siècle. Chinoise.
Peintre.
Femme peintre de fleurs et de portraits, dont le Musée du Palais de Pékin conserve une œuvre en couleurs et encre sur papier, signée et datée 1780 (?), *Fleurs de lotus sortant de l'eau.*

WU YIXIAN ou **Wou I-Sien** ou **Wu I-Hsien**, surnom : **Xianzhou**
XVIe siècle. Actif probablement dans la première moitié du XVIe siècle. Chinois.
Peintre.
Peintre non mentionné dans les biographies d'artistes, mais dont le British Museum de Londres conserve une œuvre signée, *Tempête, bateaux à l'abri d'une rive rocheuse.*

WU YONGXIANG ou **Wou Yong-Siang** ou **Wu Yung-Hsiang**
Né en 1913 dans la province du Fujian. XXe siècle. Chinois.
Peintre. Traditionnel.
Peintre de l'école traditionnelle lettrée, il fait ses études en 1934, à Pékin sous la direction de Qi Baishi (1863-1957) et de Pu Xinyu. Il travaille aussi avec Huang Binhong et Zhang Daqian. Il est actif dans le nord de la Chine.

WU YÜAN-CHIH. Voir **WU YUANZHI**

WU YUANKAI ou **Wou Yuan-K'ai** ou **Wu Yüan-K'ai**, surnom : **Xinsheng**
Originaire de Suzhou. XIXe siècle. Actif au milieu du XIXe siècle. Chinois.
Peintre.
Élève de Zhai Jichang (actif vers 1790-1817), il peint des fleurs, des épidendrons, des rochers et des paysages.

WU YUANYU ou **Wou Yuan-Yu** ou **Wu Yüan-Yü**, surnom : **Gongqi**
Originaire de Kaifeng, province du Henan. XIe-XIIe siècles. Actif vers 1080-1104. Chinois.
Peintre.
Disciple de Cui Bo (seconde moitié du IXe siècle), il peint des fleurs et des oiseaux.

WU YUANZHI ou **Wou Yuan-Tche** ou **Wu Yüanchih**, nom de pinceau : **Shanfu**
XIIe siècle. Actif sous la dynastie Jin, à la fin du XIIe siècle. Chinois.
Peintre.
Lettré et haut fonctionnaire, il est connu comme peintre par une œuvre conservée au National Palace Museum de Taipei, rouleau en longueur, à l'encre sur papier, *La falaise rouge*, illustration de l'*Ode à la falaise rouge* de Su Dongpo, dont le texte est calligraphié avec la peinture par le calligraphe Jin, Zhao Bingwen et daté 1228. Pendant longtemps, on a attribué cette œuvre au peintre Zhu Rui, de la dynastie des Song du Nord, mais les écrits d'un lettré de la même époque, Yuan Haowen (1190-1257), retrouvés récemment, ont permis de la restituer à son véritable auteur, tout du moins de la lui attribuer avec plus de vraisemblance.

WU YUN ou **Wou Yun**, surnom : **Youyun**
Né en 1375 à Yixing. XVe siècle. Chinois.
Peintre de paysages.

WU YUN ou **Wou Yun**, surnoms : **Yema** et **Qiunan**
Originaire de Xiexian, province du Anhui. XVIIIe siècle. Chinois.
Peintre de paysages.
Il fut également poète.

WU YUN
Né en 1811. Mort en 1883. XIXe siècle.
Peintre d'animaux, paysages, fleurs, dessinateur.
VENTES PUBLIQUES : NEW YORK, 31 mai 1989 : *Éclaircie sur le col de Xianxia* 1854, makémono, encre/pap. (30,8x125,7) : **USD 5 500** – NEW YORK, 16 juin 1993 : *Chrysanthèmes échevelés et crabes* 1863, kakémono, encre et pigments/pap. (108x39,4) : **USD 1 495**.

WU YUNG-HSIANG. Voir **WU YONGXIANG**

WU ZAIYAN ou **Wou Tsai-Yen** ou **Wu Tsai-Yen**
Originaire de Nanan, province du Fujian. XXe siècle. Chinois.
Peintre.
Après des études à Shanghai, il est actif surtout à Hong Kong et en Malaisie. Il est spécialiste de peinture au doigt.

WUZER Johann Matthias ou **Wurzer**
Né en 1760 à Siegsdorf. Mort le 19 avril 1838 à Salzbourg. XVIIIe-XIXe siècles. Autrichien.
Peintre de fleurs et portraits.
Élève de K. A. Zircher à Salzbourg. Le Musée Municipal de cette ville conserve de lui des natures mortes, des raisins et trente-trois représentations de fleurs. Ne pas confondre avec son homonyme classé à WURZER.

WUZER Matthias. Voir **WURZER**

WU ZHAO ou **Wou Tchao** ou **Wu Chao**, surnom : **Zhaonan**, nom de pinceau : **Boan**
XVIIIe siècle. Actif à la fin de la période Qianlong (1736-1796). Chinois.
Peintre.
Poète et peintre de paysages et de figures, particulièrement connu pour ses peintures d'orchidées et de bambous.

WU ZHEN ou **Wou Tchen** ou **Wu Chên**, surnom : **Zhonggui**, nom de pinceau : **Meihua Daoren**
Né en 1280, originaire de Jiaxing, province du Zhejiang. Mort en 1354. XIVe siècle. Chinois.
Peintre de paysages, paysages d'eau, fleurs, dessinateur, calligraphe.
Poète, calligraphe et peintre, Wu Zhen est considéré comme l'un des Quatre Grands Maîtres de la dynastie Yuan, mais nous connaissons peu de choses sur sa vie et ses activités artistiques. Taoïste pratiquant et confucianiste érudit, il apparaît au travers de ses poèmes et de ceux de ses amis comme un homme religieux, désintéressé et indépendant. Il gagne sa vie en pratiquant l'astrologie et vers la fin de sa vie, en vendant aussi sa peinture, mais s'il évite la vie publique, dans la Chine mongole des Yuan, et semble à l'aise dans sa pauvreté, c'est moins par opportunisme que par tempérament. D'après une anecdote célèbre, sans doute apocryphe, les gens vont nombreux acheter la peinture de son voisin, le peintre Sheng Mao tandis que lui vit dans le dénuement ce dont sa femme se plaint amèrement ; il lui répond d'avoir confiance car d'ici vingt ans les choses s'inverseront : c'est exactement ce qui se passera. Homme solitaire, il préfère la compagnie de sa gourde de vin et de quelques fleurs de prunier à celle d'amis tels que Huang Gongwang, Ni Zan ou Wang Meng ; sa maison est baptisée, la *Chaumière sur les ondes printanières.*
Dans un style d'une douceur tranquille, il peint des bambous et des paysages qu'il accompagne souvent de poèmes de sa composition, et prend pour décor le Jiangnan, où il vit, région humide et plate, rompue par de petites collines et sillonnée de mille cours d'eau. Sa manière est aussi peu prétentieuse que ses thèmes ; une certaine fantaisie, toujours contenue, y introduit parfois une note enjouée, toujours détendue et apaisante. Une profusion de points adoucissent les formes et leur donnent une texture proche de celle du sol, tandis que dans la stylisation des

arbres et des rochers on sent l'influence de Dong Yuan et Juran, grands paysagistes du xe siècle. Son œuvre la plus connue, *Pêcheurs*, peint en 1342, est une suite de variations sur le thème très simple du pêcheur dans son embarcation, simples amateurs qui dorment, admirent le paysage, fredonnent tout en s'adonnant à leur passe-temps favori ; au centre, trois collines aux cônes presque parfaits et plus loin, des alignements de hauteurs semblables qui s'élèvent et s'abaissent régulièrement, à la façon de vagues, conférant à la configuration du sol un rythme assez fascinant. Ses bambous sont souvent représentés en petites branches, par touches sommaires, avec toute la virtuosité que le pinceau et l'encre peuvent dégager pour traduire la souplesse et la grâce des tiges et les pointes effilées des feuilles proches et lointaines. Sa maîtrise technique de l'encre s'explique par son talent de calligraphe : son écriture de style herbiforme s'inspire de celui de Huaisu, de la dynastie Tang. Le *Recueil des écrits du Taoïste des fleurs de prunier*, édité au xve siècle, rassemblera tous ses poèmes, ses inscriptions et ses réflexions sur l'art. ■ M. M.

Bibliogr. : J. Cahill : *La peinture chinoise*, Genève, 1960 – M. M. Chin Wou Tchen, in : *Encylopaedia Universalis*, vol. 16, Paris, 1973.

Musées : Boston (Mus. of Fine Arts) : *Bambous dans le vent, poème du peintre* – Paris (Mus. Guimet) : *Bambous*, feuille d'album signée – Pékin (Mus. du palais) : *Pêcheur dans son bateau, près de la rive dans les roseaux*, encre sur soie, poème du peintre – *Le haut d'une branche de bambou au-dessus d'une pierre*, longue inscription du peintre en écriture cursive – Shanghai : *Le haut de deux branches de bambou*, inscription du peintre – Taipei (Nat. Palace Mus.) : *Rivière à l'aube printanière*, encre sur soie, rouleau en hauteur – *Les deux cèdres sur une rive pierreuse* daté 1328, encre sur soie, rouleau en hauteur – *Une montagne parmi les montagnes* daté 1336, encre sur pap., rouleau en longueur – *Paysage de rivière dans l'aube printanière*, encre sur soie, rouleau en hauteur – *Pêcheur ermite sur le lac Dongting* daté 1341, encre sur pap., rouleau en hauteur – *Le vieux pêcheur* daté 1342, encre sur soie, rouleau en hauteur – *Bambou et rocher*, encre sur pap., rouleau en hauteur – *Album de vingt-deux feuilles* daté 1350, bambous à l'encre – *Pousse de bambou*, encre sur pap., rouleau en hauteur – *Barque de pêcheur sur une rivière à l'automne*, encre sur soie, rouleau en hauteur – *Arbres épars et montagnes lointaines*, encre sur pap., feuille d'album – *Fleurs de prunier et bambous* 1335-1407, rouleau en longueur, encre sur pap., peint avec Wang Mian – *Ruisseau et montagne* daté 1342, encre sur pap., rouleau en hauteur – Washington D. C. (Freer Gal. of Art) : *Pêcheurs* daté 1342, encre sur pap., rouleau en longueur, colophon daté 1352 – *Rocher abrupt au bord de l'eau, deux hommes dans un bateau* signé et daté 1342, feuille d'album – *Légère branche de bambou dans le vent*, colophon du peintre daté 1350.

Ventes Publiques : New York, 22 sep. 1997 : *Bambou et rocher*, encre/pap. (84,5x34,3) : **NLG 82 250**.

WU ZHEN ou **Wou Tchen** ou **Wu Chên**, surnom : **Zhenzhi**, nom de pinceau : **Zhuku**
Originaire de Huating, province du Jiangsu. xviie siècle. Actif vers 1610. Chinois.
Peintre de paysages. École de Yunjian.

WU ZHENG
Né en 1878. Mort en 1949. xxe siècle. Chinois.
Peintre de paysages animés, paysages, natures mortes, fleurs. Traditionnel.

Ventes Publiques : New York, 2 juin 1988 : *Paysage*, encre/pap., kakémono (106,5x23) : **USD 1 760** – Hong Kong, 17 nov. 1988 : *Paysage* 1931, encre et pigments/pap., kakémono (105,2x53) : **HKD 30 800** – Hong Kong, 18 mai 1989 : *Paysage* 1921, encre/pap., kakémono (148,7x39) : **HKD 24 200** – New York, 6 déc. 1989 : *Nature morte* 1944, encre et pigments/pap., kakémono (102,9x45,4) : **USD 1 100** – New York, 31 mai 1990 : *Paysage*, encre/pap., kakémono (101x50,2) : **USD 1 430** – Hong Kong, 15 nov. 1990 : *Paysage de Jiangnan* 1944, encre et pigments/pap., kakémono (135,5x67,7) : **HKD 33 000** – New York, 26 nov. 1990 : *Nature morte avec des pivoines* 1946, encre et pigments/pap., kakémono (105x33) : **USD 1 540** – Hong Kong, 2 mai 1991 : *Paysage* 1923, encre/pap., kakémono (132,1x65) : **HKD 19 800** – New York, 29 mai 1991 : *Paysage*, encre/pap., kakémono (101,6x51,4) : **USD 2 200** – Hong Kong, 31 oct. 1991 : *Narcisses et rochers* 1948, encre et pigments/pap., makémono (55x132,5) : **HKD 35 200** – New York, 25 nov. 1991 : *Prunus verts et rochers*, encre et pigments/pap. (48,2x91) : **USD 3 025** – Hong Kong, 30 mars 1992 : *Ermite au creux d'un arbre*, encre et pigments/pap., kakémono (135x50,5) : **HKD 35 200** – Hong Kong, 29 oct. 1992 : *Bodhidharma*, encre et pigments/pap., kakémono (150,5x80,5) : **HKD 66 000** – New York, 29 nov. 1993 : *Bananier et roses* 1948, encre et pigments/pap., kakémono (109,9x52,4) : **USD 1 265** – Hong Kong, 3 nov. 1994 : *Pipa et fleurs* 1917, encre et pigments/pap., kakémono (134x66,5) : **HKD 34 500** – Hong Kong, 29 avr. 1996 : *Pics s'élevant comme des tours vers le ciel*, encre et pigments/pap., kakémono (149x55) : **HKD 29 900**.

WU ZHUFENG ou **Wou Tchou-Feng** ou **Wu Chufeng**
Né en 1918 dans la province du Jiangsu. xxe siècle. Chinois.
Peintre.
Peintre de l'école moderne qui a fait ses études à l'Académie de Hangzhou.

WUZHUN HESHANG ou **Wou-Chouen Ho-Chang** ou **Wu-Chun Ho-Shang**, de son vrai nom : **Yong**, nom personnel : **Shifan**
Né vers 1175, originaire de Zidong, province du Sichuan. Mort en 1249. xiiie siècle. Chinois.
Peintre.
Moine peintre au temple Jingshan, il serait le maître de Muqi (mi-xiiie siècle). L'empereur Lizong des Song (1225-1264) lui attribue le nom de pinceau de *Fojian chanshi*.

WU ZHUO ou **Wou Tcho** ou **Wu Cho**, surnom : **Qiming**
Originaire de Huating, province du Jiangsu. xviie siècle. Actif à la fin de la dynastie Ming, dans la première moitié du xviie siècle. Chinois.
Peintre de paysages animés, paysages, dessinateur.

Ventes Publiques : New York, 26 nov. 1990 : *Voyageurs dans un paysage*, encre et pigments/soie, kakémono (101x54) : **USD 2 750**.

WU ZI ou **Wou Tseu** ou **Wu Tzŭ**, surnom : **Jizhi**, noms de pinceau : **Shanzun, Yian, Nanyu Shanqiao**
Né en 1755, originaire de Quanjiao, province du Anhui. Mort en 1821. xviiie-xixe siècles. Chinois.
Peintre.
Poète et peintre de paysages dans le style de Wang Yuanqi (1642-1715) ; il peint aussi des fleurs.

WU ZI ou **Wou Tseu** ou **Wu Tzŭ**, surnom : **Shengyu**
Originaire de Wujin, province du Jiangsu. xixe siècle. Actif vers 1860. Chinois.
Peintre de fleurs et d'oiseaux.

WU ZISHEN
Né en 1894. Mort en 1972. xxe siècle. Chinois.
Peintre de paysages. Traditionnel.

Ventes Publiques : Hong Kong, 17 nov. 1988 : *Lettrés dans un paysage* 1938, kakémono, encre/pap. (108,5x40,7) : **HKD 16 500** – New York, 31 mai 1989 : *Pin et bambous* 1955, kakémono, encre/pap. (144,2x76,2) : **USD 1 650** – Hong Kong, 15 nov. 1990 : *Paysage* 1944, kakémono, encre et pigments/pap., d'après Huang Gongwang (83,8x43,2) : **HKD 30 800** – Hong Kong, 2 mai 1991 : *Paysage enneigé* 1945, kakémono, encre et pigments/pap. (93,5x43,5) : **HKD 19 800** – Hong Kong, 5 mai 1994 : *Paysage d'après Wang Meng* 1947, encre/pap. doré, éventail (18,5x47,2) : **HKD 27 600**.

WUZONG MING ou **Wou-Tsong Ming** ou **Wutsung Ming**
xvie siècle. Chinois.
Peintre.
Empereur de 1506 à 1521. Le National Palace Museum de Taipei conserve un rouleau en hauteur, à l'encre et couleurs légères sur soie, *En effrayant une cigale*, qui lui a pendant longtemps été attribué, mais qui s'avère être l'œuvre de Li Ao, artiste obscur de l'Académie de Peinture sous le règne de Wuzong.

WU ZONGYUAN ou **Wou Tsong-Yuan** ou **Wu Tsung-Yuan**, de son vrai nom : **Zongdao**, nom de pinceau : **Zongzhi**
Originaire de Baibo, province du Henan. Mort en 1035. xie siècle. Actif au début du xie siècle. Chinois.
Peintre.
Peintre de figures bouddhistes et taoïstes dans le style de Wu Daozi et de Wang Guang.

WU ZUOREN ou **Wou Tso-Jen** ou **Wu Tso-Jên**, appelé aussi : **Sogene Ou**
Né en 1908 à Suzhou (province de l'Anhui). xxe siècle. Chinois.
Peintre de paysages. Traditionnel.
Il fut, très jeune, attiré par la peinture et commença sa formation

artistique au Collège Industriel de Suzhou dans la section architecture. En 1927 il entra à l'Académie d'Art de Shanghai jusqu'en 1929, puis à l'Université de Nankin où il travailla sous la direction de Xu Beihong. Encouragé par son maître, il partit pour l'Europe en 1930 et entra, à Paris, à l'École Nationale des Beaux-Arts (1930-1931) et travailla dans l'atelier de Simon, puis à Bruxelles dans celui de Alfred Bastien à l'Académie Royale des Beaux-Arts (1931-1935). Pendant son séjour européen il visita les musées d'Allemagne, d'Autriche, d'Angleterre et d'Italie. En 1935, de retour en Chine, il devint professeur à l'Université Centrale de Pékin, sous la direction de Xu Beihong, puis, à partir de 1946, à l'Académie Nationale de Pékin dont il prend la tête à la mort de Xu Beihong, en 1953. Il est également vice-président de l'Association des Beaux-Arts de Chine.

Inspiré par la guerre, il réalisa des peintures qui figurèrent dans l'exposition *La Chine combattante* au Musée d'Art Moderne de New York. Il pratique un style académique occidental, mais aussi la peinture au lavis. Ses études à l'huile et à l'aquarelle, académiques et figuratives, révèlent toutefois une certaine fraîcheur, peu coutumière dans les compositions de cette école. Wu Zuoren est considéré comme l'une des principales figures de la peinture chinoise contemporaine.

Bibliogr. : M. Sullivan : *Chinese Art in the XXth Century*, Londres, 1959 – in : catalogue de l'exposition *Peintres traditionnels de la République populaire de Chine*, galerie Daniel Malingue, Paris, 1980 – in : *Dictionnaire de l'art moderne et contemporain*, Hazan, Paris, 1991.

Ventes Publiques : Hong Kong, 12 jan. 1987 : *Poissons rouges parmi les nénuphars*, encre et coul., kakémono (20,4x16,4) : **HKD 40 000** – Hong Kong, 17 nov. 1988 : *Grues* 1962, encre et pigments/pap., kakémono (81x46,5) : **HKD 39 600** ; *Yaks dans le désert*, encre et légers reh. de coul./pap. (68,6x43,8) : **HKD 104 500** – Hong Kong, 16 jan. 1989 : *Poissons rouges et Lotus*, encre et pigments/pap., kakémono (57,1x34,8) : **HKD 52 800** – Hong Kong, 18 mai 1989 : *Chameaux*, encre/pap. (64x87,3) : **HKD 104 500** – Hong Kong, 15 nov. 1989 : *Sujets animaliers variés* 1976, encre et pigments/pap., série de six œuvres (chaque 33x43,5) : **HKD 198 000** – Hong Kong, 15 nov. 1990 : *Poissons rouges*, encre et pigments/pap., kakémono (28,5x97,7) : **HKD 66 000** – New York, 26 nov. 1990 : *Poisson* 1972, encre et pigments/pap., kakémono (67,9x46) : **USD 3 300** – Hong Kong, 30 mars 1992 : *Chameaux*, encre/pap., makémono (56,6x127,2) : **HKD 198 000** – Hong Kong, 28 sep. 1992 : *Crépuscule sur le plateau* 1944, h/t (41,8x49,6) : **HKD 121 000** – Hong Kong, 22 mars 1993 : *Animaux, oiseaux et poissons* 1983, encre et pigments/pap., album de huit feuilles (chaque 34x42,5) : **HKD 172 500** – New York, 16 juin 1993 : *Chameaux se rassemblant*, encre et pigments/pap. (44,5x68,6) : **USD 9 775** – Hong Kong, 5 mai 1994 : *Animaux* 1979, encre et pigments/pap., album de huit feuilles (chaque 36,5x41,5) : **HKD 126 500** – Hong Kong, 4 mai 1995 : *Poissons rouges* 1983, encre et pigments/pap. (61,6x41) : **HKD 55 200** – Hong Kong, 29 avr. 1996 : *Cygnes noirs* 1982, encre et pigments/pap. (84x69) : **HKD 161 000** – Hong Kong, 4 nov. 1996 : *Poissons rouges* 1973, encre et pigments/pap. (60x46,2) : **HKD 115 000** – Hong Kong, 28 avr. 1997 : *Chameaux dans le désert* 1985, encre et pigments/pap., kakémono (136,5x68) : **HKD 184 000**.

WY. Voir aussi **WIJ**

WYANDT Ludwig. Voir **WEYANDT**

WYANT Alexander Helwig

Né le 11 janvier 1836 à Port Washington. Mort le 29 novembre 1892 à New York. XIXe siècle. Américain.

Peintre de sujets de genre, paysages animés, paysages, paysages d'eau, paysages de montagne. École de l'Hudson (Hudson River School).

Il figura aux expositions du Salon des Artistes Français de Paris, obtenant une mention honorable en 1889, pour l'Exposition Universelle.

Fruit de ses longs séjours en Europe, il développe une technique proche de celle de l'École de Barbizon. Bien que son œuvre fût plus répétitive et moins vigoureuse que celle d'Inness, il était néanmoins une des figures représentatives des dernières années de l'Hudson River School.

Musées : Boston – Brooklyn – Buffalo – Chicago – Cincinnati – Cleveland – Detroit – Minneapolis – New York – Pittsburgh – Saint Louis – Toledo – Washington D. C. – Worcester.

Ventes Publiques : Paris, 23 avr. 1897 : *L'étang, effet du soir* : **FRF 420** – Paris, 1900 : *La maison abandonnée* : **FRF 2 375** ; *La dernière lumière* : **FRF 4 750** ; *Les bouleaux blancs* : **FRF 4 500** – New York, 9 avr. 1929 : *Paysage d'été* : **USD 3 000** – New York, 20 fév. 1930 : *Paysage* : **USD 800** – New York, 7-8 déc. 1933 : *Les ombres qui passent* : **USD 1 100** – New York, 4 mars 1937 : *Solitude* : **USD 800** – New York, 21 oct. 1937 : *Pâturages de montagne* : **USD 700** – New York, 14 oct. 1943 : *Jour de novembre* : **USD 650** – New York, 20 fév. 1946 : *Shady Nook* : **USD 750** – Paris, 23 déc. 1949 : *Crépuscule* : **FRF 5 000** – New York, 27 jan. 1965 : *Le lac de montagne* : **USD 2 700** – New York, 13 mai 1966 : *Sous-bois* : **USD 1 750** – New York, 16 mars 1967 : *Paysage* : **USD 1 700** – New York, 24 oct. 1968 : *Sous-bois* : **USD 3 300** – New York, 28 jan. 1970 : *L'embouchure de la rivière* : **USD 10 500** – New York, 7 avr. 1971 : *Nuages* : **USD 6 000** – New York, 19 oct. 1972 : *In the Catskills* : **USD 7 000** – New York, 28 sep. 1973 : *La clairière* : **USD 2 250** – New York, 16 oct. 1974 : *Paysage fluvial* 1869 : **USD 1 600** – New York, 29 avr. 1976 : *Mouth of the Ausable river* 1872, h/t (37,5x63,5) : **USD 12 000** – Los Angeles, 8 nov. 1977 : *The White Mountains of New Hampshire* vers 1860, h/t (58,4x81,2) : **USD 5 000** – New York, 24 oct 1979 : *Ausable river* 1872, h/t (38x64) : **USD 16 000** – New York, 7 avr. 1982 : *Paysage de printemps*, aquar. (45,9x61,2) : **USD 2 600** – New York, 28 sep. 1983 : *Ivy* 1869, cr. (17x20,5) : **USD 800** – New York, 23 juin 1983 : *Paysage fluvial*, h/t (91,5x152,4) : **USD 52 000** – New York, 26 oct. 1984 : *Around the country door*, aquar. (30,5x40) : **USD 4 250** – New York, 24 juin 1988 : *Le soir*, h/t (27,5x40,7) : **USD 2 750** – New York, 24 jan. 1989 : *Paysage d'été*, h/pan. (29,5x48,2) : **USD 5 500** – New York, 25 mai 1989 : *La rivière Tang dans le New Brunswick*, h/t/cart. (52,1x77,5) : **USD 11 000** – New York, 28 sep. 1989 : *Chasseur matinal* 1879, h/t (48x37,5) : **USD 4 950** – New York, 16 mars 1990 : *Un jour gris*, h/t (30,5x40,5) : **USD 3 300** – New York, 30 mai 1990 : *Vaches au pâturage au bord d'une rivière*, h/t (35x60,3) : **USD 7 150** – New York, 26 sep. 1990 : *La fin de l'été*, h/t (72,4x90,2) : **USD 25 300** – New York, 30 nov. 1990 : *Vue sur la rivière*, h/t (44x36,5) : **USD 7 700** – New York, 22 mai 1991 : *La pêche au bord d'un ruisseau*, h/cart. (30,3x22,8) : **USD 9 350** – New York, 6 déc. 1991 : *Paysage d'automne*, h/t (46x76,3) : **USD 22 000** – New York, 28 mai 1992 : *Le sentier menant à la rivière*, h/t (57x76,4) : **USD 8 800** – New York, 27 mai 1993 : *Sous-bois en été*, h/t/pan. (92,7x123,2) : **USD 35 650** – New York, 13 sep. 1995 : *Paysage forestier*, h/t (35,6x45,7) : **USD 8 050** – Montréal, 5 déc. 1995 : *Vue sur la montagne depuis la rivière*, h/t (35,5x55,8) : **CAD 13 000** – New York, 14 mars 1996 : *Le Chemin autour de la mare*, h/t (50,8x76,2) : **USD 10 925** – New York, 23 avr. 1997 : *Paysage forestier*, h/t/pan. (26x40,5) : **USD 2 990**.

WYATT A. C.

Né en Angleterre. Mort le 8 février 1933 à Santa Barbara (Californie). XIXe-XXe siècles. Américain.

Peintre de paysages.

Il exposa à Londres de 1883 à 1892.

WYATT Edward

Né en 1757. Mort en 1833 dans le Surrey. XVIIIe-XIXe siècles. Britannique.

Sculpteur et doreur.

Père de Richard James W.

WYATT Enoch

XVIIe siècle. Travaillant à Londres. Britannique.

Sculpteur.

Il fut chargé, pendant le règne des Puritains, de draper les statues nues des Withehall Gardens.

WYATT Henry

Né le 17 septembre 1794 à Thickbroom. Mort le 27 février 1840 à Prestwich. XIXe siècle. Actif de 1817 à 1838. Britannique.

Peintre de scènes de genre, portraits, paysages.

Il fut élève des Écoles de la Royal Academy et probablement de sir Thomas Lawrence. Ce dernier l'employa comme aide pendant plusieurs années. Wyatt exposa à Londres, notamment à la Royal Academy de 1817 à 1838. En 1817, il vint à Birmingham, y peignant des portraits ainsi qu'à Manchester et à Liverpool. Il était de retour à Londres en 1825, mais sa santé ne lui permit pas d'y demeurer après 1834, année où il alla à Leanington. On le cite encore à Manchester et atteint de paralysie, allant finir sa carrière à Prestwich.

Musées : Chester (Mus. du Château) : *Portrait de T. Harrisson* – Glasgow : *Le philosophe* – Londres (Victoria and Albert Mus.) : *Baie de Sandown, île de Wight* – Manchester : *Vigilance*.

Ventes Publiques : Paris, 16 mai 1904 : *Portrait de miss Greatout* : **FRF 1 050** – Paris, 16-17 et 18 mai 1907 : *Portrait de miss*

Greatout : **FRF 3 500** – New York, 24 oct. 1984 : *Les deux sœurs*, h/cart. (50,5x39) : **USD 1 900** – Londres, 14 juil. 1993 : *Portrait d'une dame* 1832, h/pan. (44,5x34) : **GBP 6 210** – Londres, 10 juil. 1996 : *Portrait de Marc Isambard Brunel, concepteur et ingénieur en chef pour la construction du tunnel sous la Tamise, Portrait de Richard Beamish, Ingénieur permanent au tunnel sous la Tamise* 1836, h/pan., une paire (chaque 29x24,5) : **GBP 6 900**.

WYATT James
xixe siècle. Actif à Londres dans la première moitié du xixe siècle. Britannique.
Sculpteur.
Il exposa de 1838 à 1844. Fils de Matthew Cotes W., et son élève.
Ventes Publiques : Londres, 17 oct. 1974 : *Sémélé et Bacchus enfant*, marbre : **GNS 6 500**.

WYATT Jeffry, Sir. Voir **WYATVILLE**

WYATT Matthew Cotes
Né en 1777 à Londres. Mort le 3 janvier 1862 à Londres. xixe siècle. Britannique.
Sculpteur et peintre.
Père de James W. et l'élève de l'Académie de Londres. Il exposa de 1804 à 1814. Il sculpta des monuments et des tombeaux.

WYATT Matthew Digby
Né le 28 juillet 1820 à Rowde, près de Devizes. Mort le 21 mai 1877 à Cowbridge. xixe siècle. Britannique.
Architecte, aquarelliste et écrivain d'art.
Wyatt visita l'Italie et en rapporta d'intéressantes études à l'aquarelle. Le Victoria and Albert Museum, à Londres, conserve de lui, *Vue de l'église de Spoletto* (1846).

WYATT Richard James
Né le 3 mai 1795 à Londres. Mort le 28 mai 1850 à Rome. xixe siècle. Britannique.
Sculpteur.
Élève et fils d'Edward W. Il se fixa à Rome en 1820. Il fut surtout célèbre par ses nus féminins.
Ventes Publiques : Londres, 27 oct. 1971 : *Vénus*, marbre : **GBP 360** – Londres, 23 juin 1987 : *Une nymphe de Diane enlevant une épine de la patte d'un lévrier*, marbre (H. 145) : **GBP 40 000**.

WYATT Thomas
Né vers 1799 à Thickbroom. Mort le 7 juillet 1859 près de Liehfield. xixe siècle. Britannique.
Peintre de portraits.
Il est le frère de Henry Wyatt. Élève des Écoles de la Royal Academy, à Londres, il fut par la suite secrétaire de la Midland Society of Artists.
Il peignit des portraits à Liverpool, Manchester et Birmingham.
Ventes Publiques : Londres, 23 mai 1985 : *Perspective view of Brook House, Park Lane*, aquar./trait de cr. reh. de gche (70x101,5) : **GBP 3 200** – Édimbourg, 23 mai 1996 : *Portrait de Thomas Stock, petit garçon, debout dans une robe rouge dans un paysage*, h/t (127,6x92,3) : **GBP 8 625**.

WYATT DE VIVEFAY Emma Cornélie
Née à Rouen (Seine-Maritime). xixe siècle. Française.
Peintre de genre et de portraits.
Élève de M. Stohl. Elle débuta au Salon en 1831.

WYATVILLE Jeffry, Sir ou **Wyatt**
Né le 3 août 1766 à Burton-on-Trent. Mort le 10 février 1840 à Londres. xviiie-xixe siècles. Britannique.
Architecte et aquarelliste.
Le Musée Britannique et le Victoria and Albert Museum, à Londres, conservent des aquarelles de lui.
Ventes Publiques : Londres, 9 avr. 1970 : *Projet de décoration pour une pièce du château de Windsor*, aquar. : **GBP 550** – Londres, 19 juin 1979 : *The dining room at Chatsworth*, aquar. et pl., haut arrondi (28,5x38) : **GBP 500**.

WYBAUX Freddy ou **Frtiz**
Né en 1906 à Molenbeek-Saint-Jean. Mort en 1977 à Liège. xxe siècle. Belge.
Sculpteur de scènes allégoriques, bustes, nus, compositions décoratives. Figuratif et abstrait.
Il a été élève de l'Académie royale des Beaux-Arts de Liège et de l'Académie des Beaux-Arts d'Anvers. Il a obtenu divers prix, dont : 1929, prix du Gouvernement ; 1932, prix Marie ; 1959, prix de Consécration de la Province de Liège (sculpture). Il a exposé au Cercle des Beaux-Arts de 1935 à 1971.
Il a également exécuté des ouvrages abstraits à partir des années cinquante. Après la Seconde Guerre mondiale, il a réalisé diverses productions décoratives, figuratives ou non, à Liège notamment au Palais des Congrès et à l'Hôtel communal d'Ougrée.
Bibliogr. : Pierre Somville, in : *Le Cercle royal des Beaux-Arts de Liège 1892-1992*, Crédit Communal, Liège, s. d., 1992.
Musées : Liège – Verviers.

WYBERECHTS Michel
Né le 19 novembre 1704 à Louvain. Mort le 9 juillet 1764 à Louvain. xviiie siècle. Éc. flamande.
Graveur au burin.

WYBERGHEN Wyllen ou **Willem Van**
xvie siècle. Travaillant en 1572. Éc. flamande.
Peintre.
Élève d'A. Mor à Anvers.

WYBO Camille
Né en 1878 à Furnes. Mort en 1937 à Tournai (Hainaut). xxe siècle.
Peintre verrier, peintre de cartons de vitraux.
Il a réalisé des vitraux dans un grand nombre d'églises.
Bibliogr. : In : *Dictionnaire biographique illustré des artistes en Belgique depuis 1830*, Arto, Bruxelles, 1987.

WYBURD Francis John
Né en 1826 à Londres. Mort en 1893. xixe siècle. Britannique.
Peintre de sujets de genre, scènes typiques, portraits, paysages.
Il fut élève de Th. Fairland. Il exposa à Londres de 1846 à 1889. Il remporta la Médaille d'argent de la Société des Arts en 1845 et commença à exposer à l'Académie des Beaux-Arts en 1846.
Il peignit des scènes de genre, des sujets littéraires ou historiques. Il semble n'avoir jamais voyagé plus loin que l'Italie du nord et cependant excelle dans la représentation de beautés du Moyen-Orient.
Ventes Publiques : Londres, 19 oct. 1971 : *Une bonne histoire* : **GBP 320** – Londres, 4 oct. 1973 : *L'Odalisque* 1856 : **GNS 380** – Londres, 9 juil. 1974 : *Daisy* 1868 : **GBP 850** – Londres, 9 mars 1976 : *Jeune femme à son miroir*, h/t (60x49,5) : **GBP 320** – Londres, 18 mars 1980 : *A Swiss catholic home* 1856, h/t (75x59,5) : **GBP 1 600** – Londres, 26 nov. 1982 : *Xarifa*, h/t, de forme ovale (63,5x76,2) : **GBP 11 000** – Londres, 27 nov. 1984 : *The Kiosk*, h/t, forme ronde (diam. 82,5) : **GBP 35 000** – Londres, 27 sep. 1985 : *« Xarifa » : the Zegri lady rose not, ect.*, h/t, de forme ovale (63,5x76,2) : **GBP 40 000** – Londres, 13 nov. 1992 : *La consolation* 1874, h/t (90x70) : **GBP 1 980** – Londres, 5 mars 1993 : *Portrait d'une jeune fille cousant près d'une fenêtre* 1859, h/pan., de forme ovale (25,2x20,3) : **GBP 2 530** – Londres, 5 nov. 1993 : *Le kiosque*, h/pan., de forme circulaire (34,3x33,7) : **GBP 29 900** – Ludlow (Shropshire), 29 sep. 1994 : *Ondine*, h/cart. (16,5x13) : **GBP 2 530** – Londres, 5 sep. 1996 : *Mère et enfant devant un autel*, h/t (76,2x63,5) : **GBP 2 530** – Londres, 8 nov. 1996 : *Réflexion* 1871, h/t (91,5x71,7) : **GBP 13 000** – Londres, 12 mars 1997 : *Histoire d'amour*, h/pan. (25,5x20) : **GBP 11 500**.

WYBURD Leonhard
xixe siècle. Actif dans la seconde moitié du xixe siècle. Britannique.
Peintre et décorateur.
Fils de Francis John W. Il exposa en 1888.

WYCK Carolina Cornelia Van de ou **Wijck**
Née le 19 mars 1798 à Zutphen. Morte le 27 mars 1869 à La Haye. xixe siècle. Hollandaise.
Lithographe.
Élève de F. J. Zoll à Mannheim.

WYCK Frederick Van, Mrs. Voir **BROWNE Mathilda**

WYCK J. P. Van
xviie siècle. Hollandais.
Portraitiste.
Peut-être identique à Peter Van Wyck, travaillant à Utrecht en 1647.

WYCK Jan ou **John** ou **Wyke** ou **Wych**
Né vers 1640 à Haarlem. Mort le 26 octobre 1702 à Mortlake. xviie siècle. Hollandais.
Peintre de batailles, de portraits et graveur à l'eau-forte.
Il était fils et élève de Thomas Wych, qu'il accompagna en Angleterre. Il fut bientôt réputé comme bon peintre de batailles, de sièges, de sujets de chasse, de processions et de paysages. Il peignit notamment plusieurs vues d'Écosse. Il a produit quelques eaux-fortes et illustré un livre de chasse et de fauconnerie.

Musées : Bath : *Religieuses soignant des blessés – Canon se mettant en position de tir – Cavalier attaqué par des brigands* – Brooklyn : *La chasse au faucon* – Dublin : *Guillaume III au siège de Namur – Choc de cavalerie – Après la bataille* – Hampton court : *L'armée française traverse le Rhin près de Tolhuys en 1672* – Londres (Nat. Portrait Gal.) : *Guillaume III* – Montauban : *Les Vestales* – Saint-Pétersbourg (Mus. de l'Ermitage) : *Étude de lévriers*.

Ventes Publiques : Bruxelles, 1899 : *Combat de cavalerie* : **FRF 820** – Paris, 1900 : *Combat de cavalerie* : **FRF 500** – Londres, 8-18 juil. 1940 : *Eton College Chapel* : **GBP 336** – Londres, 16 oct. 1959 : *Vue de la Tamise* : **GBP 367** – Londres, 5 déc. 1969 : *Le roi William III à la chasse* : **GNS 3 400** – Londres, 11 déc. 1974 : *Scène de marché* : **GBP 5 000** – Londres, 2 avr. 1976 : *Chasse à courre*, h/t (109,2x175,1) : **GBP 5 000** – Londres, 10 déc. 1980 : *Le duc de Malborough à l'attaque de Schellenberg*, h/t (77x102) : **GBP 8 500** – Londres, 23 juil. 1981 : *Scène de chasse*, lav./mine de pb (11x20) : **GBP 520** – Londres, 19 mars 1982 : *Choc de cavalerie*, h/t (132,6x168,2) : **GBP 4 000** – Londres, 15 juil. 1983 : *Vue de Sprotborough, Yorkshire*, h/t (107,3x183,5) : **GBP 13 000** – Londres, 19 nov. 1985 : *Paysage à la chaumière*, mine de pb et lav. (23,8x32) : **GBP 500** – Londres, 12 mars 1986 : *A huntsman coursing with a pack of hounds above Berkhamsted, Hertfordshire*, h/t (99x114,5) : **GBP 290 000** – Londres, 15 juil. 1988 : *Chasse au cerf* 1696, h/t (132x129,5) : **GBP 52 800** – Londres, 12 juil. 1989 : *Étalon pie tenu par un chasseur dans un paysage boisé*, h/t (133,5x166) : **GBP 37 400** – New York, 9 jan. 1991 : *Homme menant un cheval avec deux personnages derrière* 1667, mine de pb, sanguine et lav. (11,5x17,5) : **USD 935** – Londres, 12 juil. 1991 : *Portrait équestre du roi Guillaume III devant une ville des Flandres assiégée*, h/t (64,5x76) : **GBP 15 400** – Paris, 18 déc. 1991 : *Après la bataille*, h/t (69x84,5) : **FRF 25 000** – Amsterdam, 14 nov. 1991 : *Paysage italien boisé avec des baigneurs près d'un lac*, h/t (22,3x19,6) : **NLG 6 325** – Londres, 8 avr. 1992 : *Guillaume III à la bataille de la Boyne le 1er juillet 1690*, h/t (87x109) : **GBP 7 260** – Rome, 28 avr. 1992 : *Les plans de la bataille*, h/t (37x50) : **ITL 9 000 000** – Paris, 26 juin 1992 : *Alchimiste dans son intérieur*, h/t (40x36) : **FRF 130 000** – Londres, 29 oct. 1993 : *Le siège de Namur*, h/t (42,5x65) : **GBP 6 900** – Londres, 12 juil. 1995 : *Un étalon gris attaché à une borne par sa bride avec un épagneul à côté de lui*, h/t (78,5x89) : **GBP 47 700** – Londres, 17 avr. 1996 : *Convoi attaqué par des brigands*, h/t (54,3x69) : **GBP 5 520** – Londres, 3-4 déc. 1997 : *Paysage de rivière avec une chasse au cerf*, h/t (63,9x76,5) : **GBP 12 075**.

WYCK Jan Claszen Van. Voir **WICK**

WYCK Jan Mertessen Van

xviie siècle. Travaillant à La Haye en 1622. Hollandais.

Peintre.

Élève d'A. Van Ravensteyn.

WYCK Johan Van

xviie siècle. Actif à Utrecht dans la seconde moitié du xviie siècle. Hollandais.

Peintre.

Président de la gilde de 1658 à 1664.

WYCK Philippe Henri Coclers Van. Voir **COCLERS**

WYCK Thomas ou **Wijck** ou **Wyke**

Né vers 1616 à Bewerwyck. Mort en août 1677 à Haarlem. xviie siècle. Hollandais.

Peintre de compositions religieuses, scènes de chasse, sujets de genre, animaux, paysages, paysages urbains, paysages d'eau, marines, intérieurs, aquarelliste, graveur, dessinateur.

Il fut élève de son père. Il séjourna en Italie, particulièrement à Naples et y exécuta de nombreux dessins. De retour à Haarlem, il eut un rapide succès. On le cite comme doyen de la gilde en 1660. Il alla en Angleterre lors de la restauration des Stuart.

En Hollande, il se fit rapidement apprécier comme peintre de marines, de foires, de marchés et de vues de villes. À Londres, il peignit, notamment, plusieurs vues de la ville, avant et après l'incendie de la métropole anglaise. Il avait peint des scènes d'intérieur avec des alchimistes ou des philosophes, avant de se consacrer à la représentation de scènes de chasse, de grands paysages et d'animaux. On cite de lui vingt et une eaux-fortes.

Musées : Abbeville : *Pêcheurs sur une plage* – Aix-la-Chapelle : *La chambre du savant* – Ajaccio : *Groupe de joueurs* – Amsterdam : *L'alchimiste*, deux œuvres – *Intérieur rustique – Port levantin* – Aschaffenbourg : *La baie de Naples* – Augsbourg : *Scène dans un port – Monastère en montagne* – Avignon : *Intérieur d'un magasin* – Bâle : *Scène dans une auberge* – Bamberg : *Port italien* – Bayonne : *Un philosophe dans son cabinet de travail* – Bergen : *Boucherie* – Berlin (Mus. Nat.) : *Laboratoire d'un alchimiste* – Bonn : *Port italien – Marché italien* – Brême : *Scène populaire italienne* – Brunswick : *Repos des chasseurs – L'alchimiste* – Budapest : *Port* – Caen : *Laboratoire d'alchimiste* – Cambridge : *L'alchimiste* – Chartres : *Halte de bohémiens* – Cherbourg : *Intérieur rustique* – Copenhague : *Auberge italienne – Tisserands – Bohémiens et soldats – Intérieur hollandais – Chaudronnier* – Darmstadt : *Savant* – Dijon : *La dentellière* – Dresde : *Alchimiste avec une bouteille – Alchimiste tenant une bourse – Rue italienne* – Dublin : *Intérieur d'une chaumière de tisserand* – La Fère : *La rencontre* – Florence : *Port de mer* – Francfort-sur-le-Main : *La couturière – Route en Italie* – Gotha : *Port de mer* – Haarlem : *Auberge italienne – Débris d'un temple romain* – Hambourg : *Port italien – Paysage au bord de la mer* – Hanovre : *Laveuses italiennes – Golfe italien – Mer calme* – La Haye : *L'alchimiste* – Heidelberg : *Intérieur de ferme* – Kassel : *Laboratoire d'un alchimiste*, trois œuvres – Leipzig : *L'alchimiste – Port italien* – Magdebourg : *Intérieur* – Mannheim : *Scène devant les remparts d'une ville* – Marseille : *Paysan et mulet* – Mayence : *L'alchimiste – Scène de mer en Italie – Port italien*, deux œuvres – *Canal italien – Intérieur de tisserand* – Meiningen : *Scène de marché en Italie* – Melbourne (Nat. Gal of Victoria) : *Alchimiste dans son laboratoire* – Milan (Brera) : *L'alchimiste* – Montpellier : *Port d'Italie – Le corsaire et le Juif* – Munich : *Alchimiste et ses adeptes dans son laboratoire* – Oldenbourg : *Savant* – Oslo : *Région montagneuse italienne* – Oxford : *Blanchisseuses italiennes* – Prague : *Port en Italie du Sud* – Rotterdam : *Intérieur de paysans* – Saintes : *Port de mer* – Saint-Pétersbourg (Mus. de l'Ermitage) : *Savant*, deux œuvres – *Alchimiste* – Schleissheim : *Marché aux légumes en Italie* – Schwerin : *Les Halles – Port en Italie du Sud – L'alchimiste dans son laboratoire* – Sibiu : *Le moulin* – Stockholm : *Intérieur de cour italienne avec puits – Halte près d'une ferme – Port méditerranéen – Cour italienne avec figures – Saint-Antoine de Florence* – Stuttgart : *Port de mer* – Varsovie : *L'alchimiste* – Venise : *Cabinet de travail d'un écrivain* – Vienne : *Rivage de la mer avec ruines – Vieux bâtiment* – Vienne (Schonborn-Buckheim) : *Noce paysanne – Alchimiste*.

Ventes Publiques : Amsterdam, 1702 : *Une grotte romaine remplie de personnages* : **FRF 270** – Amsterdam, 28 mars 1708 : *Un alchimiste* : **FRF 320** – Paris, 1772 : *Habitations de paysans*, dess. à la pl. et au bistre : **FRF 96** – Paris, 1840 : *Port de mer* : **FRF 320** – Paris, 1845 : *Le Ménage du savetier* : **FRF 800** – Paris, 1867 : *L'Alchimiste* : **FRF 750** – Paris, 1873 : *La cuisinière* : **FRF 3 400** – Paris, 1876 : *Portrait de l'artiste dans un atelier* : **FRF 1 300** – Paris, 1890 : *L'Alchimiste* : **FRF 3 350** – Paris, 1893 : *Intérieur rustique* : **FRF 805** – Paris, 28 fév. 1919 : *L'Alchimiste* : **FRF 500** – Paris, 23 mars 1923 : *Le Payement de la dîme* : **FRF 470** – Paris, 25 jan. 1929 : *La Malade* : **FRF 2 000** – Londres, 2 mai 1929 : *Vue de la Horse-Guard's Parade* : **GBP 210** – Paris, 13 mai 1931 : *Le Savant* : **FRF 1 200** – Paris, 5 mai 1943 : *Scène d'intérieur* : **FRF 8 300** – Paris, 15 mars 1944 : *Un port d'embarquement* : **FRF 30 000** – Paris, 6 juil. 1944 : *Marine*, attr. : **FRF 11 100** – Londres, 12 juil. 1946 : *Intérieur paysan* : **GBP 315** – Marseille, 8 avr. 1949 : *Cour de ferme* : **FRF 27 000** – Paris, 10 juin 1949 : *Un quai du port de Naples, au fond le Vésuve*, aquar. : **FRF 25 000** – Paris, 24 mai 1950 : *Portrait d'un savant* : **FRF 14 000** – Amsterdam, 25-29 nov. 1952 : *Portrait d'homme* : **NLG 420** – Vienne, 19-21 mars 1953 : *Scène de port* : **ATS 4 000** – Londres, 2 juil. 1965 : *Bord de mer animé* : **GNS 800** – Londres, 6 juil. 1966 : *Paysage d'Italie* : **GBP 600** – Londres, 7 juil. 1967 : *La Parade des Horse Guards* : **GNS 1 200** – Vienne, 17 sep. 1968 : *Homme étudiant dans un intérieur* : **ATS 50 000** – Cologne, 26 nov. 1970 : *L'Atelier de l'alchimiste* : **DEM 7 000** – Londres, 11 déc. 1974 : *Scène de marché* : **GBP 5 000** – New York, 23 nov. 1977 : *Paysans au bord d'une route*, h/pan. (60x71,5) : **USD 10 000** – Londres, 12 oct 1979 : *Scène de port méditerranéen*, h/t (62,2x51,3) : **GBP 4 800** – Paris, 24 jan. 1980 : *Paysage d'Italie animé de personnages*, pierre noire et lav. (29,5x40) : **FRF 5 800** – Munich, 25 nov. 1982 : *Vue du Mont Palatin avec berger et troupeau*, pl. et lav. (20,5x24) : **DEM 3 300** – Cologne, 9 mai 1983 : *Lavandières au puits*, h/pan. (55,5x47,5) : **DEM 13 000** – Paris, 4 mai 1984 : *« La Sacristia di San Pietro Vaticano »*, pierre noire, lav. d'encre de Chine et lav. de bistre (19,5x30,3) : **FRF 16 500** – New York, 5 juin 1985 : *La visite du docteur*, h/pan. (42x36,2) : **USD 14 000** – Paris, 17 juin 1987 : *Cour de ferme*, pl. et lav. gris/cr. noir (27x39) : **FRF 8 000** – Stockholm, 15 nov. 1988 : *Groupe de pèlerins faisant halte à l'abri de ruines*, h. (51x68) : **SEK 60 000** – New York, 11 jan. 1989 : *Personnages déchargeant des tonneaux sous un porche voûté*, sanguine (15,6x13,5) : **USD 715** – Haddington (Écosse), 21-22 mai 1990 : *Port méditerranéen avec de nombreux personnages*, h/t, quatre panneaux montés en paravent (en tout 197,5x244) : **GBP 46 200** – Stockholm, 14 nov. 1990 : *Marchande de poisson sur un quai*, h/t (64x77) : **SEK 25 000** – Londres, 30 oct. 1991 : *Cavaliers et voyageurs groupés devant une auberge avec un fortin à l'arrière-plan*, h/t (108x91,3) : **GBP 26 400** – Amsterdam, 10 nov. 1992 : *Alchimiste au travail avec une femme près d'un berceau au fond*, h/pan. (41x31,7) : **NLG 14 950** – Paris, 28 juin 1993 : *Scène de port méditerranéen*, h/t (72,5x104) : **FRF 50 000** – Paris, 29 sep. 1993 : *Port de mer en Italie*, h/t (81x67,5) : **FRF 38 000** – Londres, 9 déc. 1994 : *Un alchimiste dans son cabinet*, h/pan. (46,8x39,5) : **GBP 16 100** – Londres, 5 juil. 1995 : *Scène de marché aux fruits et aux légumes en Italie*, h/t (72x59,5) : **GBP 17 250** – New York, 15 mai 1996 : *Jacob, Rachel et Léa sur le chemin de Canaan*, h/t (99x124,5) : **USD 4 600** – Londres, 5 juil. 1996 : *Servante épluchant des légumes à la porte d'une cuisine*, h/pan. (36,5x33) : **GBP 75 000** – Londres, 13 déc. 1996 : *Camp bohémien devant une caverne avec une diseuse de bonne aventure*, h/cuivre (33x40) : **GBP 6 900** – Paris, 18 déc. 1996 : *Le Dinandier dans son atelier*, h/pan. chêne (38x30,5) : **FRF 36 000** – Rome, 23 mai-4 juin 1996 : *Port avec tartane et galion*, h/t (61x50,5) : **ITL 14 950 000** – Paris, 13 juin 1997 : *L'Intérieur du cabinet de l'alchimiste*, pan. de chêne (56x50) : **FRF 70 000** – Londres, 16 avr. 1997 : *Lavandière et enfants au bord de la rivière sous un pont de pierre*, h/t/pan. (40,7x35,2) : **GBP 10 580** – Amsterdam, 7 mai 1997 : *Élégante compagnie de chasse prenant un rafraîchissement*, h/pan. (47x63,5) : **NLG 39 208** – Londres, 30 oct. 1997 : *Paysage italien avec des personnages se reposant près d'une fontaine entourée de ruines*, h/pan. (38,1x53,9) : **GBP 3 220**.

WYCKAERT Maurice

Né le 15 novembre 1923 à Bruxelles. xxe siècle. Belge.

Peintre. Abstrait-lyrique.

Il fut élève de l'Académie des Beaux-Arts de Bruxelles de 1940 à 1948. Il vit et travaille à Terbeke, dans les Flandres.

Il participe à de nombreuses expositions collectives, entre autres : 1961, Biennale de São Paulo, où il obtint un prix avec achat ; 1963, Ier Salon International des Galeries Pilotes, Musée Cantonal de Lausanne ; 1968, Salon de Mai à Paris ; etc. Il a montré des expositions individuelles de ses œuvres, à Bruxelles, Venise, Munich, Essen, Milan, etc.

Il a d'abord subi l'influence de Permeke. Puis, dès sa première exposition particulière en 1947 sa peinture était proche de l'abstraction. Mais c'est certainement les contacts qu'il a entretenus avec Jorn qui lui ont permis de s'affirmer. La couleur pure, l'arabesque des lignes, l'articulation des volumes, l'ont mené à une abstraction lyrique dans laquelle la lumière s'enivre de formes et de couleurs. Sa peinture exprime les grandes forces de la nature, la mer, le vent, la terre, le ciel. Avec Alechinsky et les sculpteurs Roel d'Haese et Reinhout, il fait partie des artistes les plus présents en Belgique.

Wyckerl

Bibliogr. : *Catalogue du Ier Salon International des Galeries Pilotes*, Musée Cantonal, Lausanne, 1963.

Ventes Publiques : Anvers, 23 oct. 1973 : *Sur le Kouter* : **BEF 40 000** – Anvers, 22 oct. 1974 : *Petits spectateurs* : **BEF 100 000** – Anvers, 7 avr. 1976 : *Le coup de vent* 1963, h/t (100x120) : **BEF 75 000** – Breda, 26 avr. 1977 : *Effet de neige* 1966, h/t (100x120) : **NLG 4 000** – Bruxelles, 24 oct 1979 : *Matière et mémoire* 1972, h/t (100x80) : **BEF 60 000** – Bruxelles, 19 mars 1980 : *Composition* 1970, aquar. (53x63) : **BEF 30 000** – Anvers, 26 avr. 1983 : *Printemps pluraliste* 1969, h/t (160x180) : **BEF 75 000** – Lokeren, 14 avr. 1984 : *Composition*, h/t (95x125) : **BEF 70 000** – Anvers, 22 oct. 1985 : *Composition* 1972, h/t (96x116) : **BEF 150 000** – Lokeren, 28 mai 1988 : *Composition* 1967, h/t (100x120) : **BEF 245 000** – Lokeren, 8 oct. 1988 : *En morceaux* 1969, h/t (160x140) : **BEF 380 000** – Amsterdam, 8 déc. 1988 : *Paysage de Boeke* 1962, h/t (130x97) : **NLG 14 950** – Amsterdam, 12 déc. 1990 : *Nuage rouge – champ rouge* 1970, h/t (50x60) : **NLG 21 850** – Amsterdam, 22 mai 1991 : *L'arc Brux* 1967, h/t (37x47) : **NLG 8 625** – Lokeren, 21 mars 1992 : *Paysage*, h/t (80x120) : **BEF 440 000** – Lokeren, 23 mai 1992 : *Violet sur les bords* 1987, h/t (100x120) : **BEF 380 000** – Lokeren, 10 oct. 1992 : *Paysage*, h/t (80x120) : **BEF 400 000** – Lokeren, 5 déc. 1992 : *Fond de cour* 1980, gche (50x65) : **BEF 70 000** – Lokeren, 20 mars 1993 : *« Vanuit Bedouin »* 1984, h/t (100x120) : **BEF 240 000** – Lokeren, 15 mai 1993 : *Sommeil d'été* 1986, h/t (80x100) : **BEF 300 000** – Lokeren, 9 oct. 1993 : *Les champs à flanc de colline* 1962, h/t (100x120) : **BEF 480 000** – Milan, 24 mai 1994 : *Guerre et paix* 1961, h/t (85x100) : **ITL 10 350 000** – Amsterdam, 1er juin 1994 : *Du côté de chez Paolo* 1957, h/t (100x120) : **NLG 34 500** – Lokeren, 8 oct. 1994 : *Composition* 1987, gche (70x82) : **BEF 65 000** ; *Argile* 1993, h/t (100x120) : **BEF 240 000** – Lokeren, 10 déc. 1994 : *Le livre ouvert* 1976, h/t (100x120) : **BEF 330 000** – Lokeren, 11 mars 1995 : *Paysage* 1977, gche (72x86) : **BEF 65 000** ; *Paysage*, h/t (160,5x181,5) : **BEF 750 000** – Amsterdam, 7 déc. 1995 : *Paysage avec cravate*, h/t (100x81) : **NLG 11 800**.

WYCKE Jan Claszen Van. Voir **WICK**

WYCKENDEN Robert. Voir **WICKENDEN**

WYCKERSLOOT Jan Van

xviie siècle. Hollandais.

Peintre de compositions religieuses, sujets de genre, portraits.

Il fut nommé maître en 1658, et en 1670, doyen du collège de peintres d'Utrecht.

Musées : Amsterdam : *Portrait de femme* – Leyde : *Descente de Croix* – Utrecht : *Portrait de W. Van Velthuysen* – *Portrait du docteur L. Van Velthuyzen*.

Ventes Publiques : Paris, 1888 : *Portrait d'une jeune fille* : **FRF 637** – Lyon, 24 oct. 1984 : *Deux personnages tenant un rébus* 1652 ?, h/t (43x37,5) : **FRF 190 000** – Amsterdam, 22 mai 1990 : *Le Christ devant Pilate*, h/t (162x138) : **NLG 28 750**.

WYCT Van Der. Voir **BATTEL Baudouin, Gilles** et **Jacques Van**

WYCT Jan Van der ou **Wyckt** (par erreur). Voir **BATTEL**

WYCZISK Félix

Né le 27 octobre 1893 à Leipzig (Saxe). xxe siècle. Allemand.

Peintre de paysages, figures.

Il a été élève de l'Académie de Leipzig.

WYCZOLKOWSKI Léon

Né le 11 avril 1852 à Miastkow Koscielny (province de Siedlce). Mort le 27 décembre 1936 à Varsovie. xixe-xxe siècles. Polonais.

Peintre, graveur, sculpteur.

Il a été élève de Guerson, à l'École des Beaux-Arts de Varsovie, puis de Wagner, à l'Académie des Beaux-Arts de Munich en 1875, enfin de Maseiko, à Cracovie, en 1876. Il fut nommé professeur, en 1897, à l'Académie des Beaux-Arts de Cracovie. Il a obtenu une médaille d'argent en 1900, au Salon de Paris, pour sa lithographie : *Dantzig*.

Artiste original au coloris varié et franc, au dessin solide et sculptural, son œuvre est teinté de fantastique. Il transformait facilement ses modèles en des personnages surnaturels ou d'une époque disparue et dramatisait à l'excès les sites représentés. En résumé, un artiste romantique polonais.

WYDASY Istvan

xvie siècle. Travaillant à Kaschau en 1507. Hongrois.

Sculpteur.

WYDON François

xvie siècle. Travaillant à Bruges en 1549. Éc. flamande.

Enlumineur.

WYDYTZ Hans. Voir **WEIDITZ**

WYELAND Guillaume

xve siècle. Éc. flamande.

Enlumineur.

Il entra dans la Gilde de Bruges en 1471, après avoir travaillé au service de Philippe, duc de Bourgogne. On ne doit sans doute pas le confondre avec Vrelant (Willem).

WYELANT Willem. Voir **VRELANT**

WYEN Jacques Van der. Voir **WYHEN**

WYENBERG J.
XVIIIe siècle. Hollandais.
Peintre.

WYER Jacques Van der
Mort avant 1615. XVIIe siècle. Actif à Malines. Éc. flamande.
Peintre.
Il travailla à Delft en 1591.

WYERE Hubert Van de
XVIe siècle. Travaillant à Anvers en 1544. Éc. flamande.
Peintre.
Fils de Josse Van de Wyere.

WYERE Jacob Van de
XVIe siècle. Travaillant à Anvers de 1554 à 1563. Éc. flamande.
Peintre.

WYERE Jan Van der
XVe siècle. Travaillant à Louvain de 1449 à 1477. Éc. flamande.
Peintre.
Élève d'A. Raet.

WYERE Josse Van de
XVIe siècle. Travaillant à Malines de 1515 à 1557. Éc. flamande.
Peintre.

WYERE Willem Van de
Né vers 1522. XVIe siècle. Travaillant à Malines en 1567. Éc. flamande.
Peintre.

WYERS Jan
XVIe siècle. Travaillant à Utrecht de 1563 à 1569. Hollandais.
Sculpteur.

WYETH Andrew
Né le 12 juillet 1917 à Chadds Ford (Pennsylvanie). XXe siècle. Américain.
Peintre de portraits, nus, intérieurs, paysages, dessinateur, aquarelliste. Réaliste, néoromantique.

Il est le plus jeune des cinq enfants de Newell Convers Wyeth. Nerveux à l'école, il fut éduqué, entre 1923 et 1929, par des maîtres à domicile et par son père. Il n'est jamais allé étudier en Europe et n'a pas fréquenté d'École d'art. Il devient membre, dès 1940, de l'American Water Society, est élu en 1950 au National Institute of Arts and Letters. Il a reçu de très nombreuses distinctions et titres honorifiques pour sa contribution à l'art des États-Unis, dont : 1959, Musée de Philadelphie ; 1960, Pennsylvania Academy of the Fine Arts ; 1962, Médaille présidentielle de la Liberté par John F. Kennedy ; 1965, American Academy of Arts and Letters. Il vit et travaille dans sa ville natale.

Il participe à des expositions collectives, parmi lesquelles : 1943, *American Realists and Magic Realists*, Museum of Modern Art, New York, de même qu'aux nombreuses expositions présentant l'ensemble des artistes de la famille : 1987, *An American Vision : Three Generations of Wyeth Art*, exposition itinérante aux États-Unis.

Il montre ses œuvres dans des expositions personnelles, la première en 1936, il a dix-neuf ans, à la Art Alliance, Philadelphie, puis : 1937, et régulièrement jusqu'en 1952, Macbeth Gallery, New York ; 1938, et régulièrement jusqu'en 1950, Doll and Richards Gallery, Boston ; 1939, Delaware Art Center, Wilmington ; 1941, Art Institute of Chicago ; 1967, Oklahoma Museum of Art, Oklahoma ; 1970, à la Maison Blanche (résidence des Présidents des États-Unis), Washington D.C. ; 1976, *Two Worlds of Andrew Wyeth : Kuerners and Olsons*, Metropolitan Museum of Art, New York ; 1980, galerie Claude Bernard, Paris ; 1980, Royal Academy of Arts, Londres ; 1987, *Andrew Wyeth. The Helga pictures*, National Gallery of Art, Washington D.C. ; 1991, Takuji Kato Modern Art Museum, Tokyo.

Il pratique un solide métier traditionnel, s'inspirant presque exclusivement des paysages de Pennsylvanie où il passe ses hivers à Chadds Ford, et du Maine, à Cushing, où il passe ses étés. Des paysages plutôt désolés dans lesquels il place sous des angles souvent insolites des personnages suggérant la conscience qu'ils ont de leur solitude ou de leur nostalgie. En Pennsylvanie, il a peint, entre 1948 et 1979, la famille Kuerner, fermiers d'origine allemande, et dans le Maine, la famille Olson, sujets de plus de deux cents toiles. Il les a peints dans leur vie de tous les jours. Cette œuvre du silence et des vastes étendus, peut simplement suggérer la présence des être, des signes de vie par les traces d'un oiseau sur sol, d'un promeneur dans les prés. Il a peint entre 1971 et 1985, de nombreuses fois le modèle Helga Testorf une suite de nus révélée au public en 1986, dont l'intégralité a été achetée par un collectionneur privé. Sa technique est si minutieuse qu'elle semble vouloir rivaliser avec la fidélité photographique. Les critiques ont employé les termes de « réalisme magique » pour qualifier son style. Un style qui mêlerait à la fois une minutieuse observation de la réalité tout en ayant capté l'essence d'un moment particulier, comme le bruit sourd d'un orage à venir.

Dans les années soixante, Michel Ragon a pu relever cette constatation troublante : « Le peintre le plus cher actuellement en Amérique, ce n'est ni un expressionniste abstrait, ni un pop, mais un peintre figuratif académique, Andrew Wyeth, né en 1917, soit treize-quatorze ans plus jeune que Rothko et de Kooning, bien qu'il semble, par sa peinture anachronique, être leur aîné d'au moins cinquante ans. » En effet, cette peinture « populaire de qualité », comme il a été écrit à son sujet, a pu être interprétée par certains critiques d'art comme une volonté de la part du peuple américain de retrouver les valeurs intellectuelles et morales et un style de vie, malmenés par le regard critique de la modernité. Cependant, Andrew Wyeth, est historiquement, le continuateur d'une tendance réaliste puissante apparue au début du siècle aux États-Unis, les peintres de l'American Scene. Il n'était qu'un adolescent lorsque Thomas Hart Benton, Edward Hopper, John Steuart Curry, Grant Wood étaient au sommet de leur gloire et, comme eux, son œuvre est devenue extrêmement populaire. « je veux montrer aux Américains comment est l'Amérique » dit-il, c'était le but même des peintres de l'American Scene. ■ C. D.

Bibliogr. : Sarane Alexandrian, in : *Diction. Univers. de l'Art et des Artistes*, Hazan, Paris, 1967 – Andrew Wyeth : *Autobiography*, Bulfinch Press Book, Little, Brown and Compagny, Nelson-Atkins Museum of Art, Kansas City.

Musées : Chaddsford (Brandywine River Mus.) : *James Loper* 1952 – *The Virgin* 1969 – *Black water* 1972 – Fukushima (Prefectural Mus.) : *Mill in Winter* 1978 – *Pine Baron* 1976 – Lincoln (University of Nebraska Art Galleries) : *Spring Beauty* 1943 – Minneapolis (Regis coll.) : *Christmas Morning* 1944 – New York (Mus. of Mod. Art) : *Christina's World* 1948 – Portland (Mus. of Art) : *Road cut* 1940 – Rockland (William A. Farnworth Library and Art Mus.) : *Wood Stove* 1962 – *Alvaro and Christmas* 1968 – Syracus (Everson Mus. of Art) : *Hoffman's Slough* 1947 – Washington D. C. (Nat. Gal.) : *Snow Flurries* 1953 – Yamaso (Art Gal.) : *Onions* 1955.

Ventes Publiques : New York, 27 jan. 1965 : *Paysages enneigés*, aquar. : **USD 6 000** – New York, 11 mai 1966 : *Champs en hiver*, temp. : **USD 34 000** – New York, 15 nov. 1967 : *Rocking chair dans un paysage*, aquar. : **USD 17 500** – New York, 14 mars 1968 : *Morning light, Martinsville*, aquar. : **USD 9 000** – New York, 19 mars 1969 : *Martinsville*, aquar. : **USD 18 000** – New York, 21 mai 1970 : *Paysage de printemps* : **USD 13 000** – New York, 10 déc. 1970 : *Bord de mer*, aquar. : **USD 5 500** – New York, 7 avr. 1971 : *Paysage de neige*, aquar. : **USD 21 000** – New York, 24 mai 1972 : *The bucket post*, aquar. : **USD 23 000** – New York, 13 déc. 1973 : *George's Island, Maine* 1938, temp. : **USD 26 000** ; *Firewood* 1959 : **USD 26 000** – New York, 23 mai 1974 : *La Boîte bleue* 1958, temp. : **USD 28 000** – Londres, 30 nov. 1976 : *Canoe birch*, aquar. (73,5x53,5) : **GBP 6 500** – New York, 27 oct. 1977 : *King Post* 1971, aquar./pap. (54x73) : **USD 31 000** – New York, 25 oct 1979 : *Paysage* 1939, aquar. (54,6x74,9) : **USD 33 000** – New York, 25 avr. 1980 : *Moulin à Brinton's Bridge* 1936, lav./pap. mar./cart. (25,4x33) : **USD 5 000** – New York, 4 déc. 1980 : *Moose horns* 1966, peint./pap. (40x59) : **USD 77 500** – New York, 29 mai 1981 : *Sexton's House*, cr. et lav. (44,5x56) : **USD 7 000** – New York, 3 déc. 1982 : *The stone fence*, temp./pan. (63,5x47,3) : **USD 70 000** – New York, 8 déc. 1983 : *New growth* 1960, aquar. (54x76,2) : **USD 32 000** – Portland, 7 avr. 1984 : *Étude pour « The Patriot » (Ralph Kline)* 1964, dess. (17,8x28) : **USD 3 500** – New York, 1er juin 1984 : *Knox's artillery*, h/t (56x76) : **USD 55 000** – New York, 5 déc. 1985 : *Between Tenants harbor and Martinsville Maine* 1939, aquar. (45,2x62,9) : **USD 14 000** – New York, 29 mai 1986 : *Équinoxe* 1977, temp./cart. (87,5x81,3) : **USD 240 000** – New York, 3 déc. 1987 : *Wisteria* 1981, aquar./pap. (54,3x75) : **USD 120 000** – New York, 1er déc. 1988 : *Les toitures écroulées* 1970, encre et cr./pap. (35,6x54) : **USD 35 200** – New York, 24 mai 1989 : *Les récifs noirs* 1941, aquar./pap. (53,3x72,4) : **USD 34 100** – New York, 28 sep. 1989 : *Tortue d'eau*, aquar. et encre/pap./cart.

(57x76,4) : **USD 61 600** – New York, 18 oct. 1989 : *Barril de grains* 1961, aquar./pap. (57,1x76,2) : **USD 143 000** – New York, 30 nov. 1989 : *La chambre de devant* 1946, aquar./pap. (73,7x53,3) : **USD 93 500** – New York, 1er déc. 1989 : *Cornouiller*, aquar./pap. (48,2x69,8) : **USD 154 000** – Paris/Tokyo, 7 déc. 1989 : *L'aurore*, temp. (56,5x58) : **FRF 968 421** – New York, 24 mai 1990 : *Les frères* 1961, brosse/pap. (34,9x57,1) : **USD 275 000** – New York, 26 sep. 1990 : *La maison d'Adam Johnson* 1938, encre et lav./pap. (52x37) : **USD 11 550** – New York, 29 nov. 1990 : *Les tournesols* 1982, aquar./pap. (47,6x60,3) : **USD 110 000** – New York, 23 mai 1991 : *Trois chasseurs* 1938, aquar./pap. (55,9x76,2) : **USD 63 250** – New York, 3 déc. 1992 : *Vue depuis ma fenêtre* 1974, aquar./pap. (54,6x65,1) : **USD 176 000** – New York, 1er déc. 1994 : *Le garde-manger* 1969, aquar./pap. (76,2x58,4) : **USD 68 500** – New York, 25 mai 1995 : *L'artillerie de Knox* 1973, aquar./pap. (55,9x76,8) : **USD 123 500** – New York, 9 mars 1996 : *Washington et Lafayette*, temp./pan. (41,9x31,1) : **USD 244 500** – New York, 22 mai 1996 : *Le Bachelier* 1964, aquar./pap. (76,2x55,2) : **USD 173 000** – New York, 5 déc. 1996 : *Talus sur le lac* 1940, aquar./pap. (55,9x76,2) : **USD 32 200** – New York, 27 sep. 1996 : *The Green Dory* 1940, aquar./pap. (38,5x53,3) : **USD 65 200** – New York, 5 juin 1997 : *Marsh Hawk*, temp./masonite (77,3x114,4) : **USD 1 482 500** – New York, 6 juin 1997 : *Christina Olson* 1947, temp./pan. (86,4x64,1) : **USD 1 707 500** ; *Treuil* 1965, aquar./pap. (44,4x68,6) : **USD 129 000** – New York, 7 oct. 1997 : *Le Toit d'Archie* 1950, cr./pap. (34,3x48,3) : **USD 14 950**.

WYETH Carolyn
Née en 1909. Morte le 1er mars 1994. xxe siècle. Américaine.
Peintre.
Sœur du peintre Andrew Wyeth.
Ventes Publiques : New York, 18 déc. 1991 : *Plantation de sapins*, h/t (76,2x91,4) : **USD 6 600**.

WYETH Henriette, Mrs **P. Hurd**
xxe siècle. Américaine.
Peintre de portraits.
Fille de Newell Convers Wyrty. Elle se maria avec le portraitiste américain Peter Hurd. Elle a figuré aux expositions du Carnegie Institute de Pittsburgh.

WYETH James ou **Jamie**
Né en 1946. xxe siècle. Américain.
Peintre de compositions animées, portraits, animaux, paysages, peintre à la gouache, aquarelliste.
Il a montré une exposition personnelle de ses œuvres en 1986 aux Ron Hall Galleries à Dallas (Texas).
Ventes Publiques : New York, 28 oct. 1976 : *Les Casiers de homards*, aquar. (46,3x75) : **USD 4 250** – New York, 27 oct. 1977 : *Coast guard's station, Ted's island*, aquar. (87x63) : **USD 6 500** – New York, 21 oct. 1983 : *Paysage boisé*, aquar. (47x62,2) : **USD 6 250** – New York, 2 juin 1983 : *Skewbald* 1978, h/pan. (101,6x101,6) : **USD 30 000** – New York, 4 déc. 1986 : *Danse de la Mort* 1973, aquar. (53,4x72,7) : **USD 35 000** – New York, 29 mai 1987 : *Rudolf Nourejev*, aquar. et fus./cart. (116,6x88,8) : **USD 11 000** – New York, 1er déc. 1988 : *La Cage d'osier* 1982, techn. mixte/pap. (71,1x55,9) : **USD 22 000** – New York, 24 mai 1989 : *Ficelle à filets* 1968, aquar./pap. (48,2x61) : **USD 23 100** – New York, 18 oct. 1989 : *Requin*, h/t (132x152,3) : **USD 52 250** – New York, 1er déc. 1989 : *We've got your pickle* 1983, techn. mixte/pap. (37,7x50,8) : **USD 41 800** – New York, 24 mai 1990 : *Sans Titre*, aquar./pap. (53,3x74) : **USD 17 600** – New York, 26 sep. 1990 : *Ombres d'hirondelles* 1988, aquar./pap. (71,1x52) : **USD 27 500** – New York, 23 mai 1991 : *Poubelle* 1980, aquar. et gche/pap. (74,9x54,6) : **USD 16 500** – New York, 3 déc. 1992 : *L'Ancre d'un garde-côte* 1982, aquar./pap. (55,9x76,8) : **USD 34 100** – New York, 4 déc. 1992 : *Veau nouveau-né*, aquar./pap. (44,5x54,5) : **USD 9 900** – New York, 27 mai 1993 : *Les Aigles à Londres*, techn. mixte/pap. (76,2x54,6) : **USD 6 900** – New York, 21 sep. 1994 : *L'Ombre de l'arbre* 1970, aquar./pap. (54,6x74,9) : **USD 8 625** – New York, 13 sep. 1995 : *Le Chaudron aux citrouilles*, aquar. et cr./pap. (76,2x55,8) : **USD 25 300** – New York, 22 mai 1996 : *Martin* 1986, techn. mixte/cart. (57,2x72,4) : **USD 43 125** – New York, 4 déc. 1996 : *Matin à Monhegan*, aquar./pap. (55,8x76,2) : **USD 43 700** ; *Étais, Alvaro Olson's Barn*, aquar./pap. (48,2x71,1) : **USD 195 000** – New York, 7 oct. 1997 : *Portrait de Lincoln Kirstein*, cr./pap., deux croquis (chaque 42x19) : **USD 17 250**.

WYETH Newell Convers
Né le 22 octobre 1882 à Needham (Massachusetts). Mort le 19 octobre 1945 à Chadds Ford (Pennsylvanie), accidentellement. xxe siècle. Américain.
Peintre de genre, scènes animées, scènes typiques, peintre de compositions murales, dessinateur, illustrateur.
Il s'est formé à l'Eric Pape School of Art. Il a été élève de C. W. Reed et de H. Pyle en 1902. Il est le père des artistes Henriette Wyeth et Andrew Wyeth. Une de ses toiles fut présentée au Salon d'Automne à Paris en 1987 lors de l'hommage consacré à l'Ouest américain en collaboration avec le National Cow-boy Hall of Fame and Western Heritage Center.
Il est connu pour sa peinture de cow-boys à l'époque de la conquête de l'Ouest et ses scènes typiques. Il a collaboré, dans le domaine de la presse, au *Scribner's*, à *Cosmopolitan*... Il a illustré de nombreux ouvrages, parmi lesquels : 1911, *Treasure Island* de Stevenson ; 1912, *The Sampo* de J. Baldwin ; 1916, *Black Arrow* de Stevenson ; 1917, *Boy's King Arthur* de Malory ; 1919, *Last of the Mohican* de F. Cooper ; 1921, *Rip Van Vinkle* de Irving ; 1924, *Legen of Charlemagne* de Bulfinch ; 1924, *David Balfour* de Stevenson ; 1927, *Michael Strogoff* de Jules Verne ; 1928, *Drums* de Boyde ; 1929, *Odyssey* de Homère ; 1936, *Men of Concord* de H. D. Thoreau. Il a également illustré *Robin Hood*.
Bibliogr. : D. Allen et D. Allen Jr. : *Wyeth. The Collected Paintings, illustrations and murals*, New York, 1972.
Musées : Oklahoma City (Nat. Hall of Fame) : *The admirable outlaw* 1906.
Ventes Publiques : New York, 16 mars 1967 : *Famille de pêcheurs*, temp. ; *L'attaque du train* : **USD 7 750** – New York, 22 oct. 1969 : *Deux hommes lutant sur une plage* : **USD 2 750** – Los Angeles, 9 juin 1976 : *Homme à cheval portant un enfant dans ses bras*, h/t en grisaille (58,5x56) : **USD 2 700** – New York, 27 oct. 1977 : *Un mystique hindou*, h/t (122x86,4) : **USD 4 000** – New York, 23 mai 1979 : *The discoverer*, h/cart. (61,5x228) : **USD 15 000** – Portland, 4 avr. 1981 : *Starry pool*, h/t (101,5x81,5) : **USD 25 000** – New York, 1er juil. 1982 : *Femme en kimono*, fus. (61,5x47,5) : **USD 1 200** – New York, 31 mai 1984 : *Cassidy at Cactus* 1906, h/t (96,5x63,5) : **USD 18 000** – San Francisco, 28 fév. 1985 : *Svenson and maiden* vers 1909, h/t (71,2x63,5) : **USD 27 500** – New York, 4 déc. 1987 : *Seeking the New Home*, h/t (86,5x119,3) : **USD 60 000** – New York, 24 juin 1988 : *Action de grâce des pèlerins*, h/t (35,4x125) : **USD 15 400** – New York, 24 jan. 1990 : *Fillette avec des agneaux*, encre/cart. (30,3x37,1) : **USD 1 980** – New York, 16 mars 1990 : *La chance perdue*, h/t (86,3x63,5) : **USD 12 100** – New York, 23 mai 1990 : *« Le sauvage poussa un cri et bondit du taillis en brandissant un tomahawk » (Feninore Cooper)*, h/t (102x81,5) : **USD 77 000** – New York, 24 mai 1990 : *Jeu de hasard*, h/t (63,5x86,3) : **USD 39 600** – New York, 27 sep. 1990 : *La remontée des casiers*, h/pan. (63,5x101,5) : **USD 63 800** – New York, 14 mars 1991 : *L'entrée principale*, h/t (64x76,3) : **USD 11 000** – New York, 22 mai 1991 : *Le bowling des gnomes*, h/t (65x96,5) : **USD 60 500** – New York, 22 sep. 1993 : *Le retour du père*, h/t (91,5x61) : **USD 46 000** – New York, 14 sep. 1995 : *Capitaine Nemo*, h/t, illustration pour l'Ile mystérieuse (101,6x76,2) : **USD 85 000** – New York, 9 mars 1996 : *Au bord du Brandywine (Il n'attrapa jamais rien et ruina la réputation de pêcheur de Jon)* 1913, h/t (120x96,5) : **USD 52 900** – New York, 26 sep. 1996 : *Goodwin et Haynes, chasseurs de rats musqués*, fus./pap., étude (106,7x86,4) : **USD 9 200** – New York, 6 juin 1997 : *L'Écuyer du Roi* vers 1921, h/t (107,3x121,9) : **USD 90 500**.

WYGRZYWALSKI Feliks ou **Felix**
Né en 1875 à Przemysl. Mort en 1944. xxe siècle. Polonais.
Peintre de scènes de genre, marines, compositions murales.
Il a été élève de l'Académie de Munich et de l'Académie Julian à Paris.
Ventes Publiques : Amsterdam, 30 oct. 1990 : *« Sulanikki », odalisques près d'un campement*, h/t (50x70) : **NLG 4 370** – Paris, 18-19 mars 1996 : *Les réparateurs de tapis et kilims*, h/t (55x75) : **FRF 42 000** – Paris, 25 juin 1996 : *Réparatrices de tapis*, h/pan. (36x52) : **FRF 10 000**.

WYHEN Jacques Van der ou **Wijen** ou **Wyen**
Né vers 1588. xviie siècle. Actif à Amsterdam jusqu'en 1638. Hollandais.
Peintre de paysages animés.
Il fut le maître d'A. Bruynseels. Il eut une importante activité de marchand de tableaux.
Ventes Publiques : Londres, 21 juil. 1989 : *Voyageurs près d'un ruisseau en forêt avec un vaste paysage montagneux à l'arrière-plan*, h/pan. (58,2x81) : **USD 9 900**.

WYHMANN Juliette
Née au XIXe siècle à Bruxelles. XIXe siècle. Belge.
Peintre.
Elle figura aux expositions de Paris ; mention honorable en 1900 (Exposition Universelle).

WYK Charles Van
Né en 1875 à Rotterdam. Mort en 1917 à La Haye. XXe siècle. Hollandais.
Sculpteur.
Il a été élève d'E. Lacomblé. Il travailla à La Haye. Il participa au Salon de Paris, où il obtint une médaille de bronze en 1900 lors de l'Exposition universelle à Paris.
Musées : Dordrecht : *Femme avec taureau* – La Haye : *Deux pêcheurs à cheval* – *Le fils prodigue* – *Mère et enfant* – Rotterdam : *Paysan labourant.*

WYK H. J.
D'origine hollandaise. XIXe siècle. Actif dans la première moitié du XIXe siècle. Hollandais.
Aquarelliste.
Il travailla à Mannheim. Le Musée Municipal de Cologne conserve de lui *Vues du Rhin.*

WYK Henri Van
Né le 22 décembre 1833 à Amsterdam. XIXe siècle. Hollandais.
Peintre de genre, paysages animés, paysages, paysages d'eau.
Musées : Soissons : *Hôtellerie sous Louis XIII.*
Ventes Publiques : Paris, 23 mai 1941 : *Paysages nord-africains,* deux pendants : **FRF 2 300** – Paris, 3 mai 1943 : *Pêcheuses au bord de la mer* : **FRF 800** – Paris, 10 nov. 1943 : *Le Soir sur la campagne* : **FRF 11 000** – Enghien-les-Bains, 27 mai 1979 : *Les patineurs,* h/pan. (22,5x41,5) : **FRF 13 000** – New York, 26 mai 1983 : *Promenade au long de la plage,* h/t (24x32,5) : **USD 1 600** – Paris, 7 mars 1988 : *Personnages sur un pont,* h/t (34x63) : **FRF 4 600** – Berne, 26 oct. 1988 : *Bétail dans un paysage d'automne* 1882, h/t (58x93) : **CHF 5 000** – Le Touquet, 19 mai 1991 : *Retour des pêcheurs dans un port oriental,* h/pan. (21x40) : **FRF 12 500** – Paris, 23 avr. 1993 : *Bergers et berbères à la fontaine,* h/t (35x65) : **FRF 15 000** – Londres, 31 oct. 1996 : *L'Arrêt des chameaux,* h/pan. (23x41) : **GBP 1 610** – Calais, 23 mars 1997 : *Bord de rivière,* h/pan. (20x24) : **FRF 6 000.**

WYK Jan de
XVIIIe siècle. Travaillant à Haarlem en 1734. Hollandais.
Peintre.

WYK Johannus Marinus Van
Né le 25 décembre 1890 à Amsterdam. Mort le 30 janvier 1923 à Davos (Grisons, Suisse). XXe siècle. Hollandais.
Graveur.

WYKE Anne. Voir **SMITH Anne**

WYKE Jan ou **John**. Voir **WYCH**

WYKE Niels A.
Né en 1867. Mort le 4 janvier 1937. XIXe-XXe siècles. Danois.
Peintre.
Il peignit surtout pour des églises.

WYKE Robert Titus
Né vers 1790 à Londres. Mort vers 1870 à Wexford. XIXe siècle. Britannique.
Miniaturiste.

WYKE Thomas. Voir **WYCK**

WYL von, Meister. Voir **MAÎTRES ANONYMES**

WYL Jakob von ou **Weyl** ou **Wil** ou **Wyll**
Né le 17 septembre 1586 à Lucerne. Mort entre 1619 et 1621 à Rome. XVIIe siècle. Suisse.
Peintre.
Il s'inspira de la manière de Hans Holbein dont il prit le style. Les églises de Lucerne possèdent quelques tableaux religieux de lui. Son chef-d'œuvre paraît être une *Danse macabre* d'après Holbein (huit tableaux dont l'un *La mort et le peintre* représente l'artiste lui-même). Ces pièces sont aujourd'hui au Musée de l'Hôtel de Ville de Lucerne. Il se maria le 6 août 1607 avec Katharina Schürmann qui lui donna six enfants.

WYLD William
Né en 1806 à Londres. Mort le 25 décembre 1889. XIXe siècle. Britannique.
Peintre de paysages, aquarelliste, lithographe, illustrateur.
D'abord secrétaire du Consul d'Angleterre à Calais, il renonça à ce poste pour venir étudier la peinture à Paris chez Louis Francia. Il y devint l'ami d'Horace Vernet et visita avec lui l'Italie, l'Espagne et l'Algérie.
Il débuta au Salon de Paris en 1839 et y obtint une troisième médaille, puis une médaille de deuxième classe en 1841. Membre de la New Water-Colour Society de Londres, il y exposa deux cent six ouvrages de 1849 à 1882. Pendant la même période, ses œuvres parurent également à la Royal Academy et à Suffolk Street. Chevalier de la Légion d'honneur en 1855.
Il publia *Voyage pittoresque dans la régence d'Alger,* avec cinquante lithographies de Wyld et H. F. Lessore. On cite également de lui : *Monuments et vues de Paris* 1839, qu'il illustra de vingt lithographies. Il a peint à l'huile, mais ce fut surtout un excellent aquarelliste, de l'école de son intime ami Bonington.

W Wyld.

W Wyld

Bibliogr. : Gérald Schurr, in : *Les Petits Maîtres de la peinture 1820-1920, valeur de demain,* Les Éditions de l'Amateur, t. II, Paris, 1982.
Musées : Abbeville : *Vue d'Alger* – Berne : *Paysage d'Italie, effet du soir* – Douai : *Vue de Gênes* – Édimbourg : *Vue de Venise* – Gand : *Forêt près de Tours* – Haarlem : *Le Grand Canal de Venise* – Koenigsberg : *Vue du palais des Doges à Venise* – Londres (British Mus.) : *Le château de Pau* – Londres (Victoria and Albert Mus.) : *Dresde* – *Prague* – *Le port de Londres* – *Le jardin des Tuileries* – *Les cascades de Tivoli* – Montréal : *Tromezzo* – *Bagnères-de-Bigorre* – Paris (Mus. d'Orsay) : *Le Mont Saint-Michel* – *Le pont du Gard,* aquar. – Rouen : *Paysage italien* – Tours : *Régate à Venise devant le palais ducal et la Piazetta.*
Ventes Publiques : Paris, 1861 : *Vue d'Alger* : **FRF 240** – Paris, 8 avr. 1925 : *Vue de Venise,* sépia : **FRF 610** – Paris, 7 mai 1943 : *Scène dans un parc* : **FRF 5 600** – Paris, 9 juin 1949 : *Vues de Venise,* deux aquar. dans un même cadre : **FRF 9 100** – Londres, 20 juil. 1969 : *Vue de Venise* : **GNS 3 500** – Los Angeles, 28 nov. 1973 : *Venise* 1857 : **USD 5 000** – Londres, 23 avr. 1974 : *Le pont du Rialto, Venise,* aquar. : **GNS 480** – Londres, 24 mars 1977 : *Riva degli Schiavoni, Venise,* reh. de gche (39x59) : **GBP 2 000** – Londres, 10 juil. 1980 : *Vue de Venise,* aquar./traces de cr. reh. de blanc (12,5x23) : **GBP 1 300** – Londres, 12 nov. 1980 : *Le couvent des Capucins près de Sorrente,* h/t (77x123) : **GBP 900** – Londres, 16 mars 1982 : *Place de la Concorde, Paris,* aquar. reh. de blanc (12,7x20,2) : **GBP 2 000** – Londres, 13 déc. 1983 : *La Rue Bab-a-Zoum, Alger,* aquar. reh. de blanc (71,2x53,5) : **GBP 6 500** – Semur-en-Auxois, 22 avr. 1984 : *Venise, le Grand Canal,* h/t (70x100) : **FRF 60 100** – Londres, 9 juil. 1985 : *Vue de Milan,* aquar. reh. de blanc (35,8x23,5) : **GBP 1 800** – Paris, 15 juin 1990 : *Vue du Grand Canal de Venise,* aquar. gchée (13x18,3) : **FRF 30 000** – Neuilly, 3 fév. 1991 : *Vue du Grand Canal à Venise avec la Salute et le Palais des Doges* 1834, aquar. (22,2x39,2) : **FRF 60 000** – Londres, 13 juil. 1993 : *Baderes de Bigorre au pied des Pyrénées* 1873, cr. et aquar. (23,2x35,8) : **GBP 3 680** – New York, 12 oct. 1993 : *Terrasse surplombant la côte amalfienne,* h/t (81,3x121,9) : **USD 11 500** – Paris, 27 mai 1994 : *Orientaux dans une oasis,* h/t (47x65) : **FRF 10 000** – Paris, 25 oct. 1994 : *La Chioggia,* aquar. (12x18,5) : **FRF 8 500** – New York, 16 fév. 1995 : *Le pont de la Concorde à Paris* 1861, h/t (50,2x82,6) : **USD 18 400** – Paris, 13 mars 1995 : *Vue de Nice,* aquar. et gche (11,8x17,7) : **FRF 9 000** – Londres, 12 juil. 1995 : *Vue de Venise depuis la lagune,* h/pan. (29x43) : **GBP 8 050** – Londres, 9 oct. 1996 : *Venise,* h/t (32x54,5) : **GBP 5 520** – Londres, 14 mars 1997 : *Le Môle et le Palais des Doges, Venise* 1860, h/t (74,9x120,9) : **GBP 37 800** – Paris, 25 avr. 1997 : *Vue de Porto Maurzio* 1853, aquar. et cr. noir, reh. de gche (23,3x48) : **FRF 31 000.**

WYLER Otto
Né le 30 mars 1887 à Mumpf. Mort en 1965. XXe siècle. Suisse.
Peintre de figures, nus, paysages, graveur.
Il a été élève de l'École des Beaux-Arts à Paris et de H. Knirr à Munich. Il peignait surtout des paysages de la Suisse.
Musées : Aarau (Aargauer Kunsthaus) : *Munich, vue depuis mon atelier* 1906 – *Paysage de l'Aar, crépuscule* 1907 – *Trois nus*

dans un paysage (Les Trois Grâces) 1908 – *Nu féminin assis* 1911 – *Portrait d'une artiste (Mlle Stähelin)* 1913 – *Le Monte Forno, Maloja* 1917 – *Paysage d'été* 1946 – *Chemin en forêt* 1947 – *Dans le jardin* 1950 – *Paysage côtier* 1951 – Coire : *Automne.*

Ventes Publiques : Zurich, 20 mai 1977 : *Paysage du Jura au printemps* 1915, h/t (70x97) : **CHF 5 00** – Zurich, 16 mai 1980 : *Nu debout vu de dos* 1925, h/t mar./cart. (78x55,5) : **CHF 4 000** – Zurich, 15 mai 1981 : *Paris, les quais* 1932, h/t (55x38) : **CHF 4 200** – Berne, 22 oct. 1983 : *Vue de l'Aar* 1913, h/t (76x89) : **CHF 3 100.**

WYLIE Kate

Née en 1877. Morte en 1941. xxe siècle. Britannique.

Peintre de natures mortes, fleurs.

Ventes Publiques : Édimbourg, 30 août 1988 : *Nature morte de fleurs d'été dans un vase*, h/t (58,5x33) : **GBP 935** – Perth, 29 août 1989 : *Nature morte de roses dans un vase*, h/t (51x41,5) : **GBP 1 100** – Édimbourg, 22 nov. 1989 : *Nature morte de chrysanthèmes dans un vase*, h/t (45,7x55,9) : **GBP 880** – Glasgow, 6 fév. 1990 : *Vase de fleurs*, h/t (61,5x44) : **GBP 1 320** – Glasgow, 5 fév. 1991 : *Roses*, h/t (35x25) : **GBP 1 320** – Perth, 26 août 1991 : *Nature morte de fleurs dans un vase*, h/t (51x61) : **GBP 2 860** – Glasgow, 4 déc. 1991 : *Fleurs d'été dans un vase bleu*, h/t. cartonnée (28x35,5) : **GBP 1 100** – Édimbourg, 28 avr. 1992 : *Renoncules*, h/t (26x31) : **GBP 1 100** – Édimbourg, 23 mars 1993 : *Nature morte de roses roses*, h/t (41,5x51) : **GBP 747** – Perth, 30 août 1994 : *Nature morte de roses*, h/t (68,5x56) : **GBP 1 380** – Perth, 26 août 1996 : *Nature morte de roses ; Nature morte de chrysanthèmes*, h/cart. et h/t (39,5x35,5 et 36x41) : **GBP 1 840.**

WYLIE Michel de ou **Michaïl Jakovléwitch**

Né en 1838 à Saint-Pétersbourg. Mort le 16 décembre 1910 à Saint-Pétersbourg. xixe-xxe siècles. Russe.

Peintre, aquarelliste.

Il figura aux expositions de Paris ; médaille de bronze en 1900 (Exposition Universelle).

Musées : Moscou – Saint-Pétersbourg.

WYLIE Robert

Né en 1839 à l'île de Man. Mort le 13 février 1877 à Pont-Aven (Finistère). xixe siècle. Depuis 1849 actif aux États-Unis, depuis 1863 actif en France. Britannique.

Peintre de scènes de genre, paysages animés, paysages, intérieurs, sculpteur. École de Pont-Aven.

Il émigra fort jeune en Amérique et commença son éducation artistique à la Pensylvania Academy, à Philadelphie. Il vint à Paris en 1865 et y fut élève de Barye. Il s'établit en Bretagne, à Pont-Aven. Il participa de nombreuses fois au Salon de Paris et remporta en 1872, une médaille de seconde classe. On connait peu de ses œuvres et les plus importantes figurent dans des collections particulières.

Il fut d'abord sculpteur sur ivoire, puis il se consacra exclusivement à la peinture. Il se plut à représenter les mœurs des paysans du pays breton.

Bibliogr. : In : *Pont Aven et ses peintres à propos d'un centenaire*, Ed. Denise Delouche, Rennes, 1986 – Julia R. Myers, in : *Nouvelles découvertes de l'Art américain*, The American Art Journal, 1991 – William H. Gerdts, D. Scott Atkinson, Carole L. Shelby, Jochen Wierich : *Impressions de toujours – Les peintres américains en France 1865-1915*, Mus. Américain de Giverny, Terra Foundation for the Arts, Evanston, 1992.

Musées : Evanston, Illinois (The Terra Mus. of American Art) – Giverny (Mus. Américain Terra Foundation for the Arts) : *Spectateurs bretons vers 1870* – Philadelphie (The Pennsylvania Acad. of the Fine Arts) – Washington D. C. (The Corcoran Gal. of Art) : *Vieux barde breton* – West Yorkshire, Angleterre (Bradford Art Galleries and Museums).

Ventes Publiques : New York, 27 mai 1993 : *Joueurs de cartes en Bretagne*, h/t (54,6x65,4) : **USD 46 000.**

WYLKIE Charles William ou **Charlie**. Voir **WYLLIE Charles William**

WYLL Jacob von. Voir **WYL**

WYLLEMS Winolt. Voir **WILLEMS**

WYLLIE Charlie ou **Charles William**

Né le 18 février 1853 à Londres. Mort le 28 juillet 1923 à Londres. xixe-xxe siècles. Britannique.

Peintre de genre, marines.

Il était actif en Angleterre. Membre de la Society of British Artists et de l'Institute of Painters in Oil Colour. Exposa à Londres, notamment à Suffolk Street et à la Royal Academy à partir de 1871. Figura aux expositions de Paris ; médaille de bronze en 1889 (Exposition Universelle) ; mention honorable en 1900 (Exposition Universelle).

Musées : Londres (Tate Gal.) : *À la recherche d'appâts.*

Ventes Publiques : Londres, 14 fév. 1978 : *Littlehampton* 1880, h/t (64,5x125,5) : **GBP 1 200** – Londres, 14 juin 1979 : *Vue de Gand*, h/cart. (18x25,5) : **GBP 600** – Londres, 16 oct. 1981 : *Scène de bord de mer ; h/t* (55,2x127) : **GBP 4 500** – Londres, 21 juin 1983 : *Home from the Grazils*, h/t (127x101,5) : **GBP 6 000** – Londres, 12 mars 1985 : *Scène de canal*, h/t (137x101) : **GBP 14 000** – Londres, 5 mars 1987 : *Canal life*, h/t (137x101,6) : **GBP 17 000** – Londres, 18 oct. 1990 : *Une péniche de foin naviguant sur la Tamise*, h/t (32x65) : **GBP 1 870** – Londres, 20 jan. 1993 : *Maisons au bord d'une rivière ; Barques sur une rivière*, aquar., une paire (chaque 35,5x52) : **GBP 1 725** – Londres, 11 mai 1994 : *La Tour et la Tamise*, h/t (45,5x81) : **GBP 8 280** – New York, 12 oct. 1994 : *Les escaliers de la cerisaie*, h/t/pan. (81,3x18,4) : **USD 3 450** – New York, 18-19 juil. 1996 : *Navigation à l'aube sur la Tamise*, h/t (45,7x81,9) : **USD 8 625** – Londres, 4 juin 1997 : *Chargement d'une péniche à foin*, h/t (56x127) : **GBP 16 675.**

WYLLIE Harold

Né le 29 juin 1880 à Londres. Mort en 1975. xxe siècle. Britannique.

Peintre de marines, graveur.

Fils de William Lionel Wyllie et élève de sir Thomas Graham Jackson. Il était aussi aquafortiste.

WYLLIE William Lionel

Né le 6 juillet 1851 à Londres. Mort le 6 avril 1931 à Hampstead. xixe-xxe siècles. Britannique.

Peintre d'histoire, marines, graveur, dessinateur, illustrateur.

Élève des Écoles de la Royal Academy, il obtint la médaille d'or de Turner en 1869. Il commença à exposer à Londres à partir de 1868, et fut membre du Royal Institute of Painters in Watercolours, de l'Institute of Painters in Oil Colour, de la Society of British Artists, du New English Art Club. Associé de la Royal Academy en 1889, il en devint membre en 1907 ou 1909. Il figura aux expositions de Paris ; médaille d'or en 1889 (Exposition Universelle) et d'argent en 1900 (Exposition Universelle).

Il peignit surtout des sujets maritimes, s'étant initié aux techniques de la construction navale. En tant qu'illustrateur, il collabora à la revue *Graphic*, de 1880 à 1904.

Bibliogr. : M. A. Wyllie : *We Were One, A Life of W. L. Wyllie*, Londres, 1935 – Roger Quarm et John Wyllie : *W. L. Wyllie, Marine Artist, 1851-1931*, Barrie & Jenkins, Londres, 1981 – Marcus Osterwalder, in : *Dictionnaire des illustrateurs 1800-1914*, Ides et Calendes, Neuchâtel, 1989.

Musées : Bristol : *Passage d'une grande reine* – Une aquarelle – Liverpool : *Le passage d'une grande reine* – Londres (Diploma Gal.) : *La flotte de pêche de Portsmouth* – Londres (Tate Gal.) : *Toil, Glitter, Grime, an Wealth on Flowing Tide* – Sydney : *Pêcherie de harengs.*

Ventes Publiques : Londres, 8 déc. 1922 : *L'Exmouth, bateau d'entraînement*, dess. : **GBP 42** – Londres, 21 nov. 1972 : *Bord de mer avec pêcheurs* : **GBP 980** – Londres, 10 juil. 1973 : *Bords de rivière* 1875 : **GBP 2 100** – Londres, 25 jan. 1974 : *Bord de mer* : **GNS 850** – Londres, 16 nov. 1976 : *L'entrée du port* 1910, h/t (64x110,5) : **GBP 1 600** – Londres, 8 mars 1977 : *Voiliers en mer*, h/pan. (45x30) : **GBP 950** – Londres, 16 mai 1979 : *H.M.S. Victory* 1907, h/t (44x74,5) : **GBP 1 700** – Londres, 9 déc. 1980 : *Par un temps plaisant*, aquar. et reh. de blanc (16x23) : **GBP 1 800** –

Londres, 6 nov. 1981 : *La Flotte en mer* 1920, h/t (33x86,8) : **GBP 1 600** – Londres, 27 avr. 1982 : *On the Thames : St Anne's Limehouse* 1894, aquar. et cr. reh. de blanc (28x43,5) : **GBP 1 100** – Londres, 21 juin 1983 : *Sur la plage* vers 1891, aquar./traits de cr. reh. de gche (19x32,5) : **GBP 6 000** – Londres, 6 juin 1984 : *Masters of the sea* 1915, h/t (151,8x274,3) : **GBP 7 000** – Londres, 23 juil. 1985 : *Les régates* 1922, aquar. (36,54,1) : **GBP 4 500** – Londres, 3 juin 1988 : *Le jardin de Neptune* 1888, h/t (55,9x101,6) : **GBP 9 350** – Londres, 23 sep. 1988 : *Les Parlements* 1901, h/t (72,5x104) : **GBP 18 700** – Londres, 25 jan. 1989 : *Calshot vu de Hamble Spit*, aquar. (16,5x32) : **GBP 1 980** – Londres, 31 mai 1989 : *Course de voiliers sur la Medway en 1896*, h/t (61x122) : **GBP 19 800** – Londres, 27 sep. 1989 : *La Revue de la flotte en 1911*, h/t (77x153) : **GBP 18 700** – Londres, 31 jan. 1990 : *Chatham vu de Prindbury Hill*, aquar. (18x33) : **GBP 1 430** – Londres, 30 mai 1990 : *L'Empereur d'Allemagne et le Prince de Galles visitant le navire marchand Teutonic en 1889*, h/t (152x102) : **GBP 63 800** – Londres, 26 sep. 1990 : *Dans le chenal* 1884, h/pan. (49,5x34) : **GBP 1 430** – Londres, 30 jan. 1991 : *Bocchi de Cattaro, île de Saint-Georges au large de la Yougoslavie* 1911, aquar. (14x23,5) : **GBP 770** – Londres, 22 mai 1991 : *Les Docks de Barry*, h/t (79x135) : **GBP 20 900** – Perth, 26 août 1991 : *Quai Anderson à Glasgow*, aquar. (22x32,5) : **GBP 880** – Londres, 20 mai 1992 : *Fin de journée à la plage*, aquar. (25x41) : **GBP 5 720** – Londres, 3 mars 1993 : *Maldon, Essex* 1882, h/t (46x81,5) : **GBP 3 335** – Londres, 25 mars 1994 : *Pêcheurs à marée basse*, cr. et aquar. (21,6x34,3) : **GBP 3 450** – Londres, 3 mai 1995 : *L'Entente cordiale, l'arrivée de la flotte française à Cowes Roads* 1906, h/t (152,5x274,5) : **GBP 36 700** – Londres, 5 juin 1996 : *La Paix écartant les horreurs de la Guerre* 1903, h/t (122x213,5) : **GBP 13 800** – Londres, 5 juil. 1996 : *La Première Escadrille de la flotte avant la bataille de Jutland* 1917, h/t (92x200,8) : **GBP 78 500** – Londres, 6 nov. 1996 : *Sheep dipping in the hundred of Hoo*, h/t (46x81,5) : **GBP 8 280** – Londres, 29 mai 1997 : *Pêche au chalut au large d'une berge de rivière* 1888, h/t (45,5x81,5) : **GBP 7 130** – Londres, 6 juin 1997 : *Au bord de la mer*, cr. et aquar. reh. de blanc (20x33) : **GBP 3 910**.

WYLLIE William Morrison

xixe siècle. Britannique.

Peintre de genre.

Il exposa à Londres de 1852 à 1890.

Ventes Publiques : Londres, 28 jan. 1977 : *Carnaval en Hollande* 1875, h/t (39,2x63,5) : **GBP 750** – Londres, 20 mars 1979 : *Le ramandage des filets* 1897, h/t (48x72) : **GBP 1 500** – Londres, 5 juin 1996 : *Le Marché aux fruits, Boulogne*, h/t (37,5x61) : **GBP 5 920**.

WYLSYNCK Heinrich ou **Wilsing** ou **Wilsynck**

Mort en 1533 à Lübeck. xvie siècle. Allemand.

Sculpteur et graveur sur bois et peintre.

Élève et assistant de Bernt Notke. Il sculpta surtout des autels.

WYMANN MORY Karl Christian

Né le 1er février 1836 à Lützelflüh. Mort le 20 avril 1898 à Clarens. xixe siècle. Suisse.

Paysagiste et portraitiste.

Il passa toute sa jeunesse à Berne ou dans les environs, travailla à Munich et voyagea quelques années. Il fit un court séjour à Florence et à Rome. Il participa en 1864, et de 1872 à 1896, aux expositions d'art suisses et bernoises, notamment en 1883 *(Soir dans la Campanie* et *Matin sur le lac)*. De plus au Musée de Berne, on voit de lui *Sonneur de cor* et *Vue du lac de Genève*.

WYMBS Madeleine

Née à Paris. xixe siècle. Française.

Peintre de paysages et de portraits.

Élève de Leboucher et de Flandrin. Elle débuta au Salon en 1869.

WYN Baltzer ou **Balsar**. Voir **WINNE**

WYN Sonwtje de ou **Wijn**

Né le 28 octobre 1888 à Texel. xxe siècle. Hollandais.

Graveur.

Il travailla à Zaandam et à Amsterdam.

WYN-EVANS Cerith

Né en 1958 dans le Pays de Galles. xxe siècle. Britannique.

Artiste, créateur d'installations.

Il vit et travaille à Londres.

Il participe à des expositions collectives, dont : 1990, *Sign of the Times*, Moma, Oxford ; 1995, *Stoppage*, CCC, Tours ; 1996, *Life/Live. La scène artistique au Royaume-Uni en 1996* au Musée d'Art Moderne de la Ville de Paris. Il montre ses œuvres dans des expositions personnelles depuis 1989.

Lors de l'exposition *Life/Live* au Musée d'Art Moderne de la Ville de Paris en 1996, il présentait une installation dont les bâtonnets de bois remplis de poudre à canon servaient à l'écriture de la phrase : *In Girum Imus Nocte et Consumimur Igni* (Nous tournons en rond dans la nuit et nous sommes dévorés par le feu).

WYNANTS Ernest. Voir **WIJNANTS**

WYNANTS Jacob

xviie siècle. Actif de 1601 à 1637 à Middlebourg. Hollandais.

Peintre.

WYNANTS Jan ou **Wijnants**

Né probablement entre 1630 et 1635 à Haarlem. Mort en 1684 à Amsterdam. xviie siècle. Hollandais.

Peintre de genre, animaux, paysages animés, paysages, paysages d'eau, aquarelliste.

On sait fort peu de choses sur ce grand artiste qui, avec Jacob Ruysdaël et Hobbema, a porté l'art du paysage à un si haut degré de perfection. Les archives de la gilde de Haarlem mentionnent un Jan Wynants, marchand d'œuvres d'art. On a cru retrouver notre artiste dans ce personnage. Ne serait-ce pas plutôt son père ? L'homme qui a produit l'œuvre considérable constitué par ce que nous connaissons de ce grand peintre aurait-il eu le temps de s'occuper d'un commerce ? En 1646, un Jan Wynants, veuf, épouse Luytgen Van den Ende. Peut-être s'agit-il de notre artiste. Mais nous n'en avons pas la preuve. Vers 1665, Wynants alla à Amsterdam et paraît y avoir achevé sa vie. On lui donne comme élèves Philips Wouverman et Adrien Van de Velde. Les figures de ses tableaux furent peintes par Lingelbach A. Van de Velde, Ph. Wouwerman, Helt Stokade. Parmi ses imitateurs il faut citer Jan Wouwerman, dont les œuvres lui sont souvent attribuées.

Ses premières peintures datées sont de 1641 à 1642. Wynants n'est pas attiré, comme tant de ses contemporains, par les paysages inédits, étrangers, accidentés ou ensoleillés du midi de l'Europe ; il délaisse la nature fabriquée et grandiose des Poussin et des Claude, mais il fait découvrir à la Hollande le paysage hollandais. Ce n'est pas à Haarlem même où il vécut modestement la plus grande partie de sa vie et où il ouvrit école, mais à ses portes qu'il plante son chevalet. Un brin d'herbe, un tas de cailloux, un tronc d'arbre mort, un chemin qui s'en va, les détails infimes et la solitude d'un paysage quotidien lui suffisent. C'est par l'amour qu'il porte aux détails de la nature que nous pénétrons dans la vie profonde de ce peintre et dans sa vie sensible, car Wynants n'est pas seulement un remarquable exécutant, il est un poète qui confie au pinceau les peines de sa vie quotidienne. Malgré l'éclat de sa production, on ne connaît que peu de choses de sa vie, sinon de malicieuses anecdotes qui le montrent hantant les mauvais lieux, joueur, volontiers railleur et caustique envers ses confrères. Or la vie profonde et désenchantée de ce peintre rustique et paysan et de ce solitaire amoureux d'art est tout entière dans cette remarque de sa femme qui avait reçu le jeune Van de Velde : « Oui, lui aurait-elle dit, cet enfant est aujourd'hui votre élève, il sera votre maître demain. » Cette cruelle et injuste remarque brosse le tableau de sa vie familiale ; il a peut-être été marchand pour gagner sa vie, comme le laisse entendre la tradition. Mais s'il ne l'a pas été, il a dû, pour répondre aux exigences de sa clientèle, conserver pour collaborateurs, ses élèves, auxquels parfois furent attribuées, à seules fins qu'ils peignissent pour lui, les figures que lui-même se trouvait incapable d'exécuter. On comprendra mieux la poésie de ses paysages, de ses dunes et la tristesse de certaines de ses routes. Lingelbach, A. Van de Velde, Ph. Wouverman, Helt Stokade y campèrent leurs figures. Le peintre que l'on enterra semble-t-il à Amsterdam, à une date imprécise, ses contemporains savaient-ils qu'il avait porté au plus haut point de perfection l'art du paysage ?

■ Robert Rebufa

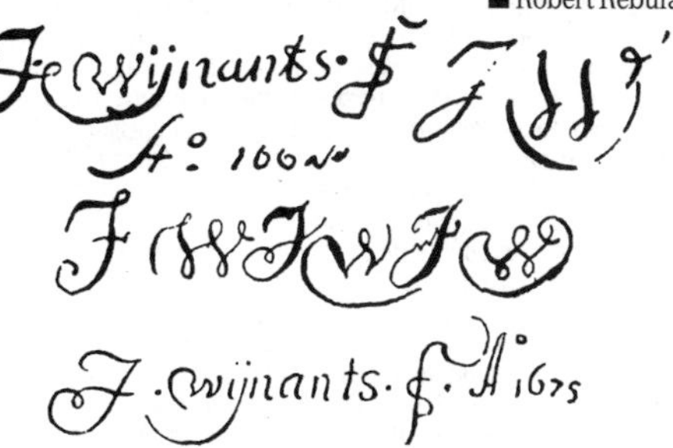

Musées : Aix : Deux paysages – Amsterdam : *La Ferme – Paysage*, figures par Lingelbach – *Site montagneux*, figures par A. Van de Velde – *Paysage avec bétail* – Trois paysages – *Dunes*, figures par A. Van de Velde – *Vue dans les dunes* – Anvers : *Paysage et animaux* – Deux paysages – Aschaffenbourg : *Paysage avec chemin fréquenté* – Augsbourg : *Arbres avec chasseurs* – Bath : *Paysage avec maison* – Bergame (Acad. Carrara) : *Paysage*, signé Wynants, mais probablement de F. Wouwerman – Berlin : *Paysage avec collines* – Bonn : Deux paysages – Brême : *Paysage* – Breslau, nom all. de Wroclaw : *Paysage hollandais* – Bruxelles : *Paysage avec des animaux* – Trois paysages – Budapest : *Chemin à côté d'une forêt* – Caen : *Paysage avec personnage* – Cambridge : *Chasse au lièvre* – Trois paysages – Clamecy : *Paysage* – Cologne : *Paysage de Hollande – Paysage avec chasseurs* – Copenhague : *Bois sur la falaise – Paysage* – Darmstadt : *Paysage* – Dresde : *Chemin au bord d'une forêt – Chemin en pente* – Dublin : *Scène aux environs de Haarlem*, figures par Lingelbach – *Paysage idéal* – Aquarelle – Dunkerque : *Paysage* – Düsseldorf : *Paysage* – Édimbourg : *Paysage* – Erlangen : *Paysage avec chien de chasse* – La Fère : Deux paysages – Francfort-sur-le-Main : *L'étang aux canards – Plaine* – Genève (Ariana) : *Paysage animé* – Glasgow – Gotha – Haarlem – Hambourg – Hampton Court : *Paysages* – Hanovre : *Paysage d'été* – La Haye : *Lisière de forêt – Chemin dans les dunes* – Helsinki : *Paysage italien* – Karlsruhe : Deux paysages – Kassel : *Paysage avec chemin* – Kiew : *Paysage* – Landshut : *Chasse au lièvre* – Leipzig : Grand et petit paysages – Lier : *Paysage avec pont* – Lille : *Le fauconnier* – Londres (Nat. Gal.) : *Paysage avec au loin campagne montueuse*, trois œuvres – *Paysage animé* – Londres (Wallace) : *Paysage montagneux – Paysage avec animaux – Paysage avec arbre dénudé* – Lyon : *Lisière d'une forêt – Paysage* – Mannheim : Trois paysages – Marseille : *Paysage* – Mayence : *Paysage vallonné* – Milan : *Paysage avec paysans et troupeau* – Montpellier – Moulins : *Paysage* – Munich : *Paysage avec chasse au lièvre – Sentier, colline de sable, quatre bœufs – Paysage avec cavalier et dame allant à la chasse – Paysage du matin – Paysage du soir – Paysage avec groupe d'arbres – Colline de sable avec des maisons à l'arrière-plan* – Munster : *Paysage avec chemin* – Nice : *Route de ferme* – Nottingham : *Paysage avec paysans sur la route – Paysage avec paysans et chien* – Oldenbourg : Trois paysages – Orléans : *Chasseur à cheval* – Oslo : *Paysage d'automne* – Paris (Mus. du Louvre) : *Lisière de forêt – Paysage – Paysage*, figures par A. Van de Velde – Paris (Mus. Jacquemart-André) : *Paysage de dunes* – Pau : *Paysage avec chemin* – Prague : *Paysage de forêt* – Rennes : *Paysage avec chasseur et chiens* – Riga : *Paysage de dunes* – Saint-Pétersbourg (Mus. de l'Ermitage) : *Ferme* – Trois paysages – Spire – Stettin : Paysages – Stockholm : *Ferme – Chemin traversant une forêt de chênes – Paysage hollandais avec chemin dans les dunes – Paysage avec colline, fleuve et chaîne de montagnes* – Strasbourg : *Paysage* – Valenciennes : *La ferme*, figures par Wyntrak – Vienne (Gal. Liechtenstein) : Trois paysages – Vienne (Mus. Nat.) : *Entrée de forêt – Paysage* – Vienne (Schonborn-Buchheim) : *Paysage* – Wuppertal : *Paysage de dunes* – Würzburg : *Paysage avec canal*.

Ventes Publiques : Paris, 1776 : *Paysage avec personnages et troupeau* : **FRF 3 750** – Paris, 1777 : *Paysage étendu*, figures et animaux par A. Van de Velde : **FRF 16 000** ; *Paysage, repos de chasseurs* : **FRF 10 000** – Paris, 1793 : *Quatre bœufs conduits par un berger* : **FRF 2 600** – Londres, 1810 : *Scène dans une forêt* : **FRF 8 395** – Paris, 1832 : *Paysage* : **FRF 7 000** ; *Paysage* : **FRF 4 900** – Paris, 1838 : *Le Fauconnier* : **FRF 8 000** – Paris, 1843 : *Paysage*, figure de Lingelbach : **FRF 8 330** – Londres, 1861 : *Paysage avec bestiaux* : **FRF 9 200** – Paris, 1869 : *Paysage avec des cochons* : **FRF 33 500** ; *Paysage* : **FRF 51 000** – Paris, 1880 : *Les Cinq Sens* : **FRF 75 000** – Paris, 1883 : *Terrains éboulés* : **FRF 6 620** – Londres, 1886 : *Scène de rivière, soleil* : **FRF 8 660** – Londres, 1892 : *Vue à vol d'oiseau d'un paysage et d'une ville au loin* : **FRF 9 880** – Amsterdam, 1892 : *La Chasse au faucon* : **FRF 12 600** – Londres, 1893 : *Bandits attaquant des voyageurs* : **FRF 10 770** – Paris, 1899 : *Le Tertre sablonneux* : **FRF 5 700** – Paris, 17 juin 1904 : *Paysage au soleil couchant* : **FRF 6 000** – Paris, 4-7 déc. 1907 : *L'Arbre dépouillé* : **FRF 10 600** – Paris, 12 juin 1919 : *Paysage* : **FRF 2 400** – Paris, 12 juin 1919 : *Le Chemin du village* : **FRF 3 200** – Paris, 8-10 juin 1920 : *Le Chemin creux au cavalier*, aquar. : **FRF 5 900** – Londres, 15 déc. 1922 : *Paysage vallonné* : **GBP 367** – Londres, 2 mars 1923 : *Paysage avec cavalier et son chien* : **GBP 115** – Paris, 15 mars 1923 : *La Route sablonneuse, effet de soleil* : **FRF 4 100** – Paris, 2 juin 1924 : *Chemin à la lisière d'un bois* : **FRF 15 500** – Paris, 5 juin 1924 : *Le Chemin de l'étang* : **FRF 20 000** ; *La Halte au bord de la route* : **FRF 7 500** – Paris, 27-28 mai 1926 : *La Passerelle* : **FRF 17 000** – Paris, 21-22 mai 1928 : *Le Chemin du hameau* : **FRF 26 000** – Paris, 22 nov. 1935 : *Grand paysage animé de personnages et d'animaux* : **FRF 6 100** – Londres, 30 avr. 1937 : *Paysage escarpé* : **GBP 409** – Londres, 28 mai 1937 : *Paysage* : **GBP 304** – Paris, 4 juin 1937 : *Le Chasseur* ; *L'Embuscade*, deux toiles : **FRF 17 500** – Paris, 31 mars 1938 : *Vue d'Amsterdam* : **FRF 44 000** – Paris, 15 juin 1942 : *Le Repos du chasseur* : **FRF 38 000** – Paris, 11 fév. 1943 : *Moutons à l'abreuvoir* : **FRF 17 500** – New York, 4 mai 1944 : *Scène de rivière* : **USD 700** – Paris, 2 déc. 1948 : *Paysage*, pl. et lav. : **FRF 12 000** – Paris, 25 mai 1949 : *La Route de campagne* : **FRF 300 000** – Bruxelles, 30 jan. 1950 : *Paysage avec chasseurs* : **BEF 24 000** – Londres, 17 fév. 1950 : *Paysage vallonné animé de personnages*, peint par Lingelbach : **GBP 346** – Paris, 12 juin 1950 : *L'Arbre brisé* 1667 : **FRF 59 500** – Paris, 16 juin 1950 : *La Passerelle* : **FRF 60 000** – Lucerne, 17 juin 1950 : *Chasseurs dans un paysage avec rivière* 1641 : **CHF 2 900** – New York, 30 nov. 1950 : *Personnages sur une route* : **USD 725** – Londres, 19 jan. 1951 : *Chasseurs dans un paysage* ; *Paysans et pêcheurs dans un paysage* 1665, deux pendants peints en collaboration avec Johannes Lingelbach : **GBP 294** – Paris, 9 mars 1951 : *Le Chemin de la forêt* : **FRF 200 000** ; *L'Étang* 1674 : **FRF 150 000** – Stockholm, 19-20 mars 1953 : *Paysage avec troupeau* : **SEK 325** – Cologne, 6-9 avr. 1953 : *Paysage* : **DEM 1 600** – Stuttgart, 19-21 mai 1953 : *Paysage*, aquar. : **DEM 175** – Paris, 7 juin 1955 : *Bord de rivière* : **FRF 280 000** – Londres, 2 juil. 1958 : *Paysage* : **GBP 1 550** – Londres, 23 mars 1960 : *Paysage boisé* : **GBP 500** – Londres, 28 nov. 1962 : *Paysage boisé avec chasse au faucon* : **GBP 850** – Londres, 24 mars 1965 : *Paysage à la colline* : **GBP 2 200** – Cologne, 29 nov. 1968 : *Chasseurs dans un paysage* : **DEM 16 000** – Cologne, 26 mai 1971 : *Paysage animé de personnages* : **DEM 15 000** – Londres, 7 juil. 1972 : *Paysage boisé* : **GNS 14 500** – Londres, 29 nov. 1974 : *Paysage boisé* 1660 : **GNS 10 000** – Amsterdam, 26 avr. 1976 : *Cavalier au bord d'une rivière*, h/pan. (36x20) : **NLG 42 000** – Cologne, 11 mai 1977 : *Cavalier dans un paysage boisé*, h/t mar./pan. (58,5x77,5) : **DEM 30 000** – Londres, 1er déc. 1978 : *Cavalier dans un paysage boisé*, h/pan. (56x80) : **GBP 12 000** – Londres, 11 juil 1979 : *Paysage fluvial boisé* 1656, h/t (106x150) : **GBP 15 000** – Londres, 10 juil. 1981 : *Chasseurs dans un paysage boisé*, h/t (52x45) : **GBP 11 000** – Vienne, 16 nov. 1983 : *Paysage vallonné animé de personnages*, h/t (30,5x36,5) : **ATS 580 000** – Londres, 10 avr. 1987 : *Paysage boisé avec un paysan saluant un cavalier* 1676, h/t (67x83,8) : **GBP 28 000** – New York, 3 juin 1988 : *Personnages dans un jardin architecturé près d'une demeure* 1680, h/t (109x114) : **USD 28 600** – Londres, 8 juil. 1988 : *Paysage boisé avec un berger menant son troupeau sur un chemin et une montagne au fond*, h/t (42,5x50) : **GBP 13 200** – Milan, 4 avr. 1989 : *Paysage fluvial avec des voyageurs et des pêcheurs*, h/t (88x121) : **ITL 26 000 000** – Londres, 19 mai 1989 : *Paysage avec un tronc d'arbre mort près d'une mare avec une paysanne et son enfant sur le chemin d'une ferme* 1667, h/t (49x61) : **GBP 16 500** – New York, 12 oct. 1989 : *Voyageurs sur un chemin forestier dans un vaste paysage fluvial*, h/t (153x166,5) : **USD 16 500** ; *Paysage fluvial avec des voyageurs sur le chemin*, h/t (88x121) : **ITL 36 000 000** –

New York, 1er juin 1990 : *Troupeau de bovin sur une route de campagne avec un sommet au fond*, h/t (40,5x49) : **USD 46 750** – Londres, 26 oct. 1990 : *Vastes paysages boisés avec des chasseurs, des voyageurs et des paysans*, h/t, une paire (48,2x58,5) : **GBP 24 200** – Londres, 14 déc. 1990 : *Vaste paysage avec des chasseurs dans un chemin boisé* 1670, h/t (129x170,2) : **GBP 66 000** – Londres, 1er nov. 1991 : *Vaste paysage fluvial avec un cavalier conversant avec des paysans et un manoir sous les arbres au fond* 1672, h/t (49,5x64,2) : **GBP 36 300** – Stockholm, 10-12 mai 1993 : *Paysage avec un tronc d'arbre abattu et un cavalier au loin*, h/pan. (15x21) : **SEK 16 500** – Paris, 30 juin 1993 : *Paysage*, h/pan. (43x34) : **FRF 4 000** – Amsterdam, 17 nov. 1993 : *Paysans près d'une mare*, h/t (25,5x33) : **NLG 18 400** – Londres, 8 déc. 1993 : *Vaste paysage boisé avec un homme menant son troupeau de cochons sur un chemin passant devant une chaumière*, h/t (68x85,9) : **GBP 47 700** – Londres, 5 avr. 1995 : *Paysage boisé avec des voyageurs sur le chemin*, h/t (64,8x75,5) : **GBP 25 300** – Paris, 16 juin 1995 : *Le Repos du voyageur*, h/t (70x87) : **FRF 30 000** – New York, 12 jan. 1996 : *Vaste paysage avec des personnages sur un sentier*, h/t (110,8x81) : **USD 23 000** – Paris, 24 juin 1996 : *Paysage de dune*, h/pan. (15,5x21) : **FRF 18 000** – Londres, 13 déc. 1996 : *Paysanne traversant un ruisseau sur un pont de bois*, h/pan. (26,4x19,8) : **GBP 12 075** – Paris, 13 juin 1997 : *Le Repos des chasseurs au faucon*, t. (64x81) : **FRF 680 000**.

WYNANTS Sander
Né en 1903 à Malines. xxe siècle. Belge.
Peintre.
Neveu d'Ernest Wynants. Il fut élève des Académies des Beaux-Arts d'Anvers, de Bruxelles et de Malines.

WYNANTSZ Auguste
Né en 1795. Mort après 1848 à La Haye. xixe siècle. Hollandais.
Peintre de vues, d'intérieurs et de sujets militaires.
Après avoir servi comme musicien dans la cavalerie, il s'adonna à la peinture. Il travailla pour le roi Guillaume II de Hollande. Il peignit surtout des vues de villes.
Musées : La Haye (Mus. mun.) : *La porte des grenadiers du Buinenhof (La Haye)* – *Le Noordeinde en 1848* – *La plage de Scheveningen, vue prise du village* – Mayence : *Route hollandaise.*
Ventes Publiques : Paris, 22 juin 1923 : *Maison des Templiers à Gand ; Hôtel de Ville à Gand*, deux toiles : **FRF 585** – Paris, 22 fév. 1950 : *Hôtel de Ville et beffroi de Gand* 1875 : **FRF 16 300** – Paris, 27 juin 1951 : *Cour de cloître* 1828 : **FRF 11 000** – Londres, 14 juin 1972 : *Vue d'Utrecht* 1831 : **GBP 580** – Londres, 4 mai 1973 : *Vue d'Utrecht* 1831 : **GNS 1 200** – Paris, 12 mars 1979 : *Scène de rue en Hollande*, h/t (40x33) : **FRF 18 000** – Londres, 19 juin 1981 : *Bruges* 1824, h/pan. (47x51) : **GBP 4 200**.

WYNATSZ Jan ou **Wijnatsz**
xviiie siècle. Actif à Amsterdam en 1721. Hollandais.
Graveur au burin.

WYNCKELMAN Frans Jacob Jan ou **François**
Né le 29 juin 1762 à Bruges. Mort le 6 janvier 1844 à Bruges. xviiie-xixe siècles. Belge.
Paysagiste.
Fut président de l'Académie de Bruges. Le Musée de cette ville conserve de lui *Paysage napolitain.*

WYNDAELE Paul
Né le 18 octobre 1930 à Gand. xxe siècle. Belge.
Peintre. Abstrait-lyrique.
Il a été élève de l'Institut Supérieur Saint-Luc de Gand et de l'Académie de la Grande Chaumière à Paris.

WYNDHAM Richard
Né le 29 août 1896 à Canterbury. xxe siècle. Britannique.
Peintre de figures, paysages.
Élève de H. Speed et de W. Lewis.
Musées : Manchester (Gal.) : *Rue à Marseille.*
Ventes Publiques : Londres, 8 nov. 1985 : *La femme du pêcheur faisant la sieste* 1926, temp. (50,4x99) : **GBP 1 300** – Londres, 29 juil. 1988 : *L'étang de Tickerage dans le Sussex*, h/t (50x60) : **GBP 605**.

WYNEN Dominicus Van ou **Wijnen**, appelé aussi **Ascanius**
Né en 1661 à Amsterdam. Mort après 1690. xviie siècle. Hollandais.
Peintre de compositions d'imagination, de genre. Tendance fantastique.
Élève de Dondyns à La Haye. Il alla à Rome. Le Musée de Budapest conserve de lui *Don Quichotte*, et celui de Dublin, *Fantaisie.*

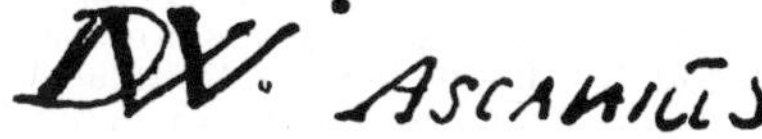

Ventes Publiques : Amsterdam, 10 nov. 1992 : *Les enfers*, h/t (50x46,5) : **NLG 10 925**.

WYNEN Oswald
Né le 11 novembre 1736 à Hausden. Mort le 4 janvier 1790 à Amsterdam. xviiie siècle. Hollandais.
Peintre de fleurs et de fruits.
Les Musées de Bruxelles et de Haarlem conservent des aquarelles de cet artiste.
Ventes Publiques : Monte-Carlo, 26 juin 1983 : *Bouquet de fleurs dans un vase en pierre*, aquar./traits de pl. reh. de blanc (39x29,5) : **FRF 13 000**.

WYNENDAELE Arent Van
Mort le 16 novembre 1592 à Gand. xvie siècle. Éc. flamande.
Peintre.
Il travailla pour la ville de Gand. Il exécuta des vues de cette ville.

WYNFIELD David Wilkie
Né en 1837. Mort le 26 mai 1887. xixe siècle. Actif à Londres. Britannique.
Peintre d'histoire, sujets de genre, portraits.
Il est le petit-neveu de Sir David Wilkie. D'abord destiné à l'Église, il y renonça pour entrer dans l'atelier de T. M. Leegh. Il commença à exposer en 1859 et continua à paraître dans les expositions londoniennes jusqu'en 1887, particulièrement à la Royal Academy. Sa couleur a été souvent critiquée.
Musées : Hambourg : *Les premiers marchands anglais de tissus de laine* – Londres (Victoria and Albert Mus.) : *Cromwell sur son lit de mort* – Melbourne : *Mort de George Villiers, duc de Buckingham.*
Ventes Publiques : Londres, 12 avr. 1985 : *Anne Boleyn and Percy* 1866, h/t (69,5x145) : **GBP 5 200** – Londres, 23 sep. 1988 : *Anne Boleyn et Percy* 1866, h/t (71x147) : **GBP 9 350**.

WYNGAARDEN Theodorus Van ou **Wijngaarden**
Né le 27 février 1874 à Rotterdam. xixe-xxe siècles. Hollandais.
Graveur.
Il n'eut aucun maître.

WYNGAERDE Anthonie Jacobus Van ou **Wyngaerdt, Wijngaerdt**
Né le 27 juin ou juillet 1808 à Rotterdam. Mort le 3 février 1887 à Haarlem. xixe siècle. Hollandais.
Peintre de genre, paysages animés, paysages, animalier, graveur.
Il était à Gouda en 1849, puis à Haarlem en 1852. Il grava à l'eau-forte.
Musées : Bruxelles – La Haye (Mus. mun.).
Ventes Publiques : Londres, 12 mai 1972 : *Troupeau dans un paysage fluvial* : **GNS 420** – Londres, 14 nov. 1973 : *Paysage boisé animé de personnages* : **GBP 750** – New York, 7 oct. 1977 : *Troupeau au pâturage*, h/pan. (27,5x44,5) : **USD 3 000** – Londres, 14 févr 1979 : *Troupeau au pâturage*, h/pan. (22x38) : **GBP 1 600** – New York, 29 mai 1981 : *Troupeau dans un paysage*, h/pan. (23x33) : **USD 2 600** – Amsterdam, 15 mai 1984 : *Troupeau près d'une ferme dans un paysage*, h/pan. (26,5x43) : **NLG 12 500** – Londres, 26 fév. 1988 : *Paysage avec une rivière bordée d'arbres et des ramasseurs de bois*, h/pan. (16x23,5) : **GBP 1 430** – Amsterdam, 3 sep. 1988 : *Paysage boisé avec un berger surveillant son bétail assis sur un tronc une paysanne s'en allant par le chemin*, h/t (48x71) : **NLG 10 925** – Cologne, 15 oct. 1988 : *Paysage estival avec un troupeau de moutons sur un sentier*, h/pan. (33x41) : **DEM 4 000** – Londres, 6 oct. 1989 : *Bétail dans une prairie*, h/pan. (25x35,5) : **GBP 3 080** – Berne, 12 mai 1990 : *Paysans chargeant du bois sur une charrette*, h/pan. (27,5x40,5) : **CHF 4 000** – Amsterdam, 6 nov. 1990 : *Paysage avec du bétail*, h/t (20,5x28) : **NLG 2 760** – Amsterdam, 5-6 fév. 1991 : *Paysanne faisant une pause dans un champ*, h/pan. (23,8x36,5) : **NLG 7 475** – Amsterdam, 24 avr. 1991 : *Paysage boisé avec une paysanne et son bétail dans une prairie*, h/pan. (10,5x16) : **NLG 6 670** – Londres, 19 juin 1991 : *Bétail paissant dans une prairie traversée par un canal*, h/pan. (22x34) : **GBP 2 420** – New York, 26 mai 1992 : *Vaches paissant dans une vaste prairie dégagée*, h/pan. (23x36,8) : **USD 2 420** – Amsterdam, 28 oct. 1992 : *Paysage campagnard*

avec des paysans se reposant devant une maison, h/pan. (27x43,7) : **NLG 7 130** – Amsterdam, 2 nov. 1992 : *Ramasseurs de fagots dans les bois*, h/pan. (40,5x62,5) : **NLG 20 700** – Amsterdam, 9 nov. 1993 : *Personnages et bétail dans un paysage estival*, h/pan. (24x37) : **NLG 18 400** – New York, 17 fév. 1994 : *Enfants dans les collines*, h/pan. (28x44,5) : **USD 1 725** – Amsterdam, 11 avr. 1995 : *Bétail dans un paysage estival*, h/pan. (24x34) : **NLG 20 060** – Amsterdam, 16 avr. 1996 : *Personnages faisant halte dans un paysage de dunes* 1853, h/t (36x48) : **NLG 22 420** – Amsterdam, 5 nov. 1996 : *Scènes campagnardes*, h/pan., une paire (chaque 13,5x18) : **NLG 8 496** ; *Berger et son troupeau*, h/pan. (17,5x31) : **NLG 9 440**.

WYNGAERDE Anthonius Van den, dit **Antonio de Bruxelas** ou **Antonio de las Vinas**
xvie siècle. Éc. flamande.
Peintre de paysages, paysages urbains, graveur, dessinateur.
Il était actif de 1510 à 1572, actif aussi en Espagne. On croit qu'il faisait partie de la suite de Philippe II, à partir de 1572, et qu'il accompagna ce prince dans ses voyages.
On connaît de lui une série de trente-deux vues de villes espagnoles, gravures au burin, que publia Plantin. Cartographe, il fit aussi des dessins topographiques de Londres et de ses environs, de diverses cités anglaises, de Rome et de plusieurs villes des Pays-Bas.
Musées : Vienne (BN).

WYNGAERDE Frans Van den ou **François** ou **Wijngaerde**
Né le 8 juillet 1614 à Anvers. Mort le 17 mars 1669 à Anvers. xviie siècle. Éc. flamande.
Dessinateur, graveur de reproduction.
Il était aussi éditeur. Il gravait au burin et à l'eau-forte. Il a gravé des portraits, des sujets religieux et des sujets de genre, notamment d'après Rubens, Van Dyck, Callot.

F. v. W.

WYNGAERDE Petrus Theodorus ou **Wyngaerdt, Wijngaerdt**
Né le 7 mars 1816 à Rotterdam. Mort le 12 mai 1893 à Haarlem. xixe siècle. Hollandais.
Peintre de sujets de genre, portraits, lithographe.
Il est le frère d'Anthonie Jacobus Van Wyngaerde. Il fut élève de J. H. Van de Laar.
Musées : Haarlem : *Portrait de J. H. Stoel.*
Ventes Publiques : Amsterdam, 15 nov. 1976 : *Avant le dîner, après le dîner* 1873, deux h/pan. (17,5x13) : **NLG 9 400** – Londres, 16 févr 1979 : *La Nouvelle Bonne* ; *Les Préparatifs du dîner*, h/pan., une paire (24,2x17,8) : **GBP 1 800** – Amsterdam, 19 mai 1981 : *La Visite du docteur* 1861, h/pan. (28x21) : **NLG 5 600** – Londres, 3 juin 1983 : *La Lettre*, h/pan. (23,5x17,8) : **GBP 1 600** – Amsterdam, 25 avr. 1990 : *Propos galants* 1853, h/pan. (18x24) : **NLG 8 280** – Amsterdam, 2 mai 1990 : *Mère veillant sur son enfant*, h/pan. (12x8,7) : **NLG 1 725** – Stockholm, 14 nov. 1990 : *Jeunes femmes élégantes dans un boudoir*, h/pan. (30x25) : **SEK 12 500** – Amsterdam, 23 avr. 1991 : *Le chasseur* 1843, h/pan. (29x23) : **NLG 4 600** – Amsterdam, 9 nov. 1993 : *Le Prétendant* 1853, h/pan. (18x24) : **NLG 6 900**.

WYNGAERDEN J.
xviie siècle. Hollandais.
Graveur au burin.
Il grava des portraits.

WYNGAERDT Anthonie Jacobus Van. Voir **WYNGAERDE**

WYNGAERDT Petrus Theodorus. Voir **WYNGAERDE**

WYNGAERDT Piet ou **Petrus Van** ou **Wijngaerdt**
Né le 4 novembre 1873 à Amsterdam. Mort en 1964. xixe-xxe siècles. Hollandais.
Peintre de sujets de genre, paysages animés, paysages, natures mortes, fleurs, graveur.
Il fut élève de l'Académie des Beaux-Arts d'Amsterdam et de G. H. Breitner.

Pietrus Wyngaerdt

Musées : Amsterdam (Mus. mun.) : *Cour intérieure d'une vieille maison* – Haarlem : *Paysage sous la pluie* – Utrecht : *Fleurs.*
Ventes Publiques : Amsterdam, 10 avr. 1989 : *Nature morte de chrysantèmes*, h/t (80x67,5) : **NLG 4 830** – Amsterdam, 24 mai 1989 : *Tulipes avec un livre rouge*, h/t (80x75) : **NLG 7 475** – Amsterdam, 13 déc. 1989 : *Fermier dans ses champs*, h/t (81x68) : **NLG 2 760** – Amsterdam, 11 sep. 1990 : *Le capitaine*, h/t (120x140) : **NLG 6 900** – Amsterdam, 5-6 fév. 1991 : *Amaryllis rouge dans un vase*, h/t (58,5x42) : **NLG 1 150** ; *Jeune paysan au repos*, h/t (126x98,5) : **NLG 2 990** – Amsterdam, 23 mai 1991 : *Maisons aux murs blancs sous les arbres*, h/t (46,5x60,5) : **NLG 6 440** – Amsterdam, 12 déc. 1991 : *Nature morte aux œillets*, h/t (72x61) : **NLG 4 140** – Amsterdam, 21 mai 1992 : *Le jardinier*, h/t (100x70) : **NLG 5 060** – Amsterdam, 9 déc. 1992 : *Paysage avec un champ de fleurs*, h/t (69x89) : **NLG 9 200** – Amsterdam, 8 déc. 1993 : *Paysage hivernal*, h/t (50x60) : **NLG 8 050** – Amsterdam, 8 déc. 1994 : *Bouquet de fleurs des champs*, h/t (60,5x50,5) : **NLG 2 415** – Amsterdam, 31 mai 1995 : *Amaryllis rouge*, h/t (80x60,5) : **NLG 3 540** – Amsterdam, 18 juin 1996 : *Hiver, effets de neige*, h/t (64x70) : **NLG 6 900** – Amsterdam, 3 sep. 1996 : *Roode Rozen*, h/t (26,5x28,5) : **NLG 1 383** – Amsterdam, 17-18 déc. 1996 : *Nature morte avec des tulipes et un livre*, h/t (60x71) : **NLG 5 310** ; *Zinnia's*, h/t (70,5x80,5) : **NLG 5 664** ; *Le Brabant*, h/t (82,5x80,5) : **NLG 10 030** – Amsterdam, 19-20 fév. 1997 : *Boerderij près d'Amsterdam*, h/t (120x102) : **NLG 8 072** – Amsterdam, 2-3 juin 1997 : *Gladiolen in groene flesch* vers 1920, h/t (103,5x65,5) : **NLG 6 490**.

WYNMALEN Hugo Victor Benjamin ou **Wijnmalen**
Né le 2 février 1884 à Rotterdam. xxe siècle. Hollandais.
Graveur.
Il gravait à l'eau-forte.

WYNMAN Wilhelm Ferdinand ou **Wijnman**
Né le 10 juillet 1897 à Roermond. xxe siècle. Hollandais.
Peintre et graveur.
Il fut élève de l'École des Arts Décoratifs de Haarlem.

WYNNE Baltzer ou **Balser**. Voir **WINNE**

WYNNE F. E.
xixe siècle. Britannique.
Paysagiste.
Le Musée de Cape-Town conserve de lui *Bethos-y-coed*, aquarelle.

WYNNE R. W.
xixe siècle. Actif à Londres dans la première moitié du xixe siècle. Britannique.
Peintre de vues.
Il exposa de 1801 à 1814.

WYNNES Sybout
xviie siècle. Actif à Bolsward au début du xviie siècle. Hollandais.
Peintre.
Élève de Frans de Kaersgieter I à Amsterdam.

WYNOUTS Hendrik ou **Wijnouts**
xviiie siècle. Travaillant à Amsterdam en 1737. Hollandais.
Graveur au burin.

WYNOUTS Jacob
xviiie siècle. Travaillant à Amsterdam de 1737 à 1748. Hollandais.
Graveur au burin.

WYNRICH Hermann ou **Winrich**
Originaire de Wesel. xive-xve siècles. Allemand.
Peintre.
Il travailla à Cologne de 1378 à 1413. Il fut probablement élève de maître Wilhelm. On lui attribue plusieurs peintures religieuses se trouvant aux Musées de Cologne et de Berlin. On sait qu'il travailla pour les ducs de Bourgogne dans le premier quart du xve siècle. Il serait à l'origine de la définition du style colonais dans un gothique gracieux.

WYNSTROOM Antonij Christiaan
Né le 6 mai 1888 à Amsterdam. xxe siècle. Hollandais.
Peintre, graveur, peintre-verrier.
Il fut élève de l'Académie des Beaux-Arts d'Anvers et, à Paris, de Jean-Paul Laurens, de Maurice Denis et de Delécluse.
Il gravait à l'eau-forte.

WYNTER. Voir aussi **WINTER**

WYNTER Augustin
xvie siècle. Travaillant à Bruxelles vers 1530. Éc. flamande.
Graveur d'armoiries et orfèvre.

WYNTER Bryan
Né en 1915 à Londres. Mort en 1975. XXe siècle. Britannique.
Peintre.
Il fut élève de la Slade School of Art de Londres. Après avoir servi dans l'armée, il s'est fixé en Cornouailles, à Zennor, près de Saint-Ives. Il participait à de nombreuses expositions de groupe en Grande-Bretagne, en Allemagne, en France, à New York, etc., parmi lesquelles : 1959, Documenta de Kassel et Biennale de Tokyo. Il montre ses peintures au cours de nombreuses expositions individuelles, notamment à Londres régulièrement ainsi qu'à New York, Zurich, etc. Il était chargé d'enseignement à la Bath Academy of Art, de 1951 à 1956. Après une période de paysages romantiques, il a évolué à l'abstraction depuis 1955, tout en continuant de s'inspirer de la nature, évoquant par des entrelacs graphiques très enchevêtrés et serrés, la croissance végétale, ou l'écoulement de l'élément liquide, ainsi dans : *Source*, de 1957.
BIBLIOGR. : Michel Seuphor : *Diction. de la peint. abstr.*, Hazan, Paris, 1957 – B. Dorival, sous la direction de..., in : *Peintres Contemporains*, Mazenod, Paris, 1964.
MUSÉES : LONDRES (Tate Gal.) – NEW YORK (Mus. of Mod. Art.).
VENTES PUBLIQUES : LONDRES, 9 juin 1989 : *Voyage après la pluie* 1957, h/t (76,3x63,5) : **GBP 5 720** – LONDRES, 21 sep. 1989 : *Abstraction* 1963, gche/pap. (38,5x23,8) : **GBP 1 650** – LONDRES, 10 nov. 1989 : *Tranchée de sable* 1962, h/t (101,6x81,4) : **GBP 5 280** – LONDRES, 9 mars 1990 : *Vers le soir n° 20*, h/t (81,4x61) : **GBP 5 500** – LONDRES, 24 mai 1990 : *« Freshet »* 1959, h/t (102x81) : **GBP 12 100** – LONDRES, 8 mars 1991 : *Cascade de lumière* 1960, h/t (152,5x76) : **GBP 5 500** – LONDRES, 11 juin 1992 : *Mendiant*, h/t (76x 63,5) : **GBP 2 420** – LONDRES, 25 nov. 1993 : *Moisson*, h/cart. (67x49,5) : **GBP 2 185** – LONDRES, 26 oct. 1994 : *Paysage de Cornouailles* 1950, aquar. et gche (27,4x61,5) : **GBP 2 530** – LONDRES, 25 oct. 1995 : *« Sandspoor X (Lunar) »* 1963, h/t (142,3x111,7) : **GBP 6 900** – LONDRES, 30 mai 1997 : *Herring gulls* 1948, cr., aquar., gche, pl. et encre noire (29x52) : **GBP 5 750**.

WYNTER Hendrik. Voir **WINTER**

WYNTERE Franchoys et **Gheleyn de**. Voir **WINTERE**

WYNTGES Cornelis ou **Wijntges**
XVIIe siècle. Travaillant en Frise de 1615 à 1624. Hollandais.
Médailleur et graveur de monnaies.

WYNTGES Jan ou **Wijntges**
XVIIe siècle. Travaillant à Kampen et à Harderwijk en 1618. Hollandais.
Médailleur et graveur de monnaies.

WYNTGES Melchior ou **Wijntges**
XVIIe siècle. Travaillant à Middelbourg de 1601 à 1602. Hollandais.
Médailleur et graveur de monnaies.

WYNTRACK Dirck ou **Wijntrank** ou **Wyntrak**
Né probablement avant 1625 à Drenthe. Mort en 1678 à La Haye. XVIIe siècle. Hollandais.
Peintre d'animaux, paysages, intérieurs, natures mortes.
On a très peu de renseignements sur cet artiste dont les œuvres sont très rares. Il paraît avoir surtout peint les animaux, mais on trouve pourtant de lui des intérieurs de cuisines et des paysages.

MUSÉES : AIX-LA-CHAPELLE : *Trois canards* – AMSTERDAM : *Faucon chassant des canards sauvages* – DUBLIN : *Lapin à l'entrée d'un terrier* – HAMBOURG : *Oiseaux de mer* – *Canards à l'étang* – PARIS (Mus. du Louvre) : *La ferme* – PRAGUE (Mus. Nat.) : *Canard sur l'eau* – SAINT-PÉTERSBOURG (Mus. de l'Ermitage) : *Basse-cour*, deux œuvres – UTRECHT : *Renard chassant des canards* – VALENCIENNES : *La ferme*, paysage de Wynants.
VENTES PUBLIQUES : PARIS, 1858 : *Renard surprenant un cygne* : **FRF 220** – PARIS, 1875 : *Intérieur hollandais* : **FRF 920** – PARIS, 1881 : *Oiseaux de basse-cour* : **FRF 820** – PARIS, 2 et 3 avr. 1897 : *Canards dans un paysage* : **FRF 100** – PARIS, 8 juin 1951 : *Les canards* : **FRF 125 000** – PARIS, 23 mai 1955 : *Paysans dans la campagne* : **FRF 80 000** – PARIS, 26 mars 1963 : *Renard attaquant une oie* : **FRF 9 500** – LONDRES, 25 fév. 1966 : *Volatiles au bord d'un ruisseau* : **GNS 2 800** – VIENNE, 28 nov. 1967 : *Bœuf écorché dans une cuisine* : **ATS 80 000** – LONDRES, 30 nov. 1973 : *Volatiles dans un paysage* : **GNS 8 000** – LONDRES, 6 avr. 1977 : *Canards dans un paysage fluvial*, h/pan. (38,5x53,5) : **GBP 3 500** – COLOGNE, 19 oct 1979 : *La basse-cour*, h/t (80x73) : **DEM 28 000** – LONDRES, 5 juil. 1984 : *Chien arrosant un tronc d'arbre*, h/pan. (49,5x39) : **GBP 4 600** – PARIS, 12 déc. 1995 : *Paysage marécageux avec des canards*, h/pan. (55x46) : **FRF 50 000** – PARIS, 26 juin 1996 : *Canards près d'un étang*, h/pan. (73x59,5) : **FRF 75 000**.

WYNTRAUCH Hans. Voir **WINDRAUCH**

WYNTS Philips de. Voir **WINNE**

WYNVELD Barend ou **Wijnveld**
Né le 13 août 1820 à Amsterdam. Mort le 18 février 1902 à Haarlem. XIXe siècle. Hollandais.
Peintre.
Le Musée de Haarlem conserve de lui *Kenau Hasselaer sur les remparts de Haarlem*.
VENTES PUBLIQUES : NEW YORK, 26 oct. 1983 : *Petite fille jouant avec son chien*, h/t (117,4x89,5) : **USD 8 500**.

WYON Alfred Benjamin
Né le 28 septembre 1837 à Londres. XIXe siècle. Britannique.
Médailleur.
Élève de son père Benjamin W. On cite de lui une médaille à l'effigie de la reine *Victoria*.

WYON Allan
Né le 4 juillet 1843 à Londres. Mort le 25 janvier 1907 à Londres. XIXe siècle. Britannique.
Graveur, médailleur.
Élève de son père Benjamin Wyon. Il grava des médailles à l'effigie de la reine *Victoria* et de *Charles Darwin*.

WYON Allan Gairdner
Né le 1er juin 1882 à Londres. XXe siècle. Britannique.
Sculpteur de statues, bustes, médailleur.
Fils d'Allan et élève de l'Académie Royale de Londres.

WYON Benjamin
Né le 9 janvier 1802 à Londres. Mort le 21 novembre 1858 à Londres. XIXe siècle. Britannique.
Médailleur.
Il grava les sceaux de *George IV*, de *Guillaume IV* et de la reine *Victoria*, ainsi que plusieurs médailles commémoratives.

WYON Edward William
Né en 1811. Mort en 1885. XIXe siècle. Britannique.
Sculpteur et médailleur.
Fils de Thomas Wyon I.

WYON George William
Né en 1836. Mort le 26 mars 1862 à Londres. XIXe siècle. Britannique.
Médailleur.
Fils de James W.

WYON Henry
Né en 1834. Mort en 1856. XIXe siècle. Britannique.
Médailleur.
Frère de George William W.

WYON James
Né en 1804. Mort en 1868. XIXe siècle. Britannique.
Médailleur.
Il travailla pour la Monnaie Royale.

WYON Joseph Shepherd
Né le 28 juillet 1836 à Londres. Mort le 12 août 1873 à Winchester. XIXe siècle. Britannique.
Médailleur.
Élève de Benjamin W. On cite de lui des médailles à l'effigie de la princesse *Alexandra*, du prince *Albert* et de *James Watt*.

WYON Leonard Charles
Né en 1826 à Londres. Mort le 20 août 1891 à Londres. XIXe siècle. Britannique.
Médailleur et graveur de monnaies.
Élève de son père William W. Il grava la plupart des monnaies d'Angleterre et de l'Empire entre 1851 et 1891.

WYON Peter
Né en 1767. Mort en 1822. XVIIIe-XIXe siècles. Britannique.
Médailleur.
Il travailla à Birmingham avec son frère Thomas Wyon I.

WYON Thomas I
Né en 1767. Mort le 18 octobre 1830 à Londres. XVIIIe-XIXe siècles. Britannique.

Médailleur.
Il travailla d'abord avec son frère Peter W. et grava ensuite les sceaux pour la cour de Londres.

WYON Thomas II
Né en 1792 à Birmingham. Mort le 23 septembre 1817 à Hastings. XIXe siècle. Britannique.
Médailleur.
Élève de son père Thomas Wyon I. Il grava des médailles commémoratives.

WYON William
Né en 1795 à Birmingham. Mort le 29 octobre 1851 à Brighton. XIXe siècle. Britannique.
Médailleur et graveur de monnaies.
Élève de son père Peter W. Il grava les monnaies de l'Empire Britannique de 1825 à 1850 ainsi que de nombreuses médailles commémoratives.

WYPART Antoine
XVIe siècle. Travaillant à Liège de 1587 à 1596. Éc. flamande.
Peintre verrier.

WYPART Hubert
XVIe siècle. Travaillant à Liège en 1593. Éc. flamande.
Peintre verrier.

WYRACH I.
XIXe siècle. Hollandais.
Peintre de paysages.
Musées : Oslo : *Paysage d'automne.*

WYROSTEK Eduard. Voir **WIROSTEK**

WYRS Jacques
Né en 1938 à Tegel. XXe siècle. Naturalisé en France. Allemand (?).
Peintre.
Il fait ses études de peinture à l'École des Beaux-Arts de Paris. Nombreuses expositions de groupe et particulières en Angleterre, en France, en Hollande, en Italie, aux U.S.A., en Allemagne, en Israël, au Brésil, en Espagne, en Irlande, au Liban, en Turquie.
C'est un visionnaire, qui projette sa vision sur le mode de la représentation graphique, recherche de la permanence du moi à travers le temps. Peinture cosmique, de science-fiction, essentiellement portée vers le futur comme en témoignent les titres de ses toiles : *Entité cosmique, Les humains dans l'espace, Explorateur 35000*, etc.

WYRSCH Johann Melchior Joseph ou **Wirsch** ou **Würsch**
Né le 21 août 1732 à Buochs. Mort le 9 septembre 1798 à Buochs. XVIIIe siècle. Suisse.
Peintre de sujets religieux, scènes de genre, portraits.
Il fut élève de Suter à Lucerne. Il se perfectionna à Rome en 1753. De retour en Suisse, il s'adonna surtout au portrait et se fixa en 1768 à Besançon, où il ouvrit avec le sculpteur Breton une école des Beaux-Arts. Mais après quelques années d'enseignement, il se retira en Suisse, d'abord à Lucerne, puis dans son village natal. Il mourut pendant un voyage en France.
On rencontre fréquemment de ses ouvrages dans les églises et autres monuments publics de la Franche-Comté.
Musées : Bâle : *L'abbé Bolard – Le corps du Christ* – Berne : *Portraits du bailli Carl Manuel – Portrait d'un inconnu – Le prince Ch. R. de Bauffremont – Charles Germann, élève de l'artiste, à vingt-huit ans* – Besançon : *L'artiste – Enfance de la Vierge – Nativité – Ch. D. J. Dagay – F. A. Du Ban de Cressia – P. F. A. Dumont de Vaux – Mme Dumont de Vaux – P. T. Faulet – P. F. Paris – Nicolas Nicole*, deux œuvres – *L'abbé Baverel – G. D. C. Baudrand – Mme Baudrand – Claude Barbe Guillet de Bourbévelle – Académie d'homme assis* – Genève : *Mme Girod de Naisey* – Lucerne : *L'artiste – La Famille Bauffremont* – Neuf portraits – Paris (Mus. du Louvre) : *François Antoine Wey – Mme Wey, née Ganleh* – Salins : *Le chanoine Quirot* – Soleure : *Saint Sébastien – Saint Jean et saint Nicolas* – Onze portraits – Zurich : *Mme Anna Hirzel.*
Ventes Publiques : Paris, 13 mai 1907 : *Portrait du baron Mesnil* : **FRF 525** – Paris, 31 jan. 1912 : *Portrait d'homme* : **FRF 210** – Paris, 19-22 mai 1919 : *Portrait de Ch. Courtot de Cissey enfant en 1774* : **FRF 370** – Paris, 12 et 13 déc. 1923 : *La montreuse de marmotte* : **FRF 2 200** – Paris, 20 jan. 1928 : *Portrait de Thuillier de Beaufort* : **FRF 1 850** – Paris, nov. 1950 : *Saint François de Sales agenouillé* 1767 : **CHF 700** – Besançon, 23 fév. 1951 : *Portrait* : **FRF 32 000** – Versailles, 12 nov. 1978 : *Portrait de Simone Longchamps* 1783, h/t, forme ovale (55,5x44) : **FRF 10 500** – Lucerne, 13 juin 1984 : *Autoportrait au béret*, cr. et lav./parchemin (11,5x8,5) : **CHF 1 700** – Zurich, 4 juin 1992 : *Les époux Hans Conrad Wirz-Nüscheler*, h/t/bois, une paire (chaque 83x66) : **CHF 24 860** – Monaco, 19 juin 1994 : *Portrait présumé du chanoine de Montrichard*, h/t (100x78) : **FRF 88 800**.

WYRWINSKI Wilhelm
Né en 1887 à Cracovie. Mort en 1918 à Cracovie. XXe siècle. Polonais.
Peintre.

WYS de ou **Wijs**
XVIIIe siècle. Travaillant à Amsterdam dans la première moitié du XVIIIe siècle. Hollandais.
Médailleur.
Il grava des médailles commémoratives.

WYS Abraham
XVIIe siècle. Hollandais.
Peintre.
Peut-être identique à Abraham de Wijs travaillant à Amsterdam en 1653 ou à Abraham Weijs, travaillant à La Haye en 1686.

WYSARD Alexandre
Né le 8 mai 1817 à Moutier-Grandval. Mort le 4 janvier 1871 à Bienne. XIXe siècle. Suisse.
Peintre.

WYSARD Élise, née **Füchslin**
Née en 1790. Morte le 30 août 1863 à Bienne-Boezingen. XIXe siècle. Suisse.
Graveur et peintre.
Femme de Gottlieb Emanuel W. Elle grava des costumes populaires suisses.

WYSARD Frédéric
Né le 17 janvier 1809 à Bienne. Mort le 12 avril 1855 à Bienne. XIXe siècle. Suisse.
Dessinateur.
Frère d'Alexandre W.

WYSARD Gottlieb Emanuel ou **Wisard**
Né le 16 juin 1797, baptisé à Berne. Mort le 18 juin 1837 à Bienne. XIXe siècle. Suisse.
Peintre et graveur au burin.
Mari d'Élise W. Il grava des costumes populaires suisses, ainsi que des ex-libris.

WYSE Henry Taylor
Né le 6 février 1870 à Glasgow. XIXe-XXe siècles. Britannique.
Peintre, céramiste.
Il fut élève des Académies Julian et Colarossi de Paris. Il travailla à Édimbourg. Il était aussi écrivain d'art.

WYSE Jan de
Né en 1708 à Anvers. Mort en 1748 à Anvers. XVIIIe siècle. Éc. flamande.
Sculpteur.
Membre de la gilde de Haarlem en 1734.

WYSE Marie Studolmine. Voir **SOLMS M. S. de**

WYSE Thomas
Mort vers 1845 à Londres. XIXe siècle. Britannique.
Peintre de genre et portraitiste.

WYSMAN J. ou **Wijsman**
Mort en 1828 (?). XVIIIe-XIXe siècles. Travaillant à Amsterdam de 1791 à 1824. Hollandais.
Graveur au burin et à l'eau-forte.

WYSMULLER Jan Hillebrand ou **Wijsmuller**
Né le 13 février 1855 à Amsterdam. Mort le 23 mai 1925 à Amsterdam. XIXe-XXe siècles. Hollandais.
Peintre de paysages ruraux et paysages urbains animés, paysages, paysages d'eau, aquarelliste, aquafortiste.
Il fut élève de l'Académie des Beaux-Arts d'Amsterdam.
Il s'est consacré à la peinture des paysages typiques de la Hollande, en toutes saisons et particulièrement en hiver.
Musées : Amsterdam (Mus. mun.) : *Construction de la gare centrale dans l'Y – Vue d'un village – Nederhorst den Berg* – Amsterdam (Mus. Nat.) : *Un coin d'Amsterdam d'autrefois* – Haarlem : une aquarelle – La Haye (Mus. Mesdag) : *Hiver* – La Haye (Mus. mun.) : *L'église d'Egmont-Binnen – Vue d'Egmont-ann-Zee* – Utrecht : *Vue du port d'Amsterdam.*
Ventes Publiques : Amsterdam, 26 mai 1976 : *Les dunes*, aquar. (32x53) : **NLG 2 100** – Londres, 15 fév. 1978 : *L'allée boisée animée de personnages*, h/t (79x52) : **GBP 900** – Amsterdam, 24 avr

1979 : *Le port d'Amsterdam*, h/t (80x122) : **NLG 15 500** – Amsterdam, 19 jan. 1982 : *Paysage de Nordwijk*, h/t (65,5x98,5) : **NLG 6 000** – Amsterdam, 10 fév. 1988 : *Ferme près d'un canal l'été*, h/t (40x60) : **NLG 1 840** – Amsterdam, 5 juin 1990 : *Vaches dans une prairie en bordure d'un bois*, h/t (55,5x70) : **NLG 2 300** – Amsterdam, 11 sep. 1990 : *Paysage de polder avec un pêcheur dans sa barque*, h/t (50,5x75) : **NLG 1 265** – Amsterdam, 17 sep. 1991 : *Vue d'un port, Hoorn*, h/t/pan. (34x55,5) : **NLG 1 495** – Amsterdam, 5-6 nov. 1991 : *L'Hiver à Abcoude*, h/t (80x123) : **NLG 3 680** – Amsterdam, 18 fév. 1992 : *Pont sur un canal avec un moulin au fond*, h/t/cart. (35,5x51) : **NLG 1 150** – Amsterdam, 14-15 avr. 1992 : *Ferme dans un paysage hivernal*, h/t (59x39) : **NLG 2 530** – Amsterdam, 19 oct. 1993 : *Scène de rue à Katwijk*, h/t (39x60) : **NLG 10 350** – Amsterdam, 14 juin 1994 : *Paysage de Kortenhooef*, h/t (77x112) : **NLG 12 650** – Amsterdam, 7 nov. 1995 : *Cour de ferme avec des poulets*, h/t (51x41) : **NLG 1 416** – Amsterdam, 18 juin 1996 : *Paysage estival avec des meules au bord d'un ruisseau*, h/t (35x55) : **NLG 1 265** – Amsterdam, 5 nov. 1996 : *Paysage boisé avec un pont*, h/t (102x150) : **NLG 11 564** – Amsterdam, 19-20 fév. 1997 : *Maisons le long d'un canal en hiver*, h/t/pan. (34x24) : **NLG 4 612**.

WYSOCKI Jan

Né à la fin du XIXe siècle à Myslowitz. XIXe-XXe siècles. Polonais.

Sculpteur, médailleur et peintre.

Il fut élève de l'Académie des Beaux-Arts de Munich. Il travailla à Catowice. Son œuvre est encore fortement marqué du romantisme polonais.

WYSPIANSKI François

Mort le 10 novembre 1901 à Cracovie. XIXe siècle. Polonais.

Sculpteur de statues, bustes, ornemaniste.

Père du peintre Stanislas Wyspianski. Il travailla en ronde-bosse, en bas et haut relief, fit des bustes, des statues, des compositions figuratives et ornementales.

Musées : Cracovie : *Jean Dlougosch*, plâtre.

WYSPIANSKI Stanislaw

Né le 15 janvier 1869 à Cracovie. Mort le 28 novembre 1907 à Cracovie. XIXe-XXe siècles. Polonais.

Peintre de compositions à personnages, figures, portraits, paysages, pastelliste, graveur. Symboliste.

Fils du sculpteur François Wyspianski. Il fit ses études de peinture à l'Académie des Beaux-Arts de Cracovie avec Jan Matejko, de 1884 à 1890. Après 1890, il voyagea en Italie, en Allemagne, en Suisse et en France. De 1891 à 1894, il séjourna quatre ans à Paris, travaillant à l'Académie Colarossi. À son retour, il se fixa à Cracovie. Co-éditeur de la revue *Zycie* (La Vie), il y fit connaître les nouvelles tendances artistiques et les peintres français. En 1901, il fut nommé professeur de peinture décorative à l'Académie des Beaux-Arts.

Il était aussi un très important poète : *Les Noces* 1901 ; *La Libération* 1903 ; *Akropolis* 1904 ; *Les Juges* 1907. Il fit des décors de théâtre pour ses propres drames, illustra, entre 1897 et 1904, ses poèmes et les œuvres de ses amis. Il illustra aussi : en 1901 *Poésies* de L. Rydel ; 1903 *L'Iliade* d'Homère ; 1905 *Hamlet* de Shakespeare.

En tant que peintre, de 1887 à 1890, en collaboration avec son maître Jan Matejko, il travailla à la décoration de l'église Notre-Dame de Cracovie. Pendant son séjour à Paris, il s'intéressa particulièrement au « Nouveau Style », à Paul Gauguin et aux Nabis, et à travers eux à l'art japonais, influences qui allaient caractériser tout son œuvre plastique. Quel que soit le thème traité, il sert de prétexte à la même pensée mystique, pathétique. Son concept peut paraître littéraire, mais il continue à demeurer peintre dans sa conception symbolique. Sa ligne nette et nerveuse, ornementale, définit la forme décorative, stylisée. Son coloris est très sobre, il emploie à peine deux ou trois tons, dans un accord assourdi, il situe souvent ses sujets dans des compositions florales. Il utilisa plus souvent le pastel que l'huile. Il peignit de très nombreux portraits de ses amis, intellectuels et artistes, portraits sans indulgence physique pour les modèles mais psychologiquement fidèles, et plusieurs autoportraits. Dans ses compositions, il sait atteindre, outre l'harmonie générale des formes, à une émouvante délicatesse, par exemple avec la *Maternité* de 1905 du Musée de Cracovie. Débordant la seule peinture, s'intéressant à l'art décoratif, individuellement il conçut la décoration d'ensemble de l'église des Franciscains ; il projeta les vitraux de la cathédrale de Wawel, qui ne furent pas réalisés ; dans la revue *Zycie*, il publia les cartons des vitraux destinés à l'église Saint-François de Cracovie ; il dessina des mobiliers, des tapis. Stanislaw Wyspianski fit preuve d'une rare délicatesse d'esprit, d'une belle culture artistique. Il sut faire la synthèse des multiples courants qui marquaient la charnière des deux siècles, spécialement entre symbolisme et expressionnisme. Il fut à la tête du Néo-Romantisme en Pologne, qui correspondait au renouveau artistique, social et national du pays. ■ Jacques Busse

Bibliogr. : In : Encyclopédie des arts *Les Muses*, t. XV, Grange Batelière, Paris, 1969-1974 – in : *Diction. Univers. de la Peint.*, Le Robert, Paris, 1975 – Marcus Osterwalder, in : *Dictionnaire des illustrateurs 1800-1914*, Ides et Calendes, Neuchâtel, 1989.

Musées : Cracovie (Mus. Nat.) : *Jeune fille au chapeau bleu* 1895 – *Portrait de Kazimierz Lewandowski* 1898 – *Casimir le Grand* 1901 – *Maternité* 1905 – *Saint Stanislas* – *Henri le religieux* – *Portrait de Lucien Rydel* – *Portrait du professeur Mehoffer* – *Portrait du père de l'artiste* – *Portrait de l'artiste* – Varsovie (Mus. Nat.) : *Autoportrait aux feuilles stylisées* 1902, past.

WYSS. Voir aussi **WEISS** et **WYS**

WYSS Caspar Leontius

Né vers 1762 à Emmen (canton de Lucerne). Mort en 1798 à Mannheim (?). XVIIIe siècle. Suisse.

Peintre de paysages, dessinateur, graveur.

Marié en 1786, il se fixa à Neuenstadt. Marié en secondes noces en 1796, il alla habiter Mannheim. Ses œuvres sont le plus souvent des paysages suisses. Il gravait à l'eau-forte.

Musées : Bâle (coll. des Beaux-Arts) – Zurich (coll. d'Art de la Bibl. de la ville) : *Vue de Nuremberg* – *Porte du château de Neuchâtel* – *Maison de paysans* – *Le château de Weissenbourg* – *Caverne de Saint-Béat sur le lac de Thoune*.

Ventes Publiques : Heidelberg, 12 oct 1979 : *Bords de l'Aar à Berne* 1794, gche (25,5x37,8) : **DEM 3 500**.

WYSS Heinrich

Né en 1546. Mort entre 1575 et 1577. XVIe siècle. Actif à Zurich. Suisse.

Peintre verrier.

WYSS Jakob

XVIe siècle. Suisse.

Peintre verrier.

Il travailla pour la ville de Berne et plusieurs églises du canton de ce nom dans la première moitié du XVIe siècle.

WYSS Jakob ou **Johann Jakob**

Né le 9 décembre 1876 à Zofingen. Mort en 1936. XXe siècle. Suisse.

Peintre de portraits, paysages de montagne.

Il peignit des paysages alpestres.

Musées : Aarau (Aargauer Kunsthaus) : *Paysage d'Albis* 1903 – *Ruisseau de montagne* 1912 – *Vallée près de Zofingen* 1920 – *Portrait de Willy Fries* – *Route dans les Apennins*, aqu. – *Paysage de Toscane*, aqu. – *Lisière de forêt*, aqu. – *Vapeur du lac des quatre cantons*, aqu.

WYSS Johann Emanuel

Né en 1782. Mort le 31 mai 1837. XIXe siècle. Suisse.

Dessinateur et peintre.

Il peignit des armoiries, des animaux et des plantes. Les Musées de Berne et de Zurich conservent des œuvres de cet artiste.

WYSS Johann Georg Ignaz

XVIIIe siècle. Actif dans la seconde moitié du XVIIIe siècle. Suisse.

Peintre.

Il exécuta avec Johann Jakob W. les fresques de l'église de Beromünster de 1772 à 1774.

WYSS Johann Jakob ou **Weiss**

Né le 3 mai 1754 à Zug. Mort le 18 décembre 1828. XVIIIe-XIXe siècles. Suisse.

Peintre de fresques.

Auteur avec Johann Georg Ignaz W. des fresques de l'église de Beromünster (près de Lucerne).

WYSS Johann Rudolf

Né le 18 janvier 1763 à Berne. Mort le 30 janvier 1845 à Berne. XVIIIe-XIXe siècles. Suisse.

Dessinateur amateur.

Il travailla à Berne à partir de 1821.

WYSS Josef

Né en 1922 à Obstalden (Canton de Glaris). XXe siècle. Suisse.

Sculpteur de monuments. Abstrait.

Il vit à Zurich. Il voyage souvent à travers l'Europe. En 1962, il séjourna en Israël. Il participe à de nombreuses expositions de

groupe, notamment régulièrement aux Quadriennales de Bienne depuis 1954. Il a reçu, en 1966, le Prix de la Fondation Pagani de Legnano.
Il travaille essentiellement la pierre, qu'il érige dans des sortes de signaux totémiques, dans lesquels les pleins et les vides se répondent, soit avec une finition tendue et polie, soit au contraire en laissant à vif les traces du travail du burin. Les sculptures de Wyss sont à destination architecturale ; il réalisa bon nombre de monuments dans le canton de Zurich, entre autres pour le centre de loisirs de Hemried, ainsi qu'en Israël. Il a également exécuté un grand signal en pierre calcaire, *Petit plaisir*, pour Grenoble, en 1967.
Bibliogr. : Jean-Luc Daval, in : *Nouveau diction. de la sculpt. mod.*, Hazan, Paris, 1970.
Ventes Publiques : Lucerne, 20 nov. 1993 : *La sorcière*, bronze plastifié (H. 30) : **CHF 1 500**.

WYSS Marcel
Né en 1930 à Berne. XXe siècle. Suisse.
Peintre, typographe. Abstrait-géométrique.
Il fut élève de la Kunstgewerbeschule de Berne. En 1953, à Berne, il fonda, avec Dieter Roth, la revue *Spirale*, qui compta huit numéros jusqu'en 1960 et un dernier en 1964. La revue était largement consacrée aux artistes abstraits de l'époque, à leurs œuvres et à leurs écrits théoriques. En 1954 à Berne, une exposition réunit un ensemble de ses œuvres.
Les œuvres de Wyss se situent radicalement dans la postérité de l'art concret. Elles sont réalisées, non en volume, mais en relief, constituées de formes géométriques régulières simples, peintes de couleurs fondamentales, dénuées de toute trace de façon. Certaines de ses créations ont été destinées à des intégrations architecturales.
Bibliogr. : In : *L'Art du XXe siècle*, Larousse, Paris, 1991.
Musées : Grenoble (Mus. de Peinture et de Sculpture) : *4 x 2* 1954.

WYSS Niklaus. Voir **WEISS**

WYSS Paul
Né le 12 décembre 1875 à Brienz. XXe siècle. Actif à Berne. Suisse.
Peintre, graveur, peintre de décorations murales.
Il fut élève des Académies des Beaux-Arts de Munich et de Berlin. Il peignit des façades et des fresques.

WYSS Peter
Né le 18 janvier 1823 à Hünenberg. Mort le 15 juin 1860 à Hünenberg. XIXe siècle. Suisse.
Peintre de portraits.
Élève de Josef Bucher, de P. Deschwanden et de l'Académie de Munich.

WYSSCHOCK Maximilian. Voir **WISCHAK**

WYSSHAN Vincenz
Né en 1536. Mort en 1612. XVIe-XVIIe siècles. Actif à Berne. Suisse.
Peintre verrier.
Il travailla pour la ville de Berne.

WYSSHAUPT Andreas ou **Wishaupt** ou **Wesshaupt** ou **Weisshaupt**
XVIIe siècle. Actif à Lucerne. Suisse.
Peintre de fresques.
Il travailla à l'ornementation du couvent de Werthenstein, près de Lucerne, et collabora à quelques fresques qui sont dans les églises de la région et à la *Danse macabre* de Hans Jakob Wysshaupt.

WYSSHAUPT Hans Jakob
XVIIe siècle. Actif à Lucerne de 1612 à 1687. Suisse.
Peintre.
On le trouve travaillant à la chapelle du couvent de Werthenstein (canton de Lucerne), mais ses œuvres sont perdues. En 1622, il est membre de la Confrérie de Saint-Luc de Lucerne. En 1626, il peignit des fresques dans l'église des Franciscains de Lucerne, représentant les drapeaux des anciennes batailles suisses. Il collabora à la fameuse *Danse macabre* qui fut exposée en 1869. Dans la collection Meyer-Amrhyn à Lucerne fut exposé à la même époque *Lazare et le mauvais riche* (1687).
Ventes Publiques : Lucerne, 7 nov. 1985 : *Scène de la guerre de Trente Ans*, h/pan., deux formant pendants (37,5x90) : **CHF 22 000**.

WYSSHAUPT Johann Kaspar
XVIIe siècle. Actif à Lucerne vers 1650. Suisse.
Peintre.
Il peignit des façades.

WYSZLOWSKI Jerzy
XVIIIe siècle. Travaillant à Lemberg. Polonais.
Graveur au burin.
Il grava des images pieuses et des illustrations de livres.

WYTEVELDE Baldwin ou **Baudin, Bouin Van** ou **Witevelde, Wittevelde**
XVe siècle. Actif à Gand. Éc. flamande.
Peintre.
Il peignit en 1444 un triptyque pour l'abbaye de Miewenbossche.

WYTEVELDE Clairbault
XVe siècle. Éc. flamande.
Peintre.
Il peignit les panneaux du retable d'Aspre, près de Gand, en 1454.

WYTFELT Geryt Van
XVIe siècle. Travaillant à Utrecht. Hollandais.
Peintre.
Il peignit des armoiries.

WYTHOFF Anna ou **Wijthoff**
Née le 29 octobre 1863 à Amsterdam. XIXe-XXe siècles. Hollandaise.
Peintre et graveur.
Elle fut élève d'E. Witkamp et de l'Académie des Beaux-Arts d'Amsterdam.

WYTMANS Claes ou **Nicolas Jansz**. Voir **WEYDTMANS**

WYTMANS Mattheus
Né vers 1650 à Gorkum. Mort vers 1689 à Utrecht. XVIIe siècle. Hollandais.
Peintre de sujets de genre, portraits, paysages, natures mortes.
Il fut élève de H. Verschuring ; inscrit dans la Gilde d'Utrecht en 1667.
Musées : Budapest : *Nature morte* – Chambéry : *Paysage boisé avec un petit lac* – Dresde : *Joueuse de luth* – Graz : *Page musicien* – Schwerin : *Portrait d'homme et portrait de femme.*
Ventes Publiques : Paris, 22-24 fév. 1923 : *Enfants jouant avec une chèvre* : **FRF 1 300** – Paris, 30 mai 1951 : *Portrait d'homme en robe d'intérieur lilas, sur un fond de paysage (Vue de Rome)* : **FRF 52 000** – Londres, 17 avr. 1996 : *Portrait d'une dame*, h/t (54,5x44,2) : **GBP 6 900**.

WYTSMAN Juliette, née **Trullemans**
Née le 14 juillet 1866 à Bruxelles. Morte le 8 mars 1925 à Ixelles. XIXe-XXe siècles. Belge.
Peintre de genre, paysages, fleurs. Postimpressionniste.
Femme de Rodolphe Wytsman, elle fut élève d'Hendrickx, puis de Jean Capeinick. Elle parcourut toute l'Europe et exposa pendant quarante-deux ans, de 1882 à 1924, à Gand, Paris, Berlin, Munich, Dresde, Chicago, Saint Louis, Rome, Venise, Édimbourg, Amsterdam, Barcelone. Elle prit part à l'exposition de Liverpool en 1909. Elle participa également à l'Exposition Universelle de Rome en 1911, où elle exposa *Le songe*. Ses œuvres figurent dans de nombreux musées du monde.
Ses toiles montrent une grande sensibilité à l'art de Pissarro et de Monet, dont elle subit l'influence, tandis qu'elle affirme son talent de paysagiste avec, par exemple, *Le jardin de Camille Lemonnier.*
Bibliogr. : Gérald Schurr, in : *Les Petits Maîtres de la peinture 1820-1920, valeur de demain*, Les Éditions de l'Amateur, t. V, Paris, 1981.
Musées : Anvers – Bruxelles – Gand.
Ventes Publiques : Bruxelles, 23 mars 1983 : *Les Genêts (sous-bois)*, h/t (90x115) : **BEF 120 000** – Bruxelles, 19 déc. 1989 : *Les Tournesols* 1896, h/t (80x100) : **BEF 2 850 000** – Bruxelles, 27 mars 1990 : *Paysage impressionniste fleuri*, h/t (80x100) : **BEF 1 450 000** – Lokeren, 23 mai 1992 : *La maisonnette avec les tournesols*, h/t (80,5x61) : **BEF 1 000 000** – Lokeren, 10 oct. 1992 :

L'été au bord du ruisseau, h/t (100,5x136) : **BEF 1 700 000** – Lokeren, 9 oct. 1993 : *La lande en été*, h/t (80x100) : **BEF 1 000 000** – Lokeren, 4 déc. 1993 : *Les Genêts à St. Job*, h/t (80x110) : **BEF 800 000** – Amsterdam, 9 nov. 1994 : *Champ de coquelicots*, h/t (66,5x52,5) : **GBP 5 175** – Lokeren, 20 mai 1995 : *Jardin avec des tournesols*, h/t (80,5x61) : **BEF 850 000** – Lokeren, 7 déc. 1996 : *Les Genêts*, h/t (80x100) : **BEF 500 000** – Lokeren, 8 mars 1997 : *Nature morte de fleurs*, h/t (33x44) : **BEF 170 000**.

WYTSMAN Rodolphe

Né le 11 mars 1860 à Termonde. Mort le 2 novembre 1927 à Linkebeek. XIXe-XXe siècles. Belge.

Peintre de paysages, pastelliste, aquarelliste, lithographe, aquafortiste. Postimpressionniste.

Mari de Juliette Wytsman, il fut élève des Académies de Bruxelles et de Gand. Il travailla un moment à Paris, obtenant une mention honorable à l'Exposition Universelle de 1900. Il participa à la création du *Cercle des XX* et à leur première exposition en 1884.

Nature poétique, il traduisit en une langue impressionniste les matins d'été vaporeux.

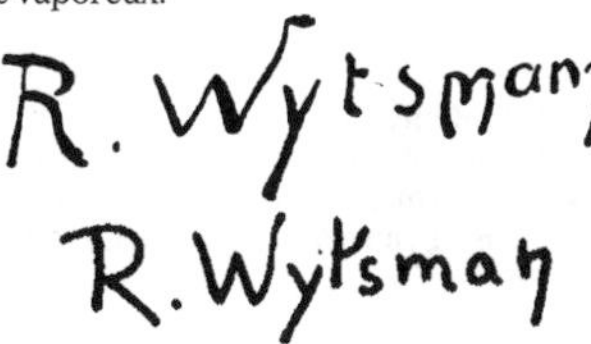

Bibliogr. : Gérald Schurr, in : *Les Petits Maîtres de la peinture 1820-1920, valeur de demain*, Les Éditions de l'Amateur, t. V, Paris, 1981.

Musées : Anvers : *Temps d'équinoxe* – Bruxelles : *La ferme Saint-Éloi* – Gand – Liège : *L'hiver à La Hulpe* – Termonde.

Ventes Publiques : Anvers, 14 oct. 1970 : *Soir d'été* : **BEF 40 000** – Anvers, 12 oct. 1971 : *Paysanne au champ* : **BEF 70 000** – Anvers, 23 oct. 1973 : *Paysage* : **BEF 75 000** – Anvers, 2 avr. 1974 : *L'étang* : **BEF 100 000** – Bruxelles, 15 juin 1976 : *Vue de Linkebeek*, h/t (55x80) : **BEF 60 000** – Lokeren (Belgique), 12 mars 1977 : *Paysage des Ardennes*, h/t (100x160) : **BEF 145 000** – Bruxelles, 18 juin 1980 : *Vue à Venise*, h/t (50x80) : **BEF 28 000** – Lokeren, 28 mai 1988 : *Chemin forestier l'été* 1924, h/pan. (24x32) : **BEF 38 000** – Bruxelles, 27 mars 1990 : *Paysage impressionniste*, h/t (80x100) : **BEF 1 100 000** – Lokeren, 21 mars 1992 : *Les derniers rayons* 1895, h/t (46x61) : **BEF 240 000** – Lokeren, 10 oct. 1992 : *Le cabaret (soir d'été)* 1910, h/t (96x135) : **BEF 700 000** – Lokeren, 20 mars 1993 : *Étang à Linkebeek* 1894, h/t (81x60,5) : **BEF 600 000** – Londres, 17 nov. 1993 : *Une petite ferme*, h/t (49x59) : **GBP 3 910** – Lokeren, 4 déc. 1993 : *Paysage estival*, past. (57x67) : **BEF 65 000** – Lokeren, 28 mai 1994 : *Paysage estival avec une ferme* 1906, h/t (60x73) : **BEF 600 000** – Londres, 15 juin 1994 : *Paysanne près d'une église de village*, h/t (59x39,5) : **GBP 5 175** – Lokeren, 7 oct. 1995 : *La dent du chat (lac du Bourget)* 1920, h/pan. (40x55,5) : **BEF 240 000** – Amsterdam, 7 nov. 1995 : *Paysage hollandais avec un moulin au bord d'une rivière*, h/t (43x66) : **NLG 5 900** – Lokeren, 6 déc. 1997 : *Soir d'été* 1910, h/t (96x135) : **BEF 600 000** ; *Après-midi d'été à Verrewinckel*, h/t (50x70,5) : **BEF 340 000**.

WYTTE. Voir **WITTE**

WYTTENBACH Albert ou **Johann Karl Albert**

Né le 10 avril 1810 à Berne. Mort le 17 novembre 1896 à Berne. XIXe siècle. Suisse.

Peintre amateur.

Frère de Moritz W. Il peignit des paysages et des portraits.

WYTTENBACH Moritz ou **Friedrich Salomon Moritz**

Né le 17 janvier 1816 à Berne. Mort le 19 mars 1889 à Berne. XIXe siècle. Suisse.

Peintre amateur.

Frère d'Albert W. Il peignit surtout des animaux.

WYTTENBROECK. Voir **UYTTENBROECK**

WYTTMONT Klaes Jansz Van. Voir **WITMONT**

WYTVEL Gerald. Voir **WYTFELT Geryt Van**

WYTVELD Hendrick ou **Wijtveld** ou **Witvelt**

XVIIe siècle. Travaillant à Zevenaar. Hollandais.

Sculpteur sur bois.

Il sculpta des chaires et des stalles pour les églises de Zevenaar.

WYWIORSKI Michael. Voir **GORSTKIN-WYWIORSKI**

WYZNIEWSKI Julius

Né le 1er février 1860 à Friedrichowen. XIXe-XXe siècles. Autrichien.

Peintre de paysages.

Élève d'Eugen Bracht à Berlin. Il était actif à Saint-Lorenz (près de Salzbourg).

Maîtres anonymes connus par un monogramme ou des initiales commençant par W

W., Maître à l'initiale. Voir **MAÎTRE au PIGNON**

W.
Allemand.
Marque d'un graveur de sujets religieux, dessinateur.
Cité d'après Ris-Paquot. On a de lui : les *Apôtres*, suite de douze estampes ; la *Généalogie de la Sainte Vierge* ; le *Suaire et le Nom de Jésus* ; trois *Têtes de mort* ; deux dessins de *Saint Sacrement* ; dessins d'une *Crosse* ; *Encensoir* ; la *Fontaine* ; le *Traîneau*, rinceaux d'ornements ; différents sujets militaires, suite de huit estampes.

W.
Allemand.
Marque d'un graveur.
On cite : *Bacchus* ; *Vénus et l'Amour* ; le *Concert* ; les *Débauchés* ; seize vignettes à la *Sirène, à deux oiseaux, à l'Amour, aux deux génies tenant un mascaron, tenant un buste* ; dessin d'une gravure. Cité d'après Ris-Paquot.

W.
XVIe siècle (?). Allemand.
Marque d'un graveur.
Cité d'après Ris-Paquot. Ce monogramme a été relevé sur une pièce représentant : *Le Cavalier et le Fantassin*, copie d'une estampe d'un maître anonyme du XVIe siècle.

W.
XVIe siècle. Allemand.
Monogramme d'un graveur sur bois.
Cité par Ris-Paquot. Ce monogramme fut relevé sur une estampe représentant : la *Vierge immaculée*, datée de 1515.

W. A. H.
Allemand.
Monogramme d'un graveur.
Cité par Ris-Paquot. Ce monogramme fut relevé sur des estampes représentant : la *Passion de Jésus-Christ*, suite de douze estampes ; les *Douze Apôtres*, suite de douze estampes ; *Quatre Saintes* ; les *Armoiries d'Eichtadt*.

W. B.
Monogramme d'un graveur.
Cité d'après Ris-Paquot.

W. B., Maître aux initiales
XVe siècle. Allemand.
Peintre, graveur, dessinateur.
Il fut actif à la fin du XVe siècle. Auteur de quatre gravures illustrant l'opposition entre la vieillesse et la jeunesse, l'homme et la femme. Ces gravures ont permis d'établir que l'artiste avait peint également plusieurs tableaux.
Musées : Aschaffenbourg : *Présentation au Temple* – Francfort-sur-le-Main (Städel Inst.) : *Deux portraits d'un couple* – Nuremberg (Mus. Germanique) : *Buste de femme.*
Ventes Publiques : Londres, 18 avr. 1980 : *La Nativité*, h/pan., fond or (141x53,7) : **GBP 3 000**.

W. C. I. E. F.
XVIe siècle. Allemand.
Monogramme d'un graveur.
Cité par Ris-Paquot. Ce monogramme a été relevé sur une estampe représentant : *La Vierge*, datée de 1586.

W. H.
Allemand.
Monogramme d'un graveur.
Cité par Ris-Paquot. Ce monogramme a été relevé sur des gravures sur bois représentant : la *Nativité* ; l'*Adoration des Mages* ; les *Présentations au Temple* ; la *Vierge et saint Jean entourant la Croix* ; *Saint Christophe portant sur les épaules l'Enfant Jésus au passage d'une rivière* ; *Saint Georges combattant le Dragon* ; le *Jugement de Pâris* ; *Thisbé trouvant Pyrame étendu mort.*

W. H.
Allemand.
Monogramme d'un graveur.
Cité par Ris-Paquot, ce monogramme été relevé sur des gravures travaillées dans le genre de Tobie Stimmer.

W. R.
Monogramme d'un graveur.
Cité par Ris-Paquot. Ce monogramme a été relevé sur une gravure sur bois représentant : une *Jeune femme ailée.*

W. S.
XVIe siècle. Allemand.
Monogramme d'un dessinateur et graveur.
Ce monogramme a été relevé sur une estampe gravée sur bois représentant une *Vue de la Ville de Landau,* datée 1547.

W. S.
XVIe siècle. Allemand.
Marque d'un graveur.
Cette marque a été relevée sur un *Saint Christophe* (daté de 1587), copie en contre-partie d'Albert Dürer – *Portrait de Martin Luther,* copie d'Albert Dürer. Cité d'après Ris-Paquot.

W. S., Maître W. S. avec la croix de Malte
XVIe siècle. Français.
Peintre.
Il travailla en Alsace et peut-être à Nancy de 1515 à 1536. Il est l'auteur de treize tableaux qui portent, comme signature, avec le monogramme *W. S.,* une croix de Malte figurant souvent sur l'envers de la toile. Il n'a pas été possible jusqu'ici de l'identifier. On a seulement constaté qu'il s'est parfois dans ses compositions inspiré des gravures de Dürer.
Musées : Colmar (Unterlinden) : *Saint Jean, sur le point de vider la coupe de poisons* – Ensiedeln : *Annonciation – Saint Jean à Patmos* – Nancy : *Saint Jean Baptiste décapité – Ecce homo – Noli me tangere* 1523 – *Mise du Christ au tombeau* 1536 – Strasbourg : *Le Christ devant Ponce Pilate – Saint Jean Baptiste prêchant sur les bords du Jourdain.*
Ventes Publiques : Londres, 8 avr. 1987 : *La Nativité avec les bergers* 1503 ?, h/pan. (49,5x34,5) : **GBP 35 000.**

W. S. P.
XVIIe siècle. Suisse.
Monogramme d'un peintre verrier.
Ce monogramme, daté 1677, a été trouvé sur un vitrail de l'Hôtel de Ville de Constance.

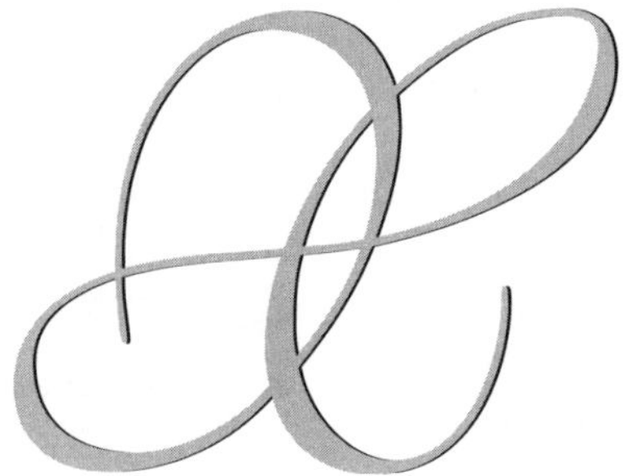

XAINTE Pierre
Né à Saumur (Maine-et-Loire). XIXe siècle. Français.
Peintre de genre, aquarelliste.
Il débuta à Paris, au Salon en 1880.

XALON Nicolas. Voir **JALON**

XAMETE. Voir **JAMETE**

XANDO Niobe
Née en 1916 à Campos Novos de Paranapanema (État de São Paulo). XXe siècle. Vivant à São Paulo. Brésilienne.
Peintre.
Elle passa son enfance à la campagne. Elle ne commença à peindre qu'en 1950. Elle participe à diverses expositions de groupe ; notamment à la Biennale de São Paulo, 1963, 1965, 1967 ; à la Biennale de Bahia, 1966 ; à Paris, on a pu voir de ses œuvres au Salon des Femmes peintres et sculpteurs, en 1957 et 1958 ; ainsi qu'à l'exposition *8 peintres naïfs brésiliens*, en 1965, galerie Jacques Massol. Expositions personnelles : à São Paulo, 1952, 1954, 1963, 1964, 1965, 1989 à la galerie Paulo Vasconcellos ; Belvedere da Sé, Salvador, 1954 ; à Paris, 1969, galerie de l'Université.
Elle décrivit d'abord des scènes de la vie brésilienne, dans une imagerie vériste et naïve à la fois. Se rappelant la nature tropicale connue dans son enfance, elle consacra bientôt, jusque environ 1985, presque entièrement son activité de peintre à la création d'étranges *Floraisons*, résultant en même temps de l'observation et de l'imagination. Par leurs colorations, par leur disposition ornementale, ces fleurs ne sont pas parfois sans rappeler des motifs décoratifs précolombiens. Elle y exprime aussi peut-être parfois l'envahissement du paysage originel par les constructions de la civilisation industrielle. Après 1985, elle a adopté des formulations géométriques, où elle arrive un peu tard sur un terrain déjà très parcouru. ■ J. B.
Bibliogr. : Catalogue de l'exposition : *8 peintres naïfs brésiliens*, Gal. Massol, Paris, 1965 – Catalogue de l'exposition *Niobe Xando*, gal. Paulo Vasconcellos, São Paulo, 1989, bonne documentation.

XANIT Antonio. Voir **JANIT**

XANTO AVELLI Francesco, dit **Fra Xanto** ou **Rovigo da Urbino**
Né à Rovigo, près Urbino. XVIe siècle. Actif dans la première moitié du XVIe siècle. Italien.
Peintre céramiste.
Il travailla à Urbino de 1530 à 1542. Il peignit des scènes mythologiques et de l'histoire ancienne. Les Musées de Berlin, Brunswick, Faenza, Florence, Londres, Milan et Venise possèdent des œuvres de cet artiste.

XANTUS VON CSIKTAPLOCZA Janos
Né le 5 octobre 1825 à Csokonya. Mort le 13 décembre 1894 à Budapest. XIXe siècle. Hongrois.
Dessinateur.
Ethnographe et naturaliste, il illustra ses descriptions de voyages en Chine et en Amérique.

XANXO Jeronimo
XVIe siècle. Espagnol.
Sculpteur.
Il fut chargé de l'exécution d'un retable dans l'église de Seo d'Urgell en 1548.

XARCH Antonio de
XIVe siècle. Travaillant à Valence en 1358. Espagnol.
Peintre.

XARCH Juan de. Voir **EIXARCH**

XARTCHENKO Boris
Né en 1927. Mort en 1985. XXe siècle. Russe.
Peintre de compositions à personnages, paysages.
Il étudia à l'Académie des Beaux Arts (Institut Répine) et fut l'élève de Boris Ioganson. Membre de l'Union des Artistes, Artiste du Peuple. A partir de 1949 il participe à des expositions nationales et internationales.
Musées : Moscou (Gal. Tretiakov) – Moscou (Mus. des Beaux-Arts Pouchkine) – Moscou (Mus. du min. de la cult.) – Saint-Pétersbourg (Mus. Russe) – Saint-Pétersbourg (Mus. de l'Acad. des Beaux-Arts).
Ventes Publiques : Paris, 11 juin 1990 : *Autoportrait avec un modèle* 1959, h/t (135x73) : **FRF 23 000**.

XASPE Nicolas
XVIe siècle. Actif à Orense. Espagnol.
Peintre.

XATREC Christian
Né en 1954 à Salammbô (Carthage). XXe siècle. Actif en France. Américain.
Peintre, sculpteur d'assemblages. Conceptuel.
Il fait connaître ses démarches et ses propositions dans des expositions personnelles : 1977 New York ; 1980 Marennes (Charentes-Maritimes) ; 1981 New York, The Seaport Museum Gallery.
Bibliogr. : Jean-Yves Jouannais : *Christian Xatrec, les soubassements du signe*, in : Art Press, N° 175, Paris, déc. 1992.

XAUDARO Joaquin
Né le 17 août 1872 à Vigan (Philippines). Mort le 1er avril 1933 à Madrid. XIXe-XXe siècles. Espagnol.
Dessinateur humoriste, caricaturiste, illustrateur.
Il travailla pour plusieurs revues espagnoles, *ABC, Blanco y Negro*. Vers 1913, il travailla pour la collection des *Conteurs joyeux* d'Ollendorf. Il a publié des albums : en 1911 *Les péripéties de l'aviation* ; en 1912 *Les cinq points*. Il a illustré, entre autres : les *Tribunaux comiques* de Jules Moineaux ; *En ribouldinguant* d'Alphonse Allais ; les *Contes facétieux* d'Émile Bergerat ; etc.
Bibliogr. : Marcus Osterwalder, in : *Dictionnaire des illustrateurs 1800-1914*, Ides et Calendes, Neuchâtel, 1989.

XAUREGUI Juan de. Voir **JAUREGUY Y AGUILAR Juan de**

XAUS Antonio
XXe siècle. Espagnol.
Peintre. Expressionniste.
Il participe à des expositions collectives, obtenant diverses distinctions, et expose individuellement, surtout en Espagne, notamment à Barcelone, et aussi à Copenhague.
Il pratique un dessin volontairement primitif et violemment coloré.
Ventes Publiques : Paris, 28 oct. 1990 : *Deux femmes à la plage*, h/t (114x146) : **FRF 3 200** – Paris, 7 fév. 1991 : *Le prince Shirva*, h/t (130x97) : **FRF 5 000**.

XAVERY. Voir aussi **SAVERY**

XAVERY Albert
XVIIe siècle. Actif à Anvers. Éc. flamande.
Sculpteur.
Père de Jean-Baptiste Xavery.

XAVERY Franciscus
Né à La Haye. XVIIIe siècle. Hollandais.
Peintre d'animaux, paysages animés, paysages, natures mortes, fleurs, dessinateur.
Fils du sculpteur J.-B. Xavery, il fut élève de son oncle Gérard Joseph et de Jacob de Wit à Amsterdam. Il entra dans la société *Pictura* de La Haye en 1768.
Il peignit aussi des éventails.
Ventes Publiques : Paris, 1776 : *Vase de fleurs*, dess. colorié : **FRF 48** – Bruxelles, 1833 : *Vase avec fleurs* : **FRF 42** – Paris, 1861 : *Fleurs* : **FRF 660** – Paris, 6 déc. 1923 : *La dame au chien*, lav. à l'encre de Chine : **FRF 1 050** – Paris, 18 mai 1942 : *Bergers et troupeau, sur une route* 1764, pl. et lav. de sépia : **FRF 1 120** – Paris, 15 juin 1988 : *Bergère et troupeau*, h/pan. (23,5x29,5) : **FRF 12 000.**

XAVERY Gérard Joseph
Né à Anvers. XVIIIe siècle. Éc. flamande.
Peintre de portraits et aquafortiste.
Fils du sculpteur Albert Xavery, et frère de Jean-Baptiste Xavery. Il travailla à Amsterdam et fit partie de la société *Pictura* de La Haye, en 1741. Il imita le genre de Watteau. On lui doit des estampes.

XAVERY Jacob
Né en 1736 à La Haye. Mort après 1769. XVIIIe siècle. Hollandais.
Peintre d'animaux, paysages animés, paysages, intérieurs, natures mortes, fleurs, dessinateur.
Fils de Jean-Baptiste Xavery, il fut élève de Jakob de Wit et J. Van Huysum. Il vint à Paris avec sa famille, en 1769, après la mort de son protecteur d'Amsterdam, Gerrit Braamcamp.
Il peignit parfois dans la manière de Berghem et plus souvent imita son maître Jakob de Wit.

J. Xavery 1760

Ventes Publiques : Paris, 1787 : *Grand vase de fleurs* : **FRF 149** – Paris, 1858 : *Scène d'intérieur*, dess. colorié : **FRF 54** – Paris, 13 mai 1907 : *Le troupeau* : **FRF 600** – Londres, 25 fév. 1966 : *Paysage montagneux avec lac* : **GNS 300** – Londres, 18 fév. 1970 : *Pastorale* : **GBP 600** – Paris, 9 avr. 1990 : *Le Retour du troupeau*, h/t (152x106,5) : **FRF 320 000** – New York, 11 oct. 1990 : *Vaste paysage avec des bergers et leurs troupeaux près d'un point d'eau*, h/t (178x143,5) : **USD 8 250** – Fontainebleau, 27 oct. 1991 : *Le retour du troupeau*, h/pan. (32x46) : **FRF 20 000.**

XAVERY Jean Baptiste
Né le 30 mars 1697 à Anvers. Mort le 19 juillet 1742 à La Haye ou vers 1752 selon d'autres sources. XVIIIe siècle. Éc. flamande.
Sculpteur.
Élève de son père le sculpteur Albert Xavery. Il travailla en Italie, puis alla s'établir à La Haye. Il épousa Christine Robert et travailla pour les jardins et les palais du prince Guillaume IV. On cite de lui : *La Justice et la Sagesse* (fronton de l'Hôtel-de-Ville de La Haye), un relief (église S. Bavon à Haarlem), une *Statue de Mars* (autrefois au château de Breda), le *Tombeau de l'amiral Landgrave de Hesse-Philippsthal* (à La Haye), *le monument du Baron Friesheim* (à Hensden), et ceux du *Baron de Welderen* (à Tiel), de l'*Ingénieur Menno Van Cochoorn Wyckel* (en Frise), de *Sicco Van Golsinga et de sa femme* (à Dongjum en Frise), ainsi que les bustes de *Guillaume IV* et de sa femme *Anna d'Angleterre* (Musée de La Haye).
Ventes Publiques : Paris, 25 mars 1969 : *Buste d'homme*, terre cuite : **FRF 19 000.**

XAVIER
Né en 1958 à Boulogne-Billancourt (Hauts-de-Seine). XXe siècle. Français.
Peintre de figures, compositions à personnages, paysages, natures mortes. Réaliste-magique.
Artiste autodidacte, il a exposé ses œuvres dès 1972 à Paris (Maison des Jeunes). De 1979 à 1984, il travaille essentiellement sur une trilogie fondée sur trois grands thèmes de la peinture : la femme, la nature, les objets, chaque partie faisant tour à tour l'objet d'une exposition. Depuis 1988, il participe régulièrement au SAGA à Paris, où il est présenté par la galerie La Fenêtre. De 1992 à 1995, il est, à Paris, au Salon Grands et Jeunes d'Aujourd'hui. Il a eu également de nombreuses expositions personnelles, à Paris, en province et à l'étranger.
Résolument figuratif, Xavier représente des scènes qui ont souvent quelque chose d'irréel ou de naïf, et qui pourtant s'inscrivent assez nettement dans l'espace et le temps. Les lieux sont bien définis : un bistrot parisien, un paysage de Minorque, les toits de Paris, etc. Quant au caractère temporel des œuvres, il est fréquemment mis en relief par le titre (*Un Temps d'arrêt, Petits instants, Instant nocturne*), et encore accentué dans les productions les plus récentes par la division du tableau en plusieurs scènes chronologiquement successives, retraçant par exemple la consommation progressive d'un jambon.
Bibliogr. : Catalogue de l'exposition *Xavier. Farces, attrapes et autres frémissements*, textes de Jacques Vidal-Naquet et Pierre Berna, Paris, Éditions de La Fenêtre, 1997.

XAVIER Francisco
Né à Evora. XVIIIe siècle. Portugais.
Peintre.
Élève d'Ign. de Oliveira Bernardes. Il travaillait vers 1775. Il fut un habile copiste.
Ventes Publiques : Londres, 21 juil. 1972 : *Pastorale* : **GNS 1 100.**

XAVIER Francisco
XXe siècle. Brésilien.
Peintre, graveur.
Il montre des ensembles de ses œuvres dans de nombreuses expositions particulières.
Ses œuvres sont pénétrées de lyrisme et de sensibilité. Il se consacre à des thèmes brésiliens. Il est spécialiste des façades couvertes d'azulejos recouvrant les vieilles maisons coloniales et dont l'artiste reproduit les dessins en miniature avec beaucoup de raffinement.

XAVIER Geronimo
XVIIe siècle. Travaillant dans l'île de Majorque en 1613. Espagnol.
Peintre.

XAVIER Ignacio
Né à Santarem. XVIIIe siècle. Portugais.
Peintre.
Il peignit un tableau d'autel pour l'église Saint-Augustin de Santarem.

XAVIER Januario Antonio
XVIIIe siècle. Travaillant à Coïmbra. Portugais.
Graveur au burin et sur bois.
Il peignit des portraits et des effigies de saints.

XAVIER Raul
Né le 23 mars 1894 à Macau. XXe siècle. Portugais.
Sculpteur de monuments, statues.
Il fut élève de l'Académie des Beaux-Arts de Lisbonne. Il sculpta des statues pour des places et monuments publics à Lisbonne et dans d'autres villes portugaises.

XCERON John ou **Jean**
Né le 24 février 1890 à Isari, Lycosouras (Grèce). Mort en 1967 à New York. XXe siècle. Depuis 1904 actif, puis naturalisé aux États-Unis. Grec.
Peintre, aquarelliste. Abstrait, tendance géométrique.
Il avait commencé à peindre très jeune. Venu aux États-Unis en 1904, il fut élève de la Corcoran Art School de Washington, de 1910 à 1916. Il séjourna ensuite à New York, de 1920 à 1923, y fréquentant diverses écoles d'art. À New York, il exposa avec le Groupe des Indépendants. Il vint à Paris en 1927, où il resta une dizaine d'années. Il y participa au Salon des Surindépendants à partir de 1931. Dans le même temps, il participa à un grand nombre d'expositions de groupe, parmi lesquelles : 1929, Exposition de Barcelone ; *L'Art Grec Indépendant*, à Athènes, etc. Il eut aussi sa première exposition personnelle, à New York, en 1935, suivie de beaucoup d'autres dans diverses villes américaines. À Paris, pratiquant une abstraction géométrisante, il fit partie du groupe de Michel Seuphor *Cercle et Carré*, et collabora au deuxième numéro de la revue du même titre, en 1930. À Paris, on a pu encore voir de ses peintures au Salon des Réalités Nouvelles, de 1947 à 1952. Il retourna se fixer définitivement à New York, en 1937. Il fit partie de l'Association des *American Abstract Artists*, créée par George L. K. Morris, où se regroupaient Ad Reinhardt, Josef Albers, Willem De Kooning, David Smith, etc. Aux États-Unis, il a eu une activité professionnelle importante, tant par ses participations à des groupements, que par ses expositions individuelles à New York, 1950, 1955, etc.
Ses compositions sont faites d'éléments à tendance géométrique, assemblés sous un aspect assez spontané, à partir de ver-

ticales et d'horizontales, et colorés dans des tonalités chaudes, jaunes, orangées mises en valeur par le noir. Une des caractéristiques de sa peinture consiste ensuite dans la recherche d'une impression de profondeur, par l'entrecroisement des lignes obliques et le jeu réciproque des plans colorés, les figures géométriques semblant se fondre, comme en suspens, dans l'espace environnant. Michel Seuphor en a écrit : « Le style de Xceron lui est absolument propre. C'est une œuvre bien charpentée, sans rigueur excessive. Les éléments de la composition gardent toujours quelque chose d'enjoué... » ■ J. B.

Bibliogr. : Michel Seuphor, in : *Diction. de la peint. abstr.*, Hazan, Paris, 1957 – B. Dorival, sous la direction de..., in : *Peintres Contemporains*, Mazenod, Paris, 1964 – Sarane Alexandrian, in : *Diction. Univers. de l'Art et des Artistes*, Hazan, Paris, 1967 – in : Encyclopédie des Arts *Les Muses*, Grange Batelière, Paris, 1969-1974 – in : *Diction. Univers. de la Peint.*,vol. 6, Le Robert, Paris, 1975.

Musées : New York (Mus. of Mod. Art) – New York (Solomon R. Guggenheim Mus.) : *Peinture No 293* 1946 – *Ikon, No 386* 1954.

Ventes Publiques : Paris, 12 avr. 1933 : *Nature morte* : **FRF 1 000** – New York, 23 juin 1983 : *N° 61, Portrait* 1932, h/cart. (45,7x38,1) : **USD 2 100** – New York, 25 oct. 1985 : *Accord* 1950, h/t (65x50,4) : **USD 2 900** – New York, 28 sep. 1995 : *n° 211* 1927, h/t (64,8x54) : **USD 16 100** – New York, 30 oct. 1996 : *Froid d'hiver 258* 1945, aquar./pap. (38,1x27,3) : **USD 2 990**.

XEGA Spiro

Né en 1863. Mort en 1953. xixe-xxe siècles. Albanais.

Peintre.

Il a beaucoup peint le héros nationaliste albanais Skanderberg, qui, au xve siècle, luttant pour l'autonomie de son pays, est devenu un symbole de cette liberté. La plus originale des huit versions qu'il a réalisées reste le *Détachement de Shahin Matraku*, évocation de la vie des « Kaçaks » albanais, maquisards dans la lutte contre les Ottomans.

Musées : Tirana (Gal. des Arts) : *Guérilla des patriotes*.

XELL Georg. Voir **GSELL**

XENAKIS Constantin

Né en 1931 au Caire, de parents grecs. xxe siècle. Depuis 1955 actif, puis naturalisé en France. Grec.

Peintre, peintre à la gouache, graphiste technique mixte, sculpteur d'assemblages et environnements, sérigraphe. Abstrait-cinétique, Lettres et Signes.

À son arrivée à Paris, Constantin Xenakis fréquenta l'Académie de la Grande-Chaumière. En 1970, il bénéficia d'une bourse de séjour à Berlin, par le Berliner Künstlerprogramm ; 1980, bourse de recherche du Ministère de la Culture et de la Communication.

Il participe à des expositions collectives : en 1959 et 1965, il fut sélectionné pour le Prix des peintres étrangers, au Musée d'Art Moderne de Paris ; en 1962 à Paris, *Peintres et Sculpteurs grecs de Paris*, au Musée d'Art Moderne de la Ville, et *École de Paris*, galerie Charpentier ; 1963 Paris, 3e Biennale ; 1967, il participa à l'exposition historique *Lumière et Mouvement*, au Musée d'Art Moderne de la Ville de Paris ; 1968 Paris, *Le décor quotidien de la vie en 1968*, Musée Galliéra ; depuis 1968 à Paris, il a figuré régulièrement au Salon de Mai, devenant membre du comité en 1969 ; 1970 New York, *Art concept from Europe* ; 1972 Naples, *Operazione Vesuvio* ; 1973 Berlin et Bonn, 30e Internationale *Künstler*, DAAD ; 1978 Malmö, *Lettres, Signes, Écritures*, Konsthall ; 1984 à Nice, il était représenté à l'exposition *Écritures dans la peinture*, Villa Arson ;...

Il montre des ensembles de ses réalisations dans des expositions personnelles, dont : 1970, galerie Alliance de Copenhague et Galerie du xxe siècle de Berlin ; 1971, Goethe Institut d'Athènes ; 1972 Berlin ; 1973 Munich ; 1974 Athènes, galerie Zoumboulakis, et Zagreb ; 1977 Bruxelles, New Smith Gallery, et Athènes, galerie Zoumboulakis ; 1978 Paris, galerie R. d'Amécourt ; 1982 Athènes, galerie Zoumboulakis ; 1983 Vitry-sur-Seine, *L'itinéraire d'un peintre*, Centre d'animation culturelle ; 1991 Paris, *Xenakis 1960-1986*, galerie Art Prestige ; etc.

Dans une première période, qui peut être qualifiée de préliminaire, Constantin Xenakis aborda la peinture par une forme d'abstraction lyrique, déjà caractérisée par l'importance du geste graphique. Il faisait aussi des « peintures brûlées », brûlant préalablement le support pour manifester symboliquement sa volonté de dépasser l'expression picturale proprement dite. Assez tôt, il passait à des réalisations s'inscrivant dans le courant contemporain de l'environnement, avec des constructions spatiales qui faisaient intervenir des faisceaux lumineux mis en mouvement et répercutés par des jeux de miroirs. Toutefois, il est revenu à la conception traditionnellement plane de la peinture, avec une pratique qui, provisoirement, peut être apparentée au courant *Lettres et Signes*. Depuis lors, ses activités alternent en permanence entre l'environnement et l'écriture, encore que, dans ses interventions environnementielles, ce sont encore des écritures qui occupent l'espace et le temps, et que, dans ses pratiques scripturales purement plastiques intervient aussi la prise en compte du format du support ou des dimensions de l'espace d'exposition. Entre ces deux pôles, Pierre Restany, un des meilleurs connaisseurs du travail de Xenakis, distingue les espaces « intérieur » (galerie, lieu institutionnel), « sacralisant » (spectacle), « technologique » (lumière, mouvement), « public » (interventions de rue, notamment à Berlin), « typographique » (journal, dans des incroyables reconstitutions de pages de journaux en langage « xénakisien »), « pictural » (toile traditionnelle), « tridimensionnel » (objets), etc. Condensant dans une formule les modalités de l'expression scripturale de Xenakis, Restany écrit qu'« il pratique la sémiologie dans l'espace, tous azimuts ». Xenakis, les isolant, répétant, agrandissant, diminuant, décalant, superposant, permutant, faisant déraper, rendant illisibles, accapare comme matériau de base, comme son matériau, lui Grec d'Égypte assimilé Français, s'approprie tous les alphabets, latin, grec, hébreu, cyrillique, arabe, tous les signes linguistiques, idéogrammes, hiéroglyphes, logos, codes et symboles graphiques, existants. Bernard Heidsieck, plaçant les « graphi-peintures » de Xenakis en parallèle avec les feuillets débités par l'informatique, évoque « ces longues trames de signes serrés, ces menus sigles, traces, symboles, démultipliés, s'extrayant les uns des autres, qui n'en finissent pas de se dérouler, semblables à d'interminables télex, indéchiffrables, nourris du cours des changes d'autres planètes, de quotations inconnues,... »

De ces manipulations qui constituent l'aspect technique de sa pratique, ou si l'on préfère de sa poétique, plastiques, Constantin Xenakis obtient des « objets artistiques » ambigus, d'une inépuisable diversité, à la fois excitant la curiosité et l'intérêt visuels et véhiculant, l'air de rien sous leurs aspects flatteurs, une dénonciation, non dénuée d'humour, de l'incommunicabilité fatale. ■ Jacques Busse

Bibliogr. : Pierre Restany, Bernard Heidsieck, in : Catalogue de l'exposition *Constantin Xenakis, quinze ans d'art sémiotique*, Mont-Saint-Aignan, Centre Culturel, 1981, bonne documentation – in : Catalogue de l'exposition *Écritures dans la peinture*, Villa Arson, Nice, 1984 – Lydia Harambourg, in : *L'École de Paris 1945-1965. Diction. des Peintres*, Ides et Calendes, Neuchâtel, 1993.

Ventes Publiques : Douai, 23 oct. 1988 : *Machine* 1962, h/t (73x92) : **FRF 4 000** – Douai, 23 avr. 1989 : *Attention* 1982, acryl. /t. : **FRF 12 000** – Douai, 2 juil. 1989 : *Interdiction 8*, acryl./t. (50x50) : **FRF 8 000** – Douai, 3 déc. 1989 : *Récits* 1987, acryl. (100x50) : **FRF 14 500** – Paris, 22 jan. 1990 : *Composition*, gche (58,5x43) : **FRF 4 800** – Douai, 1er avr. 1990 : *Obligation* 1987, gche (59x41,5) : **FRF 5 500** – Nanterre, 24 avr. 1990 : *Composition*, gche (48x30,5) : **FRF 6 200** – Paris, 10 juin 1990 : *Information hydro-pneumatique*, h/t (200x40) : **FRF 19 000** – Douai, 1er juil. 1990 : *Le chemin de l'architekt* 1972, acryl./t. (55x46) : **FRF 24 000** – Douai, 11 nov. 1990 : *Rupture C* 1988, acryl./t. (100x50) : **FRF 15 500** – Paris, 15 déc. 1990 : *Parcours D*, acryl./t. (116x89) : **FRF 30 500** – Paris, 25 mai 1992 : *À contre sens* 1988, encre et aquar. (76x56) : **FRF 8 000** – Paris, 30 mai 1994 : *Signes codés* 1970, gche (48x63) : **FRF 5 500** – Paris, 22 déc. 1995 : *Trois informations* 1976, h/t (146x114) : **FRF 11 000**.

XENAKIS Iannis

Né en 1922 à Athènes. xxe siècle. Depuis 1947 réfugié politique, et depuis 1965 naturalisé en France. Grec.

Sculpteur, sculpteur d'intégrations architecturales, peintre de cartons de vitraux.

Il eut une formation en mathématiques, d'architecte et de musicien avec Hermann Scherchen et Olivier Messiaen. Il fut le collaborateur de Le Corbusier pendant douze années. Il dessina pour Le Corbusier les vitraux de la Maison de la Culture de Firminy et en calcula le rythme d'après une fugue de Bach. En 1964, il a conçu une ville verticale mobile, ville cosmique située au-dessus de la couche des nuages. Depuis 1960, il se consacre uniquement à la composition musicale, où il a pris une place internationalement prépondérante, qui n'entre pas dans le présent propos. À ce titre, il a créé différents organismes de recherche et, depuis 1983, il est membre de l'Institut.

Dans sa période de composition musicale, il a conçu et réalisé le *Polytope*, sculpture lumino-cinétique, ayant pour but de créer une « musique de lumière ». Haute de plusieurs étages, cette sculpture était incorporée au Pavillon Français de l'Exposition 1967, à Montréal. Elle a ensuite été présentée à Paris.
Bibliogr. : Pierre Cabanne, Pierre Restany : *L'avant-garde au xxe siècle*, Balland, Paris, 1969 – Frank Popper : *L'Art Cinétique*, Gauthier-Villars, Paris, 1969.

XENAKIS Makhi
Née en 1956 à Paris. xxe siècle. Française.
Peintre, pastelliste, graveur, dessinateur, peintre de décors de scène. Tendance fantastique.
Après des études d'architecture, elle obtint, en 1987, la bourse Léonard de Vinci du Ministère des Affaires Étrangères. Elle participe à des expositions collectives : 1982, 1983, 1984 Salon de Montrouge. Depuis 1983, elle montre son travail dans des expositions personnelles à Paris, en 1989, à New York, en 1994 à Bourges.
Elle travaille souvent sur papier. Elle développe obsessionnellement des variations à partir de quelque détail infime, prélevé de peintures célèbres des musées.

XENIA Eraclide
Née en 1930 à Timisoara. xxe siècle. Roumaine.
Graveur.
Elle fait ses études à l'Académie des Beaux-Arts de Cluj (Roumanie), où elle obtient son diplôme en 1957. Elle participe à de nombreuses expositions de groupe en Roumanie, en Russie, en Autriche, au Japon, en Yougoslavie. Elle fait une exposition particulière à Timisoara en 1967, puis expose en Suisse en 1970 une série de gravures, avec son mari le peintre Léon Vreme et le sculpteur roumain Victor Gaga. Elle fait des voyages d'étude en Yougoslavie, en Hongrie, en Union Soviétique, en Suisse et en Italie.
Musées : Constantsa – Timisoara.

XENOCLÈS
i^er^ siècle. Actif à Athènes. Antiquité grecque.
Sculpteur.

XENOCRATES
iiie siècle avant J.-C. Actif à Athènes dans le premier quart du iiie siècle av. J.-C. Antiquité grecque.
Sculpteur.
Il travailla à Pergame et pour le temple d'Athéna à Elatea. Il écrivit également sur l'art.

XENOFONTOFF Ivan Stepanovitch
Né le 25 mars 1817 dans le gouvernement de Kostroma. Mort le 20 décembre 1875 à Saint-Pétersbourg. xixe siècle. Russe.
Peintre d'histoire et portraitiste.
Élève de l'Académie de Saint-Pétersbourg.

XENOPHANTES
Né au iie siècle probablement à Thasos. iie siècle. Antiquité grecque.
Sculpteur.
Il sculpta une statue de l'empereur *Adrien* pour la ville d'Athènes.

XENOPHILOS
iie siècle avant J.-C. Argien, travaillant dans la seconde moitié du iie siècle avant Jésus-Christ. Antiquité grecque.
Sculpteur.
Il sculpta, avec son fils Straos II, les statues d'*Esculape* et d'*Hygie*, pour le temple d'Esculape à Argos.

XENOPHON
ive siècle avant J.-C. Athénien, travaillant au ive siècle avant Jésus-Christ. Antiquité grecque.
Sculpteur.
Il sculpta des statues de dieux et celle de *Tyché* dans le temple de Thèbes.

XENOS Théo
Né le 19 décembre 1939 à Alexandrie. xxe siècle. Depuis 1957 actif en France. Grec.
Peintre.
De 1957 à 1961, il fut élève de l'École des Beaux-Arts d'Angers, puis, de 1961 à 1962, de celle de Nice. Il vit à Paris. Il participe à de nombreuses expositions collectives depuis 1965, à Athènes, Paris : Salon de la Jeune Peinture, 1970, 1972, 1973, au Musée Galliéra en 1975, etc. Il a montré plusieurs expositions personnelles de ses peintures, à Villeparisis en 1973 ; Royan, avec Mikis Théodorakis, 1973 ; Cité Universitaire de Paris, avec Mikis Théodorakis, 1973 ; Maison de la Culture d'Amiens, 1974 ; galerie Jean-Pierre Lavigne, Paris, 1975 ; Ambassade de Chypre, 1986 ; UNESCO, 1995.
Les peintures de Xenos ont un but politique. Ses procédés varient. En 1974 à la Maison de la Culture d'Amiens, il montre la Grèce baillonnée des Colonels. Cette série de toiles est présentée dans le cadre d'une rétrospective consacrée à Picasso, le drame grec faisant écho à Guernica. On parle alors d'une « nouvelle figuration qui se range aux côtés de celle d'Arroyo, de Cueco, de Cremonini, et prend parti avec violence contre la violence » (Pierre Rappo). Lors de son exposition parisienne de 1975, il a beaucoup utilisé le principe de la « modification » : à partir d'images anodines de notre monde quotidien, créer un choc d'images qui déclenche un choc d'idées. Le sens de ce beau visage de baigneuse est changé quand on s'aperçoit que des soldats se reflètent sur ses lunettes de soleil. De même pour ce visage rieur et bariolé de clown, sur le nez duquel brille le reflet d'une photographie de l'explosion atomique. À partir de 1988, Xenos débute une nouvelle série de toiles sur le jazz et la mémoire du cinéma. Au printemps 1995, la mairie du sixième arrondissement de Paris en présente certaines à l'occasion du centenaire du cinéma. L'installation rassemble portraits de stars, enseignes lumineuses, bandes sonores de films. Les images des stars sont superposées à des représentations de façades « rétros », l'ensemble faisant appel à l'inconscient de l'enfance du peintre et à la mémoire collective. En 1996, pour l'Année de la Tolérance, il est invité par l'UNESCO, où il expose de grandes toiles juxtaposées entre palissades et cieux bleus, allégories spirituelles, symboles d'espérance. ■ J. B.
Bibliogr. : Pierre Gaudibert : *Catalogue de l'exposition Xenos*, Gal. J. P. Lavigne, Paris, 1975 – Michel Troche : Catalogue de l'exposition à la Maison de la Culture d'Amiens – Monographie *Théo Xenos*, chez l'artiste, 1993.

XERAVICH Mathias. Voir **SCHERVITZ**

XHENEMONT Jacques
xviiie-xixe siècles. Éc. flamande.
Peintre d'histoire, scènes de genre, portraits.
Il existait en 1787, soit par sa naissance, soit plutôt par sa présence à l'Académie des Beaux-Arts de Liège.

XHROUET ou **Xrowet**
Né en 1736. xviiie siècle. Français.
Peintre de paysages sur porcelaine.
Il travailla à la Manufacture de Sèvres de 1750 à 1775. Il inventa le fond « rose Pompadour ».

XHROUET Joseph
xviiie siècle. Éc. flamande.
Graveur au burin.
Il grava des vues de Spa, où il travaillait en 1738. À rapprocher de Mathieu Hrouet.

XHROUET Mathieu
xviiie siècle. Éc. flamande.
Peintre.
Il était actif à Spa. Il a peint une *Vue de Liège* en 1738. À rapprocher de Joseph Hrouet.

XHROUET Maurice
Né en 1892 à Verviers. xxe siècle. Belge.
Sculpteur.
Il travailla à Bruxelles-Uccle.

XIA Baoyuan
Né en 1946 à Shanghai. xxe siècle. Chinois.
Peintre de figures, portraits. Style occidental académique.
Il étudia de 1959 à 1965 dans les classes de peinture à l'Huile de l'Académie des Beaux-Arts de Shanghaï. Diplômé, il enseigna à l'Institut de peinture à l'huile et de Sculpture de Shanghaï avant de partir pour les États-Unis. En 1981, la médaille d'argent du Concours National d'Art lui fut attribuée. Participant à l'Exposition d'Art de Shanghaï en 1985 et 1986, il remporta successivement la médaille d'argent et la médaille d'or.
Bibliogr. : In Catalogue Christie's, vente Hong Kong, 30 mars 1992.
Musées : Pékin (Mus. Nat.).
Ventes Publiques : Hong Kong, 30 mars 1992 : *Jeune fille tenant une guitare* 1982, h/t (102x62) : **HKD 49 500**.

XIA BING ou **Hia Ping** ou **Hsia Ping**, surnom : **Mengyang**
Originaire de Kunshan, province du Jiangsu. xve siècle. Actif vers 1450. Chinois.
Peintre.

Frère aîné de Xia Chang (1388-1470) et calligraphe célèbre de son temps, il est moins connu comme peintre que ce dernier. Il fait des paysages dans le style de Gao Kegong (1248-1310), ainsi que des pierres et des bambous. Le National Palace Museum de Taipei conserve une de ses œuvres signée et datée 1459, *Bambous et pierres*.

XIA CHANG ou **Hia Tch'ang** ou **Hsia Ch'ang**, surnom : **Zhongzhao**, noms de pinceau : **Zizai Jushi** et **Yufeng**
Né en 1388, originaire de Kunshan, province du Jiangsu. Mort en 1470. XVe siècle. Chinois.
Peintre.

Calligraphe célèbre, haut fonctionnaire (il passe les examens triennaux à la capitale en 1415 et reçoit le grade de *jinshi* (lettré présenté), il est peintre de bambous dans le style de Wang Fu (1362-1416), son maître, et connaît une grande réputation de son vivant.

Musées : Boston (Mus. of Fine Arts) : *Pluie de printemps sur les bambous au bord de la rivière Xiang* 1455, rouleau en longueur, signé – Chicago (Art Inst.) : *Bambous, pins et pruniers le long d'une rive rocheuse* 1441, rouleau en longueur, signé – Honolulu (Acad. of Art) : *Bambous courbés sur les rochers et les ruisseaux*, rouleau en longueur, signé – Kansas City (Nelson Gal. of Art) : *Les rives de la sereine rivière Xiang*, rouleau en longueur, six colophons – Pékin (Mus. du Palais) : *Deux pousses de bambous et frêles brindilles poussant au-dessus d'un rocher* 1407, cinq colophons, signé – *Bambous dans le vent*, encre sur pap., deux rouleaux en longueur, signés – Pennsylvanie : *Bambou et pluie de printemps*, rouleau en longueur – Saint Louis (Art Mus.) : *Cangyungutu, l'ancienne vallée des Bambous* 1446, rouleau en longueur, signé – Shanghai : *Bambous et pousses*, encre sur pap., rouleau en longueur – *Bambou à l'encre*, encre sur pap., rouleau en hauteur – Taipei (Nat. Palace Mus.) : *Guanyin assise sous des bambous* 1446 – *Bambous dans le vent* 1450, encre sur pap., rouleau en hauteur, signé – *Grands bambous dans des rocs étranges* – *Rouleau de bambous*, signé – Washington D. C. (Freer Gal. of Art) : *Xiao-Xiang guoyu tu* 1464, rouleau en longueur.

Ventes Publiques : New York, 4 déc. 1989 : *Tempête sur la rivière Xiang*, encre/pap., makémono (56x824) : **USD 242 000**.

XIA DI ou **Hia Ti** ou **Hsia Ti**, surnom : **Jianbo**
Originaire de Wenzhou, province du Zhejiang. XIIIe-XIVe siècles. Actif sous la dynastie Yuan (1279-1368). Chinois.
Peintre.

Peintre de paysages dont le Musée de Pennsylvania conserve une œuvre qui lui est attribuée, *Chaînes de montagnes et arbres nus*.

XIA GUI ou **Hia Kouei**, ou **Hsia Kuei**, surnom : **Yuyu**
Originaire de Qiantang, province du Zhejiang. XIIe-XIIIe siècles. Chinois.
Peintre.

Pour l'Occident, le paysage chinois n'a longtemps eu qu'un seul visage : celui que lui a donné l'école Ma-Xia qui doit son nom à celui de ses deux fondateurs, Ma Yuan et Xia Gui. Tous deux participent d'une même esthétique et leur peinture est éminemment séduisante et accessible, d'où la vogue considérable qu'elle connaîtra et le grand nombre de ses imitateurs. Les critiques occidentaux y ont donc vu l'essence même de la peinture chinoise.

On ne possède que fort peu d'informations sur la vie de Xia Gui : il était actif vers 1190-1225. Originaire des environs de Hangzhou, il occupe une position officielle à l'Académie Impériale de Peinture sous le règne de l'empereur Song, Ningzong (1195-1224) et, ses œuvres étant très appréciées, il reçoit la distinction honorifique du *ruban d'or*. Comme pour Ma Yuan, plus contemplatif et poétique que lui, son art tire son origine de celui de Li Tang, son prédécesseur à l'Académie, lui-même directement tributaire de la haute tradition des grands paysagistes des Xe et IXe siècles, Fan Kuan en particulier. Mais malgré cette filière continue entre Fan Kuan et Xia Gui, par l'intermédiaire de Li Tang, la métamorphose est radicale : la plénitude majestueuse et la sévérité sereine de Fan Kuan s'étaient doublées d'une sensibilité plus subjective chez Li Tang, en perdant de leur ampleur ; elles vont se trouver simplifiées encore chez Xia Gui, qui porte à son point extrême l'élimination des masses solides. À peine définit-il la texture des surfaces, grossissant impétueusement les *rides taillées à la hache* de Li Tang, jusqu'à en faire une écriture elliptique et audacieuse qui constitue la marque de fabrique des paysages des Song du Sud. Sa ligne est réduite à un minimum, n'indiquant souvent que les frontières de la brume, mais son éloquence est telle que la composition s'organise immédiatement sous l'œil qui n'hésite guère sur le rôle et la signification des espaces vides. Son travail de pinceau est le fruit d'une science consommée et sa virtuosité technique est éblouissante, comme l'attestent ses jeux d'encre, du lavis le plus subtil au noir le plus profond, mais il ne s'en sert qu'avec mesure et modestie. Et s'il s'en tient aux canons de l'Académie, ceux-ci sont au service d'une émotion sincère et d'une profonde intuition de la nature. Un des plus beaux exemples de son incomparable science de la composition est le rouleau horizontal, *Vue claire et lointaine d'un fleuve dans les montagnes* (Taipei, National Palace Museum), qui met en valeur son génie de l'ellipse : les éléments peints, très réduits, se chargent d'une forte intensité expressive, grâce à un pinceau nerveux et économe qui, répartissant quelques rares signes, crée sur la page blanche un invisible échange d'énergie et investit l'espace de tensions actives en chargeant le vide d'un sens positif. Déroulant d'une main l'œuvre qu'il enroule de l'autre, le spectateur est ainsi amené à effectuer un voyage dans l'espace et dans le temps, dont le déroulement, proche de celui d'une composition musicale, s'organise à travers une alternance contrastée de temps forts et de repos, depuis un mouvement d'ouverture jusqu'à un *finale*. Cette peinture, qui réussit à ménager à son *lecteur* une innombrable diversité dans une dynamique unicité, s'impose comme le rouleau horizontal par excellence. La même concision voulue dans le thème et la forme se retrouve dans les œuvres de format réduit qui constituent l'essentiel de l'héritage de Xia Gui. Mais cet art, fondamentalement académique avec sa volonté de lisibilité et de clarté logique et son désir de plaire, comporte en germe, par sa propension à la mise en formules, ses propres facteurs de desséchement. Rejeté par les lettrés avertis, il ne sera plus pratiqué à partir de l'époque Yuan que par des artistes professionnels, en sorte que, objet en Chine d'une relative défaveur, il partira à l'étranger, au Japon notamment où il exercera une influence considérable. ■ Marie Mathelin

Bibliogr. : J. Cahill : *La peinture chinoise*, Genève, 1960 – P. Ryckmans : *Hia Kouei*, in : *Encyclopaedia Universalis*, vol. 8, Paris, 1970.

Musées : Boston (Mus. of Fine Arts) : *Paysage de rivière avec un arbre dans le vent*, éventail, inscription de l'empereur Song Xiaozong (1163-1189) – Kansas City (Nelson Gal. of Art) : *Douze paysages vus d'une chaumière*, encre sur soie, rouleau en longueur signé – Pékin (Mus. du Palais) : *Montagnes et ruisseaux à perte de vue* 1350, rouleau en longueur signé, poème de Gu Ying – *Tempête de neige sur le pont Ba*, signé, poème de Qing Qianlong – *Montagne dans la brume*, éventail attribué – *Deux cavaliers dans les montagnes enneigées*, éventail attribué – Taipei (Nat. Palace Mus.) : *Vue claire et lointaine d'un fleuve dans les montagnes*, encre sur pap., rouleau en longueur – *Vue du lac de l'Ouest*, encre et coul. légères sur soie, rouleau en hauteur – *Conversation sous la falaise au pin*, encre et coul. sur soie, feuille d'album – *Les dix mille lis du fleuve Yangzi* 1340, rouleau en longueur, inscription de Ke Jiusi qui attribue l'œuvre à Xia Gui – *Retour du bateau* – *Haute falaise près d'une rivière*.

Ventes Publiques : New York, 1er juin 1989 : *Retour à la maison sous la pluie*, encre/pap., feuille d'album (26,5x33,5) : **USD 19 800**.

XIAI. Voir **ZHANG XIAI**

XIA JIN ou **Hia Kin** ou **Hsia Chin**
Chinois.
Peintre.

Peintre de la dynastie Qing (1644-1911).

XIA KAOCHANG ou **Kia K'ao-Tch'ang** ou **Hsia K'ao-Ch'ang**, nom de pinceau : **Jiushan**
XIVe siècle. Actif vers 1350. Chinois.
Peintre.

Peintre de paysages.

XIA KUI ou **Hia K'ouei** ou **Hsia K'uei**, surnom : **Tinghui**
Originaire de Qiantang, province du Zhejiang. Actif pendant la dynastie Ming (1368-1644). Chinois.
Peintre.

Peintre de paysages dans le style de Dai Jin (XVe siècle), dont le Chicago Art Institute conserve deux paysages signés, *Paysages d'été* et *Paysage d'hiver*.

XIANG DEXIN ou **Hiang Tö-Sin** ou **Hsiang Tê-Hsin**, surnoms : **Fuchu** et **Yuxin**
XVIIe siècle. Actif au début du XVIIe siècle. Chinois.
Peintre.

Fils de Xiang Yuanbian (1525-vers 1602), il est peintre de paysages, de fleurs et d'oiseaux.

Musées : Cologne (Mus. für Ostasiatische Kunst) : *Deux vieux pins parmi les rochers dans la rivière* 1605, éventail signé, d'après Wang Meng – Paris (Mus. Guimet) : *Roches et arbres dénudés près d'une rivière* 1601, signé – Pékin (Mus. du Palais) : *Rochers et bambous sur la rive d'un ruisseau de montagne*, signé – Taipei (Nat. Palace Mus.) : *Pavillon sur la rivière à l'automne*, encre sur pap., rouleau en hauteur signé, dans le style de Ni Zan.

XIANG KUI ou **Hiang K'ouei** ou **Hsiang K'uei**, surnom : **Ziju**, noms de pinceau : **Dongjing** et **Qiangdong Jushi**

Originaire de Jiaxing, province du Zhejiang. xviiie siècle. Chinois.

Peintre.

Neveu de Xiang Shengmo (1597-1658), il est peintre de paysages, d'orchidées et de bambous dans le style des maîtres Yuan.

XIANG SHENGMO ou **Hiang Cheng-Mo** ou **Hsiang Shêng-Mo**, surnom : **Kongzhang**, noms de pinceau : **Yihan** et **Xushanqiao**

Né en 1597, originaire de Jiaxing, province du Zhejiang. Mort en 1656 ou 1658. xviie siècle. Chinois.

Peintre.

Petit-fils du peintre et célèbre collectionneur Xiang Yuanbian (1525-1602).

Comme plusieurs artistes de la fin de l'époque Ming, il suit les théories de Dong Qichang (1555-1636). Il est très éclectique et, dans ses paysages, s'inspire des maîtres Song et Yuan, vus par Dong ; son style rappelle parfois celui de Wu Bin (actif 1568-1621). Ce sont de grandes constructions en larges masses aux contours arrondis qui alternent avec des rangées de rochers plus ou moins uniformes ; les arbres ont un aspect décoratif conféré par la valeur de l'encrage et le tout est d'une texture sèche et économe, presque absente. Il peint aussi des fleurs et des bambous.

Musées : Chicago (Art Inst.) : *Vue de la rive avec arbre et rochers, homme dans une barque* – Honolulu (Acad. of Art) : *Paysage dans le style de Ni Zan*, encre sur pap., attribution – Paris (Mus. Guimet) : *Chrysanthèmes*, encre sur fond or, éventail signé – Pékin (Mus. du Palais) : *Homme marchand sous un grand arbre défeuillé*, encre et coul. sur pap., signé – *Études de fleurs*, coul. sur pap., six feuilles d'album – *Crique de rivière et arbres sous la neige* 1641, encre et coul. légères, signé – Shanghai : *Cascade entre deux rochers* 1651, signé – Stockholm (Nat. Mus.) : *Pêcher en fleurs*, poème signé – *Epidendron*, éventail signé – Taipei (Nat. Palace Mus.) : *Ruisseau de montagne* 1640, signé, poème et colophon – *Arbres nus et bambous*, signé, poème – *Arbres sous la pluie d'automne*, signé, poème – *Branche de pêcher en fleurs*, signé, poème – *Oies sauvages dans les roseaux de la rive*, signé, poème – *Trois bambous*, signé – *Paysages*, Album de huit paysages d'après des maîtres anciens, dernière feuille signée – *Branche d'abricotier en fleurs*.

Ventes Publiques : New York, 29 nov. 1993 : *Figure lisant un livre assis sur une racine d'arbre en automne*, encre/pap., kakémono (34,3x26) : **USD 7 475** – Taipei, 10 avr. 1994 : *Sujets variés*, quatre encre/pap. et quatre encre et pigments/pap., album de 8 feuilles (chaque 25x18) : **TWD 1 260 000**.

XIANG YUANBIAN ou **Hiang Yuan-Pien** ou **Hsiang Yüan-Pien**, surnom : **Zijing**, nom de pinceau : **Molin**

Né en 1525, originaire de Jiaxing, province du Zhejiang. Mort en 1590, ou 1602. xvie siècle. Chinois.

Peintre.

Célèbre connaisseur et collectionneur, il est aussi peintre de paysages dans le style des maîtres Yuan, ainsi que de fleurs de prunier, d'orchidées, de bambous et de pierres.

Musées : Cologne (Mus. Für Ostasiatische Kunst) : *Branche de buisson en fleurs et bambou*, éventail signé – Pékin (Mus. du Palais) : *Deux plantes près d'une pierre dans un jardin*, inscription du peintre – Taipei (Nat. Palace Mus.) : *Orchidées*, encre sur pap., feuille d'album – *Bambous, épidendrons et pierres*, signé, poème – *Touffes d'épidendrons*, feuille d'album signée.

Ventes Publiques : New York, 25 nov. 1991 : *Personnages élégants se distrayant près d'un chalet dans un paysage rocheux*, encre/pap., makémono (17,3x259,8) : **USD 40 700** – Taipei, 10 avr. 1994 : *Chrysanthèmes, bambous et rochers*, encre/pap., kakémono (96,5x23) : **TWD 1 260 000**.

XIANYU SHU ou **Hsien-Yü Shu** ou **Sien-Yu Chou**, surnom : **Boji**, noms de pinceau : **Kunxueshi** et **Zhian Laoren**

Né en 1257, originaire de Yuyang, province du Hebei. Mort en 1303. xiiie siècle. Chinois.

Calligraphe et peintre.

Il est plus connu comme calligraphe que comme peintre mais le University Museum de Princeton conserve une œuvre signée et datée 1303, accompagnée d'un poème du peintre, qui est peut-être une copie de l'époque Ming, *Rivière serpentant entre des montagnes boisées*.

XIANZONG MING ou **Hien-Tsong Ming** ou **Hsien-Tsung Ming**

Né en 1448. Mort en 1487. xve siècle. Chinois.

Peintre de figures.

Empereur Ming Chenghua (règne 1465-1487), dont le National Palace Museum de Taipei conserve une œuvre signée et accompagnée d'un poème daté 1481, *Guanyin*.

XIAO ou **Hiao** ou **Hsiao**

Né en 1935 à Shanghai. xxe siècle. Chinois.

Peintre, sculpteur. Minimaliste.

Après des études à Taipei dans l'atelier du peintre Li Chun-sen, il s'installe à Milan et à New York où il se fixe. En 1957, il est cofondateur du premier groupe chinois d'artistes abstraits, *Tonfan* et, en 1961, du mouvement international *Punto*. Il participe à de nombreux groupes : 1961, Carnegie International de Pittsburgh, 1963, Biennale de São Paulo... Il fait plusieurs expositions personnelles : 1957 au Musée Municipal de Barcelone ; 1959, Venise : 1967 et 1969, Milan, etc.

Tout à fait intégré à l'école américaine moderne, il partage les recherches de formes primaires des tenants du *Minimal Art*.

Bibliogr. : *Catalogue de l'exposition des Galeries Pilotes du Monde*, Musée Cantonal, Lausanne, 1970.

Musées : Cambridge, Massachusetts (Fogg Art Mus.) – Lausanne (Mus. canton.) – New York (Mus. d'Art Mod.) – Philadelphie – Rome (Gal. Nat. d'Art Mod.) – São Paulo (Mus. d'Art Mod.) – Stuttgart.

XIAO-AN ou **Hiao-Ngan** ou **Hsiao-an**

Originaire de Dongwu. xive siècle. Chinois.

Peintre.

Il était actif dans la seconde moitié du xive siècle. Moine peintre spécialiste de représentations de vignes.

XIAO CHEN ou **Hsiao Ch'ên** ou **Siao Tch'en**, surnom : **Lingxi**, nom de pinceau : **Zhongsu**

Originaire de Yangzhou, province du Jiangsu. xviie-xviiie siècles. Actif vers 1680-1710. Chinois.

Peintre.

Peintre de paysages et de neige dans le style des maîtres Tang et Song, il est particulièrement connu pour ses paysages de neige.

XIAO DING. Voir **DING CONG**

XIAO DING. Voir **DING CONG**

XIAO Haichun

Né en 1944. xxe siècle. Chinois.

Peintre de figures, paysages animés, paysages. Traditionnel.

Ventes Publiques : Hong Kong, 30 mars 1992 : *Paysages et figures*, encre et pigments/pap., album de 24 feuilles (chaque 41,8x55,5) : **HKD 52 800** – Hong Kong, 28 sep. 1992 : *Cascade dans les Monts Yandang*, encre et pigments/pap., kakémono (143x94,6) : **HKD 58 000** – Hong Kong, 5 mai 1994 : *Paysage*, encre et pigments/pap., kakémono (212x93,5) : **HKD 103 500** – Hong Kong, 28 avr. 1997 : *Paysage rouge et vert*, encre et pigments/pap., kakémono (136,8x67,9) : **HKD 78 200**.

XIAO HAISHAN ou **Hsiao Hai-Shan** ou **Siao Hai-Chan**

Actif pendant la dynastie Ming (1368-1644). Chinois.

Peintre.

Il n'est pas mentionné dans les biographies d'artistes, mais d'après sa signature, il serait officier de la garde impériale. Le British Museum de Londres conserve une feuille d'album qui lui est attribuée, *Vigne*.

XIAO HUANRU

Né en 1935. xxe siècle. Chinois.

Peintre de fleurs. Traditionnel.

Il est professeur à l'Institut des Beaux-Arts de Xian.

Bibliogr. : In : Catalogue de l'exposition *Peintres traditionnels de la République populaire de Chine*, galerie Daniel Malingue, Paris, 1980.

XIAO Junxian ou **Hsiao Chun-Hsien**

Né en 1865. Mort en 1948. xixe-xxe siècles. Chinois.

Peintre de paysages. Traditionnel.

Ventes Publiques : Hong Kong, 17 nov. 1988 : *Paysage d'après Kuncan* 1944, encre et pigments/pap., kakémono (99,5x33) :

HKD 16 500 – New York, 31 mai 1990 : *Paysage*, encre et pigments/pap., kakémono (123,2x47) : **USD 2 200** – Hong Kong, 15 nov. 1990 : *Paysage d'après Huang Gongwang*, encre et pigments/pap., kakémono (104,4x51,5) : **HKD 13 200** – Hong Kong, 31 oct. 1991 : *Paysage* 1945, encre et pigments/pap., kakémono (103,5x47) : **HKD 26 400** – Hong Kong, 30 mars 1992 : *Nuages blancs et vertes montagnes*, encre et pigments/pap., kakémono (132,5x67) : **HKD 27 500** – New York, 16 juin 1993 : *Paysage d'automne*, encre/pap., kakémono (107,3x52,4) : **USD 2 300**.

XIAO LIN ou **Hsiao Lin** ou **Siao Lin**
xxe siècle. Chinois.
Peintre et graveur.

XIAO LINGZHUO ou **Hsiao Ling-Ch'o, Siao Ling-Cho, Siao Ling-Tcho**
Née dans la province du Jiangsu. xxe siècle. Chinoise.
Peintre de portraits. Style occidental.
Élève de son père, le peintre Ling Wenyuan et de Qi Baishi, elle obtient un diplôme aux États-Unis en 1930, puis devient professeur à l'Université Nationale Centrale de Nankin de 1931 à 1933, date à laquelle elle vient à Paris. Elle pratique la peinture à l'huile de portraits.

XIAO QIANZHONG ou **Hsiao Ch'ien-Chung** ou **Siao K'ien-Tchong**
xxe siècle. Chinois.
Peintre. Traditionnel.
Il était actif à Pékin. Peintre traditionnel lettré.

XIAO Rusong. Voir **HSIAO Ju-sung**

XIAO SUN
Né en 1883. Mort en 1944. xxe siècle. Chinois.
Peintre de paysages. Traditionnel.
Ventes Publiques : Hong Kong, 17 nov. 1988 : *Paysage* 1941, encre et pigments/pap., kakémono (99,5x32,6) : **HKD 26 400** – Hong Kong, 15 nov. 1990 : *Paysage* 1938, encre et pigments/pap. (19,1x49,2) : **HKD 33 000** – New York, 26 nov. 1990 : *Paysage d'automne*, encre et pigments/pap., kakémono (66,7x33) : **USD 1 320** – Hong Kong, 2 mai 1991 : *Paysage*, encre/pap., kakémono (99,5x33) : **HKD 19 800** – Hong Kong, 31 oct. 1991 : *Paysage* 1943, encre et pigments/pap., kakémono (100,5x33) : **HKD 22 000** – Hong Kong, 29 oct. 1992 : *Paysage*, encre et pigments/pap., kakémono (103,8x32,9) : **HKD 47 300** – Hong Kong, 29 avr. 1993 : *Paysage, éventail*, encre et pigments/pap. (18,4x44) : **HKD 12 650** – Hong Kong, 30 oct. 1995 : *Chalets à toits de chaume dans les montagnes*, encre et pigments/pap., kakémono (101x48,6) : **HKD 23 000**.

XIAO Xia
Né en 1957 à Nan Jing. xxe siècle. Depuis 1985 actif en Belgique. Chinois.
Peintre, sculpteur, technique mixte. Abstrait-informel.
Fixé à Bruxelles depuis 1985, il y fit ses études. En 1988, il fut lauréat du Prix Europe de Peinture de la Ville d'Ostende. Il montre des ensembles de peintures et d'objets dans des expositions personnelles, multiples à Bruxelles, dont en 1991 galerie Isy Brachot, à Paris pour la première fois en 1991 aussi et également chez Isy Brachot.
Par une technique complexe et variée, abstraite en ses apparences immédiates bien que concrète en ses matériaux, il évoquerait de manière elliptique, au travers d'allusions au fleuve, à la forêt, à la neige, en fait la terre, l'eau, l'air et le feu.
Musées : Ostende (Mus. des Beaux-Arts) : *La vapeur*.

XIAO YONG ou **Hsiao Yung** ou **Siao Yong**
xie siècle. Actif à la cour de l'empereur Xingzong de la dynastie Liao (1030-1055). Chinois.
Peintre.
Peintre d'oiseaux dans le style de Bian Luan, dont le National Palace Museum de Taipei conserve une œuvre signée mais apparemment plus tardive, *Faisans sur un rocher près d'un ruisseau*.

XIAO YU ou **Hsiao Yü** ou **Siao Yu**
xxe siècle. Chinois.
Calligraphe et peintre.
Grand lettré et artiste, il est l'un des animateurs des relations culturelles entre la Chine et la France dans les années 1950.

XIAO YUNCONG ou **Hsiao Yün-Ts'ung** ou **Siao Yun-Ts'ong**, surnom : **Chimu**, noms de pinceau : **Wumen Daoren** et **Zhongshan Laoren**
Né en 1596, originaire de Wuhu, province du Anhui. Mort en 1673. xviie siècle. Chinois.
Peintre.
Poète et peintre de paysages dans les styles de Wu Zhen, Wang Meng et Ni Zan de la dynastie Yuan, il crée le style de l'école régionale de Gushu (à Dangtu au Jiangsu), qui n'est pas seulement un épigone de l'école de Wu. Ayant refusé un poste officiel à la cour des Qing, il vit retiré mais est très apprécié comme peintre, de son vivant.
Musées : Cleveland (Mus. of Art) : *Claires sonorités sur les collines et les eaux* 1664, encre et coul. sur pap., rouleau en longueur signé – Los Angeles (County Mus.) : *Pavillons et ponts à l'ombre des grands pins entre les rochers éclatés au bord des ruisseaux* 1669, rouleau en longueur signé – Nankin : *Arbres épars sur la terrasse aux nuages*, coul. sur pap., rouleau en longueur – Paris (Mus. Guimet) : *Montagnes* 1655, encre sur fond or, éventail signé – Pékin (Mus. du Palais) : *Rochers en terrasses abruptes* 1644, signé – *Vue panoramique de rivière avec falaises abruptes et petites îles*, encre et coul. sur pap., rouleau en longueur – *Homme lisant dans un pavillon sous les arbres dans les falaises crevassées et enneigées*, coul. sur pap., inscription du peintre – Shanghai : *Montagnes et arbres dans les nuages*, coul. sur pap., rouleau en longueur.
Ventes Publiques : New York, 4 déc. 1989 : *Lin fu se rendant à la maison des pruniers en fleurs*, encre et pigments/pap., kakémono (113,5x40) : **USD 8 250** – New York, 6 déc. 1989 : *L'adieu par monts et torrents*, encre/satin, kakémono (146x39) : **USD 19 800**.

XIAO ZHAO ou **Hsiao Chao** ou **Siao Tchao**
Originaire de Huze, province du Shanxi. xiie siècle. Actif vers 1130-1160. Chinois.
Peintre.
Peintre de l'Académie de Peinture à la cour de Hangzhou, il est élève de Li Tang et peint des paysages et des figures.
Musées : Boston (Mus. of Fine Arts) : *Cascade dans les rochers aux pins*, éventail attribué – Taipei (Nat. Palace Mus.) : *Haute tour dans les montagnes surplombant un sombre paysage, dans le style de Li Tang*, encre sur soie – *Paysage de rivière*, coul. sur soie, couleurs sur soie.

XIA YONG ou **Hia Yong** ou **Hsia Yung**, surnom : **Mingyuan**
xive siècle. Chinois.
Peintre.

XIA ZHI ou **Hia Tche** ou **Hsia Chih**, surnom : **Tingfang**
Originaire de Qiantang, province du Zhejiang. xve siècle. Chinois.
Peintre.
Frère de Xia Kui (actif 1190-1230), il travaille dans le style de Dai Jin (xve siècle) dont il est l'élève, mais il n'a pas sa vigueur. Le Musée de Shanghai conserve un de ses rouleaux en hauteur, en couleurs sur papier : *En contemplant la cascade*.

XI Dejin ou **Hsi Te-Chin** ou **Shiy De-Jinn**
Né en 1923 dans le Sichuan. Mort en 1981. xxe siècle. Chinois.
Peintre de paysages, paysages urbains, paysages d'eau, marines, aquarelliste.
De 1946 à 1948 il fréquenta l'Académie d'Art de Hangzhou et travailla sous la direction de Lin Fengmian. Diplômé il partit enseigner à Taipei. En 1962, invité par le Gouvernement d'État il partit pour les États-Unis, puis pour la France où il séjourna trois années. De retour dans son pays, il retrouva des activités de professeur dans différentes universités.
Il est apprécié pour le lyrisme de ses aquarelles. Outre des paysages et des marines, suggérés poétiquement plus que transcrits, il puise souvent son inspiration dans l'architecture traditionnelle chinoise des villages anciens. Son style, comparable à ceux de Zao Wou-Ki ou de Chu Te-Tchun, est un habile compromis, une ingénieuse synthèse entre l'esprit et la technique de la tradition et la sensibilité occidentale.
Ventes Publiques : Taipei, 18 oct. 1992 : *Paysage fluvial* 1980, aquar./pap. (64,3x110,6) : **TWD 528 000** – Taipei, 10 avr. 1994 : *Navigation* 1979, aquar./pap. (57x77) : **TWD 368 000** – Taipei, 16 oct. 1994 : *Taureau* 1955, h/t (53x65) : **TWD 667 000** – Taipei, 15 oct. 1995 : *Scène de marché* 1968, h/t (53x64,5) : **TWD 460 000** – Taipei, 14 avr. 1996 : *Paysage avec une ferme isolée* 1979, aquar./pap. (57x66,6) : **TWD 322 000** – Taipei, 13 avr. 1997 : *Montagnes merveilleuses* 1979, aquar./pap. (57x76,5) : **TWD 483 000** ; *Aborigènes de Sun Moon Lake* 1955, h/t (60,5x45) : **TWD 1 810 000** – Taipei, 19 oct. 1997 : *Portrait* 1961, h/t (72,5x100) : **TWD 1 260 000**.

XIDIAS ou **Xydias**
xixe siècle. Grec.
Peintre.
Musées : Rochefort : *Portrait du peintre Sauvageot*.

XIDIAS Periclès Spiridonovitch
Né le 13 juin 1872 en Grèce. XIXe-XXe siècles. Russe.
Graveur au burin.
Il fut élève de l'Académie des Beaux-Arts de Saint-Pétersbourg.

XIE BIN ou **Hsieh Pin** ou **Sie Pin**, surnom : **Wenhou**
Né en 1602, originaire de Changshu, province du Jiangsu. Mort après 1680. XVIIe siècle. Actif vers 1650. Chinois.
Peintre de sujets de genre, figures, dessinateur.
Il fut disciple du célèbre peintre de portraits Zeng Qing (1568-1650).
Musées : Stockholm (Nat. Mus.) : *Plaisir des pêcheurs*.
Ventes Publiques : New York, 31 mai 1990 : *Sujets variés*, encre/pap., album de 8 feuilles (26x16,5) : **USD 8 800**.

XIE BOCHENG ou **Hsieh Po-Ch'eng** ou **Sie Potch'eng**
Originaire de Renyang. XIVe siècle. Chinois.
Peintre.
Peintre de paysages dans le style de Dong Yuan.

XIE CHENG ou **Hsieh Ch'êng** ou **Sie Tch'eng**, surnom : **Zhongmei**
XVIIe siècle. Actif dans la première moitié du XVIIe siècle. Chinois.
Peintre.
Peintre de paysages, de fleurs et d'oiseaux.

XIE GONGZHAN ou **Hsieh Kung-Chan** ou **Sie Kong-Tchan**
Mort en 1940. XXe siècle. Chinois.
Peintre. Traditionnel.
Peintre traditionnel lettré, il enseigne pendant un temps à l'Académie des Beaux-Arts de Shanghai.

XIE HAIYAN ou **Hsieh Hai-Yen** ou **Sie Hai-Yen**
Né en 1909 à Canton. XXe siècle. Chinois.
Peintre. Polymorphe.
Peintre de l'école traditionnelle lettrée et de l'école moderne, il fait ses études au Japon. Il sera vice-président de l'Académie des Beaux-Arts de Shanghai.

XIE HE ou **Hsieh Ho** ou **Sie Ho**
VIe siècle. Actif vers 500. Chinois.
Peintre.
L'ouvrage théorique et critique de Xie He, le *Guhua Pinlu* est le plus ancien traité de la peinture qui nous soit parvenu intégralement. Son influence sur la littérature ultérieure sera considérable ; la formulation qu'il donne des fameuses *Six Règles de la Peinture* demeure la pierre angulaire de la théorie picturale et donnera lieu à d'innombrables interprétations et à d'inépuisables commentaires. Diverses traductions en seront données et l'on se référera notamment à celle de W. Acker dans : *Some T'ang and pre-T'ang Texts on Chinese Painting* (Leiden, 1954), de O. Siren : *The Chinese on the Art of Painting* (Peiping, 1936) et de S. Sakanishi : *The Spirit of the Brush* (Londres, 1957).

XIE HUAN ou **Hsieh Huan** ou **Sie Houan**, surnom : **Tingxun**
XVe siècle. Actif au milieu du XVe siècle. Chinois.
Peintre.
Peintre de paysages dans les styles de Jing Hao (fin IXe-début Xe siècle), Guan Tong (fin IXe-début Xe siècle) et Mi Fei (1051-1107).

XIE JIN ou **Hsieh Chin** ou **Sie Tsin**
Originaire de la province du Henan. XVIe siècle. Actif vers 1560. Chinois.
Peintre.
Peintre de paysages dans les styles des maîtres Song et Yuan.

XIE LANSHENG ou **Hsieh Lan-Shêng** ou **Sie Lan-Cheng**, surnom : **Peishi**, nom de pinceau : **Lipu**
Originaire de Nanhai, province du Guangdong. XIXe siècle. Actif au début du XIXe siècle. Chinois.
Peintre.
Poète, calligraphe et haut fonctionnaire, il fait des paysages et des fleurs.

XIE QUSHENG ou **Hsieh Ch'ü-Sheng,** ou **Sie Ts'iu-Cheng**
XXe siècle. Chinois.
Peintre.
Il était actif à Suzhou.

XIE SHICHEN ou **Hsieh Shih-Ch'ên** ou **Sie Che-Tch'en**, surnom : **Sizhong**, nom de pinceau : **Shuxian**
Né en 1487, originaire de Suzhou, province du Jiangsu. Mort après 1567. XVIe siècle. Chinois.
Peintre de paysages animés, paysages, fleurs, dessinateur.
Peintre de paysages bien connu, il est plus professionnel que ses contemporains de l'école de Wu, à Suzhou où il travaille. Très prolifique, il suit la manière de Shen Zhou (1427-1509), qu'il modifie quelque peu, en s'inspirant de Dai Jin, fondateur de l'école adverse dite du Zhejiang.
Il a en fait trop le goût de conter, de représenter, de montrer dans le détail, pour se contenter des seules formes graphiques. Aussi, si personne ne nie l'étonnante vitalité de son art ni la vigoureuse hardiesse de son pinceau, les tenants de l'école de Wu le critiquent pour son absence de beauté et de raffinement. Peintre doué pour l'anecdote à une époque qui recherche, au travers de l'art, l'essence même des choses, il unit les tendances opposées dans une représentation très variée, pleine de diversité où chaque arbre, chaque personnage, chaque maison, chaque bateau éveille l'intérêt, sans glisser pour autant dans une excessive minutie. Mais ses rouleaux, scènes de la vie réelle ou transpositions plus fantastiques d'arbres noués et de falaises courbes, ne possèdent pas l'unité et l'équilibre de ceux de Shen Zhou.
Bibliogr. : M. Pirazzoli-t'Serstevens : *Cours de L'École du Louvre*, Paris, 1970-1971.
Musées : Berlin : *Fleuves et montagnes sans fin* 1546, sur soie, rouleau en longueur – Chicago (Art Inst.) : *Mule chargée traversant un pont, l'hiver*, rouleau en longueur, signé – New York (Metropolitan Mus.) : *Homme et serviteur se promenant dans les monts Luofou* 1548, encre sur soie, signé – *Ruisseaux et montagnes*, éventail, poème du peintre – Pékin (Mus. du Palais) : *Pavillon sur les rochers qui dominent le ruisseau de montagne* 1546, encre et coul. légères sur soie, signé, inscriptions de Wen Jia et de Qian Gu – *Montagnes boisées au-dessus d'un large ruisseau, dans le style de Shen Zhou* 1546, encre sur pap., signé, inscriptions de Wen Jia et Qian Gu – *Études de paysages avec personnages dans des barques et un pavillon*, encre et coul. légères sur pap., quatre feuilles d'album – Shanghai : *Rumeur dans les montagnes*, encre sur pap., rouleau en hauteur – Stockholm (Nat. Mus.) : *Le pavillon d'étude* 1560, signé, colophon – Taipei (Nat. Palace Mus.) : *Studio dans les bois et les monts à l'automne*, encre sur pap., rouleau en hauteur – *Trois lettrés dans un jardin* 1529, signé – *Paysage* 1551, rouleau en longueur signé, poème de Wen Peng – *Montagnes et cascades d'été* 1553, signé – *Paysage* 1567, signé – Tokyo (Nat. Mus.) : *Montagnes dans la brume et rizières*, signé – Washington D. C. (Freer Gal. of Art) : *Lettré dans un pavillon sous un pin, contemplant une cascade*, signé.
Ventes Publiques : New York, 2 juin 1988 : *Ermite dans un paysage de torrents et montagnes*, encre/pap. coul. (121x24,2) : **USD 3 850** – New York, 4 déc. 1989 : *Paysage de Jiange dans le Sichuan*, encre et pigments/pap., kakémono : **USD 209 000** – New York, 6 déc. 1989 : *Rivières et montagnes à l'infini*, encre et pigments/pap., makémono (36,8x538,5) : **USD 220 000** – New York, 31 mai 1994 : *Bambous et Chrysanthèmes*, encre et pigment/pap. doré, éventail (18,7x50,8) : **USD 4 025** – New York, 22 sep. 1997 : *Paysage d'après Li Tang*, encre et pigments/pap., kakémono (336,5x101,5) : **USD 200 500**.

XIE SUI ou **Hsieh Sui** ou **Sie Souei**
XVIIIe siècle. Chinois.
Peintre de figures.
Peintre de cour, il fut actif vers 1770.

XIE SUN ou **Hsieh Sun** ou **Sie Souen**
Originaire de Jiangning, province du Jiangsu. XVIIe siècle. Actif dans la seconde moitié du XVIIe siècle. Chinois.
Peintre.
Peintre de paysages qui fait partie des Huit maîtres de Nankin.

XIE Xiaode ou **Hsiao-Teh**
Né en 1940 à Taoyuan. XXe siècle. Chinois.
Peintre.
Diplômé de l'Université Nationale Normale de Taiwan en 1965, il devint professeur dans la section art. Il séjourna à Paris en 1973-1974 et fréquenta l'École du Louvre. Il expose souvent au Japon, aux USA et à Taiwan et à remporté plusieurs récompenses, le Prix National de l'Exposition de Cannes en 1971, et fut lauréat de l'Exposition Internationale de croquis de Cleveland (Angleterre) en 1979. Ses œuvres se trouvent au Musée National d'Histoire et au Musée d'Art de Taiwan.
Ventes Publiques : Taipei, 18 avr. 1993 : *Contemplation*, h/t (91x73,5) : **TWD 207 000**.

XIE YUAN ou **Hsieh Yüan** ou **Sie Yuan**
Actif durant la dynastie Song (960-1279). Chinois.

Peintre de fleurs, dessinateur, calligraphe.
Il semble qu'un seul ouvrage de cet artiste nous soit parvenu. James Cahill le situe comme un académicien de la période Song.
Bibliogr. : James Cahill – *Un index des peintres primitifs chinois et de leurs peintures*, Berkeley, 1980.
Ventes Publiques : Taipei, 10 avr. 1994 : *Fleurs de pêchers*, encre et pigments/soie, makémono (peinture : 25,8x64, calligraphie 26x87) : **TWD 16 550 000**.

XIE YUQIAN ou **Hsieh Yü-Ch'ien** ou **Sie Yu-K'ien**, appelé aussi **Jia Yuqian** ou **Chia Yû-Ch'ien** ou **Kia Yu-K'ien**
xxe siècle. Chinois.
Peintre. Style occidental.
Peintre de l'école moderne, il travaille en Malaisie dans un style assez spontané qui n'est pas sans rappeler les premières œuvres de Zao Wou-ki.

XIE Zhiguang
Né en 1900. Mort en 1976. xxe siècle. Chinois.
Peintre de scènes animées, figures, poissons, paysages, marines, fleurs. Traditionnel.
Ventes Publiques : New York, 2 juin 1988 : *Paysage*, encre/pap., kakémono (135,2x66,5) : **USD 1 760** – Hong Kong, 17 nov. 1988 : *Neuf poissons*, encre et pigments, kakémono (174x94,6) : **HKD 60 500** – Hong Kong, 16 jan. 1989 : *Navigation au large des falaises* 1975, encre et pigments/pap., makémono (75x331,5) : **HKD 35 200** – Hong Kong, 18 mai 1989 : *Paysage*, encre et pigments/pap., makémono (58,2x277) : **HKD 44 000** – Hong Kong, 15 nov. 1989 : *Paysages* 1974, encre et pigments/pap., album de 12 feuilles (chaque 33,6x34) : **HKD 82 500** – Hong Kong, 2 mai 1991 : *Banc de dix poissons*, encre et pigment/pap., kakémono (102x45,8) : **HKD 37 400** – New York, 29 mai 1991 : *Neuf poissons*, encre et pigments/pap., kakémono (67x32,1) : **USD 2 090** – New York, 25 nov. 1991 : *Lotus rouge*, encre et pigments/pap. (67x34) : **USD 1 320** – Hong Kong, 29 avr. 1993 : *Jeune femme tissant dans un jardin* 1953, encre et pigments/pap., kakémono (130,8x65,8) : **HKD 48 300** – Hong Kong, 3 nov. 1994 : *Le voyage de la Princesse Zhaojun*, encre et pigments/pap., kakémono (105x33) : **HKD 13 800**.

XIE ZHILIU ou **Hsieh Chih-Liu** ou **Sie Tche-Lieou**
Né en 1908, ou 1910 dans la province du Jiangsu. Mort en 1997. xxe siècle. Chinois.
Peintre. Traditionnel.
Il a enseigné à l'Université Nationale Centrale de Nankin. Il a figuré à l'Exposition internationale d'Art Moderne ouverte à Paris, en 1946, au Musée d'Art Moderne, par l'Organisation des Nations Unies.
Il travailla à la copie des fresques de Dunhuang avec Zhang Daqian, mais est connu surtout comme peintre de paysages, de fleurs, d'oiseaux et d'insectes.
Ventes Publiques : Hong Kong, 17 nov. 1988 : *Chalets dans un paysage* 1983, encre et pigments/pap., kakémono (236,5x105) : **HKD 93 500** – Hong Kong, 16 jan. 1989 : *Paysage*, encres/pap. (80,6x34,3) : **HKD 46 200** ; *Torrents et montagnes*, encre et pigments/pap., kakémono (132x61) : **HKD 110 000** – Hong Kong, 15 nov. 1989 : *Paysage* 1947, encre et pigments/pap., kakémono (97x56,5) : **HKD 115 500** – Hong Kong, 15 nov. 1990 : *Paysage printanier*, encre/pap. (66,1x47) : **HKD 176 000** – New York, 26 nov. 1990 : *Papillon et fleurs* 1979, encre et pigments/pap., kakémono (65,4x44,4) : **USD 1 870** – New York, 29 mai 1991 : *Branche de grenadier*, encre et pigments dilués/pap., kakémono (56,5x48,2) : **USD 1 650** – Hong Kong, 31 oct. 1991 : *Sonnet d'automne*, encre et pigments/pap., kakémono (136,4x67) : **HKD 115 500** – New York, 25 nov. 1991 : *Paysage avec cascade et pins*, encre et pigments/pap. (66,7x131,4) : **USD 6 600** – Hong Kong, 30 avr. 1992 : *Le Mont Emei*, encre et pigments/pap., kakémono (136,8x68,8) : **HKD 341 000** – Hong Kong, 28 sep. 1992 : *Montagnes en automne*, encre et pigments/pap. (83x29,5) : **HKD 71 500** – Hong Kong, 29 oct. 1992 : *Paysage*, encre et pigments/pap., kakémono (148x96) : **HKD 104 500** – Hong Kong, 22 mars 1993 : *Paysage d'automne*, encre et pigments/pap., kakémono (145,8x82) : **HKD 172 500** – Hong Kong, 3 nov. 1994 : *Ruisseau de montagne au printemps*, encre et pigments/pap., kakémono (132,5x57,2) : **HKD 161 000** – New York, 18 sep. 1995 : *Oiseau et fleur*, encre et pigments/pap., kakémono (78,7x54,6) : **USD 2 300** – Hong Kong, 29 avr. 1996 : *Lotus* 1959, encre et pigments/pap., kakémono (88x45) : **HKD 52 900** – New York, 22 sep. 1997 : *Fleur et Rocher* 1970, encre et coul./pap. (88,9x49,5) : **USD 7 130**.

XIE ZIWEN. Voir **KIE ZIWEN**

XIFRA Jaume
Né en 1934 à Salt (Gérone). xxe siècle. Depuis 1959 actif en France. Espagnol.
Artiste multimédia, peintre, sculpteur.
Après des études de technologie en Espagne, il a immigré en France en 1959, en même temps que Miralda, Muntadas, Rabascall. En 1961, il fréquenta une académie d'art d'Aix-en-Provence. Depuis 1962, il vit à Paris, suivant les cours de l'Académie populaire d'arts plastiques, en 1962-1963. Il participa aussitôt avec Antoni Miralda, Joan Rabascall, Dorothée Selz, aux premières performances tournant autour du cérémonial. Entre 1971 et 1975, bien que vivant en France, il entretint des contacts avec le *Grup de Treball*, constitués d'artistes opposés au régime franquiste, utilisant les nouveaux médias, se qualifiant de conceptuels. Après deux années passées au Chili, où il eut une activité d'exploration des ressources de l'activité artisanale-artistique nationale, ses activités éparses le firent remarquer en France et il fut appelé, en 1974, comme professeur à l'École Nationale des Beaux-Arts de Dijon, puis à celle de Cergy-Pontoise.
Entre autres manifestations en France, il a participé à l'exposition *100 Artistes dans la Ville*, à Montpellier, en mai 1970. En 1975 à Paris, il a montré une exposition entièrement réalisée à partir de fil de fer barbelé. Plus que dans des expositions institutionnelles, il procède par des interventions, dont certaines se donnent pour seul but de créer la fête, mais qui, en général, ont des visées sociologiques et politiques.
Peut-être inspirées d'une tradition populaire catalane, les premières célébrations auxquelles il participa, étaient le lieu, pour Xifra, d'une communication optimale entre l'artiste initiateur et les participants, sans lesquels l'évènement n'aurait pas lieu. Comme sculpteur, Xifra utilise les matériaux les plus divers, toujours fortement symboliques. Il réalisa une série d'objets surréalistes (ou objets impossibles), par exemple : une pince coupante enfermée dans une pelote de fil-de-fer barbelé. Toujours en proie à quelque fièvre créatrice, il tâta ensuite de nombreuses et diverses techniques, abordant aussi dessin et peinture. Dans les dernières années quatre-vingt, il utilise le « computer painting ». Il injecte dans son programme quelques éléments graphiques, qui, ensuite, peuvent être appelés dans des ordres multiples, délibérés ou aléatoires, permutés, etc., projetés sur le support et coloriés ad libitum.
Bibliogr. : In : Catalogue de l'exposition : *100 Artistes dans la ville*, Montpellier, 1970 – Patrick Le Nouëne : Catalogue de l'exposition *Jaume Xifra*, Bar-le-Duc, 1982 – Pierre Restany : *Jaume Xifra ou le ternaire retrouvé*, Musée de Salt, 1992.

XI GANG ou **Hi Kang** ou **Hsi Kang**, surnom : **Chunzhang**, noms de pinceau : **Tiesheng, Mengquan Waishi**, etc.
Né en 1746, originaire de Qiantang, province du Zhejiang. Mort en 1816. xviiie-xixe siècles. Chinois.
Peintre.
Poète calligraphe et peintre de fleurs et d'oiseaux, il suit le style des Quatre Wang dans ses paysages et celui de Ni Zan et de Yun Shouping dans sa calligraphie.
Musées : Berlin : *Paysage de rivière avec un bateau, d'après Shen Zhou* 1777, signé, deux poèmes et un colophon – Londres (British Mus.) : *Dame Xi Shi*, signé, poème – Pékin (Mus. du Palais) : *Montagnes à l'Automne, d'après Huang Gongwang* 1796, signé – *Paysage de montagnes dans le style de Wang Yuanqi* 1796, encre et coul. légères sur pap., signé – Shanghai : *Palmiers, bambous et orchidées*, encre sur pap., rouleau en hauteur.
Ventes Publiques : New York, 6 déc. 1989 : *Paysage d'après Huang Gongwang*, encre/pap., kakémono (135,9x41,3) : **USD 8 800** – New York, 31 mai 1990 : *Album de fleurs*, encre et pigments/pap., 12 feuilles (chaque 21,3x31,1) : **USD 8 250**.

XIJIN JUSHI ou **Hsi-Chin Chü-Shih** ou **Si-Kin Kiu-Che**, de son vrai nom : **Jin Dashou**
xiie-xiiie siècles. Chinois.
Peintre.
Son nom Xijin Jushi provient de sources japonaises. Il était actif à Ningbo (province du Zhejiang) à la fin de la dynastie des Song du Sud (1127-1279). Peintre de figures bouddhiques, qui vivait dans la ville de Qingyuan, au Zhejiang, dans un endroit appelé Chequiao.
Musées : Berlin : *Deux portraits d'ahrat*, signé, même série que ceux du musée de Tokyo – Boston (Mus. of Fine Arts) : *Quatre rois des Enfers : Chujiang, Songdi, Biancheng et Dushi* – New York (Metropolitan Mus.) : *Cinq rois des Enfers*, même série que

ceux du musée de Boston – Tokyo (Nat. Mus.) : *Dix portraits d'ahrat*, coul. sur soie, d'une série de seize, signé.

XIMARI Giacomo
xve siècle. Actif à Naples dans la seconde moitié du xve siècle. Italien.
Peintre.
Il travailla avec A. Arcuccio pour le Salon de Castel Nuovo en 1472.

XIMENES. Voir aussi **XIMENEZ** et **JIMENEZ**

XIMENES Antonio
Né en 1829 à Palerme. Mort en 1896 à Palerme. xixe siècle. Italien.
Sculpteur.
Élève de Nungio Morello. Il a exposé en Italie, à Vienne et à Paris. Chevalier de l'ordre de la couronne d'Italie.

XIMENES Bruno
Né en 1883 ou 1889 à Rome. Mort en 1921 à Rome. xxe siècle. Italien.
Peintre de figures.
Ventes Publiques : Rome, 10 déc. 1991 : *Le modèle*, h/pan. (29x28) : **ITL 2 000 000.**

XIMENÈS Ettore
Né le 11 avril 1855 à Palerme. Mort le 20 décembre 1926 à Rome. xixe-xxe siècles. Italien.
Sculpteur de monuments, peintre, illustrateur.
Il fut élève de l'Académie des Beaux-Arts de Palerme, puis de Domenico Morelli à Naples. Il poursuivit sa formation à Florence et se fixa à Rome. Il acquit rapidement une renommée comme spécialiste des monuments officiels, jusqu'à l'étranger, notamment pour des commandes en France, en Russie, aux États-Unis, dans les Amériques. Il exposa à Palerme, Florence, Naples et à l'étranger, notamment à Vienne et à Paris, (médaille d'or en 1900, Exposition Universelle).
Entre autres, on cite : en Italie, à Rome, pour le *Vittoriano*, monument à Victor Emmanuel II érigé de 1855 à 1911 par Giorgio Sacconi, il est l'auteur du groupe figurant *Le Droit* ; le *Monument de Ciceruacchio* ; à Milan, le *Monument équestre de Garibaldi* ; à Parme, le *Monument de Bottego* ; le *Monument en hommage à Verdi*, vaste autel encadré par un portique, dont les bas-reliefs expriment les thèmes de ses compositions et opéras ; en Russie, à Kiev, le *Monument du tsar Alexandre II* ; à New York, le *Monument de Dante* ; à São Paulo, le *Monument de l'Indépendance*.
Ximenes a pratiqué un style éclectique et de ce fait baroque, assez caractéristique de l'art officiel de la deuxième moitié du xixe siècle, référé aux influences les plus diverses, de la Renaissance de Michel-Ange au post-romantisme de Rodin, conciliant un indéniable réalisme et un recours au symbolisme. ■ J. B.
Bibliogr. : In : Encyclopédie des Arts *Les Muses*, vol.15, Grange Batelière, Paris, 1969-1974.
Musées : Ascoli Piceno : *Le peintre Aug. Mussini – Buste du sénateur Luigi Luciani – Les écoliers du Cuore d'E. De Amicis* – Rome (Gal. d'Art Mod.) : *Bustes du duc d'Aoste et du duc delle Vittoria*.
Ventes Publiques : Milan, 10 avr. 1969 : *L'Arno* : **ITL 550 000.**

XIMENES Francisco ou **Ximenez**
Né en 1598 à Tarazona. Mort le 1er janvier 1670 à Saragosse. xviie siècle. Espagnol.
Peintre d'histoire et de fresques.
Après ses premières études, alla à Rome où il acquit une habile pratique. À son retour, il fut chargé de peindre deux tableaux dans la cathédrale de Saragosse. Il légua sa fortune à une œuvre de protection des enfants de peintres.

XIMENES Michel ou **Ximenez**
xviie siècle. Actif à Madrid. Espagnol.
Peintre.
Palonuno, sans citer d'ouvrages de cet artiste, fait l'éloge de son talent. Il fut l'intime ami de Claude Coello et pendant quelque temps, ils s'associèrent pour la peinture des fresques. Ce fut ainsi que, en 1673-1674 ils peignirent dans la cathédrale de Tolède. En 1685, il fut nommé peintre du chapitre de Tolède et peignit plusieurs tableaux à la cathédrale. On lui reproche d'avoir trop restauré le maître-autel de San Guies, peint par son prédécesseur Rizi. Il peignit aussi dans un grand nombre de villes d'Espagne et fut très employé comme architecte.

XIMENES Rafael. Voir **GIMENO**

XIMENÈS DE ILLESCAS Bernabé
Né en 1616 à Lucena. Mort le 31 août 1678 à Andujar. xviie siècle. Espagnol.
Peintre d'histoire.
Après avoir servi dans l'armée en Italie, il renonça au métier des armes, s'adonna à la peinture. Pendant six années, il étudia les meilleurs maîtres italiens. De retour en Espagne, il fut accueilli comme peintre habile. La mort interrompit brusquement sa carrière. Leonard de Castro et Miguel Parrilla furent ses élèves.

XIMENES DE ZARZOVA Antonio
xviie siècle. Actif à Séville. Espagnol.
Peintre.
De 1660 à 1672, il fréquenta l'Académie de Séville et fut un de ses brillants élèves. On ne dit rien de sa carrière. Peut-être mourut-il très jeune.

XIMENEZ. Voir aussi **XIMENES** et **JIMENEZ**

XIMENEZ Agostino
Né le 19 décembre 1798 à Valence. Mort le 6 mai 1853 à Rome. xixe siècle. Espagnol.
Peintre.

XIMENEZ Alexo
xvie siècle. Actif à Tolède au début du xvie siècle. Espagnol.
Peintre verrier.
Il exécuta des vitraux pour la cathédrale de Tolède en 1509.

XIMENEZ Alfonso
xvie siècle. Actif à Tolède de 1509 à 1530. Espagnol.
Peintre et enlumineur.

XIMENEZ Antonio
Né en 1601. Mort en 1671. xviie siècle. Espagnol.
Peintre.

XIMENEZ Bartolomé
xvie siècle. Travaillant à Séville dans la seconde moitié du xvie siècle. Espagnol.
Peintre.

XIMENEZ Cölestis Auctor
Né à Masmunster. Mort le 5 août 1704 à Brunn. xviie siècle. Autrichien.
Peintre.

XIMENEZ Domingo
xviiie siècle. Travaillant à Murcie de 1741 à 1762. Espagnol.
Graveur au burin.

XIMENEZ Fernao
xve siècle. Travaillant à Lisbonne en 1464. Portugais.
Peintre.

XIMENEZ Francisco
xve-xvie siècles. Actif à Séville. Espagnol.
Peintre.

XIMENEZ Francisco Miguel
Mort le 16 janvier 1793. xviiie siècle. Espagnol.
Peintre.
Élève de Dominique Martinez. Il fut premier directeur de la classe de peinture à l'Académie des Beaux-Arts de Séville. On voit de lui deux tableaux dans l'église de S. Philippe de Neri à Séville.

XIMENEZ Juan
xvie siècle. Actif à Alsasua à la fin du xvie siècle. Espagnol.
Sculpteur.
Il semble y avoir similitude avec Juan Ximenez, actif à Valence.

XIMENEZ Juan
xvie siècle. Actif à Valence à la fin du xvie siècle. Espagnol.
Sculpteur.
Il sculpta en 1596 un *Christ* pour l'église Notre-Dame de Cocentaina.

XIMENEZ Juan
xviiie siècle. Actif à Cordoue dans la première moitié du xviiie siècle. Espagnol.
Sculpteur.

XIMENEZ Miguel
Mort avant le 6 novembre 1505. xve siècle. Actif à Saragosse. Espagnol.
Peintre.
Il décora des autels pour les églises de Saragosse et des environs. Le Prado de Madrid conserve de lui une prédelle représentant la *Résurrection du Christ* et des *Scènes de vies de saints*. Voir l'article Roig (Salvador).

XIMENEZ Pedro de
xvie siècle. Travaillant à Séville, de 1539 à 1561. Espagnol.
Peintre.

XIMENEZ Ruy
XVe siècle. Travaillant à Séville. Espagnol.
Peintre.

XIMENEZ ANGEL José ou **Joseph**
XVIIe siècle. Actif à Tolède. Espagnol.
Peintre d'histoire et de fresques.
Élève d'Antonio Rubio, à Tolède. Le 4 juin 1695, il succéda à Claude Coello, à la mort de celui-ci, comme peintre de la cathédrale. Il peignit à l'Ermitage de Fonseca quelques tableaux de la *Vie de la Vierge*. On cite aussi de lui un *San Antonio*, abbé qu'il peignit en 1692 dans l'église de Saint Barthélemy de Tolède.

XIMENEZ DONOSO José ou **Juan**. Voir **DONOSO José Ximenez**

XIMENO José ou **Josef**. Voir **JIMENO José Antonio**

XIMENO Juan
XVIIe siècle. Espagnol.
Peintre.
Actif à Saragosse, il travailla en 1680.

XIMENO Matias
XVIIe siècle. Actif à Sigüenza, en Vieille Castille. Espagnol.
Peintre d'histoire.
Élève de Vicenzo Carducho. On cite de lui un tableau signé et daté de 1652. Il peignit notamment, pour les Hiéronymices de Sigüenza quatre tableaux d'autel, représentant *L'Incarnation*, *La Nativité*, *L'Épiphanie* et *La Présentation au Temple*. On vante la couleur et le dessin de ces œuvres.

XIMENO Pedro
XVe-XVIe siècles. Travaillant en Catalogne entre 1490 et 1524. Espagnol.
Peintre.

XIMENO MELENDEZ Francisco
XVIe siècle. Actif à Tolède en 1585. Espagnol.
Sculpteur.

XINES Gaspar de
XVIIe siècle. Espagnol.
Sculpteur.
Actif à Séville, il travailla en 1634.

XING Baozhuang
Né en 1940. XXe siècle. Chinois.
Peintre de scènes animées, figures. Traditionnel.
Ventes Publiques : New York, 31 mai 1990 : *Dame ramassant des feuilles mortes*, encre et pigments/pap., kakémono (74x39,3) : **USD 1 320** – Hong Kong, 22 mars 1993 : *Rassemblement de lettrés*, encre et pigments/pap. doré, makémono (22x67) : **HKD 63 290** – Hong Kong, 5 mai 1994 : *Lohan* 1992, encre et pigments/pap., album de 10 feuilles (chaque 25,7x28,5) : **HKD 36 800**.

XING CIJING ou **Hing Ts'eu-Tsing** ou **Hsing Tz'ù-Ching**
Originaire de Jinan, province du Shandong. XVIe siècle.
Active dans la seconde moitié du XVIe siècle. Chinoise.
Peintre.
Sœur cadette de Xing Tong (né en 1551), elle est peintre de fleurs mais fait aussi des Guanyin dans le style de Guan Daosheng.

XING Jianjian
Née en 1959. XXe siècle. Chinoise.
Peintre. Style occidental.
Diplômée de l'Académie de Peinture de Nankin en 1986, elle y est professeur et peintre. Un ouvrage a été consacré à son œuvre : *Sélection des travaux de Xing Jianjian* et en 1991 elle reçut la médaille d'argent au Festival d'Art de Hangzhou.
Ventes Publiques : Hong Kong, 30 avr. 1996 : *Le rêve rose* 1995, h/t (79,4x97,8) : **HKD 69 000**.

XING TONG ou **Hing T'ong** ou **Hsin T'ung**, surnom : **Ziyuan**
Né en 1551, originaire de Jinan, province du Shandong. XVIe siècle. Chinois.
Peintre.
Poète, calligraphe et peintre de paysages et de bambous dans le style de Wen Tong, sa réputation gagnera la Corée et les îles Liuqiu. En 1574, il passe les examens triennaux à la capitale et reçoit le grade de *jinshi* (lettré présenté).

XIONG Bingming. Voir **HSIUNG Ping-ming**

XIRO Y TALTABULL José Maria
Né le 21 février 1878 à Barcelone. XXe siècle. Espagnol.
Peintre.
Il fut élève de Modesto Urgell et de Buxo, il compléta ses études à Paris et à Munich, où il séjourna longtemps. Il exposa à Madrid, à Paris, notamment au salon des Indépendants, et à Munich. Les musées de Barcelone possèdent de nombreuses œuvres de ce peintre.
Musées : Barcelone.

XOCHITIONTZIN Desiderio Hernandez
Né en 1922 dans la région de Tlaxcala (Mexique). XXe siècle. Mexicain.
Peintre d'histoire, de genre.
Il étudia à l'Académie des Beaux-Arts de Puebla. Il fonda, en 1941, avec d'autres jeunes artistes, l'Union des Arts Plastiques de Puebla. Dans les années 1955-1956 il voyagea en Suède à l'occasion de l'exposition de ses œuvres. Il est surtout connu pour ses peintures murales du Palais du Gouvernement à Tlaxcala traitant de l'histoire de cette région.
Ventes Publiques : New York, 18 mai 1995 : *Intérieur d'auberge la nuit de Noël* 1952, h/rés. synth. (80,5x60,5) : **USD 11 500** – New York, 25-26 nov. 1996 : *Crèche de Noël* 1952, h./masonite (80,6x60,6) : **USD 16 100**.

XODDE Lucas. Voir **CODDE**

XROWET. Voir **XHROUET**

XUANDE, empereur
XVe siècle. Chinois.
Peintre de paysages animés. Traditionnel.
Il a régné de 1426 à 1435.
Ventes Publiques : New York, 4 déc. 1989 : *Faucon sur une branche maîtresse d'un pin*, encre et pigments/soie, album de neuf feuilles (chaque 32,5x29,5) : **GBP 17 600** – Taipei, 10 avr. 1994 : *Fleurs et rochers*, encre et pigments/pap. doré (17x45) : **TWD 322 000**.

XUAN DONG
Né en 1945 à Hai Hung. XXe siècle. Vietnamien.
Peintre de sujets de genre, peintre à la gouache, graveur, illustrateur, lithographe. Style occidental, tendance abstraite.
Il a étudié à l'École des Beaux-Arts de Hochiminhville. Il est directeur du département des Arts illustratifs de cette même école. Plusieurs de ses œuvres ont figuré à l'exposition *Vietnam. 30 ans de peinture de la guerre à la paix*, organisée à Paris en 1996. Il a été lauréat national de la Peinture d'illustration en 1978, puis lauréat pour le logo représentant la planification familiale en 1992. On cite de lui : *La paix revenue*, *Mère et soldat*, *La naissance*. Les œuvres de Xuan Dong témoignent des jours heureux d'après-guerre, elles sont traitées dans une gamme de tons bleus, rouges et roses, couleurs qu'il emploie comme des emblèmes de vie.
Musées : Hanoi (Mus. Nat.) – Hochiminh (Mus. de la Révolution Vietnamienne).

XUANZONG MING, appelé **Hsüan-Tsung Ming** ou **Siuan-Tsong Ming**, empereur **Xuande** des Ming, règne 1426-1435
Né en 1398. Mort en 1435. XVe siècle. Chinois.
Peintre de paysages, animalier, fleurs.
Protecteur des arts, il est lui-même poète, calligraphe et peintre d'oiseaux et d'animaux, dans un style minutieux et délicat.
Musées : Cambridge (Fogg Art Mus.) : *Deux chiens* 1427, feuille d'album signée – Kansas City (Nelson Gal. of Art) : *Chien et bambou* 1427, signé – New York (Metropolitan Mus.) : *Cinq chatons dans un jardin* 1429, rouleau en longueur signé, copie – Taipei (Nat. Palace Mus.) : *Trois chèvres* 1432, encre et coul. sur pap., rouleau en hauteur signé – *Singes jouant*, encre et coul. sur pap., rouleau en hauteur – *Chatons jouant près d'un vase de fleurs* 1426, encre et coul. sur pap., rouleau en hauteur.

XUAREZ. Voir **JUAREZ** et **SUAREZ**

XUAREZ Nicolas Rodriguez, parfois **Juan** ou **Juárez**. Voir **JUAREZ**

XU BEIHONG ou **Hsü Pei-Hung, Siu Pei-Hong, Jupéon**
Né le 19 juillet 1895 à Jitingqiao (région de Yixing, province du Jiangsu). Mort le 26 septembre 1953. XXe siècle. Chinois.
Peintre de scènes animées, sujets allégoriques, animalier. Traditionnel.
Enfant, son père l'initia à la peinture et à la poésie. Après des études à l'Académie des Beaux-Arts de Shanghai de 1912 à 1918, non sans un détour par le Japon en 1917, il part pour Paris étudier la peinture à l'huile ; en 1919, il entra à l'École Nationale

Supérieure des Beaux-Arts. À Paris et Berlin, il travaille avec Dagnan-Bouveret, Besnard, Kamph, etc. De retour en Chine en 1927, il accepta un poste de professeur à l'École des Beaux-Arts de l'Université de Nankin, tout en continuant à peindre et à exposer en Chine et à l'étranger. En 1932, il fait un voyage en Europe, où il expose en France, Italie et, en 1937-1938, visite l'Inde, l'Indonésie, la Malaisie, Hong Kong, Singapour. En 1943, il organise l'Institut National de Recherche Artistique à Chongqing, au Sichuan ; en 1947, il est nommé directeur de cet institut qui vient d'être incorporé à l'Académie Nationale de Pékin. Il fut nommé président de l'Académie Nationale d'Art de Pékin et le resta après sa réorganisation de 1949. Il écrivit des articles et des livres sur la réforme de la peinture en Chine qui furent publiés en Chine et aussi en Occident. À sa mort, un musée mémorial Xu Beihong est ouvert à Pékin, consacré à ses œuvres les plus significatives.

Connu pour sa grande toile *Yugong déplaçant la montagne* peinte en 1940, et où Beihong célèbre la lutte du peuple chinois contre l'envahisseur japonais. Il applique les techniques de la peinture occidentale à des sujets historiques ou légendaires pour des compositions monumentales. Il est apprécié depuis pour sa maîtrise dans l'utilisation de la peinture à l'huile, à des fins de réalisme didactique, ce qui l'a confirmé en tant que promoteur de l'école réaliste en Chine.

En technique traditionnelle, ses études d'arbres et d'oiseaux sont puissantes, mais ce sont surtout ses représentations de chevaux qui restent caractéristiques de sa production, comme s'il voulait traduire l'énergie révolutionnaire du peuple chinois par la vitalité de ses chevaux galopant, tracés d'un pinceau impétueux. Les premiers, qui remontent aux années trente, font preuve d'une fougue certaine, mais ils seront bientôt réduits à une simple formule, objet de multiples imitations.

Formé à la peinture à l'huile comme à l'encre de Chine, son œuvre est une tentative de synthèse socialisante entre ces deux traditions et constitue par là une des curiosités de l'art chinois du début de siècle. ■ M. M., J. B.

Bibliogr. : M. Sullivan : *Chinese Art in the XXth Century*, Londres, 1959 – in : *Diction. de l'Art Mod. et Contemp.*, Hazan, Paris, 1992.

Musées : Pékin (Mus. Xu Beihong).

Ventes Publiques : New York, 29 juin 1984 : *Aigle chassant* 1935, encre et coul. (131x77) : **USD 16 000** – Hong Kong, 12 jan. 1986 : *Une belle assise au pied d'un arbre*, encre et coul./rouleau de pap. (104,5x35,5) : **HKD 48 000** – Hong Kong, 12 jan. 1987 : *Cheval au galop* 1950, encre et coul., kakémono (81,2x109,2) : **HKD 100 000** – Hong Kong, 12 jan. 1987 : *A distant view of the Himalaya* 1939, h/t (36,2x92,7) : **HKD 125 000** – New York, 2 juin 1988 : *Corneille perchée sur une branche*, encre/pap., kakémono (65,8x37) : **USD 5 280** – Hong Kong, 17 nov. 1988 : *Aigle* 1938, encre/pap., kakémono (81x37,5) : **HKD 82 500** ; *Vieil homme sous les cyprès*, encre et pigments/pap. (73,6x61) : **HKD 220 000** ; *Coqs et Poulets* 1948, encre et pigments/pap., kakémono (137x67) : **HKD 440 000** – Hong Kong, 16 jan. 1989 : *Cheval au galop* 1934, encre/pap. (80,6x114,3) : **HKD 308 000** ; *Jiu Fanggao examinant un cheval*, encre et pigments/pap. (66,5x116) : **HKD 550 000** – Hong Kong, 18 mai 1989 : *Face à face d'un lion et d'un serpent* 1938, encre et pigments/pap., kakémono (106,7x76) : **HKD 264 000** – New York, 31 mai 1989 : *Court poème en écriture courante* 1938, encre/pap., une paire de kakémono (126,4x32,7) : **USD 1 980** – Hong Kong, 15 nov. 1989 : *La dame dans un jardin de bambous* 1942, encre et pigments/pap., d'après un poème de Du Fu (133,2x66,5) : **HKD 990 000** – New York, 4 déc. 1989 : *Cheval au galop*, encre/pap., kakémono (77,5x42) : **USD 12 100** – New York, 26 nov. 1990 : *Corneille sur une branche de saule*, encre et reh. de coul./pap., kakémono (106,5x38,7) : **USD 7 700** – Hong Kong, 2 mai 1991 : *Gardien de troupeau et buffles sous un banian* 1936, encre et pigments/pap., kakémono (131x76,2) : **HKD 1 265 000** – New York, 29 mai 1991 : *Cheval au galop*, encre et pigments dilués/pap., kakémono (105,6x55,2) : **USD 13 200** – Hong Kong, 31 oct. 1991 : *Cheval au galop* 1946, encre/pap., kakémono (137,3x69,2) : **HKD 297 000** – Taipei, 22 mars 1992 : *Yugong déplaçant la montagne*, h/t (46x106,5) : **TWD 5 500 000** – Hong Kong, 30 mars 1992 : *Fleurs de pruniers et bambous*, encre et pigments/pap., kakémono (78,6x54) : **HKD 220 000** – Hong Kong, 30 avr. 1992 : *Cheval debout* 1935, encre et pigments/pap., kakémono (99,2x52,7) : **HKD 242 000** – New York, 1er juin 1992 : *Corneilles*, encre/pap., kakémono (69,2x49,5) : **USD 5 500** – Hong Kong, 28 sep. 1992 : *Zhong Kui*, encre et pigments/pap., kakémono (96x60) : **HKD 242 000** – Taipei, 18 oct. 1992 : *La Pêche miraculeuse* 1933, h/t, d'après Raphaël (70x97) : **TWD 3 740 000** – Hong Kong, 29 oct. 1992 : *Cheval au galop* 1941, encre/pap., kakémono (174x92) : **HKD 528 000** – Hong Kong, 29 avr. 1993 : *Lion rugissant* 1943, encre et pigments/pap. (110x62) : **HKD 570 000** – New York, 16 juin 1993 : *Quatre chevaux* 1964, encre et pigments/pap., kakémono (102,9x102,2) : **USD 43 125** – Taipei, 10 avr. 1994 : *Autoportrait*, fus./pap. (45x30) : **TWD 368 000** ; *Cheval debout*, encre et pigments/pap. (73x53,6) : **TWD 1 810 000** – New York, 21 mars 1995 : *Les pies*, encre/pap., kakémono (129,5x38,1) : **USD 12 075** – Hong Kong, 30 oct. 1995 : *Cheval debout* 1936, encre et pigments dilués/pap., kakémono (129,5x76,8) : **HKD 253 000** – New York, 22 sep. 1997 : *Cheval* 1934, encre et coul./pap. (109,9x53,3) : **USD 32 200** – Hong Kong, 28 avr. 1997 : *Orchidée pourpre* 1941, encre et pigments/pap., kakémono (68x38) : **HKD 166 750** – Hong Kong, 2 nov. 1997 : *Coqs et poules* 1930, encre et pigments/pap. (92,7x61,5) : **HKD 184 000**.

XU BEN ou **Hsü Pên, Siu Pen, Xu Fen**, surnom : **Youwen**, nom de pinceau : **Beiguosheng**

Originaire de la province de Sichuan. XIVe siècle. Actif à Suzhou (province du Jiangsu) dans la seconde moitié du XIVe siècle. Chinois.

Peintre.

En 1374, il est appelé à la cour par l'empereur Ming Hongwu et nommé gouverneur de la province du Henan, mais victime d'un complot, il meurt en prison. Poète, calligraphe et peintre, il est classé parmi les *Dix Talents de Suzhou* au début de la dynastie Ming ; il suit dans ses paysages le style des maîtres Yuan, particulièrement de Wang Meng et de Ni Zan.

Musées : Boston (Fine Arts Mus.) : *Chaînes de montagnes et eau* 1377, rouleau en longueur signé, imitation – Pékin (Mus. du Palais) : *Éclaircie après la neige sur la rivière*, monté sur le même rouleau que la peinture de Huang Gongwang qui porte le même nom – Shanghai : *Pavillon d'herbe dans la forêt d'automne*, encre sur pap., rouleau en hauteur – Taipei (Nat. Palace Mus.) : *Les montagnes du pays de Shu* 1371, encre sur pap., rouleau en hauteur, poème et colophon de Song Ke – *Deux arbres morts sur une rive* 1395, signé – *Le mont Lu* 1397, signé – Washington D. C. (Freer Gal. of Art) : *Rivières et montagnes à perte de vue* 1377, probablement plus tardif, rouleau en longueur signé.

XU BIN ou **Hiu Pin** ou **Hsü**, surnom : **Guyang**, nom de pinceau : **Jiangmen**

Originaire de Danyang, province du Jiangsu. XVIIIe siècle. Chinois.

Peintre.

XU CHONGJU ou **Hsü Ch'ung-Chü** ou **Siu Tch'ong-Kiu**

Originaire de Nankin. XIIe siècle. Chinois.

Peintre.

Peintre de fleurs et d'oiseaux, petit-fils de Xu Xi.

XU CHONGSI ou **Hsü Ch'ung-Ssù** ou **Siu Tch'ong-Sseu**

Originaire de Nankin. XIe siècle. Chinois.

Peintre.

Peintre de fleurs et d'oiseaux, petit-fils de Xu Xi.

XU DAN ou **Hsü Tan** ou **Siu Tan**

Originaire de Suzhou, province du Jiangsu. XVIIIe siècle. Actif probablement sous le règne de l'empereur Qing Qianlong (1736-1796). Chinois.

Peintre.

XU DAONING ou **Hiu Tao-Ning, Hsü Tao-Ning, Siu Tao-Ning**

Originaire de Hejian, province du Hebei. XIe siècle. Actif dans la première moitié du IXe siècle. Chinois.

Peintre.

La vie de Xu Daoning nous est mal connue, mais il aurait commencé par être marchand ambulant d'herbes médicinales à Changan, la capitale puis se serait peu à peu fait connaître comme peintre. Il travaille ses paysages dans le style de Li Cheng (actif 960-990), à ses débuts du moins et le peintre et théoricien Guo Ruoxu, qui lui est presque contemporain, dit que dans son âge mûr, il atteint plus de simplicité et de légèreté dans le dessin, avec des pics arides et abrupts, des forêts d'arbres puissants et solides et qu'il crée un style qui lui est propre.

Musées : Boston (Mus. of Fine Arts) : *Homme dans un pavillon regardant la marée sur le fleuve Qiantang*, éventail signé – Kansas City (Nelson Gal. of Art) : *Pêche dans un ruisseau de montagne*, encre sur soie, rouleau en longueur – Taipei (Nat. Palace Mus.) : *Pêche sur rivière hivernale* 1044, encre sur soie, rouleau en hauteur – *Pins aériens*, encre sur soie, rouleau en hauteur.

XU DUANBEN ou **Hsü Tuan-Pên** ou **Hiu Tuan-Pen**, surnoms : **Chixian** et **Chichi**, nom de pinceau : **Tingchi**, plus tard : **Xu Shizhong**
Né en 1438, originaire de Jinling, aujourd'hui Nankin, province du Jiangsu. Mort après 1517. xve-xvie siècles. Chinois.
Peintre.
Poète et peintre de paysages, de fleurs, de plantes, de rochers, de bambous et de figures, il semble suivre le style de la fin des Yuan. Il est très ami de Shen Zhou (1427-1509) mais ne semble pas influencé par son style. Le Musée de Shanghai conserve une de ses œuvres en couleurs sur papier, *Ruisseau et couleurs d'automne*.

XUE Baoxia, dite **Hsueh Ava**
Née en 1956 à Taichung. xxe siècle. Chinoise.
Peintre.
Elle obtint le diplôme de l'Université Normale Nationale de Taiwan en 1975. Elle enseigna jusqu'en 1979. En 1983 elle reçut le diplôme d'études supérieures de l'Institut Pratt de Brooklyn à New York. Elle participa à des expositions collectives ou particulières tant à New York qu'à Taiwan jusqu'en 1985. Les musées d'Art de Taixan et des Beaux-Arts de Taipei lui ont consacré des expositions particulières en 1989 et ses œuvres figurent dans les deux collections. Elle remporta le prix de la Fondation Li Zhongsheng en 1993.
Musées : Taipei (Mus. des Beaux-Arts) – Taixan (Mus. d'Art).
Ventes Publiques : Taipei, 10 avr. 1994 : *La chaise de P.S.* 1985, acryl./pan. (120x120) : **TWD 368 000**.

XUEJIAN ou **Hsüeh-Chien** ou **Siue-Kien**
xiiie-xive siècles. Actif à la fin de la dynastie Yuan (1279-1368). Chinois.
Peintre.
Moine chan (zen) et peintre, il n'est mentionné que dans le *Kundaikan Sayuchôki*, ouvrage japonais, et plusieurs de ses œuvres sont conservées dans des collections japonaises.

XUE SUSU ou **Hsüeh Su-Su, Siue Sou-Sou, Hsüeh Wu, Siue Wou**, surnoms : **Runqing** et **Suqing**, nom de pinceau : **Runniang**
Né vers 1564, originaire de Suzhou, province du Jiangsu. Mort vers 1637. xvie-xviie siècles. Chinois.
Peintre.
Peintre de bambous, d'épidendrons et de figures bouddhiques, actif à Nankin, dont l'Academy of Arts de Honolulu conserve un rouleau en longueur signé et daté 1601, *Touffes d'épidendrons poussant parmi les rochers sur la rive*.

XUE XUAN ou **Hsüeh Hsüan** ou **Siue Siuan**, surnoms : **Chenling**, nom de pinceau : **Shuitian Jushi**
Originaire de Jiashan, province du Zhejiang. xviiie siècle. Actif vers 1700-1732. Chinois.
Peintre.
Élève de Wang Qian, il suit, dans ses paysages, de très près le style de son maître et celui des Quatre Wang plus généralement. Le Musée de Shanghai conserve de lui un rouleau vertical signé et daté 1704, en couleurs sur papier, *Paysage de montagnes avec pins*.

XUEYA ou **Hsueh-Yai** ou **Siue-Yai**, surnom : **Hong-Dao**
Actif sous la dynastie Ming (1368-1644). Chinois.
Peintre.
Peintre qui n'est pas mentionné dans les biographies d'artistes et qui est peut-être le même que Wu Xueya, originaire de Fengcheng (province du Jiangxi), connu comme peintre de bambous de l'époque Ming.

XUE Yanqun
Né en 1953 à Dalian (prov. de Liaoning). xxe siècle. Chinois.
Peintre de compositions à personnages, nus. Style occidental académique.
Après la Révolution Culturelle, en 1977, il entra à l'Institut des Beaux-Arts de Lu Xun. Après l'obtention de son diplôme il y demeura comme enseignant. Il remporta en 1984, la médaille d'argent à la VIe Exposition Nationale des Beaux-Arts de Pékin. Ses œuvres sont exposées en Chine, à Hong Kong, Singapour, au Japon et aux États-Unis.
Maîtrisant une bonne technique occidentale, il sait ajouter à des nus extrêmement plaisants une note tantôt élégante, une fleur à la main, tantôt étrange, un crâne de buffle superposé au nu accroupi.
Bibliogr. : In : Catalogue Christie's, Vente Hong Kong, 30 mars 1992.
Ventes Publiques : Hong Kong, 30 mars 1992 : *La fleur de gingembre sauvage* 1990, h/t (80,5x65,6) : **HKD 49 500**.

XU FANG ou **Hsü Fang** ou **Siu Fang**, surnom : **Zhaofa**, noms de pinceau : **Sizhai** et **Qinyu Shanren**
Né en 1622, originaire du Suzhou, province du Jiangsu. Mort en 1694. xviie siècle. Chinois.
Peintre de paysages animés, paysages.
Poète et peintre de paysages dans les styles de Dong Yuan, Juran et des maîtres Yuan, il vit dans la retraite et dans une grande pauvreté après 1644.
Ventes Publiques : New York, 1er juin 1993 : *Paysage avec un lettré dans son chalet, d'après Juran*, encre/satin, kakémono (103,2x49,5) : **USD 2 300**.

XUGU ou **Xu Gu Zhu, Hiu-Kou, Hsü-Ku**, de son vrai nom : **Zhu**
Né en 1824, originaire de Yangzhou, province du Jiangsu. Mort en 1896. xixe siècle. Chinois.
Peintre d'animaux, fleurs et fruits, calligraphe. Traditionnel.
Après avoir servi dans l'armée gouvernementale contre les rebelles Taiping, vers 1850, il se retire et se fait moine bouddhiste.
Calligraphe et peintre traditionnel lettré, il est connu pour ses peintures de fleurs, de fruits et de poissons rouges.
Ventes Publiques : Hong Kong, 12 jan. 1987 : *Plum Blossoms and Lily Root, Peaches, Loquats and Pine Trees* 1888, encre et coul., suite de quatre kakémono (125x31) : **HKD 210 000** – New York, 2 juin 1988 : *Poissons et pousses de bambou*, encre/pap. (54,5x38,7) : **USD 12 100** – Hong Kong, 17 nov. 1988 : *Poissons rouges* 1894, encre et pigments/pap., kakémono (175x47,5) : **HKD 506 000** – Hong Kong, 16 jan. 1989 : *Chrysanthèmes et Rochers* 1891, encre et pigments/pap. (31,8x40,6) : **HKD 93 500** ; *Ecureuils sur une branche de pin* 1894, encre et pigments légers/pap. doré, kakémono (136x53,8) : **HKD 495 000** – Hong Kong, 18 mai 1989 : *Ecureuil* 1894, encre et pigments/pap., kakémono (98,8x43,2) : **HKD 352 000** – New York, 31 mai 1989 : *Paysage avec une pagode*, encre et pigments/pap., kakémono (73,7x39,4) : **USD 25 300** – Hong Kong, 15 nov. 1989 : *Chrysanthèmes*, encre et pigments/pap., kakémono (107,7x55,2) : **HKD 374 000** – Hong Kong, 15 nov. 1990 : *Pêches* 1879, encre et pigments/pap., kakémono (179x47,5) : **HKD 825 000** – Hong Kong, 2 mai 1991 : *Chrysanthèmes* 1879, encre et pigments/soie, éventail rond (diam. 28,3) : **HKD 330 000** – Hong Kong, 31 oct. 1991 : *Prunus, Chrysanthèmes, Bambous et Narcisses*, encre et pigments/pap. et encre/pap., ensemble de quatre kakémono (chaque 147,3x38,4) : **HKD 1 045 000** – Hong Kong, 30 mars 1992 : *Fleurs et fruits de nouvel an*, encre et pigments/pap., kakémono (182,2x62) : **HKD 605 000** – Hong Kong, 28 sep. 1992 : *Légumes et théière*, encre et pigments/pap., makémono (37x129) : **HKD 330 000** – Hong Kong, 22 mars 1993 : *Écureuils*, encre et pigments/pap., makémono (34x70,8) : **HKD 250 000** – Hong Kong, 29 avr. 1993 : *Grue et prunus* 1891, encre et pigments/pap., kakémono (181,8x96,8) : **HKD 287 500** – New York, 16 juin 1993 : *Narcisses*, encre et pigments/pap., kakémono (134x44,5) : **USD 18 400** – Hong Kong, 5 mai 1994 : *Pin au clair de lune*, encre/pap., éventail (18,2x45,7) : **HKD 69 000** – New York, 18 sep. 1995 : *Tortues sous un pêcher*, encre et pigments/pap., kakémono (137,2x47) : **USD 52 900** – Hong Kong, 30 oct. 1995 : *Écureuil jouant avec un encrier*, encre et pigments/pap., éventail (21x56,5) : **HKD 138 000** – New York, 27 mars 1996 : *Écureuils dans les bambous*, encre et pigments/pap., kakémono (167,6x45,7) : **USD 24 150** – Hong Kong, 29 avr. 1996 : *Oiseaux perchés sur des branches de pêcher en fleurs* 1893, encre et pigments/pap., kakémono (142x38,8) : **HKD 345 000** – New York, 22 sep. 1997 : *Loquats*, encre et coul./pap., kakémono (66x133,3) : **USD 23 000** – Hong Kong, 2 nov. 1997 : *Pin et chrysanthème*, encre et pigment/pap., kakémono (132,1x63,5) : **HKD 482 000**.

XU Jianguo
Né en 1951 à Shanghai. xxe siècle. Chinois.
Peintre. Style occidental.
Dès l'âge de dix ans, il commença à étudier la peinture traditionnelle chinoise, puis termina ses études à l'Académie Drama de Shanghai. Il fut décorateur à l'Opéra de Shanghai pendant huit ans. En 1984 il partit pour les États Unis terminer ses études au Bard College dont il obtint le diplôme d'études supérieures en 1987. Il a été artiste-résident à la Fondation des arts de New York. Ses œuvres sont régulièrement exposées en Chine et dans les musées de New York, du Massachusetts, de Californie, du Canada et d'Angleterre.

Bibliogr. : In : *Catalogue de vente Christie's*, Hong Kong, 22 mars 1993.

Ventes Publiques : Hong Kong, 22 mars 1993 : *Le miroir d'un bar* 1989, techn. mixte (135x120) : **HKD 89 700**.

XU JIEMIN ou **Hsü Chieh-Min,** ou **Siu Kie-Min**
Né en 1908 dans la province du Shandong. xxe siècle. Chinois.
Peintre.
Peintre de l'école lettrée traditionnelle aussi bien que de l'école moderne, il enseigne pendant seize ans dans la province du Guangxi. Il est le premier rédacteur de deux revues artistiques notoires, *Yinyue yu Yishu* et *Xiandai Yishu*.

XU JING ou **Hiu King** ou **Hsü Ching**, surnom : **Xuexiang**
Originaire de Hangzhou, province du Zhejiang. xviiie siècle. Chinois.
Peintre.
Peintre de fleurs de prunier.

XU JIZHUANG
Né en 1938 à Wuqiang (province du Hebei). xxe siècle. Chinois.
Peintre de fleurs. Traditionnel.
Il est professeur.

Bibliogr. : In : Catalogue de l'exposition *Peintres traditionnels de la République populaire de Chine*, galerie Daniel Malingue, Paris, 1980.

XUL SOLAR Alejandro
Né en 1887. Mort en 1963 à Buenos Aires. xxe siècle. Argentin.
Peintre de compositions à personnages, figures, paysages animés, paysages, paysages urbains, aquarelliste.
Il a effectué une synthèse entre l'inspiration secrète de ses racines indo-américaines et les courants d'avant-garde du début du siècle, Kandinsky, Klee, Miro. Avant 1930, ses peintures participaient d'un humour empruntant la fraîcheur des dessins d'enfants ; après 1930, elles se sont chargées d'une gravité d'origine ésotérique. *Voir aussi SOLAR.*

Bibliogr. : In : *Diction. de l'Art Mod. et Contemp.*, Hazan, Paris, 1992.

Ventes Publiques : New York, 17 mai 1989 : *Mansilla 2936* 1920, aquar./pap. (13,7x18,6) : **USD 24 200** – New York, 21 nov. 1989 : *Axende encurvas Miflama Hasta el sol* 1922, cr., gche et encre/pap. (21x12,6) : **USD 22 000** – New York, 1er mai 1990 : *International* 1923, aquar. et collage/pap. (21x25,5) : **USD 28 600** – New York, 20-21 nov. 1990 : *Ames d'Égypte* 1923, gche/pap./cart. (15x21,2) : **USD 25 300** – New York, 20 nov. 1991 : *L'ombre du cheminot*, h/pan. (21x21) : **USD 35 200** – New York, 18-19 mai 1992 : *Fête nationale* 1925, aquar. et encre/pap. (28x38) : **USD 55 000** – New York, 24 nov. 1992 : *Patrie B* 1925, aquar., cr. de coul. et mine de pb (34x28) : **USD 38 500** – New York, 18 mai 1993 : *Paysage aux cinq pagodes* 1949, aquar./pap./cart. (38,5x32) : **USD 51 750** – New York, 16 nov. 1994 : *Six visages* 1922, aquar., temp. et graphite/pap./construction de pap. (10,2x23,5) : **USD 17 250** – New York, 15 mai 1996 : *Danse des saints* 1925, aquar. et graphite/pap./cart. (23,5x30,5) : **USD 43 700** – New York, 29-30 mai 1997 : *Criol pajaros* 1927, aquar., gche et mine de pb/pap. (32,1x25,1) : **USD 36 800**.

XU Lele
Né en 1955. xxe siècle. Chinois.
Peintre de scènes animées, figures typiques. Traditionnel.

Ventes Publiques : Hong Kong, 16 jan. 1989 : *Cérémonie du thé*, encre et pigments/pap. (115x32) : **HKD 17 600** – Hong Kong, 30 mars 1992 : *Dames assises dans un chalet*, encre et pigments/pap. tacheté d'or, makémono encadré (43x42,5) : **HKD 22 000** – Hong Kong, 5 mai 1994 : *Personnages*, encre et pigment/pap., kakémono, une paire (chaque 109x32,5) : **HKD 20 700**.

XU LIN ou **Hsü Lin** ou **Siu Lin**, surnom : **Ziren**, noms de pinceau : **Jiufeng** et **Kuaiyuansou**
Originaire de Suzho, province du Jiangsu. xvie siècle. Actif à Nankin vers 1510-1550. Chinois.
Peintre.
Peintre favori de l'empereur Wuzong des Ming, il fait des paysages et des fleurs.

XU Mangyao
Né en 1945 à Shanghai. xxe siècle. Chinois.
Peintre de compositions à personnages, figures. Style occidental académique.
Il entra à dix-sept ans à l'école préparatoire à l'Académie des Beaux-Arts de Zhejiang. En 1980, il obtint son diplôme d'études supérieures et à partir de 1981 fut artiste-résident et professeur à l'Académie de Zhejiang. De 1984 à 1986, il vint travailler à Paris à l'atelier Pierre Cardin et mit cette période à profit pour voyager en Europe : Angleterre, Hollande, Italie, Belgique et Espagne. Il a participé à des expositions collectives en Chine, en France et aux U.S.A. Dans une technique occidentale académique assimilée, il obtient des effets d'étrangeté par des compositions dissociées.

Bibliogr. : In : Catalogue Christie's, vente Hong Kong, 30 mars 1992.

Ventes Publiques : Hong Kong, 30 mars 1992 : *Mon rêve 2* 1988, h/t (150x24,8) : **HKD 57 200**.

XU MAOWEI. Voir **ZHENFENG**

XU MEI ou **Hsü Mei** ou **Siu Mei**, surnom : **Cairuo**, nom de pinceau : **Huawa**
Originaire de Suzhou, province du Jiangsu. xviiie siècle. Actif vers 1700. Chinois.
Peintre.
Peintre de figures, de fleurs et d'oiseaux, il est rival de Liu Yu.

XU MENGCAI ou **Hiu Meng-Ts'ai** ou **Hsü Mêng-Ts'ai**, surnom : **Qicheng**
xviie siècle. Actif probablement au xviie siècle. Chinois.
Peintre.
Peintre non mentionné dans les biographies d'artistes mais dont le British Museum de Londres conserve une œuvre signée, *Lohan se lavant l'oreille*.

XU MOUWEI ou **Hsü Mou-Wei** ou **Siu Meou-Wei**
Actif pendant la dynastie Ming (1368-1644). Chinois.
Peintre.

XU RONG ou **Hsü Jung** ou **Siu Jong**, surnom : **Yunting**, nom de pinceau : **Guanshan**
xixe siècle. Actif dans la seconde moitié du xixe siècle. Chinois.
Peintre.
Peintre de paysages dans les styles de Mi Fei (1051-1107) et de Gao Kegong (1248-1310), il séjourne au Japon de 1854 à 1859.

XU SHICHANG ou **Hsü Shih-Ch'ang** ou **Siu Che-Tch'ang**
Originaire de Nankin. xiie siècle. Actif pendant la seconde moitié du xiie siècle. Chinois.
Peintre.
Peintre de fleurs, d'oiseaux et de paysages, dont la Freer Gallery de Washington conserve une œuvre signée, *Paysage de montagne avec retraite de lettré au bord de la rivière*.

XU SHIQI ou **Hiu Che-K'i** ou **Hsü Shih-Ch'i**
Né en 1901 dans la province du Anhui. xxe siècle. Chinois.
Peintre.
Peintre lettré traditionnel, il enseigne à l'Université Nationale Centrale de Nankin, avant la Libération. Il voyage beaucoup à l'étranger.

XU TAI ou **Hsü T'ai** ou **Siu T'ai**, surnom : **Jieping**, nom de pinceau : **Zhiyuan**
xviie siècle. Chinois.
Peintre.
Peintre de figures et de paysages dans le style de Dai Jin (xve siècle).

XU TAN
xxe siècle. Chinois.
Créateur d'installations.
Il crée de vastes installations composées de peintures, objets, fils, moniteurs vidéos.

Bibliogr. : Jean Paul Fargier : *La Queue de l'éléphant*, Art Press, n° 194, Paris, sept. 1994.

XU WANGXIONG ou **Hsü Wang-Hsiung** ou **Siu Wang-Hiong**, surnom : **Weizhan**
Originaire de Shimen, province du Zhejiang. xviiie siècle. Actif sous le règne de l'empereur Qing Qianlong (1736-1796). Chinois.
Peintre.
Peintre de fleurs qui, en 1757, offre douze peintures sur paravents (écrans) à l'empereur Qianlong.

XU WEI ou **Hsü Wei,** ou **Siu Wei**, surnoms : **Wenqing** et **Wenchang**, noms de .pinceau : **Taichi** et **Qiang-Teng**
Né en 1521, originaire de Shanyin, aujourd'hui Shaoxin, province du Zhejiang. Mort en 1593. xvie siècle. Chinois.
Peintre de sujets de genre, animaux, fleurs, dessinateur, calligraphe.

Issu d'une famille de petits fonctionnaires peu fortunés, il manifeste dès son jeune âge les plus étonnants dons littéraires. Il n'en subit pas moins des échecs successifs aux examens administratifs, ce qui semble d'ailleurs peu l'affecter car sa renommée littéraire lui vaut un large cercle de relations. Ayant perdu sa première femme, morte prématurément, il vit d'un emploi de précepteur et commence à s'intéresser à la peinture, tandis qu'il s'initie activement au théâtre. À trente-six ans, il est remarqué par l'ambitieux gouverneur de sa province, Hu Zongxian, qui fait de lui son secrétaire particulier et consacre sa réputation littéraire en l'introduisant auprès des lettrés les plus influents de l'époque. Mais cela prend fin avec l'arrestation de Hu à la suite d'intrigues politiques ; ce dernier se suicide en prison et, traumatisé par cette nouvelle Xu tente aussi de mettre fin à ses jours, par trois fois, en se défonçant la figure avec une hache, en s'enfonçant un clou de charpentier dans l'oreille, en s'écrasant enfin les testicules à coups de maillet. C'est dans cet état d'égarement qu'il bat sa seconde femme à mort et est emprisonné pour meurtre. Il y reste sept ans, bénéficiant semble-t-il d'un régime relativement amène, et retrouve la liberté à l'âge de cinquante et un ans : les vingt années qui lui resteront à vivre seront les plus fécondes de sa carrière artistique, mais marquées d'une grande détresse matérielle. Il vagabonde un temps au Shanxi, à Pékin et à Nankin, puis revenu s'installer dans sa ville natale, il y vit dans un dénuement extrême, avec sa peinture pour seul moyen de subsistance, couchant sur la paille et vendant ses livres un à un, et sombrant dans l'alcoolisme.

Son œuvre littéraire englobe les sujets les plus divers : un traité taoïste, un traité sur la calligraphie, des commentaires sur les classiques, la part la plus originale étant constituée par ses travaux sur le théâtre, un essai théorique sur les origines et le développement du *théâtre méridional (nanxi)* qui reste un ouvrage de base, et ses propres créations théâtrales ; sa poésie est tout à fait non conformiste et sa calligraphie est une interprétation débridée des styles de Mi Fu et de Su Dongpo.

Dans le domaine pictural, il aborde aussi tous les genres, mais traite avec le plus de bonheur les poils et plumes, fleurs et oiseaux, fleurs et plantes, tout particulièrement, les bambous, les bananiers et les vignes. Il y apporte une franchise de touche qui introduit dans la peinture lettrée une sauvagerie et une âpreté peu communes. Ses bambous paraissent surgis d'une création spontanée, d'un élan brutal, irrépressible, d'un moment de tension où l'artiste semble possédé par une force interne qui doit irrésistiblement s'extérioriser, interdisant toute intrusion de la conscience dans le processus créateur. Xu Wei présente par là des affinités évidentes avec les maîtres de la peinture *chan* (zen), Liang Kai et Muqi (XIIIe siècle), mais leur dépouillement et leur ascèse du vide font place chez lui à une profusion qui confine au baroque. Il occupe ainsi une position considérable dans l'évolution de la peinture chinoise, en ouvrant directement la voie aux individualistes du XVIIe siècle, Shitao notamment, aux excentriques du XVIIIe siècle, Gao Fenghan, Zhang Banqiao et Li Shan, enfin à l'époque moderne, aux audaces d'un Wu Changshi ou d'un Qi Baishi.

Rangeant par ordre décroissant ses propres créations artistiques, Xu Wei place tout d'abord sa calligraphie, puis sa poésie, sa prose et enfin sa peinture. On adopte aujourd'hui un ordre différent sinon inverse car c'est incontestablement en peinture qu'il affirme son génie créateur avec le plus d'autorité. Mais malgré l'admiration fervente que lui voue une élite individualiste et excentrique, la critique traditionnelle l'apprécie moins tant est tenace le relent de scandale attaché aux épisodes de sa démence.

■ M. M., J. B.

Bibliogr. : J. Cahill : *La peinture chinoise*, Genève, 1960 – P. Ryckmans : *Siu Wei*, in : *Encyclopaedia Universalis*, vol. 14, Paris, 1972.

Musées : Berlin : *Deux fleurs crête-de-coq*, signé, poème – Chicago (Art Inst.) : *Oiseau mynah sur une branche*, éventail, poème du peintre – Honolulu (Acad. of Art) : *Oiseau mynah sur la branche d'un buisson fleuri*, éventail signé, poème du peintre – Nankin : *Fleurs variées*, encre sur pap., rouleau en longueur – New York (Metropolitan Mus.) : *Poissons au fond du lac*, signé – Paris (Mus. Guimet) : *Feuilles de bananier*, signé – Pékin (Mus. du Palais) : *Lettré chevauchant un âne sous un vieil arbre*, étude à l'encre, inscription de Zhang Xiaosi – *Feuilles de lotus et crabe*, style pomo, inscription du peintre – *Études de fleurs, bambous...*, encre sur pap., feuilles d'album montées en rouleau, inscription du peintre – Shanghai : *Fleurs*, encre sur pap., rouleau en longueur – *Pivoine, feuille de bananier et rocher*, encre sur pap., rouleau en hauteur – Stockholm (Nat. Mus.) : *Les quatre saisons*, rouleau en longueur signé, poème – *Large bananier et prunier près d'un rocher*, signé, poème – *Étude de paysage*, signé, poème – *Branche de vigne grimpante*, encre sur pap. tacheté d'or, éventail signé – Taipei (Nat. Palace Mus.) : *Fleurs et bambou*, encre sur pap., rouleau en hauteur – *Grenade*, signé – *Fleurs de prunier et feuilles de bananier*, signé – Washington D. C. (Freer Gal. of Art) : *Études de bambous et de plantes en fleurs*, encre sur pap., rouleau en longueur, poèmes du peintre.

Ventes Publiques : New York, 1er juin 1989 : *Branche de crête-de-coq*, encre/pap., kakémono (146,6x62,2) : **USD 55 000** – New York, 26 nov. 1990 : *Crabe*, encre/pap. doré, éventail (17,1x53,4) : **USD 4 125** – New York, 21 mars 1995 : *Calligraphie de poèmes en écriture courante*, encre/pap., makémono (32,1x668) : **USD 79 500**.

XU WEIREN ou **Hsü Wei-Jên** ou **Siu Wei-Jen**, surnom : **Wentai,** nom de pinceau : **Zishan**

Originaire de Shanghai. XIXe siècle. Actif vers 1810. Chinois.

Peintre.

Peintre d'orchidées, de bambous et de paysages.

XU XI ou **Hsü Hsi** ou **Siu Hi**

Originaire de Nankin. Mort avant 975. Xe siècle. Chinois.

Peintre d'animaux, fleurs.

Il était actif sous la dynastie des Tang du Sud. Membre d'une famille éminente, il est bien connu comme peintre de fleurs et d'oiseaux, rival de Huang Quan (vers 900-965).

Dans l'œuvre intitulée *Faisan dans les pivoines et les magnolias*, le dessin est peut-être de lui mais l'exécution en couleurs sur fond bleu est sans doute plus tardive.

Musées : Kansas City (Nelson Gal. of Art) : *Fleur Mudan*, feuille d'album – Taipei (Nat. Palace Mus.) : *Faisan dans les pivoines et les magnolias*.

XU XI

Né en 1940. XXe siècle. Chinois.

Peintre de figures, paysages animés. Traditionnel.

Ventes Publiques : Hong Kong, 15 nov. 1989 : *Paysage de neige* 1987, encre et pigments/pap. (67,3x125,5) : **HKD 24 200** – Hong Kong, 30 mars 1992 : *Un petit voisin de Suzhou*, encre et pigments/pap., makémono (97x89) : **HKD 88 000** – Hong Kong, 28 sep. 1992 : *Village lacustre de pêcheurs*, encre et pigments/pap. (138,5x96,5) : **HKD 154 000** – New York, 2 déc. 1992 : *Jour de pluie à Jiangnan* 1978, encre et pigments/pap., kakémono (94,3x75,3) : **USD 3 300** – Hong Kong, 22 mars 1993 : *Le printemps à Seattle*, encre et pigments/pap. (96,5x89,5) : **HKD 92 000**.

XU YANG ou **Hsü Yang** ou **Siu Yang**, surnom : **Yunting**

Originaire de Suzhou, province du Jiangsu. XVIIIe siècle. Actif vers 1760. Chinois.

Peintre de sujets de genre, figures, portraits, animaux, paysages, fleurs.

Il fut appelé pour travailler à la cour en 1751. Il privilégia la représentation des oiseaux.

Musées : Londres (British Mus.) : *Procession du dragon bleu*, signé – Taipei (Nat. Palace Mus.) : *Procession des fleurs de prunier*, encre et coul. légères sur pap., rouleau en hauteur – *Joueur de luth dans un pavillon* 1752, signé, poème de Qing Qianlong – *Wang Xizhi et les oies* 1758, signé, poème de Qing Qianlong – *Deux hirondelles volant autour d'un poirier* 1759, signé, poème de Qing Qianlong – *Portraits d'ahrats* 1762, signé, poème de Qing Qianlong – *Faisan et fleurs* 1764, signé, poème de Qing Qianlong – *Paysage de pluie*, signé.

Ventes Publiques : New York, 26 nov. 1990 : *Paysage bleu-vert avec des chalets*, encre et pigments/pap., éventail (16x47) : **USD 4 675** – New York, 1er juin 1992 : *Lune d'automne sur la colline du tigre*, encre et pigments/pap., kakémono (138,4x63,5) : **USD 17 600**.

XU YANSUN ou **Hsü Yen-Sun** ou **Siu Yen-Souen**

Originaire de la province du Hebei. XXe siècle. Chinois.

Peintre. Traditionnel.

Peintre de l'école traditionnelle lettrée.

XU YI ou **Hiu** ou **Hsü I**, surnom : **Zishao**, noms de pinceau : **Haoyingzi** et **Xiezong**

Né en 1599, originaire de Wuxi, province du Jiangsu. Mort en 1669. XVIIe siècle. Actif vers 1640. Chinois.

Peintre d'animaux, fleurs, dessinateur.

Peintre de fleurs dans le style de Xu Xi.

Musées : Taipei (Nat. Palace Mus.) : *Lotus*, qui porte son sceau.

Ventes Publiques : New York, 29 mai 1991 : *Faisan et narcisses* 1644, encre et pigments/pap., kakémono (137,2x35,6) : **USD 2 090**.

XU YOU ou **Hsü Yu, Siu Yeou, Xu Toumei**, surnom : **Youjie**, nom de pinceau : **Ouxiang**
Originaire de Houguan, province du Fujian. XVIIe siècle. Actif vers 1650-1670. Chinois.
Peintre.
Peintre de paysages dans le style de Mi Fei (1051-1107) et de bambous dans celui de Guan Daosheng.

XU YOU ou **Hsü Yu** ou **Hiu Yeou**, surnom : **Pichen**, nom de pinceau : **Yian**
Originaire de Changshu, province du Jiangsu. XVIIIe siècle. Actif vers 1760. Chinois.
Peintre.
Peintre de fleurs et d'oiseaux actif à la cour et dont le National Palace Museum de Taipei conserve une œuvre signée, *Poules sous les wisterias en fleurs.*

XU YUAN ou **Hsü Yüan** ou **Siu Yuan**, surnom : **Zixu**
Originaire de Longqi, province du Fujian. XVIIe siècle. Actif vers 1600. Chinois.
Peintre.
Peintre de fleurs et d'oiseaux dans le style de Huang Quan (Xe siècle).

XU Yuanshao. Voir **LU Qi**

XU YUANWEN ou **Hsü Yüan-Wên** ou **Siu Yuanwen**, surnom : **Gongsu**, nom de pinceau : **Lizhai**
Né en 1634, originaire de Kunshan, province du Jiangsu. Mort en 1691. XVIIe siècle. Chinois.
Peintre.
Lettré occupant un poste à l'Académie Hanlin et président du Bureau des Revenus, il est aussi peintre de paysages.

XU Yuren ou **Hsü Yü-Jen**
Né en 1951 à Tainan. XXe siècle. Chinois.
Peintre de paysages urbains.
Il est diplômé du Collège National d'Art de Taiwan où il étudia les Beaux-Arts. Il a de fréquentes expositions collectives ou personnelles à Taiwan.
Ventes Publiques : Taipei, 18 oct. 1992 : *Dans la ville* 1990, h/t (87x129) : **TWD 242 000**.

XU ZHEN ou **Hiu Tchen** ou **Hsu Chên**, nom de pinceau : **Molong Daoren**
Actif pendant la dynastie Ming (1368-1644). Chinois.
Peintre.

XYLANDER Wilhelm Ferdinand
Né le 1er avril 1840 à Copenhague. Mort le 15 octobre 1913 à Copenhague. XIXe-XXe siècles. Danois.
Peintre de sujets de genre, paysages, paysages d'eau, marines.
Il fut élève de l'Académie des Beaux-Arts de Copenhague et d'E. B. Morgenstern à Munich. Il peignit surtout des marines au clair de lune.
Musées : Breslau, nom all. de Wroclaw : *Marine* – Copenhague : *Canal hollandais* – Göteborg : *À Venise* – Hambourg : *Les chantiers de Westredock à Amsterdam* – *Canal en Hollande* – *Sur la plage de la mer du Nord* – Munich (Gal. Schack) : *Paysage hollandais* – Prague : *Nuit de clair de lune sur l'Elbe* – Saint Louis : *Bateaux devant Dragör.*
Ventes Publiques : Paris, 18 mars 1929 : *Vue de Rochester* : **FRF 360** – Copenhague, 28 sep. 1976 : *L'heure de la soupe*, h/t, d'après Carl Bloch (35x28) : **DKK 4 000**.

MAÎTRES ANONYMES
connus par un monogramme ou des initiales commençant par X

X.
Marque d'un graveur.
Cité d'après Ris-Paquot.

X. F. L.
XVIe siècle.
Monogramme d'un graveur.
Cet artiste a gravé sur bois d'après Tobie Stimmer et d'après Christophe Maurer ; avec la date 1590. Cité d'après Ris-Paquot.

Y Pour les patronymes commençant par Y, voir aussi **I** et **IJ**

YAAIA Ben Mahomed ou **Yahya Ibn Mahmud**

XIIIe siècle. Actif à Warit vers 1236. Éc. arabe.

Peintre, miniaturiste et calligraphe.

La Bibliothèque Nationale de Paris possède un manuscrit des *Anecdotes* de Hariri, avec cent et une miniatures, peintes par cet artiste.

YABLOKOV Nikolaï

Né en 1922. XXe siècle. Russe.

Peintre de paysages.

Ancien élève de l'École des Beaux-Arts Stroganov de Moscou. Il travailla sous la direction de Pavel Kouznetsov.

Dans une manière aisée, sans grand caractère, il peint les aspects typiques du paysage russe en toutes saisons.

Ventes Publiques : Paris, 23 mars 1992 : *Au printemps*, h/t (78x98) : **FRF 11 800**.

YABLONSKA Tetyana Nilovna ou **Yablonskaïa Tatiana**

Née en 1917 à Smolensk. XXe siècle. Russe.

Peintre de compositions animées, scènes de genre, figures, paysages.

Russe d'origine, sa famille s'installa à Kiev en 1935 où elle fut admise à l'Institut des Beaux-Arts. En 1941 elle travailla dans l'atelier de F. Krichevsky. Après la guerre, en 1944, elle fut nommée professeur à l'Institut des Beaux-Arts de Kiev et poursuivit parallèlement sa carrière. En 1953 elle fut élue membre correspondant de l'Académie des Arts d'URSS et depuis 1960 est Artiste du Peuple d'Ukraine. En 1967 elle revint à l'enseignement, on lui donna son propre atelier où elle enseigne encore aujourd'hui.

Elle a participé à une centaine d'expositions en URSS, à plus de dix à l'étranger et trois expositions personnelles lui ont été dédiées. En 1950 et 1951 elle reçut la plus haute distinction artistique soviétique : le Prix d'État de l'URSS pour les arts. Elle a participé à la Biennale de Venise, en 1960.

Son premier tableau d'importance *Le grain* obtint un énorme succès et fut acquis immédiatement par la Galerie Tretiakov de Moscou. Elle s'est fait connaître comme peintre de la vie féminine. Sa technique est directement issue de celle des impressionnistes intimistes, surtout lorsqu'elle traite des paysages fondus dans la brume.

Bibliogr. : B. Dorival, sous la direction de : *Peintres Contemporains*, Mazenod, Paris, 1964.

Musées : Kiev (Mus. des Beaux-Arts) – Moscou (Gal. Tretiakov) – Saint-Pétersbourg (Mus. d'Art Russe).

Ventes Publiques : Paris, 18 mars 1991 : *Funambules itinérants* 1961, h/t (67x80) : **FRF 7 500** – Paris, 19 juin 1991 : *Jeune fille sur le rivage* 1955, h/t (30x39) : **FRF 7 000**.

YABLONSKY

Né en Ukraine. XXe siècle. Russe.

Peintre.

Peintre d'inspiration soviétique. On cite de cet artiste : *Traversée du Dniepr*, scène de la guerre 1941-1945.

YABLONSKY Martin. Voir **JABLONSKI**

YACOËL Yves

Né le 2 février 1952 à Paris. XXe siècle. Français.

Peintre, graphiste, affichiste, décorateur, sculpteur.

Une activité foisonnante le fait participer à des manifestations les plus diverses, en général assez éloignées du monde de l'art : plusieurs expositions au Musée de la Mode et du Costume ; 1977 *Monuments de Paris*, à l'occasion de laquelle il crée le talon-aiguille *Tour Eiffel* ; 1989 *L'éventail à tous vents* et *Ombrelles et parapluies* ; 1990, Triennale du bijou ; etc. Depuis 1984, il multiplie les variations à partir de l'utilisation généralisée de pastilles auto-collantes.

YACOUBI Ahmed

Né en 1932 à Fès. Mort en 1986 aux États-Unis. XXe siècle. Marocain.

Peintre, dessinateur. Tendance fantastique.

Il fit une première exposition personnelle de ses peintures à Tanger en 1948. Son évolution ultérieure l'a amené à peindre un univers irréel, fantastique, peuplé de créatures inquiétantes dans un décor de sortes de végétaux minutieusement enchevêtrés.

Bibliogr. : P. Gassier : *Yacoubi*, Inframar, Rabat, M.U.C.F., 1961 – Khalil M'rabet, in : *Peinture et identité – L'expérience marocaine*, L'harmattan, Rabat, après 1986.

YAEGER Edgar

Né le 26 août 1904 à Detroit (Michigan). XXe siècle. Américain.

Peintre de compositions murales, illustrateur.

Il fit ses études à l'École des Beaux-Arts et Arts Appliqués de Detroit, puis s'en alla à Paris, où il entra à l'Académie André Lhote, travaillant aussi sous la direction de Marcel Gromaire et Othon Friesz. À partir de 1922, il participa à des expositions collectives, notamment à celles des Artistes du Michigan à Detroit. Personnellement, il a montré ses œuvres à partir de 1923, à Detroit, Chicago, New York, Philadelphie, etc.

De retour à Detroit en 1935, il réalisa principalement des projets de décorations murales de monuments publics et églises. Il a également travaillé en tant que designer et illustrateur. Professeur à l'École des Beaux-Arts de Detroit.

Musées : Detroit (Inst. of Arts) – Detroit (Historical Mus.) – East Lansing, Michigan City (Kresge Art Mus.) – Windsor, Ontario (Art Mus.).

YAFFEE Edith

Née le 16 janvier 1895 à Helsinki (Finlande). XXe siècle. Active aux États-Unis. Finlandaise.

Peintre.

Elle fut élève de William Paxton et de Philipp Hale. Elle se fixa à Swampscott.

YAGER Michel de. Voir **JAGER**

YAGI Katsuo

Né en 1918. Mort en 1979 à Kyoto. XXe siècle. Japonais.

Sculpteur, potier.

Il s'initia à la sculpture, puis fut élève de l'École des Arts Appliqués de Kyoto. Il fut d'abord dessinateur industriel professionnel. En 1952, abandonnant sa profession, il se consacre à la poterie et a fondé l'Amicale de l'Art Contemporain. Il participe à des expositions collectives, notamment avec ce groupe, introduisant la poterie dans les arts dits autrefois majeurs. En 1965, il a été invité à l'exposition itinérante aux États-Unis *Nouvelles Sculpture et Peinture Japonaises*.

Il a progressivement abandonné la production d'objets utilitaires. En 1967, il commença à travailler le verre, en 1969 le bronze. Ensuite, il a procédé par séries : *Livres, Mains*.

Bibliogr. : In : *Diction. de l'Art Mod. et Contemp.*, Hazan, Paris, 1992.

YAHIA, pseudonyme de **Maztoul Yahia Ben Mohammed Ben Hadj Redjeb el Hadjem**, dit **Turki**

Né en 1903 à Istamboul. Mort en novembre 1968. XXe siècle. Actif en Tunisie. Turc.

Peintre de paysages urbains, scènes typiques.

Son père, Tunisien, était coiffeur à Istamboul, sa mère était turque. Il ne reçut une formation picturale que durant cinq mois, au Centre d'Art de Tunis. La famille vint se fixer à Djerba. Il est considéré comme le père de la peinture tunisienne. Il participa pour la première fois au Salon tunisien en 1924 et, après son séjour en France entre 1924 et 1928, il figura au Salon d'Automne à Paris en 1931 et 1932. Sa première exposition personnelle à Tunis date de 1923, elle fut suivie de beaucoup d'autres, notamment à partir de 1934. Il fut le deuxième président du groupe de « L'École de Tunis ».

Il pratiquait une peinture très fluide, comme aquarellée. Il a fréquenté Albert Marquet et subi son influence. Il a peint souvent des paysages urbains et des scènes typiques, très bariolés, dans un esprit intimiste un peu naïf ou de populisme attendri. Avec humour, il a aussi peint des scènes de plage où se côtoient et se mélangent maillots de bain et femmes voilées.

Bibliogr. : Catalogue de l'exposition : *Lumières tunisiennes*, Pavillon des Arts, Paris, 1995.

Musées : Tunis (Mus. d'Art Mod.) : *Nature morte – Jeunes femmes dans un intérieur.*

YAHIAOUI Kamel

Né vers 1965-1970. XXe siècle. Algérien.

Peintre, illustrateur.

De 1987 à 1989, il fut élève de l'École des Beaux-Arts d'Alger ; en 1990-1991 de l'École des Beaux-Arts de Nantes. Depuis 1988, il participe à des manifestations collectives. En 1994 à Paris, il a exposé avec Madjid Moula et Slimane Ould Mohand, au Centre Culturel Algérien.

YAIANT

XVIe siècle. Travaillant à Bréda dans la première moitié du XVIe siècle. Hollandais.

Peintre.

YAKOULOV Gueorgui Bogdanovitch ou **Jakouloff Georges**

Né en 1884 à Tiflis (Géorgie). Mort en 1928 à Erevan, ou à Bakou (Caucase). XXe siècle. Russe.

Peintre, décorateur de théâtre. Constructiviste.

En 1893, il arriva à Moscou. De 1900 à 1902, il fut élève de l'Institut de Peinture, Sculpture, Architecture de Moscou. Il étudia spécialement l'esprit et la technique de l'art chinois. En 1910, il visita l'Italie. Venu à Paris, il se lia avec les Delaunay, chez qui il passa l'été 1913, à Louveciennes. Il regagna la Russie à la déclaration de guerre de 1914. En 1918-1919, il enseigna aux Vhutemas de Moscou, ateliers populaires mis en place après la révolution.

En 1907, il participa à l'une des premières manifestations d'avant-garde à Moscou : *Stephanos*, d'autres sources donnent : *La guirlande*, qui réunissait Larionov, Gontcharova, Exter, Survage, les frères Bourliouk ; puis en 1908, *Exposition des Courants Contemporains en Art* ; 1909, à la Sécession de Vienne ; à partir de 1911 *Le Monde de l'Art* ; 1913, il participa au célèbre Salon d'Automne (Herbstsalon) de Berlin ; 1916 *Exposition des Courants de Gauche* ; 1922, à Berlin ; 1923, à Paris ; 1925, à l'Exposition des Arts Décoratifs de Paris, il obtint un prix pour sa maquette du *Monument aux vingt-six commissaires de Bakou* ; 1925 *La Rose Bleue*. En 1975, des expositions *Gueorgui Yakoulov* furent organisées à Erevan et à Moscou. En 1979 à Paris, il était représenté à l'exposition *Paris-Moscou*, au Centre Beaubourg.

Dès 1902-03, il définit le principe de différencier les styles des diverses cultures en fonction de la spécificité colorée de leur lumière solaire locale, blanche à Moscou, rose en Géorgie, bleue en Extrême-Orient, jaune en Inde. Pour ce qui concerne la ligne, le dessin, la forme, il se référa à l'esprit elliptique, synthétique, simultanéiste de la peinture chinoise. Dès lors, tout son œuvre peint sera marqué du caractère de transparence de la matière-couleur qui pour lui est la couleur-lumière, et du caractère tourbillonnant et spiralé du dessin. En 1913 à Paris, il put confronter avec les propres principes des Delaunay sa théorie de la coloration de la lumière comme style et de ses soleils multicolores. On ne saurait dire si la confrontation de leurs idées plus poétiques que scientifiques les fit gagner en clarté. C'est, en tout cas, à l'époque de la rencontre des Delaunay que Yakoulov a réalisé ses premières peintures abstraites.

En 1917-1918, à Moscou, Yakoulov dirigea, avec de nombreux artistes, la décoration intérieure du café *Le Pittoresque*, témoignage collectif historique du constructivisme, avec ses composantes géométriques, ses plans superposés et simultanés, ses éléments mobiles, mais pourtant considéré comme le rendez-vous des « futuristes ». On avait alors à Moscou tendance à nommer futuriste tout ce qui était d'avant-garde, ceci dû au fait que Marinetti était venu prononcer des conférences et qu'il avait annexé l'ensemble des mouvements artistiques de l'époque au profit du futurisme. En 1919, Yakoulov décora un autre café de Moscou, *L'Étable de Pégase*, rendez-vous des « Imaginistes » animé par le poète Serge Iéssénine. De 1918-1919 jusqu'à sa mort, Yakoulov travailla presque exclusivement pour la scénographie, plus que pour sa peinture, il fut alors surtout connu comme décorateur de théâtre : pour le *Théâtre Kamerny* de Moscou, le *Théâtre de Chambre* de Tairov, le *Premier Théâtre National de Erevan*. Entre autres, il créa les décors et costumes pour *Le Roi Lear*, représenté par le Théâtre Juif Habima ; en 1918 pour *L'Échange* de Claudel ; 1919 *Œdipus Rex* de Sophocle ; 1919 *Mesure pour mesure* de Shakespeare ; 1920 *Princesse Brambilla* de Hoffmann ; 1922 *Signor Formica* de Hoffmann ; etc. En 1927, Diaghilev lui commanda les décors du ballet *Le bond d'acier* de Serge Prokofiev, monté par les Ballets Russes de Paris, dans lequel des transmissions mécaniques, des volants rotatifs, des marteaux-pilons imposaient leur tapage à l'orchestre. Dans ces années vingt, on parlait d'une « yakoulovisation » du théâtre. En fait, le constructivisme très personnel que Yakoulov y déployait, plans géométriques, arcs et spirales structurant les trois dimensions de l'espace de la scène, rythme des éléments mobiles transformables, couleurs éclatantes et costumes bariolés, bruitage omniprésent et signaux lumineux, devait répercuter durablement son influence, par exemple dans *Les temps modernes* de Chaplin, ou sur le principe de la collaboration à des spectacles de Calder ou de Tinguely par leurs sculptures mobiles.

Sans minimiser le considérable apport de Georges Yakoulov dans la mise en scène théâtrale, on peut regretter qu'il ait en partie occulté son œuvre pictural, dont les qualités de légèreté, tant de la composition spatiale très libre que de l'harmonie colorée toujours fluide, en font un cas à part dans l'histoire plutôt dogmatique du constructivisme russe. ■ Jacques Busse

Bibliogr. : V. Marcadé, in : *Le Renouveau de l'art pictural russe, 1863-1914*, Lausanne, 1972 – in : Encyclopédie des Arts *Les Muses*, vol. 15, Grange Batelière, Paris, 1969-1974 – in : catalogue de l'exposition *Paris-Moscou*, Centre Beaubourg, Paris, 1979.

Musées : Erevan (Gal. Nat. de Peinture d'Arménie) : *Les Coqs – Soukhoum sous la neige – Le Jardin de l'Ermitage – La Symphonie Arabe* toutes avant 1907 – *Monte-Carlo* 1913 – *La rue de Tver* 1914 – *Le Sulky de l'étable de Pégase* 1919 – Moscou (Gal. Tretiakov) : *Les Courses* 1905, aquar. – *Il était un pauvre chevalier* 1912 – *Bar Olympia* 1913 – *Combat du lion et du cheval de l'Étable de Pégase* 1919 – Paris (Mus. Nat. d'Art Mod.) : *Composition abstraite* 1913 – *Le Sulky de l'Étable de Pégase* 1919.

Ventes Publiques : Londres, 3 mai 1967 : *Métropole* vers 1912-14 : **GBP 500** – Paris, 26 avr. 1991 : *Jeune homme en tunique*, gche/calque, projet de costume (28x13,5) : **FRF 5 000**.

YAKOVLEV Alexander Evgenievich. Voir **IACOVLEFF Alexandre**

YAKOVLEV Andrey

Né en 1934 à Moscou. XXe siècle. Russe.

Peintre de figures, paysages animés.

Il fut élève de Moisseienko à l'Institut Répine de Leningrad. Il fut nommé membre de l'Union des Artistes d'URSS et obtint la distinction de peintre émérite d'URSS. Il montre ses œuvres dans des expositions depuis 1961, au cours d'instances officielles russes et : en 1968 à la Biennale de Paris ; en 1977 à Paris *Les peintres soviétiques*.

Sa peinture met en scène, sur des fonds de paysages désertiques ou montagneux, les personnages des contrées extrême-orientales de la Russie. Il campe aussi de valeureux jeunes gens se livrant à des exercices sains et formateurs.

Musées : Moscou (Gal. Tretiakov) – Moscou (Mus. Pouchkine) – Saint-Pétersbourg (Mus. Russe) – Saint-Pétersbourg (Mus. d'Hist.) – Saint-Pétersbourg (Mus. de l'Acad. des Beaux-Arts).

Ventes Publiques : Paris, 18 fév. 1991 : *Les premiers pas*, h/t (86x135) : **FRF 30 000** ; *Les archers*, h/t (100x103) : **FRF 20 000** – Paris, 26 avr. 1991 : *Le printemps Tchoukche*, h/t (101,7x118) : **FRF 26 000** – Paris, 10 juin 1991 : *Sur le balcon*, h/t (46,5x52) : **FRF 6 000** – Paris, 24 sep. 1991 : *Près du village*, h/t (74x97) : **FRF 23 000** ; *Les premiers pas au printemps*, h/t (70x100) : **FRF 28 000**.

YAKOVLEV Dimitri

Né en 1943. XXe siècle. Russe.

Peintre.

Il fut élève de l'École des Beaux-Arts de Moscou et travailla sous la direction d'Alexandre Mikhailov.

Ventes Publiques : Paris, 7 avr. 1993 : *Trois bouquets*, h/t (65x80) : **FRF 5 200**.

YALE Leroy Milton

Né le 12 septembre 1841 à Vineyard Haven. Mort le 12 septembre 1906. XIXe-XXe siècles. Américain.

Graveur.

Il était aquafortiste amateur.

YALTER Nil

Née en 1937 au Caire (Égypte), d'origine turque. XXe siècle. Depuis 1965 active et naturalisée en France. Turque.

Peintre, dessinateur, artiste multimédia.

En 1973, l'ARC (Art Recherche Confrontation) du Musée d'Art Moderne de la Ville de Paris lui a consacré une exposition *C'est un dur métier que l'exil*.

Après des débuts en peinture abstraite, elle utilise essentiellement la vidéo, complétée de peintures, dessins, objets prélevés du contexte. Dans une perspective « ethno-critique », elle met en relations des femmes turques, des femmes emprisonnées, des ouvriers turcs immigrés avec leur environnement décalé, laissant au spectateur sa liberté d'interprétation.

Bibliogr. : Catalogue de l'exposition *C'est un dur métier que l'exil*, Mus. d'Art Mod. de la Ville, Paris, 1973 – in : *Diction. de l'Art Mod. et Contemp.*, Hazan, Paris, 1992.

YAMADA Masaaki

Né en 1930 à Tokyo. XXe siècle. Japonais.

Peintre. Abstrait.

À Tokyo, il fut élève de Kiyoshi Hasegawa. De 1950 à 1956, il participa aux expositions du Salon Yomuri et de l'Association des Artistes Libres. En 1984 à Paris, il fut exposé galerie Denise René, à l'occasion des échanges d'art contemporain Paris-Tokyo ; en 1987, il a participé à la Biennale de São Paulo.

Dans une première période, il peignait des natures mortes post-cubistes. Dans son évolution ultérieure, il épura l'image jusqu'à l'abstraction. Vers 1960, il imagina des peintures constituées de combinatoires de carrés et rectangles géométriques aux couleurs alternées, puis, dans une volonté minimaliste, de rayures horizontales, puis de croix. Toutefois, apparemment en contradiction avec ces démarches rigoureuses, de 1985 datent des peintures, complexes de composition, même si structurées en segments verticaux et horizontaux suggérant une organisation en carrés, et extrêmement généreuses et sensuelles en effets de matières.

Bibliogr. : In : *Diction. de l'Art Mod. et Contemp.*, Hazan, Paris, 1992.

YAMAGATA Hisao

Né en 1932 à Nara. XXe siècle. Depuis 1962 actif en Italie. Japonais.

Sculpteur.

En 1955, il sort diplômé du département sculpture de l'Université des Beaux-Arts de Tokyo et devient membre, en 1960, de l'Association Création Nouvelle. Deux ans plus tard, il s'installe à Milan, où il vit depuis. Il participe à diverses manifestations de groupe, notamment en 1968 à la Quadriennale de Turin, en 1971 à la Biennale de Florence, en 1972 à l'exposition d'art milanais au Japon. En 1973, il figure à l'exposition des Artistes Japonais à l'Étranger aux Musées Nationaux d'Art Moderne à Tokyo et à Kyoto. Il fait de nombreuses expositions personnelles : 1964, Milan ; 1965, Amsterdam ; 1967, Turin ; 1970, Lugano.

YAMAGUCHI Gen

Né en 1903 dans la préfecture de Shizuoka. XXe siècle. Japonais.

Graveur.

Il fait ses études de gravure sous la direction de Kôshirô Onchi et est actuellement membre de l'Association Japonaise de Gravure et de l'Académie Nationale de Peinture *(Kokugakai)*. Il fait des expositions particulières annuellement et participe à de nombreux groupes, telle la Biennale de l'Estampe de Tokyo depuis 1957. Il remporte plusieurs prix dans des expositions internationales en Yougoslavie, à la Triennale Internationale de l'Estampe en Couleurs de Grenchen en Suisse et à l'Exposition Internationale de Gravure de Lugano, en 1948.

Ventes Publiques : New York, 21 avr. 1989 : *Topographie abstraite*, estampe (60,2x47) : **USD 2 860**.

YAMAGUCHI Kaoru

Né en 1907 à Takasaki (préfecture de Gumma). Mort en 1968. XXe siècle. Japonais.

Peintre.

Peu après son diplôme du département de peinture occidentale de l'Université des Beaux-Arts de Tokyo en 1930, il va passer trois ans en Europe, poursuivre sa formation à Paris. À son retour, il crée avec quelques amis, notamment Saburô Hasgawa, le groupe *Shinjidai* (Nouvel Age), puis rejoint le *Jiyûbijutsuka Kyôkai* (Association des Artistes Libéraux), qu'il quitte en 1950 pour fonder l'Association d'Art Moderne avec Masanari Murai, Rokurô Yabashi et d'autres artistes. Il a été souvent représenté aux Biennales de São Paulo et de Venise. En 1971, une grande exposition rétrospective lui est consacrée au Musée National d'Art Moderne de Tokyo.

Sa peinture, figurative, mais qui évoluera vers une sorte d'abstraction, évoque des scènes de la vie quotidienne ou des paysages familiers, dans des coloris clairs et doux, teintés de naïveté, assez typiques de la sensibilité japonaise. Cet artiste attachant fit beaucoup pour la diffusion de la peinture à l'huile au Japon.

YAMAGUCHI Katsuhiro

Né en 1928 à Tokyo. XXe siècle. Japonais.

Peintre, sculpteur, technique mixte, multimédia. Cinétique.

Après ses études de droit à l'Université Nihon de Tokyo, en 1951 il se destina à une carrière artistique. Il voyage en Italie et en Espagne et séjourne à New York en 1961-1962. Il vit à Tokyo.

Il participe à de nombreux groupes depuis 1953, notamment : Abstraction et Surréalisme, au Musée National d'Art Moderne de Tokyo en 1953 et Artistes Abstraits Japonais et Américains, dans le même musée, en 1955. À Tokyo, il fait régulièrement des expositions particulières.

À partir de 1951, il créa un atelier expérimental avec des comédiens, musiciens, plasticiens, organisant expositions concerts, ballets. Il y produisait des peintures de verre en mouvement. Il créa ensuite des sculptures en grillage, après 1963 des *Reliefs magnétiques* actionnés par des aimants, après 1966 des sculptures lumino-cinétiques. Il utilise aussi le cinéma, la vidéo. On lui commande des décorations murales en verre pour des immeubles de Tokyo dont celle du Pavillon atomique des États-Unis à la Foire Internationale de Commerce de Tokyo en 1958.

Bibliogr. : Frank Popper, in : *L'Art Cinétique*, Gauthier-Villars, Paris, 1969 – in : *Diction. de l'Art Mod. et Contemp.*, Hazan, Paris, 1992.

YAMAGUCHI NO ATAI'GUCHI

VIIe siècle. Japonais.

Sculpteur.

Membre de la tribu Aya d'émigrants chinois devenus japonais dans la première moitié du VIIe siècle. Ce sculpteur est mentionné dans le *Nihonshoki* (premières annales officielles japonaises rédigées en 720) comme étant l'auteur de mille Bouddha, exécutés sur ordre impérial en 650, sous le règne de l'empereur Kôtoku. Il est possible qu'il soit aussi l'auteur du *Kômoku Ten* (sansc. : Virupaksa, l'un des quatre rois célestes : Shi Tennô) du Pavillon d'Or du temple Hôryû-ji à Nara, dont le halo porte son nom, dans l'inscription.

Bibliogr. : T. Kuno : *A Guide to Japanese Sculpture*, Tokyo 1963.

YAMAGUCHI Susumu

Né en 1897 dans la préfecture de Nagano. XXe siècle. Japonais.

Graveur.

Il entre, en 1920, à l'Institut de peinture occidentale de Aoibashi, et y travaille sous la direction de Seiki Kuroda. Il expose avec les groupes *Kôfûkai* et *Shunyôkai* et dans les expositions officielles. En 1927, il figure à l'Exposition Internationale d'Estampes de Los Angeles et à l'exposition itinérante de gravures en 1955 aux États-Unis et dans différentes manifestations internationales, notamment la Triennale Internationale de l'Estampe en Couleurs de Grenchen en Suisse. Il est membre de l'Association Japonaise de Gravure.

YAMAGUCHI Takeo

Né en 1902 à Séoul (Corée). Mort en 1983 à Tokyo. XXe siècle. Japonais.

Peintre.

Dans son enfance en Corée, il s'initia à l'aquarelle. En 1921, il suit des cours de peinture occidentale à Tokyo. En 1927, il est diplômé de l'Université des Beaux-Arts de Tokyo. Il est alors impressionné par les œuvres de Yuzo Saeki. Il séjourne en France, jusqu'en 1930, où il travaille sous la direction d'Ossip Zadkine, ayant peut-être reçu les conseils de Fernand Léger. Depuis son retour au Japon en 1931, il expose avec le groupe

Nika (salon des deux disciplines : peinture et sculpture) et enseigne à l'École des Beaux-Arts de Musashino, près de Tokyo. Il figure dans de nombreux groupes, notamment, la Biennale de São Paulo, 1955 ; la Biennale de Venise, 1956 ; l'Exposition internationale du Prix Guggenheim, à New York, en 1958 ; la Biennale de Tokyo ; en 1954, à la première *Exposition d'Art Japonais Contemporain*, à Tokyo, dont il obtient le Premier Prix ; etc. Il fait de régulières expositions particulières. En 1962, il reçoit le Prix du Ministère de l'Éducation pour la recherche artistique, et en 1965, un Prix à l'Exposition de Peinture Japonaise Contemporaine au Musée de Zurich.
À Paris, il avait reçu auprès d'Ossip Zadkine une imprégnation cubiste. Dès son retour en 1931, il tentait d'intégrer les principes constructifs de la peinture occidentale dans l'art graphique plan de l'Extrême-Orient. Après la deuxième guerre mondiale, dans des peintures abstraites, le plus souvent réduites à un seul grand signe tracé strictement en blanc sur fond sombre, il semble viser une synthèse des idéogrammes calligraphiques archaïques traditionnels avec un certain courant de l'abstraction internationale. ■ J. B.

Bibliogr. : B. Dorival, sous la direction de... : *Peintres Contemporains*, Mazenod, Paris, 1964 – in : *Diction. Univers. de la Peint.*, vol. 6, Le Robert, Paris, 1975 – in : *Diction. de l'Art Mod. et Contemp.*, Hazan, Paris, 1992.

Musées : New York (Mus. d'Art Mod.) : *Taku* 1961 – New York (Mus. de Brooklyn) – New York (Fond. Solomon R. Guggenheim) – São Paulo (Mus. d'Art Mod.) – Tokyo (Mus. Nat. d'Art Mod.) : *Retournement* 1961.

YAMAMOTO Baiitsu. Voir **BAIITSU**

YAMAMOTO Hôsui, de son vrai nom : **Yamamoto Tamenosuke,** noms de pinceau : **Hôsui** et **Seikô**
Né en 1850. Mort en 1906. XIXe-XXe siècles. Japonais.
Peintre de portraits, paysages, paysages d'eau, marines, dessinateur. Style occidental.
Il fut élève de Goseda Hôryû et d'Antonio Fontanesi. Il travailla aussi en France sous la direction de Jean Léon.
Auteur de paysages et de portraits, il ouvre, à Tokyo, une école privée appelée *Seikôkan*.

Ventes Publiques : New York, 26 mars 1991 : *Marine avec une embarcation à une seule voile*, encre/pap./cart. (49x66,5) : **USD 9 020**.

YAMAMOTO KINEMON, nom de pinceau : **Shunkyo**
Né en 1871 à Otsu (préfecture de Shiga). Mort en 1933. XIXe-XXe siècles. Japonais.
Peintre de paysages animés, fleurs. Traditionnel.
Disciple de Nomura Bunkyo et de Mori Kansai, il fait aussi des études à Paris, où il expose au Salon de la Société Nationale des Beaux-Arts. Il était professeur à l'École des Beaux-Arts de Kyoto et membre du Comité Impérial des Beaux-Arts et de l'Académie Impériale des Beaux-Arts. Spécialiste de paysages, il travaillait dans la tradition de l'école Maruyama et figurait parmi les artistes les plus en vue des milieux culturels de Kyoto, aux côtés de Takeuchi Saiho.

YAMAMOTO Kujin
Né en 1900 à Tokyo. XXe siècle. Japonais.
Peintre.
Il fut étudiant libre de l'École des Beaux-Arts de Tokyo, dont il devint professeur de 1944 à 1951. En 1948, il fonda l'association de l'Art Créateur (Sozo Bijutsu Kyokai). Son association fusionna, en 1951, avec le groupe de la Création Nouvelle, dans lequel Yamamoto fut actif dans la section de peinture de style japonais. En 1949, il avait obtenu le Prix du Ministère de l'Éducation Nationale. Il vit à Tokyo. Il participe à de nombreuses expositions collectives et montre de nombreuses expositions individuelles.

Bibliogr. : B. Dorival, sous la direction de... : *Peintres Contemporains*, Mazenod, Paris, 1964.

Musées : Tokyo (Mus. Nat. d'Art Mod.) : plusieurs peintures.

YAMAMOTO Morinosuke
Né en 1877 à Nagasaki. Mort en 1928. XXe siècle. Japonais.
Peintre. Style occidental.
Il était actif à Tokyo. Peintre de style occidental, élève de Asai Chû puis de Yamamoto Hôsui, il étudie aussi la peinture à l'huile à l'Université des Beaux-Arts de Tokyo. Il est membre du comité d'accrochage de l'exposition *Kyûbunten*.

YAMAMOTO Sei
Né en 1915 dans la préfecture d'Okayama. XXe siècle. Japonais.
Peintre.
Après des études au Centre d'Art Occidental de Tokyo en 1929-1930, puis au Centre Indépendant d'Art Occidental de Tokyo de 1930 à 1935, il devient l'élève de Yatarô Noguchi. Militaire de 1936 à 1941, il part alors à Java, jusqu'en 1946, comme professeur de peinture. À partir de 1947, il expose avec l'Association des Artistes Indépendants *(Dokuritsuten)*, dont il devient membre deux ans plus tard. Pendant deux ans, de 1956 à 1958, il effectue un voyage d'études en Europe, France, Italie, Espagne, Suisse, Allemagne et Belgique. Depuis lors il vit et enseigne à Tokyo. Il participe à de nombreux groupes à Tokyo, depuis 1931, notamment, les Artistes du Japon d'Après-guerre au Musée National d'Art Moderne de Tokyo en 1965. Il fait d'annuelles expositions particulières à Tokyo et reçoit plusieurs prix : en 1948, Prix Okada ; 1963, Prix des Indépendants ; 1964, Prix Kojima ; divers Prix de la ville de Tokyo.
Il est l'auteur de la décoration du Ministère des Postes à Tokyo.

YAMAMOTO Soken
XVIIe siècle. Japonais.
Peintre.
Peintre de l'école Kanô de Kyoto, il fut le maître de Ogata Kôrin (1658-1716).

YAMAMOTO Tei
Né en 1934 à Tokyo. XXe siècle. Japonais.
Peintre. Style occidental.
Il fait ses études à l'Université des Beaux-Arts de Tokyo et, à partir de 1964, participe à des expositions de groupes, notamment l'Exposition d'Art Japonais Contemporain et l'Exposition des Jeunes Artistes, à Tokyo. Il fait aussi plusieurs expositions particulières.
Il pratique un style à tendance surréaliste.

YAMANAKA Nobuo
Né en 1948. Mort en 1982 à Osaka. XXe siècle. Japonais.
Artiste multimédia. Tendance conceptuelle.
Il fut élève de l'École des Beaux-Arts de Tama. En 1979, il a participé à la Biennale de São Paulo ; en 1982 à la Biennale de Paris. En 1971, il fit une première exposition personnelle à caractère multimédia et conceptuel. En 1977 à Paris, la galerie Durand-Dessert a montré une exposition de ses travaux ; après sa mort, le Musée de Tochigi a organisé une exposition rétrospective de l'ensemble de l'œuvre.
Il fut essentiellement un artiste photographe et vidéaste. Il a surtout utilisé le procédé du « sténopé » : dans une chambre noire recueillir sur le mur du fond émulsionné les photographies de l'extérieur captées (à l'envers) à travers un petit trou faisant office d'objectif.

Bibliogr. : In : *Diction. de l'Art Mod. et Contemp.*, Hazan, Paris, 1992.

YAMANAKA Yoshikazu
Né en 1928 à Osaka. XXe siècle. Japonais.
Graveur. Abstrait.
Graveur abstrait qui, depuis 1966, participe à l'Exposition d'Art Japonais Contemporain à Tokyo et se produit aussi dans plusieurs expositions personnelles.

YAMASHITA Junji
XXe siècle. Actif en France. Japonais.
Peintre de paysages, natures mortes. Postimpressionniste.
En 1990 à Paris, la galerie Francis Barlier a montré une exposition de ses peintures. Il pratique une peinture d'indications et de nuances délicates, dans la veine intimiste de Bonnard.

YAMASHITA Kikuji
Né en 1919 dans la préfecture de Tokushima. XXe siècle. Japonais.
Peintre. Style occidental.
Après des études d'orfèvrerie, il fait des études de peinture à Tokyo à partir de 1938. Deux ans plus tard, il participe aux activités du *Bijutsu Bunka kyokai* (Association des beaux-arts du ministère de l'éducation), où il reçoit un prix d'encouragement en 1944. Il quitte ce groupe en 1946 et participe à la fondation du *Nihon Bijutsu-kai* (Association d'art japonais) et du *Zen-ei Bijutsu-kai* (Association d'art d'avant-garde). Il expose désormais avec ces deux groupes, ainsi qu'avec de nombreux autres et fait parallèlement plusieurs expositions particulières.
Il pratique un style surréaliste où se mêlent souvent des éléments de calligraphie.

YAMASHITA Osamu
Né en 1928. XXe siècle. Japonais.

Peintre.
Membre du Sinsho-Sakka-Kyokai depuis 1964, il en devient président en 1974. Nombreuses expositions particulières au Japon depuis 1965. Prix de France à Paris en 1975.

YAMAZAKI RYÛ
XVIIIe siècle. Japonaise.
Peintre.
Elle était active vers 1720. Fille du samurai Yamazaki Bunzaemon, elle peint, dès son jeune âge, des peintures d'*ukiyo-e*, influencées par Moronobu, Masanobu et peut-être Sukenobu. Ses représentations de jolies femmes sont appelées par ses contemporains des *Oryû-e* ou peintures de Mademoiselle Ryû.

YAMAZAKI Tcho-Uun
XIXe-XXe siècles. Japonais.
Sculpteur.
Il était actif à Tokyo. Il figura aux Expositions de Paris ; médaille d'argent en 1900 (Exposition Universelle).

YA Ming
Né en 1924. XXe siècle. Chinois.
Peintre de paysages animés. Traditionnel.
Ventes Publiques : Hong Kong, 17 nov. 1988 : *L'homme à la perruche*, encre et pigments/pap., kakémono (67,5x45,3) : **HKD 27 500** – Hong Kong, 16 jan. 1989 : *Navigation par pluie de printemps*, encre et pigments/pap., makémono (66,6x35) : **HKD 28 600** – New York, 29 mai 1991 : *Buffles dans un paysage*, encre et pigments dilués/pap., kakémono (67,9x44,1) : **USD 2 750** – Hong Kong, 30 mars 1992 : *Maisons du village de Xiangxi* 1979, encre et pigments/pap., kakémono (117x65) : **HKD 27 500** – Hong Kong, 3 nov. 1994 : *Paysage de Huang Shan* 1982, encre et pigments dilués/pap. (88x47) : **HKD 23 000**.

YAN Robert
Né le 10 novembre 1901 à Arcachon (Gironde). Mort le 6 octobre 1994. XXe siècle. Français.
Peintre de scènes animées, scènes et paysages typiques.
Élève de Narbonne à l'École des Beaux-Arts de Paris. Membre du Salon des Indépendants en 1928, il en devient membre du comité en 1953, vice-président de 1957 à 1964, président depuis 1964. Également sociétaire du Salon des Artistes Français, peintre officiel de la marine.
Surtout peintre de la mer, il a une prédilection pour les paysages de Bretagne où il séjourne fréquemment. Il a également peint l'Ile-de-France à Vernon et les montagnes de la Drôme.

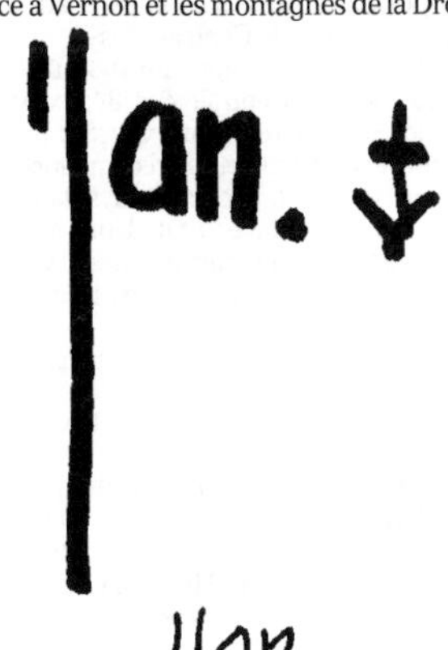

Musées : Paris (Fonds Nat.) – Paris (Fonds de la Ville) – Rennes.
Ventes Publiques : Paris, 23 fév. 1996 : *L'huître*, gche et mine de pb (20x35) : **FRF 5 800** ; *Voiliers au port*, aquar. (23x29,5) : **FRF 9 500** – Paris, 16 mars 1997 : *Un marché en Bretagne*, h/pan. (40x70) : **FRF 7 000**.

YAN' DARGENT ou **d'Argent**. Voir **DARGENT Jean Édouard**

YANACO Kosta, orthographe erronée. Voir **YANNACO Costa**

YANAGI KEISUKE
Né en 1881 dans la préfecture de Chiba. Mort en 1923. XXe siècle. Japonais.
Peintre de portraits. Style occidental.
Après des études de peinture occidentale à l'Université des Beaux-Arts de Tokyo, il entre au centre de recherche *Hakuba-kai-kenkyujô* poursuivre sa formation. Il voyage ensuite aux États-Unis, où il travaille à l'Académie de New York, puis en Angleterre et en France. Peintre de portraits à Tokyo, il expose au Salon Impérial *(Teiten)* et à celui du Ministère de l'Éducation *(Bunten)*.

YANAGISAWA KI-EN. Voir **KI-EN**

YAN Bolong
Né en 1898. Mort en 1954. XXe siècle. Chinois.
Peintre de paysages.
Ventes Publiques : Hong Kong, 19 mai 1988 : *Paysage d'Automne* 1925, encre noire et coul./pap. (130x31) : **HKD 18 700** – Hong Kong, 15 nov. 1990 : *Oiseaux sur une branche fleurie* 1938, encre et pigments/pap., kakémono (116x43) : **HKD 24 200** – Hong Kong, 29 avr. 1993 : *Oiseaux prunus et branches de pin*, encre et pigments/pap., éventail (23,2x64,1) : **HKD 23 000** – Hong Kong, 5 mai 1994 : *Vol d'hirondelles dans les bambous* 1929, encre et pigments/pap., kakémono (180,4x47,2) : **HKD 86 250** – Hong Kong, 3 nov. 1994 : *Oiseaux sur un pin et sur des fleurs* 1949, encre et pigments/pap., éventail (18,1x46,3) : **HKD 20 700** – Hong Kong, 30 oct. 1995 : *Le chant des pies au printemps* 1947, encre et pigments/pap. (104,8x50,8) : **HKD 27 600** – Hong Kong, 29 avr. 1996 : *Pies sur un cyprès* 1945, encre et pigments/pap., kakémono (130x66) : **HKD 30 000**.

YAN CIPING ou **Yen T'seu-P'ing** ou **Yen Tz'üp'ing**
Mort après 1181. XIIe siècle. Actif dans la seconde moitié du XIIe siècle. Chinois.
Peintre.
Fils du peintre Yan Zhong, il entre à l'Académie de Peinture en 1164. Il est spécialiste de représentations de buffles d'eau, mais fait aussi des paysages dans le style de Li Tang (vers 1050-après 1130). Le Musée de Shanghai conserve un de ses rouleaux en quatre sections représentant des buffles aux quatre saisons ; chaque section porte ainsi le nom d'une section ; exécuté à l'encre sur soie.

YAN CIYU ou **Yen Ts'eu-Yu** ou **Yen Tz'ù-Yü**
XIIe siècle. Actif dans la seconde moitié du XIIe siècle. Chinois.
Peintre.
Frère cadet de Yan Ciping, il entre à l'Académie de Peinture vers 1164. Peintre de paysages dont la Freer Gallery de Washington conserve une feuille d'album signée, *Promontoire avec chaumières et arbres*.

YAN DEFEI ou **Yen Tê-Fei** ou **Yen To-Fei**
Né en 1915 dans la province du Zhejiang. XXe siècle. Chinois.
Sculpteur.
Élève du sculpteur Zhu Zenzhang (Tchou Tsentchang), dès l'âge de treize ans, il entre ensuite à l'École des Beaux-Arts de Shanghai : il y sera nommé professeur de sculpture sur bois en 1936 puis chargé, par le gouvernement de la province du Jiangsu, de réaliser le *Monument du Dr Sun Yat-sen*. Il arrive à Paris en 1938 et travaille à l'École des Beaux-Arts avec Louis Henri Bouchard.

YANDELL Enid
Née le 6 octobre 1870 à Louisville. XIXe-XXe siècles. Américaine.
Sculpteur de monuments, bustes.
Élève de Ph. Martiny à New York et d'Auguste Rodin à Paris. Elle sculpta des bustes et des monuments.
Musées : Saint-Louis (Mus. mun.) : *Victory*.
Ventes Publiques : New York, 5 déc. 1996 : *Cadran solaire à l'aigle*, bronze (H. 81,3) : **USD 16 100**.

YAN DI ou **Yen Ti**
XXe siècle. Chinois.
Peintre.

YANE, pseudonyme de **Caltot Yane**
Née en 1945. XXe siècle. Française.
Peintre, sculpteur d'assemblages, artiste de performances. Nouvelles figurations.
Elle fut élève de l'École des Beaux-Arts de Paris. Elle fut fondatrice de la Compagnie du Bâton Magique. Elle fut membre du groupe de *L'Art Cloche*.

YAÑEZ de La ALMEDINA Ferrando, ou **Ferdinando, Hernando** ou **Yañes**, dit **Ferrando de Almedina**
Né à Almedina de la Mancha. Mort vers 1550 ou 1560. XVIe siècle. Espagnol.

Peintre de compositions religieuses.
Il travailla longtemps en collaboration avec Hernando de Llanos, en particulier entre 1506 et 1509 à la cathédrale de Valence où l'on attribue plus particulièrement à Yañez la *Rencontre devant la Porte Dorée*, la *Présentation de la Vierge*, la *Visitation*, l'*Adoration des Bergers*, la *Résurrection*, la *Pentecôte*, la *Dormition*, peintures d'un caractère très léonardesque. Ce style fait poser la question de savoir lequel de Yañez ou de Llanos est allé travailler avec Léonard de Vinci. On pense généralement que le Ferrando Spagnolo mentionné dans les comptes de la Seigneurie de Florence en 1505 devait être Yañez.
En 1631, il jouissait en Espagne de la réputation de grand maître. Don Gomez Carillo d'Albornos, trésorier de la cathédrale, amateur fort instruit par de longs séjours à Rome et à Bologne, stipulait que le maître-autel de la chapelle des Albornos dans la cathédrale de Cuenca serait peint par cet artiste. Yañez y exécuta *La Nativité*, un *Pape et un évêque*, deux *Prophètes*, deux *Saintes martyres, Saint Pierre, Saint Paul, Saint Jean Baptiste, Saint Jean l'Évangéliste, La Résurrection*, et un *Portrait à genoux*, probablement celui du donateur Don Gomez. Il avait alors assimilé la leçon de l'Italie, en particulier de Léonard et de Giorgione, et montrait un tempérament plus espagnol dans ses qualités réalistes et la vigueur de son style. D'autres tableaux que Yañez fit pour les églises de la Piété et de l'Adoration des Rois, semblent confirmer un disciple de Léonard. Ces ouvrages sont assez bien conservés.
Ventes Publiques : Londres, 5 juil. 1989 : *Le Sauveur entre saint Pierre et saint Jean*, h/pan. (75x62) : **GBP 506 000** – Madrid, 20 fév. 1992 : *Le Christ ressuscité entouré des délivrés des limbes devant la Vierge*, h/pan. (128,5x172,5) : **ESP 78 400 000** – Mayenne, 21 avr. 1996 : *La rencontre de saint Antoine et de saint Paul*, h/pan. (58x37) : **FRF 270 000**.

YANG BU ou **Yang Pou** ou **Yang Pu**, surnoms : **Wubu** et **Bobu,** nom de pinceau : **Gunong**
Né en 1598, originaire de Qingjiang, province du Jiangxi. Mort en 1657. xviie siècle. Actif à Suzhou (province du Jiangsu). Chinois.
Peintre.
Peintre de paysages dont le National Palace Museum de Taipei conserve un *Paysage*, signé et daté 1648.

YANG BUZHI ou **Yang Pou-Tche** ou **Yang Pu-Chih**, surnom : **Wujiu,** noms de pinceau : **Taochan Laoren** et **Qingyi Zhangzhe**
Né à la fin du xie siècle, originaire de Nanchang, province du Jiangxi. Mort après 1167. xie-xiie siècles. Chinois.
Peintre.
Peintre de fleurs de prunier dans le style de Huaguang et éditeur du *Huaguang meipu* auquel il ajoute un chapitre.

YANG CHANGHUAI
Né en 1938 dans le Guizhou. xxe siècle. Chinois.
Peintre de paysages, paysages de montagne. Traditionnel.
Il fut élève du département des Beaux-Arts de l'Université de la province du Guizhou. Il est membre du Conseil de la section du Guizhou de l'Association des Peintres de Chine.
Bibliogr. : In : catalogue de l'exposition *Peintres traditionnels de la République populaire de Chine*, galerie Daniel Malingue, Paris, 1980.

YANG CHE-HIEN. Voir **YANG SHIXIAN**

YANG CHENG. Voir **YANG SHENG**

YANG CHI. Voir **YANG JI**

YANG CHIA-CH'ANG. Voir **YANG JIACHANG**

YANG Chihong ou **Zhihong** ou **Chi-Hung**
Né en 1947 à Taoyuan (Taïwan). xxe siècle. Chinois.
Peintre. Abstrait-lyrique.
En 1968, il sortit diplômé de la section des Beaux-Arts du Collège National d'Art de Taïwan. En 1976, il partit en voyage d'études pour le Japon, puis pour les États-Unis où il fréquenta le Pratt Institute. Après un bref retour à Taïwan, il émigra aux États-Unis. Il continue d'exposer à Taïwan et à Hong Kong. Depuis 1984, il a eu 28 expositions personnelles dans des galeries du continent nord américain.
Peut-être en référence à Zao Wou-Ki, ou à son élève Chu Te-Chun, il pratique une abstraction fluide, « nuagiste », dans des accords colorés raffinés, d'une évidente séduction délibérée.
Bibliogr. : In : catalogue Christie's, vente Hong Kong, 30 mars 1992.
Ventes Publiques : Hong Kong, 30 mars 1992 : *Vanité des vanités*, fus. et acryl./t. (142x102) : **HKD 143 000** – Hong Kong, 28 sep. 1992 : *Ode à une fleur*, h/t (102x77) : **HKD 82 500** – Hong Kong, 22 mars 1993 : *Multiples apparences* 1992, h/t (50x64) : **HKD 40 250**.

YANG CHIN. Voir **YANG JIN**

YANG CH'IU-JEN. Voir **YANG QIUREN**

YANG CHOU. Voir **YANG ZHOU**

YANG DAZHANG ou **Yang Ta-Chang** ou **Yang Ta-Tchang**
xviiie siècle. Actif à la fin du xviiie siècle. Chinois.
Peintre.
Peintre de fleurs et d'oiseaux dans le style de Huang Quan, il est actif à la cour vers 1790. Le National Palace Museum de Taipei conserve deux de ses œuvres, *Aigle blanc*, signé et daté 1791 et *Prunier, bambou et narcisse*, signé.

YANG DENGXION, dit **Yang Din**
Né en 1958 à Guangzhou. xxe siècle. Depuis 1980 actif en France. Chinois.
Peintre. Tendance abstraite.
Il travailla en usine pendant la Révolution Culturelle et vint en 1980 étudier à l'École supérieure des Beaux-Arts de Paris sous la direction de Matthey (?). Il participe à des expositions collectives à Paris : 1988, Salon de la Jeune Peinture ; 1989, *Tian An Men 4 juin-4 décembre* au Centre Beaubourg ; 1996, Salon des Réalités Nouvelles. Il a des expositions personnelles à Hong-Kong, Paris, Macao.
Ses peintures, d'aspect abstrait, résolvent symboliquement la fusion du ciel, de la terre et de l'homme.
Ventes Publiques : Taipei, 22 mars 1992 : *Autoportrait en poisson* 1990, h/t (60x60) : **TWD 60 500**.

YANG DIN. Voir **YANG DENGXION**

YANG FEI
Originaire de Kaifeng, province du Henan. Actif sous la dynastie des Song du Nord (960-1127). Chinois.
Peintre.
Peintre de figures bouddhistes et taoïstes, particulièrement de Guanyin.

YANG Feiyun
Né en 1954 à Baotou (Mongolie intérieure). xxe siècle. Chinois.
Peintre de portraits, nus. Occidental académique.
En 1978, il entra à l'Académie Centrale des Beaux-Arts où il étudia sous la direction de Jin Shangyi. En 1984, il devint maître de conférences à l'Académie Centrale des Beaux-Arts, section de peinture à l'huile. Ses œuvres sont exposées fréquemment en Chine où il remporte de nombreuses récompenses. Il est invité à l'étranger comme représentant de son pays dans d'importantes manifestations : Japon, France, États-Unis entre autres. Ses œuvres ont été achetées par le Musée National Chinois, le musée de l'Académie Centrale des Beaux-Arts, le musée Fushan au Japon.
Ses modèles charmants valident un peu une technique occidentale académique.
Bibliogr. : In : catalogue Christie's, vente Hong Kong, 30 mars 1992.
Ventes Publiques : Hong Kong, 30 mars 1992 : *Épiphyllum* 1991, h/t (65x99,5) : **HKD 297 000** ; *Jeune fille Yi* 1989, h/t (124,5x71) : **HKD 154 000** – Hong Kong, 28 sep. 1992 : *Modèle en costume traditionnel* 1990, h/t (117x106,8) : **HKD 121 000** – Hong Kong, 22 mars 1993 : *Été* 1992, h/t (100,5x80,2) : **HKD 218 500** – Hong Kong, 30 oct. 1995 : *Le réveil de la sieste* 1989, h/t (80,3x100) : **HKD 230 000**.

YANG HIUAN ou **Yang Hsüan**. Voir **YANG XUAN**

YANG HUI-CHIH
viiie siècle. Actif dans la première moitié du viiie siècle. Chinois.
Peintre de compositions murales et sculpteur.
Il travailla à Ch'ang-an. Il sculpta des « paysages plastiques » sur argile et peignit des fresques.

YANG JI ou **Yang Chi** ou **Yang Ki**, surnom : **Mengzai,** nom de pinceau : **Meian**
Originaire du Sichuan. Actif à Suzhou (province du Jiangsu), au début de la dynastie Ming (1368-1644). Chinois.
Peintre.
Peintre de paysages et de bambous, il fait partie des *Quatre Talents* de Suzhou à cette époque.

YANG JIACHANG ou **Yang Chia-Ch'ang, Yang Kia-Tch'ang, Ah Yang**
XXe siècle. Chinois.
Graveur.
Il est actif dans le nord de la Chine. Graveur de l'école réaliste, il est avec Ye Fu à l'origine d'un mouvement pour le développement de la gravure sur bois.

YANG JIANPING
XXe siècle. Chinois.
Sculpteur de nus.
Il est professeur de sculpture à l'école des beaux-arts de Shangaï.
Bibliogr. : Jean Paul Fargier : *La Queue de l'éléphant*, Art Press, n° 194, Paris, sept. 1994.

YANG Jie Chang
Né en 1956 à Canton. XXe siècle. Chinois.
Peintre.
De manière traditionnelle, il emploie l'encre de Chine sur papier, pour réaliser des œuvres qui vont du monochrome à l'empreinte d'anciennes pièces de monnaie chinoise, étant passionné par la culture de son pays.
Bibliogr. : In : catalogue de l'Exposition : *Magiciens de la terre*, Centre Georges Pompidou et la Grande Halle La Villette, Paris, 1989.

YANG JIN ou **Yang Chin** ou **Yang Tsin**, surnom : **Zihao,** nom de pinceau : **Xiting**
Né en 1644, originaire de Changshu, province du Jiangsu. Mort après 1726. XVIIe-XVIIIe siècles. Chinois.
Peintre de figures, animaux, paysages animés, paysages, fleurs, dessinateur.
Élève et assistant de Wang Hui (1632-1717), il exécute souvent les personnages, les ponts, les animaux dans les œuvres de ce dernier. Il est lui-même peintre de paysages dans le style de Wang Hui, et de plantes et d'animaux dans un style minutieux.
Musées : Boston (Mus. of Fine Arts) : *Branche d'arbre lichee et fruit*, signé, colophon – Londres (British Mus.) : *L'empereur Qianlong à la chasse*, rouleau en longueur, signé – Taipei (Nat. Palace Mus.) : *Vache et bouvier* 1724, encre et coul. sur pap., rouleau en hauteur signé et poème – *Fleurs de prunier, bambous, orchidées et rochers* 1712, signé – *Paysage*, éventail, signé.
Ventes Publiques : New York, 31 mai 1990 : *Album de paysages et de fleurs*, 10 feuilles avec encre et pigments/pap. et 2 avec encre/pap. (chaque 21,3x28) : **USD 14 300** – New York, 1er juin 1992 : *Paysage avec un érudit dans son pavillon* 1698, encre et pigments/pap., kakémono (121,9x35,6) : **USD 11 000** – New York, 21 mars 1995 : *Paysage*, encre/soie, éventail (129,1x52,1) : **USD 1 380.**

YANG Juhae
Née à Séoul. XXe siècle. Coréenne.
Artiste d'installations, technique mixte. Conceptuel.
Elle a fait des études en France. En 1997, elle a fait partie des artistes invités à participer aux Ateliers du Fonds Régional d'Art Contemporain des Pays de la Loire, à Saint-Nazaire. Elle a investi, pour sa part, la Base sous-marine, où elle a disposé des installations hautement symboliques.

YANG KEQIN
Né en 1936 dans la province du Henan. XXe siècle. Chinois.
Peintre de paysages. Traditionnel.
Il travaille pour le Musée de la Culture du District Mixian de la province du Henan.
Bibliogr. : In : catalogue de l'exposition *Peintres traditionnels de la République populaire de Chine*, galerie Daniel Malingue, Paris, 1980.

YANG KEYANG ou **Yang K'o-Yang**
XXe siècle. Chinois.
Graveur. Réaliste.

YANG KI. Voir **YANG JI**

YANG KIA-TCH'ANG. Voir **YANG JIACHANG**

YANG K'O-YANG. Voir **YANG KEYANG**

YANG MING-CHE. Voir **YANG MINGSHI**

YANG MINGSHI ou **Yang Ming-Che** ou **Yang Ming-Shih**, surnom : **Buqi**
Originaire de Xiexian, province du Anhui. XVIe siècle. Actif vers 1590. Chinois.
Peintre.
Connaisseur en peinture et ami de Dong Qichang (1555-1636), il est peintre de paysages et d'épidendrons (Orchidacée).

YANG POU. Voir **YANG BU**

YANG POU-TCHE. Voir **YANG BUZHI**

YANG PU. Voir **YANG BU**

YANG PU-CHIH. Voir **YANG BUZHI**

YANG Qidong ou **Ch'i-Tung**
Né en 1900 à Taichung. XXe siècle. Chinois.
Peintre de paysages animés.
Il est un pionnier de l'art à Taiwan. Il a participé quatre fois à l'Exposition de Tokyo et cinq fois au Salon de Printemps de Paris et remporté deux médailles de bronze. Il est membre permanent de la Société d'Aquarelle de Taiwan, Président du Club des peintres d'Automne et de Printemps. En 1980 il fonda le Musée privé Yang Chi-tung où sont exposées quelques 200 de ses œuvres.
Ventes Publiques : Taipei, 18 oct. 1992 : *Retour vers la maison* 1974, h/cart. (45,5x33,6) : **TWD 440 000.**

YANG QIUREN
Né en 1907 à Guilin (province de Guangxi). Mort en 1983. XXe siècle. Chinois.
Peintre. Style occidental.
En 1929 il étudia à l'Académie d'Art de Shanghai. Avec d'autres artistes d'avant-garde de sa génération, il fonda en 1932 l'Association Juelan. Pendant la guerre sino-japonaise il partit pour Guangzhou, puis pour Hong-Kong. En 1942, de retour à Guilin il occupa les fonctions de professeur à l'Académie de Guilin et à l'Académie d'Art de Zhongnan de la province du Guangdong. Il se consacra toute sa vie à l'enseignement de l'art.
Peintre de l'école moderne, il fait partie de la génération d'artistes venus à maturité pendant la Seconde Guerre mondiale et n'ayant donc pas travaillé à Paris mais n'en maîtrisant pas moins tout à fait la peinture à l'huile.
Ventes Publiques : Taipei, 14 avr. 1996 : *La traversée de la rivière* 1981, h/t (37,5x55,5) : **TWD 345 000.**

YANG Sanlang, ou **San-Lang**
Né en 1907 à Taipei. Mort en 1995. XXe siècle. Chinois.
Peintre de paysages.
Il partit pour le Japon en 1924 et commença ses études à l'École des Arts Appliqués de Kyoto, puis aborda l'étude de la peinture occidentale à l'Académie d'Art Kansaï. Après une solide formation, il revint à Taïwan, et en 1927, fonda avec Ni Jianghuai et Liao Jichun, l'association artistique *Chidaoshe*. Il reçut le Premier Prix à l'Exposition d'Art de Taïwan en 1929. De 1931 à 1934 il vint en France, travaillant surtout dans les musées, et fut sélectionné pour le Salon d'Automne. De retour dans son pays, il se dépensa activement pour le développement de l'art occidental à Taïwan. Des expositions officielles lui sont régulièrement consacrées et il a reçu les plus hautes distinctions artistiques de son pays.
Son itinéraire est celui d'un peintre formé par ses voyages et ébloui par la lumière des pays du sud de l'Europe ou d'Amérique Centrale ; d'où l'emploi par San-Lang d'effets de contrastes. Il se réfère à des styles occidentaux à caractère « moderne », où l'on peut reconnaître un écho cézannien.
Ventes Publiques : Taipei, 22 mars 1992 : *Village espagnol*, h/t (63,5x75,5) : **TWD 1 760 000** – Hong Kong, 30 mars 1992 : *Genévriers au Mont Ali* 1952, h/t (45,5x38) : **HKD 220 000** – Taipei, 18 oct. 1992 : *Tamsui* 1989, h/t (37,5x45) : **TWD 660 000** – Taipei, 18 avr. 1993 : *Barques à Lanyu*, h/t (73x117) : **TWD 1 425 000** – Taipei, 10 avr. 1994 : *Paysage d'automne*, h/t (116x90,5) : **TWD 2 250 000** – Taipei, 15 oct. 1995 : *Période d'automne*, h/t (53x65) : **TWD 920 000** – Taipei, 14 avr. 1996 : *Gloire du matin* 1979, h/t (31,8x40,8) : **TWD 575 000** – Taipei, 13 avr. 1997 : *Guanyin Shan le matin*, h/t (37,5x45,5) : **TWD 713 000.**

YANG Shanshen
Né en 1913. XXe siècle. Chinois.
Peintre de paysages animés, animalier. Traditionnel.
Ventes Publiques : Hong Kong, 12 jan. 1987 : *Paysage*, encre et coul., kakémono (90,2x38,5) : **HKD 36 000** – Hong Kong, 19 mai 1988 : *Faisans* 1987, encres noire et coul./pap. (145x75,5) : **HKD 88 000** – Hong Kong, 18 mai 1989 : *Personnage sous un pin* 1970, encre et pigments/pap., kakémono (124,5x57) : **HKD 52 800** – Hong Kong, 31 oct. 1991 : *Singes au clair de lune* 1990, encre et pigments/pap., kakémono (178,3x96,5) : **HKD 440 000** – Hong Kong, 30 mars 1992 : *Tigre*, encre et pigments/pap., kakémono (102x51,8) : **HKD 297 000** – Hong Kong, 29 oct. 1992 : *Tigres* 1990, encre et pigments/pap. (96x180,2) : **HKD 495 000** – Hong Kong, 29 avr. 1993 : *Roses*, encre et pigments/pap., kakémono (145,3x42,6) : **HKD 80 500** – Hong Kong,

5 mai 1994 : *Lizhi*, encre et pigments/pap., kakémono (106,3x33,5) : **HKD 23 000** – HONG KONG, 29 avr. 1996 : *Paysage*, encre et pigments/pap., kakémono (28,5x51,5) : **HKD 23 000** – HONG KONG, 28 avr. 1997 : *Poisson* 1969, encre et pigments/pap. (29,5x58,7) : **HKD 69 000**.

YANG SHENG ou **Yang Cheng**
VIIIe siècle. Actif pendant l'ère Kaiyuan (714-741). Chinois.
Peintre.
Peintre fameux pour ses portraits des empereurs Xuanzong (règne 712-755) et Suzong (règne 756-761) des Tang, et peint aussi des paysages dans le style *sans os* de Zhang Sengyu. Le Metropolitan Museum de New York conserve une œuvre inscrite avec le nom du peintre, *Arbre cassé, vieux prunier dans un paysage de neige*, en couleurs sur soie sombre et le National Palace Museum de Taipei, *Montagnes enneigées et pins le long de la rivière*.

YANG SHIH-HSIEN. Voir **YANG SHIXIAN**

YANG SHIXIAN ou **Yang Che-Hien** ou **Yang Shih-Hsien**
XIIe siècle. Actif pendant les ères Xuanhe et Shaoxing (vers 1120-1160). Chinois.
Peintre.
Peintre de l'Académie de Peinture, il fait des paysages dans le style de Guo Xi (vers 1020-1100).

YANG TA-CHANG ou **Yang Ta-Tchang**. Voir **YANG DAZHANG**

YANG TAIYANG ou **Yang T'ai-Yang**
Né en 1908 à Guilin (province du Guangxi). XXe siècle. Chinois.
Peintre.
Peintre de l'école moderne, il va en 1933 au Japon faire des études d'art et, bien qu'il maîtrise tout à fait la peinture à l'huile, ne vient pas en Europe. Pendant la Seconde Guerre mondiale, il organise à Guilin le groupe *Jiuyang Hua Hui*.

YANG TCHEOU. Voir **YANG ZHOU**

YANG TS'IEOU-JEN. Voir **YANG QIUREN**

YANG TSIN. Voir **YANG JIN**

YAN GUAN ou **Yen Kouan** ou **Yen Kuan**, surnom : **Sixiang**
Originaire de Hangzhou, province du Zhejiang. XIXe siècle. Chinois.
Peintre de fleurs.
Il était actif au début du XIXe siècle. Peintre de fleurs de prunier à l'encre.

YANGUAS Y ORTIZ Eugenio
XIXe siècle. Actif à Saragosse. Espagnol.
Peintre.
Élève de M. Uceta y Lopez.

YANG WEI-CHEN. Voir **YANG WEIZHEN**

YANG WEICONG ou **Yang Wei-Ts'ong** ou **Yang Wei-Ts'ung**, surnom : **Haishi**
Originaire de Haiyan, province du Zhejiang. XVIIe siècle. Actif dans la seconde moitié du XVIIe siècle. Chinois.
Peintre.
Peintre bien connu pour ses représentations de poissons, dont le British Museum de Londres conserve une peinture de *Carpe* signée.

YANG WEI-TCHEN. Voir **YANG WEIZHEN**

YANG WEI-TS'ONG ou **Yang Wei-Ts'ung**. Voir **YANG WEICONG**

YANG WEIZHEN ou **Yang Wei-Chên** ou **Yang Wei-Tchen**, surnom : **Lianfu**, nom de pinceau : **Tieya**
Né en 1296, originaire de Zhuji, province du Zhejiang. Mort en 1370. XIVe siècle. Chinois.
Peintre, calligraphe.
Calligraphe, poète, musicien, peintre et fonctionnaire, il démissionne à la fin de la dynastie Yuan.
Il est l'auteur de nombreux colophons sur différentes peintures ainsi que de la préface d'un ouvrage d'histoire de l'art et de critique, le *Tuhui Baojian*, de Xia Wenyuan. Ce texte est assez médiocre et présente comme unique valeur d'être le seul ouvrage d'histoire de la peinture de l'époque Yuan. Par contre la préface, qui n'est pas exempte d'attributions fantaisistes et d'erreurs de faits, est intéressante, car elle constitue un échantillon typique des conceptions nouvelles de la peinture lettrée : la peinture n'est plus envisagée comme un métier, mais comme un mode d'expression spirituelle, donc comme le privilège exclusif des lettrés.
BIBLIOGR. : P. Ryckmans : *Les « Propos sur la peinture » de Shitao*, Bruxelles, 1970.
VENTES PUBLIQUES : NEW YORK, 6 déc. 1989 : *Épitaphe pour Zhiting, le lettré solitaire*, encre/pap., makémono (25,4x141,6) : **USD 66 000**.

YANG WENCONG ou **Yang Wen-Ts'ong** ou **Yang Wên-Ts'ung**, surnom : **Longyu**
Né en 1597, originaire de la province du Guizhou. Mort en 1645 ou 1646. XVIIe siècle. Actif à Nankin. Chinois.
Peintre de paysages, fleurs, dessinateur.
Lettré et calligraphe, il est inspecteur militaire et censeur à Nankin, sous les ordres du prince Fuwang des Ming, puis chargé de l'administration de la défense de Chuzhou, au Jiangsu. Il est finalement fait prisonnier par les Mandchous, à la chute de la dynastie Ming et se suicide à Puzheng.
Il fait partie des *Neuf amis de la peinture* et l'on dit qu'il se situe quelque part entre Juran et Hui Chong, capable d'allier les meilleures caractéristiques de Huang Gongwang et de Ni Zan. Cependant, quand il devient administrateur chargé de l'éducation de Huating, il fait la connaissance de Dong Qichang qui l'influencera énormément. Il peint des paysages, des bambous et des orchidées.
MUSÉES : NEW YORK (Metropolitan Mus.) : *Paysage d'automne* daté 1635, signé – PÉKIN (Mus. du Palais) : *Village des immortels* daté 1642, coul. sur pap., rouleau en hauteur – *Épidendrons et bambous, poème du peintre* – SHANGHAI : *Deux touffes d'épidendrons et un bambou, inscription du peintre*, encre sur soie – TAIPEI (Nat. Palace Mus.) : *Bambous et épidendrons* daté 1638, signé.
VENTES PUBLIQUES : NEW YORK, 6 déc. 1989 : *Vallées nuageuses*, encre et pigments/pap., makémono (23,5x174,7) : **USD 12 100** – NEW YORK, 1er juin 1992 : *Paysage au printemps*, encre/pap. doré, kakémono (26x20) : **USD 1 650**.

YANG WEN-TS'ONG ou **Yang Wên-Ts'ung**. Voir **YANG WENCONG**

YANG Xingsheng ou **Hsing-Sheng**
Né en 1938 dans la province de Jiangxi. XXe siècle. Chinois.
Peintre de paysages. Tendance postimpressionniste.
En 1968, il obtint son diplôme d'Art de l'Université Normale de Taïwan. Il partit pour les États-Unis et y fréquenta le Collège Normal de l'État du Missouri, et l'Institut d'Art Universitaire du Nouveau Mexique. En 1965, la Galerie Internationale de Taipei lui organisa sa première exposition personnelle. Il remporta, en 1981, la coupe d'or de l'Association de Peinture de la République de Chine.
Peintre de canaux et de scènes bucoliques sans grande originalité, il utilise cependant une gamme chromatique riche dans les bruns et terre de Sienne dans une pâte un peu lourde, pour rendre les jeux de la lumière sur les murs des quais et les toitures, librement observés chez Van Gogh ou Lebourg.
VENTES PUBLIQUES : TAIPEI, 22 mars 1992 : *Suzhou* 1988, h/t (90,5x116,7) : **TWD 550 000** – HONG KONG, 30 mars 1992 : *Vue de Suzhou* 1988, h/t (61x73) : **HKD 66 000** – HONG KONG, 28 sep. 1992 : *Paysage de Guilin* 1991, h/t (65x81) : **HKD 88 000** – TAIPEI, 18 oct. 1992 : *Le Grand Escalier* 1991, h/t (80x64,7) : **TWD 330 000** – HONG KONG, 22 mars 1993 : *Vieille Maison à la porte rouge* 1992, h/t (90x72) : **HKD 86 250** – NEW YORK, 22 sep. 1997 : *Paysage*, encre et coul./pap. (67,3x45,7) : **USD 6 612**.

YANG XUAN ou **Yang Hiuan** ou **Yang Hsüan**
XVIIe siècle. Chinois.
Peintre de paysages. Traditionnel.
Il était actif vers le milieu du XVIIe siècle. Il n'est pas mentionné dans la littérature artistique mais est connu par une œuvre conservée au Musée du Palais de Pékin et datée 1644, *Vastes vues de rivière et rive boisée*, dans le style de Dong Yuan, rouleau horizontal à l'encre sur soie.

YANG Ying-feng, dit **Yuyu Yang**
Né en 1926 à I-lan. XXe siècle. Chinois.
Peintre, Sculpteur. Tendance abstraite.
Il étudia l'architecture à l'École d'Art de Tokyo, les Beaux-Arts à l'Université Fu Jen de Pékin et la sculpture à l'Académie Nationale d'Art de Rome. De 1964 à 1966 il a participé à des expositions en Italie, notamment à *l'Olympiade d'Art et Culture de Abano-Terme* où il remporta la médaille d'or de peinture, et la médaille d'argent de sculpture. En 1991, il a exposé au Musée National de Singapour.
Ses sculptures aux formes aiguës, et le plus fréquemment en

bronze ou en acier peuvent évoquer des lames, des vagues retenues dans des formes géométriques simplifiées.

Ventes Publiques : Taipei, 22 mars 1992 : *Le vent* 1974, bronze (H. 29,4, l. 35) : **TWD 440 000**.

YANG YUNHUA ou **Yang Yun-Houa** ou **Yang Yün-Hua**, nom de pinceau : **Zhiyun**
Né en 1812, originaire du Suzhou, province du Jiangsu. Mort en 1852. XIXe siècle. Chinois.
Peintre.

Peintre de fleurs de prunier.

YANG ZHOU ou **Yang Chou** ou **Yang Tcheou**, surnom : **Yuwei**
Originaire de Putian, province du Fujian. XVIIIe siècle. Actif vers 1754. Chinois.
Peintre.

Peintre bien connu pour ses représentations de daims.

YAN HAN ou **Yen Han**
XXe siècle. Chinois.
Graveur.

YAN Hsia
Né en 1932. XXe siècle. Chinois.
Peintre. Abstrait.

Ventes Publiques : Paris, 27 mars 1995 : « *Paint A* » 1958, dess. au lav. d'encre de Chine (35,5x45,5) : **FRF 8 000**.

YAN HUI ou **Yen Houei** ou **Yen Hui**, surnom : **Qiuyue**
Originaire de Jiangshan, province du Zhejiang. XIVe siècle. Chinois.
Peintre.

Peintre bien connu pour ses représentations de personnages bouddhistes et taoïstes.

Musées : Atami (Art Mus.) : *Zhongli Quan et Lu Dongbin*, coul. sur soie, rouleau en hauteur, attribution – Kansas City (Nelson Gal. of Art) : *Guanyin au rocher* – Kyoto (Temple Chionji) : *Les Immortels taoïstes Xiama et Tieguai*, coul. sur soie, deux rouleaux en hauteur – Kyoto (Temple Rokuô-in) : *Triade de Sakyamuni*, coul. sur soie, trois rouleaux en hauteur, attribution – Pékin (Mus. du Palais) : *L'Immortel taoïste Li Tieguai en mendiant assis sur une pierre*, encre et coul. sur soie – Taipei (Nat. Palace Mus.) : *Yuan An se gelant dans la neige*, encre sur soie, rouleau en hauteur – *Deux chimpanzés sur une branche d'arbre piba*, encre sur soie, rouleau en hauteur signé – Tokyo (Nat. Mus.) : *Hanshan et Shide*, coul. sur soie, deux rouleaux en hauteur, attribution.

YANKA, pseudonyme de **Zlatin Yanka**
Née le 13 janvier 1907 à Varsovie. XXe siècle. Active aussi en France. Polonaise.
Peintre.

Elle a exposé à Paris, aux Salons des Indépendants et d'Automne, à Stockholm et à Édimbourg.

YANKEL Jacques, pseudonyme de **Kikoïne Jakob**
Né le 14 avril 1920 à Paris. XXe siècle. Français.
Peintre de portraits, paysages, marines, natures mortes, peintre à la gouache.

Fils du peintre Michel Kikoïne, ami de Krémègne et de Soutine, il est né dans cet étrange et célèbre refuge des peintres en peine d'ateliers, « La Ruche », dans le quartier de Vaugirard, et y vécut son enfance jusqu'en 1932. En 1938, il fut brièvement élève de l'École des Arts Appliqués. Pendant la guerre, il se réfugia à Toulouse. De 1940 à 1945, à la Faculté des Sciences de Toulouse, il fit des études très poussées de géologie, se spécialisant dans la micro-géologie. Diplômé d'études supérieures de géologie en 1943. Docteur ès sciences naturelles de la Faculté de Paris en 1947. De 1948 à 1951, il fut recruté comme hydrologue-géologue au Ministère de la France d'Outre-Mer et séjourna au Soudan et à Gao. Il décida ensuite, en 1950, lui aussi après son père, de tenter sa chance en peinture. En 1952, il obtient le Premier Prix Neuman et une bourse du Prix Fénéon. En 1953, en compagnie d'Orlando Pélayo, il découvre le village de Labeaume, en Ardèche, où il s'installera tous les étés. Il a enseigné à l'École des Beaux-Arts de Paris.

Commençant à participer à des expositions collectives, en 1952 il figure à l'exposition *Aspects du réalisme* au Musée de Mulhouse. Il expose aux Salons des Indépendants, d'Automne et des Jeunes Peintres. En 1953, il obtient le Prix d'Afrique du Nord, le Prix Maurice Pierre, et est classé hors-concours au Prix de la Critique. En 1954, il obtient le Prix de la Société des Amateurs d'Art à la galerie des Beaux-Arts. Il expose aux Salons des Peintres Témoins de leur Temps de 1954 à 1982 ; de 1954 à 1961 de l'École de Paris ; en 1957 de Mai, Comparaisons. Il est invité à la Biennale de Menton, à la Biennale de São Paulo. Il participe désormais à de très nombreuses expositions collectives internationales.

En 1955 pour sa première exposition personnelle, il a montré un très important ensemble de ses œuvres, galerie Drouant-David à Paris. Il expose ensuite individuellement à Paris : 1957, 1958, galerie Romanet ; 1957, galerie Gérard Mourgue ; 1960, galerie de Paris ; 1962, galerie Romanet ; 1963, galerie de Paris ; depuis 1969, galerie Félix Vercel ; ainsi que galerie Yoshii de Paris ; en province : 1957, 1964 à Toulouse ; 1958 Rouen et Nice ; 1961 Bordeaux ; 1962 Strasbourg ; 1964 Reims ; 1965 Lille ; à l'étranger : Genève, en 1959, 1963 au Musée de l'Athénée ; Bruxelles, 1965 ; Tel-Aviv, 1966 ; Amsterdam, 1966 ; New York, depuis 1967 galerie Félix Vercel ; 1991 Tokyo, galerie Yoshii.

Dans les années cinquante, son art procède de l'expressionnisme, se référant à Gruber, Lorjou, Buffet, Rebeyrolle, avec de solides qualités de matière. Après 1960, il s'éloigne de l'expressionnisme pour atteindre à une plus grande liberté d'invention plastique, dans une sorte d'expressionnisme abstrait. Selon les moments, les thèmes qui motivent ses effusions colorées dans des matières foisonnantes, sont : des orchestres, des manèges, des cirques, le village de Labeaume, les toits des maisons des villages, le carnaval de Nice, des portraits d'amis, dont celui de Philippe Soupault, des coqs, des paysages d'Israël, Venise, etc. On retrouve, chez ce peintre doué, homme chaleureux, aux amitiés fidèles, artiste de naissance, scientifique de haut niveau, un peu de tous ces thèmes narratifs communs, pratiqués par la plupart des peintres figuratifs, de sa génération et autour, comme s'il s'agissait d'un parcours obligé, et dont il aurait pu éviter le pittoresque au profit d'une authenticité plus profonde. La meilleure part de son œuvre consiste peut-être en ce qu'il peignait directement avec les doigts, à pleins tubes : « J'en vins à retrouver les rythmes simples et essentiels des grandes coulées de toits du village, les sillons, les rides superbes de la nature. », participant alors pleinement de certains de ses sujets, en négligeant l'anecdote pour n'en retenir que les rythmes primordiaux, en accord avec l'universel. ■ Jacques Busse

Yankel

Bibliogr. : Gérard Mourgue : *Yankel*, Nouvelle École de Paris, Pierre Cailler, Genève, 1958 – B. Dorival, sous la direction de..., in : *Peintres Contemporains*, Mazenod, Paris, 1964 – Raymond Laurent : *Yankel*, Le Musée de Poche, Paris, 1974 – in : *Diction. Univers. de la Peint.*, vol. 6, Le Robert, Paris, 1975 – Yankel : *Le désespoir du peintre*, EDLB, 1983 – Lydia Harambourg, in : *L'École de Paris 1945-1965. Diction. des Peintres*, Ides et Calendes, Neuchâtel, 1993.

Musées : Paris (Mus. d'Art Mod. de la Ville).

Ventes Publiques : Genève, 12 mai 1962 : *Les Bateaux* : **CHF 7 000** – Genève, 27 mai 1963 : *Marine* : **CHF 8 000** – Paris, 26 juin 1974 : *Les pichets* : **FRF 4 000** – Versailles, 28 oct 1979 : *Le Moulin Rouge*, gche (25,5x26) : **FRF 3 900** – Versailles, 18 juin 1980 : *Nature morte sur fond bleu*, h/t (65x81) : **FRF 4 000** – Zurich, 19 juil. 1984 : *Portofino*, h/t (33x41) : **CHF 3 400** – Paris, 21 avr. 1988 : *Jeune femme debout*, h/t (116x73) : **FRF 11 200** – Paris, 16 mai 1988 : *Le Meyras*, h/t (46x60) : **FRF 3 500** – Neuilly, 20 juin 1988 : *Le Beaume*, h/t (73x54) : **FRF 13 000** – Paris, 21 nov. 1988 : *La Femme de lettre* 1959, h/t (73x100) : **FRF 16 500** – Versailles, 18 déc. 1988 : *Voiliers au port*, gche (104,5x74,5) : **FRF 8 900** – Versailles, 11 jan. 1989 : *Voiliers dans le port de Saint-Malo* (26x61) : **FRF 6 000** – Paris, 3 mars 1989 : *La table de nuit*, h/isor. (38x25) : **FRF 4 000** – Paris, 10 avr. 1989 : *Nature morte*, h/t (53x81) : **FRF 36 100** – Douai, 2 juil. 1989 : *Nature morte*, h/t (55x46) : **FRF 14 000** – Paris, 9 oct. 1989 : *La Fête foraine*, h/pan. (75x80) : **FRF 25 000** – Versailles, 5 nov. 1989 : *Femme berbère*, gche et encre de Chine (64x49) : **FRF 4 500** – Versailles, 10 déc. 1989 : *Composition au guéridon*, h/t (55x46) : **FRF 10 000** – Paris, 21 mars 1990 : *Composition*, h/t (60x81,5) : **FRF 26 000** – Paris, 8 avr. 1990 : *Moïse et Aaron présentant les tables de la loi*, encre de Chine et gche/pap. (65x46) : **FRF 20 000** – Paris, 4 mai 1990 : *Les Pavois*, h/pan. (56,5x48) : **FRF 26 000** – Paris, 6 juin 1990 : *L'Atelier rue Brezin*, h/t (54x65) : **FRF 35 000** – Paris, 20 juin 1990 : *Fleurs sur fond bleu* 1958, h/t (90x90) : **FRF 55 000** – Paris, 2 juil. 1990 : *Les Baigneuses à la Beaume*, h/t (97x130) : **FRF 58 000** – Paris, 9 nov. 1990 : *Nu sur fond vert*, h/pan. (120x60) : **FRF 25 000** – Douai, 11 nov. 1990 : *Composi-*

tion, collage/t. (66x94) : **FRF 30 000** – VERSAILLES, 9 déc. 1990 : *Le Comédien*, h/t (60x30) : **FRF 16 000** – NEUILLY, 3 fév. 1991 : *Composition*, h/pap. (47x71) : **FRF 15 000** – AMSTERDAM, 11 déc. 1991 : *Décor pour artiste peintre*, h/t (90x90) : **NLG 5 175** – NEW YORK, 9 mai 1992 : *L'Atelier de l'artiste*, h/t (100x100) : **USD 2 860** – PARIS, 19 mars 1993 : *Composition*, h/pan. (54x65) : **FRF 8 000** – PARIS, 4 déc. 1995 : *Nature morte aux fruits dans un compotier*, h/t (61x50) : **FRF 4 000** – PARIS, 24 mars 1996 : *Bateaux au port*, h/t (60x120) : **FRF 12 000** – PARIS, 24 nov. 1996 : *La Fiancée juive*, h/t (100x81) : **FRF 12 000** – PARIS, 25 mai 1997 : *Nu sur fond vert* 1962, h/pan. (120x60) : **FRF 14 000** – PARIS, 19 oct. 1997 : *Paysage* 1961, h/t (49,7x60,5) : **FRF 6 000**.

YANKILEVSKY Vladimir

Né en 1928 à Moscou, d'autres sources donnent 1938. XXe siècle. Actif aussi en France. Russe.

Peintre technique mixte, peintre de collages, dessinateur.

De 1949 à 1956, il débuta des études artistiques, puis, de 1957 à 1962, il fut élève de Ely Bielutin à l'Institut Polygraphique de Moscou. En 1957, il avait vu pour la première fois « en vrai » des œuvres des peintres modernes occidentaux, à l'occasion du Festival Mondial de la Jeunesse à Moscou. Il vit alors matériellement en illustrant des livres de physique et chimie. À partir de 1988, il voyage en Europe de l'ouest et aux États-Unis.

Il participe à de très nombreuses expositions collectives à travers le monde, dont, en 1966 à la Biennale de Venise. Il montre son travail dans des expositions personnelles, dont : 1962 Moscou, avec Neizvestny ; 1967 Moscou, salle de l'Union des Peintres ; 1988 Bochum, Kunstmuseum ; 1989 Leverkusen, avec Nemoukhine ; et Cologne, galerie Koppellmann ; 1990 Paris, galerie Dina Vierny ; 1991 Paris, Art Center ; 1992 Paris, galerie Dina Vierny ; 1994 Düsseldorf, galerie Clara Maria Sels ; etc.

Il fut d'abord peut-être influencé par Picasso. En 1963, il commença une série de triptyques, en technique mixte proche du relief comportant des insertions insolites, dans lesquels de part et d'autre un homme et une femme se confrontent à l'inhumanité de l'univers technologique moderne, qui figure sans doute aussi l'inévitable administration bureaucratique du contexte totalitaire. Depuis 1962, se développe parallèlement à la peinture son œuvre graphique, qui, entre les graffiti furtifs et le dessin d'enfants revu par Paul Klee ou Miro, représente des êtres mi-machines mi-monstres s'affrontant dans un infernal univers de symboles. Il traduit dans ses dessins, superbement elliptiques dans l'extrême économie du trait et de la rare touche colorée, sur le thème générique de *Structure d'Aphrodite*, son angoisse et son envoûtement en face des problèmes scientifiques les plus vifs. Son thème obsessionnel est l'anatomie de la femme, sorte d'Aphrodite chiffrée et mécanique, dont la clef est perdue. Perpétuellement entre figurations d'humour grinçant et abstractions tératologiques, il opère une décomposition systématique des êtres, des choses et des objets qui s'effritent en pièces détachées inutilisables. ■ J. B.

BIBLIOGR. : Catalogue de l'exposition : *L'Avant-Garde Russe, Moscou 73*, Gal. Dina Vierny, Paris, 1973 – in : *Diction. Univers. de la Peint.*, Le Robert, Paris, 1975.

VENTES PUBLIQUES : MOSCOU, 7 juil. 1988 : *Triptyque n° 13, hommage à son père* 1985, techn. mixte sur trois toiles (120x500) : **GBP 13 200** – LOKEREN, 9 déc. 1995 : *Personnages en boîtes* 1993, collage et techn. mixte (41x81) : **BEF 55 000**.

YANKOVA-TOULEMONDE Héléna

Née à Sofia. XXe siècle. Active en France. Bulgare.

Peintre de compositions à personnages.

Diplômée de l'École des Beaux-Arts de Sofia, elle arrive en France où elle s'installe en 1949. Après avoir travaillé en tant que dessinatrice-modéliste dans un journal de mode, de 1955 à 1966, elle se consacre à la peinture.

Elle expose régulièrement dans les grands Salons parisiens : Salons d'Automne, des Indépendants et des Artistes Français, etc., où elle remporte de nombreuses récompenses, dont une médaille d'or au Salon des Artistes Français en 1971, une médaille d'or au Salon Violet en 1981, une médaille d'or des Arts Sciences et Lettres en 1985. Personnellement elle a exposé aussi à l'étranger : à Wiesbaden, Francfort-sur-le-Main, Heidelberg, Bruges, au Liban, aux Nouvelles Hébrides, dans les départements français d'outre-mer.

Héléna Yankova place des personnages de rêve dans des compositions fantastiques dont la transparence des glacis donne à ses toiles un caractère immatériel, fort en mystère et poésie.

YAN LIBEN ou **Yen Li-Pen**

Originaire de Wannian, province du Shenxi. Mort en 673. VIIe siècle. Chinois.

Peintre.

Haut fonctionnaire et peintre architecte à la capitale des Tang, Changan, Yan Liben est, avec son frère Yan Lide, une des figures dominantes du début de cette grande civilisation Tang, dont l'influence se fera sentir pendant des décennies. Il est issu d'une famille de haute aristocratie, sa mère étant une princesse Zhou, et son père, Yan Pi, peintre et architecte illustre des Zhou du Nord et des Sui, président des Travaux impériaux sous l'empereur Yangdi (règne 605-617). Il dirigera même certains travaux comme la construction du Grand Canal et la restauration de la Grande Muraille et transmettra son savoir à ses fils Liben et Lide. Ce dernier, sera d'ailleurs ministre des Travaux Publics et construira des palais, des fortifications et des tombes impériales qu'il revêtira de peintures.

En 626, Liben, pour sa part, est chargé de faire les portraits des dix-huit lettrés du prince Qin, le futur empereur Taizong (règne 627-649) et, en 643, il représente sur les murs du pavillon Lingyan les *vingt-quatre fonctionnaires de grand mérite*, œuvre à laquelle l'empereur Taizong ajoute une inscription de sa main. Il occupe alors la fonction officielle de *zhujue langzhong*, mais est considéré avant tout comme peintre, voire artisan-peintre. Vers 656, il succède à son frère aîné au ministère des Travaux Publics et, en 668, est nommé Premier Ministre de Droite, mais semble nettement plus intéressé par la peinture que par ses charges officielles pourtant fort importantes. Liben continue dans sa peinture la lignée des grands maîtres des Six Dynasties, de Zhang Sengyou notamment et d'après le catalogue des peintures de la collection impériale Song, rédigé aux XXe siècle, le *Xuanhe huapu*, il laisserait une centaine de peintures connues. Le rouleau du Musée de Boston, *Portraits des Treize Empereurs* est considéré par les spécialistes comme authentique. Peinture à fin didactique, elle doit constituer un sujet de réflexion morale pour les dirigeants, devant les portraits des empereurs passés, bons ou mauvais, le premier représenté étant Wudi de la dynastie Han (199-157 av. J.-C.) et le dernier Yangdi des Sui. Certains d'entre eux sont debout, entourés par des ministres également debout, les autres, au nombre de quatre, sont assis et entourés de femmes et de courtisans. Il se peut que cette répartition constitue en elle-même un jugement tacite. Vêtus d'amples robes, les empereurs sont plus corpulents que leur suite, et leurs visages, dessinés avec grand soin, par touches délicates et subtiles, laissent transparaître, dans l'expression particulière et dans la complexion très différenciée et symbolique, l'opinion portée sur chaque souverain. D'après un historien du IXe siècle, Liben est sollicité plusieurs fois pour peindre les ambassades étrangères à la cour de Changan ; il reste d'ailleurs deux copies tardives des *Porteurs de tributs* au Musée de Taipei. ■ Marie Mathelin

BIBLIOGR. : Hou Ching-lang : *Yen Li-pen*, in : *Encyclopaedia Universalis*, vol. 16, Paris, 1973.

MUSÉES : BOSTON (Mus. of Fine Arts) : *Portraits des Treize Empereurs*, rouleau en longueur – *Lettrés de la dynastie des Qi du Nord collectant des textes classiques*, encre et coul. légères sur soie, copie de l'époque Song (?) – TAIPEI (Nat. Palace Mus.) : *Porteurs de tributs étrangers*, encre et coul. sur soie, rouleau en longueur, copie de l'époque Song (?) – *Xiao Yi essayant de reprendre le manuscrit de Lanting au moine Biancai*, encre et coul. sur soie, rouleau en longueur, copie – WASHINGTON D. C. (Freer Gal. of Art) : *Liu Cun menaçant de tuer son ministre Chen Yuanda*, rouleau en longueur très coloré, copie de l'époque Ming.

YAN LIDE ou **Yen Li-Tê**, ou **Yen Li-Tö**. Voir **YAN LIBEN**

YANN Robert. Voir **YAN**

YANNACO Costa

Né en 1927 à Athènes. XXe siècle. Grec.

Peintre.

A fait ses études à l'École des Beaux-Arts d'Athènes. Avec une bourse, il vient à Paris en 1947, et suit des cours de fresque. L'année suivante, il devient l'élève de Derain. Entre 1948 et 1952, il expose aux Salons des Indépendants, d'Automne, des Tuileries et de la Jeune Peinture. Sa première exposition personnelle date de 1949, suivie de celle de 1951. Il obtient en 1953 la médaille d'or de la Ville de Paris. Expositions, en 1956, à New York, Washington. Médaille d'or de la Société des Arts, Lettres et Sciences à Paris en 1968.

VENTES PUBLIQUES : PARIS, 18 déc. 1950 : *Les quais* : **FRF 6 500** ; *Venise* : **FRF 5 000**.

YANOBE Kenji
Né en 1965 à Osaka. xxe siècle. Actif aussi en Allemagne. Japonais.
Créateur d'installations, assemblages, dessinateur.
Il vit et travaille à Berlin et Kyoto. Il a participé en 1997 à *Transit – 60 artistes nés après 60 – Œuvres du Fonds national d'Art contemporain*, École des Beaux-Arts, Paris. Il a montré une exposition personnelle de ses œuvres à la galerie Emmanuel Perrotin à Paris en 1993.
L'artiste invente un univers composé de sculptures-objets, des sortes de machineries de science-fiction, pastiches des cultures « manga » et de bandes dessinées, mais révélateurs des angoisses de la société nippone, particulièrement de la catastrophe nucléaire de Hiroshima.
Bibliogr. : Anaïd Demir : *Kenji Yanobe, entre Godzilla et Capitaine Némo*, in : *Technikart* n° 6, Paris, octobre 1996.
Musées : Paris (FNAC) : *Sweet Harmonizer* 1995, installation – *Script for Harmonizer II* 1995, dess. – *Harmonizer II* 1995, dess.

YAN PEI-MING, dit **Ming**
Né le 1er décembre 1960 à Shanghai. xxe siècle. Depuis 1980 actif en France. Chinois.
Peintre de figures, groupes, portraits, paysages, dessinateur. Expressionniste.
Il fut élève de l'École des Beaux-Arts de Shangaï. Très peu après son arrivée en France en 1980, où une sœur tenait déjà un restaurant (chinois) à Paris, il vint à Dijon et s'inscrivit à l'École des Beaux-Arts, où il fut, de 1981 à 1986, élève de Busse pendant cinq ans jusqu'au diplôme. Dès sa première année aux Beaux-Arts, il fit un apprentissage remarquable de la langue française, aidé en cela par un vital besoin de communication. En 1988-1989, il suivit les cours de l'Institut des Hautes Études en Arts Plastiques de Paris. En 1992-93, il fut pensionnaire de la Villa Médicis à Rome. Il s'est fixé, marié et a fondé famille à Dijon, où, en 1994, il a été nommé professeur de dessin à l'École des Beaux-Arts.
Il avait commencé à exposer sous le seul deuxième membre de son prénom Ming, par lequel il s'était fait appeler aux Beaux-Arts, puis a réinvesti son véritable état-civil YAN Pei-Ming. Il participe à des expositions collectives nombreuses, dont : 1988 Paris, *Ateliers 88* au Musée d'Art Moderne de la Ville ; 1991 Paris, *Mouvements 2* au Centre Beaubourg ; La Haye, *Rhizome* au Gemeentemuseum ; Liège, Galerie Anciens Établissements Sacré ; 1992 Nantes, *Collections du FRAC des Pays de la Loire* au Musée des Beaux-Arts ; Lyon, galerie Domi Nostrae ; 1993 Berlin, *Chine Avant-Garde* à la Maison des Cultures ; Rotterdam, Kunsthalle ; etc.
Il montre des ensembles de son travail dans des expositions personnelles : 1987 Dijon ; 1988 Montpellier ; 1989 Tournus, Musée Greuze ; Dijon, Le Consortium ; 1990 Reims, Centre Dramatique National ; Nice, Villa Arson ; 1991 Paris ; Liège, *Brigands*, galerie Anciens Établissements Sacré ; Montpellier, École des Beaux-Arts ; 1992 Musée de Bourbon-Lancy ; 1993 Lyon, *Le Portrait, Peinture*, à l'École des Beaux-Arts ; Paris, galerie Liliane et Michel Durand-Dessert ; 1994 *Visages, Portraits*, peints sur place pendant l'exposition au Nouveau Musée de Villeurbanne, et dont le vernissage eut lieu le dernier jour du travail ; Paris, galerie Durand-Dessert ; 1995 Nantes, *Au bord de l'eau, 108 Brigands*, Espace du FRAC des pays de Loire ; Saint-Paul de La Réunion *Figures... ancêtres, diaspora*, Musée Léon Dierx ; Dijon, *Le Peintre et ses commanditaires*, Hôtel Bouhier de Savigny ; Bruxelles, galerie Rodolphe Janssen ; 1996 Issoire, *Victime*, Centre Culturel ; Paris, *Portrait d'un inconnu*, galerie Durand-Dessert ; 1997 Saint-Paul de La Réunion, retable *Éloge du Métissage*, Fonds Régional d'Art Contemporain, Maison Serveaux ; Rennes, *La Prisonnière*, Musée des Beaux-Arts ; etc.
Après les hésitations inhérentes aux débuts de tout artiste, ce fut, encore élève aux Beaux-Arts, à partir du Goya de la *Quinta del Sordo*, qu'il élabora ses propres moyens d'expression, fondés sur un dessin résolument expressionniste, d'abord dans une gamme violemment colorée, puis progressivement réduite aux seuls gris, le dessin suffisant à la violence de l'expression. Il peint à l'huile, par besoin de ses empâtements généreux, gras, sensuels, par larges balayages de gris, du blanc au noir, modulant le volume par des éclairages contrastés. Dans ses dernières années de scolarité, il surajoutait dans ces peintures grises un signe rouge, ensuite noir, figurant schématiquement quelque objet quotidien ou plus souvent un idéogramme chinois, non décodable pour le profane mais exploité en tant que signal abstrait, dont le géométrisme relatif contrebalançait la « spontanéité calculée » du rendu expressionniste des visages. Il poursuivit encore cette pratique duale du visage et du signe pendant quelques années. Parallèlement à son travail de peinture, il produit de grands dessins de visages au fusain, à la fois travaux préparant les peintures et déjà œuvres achevées en soi. À partir de 1988, sa manière, déjà volontariste et tendant à la démesure, s'affirma d'une part par l'emploi de très grands formats, amplifiant les visages hors d'échelle, et par la multiplication de ces visages en séries ou en polyptyques. Depuis ce moment, Ming, pour autant que les occasions se présentent, conçoit ces grandes peintures ou groupes de peintures, en fonction d'un lieu institutionnel d'exposition ou d'un lieu circonstanciel : en 1988 caserne Vauban à Sète ; en 1989 musée Greuze à Tournus ; en 1993 les cent-huit portraits de personnes de son entourage ou de passage à la Villa Médicis ; ou même en fonction d'un contexte sociologique : en 1994 au Nouveau Musée de Villeurbanne, faisant poser tour à tour sur le lieu de l'exposition les habitants voisins ; en janvier 1991, lors d'une exposition personnelle dans une galerie de Paris, il ne montrait que de grands portraits de Mao, avec sur l'invitation cette brève introduction : « à partir de son histoire mon histoire commence », façon de dissiper l'ambiguïté de ces portraits qui pourraient facilement être perçus comme propagande ou nostalgie, alors que pour Yan Pei-Ming ce personnage, ni adulé, ni haï, par son effigie multipliée en tous lieux était indissociable du décor de son enfance, et probablement à l'origine de sa fascination pour la multiplication des visages, qui à force d'être multipliés rejoignent un anonymat de masse ; en 1997, au Musée de Rennes, il exposait les portraits qu'il avait peints, en 1996, des détenues de la prison de la ville.
Tous ces visages, démesurés, maltraités, gluants, dégoulinants, qui ont tôt fait le bonheur des critiques et son succès grandissant : Mao, portraits ressemblants ou non, anonymes, répétitifs ou différents par séries, encore à forme humaine ou balafrés sans égards en tous sens à larges balayages de la brosse triturant la pâte épaisse, n'ont rien à voir avec le « Madame Bovary c'est moi ». Yan Pei-Ming ne se dit pas par eux, pas plus qu'il ne les dit eux. Il convient d'ailleurs de noter que, à partir de 1995-96, il s'est autorisé des incursions, d'une part hors du noir et blanc, dans le rouge noir et blanc, d'autre part hors du seul visage humain, dans quelques ébauches de paysages.
Avec ses caractères personnels, gestualité impulsive, matiérisme sensuel, achromie du clair-obscur, la peinture de Yan Pei-Ming ressortit ainsi en quelque sorte à l'expressionnisme-abstrait. Toutefois, une réserve peut être exprimée au sujet d'un peintre encore très jeune : qu'une telle habileté à partir de moyens aussi réduits, ainsi dépensée sans compter, ne se fige dans un maniérisme. Pour l'heure dans cette première période qui l'a fait connaître, comme à travers toute l'histoire de la peinture, s'il ne donnait à voir que ces visages en tant que tels, il n'y aurait que des images, ici d'ailleurs parfaitement dénuées d'intérêt. Ce qu'il donne à percevoir, c'est l'impulsion qui les produit, le geste qui en triture la matière, le retrait contrôlé qui en distribue les lumières et les ombres, donc l'origine de la peinture, le travail de la peinture, et la réalité de la peinture. Même s'il subsiste des modèles comme un reflet douloureux, les visages qu'il peint n'existent pas, pas plus que les *Women* de De Kooning, ils ne sont que peinture, que démonstration de la réalité de la peinture en dehors de toute image. Le sujet de la peinture de Yan Pei-Ming, c'est l'acte de peindre. ■ Jacques Busse
Bibliogr. : Bernard Marcadé : *Yan Pei-Ming : les assauts de la peinture*, Art Press, n° 138, Rouen, jul.-août 1989 – Marie Lapalus : catalogue de l'exposition *Yan Pei-Ming Peintures*, Espace Malraux, Reims, 1990 – Valérie Dupont : *Yan Pei-Ming Juste de la peinture*, in : Opus International, n° 121, Paris, sep.-oct. 1990 – Bernard Marcadé : *Le Facies de la peinture*, in : catalogue de l'exposition *Mouvements 2*, gal. contemp., Centre Beaubourg, Paris, 1991 – Marie Lapalus : *Dans le ventre de Ming, il n'y a que du riz*, catalogue de l'exposition, gal. Durand-Dessert, Paris, 1993 – Bernard Comment : *Yan Pei-Ming, chasseur de visages*, in : Opus International, n° 133, Paris, printemps-été 1994 – Alain Coulange : catalogue de l'exposition *Le Peintre et ses commanditaires*, Dijon, Hôtel Bouhier de Savigny, et Bruxelles, galerie Rodolphe Janssen, 1995.
Musées : Dijon (FRAC Bourgogne) – Dole (FRAC de Franche-Comté) : *Anne-Marie S.* 1993 – Marseille (FRAC Alpes-Côtes d'Azur) : *Sans Titre* 1994 – Nantes (FRAC des Pays de la Loire) – Paris (FNAC) – Paris (Mus. d'Art Mod. de la Ville) – Sète (Mus. Paul Valéry) – Tournus (Mus. Greuze).

YAN SHENGSUN ou **Yen Cheng-Souen** ou **Yen Shêng-Sun**, surnom : **Sunyu**, nom de pinceau : **Gouwu Yansi**
Né en 1603, originaire de Wuxi, province du Jiangsu. Mort en 1702. XVIIe siècle. Chinois.
Peintre.
Lettré, poète et peintre de paysages, de figures, de fleurs et d'oiseaux.

YANSOU ou **Yen-Seou** ou **Yen-Sou**
XIIe-XIIIe siècles. Actif pendant la dynastie des Song du Sud (1127-1279). Chinois.
Peintre.
Peintre de fleurs de prunier dont la Freer Gallery de Washington conserve un rouleau horizontal signé, *Longues branches de prunier en fleurs*. Il ne faut pas le confondre avec Wang Yansou, surnom : Yanlin, censeur sous le règne de l'empereur Zhezong (1086-1100).

YAN SU ou **Yen Sou** ou **Yen Su**, surnom : **Muzhi**
Originaire de Yidu, province du Shandong. Mort vers ou après 1040. XIe siècle. Chinois.
Peintre.
Président du Bureau des Rites sous le règne de l'empereur Zhenzong (998-1022) des Song et actif jusqu'en 1040, il est aussi connu sous le nom de Yan Longtu, pour avoir travaillé au Pavillon Longdu. Il est peintre de paysages, et le National Palace Museum de Taipei conserve une œuvre qui lui est attribuée mais qui n'est vraisemblablement pas antérieure à l'époque Yuan. *Montagnes sous la neige le long de la rivière.*

YAN WENGUI ou **Yen Wen-Kouei, Yen Wên-Kuei, Yan Gui**
Originaire de Wuxing, province du Zhejiang. XIe siècle. Actif à la fin du Xe et au début du IXe siècle. Chinois.
Peintre.
Après avoir servi comme militaire, il entre à l'Académie de Peinture sous le règne de l'empereur Taizong (976-997) et est connu comme peintre de paysages et de figures et le National Palace Museum de Taipei conserve de lui un rouleau en hauteur, à l'encre et en couleurs légères sur soie, *Trois Immortels*, qui date peut-être de l'époque Ming.

YAN WENLIANG ou **Yen Wen-Leang**, ou **Yen Wen-Liang**
Né en 1893, ou 1894 à Suzhou (province de Jiangsu). Mort en 1990. XXe siècle. Chinois.
Peintre de paysages, architectures. Postimpressionniste.
Il commença ses études artistiques avec son père, peintre lui-même. Dès 1910, il s'initia à la peinture à l'huile et à la gravure à l'eau-forte dans une maison d'édition de Suzhou. Puis, il fut parmi les premiers artistes chinois à partir pour le Japon étudier l'art occidental. En 1922, de retour à Suzhou, il fonda l'Académie d'Art de la Ville et fut l'un des pionniers de l'enseignement des techniques occidentales dans son pays. En 1928, il vint se perfectionner dans un style occidental académique à l'École des Beaux-Arts de Paris et fut admis, l'année suivante, à exposer au Salon de la Société Nationale des Beaux-Arts, où il reçut une mention honorable. En 1931, il repartit à Suzhou et retrouva son poste de directeur de l'Académie d'Art jusqu'en 1952. Il fut pour un temps directeur du département Beaux-Arts de l'Université Nationale Centrale de Nankin. Il termina sa carrière en tant que vice-directeur de l'Académie des Beaux-Arts de Zhejiang. Selon les sources diverses, toutes ses fonctions d'enseignement depuis 1933 présentent des incertitudes.
Avec obstination, Wenliang poursuit des représentations des principaux sites et monuments observés dans les grandes villes européennes, toujours traités dans un style postimpressionniste. Dans son académie de Suzhou, il joua un rôle important dans l'introduction en Chine des techniques occidentales et ses tableaux réalistes, qui rappellent le style de la Royal Academy des années 1880, furent très appréciés.
BIBLIOGR. : M. Sullivan : *Chinese Art in the XXth Century*, Londres, 1959 – in : *Diction. de l'Art Mod. et Contemp.*, Hazan, Paris, 1992.
VENTES PUBLIQUES : TAIPEI, 22 mars 1992 : *Les maisons du Parlement ; le Forum romain*, h/cart., une paire (chaque 18x25,5) : **TWD 352 000** – HONG KONG, 30 mars 1992 : *Paysage fluvial*, h/cart. (53,5x72) : **HKD 93 500** – HONG KONG, 28 sep. 1992 : *Paysage enneigé au clair de lune*, h/t (61x91,2) : **HKD 82 500** – TAIPEI, 18 oct. 1992 : *Coucher de soleil*, h/t (35x54,5) : **TWD 275 000** – TAIPEI, 15 oct. 1995 : *Forêt*, h/t (59,6x81,3) : **TWD 218 500** – TAIPEI, 14 avr. 1996 : *Le printemps devant une barrière de bambous*, h/t (61x84) : **TWD 598 000** – TAIPEI, 13 avr. 1997 : *Coucher de soleil sur la rivière*, h/t/pan. (52x66) : **TWD 460 000** ; *Chant de printemps*, h/t (63x94) : **TWD 598 000**.

YAN XIAN ou **Yen Hien** ou **Yen Hsien**, surnom : **Shifu**
Originaire de la province du Guangdong. XIXe siècle. Actif dans la première moitié du XIXe siècle. Chinois.
Peintre.
Poète et peintre de paysages, d'épidendrons et de bambous. Il passe les examens triennaux à la capitale provinciale en 1818 et reçoit le grade de *juren* (licencié).

YAN YI ou **Yen I**, surnom : **Tongke**
XVIIe siècle. Actif pendant l'ère Chongzhen (1628-1643). Chinois.
Peintre.
Peintre de paysages dans le style des maîtres Song, ainsi que d'oiseaux.

YAN YU ou **Yen Yü**, surnom : **Shiru**, nom de pinceau : **Xiangfu**
Né en 1682, originaire de Jiading, province du Jiangsu. XVIIIe siècle. Chinois.
Peintre.
Peintre de paysages, actif comme peintre de cour vers 1765.

YAN ZAI ou **Yen Tsai**, surnom : **Cangpei**, aussi connu sous le nom de **Yan Guai**
Originaire de Songjiang, province du Jiangsu. XVIIIe siècle. Actif vers 1700. Chinois.
Peintre.
Il a peint de nombreux paysages.

YAN Zhenduo
Né en 1940 à Jixian (province du Hebei). XXe siècle. Chinois.
Peintre de paysages.
Il commença ses études de 1959 à 1963 au Collège Normal d'Art de Pékin et les poursuivit dans la section de peinture à l'huile de l'Académie Normale des Beaux-Arts jusqu'en 1964. Il est artiste professionnel à l'Académie de Peinture de Pékin. Il joue un rôle actif pour le soutien de la peinture à l'huile en organisant d'importantes expositions.
VENTES PUBLIQUES : HONG KONG, 28 sep. 1992 : *Le parc Beihai* 1991, h/t (80,4x99,5) : **HKD 39 600** – HONG KONG, 22 mars 1993 : *Village au bord de la rivière dans mes souvenirs* 1992, h/t (112x162) : **HKD 82 800**.

YAO CHEOU. Voir **YAO SHOU**

YAO DEHOU ou **Yao Tê-Hou** ou **Yao Tö-Heou**, surnom : **Shuya**
Originaire de Rongcheng, province du Sichuan. Actif sous la dynastie Ming (1368-1644). Chinois.
Peintre.
Peintre non mentionné dans les biographies d'artistes et connu d'après sa signature, mais dont le National Palace Museum de Taipei conserve une œuvre signée et accompagnée de huit poèmes de contemporains, *Pêcheur solitaire*.

YAO HSIEH. Voir **YAO XIE**

YAO JO-I. Voir **YAO RUOYI**

YAO LI-CHE. Voir **YAO LISHI**

YAO LISHI ou **Yao Li-Che** ou **Yao Li-Shih**, surnom : **Yunji**
Originaire de Nankin. Actif à la fin du règne de Wanli (1573-1619). Chinois.
Peintre.
Calligraphe et peintre de fleurs de prunier.

YAO Nai
Né en 1731, originaire de Tongcheng dans la province de Anhui. Mort en 1815. XVIIIe-XIXe siècles. Chinois.
Peintre calligraphe.
Il était un lettré, fonctionnaire et calligraphe notoire.
VENTES PUBLIQUES : NEW YORK, 6 déc. 1989 : *Calligraphie en écriture cursive*, encre/pap., kakémono (125x30,5) : **USD 2 475**.

YAO RUOYI ou **Yao Jo-I**, surnoms : **Boyu** et **Yujing**
Originaire de Nankin. XVIIIe siècle. Chinois.
Peintre.
Poète et peintre de fleurs de prunier.

YAO SHOU ou **Yao Cheou**, surnom : **Gongshou**, noms de pinceau : **Guan, Yundong Yishi**, entre autres.
Né en 1423, originaire de Jiashan, province du Zhejiang. Mort en 1495. XVe siècle. Chinois.
Peintre.
Fils de Yao Fu, collectionneur de calligraphies et de peintures, Yao Shou passe les examens triennaux à la capitale et reçoit le grade de *jinshi* (lettré présenté) sous le règne de l'empereur

Tanshun (1457-1464) et devient inspecteur du censorat puis préfet de Yong-ming, dans la province du Yunnan. Il se retire dans sa ville natale. Calligraphe, poète et peintre de bambous et de rochers, il fait aussi des paysages dans le style de Wu Zhen (1280-1354), puis de Zhao Mengfu (1254-1322) et de Wang Meng (1298-1385).
Musées : Chicago (Art Inst.) : *Vue de rivière avec trois hommes dans un bateau*, rouleau en longueur, inscriptions du peintre – Shanghai : *Bambou, rochers et vieil arbre*, encre sur pap., rouleau en hauteur – *Ruisseau, pont et bateau au mouillage*, coul. sur pap., feuille d'album – *Pêcheur solitaire dans un ruisseau de montagne* daté 1476, coul. légères sur pap., rouleau en hauteur – Taipei (Nat. Palace Mus.) : *Bambou, arbre et oiseau de printemps*, encre et coul. sur pap., rouleau en hauteur signé – *Neuf fougères* signé et daté 1477 – *Oiseau mynah sur une branche morte*, signé, poème.

YAO SIE. Voir **YAO XIE**

YAO SONG ou **Yao Sung**, surnom : **Yujin**, nom de pinceau : **Yujing**
Né en 1648, originaire de Xinan, province du Anhui. Mort après 1721. xviiie siècle. Actif vers 1700. Chinois.
Peintre de sujets de genre, paysages, dessinateur.
Disciple de Hongren (vers 1603-1663), il fait partie de l'école du Anhui. Dans ses œuvres, l'austérité, la pureté, la noblesse de Hongren se retrouvent affaiblies chez Yao Song, qui peint plus légèrement avec des touches capricieuses.
Bibliogr. : J. Cahill : *Fantastics and Eccentrics in Chinese Paintings*, New York, 1972.
Musées : Paris (Mus. Guimet) : *Rencontre poétique dans le jardin de l'Ouest*, éventail signé à l'âge de soixante et onze ans.
Ventes Publiques : New York, 26 nov. 1990 : *Paysage*, encre et pigments/pap. (29,2x54) : **USD 16 500**.

YAO SUNG. Voir **YAO SONG**

YAO TÊ-HOU. Voir **YAO DEHOU**

YAO TINGMEI ou **Yao T'ing-Mei**
Originaire de Wuxing, province du Zhejiang. xive siècle. Actif vers le milieu du xive siècle. Chinois.
Peintre.

YAO TÖ-HEOU. Voir **YAO DEHOU**

YAO WEN-HAN ou **Yao Wên-Han**
xviiie siècle. Actif sous le règne de l'empereur Qing Qianlong (1736-1796). Chinois.
Peintre de figures, portraits.
Peintre de cour, il réalisa notamment deux albums signés, *Portraits des empereurs*, d'après les peintures du Hall Nanxun du palais impérial de Pékin.
Musées : New York (Metropolitan Mus.) : *Portraits des empereurs*, albums signés.
Ventes Publiques : New York, 29 mai 1991 : *Guanyin*, encre et pigments/soie, kakémono (79,8x44,1) : **USD 4 400**.

YAO XIE ou **Yao Hsieh** ou **Yao Sie**, surnom : **Meibo**, noms de pinceau : **Yeqiao** et **Damei Shanmin**
Né en 1805, originaire de Zhenhai, province du Zhejiang. Mort en 1864. xixe siècle. Actif à Shanghai. Chinois.
Peintre.
Poète et peintre de fleurs de prunier et de figures.

YAO YANQING ou **Yao Yen-Ch'ing** ou **Yao Yen-K'ing**
Originaire de Wuxing, province du Zhejiang. xiiie siècle. Actif à la fin du xiiie siècle. Chinois.
Peintre.
Peintre de paysages dans le style de Guo Xi (vers 1020-1100), dont le Musée de Boston conserve un paysage qui porte son nom : *Temples dans un ravin de montagne*.

YAO YEN-CH'ING ou **Yao Yen-K'ing**. Voir **YAO YANQING**

YAO Yuan
Né en 1952 à Ningbo (province de Zhejiang). xxe siècle. Chinois.
Peintre de figures, paysages animés. Occidental académique.
Il est artiste-associé de l'Académie de Peinture de Pékin. En 1984, il a remporté la médaille d'argent de l'Exposition du 35e Anniversaire de la République Populaire de Chine. Depuis 1989, sa notoriété a franchi les frontières et il a participé à des expositions à Singapour, Taipei et aux États-Unis.
Se référant à la peinture occidentale, il peut lui transférer des audaces de couleurs porteuses d'effets symbolistes, qui renouent avec les somptuosités de la peinture extrême-orientale.
Bibliogr. : In : catalogue Christie's, vente Hong Kong, 30 mars 1992.
Ventes Publiques : Hong Kong, 30 mars 1992 : *La vieille charrette d'eau dans la brise de l'automne* 1991, h/t (102x102) : **HKD 66 000** – Hong Kong, 28 sep. 1992 : *Début de printemps* 1992, h/t (65,5x80,3) : **HKD 82 500** – Hong Kong, 22 mars 1993 : *Cavaliers dans la plaine* 1992, h/t (80,5x80,5) : **HKD 103 500**.

YAO YUANZHI ou **Yüan-Chih** ou **Yao Yuan-Tche**, surnom : **Boang**, noms de pinceau : **Jianqing** et **Zhuyeting-sheng**
Né en 1773, originaire de Tongcheng, province du Anhui. Mort en 1852. xviiie-xixe siècles. Chinois.
Peintre de figures, fleurs.

YAO YUNZAI ou **Yao Yun-Tsai**, surnom : **Jianshu**
Originaire de Kuaiji, province du Zhejiang. xviie siècle. Actif vers 1600. Chinois.
Peintre.
Peintre de paysages dans les styles de Jing Hao et de Guan Tong (fin ixe-début xe siècle), mais aussi de figures.

YAPELI Luis
xixe siècle. Actif à Madrid dans la première moitié du xixe siècle. Espagnol.
Peintre de paysages, d'architectures et de décorations.

YARBER Robert
Né en 1948 à Dallas. xxe siècle. Américain.
Peintre de scènes animées, paysages urbains, intérieurs.
En 1992, la galerie Van De Weghe de Bruxelles a montré un important ensemble de ses peintures.
Dans une technique qui s'inspire de la vision cinématographique, il peint des panoramas de villes ou des intérieurs de bâtiments. Les panoramas de villes sont presque toujours des baies célèbres, New York, Nice, Rio de Janeiro, comme vues d'hélicoptère, à la tombée de la nuit quand ne les éclairent plus que le soleil couchant, l'illumination des avenues, les éclairages intérieurs et extérieurs des buildings, la procession des phares de voitures au long des grands axes. Parfois, entre ciel et terre flottent, en apesanteur de science fiction, ou en chute libre d'exécution, un corps d'homme tout habillé ou un couple, encore le cinéma. Ses intérieurs de restaurants, de casinos, bondés de personnages en fête sous les feux des luminaires et projecteurs, font plonger le spectateur dans le monde du luxe et du rêve. Dans tous ses thèmes sont remarquables : la qualité cinématographique de l'image, sa science perspective, les éclairages en clair-obscur, et plus rare l'utilisation de la couleur pour construire l'espace.
Bibliogr. : Bernard Marcelis : *Robert Yarber*, in Art Press, n° 167, Paris, mars 1992.
Ventes Publiques : New York, 4 nov. 1987 : *Pièce avec vue* 1984, craies de coul./pap. noir (76x103,5) : **USD 3 000** – New York, 21 fév. 1987 : *Sleeping couple*, h/t (114,7x152,7) : **USD 11 000** – New York, 10 nov. 1988 : *Le bar de la plage*, acryl./t. (168,2x168,2) : **USD 11 200** – New York, 14 fév. 1989 : *Sans titre* 1984, craies/pap. noir (104,2x71,1) : **USD 3 850** – New York, 3 mai 1989 : *Un tour au casino* 1985, h/t (167x167) : **USD 16 500** – Milan, 23 oct. 1990 : *Dehors* 1985, acryl./t. (183x335,5) : **ITL 22 000 000** – New York, 13 fév. 1991 : *Trio d'hommes jetant une femme par-dessus bord d'un bateau* 1984, h. et acryl./t. (177,8x177,8) : **USD 5 500** – New York, 27 fév. 1992 : *Sans titre* 1986, craies de coul./pap. noir (76,2x112,3) : **USD 3 080** – New York, 17 nov. 1992 : *Flotteurs* 1985, acryl./t. (182,9x309,9) : **USD 5 500** – New York, 22 fév. 1995 : *Dispute publique* 1987, acryl./t. (183,2x335,2) : **USD 12 650** – New York, 20 nov. 1996 : *Sign-off* 1984, acryl. et h/t (182,9x167,6) : **USD 8 337**.

YARD Louis
Né à Joinville, au début du xviiie siècle ou à la fin du XVIIe. Mort après 1760. xviiie siècle. Français.
Peintre de genre et d'histoire et portraitiste.
Il travailla en Lorraine où il était fixé dès 1721. On cite de lui deux *Portraits du prince de Vaudemont*, *Fuite en Égypte* (aux Minimes de Nancy), *L'Adoration des Bergers* (aux Annonciades de Nancy) et plusieurs tableaux dans les églises de Toul.

YARD Marie
Née au xviiie siècle à Bar-le-Duc. xviiie siècle. Française.
Peintre de portraits et de genre.
Fille et élève de Louis Yard avec lequel elle collabora.

YARDIN Paul René
Né à Paris. xixe siècle. Français.

Paysagiste.
Élève de Corot. Il exposa au Salon entre 1834 et 1859.

YARQUE Duarte
D'origine anglaise. XVIe-XVIIe siècles. Travaillant à Saint-Jacques-de-Compostelle. Britannique.
Sculpteur.
Il sculpta des retables pour les églises de Muro, de Cambados et de Pereiriña.

YARROW William Henry Kemble
Né le 24 septembre 1891 à Glenside. XXe siècle. Américain.
Peintre de genre.
Il fut élève de Henry R. Rittenberg et des Académies de Philadelphie et de Paris.
VENTES PUBLIQUES : NEW YORK, 17 jan. 1996 : *Chez la modiste* 1914, h/t (157,2x93) : **USD 18 400.**

YARTIF Jeanne de
Née au Château de Nouête. XIXe siècle. Française.
Peintre de paysages.
Élève de Henri (?) Reyé. Elle débuta à Paris, au Salon des Artistes Français en 1880.

YARZ Edmond
Né en 1846 à Toulouse (Haute-Garonne). Mort en 1921. XIXe-XXe siècles. Français.
Peintre de genre, paysages, marines.
Il débuta au Salon en 1876. Sociétaire des Artistes Français depuis 1885 ; mention honorable en 1881, médaille de troisième classe en 1884, médaille d'argent en 1889 (Exposition Universelle), médaille de deuxième classe en 1890, chevalier de la Légion d'honneur en 1903.
MUSÉES : BOURGES : *Le crépuscule* – NANTES : *La Piazetta, à Venise* – SAINTES : *La source.*
VENTES PUBLIQUES : PARIS, 5 au 10 juin 1905 : *Marine (vue d'Orient)* : **FRF 110** ; *Les laveuses* : **FRF 110** – PARIS, 8 mars 1919 : *Les pommiers en fleurs* : **FRF 205** – PARIS, 10 fév. 1947 : *Vue de la Côte d'Azur* : **FRF 2 500** – PARIS, 23 nov. 1989 : *La villa Khalissa du peintre Henri Gérard, son élève, sur l'étang de Berre*, h/t (38x54) : **FRF 48 000.**

YASABOURÔ. Voir **EIJI Hosoda**

YASCHE
XIXe siècle (?). Russe.
Peintre de portraits.
MUSÉES : MOSCOU (Mus. Roumianzeff) (collection Dachkoff) : *Portrait du prince V. P. Kotchoubei, homme d'état – Portrait du comte N. N. Novosilzoff, homme d'état.*

YA Sheng
Né en 1962. XXe siècle. Chinois.
Peintre. Style occidental.
Il est diplômé du Collège normal de Pékin, section de peinture à l'huile depuis 1989. En 1993, il remporta deux prix à l'Exposition de la Jeune Peinture à l'Huile de Pékin et, en 1994, il reçut le Grand Prix de la 8e Exposition Nationale de Peinture à l'huile, organisée par l'Association des Artistes de Pékin.
VENTES PUBLIQUES : HONG KONG, 30 avr. 1996 : *Robe rouge sur une chaise* 1995, h/t (99,1x81,3) : **HKD 55 200.**

YASHIMA Masaaki
Né en 1936 dans la préfecture de Mie. XXe siècle. Japonais.
Peintre. Style occidental.
Peintre abstrait à tendance surréaliste, il expose depuis 1961 au Salon *Bijutsu Bunka* ; en 1967, il reçoit le Prix Shell à Tokyo ; il fait plusieurs expositions particulières.

YASHINE Pavel
Né en 1920 à Mordovskaia. XXe siècle. Russe.
Peintre de paysages animés, paysages urbains. Post-impressionniste.
Il fréquenta l'École des Beaux-Arts de Moscou. Il est Membre d'Honneur de l'Union des Artistes d'URSS.
Dans la lumière heureuse du postimpressionnisme, il peint des sujets qui ne peuvent compromettre ses sentiments envers la morale civique officielle.
VENTES PUBLIQUES : PARIS, 18 fév. 1991 : *Le soleil de Crimée*, h/t (60x48) : **FRF 6 500** – PARIS, 27 jan. 1992 : *Rue de village*, h/t (53,3x65,6) : **FRF 7 000.**

YASUDA Yukihiko
Né en 1884 à Tokyo. XXe siècle. Japonais.
Peintre d'histoire.
Disciple de Kobori Tomoto, il fonda l'Association *Koji* avec Imamura Shiko, puis devint membre de l'Académie Japonaise des Beaux-Arts, dont il fut ensuite le doyen. Il fut aussi professeur à l'Université des Beaux-Arts de Tokyo et décoré de la médaille de la culture.
Il essaya de faire renaître la peinture à sujet historique, par les couleurs et un dessin délicat.

YASUI Sotaro
Né en 1888 à Kyoto. Mort en 1955. XXe siècle. Japonais.
Peintre de paysages. Occidental, postcézannien.
Fils d'un grossiste en coton. Il commença ses études au kansai Bijutsu-in, les poursuivit avec le peintre de paysages Asai Chu. En 1907, il vint à Paris, où il fut élève de Jean-Paul Laurens à l'Académie Julian. En 1914, il retourna au Japon. Il fut membre du Nikakai et de l'Académie Impériale des Beaux-Arts. De 1944 à 1952, il fut professeur à l'École des Beaux-Arts de Tokyo. En 1952, il fut décoré de l'ordre du Mérite Culturel.
VENTES PUBLIQUES : NEW YORK, 12 oct. 1989 : *Paysage d'Izu* 1941, h/t (54,8x46) : **USD 935 000.**

YATES Caroline Burland. Voir **GOTCH**

YATES Cullen
Né le 24 janvier 1866 à Bryan. Mort en 1945. XIXe-XXe siècles. Américain.
Peintre de paysages.
Il fut élève des Académies des Beaux-Arts de New York et de Paris, puis se fixa à New York.
MUSÉES : BROOKLYN – MONTCLAIR – SAINT LOUIS – WASHINGTON D. C.
VENTES PUBLIQUES : NEW YORK, 8 avr. 1971 : *Paysage de printemps* : **USD 1 800** – NEW YORK, 18 sep. 1980 : *Nature morte aux fleurs* 1923, h/t (76,2x101,6) : **USD 3 000** – NEW YORK, 24 avr. 1981 : *Paysage à la barrière*, h/t mar./isor. (63,6x81,5) : **USD 2 000** – NEW YORK, 31 mai 1990 : *Panorama du Delaware supérieur*, h/t (42x31) : **USD 5 500.**

YATES Elizabeth M.
Née le 13 mai 1888 à Stoke-on-Trent. XXe siècle. Américaine.
Peintre.
Elle fut élève de l'Institut Pratt à Buffalo.

YATES Frederick
Mort avant 1920. XIXe-XXe siècles. Britannique.
Peintre de portraits, paysages.
Père de Mary Yates. Il exposa à Londres à partir de 1892.
VENTES PUBLIQUES : LOS ANGELES, 8 fév. 1982 : *The mouse trap* 1888, h/t (95x78) : **USD 2 000.**

YATES Gideon
XIXe siècle. Britannique.
Peintre de paysages urbains, aquarelliste.
Il était actif à Londres de 1827 à 1837.
MUSÉES : LONDRES (British Mus.) : Onze vues de Londres.
VENTES PUBLIQUES : LONDRES, 14 déc. 1976 : *Pont de Londres*, aquar. (31x55) : **GBP 460** – LONDRES, 14 juil. 1987 : *Vue occidentale du New London Bridge depuis Southwark Bridge*, aquar. et pl. (32x56) : **GBP 4 000.**

YATES John
Né le 12 avril 1885 à Woodhead. XXe siècle. Britannique.
Peintre de paysages.

YATES Julie Chamberlain
Née le 4 novembre 1929 à Governor's Island. XXe siècle. Britannique.
Sculpteur.
Elle fut élève de Rodin à Paris.

YATES Marie
Née en 1940 dans le Lancashire. XXe siècle. Britannique.
Sculpteur, auteur de films. Conceptuel.
Elle a étudié au Manchester College of Art et au Hornsey College of Art. Elle enseigne au Royal College of Art depuis 1973.
Elle ne conçoit pas son travail comme « peinture » ou « sculpture », ni même comme une description d'un paysage, mais comme une interprétation strictement personnelle d'un lieu. Elle attache une grande importance au choix des sites et des surfaces et en explore les trois éléments, eau, terre, ciel. Par certains aspects, son activité se rapproche du « land art ».

YATES Mary
Née le 12 novembre 1891 à Chislehurst. XXe siècle. Britannique.
Peintre de paysages, pastelliste, sculpteur de figurines.
Fille et élève de Frederick Yates. Elle travailla à Rydal.

YATES Samuel
XVIIIe-XIXe siècles. Britannique.

Graveur d'ex-libris.
Il était actif à Liverpool de 1790 à 1810.

YATES Thomas, lieutenant
Né dans la seconde moitié du XVIIIe siècle. Mort le 29 août 1796 à Londres. XVIIIe siècle. Britannique.
Peintre de batailles, marines, graveur, dessinateur.
Lieutenant de vaisseau dans la marine anglaise, il fit de la peinture en amateur, exposant de 1788 à 1794 à la Royal Academy de Londres. Il fut tué d'un coup de feu au cours d'une querelle.
Il publia une série de compositions dessinées sur les grandes batailles navales.
Ventes Publiques : Londres, 13 déc. 1972 : *Bataille navale* : **GBP 1 050** – Londres, 22 juin 1979 : *Le « London » en trois positions au large de Douvres* 1792, h/t (78,7x123,5) : **GBP 4 500** – Londres, 26 juin 1981 : *Rencontre belliqueuse entre « La Nymphe » et la frégate française « Cléopâtre » le 18 juin 1793* 1793, h/t, suite de quatre peint. (chaque 46,2x66,6) : **GBP 3 200** – Londres, 10 juil. 1984 : *A frigate taking on a Diver pilot* 1791, aquar. et pl. (27x37) : **GBP 1 000** – New York, 13 oct. 1989 : *Frégates anglaises engagées contre la flotte française dans la Manche*, quatre h/t (chaque 46,5x66,5) : **USD 49 500** – Londres, 20 avr. 1990 : *La baie de Gibraltar avec un vaisseau de guerre au mouillage* 1792, h/t (45,7x75,5) : **GBP 10 450** – Londres, 20 jan. 1993 : *Les vaisseaux « Blanche » et « Pique » au large de la Guadeloupe* 1795, h/t (chaque 29x43) : **GBP 5 980** – Londres, 15 déc. 1993 : *Vaisseaux transportant le vice-amiral sous pavillon bleu ; l'amiral sous pavillon rouge avec le Château de Hurst au fond* 1788, h/t (64x77,5) : **GBP 5 750**.

YATES Thomas Brown
Né le 2 juin 1882 à Croydon. XXe siècle. Britannique.
Peintre.
Il fut élève d'André Lothe à Paris.

YATRIDES Georges
Né le 5 mars 1931 à Grenoble (Isère), de parents grecs. XXe siècle. Français.
Peintre de compositions animées, figures, nus, paysages, natures mortes.
De 1946 à 1948, il séjourna en Grèce, puis, en 1949, au Congo Belge. Revenu en France, il s'installe à Vichy en 1954 et à Paris en 1956. Dès 1957, nombreuses expositions en France, aux États-Unis, etc.
De 1946 à 1952, il commence sa carrière par une période néo-fauve. Il utilise ensuite une palette de quelques tons délavés qui complètent un dessin particulièrement schématique. Peintre de portraits, de natures mortes et de paysages, toujours empreints d'une atmosphère d'irréalité, ses œuvres évoquent des influences diverses et présentent une utilisation amplifiée et personnelle des effets de la perspective.
Ventes Publiques : Grenoble, 9 mai 1983 : *La Créature dans le paysage* 1981, dess. (66x50) : **FRF 40 000** – Londres, 22 mars 1983 : *L'Autre Rive* 1978, h/t (65,5x92) : **GBP 42 000** – Grenoble, 13 mai 1985 : *Mouvement d'une mémoire* 1981, dess. (43x63) : **FRF 150 000** – Grenoble, 7 déc. 1987 : *La femme à l'orange*, h/t (92x60) : **FRF 305 000** – New York, 10 mai 1993 : *Scène de rue*, h/t (64,8x50,2) : **USD 1 150**.

YAVARRI Geronimo ou **Jérôme**
XVIIe siècle. Actif à Valence au début du XVIIe siècle. Espagnol.
Peintre de fresques.
On cite de lui les fresques de la voûte et des murailles du sanctuaire, où l'on déposait les reliques du Collège du Corpus Christi. Il produisit aussi des *Vierges* à l'huile mais elles n'obtinrent pas de succès.

YAYANAGI Tsuyoshi
Né en 1933 dans l'île de Hokkaido. XXe siècle. Japonais.
Graveur, sérigraphe.
Dès 1954, il fit une première exposition à Tokyo. De 1957 à 1959, il voyagea en Amérique Latine et en Afrique. De 1965 à 1968, il séjourna à Paris, où il fut élève de l'« Atelier 17 » de Stanley William Hayter. Depuis 1961, il participe à de très nombreuses expositions collectives, parmi lesquelles : 1966, Biennale Internationale de Gravure, Cracovie ; 1968, Biennale Internationale de l'Estampe, Musée d'Art Moderne, Paris ; 1969, Biennale Internationale de Gravure, Ljubljana, et « Tendances dans l'art japonais contemporain », Musée National d'Art Moderne, Kyoto ; etc. Les tirages multiples des gravures lui ont permis de montrer de nombreuses expositions individuelles depuis 1954, notamment à Tokyo ; Musée d'Art Moderne de São Paulo, 1957 ; Paris, 1966, 1967, 1970 ; Cannes, 1968 ; Malmö, 1969 ; Kyoto, 1969 ; Hokkaïdo, 1969 ; etc. En 1971, il a obtenu le Prix Bijutsu Shuppan-sha de la Sixième Exposition Internationale de Jeunes Artistes, à Shizuoka. Bien que liée aux mouvements contemporains, de l'abstraction, du géométrisme, de l'imagerie gaie du pop', la gravure de Yayanagi se réfère à l'art synthétique, aux arabesques nettes et aux aplats de couleurs tranchées, de la grande époque de l'estampe japonaise.
Bibliogr. : *Catalogue du 3e Salon International des Galeries Pilotes*, Musée Cantonal, Lausanne, 1970 – Catalogue de l'exposition : *Yayanagi*, Gal. Solstice, Paris, 1970.

YAYANNOS Apostolos
Né en 1945. XXe siècle. Grec.
Peintre. Abstrait.
Il montre des ensembles de ses peintures dans des expositions personnelles, notamment en 1994 à Liège, galerie Vizavi.
Proche de l'abstraction, il évoque pourtant les tourmentes du ciel et de la mer. Ou encore, totalement tachiste, il sature de couleurs en giclures des formes de croix.
Ventes Publiques : Amsterdam, 26 mai 1993 : *Sans titre* 1992, h/t (100x125) : **NLG 6 900**.

YBELHER Johann Georg. Voir **UBLHÖR**

YBERTRACHTER Simon
Né à Naturns. XVIIIe siècle. Autrichien.
Peintre.
Il peignit des tableaux d'autel pour des églises du Tyrol du Sud.

YCIAR Juan de. Voir **ICIAR**

YCKENS. Voir **YKENS**

YDEMA Egnatius
Né en 1876. Mort en 1937. XXe siècle. Hollandais.
Peintre de paysages animés, paysages d'eau.
Ventes Publiques : Vienne, 20 sep. 1977 : *Vue d'une ville au bord d'une rivière*, h/t (45x65) : **ATS 45 000** – Amsterdam, 24 avr 1979 : *Paysage* 1909, h/t (60,5x94) : **NLG 3 400** – Amsterdam, 5 juin 1990 : *Coup de vent*, h/t (30,4x40,5) : **NLG 2 990** – Amsterdam, 24 sep. 1992 : *Près de Warmond*, h/t (30,5x40,5) : **NLG 2 185** – Amsterdam, 11 fév. 1993 : *Voiliers*, h/t (30,5x40) : **NLG 4 025** – Amsterdam, 20 avr. 1993 : *Vue de Oldeboorne*, h/t (37x50) : **NLG 2 300** – Amsterdam, 11 avr. 1995 : *Voilier sur un lac des Frisons*, h/t (30,5x40,5) : **NLG 2 832** – Amsterdam, 7 nov. 1995 : *Navigation sur un lac allemand avec un moulin à vent à l'arrière-plan*, h/t (30x40) : **NLG 3 894**.

YEADON Dick
Né le 4 décembre 1896 à Brierfield. XXe siècle. Britannique.
Peintre.
Il travailla à Kendal.

YEAGER Joseph
XIXe siècle. Travaillant à Philadelphie de 1816 à 1845. Américain.
Graveur au burin.
Il grava des vues, des portraits et des illustrations de livres.

YEAMES William Frederick
Né le 18 décembre 1835 à Taganrog. Mort le 3 mai 1918 à Teignmouth. XIXe-XXe siècles. Britannique.
Peintre d'histoire, sujets de genre, portraits.
Il exposa à Londres, notamment à la Royal Academy et à la British Institution, à partir de 1859. Associé à la Royal Academy en 1867, il fut académicien en 1878. Il exposait en 1909 à la Cambrian Academy.
Musées : Aberdeen : *L'artiste* – Glasgow : *Prisonniers de guerre* – Hambourg : *La dernière chronique scandaleuse* – Liverpool : *Et quand vîtes-vous votre père pour la dernière fois ?* – Londres (Tate Gal.) : *Amy Robsart* – Manchester : *Les princes Arthur et Hubert* – Sheffield : *Jane Grey dans la tour.*
Ventes Publiques : Londres, 1873 : *Le jacobite fugitif* : **FRF 12 075** – Londres, 28 nov. 1972 : *La Reine Elisabeth et Leicester* : **GBP 550** – Londres, 5 oct. 1973 : *Fillette offrant des fleurs à trois vieilles femmes* 1882 : **GNS 800** – Londres, 9 juil. 1974 : *Les jeunes mariés* 1873 : **GBP 550** – Londres, 21 juil. 1978 : *Au pain sec* 1866, h/t (50,1x111) : **GBP 1 100** – Londres, 18 mars 1980 : *Prince Arthur et Hubert* 1882, h/t (51x31) : **GBP 880** – Londres, 5 juin 1981 : *The march past* 1881, h/pan. (40x76,8) : **GBP 2 200** – Londres, 22 fév. 1985 : *La dernière touche*, h/t (126,4x200,7) : **GBP 2 800** – Stockholm, 5 nov. 1986 : *Maundy Thursday* 1870, h/t (119x120) : **SEK 70 000** – Londres, 13 juin 1990 : *Visite à la chambre hantée* 1859, h/t (60x87) : **GBP 2 750** – Londres, 22 nov. 1990 : *Katherine et Petruccio* 1867, h/t (41,7x34,3) : **GBP 990** –

Londres, 5 juin 1991 : *Jeudi Saint* 1870, h/t (117x207) : **GBP 11 000** – Londres, 5 juin 1991 : *Récupération des métaux des églises en 1653* 1868, h/t (46x61) : **GBP 2 420** – Londres, 20 juil. 1994 : *John Milton avec ses filles : Mary, Deborah et Anne* 1868, h/t (73,5x99) : **GBP 2 875** – Londres, 7 nov. 1997 : *Le Rendez-vous* 1867, h/t (96,5x79,1) : **GBP 10 925**.

YEATES George

Né en Angleterre. xviie siècle. Actif au début du xviie siècle. Britannique.

Graveur de portraits.

Il travailla sous le règne de Charles Ier. On cite de lui *Portrait de George Montaigne, archevêque d'York.*

YEATES Nicholas

xviie siècle. Actif en Angleterre vers 1680. Britannique.

Graveur.

En collaboration de John Collins, il grava quelques portraits, notamment celui du général *Sir William Waller.*

YEATS Jack Butler, parfois pseudonyme : **W. Bird**

Né le 29 août 1871 à Londres, selon d'autres sources à Sligo (Irlande). Mort le 28 mars 1957 à Sligo, selon d'autres sources à Dublin. xixe-xxe siècles. Irlandais.

Peintre, aquarelliste, graveur, caricaturiste, dessinateur humoriste, illustrateur.

Fils de John Butler Yeats et frère du poète William Butler Yeats. Il passa son enfance à County Sligo. En 1887, il vint à Londres, où il fut élève de l'École d'Art de South Kensington, des West London et Westminster Schools of Art. Dans cette dernière, il fut élève de Frederick Brown. De 1890 à 1898, il vécut en Angleterre. Certaines sources le font retourner en Irlande en 1910. Des dernières années du siècle jusqu'à la partition de l'Irlande, avec son frère le poète il participa au mouvement du *Celtic Revival,* où se traduisait le besoin du peuple irlandais d'exprimer son identité par l'art. En 1916, il fut élu à la Royal Hibernian Society. Ensuite, il se fixa définitivement en Irlande. Il fut directeur et conservateur de la National Gallery de Dublin.

Sa première exposition eut lieu en 1897, il y montrait des aquarelles. En 1952, il partagea une exposition avec William Nicholson, à la Tate Gallery de Londres. En 1971, une rétrospective d'ensemble de son œuvre fut organisée à Dublin.

Tout jeune, il dessinait les bords de mer, les foires, les courses. Il a débuté comme illustrateur de la vie locale irlandaise, collaborant à diverses publications : *Paddock Life ; Chums ; Punch ; Illustrated London News ; Fun ; The Quartier Latin ; Judy* ; etc. Il a illustré, entre autres : en 1895 *Robinson Crusoe ; The Life and Adventures of Captain Singleton* et, en 1900, *Romance and Narratives* de Daniel Defoe. Il a illustré aussi les œuvres du poète irlandais Synge. Il fut lui aussi écrivain et auteur de plusieurs pièces de théâtre.

Peignant à l'aquarelle depuis 1897, il adopta la peinture à l'huile à partir de 1902 et fut uniquement peintre à partir de 1903-1905, s'étant réalisé tardivement. Ayant abandonné le noir et blanc, il s'est révélé un coloriste, usant de l'empâtement au couteau. D. Sutton écrit de lui qu'il a enrichi l'art britannique d'une « notion de la fluidité et de la sensualité de la couleur ». Il s'est d'abord, dans sa période que l'on peut dire anglaise, attaché à représenter des personnages marginaux, vagabonds, artistes de variétés, music-hall, cirque, mais aussi le monde des champs de course, s'inspirant des sujets de Degas, Toulouse-Lautrec. Dans la suite, voulant exprimer les mythes de l'Irlande d'hier et de son temps, il s'intéresse aux paysages et types ruraux de l'Irlande de l'Ouest : *Dublin, jour de grand vent, Deux dames regardant passer un bateau.* Dans une autre veine, populiste peut-on dire, une peinture comme *La ville illuminée* nous montre Jack Butler Yeats plus contemporain, proche d'une humanité réelle, qu'il peint se pressant dans la rue en foule presque hagarde, d'une touche vigoureuse dans les tons assourdis du réalisme, coupés des éclats brutaux de la lumière artificielle. Dans ses dernières années, d'autres œuvres aux titres significatifs témoignent de son recours au lyrisme et au merveilleux : *Bruissement d'une robe,* ou *Voiture traversant une ville au pays des fées, Le Magicien.* Cette nouvelle manière, caractérisée par une imprécision onirique délibérée, est parfois interprétée comme s'il avait alors été sensible au courant de l'abstraction lyrique. ■ J. B.

J B Yeats

Bibliogr. : In : Encyclopédie des Arts *Les Muses,* vol. 15, Grange Batelière, Paris, 1969-1974 – H. Pyle : *Jack Butler Yeats,* Londres, 1970 – in : *Diction. Univers. de la Peint.,* vol. 6, Le Robert, Paris, 1975 – Marcus Osterwalder, in : *Dictionnaire des illustrateurs 1800-1914,* Ides et Calendes, Neuchâtel, 1989 – in : *L'Art du xxe siècle,* Larousse, Paris, 1991.

Musées : Belfast (Ulster Mus.) : *On through the Silent Lands* 1951 – Bloemfontein : *Le capitaine Kid* – Cork : *Vue du Donegal – La Chapel Street* – Dublin (Gal. Nat.) : *Avant le départ* 1915 – *Le vieil esclave – Above the Fair* 1946 – *Le magicien* – Londres (Tate Gal.) : *Matin après la pluie – Retour des courses – Les deux voyageurs* 1942 – *La mort de Diarmuid, la dernière gorgée d'eau* 1945.

Ventes Publiques : Londres, 6 juil. 1960 : *Garçons et filles* : **GBP 750** – Londres, 23 mars 1962 : *The sun of Darrymare* : **GNS 360** – Londres, 17 juil. 1963 : *Le clown de l'océan* : **GBP 420** – Londres, 15 avr. 1964 : *Cargo accostant* : **GBP 1 600** – Londres, 12 nov. 1965 : *Charade* : **GNS 1 600** – Londres, 20 juil. 1966 : *La musique,* aquar. : **GBP 320** ; *Jour d'été* : **GBP 3 800** – Londres, 19 juil. 1967 : *Avant le départ de la course* : **GBP 1 800** – Londres, 9 juil. 1969 : *Le retour des pêcheurs* : **GBP 1 600** – Londres, 9 déc. 1970 : *Outsode Michael Gallacher's,* aquar. : **GBP 650** ; *Amiens* : **GBP 3 100** – Londres, 7 avr. 1971 : *The steamboat captain* : **GBP 1 700** – Londres, 19 mai 1972 : *Scène de cirque,* aquar. : **GNS 1 200** – Londres, 22 nov. 1972 : *Streedagh Strand, Sligo* : **GBP 9 500** – Londres, 18 juil. 1973 : *The Old Grass Road, Kinsale* : **GBP 3 200** – Londres, 21 nov. 1973 : *Bluejackets in Fancy Dress,* aquar. et fus. : **GBP 520** – Londres, 1er mars 1974 : *Suivez le guide* : **GNS 5 000** – Londres, 11 juin 1976 : *The harvest moon,* h/t (61x91,5) : **GBP 5 500** – New York, 9 oct. 1976 : *Homme marchant,* cr. et aquar. (25x17) : **USD 1 100** – Londres, 22 juin 1977 : *The rain has cleared away,* h/t (49,5x67) : **GBP 4 900** – Slane Castle (Irlande), 25 juin 1979 : *The Rogues,* pl. et lav. de coul. (23,5x17) : **GBP 1 000** – Londres, 14 nov 1979 : *Old John,* aquar. et pl. (16x23,5) : **GBP 550** – Slane Castle (Irlande), 25 juin 1979 : *Au pays des Ombres* 1944, h/t (45x60) : **GBP 5 600** – Slane Castle (Irlande), 12 mai 1981 : *La Vente de chevaux,* pl. et lav. (35x52) : **GBP 3 000** – Slane Castle (Irlande), 12 mai 1981 : *Homme à la tête cassée,* aquar. (36x25,5) : **GBP 4 500** – Londres, 11 juin 1982 : *Tiger play,* h/t (35,5x45,7) : **GBP 5 500** – Londres, 4 nov. 1983 : *And she followed the drak-eyed Gypsy O* 1903, aquar. et pl. (13,3x27,3) : **GBP 2 200** – Londres, 25 mai 1983 : *Paris comes to judgement in the West,* h/t (61x91,5) : **GBP 12 000** – Londres, 18 juil. 1984 : *Fair day dinner, Devonshire* 1897, aquar. sur traits de cr. (24x33) : **GBP 2 800** – Londres, 8 juin 1984 : *The post car,* pl. et lav. (24x34,5) : **GBP 3 000** – Londres, 15 mars 1985 : *Paysage, Ballycastle* 1915, past./pap. gris pâle (22,8x34,5) : **GBP 1 200** – Londres, 2 déc. 1986 : *Shouting* 1950, h/t (102x152,5) : **GBP 70 000** – Londres, 22 juil. 1987 : *La Liseuse* 1903, cr. (19x25,5) : **GBP 1 400** – Londres, 9 juin 1988 : *Jour de foire,* h/pan. (21,9x33,8) : **GBP 23 100** – Dublin, 24 oct. 1988 : *La sieste près de la cascade,* h/t (45,8x61) : **IEP 44 000** ; *La foire de Tubber,* encre (14,7x22,2) : **IEP 4 620** – Belfast, 28 oct. 1988 : *Les chutes de la rivière Sheen,* h/pan. (24,2x35,5) : **GBP 9 350** – Londres, 9 juin 1989 : *Le personnage officiel,* h/pan. (35,6x22,9) : **GBP 52 800** ; *La loge au cirque,* h/t (45,5x61) : **GBP 82 500** – Londres, 10 nov. 1989 : *La lune est tombée du ciel,* h/t (51,4x69,2) : **GBP 143 000** – Londres, 9 mars 1990 : *Le jour se lève pour les joueurs,* h/cart. (35,6x53,3) : **GBP 115 500** – Belfast, 30 mai 1990 : *Le condamné,* encre (9,2x10,8) : **GBP 550** – Londres, 8 juin 1990 : *En attendant la diligence,* h/t (34x45) : **GBP 63 800** – Londres, 8 nov. 1990 : *Enfants jouant dans un ruisseau,* h/cart. (22x34,5) : **GBP 19 800** – Londres, 7 mars 1991 : *Le paddock de Leopardstown,* h/pan. (23x35) : **GBP 25 300** – Londres, 6 juin 1991 : *Le lit de la rivière* 1934, h/t (45,7x61) : **GBP 41 800** – Londres, 6 mars 1992 : *Le pasteur* 1913, h/pan. (35,5x23) : **GBP 49 500** – Londres, 12 mars 1992 : *Le ventriloque amateur* 1945, h/t (46x61) : **GBP 67 500** – Dublin, 26 mai 1993 : *Le Chaney Stream* 1946, h/pan. (22,9x35,6) : **IEP 25 300** – Mill House Sonning Berkshire, 22 juin 1994 : *Le sentier sombre* 1930, h/t (35,5x53,3) : **GBP 17 250** – Londres, 2 juin 1995 : *La ballade The Dark Rosaleen chantée dans Croke Park,* h/t (46x61) : **GBP 496 500** – Londres, 9 mai 1996 : *A walk over* 1914, h/pan. (24x36) : **GBP 205 000** – Londres, 16 mai 1996 : *Les adieux à Mayo,* h/t (61x91,5) : **GBP 804 500** – Londres, 21 mai 1997 : *Galway* 1924, h/pan. (22x35) : **GBP 40 000**.

YEATS John Butler

Né en 1839 à Tullylish. Mort le 3 février 1922 à New York. xixe-xxe siècles. Irlandais.

Peintre de portraits, dessinateur.

Il exposa à Londres, notamment à la Royal Academy et à Suffolk Street à partir de 1879. Membre de la Royal Hibernian Academy.

Musées : Dublin (Gal. Nat.) : *Portrait d'Isaac Butt – Portrait de James Whiteside.*

Ventes Publiques : New York, 7 juin 1979 : *Portrait of Padraic Colum*, cr. (35x24,5) : **USD 1 800** – Londres, 12 oct 1979 : *Portrait of Van Wyck Brooks* 1909, h/t (76x63,5) : **GBP 4 500**.

YEATS William Butler

Né le 13 juin 1865 à Dublin. Mort en 1939. XIXe-XXe siècles. Irlandais.

Peintre de portraits.

Fils de John Butler Yeats et frère de Jack Butler Yeats. Le grand poète fit aussi un peu de peinture.

Musées : Dublin (Gal. Nat.) : *Portrait de John O'Leary*.

YE DAOBEN ou **Ye Tao-Pen** ou **Yeh Tao-Pên**

Chinois.

Peintre.

Peintre de la dynastie Qing (1644-1911), non mentionné dans les biographies d'artistes, dont le Musée National de Tokyo conserve une œuvre signée, *Chrysanthème, rocher, arbre en fleurs et oiseau*.

YE DAOFEN ou **Ye Tao-Fen** ou **Yeh Tao-Fên**, surnom : **Xiangshi**

Originaire de Jiading, province du Jiangsu. XIXe siècle. Actif vers 1850. Chinois.

Peintre.

Peintre de paysages et de figures, disciple de Cheng Tinglu.

YEDILER Iskender

XXe siècle. Allemand.

Artiste, créateur d'installations.

Il fut élève du sculpteur Ulrich Rückriem. Il vit et travaille à Cologne. Il participe à des expositions collectives, notamment en 1993 à Munich.

Il a réalisé une sculpture en plastique *Un cœur pour l'artiste*, composée d'une superposition de cœurs rouges. La structure se gonfle et se dégonfle à l'aide d'un aspirateur et d'une minuterie. Son œuvre se place en réaction contre son professeur Ulrich Rückriem.

YEEND-KING Lilian

Née le 13 septembre 1882 à Paris. XXe siècle. Britannique.

Peintre.

Elle était active à West Withering. Elle était probablement fille de Yeend King.

YEFARITSKY Vladimir

Né en 1954 dans la région d'Orenbourg. XXe siècle. Russe.

Peintre de genre, figures, paysages.

Il obtint le diplôme de l'Institut de peinture, sculpture et architecture de Leningrad (aujourd'hui Saint-Pétersbourg). Il a exposé à Moscou et Sverdlovsk.

YEGORKIN Vassili

Né en 1936. XXe siècle. Russe.

Peintre de paysages, fleurs. Postimpressionniste.

Il fut élève de l'Institut Répine, à l'École des Beaux-Arts de Saint-Pétersbourg. Il était membre de l'Association des Peintres de l'URSS.

Pour des sujets très préservés des problèmes du quotidien, il pratique une technique aux épais empâtements.

Musées : Kiev (Mus. d'Art Russe) – Moscou (Mus. Central de la Révolution) – Moscou (min. de la Culture) – Saint-Pétersbourg (Mus. des Beaux-Arts de l'Inst. Répine).

Ventes Publiques : Paris, 4 mars 1991 : *Le monastère de Férapontov*, h/t (84x60) : **FRF 4 100**.

YE GUANG ou **Ye Kouang** ou **Yeh Kuang**

Originaire de Chaoxian, province du Anhui. XVIe siècle. Chinois.

Peintre.

Peintre de paysages dont le National Palace Museum de Taipei conserve une œuvre signée, *Pêcheur près d'une rivière*.

YEH CHENG-CH'ANG. Voir **YE ZHENGCHANG**

YEH CH'IEN-YÜ. Voir **YE QIANYU**

YEH CH'ÜAN. Voir **YEQUAN**

YEH HSIN. Voir **YE XIN**

YE HIN. Voir **YE XIN**

YEH KUANG. Voir **YE GUANG**

YEH NIEN-TSU. Voir **YE NIANZU**

YEH TAO-FÊN. Voir **YE DAOFEN**

YEH TAO-PÊN. Voir **YE DAOBEN**

YE Huocheng

Né en 1908 à Taipei. XXe siècle. Chinois.

Peintre de paysages.

Il commença ses études à Taipei et les poursuivit au Japon dans des écoles d'Art et de design. Il fut également enseignant dans ces différentes disciplines.

Ventes Publiques : Taipei, 18 oct. 1992 : *Château en Italie* 1976, h/t (52,8x64,3) : **TWD 990 000** – Taipei, 16 oct. 1994 : *Nature morte*, h/pan. (61x73) : **TWD 920 000**.

YEH YU-NIEN. Voir **YE YOUNIAN**

YEIRI

XIXe siècle. Japonaise.

Peintre.

Elle travaillait au Japon vers 1800. On cite d'elle une estampe représentant deux jeunes femmes s'abritant de l'averse sous un parasol.

YEISHI

Mort en 1829. XIXe siècle. Japonais.

Peintre.

Il a signé de nombreuses estampes représentant le plus souvent des jeunes femmes se parant, ainsi que des scènes de la vie des courtisanes.

Ventes Publiques : Paris, 28 et 29 mars 1955 : *Accoudée à une table fleurie d'une grosse pivoine, une jeune femme regarde le vol d'un papillon* : **FRF 36 000**.

YE JUWU

Né en 1923 à Chengdu (province du Sichuan). XXe siècle. Chinois.

Peintre animalier. Traditionnel.

Depuis 1957, il est membre de l'Institut de peinture traditionnelle du Jiangsu.

Bibliogr. : In : catalogue de l'exposition *Peintres traditionnels de la République populaire de Chine*, galerie Daniel Malingue, Paris, 1980.

YE KOUAN ou **Yen Kuan**. Voir **YAN GUAN**

YE KOUANG. Voir **YE GUANG**

YEKTAI Manoucher

Né en 1922 en Iran. XXe siècle. Depuis 1949 actif aux États-Unis. Iranien.

Peintre.

Yektai a fait ses études à Paris, élève d'Amédée Ozenfant de 1947 à 1949. Depuis qu'il s'est fixé à New York, il participe à diverses expositions de groupe, nationales et internationales, entre autres : au Walker Art Center, au Carnegie International de Pittsburgh, au Museum of Modern Art de New York, entre autres. Il montre très régulièrement des expositions individuelles de ses peintures à New York. Depuis 1959, il partage son temps entre New York et Paris, où il a un atelier.

Bibliogr. : B. Dorival, sous la direction de... : *Peintres Contemporains*, Mazenod, Paris, 1964.

Musées : Charleston, South Carolina (Mus. of Art.) – New York (Mus. of Mod. Art).

YELIN Christoph. Voir **JELIN**

YELLAND Raymond Dabb

Né en 1848 à Londres. Mort le 27 juillet 1900 à Oakland. XIXe siècle. Américain.

Peintre de paysages.

À l'âge de trois ans, il quitta, avec sa famille, l'Angleterre pour les États Unis. Il a été élève des Académies de New York et de Paris. En 1874, il devint instructeur au Mills College de Oakland en Californie où il se fixa. Il fut ensuite professeur à l'Université de Californie, à Berkeley puis à l'école d'Arts Appliqués de San Francisco. Il possédait un atelier dans la péninsule de Monterey où il peignait des paysages côtiers selon les conditions atmosphériques.

Ventes Publiques : Los Angeles, 9 mars 1977 : *Paysage d'été, Californie*, h/t (71,5x122) : **USD 5 750** – Los Angeles, 17 mars 1980 : *La côte à Marblehead, Massachusetts* 1892, h/t (45,7x76,2) : **USD 4 600** – Los Angeles-San Francisco, 7 fév. 1990 : *La baie de Farm Island à Alameda*, h/cart. (35,5x56) : **USD 8 250** – Los Angeles-San Francisco, 10 oct. 1990 : *La côte du Monterey*, h/t (46x76) : **USD 33 000** – New York, 17 mars 1994 : *Cyprus Point à Monterey* 1891, h/t (55,9x91,4) : **USD 16 100**.

YELLE Jacob. Voir **JEHLE**

YELLOWLEES William, dit **le Petit Reaburn**

Né en 1796 à Mellerstain. Mort en 1856 ou 1859 à Londres. XIXe siècle. Britannique.

Peintre de portraits.

Il vint à Édimbourg en 1812 et y fut élève de William Shiels. Après quinze années d'exercice dans la capitale de l'Écosse, il vint à Londres et y fut protégé notamment par le prince Albert. Il exposa à la Royal Academy à Londres de 1829 à 1845.
Yellowlees s'établit avec succès comme peintre de portraits, généralement de petites dimensions.
Musées : Édimbourg (Gal. Nat.) : *Portrait de J. Jamieson*.
Ventes Publiques : Londres, 9 fév. 1990 : *Portrait de Sir Walter Scott en habit vert et gilet jaune et portant une cravate noire*, h/t (30,5x25,5) : **GBP 2 640**.

YEMANS Jan
XVIe siècle. Actif à Zierickzee. Hollandais.
Peintre.

YENCESSE Hubert
Né le 28 avril 1900 à Paris. XXe siècle. Français.
Sculpteur de monuments, statues, nus, reliefs muraux, dessinateur.
Fils du médailleur Ovide Yencesse et du peintre Marie Chapuis-Yencesse. En 1914-1918, engagé volontaire très jeune, il passa deux ans au front. Ce fut d'abord son père, en 1919, qui lui enseigna le métier, à l'École des Beaux-Arts de Dijon dont il était directeur. Il fut ensuite l'élève de Pompon et de Maillol. De 1950 à 1970, il fut professeur à l'École des Beaux-Arts de Paris. Il commença d'exposer au Salon d'Automne de 1921, en devenant sociétaire en 1927, puis membre du comité, ensuite dans les grands Salons annuels parisiens, recevant de nombreuses distinctions ; en 1954, il fut appelé au comité de la Jeune Sculpture. Il était chevalier de la Légion d'honneur. Il participait à de nombreuses expositions collectives, dont, en 1970, *René Iché et grands sculpteurs contemporains*, au Musée de Narbonne. Des expositions personnelles lui étaient consacrées. En 1973, il fut élu membre de l'Institut.
Auprès de Maillol, il fut frappé de s'apercevoir que la sculpture pouvait ne pas être la représentation d'attitudes figées, mais au contraire exprimer la vie frémissante. Ce fut cette faculté de saisir l'expression qui le fit d'abord remarquer et qui continue de caractériser sa manière. Une simplicité traditionnelle de ses sculptures lui attira très tôt de nombreuses commandes : entre autres, il a sculpté de grandes statues pour la tribune de la salle des assemblées de la S.D.N., à Genève ; pour la façade du Palais de Chaillot à Paris ; pour la cathédrale de Reims ; pour le Mémorial des Forces Françaises Libres, à Brookwood en Grande-Bretagne ; il a exécuté de nombreux monuments aux morts, parmi lesquels celui de Belfort, en 1948. Il a sculpté aussi des bas-reliefs, pour le Lycée de Sèvres, pour d'autres écoles, pour les nouvelles Facultés de Dijon, etc.
Il entendait se rattacher aux sculpteurs qui animaient les parcs à l'époque de la splendeur de Versailles. Son propos est de traduire la jeunesse, la grâce, l'élégance dans des attitudes vivantes, dont celles de la danse. Il fut donc, avant tout, un sculpteur de nus féminins. ■ J. B.
Bibliogr. : Thérèse Burollet, in : *Diction. Univers. de l'Art et des Artistes*, Hazan, Paris, 1967 – Raymond Cogniat, in : *Nouveau diction. de la sculpt. mod.*, Hazan, Paris, 1970 – in : catalogue de l'exposition *René Iché et grands sculpteurs contemporains*, Musée de Narbonne, 1970 – in : Encyclopédie des Arts *Les Muses*, vol. 15, Grange Batelière, Paris, 1969-1975.
Musées : Albi – Anvers – Nantes (Mus. des Beaux-Arts) – Paris (Mus. d'Art Mod. de la Ville) – Washington D. C.
Ventes Publiques : Paris, oct. 1945-juil. 1946 : *Nu* 1944, dess. à la mine de pb : **FRF 2 200** – Paris, 30 mars 1979 : *Nu assis*, bronze patiné (33x42) : **FRF 6 000** – Paris, 10 juil. 1983 : *Jeune femme au pipeau*, bronze patiné et doré (H. 91) : **FRF 18 000** – Paris, 14 juin 1985 : *Paire de torchères en forme de femmes porte lumière*, bronze, patine médaille (H. 66) : **FRF 31 000** – Paris, 21 mai 1990 : *Pas de danse*, bronze à patine noire (40x56x10) : **FRF 58 000** – Paris, 1er juil. 1992 : *Femme nue couchée*, bronze (L. 52) : **FRF 33 500** – Paris, 6 déc. 1993 : *Torse d'homme*, bronze à patine noire (72x57) : **FRF 15 000** – Nanterre, 20 oct. 1994 : *Le professeur P. Langevin* 1945, bronze (H. 35) : **FRF 19 500**.

YENCESSE Marie, Mme, née **Chapuis**
XIXe-XXe siècles. Française.
Peintre de portraits, fleurs.
Femme d'Ovide Yencesse.

YENCESSE Ovide
Né le 3 février 1869 à Dijon (Côte-d'Or). Mort en 1947 à Paris. XIXe-XXe siècles. Français.
Sculpteur et graveur en médailles.
Élève de Ponscarme et Marioton à l'École des Beaux-Arts de Dijon. Hors-Concours au Salon des Artistes Français, où il avait obtenu une mention honorable en 1897 ; une médaille de troisième classe en 1898 ; une médaille d'or en 1900 (Exposition Universelle) ; une médaille d'argent en 1902 ; une médaille d'or en 1920 ; membre du Jury en 1937 (Exposition Internationale), il figurait encore à ce groupement en 1945. Chevalier de la Légion d'honneur en 1900. Il exposait aussi au Salon d'Automne. Il a également pris part aux Expositions Internationales en France, en Europe, aux États-Unis et en Indochine. Il fut directeur de l'École des Beaux-Arts de Dijon.
Il reste comme un mainteneur de la grande tradition des médailleurs français : 1897 : *Hubert Ponscarme*, 1924 *Pierre et Marie Curie*.
Bibliogr. : In : Encyclopédie des Arts *Les Muses*, vol. 15, Grange Batelière, Paris, 1969-1975.
Musées : Paris (Mus. d'Orsay) – Paris (Hôtel de la Monnaie).

YEN CHENG-SOUEN. Voir **YAN SHENGSUN**

YEN HAN. Voir **YAN HAN**

YEN HIEN. Voir **YAN XIAN**

YEN HOUEI. Voir **YAN HUI**

YEN HSIEN. Voir **YAN XIAN**

YEN HUI. Voir **YAN HUI**

YEN I. Voir **YAN YI**

YE NIANZU ou **Ye Nien-Tsou** ou **Yeh Nien-Tzu**, surnom : **Boxian**
XIIIe siècle. Chinois.
Peintre.
Il était actif probablement à la fin de la dynastie Song (960-1279).

YE NIEN-TSOU. Voir **YE NIANZU**

YENJO Takata. Voir **TAKATA-YENJO**

YEN KOUAN ou **Yen Kuan**. Voir **YAN GUAN**

YEN LI-PEN. Voir **YAN LIBEN**

YENNEVIÈRE. Voir **JENNEVIÈRE**

YENS Karl Julius Heinrich
Né le 11 janvier 1868 à Altona (Allemagne). Mort en 1945. XIXe-XXe siècles. Actif aux États-Unis. Allemand.
Peintre de genre, portraits, paysages, graveur, illustrateur.
Élève de Max Koch à Berlin et de Benjamin-Constant et Jean-Paul Laurens à Paris. Membre de la Ligue Américaine des Artistes Professeurs et de la Fédération Américaine des Arts. Obtint de très nombreuses récompenses.
Ventes Publiques : Los Angeles-San Francisco, 7 fév. 1990 : *Sa touche finale* 1921, h/t (96,5x102) : **USD 30 250** – Los Angeles-San Francisco, 12 juil. 1990 : *Pasadena au travers des arbres en Californie* 1912, h/cart. (24x35) : **USD 2 475** – Los Angeles-San Francisco, 10 oct. 1990 : *Introspection – portrait de la femme de l'artiste Elsie* 1927, gche, aquar. et past./pap./t. (96,5x91) : **USD 3 850** – New York, 27 sep. 1996 : *Cabane dans le désert*, h/pan. (66x55,9) : **USD 2 760**.

YEN-SEOU. Voir **YANSOU**

YEN SHÊNG-SUN. Voir **YAN SHENGSUN**

YEN-SOU ou **Yzen Su**. Voir **YANSOU** et **YAN SU**

YEN TÊ-FEI. Voir **YAN DEFEI**

YEN TI. Voir **YAN DI**

YEN TÖ-FEI. Voir **YAN DEFEI**

YEN TSAI. Voir **YAN ZAI**

YEN TS'EU-P'ING. Voir **YAN CIPING**

YEN TS'EU-YU. Voir **YAN CIYU**

YEN TZ'U-P'ING. Voir **YAN CIPING**

YEN TZ'U-YÜ. Voir **YAN CIYU**

YEN WEN-KOUEI ou **Yen Wên-Kuei**. Voir **YAN WENGUI**

YEN WEN-LEANG ou **Yen Wen-Liang**. Voir **YAN WENLIANG**

YEN Yunlian
Né en 1922 à Taipei. XXe siècle. Chinois.
Peintre de paysages.
Il fit ses études à Shanghai. Il eut sa première exposition personnelle à Taipei en 1960 et depuis il a participé à de nombreuses expositions collectives à Taiwan et au Japon.

Ventes Publiques : Taipei, 18 oct. 1992 : *Paysage suisse* 1992, h/t (72,5x91) : **TWD 1 265 000**.

YEO Kim Seng

Né en 1938 à Singapour. Mort en 1994. XXe siècle. Actif aussi en Grande-Bretagne. Indonésien.

Peintre de paysages animés.

Il commença ses études à l'Académie des Beaux-Arts de Nanyang, puis les poursuivit à Paris à l'École Nationale Supérieure des Beaux-Arts. Il vécut à Londres et fut membre du Royal Institute of Oil Painters. Il retourna périodiquement à Singapour pour exposer ses œuvres et participa également à des manifestations à Paris, New York, Hanovre, Rotterdam et Londres.

Musées : Kuala Lumpur (Gal. Nat. d'Art) – Singapour (Mus. d'Art).

Ventes Publiques : Singapour, 5 oct. 1996 : *Barques sur une rivière à Singapour*, h/t (59x44) : **SGD 9 200**.

YEO Richard

Né vers 1720. Mort le 3 décembre 1779 à Londres. XVIIIe siècle. Britannique.

Graveur en médailles, tailleur de camées et dessinateur.

Ce fut un habile dessinateur. Fondateur de la Royal Academy, il figura à sa première exposition avec des dessins de monnaies.

YEOMANS Walter Curtis

Né le 17 mai 1882 à Avon. XXe siècle. Américain.

Peintre et graveur.

Élève de Fursman, de Senseney et de Bicknell. Il travailla à Chicago.

YEOU K'IEOU. Voir **YOU QIU**

YEOU YIN. Voir **YOU YIN**

YEPES Eduardo Diaz

Né en 1910 à Madrid. XXe siècle. Depuis 1934 actif, puis depuis 1956 naturalisé en Uruguay. Espagnol.

Sculpteur de figures, portraits. Cubo-expressionniste, puis abstrait.

S'il se forma seul à la sculpture, il se lia de bonne heure avec les milieux artistiques d'avant-garde de Madrid. Yepes quitta Madrid en 1934, accompagnant le peintre uruguayen Torrès-Garcia, qui jouait alors un rôle non négligeable dans la genèse de l'abstraction à tendance géométrique. Torrès-Garcia, revenu à Montevideo, devait exercer une influence déterminante sur l'évolution de la peinture en Amérique Latine, influence qui aboutira encore dans les années soixante à favoriser l'épanouissement d'un art visuel sud-américain très important. À Montevideo, Yepes épousa la fille de Torrès-Garcia, en 1936. Revenu en Espagne en 1937, après la défaite des républicains, il fut interné politique, en 1939, pendant treize mois. En 1940, il put séjourner à Barcelone, enthousiasmé par le baroquisme de l'architecture de Gaudi. Il circula ensuite en France. Il revint définitivement à Montevideo en 1948. En 1956, il fut nommé professeur à l'École Nationale des Beaux-Arts.

Il commença à exposer au Cercle des Beaux-Arts en 1930 ; puis à l'Athénée avec un ensemble d'œuvres nouvelles, dès l'année suivante. En 1937, Yepes exposa à Madrid et au Pavillon de la République Espagnole, à l'Exposition Internationale de Paris. En 1946 à Paris, il participa à une exposition de groupe (Prix de la Jeune Peinture ?), galerie Drouant-David.

Eduardo Diaz Yepes a utilisé aussi bien la glaise, le bois, la pierre. Influencé par l'esthétique cubiste dès ses débuts en 1930, il montrait des figures décomposées géométriquement, à la limite de la stylisation, avec une recherche caractéristique de l'opposition des pleins et des vides (formes ouvertes) qui rappelait la démarche de Archipenko. Ayant pris sa part des recherches entre cubisme et abstraction, aux côtés des Julio Gonzalez et Torrès-Garcia, Yepes suivit un chemin plus sinueux, approchant de l'expressionnisme, créant des œuvres religieuses, et surtout revenant souvent aux portraits féminins. Dans la dernière période de son œuvre, il se tient strictement à une plastique abstraite ; dans cet esprit, il a créé une sculpture pour le Palais de la Lumière, en 1952. Il a encore sculpté une forme en onyx de 2,40 m de hauteur, qui figura d'abord au Pavillon Uruguayen de l'Exposition Internationale de São Paulo, avant d'être placée dans le parc d'Ibirapuera. ■ J. B.

Bibliogr. : Maria-Rosa Gonzalez, in : *Nouveau diction. de la sculpt. mod.*, Hazan, Paris, 1970 – in : Encyclopédie des Arts *Les Muses*, vol. 15, Grange Batelière, Paris, 1969-1974.

YEPES Tomas, ou **Tomas de**. Voir **HIEPES**

YEPEZ ARTEAGA José

Né en 1898 à Quito. XXe siècle. Équatorien.

Peintre d'histoire, scènes animées, portraits.

Il fut élève de l'École des Beaux-Arts de Quito.

Il peignit des scènes populaires de sa patrie ainsi que des portraits et des événements historiques.

YE QIANYU ou **Ye Ts'ien-Yu** ou **Yeh Ch'ien-Yü**

Né en 1907 dans la province du Zhejiang. XXe siècle. Chinois.

Peintre et caricaturiste.

Ye Quanyu a été vice-président de l'Association des Artistes Chinois Contemporains et président du département de peinture chinoise de l'Académie Centrale des Beaux-Arts.

Caricaturiste dès son jeune âge, il est l'auteur d'une bande dessinée très populaire, *M. Wang et le petit Chen*. Il se tourne par la suite vers un style plus traditionnel et se distingue dans le domaine de la peinture de figures. Il est l'auteur notamment de nombreuses peintures dépeignant les coutumes chinoises et les tribus des provinces frontalières du Xigang, dont plusieurs sont publiées dans une revue artistique de Shanghai, *Qing Ming*, pendant la seconde guerre mondiale. Par une comparaison entre ces croquis talentueux et ceux ultérieurement publiés on constate l'ampleur de l'évolution d'un art proprement national.

Bibliogr. : M. Sullivan, in : *Chinese Art in the XXth Century*, Londres, 1959.

Ventes Publiques : Hong Kong, 28 sep. 1992 : *Chant de naissance dans un village Li*, encre et pigments/pap. (68x136) : **HKD 83 000** – Hong Kong, 3 nov. 1994 : *La danseuse* 1982, encre et pigments/pap. (95,5x59) : **HKD 16 100**.

YEQUAN ou **Yeh-Ch'üan** ou **Ye-Ts'iuan**

XVIe siècle. Actif pendant l'ère Jiajing (1522-1566). Chinois.

Peintre.

YERLI. Voir **JERLI**

YERRO-FELTRER Antonio

Né en 1842 à Valence. XIXe siècle. Espagnol.

Sculpteur.

Il figura aux Expositions de Paris ; mention honorable en 1900 (Exposition Universelle).

YERSIN Yves, pour **Albert Edgar**

Né le 5 septembre 1905 à Montreux. Mort en 1983 à Lausanne. XXe siècle. Suisse.

Graveur, lithographe, dessinateur. Abstrait.

Dès 1907, suite à la mort du père, il vit à New York, puis, en 1919, part au Chili où il termine ses études secondaires à Santiago et où il commence à dessiner, revient à New York en 1925, et y demeure jusqu'en 1927, s'inscrivant à un cours de théâtre, va enfin à Paris où il s'installe. Il s'initia à la gravure en 1933 et resta à Paris jusqu'en 1935, se fixe ensuite à Berne, puis Lausanne. En résumé, il a étudié au Pratt Institute de New York, à Paris et au Royal College of Art de Londres. Il a enseigné la gravure au burin à l'École des Beaux-Arts de Lausanne. En 1970, il refit un nouveau voyage aux États-Unis.

Depuis 1930, Yersin a participé à des expositions collectives : à Paris, notamment en 1948 avec Albert Flocon, Bordeaux, La Haye, Milan, Washington, Tokyo, et en Suisse : Berne, Bâle, Genève, Lausanne. Il a exposé individuellement à Lausanne, en 1952 galerie Maurice Bridel, depuis 1969 galerie L'Entr'acte. En 1983, le cabinet des estampes du Musée de l'Élysée de Lausanne, a organisé une exposition d'ensemble de son œuvre.

Toute sa vie, il a voulu percer les mystères de la nature, l'origine de la création. Il a étudié l'histoire de la planète terre, la formation des mers et des montagnes, la dérive des continents, le secret des cristaux. Essentiellement graveur, il a mis au point, en 1968, un procédé de gravure en couleur qui lui a valu une certaine renommée. Jusqu'en 1973-75, il a gravé de nombreux timbres-poste pour la Suisse. Abstraites, ses gravures évoquent le monde de l'infiniment petit, univers cellulaire où les signes grouillent, exprimant une vie aussi cachée qu'incontrôlable. Curieusement d'ailleurs ce monde microscopique pourrait tout aussi bien se rapprocher de la vision d'un espace intersidéral. ■ J. B.

Bibliogr. : Françoise Simecek : *Catalogue Raisonné de l'œuvre gravé et lithographié de A. E. Yersin*, Atelier de Saint-Prex, 1983.

Musées : Berne – Cambridge (Fogg Mus.) – Chicago (Art Inst.) – Genève – Lausanne – New York (Mus. of Mod. Art) – New York (Public Library) – Philadelphie – Stuttgart – Zurich.

YERU Henri

Né le 13 avril 1938 à Paris. XXe siècle. Français.

Peintre.

Il fut élève de l'École des Beaux-Arts de Paris, à partir de 1962. Il travailla ensuite aux ateliers d'Art Sacré, de 1963 à 1966. Il vit à

Paris. Il expose depuis 1963, dans de nombreuses expositions collectives, notamment : Biennale de Paris, 1963, 1965, 1967 ; Salon des Surindépendants, 1972, etc. Il a montré de nombreuses expositions individuelles de ses dessins, gouaches, peintures, en province et à Paris.
Il a aussi réalisé des tapisseries et vitraux. Peintre gestuel, il crée des effets de clair-obscur en maniant énergiquement une matière colorée abondante. Avec des couleurs souvent franches, sa technique évoque celle de Marfaing.
Bibliogr. : Catalogue de l'exposition : *Yeru*, Gal. Art du Monde, Paris, 1973.
Ventes Publiques : Paris, 28 oct. 1990 : *Conscience n° 5*, h/t (100x81) : **FRF 20 000** – Paris, 4 avr. 1993 : *Sans titre*, h/t (130x95) : **FRF 7 500** – Paris, 19 nov. 1995 : *Rouge carme* 1973, h/t (41x33) : **FRF 6 500**.

YE TAO ou **Yeh T'ao** ou **Ye T'ao**, surnom : **Jincheng**, nom de pinceau : **Qinquan**
XVIIe-XVIIIe siècles. Actif à la cour sous le règne de l'empereur Qing Kangxi (1662-1722). Chinois.
Peintre.
Il a peint de nombreux paysages.

YE TAO-FEN. Voir **YE DAOFEN**

YE TAO-PEN. Voir **YE DAOBEN**

YE TCHENG-TCH'ANG. Voir **YE ZHENGCHANG**

YE TS'IEN-YU. Voir **YE QIANYU**

YE-TS'IUAN. Voir **YEQUAN**

YETTA NYSSENS. Voir **NYSSENS Yetta**

YEURDIGUE. Voir **JEURDIGUE**

YEVA
Né en 1951. XXe siècle. Français.
Sculpteur de nus.
Ventes Publiques : Paris, 22 déc. 1989 : *Jeune femme bras levés*, bronze (H. 22, l. 31) : **FRF 7 200** – Paris, 21 mai 1990 : *Nu assis* 1986, terre cuite (31x14,5x18) : **FRF 7 800** – Paris, 4 fév. 1991 : *Nu sur canapé* 1987, terre cuite obtenue par modelage (14x20x9) : **FRF 10 000**.

YEWELL George Henry
Né en 1830 au Havre-de-Grâce (États-Unis). Mort le 26 septembre 1923 à Lake George. XIXe-XXe siècles. Américain.
Peintre d'architectures.
Élève de Thomas Hicks à New York et de Thomas Couture à Paris.
Musées : Hartford : *Intérieur de l'église Saint-Marc de Venise* – Louisville : *L'église Santa Maria della Salute de Venise* – New York (Metropolitan Mus.) : *Intérieur de l'église Saint-Marc de Venise*.
Ventes Publiques : San Francisco, 21 juin 1984 : *Le pont du Rialto, Venise* 1882, h/t (24x44) : **USD 1 200**.

YEWMAN Charles Alexander
Né en 1806 à Musselburgh. XIXe siècle. Irlandais.
Portraitiste.
Il travailla à Dublin de 1837 à 1844.

YE XIN ou **Ye Hin** ou **Yeh Hsin**, surnom : **Rongmu**
Originaire de Huating, province du Jiangsu. XVIIe siècle. Actif à Nankin vers 1670. Chinois.
Peintre.
Peintre de paysages dans le style de Zhao Lingran, il fait partie des *Huit maîtres de Nankin*.

YE YEOU-NIEN. Voir **YE YOUNIAN**

YE YOUNIAN ou **Yeh Yu-Nien** ou **Ye Yeou-Nien**, surnom : **Junshan**
Originaire de Nanhui, province du Jiangsu. XVIIe siècle. Actif dans la première moitié du XVIIe siècle. Chinois.
Peintre de paysages animés, paysages.
Il fut disciple de Sun Kehong.
Ventes Publiques : New York, 31 mai 1989 : *Personnages dans un paysage*, encre et légers pigments/pap., kakémono (128,3x64,5) : **USD 3 025**.

YE ZHENGCHANG ou **Ye Tcheng-Tch'ang** ou **Yeh Cheng-Ch'ang**
Né en 1910 dans la province du Sichuan. XXe siècle. Chinois.
Peintre. Polymorphe.
Peintre des écoles traditionnelle et moderne, il étudie, en 1929, à l'Académie du Midi de Shanghai. Il enseigne plus tard dans différentes écoles, y compris, depuis 1946, à l'Académie Nationale de Pékin.

YE Zhiwei ou **Yeh Chi-Wei**
Né en 1915 à Fuzhou (Chine). Mort en 1981. XXe siècle. Chinois.
Peintre.
À l'âge de six ans, il partit avec sa famille pour la Malaisie et ne retourna en Chine qu'en 1925. Intéressé par l'art dès l'enfance il obtint le diplôme de l'Académie d'Art de Shangai en 1936. Pour échapper à la guerre sino-japonaise, il partit pour Singapour en 1937 et y fut professeur. Au début de sa carrière, il était résolument traditionnel dans ses sujets et techniques. Vers 1960 il entreprit de voyager dans le sud-est asiatique et fut profondément touché par les ruines anciennes et les sculptures qu'il admira. Son style en fut modifié : simplification des couleurs et des formes pour approcher l'esprit de ces régions. Il vécut en Malaisie les dix dernières années de sa vie.
Ventes Publiques : Taipei, 15 oct. 1995 : *Le coche de Bali*, h/t (57,5x140) : **TWD 218 500**.

YGL von VOLDERTHURN Warmund
Né près de Hall (Tyrol). Mort le 14 mai 1611 à Prague. XVIe-XVIIe siècles. Autrichien.
Dessinateur de cartes.
Il travailla pour la cour de Rodolphe II à Prague.

YI BINGSHOU ou **I Ping-Cheou** ou **I Ping-Shou**, surnom : **Zusi**, nom de pinceau : **Moqing**
Né en 1754, originaire de Ninghua, province du Fujian. Mort en 1815. XVIIIe-XIXe siècles. Chinois.
Peintre de paysages, fleurs, calligraphe.
Gouverneur de la ville de Yangzhou, célèbre écrivain et calligraphe, il est aussi peintre de paysages et de fleurs de prunier.
Ventes Publiques : New York, 31 mai 1990 : *Calligraphie en écriture religieuse*, encre/pap., kakémono (119,4x36,2) : **USD 3 025** – New York, 29 mai 1991 : *Calligraphie en écriture courante*, encre/pap., kakémono (102,9x47,6) : **USD 3 300** – New York, 1er juin 1992 : *Calligraphie en écriture courante*, encre/pap., kakémono (165,1x43,2) : **USD 1 320** – New York, 31 mai 1994 : *Calligraphie en écriture courante*, encre/pap. jaune, une paire de kakémonos (164,5x36,2) : **USD 6 900**.

YI CHANGWU ou **I Ch'ang-Wu** ou **I Tch'ang-Wou**
XVIe-XVIIe siècles. Chinois.
Peintre.

YI FOU-KIEOU ou **Yi Fu-Chiu**. Voir **YI HAI**

YI HAI ou **I Hai**, surnom : **Fujiu**, noms de pinceau : **Xinye** et **Huichuan**
Originaire de Suzhou, province du Jiangsu. XVIIIe siècle. Actif dans la première moitié du XVIIIe siècle. Chinois.
Peintre.
Il fait partie des peintres ayant séjourné au Japon : on note sa présence à Nagasaki, à plusieurs reprises, à partir de 1720. Il contribue ainsi à l'introduction dans ce pays de la peinture de lettré, le *bunjin-ga* ou *Nan-ga*.

YIN BOHENG ou **Yin Po-Heng**
XXe siècle. Chinois.
Graveur.

YIN CH'I-FÊNG. Voir **YIN QIFENG**

YIN CHOU-PO. Voir **YIN SHUBO**

YING BAO ou **Ying Pao**, surnom : **Mengchan**, nom de pinceau : **Jianan**
D'origine mandchoue. XIXe siècle. Actif vers 1800. Chinois.
Peintre.
Peintre de paysages, et de fleurs, spécialiste de peinture au doigt, dont le British Museum de Londres conserve deux œuvres signées et datées, *Cheval*, exécutée au doigt en 1792 et *Faucon assis*, exécutée au doigt en 1805.

YIN HONG ou **Yin Hung**
Originaire de Chenjun, province du Henan. Actif pendant la dynastie Ming (1368-1644). Chinois.
Peintre.
Peintre de figures et de fleurs et d'oiseaux.

YIN HSI. Voir **YIN XI**

YIN HUNG. Voir **YIN HONG**

YIN K'I-FENG. Voir **YIN QIFENG**

YIN-MO-CHEN
XXe siècle. Travaillant en Chine. Chinois.
Artiste. Traditionnel classique.
A figuré en 1946 à l'Exposition Internationale d'Art Moderne

ouverte à Paris, au Musée d'Art Moderne, par l'Organisation des Nations unies. Il y présentait une *Calligraphie*.

YIN PO-HENG. Voir **YIN BOHENG**

YIN QIFENG ou **Yin Ch'i-Fêng** ou **Yin K'i-Feng**
Actif pendant la dynastie Ming (1368-1644). Chinois.
Peintre.

YIN SHUBO ou **Yin Chou-Po** ou **Yin Shu-Po**, surnom : **Manqing**, noms de pinceau : **Yunlou** et **Lanyun**
Né en 1769, originaire de Jiaxing, province du Zhejiang. Mort en 1847. XVIIIe-XIXe siècles. Chinois.
Peintre.
Peintre de fleurs dans le style de Xiang Molin.

YIN SI. Voir **YIN XI**

YIN-T'O-LO. Voir **YINTUOLUO**

YINTUOLUO ou **Yin-T'o-Lo**
Né en Inde, originaire de la région du Maghada. XIIIe siècle. Actif dans la seconde moitié du XIIIe siècle. Chinois.
Moine peintre.
Moine chan (zen), il vit pour un temps, dans un monastère de Kaifeng (province du Henan), puis dans le temple Tianzhu, près de Hangzhou (province du Zhejiang). Il est peintre de figures bouddhistes et la plupart de ses œuvres sont conservées au Japon.
Musées : Kyoto (Temple Daitoku-Ji) : *Prêtre et deux garçons, inscription* – Tokyo (Nat. Mus.) : *Hanshan et Shide*, deux peint., inscription du moine Zuying – *Le prêtre Danxia brûlant une statue de Bouddha, poème de Chushi* 1296-1370 – *Le prêtre Yaoshan parlant à Li Ao, poème de Chushi* – *Hanshan et Shide*, deux peint., avec chacune un poème de Ciqiao – *Vimalakirti*, signé, poème du moine Fumen – *Bodhidharma traversant le Yangzijiang*, signé – *Hanshan et Shide*, fragment de rouleau, poème de Chushi – Tokyo (Mus. Nezu) : *Butai et un dévot*, encre sur pap., poème de Chushi, rouleau en hauteur – Tokyo (Seikadô Foundation) : *Zhichang*, encre sur pap., rouleau en hauteur – Tokyo (Hatakeyama Kinenkan Mus.) : *Zhichang et Li Po*, encre sur pap., rouleau en hauteur.

YIN XI ou **Yin Hsi** ou **Yin Si**, surnom : **Huaiyuan**, nom de pinceau : **Xicun**
Originaire de Huzhou, province du Zhejiang. XVIIIe siècle. Chinois.
Peintre de paysages animés.
Il peignait des figures, des paysages, des fleurs et des oiseaux.

YIN YE ou **Yin Yeh**
Originaire de Fengyang, province du Anhui. XVIIIe siècle. Chinois.
Peintre.
Peintre de singes bien connu, que l'on appelle familièrement Yin Lü, Yin le singe.

YIN YUANLIANG ou **Yin Yuan-Leang** ou **Yin Yüan-Liang**
Originaire des îles Liuqiu. XVIIIe siècle. Actif vers 1748. Chinois.
Peintre.

YIRAN, appelé aussi **I-Jan,** nom de pinceau d'un peintre non identifié qui d'après son sceau s'appellerait aussi **Qianqiu Yufu**
XVIIe-XVIIIe siècles. Actif probablement au début de la dynastie Qing (1644-1911). Chinois.
Peintre.
Il s'agit peut-être du peintre Yiran, en japonais Itsunen, moine chinois de la secte zen Obaku (Huangbo) qui ira jusqu'à Kyoto, au Japon, en 1644, et y prolongera la tradition des portraits de patriarches de la secte zen, introduite par la colonie chinoise de Nagasaki.

YIRAWALA
Né en 1903. Mort en 1976. XXe siècle. Australien.
Peintre de figures. Traditionnel aborigène.
Remarqué pour ses peintures, il vécut longtemps à la Mission de Croker Island, où des collectionneurs-ethnologues importants venaient acquérir ses productions pour divers musées et collections.
Il était représenté à l'exposition *Creating Australia. 200 years of Art. 1788-1988* à la Art Gallery of South Australia en 1988 à Adelaïde.
Il peignait des personnages schématiques, d'un graphisme typiquement ornemental, avec de l'ocre sur une sorte de papyrus. Il est considéré comme un des plus remarquables de ces peintres sur écorce de la zone ouest de l'Arnhem Land. Il représente surtout des personnages, ou plutôt des esprits de personnages disparus, les ancêtres. Il est probable qu'une lecture ésotérique du contenu sacré de ces peintures nous échappe, mais leur richesse inventive et formelle met le spectateur de nouveau en présence du mystère des primitifs artistes.
Bibliogr. : K. Kupka, in : *Peintres aborigènes d'Australie*, Paris, 1972 – in : catalogue de l'exposition *Creating Australia. 200 years of Art. 1788-1988*, Art Gallery of South Australia, Adelaïde, 1988 – in : *Diction. de l'Art Mod. et Contemp.*, Hazan, Paris, 1992.
Musées : Adélaïde (South Australian Mus.) : *Mimi Spirits* 1970, ocre/écorce – Bâle (Mus. ethnographique) – Canberra (Australian Nat. Gal.) : *Maralaitj* – nombreuses œuvres – Paris (Mus. de l'Homme).

YI YUANJI ou **I Yüan-Chi** ou **I Yuan-Ki**, surnom : **Qingzhi**
Originaire de Changsh, province du Huanan. Mort vers 1065. XIe siècle. Chinois.
Peintre.
Professeur au temple de Confucius de Changsha, il est appelé deux fois à la capitale, pendant l'ère Zhiping (1064-1067) pour exécuter des peintures murales au palais impérial. Il mourra pendant ces travaux, peut-être assassiné. Il est peintre d'oiseaux, de fleurs, de fruits, d'abeilles et de cigales, mais cherchant à acquérir une réputation qui le mette hors de toute comparaison, il se spécialise dans les représentations de daims, de cerfs et de singes. Après s'être inspiré de Zhao Chang, il rejette l'expérience d'autrui et se tourne vers la nature et cherche désormais l'inspiration dans de longues et fécondes flâneries, errant au milieu des bêtes sauvages à la poursuite des singes, des daims et des sangliers, qu'il épie avec passion, avide de fixer leurs mouvements. Si vif est son désir de vérité qu'il va jusqu'à installer un jardin derrière sa villa rustique de Changsha où, parmi les rochers et les buissons de fleurs, au milieu des bambous et des roseaux, il élève des oiseaux d'eau qu'il épie à travers fentes et fenêtres. Aussi un jour vient-il où son talent exceptionnel est remarqué par l'empereur, alors qu'il n'avait vécu jusque là que dans la compagnie d'humbles montagnards ; mais à peine la faveur impériale le distingue-t-elle, qu'il meurt. En effet, il exécute d'abord en 1064, un écran situé derrière le trône impérial, représentant des chevreuils d'un type particulier. Puis on lui commande un panneau de cent singes, pour lesquels l'empereur lui offre les matériaux nécessaires à l'exécution : il en peint à peine une dizaine qu'il disparaît. Mi Fu (1051-1107) dit dans son *Histoire de la Peinture*, le *Huashi*, que... *Les membres de l'Académie jalousaient ses talents, ils ne lui faisaient peindre que des chevreuils et des singes. Il fut finalement empoisonné.* Son style, à la fois libre et rigoureux, est plein d'humour ; il traduit le pelage des animaux avec délicatesse, par petites touches et sans contour.
Bibliogr. : Vandier-Nicolas : *Art et sagesse en Chine : Mi Fou*, 1051-1107, Paris, 1954.
Musées : Osaka (Mus. mun.) : *Les cent gibbons* – Pékin (Mus. du Palais) : *Trois gibbons sur une vieille branche d'arbre*, éventail – *Trois singes dans un arbre nu*, feuille d'album – Stockholm (Nat. Mus.) : *Deux gibbons noirs jouant dans les branches d'un arbre aux larges feuilles* – Taipei (Nat. Palace Mus.) : *Singe et chats*, encre et coul. sur soie, rouleau en longueur – Washington D. C. (Freer Gal.) : *Deux gibbons grimpant dans un arbre*, sans doute copie de la période Ming.

YI ZUO
Chinois.
Peintre. Traditionnel.
Ventes Publiques : New York, 31 mai 1990 : *Paysage*, encre et touches de pigments/pap. or, éventail peint (15,9x50,8) : **USD 1 320**.

YJO. Voir **JOLY Louis**

YKELENSTAM Hendrikus
Né le 24 avril 1897 à Utrecht. XXe siècle. Hollandais.
Peintre et graveur.
Il fut élève de l'Académie des Beaux-Arts d'Amsterdam.

YKENS. Voir aussi **IJKENS**

YKENS Catharina. Voir **IJKENS**

YKENS Giovanni ou **Jan**
XVIe siècle. Italien.
Médailleur.
Il travaillait à Florence en 1575.

YKENS Jacques
XVIIe siècle. Éc. flamande.

Sculpteur.
Il travaillait à Anvers en 1607.

YKENS Jacques ou **Ickens**
Né vers 1645. XVIIe siècle. Hollandais.
Peintre.
Il travaillait à Amsterdam en 1667.

YKENS Karel. Voir **EYCKENS** et **IJKENS Karel**

YKENS Melchior. Voir **IJKENS**

YKENS Pieter Abrahamsz ou **Eyckens**
XVIIe siècle. Hollandais.
Peintre.
Il travaillait à Dordrecht de 1680 à 1695. On peut se demander s'il n'y a pas confusion avec Peter Ijkens.

YLARIUS
XVe siècle. Actif dans la seconde moitié du XVe siècle. Portugais.
Peintre.
Le Musée de Coïmbra conserve de lui un triptyque dont le verso porte le nom de cet artiste écrit à la craie.

YLEN Jean d', pseudonyme de **Béguin Jean-Paul**
Né le 7 août 1886 à Paris. Mort le 21 novembre 1938 à Paris. XXe siècle. Français.
Peintre de paysages, affichiste, illustrateur, décorateur.
À Paris, en 1900 il fut élève de l'École d'arts appliqués Bernard Palissy, puis de Fernand Cormon à l'École des Beaux-Arts. Jusqu'en 1912, il travailla comme dessinateur de joaillerie. De 1914 à 1918, mobilisé au front, il fut employé à la cartographie. En tant que décorateur, il participa aux Expositions Coloniale de 1934 et Internationale de 1937. Comme peintre, il exposa au Salon des Artistes Français, obtenant diverses distinctions. En 1980 à Paris, la Bibliothèque Forney a organisé une importante exposition d'ensemble de ses affiches.
De 1912 à 1914, il débuta sa carrière d'affichiste. Après la guerre, de 1919 à 1934, furent éditées deux cent trois affiches de lui, dont certaines en Angleterre. De 1934 à 1938, il travailla directement avec l'Angleterre. Ses affiches symbolisent souvent le produit promu par des personnages imaginaires, particulièrement inventifs. Bon nombre en furent populaires, dont : 1920 *Rhum Pépita* et *Journal L'Éclair* ; 1928 *Teinture Idéale* ; 1930 *Blédine Jaquemaire, la seconde Maman* ; 1931 *Berliet, la 9cv., 4 cylindres, 4 vitesses* ; 1937 *London-Portsmouth* ; etc. Son style fut souvent rapproché de celui de Cappiello, dont il se distingue souvent par un aspect irréel, fantastique. En France, il fut un collaborateur attitré de la revue *L'Illustration*. Outre sa féconde carrière d'affichiste, il peignit aussi des paysages, notamment dans la région de Pau, dans une saine technique traditionnelle et qui sont caractérisés par un goût pour les vastes envolées panoramiques.
Bibliogr. : Catalogue de l'exposition *Jean d'Ylen*, Bibliothèque Forney, Paris, 1980.
Musées : Paris (Bibl. Forney) : une centaine d'affiches.

YLINEN Vihtori Joh
Né le 28 mars 1879 à Yläne. XXe siècle. Finlandais.
Peintre de portraits, paysages, illustrateur.
Il fit ses études à Helsinki et à Paris.
Musées : Helsinki : *Portrait du peintre V. A. Westerholm*.

YMANTS Jan. Voir **YEMANS**

YMBAR Lawrence ou **Imbar** ou **Imber**
XVIe siècle. Actif au début du XVIe siècle. Britannique.
Sculpteur.
Il travailla pour l'Abbaye de Westminster en 1509.

YMBRECHTS Marton
XVIe siècle. Éc. flamande.
Sculpteur.
Il sculpta le jubé de l'église Saint-Jean de Malines de 1507 à 1513.

YNGHEN Pieter Van. Voir **INGEN**

YNGLADA SALLENT Pedro
Né le 4 mars 1881 à Santiago de Cuba, d'émigrés espagnols. Mort en 1958. XXe siècle. Espagnol.
Peintre de scènes animées, figures, portraits, illustrateur.
Il fit ses études à Barcelone. Il exposa à Paris à partir de 1921.
Il a traité avec élégance des scènes de cirque et de music-hall.
Musées : Barcelone (Mus. des Arts Contemp.) : Des caricatures et des animaux.

YNURRIA Mateo. Voir **INURRIA Y LAINOSA Mateo**

YNZA Joaquin X. Voir **INZA**

YO LAUR Marie Yvonne. Voir **LAUR**

YÔBOKU. Voir **KANÔ TSUNENOBU**

YO CHÊNG. Voir **YUE ZHENG**

YÔGETSU
Originaire de Satsuma, province de Kagoshima. XVe siècle. Actif vers 1470. Japonais.
Peintre.
Prêtre au temple Kasgi de Yamashiro, il est peintre de peinture à l'encre *(suiboku)* de l'époque Muromachi.

YOHN Frederick Coffray
Né le 8 février 1875 à Indianapolis. XXe siècle. Américain.
Peintre.
Il fut élève de l'École d'Art d'Indianapolis et de l'Académie des Beaux-Arts de New York.

YO KAO. Voir **YUE GAO**

YOKOCHI Hiroshi
Né en 1945 à Aichi. XXe siècle. Actif aussi en France. Japonais.
Peintre de figures. Tendance informelle.
En 1972, il a été diplômé de la Faculté des Beaux-Arts de Aichi. Il a exercé ensuite une activité d'enseignant. En 1988-1989, il a été élève de l'École des Beaux-Arts de Paris. Il participe à des expositions collectives, notamment, de 1976 à 1986, à la Shinseisaku Association. Il a reçu diverses distinctions. Il expose individuellement depuis 1971, surtout à Nagoya et Tokyo.
Il peint essentiellement des figures, souvent à l'aspect de pantins très influencés par ceux de Jacky Chriqui qu'il eut comme professeur aux Beaux-Arts de Paris. Dans les meilleurs des cas, ces figures tendent à l'informel, limitées à un seul rapport anthropomorphique.

YÔKOKU, de son vrai nom : **Katayama Sadao,** nom familier : **Sôma**, noms de pinceau : **Yôkoku** et **Gazen-Kutsu**
Né en 1675 à Nagasaki. Mort en 1716. XVIIe-XVIIIe siècles. Japonais.
Peintre.
Peintre de fleurs et d'oiseaux.

YOKOO Tadanori
Né en 1936 à Nishiwaki (Hyogo préfecture). XXe siècle. Japonais.
Peintre de compositions animées, technique mixte, dessinateur. Expressionniste, nouvelles figurations.
Il participe à des expositions collectives, dont : 1985 Paris, Nouvelle Biennale. Il présente ses œuvres dans des expositions personnelles, d'entre lesquelles : 1980, Okayama Museum ; 1982 Hambourg, Museum für Kunst und Gewerbe ; 1983 Nishinomiya, Otani Memorial Art Museum ; 1984 Tokyo, galerie Nantenshi.
Il n'est pas resté indifférent aux nouveaux surgissements expressionnistes, notamment au néo-expressionnisme en Allemagne et à l'œuvre de Baselitz, qui l'incite éventuellement à l'audace inouïe de représenter un personnage à l'envers.

YOKOYAMA MATSUSABURÔ, appelé plus tard : **Bunroku**
Né en 1838, originaire de Hokkaïdô. Mort en 1884. XIXe siècle. Japonais.
Peintre de portraits, lithographe. Style occidental.
Il était actif à Tokyo. Peintre de style occidental, élève d'un artiste russe venu au Japon et de Shimôoka Renjô avec qui il apprend la technique de la lithographie et de la photographie. Il fonde une école privée à Tokyo et enseigne la lithographie et la photo à l'Académie Militaire. Il est spécialiste de portraits.

YOKOYAMA Misao
Né en 1920 dans la région de Niigata. XXe siècle. Japonais.
Peintre.
Il fut élève de l'École de Peinture Kawabata. De 1940 à 1962, il fit partie du groupe « Seiryu », dont il se sépara à la suite d'un voyage d'étude aux États-Unis.
Bibliogr. : B. Dorival, sous la direction de... : *Peintres Contemporains*, Mazenod, Paris, 1964.
Musées : Tokyo (Mus. d'Art Mod.) : plusieurs peintures.

YOKOYAMA Taikan ou **Yokayama**, de son vrai prénom : **Hidemaro**
Né en 1868 à Mito (préfecture d'Ibaragi). Mort en 1958. XIXe-XXe siècles. Japonais.
Peintre. Traditionnel.

Après des études à l'Université des Beaux-Arts de Tokyo, il participe à la fondation de l'Académie des Beaux-Arts avec le critique Okakura Tenshin. Il y enseigne avec son condisciple et ami Hishida Shunso. En 1898, il quitta l'Académie en même temps que Okakura. Il participa à la création d'une nouvelle association, *Nihon-Bijutsu-In*, dont il prit la direction en 1914, après la mort de Okakura. Contrairement à son ami Hishida, il connut une longue carrière fructueuse. Il reçut la médaille de la culture et fut membre de l'Académie des Arts de la maison impériale ainsi que de l'Académie des Beaux-Arts.
Durant sa collaboration avec Okakura, il développe un art imprégné de spiritualisme, travaillant principalement à l'encre. Il appartint durablement au courant « Nihonga », une certaine modernisation dans le respect de la tradition nationale, et son enseignement agira dans ce sens.
Bibliogr. : In : *Diction. de l'Art Mod. et Contemp.*, Hazan, Paris, 1992.
Ventes Publiques : New York, 24 avr. 1997 : *Le Mont Fuji*, encre de coul./soie (44x56) : **USD 178 500**.

YOKOYAMA Zanuchi
Né en 1940 au Japon. xxe siècle. Actif à Paris. Japonais.
Sculpteur.
Il travaille le bois. Il joue sur l'ambiguïté de certaines formes, zoomorphiques ou anthropomorphiques, évoquant tour à tour quelques végétaux, fruits ou arbres, ou bien les courbes du corps humain.

YOLE ou **Yoli**. Voir **JOLI** ou **JOLY**

YOL LUN
Né le 12 mars 1905 à Haï Nan. xxe siècle. Chinois.
Sculpteur.
Il exposait à Paris, au Salon des Artistes Français depuis 1928.

YOLSKI
Née en 1955 à Varsovie. xxe siècle. Active en France. Polonaise.
Peintre technique mixte.
Elle vit et travaille à Paris. Elle est diplômée d'architecture par l'École polytechnique de Varsovie et diplômée de l'École nationale supérieure des Beaux-Arts de Paris. Elle participe à des expositions collectives : Salon de Montrouge en 1986 et 1990 ; Mac 2000 en 1990. Elle a exposé individuellement à la Galerie de la Cité des Arts à Paris en 1986 et 1987, la galerie Keller en 1987, la galerie Koralewski en 1991.
Ventes Publiques : Paris, 13 juin 1992 : *Cage* 1991, techn. mixte/pap. (20x46) : **FRF 3 000**.

YON Charles Pierre
Né en 1803 à Dijon (Côte-d'Or). Mort en 1851 à Paris. xixe siècle. Français.
Sculpteur.
Père d'Edmond Charles Joseph Yon et élève de N. Bornier. Il exposa au Salon de 1846 à 1848.

YON Edmond Charles Joseph
Né le 2 février 1836 à Paris. Mort le 15 mars 1907 à Paris, selon d'autres sources en 1897. xixe siècle. Français.
Peintre de paysages animés, paysages, paysages d'eau, aquarelliste, pastelliste, graveur, graveur de reproduction, illustrateur.
Il fut élève de Pouget et de Lequien. À partir de 1865, il figura au Salon de Paris, puis Salon des Artistes Français ; obtenant une médaille de deuxième classe en 1872, de troisième classe en 1875, de troisième classe en 1878, de deuxième classe en 1879, une médaille d'or en 1889, pour l'Exposition Universelle. Il fut promu chevalier de la Légion d'honneur en 1886.
Il collabora à des revues, dont : *Magasin pittoresque ; Le Monde illustré ; L'Art*. Il fit de nombreuses gravures sur bois d'après les dessins de Brion pour les illustrations de *Les Misérables* et *Notre-Dame de Paris* de Victor Hugo ; d'après les dessins de Roux pour *Don Quichotte* de Cervantès ; et autres. Il grava des paysages d'après Corot, Millet. Il s'adonna ensuite à la peinture de paysages et y réussit honorablement.

Musées : Amiens : *Marais de Sacy-le-Grand* – Anvers : *Environs de Saint-Jean-de-Luz* – Arras : Un pastel – Bayonne (Bonnat) : *Lever de lune à Longpré* – Calais : Une aquarelle – Château-Thierry : *Paysage* – Compiègne : *Le grand chêne de l'étang de Cernay* – Un pastel – Draguignan : *L'Essonne à Malesherbes* – Un pastel – Lille : *Paysage* – Louviers (Gal. Roussel) : *Acquigny, Eure* – Montréal : *Sur l'Eure* – Mulhouse : *La Saint Marc à Varangeville-sur-Mer* – Niort : *L'Eure à Acquigny* – Paris : *Paysage* – Périgueux : *Paysage* – Soissons : *Bords de la Meuse à Dordrecht* – Tourcoing : *En automne*.
Ventes Publiques : Paris, 1872 : *Étude d'intérieur* : **FRF 105** – Paris, 4 fév. 1886 : *La Rafale* : **FRF 1 530** ; *Le Trou aux carpes* : **FRF 1 620** ; *Embouchure de l'Orne*, past. : **FRF 1 400** – Paris, 25 avr. 1888 : *La Seine près de Vernon* : **FRF 1 600** – Paris, 11 avr. 1891 : *L'Étang de Cernay* : **FRF 1 400** ; *Lavoir à Ballancourt* : **FRF 850** ; *Printemps à Mortefontaine*, aquar. : **FRF 600** – Paris, 5 avr. 1897 : *Le Grand Bras aux Andelys* : **FRF 520** ; *Lever de lune*, past. : **FRF 400** – Paris, 1899 : *Grèves à Villerville*, aquar. : **FRF 155** – Paris, 25 fév. 1908 : *La Tour Rose, environs de Venise* : **FRF 2 250** – Paris, 20-22 nov. 1911 : *Bord de rivière* : **FRF 300** – Paris, 16 mai 1924 : *Marolles-sur-Seine* : **FRF 710** – Paris, 25 et 26 jan. 1943 : *Les Coteaux de la Seine* : **FRF 5 500** – Nice, 23-24 mars 1943 : *Ferme et meules au bord d'une rivière*, aquar. gchée : **FRF 2 100** – Paris, 5 mai 1944 : *Rue de village* : **FRF 5 000** ; *Paysage* : **FRF 1 700** – Paris, 29 nov. 1944 : *Bords de rivière* : **FRF 5 900** – Paris, 17 mai 1945 : *Falaises* : **FRF 3 800** – Paris, 5 juil. 1955 : *Bords de rivière* : **FRF 24 000** – Lucerne, 22 juin 1968 : *Paysage fluvial* : **CHF 5 800** – Lucerne, 27 juin 1969 : *Paysage fluvial* : **CHF 4 800** – Londres, 13 avr. 1972 : *Bord de rivière* : **GBP 450** – Londres, 5 juil. 1973 : *Bord de la Marne à Villardon* 1880 : **GBP 3 400** – Vienne, 9 mai 1978 : *Lavandières au bord de la rivière*, h/t (73x55) : **ATS 32 000** – Paris, 26 nov 1979 : *Pêcheur au bord d'un étang*, h/cart. (29x40) : **FRF 7 800** – Zurich, 25 mai 1979 : *Bord de rivière*, h/t (28x44,5) : **CHF 4 800** – Versailles, 18 juil. 1981 : *Senlisse, vallée de Chevreuse*, h/t (50x68) : **FRF 24 000** – Versailles, 27 mars 1983 : *Senlisse*, h/t (46x68) : **FRF 30 000** – Paris, 12 juin 1985 : *L'île Saint-Denis*, h/t (41x63) : **FRF 22 000** – Paris, 12 juin 1988 : *Village breton au bord de rivière*, h/t (52x70) : **FRF 50 000** – Versailles, 6 nov. 1988 : *Au petit Andelys*, h/t (40,5x72,5) : **FRF 31 000** – Paris, 3 oct. 1989 : *Cour de ferme*, h/t (36x29) : **FRF 6 500** – Versailles, 19 nov. 1989 : *Le Port*, h/t (32,5x47) : **FRF 19 000** – Calais, 10 déc. 1989 : *Ferme au bord de la rivière*, h/t (36x29) : **FRF 13 800** – Paris, 4 avr. 1990 : *Les Lavandières aux abords du village*, h/t (48x63) : **FRF 33 000** – Berne, 12 mai 1990 : *Paysage d'automne* 1893, h/pan. (12,5x30,5) : **CHF 2 000** – Paris, 12 juin 1990 : *Bord de rivière*, aquar. (37x53) : **FRF 7 000** – Barbizon, 13 oct. 1991 : *La Couseuse au bord de l'eau*, h/t (70x52) : **FRF 104 000** – New York, 20 jan. 1993 : *Paysage avec une rivière*, h/t (27,3x35,6) : **USD 1 495** – Paris, 25 mars 1993 : *Port fluvial*, h/t (32,5x46,5) : **FRF 6 000** – New York, 13 oct. 1993 : *Villeneuve-sur-Seine*, h/t (47x61,6) : **USD 6 038** – Paris, 27 fév. 1996 : *Bateau de pêche près d'un moulin*, h/t (23x35) : **FRF 5 000** – Paris, 10 mars 1997 : *Paysage à la mare*, h/t (24,5x35) : **FRF 6 500**.

YON Marguerite Frédérique
Morte en 1898. xixe siècle. Française.
Peintre de fleurs et de paysages.
Élève de M. J. André. Elle exposa au Salon en 1869 et 1870. Sociétaire des Artistes Français.

YONEHARA Ounkai
xixe siècle. Actif à Tôkyô. Japonais.
Sculpteur.
Il figura aux expositions de Paris ; mention honorable en 1900 (Exposition Universelle).

YONEYAMA Mariko
Née en 1945 dans la préfecture de Yamanishi. xxe siècle. Japonaise.
Peintre. Tendance hyperréaliste.
En 1968, elle obtient son diplôme de beaux-arts à l'Université Nihon de Tokyo et, dès 1969, participe à l'Exposition Internationale des Jeunes Artistes et à la neuvième exposition d'Art Japonais Contemporain, à Tokyo. On lui doit une peinture figurative à tendance hyperréaliste.

YONGE John
xvie siècle. Travaillant à Londres en 1562. Britannique.
Peintre.

YONGH John de
Né en 1856. Mort le 21 mai 1917 à New Rochelle. XIXe-XXe siècles. Américain.
Peintre de portraits.

YONG JONG. Voir **YONG RONG**

YONG RONG ou **Yong Jong** ou **Yung Jung, Prince Zhi**, nom de pinceau : **Jiusi Zhuren**
Né en 1743. Mort en 1790. XVIIIe siècle. Chinois.
Peintre de paysages animés, paysages, fleurs, dessinateur. Traditionnel.
Sixième fils de l'empereur Qianlong (règne 1736-1796), il est connu comme poète et peintre de paysages dans le style de Huang Jian et de fleurs dans celui de Lu Zhi.
Musées : Boston (Fine Arts Mus.) : *Paysage de rivière*, signé – Taipei (Nat. Palace Mus.) : *Paysage d'hiver*, encre et coul. sur pap., rouleau en hauteur signé – *Le studio du pin et de la grue*, signé – *Paysage*, éventail signé – *Studio sous les pins dans la montagne*, signé – *Barques de pêche sur la rivière*, signé – *Voyageurs dans les montagnes*, signé – *Paysage d'automne avec temple et chaumières*, signé – *Pavillons d'été près d'un ruisseau de montagne*, signé.
Ventes Publiques : Taipei, 10 avr. 1994 : *Ermitage d'un lettré dans un paysage d'hiver*, encre et pigments/pap., éventail (21x55) : **TWD 253 000**.

YONG Sheng ou **Cheng Qinwang**. Voir **YONG XING**

YONG SING. Voir **YONG XING**

YONG TIAN ou **Yong T'ien** ou **Yung T'ien**
XIIIe-XIVe siècles. Actif sous la dynastie Yuan (1279-1368). Chinois.
Peintre.
Peintre non mentionné dans les biographies d'artistes chinoises, mais dans le *Kundaikan Sayuchôki* japonais, comme spécialiste de peintures d'écureuils.

YONG T'IEN. Voir **YONG TIAN**

YONG XING ou **Yong Sing** ou **Yung Hsing**, noms de pinceau : **Jingquan** et **Shaohan**, prince de la dynastie **Cheng**
Né en 1752. Mort en 1823. XVIIIe-XIXe siècles. Chinois.
Peintre de paysages, fleurs, calligraphe.
Onzième fils de l'empereur Qing Qianlong (règne 1736-1796), il est connu comme calligraphe et peintre de paysages et de fleurs.
Ventes Publiques : New York, 4 déc. 1989 : *Calligraphie en écriture courante*, encre/pap. doré (163x84) : **USD 3 850** – New York, 1er juin 1993 : *Calligraphie en écriture courante*, encre/pap., kakémono (128,3x334) : **USD 9 775** – New York, 29 nov. 1993 : *Paysages dans le style des maîtres anciens* 1723, huit encre et pigments/pap. et quatre encre/pap., album de 12 feuilles (chaque 63,8x40,3) : **USD 25 300** – New York, 21 mars 1995 : *Album de calligraphies*, encre/pap., 16 pages en écriture courante (chaque 25,4x9,2) : **USD 2 070**.

YOOK Keun-Byung
Né en 1957. XXe siècle. Coréen.
Artiste d'installations multimédia. Conceptuel.
Il produit ses performances, installations, dans des galeries de Séoul, dans quelques autres villes de Corée, ainsi que, en 1993, à Hambourg et Tokyo. En 1992 et 1993, il a reçu des Prix importants de Corée.
Ses installations assistées de vidéo mettent en opposition le monde vivant et le concept de mort.

YOORS Eugène
Né en 1879 à Anvers. Mort le 11 avril 1975, selon d'autres sources : 1977. XXe siècle. Belge.
Peintre, peintre verrier, graveur.
Il fut élève de l'Académie des Beaux-Arts et de l'Institut Supérieur d'Anvers. Il séjourna pendant sa jeunesse à Séville, ensuite à Paris et en Europe.
Il est l'auteur des vitraux de la chapelle des Sœurs Annonciatrices à Heverlee-les-Louvain.
Bibliogr. : In : *Diction. biogr. illustré des artistes en Belgique depuis 1830*, Arto, Bruxelles, 1987.

YOORS Jan
Né en 1922 à Anvers. Mort en 1977. XXe siècle. Belge.
Peintre, sculpteur, peintre de cartons de tapisseries.
Il était aussi photographe, cinéaste.
Bibliogr. : In : *Diction. biogr. illustré des artistes en Belgique depuis 1830*, Arto, Bruxelles, 1987.

YORDAN Artus
XVIIe siècle. Espagnol.
Sculpteur.
Il travaillait à Séville en 1603.

YORDANOV Dimitri
Né le 22 juin 1926 à Sofia. XXe siècle. Actif aussi en France. Bulgare.
Peintre de scènes animées. Naïf.
Descendant d'un peintre d'icônes, il est né dans une famille d'artistes. Il quitta la Bulgarie à l'âge de vingt ans, en tant que dessinateur humoriste. Il voyagea en Tchécoslovaquie, Autriche et Allemagne. Il se fixa à Paris, en 1949, où il connut Utrillo, Gen-Paul, Papazoff et d'autres. Il commença à peindre en 1955, avec des séries de personnages typiques de Montmartre. Ensuite, il mena une carrière de chanteur du folklore balkanique et tzigane, allant en Italie, Espagne, au Proche-Orient, en Amérique du Sud. Depuis 1961, il expose régulièrement à Beyrouth, Capri, Rome, Venise, Milan, Bruxelles et Paris.
Dans une facture naïve, il peint un monde enchanté de beaux chevaliers et d'oiseaux fabuleux.
Bibliogr. : Anatole Jakovsky : *Ces peintres de la semaine des sept dimanches*, Borletti, Milan.
Musées : Genève (Petit Palais) – Laval (Mus. Henri Rousseau) – Luzzara (Mus. des Naïfs) – Zagreb (Mus. d'Art Naïf).

YORK Georgie Helen
Née en 1872 à Thomaston. XIXe-XXe siècles. Américaine.
Peintre de genre.

YORK John Devereux
Né en 1865 à Nashville. XIXe-XXe siècles. Américain.
Peintre.
Il fut élève de R. Collin à l'École des Beaux-Arts de Paris. Il travailla à Chicago.

YORKE, Mrs
XVIIIe siècle. Britannique.
Pastelliste.
Il travaillait à Londres en 1771.

YORKE William Hoard ou **Howard**
Né en 1847. Mort en 1921. XIXe-XXe siècles. Britannique.
Peintre de marines.
Il peignait surtout des bateaux, qu'il représentait avec exactitude.
Ventes Publiques : Londres, 22 sep. 1978 : *Le « Emily A. Davis » en pleine mer* 1882, h/t (50,2x75,6) : **GBP 650** – Liverpool, 26 sept 1979 : *Le voilier sous l'orage* 1896, h/t (60x90) : **GBP 1 000** – Chester, 31 juil. 1981 : *S. S. Amoor en grand'voile* 1877, h/t (59,5x90) : **GBP 1 600** – New York, 27 jan. 1983 : *Le Trois-mâts Oregon* 1883, h/t (63,5x106,7) : **USD 10 500** – Londres, 5 juin 1985 : *Le Theresine en mer* 1883, h/t (61x91) : **GBP 4 200** – New York, 28 mai 1987 : *Pottery beach, green point* 1874, h/t (56x77) : **USD 23 000** – New York, 25 fév. 1988 : *Le « Montagnais » en mer* 1879, h/t (61x91) : **USD 13 200** – Londres, 22 sep. 1988 : *Le « Holmeforce » en mer* 1889, h/t (28x44,5) : **GBP 1 320** – Londres, 31 mai 1989 : *Le « Ulrica »* 1895, h/t (51x76) : **GBP 2 420** – Londres, 5 oct. 1989 : *Le navire de bois Lucania au port* 1892, h/t (61x91,5) : **GBP 4 620** – Londres, 30 mai 1990 : *Le « Duchess of Breyle »* 1875, h/t (66x102) : **GBP 9 350** – Londres, 20 mai 1992 : *Le vaisseau danois « Ceferina »* 1873, h/t (61x91) : **GBP 6 600** – Londres, 3 nov. 1993 : *Le Trois-mâts « Earl Granville »* 1879, h/t (59x89,5) : **GBP 5 520** – Londres, 11 mai 1994 : *Le Trois-mâts « Olano »* 1883, h/t (59,5x90,5) : **GBP 7 360** – New York, 12 avr. 1996 : *Le Trois-mâts « Faith of Liverpool »* 1865, h/t (50,8x76,2) : **USD 9 200**.

YOROZU TETSUGORÔ
Né en 1885. Mort en 1927. XXe siècle. Japonais.
Peintre.
Peintre de style occidental, il sort diplômé de l'Université des Beaux-Arts de Tokyo en 1912. Il est membre du groupe *Shunyôkai*. Il était actif à Tokyo.

YORSTON George
XVIIIe siècle. Travaillant à Édimbourg dans la première moitié du XVIIIe siècle. Britannique.
Graveur au burin.

YOSA BUSON. Voir **BUSON**

YÔSAI, de son vrai nom : **Kukuchi Takeyasu**, nom familier : **Ryôhei**, nom de pinceau : **Yôsai**
Né le 28 novembre 1788 à Tokyo. Mort le 16 juin 1878 à Tokyo. XIXe siècle. Japonais.
Peintre.

Peintre de scènes à sujets historiques, il est élève de Takada Enjô et travaille dans un style japonais traditionnel, bien que ses paysages se ressentent de l'influence occidentale. En 1876, il expose à Philadelphie. Il est l'auteur d'un ouvrage intitulé le *Zenken Kojitsu*.

YOSHIDA. Voir aussi **HAMBEI Yoshida**

YOSHIDA Chizuko

Née en 1924 à Tokyo. xxe siècle. Japonaise.

Graveur.

Dès 1952, elle commence à participer à des expositions de groupe, notamment avec l'Association Japonaise de Gravure, avec Hokada Yoshida et avec l'Association des Femmes Artistes, sans compter les innombrables expositions de la famille Yoshida aux États-Unis. En 1957-1958, elle fait elle-même un voyage en Amérique, puis en Europe, France, Italie, Espagne, ainsi que dans plusieurs pays d'Asie. En 1958, ses gravures sur bois figurent à la Triennale Internationale de l'Estampe en Couleurs de Grenchen, en Suisse. Elle est membre de l'Association Japonaise de Gravure, de l'Association des Femmes Artistes et du Club d'Art Graphique.

YOSHIDA Fujio

xxe siècle. Japonais.

Peintre de paysages.

Ventes Publiques : New York, 16 oct. 1990 : *Le mont Fuji* 1903, aquar./pap. (31,2x48) : **USD 2 200**.

YOSHIDA Hiroshi

Né le 19 septembre 1876 à Kurema. Mort en 1950. xxe siècle. Japonais.

Peintre de paysages animés, aquarelliste, graveur, dessinateur.

Il fut élève de Tamura Soryu. Il exposa à Paris, à Philadelphie et à Saint Louis.

Musées : Boston – Detroit.

Ventes Publiques : New York, 20 avr. 1989 : *Hodakayama, de la série Douze vues des Alpes japonaises* 1926, cr. (26,5x39,5) : **USD 1 100** – New York, 21 avr. 1989 : *Personnages se promenant à Tokaido*, aquar. et cr. /pap. (26,2x37) : **USD 4 400** – New York, 12 oct. 1989 : *Mère et son enfant dans un bouquet d'arbres*, aquar./pap. (33x49,5) : **USD 6 600** ; *Vue de Futago depuis l'île de Shodo* 1910, h/t (46,3x33,7) : **USD 16 500** – Londres, 22 mars 1990 : *Le Taj Mahal la nuit n° 6* 1932, estampe dai oban yoko-e (40x54,2) : **GBP 1 045** – Londres, 6 juin 1990 : *Mer étincelante – de la série : La mer autour des îles*, estampe oban tate-e (41x27,1) : **GBP 1 210** – New York, 15 juin 1990 : *Hodakayama après la pluie* 1927, estampe dai oban yoko-e (61x80,9) : **USD 28 600** – New York, 16 oct. 1990 : *Les voiliers*, pigments dilués et encre/soie (139,7x57) : **USD 6 600** – New York, 27 mars 1991 : *Tsurugizan le matin, de la série : Douze vues des Alpes japonaises*, estampe oban tate-e (39,5x27,1) : **USD 2 860** – New York, 23 oct. 1991 : *Matterhorn, le jour ; Matterhorn, le soir* 1925, estampe dai oban tate-e, une paire (53,8x41,9 et 52,9x40,8) : **USD 10 450** ; *Hodakayama après la pluie* 1927, estampe dai oban yoko-e (60x80,9) : **USD 12 100** ; *Les Cerisiers de Kumoi* 1926, estampe dai oban yoko-e (58,3x74,7) : **USD 28 600** – New York, 24 avr. 1997 : *Le Mont Fuji par une nuit de lune*, aquar./pap. (33,7x52) : **USD 3 220**.

YOSHIDA Hodaka

Né en 1926 à Tokyo. xxe siècle. Japonais.

Graveur.

Après un voyage d'études, en 1955, aux États-Unis, à Cuba et au Mexique, il enseigne pendant deux ans, en 1957-1958, la gravure sur bois dans différentes villes d'Amérique du Nord, puis il visite l'Europe, les pays arabes, l'Inde et la Thaïlande. En 1956, il remporte le Prix Shell à Tokyo ; il participe à de nombreuses manifestations de groupe et fait deux expositions particulières à Los Angeles et Milan. Il est membre de l'Association Japonaise de Gravure et du Club d'Art Graphique.

YOSHIDA Kenji

Né en 1924. xxe siècle. Japonais.

Peintre. Tendance informelle.

À Thonon-les-Bains, il est représenté par la galerie Galise Petersen, qui l'a également présenté à Paris, pour la FIAC 1987 (Foire Internationale d'Art Contemporain).

Ses peintures, apparentées à l'abstraction, semblent s'inspirer de cristallisations précieuses que Yoshida recrée en peinture à l'huile.

Bibliogr. : Catalogue de la galerie Galise Petersen, Thonon-les-Bains, 1985.

YOSHIDA Masaji

Né en 1917 dans la préfecture de Wakayama. xxe siècle. Japonais.

Peintre, dessinateur, graveur. Occidental, abstrait.

En 1941, il sort diplômé du département de peinture à l'huile de l'Université des Beaux-Arts de Tokyo et devient membre de l'Association Japonaise de Gravure et de l'Association d'Art Moderne. Depuis 1955, il participe à la Biennale Internationale de l'Estampe de Tokyo où il reçoit le prix du nouveau-venu en 1957, et figure aussi aux biennales internationales de gravure de Lugano, de Zurich, de Ljubljana, ainsi qu'à la Biennale de São Paulo, en 1957, 1965 et 1967.

YOSHIDA Munstoshi

xixe-xxe siècles. Japonais.

Peintre de paysages.

Il était actif à Tokyo. Il figura aux expositions de Paris ; mention honorable en 1900 (Exposition Universelle).

YOSHIDA Tôshi

Né en 1911 à Tokyo. xxe siècle. Japonais.

Graveur.

En 1953-1954 il voyage en Europe et en Amérique, enseignant dans différentes villes et contribuant à faire connaître l'estampe japonaise et la technique de la gravure sur bois, notamment à l'Institut d'Art de Chicago. Il fait de nombreuses expositions particulières et figure dans plusieurs salons de groupe, tant chez lui qu'à l'étranger. Il est membre de l'Association Japonaise de Gravure, du Club d'Art Graphique et du Club International d'Art.

YOSHIDA Yoshihiko

Né en 1912 à Tokyo. xxe siècle. Japonais.

Peintre.

En 1929, il commence des études de peinture japonaise avec Gyosen Hayamizu, puis devient élève de Kobei Kobayashi. Dès 1938, il participe aux salons de l'Académie Japonaise des Beaux-Arts, dont il devient membre en 1941. Le ministère de l'Éducation lui achète un paravent et lui demande de faire la copie des fresques du temple Hôryû-ji de Nara, travail interrompu par la guerre, mais qu'il reprend en 1946. Après l'incendie du Pavillon d'or de ce même temple, en 1949, les fresques originales ayant été en grande partie détruites, c'est encore lui qui est chargé de la restauration des fragments sauvés, jusqu'en 1952. À partir de 1953, il travaille à Tokyo avec Kurahiko Yasuda. Peintre de paysages, il est ensuite professeur de peinture japonaise à l'Université des Beaux-Arts de Tokyo.

YOSHIHARA Hideo

Né en 1931 à Hiroshima. xxe siècle. Japonais.

Peintre.

Il a fait ses études de peinture à l'Académie des Beaux-Arts de Osaka.

YOSHIHARA JIRO

Né en 1905 à Osaka. Mort en 1972 à Ashiya. xxe siècle. Japonais.

Peintre. Abstrait-informel. Groupe Gutaï.

Il apprit par lui-même la peinture à l'huile pendant ses études commerciales à l'Université de Nashinomiya. Il remporta sa première récompense à l'exposition de l'organisation Nika-Kai en 1934 et devint membre de l'organisation dérivée « Kyushitsu » en 1938. Il se lia alors avec Hasegawa Saburo, Yamaguchi Nagao, Okada Kenzo. Après la guerre, en 1954 à Osaka, il fut l'un des cofondateurs du groupe Gutaï bijutsu kyokai, association pour l'art concret, comprenant plusieurs sociétés d'artistes d'avant-garde, actifs dans différents arts visuels du théâtre à la performance. En 1958, il a fait un voyage aux États-Unis. Il travailla aussi dans le groupe culturel Nikakaï, dont il devint directeur en 1961. En 1962, il a créé à Osaka la Gutai Pinakoteka, lieu d'expression très ouvert et international. En 1965, il a fait un voyage en Europe.

Il a participé à de nombreuses expositions collectives : actif dans les milieux artistiques d'avant-garde des années trente, au Japon, il expose avec le groupe Nika-Kai (salon des deux disciplines, peinture et sculpture) de 1934 à 1965 ; en 1952, il figure au Salon de Mai, à Paris et en 1952, 1958 et 1961, à l'Exposition Internationale Carnegie à New York ; en 1954 et années suivantes, il expose avec le groupe Gutaï, dans le Kansaï et à Tokyo ; 1958, il participe à l'exposition du groupe à New York ; 1959, il participe à Paris à l'exposition *Métamorphoses Internationales* et *Continuité et Avant-garde au Japon* ; en 1961 à la douzième Premio Lissone à Turin et à l'exposition de *Peinture japonaise contemporaine* de l'académie des beaux-arts de Berlin ; en 1962 à l'exposition *Structure et style* du Musée d'Art Moderne de Turin ;

en 1963, à l'Exposition Internationale du Grand Palais, à Paris et à l'exposition itinérante aux États-Unis de Peinture et Sculpture Japonaises Contemporaines ; en 1964, à l'exposition internationale Guggenheim, à New York, etc. ; 1952 Paris, Salon de Mai ; 1953 Osaka, Salon d'Art de la Préfecture ; 1963 Hyogo, Exposition culturelle de la Préfecture. Il remporta le grand Prix de la 9e Biennale de Tokyo en 1967.
Depuis 1928, il fait de nombreuses expositions particulières, notamment au Japon ; à Pittsburgh en 1952, 1958 et 1961 ; à Lissone en Italie en 1961 ; à Washington en 1964 ; à Amsterdam en 1965.
Dans le domaine théâtral, il réalisa le rideau de scène du Asashi Kaikan Hall d'Osaka en 1950, et des décors pour différentes compagnies se produisant au Isen Kaiken Hall en 1953.
En peinture, après s'être intéressé à Van Gogh et Cézanne, dans les années trente et quarante il fut effectivement influencé par la figuration surréaliste des œuvres de Chirico, Ernst. À partir de 1935, il oscille entre abstraction géométrique et abstraction lyrique, Mondrian, Pevsner, ou Miro et Kandinsky, parfois bien identifiables. Il fut, avec Yamaguchi Takeo et Hasegawa Saburo, un des premiers artistes japonais à aborder l'art abstrait. Après la guerre, il devint l'un des leaders du mouvement de peinture abstraite du Japon, il travailla aussi dans l'esprit du mouvement constructiviste, très suivi par les artistes plus jeunes, impatients de faire entrer l'art japonais dans la modernité. En 1951 ou 1954, il créa le groupe Gutaï, prônant l'émotion physique plus que le choix du sujet, dans le but d'ouvrir l'art japonais à toutes les formes d'expression possibles, à tous les matériaux, toutes les attitudes, aussi bien dans des manifestations en plein air que dans des lieux institutionnels et des galeries d'art. Dans le groupe Gutaï, aux activités diversifiées, le *happening* apparut avant la lettre, puisque dès 1955, une de ses manifestations se confond souvent avec la danse. Au cours de certaines interventions, les danseurs traversent des écrans de papier, dont les morceaux déchirés retombent à la façon de pétales de fleurs.
La venue à Tokyo et l'influence du critique Michel Tapié contribua au rayonnement du groupe en Europe et aux États-Unis ; toutefois il en tempéra les excès démonstratifs et en orienta l'activité sur la peinture abstraite, dont il était alors un des principaux défenseurs. Dans les années soixante, Yoshihara peignit la série des *Cercles*, dérivée du bouddhisme Zen, peinture de contemplation, dont l'aspect abstrait-informel, figures irrégulières aux contours pâles se détachant sur des fonds de couleur, n'est pas sans similitudes avec l'univers cosmique développé par Key Sato. ■ Jacques Busse
Bibliogr. : Michel Tapié, in : *Continuité et avant-garde au Japon*, Turin, 1961 – B. Dorival, sous la direction de..., in : *Peintres Contemporains*, Mazenod, Paris, 1964 – Jean-Clarence Lambert, in : *La peinture abstraite*, in : *Hre Gle de la peint.*, t. XXIII, Rencontre, Lausanne, 1966 – Frank Popper, in : *L'art cinétique*, Gauthier-Villars, Paris, 1969 – Pierre Cabanne, Pierre Resteny, in : *L'avant-garde au XXe siècle*, Balland, Paris, 1969 – in : *Diction. Univers. de la Peint.*, vol. 6, Le Robert, Paris, 1975 – in : Catalogue de l'exposition *L'Art Moderne à Marseille : La Collection du Musée Cantini*, Mus. Cantini, Marseille, 1988 – in : *Diction. de l'Art Mod. et Contemp.*, Hazan, Paris, 1992.
Musées : Marseille (Mus. Cantini) : *Peinture* 1958 – Pittsburgh (Carnegie Inst.) – Saint Louis (Mus. de l'Université) – Turin (Centre Internat. de Recherches Esthétiques).
Ventes Publiques : New York, 27 avr. 1994 : *Sans titre* 1967, h/t (45,7x53) : **USD 36 800**.

YOSHIKAWA Shizuko
Née en 1934 à Omuta Fukuoka. XXe siècle. Depuis environ 1965 active en Suisse. Japonaise.
Peintre. Abstrait-géométrique.
Après ses études à Tokyo, elle arriva en Europe en 1961. Elle fut élève de la Hochschule für Gestaltung d'Ulm. Elle expose depuis 1970.
À partir de grilles géométriques inspirées du damier, elle expérimente les interactions possibles des couleurs entre elles, contrastes, inductions, égalisations. Elle est apparentée au courant rigoureux de l'art concret zurichois.
Bibliogr. : In : *L'Art du XXe siècle*, Larousse, Paris, 1991.
Ventes Publiques : Lucerne, 20 mai 1995 : *Sans titre*, h/t (40x59) : **CHF 3 000** – Lucerne, 7 juin 1997 : *M 402, énergie du vide* 1991-1992, acryl./t. (50x50) : **CHF 3 800**.

YOSHIKO. Voir **NOMA Yoshiko**

YOSHIMITSU. Voir **TOSA YOSHIMITSU**

YOSHIMURA Masanobu
Né en 1932 à Oita. XXe siècle. Depuis 1962 actif aux États-Unis. Japonais.
Peintre. Abstrait.
Après des études à l'école des beaux-arts de Museshino, près de Tokyo, de 1951 à 1955, il enseigne la peinture aux enfants, jusqu'en 1960. De 1955 à 1962, il expose à Tokyo avec le groupe Yomiuri Indépendants et depuis 1962, vit à New York. Il fait de nombreuses expositions particulières à Tokyo puis à New York et figure aussi dans plusieurs manifestations de groupe, depuis 1955.
Musées : New York (Mus. d'Art Mod.).

YOSHINOBU. Voir **KANO EINO**

YOSHIOKA Tenji
Né en 1906 à Tokyo. XXe siècle. Japonais.
Peintre. Style occidental.
Il expose depuis 1926. Il est l'un des co-fondateurs de la Société des Peintres Modernes. Il est également l'un des animateurs de la Société Création Nouvelle. En 1950, il obtint le Prix « Art » du très important journal Mainichi. En 1960, il a effectué un voyage en Chine. Il est professeur à l'École des Beaux-Arts de Tokyo, où il vit.
Bibliogr. : B. Dorival, sous la direction de... : *Peintres Contemporains*, Mazenod, Paris, 1964.

YOSHISHIGE Yano, nom familier : **Rokurôbei**
XVIIe siècle. Japonais.
Peintre.
Peintre de l'école Unkoku.

YOSHITAKI, surnoms : **Nakai** et **Sasaki**, noms de pinceau : **Ichiyôsai, Ichiyôtei, Ittensai** (en 1861), **Jueidô, Noriya, Satonoya** et **Yôsui**, sceaux : **Paulownia, Satonoya, Hôsai** et **Attari**, nom personnel : **Tsunejiro** (ou Kôjirô)
Né en 1841. Mort en 1899. XIXe siècle. Actif de 1854 à 1880 environ. Japonais.
Maître de l'estampe.

YOSHITOYO I, nom personnel : **Hyôzô,** surnoms : **Uehara** et **Utagawa,** noms de pinceau : **Gansuitei** et **Hokusui**
Mort en 1866. XIXe siècle. Japonais.
Maître de l'estampe.
Il était actif vers 1854-1857.

YOSHIUME, nom personnel : **Tôsuke,** noms de pinceau : **Ichiôsai** et **Yabairô**
Né en 1819. Mort en 1879. XIXe siècle. Actif vers 1841-1848. Japonais.
Maître de l'estampe et illustrateur.

YOSHIWARA Hideo
Né en 1931 dans la préfecture de Hiroshima. XXe siècle. Japonais.
Graveur. Surréaliste.
Après des études au collège municipal des beaux-arts d'Osaka, il se joint à différentes associations, notamment l'Association Démocratique des Beaux-Arts. Depuis 1958, il expose régulièrement avec l'Association Japonaise de Gravure, dont il est membre, ainsi qu'à la Biennale Internationale de l'Estampe de Tokyo où il remporte un prix en 1968. En 1958, il figure à la Triennale de l'Estampe en Couleurs de Grenchen, en Suisse, en 1967 à la Biennale de São Paulo, en 1967 et 1968 aux seconde et troisième JAFA (Japan Art Festival Association), en 1968 à la Biennale Internationale de Gravure de Lugano et de Ljubljana. Il enseigne à l'école des beaux-arts de Kyoto.
Il est graveur sur bois, sur cuivre et lithographe.

YOSHIYUKI, noms personnels : **Yonejirô** et **Hanjirô**, surnom : **Mori**, noms de pinceau : **Nansui, Rokkaen** et **Rokkaken**
Né en 1835. Mort en 1879. XIXe siècle. Actif vers 1856-1872. Japonais.
Maître de l'estampe.

YOSI Ann
XIXe siècle. Suisse.
Peintre-aquarelliste, dessinateur.
Ventes Publiques : Zurich, 8 déc. 1994 : *Costumes régionaux suisses*, cr. et aquar./pap., ensemble de 47 (chaque 16,5x10,5) : **CHF 17 250**.

YO TAI. Voir **YUE DAI**

YO TCHENG. Voir **YUE ZHENG**

YOUDINTSEV Alexandre
Né en 1952 à Kostroma. xxe siècle. Russe.
Peintre de paysages.
Il a fait ses études à l'École des Beaux-Arts de Simféropol. Il expose sur le plan national et international, notamment à la Foire d'Art International de Barcelone.
Thèmes et facture sont aussi conventionnels que possible.
Ventes Publiques : Paris, 29 nov. 1990 : *Le jour commence* 1990, h/t (85x75) : **FRF 3 200**.

YOUKOVSKI. Voir **JOUKOVSKI**

YOULLET Ixia, née **Duteïs**
Née à Villeneuve-sur-Lot (Lot-et-Garonne). xixe siècle. Française.
Peintre de portraits.
Elle débuta à Paris, au Salon en 1877.

YOUNAN Ramsès ou **Younane**
Né en 1913 à Minieh. Mort le 25 décembre 1966 au Caire. xxe siècle. Égyptien.
Peintre et critique d'art. Surréaliste, puis abstrait.
Il fut élève de l'École des Beaux-Arts du Caire, de 1929 à 1933. En 1938, il publia un essai de critique du mouvement cubiste puriste d'Ozenfant, Jeanneret : *Le dessein du peintre contemporain*. À partir de 1939, et jusqu'en 1946, il fut membre du groupe surréaliste (trotskyste) égyptien « Art et Liberté ». De 1942 à 1944, il fut rédacteur en chef de *El Majjallah El Djadidah, ou Al-Mégalla Al-Guadida* (La Nouvelle Revue). En 1945-1946, tout en se consacrant à la peinture, il a traduit *Caligula* d'Albert Camus et *Une Saison en Enfer* d'Arthur Rimbaud. Il vint séjourner à Paris, en 1947 et jusqu'en 1956. À Paris, de 1948 à 1956, il a été Secrétaire de Rédaction de la section arabe de la radio-télévision française ; directeur technique de l'Organisation des peuples afro-asiatiques. Il est retourné en Égypte depuis 1956, vivant au Caire. En 1960-1963, il a bénéficié d'une bourse du Ministère de la Culture, bien que très réticent envers le régime nassérien.
Il a montré sa peinture dans de nombreuses expositions collectives, notamment : à partir de 1947, expositions surréalistes internationales de Paris et Prague ; 1961, 1963 Le Caire, exposition des artistes boursiers, Musée d'Art Moderne et Palais Manasterly ; 1967 Biennale de São Paulo ; ainsi que les Biennales du Caire et de Venise, etc. En 1948, il a exposé individuellement à Paris, galerie du Dragon, patronnée par André Breton.
Cependant, cette même année 1948, il se sépara du groupe surréaliste, évoluant à l'abstraction lyrique, sous les influences de Hartung, Soulages, Atlan et Ubac. ■ J. B.
Bibliogr. : B. Dorival, sous la direction de..., in : *Peintres Contemporains*, Mazenod, Paris, 1964 – in : catalogue de l'exposition *Visages de l'art contemporain égyptien*, Mus. Galliera, Paris, 1971 – Édouard Jaguer : *Ramsès Younane*, in : Opus International, n° 123-124, Paris, avr.-mai 1991.
Musées : Alexandrie (Mus. d'Art Mod.) – Le Caire (Mus. d'Art Mod.).

YOUNG Alexander
Né en 1865, ou 1882 (?). Mort en 1923. xixe-xxe siècles. Britannique.
Peintre de scènes animées, marines, marines portuaires.
Il semble y avoir parfois confusion avec Alexander Jackson, ou Young-Jackson, né en 1882 et qui faisait partie du groupe de sept peintres de Toronto (*Groupe des Sept*) qui, à la recherche de leur identité canadienne, peignirent des paysages des parties non encore défrichées du Canada et de l'Arctique.

Ventes Publiques : Perth, 24 avr 1979 : *Le retour des pêcheurs*, h/t (46x79) : **GBP 500** – Londres, 18 fév. 1983 : *Scène de port, Hollande* 1889, h/t (39,5x67,2) : **GBP 1 000** – Perth, 27 août 1985 : *Scène de port* 1915, h/t (50x76) : **GBP 1 600** – Édimbourg, 30 août 1988 : *Les chenapans* 1885, h/t (76,5x108) : **GBP 5 500** – Glasgow, 6 fév. 1990 : *Barques de pêche sur le Loch Fyne ; Nettoyage des filets sur le Loch Fyne* 1896, h/t, une paire (43x33) : **GBP 3 520** – Glasgow, 5 fév. 1991 : *Barques de pêche rentrant au port* 1906, h/t (30,5x46) : **GBP 1 210** – South Queensferry (Écosse), 23 avr. 1991 : *La flotte de pêche de Kirkcaldy*, h/t, une paire (chaque 61x46) : **GBP 4 620** – Perth, 26 août 1991 : *Paysans menant leurs chevaux de labour boire à la mare* 1903, h/t (51x76) : **GBP 2 860** – Édimbourg, 28 avr. 1992 : *Le déchargement de la pêche sur les quais de Kirkcaldy*, h/t (61x40,5) : **GBP 1 760** – Édimbourg, 13 mai 1993 : *Arthur's Seat depuis Aberdour* 1888, h/t (40,6x68,5) : **GBP 1 210** – Glasgow, 1er fév. 1994 : *Bateaux accostant à Hastings ; L'attente de la pêche* 1896, h/t, une paire (chaque 43x33) : **GBP 2 070** – Glasgow, 14 fév. 1995 : *Le déchargement de la pêche à Kirkcaldy*, h/t (40,5x68,5) : **GBP 805**.

YOUNG Aretta
Née en 1864 dans l'État d'Idaho. Morte en mars 1923 à Provo. xixe-xxe siècles. Américaine.
Peintre.
Elle fut également poétesse.

YOUNG Arthur, dit **Art**
Né le 14 janvier 1866 à Stephenson. Mort le 29 décembre 1943 dans le Connecticut. xixe-xxe siècles. Américain.
Dessinateur, caricaturiste, illustrateur.
Il fut élève de William Bouguereau à l'Académie Julian de Paris. Il travailla à New York pour plusieurs revues illustrées : *Evening Mail ; Daily News ; Tribune ; Life ; Puck ; Evening Post ; Colliers* ; etc. Il a été l'auteur-illustrateur d'assez nombreux volumes, dont : 1892 *Hell Up to Date* ; 1897 *Author'sReadings* ; 1901 *Through Hell with Hiprah Hunt* ; 1927 *Trees at Night* ; 1928 *On my Way* ; 1936 *Art Young's Inferno* et *The Best of Art Young* ; 1939 *His Life and Times*.
Bibliogr. : Marcus Osterwalder, in : *Dictionnaire des illustrateurs 1800-1914*, Ides et Calendes, Neuchâtel, 1989.

YOUNG August
Né vers 1839 en Allemagne. Mort le 6 novembre 1913 à Brooklyn. xixe-xxe siècles. Actif aux États-Unis. Allemand.
Peintre de sujets de genre, paysages.
Ventes Publiques : New York, 20 juin 1985 : *Caught napping* 1886, h/t (68,5x91,4) : **USD 2 750** – New York, 15 mai 1991 : *Le pêcheur* 1907, h/pan. (30,5x24,8) : **USD 2 750**.

YOUNG Blamire
Né en 1862. Mort en 1935. xixe-xxe siècles. Depuis 1885 actif en Australie. Britannique.
Peintre de paysages, aquarelliste, lithographe, peintre d'affiches.
Il se fixa en Australie en 1885 où il introduisit l'affiche artistique. Il était représenté à l'exposition *Creating Australia. 200 years of Art. 1788-1988* à la Art Gallery of South Australia en 1988 à Adelaïde.
L'affichiste applique, avec plus ou moins de bonheur, un style d'époque, représenté en France par la *Revue Blanche*. En tant qu'aquarelliste, il semble avoir été influencé par la peinture japonaise décorative du xviiie siècle.
Bibliogr. : In : catalogue de l'exposition *Creating Australia. 200 years of Art. 1788-1988*, Art Gallery of South Australia, Adelaïde, 1988.
Musées : Perth (Art Gal. of Western Australia) : *Pastoral Symphony* vers 1920.
Ventes Publiques : Londres, 17 mai 1974 : *Baigneurs dans un paysage*, aquar. : **GNS 850**.

YOUNG Charles Jac
Né le 21 décembre 1880 en Bavière. xxe siècle. Actif aux États-Unis. Allemand.
Peintre et aquafortiste.
Élève de E. M. Ward et de C. Y. Turner à New York. Il était actif à Weehawken Heights. Membre du Salmagundi Club. Le Musée de Los Angeles et d'autres musées américains conservent des œuvres de cet artiste.
Musées : Los Angeles.

YOUNG Charles Morris
Né le 23 septembre 1869 à Gettysburgh. Mort en 1964. xixe-xxe siècles. Américain.
Peintre de paysages.
Élève des Académies de Philadelphie et de Paris.
Musées : Buffalo – Philadelphie – Rochester – Saint-Louis – Santiago du Chili – Washington D. C.

YOUNG Daniel
Né le 25 juin 1828 à Cincinnati. xixe siècle. Américain.
Graveur à l'eau-forte.
Il a gravé des sujets de genre.

YOUNG Edward
Né le 21 octobre 1823 à Prague, d'origine anglaise. Mort le 12 février 1882 à Munich. xixe siècle. Autrichien.
Peintre de figures, paysages animés.

Il fit ses études à Linz et à Munich. Il peignit surtout des figures et des scènes de la vie dans les Alpes.

Ventes Publiques : New York, 28 mai 1980 : *Paysage fluvial escarpé*, h/t (72x103) : **USD 1 500** – Munich, 4 juin 1981 : *Paysage alpestre* 1871, h/t (33x50) : **DEM 2 600** – Semur-en-Auxois, 10 juin 1984 : *Chasseur sur un sentier de montagne* 1870, h/t (121x96) : **FRF 48 850.**

YOUNG Eliza Middelton Coxe

Née le 7 novembre 1875 à Philadelphie. XIXe-XXe siècles. Américaine.

Peintre.

Élève d'Anshutz et de Ch. M. Young. Elle était active à Radnor et paraît identique à Eliza WAUGH.

YOUNG G. H. R.

Né en 1826 à Berwick-on-Tweed. Mort le 4 janvier 1865. XIXe siècle. Britannique.

Sculpteur de portraits.

Il travailla à Ulverston et à Newcastle-on-Tyne.

YOUNG Harvey Otis

Né en 1840 à Post Mills. Mort le 14 mai 1901 à Colorado Springs. XIXe siècle. Américain.

Peintre de paysages animés, paysages.

Il fit ses études à Munich et à Paris.

Ventes Publiques : New York, 27 oct. 1971 : *Cow-boy dans un paysage* : **USD 1 800** – Los Angeles, 6 juin 1978 : *Chariot tiré par des bœufs dans une vallée* 1897, techn. mixte (51x76,2) : **USD 1 900** – San Francisco, 8 oct. 1980 : *Paysage* 1901, h/t (76x101,5) : **USD 2 250** – Detroit, 29 fév. 1984 : *Dulknife, Indian chief*, aquar. (57,5x47) : **USD 1 400** – New York, 7 déc. 1984 : *The Foothills of the Rocky Moutains* 1876, h/t (58,5x99) : **USD 3 000** – New York, 20 mars 1996 : *Pêcheurs le long d'un ruisseau dans l'ouest* 1874, h/t (26,7x42,5) : **USD 1 840.**

YOUNG J. I.

XIXe siècle. Actif à Londres. Britannique.

Peintre de paysages et d'architectures.

Il exposa à Londres trois ouvrages à la Royal Academy, de 1811 à 1823. Le Victoria and Albert Museum, à Londres, conserve quatre aquarelles de lui.

YOUNG James Harvey

Né en 1830 à Salem. XIXe siècle. Actif à Boston. Américain.

Peintre de portraits.

Il fut élève de John Pope.

YOUNG John

Né en 1755. Mort le 7 mars 1825 à Londres. XVIIIe-XIXe siècles. Britannique.

Dessinateur de sujets de genre, portraits, graveur.

Il fut conservateur des collections de la British Institution, et prit une part active à la création des Artists' Benevolent fuend.

Il a gravé à la manière noire et au burin des portraits et des sujets de genre. Il produisit des reproductions des célèbres collections anglaises.

Ventes Publiques : Londres, 13 nov. 1997 : *Jeunes marins ; Le Petit Volontaire* 1799, mezzotinte, grav. au point, et vingt-huit autres pièces : **GBP 3 680.**

YOUNG John

XIXe siècle. Britannique.

Peintre de paysages animés, paysages.

Ventes Publiques : Londres, 7 oct. 1992 : *Paysage avec les chutes de Tivoli* 1826, h/t (64x87) : **GBP 4 400** – Londres, 3 fév. 1993 : *Paysage avec un château et des personnages au premier plan* 1822, h/cart. (22x29) : **GBP 851.**

YOUNG Mahonri Mackintoch

Né le 9 août 1877 à Salt Lake City. Mort en 1957. XXe siècle. Américain.

Sculpteur de sujets de genre, figures typiques, peintre à la gouache, aquarelliste, pastelliste, graveur.

Élève des Académies de New York et de Paris. Il était actif à Leonia.

Entre 1925 et 1928 il créa une série de combats de boxe dont l'un *The Knockdown* remporta le premier prix de sculpture au Jeux Olympiques de Los Angeles en 1932. Il gravait à l'eau-forte.

Musées : Brooklyn : *Groupe de boxeurs* – Newark : *Le travailleur – Le cordier* – New York (Metropolitan Mus.) : *L'homme à la houe*.

Ventes Publiques : New York, 29 sep. 1977 : *Bretonne au panier de pain*, bronze, patine noire (H. 40) : **USD 2 600** – New York, 2 févr 1979 : *Navajos avec chèvres*, h/pan. (33x61) : **USD 1 300** – New York, 25 oct 1979 : *Indien agenouillé*, bronze, patine brune (H. 25,4) : **USD 2 500** – New York, 7 mars 1981 : *Navajo et son âne*, h/pan. (25,3x40,5) : **USD 700** – New York, 3 juin 1982 : *Paysannes bretonnes*, 2 bronzes : **USD 10 000** – New York, 30 sep. 1988 : *Le raccommodeur de porcelaine*, bronze (H. 19) : **USD 4 950** – New York, 24 jan. 1990 : *Crépuscule à Rochambeau*, aquar. et encre/pap. (17x28) : **USD 660** – New York, 27 sep. 1990 : *Oncle Sam*, bronze à patine brune (H. 73,7) : **USD 49 500** – New York, 14 mars 1991 : *Vue du haut des falaises* 1924, aquar., gche et cr./pap. (45x33,5) : **USD 1 540** – New York, 4 déc. 1992 : *Éléphants*, bronze, une paire de presse-livres (H. 13,6) : **USD 4 400** – New York, 3 déc. 1993 : *Coup de gong, groupe de boxeurs*, bronze (H. 35,6x59) : **USD 20 700** – New York, 28 sep. 1995 : *Bergère Navajo*, past./pap. (54,6x70,2) : **USD 2 300.**

YOUNG Mattie

Né en 1876 à Hillier. XXe siècle. Canadien.

Peintre.

YOUNG Nicholas

XVIIe siècle. Travaillant à Londres de 1676 à 1682. Britannique.

Sculpteur.

Il était maçon.

YOUNG Peter

Né le 2 janvier 1940 à Pittsburgh. XXe siècle. Américain.

Peintre. Abstrait, tendance art optique.

Vivant à New York, depuis 1967 il participe à des expositions de groupe : Whitney Annual, au Whitney Museum de New York, en 1967 ; Corcoran Biennale à Washington, *Neuf Jeunes Artistes* au Guggenheim Museum de New York, et *Une tendance de la peinture contemporaine* au Kunstverein de Cologne, en 1969 ; invité à la Documenta V à Kassel en 1972. Il a montré des expositions individuelles de ses peintures, en 1968, à Los Angeles, Kassel et à la Foire d'Art de Cologne. En 1968 encore, il a obtenu le Prix « National Grant ».

Se rattachant au courant minimaliste, usant de moyens limités : couleurs réduites, fonds unis, peinture constituée de points égaux ou de lignes strictes, il met en évidence visuelle les phénomènes optiques dus à des schémas sériels très précis, par exemple : des points juxtaposés par centaines, en apparence égaux et semblables, mais dont une légère modification soit du ton, soit de la grosseur, soit de la luminosité, modification dont la répétition est soigneusement calculée par séries, fait apparaître des « ensembles », en général des cercles suggérant des sphères enchevêtrées les unes dans les autres ; ou bien : des lignes droites s'entrecroisent de telle sorte qu'elles font apparaître la courbe d'une parabole. ■ J. B.

Bibliogr. : *Catalogue du Kunstmarkt*, Cologne, 1968 – Catalogue de l'exposition : *Une tendance de la peinture contemporaine*, Kunstverein, Cologne, 1969.

Ventes Publiques : New York, 18 oct. 1973 : *n° 5* 1967, acrylique : **USD 10 000** – New York, 10 oct. 1996 : *Nombre 10* 1972, h/t (228,6x160) : **USD 690.**

YOUNG Sibyl

Née le 8 novembre 1901 à Gillingham. XXe siècle. Britannique.

Peintre.

Élève de W. Dexter. Elle était active à Hunstanton.

YOUNG Thomas A.

Né en 1837 à Londres. Mort le 14 novembre 1913 à Flatbush. XIXe-XXe siècles. Actif aux États-Unis. Britannique.

Peintre de paysages.

Il fut élève de l'École des Beaux-Arts de Paris. Il travailla à Saint Louis.

YOUNG Tobias

Mort le 1er décembre 1824. XIXe siècle. Britannique.

Peintre de sujets religieux, paysages animés, paysages, aquarelliste, décorateur.

Il exposa à la British Institution en 1821.

Il travailla à Southampton, principalement pour le théâtre privé de lord Barrymore. On cite de lui un *Jugement de Salomon* à Southampton Town Hall.

Musées : Londres (Victoria and Albert Mus.) : *Paysage avec bâtiments de ferme et figures*, aquar.

Ventes Publiques : Londres, 13 mars 1970 : *Paysage animé* : **GNS 600** – Londres, 18 juin 1976 : *Totton Bay* 1822, h/t (75x93) : **GBP 700** – Londres, 23 mars 1979 : *Paysages boisés animés de personnages* 1821, deux h/t (40,7x50,7) : **GBP 2 000** – New York, 4 juin 1982 : *Épagneul poursuivant un coq de bruyère* 1816, h/pan. (68,8x99) : **USD 3 800** – Londres, 19 juil. 1985 : *Totland Bay* 1822, h/t (76,3x94,6) : **GBP 6 500** – Londres, 13 avr. 1994 : *Paysage avec*

Southampton au fond et la rivière Itchen au premier plan, h/pan. (62x86) : **GBP 7 475**.

YOUNG William

XIXe siècle. Britannique.

Peintre de paysages, aquarelliste.

Il était actif à Glasgow. Il fut membre de la Royal Scottish Water-Colours Society. Il exposa à la Royal Academy à Londres, à partir de 1874.

Musées : Glasgow : *Glenfalloch*.

Ventes Publiques : Perth, 20 août 1996 : *Dans les Highlands*, h/t (91,5x135,5) : **GBP 1 495**.

YOUNG William Blamire

Né en 1845. Mort en 1916. XIXe-XXe siècles. Australien.

Peintre de sujets de genre, scènes animées, paysages, aquarelliste.

Ventes Publiques : Sydney, 6 oct. 1976 : *Scène de banquet*, aquar. (22,3x31) : **AUD 550** – Sydney, 30 juin 1980 : *Paysans et mules dans un paysage*, aquar. et gche (52,5x64) : **AUD 6 500** – Sydney, 14 mars 1983 : *Scène de port*, aquar. (30x53) : **AUD 1 100** – Melbourne, 21 avr. 1986 : *The Squire's outing*, aquar. (24x34) : **AUD 5 500** – Sydney, 4 juil. 1988 : *Nuées d'orage*, aquar. (17x29) : **AUD 950** – Sydney, 20 mars 1989 : *Croquis de Morea*, aquar. (14x30) : **AUD 3 500** – Perth, 26 août 1991 : *Pins d'Écosse*, aquar. (24x35) : **GBP 715** – Sydney, 29-30 mars 1992 : *Scène de rue à Canongate*, aquar. (35x42) : **AUD 1 500** – Sydney, 29-30 mars 1992 : *Macquarie Place à Sydney*, aquar. (28x38) : **AUD 850**.

YOUNG William S.

Né en 1850. Mort en 1870. XIXe siècle. Britannique.

Peintre de paysages.

Ventes Publiques : New York, 21 mai 1996 : *Le Mont Kearsarge dans le New Hampshire* 1866, h/t (46x76) : **USD 6 900**.

YOUNG William Weston

XVIIIe-XIXe siècles. Britannique.

Peintre animalier, peintre sur porcelaine, graveur, dessinateur.

Il travailla à la Manufacture de porcelaine de Swansea. Il peignit des oiseaux d'Angleterre. On lui doit encore des eaux-fortes.

YOUNG HUNTER John. Voir **HUNTER John Young**

YOUNG JACKSON Alexander. Voir **JACKSON Alexander Young**

YOUNGE Gavin

Né en 1947 à Bulawayo (Rhodésie). XXe siècle. Actif en Afrique du Sud. Zimbabwéen.

Artiste.

Il a participé en 1994 à l'exposition *Un Art contemporain d'Afrique du Sud* à la galerie de l'esplanade, à la Défense à Paris.

YOUNGERMAN Jack

Né en 1926 à Louisville (Kentucky). XXe siècle. Américain.

Peintre, peintre à la gouache, sérigraphe. Abstrait, tendance art optique.

Il fut élève de l'Université de Caroline du Nord ; en 1947, il obtint son diplôme des Beaux-Arts à l'Université du Missouri à Columbia. Profitant de la bourse d'étude délivrée aux militaires américains démobilisés, de 1947 à 1956 il séjourna en Europe, notamment à Paris, où il fut, comme Ellsworth Kelly, élève de l'École des Beaux-Arts en 1947-1948. Au Liban et en Irak, il a travaillé à des projets architecturaux. À Paris et à New York, il s'est occupé de décors de théâtre ; à Paris en particulier, en 1956, il a créé les décors pour *Histoire de Vasco* de Georges Schéhadé, mise en scène par Jean-Louis Barrault ; à New York, il a réalisé les décors et costumes pour *Haute Surveillance* de Jean Genet. Depuis 1956, il s'est fixé de nouveau à New York.

À Paris, il a participé aux Salons de Mai et des Réalités Nouvelles, ainsi qu'à l'exposition *Les mains éblouies* de 1950, galerie Maeght. Depuis son retour aux États-Unis, il participe à de très nombreuses expositions de groupe ; on l'a vu notamment à l'exposition *Seize Américains*, au Museum of Modern Art de New York, en 1959 ; à *Systemic Painting*, au Guggenheim Museum en 1966. Youngerman a montré ses créations dans de nombreuses expositions personnelles, surtout à Paris en 1951 galerie Arnaud et en 1973 galerie Denise René, et à New York très régulièrement depuis 1957, notamment, en 1986, avec la rétrospective du Guggenheim Museum.

Il est parti de constructions abstraites en formes comme découpées, rappelant Matisse ou Jean Arp, d'un géométrisme modéré, curviligne, et de tonalités discrètes, les couleurs parfois appliquées en couches épaisses qui en accentuent les qualités tactiles. Il a aussi dans les années soixante-dix et quatre-vingt, réalisé des peintures découpées en ovale ou en ellipse et des peintures sur des bois découpés en relief, rappelant de nouveau Arp et Sophie Taeuber-Arp. Son évolution, parallèle à celle de Ellsworth Kelly, l'a amené à raidir sa position. Dans la suite du néoplasticisme de Mondrian, et surtout peut-être en réaction contre les débordements faciles du « tachisme », il a été l'un des précurseurs-créateurs du *hard edge* (arête dure). Simplifiant la forme à l'extrême limite, jusqu'à diviser simplement la surface en deux zones à égalité, une forme en découpe sur le fond en tant que contre-forme, il base sa peinture sur les phénomènes soit de contraste simultané (deux zones colorées, chacune influençant la perception de l'autre dans le sens de la couleur complémentaire de la première et réciproquement), soit de mélange optique (ces deux mêmes zones créant une ligne d'une troisième couleur résultant des deux précédentes, ces explications sommaires n'étant pas exclusives d'autres phénomènes. Ce courant, que l'on dit parfois « spatio-luministe », s'est ensuite prolongé dans deux directions différentes : le minimal art et l'op art. Pour Youngerman, le principal est que la séparation de deux zones, ou de deux surfaces plus élaborées, peut se limiter à n'être que frontière entre forme et contre-forme. Dans cette période, il a réalisé des sérigraphies, dont la technique en aplats est particulièrement efficace pour la mise en valeur de ces rapports colorés, dont l'objectif est de mettre l'accent sur l'absence de tout effet perspectif.

Sans négliger l'évolution de Jack Youngerman au cours de sa carrière, ni les différences qui spécifient les diverses périodes de son œuvre, le principe fondamental qui se dégage de l'ensemble, principe qui a sans doute son origine dans les papiers découpés de Matisse, qui remarqua que beaucoup de rouge est plus rouge qu'un peu de rouge, et dans les reliefs de Arp, et auquel ont aussi adhéré Ellsworth Kelly ou Raymond Parker, le constat est qu'une forme simple, unique, étendue à remplir l'espace de la toile, a une force d'impact plus dense qu'une multitude de formes fragmentées. Dans une situation intermédiaire, tenant encore quelque chose d'une peinture porteuse d'effets esthétiques et expressionnistes, il a fait partie d'un petit groupe d'Américains qui auront préparé l'arrivée du courant minimaliste.

■ Jacques Busse

Bibliogr. : Michel Seuphor, in : *Diction. de la peint. abstr.*, Hazan, Paris, 1957 – B. Dorival, sous la direction de..., in : *Peintres Contemporains*, Mazenod, Paris, 1964 – Pierre Cabanne, Pierre Restany, in : *L'avant-garde au XXe siècle*, Balland, Paris, 1969 – J. D. Prown, Barbara Rose, in : *La Peinture Américaine, de la période coloniale à nos jours*, Skira, Genève, 1969 – in : Encyclopédie des Arts *Les Muses*, vol. XV, Grange Batelière, Paris, 1969-1974 – in : *Diction. Univers. de la Peint.*, vol. VI, Le Robert, Paris, 1975 – in : *L'Art du XXe siècle*, Larousse, Paris, 1991 – in : *Diction. de l'Art Mod. et Contemp.*, Hazan, Paris, 1992.

Musées : Chicago (Art Inst.) : *Delphina II* 1964 – New York (Mus. of Mod. Art) – New York (Whitney Mus.) : *Coenties Slip* 1959 – *Blue, White, Red* 1965 – New York (Albright Mus. of Art).

Ventes Publiques : New York, 21 oct. 1964 : *Black-white* : **USD 1 300** – New York, 17 sep. 1970 : *Composition* : **USD 900** – New York, 26 oct. 1972 : *Palma* : **USD 3 750** – New York, 19 oct 1979 : *March blue-white* 1965, acryl./t. (203,3x254) : **USD 3 800** – New York, 13 mai 1981 : *September blue* 1969, acryl./t. (203x132) : **USD 5 000** – New York, 2 nov. 1984 : *Scythia* 1959, h/t (190,5x125,5) : **USD 6 000** – New York, 7 nov. 1985 : *In black* 1956, h/t (194,2x101) : **USD 10 000** – New York, 21 fév. 1990 : *Marée blanche* 1971, acryl./t. (99x93) : **USD 6 050** – New York, 7 mai 1990 : *Bridgehampton* 1969, acryl./t. (47,5x122) : **USD 5 500** – New York, 6 nov. 1990 : *Feb. 4. 1968*, gche/pap. (58,4x73,7) : **USD 1 430** – New York, 23 fév. 1994 : *Sans titre* 1980, acryl./cart. (152,4x96,5) : **USD 1 380** – New York, 3 mai 1994 : *Sur le chemin* 1971, acryl./t. mise en forme (diam. 183) : **USD 3 910** – New York, 1er nov. 1994 : *Ram* 1959, h/t (228,6x160) : **USD 11 500**.

YOUNGMAN Annie Mary

Née en 1860. Morte le 11 janvier 1919. XIXe-XXe siècles. Britannique.

Peintre de sujets de genre, natures mortes, fleurs.

Fille de John Youngman, elle fut son élève.

Ventes Publiques : Londres, 3 nov. 1993 : *Après le dîner*, h/t (63,5x76,5) : **GBP 2 990**.

YOUNGMAN Harold James

Né le 17 octobre 1886 à Bradford. XXe siècle. Britannique.

Sculpteur.

Il était actif à Londres.

YOUNGMAN John Mallows
Né en 1817. Mort le 19 janvier 1899 à Londres. XIXe siècle. Britannique.
Peintre de paysages et graveur à l'eau-forte.
Il exposa à Londres de 1834 à 1882. En 1836, il fut élève de la Sass's School of Art et en 1840, membre de la New Water-Colours Society. Ses ouvrages à l'huile furent exposés à la Royal Academy. Il se plut à graver des eaux-fortes de sites de Richemond Park. Le Victoria and Albert Museum, à Londres, en conserve seize, et le Musée Britannique, dans la même ville, quarante.
Ventes Publiques : Londres, 4 oct. 1973 : *Vue de Newport Essex* : **GNS 800.**

YOUNGS Harry
XXe siècle. Britannique.
Peintre. Naïf.
Il vivait dans le Northumberland. Forgeron-mineur il peignit sans avoir étudié. On le classe parmi les « artistes naïfs de Grande-Bretagne ».

YOUNG-SE
Né en 1956. XXe siècle. Depuis 1958 actif en France. Coréen.
Peintre, graveur, sculpteur. Polymorphe.
Fils de Ung-No Lee, il vint à Paris à l'âge de deux ans. Son père l'initia à l'art d'Extrême-Orient, à la technique de la calligraphie et de la peinture à l'encre de Chine. Depuis 1974 à Paris, il suivit des cours d'arts graphiques et fut élève de l'École des Arts Appliqués. De 1976 à 1978, il fut élève de l'Académie de la Grande Chaumière ; de 1980 à 1984 de l'École des Beaux-Arts. Il participe à des expositions collectives, dont, à Paris : 1976, Salon de la Société Nationale des Beaux-Arts ; 1982, 1984, 1986, Salon Comparaisons ; de 1982 à 1986, Salon Grands et Jeunes d'Aujourd'hui ; 1986, 1987, Salon de la Jeune Peinture ; ainsi que plusieurs groupes à la galerie Koryo ; et 1982, Salon de Mantes-la-Jolie ; 1983, Salon *Novembre à Vitry* ; etc. En 1987 à Paris, il a montré un ensemble de ses travaux divers, galerie Koryo.
Dans les différentes techniques qu'il pratique, il trouve la synthèse entre sa tradition extrême-orientale et ses acquis culturels occidentaux.

YOUON Constantin Fedorovitch ou **Iouon, Iuon, Yuon**
Né en 1875 à Moscou. Mort en 1958 à Moscou. XXe siècle. Russe.
Peintre de scènes typiques, paysages, peintre à la gouache, décorateur de théâtre. Réaliste-socialiste.
De 1892 à 1898, il fut élève de Abram Arkhipov, Constantin Korovine, Constantin Savitsky à l'Institut de Peinture, Sculpture, Architecture de Moscou, puis, en 1899-1900 il travailla dans l'atelier de Valentin A. Serov. À ce moment, il visita l'Allemagne, la Suisse, l'Italie, la France. Il s'établit à Moscou. De 1900 à 1917, il enseigna dans son propre atelier. Il devint membre actif de l'Académie des Arts d'URSS. On lui a conféré le titre d'Artiste du peuple. En 1963, il reçut le prix Staline.
Il participait à des expositions collectives : 1900 *Société des Ambulants* ; 1903, 1906 *Le Monde de l'Art* ; de 1903 à 1923, organisateur et participant des expositions de l'*Union des Artistes Russes* ; 1925 de l'*Association de la Russie Révolutionnaire* ; il était membre à vie du Salon d'Automne. En 1979 à Paris, il était représenté à l'exposition *Paris-Moscou*, au Centre Beaubourg. Il travailla beaucoup pour les décorations scéniques des théâtres de Moscou, depuis 1911 au Théâtre Nezlobine ; en 1913, pour Diaghilev et l'opéra de Moussorgski *Boris Godounov*, au Théâtre des Champs-Élysées de Paris ; après 1917 pour divers théâtres. Il a peint des scènes folkloriques populaires et a souvent représenté la vie quotidienne dans les rues de Moscou, ainsi que des compositions allégoriques, vantant les beautés de la nation russe. Il a également participé à l'instauration des normes picturales du réalisme socialiste par de nombreux écrits. ■ J. B.
Bibliogr. : In : Catalogue de l'exposition *Paris-Moscou*, Centre Beaubourg, Paris, 1979 – in : *Diction. de l'art mod. et contemp.*, Hazan, Paris, 1991.
Musées : Moscou (Gal. Tretiakov) : *Près du monastère Novodevitchy au printemps* – *Vers la Trinité* 1903 – *Une joyeuse journée ensoleillée* 1910 – Riga – Saint-Pétersbourg.
Ventes Publiques : Londres, 3 mars 1982 : *Le Monastère de la Trinité* vers 1910, h/t (72x101,3) : **GBP 6 000** – Londres, 14 nov. 1988 : *Moscou*, litho. en coul. (58,5x170) : **GBP 2 860** – Londres, 5 oct. 1989 : *L'hiver à la campagne*, aquar. et gche/pap. (23,6x30,3) : **GBP 9 350** – Londres, 10 oct. 1990 : *La dernière neige*, h/cart. (17,7x28,5) : **GBP 1 100** – Londres, 19 déc. 1996 : *Village sous la neige* 1926, gche/pap./cart. (24,2x31,7) : **GBP 8 050.**

YOU QIU ou **Yeu K'ieou** ou **Yu Ch'iu**, surnom : **Ziqiu**, nom de pinceau : **Fengqiu**
Originaire de Suzhou, province du Jiangsu. XVIe siècle. Actif à Taicang (Jiangsu) vers 1570-1590. Chinois.
Peintre.
Peintre de figures et de paysages dans le style de Qiu Ying (vers 1510-1551), il est aussi influencé par Liu Songnian et Qian Xuan. Il est particulièrement connu pour sa pratique de la technique *baimiao* (peinture au trait sans rehaut de lavis ni couleur).
Musées : Kansas City (Nelson Gal. of Art) : *Lettrés diversement occupés dans un jardin*, rouleau en longueur, signé – Pékin (Mus. du Palais) : *Les huit buveurs* 1571, encre sur pap., rouleau signé illustrations d'un poème de Du Fu – *Lettrés étudiant des peintures anciennes sous les arbres d'un jardin* daté 1572 – Shanghai : *Figures et paysages*, coul. sur pap., album – Stockholm (Nat. Mus.) : *Wang Xizhi à la réunion de Lanting* signé et daté 1572 – *Le maître taoïste Yuan Xuan*, signé – Taipei (Nat. Palace Mus.) : *Lettrés réunis dans le jardin de l'Ouest* signé et daté 1571 – *Neuf lettrés examinant des antiquités sous les pins* signé et daté 1579 – *Paysages avec figures*, signé.

YOURASSOFF Nicolaï Ivanovitch ou **Iourassoff**
Mort en 1906. XIXe siècle. Russe.
Peintre de paysages.
Deuxième médaille à l'Académie de Saint-Pétersbourg.
Musées : Nice : *Lac de Fontanalba au pied du Mont Bego.*

YOURIEVITCH Serge
Né en 1876 à Paris. Mort en 1969. XIXe-XXe siècles. Actif en France. Russe.
Sculpteur de statues, bustes, portraits.
Il se destine tout d'abord à la Carrière ; chambellan à la cour du tsar, il est attaché à l'ambassade de Russie à Paris. En 1903 il rencontre Auguste Rodin, dont il devient l'élève et qui l'influence fortement. Il quitte ses fonctions officielles en 1909 pour présenter ses sculptures au Salon des Indépendants à Paris. De 1920 à 1933 il expose chaque année : Salon d'Automne, Salon des Tuileries, Salon des Indépendants. Il expose également en Angleterre : Tate Gallery de Londres, et surtout aux États-Unis : entre 1930 et 1933 à la Wildenstein Gallery de New York, à l'Art Institute de Chicago et à l'Art Institute de Buffalo. Il fut fait officier de la Légion d'honneur.
Ses portraits représentent toutes les personnalités de l'époque : F. D. Roosevelt, Louis Lumière, la famille de Russie, Dupont de Nemours... Il a rédigé un ouvrage, *Physiologie esthétique*, dans lequel il essaie de définir la beauté grâce à une nouvelle technique, le cinégraphe : enregistrement des mouvements de l'œil.
Ventes Publiques : Londres, 23 oct. 1980 : *La Danseuse Nattova*, bronze (H. 36,8) : **GBP 550** – Paris, 24 nov. 1996 : *Symphonie humaine* 1920, plâtre (65x52x42) : **FRF 20 000** – Paris, 9 déc. 1996 : *Tête de Pierrot*, bronze (15x10x7,5) : **FRF 4 000** ; *La Danseuse Sacha Lyo*, plâtre (240x53x80) : **FRF 50 000** – Paris, 19 oct. 1997 : *Symphonie humaine* 1920, bronze patine brune (65x52x42) : **FRF 7 000.**

YOU Shaozeng. Voir **YU Jackson**

YOUSSEF Hussein Mohamed
Né en 1910 au Caire. Mort en 1974. XXe siècle. Égyptien.
Peintre de sujets divers, dessinateur. Orientaliste.
Il fut élève de l'École des Arts Appliqués du Caire. En 1928, il poursuivit sa formation à l'Académie des Beaux-Arts de Rome ; de 1932 à 1935, il étudia la décoration à Londres, au Royal College of Art. Rentré au Caire, il devint professeur à l'École des Arts Appliqués. Il délaissa quelque peu sa carrière artistique pour une activité militante contre l'impérialisme britannique.
En 1931, il fit sa première exposition à Rome. Il exposa ensuite au Caire. En 1993, une importante exposition de ses œuvres diverses fut organisée à l'Institut Culturel Italien d'Égypte.
Il a traité les sujets les plus divers dans une technique traditionnelle, se limitant au dessin dans sa période militante.

YOUSSOUFBAIEV Ramil
Né en 1956. XXe siècle. Russe.
Peintre de compositions animées, intérieurs, figures.
Il fréquenta l'École d'Art d'Orenbourg et obtint son diplôme en 1981. Membre de l'Union des Peintres d'URSS depuis 1988.
Dans ses compositions d'intérieurs, solidement construites, chromatiquement orchestrées avec sensibilité, il atteint à une vraie émotion personnelle.
Ventes Publiques : Paris, 11 déc. 1991 : *Les noces d'or* 1982, h/t (99x112) : **FRF 3 500.**

YOUSSOUFI Omar
Né en 1950 au Maroc. XXe siècle. Actif en France. Marocain.

Peintre, sculpteur, auteur d'assemblages.
Il expose ses œuvres au Maroc en 1972, au Musée des Arts Décoratifs de Paris en 1981, au Musée Ingres de Montauban et au Musée des Beaux-Arts de Pau en 1990, et dans diverses galeries en France, au Luxembourg et en Suisse.
Dans des petites vitrines compartimentées qu'on retourne comme des sabliers, il dispose des objets modelés qui font songer à des vestiges archéologiques richement calligraphiés. Par le jeu des cases communicantes, du sable s'écoule continuellement sur ces objets, créant sans cesse de nouveaux « paysages » que l'on contemple comme autant de déserts imaginaires.

YOU-SUN-TAI
Né le 14 juin 1957. XXe siècle. Actif en France. Coréen.
Peintre.
Il a obtenu le premier prix au concours d'Arts plastiques de Corée. Il vit et travaille à Paris.

YOU YIN ou **Yeou Yin** ou **Yu Yin**, surnom : **Gongfu**, nom de pinceau : **Shuicun**
Né en 1732, originaire de Yizheng, province du Jiangsu. Mort en 1812. XVIIIe-XIXe siècles. Chinois.
Peintre.
Poète et peintre de bambous, de paysages, de fleurs et d'oiseaux, dont le British Museum de Londres conserve deux larges feuilles d'album inscrites longuement par le peintre, *Fruits et pot de pinceaux*.

YOVANOVITCH Georges ou **Paul** ou **Yovanovic**
Né en 1861 à Belgrade. Mort en 1953. XIXe-XXe siècles. Actif en France. Yougoslave.
Sculpteur.
Il fut élève de Chapu et Injalbert à Paris. Il figura aux expositions de Paris ; médaille de bronze en 1889 (Exposition Universelle), médaille d'or en 1900 (Exposition Universelle), pour *Le couronnement du tsar Douchan*, qui figure maintenant au Musée de Belgrade.
Musées : Belgrade : *Le couronnement du tsar Douchan.*

YOYUSAI
Né en 1772. Mort le 21 ou 22 janvier 1845 à Tokyo. XVIIIe-XIXe siècles. Japonais.
Peintre sur émail et doreur.

YPEREN. Voir aussi aux prénoms qui précèdent par **Van**

YPEREN Gerrit Willem Van
Né le 14 janvier 1882 à Hillegersberg. Mort en 1955. XXe siècle. Hollandais.
Peintre de paysages, paysages urbains, graveur.
Il fut élève de l'Académie de Rotterdam. Il était aussi graveur aquafortiste.
Ventes Publiques : Amsterdam, 31 mai 1995 : *Les toits rouges*, h/cart. (72x100) : **NLG 5 310** – Amsterdam, 7 déc. 1995 : *Raamgracht à Amsterdam*, h/t (55x73,5) : **NLG 1 416**.

YPERMAN Louis Joseph
Né le 7 février 1856 à Bruges (Belgique). XIXe-XXe siècles. Actif et naturalisé en France. Belge.
Peintre, aquarelliste, restaurateur et architecte.
Il fut élève de Théodore Maillot, William Bouguereau et de Léon Bonnat. Il exposa au Salon de Paris de 1886 à 1905.
Travaillant pour la conservation des monuments historiques, il restaura des fresques dans l'église de Beaune, à la Chartreuse de Villeneuve-lès-Avignon et dans le Palais des Papes d'Avignon. Il est également connu pour ses divers relevés à l'aquarelle réalisés à partir de peintures murales médiévales ; on mentionne notamment ceux des fresques du château de Saint-Floret (Puy-de-Dôme), cycle pictural qui a pour thème la Quête du Saint Graal et le roman de Tristan et Yseult. Les œuvres d'Yperman sont très étudiées par les historiens de l'art et restaurateurs qui veulent restituer aux peintures leur état original.
Musées : Paris (Mus. des Monuments Français) : aquarelles, nombreux relevés de peintures murales.

YPES P.
XVIIIe siècle. Actif à Sneek dans la première moitié du XVIIIe siècle. Hollandais.
Peintre.

YPRE Guillaume
XVIe siècle. Actif à Alençon. Français.
Peintre verrier.
Il exécuta en 1541 les verrières de l'église de Congé-sur-Orme.

YPRES. Voir aux prénoms qui précèdent par **d'**

YRAMAIN Juan Carlos
Né en 1900 à Tucuman. XXe siècle. Argentin.
Sculpteur de bustes.
Il était surtout connu pour ses bustes de caractère.

YRARRAZAVAL Ricardo
Né en 1931 ou 1940 à Santiago. XXe siècle. Chilien.
Peintre. Abstrait, puis figuratif.
Il s'est formé à Rome, à Paris, puis à Santiago, où il fut l'élève de Antunez. Il expose avec succès dans les Salons officiels du Chili et d'Amérique latine.
Dans une première période autour de 1970, s'inspirant de la céramique et des textiles indigènes, il procédait par bandes abstraites parallèles vivement colorées. Mais le Chili est un pays de l'imaginaire, l'abstraction ne s'y développe pas ; Yrarrazaval est revenu à la figuration.
Bibliogr. : B. Dorival, sous la direction de..., in : *Peintres Contemporains*, Mazenod, Paris, 1964 – Damian Bayon, Roberto Pontual, in : *La peinture d'Amérique latine au XXe siècle*, Mengès, Paris, 1990.
Ventes Publiques : New York, 17 oct 1979 : *Portrait d'une connaissance*, past. (100,3x70,5) : **USD 2 000** – New York, 30 mai 1984 : *Presencia ancestral* 1964, h/t mar./cart. (144,9x96,5) : **USD 1 500**.

YRIARTE. Voir aussi **IRIARTE**

YRIARTE Charles
Né le 5 décembre 1832 à Paris. Mort le 8 avril 1898 à Paris. XIXe siècle. Français.
Peintre d'architectures et écrivain d'art.
Élève de Constant-Dufeux.

YRONDI Édouard
Né le 6 mai 1863 à Paris. XIXe-XXe siècles. Français.
Peintre.
Il exposait à Paris, au Salon des Artistes Français depuis 1883.

YRONDY Charles Gaston
Né le 16 août 1885 à Paris. XXe siècle. Français.
Sculpteur.
Il fut élève d'Injalbert. Il exposait au Salon des Artistes Français depuis 1907, médaille de troisième classe en 1911, médaille d'argent en 1927, sociétaire. Chevalier de la Légion d'honneur en 1932, président de la Fédération des Arts et des Lettres.
Il est l'auteur du monument aux morts de Levallois-Perret.
Musées : Paris (Mus. du Petit Palais) : *Parsifal* – Vannes : *Le retour du père.*

YRURTIA Rogelio
Né le 6 décembre 1879 à Buenos Aires. XXe siècle. Argentin.
Sculpteur, architecte et peintre.
Il fut élève de l'École des Beaux-Arts de Buenos Aires. Au cours d'un séjour à Paris, il reçut les conseils de Rodin. Il obtint le Grand Prix à l'Exposition Internationale de Saint Louis, en 1905.
Dès ses débuts, il montra l'ambition d'atteindre à une sorte de réalisme apocalyptique. À côté de figures isolées de forme très pure, il réalisa des ensembles de figures selon, plus ou moins, l'exemple de Rodin. Discuté d'abord, il s'est imposé magistralement en Argentine. Sont citées d'entre ses œuvres principales : *Le chant du travail, L'Action* pour le *Monument de l'Indépendance de l'Argentine, Les pécheresses, Moïse.*

YSABEAU Louis Guillaume
Né le 30 octobre 1799 à Bourges (Cher). XIXe siècle. Français.
Sculpteur.
Il exposa à Paris, au Salon en 1835 et en 1850.
Musées : Bourges : *Vercingétorix* – Rapperswil : *Médaillons de Copernic.*

YSBRE Laurent. Voir **ISBRE**

YSEBRANT Gérard. Voir **ISEBRANT**

YSELBURG Peter. Voir **ISSELBURG**

YSELIN Heinrich. Voir **ISELI**

YSELSTEIN Dirck Jansz Van
XVIIe siècle. Actif à Delft. Hollandais.
Peintre sur faïence.
Le Musée Historique d'Amsterdam conserve de lui un pot peint.

YSEMBART Michel, l'Ancien
XVIIe siècle. Actif au Mans. Français.
Peintre d'histoire.
Il exécuta des travaux pour la cathédrale du Mans en 1650 et en 1662, peignit un *Saint Sébastien* pour l'église de Chantenay.

YSEMBART Michel, le Jeune
XVIIe siècle. Travaillant au Mans en 1668. Français.
Peintre.

YSENBERGH Nicolaus ou **Ysenbergk**. Voir **EISENBERG**

YSENBRANT Adriaen ou **Ysenbrandt**. Voir **ISENBRANT**

YSENDOORN Van. Voir **ISENDOORN Van**

YSENDYCK Anton Van ou **Isendyck**
Né le 13 janvier 1801 à Anvers. Mort le 14 octobre 1875 à Bruxelles. XIXe siècle. Belge.
Peintre d'histoire, sujets religieux, scènes de genre, portraits.
Il fut élève de Van Bree à l'Académie des Beaux-Arts d'Anvers ; prix de Rome en 1823. Travailla en Italie et à Paris entre 1824 et 1839. En 1828, il fut membre de l'Académie Royale d'Amsterdam ; directeur de l'Académie de Mons en 1840 ; nommé membre effectif du corps académique le 22 août 1865.

Ant van Ysendyck

Ant van Ysendyck

BIBLIOGR. : In : *Diction. biogr. illustré des artistes en Belgique depuis 1830*, Arto, Bruxelles, 1987.
MUSÉES : ANVERS : *Portrait de Van Bree – Portrait de l'artiste – Judith* – MONS : *Aristomène – Israélite* – VERSAILLES : *L'annonce du traité de paix à la France et l'Angleterre le 25 novembre 1783 – Prise d'Ypres.*
VENTES PUBLIQUES : COLOGNE, 22 nov. 1984 : *Le colporteur à la sortie de l'église* 1825, h/t (58x73) : **DEM 52 000** – LONDRES, 27 oct. 1993 : *Autoportrait*, h/t (114x87) : **GBP 3 220** – NEW YORK, 23 mai 1997 : *Raisins, papillons, pommes, poires et citrouilles* 1865, h/t (134x180,3) : **USD 46 000**.

YSENDYCK Léon Jan Van
Né en 1841 à Mons. Mort en 1868 à Saint-Josse-ten-Noode. XIXe siècle. Belge.
Peintre de genre, portraits.
Fils d'Anton Van Ysendyck. Il fut élève de l'Académie des Beaux-Arts de Bruxelles et de Gleyre à Paris.
BIBLIOGR. : In : *Diction. biogr. illustré des artistes en Belgique depuis 1830*, Arto, Bruxelles, 1987.

YSENHUT Heinrich
Né à Fribourg. XVe-XVIe siècles. Travaillant à Bâle de 1478 à 1500. Suisse.
Sculpteur sur bois.
Il sculpta des statues.

YSENHUT Lienhart ou **Eisenhut**
Né à Heideck. XVe-XVIe siècles. Travaillant à Bâle de 1468 à 1507. Suisse.
Peintre.
Il fut aussi connu comme peintre de messages.

YSENMANN Gaspard. Voir **ISENMANN**

YSERMAN Jacques. Voir **MOENS**

YSERMANS François. Voir **ISERMAN**

YSERN Y ALIE Pedro
Né en 1876 à Barcelone. Mort en 1946. XXe siècle. Espagnol.
Peintre de figures typiques, nus, paysages, peintre à la gouache, décorateur.
Il exposa à Paris : au Salon des Artistes Français ; à la Nationale des Beaux-Arts ; aux Salons des Indépendants, d'Automne ; ainsi qu'à Madrid ; Barcelone, où il obtint une médaille ; et à Saint-Pétersbourg. En 1925 à Paris, il figura également à l'Exposition des Arts Décoratifs où il reçut un diplôme d'honneur.
Il peignit surtout des danseuses espagnoles. *Voir aussi ISERN ALIÉ.*

P. Ysern y Alié

BIBLIOGR. : *Pierre Ysern y Alié, peintre de danseuses*, par Georges Turpin.
MUSÉES : BARCELONE – PARIS – SAINT-PÉTERSBOURG.
VENTES PUBLIQUES : VERSAILLES, 20 déc. 1964 : *Danseuses espagnoles*, gche : **FRF 80** – AMSTERDAM, 16 nov. 1988 : *Jeune femme portant une robe de dentelle blanche assise dans un intérieur*, h/t (130x96,5) : **NLG 18 400** – PARIS, 23 oct. 1989 : *Danseuse à Tabarin*, h/t (146x112) : **FRF 150 000** – PARIS, 14 juin 1991 : *Scène de cabaret*, h/t (54x65) : **FRF 44 500**.

YSORET de L'ESCLUSE. Voir **L'ESCLUSE**

YSSEL Ch. von der. Voir **ISSEL Ch. Van der**

YSSELDIJK Cornelis Van
Né le 29 septembre 1901 à Utrecht. XXe siècle. Hollandais.
Peintre et graveur.
Il fut élève de l'Académie des Beaux-Arts d'Anvers. Il travailla dans cette ville et à Amsterdam.
Il était aussi aquafortiste.

YSSELSTEYN Adrianus Van. Voir **ISSELSTEYN**

YSSIM. Voir **MORNY Mathilde de,** marquise

YTASSE Pierre Émile
Né à Paris. XIXe siècle. Français.
Peintre de genre et d'histoire.
Élève de Drolling. Il exposa au Salon de 1840 à 1874. Le Musée de Perpignan conserve de lui *Saint Roch pestiféré.*

YTTEBORG Christian Fredrik
Né le 9 mai 1833 à Christiania (Oslo). Mort le 15 août 1865 à Christiania. XIXe siècle. Norvégien.
Paysagiste.
Élève des Académies de Christiania (Oslo) et de Düsseldorf.

YTTERDAL Ole T.
Né le 6 septembre 1890 à Ytterdal. XXe siècle. Norvégien.
Peintre.
Il fit ses études à Oslo et à Paris.

YTURRINO Francesco de. Voir **ITURRINO GONZALEZ Francesco de**

YU. Voir **GION NANKAI**

YU Jackson
Né en 1911 à Suzhou. XXe siècle. Chinois.
Peintre de figures, paysages. Style occidental.
Il est diplômé de l'Université de Shanghai. Il ne se consacra entièrement à la peinture qu'après sa première exposition personnelle de peinture abstraite en Indonésie en 1956. De 1958 à 1969 il a activement participé à des expositions à Hong Kong et aux États-Unis. Puis, étudiant les techniques de la peinture traditionnelle chinoise, il abandonna complètement, pour un temps, la peinture occidentale. Il y revint en 1989. En 1992 il participa à une exposition collective au Musée d'Art de Hong Kong et eut une exposition personnelle au Musée des Beaux-Arts de Taipei. Dans ses périodes de peinture occidentale, il crée des images puissantes et colorées, au dessin fortement appuyé.
VENTES PUBLIQUES : HONG KONG, 31 oct. 1991 : *La fille au bouquet de fleurs* 1990, acryl./pap. d'imprimerie (82x81) : **HKD 66 000** – TAIPEI, 22 mars 1992 : *Église au-dessus d'un champ de fleurs* 1990, h/t (124,5x94,5) : **TWD 220 000** – HONG KONG, 30 avr. 1992 : *Dame au clair de lune*, encre et pigments/pap. (68,6x89,9) : **HKD 38 500**.

YUAN CHANG-T'ONG. Voir **YUAN SHANG-TONG**

YÜAN CHIANG. Voir **YUAN JIANG**

YUANCHUN ou **Yüan-Ch'un** ou **Yuan-Tch'ouen**. Voir **ZHANG FU II**

YUAN HIUAN ou **Yüanhsüan**. Voir **YUAN XUAN**

YUAN HONGDAO ou **Yuan Hong-Tao** ou **Yüan Hung-Tao**
Mort en 1614. XVIIe siècle. Chinois.
Littérateur et poète.
Il était fonctionnaire. Ses opinions littéraires font scandale, car il prise plus les élans de l'intuition créatrice que l'étude et l'imitation des Anciens ; il développe les mêmes idées en peinture et s'insurge contre le poids de la tradition : l'imitation scrupuleuse des Anciens conduit à trahir les Anciens, car les Anciens eux n'imitaient pas.
BIBLIOGR. : P. Ryckmans : *Les « Propos sur la peinture » de Shitao*, Bruxelles, 1970.

YÜAN HSÜEH. Voir **YUAN XUE**

YUAN HUNG-TAO. Voir **YUAN HONGDAO**

YUAN JIANG ou **Yüan Chiang** ou **Yuan Kiang**, surnom : **Wentao**

Né vers 1690, originaire de Jiangdu, province du Jiangsu. Mort en 1724. XVIIIe siècle. Actif à la cour pendant l'ère Yongzheng (1723-1735). Chinois.

Peintre de paysages, architectures, fleurs.

Peintre de paysages, particulièrement connu pour ses motifs architecturaux, il est à l'origine de ce que l'on appelle l'école Yuan, qui continuera son style, dans une recherche d'effets décoratifs, tradition de la peinture de cour. Lui-même, dans ses paysages, est influencé par les maîtres des Song du Nord, Li Cheng et Guo Xi, au travers des maîtres Yuan et Ming ; il fait aussi des peintures de fleurs.

Musées : Boston (Mus. of Fine Arts) : *Pavillon et galeries dans un jardin de rocailles*, signé – *Pavillon sous de grands arbres dans un jardin de rocailles au pied d'une montagne*, signé – Chicago (Art Inst.) : *Paysage de début de printemps avec un prunier en fleurs* 1717, signé – Kansas City (Nelson Gal. of Art) : *Charrettes sur un sentier de montagne* 1694, signé, d'après Guo Xi – Londres (British Mus.) : *Paysages de montagne avec pavillons*, signé – Pékin (Inst. de Recherche Artistique) : *Wutong et hibiscus* 1755, coul. sur soie, rouleau en hauteur – Stockholm (Nat. Mus.) : *Charrettes sur un sentier de montagne* 1707, signé, d'après Guo Xi.

Ventes Publiques : New York, 31 mai 1994 : *Paysage* 1718, encre et pigments/soie, ensemble de 12 kakémonos (183,4x40,6) : **USD 222 500**.

YUAN JINTA ou **Chin-T'a**

Né en 1949 à Chang-hwa. XXe siècle. Chinois.

Peintre.

Il fit ses études à l'Université Nationale Normale et, en 1975, à l'exposition de fin d'études remporta les premiers prix de peinture chinoise, peinture à l'huile, aquarelle et le second de calligraphie. Il fut invité à professer à l'Université Nationale Normale. Il est aussi à l'aise dans la peinture traditionnelle que dans la peinture à l'huile et est l'auteur d'un ouvrage *Étude comparative sur la structure des peintures orientale et occidentale*. En fait, on peut considérer sa peinture comme une habile synthèse d'une part entre figuration et abstraction, d'autre part entre écriture picturale occidentale, du côté de Paul Klee, Mark Tobey, et style elliptique extrême-oriental, on pense aux estampes japonaises ou à la première période de Zao Wou-Ki.

Ventes Publiques : Hong Kong, 30 avr. 1992 : *Le rythme de la vie* 1990, encre et acryl./pap. (84,5x122,5) : **HKD 110 000** – Taipei, 18 oct. 1992 : *42e rue* 1984, h/t (86,5x111,5) : **TWD 528 000** – Hong Kong, 29 oct. 1992 : *L'estrade*, encre et pigments/pap. (64x90) : **HKD 82 500** – Hong Kong, 29 avr. 1993 : *Fraternité* 1992, encre/pap. (107x69,5) : **HKD 80 500** – Taipei, 10 avr. 1994 : *Du poisson à l'homme* 1994, h. et acryl./t. (60x50) : **TWD 276 000**.

YUAN KIANG. Voir **YUAN JIANG**

YUAN NIAN ou **Yüan Nien**, surnom : **Xiasheng**

Originaire de Hangzhou, province du Zhejiang. XVIIIe siècle. Chinois.

Peintre.

Peintre de bambous à l'encre, élève de Zhu Sheng (actif vers 1680-1735).

YUAN SHANGTONG ou **Yuan Chang-T'ong** ou **Yuan Shang-T'ung**, surnom : **Shuming**

Né en 1570, originaire de Suzhou, province du Jiangsu. Mort en 1661. XVIe-XVIIe siècles. Chinois.

Peintre de figures, animaux, paysages, fleurs, dessinateur.

Il fut principalement peintre de paysages et de figures dans le style des maîtres Song.

Musées : Taipei (Nat. Palace Mus.) : *Paysages de Suzhou* 1637, album signé – *Deux corbeaux* 1654 – *Le nouvel an* 1661, signé.

Ventes Publiques : Hong Kong, 29 avr. 1996 : *Oiseaux et fleurs*, encre/pap. or, éventail (18,5x55,5) : **HKD 19 550**.

YUAN SIUE. Voir **YUAN XUE**

YUAN SONGNIAN ou **Yüan Song-Nien** ou **Yüan Sung-Nien**

Né en 1895 à Canton. Mort en 1966. XXe siècle. Chinois.

Peintre de scènes animées. Polymorphe.

Peintre de l'école traditionnelle et de l'école moderne, actif à Shanghai.

Ventes Publiques : Hong Kong, 29 avr. 1996 : *Scène de Zhou Shan* 1953, encre et pigments/pap. (45x31,5) : **HKD 46 000**.

YUAN-TCH'OUAN. Voir **ZHANG FU II**

YUAN XUAN ou **Yuan Hiuan** ou **Yüan Hsüan**, appelé aussi **Yuan Yuan**, surnom : **Yuxuan, Xiangting**

Originaire de Suzhou, province du Jiangsu. XVIIe siècle. Chinois.

Peintre de figures, paysages de bambous.

Il était actif à la fin de la dynastie Ming (1368-1644), plus précisément vers 1610.

YUAN XUE ou **Yuan Siue** ou **Yüan Hsüeh**, surnom **Wosheng**

Originaire de Suzhou, province du Jiangsu. XVIIe siècle. Actif dans la seconde moitié du XVIIe siècle. Chinois.

Peintre.

Célèbre graveur de sceau et peintre de paysages.

YUAN YAO

Originaire de Jiangdu, province du Jiangsu. XVIIIe siècle. Actif de 1746 à 1780. Chinois.

Peintre de paysages animés, paysages, architectures.

Neveu de Yuan Jiang, il est aussi peintre à la cour impériale.

Musées : Boston (Mus. of Fine Arts) : *Le Palais Ofang de Qin Shihuangdi* 1744, signé – *Pavillons sous les arbres au pied de hautes montagnes*, rouleau en longueur signé – *Falaises abruptes surplombant un ruisseau*, signé – *Douze peintures formant un paysage continu de jardin*, signé – *Le palais impérial Han*, rouleau en longueur signé – Chicago (Field Mus.) : *Luye tang, résidence d'été du premier ministre des Tang, Pei Du* 1470, signé – Londres (British Mus.) : *Aube de printemps sur le palais Han* 1744, signé.

Ventes Publiques : New York, 31 mai 1994 : *Voyageurs passant une rivière*, encre et pigments/soie, kakémono (188x66,7) : **USD 33 350** – New York, 18 mars 1997 : *Paysage* 1741, encre et pigments/soie, kakemono (170,2x45,7) : **USD 23 000**.

YUAN YING, surnom : **Jinhua**, nom de pinceau : **Erfeng**

Originaire de Suzhou, province du Jiangsu. XVIIIe siècle. Actif à la cour vers 1765-1785. Chinois.

Peintre.

Peintre de paysages et de fleurs, dont le National Palace Museum de Taipei conserve une œuvre signée et datée 1776, *Paysage d'après Zhao Zonghan*.

YUAN YUAN. Voir **YUAN XUAN**

YUAN YUAN, surnoms : **Boyuan** et **Liangbo**, nom de pinceau : **Yuntai**

Né en 1764, originaire de Yangzhou, province du Jiangsu. Mort en 1849. XVIIIe-XIXe siècles. Chinois.

Peintre de paysages.

Grand Secrétaire impérial, il recevra le titre posthume de Wenda ; peintre de paysages, de fleurs, d'arbres et de pierres, il prend part à la compilation du catalogue de l'empereur Qing Qianlong (règne 1736-1796), le *Shiju baoji*.

YUAN Zhengyuan

Né en 1955 à Chongqing. XXe siècle. Chinois.

Peintre de portraits.

Il obtint son diplôme en 1986. Depuis lors, il participe régulièrement à des expositions nationales et internationales et a remporté en 1988, la médaille de bronze de la 7e Exposition Nationale des Beaux-Arts.

La capacité d'assimilation extrême-orientale lui permet de maîtriser la technique traditionnelle occidentale de la peinture qui va de Vermeer à Carolus Duran, résumé d'un courant intimiste où il excelle hors époque.

Bibliogr. : In : Catalogue Christie's, vente Hong Kong, 30 mars 1992.

Musées : Pékin (Gal. Nat. d'Art).

Ventes Publiques : Hong Kong, 30 mars 1992 : *Rêverie* 1991, h/t (80x99,8) : **HKD 71 500** – Hong Kong, 28 sep. 1992 : *L'éclaircie* 1992, h/t (101x80) : **HKD 55 000**.

YUASA ICHIRÔ

Né en 1868 dans la préfecture de Gumma. Mort en 1931. XIXe-XXe siècles. Japonais.

Peintre. Style occidental.

Élève de Yamamoto Hôsui et de Kuroda Seiki tout d'abord, il étudie ensuite la peinture à l'huile à l'Université des Beaux-Arts de Tokyo, où il réside. Il passera plusieurs années en Europe et est membre du *Nika-kai*.

YU BEN

Né en 1905 à Guangzhou. Mort en 1995. XXe siècle. Chinois.

Peintre de paysages. Style occidental.

À 22 ans, il partit pour le Canada étudier l'Art occidental et entra en 1929 à l'Académie d'Art de l'Ontario. En 1936, il retourna à Hong Kong et fonda l'atelier Yu Ben où il exposait tous les ans. Après un séjour à Guilin, il retourna à Guangzhou en 1956. Il est Directeur Honoraire de l'Académie des Beaux-Arts de Guangzhou.
Dans un style occidental, teinté de modernisme, il a su préserver une atmosphère poétique extrême-orientale.
Bibliogr. : In : Catalogue Christie's, vente Hong Kong, 30 mars 1992.
Ventes Publiques : Taipei, 13 avr. 1997 : *En route pour les champs* 1938, h/t/masonite (81x94) : **TWD 1 205 000** ; *Tournesols dans un vase* 1950, h/t/masonite (76x64) : **TWD 552 000**.

YÜCHANG-WÊN. Voir **YU ZHONGWEN**

YÜ Ch'eng-yao
Né en 1898 dans la province du Fujian. Mort en 1993. XXe siècle. Chinois.
Peintre de paysages, aquarelliste, dessinateur. Traditionnel.
En 1920 il fut envoyé au Japon pour étudier l'économie à l'Institut Waseda et, l'année suivante, il entra dans une école militaire. En 1923 il retourna en Chine pour enseigner à l'école militaire de Huang Pu. Ce n'est qu'en 1954 qu'il commença à peindre. Il est aussi calligraphe et poète et porte un vif intérêt à la musique de flûte traditionnelle du sud de la Chine.
Ses paysages, très descriptifs, sont le plus souvent traités à l'encre et à l'aquarelle, évoquant avec beucoup de force des paysages du Hu-Han, restituant le climat oppressant de ces chaînes montagneuses, thème traditionnel du dessin et de la calligraphie chinoise depuis Siu-Wei.
Ventes Publiques : Hong Kong, 18 mai 1989 : *Montagnes rocheuses dans les tons de bleu et rose*, encre et pigments/pap., kakémono (119,7x58,1) : **HKD 110 000** – Hong Kong, 15 nov. 1989 : *Paysage*, encre/pap., kakemono (120x59,3) : **HKD 60 500** – Hong Kong, 15 nov. 1990 : *Paysage aux arbres rouges*, encre et pigments/pap. (34x44,5) : **HKD 22 000** – Hong Kong, 2 mai 1991 : *Paysage*, encre et pigments/pap., kakemono (61x61) : **HKD 61 600** – Hong Kong, 31 oct. 1991 : *Paysage*, encre et pigments/pap., kakemono (118,5x48,3) : **HKD 82 500** – Hong Kong, 30 avr. 1992 : *Paysage*, encre et pigments/pap. (60x120,5) : **HKD 110 000** – Taipei, 22 mars 1992 : *Paysage*, encre/pap., ensemble de quatre kakémonos (292x362) : **TWD 6 820 000** – Taipei, 18 oct. 1992 : *Paysage vert et bleu* 1984, encre et pigments/pap. (59,5x120,5) : **TWD 308 000** – Hong Kong, 29 avr. 1993 : *Montagnes rocheuses et large rivière calme* 1967, encre/pap. (95x184,5) : **HKD 391 000** – Hong Kong, 5 mai 1994 : *Calligraphie en xingcao shu*, encre/pap., ensemble de 4 kakémonos (chaque 135,5x34,5) : **HKD 86 250** – Hong Kong, 3 nov. 1994 : *Paysage*, encre/pap. (93x184,5) : **HKD 537 000** – Hong Kong, 4 mai 1995 : *Merveilleuses montagnes d'ocre, de pourpre, de bleu et de vert*, encre et pigments/pap. (59,7x120,6) : **HKD 103 500** – Taipei, 13 avr. 1997 : *Vue printanière de Yangming Shan* vers 1975, encre et pigments/pap. (69x133,5) : **TWD 1 700 000** – Hong Kong, 28 avr. 1997 : *Levée de lune par une brise légère*, encre et pigments/pap. (74x44,7) : **HKD 92 000**.

YU CHEOU-PO. Voir **YU SHOUBO**

YÜ CHI. Voir **YU JI**

YÜ-CHIEN. Voir **YUJIAN**

YÜ CHI-FAN. Voir **YU JIFAN**

YÜ CHIH-TING. Voir **YU ZHIDING**

YÛCHIKU. Voir **HISHIKAWA MORONOBU** et **KAIHO YÛCHIKU**

YÜ CHING-HSING. Voir **YU JINGXING**

YÜ CH'ING-YEN. Voir **YU QINGYAN**

YU CH'IU. Voir **YOU QIU**

YUDIN Lev
Né en 1903. Mort en 1941. XXe siècle. Russe.
Peintre. Suprématiste.
De 1919 à 1922, à Vitebsk, il fut membre de l'Unovis. Avec Ilya Chashnik et Nikolaï Suétin, il suivit Malévitch à Pétrograd. En 1923, il devint membre de l'Académie des Arts et, à partir de 1924, travailla comme chercheur à l'Inkhuk, aux côtés de Malévitch, dont il subit très fortement l'influence.

YUE DAI ou **Yo Tai**, surnom : **Dongbo**, noms de pinceau : **Qinyu Shanren** et **Zhangyuzi**
Originaire de Suzhou, province du Jiangsu. XVIe siècle. Actif vers 1570. Chinois.
Peintre.
Peintre de paysages qui voyage dans toutes les montagnes célèbres des provinces du sud, et dont le Fogg Art Museum de Cambridge (Massachusetts) conserve une œuvre signée et datée 1571, *Montagnes sous la neige*.

YUE GAO ou **Yo Kao**, surnom : **Haoting**
Originaire de Anyi, province du Shanxi. XVIIIe siècle. Actif vers 1715. Chinois.
Peintre.
Peintre de figures, d'animaux, de fleurs et d'oiseaux.

YÛEN
XIVe siècle. Actif vers 1384. Japonais.
Peintre.
Peintre de sujets bouddhiques.

YUE ZHENG ou **Yo Chêng** ou **Yo Tcheng**, surnom : **Jifang**, nom de pinceau : **Mengquan**
Né en 1418, originaire de Guoxian (Tongzhou), province du Hebei. Mort en 1472. XVe siècle. Chinois.
Peintre.
Peintre de vignes.

YU FEI'IAN
Né en 1888. Mort en 1959. XXe siècle. Chinois.
Peintre de fleurs et volatiles, insectes. Traditionnel.
Ventes Publiques : Hong Kong, 19 mai 1988 : *Oiseaux et fleurs*, encre noire et coul./pap. (82,4x41,4) : **HKD 46 200** – Hong Kong, 17 nov. 1988 : *Lotus* 1948, encre et pigments/pap., kakémono (66,5x33) : **HKD 30 800** ; *Fleurs et insectes* 1932, encre et pigments/soie, kakémono (72x46,3) : **HKD 46 200** – Hong Kong, 15 nov. 1989 : *Lotus, abeilles et libellule* 1948, encre et pigments/pap., kakémono (104,8x52,3) : **HKD 99 000** – Hong Kong, 15 nov. 1990 : *Pivoines et oiseau* 1949, encre et pigments/pap., kakémono (113,7x68,3) : **HKD 121 000** – Hong Kong, 2 mai 1991 : *Lichis et oiseaux* 1941, encre et pigments/pap., kakémono (67,7x30,5) : **HKD 55 000** – Hong Kong, 31 oct. 1991 : *Fleurs et cinq mantes religieuses* 1937, éventail, encre et pigments/pap. (18,4x52) : **HKD 55 000** – Hong Kong, 30 mars 1992 : *Pigeons*, encre et pigments/pap., makémono encadré (54x71) : **HKD 231 000** – New York, 1er juin 1992 : *Oiseaux sur une branche de pin*, encre et pigments/pap., kakémono (130,2x34) : **USD 7 700** – Hong Kong, 28 sep. 1992 : *Dames*, encre/pap., makémono, d'après Fan Chengshuo (29x182,5) : **HKD 770 000** – Hong Kong, 29 avr. 1993 : *Grue* 1940, encre et pigments/pap., kakémono (133x62,8) : **HKD 218 500** – New York, 16 juin 1993 : *Fleurs de pruniers et geais* 1943, encre et pigments/pap., kakémono (107,3x51,4) : **USD 18 400** – Hong Kong, 3 nov. 1994 : *Papillon et orchidées et calligraphie* 1941, encre/pap., éventail (18,5x47,5) : **HKD 55 200** ; *Papillons et narcisses* 1947, encre/pap., kakémono (96x52) : **HKD 253 000** – New York, 27 mars 1996 : *Geai en automne* 1948, encre et pigments/pap., kakémono (102,2x52,1) : **USD 12 650** – Hong Kong, 29 avr. 1996 : *Lotus et libellule*, encre et pigments/pap., kakémono (109,2x56,5) : **HKD 276 000**.

YUFENG ou **Yü-Fêng**, de son vrai nom : **Ju**, noms de pinceau : **Xuanyun** et **Banchao**
Chinois.
Peintre.
Il était actif sous la dynastie Qing (1644-1911).

YU FENG
XXe siècle. Chinoise.
Peintre.
Femme peintre de l'école moderne, elle est le chef de file d'un mouvement réaliste dans l'ouest de la Chine.

YÜGA, de son vrai nom : **Nemoto**, nom de pinceau : **Yûga**
Né en 1824, originaire de Tottori. Mort en 1866. XIXe siècle. Japonais.
Peintre.
Élève de Ichiga, il est peintre de l'école Kanô.

YUGAI Vladimir Mikhailovitch
Né en 1922 à Vladivostok. XXe siècle. Russe.
Peintre de figures, paysages animés.
Il fit ses études artistiques à Kiev. Il fut nommé Artiste Émérite d'Ukraine en 1978.
En accord avec les directives officielles, il peignait des sujets édifiants dans une technique sans risque.

Musées : Kiev (Mus. des Beaux-Arts) – Moscou (Mus. central Lénine).

Ventes Publiques : Paris, 18 mars 1991 : *Amies* 1958, h/t (50x60) : **FRF 4 200.**

YUGLARIS Tommaso. Voir **JUGLARIS**

YUHI. Voir **KUMASHIRO SHUKKO**

YU HI-LIEN ou **Yü Hsi-Lien**. Voir **YU XILIAN**

YU HONG

Née en 1966 à Pékin. xxe siècle. Chinoise.

Peintre de compositions à personnages. Réalisme occidental.

Elle reçut ses premières leçons de sa mère et entra à 14 ans à l'École préparatoire à l'Académie Centrale des Beaux-Arts où elle étudia de 1984 à 1988. Diplômée elle devint professeur à cette même Académie. Elle mène de front sa carrière artistique et expose dans les principales manifestations de son pays : 1986, première Exposition Nationale de Peinture à l'huile ; 1988, 7e Exposition Nationale des Beaux-Arts de Pékin ; 1988-89, *Les huit artistes féminines*. Sur le plan international elle expose un autoportrait à l'Exposition Internationale d'Art de Monte-Carlo en 1989.

Elle semble avoir été impressionnée par un certain réalisme occidental, mêlé de folklore américain, de traces du pop art et de l'hyperréalisme.

Bibliogr. : In : Liaoning Fine Art Press : *Sélection d'œuvres de Yu Hong*, juin 1991 – in : Catalogue Christie's, vente Hong Kong, 30 mars 1992.

Ventes Publiques : Hong Kong, 4 mai 1995 : *Jeune femme devant un mur rouge* 1989, h/t (130,2x97,2) : **HKD 46 000.**

YÜ HSING. Voir **YU XING**

YU JI ou **Yü Chi** ou **Yu Tsi**, surnom : **Rongshang,** nom de pinceau : **Qiushi**

Né en 1738, originaire de Hangzhou, province du Zhejiang. Mort en 1823. xviiie-xixe siècles. Chinois.

Peintre de sujets de genre, figures, fleurs, dessinateur.

Peintre de figures, d'orchidées et de bambous.

Ventes Publiques : New York, 31 mai 1989 : *Le retour en Chine de Dame Wenji* 1814, encre et pigments/soie, kakémono (108x83,9) : **USD 1 925** – New York, 6 déc. 1989 : *Dame et ses serviteurs*, encre et pigments/pap., kakémono (172x47) : **USD 1 760** – Hong Kong, 4 mai 1995 : *Dame* 1796, encre et pigments/pap. (84,4x31,1) : **HKD 34 500.**

YUJIAN ou **Yü-Chien** ou **Yu-Kien,** nom de deux moines

xiiie siècle. Actifs avant le milieu du xiiie siècle. Chinois.

Peintres.

Ying Yujian, tout d'abord, qui vit à Qingzi, au bord du lac de l'Ouest à Hangzhou et fait des paysages dans le style de Huichong ; et Ruofen, de son vrai nom : Cao, surnom : Zhongshi, noms de pinceau : Furong Shanzhu et Yujian, actif au temple de Shangzhu de Yangzhou et plus tard à Wuzhou, dans la province du Zhejiang, qui est peintre de paysages.

YU JIFAN ou **Yü Chi-Fan** ou **Yu Tsi-Fan**

xxe siècle. Chinois.

Peintre. Style occidental.

Il était actif à Shanghai. Peintre de l'école moderne, co-fondateur de l'Académie Xinhua, en 1926.

YU JINGXING ou **Yü Ching-Hsing** ou **Yu King-Sing**, surnom : **Donggao**

Originaire de Zhenjiang, province du Jiangsu. xviiie siècle. Actif dans la première moitié du xviiie siècle. Chinois.

Peintre.

Poète, calligraphe et peintre de paysages dans le style de Mi Fu (1051-1107), il fait aussi des pins.

YU-KIEN. Voir **YUJIAN**

YUKIHIDE. Voir **TOSA YUKIHIDE**

YUKIHIRO. Voir **TOSA YUKIHIRO**

YUKIMITSU. Voir **FUJIWARA YUKIMITSU**

YUKINAGA. Voir **FUJIWARA YUKINAGA**

YU KING-SING. Voir **YU JINGXING**

YUKINOBU. Voir aussi **KANÔ YUKINOBU**

YUKINOBU, de son vrai nom : **Kiyohara Yuki,** nom de pinceau : **Yukinobu**

Née en 1643. Morte en 1682. xviie siècle. Japonaise.

Peintre.

Femme peintre élève de Kanô Tannyû, elle se spécialisa dans les figures féminines.

Ventes Publiques : New York, 17 oct. 1989 : *Ono no Komachi lavant un pinceau*, encre et pigments légers/soie (35,5x52,8) : **USD 3 300.**

YÛKOKU, de son vrai nom : **Noguchi Minosuke**, nom de pinceau : **Yûkoku**

Né en 1827. Mort en 1899. xixe siècle. Actif à Tokyo. Japonais.

Peintre.

Peintre de fleurs et d'oiseaux de l'école Nanga (peinture de lettré), il est élève de Tsubaki Chinzan. Il est membre du Comité Impérial des Beaux-Arts et de l'Académie des Beaux-Arts.

YULE William James

Né en 1867 à Dundee. Mort en 1900 à Nordrach-on-Mendip. xixe siècle. Britannique.

Peintre de scènes de genre, figures, portraits, intérieurs. Tendance impressionniste.

Il commença ses études à Édimbourg, puis alla à Londres, où il fut élève de F. Brown et vint à Paris compléter son éducation artistique. Il exposa à Édimbourg, à Glasgow et à Londres à la New Gallery.

Il peignit notamment de nombreux portraits d'enfants et fit preuve de remarquables qualités de coloriste.

Ventes Publiques : Édimbourg, 30 août 1988 : *La ronde*, h/t (129,5x121,5) : **GBP 3 520** – Édimbourg, 9 juin 1994 : *Printemps*, h/t (76,2x64,2) : **GBP 8 050.**

YU LING, surnom : **Danian**

Originaire de Hangzhou, province du Zhejiang. xviiie siècle. Actif à la fin du xviiie siècle. Chinois.

Peintre.

Peintre d'animaux, particulièrement connu pour ses représentations de chevaux.

YU-LIN PAN, Mme. Voir **PAN YU-LIN**

YULL Erika, comtesse Zichy

Née le 10 juillet 1899. xxe siècle. Hongroise.

Peintre de figures et de paysages.

Élève de l'Académie de Budapest, ville où elle resta active.

YU MING

Né en 1884. Mort en 1935. xxe siècle. Chinois.

Peintre de scènes et paysages animés, figures, portraits. Traditionnel.

Ventes Publiques : Hong Kong, 15 nov. 1990 : *Relecture de livres dans la dynastie Qi dans les provinces du nord d'après Yan Liben* 1929, encre et pigments/pap., makémono (30,8x123) : **HKD 220 000** – Hong Kong, 2 mai 1991 : *Dame tenant un rameau de prunier fleuri* 1926, encre et pigments/pap., kakémono (106x50) : **HKD 46 200** – Hong Kong, 31 oct. 1991 : *Portrait de Laozi*, encre et pigments/pap., kakemono (105x28,5) : **HKD 57 200** – Hong Kong, 30 avr. 1992 : *Personnages de la cour impériale, éventail*, encre et pigments/pap. (18,3x46,4) : **HKD 46 200** – Hong Kong, 29 oct. 1992 : *Portrait de Laozi*, encre et pigments/pap. (132x34,5) : **HKD 57 200** – Hong Kong, 29 avr. 1993 : *Bodhidharma*, encre et pigments/pap., kakémono (120x47,5) : **HKD 46 000** – Hong Kong, 5 mai 1994 : *Sur un étang aux lotus en été* 1924, éventail, encre et pigments/pap. (19x49) : **HKD 48 300** – Hong Kong, 30 oct. 1995 : *Personnages* 1921, encre et pigments/soie, kakémono, d'après Chen Hongshou (122,2x59) : **HKD 34 500.**

YUN BING ou **Yün Ping**, surnom : **Qingru,** ou **Ch'ing-Ju** ou **Ts'ing-Jou**, noms de pinceau : **Haoru** et **Lanling Nushi**

xviie-xviiie siècles. Active vers 1670-1710. Chinoise.

Peintre de natures mortes, fleurs et fruits.

Descendante de Yun Shouping (1633-1690), elle peint surtout des fleurs et des fruits.

Ventes Publiques : New York, 1er juin 1992 : *Fleurs et rocher*, encre et pigments/pap., kakémono (121,9x43,2) : **USD 3 850** – New York, 2 déc. 1992 : *Pivoines et rochers*, encre et pigments/pap., kakémono (116,8x40,6) : **USD 2 750.**

YÜN CHEOU-P'ING. Voir **YUN SHOUPING**

YÜN-CH'IAO. Voir **YUNQIAO**

YUNG Antoine Hubert, dit **Lejeune**

Né en 1789 à Paris. xixe siècle. Français.

Graveur au burin.

Élève du baron Gros et de Massard père. Il exposa au Salon en 1824 et en 1834.

YUNGANG DAOSHI ou **Yün-Kang Tao-Shih** ou **Yun-Kang Tao-Che**

xve siècle. Chinois.

Peintre.

Il était actif vers 1466. Moine taoïste, ami du peintre Ni Zan (1301-1374).

YUN GEE. Voir **GEE YUN**

YUNG HSING. Voir **YONG XING**

YUNG JUNG. Voir **YONG RONG**

YUNG T'IEN. Voir **YONG TIAN**

YUN HI. Voir **YUN XI**

YUN HIANG ou **Yün Hsiang**. Voir **YUN XIANG**

YUNK Lurino

Né en 1840 à Turin. Mort le 18 novembre 1887 à Pise. XIXe siècle. Italien.

Peintre de sujets rustiques. Orientaliste.

Il commença ses études à l'Académie de Turin, puis vint à Paris travailler sous la direction de Picot et Gérome. Il peignit des sujets empruntés à la vie des paysans italiens et des motifs recueillis au cours de ses voyages en Espagne, en Égypte et en Turquie. A la fin de sa carrière, il travailla surtout à Rome et à Pise.

YUN-KANG TAO-CHE ou **Yün-Kang Tao-Shih**. Voir **YUNGANG DAOSHI**

YUNKE ou **Yün-K'o**, de son vrai nom : **Huang,** surnom : **Tiezhou,** nom de pinceau : **Mushi Shanren**

Originaire de Wuchang, province du Hubei. XVIIIe siècle. Chinois.

Peintre.

Peintre de paysages, de fleurs et de bambous.

YUNKERS Adja

Né en 1900 à Riga (Lettonie). XXe siècle. Depuis 1947 actif, puis naturalisé aux États-Unis. Letton.

Peintre, peintre à la gouache, aquarelliste, graveur, lithographe, dessinateur, sculpteur. Expressionniste, puis abstrait.

Il décida seul de ses études artistiques, d'abord à Saint-Pétersbourg, où il fut élève de Nicholas Roerich, puis, dès 1919, en voyageant à travers l'Allemagne où, à Berlin, il prit contact avec le groupe de la galerie *Der Sturm*, la France, l'Angleterre. De 1928 à 1938, il se fixa à Paris. Pendant la Seconde Guerre mondiale, il se réfugia en Suède, où il resta de 1938 à 1947, fondant deux revues d'art, *Creation* et *Ars*. Il se fixa aux États-Unis à partir de 1947, où il a enseigné à la New School for Social Research, de 1947 à 1954, enseignant également à l'Université de New Mexico pendant les étés 1948 et 1949. Il a obtenu des bourses Guggenheim en 1949-1950 et en 1954-1955, ainsi qu'une bourse de la Fondation Ford en 1959. Il est revenu en Europe, à Paris et Rome, en 1954-1955.

Il participait à des expositions de groupe. Des expositions individuelles lui ont été consacrées : en 1921 à Hambourg, galerie Maria Kunde ; à New York régulièrement ; dans diverses villes des États-Unis, dans plusieurs capitales européennes.

Lors de son séjour à Berlin, il réalisa des dessins et des aquarelles sur des sujets religieux, dans un esprit dénotant l'influence des expressionnistes de *Der Sturm*. Il s'initia alors à la xylographie, très en faveur dans le même milieu, technique qu'il maîtrisa particulièrement, avant d'expérimenter les techniques les plus diverses. À partir de son installation aux États-Unis, il s'orienta définitivement dans l'abstraction. En peinture comme en collages, en gravure, au pastel, en bas-relief ou sculpture, il pratique une abstraction plastiquement construite sans être géométrique. D'abord dans un chromatisme généreux et nuancé à la fois, puis dans l'austérité de deux couleurs seulement, souvent le blanc et le bleu, ou le blanc et le noir, des formes très simples développent leur masse dans le plan de la toile, puissantes et sensibles à la fois, aux contours volontairement flous ; quelques graphismes en animent l'intérieur. Cette occupation de l'espace, calme et forte, peut rappeler la manière du Français Ubac ou du Japonais Sato. En gravure, il procède par superpositions d'impressions à partir de gravures sur bois, de même qu'Ubac procède à partir d'impressions d'ardoises incisées.

Par son œuvre particulièrement abondant et diversifié, il s'est affirmé comme une personnalité originale dans les préliminaires de l'abstraction américaine de l'après-guerre. ■ J. B.

BIBLIOGR. : Michel Seuphor, in : *Diction. de la peint. abstr.*, Hazan, Paris, 1957 – B. Dorival, sous la direction de..., in : *Peintres Contemporains*, Mazenod, Paris, 1964 – J. D. Prown, Barbara Rose, in : *La Peinture Américaine, de la période coloniale à nos jours*, Skira, Genève, 1969 – in : Encyclopédie des Arts *Les Muses*, vol. XV, Grange Batelière, Paris, 1969-1974 – in : *Diction. Univers. de la Peint.*, vol. VI, Le Robert, Paris, 1975.

MUSÉES : NEW YORK (Solomon R. Guggenheim Mus.) : *Composition en noir et ocre* 1957.

YUN K'I WAD CHE. Voir **CHEN SHU**

YÜN-K'O. Voir **YUNKE**

YÜN PING. Voir **YUN BING**

YUNQIAO ou **Yün-Ch'iao** ou **Yun-Ts'iao**

Né vers 1410. Mort vers 1490. XVe siècle. Chinois.

Peintre.

Professeur du peintre Zhou Chen. Sans doute identique à Chen Xian, surnom : Jizhao, nom de pinceau : Yunqiao.

YÜN SHI. Voir **YUN XI**

YUN SHOUPING ou **Yün Cheou-P'ing** ou **Yün Shou-P'ing**, de son vrai nom : **Yun Ge,** surnom : **Zhengshu,** noms de pinceau : **Nantian, Yunqi Waishi, Boyun Waishi, Dongyuan Caoyi,** etc.

Né en 1633, originaire de Wujin, province du Jiangsu. Mort en 1690. XVIIe siècle. Chinois.

Peintre de paysages, fleurs, dessinateur.

Originaire de la province du Jiangsu, le père de Yun Shouping, ardent légitimiste Ming, vivait clandestinement dans la province du Fujian, où il se fit moine bouddhiste pour couvrir ses activités. Yun Shouping, séparé de son père, est alors adopté par le général Chen Jin, dont la mère, fervente bouddhiste, le conduit souvent au temple, et c'est ainsi que Yun retrouve un jour son père. Il ne le quittera plus jusqu'à la mort de ce dernier, en 1678. À la chute de la dynastie Ming et au début de l'époque Qing, de nombreux peintres, selon les idéaux des lettrés de la fin des Ming, se rangent sous la bannière de Dong Qichang (1555-1636) dont la forte personnalité et l'autorité avaient établi une orthodoxie nouvelle fondée sur l'étude et la copie des Anciens. Le monde artistique est alors dominé par les Quatre Wang, à qui l'on a coutume d'associer deux autres contemporains, Wu Li (1632-1718) et Yun Shouping pour former les Six Grands Maîtres du début des Qing.

Yun Shouping fait preuve dès l'enfance de prédispositions certaines pour les arts et d'une grande inclination pour la peinture de paysages. Les sources littéraires disent que s'il y renonce, c'est à cause de son admiration pour Wang Hui, l'un des Quatre Wang, qui lui semble inégalable en ce domaine. L'amitié des deux hommes est restée célèbre. On peut penser aussi que Yun Shouping est conscient du poids extrêmement lourd des Anciens dans la formation de l'artiste, notamment des maîtres Yuan et de Huang Gongwang en particulier, dont il craint qu'il ne vienne entraver sa liberté créatrice. « La plus grande difficulté pour moi dans la peinture de paysages », écrit-il, « est de ne pouvoir échapper aux contraintes. Je suis trop limité par les règles et les manières des anciens maîtres. » Yun se tourne donc vers la peinture de fleurs, en s'inspirant à la fois de la nature et des techniques classiques. Il reprend la technique *sans os (mogu)* de Xu Chongsi, peintre de fleurs et d'oiseaux de la dynastie des Song du Nord, qui consiste à éliminer presque les contours, au profit des seuls coloris, pigments légers, parfois transparents, appliqués par un pinceau qui effleure le papier. L'habileté technique, la beauté des couleurs, le sens de la composition dont les œuvres de Yun font preuve, leur assurent une large popularité et on les retrouve sur les porcelaines des époques Yongzhen et Qianlong. Il travaille aussi l'encre seule, en usant de toutes ses nuances, le plus souvent avec un pinceau mouillé dont les effets brumeux caractérisent fréquemment ses bambous. Yun Shouping, par ailleurs, note ses réflexions sur l'art, de l'observation de la nature à la transmission des sentiments, du choix du sujet au mode d'expression, et elles seront réunies dans deux recueils, le *Nantian hua ba* (Recueil des colophons de Nantian) et *Hua ba* (Colophons). ■ Marie Mathelin, J. B.

BIBLIOGR. : J. Cahill : *La peinture chinoise*, Genève, 1960 – M. M. Chin : *Yun Cheou-p'ing*, in : *Encyclopaedia Universalis*, vol. 16, Paris, 1973.

MUSÉES : BOSTON (Mus. of Fine Arts) : *Arbres sans feuilles sur la rive*, éventail signé – CHICAGO (Field Mus.) : *Deux chats assoupis*, inscription du peintre – LONDRES (British Mus.) : *Fleurs de glycines*, deux éventails signés – *Pivoines et rochers bleus*, d'après Xu Chongsi, deux vers – *Chrysanthèmes*, d'après Xu Chongsi, poème – NEW YORK (Metropolitan Mus.) : *Vue de rivière avec un pavillon construit sur l'eau*, signé, poème du peintre – PARIS (Mus.

Guimet) : *Bambous sous la pluie*, rouleau en longueur attribué au peintre par Gao Shiqi – Pékin (Mus. du Palais) : *Études de fleurs, plantes et arbres*, huit feuilles d'album, couleurs sur papier – *Longues branches de pêcher en fleurs*, coul. légères sur pap., inscription du peintre – *Vastes vues de montagnes avec arbres dans des ravins*, d'après Huang Gongwang, signé – *Paysage avec cascade, vieux arbres et glycines*, poème signé – Shanghai : *Fleurs tombées et poissons nageant* 1675, coul. sur pap., rouleau en hauteur signé – *Fleurs de lotus et poisson*, coul. sur soie, rouleau en hauteur – *Coq chantant*, coul. sur soie, rouleau en hauteur – *Montagne émergeant de la brume*, signé – Stockholm (Nat. Mus.) : *Pivoines*, d'après Xu Chongsi, signé – Taipei (Nat. Mus.) : *Vieux cèdre*, encre sur pap., rouleau en hauteur – *Paysage* 1678, encre sur pap., rouleau en hauteur – *Fleurs et paysages* 1672, encre et/ou coul. sur pap., album de douze feuilles – *Magnolia et pivoine*, encre et coul. sur soie, rouleau en hauteur – *Bambou et vieux arbres*, encre sur pap., rouleau en hauteur – *Paysage* 1678, d'après Dong et Ju, signé – *Les Cinq Choses Pures* daté 1681, colophon signé – *Chaumière de lettré dans les arbres* 1682, signé, huit poèmes du peintre – *Dix études de Paysages* la première feuille est datée 1685, feuilles d'album, toutes accompagnées de poèmes de Wang Hui – Washington D. C. (Freer Gal.) : *Pivoines près d'un rocher*, d'après un maître Song, signé.
Ventes Publiques : New York, 1er juin 1989 : *Vieil arbre, bambous et rocher*, encre et pigments/pap., kakémono (66,5x32) : **USD 13 200** – New York, 4 déc. 1989 : *Paysages dans le style des anciens maîtres*, encre et encre et pigments/soie, album de dix feuilles (chaque 422x33) : **USD 66 000** – New York, 6 déc. 1989 : *Trois amis en hiver*, encre et pigments/soie, kakemono (113,3x53,4) : **USD 27 500** – New York, 31 mai 1990 : *Calligraphie en écriture courante*, encre/pap., makémono (27,3x585) : **USD 12 100** – New York, 29 mai 1991 : *Plantes et fruits*, encre et pigments/pap., album de huit feuilles (chaque page 21,9x28,2) : **USD 8 800** – New York, 25 nov. 1991 : *Paysage avec un lettré dans son atelier*, encre/soie, kakemono (129x53) : **USD 6 600** – New York, 1er juin 1993 : *Album de huit feuilles de sujets divers*, encre/pap. et pigments/pap. (chaque feuille 27x40,3) : **USD 13 800** – New York, 31 mai 1994 : *Lotus* 1671, encre et pigments/pap., kakémono (93,7x37,1) : **USD 11 500** – New York, 18 mars 1997 : *Paysage*, encre/pap., album de douze feuilles (25,4x31,7) : **USD 34 500**.

YUN-TS'IAO. Voir **YUNQIAO**

YUN XI, prince Shen ou **Yun Hi** ou **Yün Hsi**, nom de pinceau : **Ziqiong Daoren**
xviie siècle. Chinois.
Peintre de paysages.
Il était actif dans la seconde moitié du xviie siècle. Vingt-et-unième fils de l'empereur Qing Kangxi (règne 1662-1722), dont le National Palace Museum de Taipei conserve plusieurs œuvres signées.
Musées : Taipei (Nat. Palace Mus.).

YUN XIANG ou **Yun Hiang** ou **Yün Hsiang**, de son vrai nom : **Daosheng**, surnom : **Benchu**, nom de pinceau : **Xiangshan Weng**
Né en 1586, originaire de Wujin, province du Jiangsu. Mort en 1655. xviie siècle. Chinois.
Peintre de paysages, dessinateur.
Peintre de paysages dans les styles de Dong Yuan et Juran (ixe-xe siècle), puis ultérieurement de Ni Zan et Huang Gongwang de la dynastie Yuan. Il est aussi l'auteur d'un traité intitulé *Hua Zhi* qui a disparu. Mais il reste de lui quelques inscriptions de peintures, reproduites dans le recueil *Yuji Shanfang Hua Wailu*, Livre II, où l'on trouve différentes réflexions esthétiques et critiques de grande valeur, témoignant d'une pensée originale et profonde.
Bibliogr. : P. Ryckmans : *Les « Propos sur la peinture » de Shitao*, Bruxelles, 1970.
Ventes Publiques : New York, 31 mai 1989 : *Paysage*, encre/pap., kakemono (93x37,8) : **USD 4 400** – New York, 4 déc. 1989 : *Chalet au toit de chaume au fond d'une vallée de montagne*, encre/pap., kakemono (124x30) : **USD 33 000** – New York, 25 nov. 1991 : *Le chalet du pic pourpre sur le mont She*, encre et pigments légers/soie, kakemono (119,3x62,2) : **USD 17 600** – New York, 1er juin 1993 : *Collines sous les nuages*, encre et pigments/pap., kakemono (160x40) : **USD 2 300**.

YUN YUANJUN ou **Yün Yüan-Chün** ou **Yun Yuan-Tsiun**, surnom : **Zhequan**, nom de pinceau : **Tiexiao**
xviiie siècle. Chinois.
Peintre de fleurs.
Descendant de Yun Shouping (1633-1690).

YUON Konstantin Fedorovich. Voir **YOUON Constantin Fedorovitch**

YU Peng
Né en 1955. xxe siècle. Chinois.
Peintre de genre, paysages. Traditionnel.
Ventes Publiques : Hong Kong, 15 nov. 1989 : *Verger de pruniers* 1989, encre et pigments/pap. (135x67,5) : **HKD 28 600** – Hong Kong, 15 nov. 1990 : *Vie d'un lettré contemporain* 1990, encre/pap. (64x67) : **HKD 17 600** – Hong Kong, 2 mai 1991 : *Le rêve du jardin des prunes* 1991, encre et pigments/pap., makémono (51,8x232) : **HKD 71 500** – Hong Kong, 31 oct. 1991 : *Paysage* 1991, encre et pigments/pap., kakemono (133,2x52) : **HKD 82 500** – Hong Kong, 30 avr. 1992 : *Le petit Yu à Paris,*, encre et pigments/pap., kakémono (136x78) : **HKD 33 000** – Hong Kong, 22 mars 1993 : *Parfum de lotus, bois profonds et pentes moussues* 1992, encre et pigments/pap., kakémono (137,5x69,6) : **HKD 49 450** – Hong Kong, 29 avr. 1993 : *Les canaux du ciel* 1991, encre et pigments/pap., kakémono (232x50,2) : **HKD 69 000**.

YU QINGYAN ou **Yü Ch'ing-Yen, Yu Ts'ing-Yen, Qingnian**
Originaire de Biling (Changzhou), province du Jiangsu. xiiie siècle. Chinois.
Peintre de fleurs.
Il était actif pendant l'ère Jiading (1208-1222). Peintre spécialiste de fleurs de lotus, dont les descendants vont perpétuer le style : Yu Ziming, son fils probablement, ainsi que Yu Wudao et Wuyan, vraisemblablement ses petits-fils.

YUS Y COLAS Manuel
Né en 1845 à Nuevalos. Mort en 1905 à Nuevalos. xixe siècle. Espagnol.
Peintre de genre, portraits, paysages.
Il fut élève de l'École des Beaux-Arts de Madrid, entre 1860 et 1869. Il prit part à diverses expositions collectives, parmi lesquelles : 1868, 1885-1886 Exposition Aragonaise, où il obtint une première médaille en 1886 ; à partir de 1876 Salon de la Société Nationale des Beaux-Arts de Madrid.
Il exécuta plusieurs portraits du roi Alphonse XIII.
Bibliogr. : In : *Cien Anos de pintura en Espana y Portugal, 1830-1930*, Antiqvaria, t. XI, Madrid, 1993.

YU SAN YU. Voir **CHANG Yu Shu**

YÛSEI. Voir **KITAO MASANOBU**

YÛSEN. Voir **KAIHÔ YÛSEN**

YÛSETSU. Voir **KAIHÔ YÛSETSU**

YU SHENG
Né en 1960. xxe siècle. Chinois.
Peintre de scènes animées.
Originaire de Pékin, il est membre de l'Association des Artistes de Pékin et de l'Association Chinoise pour le Design. Il a participé à de nombreuses expositions dans son pays.
Ventes Publiques : Hong Kong, 30 avr. 1996 : *Fêtes de Qingming* 1995, h/t (99,7x99,7) : **HKD 46 000**.

YU SHICHAO
Né en 1953. xxe siècle. Chinois.
Peintre de genre.
Il est diplômé de l'Académie des Beaux-Arts de Shangai depuis 1982. Il partit pour les États Unis en 1989 et eut une exposition personnelle à Toronto en 1991.
Ventes Publiques : Hong Kong, 30 oct. 1995 : *La pause* 1993, h/t (91,4x76,2) : **HKD 41 400** – Hong Kong, 30 avr. 1996 : *Rêves de cygne* 1993, h/t (76,2x160) : **HKD 40 250**.

YÛSHI Ishizaki, surnom : **Shisai,** nom familier : **Keitarô**, nom de pinceau : **Hôrei**
Né en 1768, originaire de Nagasaki. Mort en 1846. xviiie-xixe siècles. Japonais.
Graveur de sceaux.
Graveur de sceaux et littérateur, il est peintre de l'école Yôga et élève de son père Genyû ainsi que de Gentoku. Il travaille pour le clan de Nagasaki.

YÛSHÔ. Voir **KAIHÔ YÛSHÔ**

YU SHOUBO ou **Yu Cheou-Po** ou **Yü Shou-Po**, surnom : **Haiwu**
Originaire de Changshu, province du Jiangsu. xviiie siècle. Chinois.
Peintre de fleurs, animalier.

Il était actif probablement sous le règne de l'empereur Qing Qianlong (1736-1796). Il était peintre de fleurs et d'oiseaux.

YU SING. Voir **YU XING**

YUSO Matias Antonio. Voir **IRALA YUSO**

YU SONG ou **Yü Sung**, surnom : **Weiyue**, nom de pinceau : **Qouting**

Originaire de Suzhou, province du Jiangsu. XVIIIe siècle. Chinois.

Peintre.

Peintre de portraits et de fleurs, dont le British Museum de Londres conserve une œuvre signée, *Petit oiseau dans un prunier en fleurs*.

YUSTE PEINADO Félix

Né en 1866 à Alcala de Henares (Madrid). Mort en 1950. XXe siècle. Espagnol.

Peintre de scènes de genre, figures typiques.

Il fut élève de l'École des Beaux-Arts de Madrid et de Manuel Dominguez. Il figura dans diverses expositions collectives : à partir de 1890 Salon de la Société Nationale des Beaux-Arts de Madrid, obtenant une mention honorable en 1895 ; 1891 Barcelone.

Dans un style surtout narratif, que relèvent parfois picturalement quelques accords colorés dans la tradition espagnole fondée sur les noirs et quelques tons diminués, il peint des scènes typiques, lavandières, processions.

Bibliogr. : In : *Cien Anos de pintura en Espana y Portugal, 1830-1930*, Antiqvaria, t. XI, Madrid, 1993.

YUSUF

XVIIe siècle. Éc. persane.

Peintre.

On peut rapprocher les trois Yusuf. Il était actif à Ispahan. Il fut peintre à la cour du shah Abbas. Le Musée National de Berlin conserve un bahut orné de peintures par cet artiste.

Musées : Berlin (Mus. Nat.).

YUSUF Mir

XVIIe siècle. Éc. persane.

Enlumineur.

On peut rapprocher les trois Yusuf. Il était actif à Ispahan. Élève de Riza Abbas.

YUSUF Mohamed al Hussaini

XVIIe siècle. Éc. persane.

Enlumineur.

On peut rapprocher les trois Yusuf. Il était actif à Ispahan.

YU TAICHANG

Né en 1932 dans la province du Shandong. XXe siècle. Chinois.

Peintre de paysages. Traditionnel.

Il travaille pour le Musée des Beaux-Arts du Shandong.

Bibliogr. : In : Catalogue de l'exposition *Peintres traditionnels de la République populaire de Chine*, galerie Daniel Malingue, Paris, 1980.

YU TCHE-TING. Voir **YU ZHIDING**

YU TCHONG-WEN. Voir **YU ZHONGWEN**

YÛTEI, de son vrai nom : **Ishida Morinao,** nom de pinceau : **Yûtei**

Né en 1721. Mort en 1786. XVIIIe siècle. Actif à Kyoto. Japonais.

Peintre.

Peintre de l'école Kanô, élève de Tangei, et lui-même professeur de Maruyama Okyo (1733-1795).

YÛTOKU. Voir **KAIHÔ YÛTOKU**

YU TSI. Voir **YU JI**

YU TSI-FAN. Voir **YU JIFAN**

YU TS'ING-YEN. Voir **YU QINGYAN**

YU TSONG-LI ou **Yü Tsung-Li**. Voir **YU ZONGLI**

YUWEN GONGLIANG ou **Yu-Wen Kong-Leang** ou **Yü-Wên Kung-Liang**, surnom : **Zizhen**

Originaire de Chengdu, province du Sichuan. XIVe siècle. Actif vers le milieu du XIVe siècle. Chinois.

Peintre.

Actif à Wuxing, dans la province du Zhejiang, il devient membre de l'Académie Hanlin et peint des paysages. Le National Palace Museum de Taipei conserve un de ses paysages daté 1346.

YU XILIAN ou **Yü Hi-Lien** ou **Yg Hsi-Lien**, surnom : **Luwang**, nom de pinceau : **Suchi**

Originaire de Yushan, province du Jiangxi. XVIe-XVIIe siècles. Actif pendant l'ère Wanli (1573-1620). Chinois.

Peintre.

Peintre de paysages dans le style de Shen Zhou (1427-1509).

YU XING ou **Yü Hsing** ou **Yu Sing**, surnom : **Zengsan**, nom de pinceau : **Luting**

Originaire de Changshu, province du Jiangsu. XVIIIe siècle. Chinois.

Peintre de fleurs, oiseaux.

Il était actif sous le règne de l'empereur Qing Quianlong (1736-1796). Peintre de cour, de conserve avec Tang Dai et Zhou Kun, il est spécialiste de fleurs et d'oiseaux et le National Palace Museum de Taipei conserve plusieurs de ses œuvres signées et datées.

Musées : Taipei (Nat. Palace Mus.).

YU XINING

Né en 1903. XXe siècle. Chinois.

Peintre de fleurs. Traditionnel.

Il fut directeur-adjoint de l'Institut des Beaux-Arts de la province du Shandong.

Bibliogr. : In : Catalogue de l'exposition *Peintres traditionnels de la République populaire de Chine*, galerie Daniel Malingue, Paris, 1980.

YU YIN. Voir **YOU YIN**

YU YUAN ou **Yü Yüan**, surnom : **Wanzhi,** nom de pinceau : **Hanzhi**

Originaire de Yangzhou. XVIIIe siècle. Actif à Changshu, province du Jiangsu, vers 1715. Chinois.

Peintre d'animaux, fleurs.

Peintre de fleurs et d'oiseaux, élève de Wang Hui (1632-1717) ; le British Museum de Londres conserve une de ses œuvres signée, *Coq, roses et hortensias*.

YÛZEN Miyazaki

Né à Kyoto. Mort en 1758. XVIIIe siècle. Actif dans la région de Kanazawa. Japonais.

Peintre.

Peintre et surtout célèbre teinturier sur soie qui mettra au point une technique qui porte son nom.

YU ZHIDING ou **Yü Chih-Ting** ou **Yu Tche-Ting**, surnom : **Shangji**, nom de pinceau : **Shenzhai**

Né en 1647, originaire de Yangzhou, province du Jiangsu. Mort après 1709. XVIIe siècle. Chinois.

Peintre de sujets de genre, figures, paysages animés, paysages, dessinateur.

Peintre de figures, élève de Lan Ying, il est actif à la cour pendant la période Kangxi (1662-1722).

Musées : Boston (Mus. of Fine Arts) : *Dame sur un cheval blanc*, feuille d'album signée – Londres (British Mus.) : *Dame chauffant ses vêtements près d'un brasero* 1684, signé – *Faisan et volubilis* 1699, signé – *Joueurs d'échecs*, signé – Pékin (Mus. du Palais) : *Portrait d'un homme debout sous les pins, sur un sofa*, coul. sur pap., rouleau en longueur – *Femme assise sous les bananiers*, encre sur pap., inscription du peintre – *Brume du soir sur la rivière*, encre sur soie, rouleau en longueur – Shanghai : *Résidence d'un lettré dans un jardin*, encre sur pap., rouleau en longueur – Stockholm (Nat. Mus.) : *Portrait du peintre Wang Hui*, signé – Taipei (Nat. Palace Mus.) : *Paysage* daté 1705, colophon signé, d'après Wang Meng – *Dames*.

Ventes Publiques : New York, 4 déc. 1989 : *Regards sur une cascade dans une vallée nuageuse*, encre et pigments dilués/pap., kakemono (131,5x40,5) : **USD 2 420** – New York, 26 nov. 1990 : *Lettrés dans un paysage*, encre et pigments/soie (47,6x142,9) : **USD 1 650** – New York, 1er juin 1993 : *Repiquage des fleurs de prunier pendant la lune de la chasse*, encre et pigments/soie, kakemono (47,6x101) : **USD 4 600** – New York, 21 mars 1995 : *Lettrés jouant aux échecs dans un paysage classique*, encre et pigments/pap. (184,8x55,2) : **USD 13 800**.

YU ZHONGWEN ou **Yü Chung-Wên** ou **Yu Tchong-Wen**, surnom : **Zhifu**

Originaire de Dingyuan, province du Shanxi. XIIe siècle. Chinois.

Peintre.

Membre de l'Académie Hanlin sous la dynastie Jin, il est peintre de bambous dans le style de Wen Tong, ainsi que de figures et de chevaux.

YU ZONGLI ou **Yu Tsong-Li** ou **Yü Tsung-Li**, surnom : **Renyi**, nom de pinceau : **Zaifan**
Originaire de Shanghai. XVIIIe siècle. Actif à Suzhou vers 1765. Chinois.
Peintre.
Peintre de paysages et de personnages bouddhistes et taoïstes.

YVAN Antoine
Né en 1576 à Rians. Mort en 1653 à Paris. XVIIe siècle. Actif à Aix-en-Provence. Français.
Peintre et sculpteur.
Il était prêtre. On cite plusieurs représentations de la *Mater Dolorosa* exécutées par cet artiste.

YVANGOT Victor Jean-Baptiste, pseudonyme de **Yves Angot**
Né le 7 mai 1893 à Saint-Cast (Côtes-d'Armor). XXe siècle. Français.
Peintre de portraits, paysages urbains, graveur.
D'abord officier de marine, il se fixa à Montmartre pour peindre. Il grava des portraits de Clemenceau, à l'occasion de son voyage aux États-Unis, aujourd'hui au Musée Clemenceau.
Musées : Dinan : Plusieurs vues du vieux Dinan.

YVANHOE RAMBOSSON A., Mme. Voir **GONYN de LIRIEUX**

YVARAL Jean-Pierre, anagramme partiel de son vrai nom : **Vasarely**
Né le 25 janvier 1934 à Paris. XXe siècle. Français.
Peintre, sculpteur, graphiste. Art optique. Groupe de recherche d'art visuel (GRAV).
Il est le fils de Victor Vasarely. Il fut élève, en arts graphiques, de l'École des Arts Appliqués de la Ville de Paris. Travaillant ensuite comme publicitaire, il remporta, en 1950, le premier prix du concours ouvert pour la couverture de la revue *Aujourd'hui*. À partir d'environ 1955, il se consacra à son travail de plasticien. En 1960, il fut l'un des cofondateurs du *Groupe de Recherche d'Art Visuel* (GRAV). Après la dissolution du GRAV en 1968, Yvaral fit partie du groupe international *Nouvelles Tendances – Recherches Continuelles*.
Yvaral a pris part aux manifestations collectives du *Groupe de Recherche d'Art Visuel* jusqu'à sa dissolution. À titre individuel il avait déjà participé à divers groupements, notamment le Salon des Réalités Nouvelles depuis 1953, et continuera de participer à des expositions de groupe : le Salon de Mai ; l'exposition historique *Lumière et Mouvement* du Musée d'Art Moderne de la Ville de Paris, en 1967, où il présentait *Ombres portées clignotantes* ; 3e Biennale de Paris, dont il obtint le Premier Prix ; Exposition Internationale de Montréal ; toutes deux également en 1967 ; *Meubles Tableaux* au Centre Beaubourg en 1977 ; etc. De nombreuses expositions individuelles lui sont alors consacrées régulièrement, en France, en Allemagne, à New York, notamment : depuis 1958 à Paris, galerie Denise René ; 1970 Londres, Redfern Gallery ; 1971 Los Angeles, galerie Lochkart ; 1977 Paris, présenté à la FIAC (Foire Internationale D'Art Contemporain) par la galerie Govaerts, qui le présentait aussi à Bruxelles, galerie de l'Hôtel Hilton ; etc.
Ses premières peintures se rattachaient déjà à l'abstraction constructiviste, fondée sur un support géométrique. De ses débuts, notamment avec le GRAV jusque vers 1967, Yvaral n'utilisait que le noir et blanc ; dans la suite, au contraire, il utilise toutes les couleurs, les « fondamentales » ou « spectrales » (pureté) et leurs modulations en « luminosité » (clarté) et en « saturation » (intensité ou densité), et les fait coopérer à l'obtention d'effets optiques. S'il étudie les phénomènes d'illusions optiques et exploite les effets spatiaux virtuels qui en découlent, il a adjoint à cette recherche l'influence du mouvement, dès 1955. Il expérimente aussi bien le mouvement propre de ses « compositions » (préférant ce mot à celui d'œuvres), que les effets virtuels dus aux mouvements du spectateur par rapport à l'objet. Il ne recherche pas les techniques sophistiquées, se contentant comme matériaux de Plexiglas, de caoutchouc, de fils de vinyle ; comme formes de carrés, de cercles, de surfaces en aplats, de cubes ; comme procédés de la superposition, du déplacement, de l'accélération. Outre les phénomènes de renversement de l'espace, ou de suggestion d'espaces illusoires, Yvaral obtient aussi des effets de moirage. Dans la mesure des éventualités qui s'offrent à lui, il veut donner une dimension monumentale à ses créations, qui deviennent alors éléments d'environement et souvent propositions de jeu pour les usagers, invités à leur imprimer un mouvement. Ses compositions, et surtout les plus spectaculaires, par exemple dépassant le pur géométrique pour traiter l'humain, cinétisation par ordinateur de figures ou portraits connus, comme celui de Dali, ont été l'objet de tirages sérigraphiques nombreux, répondant à une « demande grand public » du moment.
Victor Vasarely fut un peintre important de l'abstraction à tendance géométrique des années quarante et cinquante, que l'on pouvait rapprocher de Magnelli, et qui ayant abordé les jeux fascinants de la physique optique s'y impliqua totalement et se laissa prendre à un succès de mode que parrainait le président de la République Georges Pompidou. Yvaral refuse la qualification d'artiste, il se dit une sorte d'ingénieur en optique, dans ses dimensions : physique de la lumière, physiologie de la vision, psychologie de la perception. Il ne produit pas des œuvres, mais des « expériences visuelles ». De l'héritage paternel, Yvaral ne retint que la mode et le succès et... leur brièveté. ■ Jacques Busse
Bibliogr. : Frank Popper, in : *Nouveau diction. de la sculpt. mod.*, Hazan, Paris, 1970 – Frank Popper, in : *L'Art Cinétique*, Gauthier-Villars, Paris, 1970 – in : Encyclopédie des Arts *Les Muses*, vol. 15, Grange Batelière, Paris, 1969-1974 – Otto Hahn : *Yvaral*, Le Musée de Poche, Paris, 1974 – Jean-Clarence Lambert : *Yvaral*, Le territoire de l'œil, Paris, 1977, bonne documentation.
Musées : Bilbao – Buffalo (Albright-Knox Art Gal.) – Londres (Tate Gal.) – Montréal (Mus. d'Art Contemp.) : *Interférences A* 1967-70 – New York (Mus. of Mod. Art) – Paris (Mus. Nat. d'Art Mod.) – Philadelphie – Téhéran (Mus. d'Art Mod.) – Zagreb (Mus. d'Art Contemp.).
Ventes Publiques : Paris, 17 nov. 1972 : *Progression polychrome* 1970 : **FRF 4 200** – Paris, 26 nov. 1973 : *Structure accélérée au 36* 1969 : **FRF 10 500** – Paris, 2 déc. 1976 : *Programmation polychrome du carré* 1968, acryl./t. (100x100) : **FRF 5 100** – Londres, 6 déc. 1978 : *Polygammes J-VI* 1969, acryl./pan. (83x72) : **GBP 700** – Paris, 21 juin 1979 : *Structure cubique plein creux* 1974, acryl./t. (200x200) : **FRF 18 000** – New York, 13 mai 1981 : *Structure ambiguë quadri BVG* 1969, acryl./t. (159,5x159,5) : **USD 3 200** – New York, 21 mai 1983 : *Quadrature SZEM JC-VF* 1971, acryl./pan. (82,5x82,5) : **USD 1 500** – Paris, 20 mars 1988 : *Variation chromatique programmée avec cercles* 1960-65, peint./pan. (100x100) : **FRF 8 000** ; *Instabilité* 1962, sculpt. cinétique en métal peint/socle de marbre blanc (26x26x26) : **FRF 6 000** – Paris, 18 fév. 1990 : *Structure rayonnante, B.V.* 1972, h/t (100x100) : **FRF 22 000** – Paris, 17 nov. 1993 : *Quadrature* 1971, acryl./pan. (96x72) : **FRF 11 000** – Paris, 22 nov. 1995 : *Structure rayonnante – BV* 1972, acryl./t. (100x100) : **FRF 5 000** – Paris, 1er juil. 1996 : *Instabilité*, bois polychrome et tiges de fer peint, sculpt. (26x26x26) : **FRF 6 000**.

YVARNEL ou **Yvernet** ou **Yvernel**
Né en 1713. XVIIIe siècle. Français.
Peintre sur porcelaine, peintre d'éventails.
Il peignit des paysages sur des porcelaines de la Manufacture de Sèvres de 1750 à 1759.

YVART Baudouin ou **Baudrain** ou **Beaudrin**
Né en 1611 à Boulogne-sur-mer. Mort le 12 décembre 1690 à Paris. XVIIe siècle. Français.
Peintre d'histoire.
Reçu académicien le 11 août 1663. A travaillé aux peintures décoratives du château de Versailles. On voit aussi de lui au Musée du Palais *Le sacre de Louis XIV* et *Siège de Douai*.
Ventes Publiques : Paris, 26 juin 1985 : *Pièce d'orfèvrerie*, h/t (48x38) : **FRF 19 500**.

YVART Joseph
Né en 1649 à Paris. Mort en 1728 à Paris. XVIIe-XVIIIe siècles. Français.
Peintre et copiste.
Fils de Baudouin Yvart. Il travailla pour la Manufacture des Gobelins à Paris.

YVEL Claude
Né le 16 août 1930 à Paris. XXe siècle. Français.
Peintre.
À Paris, il commença à dessiner seul dans les Académies privées. Il travailla ensuite dans l'atelier de Cadiou. Il expose, depuis 1948, dans les différents Salons annuels parisiens, Jeunes Peintres, Indépendants, Peinture à l'eau. Il figura ensuite dans le groupe

de « Huit peintres du Réel ». Première exposition particulière, à Paris, en 1954.
Il s'attache à une reproduction scrupuleuse de la nature.

YVER Charles
XXe siècle. Français.
Sculpteur.
Exposant à Paris du Salon des Artistes Français, mention en 1938, sociétaire, il a exposé aussi au Salon d'Automne.

YVER Maurice
Né en 1890 à Paris. XXe siècle. Français.
Peintre de paysages, natures mortes.
Exposa au Salon de la Nationale des Beaux-Arts en 1952.

YVER Pieter
Né en 1712 à Amsterdam. Mort en 1787 à Amsterdam. XVIIIe siècle. Hollandais.
Graveur au burin.
Élève de B. Picart. Il était également négociant d'objets d'art.

YVERNI Jacques. Voir **IVERNY**

YVERNOIS Jean d'. Voir **IVERNOIS**

YVERT Marie Hector
Né en 1808 à Saint-Denis (Seine-Saint-Denis). XIXe siècle. Français.
Peintre de genre et de paysages.
Élève de Ingres. Il exposa au Salon de 1831 à 1859.

YVON Adolphe
Né le 30 janvier 1817 à Escheviller (Moselle). Mort le 11 septembre 1893 à Paris. XIXe siècle. Français.
Peintre d'histoire, compositions religieuses, sujets militaires, scènes de genre, portraits.
Il fut tout d'abord garde à cheval dans les Eaux et Forêts du domaine royal en 1834, avant de se tourner vers une carrière artistique. Élève de Paul Delaroche à l'École des Beaux Arts de Paris, il alla en Russie en 1845 et pendant la campagne de Crimée. Il débuta au Salon de Paris en 1841, obtenant une médaille de première classe en 1848, une médaille d'honneur en 1857 et une de deuxième classe en 1867. Médaille de deuxième classe à l'Exposition Universelle de 1855. Chevalier de la Légion d'honneur en 1855, il fut officier en 1867.
Yvon jouit durant le Second Empire d'une grande popularité, non pour ses premières compositions religieuses, mais pour ses sujets militaires. Il peignit les victoires françaises des campagnes de Crimée et d'Italie, traitant ses sujets à la manière factice et conventionnelle propre aux peintres militaires de son époque. Il fut très apprécié par Napoléon III, dont cette conception artistique servait la politique impérialiste. Il peignit en 1861 un *Portrait du prince impérial* et en 1868, celui de l'empereur. Yvon fut professeur à l'École des Beaux-Arts de Paris et y forma un nombre considérable d'élèves.

Bibliogr. : Gérald Schurr, in : *Les Petits Maîtres de la peinture 1820-1920, valeur de demain*, Les Éditions de l'Amateur, t. II, Paris, 1982.
Musées : Amiens : *L'ange déchu* – Arras – Bucarest (Mus. Simu) : *Portrait* – Dijon : *Le président Sadi Carnot* – Florence (Mus. des Offices) : *Autoportrait* – Le Havre : *La vision de Judas* – Manchester : *Le maréchal Ney couvre la retraite de 1812* – Nantes : *Bataille d'Eupatoria – La courtine de Malakoff – Bataille de Magenta Portraits de M. et Mme Cossé* – Paris (Mus. de l'Armée) : *Le général Camou* – Versailles : *Le maréchal Ney soutenant l'arrière-garde de la grande armée à la retraite de Russie – Prise de Malakoff – La gorge de Malakoff – La courtine de Malakoff.*
Ventes Publiques : Paris, 1873 : *Guerrier tartare* : **FRF 581** – Paris, 1879 : *Charge d'Eupatoria en Crimée* : **FRF 2 300** – Paris, 5-6 juin 1929 : *Portrait du maréchal Regnault* : **FRF 500** – Paris, 10 déc. 1943 : *Scènes de la vie russe*, deux pendants : **FRF 4 800** – Paris, 17 déc. 1948 : *La Danse du Hammals* 1879 : **FRF 6 300** – Paris, 23 juin 1954 : *Le Départ du chef* : **FRF 12 000** – Paris, 14 déc. 1977 : *L'heure de la prière* 1846, past. et gche reh. d'h/pap. bistre (54x78) : **FRF 5 300** – New York, 30 oct. 1980 : *Convoi de blessés* 1863, h/t (84x159) : **USD 25 000** – New York, 25 fév. 1982 : *L'escorte du prisonnier* 1855, h/t (103x173) : **USD 10 000** – Madrid, 24 oct. 1983 : *La Charge de Reichshofen* 1874, h/t (117x94) : **ESP 600 000** – Paris, 11 déc. 1991 : *Le Conteur à Constantinople*, h/pan. (24x32,5) : **FRF 15 000** – New York, 28 mai 1992 : *Portrait de femme* 1867, h/t (55,2x45,7) : **USD 1 650** – Londres, 11 oct. 1996 : *Scène de rue à Constantinople* 1873, h/t (97x136) : **GBP 100 500** – Londres, 13 juin 1997 : *Femmes turques et musiciens, Constantinnople en arrière-plan* 1892, h/t (38,1x46,4) : **GBP 32 200**.

YVON Laurent
XVIIIe siècle. Actif à Grenoble en 1791. Français.
Sculpteur.

YVONNET
XVe siècle. Français.
Peintre verrier.
Il travailla de 1434 à 1452 à l'église de la Trinité de Châlons-sur-Marne.

YVONNET Bruno
XXe siècle. Français.
Peintre, pastelliste, lithographe, graveur, dessinateur. Conceptuel.
Il participe à des expositions collectives, dont : 1996 *Les Contes de fées se terminent bien* au FRAC (Fonds Régional d'Art Contemporain) Haute-Normandie au château de Val Freneuse à Sotteville-sous-le-Val, aux côtés notamment de Paul Mac Carthy, Stephan Balkenhol, Patrick Corillon, Pierre et Gilles, Lawrence Weiner.
Avant 1990, il inscrit en blanc, soit au pastel, soit par grattage, des informations, par exemple concernant la guerre de 1914-1918, sur fond noir, obtenu soit par badigeonnage du support, soit, en gravure, par la préparation à la manière noire. Dans les années suivantes, il copie des détails de photographies de presse, les isolant de l'événementiel, du narratif, pour en révéler les qualités plastiques.
Bibliogr. : Brigitte David : *Les Leçons d'histoire ou l'Œuvre au noir de Bruno Yvonnet*, in : Opus International, n° 122, Paris, nov.-déc. 1990 – Catalogue de l'exposition : *Les Contes de fées se terminent bien*, Les Impénitents, FRAC Normandie, Rouen, 1996.

YVOY d'. Voir **HANGEST Egbert Marinus Frederik de**

YWEINS Berlinette
XVe siècle. Éc. flamande.
Enlumineur.
Elle devint membre de la gilde de Bruges en 1470.

YWYNS Michiel
XVIe siècle. Actif à Malines et à Middelbourg. Hollandais.
Sculpteur.
De 1514 à 1518, il travailla aux statuettes des comtes et comtesses hollandais de l'Hôtel de Ville de Middelbourg.

YZERDRAAT Willem
Né le 31 octobre 1835 à La Haye. Mort le 17 février 1907 à Haarlem. XIXe-XXe siècles. Hollandais.
Sculpteur, graveur.
Il travailla à La Haye, à Amsterdam et à Haarlem.

YZORCHE Michel
XXe siècle. Français.
Peintre.
À travers un graphisme rigoureux et précis, il a créé des rapports intéressants entre encre lithographique et peinture à la bombe. Il peint sur métal, utilisant les plaques qui servent de report dans le procédé de l'offset.

ZAAGMOLEN Martinus. Voir **SAAGMOLEN**

ZAAK Gustav

Né le 1er juin 1845 à Stechau. XIXe siècle. Allemand.

Peintre de genre et de portraits.

Jusqu'en 1873 peintre décorateur, puis élève de Steffeck. Exposa à Berlin en 1896.

ZAAL J.

XVIIe siècle. Travaillant vers 1670. Hollandais.

Graveur.

On connaît de lui une *Chasse au sanglier*, d'après Snyders.

ZAALBERG

XXe siècle. Hollandais.

Céramiste.

Il travaille aux Pays-Bas.

Ventes Publiques : Londres, 23 sep. 1981 : *Personnages dans un paysage fluvial en hiver*, h/t (29x45) : **GBP 1 150**.

ZAALOUK Mona

Née en Égypte. XXe siècle. Depuis 1985 active en France. Égyptienne.

Peintre, peintre de cartons de tapisseries.

Elle a été élève de Fouad Kamel, un des précurseur du surréalisme et de l'art abstrait en Égypte, et ami de Breton.

Elle figure dans des expositions collectives, parmi lesquelles : 1978, 1979, Salon de l'Atelier du Caire, Le Caire ; 1982, Salon d'Art Sacré, Paris ; 1985, *Peintres Égyptiens*, Unesco, Paris ; 1986, Salon des Femmes Peintres Sculpteurs, Paris ; 1987, XIIe Salon des Arts Plastiques, Le Caire.

Elle montre ses œuvres dans des expositions particulières, dont : 1977, Atelier du Caire, Le Caire ; 1979, Centre culturel français, Le Caire ; 1982, Centre culturel d'Égypte, Paris ; 1988, galerie Van Loo, Bruxelles ; 1989, galerie Salem, Paris ; 1989, Galerie du Ministère de la Culture, Le Caire ; 1991, galerie Gramme, Paris.

Mona Zaalouk a toujours été attirée par le désert. Elle a commencé par réaliser des tapisseries faites avec du gros fil de laine utilisé par les nomades pour tisser leurs vêtements. Elle s'est ensuite consacrée à la peinture dont elle travaille particulièrement la matière en utilisant, pour ses couleurs, du sable, des roches et des minerais.

ZAAR Johann Peter ou **Zahr**

Mort le 6 juin 1726 à Graz. XVIIIe siècle. Actif à Graz. Autrichien.

Stucateur.

On lui attribue le stuc de la coupole de la chapelle latérale de l'église Saint-Léonard à Graz (construite en 1713) et les stucs du Palais Herbersdorff à Radkersburg. En 1721, il exécuta la décoration en stuc du sanctuaire Maria Rast près de Marburg.

ZABAGLI Raimondo. Voir **ZABALLI**

ZABAGLIO Antonio. Voir **ZABALLI**

ZABALA Geronimo

XVIIe siècle. Actif à Murcie. Espagnol.

Peintre amateur.

Élève de N. de Villacis. On lui attribue une *Cène*, conservée à la cathédrale de Murcie.

ZABALETA Rafael

Né en 1907 à Quesada, près de Jaén (Andalousie). Mort en 1960. XXe siècle. Espagnol.

Peintre de compositions à personnages, intérieurs, figures, nus, paysages, natures mortes, dessinateur. Postcubiste.

Il fut élève de l'École des Beaux-Arts de Madrid, de 1927 à 1931. Il voyagea en France. Ce furent surtout ses admirations pour Picasso, Chirico et Joan Miró, qui contribuèrent à sa formation. Il exposa à la 30e Biennale de Venise en 1960 ; dans diverses galeries à Madrid et Barcelone, ainsi qu'aux salons des Onze. En décembre 1961, une exposition rétrospective de son œuvre fut organisée, à titre posthume, à l'École des Beaux-Arts de Madrid ; en 1972, galeria Roca, Madrid.

Il a peint des compositions à personnages, des natures mortes, des paysages. Son œuvre porte les traces diverses et composites des influences qui l'ont formé, dont chacune n'a peut-être pas été pleinement intégrée et dont l'association ne trouve pas toujours son unité. Un souci de ne pas perdre le contact avec l'apparence de la réalité l'a écarté d'un cubisme radical, dont pourtant il maîtrisait les principes. Dans certaines scènes de *Baigneuses à Santander*, il s'approche du cubisme « appliqué » d'André Lhote. Dans une composition comme *Academia*, si l'on reconnaît la manière de Chirico, ce n'est pas la métaphysique. Dans *El Taller del Artista*, il déploie son éclectisme : le peintre se représente à son avantage, le modèle qui pose est réaliste, la peinture tend à un cubisme tout en rondeurs. Vivant souvent dans la campagne de Catalogne, il y peignit peut-être la part la plus sincère de son œuvre, soit des paysages, soit des scènes de la vie des paysans, souvent traitées dans l'esprit de la période bleue de Picasso.

Bibliogr. : B. Dorival, sous la direction de..., in : *Peintres Contemporains*, Mazenod, Paris, 1964 – Catalogue de l'exposition *Zabaleta*, Gal. Adria, Barcelone, 1971 – in : *Cien Anos de pintura en Espana y Portugal, 1830-1930*, Antiqvaria, t. XI, Madrid, 1993 – in : *Dictionnaire de l'art moderne et contemporain*, Hazan, Paris, 1992.

Ventes Publiques : Barcelone, 21 déc. 1982 : *Nature morte dans un paysage*, h/t (78x60) : **ESP 950 000** – Madrid, 22 fév. 1983 : *La Corrida*, h/t (93x87) : **ESP 800 000** – Madrid, 10 oct. 1985 : *Vue de Paris* 1950, encre de Chine (25,5x36) : **ESP 105 000** – Barcelone, 18 déc. 1986 : *Vision onirique sur une terrasse*, encre, dess. (27x19) : **ESP 95 000** – Madrid, 16 déc. 1987 : *Campesinos del Sur*, h/t (100x81) : **ESP 3 500 000** – Madrid, 28 jan. 1992 : *Nu*, encre/pap. (48,5x34) : **ESP 235 200** – Madrid, 25 mai 1993 : *Nu assis*, gche/pap. (47,5x33,5) : **ESP 207 000**.

ZABALLI Antonio ou **Zabaglio** ou **Zabelli**

Né en 1738 à Florence. Mort vers 1785 à Naples. XVIIIe siècle. Italien.

Graveur.

Élève d'Allegrini. Il a gravé des sujets d'histoire, des sujets religieux et des portraits pour la collection publiée par Francesco Allegrini à Florence en 1762, et d'après les maîtres italiens.

ZABALLI Raimondo ou **Zabagli**

Mort en 1845. XIXe siècle. Italien.

Peintre d'histoire et peintre de vitraux.

Vers 1820, élève de l'Académie de Florence. Fut avec Bertini un des rénovateurs de la peinture de vitrail en Italie. La Pinacothèque d'Arezzo conserve de ses œuvres.

ZABALLI Virginio

Né en 1601. Mort en 1685. XVIIe siècle. Travaillant à Florence. Italien.

Peintre, copiste.

Architecte militaire, il fut surtout connu comme copiste.

ZABARELLI Adriano, dit **Palladino**

Né en 1610 à Cortona. Mort en 1680. XVIIe siècle. Italien.

Peintre.
Élève et imitateur de Pietro da Cortona. On voit de lui : *Résurrection de Lazare*, dans le Cabinet des Gravures des Offices à Florence.

ZABAROWSKA Gabrielle. Voir **ZABOROWSKA**

ZABEAU Joseph
Né en 1901 à Liège. Mort en 1978 à Liège. xxe siècle. Belge.
Peintre, peintre à la gouache, peintre de sujets religieux, scènes typiques, portraits, nus, paysages, natures mortes. Expressionniste.
Artiste autodidacte. Il fut d'abord dentiste à partir de 1926, consacrant ses loisirs à la peinture. En 1939 il rencontra Daxhelet, fréquenta son atelier, puis reçut les conseils de Scauflaire en 1939. En 1972, il abandonna la dentisterie. Il a séjourné en France et en Espagne.
Il a exposé au Cercle des Beaux-Arts de Liège de 1954 à 1975. Il a obtenu en 1962 le prix de Consécration de la Province de Liège.
Bibliogr. : Pierre Somville, in : *Le Cercle royal des Beaux-Arts de Liège 1892-1992*, Crédit Communal, Liège, s.d., 1992.

ZABELINE Viatcheslav
Né en 1935 à Moscou. xxe siècle. Russe.
Peintre de paysages. Postimpressionniste.
Il fut élève de l'Institut des Beaux-Arts Sourikov de Moscou, jusqu'en 1967. Depuis 1968, il était membre de l'Union des Peintres de l'URSS. Il expose depuis 1966. Depuis 1970, il enseigne à l'Institut Sourikov.
Bibliogr. : In : *Tableaux soviétiques*, Catalogue de la vente, Salle Drouot, Paris, 3 oct. 1990.

ZABELLI Antonio. Voir **ZABALLI**

ZABELLO. Voir **SABIELLO**

ZÄBERLIN Jakob. Voir **ZÜBERLEIN**

ZABETH Élisabeth
Née le 2 février 1879 à Paris. Morte à l'automne 1933. xxe siècle. Française.
Peintre de paysages, aquarelliste.
Elle fut membre de la Société des Artistes Français, où elle a exposé à partir de 1903. Elle obtint une mention honorable en 1924, une médaille de bronze en 1926, le prix Léonie-Dusseuil en 1928.
Musées : Saint-Étienne – Tananarive – Troyes.
Ventes Publiques : Paris, 25 fév. 1944 : *Barque au bas d'une maison*, aquar. : **FRF 330** ; *Le Brivet à Pont-Château, Loire-Inférieure*, aquar. : **FRF 280**.

ZABIELLO Henryk, comte
Né en 1785 à Varsovie. Mort le 17 janvier 1850 à Varsovie. xixe siècle. Polonais.
Peintre et graveur.
Il fit ses études à Dresde en 1805 et 1806. Il exposa à Varsovie en 1819, en 1821, en 1823 et en 1825. On cite parmi ses œuvres principales : *Chœur des Capucins à Rome*, d'après Campanelli, *Sainte Philomène en prison faisant des prières*. En 1809, il fut décoré de la croix d'or militaire de Pologne, et de l'ordre de la Légion d'honneur.

ZABOKLICKI Waclaw
Né le 17 juillet 1879 à Zakrzew. xxe siècle. Polonais.
Peintre.
Il a exposé au Salon d'Automne de Paris, en 1906.

ZABOLINO Giacomo ou **Jacopo**
xve siècle. Actif à Spoleto en 1488. Italien.
Peintre.
Il a exécuté des fresques dans l'église Saint-Laurent à Azzano (Spolète), dont une, *Saint Sébastien et les quatre Évangélistes*, est conservée, et dans la chapelle du château de Mercole près de Spoleto.

ZABOLOTSKII ou **Zabolotzky**. Voir **SABOLOTSKY**

ZABOROV Boris
Né en 1937 à Minsk. xxe siècle. Depuis 1980 actif en France. Russe.
Peintre de figures, paysages.
Il s'est d'abord formé à l'École des Beaux-Arts de Minsk, a poursuivi ses études aux écoles des Beaux-Arts de Leningrad et de Moscou. Membre, entre 1962 et 1980, de l'Union des Peintres de l'Union Soviétique.
Il montre à de nombreuses reprises ses œuvres dans des expositions : 1965, 1971, 1977, Leipzig ; 1965, 1972, Moscou ; 1982, Prix de la Ville de Darmstadt ; 1983, galerie Claude Bernard, Paris.
Boris Zaborov possède un style bien personnel. Dans des camaïeux de gris, des femmes et des enfants sont représentés posant en pied ou assis sur une chaise, tels des portraits photographiques du début du siècle émergeant de l'ombre de souvenirs. Ses paysages sont les plus souvent désolés voire abandonnés. C'est une peinture qui participe du silence contemplatif.
Ventes Publiques : Milan, 5 mai 1994 : *La vieille avec le chien* 1986, acryl./t. (195x130) : **ITL 4 600 000** – Paris, 18 oct. 1994 : *Deux petites vieilles*, acryl./pap./t. (112x89) : **FRF 28 000** – Paris, 26 oct. 1994 : *Couple de vieux debout*, acryl./t. (130,5x89,5) : **FRF 19 000** – New York, 24 fév. 1995 : *Femme avec un chien* 1985, acryl./t. (194,3x129,5) : **USD 20 700** – Paris, 29-30 juin 1995 : *Hommage à Arshile Gorky*, techn. mixte/pap. (136x63) : **FRF 30 000**.

ZABOROWSKA Gabrielle, née **Eylé**
Née le 23 mai 1852 à Paris. xixe siècle. Française.
Peintre de genre, de miniatures et de portraits.
Élève de Camino. Débuta au Salon en 1870, y envoya, jusqu'en 1881, sous son nom de jeune fille.

ZABOROWSKA Gilberte Hélène Pommier. Voir **POMMIER-ZABOROWSKA**

ZABOROWSKA Suzanne Alice
Née le 21 avril 1894 à Thiais (Val-de-Marne). xxe siècle. Française.
Peintre, aquarelliste, dessinateur, illustrateur.
Elle a exposé, à Paris, aux Salons des Artistes Français, des Aquarellistes à partir de 1927, de la Société d'Horticulture.
Elle a illustré à la plume des ouvrages de médecine et de chirurgie.

ZABOTA Ivan
Né le 15 décembre 1883 à Ljutomer (Slovénie). Mort le 27 mars 1939 à Bratislava. xxe siècle. Tchécoslovaque.
Peintre de compositions à personnages, portraits, paysages.
Il étudia aux académies de Vienne et de Prague. Il fut élève de Griepenkerl, Franz Thiele et Zenisek. Il travailla à Marburg, Prague, Vienne, Budapest (1915) et, à partir 1923, à Bratislava. Parmi ses œuvres : *Les Anciens du village, Soldats du travail, Le général Stefanik et sa gloire*. Il a également peint des paysages de Slovaquie et de Slovénie ainsi que des portraits : *Masaryk, le Roi Alexandre*, etc.

ZABOTIN Wladimir Lukianovitch
Né en 1884 à Buschinka-Niemirovskaïa (Podolie). xxe siècle. Russe.
Peintre.
Il travailla à partir de 1919 à Karlsruhe.
Musées : Fribourg – Karlsruhe : *Portrait de femme* – Mannheim.

ZABOYE Felice di Giovanni di ser Pietro. Voir **FELICE di Giovanni di ser Pietro Zaboye**

ZABRANSKY
Né en Tchécoslovaquie. xxe siècle. Tchécoslovaque.
Peintre.
Il vécut et travailla en Tchécoslovaquie. Il est connu pour ses gouaches.

ZACCAGNA Turpino ou **Zaccagnini**
Né à Florence (?). Mort en 1542. xvie siècle. Italien.
Peintre.
Élève de Luca Signorelli, il travailla à Cortone. On cite de lui *Funérailles de la Vierge* et une *Assomption* (dans le chœur de la cathédrale de Cortone), une *Madone avec sainte Agathe et saint Michel*, exécutée vers 1537 (dans l'église Sainte-Agathe à Cantalena).

ZACCARIA
xvie siècle. Italien.
Peintre et doreur.
Actif à Parme, il était établi à Pérouse. Il a peint en 1525 la tribune d'orgues de l'église Sainte-Marie Majeure à Spello. Le musée de cette ville conserve de lui onze peintures représentant le Christ et les apôtres.

ZACCARIA Gian Battista
Né le 28 février 1902 à Palerme (Sicile). xxe siècle. Italien.
Peintre.
Musées : Milan.

ZACCARIA da Volterra. Voir **ZACCHI Zaccaria**

ZACCHEO Ugo
Né le 5 septembre 1882 à Locarno. xxe siècle. Suisse.

Peintre.
Il a été élève de Ces. Tallone à l'Académie Brera de Milan et de Filippo Franzoni. Il vécut à Minusio dans le Tessin. Il a exposé en Suisse et en Italie.

ZACCHETTI Bernardino
XVIe siècle. Actif à Reggio en 1523. Italien.
Peintre.
Certains biographes le disent élève de Raphaël ; la tradition veut aussi qu'il ait travaillé avec Michel-Ange à la chapelle Sixtine. On voit de lui dans l'église de San Prospero, à Reggio un *Saint Paul* dont l'exécution fait penser à Garofalo.

ZACCHETTI Giovanni Battista. Voir **SACCHETTI**

ZACCHETTI Giovanni Francesco. Voir **SACCHETTI**

ZACCHI Giovanni
Né en 1512 à Volterra (suivant certains à Bologne). Mort à Rome (?). XVIe siècle. Italien.
Médailleur, sculpteur et architecte.
Élève de son père Zaccaria Zacchi. Travailla à Bologne, Venise et Rome. On ne connaît de lui que peu de médailles, entre autres, celles frappées en 1536 (*Cardinal Guido Ascanio Sforza* et le *Doge Andrea Gritti*). Il exécuta divers travaux, surtout des statues de terre cuite, à Bologne. Il s'établit par la suite à Rome.

ZACCHI Jean-Marie
Né le 9 avril 1944 à Cervione (Corse). XXe siècle. Français.
Peintre de paysages animés, paysages urbains, architectures, marines, natures mortes, fleurs.
Il est diplômé de l'École des Arts Modernes (1962-1965). Peintre agréé de l'armée, il est commissaire général des salons de la Société nationale d'horticulture de France.
Il participe à des expositions collectives, notamment : depuis 1963, Salon des Artistes Français à Paris, médaillé d'or en 1986 et président de 1991 à 1993 ; aux Salons d'Automne, de la Société Nationale des Beaux-Arts, des Indépendants, de la Marine, à Paris. Il montre ses peintures dans des expositions personnelles, dont : 1983, galerie du Cherche-Midi, Paris ; 1986, galerie Vendôme, Paris ; 1987, galerie Vendôme Rive Gauche, Paris ; ainsi que : 1987, galerie Romeuf, Lyon ; 1987, galerie La Sarrazine, Antibes ; 1987, Palm Springs Gallery (Californie) ; 1988, 1994, 1996 galerie Vendôme, Paris ; 1994 galerie d'art de Rosny-sous-Bois ; 1998 Paris, une exposition consacrée aux paysages corses, galerie Vendôme.
Il peint au couteau par larges aplats des paysages aux lignes très épurées. Outre la série corse de 1998, il a composé des suites de paysages parisiens, vénitiens et provençaux.
Bibliogr. : P. Josset : *Jean-Marie Zacchi. Une peinture harmonique*, in : *Arts Actualités Magazine. Les peintres de la Provence*, hors série n° 2, Paris, 1994.
Musées : Boulogne-sur-Seine – Montbard – Vernou-la-Celle.
Ventes Publiques : Versailles, 24 sep. 1989 : *Venise rose*, h/t (114x162) : **FRF 11 500**.

ZACCHI Zaccaria, dit **Zaccaria da Volterra**
Né le 6 mai 1473 à Arezzo. Mort en 1544 à Rome. XVe-XVIe siècles. Italien.
Peintre, sculpteur et ingénieur.
Son père était né à Volterra. Il étudia vraisemblablement à Florence, où il se lia d'amitié avec Baccio da Montelupo, avec lequel il collabora. Il s'établit à Bologne en 1516 ; travailla vers 1524 avec ses fils Gabriele et Giovanni à la décoration des deux portails latéraux de l'église Saint-Petronio, pour chacun desquels il exécuta cinq reliefs. Il fut appelé en 1531 à Trente à la cour du cardinal Bernardo Clesio. Zacchi demeura à Trente jusqu'en 1535, occupé à la décoration de la résidence du cardinal, pour laquelle il exécuta des statues. On cite notamment des statues de terre cuite et des frises dans la chapelle du Palais Clesiano, dans la salle d'audience et les appartements du cardinal. En 1536, Zacchi revint à Bologne pour sculpter une statue de saint Dominique pour un tabernacle de Saint Petronio. Il fut en 1538 appelé à Rome par le pape Paul III. Il exécuta des statues en stuc pour les jardins du Vatican ainsi que des travaux hydrauliques.

ZACCHIA Lorenzo, il giovane (le Jeune) ou **Zacchia da Lucca**
Né en 1524 à Lucques. Mort après 1587. XVIe siècle. Actif à Lucques. Italien.
Peintre et graveur.
Imitateur de Zacchia di Antonio et de fra Bartolommeo. On voit de lui une *Adoration des Bergers*, de 1576, à la Pinacothèque de Lucques et une *Madone avec Enfant entre saint Louis et saint Jean l'Évangéliste* (1585) dans la sacristie de Saint-Paolino.

Ventes Publiques : Londres, 24 nov. 1967 : *Portrait d'un étudiant* : **GNS 2 000** – Londres, 3 déc. 1997 : *Portrait en buste de Pietro Burlamacchi vêtu d'un manteau rouge avec un doublet noir et d'un béret noir, tenant une lettre à la main devant une fenêtre donnant sur un paysage fluvial avec un château*, h/pan. (55,9x43,5) : **GBP 36 700**.

ZACCHIA di Antonio da Vezzano Paolo, il vecchio (le Vieux)
Né à la fin du XVe siècle sans doute à Vezzano. Mort peu après 1561 probablement à Lucques. XVe-XVIe siècles. Actif à Lucques. Italien.
Peintre.
On suppose qu'il étudia dans l'atelier de Ghirlandajo à Florence, comme permet de le présumer sa première œuvre, signée et datée de 1519, une *Adoration des Bergers*. Il se rendit peu de temps après à Rome pour étudier l'œuvre de Raphaël. S'établit vers 1520 à Lucques. On voit de lui, au Musée de Berlin, *La Vierge, l'Enfant Jésus et le petit saint Jean*, au Louvre, à Paris, *Portrait d'un musicien*, et au Musée de Montpellier, *Le Christ couronné d'épines*. La Pinacothèque de Lucques conserve aussi de ses œuvres.

ZACCOLINI Matteo, padre ou **Zocculino** ou **Zuccolini**
Né en 1590 à Cesena. Mort le 19 août 1630 à Rome. XVIIe siècle. Italien.
Peintre de perspectives.
Il était moine theatin au couvent de Monte Cavallo, où se trouvent ses principaux ouvrages. Il écrivit un traité de perspective dont le manuscrit se trouve à la Bibliothèque Barberini. La tradition rapporte qu'il eut pour élèves Nicolas Poussin et Domenico Zampieri. Exécuta la décoration de la voûte de Saint-Silvestre du Quirinal. Son œuvre principale est le trompe-l'œil de sainte Suzanne.

ZACH Bruno
XXe siècle. Allemand.
Sculpteur de statuettes, sujets de genre, nus.
Ventes Publiques : Londres, 13 oct. 1978 : *L'amazone* vers 1920, bronze et ivoire (H. 47,5) : **GBP 1 100** – Londres, 11 juil 1979 : *Jeune femme, nue sous son manteau*, bronze (H. 45) : **GBP 2 600** – Londres, 22 avr. 1982 : *La femme à la cravache*, bronze (H. 86) : **GBP 8 000** – New York, 17 déc. 1983 : *L'Ensemble de cuir noir*, bronze et ivoire (H. totale 72,4) : **USD 28 000** – New York, 28 sep. 1985 : *La jeune fille à la cigarette ou l'ensemble de cuir noir*, bronze et ivoire (H. 72,7) : **USD 17 000** – Londres, 20 mars 1986 : *L'Amazone* vers 1920, bronze (H. 47) : **GBP 9 200** – Stockholm, 6 déc. 1989 : *Le tourbillon – couple de danseurs*, bronze patiné (H. 32,5) : **SEK 19 500**.

ZACH Christian ou **Zacher, Zaech, Zech**
Né vers 1620. Mort le 20 novembre 1688 à Salzbourg. XVIIe siècle. Autrichien.
Peintre.
On voit de ses œuvres dans les églises de Bavière.

ZACH Franziska
Née le 8 février 1900 à Losenstein. Morte le 13 décembre 1930 à Paris. XXe siècle. Allemande.
Peintre sur émail, compositions murales. Art nouveau.
Elle étudia à Vienne à l'École des Arts Techniques. Elle débuta par des travaux d'émail exposés de 1925 à 1927 à Vienne, Leipzig et Munich. Par la suite elle exécuta des fresques et des peintures murales. Elle s'installa en 1930 à Paris, où elle participa aux recherches de l'Art nouveau.

ZACH Josef
XVIIIe siècle. Actif à Brünn. Autrichien.
Peintre.
Élève de l'Académie de Vienne en 1756. Il collabora avec le peintre de fresques J. L. Kracher, à Eger (Hongrie).

ZÄCH Joseph
Né vers 1649 à Salzbourg. Mort en 1693 à Wessobrunn. XVIIe siècle. Autrichien.
Peintre.
Moine bénédictin à Wessobrunn. On voit de ses œuvres dans divers monastères d'Autriche.

ZACHARI CHRISTOV Zograf
Né en 1810 à Samokov. Mort le 14 juin 1853. XIXe siècle. Bulgare.
Peintre d'icônes.
Fils de Christo Dimitrow, fondateur de l'École de Peinture de Samokov, dont il fut l'élève. Son principal mérite consiste dans le fait que, vers le milieu du XIXe siècle, époque à laquelle la peinture religieuse bulgare était parvenue à un stade de stagnation, il a grâce aux influences occidentales et russes renouvelé le style de l'iconographie nationale, jusqu'alors dominée par la tradition byzantine. Les monastères de Batschkovo, Rila, Trojav, et Preobrajenski conservent de ses œuvres.

ZACHARIÄ Georg
Né le 6 mai 1825 à Leipzig. Mort le 24 juillet 1858 à Leipzig. XIXe siècle. Allemand.
Peintre.
Élève de l'Académie de la ville de Leipzig, qui conserve de ses œuvres.

ZACHARIAS d'Alkmaar. Voir **PAULUSZ Zacharias**

ZACHARIE
Né au XVIe siècle à la Ferté-Bernard. XVIe siècle. Français.
Peintre d'histoire et de portraits.
Peignit une galerie de saints dans l'église de Plessis Dorin.

ZACHARIE Ernest Philippe
Né en 1849 à Radépont (Eure). Mort en 1915 à Paris. XIXe-XXe siècles. Français.
Peintre de compositions religieuses, scènes de genre, portraits, compositions murales, pastelliste, lithographe.
Élève de Gustave Morin à l'École des Beaux-Arts de Rouen, puis d'Antoine Guillemet, il fut professeur à l'École des Beaux-Arts de Rouen.
Il débuta au Salon en 1870. Membre de la Société des Artistes Français à partir de 1883 ; médaille de troisième classe en 1883, de deuxième classe en 1911.
À côté de ses portraits, sujets religieux, il réalisa aussi différentes peintures murales dans des édifices de Rouen, notamment au lycée.
Bibliogr. : Gérald Schurr, in : *Les Petits Maîtres de la peinture 1820-1920, valeur de demain,* Les Éditions de l'Amateur, t. IV, Paris, 1979.
Musées : Évreux – Rouen : *Saint Sébastien soigné par Irène – Tentation – Portrait de Jules Adeline – Le Christ expirant,* past.
Ventes Publiques : New York, 17 jan. 1990 : *Jeune peintre,* h/t (73,7x50,8) : **USD 8 525.**

ZACHAROFF Olga. Voir **SACHAROFF**

ZÄCHENBERGER Anton ou **Zachenberger** ou **Zechenberger**
XVIIIe siècle. Allemand.
Peintre de compositions religieuses.
Peintre de cour à Munich, on voit de ses œuvres dans quelques églises bavaroises.

ZÄCHENBERGER Joseph ou **Zachenberger**
Né en 1732. Mort en 1802. XVIIIe siècle. Actif à Munich.
Peintre sur porcelaine et décorateur.
On voit de ses œuvres au Musée de Munich.

ZACHER Christian. Voir **ZACH**

ZACHERDER
XVIIIe siècle. Travaillant en 1785.
Paysagiste.
Le Musée de Besançon conserve de lui *Vue de Besançon* (aquarelle).

ZÄCHERLE Franz
Né le 3 juin 1738 à Hall (Thuringe). Mort probablement après 1793. XVIIIe siècle. Autrichien.
Sculpteur.
Élève de Raph. Donner à l'Académie de Vienne et plus tard membre de cette Académie. Exécuta des statues pour les jardins du Palais de Schönbrunn.

ZACHMANN Max
Né le 28 août 1892 à Heidelberg (Bade-Wurtemberg). Mort en 1917 dans les Flandres. XXe siècle. Allemand.
Peintre, dessinateur. Futuriste.
Il fut élève de l'Académie de Karlsruhe.
Musées : Mannheim : plusieurs œuvres.

ZACHO Christian
Né le 31 mars 1843 à Pederstrup (près de Grenaa). Mort le 19 mars 1913 à Copenhague. XIXe-XXe siècles. Danois.
Peintre de genre, paysages animés, paysages.
Élève de l'Académie des Beaux-Arts de Copenhague, il fréquenta plus tard l'atelier Bonnat à Paris. Il obtint une mention honorable à Berlin en 1891, et à Paris en 1889 (Exposition Universelle), une médaille de bronze en 1900 (Exposition Universelle).

Musées : Copenhague : *Scène d'hiver en Bretagne – Vue d'une ville dans les montagnes de la Sabine – Le semeur – Scène dans une pauvre chaumière – Petits mendiants dans une cuisine de ferme – Cour de ferme – Visite aux vieux serviteurs.*
Ventes Publiques : Copenhague, 30 oct. 1950 : *Paysage d'été* 1874 : **DKK 1 710** – Copenhague, 20 et 21 nov. 1952 : *Charlottenlund* 1887 : **DKK 1 300** – Copenhague, 19 fév. 1970 : *Paysage à la rivière* : **DKK 6 300** – Copenhague, 7 fév. 1974 : *Paysage à la rivière* : **DKK 6 000** – Copenhague, 24 mars 1977 : *Paysage boisé* 1873, h/t (36x59) : **DKK 10 000** – Stockholm, 15 nov. 1988 : *Paysage champêtre avec des promeneurs,* h. (41x63) : **SEK 25 000** – Copenhague, 5 avr. 1989 : *Chemin de campagne* 1894, h/t (31x50) : **DKK 4 000** – Londres, 7 juin 1989 : *Une clairière* 1892, h/t (39x61) : **GBP 550** – Stockholm, 15 nov. 1989 : *Paysage de landes,* h. (32x56) : **SEK 8 000** – Copenhague, 21 fév. 1990 : *A travers la forêt* 1877, h/t (98x78) : **DKK 14 000** – Stockholm, 16 mai 1990 : *Cours d'eau en forêt en été* 1879, h/t (46x65) : **SEK 20 000** – Stockholm, 14 nov. 1990 : *Paysage estival avec des paysans et leur bétail,* h/t (47x75) : **SEK 10 500** – Londres, 17 mai 1991 : *Rivière en sous-bois* 1887, h/t (178x226) : **GBP 7 700** – Amsterdam, 14-15 avr. 1992 : *Femme prenant le thé dans un jardin* 1912, h/t (40,5x55) : **NLG 5 060** – Copenhague, 6 mai 1992 : *Un lac en forêt* 1885, peint./acajou (26x34) : **DKK 3 000** – Londres, 7 avr. 1993 : *Côte méditerranéenne* 1888, h/t (87x124) : **GBP 2 185** – Copenhague, 6 sep. 1993 : *Arbres fruitiers fleuris dans un verger près de la côte* 1908, h/t (59x83) : **DKK 9 500** – Londres, 11 fév. 1994 : *Paysage printanier avec des chèvres sur les berges d'un estuaire* 1908, h/t (59,7x83,2) : **GBP 3 220** – New York, 16 fév. 1994 : *Sentier ombragé* 1885, h/t (76,2x110,5) : **USD 20 700** – Copenhague, 16 mai 1994 : *La promenade à Menton dans le sud de la France* 1909, h/t (63x58) : **DKK 8 500** – Londres, 22 fév. 1995 : *Vue d'une ville côtière* 1907, h/t (59x81) : **GBP 2 300** – New York, 23-24 mars 1996 : *Cerf dans une forêt* 1880, h/t (94x127) : **USD 29 900** – Londres, 14 juin 1996 : *La Riviera des fleurs* 1910, h/t (53,5x79,5) : **GBP 4 600.**

ZACHTLEVEN. Voir **SAFTLEVEN**

ZACK Franz
Né le 4 juin 1884 à Voitsberg. XXe siècle. Autrichien.
Peintre d'intérieurs, paysages.
Il fut élève de l'Académie de Vienne. Il vécut et travailla à Graz.

ZACK Irène
Née en 1918 à Nicolaïeff (Russie). XXe siècle. Depuis 1924 active, depuis 1938 naturalisée en France. Russe.
Sculpteur, mosaïste, céramiste. Abstrait.
Fille de Léon Zack, elle obtint d'abord une bourse pour étudier la mosaïque à Ravenne. Elle poursuit son œuvre de sculpteur de façon continue depuis 1956. Elle vit et travaille à Paris.
Elle participe régulièrement à des expositions de groupe, par exemple : 1983 Saarlouis, *Lyrik + Geometrie,* galerie Treffpunkt Kunst, et aux Salons des Réalités Nouvelles, de la Jeune Sculpture et Comparaisons, à Paris. Elle montre ses travaux dans des expositions individuelles, notamment en 1964, Londres et Paris ; 1965, Grenoble ; 1966, Instituts Français de Cologne et Berlin ; 1966 encore, Auvernier-Neuchâtel ; 1969, Amiens ; 1970, Paris ; en 1988, exposition d'un ensemble d'œuvres de Léon Zack, avec des sculptures d'Irène Zack, au Château-Musée de Dieppe.
Elle a réalisé des intégrations architecturales, souvent pour des églises et édifices religieux, notamment : des mosaïques, à La Bastide de Besplas, Ariège ; à Urschenheim, Haut-Rhin ; Kirschberg-Wegscheid, Haut-Rhin ; Mulhouse, Haut-Rhin ; Reyerswiller, Moselle ; Besançon, Doubs ; Lourdes, Hautes-Pyrénées ; Pantin, Seine-Saint-Denis ; des sculptures : à Issy-les-Moulineaux, Hauts-de-Seine ; Bordeaux-Mérignac, Gironde ; Creil, Oise ; Herrlisheim, Bas-Rhin ; Langon, Gironde ; etc.

Rigoureusement abstraites, ses sculptures sont des volumes très simples dont la ligne générale est souvent symboliquement évocatrice d'un élan spirituel.

Bibliogr. : Jean Grenier : *Irène Zack*, catalogue d'exposition, Gal. Massol, Paris, 1970.

ZACK Lev, puis **Léon**

Né le 12 juillet 1892 à Nijni-Novgorod. Mort le 30 mars 1980 à Paris. xxe siècle. Depuis 1923 actif et depuis 1938 naturalisé en France. Russe.

Peintre, lithographe, illustrateur, peintre de cartons de tapisseries et de vitraux, sculpteur. Figuratif, puis abstrait-informel.

Son père était pharmacien ; lui-même, après ses études au Lycée Lazareff, fut étudiant à la Faculté des Lettres de Moscou, tout en étudiant le dessin et la peinture dans des académies privées. Son premier maître en peinture fut Iakimtchenko, qui, ayant vécu à Paris, avait été influencé par les impressionnistes. Il fréquenta ensuite l'atelier de Rerberg, et surtout celui de Machkoff, qui avait été le fondateur du groupe « Valet de Carreau », en opposition à l'académisme en place, et se référant à Cézanne et aux prémisses du cubisme. En 1913, il hésitait encore entre la peinture et une vocation poétique, commencée sous le pseudonyme de Chrysanthe, à laquelle il reviendra parfois. Il se maria en 1917 ; ils eurent deux enfants, le fils Florent-François et la fille Irène qui naquit en 1918 et deviendra sculpteur. Ils étaient alors en Crimée, près d'Odessa. En 1920, ils purent quitter la Russie par Constantinople, espérant gagner la France. Il dut cependant d'abord se fixer à Rome et Florence en 1920-1921, puis, après un passage à Paris en 1921, où il rencontra Picasso et Larionov, à Berlin en 1922, où il fut décorateur du Théâtre Russe. Il y créa les décors et costumes pour les ballets romantiques russes dirigés par Boris Romanoff. Il illustra alors également de lithographies un Pouchkine, *Le festin pendant la peste*, édité en russe. La compagnie des ballets de Romanoff eut un grand succès à Paris, ce qui permit à Zack de venir s'y fixer définitivement en 1923. En 1930, le critique Waldemar-George réunit un groupe de peintres, sous le sigle du néo-humanisme, parmi lesquels Christian Bérard, Tchelitchev, Hosiasson, Eugène Bermann, et Léon Zack. Pendant la Seconde Guerre mondiale, Zack se réfugia avec sa famille dans les provinces et surtout dans un village de l'Isère. Il rentra à Paris en 1945.

Zack avait commencé à exposer au Salon des Peintres de Moscou, en 1907 dès l'âge de quinze ans. Pendant son séjour en Italie, il avait exposé à Florence et à Rome, et, en 1921, étant venu à Paris pour la première fois, il avait exposé au Salon des Indépendants. Une fois fixé à Paris en 1923, il exposa aux Indépendants, au Salon d'Automne, et dans divers groupements. Dans les années qui précédèrent la seconde guerre mondiale, il participa à de plus en plus nombreuses expositions nationales et internationales. Après la guerre, il participa ensuite régulièrement aux grands Salons : Mai, Indépendants, Réalités Nouvelles, Comparaisons, Art Sacré, à des groupements divers, dont, après sa mort : 1983 Saarlouis, *Lyrik + Geometrie*, galerie Treffpunkt Kunst, sous l'égide de Michel Seuphor.

De nombreuses expositions individuelles lui furent consacrées à partir de 1926. Avant la guerre, à Paris, trois expositions personnelles correspondent à la période néo-humaniste : en 1932, des figures et des compositions ; en 1933, des paysages des Ardennes ; en 1935, des sujets divers. Après la guerre, des expositions individuelles de plus en plus nombreuses ont lieu à travers le monde : à Paris surtout très régulièrement, ainsi qu'à Bruxelles, Amsterdam, Anvers, Gand, Londres, Venise, Copenhague, Oslo, Dublin, Auvernier-Neuchâtel ; Musée de Verviers en 1964 ; Grenoble ; Instituts Français de Berlin-Ouest et de Cologne en 1966 ; Toulouse, Bâle, Fribourg, Nantes ; 1976 Paris, au Musée d'Art Moderne de la Ville ; etc. Après sa mort, en 1981 le Salon des Réalités Nouvelles lui a consacré un Hommage ; en 1988, exposition de ses œuvres, avec des sculptures d'Irène Zack, au Château-Musée de Dieppe ; en 1991 à Paris, la galerie Protée a exposé ses *Œuvres sur papier*. En 1993, la Mairie de Paris a organisé une grande exposition rétrospective au Couvent des Cordeliers.

En 1930, il adhéra au groupe du néo-humanisme, qui s'opposait au grand courant général qui, issu du cubisme, menait la peinture dans les voies de l'abstraction ; il proposait un retour aux apparences de la réalité et, en particulier, à la représentation de l'homme. Pour sa part, Zack, qui ne fut jamais un réaliste au sens strict du terme, ne travaillant pas sur nature, avait adopté le projet général du groupe, tout en l'appliquant à sa manière, en imaginatif et en visionnaire. Jusqu'à environ 1947-1948, sa peinture était figurative. Un tracé très synthétisé fixait les grandes lignes de la composition dans le détail des personnages hiératiques et du décor austère : 1917 *Portrait de Nadia Zack* ; 1935 *Portrait de jeune homme, dit Le Roi David* ; 1937 *Les prisonniers*. Il traitait souvent de sujets bibliques et illustra d'ailleurs deux fois la Bible. Sa première exposition personnelle de l'après-guerre, en 1946, réunissait les peintures de sa période expressionniste, qui marquait son éloignement définitif des objectifs néo-humanistes, et surtout ses premières peintures abstraites, alors qu'il venait de s'apercevoir que dans la construction de la toile telle qu'il l'avait toujours menée, le sujet lui-même ne jouait aucun rôle, les rapports de nuances et les articulations des formes entre elles suffisant à exprimer les émotions qu'il avait à communiquer : 1946 *Vierge et Enfant* ; 1947 *Personnages* ; ensuite, c'est le titre de *Composition* qui revient presque exclusivement.

Aussi bien dans sa première époque figurative, que dans la seconde, abstraite, il est nécessaire à la compréhension par l'intérieur de la peinture de Léon Zack, de savoir que d'origine juive, il est converti au catholicisme auquel il adhère avec ferveur.

Parallèlement à sa peinture, Zack a une activité inépuisable dans quantité de domaines : en 1947, il a créé les décors et costumes pour le ballet *Concerto* à l'Opéra-Comique ; il a illustré plusieurs ouvrages littéraires entre 1944 et 1948 : *Le poète fou* de Pierre Emmanuel et *Phèdre* de Racine, en 1945 ; *Les Tragiques* d'Agrippa d'Aubigné, 1946 ; les *Sonnets* de Ronsard et *Les Juives* de Garnier, 1947 ; etc. Il a également illustré divers textes de Baudelaire, Verlaine, Mallarmé, Rimbaud, Gide, en exemplaires uniques. En 1969, il a créé les décors et costumes du ballet *Haï Kaï*, sur une musique de Webern, pour le Centre Chorégraphique National d'Amiens. Il a fait tisser des cartons de tapisseries par les manufactures d'Aubusson et des Gobelins. Enfin, c'est surtout dans le domaine de l'art sacré qu'il fut le plus actif, commencé avec le Chemin de Croix qu'il termina en 1950 pour l'église de Carsac ; depuis 1951 de très nombreux vitraux : 1951 églises d'Urschenheim et de Kirchberg (Haut-Rhin ; 1955 Notre-Dame des Pauvres à Issy-les-Moulineaux, Hauts-de-Seine ; 1956 chapelle du couvent des Bénédictines à Valognes, Manche ; et nombreux autres (consulter l'ouvrage d'Alain Pizerra) ; et depuis 1950, des sculptures : chemins de croix, dalles de pierre gravées, autels, crucifix, fonts baptismaux, etc. Depuis ses premiers poèmes publiés à Moscou en 1913, Léon Zack a de nouveau écrit d'autres textes poétiques, qu'il illustra lui-même : 1970, en russe publiés à Munich ; 1972, *Commentaires du silence* ; 1975, *Des perles aux aigles* et 1978, *Les chevaux et les jours*.

Dans les débuts de sa période abstraite, il fut tenté, jusqu'en 1955, par la discipline de l'abstraction géométrique. Les reliefs du Chemin de Croix qu'il termina en 1950 pour l'église de Carsac, constitués de signaux symboliques, tendaient déjà à une forme maîtrisée. Après 1955 s'épanouit progressivement sa période lyrique (par opposition à géométrique), au travers d'une évolution des signes et des formes. Dans le cours de sa longue période abstraite, qui constitue l'essentiel de l'œuvre « telle qu'en elle-même », technique et forme indissociables ont subi des fluctuations, dont Alain Pizerra analyse la chronologie, souvent entrecroisée, à partir de : « ces années 50, où se croisent les différentes formes d'expression du langage non-figuratif de l'artiste, sans que l'une d'entre elles ne soit privilégiée. Que ce soit la tache par le *hasard dirigé*, la forme par les recherches géométriques ou la matière, nécessaire à l'expression sensuelle. Parfois tous ces éléments coexistent dans le tableau ».

Léon Zack est dans les origines de l'abstraction informelle ; il fut l'un des précurseurs de la tendance que l'on a dite « nuagiste ». Il s'en explique lui-même : « On me rattache au *tachisme*, et il est vrai que j'essaie d'éviter tout graphisme et que les taches sont pour moi l'essentiel du tableau... Mes formes ne sont pas très définies et leurs contours sont assez estompés. Je ne nie pas la construction, mais je la vois plutôt comme un ensemble de forces et de dynamismes plus ou moins caché que comme une architecture visible. J'aime de grands espaces vides dont l'étendue et la profondeur sont soulignées par la présence de formes plus matérielles... Une lumière, une sorte de luminosité émanant de la toile me paraît être très importante. Pour l'obtenir je me sers plus de valeurs que de couleurs proprement dites... Il y a deux ou trois ans j'employais une pâte assez épaisse, mais la recherche d'une plus grande luminosité m'a amené vers une peinture plus légère qui se rapproche de l'aquarelle... » On sent, à travers la discrétion des mots quotidiens qu'emploie Léon Zack, une tension vers une spiritualité croissante, comme on la ressent plus clairement encore à la vue de ses peintures toujours plus diaphanes, éthérées, où tout ce qui pourrait participer encore de la gangue du concret, du matériel, se dissout dans des infinis de pureté. ■ Jacques Busse

Bibliogr. : Pierre Courthion : *Léon Zack*, Musée de Poche, Paris, 1961 – Jean Grenier, in : *Entretiens avec dix-sept peintres non figuratifs*, Calmann-Lévy, Paris, 1963 – Sarane Alexandrian, in : *Diction. Univers. de l'Art et des Artistes*, Hazan, Paris, 1967 – Jean Grenier, Pierre Courthion, Bernard Dorival : *Léon Zack*, Musée de Poche, Paris, 1976, bonne documentation – Claude Perrin : *Penser l'art de Léon Zack*, L'Âge d'Homme, Lausanne, 1984 – Jean-Marie Dunoyer : *Léon Zack*, La Différence, Paris, 1989 – Pierre Cabanne : *Léon Zack*, in : Cimaise, N° 206-207, Paris, juin, juil., août 1990 – Jean-Michel Maulpoix : *Léon Zack ou l'instinct de ciel*, La Différence, Paris, 1991 – Alain Pizerra : *Léon Zack Peintures*, La Différence, Paris, 1991, abondante documentation – Lydia Harambourg, in : *L'École de Paris 1945-1965. Diction. des Peintres*, Ides et Calendes, Neuchâtel, 1993 – Pierre Cabanne : *Léon Zack. Catalogue raisonné*, Librairie de l'Amateur d'Art, Paris, 1993.

Musées : Anvers (Mus. roy.) – Bruxelles (Mus. d'Art Contemp.) – Charleville-Mézières (Mus. Rimbaud) – Dieppe (Château-Mus.) – Dijon (Mus. des Beaux-Arts, Donat. Granville) – Genève (Mus. d'Art et d'Hist.) – Londres (Tate Gal.) – Luxembourg (Mus. d'Art et d'Hist.) – Marseille (Mus. Cantini) – Meudon (Mus. d'Art et d'Hist.) – Nantes (Mus. des Beaux-Arts) – Orléans (Mus. des Beaux-Arts) – Paris (Mus. Nat. d'Art Mod.) – Paris (Mus. d'Art Mod. de la Ville) – Pittsburgh (Carnegie Inst. Mus.) – Rome (Mus. du Vatican) – Saint-Étienne (Mus. d'Art Mod.) – Sarrebruck – Skopje (Mus. Populaire) – Toulouse (Mus. des Augustins) – Verviers – Washington D. C. (Phillips Memorial coll.).

Ventes Publiques : Paris, 7 fév. 1927 : *La Place de l'église*, aquar. : **FRF 490** – Paris, 24 nov. 1932 : *Nature morte* : **FRF 200** – Paris, 2 déc. 1946 : *Le Défilé* 1926, lav. de sépia/trait de pl. : **FRF 400** – Genève, 8 juin 1974 : *Danses espagnoles* : **CHF 3 400** – Lokeren, 31 mars 1979 : *Personnages*, h/t (41x33) : **BEF 30 000** – Londres, 26 sept 1979 : *Jeune femme vêtue court*, bronze (H. 48) : **GBP 1 100** – Paris, 23 oct. 1981 : *Composition* 1972, h/t (73x100) : **FRF 6 100** – Paris, 26 nov. 1984 : *Composition* 1960, h/t (73x60) : **FRF 16 000** – Paris, 22 avr. 1988 : *Composition* 1978, h/t (65x92) : **FRF 12 500** – Paris, 6 mai 1988 : *Composition* 1967, h/t (73x60) : **FRF 12 000** – Paris, 26 oct. 1988 : *Sans titre* 1951, h/t (50x35) : **FRF 16 000** – Paris, 2 déc. 1988 : *Composition*, h/t (80x100) : **FRF 20 200** – Paris, 12 fév. 1989 : *Composition* 1957, h/t (92x73) : **FRF 52 000** – Paris, 3 mars 1989 : *Composition bleue* 1978, h/t (38x46) : **FRF 20 000** – Paris, 19 mars 1989 : *Sans titre* 1976, lav. d'encre (18x32) : **FRF 5 500** – Paris, 7 avr. 1989 : *La déclaration*, h/t (130x97) : **FRF 28 000** – Paris, 26 mai 1989 : *Composition* 1962, h/t (81x60) : **FRF 30 000** – Douai, 2 juil. 1989 : *Composition*, h/t (145x113) : **FRF 110 000** – Paris, 7 oct. 1989 : *Sans titre* 1976, h/t (116x81) : **FRF 50 000** – Douai, 3 déc. 1989 : *Composition* 1976, aquar. (31x40) : **FRF 18 000** – Copenhague, 22 nov. 1989 : *Composition* 1958, h/t (61x81) : **DKK 66 000** – Paris, 18 fév. 1990 : *Composition* 1957, h/t : **FRF 135 000** – Copenhague, 21-22 mars 1990 : *Composition* 1958, h/t (72x92) : **DKK 360 000** – Paris, 8 avr. 1990 : *Composition* 1957, h/t (100x65) : **FRF 210 000** – Paris, 10 mai 1990 : *Composition*, past. (18x29) : **FRF 18 000** – Paris, 10 juin 1990 : *Composition noire et grise* 1957, h/t (92x73) : **FRF 180 000** – Paris, 20 juin 1990 : *Sans titre* 1947, gche et past. (46,5x29,5) : **FRF 20 000** – Douai, 1er juil. 1990 : *Composition* 1959, h/t (91x63,5) : **FRF 140 000** – Douai, 11 nov. 1990 : *Composition* 1976, aquar. (23x34,5) : **FRF 19 800** – Lucerne, 24 nov. 1990 : *Composition* 1956, h/t (55x46) : **CHF 11 000** – Paris, 27 nov. 1990 : *Composition fond blanc* 1961, h/t (92x73) : **FRF 75 000** – Paris, 2 juin 1991 : *Composition* 1939, h/t (54,5x65) : **FRF 50 000** – Londres, 17 oct. 1991 : *Composition* 1959, h/t (60x73) : **GBP 2 420** – Paris, 14 mai 1992 : *Composition* 1964, h/t (81x65) : **FRF 35 000** – Copenhague, 4 mars 1992 : *Forme noire sur forme rouge*, aquar. et craies grasses (47x30) : **DKK 5 500** – Neuilly, 22 mars 1992 : *Composition* 1959, h/t (60x73) : **FRF 36 000** – Paris, 12 mai 1993 : *Composition* 1960, h/t (65x81) : **FRF 19 500** – Paris, 5 juil. 1994 : *Composition abstraite* 1976, h/t (162x130) : **FRF 38 000** – Paris, 19 nov. 1995 : *Composition* 1965, h/t (130x162) : **FRF 43 000** – Paris, 10 juin 1996 : *1967* 1967, h/t (100x81) : **FRF 30 000** – Paris, 17 juin 1996 : *Sans titre*, lav./pap. brun (29x47) : **FRF 5 000** – Paris, 1er juil. 1996 : *Composition ocre et noire* 1975, h/t (130x89) : **FRF 20 000** – Paris, 24 nov. 1996 : *Composition* 1956, h/t (92,5x65) : **FRF 11 000** – Paris, 28 avr. 1997 : *Composition* 1959, h/t (73x60) : **FRF 22 000** – Paris, 25 mai 1997 : *Composition* 1956, h/t (70x100) : **FRF 17 000** – Paris, 29 avr. 1997 : *Composition* 1976, acryl./t. (162x130) : **FRF 23 000** – Paris, 5 juin 1997 : *Nuages* 1961, h/t (162x114) : **FRF 25 000** – Paris, 4 oct. 1997 : *Composition* 1973, h/t (54x65) : **FRF 18 000** – Paris, 19 oct. 1997 : *Composition* 1973, h/t (73x54) : **FRF 10 000**.

ZACKEIMAR Alexandre. Voir **JACQUEMART**

ZADDEI Giovanni Antonio ou **Zadei**

Né le 17 janvier 1729 à Brescia. Mort après 1797. XVIIIe siècle. Italien.

Peintre.

Élève de Paglia, Marchesi et Cignaroli. Il s'établit à Brescia. On voit de ses œuvres dans diverses églises de la province de Mantoue.

ZADIG William

Né le 21 juillet 1884 à Malmoë (Suède). XXe siècle. Suédois.

Sculpteur de statues, monuments.

Il fut élève des écoles des Beaux-Arts de Malmoë, Berlin et Paris. Il professa à São Paulo de 1912 à 1920, il y participa à l'organisation de l'Exposition d'Art Français du XVIIIe siècle. Chevalier de la Légion d'honneur, officier de l'Ordre de Vasa.

Il exposa, à Paris, aux Salons des Artistes Français à partir de 1908, des Indépendants, d'Automne, des Tuileries, de même qu'à Malmoë et Stockholm.

On lui doit le monument d'*Olavo Bilac*, à São Paulo et *Le Christ et ses Douze Apôtres*, à l'église Consolaçao de São Paulo.

ZADKINE Ossip

Né le 14 juillet 1890 à Smolensk. Mort le 25 novembre 1967 à Paris. XXe siècle. Depuis 1909 actif, puis vers 1918 naturalisé en France. Russe.

Sculpteur de monuments, figures, peintre à la gouache, dessinateur, lithographe, graveur, illustrateur, peintre de cartons de tapisseries.

Zadkine a raconté lui-même qu'à seize ans, en 1905, il fut envoyé dans une ville du nord de l'Angleterre, Sunderland, pour y apprendre « les bonnes manières ». Il y suivit des cours du soir à l'Arts School locale. Déjà l'attirait seule la sculpture et, en 1906, il s'enfuit à Londres pour s'initier aux premiers rudiments de son art. Après un rappel à Smolensk, en 1907, des vacances en 1908 à Vitebsk, son père, compréhensif, le renvoya à Londres où il fut élève de l'Arts and Crafts School, fréquentant avec passion le British Museum, découvrant la statuaire grecque, puis à Paris en 1909, avec toute licence de se consacrer à sa vocation. Ici, il entre sagement à l'École des Beaux-Arts, dans l'atelier d'Antoine Injalbert,...qu'il fuira d'ailleurs six mois après. L'admiration qu'il vouait à Rodin s'accommodait mal de l'enseignement officiel. En 1910, il passa ses vacances à Smolensk. En 1911, il s'installe dans un atelier du 35 de la rue Rousselet, qu'il ne quittera qu'en 1928 pour son atelier du 100 de la rue d'Assas, devenu après sa mort le Musée Zadkine. En 1912, il rencontra Apollinaire, Cendrars, Archipenko, Lipchitz, Picasso, Survage, qu'il retrouva, en 1913, avec toutes les figures de l'avant-garde, chez la baronne d'Oettingen (la sœur de Serge Férat). En 1914, il se rallie au cubisme, comme Laurens et Lipchitz adaptant les principes de la peinture cubiste à la troisième dimension. Il est bientôt interrompu pour deux ans et demi, engagé volontaire dans la Légion étrangère, gazé, hospitalisé, puis réformé. Il acquit alors la nationalité française. En 1920, il se maria avec le peintre Valentine Prax. Ensuite, il ne pouvait plus se passer grand-chose, encore plus que pour le peintre, le sculpteur ne peut se déplacer comme l'escargot avec son atelier sur le dos. Quelques voyages : 1931 en Grèce, 1937 à New York. Pour le mouvoir, il fallut, en 1940, l'invasion de la France par les armées nazies, il dut gagner l'Amérique pour revenir à Paris dès 1945, où l'on vit de nouveau dans Montparnasse ce beau vieux jeune homme au visage aigu d'oiseau et à l'éclatante toison blanche. Il aima former plusieurs générations d'élèves issus du monde entier, soit à l'Académie de la Grande Chaumière, où il avait été appelé à son retour en France, soit à l'École des Beaux-Arts à partir de 1962, soit dans son propre atelier de la rue d'Assas.

D'entre les très nombreuses expositions collectives auxquelles il a participé, quelques unes : en 1910 l'*Exposition des Jeunes Peintres et Sculpteurs de Saint-Pétersbourg* ; 1911 à Paris, Salons des Indépendants et d'Automne ; 1918 à Paris, groupe avec Modigliani et Kisling ; 1923 Paris, *Peinture et Sculpture Contemporaines*, galerie Paul Guillaume ; 1925 Paris, *Exposition Inter-*

nationale des Arts Décoratifs ; 1950 Biennale de Venise ; 1966 l'exposition *Dessins de sculpteurs de Rodin à nos jours*, au Musée des Beaux-Arts de Strasbourg ; 1979 Paris, *Paris-Moscou*, Centre Beaubourg.

De nombreuses expositions individuelles lui ont été consacrées : de 1919 et 1920 datent ses premières expositions à Bruxelles et Paris ; puis Paris, 1921, galerie Barbazanges ; Bruxelles, 1928 ; Philadelphie, 1931 ; Chicago, 1933 ; Paris (Petit Palais), 1933 ; Bruxelles (Palais des Beaux-Arts), 1934 ; New York, 1937 ; New York, 1941 ; New York, 1942 ; New York, 1943 ; Munich, 1946 ; Anvers, 1947 ; Bruxelles (Palais des Beaux-Arts), 1948 ; Amsterdam (Stedelijk Museum), 1948 ; Paris, rétrospective (Musée National d'Art Moderne), 1949 ; Rotterdam (Musée Boymans), 1949 ; La Chaux-de-Fonds (Musée), 1951 ; Londres, 1952 ; Arnhem, 1952 ; Darmstadt, 1953 ; Anvers, 1953 ; Tokyo 1954 ; Arnhem (Musée), 1954 ; Paris (Maison de la Pensée Française), 1958 ; Paris *Hommage à Zadkine* (Musée d'Art Moderne de la Ville et Musée Rodin), 1972-1973 ; Arles, 1992, Musée Réattu et Espace Van Gogh ; Paris, 1993, Couvent des Cordeliers ; Paris, *Dessins de 1916 à 1967* au musée Zadkine, 1994-1995.

En 1950 lui fut attribué le Grand Prix de Sculpture de la Biennale de Venise ; en 1960, le Prix de Sculpture de la Ville de Paris.

L'admiration de Rodin n'entraîna chez Zadkine aucune influence formelle ni technique. Il admirait Rodin d'avoir été un plasticien irréprochable sans avoir pour autant sacrifié en rien l'expression. Cette volonté de ne pas laisser de côté l'éventuel « message » que peut comporter et transmettre l'œuvre d'art, n'a nullement écarté Zadkine de l'évolution des problèmes formels de son temps. Outre la sculpture romane et gothique, la sculpture nègre lui apporta, de 1912 à 1920, des solutions nouvelles à la synthèse des volumes et à l'alternance des creux et des pleins, des courbes et des contre-courbes. Ces influences, qui peuvent être dites culturelles, contribuèrent au fait que, bien qu'ayant adhéré aux principes de base du cubisme, il sut d'emblée les infléchir selon ses propres aspirations : *Le Prophète* bois de 1914, *La femme à l'éventail* bronze de 1914, puis, après la guerre : *Formes et Lumières* bronze doré de 1918, *Le joueur d'accordéon* bronze de 1918. Bien que recourant aussi au bronze, la taille directe dans le bois répondait alors exactement à l'impulsivité de son élan créateur. De grands troncs d'arbres, il faisait surgir des corps ployés ou des couples entrelacés, ainsi de la *Déméter*, de 1918.

De 1921 à 1925, le cubisme, perçu moins formellement qu'en 1914 et plus intimement par l'intermédiaire de Brancusi et d'Archipenko, moins par l'esprit plus par les sens, marqua fortement sa production, notamment dans ses eaux-fortes, aquarelles et gouaches, abondantes à ce moment. Toujours généralement fidèle à la taille directe, c'est cependant dans la pierre, moins docile que le bois, qu'il trouva la rigueur hiératique correspondant à ses nouvelles aspirations : *Femme à l'éventail* de 1923.

Toutefois, et cette bipolarisation de son art marquera définitivement tout son œuvre et donc son style, c'est à partir des années vingt que, admettant sans doute certaines contradictions inhérentes à son être profond, il complétera, dans sa pratique, ce que le cubisme lui avait apporté de rigueur « classique » par un égal apport de liberté « baroque ». De cette dialectique entre ordre et fantaisie, structure et imagination, résultera désormais une sculpture dynamique, lyrique : *Les jeunes filles à l'oiseau*, *Les musiciennes* et *Joueuses à la balle* de 1928. En 1925, s'imposa à lui la nécessité de laisser la part plus belle à son instinct de créateur et de poète. La forme se libère, il essaie même des subtilités du modelage, glaise ou plâtre, dans des compositions plus prolixes : les *Ménades* de 1934, l'*Homo Sapiens* de 1935, de la polychromie : *Rébecca* de 1930. En 1932, il créa un haut-relief de ciment pour la façade de l'hôtel de ville de Poissy. De plus en plus, tout en continuant de privilégier la taille directe, il a étendu l'usage des techniques et matériaux, toutes les essences de bois, les ciment, granit, lave, marbre, les bronze, cuivre poli, aluminium, en fonction de leur adéquation à l'expression de la diversité des thèmes projetés, figure humaine, bustes-portraits, hommages à la poésie, à la musique, Jean-Sébastien Bach, aux artistes, Rodin, Van Gogh, cycles biblique et mythologique, horreur de la guerre, célébration de la paix.

On peut dire que c'est depuis 1925, après un inévitable cheminement que Zadkine s'est trouvé en pleine possession des moyens qui devaient convenir à l'édification de son œuvre propre. Ce fut dans cette période qu'il commença à intervertir systématiquement les facteurs constituant le volume : les reliefs remplacés par des creux, les courbes par des droites et réciproquement, ce qui avait pour effet d'intervertir ombres et lumières, ombres où l'on attend lumières, lumières en place des ombres. Dans les quelques années qui précédèrent la guerre de 1939, Zadkine avait porté sa technique à son maximum d'efficacité : afin d'alléger encore plus les formes qu'il voulait libérées de la pesanteur, il les perçait d'ouvertures par où l'œil a l'impression de les percevoir de tous les côtés à la fois.

Après la guerre, Zadkine, ayant sans doute fait le tour complet des ressources, voire des prouesses, que lui proposait cette technique de la sculpture qu'il avait recréée à son propre usage, en délaissa quelque peu l'expérimentation formelle pour la subordonner à l'expression des sentiments puissants, ou même violents, qu'il voulait communiquer. Déjà la *Prisonnière*, sculptée en 1943 aux États-Unis, où il avait trouvé refuge, plus qu'une femme derrière des barreaux était la représentation de l'idée même de la liberté. L'*Orphée*, dans sa version de 1948, n'est plus que rythme se déroulant dans l'espace. *La Ville détruite*, monument de bronze élevé sur le quai de Leuvehaven à Rotterdam, qu'il exécuta de 1948 à 1951, ne commémore pas la destruction de la ville par les Allemands en montrant une allégorie de ruines, mais en lançant vers le ciel un cri de douleur plastique, un « cri d'horreur », comme il l'a écrit lui-même au cours des nombreux commentaires dont il a toujours accompagné son activité de sculpteur, tant est évidente chez lui, depuis son admiration pour Rodin, la dimension poétique qui provoque la création plastique. En 1955, il réalisa un haut-relief d'aluminium pour l'usine Tornado, à Ettenlen en Hollande. De 1955 à 1967, c'est-à-dire dans la dernière partie de sa vie, il consacra une grande part de son activité à la gravure.

D'entre ses principales œuvres, quelques unes, chronologiquement : *Le Prophète* (bois) 1915, *Femme à l'éventail* (pierre) 1918, *Déméter* (bois) 1918, *Tête* (marbre) 1918, *Maternité* (bois doré) 1919, *Dragon* (pierre) 1920, *L'Esclave* (bois) 1922, *La musicienne* (pierre) 1922, *Tête* (lave) 1923, *Torse* (pierre) 1924, *Hermaphrodite* (bois) 1925, *Tête* (cuivre) 1925, *Jeune homme* (bois) 1925, *Torse* (pierre) 1925, *Vénus* (bois) 1925, *Femme à l'éventail* (pierre) 1926, *Joueur d'accordéon* (bois) 1926, *Niobé* (bois) 1926-30, *Tête* (pierre) 1926, *Fontaine* (pierre) 1926, *Torse* (bois doré) 1926, *Tête de jeune fille* (albâtre) 1926, *Pomone* (bronze) 1926, *Tête* (marbre et incrustations) 1926, *Tête d'homme* (bois) 1927, *Les trois grâces* (bronze) 1927, *Cerf* (bois doré) 1927, *Les trois belles* (bronze) 1927, *Torse* (pierre) 1927, *La belle servante* (pierre) 1927, *Intimité* (bronze) 1927, *Orphée* (bois) 1928, *Jeune fille à la colombe* (bronze) 1928, *Femme assise* (bois) 1928, *Torse* (lave) 1928, *Le discobole* (bois) 1928, *Cadran solaire* (plâtre) 1929, *Oiseau* (cuivre) 1929, *Les trois amies* (bronze) 1929, *Portrait de Mme Maria Lani* (bronze) 1929, *Bas-reliefs* (plâtre) 1929, *Saint Sébastien* (bois) 1929, *Le sculpteur* (bois polychromé) 1930, *Les trois grâces au madrépore* (bronze) 1932, *Les joueuses de balle* (bronze) 1932, *Le sculpteur* (bois) 1933, *Tête de femme* (quartz) 1933, *Le conseiller* (bronze) 1934, *Le sculpteur* (pierre, verre peint et plomb) 1934, *Orphée* (bois) 1934, *Odalisque couchée regardant le ciel* (bois polychromé) 1934, *Les Ménades*, 1934, *Statue pour un jardin* (bois) 1934, *Torse de femme* (granit) 1935, *Les Musiciennes* (bronze) 1935, *Laocoon* (bronze) 1935, *Double portrait de M. et Mme Wiergesma*, 1935, *Torse de femme* (pierre) 1936, *Orphée* (bronze) 1936, *Statue pour un jardin* (pierre) 1936, *Hommage à Bach* (bois) 1936, *Musiciens* (bronze) 1936, *Intimité* (terre cuite) 1936, *Le Concerto* (bronze) 1937, *Homo Sapiens* (bois) 1937, *Projet de Monument à Alfred Jarry* (plâtre) 1938, *Arlequin* (bois polychromé) 1938, *Motif décoratif* (bois polychromé) 1938, *Diane* (bois) 1939, *Le compositeur* (bronze) 1939, *Torse* (bois) 1939, *Diane* (bronze) 1939, *Le sculpteur* (terre cuite) 1941, *Clementius* (marbre) 1941, *Le poète* (marbre) 1941, *La jeune fille à l'oiseau* (pierre) 1943, *La prisonnière* (plâtre) 1943, *Torse* (pierre) 1943, *Tête* (marbre) 1943, *Tête d'homme* (quartz) 1943, *Arlequin hurlant* (bronze) 1943, *Nature morte* (pierre) 1943, *Le guerrier* (plâtre) 1943, *Le fumeur de pipe* (plâtre) 1943, *Le Rêveur* (grès) 1943, *Phénix* (bronze) 1944, *Tête de nègre* (terre cuite) 1944, *Femme et oiseau* (granit) 1944, *La bonne nouvelle* (marbre et grès) 1944, *Hommage à Rodin* (plâtre) 1944, *Torse de femme* (bois) 1944, *Projet de Monument pour Guillaume Apollinaire* (plâtre) 1946, *La terreur* (terre cuite) 1946, *Maternité* (bronze) 1946, *Naissance des formes* (bronze) 1947, *Le guitariste* (terre cuite) 1947, *Projet de Monument pour une ville détruite*, Amsterdam (plâtre) 1947, *Germination*, 1948, *La naissance des formes* (bronze) 1948, *Forêt humaine* (terre cuite) 1948, *Orphée* (bronze) 1949, *Intimité* (bois) 1949, *Retour du Fils Prodigue* (terre cuite) 1950, *Centaure* (bronze) 1950, *Pomone* (bois) 1950, *Le laby-*

rinthe (terre cuite) 1950, *Intimité ou le Narcisse* (bois) 1951, *Pietà* (terre cuite) 1952, *Les trois belles* (cuivre) 1952, *La Vierge et l'Enfant* (bois) 1953, *Retour du Fils Prodigue* (bois) 1953, *Retour de la Fille Prodigue* (bois) 1953, *Le messager* (plâtre) 1953, *Il penseroso* (plâtre) 1953. Cette liste très abrégée suffit pourtant à faire remarquer la répétition de nombreux thèmes, *Femme à l'éventail*, *Joueur d'accordéon*, *Orphée*, *Les trois belles*, et autres, repris à des époques diverses de son œuvre dans des techniques différentes et surtout dans un esprit différent, reprises et variations de thèmes qui peuvent provoquer des confusions.

Avec Raymond Duchamp-Villon, Henri Laurens, Jacques Lipchitz et peu d'autres, Zadkine fut de ceux qui introduisirent la sculpture dans la dynamique cubiste, ou réciproquement. Cependant Zadkine s'est toujours déclaré résolument contre le formalisme pur. Les commentateurs de l'œuvre de Zadkine insistent à juste titre sur ce point : la réintroduction d'une poétique dans la sculpture par le refus de l'abstraction, la préservation, même aux limites de l'identifiable, de l'apparence humaine, le souci de la beauté des rythmes et des attitudes. De ces faits l'ensemble de l'œuvre est divers. Peut-être a-t-on pu en regretter le baroquisme au dépens de la rigueur, ce fut son parti et c'est une des composantes de son style, de sa personnalité.

■ Jacques Busse

O ZADKINE

O.Zadkine

O.ZADKINE

Bibliogr. : Maurice Raynal : *Ossip Zadkine*, Rome, 1921 – Pierre Humbourg : *Zadkine*, N.R.F., Paris, 1928 – André De Ridder : *Zadkine*, Paris, 1929 – Paul Haesaerts : *Ossip Zadkine*, Anvers, 1939 – Catalogue de l'exposition *Zadkine*, Mus. d'Art Mod. de la Ville, Paris, 1949 – Denys Chevalier : *Zadkine*, Paris, 1949 – Jean Cassou : *Zadkine*, Fischbacher, Paris, 1962 – Ionel Jianou : *Zadkine*, Arted, Paris, 1964 – in : Catalogue de l'exposition *Dessins de sculpteurs de Rodin à nos jours*, Musée des Beaux-Arts, Strasbourg, 1966 – Jean Adhémar : *L'œuvre gravé et lithographié d'Ossip Zadkine*, Fischbacher, Paris, 1967 – Christophe Czwiklitzer : *Ossip Zadkine. Le Sculpteur-Graveur de 1919 à 1967*, Fischbacher, Paris, 1967 – Ossip Zadkine : *Le maillet et le ciseau. Souvenirs de ma vie*, Albin Michel, Paris, 1968 – Raymond Cogniat, in : *Nouveau diction. de la sculpt. mod.*, Hazan, Paris, 1970 – Catalogue de l'exposition *Hommage à Zadkine*, Mus. Rodin et Mus. d'Art Mod. de la Ville, Paris, 1972-73 – in : Encyclopédie des Arts *Les Muses*, vol. 15, Grange Batelière, Paris, 1969-1974 – Ionel Jianou : *Ossip Zadkine. Catalogue raisonné des sculptures*, Arted Editions, Paris, 1979 – in : Catalogue de l'exposition *Paris-Moscou*, Centre Georges Pompidou, Paris, 1979 – *Zadkine*, Musée Zadkine, Paris, 1982 – in : *L'Art du xxe siècle*, Larousse, Paris, 1991 – Sylvain Lecombre : *Ossip Zadkine*, Paris-Musées, Paris, 1994.

Musées : Amsterdam (Stedelijk Mus.) : *Hommage à J.-S. Bach* 1936 – Anvers : *Torse de femme* 1928 – Arles (Mus. Réattu) : *L'Odalisque* 1932, bois polychrome – *Torse*, ébène – Boston – Darmstadt – Denver-Colorado : *Le brillant silence* 1958 – Eindhoven : *Déméter* 1918, bois – Grenoble (Mus. des Beaux-Arts) : *Le Prophète* 1914 – Londres (Tate Gal.) – Montréal (Mus. d'Art Contemp.) : *Hommage à Rodin* 1967, litho. – Otterlo (Mus. Kröller-Müller) : *Rébecca* vers 1930 – Paris (Mus. Nat. d'Art Mod.) : *Formes et Lumières* 1918, bronze doré – *Buste d'homme* – *Les Ménades* 1934 – *Homo Sapiens* 1935, bois – *Le Sculpteur* 1939, bois peint – *La leçon de dessin* – *Le compositeur* – *Christ* 1945, orme – *Orphée* 1948 – dessins – Paris (Mus. d'Art Mod. de la Ville) : *Jeune femme jouant de la mandoline* vers 1920, pierre – *Femme à l'éventail* 1920, bronze – *Joueuses à la balle* 1928 – *Orphée* 1948 – *Les trois belles* 1953 – Paris (Mus. Zadkine) – Philadelphie – Saint-Étienne (Mus. d'Art Mod.) : *Femme à l'éventail* 1923, pierre – Tokyo.

Ventes Publiques : Paris, 29 oct. 1927 : *La Famille*, peint. à l'essence : **FRF 320** – Paris, 24 nov. 1928 : *Paysage*, aquar. : **FRF 450** – Paris, 17-18 nov. 1943 : *Portrait du peintre Foujita*, cr., reh. d'aquar. : **FRF 400** – Paris, 23 mai 1949 : *Femme assise* 1920, aquar. : **FRF 2 100** ; *Groupe*, aquar. : **FRF 1 900** – Paris, 8 juin 1949 : *Nu*, dess. : **FRF 2 500** – Paris, 15 fév. 1950 : *Personnages*, aquar. : **FRF 6 300** ; *Paysage*, aquar. : **FRF 5 000** – Bruxelles, 11 mars 1950 : *La Femme au luth*, pierre volcanique : **BEF 16 000** – Paris, 21 avr. 1950 : *Nu allongé de dos* 1930, gche : **FRF 10 000** ; *Buste de femme*, dess. : **FRF 1 600** – Paris, 26 fév. 1954 : *Nus dans un paysage*, aquar. et gche : **FRF 61 000** – Amsterdam, 23 oct. 1958 : *Violoncelliste*, gche : **NLG 2 500** – Bruxelles, 25 avr. 1959 : *La Lecture*, gche : **BEF 10 000** – Londres, 23 nov. 1960 : *Femme au lit*, gche : **GBP 160** – Londres, 22 mars 1961 : *Deux nus*, aquar. : **GBP 140** – New York, 23 mars 1961 : *Nu couché*, aquar. : **USD 275** – Paris, 21 juin 1961 : *Paysage*, aquar. : **FRF 2 100** – Milan, 27 mars 1962 : *Femme à la mandoline*, gche : **ITL 700 000** – Versailles, 27 nov. 1962 : *Projet de monument à Guillaume Apollinaire*, bronze : **FRF 13 500** – Londres, 6 déc. 1963 : *Torso*, bois : **GNS 850** – Versailles, 10 juin 1964 : *Femme debout*, bronze : **FRF 18 000** – Hambourg, 27 nov. 1965 : *Les Deux Amies*, gche : **DEM 4 200** – Bruxelles, 8-9 déc. 1965 : *Tête*, cuivre : **BEF 525 000** – New York, 27 avr. 1966 : *Femme à la colombe*, bronze : **USD 5 500** – New York, 3 nov. 1966 : *Le Couple*, past. et fus. : **USD 950** – Bruxelles, 1er mars 1967 : *Tête d'homme*, cuivre : **BEF 180 000** – Cologne, 1er déc. 1967 : *Femme se déshabillant*, gche : **DEM 4 000** – New York, 4 avr. 1968 : *Le Penseur*, bois polychrome : **USD 18 000** – Londres, 4 juil. 1968 : *Couple dans la ville*, gche : **GBP 500** – Tokyo, 3 oct. 1969 : *Ferme dans le Connecticut*, gche : **JPY 520 000** – Londres, 9 déc. 1969 : *Le Retour de la fille prodigue*, cuivre : **GBP 4 400** – Londres, 2 déc. 1970 : *Tête d'homme*, bois : **GBP 2 600** – Paris, 8 déc. 1970 : *Bal masqué*, gche : **FRF 15 200** – Londres, 7 juil. 1971 : *Le Couple* : **GBP 850** ; *Intimité*, ébène : **GBP 2 200** – Genève, 2 nov. 1971 : *Le Couple*, gche : **CHF 13 500** – Paris, 22 juin 1972 : *Deux personnages*, gche : **FRF 16 000** – Londres, 28 nov. 1972 : *Jeune fille à la cruche*, bois : **GNS 8 000** – Londres, 1er déc. 1972 : *Le Port*, h., aquar. et cr. : **GNS 550** – Genève, 4 mars 1973 : *La Sieste* 1930, gche : **CHF 15 000** – Paris, 9 mars 1973 : *Les Musiciennes*, bronze : **FRF 51 000** – Anvers, 2 avr. 1974 : *Vue d'un port* 1925 : **BEF 110 000** – Genève, 7 juin 1974 : *Musicien*, gche : **CHF 14 000** – Genève, 22 nov. 1974 : *Guitariste*, bronze : **CHF 37 000** – Londres, 6 avr. 1976 : *Trois femmes* 1928, gche (64x48) : **GBP 800** – Paris, 4 mai 1976 : *L'Accordéoniste*, bronze (H. 58) : **FRF 48 500** – Londres, 1er juil. 1976 : *Deux personnages* 1946, pl. (61,5x48,5) : **GBP 520** – Londres, 1er avr. 1977 : *Femme et enfants* 1920, aquar. (54,5x47,5) : **GBP 1 200** – Versailles, 5 juin 1977 : *Tête d'homme*, bronze : **FRF 16 000** – Paris, 21 nov 1979 : *Le modèle* 1959, lav. gché (47x64) : **FRF 7 200** – Enghien-les-Bains, 27 mai 1979 : *Personnage dessinant* 1927, gche (45,5x29,5) : **FRF 26 000** – Zurich, 1er nov 1979 : *Jeune fille au luth* 1918, bronze patine (H. 49) : **CHF 33 000** – Londres, 30 mars 1982 : *Couple cubiste devant une table* 1923, aquar. (51,5x36) : **GBP 2 800** – Enghien-les-Bains, 28 mars 1982 : *Arlequin à la guitare*, bronze patine brun vert (H. 94) : **FRF 120 000** – Lokeren, 26 mai 1984 : *Mon ami* 1932, gche (77x56) : **BEF 600 000** – Paris, 21 mars 1984 : *Vénus cariatide* 1919, poirier massif encaustiqué (H. 166) : **FRF 550 000** – Paris, 10 déc. 1985 : *La lutte* 1943, encre (45x56) : **FRF 22 500** – Enghien-les-Bains, 24 mars 1985 : *Figure féminine* vers 1922, bronze, patine vert-brun (H. 77 et l. 31) : **FRF 215 000** – Londres, 3 déc. 1986 : *Les Trois Belles ou Les Trois Grâces* 1953, bronze poli (H. 76) : **GBP 29 000** – Londres, 28 mai 1986 : *Le Liseur* 1932, gche/traits cr. (67x47) : **GBP 8 200** – Paris, 20 mars 1988 : *Tête de nègre ou tête d'homme* 1944, bronze patiné vert (31x24x26) : **FRF 120 000** ; *Liseuse*, terre cuite (H. 9x27x12) : **FRF 70 000** – Saint-Dié, 7 mai 1988 : *Nu allongé*, bronze patine verte (20x38) : **FRF 110 000** – Lokeren, 28 mai 1988 : *Tête* 1943, encre rouge (58,5x45) : **BEF 110 000** – Paris, 12 juin 1988 : *Petit torse d'homme* 1965, bronze, cire perdue (H. 35) : **FRF 50 000** – Versailles, 15 juin 1988 : *Le femme pensive*, bronze à patine cuivrée (H. 42) : **FRF 123 000** – Londres, 28 juin 1988 : *Figurine drapée à l'Antique en pied, de face*, bronze (H. 63) : **GBP 27 500** – Lokeren, 8 oct. 1988 : *Trois personnages*, pointe-sèche (60x42,5) : **BEF 20 000** – Paris, 16 oct. 1988 : *Personnage assis* 1955, past. (58x43) : **FRF 50 000** – Paris, 16 nov. 1988 : *Composition rouge et bleue* (182x260) : **FRF 50 000** – Paris, 20 nov. 1988 : *Femme assise*, bronze à patine dorée (H. 41) : **FRF 190 000** – Paris, 21 nov. 1988 : *L'Arbre de vie*, encre (23x20) : **FRF 16 000** – Paris, 22 nov. 1988 : *Nu allongé*, bronze à patine verte (20x40) : **FRF 100 000** – Paris, 24 nov. 1988 : *Le couple* vers 1920, pierre brute : **FRF 660 000** – Amsterdam, 8 déc. 1988 : *Nu*, ébène/socle de marbre blanc et bois (H. totale 50) : **NLG 109 250** – Londres, 22 fév. 1989 : *Tête d'homme* 1921, cr. vert (49,6x35,1) : **GBP 8 580** – Paris, 10 mars 1989 : *Personnage mythologique ou Le Sculpteur* 1941, bronze patiné (H. 42) :

FRF 230 000 – PARIS, 30 mars. 1989 : *Couple*, bronze à patine brune nuancée (H. 40) : **FRF 245 000** – LONDRES, 4 avr. 1989 : *Personnages*, bronze (H. 80) : **GBP 24 200** – PARIS, 8 avr. 1989 : *Jeune fille*, bronze (H. 46) : **FRF 350 000** – PARIS, 18 juin 1989 : *Les trois personnages*, gche (60x44.5) : **FRF 160 000** – PARIS, 29 sep. 1989 : *Figure*, dess. au cr. (24x22,5) : **FRF 6 500** – NEW YORK, 16 nov. 1989 : *Orphée* 1948, bronze patine verte (H. 206,4) : **USD 297 000** – PARIS, 19 nov. 1989 : *Buste de jeune fille*, bronze poli (H. 47) : **FRF 600 000** – NEW YORK, 21 fév. 1990 : *Combat contre le Minotaure* 1943, encre/pap. (43,9x59) : **USD 8 800** – NEW YORK, 26 fév. 1990 : *L'inspiration*, bronze cire perdue à patine verte (H. 24,1) : **USD 24 200** – PARIS, 31 mars 1990 : *Les trois belles ou Les trois Grâces* 1955, bronze poli (H 76) : **FRF 800 000** – LONDRES, 3 avr. 1990 : *Intimité* 1949, bronze à patine noire (H. 50,5) : **GBP 30 800** – PARIS, 24 avr. 1990 : *Baigneuses à la rivière*, aquar. (30x40) : **FRF 93 000** – NEW YORK, 16 mai 1990 : *Femme à la fenêtre* 1928, gche et encre/pap. (70,5x51,5) : **USD 22 000** – AMSTERDAM, 22 mai 1990 : *Fermiers dans un village de France*, cr. et aquar./pap. (64x48,5) : **NLG 34 500** – TEL-AVIV, 31 mai 1990 : *Le messager*, bronze (114,2) : **USD 154 000** – PARIS, 16 juin 1990 : *Le Messager ou Les Présents ou Le Porteur*, bronze à patine verte (65x16,5x22,5) : **FRF 180 000** – NEUILLY, 7 avr. 1991 : *Femme à la fenêtre*, gche cr. et encre/pap. (70,5x51,5) : **FRF 135 000** – PARIS, 9 avr. 1991 : *Torse*, bois (H. 128) : **FRF 1 050 000** – AMSTERDAM, 22 mai 1991 : *Joueur de guitare*, cr. feutre/pap. (21,5x17,5) : **NLG 2 185** – TEL-AVIV, 12 juin 1991 : *Paysage montagneux en Suisse*, aquar. (26x40,5) : **USD 3 740** – PARIS, 2 fév. 1992 : *Deux figures* 1932, gche/pap. (73x55) : **FRF 72 000** – NEW YORK, 25 fév. 1992 : *Méditation (portrait de Carol)* 1937, gche/pap. (65,4x54,6) : **USD 10 450** – NEW YORK, 14 mai 1992 : *L'homme et le cheval* 1932, aquar. et gche/pap. (71,8x55,9) : **USD 9 350** – LOKEREN, 23 mai 1992 : *La ferme* 1944, gche (45x60) : **BEF 150 000** – LONDRES, 1er juil. 1992 : *Tête d'homme* 1921, cr. (49,6x35,1) : **GBP 11 000** – NEW YORK, 5 oct. 1992 : *Intimité ou Narcissisme*, bronze à patine brune (H. 76,8) : **USD 37 400** – TEL-AVIV, 20 oct. 1992 : *Hermaphrodite*, bronze (H. 137,9) : **USD 71 500** – NEW YORK, 11 nov. 1992 : *L'accordéoniste*, bronze (H. 50,2) : **USD 41 250** – LOKEREN, 5 déc. 1992 : *Les buveurs* 1962, gche (60x43) : **BEF 550 000** – LOKEREN, 20 mars 1993 : *Quatre personnages* 1962, gche (59x42,5) : **BEF 600 000** – PARIS, 6 avr. 1993 : *Paysage* 1944, gche (53x74) : **FRF 16 000** ; *Têtes*, gche (62x40,5) : **FRF 60 000** – NEW YORK, 12 mai 1993 : *Tête d'homme anxieux* 1942, bronze (38,1) : **USD 18 400** – PARIS, 3 juin 1993 : *Ominium*, bronze (H. 69) : **FRF 160 000** – LONDRES, 23 juin 1993 : *Figure drapée*, bronze (H. 63,5) : **GBP 25 300** – PARIS, 6 oct. 1993 : *Jeune femme endormie* 1920, aquar. gchée (39x45) : **FRF 56 000** – LOKEREN, 9 oct. 1993 : *Petit personnage mythologique – le sculpteur* 1941, bronze (H. 46) : **BEF 950 000** – PARIS, 22 nov. 1993 : *Couple*, pierre brute (H. 68,5) : **FRF 450 000** – AMSTERDAM, 8 déc. 1993 : *Mère et enfant*, gche/pap. (67x43,5) : **NLG 29 900** – PARIS, 20 mai 1994 : *Tête d'homme*, bronze (H. 34) : **FRF 110 000** – NEW YORK, 28 sep. 1994 : *Deux femmes avec un enfant* 1928, gche et encre de Chine/pap. (76,8x56,5) : **USD 9 200** – LONDRES, 29 nov. 1994 : *Torse*, pierre (H. 76) : **GBP 47 700** – AMSTERDAM, 7 déc. 1994 : *Le Coq*, bronze (H. 66) : **NLG 51 750** – PARIS, 19 déc. 1994 : *L'Oiseau d'or* 1924, bronze doré (86x21x26) : **FRF 260 000** – NEW YORK, 10 mai 1995 : *Orphée* 1956, bronze (H. 292,7) : **USD 211 500** ; *Femme debout*, bois (H. 118,1) : **USD 60 250** – LOKEREN, 20 mai 1995 : *Femme drapée*, bronze (H. 59, l. 15) : **BEF 600 000** – PARIS, 22 juin 1995 : *Sans titre*, bois laqué noir taille directe (H. 58, base : 10,3x15,8) : **FRF 275 000** – TEL-AVIV, 11 oct. 1995 : *Femme debout*, cèdre (H. 79) : **USD 56 350** – LONDRES, 25 oct. 1995 : *Laocoon*, tapisserie (198x140) : **GBP 9 200** – NEW YORK, 8 nov. 1995 : *Adolescente*, bronze poli (H. 128,5) : **USD 36 800** – PARIS, 13 mai 1996 : *Homme à la guitare*, plâtre (47x17x9) : **FRF 60 000** – AMSTERDAM, 4 juin 1996 : *Figure drapée* vers 1927-1930, bronze (H. 63.5) : **NLG 64 900** – PARIS, 20 juin 1996 : *Le Couple* 1921, aquar. gchée/pap. (52x39) : **FRF 55 000** – LONDRES, 25 juin 1996 : *Violoncelliste* 1943, bronze (H.45) : **GBP 12 650** – LE TOUQUET, 10 nov. 1996 : *La Chute*, past. et fus. : **FRF 15 000** – LONDRES, 4 déc. 1996 : *Torse*, cèdre (H. 66) : **GBP 32 200** – AMSTERDAM, 10 déc. 1996 : *Portrait de Ruth Stephan* 1944, pl. et encre noire/pap./cart. (61x46) : **NLG 6 919** – NEW YORK, 10 oct. 1996 : *Portrait de femme assise* 1933, gche et h/pap./pan. (70,8x51,4) : **USD 14 950** – NEW YORK, 14 nov. 1996 : *Les Musiciennes* 1930, bronze patine or (H. 67,6 et L. 54) : **USD 85 000** – LOKEREN, 8 mars 1997 : *Acrobates* 1957, gche (57x41) : **BEF 400 000** – NEW YORK, 13 mai 1997 : *Chandelier à sept branches*, bronze (H. 74,7) : **USD 17 250** – AMSTERDAM, 2-3 juin 1997 : *La Naissance de Jésus* 1952, gche/pap. (59x41,5) : **NLG 40 120** – LONDRES, 25 juin 1997 : *Intimité* 1928, bronze (H. 93) : **GBP 102 700** – LOKEREN, 6 déc. 1997 : *Les Mains végétales* 1957-1958, bronze patine noire (77x63) : **BEF 300 000**.

ZADNIK Karl

Né le 18 juillet 1847 à Gross-Bystritz. Mort le 26 décembre 1923 à Buchlowitz (Moravie). XIXe-XXe siècles. Tchécoslovaque.

Peintre, illustrateur.

Il étudia à l'Académie de Vienne. Il travailla surtout pour des journaux et des revues tchèques.

ZADOR Istvan ou **Stefan**

Né le 15 janvier 1882 à Nagykikinda. XXe siècle. Hongrois.

Peintre de portraits, intérieurs, graveur.

Il étudia à Budapest, à l'École des Beaux-Arts de Paris et à Florence. Il vécut et travailla à Budapest. Il est surtout connu comme graveur.

ZADOR Jadam von. Voir **GORCZYNSKI Adam**

ZADORY Oszkar, pseudonyme de **Gregor Finta**

Né en 1883 à Turkeve (Hongrie). XXe siècle. Hongrois.

Sculpteur, céramiste.

Il a été élève de Rodin à Paris. Il travailla à Budapest.

MUSÉES : BUDAPEST (Gal. mun.).

ZADOW Fritz

Né le 14 mai 1862 à Nuremberg (Bavière). Mort le 30 novembre 1926 à Nuremberg. XIXe-XXe siècles. Allemand.

Sculpteur.

Il a été élève de l'École des Arts et Métiers de Nuremberg et de l'Académie de Berlin. Il travailla à Nuremberg. On voit la plupart de ses œuvres dans cette ville.

ZAECH Bernard ou **Zech**

XVIIe siècle. Actif à Augsbourg. Allemand.

Peintre et graveur à l'eau-forte et au burin.

Brulliot lui attribue douze pièces d'ornements pour les orfèvres signés *B. Z. 1581*. On cite aussi de lui un petit paysage avec ruines et une suite de ruines d'après Jonas Umbach. Un Daniel Zaech, peintre graveur et orfèvre, travaillait en 1613.

ZAECH Christian. Voir **ZACH**

ZAEGMOLEN Martinus. Voir **SAAGMOLEN**

ZAEL Bernhard

Mort le 10 juillet 1620 à Rome. XVIIe siècle. Actif à Utrecht. Hollandais.

Peintre.

ZAEN Egidius ou **Gillis Van**, ou **de**. Voir **SAEN**

ZAENREDAM. Voir **SAENREDAM**

ZAEPER Max

Né le 1er août 1872 à Fürstenwerder. XXe siècle. Allemand.

Peintre de paysages.

Il a exposé à Berlin et Munich. Il fut sélectionné pour l'exposition d'art typiquement germanique (ou aryen) qui fut montrée, à Munich, en 1937, en opposition aux avant-gardes du début du siècle qui, elles, étaient montrées et regroupées sous l'appellation d'*art dégénéré*.

Il peignait les paysages des provinces allemandes.

ZAFAUREK Gustav

Né le 20 octobre 1841 à Vienne. Mort en 1908. XIXe-XXe siècles. Autrichien.

Peintre de genre et illustrateur.

Élève de l'Académie de Vienne. Le Musée Schubert de cette ville conserve de ses œuvres.

VENTES PUBLIQUES : VIENNE, 14 mars 1978 : *Le départ*, h/t (54x103) : **ATS 50 000** – LONDRES, 30 mai 1984 : *Le nouveau manteau*, h/t (61x72) : **GBP 3 000**.

ZAFFONATO Alexandre

Né vers 1730. XVIIIe siècle. Italien.

Graveur au pointillé.

Il a gravé des sujets d'histoire, notamment le *Jugement de Salomon* d'après Raphaël.

ZAFFONATO Angelo

Né à Schio. Mort en 1835 à Bassano. XIXe siècle. Italien.

Graveur de reproductions.

Exécuta des gravures d'après différents peintres. Sans doute identique à Alexandre.

ZAFFONI Giovanni Maria. Voir **CALDERARI**

ZAFOUK Dominik ou **Zafauk**
Né en 1796 à Komorov. XIXe siècle. Tchécoslovaque.
Sculpteur et médailleur.
Exécuta à Prague et en Bohême des monuments funéraires.

ZAFOUK Rudolf Dominik ou **Zafauk**
Né en 1830 à Komorov (Bohême). XIXe siècle. Tchécoslovaque.
Sculpteur et fondeur.
Élève de Joseph Max à Prague. Il travailla surtout à Vienne. Il exécuta des autels, des statues de saints et des monuments funéraires. On voit la plupart de ses œuvres à Vienne.

ZAFTLEVEN. Voir **SAFTLEVEN**

ZAGA, il. Voir **RIETTI Domenico**

ZAGANELLI Bernardino, dit **Bernardino da Cotignola**
Né entre 1460 et 1470 à Cotignola. Mort vers 1510 à Cotignola. XVe-XVIe siècles. Italien.
Peintre.
Frère de Francesco Zaganelli. Il l'aida dans divers travaux. La National Gallery de Londres conserve de lui un *Saint Sébastien*.
Ventes Publiques : New York, 14-15 jan. 1943 : *La Vierge* : **GBP 1 800** – Londres, 26 juil. 1968 : *Vierge à l'Enfant* : **GNS 5 500** – Londres, 6 avr. 1977 : *La Vierge et l'Enfant entourés de saints personnages*, h/pan. (25x20) : **GBP 23 000** – Londres, 21 avr. 1982 : *La Vierge et l'Enfant avec saint Jérôme et saint Jean l'Évangéliste*, h/pan., de forme ronde (diam. 78) : **GBP 4 000** – Londres, 5 juil. 1984 : *La Vierge et l'Enfant avec saint Jérôme et saint Jean l'Evangéliste*, h/pan., forme ronde (diam. 78) : **GBP 4 000**.

ZAGANELLI di Bosio Francesco, dit **Francesco da Cotignola**
Né vers 1460 ou 1470 à Cotignola. Mort en 1531 ou 1532 à Ravenne. XVe-XVIe siècles. Italien.
Peintre de compositions mythologiques, sujets religieux, portraits.
Il vécut surtout à Ravenne et fut élève de Rondinello. Ses œuvres principales se trouvent dans les galeries et les musées.
En 1518, il peignit un tableau remarquable, une *Madone entourée de saints*, qui se trouve à l'Osservanti de Parme, et dans lequel il fut aidé par son frère Bernardino. Après 1518, on n'a plus de traces de lui. On cite encore parmi ses meilleurs ouvrages une *Résurrection* et un *Baptême du Christ*, à Faenza et encore les deux portraits de la famille Pallarini à l'église de la Nunciata, à Parme.
Musées : Amsterdam : *Christ pleuré par les saintes femmes* – Bergame (Acad. Carrara) : *Saint Antoine prêchant aux poissons* – *Sainte famille* – Berlin : *Annonciation et deux saints* – *Un miracle de la légende de saint Antoine de Padoue*, deux fois – Chambéry : *Sainte Marie-Madeleine dans le désert* – Chantilly : *Vierge glorieuse* – Dublin : *L'Enfant Jésus adoré par la Vierge et des saints* – Milan (Brera) : *Vierge, Enfant Jésus et saints* – *Christ mort et deux anges* – *Tête de saint Jean-Baptiste* – *Vierge, enfant Jésus et saints*, avec Bernardo Zaganelli – Même sujet – *Descente de la croix* – Naples : *Fiançailles de la Vierge*.
Ventes Publiques : Londres, 1er déc. 1978 : *La Vierge et l'Enfant avec saint Pierre et saint Paul*, h/pan. (146,1x146,1) : **GBP 17 000** – Milan, 25 oct. 1988 : *L'arrivée d'Ulysse accompagné de Télémaque*, h/pan. (58x53) : **ITL 50 000 000** – Londres, 14 déc. 1990 : *Sainte Catherine d'Alexandrie et un saint franciscain lisant un livre*, h/pan. (55,3x66,7) : **GBP 48 400** – Londres, 24 mai 1991 : *Vierge à l'Enfant sur un trône avec saint Pierre et saint Paul de part et d'autre*, h/pan. (147,5x146,8) : **GBP 82 500** – New York, 17 jan. 1992 : *Vierge adorant l'Enfant assis sur un parapet devant un rideau drapé et un paysage*, temp. et h/pan. (50,8x40,6) : **USD 39 600** – New York, 21 mai 1992 : *Vierge à l'Enfant devant un parapet et un dais avec un paysage au fond*, h/t/pan. (63,5x54,3) : **USD 55 000** – New York, 14 jan. 1994 : *Vierge à l'Enfant avec un paysage au fond*, temp./pan. (70,5x53,3) : **USD 57 500** – Milan, 31 mai 1994 : *Vierge à l'Enfant avec des saints*, h/pan. (71x53,8) : **ITL 86 250 000**.

ZAGARI Carmelo
Né en 1957 à Firminy (Loire). XXe siècle. Français.
Peintre de figures, natures mortes, animaux. Nouvelles figurations.
Il vit et travaille à Saint-Étienne. Il participe à de nombreuses expositions collectives : 1983, 1985, Maison des expositions, Genas ; 1985, Musée Saint Pierre à Lyon et à l'ELAC (Espace lyonnais d'Art Contemporain) à Lyon ; 1989, Lawndale Art and Performance Center, Houston ; 1990, Musée de Valence et centre régional d'Art Contemporain Midi Pyrénées, Toulouse ; 1991, Maison des Expositions, Municipalité de Genas ; 1991, *Portraiture*, Fonds régional d'art contemporain Midi-Pyrénées, Centre d'art l'Albigeois, Albi.
Il montre ses œuvres dans des expositions personnelles : 1986, Musée d'Art et d'Industrie, Saint-Étienne ; 1986, 1989, Musée Saint-Pierre, Lyon ; 1991, Maison des Expositions à Genas et Institut français d'Écosse à Édimbourg ; 1992, Halle d'art contemporain, La Criée, Rennes ; 1995-1996, Espace Le Corbusier, Firminy.
Carmelo Zagari peint avec élan, dans une manière fluide, tout en grisaille, des femmes, des enfants, des têtes d'animaux, des scènes mythologiques. Sa peinture, qui se veut « totale », puise ses sources dans une figuration imaginaire aux accents parfois symbolistes, principalement liée à l'autobiographie du peintre.
Bibliogr. : Didier Arnaudet : *Carmelo Zagari*, in : *Art Press* n° 203, Paris, juin 1995.

ZAGARI Saro
Né en 1821. Mort en 1897. XIXe siècle. Actif à Messine. Italien.
Sculpteur.
Élève de P. Tenerani. Il fut membre de l'Académie Saint-Luc à Rome. Ses principales œuvres furent détruites lors du tremblement de terre de 1908.

ZAGELMANN Johann
Né en 1720 à Tescheu. Mort en 1758 à Vienne. XVIIIe siècle. Autrichien.
Peintre de paysages et de natures mortes.
Élève de l'Académie de Vienne. Il travailla dans cette ville.

ZAGIO Lucano. Voir **SAGIO**

ZAGLOBA V. Voir **ERF Nelly Van der**

ZAGNONI Paolo ou **Ciagnone** ou **Giagnani**
XVIIe siècle. Actif à Bologne au début du XVIIe siècle. Italien.
Peintre décorateur.
Collaborateur de G.-B. Cremonini.

ZAGO Antonio
Né en 1944 à Boloventa (Padoue). XXe siècle. Italien.
Peintre de fleurs.
Il vit et travaille à Padoue. Il participe à des expositions collectives, notamment en 1982 avec le groupe *La Matita* à Torreglia, et montre ses œuvres dans des expositions personnelles, dont, en 1977, galerie Vittoria di Dolo, à Venise.

ZAGO Erma
Née en 1880 ou 1888 à Bovolone. Morte en 1942 à Milan. XXe siècle. Italienne.
Peintre de scènes animées et vues typiques, architectures.
Elle s'est consacrée au folklore vénitien, aux vues typiques de Venise et de Rome.
Ventes Publiques : Milan, 14 mars 1978 : *San Giorgio degli Schiavoni*, h/pan. (43,5x58,5) : **ITL 1 400 000** – Milan, 6 nov. 1980 : *Mandello, lago di Lecco*, h/pan. (27x37) : **ITL 800 000** – Milan, 6 déc. 1989 : *Campiello avec des canaux de Venise*, h/pan. (18x26,5) : **ITL 3 000 000** – Berne, 12 mai 1990 : *Venise*, h/cart. (22x28,5) : **CHF 1 600** – Milan, 21 nov. 1990 : *Eglise Santa Maria del Popolo à Rome*, h/pan. (24,5x20) : **ITL 1 700 000** ; *Place Saint-Marc à Venise*, h/pan. (20x27) : **ITL 3 000 000** – Rome, 4 déc. 1990 : *Gondoles sur la lagune* ; *Masques à Venise*, h/pan., une paire (18,5x25) : **ITL 4 500 000** – Rome, 16 avr. 1991 : *Les brodeuses*, h/pan. (18x26) : **ITL 1 610 000** – Milan, 6 juin 1991 : *Scène vénitienne*, h/pan. (19x26,5) : **ITL 3 800 000** – Rome, 14 nov. 1991 : *Gondoles à Venise* ; *Scène de la vie vénitienne*, h/pan. (19x27) : **ITL 5 750 000** – Milan, 16 juin 1992 : *Un canal à Venise*, aquar./pap. (36x30) : **ITL 1 600 000** – Milan, 29 oct. 1992 : *Venise*, h/pan. (19x26,5) : **ITL 3 000 000** – Rome, 6 déc. 1994 : *L'église de Carmine Venezia*, h/pan. (19x26) : **ITL 3 536 000** – Rome, 28 nov. 1996 : *Personnage et gondole à Venise* ; *Gondole et barque près de la Salute*, h/bois, une paire (chaque 19x27) : **ITL 4 500 000** – Milan, 18 déc. 1996 : *Église de San Giovanni et San Paolo à Venise*, h/pan. (19x26,5) : **ITL 2 563 000**.

ZAGO Luigi
Né le 14 février 1894 à Villafranca, près de Vérone (Vénétie). Mort en 1952 à Buenos Aires. XXe siècle. Italien.
Peintre de paysages, paysages animés.
Il a été élève de Zanetti-Zilla.
Musées : Bologne – Milan.
Ventes Publiques : Milan, 6 déc. 1989 : *Chalets en montagne*,

h/pan. (73,5x58,5) : **ITL 2 200 000** – MILAN, 12 juin 1996 : *Plaine lombarde*, h/t/cart. (61x77,5) : **ITL 1 092 000**.

ZAGO Santo

XVIe siècle. Italien.

Peintre d'histoire et peintre de fresques.

Il étudia à Rome. Il était actif à Venise, vers 1550. Élève du Titien, il exécuta des fresques et des tableaux d'autel dans les églises de Venise, notamment à Santa Caterina, ou à la chapelle du lycée Mareo Foscarini, où il peignit *Tobie et l'Ange*.

ZAGONEK Vladimir

Né en 1946 à Saint-Pétersbourg. XXe siècle. Russe.

Peintre de natures mortes, fleurs.

Il a été élève de E. Moissenko à l'Institut Répine de Saint-Pétersbourg, où il est devenu professeur. Membre de l'Union des Peintres de l'ancienne URSS. Il montre régulièrement ses œuvres en Russie et dans les autres pays européens.

MUSÉES : SAINT-PÉTERSBOURG (Mus. des Beaux-Arts) – SAINT-PÉTERSBOURG (Mus. du Théâtre).

VENTES PUBLIQUES : PARIS, 13 mars 1992 : *Nature morte aux fruits*, h/t (62x68,5) : **FRF 4 000**.

ZAGOROLI Alexis Joseph

Né à Turin. XVIIIe siècle. Italien.

Sculpteur.

Résidait à Angers vers 1774.

ZAGORSKA Wanda

Née en 1855. XIXe siècle. Polonaise.

Sculpteur.

Travailla à Lwow. Le musée de cette ville conserve d'elle une statue de Kosciuszko.

ZAGORSKII. Voir **SAGORSKY**

ZAHAROV Alexei

XXe siècle. Russe.

Peintre. Abstrait.

Petit-fils de Lev Lapin, élève de Malevitch. Il vit et travaille à Saint-Pétersbourg. Il a interprété le suprématisme de Malevitch selon une acception plus sensible.

VENTES PUBLIQUES : LONDRES, 6 avr. 1989 : *Désastre de la nature* 1974, h/t (81x60) : **GBP 2 420**.

ZAHAVIT J.

Née en 1900 à Lodz. XXe siècle. Active en France. Polonaise.

Peintre de scènes animées.

Après une enfance polonaise, Zahavit s'installe en Israël, y vit de nombreuses années. Elle apprend le dessin à Berlin, puis retourne en Israël où elle enseigne. En 1954 elle part en Amérique du Sud et se fixe trois ans à Montevideo, puis vient à Paris où elle commence à peindre.

Waldemar-George parlant de sa peinture évoque les « flamboyants jardins de paradis des miniatures persanes et les fonds parsemés de mille fleurs des tapisseries gothiques ». Son imagerie est d'inspiration biblique, voire évangélique, parfois même simplement légendaire.

ZAHECHE Leila

Née en 1936. XXe siècle. Libanaise.

Peintre, aquarelliste.

ZAHN Johann Karl Wilhelm

Né le 21 août 1800 à Rodenberg. Mort le 22 août 1871 à Berlin. XIXe siècle. Allemand.

Peintre de paysages, architectures, dessinateur, lithographe.

D'abord élève de l'Académie des Beaux-Arts de Kassel, il vint à Paris et de 1822 à 1824, travailla avec Gros. Bertin et Chatillon, puis alla compléter ses études à Rome, à Naples et à Pompéi.

Archéologue et architecte, il publia aussi un livre sur les peintures de Pompéi, d'Herculanum et de Stabie. À son retour en Allemagne, il décora le nouveau palais de Kassel. Il fit en 1830, un second voyage en Italie, où jusqu'en 1839, il dessina un nombre considérable d'antiquités. Cette année-là il visita la Grèce. En 1850, il parcourut la France, l'Angleterre, la Hollande, étudiant les antiquités et les miniatures. Ses ouvrages ont eu une grande influence sur l'art allemand moderne.

ZAHN Johann Philipp

Né en 1756 à Eisenach. Mort en 1838 à Brunswick. XVIIIe-XIXe siècles. Allemand.

Peintre d'histoire, portraits, miniatures.

MUSÉES : BRUNSWICK.

ZAHN Ludwig

Né en 1830 à Munich. Mort en 1855. XIXe siècle. Allemand.

Peintre de genre.

ZAHND Johann ou **Zann**

Né le 14 avril 1854 à Schwarzenbourg. Mort en 1934 à Schwarzenbourg. XIXe-XXe siècles. Suisse.

Peintre de sujets de genre, paysages.

Il travailla à Berne.

MUSÉES : BERNE : *À la source – La treille – L'ermite et le serpent*.

VENTES PUBLIQUES : PARIS, 10 déc. 1944 : *Le tombeau de Cœcilia Metella et la via Appia à Rome* : **FRF 29 000** – LUCERNE, 24 nov. 1972 : *Vue de la campagne romaine* 1897 : **CHF 8 200** – COLOGNE, 18 mars 1977 : *Vue de la campagne romaine*, h/t (63x113) : **DEM 7 000** – LONDRES, 28 nov 1979 : *Chevaux à l'abreuvoir*, h/t (60x110) : **GBP 1 800** – LONDRES, 14 jan. 1981 : *Paysage d'Italie animé de personnages* vers 1879, h/t (84,5x139) : **GBP 1 600** – BERNE, 4 mai 1985 : *Femme et enfant au bord d'un ruisseau* 1909, h/t (43x66) : **CHF 5 900** – NEW YORK, 26 mai 1993 : *Paysans revenant des champs*, h/t (63,5x113) : **USD 9 200** – LONDRES, 16 mars 1994 : *Paysans sur la Via Appia* 1880, h/t (62x110) : **GBP 9 200**.

ZAHNER Andreas ou **Zanner, Zener, Zohner, Zonner**

Né en 1709 à Ettershausen. Mort en 1752 à Olmütz. XVIIIe siècle. Actif à Olmütz. Autrichien.

Sculpteur.

Étudia à Venise. A exécuté de nombreux sujets religieux. Son chef-d'œuvre est *La colonne de la Trinité* sur la place d'Olmütz.

ZAHONYI Geza

Né le 6 janvier 1889 à Budapest. XXe siècle. Hongrois.

Peintre de paysages.

Il vécut et travailla à Budapest.

MUSÉES : BUDAPEST.

ZAHORAY Janos

Né le 17 juin 1835. Mort le 23 mars 1909. XIXe-XXe siècles. Hongrois.

Peintre de genre et de portraits.

ZAHORSKY Karl

Né en 1870 à Prague. Mort le 16 avril 1902 à Straschitz. XIXe siècle. Tchécoslovaque.

Peintre de genre et de portraits.

ZAHR Johann Peter. Voir **ZAAR**

ZAHRTMANN P. H. Kristian

Né le 31 mars 1843 à Ronne. Mort le 22 juin 1917 à Copenhague. XIXe-XXe siècles. Actif aussi en Italie. Danois.

Peintre d'histoire, scènes de genre, paysages.

Il fut élève de l'Académie d'Art de Copenhague. Il fonda sa propre école et exerça une certaine influence sur toute une génération de peintres nordiques. Une grande partie de son œuvre a été réalisée en Italie à Civita d'Antino où le rejoignit de jeunes peintres. Il exposa à Charlottenborg, Paris, Rome, Londres et Stockholm.

MUSÉES : COPENHAGUE : *Mort de la reine Sophie-Amélie – Léonore-Christine au couvent de Maribo – Léonore-Christine dans la tour bleue – Léonore-Christine en prison – La grand-mère et son petit enfant* – STOCKHOLM : *Paysage d'été italien*.

VENTES PUBLIQUES : COPENHAGUE, 7 déc. 1950 : *Portrait de la comtesse Elisabeth Danneskiold-Samsoe* 1885 : **DKK 2 450** – COPENHAGUE, 25 avr. 1951 : *Enfants sur la plage de Banyuls* 1908 : **DKK 3 800** ; *Intérieur d'un restaurant vénitien* 1906 : **DKK 3 700** – COPENHAGUE, 9 mai 1951 : *L'église Sainte-Catherine de Sienne* 1914 : **DKK 1 400** – COPENHAGUE, 20-21 nov. 1952 : *Le rivage réservé aux baigneurs* 1908 : **DKK 2 800** ; *Intérieur* 1868 : **DKK 1 375** – COPENHAGUE, 9-10 déc. 1952 : *Femme aux fleurs à Florence* 1881 : **DKK 5 300** – COPENHAGUE, 5-6 mars 1953 : *Intérieur avec de vieilles gens* 1899 : **DKK 2 210** – COPENHAGUE, 23 avr. 1953 : *Marchande de fleurs italienne* 1887 : **DKK 7 800** – COPENHAGUE, 3 juin 1953 : *Fleurs* 1915 : **DKK 550** – COPENHAGUE, 3 oct. 1956 : *Intérieur d'un palais* : **DKK 30 500** – COPENHAGUE, 10 fév. 1959 : *Vue du jardin d'un cloître à Venise* : **DKK 10 200** – COPENHAGUE, 28-29 mai 1963 : *Le mariage du pasteur* : **DKK 44 000** – COPENHAGUE, 24 mars 1966 : *Jeune femme entourée de quatre gentilshommes essayant de fumer la pipe* : **DKK 9 800** – COPENHAGUE, 11 avr. 1967 : *Jeune fille à la fenêtre* : **DKK 9 500** – COPENHAGUE, 19 mars 1969 : *A la fenêtre* : **DKK 14 000** – COPENHAGUE, 24 mars 1971 : *Trois jeunes paysannes italiennes* : **DKK 11 800** – COPENHAGUE, 7 déc. 1972 : *Leonora Christina* 1871 : **DKK 30 000** – NEW YORK, 5 avr. 1973 : *Paysage alpestre animé de personnages* 1889 : **USD 1 150** – COPENHAGUE, 26 mars 1974 : *Scène de marché* 1893 : **DKK 14 000** – COPENHAGUE, 6 mai 1976 : *La partie d'échecs* 1912, h/t (54x66) :

DKK 15 000 – Copenhague, 24 nov. 1977 : *Grethe Poul Hans à son rouet* 1867, h/t (40x45) : **DKK 8 000** – Copenhague, 12 juin 1979 : *Les marchandes de fruits, Amalfi* 1879, h/t (64x53) : **DKK 14 000** – Copenhague, 2 oct. 1984 : *Un artiste romain* 1886, h/t (76x57) : **DKK 50 000** – Copenhague, 14 juin 1985 : *Femme endormie parmi des fleurs* 1916, h/t (100x90) : **DKK 65 000** – Copenhague, 25 oct. 1989 : *Panorama pyrénéen* 1908, h/t (49x68) : **DKK 30 000** – Copenhague, 21 fév. 1990 : *Vue d'une maison des Alpes italiennes*, peint./pan. (33x23) : **DKK 10 500** – Londres, 29 mars 1990 : *L'Empereur Friedrich III et l'Impératrice à Villa Carnavon* 1900, h/t (81x94) : **GBP 22 000** – Copenhague, 25-26 avr. 1990 : *Adam au paradis* 1914, h/t (125x106) : **DKK 90 000** – Stockholm, 14 nov. 1990 : *Pinède au soleil* 1911, h/t (67x64) : **SEK 51 000** – Copenhague, 6 mars 1991 : *Richetta* 1897, h/t (31x27) : **DKK 12 000** – Copenhague, 29 août 1991 : *Bonheur familial à Civita d'Antino* 1889, h/t (110x103) : **DKK 35 000** – Londres, 28 oct. 1992 : *Jeune fille cousant dans un jardin* 1916, h/t (53,5x67) : **GBP 3 300** – Copenhague, 18 nov. 1992 : *Scène de la cour de Christian VII* 1873, h/t (87x82) : **DKK 120 000** – Copenhague, 6 sep. 1993 : *Couple se promenant dans le village de Civita d'Antino un après-midi ensoleillé* 1905, h/t (70x85) : **DKK 17 000** – New York, 16 fév. 1995 : *Prométhée enchaîné au rocher* 1904, h/t (106x156,2) : **USD 7 475** – Copenhague, 17 mai 1995 : *Vieille paysanne pelotonnant du fil* 1875, h/t (38x37) : **DKK 17 000** – Londres, 31 oct. 1996 : *Absinthe* 1908, h/t (60x69) : **GBP 1 150** – Copenhague, 21 mai 1997 : *Pinjeskov* 1911 (67x64) : **DKK 15 000**.

ZAICHÛ, de son vrai nom : **Hara Chien,** surnom : **Shichô,** noms de pinceau : **Zaichû** et **Gayû**

Né en 1750. Mort en 1837. XVIIIe-XIXe siècles. Actif à Kyoto. Japonais.

Peintre.

Peintre de paysages, de fleurs et d'oiseaux et de sujets historiques, il travaille dans le style de la peinture Ming.

ZAIDLITZ Jozef Narcyz Kajetan. Voir **SEYDLITZ**

ZAÏM Turgut

Né en 1906. XXe siècle. Turc.

Peintre.

Loin de toute influence européenne, il s'est inspiré des miniatures turques, de l'art populaire et des motifs décoratifs des civilisations anatoliennes. *Voir aussi TURGUT ZAIM.*

ZAIMEI, de son vrai nom : **Hara Chikayoshi,** surnom : **Shitoku,** noms de pinceau : **Zaimei** et **Shashô**

Né en 1778. Mort en 1844. XIXe siècle. Actif à Kyoto. Japonais.

Peintre.

Élève de son père Zaichû (1750-1837), il est peintre de l'École Nanga (peinture de lettré).

ZAINUL ABEDIN

Né aux Indes. XXe siècle. Indien.

Dessinateur, graveur.

ZAIRIS Emmanuel

Né en 1871 à Alicannassos. Mort en 1948 à Mikonos. XXe siècle. Grec.

Peintre de scènes animées, natures mortes.

Il a élève de N. Gysis. Il a étudié à l'Académie des Beaux-Arts de Munich. Il a surtout peint d'une manière expressionniste des scènes de la vie des pêcheurs et des paysans.

Musées : Athènes (Pina. Nat.) – Athènes (Pina. mun.) – Rhodes (Gal. d'Art).

Ventes Publiques : Londres, 11 mai 1990 : *Nature morte de fleurs dans un vase*, h/t (55x46,4) : **GBP 1 650**.

ZAIS Giuseppe

Né le 22 mars 1709 à Forno di Canale. Mort en 1784 à Trévise. XVIIIe siècle. Italien.

Peintre d'histoire, paysages animés, paysages, paysages d'eau, peintre à la gouache.

Élève de Marco Ricci et Zuccarelli, il travailla à Venise où il est inscrit à la « Fraglia » de 1749 à 1759 et entre à l'Académie des Beaux-Arts en 1774.

Bien que sa peinture soit marquée par ses maîtres, elle montre une fraîcheur et une liberté qui la rendent originale.

IZ

Musées : Aix-la-Chapelle : *Paysage*, deux œuvres – Bassano – Bergame : *Paysage* – Berlin – Chambéry (Mus. des Beaux-Arts) : *Moïse sauvé des eaux* – Kassel – Londres (Nat. Gal.) – Madrid – Venise : *Paysage avec fontaine*.

Ventes Publiques : Paris, 1858 : *Paysage avec figures et animaux*, pl. et encre de Chine : **FRF 25** – Paris, 1899 : *Paysage* : **FRF 400** – Paris, 5 déc. 1938 : *Paysans à la fontaine*, sanguine : **FRF 90** – Paris, 16 juin 1950 : *Vue de Rome* : **FRF 49 000** – Milan, 16 mai 1962 : *Deux paysages*, temp. : **ITL 3 800 000** – Milan, 12-13 mars 1963 : *Paysages*, deux œuvres faisant pendants : **ITL 7 250 000** – New York, 23 nov. 1966 : *Scène de port* : **USD 2 750** – Milan, 29 mai 1968 : *Bergers dans un paysage* : **ITL 1 500 000** – Londres, 15 juil. 1970 : *Pastorales*, deux pendants : **GBP 4 600** – Vienne, 21 sep. 1971 : *Le repos près de la fontaine* : **ATS 225 000** – Londres, 23 mars 1973 : *Paysage fluvial* : **GNS 7 500** – Londres, 11 déc. 1974 : *Paysage au pont*, gche : **GBP 1 300** – New York, 22 jan. 1976 : *Paysages d'italie*, deux h/t (40,5x57) : **USD 37 000** – Londres, 6 juil. 1977 : *Brigands attaquant des voyageurs*, pl. et lav. (28,8x43,9) : **GBP 1 000** – Londres, 6 avr. 1977 : *Paysans dans un paysage*, h/t (53,5x71) : **GBP 4 000** – Paris, 8 déc. 1978 : *Environs de Venise*, pl. et lav., deux pendants (31x41,5) : **FRF 42 000** – Milan, 21 mai 1981 : *Paysage boisé animé de personnages*, h/t (108x139) : **ITL 40 000 000** – New York, 12 juin 1982 : *Pastorale*, pl. et lav. reh. de blanc (22,5x33,6) : **USD 2 500** – Milan, 29 mars 1983 : *Paysage au torrent animé de personnages*, h/t (108x137) : **ITL 49 000 000** – Londres, 12 déc. 1985 : *Pêcheur à la ligne avec femme et enfant au bord d'une rivière*, craie noire, pl. et lav. (44,3x32,9) : **GBP 5 500** – Milan, 4 déc. 1986 : *Paysage fluvial animé de personnages*, pl. et lav. (27,2x38,3) : **ITL 4 500 000** – New York, 21 oct. 1988 : *Pastorale dans un paysage italien*, h/t, une paire (chaque 57,8x72,4) : **USD 46 750** – Milan, 12 déc. 1988 : *Paysage animé*, h/t (55x79) : **ITL 19 000 000** – Milan, 4 avr. 1989 : *Paysages animés avec cours d'eau*, h/t, deux pendants (chaque 58x73) : **ITL 72 000 000** – Londres, 21 juil. 1989 : *Paysage fluvial italien avec des lavandières et un paysan faisant une pause, le village à l'arrière-plan*, h/t (51,5x74,3) : **GBP 16 500** – Monaco, 2 déc. 1989 : *Paysage de rivière avec paysans, pêcheurs et bergères*, h/t, une paire (69,2x98,4) : **FRF 666 000** – Londres, 2 juil. 1990 : *Paysage animé de figures et d'animaux*, encre et lav. (31,9x46,7) : **GBP 9 020** – New York, 11 jan. 1991 : *Élégante société dansant et jouant de la musique autour d'une fontaine dans un jardin*, h/t (113,4x147,7) : **USD 181 500** – Londres, 3 juil. 1991 : *Pastorales*, h/t, ensemble de quatre œuvres (chaque 59,5x60,5) : **GBP 159 500** – New York, 13 jan. 1993 : *Paysage fluvial avec des personnages près d'une petite cascade*, craie noire, encre et lav. (22,4x33,4) : **USD 6 050** – Milan, 13 mai 1993 : *Paysage d'Arcadie avec des bergers et du bétail*, h/t, une paire (36,5x45) : **ITL 85 000 000** – Paris, 18 juin 1993 : *Paysage avec chaumière*, pl. et lav. brun (20x31,5) : **FRF 9 000** – Monaco, 2 juil. 1993 : *Paysages vénitiens avec personnages*, h/t, une paire (71x97) : **FRF 388 500** – Stockholm, 10-12 mai 1993 : *Scène de combat avec des cavaliers*, h/t (68x102) : **SEK 250 000** – Milan, 16 mars 1994 : *Paysage animé*, h/t (98x132) : **ITL 26 450 000** – Londres, 6 juil. 1994 : *Paysans près d'un arc de triomphe en ruines dans un paysage fluvial*, h/t (78,2x130,5) : **GBP 58 700** – New York, 10 jan. 1995 : *Scène pastorale avec des femmes et des enfants se reposant au premier plan et deux cavaliers à gauche*, encre, aquar. et gche (23,9x34,8) : **USD 17 250** – New York, 2 avr. 1996 : *Famille paysanne se reposant au bord d'une rivière*, h/t (47,9x63,5) : **USD 23 000** – Londres, 5 juil. 1996 : *Paysages boisés avec des paysans*, h/t, ensemble de quatre œuvres (chaque 34,5x45,5) : **GBP 42 000** – Londres, 11 déc. 1996 : *Paysage de campagne*, h/t, une paire (37x45,5) : **GBP 29 900** – Londres, 3-4 déc. 1997 : *Paysages ruraux avec une laitière, des lavandières et des pâtres*, h/t, série de quatre (chaque 34,7x45,3) : **GBP 34 500**.

ZAISER Johann

XIXe siècle. Actif à Stuttgart. Allemand.

Sculpteur.

A exécuté principalement des sujets religieux.

ZAIST Giovanni Battista

Né le 14 juin 1700 à Crémone. Mort le 29 septembre 1757 à Crémone. XVIIIe siècle. Italien.

Peintre d'architectures et écrivain d'art.

A exécuté des peintures décoratives et des fresques dans de nombreuses églises de Crémone et de Brescia.

ZAÏTSÈV. Voir **SAJZEFF**

ZAJAC Marcin

XVIIIe siècle. Vivant près de Cracovie. Polonais.

Peintre.

Il peignit pour l'église de Skrzydlno (près Cracovie).

ZAJICEK Carl Wenzel

Né en 1860. Mort en 1923. XIXe-XXe siècles. Autrichien.

Aquarelliste.
Ventes Publiques : Vienne, 14 oct. 1980 : *Marché aux fleurs*, aquar. (24x18,5) : **ATS 20 000** – Vienne, 21 jan. 1987 : *Le Marché de Noël* 1908, aquar. (29x39) : **ATS 40 000** – New York, 15 oct. 1993 : *Marché aux fleurs ; Rue passante à Vienne*, aquar./pap., une paire (chaque 10,8x13,4) : **USD 5 520**.

ZAJICEK Karl Josef Richard
Né le 5 février 1879 à Vienne. xxe siècle. Autrichien.
Peintre de portraits, dessinateur.
Il travaillait à Vienne.
Musées : Vienne : plusieurs œuvres.

ZAJMI Mexhemedin
Né en 1916. xxe siècle. Albanais.
Peintre d'histoire, scènes de guerre.
Il a surtout peint des scènes de guerre et fait le récit de la lutte de la libération de son pays.
Musées : Tirana (Gal.) : *La mère Laberie – La montagnarde*.

ZAK Eugène
Né le 15 décembre 1884 à Molgino (Russie). Mort le 15 janvier 1926 à Paris. xxe siècle. Actif en France. Polonais.
Peintre de compositions animées, portraits, figures, paysages, peintre à la gouache, aquarelliste.
Il arriva en France à l'âge de seize ans. Il fut élève de Gérôme et de l'Académie des Beaux-Arts de Munich. Il parcourut l'Italie et l'Allemagne, puis retourna à Paris suivre des cours dans les ateliers libres. De 1916 à 1922, il séjourna en Pologne et en Allemagne et regagna Paris, qu'il ne devait plus quitter.
Il exposa pour la première fois, en 1904, au Salon d'Automne à Paris. Il figura également au Salon de la Société Nationale des Beaux-Arts et au Salon des Indépendants. Une exposition individuelle, en 1911, à la galerie Druet à Paris, attira sur lui l'attention du public et de la critique. Une rétrospective de son œuvre fut présentée en 1926, au Salon des Indépendants.
Il débuta par des compositions à tendance symboliste. Il fut surtout ensuite à la tête des peintres « rythmistes ». Il peignit des compositions où les masses générales, les plans, les volumes, les contours se répondent les uns aux autres et où la même courbe enlace les figures, les paysages. Les combinaisons, sans fin, des couleurs doivent occasionner des états émotifs de bien-être ou de malaise. Il ordonna ses surfaces avec délicatesse et subtilité afin d'émouvoir de la même manière qu'un musicien ou un poète. Les œuvres de la fin de sa vie se limitent au contraire à un personnage unique, le paysage tendant à disparaître. Inhumé au cimetière Montparnasse, son tombeau fut exécuté par Despiau.

Eug Zak

Bibliogr. : Maximilien Gauthier : *Eugène Zak*, Paris, 1930 – René Huyghe : *Les Contemporains*, Tisné, Paris, 1949 – S. Zahorska : *Eugénivsz Zak*, Varsovie, 1927 – Georges Peillex, in : *Diction. Univers. de l'Art et des Artistes*, Hazan, Paris, 1967 – in : *Les Muses*, Grange Batelière, Paris, 1974.
Musées : Genève (Mod. Art Foundat. O.Gal.) : *Le Joueur de luth* 1920 – Paris (Mus. Nat. d'Art Mod.) : *Mère et Enfant*.
Ventes Publiques : Paris, 20 oct. 1926 : *Femme et enfant* : **FRF 9 000** – Paris, 20-21 déc. 1926 : *Le berger* : **FRF 15 500** – Paris, 26 fév. 1927 : *Heureuse famille* : **FRF 18 000** – Paris, 26 nov. 1927 : *La grande sœur* : **FRF 29 500** – Paris, 17 mars 1928 : *L'accordéoniste* : **FRF 20 000** – Paris, 12 nov. 1928 : *L'arlequin et la danseuse* : **FRF 15 500** – Paris, 28 fév. 1930 : *Tête de jeune fille*, aquar. : **FRF 2 500** – Paris, 14 oct. 1942 : *Jeune pêcheur* : **FRF 10 100** – Paris, 5 juin 1944 : *L'Enlèvement* : **FRF 8 500** ; *Petit paysan* : **FRF 7 800** – Paris, 29 avr. 1949 : *Personnages*, dess. : **FRF 2 800** – Paris, 14 nov. 1949 : *Danseuse* : **FRF 20 000** – Paris, 16 juin 1955 : *Portrait d'homme au chapeau*, past. : **FRF 60 000** – Milan, 29 mai 1969 : *Portrait d'un berger* : **ITL 900 000** – New York, 8 avr. 1970 : *Pêcheurs dans un paysage d'été* : **USD 750** – Zurich, 20 mai 1977 : *Arlequin*, h/t (65,5x46) : **CHF 4 000** – Berne, 1er mai 1980 : *Paysage montagneux* 1916, h/t (47,5x68) : **CHF 1 475** – New York, 26 mai 1982 : *La buveuse*, h/t (114x84) : **USD 3 200** – Tel-Aviv, 26 mai 1988 : *Les amoureux*, h/t (73,5x94) : **USD 9 900** – Paris, 8 juin 1988 : *Femme et enfant*, h/t (130x87) : **FRF 65 000** – Paris, 13 juin 1990 : *Autoportrait*, h/t (41x33) : **FRF 35 000** – New York, 7 mai 1991 : *Femme tenant un pantin*, h/t (93x65) : **USD 12 100** – Tel-Aviv, 26 sep. 1991 : *Portrait de femme de profil*, gche et fus./cart. (72x57) : **USD 8 800** – Tel-Aviv, 4 oct. 1993 : *L'Acteur*, sépia et craie noire (46x27) : **USD 4 600** – New York, 23 fév. 1994 : *Jeune homme sous un arbre*, h/rés. synth. (46x38) : **USD 5 750** – New York, 9 mai 1994 : *Dans le cabaret* 1922, h/t (100,5x80) : **USD 48 300** – Paris, 24 mars 1996 : *Le Jeune Garçon*, h/t (92x65) : **FRF 111 000** – Tel-Aviv, 7 oct. 1996 : *Autoportrait*, h/t (100,3x80) : **USD 31 050** – Paris, 16 mars 1997 : *Paysage à l'Estaque*, h/t (54x65) : **FRF 62 000** – Tel-Aviv, 23 oct. 1997 : *Le Jeune Garçon* vers 1920, h/t (92x65) : **USD 32 000** – Paris, 19 oct. 1997 : *Idylles* vers 1925, h/pap. mar./cart. (37,5x45) : **FRF 60 000**.

ZAKANITCH Robert
Né en 1935 à Elizabeth (New Jersey). xxe siècle. Américain.
Peintre, technique mixte.
Il montre ses œuvres dans des expositions personnelles, dont : 1991, galerie Daniel Templon, Paris.
Il a d'abord peint des tableaux monochromes. Tout en conservant les acquis formels du minimalisme, il a orienté en 1972 sa peinture vers des compositions éclectiques et ironiques, voire kitsch, dans lesquelles l'élément décoratif, notamment floral, structure l'ensemble. Il est un des principaux représentants du *Pattern and Decoration Painting* aux États-Unis, courant pictural apparu au milieu des années soixante-dix.
Bibliogr. : In : *Dictionnaire de l'art moderne et contemporain*, Hazan, Paris, 1992.
Ventes Publiques : Londres, 2 déc. 1980 : *Late Bloomer* 1975, acryl./t. (243x438) : **GBP 8 100** – Londres, 2 juil. 1981 : *Blondie* 1978, acryl./t. (150x179) : **GBP 3 500** – Paris, 15 juin 1988 : *Ondulation* 1978, acryl./t., diptyque (67,5x232,5) : **FRF 66 000** – Paris, 23 mars 1989 : *Parfait* 1980, acryl./t. (150x210) : **FRF 55 000** – New York, 9 mai 1989 : *Raven*, acryl./t., triptyque (centre : 137,2x91,5, panneaux latéraux 137,2x53,4) : **USD 3 850** – New York, 7 mai 1990 : *Stinger* 1980, acryl./pap. (222,2x111,8) : **USD 6 600** – New York, 22 fév. 1993 : *Flâneur I* 1987, h. et graphite/pap. (153x122,5) : **USD 825** – New York, 3 mai 1994 : *Voyeurs nocturnes*, acryl./t. (168,3x137,2) : **USD 4 830** – New York, 16 nov. 1995 : *Flore grise* 1975, h/t (198,1x233,7) : **USD 9 775** – New York, 9 mai 1996 : *Baroque* 1980, h/t (221x267,3) : **USD 11 500** – New York, 19 nov. 1996 : *Montrose* 1983, acryl., fus. et mine de pb/t. (213,4x226) : **USD 2 300**.

ZAKARIAN Zacharie
Né à Constantinople. Mort en 1922 à Paris. xixe-xxe siècles. Actif et naturalisé en France. Turc.
Peintre de natures mortes.
Élève de Fernand Humbert, il figura aux expositions de Paris, notamment au Salon de la Société Nationale des Beaux-Arts, jusqu'en 1922. Il obtint une mention honorable en 1885, une médaille de troisième classe en 1886 ; médaille d'or à l'Exposition Universelle de 1889 et à celle de 1900. Chevalier de la Légion d'honneur en 1889.
Ses natures mortes sont traitées dans des tonalités claires et fluides.
Bibliogr. : Gérald Schurr, in : *Les Petits Maîtres de la peinture 1820-1920, valeur de demain*, Les Éditions de l'Amateur, t. V, Paris, 1981.
Musées : Châteauroux : *Un melon* – Paris (Mus. d'Orsay) : *Instruments de musique*.
Ventes Publiques : Paris, 27 avr. 1900 : *Le dessert* : **FRF 105** – Paris, 13 juin 1923 : *Nature morte* : **FRF 1 000** – Paris, 1-3 juin 1927 : *Nature morte* : **FRF 3 000** – Paris, 17 mars 1950 : *Nature morte au moulin à café* : **FRF 36 000** – Paris, 30 mai 1951 : *Figues et raisin* : **FRF 9 000**.

ZAKHARIEV Assen
Né le 19 juin 1953 à Sofia. xxe siècle. Bulgare.
Peintre, sculpteur d'assemblages. Abstrait.
De 1976 à 1981, il reçoit sa formation à l'Académie des Beaux-Arts de Sofia, dans la classe de peinture du professeur Mito Ganovski.
Il participe à des expositions collectives : 1989 Sccin, Pologne, XIIe Biennale de Peinture ; 1991 Budapest, *Art-Expo' 91* ; 1992 Bourgas, Bulgarie, Galerie Duni ; 1993 Saint-Paul, Minneapolis, Galerie Bayer ; 1994 Schaffhouse, Suisse, Centre culturel ; Strasbourg, Europarlement ; 1995 Plovdiv, Expositions d'automne. Il obtint le Premier prix à *Art-Expo' 91*, à Budapest.
Il montre des ensembles de ses œuvres dans des expositions personnelles, dont : 1987 Sofia, Galerie Rakovski 108 ; 1990 Sofia, Galerie Rouski 6 ; 1993 Sofia, Palais de la Culture ; 1994 Sofia, *Installation tripartite*, Bureau de Treuhand GmBH ; Sofia, *Peinture*, Galerie Art 36 ; 1995 Sofia, *Peinture sur papier*, Ambassade d'Allemagne.

L'œuvre d'Assen Zakhariev est lié à la problématique de la composition picturale formelle : forme, coloris, facture, touches. Dans ses toiles abstraites, le peintre se sert d'objets portant des traces d'activité humaine qu'il insère dans la facture du tableau. Les dernières œuvres de l'artiste se développent dans l'espace réel en le conquérant ; cette évolution dans le tridimensionnel les approche du genre de l'installation. Le peintre réussit à garder le traitement pictural des différents détails. ■ Boris Danaïlov

Bibliogr. : Boris Danaïlov, in : Catalogue : Expositions d'automne nationales *Plovdiv'95*, Département de la Culture de la Mairie de Plovdiv, 1995.

Musées : Aix-la-Chapelle (Peter Ludwig Mus.) – Budapest (Gal. Nat.) – Chicago (Bayer Mus.) – Scecin, Pologne (Mus. Nat.).

ZAKHAROV. Voir aussi **SACHAROFF**

ZAKHAROV Fiodor

Né en 1919. XXe siècle. Russe.

Peintre de natures mortes, fleurs.

Il étudia à l'École des Beaux-Arts de V. Sourikov à Moscou. Il fut élève de Alexandre Lentoulov. Il devint Artiste du Peuple.

Ventes Publiques : Paris, 23 mars 1992 : *Nature morte devant un tableau*, h/isor. (79x99) : **FRF 5 000** – Paris, 13 avr. 1992 : *Roses d'automne*, h/t (80x80) : **FRF 6 800** – Paris, 20 mai 1992 : *Les lilas de Yalta*, h/t (79x100) : **FRF 20 000** – Paris, 17 juin 1992 : *Les branches de lilas* 1969, h/cart. (86x103) : **FRF 6 500** – Paris, 12 oct. 1992 : *Le bouquet de lilas*, h/t (80x80) : **FRF 10 100** – Paris, 20 mars 1993 : *La terrasse le soir*, h/cart. (50x80) : **FRF 6 200** – Paris, 1er déc. 1994 : *Roses sur une nappe bleue*, h/t (68x82) : **FRF 4 800**.

ZAKHAROV Vadim Arissovitch

Né le 10 octobre 1959 à Douchambe. XXe siècle. Russe.

Peintre, créateur de performances. Tendance conceptuelle.

Il a suivi les cours de la Faculté d'Arts Graphiques de l'Institut Pédagogique de Moscou à partir de 1977. Il vit et travaille à Moscou.

Il participe à des expositions collectives, parmi lesquelles : 1988, *8 artistes soviétiques*, galerie de France, Paris.

Cet artiste a d'abord imaginé des personnages issus de sa propre mythologie personnelle en marge de celle, historique, du communisme. Il les a « jouer » dans différentes performances avant de les peindre sur la toile à partir de 1985 : le personnage au bandeau, l'éléphant à la trompe épaisse... Il a ensuite retenu que des fragments de ses personnages et de leur vie, regardés comme des éléments psychologiques, formant, dès lors, des « paysages » surréalistes qui renvoient néanmoins à la réalité de la vie en Russie.

Bibliogr. : In : *L'Art au pays des soviets, 1963-1988*, in : *Les Cahiers du Musée national d'art moderne* n° 26, Paris, hiver 1988 – in : *Dictionnaire de l'art moderne et contemporain*, Hazan, Paris, 1992.

Ventes Publiques : Moscou, 7 juil. 1988 : *A-4* 1985, h/t (200x150) : **GBP 4 950** ; *AS-5, 1987*, h. et vernis/t. (200x300)) : **GBP 6 600**.

ZAKIROFF

Né en 1893 à Kazan. XXe siècle. Russe.

Peintre de paysages, figures.

ZALA György

Né le 16 avril 1858 à Alsolendva. Mort le 31 juillet 1937 à Budapest. XIXe-XXe siècles. Hongrois.

Sculpteur, sculpteur de monuments.

Il étudia à Budapest, Vienne et Munich. Il travailla à Budapest. Il figura aux Expositions de Paris où il obtint le Grand Prix en 1900 lors de l'Exposition universelle. Il a exécuté de nombreux monuments à Budapest.

ZALAMEA Gustavo

Né en 1951. XXe siècle. Colombien.

Peintre de fruits.

Il a d'abord exprimé, dans sa peinture, une période d'intense engagement politique, puis, s'est consacré à une recherche plus formelle, des fruits vus en plan serré sur différents fonds neutres.

Bibliogr. : Damian Bayon, Roberto Pontual, in : *La peinture d'Amérique latine au XXe siècle*, Mengès, Paris, 1990.

ZALCE Alfredo

Né en 1908 à Patzcuaro. XXe siècle. Mexicain.

Peintre, peintre muraliste, graveur, lithographe.

Il étudia les Beaux-Arts à l'Académie San Carlos de Mexico. Il expose depuis 1931.

Son habileté lui permettant d'aborder tous les médias en fit un artiste versatile. Réaliste expressionniste, peignant souvent à fresque, dans la tradition de la peinture mexicaine du XXe siècle, il excellait dans les arts graphiques et fut l'un des fondateurs de l'Atelier Populaire d'Arts graphiques. Il rapporta d'un voyage de quatre mois au Yucatan de nombreux croquis qui lui servirent de base pour de nombreux dessins, gravures et peintures par la suite. Il évoque le travail des paysans, des pêcheurs, ainsi que des habitants des villes.

Bibliogr. : B. Dorival, sous la direction de... : *Peintres Contemporains* Mazenod, Paris, 1964 – in : *Dictionnaire Universel de la Peinture*, Le Robert, Paris, 1975.

Ventes Publiques : New York, 19 mai 1992 : *Le jardin central* 1962, h/rés. synth. (69,9x122,3) : **USD 6 050** – New York, 25 nov. 1992 : *L'arrivée au quai* 1948, h/rés. synth. enduite au gesso (61,6x81,6) : **USD 44 000** – New York, 17 mai 1995 : *Paysage de Yucatan* 1944, gche/pap. (48,9x65,4) : **USD 18 400** – New York, 25-26 nov. 1996 : *Paysage de Yucatan* 1944, gche/pap. (48,9x65,4) : **USD 18 400**.

ZALE-ZALITIS Karlis

Né en 1888. Mort en 1942. XXe siècle. Letton.

Sculpteur, sculpteur de monuments.

Il étudia à Saint-Pétersbourg et à Berlin. Il a exécuté un *Monument de la Liberté* à Riga.

ZALEMAN. Voir **SALEMANN**

ZALESAK Zdenek

Né le 16 septembre 1936. XXe siècle. Tchèque.

Peintre de figures, compositions animées. Symboliste.

Diplômé de l'École des Arts Décoratifs à Prague, il fut ensuite élève de J. Novak. Il montre ses œuvres dans des expositions à Prague depuis 1966, et à l'étranger.

Il cite volontiers, dans ses peintures qui mettent en scène des architectures, des références artistiques du passé.

Musées : Brno (Mus. Moravien) – Varsovie (Mus. Nat.).

Ventes Publiques : Paris, 31 jan. 1993 : *Le nu de Claude Lorrain* 1980, h/pan. (100x80) : **FRF 4 000**.

ZALESKI Antoni

Né le 15 février 1824 à Varsovie. Mort le 4 octobre 1885 à Florence. XIXe siècle. Polonais.

Peintre et illustrateur.

Étudia à Florence. Il a travaillé pour différentes maisons d'édition polonaises. On voit de ses œuvres au Musée de Lwow.

ZALESKI Boguslaw

XIXe siècle. Vivant vers 1804. Polonais.

Peintre.

Son tableau *L'apparition de saint Antoine de Padoue* est conservé à l'église des Frères Réformateurs, à Varsovie.

ZALESKI Bronislaw

Né en 1819 à Raczkiewicze. Mort le 2 janvier 1880 à Menton. XIXe siècle. Polonais.

Dessinateur et graveur.

Arrêté après l'insurrection de 1846, il est déporté au camp d'Orenbourg (Oural) et y demeure prisonnier politique pendant neuf ans. Il fait ensuite un long séjour à Rome avant de se fixer en France vers 1860. Il expose aux salons de 1865 et 1868, puis, après 1872, va dans le Midi. On cite, parmi ses gravures, un album sur *La vie des steppes Kirghizes* qui contient des évocations de son temps d'exil.

Bibliogr. : Janine Bailly-Herzberg : *L'eau-forte de peintre au XIXe siècle : la société des aquafortistes, 1862-1867*, Léonce Laget, Paris, 1972.

ZALESKI Marcin

Né en 1796 à Cracovie. Mort le 16 septembre 1877 à Varsovie. XIXe siècle. Polonais.

Peintre d'architectures.

Étudia à Paris. Cet artiste occupait une place marquante dans le monde artistique polonais. Il peignit des intérieurs et des vues de Varsovie. Vers le milieu du XIXe siècle, il décora et restaura plusieurs églises. Il fut professeur à l'Académie de Varsovie. Accusé de conspiration contre le gouvernement russe, il fut condamné aux travaux forcés dans les mines sibériennes. Les Musées de Poznan et de Varsovie conservent de ses œuvres.

ZALEWSKI Stanislaw

XXe siècle. Polonais.

Peintre de fleurs.

Il travaillait en Pologne. En 1928, il a exposé un tableau de fleurs, avec les peintres du groupe *Praesens*, à la Section Polonaise du Salon d'Automne, organisée par la Société d'Échanges Littéraires et Artistiques entre la France et la Pologne.

ZALI Giovanni Battista
Né en 1793 à Boccioleto. Mort en 1851 à Milan. XIXe siècle. Italien.
Peintre.
Il fut élève de Avondo et travailla principalement à Milan. Le Musée de la Brera, à Milan, ceux de Varallo, et de Trente conservent de ses œuvres.

ZALIOUK Sacha
Né en 1887 en Ukraine. Mort en 1971 à Paris. XXe siècle. Actif en France. Russe.
Peintre de figures, pastelliste, peintre à la gouache, illustrateur.
Il arrive à Paris en 1910, est présenté par son compatriote, le romancier Maxime Gorki, à Raphaël Collin, dont il suit l'enseignement à l'École des Beaux-Arts de Paris.
Très tôt, il collabore, en tant qu'illustrateur, à *Fantasio*, au *Sourire*, à *La Vie parisienne*.
Ses gouaches et pastels montrent une grande virtuosité du trait, une connaissance du cubisme dans leurs compositions.
Bibliogr. : Gérald Schurr, in : *Les Petits Maîtres de la peinture 1820-1920, valeur de demain*, Les Éditions de l'Amateur, t. VI, Paris, 1985.
Ventes Publiques : Paris, 30 nov. 1981 : *Garçonne à la tête nègre*, past. gché (61x46) : **FRF 21 100** – New York, 1er oct. 1983 : *Homme et femme masquée*, gche (44x58) : **USD 1 400** – Paris, 18 juin 1985 : *La garçonne*, gche et aquar. (60x45) : **FRF 36 000** – Monte-Carlo, 6 déc. 1987 : *Garçonne et tête noire*, gche (60x44,5) : **FRF 55 000**.

ZALKALNS Theodors
Né en 1876 à Allazi (Vidzeme). XXe siècle. Letton.
Sculpteur de figures, animalier, monuments.
Il est sorti en 1899 de l'École des Beaux-Arts Stieglitz à Saint-Pétersbourg. Il a été élève de Rodin à Paris. Il enseigna pendant quelque temps la sculpture à l'École des Beaux-Arts de Jekaterienbourg (Russie). Il résidait à Riga.
Il a figuré à l'exposition de l'Art de la Lettonie à Paris (janvier-février 1939). Il reçut le Prix du Fonds de Culture en 1926, 1930, 1935 et 1937.
Il est l'auteur de plusieurs monuments à Saint-Pétersbourg et en Lettonie.
Musées : Malmö – Riga – Saint-Pétersbourg.

ZALLINGER Franz. Voir **TOLLINGER**

ZALMAIR Justinus. Voir **PSALMAIER Justinus,** l'Ancien

ZALONE Benedetto ou **Zaloni**
Né en 1595 à Pieve di Cento. Mort en 1645 à Pieve di Cento. XVIIe siècle. Italien.
Peintre.
Les églises de la ville de Cento conservent de ses œuvres.
Musées : Chambéry (Mus. des Beaux-Arts) : *Le Christ au jardin des Oliviers*.
Ventes Publiques : Venise, 31 mai 1997 : *San Girolamo*, h/t (137x152,5) : **ITL 16 000 000**.

ZALUAR Abelardo
Né en 1954. Mort en 1988. XXe siècle. Brésilien.
Peintre, peintre de collages. Tendance constructiviste.
Il fait partie de la génération d'artistes brésiliens qui ont subi l'influence, dans les années soixante, du néoconstructivisme.
Bibliogr. : Damian Bayon, Roberto Pontual, in : *La peinture d'Amérique latine au XXe siècle*, Mengès, Paris, 1990.

ZAMACOIS Y ZABALA Eduardo
Né le 12 juillet 1841 ou 1842 à Bilbao. Mort le 12 ou 14 janvier 1871 à Madrid. XIXe siècle. Espagnol.
Peintre d'histoire, sujets de genre, portraits, aquarelliste.
Il commença ses études avec Balaca et Madraz à l'École des Beaux-Arts de Madrid, puis il vint à Paris et fut élève de Meissonier. Par la suite, il se lia d'amitié avec Mariano Fortuny. Il débuta à l'Exposition Nationale de Madrid en 1860, puis au Salon de Paris en 1863. Il obtint une troisième médaille en 1862, 1864 et 1867.
Dans des scènes où l'humour tient généralement une place importante, il a affirmé un talent peut-être un peu précieux, mais solide, dans tout ce qui ressortit à la peinture de genre, carnavals, déguisements et masques, curés en gaîté, bouffons de cour, musiciens des rues. Dans un genre plus sérieux, il évoque très dignement un réfectoire de moines, une infante protégée par un garde du corps et un molosse plus haut qu'elle.

E ZAMACOIS

Bibliogr. : Carlos Gonzalez y Montse Marti : *Les peintres espagnols à Rome de 1850 à 1900*, Barcelone, 1988 – in : *Cien Anos de pintura en Espana y Portugal, 1830-1930*, Antiqvaria, t. XI, Madrid, 1993.
Musées : Boston – Chicago – Madrid – New York – Philadelphie – Washington D. C.
Ventes Publiques : New York, 1872 : *Bal masqué* : **FRF 12 960** – New York, 1876 : *Les deux confesseurs* : **FRF 32 500** – New York, 1880 : *Le gibier disputé* : **FRF 13 500** – New York, 1883 : *Moine mendiant* : **FRF 22 500** – New York, 1889 : *Prélèvement des contributions* : **FRF 36 000** – New York, 1892 : *Retour du couvent* : **FRF 80 000** – New York, 1898 : *Échec et mat* : **FRF 53 500** – New York, 18-19 avr. 1945 : *La favorite du roi* : **USD 800** – New York, 6 oct. 1966 : *L'hôte inattendu* : **USD 1 500** – Londres, 12 fév. 1969 : *L'antichambre* : **GBP 420** – Londres, 19 avr. 1978 : *L'entrée de la mosquée* 1869, h/t (43x33,5) : **GBP 900** – Londres, 20 juin 1980 : *Arabe à l'entrée d'une mosquée* 1869, h/t (43,2x33) : **GBP 950** – New York, 28 mai 1981 : *Scène de fête* 1864, h/t (47,5x60) : **USD 4 000** – New York, 19 oct. 1984 : *La boutique du costumier* 1869, h/t (38,1x56,5) : **USD 5 250** – New York, 21 mai 1987 : *Le réfectoire des Trinitaires à Rome* 1868, h/t (77,7x113,3) : **USD 36 000** – Londres, 17 fév. 1989 : *Bouffons* 1867, h/t (50,2x61) : **GBP 15 400** – New York, 24 mai 1989 : *Éducation d'un Prince* 1870, h/t (63,8x100,3) : **USD 104 500** – New York, 25 oct. 1989 : *Moines rentrant du marché* 1868, h/t (54,6x97,8) : **USD 104 500** – New York, 19 fév. 1992 : *Le bouffon* 1867, aquar./pap. (40,6x27,9) : **USD 5 280** – New York, 16 fév. 1994 : *Le favori du roi* 1867, h/pan. (55,9x45,1) : **USD 134 500** – New York, 23 oct. 1997 : *Tirant l'âne têtu* 1868, h/t (55,3x101) : **USD 57 500**.

ZAMAN Mohammed, dit **Paolo**
XVIIe siècle. Éc. persane.
Peintre de miniatures.
Il se rendit à Rome pour poursuivre ses études. Il a su dans ses œuvres allier la technique italienne à la tradition iranienne.

ZAMAN Nabir Uz. Voir **NABIR-UZ-ZAMAN**

ZAMARAËV. Voir **SAMARAJEFF**

ZAMAZAL Jaroslav
Né le 10 juillet 1900 à Wsetin. XXe siècle. Actif aussi en France. Tchécoslovaque.
Peintre de paysages, paysages urbains.
Il étudia à l'Académie de Prague. Il travailla à Paris et à Prague.
Ventes Publiques : Munich, 1er-2 déc. 1992 : *Paysage romain avec un aqueduc*, h/pan. (63,5x81) : **DEM 1 380**.

ZAMBAITI Elena
Née le 19 mai 1673 à Trente. Morte le 8 décembre 1761 à Trente. XVIIe-XVIIIe siècles. Italienne.
Peintre de sujets religieux.
Élève de son père F. Marchetti. On voit de ses œuvres dans les églises de Trente.

ZAMBELETTI Ludovico
Né le 19 juillet 1881 à Milan (Lombardie). Mort en 1966. XXe siècle. Italien.
Peintre d'histoire, portraits, paysages urbains, peintre de miniatures, aquarelliste.
Ventes Publiques : Milan, 28 mai 1974 : *Place de la Scala, Milan* 1919 : **ITL 600 000** – Milan, 19 mars 1992 : *Val Vigezzo*, h/t (100x133) : **ITL 6 500 000**.

ZAMBELLI Evaristo
Né le 22 septembre 1889 à Buenos Aires. XXe siècle. Italien.
Sculpteur, peintre.
Il se fixa à Milan, où il exposa en 1920 et 1925.

ZAMBELLONINO da Campione ou **Zambonino**
Originaire de Campione. XIVe siècle. Travaillant à Milan vers la fin du XIVe siècle. Italien.
Sculpteur.
Il collabora avec d'autres artistes à une statue de la Madeleine à la cathédrale de Milan de 1398. Père de Giacomo da Campione.

ZAMBONI Alessandro
XVIIe siècle. Actif à Bologne. Italien.
Peintre de portraits.
On voit de ses œuvres dans le Cabinet des Estampes à Florence.

ZAMBONI Angelo
Né le 31 octobre 1895 à Venise. XXe siècle. Italien.
Peintre.
Il a été élève de l'Académie Cignaroli à Vérone.
Musées : Milan (Gal. d'Art Mod.).

ZAMBONI Dante
Né le 30 octobre 1905 à Modène (Émilie-Romagne). XXe siècle. Italien.
Sculpteur, peintre, graveur. Tendance surréaliste.
Il a étudié à l'Académie de Florence. Il obtint en 1933 le premier prix à l'Exposition internationale de cette ville.
Il a figuré à différentes biennales de Venise à partir de 1948.
Ventes Publiques : New York, 4 nov. 1982 : *Ballerine* 1965, bronze patine brune (H. 128,2) : **USD 3 200**.

ZAMBONI Giovanni Battista. Voir **CREMONINI**

ZAMBONI Matteo
Né à Bologne. XVIIIe siècle. Actif vers 1700. Italien.
Peintre d'histoire.
Un des meilleurs élèves de Carlo Cignani. Il peignit notamment deux tableaux d'autel pour l'église de San Niccolo, à Rimini. Il mourut fort jeune.

ZAMBONI Sebastiano
XVIIIe siècle. Actif à Parme vers 1700. Italien.
Graveur de reproductions.
Il exécuta des gravures d'après Bresciani, Correggio, Galeotti et Sirani.

ZAMBONINO da Campione. Voir **ZAMBELLONINO da Campione**

ZAMBRANO Juan Luis
Né à la fin du XVIe siècle à Cordoue. Mort en 1639 à Séville. XVIe-XVIIe siècles. Espagnol.
Peintre d'histoire.
Élève et imitateur de Pablo de Cespedes. On cite de lui des peintures à la cathédrale de Cordoue, dans l'église du couvent de Las Martyres et dans le Colegio de Santa Caulina. Il s'établit à Séville en 1608, où il remplaça son maître qui venait de mourir.

ZAMBRONI Giovanni Antonio. Voir **GIOVANNI ANTONIO da Milano**

ZAMELS Burkard ou **Zammels, Zametz, Sammels**
Né vers 1690. Mort en 1757 à Mayence. XVIIIe siècle. Albanais.
Sculpteur.
A exécuté de nombreuses œuvres en Rhénanie, principalement à Mayence.

ZAMIRAÏLO Viktor Dimitriévitch. Voir **SAMIRAJLO**

ZAMKOV Maxime
Né en 1958. XXe siècle. Russe.
Peintre. Tendance abstraite.
Il est diplômé de l'École des Beaux-Arts de Moscou.
Sa peinture, à tendance abstraite, issue d'une décomposition d'origine cubiste, semble éclectique.

ZAMOISKI. Voir aussi **ZAMOYSKI**

ZAMOISKI Jan
Né en 1782 à Cracovie. Mort le 14 janvier 1832 à Cracovie. XIXe siècle. Polonais.
Peintre de genre, paysages.
Il fit ses études avec Michel Stachovitch. Il peignit des tableaux de genre et des paysages.

ZAMOISKI Stanislaw
XVIIe siècle. Polonais.
Peintre de sujets religieux.
Il peignit pour l'église des pères franciscains à Cracovie un tableau *Saint Jean-Baptiste*, signé *Stan Zamoiski pinxerat, 1678.*

ZAMOR Emmanuel
Né en 1840 au Brésil. Mort en 1917 en France. XIXe-XXe siècles. Actif en France et au Brésil. Brésilien.
Peintre de paysages, paysages animés, natures mortes, fleurs.
Emmanuel Zamor est le fils adoptif d'un couple de Français fixés à Bahia. La famille regagna l'Europe peu après sa naissance. Il fut élevé à Paris et étudia la musique et le dessin. Il fut surnommé, à Paris, « le petit Brésilien ». La biographie de cet artiste est lacunaire, on sait néanmoins qu'il séjourna deux ans au Brésil entre 1860 et 1862, puis y retourna parfois.
Une rétrospective de ses œuvres a été organisée par le Musée d'art moderne de São Paulo en 1985 qui le fit découvrir au Brésil.
Sa peinture a été influencée par l'École de Barbizon et par les impressionnistes. Attaché, mais sans audace excessive, à la lumière des couleurs et aux ciels chargés. Il aima peindre des paysages d'eau au Brésil et en France, notamment à Créteil. Il exécuta plusieurs natures mortes de fruits, légumes et autres victuailles.
Musées : São Paulo (Mus. de Arte) : *Canots sur la rivière* 1884.

ZAMORA ou **Chiamorra** ou **Zamorra**, famille d'artistes
XVIIe-XVIIIe siècles. Italiens.
Peintres.
Piémontais. On voit de leurs œuvres dans différentes églises de Verceil, Biella et Turin.

ZAMORA Diego, dit **le Peintre des Vierges**
Né en 1554 à Séville. XVIe siècle. Travaillant à Valence vers 1600. Espagnol.
Peintre.
Cet artiste paraît avoir eu surtout un caractère commercial. Il avait la réputation de bien faire *La Vierge des Abandonnés*, particulièrement appréciée à Valence. Il en produisit un nombre considérable.

ZAMORA Eduardo
Né en 1942. XXe siècle. Actif en France. Mexicain.
Peintre.
Sa peinture est influencée par la bande dessinée, non pas dans la forme, mais dans le désir d'y mêler des situations narratives traitées de manière ironique, liées à la présence de petits personnages.
Bibliogr. : Damian Bayon, Roberto Pontual, in : *La peinture d'Amérique latine au XXe siècle*, Mengès, Paris, 1990.

ZAMORA Jacopo de
XVIe siècle. Actif à Séville vers 1594. Espagnol.
Peintre d'histoire et de fresques.
Il fut en 1594, un des artistes chargés de peindre le monument de la cathédrale de Séville. Il exécuta aussi des travaux à l'autel de la Résurrection, qui permettent de juger sa valeur. Peut être parent de Diego Zamora.

ZAMORA José de
Né en 1889 à Madrid. Mort le 3 décembre 1971 à Sitges, près de Barcelone (Catalogne). XXe siècle. Depuis 1920 actif en France. Espagnol.
Dessinateur, décorateur de théâtre.
À partir de 1915, il travaille comme illustrateur pour des revues madrilènes telles que : *Nuevo Mundo* et *La Esfera*. En 1920, il débute chez Paul Poiret, commence sa carrière de décorateur pour le théâtre de la Renaissance à Paris et collabore à *La Gazette du Bon Ton*. Il est, un temps, le « nègre » de Paul Poiret, puis fait une carrière, autour des années 1925, de dessinateur de costumes pour le music-hall, notamment pour le Casino de Paris et le théâtre Mogador.
Bibliogr. : Gérald Schurr, in : *Les Petits Maîtres de la peinture 1820-1920, valeur de demain*, Les Éditions de l'Amateur, t. III, Paris, 1976 – in : *Cien Anos de pintura en Espana y Portugal, 1830-1930*, Antiqvaria, t. XI, Madrid, 1993.
Ventes Publiques : Paris, 24 avr. 1992 : *Douze dessins sur la mode*, aquar. et encre de Chine/pap. (30x22) : **FRF 4 200**.

ZAMORA Juan de
XVIe siècle. Actif à Séville. Espagnol.
Peintre.
On voit de ses œuvres dans différentes églises de Séville et de Cormona.
Ventes Publiques : El Quexigal (Prov. de Madrid), 25 mai 1979 : *Christ apparaissant à la sainte Vierge*, h/pan. (150x107) : **ESP 2 100 000**.

ZAMORA Juan de
XVIIe siècle. Actif à Séville de 1650 à 1671. Espagnol.
Peintre de paysages.
Il imita le style des paysagistes flamands, décorant ses paysages de compositions historiques traitées avec talent. On voit quelques unes de ses peintures au Palais Épiscopal de Séville.

ZAMORA Sancho de. Voir **SANCHO de Zamora**

ZAMORRA. Voir **ZAMORA**

ZAMOYSKI. Voir aussi **ZAMOISKI**

ZAMOYSKI August de, comte

Né le 28 juin 1893 à Jablon (Pologne). Mort en juin 1970 à Saint-Clar (Haute-Garonne). xxe siècle. Actif en France. Polonais.

Sculpteur de figures, portraits.

Pendant la guerre de 1939-1945, il émigra au Brésil. Il travailla près de Toulouse, à Paris et à Bourg-la-Reine. Il exposa à Paris, notamment aux Salons des Indépendants, d'Automne et des Tuileries, de même qu'à Vienne, Zurich, Bruxelles, Berlin et New York. Son œuvre a fait l'objet d'une rétrospective en 1996 au Musée des Augustins.

Il rechercha dans ses sculptures en marbre et granit, en taille directe, plus la forme pure, que véritablement abstraite. On connaît de lui une *Tête de Marcoussis* dont les formes rappellent celles d'Archipenko. Vers la fin de sa vie, il réalisa des figures religieuses notamment un *Saint Jean-Baptiste* en bronze et une *Résurrection*.

ZAMPA Francischino. Voir l'article **GIROLAMO di Bartolommeo**

ZAMPA Giacomo

Né le 8 mars 1731 à Forli. Mort en mars 1808 à Tossignano. xviiie-xixe siècles. Italien.

Peintre.

Élève de Cignani et de Bigari. On voit de ses œuvres à la Pinacothèque de Forli ainsi que dans différentes églises de Forli et d'Imola.

ZAMPANELLI Fortunato

Né le 11 février 1828 à Forli. Mort le 19 mars 1909 à Forli. xixe-xxe siècles. Italien.

Sculpteur.

On voit de ses œuvres au musée et au cimetière de Forli.

ZAMPEZZO Giovanni Battista

Né en 1620 à Citadella, près de Bassano. Mort en 1700 à Venise. xviie siècle. Italien.

Peintre d'histoire.

Élève de Jacopo Apollonio et de Liberi. Il peignit avec succès dans les églises de Bassano, imitant le style de Jacopo da Ponte.

ZAMPIERI Domenico ou **Sampieri**. Voir **DOMINIQUIN Le**

ZAMPIGHI Eugenio Eduardo

Né en 1859 à Modène. Mort en 1944 à Maranello. xixe-xxe siècles. Italien.

Peintre de genre, intérieurs.

E Zampighi

Ventes Publiques : New York, 15 oct. 1976 : *Scène d'intérieur rustique*, h/t mar./isor. (66x87) : **USD 3 750** – Milan, 20 déc. 1977 : *La leçon*, temp. (55x37,5) : **ITL 2 800 000** – Londres, 22 juil. 1977 : *La lecture du journal*, h/t (71x103,2) : **GBP 5 000** – New York, 26 janv 1979 : *L'hôte inattendu*, h/t (75,2x120) : **USD 14 000** – Londres, 9 juil. 1980 : *Le vieux collectionneur* 1883, aquar. (93x64) : **GBP 780** – New York, 28 mai 1981 : *Grand-père jouant de l'accordéon pour son petit-fils*, h/t (75x105) : **USD 11 000** – New York, 25 mai 1984 : *Le Bain de bébé*, aquar./trait de cr. (38,1x56) : **GBP 2 800** – New York, 29 fév. 1984 : *Un visiteur bienvenu*, h/t (72,5x124,5) : **USD 10 000** – Londres, 21 mars 1985 : *Une bonne histoire*, aquar./trait de cr. (54x36) : **GBP 1 000** – New York, 25 fév. 1988 : *Aiguille et fil*, h/t (55,9x77,1) : **USD 11 000** – Londres, 26 fév. 1988 : *Les Bulles de savon*, h/t (29,2x40,7) : **GBP 2 640** – Rome, 14 déc. 1988 : *La Préférée du grand-père ; Le Couple heureux*, aquar./pap., une paire (chaque 52x36) : **ITL 8 500 000** – New York, 23 fév. 1989 : *Une heureuse famille*, h/t (55,8x78,1) : **USD 18 700** – Milan, 14 mars 1989 : *Le Moine violoniste*, h/t (35,5x30,5) : **ITL 11 000 000** ; *L'Intrus*, h/t (45x58) : **ITL 20 000 000** – Londres, 6 oct. 1989 : *Le Vin nouveau*, h/t (56x77,5) : **GBP 7 700** – New York, 25 oct. 1989 : *L'Heure du repas*, h/t (56,5x77,5) : **USD 20 900** – New York, 28 fév. 1990 : *Le Baiser*, h/t (50,8x64,8) : **USD 17 600** – Londres, 28 mars 1990 : *Jours heureux*, h/t (54x75) : **GBP 16 500** – Monaco, 21 avr. 1990 : *Une famille heureuse dans un intérieur*, h/t (73x104) : **FRF 222 000** – New York, 23 mai 1990 : *La Leçon de tricot*, h/t (55,9x77,5) : **USD 39 600** – Londres, 5 oct. 1990 : *Dans la cuisine*, h/t (55,9x98,7) : **GBP 16 500** – New York, 23 oct. 1990 : *La Visite au bébé*, h/t (74,9x105,4) : **USD 49 500** – New York, 24 oct. 1990 : *Les Premiers Pas de l'enfant*, h/t (50,8x76,2) : **USD 15 400** – Londres, 28 nov. 1990 : *Trois générations autour de la cheminée*, h/t (72x100,5) : **GBP 22 000** – Rome, 16 avr. 1991 : *Les Premiers Pas*, h/t (51x76) : **ITL 40 250 000** ; *Le Jeu de boules*, h/t (56,5x76) : **ITL 57 500 000** – New York, 22 mai 1991 : *Deux mamans*, h/t (77,5x55,9) : **USD 27 500** – Londres, 19 juin 1991 : *Amusement du bébé*, h/t (64x85) : **GBP 18 150** – New York, 20 fév. 1992 : *La Visite de grand-père*, h/t/pan. (76,2x127) : **USD 44 000** – Londres, 22 mai 1992 : *Les Premiers Pas*, h/t/cart. (56x76,2) : **GBP 7 150** – Bologne, 8-9 juin 1992 : *Le Peloton*, aquar. (54x36) : **ITL 14 950 000** – Milan, 17 déc. 1992 : *Le Grand-père heureux*, h/t (45x58) : **ITL 16 000 000** – New York, 26 mai 1993 : *Jeu dans la cuisine*, h/t (56,5x76,8) : **USD 24 150** – Rome, 27 avr. 1993 : *Bonheur familial*, h/t (74x105) : **ITL 33 781 500** – Londres, 19 nov. 1993 : *Jeux avec le bébé*, h/t (55,6x76,1) : **GBP 17 250** – New York, 16 fév. 1994 : *Distractions de l'après-midi*, h/t (73,7x105,4) : **USD 43 125** – Milan, 20 déc. 1994 : *Les Jeux du bébé*, h/t (56x77) : **ITL 35 650 000** – Londres, 15 nov. 1995 : *Les Vieux Amoureux*, h/t (44x57) : **GBP 6 325** – Paris, 21 mars 1996 : *Concert dans un intérieur rustique*, h/t (56x76) : **FRF 48 000** – Milan, 12 juin 1996 : *Le Concert du grand-père*, h/t (46x58) : **ITL 20 700 000** – Londres, 12 juin 1996 : *Le Duo familial*, h/pan. (44x57) : **GBP 6 900** – New York, 18-19 juil. 1996 : *Il m'aime, un peu, beaucoup...*, h/t (59,7x45,7) : **USD 12 075** – Londres, 31 oct. 1996 : *La Tentation ; Le Chéri du grand-père*, h/t, une paire (23x34) : **GBP 149 50** – Londres, 26 mars 1997 : *La Première Leçon*, h/t (49,5x74) : **GBP 12 075** – New York, 23 oct. 1997 : *Réunion familiale*, h/t (72,4x105,4) : **USD 36 800**.

ZAMPIGHI Pietro di Mariano

Né à Forli. Mort en juin 1854 à Forli. xixe siècle. Italien.

Peintre.

Élève de Lazzarini à Pesaro. On voit de ses œuvres dans différentes églises de Forli.

ZAMPINO Nelli. Voir **ANDREA di Nello da San Miniato**

ZAMPIS Anton

Né en 1820. Mort le 22 décembre 1883 à Vienne. xixe siècle. Autrichien.

Dessinateur et lithographe.

A exécuté dans le style humoristique de nombreuses scènes de la vie populaire viennoise.

Ventes Publiques : Londres, 24 juin 1987 : *Scène de chasse à courre* 1860, aquar. et cr. reh. de gche (49x80) : **GBP 2 400**.

ZAMRAZIL Emanuel

Né le 8 décembre 1865 à Vlkonice. xixe siècle. Tchécoslovaque.

Peintre de portraits.

Élève des académies de Prague et de Munich, il vécut pendant vingt ans à Florence ; en 1919, il s'établit à Neveklov.

ZAN Bernard

xvie siècle. Actif à Nuremberg vers 1580. Allemand.

Orfèvre et graveur.

Il a gravé des motifs d'orfèvrerie. On croit qu'il marquait ses estampes des initiales *B. Z.*

ZAN Victor Amédée

Né en 1860 à Oneglia. xixe siècle. Actif au Puy. Italien.

Sculpteur.

Le Musée du Puy conserve de lui *La ville du Puy* (allégorie).

ZANARDELLI Italia

Née en 1874 à Padoue. xixe-xxe siècles. Italienne.

Peintre de scènes de genre, figurines, portraits.

Elle fut élève de Vannutelli et de Querci.

Ventes Publiques : Paris, 13 avr. 1924 : *Le repos* : **FRF 420**.

ZANARDI Gentile

Né en 1660 à Bologne. Mort vers 1700. xviie siècle. Italien.

Peintre d'histoire et de portraits.

Élève de Marcantonio Francischini. Il peignit des sujets d'histoire, mais paraît avoir été surtout réputé pour ses copies des maîtres.

ZANARDI Giovanni

Né le 20 août 1700 à Bologne. Mort en 1769 à Bologne. xviiie siècle. Italien.

Peintre de décorations.

Élève de Fr. Orlandi. Il exécuta la décoration d'églises et de palais à Bologne, Brescia, Bergame, Crémone et Venise.

ZANAROFF, pseudonyme de **Prudent Pohl**

Né le 24 mars 1885 à Moutiers (Savoie). Mort le 12 juillet

1966 à Moret-sur-Loing (Seine-et-Marne). xxe siècle. Français.

Peintre de figures, paysages.

Après des débuts dans la publicité près de Toulon, il s'établit à Moret-sur-Loing en 1930 et vendit lui-même ses dessins et peintures dans une boutique de Saint-Ouen à partir de 1932. À partir de 1946, il s'installa dans une des boutiques du Marché aux Puces à Biron. Il se fixa ensuite de nouveau à Moret-sur-Loing. Il a figuré dans diverses expositions à partir de 1928.

Ses peintures sont partagées entre les paysages de la région de Moret-sur-Loing et la représentation de la détresse humaine, ce qui l'a parfois fait appeler le « peintre des gueux ». Il a également illustré quelques livres.

Musées : Chambéry (Mus. des Beaux-Arts) : *Le vieux moulin*.

Ventes Publiques : Paris, 4 nov. 1973 : *Vue de Moret* : **FRF 700** – Nice, 30 jan. 1980 : *Tentation devant les vitrines de Noël*, h/t (50x60) : **FRF 4 200**.

ZAÑARTU Abraham

Né vers 1855. Mort vers 1885. xixe siècle. Chilien.

Peintre.

Élève de l'Académie de peinture de Santiago du Chili. On voit de ses œuvres au Musée de Santiago.

ZANARTU Enrique

Né en 1921 à Paris, de parents chiliens. xxe siècle. Chilien.

Peintre, graveur. Abstrait-lyrique.

Il commença à peindre, en 1938, à Santiago du Chili. De 1944 à 1947, il travailla à New York, dans l'Atelier de gravure de W. Hayter, d'abord comme élève, puis comme assistant. Après avoir passé deux années à Cuba, il vint à Paris en 1949, où il fut de nouveau assistant de Hayter, à l'Atelier 17.

Il a exposé en 1950, à Paris et Santiago ; 1952, en Allemagne ; 1956, Washington, Lima, Santiago.

Il se rattache au courant de l'abstraction lyrique. Ses peintures et ses gravures évoquent un univers réduit aux éléments d'origine, d'eau et de ciel.

Bibliogr. : B. Dorival, sous la direction de... : *Peintres Contemporains* Mazenod, Paris, 1964.

ZANCARLI Poliphilos. Voir **GIANCARLI Polifilio**

ZANCHELLI Attilio

Né à Benevent (Campanie). xxe siècle. Italien.

Peintre de paysages, dessinateur.

Il a peint des paysages de Capri et de la Riviera.

ZANCHI Antonio

Né le 6 décembre 1631 à Este. Mort le 12 avril 1722 à Venise. xviie-xviiie siècles. Italien.

Peintre de scènes mythologiques, sujets allégoriques, compositions religieuses, dessinateur.

Il eut pour maître Francesco Ruschi. Il paraît avoir surtout travaillé à Venise. Pietro Negri et Fr. Trevisani furent ses élèves.

On ne sait où se trouve une *Assomption de la Vierge*, dont le Musée des Offices possède le dessin.

Musées : Bordeaux (Mus. des Beaux-Arts) : *Le bon Samaritain* – Florence (Gal. des Mus. des Offices) : *Assomption de la Vierge*, dess.

Ventes Publiques : Milan, 19 oct. 1971 : *La Sainte Famille* : **ITL 1 600 000** – Milan, 27 avr. 1978 : *Gigie e Candaule*, h/t (132x167) : **ITL 4 000 000** – Londres, 31 oct 1979 : *Samson et Dalila*, h/t (127x127) : **GBP 3 500** – Rome, 20 nov. 1984 : *L'Assomption*, h/t (142x102) : **ITL 5 500 000** – Milan, 27 oct. 1987 : *Néron contemplant le cadavre d'Agrippine*, h/t (227x148) : **ITL 24 000 000** – New York, 12 jan. 1988 : *Jeune fille dormant avec un berger, veillés par deux angelots*, craie noire et encre (17x20,5) : **USD 1 430** – New York, 31 mai 1991 : *Néron et Agrippine*, h/t (190,5x208,6) : **USD 38 500** – Paris, 4 déc. 1991 : *Hercule et Omphale*, h/t (128,5x113) : **FRF 90 000** – Rome, 4 déc. 1991 : *Diogène*, h/t (100x170) : **ITL 32 200 000** – New York, 7 oct. 1994 : *Le sacrifice d'Abraham*, h/t (134,6x190,5) : **USD 13 800** – Londres, 5 juil. 1995 : *Philosophe classique*, h/t (103x88) : **GBP 15 525** – Milan, 3 avr. 1996 : *Dejanire enlevée par le centaure Nesso*, h/t (197,5x303) : **ITL 92 000 000**.

ZANCOLLI Giuseppe

Né en 1888 à Vérone (Vénétie). xxe siècle. Italien.

Peintre.

Il fut élève de l'Académie des Beaux-Arts de Vérone. Il a figuré à partir de 1912 à la Biennale de Venise.

ZANCON Gaetano

Né en 1771 à Bassano. Mort en 1816 à Milan. xviiie-xixe siècles. Italien.

Graveur.

Travailla à Vérone et Milan. Il a gravé des portraits, des sujets de genre et des paysages.

ZANDE Jan Van de. Voir **SANDE**

ZANDE Michiel Van de. Voir **SANDE**

ZANDER Christoph Edward

Né le 22 octobre 1813 à Radegast. Mort en septembre 1868. xixe siècle. Allemand.

Peintre et architecte.

D'abord destiné à l'agriculture, il abandonna cette carrière pour étudier la peinture à Munich. En 1847, il rejoignit le Dr Schumper en Abyssinie. Il y fit un grand nombre de dessins d'histoire naturelle et des paysages. Zander joua même un rôle militaire dans cette contrée. Chargé par le régent Ubie, en lutte contre Theodoros, du commandement de l'artillerie à la bataille de Debela, il triompha du souverain africain. Après la bataille, Zander entra au service de Theodoros, qui le nomma gouverneur de l'île de Gregora, puis gardien de la trésorerie et des archives et enfin, en 1868, ministre de la guerre.

ZANDLEVEN Jan Adam

Né le 6 février 1868 à Koog. Mort en 1923 à Rhenen. xixe-xxe siècles. Hollandais.

Peintre de paysages, natures mortes, fleurs et fruits.

Musées : Dordrecht – La Haye.

Ventes Publiques : Amsterdam, 20 mars 1978 : *Nature morte aux fleurs* 1908, h/t (48,5x71) : **NLG 5 600** – Amsterdam, 24 mars 1980 : *Une journée grise* 1910, h/cart. (34x49) : **NLG 1 900** – Amsterdam, 24 mai 1989 : *Arbre contre un mur* 1914, h/pan. (50x35) : **NLG 1 955** – Amsterdam, 19 sep. 1989 : *Nature morte avec des pommes, un chou et un vase* 1916, h/t/cart. (31,5x41) : **NLG 1 955** – Amsterdam, 30 oct. 1990 : *Œillets d'Inde dans un pot à bière* 1922, h/t (43,5x50,5) : **NLG 5 750** – Amsterdam, 6 nov. 1990 : *Bouleaux en automne* 1909, h/t/cart. (31x45,5) : **NLG 1 955** – Amsterdam, 12 déc. 1990 : *Vue d'une forêt avec un bouleau au premier plan* 1915, h/t/cart. (40x31,5) : **NLG 1 380** ; *Nature morte avec un vase de camélias* 1921, h/t (52x37) : **NLG 8 625** – Amsterdam, 5-6 fév. 1991 : *Prairie enneigée avec des arbres* 1917, h/t (35,5x50) : **NLG 1 265** – Amsterdam, 23 avr. 1991 : *Nature morte de fleurs dans une chope* 1913, h/t/pan. (36x28) : **NLG 3 220** – Amsterdam, 17 sep. 1991 : *Forêt* 1913, h/t (40,5x31,5) : **NLG 1 265** – Amsterdam, 11 déc. 1991 : *Champignons* 1917, h/t (33,5x43) : **NLG 4 025** – Amsterdam, 18 fév. 1992 : *Arbre en fleurs* 1912, h/t/cart. (40,5x32) : **NLG 2 300** – Amsterdam, 19 mai 1992 : *Arbre contre une muraille* 1914, h/cart. (49,5x34,7) : **NLG 4 025** – Amsterdam, 9 déc. 1992 : *Forêt* 1915, h/t (41x33) : **NLG 1 840** – Amsterdam, 10 déc. 1992 : *Une maison dans un jardin avec des arbres au premier plan* 1911, h/cart. (40x32) : **NLG 2 645** – Amsterdam, 26 mai 1993 : *Le verger* 1922, h/t (38x52) : **NLG 4 600** – Amsterdam, 1er juin 1994 : *Sous-bois au printemps avec deux troncs de bouleaux* 1918, h/t (42x33) : **NLG 3 450** – Amsterdam, 31 mai 1995 : *Nature morte de fleurs* 1910, h/toile d'emballage (42x60,5) : **NLG 3 304** – Amsterdam, 19-20 fév. 1997 : *Cour de ferme* 1912, h/t/pan. (31,5x39) : **NLG 4 612** – Amsterdam, 2 juil. 1997 : *Cour de ferme avec un arbre en fleurs* 1914, h/pan. (47x32,5) : **NLG 5 189**.

ZANDOMENEGHI Federico

Né le 2 juin 1841 à Venise. Mort le 30 décembre 1917 à Paris. xixe-xxe siècles. Italien.

Peintre de genre, figures, portraits, paysages, fleurs, pastelliste. Impressionniste.

Petit-fils du sculpteur Luigi, il fut élève de son père, le sculpteur Luigi Zandomeneghi. Vers 1862, il était à Florence, où il entra en contact avec le groupe des « Macchiaioli ». Il vint à Paris en 1874, où il resta jusqu'à sa mort, se rallia aux impressionnistes, connaissant Renoir, Pissarro, Degas, et exposant au Salon des Indépendants avec le groupe, en 1879, 1880, 1881 et 1886. Mention honorable à l'Exposition Universelle de 1889.

Ses pastels ne sont pas indignes de la protection que lui accordait Degas. Vers la fin de sa vie, il a peint des toiles dans un style proche du pointillisme.

Zandomeneghi

Bibliogr. : Enrico Piceni : *Catalogue raisonné. Federico Zandomeneghi 1841-1917*, Arnoldo Mondadori Editore, Verone, 1952 – Enrico Piceni : *Zandomeneghi*, Bramante Editrice, Milan, 1967 – in : *Diction. de la peinture italienne*, coll. Essentiels, Larousse, Paris, 1989.

Musées : Florence (Gal. d'art Mod.) : *Diego Martelli – Bords de la Seine – Al pianoforte – Bastimenti sullo scalo – Fanciulla dormante – Signora in abito settecentesco* – Milan (Gal. d'art Mod.) : *Fleurs – Étude de femme* – Plaisance (Gal. d'art Mod.) : *Le square d'Anvers* – Venise (Gal. d'art Mod.) : *Le dernier coup d'œil.*

Ventes Publiques : Paris, 1899 : *Femme nue,* past. : **FRF 230** – Paris, 1900 : *La femme aux gants noirs,* past. : **FRF 880** – Paris, 22 fév. 1943 : *Effet de nuit au parc Monceau,* past. : **FRF 38 000** – Paris, 10 juin 1958 : *Jeune femme au foulard rouge* : **FRF 650 000** – Milan, 16 mars 1965 : *Jeune fille aux cheveux d'or,* past. : **ITL 3 800 000** – Londres, 24 avr. 1968 : *Le thé,* past. : **GBP 7 000** – Milan, 10 avr. 1969 : *Jeune femme au vase de roses* : **ITL 9 000 000** – Versailles, 6 avr. 1974 : *Jeune femme assise, de profil,* past. : **FRF 32 000** – Milan, 14 nov. 1974 : *Le réveil* 1887 : **ITL 26 000 000** – Milan, 14 déc. 1976 : *Entre amies* 1913, h/t (6x54,5) : **ITL 21 500 000** – Milan, 10 nov. 1977 : *Modèle sur fond vert,* past./pap. mar./cart. (50x56) : **ITL 12 000 000** – Milan, 15 mars 1977 : *La petite Hélène* 1895, h/t (46x38) : **ITL 8 000 000** – New York, 7 juin 1979 : *Tête de jeune fille,* past./pap. mar./cart. (43,8x30,8) : **USD 2 300** – New York, 26 janv 1979 : *Femme tenant un bouquet,* h/t (56x46,5) : **USD 36 000** – New York, 21 nov. 1980 : *A l'Opéra,* past./pap. mar./cart. (55x47) : **USD 27 000** – Milan, 10 juin 1981 : *Portrait de femme brune,* h/t (46x38) : **ITL 28 000 000** – Milan, 22 avr. 1982 : *Étude de femme assise,* cr. (31,5x47) : **ITL 1 500 000** – Milan, 10 nov. 1982 : *Le modèle,* past. (59x48,5) : **ITL 16 000 000** – Londres, 7 déc. 1983 : *À la fenêtre* vers 1900, past. (46x37) : **GBP 17 000** – Milan, 12 déc. 1983 : *Enfant sous un arbre,* h/t (46x38,5) : **ITL 35 000 000** – Paris, 27 nov. 1985 : *Femme assise au bouquet de fleurs,* cr. gras (40x29,5) : **FRF 5 200** – Rome, 13 mai 1986 : *Jeune fille lisant,* fus. (37x29) : **ITL 4 800 000** – Paris, 18 mars 1986 : *Étude de nu,* past. (60x50) : **FRF 132 000** – Milan, 9 juin 1987 : *Jeune femme à son miroir,* past./pap./pan. (46x38) : **ITL 140 000 000** – New York, 29 oct. 1987 : *Jeune fille cueillant des fleurs,* h/t (61x50,2) : **USD 190 000** – Milan, 1er juin 1988 : *La paresse,* past./cart. (45x36) : **ITL 50 000 000** – Milan, 14 mars 1989 : *Au café,* h/t (41x33) : **ITL 380 000 000** – Milan, 14 juin 1989 : *Tête de jeune fille brune,* past./pap. (45x37) : **ITL 115 000 000** – Milan, 19 oct. 1989 : *Curiosité,* h/t (47x37) : **ITL 280 000 000** – New York, 25 oct. 1989 : *Jeune fille lisant,* h/t (38,8x46,3) : **USD 462 000** – New York, 23 mai 1990 : *Fillette,* past./pap. (46,3x29,5) : **USD 165 000** – Rome, 29 mai 1990 : *Douce attente,* h/t (38,5x46) : **ITL 402 500 000** – Milan, 30 mai 1990 : *La frileuse,* h/t (46x38) : **ITL 345 000 000** – Milan, 18 oct. 1990 : *La ballerine* 1885, h/t (52x33) : **ITL 860 000 000** – New York, 16 oct. 1991 : *Jeune femme à l'extérieur,* past. et fus./pap., étude (55,2x43,8) : **USD 22 000** – Milan, 12 déc. 1991 : *Poires* 1914, h/t (34,5x31) : **ITL 52 000 000** – New York, 20 fév. 1992 : *En promenade,* h/t (73,3x92,4) : **USD 907 500** – Milan, 19 mars 1992 : *Vase de fleurs et gants sur une table,* h/t (72x47) : **ITL 210 000 000** – Lugano, 16 mai 1992 : *Femme s'étirant,* fus./pap. (40x23) : **CHF 6 500** – Lugano, 1er déc. 1992 : *Femme assoupie,* past./pap. (92x73) : **CHF 95 000** – Milan, 16 mars 1993 : *Paysage* 1886, h/t (39x76) : **ITL 135 000 000** – New York, 27 mai 1993 : *La lecture,* h/t (66x82,2) : **USD 629 500** – Milan, 21 déc. 1993 : *Buste de jeune fille,* past./pap./t. (46x36,5) : **ITL 184 000 000** – Paris, 29 avr. 1994 : *Étude de femme assise sur un lit,* fus. et sanguine avec reh. de blanc (23x32) : **FRF 28 000** – Milan, 14 juin 1995 : *Tenue de soirée,* h/t (66x54,5) : **ITL 368 000 000** – Paris, 28 juin 1995 : *Portrait de jeune femme,* past./pap. (39,5x31,5) : **FRF 71 000** – Milan, 26 mars 1996 : *Jeune femme assise (l'attente),* h/t (24x19) : **ITL 105 800 000** – Rome, 23 mai-4 juin 1996 : *Les Cheveux blonds,* past./cart. (455x380) : **ITL 103 000 000** – Londres, 12 juin 1996 : *La Corbeille de géraniums,* h/t (91x60) : **GBP 194 000** – Paris, 20 oct. 1996 : *Rêverie,* past./t. (41x33) : **FRF 110 000** – Rome, 11 déc. 1996 : *Nature morte aux fruits,* h/t (34x41,5) : **ITL 37 280** – New York, 12 fév. 1997 : *Après le bain,* h/t (48,9x31,1) : **USD 151 000** – New York, 23 mai 1997 : *Portrait d'Arturo Toscanini,* past./pan. (33,7x48,9) : **USD 85 000.**

ZANDOMENEGHI Luigi
Né le 20 février 1778 à Colognola. Mort le 15 mai 1850 à Venise. XIXe siècle. Italien.
Sculpteur.
Il travailla surtout à Venise où l'on voit de lui à l'Église Santi Giovanni Paolo, le *Monument au général d'artillerie autrichien de Chasteller,* exécuté avec le concours de Giacarelli. On cite encore le *Monument de Carlo Goldoni* (au Théâtre della Fenice), la *Statue de Tiziano* (à la Chiesa dei Frari) et un *Buste de Leopold Cicognora* (au Musée de Venise).

ZANDOMENEGHI Pietro
Né en 1806 à Venise. Mort le 24 octobre 1866 à Venise. XIXe siècle. Italien.
Sculpteur.
Élève de son père Luigi Z. et de Thorwaldsen. On voit de ses œuvres à Venise et à Este.

ZANE Emmanuel. Voir **EMMANUEL**, frère Emmanuel Tzane

ZANELLA Domenico
Mort vers 1705. XVIIe siècle. Italien.
Peintre.
On voit de ses œuvres dans plusieurs églises de Padoue.

ZANELLA Francesco ou **Zanelli** ou **Zanello**
XVIIe-XVIIIe siècles. Italien.
Peintre.
Élève de Luca Ferrari et de Carpioni. Il a exécuté de 1671 à 1717 de nombreux sujets religieux dans des églises de Padoue, Brescia, Rovigo, Vicenza. Il a été surnommé le « Luca Giordano de Padoue ».

ZANELLA Giovanni
Mort vers 1648 à Modène. XVIIe siècle. Actif à Vérone. Italien.
Sculpteur.

ZANELLA Silvio
Né en 1918 Gallarate. XXe siècle. Italien.
Peintre de paysages.
Il a été élève de l'Académie de Brera à Milan. Il a étudié sous la direction de Carra, Carpi et Funi.
Après avoir expérimenté une figuration à tendance abstraite, il se révélera dans un naturalisme aux accents fantastiques. Il peignait souvent en pleine pâte des accords chromatiques travaillés en dégradés.
Bibliogr. : In : *Les Muses,* Grange Batelière, Paris, 1974.

ZANELLA Siro
Mort vers 1724. XVIIIe siècle. Actif à Pavie. Italien.
Sculpteur et fondeur.
Fondit à Arona la statue de *Saint Charles Borromée* dessinée par Crespi et modelée par Giambattista Cerano (24 mètres de haut).

ZANELLI Angelo
Né le 17 mars 1879 à San Felice di Scovolo. XXe siècle. Italien.
Sculpteur, sculpteur de monuments.
Il a été élève de l'Académie des Beaux-Arts de Florence. Il a travaillé à Rome et à Naples. Il a exécuté à Rome le *Monument Victor-Emmanuel II.*

ZANESINI Cristoforo et **Lorenzo**. Voir **LENDINARA Cristoforo** et **Lorenzo da**

ZANETTI Antonio, dit **il Bugnate**
XVIe siècle. Actif vers le milieu du XVIe siècle. Italien.
Peintre de fresques.

ZANETTI Antonio Maria de, comte Girolamo
Né en 1680 à Venise. Mort en 1757 ou 1767 à Venise. XVIIIe siècle. Italien.
Graveur.
Il était de famille patricienne et apprit le dessin comme agrément ; à quatorze ans il grava une suite de douze planches de têtes et de figures. Amateur d'art, il voyagea ensuite en Italie, en France, en Angleterre, visitant et étudiant les plus belles collections. Il grava un grand nombre de planches sur bois en chiaroscuro (clair-obscur). Ils forment deux suites et un ensemble de quatre-vingt-dix estampes avec un portrait de Zanetti, gravé par Faldoni d'après Rosalba Carriera. Zanetti écrivit plusieurs livres d'art. Il acheta un grand nombre de dessins à la vente du comte d'Arundel, notamment des Raphael et des Parmegianino. Il marquait ses estampes d'un monogramme formé d'un A, d'un M et d'un Z entrelacés.

Bibliogr. : Adam von Bartsch : *Le peintre graveur,* 21 vol., J. V. Degen, Vienne, 1800-1808, Nieukoop, 1970.
Ventes Publiques : Milan, 4 déc. 1986 : *Paysage au pont animé de personnages,* pl. et lav. (37,6x53,5) : **ITL 7 000 000.**

ZANETTI Antonio Maria, dit quelquefois **Alessandro**, il giovane (le Jeune)
Né le 1er janvier 1706 à Venise. Mort en 1778 à Venise. XVIIIe siècle. Italien.

Graveur, écrivain d'art.
Neveu du comte Antonio Maria. Il fut bibliothécaire de Saint-Marc, et montra pour les arts et les lettres autant de goût que son oncle. Il publia une suite de quatre-vingts eaux-fortes dessinées et gravées par lui sous le titre *Varie Pitture a fresco de principali Maestri Veneziani*, etc. Il travailla aussi avec son oncle à la reproduction des principales statues de Venise. Enfin, on lui doit un intéressant ouvrage *Pittura Veneziana*, histoire de la peinture vénitienne en cinq volumes (Venise, 1771).
Bibliogr. : Adam von Bartsch : *Le peintre Graveur*, 21 vol., J. V. Degen, Vienne, 1800-1808 et Nieukoop, 1970.

ZANETTI Domenico
Né à Venise. Mort après 1712. XVIIIe siècle. Italien.
Peintre.
Fut peintre de la cour à Düsseldorf. Le Musée de Munich conserve de lui *Le Christ mort et les saintes femmes*.

ZANETTI Giuseppe. Voir **MITI-ZANETTI**

ZANETTI-ZILLA Vettore
Né le 21 mars 1864 à Venise. Mort en 1946 à Milan. XIXe-XXe siècles. Italien.
Peintre de paysages.
Élève de Ciardi à l'Académie de Venise. Exposa régulièrement à la Biennale de Venise. Les musées de Florence, Milan, Rome et Venise conservent de ses œuvres.
Ventes Publiques : Milan, 12 déc. 1974 : *Venise* : **ITL 650 000** – Milan, 28 oct. 1976 : *Jardin à Venise* 1927, h/cart. (59x38) : **ITL 3 600 000** – Milan, 5 avr 1979 : *Sul ponte della paglia* 1945, aquar. et temp. (57x49) : **ITL 1 000 000** – Milan, 20 mars 1980 : *La ruelle*, h/cart. (49x34) : **ITL 950 000** – Milan, 22 avr. 1982 : *Le retour des pêcheurs* 1919, h/pan. (93,5x100) : **ITL 4 200 000** – Milan, 27 mars 1984 : *Gondoles sur le Grand Canal* 1918, h/t (46,5x126) : **ITL 5 000 000** – Milan, 1er juin 1988 : *Glycines en fleurs* 1913, h/t (160x261) : **ITL 27 000 000** – Paris, 9 déc. 1989 : *Port de pêche italien*, lav. d'aquar. et encre de Chine (80x120) : **FRF 35 000** – Rome, 14 déc. 1989 : *Barques sur le fleuve*, h/t (29x20) : **ITL 4 025 000** – Londres, 17 mars 1989 : *Une gondole à Venise*, cr. et aquar. (38,7x57,7) : **GBP 715** – Milan, 19 oct. 1989 : *L'Auberge du Bossu à Venise* 1943, h/t/cart. (99,5x69,5) : **ITL 10 000 000** – Milan, 5 déc. 1990 : *Vue de Venise* 1892, aquar./pap. (55x34) : **ITL 3 600 000** – Rome, 31 mai 1990 : *Les barques le long du canal*, temp./pap./t. (79x118) : **ITL 17 000 000** – Rome, 27 avr. 1993 : *Barques à Venise* 1908, aquar./cart. (65x44,5) : **ITL 3 941 000** – Milan, 29 mars 1995 : *Canal dans la campagne vénitienne*, h/t (33x27) : **ITL 2 990 000** – Rome, 7 juin 1995 : *Balcon fleuri*, h/cart. (100x70) : **ITL 7 475 000** – Milan, 26 mars 1996 : *Cour vénitienne – San Gregorio*, h/pan. (25x12,5) : **ITL 4 600 000** – Rome, 27 mai 1997 : *Canal à Chioggia*, h/cart. (56x80) : **ITL 13 800 000**.

ZANETTO di Bugatto. Voir **BUGATTI Zanetto**

ZANFURNARI Emanuel. Voir **TZANFURNARI**

ZANGERLÉ Albertine
Née en 1882 à Redange (Grand-Duché du Luxembourg). Morte en 1968 à Marbehan. XXe siècle. Luxembourgeoise.
Peintre de fleurs.
Elle a exposé au Cercle des Beaux-Arts de Liège de 1933 à 1961.
Bibliogr. : Pierre Somville, in : *Le Cercle royal des Beaux-Arts de Liège 1892-1992*, Crédit Communal, Liège, s.d., 1892.
Musées : Liège (Mus. de l'Art Wallon) : *Fleurs II*.

ZANGRANDO Giovanni
Né le 27 novembre 1867 à Trieste (Frioul-Vénétie Julienne). Mort le 15 septembre 1941 à Trieste. XIXe-XXe siècles. Italien.
Peintre.
Il a été élève des académies des Beaux-Arts de Venise et de Munich.
Ventes Publiques : Rome, 16 déc. 1993 : *Cortège*, h/t (99x156) : **ITL 5 405 000**.

ZANGRIUS Jan Baptist
XVIIe siècle. Actif à Louvain vers 1600. Éc. flamande.
Graveur.

ZANGS Herbert
Né en 1924 à Krefeld (Rhénanie-Westphalie). XXe siècle. Allemand.
Peintre, créateur de reliefs. Abstrait-informel.
De 1946 à 1949, il fut élève de l'Académie de Düsseldorf. Ensuite, il parcourut l'Afrique du Nord, la Grèce, l'Égypte, etc. En 1952, il a reçu le Prix du Niederrhein, en 1957 une bourse de l'Union Industrielle Allemande et fut sélectionné pour le Prix Lissone et, en 1962, reçut le Prix Europe à Ostende.
Il participe à de nombreuses expositions collectives, en Allemagne et à l'étranger. Il montre aussi des expositions individuelles de ses peintures, parmi lesquelles : 1950, Musée de Krefeld ; 1951, Musée de Duisbourg ; 1956, Francfort-sur-le-Main ; 1958, galerie Iris Clert, Paris ; 1958, Londres ; 1960, Musée de Witten ; 1963, Lausanne ; 1995, *Œuvres 1952-1959*, Fondation Cartier, Paris, etc.
En 1951, Zangs peignait encore des paysages dans une manière rappelant Othon Friesz. L'année suivante, il se met à peindre des monochromes, une radicalité de la démarche contemporaine, si ce n'est antérieure même, à celle des Klein, Manzoni et Rauschenberg. Les monochromes de Zangs sont néanmoins interprétés comme des paysages de Finlande, paysages recouverts. Cependant, en 1953, il recouvre des objets usuels et des matières organiques de matière peinte. L'artiste procède par séries : 1952, non figuration ; 1954, reliefs monochromes ; 1957, série dite « des essuie-glaces » ; 1958, peintures de feu et de traces de suie ; 1959, dessins au charbon ; 1960, peintures de poussière. Dans toutes ces séries, la surface de la toile est animée par un effet de matière, parfois fait de percées et de trous. Ces développements sont en général rattrapés et disciplinés par des réseaux de lignes entrecroisées.
Bibliogr. : B. Dorival, sous la direction de... : *Peintres Contemporains*, Mazenod, Paris, 1964 – Éric Suchère : *Herbert Zangs ou le blanc infini*, in : *Beaux-Arts Magazine*, Paris, février 1995.
Ventes Publiques : Paris, 30 mai 1991 : *Composition* 1954, bois et rubans (46x39,5) : **FRF 150 000**.

ZANGUIDI. Voir **BERTOJA**

ZANI Giovanni Battista
XVIIe siècle. Actif à Bologne vers 1660. Italien.
Peintre, dessinateur et graveur à l'eau-forte.
Élève de Giovani Andrea Sirani. Il forma le projet de faire une collection d'estampes d'après les plus grands peintres de Bologne. Dans ce but, il dessina les peintures du cloître de San Michele in Bosco. La mort coupa court à son projet. On connaît de lui une eau-forte fort rare, une *Gloire* d'après L. Carracci.

ZANIERI Arturo
Né en février 1870 à Florence. XIXe siècle. Italien.
Peintre de genre, portraits.
Élève de Niccolo Cecconi et de Lorenzo Galati. Il débuta en 1890 à Florence.

ZANIMBERTI Filippo
Né en 1585 à Brescia. Mort en 1636 à Venise. XVIIe siècle. Italien.
Peintre d'histoire.
Il fit son éducation à Venise à l'école de Santa Peranda, dont il adopta la manière. On trouve des œuvres de lui dans les églises de Brescia et de Venise, notamment un important *Miracle de la Manne* à Santa Maria Nuova. On lui doit des tableaux de chevalet dans lesquels il multiplie les personnages.

ZANIN Francesco
XIXe siècle. Italien.
Peintre de scènes typiques animées, vues urbaines, architectures, peintre à la gouache, aquarelliste.
Il peignait les vues et scènes caractéristiques de Venise.
Ventes Publiques : Londres, 11 fév. 1976 : *Régates sur le Grand Canal, Venise* 1833, h/t (74x112) : **GBP 700** – Londres, 22 juil. 1977 : *La Place Saint-Marc, Venise* 1888, h/t (73,6x110,4) : **GBP 3 500** – Londres, 18 jan. 1980 : *Le Grand Canal, Venise*, h/t (40,6x61) : **GBP 1 600** – Londres, 17 juin 1992 : *Un bateau à aubes dans le Bacino de Venise* 1869, h/t (73x109) : **GBP 14 300** – Londres, 14 juin 1996 : *Le retour du Bucintoro le jour de l'Ascension à Venise* 1888, h/t (61x113,5) : **GBP 12 650** – New York, 23-24 mai 1996 : *Le Grand Canal et le Palais des Doges* ; *Le Grand Canal*, h/t, une paire (chaque 44,5x63,5) : **USD 34 500** – Venise, 7-8 oct. 1996 : *Capriccio*, aquar. et gche/pap. (25x35) : **ITL 1 610 000** – Londres, 21 nov. 1997 : *Le Canal des mendiants avec la Scuola Grande de Saint-Marc au Campo de San Giovanni e Paolo, Venise*, h/t (44x64) : **GBP 8 050**.

ZANINI Luigi, dit **Gigiotti**
Né le 10 mars 1893 à Vigo di Fassa (Trentin). XXe siècle. Italien.
Architecte, peintre de natures mortes.
Il a été élève de l'Académie des Beaux-Arts de Florence. Il fut membre de l'Association *Novecento italiano*.
Musées : Berlin – Milan – Paris.

ZANINO DI PIETRO. Voir **GIOVANNINO di Pietro da Venezia**

ZANKAROLAS Stefan
XVIIe-XVIIIe siècles. Grec.
Peintre d'icônes.
Peintre de l'école italo-byzantine.

ZANN Johann. Voir **ZAHND**

ZANNACCHINI Giovanni
Né le 5 novembre 1884 à Livourne (Toscane). XXe siècle. Italien.
Peintre, dessinateur.
MUSÉES : ROME (Gal. d'Art Mod.) – TOKYO.

ZANNER Andreas. Voir **ZAHNER**

ZANNI
XXe siècle. Français.
Peintre de figures.
Il est actif dans la seconde moitié du XXe siècle. Les musiciens, flûtistes, guitaristes, violonistes et les clowns sont les thèmes favoris de Zanni. Sa peinture vivement colorée, très construite, est parfois non figurative.

ZANNINI. Voir **ZANINI**

ZANNINO di Pietro da Venezia. Voir **GIOVANNINO di Pietro da Venezia**

ZANNONI Andrea. Voir **ZANONI**

ZANNONI Giuseppe
Né en 1849 à Vérone. Mort en 1903 à Monteforte. XIXe siècle. Italien.
Peintre de genre, paysages.
Il exposa à Naples, Milan et Rome.
VENTES PUBLIQUES : COLOGNE, 25 juin 1982 : *Jeune paysanne nourrissant des poules dans un intérieur rustique*, h/t (39x29) : **DEM 5 000** – MILAN, 23 mars 1983 : *Les Porteuses d'eau*, h/t (40x60,5) : **ITL 5 500 000** – ROME, 9 juin 1992 : *La Couturière*, h/t (40x25) : **ITL 4 500 000** – LONDRES, 1er oct. 1993 : *Le Repas*, h/t (60,7x39,7) : **GBP 3 450** – PARIS, 21 déc. 1993 : *Venise : San Giorgio*, h/t (55x38) : **FRF 10 100** – LONDRES, 22 fév. 1995 : *Jeune paysanne se reposant dans un champ*, h/t (39x59) : **GBP 1 610** – MILAN, 23 oct. 1996 : *La Famille du pêcheur*, h/t (39,5x57,5) : **ITL 11 650 000**.

ZANNONI Ugo
Né le 21 juillet 1836 à Vérone. XIXe siècle. Italien.
Sculpteur et peintre.
Exposa à Naples, Milan, Rome, Turin.

ZANOBI. Voir aussi **MACCHIAVELLI Zenobio di Jacopo**

ZANOBI, fra. Voir **ZENOBIO**

ZANOBI di maestro Domenico Poggini. Voir **POGGINI Zanobi di maestro Domenico**

ZANOBI di Poggino. Voir **POGGINO di Zanobi Poggini**

ZANOBONI Alfredo
Né le 4 octobre 1863 à Empoli. XIXe siècle. Italien.
Peintre de paysages et de natures mortes et sculpteur sur bois.
Élève de l'Académie de Florence. Il travailla à Paris, Londres, Buenos Aires et Milan.

ZANOLARI Giacomo
Né le 22 septembre 1891 à Chur. XXe siècle. Suisse.
Peintre.
Il étudia à Rome, Munich et Genève.

ZANONI. Voir aussi **VAPRIO**

ZANONI Andrea ou **Zannoni**
Né en 1669 à Padoue. Mort vers 1719. XVIIe-XVIIIe siècles. Italien.
Peintre d'histoire et architecte.
Le Musée de Kassel conserve de lui *Job et sa femme*, et *Isaac bénissant Jacob*.

ZANONI Luciano
Né en 1940 à Caldes. XXe siècle. Italien.
Sculpteur.
Il est forgeron d'art. Il montre ses œuvres à la galerie Varnier à Paris. Il sculpte différentes plantes.

ZANOTTI Giampietro ou **Giovanni Pietro**, appelé aussi **Cavazzoni Zanotti**
Né le 4 octobre 1674 à Paris. Mort le 28 septembre 1765, à Bologne ou à Cortone selon d'autres sources. XVIIe-XVIIIe siècles. Italien.
Peintre, graveur et écrivain d'art.
Étudia et travailla à Bologne. On voit de ses œuvres dans plusieurs églises de cette ville.

ZANT Arnoldus Antonius Christianus van't
Né le 30 mai 1815 à Deventer. Mort le 12 février 1889 à Deventer. XIXe siècle. Hollandais.
Peintre de paysages animés, paysages.
Il fut élève de J. J. Vrendenburg et de J. H. L. Meyer.
VENTES PUBLIQUES : AMSTERDAM, 19 sep. 1989 : *Paysage d'hiver avec des patineurs et un traîneau à chevaux sur un canal gelé près d'une poterne en ruines* 1847, h/t (35x45,5) : **NLG 7 475**.

ZANTEN Pieter Van
Né en 1746 à Leyde. Mort en 1813 à Rotterdam. XVIIIe-XIXe siècles. Hollandais.
Peintre de portraits, restaurateur et marchand de tableaux.

ZANTH Karl Ludwig Wilhelm von
Né le 6 août 1796 à Breslau. Mort le 7 octobre 1857 à Stuttgart. XIXe siècle. Allemand.
Architecte, peintre, aquarelliste.
Étudia à Stuttgart et à Paris. Le Musée d'Angers conserve de lui deux aquarelles.

ZANTI AVELLO Franc. Voir **XANTO AVELLI**

ZANTVOORT. Voir **SANTVOORT**

ZANUSI Jackob
Né dans le Tyrol. Mort en 1755. XVIIIe siècle. Éc. tyrolienne.
Peintre d'histoire et de portraits.
Il fit son éducation à Venise et fut nommé peintre de la cour de l'archevêque de Salzbourg. On voit de lui plusieurs portraits de la famille Firmian au château de Leopoldskron. On cite également des tableaux d'autel et des sujets d'histoire.

ZANVERDIANI Alberto
Né le 26 août 1894 à Trieste (Frioul-Vénétie Julienne). XXe siècle. Italien.
Peintre, sculpteur sur bois, illustrateur.
Il fit aussi des illustrations de livres et des ex-libris.

ZAORTIGA Bonanat, l'Ancien
XVe siècle. Travaillant à Saragosse de 1403 à 1440. Espagnol.
Peintre.

ZAORTIGA Bonanat, le Jeune
Mort en 1492. XVe siècle. Actif à Saragosse. Espagnol.
Peintre.
Il exécuta les peintures du grand autel de sainte Catherine pour l'église San Pablo de Saragosse en 1470.

ZAOUÈRVÉÏD. Voir **SAUERWEID**

ZAO Wou-ki ou **Zhao Wuji, Tsao Wou-Ki**
Né le 13 février 1921 à Pékin. XXe siècle. Depuis 1948 actif, depuis 1964 naturalisé en France. Chinois.
Peintre, peintre de cartons de tapisseries, graveur, lithographe, illustrateur. Abstrait-lyrique.
Zao Wou-ki est né dans une famille cultivée et d'ancienne origine. On ne s'y opposa pas à son entrée à l'École des Beaux-Arts de Hang-Tchéou (Hangzhou), dès l'âge de quinze ans, après ses études secondaires. Là, il consacra trois années au dessin d'après les plâtres, deux années de dessin devant modèle, enfin une année de peinture. Les matinées étaient vouées à l'art occidental perspectif, les après-midi à l'art traditionnel chinois. En même temps, à l'aide de médiocres reproductions, Zao Wou-ki s'informait des grands peintres européens. La protection de son maître Ling Fong-Mien (Ling Fengmian) le fit nommer professeur-assistant, de 1941 à 1947, dans l'école où il s'était formé. En 1946, il organisa, au Musée National d'Histoire de Tchoung-King, la première exposition de peinture moderne chinoise. Le conservateur du Musée Cernuschi de Paris, Vadime Élisséef, l'ayant découvert au cours d'un voyage en Chine, l'incita à gagner la France. Arrivé à Paris en 1948, avec sa première épouse Lan-Lan, il s'affaira à visiter la France, l'Europe, les musées, les galeries, et à apprendre la langue, qu'il possédera bientôt parfaitement. Il fréquenta alors un peu l'Atelier d'Othon Friesz à l'Académie de la Grande Chaumière et l'École des Beaux-Arts. En 1950, il fit la connaissance d'Henri Michaux, qui le présenta en 1951 à Pierre Loeb, qui devint son premier mar-

chand à Paris. En 1951, un séjour à Venise eut une influence sur le début de la réflexion qui provoquera son évolution de la période figurative à l'abstraction. En 1957-1958, en compagnie de Pierre Soulages, Zao Wou-ki accomplit un voyage autour du monde. Une concordance de dates faisant qu'il attendait un jeune peintre chinois qui avait été son élève à l'École des Beaux-Arts de Hang-Tchéou, il demanda à l'auteur de la présente notice de parrainer selon l'usage extrême-oriental, son élève dans le milieu artistique parisien, le temps de son absence. Chu Teh-Chun à son tour s'est fixé en France, où il poursuit une belle carrière dans le sillage de son maître. En 1970, il accepta de donner les cours de la saison d'été de l'Académie de Salzbourg.
Dès son arrivée à Paris, il participa à une exposition de quelques peintres chinois de Paris, dans les locaux de l'Office d'Information du Gouvernement Chinois. Il commença d'exposer aux Salons des Tuileries et d'Automne ; il exposa pour la première fois au Salon de Mai en 1950. En 1951, il remporta un prix à la Biennale Internationale de Gênes. En 1952 à Paris, il participait au 1er Salon d'Octobre, organisé par Charles Estienne. À partir de 1952, les expositions se multiplièrent, aux États-Unis, en Angleterre, tant collectives que personnelles ; le magazine *Life* reproduisit une de ses lithographies en pleine page, à l'occasion de sa participation à la Biennale Internationale de la Lithographie en Couleur à Cincinnati. En 1955, il fut invité dans la section française à la Biennale de São Paulo. En 1956, il fit partie de la sélection française de la 40e exposition internationale de l'Institut Carnegie de Pittsburgh. En 1957, Michel Seuphor peut inviter Zao Wou-ki, en conclusion de son évolution, à l'exposition *Cinquante ans d'art abstrait*. En 1958, il participait de nouveau à l'exposition du Carnegie Institute de Pittsburgh, ainsi qu'à l'Exposition Internationale de Bruxelles. En 1960, il fit partie de la sélection française à la Biennale de Venise ; figura à la deuxième Biennale Internationale de Tokyo. 1965 fut sans doute l'année où il participa à un nombre record d'expositions. En 1967, il participa à l'exposition *Dix ans d'art vivant, 1955-1965*, à la Fondation Maeght de Saint-Paul-de-Vence. En 1968, il participait à l'exposition *L'art vivant, 1965-1968* à la Fondation Maeght. Dans la suite, l'intérêt de ses participations à des expositions collectives est éclipsé par ses expositions individuelles multipliées.
À l'âge de vingt ans, il montra une première exposition individuelle de ses peintures, à Tchoung-King (Chongjing). Dans la période troublée de la libération de la Chine, en 1946, Zao Wou-ki montra une nouvelle exposition de ses peintures, à Changhaï (Shanghai). À Paris, en 1949, le conservateur du Musée Cernuschi, organise une exposition de ses peintures, que préface Bernard Dorival. En 1951, Pierre Loeb expose un ensemble de ses peintures ; en 1951, 1953, 1956, la galerie La Hune exposa ses dessins, aquarelles, lithographies, gravures ; des expositions personnelles de ses gravures lui furent consacrées à la galerie Klipstein de Berne et à la galerie Laya de Genève. En 1953, il expose en Italie, en Allemagne. En 1954, le Musée de Cincinnati présenta une exposition d'ensemble de son œuvre gravé. La revue *Life* reproduisit en couleurs quatre de ses peintures. En 1955 parut un catalogue de ses gravures et lithographies. À partir de 1955 à Paris, il fut lié par contrat avec la galerie de France. À partir de 1958, et en 1959, 1961, 1964, 1965, il exposa à la galerie Kootz de New York. En 1960, il eut une exposition personnelle à Tokyo. En 1968, le Museum of Art de San Francisco lui consacrait une exposition personnelle, avec trois salles. En 1969, le Musée d'Art Contemporain de Montréal, puis le Musée de Québec, organisaient la deuxième rétrospective importante de son œuvre. En 1972 à la galerie de France, il exposait des encres de Chine en même temps que les sculptures de sa femme May Zao – qui venait de disparaître. En 1975, une exposition à la galerie de France, préfacée par René Char, réunissait ses peintures de 1971 à 1975. Dans la suite, des expositions personnelles très nombreuses ont lieu à travers le monde, dont encore quelques unes : 1981 Paris, rétrospective aux Galeries Nationales du Grand Palais ; 1983 au Musée de Pékin et à Taiwan ; 1986 Paris, présentation d'un triptyque destiné à une entreprise de Singapour, galerie de France ; 1988 Paris, galerie de France, galerie Trigano et présenté à la FIAC (Foire Internationale d'Art Contemporain) par la galerie Protée ; 1994 une rétrospective de son œuvre (1954-1994) a été organisée au Centre culturel d'Art contemporain de Mexico. En 1994, lui a été décerné le Prix *Premium imperial Award of Painting*, remis par l'empereur du Japon. En 1994, est paru le nouveau catalogue de ses lithographies et gravures de 1937 à 1995. En 1994, 1997 Paris, expositions galerie Thessa Hérold ; etc.
En Chine, informé par des revues venues de l'étranger, Zao Wou-ki avait peint des Arlequins inspirés de ceux de Picasso, puis il avait, toujours culturellement, contrebalancé son influence par celle de Paul Klee, plus proche de l'écriture extrême-orientale. En 1949, à son arrivée à Paris, il s'initia à la lithographie à l'imprimerie Desjobert. Henri Michaux enthousiaste, écrivit une suite de poèmes inspirés de ces lithos. Jacques Villon, Léger, bientôt Miró, Giacometti, Picasso, s'intéressent à lui. Zao Wou-ki s'était alors dégagé des influences mélangées de Picasso et Matisse, qui avaient marqué ses premières peintures. S'étant retourné vers ses sources nationales, il s'était créé une écriture alliant l'élégance synthétique des idéogrammes chinois aux raccourcis poétiques d'un Paul Klee. Le succès fut immédiat, multiplié par les tirages des lithographies. Deux livres parurent simultanément : *Lecture de Zao Wou-ki*, les huit poèmes de Michaux accompagnant huit lithographies de Zao, et *Paris-Poëms* de Harry Roskolenko avec six lithographies. En 1953, il créa les décors et costumes du ballet *La Perle* sur un argument de Louise de Vilmorin, pour la compagnie de Roland Petit. Bien qu'exposant le plus souvent avec des peintres abstraits, Wols, Tobey, Mathieu, Riopelle, Schneider, Poliakoff, etc., ses propres œuvres continuent d'avoir un contenu poétique figuratif, pouvant aller, avec toute liberté d'interprétation, jusqu'à représenter des scènes de pêche sur des étendues d'eau, ou même des villes : Carcassonne, Ischia, Venise. À Paris, la galerie Pierre (Pierre Loeb) montrait ces peintures en permanence et avec succès.
C'est à partir de 1955 que s'est situé le tournant de son œuvre : les représentations allusives de la réalité se faisant plus discrètes, puis se symbolisant dans des signes graphiques rappelant les idéogrammes calligraphiques de sa première formation, Zao Wou-ki passa résolument du côté de l'abstraction lyrique, exprimant par le geste calligraphique, non plus l'aspect purement extérieur de la réalité, mais la nature dans sa totalité. À ce propos, Alain Jouffroy nota alors (dans *Arts* du 1er juin 1955) : « L'œuvre de Zao Wou-ki montre bien comment la vision chinoise de l'univers, où le flou, le lointain, reflètent l'esprit de contemplation plutôt que la chose contemplée, est devenue une vision moderne universelle... » Pendant peu d'années, le public, dérouté, ne le suivit plus ; Pierre Loeb ne trouvait plus d'amateurs pour ces nouvelles peintures ; Zao Wou-ki tint bon ; quand un artiste renonce au succès d'une production plus facile pour obéir à l'impératif d'une conviction austère, ce sont des faits qu'il convient de rappeler. Quant à cette question, souvent posée à son sujet, des rapports de sa peinture avec l'art traditionnel de la Chine, Zao Wou-ki a répondu lui-même : « Si l'influence de Paris est indéniable dans toute ma formation d'artiste, je tiens aussi à dire que j'ai graduellement redécouvert la Chine à mesure que ma personnalité profonde s'affirmait... Paradoxalement, peut-être, c'est à Paris que je dois ce retour à mes origines. »
En 1957, parut *Les compagnons dans le jardin* de René Char, avec quatre eaux-fortes de Zao. En 1962, il réalisa dix lithographies pour illustrer *La tentation de l'Occident* d'André Malraux, ainsi que quatre gravures en couleurs illustrant *Les terrasses de jade* d'Hubert Juin. En 1965, il illustra l'*Œuvre poétique* de Saint John Perse, en 1966 de huit aquarelles *Les Illuminations* de Rimbaud. En 1967, il composa un ouvrage sur les estampages Han, avec Claude Roy. Depuis 1969, ses peintures n'ont plus reçu d'autre titre que *Peinture*. En 1970, il composa une tapisserie de 4,80 m × 3,80 m, pour la Manufacture des Gobelins. En 1971, il illustrait de huit gravures en couleurs *L'Étang* de Jean Lescure, de huit gravures en couleurs aussi le *Cantos Pisan* de Ezra Pound. En 1974, il donnait encore des illustrations pour plusieurs ouvrages. En 1975, il illustrait de cinq eaux-fortes en couleurs *Randonnée* de Roger Caillois.
Henri Michaux évoque la peinture de Zao Wou-ki par ce qu'elle refuse de ce qu'elle fut et par ce qu'elle est désormais : « ...vide d'arbres, de rivières, sans forêts ni collines, mais pleine de trombes, de tressaillements, de jaillissements, d'élans, de coulées, de vaporeux magmas colorés qui se dilatent, s'enlèvent, fusent ». En ce qui concerne son appartenance ou non à l'abstraction, Zao Wou-ki a répondu lui-même : « Je crois que tous les peintres sont réalistes pour eux-mêmes. Ils sont abstraits pour les autres. » N'exprimant ni la réalité extérieure, ni ses propres états d'âme, mais l'âme des choses, l'unité de toutes choses, il cite un poème de Tchoang-Tzeu (Chuangzi) : « Dans l'océan vit un poisson immense, qui prend la forme d'un oiseau. Quand cet oiseau s'envole, ses ailes s'étendent dans le ciel comme des nuages... Ce qu'on voit là-haut, dans l'azur, est-ce

que ce sont des troupeaux de chevaux sauvages qui courent ? Est-ce de la matière pulvérulente ? Est-ce que ce sont les souffles qui donnent naissance aux êtres ? Et l'azur est-il le ciel, ou n'est-ce que la couleur du lointain infini dans lequel l'être même des Annales et des Odes se cache ? » Zao Wou-ki a connu tôt un succès mondial, d'abord avec une peinture qui débordait de charme, puis plus difficilement avec une écriture graphique sans concessions au sujet, s'imposant par la sûreté technique, la force des clairs-obscurs, la richesse de la touche résultant de la spontanéité et surtout pas de quelque cuisine, la poésie du climat psychologique. Il a sans doute réussi la synthèse entre les moyens techniques de son héritage extrême-oriental, par un dessin souple et subtil traitant les couleurs à l'huile avec la fluidité discrète, la transparence diaphane de l'aquarelle, et l'ambition plastique et poétique de l'abstraction lyrique occidentale.

■ Jacques Busse

Bibliogr. : Nesto Jacometti : *L'œuvre gravé 1949-1954 de Zao Wou-ki*, Gutekunst et Klipstein, Berne, 1955 – Claude Roy : *Zao Wou-ki*, Georges Fall, Musée de Poche, Paris, 1957 – Michael Sullivan : *Chinese art in the 20th Century*, Faber et Faber, Londres, 1959 – Georges Charbonnier : *Le monologue du peintre*, Julliard, Paris, 1960 – Jean-Jacques Lévêque, in : *Dictionnaire des Artistes Contemporains*, Libraires Associés, Paris, 1964 – Claude Roy, in : *Peintres Contemporains*, Mazenod, Paris, 1964 – Pierre Schneider et Alfred Manessier : catalogue de l'exposition rétrospective *Zao Wou-ki*, Folkwang Museum, Essen, 1965 – Joseph-Émile Muller, in : *Encyclopédie de l'Art au xxe siècle*, Larousse, Paris, 1967 – Jacques Lassaigne : catalogue des expositions *Zao Wou-ki*, Musée d'Art Contemporain, Montréal, et Musée du Québec, 1969 – Claude Roy, Henri Michaux : *Zao Wou-ki*, Georges Fall, Musée de Poche, Paris, 1970 – in : Encyclopédie des Arts *Les Muses*, tome 15, Grange Batelière, Paris, 1969-1974 – Michel Ragon, Michel Seuphor : *L'Art Abstrait*, Maeght, Paris, 1971-1974 – René Char : catalogue de l'exposition *Zao Wou-ki, 1971-1975*, Gal. de France, Paris, 1975 – Françoise Marsuet et Roger Caillois *Zao Wou-ki. Les estampes 1937-1974*, Yves Rivière éditeur, Paris, 1975 – Jean Leymarie : *Zao Wou-ki*, Cercle d'Art, Paris, 1986 – Jean Leymarie : Catalogue de l'exposition *Zao Wou-ki*, gal. Jan Krugier, Genève, 1988 – Pierre Schneider : Catalogue de l'exposition *Zao Wou-ki*, gal. Artcurial, Paris, 1988 – Lydia Harambourg, in : *L'École de Paris 1945-1965. Diction. des Peintres*, Ides et Calendes, Neuchâtel, 1993 – Pierre Daix : *Zao Wou-ki, l'œuvre, 1935-1993*, Ides et Calendes, Neuchâtel, 1994 – *Zao Wou-ki. The Graphic Work. A Catalogue Raisonné 1937-1995*, Edition Heed & Moestrup, Danemark, 1996 – Yves Bonnefoy, Gérard de Cortanze : *Zao Wou-ki*, La Différence, Paris, 1999 – Zao Wou-ki, Entretiens avec : *Couleurs et mots*, Cherche-Midi, Paris, 1999.

Musées : Atlanta, Géorgie (University) – Bruxelles (Bibl. roy.) – Cambridge, Mass. (Fogg Mus. of Art) – Cambridge, Mass. (Havard University) – Chicago (Art Inst.) – Cincinnati (Art Mus.) – Cleveland (Cayahoga Savings Associat.) – Detroit (Inst. of Art) – Djakarta – Essen (Folkwang Mus.) – Gênes (Gal. Civica d'Arte Mod.) – Grenoble – Hartford, Connect. (Wadsworth Atheneum) – Le Havre – Helsinki (Kunstmuseum Athenaeum) – Hong Kong (Consulat Général de France) – Ithaca, New York (White Art Mus., Cornell University) – Kalamazo, Michigan (Upjohn Compan. coll.) – Londres (Tate Gal.) – Londres (Victoria and Albert Mus.) – Los Angeles (Berkeley University) – Los Angeles (Medical Research Center) – Mexico (Mus. d'Art Contempor. R. Tamayo) – Milan (Mus. des Beaux-Arts) – Milan (Gal. Civica d'Arte Mod.) – Minneapolis (Walker Art Center) – Montréal (Mus. d'Art Contemp.) : *Sans titre* 1958, litho. – Nagaoka-Shi (Nyozezo coll.) – New Haven (Yale University) – New York (Solomon R. Guggenheim Mus.) : *Mistral* 1957 – Paris (Mus. Nat. d'Art Mod.) : *La place de Venise* 1951 – *Incendie* 1954 – Paris (Mus. d'Art Mod. de la Ville) – Paris (CNAC) – Paris (BN) – Paris (Manuf. Nat. des Gobelins, de la Savonnerie de Sèvres) – Pittsburgh (Carnegie Inst.) – Ridgefield, Connect. (Aldrich « Old 100 » coll.) – Rio de Janeiro (Mus. d'Art Mod.) – San Francisco (Mus. of Art) – Sant-Thomas, Virgin Island (Virgin Island Mus.) – Skokie, Illin. (Int. Min. and Chem. Corpor.) – Skopje (Mus. des Beaux-Arts) – Stanford, Calif. (University) – Tel-Aviv – Toronto (Canad. Imp. Bank of comm.) – Vienne (Albertina Mus.) – Washington D. C. (Hirshorn Mus.).

Ventes Publiques : New York, 3 juin 1959 : *Vent de l'Est* : **USD 425** – Genève, 12 mai 1962 : *Composition*, aquar. : **CHF 3 400** – New York, 13 mai 1964 : *Abstraction* : **USD 1 600** – New York, 18 mars 1965 : *Mon pays* : **USD 1 900** – New York, 9 nov. 1967 : *Composition* : **USD 2 750** – New York, 15 mai 1968 : *Traces dans la ville* : **USD 1 600** – Londres, 12 déc. 1969 : *Abstraction* : **GNS 700** – New York, 14 mai 1970 : *Composition* : **USD 1 000** – Paris, 28 juin 1973 : *Composition* 1955 : **FRF 20 200** – Paris, 12 juin 1974 : *Composition abstraite* 1956 : **FRF 13 500** – Londres, 3 déc. 1976 : *Paysage* 1965, h/t (73x60) : **GBP 380** – Paris, 31 mars 1977 : *La Voie lactée* 1856, h/t (162x114) : **FRF 25 000** – Berne, 22 juin 1979 : *Abstraction* 1959, gche et aquar. (39,5x54,5) : **CHF 2 000** – Paris, 6 déc 1979 : *Composition* 1960, h/t (160x129) : **FRF 28 500** – Anvers, 29 avr. 1981 : *Paysage* 1973, aquar. (46x67) : **BEF 120 000** – Versailles, 23 juin 1981 : *Composition* 1976 : **FRF 21 500** – Versailles, 13 juin 1984 : *Composition* 1969, h/t (50x73) : **FRF 39 000** – Londres, 27 juin 1985 : *Solbad* 1959, h/t (162x100) : **GBP 3 200** – New York, 20 fév. 1988 : *Sans titre* 1964, h/t (89,2x115,8) : **USD 19 800** – Paris, 29 avr. 1988 : *Personnage, oiseau et montagne* 1957, encre de Chine (28,5x37) : **FRF 7 500** – Paris, 12 juin 1988 : *Composition* 10 nov. 1969, h/t (54x65) : **FRF 62 000** – Paris, 20-21 juin 1988 : *L'Hiver* 1952, h/t (38x46) : **FRF 116 000** – New York, 8 oct. 1988 : *Petit jardin abandonné* 1954, h/t (33x41) : **USD 8 250** – Paris, 26 oct. 1988 : *Composition rouge* 1960, h/t (195x114) : **FRF 320 000** ; *Herbes* 1954, h/t (50x72) : **FRF 120 000** – Versailles, 18 déc. 1988 : *Composition*, tapis d'Aubusson (247x178) : **FRF 35 000** – New York, 14 fév. 1989 : *Nature morte et fleurs* 1953, h/t (59,7x81,1) : **USD 38 500** – Paris, 23 mars 1989 : *Composition* 1968, h/t (195x130) : **FRF 450 000** – Paris, 13 avr. 1989 : *Composition* 1962, h/t (46x55) : **FRF 200 000** – New York, 3 mai 1989 : *Sans titre* 1960, h/t (113x145) : **USD 82 500** – Londres, 29 juin 1989 : *Sans titre* 1970, h/t (96,7x130) : **GBP 24 200** – Douai, 2 juil. 1989 : *Composition*, h/t (73,5x100) : **FRF 300 000** – Paris, 29 sep. 1989 : *Personnage dans un paysage*, aquar. et encre de Chine (22,5x22,5) : **FRF 31 000** – Paris, 7 oct. 1989 : *Étoile au corps blanc* 1955-1956, h/t (54,5x65) : **FRF 220 000** – Paris, 9 oct. 1989 : *Composition* 1973, h/t (50x65) : **FRF 132 000** – New York, 9 nov. 1989 : *Sans titre* 1966, h/t (149,2x163,2) : **USD 99 000** – Paris, 22 nov. 1989 : *Composition 30.12.68/30.10.70*, h/t (200x162) : **FRF 910 000** – Paris, 22 nov. 1989 : *Composition*, h/t (200x162) : **FRF 910 000** – Rome, 28 nov. 1989 : *Opéra de Pékin* 1956, h/t (75x80) : **ITL 65 000 000** – Londres, 22 fév. 1990 : *Composition* 1958, aquar. et encre/pap. (32,5x25) : **GBP 6 380** – New York, 23 fév. 1990 : *Sans titre* 1952, h/t. d'emballage (65,1x80,6) : **USD 74 800** – Paris, 31 mars 1990 : *Green abstract* 1959, h/t (89x129,5) : **FRF 510 000** – Lyon, 24 avr. 1990 : *Dordogne* 1954, h/t (46x61) : **FRF 300 000** – New York, 9 mai 1990 : *Composition bleue* 1965, h/t (129,5x161,3) : **USD 104 500** – Neuilly, 10 mai 1990 : *Le Soleil rouge*, aquar./pap. (21x19) : **FRF 100 000** – Paris, 10 juin 1990 : *Plantes tortillées* 1954, h/t (115x114) : **FRF 680 000** – Paris, 13 juin 1990 : *Composition* 1975, encre et lav. d'encre de Chine/pap. (43x33) : **FRF 51 000** – Londres, 18 oct. 1990 : *Maisons sur pilotis* 1948, h/t (81x65) : **GBP 7 150** – New York, 7 nov. 1990 : *Sans titre* 1958, h/t (199,5x162) : **USD 79 750** – Douai, 11 nov. 1990 : *Composition*, aquar., encre et lav. (25x22,5) : **FRF 80 000** – Hong Kong, 15 nov. 1990 : *Deux Paysages* 1949, encre et pigments/pap. (chaque 51,5x36) : **HKD 104 500** – Calais, 10 mars 1991 : *Village jaune* 1954, h/t (54x73) : **FRF 132 000** – New York, 2 mai 1991 : *Port enchaîné* 1955, h/t (73x60) : **USD 28 600** – Hong Kong, 2 mai 1991 : *Peinture abstraite*, encre/pap. (72,5x52) : **HKD 115 500** – Paris, 30 mai 1991 : *Sans titre* 1964, h/t (200x162) : **FRF 450 000** – Paris, 15 déc. 1991 : *Vieille ville* 1955, h/t (80x116) : **FRF 320 000** – Lokeren, 21 mars 1992 : *Composition* 1960, aquar. (50x64) : **BEF 260 000** – Taipei, 22 mars 1992 : *Scène de rue abstraite*, h/t (49,5x64,8) : **TWD 1 320 000** – Paris, 16 juin 1992 : *Les maisonnettes* 1951, eau-forte (32,5x40,5) : **FRF 5 200** – New York, 8 oct. 1992 : *Sans titre* 1967, h/t (80,9x64,7) : **USD 24 200** – Paris, 27 oct. 1992 : *8-2-64/26-1-71*, h/t (65x100) : **FRF 200 000** – Munich, 1er-2 déc. 1992 : *Composition* 1959, encre noire (29,5x40,5) : **DEM 3 220** – Londres, 24-25 mars 1993 : *Composition* 1964, h/t (114x160) : **GBP 48 250** – Paris, 6 avr. 1993 : *Sans titre* 1984, aquar. (37x27,5) : **FRF 37 000** – New York, 4 mai 1993 : *Sans titre* 1950, h/t (73x91,4) : **USD 29 900** – Taipei, 18 avr. 1993 : *Fleurs dans un vase* 1953, aquar./pap. (52x34,5) : **TWD 437 000** – Paris, 23 juin 1993 : *21-4-80*, h/t (260x200) : **FRF 480 000** – Paris, 21 mars 1994 : *Sans titre* 1961, gche et aquar. (56x76) : **FRF 65 000** – Taipei, 16 oct. 1994 : *Paysage abstrait* 1954, h/t (65,2x81,5) : **TWD 1 035 000** – New York, 3 nov. 1994 : *Sans titre* 1970, h/t (122,2x130,2) : **USD 51 750** – Londres, 1er déc. 1994 : *Sans titre* 1959, h/t (195x130) : **GBP 67 500** – Taipei, 14 avr. 1996 : *Notre-Dame de Paris* 1953, h/t (53,2x66) : **TWD 897 000** – Paris, 1er juil.

1996 : *Composition* 1960, aquar. et lav. d'encre de Chine/pap. (34x35) : **FRF 31 000** – Paris, 4 déc. 1996 : *Gravure 287* 1976, eau-forte et aquat. (76,2x56,8) : **FRF 3 500** – Londres, 5 déc. 1996 : *25-5-60* 1960, h/t (195x114) : **GBP 43 300** – New York, 10 oct. 1996 : *Deux têtes*, h. et encre/pan. toilé (26,7x22,5) : **USD 6 900** – New York, 20 nov. 1996 : *18-9-78* 1978, h/t (146,1x114,3) : **USD 46 000** – Paris, 11 avr. 1997 : *Paysage animé* 1951, pl. et aquar. (30x23) : **FRF 17 000** – Taipei, 13 avr. 1997 : *Route entre deux villes* 1955, h/t (64,1x53,7) : **TWD 747 500** – Paris, 18 juin 1997 : *2-4-63* 1963, h/t (50x55) : **FRF 230 000**.

ZAOZERSKY Boris
Né en 1934 à Galchina. XXe siècle. Russe.
Peintre.
Il fut élève de l'Institut Répine de Leningrad (aujourd'hui Saint-Pétersbourg).
Musées : Saint-Pétersbourg (Mus. des Beaux-Arts).
Ventes Publiques : Paris, 7 oct. 1992 : *Les pommes*, h/cart. (60x80) : **FRF 4 000** – Paris, 25 jan. 1993 : *Les roses*, h/cart. (69,8x59,7) : **FRF 5 000** – Paris, 13 déc. 1993 : *Sous le pommier*, h/t (135x74) : **FRF 7 500** – Paris, 19 juin 1995 : *Les roses blanches*, h/cart. (67x60) : **FRF 5 600**.

ZAPATA Antonio
Né vers 1699 à Soria. XVIIIe siècle. Espagnol.
Peintre.
Élève de Palomino et de Jordan à Madrid. On voit de ses œuvres dans la cathédrale d'Osma et dans l'église de S. Saturio, près de Soria. Il était prêtre.
Ventes Publiques : Rome, 20 nov. 1984 : *David pleurant la mort d'Absalon*, h/t (90x136) : **ITL 5 600 000**.

ZAPATA Marcos
XVIIIe siècle. Mexicain (?).
Peintre, fresquiste.
Il fut l'un des artistes majeurs de l'École de Cuzco. Son œuvre reconnu comporte environ deux cent peintures, toutes produites entre 1748 et 1764. Son influence fut considérable et sa renommée s'établit surtout autour de la série de vingt-quatre toiles illustrant la vie de saint François, effectuée pour le Couvent des sœurs capucines à Santiago du Chili. Il réalisa également une suite *Letania Laurentania* pour la cathédrale de Cuzco.

ZAPATA Y NADAL José Antonio
Né en 1762 à Valence. Mort le 31 août 1837 à Valence. XVIIIe-XIXe siècles. Espagnol.
Peintre.
Élève de l'Académie S. Carlo de Valence, où il obtint des prix en 1786 et en 1792. Le Musée Provincial de Valence conserve plusieurs œuvres de cet artiste.

ZAPATER Juan José
Né le 19 mars 1866 à Valence. Mort le 1er octobre 1921 à Valence. XIXe-XXe siècles. Espagnol.
Peintre, illustrateur.
Il a été élève de l'Académie de Valence.

ZAPELLI Domenico. Voir **ZAPPELLI**

ZAPELLI Giovanni Battista, appellation erronée. Voir **ZUPELLI Giovanni Maria**

ZAPELLO Antonio, dit **Pistoja**
XVIe siècle. Travaillant à Venise de 1564 à 1567. Italien.
Peintre.

ZAPLETAL Jaroslav
Né en 1937 à Litoval (Moravie). XXe siècle. Tchèque.
Peintre.
Diplômé de l'École Normale de Prague qu'il fréquenta de 1955 à 1959, il a ensuite suivi les cours du Conservatoire national à Prague de 1959 à 1962. Il a été élève de C. Bouda, K. Lidicky et M. Salcman.
Il montre ses œuvres à Pilzen de 1965 à 1987, à Paris en 1969, à Amsterdam en 1970, à Prague en 1985.
Il se plaît à citer le passé, scènes de genre et personnages anciens, dans des compositions qui relèvent d'une poétique surréaliste.

ZAPOROGETZ Boris
Né en 1935 à Poltava. XXe siècle. Russe.
Peintre de genre, figures, nus. Postimpressionniste.
Il débuta à l'École des Beaux-Arts de Kharkov et poursuivit ses études à l'Académie des Beaux-Arts de Leningrad (Institut Répine), et fut l'élève de Iosiff Brodski, Y. M. Neprintsev et A. A. Mylnikov. Il a été membre de l'Association des Peintres de Leningrad.
Depuis 1960, il participe à de nombreuses expositions à Moscou et Leningrad (aujourd'hui Saint-Pétersbourg). Il participe en 1972 à Helsinki à *L'Art de Leningrad*, en 1977 à Osaka à *L'Art de la Révolution d'Octobre* et à nouveau à Helsinki, en 1978 et 1981, à trois expositions sur *L'Art Contemporain Soviétique*. Il expose aussi individuellement, notamment à Gatchina en 1980.
Sous le prétexte de scènes de genre, Zaporogetz peint souvent des nus, qui rappellent parfois ceux de Renoir, dans une technique lumineuse issue directement de l'impressionnisme.
Musées : Helsinki (Gal. d'Art Soviétique Contemp.) – Kiev (Mus. de l'Art Russe) – Moscou (min. de la Culture) – Moscou (Mus. Central de la Révolution) – Saint-Pétersbourg (Mus. Russe) – Saint-Pétersbourg (Mus. de l'Acad. des Beaux-Arts) – Saint-Pétersbourg (Mus. d'Hist.) – Tokyo (Gal. d'Art Contemp.).
Ventes Publiques : Paris, 11 juin 1990 : *La baigneuse*, h/t (64x81) : **FRF 17 000** – Paris, 18 fév. 1991 : *Baigneuses à la plage*, h/t (94x74) : **FRF 28 000** – Paris, 26 avr. 1991 : *Sur la plage*, h/t (99x79) : **FRF 13 500** – Paris, 29 mai 1991 : *Le parasol rouge*, h/t (79x100) : **FRF 17 000** – Paris, 24 sep. 1991 : *La baignade*, h/t (100x80) : **FRF 11 100** – Paris, 27 jan. 1992 : *Le bain*, h/t (86x60) : **FRF 22 000** – Paris, 13 mars 1992 : *Les jours d'été*, h/t (80x62) : **FRF 14 000** – Paris, 23 nov. 1992 : *Sacha*, h/t (65,5x54) : **FRF 10 000** – Paris, 13 déc. 1993 : *Les nus sur la plage*, h/t (99x79,5) : **FRF 6 500** – Paris, 30 jan. 1995 : *L'attente*, h/t (55x44,5) : **FRF 9 500**.

ZAPOTNIK ou **Sapotnegg**
XVIIIe siècle. Yougoslave.
Peintre.

ZAPOURAPH. Voir **CUREL de**, chevalier

ZAPPA Nicolao
XVIe siècle. Actif à Crémone. Italien.
Peintre.
Élève de son oncle Boccaccio Boccaccino.

ZAPPALA Gregorio
Né le 13 décembre 1833 à Syracuse. Mort le 28 décembre 1908 à Messine. XIXe-XXe siècles. Italien.
Sculpteur.
Élève de l'Université de Messine. Chevalier de l'ordre de la Couronne d'Italie. Il a surtout exposé à Rome. Il trouva la mort lors d'un tremblement de terre à Messine. Il exécuta des groupes pour la place Navone de Rome.

ZAPPE Joachim
Né vers 1765. XVIIIe siècle. Actif à Dalschitz. Autrichien.
Peintre verrier.

ZAPPE Joseph
Né en 1758 à Steinschönau. XVIIIe siècle. Autrichien.
Peintre verrier.
Il travailla à Steinschönau jusqu'en 1795 environ.

ZAPPELLI Domenico ou **Zapelli**
Né en 1457. Mort le 7 novembre 1527 à Mantoue. XVe-XVIe siècles. Italien.
Peintre.

ZAPPELLI Giovanni Maria, appellation erronée. Voir **ZUPELLI Giovanni Maria**

ZAPPI Faustina. Voir **MARATTI Faustina**

ZAPPI Lavinia. Voir **FONTANA Lavinia**

ZAPPONI Giovanni Domenico
Né à Vérone. XVIIe siècle. Italien.
Peintre.
Il travailla à Prague, à Dresde et à Francfort-sur-le Main.

ZAPPONI Ippolito
Né à Velletri. Mort en 1894 à Rome. XIXe siècle. Italien.
Peintre.

ZAR Johann ou **Jan Gregor von der**. Voir **SCHARDT**

ZAR Peter. Voir **ZAAR Johann Peter**

ZARABATTA Francesco
Né à Milan. XVIIIe siècle. Italien.
Sculpteur.
Il exécuta plusieurs statues pour la cathédrale de Milan.

ZARABOLLEDA Andres ou **Çarabolleda, Garaboleda**
Mort avant 1353. XIVe siècle. Espagnol.
Peintre.
Il travaillait à Valence vers 1328. Les dates s'opposent à identifier Andres Zarabolleda avec Andres Zareboleda.

ZARAGOZA
Né en 1940 aux Philippines. XXe siècle. Philippin.
Graveur sur bois.
C'est un chef de file dans l'art de la gravure sur bois. Son œuvre est tout d'abord décorative, mais il en a élargi les possibilités.

ZARAGOZA Agustin
XVIIIe siècle. Espagnol.
Sculpteur.

ZARAGOZA José Ramon
Né en 1874 à Cangas de Onis, près d'Oviedo. XIXe-XXe siècles. Espagnol.
Peintre.
Il a été élève de l'École San Salvador d'Oviedo et de l'École Supérieure de Peinture de Madrid. Il exposa à Munich en 1913 et à Madrid en 1915.
Ventes Publiques : New York, 30 mai 1985 : *Ninfa gallopando* 1981, h/t (130,2x100) : **USD 3 200**.

ZARAGOZA Lorenzo. Voir **LORENZO da Zaragoza**

ZARATE Ortiz de. Voir **ORTIZ DE ZARATE**

ZARCATE Pierre
Né en 1951 à Paris. XXe siècle. Français.
Peintre, dessinateur, pastelliste, aquarelliste. Abstrait.
Il s'est formé à l'Académie Julian, à l'École des Arts Décoratifs et à l'École des Beaux-Arts de Paris.
Il figure dans des expositions collectives, parmi lesquelles : 1981, *Treize artistes*, Hôtel-de-Ville, Paris ; 1982, *Quatre jeunes peintre*, galerie Karl Flinker, Paris.
Il montre ses œuvres dans des expositions personnelles, dont : 1975, galerie Chiron ; 1977, galerie Prinsen Kamer, Amsterdam ; 1979, galerie Nina Dausset, Paris ; 1980, galerie Jean-Pierre Mouton, Paris ; 1986, 1989, galerie Pascal Gabert, Paris ; 1987, galerie l'Œil Écoute, Lyon ; 1991, galerie Lamaignère-Saint-Germain, Paris ; 1995, galerie Montenay, Paris.
La peinture de Zarcate est une variation sur des découpes de formes. Dans la *Série noire*, l'artiste s'était interdit la couleur. Dans la *Suite Égyptienne*, il repose le problème plastique en terme de couleur : passant insensiblement de la « forme-couleur » à la « couleur-forme », voire à la tache.

ZARCILLO Y ALCARAZ Francisco ou **Salzillo, Sarcillo, Sancillo**
Né en 1707 à Murcie. Mort le 2 mars 1783 à Murcie. XVIIIe siècle. Espagnol.
Sculpteur sur bois.
Fils de Niccolo Z., frère de José, Inès et Patricio, son œuvre est essentiellement religieuse. Il avait en effet, tout d'abord orienté sa vie vers une vocation religieuse interrompue, en 1727, à la mort de son père, dont il dirigea l'atelier afin de subvenir aux besoins de sa famille. Les sculptures qui sortaient de cet atelier étaient le produit d'un travail collectif dirigé par Francisco. L'un des frères, Juan Antonio, commençait l'ébauche des figures dont les dessins préparatoires avaient été exécutés par Francesco qui achevait les sculptures, tandis que sa sœur Inès et son jeune frère Patricio les peignaient. L'atelier des Salzillo produisit des sculptures polychromes selon le goût espagnol du XVIIIe siècle, qui eurent un vif succès. Tout naturellement, étant données ses ascendances, Francisco donna une nuance baroque italianisante à son œuvre, mais il ne put exclure le réalisme et le goût du drame tout à fait espagnols. On remarque approximativement trois périodes dans l'évolution de son art. L'une va de 1727 à 1746 et reste attachée aux traditions paternelles ; de cette époque datent la *Pitié* de San Bartolome de Murcie et la *Virgen de la leche* à la cathédrale de Murcie. L'autre période va jusque vers 1765 et c'est le moment de maturité de l'artiste qui produit des œuvres telles que les sculptures conservées au Musée Salzillo de Murcie et dont on peut citer : *La Chute du Christ sur le chemin du calvaire* (1752), ou *La Vierge douloureuse* (1756), ou *La Trahison de Judas* (1763), sans compter tous les *Pasos* ou chars de la Semaine sainte. Après cette période fructueuse, Francisco se préoccupa moins de son atelier qui exécuta encore, entre autres, le *Paso de la Flagellation* (1777) et une crèche du genre napolitain. Le succès que remportèrent les œuvres de l'atelier de Francesco rend compte de leur appartenance à une sensibilité religieuse toute espagnole, à la fois tendre et tragique, mais toujours sincère. Il décora un grand nombre d'églises, dont celles de Murcie, Albacete, Alcantarilla, Almeria, Carthagène, Lorca, Orhuela, etc. La Bibliothèque Nationale de Madrid conserve deux dessins de cet artiste.
Bibliogr. : Y. Benoist, in : *Le Dictionnaire Universel de l'Art et des Artistes*, Hazan, Paris, 1967.

ZARCILLO Y ALCARAZ Inès ou **Salzillo, Sarcillo, Sancillo**
XVIIIe siècle. Espagnole.
Peintre de figurines.
Fille de Niccolo Z., sœur de José, Patricio et Francisco Z. Elle était active à Murcie. Elle aidait celui-ci dans l'exécution de figurines.

ZARCILLO Y ALCARAZ José ou **Salzillo, Sarcillo, Sancillo**
Né en 1716. Mort en 1748. XVIIIe siècle. Espagnol.
Sculpteur sur bois.
Fils de Niccolo Zarcillo. Il était actif à Murcie. Frère d'Inès, de Patricio et de Francisco Z, il aidait celui-ci dans l'exécution de figurines.

ZARCILLO Y ALCARAZ Niccolo ou **Salzillo, Sarcillo, Sancillo**
Né en 1672 à Capoue. Mort le 6 octobre 1727 à Murcie. XVIIe-XVIIIe siècles. Italien.
Sculpteur sur bois.
Père de Francisco, de José, Inès et Patricio Zarcillo. Il s'établit à Murcie, où il se maria.

ZARCILLO Y ALCARAZ Patricio ou **Salzillo, Sarcillo, Sancillo**
Né en 1722. Mort après 1800. XVIIIe siècle. Espagnol.
Peintre de figurines.
Fils de Niccolo Zarcillo. Il était actif à Murcie. Frère d'Inès, de José et de Francisco Zarcillo, il travailla en collaboration avec ce dernier.

ZARDARIAN Hovhannes
Né en 1918 à Kars. Mort en 1992 à Erevan. XXe siècle. Russe-Arménien.
Peintre.
Après des études à l'Académie des Beaux-Arts de Saint-Pétersbourg, il fut nommé en 1956, Peintre Émérite d'Arménie. En 1969 il devient professeur et, en 1988, membre de l'Académie des Arts d'URSS. Il reçut de nombreux prix, entre autres : le prix de l'Académie des Arts d'URSS en 1949 et la Médaille d'argent de l'Exposition internationale de Bruxelles en 1958.
Ventes Publiques : Paris, 23 jan. 1995 : *Jasmins fleuris*, h/cart. (49x69) : **FRF 6 000**.

ZARDETTI Eugen
Né le 27 novembre 1849 à Rorschach (sur le lac de Constance). Mort le 21 février 1926 à Lucerne. XIXe-XXe siècles. Suisse.
Peintre de marines, portraits.
Issu d'une famille d'origine italienne, il fit ses études à Zurich, Genève, Lucerne et à l'Académie de Karlsruhe et s'établit près de Bregenz en 1885.

ZARDI Giovanni Andrea de
XVIe siècle. Italien.
Sculpteur.
Il prit part à la décoration de l'église S. Bartolomeo de Bologne en 1515.

ZARDO Alberto
Né le 10 mai 1876 à Padoue (Vénétie). Mort en 1959 à Florence (Toscane). XXe siècle. Italien.
Peintre de paysages, figures, portraits.
Il a été élève de l'Académie de Florence.
Musées : Florence (Gal. d'Art Mod.) – Lima.
Ventes Publiques : Monaco, 21 avr. 1990 : *Le retour des pêcheurs*, h/t (65x80) : **FRF 66 600** – New York, 15 oct. 1991 : *Village de pêcheurs au soleil couchant*, h/t (54,6x44,5) : **USD 2 420** – Bologne, 8-9 juin 1992 : *Bergère et son troupeau dans un pré*, h/t (70x90) : **ITL 4 025 000** – New York, 16 fév. 1993 : *Moutons dans une prairie à flanc de colline*, h/t. cartonnée (28,6x39,4) : **USD 990**.

ZAREBOLEDA Andres ou **Garaboleda**
Né à Valence. XIVe-XVe siècles. Espagnol.
Peintre.

Il était actif à Valence de 1399 à 1419. Les dates s'opposent à identifier Andres Zarabolleda avec Andres Zareboleda.

ZAREBOLEDA Juan ou **Garaboleda**
Né à Valence. XIVe-XVe siècles. Actif à Valence de 1399 à 1419. Espagnol.
Peintre.

ZARECZKY Kornel
Né le 20 avril 1867 à Mezötur. XIXe siècle. Hongrois.
Peintre.

ZARÉTSKII. Voir **SARJETZKIJ**

ZARETSKY Andreï Antonovitch. Voir **SARJETZKIJ**

ZARIANKO. Voir **SARJANKO**

ZARINA Anna, née **Heinz Berzin** ou **Berzina**
Née en 1907 à Riga. Morte en 1984. XXe siècle. Active en Belgique. Russe-Lettone.
Peintre de genre, portraits, paysages, natures mortes.
Elle a été élève de l'Académie de Riga et de l'Institut supérieur d'Anvers où elle devint par la suite professeur (1948-1972). Elle a reçu plusieurs prix : 1939 le prix Laurent Meeüs, 1946 le prix Huymans.
Bibliogr. : In : *Dictionnaire biographique illustré des artistes en Belgique depuis 1830*, Arto, Bruxelles, 1987.
Musées : Anvers.
Ventes Publiques : Lokeren, 8 mars 1997 : *Nu assis*, h/t (95x85) : **BEF 55 000.**

ZARINA Vija
Née en 1961. XXe siècle. Russe-Lettone.
Peintre de figures, nus, compositions à personnages.
Elle s'est formée à l'École Rozental de Riga jusqu'en 1980, a poursuivi ses études à l'Académie des Beaux-Arts de Lettonie. Membre de l'Union des Artistes de l'ancienne URSS. Dès 1981, elle participe à des expositions.
Sa peinture, à tendance symboliste et décorative, puise certaines de ses sources dans l'imagerie populaire.
Ventes Publiques : Paris, 11 juil. 1990 : *Plage* 1990, h/t (65x81) : **FRF 16 000** – Paris, 14 jan. 1991 : *Elle*, h/t (100x50) : **FRF 3 500.**

ZARINENA Cristobal ou **Saranena, Sarangena, Sariñena, Sarnyena**
Mort le 9 novembre 1622 à Valence. XVIIe siècle. Espagnol.
Peintre d'histoire.
Frère de Juan et de Francisco Zarinena, puis étudia les grands maîtres dans les collections de Madrid. Il peignit plusieurs tableaux pour le monastère de San Miguel à Valence, et un *Couronnement d'épines* qui fut fort admiré. Zarinena adopta la couleur vénitienne. Il mourut très jeune. Le Musée de Valence conserve de lui : *Les apôtres saint Pierre et saint Philippe ; Saint Bruno ; Hyacinthe et Louis Bertrand ; La Vierge Marie avec saint Jean et Marie-Madeleine.*

ZARINENA Francisco
Né vers 1550 à Valence. Mort le 27 août 1624 à Valence. XVIe-XVIIe siècles. Espagnol.
Peintre d'histoire.
Frère de Cristobal et de Juan Z. Élève de Francisco Ribalta qu'il alla peut-être rejoindre en Italie. Il travailla pour l'église d'Aloquos, pour celle d'Aldaya, pour le couvent de Saint-Dominique et pour l'église de Santa Catarina à Valence et pour le couvent des Carmes à Requena. Il imita la manière de son maître.

ZARIÑENA Juan ou **Saranena, Sarangena, Sariñena, Sarnyena**
Né vers 1545. Mort en 1619 à Valence, ou 1634 selon certains biographes. XVIe-XVIIe siècles. Espagnol.
Peintre d'histoire, sujets religieux, portraits, compositions murales, fresquiste.
Il est le frère de Cristobal et de Francisco Zarinena. Il séjourna à Rome vers 1570-1575. Il s'établit à Valence en 1580, où il fut sous la protection de Juan de Ribera.
Il dut commencer à peindre fort jeune, car ses biographes disent qu'il peignit en 1587 pour le collège de Corpus Christi un *Christ à la colonne*, qu'il signa. Juan réalisa encore le maître-autel de l'église d'Ulldecona, sur les confins du Royaume de Valence. Il fit à fresque sur la tour de l'hôtel de ville de Valence : *Saint Vincent martyr* et *Saint Vincent Ferrier*. Il est surtout connu pour sa collaboration au décor du salon des Cortes (1591-1592) ; et ses portraits de personnages célèbres, tels que : *Jaime Ier ; S. Juan de Ribera ; Nicolas Factor*, œuvres qui joignent à la justesse des teintes un dessin vigoureux.
Bibliogr. : In : *Dictionnaire de la peinture espagnole et portugaise du Moyen Âge à nos jours*, coll. Essentiels, Larousse, Paris, 1989.
Musées : Valence (Mus. du Patriarche) : *Christ à la colonne – S. Juan de Ribera – S. Luis Bertran.*

ZARING Louise Eleanor, Mrs
Née à Cincinnati (Oklahoma). XXe siècle. Américaine.
Peintre, sculpteur.
Elle a été élève d'Olivier Merson, de l'Art Students' League de New York. Membre de l'Association Artistique Américaine Féminine de Paris.

ZARINS Indulis
Né en 1929. XXe siècle. Russe-Letton.
Peintre figures, fleurs.
Il s'est formé à l'Académie des Beaux-Arts de Lettonie en 1958 et fut Lauréat du grand Prix d'État de Lettonie. Professeur, puis recteur de l'Académie des Beaux-Arts de Lettonie et membre de l'Académie des Beaux-Arts de l'ancienne URSS.
Il montre de nombreuses expositions personnelles en Russie et dans les pays baltes : Vilnius, Riga, Moscou, Tallin, de même qu'en Norvège, Allemagne, France, Bulgarie, Hongrie, Tchécoslovaquie et Maroc.
Indulis Zarins peint, parfois en pleine pâte, des compositions structurées principalement par les couleurs. Elles représentent des sujets traditionnels : figures de femme, natures mortes, fleurs...
Musées : Florence (Mus. des Offices) – Moscou (Gal. Tretiakov) – Riga (Mus. d'Art) – Saint-Pétersbourg.
Ventes Publiques : Paris, 11 juil. 1990 : *Élégante – souvenir de Belcova* 1989, h/t (100x73) : **FRF 7 000.**

ZARINS Kaspars
Né en 1962. XXe siècle. Russe.
Peintre de figures, nus. Symboliste.
Il a étudié à l'École Rozental, a poursuivi sa formation en Lettonie en 1986. Il expose dès 1979.
Il campe des personnages raides et schématiques dans un univers irréel.
Musées : Riga (Fonds des Beaux-Arts).
Ventes Publiques : Paris, 14 jan. 1991 : *Le verre* 1990, h/t (79x70) : **FRF 4 000.**

ZARITZKY Yossef ou **Joseph** ou **Zaritskiy**
Né en 1891 à Borispol (Ukraine). Mort en 1985. XXe siècle. Depuis 1922-1923 actif en Palestine puis en Israël. Israélien.
Peintre de paysages, aquarelliste, dessinateur. Abstrait-lyrique.
Jusqu'en 1914, il fit ses études à l'Académie des Beaux-Arts de Kiev. Un voyage à Moscou lui fit prendre alors connaissance de la peinture moderne et il subit l'influence de Pougny, Larionov et Tatlin. Émigré en Palestine en 1922, il vint cependant compléter ses études à Paris, en 1927. Il a été un des principaux animateurs d'expositions collectives de peinture moderne à Jérusalem, rôle qu'il poursuivit après son retour en Palestine en fondant une association de peintres et sculpteurs. En 1947-1948, il fut cofondateur et animateur du premier groupe d'artistes abstraits en Israël *Horizons Nouveaux*. Il remporta le Prix National d'Israël en 1959.
Il participe à des expositions collectives, parmi lesquelles : 1948, Biennale de Venise ; 1978, *7 artistes en Israël*, Musée d'Art du District de Los Angeles ; 1982, *L'Art israélien du XXe siècle*, Musée de Tel-Aviv. D'entre ses nombreuses expositions personnelles, citons : 1955, Stedelijk Museum d'Amsterdam ; 1984, rétrospective, Musée de Tel-Aviv.
Pratiquant une peinture abstraite lyrique et gestuelle, toute surgie de l'émotion spontanée, Zaritzky a influencé durablement la jeune école de peinture israélienne au moment de sa formation.
Bibliogr. : Michel Seuphor : *Diction. de la peint. abstr.*, Hazan, Paris, 1958 – B. Dorival, sous la direction de... : *Peintres Contemporains*, Mazenod, Paris, 1964 – J.-C. Lambert : *La peint. abstr.*, in : *Histoire Générale de la peint.*, tome 23, Rencontre, Lausanne, 1966 – in : *Dictionnaire Universel de la Peinture*, Le Robert, Paris, 1975 – Mordechai Omer : *Zaritsky*, Massada, Tel-Aviv, 1987.
Ventes Publiques : Tel-Aviv, 22 nov. 1980 : *Haïfa* 1924, aquar. (24,5x30) : **ILS 10 500** – Tel-Aviv, 16 mai 1983 : *Femme assise* 1929, aquar. (50,5x33,5) : **ILS 581 200** – Tel-Aviv, 5 déc. 1983 : *Red touch* 1972, h/t (38x33) : **USD 2 600** – Tel-Aviv, 17 juin 1985 : *Paysage de Russie* 1920, aquar. (17x19,5) : **ILS 7 800 000** – Tel-Aviv, 2 juin 1986 : *Tel-Aviv* vers 1939, aquar. (48,5x69,5) : **USD 3 370** – Tel-Aviv, 1er juin 1987 : *Jérusalem, rue du roi*

George 1924, aquar. (24x31,5) : **USD 7 220** – Paris, 7 nov. 1988 : *Impressions* 1975, h/t (92x65) : **FRF 6 500** – Tel-Aviv, 2 jan. 1989 : *Les collines de Tel-Aviv* 1942, aquar. (36,5x52,5) : **USD 5 500** ; *Un soupçon de rouge* 1972, h/t (130x97) : **USD 17 050** – Tel-Aviv, 3 jan. 1990 : *Shchunat Shpack à Tel-Aviv* 1926, aquar. (47x66,5) : **USD 13 200** – Tel-Aviv, 19 juin 1990 : *L'artiste peignant sur un toit* 1940, aquar. (52x74) : **USD 26 400** – Tel-Aviv, 1er jan. 1991 : *Portrait de jeune femme*, h/t (99,5x73) : **USD 30 800** – Tel-Aviv, 12 juin 1991 : *Femme sur une chaise longue (Mrs Nagler)* 1930, aquar. et cr. (35x51) : **USD 22 000** – Tel-Aviv, 26 sep. 1991 : *Composition abstraite* 1973, h/t (107,7x107,7) : **USD 8 800** – Tel-Aviv, 6 jan. 1992 : *Une touche de rouge* 1967, h/t (89x92) : **USD 12 100** – Tel-Aviv, 14 avr. 1993 : *Vue de Tel-Aviv*, aquar. (52,5x72,5) : **USD 13 800** – Tel-Aviv, 27 sep. 1994 : *Amsterdam*, h/t (60,5x92) : **USD 68 500** – Tel-Aviv, 12 oct. 1995 : *Tel-Aviv* 1933, aquar. et cr./pap. (54x74) : **USD 14 950** – Tel-Aviv, 14 jan. 1996 : *Vase de fleurs sur une chaise* 1930, aquar. (48x56) : **USD 30 400** – Tel-Aviv, 14 avr. 1996 : *Composition*, h/t (120x205,5) : **USD 43 700** – Tel-Aviv, 7 oct. 1996 : *Vue de la fenêtre* 1933, aquar./pap. (45x63) : **USD 2 875** – Tel-Aviv, 30 sep. 1996 : *Portrait de madame Ayala Zacks* 1968-1970, h/t (115,9x91) : **USD 20 700** – Tel-Aviv, 24 avr. 1997 : *Jeune Fille devant une fenêtre ouverte* vers 1929, aquar. et cr./pap./cart. (50x69,5) : **USD 12 000** – Tel-Aviv, 23 oct. 1997 : *Intérieur à Amsterdam* 1955, aquar. et cr./pap./cart. (48x61) : **USD 12 650** – Tel-Aviv, 12 jan. 1997 : *Arbres à Tel-Aviv* vers 1935, aquar. (49,5x69,5) : **USD 16 100.**

ZARLATINI Giovanni Nicola

Né à Capri. XVIe siècle. Italien.

Sculpteur.

Il exécuta le tombeau de G. Guidarelli dans la chapelle de S. Liberio de S. Francesco à Ravenne en 1525.

ZARLATTI Giuseppe ou **Zarlati**

Né en 1635 à Modène. XVIIe siècle. Italien.

Peintre et graveur à l'eau-forte.

Il a gravé avec talent des sujets d'histoire et de genre. Il mourut très jeune.

ZARNECKI Stanislaw Maryan

Né le 31 mai 1877 à Cracovie. XXe siècle. Polonais.

Peintre de portraits, paysages.

ZARNIK Miljutin

Né le 14 avril 1873 à Ljubljana. Mort le 25 décembre 1940 à Ljubljana. XIXe-XXe siècles. Yougoslave.

Peintre, critique, écrivain humoriste.

Il a été élève de l'Académie des Beaux-Arts de Munich.

ZARNOWER Teresa

Née en 1895 à Varsovie. Morte en 1950 à New York. XXe siècle. Active aux États-Unis. Polonaise.

Sculpteur, illustrateur, affichiste. Constructiviste.

Militante communiste, elle collabora à plusieurs revues d'avant-garde. Elle quitta définitivement la Pologne en 1937 et se fixa aux Etats-Unis. Elle a exposé ses œuvres à la galerie Der Sturm à Berlin en 1923.

Bibliogr. : In : *Dictionnaire de l'art moderne et contemporain*, Hazan, Paris, 1992.

ZAROTTI Giovan Pietro

XVe-XVIe siècles. Travaillant à Parme entre 1475 et 1502. Italien.

Peintre.

ZAROU

Né à Gassin (Var). XXe siècle. Français.

Peintre de paysages.

Fils du peintre Tony Cardella. Il a montré une exposition de ses œuvres à la galerie Agay-Actualités à Agay-Village en 1979. Il décrit les paysages de la haute et basse Provence, les étangs de la Camargue, les plaines de la Crau.

Ventes Publiques : Paris, 6 nov. 1992 : *Village provençal*, h/t (73x60) : **FRF 5 000.**

ZAROUDNYÏ. Voir **SARUDNYI**

ZARRA Pedro

Né vers 1785 en Sicile. XIXe siècle. Espagnol.

Peintre.

Il obtint un prix à l'Académie de Madrid en 1808.

ZARRAGA Angel

Né le 16 août 1886 à Durango. Mort le 23 septembre 1946 à Mexico. XXe siècle. Actif aussi en France. Mexicain.

Peintre de compositions religieuses, sujets allégoriques, scènes de genre, nus, portraits, paysages animés, sujets de sport, natures mortes, fresquiste, dessinateur, illustrateur.

Il a été élève de l'Académie San Carlos de Mexico, il y suivit l'enseignement de Julio Ruelas et de German Gedovius. Il entreprit à partir de 1904 différents voyages en Europe, étudia à Bruxelles, Madrid, Tolède et Florence. Il retourna au Mexique en 1907 et 1910, puis se fixa à Paris. Il séjourna en France jusqu'en 1940. De retour au Mexique en 1941, il y vécut ses dernières années. Il débuta, à Paris, au Salon d'Automne en 1911. Décoré de la Légion d'Honneur en 1927.

Au début des années 1920, il aborda dans un style néoréaliste, des scènes sportives très vivantes. L'apologie des stades, et du football en particulier, permit à sa peinture une plus grande liberté. Zarraga exprime ici le mouvement, après des peintures de natures mortes traditionnelles mais où déjà les fruits semblent bien vouloir exploser des corbeilles qui les contiennent avec peine. Cette partie de son travail ne couvre sans doute pas l'ensemble de son œuvre, mais elle a considérablement aidé l'artiste à atteindre une forme de rationalisation intellectuelle. Zarraga l'exprimait ainsi : « Il est plus aisé de saisir l'homme lorsqu'il travaille, joue ou prie ». Plus préoccupé sans doute à la fin de sa vie par cette dernière attitude, il peignit les fresques de la Cathédrale de Monterrey, à Mexico. Il réalisa également des portraits, des nus, des allégories, ainsi que des fresques pour l'Ambassade du Mexique à Paris et pour plusieurs chapelles. Il a également illustré *Profond aujourd'hui*, de Blaise Cendrars. Cet artiste s'inspira dans certaines de ses œuvres des recherches cubistes ; dans ses compositions allégoriques murales, les influences conjuguées de Denis, Roussel et Piot, se font jour.

Angel ZARRAGA.

Angel ZARRAGA

Ventes Publiques : Paris, 25 mars 1921 : *Nature morte* : **FRF 1 060** – Paris, 29 oct. 1926 : *Paysage* : **FRF 6 700** – Paris, 24 nov. 1928 : *Fillette aux pommes* : **FRF 2 000** ; *Nature morte* : **FRF 6 000** – New York, 25 nov. 1929 : *Portrait de Renoir* : **USD 600** – Paris, 30 nov. 1942 : *Femme à la cruche* : **FRF 1 550** – Paris, 11 avr. 1945 : *Paysages animés*, deux toiles décoratives : **FRF 4 900** – Paris, 30 avr. 1947 : *La Femme au turban jaune* 1925 : **FRF 3 000** – Paris, 24 nov. 1950 : *La Porteuse d'eau* : **FRF 8 000** – Paris, 30 mai 1951 : *Porteuse à la cruche* : **FRF 10 000** – Paris, 4 mai 1955 : *Nature morte aux grenades* : **FRF 11 500** – Londres, 7 juil. 1971 : *Le Dieu vert* : **GBP 1 600** – Madrid, 28 nov. 1974 : *Paysage* 1933 : **ESP 55 000** – Paris, 25 mai 1976 : *Le Perroquet* 1916, h/t (21x27) : **FRF 5 000** – Versailles, 7 juin 1978 : *Femme à l'oiseau*, h/t (46x33,5) : **FRF 9 000** – Londres, 4 juil 1979 : *Les communiantes de Luxembourg* 1915, h. et collage/t. (54,5x37,5) : **GBP 850** – New York, 7 nov. 1980 : *Nu couché* 1944, aquar. et pl. (33,7x45,8) : **USD 800** – Enghien-les-Bains, 13 juin 1982 : *Oiseaux N° 6* 1916, h/t (100x80) : **FRF 38 000** – New York, 28 nov. 1984 : *Autoportrait* 1930, h/pan. (75x59) : **USD 2 000** – Neuilly, 22 nov. 1988 : *Paysage animé*, h/t (38x55) : **FRF 24 000** – Paris, 16 jan. 1989 : *Nu vu de dos ou étude pour Siclis, fresque de la place de l'Opéra* 1933, dess. (37x23) : **FRF 4 500** – Paris, 12 fév. 1989 : *Femme assise, robe rouge*, h/cart. (21,5x27) : **FRF 36 000** – Paris, 18 déc. 1989 : *L'Enlèvement d'Europe*, h/pan. (33x41) : **FRF 14 500** – New York, 1er mai 1990 : *Footballeurs sur le terrain*, h/t (175x122) : **USD 88 000** – New York, 2 mai 1990 : *Baigneuse sur le rocher blanc* 1925, h/t (94x73) : **USD 77 000** – Versailles, 6 juin 1990 : *Nature morte au panier de pommes*, h/t (46x62) : **FRF 48 000** – Paris, 16 juin 1990 : *Oiseaux* 1916, h/t (98,5x80) : **FRF 350 000** – New York, 20-21 nov. 1990 : *Le Pantin* 1909, h/t (175,3x141) : **USD 77 000** – Paris, 7 déc. 1990 : *Personnage aux livres* 1917, h/t (92x65) : **FRF 150 000** – Paris, 29 mai 1991 : *Les Baigneuses*, h/t (30,5x35,5) : **FRF 29 000** – New York, 20 nov. 1991 : *Le football*, h/t (100x80) : **USD 24 200** – New York, 19-20 mai 1992 : *Paysage animé*, h/t (35,6x27) : **USD 20 900** – Paris, 24 juin 1992 : *Panier de fruits*, h/t (35,5x65) : **FRF 25 000** – New York, 23 nov. 1992 : *Nature morte de fruits*, h/t (36,2x66) : **USD 26 400** – Paris, 19 mars 1993 : *Le Compliment*, h/t (81x60) : **FRF 172 000** – New York, 18 mai 1993 : *Portrait d'une dame en vert* 1915, h/t (92x73) : **USD 107 000** – Biarritz, 6 mars 1994 : *La Pose du modèle* 1937, h/t (89x116) : **FRF 115 000** – New York, 17 mai 1994 : *Andromède* 1937, h/t (124,9x64,9) : **USD 123 500** – Paris, 13 oct. 1995 : *Nus* 1917, h/t (41x33) : **FRF 25 000** – New York, 20 nov. 1995 : *Les Singes n° II (Chango peintre)* 1916, h. et graphite/t. (89x72,5) : **USD 288 500** – Marseille, 25 nov. 1995 : *Illustration de fables de La Fontaine,* h/t (103x203) : **FRF 246 000** – New York, 14-15 mai 1996 : *Deux Femmes* 1917, h/t (41x33) : **USD 28 750** – Paris, 10 juin 1996 : *L'Enlèvement d'Europe,* h/cart. (32,5x36) : **FRF 39 000** – New York, 25-26 nov. 1996 : *Nu au coquillage* vers 1925, h/t (116,2x88,6) : **USD 112 500** – Paris, 20 jan. 1997 : *Le Jeune Footballeur* 1926, h/t (149x98) : **FRF 125 000** – New York, 28 mai 1997 : *Le Jeune Footballeur* 1926, h/t (146,8x97) : **USD 46 000** – Paris, 16 juin 1997 : *Vue de Douarnenez* 1927, h/t (65x81) : **FRF 35 000** – New York, 24-25 nov. 1997 : *Femme au plateau de fruits* 1918, h/t (80x63) : **USD 321 500.**

ZARRINS Richards
Né le 29 juin 1869 à Kiegelumuiza. Mort le 21 avril 1939 à Riga. XIXe-XXe siècles. Lituanien.
Graveur, illustrateur.
Il fit ses études à l'École Stieglitz à Saint-Pétersbourg, puis à Berlin, Munich, Vienne et Paris. Il vécut et travailla à Saint-Pétersbourg. Il fut, de 1899 à 1919, directeur d'une imprimerie d'art, puis professeur à l'Académie.
Il grava de nombreux timbres russes entre 1905 et 1920 et des ex-libris.
Bibliogr. : Marcus Osterwalder, in : *Dictionnaire des illustrateurs 1800-1914,* Ides et Calendes, Neuchâtel, 1989.

ZARRON Ambrogio. Voir l'article **ALBERTAZZI Girolamo**

ZARZA Carlos
XVIIe siècle. Travaillant à Séville vers 1663. Espagnol.
Peintre.
Frère de Juan Mateo Z. et élève de l'Académie de Séville.

ZARZA Eusebio
XIXe siècle. Espagnol.
Peintre et graveur.
Élève de l'Académie de Madrid. Il exposa de 1856 à 1881 des tableaux religieux, des sculptures sur bois et des lithographies.

ZARZA Juan Mateo
XVIIe siècle. Travaillant à Séville de 1669 à 1672. Espagnol.
Peintre.
Frère de Carlos Z. et élève de l'Académie de Séville.

ZARZA Vasco de La. Voir **LA ZARZA**

ZARZECKI Mateusz
Né en 1824. Mort en 1870. XIXe siècle. Polonais.
Peintre.
Le Musée de Mielzynski de Posen conserve une *Madone* exécutée par cet artiste.

ZARZUELA Erasmo
Né en 1944 à Oruro. XXe siècle. Bolivien.
Peintre. Abstrait-paysagiste.
Il fit ses études dans sa ville natale. Il expose surtout à Oruro et à La Paz. On a aussi vu de ses œuvres en France.
Il pratique un paysagisme abstrait inspiré de la dernière manière de De Staël. Il est représenté au Musée de l'Université du Texas, ainsi qu'à l'Ambassade de Bolivie à Moscou.

ZASCHE Ivan
Né en 1826 à Jablonec en Bohême. Mort en 1863. XIXe siècle. Autrichien.
Peintre et lithographe.
Il exécuta des tableaux religieux et des portraits pour des familles nobles de Bohême.

ZASCHE Josef
Né le 6 décembre 1821 à Gablonz (Bohême). Mort le 13 avril 1881 à Vienne. XIXe siècle. Autrichien.
Peintre de miniatures.
Père de Theodor Z. Il étudia à Prague et travailla à Vienne où il peignit surtout sur porcelaine, ivoire et émail. Le Musée des Arts Décoratifs de Prague conserve des œuvres de cet artiste.

ZASCHE Theodor
Né le 18 octobre 1862 à Vienne. Mort le 15 novembre 1922 à Vienne. XIXe-XXe siècles. Autrichien.
Miniaturiste, caricaturiste.
Fils de Josef Zasche, élève de son père, de F. Laufberger et de J. Berger.
Il fit d'excellentes caricatures de la haute société viennoise pour des journaux de Vienne, de Berlin et de Munich.
Musées : Vienne : *Portrait de feu l'impératrice et reine Elisabeth.*

ZASTERA Franz ou **Zastiera**
Né en 1818 à Vienne. Mort en 1880 à Stockerau. XIXe siècle. Autrichien.
Peintre et graveur au burin.
Il exposa en 1835 et travailla pour plusieurs journaux viennois.
Ventes Publiques : Vienne, 30 mai 1967 : *Paysage* : **ATS 25 000** – Vienne, 24 avr 1979 : *Vue de la Puszta hongroise,* h/t (47x71) : **ATS 16 000** – Vienne, 17 fév. 1981 : *Vue de Rauhenstein près de Baden,* h/t (38,5x49) : **ATS 20 000.**

ZASZLOS Istvan
Né le 20 août 1895 à Györ. XXe siècle. Hongrois.
Sculpteur.
Il fit ses études à Budapest.

ZATSÉPIN. Voir **SAZJEPIN**

ZATTA Giacomo
XVIIIe siècle. Italien.
Graveur au burin.
Il grava de nombreux portraits dont celui d'*Alexandre Ier de Russie.*

ZATTI Carlo
Né vers 1810 à Brescello. Mort en février 1899 à Brescello. XIXe siècle. Italien.
Peintre et écrivain.
Élève de Pietro Benvenuti et de l'Académie de Modène. La Brera de Milan conserve de lui *Lamentations sur le corps d'Abel.*

ZATZINGER Martin ou **Matheus** ou **Zazinger** ou **Zeyzinger**
Né vers 1477. XVIe siècle. Actif à Munich vers 1500. Allemand.
Graveur et orfèvre.
On sait peu de choses précises sur cet artiste, qui aurait été élève de Wolgemut et peintre. On lui attribue un certain nombre d'estampes, marquées *M. Z.,* certaines avec les dates de 1500 à 1501. D'autre part, ces initiales peuvent s'appliquer aux noms de Matheus Zwikoff, Zagel. Les estampes et les dessins attribués à Zatzinger sont d'une exécution savante et énergique.
Ventes Publiques : Paris, 10-11 mai 1926 : *Un seigneur en armure,* lav. d'encre de Chine reh. : **FRF 1 800** – Londres, 17 juin 1983 : *Le Tournoi* 1500, grav./cuivre (22,3x31,6) : **GBP 1 200.**

ZATZKA Hans
Né le 8 mars 1859 à Vienne. Mort en 1945 ou 1949. XIXe-XXe siècles. Autrichien.
Peintre de compositions religieuses, sujets allégoriques, scènes de genre, figures.
Il fut élève de l'Académie des Beaux-Arts de Vienne de 1877 à 1882. Il décora de nombreuses églises de Vienne, de Mayerling, d'Olmütz et d'Innsbruck.

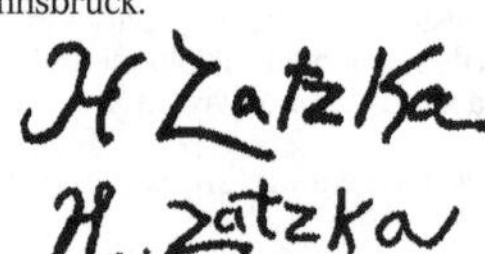

Ventes Publiques : Londres, 31 oct. 1974 : *Vénus et Cupidon* : **GNS 360** – Vienne, 2 nov. 1976 : *L'Amour puni,* h/pan. (47,5x31) : **ATS 28 000** – Vienne, 8 nov. 1977 : *Nature morte aux fruits,* h/t (72x136,5) : **ATS 30 000** – Amsterdam, 19 sept 1979 : *Trois jeunes femmes jouant avec un cygne,* h/t (56,5x78) : **NLG 3 200** – New York, 28 mai 1981 : *Nature morte aux fleurs,* h/t (76x63,5) : **USD 4 750** – New York, 24 fév. 1983 : *Süsse Früchte,* h/t (130x55) : **USD 8 000** – New York, 31 oct. 1985 : *Jeune fille dans un arbre,* h/t (57,1x78,7) : **USD 9 500** – New York, 28 oct. 1987 : *Printemps,* h/t (58x78,7) : **USD 17 000** – New York, 25 fév. 1988 : *Allégorie du Printemps,* série de quatre pan. : **USD 16 500** – Londres, 26 fév. 1988 : *Le rendez-vous,* h/t (68x47) : **GBP 2 200** – Los Angeles, 9 juin 1988 : *Nature morte de fleurs avec un perroquet,* h/t (76x63,5) : **USD 6 600** – Londres, 24 juin 1988 : *La Descente en luge,* h/t (78,7x58,2) : **GBP 3 300** – New York, 23 fév. 1989 : *Dans le harem,* h/t (59,7x76,2) : **USD 15 400** – Cologne, 18 mars 1989 : *Jeune couple dans une barque donnant la becquée à des cygnes,* h/t (48x69) : **DEM 4 000** – New York, 24 oct. 1989 : *Papillons,* h/t (81,3x55,9) : **USD 17 600** – Londres, 16 fév. 1990 : *Une odalisque* 1881, h/t (102,3x67,9) : **GBP 11 000** – Londres, 28 nov. 1990 : *Jeune femme avec des putti,* h/t (69x105) : **GBP 4 180**

– New York, 21 mai 1991 : *Satyre donnant une sérénade aux nymphes*, h/t (76,9x58,5) : **USD 6 050** – Londres, 19 juin 1991 : *L'admirateur empressé*, h/t (66x46) : **GBP 3 300** – New York, 20 fév. 1992 : *Jeune femme à demi déshabillée condamnant sa porte*, h/t (69,5x47,6) : **USD 8 250** – Londres, 18 mars 1992 : *Le jardin des nymphes*, h/t (77,5x57) : **GBP 4 400** – New York, 16 juil. 1992 : *Jeune beauté endormie*, h/t (58,4x78,7) : **USD 7 975** – New York, 15 fév. 1994 : *Après le bain*, h/t (63,5x48,9) : **USD 12 650** – Londres, 15 juin 1994 : *La Naissance de Vénus*, h/t (56,5x77) : **GBP 5 175** – Londres, 17 nov. 1995 : *La visite de l'amoureux*, h/t (68,5x47,6) : **GBP 15 525** – New York, 23-24 mai 1996 : *Été ; Printemps*, h/t, une paire (chaque 76,2x53,3) : **USD 18 400** – Londres, 12 juin 1996 : *Le Harem*, h/t (82x50) : **GBP 5 175** – New York, 18-19 juil. 1996 : *Les Ondines*, h/t (55,9x78,1) : **USD 3 450** – Londres, 31 oct. 1996 : *Dame dans un jardin*, h/t (58x25) : **GBP 1 610** – Londres, 21 mars 1997 : *Le Boudoir*, h/t (68,6x47,6) : **GBP 4 025** – New York, 26 fév. 1997 : *Nature morte élégante de fleurs sur un entablement*, h/t (76,8x63,3) : **USD 6 900** ; *Allégorie de l'Été*, h/t (63,4x31,7) : **USD 4 025** – Londres, 26 mars 1997 : *La Barque de l'Amour*, h/t (66,5x103) : **GBP 10 120** – Londres, 21 nov. 1997 : *À travers le trou de la serrure*, h/t (47,3x31,7) : **GBP 12 650** ; *Beauté orientale dans un jardin*, h/t (58,4x25,4) : **GBP 21 850** – New York, 22 oct. 1997 : *La Visite de Cupidon*, h/t (100,3x57,2) : **USD 17 250**.

ZAUFFELY Johann Joseph ou **John** ou **Zauphaly, Zoffani, Zoffany**

Né en 1733 à Francfort-sur-le-Main. Mort le 11 novembre 1810 à Strand-on-the-Green. XVIIIe-XIXe siècles. Britannique.

Peintre d'histoire, compositions mythologiques, sujets religieux, scènes de genre, portraits, intérieurs.

Son père était architecte du prince de Thurn et Taxis. Zauffely commença ses études avec Speer dans sa ville natale. Il semble que l'allégation de certains biographes qu'il aurait fui le logis paternel à l'âge de treize ans, pour aller à Rome, poursuivre ses études, est mal fondée. Dans tous les cas, le père de notre artiste paraît l'avoir soutenu pendant son séjour en Italie. Zauffely revint en Allemagne en 1758 et se maria. Cette union ne fut pas heureuse, il s'exila en Angleterre, pour recouvrer sa liberté. Il devait accompagner sir Joseph Banks dans son voyage de circum-navigation, mais diverses circonstances l'empêchèrent de partir. D'autre part le séjour de Londres lui devenait difficile par suite d'embarras d'argent. Il quitta l'Angleterre pour l'Italie, recommandé par George III au grand-duc de Toscane. L'artiste alla à Vienne en 1788, probablement présenter son ouvrage. Il fut des mieux accueilli et l'Impératrice le nomma baron du Saint-Empire. L'année suivante, Zauffely revint en Angleterre, et en 1783, il partit pour les Indes Anglaises et y demeura jusqu'en 1790. Les travaux qu'il exécuta durant ce voyage lui permirent de réaliser une fortune lui assurant l'indépendance pour la fin de sa vie.

Zauffely exposa à Londres de 1762 à 1800, notamment à la Society of Artists et à la Royal Academy. Il fut membre de la Saint Martin's Lane Academy et, en 1769 membre de la Royal Academy, fondée l'année précédente. Zauffely dans la liste des académiciens, figure parmi les fondateurs.

Il eut des commencements difficiles, mais un portrait du comte de Barrymore lui valut une recommandation à Lord Bute et son introduction près de la famille royale. Il fit aussi quelques portraits d'acteurs et d'actrices, notamment celui de Garrick, qui lui valurent un grand succès. Ses *conversations* théâtrales furent également très appréciées. Zauffely peignit un grand nombre d'académiciens. Il fit aussi un groupe de la famille royale, qui fut fort admiré. À Florence, Zauffely exécuta des travaux à la galerie florentine. Il fut aussi chargé par l'Impératrice Marie-Thérèse de peindre la famille princière de Toscane. Les ouvrages qu'il produisit après son retour en Angleterre sont inférieurs à ses premières peintures. D'ailleurs bien qu'il ait cherché à s'assimiler la conception des portraitistes anglais, Zauffely n'a jamais possédé la grâce, la distinction, le caractère de joliesse qui font le charme des Gainsborough, des Romney, des Joshua Reynolds. Toutefois il sait rester intime dans ses portraits non formalistes. Enfin il se fera spécialiste d'intérieurs rococo.

Musées : Berlin (Mus. mun.) : *Thomas Hanson assis dans un parc – Couple dans un parc* – Bordeaux : *Vénus sur les eaux – Vénus et Adonis* – Budapest : *Garrick et Mrs. Cibber* – Calcutta : *Portrait du général Stibbert* – Coblence : *Le purgatoire* – Detroit (Inst. of Arts) : *La princesse Amelia* – Dublin : *Charles Macklin dans le rôle de Shylock – Garrick* – Florence (Mus. des Offices) : *L'artiste* – Glasgow : *Le menuet, groupe de famille* – Kansas City : *Groupe de famille dans un parc* – Kissingen : Deux portraits – Londres (Nat. Gal.) : *Garrick – Th. Gainsborough – Groupe de famille – Portrait de Mrs. Oswald of Auchinecruive* – Londres (Nat. Portrait Gal.) : *L'artiste – La reine Charlotte avec le prince de Galles et le duc d'York – Le major Wm. Palmer et sa famille – C.-J.-P. baron Mulgrave – Sir Elijak Impey – J. Montagu, comte de Sandwich* – Munster : *Mort de Lucrèce* – Oxford : *Garrick dans le rôle d'Abel Drugger* – Salzbourg (Mus. Mozart) : *Portrait de Mozart en 1767* – Vienne : *L'archiduchesse Marie-Christine – Leopold de Toscane et sa famille – Quatre petits-enfants de Marie-Thérèse* – Würzburg : *L'artiste – L'Adoration des bergers*.

Ventes Publiques : Paris, 10 mars 1898 : *Combat de coqs à Lucknow* : **FRF 5 500** – Londres, 10 mai 1922 : *Scène de L'Alchimiste de Ben Jonson* : **GBP 490** ; *Scène de la pièce de S. Foote, Devil upon two sticks* : **GBP 290** – Londres, 14 juin 1922 : *Mrs Oswald* : **GBP 810** – Londres, 22 fév. 1924 : *John, Thomas et William Haverfield* : **GBP 210** – Londres, 30 juin 1926 : *Combat de coqs* : **GBP 760** – Londres, 9 juil. 1926 : *R. H. A. Bennett* : **GBP 1 942** – Londres, 9 juil. 1926 : *William Hodgson* : **GBP 315** – Londres, 3 déc. 1926 : *Edward Greene* : **GBP 378** – Londres, 20 avr. 1928 : *Un officier de marine* : **GBP 336** – Londres, 27 juin 1928 : *Charles Dibdin et sa famille* : **GBP 580** – Londres, 27 juin 1928 : *La famille Colmore* : **GBP 5 000** – Londres, 5 déc. 1928 : *Portrait d'un groupe* : **GBP 2 450** – Londres, 14 déc. 1928 : *La famille de sir W. Young* : **GBP 7 350** – Londres, 26 avr. 1929 : *Sir Thomas Stapleton* : **GBP 651** – Londres, 15 mai 1929 : *Le duc de Northumberland* : **GBP 1 500** – Londres, 26 juin 1929 : *Partie de chasse* : **GBP 945** – Londres, 28 juin 1929 : *La famille Dutton* : **GBP 7 350** – Londres, 28 juin 1929 : *Autoportrait avec des amis* : **GBP 1 155** – Londres, 3 juil. 1929 : *Charles W. Brooke enfant* : **GBP 950** – Londres, 12 juil. 1929 : *Le retour à Londres des fermiers* : **GBP 3 570** ; *Amours villageoises* : **GBP 1 785** – Londres, 20 juin 1930 : *La famille Bradshaw* : **GBP 5 880** – Londres, 31 juil. 1934 : *James Sayer à Bans* : **GBP 1 020** ; *La famille Sayer* : **GBP 980** – Londres, 2 juil. 1937 : *La famille de sir W. Young* : **GBP 3 150** – Londres, 15 déc. 1937 : *Patrick M. Hay enfant* : **GBP 680** – Londres, 19 mai 1939 : *Charles Towneley et ses amis* : **GBP 1 312** – Paris, 30 mars 1942 : *Portrait d'une dame de qualité*, attr. : **FRF 3 000** – Londres, 25 avr. 1945 : *Fanny Burney* : **GBP 470** – Londres, 6 déc. 1946 : *Christopher Fawcett* : **GBP 2 100** – Londres, 1er fév. 1950 : *Portrait du colonel Charles W. Brooke, enfant* : **GBP 320** – Londres, 8 déc. 1950 : *Portrait du comte et de la comtesse de Derby, avec leur fils Edward, dans un parc* : **GBP 735** ; *Portrait de l'artiste* : **GBP 105** – Londres, 25 avr. 1951 : *Une jeune mère avec ses quatre enfants* : **GBP 115** – Londres, 13 juil. 1951 : *Portrait d'homme* : **GBP 651** ; *Portrait de David Garrick* : **GBP 441** – Londres, 20 juil. 1951 : *Scène de chasse* : **GBP 525** – Londres, 15 mai 1953 : *Portrait de Suetonius Heatly* : **GBP 1 470** – Londres, 29 juin 1960 : *Portrait de la famille Lavie* : **GBP 7 000** – Londres, 24 mars 1961 : *Portrait de Mlle Eliza Farren* : **GBP 2 940** – New York, 8 avr. 1961 : *Portrait d'une dame* : **USD 800** – Londres, 3 juil. 1963 : *Trois enfants jouant au parc* : **GBP 21 500** – Londres, 27 avr. 1964 : *William Hodgson et sa famille* : **GNS 1 800** – Londres, 7 juil. 1965 : *Portrait de la famille Wilson* : **GBP 3 000** – Londres, 6 juil. 1966 : *Mr et Mrs James Blew et leurs trois enfants* : **GBP 17 000** – Londres, 22 nov. 1967 : *Portrait de la famille Husey* : **GBP 4 500** – Londres, 18 juin 1969 : *Portrait de William Powell* : **GBP 2 200** – Londres, 18 nov. 1970 : *Portrait du Rév. Randall Burroughs avec son fils* : **GBP 12 500** – Londres, 19 juil. 1972 : *David Garrick dans le rôle de Sir John Brute* : **GBP 11 000** – Londres, 28 nov. 1973 : *Sir John and Lady Hopkins with their children* : **GBP 10 000** – Londres, 20 mars 1974 : *Portrait of Charles Dibdin with his second wife* : **GBP 4 000** – Mentmore, 25 mai 1977 : *Pillage de la cave du roi, le 10 août 1792*, h/t (99x127) : **GBP 33 000** – Londres, 17 nov. 1981 : *Éléphants et cavaliers au bord d'une rivière près d'un temple hindou*, craies noire, blanche et rouge/pap. bleu, coins supérieurs coupés (22x43) : **GBP 750** – Londres, 26 avr. 1985 : *A scene from Love in a village, by Isaac Bickerstaffe*, h/t (130,2x165,1) : **GBP 320 000** – Londres, 13 mars 1986 : *Autoportrait*, cr. (14,5x12,8) : **GBP 1 400** – Londres, 18 avr. 1986 : *Group portrait of Sir Elijah and Lady Impey, their three children and servants on the terrace of a house*, h/t (91,5x122) : **GBP 200 000** – Londres, 24 avr. 1987 : *Portrait de Thomas Rosoman avec sa femme, Mary et* *leurs trois enfants, sur la Tamise à Hampton,* h/t (101,6x127) : **GBP 800 000** – LONDRES, 18 nov. 1988 : *Ulysse se saisissant d'Astyanax caché dans le sarcophage de son père Hector,* h/t (124x173) : **GBP 27 500** – LONDRES, 12 juil. 1989 : *Portrait de Sir Henry Oxenden enfant, portant un habit blanc à la Van Dyck avec une cape bleue,* h/t (75x63) : **GBP 16 500** – LONDRES, 15 nov. 1989 : *Intérieur d'atelier avec un jeune garçon admirant le portrait de ses parents,* h/t (74x61) : **GBP 22 000** – LONDRES, 17 nov. 1989 : *Portrait de John 14e Lord Willoughby de Broke avec sa famille, son épouse et leurs trois enfants.. dans la salle du petit déjeuner de Compton Verney,* h/t (100,5x125,5) : **GBP 3 080 000** – LONDRES, 11 juil. 1990 : *Portrait de George Fitzgerald avec ses fils George et Charles,* h/t (100x125,5) : **GBP 902 000** – LONDRES, 12 juil. 1990 : *Groupe de la famille Colmore, Charles tenant une canne assis sur un rocher, Mary assise, vêtue d'une robe bleue et d'un chapeau de paille à rubans entourée de ses quatre enfants et de leur nurse,* h/t (100,3x127) : **GBP 2 090 000** – LONDRES, 10 nov. 1993 : *Portrait de Lady Elizabeth Noel debout près d'une table à dessin vêtue d'une robe blanche et dessinant des roses,* h/t (76x64) : **GBP 60 900**.

ZAUGG Hans
Né le 3 avril 1894 à Burdof. Mort en 1986 à Berne. XXe siècle. Suisse.
Peintre de portraits, paysages, natures mortes, compositions murales.
Après des études à Berne, Bâle et Leipzig, il exposa à Berne à partir de 1921.
VENTES PUBLIQUES : BERNE, 22 oct. 1976 : *Nature morte,* h/pan. (51x70) : **CHF 1 000** – BERNE, 26 oct. 1988 : *Nature morte avec des bégonias,* h/t (71x60) : **CHF 2 900**.

ZAUGG Jean Pierre
Né le 7 avril 1928 à Neuchâtel. XXe siècle. Suisse.
Peintre de figures.
Il fut d'abord actif comme publicitaire, avec des stages professionnels à Berlin, Stockholm, Londres, Vienne, Paris. En 1965, il obtint une Bourse Confédérale. Il vit et travaille à Neuchâtel. Il reçut en 1965 le Prix de la Jeune Peinture Romande à Lausanne. On a vu une exposition personnelle de ses peintures, à Paris, en 1968.
En peinture, il traversa une période de recherches à travers un expressionnisme abstrait et des tableaux-objets. Au cours de séjours prolongés dans le Midi de la France, il découvrit le modernisme de l'œuvre de Fernand Léger, et, en conséquence, s'efforça de remettre sa propre peinture en question dans le but d'une meilleure intégration au monde contemporain. Un voyage aux États-Unis, en 1966, le mit en contact avec la figuration tonique du pop'art. Dans l'esprit de Tom Wesselmann, il peignit alors des silhouettes de femmes nues figurées par des techniques publicitaires.
BIBLIOGR. : *J.-P. Zaugg,* catalogue d'exposition, Galerie Massol, Paris, 1968.

ZAUGG Rémy
Né en 1943 à Courgenay. XXe siècle. Suisse.
Peintre. Monochrome, tendance conceptuelle.
Il participe à des expositions collectives, dont : 1977, Biennale de Paris ; 1982, Documenta 7. Il montre ses œuvres dans des expositions personnelles : 1984, Eindhoven ; 1988, Bâle ; 1990, galerie Anne de Villepoix, Paris.
Dès le début des années soixante, Rémy Zaugg mène une réflexion sur les conditions de perception des œuvres en s'appuyant sur des réalisations de Newman, Cézanne... Ce n'est que vers 1973, qu'il exécute ses premières études graphiques perceptives à partir d'une pièce de Donald Judd. À l'occasion de son exposition en 1990 à la galerie Anne de Villepoix, il présente des « monochromes sémiotiques », des tableaux monochromes sur lesquels sont inscrits en toutes lettres les indices de leur vide : « un manque », « un oubli », « une lacune », « un défaut », « un blanc ». Ces tableaux opèrent comme une critique des variations de la modernité.
BIBLIOGR. : In : *L'Art du XXe siècle,* Larousse, Paris, 1991.

ZAULI Giuseppe
XVIIIe siècle. Travaillant à Faenza. Italien.
Graveur à l'eau-forte.

ZAUNER Franz Anton von
Né le 5 juillet 1746 à Unterwalpatann, dans le Tyrol. Mort le 3 mars 1822 à Vienne. XVIIIe-XIXe siècles. Autrichien.
Sculpteur.
Il exécuta le modèle d'une fontaine de Shönbrunn en 1775, de nombreux bustes de personnalités de son époque et la statue équestre de *Joseph II* à Vienne. Il décora l'autel de l'église des Augustins à Vienne. Le Musée Municipal de la même ville conserve un groupe de plâtre représentant *Persée et Andromède,* dû à cet artiste, et la Galerie Liechtenstein de Vienne, *Clio assise.*

ZAUNER Michael
XVIIIe siècle. Autrichien.
Sculpteur.
Il exécuta le maître-autel de l'église de Ried en Tyrol en 1721.

ZAUPER Joseph
Né le 13 octobre 1743 à Dux en Bohême. Mort après 1809. XVIIIe-XIXe siècles. Autrichien.
Peintre et restaurateur de tableaux.

ZAUPHALY Johann Joseph. Voir **ZAUFFELY**

ZAUSIG Jozsef ou **Zauzick** ou **Czausig**
Né le 2 avril 1781 à Löcse. Mort le 30 juin 1857 à Löcse. XIXe siècle. Hongrois.
Peintre.
Il fit ses études à Vienne. Le Musée de Kassa conserve un autoportrait de cet artiste.

ZAVADO. Voir **ZAWADO**

ZAVAROUÉV. Voir **SAWARUJEFF**

ZAVATARI. Voir **ZAVATTARI**

ZAVATONE Carlo ou **Zavattone**
XVIIe siècle. Actif à Varèse. Italien.
Peintre.
Il exécuta des fresques pour le cloître de la chapelle de Sacre Monte de Varèse en 1648.

ZAVATTARI Ambrogio ou **Zavatari**
Né vers 1450 à Milan. XVe siècle. Italien.
Peintre de compositions religieuses, fresquiste.
Fils de Francesco I et frère de Gregorio Zavattari, il peignit le plafond de la chapelle des Quatre-Évangélistes dans la cathédrale de Pavie. Il collabora, avec les autres membres de la famille, à plusieurs cycles de peintures et de fresques.

ZAVATTARI Christoforo ou **Zavatari**
XVe siècle. Actif à Milan. Italien.
Peintre et sculpteur.
On le cite vers 1402. En 1404, il est expert pour l'évaluation de vitraux. On le mentionne encore pour les paiements de sculptures et de divers travaux.

ZAVATTARI Francesco I ou **Zavatari**
XVe siècle. Actif à Milan. Italien.
Peintre de compositions religieuses, cartons de vitraux.
Père d'Ambrogio et de Gregorio Zavattari. Il exécuta avec Mafiolo da Cremone et Stefano da Pandino les vitraux de l'abside de la cathédrale de Milan.

ZAVATTARI Francesco II ou **Zavatari**
XVe siècle. Actif à Milan. Italien.
Peintre de compositions religieuses.
Il collabora avec Gregorio Zavatteri.

ZAVATTARI Gregorio ou **Zavatari**
XVe siècle. Actif vers 1450-60 à Milan. Italien.
Peintre de compositions religieuses, fresquiste.
Frère d'Ambrogio Zavattari. Fils, élève et collaborateur de Francesco I, avec qui il peignit notamment des fresques dans l'église S. Margherita à Milan et à la Certosa de Pavie en 1453, on le mentionne également peignant des fresques à S. Maria da Caravaggio en 1477. On voit de lui une *Madone* peinte dans le Santuarjo de Corbetta, signée et datée de 1475.
VENTES PUBLIQUES : MILAN, 25 oct. 1988 : *Saint non identifié ; Saint Paul,* détrempe/pan. à fond d'or, deux pan. latéraux d'un polyptyque (117x47 et 119x46,5) : **ITL 90 000 000**.

ZAVATTARI Guidone ou **Zavatari**
XVe-XVIe siècles. Actif à Milan. Italien.
Peintre.
Il travailla pour G.-B. Barbarava vers 1506.

ZAVATTARI Vincenzo ou **Zavatari**
XVe siècle. Actif à Milan. Italien.
Peintre d'histoire, compositions religieuses.
Il collabora avec Ambrogio et Gregorio Zavattari, notamment à l'exécution, de fresques sur la vie de la reine Théodolinde, dans la chapelle de la reine au dôme de Monza, en 1444.

Bibliogr. : In : *Diction. de la peinture italienne*, coll. Essentiels, Larousse, Paris, 1989.

ZAVATTONE Carlo. Voir **ZAVATONE**

ZAVERIO Gaetano
xviiie siècle. Actif à Milan. Italien.
Peintre.

ZAVIALOV Ivan Fedorovitch
Né en 1896. Mort en 1937. xxe siècle. Russe.
Peintre.
Il s'est formé, à Moscou, à l'Institut d'art Stroganov puis à l'École de peinture, sculpture et architecture (1914-1916). De 1918 à 1919, il fut élève des Ateliers libres de Moscou. Membre du groupe des Makovets, il fut également l'un des principaux membres de l'Union des Artistes de Moscou. L'année suivant sa mort, une rétrospective fut organisée en son hommage à Moscou.

ZAVISITS Marko
Né le 11 octobre 1834 à Kevedobra. Mort le 21 mai 1855 à Kevedobra. xixe siècle. Hongrois.
Peintre.
Élève de K. Daniel.

ZAWADO Jean Waclaw ou **Zavado**
Né à Horochow. xxe siècle. Travaille à Paris. Polonais.
Peintre.
Expose au Salon des Indépendants depuis 1913.
Ventes Publiques : Paris, 31 mai 1926 : *Paysage* : **FRF 210**.

ZAWADZINSKI Czeslaw
xixe-xxe siècles. Polonais.
Peintre.
Il a exposé, à Paris, au Salon des Indépendants, à partir de 1907. Peintre à l'art complexe, il subit l'influence de l'art français.

ZAWADZKI Teodor
Né en 1918. xxe siècle. Polonais.
Peintre.
Il a étudié la peinture en Belgique sous la direction de Fronet et le dessin sous la direction de Ditry. En 1963 il obtient le diplôme de l'Académie des Beaux-Arts de Wroclaw. Il participe à de nombreuses expositions en Pologne. Ses œuvres figurent dans de plusieurs musées.

ZAWIEJSKI Mieczylslaw Leon
Né le 21 février 1856 à Cracovie. Mort le 2 décembre 1933 à Cracovie. xixe-xxe siècles. Polonais.
Sculpteur de figures.
Il a été élève de l'Académie de Vienne et de A. Rivalta à Florence.
Musées : Lemberg : *Une esclave*, statue en marbre.

ZAWJALOFF Ivan Fedorovitch. Voir **ZAVIALOV**

ZAYAS Alfonso de
xve siècle. Actif à Tolède. Espagnol.
Peintre.

ZAYAS Georges de
Né à Veracruz. xxe siècle. Actif aux États-Unis et en Europe. Mexicain.
Caricaturiste.
Frère de Marius de Zayas. Il a vécu à New York et San Francisco, collaborant à diverses parutions comme caricaturiste du spectacle. En 1913, il partit pour l'Europe, donnant des caricatures d'artistes dans des journaux de Londres et Paris. En 1923, Picabia lui consacra un article dans l' *Écho du Mexique*. Comme son frère, il était très lié avec Marcel Duchamp, Picabia et Alfred Stieglitz, animateur de la galerie *291*.

ZAYAS Marius de
Né le 13 mars 1880 à Veracruz. Mort le 10 janvier 1961 à Stamford. xxe siècle. Mexicain.
Peintre, dessinateur, caricaturiste, écrivain. Dadaïste.
En 1913, il montra une exposition de ses caricatures à New York, à la suite d'une exposition de Picabia. Il se lia avec celui-ci, Marcel Duchamp et Alfred Stieglitz, le fondateur de la galerie *291*. Il collabora également à la désormais célèbre et historique revue *Camera Work*, éditée par Stieglitz, qui publia ses portraits d'Apollinaire Picabia, Stieglitz... En 1914, il donna une série de portraits géométriques aux « Soirées de Paris ». En 1915, il ouvrit une galerie à New York, qui resta en activité jusqu'en 1919. Il y montra l'art d'avant-garde, mais aussi de l'art nègre, des objets mexicains, des expositions de photographies. En 1915-1916, il fut cofondateur et l'un des principaux animateurs de la revue *291* de Stieglitz, à laquelle collaborèrent Picabia, Picasso, Braque, Savinio, Max Jacob, et bien d'autres. En 1917, il prononça une conférence « dada » sans paroles, sur l'humour yankee. Il fut encore collaborateur de la revue *391*. En 1913 et 1916, il publia des textes sur l'art moderne et sur l'art nègre, notamment : *African Negro Art and Its Influence on Modern Art*.
Bibliogr. : *Dada*, catalogue d'exposition, Musée National d'Art Moderne, Paris, 1966 – in : *Dictionnaire de l'art moderne et contemporain*, Hazan, Paris, 1992.
Ventes Publiques : Londres, 4 déc. 1985 : *Portrait de Paul B. Haviland* vers 1910, fus. (58,5x43) : **GBP 2 000** – Londres, 5 déc. 1986 : *L'Artiste de variétés* vers 1910, fus. (59,6x44) : **GBP 1 400** – Londres, 21 oct. 1987 : *Portrait de Richard Le Galienne* vers 1914, fus. (63x48) : **GBP 900**.

ZAYAS Miguel de
xviie siècle. Espagnol.
Sculpteur.
Élève de Pedro de Mena à Grenade.

ZAYAS OSTOS Alfonso de
xvie siècle. Espagnol.
Peintre.
Il étudia à Salamanque.

ZAYET Clément
xviiie siècle. Français.
Sculpteur.
Il exécuta un ange en marbre pour l'église de Nantua en 1781.

ZAZINGER Martin ou **Matheus**. Voir **ZATZINGER**

ZAZO Y MAYO Josef
Né en 1720 à Nonvela. Mort en 1789 à Madrid. xviiie siècle. Espagnol.
Sculpteur sur bois.
Élève de M. Virues à Madrid. Il exécuta surtout des statues d'anges et de saints pour plusieurs églises de Madrid et de ses environs.

ZBINDEN Ellis
Né le 22 décembre 1921 à Genève. xxe siècle. Suisse.
Aquarelliste de paysages.
Autodidacte en aquarelle, il a néanmoins suivi entre 1936 et 1939, les cours du soir de dessin à l'École des Arts et Métiers de Genève. Il a effectué de nombreux voyages au Sahara, en Himalaya, aux îles Maldives, à New York. Il a obtenu en 1983 la médaille d'or du Festival d'art graphique et de peinture d'Osaka.
Il montre ses œuvres dans de nombreuses expositions personnelles depuis 1943 à Genève, puis : 1952, Musée Rath, Genève ; 1953, Musée Rockox, Anvers ; 1964, Cabinet des Estampes, Genève ; 1971, Musée d'Yvoire ; régulièrement à la galerie d'Hermance à Genève.
Ellis Zbinden peint des sujets divers, principalement des paysages, paysages d'eau, marines, des personnages sous la pluie et des nus. L'artiste se sert souvent de la transparence étirée des couleurs pour créer des atmosphères entre ciel et terre.
Bibliogr. : Gilbert Zbinden : *Ellis Zbinden*, Éditions Marendaz, Mont-sur-Lausanne, 1984.

ZBINDEN F.
Né le 4 avril 1871 à Sciez (Haute-Savoie). xixe-xxe siècles. Suisse.
Peintre, décorateur.
Il a été élève de Mittey. Il travailla à Berne. Il fut également décorateur de l'École des Arts industriels de Genève. C'est à lui qu'on doit la décoration de la chapelle de la Vierge de l'église de Longpont (Essonne).
Musées : Genève (Mus. des Arts Décoratifs) : *L'eau, l'Iris et la Terre*, vase.

ZBINDEN Fritz
Né en 1896 à Bâle. Mort en 1968 à Horgen. xxe siècle. Suisse.
Peintre.
Il exposa à Zurich à partir de 1925.

ZBINDEN Joseph
Né le 6 août 1873 à Lucerne. xixe-xxe siècles. Suisse.
Sculpteur de bustes.
Il a été élève de l'Académie de Florence et de l'Académie de Paris. Il se fixa à Lucerne, où il fit de nombreux bustes, qu'il envoya aux expositions locales jusqu'en 1908. Depuis, il habite l'Italie, à Florence, où il a fondé l'Académie internationale des Beaux-Arts.

ZBROUÉV. Voir **SBRUJEFF**

ZBYSEK von Trotina ou **Sbisco de Trotina**. Voir **TROTINA**

ZDANEVICH Kiril ou **Zdanevitch Cyrille**
Né en 1882. Mort en 1970. XXe siècle. Russe.
Peintre, dessinateur, peintre de décors de théâtre. Cubiste.
Il a été élève au début des années 1900 de l'École de Peinture et de Sculpture de Tbilissi, puis de Sklifasovsky à l'Académie des Arts en 1911. Venu à Paris en 1912, il fréquenta les peintres cubistes et notamment Serge Charchoune. Il exposa, en 1913, trois peintures à Moscou avec le groupe d'avant-garde *La Queue de l'âne*. Rentré en Russie en 1914, il fut mobilisé. Avec son frère et d'autres membres de l'avant-garde il trouva refuge à Tbilissi pendant les dernières années de la Révolution. Il signa les manifestes rayoniste et futuriste. Ils continuèrent à se rencontrer pour débattre et attaquer le conservatisme littéraire et artistique et comme symbole de leur solidarité formèrent le groupe *41°* en 1919. Son frère Ilya était considéré comme le meilleur graveur de l'avant-garde et ils collaborèrent pour réaliser les plus beaux livres futuristes de cette période. Pendant cet exil il réalisa une série de petites aquarelles mais par contre, de rares peintures à l'huile. Dans les années 1915-1918, il put également remplir un cahier de dessins, dont plusieurs ont été exposés à la Galerie Darial à Paris en 1973-1974. Appartenant bien à la génération des cubistes, la couleur ajoute à son œuvre une note très personnelle, comme le remarque Charchoune : « Il nous apportait la couleur que les cubistes avaient à peu près abandonnée, en particulier le carmin ». Vers la fin de sa vie, il se consacra à la peinture de décors de théâtre.
Bibliogr. : Gérald Schurr, in : *Les Petits Maîtres de la peinture 1820-1920, valeur de demain*, Les Éditions de l'Amateur, t. III, Paris, 1976.
Ventes Publiques : Londres, 29 mars 1973 : *Composition futuriste* 1913-1915 : **GBP 4 000** – New York, 3 nov. 1978 : *Composition*, h/t (120x120) : **USD 20 000** – Londres, 4 avr 1979 : *Prasnik 1er mai*, cr., encre de Chine et gche rouge (30,5x24) : **GBP 700** – Londres, 6 oct. 1988 : *Composition n° 36*, lav./pap. (17,8x13,4) : **GBP 1 760** – Londres, 23 mai 1990 : *« Encore 41° »* 1921, cr. (17,8x23) : **GBP 3 080**.

ZDICHINEC Bernhard
Né le 20 mai 1882 à Vienne. Mort en 1968. XXe siècle. Autrichien.
Peintre, graveur.
Il a été élève des académies des Beaux-Arts de Vienne et de Munich. Il fut peintre à la cour de François-Joseph et à celle de Charles Ier. Il exposa en 1912 à Wawra, près de Vienne. Il gravait à l'eau-forte.
Ventes Publiques : Vienne, 18 mai 1976 : *Paysage fluvial*, h/t (116x171) : **ATS 8 000** – Londres, 5 oct. 1983 : *Scène de marché, Tunisie*, h/t (72x98) : **GBP 5 600**.

ZDRAZILA Adolf
Né le 8 décembre 1868 à Poruba. XIXe siècle. Autrichien.
Peintre et graveur.
Élève d'E. P. Lichtenfels à l'Académie de Vienne et de Kalckreuth à Karlsruhe. Le Musée Provincial de Troppau et le Musée Municipal de Vienne conservent des œuvres de cet artiste.

ZE de
XVIe siècle. Éc. flamande.
Graveur.
Il paraît avoir travaillé en Flandres. On cite une petite estampe, représentant le *Christ au Tombeau*, portant la signature *De Ze*. S'il n'y a pas là l'abréviation d'un nom d'artiste, l'auteur de cette gravure aurait travaillé dans la manière de Jan Sadeler et, probablement, vers la fin du XVIe siècle.

ZEA Francisco de
XVIIIe siècle. Actif à Cordoue au milieu du XVIIIe siècle. Espagnol.
Graveur au burin.

ZEBELLANA Giovanni
XVIe siècle. Italien.
Sculpteur sur bois.
Il fit en 1502 trois statues se trouvant actuellement dans l'église S. Toscana de Vérone.

ZEBERINS Indrikis
Né le 30 août 1882 à Gesinde Saldenieki. XXe siècle. Russe.
Peintre, graveur, dessinateur.
Il fit ses études à Riga et à Saint-Pétersbourg entre 1905 et 1925.
Musées : Riga : quatre dessins.

ZEBHAUSER Franz
Né vers 1769. Mort le 18 mai 1833 à Salzbourg. XVIIIe-XIXe siècles. Autrichien.
Peintre.
Père de Johann Georg Zebhauser. Le Musée de Salzbourg conserve plusieurs esquisses à l'huile de cet artiste.

ZEBHAUSER Johann Georg
Né en 1803. Mort le 10 septembre 1819 à Salzbourg. XIXe siècle. Autrichien.
Peintre.
Fils de Franz Zebhauser. Le Musée de Salzbourg conserve de lui *Portrait du père de l'artiste*, ainsi que des portraits de paysans.

ZEBROWSKI Walenty
Mort le 15 mai 1765 à Kalisch. XVIIIe siècle. Polonais.
Peintre.
Frère de l'ordre des Bernardins, il décora, en 1753, l'église des pères Bernardins à Varsovie. Ses tableaux représentent la *Vie de sainte Anne*.

ZECCHIN Antonio ou **Cecchin**
Né vers 1780 à Bassano. XIXe siècle. Travaillant à Milan. Italien.
Graveur au burin.

ZECCHIN Vittorio
Né en 1878 à Murano (Venise). Mort en 1947 à Venise. XXe siècle. Italien.
Peintre. Tendance Art nouveau.
La peinture de Zecchin est proche des recherches décoratives de l'« Art Nouveau », notamment de celles de Klimt. Sa peinture, naturellement figurative est très surchargée, divisée en de nombreux plans très ornementés. Elle joue à la fois sur des camaïeux suaves et sur de riches contrastes de couleurs. L'ensemble révèle un goût volontiers orientalisant. Les thèmes mêmes de son inspiration invitent d'ailleurs à ce dépaysement. On cite en effet de lui : *Salomé* (triptyque 1912) et *Les mille et une nuits* (1914).
Ventes Publiques : Londres, 23 sep. 1981 : *Les Trois Grâces*, temp. et or (108x108) : **GBP 30 000** – Londres, 17 juin 1986 : *Les Trois Grâces*, temp. et or/t. (108x108) : **GBP 35 000**.

ZECCHINI Angelo
Mort le 3 novembre 1845 à Padoue. XIXe siècle. Italien.
Décorateur et peintre de décors.
Il fit des fresques pour des églises de Padoue et pour la cathédrale de Frascati.

ZECCHINI Stefano
XVIIIe-XIXe siècles. Actif à Crémone. Italien.
Peintre.
Élève de L. Bianzani.

ZECCO da Roma. Voir **CECCO da ROMA**

ZECH Bernard. Voir **ZAECH**

ZECH Christian. Voir **ZACH**

ZECHENBERGER Anton. Voir **ZÄCHENBERGER**

ZECHENDER Karl Ludwig. Voir **ZEHENDER**

ZECHENTER Andrä Christoph ou **Zohonter**
XVIIe siècle. Travaillant à Innsbruck de 1688 à 1693. Autrichien.
Peintre.

ZECHERIN Carlo I ou **Zeherin**
XVIe siècle.
Sculpteur.
Il travailla à Munich à la cour du duc Albrecht V en 1577.

ZECHERLE Franz. Voir **ZÄCHERLE**

ZECHMEYER Léopold ou **Zechmayer**
Né en 1805 à Vienne. Mort vers 1860 à Vienne. XIXe siècle. Autrichien.
Graveur au burin.
Élève de J. Stöber à l'Académie de Vienne. Il exposa de 1837 à 1844 et exécuta des dessins pour des journaux et des almanachs.

ZECHNER Karl
XVIIIe siècle. Actif au milieu du XVIIIe siècle. Autrichien.
Peintre de fresques.
Il exécuta une fresque *(Les marchands chassés du Temple)* pour l'église d'Ottmanach en 1757.

ZEDEREM, pseudonyme de **Zofia René Martin**
Né à Varsovie. XXe siècle. Polonais.

Peintre de portraits, fleurs.
Il a exposé, à Paris, aux Salons d'Automne et des Tuileries.

ZEDRITZ Heinrich
XVIIe-XVIIIe siècles. Travaillant à Stockholm de 1660 à 1706. Suédois.
Médailleur.

ZEEBROS
XVIIIe siècle. Travaillant à Londres en 1783. Britannique.
Peintre.

ZEEGELAER Gerrit. Voir **ZEGELAAR**

ZEEGEN Adrian Van
Né le 14 février 1881 à Amsterdam. XXe siècle. Hollandais.
Peintre de paysages, paysages animés, graveur.
Il fit ses études chez Jan Toorop de 1907 à 1913.
Ventes Publiques : Amsterdam, 10 avr. 1990 : *Première étude d'un matin de printemps* 1911, h/t (55x170,5) : **NLG 12 650**.

ZEEGERS Bé
Née le 15 mars 1891 à Amsterdam. XXe siècle. Hollandaise.
Peintre de fleurs.

ZEEH Beth
Née en 1911. XXe siècle. Suédoise.
Peintre de paysages.
Ventes Publiques : Stockholm, 26 mars 1953 : *Paysage* : DKK 600.

ZEEHAAN. Voir **SLINGELAND Cornelis Van**

ZEELANDER Abraham Lion
Né le 30 décembre 1789 à Amsterdam. Mort le 16 décembre 1856 à Amsterdam. XIXe siècle. Hollandais.
Graveur.
Élève de J. E. Marcus. Il a, notamment, fait une importante série de gravures au trait, d'après les peintures du roi Guillaume II de Hollande.

ZEELANDER Pieter de
XVIIe siècle. Hollandais.
Peintre de marines.
Il prit à Rome le surnom de Kraper. On voit de ses œuvres aux Musées de Bamberg et de Francfort-sur-le-Main ainsi qu'à l'Albertina de Vienne.
Ventes Publiques : Londres, 18 avr. 1980 : *Paysage fluvial avec bateaux* 1641, h/pan. (55,8x93,3) : **GBP 5 000**.

ZEELARE Vincent. Voir **SELLAER**

ZEELENS Joseph. Voir **ZIELENS**

ZEEMAN. Voir aussi **SEEMANN**

ZEEMAN Abraham
Né vers 1695 à Amsterdam. Mort en 1754 à Amsterdam. XVIIIe siècle. Hollandais.
Dessinateur et aquafortiste.
On le cite dans la gilde de Middelbourg en 1731.

ZEEMAN Abraham Johannes
Né le 5 septembre 1811 à Amsterdam. Mort après 1842. XIXe siècle. Allemand.
Peintre de sujets de genre, portraits.
Il fut élève de Paelnich. C. Kruseman et N. de Keyser.
Ventes Publiques : Amsterdam, 22 avr. 1992 : *Un jeune homme de grand avenir*, h/t (87x69) : **NLG 7 475**.

ZEEMAN Enoch. Voir **SEEMANN**

ZEEMAN Joost
Né vers 1776. Mort en 1845. XVIIIe-XIXe siècles. Actif à Workum (Frise). Hollandais.
Peintre de natures mortes, peintre à la gouache.
Il fut le maître de Douwe de Hoop.
Ventes Publiques : New York, 13 jan. 1993 : *Nature morte avec des fleurs dans un vase et du raisin, une figue et une poire près d'une rose sur un entablement*, gche/pap./cart. (66x51) : **USD 7 475**.

ZEEMAN Reinier ou **Renier, Remigius, Remy, Regnier** ou **Zeemann, Seeman**, pseudonyme de **Nooms**
Né vers 1623 à Amsterdam. Mort avant avril 1667 à Amsterdam. XVIIe siècle. Hollandais.
Peintre de paysages, paysages d'eau, architectures, marines, graveur, dessinateur.
Il fut d'abord matelot, puis s'adonna à la peinture. Il voyagea en France vers 1650, et probablement sur la côte nord de l'Afrique. Il travailla à Berlin pour Frédéric Guillaume et revint à Amsterdam avant juillet 1652. Il grava à l'eau-forte.

Bibliogr. : Adam von Bartsch : *Le Peintre Graveur*, 21 vol., J. V. Degen, Vienne, 1800-1808, Nieukoop, 1970 – Alfred von Wurzbach : *Niederländisches Künstlerlexikon*, 3 vol., Halm & Goldmann, Leipzig-Vienne, 1906-1911.
Musées : Aix-la-Chapelle : *Mer légèrement agitée* – Amsterdam : *La Bothinsje à Amsterdam* – *Vues de Tripoli, Tunis, Alger et Salee* – *Deux vues du vieux port d'Amsterdam* – Arras : *Orage en mer* – *Tempête en mer* – Berlin : *Mer calme* – Brême : *Rivière* – Cambridge : *Marine* – Chambéry (Mus. des Beaux-Arts) : *Théâtre en plein air* – Chicago : *Sur la côte* – Copenhague : *Rade hollandaise* – *Port méditerranéen* – Dijon : *Marine* – Groningen : *Deux marines* – Hambourg : *Vue d'Amsterdam* – Hoorn : *Bateaux sortant du port* – Leipzig : *Bords de la mer* – Londres (Nat. Maritime Mus.) : *Trois marines* – Marseille : *Marine* – Mayence : *Marine* – Paris (Mus. du Louvre) : *L'ancien Louvre du côté de la Seine* – Philadelphie : *Marine* – Rennes : *Combat naval* – *Port africain* – Riga : *Chantier naval* – Rotterdam : *Marine* – Stockholm : *Chantier maritime hollandais* – *Vaisseau hollandais en réparation* – Valenciennes : *Marine* – Vienne : *Marine*.
Ventes Publiques : Paris, 1773 : *Marine* : **FRF 120** – Paris, 1853 : *Vue de Paris* : **FRF 500** – Paris, 1870 : *Un chantier près d'Amsterdam* : **FRF 2 250** – Paris, 1872 : *L'entrée du port d'Amsterdam* : **FRF 1 920** – Paris, 1896 : *Vue de Paris prise du pont Barbier* : **FRF 410** – Paris, 1900 : *Vaisseau à l'entrée d'un port* : **FRF 550** – Paris, 29 mai 1903 : *Marine hollandaise* : **FRF 380** – Paris, 21-22 fév. 1919 : *Deux barques*, pl. : **FRF 42** – Paris, 8-10 juin 1920 : *Marine*, pl. : **FRF 1 950** – Londres, 15 déc. 1922 : *Scène sur la côte* : **GBP 81** – Londres, 7 mai 1926 : *Vaisseaux à Amsterdam* : **GBP 304** – Londres, 16 juil. 1928 : *Scène dans un port* : **GBP 120** – Paris, 19 avr. 1928 : *Vue de Venise* : **FRF 11 000** – Londres, 2 août 1928 : *Vaisseaux en vue de la côte* : **GBP 86** – Londres, 22 juil. 1937 : *Paysage maritime* : **GBP 500** – Londres, 29 avr. 1938 : *Vaisseaux de guerre au port* : **GBP 63** – Paris, 6 mars 1942 : *Bateaux devant les quais d'une ville* : **FRF 21 000** – Paris, 7 avr. 1943 : *Départ présumé de la flotte de l'amiral Van Ruyter* 1694 : **FRF 50 000** – Paris, 8 mars 1944 : *Marine* : **FRF 27 100** – Paris, 5 déc. 1950 : *Marine* 1660 : **FRF 58 000** – Paris, 15 juin 1951 : *Chaloupe débarquant deux personnages sur la côte* : **FRF 70 000** – Londres, 29 juin 1966 : *Bateau de mer à l'ancre* : **GBP 1 200** – Amsterdam, 11 avr. 1967 : *Bateaux et barques de pêche devant la côte* : **NLG 4 200** – Dordrecht, 26 nov. 1968 : *Frégates hollandaises au large d'une côte escarpée* : **NLG 5 500** – Londres, 28 mars 1979 : *Voiliers au large de la côte*, h/pan. (40x61) : **GBP 10 500** – Londres, 8 avr. 1981 : *Bataille navale* 1658, h/t (82,5x133) : **GBP 4 800** – Paris, 10 juil. 1984 : *Port méditerranéen*, h/t (48x82) : **FRF 130 000** – Londres, 9 avr. 1986 : *Scène de bord de mer avec bateaux au carénage et une rixe sur les quais*, h/t (50,5x70,5) : **GBP 14 500** – Paris, 27 mai 1987 : *Vaisseaux à l'entrée d'un port*, pl., encre grise et lav. de gris (16,2x27,3) : **FRF 36 000** – Amsterdam, 28 nov. 1989 : *Estuaire d'un fleuve avec un trois-mâts à l'ancrage et l'équipage prenant place dans des canots à l'approche de la tempête*, h/t (33x44,5) : **NLG 97 750** – Londres, 13 déc. 1991 : *Galères hollandaises et bâtiment de guerre dans un estuaire méditerranéen avec des marchands et des pêcheurs au premier plan*, h/t (38x56) : **GBP 14 850** – Doullens, 24 oct. 1993 : *Vue du port d'Amsterdam* 1654, h/t (52x68) : **FRF 1 750 000** – Amsterdam, 13 nov. 1995 : *Temps calme avec un pêcheur posant ses filets depuis une barque* ; *Tempête avec un voilier s'inclinant sous le vent avec son mât abattu*, h/t/pan., une paire (16,3x24,8) : **NLG 27 600** – Paris, 26 nov. 1996 : *Scène de combat naval*, pl. et lav. d'encre brune/traits de pierre noire (18,8x30,5) : **FRF 41 000** – Paris, 24 mars 1997 : *Vue de Paris montrant une porte de la ville entre la tour de Charles V et le Louvre*, h/t (106x204) : **FRF 100 000**.

ZEENDER Johannes ou **Zehnder** ou **Zehender**
Né le 11 décembre 1555 à Berne. Mort en 1635. XVIe-XVIIe siècles. Suisse.
Peintre verrier.
Des vitraux de lui, se trouvent dans beaucoup d'habitations privées de la région bernoise et à l'église de Tess. Il appartenait à la famille des fondeurs de cloches de Berne.

ZEEPEN Guilijn Peter Van der ou **Seepen, Sijpen, Zypen**
Mort en janvier 1711 à Norden. XVIIIe siècle. Hollandais.
Peintre.
Il peignit surtout des portraits de familles ducales de Norden.

ZEER
XVIIIe siècle. Travaillant à Londres en 1783. Britannique.
Peintre de vues.

ZEEU Cornelis de ou **Zeeuw**
Originaire de Zélande. XVIe siècle. Hollandais.
Peintre.
Il devint membre de la gilde de Saint-Luc à Anvers en 1558. Le Rijksmus. d'Amsterdam conserve de lui *Portrait d'un jeune homme à la barrette* et *Portrait de famille du marchand Pierre de Moucheron*, et la Pinacothèque de Munich, *Portrait d'un homme d'État*.
Ventes Publiques : Londres, 12 juil. 1972 : *Portrait d'une famille 1564* : **GBP 3 500**.

ZEFAROVIC Hristofor ou **Zefarov** ou **Zefar**
Né au XVIIIe siècle dans la région du lac Ochrida. Mort le 18 septembre 1753 à Moscou. XVIIIe siècle. Yougoslave.
Dessinateur, graveur au burin, peintre d'icônes et écrivain.
Il fit les premières gravures entièrement sur cuivre en Serbie.

ZEFFERI Guido
Né en 1939 à Paris. XXe siècle. Italien.
Peintre. Abstrait.
Il est diplômé de l'Institut d'Art de Rome. Il a figuré à Paris au Salon de la Jeune Peinture en 1980 et 1984. Il montre ses œuvres dans des expositions personnelles : 1989, Atelier Alberto Napolitano, Paris ; 1990, galeries Kira et Sandro Rumney, Paris.
Son abstraction rappelle celle de Riopelle.

ZEFFERINO, fra
XVe siècle. Actif à Frano. Italien.
Peintre.

ZEFFI Tommaso
XVIIe siècle. Travaillant à Empoli vers 1600. Italien.
Sculpteur.

ZEFFIS Giovanni. Voir **CEFFIS**

ZEGELAAR Gerrit ou **Zeegelaer**
Né le 16 juillet 1719 à Loenen an der Vecht. Mort le 24 juin 1794 à Wageningen. XVIIIe siècle. Hollandais.
Peintre de sujets de genre, portraits.
Il était sourd-muet. Imitateur de Gérard Dow, il épousa en 1757, Maria Van den Steen et vécut à Amsterdam en 1773.
On lui doit notamment six fresques à l'huile qui représentent *Les Éléments* et *Les Saisons*.

Musées : Francfort-sur-le-Main : *Le goûter – Le nourrisson* – Leipzig (Mus. des Arts Décoratifs) : *Les Éléments – Les Saisons – Portrait de la femme de l'artiste*.
Ventes Publiques : Londres, 19 déc. 1933 : *Portrait de groupe* : **GBP 155** – Londres, 31 oct. 1980 : *La marchande de poissons*, h/pan. (26,6x21,6) : **GBP 2 800** – Paris, 14 avr. 1989 : *Le savetier*, h/pan. de chêne (26x21) : **FRF 50 000** – Amsterdam, 22 mai 1990 : *Servante pelant des oignons ; Marchand de poissons faisant des filets*, h/pan., une paire (chaque 30,5x25) : **NLG 11 500** – Londres, 15 avr. 1992 : *Faneur et sa femme devant une ferme*, h/pan., une paire (chaque 24,3x19,4) : **GBP 4 000** – Londres, 11 mars 1993 : *Marchande de poissons devant une maison dans une ville*, h/pan. (27,6x22,3) : **GBP 3 220** – Amsterdam, 17 nov. 1994 : *Autoportrait de l'artiste assis devant une fenêtre et taillant son crayon*, h/pan. (33,8x26,7) : **NLG 13 800**.

ZEGERMAN Jan. Voir **SEGERMAN**

ZEGERS. Voir aussi **SEGHERS**

ZEGERS Hercules Pietersz. Voir **SEGHERS**

ZEGHERS Daniel, dit **le Jésuite d'Anvers**. Voir **SEGHERS**

ZEGHERS Gérard. Voir **SEGHERS**

ZEGHERS Jan Baptist. Voir **SEGHERS**

ZEGHERS Pieter
XVIe siècle. Actif à Anvers. Éc. flamande.
Peintre.
Père de Daniel et de Gérard Zeghers (ou Seghers).

ZEH Friedrich Albert
Né le 11 juin 1834. Mort le 31 mars 1865. XIXe siècle. Travaillant à Dresde. Allemand.
Paysagiste et illustrateur.
Élève de Ludwig Richter. Il a gravé des sujets de genre et de nombreuses illustrations pour des recueils de poésies ou de chants et pour des livres d'enfants.

ZEH Hermann
Né le 24 novembre 1871 à Steinschönau. XIXe-XXe siècles. Autrichien.
Peintre, graveur.
Il fit des études chez Rössler à l'École des Arts décoratifs de Vienne.
Musées : Steinschönau.

ZEHENDER Andreas. Voir **ZAHNER**

ZEHENDER Eduard von
XIXe siècle. Suisse.
Dessinateur.
Le Musée historique de Berlin conserve de cet artiste plusieurs *Vues du château Buonas*.

ZEHENDER Ferdinand Rudolf von
Baptisé à Wynau dans le canton de Berne le 17 août 1768. Mort le 13 octobre 1831 à Cannstadt. XVIIIe-XIXe siècles. Suisse.
Dessinateur.
Frère de Karl Ludwig Zehender. Il était également diplomate.

ZEHENDER Jean Louis ou **Zende**
Baptisé à Berne le 7 avril 1644. Mort le 8 février 1680 à Paris. XVIIe siècle. Suisse.
Peintre et miniaturiste.
Il voyagea en Alsace et vint à Paris, où il fut nommé miniaturiste au service du roi Louis XIV pour lequel il fit une reproduction en miniature du *Triomphe d'Alexandre le Grand*, de Le Brun.

ZEHENDER Johannes. Voir **ZEENDER**

ZEHENDER Josua
Baptisé à Berne le 3 avril 1609. Mort après 1656. XVIIe siècle. Suisse.
Miniaturiste.
On ne connaît de lui que le livre généalogique de la famille von Graffenried ainsi que des vues de Brugg et du château Burgdorf. Un portrait en broderie, conservé au Musée historique de Berne, semble être son portrait.

ZEHENDER Karl Friedrich
Né le 31 octobre 1818 à Berne. Mort le 27 décembre 1870 à Montreux. XIXe siècle. Suisse.
Paysagiste.
En 1845, membre de la Société des Beaux-Arts de Berne. Le catalogue de l'Exposition suisse de 1852 mentionne de lui *Au lac des quatre cantons, Chatelard* et *Latour*, celui de 1855, *Glacier* et *Ruine du château de Menenstadt*, celui de 1857, *Menton* et *L'île Sainte Marguerite*, et deux dessins au crayon (*Roccabruna* et *Un village sur la Riviera*). Le Musée de Berne, conserve de lui une *Vue de Cannes*.

ZEHENDER Karl Ludwig ou **Zechender**
Baptisé à Bomont le 26 septembre 1751. Mort le 24 septembre 1814 à Berne. XVIIIe-XIXe siècles. Suisse.
Paysagiste et portraitiste.
Frère de Ferdinand Rudolf von Zehender. Après quelques études à Paris en 1776, il devint dessinateur attaché au duc de Chartres. Après un séjour à Dijon, à Besançon, il voyagea en Suisse et y travailla jusqu'à sa mort. Il exposa à Berne en 1804 deux peintures de batailles coloriées au lavis. On voit de lui au Musée de Besançon une aquarelle (*Vue de Besançon*). Le Musée Carnavalet de Paris et le Musée de Zurich conservent aussi des œuvres de cet artiste.
Ventes Publiques : Paris, 3 déc. 1966 : *Visite à Besançon de Philippe-Égalité*, gche : **FRF 52 000**.

ZEHENDER Matthäus
Né le 12 décembre 1641 à Mergentheim. Mort vers 1697. XVIIe siècle. Suisse.
Peintre.
Frère de Philipp Albert Zehender. On conserve de lui des figures de saints dans une chapelle de Einsiedeln, et dans le petit Musée

de peinture de cette ville, *Saint tenant la Croix* et *La Vierge et l'Enfant*. Le Musée de Bezau possède quatre tableaux d'autel *(Saint Michel, La naissance du Christ, La Sainte Famille, Saint Antoine)* exécutés par cet artiste, celui de Bregenz, une *Annonciation* et l'Albertina de Vienne, un dessin à la plume *(Les adieux des chefs des apôtres)*.
Ventes Publiques : Londres, 1er juil. 1986 : *La Vierge avec Saint Sébastien et Saint Martin de Tours*, pl. et lav. (31,1x19,2) : **GBP 800**.

ZEHENDER Philipp Albert
Né en 1646 à Mergentheim. xviie siècle. Suisse.
Peintre.
Frère de Matthäus Zehender, il travailla à Bregenz. Le Musée provincial de cette ville conserve une œuvre de cet artiste *(Le Christ chargé de la Croix)*.

ZEHENTER Andrä Christoph. Voir **ZECHENTER**

ZEHENTNER Johann
xviiie siècle. Travaillant à Graz vers 1780. Autrichien.
Dessinateur et graveur.

ZEHENTNER Margareta Magdalena. Voir **ROTTMAYR**

ZEHERIN Carlo. Voir **ZECHERIN I**

ZEHNDER Johannes. Voir **ZEENDER**

ZEHNDER Paul
Né le 30 septembre 1884 à Berne. xxe siècle. Suisse.
Peintre de paysages, portraits, graveur, lithographe, peintre verrier.
Il fit ses études à Munich, et à l'Académie de Stuttgart. À partir de 1906, il envoya régulièrement de Paris où il habita, des paysages à l'Exposition de Noël de Berne. En 1908, il envoya son propre portrait. À l'exposition de Bâle de cette année 1908, figurèrent deux gravures de lui *Nuit* et *Chez moi*. Il fit aussi des lithographies pour des éditions de Berne.
Musées : Berne : Autoportrait.

ZEHNDER Ruth Levap
Née en 1940 à Thun. xxe siècle. Active aussi en Angleterre. Suisse.
Peintre.
Elle a étudié à la Kunstgewerbeschule de Lucerne, puis a poursuivi ses études en Angleterre à la Bath Academy of Art. Il se fixa douze ans en Angleterre. Depuis 1981, elle est revenue en Suisse. Elle vit et travaille à Mühlau.
Elle expose depuis le début des années soixante-dix, en Suisse et en Angleterre, et montre régulièrement ses œuvres à la galerie Suzanne Bollag à partir de 1981.
La peinture de Ruth Zehnder ressortit à l'art concret et à l'art optique. Lors de son exposition à la galerie Suzanne Bollage de 1992 l'artiste présentait une suite d'œuvres déclinant une mise en abyme de la forme carrée.

ZEHNGRAF Johannes
Né le 18 avril 1857 à Copenhague. Mort en 1908 à Berlin. xixe siècle. Danois.
Peintre de portraits, peintre de miniatures.
Il fit le portrait du tsar *Alexandre III* et de la tsarine *Dagmar*.

ZEHNGRAFF Christian Anton ou **Zehngraf**
Né en 1816 à Svendborg. xixe siècle. Danois.
Peintre.
Élève de l'Académie de Copenhague de 1839 à 1846.

ZEHRLAUT Balthasar
Né à Saint-Gall. xviie siècle. Suisse.
Sculpteur d'autels.
Il exécuta un autel de marbre pour la cathédrale de Constance en 1680.

ZEI
xviie siècle. Actif à San Sepolcro. Italien.
Peintre.
Élève et successeur de Pietro da Cortona.

ZEICHENBERGER Anton. Voir **ZÄCHENBERGER**

ZEICHNER Franz
Né le 26 janvier 1778 à Vienne. Mort en 1862 à Vienne. xixe siècle. Autrichien.
Graveur de monnaies et médailleur.

ZEID Fahr-El-Nissa, princesse
Née en 1901 à Damas ou Istanbul. Morte en 1991 en Jordanie. xxe siècle. Active aussi en France. Syrienne ou Turque.
Peintre, sculpteur. Abstrait.
Elle fut d'abord mariée avec le prince Zeid, ambassadeur d'Irak à Ankara. De son second mariage avec l'écrivain Izzet Melih Devrim naquit le peintre Néjad. À ses débuts, il semble qu'on puisse la confondre avec FARRINUSA ZIED (voir cette notice). Après avoir étudié la peinture dans des ateliers traditionnels, elle reçut les conseils de Bissière, qui l'incita à puiser au fonds des signes et des féeries colorées des arts du Moyen-Orient. Le critique Charles Estienne s'intéressa tôt à sa peinture ; il la fit exposer en 1952 à *La Nouvelle École de Paris*, en 1953 au deuxième Salon d'Octobre, en 1954 à *Alice in Wonderland*. De 1952 à 1954, elle exposa au Salon des Réalités Nouvelles de Paris. Elle montra ses peintures dans des expositions personnelles à Paris également, en 1953 galerie Dina Vierny sous le titre *Les pierres de la mer* avec une préface de Charles Estienne, puis de nouveau en 1969 galerie des Arts avec une préface de Bernard Gheerbrant. À la fin de sa vie, en Jordanie, elle peignait des portraits.
Lors de sa première exposition personnelle, ses peintures éaient constituées d'une mosaïque de petites surfaces colorées, délimitées par l'entrecroisement d'arabesques multiples. André Breton en écrivit d'« un rayon émané de ces admirables géodes qui naissent et s'étendent à volonté sous vos doigts, et qui est de force à percer toutes les ténèbres », tandis que Charles Estienne évoquait à son sujet « le don virgilien qui permit à Dante d'explorer tous les mondes ». Lors de sa seconde exposition, elle montra des œuvres constituées de matériaux très divers, jusqu'à des os de poulets, pris dans de la résine de polyester ou bien mus par des petits moteurs électriques. Bernard Gheerbrant, commentateur de cette exposition, refuse de considérer ces œuvres comme de simples œuvres abstraites ornementales, pour en assimiler l'originalité à l'aventure des découvertes spatiales.
Bibliogr. : Bernard Gheerbrant : *L'Odyssée de Fahr el Nissa Zeid*, Gal. des Arts, Paris, octobre 1969.
Ventes Publiques : Londres, 11 oct. 1996 : *Sans titre*, h/t (50x150) : **GBP 11 500**.

ZEIDLER Ignaz
xviiie siècle. Travaillant à Mährisch-Neustadt de 1730 à 1747 environ. Autrichien.
Graveur au burin.
Il grava des Madones et des autels.

ZEIFERT Jan Karol. Voir **SEIFFERT Johann Carl**

ZEIG
xviiie siècle. Travaillant à Varsovie vers 1750. Polonais.
Miniaturiste.
Il fut peintre du roi Stanislas Auguste. La Galerie du roi conserve de lui : *Une blanchisseuse avec un enfant, Un enfant tenant une couronne de fleurs* et *Une dame assise*.

ZEIGER DE BAUGY Edmond Henri
Né le 2 janvier 1895 à Montreux. xxe siècle. Suisse.
Peintre de paysages, architecte, écrivain d'art.
Fils de l'amateur d'art, Charles Zeiger, 1868-1927 et proche parent des peintres : Aloys Hugonnet, 1879-1938 et Alfred Chabloz, 1866-1951. Il fit des études d'architecture et de Lettres, puis s'adonna exclusivement à la peinture. Il fut élève de l'Académie de Vevey et de l'École des Beaux-Arts de Genève. Il travailla à Rome en 1919-1920 et à Paris dès 1921. Il fut lauréat de la Ville de Paris et de plusieurs concours internationaux. Il a publié une importante étude sur les *Origines du paysage pur en France*.
Musées : Paris (Mus. Carnavalet).

ZEIGLER Lee Woodward
Né le 7 mai 1868 à Baltimore (Middlesex). xixe siècle. Américain.
Peintre de compositions religieuses et illustrateur.
Il fut directeur de l'Institut d'Art de Saint-Paul de 1910 à 1918. Il fit des illustrations pour des éditions de luxe de Balzac, Th. Gautier et Ch. Kingsley. Le Musée de Baltimore conserve de cet artiste *Titania*, et l'Institut d'Art de Saint-Paul, *Le chevalier errant*.

ZEILEISSEN Rudolf von
Né le 10 novembre 1895 à Vienne. xxe siècle. Autrichien.
Peintre de portraits, paysages.
Il a été élève de l'Académie de Vienne, de H. von Haberbann à Munich et d'André Lothe à Paris. Il exposa à Vienne en 1934.
Musées : Vienne (Albertina) : *Vues de Prague*, deux aquar.

ZEILER. Voir **ZEILLER**

ZEILINGER. Voir **ZEILLINGER**

ZEILLER Frans Anton

Né le 3 mai 1716 à Reutte en Tyrol. Mort le 4 mars 1793 à Reutte en Tyrol. XVIIIe siècle. Autrichien.

Peintre de sujets religieux, scènes mythologiques, compositions murales, dessinateur.

Il est le cousin de Johann Jakob Zeiller. Il fut élève de Johann Evangelist Holzer et de Gottfried Bernhard Goetz à Augsbourg, de Giaquinto Corrado à Rome et de S. Rieci à Venise. Il fut souvent appelé comme collaborateur de son cousin Johann Jakob.

Il fit surtout des fresques pour de nombreuses églises du Tyrol et de la Bavière, les principales étant celles d'Innsbruck, Ottobeuren, Füssen, Zell am Ziller. Il a également peint une fresque pour l'église du séminaire de Brixen.

Musées : Innsbruck : *Invention de la sainte Croix – Iphigénie sacrifiée* – dessins, dont esquisse de la fresque pour l'église du séminaire de Brixen.

ZEILLER Johann Jakob

Né à Reutte. Mort le 8 juillet 1783 à Reutte. XVIIIe siècle. Autrichien.

Peintre d'histoire et fresquiste.

Fils de Paul Zeiller. Il alla à Rome étudier avec Conca, puis à Naples avec Solimena. Il travailla longtemps dans cette dernière ville et fut membre de son Académie. L'influence de son maître napolitain Solimena marqua tout son œuvre. Après avoir séjourné à Vienne, à partir de 1735, où il fut élève de l'École des Beaux-Arts, et l'ami du peintre Paul Troger, il en repartit en 1755 pour se fixer à Reutte, où il accomplit une carrière féconde bien que tardive. Ses décorations de coupoles donnent, selon les recettes du baroque, l'illusion d'espaces sans fin. Chez Zeiller, la composition semble parfois dispersée. On peut également regretter une coloration pâle et terne. Ses chefs-d'œuvre sont : la décoration murale de l'église des Bénédictins d'Ottobeuren commencée en 1763 avec la collaboration de son jeune cousin Franz Anton et pour laquelle ils reçurent une somme fabuleuse pour l'époque ; les fresques de l'église Sainte-Marie d'Ettal, près de Garmisch en Bavière. Il décora encore de nombreuses églises en Bavière, en Souabe, sur les rives du Lac de Constance, notamment : les fresques de l'abbaye de Benediktbeuren, celles du cloître de Füssen, de l'église de Bichl, de Bach dans le Tyrol. Quelques musées conservent des peintures de lui en général des esquisses pour ses décorations.

Bibliogr. : X..., in : *Encyclopédie Les Muses*, tome 15, Grange Batellière, Paris, 1974.

Musées : Innsbruck (Ferdinandeum) : Dessins – *Glorification des instruments de la Passion* – Munich (Mus. Nat.) : *Madeleine repentante* – Nuremberg : *Gloire de saint Benoît* – Esquisse pour la fresque de la coupole du monastère d'Ettal – Reutte : *Portrait d'un jeune homme* – Ulm : *Adoration de l'Agneau de l'Apocalypse*, esquisse pour une fresque de coupole.

ZEILLER Ottomar

Né le 21 novembre 1868 à Saint-Vigil. Mort le 9 juin 1921 à Innsbruck. XIXe-XXe siècles. Autrichien.

Sculpteur de figures.

Il sculpta surtout de très petites figurines pour des scènes de paysans tyroliens.

ZEILLER Paul

Né à Reutte. Mort le 19 août 1738 à Reutte. XVIIe-XVIIIe siècles. Autrichien.

Peintre d'histoire et de sujets religieux.

Père de Johann Jakob Zeiller. Élève du Calabrese, à Rome. A son retour à Reutte, il décora plusieurs églises de cette ville et d'autres localités tyroliennes.

ZEILLINGER ou **Zeilinger**

XVIIe siècle. Actif en Styrie dans la première moitié du XVIIe siècle. Autrichien.

Sculpteur.

ZEILLINGER Leopold ou **Zeilinger**

Mort le 11 mai 1826. XIXe siècle. Actif à Graz. Autrichien.

Sculpteur.

Juge de profession. Il peignit les armoiries du portail du Joanneum de Graz en 1811.

ZEILNER Franz

Né le 31 août 1820 à Vienne. Mort le 5 octobre 1875 à Vienne. XIXe siècle. Autrichien.

Peintre de genre et paysagiste.

Élève de P. Fendis. La Galerie Liechtenstein de Vienne conserve de lui *Retour de marché*, et le Musée historique de la même ville, *La cour de Federlhof.*

ZEIMERT Christian

Né le 17 octobre 1934 à Paris. XXe siècle. Français.

Peintre.

Il fut élève, à Paris, de l'École des Arts Décoratifs et de l'École Boulle entre 1951 et 1955, de l'Atelier Grommaire de 1955 à 1957. En 1952, il fut acteur dans un cirque. Il vit et travaille à Paris. Il a obtenu le Grand Prix de l'Humour Noir en 1979.

Il figure à des expositions collectives, dont : de 1965 à 1971, Salon de la Jeune Peinture, dont il est membre du Comité de 1968 à 1975 ; 1968, participe à la Salle Rouge pour le Vietnam (Salon de la Jeune Peinture) ; 1972, *72/72*, Grand Palais, Paris ; 1973, groupe *Panique* (Olivier O. Olivier, Topor, Zeimert), galerie Aurora, Genève ; 1974, Biennale de Tokyo ; 1976, *Trait pour Trait*, galerie Jean Briance, Paris ; 1977, *Mythologies quotidiennes*, A.R.C., Ville de Paris ; 1979, *Famille de portraits*, Musée des Arts Décoratifs, Paris ; 1981, *La Panique universel*, Maison de la Culture, Rennes ; 1983, *L'Ironie dans l'art*, exposition itinérante au Venezuela, Colombie, Équateur.

Il montre ses œuvres dans des expositions personnelles, parmi lesquelles : 1970, Acr, Musée d'Art Moderne de la Ville de Paris ; 1973, galerie 9, Paris ; 1975, galerie Mathias Fels, Paris ; 1976, Maison de la Culture, Brétigny-sur-Orge ; 1977, Musée de Chartres et Musée d'Angers ; 1977, galerie Lavuum, Gand ; 1979, 1989, galerie Jean Briance, Paris ; 1980, 1985, galerie Jacqueline Storme, Lille ; 1980, Centre culturel, Macon ; 1984, Maison de la Culture, Créteil ; 1986, Galerie de l'Ancienne Poste, Calais ; 1986, Musée de Boulogne-sur-Mer ; 1987, Galerie du Cirque Divers, Liège ; 1989, galerie Jean Briance, Paris ; 1989, Centre d'Action Culturel, Vierzon ; 1995, galerie Vallois, Paris.

Vers 1957, il peint dans un style proche de l'abstraction naturaliste, où l'on remarque une certaine insistance à figurer des rochers ou des « petits paquets », puis des structures minérales. Sa période actuelle débute en 1967. C'est au Salon de la Jeune Peinture qu'il a rencontré Olivier O. Olivier, du groupe *Panique*, puis Michel Parré. Olivier O. Olivier, Szafran, Topor, Christian Zeimert, les écrivains Alexandro Jodorowsky et Arrabal ont tous fait partie du groupe *Panique*. Le Panique, « manière d'être », éloge de la confusion, plutôt que principes structurés, est défini comme suit par Gérald Gassiot-Talabot : « (il) repose sur une analyse psycho-pathologique de l'homme, fondée sur l'exaltation des forces les plus secrètes, les plus honteuses, les plus réprimées ». Dans le domaine des arts plastiques on a souvent rapproché Christian Zeimert, Olivier O. Olivier et Michel Parré au point d'y voir un groupe constitué. Ils ont en commun une pratique picturale traditionnelle, voire académique, peignant leurs toiles avec une grande minutie, recourant aux techniques anciennes et artisanales, le besoin de représenter avec exactitude, le recours à la dérision comme ressort poétique, ce qui est représenté étant régulièrement détourné de son sens originel. Quand Parré crée des êtres humains monstrueux, quand Olivier recrée un passé onirique, Zeimert joue de l'ambiguïté des mots et des images : sous prétexte de « bien dégager dans le cou », il coupe les têtes chez le coiffeur, ou bien fait arrêter l'image « portrait-robot » d'un suspect. En 1977, il a organisé l'exposition *Le Portrait de profil et de face* au Musée de Chartres, dans laquelle il avait réuni, selon des logiques soit normalement muséales, soit intentionnellement cocasses, des portraits d'époques et d'esprit divers, auxquels il avait insidieusement mêlé de ses propres créations irrévérencieusement parodiques. Christian Zeimert est un esprit libertaire qui s'inspire de jeux de mots et calembours, faisant se correspondre de manière ironique et parodique, les images, les compositions et les titres.

Bibliogr. : *Zeimert*, catalogue d'exposition, A.R.C., Musée d'Art Mod. de la Ville de Paris, 1971 – Jean Clair : *Olivier, Parré, Zeimert*, in : *Chroniques de l'Art Vivant*, Paris, 1971 – G. Gassiot-Talabot : *Zeimert peintre Calembourgeois*, Hachette, Paris, 1973 – Gilbert Lascault, Christian Zeimert : *Le petit Zeimert illustré*, Éditions La Pierre d'Alin, Bruxelles, 1985 – Christian Zeimert : *Zeimert...Leurre de Gloire*, Éditions Jannink, Paris, 1994 – Jean-Didier Vincent, Christian Zeimert : *Trous de mémoire ou la maladie des Zeimert*, Éditions Voix Richard Meier, Montigny-les-Metz, 1995.

Ventes Publiques : Paris, 29 mars 1979 : *Greffe de paysage* 1969, h/t (162x97) : **FRF 4 800** – Paris, 14 mai 1992 : *Concours de circonstances* 1978, h/t (67x97) : **FRF 8 500**.

ZEINER Hans

XVe siècle. Actif à Zurich de 1455 à 1497. Suisse.

Peintre.
Frère de Peter Zeiner et père de Lux Zeiner.

ZEINER Heinrich
Mort vers 1538-1539. XVIe siècle. Actif à Zurich vers 1500. Suisse.
Peintre.
Cousin de Lienhard, de Ludwig et de Ruland Zeiner.

ZEINER Lienhard
XVe-XVIe siècles. Actif à Zurich de 1496 à 1514. Suisse.
Peintre.
Fils de Peter Zeiner.

ZEINER Ludwig
XVe-XVIe siècles. Actif à Zurich de 1496 à 1515. Suisse.
Peintre.
Fils de Peter Zeiner.

ZEINER Lux
Né vers 1450. Mort avant 1519. XVe-XVIe siècles. Actif à Zurich. Suisse.
Peintre verrier.
Fils de Hans Zeiner. On voit plusieurs de ses œuvres au Musée de Zurich et dans plusieurs églises du canton de Zurich.

ZEINER Peter
Mort en 1510. XVe-XVIe siècles. Actif à Zurich. Suisse.
Peintre.
Frère de Hans Zeiner et père de Ludwig de Lienhard et de Ruland Zeiner.

ZEINER Ruland
XVIe siècle. Actif à Zurich vers 1504. Suisse.
Peintre.
Fils de Peter Zeiner.

ZEIPPEN Arthur
Né en 1885 à Liège. XXe siècle. Belge.
Peintre de paysages.
Il fut élève de Richard Heinz.
Bibliogr. : In : *Dictionnaire biographique illustré des artistes en Belgique depuis 1830*, Arto, Bruxelles, 1987.

ZEIPPER Tobias Martin
XVIIIe siècle. Actif à Kindberg vers la fin du XVIIIe siècle. Autrichien.
Peintre et doreur.
Il travailla à la décoration de l'église du monastère de Göss en Styrie.

ZEISER Lorenz
XIXe siècle. Actif à Vienne. Autrichien.
Peintre sur porcelaine.
Le Musée d'Art et de l'Industrie de Vienne conserve une assiette peinte par cet artiste *(Jeune fille fleurie)*.

ZEISIG Johann Eleazar. Voir **SCHENAU**

ZEISLER Claire
Née à Cincinnati (Ohio). XXe siècle. Américaine.
Sculpteur.
Elle a étudié à la Columbia University et à l'Institute of Design de Chicago. Elle travaille depuis 1960.
Elle fut l'un des premiers sculpteurs à introduire les techniques du métier à tisser et à créer des structures de fibre. Après 1960, ses œuvres atteignent de grandes dimensions.

ZEISS Christof, l'Ancien
Mort le 23 septembre 1678. XVIIe siècle. Actif à Salzbourg vers 1651. Autrichien.
Peintre et enlumineur.
Père de Christof Zeiss le Jeune.

ZEISS Christof, le Jeune
Mort en 1729. XVIIIe siècle. Actif à Salzbourg. Autrichien.
Peintre.
Fils de Christof Zeiss l'Ancien.

ZEISS Johann Baptist Florian
Né en 1712 à Lischau en Bohême. Mort vers 1780 à Vienne. XVIIIe siècle. Autrichien.
Dessinateur, sculpteur-modeleur de cire.
Il fit ses études chez Th. Germain et à l'Académie de Paris pendant huit ans.

ZEITBLOM Bartholomaüs ou **Bartholome** ou **Zeytblom**
Né entre 1455 et 1460 à Nördlingen. Mort entre 1518 et 1522 à Ulm. XVe-XVIe siècles. Allemand.
Peintre.
On connaît peu de faits précis sur la vie de cet artiste. On croit qu'il fut élève de Martin Schongauer. Sans doute établi à Ulm en 1482, en 1483 il épousa une fille de Hans Schuchlin. Il collabora avec le sculpteur Syrlin le Jeune, à Bingen. On cite de lui, en collaboration avec Bernhard Strigel, au monastère de Blaubeuren, près d'Ulm, les deux ailes du maître-autel, peintes des deux côtés avec des scènes de la Passion, de la vie de saint Jean-Baptiste, des figures de saints, etc. Les rouges et les ors font remarquer spécialement le *Retable de Kilchberg*, aujourd'hui au musée de Stuttgart, où figurent les imposantes représentations de sainte Marguerite, saint Georges, saint Florian et saint Jean. On cite encore le *Retable de Heerbengen*, également à Stuttgart, exécuté en 1497-1498, présentant une *Naissance du Christ* et une *Présentation au Temple*. Une *Annonciation* de 1496, encore à Stuttgart, peut rappeler Van der Weyden. La *Déploration du Christ*, plus tardive, de 1518, au Germanisches Nationalmuseum de Nuremberg, tout en étant comparable stylistiquement à Dürer, n'en accuse que plus tout ce qui l'en sépare. Influencé par Hans Multscher, il n'eut jamais la force des grands gothiques germaniques : Stephan Lochner ou Konrad Witz ; lui-même gothique tardif, il n'atteignit pas non plus à l'humanisme rayonnant de Dürer. Peu individualisé, il lui fut attribué de très nombreux ouvrages, également mal définis, à tel point que son identité s'est dissoute dans une sorte d'appellation collective. Pourtant, le XIXe siècle et les romantiques le placèrent très haut.

Bibliogr. : Pierre du Colombier, in : *Diction. Univers. de l'Art et des Artistes*, Hazan, Paris, 1967 – X..., in : *Les Muses*, tome 15, Grange Batelière, Paris, 1974.
Musées : Augsbourg : *La légende de saint Valentin* – Berlin : *Saint Pierre – Le suaire de sainte Véronique* – Bucarest : *Sainte Catherine, sainte Barbe, et l'Annonciation*, peinture d'autel – Dublin : *La descente du Saint-Esprit* – Karlsruhe : *Le miracle de l'hostie – Saint Maurice et saint Sébastien – Saint Laurent et saint Virgile, évêque de Salzbourg* – Munich : *Sainte Marguerite – Sainte Ursule – Sainte Brigitte* – Nuremberg : *Sainte Anne – Saint Jean et la Vierge – Christ pleuré* – Paris (Mus. du Louvre) : *L'Annonciation, sainte Anne et saint Antoine*, Triptyque – Strasbourg : Fragment d'une peinture d'autel – Stuttgart : *Nativité – Saint Valentin évêque – Saint Georges, Couronnement de la Vierge, saint Jean-Baptiste*, Tableau d'autel – *Saint Florian – Sainte Marguerite et le dragon – Huit prophètes – Annonciation, saint Jean-Baptiste, Visitation de la Vierge*, Tableau d'autel – *Saint Jean l'Évangéliste – Grégoire le Grand – Saint Jérôme – Saint Ambroise – Saint Augustin – Heerberger Altar.*
Ventes Publiques : Paris, 1897 : *Triptyque* : **FRF 3 500** – Londres, 17 et 18 mai 1928 : *Saint Georges et le dragon* : **GBP 378**.

ZEITHAMML Jindrich
Né en 1949 à Teplice. XXe siècle. Actif en Allemagne. Tchécoslovaque.
Sculpteur.
Il participe à des expositions collectives, parmi lesquelles : 1982, *Perspektive 2*, Kunsthalle Düsseldorf. Il montre ses œuvres dans des expositions personnelles, dont : 1980, 1983, galerie Mathieu, Besançon ; 1982, 1984, 1986, galerie Schmela, Düsseldorf ; 1985, Städtische Galerie, Düsseldorf ; 1989, galerie Lamaignère Saint-Germain, Paris.
Jindrich Zeithamml recouvre de feuilles d'or ou d'argent des formes géométriques simples, telle une demi-sphère, ou assemble des éléments dans une architecture plus construite. Il peint également des monochromes. Recherchant une union claire et évidente entre la forme et l'idée, ses œuvres s'apparentent à des icônes silencieuses.

ZEITINGER Hieronymus. Voir **ZEITTINGER**

ZEITLIN Alexander
Né le 15 juillet 1872 à Tiflis. XIXe-XXe siècles. Russe.
Sculpteur, médailleur.
Il a été élève de K. von Zumbusch à Vienne et d'A. Falguière à Paris. Il exposa à Paris de 1901 à 1914 et à New York en 1923.

ZEITOUN Jacques
Né le 16 février 1916. XXe siècle. Français.
Peintre, peintre de décors et costumes de théâtre, écrivain d'art.

Il a étudié à Tunis et Paris. Parallèlement à la peinture, il a d'abord réalisé des décors et costumes pour le théâtre, puis des portraits d'écrivains pour la page littéraire de *Combat*. Depuis 1953 Jacques Zeitoun dans ses préfaces et études diverses a contribué à faire connaître l'œuvre de ses amis peintres : Cottavoz, Kimura, Eric Schmid, Fusaro, Lachièze-Rey, Mathiot, Lan-Bar, Geneviève Asse. Il expose à Paris. Il a montré une exposition d'aquarelles à Gray en 1975.

ZEITSU ou **Reien**
Né vers 1300. XIVe siècle. Chinois.
Peintre.
Il fut moine et finalement abbé de divers couvents en Chine et ses peintures sont souvent signées du nom de Mu-hsi dont il fut considéré comme étant la réincarnation. À rapprocher de MOKUAN.

ZEITTER John ou **Johan Christian**
Mort en juin 1862 à Londres. XIXe siècle. Actif puis naturalisé en Angleterre. Britannique.
Peintre de sujets de genre.
Il exposa à Londres, de 1824 à 1862, particulièrement des sujets empruntés à la vie polonaise ou hongroise. Il fut membre de la Society of British Artists en 1841.
Ventes Publiques : Paris, 18 déc. 1920 : *Naufragés secourus par des paysans* : **FRF 1 050** – Paris, 24 mai 1944 : *Le repos sur le plateau* : **FRF 2 700** – Londres, 18 nov. 1992 : *Un mariage chez les Tziganes hongrois*, h/t (59,5x90) : **GBP 990**.

ZEITTINGER Hieronymus ou **Zeitinger**
XVIIIe siècle. Actif à Vienne. Autrichien.
Graveur.
Élève de M. A. Pitteri à Venise vers 1750, puis de l'Académie de Vienne. Il grava surtout d'après Piazzetta et Teniers.

ZEIZIG Johann Eleazar. Voir **SCHENAU**

ZEKI FAIK IZER. Voir **IZER Zeki Faik**

ZEKVELD Jacob
Né en 1945 à Rotterdam. XXe siècle. Hollandais.
Peintre.
Il vit et travaille à Rotterdam. Sa figuration mêle humour et ironie kitsch.
Ventes Publiques : Amsterdam, 1er juin 1994 : *Mort à Venise*, acryl./t. (120x150) : **NLG 1 955**.

ZELANDER Pehr Gustaf
XIXe siècle. Actif au début du XIXe siècle. Suédois.
Dessinateur d'architectures.
Il exposa à l'Académie de Stockholm de 1809 à 1811.

ZELANDIA Petrus de. Voir **MIDDELBOURG Petrus Van**

ZELATI Bartolomeo
XVe-XVIe siècles. Actif à Crémone. Italien.
Peintre.
Frère de Gennesio Zelati. Il participa en 1509 à la décoration de la cathédrale de Crémone.

ZELATI Gennesio
XVe-XVIe siècles. Actif à Crémone. Italien.
Peintre.
Frère de Bartolomeo Zelati.

ZELAYA Pablo
Né à Tegucigalpa (Honduras). Mort le 20 mars 1933 à Tegucigalpa. XXe siècle. Hondurien.
Peintre.

ZELBI Carlo
Né en 1800. XIXe siècle. Actif à Côme. Italien.
Peintre de fleurs et de fruits.

ZELECHOWSKI Kasper ou **Gaspard**
Né en 1863. XIXe siècle. Polonais.
Peintre.
Élève des Académies de Cracovie et de Munich. Il figura aux Expositions de Paris ; médaille de bronze en 1889 (Exposition Universelle). Le Musée de Cracovie conserve une œuvre de cet artiste *(Portrait du peintre Z. Wasowicz)*.

ZELENAK Edward
Né en 1940 à Saint-Thomas (Ontario). XXe siècle. Canadien.
Sculpteur. Tendance art minimal.
Il fut élève de l'École Technique Beal à London (Ontario) et de l'Ontario College of Art à Toronto. Il vit à West Lorne (Ontario). Il figure dans de nombreuses expositions de groupe au Canada, ainsi que dans l'exposition *Présence du Plastique* à New York, Milwaukee, San Francisco, dans un groupe de jeunes artistes canadiens *Tendances Actuelles* à Paris en 1969. Il a montré plusieurs expositions personnelles de ses sculptures à Toronto.
Il maîtrise parfaitement la technique de la fibre de verre. Un grand nombre de ses sculptures ont le même titre : *Circonvolution*. Ce sont en effet des formes annelées se lovant sur elles-mêmes. Certaines sont de très grandes dimensions monumentales et constituent comme des conduites d'on ne sait quels produits, à travers le paysage ; elles se nomment alors des *Trafics*. La simplicité géométrique de ces tubulures les apparente aux formes primaires du Minimal Art.
Bibliogr. : In : *Canada 1969. Tendances Actuelles*, catalogue d'exposition, Gal. de France, Paris, 1969 – in : *Catalogue du 3e Salon des Galeries Pilotes* Musée Cantonal, Lausanne, 1970.
Musées : Lausanne (Mus. canton. des Beaux-Arts) : *Sculpture informelle*.

ZELENKA Ferdinand
Né à Dnespek en Bohême. XVIIIe siècle. Actif dans la première moitié du XVIIIe siècle. Autrichien.
Sculpteur sur bois.

ZELENKA Rudolf
Né le 4 décembre 1875 à Jablonitz. Mort en 1938. XXe siècle. Autrichien.
Peintre de genre, paysages.
Il fit ses études à l'Académie de Vienne et s'établit à Graz.
Ventes Publiques : Vienne, 15 mai 1984 : *Le champ de coquelicots* 1917, h/t (66x93) : **ATS 50 000**.

ZELENKO Karel
Né le 15 septembre 1925 à Ceje. XXe siècle. Yougoslave.
Peintre de figures, graveur, céramiste.
Il fait ses études à l'École des Arts et Métiers de Ljubljana et de Graz, puis à l'Académie de Vienne et à celle des Beaux-Arts de Ljubljana. Il fut professeur de dessin et de peinture sur céramique pendant cinq ans à l'École des Arts Appliqués de Ljubljana. Il a fait plusieurs voyages d'étude en Italie, en France, en Belgique, en Hollande, en Allemagne et en Autriche.
Il figure à des expositions collectives, parmi lesquelles : dès 1945 en Yougoslavie, au Mexique, en Chine, au Canada, à Alexandrie à la IIIe Biennale Méditerranéenne, aux États-Unis, en Italie, en Suède, à Cuba, au Japon, au Brésil. Il montre ses œuvres dans de nombreuses expositions particulières dès 1953.
Il commence à s'affirmer après 1950. Il pratique la peinture, la gravure et la céramique. De ses gravures émane une attitude critique et satirique envers tout ce qui se passe dans le monde. Ses sujets favoris sont la vie du cirque, des clowns, et des acrobates, des carnavals, des vendeurs de billets de loterie, des grandes villes aux constructions géantes, des affiches. Tout cela est fait d'opposition entre le comique et le tragique, entre la vie tumultueuse et joyeuse et la solitude et l'angoisse humaines dans les grandes villes. Ses dessins, qui comprenaient beaucoup de détails, se simplifient par la suite, se limitant aux éléments essentiels, aux lignes caractéristiques et précises. On distingue trois cycles dans ses dernières années de travail : dans le premier, ce sont les masques ; dans le second, les grandes villes modernes pleines de contrastes et l'isolement tragique de l'homme perdu dans la cohue et l'agitation ; dans le troisième, la figure humaine disparaît de ses dessins pour ne laisser place qu'à des objets. Il se sert exclusivement de la technique noire et blanche sous forme de l'estampe classique, sur petit format.

ZELENSKI Alexei Evguenievitch
Né en 1903 à Nijni-Novgorod. Mort en 1974 à Moscou. XXe siècle. Russe.
Sculpteur.
Il s'est formé, entre 1924 et 1926, à l'Institut Technique d'Art de Nijni-Novgorod, de 1926 à 1930 aux Vhutein de Moscou sous la direction de Favorski et Tatline.
Il a participé en 1926 aux expositions de l'Association des Artistes Révolutionnaires (AKHRR). Il était représenté à l'exposition *Paris-Moscou* au Centre Georges Pompidou à Paris en 1979. Une exposition personnelle de ses œuvres eut lieu en 1944 à Moscou.
Bibliogr. : In : *Paris-Moscou*, Catalogue d'exposition, Centre Beaubourg, Paris, 1979.
Musées : Moscou (min. de la Culture) : un bronze.

ZELENSKY Mikhaïl Mikhaïlovitch
Né en 1843. XIXe siècle. Russe.

Peintre.
Élève de l'Académie de Saint-Pétersbourg. Le Musée de Saratov conserve de lui *Résurrection de la fille de Jaïre*.

ZELENTSOFF Kapiton Alexéiévitch
Né en 1790. Mort le 3 mai 1845. XIXe siècle. Russe.
Dessinateur et peintre amateur.
Élève de Vénézianoff.
Musées : Moscou (Mus. des Beaux-Arts) : *Enfant tenant un vase – Vieillard – Enfant mettant ses sandales de raphia* – Saint-Pétersbourg (Mus. Russe) : *Dans l'atelier de Bassine.*

ZELENY Josef
Né le 24 mars 1824 à Raigern en Moravie. Mort le 3 mai 1886 à Brünn. XIXe siècle. Autrichien.
Peintre.
Élève de l'Académie de Vienne de 1845 à 1849. Le Musée de Brünn conserve une œuvre de cet artiste.

ZELEZKOV Gospodin ou **Seleskoff**
Né le 20 juillet 1876 à Demirtscha (dans la Dobroudja). Mort le 27 juillet 1937 au monastère Klissura. XXe siècle. Bulgare.
Peintre de compositions murales.
Il exécuta une centaine de fresques et d'icônes.

ZELEZNY Franz
Né le 8 août 1866 à Vienne. Mort le 8 novembre 1932 à Vienne. XIXe-XXe siècles. Autrichien.
Sculpteur de statues.
Il a été élève de l'École des Arts Décoratifs de Vienne et de son père Franz Xaver Zelezny. Il fit de nombreuses statues de personnalités de son époque.
Ventes Publiques : Vienne, 15 déc. 1978 : *Deux paysans*, 2 bois (H. 47) : **ATS 25 000** – Vienne, 13 juin 1980 : *Fillette debout*, bois (H. 17) : **ATS 13 000** – Vienne, 21 juin 1983 : *Crucifixion* 1925, bois polychrome (H. 153) : **ATS 16 000.**

ZELEZNY Franz Xaver
Né le 16 novembre 1836 à Sternberg-sur-la-Zazawa. Mort le 13 juillet 1911 à Wolkersdorf. XIXe-XXe siècles. Autrichien.
Sculpteur de portraits.
Père de Franz Zelezny.
Musées : Vienne (Mus. de l'Armée) : *Comte Montecucculli – Comte Radetzky.*

ZELGER Gaston
Né à Cognac (Charente). Mort en juin 1931 à Paris. XXe siècle. Français.
Peintre, aquarelliste, sculpteur sur bois, écrivain.
Il a exposé, à Paris, au Salon des Indépendants à partir de 1920. Cet artiste est surtout connu pour son important ouvrage, *Le Manuel d'Édition et de Librairie*, auquel il consacra son existence.
En 1931, une exposition rétrospective de son œuvre eut lieu au Cercle de la Librairie, René Lalou en préfaça le catalogue.

ZELGER Jakob Joseph
Né le 12 février 1812 à Stans. Mort le 25 juin 1885 à Lucerne. XIXe siècle. Suisse.
Peintre de paysages, paysages d'eau, paysages de montagne, aquarelliste, graveur, lithographe.
Il fit ses études à Genève sous la direction de Chaix d'Est Anges, Fr. Diday et Alexandre Calame. Marié en 1834 avec Joséphine Christen, il devint veuf quelques années après et voyagea en Belgique et en Angleterre. De retour, il se fixa à Lucerne et se remaria en 1852. En 1857, on le trouve à Paris où il étudia la nouvelle école française, Troyon, Corot, etc.
De 1831 à 1885, il peignit environ quatre cent vingt toiles sans compter toutes les études et quelques aquarelles. On lui doit également des eaux-fortes.

J Zelger. 1855.

Musées : Bâle : *Piz d'Err – Vallée d'Engelberg* – Berne : *Ruines du Château d'Unspunnen et la Jungfrau – Près d'Emmatten, Unterwald* – La Chaux-de-Fonds – Montpellier : *Les Alpes d'Unterwalden* – Mulhouse : *Mont Cervin – Lac de Lucerne* – Neuchâtel : *Site de l'Unterwald – Au lac des quatre cantons* – Nice : *Le Lac des quatre cantons* – Saint-Gall – Schaffhouse – Zurich : *Le Lac des Quatre Cantons.*
Ventes Publiques : Lucerne, 21 juin 1974 : *Paysage de l'Oberland Bernois* 1854 : **CHF 8 500** – Zurich, 25 nov. 1977 : *Paysage montagneux*, h/cart. (45,5x62) : **CHF 3 000** – Lucerne, 7 nov. 1980 : *Lac alpestre* 1858, h/t (97,5x128) : **CHF 26 000** – Lucerne, 2 juin 1981 : *Vue de Ennetbürgen sur le lac des Quatre-Cantons*, h/t (49x64) : **CHF 25 000** – Zurich, 18 nov. 1983 : *Paysage de Suisse*, h/t (41x62) : **CHF 12 000** – Londres, 23 mai 1985 : *Vue du château de Tarasp* 1878, h/t (91,5x119) : **CHF 32 000** – Lucerne, 3 juin 1987 : *Vue de Lucerne*, h/t (38,5x61,5) : **CHF 30 000** – Londres, 28 mars 1990 : *Vaste paysage suisse*, h/t (54x74) : **GBP 8 250** – Zurich, 9 juin 1993 : *Le lac Thuner* 1852, h/t (44,5x57,5) : **CHF 7 475.**

ZELHORST
XVIIIe siècle. Actif à Bruxelles vers 1761. Éc. flamande.
Peintre.
Il peignit deux des quinze tableaux du rosaire de l'église des Dominicains à Bruxelles.

ZELI Domenico
Mort en février 1819 à Brescia. XIXe siècle. Actif à Bardolino. Italien.
Peintre.

ZELIBSKY Jan
Né le 24 novembre 1907 à Jablonov. XXe siècle. Tchécoslovaque.
Peintre. Expressionniste.
Il étudia la peinture à Bratislava de 1924 à 1926, puis aux Arts Décoratifs de Prague de 1930 à 1933, enfin à l'Académie de 1933 à 1936 avec le professeur V. Nowak. En 1938-1939, il fut encore élève de l'École des Beaux-Arts de Paris. Il enseigne lui-même depuis 1946. Il vit et travaille à Bratislava.
Il figure dans de nombreuses expositions de groupe dans les principales villes de Tchécoslovaquie, ainsi qu'à Stockholm en 1949, aux Indes en 1950, à Moscou, Budapest, Varsovie en 1954 ; etc.
Influencé par le courant expressionniste d'Europe Centrale, il pratique une peinture synthétique, où l'arabesque du dessin définit les lignes essentielles. Il décrit souvent des scènes de la vie des paysans dans les campagnes de son pays. Il existe des œuvres de cet artiste dans de nombreux musées de Tchécoslovaquie.
Bibliogr. : *50 ans de peinture tchécoslovaque, 1918-1968*, catalogue d'exposition, Musées de Tchécoslovaquie, 1968.

ZELICH Gerasimus
Né le 11 juin 1752 à Zegar. Mort le 25 mars 1828 à Ofen. XVIIIe-XIXe siècles. Yougoslave.
Peintre.
Il était moine. Il fit ses études dans différents monastères russes et se fixa à Vienne en 1811.

ZELIKSON Serge
Né vers 1890 à Polotsk (Russie). XXe siècle. Naturalisé en 1920 en France. Russe.
Sculpteur, graveur en médailles.
Il obtient en Russie, une bourse de voyage en 1912, se rend à Paris et y étudie à l'École Nationale des Beaux-Arts, avec Injalbert, Landowsky et Bouchard.
Il a exposé, à Paris, aux Salons des Artistes Français, de la Société Nationale des Beaux-Arts, des Indépendants, d'Automne, de même qu'à Lille, Bordeaux, Nice et Lyon.
Musées : Honfleur : *Buste de Lucie Delarue-Mardrus* – Paris (Mus. de la Ville) : *Bateliers de la Volga.*
Ventes Publiques : Versailles, 22 jan. 1978 : *Les bateliers de la Volga*, bronze : **FRF 3 600** – Paris, 20 mars 1988 : *Tête d'homme*, haut-relief en bronze (H. 14) : **FRF 30 000.**

ZELINKA Ferdinand
Mort le 28 juin 1873 à Prague. XIXe siècle. Autrichien.
Dessinateur et lithographe.

ZELISKO Vendelin, appelé par erreur **Wenzel**
Né en 1802 à Gradlitz en Bohême. XIXe siècle. Autrichien.
Graveur au burin.
Élève de l'Académie de Prague. Il grava treize images de la Passion du Christ d'après Führich et de nombreuses illustrations pour des ouvrages d'art de son temps.

ZELL Ernest Negley
Né le 16 octobre 1874 à Dayton (Ohio). XIXe-XXe siècles. Américain.
Peintre.
Il fit ses études à l'École d'Art de Columbus, à l'Académie de Cincinnati et chez W. M. Chase.

ZELL Johann Georg
Né en 1740 à Stuttgart. Mort en 1808. XVIIIe siècle. Allemand.
Peintre d'histoire, portraitiste et miniaturiste.
Élève de N. Guibal. On connaît de lui deux peintures faites pour l'église de Soleure *(Moïse et le serpent d'airain* et *Jonas et la baleine).*

ZELLAER Vincent. Voir **SELLAER**

ZELLENBERG Franz Zeller von
Né le 22 juin 1805 à Vienne. Mort le 13 août 1876 à Vienne. XIXe siècle. Autrichien.
Peintre d'histoire, sujets de genre, animaux, lithographe.
Il privilégia la représentation des chevaux.
Musées : Vienne (Mus. Historique) : *Retour du champ de course – Cavalier et paysanne – Groupe d'artillerie sur le champ de bataille* – Vienne (Mus. de l'Armée) : *Fourgon passant un pont – L'École de cavalerie des Uhlans.*
Ventes Publiques : Vienne, 1er déc. 1970 : *La prise de la ville de Raab* : **ATS 35 000** – Vienne, 19 juin 1979 : *Le favori du derby* 1838, h/t (36,5x44,5) : **ATS 12 000** – Vienne, 11 déc. 1985 : *Die Wettfahrt von Baden nach wien* 1837, h/t (26x31) : **ATS 45 000** – Londres, 18 nov. 1994 : *Chevaux sellés pour la promenade* 1837, h/t (46,3x58,1) : **GBP 5 175**.

ZELLER Adam
Mort vers 1522. XVe-XVIe siècles. Suisse.
Peintre.
Il est vraisemblable que cet artiste dont on ne connaît aucune œuvre et dont le nom figure seulement dans les archives de Bâle, est le même que l'auteur du monogramme A. Z. de la même époque et de la même région.

ZELLER Andreas
Mort le 5 février 1649 à Innsbruck. XVIIe siècle. Autrichien.
Peintre.
Il peignit en 1647 les armoiries des conseillers municipaux dans la Salle de l'Hôtel de Ville.

ZELLER Anton
XVIIIe siècle. Travaillant à Dresde. Allemand.
Peintre de genre et copiste.
On le cite en 1785. On voit de lui au Musée de Darmstadt deux copies, l'une d'après Raphaël Mengs, l'autre d'après Guido Remi, et à la Galerie de Schleissheim, *Un maître d'école lisant un papier à un cercle d'auditeurs.*

ZELLER Eugen
Né en 1889 à Zurich. Mort en 1974 à Feldmeilen. XXe siècle. Suisse.
Dessinateur.
Il a étudié l'architecture de 1909 à 1914. Il fut lié à Otto Meyer-Amden, chez qui il habita. Le réalisme de ses dessins l'apparente à la Neue Sachlichkeit. Voir aussi Georg Eugen Zeller.
Ventes Publiques : Zurich, 24 oct 1979 : *Couple* 1917, h/t (92x73,5) : **CHF 5 000** – Zurich, 30 nov. 1995 : *Nu* ; *Promeneur*, cr./pap., une paire (41x32 et 32x22,5) : **CHF 2 300**.

ZELLER Franziskus
XVIIe siècle. Actif à Innsbruck. Autrichien.
Peintre.

ZELLER Frédéric, dit **Fred**
Né le 26 mars 1912 à Paris. XXe siècle. Français.
Peintre, illustrateur, lithographe. Tendance naïve, puis tendance surréaliste.
Il figure depuis 1940 dans divers groupements, parmi lesquels, à Paris, le Salon des Indépendants, dont il est sociétaire. Il a reçu plusieurs prix.
Il montre surtout ses œuvres dans de nombreuses expositions personnelles dans les villes du Midi, de même qu'à New York, Strasbourg, Zurich, à Paris en 1994 à la galerie Lucie Weill-Seligman.
Il a illustré par des séries de peintures l'histoire de Saint-Germain-des-Prés, et celle d'Eze-Village. Après avoir peint de nombreuses *Kermesses*, il a abandonné ses foules bruyantes pour décrire au contraire des espaces déserts, notamment la mer. En toutes choses, il montre un humour proche d'un certain surréalisme, de même que sa technique balance entre le beau métier généreux de matières et une affectation de naïveté. Sa peinture au début se rapprochait d'ailleurs de l'art naïf avant d'évoluer dans les années soixante vers le surréalisme. Ses peintures sont devenues ensuite plus symbolistes, voire japonisantes. Toute l'œuvre de Fred Zeller est une méditation poétique sur l'être humain, sa solitude dans le monde moderne.

Fred Zeller

Ventes Publiques : Versailles, 12 mai 1974 : *Ève et la pomme* 1969 : **FRF 6 000** – Versailles, 12 mai 1976 : *Le Retour de l'enfant prodigue* 1969, h/t (89x116) : **FRF 2 500** – Paris, 20 mars 1980 : *L'arbre en fleur* 1977, h/t (89x116) : **FRF 8 500** – Versailles, 8 juin 1983 : *La Plus Belle Conquète de l'homme : La Liberté* 1975, h/t (97x130) : **FRF 20 000** – Versailles, 12 juin 1985 : *Le labyrinthe* 1982, h/t (88,5x116) : **FRF 20 000** – Versailles, 21 fév. 1988 : *Unis par le ciel et l'eau*, h/t (60x81) : **FRF 15 000** – Versailles, 15 mai 1988 : *Les Étourneaux*, h/t (89x116) : **FRF 11 100** – La Varenne-Saint-Hilaire, 29 mai 1988 : *Le Crépuscule*, h/t (46x55) : **FRF 8 000** – Paris, 3 juin 1988 : *La Triplette*, gche/pap. (21x30) : **FRF 1 600** – Paris, 23 juin 1988 : *La Place des Vosges*, h/t (73x92) : **FRF 26 500** – La Varenne-Saint-Hilaire, 23 oct. 1988 : *La Maison sur l'eau*, h/t (65x92) : **FRF 22 500** – Versailles, 23 oct. 1988 : *L'Automne*, h/t (81x100) : **FRF 18 500** – Versailles, 18 déc. 1988 : *Madame la marquise*, h/t (80,5x100) : **FRF 18 500** – Paris, 27 avr. 1989 : *Le Départ pour la chasse* 1954, h/t (40x51) : **FRF 9 500** – La Varenne-Saint-Hilaire, 21 mai 1989 : *Le Retour de l'aède*, h/t (65x81) : **FRF 25 500** – Paris, 18 juin 1989 : *Chevaux dans la prairie*, h/pan. (54x65) : **FRF 15 000** – Versailles, 29 oct. 1989 : *Face à la mer* 1960, h/t (33x55) : **FRF 13 000** – Le Touquet, 12 nov. 1989 : *Le Château de la Belle au Bois Dormant*, h/pan. (50x60) : **FRF 36 500** – Paris, 27 nov. 1989 : *Vanita, Vanitum, et Omnia Vanitas*, h/t (73x62) : **FRF 33 000** – La Varenne-Saint-Hilaire, 3 déc. 1989 : *Le sommeil*, h/t (73x92) : **FRF 23 000** – Versailles, 10 déc. 1989 : *Scène champêtre* 1956, h/t (81x100) : **FRF 5 500** – Paris, 11 mars 1990 : *Montmartre, la rue de l'Abreuvoir*, h/t (81x65) : **FRF 36 000** – Paris, 26 avr. 1990 : *La Pomme verte* 1980, h/t (60x73) : **FRF 21 000** – Paris, 23 mars 1993 : *Personnages sur la plage*, h/t (50x75) : **FRF 3 500** – Paris, 16 oct. 1994 : *Hommage à Poliakoff*, h/t (73x92) : **FRF 9 000** – Paris, 1er fév. 1996 : *Eze, le village*, h/t (61x73) : **FRF 5 500** – Calais, 15 déc. 1996 : *Loin du monde et du bruit* 1968, h/t (65x100) : **FRF 12 000**.

ZELLER Friedrich
Né en 1817 à Steyr. Mort le 29 décembre 1896 à Salzbourg. XIXe siècle. Autrichien.
Peintre d'architectures, portraitiste et paysagiste.
Élève de l'Académie de Munich en 1837. Le Musée de Salzbourg conserve de lui les portraits des gouverneurs de province de 1852 à 1863, une aquarelle *(Moutons paissant)* et un dessin *(Chaumière).*

ZELLER Georg Eugen
Né le 3 novembre 1889 à Zurich. XXe siècle. Suisse.
Dessinateur, peintre.
Il a été élève de l'École des Arts Décoratifs de Zurich, de 1905 à 1907. Peut-être s'agit-il de Eugen Zeller.
Musées : Winterthur – Zurich.

ZELLER Heinrich. Voir **ZELLER-HORVEN**

ZELLER Johann Conrad
Né le 2 mai 1807 à Hirslanden (canton de Zurich). Mort le 1er mars 1856 à Zurich. XIXe siècle. Suisse.
Peintre de compositions religieuses, sujets de genre, portraits, paysages animés, paysages.
Dès 1824, il commença à voyager en Italie, où il s'appliqua à étudier des peintres de l'école italienne. Horace Vernet le prit dans son atelier à Rome et l'artiste se fixa dans cette ville jusqu'à l'âge de quarante ans. En 1847, il revint en Suisse.
Il s'adonna beaucoup au portrait et au paysage. On cite de lui : *La Transfiguration* (dans la nouvelle cathédrale de Zurich). À la collection de la Société des Beaux-Arts de Zurich on voit aussi quelques toiles de cet artiste, dont *Romaine en prières, Jeune fille au bain, Famille de bergers en Campanie*, et à la Salle des Fêtes de Zurich, *Retour des Zurichois après la bataille de Tattwil* (en collaboration avec Seri).
Musées : Leipzig : *Tête de jeune femme – Saltarello, villa d'Este à Tivoli* – Milan : *La Fête d'octobre devant la porte Angelica à Rome* – Zurich : *Danse romaine à Trivoli.*
Ventes Publiques : Copenhague, 6 mars 1991 : *Scène de la vie des pêcheurs*, peint./acajou (34x48) : **DKK 15 000**.

ZELLER Johann Georg ou **Ziller** ou **Zöller**
Né en 1738 à Innsbruck. Mort en 1811 à Dresde. XVIIIe-XIXe siècles. Autrichien.

Dessinateur, orfèvre.
Il travailla à Amsterdam, Paris, Prague et Vienne.

ZELLER Josef Claudius
XVIIIe siècle. Actif à Leoben. Autrichien.
Sculpteur.

ZELLER Justine. Voir **SEITZ-ZELLER**

ZELLER Maximilian
Né le 6 octobre 1631. Mort avant 1675. XVIIe siècle. Actif à Innsbruck. Autrichien.
Peintre.

ZELLER Sebastianus
XVIIIe siècle. Travaillant à Presbourg de 1756 à 1766. Autrichien.
Graveur au burin.

ZELLER Thea
Née en 1842 à Zurich. XIXe siècle. Suisse.
Aquarelliste.
Fille du peintre de panoramas, Heinrich Zeller-Horven. Elle envoya en 1879 une aquarelle à l'Exposition d'Art Suisse.

ZELLER-HORVEN Heinrich
Né le 5 octobre 1810 à Balgrist-Zurich. Mort le 2 décembre 1897. XIXe siècle. Suisse.
Dessinateur et peintre, amateur de panoramas.
Frère de Johann Conrad Zeller. Il voyagea en France et en Italie dans sa jeunesse. En 1829, son premier panorama *Le Mont joli* lui valut un certain succès qui l'encouragea dans cette voie. Le Kunsthaus de Zurich contient deux aquarelles et quelques dessins de lui.

ZELLI Antonio
XVIIe siècle. Italien.
Peintre de natures mortes.
Il fut actif à Cortona et à Rome vers 1633.

ZELLI Constantino
XVIe siècle. Actif au début du XVIe siècle de Viterbe. Italien.
Peintre.
Le Musée de Viterbe conserve de lui une *Mise au tombeau*, et le Musée de Varsovie, une *Annonciation*.

ZELLNER Georg
XVIIIe siècle. Travaillant à Salzbourg vers 1725. Autrichien.
Peintre.

ZELLNER Johann Ignaz
XVIIIe siècle. Autrichien.
Graveur sur cuivre.

ZELLNER Karl
Né le 27 mars 1856 à Vienne. Mort le 2 janvier 1902 à Vienne. XIXe siècle. Autrichien.
Peintre de genre, paysagiste, portraitiste et écrivain.
Élève d'A. Schaeffer, K. Haunold, H. Dornant et W. Vita.

ZELLNER Mathias ou **Zeltner**
XIXe siècle. Actif en Styrie. Autrichien.
Peintre.

ZELLNER Minna Weiss
Née le 17 septembre 1889 à New Haven (Connecticut). XXe siècle. Américaine.
Peintre de paysages, graveur.
Elle a été élève de Léon à Paris. Elle fut membre de la Ligue Américaine des Artistes Professeurs et de la Société de la Gravure originale en noir de Paris.
MUSÉES : PARIS (BN).

ZELLWEGER Konrad
Mort en 1648. XVIe-XVIIe siècles. Suisse.
Peintre verrier.
Des vitraux de lui sont conservés au Musée de Saint-Gall.

ZELMA Juan Bautista. Voir **CELMA**

ZELONI Girolamo
Mort le 8 avril 1501 à Pistoia. XVe siècle. Italien.
Miniaturiste et calligraphe.
Il appartenait au clergé régulier.

ZELOTTI Battista. Voir **FARINATI Giambattista**

ZELPI Johann
XVIIe siècle. Actif à Wiener-Neustadt au début du XVIIe siècle. Autrichien.
Sculpteur.
Il sculpta la chaire de sa paroisse en 1609.

ZELTER George Joseph
Né en 1938. XXe siècle. Français.
Peintre de paysages, marines, marines portuaires, natures mortes.
VENTES PUBLIQUES : PARIS, 4 avr. 1989 : *Pêcheurs en mer*, h/t (54x73) : **FRF 4 500** – PARIS, 18 juin 1989 : *Vue de Honfleur* 1988, h/t (89x116) : **FRF 16 000** – PARIS, 14 avr. 1991 : *Moïse descendant du Sinaï*, h/t (130x97) : **FRF 40 000** – PARIS, 17 juin 1991 : *La Jetée de Deauville*, aquar. (35x50) : **FRF 8 000** – PARIS, 6 juil. 1992 : *La jetée de Trouville*, h/t (73x54) : **FRF 17 000** – PARIS, 8 juil. 1993 : *Le Bassin de l'arsenal*, h/t (73x92) : **FRF 6 800** – PARIS, 19 mai 1995 : *Le village provençal de Crillon-le-Brave* 1991, h/t (81x65) : **FRF 5 800** – PARIS, 22 nov. 1996 : *Nature morte à la cafetière* 1994, h/t (54x64) : **FRF 4 000** – PARIS, 31 oct. 1997 : *Martigues*, h/t (54x72,5) : **FRF 4 200**.

ZELTINS Valdemars
Né en 1879 à Riga. Mort en 1909 à Riga. XIXe siècle. Russe.
Peintre.
Il fit ses études à Riga et à Saint-Pétersbourg. Le Musée de Riga conserve de cet artiste cinq tableaux peints à l'huile.

ZELTNER Matthias. Voir **ZELLNER Mathias**

ZELTNER Philipp
Né en 1865 à Mayence. XIXe siècle. Allemand.
Peintre de genre.
Il fit ses études aux Académies de Karlsruhe, de Munich et de Paris. Le Musée de Mayence conserve de lui *Ménagère soigneuse*.

ZELVEN Van
XVIIe siècle. Actif au début du XVIIe siècle. Hollandais.
Peintre.

ZEMAN Vaclav
Né le 26 août 1934. XXe siècle. Tchèque.
Peintre de portraits, figures.
Diplômé de l'École des Arts Décoratifs à Prague. Il a été élève de K. Svolinsky. Il a figuré de 1969 à 1978 à la Biennale internationale de Brno. Il a montré ses œuvres à Bologne en 1971 et à Listowel en 1978.
MUSÉES : PARDUBICE.
VENTES PUBLIQUES : PARIS, 31 jan. 1993 : *Le miroir des souvenirs*, h/pan. (70x50) : **FRF 3 000**.

ZEMBACZYNSKI Antoni
Né en 1858 à Cracovie. XIXe siècle. Polonais.
Peintre d'histoire, portraitiste et paysagiste.
Élève de l'Académie de Cracovie. Il participa à la décoration de l'église de la Vierge de la même ville.

ZEMDEGA Karlis, appelé aussi **Baumanis**
Né le 7 avril 1894 à Gesinde Gaili (Kurzeme). XXe siècle. Letton.
Sculpteur de bustes, statues.
Il a été élève de l'Académie de Riga. Il fit la statue commémorative du poète *Rainis* et plusieurs statues de *La Liberté*. Il obtint le Prix du Fonds de Culture en 1928.
MUSÉES : RIGA : *Nox minor*.

ZEMELGAK Jakof Ivanovitch
XIXe siècle. Actif au début du XIXe siècle. Russe.
Sculpteur.
Élève de l'Académie de Saint-Pétersbourg. Le musée de cette ville conserve de lui le buste d'*I. I. Bezki*.

ZEMP Adolf
Né le 20 novembre 1838 à Lucerne. XIXe siècle. Suisse.
Portraitiste et peintre de genre.
Fils du peintre Leodegar Zemp, il fit ses études à l'Académie et à l'École des Beaux-Arts de Karlsruhe. En 1862, on le trouve à Paris où il se perfectionne. Depuis cette date, fixé à Lucerne, il prit part à quelques expositions en Suisse et notamment à celle de Lucerne de 1874 avec trois portraits.

ZEMP Leodegar
Né en 1805 à Fluhli près Schupfheim. Mort le 28 août 1878 à Einsideln. XIXe siècle. Suisse.
Peintre de portraits et lithographe.
Il prit part aux expositions de Lucerne de 1869, et du jubilé en 1889 avec quelques portraits. Il est le père du portraitiste Adolf Zemp.

ZEMPLENI M. Viktor
Né en 1894 à Satoroljanjhely. XXe siècle. Hongrois.
Peintre de portraits, paysages.

ZEMPLENYI Tivadar ou **Szemplenyi**
Né le 1er novembre 1864 à Eperjes. Mort le 22 août 1917 à Budapest. XIXe-XXe siècles. Hongrois.
Peintre de genre.
Il a été élève de Loeffitz, à Budapest. Il figura aux Salons de Paris où il obtint une médaille d'argent en 1900 lors de l'Exposition universelle et une mention honorable en 1905.
Musées : Budapest.

ZENA Agostino
XVIIIe siècle. Actif à Rome au début du XVIIIe siècle. Italien.
Sculpteur.

ZENAKEN
Né en 1954. XXe siècle. Français.
Peintre, technique mixte. Abstrait-lyrique.
L'artiste est discret. Son style est aérien, gestuel ; traces et tracés de pinceaux, giclures, se déploient, sur des fonds généralement blancs, dans l'espace de ses tableaux.
Ventes Publiques : Paris, 15 oct. 1990 : *Sans titre*, acryl./t. (116x89) : **FRF 10 000** – Paris, 30 nov. 1990 : *Composition*, acryl./t. (116x89) : **FRF 7 800** – Paris, 17 juin 1991 : *Sans titre*, acryl./t. (89x116) : **FRF 11 000** – Neuilly, 1er déc. 1991 : *Composition*, gche et collage/pap. (37x52,5) : **FRF 6 000** – Paris, 15 déc. 1991 : *Composition*, h/t (89x116) : **FRF 6 200** – Paris, 2 fév. 1992 : *Sans titre*, techn. mixte/t. (115x88,5) : **FRF 7 000**.

ZENALE Bernardino ou **Bernardo**
Né vers 1450 à Treviglio. Mort en 1526 à Milan. XVe-XVIe siècles. Italien.
Peintre de compositions religieuses, compositions animées, sculpteur, architecte, fresquiste.
Sans doute élève de Vincenzo Foppa. Dans la plupart de ses œuvres connues, il collabora avec Bernardo Butinoni. Il en fut ainsi, entre 1485 et 1500, pour le polyptyque de l'église de Treviglio, les « Tondi » de la nef principale de Santa Maria delle Grazie à Milan, les fresques de la chapelle Grifi à l'intérieur de l'église San Pietro in Gessate, toujours à Milan, exécutées après 1490. Il est également l'auteur de fresques dans la salle de bal du Castello Sforzesco.
À la fin de sa vie, il s'orienta plus particulièrement vers l'architecture, travaillant au Dôme de Milan, ce qui peut expliquer son goût grandissant pour les perspectives parfois exagérées. Son style marqué par l'art de Bramante dérive aussi de celui de Foppa.
Bibliogr. : In : *Diction. de la peinture italienne*, coll. Essentiels, Larousse, Paris, 1989.
Musées : Florence (Mus. Pitti) : *Volets du triptyque de la Pentecôte* – Lawrence, Kansas : *Centre du triptyque de la Pentecôte*.
Ventes Publiques : Londres, 30 juin 1922 : *Lucrèce Crivelli* : **GBP 304** – Milan, 20 nov. 1963 : *L'Annonciation – L'ange de l'Annonciation – L'Éternel entouré de quatre têtes d'anges*, trois temp. : **ITL 1 700 000** – Milan, 4 avr. 1995 : *Madone sur un trône avec l'Enfant entre saints Antoine et François* 1494, détrempe grasse /pan. (100x63) : **ITL 42 550 000**.

ZENAS I
IIe siècle. Actif au début du IIe siècle. Antiquité grecque.
Sculpteur.
Le Musée du Capitole de Rome conserve un buste d'homme exécuté par cet artiste.

ZENAS II
IIe siècle. Antiquité grecque.
Sculpteur.
Fils de Zenas I. Les Musées du Capitole et du Vatican à Rome et celui de Toulouse conservent chacun un buste d'homme exécuté par cet artiste.

ZENATELLO Sandro
Né en 1893 à Monteforte Veronese. XXe siècle. Italien.
Peintre.
Il a été élève de l'Académie Cignaroli de Vérone.
Musées : Lodi – Naples – Piacenza – Rome (Mus. d'Art Mod.) : *La Procession* – Turin (Gal. des Amis de l'Art) – Vérone.

ZENATTI Jacques
Né en 1952. XXe siècle. Français.
Peintre technique mixte.
Ventes Publiques : Paris, 8 oct. 1989 : *Bicent*, h/t (130x162) : **FRF 30 000** – Paris, 18 fév. 1990 : *Actane* 1989, h. et pap. collé/t. (130x97) : **FRF 35 000** – Paris, 16 mai 1990 : *Sans titre*, acryl./t. (200x160) : **FRF 40 000** – Paris, 15 déc. 1990 : *Ocrine* 1989, acryl./t. (130x89) : **FRF 16 000** – Paris, 20 jan. 1991 : *Composition* 1989, techn. mixte/t. (81x65) : **FRF 12 000** – Paris, 2 fév. 1992 : *Composition* 1991, acryl./t. (100x100) : **FRF 6 000** – Paris, 14 avr. 1992 : *Lorenne*, acryl./t. (100x100) : **FRF 9 500** – Paris, 10 juin 1993 : *Composition* 1989, acryl. et collage/t. (81x65) : **FRF 4 000** – Paris, 4 oct. 1993 : *Composition*, h/pap./t. (76x56) : **FRF 5 900**.

ZENCKGRAFF Werner. Voir **ZENTGRAF**

ZENDE Jean Louis. Voir **ZEHENDER**

ZENDEL Gabriel
Né le 6 janvier 1906 à Paris. Mort en 1980. XXe siècle. Français.
Peintre de figures, paysages urbains, graveur, céramiste, illustrateur. Postcubiste.
Il abandonna ses études en 1924 pour se consacrer à la peinture. Il fut élève, après son service militaire, de Paul Bornet, qui enseignait, en son Institut d'Esthétique Contemporaine, les techniques de la peinture et de la gravure sur cuivre et sur bois.
Il fut sociétaire, à Paris, des Salons des Indépendants et d'Automne, il figura aussi au Salon des Peintres Témoins de leur Temps en 1950 et au Salon des Tuileries. Il a participé à de nombreuses expositions collectives en France et à l'étranger. Il a montré, à partir de 1931, sa première exposition personnelle à la galerie Zak à Paris, puis : 1934, 1947, 1950, 1952 et 1953, Paris ; 1942, Cannes ; 1949, New York ; 1980, galerie d'Art de la place Beauvau, Paris.
À partir de 1950, son art se situa résolument dans la ligne post cubiste. Il campe fortement les quelques formes, personnages, souvent des clowns, ou paysages familiers qui lui sont chers, de Paris, de Bourgogne, de Honfleur. À son style graphique si particulier, robuste et comme paysan, s'allie curieusement une palette haute de couleur, dans les jaunes citron et les rouges groseille, et presque tendre. Il a réalisé les décors pour une pièce de théâtre *Un jeune homme qui ne compte pas* montée par la Compagnie Marcel Lupovici. Il a également illustré de vingt-cinq dessins, en 1947, *Le cirque* de Léon Paul Fargue, de lithographies originales *Les Célibataires* de Montherlant, *Nuit de Prince* de Kessel.

Zendel

Musées : Libourne – Nevers : *Les chasseurs* – Paris (Mus. d'Art Mod.) : *Nature morte aux papillons – Les coteaux* – Rennes : *La Pointe Saint-Mathieu*.
Ventes Publiques : Paris, 21 fév. 1955 : *Vase de fleurs* : **FRF 16 000** – Paris, 26 juin 1969 : *L'atelier* : **FRF 10 500** – Versailles, 12 déc. 1976 : *Nature morte aux tulipes* 1955, h/t (24x33) : **FRF 1 600** – Paris, 7 juin 1988 : *Nature morte aux tournesols* 1955, h/t (90x116) : **FRF 30 500** – La Varenne-Saint-Hilaire, 23 oct. 1988 : *Paysage cubiste* 1946, h/t (50x61) : **FRF 12 100** – Paris, 3 mars 1989 : *Village d'Ile-de-France*, h/t (50x61) : **FRF 4 200** – Paris, 18 juin 1989 : *Fleurs et fruits*, h/t (46x65) : **FRF 25 000** – Paris, 27 nov. 1989 : *Le clown* 1957, h/t (116x89) : **FRF 40 000** – Paris, 19 jan. 1990 : *Paysage aux ruines*, h/t (50x60,5) : **FRF 7 500** – Neuilly, 11 juin 1991 : *Paysage méridional* 1946, h/t (50x73) : **FRF 6 000** – Paris, 27 mars 1994 : *Fleurs et fruits*, h/pan. (50x65) : **FRF 8 500**.

ZENDER Rudolf
Né en 1901 à Rüti. Mort en 1988 à Winterthur. XXe siècle. Suisse.
Peintre de figures, nus, paysages, natures mortes, fleurs, graveur, lithographe.
Il participa à la Biennale de Venise en 1936. Il obtint en 1942 le prix de la Peinture suisse (à Bührle), en 1955 et 1962 les prix artistiques de la Fondation Carl-Heinrich-Ernst et de la Ville de Winterthur. Il a exposé, entre autres, à Lucerne, Aarau, Genève, Saint-Gall, Bâle, Berne, Zurich (expositions triennales au Wolfsberg, à partir de 1950), au musée de Winterthur (1957), au musée de Coire (1959), au château d'Arbon (1962), au musée de Thoune (1965). Il convient surtout de citer ses paysages vigoureux aux tonalités fauves et ses recueils de lithographies originales.
Musées : Coire – Thoune – Winterthur – Zurich.
Ventes Publiques : Zurich, 18 nov. 1976 : *Nu assis*, h/t (33x55) : **CHF 1 300** – Zurich, 23 nov. 1977 : *Rapperswill*, h/t (54x81) : **CHF 3 200** – Zurich, 30 oct. 1980 : *Vue de Paris*, h/t (97x130) : **CHF 7 000** – Zurich, 20 mai 1981 : *Nature morte aux fleurs*, h/t

(97x48) : **CHF 3 800** – ZURICH, 14 mai 1983 : *Vue d'une zone industrielle*, h/t (58x89) : **CHF 3 200** – ZURICH, 7-8 déc. 1990 : *Une rue de Paris*, h/t (100x65,5) : **CHF 3 800** – ZURICH, 9 juin 1993 : *Les bords de Seine*, h/cart. (28x34) : **CHF 3 680** – ZURICH, 30 nov. 1995 : *Le Palais du Luxembourg*, h/t (27x46) : **CHF 4 025** – ZURICH, 25 mars 1996 : *La Seine en été*, h/t (50x61) : **CHF 4 140** – ZURICH, 5 juin 1996 : *Bouquet de pivoines* 1967, h/t (65x46) : **CHF 2 875** – ZURICH, 8 avr. 1997 : *Nature morte de fruits*, h/t (33x55) : **CHF 1 700**.

ZENDEROUDI Hossein

Né en 1937 à Téhéran. XXe siècle. Depuis 1961 actif en France. Iranien.

Peintre, sculpteur, céramiste, peintre de cartons de tapisseries, compositions murales, illustrateur.

Il fut élève de l'École des Beaux-Arts de Téhéran. Il vit et travaille à Paris. Aux Biennales de Téhéran, il obtint un des Grands Prix Royaux. Une bourse lui permit aussi un voyage en Yougoslavie. Il a figuré à plusieurs reprises à la Biennale de Paris, aux Biennales de São Paulo et Venise. Il montre ses œuvres dans des expositions personnelles, dont : de 1965 à 1968, galerie Camille Renault, Paris ; 1971, 1972, galerie Cyrus, Paris ; de 1970 à 1980, galerie Stadler, Paris ; 1972, Musée des Beaux-Arts, La Chaux-de-Fonds ; 1975, galerie Zarwan, Téhéran ; 1975, galerie Carini, Milan ; 1977, galerie l'Atelier, Rabat ; 1976, 1978, galerie Zand, Téhéran ; 1977, Centre culturel, Casablanca ; 1983, 1985, galerie Leila Taghinia-Milani, New York ; 1988, Musée Bossuet, Meaux.
Hossein Zenderoudi est à l'origine, vers 1960, d'un mouvement artistique, l'école Sagha Khaneh, du nom d'une petite pièce réservée, dans les habitations en Iran, à la distribution de l'eau aux passants, et qui est d'ordinaire tapissée d'images populaires. La liberté formelle de ces œuvres a été rapprochée de sa propre création. S'inspirant de l'art musulman, il développe des frises élégantes de rythmes graphiques, non gestuels mais au contraire soigneusement calligraphiés, rappelant l'écriture coranique avec peut-être une allusion discrète aux combinaisons de signes de l'art gothique. Outre son enjeu formel, cette écriture composée également de chiffres est, souligne-t-il, signifiante, véhiculant un langage magique ou religieux. Il a illustré le Coran en 1972. Il a été sollicité en peinture, sculpture, céramique... pour de nombreuses commandes architecturales publiques et privées.

BIBLIOGR. : B. Dorival, sous la direction de... : *Peintres Contemporains*, Mazenod, Paris, 1964 – in : *Dictionnaire de l'art moderne et contemporain*, Hazan, Paris, 1992.

MUSÉES : NEW YORK (Mus. d'Art Mod.) – PARIS – TÉHÉRAN – TURIN.

ZENDGRAF Werner. Voir **ZENTGRAF**

ZENER Andreas. Voir **ZAHNER**

ZENGE Wilhelmine von

XIXe siècle. Allemande.

Peintre.

Elle a produit un portrait de *Heinrich von Kleist*.

ZENGER Augustin

XVIIIe siècle. Actif à Vienne. Autrichien.

Graveur au burin.

Il travailla surtout pour des libraires.

ZENG GUOFAN

Né en 1811. Mort en 1872. XIXe siècle. Chinois.

Peintre-calligraphe. Traditionnel.

VENTES PUBLIQUES : NEW YORK, 6 déc. 1989 : *Strophes en écriture courante*, encre/pap. doré, deux kakémonos (chaque 165,1x38,4) : **USD 1 430** – HONG KONG, 29 oct. 1992 : *Strophes calligraphiées en écriture courante*, encre/pap. or, une paire de kakémonos (chaque 130,4x29,5) : **HKD 17 600** – HONG KONG, 4 mai 1995 : *Calligraphie en Xong Shu* 1859, encre/pap., ensemble de 4 kakémonons (chaque 144,8x39) : **HKD 34 500**.

ZENG JINGWEN, dit **Dong Kingman**

Né en 1911 à Oakland (Californie). XXe siècle. Chinois.

Peintre de paysages, aquarelliste.

Il accompagna sa famille à Hong Kong, il avait cinq ans. À quatorze ans il commença ses études artistiques avec Szeto Wei. De retour à San Francisco, il exposa pour la première fois en 1936 et remporta un prix en 1942. Il se fixa à New York. Il donna des conférences à l'Université de Colombia. *Voir aussi KINGMAN Dong.*

MUSÉES : BOSTON (Mus. des Beaux-Arts) – NEW YORK (Metropolitan Mus. of Art) – NEW YORK (Mus. d'Art Mod.) – SAN FRANCISCO.

VENTES PUBLIQUES : TAIPEI, 18 avr. 1993 : *Le collège de Marymount, le clocher* 1944, aquar./pap. (56x38) : **TWD 345 000**.

ZENG JUNXIONG. Voir **TSENG JASON**

ZENG QUING ou **Tsêng Ch'ing** ou **Tseng K'ing**, surnom : **Bochen**

Né en 1568, originaire de Putian, province du Fujian. Mort en 1650. XVIe-XVIIe siècles. Chinois.

Peintre.

Peintre de portraits de grande renommée, dont il reste plusieurs œuvres signées et datées.

ZENG SHANQING

Né en 1932. XXe siècle. Chinois.

Peintre de paysages animés. Traditionnel.

Il a étudié à l'Institut central des Beaux-Arts où il est devenu professeur. Il allie la technique de la peinture à l'huile occidentale à celle de la peinture traditionnelle chinoise.

BIBLIOGR. : In : Catalogue de l'exposition *Peintres traditionnels de la République populaire de Chine*, galerie Daniel Malingue, Paris, 1980.

VENTES PUBLIQUES : HONG KONG, 29 oct. 1992 : *Le mangeur*, encre et pigments/pap. (89x97,6) : **HKD 33 000**.

ZENG XI

Né en 1861. Mort en 1930. XIXe-XXe siècles. Chinois.

Peintre de paysages animés, paysages, fleurs, calligraphe. Traditionnel.

VENTES PUBLIQUES : HONG KONG, 17 nov. 1988 : *Paysage* 1923, encre et pigments/pap., kakémono (104,5x36,8) : **HKD 22 000** ; *Album de 10 feuilles de paysages différents* 1925, encre/pap. (chaque 19x31,2) : **HKD 154 000** – NEW YORK, 31 mai 1989 : *Calligraphie en écriture religieuse*, encre/pap., kakémono (104,1x52) : **USD 1 100** – HONG KONG, 15 nov. 1989 : *Chrysanthèmes, Pivoines, Bambous, Pin* 1923, série de quatre kakémono encre et pigments/pap. (chaque 104,5x47,5) : **HKD 88 000** – NEW YORK, 31 mai 1990 : *Calligraphie en écriture courante*, encre/pap., ensemble de quatre kakémono (chaque 147,3x39) : **USD 5 500** – HONG KONG, 2 mai 1991 : *Un pin* 1925, encre/pap., kakémono (191,1x64,8) : **HKD 126 500** – NEW YORK, 25 nov. 1991 : *Un pin*, encre/pap., kakémono (81,3x40,6) : **USD 1 210** – NEW YORK, 1er juin 1992 : *Calligraphie en écriture officielle*, encre/pap., kakémono (103,58x50,8) : **USD 3 575** – HONG KONG, 22 mars 1993 : *Pêcheur dans une barque*, encre et pigment/pap., kakémono (127,8x46) : **HKD 19 550** – HONG KONG, 30 oct. 1995 : *Chrysanthèmes, pivoines, bambou et pin* 1923, encre et pigments/pap., ensemble de quatre kakémonos (104,5x47,5) : **HKD 86 250**.

ZENG XIAOHU

Né en 1938 à Chengdu (province du Sichuan). XXe siècle. Chinois.

Peintre de paysages animés. Traditionnel.

Il a étudié à l'Institut des Beaux-Arts de Guangzhou. Il est professeur à l'École normale de la province du Hunan et membre permanent du Conseil de la section de l'Association des Beaux-Arts du Hunan.

BIBLIOGR. : In : Catalogue de l'exposition *Peintres traditionnels de la République populaire de Chine*, galerie Daniel Malingue, Paris, 1980.

ZENG YANDONG ou **Tseng Yen-Tong** ou **Tsêng Yen-Tung**, surnom : **Qiru**, nom de pinceau : **Qidaoren**

Originaire de Jiaxiang, province du Shandong. XVIIIe siècle. Actif à Yongjia (province du Zhejiang). Chinois.

Peintre de figures, animaux, fleurs.

Travaillant probablement pendant la période Qianlong (1736-1796), cet artiste privilégia la représentation des fleurs et des oiseaux.

VENTES PUBLIQUES : NEW YORK, 31 mai 1989 : *Rocher*, encre/pap., kakémono (124,1x37,5) : **USD 2 200**.

ZENG YOUHE ou **Tseng Yu-Ho**, dite plus tard **Ecke Betty**

Née en 1923 ou 1925 à Pékin. XXe siècle. Chinoise.

Peintre de paysages.

Femme peintre des écoles traditionnelle et moderne, elle est élève de Pu Jin et diplômée de l'École Furen des Beaux-Arts. Elle vit à Honolulu avec son mari, le Dr. Gustav Ecke.
Formée dans le respect des maîtres anciens, elle perpétue, dans ses paysages, la tradition des paysagistes Yuan, notamment de Huang Gongwang (1269-1354), et essaye même parfois de recréer le style archaïque de l'époque Tang. Mais le parallèle le plus significatif à faire avec ses paysages de Hawaii, qui par ailleurs ne sont pas exempts de l'influence de Max Ernst, est avec ceux du paysagiste individualiste du XVIIe siècle, Gong Xian. Il est

clair, au travers de ses œuvres, qui comptent parmi les plus intéressantes dans l'évolution de la peinture chinoise des années 1950, que la véritable tradition du *wenren hua* ou peinture de lettré, quand elle est l'expression sincère de la personnalité d'un artiste, est en changement constant et sait répondre à de nouveaux appels.

Bibliogr. : M. Sullivan : *Chinese Art in the XXth Century*, Londres, 1959.

Ventes Publiques : Hong Kong, 15 nov. 1990 : *Le pays où...*, acryl., alu. et pap./t., ensemble de quatre panneaux (en tout 183x183) : **HKD 165 000** – Hong Kong, 2 mai 1991 : *Paysage abstrait*, acryl., alu. et pap./t., une paire (chaque 34x44,1) : **HKD 41 800** – Hong Kong, 31 oct. 1991 : *Paysage abstrait*, acryl., alu. et pap. (101x75,7) : **HKD 88 000** – Hong Kong, 30 avr. 1992 : *Parcelles de la totalité*, acryl. et alu. sur pap. (178,8x177) : **HKD 165 000**.

ZENI Antonio

Né le 27 septembre 1606 à Tesero. Mort à Castello di Fiemme. XVIIe siècle. Italien.

Peintre.

Il fit surtout des tableaux religieux pour de nombreuses églises du Trentin.

ZENI Bartolomeo

Né à Vérone. XVIIIe siècle. Italien.

Peintre.

Père de Domenico Zeni. Il a peint des fresques pour l'église de Pinzolo et un tableau d'autel pour l'église de Bondo en 1793.

ZENI Domenico

Né le 18 septembre 1762 à Bardolino. Mort le 1er février 1819. XVIIIe-XIXe siècles. Italien.

Peintre.

Fils de Bartolomeo Zeni. Élève de son père et de l'Académie de Vérone. Le Musée de Cavalese conserve de lui *Portrait d'un évêque*, le Musée du Risorgimento de Trente, *Parade de la Garde Nationale de Trente* et cent trente portraits, et le Ferdinandeum d'Innsbruck, *Portrait d'Andreas Hofer*.

ZENION

IIe siècle. Actif à Cyrène sous le règne d'Hadrien (117-138). Antiquité grecque.

Sculpteur.

Le Musée de Benghasi conserve de lui une statue monumentale de *Jupiter* destinée au Capitole de Cyrène.

ZENISEK Friedrich

Né le 6 juin 1872 à Pilsen (nom all. de Plzen). Mort le 15 mai 1930 à Münchengrätz. XIXe-XXe siècles. Tchécoslovaque.

Peintre de paysages.

Il a été élève de l'École des Arts Décoratifs de Prague. Il peignit surtout des paysages de Bohême et des Balkans.

ZENISEK Josef

Né le 4 septembre 1855 à Prague. XIXe siècle. Tchécoslovaque, Éc. slov.

Peintre de genre, portraits.

Élève de l'Académie de Prague et de celle de Munich. Il exposa à Prague en 1935. Ses têtes d'enfants ont été reproduites dans beaucoup de journaux allemands et tchèques.

ZENISEY Franz, l'Ancien

Né le 25 mai 1849 à Prague. Mort le 15 novembre 1916 à Prague. XIXe-XXe siècles. Austro-Hongrois.

Peintre de compositions à personnages, figures.

Père de Franz Zenisey le Jeune. Il a été élève de l'Académie de Prague.

Musées : Prague (Gal. d'Art Mod.) : *Les Musiciens de Brême* – de nombreuse esquisses pour des fresques.

Ventes Publiques : New York, 29 oct. 1992 : *Jeune Femme au collier de corail*, h/pan. (36,2x30,5) : **USD 1 980**.

ZENISEY Franz, le Jeune

Né le 23 avril 1877 à Vienne. Mort le 12 décembre 1935 à Prague. XXe siècle. Autrichien, Tchécoslovaque.

Peintre.

Fils de Franz Zenisey l'Ancien, élève de son père et de l'Académie de Prague. Son œuvre principale est le triptyque qui se trouve dans la Salle de la Poste de Prague.

ZENKEVITCH Boris Alexandrovitch

Né en 1888 à Saratov. Mort en 1972. XXe siècle. Russe.

Dessinateur de paysages ruraux et industriels, illustrateur.

Musées : Bakou – Irkoutsk – Moscou (Gal. Tretiakov) – Moscou (Mus. de la Révolution) – Saint-Pétersbourg (Mus. Russe) – Saratov – Sverdlovsk – Tachkent – Yaroslav.

ZENNARO Felice, dit **Leppa**

Né le 8 octobre 1833 à Pellestrina. Mort le 6 mars 1926 à Milan. XIXe-XXe siècles. Italien.

Peintre de scènes de batailles, genre, portraits.

Il fut élève des académies de Venise et Milan.

Musées : Milan (Gal. d'Art Mod.) : *Portrait de Pia Cottini* – Milan (Mus. du Risorgimento) : *Bataille de Bezzecca* – *L'artiste en chasseur alpin* – *Portrait du comte Aunnoni*.

Ventes Publiques : Milan, 20 mars 1980 : *Medaglia d'argento*, h/t (100x74) : **ITL 1 400 000** – Milan, 23 mars 1983 : *Le Petit Ramoneur*, h/t (100x160) : **ITL 2 000 000** – Londres, 17 mars 1993 : *Elle prend soin du petit ramoneur* 1898, h/t (98x137) : **GBP 7 475** – Londres, 20 nov. 1996 : *La Distraction*, h/t (78x104) : **GBP 6 325**.

ZENNARO Giovanni

Né en 1846 à Venise. XIXe siècle. Italien.

Peintre et restaurateur de tableaux.

Élève de Molmenti, De Blaas et Grigoletti.

ZENO Jorge

Né en 1956 aux États-Unis, d'origine portoricaine. XXe siècle. Américain.

Peintre de compositions animées, figures.

Ventes Publiques : New York, 21 nov. 1988 : *Hermès* 1988, h/t (71x56,3) : **USD 3 850** – New York, 17 mai 1989 : *Mission* 1988, h/t (122x91,5) : **USD 5 225** – New York, 15-16 mai 1991 : *Mystère* 1989, h/tissu (122x102) : **USD 9 350** – New York, 20 nov. 1991 : *Silence* 1989, h/t (122x91,5) : **USD 15 400** – New York, 18-19 mai 1992 : *Pluie* 1989, h/t (100,5x85,4) : **USD 11 000** – New York, 25 nov. 1992 : *Clair de lune*, h/tissu (152,4x127) : **USD 9 900** – New York, 18 mai 1993 : *Agata* 1989, h/t (120,7x106,3) : **USD 14 950** – New York, 23-24 nov. 1993 : *La dame aux tournesols* 1990, h/t (57,5x54) : **USD 17 250** – New York, 18 mai 1994 : *La dame aux marguerites* 1987, h/t (81,2x130,1) : **USD 19 550** – New York, 21 nov. 1995 : *Coq lune* 1991, acryl./t. (142,9x96,5) : **USD 10 350** – New York, 15 mai 1996 : *Bain de lune* 1994, h/t (131,3x98) : **USD 28 750** – New York, 24-25 nov. 1997 : *Sombra de Caracol* 1994, h/t (101,6x152,3) : **USD 25 300**.

ZENO da Campione

Originaire de Campione. XIVe siècle. Travaillant à Milan dans la dernière moitié du XIVe siècle. Italien.

Sculpteur.

Il exécuta des sculptures à la cathédrale de Milan vers 1388.

ZENO di Martino da Verona

XVe siècle. Italien.

Peintre.

Fils de Martino da Verone. Il travaillait à Vérone en 1418.

ZENO da Verona ou **Zenone**

Né en 1484 à Beverara di Verona. Mort entre 1552 et 1554. XVIe siècle. Italien.

Peintre de compositions religieuses.

Peut-être descendant de Boninsegna di Zenone ? On voit de ses œuvres dans les églises de Salo, Desenzano, Volciano, Spoleto.

ZENOBIO, fra ou **Zanobi**

XVIe siècle. Florentin, travaillant à Venise au XVIe siècle. Italien.

Miniaturiste et écrivain.

ZENOBIO Jacopo de

XVIe siècle. Travaillant à Naples en 1568. Italien.

Sculpteur sur bois.

ZENODOTOS

IIIe siècle avant J.-C. Actif dans la seconde moitié du IIIe siècle avant J.-C., travaillant à Cnide. Antiquité grecque.

Sculpteur.

ZENOI Domenico. Voir **ZENONI**

ZENON I

Antiquité grecque.

Sculpteur.

Il travailla avec Sosipatros.

ZENON II

Antiquité grecque.

Sculpteur.

Fils d'Alexandre d'Aphrodisias. Il exécuta la statue d'un homme assis se trouvant à Lvottos en Crète.

ZENON III
IIe siècle. Actif à Aphrodisias au IIe siècle. Antiquité grecque.
Sculpteur.
Fils d'Attinas. Le Musée des Thermes de Rome conserve une statue d'homme assis exécutée par cet artiste.

ZENON IV Flavius
IIe siècle. Actif à Aphrodisias. Antiquité grecque.
Sculpteur.
Il était également prêtre.

ZENONE Caterina
XVIIe siècle. Active à Borgosesia dans la seconde moitié du XVIIe siècle. Italienne.
Peintre.
L'Oratoire de Sainte-Marthe de Borgosesia conserve une œuvre de cette artiste *L'Adoration des Mages.*

ZENONE Francesco
XVIIe siècle. Italien.
Peintre.
On voit de lui un *Mariage de la Vierge* à l'Oratoire de Sainte-Marthe à Borgosesia.

ZENONE da Verona. Voir **ZENO da Verona**

ZENONI. Voir aussi **VAPRIO**

ZENONI Domenico ou **Zenoi**
XVIe siècle. Travaillant à Venise vers 1570. Italien.
Graveur au burin.
On croit qu'il fut élève de Marco da Ravena, dont il imita le style. On cite, notamment de lui une série de portraits : *Illustrium Juris consultorum Imagines.* Il fit aussi des copies d'œuvres de Raphaël et du Titien.

ZENONI Giovanni
Né en 1754. XVIIIe siècle. Italien.
Peintre.
Il fut nommé jusqu'en 1807.

ZENSETSU, de son vrai nom : **Tokuriki Yukikatsu**, nom de moine : **Zensetsu**
Né en 1591. Mort en 1680. XVIIe siècle. Actif à Edo (actuelle Tokyo). Japonais.
Peintre.
Peintre de l'École Kanô, chef du bureau de peinture *(edokoro)* du temple Hongan-ji.

ZENTGRAF Werner ou **Centgraf, Zendgraf, Zenckgraff**
XVIe-XVIIe siècles. Travaillant à Schaffhouse de 1561 à 1684. Suisse.
Graveur de monnaies.
Il travailla pour Colmar, Fribourg et Brisach.

ZENTNER Adam
Né en 1760 à Vienne. Mort le 11 décembre 1828 à Vienne. XVIIIe-XIXe siècles. Autrichien.
Sculpteur.

ZENTNER Sebastian
XVIIIe siècle. Travaillant à Znaim. Autrichien.
Sculpteur.

ZEPHIRIN Frantz
Né en 1963. XXe siècle. Haïtien.
Peintre de compositions animées.
VENTES PUBLIQUES : PARIS, 13 juin 1994 : *Reine des Taïnos*, h/t (76x61) : **FRF 6 000** – PARIS, 12 juin 1995 : *Sirène à la valise*, h/t (61x91) : **FRF 7 000** – PARIS, 1er avr. 1996 : *Baptême mystique*, h/t (51x41) : **FRF 4 000** – PARIS, 25 mai 1997 : *Maîtresse Sirène*, acryl./t. (41x51) : **FRF 2 800** ; *Les Êtres molécules*, acryl./pan. (62x62) : **FRF 5 000**.

ZEPPEL Christian
XVIIIe siècle. Travaillant à La Haye en 1769. Hollandais.
Portraitiste et restaurateur de tableaux.

ZERANS. Voir **SERANS**

ZERBE Karl
Né en 1903. Mort en 1972. XXe siècle. Actif aux États-Unis. Danois.
Peintre de scènes animées, figures, peintre à la gouache, technique mixte.
VENTES PUBLIQUES : NEW YORK, 24 juin 1988 : *Le centre de Columbus* 1946, gche/pap. (55x76,4) : **USD 1 540** – NEW YORK, 21 mai 1991 : *Deux clowns* 1944, h/t (71,1x37,1) : **USD 3 300** – NEW YORK, 10 juin 1992 : *Le chien sous la table* 1946, h/t (91,5x61) : **USD 1 100** – NEW YORK, 12 sep. 1994 : *Emmett Kelly* 1948, encaustique et temp./rés. synth. (90,2x60,3) : **USD 2 587**.

ZERBI Antonio
XVe siècle. Actif à Spigno, travaillant à Savone vers 1418. Italien.
Peintre.

ZERBI Vincenzo
XVIIe siècle. Actif à Gênes vers 1674. Italien.
Portraitiste.
Élève de Fiasella.

ZERECO Mateo ou **Zerego**. Voir **CEREZO**

ZERGOLERN Johann Josef de ou **Zergol**
Né le 21 janvier 1684 à Ljubljana. XVIIIe siècle. Yougoslave.
Peintre.
Élève de Franz Remp.

ZERILLO Francesco ou **Zerilli**
Né en 1794. Mort en 1837. XIXe siècle. Italien.
Peintre de paysages, paysages d'eau, peintre à la gouache.
Il travailla à Palerme.
VENTES PUBLIQUES : LONDRES, 10 mai 1979 : *Vues d'Italie : Naples, Messine, Palerme...* 1828 et 1829, gches, suite de huit (9x15) : **GBP 900** – LONDRES, 25 nov. 1982 : *Monreali* 1831, gche (30,5x45) : **GBP 1 100** – LONDRES, 21 juin 1984 : *Palermo presso da Bocca di Falco*, gche (58,5x115) : **GBP 5 000** – LONDRES, 27 nov. 1986 : *Vue de Palerme*, gche (55,5x92) : **GBP 6 000** – NEW YORK, 22-23 juil. 1993 : *Vue de la côte de Palerme* 1836, gche/pap./t. (66x95,6) : **USD 10 925** – LONDRES, 16 nov. 1994 : *Vue de Palerme* 1836, gche (56x89) : **GBP 24 150**.

ZERLACHER Ferdinand Matthias
Né le 10 mars 1877 à Graz. Mort le 2 janvier 1923 à Salzbourg. XXe siècle. Autrichien.
Peintre de portraits, figures, paysages, natures mortes.
Il est le fils du sculpteur sur bois Matthias Mayer, élève des Académies de Graz et de Vienne.

F. Zerlacher

MUSÉES : GRAZ (Mus. prov.) : *Vieille Paysanne.*

ZERLI Beltramo. Voir **ZURLI**

ZERMAN Pietro
XVIIIe siècle. Actif à Rome au début du XVIIIe siècle. Italien.
Dessinateur.

ZERNICHOW Cathrine Helene
Née le 8 mai 1864 à Moss. XIXe siècle. Norvégienne.
Peintre.
Elle étudia à Paris de 1887 à 1888 et peignit surtout des fleurs et des portraits d'enfants.

ZERNOVA Ekaterina S.
Née en 1900 à Simferopol. XXe siècle. Russe.
Peintre d'histoire, scènes de genre, portraits, paysages, dessinateur, peintre de décors et costumes de théâtre, affichiste.
Elle a commencé par étudié, de 1917 à 1923, les mathématiques et la physique à l'Université de Moscou. Entre 1919 et 1924, elle a étudié aux Vhutemas sous la direction de I. Machkov, A. Chevtchenko et D. Chterenberg. Elle fut membre de la Société des Peintres de Chevalet. Elle a figuré en 1929 à l'exposition *L'Art graphique et l'Art de la typographie en URSS* à Amsterdam, en 1930 à une exposition d'art contemporain russe à Vienne. Elle était représentée à l'exposition *Paris-Moscou* au Centre Georges Pompidou en 1979 à Paris. Une exposition personnelle de ses œuvres eut lieu en 1944 à Moscou.
Parallèlement à la peinture, elle a illustré des revues et a réalisé, à partir de 1920, de nombreuses affiches.
BIBLIOGR. : In : *Paris-Moscou*, Catalogue d'exposition, Centre Beaubourg, Paris, 1979.

ZERPA Carlos
Né en 1950. XXe siècle. Vénézuélien.
Peintre, créateur d'assemblages.

Il est connu pour avoir réalisé une série d'œuvres, *India Nova*, dans lesquelles, il a utilisé des cartes anciennes. Ses assemblages, très colorés, sont composés de matériaux divers.
Bibliogr. : Damian Bayon, Roberto Pontual, in : *La peinture d'Amérique latine au XXe siècle*, Mengès, Paris, 1990.
Ventes Publiques : New York, 18 mai 1994 : *Cette femme de l'Ordre du Libérateur* 1979, h., livre, pièces de monnaie, bougies, photos et techn. mixte montés sur pan. (64x47,9) : **USD 3 737** – New York, 21 nov. 1995 : *Face à la mer des Caraïbes*, acryl./t. (179,6x131,2) : **USD 690**.

ZERREGETTI Johann
XVIIIe siècle. Autrichien.
Peintre.
Il fut actif à Chrudim et à Znaim en 1794.

ZERRITSCH Fritz, l'Ancien
Né le 26 février 1864 à Vienne. Mort le 30 novembre 1938 à Vienne. XIXe siècle. Autrichien.
Sculpteur.
Père de Fritz Z. le Jeune. Il travailla pendant huit ans dans l'atelier de V. Tilgner. Il exécuta surtout des statues commémoratives dont celle d'*Anton Bruckner* du parc municipal de Vienne. Le Musée Historique de Vienne conserve de lui : *Buste de l'archiduc Rainer*.

ZERRITSCH Fritz, le Jeune
Né le 28 août 1888 à Vienne. XXe siècle. Autrichien.
Peintre de chevaux, animalier, dessinateur.
Fils de Fritz Zerritsch l'Ancien, et élève de l'Académie de Vienne. Il exposa à partir de 1911. Il peignit de préférence des chevaux, du gibier et des oiseaux.
Ventes Publiques : Vienne, 20 mai 1981 : *Scène champêtre*, h/t (82x109) : **ATS 50 000**.

ZERROEN Anton Van ou **Seroen, Seron, Zerun**
XVIe siècle. Actif à Anvers dans la seconde moitié du XVIe siècle. Éc. flamande.
Sculpteur.

ZERROUKI Sélima
XXe siècle. Française.
Sculpteur de figures.
Elle a étudié à l'École des Beaux-Arts de Paris dans l'atelier Charpentier.
Elle utilise principalement le ciment, avec lequel elle réalise des sculptures monumentales comme sa série des *Sorcières*, femmes aux jambes longues et maigres surmontées d'un torse carré et d'une tête minuscule.

ZERZAVY Jan. Voir **ZRZAVY**

ZESHIN SHIBATA, de son vrai nom : **Shibata Junzô**, noms de pinceau : **Zeshin** et **Tairyûkyo**
Né en 1807. Mort en 1891. XIXe siècle. Actif à Tokyo. Japonais.
Peintre d'animaux, fleurs.
Il fut membre du Comité Impérial des Beaux-Arts et de l'Association d'Art Japonais, et obtint la médaille d'or à l'Exposition Internationale de Paris en 1889.
Peintre de fleurs et d'oiseaux de l'École Shijô, il fut élève de Suzuki Nanrei et de Okamoto Toyohiko.
Ventes Publiques : New York, 21 mars 1989 : *Procession de daimyo sous la pluie*, estampe uchiwa-e (22,4x29) : **USD 1 320** – New York, 17 oct. 1989 : *Scarabée sur un éventail*, laque et or/pap., kakémono (49,5x25,3) : **USD 6 600** – New York, 26 mars 1991 : *Les trois éléments essentiels d'une journée : la nourriture, les vêtements et la beauté*, encre et pigments/soie, triptyque de kakémono (chaque 92,2x31,2) : **USD 16 500** – New York, 23 oct. 1991 : *Coq, poule et poussins*, laque de coul./pap. préparé, kakémono (31,5x37,5) : **USD 24 200**.

ZETHRAEUS Agatha Van
Née le 23 décembre 1872 à Amsterdam. Morte en 1966. XIXe-XXe siècles. Hollandaise.
Peintre d'architectures.
Elle fut élève de J. H. L. Hanau, C. Kuypers, P. Mondriaan et de P. Van Wijngaerdt.

ZETI Giovanni
XVIIe siècle. Travaillant à Pistoia vers 1640. Italien.
Sculpteur sur bois.
On voit de ses œuvres dans l'église S. Francesco de Pistoia et dans l'église S. Stefano de Serravalle.

ZETSCHE Eduard
Né le 22 décembre 1844 à Vienne. Mort le 26 avril 1927 à Vienne. XIXe-XXe siècles. Autrichien.
Peintre d'architectures, paysages, fleurs.
Il a été élève à l'Académie des Beaux-Arts de Vienne dans l'atelier de Lichtenfels et à l'Académie des Beaux-Arts de Düsseldorf avec Eugen Ducker. Il exposa à Vienne en 1881.
Musées : Linz (Mus. provincial) : *La vieille muraille d'Enns* – Vienne (Mus. de Vienne) : *Vue de Lichtenworth*.
Ventes Publiques : Vienne, 15 oct. 1974 : *Vue de la forêt viennoise* 1911 : **ATS 30 000** – Vienne, 14 sep. 1976 : *La vieille forge*, aquar. et gche (24x36) : **ATS 10 000** – Vienne, 10 mai 1977 : *Le château de Neuhaus* 1911, h/cart. (36x26,5) : **ATS 35 000** – Vienne, 15 déc. 1978 : *Rue de village* 1920, aquar. (23x29) : **ATS 18 000** – Londres, 16 juin 1978 : *Jeune paysanne dans un paysage boisé*, h/pan. (39,3x26) : **GBP 600** – Vienne, 18 sept 1979 : *La vieille forge*, aquar. et gche (24,5x35,5) : **ATS 25 000** – Londres, 15 juin 1979 : *Vue d'une fille fortifiée* 1889, h/t (79,2x119,3) : **GBP 2 400** – Vienne, 15 mars 1984 : *Feuillages* 1921, aquar. et pl. (25x18) : **ATS 20 000** – Vienne, 5 déc. 1984 : *La promenade en sous-bois* 1914, h/t (78x109) : **ATS 110 000** – Vienne, 20 juin 1985 : *Le barrage à Gmunden* 1890, aquar. (40x52) : **ATS 60 000** – Vienne, 20 mars 1986 : *Une cour intérieure, Salzbourg*, aquar./pap. mar./cart. (29x21) : **ATS 30 000**.

ZETTELMANN Johann David
Né à Kurland. XVIIIe siècle. Travaillant à Hotzenplotz. Autrichien.
Peintre.
Il décora plusieurs églises de Moravie.

ZETTER Johann I
Né en 1603. Mort avant 1674. XVIIe siècle. Actif à Mulhouse. Français.
Peintre verrier.
Père de Johann Zetter II et frère de Peter Zetter.

ZETTER Johann II
Né le 17 septembre 1637. Mort le 9 novembre 1721. XVIIe-XVIIIe siècles. Actif à Mulhouse. Français.
Peintre verrier.
Fils de Johann Zetter I.

ZETTER Paul de ou **Setter** ou **Zettre**
Né vers 1600 à Hanau (Hesse). Mort après 1667. XVIIe siècle. Allemand.
Dessinateur et graveur.
On le cite dès 1630. Il travailla à Amsterdam vers 1640. Il grava surtout des portraits d'après ses propres dessins. Ils sont d'une exécution correcte, mais d'un goût contestable.

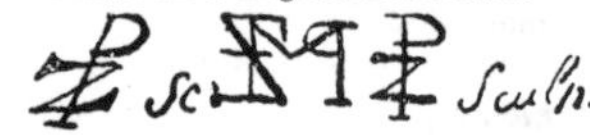

ZETTER Peter
Né en 1597. Mort en 1671. XVIIe siècle. Actif à Mulhouse. Français.
Peintre verrier.
Frère de Johann Zetter I.

ZETTER Samuel. Voir **CZETTER**

ZETTERBERG Nisse ou **Nils**
Né en 1910. Mort en 1986. XXe siècle. Suédois.
Peintre de figures, intérieurs, paysages, natures mortes, peintre à la gouache.
Ventes Publiques : Stockholm, 6 juin 1988 : *Nature morte au panier de fraises*, h. (22x24) : **SEK 12 000** – Stockholm, 22 mai 1989 : *Nature morte avec une tasse et des pêches* 1949, h/pan. (26x34) : **SEK 5 200** – Stockholm, 6 déc. 1989 : *Odette – intérieur avec une jeune femme assise*, h/t (72x60) : **SEK 22 000** – Stockholm, 5-6 déc. 1990 : *Le chat de céramique bleue* 1952, temp./pan. (17x27) : **SEK 5 700** – Stockholm, 21 mai 1992 : *Plage à marée basse*, h/t (60x73) : **SEK 5 500**.

ZETTERBERG Pehr
XVIIIe siècle. Suédois.
Peintre.

ZETTERSTRÖM Vilhelmina, dite **Mimmi Katerina**
Née le 3 mars 1843 à Gäfle. Morte le 26 mai 1885 à Paris. XIXe siècle. Suédoise.

Peintre.
Elle fit ses études à l'Académie de Stockholm et à Paris où elle exposa de 1875 à 1880.
Musées : Orebro : *Paysans de la vallée.*
Ventes Publiques : Stockholm, 1er nov. 1983 : *La Procession*, h/t (109x69) : **SEK 17 500.**

ZETTLER Emil Robert
Né en 1878 à Karlsruhe. Mort en 1946. xxe siècle. Américain.
Sculpteur.
Il fit ses études à l'Institut d'Art de Chicago, à l'Académie de Berlin et à l'Académie Julian de Paris. Il vécut et travailla à Chicago.
Musées : Brooklyn : *Buste de Ted Wagner* – Chicago (Mus. mun.) : plusieurs œuvres de cet artiste.
Ventes Publiques : New York, 15 avr. 1992 : *Torse de femme*, bronze à patine noire (H. 43,8) : **USD 2 200.**

ZETTLITZER Hermann
Né le 22 août 1901 à Dux (Bohême). xxe siècle. Autrichien.
Sculpteur de figures.
Il fit ses études à l'Académie des Beaux-Arts de Vienne, obtint le prix de Rome en 1927 et se fixa à Berlin en 1937.
Musées : Nuremberg (Gal. mun.) : *Femme agenouillée*, bois.

ZETTRE Paul de. Voir **ZETTER**

ZEUBIGER Johann Andreas
Mort le 14 novembre 1693 à Ofen. xviie siècle. Polonais.
Peintre.

ZEUGER Marti Léon ou **Züger**
xviiie siècle. Actif à Lachen. Suisse.
Portraitiste.
Auteur d'un portrait de femme conservé au Musée de Zurich et signé *M. A. Zeuger von Lachen pinx, 1759.*

ZEUME Johann Conrad. Voir **SEUMEN**

ZEUNER ou **Zeurner**
xviiie siècle. Actif à Amsterdam. Hollandais.
Peintre.
Il exposa à Londres en 1778. Le Musée d'Amsterdam conserve de lui *Vue de la porte dite Jan Roodenpoorts Toren* et *Vieille cabane* (peinture sur verre). On voit également de ses œuvres au Musée des Arts Décoratifs de Düsseldorf et au Victoria and Albert Museum de Londres.
Ventes Publiques : Berne, 23 nov. 1968 : *La chasse au canard* : **CHF 11 000.**

ZEUTHEN Christian Olavius
Né le 10 septembre 1812 à Kastrup. Mort le 23 juin 1890 à Copenhague. xixe siècle. Danois.
Peintre d'architectures.
Il fit ses études à l'Académie de Copenhague et exposa de 1834 à 1881. Le Musée de Frederiksborg conserve de lui *Siège de Fredericia en 1849*, *Vue de Copenhague* et *Les obsèques de Friedrich VI.* Le Musée de Copenhague possède également quelques œuvres de cet artiste.

ZEUTHEN Ernst Johan
Né le 30 décembre 1880 à Täfvelsas. Mort le 15 septembre 1938 à Gentofte, près de Copenhague. xxe siècle. Danois.
Peintre de marines, paysages, fleurs, graveur.
Frère de Laura Kirstine Baagoe, il fut d'abord ingénieur et constructeur de navires.
Musées : Copenhague – Maribo – Odense – Stockholm.
Ventes Publiques : Copenhague, 23 nov. 1950 : *Barque de pêche en mer* 1935 : **DKK 3 600** – Copenhague, 22 fév. 1951 : *Marine : le nuage* 1936 : **DKK 2 600** – Copenhague, 22 mai 1951 : *Bateaux de pêche* 1935 : **DKK 3 050** ; *Bateaux de pêche* 1934 : **DKK 2 650** – Copenhague, 30 mai 1951 : *Marine* 1938 : **DKK 2 700** – Copenhague, 16 et 17 avr. 1953 : *Fleurs* 1935 : **DKK 800** ; *Port* : **DKK 660** ; *Paysage* 1930 : **DKK 625** – Copenhague, 14 déc. 1970 : *Bord de mer* : **DKK 7 000** – Copenhague, 29 mars 1973 : *Les barques de pêche* 1935 : **DKK 7 800** – Copenhague, 28 nov. 1974 : *Barque de pêche en mer* 1938 : **DKK 7 000** – Copenhague, 19 mai 1978 : *Trois voiliers au large de Kronborg* 1936, h/t (89x120) : **DKK 7 500** – Copenhague, 2 avr. 1981 : *Marine* 1936-1937, h/t (88x122) : **DKK 15 000** – Copenhague, 21 oct. 1992 : *Fleurs dans un vase rouge*, h/t (51x61) : **DKK 4 500** – Copenhague, 21 avr. 1993 : *Marine en bleu* 1932, h/t (77x91) : **DKK 6 500** – Copenhague, 17 avr. 1997 : *Marine* 1938, h/t (79x102) : **DKK 8 500.**

ZEUTHEN Laura Kirstine Baagoe
Née le 3 septembre 1877 à Langebäck. xxe siècle. Danoise.
Peintre de fleurs.
Sœur d'Ernst Johan Zeuthen. Elle travailla à Klampenborg. Elle signe Laura Wanscher, nom de son professeur qu'elle épousa et dont elle se sépara.
Musées : Copenhague (Mus. des Arts Décoratifs) : plusieurs œuvres.

ZEUXIADES
ive siècle avant J.-C. Antiquité grecque.
Sculpteur.
Élève de Silanion. Il exécuta la statue de l'orateur *Hypereides*.

ZEUXIPPOS
ive siècle avant J.-C. Antiquité grecque.
Sculpteur.
Actif probablement à Argos, il exécuta avec Phileas une statue d'*Hermione* à Argos.

ZEUXIS
Né vers 464 avant J.-C. à Héraclée. ve siècle avant J.-C. Antiquité grecque.
Peintre.
Le peintre grec Zexippos, cité dans le Protagoras de Platon, fut confondu avec cet artiste. On croit que Zeuxis fut élève d'Apollodore ; ce qui paraît certain, c'est qu'ils furent grands amis. Pline rapporte qu'Apollodore fit des vers dans lesquels il se plaignait « que l'art de peindre lui eût été dérobé », ajoutant « que Zeuxis était le larron ». Il se consacra particulièrement à la peinture de la forme féminine. Mais il ne montrait pas moins de maîtrise dans la traduction des sentiments. Il répondait ainsi au nouveau goût du ive siècle avant J.-C., qui marquait une préférence pour les scènes familiales situées dans un paysage campagnard. Pline vante de lui une *Pénélope*, œuvre dans laquelle se traduisait la pensée de l'épouse d'Ulysse. Les Crotoniens lui ayant commandé une figure d'*Hélène*, l'artiste choisit, dans la cité, les cinq plus belles femmes et prenant à chacune d'elles ce qu'elle avait de plus parfait en forma un ensemble véritablement surhumain. Le peintre Nicomachus, admirant cette œuvre, répondit à quelqu'un qui lui demandait ce qu'il y trouvait d'extraordinaire : « Prends mes yeux et tu y verras une déesse ! ». On cite encore de Zeuxis une *Famille de centaures*, comme un de ses chefs-d'œuvre. On ne peut parler de Zeuxis sans rappeler sa lutte avec Parrhasius. Les deux artistes devaient produire chacun un tableau pour savoir à qui reviendrait la palme. Zeuxis représenta une grappe de raisin d'une exécution si parfaite que les oiseaux vinrent pour la becqueter. Parrhasius apporta une peinture recouverte d'un voile. Zeuxis, voulant le soulever, s'aperçut que cette draperie était la peinture elle-même. Il s'avoua vaincu. On cite encore parmi les œuvres de ce célèbre artiste, une *Assemblée des dieux, Hercule étranglant les serpents placés dans son berceau, L'amour couronné de roses, Marsyas enchaîné, Pan, Alcmène, Ménélas, Un athlète, Une vieille femme.* Zeuxis décora le palais d'Archélaüs. La plupart de ses œuvres furent transportées à Rome et de là à Byzance, où elles avaient disparu à l'époque de Pausanias.

ZEUXIS
Actif à l'époque hellénistique. Antiquité grecque.
Sculpteur.
On voit de lui au Metropolitan Museum de New York une *Statue d'homme assis*, signée, découverte en 1903 à Rome.

ZEVENBERGHEN Georges Antoine Van ou **Zevenbergen**
Né le 30 novembre 1877 à Saint-Jans Molenbeek. Mort en 1968. xxe siècle. Belge.
Peintre de figures, intérieurs, marines.
Il fut élève de l'Académie de Bruxelles. Il exposa fréquemment au Cercle Artistique de cette ville.
Musées : Anvers – Bergen.
Ventes Publiques : Bruxelles, 27 oct. 1976 : *Femmes de bar*, h/t (135x105)) : **BEF 30 000** – Amsterdam, 16 nov. 1988 : *Le port d'Ostende en Belgique*, h/cart. (38,5x45) : **NLG 1 150** – Londres, 28 nov. 1990 : *La cuisine*, h/t (117x119) : **GBP 4 400** – Lokeren, 21 mars 1992 : *Femme dans un intérieur* 1938, h/t (125x125) : **BEF 90 000** – Lokeren, 8 oct. 1994 : *Nu dans un intérieur*, h/t (75x49n5) : **BEF 50 000** – Lokeren, 10 déc. 1994 : *La repasseuse* 1907, h/t (130x100) : **BEF 220 000** – Lokeren, 11 mars 1995 : *Mère faisant la toilette d'un bébé dans un intérieur*, h/pap. (45,5x37) : **BEF 55 000.**

ZEVORT Émile Jean Pierre
Né le 2 mars 1865 à Nice (Alpes-Maritimes). xixe siècle. Français.

Peintre.
Élève de Franck Bail. Expose aux Salons des Artistes Français depuis 1914, des Indépendants depuis 1926.

ZÉVORT Georges
Né le 8 décembre 1863 à Vincennes (Seine). XIXe siècle. Travaillant à Voult-de-Lugny. Français.
Peintre et graveur.
Père de Madeleine Geneviève Zévort. Expose au Salon des Artistes Français depuis 1885. Il y obtint une mention en 1912 et illustra, en 1922, les *Souvenirs d'enfance et de jeunesse*, d'E. Renan.

ZÉVORT Madeleine Geneviève
Née à Paris. XXe siècle. Française.
Graveur.
Fille de Georges Zévort.

ZEVORT Michel
Né en 1949 à Vincennes (Val-de-Marne). XXe siècle. Français.
Peintre, peintre à la gouache.
Il a reçu une formation d'artisan peintre et de restaurateur. Depuis 1978, il est établi à Marseille. En 1982, il participait à *Du cubisme à nos jours*, en 1984 à *Cantini 84*, au Musée Cantini de Marseille. Son travail de peinture est réaliste, du type photographique, mais contredit par l'étrangeté, voire l'inquiétude communiquées par ses thèmes.
Bibliogr. : In : *Cantini 84*, catalogue d'exposition, Mus. Cantini, Marseille, 1984.
Musées : Marseille (Mus. Cantini) : *La Lucarne* 1979, gche.

ZEWY Carl ou **Karl**
Né le 21 avril 1855 à Vienne. Mort en 1929. XIXe-XXe siècles. Autrichien.
Peintre de genre, figures, portraits, paysages.
Élève de l'Académie de Vienne dans l'atelier de Eisenmenger. Il exposa à Vienne en 1886 et à Munich en 1888.

CARL ZEWY.

Musées : Vienne (Mus. historique) : *La demande en mariage.*
Ventes Publiques : Vienne, 14 nov. 1950 : *Deux femmes dans un intérieur* : **ATS 3 800** – Amsterdam, 25 oct. 1966 : *Visite chez le luthier* : **NLG 5 800** – Vienne, 17 mars 1970 : *Destinées différentes* : **ATS 30 000** – Vienne, 30 nov. 1971 : *La lecture de la lettre* : **ATS 22 000** – New York, 25 jan. 1980 : *la leçon de chant*, h/t (59x68,5) : **USD 14 000** – New York, 24 fév. 1983 : *Prise sur le fait* 1884, h/pan. (32,5x28,5) : **USD 3 000** – San Francisco, 20 juin 1985 : *Le galant entretien* 1889, h/pan. (19x26) : **USD 5 500** – Londres, 26 fév. 1988 : *Jeune fleuriste en costume tyrolien*, h/pan. (28x21,5) : **GBP 1 760** – Londres, 5 mai 1989 : *Le jeu de cartes*, h/pan. (47x40,3) : **GBP 4 620** – New York, 21 mai 1991 : *Un débat animé*, h/pan. (40,7x50,8) : **USD 2 420** – New York, 13 oct. 1993 : *Les lys blancs*, h/t (105,4x69,2) : **USD 6 900.**

ZEXIPPOS. Voir **ZEUXIS**

ZEYER Johann Angelo
Né le 29 septembre 1878 à Prague. XXe siècle. Autrichien.
Peintre.
Il a été élève de l'Académie des Beaux-Arts de Prague de 1897 à 1900. On voit de ses œuvres dans différents musées et collections particulières de Prague.

ZEYFRIED Johann Felix. Voir **SEYFRIED**

ZEYID, princesse Fuhrünissa
Née au XXe siècle en Turquie. XXe siècle. Turque.
Peintre de portraits, paysages, paysages urbains.
Peintre aux intentions poétiques, coloriste subtile ; elle présentait, en 1946, à l'exposition de l'Art Turc, au Musée Cernuschi : *Le Petit Café au bord du Bosphore*, et des portraits et paysages à l'encre de Chine. À rapprocher de FARRINUSA ZIED.

ZEYL. Voir **ZYL**

ZEYSSENECKER Jakob. Voir **SEISENEGGER**

ZEYTBLOM Bartolome. Voir **ZEITBLOM**

ZEYZINGER Martin ou **Matheus.** Voir **ZATZINGER**

ZEZANO Tommaso ou **Tezzano**
XVIe siècle. Actif à Crémone. Italien.
Sculpteur.

ZEZON Antonio
XIXe siècle. Actif à Naples. Italien.
Lithographe.

ZEZZOS Alexandro
Né le 12 février 1848 à Venise. Mort en 1913 ou 1914 à Vittorio Veneto. XIXe-XXe siècles. Italien.
Peintre de genre, aquarelliste.
Il a été élève de l'Académie de Venise. Il exposa à Turin, Milan, Rome, Venise et à Paris où il obtint une mention honorable en 1889 lors de l'Exposition universelle.
Musées : Chemnitz : *Mère et enfant* – Florence (Palais Pitti) : *Deux portraits de femmes* – Liverpool (Walker Art. Gal.) : *L'Église Saint-Marc de Venise* – Rome (Gal. d'Art Mod.) : *Rue à Venise – Lagune dans le soir* – Venise (Gal. d'Art Mod.) : *Jeune Vénitienne.*
Ventes Publiques : Paris, 8 mai 1919 : *La Fille brune* : **FRF 160** ; *Tête de jeune femme*, aquar. : **FRF 105** – Venise, 7-8 oct. 1996 : *Portrait du peintre H. Lomer* 1905, aquar./pap./cart. (76x56) : **ITL 4 600 000.**

ZEZZOS Georges Dominique
Né le 15 décembre 1883 à Venise. Mort en 1959. XXe siècle. Français.
Peintre de nus, portraits, paysages.
Neveu d'Alexandre Zezzos. Il a exposé, à Paris, à la Société Nationale des Beaux-Arts, aux Salons des Indépendants depuis 1907, des Tuileries, de même qu'à Florence, Milan et Turin.
Musées : Montevideo – Paris (Mus. du Petit Palais).

ZGHEIB Khalil
Né en 1911 à Obayeh (banlieue de Beyrouth). Mort en 1975. XXe siècle. Libanais.
Peintre de compositions à personnages, paysages, paysages animés, figures. Naïf.
Coiffeur, il commença, en autodidacte, à peindre en 1954. Il a reçu en 1956, le prix du ministère libanais de l'Éducation nationale, en 1968 le Premier Prix de peinture du Musée Sursock.
Il a participé à des expositions collectives, parmi lesquelles : 1961, 1963, 1965, 1966, 1967, 1968, 1974, Salon du Musée de Sursock ; 1962, galeries Barcacia, Rome ; Delta ; Beyrouth ; 1989, *Liban. Le Regard des peintres 200 ans de peinture libanaise*, Institut du Monde Arabe, Paris. Il a montré des expositions personnelles de ses œuvres, dont, la première en 1955. Le Musée de Sursock a montré une exposition hommage de ses œuvres.
Les peintures de Khalil Zgheib racontent des épisodes de la vie de tous les jours : des scènes d'école en plein air par beau temps, l'artiste peignant son modèle, des vues de paysages et de jardins... Son style, soucieux du détail et des éléments décoratifs, généralement propre aux artistes naïfs, possède une tonalité orientale chaleureuse.
Bibliogr. : In : *Liban. Le Regard des peintres 200 ans de peinture libanaise*, catalogue d'exposition, Institut du Monde Arabe, Paris, 1989.

ZHABSA Thérèse
Née en 1938. XXe siècle. Libanaise.
Peintre de genre, portraits.

ZHAI DAKUN ou **Chai Ta-K'un** ou **Chai Ta-K'ouen**, surnom : **Zihou**, noms de pinceau : **Yunping** et **Wuwenzi**
Originaire de Jiaxing, province du Zhejiang. Mort en 1804. XVIIIe-XIXe siècles. Actif vers 1770-1804. Chinois.
Peintre d'animaux, paysages, fleurs.
Peintre de paysages d'après les maîtres de la dynastie Yuán et Shen Zhou (1427-1509) et de fleurs et d'oiseaux dans le style de Chen Shun (1483-1544).
Ventes Publiques : New York, 31 mai 1990 : *Paysage*, encre et pigments/soie, kakémono, d'après Wang Meng (51x35,6) : **USD 2 475** – New York, 26 nov. 1990 : *Paysage* 1768, encre et pigments/pap., kakémono (167x59,4) : **USD 1 760.**

ZHAI JICHANG ou **Chai Chi-Ch'ang** ou **Tchai Kitch'ang**, surnom : **Nianzu**, nom de pinceau : **Qinfeng**
Né en 1770, originaire de Jiaxing, province du Zhejiang. Mort en 1820. XVIIIe-XIXe siècles. Actif vers 1790-1817. Chinois.
Peintre de paysages, fleurs.
Fils du peintre Zhai Dakun et élève de son père, il suivra ultérieurement les styles de Wu Zhen (1280-1354) et Shen Zhou (1427-1509).
Ventes Publiques : New York, 31 mai 1990 : *Rêves parmi les fleurs*, encre et pigments/pap., makémono (29,9x262,5) : **USD 28 600.**

ZHAI Xinjian
Né en 1950 à Tian-jin. XXe siècle. Chinois.
Peintre de nus, portraits.

Il s'est formé à l'Académie Centrale des Beaux-Arts de Pékin. Il montre ses œuvres en Chine et à l'étranger.
Musées : Pékin (Gal. Nat. de Chine).
Ventes Publiques : Hong Kong, 28 sep. 1992 : *Repos* 1991, h/t (100,8x75,5) : **HKD 60 500** – Hong Kong, 4 mai 1995 : *Le rêve d'un cygne* 1994, h/t (99,7x80) : **HKD 51 750** – Hong Kong, 30 oct. 1995 : *Entraînement* 1955, h/t (130,8x130,8) : **HKD 74 750**.

ZHANFU ou **Chan-Fu** ou **Tchan-Fou**
xviie siècle. Actif vers 1640-1664. Chinois.
Peintre.
Prêtre et peintre de paysages.

ZHANG ANZHI ou **Chang An-Chih** ou **Tchang Antche**
Né en 1910 à Yangzhou (province du Jiangsu). xxe siècle. Chinois.
Peintre.
Peintre de l'École Moderne, il est, de 1927 à 1931, élève de Xu Beihong à l'Université Nationale Centrale de Nankin et fera plus tard partie de son personnel enseignant. De 1938 à 1943, il est directeur de l'Institut des Beaux-Arts de la province du Guangxi, puis passe un an en Angleterre.
Il est un des meilleurs disciples de Xu Beihong, dans le style chinois, et parvient avec succès à combiner la vitalité de la ligne orientale avec la solidité des formes occidentales.
Bibliogr. : M. Sullivan : *Chinese Art in the XXth Century*, Londres, 1959.

ZHANG CAI ou **Chang Ts'ai** ou **Tchang Ts'ai**, surnom : **Zizhen**
xviie siècle. Actif vers 1670. Chinois.
Peintre.
Peintre de paysages, fils aîné du peintre Zhang Gu, dont le National Museum de Stockholm conserve un paysage signé et daté 1672.

ZHANG CHENGLONG ou **Chang Ch'êng-Lung** ou **Tchang Tch'eng-Long**, surnom : **Boyun**
Originaire de Daliang, province du Henan. Actif à la fin de la dynastie Ming (1368-1644). Chinois.
Peintre.
Peintre de paysages et de figures dans le style *baimiao* (peinture au trait sans rehaut de couleurs ni lavis), dont le Musée de Boston conserve une œuvre signée : *Deux corbeaux sur un tronc enneigé*.

ZHANG CHONG ou **Chang Ch'ung** ou **Tchang Tch'ong**, surnom : **Ziyu**, nom de pinceau : **Tunan**
Originaire de Nankin. xvie-xviie siècles. Actif vers 1570-1610. Chinois.
Peintre.
Peintre de figures, particulièrement des femmes, de paysages dans le style de Huan Gongwang, de fleurs et d'oiseaux.
Musées : Londres (British Mus.) : *les Huit Immortels* signé et daté 1584 – New York (Metropolitan Mus.) : *Oiseau sur une branche de poirier en fleurs*, éventail signé – Shanghai : *Hou Dongzeng*, coul. sur soie, rouleau en hauteur, par Zhang Chong et Zeng Jing – Stockholm (Nat. Mus.) : *Les ivrognes comiques* signé et daté 1581 – Taipei (Nat. Palace Mus.) : *Oiseau sur une branche de pêcher*, encre sur pap., rouleau en hauteur – *Canards mandarins et lotus*, encre et coul. sur pap., rouleau en hauteur – *Charrette arrivant dans les montagnes herbeuses*, signé.

ZHANG CHONGREN ou **Chang Ch'ung-Jen** ou **Tchang Tch'ong-Jen**
Né en 1907 à Suzhou (province du Jiangsu). xxe siècle. Chinois.
Peintre, sculpteur.
Disciple de Yan Wenliang à Suzhou, il fut un artiste de l'École Moderne. Il compléta sa formation à l'Académie Royale de Belgique. Il fera par la suite de grandes compositions à la gloire des héros du travail.

ZHANG CINING ou **Chang Tz'û-Ning** ou **Tchang Ts'eu-Ning**, surnom : **Kunyi,** nom de pinceau : **Guiyan**
Né en 1743, originaire de Cangzhou, province du Hebei. Mort après 1816. xviiie-xixe siècles. Chinois.
Peintre.
Peintre de fleurs, d'oiseaux, de figures et de paysages.

ZHANG DAOWU ou **Chang Tao-Wu** ou **Tchang Tao-Wou**, surnom : **Fengzi**, noms de pinceau : **Shuiwu** et **Zhugui**, il se fait aussi appeler **Zhang Fengzi**
Originaire de Fushan, province du Shanxi. xviiie siècle. Chinois.
Peintre.
Peintre de paysages dont le Musée de Seattle conserve un rouleau en longueur signé et daté 1793.

ZHANG DAQIAN ou **Chang Ta-Ts'ien** ou **Tchang Ta-Ts'ien**
Né en 1899 à Neijiang (province du Sichuan). Mort en 1983 à Taiwan. xxe siècle. De 1949 à 1970 actif au Brésil. Chinois.
Peintre de paysages, fleurs.
Né le huitième de dix enfants. Peintre de l'École traditionnelle, il fait ses études artistiques au Japon en 1916-1918 où il étudie le tissage à Tokyo, puis passe environ vingt ans à visiter tous les sites de son pays, non sans retourner au Japon. De 1932 à 1938, il est à Pékin et, jusqu'en 1940, à Chengdu au Sichuan. Pendant deux ans, de 1940 à 1942, il voyage dans les régions du Xikang et exécute des copies des fresques décorant les grottes bouddhiques de Dunhuang. Les années 1946-1949 le revoient à nouveau à Pékin et à Chengdu ; il s'installe en 1949 en Amérique du Sud, au Brésil.
Zhang Daqian, dont la réputation est désormais établie, tant en Chine qu'à l'étranger, est doué d'une exceptionnelle habileté technique qui lui permit de copier avec bonheur les styles de tous les maîtres anciens. Son œuvre se situe dans la tradition chinoise. Il réunira d'ailleurs une très belle collection de peintures anciennes. En peinture, Li Meian lui transmet la technique de la peinture de fleurs de Bada Shanren (1625-vers 1705). Il doit à Zeng Nongjiu son amour passionné pour les paysages de Shitao, autre grand individualiste du xviie siècle. D'autres influences reçues pendant sa période de formation sont sensibles dans ses œuvres, et notamment celle de Tang Yin (1470-1523) et de Zhang Dafeng à qui il empruntera son nom de pinceau, mais surtout son style de peinture de figures. Il aime beaucoup représenter des femmes, dans un style gracieux, un peu mou, mais ses meilleures œuvres, à partir du milieu des années cinquante, des paysages et de larges compositions florales, en particulier des lotus, font preuve d'une grande maîtrise du pinceau et du dessin, dans des coloris qui ne sont pas sans devoir quelque chose aux recherches des artistes européens modernes.
Bibliogr. : M. Sullivan : *Chinese Art in the XXth Century*, Londres, 1959 – in : *Dictionnaire de l'art moderne et contemporain*, Hazan, Paris, 1992.
Musées : Paris (Mus. Cernuschi).
Ventes Publiques : Hong Kong, 17 fév. 1984 : *Paysage* 1967, encre et coul., kakémono (105,2x51,2) : **HKD 55 000** – Hong Kong, 12 jan. 1987 : *Scholar in Bamboo Groves*, encre et coul., kakémono (97,8x61) : **HKD 70 000** – New York, 2 juin 1988 : *L'Immortel Lü Chunyang*, encre/pap., kakémono (109x57) : **USD 8 250** – Hong Kong, 17 nov. 1988 : *Le rafraîchissement sous un pin* 1949, encre et pigments/pap., kakémono (85,5x44,2) : **HKD 99 000** ; *Oiseau, poissons et rocher* 1969, encre/pap., kakémono (132x68) : **HKD 143 000** – Hong Kong, 16 jan. 1989 : *Dame Tang tenant un éventail ovale*, encre et pigments légers/pap., kakémono (122x52,5) : **HKD 132 000** ; *Navigation dans les gorges de Wu* 1973, encre et pigments/pap., kakémono (184,5x94) : **HKD 561 000** – Hong Kong, 18 mai 1989 : *Paysage*, encre et pigments/pap., kakémono (115x61) : **HKD 605 000** – New York, 31 mai 1989 : *Méditation au bord d'un lac* 1932, encre et pigments/pap., kakémono (125,1x59,7) : **USD 4 950** – Hong Kong, 15 nov. 1989 : *Danseuse indienne* 1950, encre et pigments/pap. (100x53,8) : **HKD 935 000** ; *Vaste paysage avec les chutes d'eau et des pins* 1970, encre et pigments/soie (142,2x176,8) : **HKD 2 970 000** – New York, 4 déc. 1989 : *Wang Xizhi avec des oies*, encre et pigments/pap., kakémono (119,5x57,5) : **USD 28 600** – New York, 31 mai 1990 : *Paysage*, encre et pigments/pap., kakémono (165,1x82,3) : **USD 20 900** – Hong Kong, 15 nov. 1990 : *Le poête Li Bai* 1964, encre et pigments/pap. (142,8x74,5) : **HKD 440 000** – New York, 26 nov. 1990 : *Paysage*, encre et pigments/pap. (51,4x38,8) : **USD 17 600** – Hong Kong, 2 mai 1991 : *Brume matinale* 1968, éclaboussures d'encre et de pigments/pap. (100,5x140) : **HKD 2 090 000** – New York, 25 nov. 1991 : *Paysage* 1964, encre et pigments/pap., kakémono (88,3x60,3) : **USD 44 000** – Hong Kong, 30 mars 1992 : *Pics ensoleillés*, encre et pigments/pap., kakémono, d'après Juran (168,5x85) : **HKD 1 375 000** ; *Paysage des gorges de Wu*, encre et pigment /pap. saupoudré d'or, quatre makémono réunis et encadrés (chaque 151,5x97,5) : **HKD 3 080 000** – Hong Kong, 30 avr. 1992 : *Paysage d'automne*, encre et pigments/pap. (138x61) : **HKD 2 200 000** – New York, 1er juin 1992 : *Lettré méditant sous*

un pin, encre et pigments/pap. (114,3x57,8) : **USD 66 000** – HONG KONG, 28 sep. 1992 : *Femme au paravent peint de lotus* 1966, encre, pigments et or/cart. (58,4x43,1) : **HKD 770 000** ; *Matin sur la rivière Tong* 1979, encre et pigments/pap. (66x141) : **HKD 1 430 000** – HONG KONG, 29 oct. 1992 : *Grande vue des Montagnes Bleues* 1962, encre et pigments/pap., ensemble de quatre kakémonos (195x555,4) : **HKD 7 480 000** ; *Paysage des poèmes du Nord* 1947, encre et pigments, kakémono : **HKD 2 530 000** – HONG KONG, 22 mars 1993 : *Aube de printemps sur les collines colorées*, encre et pigments/pap. encadré (62,5x97) : **HKD 1 430 000** – NEW YORK, 1er juin 1993 : *Paysage tourmenté* 1968, encre et pigments/pap. (94x185,4) : **USD 255 500** – NEW YORK, 29 nov. 1993 : *Lotus* 1936, encre et pigments/pap. (142,2x73,7) : **USD 46 000** – TAIPEI, 10 avr. 1994 : *Navigation sur un lac de montagne*, encre et pigments/pap., kakémono (126,5x61) : **TWD 10 500 000** – HONG KONG, 5 mai 1994 : *L'Anse des trois visiteurs à Yiling*, encre et pigments/pap., kakémono (206x148) : **HKD 2 440 000** – NEW YORK, 31 mai 1994 : *Paysage bleu et vert*, encre et pigments/pap. (133,4x66,7) : **USD 96 000** – HONG KONG, 3 nov. 1994 : *Le Lac des Cinq Pavillons* 1968, projections d'encre et pigments/pap./cart. (61x188) : **HKD 1 780 000** ; *Lumière de l'aube en automne dans des gorges* 1965, projection d'encre et pigments/soie (267x90) : **HKD 8 160 000** – NEW YORK, 21 mars 1995 : *Les Collines vertes au crépuscule*, encre et pigments/soie (52,1x73,7) : **USD 46 000** – HONG KONG, 29 avr. 1996 : *Pluie et Brouillard* 1967, projections d'encre/or (52x40) : **HKD 184 000** – HONG KONG, 4 nov. 1996 : *Paysage poétique* 1968, éclaboussure d'encre et pigments/pap. (95,5x187,5) : **HKD 4 640 000** – NEW YORK, 18 mars 1997 : *Paysage*, encre et pigments/pap., kakémono (78,7x38,1) : **USD 11 500** – HONG KONG, 28 avr. 1997 : *Lac automnal*, éclaboussure d'encre et pigments/pap. (103x133,5) : **HKD 2 110 000** ; *Lotus* 1960, encre et pigments/pap., kakémono (192,2x102,2) : **HKD 856 000** – HONG KONG, 2 nov. 1997 : *Cimes suisses* ; *Calligraphie en xing shu* 1968, éclaboussure d'encre/pap. et encre/pap., une peinture et une calligraphie (66,3x188 et 67,3x190,5) : **HKD 955 000** ; *Nuages printaniers sur une rivière de campagne* 1965, éclaboussure d'encre et pigments/pap. (117,5x66,7) : **HKD 900 000**.

ZHANG DIN

Né le 2 juillet 1956 à Shanghai (Chine). XXe siècle. Actif en Belgique. Chinois.

Peintre de figures, portraits, animalier, natures mortes, aquarelliste.

Après des études artistiques à l'Université de Shangai, entre 1978 et 1982, il fut élève à l'Académie des Beaux Arts d'Anvers, entre 1988 et 1994. Il a été professeur de dessin et peinture à Shangai, puis, à partir de 1988, a enseigné la peinture et la calligraphie chinoise à Anvers.

De 1982 à 1987, il a participé à des expositions collectives à Shangai, avant d'exposer en 1989 à Anvers et Bruges, 1990 en Hollande, de nouveau à Anvers en 1991 et 1993.

Il exécute ses figures, animaux et natures mortes, soit selon la technique traditionnelle, à l'encre de Chine, soit à l'huile ou à l'aquarelle.

ZHANG DIPING ou **Tchang Ti-P'ing**

XXe siècle. Chinoise.

Peintre de compositions animées.

Elle est peintre professionnel. Lors de la Révolution culturelle, elle travaillait à l'usine de machines-outils no 1 de Shanghai. Elle a été amenée à donner des conseils de dessin, gravure sur bois et peinture aux ouvriers de la ville portuaire de Liuta, dont plus de trois cents, depuis 1966, se sont organisés en une vingtaine de groupes, qui participent à la production artistique de leur usine et de leur municipalité (Voir Huxian, peintres paysans du).

ZHANG DONG ou **Chang Tung** ou **Tchang Tong**, surnom : **Hongxun**, noms de pinceau : **Yuchuan, Kanyun Shanren**, etc.

Originaire de Wujiang, province du Jiangsu. XVIIIe siècle. Actif vers 1750-1774. Chinois.

Peintre.

Peintre de paysages dans le style de Wang Yuanqi (1642-1715).

ZHANG DUNLI ou **Chang Tun-Li** ou **Tchang Touen-Li**

XIe-XIIe siècles. Chinois.

Peintres.

Ces deux peintres furent actifs pendant la dynastie des Song, au XIe et au XIIe siècles. Le plus âgé est originaire de Kaifeng (province du Henan) et aurait été choisi pour épouser la fille de l'empereur Yingzong, pendant l'ère Xining (1068-1077), mais selon d'autres sources (le *Tuhui Baojian*) il serait le gendre de l'empereur Zhezong (règne 1086-1100). Sous le règne suivant, celui de Huizong, il devient général. En tant que peintre, il travaille dans le style des premiers maîtres, tels Gu Kaizhi et Lu Danwei. Le Musée de Boston conserve une œuvre qui lui est attribuée mais qui est sans doute plus tardive, *Illustrations de neuf chants de Qu Yuan*, qui sont montées sur un même rouleau horizontal avec les textes. Le second Zhong Dunli, prendra lui le nom de Zhuang Xunli, sous le règne de l'empereur Guangzong (1190-1194). Il est peintre de paysages dans le style de Li Tang, ainsi que de figures. Il aurait été le maître de Liu Songnian.

ZHANG FANGRU ou **Chang Fang-Ju** ou **Tchang Fang-Jou**

XIIIe-XIVe siècles. Actif pendant la dynastie Yuan (1279-1368). Chinois.

Peintre.

Peintre de figures et de paysages, qui n'est mentionné que dans les sources japonaises et dont les œuvres subsistantes se trouvent au Japon.

ZHANG FENG ou **Chang Fêng** ou **Tchang Feng**, surnom : **Dafeng**, nom de pinceau : **Shengzhou Daoshi**

Originaire de Nankin. Mort en 1662. XVIIe siècle. Actif vers 1636-1674. Chinois.

Peintre de figures, portraits, paysages, fleurs, dessinateur.

Peintre de paysages, de figures et de fleurs, individualiste et solitaire, il cherche refuge dans la dévotion bouddhique, à la chute de la dynastie Ming. Son pinceau libre et audacieux traduit néanmoins un état d'âme doux et poétique.

MUSÉES : CHICAGO (Art Inst.) : *Portrait de Du Jun assis près d'un rocher sous un arbre* – NARA (Yamato Bunkakan) : *Paysage d'automne*, encre et coul. légères sur pap., rouleau en hauteur – TAIPEI (Nat. Palace Mus.) : *Portrait de Zhuge Liang*, encre sur pap., rouleau en hauteur.

VENTES PUBLIQUES : NEW YORK, 18 sep. 1995 : *Oiseaux et branches de pruniers en fleurs*, encre/pap., kakémono (127x50,8) : **USD 5 175**.

ZHANG FU I ou **Chang Fu** ou **Tchang Fou**, surnom : **Fuyang** ou **Fou Yang**, nom de pinceau : **Nanshan**

Né en 1410, originaire de Pinghu (province du Zhejiang). Mort en 1490. XVe siècle. Chinois.

Peintre de paysages.

Peintre taoïste, spécialiste de paysages dans le style de Wu Zhen (1280-1354).

ZHANG FU II ou **Chang Fu** ou **Tchang Fou**, surnom : **Yuanchun**, nom de pinceau : **Lingshi**

Né en 1546, originaire de Taicang (province du Jiangsu). Mort après 1631. XVIe-XVIIe siècles. Chinois.

Peintre de paysages.

Élève de Qian Gu, il suit dans ses paysages le style de Shen Zhou (1427-1509) et des maîtres Song et Yuan.

MUSÉES : COLOGNE (Mus. für Ostasiatische Kunst) : *Pavillon à deux étages dans les arbres sur une île* 1624, peint., sur éventail, signée.

ZHANG GENG ou **Chang Kêng** ou **Tchang Keng**, de son vrai nom : **Zhang Tao**, surnom : **Pushan**, noms de pinceau : **Mijia, Guatian Yishi** et **Boqucunsangzhe**

Né en 1685, originaire de Xiushui, province du Zhejiang. Mort en 1760. XVIIIe siècle. Chinois.

Peintre.

Érudit, littérateur, calligraphe et peintre de paysages, disciple de Chen Shu, il dédaigne les fonctions officielles pour se consacrer à l'étude et aux lettres. Le Metropolitan Museum de New York conserve une de ses œuvres signée, *Paysage de montagnes*, d'après Wang Meng. Il est l'auteur du traité *Pushan Lun Hua*, court ouvrage divisé en neuf chapitres. C'est un exposé clair où, à côté de certaines redites, se trouvent des idées personnelles et solides ; bien qu'il se revendique en principe de Wang Yuanqi (1642-1715), il s'insurge contre les préjugés d'école et estime que la créativité personnelle et le contact avec la nature sont plus importants que l'imitation des Anciens.

BIBLIOGR. : P. Ryckmans : *Les Propos sur la peinture de Shitao*, Bruxelles, 1970.

ZHANG Gong

Né en 1959. XXe siècle. Chinois.

Peintre.

Diplômé en 1986 du Collège Normal de Pékin, section Beaux-Arts. Il travailla plusieurs années dans la publicité puis reprit ses études à l'Académie Centrale d'Arts Décoratifs où il enseigne.
Ventes Publiques : Hong Kong, 4 mai 1995 : *Virus d'ordinateur* 1994, h/t (145,7x111,8) : **HKD 69 000** – Hong Kong, 30 oct. 1995 : *Vitalité* 1993, h/t, triptyque (73,3x59,7) : **HKD 46 000**.

ZHANG GU ou **Chang Ku** ou **Tchang Kou**, surnom : **Yanzai**, nom de pinceau : **Guyu**
Originaire de Hangzhou, province du Zhejiang. XVIIe siècle. Actif vers 1640-1660. Chinois.
Peintre.
Calligraphe et peintre de paysages et de figures.

ZHANG GUAN ou **Chang Kuan** ou **Tchang Kouan**, surnom : **Keguan**
Originaire de Songjiang, province du Jiangsu. XIVe siècle. Actif vers le milieu du XIVe siècle. Chinois.
Peintre.
Peintre de paysages dans la tradition de l'École Ma-Xia, dont la Freer Gallery de Washington conserve une œuvre qui lui est attribuée : *Homme et son serviteur dans une petite barque*.

ZHANG GUANGYU ou **Chang Kuang-Yü** ou **Tchang Kouang-Yu**
XXe siècle. Chinois.
Dessinateur caricaturiste.
La caricature sociale et politique tient une place exceptionnellement importante dans l'évolution artistique de la Chine du XXe siècle. Ce mouvement, né dans les années trente, se développe surtout à Shanghai après l'Exposition d'Art Graphique Soviétique en 1935.
C'est dans cette même ville que se forme Zhang Guangyu et, comme ses contemporains, il tourne sa satire contre les Japonais, au début de la guerre sino-japonaise. Mais peu à peu, le pays étant en proie à un très grand désordre interne, les caricatures s'en prennent à la propre corruption de la société chinoise au travers des paraboles littéraires ou historiques, afin d'échapper à la censure. Zhang reste ainsi célèbre pour une étonnante série d'images de contes de fée, *Voyage à l'Ouest*, basé sur le fameux *Xi You Ji*, connu sous le nom de *Singe Pèlerin*. Le singe, dans les bandes dessinées, est l'homme de tous les jours avec toutes les imperfections, mais néanmoins idéaliste et honnête, qui lutte en vain contre les représentants du régime corrompu, le tout étant narré avec un fantastique luxe de détails.
Bibliogr. : M. Sullivan : *Chinese Art in the XXth Century*, Londres, 1959.

ZHANG GUCHU ou **Chang Ku-Ch'u** ou **Tchang Kou-Tch'ou**
Né en 1909 à Canton. XXe siècle. Chinois.
Peintre.
Peintre lettré traditionnel.

ZHANG Hanming, appelé **Cheung Christopher Harmon**
Né en 1945 à Hong Kong. XXe siècle. Depuis 1970 actif en France. Chinois.
Peintre.
Il expose en Allemagne, en France, aux États Unis et à Taiwan.
Ventes Publiques : Taipei, 18 oct. 1992 : *La veste brodée*, h/t (100x100) : **TWD 275 000**.

ZHANG HAO ou **Chang Hao** ou **Tchang Hao**, surnom : **Wujian**, nom de pinceau : **Qingshan**
Originaire de Qiantang, province du Zhejiang. XVIIIe siècle. Actif sous le règne de l'empereur Qing Qianlong (1736-1796). Chinois.
Peintre de figures.
Peintre de cour.

ZHANG HE ou **Chang Ho** ou **Tchang Ho**, surnom : **Fengyi**
Originaire de Suzhou, province du Jiangsu. XVIIe siècle. Actif vers 1630. Chinois.
Peintre.
Peintre de paysages et de figures, dont le Chicago Art Institute conserve une œuvre signée et datée 1626, *Rassemblement d'oiseaux noirs à tête blanche autour d'un vieil arbre*.

ZHANG HEYUN
Né en 1920. XXe siècle. Chinois.
Peintre animalier. Traditionnel.
Il est professeur au Département des Beaux-Arts de l'École normale du Shandong.
Bibliogr. : In : Catalogue de l'exposition *Peintres traditionnels de la République populaire de Chine*, galerie Daniel Malingue, Paris, 1980.

ZHANG HONG ou **Chang Hung** ou **Tchang Hong**, surnom : **Jundu**, nom de pinceau : **Haojian**
Né en 1578 ou vers 1577 selon d'autres sources, originaire de Suzhou, province du Jiangsu. Mort après 1660. XVIIe siècle. Chinois.
Peintre de figures, portraits, paysages animés, paysages, fleurs, dessinateur.
Peintre de paysages dans la tradition de l'École Ma-Xia, et de figures, ainsi que de fleurs. Il est un bon exemple de la peinture des individualistes de la fin de la dynastie Ming et est particulièrement intéressant dans son art de traduire la lumière.
Musées : Boston (Mus. of Fine Arts) : *Vue des monts Gouqu*, encre et coul., inscription du peintre datée 1650 – Cincinnati : *Oiseaux sur une branche en fleurs au-dessus d'un ruisseau de montagne* signé et daté 1648 – Shanghai : *Assis près d'un ruisseau de montagne*, coul. sur soie, sûrement tardif, rouleau en hauteur – Taipei (Nat. Palace Mus.) : *Budai* 1535-1612, signé, poème Wang Zhideng – *Le mont Shixie* signé et daté 1613 – *Vallée de rivière au clair de lune* signé et daté 1625 – *Ruisseau de montagne après la neige* signé et daté 1626 – *Camélias et narcisses* signé et daté 1626, d'après Lu Zhi – *Paysage et petit pavillon* signé et daté 1629 – *Le mont Qixia* signé et daté 1634 – *Paysage* signé et daté 1637 – Tientsin : *Paysage*, coul. sur pap., rouleau en hauteur.
Ventes Publiques : New York, 1er juin 1989 : *Portrait de Huan Yu*, encre et pigments/soie, kakémono (74x112,4) : **USD 41 800** – New York, 26 nov. 1990 : *Paysage*, encre et pigments/pap. doré, éventail (16,5x50) : **USD 2 475** – New York, 1er juin 1993 : *Voyageurs dans les montagnes en automne*, encre et pigments/pap., kakémono (137,2x72,7) : **USD 11 500** – Taipei, 10 avr. 1994 : *Chaumière dans un paysage*, encre et pigments/pap. doré, éventail (15x42) : **TWD 230 000** – Hong Kong, 29 avr. 1996 : *Paysage*, encre et pigments/pap. or, éventail (17,5x54) : **HKD 34 500**.

ZHANG HONGWEI ou **Chang Hung-Wei** ou **Tchang Hong-Wei**
XXe siècle. Actif à Hangzhou (province du Zhejiang). Chinois.
Peintre.
Peintre académique traditionnel.

ZHANG HUI ou **Chang Hui** ou **Tchang Houei**, surnom : **Wenzhu**
Originaire de Taicang, province du Jiangsu. XVe siècle. Actif pendant l'ère Chenghua (1465-1487). Chinois.
Peintre.
Peintre de paysages dans la tradition de l'École Ma-Xia, dont le National Museum de Stockholm conserve une œuvre signée, *Pêcheur sous un saule*.

ZHANG JINGYING ou **Chang Ching-Ying** ou **Tchang Tsing-Ying**
XXe siècle. Chinoise.
Peintre.
Femme peintre au style traditionnel qui fit ses études à l'Université Nationale Centrale de Nankin, puis en Angleterre en 1946.

ZHANG KAIJI ou **Chang K'ai-Chi** ou **Tchang K'ai-Ki**
XXe siècle. Chinois.
Peintre.
Peintre traditionnel disciple de Zhang Daqian. Il travailla à Pékin.

ZHANG KAN ou **Chang K'an** ou **Tchang K'an**
Originaire de Waqiao, province du Hebei. Xe siècle. Actif vers la fin du Xe siècle. Chinois.
Peintre.
Peintre de chevaux.

ZHANG KONGSUN ou **Chang K'ung-Sun** ou **Tchang K'ong-Souen**, surnom : **Mengfu**
Né en 1233, originaire de Longan (Zhilin). Mort en 1307. XIIIe siècle. Chinois.
Peintre.
Peintre de paysages, ayant un poste de censeur sous le règne de Kubilai Khan des Yuan.

ZHANG KUNYI ou **Chang K'un-I** ou **Tchang K'ouen-I**
Originaire de Canton. XXe siècle. Chinoise.
Peintre de paysages.
Femme peintre, fille adoptive de Gao Qifeng, elle fit partie du

mouvement *Lingnanpai* et ses paysages en reflètent tout à fait le style.

ZHANG LEPING ou **Chang Lo-P'ing** ou **Tchang Lo-P'ing**
xxe siècle. Chinois.
Caricaturiste.
Il est actif à Shanghai.

ZHANG Li
Né en 1958 à Pékin. xxe siècle. Chinois.
Peintre de figures, scènes typiques. Réaliste.
Il termina ses études en 1983. Il participe à de nombreuses expositions, notamment : 1988, Première Exposition Nationale de Peinture à l'huile en Chine et au Japon ; 1989, *Peintures de nus par les Artistes de la République de Chine*, Taïwan ; 1990-1991, France et Turquie.
Il peint des portraits, principalement des jeunes filles, et des scènes typiques de la Chine, dans un style réaliste, pratiquant la technique occidentale traditionnelle.
Bibliogr. : In : *Catalogue Christie's*, vente du 30 mars 1992, Hong Kong.
Ventes Publiques : Hong Kong, 28 sep. 1992 : *Jeune fille* 1991, h/t (80,4x65) : **HKD 104 500** – Hong Kong, 22 mars 1993 : *Jeune fille Hani* 1988, h/t (58,4x47,6) : **HKD 109 250**.

ZHANG LICHEN
Né en 1939 dans le district Peixian (province du Jiangsu). xxe siècle. Chinois.
Peintre de fleurs et oiseaux. Traditionnel.
Il a terminé en 1965 ses études au Département de peinture traditionnelle de l'Institut des Beaux-Arts du Zhejian. Il est professeur à l'Institut Central des Beaux-Arts.
Il peint des paysages animés d'oiseaux, des fleurs, et particulièrement les orchidées.
Bibliogr. : In : Catalogue de l'exposition *Peintres traditionnels de la République populaire de Chine*, galerie Daniel Malingue, Paris, 1980.

ZHANG LING ou **Chang Ling** ou **Tchang Ling**, surnom : **Mengjin**
Originaire de Suzhou, province du Jiangsu. xvie siècle. Actif au début du xvie siècle. Chinois.
Peintre.
Voisin et ami de Tang Yin (1470-1523), il est lui-même peintre de figures, de paysages, de fleurs et d'oiseaux, vivant, comme son ami, une vie très libre de lettré. Il semble qu'il soit influencé dans sa peinture, à la fois par le style académique et par celui de l'École de Wu ; le Musée du Palais de Pékin conserve un de ses rouleaux verticaux, *Lettré noble dans les monts d'automne*, en couleurs légères sur papier, qui porte un colophon de Wen Zhengming daté 1501.

ZHANG LIYING ou **Chang Li-Ying, Tchang Liying, Georgette Ch'en**. Voir **CH'EN Georgette**

ZHANG LONGZHANG ou **Chang Lung-Chang** ou **Tchang Long-Tchang**, surnom : **Boyun**, nom de pinceau : **Gutang**
Originaire de Suzhou, province du Jiangsu. xvie siècle. Actif vers 1595. Chinois.
Peintre.
Peintre de paysages, mais aussi de figures et de chevaux dans le style de Zhao Mengfu (1254-1322).
Ventes Publiques : New York, 22 sep. 1997 : *Chevaux mongols* 1569, encre et coul./soie, kakemono (24,5x303) : **USD 42 550**.

ZHANG LU ou **Chang Lu** ou **Tchang Lou**, surnom : **Tianchi**, nom de pinceau : **Pingshan**
Né en 1461, originaire de Kaifeng, province du Henan. Mort vers 1538. xve-xvie siècles. Chinois.
Peintre de figures, portraits, animaux, paysages animés, paysages, dessinateur.
Peintre de figures dans le style de Wu Wei (1459-1508) et de paysages dans le style de Dai Jin, il travaille souvent avec une brosse sèche avec la même liberté que Wu Wei par moment. Il est considéré comme un peintre de l'école du Zhejiang et fréquente, dit-on les milieux lettrés, s'adonnant lui-même à la poésie.
Musées : Taipei (Nat. Palace Mus.) : *Laozi sur un bœuf*, encre et coul. légères/pap., rouleau en hauteur – Tientsin : *Personnages*, coul. légères/pap., rouleau en hauteur.
Ventes Publiques : New York, 1er juin 1989 : *Corneille sur une branche de saule et aigrettes dans la neige*, encre/soie, kakémono (77x41) : **USD 88 000** – New York, 6 déc. 1989 : *L'étude d'une peinture*, encre et pigments/soie, kakémono (147,3x98) : **USD 25 300** – New York, 26 nov. 1990 : *Album de paysages et personnages*, encre et pigments/pap., six doubles feuilles (33x59) : **USD 37 400** – New York, 27 mars 1996 : *Portraits d'érudits dans des paysages*, encre et pigments/pap., album de neuf feuilles (chaque 33,7x24,1) : **USD 112 500**.

ZHANG MAO ou **Chang Mao** ou **Tchang Mao**, surnom : **Rusong**
Originaire de Hangzhou, province du Zhejiang. xiie siècle. Actif sous le règne de l'empereur Song Guangzong (1190-1193). Chinois.
Peintre.
Peintre de paysages, de fleurs et d'oiseaux, il est membre de l'Académie de Peinture.

ZHANG MENGKUI ou **Chang Mêng-K'uei** ou **Tchang Mong-K'ouei**
xiiie-xive siècles. Actif pendant la dynastie Yuan (1279-1368). Chinois.
Peintre.

ZHANG MU ou **Chang Mu** ou **Tchang Mou**, surnom : **Muzhi**, nom de pinceau : **Tieqiao**
Originaire de Dongkuan, province du Guangdong. xviie siècle. Actif vers 1620-1687. Chinois.
Peintre d'animaux, paysages, fleurs, dessinateur.
Peintre de chevaux, d'aigles, de paysages, d'orchidées et de bambous.
Ventes Publiques : New York, 2 juin 1988 : *Aigle sur le sommet d'un rocher*, encre/pap., kakémono (106x38) : **USD 17 600** – New York, 26 nov. 1990 : *Blaireau et oiseaux*, encre/pap., kakémono (176,5x82,2) : **USD 2 475**.

ZHANG NAIJI ou **Chang Nai-Chi** ou **Tchang Naiki**, surnom : **Shoumin**, nom de pinceau : **Bomei**
Originaire de Tongchang, province du Anhui. xixe siècle. Actif de 1817 à 1838. Chinois.
Peintre d'animaux, fleurs, dessinateur.
Neveu de Zhang Yu (1734-1803), il travaille à Nankin comme peintre de fleurs, d'oiseaux, de pins, d'orchidées et de bambous.
Ventes Publiques : New York, 1er juin 1993 : *Rocher et pivoine*, encre/pap., makémono (109,2x221) : **USD 1 725** – New York, 28 nov. 1994 : *Canards et fleurs*, encre et pigments/pap., kakémono (177,8x44,5) : **USD 2 070**.

ZHANG NING ou **Chang Ning** ou **Tchang Ning**, surnom : **Jingzhi**, nom de pinceau : **Fangzhou**
Originaire de Haiyan, province du Zhejiang. xve siècle. Actif dans la seconde moitié du xve siècle. Chinois.
Peintre.
Calligraphe, poète et peintre de paysages, d'orchidées et de bambous.

ZHANG PEIDUN ou **Chang P'ei-Tun** ou **Tchang P'ei-Touen**, surnom : **Yanqiao**, nom de pinceau : **Yanshi Shanren**
Né en 1772, originaire de Suzhou, province du Jiangsu. Mort en 1846. xixe siècle. Actif dans la première moitié du xixe siècle. Chinois.
Peintre de sujets de genre, portraits, paysages, calligraphe.
Il fut élève de Zhai Dakun.
Ventes Publiques : Hong Kong, 4 mai 1995 : *Zhong Kui attendant la nouvelle année*, encre et pigments/pap., kakémono (120,9x46,7) : **HKD 46 000**.

ZHANG PEILI
xxe siècle. Chinois.
Créateur d'installations, vidéaste, multimédia.
Il a montré une exposition personnelle de ses œuvres en 1993 à la galerie du Rond-Point à Paris. Il est parmi les rares artistes chinois a utiliser l'installation, la vidéo et la photographie dans son travail qui interprète, sur le mode critique, la réalité de son pays.
Bibliogr. : Ami Barak : *Zhang Peili*, in : *Art Press* n° 178, Paris, mars 1993.

ZHANG PENGCHONG ou **Chang P'êng-Ch'ung** ou **Tchang P'eng-Tch'ong**, surnoms : **Tianfei** et **Liuan**, nom de pinceau : **Nanhua**
Né en 1688, originaire de l'île Chongming, province du Jiangsu. Mort en 1745. xviiie siècle. Chinois.
Peintre.
Littérateur et peintre de paysages dans la tradition de l'École Ma-Xia.

ZHANG PING
Né en 1934 à Xinxiang (province du Hebei). XXe siècle. Chinois.
Peintre de paysages. Traditionnel.
Il est professeur à l'Institut central des Beaux-Arts où il fit ses études.
Bibliogr. : In : Catalogue de l'exposition *Peintres traditionnels de la République populaire de Chine*, galerie Daniel Malingue, Paris, 1980.

ZHANG QIZU ou **Chang Ch'i-Tsu** ou **Tchang K'i-Tsou**
XVIIe siècle. Actif dans la première moitié du XVIIe siècle, à la fin de la dynastie Ming. Chinois.
Peintre.

ZHANG RENSHAN ou **Chang Jên-Shan** ou **Tchang Jen-Chan**
XVIIIe siècle. Chinois.
Peintre.

ZHANG RUITU ou **Chang Jui-T'ou** ou **Tchang Jouei-T'ou**, surnom : **Changgong**, noms de pinceau : **Ershui, Guoting**, etc.
Originaire de Quanzhou, province du Fujian. Mort en 1644. XVIIe siècle. Actif dans la première moitié du XVIIe siècle. Chinois.
Peintre de paysages, calligraphe, dessinateur.
Haut fonctionnaire et peintre de paysages, il est l'artiste favori de l'eunuque Wei Zhongxian et laisse d'assez nombreuses œuvres signées et datées.
Ventes Publiques : New York, 31 mai 1990 : *Paysage et calligraphie*, encre sur pap., makémono (34,3x359) : **USD 49 500** – New York, 2 déc. 1992 : *Calligraphie en écriture courante*, encre/satin, kakémono (200,7x50,8) : **USD 11 000**.

ZHANG RUOAI ou **Chang Jo-Ai** ou **Tchang Jo-Ngai**, surnom : **Qingluan**
Né en 1713, originaire de Tongcheng, province du Anhui. Mort en 1746. XVIIIe siècle. Chinois.
Peintre.
Fils du lettré homme d'État Zhang Tingyu, il succède à son père dans quelques-unes de ses fonctions officielles et est aussi peintre de fleurs, de bambous, d'oiseaux et d'insectes.

ZHANG RUOCHENG ou **Chang Jo-Ch'êng** ou **Tchang Jo-Tch'eng**, surnom : **Jing-Jian**, nom de pinceau : **Lianxue**
Né en 1722. Mort en 1770. XVIIIe siècle. Chinois.
Peintre d'animaux, paysages, paysages d'eau, fleurs, dessinateur.
Second fils du lettré fonctionnaire Zhang Tingyu et frère du peintre Zhang Ruoai, il est lui-même peintre de fleurs de prunier, d'oiseaux et de paysages.
Ventes Publiques : New York, 29 mai 1991 : *Paysage de rivière*, encre et pigments/soie, makémono (16x132) : **USD 6 500**.

ZHANG SENGYOU ou **Chang Sêng-Yu** ou **Tchang Seng-Yeou**
Originaire du pays de Wu, province du Jiangsu. VIe siècle. Actif vers 500-550. Chinois.
Peintre.
Très célèbre peintre de paysages, et particulièrement de paysages de neige, il travaille dit-on, avec la technique sans os *(mogu)*. Il est aussi l'auteur de grandes compositions murales des sanctuaires bouddhiques de Nankin et l'un des premiers à utiliser avec bonheur l'ombre grâce à laquelle les formes picturales acquièrent un certain volume. Celle-ci n'est en effet pas chinoise, mais l'héritage d'un classicisme méditerranéen parvenu à son terme, transmis à la Chine par l'intermédiaire de l'Inde et des oasis d'Asie Centrale. Cette technique ne sera jamais poussée très loin en Chine, mais existera encore sous les Tang. Zhang introduit également un personnage d'un type nouveau, plus étoffé et probablement aussi d'origine occidentale, et l'on remarque ces deux innovations dans un célèbre rouleau qui lui est attribué, *Les Cinq planètes et les vingt-huit constellations* (Osaka, Musée Municipal), qui n'est sans doute qu'une copie du IXe ou XIIe siècle, d'après un original peut-être de sa main. Les personnages peints sur soie se détachent sur un fond nu et alternent avec des passages de texte. On raconte aussi qu'un jour, ayant peint quatre dragons sur les murs d'un temple, il ne leur marque pas la prunelle, non par négligence mais par prudence ; personne, cependant, ne voulant tenir compte de ses avertissements, il pointe donc l'œil de deux dragons, qui aussitôt s'enfuient vers le ciel à cheval sur des nuages dans le fracas du tonnerre. Car en marquant la prunelle de ses dragons, il leur ouvre les yeux et leur donne la vie, prenant, ce faisant, l'ascendant sur l'être qu'il figure. L'esprit étant fugace, omniprésent, qui peut le saisir et le fixer dans une peinture confère à son œuvre un étrange pouvoir de suggestion.
Bibliogr. : J. Cahill : *La peinture chinoise*, Genève, 1960 – N. Vandier-Nicolas : *Art et sagesse en Chine : Mi Fou, 1051-1107*, Paris, 1963.
Musées : Osaka (mun. Mus.) : *Les Cinq planètes et les vingt-huit constellations*, encre et coul. sur soie, rouleau en longueur, copie du IXe ou XIIe siècle – Taipei (Nat. Palace Mus.) : *Paysage d'automne*, copie de l'époque Song – Washington D. C. (Freer Gal.) : *La toilette de l'éléphant blanc*, peut-être d'après un original.

ZHANG SHANZI ou **Chang Shan-Tzu** ou **Tchang Chan-Tseu**
Né en 1882 ou 1895 à Neijiang (province du Sichuan). Mort en 1940 ou 1943. XXe siècle. Chinois.
Peintre de paysages, animalier.
Frère aîné de Zhang Daqian, il a passé plusieurs années à Suzhou à étudier le tigre dans le zoo de cette ville et à le peindre de façon réaliste. Pendant la Seconde Guerre mondiale, il visita les États-Unis où ses fauves féroces deviennent très populaires comme symboles de la combativité chinoise.
Ventes Publiques : Hong Kong, 17 nov. 1988 : *Fleurs, poissons et insectes* 1936, encre et pigments/pap., makémono (30,5x258) : **HKD 77 000** – Hong Kong, 16 jan. 1989 : *Phœnix, bambous et rochers*, encre et pigments/pap. (128,3x30,5) : **HKD 30 800** ; *Tigre scrutant un torrent depuis le haut de la falaise* 1928, encre et pigments/pap., kakémono (358x117) : **HKD 110 000** – Hong Kong, 15 nov. 1990 : *Vache blanche dans un paysage* 1929, encre et pigments/pap., kakémono (136,8x61,5) : **HKD 60 500** – Hong Kong, 2 mai 1991 : *Bouddha de la vie éternelle* 1924, encre et pigments/pap., kakémono (88x28) : **HKD 55 000** – Hong Kong, 28 sep. 1992 : *Familles d'animaux, chiens, chèvres, chevaux, tigres*, encre et pigments/pap., ensemble de 4 panneaux (chaque 120x49,5) : **HKD 110 000** – Hong Kong, 29 avr. 1993 : *Souris* 1941, encre et pigments/pap., kakémono (86,5x32,8) : **HKD 138 000** – New York, 1er juin 1993 : *Deux tigres*, encre et pigments/pap., kakémono (104,1x75,6) : **USD 1 725** – Hong Kong, 3 nov. 1994 : *Deux chevaux près d'un ruisseau de montagne*, encre et pigments dilués/pap., kakémono (117x39,8) : **HKD 80 500** – Hong Kong, 28 avr. 1997 : *Sur le chemin du retour* 1934, encre et pigments/pap., kakemono (128,3x49,5) : **HKD 57 500**.

ZHANG SHAOJIU ou **Chang Shao-Chiu** ou **Tchang Chao-Kieou**
XIXe siècle. Actif probablement au début du XIXe siècle. Chinois.
Peintre.
Il n'est pas mentionné dans les biographies d'artistes, mais le Musée de Boston conserve de lui une œuvre signée et datée 1828 (?), *Pêcheur dans un ruisseau*.

ZHANG SHEN ou **Chang Shên** ou **Tchang Chen**, surnoms : **Shixing** et **Zhongshen**, nom de pinceau : **Yunmen Shanqiao**
Originaire du Jinan. XIVe siècle. Actif dans la seconde moitié du XIVe siècle. Chinois.
Peintre.
Peintre de bambous, gouverneur du Zhejiang sous le règne de l'empereur Hongwu (1368-1398). Le National Palace Museum de Taipei conserve une peinture, *Vieil arbre et bambous*, peinte par lui, Ni Zan et Gu An.

ZHANG SHENG ou **Chang Shêng** ou **Tchang Cheng**, surnom : **Zihao**
Originaire de Hangzhou, province du Zhejiang. XVIIe siècle. Actif vers 1690. Chinois.
Peintre.
Fils du peintre Zhang Gu, il est lui-même peintre de paysages et de fleurs, et le Field Museum de Chicago conserve une de ses œuvres signée, *Pont de pierre naturel dans les monts Tiantai*, d'après Xia Gui.

ZHANG SHENGWEN ou **Chang Shêng-Wên** ou **Tchang Cheng-Wen**
XIIe siècle. Actif dans la province du Yunnan. Chinois.
Peintre.
Peintre qui n'est connu que par une œuvre, *Images boud-*

dhiques. Cette peinture exprime admirablement la permanence de l'orthodoxie bouddhiste en matière picturale, car une parenté certaine l'unit aux fresques des grottes bouddhiques de Dunhuang datant du VIIIe siècle. Les lignes sont d'une délicatesse extrême et les coloris légers d'une grande subtilité ; la perfection du dessin, la finesse des têtes témoignent d'une habileté technique évidente, mais on ne lui voit aucune originalité : les principaux éléments de la composition proviennent en droite ligne de l'art bouddhique de Dunhuang.

Bibliogr. : J. Cahill : *La peinture chinoise*, Genève, 1960.

Musées : Taipei (Nat. Palace Mus.) : *Images bouddhiques* daté de 1180, encre et couleurs/pap. or, rouleau horizontal.

ZHANG SHIJIAN

Né en 1927 dans la province du Zhejiang. XXe siècle. Chinois.

Peintre de paysages animés. Traditionnel.

Il est professeur à l'Institut central d'art artisanal et des Beaux-Arts.

Bibliogr. : In : Catalogue de l'exposition *Peintres traditionnels de la République populaire de Chine*, galerie Daniel Malingue, Paris, 1980.

ZHANG SHIZHANG ou **Chang Shih-Chang** ou **Tchang Che-Tchang**, nom de pinceau : **Kuagu**

Originaire de Yangzhou, province du Jiangsu. XVIIIe siècle. Actif vers 1700. Chinois.

Peintre de paysages.

Peintre de paysages dans le style des maîtres Song.

ZHANG SHOUZHONG ou **Chang Shou-Chung, Tchang Cheou-Tchong, Zhang Zhong**, surnoms : **Yuzheng** et **Zizheng**

Originaire de Songjiang, province du Jiangsu. XIVe siècle. Actif au milieu du XIVe siècle. Chinois.

Peintre.

Peintre de paysages, de fleurs et d'oiseaux.

ZHANG SHUNZI ou **Chang Shun-Tzu** ou **Tchang Chouen-Tseu**, appelé aussi **Zhang Xishang**, surnoms : **Shikui**, nom de pinceau : **Lilizi**

Originaire de Hangzhou, province du Zhejiang. XIVe siècle. Actif vers 1330-1350. Chinois.

Peintre.

Peintre de paysages.

ZHANG SHUQI ou **Chang Shu-Ch'i** ou **Tchang Chou-Ch'i**

Né en 1900. Mort en 1957 en Californie. XXe siècle. Chinois.

Peintre de fleurs, oiseaux.

Peintre de l'École traditionnelle, élève de Liu Haisu à l'Académie de Shanghai, il acquiert une large réputation comme peintre de fleurs et d'oiseaux, très habile mais quelque peu superficiel. De 1930 à 1941, il est professeur à l'Université Nationale Centrale de Nankin, et en 1941 peint les *Cent Colombes* qui sont envoyées au président Roosevelt. Il passe alors quatre ans aux États-Unis, jusqu'en 1946, où il enseigne de façon privée les techniques chinoises traditionnelles. Il retournera en Chine, puis aux États-Unis où il mourra.

ZHANG SIGONG ou **Chang Ssu-Kung** ou **Tchang Sseu-Kong**

X^e-XIIe siècles. Actif pendant la dynastie des Song du Nord (960-1127). Chinois.

Peintre.

Il n'est pas mentionné dans les biographies chinoises mais apparaît dans un ouvrage japonais, le *kundaikan Sayûchoki*, comme peintre suivant le style de Li Gonglin (1040-1106), mais exécutant surtout des figures bouddhiques et taoïstes. La plupart de ses œuvres sont conservées au Japon, mais l'on en trouve une au Musée de Boston, *Manjusri sur le lion*, attribution.

ZHANG Songnan

Né en 1944. XXe siècle. Actif au Canada. Chinois.

Peintre de genre.

Il obtint le diplôme de l'Académie Centrale des Beaux-Arts en 1966. Il rejoignit la faculté et enseigna jusqu'en 1986.

Ventes Publiques : Hong Kong, 4 mai 1995 : *Détente du soir* 1986, h/t (68,6x49,2) : **HKD 23 000**.

ZHANG SU ou **Chang Su** ou **Tchang Sou**, surnom : **Zhong Hu**

Actif pendant la dynastie Qing (1644-1911). Chinois.

Peintre.

ZHANG TIANQI ou **Chang T'ien-Ch'i** ou **Tchang T'ien-K'i**

XXe siècle. Chinois.

Peintre. Traditionnel.

Actif à Shanghai.

ZHANG TINGJI ou **Chang T'ing-Chi** ou **Tchang T'ing-Tsi**, surnom : **Shuwei,** nom de pinceau : **Meishou Laoren**

Né en 1768, originaire de Jiaxing, province du Zhejiang. Mort en 1848. XVIIIe-XIXe siècles. Chinois.

Peintre, dessinateur, calligraphe.

Il fut aussi un collectionneur fameux d'antiquités et de peintures.

Ventes Publiques : New York, 25 nov. 1991 : *Calligraphie*, encre/pap., deux strophes en écriture de sceaux (92,1x19,7) : **USD 3 850** – New York, 31 mai 1994 : *Longévité* 1826, encre/pap. doré, écriture courante, kakémono (125,7x61,1) : **USD 4 600**.

ZHANG TINGYAN ou **Chang T'ing-Yen** ou **Tchang T'ing-Yen**

XVIIIe siècle. Actif sous le règne de l'empereur Qing Qianlong (1736-1796). Chinois.

Peintre.

Peintre de cour, spécialiste de figures et d'architectures, dont le Musée de Boston conserve une œuvre signée, *Palais près d'une rivière dans la neige*.

ZHANG Wanchuan ou **Chang Wan-Chunn**

Né en 1909 à Taipei. XXe siècle. Chinois.

Peintre de compositions à personnages, natures mortes, paysages.

Il étudia à l'Institut de Peinture de Taïwan sous la direction de Ishikawa Kinichiro. En 1928, il partit pour Tokyo et fréquenta l'École d'Art Kawabata et l'Institut de Peinture Hongo. De retour dans son pays, il est devenu professeur au Collège National d'Art de Taïwan. Il a participé à plusieurs expositions au Japon. Ses compositions relèvent du style postimpressionniste classique. *Voir aussi CHANG Wan-ch'uan.*

Bibliogr. : In : *Catalogue Christie's*, vente du 30 mars 1992, Hong Kong.

Ventes Publiques : Hong Kong, 30 mars 1992 : *Congre et crabe* 1990, h/t (38x45,5) : **HKD 198 000** – Hong Kong, 28 sep. 1992 : *La Seine* 1975, h/t (24x20) : **HKD 104 500** – Taipei, 18 oct. 1992 : *Le Mont Ali*, h/t (24x33,4) : **TWD 550 000** – Taipei, 18 avr. 1993 : *Les gens de Lanyu* 1986, h/t (50x60,5) : **TWD 736 000** – Taipei, 16 oct. 1994 : *L'île de Guishan*, h/pap. cartonné (19,8x26) : **TWD 345 000**.

ZHANG WANG

Né en 1916. XXe siècle. Chinois.

Graveur.

Il a d'abord étudié la peinture à Shanghai. Membre de l'Association de gravure *MK* en 1932. Il a été directeur en 1948 de l'Académie d'art Luxun, où étaient formés les artistes à la propagande. La gravure sur bois fut l'un des principaux medias au service de cette activité.

Bibliogr. : In : *Dictionnaire de l'art moderne et contemporain*, Hazan, Paris, 1992.

ZHANG WENTAO ou **Chang Wên-T'ao** ou **Tchang Wen-T'ao**, surnoms : **Luozu** et **Zhongye,** nom de pinceau : **Chuanshan**

Né en 1764, originaire de Suining, province du Sichuan. Mort en 1814. XVIIIe-XIXe siècles. Chinois.

Peintre de figures, animaux, paysages, fleurs, dessinateur, calligraphe.

Il privilégia la représentation des oiseaux et des chevaux.

Ventes Publiques : New York, 21 mars 1995 : *Calligraphies en écriture courante*, encre/pap., quatre kakémonos (chaque 146,1x38,7) : **USD 2 875** – Hong Kong, 29 avr. 1996 : *Album de poésie*, encre/pap., douze feuilles (chaque 26x28,2) : **HKD 57 500**.

ZHANG WO ou **Chang Wu** ou **Tchang Wou**, surnom : **Shuhou,** noms de pinceau : **Zhenxian-Sheng** et **Zhenqisheng**

Originaire de Hangzho, province du Zhejiang. XIVe siècle. Actif vers 1360. Chinois.

Peintre de figures.

Il abandonne ses fonctions officielles pour se consacrer à la poésie et à la peinture ; il laisse plusieurs écrits. Il excelle à la peinture de figures dans le style de Li Gonglin (1040-1106), dont il maîtrise avec succès la technique *baimiao* (peinture au trait sans rehaut de lavis ni couleurs).

Musées : Shanghai : *Wang Huizhi rendant visite à Dai Kui par une nuit de neige*, encre sur pap., rouleau en hauteur – Taipei

(Nat. Palace Mus.) : *La fête du pêcher sur le lac des pierres précieuses*, encre et coul. légères sur pap., rouleau en hauteur.

ZHANG WU
Né en 1734. Mort en 1803. XVIIIe siècle.
Peintre d'animaux, fleurs, dessinateur.
VENTES PUBLIQUES : NEW YORK, 18 sep. 1995 : *Oiseau et fleurs*, encre et pigments/pap., ensemble de 12 kakemonos (chaque 218,4x48,3) : **USD 13 800**.

ZHANG XIA ou **Chang Hsia** ou **Tchang Hia**, surnoms : **Yuechuan** et **Yuchuan**, nom de pinceau : **Qingruo Guyu**
Né en 1718. Mort vers 1800. XVIIIe siècle. Chinois.
Peintre.
Peintre de paysages, il est le neveu de Zhang Zongcang (né en 1686 - mort vers 1756).

ZHANG XIAI ou **Chang Hsi-Ai** ou **Tchang Si-Ngai**
Originaire de Hangzhou, province du Zhejiang. XXe siècle. Chinois.
Graveur. Réaliste.

ZHANG XIN ou **Chang Hsin** ou **Tchang Sin**, de son vrai nom : **Zhang Kun**, surnom : **Qiugu**, nom de pinceau : **Xileng Diaotu**
Originaire de Hangzhou, province du Zhejiang. XIXe siècle. Actif dans la seconde moitié du XIXe siècle. Chinois.
Peintre.
Il va au Japon vers 1871-1888 ; peintre de fleurs dans le style de Yun Shouping, de paysages dans celui de Ni Zan, d'orchidées et de bambous dans celui de Wu Zhen et de fleurs de prunier dans celui de Wang Mian.

ZHANG XIONG ou **Chang Hsiung** ou **Tchang Hiong**, surnom : **Shoufu**, noms de pinceau : **Zixiang, Yuanhu Waishi**, etc.
Né en 1803, originaire de Xiushui, province du Zhejiang. Mort en 1884 ou 1886. XIXe siècle. Chinois.
Peintre de sujets de genre, figures, animaux, paysages animés, paysages, fleurs.
Peintre de fleurs et d'oiseaux dans les styles de Zhou Zhimian et de Wang Wu, il fait aussi des paysages et des figures.
VENTES PUBLIQUES : NEW YORK, 31 mai 1989 : *Canards mandarins et glycine*, encre et pigments/pap., kakémono (153x44,5) : **USD 1 650** – NEW YORK, 31 mai 1990 : *Pivoines et rochers*, encre et pigments/soie, kakemono (145,4x54) : **USD 2 750** – NEW YORK, 26 nov. 1990 : *Femmes et enfants*, encre et pigments/soie, kakémono (108x52) : **USD 1 320** – NEW YORK, 1er juin 1992 : *Paysage*, encre et pigments/pap., makémono (22,9x381) : **USD 2 090** – NEW YORK, 29 nov. 1993 : *Fleurs d'automne* 1885, encre et pigments/pap., kakémono (145,4x79,4) : **USD 1 725**.

ZHANG XUAN ou **Chang Hsüan** ou **Tchang Siuan**
Originaire de Changan, province du Shenxi. VIIIe siècle. Actif dans la première moitié du VIIIe siècle. Chinois.
Peintre.
C'est l'un des plus célèbres peintres à la mode pendant l'ère Kaiyuan (714-742), particulièrement apprécié pour ses peintures de femmes élégantes et de jeunes nobles à cheval ou dans les jardins palatiaux. On le met sur le même plan que Zhou Fang, spécialiste lui aussi de portraits des dames du palais et actif dans la seconde moitié du VIIIe siècle. Assez conservateurs par rapport au grand Wu Daozi, leur contemporain, ils s'en tiennent toujours au contour mince et aux pigments minéraux très vifs. Au moins deux œuvres de Zhang Xuan nous sont parvenues sous forme de copies sûres : tout d'abord un rouleau horizontal, conservé au Musée de Boston, intitulé *Apprêts de la soie par les dames de la cour*, datant du début du XIIe siècle, et exécuté par l'empereur Huizong. Évocation de paix et de tranquillité, c'est une scène de la vie du palais dans le quartier réservé aux femmes : deux d'entre elles tendent un coupon de soie qu'une autre repasse avec un récipient rempli de braises. Si quelque chose de statique subsiste dans cette œuvre, le mouvement y est néanmoins rendu avec un certain bonheur, avec le souci de situer le groupe dans l'espace : les quatre personnages principaux sont situés aux quatre sommets d'un losange imaginaire posé sur le sol, qui introduit une certaine profondeur dans l'espace pictural sans que le fond soit autrement indiqué. La même disposition se retrouve dans la seconde copie, qui date de la même époque, *Madame Guoguo partant faire une promenade à cheval* (Taipei, National Palace Museum), rouleau horizontal, en encre et couleurs sur soie. L'étroite parenté entre les deux œuvres ne tient pas seulement à leur composition, mais aussi au dessin des costumes, des broderies bleues et vertes sur les étoffes blanches, or sur les rouges, aux traits des femmes, à leurs coiffures. ■ M. M.
BIBLIOGR. : J. Cahill : *La peinture chinoise*, Genève, 1960.

ZHANG XUAN ou **Chang Hsüan** ou **Tchang Siuan**, surnom : **Mengqi**, noms de pinceau : **Jiuruo** et **Xiyuan**
Originaire de Huizhou, province du Guangdong. XVIe siècle. Actif dans la seconde moitié du XVIe siècle. Chinois.
Peintre.
Connu surtout comme littérateur, il est aussi peintre et le National Museum de Stockholm conserve une de ses peintures signée et datée 1586, *En contemplant la cascade*.

ZHANG XUEZENG ou **Chang Hsüeh-Tsêng** ou **Tchang Hsiue-Tseng**, surnom : **Erwei**, nom de pinceau : **Yuean**
Originaire de Shanyin, province du Zhejiang. XVIIe siècle. Actif vers 1630-1650. Chinois.
Peintre.
Gouverneur de Suzhou, il est peintre de paysages dans le style de Dong Yuan et fait partie des *Neuf amis de la peinture*.

ZHANG XUN ou **Chang Hsün** ou **Tchang Siun**, surnom : **Zhongmin**, nom de pinceau : **Qiyun**
Originaire de Suzhou, province du Jiangsu. XIVe siècle. Actif vers le milieu du XIVe siècle. Chinois.
Peintre.
Disciple de Li Kan pour la peinture de bambous, il fait aussi des paysages dans le style de Juran (Xe siècle).

ZHANG XUN ou **Chang Hsün** ou **Tchang Siun**, surnom : **Zhigong**, nom de pinceau : **Hushan**
Originaire de Jinyang (province du Shenxi). XVIIe siècle. Actif vers le milieu du XVIIe siècle. Chinois.
Peintre.
Haut fonctionnaire et peintre de paysages dans le style de Dong Yuan (Xe siècle).

ZHANG XUNLI ou **Chang Hsün-Li** ou **Tchang Hiun-Li**. Voir **ZHANG DUNLI**

ZHANG YAN ou **Chang Yen** ou **Tchang Yen**
Originaire de Jiading, province du Jiangsu. XVIIe siècle. Actif vers 1630. Chinois.
Peintre de figures, paysages, fleurs, dessinateur.
VENTES PUBLIQUES : NEW YORK, 31 mai 1994 : *Paysage d'après les Maîtres Yuan* 1631, encre et touches de pigments/pap. doré, éventail (17,8x54) : **USD 2 070**.

ZHANG YANCHANG ou **Chang Yen-Ch'ang** ou **Tchang Yen-Tch'ang**, surnom : **Wenyu**, nom de pinceau : **Baotang**
Né en 1738, originaire de Haiyan (province du Zhejiang). Mort après 1810. XVIIIe-XIXe siècles. Chinois.
Peintre.
Calligraphe et peintre d'orchidées, de bambous et de paysages.

ZHANG YANFU ou **Chang Yen-Fu** ou **Tchang Yen-Fou**, surnom : **Liuyi**
XIVe siècle. Actif à Pékin vers le milieu du XIVe siècle. Chinois.
Peintre d'animaux, paysages.
Peintre taoïste de paysages et de chevaux, dont la Nelson Gallery of Art de Kansas City conserve une œuvre, *Jeunes bambous et jujubes près d'un rocher*.

ZHANG YANGXI ou **Chang Yang-Hsi** ou **Tchang-Yang Hi**
Né en 1913 à Chengdu (province du Sichuan). XXe siècle. Chinois.
Peintre de compositions animées, graveur, illustrateur.
Graveur de l'école réaliste, il fait ses études à Chengdu et devient en 1945 éditeur artistique d'un hebdomadaire, le *Chengdu Ziyu Huabao*, journal illustré consacré à la satire sociale.
Ses peintures chinoises traditionnelles font preuves d'une grande virtuosité technique tandis que ses gravures sur bois sont exécutées avec liberté, avec une compréhension évidente des personnages mis en scène ; l'artiste se contente d'enregistrer la pauvreté du peuple sans souligner le caractère moralisateur de l'œuvre.

ZHANG YANYUAN ou **Chang Yen-Yüan** ou **Tchang Yen-Yuan**
Né vers 810. Mort vers 880. IXe siècle. Chinois.
Critique d'art et collectionneur.
Descendant d'une illustre lignée de fonctionnaires, il s'initie probablement à l'histoire de l'art grâce aux riches collections de sa

famille. Il est l'auteur d'un monumental ouvrage d'histoire de l'art, le *Lidai Ming Hua Ji*, qui restera le modèle du genre pour les générations ultérieures et ne sera jamais égalé bien que constamment imité. L'ouvrage se divise en dix livres : les trois premiers traitent de questions esthétiques diverses, les sept suivants constituent la partie proprement historique et donnent les biographies de 372 artistes, depuis les origines de l'histoire jusqu'à l'époque de l'auteur qui termine son ouvrage en 847. Celui-ci est d'une importance capitale : la partie théorique, d'une grande richesse de pensée, exercera une influence déterminante sur toutes les théories esthétiques ultérieures ; la partie historique est une mine de documentation et nous permet de connaître les périodes si mal connues de la peinture chinoise ancienne ; c'est grâce à lui enfin que nous sont parvenus les plus anciens traités de peinture dont seuls ont été préservés les fragments reproduits par Zhang Yanyuan, tels ceux de Gu Kaizhi, Wang Wei, Zong Bing. Pour une traduction du *Lidai*, on se référera à celle de W. Acker : *Some T'ang and pre-T'ang Texts on Chinese Painting* (Leiden, 1954), très minutieuse et accompagnée de notes abondantes.
Bibliogr. : O. Siren : *The Chinese on the art of painting*, Peiping, 1936 – P. Ryckmans : *Les « Propos sur la peinture » de Shitao*, Bruxelles, 1970.

ZHANG YI ou **Chang I** ou **Tchang I**, surnom : **Xingzhi**, nom de pinceau : **Zhulin**
Originaire de Nankin. XIIIe siècle. Actif sous le règne de l'empereur Lizong (1225-1264). Chinois.
Peintre.
Peintre de figures.

ZHANG YIN ou **Chang Yin** ou **Tchang Yin**, surnom : **Baoyan**, noms de pinceau : **Xian, Qieweng**, etc.
Né en 1761, originaire de Dantu, province du Jiangsu. Mort en 1826 ou 1829. XVIIIe-XIXe siècles. Chinois.
Peintre de figures, paysages animés, paysages, fleurs, dessinateur.
Peintre de paysages, il commence par travailler dans les styles de Wen Zhengming (1470-1559) et Shen Zhou (1427-1509), puis dans celui des maîtres Song et Yuan. Il peint aussi des bambous, des fleurs et des figures bouddhiques.
Ventes Publiques : New York, 6 déc. 1989 : *Paysage*, encre et pigments/pap., kakemono (85,7x49) : **USD 3 575** – New York, 31 mai 1990 : *Paysage*, encre et pigments/pap. (137x54,3) : **USD 5 225** – New York, 26 nov. 1990 : *Paysage* 1808, encre et pigments/soie, kakémono (133,3x55) : **USD 7 700** – New York, 29 mai 1991 : *La salle d'étude d'un érudit dans les montagnes*, encre et pigments/pap., kakémono (139,8x66,7) : **USD 3 300** – New York, 25 nov. 1991 : *Personnages dans un temple bouddhiste*, encre/pap., kakemono (78,8x30,5) : **USD 3 575** – New York, 1er juin 1992 : *Paysage*, encre et pigments/pap., kakémono (94x30,5) : **USD 4 950** – New York, 31 mai 1994 : *Lettrés dans un pavillon dans un paysage*, encre et pigments/pap., kakémono (130,2x40) : **USD 2 875** – Hong Kong, 30 oct. 1995 : *La guérite des sauveteurs au bord de la rivière*, encre et pigments/pap., makémono (41,9x161,7) : **HKD 230 000** – New York, 27 mars 1996 : *Paysage*, encre et pigments/pap., kakémono (141x39,4) : **USD 5 750** – Hong Kong, 28 avr. 1997 : *Paysages*, encre et pigments/pap., makemono de six peintures reliées (chaque 33,6x74,7) : **HKD 253 000**.

ZHANG YIXIONG. Voir **CHANG Yi-hsiung**

ZHANG YOU ou **Chang Yu** ou **Tchang Yeou**, surnom : **Tianji**
Originaire de Fengyang (province du Anhui). XVe siècle. Chinois.
Peintre.
Peintre de fleurs de prunier dans le style de Wang Qian, son contemporain.

ZHANG YU ou **Chang Yü** ou **Tchang Yu**, surnoms : **Tianyu** et **Boyu**, nom de pinceau : **Juqu Waishi**
Né en 1275 ou 1277, originaire de Qiantang (province du Zhejiang). Mort en 1348. XIVe siècle. Actif durant la dynastie Qing. Chinois.
Peintre de paysages animés, paysages, calligraphe.
Il fut moine taoïste.
Ventes Publiques : New York, 2 juin 1988 : *Calligraphie*, encre, kakemono (57,5x44,5) : **USD 39 600** – New York, 11 avr. 1990 : *Singes dans un paysage d'après Tang Yin*, encre et pigments/pap. (92,1x42,5) : **GBP 1 760**.

ZHANG YU ou **Chang Yü** ou **Tchang Yu**, surnom : **Zicun**
Originaire de Wuxi (province du Jiangsu). XVIIe siècle. Actif vers 1680. Chinois.
Peintre d'animaux.
Bien connu pour ses peintures de singes.

ZHANG YU ou **Chang Yü** ou **Tchang Yu**, surnom : **Zhiyuan**, nom de pinceau : **Xuehong**
Né en 1734, originaire de Nankin. Mort en 1803. XVIIIe siècle. Chinois.
Peintre de figures, animaux, paysages animés, paysages, fleurs, dessinateur.
Peintre de fleurs et d'oiseaux, d'insectes, de paysages et de figures.
Ventes Publiques : New York, 2 déc. 1992 : *Rocher et pivoine*, encre et pigments/pap., kakémono : **USD 4 400**.

ZHANG YUAN ou **Chang Yüan, Tchang Yuan, Zhang Xuan**
Originaire de Jinshui (province du Sichuan). IXe-Xe siècles. Actif vers 890-930. Chinois.
Peintre.
Célèbre peintre d'ahrats (ascètes bouddhistes), on l'appelle Zhang Lohan ; le Metropolitan Museum de New York conserve une œuvre signée qui lui est attribuée, peut-être à juste titre, *Sept patriarches bouddhistes accompagnés de servants et d'assistants dans un paysage*.

ZHANG YUAN ou **Chang Yüan** ou **Tchang Yuan**, surnom : **Meiyan**
Originaire de Huating (province du Jiangsu). XIVe siècle. Actif vers 1320. Chinois.
Peintre.
Peintre de paysages et de figures dans la tradition de l'École Ma-Xia.

ZHANG YUANJU ou **Chang Yüan-Chü** ou **Tchang Yuan-Tsiu**, surnom : **Maoxian**, nom de pinceau : **Wuhu**
Originaire de Suzhou (province du Jiangsu). XVIIe siècle. Actif dans la première moitié du XVIIe siècle. Chinois.
Peintre.
Peintre de fleurs et d'oiseaux dans le style de son oncle Chen Shun.

ZHANG YUANSHI ou **Chang Yüan-Shih** ou **Tchang Yuan-Che**, surnom : **Shushang**, nom de pinceau : **Zhifeng**
XVIe siècle. Actif vers 1570. Chinois.
Peintre.
Peintre de paysages et de fleurs.

ZHANG YUCAI ou **Chang Yü-Ts'ai** ou **Tchang Yu-Ts'ai**, surnom : **Guoliang**, noms de pinceau : **Weishan** et **Guangweizi**
XIIIe-XIVe siècles. Actif pendant la dynastie Yuan (1279-1368). Chinois.
Peintre.
Taoïste peintre de bambous et de dragons.

ZHANG YUEHU ou **Chang Yüeh-Hu** ou **Tchang Yue-Hou**
XIIIe siècle. Actif à la fin de la dynastie Song et au début de la dynastie Yuan, dans la seconde moitié du XIIIe siècle. Chinois.
Peintre.
Peintre de figures bouddhiques, il n'est pas mentionné dans les biographies chinoises mais dans le *Kundaikan Sayuchôki* japonais. Le British Museum de Londres conserve une œuvre qui lui est attribuée, *Guanyin assise sur un rocher près d'un ruisseau*.

ZHANG YUGUANG ou **Chang Yüeh-Kuang** ou **Tchang Yue-Gouang**
Né en 1885 à Shaoxing (province du Zhejiang). XXe siècle. Chinois.
Peintre de paysages, dessinateur.
Peintre de l'école moderne, il fait ses études au Japon et, en 1912, fonde l'Académie de Shanghai, *Shanghai Meishu Yuan*, avec Liu Haisu, en grande partie sous l'influence des Jésuites enseignant les beaux-arts, notamment l'art du paysage et le dessin d'après modèle, à l'Université Aurore près de Shanghai. En 1916, il ouvre son propre studio dans cette même ville.

ZHANG YUSEN ou **Chang Yü-Sên** ou **Tchang Yu-Sen**, de son vrai nom : **Yu**, surnom : **Xuejiang**, nom de pinceau : **Zhanzhi**
Originaire de Dangtu (province du Anhui). XVIIIe siècle. Actif sous le règne de l'empereur Qing Qianlong (1736-1796). Chinois.

Peintre.

Peintre de cour, il fait des paysages dans le style de Wen Zhengming (1470-1559) et aussi des fleurs et des oiseaux ; le Bristish Museum de Londres conserve une de ses œuvres signée, *Faucon tuant un oiseau*.

ZHANG YUSI ou **Chang Yü-Ssŭ** ou **Tchang Yu-Sseu**
xve siècle. Chinois.
Peintre.

ZHANG ZAO ou **Chang Tsao** ou **Tchang Tsao**
viiie siècle. Chinois.
Peintre.

Peintre de paysages, inspiré et excentrique, dont l'activité appartient à la seconde moitié du viiie siècle, qui, avec Wang Wei, fera du paysage un mode d'expression lyrique, intime et excentrique à l'usage des lettrés. En effet, après Li Sixun (651-716) et son paysage décoratif en or et azur, le paysage, sous l'impulsion d'artistes comme Wang Wei et Zhang Zhao, se dépouillera de ses couleurs pour tendre au contraire à exprimer par le seul moyen de l'encre tous les impondérables d'une expérience intérieure. Secrétaire adjoint, bien connu dans les milieux lettrés de son époque, c'est un paysagiste renommé qui se jette, dit-on, dans un véritable état de transe lorsqu'il travaille. Il manie deux pinceaux à la fois, dessinant une branche pleine de vie avec l'un et un vieux tronc pourrissant avec l'autre. Quand on lui demande qui lui a transmis cette technique, il répond : « A l'extérieur, j'ai pris modèle sur la création, et au-dedans, j'ai trouvé la source de mon propre esprit. Il utilise un pinceau-estompe ou encore frotte avec sa main la fine soie blanche ». Zhang Yanyuan précise qu'il sait se servir d'un pinceau en poil de lapin à la pointe dépouillée et qu'avec la paume de la main, il frotte les couleurs... Vu de l'extérieur, c'est comme chaotique. Il joue avec l'encre, peut-on lire. Sa force défie la pluie et le vent : les branches coupées obliquement, leur aspect rugueux comme des écailles, répondent à sa pensée en toute liberté. Ses rochers sont pointus, on entend le grondement des eaux ; ses premiers plans sont oppressants. On reconnaît dans son attitude et ses procédés l'influence du bouddhisme chan (zen). ■ M. M.

Bibliogr. : N. Vandier-Nicolas : *Art et sagesse en Chine : Mi Fou, 1051-1107*, Paris, 1963.

ZHANG ZE ou **Chang Tse** ou **Tchang Tsö**
Originaire de la province du Anhui. xxe siècle. Chinois.
Peintre.

ZHANG ZEDUAN ou **Chang Tsê-Tuan** ou **Tchang Tsö-Touan**, surnom **Zhengdao**
Originaire de Dongwu (province du Shandong). xiie siècle. Actif dans la première moitié du xiie siècle. Chinois.
Peintre.

Actif à Kaifeng puis à Hangzhou, il est connu comme peintre de bâtiments, de ponts, de bateaux et de charrettes et laisse un célèbre rouleau horizontal, en couleurs sur soie, *La fête Qingming à Kaifeng*, dont il existe plusieurs versions parmi lesquelles seule celle du Musée du Palais de Pékin semble être authentique. Cette œuvre est une riche source de documentation sur les habitudes de la population lors de cette fête et sur l'aspect de Kaifeng (Bianjing) à cette époque, tant les détails ethnologiques, peut-on dire, et architecturaux y sont abondants et parfaitement maîtrisés.

ZHANG ZEZHI ou **Chang Tsê-Chih** ou **Tchang Tsö-Tche**
Chinois.
Peintre.

Peut-être identique à un peintre de la dynastie Qing, Zhang Xiaosi.

ZHANG ZHAO ou **Chang Chao** ou **Tchang Tchao**, surnom : **Detian**, noms de pinceau : **Jingnan, Wuchuang** et **Tianping Jushi**
Né en 1691, originaire de Huating (Songjiang), province du Jiangsu. Mort en 1745. xviiie siècle. Chinois.
Peintre.

Président du Bureau de la Justice, il est aussi peintre de fleurs de prunier et de figures bouddhiques, de Guanyin notamment. Le British Museum de Londres conserve de lui un rouleau horizontal signé et daté 1718, *Pins et falaises*.

ZHANG ZHIWAN
Né en 1811. Mort en 1879. xixe siècle. Chinois.
Peintre de paysages, dessinateur.

Ventes Publiques : New York, 31 mai 1990 : *Paysage*, encre et pigments/pap., kakémono, d'après Wang Hui (18x145,8) : **USD 3 575** – New York, 29 mai 1991 : *Paysage*, encre/pap., makémono (71,2x10,3) : **USD 2 750** – New York, 25 nov. 1991 : *Paysage*, encre/pap. (10,5x71,4) : **USD 4 675**.

ZHANG ZHONG ou **Chang Chung** ou **Tchang Tchong**. Voir **ZHANG SHOUZHONG**

ZHANG ZHUNLI. Voir **MAO LIZI**

ZHANG ZHUO ou **Chang Cho** ou **Tchang Tcho**, surnom : **Pushan**
Originaire de Qufu (province du Zhandong). xixe siècle. Actif probablement dans la première moitié du xixe siècle. Chinois.
Peintre.

Peintre de paysages et de fleurs.

ZHANG ZIWEN ou **Chang Tzu-Wên** ou **Tchang Tseu-Wen**, appelé aussi : **Zhang Ziyu**
Né le 19 août 1918 dans la province du Jiangsu. xxe siècle. Chinois.
Peintre.

Peintre de l'école moderne, diplômé de l'Académie de Suzhou, il vient ensuite compléter sa formation en France où il participe au Salon de la Société Nationale des Beaux-Arts, au Salon des Artistes Français, au Salon des Indépendants et au Salon des Tuileries. De surcroît, il est membre de l'Association des Artistes Chinois en France.

ZHANG ZIYU. Voir **ZHANG ZIWEN**

ZHANG ZONGCANG ou **Chang Tsung-Ts'ang** ou **Tchang Tsong-Ts'ang**, surnom : **Mocun** ou **Mocen**, noms de pinceau : **Huangcun, Lushan**
Né en 1686, originaire de Suzhou, province du Jiangsu. Mort vers 1756. xviiie siècle. Chinois.
Peintre de paysages, dessinateur.

Peintre de paysages disciple de Huang Ding (1660-1730) et travaille dans le style de Wang Yuanqi (1642-1715). En 1751, il est appelé au palais impérial comme peintre de cour ; il y reste jusqu'en 1755.

Musées : New York (Metropolitan Mus.) : *Album de huit paysages miniatures et de bambous*, signé – Stockholm (Nat. Mus.) : *Paysage de rivière*, dans le style de Ni Zan, feuille d'album signée – Taipei (Nat. Palace Mus.) : *Pics dans les nuages et arbres élégants*, encre et coul. sur pap., rouleau en hauteur – *Paysage de montagnes avec pavillons sur un ruisseau* 1743, d'après Dong Yuan, signé – *Paysage* 1747, d'après Huang Gongwang, signé, poème de Qing Qianlong.

Ventes Publiques : New York, 26 nov. 1990 : *Paysage décrivant le Weijingwo*, encre et pigments/pap., makémono (29,9x276,2) : **USD 60 500**.

ZHANGZONG JIN ou **Chang-Tsung Chin** ou **Tchang-Tsong Kin**
Né en 1168. Mort en 1208. xiie siècle. Chinois.
Peintre de figures.

Empereur de la dynastie Jin, il régna de 1190 à 1208. Il fut également peintre et collectionneur mécène.

ZHAN HE ou **Chan Ho, Tchan Ho, Zhan Zhonghen**, surnom : **Xihe**, nom de pinceau : **Tieguan Daoren**
Originaire de Siming, province du Zhejiang. xvie siècle. Actif vers 1500. Chinois.
Peintre.

Peintre de bambous à l'encre dans le style de Wu Zhen (1280-1354) et de figures.

ZHAN JINGFENG ou **Chan Ching-Fêng** ou **Tchan King-Feng**, surnom : **Dongtu**, nom de pinceau : **Boyue Shanren**
Né vers 1560, originaire de Xiuning, province du Anhui. xvie siècle. Chinois.
Peintre de paysages, fleurs, dessinateur, calligraphe.

Peintre de bambous à l'encre, de paysages et de fleurs, éminent calligraphe de caractères cursifs (*caoshu*), il est aussi le compilateur du *Huayuan buyi* et d'autres ouvrages.

Ventes Publiques : New York, 1er juin 1989 : *Nuages et brouillard dans une forêt de montagne*, encre et pigments/soie, kakémono (236x50) : **USD 30 800**.

ZHAN ZIQIAN ou **Chan Tzû-Ch'ien** ou **Tchen Tseu-K'ien**
Originaire de Bo Hai (Cangzhou), province du Hebei. vi^e-viie siècles. Actif pendant la dynastie Sui (581-609). Chinois.
Peintre.

Éminent artiste de l'époque Sui qui, rompant avec le système de proportions symboliques des Six Dynasties (420-589), inaugure un rapport de proportions naturalistes entre les divers éléments de la composition : figures, architecture, paysage. L'aspect novateur de cette peinture réside moins dans son langage formel, encore très fidèle à la linéarité traditionnelle, que dans l'inversion des relations hiérarchiques entre figures et architectures d'une part, paysage de l'autre. Le paysage cesse ainsi d'être une simple toile de fond ; il deviendra de plus en plus, avec Li Sixun (651-716) notamment, le sujet principal de l'œuvre. On l'appelle donc parfois le « père de la peinture Tang ». Le National Palace Museum de Taipei conserve une feuille d'album en couleurs légères sur un fond sombre, qui porte des traces de paysage et qui lui est attribuée, *Étude des classiques, deux hommes assis par terre lisant* ; il est possible que ce soit une œuvre pré-Song.

ZHAO BEI ou **Chao Pei** ou **Tchao Pei**, surnom : **Xiangnan**, nom de pinceau : **Xiangan**
Originaire de Siming, province du Zhejiang. XVIIe siècle. Actif au début du XVIIe siècle. Chinois.
Peintre.
Peintre de bambous à l'encre dont le National Museum de Stockholm conserve une œuvre signée et exécutée dans la soixante-dix-huitième année de l'artiste, *Bosquet de hauts bambous*.

ZHAO BINGHONG ou **Chao Ping-Ch'ung** ou **Tchao Ping-Tch'ong**, surnom : **Yanhuai**, nom de pinceau : **Qianshi**
Originaire de Shanghai. XIXe siècle. Actif vers 1800. Chinois.
Peintre.
Vice-président du Bureau des Revenus, poète, calligraphe et peintre de fleurs de prunier, d'orchidées, de bambous et de chrysanthèmes.

ZHAO BOJU ou **Chao Po-Chü** ou **Tchao Po-Kiu**, surnom : **Qianli**
Né vers 1120. Mort vers 1182. XIIe siècle. Actif à Kaifeng (province du Henan) puis à Hangzhou (province du Zhejiang). Chinois.
Peintre.
Descendant du premier empereur Song, il travaille tout d'abord à l'Académie de Peinture de la cour de Kaifeng, puis devient à Hangzhou l'artiste favori de l'empereur Gaozong (règne 1127-1162). Il est le fils d'un peintre bien connu, Zhao Lingrang. Boju lui est très apprécié pour cultiver dans ses paysages et ses architectures un archaïsme voulu et pour reprendre la manière bleue et verte des paysagistes Tang, notamment de Li Sixun. Il est spécialiste de scènes de palais et on lui attribue, entre autres, une feuille d'album intitulée *Le palais Han* (Taipei, National Palace Museum), œuvre signée mais d'attribution plus qu'incertaine, d'une saveur archaïque évidente, bien que très éloignée du style bleu et vert.
MUSÉES : BOSTON (Mus. of Fine Arts) : *Entrée du premier empereur Han à Guanzhong*, rouleau en longueur signé, vert et bleu – NEW YORK (Metropolitan Mus.) : *Matin de printemps sur les palais des empereurs Han*, signé, attribution – TAIPEI (Nat. Palace Mus.) : *Le palais Han*, encre et coul. sur soie, feuille d'album, attribution.

ZHAO BOSU ou **Chao Po-Su** ou **Tchao Po-Sou**, surnom : **Xiyuan**
XIIe siècle. Chinois.
Peintre.
Frère cadet de Zhao Boju, dont il suit le style de peinture.

ZHAO CHANG ou **Chao Ch'ang** ou **Tchao Tch'ang**, surnom : **Changzhi**
Originaire de Guanghan, province du Sichuan. XIe siècle. Actif au début du XIe siècle. Chinois.
Peintre.
Peintre de fleurs et d'oiseaux, conservateur qui travaille d'une manière prudente et réaliste, dans le style de Diao Guangyin. Il dit lui-même de ses œuvres que ce sont des *xie sheng*, littéralement, « écrire la vie », c'est-à-dire d'après la nature, et c'est la raison pour laquelle il est bien connu. Des écrivains Song nous le montrent dans son jardin, très tôt le matin, dessinant des fleurs qu'il tient dans le creux de sa main. Le National Palace Museum de Taipei conserve plusieurs de ses œuvres tandis que le British Museum de Londres en a une qui lui est attribuée, *Deux oies blanches sur la rive*.

ZHAO CHENG ou **Chao Ch'eng, Tchao Tch'eng, Zhao Zheng**, surnoms : **Xuejiang** et **Zhanzhi**
Né en 1581, originaire de Yingzhou, province du Anhui. Mort après 1654. XVIIe siècle. Chinois.
Peintre de paysages.
Lettré et poète, il fut peintre de paysages dans les styles de Fan Kuan, Li Tang et Dong Yuan.

ZHAO CHUNZIANG ou **Chunxiang**, pseudonyme de **Chao Chung-Hsiang**
Né en 1912 ou 1921 dans la province du Henan. Mort en 1991. XXe siècle. Chinois.
Peintre, aquarelliste. Traditionnel et expressionniste.
Zhao étudia sous la direction de Lin Fengmian et de Pan Tianshou à l'Académie de Hangzhou.
Le travail de cet artiste est caractéristique de la peinture chinoise contemporaine influencée par le contexte international, tout en conservant des éléments traditionnels. Des animaux fabuleux, des toucans aux yeux de chouettes, servent ici de prétexte à des taches de couleurs et d'encre qui peuvent évoquer l'expressionnisme-gestuel de Kline, dans la mesure où l'expressionnisme-abstrait américain a été lui-même influencé par la calligraphie extrême-orientale.
MUSÉES : BROOKLYN (Brooklyn Mus.) – NEW YORK (Metropolitan Mus.) – NEW YORK (Guggenheim Mus.).
VENTES PUBLIQUES : HONG KONG, 2 mai 1991 : *Fraternité*, encre et acryl./pap. (184x88,2) : **HKD 121 000** – HONG KONG, 31 oct. 1991 : *La spirale du printemps*, encre et acryl./pap./t. (93x62,5) : **HKD 93 500** – NEW YORK, 25 nov. 1991 : *Bambous et oiseaux* 1983, encre et pigments/pap. (141,6x69,8) : **USD 3 300** – TAIPEI, 18 oct. 1992 : *Fleurs de printemps*, encre et acryl./pap./t. (138,8x79,5) : **TWD 638 000** – TAIPEI, 20 oct. 1996 : *Épouvantail* 1971, encre et acryl./pap./t. (183x149,8) : **TWD 2 360 000** – TAIPEI, 13 avr. 1997 : *Vie donnant de la force* vers 1967, encre et acryl./pap. (184,4x90) : **TWD 2 250 000** – TAIPEI, 19 oct. 1997 : *Masculin et féminin* 1968-1989, encre et acryl./t. (109x107) : **TWD 1 150 000.**

ZHAO DAHENG ou **Chao Ta-Hêng** ou **Tchao Ta-Heng**
XIIe siècle. Chinois.
Peintre.
Il est pendant de nombreuses années l'assistant de Zhao Boju, qu'il imite de si près, particulièrement dans la manière bleue et verte délibérément archaïque, que ses œuvres sont fréquemment prises pour celles de son maître.

ZHAO DALU
Né en 1953 à Pékin. XXe siècle. Chinois.
Peintre de portraits.
Il est diplômé de la section Beaux-Arts de l'Académie Cinématographique de Pékin. Il enseigne actuellement l'art à l'Académie Normale de Pékin. Il a exposé en 1989 à Singapour et en 1990 à Rome.
Il peint des portraits d'enfants, dans un style réaliste, minutieux, porté sur les détails.
BIBLIOGR. : In : *Catalogue Christie's*, vente du 30 mars 1992, Hong Kong.
VENTES PUBLIQUES : HONG KONG, 30 mars 1992 : *Mimi* 1988, h/t (80,3x65) : **HKD 55 000.**

ZHAO FU ou **Chao Fu** ou **Tchao Fou**
Originaire de Zhenjiang, province du Jiangsu. XIIe siècle. Actif pendant l'ère Shaoxing (1131-1162). Chinois.
Peintre.
Peintre qui deviendra célèbre pour ses paysages des îles Jin et Jiao sur le fleuve Yangzi.

ZHAO GAN ou **Chao Kan** ou **Tchao Kan**
Originaire de Nankin. Xe siècle. Actif dans la seconde moitié du Xe siècle. Chinois.
Peintre.
Membre de l'Académie de Peinture à la cour du dernier empereur des Tang du Sud, l'empereur Li Houzhu (règne 961-975), il est spécialement connu pour ses paysages de la région du Jiangnan, notamment ses vues aquatiques. Le National Palace Museum de Taipei conserve un rouleau horizontal, en encre et couleurs sur soie, qui lui est attribué, *Voyage sur le fleuve à la première neige*. Le procédé de composition utilisé dans cette œuvre, la profondeur à hauteur d'œil, consiste à représenter d'un seul tenant un vaste panorama marin. Ce rouleau est chargé d'un grand pouvoir évocateur : qu'on le dévide, et l'on se retrouve sur une triste étendue d'eau grise, on passe entre des

îlots aux contours nets et l'on éprouve la dure condition de ces pêcheurs qui, transis de froid, frissonnent dans leurs barques ou sous leurs abris. De légères taches blanches sur la soie figurent la neige, tandis que les touffes de roseaux, les îlots, les bateaux ressortent nettement sur un lavis d'encre qui cerne tout uniformément, qui suscite un sentiment d'isolement tout en soulignant la disposition très étudiée des différents éléments sur la surface picturale.

Bibliogr. : J. Cahill : *La peinture chinoise*, Genève, 1960.

ZHAO GANG

Né en 1961. XXe siècle. Chinois.

Peintre de paysages. Abstrait.

Il appartint au *Star Group* et milita dans le Mouvement de l'Avant-Garde Chinoise à la fin des années 1970.

Ventes Publiques : Hong Kong, 30 avr. 1996 : *Paysage* 1996, h/t (106,7x139,7) : **HKD 46 000**.

ZHAO GONGYOU ou **Chao Kung-Yu** ou **Tchao Kong-Yeou**

Originaire de Changan (Xian), province du Shenxi. IXe siècle. Actif à Chengdu (province du Sichuan) vers 825-850. Chinois.

Peintre.

Peintre de figures bouddhiques et taoïstes, il vit d'abord à Chengdu où il orne plusieurs temples de décorations murales, puis s'installe dans la province du Zhejiang. Le British Museum de Londres conserve le fragment d'un rouleau horizontal de la fin de l'époque Song ou du début de la dynastie Yuan, mais sans doute d'après une composition originale de ce maître, *Démons attaquant le bol dans lequel le Bouddha a emprisonné Pingalale, fils de Mara.*

ZHAO GUANGFU ou **Chao Kuang-Fu** ou **Tchao Kouang-Fou**

Originaire de Huayuan, province du Shenxi. Xe siècle. Actif dans la seconde moitié du Xe siècle. Chinois.

Peintre.

Peintre de figures et de chevaux, membre de l'Académie de Peinture sous le règne de l'empereur Taizu des Song (règne 960-975).

ZHAO JU ou **Chao Chü** ou **Tchao Kiu**

XIIIe siècle. Actif à Ningbo (province du Zhejiang) à la fin de la dynastie Song dans la seconde moitié du XIIIe siècle. Chinois.

Peintre.

Peintre de figures bouddhiques dont le temple Hokkekyô-ji de Chiba, au Japon, conserve une paire de paravents à huit feuilles, en couleurs sur soie, signée et représentant *Seize Lohan.*

ZHAO KEXIONG ou **Chao K'o-Hsiung** ou **Tchao K'o-Hiong**

X^e-XIIe siècles. Actif sous la dynastie des Song (960-1127). Chinois.

Peintre.

Membre de la famille impériale Song et général, il est aussi peintre de poissons. Le Metropolitan Museum de New York conserve une feuille d'album qui lui est attribuée.

ZHAO KUI ou **Chao K'uei** ou **Tchao K'ouei**, surnom : **Nanzhong**, nom de pinceau : **Xinan**

Originaire de Hengshan, province du Hunan. XIIIe siècle. Actif dans la seconde moitié du XIIIe siècle. Chinois.

Peintre.

Haut fonctionnaire éminent et poète, il est aussi peintre de fleurs de prunier dont le Musée de Shanghai conserve la seule œuvre qui nous soit parvenue, *Du Fu Shiyi tu*, ou l'illustration d'un poème de Du Fu, rouleau horizontal à l'encre sur soie.

ZHAO LIN ou **Chao Lin** ou **Tchao Lin**

XIIe siècle. Actif sous le règne de l'empereur Xizong des Jin (1135-1148). Chinois.

Peintre.

ZHAO LIN ou **Chao Lin** ou **Tchao Lin**, surnom : **Yanzheng**

XIVe siècle. Actif dans la seconde moitié du XIVe siècle. Chinois.

Peintre.

Fils de Zhao Yong et petit-fils de Zhao Mengfu (1254-1322), il est inspecteur de police des provinces du Zhejiang et de Jiangsu et excellent calligraphe. En peinture, il est spécialiste de figures et de chevaux. Le National Palace Museum de Taipei conserve de lui un rouleau vertical, *Jugement d'un cheval*, signé, en encre et couleurs sur papier, et la Freer Gallery de Washington, un rouleau horizontal signé et daté 1365, accompagné d'un poème du peintre, *Cavaliers tartares.*

ZHAO LINGJUN ou **Chao Ling-Chün** ou **Tchao Ling-Kiun**, surnom : **Jingsheng**

XIe siècle. Actif à la fin du IXe siècle. Chinois.

Peintre.

Peintre de figures et de paysages, frère de Zhao Lingrang, dont la Freer Gallery de Washington a une œuvre attribuée, *La toilette de l'éléphant blanc.*

ZHAO LINGRANG ou **Chao Ling-Jang** ou **Tchao Ling-Jang**, surnom : **Danian**

XIe-XIIe siècles. Actif vers 1070-1100. Chinois.

Peintre.

Membre de la famille impériale Song, haut fonctionnaire et peintre de paysages, il est particulièrement connu pour ses effets brumeux sur des étendues d'eau : le Musée de Boston conserve un éventail qui lui est anciennement attribué, *Pavillon sous les saules.*

ZHAO LINGSONG ou **Chao Ling-Sung** ou **Tchao Ling-Song**, surnom : **Yongnian**

XIIe siècle. Actif dans la seconde moitié du XIIe siècle. Chinois.

Peintre.

Frère cadet de Zhao Lingrang, officier militaire et peintre de fleurs, de bambous et de chiens.

ZHAO MENGFU ou **Chao Mêng-Fu, Tchao Mong-Fou, Zhao Wuxing**, surnom : **Ziang**, noms de pinceau : **Songxue** et **Oubo**, titres posthumes : **Wenmin** et **Weigong**

Né en 1254, originaire de Huzhou, province du Zhejiang. Mort en 1322. XIIIe-XIVe siècles. Chinois.

Peintre d'animaux, paysages animés, paysages, dessinateur, calligraphe.

Avec la disparition du dernier prétendant de la dynastie Song, en 1279, la Chine se trouve à nouveau sous une domination étrangère, celle des Mongols Yuan ; l'indignation nationale que suscite ce changement s'accompagne d'une violente réaction dans le monde des arts, envers le présent ou le passé immédiat. Deux voies s'ouvrent donc aux lettrés : celle de l'archaïsme et celle de l'innovation, le retour aux styles anciens ou la création de styles nouveaux. A l'instar de leurs aînés, les derniers peintres des Song du Nord, les premiers artistes des Yuan choisissent de suivre ces deux voies à la fois. Ce mouvement naît à Wuxing, au nord de Hangzhou au Zhejiang et ses représentants les plus éminents sont Qian Xuan (1235-vers 1301) et Zhao Mengfu. Descendant du premier empereur Song, Zhao dès l'enfance est remarqué pour ses talents artistiques, tant dans ses poèmes que dans sa calligraphie. Après avoir servi la dynastie Song pendant six ans, il accepte l'invitation du gouvernement mongol et en 1286 prend le chemin de Pékin, la capitale. En 1316, il devient secrétaire du Bureau de la Guerre, puis à la suite de plusieurs promotions, directeur de l'Académie Hanlin. Les lettrés confucéens n'iront pas sans lui reprocher cette collaboration avec l'envahisseur, prétendant même déceler dans sa très belle calligraphie, l'excès de souplesse de son caractère. Mais ce peintre-calligraphe sera rétrospectivement réhabilité, dans la mesure où l'on comprendra que son rôle n'est pas négligeable dans l'assimilation par les Mongols de la civilisation chinoise. Toutefois, sa position politique est sans doute à l'origine de certains préjugés à l'endroit de son art.

En peinture, il insiste sur la nécessité de copier les maîtres anciens, ceux notamment de la fin des Tang et le début des Song, Li Cheng, Wang Wei, Li Gonglin ; il est lui-même l'auteur de nombreuses copies et il écrit : « La précieuse qualité de la peinture réside dans son idée d'archaïsme ; si elle en manque, l'œuvre sera sans valeur... faussée et insignifiante ». En fait, plutôt que de copier, il tente de retrouver l'esprit de ces Anciens. *Couleurs d'automne sur les monts Cao et Hua* est une œuvre tout à fait intéressante à cet égard ; rouleau horizontal conservé au National Palace Museum de Taipei, il est daté 1295. Le peintre déclare à propos de cette composition qu'il a essayé d'ôter de sa peinture toute trace des styles Song et que toute simple et fruste qu'elle puisse paraître, elle est proche de l'ancien et, par suite, authentiquement supérieure. Les allusions à Dong Yuan y sont évidentes, non seulement dans les lignes sinueuses du sol, les personnages minuscules et la composition en profondeur à hauteur d'œil, mais de façon plus subtile, dans la banalité du paysage, plaine marécageuse derrière laquelle s'élève le pain de sucre du mont Qiao, dans un mépris systématique pour l'échelle et la beauté apparente : le climat austère frôle le sinistre. L'acquis de la dynastie Song est délibérément oublié : les lavis dégradés ont disparu, le sentiment de l'atmosphère et de l'espace est presque absent. Dans l'espace vide situé au-dessus de l'horizon, dépourvu de sens pictural particulier, Zhao trace une longue inscription où il relate les circonstances de création de l'œuvre et les propriétaires successifs y apposeront leurs sceaux : cet ensemble d'inscriptions s'accorde parfaitement avec le caractère littéraire du rouleau. Cet archaïsme élégant se retrouve dans ses peintures de chevaux, sujet pour lequel il semble avoir eu une prédilection certaine. Sa femme, Guan Daosheng et ses fils Zhao Yong et Zhao Yi, sont tous trois des peintres et calligraphes de grande renommée, dans un style inspiré du sien, pour leur peinture de bambous, de rochers et de chevaux.

Bibliogr. : J. Cahill : *La peinture chinoise*, Genève, 1960 – M. M. Chin : *Tchao Mong-fou et Ts'ien Siuan*, in : *Encyclopaedia Universalis*, *vol.* XV, Paris, 1973.

Musées : Cincinnati (Art Mus.) : *Deux pins près de la rivière*, rouleau en longueur – Kyoto (Temple Nishi Honganji) : *Tao Yuanming debout sous un pin sur une falaise*, attribution – Londres (British Mus.) : *La villa Wangquan* 1309, d'après Wang Wei – New York (Metropolitan Mus.) : *Zhuan Lanting* 1298, d'après un original de Yan Liban, rouleau en longueur portant le nom du peintre – Taipei (Nat. Palace Mus.) : *Couleurs d'automne sur les monts Qiao et Hua* 1295, encre et coul. sur pap., rouleau en longueur – *Vieil arbre, bambou et rocher*, encre sur soie, rouleau en hauteur – *Arbres épars et beau rocher*, encre sur pap., feuille d'album – *Bambou, rochers et buissons morts*, encre sur pap., rouleau en longueur – *Chevaux et vieux arbres*, encre sur pap., rouleau en longueur – *Les chevaux à l'abreuvoir*, encre et coul. légères sur pap., rouleau en longueur – *Entraînement du cheval*, encre sur pap., feuille d'album – *Portrait de Su Shi*, encre sur pap., feuille d'album – Washington D. C. (Freer Gal.) : *Chèvre et mouton*, encre sur pap., rouleau horizontal – *Trois cavaliers chevauchant sous les arbres* – *Quinze chevaux traversant une rivière*, rouleau en longueur signé.

Ventes Publiques : New York, 6 déc. 1989 : *Calligraphie en écriture courante*, encre/pap., album de 32 pages (chaque page 35,9x16,8) : **USD 19 800** – New York, 31 mai 1990 : *Album de lettres*, encre/pap., huit double pages : **USD 231 000**.

ZHAO MENGJIAN ou **Chao Mêng-Chien** ou **Tchao Mong-Kien**, surnom : **Zigu**, nom de pinceau : **Yizhai**

Né en 1199. Mort en 1295. xiiie siècle. Actif à Haiyan (province du Zhejiang). Chinois.

Peintre.

Parent éloigné de l'empereur Song, il atteint un poste élevé dans le mandarinat, jusqu'à être en 1260 président de l'Académie Hanlin. Il se retire de la vie publique à la chute de la dynastie Song, à l'inverse de son cousin Zhao Mengfu, et refuse de servir les Mongols ; il se consacre alors à la peinture de narcisses, de fleurs de prunier, d'épidendrons et de bambous, dans un style élégant répondant aux goûts lettrés de son époque.

Musées : Taipei (Nat. Palace Mus.) : *Les trois amis de l'hiver : le pin, le bambou, le prunier en fleurs*, encre sur pap., feuille d'album – *Narcisses*, rouleau en longueur – Washington D. C. (Freer Gal.) : *Narcisses*, rouleau en longueur, signé.

ZHAO MENGYU ou **Chao Mêng-Yü** ou **Tchao Mong-Yu**, surnom : **Zhaojun**

xiiie siècle. Actif à la fin du xiiie siècle. Chinois.

Peintre.

Calligraphe réputé, frère de Zhao Mengfu, il est aussi peintre de figures et de fleurs et d'oiseaux.

ZHAO MINGSHAN ou **Chao Ming-Shan** ou **Tchao Ming-Chan**, surnom : **Ziyong**

Originaire de la province du Guangdong. xixe siècle. Actif dans la première moitié du xixe siècle. Chinois.

Peintre.

Peintre dont le Musée Guimet de Paris conserve une peinture de *Bambous* signée.

ZHAO RUYIN ou **Chao Ju-Yin** ou **Tchao Jou-Yin**

xve siècle. Actif vers le milieu du xve siècle. Chinois.

Peintre.

ZHAO SHAOANG ou **Chao Shao-Ang** ou **Tchao Chao-Ang**

Né en 1905 dans la province du Guangdong. xxe siècle. Chinois.

Peintre.

Élève de Gao Jianfu, peintre du mouvement *Lingnanpai*, il travaille d'abord à Canton et en Chine occidentale, puis s'installe à Hong Kong.

Ventes Publiques : Hong Kong, 12 jan. 1987 : *Trois poissons*, encre et coul., kakemono (128,2x39,7) : **HKD 100 000** – Hong Kong, 17 nov. 1988 : *Aigrettes* 1934, encres/pap., kakémono (137x44) : **HKD 41 800** ; *Un banc de poissons rouges* 1934, encres/pap., kakémono (139x37) : **HKD 66 000** – Hong Kong, 16 jan. 1989 : *Tournesol et oiseau bleu* 1965, encre et pigments (137x47) : **HKD 66 000** ; *Barques amarrées sur un lac de montagne au crépuscule*, encre et pigments/pap., makémono (96,5x71,2) : **HKD 220 000** – Hong Kong, 18 mai 1989 : *Saules pleureurs dans un paysage d'automne*, encre et pigments/pap., kakémono (94,6x33) : **HKD 154 000** – Hong Kong, 15 nov. 1989 : *Le retour des oiseaux dans les bois*, encre et pigments dilués/pap., kakémono (61x81) : **HKD 115 500** – Hong Kong, 15 nov. 1990 : *Carpe*, encre et pigments/pap., kakémono (132,8x45,5) : **HKD 41 800** – Hong Kong, 2 mai 1991 : *Perroquet sur des branches de saule* 1930, encre et pigment/pap., kakémono (130,8x51,1) : **HKD 198 000** – Hong Kong, 31 oct. 1991 : *Partie de pêche au printemps*, encre et pigments/pap., kakémono (120x57) : **HKD 275 000** – Hong Kong, 30 mars 1992 : *Carpe*, encre et pigments/pap., kakémono (105,5x45,2) : **HKD 104 500** – Hong Kong, 28 sep. 1992 : *Tigre rugissant sous la lune*, encre et pigments/pap., kakémono (144,2x68,2) : **HKD 286 000** – Hong Kong, 22 mars 1993 : *Paysage des Trois Gorges*, encre et pigments/pap. (66x135) : **HKD 276 000** – New York, 29 nov. 1993 : *Femme près d'une cascade* 1930, encre et pigments/pap., kakémono (66x39,4) : **USD 8 050** – Hong Kong, 5 mai 1994 : *Abeilles et épi de maïs* 1962, encre et pigments/pap. (41,5x84) : **HKD 57 500** ; *Paysage de Guilin*, encre et pigments/pap., kakémono (106,5x55) : **HKD 80 500** – Hong Kong, 3 nov. 1994 : *Abeilles et glycine* 1943, encre et pigments/pap. (68,2x102,5) : **HKD 253 000** – Hong Kong, 4 mai 1995 : *Pêcheur dans une barque en hiver* 1952, encre et pigments/pap. (60x106) : **HKD 391 000** – Hong Kong, 4 nov. 1996 : *Neuf Hérons* 1934, encre et pigments/pap. (92x332,7) : **HKD 482 000** – Hong Kong, 28 avr. 1997 : *Bambous et pêchers en fleurs* 1943, encre et pigment/pap. (68x99,2) : **HKD 212 750** – Hong Kong, 2 nov. 1997 : *Oiseau dans un jardin* 1957, encre et pigments/pap., kakémono (137,5x58,7) : **HKD 218 500**.

ZHAO SHICHEN ou **Chao Shih-Ch'ên** ou **Tchao Che-Tch'en**, surnom : **Yunzhen**

Actif pendant la dynastie Qing (1644-1911). Chinois.

Peintre.

ZHAO SHILEI ou **Chao Shih-Lei** ou **Tchao Che-Lei**, surnom : **Gongyun**

Actif à Lianzhou (province du Guangdong) sous la dynastie Song (960-1279). Chinois.

Peintre.

Membre de la famille impériale Song, il est haut fonctionnaire à Lianzhou et peint des paysages de rivière, des fleurs et des bambous.

ZHAO SHURU ou **Chao Shu-Ju** ou **Tchao Chou-Jou**

Né en 1874. Mort en 1945. xxe siècle. Chinois.

Peintre. Académique.

Actif à Shanghai.

Ventes Publiques : Hong Kong, 30 oct. 1995 : *Pies perchées sur une branche*, encre et pigments/pap., kakémono (137,2x33,7) : **HKD 13 800**.

ZHAO WANGYUN ou **Chao Wang-Yün** ou **Tchao Wang-Yun**

Né vers 1920 en Chine. xxe siècle. Chinois.

Peintre.

Peintre des Écoles traditionnelle et moderne, autodidacte et « protégé » du général Feng Yuxiang, le général chrétien.

Artiste doué d'une grande sensibilité, il ne travaille que dans le respect de la tradition, mais a une vision très contemporaine du monde et le talent de mettre en valeur la communion subtile qui peut exister entre l'homme et la nature.

ZHAO WUJI. Voir **ZAO Wou-Ki**

ZHAO XIGU ou **Chao Hsi-Ku** ou **Tchao Hi-Kou**

xiie-xiiie siècles. Actif vers 1190 ou vers 1230. Chinois.

Peintre.

Artiste érudit, il fut l'auteur d'un guide à l'usage des esthètes et des collectionneurs d'antiquités, le *Dong Tian Qing Lu Ji*, comportant dix chapitres dont l'un est consacré à la peinture.

On y trouve de précieuses informations sur différentes pratiques de certains peintres, ainsi que sur les questions de montage, de l'apposition des signatures et des sceaux, des copies et des faux. Cela constitue donc une documentation tout à fait utile pour ce qui concerne en particulier les problèmes d'authentification.

ZHAO XIYUAN ou **Chao Hsi-Yüan** ou **Tchao Hi-Yuan**
XIIIe-XIVe siècles. Actif pendant la dynastie Yuan (1279-1368). Chinois.
Peintre.
Peintre de paysages dans le style de Wang Meng (1298-1385).

ZHAO XUN ou **Chao Hsün** ou **Tchao Siun**, surnom : **Yumei**
Actif probablement sous la dynastie Ming (1368-1644). Chinois.
Peintre.

ZHAO XUN ou **Chao Hsün** ou **Tchao Siun**, de son vrai nom : **Zhibi**, surnom : **Shiwu**
Originaire de Putian, province du Fujian. XVIIe siècle. Actif vers le milieu du XVIIe siècle. Chinois.
Peintre.
Peintre de paysages, de fleurs et d'oiseaux.

ZHAO YAN ou **Chao Yen** ou **Tchao Yen**, de son vrai nom : **Zhao Lin**, surnom : **Luzhan**
Xe siècle. Actif dans la première moitié du Xe siècle. Chinois.
Peintre.
Gendre de l'empereur Taizu de la dynastie des Liang Postérieurs (règne 907-912), il est peintre de figures et de chevaux ; le National Palace Museum de Taipei conserve un rouleau en hauteur, en encre et couleurs sur soie, dont l'attribution à Zhao Yan semble plausible, *Huit aristocrates par une excursion printanière.*

ZHAO YI ou **Chao I** ou **Tchao Yi**, de son vrai nom : **Zhao Renzu**, surnom : **Yizu**, nom de pinceau : **Guan**
XVIIIe siècle. Actif au début du XVIIIe siècle. Chinois.
Peintre.
Neveu du peintre Zhao Zhichen, il est lui-même calligraphe réputé pour son écriture sigillaire et peintre de fleurs de prunier et d'orchidées.

ZHAO YONG ou **Chao Yung** ou **Tchao Yong**, surnom : **Zhongmu**
Né en 1289 à Wuxing (province du Zhejiang). XIVe siècle. Chinois.
Peintre d'animaux, paysages, fleurs.
Fils de Zhao Mengfu (1254-1322), il est préfet de Huzhou (Zhejiang) et peintre dans la tradition familiale ; il laisse des paysages à la manière de Dong Yuan, des chevaux, des bambous et des rochers.
Musées : Boston (Mus. of Fine Arts) : *Portrait du moine « chan » Yuanmiao*, sans doute une copie ancienne – Shanghai : *Orchidée et bambou*, coul. sur soie, rouleau en hauteur – Stockholm (Nat. Mus.) : *Vieux arbres sur une rive rocheuse*, éventail signé – Taipei (Nat. Palace Mus.) : *La cueillette des châtaignes d'eau*, encre et coul. sur soie, rouleau en hauteur – *Maisons sous les grands pins sur la rive* 1342, signé – *Chevaux dans un bois* 1352, coul. sur soie, signé – *Homme en rouge sur un cheval blanc sous un arbre feuillu*, coul. sur soie, signé, inscription de Dong Qichang – *Grand paysage dans le style de Dong Yuan*, coul. légères – *Junma tu, cinq chevaux et un valet* – Washington D. C. (Freer Gal.) : *Mongol en habit rouge conduisant un cheval noir et blanc* 1347, d'après Li Gonglin, rouleau en longueur signé.
Ventes Publiques : New York, 6 déc. 1989 : *Hanshan commentant une poésie*, encre/soie, makémono (36x204,2) : **USD 71 500.**

ZHAO YUAN ou **Chao Yüan** ou **Tchao Yuan**, surnom : **Shanchang**, nom de pinceau : **Danlin**
Originaire du Suzhou, province du Jiangsu. XIVe siècle. Actif vers 1370. Chinois.
Peintre.
Peintre de paysages dans le style de Dong Yuan (Xe siècle), c'est un ami de Ni Zan (1301-1374). Pendant l'ère Hongwu (1368-1398), il est appelé à la cour par l'empereur pour faire le portrait des Anciens éminents ; il refuse, semble-t-il, et encourant la colère impériale, est exécuté.
Musées : Honolulu (Acad. of Arts) : *Lecture dans les montagnes estivales*, d'après Dong Yuan, signé – Shanghai : *Pavillon d'herbe à Hexi* signé et daté 1363, coul. légères sur pap., rouleau en hauteur – Taipei (Nat. Palace Mus.) : *Lu Yu préparant le thé*, encre et coul. légères sur pap., rouleau en longueur – *Pavillon près d'un ruisseau au pied d'une montagne rocheuse*, signé.

ZHAO ZHE ou **Chao Chê** ou **Tchao Tcho**
XVIe siècle. Actif dans la seconde moitié du XVIe siècle. Chinois.
Peintre.

ZHAO ZHICHEN ou **Chao Chih-Ch'ên** ou **Tchao Tche-Tch'en**, surnom : **Cixian**
Né en 1781, originaire de Qiantang, province du Zhejiang. Mort en 1852. XVIIIe-XIXe siècles. Chinois.
Peintre d'animaux, paysages, fleurs, dessinateur, calligraphe.
Peintre de paysages dans le style de Ni Zan (1301-1374) et de Huang Gongwang (1269-1354), ainsi que de fleurs et d'oiseaux dans celui de Hua Yan.
Ventes Publiques : New York, 28 nov. 1994 : *Calligraphie en jiaguwen*, encre/pap., kakémono (130,8x28,9) : **USD 3 450.**

ZHAO ZHIQIAN ou **Chao Chih-Ch'ien** ou **Tchao Tche-K'ien**, surnoms : **Yifu** et **Huishu**, nom de pinceau : **Beian**
Né en 1829, originaire de Kuaiji, province du Zhejiang. Mort en 1884. XIXe siècle. Chinois.
Peintre de paysages, fleurs, calligraphe.
Littérateur, poète, calligraphe, graveur de sceau et peintre de fleurs dans le style de Chen Shun et de Li Shan.
Musées : Shanghai : *Les falaises de Jishu*, coul. sur pap., rouleau en hauteur.
Ventes Publiques : New York, 4 déc. 1989 : *Strophe en calligraphie des sceaux*, encre/pap., kakémono, une paire (chaque 183x48,2) : **USD 6 600** – New York, 11 avr. 1990 : *Fleurs*, encre et pigments/pap., kakémono (110,5x27,3) : **USD 660** – New York, 31 mai 1990 : *Calligraphie en écriture courante*, encre/pap., kakémono (143,5x40) : **USD 6 050** – Hong Kong, 31 oct. 1991 : *Fleurs*, encre et pigments/pap. or, ensemble de quatre peintures (chaque 106,5x26,5) : **HKD 1 430 000** – New York, 25 nov. 1991 : *Pivoines*, encre et pigments/soie dorée, éventail rond (diam. 24,4) : **USD 3 025** – Hong Kong, 30 mars 1992 : *Fleurs et calligraphie*, deux faces : l'une sur soie recouverte de feuille d'or, l'autre encre et pigments/soie, éventail montées en kakémono (25x26 et 24x25,5) : **HKD 198 000** – New York, 1er juin 1992 : *Baies*, encre et pigments/pap., kakémono (22,9x36,8) : **USD 1 760** – Hong Kong, 29 avr. 1993 : *Fleurs d'automne* 1866, encre et pigments/pap., kakémono (88,5x43) : **HKD 138 000** – New York, 1er juin 1993 : *Branche fleurie*, encre et pigments/soie, éventail rond (24,4x25,4) : **USD 3 163** – Taipei, 10 avr. 1994 : *Album de lettres*, encre/pap. décoré, album de 36 feuilles (chaque 23,5x12,5) : **TWD 1 480 000** – New York, 28 nov. 1994 : *Calligraphie en xing shu*, encre/pap., ensemble de quatre kakémonos (chaque 143,5x39,1) : **USD 11 500** – New York, 21 mars 1995 : *Pivoine et rocher*, encre et pigments/pap., kakémono (101,6x55,2) : **USD 3 680** – Hong Kong, 30 oct. 1995 : *Calligraphie en Xing shu* 1872, encre/pap. (75x138,8) : **HKD 69 000** – Hong Kong, 29 avr. 1996 : *Album de fleurs* 1865, 4 encre/pap. et 4 encre et pigments/pap. (chaque 18x53) : **HKD 735 000.**

ZHAO ZHONG ou **Chao Chung** ou **Tchao Tchong**, surnom : **Yuanchu**, nom de pinceau : **Dongwu Yeren**
Originaire de Wujiang. XIIIe-XIVe siècles. Actif sous la dynastie Yuan (1279-1368). Chinois.
Peintre.
Docteur et calligraphe, il est aussi peintre de figures selon la technique *baimiao* (peinture au trait sans rehaut de lavis ni couleurs).

ZHAO ZONGHAN ou **Chao Tsung-Han** ou **Tchao Tsong-Han**, surnom : **Xianfu**
XIe siècle. Chinois.
Peintre.
Frère de l'empereur Yingzong de la dynastie Song (règne 1064-1067), il peint surtout des oies sauvages et des paysages.

ZHAO ZUO ou **Chao Tso** ou **Tchao Tso**, surnom : **Wendu**
Né vers 1570, originaire de Huating, province du Jiangsu. Mort en 1633. XVIIe siècle. Actif entre 1603 et 1629. Chinois.
Peintre de paysages, dessinateur.
Disciple de Song Xu de même que Song Maojin, il peint des paysages dans les styles de Dong Yuan (Xe siècle), de Mi Fu (1051-1107) et des maîtres Yuan ; ses scènes de pluie sont particulièrement appréciées. Il est à l'origine de l'École Su-Song.
Musées : Paris (Mus. Guimet) : *Chaumières sous les vieux pins*, encre sur fond or, éventail signé – Pékin (Mus. du Palais) : *Montagne dans le brouillard* 1612, dans le style de Mi Fu, rouleau en longueur – *Hautes montagnes surplombant une rivière qui ser-*

pente, dans la brume, encre et coul. légères, inscription du peintre – STOCKHOLM (Nat. Mus.) : *Matin d'automne* signé et daté 1615 – TAIPEI (Nat. Palace Mus.) : *Chaumière près d'un ruisseau d'hiver,* encre et coul. légères sur soie, rouleau en hauteur – *Falaises dans les nuages et cascade mugissante,* encre et coul. sur pap., rouleau en hauteur – *Arbres rougeoyant dans les monts automnaux* 1611, coul. sur soie, d'après Yang Shen, rouleau en hauteur signé – *Maison sous les pins* 1620, feuille d'album signée – *Rochers abrupts au-dessus de la baie,* signé.
VENTES PUBLIQUES : NEW YORK, 6 déc. 1989 : *Paysage,* encre et pigments/soie, kakémono (122x39,3) : **USD 8 800** – NEW YORK, 26 nov. 1990 : *Voyageurs sur un pont,* encre et pigments/pap. doré, éventail (16,5x49,4) : **USD 3 410**.

ZHA Shibiao. Voir **CHA SHIBIAO**

ZHENFENG, pseudonyme de **Xu Maowei**
Né vers 1550. Mort en 1610. XVIe-XVIIe siècles.
Peintre de fleurs, calligraphe.
Il est le petit fils de Xu Yuzheng. Il eut une importante activité de poète.
VENTES PUBLIQUES : NEW YORK, 2 juin 1988 : *Chou en fleurs* : **USD 8 250**.

ZHENG BANQIAO ou **Cheng Pan-Ch'iao** ou **Tcheng Pan-K'iao**. Voir **ZHENG XIE**

ZHENG DIANXIAN ou **Chêng Tien-Hsien** ou **Tcheng Tien-Sien**, surnom : **Wenlin**
Originaire de la province du Fujian. XVe-XVIe siècles. Actif à la fin du XVe et au début du XVIe siècle. Chinois.
Peintre.
Peintre de figures et de paysages, travaillant avec Zhang Lu (1464-vers 1538) et Zhong Li (vers 1480-1500).

ZHENG JI ou **Chêng Chi** ou **Tcheng Ki**
XIXe siècle. Actif vers le milieu du XIXe siècle. Chinois.
Peintre.
Médecin, poète et peintre, il est l'auteur d'un traité sur la peinture, le *Menghuanju Huaxue Jianming,* ouvrage important et remarquable, curieusement passé inaperçu jusqu'à l'époque contemporaine. Livre de peintre et pour les peintres, dont la matière abondante est organisée avec une exceptionnelle rigueur, il se compose de cinq livres : le paysage, les personnages, les fleurs et les plantes, les oiseaux, enfin les animaux. Après un exposé de diverses généralités théoriques et techniques, chaque livre est méthodiquement subdivisé en chapitres analysant divers cas d'espèce, sur un ton concret et dans une présentation claire et didactique. L'ensemble constitue donc une introduction très complète à la pratique de la peinture et fournit en outre de précieuses indications sur les diverses activités du peintre.
BIBLIOGR. : P. Ryckmans : *Les « Propos sur la peinture » de Shitao,* Bruxelles, 1970.

ZHENG KE ou **Cheng K'o** ou **Tcheng K'o**
Originaire de la province du Guangdong. XXe siècle. Chinois.
Sculpteur, médailleur.
Il a fait ses études en France.

ZHENG LEIQUAN ou **Cheng Lei-Ch'üan** ou **Tcheng Lei-Ts'iuan**
Mort avant 1934. XXe siècle. Chinois.
Peintre.
Peintre de la tradition lettrée d'une originalité certaine.

ZHENG MIN ou **Chêng Min** ou **Tcheng Min**, surnom : **Muqian**
Originaire de Xiexian, province du Anhui. XVIIe siècle. Actif vers 1670. Chinois.
Peintre de paysages, paysages de montagne, dessinateur.
Peintre de paysages contemporain de Xiao Yuncong.
VENTES PUBLIQUES : NEW YORK, 1er juin 1989 : *Montagnes au printemps après la pluie,* encre/pap., kakémono (122x37) : **USD 74 800**.

ZHENG QIAN ou **Chêng Ch'ien** ou **Tcheng K'ien**, surnom : **Ruoqi**
Originaire de Zhengzhou, province du Henan. VIIIe siècle. Actif vers le milieu du VIIIe siècle. Chinois.
Peintre.
Célèbre calligraphe, musicien et peintre de paysages, ami des poètes Du Fu et Li Bo, il est fort apprécié de l'empereur Xuanzong des Tang (règne 712-756).

ZHENG SHI ou **Chêng Shih** ou **Tcheng Che**
Actif sous la dynastie Ming (1368-1644). Chinois.
Peintre.
Officier de la garde impériale, il n'est pas mentionné dans les biographies d'artistes, mais le National Palace Museum de Taipei conserve de lui une œuvre signée, *Hérons, hibiscus, saule sur la rive.*

ZHENG SIXIAO ou **Chêng Ssu-Hsiao** ou **Tcheng Sseu-Hiao**, surnom : **Yiweng**, nom de pinceau : **Suonan**
Originaire de Lianjiang, province du Fujian. XIIIe-XIVe siècles. Actif entre 1240 et 1310. Chinois.
Peintre.
Peintre d'épidendrons, il vit quelque temps aux environs de Suzhou, au Jiangsu ; l'université de Yale, aux États-Unis, conserve une de ses peintures, accompagnée d'un de ses poèmes.

ZHENG TIEYAI ou **Chêng T'ieh-Yai** ou **Tcheng T'ie-Yai**
Chinois.
Peintre.
Peintre de la dynastie Qing (1644-1911).

ZHENG WUCHANG ou **Cheng Wu-Ch'ang** ou **Tcheng Wou-Tch'ang**
Né en 1894 à Shaoxing (province du Zhejiang). Mort en 1952. XXe siècle. Chinois.
Peintre de paysages, calligraphe.
Calligraphe et peintre de paysages dans la tradition lettrée, il fut pour un temps directeur artistique des Zhong Hua Press, à Shanghai. Il enseigna dans divers instituts, fut aussi critique d'art et historien.
En 1946, il présenta un *Paysage d'automne* à l'Exposition Internationale d'Art Moderne organisée au Musée d'Art Moderne de Paris par les Nations unies.
VENTES PUBLIQUES : HONG KONG, 18 mai 1989 : *Paysage,* encre et pigments/pap., kakémono (101x43) : **HKD 33 000** – NEW YORK, 6 déc. 1989 : *Paysages* 1947, encre/pap., deux kakémono (34x33) : **USD 1 980** – HONG KONG, 15 nov. 1990 : *Paysage d'automne* 1946, encre et pigments/pap., kakémono (141x58,5) : **HKD 93 500** – NEW YORK, 26 nov. 1990 : *Voyageurs dans un paysage d'hiver* 1930, encre et pigments/pap., kakémono (128,3x32,4) : **USD 1 210** – HONG KONG, 2 mai 1991 : *Album de paysages,* douze feuilles dont onze encre et pigments et une encre/pap. (chaque 35,7x28,5) : **HKD 352 000** – HONG KONG, 31 oct. 1991 : *Paysage* 1942, encre et pigments/pap., ensemble de quatre kakémono (140,6x209,6) : **HKD 209 000** – HONG KONG, 30 avr. 1992 : *Paysage* 1942, encre et pigments/pap., kakémono (94,5x51,5) : **HKD 30 800** – NEW YORK, 1er juin 1992 : *Paysage avec des personnages sur une passerelle,* encre et pigments/pap., kakémono (135,9x69,2) : **USD 9 350** – HONG KONG, 29 oct. 1992 : *Paysage, éventail,* encre et pigments/pap. (18x45,5) : **HKD 57 200** – NEW YORK, 1er juin 1993 : *Paysage d'automne* 1941, encre et pigments/pap., kakémono (109,2x51,8) : **USD 5 750** – HONG KONG, 5 mai 1994 : *Paysage avec une cascade* 1947, encre et pigments/pap., kakémono (134,5x68,3) : **HKD 103 500** – HONG KONG, 3 nov. 1994 : *Femme Tang jouant du qin et calligraphie* 1943, encre et pigments/pap., éventail (18,2x46) : **HKD 63 250**.

ZHENG XI ou **Chêng Hsi** ou **Tcheng Hi**, surnom : **Xizhi**
Originaire de Suzhou, province du Jiangsu. XIVe siècle. Actif vers 1350. Chinois.
Peintre.
Peintre de paysages dans le style de Dong Yuan (Xe siècle), ainsi que de bambous et d'oiseaux.

ZHENG XIE ou **Cheng Hsieh** ou **Tcheng Sie**, appelé aussi : **Zheng Banqiao**, surnom : **Kerou**, nom de pinceau : **Banqiao**
Né en 1693, originaire de Yangzhou, province du Jiangsu. Mort en 1765. XVIIIe siècle. Chinois.
Peintre.
Fonctionnaire, poète, calligraphe et peintre d'orchidées et de bambous, il fait partie des *Huit Excentriques de Yangzhou (Yangzhou baguai)* (voir Hua Yan sur Yangzhou). Il vit de sa peinture à Yangzhou, ce qui n'est guère dans la tradition lettrée, et va jusqu'à afficher les prix sur sa porte en ajoutant : « Si vous présentez de l'argent froid, solide, alors mon cœur se gonfle de joie et tout ce que j'écris ou tout ce que je peins est excellent ». Sa personnalité si attachante, noble et libre se révèle de manière particulièrement vivante dans ses *Lettres à son cousin (Jiashu)* dont on peut trouver une traduction anglaise dans *The Wisdom of China* de Lin Yutang. De plus, les inscriptions de ses peintures font l'objet d'un recueil intitulé : *Banqiao Ti Hua.*

Bibliogr. : J. Cahill : *Fantastics and Eccentrics in Chinese Painting*, New York, 1972.
Musées : Berlin : *Bambous près d'un grand rocher* signé et daté 1762, poème - *Bambou et rochers*, signé, poème - Londres (British Mus.) : *Bambous, chrysanthèmes et orchidées*, inscriptions en caoshu - Paris (Mus. Guimet) : *Bambous*, colophon du peintre, daté 1765 - Princeton (University Mus.) : *Minces bambous près d'un rocher*, colophon du peintre - Shanghai : *Bambou et rocher*, coul. sur pap., rouleau en hauteur.
Ventes Publiques : New York, 4 déc. 1989 : *Bambou*, encre/pap., kakémono (142x65) : **USD 66 000** - New York, 31 mai 1990 : *Bambous et rochers*, encre/pap., kakémono (184-103,2) : **USD 55 000** - New York, 26 nov. 1990 : *Calligraphie en écriture courante*, encre/pap., kakémono (90,2x35,5) : **USD 6 050** - New York, 1er juin 1992 : *Strophe de poême en écriture courante*, encre/pap., une paire de kakémonos (chaque 102,2x17,1) : **USD 20 900** - New York, 29 nov. 1993 : *Orchidée et rocher*, encre/pap., kakémono (172,7x54,6) : **USD 34 500** - New York, 28 nov. 1994 : *Bambous*, encre/pap., kakémono (179,1x103,2) : **USD 46 000** - Hong Kong, 4 mai 1995 : *Album de peintures et de calligraphies*, encre/pap., 8 feuilles (chaque 26,7x33,6) : **HKD 482 000**.

ZHENG YAONIAN ou **Chêng Yao-Nien** ou **Tcheng Yao-Nien**
xvie-xviie siècles. Actif probablement pendant l'ère Wanli (1573-1619). Chinois.
Peintre.

ZHENG YUKUN
Né en 1920 dans la province du Henan. xxe siècle. Chinois.
Peintre de paysages animés. Traditionnel.
Il a été diplômé en 1956 du Département de la peinture traditionnelle de l'Institut des Beaux-Arts Lou Shin. Il est peintre au Musée artistique populaire de la préfecture de Kaifeng (province du Henan).
Bibliogr. : In : Catalogue de l'exposition *Peintres traditionnels de la République populaire de Chine*, galerie Daniel Malingue, Paris, 1980.

ZHENG Zaidong, appelé **Cheng Tsai-Tung**
Né en 1953. xxe siècle. Chinois.
Peintre de portraits, sculpteur.
Il vint à la peinture après des études de journalisme. Depuis 1980, il expose à Taipei, à Hong Kong et à New York.
Sa peinture, assez sommaire techniquement, procède cependant d'une vision synthétique, traduite en larges aplats.
Ventes Publiques : Hong Kong, 31 oct. 1991 : *Sur un lac au clair de lune* 1991, h/t (90,8x72,3) : **HKD 66 000** - Hong Kong, 30 avr. 1992 : *Cheval*, bronze (H. 38) : **HKD 22 000** - Taipei, 22 mars 1992 : *Portrait de la femme de l'artiste* 1984, h/t (130,2x96,5) : **TWD 352 000** - Taipei, 10 avr. 1994 : *Printemps chaud au Jin Shan* 1991, h/t (130x97) : **TWD 276 000**.

ZHENG ZHIYAN ou **Chêng Chih-Yen** ou **Tcheng Tche-Yen**, surnom : **Lanyan**
Originaire de Nankin. xvie siècle. Actif probablement vers la fin du xvie siècle. Chinois.
Peintre.
Peintre de fleurs de prunier et de paysages.

ZHENG Zhiyue
Né en 1957. xxe siècle. Chinois.
Peintre de paysages.
Il a été diplômé de la section peinture à l'huile de l'Université de Shanghai en 1990.
Ventes Publiques : Hong Kong, 4 mai 1995 : *Milieu de journée dans la prairie* 1994, h/t (81,3x127) : **HKD 69 000** - Hong Kong, 30 oct. 1995 : *Soleil couchant sur la prairie* 1994, h/t (101,6x127) : **HKD 69 000** - Hong Kong, 30 avr. 1996 : *Étranger* 1995, h/t (116,8x167,6) : **HKD 92 000**.

ZHENG ZHONG ou **Chêng Chung** ou **Tcheng Tchong**, surnom : **Qianli**
Originaire de Xiexian, province du Anhui. xvie-xviie siècles. Actif à Nankin entre 1565 et 1630. Chinois.
Peintre.
Peintre de figures bouddhiques et de paysages, dont le National Palace Museum de Taipei conserve plusieurs œuvres et le British Museum de Londres un *Sakyamuni*, signé et daté 1568.

ZHONG LI ou **Chung Li** ou **Tchong Li**, surnom : **Qinli**, nom de pinceau : **Nanyue**
Originaire de Changshu, province du Jiangsu. xve-xvie siècles. Actif à la cour sous les ères Chenghua et Hongzhi (vers 1480-1500). Chinois.
Peintre.

ZHONGREN ou **Chung-Jên** ou **Tchong-Jen**, nom de pinceau : **Huaguang Zhanglao**
Originaire de Kuaiji, province du Zhejiang. xie siècle. Chinois.
Moine peintre.
Moine bouddhiste, vivant au monastère Huaguang, dans la province du Hunan, il est grand ami du peintre Huang Tingjian (actif entre 1087 et 1093) qui écrit des poèmes sur ses peintures. Zhongren est connu pour ses peintures de fleurs de prunier, genre qui s'épanouit dès le début de la dynastie Song et dont le symbolisme est proche de celui de la peinture de bambous. Zhongren est le premier à peindre des pruniers en lavis d'encre et voici en quels termes le *Meipu* (*Traité du prunier*, époque des Song du Sud) rapporte la naissance de ce genre pictural, destiné en Chine à un grand avenir : « (la peinture) des pruniers à l'encre est née de l'amour que le vieillard Huaguang Ren vouait (à la fleur de prunier)... Chaque fois que venait le temps de la floraison, Huang transportait aussitôt son lit sous (les arbres), et chantait des poèmes tout le jour sans que nul pût connaître sa pensée. S'il advenait une nuit de lune, alors qu'il ne dormait pas encore, il regardait à travers la fenêtre les ombres s'entrecroiser, apaisantes et aimables. Puis avec son pinceau, il décrivait leurs formes. A l'aube, il contemplait (son œuvre) et la trouvait toute imprégnée par la pensée du clair de lune... » L'image était frémissante de vie, dit-on, elle était le double spirituel des branches fleuries, elle était pure énergie, et pouvait donc de nouveau provoquer l'extase dont elle avait capté l'élan. Le vieux moine, adepte du bouddhisme chan (zen), connaît par expérience le sentiment de plénitude qui envahit l'esprit lorsqu'il jouit d'une quiétude active et la beauté du prunier en fleurs suffit à délivrer son âme de tout souci. Avant de peindre, il brûle de l'encens et entre en extase : un seul coup de pinceau lui suffit alors pour achever une peinture ; aussi en peint-il plus de douze cents. En mourant, il ne laisse à son ami Huang Tingjian que son bonnet, sa ceinture, sa table et quelques œuvres admirables. Nous ne les connaisssons que par des copies ultérieures. ■ M. M.
Bibliogr. : N. Vandier-Nicolas : *Art et sagesse en Chine : Mi Fou, 1051-1107*, Paris, 1963.

ZHONG SIBIN ou **Chung Ssu-Pin, Tchong Sseu-Pin, Choong Soo-Pieng**
Originaire de Amoy. xxe siècle. Chinois.
Peintre.
Après des études à l'Académie des Beaux-Arts d'Amoy et à l'Académie Xinhua de Shanghai, il partit à Singapour en 1946, où il fut professeur à l'Académie Nanyang des Beaux-Arts fondée en 1938 par Lim Hak-tai (Lin Xueda).
C'est un peintre puissant sinon subtil, doté d'un sens certain de la mise en page et du dessin et capable de traduire les couleurs vibrantes de la Malaisie.
Bibliogr. : M. Sullivan : *Chinese Art in the XXth Century*, Londres, 1959.

ZHONG XING ou **Chung Hsing** ou **Tchong Sing**, surnom : **Bojing**, nom de pinceau : **Tuigu**
Né en 1574, originaire de Jingling, province du Hubei. Mort en 1624. xvie-xviie siècles. Chinois.
Peintre.
Poète, chef de file de l'école de poésie Jingling, il adhère au bouddhisme chan (zen), et est peintre de paysages.

ZHONG Yihua ou **Chung Aik-Hwa**
Né en 1945 à Rangoon (Birmanie). xxe siècle. Actif aussi en Chine. Birman.
Peintre de paysages, natures mortes.
Il obtint en 1966 le diplôme du Collège National d'Art de Birmanie, poursuivit sa formation à Taipei au Collège National d'Art de Taiwan. Il montre ses œuvres à Taipei en 1992 à la Royal Lin Art Gallery.
Ses natures mortes, d'esprit traditionnel, sont peintes dans la couleur par touches et tracés déliés.
Bibliogr. : In : *Catalogue Christie's*, vente du 30 mars 1992, Hong Kong.
Ventes Publiques : Hong Kong, 30 mars 1992 : *Nature Morte* 1991, h/t (45,5x53) : **HKD 30 800**.

ZHOU BA ou **Chou Pa** ou **Tcheou Pa**, surnom : **Qinghan**, nom de pinceau : **Tingsheng**
Originaire de Tongzhou, province du Jaingsu. xviiie siècle. Actif probablement vers le milieu du xviiie siècle. Chinois.

Peintre.
Peintre d'orchidées, de fleurs de prunier, de chrysanthèmes, ainsi que de bambous dans le style de Su Dongpo (1036-1101).

ZHOU CHEN ou **Chou Ch'ên** ou **Tcheou Tch'en**, surnom : **Shunqing**, nom de pinceau : **Dongcun**
Né vers 1450, originaire de Suzhou, province du Jiangsu. Mort vers 1535. XVe-XVIe siècles. Chinois.
Peintre.
Au début du XVIe siècle, alors même que l'art du professionnel et celui de l'amateur divergent au point que tout effort de rapprochement paraît condamné à l'avance, trois peintres étonnamment doués s'insèrent entre ces deux tendances. Plus éclectiques que les lettrés, ils reçoivent des influences de l'École de Wu, des maîtres Yuan et acceptent aussi des critères venus de l'académie et développent, à partir de tout cela, une manière personnelle. Il est fréquent d'évoquer ensemble ces trois hommes en raison, à la fois de la parenté de leur style, et de leurs proches relations mutuelles ; ce sont Tang Yin (1470-1523), Qiu Ying (vers 1510-1551) et leur maître à tous deux, Zhou Chen. La vie de ce dernier est en fait celle d'un professionnel, mais par l'intermédiaire de Tang Yin, qui y a ses entrées, il fréquente le cercle de Wen Zhenming ; certaines de ses œuvres ont d'ailleurs une saveur littéraire très nette. Son style est très marqué par le paysage de Li Tang (vers 1050-après 1130), ainsi que par la tradition de l'École Ma-Xia (vers 1190-1230). Et cela est visible dans un rouleau horizontal conservé à la Freer Gallery de Washington, qui s'intitule *Rêvant de l'immortalité dans une chaumière*, en encre et couleurs sur papier. La peinture est signée Tang Yin, mais elle est vraisemblablement de Zhou Chen ; on y trouve, dans la forme des rochers et le traitement de leurs surfaces, dans les pins, dans la composition, des affinités avec Li Tang, tandis que certains traits appartiennent en propre à Zhou Chen, qui seront repris ensuite par Tang Yin, tels l'amour pour les contrastes de tons prononcés, notamment sur les rochers où ils déterminent des zones d'ombre et de lumière, la maîtrise technique du dessin, la puissance de conception, l'absence totale de maniérisme, rare dans la peinture post-Song. Le sujet est emprunté à un poème de Bo Juyi : un homme rêve que des pratiques taoïstes lui permettent d'atteindre l'Immortalité : il est représenté dormant dans un pavillon, puis, plus loin, libéré de son être physique, flottant vers la terre des Immortels qu'évoque un royaume aérien où l'espace domine, qui s'oppose au monde matériel superbement modelé. Le format en longueur est ici merveilleusement adapté. Zhou Chen est également un excellent peintre de figures, doué d'un sens aigu d'observateur et de l'aspect humoristique, grotesque parfois, de l'humanité. Il peint sur le vif des mendiants, des diseurs de bonne aventure si typiques des rues de Suzhou, enfin le monde paysan, et ce sont peut-être ses meilleures peintures.
BIBLIOGR. : J. Cahill : *La peinture chinoise*, Genève, 1960 – M. Pirazzoli-t'Serstevens : *Cours de l'École du Louvre*, Paris, 1970-1971.
MUSÉES : BOSTON (Mus. of Fine Arts) : *Paysage avec hautes montagnes et pavillons*, signé – *Deux hommes assis sous un arbre dans un ravin de montagne*, signé – CINCINNATI : *Pêcheur dans les roseaux* – CLEVELAND (Art Mus.) : *Mendiants et amuseurs de rue* – *Pins et hautes montagnes*, encre et coul. légères sur soie, feuille d'album, attribution – LONDRES (Victoria and Albert Mus.) : *Homme à cheval et voyageurs dans la montagne*, éventail signé – SHANGHAI : *Invités arrivant au studio de montagne*, coul. sur soie, rouleau en hauteur – STOCKHOLM (Nat. Mus.) : *Han Xin et la vieille femme*, signé – TAIPEI (Nat. Palace Mus.) : *Paysage* signé et daté 1534, d'après Dai Jin – WASHINGTON D. C. (Freer Gal. of Art) : *Rêvant de l'Immortalité dans une chaumière*, encre et coul. sur pap., rouleau en longueur.

ZHOU Cheng ou **Chou**
Né en 1941 à I-lan. XXe siècle. Chinois.
Peintre de paysages, paysages animés. Traditionnel.
Il commença par étudier la poésie et la calligraphie, puis il travailla également la peinture avec Jiang Zhaoshen. Il ouvrit son propre atelier en 1969. Il est actuellement professeur dans plusieurs Universités.
VENTES PUBLIQUES : HONG KONG, 15 nov. 1990 : *Conversation dans une plantation de bambous* 1990, encre et pigments/pap., kakémono (134,3x66,7) : **HKD 66 000** – HONG KONG, 31 oct. 1991 : *Album de paysages*, encre et pigments/pap., douze feuilles (chaque 33x24) : **HKD 49 500** – TAIPEI, 18 oct. 1992 : *Ode tardive sur la falaise rouge*, encre et pigments/pap., kakémono (134,2x66,8) : **TWD 462 000**.

ZHOU CUNBO ou **Chou Ts'un-Po** ou **Tcheou Ts'ouen-Po**
XXe siècle. Chinois.
Peintre. Tendance fantastique.
Actif au début du XXe siècle.

ZHOU DONG-QING ou **Chou Tung-Ch'ing** ou **Tcheou Tong-K'ing**
XIIIe siècle. Chinois.
Peintre.
Peintre de poissons, ami de Wen Tianxiang, dont le Metropolitan Museum de New York conserve un rouleau horizontal signé et daté 1291, en encre et couleurs sur papier, *Les plaisirs des poissons*.

ZHOU FAN ou **Chou Fan** ou **Tcheou Fan**, surnom : **Zigen**, nom de pinceau : **Huangtou**
Originaire de Suzhou, province du Jiangsu. XVIe siècle. Actif vers 1570-1590. Chinois.
Peintre.
Peintre de fleurs et d'oiseaux à l'encre.

ZHOU FANG ou **Chou Fang** ou **Tcheou Fang**, surnoms : **Zhonglang** et **Jingyuan**
Originaire de Changan (Xian), province du Shenxi. VIIIe-IXe siècles. Actif vers 780-810). Chinois.
Peintre.
Tandis qu'à partir du milieu de la période Tang, les artistes, sous l'impulsion de Wu Daozi, se désintéressent de plus en plus de la couleur au profit du pouvoir expressif du trait, les plus conservateurs parmi les artistes de la cour s'en tiennent toujours au contour mince et aux pigments minéraux très vifs. Deux d'entre eux se spécialisent dans les portraits de dames du palais, Zhang Xuan dans la première partie du VIIIe siècle et Zhou Fang dans la seconde. Celui-ci décore aussi de peintures murales les temples bouddhiques de la capitale, mais son plus grand titre de gloire reste ses portraits de femmes, de sorte qu'il crée presque un type standard. Certes il ne nous reste que des copies, mais elles montrent combien cet artiste est différent de Zhang Xuan. Les sujets sont les mêmes : il s'agit toujours des loisirs et des occupations des dames de la cour, dont les visages sont dépourvus d'expression, ainsi que la bienséance le prescrit. Toutefois chez Zhou Fang elles ont un air méditatif qui, s'il ne trahit ni une grande intelligence ni une forte personnalité, traduit du moins un état de conscience, à travers leurs regards et, plus encore peut-être, leurs attitudes, leurs gestes : l'inclinaison d'une tête, la position d'une main. Ainsi un petit rouleau horizontal de la Freer Gallery de Washington, en encre et couleurs sur soie, représentant des *Dames jouant au tric-trac*, qui lui est attribué. Si l'on observe les rapports entre les deux femmes qui jouent, entre elles et leurs amies, la rêverie de la jeune fille au regard noyé, on serait presque tenté d'y déceler une certaine profondeur psychologique que quelques lignes simples suffisent à exprimer. L'artiste nous livre toute l'évanescence d'un moment isolé dans le temps, sinon ce qui permettrait d'en dépasser le présent immédiat dans la recherche d'implication psychologique plus profonde. C'est l'incarnation d'un moment, l'essence même de l'existence qui passe. ■ M. M.
BIBLIOGR. : J. Cahill : *La peinture chinoise*, Genève, 1960.
MUSÉES : KANSAS CITY (Nelson Gal. of Art) : *Dames écoutant de la musique*, petit rouleau en longueur, peut-être pré-Song – NEW YORK (Metropolitan Mus.) : *Cinq femmes sur le sol jouant avec des enfants*, dans le style du peintre – TAIPEI (Nat. Palace Mus.) : *Dames jouant au tric-trac* – *Dames assises sur le sol écrivant un poème*, grande feuille d'album, probablement de l'époque Song – *Cinq lettrés écoutant de la musique sous un pin*, probablement de l'époque Ming – WASHINGTON D. C. (Freer Gal. of Art) : *Dames jouant au tric-trac*, encre et coul. sur soie, rouleau en longueur – *Trois dames, bananier et rochers*, peut-être d'après un original – *Femme assise sur le sol devant un écran brodé*, époque Song.

ZHOU GU ou **Chou Ku** ou **Tcheou Kou**
Actif pendant la dynastie Qing (1644-1911). Chinois.
Peintre.

ZHOU GUAN ou **Chou Kuan** ou **Tcheou Kouan**, surnom : **Maofu**
Originaire de Suzhou, province du Jiangsu. XVe siècle. Actif dans la seconde moitié du XVe siècle. Chinois.

Peintre.
Ami du peintre Zhang Ling, il peint lui-même des figures et des paysages dans le style *baimiao* (peinture au trait sans rehaut de lavis ni couleurs).

ZHOU GUI ou **Chou Kuei** ou **Tcheou Kouei**, surnom : **Fangbai**
Né en 1906 à Nanwei (province du Jiangsu). XXe siècle. Chinois.
Peintre.
De 1930 à 1933, il étudia à Paris, puis jusqu'en 1935, à Bruxelles et en Italie. En 1937, il retourna en Chine et enseigna successivement dans les académies de Wuzhang, Zhongjing et Hangzhou.

ZHOU HAO ou **Chou Hao** ou **Tcheou Hao**, surnom : **Jinzhan**, noms de pinceau : **Zhiyan** et **Ranchi**
Né en 1675 ou 1683, originaire de Jiading, province du Jiangsu. Mort en 1763 ou 1773. XVIIIe siècle. Chinois.
Peintre de paysages, fleurs.
Peintre de paysages et de bambous, il est disciple de Wang Hui (1632-1717).
Musées : Washington D. C. (Freer Gal.) : *Montagnes et vallées à perte de vue* 1766, long rouleau horizontal signé.
Ventes Publiques : New York, 29 mai 1991 : *Paysage d'après Huang Gongwang* 1771, encre et pigments/pap., kakémono (121,2x68,6) : **USD 7 700.**

ZHOU HUAIMIN ou **Chou Huai-Min** ou **Tcheou Houai-Min**
XXe siècle. Chinois.
Peintre.
Actif dans la seconde moitié du XXe siècle.

ZHOU JICHANG ou **Chou Chi-Ch'ang** ou **Tcheou Ki-Tch'ang**
XIIe siècle. Actif à Ningbo (province de Zhejiang) entre 1160 et 1180. Chinois.
Peintre.
Zhou Jichang et Lin Tinggui sont deux artistes connus par une série de cent peintures représentant les *Cinq cents ahrats*, exécutée en 1178. Quatre-vingt-deux d'entre elles sont conservées au monastère du Daotoku-ji de Kyoto, dix au Musée de Boston et deux dans les collections privées.

ZHOU JIRU ou **Chou Chi-Ju** ou **Tcheou Ki-Jou**, surnom : **Shizhen**
Originaire de la province du Hubei. XVIIe siècle. Actif probablement au XVIIe siècle. Chinois.
Peintre.

ZHOU KAI ou **Chou K'ai** ou **Tcheou K'ai**, surnom : **Changkang**, noms de pinceau : **Xuehang** et **Jianqizi**
Originaire de Changshu. XVIIe siècle. Actif probablement vers le milieu du XVIIe siècle. Chinois.
Peintre.
Peintre de paysages dans le style de Huang Gongwang (1269-1354), mais aussi de figures, en particulier de femmes.

ZHOU LI ou **Chou Li** ou **Tcheou Li**, surnom : **Mushan**
Originaire de Jiading, province du Jiangsu. XVIIIe siècle. Actif vers 1740. Chinois.
Peintre d'animaux, paysages, fleurs, dessinateur.
Neveu du peintre Zhou Hao, il peint des paysages dans le style de Wang Hui (1632-1717) et de Yun Shouping (1633-1690).
Ventes Publiques : New York, 29 mai 1991 : *Paysage* 1758, encre/pap. (81,9x44) : **USD 4 675** – New York, 29 mai 1991 : *Oiseaux et fleurs*, encre et pigments/soie, ensemble de deux albums (chaque page 28,1x44,1) : **USD 3 025.**

ZHOU LI ou **Chou Li** ou **Tcheou Li**, surnom : **Yuanzan**, noms de pinceau : **Yunyan** et **Yunlan Waishi**
Originaire de Suzhou, province du Jiangsu. XIXe siècle. Actif vers 1800. Chinois.
Peintre de paysages, fleurs.
Après avoir fait de la peinture au doigt, il peint des fleurs et des paysages dans le style de Yung Shouping (1633-1690).

ZHOU LIANGGONG ou **Chou Liang-Kung** ou **Tcheou Leang-Kong**, surnom : **Yuanliang**, nom de pinceau : **Liyuan**
Né en 1612, originaire de Kaifeng, province du Henan. Mort en 1672. XVIIe siècle. Actif à Nankin. Chinois.
Peintre de paysages, calligraphe.
Censeur sous la dynastie des Ming, il devient vice-président du Bureau des Revenus sous celle des Qing. Lettré, connaisseur et collectionneur, il est l'auteur du *Liyuan duhua lu* où il recense soixante-dix-sept peintres qui sont ses amis personnels. Il est lui-même peintre de paysages.
Ventes Publiques : New York, 1er juin 1992 : *Calligraphie en écriture standard*, encre/soie, kakémono (198,1x45,1) : **USD 28 600.**

ZHOU LONG ou **Chou Lung** ou **Tcheou Long**, surnom : **Dongyang**
Originaire du Jiangnan. XVIIe siècle. Actif vers 1620-1640. Chinois.
Peintre.
Peintre de paysages dans le style de Juran (fin Xe siècle) et de figures, dont le National Museum de Stockholm conserve un rouleau horizontal signé et daté 1642, *Les seize amis du vin*.

ZHOU LUN ou **Chou Lun** ou **Tcheou Louen**, surnom : **Longhong**
Originaire de Jingkou, province du Jiangsu. XVIe-XVIIe siècles. Chinois.
Peintre de paysages.
Il était actif pendant l'ère Wanli (1573-1619). Il peignait de vastes paysages.

ZHOU LÜYUN, pseudonyme : **Chou Irène**
Née en 1924. XXe siècle. Chinoise.
Peintre de paysages, compositions décoratives. Traditionnel.
Ventes Publiques : Hong Kong, 15 nov. 1990 : *Paysage infini*, encre et pigments/pap. (180x97) : **HKD 82 500** – Hong Kong, 2 mai 1991 : *Est et Ouest*, encre et pigments/pap., kakémono (181,4x97,6) : **HKD 77 000** – Hong Kong, 31 oct. 1991 : *Printemps ; Été*, encre et pigments/pap., une paire de kakémono (57,8x47,8 et 58x50,8) : **HKD 49 500** – Hong Kong, 30 mars 1992 : *Paysage infini*, encre et pigments/pap., kakémono encadré (181x97) : **HKD 82 500** – Hong Kong, 28 sep. 1992 : *Composition abstraite*, encre et pigments/pap., kakémono (187x96,4) : **HKD 93 500** – Hong Kong, 29 oct. 1992 : *Fusion*, encre et pigments/pap., kakémono (134,5x66) : **HKD 44 000** – Hong Kong, 29 avr. 1993 : *Ruée vers l'infini – tourbillon* 1992, encre et pigments/pap., kakémono (180,5x97) : **HKD 80 500.**

ZHOU NAI ou **Chou Nai** ou **Tcheou Nai**, surnom : **Gongtiao**
Originaire de Jiangning, province du Jiangsu. XVIIe siècle. Actif probablement vers le milieu du XVIIe siècle. Chinois.
Peintre.
Peintre de paysages dans les styles de Li Cheng et Dong Yuan (Xe siècle), ainsi que d'orchidées et de bambous.

ZHOU QIANQIU ou **Chou Ch'ien-Ch'iu** ou **Tcheou Ts'ien-Ts'ieou**
XXe siècle. Chinois.
Peintre.
Peintre du mouvement *Lingnanpai*. Actif à Canton.

ZHOU QINGDING ou **Chou Ch'ing-Ting, Tcheou K'ing-Ting, Chow King-Tong**
XXe siècle. Chinois.
Peintre.

ZHOU QUAN ou **Chou Ch'üan** ou **Tcheou Ts'iuan**
XVe siècle. Chinois.
Peintre.
Officier de la garde impériale et peintre de chevaux.

ZHOU QUAN ou **Chou Ch'üan** ou **Tcheou Ts'iuan**, surnom : **Jingxiang**, noms de pinceau : **Huaqi Laoren**
Originaire de Changzhou, province du Zhejiang. XVIIe siècle. Actif au début de la dynastie Qing vers le milieu du XVIIe siècle. Chinois.
Peintre.
Peintre de paysages dans le style de Dong Yuan (fin Xe siècle) et de Ni Zan (1301-1374).

ZHOU QUAN ou **Chou Ch'üan** ou **Tcheou Ts'iuan**, surnom : **Juheng**
Originaire de Xiushui, province du Zhejiang. XVIIe-XVIIIe siècles. Actif vers 1700. Chinois.
Peintre.
Peintre de fleurs et d'oiseaux, particulièrement de lotus et de hérons, d'où son nom de Zhou He, Lotus Zhou. Le British Museum de Londres conserve *Canard et lotus*, signé et daté 1696, et le Metropolitan de New York, *Deux canards mandarins et lotus en fleurs*, signé et daté 1701.

ZHOU SHANGWEN ou **Chou Shang-Wên** ou **Tcheou Chang-Wen**, surnom : **Sujian,** nom de pinceau : **Shihu**
Originaire de Suzhou, province du Jiangsu. XVIIIe siècle. Actif dans la seconde moitié du XVIIIe siècle. Chinois.
Peintre.
Peintre de paysages dans les styles de Wang Hui (1632-1717) et de Wang Yuanqi (1642-1715), il fait une série de peintures sur les voyages de l'empereur Qing Qianlong (règne 1736-1796) dans le sud de la Chine, en 1762.

ZHOU SHAOHUA
Né en 1929 à Rongcheng (province du Shandong). XXe siècle. Chinois.
Peintre de paysages. Traditionnel.
Il a été directeur de l'Institut des Beaux-Arts de la province du Hubei.
Bibliogr. : In : Catalogue de l'exposition *Peintres traditionnels de la République populaire de Chine*, galerie Daniel Malingue, Paris, 1980.

ZHOU SHAOYUAN ou **Chou Shao-Yüan** ou **Tcheou Chao-Yuan**
XVIIIe siècle. Chinois.
Peintre.

ZHOU SHENTAI ou **Chou Shen-T'ai** ou **Tcheou Chen-T'ai**
XXe siècle. Chinois.
Peintre.
Peintre de l'école moderne. Actif à Shanghai.

ZHOU SHICHEN ou **Chou Shih-Ch'ên** ou **Tcheou Che-Tch'en**, surnom : **Danqan**
Originaire de Suzhou, province du Jiangsu. XVIIe siècle. Actif vers 1600. Chinois.
Peintre.

ZHOU TIANQIU ou **Chou T'ien-Ch'iu** ou **Tcheou T'ien-Ts'ieou**, surnom : **Gongxia**, noms de pinceau : **Huanhai** ou **Youhai, Liuzhisheng,** etc.
Né en 1514, originaire de Suzhou, province du Jiangsu. Mort en 1595. XVIe siècle. Chinois.
Peintre de fleurs, dessinateur, calligraphe.
Lettré érudit, il est assistant de Wen Zhengming (1470-1559) et peint lui-même des fleurs et des orchidées à l'encre. Il est réputé pour sa très belle calligraphie et l'on dit que ses orchidées ne sont pas inférieures à celles de deux maîtres Yuan, Zhao Mengfu et Zheng Sixiao.
Musées : Liaoning, Chine (Mus. prov.) : *Narcisse et bambou*, coul. sur pap., rouleau vertical.
Ventes Publiques : New York, 29 mai 1991 : *Calligraphie en écriture courante*, encre/pap., kakémono (121,3x27) : **USD 10 450.**

ZHOU Tingsu ou **Chiu Teng-Hiok**
Né en 1903 à Amoy. Mort en 1972. XXe siècle. Actif aux États-Unis. Chinois.
Peintre.
Il a étudié en 1921 a l'École du Museum od Fine Arts de Boston, puis, à partir de 1923, il poursuivit ses études à l'École des Beaux-Arts de Paris et à la Royal Academy of Arts de Londres. Entre 1925 et 1930, il séjourna en Espagne et en Italie. Après un bref retour en Chine, il repartit pour les États-Unis en 1938. En 1971 une rétrospective de son œuvre a été présentée aux États-Unis. *Voir aussi CHIU Teng-Hiok.*
Musées : New York (Metropolitan Mus. of Art) – New York (Mus. of Mod. Art) – Pittsburgh (Carnegie Inst.).
Ventes Publiques : Taipei, 14 avr. 1996 : *Jeux sous le pont*, h/t (79x86) : **TWD 184 000.**

ZHOU WEI ou **Chou Wei** ou **Tcheou Wei**, surnom : **Yuansu**
Originaire de Zhenyang, province du Jiangsu. XIVe siècle. Actif au début de la dynastie Ming. Chinois.
Peintre.
Peintre de paysages, actif à la cour au début de l'ère Hongwu (1368-1399).

ZHOU WENJING ou **Chou Wên-Ching** ou **Tcheou Wen-King**, surnom : **Sanshan**
Originaire de Putian, province du Fujian. XVe siècle. Actif vers 1430-1460. Chinois.
Peintre.
Pendant l'ère Xuande (1426-1435), il sert comme instructeur dans l'art du *yin* et du *yang* au palais Renzhi, puis devient fonctionnaire dans le district de Dayu, province du Anhui, enfin, huissier à la Cour du Cérémonial d'État. On ne sait pas s'il travaille ou non à l'Académie de Peinture ; il est peintre de figures, de bambous et de rochers mais excelle surtout dans les peintures de paysages dans les styles de Xia Gui (vers 1190-1230) et de Wu Zhen (1280-1354). Le Musée de Shanghai conserve de lui un rouleau vertical, à l'encre sur papier, *Corbeaux d'hiver sur un vieil arbre*.

ZHOU WENJING ou **Chou Wên-Ching** ou **Tcheou Wen-King**
XVIIIe siècle. Actif probablement au XVIIIe siècle. Chinois.
Peintre.

ZHOU WENJU ou **Chou Wên-Chü** ou **Tcheou Wen-Kiu**
Originaire de Jugong, province du Jiangsu. Xe siècle. Actif dans la seconde moitié du Xe siècle. Chinois.
Peintre.
Peintre de cour sous le règne de Li Houzhu (961-975), dernier dirigeant des Tang du Sud, il suivra ce dernier prisonnier des Song, à Kaifeng. Zhou Wenju est le plus grand peintre de personnages des Tang du Sud. Il imite Zhou Fang, mais dit un catalogue du XIIe siècle, le surpasse par l'élégance et le raffinement. Dans son *Huashi* (*Histoire de la peinture*), Mi Fu (1051-1107) écrit encore : « Les visages de femmes, par Zhou Wenju, sont, en tout, semblables à ceux de Zhou Fang. Les plis des vêtements sont traités selon (la méthode) du pinceau frémissant. C'est par (ce caractère) seulement que Zhou Wenju se distingue de Zhou Fang ». Rien ne reste de son œuvre, si ce n'est peut-être une peinture qui n'est pas signée et qui n'a même jamais été attribuée, mais qui relève en tous cas de son école. Elle représente un *Concert au palais* : c'est un rouleau vertical, en encre et couleurs sur soie, conservé au National Palace Museum de Taipei. Cet orchestre de chambre féminin, qui joue pour le plaisir de quatre dames qui boivent du vin dans des coupes céladon et sont déjà quelque peu ivres, est un des sujets favoris de Zhou Wenju, à l'instar d'ailleurs de ses prédécesseurs Tang ; mais, si ses personnages rappellent indéniablement ceux de Zhou Fang, il en perd le sens du volume. Les longues courbes des œuvres antérieures font place à des coupures sèches et à des angles aigus ; le trait varie sans cesse en épaisseur. Toutefois, les détails de style mis à part, rien ne change et l'on retrouve la même vivacité de couleurs, la même gaieté, le même physique potelé de ces dames, la même atmosphère toute de calme et de paix.
Bibliogr. : J. Cahill : *La peinture chinoise*, Genève, 1960.

ZHOU XI ou **Chou Hsi** ou **Tcheou Hi**
XVIIe siècle. Chinoise.
Peintre de figures religieuses.
Elle était active dans la seconde moitié du XVIIe siècle. Fille de Zhou Rongqi, elle était peintre de figures bouddhiques dont le National Palace Museum de Taipei conserve un album de dix portraits d'ahrats.

ZHOU XIAN ou **Chou Hsien** ou **Tcheou Sien**, surnom : **Cunbo**, nom de pinceau : **Fanhu Jushi**
Né en 1820, originaire de Xiushui, province du Zhejiang. Mort en 1875. XIXe siècle. Actif entre 1850 et 1870. Chinois.
Peintre de paysages, fleurs.
Ventes Publiques : New York, 18 sep. 1995 : *Paysage*, encre et pigments/pap., kakemono (180,3x94) : **USD 4 025.**

ZHOU XIANG ou **Chou Hsiang** ou **Tcheou Siang**
XXe siècle. Chinois.
Peintre.
Peintre de l'école moderne, il fit des études au Japon et, à son retour vers 1912, ouvrit à Shanghai une petite école qu'il appelle : l'*École de Peinture de Shanghai* (*Shanghai Yishù Yuan*).

ZHOUXIAN WANG, prince ou **Chou-Hsien Wang** ou **Tcheou-Hien Wang**, nom personnel : **Youdun**
Mort en 1439 ou 1449. XVe siècle. Chinois.
Peintre.
Poète et calligraphe réputé, peintre de figures.

ZHOU XIN ou **Chou Hsin, Tcheou Sin, Chou Hsün, Tcheou Siun**, surnom : **Kunlai**, nom de pinceau : **Songshan**
Originaire de Jiangning, province de Jiangsu. Chinois.
Peintre de figures, animalier.
Il était actif pendant la dynastie Qing (1644-1911). Peintre de figures, d'oiseaux, de dragons et de chevaux.
Musées : Stockholm (Nat. Mus.) : *Dragon dans les nuages*, œuvre signée.

ZHOU XINGTONG ou **Chou Hsing-T'ung, Tcheou Hing-T'ong, Zhou le Barbu**, nom familier : **Zhou Hu**
Originaire de Chengdu, province du Sichuan. Xe siècle. Actif sous la dynastie des Shu Postérieurs (933-965). Chinois.
Peintre.
Peintre de figures et d'animaux.

ZHOU XUN. Voir **ZHOU XIN**

ZHOU YI ou **Chou I** ou **Tcheou I**
XIIe siècle. Actif pendant l'ère Shaoxing (1131-1162). Chinois.
Peintre.
Peintre de figures de l'Académie de Peinture.

ZHOU YIFENG ou **Chou I-Feng** ou **Tcheou I-Feng**
XXe siècle. Chinois.
Peintre.
Peintre de l'école moderne. Actif à Canton.

ZHOU YONG ou **Chou Yung** ou **Tcheou Yung**, surnom : **Xingzhi**, nom de pinceau : **Boquan**
Né en 1476, originaire de Wujiang, province du Jiangsu. Mort vers 1548. XVIe siècle. Chinois.
Peintre de sujets de genre, paysages, dessinateur.
Président du Bureau des Fonctionnaires, il est peintre de paysages, disciple de Shen Zhou (1427-1509).
Musées : Toledo (Art Mus.) : *Temple isolé dans la montagne d'hiver* 1548, encre sur pap., d'après Li Tang, rouleau horizontal inscrit par le peintre.
Ventes Publiques : New York, 2 juin 1988 : *Pêcheur relevant son filet*, encre, kakemono (59x31) : **USD 11 000** – New York, 25 nov. 1991 : *Lettrés se divertissant dans un paysage de montagnes*, encre et pigments/soie (163,2x74,3) : **USD 5 225**.

ZHOU YUAN ou **Chou Yüan** ou **Tcheou Yuan**
XIIIe-XIVe siècles. Actif probablement sous la dynastie Yuan (1279-1368). Chinois.
Peintre.

ZHOU YUANLIANG ou **Chou Yuän-Liang** ou **Tcheou Yuan-Leang**
XXe siècle. Chinois.
Peintre.

ZHOU Yuwei
Né en 1937 dans le province de Liaoning. XXe siècle. Chinois.
Peintre de figures, nus.
Diplômé de l'Académie d'Art Lu Xun de Liaoning en 1964. Il y est également enseignant.
Ventes Publiques : Hong Kong, 30 oct. 1995 : *Nu à l'écharpe rouge* 1978, h/t (79,7x57,7) : **HKD 39 100**.

ZHOU ZHI ou **Chou Chih** ou **Tcheou Tche**, surnom : **Lidao**, noms de pinceau : **Donggao** et **Juliusheng**
Originaire de Suzhou, province du Jiangsu. XIVe siècle. Actif à Wuxi à la fin du XIVe siècle. Chinois.
Peintre.
Peintre de paysages dans les styles de Wang Meng (1298-1385) et de Huang Gongwang (1269-1354).

ZHOU ZHIKUI ou **Chou Chih-K'uei** ou **Tcheou Tche-K'ouei**, surnom : **Zhangfu**
XVIIe siècle. Actif vers le milieu du XVIIe siècle. Chinois.
Peintre.
Haut fonctionnaire, licencié à la capitale en 1631, il est peintre de paysages.

ZHOU ZHIMIAN ou **Chou Chih-Mien** ou **Tcheou Tche-Mien**, surnom : **Fuqing**, nom de pinceau : **Shaogu**
Originaire de Suzhou, province du Jiangsu. XVIe-XVIIe siècles. Actif entre 1542 et 1606. Chinois.
Peintre d'animaux, fleurs, dessinateur.
Peintre de fleurs et d'oiseaux, il combine les mérites de Chen Shun (1483-1544) et de Lu Zhi (1496-1576).
Musées : Cologne (Mus. Fur Ostasiastische Kunst) : *Les trois amis de l'hiver, le pin, le prunier et le narcisse*, éventail signé – Londres (British Mus.) : *Deux hirondelles près d'un étang*, signé – Shanghai : *Fleurs*, encre sur pap., feuille d'album.
Ventes Publiques : New York, 31 mai 1989 : *Oiseaux et fleurs*, encre et pigments/soie (164,8x88,3) : **USD 3 850** – New York, 26 nov. 1990 : *Rochers, bambous et narcisses* 1602, encre et pigments/pap., kakémono (63,5x45,7) : **USD 11 000** – New York, 29 mai 1991 : *Cent fleurs*, encre et pigments/pap., makémono (30,9x1614,2) : **USD 99 000** – New York, 1er juin 1992 : *Bonsaï*, encre et pigments/pap., makémono (30,5x469,3) : **USD 19 800** – Taipei, 10 avr. 1994 : *Camélia*, encre et pigments/pap. doré (17x45,5) : **TWD 460 000**.

ZHOU ZONGLIAN ou **Chou Tsung-Lien** ou **Tcheou Tsong-Lien**, surnom : **Youqu**
Originaire de Qianjiang, province du Zhejiang. Actif probablement sous la dynastie Ming (1368-1644). Chinois.
Peintre.
Peintre non mentionné dans les biographies d'artistes, mais dont le Metropolitan Museum de New York conserve une œuvre signée, *Vieux prunier en fleurs*.

ZHOU ZONGLIAN ou **Chou Tsung-Lien** ou **Tcheou Tsong-Lien**, surnom : **Jianan**, nom de pinceau : **Jiantang**
Originaire de Huating, province du Jiangsu. XVIIIe siècle. Actif au début du XVIIIe siècle. Chinois.
Peintre.
Littérateur, maître d'école et peintre.

ZHUANG JIONGSHENG ou **Chuang Chiung-Shêng** ou **Tchouang Tsiong-Cheng**, surnom : **Yucong**, nom de pinceau : **Danan**
Né en 1626, originaire de Wujin, province du Jiangsu. XVIIe siècle. Chinois.
Peintre.
Haut fonctionnaire, licencié en 1647, poète, calligraphe et peintre de paysages et d'orchidées, favori de l'empereur Shizu (règne 1644-1661) ; le Metropolitan Museum de New York conserve de lui un éventail signé, *Vue de rivière*.

ZHUANG LIN ou **Chuang Lin** ou **Tchouang Lin**, surnom : **Wenzhao**
Originaire de Jiangdong, province du Jiangsu. XIVe siècle. Actif à Pékin vers le milieu du XIVe siècle. Chinois.
Peintre.
Peintre de paysages dont il ne resterait qu'une œuvre conservée au National Palace Museum de Tapei, *Lettré traversant la rivière sur un pont*, rouleau horizontal signé, en encre et couleurs légères sur papier.

ZHUANG Zhe ou **Chuang Che**
Né en 1934 à Pékin. XXe siècle. Actif aux États-Unis. Chinois.
Peintre. Abstrait.
Il partit pour Taiwan en 1948 et fit ses études à l'Université Nationale Normale jusqu'en 1958. Il devint professeur à l'Université Tunghai. En 1973, il quitta Taiwan pour les États-Unis et se fixa dans le Michigan. Il participe à de nombreuses expositions. *Voir aussi CHUANG Che*.
Ventes Publiques : Hong Kong, 30 avr. 1992 : *Peinture abstraite*, encre et acryl./t. (89,9x118) : **HKD 88 000** – Taipei, 18 oct. 1992 : *Le bréchet de la corneille* 1980, h/t, diptyque (133,5x252) : **TWD 792 000** – Taipei, 18 avr. 1993 : *Abstraction* 1986, h/t (84,8x130) : **TWD 414 000**.

ZHU ANGZHI NGANG ou **Chu Ang-Chih** ou **Tchou Ang-Tche**, surnom : **Qingli**, nom de pinceau : **Jingli**
Né en 1764, originaire de Wujin, province du Jiangsu. Mort en 1840. XVIIIe-XIXe siècles. Actif à Suzhou. Chinois.
Peintre de paysages, calligraphe.
Peintre de paysages dans les styles de Wang Hui (1632-1717) et de Yun Shouping (1633-1690).
Musées : Kyoto : *Fleurs de lotus sur de hautes tiges*, œuvre dans la manière de Ku Wei.
Ventes Publiques : New York, 31 mai 1989 : *Paysage d'après Wang Meng*, encre et pigments/soie, kakémono (142,3x48) : **USD 4 675** – New York, 31 mai 1990 : *Paysages des quatre saisons*, encre et pigments/pap., ensemble de quatre kakémonos (chaque 130,9x29,2) : **USD 3 850** – Hong Kong, 5 mai 1994 : *Paysage et calligraphie* 1840, encre/pap. doré, éventail (17,5x48,3) : **HKD 10 350**.

ZHU Ben
Né en 1761, Originaire de Yangzhou (province de Jiangsu). Mort en 1819. XVIIIe-XIXe siècles. Chinois.
Peintre de paysages, fleurs.
Ventes Publiques : New York, 29 mai 1991 : *Portrait de femme*, encre et pigments légers/soie : **USD 2 750**.

ZHU BANG ou **Chu Pang** ou **Tchou Pang**, surnom : **Zhengzhi,** nom de pinceau : **Jiulong Shanqiao**
Originaire de Xinan, province du Anhui. XVIe siècle. Actif vers 1500 (dynastie Ming). Chinois.
Peintre de figures, paysages, paysages d'eau, dessinateur.
Peintre de paysages et de figures, dans un style proche de celui de Zhang Lu.

Musées : Londres (British Mus.) : *Barques de pêche sur la rive*, œuvre signée.
Ventes Publiques : New York, 26 nov. 1990 : *Immortels*, encre et pigments/soie, kakémono (181,6x96,7) : **USD 55 000**.

ZHU BO ou **Chu Po** ou **Tchou Po**, surnom : **Tianzao**
Actif sous la dynastie Qing (1644-1911). Chinois.
Peintre.

ZHU CHANG ou **Chu Ch'ang** ou **Tchou Tch'ang**, surnom : **Shanchao**
Originaire de Shucheng, province du Anhui. XVIIe siècle. Actif au début de la dynastie Qing au milieu du XVIIe siècle. Chinois.
Peintre.
Peintre de paysages, tout d'abord dans le style du moine Hongren, puis dans celui des maîtres Yuan.

ZHU CHEN ou **Chu Ch'ên** ou **Tchou Tch'en**, surnom : **Yunbi**
Originaire de Songjiang, province du Jiangsu. XVIIe-XVIIIe siècles. Actif sous le règne de l'empereur Qing Kangxi (1662-1722). Chinois.
Peintre de paysages.

ZHU CHENG ou **Chu Ch'eng**
Né en 1826. Mort en 1900. XIXe siècle.
Peintre d'animaux, fleurs.
Ventes Publiques : New York, 31 mai 1989 : *Perroquet*, encre et pigments/pap., kakémono (128,6x50,2) : **USD 880** – New York, 16 juin 1993 : *Lotus et oiseaux exotiques* 1899, encre et pigments/pap., kakémono (142,2x38,1) : **USD 1 380**.

ZHU Chunlin
Né en 1968, originaire de la province de Anhui. XXe siècle. Chinois.
Peintre.
Il obtint, en 1992, le diplôme de l'Académie centrale des Beaux-Arts de Pékin où il fit ses études dans le département de peinture à l'huile. En 1994, il reçut un prix à la Première Exposition de natures mortes à l'huile de Pékin.
Ventes Publiques : Hong Kong, 30 oct. 1995 : *Le temps de lire* 1994, h/t (129,5x90,8) : **HKD 57 500**.

ZHU DA ou **Chu Ta, Tchou Ta**, surnom : **Bada Shanren**
Né en 1624 ou 1626. Mort en 1705. XVIIe siècle. Chinois.
Peintre, calligraphe.
Ventes Publiques : New York, 31 mai 1989 : *Calligraphie transcrivant un poème par Bai Juyi*, encre/pap., kakémono (149,9x42,5) : **USD 99 000** – New York, 29 mai 1991 : *Lotus et rocher*, encre/pap. (128,3x67,6), kakémono : **USD 341 000** – New York, 1er juin 1992 : *Calligraphie en écriture courante*, encre/pap., makémono (22,9x642,6) : **USD 286 000** – New York, 1er juin 1993 : *Album de sept feuilles de sujets divers*, encre/pap. (chaque 35x29,2) : **USD 332 500** – New York, 29 nov. 1993 : *Calligraphie en écriture courant* 1705, makémono, encre/pap. (28,6x150,2) : **USD 43 125** – New York, 31 mai 1994 : *Stèle de l'abbé Dabie*, encre/pap., feuille d'album (29,5x33) : **USD 32 200** – New York, 21 mars 1995 : *Huangtingjing*, encre/pap., album de treize feuilles (chaque 23,5x16,5) : **USD 68 500**.

ZHU DEQUN. Voir **CHU TEH-CHUN**

ZHU DERUN ou **Chu Tê-Jun** ou **Tchou Tö-Jouen**, surnom : **Zemin**
Né en 1294, originaire de Suiyang, province du Henan. Mort en 1365. XIVe siècle. Chinois.
Peintre de figures, paysages, dessinateur.
Il était actif à Kunshan (province du Jiangsu). Haut fonctionnaire et peintre de paysages dans le style de Guo Xi (vers 1020-1100), il est influencé par Zhao Mengfu (1254-1322), grâce auquel d'ailleurs, il devient directeur des études confucéennes du gouvernement général de Mandchourie ; il est aussi peintre de figures, mais on conserve peu d'œuvres de sa main.
Musées : Taipei (Nat. Palace Mus.) : *Musique sous les arbres*, encre et coul. légères sur soie, deux rouleaux verticaux – *Nuages sur la cascade dans les monts recouverts de pins*, encre sur pap.

ZHU Di
Née en 1931 dans la province de Shandong. XXe siècle. Chinoise.
Peintre de natures mortes.
Diplômée de l'Académie d'Art de l'Asie de l'Est de Shangai en 1953. Elle est professeur d'Art à l'Université normale de Anhui.
Ventes Publiques : Hong Kong, 30 oct. 1995 : *Fleurs et pêches* 1995, h/t (59,1x65,1) : **HKD 23 000**.

ZHU DUAN ou **Chu Tuan** ou **Tchou Touan**, surnom : **Kezheng**, nom de pinceau : **Yiqiao**
Originaire de Haiyan, province du Zhejiang. XVIe siècle. Actif dans la première moitié du XVIe siècle. Chinois.
Peintre.
Peintre à la cour pendant l'ère Zhengde (1506-1521), il fait des paysages dans le style de Ma Yuan, des figures dans celui de Sheng Mao, des fleurs et des oiseaux dans celui de Lu Zhi, enfin des bambous dans celui de Xia Chang.
Musées : Boston (Mus. of Fine Arts) : *Homme et enfant dans une barque sous les arbres* signé et daté 1518 – Kansas City (Nelson Gal. of Art) : *A l'abri de la chaleur estivale*, sceaux du peintre – Stockholm (Nat. Mus.) : *Paysage de rive*, d'après Guo Xi, signé – Taipei (Nat. Palace Mus.) : *Recherche des fleurs de prunier dans la neige*, signé – Tokyo (Nat. Mus.) : *Pêcheur solitaire sur une rivière enneigée*, signé.

ZHU FEI ou **Chu Fei** ou **Tchou Fei**, surnom : **Meng-Bian**, nom de pinceau : **Cangzhousheng**
Originaire de Songjiang, province du Jiangsu. XIVe siècle. Actif dans la seconde moitié du XIVe siècle. Chinois.
Peintre.
Peintre de cour pendant l'ère Hongwu (1368-1398), il est spécialiste d'oies sauvages, de paysages et de figures.

ZHU HANG ou **Chu Hang** ou **Tchou Hang**, surnom : **Dafu**, nom de pinceau : **Huanyue**
Originaire de Pékin. XVIIIe siècle. Actif à la fin du XVIIIe siècle. Chinois.
Peintre.
Peintre de figures, de paysages et de bambous.

ZHU HANZHI ou **Chu Han-Chih** ou **Tchou Han-Tche**, surnom : **Ruiwu**, nom de pinceau (qui est son nom de moine) : **Qichu Heshang**
Originaire de Nankin. XVIIe siècle. Chinois.
Peintre.

ZHU HAONIAN ou **Chu Hao-Nien** ou **Tchou-Hao-Nien**, surnom : **Yeyun**, nom de pinceau : **Fuan**
Né en 1760, originaire de Taizhou, province du Jiangsu. Mort en 1834. XVIIIe-XIXe siècles. Actif à Pékin. Chinois.
Peintre de figures, paysages, fleurs.
Peintre de paysages dans le style de Daoji.
Ventes Publiques : New York, 31 mai 1990 : *Paysage d'après Wen Boren*, encre et pigments/pap., kakémono (131x33,6) : **USD 2 200**.

ZHU HUAIJIN ou **Chu Huai-Chin** ou **Tchou Houai-Kin**
Originaire de Qiantang, province du Zhejiang. XIIIe siècle. Actif vers le milieu du XIIIe siècle. Chinois.
Peintre.
Peintre de l'Académie de Peinture pendant l'ère Baoyu (1253-1258), il est spécialiste de paysages et de figures dans le style de Xia Gui (vers 1190-1230).

ZHU JUN ou **Chu Chün** ou **Tchou Tsiun**, surnom : **Ziwang**, nom de pinceau : **Yichao**
Originaire de Suzhou. XVIIe siècle. Actif vers le milieu du XVIIe siècle. Chinois.
Peintre.
Peintre de paysages.

ZHUKOVSKY Stanislav Iulanovich
Né en 1873. Mort en 1944. XXe siècle. Actif aussi en Pologne. Russe.
Peintre de paysages.
Il fut élève d'Isaac Levitan à Moscou. Il vécut à Moscou jusqu'en 1923, puis à Varsovie, fut nommé académicien en 1927.
Ventes Publiques : Londres, 14 nov. 1988 : *Forêt sous la neige* 1928, h/t (49x70) : **GBP 1 650** – Londres, 14 déc. 1995 : *Un jour gris*, h/cart. (14x23) : **GBP 920** – Londres, 11-12 juin 1997 : *Un matin de mars* 1910, h/t (56,5x66,5) : **GBP 10 350**.

ZHU LANG ou **Chu Lang** ou **Tchou Lang**, surnom : **Zilang**, nom de pinceau : **Qingqi**
Originaire de Suzhou, province du Jiangsu. XVIe siècle. Actif vers 1540. Chinois.
Peintre.
Peintre de fleurs et de paysages dans le style de son maître Wen Zhengming (1470-1559).

ZHU LESAN ou **Chu Lo-San** ou **Tchou Lo-San**
Né en 1901 à Xiaofeng (province du Zhejiang). XXe siècle. Chinois.

Peintre.
Peintre de la tradition lettrée, il fit ses études à Shanghai, où il enseignera plus tard à l'Académie et à l'Académie *Xinhua*.

ZHU LING ou **Chu Ling** ou **Tchou Ling**, surnom : **Ziwang** ou **Wangzi**, nom de pinceau : **Yichao**
Originaire de Suzhou, province du Jiangsu. Actif sous la dynastie Ming (1368-1644). Chinois.
Peintre.
Peintre de paysages dans le style de Huang Gongwang (1269-1354).

ZHU LU ou **Chu Lu** ou **Tchou Lou**, de son vrai nom **Jiadong**, surnom : **Bomin**, nom de pinceau : **Xikong Laoren**
Né en 1553, originaire de Suzhou, province du Jiangsu. Mort en 1632. XVIe-XVIIe siècles. Chinois.
Peintre.
Peintre de bambous dans les styles de Wen Tong et de Wu Zhen (1280-1354).

ZHU LUNHAN ou **Chu Lun-Han** ou **Tchou Louen-Han**, surnoms : **Hanzhai** et **Yixian**, nom de pinceau : **Yisan**
Né en 1680, originaire de Licheng, province du Shandong. Mort en 1760. XVIIIe siècle. Chinois.
Peintre.
Descendant de la famille impériale Ming, il est fonctionnaire militaire. Peintre au doigt, il travaille dans le style de son oncle Gao Qipei (vers 1672-1734).

ZHU MING ou **Chu Ming** ou **Tchou Ming**
XVIe siècle. Actif probablement à la fin du XVIe siècle. Chinois.
Peintre de sujets de genre.
Peintre non mentionné dans les biographies d'artistes.
Musées : Cologne : *La réunion de Lanting* 1611 ?, éventail signé.

ZHU Ming ou **Ju Ming**
Né en 1938 à Miaoli. XXe siècle. Chinois.
Sculpteur de figures.
Le Musée Hakone de plein air, au Japon, lui a consacré une grande rétrospective en 1995.
Ventes Publiques : Hong Kong, 2 mai 1991 : *Taichi (boxe)* 1990, sculpt. de bois (H. 55, L. 93) : **HKD 286 000** – Hong Kong, 31 oct. 1991 : *Deux buffles* 1978, sculpt. de bois (46x56x22) : **HKD 176 000** – Taipei, 15 oct. 1995 : *Tai-chi* 1991, sculpt de bois (49,5x45x37) : **TWD 391 000**.

ZHU MINGGANG ou **Chu Ming-Kang** ou **Tchou Ming-Kang**
XXe siècle. Chinois.
Graveur.
Il fit ses études à l'Académie *Xinhua* de Shanghai.

ZHU NANYONG ou **Chu Nan-Yung** ou **Tchou Nan-Yong**, surnom : **Yuejing**
Originaire de Shanyin, province du Zhejiang. XVIe siècle. Actif dans la seconde moitié du XVIe siècle. Chinois.
Peintre.
Haut fonctionnaire, *jinshi* (licencié) en 1568, il est peintre de paysages et de rochers d'après Shen Zhou (1427-1509) et de Ni Zan (1301-1374).

ZHUO CONG ou **Cho Ts'ung** ou **Tcho Ts'ong**, surnom : **Tingrui**
Originaire de Tongchun, province du Fujian. XIIe-XIIIe siècles. Actif sous la dynastie des Song du Sud (1127-1279). Chinois.
Peintre.
Ami du philosophe des Song du Sud, Chen Chun ; le Musée de Boston conserve de lui une œuvre signée, *Oies sauvages dans les roseaux*.

ZHU Qingguang ou **Choo Keng-Kwang**
Né en 1931 à Singapour. XXe siècle. Singapourien.
Peintre.
Il apprit la calligraphie avec son père. En 1953, il obtint le diplôme de l'Académie des Beaux-Arts de Nanyang. Il est également enseignant. En 1969, le gouvernement de Singapour lui commanda plusieurs peintures destinées à être offertes à des chefs d'États étrangers. Quatre de ses œuvres furent reproduites sur les timbres postes de son pays en 1989.
Ventes Publiques : Hong Kong, 22 mars 1993 : *Poulets*, h/t (120x80) : **HKD 138 000**.

ZHU QINGYUN ou **Chu Ch'ing-Yün** ou **Tchou K'ing-Yun**, surnom : **Wanzhong**
XVe siècle. Actif dans la seconde moitié du XVe siècle. Chinois.
Peintre.
Haut fonctionnaire et peintre de paysages dans le style de Mi Fu (1051-1107).

ZHU Qizhan
Né en 1892 (?). Mort en 1996 (?). XXe siècle. Chinois.
Peintre de scènes et paysages animés, paysages, fleurs et fruits. Traditionnel.
Ventes Publiques : Hong Kong, 19 mai 1988 : *Paysage avec bateaux* 1972, encre noire/pap., kakémono (79x31,5) : **HKD 33 000** – Hong Kong, 17 nov. 1988 : *Orchidées illustrant un poème de Li Bo*, encre et pigments/pap. (37x178) : **HKD 104 500** ; *Narcisses* 1986, encre et pigments/pap., kakémono (68x68) : **HKD 49 500** – Hong Kong, 16 jan. 1989 : *Maisons sous les bananiers*, encre/pap., makemono (52,7x68,6) : **HKD 28 600** ; *Paysage d'automne* 1984, encre et pigments/pap., kakémono (68x68) : **HKD 38 500** – New York, 31 mai 1989 : *Glycine* 1980, encre et pigments/pap., kakémono (89,9x47,7) : **USD 9 350** – Hong Kong, 15 nov. 1989 : *Paysage au crépuscule* 1988, encre et pigments/pap., kakémono (96,2x106) : **HKD 85 800** – New York, 6 déc. 1989 : *Narcisses* 1988, encre et pigments/pap. (36,8x129,5) : **USD 6 050** – Hong Kong, 15 nov. 1990 : *Paysage* 1988, encre et pigments/pap., kakémono (68,3x68,3) : **HKD 165 000** – New York, 26 nov. 1990 : *Narcisses* 1980, encre et pigments/pap., kakémono (89,5x48,2) : **USD 3 300** – Hong Kong, 2 mai 1991 : *Lotus* 1987, encre/pap., kakémono (135,6x68,2) : **HKD 143 000** – New York, 29 mai 1991 : *Paysage de montagne au printemps*, encre et pigments/pap., kakémono (138,4x67,9) : **USD 13 200** – Hong Kong, 31 oct. 1991 : *Paysage* 1984, encre et pigments/pap., kakémono (67x45) : **HKD 154 000** – Hong Kong, 30 mars 1992 : *Falaises rouges et rivière bleue*, encre et pigments/pap., makémono encadré (66x66,6) : **HKD 66 000** – Hong Kong, 30 avr. 1992 : *Paysage avec un vieux temple* 1982, encre et pigments/pap., kakémono (68,1x67,1) : **HKD 154 000** – New York, 1er juin 1992 : *Scène de village* 1966, encre et pigments/pap., kakémono (137,2x68,6) : **USD 17 600** – Hong Kong, 29 oct. 1992 : *La Journée des femmes libérées à Shanghai* 1951, encre et pigments/soie, kakémono (133,5x70,3) : **HKD 82 500** – Hong Kong, 22 mars 1993 : *Fleurs* 1975, encre et pigments/pap., ensemble de quatre kakémonos (chaque 98x45,5) : **HKD 138 000** – New York, 29 nov. 1993 : *Paysage* 1987, encre et pigments/pap., kakémono (68,6x68,6) : **USD 7 475** – Hong Kong, 5 mai 1994 : *Pastèque et racine de lotus*, encre et pigments/pap., kakémono (68,5x68,2) : **HKD 74 750** – Hong Kong, 4 mai 1995 : *Paysage*, encre et pigments/pap., kakémono (67,9x67,2) : **HKD 115 000** – Hong Kong, 4 nov. 1996 : *Soleil couchant*, encre et pigments/pap., kakémono (89x48) : **HKD 101 200** – Hong Kong, 28 avr. 1997 : *Paysage d'automne* 1993, encre et pigments/pap., kakémono (114,3x68,8) : **HKD 155 250**.

ZHU RUI ou **Chu Jui** ou **Tchou Jouei**
Originaire du Hebei. XIIe siècle. Actif dans la première moitié du XIIe siècle. Chinois.
Peintre.
Peintre de l'Académie de Peinture des Song, à Kaifeng puis à Hangzhou, il suit dans ses paysages le style de Wang Wei (699-759) et dans ses peintures au doigt celui de Zhang Dunli. Le Musée de Boston conserve une œuvre qui porte son nom : *Voyageurs dans des charrettes sur des sentiers de montagne*, et le National Palace Museum de Taipei, un rouleau horizontal probablement plus tardif, illustrant un poème de Su Shi, *La falaise rouge*.

ZHU RULIN ou **Chu Ju-Lin** ou **Tchou Jou-Lin**
XVIIIe siècle. Actif dans la première moitié du XVIIIe siècle. Chinois.
Peintre.
Peintre dont on ne connaît qu'une œuvre conservée au National Palace Museum de Taipei, rouleau horizontal en encre et couleurs sur papier, exécuté en 1711 et représentant des *Insectes*.

ZHU RUOJI. Voir **DAOJI SHITAO YUANJI**

ZHU SHENG ou **Chu Shêng** ou **Tchou Cheng**, surnom : **Riru**, nom de pinceau : **Xian**
Originaire de Hangzhou, province du Zhejiang. XVIIe-XVIIIe siècles. Actif entre 1680 et 1735. Chinois.
Peintre de fleurs, dessinateur.
Peintre d'orchidées, de bambous et de pierres dans le style de Lu Dezhi.
Musées : Londres (British Mus.) : *Bambous*, signé.
Ventes Publiques : New York, 4 déc. 1989 : *Dix mille bambous dans le brouillard*, encre/soie, makémono (47x416,5) : **USD 20 900**.

ZHU SHUZHONG ou **Chu Shu-Chung** ou **Tchou Chou-Tchong**
Originaire de Loudong, province du Jiangsu. XIVe siècle. Actif vers 1365. Chinois.
Peintre.
Poète et peintre de paysages principalement.

ZHU TONG ou **Chu Dung** ou **Tchou Dong**
XIVe siècle. Actif dans la seconde moitié du XIVe siècle. Chinois.
Peintre.
Fonctionnaire et peintre, il développe, dans un passage de ses écrits intitulés *Fu Pou Ji*, la théorie de l'identité essentielle existant entre la peinture et la calligraphie, d'où la nécessité pour lui, en absorbant la peinture, de prendre comme critère critique, non plus la ressemblance formelle, mais la conception calligraphique du trait de pinceau.
BIBLIOGR. : P. Ryckmans : *Les Propos sur la peinture de Shitao*, Bruxelles, 1970.

ZHU WEI ou **Chu Wei** ou **Tchou Wei**, surnom : **Wenbao**
Originaire de Huating, province du Jiangsu. XVIIe siècle. Actif au début du XVIIe siècle. Chinois.
Peintre de fleurs.
Fonctionnaire militaire, il est commandant en chef de la province du Fujian ; il est aussi peintre d'épidendrons dans le style de Wen Zhengming (1470-1559).

ZHU Wei
Né en 1958. XXe siècle. Actif aux États-Unis. Chinois.
Peintre.
Il obtint en 1986 le diplôme de peinture de l'Académie des Beaux-Arts de Zhejiang. Il poursuivit ses études au États-Unis à l'Université de New york. Il vit et travaille à New York.
Il montre ses œuvres dans des expositions personnelles, dont : 1993, New York, Washington Square gallery et Université.
VENTES PUBLIQUES : HONG KONG, 30 avr. 1996 : *Et, ils sont partis !*, h/t (87,6x114,3) : **HKD 34 500**.

ZHU WEIBI ou **Chu Wei-Pi** ou **Tchou Wei-Pi**, surnom : **Yufu**, nom de pinceau : **Jiaotang**
Né en 1771, originaire de Pinghu, province du Zhejiang. Mort en 1840. XVIIIe-XIXe siècles. Chinois.
Peintre.
Haut fonctionnaire et peintre de fleurs dans les styles de Xu Wei (1521-1593) et de Chen Shun (1483-1544) ; il peint aussi des figures.

ZHU XI ou **Chu Hsi, Tchou Si, Zhu Ying**
Originaire du Jiangnan. XIIe siècle. Actif au début du XIIe siècle. Chinois.
Peintre.
Peintre réputé pour ses représentations de buffles et de paysages paisibles.

ZHU XIAN ou **Chu Hsien** ou **Tchou Sien**, surnom : **Shaojiu**, nom de pinceau : **Xuetian**
Né vers 1620, originaire de Songjiang, province du Jiangsu. Mort vers 1690. XVIIe siècle. Chinois.
Peintre.
Peintre de paysages disciple de Dong Qichang (1555-1636).

ZHU XIANGXIAN ou **Chu Hsiang-Hsien** ou **Tchou Hiang-Sien**, surnom : **Jingchu,** nom de pinceau : **Xihu Yinshi**
Originaire de Songling, province du Zhejiang. XIe-XIIe siècles. Actif vers 1095-1100. Chinois.
Peintre.
Peintre de paysages dans le style des maîtres du Xe siècle, Dong Yuan et Juran ; Su Dongpo dit que c'est un bon peintre qui ne cherche pas à se faire reconnaître.

ZHU XUAN ou **Chu Hsüan** ou **Tchou Siuan**, surnom : **Bingnan**
Originaire de Hangzhou, province du Zhejiang. Actif pendant la dynastie Qing (1644-1911). Chinois.
Peintre.
Peintre de paysages, de fleurs et de fleurs de prunier.

ZHU XUN ou **Chu Hsun** ou **Tchou Siun**, surnom : **Shuming**
Originaire de Jiaxing. Actif pendant la dynastie Ming (1368-1644). Chinois.
Peintre.
Peintre de paysages.

ZHU YISHI ou **Chu I-Shih** ou **Tchou I-Che**, surnom : **Jinxiu**
Originaire de Haining. XVIIe siècle. Actif vers le milieu du XVIIe siècle. Chinois.
Peintre.
Haut fonctionnaire, il se retire de la vie publique à la chute de la dynastie Ming en 1644. Il est connu comme poète et peintre.

ZHU YU ou **Chu Yü** ou **Tchou Yu**, surnom : **Junbi**
Né en 1293, originaire de Kunshan, province du Jiangsu. Mort en 1365. XIVe siècle. Chinois.
Peintre.
Disciple de Wen Zhenpeng, il est peintre de figures et de *jiai hua* (peinture des limites) ; le Chicago Art Institute conserve une de ses œuvres signée, peut-être une illustration de livres, *Personnages dans diverses occupations*.

ZHU Yuanzhi ou **Yun Gee**
Né en 1906 dans la province de Guangdong. Mort en 1963. XXe siècle. Depuis 1921 actif aux États-Unis. Chinois.
Peintre de compositions à personnages, nus, natures mortes. Tendance expressionniste.
Ses parents émigrèrent à San Francisco alors qu'il avait quinze ans. Il fit ses études à l'Académie d'Art de Californie, mais c'est sous l'influence de Otis Oldfied qu'il envisagea sérieusement de faire une carrière. En 1923 il exposa à Paris à la galerie Bernheim et, de retour aux États-Unis, il s'installa à Greenwich Village à New York.
En proie à des délires puis atteint d'une grave maladie mentale, Yuanzhi livre dans sa peinture son sentiment d'isolement, puis d'enfermement, en restituant un univers clos et étouffant. Tout semble s'être depuis longtemps joué entre ses personnages qui tournent le dos au jour, enfermés dans de grandes diagonales, grilles d'une fenêtre, auxquelles répond la cage de l'oiseau qu'ils ont pour seul compagnon.
VENTES PUBLIQUES : TAIPEI, 18 oct. 1992 : *La Maison des gardiens à Cluny*, h/t (51,1x61,3) : **TWD 1 210 000** – TAIPEI, 18 avr. 1993 : *Maisons des environs de Paris*, h/t (51x61) : **TWD 1 150 000** – TAIPEI, 10 avr. 1994 : *Vie et Mort*, h/t (72x58,5) : **TWD 1 590 000** – TAIPEI, 14 avr. 1996 : *Nu dans un fauteuil rouge*, h/t (55x46) : **TWD 598 000** – TAIPEI, 20 oct. 1996 : *Nu et peintures dans le studio* vers 1940, h/t (65x54) : **TWD 1 092 500** – TAIPEI, 13 avr. 1997 : *Pont en été* vers 1940, h/t (81x101,5) : **TWD 4 230 000** – TAIPEI, 19 oct. 1997 : *Old Broadway* vers 1945, h/t (96,5x61) : **TWD 6 650 000**.

ZHU YUEJI ou **Chu Yo-Chi** ou **Tchou Yo-Ki**, noms de pinceau : **Yunxian** et **Longwan Shanren**
XVe-XVIe siècles. Chinois.
Peintre.
Peintre descendant de la famille impériale Ming.

ZHU YULIEN
Né en 1926. XXe siècle. Chinois.
Peintre de paysages. Traditionnel.
Il a collaboré en tant que rédacteur, à partir de 1954, à *Presse quotidienne* et *Connaissances mondiales*. Il travaille actuellement pour le *Quotidien du Peuple*.
BIBLIOGR. : In : Catalogue de l'exposition *Peintres traditionnels de la République populaire de Chine*, galerie Daniel Malingue, Paris, 1980.

ZHU Yunming
Né en 1460. Mort en 1526. XVe-XVIe siècles. Chinois.
Peintre-calligraphe.
VENTES PUBLIQUES : NEW YORK, 4 déc. 1989 : *Neuf poèmes à boire de Tao Yuanming en calligraphie courante*, encre/pap., makémono (29x236) : **USD 44 000** – NEW YORK, 6 déc. 1989 : *Calligraphie en écriture cursive*, encre/pap., makémono (28,9x579) : **USD 38 500** – NEW YORK, 1er juin 1992 : *Calligraphie en écriture cursive* 1525, encre/pap., makémono (32,7x904,2) : **USD 19 800**.

ZHU ZHE ou **Chu Chê, Tchou Tcho, Zhu Jia**, surnom : **Mingfu**
Originaire de Jiaxing, province du Zhejiang. XVIIIe siècle. Actif vers le milieu du XVIIIe siècle. Chinois.
Peintre.
Poète et peintre de fleurs de prunier.

ZHU ZHIFAN ou **Chu Chih-Fan** ou **Tchou Tche-Fan**, surnoms : **Yuanjie** et **Yuansheng**, nom de pinceau : **Lanyu**
Originaire de Jingling (Nankin). XVIIe siècle. Actif dans la première moitié du XVIIe siècle. Chinois.
Peintre.

Haut fonctionnaire, reçu *jinshi* (licencié) en 1619, il est envoyé comme diplomate en Corée. Il est peintre de paysages dans les styles de Mi Fu (1051-1107) et de Wu Zhen (1280-1354), et de bambous dans celui de Wen Tong et de Su Dongpo (1036-1101).

ZHU ZHU ou **Chu Chu** ou **Tchou Tchou**
Originaire de Changzhou, province du Jiangsu. XVIIe siècle. Actif vers 1600. Chinois.
Peintre.
Peintre de paysages.

ZIAK Johann
Né le 29 août 1786 à Wischau en Moravie. Mort le 12 novembre 1860 à Vienne. XIXe siècle. Autrichien.
Peintre.

ZIARNKO Jan, dit aussi **Grano** ou **le Grain**
Né au XVIIe siècle en Pologne. XVIIe siècle. Polonais.
Peintre et graveur.
Frère de Marcin Ziarnko. Il a gravé des portraits, des sujets de genre et des sujets d'histoire.

ZIARNKO Marcin, dit aussi **Grano** ou **le Grain**
XVIIe siècle. Actif à Lemberg entre 1600 et 1611. Polonais.
Peintre.
Frère de Jan Ziarnko.

ZIBERLEN Jakob. Voir **ZÜBERLEIN**

ZICH Franz
Né en 1867 à Silberberg (Bohême). Mort le 16 octobre 1913 à Budapest. XIXe-XXe siècles. Autrichien.
Peintre de paysages.
Il fit ses études à Munich et à Paris.

ZICHLARZ Erwin
Né le 18 avril 1904 à Cracovie. XXe siècle. Polonais.
Peintre d'architectures, fleurs, graveur.
Il a été élève de l'Académie de Prague. Il travailla à Troppau.

ZICHY Erika Yull, comtesse. Voir **YULL Erika, comtesse Zichy**

ZICHY Istvan, comte
Né le 31 mars 1879 à Babolna. XXe siècle. Hongrois.
Peintre, fresquiste.
Il fit ses études à Paris et à Nagybanya. Il exécuta des fresques pour l'Académie de Musique de Budapest. Il fut également archéologue.

ZICHY Mihaly ou **Mikhail Alexandrovich von**
Né à Zala, le 15 octobre 1827 ou 1829 selon certains biographes. Mort le 28 février 1906 à Saint-Pétersbourg. XIXe siècle. Hongrois.
Peintre d'histoire, scènes de genre, portraits, peintre à la gouache, aquarelliste, dessinateur, illustrateur, lithographe.
Il fit ses études à Budapest, puis dans l'atelier de Ferdinand Georg Waldmüller à Vienne. Il fut nommé peintre de la Cour de Russie, à partir de 1847. Il séjourna à Paris, de 1874 à 1879.
Il rapporta au jour le jour les évènements, les réceptions, les mœurs de la cour d'Alexandre II. Il illustra *Faust*, de Goethe ; la *Tragédie de l'homme*, d'Imre Madach, ainsi que de nombreux poèmes russes.
Bibliogr. : In : *Diction. de la peint. allemande et d'Europe centrale*, coll. Essentiels, Larousse, Paris, 1990.
Musées : Budapest : *L'impératrice Élisabeth devant le cercueil de Frans Deale – Vol d'un cadavre au cimetière – Portrait de Sir J. W. Wyllie* – Moscou (Gal. Tretiakov) : Dessin – Saint-Pétersbourg (Mus. de l'Ermitage) : Trois dessins.
Ventes Publiques : Paris, 1873 : *Les déterreurs de morts* : **FRF 800** – Paris, 19 fév. 1878 : *Scène d'orgie*, aquar. : **FRF 500** – Paris, 16 mars 1931 : *Le prisonnier*, aquar. : **FRF 560** – New York, 17 avr. 1974 : *Le vieux célibataire* 1846 : **USD 3 600** – Paris, 28 nov 1979 : *Étoiles filantes* 1877, h/t (80x110) : **FRF 8 200** – Londres, 15 juin 1995 : *L'imam Shamyl en prière* 1860, gche et cr. (35x26) : **GBP 9 430** – New York, 18-19 juil. 1996 : *La surprise d'un célibataire* 1846, h/t (50,8x38,1) : **USD 5 750**.

ZICK Alexander
Né en 1845 à Coblence. Mort le 10 novembre 1907 à Berlin. XIXe-XXe siècles. Allemand.
Peintre d'histoire, genre, illustrateur.
Fils de Gustav Zick, il étudia à l'Académie de Düsseldorf sous la direction d'Édouard Bendemann. Il exposa à Berlin en 1886. Il illustra, entre autres : de Brentano *Gockel, Hinckel und Gackeleia* ; de M. Eitner, *Im Pfarrhaus zu Neuenrode* (1898) ; de E. Engelmann, *Das Zauberland* (1889) ; de M. Giese, *Traudchen* (1900) ; de H. Koch, *Vater Jansens Sonnenschein* (1899). Il a publié un album de ses compositions *Vénus*.
Bibliogr. : Marcus Osterwalder, in : *Dictionnaire des illustrateurs 1800-1914*, Ides et Calendes, Neuchâtel, 1989.

ZICK Conrad
Né le 15 juin 1773 à Ehrenbreitstein. Mort en 1836 à Coblence. XVIIIe-XIXe siècles. Allemand.
Peintre.
Père de Gustav Zick, fils de Januarius Zick.
Musées : Coblence (Gal. mun.) : *Portrait de l'artiste jeune*.

ZICK Gustav
Né en 1809 à Coblence. Mort en 1886 à Coblence. XIXe siècle. Allemand.
Peintre de genre, animalier, paysages.
Fils de Conrad Zick, père d'Alexander Zick.
Musées : Coblence (Mus. du château) : *Portrait du procureur Anschütz*.

ZICK Januarius Johann Rasso
Né le 6 février 1730 à Munich. Mort le 14 novembre 1797 à Ehrenbreitstein. XVIIIe siècle. Allemand.
Peintre de scènes mythologiques, compositions religieuses, sujets de genre, portraits, architectures, fresquiste.
Fils de Johann Zick, père de Conrad Zick. Il fit son apprentissage de fresquiste auprès de son père. Toutefois, il ne continua pas le caractère visionnaire des décorations de celui-ci. Ce fut son voyage à Paris qui fut déterminant pour sa formation. Arrivé à Paris en 1757, il y étudia les œuvres des petits maîtres hollandais, qui connaissaient alors leur plus grande faveur, et d'où il tint lui-même son goût des scènes de genre. Parallèlement à cette influence, il subit celle de Watteau, qui se traduit dans la façon de distribuer certains effets de clair-obscur et surtout dans la manière de distribuer la lumière en multiples et fines perles brillantes et colorées, à la façon des reflets sur les satins. Cette dernière influence fut surtout manifeste dans les décorations qu'il exécuta, en 1758, pour les cabinets du château de Bruchsal, qui en furent appelés « cabinets Watteau » (détruits au cours de la seconde guerre mondiale). Il fit également un séjour à Rome, où il se lia avec Anton Raphaël Mengs. Ensuite, il se fixa près de Coblence à Ehrenbreitstein, à partir de 1762, et il devint le peintre en titre du dernier prince-électeur. En tant que décorateur, il fut extrêmement fécond et, peut-être de ce fait, inégal. Il s'écarta des effets perspectifs qu'avait recherchés son père et les décorateurs de la génération précédente, plus proche des Français que de Tiepolo. On donne pour le meilleur de son œuvre de décorateur, les décorations de l'église abbatiale de Wiblingen, de 1778 à 1780, près d'Ulm ; celles de l'église de Rot an der Rot, de 1784 ; celles des églises de Zell, en Bade ; et d'Oberelchingen ; on cite encore Coblence et Triefenstein. En tant que peintre de chevalet, il créa aussi des compositions religieuses, dont : *La Résurrection de Lazare* ; *Le Christ au jardin des Oliviers*. Plus à l'aise dans la peinture de dimensions modestes, là, il intègre de façon intéressante les personnages de l'action au paysage environnant. Mais le véritable renom qu'il connut de son vivant, et que confirme la postérité, il le doit à son talent de peintre de genre, où il se montra brillant « petit-maître » dans toute l'acception du terme. Ses effets d'éclairage dispensés sur des couleurs vives (alors que les peintres de clair-obscur sont généralement des peintres du noir et blanc), l'ont parfois fait rapprocher de Goya, alors qu'en fait ce caractère fait partie de la tradition germanique, depuis les aquarelles de Dürer et Mathias Grünewald jusqu'aux expressionnistes de 1910. Outre d'assez nombreux portraits de commande, où il sut conserver les qualités de spontanéité et de naturel dont il fait montre dans ses scènes familières, il peignit en grand nombre des scènes de cabaret, avec un art très spécial pour mettre l'accent sur les détails les plus infimes. Il fut membre de l'Académie d'Augsbourg. ■ J. B.
Bibliogr. : Pierre du Colombier, in : *Diction. Univers. de l'Art et des Artistes*, Hazan, Paris, 1967 – X..., in : *Encyclopédie Les Muses*, t. XV, Grange Batelière, Paris, 1974 – B. Reinhardt : *Januarius Zick et son action en Souabe supérieure*, 1993 – J. Strasser : *Œuvre complet*, 1993.
Musées : Aix-la-Chapelle (Sürmondt Mus.) : *Résurrection de Lazare – Christ en Croix – Mater Dolorosa – Marie et l'Enfant Jésus – Le Christ au jardin des Oliviers – Le Sacrifice d'Abraham* – Berlin (Mus. de la Ville) : *Décollation de saint Jean-Baptiste – Le*

Christ entre les deux larrons – Berlin (Mus. prov.) : *Portrait de famille* – Bonn (Mus. prov.) : *Deux portraits de famille* – Coblence (Gal. mun.) : *Cimon et Péro* – *Mercure dans l'atelier d'un sculpteur* – Coblence (Mus. du Château) : *Madeleine repentante* – Constance : *Deux scènes bibliques* – Francfort-sur-le-Main : *Adoration des bergers* – *Présentation au temple* – Hanovre : *Deux allégories* : *Les mérites de Newton* – Karlsruhe : *Madeleine repentante* – *Saint Charles Borromée donnant à manger à un pestiféré* – Mayence : *Jupiter conduit Io dans l'Olympe*, plafond – *Sainte Famille* – *Joseph laisse ses frères couper le blé* – *Assomption* – Nuremberg : *Portrait de famille* – Stuttgart : *Deux scènes d'auberge* – Trier : *David et Saül* – Ulm : *Coriolan et les femmes romaines*.

Ventes Publiques : Paris, 28 et 29 nov. 1923 : *Diogène cherchant un homme* ; *Les adieux de Socrate à sa famille*, deux pendants : **FRF 3 050** ; *Diane et Endymion* : **FRF 1 100** – Paris, 12 déc. 1935 : *Les forges de Vulcain* : **FRF 1 800** – Paris, 7 juin 1939 : *Scène biblique* : **FRF 1 000** – Lucerne, 25-29 nov. 1952 : *Famille de paysans allemands devant une chaumière* : **CHF 1 300** – Berlin, 27 nov. 1952 : *Madeleine repentante* 1769 : **DEM 440** – Cologne, 19 fév. 1965 : *La Bénédiction de Jacob* : **DEM 8 000** – Cologne, 11 mars 1966 : *Scène biblique* : **DEM 5 500** – Cologne, 25 avr. 1968 : *Le commerce* : **DEM 15 000** – Lucerne, 29 nov. 1969 : *Déploration* : **CHF 9 000** – Cologne, 26 nov. 1970 : *Hermès et Argus* : **DEM 8 000** – Cologne, 26 mai 1971 : *Ecce Homo* : **DEM 5 000** – Cologne, 14 nov. 1974 : *Projet de plafond* : **DEM 7 000** – Cologne, 14 juin 1976 : *Le Peintre et sa famille* vers 1795, h/t (47x67,5) : **DEM 9 500** – Londres, 21 juin 1978 : *La mort de Cléopâtre*, h/t (58x44,5) : **GBP 6 000** – Lucerne, 30 mai 1979 : *Bacchus et Ariane*, deux h/t, formant pendants (77,5x58,5) : **CHF 36 000** – Hambourg, 4 juin 1980 : *Pastorale* vers 1759, sanguine (24,2x36) : **DEM 3 800** – Cologne, 22 nov. 1984 : *Le ramasseur de fagots*, h/pan., forme ovale (55x47) : **DEM 60 000** – Paris, 20 déc. 1985 : *Saint Pierre en prison délivré par l'Ange* ; *La charité romaine*, h/pan. et h/cuivre, une paire (39x29,7 et 42,3x33,5) : **FRF 66 000** – Londres, 2 juil. 1986 : *Famille de paysans pêchant dans un paysage boisé* ; *Berger, bergère, enfant et mendiant à une fontaine*, h/t, une paire (49x69) : **GBP 48 000** – New York, 21 oct. 1988 : *L'oracle d'Endor appelant l'esprit du prophète Samuel pour protéger le roi Saul* 1753, h/t (66x84) : **USD 6 600** – Berne, 26 oct. 1988 : *Jahel assassinant Sisara*, h/t (64x87) : **CHF 5 000** – Londres, 15 déc. 1989 : *Le Christ et la Samaritaine*, h/t (66x49) : **GBP 4 400** – Londres, 23 mars 1990 : *La Présentation dans le temple*, h/t (93,5x75,4) : **GBP 8 800** – Paris, 15 oct. 1990 : *Une femme jetant des pierres dans un puits*, h/t (57,5x66) : **FRF 14 000** – Londres, 11 déc. 1991 : *Famille paysanne dans un intérieur*, h/t (43x57) : **GBP 39 600** – New York, 16 jan. 1992 : *Deux bergers courtisant une bergère avec deux jeunes enfants se querellant et un autre tirant de l'eau à une fontaine*, h/t (67,3x81,9) : **USD 79 200** – Londres, 8 déc. 1993 : *Saül et la sorcière d'Endor* 1753, h/t (68,4x86,2) : **GBP 34 500** – Londres, 7 déc. 1994 : *L'Adoration des Rois Mages*, h/t (32,5x43,5) : **GBP 6 325** – Paris, 28 juin 1996 : *Le Déluge*, h/t (126x136,5) : **FRF 40 000**.

ZICK Johann ou **Zickh**
Né le 10 janvier 1702 à Lachen. Mort le 4 mars 1762 à Würzbourg. xviiie siècle. Allemand.
Peintre.

Père de Juanarius Zick. Il travailla surtout à Würzbourg au service de plusieurs évêques. Il fit de nombreux tableaux d'autels et des fresques pour le château de Bruchsal, la Résidence de Würzbourg, les monastères de Schlehdorf, Raitenhaslach, Langhaus, Biberach, Ehingen, Amberg, etc. Alors que la plupart des histoires de la peinture allemande traitent généreusement de Januarius Zick, en négligeant son père Johann, Marcel Brion, au contraire, considérant que Januarius est un « petit-maître », rival de Chodowiecki dans la description anecdotique de la vie quotidienne de son temps, exalte la valeur de l'œuvre de Johann. La légende voudrait que Johann Zick eût été un simple petit vacher, duquel un peintre voyageur aurait découvert fortuitement les dons. Il est certain qu'il paracheva son apprentissage à Venise, comme tant de décorateurs autrichiens de l'époque venant se former à l'exemple de Tiepolo. Dans cette peinture illusionniste des fausses perspectives du Baroque allemand, Zick se distingue par ce qu'il donne à ses édifices à la fois la rigueur des marbres et la légèreté du rêve. Toutes les tonalités du blanc sont sur sa palette et la lumière unifie toutes choses dans son rayonnement quasi-mystique. À ce titre, la salle qu'il décora au château de Bruchsal, de 1751 à 1754, donc peu avant que son fils Januarius n'y intervint aussi, dite la « Salle Blanche », est caractéristique des derniers feux du style baroque, avant qu'il n'eût épuisé toutes les possibilités d'une inspiration surabondante qui périt de ses excès.

Bibliogr. : Marcel Brion : *La peinture allemande*, Tisné, Paris, 1959.

Musées : Berne : *Amour affligé* – *Sacrifice offert au dieu Pan par des amours* – Coblence : *Le Christ apparaît à saint Pierre* – Düsseldorf : *Décollation de saint Jean-Baptiste* – Karlsruhe : *Mort du philosophe Sénèque* – Ulm : *Angelot* – *Tobie enterrant les morts* – *Tobie faisant l'aumône* – Würzburg (Mus. Luitpold) : *Saint Jean-Baptiste*.

Ventes Publiques : Paris, 25 mai 1950 : *L'arrêt à la fontaine* : **FRF 100 000** – Munich, 25 avr. 1951 : *La flagellation* : **DEM 2 200** – Londres, 28 mars 1979 : *Moïse sauvé des eaux* ; *Vénus et Adonis*, deux h/t (79,5x60) : **GBP 4 500**.

ZICK Johann Baptist
Né en 1803. xixe siècle. Allemand.
Peintre et dessinateur.

Il paraît peu probable qu'il fût le fils de Januarius J. R. Zick, mais éventuellement plutôt celui de Conrad.

ZICKENDRAHT Bernhard
Né le 14 avril 1854 à Hersfeld. Mort le 25 avril 1937 à Charlottenbourg. xixe-xxe siècles. Allemand.
Peintre de genre, portraits.

Il fut élève de l'Académie de Kassel. Il continua ses études à Berlin et à Paris. Médaillé à l'Académie de Kassel. Il s'établit à Charlottenbourg.

On cite de lui : *Portrait du prince Frédéric-Charles* et *Portrait de l'empereur Guillaume II*.

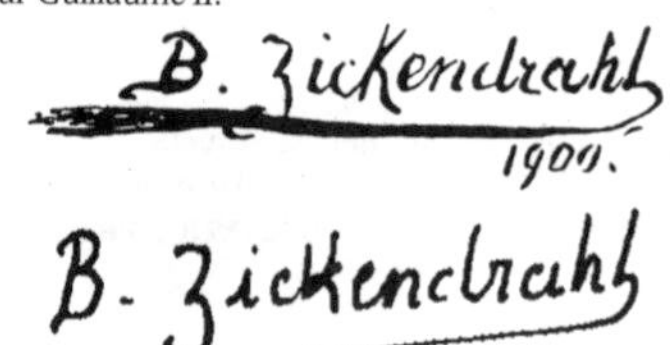

ZICKIARD, dit **le Rembrandt Blanc**
xviie siècle (?). Hollandais.
Peintre d'histoire.

Musées : Genève (Mus. Ariania) : *Mise au tombeau*.

ZICKLER P. J.
xviiie siècle. Hollandais.
Sculpteur sur bois.

Il exécuta la chaire de l'église de Deventer.

ZIED Farrinusa. Voir **FARRINUSA Zied**

ZIEGER Bettina
Née en 1959. xxe siècle. Depuis 1979 active en France. Allemande.
Artiste d'installations. Conceptuel.

En 1990, elle a participé à Tokyo au symposium de performances. En 1991, elle a créé une installation occupant la galerie Condé du Goethe Institut de Paris.

ZIEGERT Max
Né le 5 février 1922 à Sarrelouis (Sarre). xxe siècle. Allemand.
Peintre.

Autodidacte, il participe à des expositions collectives en Allemagne et à l'étranger.

ZIEGL. Voir **ZÜGL David**

ZIEGLER Adolf
xxe siècle. Allemand.
Peintre de compositions à personnages, figures, nus. National-socialiste.

Adolf Ziegler était en accord avec le courant représenté, dès 1920, par la *Société Allemande pour l'Art*, qui prônait un art « conforme à la nature du peuple allemand » et évidemment dirigé contre « le déclin de l'art » provoqué par toutes les manifestations modernistes du début de siècle. Ce courant anticulturel trouva, en 1933, son terrain d'élection dans l'arrivée au pouvoir du nazisme. Ziegler était président de la Chambre des Arts Plastiques sous le régime nazi et, défenseur de la tradition et des canons de la beauté antique, il fut l'animateur de la commission de confiscation des œuvres des artistes décrétés « dégénérés ». Il figurait en bonne place dans l'exposition de la *Freie deutsche Kunst* (Libre art allemand), consacrée à l'art

prôné par le régime et qui était proposée en antidote de la tristement célèbre exposition de la *Entartete Kunst* (Art dégénéré), à Munich en 1937, qui circula jusqu'en 1941 dans neuf villes d'Allemagne et d'Autriche. Cette exposition, à l'inverse de son objectif, fut sans doute une des plus importantes jamais réalisées au monde sur toutes les avant-gardes postérieures à 1910, quand elle voulait libérer l'art moderne de son « aspect malsain », de son « infériorité raciale ».
En tant que peintre, Ziegler fut donc un ardent propagateur de l'idéal artistique du nazisme, c'est à dire un style résolument décoratif, « stylisé », férocement antimoderne et académique sous prétexte de retour à l'Antique. Les thèmes sont volontiers allégoriques et moralisateurs : femme gardienne des valeurs ancestrales, protectrice du foyer et mère du soldat, athlète modèle de la race pure. Le parallèle s'est imposé avec ce qui s'est passé en Russie soviétique au nom du réalisme-socialiste. À titre individuel, Ziegler fut appelé le « peintre du poil pubien allemand ». En effet il s'était spécialisé dans les compositions avec de jeunes femmes nues, ne pouvant laisser aucun doute sur l'authenticité de leur blondeur bien aryenne. ■ J. B.

Bibliogr. : In : *Diction. de l'Art Mod. et Contemp.*, Hazan, Paris, 1992.

ZIEGLER Adrian
Né en 1620. Mort en 1693. XVIIe siècle. Suisse.
Peintre de portraits, graveur.
Il travailla à Zurich. On lui doit aussi des gravures au burin.
Ventes Publiques : Londres, 21 juil. 1989 : *Portrait de Johan Caspar Breittinger agé de soixante-douze ans, vêtu d'un habit sombre et d'une fraise blanche*, h/pan. (26,9x19,7) : **GBP 4 950**.

ZIEGLER Andreas
Né le 2 juin 1815 à Francfort-sur-le-Main. Mort le 30 mai 1893 à Innsbruck. XIXe siècle. Autrichien.
Peintre.
Le Ferdinandeum d'Innsbruck conserve environ une centaine d'aquarelles, dessins et lithographies exécutés par cet artiste.

ZIEGLER Archibald
Né le 21 juin 1903 à Londres. XXe siècle. Britannique.
Peintre de décors.

ZIEGLER Charles
Né le 22 octobre 1827 à Mulhouse. Mort en 1902 en Algérie. XIXe siècle. Français.
Portraitiste.
Il figura aux expositions de Paris ; médaille d'argent en 1900 (Exposition Universelle). Le Musée de Mulhouse conserve de lui *Portrait de Nicolas Koechlin*.

ZIEGLER Charles de
Né en 1890 à Genève. XXe siècle. Suisse.
Peintre.
Fils de Christophe François de Ziegler. Élève de Pignolat et de G. de Beaumont à Genève et de G. Desvallières à Paris.

ZIEGLER Christoph Jacob
Né le 1er octobre 1768 à Zurich. Mort le 10 février 1859. XVIIIe-XIXe siècles. Suisse.
Peintre amateur et officier.
Père de Hans Salomon Ziegler. Le Musée de Zurich conserve des œuvres de cet artiste.

ZIEGLER Christophe François de
Né le 30 avril 1855 à Genève. Mort le 6 septembre 1909. XIXe-XXe siècles. Suisse.
Peintre de genre, dessinateur et émailleur.
Père de Charles de Ziegler. Il fut élève de l'École des Beaux-Arts de Genève, et en 1879, élève à Paris de Galland à l'École des Beaux-Arts. De retour en Suisse en 1884, il entre dans l'atelier de Marc Dufaux, dont il devient le gendre. En 1886, il fut nommé professeur de dessin à l'École des garçons. On cite de lui : *La Noce en Bateau* (au Musée Rath à Genève) et *Nos horlogers du XVIIIe siècle* (Salle des séances du Conseil administratif).
Musées : Genève (Mus. Rath) : *La Noce en Bateau*.

ZIEGLER Claude Jules. Voir **ZIEGLER Jules Claude**

ZIEGLER Conrad
Né en 1770 à Zurich. Mort en 1810 à Londres. XVIIIe-XIXe siècles. Suisse.
Dessinateur et graveur au burin.
Il fit ses études chez Conrad Gessner. Le British Museum de Londres conserve un dessin de cet artiste.

ZIEGLER Daniel
Né le 18 octobre 1716 à Mulhouse. Mort le 26 mars 1806 à Mulhouse. XVIIIe siècle. Français.
Peintre.
Il fit un long séjour en Angleterre et exposa à Londres en 1786.

ZIEGLER Émilie
Née en 1826 à Winterthur. Morte en 1905 à Winterthur. XIXe-XXe siècles. Suisse.
Peintre de fleurs.

ZIEGLER Gabrielle
Née le 28 janvier 1870 à Leipzig. XIXe-XXe siècles. Active et naturalisée en France. Allemande.
Peintre.
Elle fut élève de Henry. Elle exposait à Paris, au Salon des Artistes Français depuis 1896.

ZIEGLER Hans Jakob
Né en 1615 à Winterthur. Mort en 1666 à Winterthur. XVIIe siècle. Suisse.
Dessinateur de vues.

ZIEGLER Hans Salomon
Né le 27 août 1798 à Neftenbach, près de Winterthur. Mort le 23 mars 1882 à Zurich. XIXe siècle. Suisse.
Paysagiste.
Fils de Christoph Jacob Ziegler. Il peignit de préférence des vues du lac de Zurich et de la vallée du Neckar. Le Musée de Zurich conserve quelques dessins et une peinture à l'huile de cet artiste.

ZIEGLER Heinrich Jakob
Né le 11 décembre 1888 à Winterthur. XXe siècle. Suisse.
Peintre de paysages, graveur.
Il peignit surtout des paysages.

ZIEGLER Henry Bryan
Né le 13 février 1793 à Londres. Mort le 15 août 1874 à Ludlow. XIXe siècle. Britannique.
Peintre de portraits et de paysages.
Élève de John Varby. Il exposa à Londres de 1814 à 1874, d'abord des paysages et des vues, dans lesquels il introduisait d'intéressantes figures. Dans ses notes autobiographiques, Ziegler a donné des détails qui méritent d'être rapportés. Il commença sa carrière à l'âge de quatre ans aux Écoles de la Royal Academy. En 1825, Lord Bloomfield ayant remarqué ses ouvrages, l'introduisit dans la haute société. Ziegler fut professeur, notamment de la reine Adelaïde, du Prince Georges, de Cambridge. Il fut employé par la reine pendant près de huit ans. A la fin de sa vie, il peignit des portraits à l'aquarelle.

Ventes Publiques : Londres, 19 juil. 1973 : *Vues du parc de Windsor*, huit aquar., album : **GBP 2 000** – Los Angeles, 12 mars 1979 : *Troupeau au bord d'une rivière*, h/t (41x53,5) : **USD 1 500** – Londres, 22 juil. 1980 : *Portrait d'Alfred, le fils de l'artiste* 1836, aquar. (38,3x28) : **GBP 320**.

ZIEGLER J.
XVIIIe siècle. Actif à Schaffhouse. Suisse.
Miniaturiste.
Deux miniatures dans des collections privées sont signées « Z. Ziegler, (fecit) 1737 ».

ZIEGLER Jakob
Né le 28 août 1823 à Unterramsern (canton de Soleure). Mort en 1856 à Arlesheim. XIXe siècle. Suisse.
Peintre et dessinateur.
Il fit quelques études à Munich, puis à Bâle et mourut très jeune laissant quelques portraits. Au Musée de Soleure, on voit deux cartons de lui.

ZIEGLER Joachim
XVIe siècle. Suisse.
Sculpteur sur bois.

ZIEGLER Johann
Né vers 1750 à Vienne. Mort vers 1812 à Vienne. XVIIIe-XIXe siècles. Autrichien.
Dessinateur, graveur.
Élève de l'Académie de Vienne. En collaboration avec Karl Schutz, il fit et publia cinquante vues de Vienne et des environs, imprimées en couleurs. Il fit aussi une série semblable des provinces autrichiennes. Le Musée de Vienne conserve son autoportrait.

Ventes Publiques : Vienne, 22 mai 1982 : *Monastère et église de Leopoldstadt*, grav./cuivre coloriée (38,5x54,2) : **ATS 25 000**.

ZIEGLER Johann
XIXe siècle. Actif à Vienne. Autrichien.
Peintre.
Il participa à des expositions à Vienne entre 1820 et 1834.

ZIEGLER Johann Christian
Né le 7 février 1803 à Wunsiedel. Mort le 18 juin 1833 à Munich. XIXe siècle. Allemand.
Peintre de paysages.
Il peignit surtout des vues de forêts et de montagnes.

ZIEGLER Johann Ludwig
Mort en 1705, d'après Nagler. XVIIe siècle. Actif à Schaffhouse. Suisse.
Graveur.
Sa planche la plus connue est *Adonis prend congé de Vénus*, d'après Joh. Mart. Weith, qui est signée « H. Lud. Ziegler scaphusianus fec. et exc. » L'artiste est peut-être le même que l'auteur d'une aquarelle de la collection d'art de Schaffhouse qui porte en souscription *La jeune fille enfermée* et qui est signée « L. von Ziegler fec. »

ZIEGLER Josef
Né en 1785 à Vienne. Mort le 17 août 1852 à Vienne. XIXe siècle. Autrichien.
Peintre de portraits.
Ventes Publiques : Munich, 27 nov. 1980 : *Portrait d'un chasseur* 1848, h/cart. (34x28) : **DEM 4 900**.

ZIEGLER Joseph
Né en 1774. Mort le 25 septembre 1846 à Vienne. XVIIIe-XIXe siècles. Autrichien.
Peintre d'architectures et architecte.
Il exposa à Vienne de 1834 à 1838.

ZIEGLER Jules Claude
Né le 16 mars 1804 à Langres (Haute-Marne). Mort le 25 décembre 1856 à Paris. XIXe siècle. Français.
Peintre d'histoire, compositions religieuses, compositions murales, fresquiste, graveur, lithographe, céramiste, peintre sur verre.
Élève de François Joseph Heim et d'Ingres, il exposa ses premières œuvres en 1828 et 1829. Il se rendit en Italie en 1830, séjourna à Venise, puis alla à Munich, où il apprit la peinture à fresque avec Peter von Cornelius. Il revint à Paris, passant par la Belgique. Il fut conservateur du Musée de Dijon et directeur de l'École des Beaux-Arts de cette ville.
Il débuta au Salon de Paris en 1831, obtenant une médaille de deuxième classe en 1838. Après une interruption d'exposition durant cinq ans, il exposa de nouveau au Salon de 1843 à 1853, ayant une première médaille en 1848. Au Salon de 1857, figura encore une de ses toiles.
Chargé de mission par le gouvernement en 1834, il étudia la peinture de vitrail et la céramique en Allemagne. À son retour en France, il fonda en 1838 à Voisinlieu, près de Beauvais, une manufacture de grès artistiques au sel, à décor en relief, inspirés des grès allemands des XVIe et XVIIe siècles. Il quitta Voiselin en 1843 pour reprendre la peinture. Les dessins de ces vases furent lithographiés par lui, et publiés sous le titre *Études céramiques*. Entre temps, de 1835 à 1838, il peignit la coupole de l'église de la Madeleine, à Paris. Il grava une suite de dessins, d'après *Eloa*, d'Alfred de Vigny. Une abondante littérature lui a été consacrée.

Bibliogr. : Gérald Schurr, in : *Les Petits Maîtres de la peinture 1820-1920, valeur de demain*, Les Éditions de l'Amateur, t. III, Paris, 1976.
Musées : Amiens : *La paix d'Amiens* – Arras : *Mort de Foscari – Henri IV et Marguerite de Valois* – Bordeaux : *Giotto dans l'atelier de Cimabue – La mort de Foscari* – Carpentras : *La rosée égrenant ses perles* – Chaumont : *Tête d'étude* – Dijon : *Pluie d'été – Les Bergers de la Bible* – Dunkerque : *Vision de saint Luc peignant la Vierge* – Langres : *Giotto dans l'atelier de Cimabue – Jésus Christ – Immaculée Conception – Coupole de la Madeleine – Esquisse pour la coupole de la cathédrale de Langres – La Vierge de Bourgogne – L'imagination – La rosée répand ses perles sur les fleurs – Daniel dans la fosse aux lions* – Lille (Mus. des Beaux-Arts) : *La République – Saint Georges terrassant le dragon* – Londres (Victoria and Albert Mus.) – Lyon : *Judith devant les portes de Béthulie* – Nancy : *Saint Georges terrassant le dragon* – Nantes : *Daniel dans la fosse aux lions – Étude sur Venise* – Saint-Omer : *La fin du combat* – Sèvres : *Vase aux Apôtres* – Versailles : *Philippe-Auguste – Jean le Bon – Charles le Mauvais, roi de Navarre – Comte de Sancerre – Lescure, Th. de Foix – R. de Le Marck – Réparation faite au nom du pape Alexandre VII par le cardinal Chigi*.
Ventes Publiques : Paris, 12 fév. 1872 : *Un membre du conseil des Dix* : **FRF 800** – Paris, 1873 : *Léda* : **FRF 1 225** – Paris, 21 jan. 1924 : *La rosée du matin* : **FRF 660** – Paris, 18 fév. 1944 : *Coin de village*, aquar. : **FRF 1 200** – Londres, 14 juin 1995 : *Couple oriental* 1854, h/t (41x25,5) : **GBP 7 475** – New York, 3 oct. 1996 : *L'Adoration des mages* 1828, h/t (110,5x85,7) : **USD 3 450**.

ZIEGLER Karl
Né vers 1711 en Tyrol. Mort le 13 janvier 1767. XVIIIe siècle. Autrichien.
Peintre.
Il était actif à Samobor en Croatie. Frère convers de l'ordre des Franciscains.

ZIEGLER Karl
Né le 7 décembre 1866 à Schässburg. XIXe-XXe siècles. Allemand.
Peintre de portraits.
Il fut élève d'Ant. Werner à l'Académie des Beaux-Arts de Berlin. Il eut un atelier au Kaiser-Friedrich Museum, à Posen en 1904.
Musées : Berlin : *Portrait du général von Bose* – Budapest : *Portrait d'une dame – Portrait de l'artiste* – Posen : *Portrait de l'artiste – Les sœurs* – Sibiu : *Paysans d'Arkeden*.

ZIEGLER Philipp
XVIe siècle. Actif à Klagenfurt. Autrichien.
Dessinateur.

ZIEGLER Pierre-Marie
Né en 1950 au Trez-Hir (Finistère). XXe siècle. Français.
Peintre de figures, portraits, dessinateur.
Il montre des ensembles de ses peintures dans des expositions personnelles : 1991-1992 Paris, galerie Jorge Alyskewycz ; 1996 Paris *Figure*, galerie Area.
Depuis environ 1986, décidant de s'investir dans son activité de peinture, il a aussi choisi de traiter pour seul thème son autoportrait. À force d'être unique, le sujet ne compte plus. Seulement support de la peinture, le thème « anonymé » permet des variations sans fin portées par la forme et ses déformations ou par les outrages infligés aux ingrédients pigmentaires.
Bibliogr. : Eugène Durif, in : Catalogue de l'exposition *Pierre-Marie Ziegler*, Galerie Jorge Alyskewycz, Paris, 1991-1992.

ZIEGLER Samuel P.
Né le 4 janvier 1882 à Lancaster (Pennsylvanie). XXe siècle. Américain.
Peintre.
Il fut élève de l'Académie des Beaux-Arts de Philadelphie. Membre de la Fédération américaine des Arts.

ZIEGLER Ulrich
Né à Meran. XVIe-XVIIe siècles. Autrichien.
Peintre.
Il travailla à Bolzano. On voit de lui un tableau d'autel (*Ecce homo*) dans l'ancienne paroisse de Bolzano-Gries.

ZIEGLER Walter
Né le 23 mars 1859 à Deffernik (Bohême). Mort le 17 juin 1932 à Ach-sur-la-Salzach. XIXe-XXe siècles. Autrichien.
Peintre, graveur.
Il fit ses études à l'Académie des Beaux-Arts de Vienne et à celle de Munich. Il exposa à Berlin en 1891 et à Munich en 1896.
Musées : Burghausen/Salzach – Linz.

ZIEGLER Wilhalm
Né vers 1480 sans doute à Creglingen. Mort vers 1543 à Messkirch. XVIe siècle. Allemand.
Peintre.
Il décora un grand nombre d'églises de fresques et de tableaux d'autels.
Musées : Berlin (Mus. allemand) : *Le mont des Oliviers – La descente de croix* – trois tableaux d'autel – Berlin (Cab. de Gra-

vures) : *Portrait d'un garçonnet – L'artiste* – DONAUESCHINGEN : trois tableaux d'autel – KARLSRUHE : *La flagellation* – deux tableaux d'autel – MUNICH (Ancienne Pina.) : deux tableaux d'autel – NUREMBERG : *Le Christ chargé de sa croix* – ROME (Vatican) : *Portrait d'Eitelfriedrich III de Zollern et de son épouse* – SIGMARINGEN : un tableau d'autel – STUTTGART : *Saint Benoît* – VARSOVIE : *Christ insulté* – VIENNE (Albertina) : esquisse.

ZIEGLER Wilhelm
Né en 1857 à Rosenberg. XIXe siècle. Suisse.
Sculpteur, ornemaniste, modeleur.
Il fut élève de l'École des Beaux-Arts de Vienne, puis élève du peintre viennois König, dans l'atelier duquel il entra ensuite. À partir de 1888, il fut professeur à l'École cantonale technique de Winterthur.
Ses œuvres, consistent en décorations dans des habitations privées de la région de Zurich.

ZIEGLER Yvonne
Née le 1er juin 1902 à Paris. XXe siècle. Française.
Peintre, graveur et sculpteur sur bois.
À Paris, elle fut élève de Lucien Simon et de A. Laurens. Elle exposait au Salon d'Automne. Elle exposa aussi à Londres en 1937.

ZIEGLER-SULZBERGER Jakob B.
Né le 1er février 1801 à Winterthur. Mort le 1er juin 1875 à Winterthur. XIXe siècle. Suisse.
Peintre de paysages, dessinateur.
MUSÉES : WINTERTHUR : quatre paysages – ZURICH : dessins.
VENTES PUBLIQUES : LUCERNE, 6 nov. 1981 : *Paysage alpestre avec torrent* 1859, h/t (64,5x53) : **CHF 8 000** – ZURICH, 21 juin 1991 : *Les Chutes de Reichenbach près de Meiringen* 1871, h/t (46x38) : **CHF 1 000**.

ZIEGLER-ZÜNDEL Julie
Née le 21 juillet 1820 à Schaffhouse. Morte le 16 février 1898 à Schaffhouse. XIXe siècle. Suisse.
Peintre de portraits, fleurs.
Elle fit ses études à Genève auprès de Hornung. Elle exposa en 1848 à Schaffhouse une copie d'après Deschwanden. Elle est l'auteur de nombreux portraits.

ZIEGRA Max
Né le 21 décembre 1852 à Dresde. XIXe siècle. Allemand.
Peintre de genre.
Elle fut élève de l'Académie des Beaux-Arts de Dresde et de l'École d'Art à Weimar. Il exposa à Vienne en 1882 et à Berlin entre 1879 et 1890.

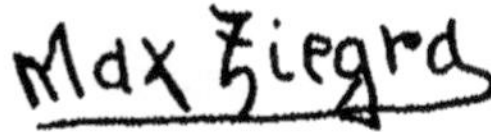

VENTES PUBLIQUES : LONDRES, 9 oct. 1985 : *La réception en plein air*, h/t (99x148,5) : **GBP 1 600**.

ZIEL. Voir **ZYL**

ZIELENIEWSKI Kasimir
Né le 18 février 1888 à Tomsk (Sibérie). Mort le 14 avril 1931 à Naples (Italie). XXe siècle. Polonais.
Peintre de portraits, paysages, natures mortes, fleurs.
Il fit ses études à l'Académie des Beaux-Arts de Cracovie et à celle de Vienne. Exposa, à Paris, au Salon des Indépendants.
VENTES PUBLIQUES : PARIS, 27 déc. 1926 : *Portrait de japonaise* : **FRF 2 000** – PARIS, 22 mai 1942 : *Chandelier et chaise* 1929, aquar. : **FRF 260** – PARIS, 24 jan. 1944 : *Fleurs*, deux toiles : **FRF 400** – PARIS, 15 nov. 1950 : *Une rue* : **FRF 650**.

ZIELENKIEWICZ Casimir. Voir **CAZIEL**

ZIELENS Joseph
XVIIIe siècle. Actif à Anvers. Éc. flamande.
Sculpteur.
On voit de ses œuvres dans la cathédrale et dans l'église Saint-André d'Anvers.

ZIELER Mogens Holger
Né le 6 mars 1905 à Copenhague. XXe siècle. Danois.
Peintre de scènes animées, figures, marines, graveur.
Il fut élève de l'Académie des Beaux-Arts de Copenhague.
MUSÉES : AARHUS : *Barques de pêcheurs aux Célèbes* – COPENHAGUE (Cab. des Estampes).
VENTES PUBLIQUES : COPENHAGUE, 8 nov. 1974 : *Femme avec chat* 1955 : **DKK 10 100** – COPENHAGUE, 19 oct. 1994 : *Notre patrone* 1945, h/t (65x81) : **DKK 5 600**.

ZIELINSKA Aniela
Née le 19 août 1824 à Krzemieniec. Morte le 24 juin 1849 à Varsovie. XIXe siècle. Polonaise.
Peintre de portraits, fleurs.
Elle fut élève de Jean Bogumil Larius, puis étudia à Lemberg et enfin à Varsovie. Elle exposa à Varsovie en 1844. On cite parmi ses œuvres : *Portrait du colonel Paschkovski ; Portrait du père de l'artiste ; Un juif à barbe grise*.

ZIELINSKI Ignacy
Né le 17 juillet 1781 à Kowalewo. Mort le 23 août 1835 à Varsovie. XIXe siècle. Polonais.
Peintre de paysages.
Il débuta à l'Exposition de Varsovie en 1819.

ZIELINSKI Jan
Né en 1819 à Cracovie. Mort le 18 février 1846 à Rome. XIXe siècle. Polonais.
Peintre.
Il fit ses études à Cracovie avec Joseph Sontag, au lycée Sainte-Barbe, puis à l'École des Beaux-Arts dans les ateliers de Joseph Brodovski et de Jean Bizanski. En 1840, il étudia avec Stattler. En 1834, il vint à Varsovie, où il fit plusieurs portraits et en 1845, il se rendit à Rome, où il fit quelques copies de Titien.

ZIELINSKI Sylwester
Né en 1781 à Varsovie. Mort le 6 juin 1853 à Varsovie. XIXe siècle. Polonais.
Peintre.
Il fit ses études avec Kotarski, puis il travailla dans l'atelier royal avec Bacciarelli. Il fit des décors pour le théâtre de Varsovie. En 1811, il fournit les dessins des costumes pour l'armée polonaise et fut nommé peintre de la cour royale. Il décora l'Hôtel de Ville de Varsovie et quelques salles du château royal.

ZIELKE Leopold
Mort le 8 janvier 1861 à Berlin. XIXe siècle. Allemand.
Peintre d'architectures et architecte.
Il fut professeur à l'Académie des Beaux-Arts de Berlin. Il aurait été exposé à Berlin en 1898.
MUSÉES : NUREMBERG (Cab. des Estampes) – SCHWERIN (Mus. prov.).

ZIEM Félix François Georges Philibert
Né le 26 février 1821 à Beaune (Côte-d'Or). Mort le 10 novembre 1911 à Paris. XIXe-XXe siècles. Français.
Peintre d'histoire, sujets de genre, sujets typiques, portraits, paysages animés, architectures, paysages, marines, paysages d'eau, natures mortes, aquarelliste, dessinateur. Pré-impressionniste, orientaliste.
Fils d'un père croate, fixé en Côte-d'Or en 1814, et d'une mère bourguignonne. Il étudia à l'École d'Architecture et des Beaux-Arts de Dijon, qu'a créée et que dirige le peintre Anatole Devosge, élève de David. Il obtient le deuxième prix de dessin et d'architecture en 1839. En 1841, au bout d'un long parcours à pied, il s'installe à Nice, où il commence à recevoir des commandes de la bourgeoisie de la ville. Dès 1842, il voyage en Italie, visite Rome avant de découvrir Venise qui sera sa deuxième patrie, et où, dès lors, il se rendra régulièrement, souvent plusieurs mois par an, de 1845 à 1892. Il travaillait à partir de son bateau, qui lui servait d'atelier en même temps que de domicile. Après un voyage en Grèce à Constantinople et en Russie dès 1844, il continue ses pérégrinations : 1850 Belgique et Hollande, 1852 Angleterre, 1854 Égypte. En 1855, il descend le Danube en bateau, en 1856 visite la Turquie et la partie Est du bassin méditerranéen. En 1858, il est à Alger, en 1860 en Hollande, etc. Il fait de fréquents séjours à Barbizon, s'installe dans une roulotte de forain pour mieux peindre sur le motif et finit par acheter une maison à Charles Jacque. Il est alors l'ami de tous les paysagistes les plus célèbres du temps. Mais il se lassera de Barbizon et partagera son temps entre les quatre maisons qu'il possède, à Venise, Martigues, Nice, et à Paris, rue Lepic. Durant sa carrière, il a peint avec succès plusieurs milliers de toiles, ce qui lui a permis d'aider de jeunes artistes malheureux et a fondé de nombreuses œuvres de bienfaisance, entre autres un asile pour les aveugles.
Doué d'une activité peu commune, il a mené de pair cette vie de grand voyageur avec une participation à la vie parisienne, et au Salon où il expose régulièrement depuis 1849. Vers 1865, Durand-Ruel devient l'un de ses principaux marchands. De nombreuses récompenses et honneurs échurent à cet artiste : médailles de troisième classe en 1851, de première classe en

1852 et 1855 ; chevalier de la Légion d'honneur en 1857 ; officier en 1878 ; commandeur en 1908. À sa mort, il a légué à la Ville de Paris une partie de son atelier (études et dessins). C'est dans cette collection, conservée au Musée du Petit Palais, que tout comme pour Gustave Moreau dans son propre atelier, autre grand joaillier de la peinture, l'on peut le mieux se rendre compte de la technique et du talent de Ziem.
Peintre complet, il brille autant dans les portraits, la nature morte, le tableau de fleurs, les scènes de genre, d'actualité et d'histoire. Toutefois, c'est le paysagiste que l'histoire a surtout retenu. Théophile Gautier a donné une jolie définition du talent de Ziem : « Chaque artiste a une patrie idéale souvent éloignée de son vrai pays... La patrie de Ziem est Venise. C'est là que sa peinture a son domicile légal. Avec une goutte d'eau où se dissout une parcelle de couleur, il bâtit en quelques coups de pinceau une maison au crépi vermeil. Mais ce qu'il exprime mieux encore, c'est l'eau verte de la lagune, brisée en mille écailles de lumière et reflétant le caprice du ciel à travers le sillage et les remous des gondoles qui dérangent les silhouettes répercutées des palais ». Son œuvre n'est pas seulement composée de tableaux bien connus des amateurs. Elle comprend aussi de nombreuses et talentueuses aquarelles. Dans ses dessins, et surtout ses carnets de voyage, il se montre à la fois homme de goût par le choix et la composition des sujets, précieux témoin de son temps pour le cadre et l'animation des lieux et rigoureux réaliste. Après Guardi et Canaletto, il impose une vision nouvelle de Venise qui réside essentiellement non dans les sites célèbres de la ville des Doges mais dans l'étude systématique de sa lumière changeante au gré des heures et des saisons. Outre Venise et les paysages des régions de France où il s'est déplacé, il rapportait de ses voyages à travers l'Europe jusqu'en Russie, de Constantinople, du Bosphore, de très nombreux croquis dont il tirait des scènes orientales, caravanes se profilant sur l'horizon du désert, femmes drapées d'étoffes éclatantes sur les terrasses des villages, vues du Bosphore, coucher de soleil compris. Il avait d'ailleurs transformé l'aspect de son atelier de Martigues en bâtisse mauresque, coiffée d'une coupole et d'un minaret.
Jongkind né en 1819, Boudin en 1824, Manet en 1832, Ziem, né en 1821, a pris place parmi les précurseurs de l'impressionnisme, même si, sur le tard, il tempéra sa palette, même si, le succès aidant, sa virtuosité lui fit multiplier quelque peu sa production de vues de Venise et de clichés orientaux.

■ Pierre Miquel, J. B.

Bibliogr. : In : Encyclopédie des Arts *Les Muses*, t XV, Grange Batelière, Paris, 1969-1974 – Pierre Miquel, in : *Le paysage français au XIXe siècle, 1824-1874 ; L'école de la nature*, Maurs, chez l'auteur, avant 1975 – Sophie Biass-Fabiani et Gérard Fabre : *Félix Ziem*, Actes Sud, s.d., avant 1975 – Pierre Miquel : *Ziem 1821-1911. Catalogue raisonné de l'Œuvre*, La Martinelle, Maurs-la-Jolie, 1978 – A. Calonne : *Félix Ziem : peintre voyageur*, Valeurs de l'art, n° 26, Paris, 26 oct. 1994 – Anne Burdin-Hellebranth, divers : *Félix Ziem 1821-1911*, chez l'auteur, Paris, 1998.

Musées : Ajaccio : *Vue de Constantinople – Vue de Venise* – Amsterdam : *Rameurs maures – Venise* – Avignon : *Vue de Constantinople* – Berlin : *Vue de Venise* – Bordeaux : *Bords de l'Amstel* – Chantilly : *Les eaux douces d'Asie* – Digne : *Venise au clair de lune – Venise, le Grand Canal – Venise, le matin* – Dijon : *Vue de Venise – Vue de Dijon* – Liège : *Intérieur* – Londres (Wallace Coll.) : *Venise* – Martigues (Mus. Ziem) – Montpellier : *Paysage* – Montréal-Learmont : *Vue de Venise* – Moscou : *A Venise – Vue de Venise* – Mulhouse : *Vue de Hollande* – Nantes : *Venise : effet du matin – Venise, le quai des Esclavons – Constantinople* – Nice : *Venise, entrée du Grand Canal* – Paris (Mus. de la Marine) : *Réception de l'escadre italienne à Toulon* – Paris (Mus. du Louvre) : *Grand voilier – Le palais ducal – La Guidecca – Embarcadère du palais ducal – Le Grand Canal – Barque à Venise – Un caïque – Marine – Deux vues de Venise*, anc. au musée du Luxembourg – Paris (Mus. du Petit Palais) : *Nature morte avec un homard – Les eaux douces d'Asie – Le port de Marseille au coucher du soleil – Constantinople, caïque et sultane – Étang de Vaccarès – Le torrent, environs de Clermont-Ferrand – Pivoines – Constantinople, le kiosque des Janissaires – Nature morte aux pastèques – Cheval sauvage en Camargue – Environs de Venise : Fusine – Caravane en route pour la Mecque – Marché à Fez – Retour de Fantasia – Rentrée des pêcheurs à Martigues – Sainte Sophie au soleil levant – Venise et le Campanile au clair de lune – Nature morte aux grenades – L'embouchure de Bosphore – Le coup de canon – Barbizon, le soir – Venise – L'éléphant – Devant Martigues – Anvers – L'Automne – Le harem – Le canard – Femme nue de dos – Femme du Transtévère – Nus, deux études – Le chariot – La robe rouge – Les dindons* – un panneau de six études – *Les Syndics des drapiers*, copie de Rembrandt – *Étude de femme, tête d'homme, le tambour*, copies de Rembrandt – *Incendie – Coucher de soleil – Tournant de rivière – Le Dôme de Milan – Près d'Alger – Portrait de jeune fille – Effet de crépuscule – Coucher de soleil – Nature morte au potiron – La chaumière – La mare – Les trois cyprès – Entrée d'une forêt – Portrait – L'Arc de Triomphe de l'Étoile – Bord de rivière – Crépuscule – Le Bas-Meudon – La douane à Venise – Saint-Pétersbourg – Vieilles maisons* – un panneau de quatre études – *Coin de forêt – Tobolsk – Fleurs – Venise – La Place Saint-Marc en 1863 – L'Avenue des Champs-Élysées – Le Palais des Doges – Venise la Salute – La Sortie du Jardin Français à Venise – La vieille porte – Venise au coucher du soleil – Fête à l'Ambassade d'Angleterre à Paris – Florence – La Seine – Billancourt au coucher du soleil – Pins parasols aux environs de Naples – La grotte du Pausilippe – Les Champs-Élysées – Coucher de soleil – La frégate – La vague – À Naples – La cascade – Coucher de soleil – Environs de Barbizon – Le coup de vent – Le chaland – Les sloops de pêche – Les eaux douces d'Asie – Les Chênes – Coucher de soleil – La forêt – La tempête – Saint-Ouen – Ibis – La route – Le moulin – Le repos de la Sultane – Fantasia à Constantinople – Venise, le Jardin Français au crépuscule – Le harem – La forêt de Fontainebleau – Sous le pont des Soupirs – Le carnaval à Venise – Le Moulin de Daudet – Khartoum, coucher de soleil – La Guidecca au crépuscule – Le Palais des Doges – Le Jardin Français de Venise au clair de lune – Venise – Inondation à Venise – Le moulin de la butte – Pin parasol du Bosphore – Le moulin – La procession de saint Georges à Venise – Le caïque – L'offrande à la Madone – Venise au soleil levant – Le quai saint Jean à Marseille – Le Rhône entre Arles et Avignon – Le Martyre de saint Marc*, d'après Véronèse – *La Ronde de nuit*, d'après Rembrandt – Reims : *Marseille, le vieux port – Vue d'Italie – Chaumière* – Rouen : *Stamboul – Trinquetaille – Environs de la Haye – Crépuscule* – Toulouse : *Scène vénitienne* – Valenciennes : *Vue de Venise – Vue d'Orient – Effet de soir, le quai des Esclavons.*

Ventes Publiques : Paris, 1857 : *Vue prise en Grèce* : **FRF 3 700** – Paris, 1865 : *Vue de Venise* : **FRF 6 200** ; *La Corne d'Or à Constantinople* : **FRF 4 850** – Paris, 1868 : *Venise le matin* : **FRF 5 000** – Paris, 1869 : *Le Grand Canal à Venise*, aquar. : **FRF 660** – Paris, 1873 : *La Canebière et le port de Marseille* : **FRF 5 000** – Paris, 1873 : *Vue de Stamboul* : **FRF 12 000** – Londres, 1873 : *Quai du port de Marseille* : **FRF 19 850** – Londres, 1875 : *Une rivière en Algérie* : **FRF 15 750** – Vienne, 1878 : *Vue de Constantinople* : **FRF 6 500** – Paris, 1881 : *Paysage d'automne* : **FRF 11 000** – Paris, 1886 : *Entrée du Grand Canal à Venise* : **FRF 24 000** – Paris, 1888 : *Venise au coucher du soleil* : **FRF 26 200** – Paris, 1889 : *Canal en Hollande* : **FRF 20 500** – Paris, 1892 : *Venise* : **FRF 22 000** – Paris, 1894 : *Le Grand Canal à Venise* : **FRF 15 600** – New York, 1895 : *Vue de Constantinople* : **FRF 13 625** – Londres, 1898 : *Vue de Venise*, aquar. : **FRF 2 625** – Paris, 14-17 mai 1898 : *Le départ de la caravane* : **FRF 10 400** – Paris, 1898 : *Venise* : **FRF 20 000** – New York, 1899 : *Le Grand Canal à Venise* : **FRF 9 500** – Paris, 1899 : *Vue de Venise*, aquar. : **FRF 4 800** – Paris, 13 déc. 1899 : *Un jour de fête à Venise* : **FRF 10 000** – Paris, 1900 : *La Flotte dans le Grand Canal à Venise* : **FRF 29 700** ; *Le Grand Canal à Venise* : **FRF 49 500** – Paris, 1900 : *Le Vieux Port à Marseille* : **FRF 12 300** – Paris, 26-27 mai 1902 : *Venise* : **FRF 18 000** ; *La tour de Léandre à Constantinople* : **FRF 17 500** – Paris, 8 juin 1903 : *Le Grand Canal* : **FRF 58 000** ; *Canal à Venise* : **FRF 29 000** – Paris, 28 mars 1906 : *La place Saint-Marc inondée* : **FRF 19 000** – Paris, 15 nov. 1906 : *Venise* : **FRF 37 000** – Paris, 11-12 mars 1908 : *Le port de Marseille* : **FRF 16 800** – Paris, 12-13 mai 1908 : *Les voiles blanches sur le Grand Canal à Venise* : **FRF 18 000** – Paris, 11 déc. 1908 : *Le soir sur le Grand Canal* : **FRF 30 100** – Paris, 22 mai 1909 : *Venise, le Grand Canal au crépuscule* : **FRF 23 500** – New York, avr. 1910 : *Le Grand Canal à Venise* : **FRF 36 500** – Paris, 28 fév. 1912 : *Coucher de soleil sur le Grand Canal* : **FRF 34 600** – Paris,

25 nov. 1918 : *Une rue de Milan* : **FRF 48 500** – Paris, 3 mars 1919 : *Venise, le Bucentaure* : **FRF 30 000** ; *Le port de Marseille* : **FRF 32 000** – Paris, 6-7 mai 1920 : *Venise* : **FRF 37 000** – Londres, 1er juin 1923 : *Constantinople* : **GBP 141** – Paris, 19 mai 1924 : *Le Canal, Venise* : **FRF 37 000** ; *Le Bosphore* : **FRF 33 000** – Paris, 30 nov. 1925 : *Venise* : **FRF 33 000** – Paris, 16 déc. 1927 : *Pêcheurs relevant leurs filets* : **FRF 28 000** – Londres, 19 avr. 1929 : *Vue de Venise au coucher du soleil* : **GBP 357** – Paris, 24 mai 1929 : *Bateaux dans le port à Venise* : **FRF 45 100** – New York, 30 oct. 1929 : *Scène vénitienne* : **USD 1 700** – New York, 30 jan. 1930 : *Jour de fête à Venise* : **USD 6 000** – New York, 4-5 fév. 1931 : *Le Palais des Doges* : **USD 900** – New York, 29 mars 1934 : *La Piazzetta à Venise* : **USD 1 400** ; *Canal vénitien* : **USD 1 900** – New York, 23 nov. 1934 : *Le Grand Canal* : **USD 800** ; *Venise* : **USD 2 100** – Paris, 29 nov. 1935 : *Port de Marseille*, aquar. : **FRF 10 000** ; *Le Grand Canal à Venise, fin d'après-midi* : **FRF 27 100** – Paris, 21 oct. 1936 : *Fin d'après-midi à Venise* : **FRF 21 300** – New York, 3 déc. 1936 : *Scène vénitienne* : **USD 1 450** – Paris, 28 juin 1937 : *Le quai des Esclavons à Venise* : **FRF 19 000** – New York, 5-7 jan. 1939 : *Scène vénitienne* : **USD 2 100** – Paris, 8 mai 1941 : *Les Jardins Français à Venise* : **FRF 25 300** – Paris, 18 mai 1942 : *Venise, gondoles et bateaux pavoisés sur la lagune* : **FRF 51 000** ; *Venise, bateaux à quai* : **FRF 71 000** – Nice, 21 déc. 1942 : *Vue panoramique de Venise, avec gondoles chargées de couples élégants et de musiciens* : **FRF 68 000** – Paris, 12 mars 1943 : *Moulin à vent au bord de la rivière* : **FRF 152 000** – Paris, 5 avr. 1943 : *La foule des marchands aux abords d'une mosquée à Constantinople* : **FRF 82 000** – Paris, 23 juin 1943 : *Venise* : **FRF 105 000** – New York, 30 nov. 1943 : *Mariage de l'Adriatique* : **USD 1 300** – Paris, 23 et 24 fév. 1944 : *Gondole et voilier à Venise* : **FRF 81 000** – Paris, 17 mai 1944 : *L'embarcadère sur le Lido* : **FRF 100 000** ; *Marseille, le port* : **FRF 105 000** ; *La promenade sur la terrasse*, aquar. : **FRF 62 000** – Paris, 24 mai 1944 : *Venise, voiliers et barque de pêche dans le port* : **FRF 106 000** – Paris, 26 fév. 1945 : *Le port de Marseille* : **FRF 101 000** – New York, 18 et 19 avr. 1945 : *Le palais des Doges* : **USD 1 500** – Paris, 25 juin 1945 : *Les moulins sous la neige* : **FRF 76 000** – New York, 25 jan. 1946 : *Une fête à Venise* : **USD 2 150** – Paris, 30 juin 1947 : *Voiliers au port* : **FRF 126 000** ; *Moulins en Hollande* : **FRF 122 000** – Paris, 24 nov. 1948 : *La place Saint-Marc inondée* : **FRF 215 000** – Paris, 20 déc. 1948 : *La lagune de Venise* : **FRF 110** – Nice, 24 fév. 1949 : *Gondole sur la lagune* : **FRF 140 000** – Genève, 5 nov. 1949 : *Venise, soleil couchant* : **CHF 1 050** – Cologne, 17 nov. 1949 : *Crépuscule sur Venise* : **DEM 2 000** – Paris, 28 nov. 1949 : *Voiliers pavoisés à Venise* : **FRF 200 000** ; *Les moulins en Hollande* : **FRF 130 000** – Paris, 12 mai 1950 : *Venise : gondoles et voiliers sur la lagune*, aquar. : **FRF 36 000** – Paris, 28 juin 1950 : *Constantinople* : **FRF 140 000** – Londres, 14 mars 1951 : *Entrée d'un port* : **GBP 120** – Londres, 25 avr. 1951 : *Les Jardins Français à Venise en septembre* : **GBP 135** – Paris, 27 avr. 1951 : *Venise : Entrée des Jardins Français* : **FRF 150 000** – Paris, 20 juin 1951 : *La Corne d'Or* : **FRF 130 000** – Paris, 20 nov. 1953 : *Constantinople* : **FRF 301 000** – New York, 21 oct. 1959 : *Anvers* : **USD 700** – Paris, 1er déc. 1959 : *La promenade sur la terrasse*, aquar. : **FRF 500 000** – New York, 20 mai 1960 : *Scène de port* : **USD 850** – Versailles, 5 juin 1962 : *Le palais des Doges à Venise* : **FRF 8 000** – New York, 6 nov. 1963 : *Le Grand Canal à Venise* : **USD 2 000** – New York, 25 mars 1964 : *Le bucentaure* : **USD 1 600** – New York, 24 nov. 1965 : *Venise, la lagune* : **USD 2 300** – Munich, 28-30 sep. 1966 : *La lagune à Venise* : **DEM 4 600** – New York, 13 déc. 1967 : *Venise* : **USD 2 850** – New York, 23 fév. 1968 : *Venise* : **USD 2 300** – New York, 30 oct. 1969 : *Vue de Venise* : **USD 2 750** – New York, 12 nov. 1970 : *Vue de Venise* : **USD 3 700** – Paris, 21 juin 1971 : *Venise* : **FRF 19 000** – Paris, 27 mai 1972 : *Venise, le quai des Esclavons* : **FRF 51 000** – New York, 10 oct. 1973 : *Vue de Venise* : **USD 6 500** – Rome, 4 déc. 1973 : *Venise*, aquar. : **ITL 800 000** – Paris, 28 mars 1974 : *Venise* : **FRF 38 000** – Paris, 19 mars 1976 : *Marché persan*, h/t (65x81) : **FRF 15 000** – New York, 25 oct. 1977 : *Riva degli Schiavoni, Venise*, h/pan. (71x91,5) : **USD 3 000** – Londres, 29 nov 1979 : *Le port de Marseille*, aquar. (12x20,5) : **GBP 1 300** – Paris, 26 juin 1979 : *Le peintre à Venise*, h/pan. (65x54,5) : **FRF 46 000** – Clermont-Ferrand, 23 avr. 1981 : *Saint-Georges Majeur vu de la Piazetta, Venise*, h/pan. (59x42) : **FRF 61 000** – Paris, 19 mars 1983 : *Constantinople : vue de Sainte-Sophie*, h/pan. (72x124) : **FRF 170 000** – Lyon, 13 déc. 1984 : *La Corne d'Or*, h/t (39x57) : **FRF 41 000** – Enghien-les-Bains, 4 mars 1984 : *Caravane sur fond de montagne*, aquar. (23x38) : **FRF 18 000** – Paris, 29 nov. 1985 : *Vue de Venise* 1859, pl. et lav. d'encre de Chine (36x55) : **FRF 7 300** – Paris, 1er juil. 1985 : *Le départ pour la pêche* 1843, aquar. (23x40) : **FRF 12 000** – New York, 3 fév. 1988 : *Venise, l'entrée du Grand Canal*, h/t (83x137) : **USD 24 200** – Paris, 1er juin 1988 : *Le Jardin Français à Venise*, h/t (83x114) : **FRF 180 000** – Paris, 8 juin 1988 : *Embarquement à Venise, Place Saint-Marc*, h/t (58x94) : **FRF 95 000** – Monaco, 17 juin 1988 : *Rivière au moulin*, h/pan. (32x41) : **FRF 21 090** – Grandville, 16-17 juil. 1988 : *Gondole à Venise*, h/pan. (43,5x74,5) : **FRF 40 500** – Berne, 26 oct. 1988 : *Canal et moulin à vent en Hollande*, h/t (42x37) : **CHF 8 500** – Montréal, 17 oct. 1988 : *Scène de port vénitien*, h/pan. (25x41) : **CAD 1 400** – Versailles, 18 déc. 1988 : *Nature morte au potiron* 1848, h/pan. (20x30) : **FRF 26 000** – New York, 23 fév. 1989 : *Le Grand Canal*, h/t (54,3x78,8) : **USD 19 800** – Paris, 13 avr. 1989 : *Le quai des Esclavons et le Palais des Doges*, h/t (54x81) : **FRF 320 000** – Paris, 5 juin 1989 : *Venise*, h/t (38x55) : **FRF 65 000** – Marseille, 25 oct. 1989 : *Le kiosque aux eaux douces*, h/t (64x91) : **FRF 271 000** – Versailles, 19 nov. 1989 : *Bucentaure entre San Gorgio et le Palais des Doges* vers 1880, h/t (54,5x73,5) : **FRF 175 000** – Londres, 22 nov. 1989 : *Le Grand Canal à Venise*, h/pan. (72x104) : **GBP 19 800** – Paris, 22 nov. 1989 : *Bateaux de pêche*, h/pan. (63,5x81,5) : **FRF 255 000** – New York, 17 jan. 1990 : *Voiliers à Venise*, h/t (55,9x85,8) : **USD 13 200** – New York, 1er mars 1990 : *Le Grand Canal à Venise*, h/t (56x80) : **USD 35 200** – Paris, 30 mars 1990 : *La Barque du Tasse*, h/pan. (50,5x84) : **FRF 151 000** – New York, 22 mai 1990 : *Le Grand Canal à Venise*, h/pan. (67,2x101) : **USD 60 500** – Paris, 12 juin 1990 : *Vue du Grand Canal*, h/t (68,5x109,5) : **FRF 180 000** – Londres, 5 oct. 1990 : *Santa Maria della Salute à Venise*, h/cart. (21,6x27) : **GBP 3 850** – Paris, 6 oct. 1990 : *Vue de Venise*, aquar. (13,5x23) : **FRF 18 000** – Paris, 12 oct. 1990 : *Venise, le Grand Canal*, h/t (88x127) : **FRF 308 000** – Marseille, 8 nov. 1990 : *Trois-mâts à vapeur pavoisé d'oriflammes et gondoles devant le Palais des Doges à Venise*, h/pan. (72x105) : **FRF 320 000** – New York, 23 mai 1991 : *Grande fête sur la lagune à Venise*, h/t (68x110,5) : **USD 22 000** – Monaco, 21 juin 1991 : *Rome : le chateau Saint-Ange*, gche, cr. et lav. (25x35) : **FRF 33 000** – New York, 16 oct. 1991 : *Vue de Venise*, h/t (74,9x106) : **USD 33 000** – Bourg-en-Bresse, 17 nov. 1991 : *Jour de fête à Venise*, h/t (66x81) : **FRF 340 000** – Auch, 7 déc. 1991 : *Trabucco à la voile et Toppi-pêcheurs*, h/t (54x74) : **FRF 138 000** – Paris, 11 déc. 1991 : *Rue animée en Syrie*, h/pan. (48,5x28,5) : **FRF 30 000** – Calais, 2 fév. 1992 : *Vue de Venise*, h/t (75x105) : **FRF 305 000** – New York, 19 fév. 1992 : *Paysage vénitien avec la place Saint Marc et Santa Maria della Salute*, h/t (54,9x90,5) : **USD 35 200** – Amsterdam, 22 avr. 1992 : *Vue de Venise*, h/pan. (56x74,5) : **NLG 41 400** – Versailles, 24 mai 1992 : *Vue de la lagune*, h/t (54,5x72) : **FRF 126 000** – Paris, 22 juin 1992 : *Venise*, h/t (65x80) : **FRF 260 000** – Paris, 2 avr. 1993 : *Le marché aux fleurs à Marseille*, h/pan. (36x26,5) : **FRF 56 000** – Londres, 18 juin 1993 : *Le Bacino à Venise*, h/t (69x102) : **GBP 17 250** – New York, 12 oct. 1993 : *Le Bucentaure*, h/t (68,6x113) : **USD 36 800** – Paris, 22 juin 1994 : *Le Bucentaure à Venise*, h/t (69x113) : **FRF 400 000** – Calais, 3 juil. 1994 : *Venise – gondole devant les Jardins Français*, h/t (65x93) : **FRF 54 000** – Strasbourg, 18 mai 1995 : *Venise vue du Grand Canal*, h/pan. (72x91) : **FRF 181 000** – Brest, 13 juin 1995 : *Pêcheurs au soleil couchant à Venise*, h/t (69x106) : **FRF 305 000** – New York, 1er nov. 1995 : *Fête de l'Assomption à Venise*, h/t (85,7x134,6) : **USD 37 375** – Paris, 3 avr. 1996 : *Grand Canal à Venise* 1883, h/t (69x110) : **FRF 265 000** – Paris, 5 juin 1996 : *Gondoles devant la place Saint-Marc*, h/t (46x66) : **FRF 125 000** – Paris, 10 juin 1996 : *Courtisans sur le quai des Esclaves à Venise*, h/pan. (31,7x54) : **FRF 51 000** ; *Venise, le Grand Canal*, h/pan. (55x80,5) : **FRF 200 000** – Paris, 19 juin 1996 : *Les Eaux douces d'Asie*, h/t (74x100) : **FRF 122 000** – Paris, 25 juin 1996 : *La Corne d'or*, h/pan. (33x46) : **FRF 42 000** – Calais, 7 juil. 1996 : *Rivage méditerranéen*, h/pan. (59x84) : **FRF 36 000** – Paris, 14 oct. 1996 : *Le Grand Canal à Venise*, h/pan. (40,5x58) : **FRF 128 000** – Londres, 21 nov. 1996 : *La Sieste*, h/pan. (45,2x78,7) : **GBP 11 500** – Londres, 21 mars 1997 : *Une fête à Venise*, h/t (83x135,5) : **GBP 32 200** – Paris, 5 juin 1997 : *Voiliers à l'abri des Jardins Français à Venise* vers 1870-1880, aquar./pap. (20x31,5) : **FRF 18 000** – Paris, 16 juin 1997 : *Bords d'étang*, h/pan. (44x75) : **FRF 26 000** – Paris, 18 juin 1997 : *Bouquet de fleurs dans un vase*, h/cart. (21x29,7) : **FRF 27 000** – Calais, 6 juil. 1997 : *Venise, le Grand Canal*, h/t (41x61) : **FRF 83 000** – Londres, 17 oct. 1997 : *Vue de Constantinople*, h/pan. (28,5x43) : **GBP 12 650** – New York, 22 oct. 1997 : *Fruits de Paris*, h/pan., de forme ovale (59,4x75,9) : **USD 10 925**.

ZIEMIECKI Antoni
Né en 1806 à Varsovie. XIXe siècle. Polonais.
Peintre d'histoire, portraits.
Élève d'A. Kokular. On voit de ses œuvres au Musée de Varsovie et à celui de Lemberg.

ZIEMSKI
Né en 1930 à Radom. XXe siècle. Polonais.
Peintre.
Il participe à des Expositions collectives, dont l'exposition de *Peinture polonaise* au Musée d'Art et d'Histoire à Genève en 1959, puis à Washington en 1960, et à Sidney en 1964. Nombreuses expositions particulières à Varsovie et à Chicago.

ZIER Delphine Alexandrine
Née au XIXe siècle à Paris. XIXe siècle. Française.
Peintre de portraits, natures mortes, miniatures.
Élève de Mme Desnos et de Hersent. Elle exposa au Salon de 1853 à 1872.

ZIER François Édouard
Né en 1856 à Paris. Mort en 1924 à Thiais (Val-de-Marne). XIXe-XXe siècles. Français.
Peintre d'histoire, scènes de genre, portraits, illustrateur.
Élève de son père Victor Casimir Zier et de Jean Léon Gérome, il débuta au Salon de Paris en 1874, où il exposa régulièrement, devenu Salon des Artistes Français en 1881, obtenant une mention honorable en 1884, dont il devint sociétaire en 1894, obtenant une médaille de troisième classe en 1900, de deuxième classe en 1904.
Il a collaboré à des publications : *Le Courrier Français, L'Illustration, Le Monde Illustré*. Il a illustré de nombreux romans pour la jeunesse, et : *Le Roman Comique* de Scarron, en 1888. Il donne un caractère intimiste à ses scènes de genre du Moyen-Âge ou de la Renaissance, traitées dans le style troubadour.

Ed. Zier

Bibliogr. : Gérald Schurr, in : *Les Petits Maîtres de la peinture 1820-1920, valeur de demain*, Les Éditions de l'Amateur, t. III, Paris, 1976 - Marcus Osterwalder, in : *Dictionnaire des illustrateurs 1800-1914*, Ides et Calendes, Neuchâtel, 1989.
Musées : Gray : *Charles VI et Odette*.
Ventes Publiques : Paris, 1895 : *Marché aux esclaves*, dess. : **FRF 55** ; *La sénéchale accusant Rabelais devant François Ier*, dess. : **FRF 60** – Paris, 27 jan. 1923 : *Femme à sa toilette* : **FRF 355** – Paris, 3 juil. 1926 : *Renaud et Armide* : **FRF 3 400** – Paris, 29 déc. 1943 : *La femme aux perles* : **FRF 3 100** ; *Hidraot conseillant Armide* : **FRF 4 100** – Paris, 5 fév. 1982 : *La femme à l'arc* 1872, h/t (80x45) : **FRF 13 000** – Londres, 21 mars 1984 : *L'essayage* 1903, h/t (193x128) : **GBP 3 500** – New York, 23 mai 1990 : *Portrait idéal* 1903, h/t (61x51) : **USD 18 700** – Versailles, 25 nov. 1990 : *La conversation*, h/cart. (33x25) : **FRF 4 000** – Paris, 5 nov. 1991 : *Cycliste 1900 assise sur le rebord d'une fenêtre*, h/cart. (39x33) : **FRF 10 500** – New York, 26 mai 1992 : *Le jeune étudiant* 1877, h/t (45,7x33) : **USD 3 300** – New York, 13 oct. 1993 : *Acis et Gamatée se cachant de Polypheme*, h/t (100x148) : **USD 23 000** – New York, 18-19 juil. 1996 : *Ophélie* 1904, h/t (61,6x50,2) : **USD 5 750** - New York, 22 oct. 1997 : *La Lettre*, h/t (81x60) : **USD 10 925**.

ZIER Victor Casimir
Né le 26 septembre 1822 à Varsovie. XIXe siècle. Polonais.
Peintre d'histoire, portraits.
Père de François Edouard Z. Élève de Norblin et de L. Cogniet. Débuta au Salon de 1844. On voit de ses œuvres dans les églises de Saint-Roch, Saint-Louis des Invalides, et de l'Immaculée Conception, à Paris.

ZIERA Antonio
XVe siècle. Travaillant à Venise de 1469 à 1475. Italien.
Sculpteur sur bois.
Fils de Daniele Ziera II.

ZIERA Daniele I
Mort avant 1404. XIVe siècle. Actif à Venise. Italien.
Sculpteur sur bois.
Père de Meneghino Ziera.

ZIERA Daniele II
Mort en 1867. XIXe siècle. Actif à Venise. Italien.
Sculpteur sur bois.
Fils de Meneghino Ziera.

ZIERA Girolamo
XVe siècle. Travaillant à Venise de 1470 à 1485. Italien.
Sculpteur sur bois.
Fils de Daniele Ziera. II, frère d'Antonio Ziera.

ZIERA Meneghino
XVe siècle. Travaillant à Venise en 1467. Italien.
Sculpteur sur bois.
Fils de Daniele Z. I.

ZIERA Niccolo
XVe siècle. Travaillant à Venise en 1443. Italien.
Sculpteur sur ivoire.

ZIERCHER. Voir **ZÜRCHER**

ZIERER Anton
XVIIIe siècle. Travaillant à Strasbourg en 1791. Français.
Dessinateur, silhouettiste.

ZIERK Rud.
XIXe siècle (?). Suédois.
Peintre de genre.
Musées : Helsinki : *Chanteuse dans une église*.

ZIERMANN Carl
Né en 1850 à Saalfeld. Mort le 14 février 1881 à Berka. XIXe siècle. Allemand.
Peintre de genre.
Médaillé à Berlin en 1878. Il exposa à Vienne en 1881.

ZIERN. Voir **ZÜRN**

ZIESEL Georg Frederik, ou **Joris E.**
Né en 1755 ou 1756 à Hoogstraeten (près d'Anvers). Mort le 26 juin 1809 à Anvers. XVIIIe siècle. Éc. flamande.
Peintre d'animaux, natures mortes, fleurs et fruits, miniatures.
Cet artiste, dont on vante le talent et la finesse d'exécution, vint s'établir à Anvers en 1770. Il fut l'ami d'Ommeganck et de Pieter Faes. Il se maria en 1780. Il vint à Paris et y vécut plusieurs années.

GF. Ziesel

Bibliogr. : In : *Diction. Biogr. Illustré des Artistes en Belgique depuis 1830*, Arto, Bruxelles, 1987.
Musées : Anvers (Mus. des Beaux-Arts) : *Fleurs* – Florence (Mus. des Offices).
Ventes Publiques : Paris, 17-18 juin 1924 : *Le nid* : **FRF 1 000** – Paris, 14 nov. 1927 : *Fleurs, fruits et insectes* : **FRF 5 050** – Londres, 12 juil. 1968 : *Nature morte aux fleurs* : **GNS 3 000** – Amsterdam, 25 nov. 1969 : *Nature morte aux fleurs* : **NLG 35 000** – Vienne, 1er déc. 1970 : *Nature morte aux fleurs et aux fruits* : **ATS 320 000** – Vienne, 14 mars 1984 : *Nature morte aux fleurs et aux fruits*, h/pan. (60,5x79) : **ATS 160 000** – Monte-Carlo, 22 juin 1985 : *Bouquet de fleurs sur une table de marbre* 1785, peint./verre (63x50) : **FRF 55 000** – Londres, 21 avr. 1989 : *Roses, lilas, primevères et seringa dans un vase de verre et raisins, cerises et groseilles et un serpent* 1723-1724, h/pan., une paire (chaque 31,2x25,8) : **GBP 38 500**.

ZIESENIS Anthony ou **Anton**
Né le 26 décembre 1731 à Hanovre. Mort le 25 mars 1801 à Amsterdam. XVIIIe siècle. Hollandais.
Sculpteur et architecte.
Père de Bartholomeus W. H., Johannes et Zacharias Z. Il travailla à Hambourg et vint en 1757 à Amsterdam.

ZIESENIS Bartholomeus Wilhelmus Hendrikus
Né en 1762 à Amsterdam. Mort le 1er mai 1820 à La Haye. XVIIIe-XIXe siècles. Hollandais.
Sculpteur et architecte.
Fils d'Anthony Ziesenis.

ZIESENIS Elisabeth, plus tard Mme **Lampe**
XVIIIe siècle. Active dans la seconde moitié du XVIIIe siècle. Danoise.
Peintre.
Fille de Johann Georg Z. Le Musée du château de Mannheim conserve un *Portrait de femme* au pastel exécuté par cette artiste. Deux portraits conservés au Musée de Hanovre lui sont attribués.

ZIESENIS Johann Georg ou **Zisenis**
Né en 1716 à Copenhague. Mort le 4 mars 1776 à Hanovre. XVIIIe siècle. Danois.
Peintre de sujets de genre, portraits.
Fils d'un peintre danois, peu connu, dont il fut élève. Il vint en Hollande en 1768, fut membre de la confrérie de La Haye. Il alla ensuite travailler à l'Académie des Beaux-Arts de Düsseldorf, et y peignit de nombreux portraits. L'électeur de Hanovre l'appela près de lui et le nomma peintre de sa cour. Ziesenis travailla aussi à Berlin et à Brunswick. Il fut un portraitiste de cour d'autant plus disputé que d'une élégance affectée.
Musées : Berlin (Kaiser-Friedrich Mus.) : *Portrait de la duchesse Marie-Charlotte-Amélie de Saxe-Gotha travaillant à une tapisserie – Portrait du duc Ernst Ludwig de Saxe-Gotha – Portrait de la comtesse Marie-Barbara-Eleonore de Shaumburg-Lippe – Portrait du comte Friedrich Wilhelm Ernst de Schamburg-Lippe* – Darmstadt (Mus. du Château) : *Portrait de Christian IV* – Franc-fort-sur-le-Main : *Portrait de J. N. Gogel l'Ancien – Portrait de J. W. Gogel le Jeune* – Hanovre : *Portraits d'un seigneur de Steinberg et de son épouse* – Heidelberg : *Portraits du comte Karl Ludwig de Löwenstein, de son épouse et du ministre H. W. de Sickingen* – Nuremberg : *Portrait du duc Leopold Friedrich Franz d'Anhalt* – Speyer : *Portrait de Clemens Franz de Paula, duc de Bavière.*
Ventes Publiques : Lucerne, 3 déc. 1965 : *Les Trois Filles du duc Carl Théodore* : **CHF 5 000** – Vienne, 16 mars 1971 : *Portrait de Frédéric le Grand* : **ATS 45 000** – Copenhague, 7 déc. 1976 : *Groupe familial dans un intérieur*, h/t (208x147) : **DKK 17 000** – Londres, 11 déc. 1981 : *Ferdinand, comte de Braunschweig*, h/t (241,2x152,5) : **GBP 14 000** – Londres, 13 déc. 1985 : *Portrait de Guillaume V de Nassau-Dietz, prince d'Orange*, h/t (130,2x99,7) : **GBP 6 000** – Londres, 19-20 fév. 1997 : *Portrait en buste de Sir William Fawcett*, h/t/pap. (36x30) : **GBP 4 310**.

ZIESENIS Johannes
Né en 1770 à Amsterdam. Mort en 1799. XVIIIe siècle. Hollandais.
Sculpteur et dessinateur.
Fils d'A. Ziesenis. Élève de J. Andriessen et A. de Lelie.
Musées : Amsterdam : *Trois portraits de Guillaume V d'Orange* – Hanovre : *Portrait de Frédéric le Grand* – La Haye : *Le Stathouder Guillaume V – La princesse Frédérique Sophie Wilhelmine, femme de Guillaume V.*

ZIESENIS Zacharias
Né vers 1775. XIXe siècle. Travaillant à Amsterdam en 1819. Hollandais.
Sculpteur.
Il est le fils d'Anthony Ziesenis.

ZIEZA. Voir **CIEZA**

ZIFFER Sandor
Né en 1888 à Eger (Erlau). XXe siècle. Hongrois.
Peintre de figures.
Il travaillait à Nagybanya.

ZIFRONDI Antonio. Voir **CIFRONDI**

ZIGAINA Giuseppe
Né le 2 avril 1924 à Cervignano-del-Friuli. XXe siècle. Italien.
Peintre de paysages animés, natures mortes, graveur. Réaliste.
Vivant à Cervignano-del-Friuli, il expose depuis 1942, notamment à l'occasion d'expositions de groupe : Biennale de Venise, régulièrement à partir de 1948 ; Quadriennale de Rome, 1948, 1955, 1959 ; Biennale de São Paulo, 1955 ; Ire Biennale des Jeunes, Paris, 1959. Il a obtenu plusieurs prix : Fontanesi à la XXVe Biennale de Venise, 1950, ainsi que les Prix Suzzara et Pérouse, la même année ; Prix R. Ginnori à la XXXe Biennale de Venise, 1960. Il participe à des expositions collectives, dont : en 1993, à l'exposition d'œuvres graphique *Il Sentimento delle cose*, à la Bibliothèque municipale de Verolanuova ; 1995 *Attraverso l'Immagine*, au Centre culturel de Crémone.
Adhérent du Mouvement Réaliste, il fut dans un premier temps influencé par l'expressionnisme de Rouault. À partir de 1950, il suivit scrupuleusement les préceptes du « réalisme socialiste » promulgués alors par les instances des mouvements de la gauche communiste officielle : technique académique et soignée, thèmes se référant à la vie quotidienne des milieux populaires. Après 1955, il prit quelque distance d'avec ces consignes et redonna un accent expressionniste à ses peintures, usant même des libertés apportées par le courant informel. En gravure, dont il maîtrise les techniques avec une remarquable précision, il ose des incursions résolues dans le fantastique.
Bibliogr. : B. Dorival, sous la direction de..., : *Peintres Contemporains*, Mazenod, Paris, 1964 – in : Catalogue de l'exposition : *Il Sentimento delle cose*, GAM, Bibliothèque municipale, Verolanuova, 1993 – in : Catalogue de l'exposition *Attraverso l'Immagine*, Centre culturel Santa Maria della Pietà, Crémone, 1995.
Musées : Bologne – Caracas – Milan – Rome – Saint-Pétersbourg – La Spezia – Suzzara – Trieste – Udine – Varsovie – Venise.
Ventes Publiques : Milan, 5 mars 1974 : *Paysage* 1961 : **ITL 900 000** – Milan, 5 avr. 1977 : *Le char de foin* 1953, h/pan. (56x47) : **ITL 2 600 000** – Milan, 26 juin 1979 : *Paysage d'automne* 1954, h/t (100x120) : **ITL 4 500 000** – Milan, 8 nov. 1984 : *Papillon déposant ses œufs* 1967, h/t (60x50) : **ITL 2 600 000** – Milan, 20 oct. 1987 : *La Trebbiatura*, past./pap., étude (60x150) : **ITL 17 200 000** – Milan, 8 juin 1988 : *Outils de campagne* 1951, h/pan. (83x90) : **ITL 27 000 000** – Milan, 14 déc. 1988 : *Depuis le col de Redipuglia, le vent* 1967, h/t (100x80) : **ITL 8 500 000** – Milan, 19 déc. 1989 : *Bicyclettes et fourches* 1950, h/t (80x95) : **ITL 44 000 000** – Rome, 10 avr. 1990 : *Paysage*, techn. mixte/t (40x30) : **ITL 4 000 000** – Milan, 21 juin 1994 : *La chèvre du Cap d'Orlando* 1966, h/t (100x80) : **ITL 7 475 000** – Milan, 22 mai 1996 : *Bicyclette à la campagne* 1954 : **ITL 5 520 000** – Rome, 12 juin 1996 : *Distributeur de nuit* 1959, h/t (50x60) : **ITL 4 830 000**.

ZIGL. Voir **ZÜGL**

ZIGLIARA Eugène Louis Léopold, pseudonyme de **Tripard** ou **Tripart**
Né le 29 septembre 1873 à Paris. Mort le 21 août 1918 près de Tracy-le-Val (Oise), pour la France. XIXe-XXe siècles. Français.
Peintre.
Élève de Léon Bonnat. Il exposait au Salon des Artistes Français, reçut une mention honorable et fut sociétaire en 1902. Chevalier de la Légion d'honneur.
Ventes Publiques : New York, 5 déc. 1980 : *Femmes dans un parc*, h/pan. (33x23,5) : **USD 3 000**.

ZIGLIO Giuseppe
Mort en juin 1931. XIXe-XXe siècles. Italien.
Sculpteur.
Il était actif à Rovereto. Il décora de nombreuses églises du Trentin.

ZIGNAGO Francesco
Né vers 1750. Mort vers 1810. XVIIIe-XIXe siècles. Actif à Gênes. Italien.
Peintre.
Plusieurs églises de Gênes conservent des tableaux d'autel exécutés par cet artiste. Au Musée de Berne, on voit de lui *Enfants nus jouant avec un chien.*

ZIGNANI Marco
Né vers 1802 à Forli. Mort le 28 mars 1830 à Florence. XIXe siècle. Italien.
Graveur, dessinateur et lithographe.
Élève de R. Morghen. Il a gravé, notamment, d'après Cosolanolt Bresciano et Raphaël.

ZIGÖLI Andreas. Voir **GLINZ**

ZIJL ou **Zijll**. Voir **ZYL**

ZILCKEN Charles Louis Philippe
Né le 21 avril 1857 à La Haye. Mort le 3 octobre 1930 à Villefranche (Alpes-Maritimes). XIXe-XXe siècles. Hollandais.
Peintre de genre, portraits, paysages, aquafortiste, lithographe, écrivain d'art.
Père de Renée Zilcken. Il fut élève d'Anton Mauve à La Haye. À partir de 1918, il passa plusieurs mois, chaque année, dans le Midi de la France.
Mention honorable, pour la gravure, à l'Exposition universelle de Paris en 1889, il fut membre du jury de gravure de celle de 1900.
Son œuvre gravé est considérable, mais il est également l'auteur de peintures à l'huile : portraits et paysages lumineux montrant des vues d'Alger, Biskra, Paris, Nice. Il publia sa correspondance avec Verlaine, et des biographies sur des artistes hollandais contemporains.
Bibliogr. : Gérald Schurr, in : *Les Petits Maîtres de la peinture 1820-1920, valeur de demain*, Les Éditions de l'Amateur, t. V, Paris, 1979.
Musées : Amsterdam : *Maison mauresque près d'Alger* – Groningue : *Équarisseur* – La Haye (Mus. comm.) : *Les banquises près*

de la plage de Scheveninguen en 1891 – Notre-Dame de Paris – Biskra – LA HAYE (Mesdag Mus.) : *Vieux pêcheur* – une esquisse – NEW YORK (BN) – PARIS (Mus. du Louvre) : *Le Pont-Neuf* – ROTTERDAM (Mus. Boymans).

ZILCKEN Renée
Née le 21 avril 1891 à La Haye. xxe siècle. Hollandaise.
Peintre, aquarelliste, graveur.
Fille et élève de Charles Louis Philippe Zilcken, elle gravait à l'eau-forte.

ZILIBERTI Baldassare
xvie siècle. Actif à Ferrare vers 1595. Italien.
Sculpteur sur bois.

ZILIO Carlos
Né en 1944. xxe siècle. Brésilien.
Artiste. Tendance conceptuelle.
Artiste qui apparaît dans la seconde moitié des années soixante. Son art, à dominante conceptuelle et critique, réintroduit, en les interprétrant, certains des fondements de l'art concret développés au Brésil dans les années 1959-1961.
BIBLIOGR. : Damian Bayon, Roberto Pontual, in : *La peinture d'Amérique latine au xxe siècle*, Mengès, Paris, 1990.

ZILIOLI Giovanni
Né le 4 mai 1763 à Parme. Mort le 8 octobre 1833 à Parme. xviiie-xixe siècles. Italien.
Sculpteur sur bois.
Il sculpta les trois portes du baptistère de Parme.

ZILIOLO da Reggio. Voir **GIGLIOLO da Reggio**

ZILIOTTI Bernardo. Voir **ZILOTTI**

ZILLA Vittore Zanetti. Voir **ZANETTI-ZILLA Vettore**

ZILLE Heinrich
Né le 10 janvier 1858 à Radeburg (près de Dresde Saxe). Mort le 9 août 1929 à Potsdam. xixe-xxe siècles. Allemand.
Dessinateur, illustrateur.
Il suivit un apprentissage de lithographe et reçut les conseils de l'illustrateur Theodor Hosemann. En 1924, il fut élu membre de l'Académie des Beaux-Arts de Prusse à Berlin.
À partir de 1900, il collabora avec plusieurs journaux, dont *Lustige Blätter, Simplicissimus, Jugend*. Il a publié des albums.

Heinrich Zille
H Zille
Heinrich Zille
H. Z.

BIBLIOGR. : Detlev Rosenbach, Renate Altner, Matthias Flügge : *Heinrich Zille. Das graphische Werk*, Rosenbach, Hanovre, 1984 – Marcus Osterwalder, in : *Dictionnaire des illustrateurs 1800-1914*, Ides et Calendes, Neuchâtel, 1989.
VENTES PUBLIQUES : HAMBOURG, 4 juin 1976 : *Jeune fille lisant*, craies de coul. (147x165) : **DEM 2 700** – MUNICH, 26 nov. 1977 : *Fillette mouchant un bébé*, aquar. et pl., caric. (24,5x20,5) : **DEM 17 000** – MUNICH, 30 nov 1979 : *Nu assis*, litho. (18,5x14,5) : **DEM 1 850** – MUNICH, 31 mai 1979 : *Famille en promenade* 1909, craies coul. (18,5x13) : **DEM 19 000** – MUNICH, 31 mai 1979 : *Il faudrait pousser*, aquar. et pl. (18,5x14) : **DEM 30 000** – MUNICH, 5 juin 1981 : *Scène de rue à Berlin* vers 1907, eau-forte (17x45,5) : **DEM 4 000** – COLOGNE, 30 mai 1981 : *Couple sur un banc*, fus./cart. gris-vert (37,1x30,3) : **DEM 17 000** – COLOGNE, 2 juin 1984 : *Lied Heimatland ade-Berlin Plötzensee*, litho. (25,5x21,5) : **DEM 10 500** – MUNICH, 27 nov. 1984 : *Zwei Mülmänner*, fus. (29,5x28) : **DEM 6 300** – MUNICH, 11 juin 1985 : *Idylle de banlieu*, pl. et craie (31,4x23,4) : **DEM 14 500** – COLOGNE, 31 mai 1986 : *Zwei Frauen am Waschtrog bei Nacht*, encre de Chine, dess. (23x18,2) : **DEM 10 000** – HEIDELBERG, 11 avr. 1992 : *La faim* 1924, litho. (25x21,5) : **DEM 2 500** – MUNICH, 1er-2 déc. 1992 : *Femme avec un sac*, fus. (20,5x13) : **DEM 2 185** – AMSTERDAM, 27-28 mai 1993 : *Femme*, cr./pap./pap. (13,5x9,2) : **NLG 1 150** – MUNICH, 23 juin 1997 : *Femme au sac de foin*, fus. et past./pap. (43x28) : **DEM 14 400**.

ZILLEN Joh. Vilhelm
Né le 4 janvier 1824 à Schleswig. Mort le 14 mars 1870 à Copenhague. xixe siècle. Danois.
Peintre de sujets de genre, animaux, paysages animés.
MUSÉES : BERGEN : *Moutons dans la lande*.
VENTES PUBLIQUES : COPENHAGUE, 10 fév. 1993 : *Paysans dans une charrette attelée d'un bœuf et d'un cheval se désaltérant en passant le gué*, h/t (62x88) : **DKK 9 500**.

ZILLER
xixe-xxe siècles. Français (?).
Peintre de paysages, architectures.
VENTES PUBLIQUES : PARIS, 13 oct. 1995 : *Venise*, h/t (54x84) : **FRF 28 500**.

ZILLER Ernest
Né en 1897 à Reichshoffen (Bas-Rhin). Mort en 1976 à Béziers (Hérault). xxe siècle. Français.
Graveur de figures typiques, portraits, paysages, architectures, animaux.
Le Musée de Narbonne a reçu une très importante donation des gravures sur bois et eau-fortes de Ernest Ziller.
Ses sujets et paysages concernent son Alsace natale, tout le Sud-Ouest français où il s'est établi et l'Espagne de ses voyages.
MUSÉES : BÉZIERS – NARBONNE (Mus. d'Art et d'Hist.) : importante donation – PERPIGNAN.

ZILLER Johann Georg. Voir **ZELLER**

ZILLHARDT Jenny
Née le 16 mars 1857 à Saint-Quentin (Aisne). xixe siècle. Française.
Peintre de genre, portraits, natures mortes.
Élève de Tony Robert-Fleury. Elle expose au Salon de Paris depuis 1878, devenu des Artistes Français en 1881 ; elle reçut une mention honorable en 1882 ; une mention honorable en 1889, à l'Exposition universelle ; une médaille d'argent en 1926 ; une médaille d'or en 1928 ; elle fut sociétaire en 1884, puis Hors-Concours. Elle figure également à Chicago, où elle est diplômée et fut Chevalier de la Légion d'honneur en 1930.
MUSÉES : LANGRES – SAINT-QUENTIN.

ZILLICH Emil
Né en 1829 à Prague. Mort le 22 janvier 1896 à Prague. xixe siècle. Autrichien.
Peintre et dessinateur.
Il fit ses études à l'Académie de Prague de 1844 à 1850. Il fit surtout des illustrations de livres et de journaux.

ZILLICHDÖRFER Anton Libor. Voir **ZÜLIGDORFFER**

ZILO Adam. Voir **SILO**

ZILOCCHI Giacomo
Né à Piacenza. xxe siècle. Italien.
Sculpteur de monuments.
Il travaillait à Pietrasanta. Il exécuta plusieurs monuments funéraires et commémoratifs.

ZILOTTI Domenico Bernardo, don ou **Ziliotti**
Né vers 1730 à Borso. Mort en 1795. xviiie siècle. Italien.
Peintre de paysages, graveur, dessinateur.
Il étudia à Venise, où il s'établit par la suite. Il peignit avec goût des paysages dans le style de Zaccarelli. Il a fait des estampes originales et gravé d'après Simonidi, Mareschi, etc.
VENTES PUBLIQUES : LONDRES, 2 juil. 1996 : *Une forêt*, craie noire et encre (29,4x20,1) : **GBP 552**.

ZILTINER Franz ou **Ziltener**
Né à la fin du xvie siècle à Schwyz. Mort le 24 mars 1680 à Schwyz. xvie-xviie siècles. Suisse.
Peintre verrier.
Marié en 1623, il se fixa à Lucerne, où il devint membre de la confrérie de Saint-Luc. En 1633, il retourna dans sa ville natale, où il semble avoir travaillé jusqu'à sa mort, sauf toutefois quelques années de service à titre de capitaine d'une petite compagnie.

ZILVETI Luis
Né le 16 novembre 1941 à La Paz. xxe siècle. Depuis 1967 actif en France. Bolivien.
Peintre de figures.
De 1959 à 1963, il fut élève de l'École des Beaux-Arts de La Paz.

Dans la suite, il s'initiait à l'architecture et à la philosophie. Une bourse d'étude lui permit de venir à Paris, où il fut élève en gravure de Johnny Friedlaender.
Depuis 1961, il participe à des expositions collectives, en Bolivie, dans les pays d'Amérique latine, à New York, à la Biennale de Paris en 1971, à l'exposition de cent artistes d'Amérique latine à Amiens et Compiègne en 1983, etc. Il expose individuellement, notamment en 1985 à Paris, galerie Renoir du centre Latina.
Il a adopté une nouvelle figuration conduisant à un réalisme magique, à un rythme répétitif, à partir d'une image fantastique. Il représente la force expressionniste unie à un traitement de la couleur retenue, la présence angoissante de l'homme et de la mort.
Ventes Publiques : Paris, 15 nov. 1994 : *Couple* 1985, h/t (46x38) : **FRF 7 000.**

ZILZER Antal
Né le 20 septembre 1860 à Budapest. Mort le 16 novembre 1921 à Budapest. XIXe-XXe siècles. Hongrois.
Peintre de portraits, paysages.
Il fit ses études à Munich et peignit surtout des paysages et des portraits.

ZILZER Gyula
Né le 3 février 1898 à Budapest. XXe siècle. Hongrois.
Graveur.
Il fit ses études à Budapest, Munich et Paris.

ZILZER Hajnalka
Née en 1893 à Budapest. XXe siècle. Hongroise.
Sculpteur de figures typiques.
Elle fut élève de M. Ligeti. Elle sculpta surtout des têtes de paysans.

ZIM. Voir **ZIMMERMANN Eugène**

ZIM Marco
Né en 1880 à Moscou. XXe siècle. Actif aux États-Unis. Russe.
Peintre, aquafortiste, sculpteur.
Il fit ses études à l'Académie de New York et à l'École des Beaux-Arts de Paris et se fixa à Los Angeles.

ZIMATORE Carmelo
Né le 16 juillet 1850 à Pizzo. Mort le 17 février 1933 à Pizzo. XIXe-XXe siècles. Italien.
Peintre.
À partir de 1886, il fut professeur à l'Institut des Beaux-Arts de Florence.

ZIMBAL. Voir **CIMBAL**

ZIMBALO Francesco
XVIe siècle. Actif à Lecce. Italien.
Sculpteur et architecte.
Il bâtit et décora l'église et le monastère Santa Croce à Lecce.

ZIMBER Joseph
Né en 1868. XIXe-XXe siècles. Russe.
Peintre d'histoire.
Musées : Moscou (Mus. Roumianzeff) : *Mort de l'archevêque Josaphate Kaunzevitch.*

ZIMBLER Jeannine
Née en 1943 à Erbalunga (Corse). XXe siècle. Française.
Peintre. Tendance fantastique.
Elle vit et travaille à Paris. Elle participe à des expositions collectives, dont : 1972 Cannes, Biennale azuréenne ; 1981 Paris, Salons des Indépendants, d'Automne ; 1985 Paris, *Art fantastique*, Espace Vendôme ; 1987 Paris, *Carte blanche à l'Association des amis du Centre Georges Pompidou*, au Centre Pompidou. Elle montre ses peintures dans des expositions personnelles : 1976 Bordeaux ; 1980 Paris, galerie Peinture Fraîche ; 1985 Neuilly-sur-Seine, Centre culturel.
Elle peint avec la plus minutieuse précision décorative des choses imaginaires, où biologique, minéral et mécanique s'associent pour donner naissance à un monde certes étrange, mais aussi naïvement accueillant.
Bibliogr. : In : Catalogue de l'exposition *Carte blanche à l'Association des amis du Centre Georges Pompidou*, Centre Pompidou, Paris, 1987.

ZIMBRECHT Mathias. Voir **ZIMPRECHT**

ZIMENGOLI Paolo
Mort en 1720 à Vérone. XVIIIe siècle. Italien.
Peintre.
On voit de ses œuvres dans plusieurs églises d'Alzano Lombardo, Bolgare, Gandino et Villango.

ZIMERMAN Dominikus et **Johann Baptist**. Voir **ZIMMERMANN**

ZIMINIANI Giuseppe
XVIIIe siècle. Italien.
Sculpteur.
Il exécuta la statue de *Saint Thaddée* de l'église S. M. de Gesuiti de Venise.

ZIMM Bruno Louis
Né le 29 décembre 1876 à New York. XXe siècle. Américain.
Sculpteur.
Il fut élève de John Quincy Adams Ward, Augustus Saint Gaudens et Karl Théodore Francis Bitter.
Il exécuta plusieurs monuments commémoratifs que l'on voit à New York, Houston et Wichita. On voit de ses œuvres aussi dans l'Art Building de San Francisco.

ZIMMELE Margaret
Née le 1er septembre 1872 à Pittsburgh. XIXe-XXe siècles. Américaine.
Peintre.
Elle fut élève de William M. Chase, W. Shirlaw, W. Whittemore, W. L. Lathrop et Ch. W. Hawthorne. Elle travaillait à Washington.

ZIMMER Bernd
Né en 1948 à Planegg. XXe siècle. Allemand.
Peintre. Néo-expressionniste.
Ventes Publiques : New York, 1er nov. 1984 : *Mondraub der Monsuchitige* 1983, acryl./t (210,3x199,3) : **USD 6 000** – Paris, 20 mars 1988 : *Sans titre* 1984, acryl./pap. : **FRF 9 500** – Londres, 29 juin 1989 : *Retour à l'ère glaciaire* 1982, acryl./t (205x300) : **GBP 6 050** – Paris, 8 avr. 1990 : *Am Silse see* 1981, acryl./t (200x250) : **FRF 85 000** – Londres, 21 mars 1991 : *Le gardien de la vallée*, projection/t. (300x205) : **GBP 3 850** – Munich, 1er-2 déc. 1992 : *Pêche nocturne* 1982, projection de coul./tissu (205x299) : **DEM 27 600** – New York, 22 fév. 1993 : *Midi* 1980, acryl./t (160x200) : **USD 2 420.**

ZIMMER Conrad
XIXe siècle. Travaillant à Vienne vers 1802. Autrichien.
Peintre de portraits, peintre de miniatures.

ZIMMER Dorothea, née **Schwartz**
XVIIIe-XIXe siècles. Allemande.
Portraitiste.
Femme de Johann Samuel Zimmer.

ZIMMER Hans Peter
Né en 1936 à Berlin. Mort en 1992 à Braunschweig. XXe siècle. Allemand.
Peintre. Expressionniste. Groupe Spur.
Il fut élève de l'Académie des Beaux-Arts de Munich. Cofondateur du groupe Spur, en 1957 à Munich, il participa aux activités du groupe, dont les intentions manifestes se référaient à l'expressionnisme expérimental du groupe Cobra, et notamment à l'exemple de Asger Jorn. Le groupe travailla en commun avec un autre groupe Wir, en 1965. Ils se retrouvèrent en 1966 dans le groupe Geflecht. De nombreuses expositions collectives du groupe ont eu lieu dans les principales villes d'Allemagne, ainsi qu'à l'étranger, par exemple lors du Ier Salon international des Galeries Pilotes, au Musée cantonal de Lausanne, 1963. Ensuite, les membres des groupes prirent leurs distances respectives.
Zimmer poursuit une carrière individuelle, en restant fidèle à l'expressionnisme, graphiquement exacerbé, violemment coloré, de ses débuts.

HPZ 91
Zimmer
zimmer

Bibliogr. : In : Catalogue du Ier *Salon international des Galeries Pilotes*, Musée Cantonal, Lausanne, 1963 – B. Dorival, sous la direction de..., *Peintres contemporains*, Mazenod, Paris, 1964.
Ventes Publiques : Düsseldorf, 21 juin 1986 : *Composition* 1960, gche/décollage/pap. (46x35) : **DEM 4 000** – Munich, 2 juin 1987 : *Übertier* 1965, gche et craie (51x72,5) : **DEM 3 500** – Copenhague, 30 nov. 1988 : *Composition* 1961, h/t (70x80) :

DKK 41 000 – Copenhague, 4 mars 1992 : *Composition*, h/pap. (48x36) : **DKK 16 500** – Munich, 1er-2 déc. 1992 : *L'amour est son propre miroir* 1962, h/t (81x65) : **DEM 32 200** – Amsterdam, 27-28 mai 1993 : *Sans titre*, gche et peint. or/pap. (59,5x48) : **NLG 5 980** – Copenhague, 21 sep. 1994 : *Composition* 1962, h/t (130x61) : **DKK 82 000** – Copenhague, 6 déc. 1994 : *Spuritaner* 1961, h/t (140x170) : **DKK 260 000** – Copenhague, 12 mars 1996 : *Télévision* 1973, h/t (59x48) : **DKK 10 000**.

ZIMMER Johann Heinrich Ehrenfried

Né en 1774 à Rossdorf (près Göttingen). Mort le 4 février 1851 à Bienne. xviiie-xixe siècles. Suisse.

Dessinateur, peintre et sculpteur.

Fils de Johann Samuel Zimmer. On le trouve en 1810, maître de dessin à Zofingen ; il participa cette année même à l'exposition de Berne avec *Moulin de Wilderswil*. En 1815, il est fait bourgeois de Dattwil (Aargau). En 1817, il enseigne le dessin à Hofwil. En 1820, il est fixé à Berne avec toute sa famille. Enfin en 1848, il se rend à Bienne chez l'un de ses fils, où il vécut jusqu'à sa mort.

ZIMMER Johann Samuel

Né en 1751 à Hambourg. Mort le 11 mars 1824 à Göttingen. xviiie-xixe siècles. Allemand.

Peintre et dessinateur.

Père de Johann Heinrich Ehrenfried Zimmer. Élève de Koch, Richard et J. J. Tischbein. Il produisit, notamment, un grand nombre de dessins d'histoire naturelle. Il fut nommé professeur de dessin, à l'Université de Göttingen en 1790. Le Musée impérial de Berlin conserve de lui : *Trois hommes autour d'une table*.

ZIMMER René, pour **Albert René**

Né le 24 juillet 1910 à Virton Saint-Mard. xxe siècle. Belge.

Peintre de paysages, natures mortes. Postimpressionniste.

À peu près autodidacte en peinture, il ne s'y adonna vraiment qu'en 1974, après avoir pris sa retraite d'une activité professionnelle importante. Il participe à des expositions collectives et reçoit de nombreuses distinctions locales. Il montre aussi ses peintures dans des expositions personnelles.

Habitant Florenville-sur-Semois, il trouve ses sujets essentiellement dans la Lorraine belge et en Luxembourg, la « Gaume ».

Bibliogr. : In : *Diction. Biogr. Illustré des Artistes en Belgique depuis 1830*, Arto, Bruxelles, 1987.

ZIMMER Wilhelm Carl August

Né le 16 avril 1853 à Apolda. Mort le 20 décembre 1937 à Reichenberg. xixe-xxe siècles. Allemand.

Peintre de genre.

Élève de l'École d'Art à Weimar. Il fut médaillé à Düsseldorf en 1880, et à l'Exposition de Sydenhan, à Londres en 1887, diplômé à Dresde en 1892.

Ventes Publiques : New York, 26 oct. 1983 : *Le Départ de l'officier* 1883, h/t (73x110) : **USD 14 000** – New York, 22 mai 1990 : *Le champion de boules* 1882, h/t (73x104,7) : **USD 33 000**.

ZIMMER Z. J.

xviiie siècle. Actif à Prague. Autrichien.

Peintre.

On voit une fresque exécutée par cet artiste dans l'église Saint-Étienne de Prague.

ZIMMERLI Werner

Né en 1914. xxe siècle. Suisse.

Peintre de paysages.

Musées : Aarau (Aargauer Kunsthaus) : *Soleil dans les nuages (Dernière neige)* 1934 – *À Lavaux* 1941 – *Bosquet de marronniers au printemps* vers 1945 – *Verger en fleurs* 1948 – *Printemps au bord de l'eau* 1955 – *Matin sur Athènes* vers 1955 – *Jardin et ferme paysanne au printemps* 1958.

ZIMMERLING Felix

Né en 1812 à Thaur (Tyrol). Mort le 12 octobre 1869 à Thaur (Tyrol). xixe siècle. Autrichien.

Sculpteur de crèches.

ZIMMERMAN Frederick Almond

Né le 7 octobre 1886 à Canton (Oklahoma). Mort en 1974. xxe siècle. Américain.

Peintre de paysages, sculpteur.

Il fut élève de Victor D. Brenner. Membre de la Ligue Américaine des Artistes Professeurs et de la Fédération Américaine des Arts.

Ventes Publiques : New York, 31 mars 1994 : *Matin d'été à Old Lyme dans le Connecticut*, h/t (63,5x76,2) : **USD 4 025**.

ZIMMERMAN Jacques

Né en 1929 à Hoboken. xxe siècle. Belge.

Peintre, sculpteur. Tendance surréaliste.

Il a exposé avec le groupe Phases.

Sa peinture se situe à l'intersection d'un paysagisme imaginaire et d'une abstraction faite de formes purement inventées. Certes l'arabesque rapide de Hartung autant que le souvenir des végétations équatoriales, semblent à la source de cette peinture. Sa vision reste baroque, faite d'éléments lancéolés qui semblent animés d'un mouvement rotatif. On a parlé de « surréalisme magique » à propos de la peinture de Zimmerman.

Bibliogr. : In : *Diction. Biogr. Illustré des Artistes en Belgique depuis 1830*, Arto, Bruxelles, 1987.

Musées : Bruxelles (Mus. roy.).

ZIMMERMAN Karl. Voir **ZIMMERMANN**

ZIMMERMAN Léo

Né en 1924 en Pennsylvanie. xxe siècle. Américain.

Peintre.

Il fut élève de l'École des Beaux-Arts du Kentucky. Il fit son service en France, avec les armées américaines de 1944 à 1946. Revenu aux États-Unis depuis 1953, il vit à Louisville (Kentucky). À partir de 1948, il participa à des expositions de groupe, dans le Kentucky, ainsi qu'à Paris, entre autres au Salon des Réalités Nouvelles de 1949.

Bibliogr. : Michel Seuphor : *Diction. de la peint. abstraite*, Hazan, Paris, 1957.

ZIMMERMAN Mason W. Voir **ZIMMERMANN**

ZIMMERMAN Reinhard Sebastian. Voir **ZIMMERMANN**

ZIMMERMAN René. Voir **ZIMMERMANN**

ZIMMERMAN-DUBUFE Juliette. Voir **DUBUFE**

ZIMMERMANN Adolf Gottlob

Né le 1er septembre 1799 à Lodenau. Mort le 17 juillet 1859 à Breslau. xixe siècle. Allemand.

Peintre d'histoire.

Élève de Roessler à l'Académie de Dresde. Il vint à Rome et s'établit ensuite à Düsseldorf. Le Musée de Breslau conserve de lui *Le Christ à Emmaüs*, et celui de Bautzen, un dessin à la craie (*Tête de jeune homme*).

ZIMMERMANN Alfred

Né le 16 mai 1854 à Munich. Mort le 21 mai 1910 sur le lac de Chiem. xixe-xxe siècles. Allemand.

Peintre de genre et aquafortiste.

Il exposa à Munich en 1883.

Ventes Publiques : New York, 30 mai 1980 : *La leçon de chant*, h/pan. (40,6x30,5) : **USD 3 000**.

ZIMMERMANN Alois

Né le 27 avril 1802 à Bolzano. Mort le 12 mars 1834 à Bolzano. xixe siècle. Autrichien.

Peintre.

Élève de Camuccini à Rome de 1821 à 1824.

ZIMMERMANN August Albert

Né le 20 septembre 1808 à Zittau. Mort le 18 octobre 1888 à Munich. xixe siècle. Allemand.

Peintre d'animaux, paysages, paysages de montagne, aquarelliste.

Frère d'A. Maximilian, d'A. Richard et d'A. Robert Zimmermann. Il commença son éducation seul, puis travailla aux Académies des Beaux-Arts de Dresde et de Munich. En 1857, il fut nommé professeur de paysage à l'Académie de Milan et en 1859, professeur à l'Académie de Vienne.

Il peignit essentiellement le paysage classique.

Albert Zimmermann

Musées : Bautzen – Brême : *Forêt vierge, cerfs et loups* – Breslau, nom all. de Wroclaw – Dresde : *Labourage* – Francfort-sur-le-Main : *Après la tourmente* – *Montagnes de Bavière* – Kiel – Leipzig : *Paysage héroïque* – trois aquarelles – Linz – Munich : *Pay-*

sage de haute montagne – Paysage classique – Près d'un ruisseau – Prague – Stuttgart : *Lac supérieur* – Vienne : *Orage en haute montagne* – Weimar : *Paysage héroïque*.
Ventes Publiques : Vienne, 16 mars 1950 : *Village au bord d'un lac italien* : **ATS 3 500** – Vienne, 1-4 juil. 1952 : *Chute d'eau en haute montagne* : **ATS 500** – Berlin, 25-26 juil. 1952 : *Paysage méridional* : **DEM 725** – Vienne, 3-5 fév. 1953 : *Paysage de forêt* : **ATS 750** – Cologne, 20-23 mars 1953 : *Paysage* 1866 : **DEM 270** – Cologne, 6-9 mai 1953 : *Paysage italien* : **DEM 800** – Cologne, 24 mars 1972 : *Paysage d'Italie* : **DEM 5 500** – Vienne, 20 mars 1973 : *Paysage alpestre* : **ATS 20 000** – Munich, 28 nov. 1974 : *Bellagio sur le lac de Côme* 1868 : **DEM 6 000** – Berne, 7 mai 1976 : *Paysage au vieux moulin*, h/t (39x32) : **CHF 2 100** – Munich, 25 nov. 1977 : *Paysage montagneux*, h/pan. (38,5x52) : **DEM 5 000** – New York, 10 oct 1979 : *La Côte dalmate*, h/pan. (37x58) : **USD 2 500** – Vienne, 17 mars 1981 : *Vue du lac d'Althaus*, h/t (72x210) : **ATS 75 000** – Vienne, 14 déc. 1983 : *Vue du Starenbergersee avec vue du château de Possenhofen*, h/t (32x39) : **ATS 30 000** – Lucerne, 7 nov. 1985 : *Vue de Capri*, h/pan. (36,8x58) : **CHF 11 500** – Cologne, 20 oct. 1989 : *Lac des Alpes italiennes*, h/pan. (18,5x49,5) : **DEM 1 700** – Munich, 29 nov. 1989 : *Paysage de la région de l'Isar sous l'orage* 1835, h/t (86x124,5) : **DEM 38 500** – Berne, 12 mai 1990 : *Torrent rocheux avec des personnages contemplant la chute d'eau*, h/t (34x28,5) : **CHF 1 900** – New York, 28 mai 1993 : *Vaches se désaltérant ; Lac de montagne*, h/t, une paire (chaque 66x99) : **USD 7 475** – Paris, 30 juin 1993 : *Le Lac Majeur*, h/t (153x100) : **FRF 33 000** – Munich, 7 déc. 1993 : *Paysage de l'Isar à l'approche de l'orage* 1835, h/t (86x124,5) : **DEM 46 000** – Londres, 10 fév. 1995 : *Paysage côtier*, h/t (78,1x115,6) : **GBP 8 050** – New York, 1er nov. 1995 : *Paysage de l'Isar près de Gewitter* 1835, h/t (82,6x133,4) : **USD 18 400** – Vienne, 29-30 oct. 1996 : *Vaste Paysage du sud*, h/pan. (26x52,5) : **ATS 172 000**.

ZIMMERMANN August Maximilian. Voir **ZIMMERMANN Max**

ZIMMERMANN August Richard
Né le 2 mars 1820 à Zittau. Mort le 4 février 1872 ou 1875 à Munich. xixe siècle. Allemand.
Peintre d'histoire, sujets de genre, paysages animés, paysages.
Frère d'A. Maximilian, d'A. Robert et d'A. Albert Zimmermann dont il fut élève avant d'entrer à l'Académie des Beaux-Arts de Dresde où il eut pour maître Ludwig Richter.
Musées : Bautzen – Breslau, nom all. de Wroclaw : *Épisode de la guerre de Trente Ans* – Dresde : *Naufrage sur les côtes de Caroline* – Görlitz – Leipzig : *Paysage d'avril* – Mannheim – Munich (Mus. du Jakobsplatz) – Munich (Gal. Schack) : *Récolte de pommes de terre – Paysage d'hiver, forge en montagne – Hiver en haute montagne – Paysage d'hiver* – Nuremberg – Prague – Trieste : *Paysage de neige*.
Ventes Publiques : Paris, 15 juin 1951 : *Paysage d'hiver* : **FRF 1 400** – Cologne, 22 oct. 1982 : *Intérieur de palais*, h/t (63x88) : **DEM 8 500** – Munich, 31 mai 1990 : *Voyageurs dans un paysage d'hiver* 1859, h/t (62x79) : **DEM 19 800** – New York, 18-19 juil. 1996 : *Paysage alpin*, h/t (82,6x99,1) : **USD 2 875**.

ZIMMERMANN August Robert
Né le 21 avril 1818 à Zittau. Mort le 6 juin 1864 à Munich. xixe siècle. Allemand.
Paysagiste.
Frère d'A. Albert, A. Maximilian et A. Richard et élève d'Albert Zimmermann. On cite de lui : *Paysage boisé*, daté de 1854 (au Musée de Dresde) et d'autres œuvres au Musée de Brunswick et à celui du Jakobsplatz de Munich.

ZIMMERMANN Aurel
xixe siècle. Actif au Brésil. Allemand.
Peintre de genre.
Il était actif à Berlin, exposa à Munich en 1883, puis se fixa au Brésil.

ZIMMERMANN Carl Friedrich
Né le 31 mars 1796 à Berlin. Mort le 31 juillet 1820 près de Wolfratshausen. xixe siècle. Allemand.
Peintre de batailles, scènes de genre, portraits, architectures, dessinateur, illustrateur.
Élève de G. G. Weitset et de Wilhelm Schadow. En 1814, il fut volontaire dans l'armée allemande. Il se noya dans la Loisach.
Il fit de nombreux dessins de batailles. Il peignit des scènes de genre, des batailles, des vues d'architecture. On cite aussi une suite de dessins pour illustrer une édition de *Faust*.
Musées : Dresde (Cab. des Estampes) : *Autoportrait*, dess.
Ventes Publiques : Monaco, 16 juin 1990 : *L'atelier du peintre* 1818, h/t (41,3x62) : **FRF 166 500**.

ZIMMERMANN Catharina
Née le 30 septembre 1756 à Brugg (Suisse). Morte le 10 septembre 1781 à Hanovre. xviiie siècle. Suisse.
Dessinateur.
On conserve d'elle un portrait de *Goethe*, représenté de profil.

ZIMMERMANN Clemens von
Né le 8 novembre 1788 à Düsseldorf. Mort le 25 janvier 1869 à Munich. xixe siècle. Allemand.
Peintre d'histoire, lithographe et graveur.
Élève de Langer à Düsseldorf en 1808. En 1846, directeur de la Galerie de Munich et en 1853, directeur de la nouvelle Pinacothèque de Munich, où l'on conserve de lui : *Cimabué et le jeune Giotto parmi les bergers*. Il a gravé des vues. On voit au Musée de Pontoise un tableau (*Léda pudique*) signé *Zimmer*, qui lui est attribué, et à celui de Pfarzheim, *Portrait de Conrad Daniel Wohnlich*. On voit, en outre, de ses œuvres aux Musées d'Augsbourg, Leipzig, Munich (Jakobsplatz) et Nuremberg.

ZIMMERMANN Dominikus ou **Zimerman**
Né le 30 juin 1685 à Gaispoint (près de Wessobrunn). Mort le 16 novembre 1766 à Wies. xviiie siècle. Allemand.
Peintre, stucateur et architecte.
Frère de Johann-Baptist Zimmermann. Il décora de nombreuses églises d'Allemagne du Sud et à partir de 1745, il travailla à la construction et la décoration de son chef-d'œuvre, l'église de pèlerinage à Wies.

ZIMMERMANN Édouard
Né le 2 août 1872 à Stans. Mort en 1949. xixe-xxe siècles. Suisse.
Sculpteur de monuments, statues.
Il fut élève de l'Académie des Beaux-Arts de Munich. On lui doit des figures et des bustes. Il exécuta en outre de nombreux monuments funéraires et commémoratifs ainsi que des fontaines.
Musées : Bâle : *Homme et femme* – Genève : *Buste de Jak. Schaffner* – Lausanne : *Abel* 1907 – Rome (Mus. du Vatican) : *Monument aux gardes pontificaux* – Saint-Gall : *Saint Jean* – Soleure : *Jeune fille marchant* – Zurich (Polytechnikum) : *Les trois Grâces*.
Ventes Publiques : Zurich, 21 mars 1986 : *Les Trois Grâces*, bronze à patine noire (H. 45) : **CHF 2 800**.

ZIMMERMANN Emil
Né le 31 juillet 1858 à Marbourg ou à Kassel. Mort en 1899 à Kassel. xixe siècle. Allemand.
Peintre de paysages.
Élève de l'Académie de Düsseldorf. Il exposa à Munich en 1888. On cite de lui : *La chaumière du pêcheur* (au Musée de Sheffield) et *Le laboureur* (au Musée de Düsseldorf).
Ventes Publiques : Cologne, 26 oct. 1984 : *Paysage*, h/t (120x70) : **DEM 6 500**.

ZIMMERMANN Ernst Karl Georg
Né le 24 avril 1852 à Munich. Mort le 15 novembre 1901 à Munich. xixe siècle. Allemand.
Peintre de compositions religieuses, scènes de genre, portraits.
Fils et élève de Reinhard S. Zimmermann, puis, à l'Académie des Beaux-Arts de Munich, de Strähuber, Onschutz et Diez. Il compléta ses études en voyageant en Italie et en Belgique. Il s'établit à Munich. Il obtint une médaille de deuxième classe dans cette ville en 1883, une médaille à Berlin en 1886, une médaille d'argent à Paris en 1900 à l'Exposition universelle. Il fut membre de l'Académie de Munich.
Musées : Aarau : *Portrait du peintre A. Stäbli* – Bautzen – Breslau, nom all. de Wroclaw – Chicago (Art Inst.) – Dresde : *Musiciens (bergers et satyres)* – Hanovre – Leipzig : *Christ consolateur* – Munich : *Adoration des bergers – Poissons morts – Vieille paysanne* – Sheffield – Stuttgart : *Dispute* – Wiesbaden – Würzburg – Zurich.
Ventes Publiques : Paris, 1887 : *Panier de poissons* : **FRF 2 050** – Rotterdam, 1891 : *L'Hôte extraordinaire* : **FRF 750** – Paris, 9 déc. 1931 : *Le Moine astrologue* : **FRF 880** – Londres, 16 mars 1951 : *Le Jeune Cavalier* : **GBP 100** – Munich, 15-16 avr. 1953 : *Tête d'homme* : **DEM 350** – Lucerne, 19 juin 1964 : *Scène de cabaret* : **CHF 4 000** – Munich, 28-30 sep. 1966 : *Les Joueurs de dés* : **DEM 4 600** – Londres, 3 oct 1979 : *Couple dans un intérieur*,

h/pan. (63,5x49,5) : **GBP 2 000** – New York, 28 mai 1981 : *La Leçon de flûte de Pan* 1884, h/t (112,5x150) : **USD 3 000** – Munich, 22 juin 1983 : *Histoires de pêche*, h/pan. (22x15,5) : **DEM 16 000** – New York, 24 mai 1985 : *Une joyeuse compagnie*, h/pan. (24,1x30,5) : **USD 3 800** – Londres, 16 mars 1994 : *Une douche froide !*, h/pan. (87x64) : **GBP 5 520** – Vienne, 29-30 oct. 1996 : *La Visite du médecin*, h/pan. (50,5x37,5) : **ATS 86 250** – Munich, 23 juin 1997 : *L'Œuf de Colomb*, h/t (101x136) : **DEM 10 800**.

ZIMMERMANN Eugène, dit aussi **Zim**
Né le 25 mai 1862 à Bâle. xixe-xxe siècles. Suisse.
Caricaturiste.
Il signa Zim. Fixé à New York, il collabora au *Puck* et au *Judge*.

ZIMMERMANN Franz
Né le 20 novembre 1864 à Linz. xixe-xxe siècles. Autrichien.
Peintre d'histoire et de genre.
En 1894 il était à Rome et il exposa à Vienne en 1896 et 1897.

Musées : Magdebourg : *La Cène* – Munich (Gal. Schack).

ZIMMERMANN Friedrich
Né le 23 février 1823 à Diessenhofen. Mort en 1884 à Ormont-Dessus. xixe siècle. Allemand.
Peintre de paysages animés, paysages de montagne, paysages d'eau.
On cite de lui des *Vues du lac de Genève*.

Musées : Berne : *Glacier d'Arolla (vallée d'Evolène)* – *Troupeau sous les chênes* – *Val d'Anniviers* – *Le lac d'Annecy* – Langres : *Vallée d'Aucassa (Mont-Rose)* – Montpellier : *Lac suisse* – Mulhouse : *Lac de Thoune* – *Vue du lac de Genève* – *Un lac*.
Ventes Publiques : Lucerne, 13 juin 1970 : *Paysage fluvial boisé* : **CHF 7 500** – Lucerne, 15 nov. 1974 : *Paysage fluvial boisé* : **CHF 10 000** – Zurich, 5 mai 1976 : *Paysage à la rivière* 1882, h/t (83x120) : **CHF 5 800** – Berne, 27 oct. 1978 : *Vue des Dents du Midi à Bex*, h/cart. (44x65) : **SEK 3 000** – Zurich, 24 oct 1979 : *Paysage montagneux*, h/t (94x137) : **CHF 7 500** – Genève, 29 oct. 1982 : *Vue du lac de Brienz*, h/t (65x82) : **CHF 4 800** – Berne, 17 nov. 1983 : *Paysage montagneux, Valais*, h/cart. (31x40) : **CHF 3 900** – Lindau, 2 oct. 1985 : *Vue du lac de Thoune*, h/t (80x123,5) : **DEM 7 800** – Berne, 26 oct. 1988 : *Pastorale*, h/t (32x41) : **CHF 2 200**.

ZIMMERMANN Friedrich Wilhelm
Né en 1826 à Gornemitz. Mort le 6 février 1887 à Munich. xixe siècle. Allemand.
Graveur d'histoire, compositions religieuses, sujets de genre.
Il travailla à Paris et à Munich.

ZIMMERMANN Gabriel Eugène Lucien
Né le 22 janvier 1877 à Paris. xxe siècle. Français.
Sculpteur de sujets de genre.
Il fut élève de Thomas. Il expose au Salon des Artistes Français depuis 1901, reçoit une médaille de troisième classe la même année, une médaille de deuxième classe et fut sociétaire en 1902.
Musées : Amiens : *Le voleur d'oies*.

ZIMMERMANN Hans ou **Czymerman**, dit **Carpentarius**
xve-xvie siècles. Actif à Iglau, à Wroclaw et à Cracovie de 1496 à 1532. Polonais.
Miniaturiste.

ZIMMERMANN Heinrich Wilhelm
Né le 5 février 1805 à Dantzig. Mort le 15 février 1841 à Dantzig. xixe siècle. Allemand.
Peintre de portraits.
En 1828, il alla à Vienne et en 1835 à Paris, où il entra dans l'atelier de Paul Delaroche. Durant son séjour à Paris, il peignit, notamment, une composition romantique, *Le matin du Sabbat*. De retour à Dantzig, il fit surtout des portraits.

ZIMMERMANN Hendrik Jan
Né le 30 septembre 1825 à Amsterdam. Mort le 27 avril 1886 à Amsterdam. xixe siècle. Hollandais.
Peintre et graveur.
Élève de l'Académie d'Amsterdam.

ZIMMERMANN Jan Wendel Gerstenhauer
Né le 31 janvier 1816 à Monnikendam. Mort le 24 septembre 1887 à Rotterdam. xixe siècle. Hollandais.
Peintre de sujets de genre, portraits, graveur.
Il fut élève de J. A. Kruseman, à Haarlem.
Musées : Hoorn : *Portrait de F. Van Bredehoff*, deux œuvres – Rotterdam (Mus. Boymans) : *Portrait de Joost Van Vollenhoven*.
Ventes Publiques : Amsterdam, 15 avr. 1985 : *Scène de mariage* 1855, h/pan. (45,5x63,5) : **NLG 12 500** – New York, 17 oct. 1991 : *Lévrier dans un paysage boisé*, h/t (75,6x99,7) : **USD 7 700**.

ZIMMERMANN Johann
xviiie siècle. Actif à Oberflachs et à Berne de 1749 à 1750. Suisse.
Sculpteur sur bois.

ZIMMERMANN Johann Baptist ou **Zimerman**
Né le 3 janvier 1680 à Gaispoint (près de Wessobrunn). Mort en 1758 à Munich. xviiie siècle. Allemand.
Peintre et stucateur.
Frère de Dominikus Zimmerman. Il décora de nombreux châteaux et monastères d'Allemagne du Sud, souvent en collaboration avec son frère, ses fils et Fr. X. Schmaedl, C. Greinwald et Heigl. Dans les travaux que les deux frères accomplirent en collaboration, Dominikus se chargea plutôt de l'architecture et du stuc, Johann Baptist de la peinture. D'entre ces créations communes, on retient surtout d'abord l'église de Steinhausen, près de Ravensburg en Souabe, construite entre 1728 et 1733, remarquable par ses effets de trompe-l'œil et la peinture « plafonnante » de Johann Baptist représentant une *Vierge de pitié*, une *Résurrection* et et surtout une *Figuration du ciel*. Les guirlandes de stuc de Dominikus encadrent remarquablement les peintures de Johann Baptist, où coulent les fontaines entre les allées de peupliers bordant de profondes forêts. Les deux frères se retrouvèrent pour un autre de leurs chefs-d'œuvre, l'église de Wies, commencée en 1746 et terminée vers 1754. Avec d'autres architectes, Johann Baptist décora nombre d'églises plus modestes : Berg-am-Laim, près de Munich, 1743-1762 ; l'église de l'abbaye bénédictine de Andechs, près de Starnberg, avec la *Vie de Saint Jean Népomucène* ; l'église de Prien en Haute-Bavière ; l'église Sainte-Marie à Ettal. Il a également réalisé des décorations profanes : le Salon des Glaces au château d'Amalienburg ; les décorations de la Galerie des Ancêtres à la Residenz de Munich, et surtout, à Munich aussi, la décoration de la Salle des Fêtes du château de Nymphenburg, qu'il réalisa avec son fils Franz, lui-même étant âgé alors de soixante-seize ans, et où il a déployé ses plus beaux parcs de rêve. A l'exemple de Tiepolo, comme de nombreux décorateurs baroques, Johann Baptist Zimmermann a souvent traité le thème des *Quatre parties du monde*. Il a également exécuté quelques peintures de chevalet. On en voit dans les musées de Brême, de Berlin, Francfort-sur-le-Main et au Cabinet des Estampes de Munich.
Bibliogr. : Marcel Brion : *La peinture allemande*, Tisné, Paris, 1959 – X..., in : *Encyclopédie Les Muses*, Grange Batelière, Paris 1974.

ZIMMERMANN Josef
Originaire de la vallée d'Oberin. xvie-xviie siècles. Autrichien.
Peintre.
On voit une œuvre de lui à la Pharmacie générale d'Innsbruck.

ZIMMERMANN Joseph I, l'Ancien
Né le 24 mars 1815 à Lucerne. Mort le 7 mai 1851 à Lucerne. xixe siècle. Suisse.
Peintre, dessinateur et graveur.
Auteur des illustrations de *Wanderer durch die Welt*, (Voyageur à travers le monde), publié à Lucerne en 1849, 1850 et 1851. Les nombreuses épreuves dues à son talent sont en partie réunies en un album à la Bibliothèque municipale de Lucerne.

ZIMMERMANN Joseph II, le Jeune
Né en 1830 à Lucerne. Mort après 1868 à Lucerne. xixe siècle. Suisse.
Peintre.
Il passa une partie de sa jeunesse dans la garde suisse du Vatican. On cite de lui aux archives de la Société des Arts, de Lucerne, trois albums de dessins. A la Bibliothèque municipale

de la même ville est conservé un dessin à la craie. En 1860, on vit exposé, à Bâle, sa composition *La bataille de saint Jacob avec l'Ange*.

ZIMMERMANN Joseph III
Né en 1923. XXe siècle. Suisse.
Peintre de paysages.

Musées : Aarau (Aargauer Kunsthaus) : *Belgique* 1965 – *Jour gris d'hiver*.

ZIMMERMANN Joseph Anton
Né en 1705 à Augsbourg. Mort en 1797 à Munich. XVIIIe siècle. Allemand.
Graveur et dessinateur.

Élève de Storkel à l'Académie de Munich. En 1753, il fut nommé graveur de la cour de l'électeur. On cite notamment de lui une série de portraits de princes et de princesses bavaroises.

ZIMMERMANN Juliette, Mme. Voir **DUBUFE**

ZIMMERMANN Julius
Né le 11 mai 1824 à Augsbourg. Mort le 7 avril 1906 à Munich. XIXe-XXe siècles. Allemand.
Peintre d'histoire, paysages.

Il fut élève de son père, le peintre d'histoire Clemens von Zimmermann. Il exposa à Munich en 1854-1876.

Ventes Publiques : New York, 18 fév. 1993 : *Frédérick II et ses compagnons de chasse*, h/t (101,5x154,3) : **USD 12 100**.

ZIMMERMANN Karl
Né en 1796 à Prague. Mort le 16 août 1857 à Prague. XIXe siècle. Autrichien.
Peintre de sujets religieux, intérieurs, portraits.

Il fut élève de l'Académie des Beaux-Arts de Prague.
Peintre de portraits, il peignit aussi des tableaux d'autel.

Ventes Publiques : New York, 23 fév. 1989 : *L'atelier de l'artiste* 1818, h/t (41,3x62) : **USD 17 600**.

ZIMMERMANN Lucien. Voir **ZIMMERMANN Gabriel Eugène Lucien**

ZIMMERMANN Mac ou **Max**
Né en 1912 à Stettin. Mort en 1995. XXe siècle. Allemand.
Peintre, dessinateur, lithographe, illustrateur. Surréaliste.

De 1930 à 1933, il fut élève de l'École des Arts Techniques de Stettin, dessinant à la plume et au crayon, illustrant des romans de Zola, *Nana* entre autres, et d'autres thèmes de critique sociale. De 1934 à 1938, il séjourna à Hambourg, comme décorateur de théâtre, dessinateur de presse, professeur de dessin. En 1946, il fut professeur d'art à l'Académie des Beaux-Arts de Dessau ; puis à celle de Berlin, où il vécut dix années ; puis, en 1958, à l'Académie de Munich. Il prend part à de nombreuses expositions d'importance internationale, entre autres : Biennale de Venise en 1948 ; IIe Documenta de Kassel en 1959 ; il avait obtenu le Prix des Arts Graphiques à la Biennale de Lugano en 1956 ; etc. Une première exposition personnelle lui fut organisée à Berlin en 1946, galerie Gerd. En 1950, il reçut le Prix Artistique de la Ville de Berlin. En 1958, il fut nommé membre de l'Académie de Berlin.
Ses peintures doivent beaucoup à ses débuts en tant que dessinateur et graveur ; le trait y reste prédominant. Dans les premières peintures, sous l'influence de la peinture métaphysique italienne autour de Chirico, créant un climat insolite dû aussi en partie à des emprunts à Dali, se mêlent formes abstraites et créatures graciles d'un dessin aigu, animant un espace désertique et irréel, bordé de perspectives inquiétantes : *Muse à la tête voilée* de 1952, *Salle de mathématiques* également de 1952. En 1955, il a publié un Livre d'esquisses, aux Éditions Piper de Munich. En 1960, les Éditions Barmeier et Nikel de Francfort, ont publié un recueil de seize gouaches sous le titre de *Rêveries*. Après 1960, les éléments géométriques disparaissent au profit des silhouettes élancées, toujours régnant sur des espaces désertés : *Rêves* de 1960, *Le jugement de Pâris* de 1962. L'un des rares représentants du surréalisme en Allemagne, Zimmermann a influencé quelques peintres, tels Hinnerk Schrader, Peter Collien, Reiner Schwarz.

Mac Zimmermann

Bibliogr. : B. Dorival, sous la direction de..., in : *Peintres Contemporains*, Mazenod, Paris, 1964 – Patrick Waldberg : *Zimmermann. Graphik-œuvre, Einführung*, Munich, 1970 – in : *Encyclopédie des Arts « Les Muses »*, vol. 15, Grange Batelière, Paris, 1969-1974 – in : *Diction. Univers. de la Peint.*, vol. 6, Le Robert, Paris, 1975 – Gottfried Knapp, Peter Petersen : *M. Zimmermann. Œuvres 1931-1982*, Christoph Dürer, Munich, 1983.

Musées : Berlin – Essen – Hambourg – Munich (Bayerische Staatsgemäldesammlungen) : *Salle de mathématiques* 1952 – *Rêves* 1960 – New York.

Ventes Publiques : Cologne, 5 déc. 1969 : *Composition surréaliste* : **DEM 3 000** – Hambourg, 10 juin 1972 : *Composition* 1955 : **DEM 5 200** – Munich, 2 juin 1981 : *Karawane* 1950-1972, h/isor. (53x68,5) : **DEM 4 000** – Munich, 1er-2 déc. 1992 : *Au travers du chas d'une aiguille* 1947, encre (29,5x21) : **DEM 1 093**.

ZIMMERMANN Mason W.
Né le 4 août 1861 à Philadelphie. XIXe-XXe siècles. Américain.
Peintre de paysages.

Il fut élève de l'Académie Julian de Paris et de John Wesley (?). Il peignit surtout des paysages.

ZIMMERMANN Max ou **August Maximilian**
Né le 7 juillet 1811 à Zittau. Mort le 29 décembre 1878 à Munich. XIXe siècle. Allemand.
Peintre de paysages, graveur.

Il est le frère d'A. Albert, d'A. Richard et de A. Robert Zimmermann. Il travailla à Dresde et à Munich et exposa à Vienne en 1873. Il grava à l'eau-forte.

Musées : Bautzen – Bredford : *Les pyramides de Gyzeh* – Görlitz – Munich : *Forêt de chênes* – *Groupe de chênes* – *Paysage boisé avec vue lointaine*.

Ventes Publiques : Vienne, 28 oct. 1952 : *Paysage méridional* : **ATS 800** – Vienne, 19-21 mars 1953 : *Dans les monts du Latium* : **ATS 7 000** – Vienne, 18 sep. 1973 : *Paysage* 1951 : **ATS 28 000** – Munich, 21 sep. 1978 : *Paysage alpestre* 1853, h/pan. (21,5x18,5) : **DEM 6 000** – Berne, 12 mai 1990 : *Paysage boisé et nuageux en automne*, h/t. cartonnée (33x46) : **CHF 900**.

ZIMMERMANN Michael von
Mort en 1565 à Vienne. XVIe siècle. Autrichien.
Graveur sur bois.

Il était également typographe.

ZIMMERMANN Paul M.
Né le 7 août 1885 à New York. XXe siècle. Américain.
Décorateur d'intérieurs.

Il fut élève de Peter Behrens à Düsseldorf.

ZIMMERMANN Peter. Voir aussi **ZIMMERMANN Whilhelm Peter**

ZIMMERMANN Peter
XVIIIe siècle. Suisse.
Peintre de compositions religieuses, sculpteur.

Il fut actif à Bünden. Il a réalisé des autels.

ZIMMERMANN Reinhard Sebastian
Né le 9 février 1815 à Hagenau. Mort le 16 novembre 1893 à Munich. XIXe siècle. Allemand.
Peintre de sujets de genre, portraits, intérieurs, paysages, dessinateur.

En 1844, il étudia à l'Académie des Beaux-Arts de Munich. Il fut médaillé à Cologne en 1861, puis nommé peintre de la cour de Bade, en 1862.

Musées : Brême : *Chambre à coucher de parade dans un château princier* – Brunswick : *L'arrivée au jardin d'enfants* – Cologne : *Une vente* – Karlsruhe : *Dans la cuisine* – *L'artiste jeune* – *La préparation de la fête des Rois* – *Paysans au bord du lac de Constance* – Munich : *Dans la salle d'auberge* – *Intérieur du château de Schleiszheim*.

Ventes Publiques : Francfort-sur-le-Main, 1894 : *L'École du cloître* : **FRF 1 712** – New York, 1899 : *Les Apprentis cordonniers* : **FRF 2 750** ; *Préparatifs pour la répétition* : **FRF 3 125** – New York, 1er-2 avr. 1902 : *L'Alchimiste* : **FRF 1 500** – New York, 28 fév. 1945 : *The Cobbler's Shop* : **GBP 700** – Munich, 28-30 juin 1967 : *La Lecture de la Bible* : **DEM 6 400** – Londres, 17 jan. 1969 : *Les émigrants allemands* : **GNS 1 100** – Londres, 19 mai 1971 : *La Lettre* : **GBP 650** – Londres, 14 juin 1972 : *Personnages dans un intérieur* : **GBP 1 400** – Munich, 27 mai 1977 : *La marchande de marrons* 1853, h/pan. (71x56) : **DEM 9 200** – Londres, 15 juin 1979 : *Le conseil du village*, h/t (40x56) : **GBP 3 200** – Londres, 15 juil. 1980 : *Intérieur* 1868, aquar. reh. de blanc (30,3x42,4) : **GBP 450** – New York, 29 oct. 1981 : *Les Fiançailles* 1869, h/t

(86,5x110,5) : **USD 38 000** – MUNICH, 1er déc. 1983 : *Un mariage à Dachau*, h/t (104x156) : **DEM 70 000** – NEW YORK, 24 mai 1985 : *Hommes dans un intérieur examinant des pièces de monnaie* 1860, h/t (25,4x30,3) : **USD 8 000** – LONDRES, 21 juin 1989 : *Vue du lac de Constance* 1850, h/t (62x79) : **GBP 7 150** – MUNICH, 29 nov. 1989 : *Partie d'échecs avec un novice ; Les goûteurs de vin*, h/pan., une paire (chaque 32x44,5) : **DEM 33 000** – NEW YORK, 29 oct. 1992 : *Commentaire du journal*, h/pan. (23,8x32,1) : **USD 4 950** – MUNICH, 10 déc. 1992 : *Portrait de trois enfants* 1847, cr. avec reh. de blanc/pap. brun (29,5x22,7) : **DEM 1 808** – LONDRES, 18 mars 1994 : *À la forge* 1865, h/t (81,2x98) : **GBP 7 475** – VIENNE, 29-30 déc. 1996 : *Le Jour de paie* 1855, h/t (7x8,2) : **ATS 172 500**.

ZIMMERMANN René
Né en 1904. Mort le 4 janvier 1992 à Paris. XXe siècle. Français.
Peintre de paysages animés, paysages, paysages urbains typiques.
Il a figuré au Salon des artistes foréziens en 1936.
Il traite le thème toujours recherché des paysages typiques parisiens, depuis la butte Montmartre jusqu'aux quais de la Seine.
VENTES PUBLIQUES : PARIS, 15 jan. 1943 : *L'atelier d'Utrillo, rue Cortot* 1930 : **FRF 3 800** ; *La rue des Saules* : **FRF 5 800** ; *Un coin de Montmartre* : **FRF 6 000** – PARIS, 17 juin 1949 : *L'île Saint-Louis* : **FRF 1 350** – PARIS, 28 déc. 1949 : *Berges de la Seine* 1942 : **FRF 3 100** – TOULOUSE, 6 déc. 1976 : *Venise*, h/pan. (27x35) : **FRF 1 500** – PARIS, 3 juin 1988 : *Paris, le quai de la Tournelle*, h/t (46x55) : **FRF 4 000** – LA VARENNE-SAINT-HILAIRE, 12 mars 1989 : *Les quais et les bouquinistes à Paris*, h/t (46x55) : **FRF 19 100** – LA VARENNE-SAINT-HILAIRE, 3 déc. 1989 : *Sur les quais de Paris*, h/t (50x61) : **FRF 18 150** – PARIS, 11 mars 1990 : *Le Pont-Neuf*, h/cart. (49,5x60,5) : **FRF 15 000** – LA VARENNE-SAINT-HILAIRE, 20 mai 1990 : *Promeneurs le long des quais* 1947, h/pan. (27,5x35,5) : **FRF 7 200** – PARIS, 31 oct. 1997 : *Paysage à Paris* 1936, h/pan. (53,5x45) : **FRF 3 100**.

ZIMMERMANN Sébastien. Voir **CYMERMAN**

ZIMMERMANN Theodor Franz
Né en 1808 à Nasseheit (en Tyrol). Mort le 9 novembre 1880 à Vienne. XIXe siècle. Autrichien.
Peintre de paysages, d'animaux.
Élève de l'Académie de Vienne. Il y exposa de 1839 à 1858, surtout des œuvres représentant des chevaux ou des scènes de chasse.

ZIMMERMANN Wilhelm Peter
Mort vers 1630. XVIe-XVIIe siècles. Allemand.
Dessinateur et graveur à l'eau-forte.
Il était actif à Augsbourg vers 1589. Il a gravé des vues et des sujets de genre et d'histoire. On cite aussi de lui des costumes.

ZIMO Paolo di
XVIIe siècle. Italien.
Dessinateur.

ZIMPRECHT Mathias ou **Cimbrecht, Czymprecht, Simbrecht, Zymbrecht**
Né en 1626 à Munich. Mort en 1680 à Prague. XVIIe siècle. Autrichien.
Peintre.
On ignore quel fut le maître de cet artiste, mais l'influence de Raphaël se faisant fortement sentir dans ses œuvres, il y a tout lieu de supposer qu'il fit un long séjour en Italie. On voit de lui plusieurs tableaux d'autel dans différentes églises de Prague (notamment une *Visitation* à l'église S. Stephen), et d'autres œuvres dans des collections privées de Prague et de Graz, où il travailla vers 1650. On cite de lui un tableau d'autel au Musée de Prague.

ZINANI Francesco
XVIIIe siècle. Actif à Reggio. Italien.
Peintre de décors.
Frère de Pietro Zinani.

ZINANI Pietro
XVIIIe siècle. Italien.
Peintre de figures, autels.
Frère de Francesco Zinani.

ZINATOULINE Ilias
Né en 1964 à Vladivostok. XXe siècle. Russe.
Peintre.
En 1983, il termina sa formation à l'École d'Art de Vladivostok, ville où il est établi. Il participe à des expositions collectives à travers la Russie. En 1988, il a fait une exposition personnelle à Vladivostok.

ZINCARO Corrado
Né le 4 juin 1934 à Rome. XXe siècle. Italien.
Peintre, sculpteur.
Il participe à de nombreuses expositions collectives à Rome, Florence, Milan, Naples, etc.
La peinture de Zincaro évoque un univers cosmique d'apesanteur où les espaces sont infinis. Zincaro n'a néanmoins pas abandonné les références figuratives.

ZINCK Mathis. Voir **ZÜNDT**

ZINCK Paul Christian. Voir **ZINCKE**

ZINCKE Christian Friedrich ou **Zink**
Né en 1685 à Dresde. Mort le 24 mars 1767 à Lambeth. XVIIIe siècle. Allemand.
Miniaturiste et peintre sur émail.
Frère de Paul Christian Zincke. Il fut élève de Boit et parvint rapidement à surpasser son maître. Il se fixa en Angleterre en 1706. Ses œuvres étaient si recherchées qu'il ne pouvait suffire aux demandes. Le roi George II et la reine d'Angleterre lui accordèrent leur protection et il devint peintre attitré du prince de Galles. Sa copie du portrait de Marie, reine d'Écosse, par Isaac Alive, fut achetée par le duc de Cumberland, ainsi que plusieurs autres ouvrages. En 1737, il alla en Allemagne. Sa vue ayant considérablement baissée, il dut abandonner son métier. Mme de Pompadour lui fit copier sur émail un portrait de Louis XV. Le Musée de Berlin conserve de lui *George Ier d'Angleterre* (émail), *Mars et Vénus* et le portrait de *Robert Harley* ; la National Portrait Gallery, à Londres, *Thomas Winnington* (émail) ; le Victoria and Albert Museum les portraits de *Sarah Churchill* et de *Charles Edwin* ; l'Ashmolean Museum d'Oxford, quatre portraits de *Catherine Shorter, femme de R. Walpole* ; et le Musée de Stockholm, cinq œuvres de cet artiste.
VENTES PUBLIQUES : PARIS, 1876 : *Paysage* : **FRF 69** – LONDRES, 1895 : *Churchill, duc de Marlborough*, miniature : **FRF 1 200**.

ZINCKE Paul Christian ou **Zinck** ou **Zink**
Né le 16 avril 1687 à Dresde. Mort le 20 mai 1770 à Leipzig. XVIIIe siècle. Allemand.
Dessinateur et graveur au burin.
Frère de Christian Friedrich Zincke. Il fit de nombreux séjours en Angleterre. Son œuvre la plus connue est sa copie d'après D. Schatz du *Jardin d'Apel de Leipzig* dont on voit un exemplaire au Cabinet des Estampes de Dresde et un autre au Musée de Leipzig.

ZINCKE Paul Francis ou **Zink**, dit **The Wicked Old Zincke**
Né à Londres. Mort en 1830 à Londres. XIXe siècle. Britannique.
Peintre de portraits.
Petit-fils de Christian Friedrich Zincke. Il peignit des portraits et fit des copies. Il mena une vie très misérable et dut, pour vivre, accepter les plus tristes besognes : on l'employa souvent à faire de faux tableaux anciens. On cite, notamment, des portraits de Shakespeare, de Milton, qu'il réussissait fort bien et qui furent vendus pour des portraits de l'époque de ces illustres écrivains.

ZINCKE W. T.
XIXe siècle. Britannique.
Graveur.
Il était actif en Angleterre.
MUSÉES : LONDRES (Victoria and Albert Mus., Cab. des Estampes) : vingt et une épreuves d'eaux-fortes d'après nature.

ZINDEL Gustav
Né le 13 août 1883 à Rodenau-Komotau. XXe siècle. Autrichien.
Peintre de genre, illustrateur.
Il fut élève de Hans Schottenhammer à Komotau.
Il peignit surtout des scènes de la vie paysanne des Sudètes et des illustrations pour les récits d'A. Stifter.

ZINDLINGER Andreas
XVIIIe siècle. Travaillant à Salzbourg. Autrichien.
Sculpteur.

ZINETTI Ernesto
Né le 10 octobre 1889 à San Pietro in Valle. XXe siècle. Italien.
Peintre de portraits, paysages.

Il fut élève d'Alfr. Savini et de l'Académie Cignaroli de Vérone. Il peignit des portraits, des paysages et des architectures.

ZING. Voir aussi **ZINGG**

ZING A.

XVIIIe siècle. Français.

Peintre de paysages et dessinateur.

Il exposa au Colisée en 1776.

ZING Johann Melchior. Voir **ZINGG**

ZINGARO, il giovane ou **Zingarello**. Voir **NEGRONE Pietro**

ZINGARO. Voir **SOLARI Antonio di Giovanni di Pietro**

ZINGARO Astolfo

Né le 6 janvier 1931 à Naples. XXe siècle. Depuis 1932 actif en France. Italien.

Peintre de natures mortes.

En France depuis 1932, il travaille d'abord dans la publicité avec Sepo, puis se met à peindre en 1952. Il a participé au Salon de la Jeune Peinture de 1957 à 1964, au Salon d'Automne depuis 1978. Il montre ses œuvres dans des expositions particulières à Paris en 1969, 1972, 1974, galerie Tholozé ; 1976, 1978, 1980, galerie de Nevers ; 1983, 1985, galerie Istria-Damez ; 1994, galerie Coard. Attiré par la sensualité des matières, asphalte, ciment, arbres, il essaye d'en retrouver la sensation, l'émotion dans des compositions aussi attentives à la forme et aux couleurs qu'aux gestes.

ZINGARO

Ventes Publiques : Paris, 5 déc. 1990 : *Fauteuil rose* 1980, h/t (60x73) : **FRF 9 500**.

ZINGER Hans. Voir **SINGER**

ZINGER Oleg

Né en 1910 à Moscou. XXe siècle. Depuis 1948 actif en France. Russe.

Peintre de compositions à personnages, figures, paysages, natures mortes, peintre à la gouache, graveur, affichiste.

Quittant la Russie avec sa famille en 1922, il vécut pendant vingt-cinq ans en Allemagne. À Berlin, le peintre Leonid Pasternak, ami de ses parents, le père du futur écrivain, encouragea le jeune homme à la peinture. Oleg Zinger fut élève de W. Müller-Schönefeld, puis, de 1927 à 1931, de l'École des Beaux-Arts, puis entreprit de nombreux voyages d'étude, notamment à Rome et Florence. Il se spécialise dans les arts graphiques et réalise de belles affiches pour le métro de Londres. À partir de 1948, installé à Paris, il se consacre exclusivement à la peinture. Il visitera le Portugal, l'Algérie, ainsi que de nombreux jardins zoologiques où l'attire son goût de l'histoire naturelle.

Il participe à divers groupements à Paris : Grands et Jeunes d'Aujourd'hui, Salon d'Automne, Terres Latines, Dessin et Peinture à l'Eau. Depuis 1951, il a montré de nombreuses expositions personnelles de ses peintures, surtout à Paris, ainsi qu'en province, à Cologne, New York, Hambourg, Düsseldorf.

Sa technique va de la touche la plus rapide à des pâtes laborieusement accumulées. Les sujets qu'il traite sont divers, souvent des visages féminins aux proportions amplifiées, modelées à la façon des masques du Fayoum, des sortes de jungles au charme naïf, des natures mortes très librement traitées.

Musées : Avar (Portugal) – Paris (Fonds municip.) – Prague (Mus. d'Art contemp.) : *Le Jardin zoologique de Berlin*.

Ventes Publiques : Versailles, 28 jan. 1990 : *La Conversation*, h/t (61x46) : **FRF 4 300** – Paris, 2 déc. 1991 : *Le Banc dans le jardin public*, gche/pap. (49x63) : **FRF 4 500** ; *Nature morte aux galets*, h/t (65x81) : **FRF 6 000** – Paris, 1er mars 1991 : *Personnages* 1955, h/t (100x81) : **FRF 7 000**.

ZINGG Adrian ou **Zink**

Né le 15 avril 1734 à Saint-Gall. Mort le 26 mai 1816 à Leipzig. XVIIIe-XIXe siècles. Suisse.

Graveur, dessinateur de scènes de chasse, paysages.

Il fut élève de Holzhalb, à Zurich ; de Aberti, à Berne, à partir de 1757, artiste qu'il accompagna à Paris en 1759. Après avoir travaillé quelque temps avec Wille, il fut appelé à l'Académie des Beaux-Arts de Dresde en qualité de professeur de gravure. Il fut membre des Académies de Berlin et de Vienne.

Musées : Berlin (Mus. impérial) : dessins et gravures – Dresde (Gal.) : *Paysage du soir*, d'après Both – *Chasse au cerf*, d'après Ruysdaël – *Environs de Haarlem*, d'après Ruysdaël – Vienne (Albertina) : dessins et gravures.

Ventes Publiques : Paris, 1776 : *Deux paysages, fabriques et figures*, pl. et bistre : **FRF 48** – Paris, 1823 : *Vue d'une contrée montagneuse d'Italie*, dess. à la pl. lavé à la sépia : **FRF 54** – Paris, 28 oct. 1949 : *Panoramas suisses*, deux dess. pl. et lav., dans un lot de quinze dess. : **FRF 7 800** – Hambourg, 7 juin 1984 : *Pillnitz an der Elbe*, pl. et lav. de gris (20,5x32) : **DEM 2 200** – Lucerne, 12 nov. 1985 : *Chaumière surplombant une rivière*, pl. et lav. (14x18,7) : **CHF 1 400** – Munich, 5 juin 1986 : *Paysage boisé*, pl. et cr. (23x19) : **DEM 2 250** – Munich, 12 juin 1991 : *Vue de la forteresse de Königstein sur l'Elbe*, encre et lav. sépia (50x64) : **DEM 35 200** – Munich, 10 déc. 1992 : *Priessnitz*, encre et lav. bruns/pap. (31,2x45) : **DEM 1 356** ; *Cavaliers s'engageant dans la vallée de l'Elbe*, encre et aquar./pap. (32,8x49,3) : **DEM 19 210**.

ZINGG Jean Pierre

Né en 1925 à Montrouge (Hauts-de-Seine). XXe siècle. Français.

Peintre de paysages, peintre de décorations murales, graveur.

Fils de Jules Émile Zingg. Il expose dans les Salons annuels et dans différents groupes, notamment au Salon de Mai. Il a été sélectionné à l'Exposition du Prix Friesz 1955.

Sa pratique de la gravure sur bois et de la fresque confère une certaine dureté à ses peintures. Son art, posé et constructif, est tout de distinction. Avec ses moissons jaune d'or, ses chemins enneigés roses et mauves, il participe du fauvisme.

Jean Pierre Zingg

ZINGG Johann Melchior ou **Zing**

Né à Einsiedeln (Zoug). XVIIIe siècle. Actif au début du XVIIIe siècle. Suisse.

Peintre.

ZINGG Jules Émile

Né le 25 août 1882 à Montbéliard (Doubs). Mort le 4 mai 1942 à Paris. XXe siècle. Français.

Peintre de scènes de genre, figures, paysages animés, paysages, peintre à la gouache, aquarelliste, graveur, dessinateur, décorateur.

Il peint d'abord seul les sites rustiques de son pays natal, puis vient à Paris à l'âge de vingt ans, doté d'une bourse de voyage décernée par la ville de Montbéliard. Entré à l'École des Beaux-Arts, dans l'atelier de Cormon, il y reste une année, s'y fait remarquer et obtient le second Prix de Rome et les prix de paysages Anna Maire et d'Attinville. Il est admis d'emblée au Salon des Artistes Français où il expose durant quatre ans : mention honorable en 1909, médaille de troisième classe en 1910, prix Meurand et Leclerc Maria Bouland, bourse de voyage et Prix national en 1913. Au lieu d'être grisé par ces récompenses méritées, Zingg demande aux œuvres des grands impressionnistes des leçons, mais il ne retient en définitive que l'exemple de Cézanne. Après la guerre de 1914-1918, il envoie aux Salons des Indépendants et d'Automne, des toiles plus modernes que celles de sa première manière, et nettement marquées de l'empreinte du maître d'Aix. Invité à la Société Nationale des Beaux-Arts, il figure quelque temps à cette société, où il est Hors-Concours. Depuis la fondation du Salon des Tuileries, il expose régulièrement à ce groupement. En 1930, il est nommé chevalier de la Légion d'honneur et préside la même année, le jury de peinture du Salon d'Automne ; il obtient en 1937, le Grand Prix, à l'Exposition universelle. Il expose encore au Salon des Artistes Français en 1938 et 1945, et au Salon d'Automne en 1952.

Zingg s'est également fait un nom dans la décoration ; il exécuta d'importantes fresques et dessina des cartons pour les Manufactures d'Aubusson et des Gobelins : il était d'ailleurs vice-président de la société *La Fresque*. Autour de 1925, il a peint un des piliers de la brasserie *La Coupole* à Montparnasse. Xylographe au talent très personnel, ses bois ne sont pas sans analogie avec les gravures populaires anciennes et les estampes japonaises. Il illustra *Tuvache*, de Louis-Léon Martin. Zingg est toujours resté fidèle aux premiers sujets traités dans sa jeunesse : il est le peintre des travaux champêtres et forestiers, mais son horizon s'est élargi, il célèbre aussi bien les paysans de Bretagne, d'Île-de-France, d'Auvergne, des Vosges que ceux de sa Franche-Comté natale. Avant tout il est un peintre réaliste, il se conforme à la nature, tout en en recherchant la structure profonde. Il allie à un métier très classique – au sens le plus juste du mot et non pas pris comme synonyme d'académisme – une couleur riche, variée et surtout éclatante. Dans la tradition des peintres régionalistes français, Zingg qui fait parfois songer à Corot et à ses continuateurs de Barbizon, a l'acuité de vision d'un Brueghel l'Ancien et surtout le réalisme savant et rustique des frères Le Nain. ■ P.-A. T.

Musées : Besançon – Grenoble – Le Havre – Héricourt – Montbéliard – Morlaix – Mulhouse – Nantes (Mus. des Beaux-Arts) – Paris (Mus. nat. d'Art mod.) – Tokyo – Tunis.

Ventes Publiques : Paris, 21 fév. 1920 : *La Rade de Perros-Guirec* : **FRF 1 000** – Paris, 13 fév. 1924 : *Les Barques à voiles*, aquar. : **FRF 480** – Paris, 22 déc. 1941 : *Le Village sous la neige* : **FRF 5 000** – Paris, 9 juil. 1942 : *Marine*, aquar. : **FRF 1 000** – Paris, 23 juin 1943 : *Le Village* : **FRF 4 600** ; *La Descente sur le village* : **FRF 7 000** – Paris, 10 nov. 1943 : *Le Village sous la neige* : **FRF 20 100** – Paris, 17 déc. 1943 : *Les Faucheurs*, aquar. : **FRF 14 100** – Paris, 27 juin 1944 : *Les Rochers de Ploumanach* : **FRF 26 000** – Paris, 8 déc. 1944 : *La Moisson* : **FRF 27 000** – Paris, 15 fév. 1950 : *Effet de neige* : **FRF 50 000** – Paris, 30 juin 1954 : *Village picard* : **FRF 74 000** – Paris, 25 mai 1960 : *Paysage* : **FRF 2 100** – Paris, 8 juin 1964 : *Barque de pêche* : **FRF 4 400** – Paris, 20 mars 1971 : *Village sous la neige* : **FRF 5 300** – Paris, 12 mars 1973 : *Le Berger* : **FRF 6 900** – Paris, 13 juin 1974 : *Paysage de neige* : **FRF 7 500** – Paris, 22 nov. 1976 : *Les Ramasseurs de bois* 1917, h/cart. (70x73,5) : **FRF 8 000** – Paris, 27 jan. 1977 : *Village de France-Comté sous la neige*, h/t (54x73) : **FRF 8 500** – Besançon, 22 avr 1979 : *Village animé*, h/t (80x60) : **FRF 14 000** – Enghien-les-Bains, 20 avr. 1980 : *Les bûcherons dans la forêt enneigée*, gche et h/cart. (33,5x41) : **FRF 6 000** – Versailles, 18 juin 1981 : *Le Village dans la vallée sous la neige*, h/t (59,5x81) : **FRF 21 500** – Brest, 16 déc. 1984 : *Les Moissons*, aquar. (33x50) : **FRF 10 500** – Versailles, 13 mai 1984 : *Paysage de neige à Montbéliard*, h/pan. (50x65) : **FRF 24 500** – Brest, 15 déc. 1985 : *Labour à Murole*, aquar. (50x65) : **FRF 13 000** – Versailles, 21 fév. 1988 : *Paysan à l'entrée du village*, aquar. (22x30) : **FRF 8 000** – Versailles, 15 juin 1988 : *Neige, hauts plateaux du Jura*, h/pan. (50x65) : **FRF 102 000** – Troyes, 26 juin 1988 : *Neige à Sainte-Suzanne (Doubs)*, h/t (60x81) : **FRF 54 000** – Grandville, 16-17 juil. 1988 : *Paysage de neige*, h/t (60x81) : **FRF 35 000** – Paris, 27 oct. 1988 : *Village enneigé*, aquar. (35x53) : **FRF 24 500** – Versailles, 18 déc. 1988 : *Les labours en Auvergne* 1917-1918, h/cart. (32,5x40,5) : **FRF 37 000** – La Varenne-Saint-Hilaire, 12 mars 1989 : *Le Retour des champs en Vexin*, h/t (54x81) : **FRF 92 000** – Besançon, 2 avr. 1989 : *Le Village en été* 1917, h/t (33x41) : **FRF 60 000** – La Varenne-Saint-Hilaire, 21 mai 1989 : *Promeneurs dans la campagne*, h/t (38x55) : **FRF 43 000** – Paris, 9 juin 1989 : *Le Village de Champey près de Héricourt*, h/t (54x65) : **FRF 125 000** – Paris, 22 oct. 1989 : *La rentrée des foins*, h/t (73x100) : **FRF 190 000** – Paris, 21 nov. 1989 : *Paysage d'hiver*, h/t (72x98) : **FRF 90 000** – Belfort, 17 déc. 1989 : *Scène de battage du blé*, h/t (59x80) : **FRF 280 000** – Paris, 11 mars 1990 : *Travaux des champs en Bourgogne*, h/t (65x92) : **FRF 205 000** – Grandville, 29 avr. 1990 : *Paysage du Doubs*, h/pan. (48x72) : **FRF 116 000** – Neuilly, 26 juin 1990 : *La Cigarette*, h/pan. (50x64) : **FRF 171 000** – Troyes, 28 oct. 1990 : *L'Entrée du village*, h/t (55x46) : **FRF 34 000** – Paris, 7 déc. 1990 : *Le Marché*, gche (32x49) : **FRF 19 000** – Brest, 16 déc. 1990 : *Jour de fête en Bretagne près du rivage*, h/t (66x80) : **FRF 265 000** – Grandville, 31 mars 1991 : *Femme et enfant au tablier rouge* 1920, h/t (38x55) : **FRF 210 000** – Paris, 1er juil. 1991 : *Scène de labours*, h/t (89x130) : **FRF 185 000** – Neuilly, 15 déc. 1991 : *Village sous la neige*, h/pan. (43x58) : **FRF 118 500** – Paris, 22 sep. 1992 : *Paysage sous la neige*, h/cart. (40x57) : **FRF 20 500** – Neuilly, 10 mai 1993 : *Le village d'Arène*, h/pan. (50x73) : **FRF 50 000** – Paris, 26 oct. 1993 : *Travaux des champs en Bretagne* 1918, h/t (60x80) : **FRF 66 000** – Paris, 9 déc. 1994 : *Berger et son troupeau*, aquar. (30,5x46,5) : **FRF 7 600** – Calais, 24 mars 1996 : *Maison sous la neige*, h/t (33x24) : **FRF 19 000** – Paris, 20 juin 1996 : *Pâturages*, h/t (55x68) : **FRF 28 000** – Paris, 16 oct. 1996 : *Moissonneurs*, aquar. (31x47,5) : **FRF 14 000** – Paris, 24 nov. 1996 : *Femme sous un arbre en fleur* 1918, aquar. et lav. d'encre/pap. (46,5x33) : **FRF 7 000** – Paris, 29 nov. 1996 : *Les Labours*, h/pan. (46,5x64,5) : **FRF 28 000** – Paris, 11 juin 1997 : *Le Village*, peint./t. (40x80) : **FRF 6 000** – Paris, 23 juin 1997 : *Neige à Bourg-en-Vexin* 1940, h/t (46x60) : **FRF 50 000** – Paris, 19 oct. 1997 : *Paysage à Montrouge*, h/t (46x61,5) : **FRF 15 000** – Paris, 27 oct. 1997 : *Le Laboureur*, aquar. (35x53) : **FRF 4 500**.

ZINGONI Aurelio

Né en 1853 à Florence. Mort en mai 1922 à Florence. XIXe-XXe siècles. Italien.

Peintre de genre.

Il étudia à l'Académie des Beaux-Arts de Florence dans l'atelier de Gordigiani. Il prit part, en 1900, au concours Alinari avec son tableau *Glorification de la Madone*.

Musées : San Francisco (Gal. nat.) : *Rendez-vous de chasse*.

Ventes Publiques : Paris, 30 mars 1955 : *Les petits ramoneurs*, deux toiles : **FRF 55 000** – Londres, 10 nov. 1971 : *La leçon de lecture* : **GBP 1 200** – Londres, 14 nov. 1973 : *Le vainqueur* : **GBP 1 200** – Londres, 29 sep. 1976 : *La Sérénade*, h/t (76x58,5) : **GBP 1 600** – Londres, 20 avr 1979 : *Paysans dans un intérieur*, h/t (68x99,5) : **GBP 2 800** – Londres, 5 oct. 1990 : *Le petit ramoneur* 1885, h/t (72,6x51,3) : **GBP 6 380** – Rome, 4 déc. 1990 : *Le repas d'un jeune ramoneur* 1883, h/t (111x82) : **ITL 25 000 000** – Lugano, 1er déc. 1992 : *Le jeune fumeur*, h/t (78x55) : **CHF 6 000** – Londres, 17 mars 1993 : *Le ramoneur* 1881, h/t (97,5x73,5) : **GBP 7 475** – Amsterdam, 21 avr. 1993 : *Le petit ramoneur*, h/t (78x55) : **NLG 10 350** – Paris, 4 déc. 1995 : *Le petit ramoneur fumeur de pipe*, h/t (80x55) : **FRF 28 000** – Londres, 26 mars 1997 : *Le Billet doux*, h/t (57x77,5) : **GBP 6 670**.

ZINI Umberto

Né le 12 décembre 1878 à Padoue. XXe siècle. Italien.

Peintre de portraits, paysages.

Il fut élève d'Ettore Tito. G. Ciardi et de Luigi Nono à l'Académie des Beaux-Arts de Padoue. On voit des portraits exécutés par cet artiste dans des bâtiments municipaux de Padoue et de Venise.

Ventes Publiques : Londres, 7 avr. 1993 : *Beauté italienne*, aquar. (48x36) : **GBP 805**.

ZINK Adrian. Voir **ZINGG**

ZINK Christian Friedrich. Voir **ZINCKE**

ZINK George Frederick

XIXe-XXe siècles. Britannique.

Peintre de portraits, peintre de miniatures.

Il était actif à Kilburn. Il exposa à la Royal Academy de Londres de 1885 à 1915.

Musées : Oxford (Mus. Ashmolean) : *Portrait de la reine Wilhelmine des Pays-Bas*.

ZINK Johann Adam

XVIIIe siècle. Autrichien.

Peintre.

Il était actif à Prague.

ZINK Paul Christian. Voir **ZINCKE**

ZINK Paul Francis. Voir **ZINCKE**

ZINKE Johann Wenzel

Né en 1797. Mort le 4 mars 1858 à Vienne. XIXe siècle. Autrichien.

Graveur au burin et lithographe.

ZINKEISEN Anna Katrina

Née le 28 août 1901 à Kilereggan. XXe siècle. Britannique.

Peintre et sculpteur.

Sœur de Doris Clare Zinkeisen. Elle fut élève de l'Académie Royale de Londres. À Paris, elle expose au Salon des Artistes Français depuis 1926, médaille d'argent la même année, et à l'Académie Royale de Londres. Elle décora la salle des fêtes du paquebot *Queen Mary*.

Ventes Publiques : Londres, 12 juil. 1973 : *Village de montagne en hiver* : **GNS 380** – Los Angeles, 8 nov. 1976 : *Figures sur une terrasse surplombant un port*, h/t (171,5x312) : **USD 2 100** – Londres, 19 oct 1979 : *Southampton docks*, h/t (100x127) : **GBP 500** – Londres, 4 nov. 1983 : *The Life Force*, h. et or/t (54,5x75,3) : **GBP 900** – Londres, 13 nov. 1985 : *Punting*, gche/trait de cr. (46x38) : **GBP 1 200**.

ZINKEISEN Doris Clare

Née en 1898 à Gareloch ou Clynder (Écosse). Morte en 1991. XXe siècle. Britannique.

Peintre de genre, portraits, paysages, peintre de décors et costumes, sculpteur.

Sœur d'Anna Katrina Zinkeisen. Elle expose, à Paris au Salon

des Artistes Français depuis 1929, reçut une médaille de bronze la même année, une médaille d'argent en 1930.
Ventes Publiques : Londres, 12 nov. 1976 : *Les Sylphides,* h/t (61x51) : **GBP 180** – Londres, 13 juin 1980 : *The First Grand National,* h/t (63,5x112) : **GBP 1 000** – Londres, 25 sep. 1981 : *Les Trois Grâces,* h/t (123,5x117,5) : **GBP 1 100** – Londres, 13 nov. 1985 : *Two ladies dining* 1938, h/t (61x51) : **GBP 6 800** – Londres, 9 juin 1988 : *Le port de Mevagissey,* h/t (40x50) : **GBP 1 760** ; *Scène de café,* h/t (50x60) : **GBP 4 400** – Londres, 29 juil. 1988 : *Jack la lanterne,* aquar. et gche, modèle de costume (36,2x26,2) : **GBP 440** ; *Décor pour « Le lac des cygnes »,* h/t (62,5x76,2) : **GBP 1 980** – Londres, 8 juin 1989 : *La promenade dans le parc,* h/t, décor pour Le lac des cygnes (61,6x43,5) : **GBP 4 620** – Londres, 3 mai 1990 : *La répétition,* h/t (63,5x70) : **GBP 1 815** – Londres, 7 juin 1990 : *La couturière,* h/t (59,5x48) : **GBP 1 650** – Londres, 6 juin 1991 : *Les filles de l'artiste à Badingham,* h/t (71x91,5) : **GBP 1 980** – St. Asaph (Angleterre), 2 juin 1994 : *Un dîner,* h/t (49,5x61) : **GBP 6 900** – Londres, 11 oct. 1995 : *Une importante foire aux chevaux,* h/t (50x76) : **GBP 517** – New York, 10 oct. 1996 : *Afternoon tea,* h/t (63,5x76,2) : **USD 4 025**.

ZINKERNAGEL Johann Georg Julius
xviiie siècle. Actif probablement à Werleshausen. Suisse.
Peintre sur porcelaine.

ZINKOVSKI Andreï
Né en 1948. xxe siècle. Russe.
Peintre de paysages urbains.
Ancien élève de l'École des Beaux-Arts de Moscou. Il travailla sous la direction de Vassili Iefanov.
Ventes Publiques : Paris, 23 mars 1992 : *La rue Malaiya Dmitrovka,* h/t (60x80) : **FRF 3 400**.

ZINNER Johann Anton
Mort en mai 1763 à Krummau sur la Moldova. xviiie siècle. Autrichien.
Sculpteur.
Élève de l'Académie de Vienne où il obtint un premier prix en 1731. Il exécuta plusieurs statues commémoratives pour Vienne et Krummau.

ZINNO Paolo de
xviie siècle. Actif à Campobasso. Italien.
Sculpteur sur bois.

ZINNOGGER Léopold von
Né le 26 juillet 1811 à Linz. Mort le 22 juillet 1872 à Linz. xixe siècle. Autrichien.
Peintre d'animaux, natures mortes, fleurs et fruits, dessinateur.
Il fut élève de l'Académie des Beaux-Arts de Vienne, puis professeur de dessin à Linz de 1849 à 1862.
Musées : Linz (Mus. provincial) : *Nature morte aux fruits.*
Ventes Publiques : Londres, 21 nov. 1989 : *Corbeille de fruits avec des animaux* 1851, h/t (143x102) : **GBP 66 000** – New York, 23 mai 1991 : *Nature morte de fruits, noix, papillons et abeille* 1835, h/t (52,1x66) : **USD 9 350** – New York, 13 oct. 1993 : *Importante composition de fleurs et de fruits avec un lapin blanc, un singe et un écureuil* 1851, h/t (144,8x102,9) : **USD 76 750** – Munich, 7 déc. 1993 : *Sanglier s'abreuvant dans une mare dans une clairière* 1846, h/t (34x42,5) : **DEM 12 650**.

ZINO, baron
xixe siècle. Travaillant à Turin dans la première moitié du xixe siècle. Italien.
Peintre.

ZINOVIEFF Ghéorgi Térentiévitch
xviie-xviiie siècles. Travaillant de 1667 à 1700. Russe.
Peintre d'icônes.
Élève de S. Ouchakoff. Il fut peintre à la cour de Moscou.

ZINSLER Carl Anselm
Né le 23 octobre 1867 à Vienne. Mort le 23 janvier 1940 à Vienne. xixe-xxe siècles. Autrichien.
Sculpteur de portraits.
Il fut élève à l'Académie des Beaux-Arts de Vienne de Ed. Hellmer, puis de Johann Benk. Il exécuta de nombreux bustes de personnalités de son époque.

ZINTT Mathis. Voir **ZÜNDT**

ZIO Alberto. Voir **ALBERTO,** prete

ZIOMEK Teodor
Né le 15 avril 1874 à Skierniewice. Mort le 27 janvier 1937. xixe-xxe siècles. Polonais.
Peintre de paysages.
Il fut élève de Stanislawski.

ZIPCY Émile Dupont. Voir **DUPONT-ZIPCY**

ZIPÉLIUS Émile
Né le 30 juin 1840 à Mulhouse. Mort le 15 septembre 1865 à Pompey. xixe siècle. Français.
Peintre.
Élève de son père, Georges Zipélius, de L. Cogniet et de Benedict-Masson. Entré à l'École des Beaux-Arts le 7 octobre 1859, il exposa au Salon de 1861 à 1865. Le Musée de Mulhouse conserve de lui *Le Christ mort.*

ZIPÉLIUS Georges
Né en 1808 à Mulhouse. Mort en 1890. xixe siècle. Français.
Peintre.
Père d'Émile Zipélius. Élève de l'Académie des Beaux-Arts de Paris. Il travailla comme ornemaniste en 1850 avec Joseph Fuschs.

ZIPER Josef. Voir **ZIPPER**

ZIPERNOVSZKY Ferencné, née **Jolan Perci**
Née en 1864 à Budapest. xixe-xxe siècles. Hongroise.
Peintre d'intérieurs, paysages.

ZIPFFEL Benedikt. Voir **ZOPF**

ZIPPER Jakob Franz. Voir **CIPPER Giacomo Francesco**

ZIPPER Josef
xixe siècle. Actif à Götzis en 1805. Autrichien.
Peintre.
Il peignit le plafond de l'église de Götzis.

ZIPSER Katharina, née **Hienz**
Née en 1931 à Sibiu. xxe siècle. Depuis 1970 active en Allemagne. Roumaine.
Peintre de compositions à personnages, figures, portraits, peintre de compositions murales religieuses, icônes, céramiste. Naïf.
Elle fut élève, à partir de 1950, de l'Institut d'Arts Plastiques Ion Andreescu de Cluj, puis de l'Institut d'Arts Plastiques N. Grigorescu de Bucarest, dont elle fut diplômée en 1957. Elle s'établit ensuite à Ploesti. En 1967, la Patriarchie orthodoxe de Bucarest lui octroya le titre de peintres d'icônes et de décorations religieuses. En Allemagne, elle obtint, en 1972, une bourse pour travailler à l'atelier collectif de Worpswede.
Essentiellement en Allemagne, elle participe à des expositions collectives. Elle montre des ensembles de ses œuvres dans des expositions individuelles, dont : 1973 à Worpswede, suivie d'autres, à Munster, Munich, Saarbruck, etc.
Dans sa période de Ploesti, elle a réalisé des décorations monumentales en céramique, en technique mixte et des peintures murales. Elle y enseignait à l'École d'Art. Elle exécuta alors des décorations dans des églises de Baragan. En Allemagne, elle réalise des décorations pour des hôtels de Munich. En parallèle avec son style religieux, elle développe une imagerie poétique de caractère naïf.
Bibliogr. : Ionel Jianou et divers : *Les Artistes roumains en Occident,* American Romanian Academy of Arts and Sciences, Los Angeles, 1986.

ZIPSER Pomona
Née le 28 juin 1958 à Sibiu. xxe siècle. Depuis 1970 active en Allemagne. Roumaine.
Sculpteur d'assemblages, d'installations, peintre, graveur, lithographe, illustrateur, dessinateur. Polymorphe.
Fille de Katharina Zipser, elle reçut ses conseils et, en Allemagne, participa à ses travaux de décoration. Elle l'accompagne à Worpswede. En 1979, elle s'initia à la peinture byzantine et commença ses études à l'Académie des Beaux-Arts de Munich. En 1985, après trois années dans l'atelier du sculpteur Lothar Fischer, elle fut diplômée de l'École des Beaux-Arts de Berlin. Elle s'est établie à Munich.
Elle participe à des expositions collectives en Allemagne. Elle expose individuellement, depuis 1984 à Walburg-Lahn, puis à Berlin, Munich, Hanovre.
Ses travaux se situent encore dans la diversité des découvertes.
Bibliogr. : Ionel Jianou et divers : *Les Artistes roumains en Occident,* American Romanian Academy of Arts and Sciences, Los Angeles, 1986.

ZIRALDI Guglielmo. Voir **GIRALDI**

ZIRALDONI Giovanni Andrea. Voir **GILARDONI**

ZIRCHER Franz Karl
Né le 20 janvier 1741 à Salzbourg. Mort le 25 décembre 1793 à Salzbourg. XVIIIe siècle. Autrichien.
Peintre.
Fils de Karl Anton Zircher. Il travailla pour les églises de Dorfbeuren et de Michelbeuren.

ZIRCHER Karl Anton ou **Zürcher** ou **Zürchner**
Né vers 1712 à Innsbruck. Mort le 13 juillet 1773 à Salzbourg. XVIIIe siècle. Autrichien.
Peintre.
Père de Franz Karl Zircher, il travailla pour des églises de Salzbourg.

ZIRCKLER Johann
Né vers 1750. Mort le 11 janvier 1797 à Erlau. XVIIIe siècle. Actif à Erlau. Hongrois.
Peintre.
Élève et assistant de Joh. Luc. Kracker. Il exécuta des peintures religieuses et surtout des fresques.

ZIRELLO Giulio. Voir **CIRELLO**

ZIRIO
Mort en 1776. XVIIIe siècle. Actif à Marseille. Français.
Peintre.
Il exposa à Marseille de 1756 à 1763. Il peignit des tableaux d'autel pour l'église de Saint-Cyr (Var).

ZIRKOWETZ Johann
XVIIe-XVIIIe siècles. Autrichien.
Sculpteur.
Il exécuta des peintures dans l'église Sainte-Anne de Nikolsbourg en 1701.

ZIRN. Voir **ZÜRN**

ZIRNER Katharina
Née en 1889 à Vienne. Morte en 1927 aux Indes. XXe siècle. Autrichienne.
Peintre de sujets religieux, paysages, natures mortes, graveur.
Elle fut élève d'Anton Faistauer et influencée par Frieda Salvendy.

ZISENIS. Voir **ZIESENIS**

ZISLIN Henri
Né le 16 juin 1875 à Mulhouse (Haut-Rhin). XXe siècle. Français.
Peintre d'histoire, dessinateur, illustrateur.
Il exposa au Salon des Humoristes.
Ami d'Hansi, il lutta, tout comme ce dernier, contre la « Kultur » allemande en Alsace-Lorraine. Il paya ses mordants et spirituels dessins de plusieurs condamnations et d'un an de prison. Publiciste et écrivain, il dirigea, entre 1907 et 1914, à Mulhouse, l'hebdomadaire satirique, *Dur's Elsass* ; et collabora à divers journaux et hebdomadaires, dont *Le Rire et Le Sourire*. Il illustra, *Sourires d'Alsace* et *Tableaux d'Histoire ; entre Vosges et Rhin*, dont il composa également les légendes ; *Dessins de guerre, Paris 1917-1918* et *L'Album Zislin*.
Bibliogr. : Gérald Schurr, in : *Les Petits Maîtres de la peinture 1820-1920, valeur de demain*, Les Éditions de l'Amateur, t. II, Paris, 1982.

ZISMAN Iossif
Né en 1914 à Kiev. XXe siècle. Russe.
Peintre de paysages. Postimpressionniste.
Il débuta sa formation à Vitebsk et la poursuivit à Moscou, à l'École des Beaux-Arts Surikov. Il était membre de l'Union des Artistes de l'U.R.S.S.
Sa peinture est particulièrement inclassable, surtout dans son contexte historique. Dans des harmonies brumeuses et proches du camaïeu, il suggère à peine les formes, privilégiant l'impression poétique.

ZITA Heinrich
Né le 29 juin 1882 à Esseklee. XXe siècle. Autrichien.
Sculpteur de monuments, statues, bustes, médailleur.
Élève de l'Académie de Vienne. Il exposa dans cette ville à partir de 1902.

ZITARE Mara
Née en 1937. XXe siècle. Russe-Lettone.
Peintre de compositions à personnages, figures, paysages, marines.
Elle fréquenta l'Académie des Beaux-Arts de Lettonie jusqu'en 1961. Elle fut nommée membre de l'Union des Artistes en 1970. Elle participe régulièrement à des expositions tant dans son pays : Riga, Moscou, Léningrad qu'à l'étranger : Pologne, Allemagne, Finlande, Inde, Grèce, Bulgarie, Japon, Autriche, États-Unis, Italie, Suisse.
Elle pratique une peinture robuste et construite, qui peut rappeler celle de Gromaire.
Musées : Riga (Fonds des Beaux-Arts).
Ventes Publiques : Paris, 11 juil. 1990 : *Tombée de la nuit sur le port* 1986, h/pan. (106x103) : **FRF 7 000** – Paris, 14 jan. 1991 : *Jeune fille au corsage blanc*, h/t (100x81) : **FRF 3 500**.

ZITEK Johann
Né en 1826 à Prague. Mort le 6 juillet 1895 à Elcowitz. XIXe siècle. Tchécoslovaque.
Graveur au burin.
Élève de l'Académie de Vienne. Il grava des architectures et des sujets religieux.

ZITEK Ladislaus
Né le 7 avril 1886 à Sobeslau. Mort le 4 mars 1935. XXe siècle. Tchécoslovaque.
Peintre de paysages, paysages urbains, graveur.
Il grava à la manière noire et à l'eau-forte et exécuta des vues de Prague et des Balkans.

ZITERER Johann. Voir **ZITTERER**

ZITMAN Cornelis ou **Cornelius**
Né le 9 novembre 1926 à Leden. XXe siècle. Depuis 1947 actif au Venezuela. Hollandais.
Sculpteur, peintre de figures. Expressionniste.
Entré très jeune à l'Académie de Dessin de Leyden, il fréquenta ensuite, de 1941 à 1947, l'Académie Royale des Beaux-Arts de La Haye et s'y consacra essentiellement à la peinture. En 1947 il quitta les Pays-Bas, s'engagea sur un pétrolier et arriva au Venezuela où il s'installa. Il travailla à Caracas sans pour autant abandonner la peinture et s'essaya même à la sculpture en 1951. Sa première réalisation, *La Femme assise*, obtient un prix national de sculpture au Venezuela. En 1958 il s'installa dans une petite île des Antilles anglaises et le contact avec une civilisation afro-indienne exerça une profonde influence sur son œuvre. Après un bref séjour aux États-Unis et en Hollande, où il apprit les techniques de fonte du bronze, il retourna en 1961 au Venezuela et s'installa définitivement à Caracas.
Avec des accents encore expressionnistes, Zitman pose un regard aussi ironique qu'angoissé sur le corps humain, le décrivant dans des attitudes quotidiennes aux accents dérisoires et insolites à la fois, ainsi de cette jeune et jolie femme nue coiffée d'un considérable chapeau visiblement très « habillé ».
Musées : Caracas.
Ventes Publiques : New York, 20 nov. 1991 : *Les Quatre Cyclistes* 1970, bronze (20,5x23x45,5) : **USD 17 600** – New York, 18-19 mai 1992 : *La Guerrière*, bronze (H. 48,5) : **USD 19 800** – New York, 17 nov. 1994 : *Femme assise* 1970, bronze (H. 26) : **USD 9 200** – Amsterdam, 2 déc. 1997 : *Dina* 1973, bronze (H. 56) : **NLG 32 289** – Amsterdam, 4 juin 1997 : *Femme à la barre* 1970, bronze (H. 70) : **NLG 32 289**.

ZITO Nicola
XIXe siècle. Actif à Bari dans la première moitié du XIXe siècle. Italien.
Peintre.
Il a peint deux tableaux pour l'église S. Fernando de Bari.

ZITTA Wenzel
XVIIIe siècle. Tchécoslovaque.
Peintre.
Élève de Wenzel Bluma. Il travailla pour l'archevêque de Königgrätz vers 1790.

ZITTAWSKY Sebastian
Né vers 1559. Mort le 20 février 1610 à Auhonicz. XVIe-XVIIe siècles. Tchécoslovaque.
Peintre.
Frère de l'ordre des Prémontrés.

ZITTEL Andrea
Née en 1965 à Escondido (Californie). XXe siècle. Américaine.
Peintre, décorateur.

Elle participe à des expositions collectives aux États-Unis et expose personnellement, notamment : en 1993 à Paris, galerie Jennifer Flay.

ZITTERER Johann ou **Ziterer**
Né en 1761. Mort le 9 avril 1840 à Vienne. XVIIIe-XIXe siècles. Autrichien.
Peintre.
Il peignit des portraits de l'empereur *Joseph II* et de *François II*, ainsi que des sujets religieux.

ZITTOZ Miguel ou **Sittow, Sitium, Sithium, Syttow, Zyttow, Sydu, Sitau**, dit **el Flamenco**
Né vers 1469 à Tallin. Mort entre le 21 et le 24 décembre 1525 à Reval. XVe-XVIe siècles. Éc. flamande.
Peintre de compositions religieuses, portraits.
Malgré ses origines baltes, il travailla en Flandre et fit son apprentissage à Bruges vers 1484. Il fut élève de Memling. Après avoir été attaché à la cour de Malines entre 1502 et 1505, il entra au service de Charles Quint en 1516.
Il est connu à travers un *Portrait de femme*, dont le style rappelle à la fois Memling et le Maître de Moulins.
Bibliogr. : J. Lassaigne et R. L. Delevoy : *La peinture flamande, de J. Bosch à Rubens*, Skira, Genève, 1958.
Musées : Berlin : *La Vierge et l'Enfant* – Budapest : *La Vierge et l'Enfant* – Copenhague : *Le roi Christian II* – Moscou : *Portement de croix* – Philadelphie : *Adoration de l'Enfant* – *Le roi Christian II et sa femme, donateurs dans un triptyque du Jugement Dernier* – Vienne : *Portrait d'une femme* – Washington D. C. : *Donateur*, diptyque.
Ventes Publiques : Londres, 26 juin 1959 : *La Madone et l'Enfant* : **GBP 1 050** – Zurich, 21 juin 1985 : *Vierge à l'Enfant* vers 1500, h/pan. (34x24,4) : **CHF 70 000** – Milan, 13 déc. 1989 : *La Vierge du Rosaire*, temp./pan. (20x26) : **ITL 20 000 000**.

ZITZMANN Franciszek
Né en 1876 à Raczyn. XXe siècle. Polonais.
Peintre.
Il fut élève de J. Unierzynski à Cracovie.

ZIVANOVIC Misa
Né en 1950. XXe siècle. Yougoslave.
Artiste. Conceptuel.
Il fait partie du Groupe E. Il a participé à la Biennale de Paris en 1971. Son travail se rattache à l'art conceptuel.

ZIVERI Alberto
Né en 1908 à Rome. XXe siècle. Italien.
Peintre de genre, scènes animées, portraits, paysages, fleurs, dessinateur.
Ventes Publiques : Rome, 9 déc. 1976 : *Sorfano* 1960, h/t (50x36) : **ITL 400 000** – Rome, 2 déc. 1980 : *Figure dans un intérieur*, h/t (66,5x49,5) : **ITL 3 000 000** – Rome, 23 nov. 1981 : *Anémones et Marguerites* 1959, h/t (54x40) : **ITL 2 600 000** – Rome, 3 déc. 1985 : *Nu* 1926, cr. (46x31) : **ITL 1 100 000** – Milan, 19 mai 1987 : *Femme et Enfant* 1934, encre (47,5x33,5) : **ITL 2 200 000** – Rome, 15 nov. 1988 : *Buste féminin et paysage avec des cavaliers*, h/t (65x45) : **ITL 26 000 000** ; *Personnages autour d'un feu*, h/pan. (37,5x59) : **ITL 18 500 000** – Rome, 17 avr. 1989 : *Le port d'Anvers* 1937, h/pan. (16,5x12,5) : **ITL 2 800 000** – Rome, 28 nov. 1989 : *Paysage montagneux* 1958, h/t (35x45) : **ITL 10 500 000** – Rome, 10 avr. 1990 : *Profil féminin* ; *La brodeuse* 1934, encre/pap. (26x37) : **ITL 3 800 000** – Rome, 3 déc. 1990 : *Corrida* 1953, h/t (20x22) : **ITL 13 800 000** – Rome, 9 avr. 1991 : *Autoportrait*, h/t (58x49) : **ITL 17 500 000** – Milan, 19 déc. 1991 : *Adolescents* 1933, h/t (62x52) : **ITL 15 000 000** – Rome, 12 mai 1992 : *Autoportrait* 1937, h/t (24,7x19,5) : **ITL 7 800 000** – Rome, 27 mai 1993 : *Vase de fleurs* 1942, h/t (67x56) : **ITL 26 000 000** – Milan, 20 mai 1996 : *Saint Pierre* 1954, h/pan. (61x91) : **ITL 12 650 000** – Rome, 8 avr. 1997 : *Paesaggio all'Acqua Acetosa* 1926, h/cart. (34x48) : **ITL 21 552 000**.

ZIVIC Mihajlo
Né en 1899 à Sikirevci. XXe siècle. Yougoslave.
Sculpteur.
Il fut élève de l'Académie des Beaux-Arts de Zagreb. Il était actif à Osijek.

ZIVKOVIC Bogosav
Né en 1920 à Leskovac. XXe siècle. Yougoslave.
Sculpteur de figures, animaux. Naïf.
Après avoir exercé divers métiers, agricoles et urbains, il ne commença à sculpter qu'à l'âge de trente-sept ans.
Il ne sculpte que le bois, récupérant les vieux troncs, les souches abandonnées, dont il exploite les formes propres qui le guident vers l'interprétation qu'il peut en tirer : patriarches, nonnes, loups, serpents, chouettes.
Bibliogr. : Oto Bihalji-Merin : *Bogosav Zivkovic – le rêve collectif d'un sculpteur naïf*, Belgrade, 1964 – in : *Diction. de l'Art mod. et contemp.*, Hazan, Paris, 1992.

ZIVR Ladislav
Né en 1909 à Nova Paka (Prague). Mort en 1980. XXe siècle. Autrichien.
Sculpteur, auteur d'assemblages. Tendance surréaliste.
Il fut élève de l'école des arts décoratifs de Bechyne puis de Prague. Il fut membre du Groupe 42, mouvement à tendance surréaliste.
Il travailla à partir de matériaux de rebut réalisant des œuvres entre abstraction et surréalisme.
Bibliogr. : Catalogue de l'exposition : *Les Années trente en Europe. Le temps menaçant*, Musée d'Art moderne de la ville, Paris Musées, Flammarion, Paris, 1997.
Musées : Prague (Narodni Gal.) : *Cœur incognito* 1936.

ZIX Benjamin
Né le 25 avril 1772 à Strasbourg. Mort le 7 décembre 1811 à Pérouse. XVIIIe-XIXe siècles. Français.
Peintre d'histoire, compositions religieuses, sujets de genre, portraits, paysages, aquarelliste, graveur, dessinateur.
« Peintre soldat », d'origine modeste, sa carrière officielle débuta en 1805 ; il fut protégé par l'Empereur et par Vivant-Denon. Il exposa au Salon de Paris en 1810.
Il réalisa des œuvres relatives à Napoléon Ier, on mentionne notamment le cortège nuptial de Napoléon et de Marie Louise traversant la Grande Galerie du Louvre (venant des Tuileries pour se rendre dans le Salon Carré), le 2 avril 1810, avant la célébration du mariage religieux. On peut facilement identifier les différentes personnalités faisant partie du cortège. La composition principale de cette œuvre devait être reproduite par Étienne-Charles Leguay sur un vase en porcelaine de Sèvres. Benjamin Zix grava également à l'eau-forte des sujets de genre et d'histoire, des sujets religieux et des vues.

Musées : Mulhouse : *Scènes de combats*, trois dessins – Paris (Mus. du Louvre) : dix dessins – Strasbourg : *Portrait d'un jeune homme*.
Ventes Publiques : Paris, 12 avr. 1996 : *Cortège nuptial de Napoléon Ier et de Marie-Louise dans la Grande Galerie du Louvre*, aquar. et encre noire, une paire (chaque 23x84) ; le même avec identification des personnages et dignitaires (18x84) : **FRF 1 000 000**.

ZLATIN Yanka. Voir **YANKA**

ZLOKYKAMIER Gérard. Voir **ZLOTYKAMIEN**

ZLOTESCU George
Né en 1906 à Bacau. XXe siècle. Roumain.
Peintre de portraits, natures mortes.
Il fut élève de l'Académie des Beaux-Arts de Bucarest et de l'École des Beaux-Arts de Paris.
Musées : Bucarest (Mus. Toma Stelian) : quatre peintures.

ZLOTKOWSKI Jan
XVe siècle. Travaillant à Reciborowice de 1471 à 1493. Polonais.
Enlumineur.
Il était prêtre.

ZLOTYKAMIEN Gérard
Né en 1940. XXe siècle.
Sculpteur d'assemblages, technique mixte, peintre.
Ventes Publiques : Paris, 30 jan. 1989 : *La conversation*, deux éléments en fer rouillé et soudé (H. 126) : **FRF 11 000** – Paris, 22 mai 1989 : *Figure penchée*, fer rouillé et soudé (H. 52,5) : **FRF 7 000** – Paris, 18 juin 1989 : *Le baiser*, acryl. et altuglas (155x61) : **FRF 7 500** – Les Andelys, 19 nov. 1989 : *Ephémère*, acryl./sac (128x60) : **FRF 7 000** – Paris, 26 avr. 1990 : *Les Éphémères*, bombage acryl./volet bois (91x48) : **FRF 11 000** – Paris, 21 mai 1990 : *Figure penchée*, fer rouillé et soudé (52x60x40) : **FRF 12 200**.

ZMETAK Ernest
Né le 12 janvier 1919 à Novych Zamkoch. XXe siècle. Tchécoslovaque.

Peintre de paysages, mosaïste.
Il fit ses études en Hongrie, à l'Académie des Beaux-Arts de Budapest, de 1938 à 1943. Il expose surtout à Bratislava, où il vit. Il a créé des mosaïques monumentales. Dans ses peintures, souvent des paysages à la végétation généreuse, il pratique des pâtes extrêmement épaisses, qui peuvent évoquer un Georges Bouche.
Bibliogr. : Catalogue de l'exposition *50 ans de peinture tchécoslovaque, 1918-1968*, Musées tchécoslovaques, 1968.

ZMITEK Peter
Né le 28 juin 1874 à Kropa. Mort le 27 décembre 1935 à Ljubljana. XIXe-XXe siècles. Yougoslave.
Peintre de scènes typiques, portraits, paysages.
Il fut élève des Académies des Beaux-Arts de Vienne, de Saint-Pétersbourg et de Prague. Il peignit des scènes de la vie slovène, des portraits et des paysages.
Musées : Ljubljana : *Le mendiant avec la maquette de l'église – Un couple de paysans.*

ZMURKO Franciszek ou **François**
Né en 1859 à Lemberg. Mort en 1910 à Varsovie. XIXe-XXe siècles. Polonais.
Peintre de genre, de figures et de portraits.
Il fut élève de Wagner et Maleïko. Il figura aux expositions de Paris, et reçut une médaille de bronze en 1900 à l'Exposition Universelle.
Musées : Varsovie (Mus. nat.) : *Portrait de l'artiste.*
Ventes Publiques : Paris, 20 mai 1920 : *Portrait de femme* : **FRF 225.**

ZNAK Anatoli
Né en 1939. XXe siècle. Russe.
Peintre.
Il fit ses études à l'Institut Répine de l'École des Beaux-Arts de Saint-Pétersbourg. Il réside à Krasnoiarsk.
Ventes Publiques : Paris, 27 mai 1992 : *Nu assis* 1990, h/t (99x97) : **FRF 3 500.**

ZNIDER Jakob
Né le 4 juillet 1862 à Saint-Bartholimä (Styrie). XIXe-XXe siècles. Autrichien.
Sculpteur.
Il fut élève de l'Académie des Beaux-Arts de Vienne.

ZO Achille Jean Baptiste
Né le 30 juillet 1826 à Bayonne (Basses-Pyrénées). Mort le 3 mars 1901 à Bordeaux (Gironde). XIXe siècle. Français.
Peintre de genre, portraits. Orientaliste.
Père d'Henri Zo, il fut élève de Thomas Couture. Fixé à Bordeaux, il fut nommé directeur des Écoles des Beaux-Arts et des Arts Décoratifs de cette ville.
Il débuta au Salon de Paris en 1852, fut sociétaire des Artistes Français, mention en 1861, médaille d'or en 1865, chevalier de la Légion d'honneur en 1886.
Ses sujets orientalistes et espagnols restent assez conventionnels, malgré des effets de lumière qui les mettent bien en valeur.
Bibliogr. : Gérald Schurr, in : *Les Petits Maîtres de la peinture 1820-1920, valeur de demain*, Les Éditions de l'Amateur, t. V, Paris, 1981.
Musées : Bayonne : *Famille de Bohémiens en voyage – Posada San Rafaël à Cordoue – Jacques Portes, ancien maître de Bayonne – M. Jubin – Le rêve d'un croyant – Autoportrait* – Dijon : *Le colporteur* – Marseille : *Palais à Séville* – La Rochelle : *Bohémiens, la halte du soir* – Rouen : *Mendiants à Cordoue* – Tarbes : *La justice du sultan.*
Ventes Publiques : Paris, 17 fév. 1902 : *L'âne portant les reliques* : **FRF 105** – Paris, 2 juin 1949 : *Guitariste espagnol* : **FRF 2 000** – Paris, 23 fév. 1951 : *Nu drapé dans un paysage* : **FRF 3 100** – Londres, 13 juin 1974 : *Bandits jouant aux cartes* 1880 : **GNS 550** – Londres, 16 juin 1993 : *Arabe fumant une pipe*, aquar. (30x25) : **GBP 943** – Paris, 26 juin 1995 : *Vue de Ciboure*, aquar. (20x26) : **FRF 7 500** – Paris, 18-19 mars 1996 : *Jeune Orientale allongée*, h/t (39x75) : **FRF 140 000.**

ZO Henri Achille
Né le 2 décembre 1873 à Bayonne (Basses-Pyrénées). Mort en septembre 1933, accidentellement. XIXe-XXe siècles. Français.
Peintre de sujets typiques, scènes de genre, nus, portraits, paysages, illustrateur.
Élève d'Achille Zo, son père, puis de Léon Bonnat et de Albert Maignan. Il exposa au Salon des Artistes Français à partir de 1895 ; il obtint une mention honorable en 1897 et devint sociétaire en 1898. Il reçut une médaille de troisième classe en 1899, une médaille d'argent en 1900, à l'Exposition universelle, une médaille de deuxième classe en 1901 ; le prix Rosa-Bonheur lui fut remis en 1903 et le Prix national en 1905. Il fut chevalier de la Légion d'honneur en 1910, et devint membre du Comité et du Jury, puis sociétaire Hors-Concours. Il remporta le prix G. Ferrier en 1933. Il a illustré, *Ramuntcho.* de P. Loti ; *A la Mer*, de P. Margueritte. Il prit part, en outre, à la décoration de l'Opéra comique et à celle de la Chapelle élevée aux victimes du Bazar de la Charité.
Cet artiste était spécialisé dans la peinture de scènes populaires espagnoles, de courses de taureaux et de la vie du Pays Basque. Il peignit également de nombreux portraits de personnalités du monde, de la médecine et du théâtre.

Musées : Bayonne – Bordeaux – Bucarest – Londres – Montauban – Nîmes – Oran – Paris (Mus. d'Art mod.) – Pau – Philadelphie – Saint-Quentin – Saint-Sébastien – Tourcoing.
Ventes Publiques : Paris, 1er mars 1943 : *Fin de course, Burgos* : **FRF 450** – Paris, 15 mai 1944 : *Avant la corrida* : **FRF 4 100** – Paris, 7 juil. 1947 : *Scène galante* : **FRF 2 200** – Paris, 8 juin 1949 : *Scène de tauromachie à Bayonne* 1894 : **FRF 6 000** – Paris, 9 jan. 1950 : *L'entrée des toréadors*, aquar. : **FRF 1 400** – Paris, 10 nov. 1950 : *La promenade sur les quais* 1895 : **FRF 1 800** – Londres, 15 mars 1974 : *Famille espagnole* 1897 : **GNS 2 400** – New York, 21 jan. 1978 : *Famille espagnole*, h/t (206x138) : **USD 12 000** – New York, 25 jan. 1980 : *Prêts pour le départ*, h/t (33x46) : **USD 2 000** – Paris, 25 mai 1988 : *Le picador*, h/pan. (22x27) : **FRF 4 000** – Paris, 16 mars 1989 : *L'Espagnole*, h/t (41x31) : **FRF 5 100** – Paris, 19 juin 1989 : *Avant la corrida* 1894, h/t (46x61) : **FRF 16 000** – Amsterdam, 2 mai 1990 : *Procession du 8 septembre à Fontanabie en Espagne*, h/t (61x46,5) : **NLG 4 600** – Madrid, 25 mai 1993 : *Scène taurine*, gche/cart. (30x40) : **ESP 115 000** – Biarritz, cinq déc. 1993 : *Scènes de la vie au Pays Basque*, suite de 5 toiles : **FRF 221 000** – Paris, 13 fév. 1995 : *Le fronton*, h/t (46x61) : **FRF 21 000** – Paris, 29 mai 1996 : *Vargas (province de Tolède)*, h/t (67x81) : **FRF 24 000** – Londres, 19 nov. 1997 : *La Sieste*, h/t (59x79) : **GBP 24 150.**

ZO-LAROQUE Blanche Marie Adélaïde
Née le 14 septembre 1876 à Bayonne (Basses-Pyrénées). XXe siècle. Française.
Peintre de portraits, paysages, natures mortes, fleurs.
Fille et élève de Achille Zo. Elle reçut aussi les conseils de son frère Henri et de Hubert Gautier. Elle expose au Salon des Artistes Français depuis 1920, reçoit une mention en 1924, une médaille d'argent en 1929, le prix Marcerou-Maille en 1938.

ZOAGLI Erasmo da. Voir **PIAGGIA Teramo**

ZOAN ANDREA
XVe-XVIe siècles. Actif à Mantoue de 1475 à 1505. Italien.
Peintre et graveur au burin.
Élève et imitateur de Mantegna. Sa manière évoque aussi Dürer. Il grava des scènes de la Bible et de la mythologie grecque. Il signait Z. A. Le British Museum de Londres et les Offices de Florence conservent des dessins de cet artiste.

ZOBBINI, les frères
XVe siècle. Actifs à Venise XVe siècle. Italiens.
Peintres.
Ils peignirent un *Portement de la croix* pour l'église S. M. dell'Orto de Venise.

ZOBEL Béla. Voir **CZOBEL Béla Adalbert**

ZOBEL Eberhard, appelé aussi **Johann Nepomuk Tiburtius**
Né le 14 avril 1757 à Schwaz. Mort le 27 avril 1837 au couvent de Fiecht. XVIIIe-XIXe siècles. Autrichien.

Peintre.
Frère de l'ordre des Bénédictins.

ZOBEL Elias
XVIIIe siècle. Actif à Salzbourg dans la première moitié du XVIIIe siècle. Autrichien.
Peintre.
Il exécuta de nombreuses peintures dans l'abbaye d'Ottobeuren.

ZOBEL Fernando
Né en 1924 à Manille (Philippines). Mort en 1984 à Rome. XXe siècle. Espagnol.
Peintre.
Il vivait et travaillait à Madrid. Il participait à de nombreuses expositions de groupe, parmi lesquelles : 1962, *Peinture Espagnole Moderne* à la Tate Gallery de Londres et Biennale de Venise ; 1965, Biennale de Tokyo ainsi que Biennale de la Gravure de Ljubljana ; 1967, Kunstverein de Berlin, Copenhague ; 1968, Boymans-Van-Beuningen Museum de Rotterdam ; etc. Il a été le fondateur et directeur du Musée d'Art Abstrait Espagnol de Cuenca, établi dans les célèbres « maisons perchées » de la ville.
Dans une première période, il pratiquait une peinture figurative expressionniste, dite parfois humoristique. En 1955, il évolua à l'abstraction, à l'intérieur de laquelle il continua à évoluer. En 1960, influencé par la calligraphie extrême-orientale, il peignait des signes noirs sur des fonds blancs. En 1965, il revint à la couleur, avec une peinture très raffinée, procédant par très légères imprégnations presque effacées, n'hésitant pas, bien que toujours à la limite de l'abstraction, à faire référence à Degas. Après 1980, il revint à ses attirances extrême-orientales et à une peinture de signes.
Bibliogr. : In : Catalogue du *IIIe Salon International des Galeries Pilotes*, Musée cantonal, Lausanne, 1970 – in : *L'Art du XXe siècle*, Larousse, Paris, 1991.
Musées : Bilbao – Cambridge, Mass. (Fogg Art Mus.) – Cuenca (Mus. d'Art abstrait esp.) – Madrid (Mus. esp. d'Art contemp.) – Madrid (Fond. March).
Ventes Publiques : Göteborg, 18 mai 1989 : *Astellero I*, h/t (60x60) : **SEK 29 000** – Madrid, 13 déc. 1990 : *Flotte IV* 1976, h/t (60x40) : **ESP 1 120 000** – Madrid, 28 nov. 1991 : *Événement* 1975, h/t (80x100) : **ESP 2 016 000** – Madrid, 28 avr. 1992 : *Circé* 1973, h/t (120x150) : **ESP 1 700 000** – Londres, 29 mai 1992 : *Saeta 50* 1958, h/t (45,7x91,7) : **GBP 4 620**.

ZOBEL Franz Xaver
XVIIIe siècle. Actif à Prague vers 1780. Autrichien.
Peintre de portraits.

ZOBEL George J.
Né vers 1810. Mort en juin 1881 à Brixton. XIXe siècle. Britannique.
Graveur à la manière noire.
Il exposa à Londres de 1854 à 1879, des gravures appréciées, d'après Reynolds, Rosa Bonheur, sir John Millois.

ZOBEL Joseph
XVIIIe siècle. Travaillant à Prague en 1744. Autrichien.
Graveur au burin.

ZOBEL Mihaly ou **Michel**
XIXe siècle. Actif à Budapest de 1842 à 1846. Hongrois.
Peintre de portraits.

ZOBEL Thomas
XIXe siècle. Travaillant à Reutte. Autrichien.
Peintre.
Il peignit une *Madone* pour l'église de Bichlbach en 1848.

ZOBERNIG Heimo
Né en 1958. XXe siècle. Autrichien.
Sculpteur d'installations. Conceptuel.
Il vit et travaille à Vienne. Il a exposé à Paris, en 1990 à la galerie Sylvana Lorenz ; en 1991 à Nice, à la Villa Arson et à Paris à l'Hôtel des Arts.
Il réalise ou utilise des objets simples, cubes, rideaux, etc., en carton laqué, en vinyle, en néoprène, en tout ce qu'on veut, qu'il dispose à travers les lieux d'exposition, en leur conférant des charges symboliques particulièrement hermétiques. Cet hermétisme même se prête aux développements de la critique, éventuellement polémiques.
Bibliogr. : Joseph Mouton : *Zobernig Select*, in : Opus International, n° 129, Paris, automne 1992.

ZOBL Sebastian ou **Zobel**
Né le 31 décembre 1726 à Tannheim. Mort le 13 mars 1801. XVIIIe siècle. Autrichien.
Peintre.
Élève de M. Knoller. Il peignit deux tableaux d'autel dans l'église d'Attel. Il était moine.

ZOBOLI Jacopo ou **Giacomo**
Né le 23 mai 1681 à Modène. Mort le 22 février 1767 à Rome. XVIIIe siècle. Italien.
Peintre d'histoire, compositions religieuses, portraits, graveur, dessinateur.
Il peignit des tableaux d'autel et des portraits. On cite aussi de lui une suite de quinze eaux-fortes sur les exploits d'Aloïs Gonzague.
Ventes Publiques : Milan, 18 juin 1981 : *La Mort de Jules César*, h/t (99x136) : **ITL 5 500 000** – New York, 9 jan. 1991 : *Étude d'un homme barbu assis*, craies noire et blanche/pap. rose (38,2x28,1) : **USD 2 640** – Paris, 28 juin 1991 : *Étude de putto*, sanguine/pap. (23,5x36) : **FRF 6 000**.

ZOBOR Jenö ou **Eugene**
Né le 12 février 1898 à Budapest. XXe siècle. Hongrois.
Peintre de portraits, paysages.

ZOCATI DAHECHE
XXe siècle. Libanais.
Peintre.
Il travaillait à Beyrouth. Des œuvres de cet artiste sont conservées dans les principaux musées du Liban.

ZOCCHE Giuseppe
Né le 18 décembre 1892 à Schio. XXe siècle. Italien.
Peintre de figures, paysages.

ZOCCHI Arnaldo
Né le 20 septembre 1862 à Florence. Mort le 17 juillet 1940 à Rome. XIXe-XXe siècles. Italien.
Sculpteur de monuments, statues.
Fils et élève du sculpteur Emilio Zocchi. Il a exposé à Rome en 1890 et à Palerme. Il sculpta de nombreux monuments et statues dans plusieurs villes italiennes et en Amérique du Sud.

ZOCCHI Carlo
Né le 18 juin 1894 à Milan. XXe siècle. Italien.
Peintre de figures, paysages.
Il n'eut aucun maître.
Musées : Milan (Gal. d'Art mod.) : *Les Écoles*.

ZOCCHI Cesare
Né le 7 juin 1851 à Florence. Mort le 19 mars 1922 à Turin. XIXe-XXe siècles. Italien.
Sculpteur de monuments, médailleur.
Cousin et élève de Emilio Zocchi. Il a surtout travaillé à Rome. Cependant Venise, Ravenne, Florence possèdent de lui divers monuments.

ZOCCHI Cosimo
XVIIIe siècle. Actif dans la seconde moitié du XVIIIe siècle. Italien.
Graveur au burin.
Probablement frère de Giuseppe Zocchi. et élève de Joseph Wagner. Il peignit des paysages et des scènes religieuses.

ZOCCHI Emilio ou **Zocchie**
Né le 5 mars 1835 à Florence. Mort le 10 janvier 1913 à Florence. XIXe-XXe siècles. Italien.
Sculpteur de statues, animaux.
Élève de Girolamo Torrini, puis de Costalli. Ce fut un sculpteur réputé. Officier de l'ordre de la couronne d'Italie.
Musées : Florence (Palais Pitti) : *Michel-Ange enfant* – *Le serpent d'airain* – Rome (Gal. d'Art mod.) : *Tête de cheval* – Sydney : *Le travail et l'étude*.
Ventes Publiques : New York, 21 sep. 1981 : *Une bonne mère*, marbre blanc (H. 63) : **USD 3 000**.

ZOCCHI Gabriele ou **Zocco**
XVIe siècle. Actif à Crémone vers 1580. Italien.
Peintre.
Élève de G. B. Trotti. Il travailla pour des églises et des monastères de Crémone.

ZOCCHI Galeazzo de
XVIe siècle. Actif à Bologne. Italien.

Peintre.
Membre de l'Académie de Saint-Luc de Rome en 1573.

ZOCCHI Giuseppe
Né en 1711 à Florence (Toscane). Mort en mai 1767 à Florence. XVIIIe siècle. Italien.
Peintre d'histoire, scènes de genre, paysages, graveur, dessinateur, décorateur.
Les Gerini furent ses protecteurs et ce fut grâce à eux, semble-t-il, qu'il put étudier les grands maîtres à Florence, à Rome, à Milan. Certains biographes prétendent qu'il visita l'Angleterre. Il fut surtout employé à des décorations dans les palais de Florence et de ses environs particulièrement dans les Palais Serristori, Rimuceini et Gerini. Au cours de ses voyages, il dessina les sites les plus remarquables des régions qu'il parcourait et ces dessins furent, dans la suite, gravés et réunis en intéressantes séries topographiques. Il grava lui-même au burin quelques estampes originales et d'après les maîtres du XVIIe siècle.
Musées : Nancy : *Course de chars à Florence.*
Ventes Publiques : Paris, 1776 : *Vue d'Italie*, pl. et bistre : **FRF 500** – Londres, 25 mars 1969 : *Les jardins du Quirinal*, aquar. et gche : **GNS 400** – Londres, 11 juil 1979 : *Vue de Florence*, pl. et lav. de coul./trois feuilles (18x88,9) : **GBP 4 200** – Londres, 10 juil. 1981 : *Vue de la Badia Fiorentina et du Bargello, Florence*, h/t (55,9x85,8) : **GBP 48 000** – Milan, 18 mars 1982 : *Vue de la ville de Novara*, pl. et lav. de sépia (14,4x23) : **ITL 1 900 000** – Paris, 17 nov. 1983 : *Caprices inspirés de la Rome antique*, pl. et lav. de sépia, deux dess. (16x22) : **FRF 11 000** – Londres, 22 mai 1985 : *Personnages parmi des ruines* 1757, h/t (42x55,5) : **GBP 9 000** – Londres, 7 juil. 1987 : *Vue du Ponte Santa Trinita, Florence*, craie noire, pl. et encre brune (41,1x85) : **GBP 10 000** – Londres, 11 déc. 1987 : *Le Triomphe de David* 1749, h/t (47x61,3) : **GBP 15 000** – Monaco, 20 fév. 1988 : *Vue de Campidoglio et de Santa Maria d'Aracoeli*, encre (16,5x37,7) : **FRF 61 050** – Cheverny, 25 avr. 1993 : *Florence, vue de l'Arno et du Ponte de la Trinita ; Florence, vue de l'Arno avec Santo Spirito et Santa Maria delle Carmine*, h/t, une paire (chaque 51x74,5) : **FRF 1 720 000** – Londres, 3 juil. 1996 : *Vue du Colisée depuis le Palatin*, craie noire et grise et lav. jaune/deux feuilles de pap. (22,5x51,3) : **GBP 5 175**.

ZOCCHI Guglielmo
Né le 18 janvier 1874 à Florence. XIXe-XXe siècles. Italien.
Peintre de genre.
Élève de Tito Conti.
Ventes Publiques : New York, 14 juin 1973 : *Jeune femme à son chevalet* : **USD 3 000** – Londres, 29 sep. 1976 : *Scène d'intérieur*, h/t (33,5x47,5) : **GBP 750** – Londres, 14 jan. 1981 : *Enfant offrant des fleurs*, h/t (70x100) : **GBP 2 200** – Londres, 16 fév. 1990 : *L'offrande*, h/t (67,2x42,5) : **GBP 9 350** – New York, 21 mai 1991 : *La diseuse de bonne aventure*, h/t (29,2x40,6) : **USD 6 380** – Londres, 28 oct. 1992 : *Petit romain s'amusant à chevaucher une peau de tigre*, h/t (34x49) : **GBP 2 420** – New York, 16 fév. 1994 : *Le récital*, h/t (70,5x120,7) : **USD 6 900** – New York, 26 mai 1994 : *Les charmes de la musique*, h/t (69,9x110,5) : **USD 21 275** – Londres, 22 fév. 1995 : *Étude d'une femme près d'un temple*, h/t (50x74) : **GBP 2 530** – Londres, 13 juin 1996 : *Jeune Romaine jouant de la lyre*, h/t (100,2x35,5) : **GBP 1 725**.

ZOCCHIMMER Emil
Né le 14 septembre 1842 à Mersebourg. XIXe siècle. Allemand.
Peintre de paysages.
Élève de l'École d'Art à Weimar dans l'atelier de Michelis Max Schmidt et Hague.

ZOCCO. Voir aussi **ZOCCHI**

ZOCCO Camillo
XVIIe siècle. Actif à Crémone en 1604. Italien.
Peintre.
Il a peint un panneau avec treize scènes de miracles dans l'église Saint-François de Valenza.

ZOCCOLETTO Bartolomeo
XVIIe-XVIIIe siècles. Actif à Vérone. Italien.
Peintre.
Il travailla probablement aux XVIIe et XVIIIe siècles.

ZOCCOLINI Matteo, padre. Voir **ZACCOLINI**

ZOCCOLO Niccolo, dit **Cartoni**
XVIe siècle. Florentin, travaillant vers 1520. Italien.
Peintre.
Élève de Filippo Lippi. Peut-être identique à Nicolaio, élève de Ghirlandajo.

ZOCHER Louis Paul
Né le 10 août 1820 à Haarlem. Mort le 7 septembre 1915. XIXe-XXe siècles. Hollandais.
Peintre de paysages.
Il fut aussi horticulteur.

ZOCHMEISTER Giorgio
XVIIIe siècle. Actif dans la première moitié du XVIIIe siècle. Autrichien.
Sculpteur sur bois et peintre.
Il exécuta un *Crucifix* et les *Mystères de la Passion* dans l'église de Cles.

ZOD Souleïma
Née le 15 décembre 1944 à Douna. XXe siècle. Libanaise.
Peintre. Abstrait, figuration-allusive.
Elle présente ses œuvres depuis 1977, surtout à Beyrouth et à Paris, dans des expositions collectives ou personnelles (1984 Galerie Drouant, Paris ; 1994 Galerie Rochane, Beyrouth).
Ses compositions abstraites, aux tonalités délavées, sont animées par des jeux de courbes et de contre-courbes qui dérivent d'éléments du corps féminin.

ZODA Francesco
Né le 13 septembre 1639 à Vibo Valentia. Mort en 1722. XVIIe-XVIIIe siècles. Italien.
Peintre.
Élève de Pietro da Cortona à Rome. Il peignit des sujets religieux.

ZOEBL Georg
Né le 27 janvier 1843 à Vienne. XIXe siècle. Autrichien.
Dessinateur.
Officier de marine. Le Musée de Vienne conserve deux marines de lui.

ZOEGE VON MANTEUFFEL Helene, ou **Marie Helene,** dite **Lilla**
Née le 24 novembre 1774 à Eigstfer. Morte le 24 mai 1842 à Ballenstedt. XVIIIe-XIXe siècles. Estonienne.
Peintre de portraits.
Elle fut élève de Gottl. Welté.

ZOEGE VON MANTEUFFEL Magda
Née le 25 décembre 1852 à Reval. Morte en 1938 à Reval. XIXe-XXe siècles. Estonienne.
Peintre de paysages, aquarelliste.
Élève d'Onorato Carlandi à Rome.

ZOEGE VON MANTEUFFEL Otto
Né le 10 avril 1822 à Reval. Mort le 15 mai 1889 à Reval. XIXe siècle. Estonien.
Peintre de portraits.
Il fut élève de l'Académie des Beaux-Arts de Düsseldorf.

ZOEGGER Antoine ou **François Antoine**
Né le 17 décembre 1829 à Wissembourg (Bas-Rhin). Mort le 3 janvier 1885 à Paris. XIXe siècle. Français.
Sculpteur et médailleur.
Élève de Duret, de L. Cogniet et d'Oudiné. Il exposa au Salon de 1865 à 1883. Il sculpta des statues de la Vierge.

ZOEMS Gisebrecht Van. Voir **SOOM**

ZOEST. Voir **SOEST Gerard Van**

ZOETE Geertrudus de
Né le 18 mai 1879 à La Haye. XXe siècle. Hollandais.
Graveur, dessinateur.
Il fut élève de Herman David Heuff.

ZOETELIEF-TROMP Jan. Voir **TROMP Jan Zoetelief**

ZOETMAN. Voir **ZUTMAN**

ZOFF Alfred
Né le 11 décembre 1852 à Graz. Mort le 12 août 1927 à Graz. XIXe-XXe siècles. Autrichien.
Peintre de paysages, marines.
Il figura aux expositions de Paris ; reçut une médaille de bronze en 1900 à l'Exposition universelle.
Musées : Graz : deux paysages – Vienne : *À la Riviera.*
Ventes Publiques : Francfort-sur-le-Main, 12 déc. 1892 : *Paysage* : **FRF 875** – Vienne, 21 sep. 1971 : *Bord de l'Adriatique* : **ATS 20 000** – Vienne, 18 mai 1976 : *Barques de pêche à Chiog-*

gia, h/t (30x45) : **ATS 10 000** – VIENNE, 19 juin 1979 : *L'orée de la forêt*, h/t (69x85) : **ATS 25 000** – VIENNE, 17 mars 1981 : *Chemin boisé*, h/t (62,5x87) : **ATS 75 000** – VIENNE, 14 sep. 1983 : *Rue à Krems*, h/cart. (30,5x30,5) : **ATS 30 000**.

ZOFFANI Johann Joseph ou **Zoffany**. Voir **ZAUFFELY**

ZOFIA René Martin. Voir **ZEDEREM**

ZOFRAFI. Voir **ZOGRAPHE**

ZOGBAUM Rufus Fairchild
Né le 28 août 1849 à Charleston. Mort le 22 octobre 1925 à New York. XIXe-XXe siècles. Américain.
Peintre de sujets militaires, portraits, peintre à la gouache, illustrateur.
Il fut élève des Académies de New York et de Paris.
Il traitait des sujets concernant les affaires militaires envers les Indiens. Il exécuta aussi des peintures murales.
VENTES PUBLIQUES : NEW YORK, 27 oct. 1971 : *Soldats et Indiens* : **USD 1 100** – NEW YORK, 29 avr. 1976 : *Deux cavaliers* 1889, h/t (40,5x61) : **USD 2 250** – NEW YORK, 26 juin 1986 : *Études de fantassins*, fus., six dess. (58,5x40 à 38x20,3) : **USD 750** – NEW YORK, 30 jan. 1987 : *L'Attaque* 1895, gche/pap., grisaille (44,5x33,5) : **USD 1 900** – NEW YORK, 9 jan. 1991 : *Le camp des Indiens Puyallup cueilleurs de houblon ; Sergent présentant les couleurs*, gche en grisaille/pap. brun et encre avec reh. de blanc/pap./cart. (14x22,2 et 25,5x15,2) : **USD 825** – NEW YORK, 31 mars 1994 : *Marins ; Guerre civile*, gche (38,7x29,5 et 45,4x34,9) : **USD 1 150**.

ZOGBAUM Wilfrid
Né en 1915 à East Hampton. Mort en 1965. XXe siècle. Américain.
Sculpteur.
Il a montré une exposition personnelle de ses œuvres à la Galeria d'Arte Civica à Turin en 1962. Il sculpte le métal.
MUSÉES : NEW YORK (Whitney Mus.) – NEW YORK (Mus. of Mod. Art).
VENTES PUBLIQUES : NEW YORK, 23 fév. 1994 : *Lapin* 1960, acier et granite vernis au pulvérisateur (101x57,4x24,8) : **USD 3 910**.

ZOGELMANN Karl
Né en 1826. Mort le 16 janvier 1869 à Vienne. XIXe siècle. Autrichien.
Sculpteur.
Élève de l'Académie de Vienne.

ZOGG
Né à Bâle. XXe siècle. Suisse.
Peintre.
Il a été actif dans le contexte d'une avant-garde bâloise dans les années soixante.

ZOGHBÉ Bibi, pour **Labibé**
Née en 1890 à Sahel Alma. Morte en 1973. XXe siècle. De 1906 à environ 1945 active en Argentine. Libanaise.
Peintre de figures, fleurs.
À l'âge de seize ans, elle émigra en Argentine. Vers 1930, débuta sa carrière d'artiste. Vers 1945, elle vécut entre Paris et Dakar. En 1947, elle revint au Liban.
Elle a exposé à Buenos Aires, Rio de Janeiro, au Chili, en Uruguay. En 1947, elle exposa au Cénacle libanais et au Musée de Beyrouth.
D'une technique large, décidée, ignorant les difficultés de leur inextricable enchevêtrement, elle a presqu'exclusivement peint des fleurs. Le foisonnement décoratif de ses fleurs à la surface de toute la toile fait bien plus penser à Séraphine de Senlis qu'aux Hollandais des XVIIe et XVIIIe siècles.
BIBLIOGR. : Catalogue de l'exposition *Liban – Le regard des peintres*, Institut du Monde Arabe, Paris, 1989.

ZOGIA. Voir **ZOIA**

ZOGMOOLEN Martinus. Voir **SAAGMOLEN**

ZOGRAPHE Athanase
XVIIIe siècle. Albanais.
Peintre d'icônes.
Frère de Constantin Zographe, il a également travaillé dans le village de Korçë.

ZOGRAPHE Constantin ou **Zofrafi**
XVIIIe siècle. Albanais.
Peintre d'icônes.
Il a travaillé dans le village de Korçë, où il a peint l'iconostase de l'église du Christ Source de Vie, dont plusieurs panneaux portent 1770 comme date, en particulier la Pentecôte, signée du monogramme de l'artiste et datée : 12 mai 1770.

ZOHAN
XIXe siècle. Français (?).
Peintre de marines.
MUSÉES : CHERBOURG : *Défense du Formidable – Triomphe du Formidable.*

ZOHND Johann
Né le 14 avril 1854 à Schwarzenburg. XIXe-XXe siècles. Suisse.
Peintre.
Il fit ses premières études à la maison paternelle, puis devint élève du paysagiste Alt, à Interlaken, avec lequel il visita, en décembre 1870, Lugano, Florence, et en 1872 se fixa à Rome. De retour en Suisse en 1903, il travailla dans l'atelier de son ami Luthi pendant quelques années et depuis 1907 vit à Schwarzenburg. Il figura à diverses expositions en Suisse et envoya à celle de Berne (Noël 1909) *Au Ruisseau du Moulin de Flamatt.*
MUSÉES : BERNE : *A la Fontaine* – une autre peinture.

ZOHNER Andreas. Voir **ZAHNER**

ZOHRER Jakob
XVIIe siècle. Autrichien.
Sculpteur d'autels.
Il sculpta, avec Anton Kiesling, le maître-autel de l'abbatiale de Tepl en 1635.

ZOI Antonio
XVIIe siècle. Actif à Borgo San Sepulcro dans la seconde moitié du XVIIe siècle. Italien.
Peintre.
Élève de Pietro da Cortona.

ZOIA Anton ou **Zogia** ou **Zoya**
XVIe siècle. Actif à Venise dans la seconde moitié du XVIe siècle. Italien.
Sculpteur.
Frère de Franz Zoia. Il travailla en Autriche et à Ingolstadt.

ZOIA Franz ou **Zogia** ou **Zoya**
Originaire de Venise. Mort en 1601. XVIe siècle. Italien.
Sculpteur.
Frère d'Anton Zoia. Il travailla à Ingolstadt, où il a sculpté quatre épitaphes pour diverses églises.

ZOILOS
IIe siècle avant J.-C. Travaillant vers 183 à 172 avant J.-C. Antiquité grecque.
Graveur de sceaux et de monnaies.
On cite de lui des tétradrachmes à l'effigie du roi Persée de Macédoine.

ZOIR Emil, ou **Karl Emil**
Né le 28 octobre 1867 à Göteborg, d'autres sources donnent 1861. Mort en 1936. XIXe-XXe siècles. Suédois.
Peintre de paysages, marines, paysages d'eau, aquafortiste.
Il fut élève des Académies de Paris, de Florence et de Rome. Il exposa à Liège en 1905, puis à Paris, à Munich et à Venise.
VENTES PUBLIQUES : LONDRES, 16 mars 1989 : *Le retour des pêcheurs* 1912, h/t (116x140) : **GBP 2 750** ; *Vagues*, h/t (122,5x177) : **GBP 14 300** – GÖTEBORG, 18 mai 1989 : *Voiliers au bord d'un lac*, h/t (70x102) : **SEK 4 200** – LONDRES, 29 mars 1990 : *Dans le jardin* 1911, h/t (116x140) : **GBP 6 600** – STOCKHOLM, 16 mai 1990 : *Port avec les hangars à bateaux et un voilier amarré*, h/t (70x102) : **SEK 8 500** – NEW YORK, 23 oct. 1990 : *Canal vénitien* 1905, h/t (58,4x37,5) : **USD 5 500** – STOCKHOLM, 5 sep. 1992 : *Canal à Venise* 1905, h/t (60x38) : **SEK 10 500**.

ZOLA Giuseppe
Né le 5 mars 1672 à Brescia. Mort en 1743 à Ferrare. XVIIe-XVIIIe siècles. Italien.
Peintre de compositions religieuses, figures, portraits, paysages.
Il fut élève de Tortelli. Il s'établit à Ferrare comme peintre de paysages ; dans ses toiles il introduisait des figures peintes avec esprit. Il y passa la majeure partie de sa vie. On cite des peintures, notamment dans l'église de San Leonardo et au Monte di Pieta.
MUSÉES : FERRARE : trois paysages – *Portrait de l'artiste.*
VENTES PUBLIQUES : AMELIA, 18 mai 1990 : *Tobie et l'ange dans un paysage rocheux*, h/t (64x46) : **ITL 6 000 000**.

ZOLI Alfredo
Né le 2 février 1880 à Forli. XXe siècle. Italien.
Peintre de portraits, paysages, natures mortes.

ZOLKIEV Jean
Né en 1938. XXe siècle. Français.
Peintre, dessinateur et décorateur.
Après avoir suivi des cours dans une école de dessin industriel, il fait des travaux de décoration pour des spectacles jusqu'en 1973. Expose, à partir de 1973, aux Salons de Mai, de la Jeune Sculpture, du Dessin ; à Paris, à Bordeaux, Toulon (Salon international d'art), Villeparisis, Bruxelles ; expositions privées à Paris (1973 et 1976 : *Les Baliseurs*).
Ses grands dessins, d'une belle maîtrise classique, s'attachent surtout à représenter le corps humain dans l'espace, accompagné d'objets familiers de la vie de l'artiste.

ZOLL Franz Joseph ou **Soll**
Né en 1770 à Möhringen. Mort le 16 août 1833 à Manscheim. XVIIIe-XIXe siècles. Allemand.
Peintre de portraits, histoire.
Il travailla d'abord à Trostenberg chez un oncle, peintre de fresques, peut-être Soll (Joseph ou Franz Joseph), avec lequel il ne faut pas le confondre. Il fut élève de l'Académie de Munich, dans les ateliers de Dorner et de Hauber. Il travailla à Paris, à Vienne, à Fribourg (il y fut, en 1821, professeur de dessin à l'Université). Le Musée de Karlsruhe conserve de lui un *Hercule et Hébé*. On voit également de lui une *Résurrection* dans l'église de Mohrengen. En 1823, il devint directeur de la Galerie à Mannheim.

ZOLL Kilian Christoffer
Né le 29 septembre 1818 à Hyllie (près de Malmö). Mort le 9 novembre 1860 à Stjärnap. XIXe siècle. Suédois.
Peintre d'histoire, scènes de genre, portraits.
Il fut élève des Académies des Beaux-Arts de Copenhague, de Stockholm et de Düsseldorf.
Musées : Göteborg : *Le pêcheur – Chez le cordonnier – Renard – Le peintre – Markus Larsson – Le père de l'artiste – La mère de l'artiste – Le renard pris au piège – La bergère – Mère et enfant – Pêche au saumon à Lagan – Petite mendiante* – Malmö : *Deux enfants* – Norrkoping : *Chanteur de mai en Schonen* – Stockholm (Mus. nat.) : *Compagnon en route* – Stockholm (Mus. nordique) : *Groupe*.
Ventes Publiques : Stockholm, 26 avr. 1982 : *Baigneuses* 1845, h/t (69x55) : **SEK 8 700** – Stockholm, 14 nov. 1984 : *Les bulles de savon*, h/t (45x38) : **SEK 49 500** – Stockholm, 29 oct. 1985 : *Chasseur et ses chiens dans un paysage*, h/t (43x36) : **SEK 32 000** – Stockholm, 16 mai 1990 : *Jeune berger jouant de la trompe au milieu de son troupeau sous l'œil de son chien* 1857, h/t (22x29) : **SEK 42 000** – Londres, 10 juil. 1992 : *Dolgoruki et Golowin mettant leurs armes aux pieds de Charles XII de Suède après la bataille de Narva* 1858, h/t (148x207) : **GBP 16 500**.

ZOLLA Giuseppe. Voir **ZOLA**

ZOLLER Anton
Né le 21 mars 1695 à Telfs. Mort le 16 avril 1768 à Hall (Tyrol). XVIIIe siècle. Autrichien.
Peintre.
Père de Franz et de Karl Franz Zoller. Élève de l'Académie de Vienne. Il exécuta des peintures murales et des plafonds dans plusieurs églises du Tyrol. Le Musée Ferdinandeum d'Innsbruck conserve des dessins de cet artiste.

ZOLLER Franz
Né le 10 février 1726 à Gufidaun. Mort le 4 mars 1778 à Vienne. XVIIIe siècle. Autrichien.
Peintre.
Élève et assistant de Paul Troger et élève de l'Académie de Vienne. Il peignit des fresques et des tableaux d'autel dans des églises de Vienne, de Geras et de Mariazell.

ZOLLER Franz Karl
Né le 19 mai 1747 à Klagenfurt. Mort le 18 novembre 1829 à Innsbruck. XVIIIe-XIXe siècles. Autrichien.
Dessinateur, graveur à l'eau-forte, écrivain.
Élève de son père Anton Zoller et de J. Schmutzer. Il fit des gravures en couleurs, notamment, une *Vue de Vienne* datée de 1785. Il a publié un dictionnaire topographique du Tyrol. Le Musée Ferdinandeum d'Innsbruck conserve de nombreux des œuvres de cet artiste.

ZOLLER Georg
Né en 1700 à Silz. Mort en 1767 à Stams. XVIIIe siècle. Autrichien.
Sculpteur sur bois.
Il a sculpté des stalles et des confessionnaux dans l'abbatiale de Stams.

ZÖLLER Johann Georg. Voir **ZELLER**

ZOLLER Josef Anton
Né le 11 février 1730 à Klagenfurth. Mort le 21 février 1791 à Hall (Tyrol). XVIIIe siècle. Autrichien.
Peintre de fresques.
Élève de son père Anton Zoller. Il peignit de nombreux plafonds et tableaux d'autel dans les églises du Tyrol. Le Musée Ferdinandeum d'Innsbruck conserve de lui *Rébecca à la fontaine*, ainsi que des paysages et des dessins.

ZOLLER M.
XIXe siècle. Actif au Tyrol dans la première moitié du XIXe siècle. Autrichien.
Peintre.
Il a peint une *Visitation* dans l'église d'Ochsengarten en 1814.

ZOLLICHER Johann. Voir **ZOLLINGER**

ZOLLIKOFER Alfred
Né le 4 mai 1810 à Saint-Gall. Mort le 20 avril 1880 à Saint-Gall. XIXe siècle. Suisse.
Peintre.

ZOLLINGER Heinrich
Né le 30 mars 1821 à Zurich. Mort le 28 avril 1891 à Reisbach. XIXe siècle. Suisse.
Aquarelliste, dessinateur, graveur à la manière noire et sur acier et sculpteur.
La collection de la Société des Beaux-Arts de Zurich conserve de lui une aquarelle de grande dimension : *A la fontaine ou à l'auberge* (1868). On cite de lui beaucoup d'aquatintes et de lithographies.

ZOLLINGER Johann ou **Zollicher**
XVIIIe siècle. Autrichien.
Peintre de portraits, peintre de décorations murales.
Élève de F. A. Maulbertsch. Il travaillait à Vienne et à Presbourg. Il peignit l'impératrice *Marie-Thérèse* et l'empereur *Joseph II d'Autriche* et des fresques à Presbourg.

ZOLLINGER Johannes
Né probablement à Andelfingen. XIXe siècle. Suisse.
Peintre de paysages.
S'adonna à l'art dans la seconde partie de sa vie et exposa en 1846 à Zurich trois peintures à l'huile (*Parties de montagnes dans la haute Engadine*) et deux paysages des environs du canton de Glarus. Plus tard, il émigra à Java.

ZOLLINGER-STREIF Freda
Née le 19 août 1898 dans les Philippines. XXe siècle. Suisse.
Peintre de paysages, décorateur.
Elle fut élève des Écoles d'Art de Genève et de Zurich. Elle était active à Zurich.

ZOLLINKOFER Caspar Tobias
Né le 16 mai 1774 à Bürglen. Mort le 5 décembre 1843 à Saint-Gall. XVIIIe-XIXe siècles. Suisse.
Aquarelliste et dessinateur.
Au Musée de Saint-Gall, se trouve un ouvrage de cet artiste, avec de nombreux dessins, sur les insectes. En 1825, il publia aussi un ouvrage *Testamen floræ Alpinæ Helveticæ* (Essai sur la flore des Alpes suisses), avec de nombreux dessins et aquarelles.

ZOLLNER Ludwig Theodor
Né en 1798 à Oschatz. XIXe siècle. Allemand.
Dessinateur de portraits et lithographe.
Il fut d'abord dans le commerce, étudiant le dessin comme agrément. Il vint à Paris et y étudia la lithographie. Il revint en Allemagne et s'y établit lithographe, dessinant sur pierre particulièrement des portraits. Il reproduisit aussi des ouvrages de H. Vernet, K. Sebrder, etc.

ZOLNAY George Julian
Né le 4 juillet 1863 à Pecs (Roumanie). XIXe-XXe siècles. Depuis 1892 actif aux États-Unis. Roumain.
Sculpteur de monuments, statues, bustes.
Il fit ses études à Bucarest, à Paris et à Vienne et s'établit aux États-Unis en 1892, à Washington. Il y exposa à partir de 1904. On lui doit de nombreux monuments et statues édifiés sur des places publiques des États-Unis.
Musées : Saint Louis : *Buste de Walter Sheldon – Épitaphe pour Winnie Davis*.

ZOLNHOFER Fritz
Né en 1856. Mort en 1912. XIXe-XXe siècles. Allemand.
Peintre de figures.
Il fit une composition intitulée : *Le mineur.*

ZOLTAI-ZEHRER Jozsef
Né le 14 juillet 1887 à Rjeka. XXe siècle. Hongrois.
Peintre de figures, paysages.
Il était actif à Budapest.

ZOMBORY Gusztav
Né en 1835. Mort le 16 novembre 1872 à Budapest. XIXe siècle. Hongrois.
Aquarelliste et dessinateur.
Il travailla pour un certain nombre de journaux illustrés.

ZOMBORY Lajos ou **Louis**
Né le 9 janvier 1867 à Szeged. Mort le 18 novembre 1933 à Szolnok. XIXe-XXe siècles. Hongrois.
Peintre de scènes animées.
Élève de Zügel et de Benczur. Il peignit des scènes de la « pusta » et des animaux. Les Musées de Budapest conservent des œuvres de cet artiste.
Musées : Budapest.

ZOMBORY Laszlo ou **Ladislas**
Né le 24 septembre 1883 à Nagykanizsa. XXe siècle. Hongrois.
Peintre de paysages.

ZOMER Anna
Née en 1899 à Bunnik. XXe siècle. Hollandaise.
Peintre de figures, paysages urbains, paysages. Naïf.
Gouvernante de profession, elle peint avec méticulosité les sites de sa région et les personnes de sa connaissance.
Bibliogr. : *Catalogue de la Collection de Peinture Naïve : Albert Dorne*, Pays-Bas, s. d.

ZOMER Jan Pietersz ou **Somer**
Né le 10 mars 1641 à Amsterdam. Mort le 18 mai 1726. XVIIe-XVIIIe siècles. Hollandais.
Peintre, dessinateur et graveur.
Élève de P. Janszen. Peut-être apparenté aux Somer d'Amsterdam.

ZOMEREN. Voir **SOMER**

ZOMERS Jan
XVIe siècle. Travaillant à Louvain en 1508. Éc. flamande.
Peintre de figures.

ZOMERS Joseph
Né en 1895 à Liège. Mort en 1928 à Liège. XXe siècle. Belge.
Sculpteur de figures typiques, allégoriques, bustes, portraits.
Il fut élève de l'École des Métiers d'Art de Maredsous. Il était actif à Liège. On l'a dit « sculpteur des maternités ». Il a puisé ses thèmes dans le folklore liégeois.
Bibliogr. : In : *Diction. Biogr. Illustré des Artistes en Belgique depuis 1830,* Arto, Bruxelles, 1987 – Pierre Somville, in : *Le Cercle royal des Beaux-Arts de Liège 1892-1992,* Crédit Communal, Liège, 1992.
Musées : Liège : trois groupes sculptés.

ZOMMER Richard Karlovich
Né en 1866. Mort en 1939. XIXe-XXe siècles. Russe.
Peintre de paysages.
Il fit ses études à l'Académie des Arts de Saint-Pétersbourg. De 1890 à 1900 il travailla en Asie centrale, puis en Géorgie et en Arménie de 1912 à 1917. Il fut l'un des créateurs de la Société des Beaux-Arts de Tiflis. A partir de 1892 il exposa à la Société des Artistes de Saint-Pétersbourg.
Ses œuvres sont conservées aux musées de Russie, d'Azerbaïdjan et de Samarkand.
Ventes Publiques : Londres, 23 fév. 1983 : *Scène de rue à Samarcande*, h/t (46x71) : **GBP 1 050** – Londres, 7 avr. 1993 : *Paysage du Caucase* 1908, h/t (58,5x40,5) : **GBP 575** – Paris, 11 déc. 1995 : *Le porche d'entrée d'une mosquée,* h/pan. (45x32) : **FRF 11 000** – Londres, 15 mars 1996 : *Shakhsei-Vakhsei, procession religieuse de musulmans,* h/t (128,3x210,8) : **GBP 8 625**.

ZOMONTES Francisco de
XVIe siècle. Travaillant à Séville en 1557. Espagnol.
Peintre.

ZOMPF Alajos ou **Alois**
XIXe siècle. Hongrois.
Peintre de portraits.
Musées : Bartfa : *Portrait du commandant G. Szepeshazy.*

ZOMPINI Gaetano ou **Zompin**
Né le 25 septembre 1700 à Nervesa. Mort le 20 mai 1778 à Venise. XVIIIe siècle. Italien.
Peintre, dessinateur et graveur à l'eau-forte.
Élève de N. Bambini. Comme peintre, il imita le baroque vénitien Sebastiano Ricci. Il fut fréquemment employé par les Espagnols. Il peignit de nombreuses fresques et tableaux d'autel dans des églises de Venise et des environs : une *Trinité* sur la coupole de San Niccolo da Tolentino ; des scènes bibliques pour l'École des Carmes et pour l'église Saint-Vit et Saint-Modeste ; ainsi qu'une *Immaculée Conception* pour l'église Saint-Bartholomée de Rovigo. Il a illustré Dante et Pétrarque, et gravé une série de représentations de la vie du petit peuple vénitien au XVIIIe siècle : *Les arts de la rue.*
Ventes Publiques : Milan, 22 mai 1969 : *Joseph vendu par ses frères* : **ITL 2 100 000** – Milan, 1er déc. 1970 : *Joseph vendu par ses frères* : **ITL 2 400 000** – Milan, 6 mai 1971 : *Joseph vendu par ses frères* : **ITL 1 800 000** – Rome, 28 avr. 1981 : *Guerriers parmi des ruines,* h/t (131x178) : **ITL 5 000 000** – New York, 21 jan. 1983 : *Le Rémouleur,* pl. et lav. (30,5x20,3) : **USD 1 000** – Paris, 20 nov. 1996 : *Le Coupeur de bois,* pl. et encre brune (26x28,5) : **FRF 7 000**.

ZOMS Gisebrecht Van. Voir **SOOM**

ZON. Voir aussi **Son**

ZON Alexandre Jacques
Né le 10 juillet 1855 à Gand. XIXe siècle. Belge.
Lithographe et graveur sur bois.
Il fut élève de l'Académie des Beaux-Arts d'Amsterdam.

ZON Jacques
Né le 21 avril 1872 à La Haye. Mort en 1932. XIXe-XXe siècles. Hollandais.
Peintre de paysages animés, intérieurs, lithographe.
Il fut élève des Académies de La Haye, d'Anvers et de Paris. Il peignit surtout des figures dans des paysages et des intérieurs.
Musées : La Haye (Mus. mun.) : une peinture.
Ventes Publiques : Amsterdam, 7 sep. 1976 : *Mère et enfant dans un intérieur rustique,* h/t (38x45) : **NLG 1 800** – Amsterdam, 14 sep. 1993 : *Vue d'un village en hiver,* h/t (41x61) : **NLG 2 070** – Amsterdam, 8 nov. 1994 : *Cour de ferme,* h/pan. (32x41) : **NLG 2 070** – Amsterdam, 19-20 fév. 1997 : *Retour chez soi,* h/t (77,5x61,5) : **NLG 5 766**.

ZONA Antonio
Né en 1813 à Gamballara di Mira. Mort le 1er février 1892 à Rome. XIXe siècle. Italien.
Peintre de compositions religieuses, sujets de genre, portraits, paysages.
Il exposa à Milan, Venise et Turin.
Musées : Bassano : *Jeune fille cousant* – Florence (Mus. des Offices) : *L'artiste* – Graz : *La danseuse Carlotta Grisi* – Milan (Gal. d'Art mod.) : *Portrait d'une dame – Une égarée – La baigneuse – Portrait de Teresa Mozzoni – Buste d'une femme* – Padoue : *L'ange gardien* – Rome (Gal. d'Art mod.) : *Le violoniste* – Trévise : *Une gondole du XVIe siècle* – Trieste (Mus. Revoltella) : *Gardienne de troupeau près de Trieste – Portrait d'une dame avec son enfant* – Turin : *Complainte mortuaire – Contemplation* – Venise : *Rencontre de Véronèse et du Titien sur le Pont de la Paglia de Venise – Tobie et sa femme – Portrait de l'artiste – Le conseiller Lunghi.*
Ventes Publiques : Milan, 14 nov. 1974 : *Baigneuse* : **ITL 3 000 000** – New York, 19 fév. 1992 : *Beauté napolitaine* 1875, h/t (141x102,8) : **USD 8 800** – Milan, 19 déc. 1995 : *Portrait d'une dame assise,* h/t (diam. 117,5) : **ITL 9 200 000**.

ZONARO Fausto
Né le 18 septembre 1854 à Masi (près de Padoue). Mort le 19 juillet 1929 à San Remo. XIXe-XXe siècles. Italien.
Peintre de sujets typiques, scènes de genre, portraits, paysages, paysages urbains, peintre à la gouache, aquarelliste. Orientaliste.
Il se fixa à Constantinople et devint peintre du Sultan. Il exposa à Milan, Rome, Turin, Venise. Il prit part en 1900 au concours

Alinari avec son tableau *Amour maternel*. Il a illustré *Deri Se'Adet*, de A. Thalasso.

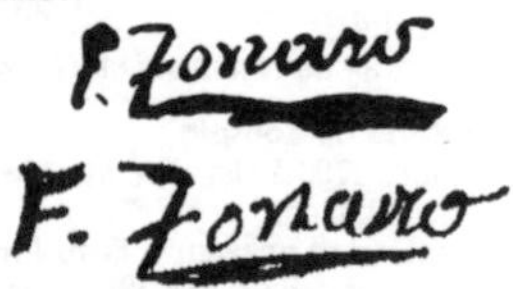

Musées : Milan (Gal. d'Art mod.) : *La Villa Lago Maggiore à Rapallo* – *Régates à Rapallo* – *La Place de l'Annonciation à Gênes* – Padoue : *Vue du Bosphore à Kandillü*.

Ventes Publiques : Paris, 29 fév. 1924 : *Vue du Bosphore* : **FRF 115** – Milan, 6 nov. 1980 : *Portrait d'Ibrahim Effendi* 1900, h/t (130x82) : **ITL 1 300 000** – Milan, 27 mars 1984 : *Paysage d'Orient animé de personnages*, h/t (43x66) : **ITL 5 500 000** – Londres, 24 juin 1988 : *Rencontre musicale*, h/t (58,5x80) : **GBP 9 020** – Monaco, 21 avr. 1990 : *Vue d'Istambul*, h/t (52x97) : **FRF 99 900** – Rome, 29 mai 1990 : *Vue du port de Constantinople*, h/pan. (18x33) : **ITL 6 325 000** – Rome, 16 avr. 1991 : *San Giorgio à Venise*, h/pan. (13,5x24,5) : **ITL 6 325 000** – Paris, 16 nov. 1992 : *Le chamelier messager* 1914, h/t (100x70) : **FRF 7 000** – Rome, 19 nov. 1992 : *Le prestidigitateur*, h/t (24x34) : **ITL 2 530 000** – Rome, 29-30 nov. 1993 : *Vue de Constantinople*, h/t (35,5x73) : **ITL 28 284 000** – Rome, 16 déc. 1993 : *Barques dans un port*, h/pan. (16,5x27) : **ITL 1 840 000** – Londres, 15 juin 1994 : *Le Bosphore*, h/t (95x145) : **GBP 23 000** – Rome, 6 déc. 1994 : *Paysage vallonné*, h/t (46x26) : **ITL 3 536 000** – Londres, 17 mars 1995 : *Promenade des Anglais à Nice*, h/pan. (22x40) : **GBP 5 290** – Rome, 5 déc. 1995 : *Jeune Grecque avec une cornemuse*, h/t (105x69) : **ITL 11 785 000** – Milan, 19 déc. 1995 : *Promenade à Constantinople*, h/t (42x66) : **ITL 109 250 000** – Rome, 23 mai-4 juin 1996 : *Derviches criant*, techn. mixte/cart., étude (50x35,5) : **ITL 8 050 000** – Paris, 3 juil. 1996 : *Le Défilé sur le pont de Galata* vers 1900, gche/t (10,5x20) : **FRF 45 000** – New York, 2 avr. 1996 : *Les Eaux douces d'Asie*, h/t (67,3x47) : **USD 23 000** – Londres, 21 nov. 1996 : *Beauté orientale*, h/t (105,4x68,9) : **GBP 6 325** – Londres, 11 oct. 1996 : *Portrait du Pacha Mahmoud Sevket*, h/t (100x74) : **GBP 10 925** – Londres, 13 juin 1997 : *Sur la rive du Dolmabahçe, Constantinople*, h/t (63,5x97) : **GBP 161 000** – Londres, 21 nov. 1997 : *Bateaux de pêche dans un port du Bosphore*, h/pan. (45,7x32,4) : **GBP 9 775** – Rome, 2 déc. 1997 : *Portrait de jeune femme* 1885, past./cart. (50x40) : **ITL 10 350 000**.

ZONCA Giovanni Antonio

Né en 1652 à Campe Sampiero. Mort en 1723. XVIIe-XVIIIe siècles. Italien.

Peintre.

Il travailla à Venise, à Rivigo et à Noale et peignit des tableaux d'autel et des fresques.

ZONDADARI Marcantonio

Né en 1658 à Sienne. Mort en 1722. XVIIe-XVIIIe siècles. Italien.

Peintre et architecte.

ZONDERVAN Geneviève

Née en 1922 à Paris. XXe siècle. Française.

Peintre.

Elle fut élève des Académies libres de Paris. Expose depuis 1948, aux Salons des Moins de Trente Ans, des Jeunes Peintres, d'Automne, des Indépendants, etc. Elle fut sélectionnée à la Biennale de Menton, 1953 ; au Prix Fénéon, 1954-1955. Elle a montré plusieurs expositions personnelles à Paris et Francfort-sur-le-Main.

Elle exprime la réalité contemporaine dans un langage plastique dépouillé de toute anecdote, dans une gamme colorée subtile.

ZONEFF Kyrill

Né en 1896. XXe siècle. Bulgare.

Peintre.

Il fit ses études à Sofia, à Vienne et à Munich. Il exposa dans cette dernière ville en 1926.

ZONG DE AN. Voir **AN CHONG DAI**

ZONGOLOPOULOS Georges

Né en 1903 à Athènes. XXe siècle. Grec.

Sculpteur de monuments.

Il fut élève de l'École des Beaux-Arts d'Athènes, en architecture et en sculpture. Il vint à Paris, se perfectionner en sculpture dans l'atelier de Gimond. Il participe à de nombreuses expositions collectives de valeur internationale, par exemple : Biennales de Venise et de São Paulo.

Jusqu'en 1956, il travailla surtout le marbre ou la fonte du bronze. Ensuite, il adopta le métal soudé. Ayant le sens de l'espace, il collabore souvent à des réalisations architecturales, notamment tout l'environnement, dont les fontaines, de la Place Omonia d'Athènes, en 1953 ; puis, en 1966, une grande sculpture en acier, aux plans nettement articulés dans une intention dynamique, érigée à Salonique.

Bibliogr. : Denys Chevalier, in : *Nouveau diction. de la sculpt. mod.*, Hazan, Paris, 1970.

ZONG QIXIANG ou **Chung Ch'i-Hsiang** ou **Tsong K'i-Hiang**

Né en 1917 dans la province du Jiangsu. XXe siècle. Chinois.

Peintre. Polymorphe.

Peintre des écoles traditionnelles et modernes, il fait ses études à l'Académie Nationale Centrale de Nankin et, en 1946, devient professeur à l'Académie Nationale de Pékin. Il maîtrise parfaitement les techniques occidentales.

ZONGSI. Voir **FAN LI**

ZONIUS Hendrik. Voir **SONNIUS**

ZONNER Andreas. Voir **ZAHNER**

ZONZA BRIANO Pedro

Né le 27 novembre 1888 à Buenos Aires. XXe siècle. Argentin.

Sculpteur de statues.

Il fit ses études à Buenos Aires et à Rome. Il sculpta des statues pour des monuments publics de Buenos Aires.

Musées : Buenos Aires : plusieurs œuvres.

ZOOMS Gisebrecht Van. Voir **SOOM**

ZOON Jan Frans Van. Voir **SON**

ZOORD

XVIIe siècle. Travaillant vers 1697. Hollandais.

Dessinateur.

Le Cabinet des Estampes de Berlin conserve de lui *Vaches dans l'eau*.

ZOPELLI Giovanni Maria de ou **Zopello**. Voir **ZUPELLI**

ZOPF Benedikt ou **Zipffel**

Né à Stadtamhof. Mort le 17 décembre 1769 à Salzbourg. XVIIIe siècle. Autrichien.

Stucateur.

Il exécuta des stucatures dans de nombreuses églises et châteaux de Salzbourg et de la province de ce nom.

ZOPPARE Paolo

XVIe siècle. Actif à Venise. Italien.

Peintre.

Il exécuta des peintures dans l'église de Notre-Dame di Valle Verde à Celano en 1558.

ZOPPELLARI Carlo

Né vers 1833 à Brugine. XIXe siècle. Italien.

Graveur.

Élève de l'Académie de Venise.

ZOPPI Antonio

Né le 8 avril 1826 à Plaisance. Mort le 8 juin 1896 à Plaisance. XIXe siècle. Italien.

Peintre de décorations murales.

Il exécuta des peintures décoratives dans plusieurs palais de Plaisance.

ZOPPI Antonio

Né le 13 novembre 1860 à Novarre. Mort le 28 avril 1926 à Florence. XIXe-XXe siècles. Italien.

Peintre de genre.

Il exposa à Milan, Rome, Turin.

Ventes Publiques : Vienne, 28-30 oct. 1952 : *Strickunterricht* : **ATS 1 100** – Vienne, 22 mai 1973 : *L'amateur d'art* : **ATS 50 000** – New York, 15 oct. 1976 : *Une bonne chanson*, h/t (48x60) : **USD 2 000** – New York, 7 oct. 1977 : *La petite mère*, h/t (51,5x65) : **USD 1 200** – Vienne, 13 mars 1979 : *La jeune femme et le vieux musicien*, h/t (48,5x60) : **ATS 30 000** – New York, 24 mai 1985 : *La jeune mariée*, h/t (70,5x96,5) : **USD 2 000** – New York, 23 fév. 1989 : *Réunion musicale*, h/t (53,2x67,3) : **USD 6 600** – Londres, 30 mars 1990 : *La présentation des vœux*, h/t (69,3x88,9) : **GBP 10 120** – New York, 15 fév. 1994 : *Magasin d'antiquités* 1892, h/t (69,2x89,5) : **USD 12 650**.

ZOPPI Francesco
Né vers 1733. Mort en 1799. XVIIIe siècle. Actif à Vérone. Italien.
Sculpteur.
Élève de F. A. Finali. Il exécuta des sculptures pour la cathédrale de Vérone et plusieurs églises et palais de cette ville.

ZOPPO. Voir aussi **ZOTTO** et **SCHIAVONE Sebastiano**

ZOPPO, il. Voir **MICONE Nicolas**

ZOPPO, Lo. Voir **FORASTIERI Giovanni Battista**

ZOPPO, pseudonyme de **Marco Ruggieri**
Né en 1433 à Cento. Mort en 1498 à Venise. XVe siècle. Italien.
Peintre de sujets religieux.
Il appartenait au groupe des peintres qui étaient tombés sous l'influence de Squarcione à Padoue. Zoppo demeura avec ce maître de 1452 à 1455, puis s'en alla à Venise et partagea son activité entre cette ville et Bologne. De nombreux travaux de cet artiste ont aujourd'hui disparu ; l'œuvre la plus complète semble être le Polyptyque du Collège d'Espagne à Bologne, dont la nervosité du dessin et la transparence lumineuse de la couleur font penser à Piero della Francesca et aux Vénitiens. Toutefois Zoppo a toujours conservé une préférence pour les formes presque « expressionnistes » dans le goût de Squarcione, comme le montre sa *Pieta* du Museo Civico de Pesaro. On lui prête d'importants travaux à Bologne, aujourd'hui disparus, notamment, un tableau d'autel peint en 1498 et plusieurs façades de maisons. Il fit aussi pour S. Guistina à Padoue en 1468, un tableau d'autel également perdu. Marco Zoppo travailla beaucoup à Venise. On le cite, notamment y peignant en 1471, un tableau d'autel, actuellement à Berlin. On croit aussi qu'il travailla avec les Bellini.

MUSÉES : BERGAME (Acad. Carrara) : *Saint Alexis – Saint Jérôme* – BERLIN : *Vierge, Enfant Jésus et quatre saints* – BOLOGNE : *Saint Jérôme pénitent* – LONDRES (Nat. Gal.) : *Pieta* – PESARO (Mus. Civico) : *Pieta* – VENISE : *Arc de triomphe du doge Nicolas Tronn* – VIENNE : *Le corps du Christ*, attr.
VENTES PUBLIQUES : PARIS, 28 mai 1909 : *La Vierge et l'Enfant Jésus entourés d'anges* : **FRF 5 600** – LONDRES, 8 avr. 1938 : *Salvator mundi* : **GBP 1 312** – LONDRES, 3 déc. 1969 : *Pieta* : **GBP 3 700**.

ZOPPO Agostino. Voir **ZOTTO**

ZOPPO Angelo. Voir **AGNOLO Zotto**

ZOPPO Antonio Maria
XVIe siècle. Travaillant à Florence vers 1565. Italien.
Peintre.

ZOPPO Bartolomeo
XVIe siècle. Actif à Mantoue. Italien.
Peintre.

ZOPPO Giovanni
XVIe siècle. Travaillant à Venise dans la seconde moitié du XVIe siècle. Italien.
Sculpteur d'autels.
Il sculpta l'autel Sainte-Lucie dans l'église S. Canciano de Venise.

ZOPPO Paolo
Né peut-être à Bergame. Mort entre 1530 et 1538 à Desenzano. XVIe siècle. Travaillant à Brescia. Italien.
Peintre et miniaturiste.
Bien qu'il ait travaillé surtout à Brescia où indépendamment de ses miniatures, il décora de fresques plusieurs églises, on le croit natif, ou tout au moins originaire de Bergame. Paolo Zoppo produisit de remarquables miniatures. En 1505, on le cite à Venise, où il fut l'ami de Giovanni Bellini. Il peignit de nombreux missels. Ridolfi rapporte qu'il avait peint sur un bassin de cristal, un épisode du siège de Brescia, avec les portraits de plusieurs grands capitaines, notamment, celui de Gaston de Foix. Il fut chargé de porter l'objet en présent au doge Andrea Gritte. Durant le voyage l'objet fut cassé. Zoppo qui y avait consacré deux années de sa vie, éprouva un si grand chagrin, qu'il mourut.

ZOPPO Reggiano. Voir **GHISELLI**

ZOPPO di Gangi, dit **Giuseppe Salerno**
Né à Gangi. XVIe-XVIIe siècles. Travaillant à Palerme de 1598 à 1620. Italien.
Peintre, surtout à fresque.
Élève et imitateur de Filippo di Benedetto Paladini. Il a peint des tableaux d'autel pour plusieurs églises de Palerme et des environs ainsi que des fresques et des plafonds.

ZOPPO di Lugano. Voir **DISCEPOLI Giovanni Battista**

ZOPPO dal Vaso
XVIIe siècle. Italien.
Peintre.
Actif à Venise, au milieu du XVIIe siècle. Il peignit des fresques.

ZOPPO di Vincenza ou **lo Vicentino**. Voir **PIERI Antonio di**

ZOPPOROCCO ou **Rocco Zoppo**, de son vrai nom **Giovan Maria di Bartolomeo Bacci di Belforte**
Mort en 1508. XVe siècle. Italien.
Peintre de compositions religieuses.
Parent de Marco Zoppo, il fut élève du Pérugin. On le cite à Bologne vers 1496 ; il fut peut-être aussi actif à Florence.
Une *Adoration des bergers*, conservée au musée de Berlin, portait autrefois sa signature, aujourd'hui illisible. Cet ouvrage a été classé dans les récents catalogues parmi les œuvres d'auteurs inconnus.
VENTES PUBLIQUES : LONDRES, 30 oct. 1996 : *Vierge et Anges adorant l'Enfant Jésus*, h/pan. (87x70) : **GBP 34 500**.

ZORACH Marguerite Thompson, née **Thompson**
Née en 1887 ou 1888 à Santa Rosa (Californie). Morte en 1968. XXe siècle. Américaine.
Peintre de figures, paysages animés, natures mortes, aquarelliste.
Femme de William Zorach. Elle étudia en Amérique et à l'étranger. Elle obtint la Logan Medal à l'Art Institute de Chicago et la médaille d'argent à l'Exposition la Panama Pacific. Elle réalisa également nombre de broderies. Elle figure dans de nombreux musées américains.
VENTES PUBLIQUES : NEW YORK, 27 oct. 1977 : *La vitrine du cordonnier* 1916, h/t (61,6x56,5) : **USD 2 100** – NEW YORK, 24 avr. 1981 : *Bouquet*, h/t (50,8x40,7) : **USD 2 800** – NEW YORK, 2 oct. 1985 : *Paysage de fantaisie*, aquar. et cr. (26x20,3) : **USD 2 000** – NEW YORK, 30 sep. 1988 : *Paysage fantaisie*, aquar. /pap. (46,4x33) : **USD 8 800** – NEW YORK, 30 nov. 1989 : *La cascade en Californie* 1912, h/t (64,8x50,2) : **USD 28 600** – NEW YORK, 30 nov. 1990 : *Village de pêcheurs dans le Maine*, h/t (66x81,5) : **USD 20 900** – NEW YORK, 12 mars 1992 : *Les sœurs* 1922, h/t (75,9x56,2) : **USD 38 500** – NEW YORK, 17 mars 1994 : *Figures se promenant sur une route(recto) ; Paysage (verso)* : **USD 26 450** – NEW YORK, 13 sep. 1995 : *Nature morte de fleurs dans un pichet blanc*, h/t (73,6x51,2) : **USD 23 000**.

ZORACH William
Né le 28 février 1887 ou 1889 à Eurburg (Lituanie). Mort en 1966 à Bath (Maine). XXe siècle. Depuis 1891 actif aux États-Unis. Russe-Lituanien.
Sculpteur de statues monumentales, nus, torses, bustes, animaux, peintre, aquarelliste, graveur, décorateur.
Sa famille avait émigré aux États-Unis en 1891, se fixant à Cleveland. De 1902 à 1905, il suivit les cours du soir du Cleveland Institute of Art. En 1907-1908, il fut élève de la National Academy of Design de New York. Il passa les années 1910-1911 à Paris, où il reçut les conseils de Jacques-Émile Blanche, à l'Académie de La Palette. C'est en 1910 qu'il connut le peintre Marguerite Thompson, qui devint sa femme.
À Paris, il figura au Salon d'Automne de 1910, où il exposa jusqu'en 1922. De retour à New York, il participa à la Taylor Gallery de Cleveland, à l'exposition historique de l'*Armory Show* de 1913. Il figura ensuite à la Society of Independant Artists, de 1914 à 1916, ainsi qu'au People's Art Guild de New York, à la Forum Exhibition de 1916. Il exposa à titre individuel ses dernières peintures dans l'Ohio. Puis en 1959 à Moscou, il participa à une exposition de peinture et sculpture américaines. Après sa mort, en 1968 le Brooklyn Museum de New York a présenté une exposition rétrospective de ses peintures, aquarelles, dessins de la période 1910-1911 ; en 1981, nouvelle exposition des œuvres bidimensionnelles à la Zabriskie Gallery de New York.
Il avait commencé par étudier la lithographie, mais voulait être

peintre. En tant que peintre, il donna son adhésion d'abord à l'esthétique fauve, puis au cubisme. Sa période fauve, bien que tardive, fut la plus caractérisée et la plus durable ; on y retrouve une inclination au symbolisme, une composition pleine et décorative, le goût de l'arabesque généralisée, les formes simplifiées, les plans de couleurs tranchées. S'il continua de peindre à l'huile jusqu'en 1922, il prit contact avec la sculpture à partir de 1917, exécutant un portrait de sa sœur, non académique mais nettement en retrait par rapport à sa peinture. Durant toute sa vie, il continua de produire des aquarelles. Dans l'évolution de sa sculpture, il s'inspira des époques archaïques égyptienne, grecque, africaine, sculptant directement dans la pierre ou le bois des masses monumentales simplifiées à l'extrême, amples, exprimant une calme plénitude. Il a surtout sculpté des têtes, des torses, des nus et aussi des animaux. Il a réalisé plusieurs sculptures monumentales, d'entre lesquelles : *L'Esprit de la Danse*, en 1932, pour le Radio City Music Hall de New York. ■ J. B.

Bibliogr. : Sarane Alexandrian, in : *Diction. univers. de l'Art et des Artistes*, Hazan, Paris, 1967 – Robert Goldwater, in : *Nouveau diction. de la Sculpt. mod.*, Hazan, Paris, 1970 – in : *Encyclopédie des Arts Les Muses*, t. XV, Grange Batelière, Paris, 1969-1974.

Musées : Chicago – Cleveland – Los Angeles – Newark – New York (Metropolitan Mus.) : *Mère et Enfant* 1927 – New York (Mus. of Mod. Art) : *Tête de Christ* – New York (Whitney Mus. of American Art) : *La Génération future* 1942-1947 – New York (Brooklyn Mus.) – Washington D. C.

Ventes Publiques : New York, 11 mai 1966 : *Torse de femme*, bronze : **USD 5 500** – New York, 19 oct. 1967 : *Paysage New Hampshire*, aquar. : **USD 750** ; *Buste de femme*, bronze : **USD 2 750** – New York, 24 oct. 1968 : *Jeune Femme dans une forêt*, aquar. : **USD 1 400** ; *Figures dans un paysage* : **USD 7 500** – New York, 22 oct. 1969 : *Mère et Enfant*, bronze : **USD 5 500** ; *Avignon, le palais des Papes* vers 1911 : **USD 2 500** – New York, 29 oct. 1970 : *Jeune Baigneuse*, bronze : **USD 8 000** – New York, 10 déc. 1970 : *Fleurs* : **USD 850** – New York, 11 fév. 1971 : *Femme et Chat*, terre cuite : **USD 1 400** – New York, 16 mai 1973 : *Yosemite Valley* 1920, aquar. : **USD 1 100** ; *La Victoire*, bronze : **USD 4 250** – New York, 21 mars 1974 : *Paysage d'hiver* 1926, aquar. : **USD 1 000** ; *Tête*, pierre : **USD 2 100** – New York, 28 oct. 1976 : *Chat endormi*, bronze patiné (H. 6,4) : **USD 1 500** – New York, 27 oct. 1977 : *Deux femmes et enfant*, bronze patiné (H. 24) : **USD 2 200** – New York, 23 janv 1979 : *Mère et enfant*, bronze, patine dorée (H. 20,3) : **USD 1 700** – New York, 7 avr. 1982 : *Cheval au pâturage*, bronze, patine brune (H. 44,8) : **USD 9 000** – New York, 2 juin 1983 : *Genesis*, bronze, patine brun vert (H. 46,4) : **USD 13 000** – New York, 7 déc. 1984 : *La ferme, Robinhood*, aquar. (39x57) : **USD 1 400** – New York, 20 juin 1985 : *Tree against the sky* 1917, aquar. et cr./pap. mar./cart. (38,1x27,9) : **USD 1 700** – New York, 26 sep. 1986 : *Chat endormi*, bronze poli (H. totale 8,3) : **USD 4 000** – New York, 3 déc. 1987 : *Interior and exterior* 1919, h/t (92,1x71,1) : **USD 60 000** – New York, 24 juin 1988 : *Femme assise* 1961, marbre (H. 48,8) : **USD 12 100** ; *Personnage en prières* 1950, bronze (H. 32,5) : **USD 2 750** – New York, 30 sep. 1988 : *Garçon et fille* 1923, acajou (H. 71) : **USD 33 000** ; *Tête de la fille de l'artiste*, bronze (H. 33) : **USD 6 050** – New York, 1er déc. 1988 : *La famille* 1957, bronze (H. 40,7) : **USD 20 900** – New York, 16 mars 1990 : *Stonington dans le Maine* 1920, aquar. et cr./pap. (39x30,8) : **USD 12 100** – New York, 24 mai 1990 : *L'Esprit de la danse*, bronze à patine dorée (H. 64,8) : **USD 29 700** – New York, 30 nov. 1990 : *Allégorie de l'Esprit de la danse* 1932, bronze patiné (H. 195,6) : **USD 121 000** – New York, 17 déc. 1990 : *L'Arbre* 1917, aquar. et cr./pap. (28x38,2) : **USD 4 675** – New York, 14 mars 1991 : *Enfant sur un poney*, bronze (H. 63,5) : **USD 16 500** – New York, 22 mai 1991 : *Nouveaux horizons, mère et enfant* 1951, bronze (H. 111,8, L 101,6) : **USD 60 500** – New York, 14 nov. 1991 : *Repos familial* 1915, aquar./pap. (26x36,2) : **USD 2 420** – New York, 5 déc. 1991 : *Le Printemps dans les hautes sierras*, h/t (115,6x99,7) : **USD 44 000** – New York, 6 déc. 1991 : *La famille* 1957, groupe de granite (H. 50,7) : **USD 57 200** – New York, 2 déc. 1992 : *Cottages au bord du lac*, aquar. et encre/pap. (36,2x53,3) : **USD 1 320** – New York, 26 mai 1993 : *Jeune femme*, marbre rose (H. 57,1) : **USD 25 300** – New York, 25 mai 1995 : *Jumeaux*, bois (H. 78,7) : **USD 23 000** – New York, 13 sep. 1995 : *Printemps* 1912, h/t (87,6x71,1) : **USD 57 500** – New York, 20 mars 1996 : *Chat*, bronze (H. 6,4, L. 17,8) : **USD 6 325** – New York, 22 mai 1996 : *Genèse*, bronze, patine brun foncé (H. 45,7) : **USD 19 550** – New York, 5 déc. 1996 : *Eve*, granite rose (H. 66) : **USD 19 550** – New York, 25 mars 1997 : *Mère et enfant* vers 1957, bronze (H. 40) : **USD 4 025** ; *Nu allongé* vers 1957, marbre (L. 33) : **USD 5 175** – New York, 23 avr. 1997 : *Tookey* 1927, bronze (H. 41) : **USD 6 900**.

ZORD Arnold

Né le 16 mai 1887 à Budapest. Mort en 1957. xxe siècle. Hongrois.

Peintre de figures, paysages.

ZORD A. 913

ZORG. Voir **ROCHES Hendrick Martens** et **SORGH Hendrick Maartensz**

ZORGO da Castelfranco. Voir **GIORGIONE Giorgio**

ZORI de Crète

xvie siècle. Grec.

Peintre.

Il peignit des fresques dans les monastères du Mont Athos en 1547.

ZORILLA Francisco

xviiie siècle. Actif dans la première moitié du xviiie siècle. Espagnol.

Dessinateur.

ZORILLA Juan de

xviie siècle. Espagnol.

Peintre.

Élève et assistant de Juan de Chirinos à Madrid. Il travailla pour le monastère des Trinitaires déchaussés à Alcala de Henares.

ZORILLA Nicolas

xviiie siècle. Espagnol.

Peintre.

Il restaura les peintures de Palomino dans l'Oratoire de l'Hôtel de Ville de Madrid en 1732.

ZORILLA DE SAN MARTIN José Luis

Né le 6 septembre 1891 à Montevideo. xxe siècle. Uruguayen.

Sculpteur et peintre.

Fils du poète romantique Juan Zorrilla de San Martin, qui chanta les exploits des héros de l'Indépendance de l'Uruguay, et défendit la cause catholique dans ses écrits. Il commença ses études avec des professeurs de second ordre, mais hérita de son père le souffle nécessaire pour mener à bien son œuvre. Il acquit une solide culture artistique, ses goûts le portaient vers l'art classique. Ses peintures et ses sculptures se réclament de l'Art ancien et ne sacrifient pas au style moderne. Il eut un prix au Salon des Artistes Français, pour son envoi, *La Fontaine des Athlètes*.

Il a obtenu des commandes de l'État d'Uruguay, pour des monuments publics, notamment : *Gaucho* à Montevideo ; *Général Rocca*, à Buenos Aires, *Mgr Soler*, cathédrale de Montevideo, *La Bataille de Sarandi* et les statues de *L'Obélisque du Centenaire*. Il exécuta encore, *une Pietà* (bronze) et un monumental *Chemin de Croix* (fresques). ■ P. Argul

Ventes Publiques : Montevideo, 30 sep. 1987 : *Autoportrait*, cr. reh. de temp. (16x23) : **UYU 210 000**.

ZORIN Mikhail

Né en 1952. xxe siècle. Russe.

Peintre de compositions à personnages.

Ancien élève de l'École des Beaux Arts de V. Serov à Léningrad. À partir de 1985 il participe à des expositions collectives à Moscou, Léningrad, Tallinn. Sa carrière internationale commence en 1988 par une exposition à Berne, et se poursuit à New York, Washington et Tokyo en 1990.

Se différenciant de la grisaille de la production russe des années totalitaires, ses peintures présentent une composition aisée, un dessin imaginatif, des couleurs claires et vives, souvent à partir de thèmes de fête et de fantaisie, rappelant le domaine poétique de Chagall.

Musées : Helsinki (Gal. d'Art contemp.) – Moscou (min. de la Culture) – Tallinn (Mus. de l'Art soviétique contemp.) – Tokyo (Gal. d'Art Guekosso).

Ventes Publiques : Paris, 11 juin 1990 : *La fête dans la ville*, h/t (40x48) : **FRF 8 500**.

ZORIO Gilberto
Né en 1944 à Andorno Micca. xxe siècle. Italien.
Peintre, sculpteur, technique mixte. Arte povera.

Il vit et travaille à Turin. De 1963 à 1970, il y fut élève de l'Académie des Beaux-Arts. Il participe à de nombreuses expositions collectives consacrées aux courants d'avant-garde apparentés à l'art pauvre, dont : 1969 *Quand les attitudes deviennent formes*, Kunsthalle ; 1971 Turin, *Arte povera*, Museo d'Arte Civico ; 1981 Paris, *Identité italienne, l'art en Italie depuis 1959*, Musée national d'Art moderne. Il montre ses réalisations au cours de manifestations individuelles, à Turin, 1967, 1969 ; Salerne, 1968 ; Paris galerie Sonnabend et New York, 1969 ; Paris galeries contemporaines du Centre Georges Pompidou, 1974 ; Paris galerie Éric Fabre, 1978 ; New York galerie Sonnabend, 1981 ; Francfort-sur-le-Main galerie Appel et Fertsch, 1981 ; Paris, avec Reinhard Mucha, aux galeries contemporaines du Centre Georges Pompidou, 1986 ; à Metz, Espace Faux Mouvement, 1995 ; Paris galerie Krief, 1996 ; etc.

Zorio est apparu en tant qu'artiste, en 1967 avec le nouveau courant de l'Art Povera, reconnu et nommé par le critique Germano Celant. Les œuvres sont réalisées avec des matériaux élémentaires et des moyens artisanaux. Pour sa part, utilisant des constructions de briques, de tubes métalliques, des spots, des résistances et fils électriques, etc., le tout non camouflé, brut, Zorio met en évidence les processus physiques, mécaniques ou chimiques, qui aboutissent à l'objet final, ou en cours d'une finition qui ne viendra peut-être jamais, par exemple des tiges de cuivre dont les extrémités trempent dans des récipients d'acide et sont lentement rongées par le produit, ce qui le rattache, pardelà la référence alchimique (il faut bien un peu de magie), à ce qui fut appelé le « Process'art ». Une des constantes des actions de Zorio est de révéler des tensions énergétiques, matérielles, mais aussi, spécialement dans son cas, mentales dans la mesure où elles sont provoquées par le projet de l'artiste, projet qui, dans ce cas, n'est exclusif ni d'une dimension spirituelle, ni d'une dimension esthétique. Cette dimension énergétique caractérise donc le travail de Zorio et ses réalisations comme témoignages d'une action agressive, d'un conflit de tensions, où il voit la manifestation du flux vital. C'est là le contenu « conceptuel » propre à l'art de Zorio. Au départ de ses actions, outre les éléments nécessaires de l'installation purement pratique, il recourt à des accessoires individualisés et signifiants, « per purificare le parole », des formes non géométriques, aux contours plutôt incertains, ressortissant à la notion de tache, mais pourtant évocatrices de quelques signaux symboliques appartenant à son double domaine de référence et d'intervention, la tradition et l'enfance, le réel et l'imaginaire : le javelot, le canoë et surtout, sous tous les aspects possibles, l'étoile.

L'Arte povera se définit comme, à travers l'utilisation de matériaux, une expérience temporelle et active. Les matériaux ne sont que les véhicules par lesquels se produit l'action. La notion d'énergie n'est plus seulement représentée, mais vécue physiquement. Considérant le résultat matériel de chaque intervention, de la dimension énergétique du conflit subsistent : l'objet visuel obtenu en tant que tel, en tant qu'objet de l'art, en tant que corps concret subsistant dans l'espace, la trace éventuellement éloquente de l'agression subie, mais rien de l'écoulement du temps pendant lequel s'est déroulée l'action et se constituait l'objet. Du point de vue muséal, puisque, finalement, tout va au musée mais de se placer de ce point de vue muséal n'est pas sans enseignement se pose la question de ce qui reste de toutes ces installations bricolées et précaires, ressortissant au grand courant général de l'art conceptuel, quand elles deviennent orphelines de leur genèse, moment qui n'était peut-être que leur seule raison d'être, sinon un inextricable bric-à-brac de pièces détachées éparses désormais muettes, reliques de quelque passion accomplie. ■ Jacques Busse

Bibliogr. : In : Catalogue du *IIIe Salon International des Galeries Pilotes du Monde*, Musée cantonal, Lausanne, 1970 – B. Merz, D. Zacharopoulos : *Zorio*, Essegi, Ravenne, 1982 – A. Boatto, C. David, D. Zacharopoulos, T. Trini, I. Rogozinskel : *Zorio*, Centre Pompidou, Paris, 1986 – in : Catalogue de l'exposition *L'Art moderne à Marseille. La Collection du musée Cantini*, Musée Cantini, Marseille, 1988 – Émilie Daniel : *Autour de Gilberto Zorio*, in : Arstudio, n° 13, Paris, été 1989 – in : *L'Art du xxe siècle*, Larousse, Paris, 1991 – in : *Diction. de l'Art mod. et contemp.*, Hazan, Paris, 1992.

Musées : Épinal (Mus. départem. des Vosges) : *Stella di rame con acidi e pergamena* 1978 – Lille (FRAC Nord-Pas-de-Calais) : *Sans titre* – Marseille (Mus. Cantini) : *Canoa Disegno* 1986, terre de Stromboli sur pap., attaquée par l'acide.

Ventes Publiques : Londres, 28 juin 1984 : *Sans titre* 1978, cire et bronze/cart. (73,7x98,5) : **GBP 1 000** – Paris, 9 oct. 1989 : *Confine* 1970, techn. mixte/cuir (31x84) : **FRF 50 000** – Paris, 18 fév. 1990 : *Sans titre*, encre/parchemin (44x62) : **FRF 35 000** – Rome, 10 avr. 1990 : *Sans titre* 1981, terre cuite (84x125) : **ITL 25 000 000** – Milan, 13 déc. 1990 : *Odio* 1970, moulage de peau d'autruche (40x41) : **ITL 28 000 000** – Milan, 15 déc. 1992 : *Étoile* 1989, cuivre, cuir et caoutchouc (104x134) : **ITL 23 000 000** – Milan, 22 nov. 1993 : *Étoile* 1977, temp. et cuir/cuir (83,5x132) : **ITL 27 105 000** – Milan, 21 juin 1994 : *Sans titre* 1991, vernis/cart. (71x99) : **ITL 8 050 000** – Londres, 30 juin 1994 : *Odio* 1970, aquar./pap. artisanal (33x41) : **GBP 2 185** – Amsterdam, 8 déc. 1994 : *Odio* 1973, Cuir et clous (130x140) : **NLG 8 050** – Milan, 9 mars 1995 : *Vilebrequin* 1981, fus., sable de Stromboli et vernis/cart. (122x185) : **ITL 17 250 000** – New York, 8 mai 1996 : *« Odio »* 1970, cuir marqué au fer (57,2x66,7) : **USD 4 600**.

ZORITCHAK Yan
Né le 13 novembre 1944 à Zdiar (Slovaquie). xxe siècle. Actif aussi en France. Slovaque.
Maître verrier, sculpteur. Tendance abstraite.

Sa première exposition a eu lieu en 1973 au musée-château d'Annecy. Depuis, ses œuvres ont été présentées de nombreuses fois en France et à l'étranger, notamment : en 1989 au château de Vascœuil (France) avec Vasarely et Yvaral ; en 1991 à la Glass Art Gallery de Toronto (Canada) ; en 1992 à la galerie Vers les arts de Niort ; en 1995 au musée d'Art moderne de Troyes, puis au musée des Beaux-Arts de Nancy ; en 1996 au Palais de la Découverte à Paris.

Mêlant des émaux de couleurs au verre ou au cristal, il crée des sortes de « fleurs célestes », des roches extraordinnaires, des météorites improbables, des astéroïdes éclatants.

Bibliogr. : Catalogue de l'exposition *L'Univers et l'Homme. Yan Zoritchak*, Palais de la Découverte, Paris, 1996.

ZORKO Y.
Né en 1937 à Podgorje-nad-Sevnico (Slovénie). xxe siècle. Depuis 1965 actif en France. Yougoslave.
Sculpteur. Abstrait.

Ayant commencé à s'initier seul au dessin et à la sculpture, en 1958 il put devenir élève de l'École de Peinture Klas. Établi à Paris depuis 1965, depuis 1974 il est chargé de cours en Arts Plastiques et Sciences de l'Art à la Sorbonne. Il participe à des expositions collectives, dont, à Paris : depuis 1972 Salon de la Jeune Sculpture ; en 1973, 1974 Salon de Mai ; depuis 1973 et très régulièrement Salon des Réalités Nouvelles ; depuis 1974 Salon Grands et Jeunes d'Aujourd'hui ; etc. Il montre des ensembles de ses œuvres dans des expositions personnelles, dont : 1975 Nantes, galerie Convergences. Il a obtenu diverses distinctions, dont : en 1974 à Issy-les-Moulineaux, le Prix de Sculpture du Salon *Sud 92*.

Ses matériaux de prédilection sont ceux qui ne peuvent être travaillés que par la main, le bois, la pierre, le marbre et le métal. Issues d'un « beau métier » approprié à la spécificité de chaque matériau exploité qui en provoque la diversité, d'entre lesquels il privilégie le marbre noir, il crée des formes élégantes, à la fois rigoureuses et souples, tantôt pondérablement terriennes, tantôt tendant à l'envol.

Ventes Publiques : Neuilly, 3 fév. 1991 : *Marbre noir*, signé sur la base (8x45x5,5) : **FRF 8 000**.

ZORKOCZY Gyula ou **Jules**
Né en 1873 à Nagyröce. Mort le 29 juin 1932 à Budapest. xixe-xxe siècles. Hongrois.
Peintre de paysages animés.

Ventes Publiques : Vienne, 11 mars 1980 : *Village au bord d'une rivière*, h/t (71x99) : **ATS 25 000** – Vienne, 14 déc. 1983 : *Jeune fille sur une route de campagne*, h/t (49x69) : **ATS 25 000** – Amsterdam, 3 nov. 1992 : *Fillette avec une chèvre près d'une ferme*, h/t (46x56,5) : **NLG 1 150**.

ZORKOCZY Klara
Née le 27 août 1897 à Salgotarjan. xxe siècle. Hongroise.
Sculpteur.

Elle était active à Budapest.

ZORLU Sémiramis
Né en 1925. xxe siècle. Turc.
Peintre et sculpteur.

Il a débuté comme peintre. Sculpteur, il montre des qualités monumentales. Il a figuré au Salon des Réalités Nouvelles de Paris, en 1956 et 1957.

ZORMAN Josef ou **Josip**
Né en 1902 à Vel Kopanica. XXe siècle. Yougoslave.
Peintre.
Il fut élève des Académies de Zagreb et de Paris.

ZORMEHLEN Christoph. Voir **THORMEHL**

ZORN
XIXe siècle. Autrichien.
Peintre.
Il était actif à Budweis.

ZORN Anders Leonard
Né le 18 février 1860 près de Mora (Dalécarlie). Mort le 22 août 1920 près de Mora. XIXe-XXe siècles. Suédois.
Peintre de figures, portraits, aquarelliste, sculpteur, graveur à l'eau-forte, dessinateur. Postimpressionniste.
Fils d'un brasseur et d'une paysanne de Mora. Zorn avait perdu son père, il fut élevé par son grand-père maternel, et dès l'âge le plus tendre, fit preuve de ses instincts artistiques. Par exemple, il sculptait des animaux en bois et les peignait avec du jus de fraises ou d'autres fruits. De douze à quinze ans, il fut élève de l'école d'Enkoping, petite ville à soixante-dix kilomètres de Stockholm. Il semble qu'il fut apprenti menuisier pendant quelque temps. En 1875 quelques brasseurs amis du défunt, s'unirent pour qu'il pût faire ses études à l'Académie des Beaux-Arts de Stockholm. Une pension de cinq cent cinquante francs lui fut assurée. Zorn s'adonna à la sculpture. Plus tard, il produisit quelques aquarelles. En 1881, il quitta l'Académie et partit pour l'Espagne. En 1882, on le trouve à Londres. Il y demeura jusqu'au début de l'hiver 1884. Il quitta Londres à la fin de 1884, il partit pour Lisbonne, partageant son temps entre Lisbonne et Madrid. En 1885, il revint à Stockholm, et s'y maria avec Mlle Emma Lamm. Comme voyage de noces, il se rendit en Hongrie, puis en Turquie. Dans cette dernière contrée, une attaque de typhus faillit lui être fatale. Il vécut une partie des années 1886-1887-1888 en Suède, poussant de temps à autres des pointes en Espagne, en Afrique, en Angleterre. De 1888 à 1896, Zorn eut son domicile à Paris. Il ne fut pas insensible aux œuvres de Degas, de Renoir, et surtout de Rodin, de qui il devint l'ami. En 1892, Zorn s'embarquait pour l'Amérique comme commissaire de la participation suédoise à l'Exposition Universelle de Chicago. Il y remporta un éclatant triomphe. Les relations qu'il s'y créa furent telles qu'il est retourné six fois en Amérique. Au cours de cette dernière année 1892, le besoin du retour au pays natal s'imposa : il revint en Suède, pour toujours, et se fixa à Mora. Il y fit construire son logis définitif, meublé des multiples œuvres d'art qu'il collectionna au cours de ses voyages. C'est dans ce milieu choisi qu'il travailla dès lors. Zorn, put peu d'années plus tard prendre un atelier à Stockholm.
De 1882 à 1884 à Londres, il exposait à la Royal Academy et au Royal Institute of Painters in Water-Colours. À Paris, il exposait au Salon en 1888 une toile : *Pêcheur de Saint-Ypres*, qui lui valut une mention honorable et qui fut achetée par l'État français pour le musée du Luxembourg. Au Salon de Paris en 1889, ses portraits de la danseuse *Rosita Mauri* et d'*Antonin Proust*, lui valurent au Salon une médaille de troisième classe ; il obtint la même année une médaille d'or à l'Exposition universelle et la croix de chevalier de la Légion d'honneur. Il devint membre de la Société Nationale des Beaux-Arts en 1890. Un hommage flatteur pour un artiste de vingt-neuf ans, venait s'ajouter aux distinctions obtenues dans les expositions : il recevait la commande de peindre son portrait pour le Musée des Offices, à Florence. L'Exposition universelle de 1900, à Paris, ne lui était pas moins favorable : deux médailles d'honneur lui furent décernées et il fut élevé à la dignité d'officier de la Légion d'honneur. En 1906 Zorn vint passer un mois à Paris, pour l'organisation d'une exposition d'ensemble de son œuvre : Peinture, Gravure, Sculpture. Au titre suédois, il participa régulièrement à la Biennale de Venise. En 1911, il fut élu membre étranger de l'Académie des Beaux-Arts de Paris.
L'une de ses premières aquarelles, *En deuil*, exposée en 1880, obtint un grand succès et valut au jeune artiste plusieurs portraits à cent cinquante couronnes. En 1881 en Espagne, il peignit de nombreuses aquarelles : *Joies maternelles* ; *Les Cousines*, etc. En 1884, il peignait des personnalités les plus marquantes des aristocraties espagnole et portugaise. Zorn était arrivé à l'apogée de son talent. Dans cette période espagnole, il a traité, non sans verve et avec quelques audaces pointant en direction de l'impressionnisme, de nombreuses scènes de genre et typiques, prouvant une fois de plus que l'Espagne est particulièrement fertile en pittoresque. Pendant les quinze années qui suivirent, soit comme peintre, soit comme graveur, il produisit la majeure partie de ses œuvres les plus puissantes : le *Portrait de Coquelin cadet* ; *Le Pain quotidien* ; *La Brasserie* ; *L'Omnibus* ; *La Valse* ; les portraits de la famille royale de Suède, notamment du roi *Oscar II* et du prince *Charles* ; *La Madone suédoise* ; son propre portrait et un grand nombre d'effigies de millionnaires américains ; en outre un grand nombre d'eaux-fortes reproduisant librement ses propres tableaux, ou exécutant les portraits de *Ernest Renan* ; *Anatole France* ; *Auguste Rodin* ; *Paul Verlaine* ; *Pavel Troubetskoï* ; *Albert Engström*. Ce fut aussi la période de ses meilleures sculptures (*Faune et nymphe* de 1895, la statue de *Gustave Vasa*, à Mora) et de nombreuses statuettes en bronze et bois. En Amérique, en 1892, il y peignit plus de soixante portraits. Après cette date, il peignait, une partie de l'année à Mora, les paysannes dans leurs intérieurs rustiques, nues ou dans leurs costumes bariolés. On a alors comparé ses créations féminines opulentes à celles de Jordaens. Puis, à Stockholm, durant la saison, il exécutait les portraits qui lui étaient demandés.
Anders Zorn est difficile à situer, ses fréquentations et références étaient dans son temps d'un jeune homme de qualité plutôt tourné vers le passé. Né en 1860, de peu contemporain de Matisse, c'est pourtant dans la continuité de Degas qu'il s'est accompli, sans être attiré par l'esprit d'aventure. Il a doté la Suède d'une très séduisante interprétation postimpressionniste de la femme, devenant progressivement plus opulente dans un contexte réaliste. Quant à ses activités de portraitiste ou de sculpteur, ses talents et habiletés divers et prudents se sont peut-être dispersés. Du point de vue suédois, il reste une gloire nationale très officiellement consacrée. ■ J. B.

Bibliogr. : Karl Asplund : *Zorns Graverade Werk*, A. B. Bukowski, Stockholm, 1920-1921 – Gerda Boethius : *Anders Zorn. His life and work*, Nordisk Rotogravyr, Stockholm, 1954 – Pierre Volboudt, in : *Dictionnaire de la sculpt. mod.*, Hazan, Paris, 1960 – in : Encyclopédie des Arts *Les Muses*, vol.XV, Grange Batelière, Paris, 1969-1974 – in : *Diction. Univers. de la Peint.*, Le Robert, Paris, 1975 – Bertil Hjert, Svenolof : *A complete Catalogue of the Engravings*, Hjert & Hjert, Uppsala, 1980 – Karl Asplund : *Zorn's Engraved Werk*, Alan Wofsy Fine Arts, San Francisco, 1990 – in : *Cien Anos de pintura en Espana y Portugal, 1830-1930*, Antiqvaria, t. XI, Madrid, 1993.

Musées : Berlin : *Soir d'été en Suède* – *Maja* – Boston (Isabella Stewart Gardner Mus.) : *Mrs Gardner à Venise* – Brooklyn : *La montagne du Gopsberg* – Budapest : *Jeune Dalécarlienne avec enfant* – Buenos Aires : *A Gopsmor* – Chicago : *Mrs John V.*

Scammon – *Will B. Ogden* – Cleveland : *Skeri kulla* – Copenhague : *Mouvement des vagues* – Florence (Mus. des Offices) : *L'artiste* – Gand : *Mère et enfant se baignant* – Hambourg : *Le port de Hambourg* – Helsinki : *Jeunes filles au bain* – *Mère et enfant se baignant* – Leipzig : *Jeunes filles au bain* – *La fille de Raettvik* – New York (Metropolitan Mus.) : *Nu* – Paris (Mus. de la Ville) : *Pêcheurs à Saint-Ives* – *Jeune paysanne se baignant* – Rome (Gal. d'Art Mod.) : *À la porte de la grange* – Saint Louis : *Mrs Duncan Joy* – *Tête de femme* – Stockholm (Nationalmus.) : *L'artiste dans son atelier* – *Danse de la Saint Jean* – *Braskkulla (servante de noce en Suède)* – *Aux bains chauds, scène de Dalécarlie* – *Bruno Liljefors* – *Danse d'été à Gopsmorsstugan* 1911 – trois aquarelles – *Faune et nymphe*, sculpt. – Trieste (Mus. Revoltella) : *Hilma Herikson* – Venise : *Le ruisseau* – Washington D. C. : *Portrait assis du docteur David Jayne Hill* – *Portrait debout du docteur David Jayne Hill.*

Ventes Publiques : Paris, 2-4 juin 1920 : *Intérieur suédois*, pl. : **FRF 9 100** – Londres, 27 avr. 1923 : *Mrs Berg* : **GBP 504** – Londres, 28 nov. 1924 : *C. W. Armitage* : **GBP 630** – Paris, 25 avr. 1927 : *Cadix, la statue blanche*, aquar. : **FRF 6 100** – New York, 25-26 mars 1931 : *Enfant et sa garde*, aquar. : **USD 675** – Berlin, 29-30 mai 1934 : *Jeune paysanne* : **DEM 4 100** – Stockholm, 7-9 nov. 1934 : *Baigneuse* : **SEK 5 000** – Stockholm, 11-12 avr. 1935 : *Le Dimanche matin* : **SEK 15 500** ; *Nu au réveil* : **SEK 6 700** ; *Le Bain* : **SEK 3 750** – New York, mai 1942 : *Alvan* : **USD 1 750** ; *Brewery* : **USD 1 000** – New York, 3 déc. 1942 : *Kufver Maja* : **USD 700** – Paris, 20 déc. 1943 : *Scène d'intérieur*, pl. : **FRF 2 200** – Stockholm, 30 oct. 1946 : *Nu* : **SEK 19 500** – Londres, 11 nov. 1949 : *Sur la Tamise* 1883 : **GBP 756** – Londres, 15 fév. 1950 : *Portrait de Mme Emma Jane Warburg*, dess. : **GBP 160** – Stockholm, 22-24 oct. 1952 : *Paysage d'été* : **SEK 1 290** – Londres, 3 jan. 1953 : *Portrait de Rita Alversen* 1897 : **GBP 115** – Londres, 11 nov. 1959 : *Le Port de Stockholm* : **GBP 2 250** – Londres, 1er juil. 1960 : *Kari, une paysanne suédoise* : **GBP 252** – New York, 28 oct. 1960 : *Guerda Ericsson*, aquar. : **USD 550** – Stockholm, 26-28 mars 1969 : *Jeune Fille au livre*, aquar. : **SEK 37 500** – New York, 30 oct. 1969 : *Portrait de Livingston Davis* : **USD 2 250** – Munich, 23 nov. 1973 : *Nu dans la forêt* 1908 : **DEM 36 000** – Göteborg, 28-29 mars 1974 : *La Petite Gitane* 1885, aquar. : **SEK 25 100** ; *Les baigneuses* 1912 : **SEK 40 000** – New York, 15 oct. 1976 : *Portrait d'enfant* 1884, aquar. (67x51) : **USD 19 000** – Londres, 29 oct. 1976 : *Berger et troupeau au bord de la mer*, h/t (65x100,3) : **GBP 1 050** – Göteborg, 5 mai 1977 : *Les deux cousines* 1883, eau-forte (44x28) : **SEK 14 500** – New York, 7 oct. 1977 : *Le bain* 1903, h/cart. entoilé (45,5x34) : **USD 14 500** – Göteborg, 9 nov. 1978 : *Tête de gitane* 1885, aquar. (30x19) : **SEK 32 000** – Londres, 5 juil 1979 : *Pêcheurs à St Ives* 1891, eau-forte (27,9x19,6) : **GBP 1 000** – Los Angeles, 18 juin 1979 : *Étude de baigneuse* 1908, cr. et aquar. (33x22,8) : **USD 2 500** – Stockholm, 30 oct 1979 : *Nu debout* 1906, h/t (125x90) : **SEK 230 000** – Stockholm, 23 avr. 1980 : *Le Tub* 1888, aquar. (78x48) : **SEK 326 000** – Stockholm, 17 nov. 1981 : *Les Cousines*, eau-forte (44x27,5) : **SEK 23 000** – Stockholm, 11 nov. 1981 : *Omnibus* 1891, h/t (100x66) : **SEK 1 200 000** – Göteborg, 3 nov. 1982 : *Portrait de Lisen Samson* 1887, fus., de forme ovale (40x30) : **SEK 64 000** – Stockholm, 26 oct. 1982 : *Une beauté orientale* 1886, aquar. (33x24) : **SEK 665 000** – Stockholm, 26 avr. 1982 : *Gustav Vasa* 1902, bronze, patine verte (H. 108) : **SEK 29 000** – Stockholm, 27 avr. 1983 : *Jeune femme en noir* 1883, aquar. (58x37) : **SEK 500 000** – Stockholm, 1er nov. 1983 : *Deux nus dans un sous-bois* 1908, h/t (89x59) : **SEK 1 500 000** – Stockholm, 24 avr. 1984 : *Les cousines*, eau-forte : **SEK 31 000** – New York, 1er mars 1984 : *Autoportrait et modèle*, cr. (28x21,6) : **USD 3 500** – Stockholm, 24 avr. 1984 : *Nu debout* 1910, bronze, patine verte (H. 19,5) : **SEK 30 500** – Stockholm, 29 oct. 1985 : *Paysan avec deux jeunes paysannes sur un chemin de campagne*, aquar. (55x38) : **SEK 80 000** – New York, 29 oct. 1986 : *Portrait de Grover Cleveland*, craie noire (40,8x32) : **USD 2 500** – New York, 29 oct. 1986 : *Elfe des bois* 1892, h/t (100,3x68,6) : **USD 200 000** – Stockholm, 19 oct. 1987 : *Baigneuse au bord de l'eau* 1892, h/t (101x68) : **SEK 6 700 000** – Stockholm, 15 nov. 1988 : *Gryveln*, bronze (H. 8) : **SEK 82 000** – Stockholm, 21 nov. 1988 : *Enfant endormi en tenant un jouet dans sa main*, lav. et aquar. (17x11) : **SEK 55 000** – Londres, 16 mars 1989 : *La porte de la chambre* 1905, h/t/cart. (53,3x33,7) : **GBP 297 000** – New York, 23 mai 1989 : *Dans les bois* 1893, h/cart. (56,2x37,8) : **USD 962 500** – New York, 24 oct. 1989 : *Portrait de Mrs Eben Richards* 1899, h/t (152,5x107,3) : **USD 495 000** – New York, 25 oct. 1989 : *Depuis Sandhamm* 1906, h/t (73x53,5) : **USD 1 078 000** – Londres, 27-28 mars 1990 : *Portrait de Jean-Baptiste Faure* 1891, h/t (83x66,5) : **GBP 770 000** – Londres, 29 mars 1990 : *Les Baigneuses* 1889, h/t (98,5x68,5) : **GBP 1 760 000** – Stockholm, 16 mai 1990 : *Étude pour le portrait du Prince Carl*, h/t (31x25,5) : **SEK 210 000** – New York, 23 mai 1990 : *Lueurs du feu* 1905, h/t (107,3x82,6) : **USD 715 000** – New York, 23 oct. 1990 : *La Chambre à coucher* 1918, h/t (97,8x87,6) : **USD 550 000** – Stockholm, 14 nov. 1990 : *Portrait de Liten Morakulla avec un panier au bras*, aquar. (43x32,5) : **SEK 280 000** – Stockholm, 29 mai 1991 : *Portrait de Gossen Falbe âgé de deux ans* 1884, aquar. (67x51) : **SEK 1 100 000** – New York, 28 mai 1992 : *Portrait des filles de Ramon Subercaseaux* 1892, h/t (81,3x65) : **USD 550 000** – Londres, 17 juin 1992 : *Dalarö* 1892, h/t (101x68) : **GBP 165 000** – Stockholm, 19 mai 1992 : *Devant la cheminée* 1898, h/t (97x73) : **SEK 1 200 000** ; *Canotage à Dalarö*, aquar. (29,5x44) : **SEK 3 000 000** – Stockholm, 5 sep. 1992 : *Portrait de Mrs Anna Jenkins dans un intérieur cossu*, aquar. (98x66) : **SEK 590 000** ; *Les enfants Mayer avec leur gouvernante* 1889, aquar. (101,5x68,5) : **SEK 1 800 000** – Londres, 25 nov. 1992 : *Portrait de Maud Cassel âgée de sept ans* 1887, aquar. reh. de gche blanche (99x59) : **USD 99 000** – New York, 26 mai 1993 : *Soleil levant* 1910, h/t (64,8x43,2) : **USD 68 500** – Paris, 11 juin 1993 : *Paul Verlaine II* 1895, eau-forte/vélin (23,7x15,9) : **FRF 3 200** – Stockholm, 30 nov. 1993 : *Jeune fille à skis* 1907, h/t (100x80) : **SEK 1 425 000** – New York, 20 juil. 1994 : *Portrait de femme*, cr. et encre/pap. (25,4x20,3) : **USD 5 175** – Heidelberg, 15 oct. 1994 : *Vicke* 1918, pointe-sèche (19,8x29,5) : **DEM 2 000** – Paris, 21 nov. 1995 : *Jeune Femme assise de profil*, encre de Chine (18x12) : **FRF 8 500** – Londres, 21 nov. 1996 : *Ingeborg* 1907, h/t/pan. (120x90) : **GBP 111 500**.

ZORN Gustav

Né le 16 mars 1845 à Milan. Mort en 1893 à Bordighesa. xixe siècle. Allemand.

Peintre de portraits, animaux.

Élève de Ferdinand Keller et de l'École des Beaux-Arts de Karlsruhe. Il s'est fait une spécialité de la peinture de chevaux et, en conséquence, de portraits équestres.

Musées : Stuttgart : *Portrait équestre du roi Charles de Wurtemberg.*

ZORNEIA ou **Zornea**. Voir **UGRINOVIC Johannes**

ZORNLIN Georgiana Margaretta

Née en 1800. Morte en 1881. xixe siècle. Britannique.

Peintre de portraits.

Élève de B. R. Hayden. La National Portrait Gallery, à Londres, conserve d'elle *Portrait de son professeur B. R. Hayden* et un dessin (*Nicholas Vausitharte, Baron Bexley*).

ZOROASTRO da Peretola, dit **Tommaso Masini**

Né à Peretola. Mort à Rome. xve-xvie siècles. Italien.

Peintre, mosaïste et orfèvre.

Élève de Léonard de Vinci.

ZOROTI Domenico

xviiie siècle. Travaillant probablement au xviiie siècle. Italien.

Dessinateur et graveur de portraits.

ZORZA Carlo dalla. Voir **SORZA**

ZORZI Domenico

Né en 1729 à Vérone. Mort le 15 décembre 1792 à Vérone. xviiie siècle. Italien.

Peintre.

Élève de G. B. Cignaroli. Il peignit des tableaux d'autel pour les églises de Padoue et de Vérone.

ZORZI Francesco de

xve siècle. Actif à Venise en 1481. Italien.

Peintre.

ZORZI Gian Pietro

Né le 1er août 1687 à Zanon. Mort en 1763. xviiie siècle. Italien.

Sculpteur.

Il exécuta *Saint Pierre et saint Paul* pour l'église de Cavalese.

ZORZI Gregorio ou **Grignol de'** ou **de'Zorzi**

xve siècle. Actif à Venise vers 1473. Italien.

Peintre.

ZORZI Michele

Né en 1784 à Mezzano in Primiero. Mort en 1867 à Lyon (Rhône). xixe siècle. Italien.

Peintre.
Il fit ses études à Venise et peignit des fresques dans l'église Saint-Georges de Mezzano.

ZORZI Tommaso di
XVe siècle. Actif à Venise dans la seconde moitié du XVe siècle. Italien.
Peintre.
Il a peint des fresques (*Annonciation ; Élisabeth et Zaccharie* et *Dieu le Père*) dans l'église Saint-Jean de Begora en 1485.

ZORZO Tedesco. Voir **GIORGIO d'Alemagna**

ZOTO Angelo. Voir **AGNOLO ZOTTO**

ZOTOV Alexandre
Né en 1955. XXe siècle. Russe.
Peintre.
Il fut élève de l'Institut Sourikov à Moscou et devint membre de l'Union des Artistes de Russie.
Ventes Publiques : Paris, 4 oct. 1993 : *Minute de paix*, h/t (233x18) : **FRF 3 500**.

ZOTOW E.
XXe siècle. Allemand.
Peintre.
Musées : Vaduz (Mus. postal) : *Saint-Luc – La reconstruction du château de Vaduz – La bataille de Gutembert.*

ZÖTSCH Hans
Né le 15 mars 1886 à Innsbruck. XXe siècle. Autrichien.
Peintre de portraits, paysages, natures mortes.
Il fut élève de Rumpfer (?) à l'Académie des Beaux-Arts de Vienne.

ZOTTI Giacomo
Né vers 1578. Mort le 20 septembre 1630 à Venise. XVIIe siècle. Italien.
Peintre de fresques et sur majolique.

ZOTTI Giovanni Battista
XVIIIe siècle. Travaillant dans le Val Camonica en 1701. Italien.
Sculpteur d'autels.
Il a sculpté le maître-autel dans l'église d'Incudine.

ZOTTI Giovanni Giacomo
XVIIe siècle. Actif à Parme dans la seconde moitié du XVIIe siècle. Italien.
Peintre.

ZOTTI Ignazio
Né vers 1806. XIXe siècle. Actif à Florence. Italien.
Peintre de portraits.

ZOTTIS Bernardino
XVIe siècle. Travaillant à Trévise. Italien.
Peintre.

ZOTTO. Voir aussi **ZOPPO**

ZOTTO Agnolo. Voir **AGNOLO ZOTTO**, dit **Angelo Aloisio da Padova**

ZOTTO Agostino ou **Zoppo**
XVIe siècle. Actif à Padoue. Italien.
Sculpteur.
Élève de Al. Vittoria. Il sculpta des tombeaux et des bas-reliefs pour la cathédrale de Saint-Marc de Venise et le Santo de Padoue, de 1555 à 1559.

ZOTTO Antonio da
Né en 1841 à Venise. Mort le 19 février 1918 à Venise. XIXe-XXe siècles. Italien.
Sculpteur.
Il exposa, à seize ans, son premier travail *Saint Antoine et l'Enfant Jésus* (statue). En 1870, il fut nommé professeur à l'École de l'Art appliqué à l'Industrie et en 1879, il passa à l'Académie des Beaux-Arts de Venise. Zotto était un artiste scrupuleux. On cite de lui, à Venise une *Statue de Goldoni*.

ZOTTO Damiano di
Né à Forli. XVIe siècle. Actif dans la seconde moitié du XVIe siècle. Italien.
Peintre.
La Pinacothèque de Forli conserve de lui un *Saint Sébastien* et un *Saint Roch*.

ZOTTO Giovanni Francesco dal, dit **Gian Francesco da Tolmezzo**
Né vers 1450 à Tolmezzo. Mort après 1510. XVe-XVIe siècles. Italien.
Peintre, surtout à fresque.
Il était actif à Udine. Il imita Mantegna dans ses fresques. Il fut le premier maître de Pordenone. Bien qu'il ne fût pas parent de Domenico Tolmezzo, il fut un des aides de ce maître pour la peinture de fresques. En 1489, Giovanni peignit les fresques encore existantes dans l'église de Saint-Antoine à Barbeano et en 1493 celles de Saint-Martin à Sacchieve. On cite encore divers ouvrages de lui, notamment des tableaux d'autel pour l'église de Gemona.
Musées : Strasbourg : *Sainte Famille* – Venise (Acad.) : *Madone et l'Enfant.*

ZOUBOFF ou **Zoubov**. Voir **SUBOFF**

ZOU DIGUANG ou **Tsou Ti-Kuang** ou **Tseou Ti-Kouang**, surnom : **Yanji**, nom de pinceau : **Yugu**
Originaire de Wuxi (province du Jiangsu). XVIe siècle. Actif dans la seconde moitié du XVIe siècle. Chinois.
Peintre.
Haut fonctionnaire, il est reçu *jinshi* (licencié) en 1574 : il est aussi peintre de paysages dans le style de Mi Fu (1051-1107) et de son fils Mi Youren, ainsi que dans celui des maîtres Yuan.

ZOU FULEI ou **Tsou Fu-Lei** ou **Tsou Fou-Lei**
XIVe siècle. Actif vers le milieu du XIVe siècle. Chinois.
Peintre.
Poète et peintre de fleurs de prunier dans le style de Zhongren, on dit qu'il vit en ermite ; la Freer Gallery de Washington conserve de lui un rouleau horizontal accompagné d'un poème du peintre daté 1360, *Le souffle du printemps.*

ZOU HENG ou **Tsou Heng**
XVe siècle. Actif à la fin du XVe siècle. Chinois.
Peintre.
Il travaille dans le style large et puissant de Wang Fu et n'est pas mentionné dans les biographies d'artistes, mais le National Palace Museum de Taipei conserve de lui un rouleau horizontal signé et daté 1497, *Étude sous les grands arbres.*

ZOUIEV Ievgueni
Né en 1923 dans la région de Kalinine. Mort en 1987. XXe siècle. Russe.
Peintre de fleurs.
Il fit ses études, de 1947 à 1953, à l'Institut des Arts de Tallin (Estonie).

Musées : Kazan – Moscou (min. de la cult.) – Tcheboksary.
Ventes Publiques : Paris, 23 nov. 1992 : *Les bouquets sur la table*, h/t (119,5x89) : **FRF 15 000** – Paris, 25 jan. 1993 : *Fleurs sur la nappe verte*, h/t (49,7x79,7) : **FRF 7 000**.

ZOUKERS Johan
XVIIIe siècle. Travaillant à La Haye en 1769. Hollandais.
Peintre de paysages et de marines.

ZOULA Augustin ou **Gustav**
Né le 9 août 1871 à Prague. Mort le 4 août 1915 à Prague. XIXe-XXe siècles. Tchécoslovaque.
Sculpteur de monuments, figures.
Il fut élève de l'Académie des Beaux-Arts de Prague. Il sculpta plusieurs monuments à Prague, ainsi que des bustes et des figures.

ZOULOUMIAN C.
Né le 1er janvier 1908 à Alep. XXe siècle. Syrien.
Peintre.
À Paris, il exposait aux Salons des Indépendants, des Vrais Indépendants, des Surindépendants, des Artistes Libres, des Peintres Musicalistes.

ZOUNOUZIN Vladimir
Né en 1950 à Moscou. XXe siècle. Russe.
Peintre de genre, paysages.
Ventes Publiques : Paris, 14 mai 1990 : *Le rêve* 1989, h/t (145x145) : **FRF 5 000**.

ZOU SHIJIN ou **Tsou Che-Kin** ou **Tsou Shih-Chin**, surnom : **Mushi**
Originaire de Wuxi (province du Jiangsu). XVIIe siècle. Actif pendant l'ère Chongzhen (1628-1643). Chinois.
Peintre de paysages.

ZOUSMANN Leonid
Né en 1906 à Moscou. xxe siècle. Russe.
Peintre, affichiste et illustrateur.
Il fut élève des Écoles des Beaux-Arts de Leningrad et de Moscou. Il exposait à la Société Ost, à Moscou.

ZOUST Gerard Van. Voir **SOEST**

ZOUWEN Ignatius Van
Né vers 1624 à Anvers. xviie siècle. Éc. flamande.
Sculpteur.
Il travailla à Amsterdam.

ZOU XIANJI ou **Tseou Sien-Ki** ou **Tsou Hsien-Chi**, surnom : **Limei**, nom de pinceau : **Sijing**
Né en 1636, originaire de Wuxi (province du Jiangsu). xviie siècle. Chinois.
Peintre de figures, paysages, fleurs, dessinateur.
Il est connu sous le nom de Zou le Chrysanthème.
Ventes Publiques : Taipei, 10 avr. 1994 : *Oiseaux et fleurs*, encre et pigments/pap., album de 14 feuilles (chaque 28x45) : **TWD 299 000**.

ZOU ZHE ou **Tseou Tcho** ou **Tsou Chê**, surnom : **Fanglu**
Né en 1636, originaire de Suzhou (province du Jiangsu). Mort en 1708. xviie siècle. Actif à Nankin. Chinois.
Peintre.
Peintre de paysages dans le style de son père, Zou Dian, ainsi que de fleurs et d'arbres dans celui de Wang Yuan, il fait partie des *Huit maîtres de Nankin* ; le Musée de Shanghai conserve une de ses œuvres en couleur sur papier, *Conversation avec un prêtre bouddhiste*.

ZOU ZHILIN ou **Tseou Tche-Lin** ou **Tsou Chih-Lin**, surnom : **Chenhu**, noms de pinceau : **Meian** et **Boyi Shanren**
Originaire de Wujin (province du Jiangsu). xviie siècle. Actif vers le milieu du xviie siècle. Chinois.
Peintre.
Haut fonctionnaire, reçu *jinshi* (licencié) en 1610, il se consacre à la peinture après 1644. Il peint des paysages dans le style de Huang Gongwang (1269-1354).

ZOX Larry
Né en 1936 ou 1937 à Des Moines. xxe siècle. Américain.
Peintre. Abstrait, tendance minimaliste.
Il étudia au Des Moines Art Center avec G. Grosz et L. Bouche. Il utilise la technique du *color-field* et ordonne sa toile en figures géométriques. La couleur est brutale, agressive, les thèmes géométriques se répètent avec précision. Une ligne blanche isole souvent les taches de couleurs. Après 1960, comme d'autres peintres américains minimalistes abstraits, il peint à une échelle monumentale.
Ventes Publiques : New York, 13 nov. 1980 : *Sans titre* 1971, acryl. et mine de pb/t (127x254) : **USD 3 200** – New York, 7 nov. 1985 : *Marengo* 1971, acryl./t (198,1x365,5) : **USD 3 000** – New York, 7 mai 1990 : *List slide* 1981, acryl./t (66,5x193) : **USD 1 650** – New York, 7 mai 1991 : *Trace noire* 1980, acryl./t (218,4x118,1) : **USD 1 650**.

ZOYA. Voir **ZOIA**

ZRIBI Béchir
xxe siècle. Tunisien.
Sculpteur de figures, nus, portraits, animaux.
Il fut longtemps un ébéniste réputé pour ses copies d'anciens styles bourgeois. De son ancien métier, il a gardé le matériau et la technique, il sculpte directement dans des bois précieux. Il lui arrive occasionnellement de travailler la pierre, en taille directe également, le ciseau remplaçant la gouge. En 1989-1990 eut lieu à Tunis une exposition rétrospective de l'ensemble de son œuvre.
Il réalise des bas-reliefs d'ornementation, il sculpte des portraits : *L'ami africain – L'ami asiatique*, il est fréquemment sculpteur animalier : *Le varan – L'aigle – Le faucon*, il donne forme à des allégories : *Entente – Affection – Liberté – Nostalgie*. Mais, avant tout autre, son thème privilégié, c'est la femme : *Déesse de la mer – Maternité – Femme à la corne – L'Africaine – Obsession charnelle*. Sculpteur de formes courbes et élancées, la femme lui procure toutes les possibilités de développer ses deux attirances naturelles dans des variations sans limite sur le corps de la femme, dont il amplifie les volumes pleins et surtout dont il exalte la taille élancée, l'allongeant à la limite du maniérisme.

ZRNOCZY Alajos ou **Alois**
Né en 1819 à Strazsa. Mort en 1885 à Satoraljaujhely. xixe siècle. Hongrois.
Aquarelliste et silhouettiste.
Il peignit, à la manière d'Henri Rousseau des paysages et des arbres. La Galerie nationale de Budapest conserve trente-cinq peintures de cet artiste.

ZRZAVY Jan ou **Zrsavy, Zerzavy**
Né le 5 novembre 1890 à Vadin. Mort le 15 octobre 1977 à Prague. xxe siècle. Tchécoslovaque.
Peintre, illustrateur, dessinateur. Symboliste.
Il fut élève de l'École des Arts décoratifs de Prague, de 1907 à 1909 ; il étudia aussi à l'Académie des Beaux-Arts. Vers 1917, avec Bohumil Kubista et Vaclav Spala, il fonda le groupe des *Obstinés*, représentant les divers courants progressistes. Il a voyagé en Europe, notamment en Italie, à Venise, et en France, séjournant à Paris et en Bretagne.
À Paris, il a exposé aux Salons d'Automne et des Tuileries. Il a participé à de très nombreuses expositions à Prague, Brno, Bratislava, Berlin, Dresde, Leipzig, Darmstadt, Hambourg, Düsseldorf, Venise, etc. Il était membre des sociétés Manès et Umelecka Beseda de Prague. Il a été nommé Artiste National.
Dans ses premières années de peinture, son adhésion à la poétique symboliste se fondait souvent sur des thèmes bibliques : *Le Sermon sur la montagne* de 1912 ; *La Cène* de 1913 ; puis adoptait des concepts spiritualistes généralistes, avec *Les Amants* de 1914 ; *L'Aube* de 1913-1919. Son œuvre, relativement varié au long de sa carrière, est cependant, dès le début, caractérisé par des personnages aux volumes simplifiés et flous, comme cotonneux. Dans sa vision des choses et des êtres, il y a alors du Eugène Carrière qui aurait connu l'époque cubiste.
À partir des années vingt, il a évolué indépendamment des courants constitués. L'œuvre de Zrzavy fait désormais le lien entre le symbolisme de la fin du xixe siècle et les courants oniriques du xxe. Comme éclairés d'une lumière intérieure filtrant à travers les feuillages, ses paysages mélancoliques, ou même comme l'irradiant d'eux-mêmes, ses personnages rêveurs, surtout féminins comme celui d'une énigmatique *Cléopâtre* qui réapparaît régulièrement, traduisent la poésie intime du peintre qui a trouvé la réponse aux questions vitales en se plaçant résolument en marge de la réalité quotidienne. De son œuvre, il faut aussi citer les vues de Prague, les paysages de Venise et les ports de Bretagne, transpositions oniriques comme à partir de souvenirs nocturnes et flous et qui surtout effacent toute trace d'un présent réfuté. Le Musée d'Art moderne de la Galerie nationale de Prague conserve un grand nombre de ses peintures, ainsi que la plupart des musées de Tchécoslovaquie.
■ Jacques Busse
Bibliogr. : In : Catalogue de l'exposition *50 ans de peinture tchécoslovaque, 1918-1968*, Musées tchécoslovaques, 1968 – in : *Diction. univers. de la Peint.*, Le Robert, Paris, 1975.
Musées : Prague (Mus. d'Art mod. de la Gal. nat.).

ZSCHETZSCHE Ali
Né en 1902 à Vienne. xxe siècle. Autrichien.
Peintre.
Il fut élève de l'École d'Art de Nuremberg. Il travailla à Pretzfeld et à Munich.

ZSCHOCH Volradt. Voir **CZOCH**

ZSCHOKKE Alexander
Né le 25 novembre 1894 à Bâle. Mort en 1981 à Bâle. xxe siècle. Suisse.
Sculpteur de figures, nus, portraits, statuettes, bustes, peintre.
Il fut élève de l'Académie des Beaux-Arts de Munich. Il exposa à partir de 1918. Il a pris part aux Expositions de la Société Suisse des Peintres et Sculpteurs.
Il sculpta surtout des bustes. On cite ses statues aux formes étirées, notamment celle de *René Auberjonois*.
Musées : Aarau (Aargauer Kunsthaus) : *Portrait de René Auberjonois* 1947, aqu. – *Enfant dansant* 1952, plâtre – *Esculape*, plâtre – Berlin – Essen – Hanovre – Lausanne (Mus. canton. des Beaux-Arts) : *Portrait de René Auberjonois* 1947, ronde-bosse, bronze – Munich.
Ventes Publiques : Berne, 18 nov. 1972 : *René Auberjonois avec sa palette*, bronze : **CHF 16 200** – Zurich, 13 nov. 1976 : *Nu debout*, bronze patiné (H. 37,5) : **CHF 2 200** – Zurich, 21 mai 1977 : *La danse de la mort* 1964, bronze (H. 45) : **CHF 6 500** –

ZURICH, 4 juin 1992 : *Les jeunes folles*, bronze (37x25) : **CHF 3 955.**

ZSCHOTZSCHER Johann Christian
XVIIIe siècle. Travaillant à Jönköping en 1737. Suédois.
Peintre.
Il a peint *Le Christ à Gethsémani* pour la Chapelle de l'Ouest de Jönköping.

ZSELLER Imre ou **Emerich**
Né en 1878 à Budapest. XXe siècle. Hongrois.
Peintre verrier, mosaïste.
Il fit ses études à Budapest. Il exécuta des vitraux dans les églises d'Angyalföld, de Kalocsa, de Szeged et de Zugliget.

ZSIGMONDI Andras
XVIIIe siècle. Hongrois.
Sculpteur.
Actif à Sonbanya, il travaillait à Kaschau en 1774.

ZSISSLY
XXe siècle. Américain.
Peintre.
Chacune de ses œuvres représente une telle somme de détails que l'on ne peut lui dénier un certain métier à la base. Figure aux expositions de la Fondation Carnegie de Pittsburgh.

ZSITVAY Janod ou **Jean**
Né le 5 janvier 1870 à Györ. Mort le 15 octobre 1918 à Selmecbanya. XIXe-XXe siècles. Hongrois.
Peintre de portraits, paysages.
Il était actif à Selmecbanya.

ZSOHAR Rajnard ou **Rajnerius**
Né vers 1800 à Pest. Mort après 1861 à Pest. XIXe siècle. Hongrois.
Peintre.
Il exposa à Budapest en 1844 des paysages suisses et des sujets mythologiques.

ZSOLDOS Gyula ou **Jules**
Né en 1873 à Szentes. XIXe-XXe siècles. Hongrois.
Peintre de figures, paysages.

ZSOMBOLYA-BURGHARDT Jozsef
Né le 28 mars 1884 à Zsombolya. XXe siècle. Hongrois.
Peintre de figures, paysages.

ZSOMBOLYA-BURGHARDT Rezsö ou **Rodolphe**
Né le 28 mars 1884 à Zsombolya. XXe siècle. Hongrois.
Peintre de portraits, paysages. Postimpressionniste.
Il était actif à Budapest. Les Musées de Budapest conservent des peintures de cet artiste.
MUSÉES : BUDAPEST.

ZSOTER Akos
Né le 6 septembre 1895 à Ujpest. XXe siècle. Hongrois.
Peintre de figures.
Il était actif à Budapest.

ZUAF-DAVID Lellya
Née le 29 juin 1923 à Bucarest. XXe siècle. Depuis 1972 active en Israël. Roumaine.
Sculpteur de monuments, figures, portraits, médailleur. Réalisme officiel.
À l'Académie des Beaux-Arts de Bucarest, de 1942 à 1944 elle étudia la peinture ; de 1944 à 1948 la sculpture. Elle participe à de nombreuses expositions collectives, en Roumanie, Israël, France, Suisse, Italie, Suède, Allemagne, etc., notamment en 1954, 1956, à la Biennale de Venise, en 1985 à Stockholm. En Roumanie, elle a obtenu des Prix importants en 1952, 1960, 1967.
Elle travaille la pierre et le marbre en taille directe et la terre à destination de la fonte en bronze. En Roumanie, elle a pu exécuter de nombreuses sculptures monumentales pour des espaces publics. En Israël, elle a encore réalisé quelques œuvres monumentales et surtout des portraits. Au cours de sa carrière, le style de Lellya Zuaf-David a évolué d'un néo-classicisme obligé dans les pays du bloc de l'Est, dans lequel cependant elle privilégiait le geste et le rythme, à un post-romantisme expressif, enfin à quelques tentatives abstraites.
BIBLIOGR. : Ionel Jianou et divers : *Les Artistes roumains en Occident*, American Romanian Academy of Arts and Sciences, Los Angeles, 1986.

ZUAN Andrea
XVIe siècle. Travaillant à Venise. Italien.
Peintre de vues.
Le Musée Correr à Venise conserve de lui *Grande Vue de Venise*, exécutée en 1500.

ZUAN da Milano. Voir **DENTONE Giovanni**

ZUAN MARIA da Padova ou **Padovano**. Voir **MOSCA Giovanni Maria**

ZUANE da, ou di... Voir **GIOVANNI**

ZUANE da Asola. Voir **GIOVANNI da Brescia**

ZUANE da Murano. Voir **GIOVANNI d'Alemagna**

ZUBER Anna Élise
Née le 13 juillet 1872 à Rixheim (Haut-Rhin). Morte le 19 janvier 1932 à Paris. XIXe-XXe siècles. Française.
Peintre de paysages, fleurs, aquarelliste.
Élève de son père, elle exposait au Salon des Artistes Français. Elle reçut une mention honorable en 1902, une médaille de troisième classe en 1907, fut sociétaire en 1907.
La vigueur de son coloris et la netteté de ses tons permettent de la considérer comme un des bons peintres de fleurs de sa génération, dans la tradition de ceux du XIXe siècle.
MUSÉES : DIEPPE : *Un coin de cheminée*, past. – MULHOUSE : *Fleurs d'automne*, aquar. – PONTOISE : *Iris et pivoines* – SAUMUR : *Dans la montagne*.
VENTES PUBLIQUES : PARIS, 15 mars 1950 : *Fleurs* 1906, aquar. : **FRF 1 100.**

ZUBER Antoine
Né en 1933 à Montbéliard. XXe siècle. Français.
Sculpteur. Abstrait.
Il fut élève de l'École des Beaux-Arts de Paris. En 1964, il a reçu le Prix André Susse. Il participe à des expositions collectives, notamment aux Biennales de Paris et d'Anvers-Middelheim. Il a montré plusieurs expositions personnelles de ses œuvres, à Paris, 1962, 1963, 1964, 1967, etc.
Après des débuts réalistes, il a évolué vers une abstraction architecturale, passant au travail du métal ou de matériaux industriels modernes, pour des signaux, des mobiles, des sculptures flottantes.
BIBLIOGR. : Denys Chevalier, in : *Nouveau diction. de la sculpt. mod.*, Hazan, Paris, 1970.

ZUBER Henri ou **Jean Henri**
Né le 24 juin 1844 à Rixheim (Haut-Rhin). Mort le 7 avril 1909 à Paris. XIXe siècle. Français.
Peintre de paysages animés, paysages urbains, animaux, aquarelliste.
Il était le petit-fils de Jean Zuber, le fondateur de la Manufacture de papiers peints panoramiques. D'abord officier de marine, il parcourut les mers de Chine et du Japon, de 1865 à 1867, et se consacra définitivement à la peinture à partir de 1868. Il s'inscrivit à l'École des Beaux-Arts de Paris, dans l'atelier de Charles Gleyre. Il travailla à Paris même et en Ile-de-France, en Alsace et dans le Jura, en Bretagne et sur la Côte d'Azur, ainsi qu'en Italie et en Suisse.
Membre du jury des Artistes Français, où il exposait depuis 1869, il participa, dès sa fondation, à la Société des Aquarellistes Français.
Il travaillait dans l'esprit « plein-airiste » des peintres de Barbizon, se rendant sur le motif pour prendre des croquis et esquisses, et était l'ami de Corot. Il a laissé de nombreuses vues de Paris. Très grand aquarelliste, il fut surtout remarqué à partir de 1880, par sa recherche de la lumière : innovation audacieuse que l'on retrouve à cette époque chez Harpignies, avec lequel il a beaucoup de points communs. Son dessin et ses couleurs sont d'une grande sensibilité. Dans ses dernières aquarelles, il va à l'essentiel, laissant de côté tout détail. Son style peut alors faire penser à celui de la peinture chinoise.
■ Pierre Miquel

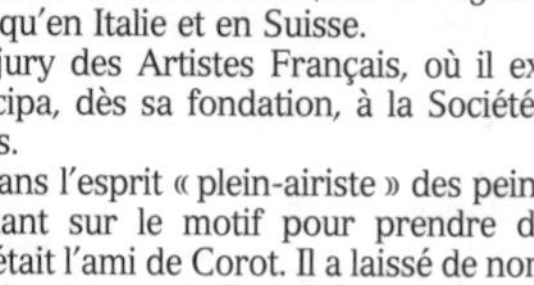

BIBLIOGR. : In : *Diction. Univers. de la Peint.*, t. VI Le Robert, Paris, 1975 – Pierre Miquel, in : *Le Paysage français au XIXe siècle*

1800-1900, l'école de la nature, Éditions de la Martinelle, t. IV, Maurs-la-Jolie, 1985.
Musées : Amiens : *Le passé : un soir à Versailles* 1898 – Bordeaux : *Les marches de marbre rose de Versailles* – Chalons-sur-Marne : *Le bain des nymphes* 1873 – Mulhouse : *Le port de Gênes* 1876 – *Le vallon de la Richardais* 1876 – *La plaine* 1886 – Nancy : *Soir d'automne* 1878 – Orléans : *Dante et Virgile* – Paris (Mus. du Louvre) : *Le premier sillon* 1882 – La Rochelle : *Chercheurs de marne à marée basse* – Strasbourg (Mus. d'Art mod.) : *Entrée du port de Gênes* 1876 – *Le troupeau de Vieux-Ferrette en Alsace* 1883.
Ventes Publiques : Paris, 1883 : *Taureaux se battant*, aquar. : **FRF 300** – Paris, 1900 : *L'École militaire*, aquar. : **FRF 1 000** – Paris, 11-12 fév. 1921 : *Paysage du Midi* : **FRF 820** – Paris, 17 mai 1944 : *Route du Cap d'Antibes*, aquar. : **FRF 13 000** – Paris, 29 oct. 1948 : *Port* : **FRF 25 000** – Paris, 9-10 nov. 1953 : *Paris, fontaine dans les jardins de l'avenue de l'Observatoire*, aquar. : **FRF 22 500** – Versailles, 14 mai 1972 : *Chute d'eau en sous-bois*, h/t (65x50) : **FRF 2 800** – Versailles, 21 oct. 1973 : *Pâturages à Winkel* : **FRF 5 500** – Versailles, 27 juin 1976 : *Le Troupeau dans la campagne*, h/t (46x65) : **FRF 2 200** – Paris, 13 déc 1979 : *Paysage d'Île de France avec troupeau*, h/t (46x65) : **FRF 4 800** – Paris, 14 juin 1989 : *Rue de ville chinoise*, h/t (60x93) : **FRF 150 000** – New York, 23 mai 1990 : *Paysage avec une lavandière et des vaches*, h/t (195,6x145,4) : **USD 14 300** – Paris, 22 juin 1990 : *Jonque en Chine*, h/t (146x200) : **FRF 60 000** – Paris, 19 jan. 1992 : *Jonque chinoise dans la baie de Ting-Hae*, h/t (142x200) : **FRF 84 000** – Paris, 10 juin 1996 : *Paysage à la rivière*, h/t (50x70) : **FRF 7 700**.

ZUBER Jean
Né en 1943 à Bienne. xxe siècle. Actif aussi en France. Suisse.
Peintre, technique mixte.
Il suivit des études d'architecture, s'initiant en autodidacte à la peinture. Il entreprend fréquemment des voyages éventuellement lointains, par exemple en Australie. Depuis 1976, il participe à des expositions collectives, dont : 1980 Paris, Biennale des Jeunes ; 1983 Paris, *Nœuds et ligatures*, Fondation Nationale des Arts Graphiques et Plastiques ; 1986 Paris, Salon de la Jeune Sculpture ; 1987, groupes à Chartres, Troyes, Calais, Chambéry ; etc. Il expose individuellement : 1987 Corbeil-Essonnes, Centre d'art contemporain Pablo Neruda ; 1988 Bâle, galerie Specht ; 1997, Centre d'art contemporain (Credac), Ivry-sur-Seine ; 1997, galerie Philippe Casini, Paris.
En relation avec les langages primitifs (africains, Hopi, aborigène d'Australie), dont il va chercher les traces au cours de ses voyages, sur des formats importants, il inscrit, gratte, incise, peint quelquefois, de grands signes peut-être plus ésotériques qu'initiatiques.
Musées : Paris (FNAC) : *Gershwin* 1988.
Ventes Publiques : Lucerne, 24 nov. 1990 : *Le regard du cannibale* 1986, h. et techn. mixte/t (55x38) : **CHF 2 500**.

ZUBER Johann Ulrich
Mort en 1768 à Bâle, selon certaines sources. xviiie siècle. Suisse.
Peintre.
Probablement de Schaffhouse, où on trouve déjà à la fin du xve siècle un peintre du même nom, cet artiste est l'auteur d'un portrait du *Noble tribun Joh. Casparus Stockarus* de Schaffhouse, œuvre signée *J. V. Zuber Pinx*, et gravée par Georg Seiler.

ZUBER Julius
Né en 1861 à Stanislaus. xixe-xxe siècles. Autrichien.
Peintre de genre, intérieurs, illustrateur.
Il fut élève de l'Académie des Beaux-Arts de Vienne. Il exposa à Munich de 1888 à 1889.
Ventes Publiques : Londres, 24 jan. 1968 : *Soldats trinquant dans un intérieur* : **GBP 600** – Vienne, 18 sept 1979 : *Intérieur de cuisine*, h/t (44,5x54,5) : **ATS 20 000** – New York, 30 oct. 1985 : *La chaise boiteuse ; La pipe cassée* 1886, h/t et h/pan. (38x30,8) : **USD 2 500**.

ZUBER Pierre-Alain
Né vers 1950. xxe siècle. Suisse.
Sculpteur. Abstrait, tendance minimaliste.
Il montre des ensembles de ses créations dans des expositions personnelles : 1990 Lausanne, Musée cantonal.
Il travaille le bois de sapin brut. Il le débite en lamelles, qu'il forme à la scie et colle. Les infimes différences progressives entre les lamelles avant collage, créent le rythme dynamique de l'objet final.

ZUBER Violette
Née le 28 février 1899 à Mulhouse (Haut-Rhin). xxe siècle. Française.
Peintre, aquarelliste.
Élève de P. Vignal, de Géo Weiss et d'E. Renard. Active à Paris, elle exposait au Salon des Artistes Français depuis 1926.

ZUBER-BUHLER Fritz
Né en 1822 au Locle. Mort le 23 novembre 1896 à Paris. xixe siècle. Actif en France. Suisse.
Peintre de genre, portraits.
Élève de Louis Grosclaude et de François Édouard Picot à l'École des Beaux-Arts de Paris, il partit pour l'Italie, où il séjourna de 1841 à 1846, avant de revenir s'installer à Paris. Il débuta au Salon de Paris en 1850 et y exposa jusqu'à sa mort. Ses scènes retracent les bonheurs et les problèmes de la vie conjugale, dans des tonalités douces, mais sous un éclairage contrasté.

Zuber-Buhler

Zuber-Buhler

Bibliogr. : Gérald Schurr, in : *Les Petits Maîtres de la peinture 1820-1920, valeur de demain*, Les Éditions de l'Amateur, t. IV, Paris, 1979.
Musées : Agen : *La Vierge* – Berne : *Bonheur maternel, le matin – Bonheur maternel, le soir* – Le Locle : *Autoportrait* – Montpellier : *Scène enfantine* – Neuchâtel : *La Poésie*.
Ventes Publiques : Paris, 1868 : *La rosée*, dess. : **FRF 1 050** – Paris, 1899 : *Debout* : **FRF 1 550** – Paris, 3 déc. 1925 : *Le bain interrompu* : **FRF 5 000** – Paris, 16 fév. 1945 : *La femme à la rose* : **FRF 15 000** – Paris, 13 déc. 1946 : *Le bain interrompu* : **FRF 59 000** – Lucerne, 27 nov. 1970 : *Fillette accroupie* : **CHF 7 200** – Lucerne, 29 juin 1973 : *Le petit déjeuner* : **CHF 9 200** – Berne, 3 mai 1974 : *Jeune Espagnole* 1866 : **CHF 5 000** – Zurich, 12 nov. 1976 : *Le Perroquet savant*, h/t (41x33) : **CHF 3 400** – New York, 14 jan. 1977 : *Le bain*, h/t (35,5x27,5) : **USD 3 000** – New York, 4 mai 1979 : *Fillette à la couronne de lauriers*, h/t (55x46) : **USD 5 500** – Zurich, 15 mai 1981 : *Souvenir d'une noce aux environs de Paris*, h/t (124x170) : **CHF 24 000** – Monte-Carlo, 16 juin 1982 : *Portrait de petit garçon* 1864, fus. et cr. coul. et reh. de gche et de blanc, à vue ovale (50x38,5) : **FRF 6 500** – New York, 26 oct. 1983 : *La Naissance de Vénus* 1877, h/t (161x127) : **USD 52 500** – New York, 23 mai 1985 : *La marchande de fleurs*, h/t (92,6x72,5) : **USD 15 000** – New York, 26 fév. 1986 : *Fillette tenant un épagneul dans ses bras*, craies noire et de coul. reh. de blanc, de forme ovale (49,5x39,4) : **USD 1 500** – New York, 25 fév. 1988 : *Le bain*, h/pan. (34,2x24,1) : **USD 6 600** – New York, 24 mai 1989 : *Petite fille et sa poupée*, h/t (57,1x47) : **USD 55 000** – New York, 23 mai 1991 : *En taquinant le bébé*, h/t (73,6x61) : **USD 16 500** – Neuilly, 11 juin 1991 : *L'attente*, h/t (24x33) : **FRF 90 000** – New York, 17 oct. 1991 : *La toilette*, h/t (35,5x27,3) : **USD 8 800** – New York, 26 mai 1992 : *Mère et enfant*, h/t (147,6x113) : **USD 7 700** – New York, 29 oct. 1992 : *Maternité*, h/t/cart. (73,7x61,6) : **USD 17 600** – Paris, 27 mai 1994 : *Faune et Bacchante*, h/t (102x79) : **FRF 65 000** – Monaco, 19 juin 1994 : *L'émancipation féminine* 1881, fus. avec reh. de blanc (72x92) : **FRF 26 640** – New York, 16 fév. 1995 : *Nymphe cueillant des fleurs*, h/t (32,4x26) : **USD 5 750** – Londres, 17 mars 1995 : *Rêverie*, h/t (73x92,2) : **GBP 5 520** – Paris, 14 juin 1996 : *Baigneuse sous bois*, h/cart. (16,5x23) : **FRF 7 500** – Londres, 21 nov. 1996 : *Baigneuse dans un bois*, h/t (56,5x40) : **GBP 6 325**.

ZÜBERLEIN Jakob ou **Zäberlin, Zieberlien, Ziberlen, Zuberlin**
Né le 26 février 1556 à Heidelberg. Mort avant le 15 octobre 1607 à Tubingen. xvie siècle. Allemand.
Peintre, dessinateur et graveur sur bois.
On connaît peu de peintures de lui. Influencé par Tobias Stimmer. Il travailla pour la cour de Stuttgart et exécuta des portraits. Il peignit les murs et les plafonds du Lusthaus de Stuttgart. Comme graveur sur bois, on lui doit un nombre considérable de pièces, notamment, un frontispice des *Annales de Crusius*, imprimées à Francfort en 1595. Ses bois sont souvent signés de son monogramme ou marqués d'un petit tonneau. Le Musée de Stuttgart conserve de lui *Arbre généalogique du duc Louis de Wurtemberg*.

ZUBIAURRE Y AGUIRREZABAL Ramon de
Né le 1er septembre 1882 à Garay (près de Biscaye Pays Basque). Mort le 2 juin 1969 à Madrid. xxe siècle. Espagnol.
Peintre de compositions à personnages, scènes de genre, figures, portraits, natures mortes.
Frère de Valentin, il était aussi sourd-muet. Il fut élève de l'École des Arts et Métiers, puis de l'École des Beaux-Arts de Madrid, dans les ateliers de Haes, Munoz Degrain et Alejandro Ferrant. En 1902, il obtint une bourse d'études pour Paris, où il séjourna avec son frère. Il s'établit à Madrid en 1918 et effectua, tout au long de sa carrière, divers voyages en Amérique du Sud.
Il prit part à de multiples expositions collectives, parmi lesquelles : à partir de 1899 Société Nationale des Beaux-Arts de Madrid ; 1909 Munich ; 1910 Buenos Aires ; 1911 Barcelone ; 1915 San Francisco et Bilbao ; 1921 Buenos Aires, Montevideo et Rosario de Santa Fe ; 1922 Londres ; 1926 Musée du Jeu de Paume, Paris ; ainsi que New York, Pittsburgh, Oslo, Bruxelles, Berlin, Rome, etc. Il reçut un grand nombre de récompenses.
Ramon Zubiaurre peignit des types populaires espagnols, des portraits. En apparence, son art est très proche de celui de son frère aîné, Valentin. Il maîtrise à peu près le même registre de moyens plastiques. Pourtant, si le principe des compositions de personnages en groupes est semblable, le regard de Ramon diffère de celui de Valentin. Ramon semble avoir eu connaissance de la peinture de Gauguin et des Nabis et la construction de l'espace de ses œuvres se révéle d'une véritable audace. Il peut, sur un même plan, en perspective cavalière, c'est-à-dire sans effet de lointain et seulement par la diminution progressive de l'échelle des personnages et du décor, situer deux femmes devant leur étal de fruits ; à peine décalée une autre livre un plateau qu'elle porte sur la tête ; dans l'écartement entre ceux du premier plan, en plus petits, les commerçants du marché vaquent sur la place du village bordée de maisons blanchies à la chaux et qui s'enfonce jusqu'à l'église, qui « couronne » véritablement la construction plastique. Quant au domaine psychologique, au parti de réalisme énigmatique de son frère, lui aussi sourd-muet semble opposer une volonté de symbolisme expressif. Les figurants de ses groupes ne sont pas figés, ils s'affairent, diserts. Les visages, les attitudes sont familiers, presque éloquents. Avec la peinture, Ramon Zubiaurre aurait trouvé son moyen de communiquer. ■ J. B., S. D.
Bibliogr. : In : *Cien Anos de pintura en Espana y Portugal, 1830-1930*, Antiqvaria, t. XI, Madrid, 1993.
Musées : Amsterdam (Stedelijk Mus.) : *Le propriétaire de la maison* – Bilbao (Mus. d'Art mod.) : *Les rameurs d'Ondarroa* – *Les intellectuels de mon village* – Buenos Aires (Mus. mun.) : *La maison natale de Juan de Garay* – Lyon (Mus. des Beaux-Arts) : *Noces d'or à Salamanque* – Madrid (Mus. d'Art mod.) : *Le matelot basque Shanti-Andfa* – Oslo : *La partie de cartes* – Paris (Mus. d'Art mod.) : *Les notables de la ville* – *Vagabonds mendiants* – Pontevedra, Galice – Rome (Mus. d'Art mod.) : *Vauriens et mendiants* – Rosario de Santa Fe – San Diego : *Les matelots d'Ondarroa* – Santiago de Chile : *La grand-mère* – Vitoria : *Les officiels de mon village* – *Tête de vieillard* – Worcester : *Paysans de Vizcaya*.
Ventes Publiques : Madrid, 1er avr. 1976 : *Sanzolaris*, h/t (65x65) : **ESP 800 000** – Madrid, 17 oct 1979 : *La partie de cartes*, h/t (100x200) : **ESP 950 000** – Montevideo, 28 nov. 1983 : *Los Salamianquinos*, h/t (78x64) : **UYU 60 000** – Londres, 19 juin 1985 : *Trois femmes à leurs ouvrages dans un paysage*, h/t (73,5x89) : **GBP 3 000** – Londres, 22 juin 1988 : *Les fileuses*, h/t (90x104) : **GBP 11 000** ; *Portrait de femme*, h/t (59x45,5) : **GBP 8 800** – Londres, 17 fév. 1989 : *Le charpentier* 1934, h/t/cart. (46x58,5) : **GBP 6 820** – Londres, 21 juin 1989 : *Costumes et objets folkloriques de Ségovie*, h/t (99x99) : **GBP 55 000** – New York, 25 oct. 1989 : *Scène de la vie des pêcheurs dans un village portuaire*, h/t (41,3x36,2) : **USD 14 300** – Londres, 15 fév. 1990 : *Costumes folkloriques de Salamanque*, h/t (30,5x35) : **GBP 4 180** – New York, 1er mars 1990 : *Homme de Fuensaldana*, h/t (31x45,7) : **USD 8 800** – Londres, 15 juin 1994 : *Paysannes basques* 1924, h/t (75x90) : **GBP 24 150**.

ZUBIAURRE Y AGUIRREZABAL Valentin de
Né le 22 août 1879 à Madrid. Mort le 24 janvier 1963 à Madrid. xxe siècle. Espagnol.
Peintre de compositions à personnages, figures typiques, portraits, natures mortes, fleurs.
Premier fils du maître de chapelle du Palais Royal, il est le frère de Ramon et sourd-muet comme lui. Il fut élève de l'École des Beaux-Arts de Madrid, dans les ateliers de Haes, Moreno Carbonero, Munoz Degrain et Alejandro Ferrant, de 1894 à 1899. Entre 1899 et 1906, il effectua, avec sa mère et son frère, divers voyages en France et en Italie.
Il figura dans de nombreuses expositions collectives, parmi lesquelles : à partir de 1901, Société Nationale des Beaux-Arts de Madrid ; 1909 Munich ; 1910 Exposition universelle de Bruxelles, Buenos Aires ; 1911 Barcelone ; 1915 San Francisco ; ainsi que New York, San Diego, Tokyo, Venise, Oslo, Pittsburgh, Rosario de Santa Fe, Santiago de Chili, Bilbao, etc. Il montra également ses œuvres dans des expositions personnelles à Londres en 1922, puis à Barcelone, Madrid et Bilbao, de 1940 à 1956. En 1986, une exposition rétrospective de son œuvre fut organisée, à titre posthume, au Musée des Beaux-Arts de Bilbao. Comme son frère, il reçut un grand nombre de récompenses et distinctions ; il devint entre autres académicien de l'École des Beaux-Arts de Madrid.
Valentin Zubiaurre est un peintre qui, de toute évidence, dispose et maîtrise de grands moyens, dessinateur aigu auquel rien de physique ni de psychologique n'échappe, metteur en scène qui remplit son espace avec efficacité, éclairagiste qui crée le climat approprié à chaque événement, costumier qui sait les valeurs symboliques des couleurs. Pourtant, on éprouve une retenue quand il s'agit de le définir dans son époque. Son parti pris de réalisme peut paraître tardif dans le siècle. On pourrait cependant en associer la gravité toute espagnole à la « Neue Sachlichkeit » contemporaine en Allemagne, beaucoup plus qu'au réalisme de propagande des quelques pays totalitaires de l'époque. Il peignait des types populaires basques et castillans en groupes, qu'il met en scène avec une certaine théâtralité mais qui ne manque pas de grandeur. Comme chez Otto Dix à la période de la Nouvelle Objectivité, tous les visages, scrutés jusqu'aux plus infimes rides, sont graves, les personnages de Valentin Zubiaurre regardent ailleurs ou plutôt nulle part ailleurs qu'à l'intérieur d'eux-mêmes. Miment-ils le problème d'incommunicabilité du peintre sourd-muet ? ■ J. B., S. D.

VALENTIN DE ZUBIAURRE

Bibliogr. : In : *Cien Anos de pintura en Espana y Portugal, 1830-1930*, Antiqvaria, t. XI, Madrid, 1993.
Musées : Alava, Pays Basque (Mus. prov.) – Bilbao (Mus. des Beaux-Arts) – Chicago : *L'Oncle Tarturo de Ségovie* – Gand (Mus. des Beaux-Arts) – Madrid (Mus. d'Art mod.) : *Euskotarrok* – Paris (ancien Mus. du Luxembourg) : *Pour les victimes de la mer* – Pittsburgh : *Crépuscule en Castille* – Tokyo.
Ventes Publiques : Bruxelles, 11 mars 1950 : *La fête des paysans* : **BEF 17 000** – Londres, 12 juil. 1968 : *Paysans espagnols* : **GNS 380** – Madrid, 13 déc. 1973 : *Deux espagnoles portant des mantilles sur un balcon* : **ESP 700 000** – Madrid, 27 juin 1974 : *Nature morte aux fleurs* 1952 : **ESP 500 000** – Los Angeles, 9 nov. 1977 : *Joaquin*, h/t (62,2x44,4) : **USD 4 000** – Madrid, 3 janv 1979 : *Segoviano*, h/t (52x35) : **ESP 175 000** – New York, 1er déc. 1983 : *El Padre*, h/t (38,6x49) : **USD 2 000** – New York, 30 oct. 1985 : *L'aqueduc de Segovia*, h/t (82,5x96,5) : **USD 7 500** – Londres, 22 juin 1988 : *Repas paysan*, h/t (100x150) : **GBP 52 800** – New York, 23 fév. 1989 : *Voiliers au large d'une côte rocheuse à l'aube*, h/t (38x45,7) : **USD 10 450** – Londres, 17 mars 1989 : *Autoportrait en buste*, h/t (61x46) : **GBP 11 000** – Londres, 21 juin 1989 : *Portrait d'une paysanne âgée*, h/t (57,5x42) : **GBP 7 150** – New York, 1er mars 1990 : *Concert champêtre*, h/t (33x54) : **USD 20 900** – New York, 24 oct. 1990 : *Mari-Tere*, h/t (90,2x90,8) : **USD 24 200** – Londres, 19 juin 1991 : *Partie de cartes* 1902, h/t (83x119) : **GBP 8 800**.

ZUBKOV Gennady
Né en 1940 à Perm. xxe siècle. Russe.
Peintre de paysages.
Il est diplômé en Arts Graphiques à Léningrad (Saint-Pétersbourg). Depuis 1967, il participe à des expositions collectives des peintres de l'école de Léningrad.
Musées : Moscou (Mus. Pouchkine) – Saint-Pétersbourg (Mus. d'Art russe).

ZUBLER Albert
Né le 3 février 1880 à Mägenwil. Mort le 12 mars 1927 à Zurich. xxe siècle. Suisse.
Peintre de portraits, paysages.
Il fut élève de l'Académie des Beaux-Arts de Stuttgart.
Musées : Winterthur : *Paysage près de Kybourg* – *Moisson*.

ZUBLI VAN DEN BERGH VAN HEEMSTEDE Maria
Née le 17 juin 1842 à La Haye. Morte le 11 février 1905 à La Haye. XIXe-XXe siècles. Hollandaise.
Peintre de paysages animés, paysages.
Musées : La Haye (Stedelijk Mus.) : *Pont Nassaulaon, Beneordenhoutsche Weg – Les trois chênes de l'avenue – Jacoba dans le bois de La Haye – Bois et dunes.*

ZUBOLI Marco
XVIe siècle. Actif à Ravenne à la fin du XVIe siècle. Italien.
Peintre.

ZUBOW. Voir **SUBOFF**

ZUBRICZKY Lorand ou **Roland**
Né le 29 juillet 1869 à Esztergom. XIXe-XXe siècles. Hongrois.
Peintre de scènes animées, figures, paysages.
Il fit ses études à Budapest et à Paris.
Musées : Arles (Mus. Réattu).
Ventes Publiques : Genève, 23 mars 1977 : *Femme à l'ombrelle rouge*, h/t (65x78,5) : **CHF 2 700** – New York, 23 mai 1985 : *Au jardin* 1911, h/t (73x100) : **USD 17 500** – Paris, 10 oct. 1990 : *Jardin du Luxembourg* 1909, h/pan. (37x50) : **FRF 27 000** – Paris, 17 nov. 1991 : *Scène de parc* 1909, h/pan. (37,5x48,5) : **FRF 36 500**.

ZUBRZYCKI Nikodim
XVIIe-XVIIIe siècles. Travaillant à Kiev de 1695 à 1724. Russe.
Graveur au burin et sur bois.
Il grava des scènes historiques, des images pieuses, des vignettes et des frontispices.

ZUCCA. Voir aussi **ZUCCHI** et **SUCCA**

ZUCCA Filippo
XVIe-XVIIe siècles. Actif à Gênes. Italien.
Peintre.

ZUCCA Francesco. Voir **FRANCESCO Fiorentino**

ZUCCA Raymo
XVIe siècle. Travaillant à Naples en 1559. Italien.
Sculpteur sur bois.

ZUCCA da Gaëta
XVIe siècle. Actif dans la première moitié du XVIe siècle. Italien.
Sculpteur sur bois.
Il travailla pour l'abbaye du Mont Cassin.

ZUCCARELLI Antonio
Né en 1753. Mort en 1818. XVIIIe-XIXe siècles. Actif à Naples. Italien.
Peintre de miniatures.
Il travailla pour la Manufacture de porcelaine de Capodimonte.

ZUCCARELLI Francesco ou **Zuccherelli**
Né le 15 août 1702 à Pitigliano. Mort le 30 décembre 1788 à Florence. XVIIIe siècle. Italien.
Peintre de compositions religieuses, sujets allégoriques, scènes de genre, figures, portraits, paysages animés, paysages, peintre à la gouache, aquarelliste, graveur, dessinateur.
Il commença ses études à Florence avec Paolo Anesi, puis fut successivement élève de Giovanni Marco Morandi et de Pietro Nelli, à Rome. D'abord peintre d'histoire, il s'adonna par la suite plus particulièrement au paysage décoratif, inspiré de Claude Lorrain, avec d'intéressantes figures. Dans ce genre, Zuccarelli créa un style qui rendit son nom populaire. Après avoir séjourné à Venise, où il fut marqué par l'œuvre de Mario Ricci, il alla en Angleterre, traversant l'Allemagne, la France, la Hollande. Il demeura à Londres durant cinq années. Il revint passer quelque temps à Venise et en 1752, reprit le chemin de l'Angleterre. Il exposa à Londres, à partir de 1765, fut membre de la Society of Artists et en 1768, membre fondateur de la Royal Academy. Il exposa aussi à la Free Society. Très aimé du public, il eut les plus brillantes protections et ses œuvres furent reproduites par les meilleurs graveurs de l'époque, notamment, par Bartolozzi, Byrne, Vuare, Nollett. Ayant réalisé une petite fortune, il reprit en 1773 le chemin de Florence, où, ayant placé son bien dans un monastère, il espérait finir paisiblement sa vie. La suppression par le gouvernement de Vienne de cet établissement religieux, ruina l'artiste. Il dut, vieux, fatigué, reprendre ses pinceaux pour vivre. On voit son nom reparaître dans les catalogues de la Royal Academy à Londres jusqu'en 1782.

L'œuvre de Zuccarelli se trouve en majeure partie en Angleterre. On cite, notamment, une pièce du château de Windsor entièrement garnie de ses ouvrages. Dans sa jeunesse, il a gravé quelques eaux-fortes. Continuateur de la tradition du paysage mythologique, il peint une nature ordonnée par l'homme et complétée d'éléments d'architectures, souvent les constructions palladiennes d'Angleterre, qu'animent quelques personnages ou divinités figurant pastorales ou bacchanales. Au siècle de Watteau, l'Europe entière raffole de ses représentations de fêtes galantes et de réunions dans un parc. Après son nouveau séjour à Venise en 1763, il changea légèrement sa manière, donnant plus d'importance aux figures et surtout s'inspirant de Bellotto pour traduire la fluidité de la lumière vénitienne.
Bibliogr. : Thérèse Burollet, in : *Diction. univers. de l'Art et des Artistes*, Hazan, Paris, 1967 – in : Encyclopédie des Arts *Les Muses*, t. XV, Grange Batelière, Paris, 1974.
Musées : Amiens : *Paysage avec pâtres et animaux* – Avignon : trois paysages – Bâle : *Cascade avec pêcheurs* – Bergame (Acad. Carrara) : six paysages – *Deux enfants du comte Fr. Marie Tassio* – Berlin (Mus. nat.) : *Paysage avec bergers* – Budapest : *Paysage italien*, deux œuvres – *Saint Orseole – Saint Romonalde et saint Orseole* – Chambéry : *Retour de l'abreuvoir* – Clamecy : *Paysage et animaux* – Dunkerque : *Adoration des mages* – La Fère : *Paysage italien – Voyage* – Glasgow : *Paysage classique avec Diane et Actéon – Paysage animé – Paysage et figures (dites Louis XIV et Mme de Montespan) – Paysage pastoral – Paysage avec personnages et vaches – Paysage italien* – Hanovre : *Paysage italien*, deux œuvres – La Haye : *Gué dans une forêt* – Londres (Victoria and Albert Mus.) : quatre aquarelles – Mayence : *Paysage avec fillettes dansant* – Milan (Brera) : *Prédication de saint Jean-Baptiste sur les rives du Jourdain* – Nice : *La pêche – Le gué* – Nottingham : *Paysage de rivière et paysans* – Reading : *Paysage animé – Paysage* – Rouen : *Paysage*, deux œuvres – Saint-Pétersbourg (Mus. de l'Ermitage) : *Paysage*, deux œuvres – Stockholm : *Paysage avec chute d'eau et pont* – Stuttgart : *Paysage avec troupeau – Fuite en Égypte – Paysage avec fleuve – Paysage avec personnages*, deux œuvres – Trieste : *Paysage* – Valenciennes : *Paysage – Cascades de Tivoli* – Venise (Gal. roy.) : *Paysage avec personnages et animaux – Sainte Famille – Saint Jean-Baptiste – Madeleine suppliante – Repos en Égypte – Enlèvement d'Europe* – Vienne : *Paysage avec pêcheurs – Paysage avec troupeaux.*
Ventes Publiques : Paris, 1773 : *Paysage avec figures et animaux* : **FRF 660** – Paris, 1798 : *Paysage traversé par une rivière bordée de fabriques*, pl. et bistre : **FRF 150** – Paris, 1874 : *Paysage et figures* : **FRF 580** – Paris, 27 avr.1897 : *Bergère et animaux dans un paysage* : **FRF 180** – Paris, 3 juin 1921 : *Les pêcheuses* : **FRF 1 050** – Londres, 12 juin 1925 : *Paysages* : **GBP 294** ; *Scène de rivière* : **GBP 273** – Paris, 24 juin 1926 : *Pâtres gardant leurs troupeaux* : **FRF 6 400** – Paris, 23 mai 1928 : *Paysage avec troupeau et figures*, dess. reh. : **FRF 4 800** – Londres, 27 juil. 1928 : *Vues du Tibre*, deux pendants : **GBP 588** – Paris, 20 fév. 1929 : *Paysage animé de personnages*, gche : **FRF 1 150** – Londres, 12 juil. 1929 : *Automne* : **GBP 892** – Paris, 22 fév. 1937 : *Vue de ville*, lav. de bistre : **FRF 800** – Paris, 15 juin 1942 : *Le Pont de pierre* ; *Bords de rivière*, deux pendants : **FRF 45 000** – Paris, 17 déc. 1943 : *Pasteurs et troupeau* ; *La Pêche à la ligne*, ensemble : **FRF 29 000** – New York, 28 mars 1946 : *Paysage* : **USD 800** – Paris, 18 juin 1947 : *Paysages avec colonnades de palais et personnages*, h/t, paire : **FRF 40 000** – Londres, 19 juil. 1950 : *Personnages et animaux dans un paysage italien avec ruines* : **GBP 700** – Londres, 26 juil. 1950 : *Paysans au bord d'un fleuve* 1754 : **GBP 280** ; *Vue de Venise* : **GBP 260** – Paris, 19 oct. 1950 : *Paysage en bordure de mer*, École de Fr. Zuccarelli : **FRF 55 000** – Paris, 18 déc. 1950 : *Ruth et l'Ange* : **FRF 10 000** – Paris, 20 juin 1951 : *Le Passage du gué* : **FRF 19 500** – Paris, 27 juin 1951 : *Couple de villageois conversant sur une route* : **FRF 18 000** – Londres, 29 juin 1951 : *Paysage de rivière* : **GBP 199** – Londres, 13 juil. 1951 : *Scène de rivière* : **GBP 441** – Londres, 22 avr. 1953 : *Paysage* : **GBP 500** – Cologne, 6-9 mai 1953 : *Paysage avec pêcheurs* : **DEM 950** ; *Paysage avec troupeau* : **DEM 800** – New York, 29 fév. 1956 : *La Fontaine* : **USD 4 000** – Londres, 28 fév. 1958 : *Paysage avec des paysans près d'une fontaine* : **GBP 400** – Londres, 20 mars 1959 : *Un cavalier et des paysans près d'une ruine* : **GBP 630** – Londres, 7 déc. 1960 : *Paysage avec deux femmes près d'une cascade* : **GBP 1 800** – Londres, 14 juin 1961 : *Vue de la Tamise à Richmond* : **GBP 3 100** – Milan, 15 mai 1962 : *Paesaggio* :

ITL 7 500 000 – LONDRES, 24 mai 1963 : *Paysage boisé* : **GNS 2 800** – LONDRES, 4 déc. 1964 : *Paysage animé de personnages* : **GNS 7 500** – LONDRES, 11 nov. 1965 : *Voyageurs se reposant dans un paysage*, gche : **GBP 700** – LONDRES, 8 déc. 1965 : *Bacchus enfant dans un paysage* : **GBP 3 600** – LONDRES, 1er juil. 1966 : *Paysage avec un cavalier et paysans* : **GNS 8 500** – MILAN, 10 mai 1967 : *Paysage animé* : **ITL 4 000 000** – LONDRES, 10 juil. 1968 : *Bords de rivière animés de personnages* : **GBP 6 600** – LONDRES, 5 déc. 1969 : *Vue de Tivoli* : **GNS 5 000** – LONDRES, 24 juin 1970 : *Paysans dans un paysage italien* : **GBP 14 500** – LONDRES, 26 nov. 1970 : *Paysage*, gche et aquar. : **GBP 1 000** – NEW YORK, 20 mai 1971 : *Paysage à la cascade* : **USD 12 000** – LONDRES, 23 nov. 1971 : *Paysage d'Italie animé de personnages*, aquar. et gche : **GNS 2 400** – LONDRES, 6 déc. 1972 : *Chasseurs dans un paysage* : **GBP 9 000** – MILAN, 5 avr. 1973 : *Pastorale* : **ITL 32 000 000** – LONDRES, 29 nov. 1974 : *Paysage d'Italie animé de personnages* : **GNS 11 000** – LONDRES, 19 mai 1977 : *Paysage animé de personnages*, pl. et lav. reh. de blanc (27x42,4) : **GBP 1 400** – LONDRES, 8 juil. 1977 : *Paysage fluvial animé de nombreux personnages*, h/t (143,4x202) : **GBP 40 000** – LONDRES, 12 juil. 1978 : *Paysage fluvial animé de personnages*, h/t (77,5x119) : **GBP 18 000** – NEW YORK, 11 janv 1979 : *Paysage boisé animé de personnages*, h/t (61x94) : **USD 45 000** – LONDRES, 11 déc. 1980 : *Cavalier et femmes à une fontaine*, pl. et lav. (24x37) : **GBP 5 200** – LONDRES, 7 juil. 1981 : *Pêcheurs et bergers dans un paysage fluvial*, sanguine, pl. et lav. avec reh. de blanc (20,1x30,8) : **GBP 1 300** – LONDRES, 12 avr. 1983 : *Paysage d'Italie avec ville au bord d'une rivière*, sanguine, pl. et lav. reh. de rose et de blanc (34,4x51) : **GBP 8 000** – LONDRES, 15 juin 1983 : *Paysage fluvial boisé animé de bergers, paysannes et troupeau*, gche et pl./traits craie noire (31,9x54) : **GBP 6 000** – NEW YORK, 19 jan. 1984 : *Pêcheurs et Oriental dans un port*, h/t (143x194) : **USD 30 000** – MILAN, 16 avr. 1985 : *Le départ d'Abraham*, h/t (73,5x101) : **ITL 65 000 000** – LONDRES, 1er juil. 1986 : *Berger et trois femmes dans un paysage boisé*, craie noire, pl. et lav. reh. de blanc (22x35,8) : **GBP 4 500** – LONDRES, 10 déc. 1986 : *Voyageur et paysans près d'une fontaine dans un paysage d'Italie*, h/t (70x103) : **GBP 52 000** – LONDRES, 6 juil. 1987 : *Paysage animé de paysans et animaux*, pl. et lav. reh. de blanc et rose/traits de craie rouge (34,5x51,1) : **GBP 11 500** – MILAN, 11 juin 1996 : *Paysage* 1744, h/t (75x117) : **ITL 287 500 000** – VENISE, 7-8 oct. 1996 : *Madeleine dans le désert*, h/t (49,5x80,5) : **ITL 46 000 000** – MILAN, 21 nov. 1996 : *Paysage animé de bergers*, h/cuivre, deux pendants ovales (36,5x45,5) : **ITL 20 970 000** – LONDRES, 11 déc. 1996 : *Paysage de campagne animé de lavandières et de pêcheurs, un aqueduc et un village à l'arrière-plan ; Paysage de campagne animé de paysannes et d'enfants, laboureurs au loin*, h/t, une paire (chacune 70x113) : **GBP 89 500** – VENISE, 7 déc. 1997 : *Grand paysage animé avec une maison et un lac*, h/t (104x190) : **ITL 51 000 000** – ROME, 9 déc. 1997 : *Une bergère et un enfant avec un troupeau dans un paysage fluvial avec au loin un bourg et des vagabonds*, h/t (55x73) : **ITL 74 750 000** – LONDRES, 3 déc. 1997 : *Paysage boisé avec des lavandières au bord d'une rivière, un colporteur sur un chemin à côté, une ville et des montagnes dans le lointain* 1742, h/t (74x114,5) : **GBP 210 500**.

ZUCCARELLI Francesco
XIXe siècle. Italien.
Peintre de décors.
Il est le père de Giovanni Zuccarelli. Il était actif dans la seconde moitié du XIXe siècle.

ZUCCARELLI Giovanni
Né en 1846 à Brescia. XIXe siècle. Italien.
Peintre, surtout de décors.
Fils de Francesco Zuccarelli II. Élève de l'Académie de Turin. Il travailla au Caire, à Milan et à Brescia.

ZUCCARI. Voir aussi **ZUCCARO**

ZUCCARI Arnaldo
Né le 5 juillet 1861 à Brescia. XIXe-XXe siècles. Italien.
Peintre d'histoire, paysages, caricaturiste.
Élève de la Scuola Moretto de Brescia. Il peignit des scènes historiques et des paysages.

ZUCCARI Giampietro ou **Zuccheri**
Né à San Angelo in Vado (près d'Udine). XVIe-XVIIe siècles. Italien.
Sculpteur sur bois.
Cousin de Federico et de Taddeo Zuccaro. Il a exécuté des sculptures dans la Cambio et dans l'église des Franciscains de Pérouse.

ZUCCARINO
XVIe siècle. Travaillant à Urbino de 1595 à 1597. Italien.
Peintre.
Élève et assistant de Frederico Zuccaro.

ZUCCARO. Voir aussi **ZUCCARI**

ZUCCARO Bernardo
XVIIe siècle. Italien.
Peintre.
Il travailla à Ravenne et fut probablement élève de Bambini. Il a peint un *Saint Michel* dans l'église Saint-Dominique de Ravenne.

ZUCCARO Federico ou **Zuccari, Zucchero, Sucarus**
Né probablement en 1540 ou 1542 ou 1543 à San Angelo in Vado. Mort le 20 juillet 1609 à Ancône. XVIe siècle. Italien.
Peintre d'histoire, compositions religieuses, portraits.
Frère cadet et élève de Taddeo Zuccaro, à Rome. Il fut bientôt à même d'aider son frère, et avec l'agrément de Pie IV, travailla à ses côtés en collaboration de Barocci, à la décoration du Belvédère. Il y peignit notamment *L'Histoire de Moïse et de Pharaon ; Les Noces de Cana ; La Transfiguration.* Ses ouvrages établirent la réputation du jeune artiste et son aîné le reconnut officiellement comme son collaborateur pour les travaux à exécuter au Vatican et à la Villa Farnèse à Caprarola. Entre-temps Federico était appelé à Florence pour l'achèvement de la coupole de Santa Maria dei Fiori, que Vasari n'avait pu terminer. En 1566 Taddeo étant mort, Federico fut chargé par le pape Georges XIII de peindre la voûte de la Cappella Paolina. Un différend assez sérieux avec des membres de la maison papale, l'obligea à fuir. Il vint en France en 1572, fut employé par le cardinal de Lorraine. Il alla ensuite à Anvers, où il dessina des cartons pour tapisseries, à Amsterdam et en 1574, il arriva à Londres. Il paraît y avoir été des mieux accueilli, au moins comme peintre de portraits et la liste est longue des grands personnages, qui se firent peindre par lui. Parmi les portraits les plus intéressants, faits à cette époque par Federico, figure celui de Marie Stuart, effigie d'un grand caractère, conservée au château de Chatsworth. Il paraît peu probable que cette œuvre ait été peinte d'après nature, Marie Stuart étant en prison à ce moment-là. On lui attribue également un *Portrait de la reine Elisabeth*, conservé à Hampton Court. Zuccaro retourna en Italie et séjourna pendant un certain temps à Venise. Les travaux qu'il exécuta pour le Grand Conseil lui valurent d'être annobli par la Seigneurie de Venise. Après un séjour à Rome, où ayant obtenu son pardon, il lui fut permis d'achever ses travaux de la Cappella Paolina, il se rendit à la Cour de Madrid vers 1585, invité par Philippe II. Il y travailla à la décoration de l'Escurial, mais il ne semble pas y avoir été apprécié ; il ne tarda pas à revenir à Rome, et ses peintures furent recouvertes par Pellegrino Tibaldi.
Le retour de Federico Zuccaro fut marqué par un événement important dans l'histoire de l'art italien : ce fut lui qui fonda à Rome l'Académie de Saint-Luc, en vertu de lettres patentes délivrées par le pape Sixte V et il en fut le premier président. À sa mort, il légua son bien à cet établissement. Il écrivit, en 1607, un ouvrage sur l'art : le traité *Idea* qui reflétait l'idéal artistique qu'il enseignait, mais aussi le goût du moment. Ce traité quelque peu académique sera réédité en 1768.

FZ INGPF

MUSÉES : BERLIN : *Portrait en miniature d'un noble*, attr. contestée – FLORENCE (Gal. roy.) : *Sujet mythologique – L'âge d'argent – L'âge d'or – Portrait d'homme – L'artiste* – FLORENCE (Pitti) : *Guidobaldo, duc de Montefeltro* – GLASGOW : *Une dame de la famille Riccardi* – LONDRES (Nat. Portrait Gal.) : *Jacques Ier enfant* – MILAN (Brera) : *Jésus aux limbes* – MINNEAPOLIS : *Marie Stuart et Elisabeth d'Angleterre* – NEW YORK (Gal. d'Art) : *Le château du prince d'Orange* – ROME (Borghèse) : *Tentation de saint Antoine – L'apparition de la Sainte Trinité à saint Augustin – La résurrection* – SIENNE : *Elisabeth d'Angleterre* – STUTTGART : *Saint Augustin et l'Enfant Jésus* – VENISE (Palais ducal) : *Frédéric à genoux devant le pape* – VIENNE : *La Vierge, l'Enfant Jésus et le petit saint Jean*.

VENTES PUBLIQUES : PARIS, 1756 : *La Transfiguration* : **FRF 151** – PARIS, 1771 : *Notre Seigneur remet les clefs du Paradis à saint Pierre* : **FRF 1 501** – PARIS, 1785 : *L'empereur Henri IV aux pieds* du pape *Grégoire VII*, pl. et bistre : **FRF 110** – LONDRES, 1892 : *La reine Elisabeth (Les Zuccaro)* : **FRF 2 885** – LONDRES, 25 nov. 1897 : *Portrait d'un gentilhomme en pied (Les Zuccaro)* : **FRF 20 475** – PARIS, 14 mars 1898 : *Portrait de lady Arabella Stuart (Les Zuccaro)* : **FRF 6 025** – PARIS, 1900 : *Portrait de Michel-Ange (Les Zuccaro)* : **FRF 9 100** – PARIS, 12 mai 1919 : *La Vierge et l'Enfant*, pl. et bistre : **FRF 300** – LONDRES, 28 mars 1923 : *Mary Stuart et son fils James* : **GBP 131** – LONDRES, 12 juin 1925 : *La Comtesse de Leicester* : **GBP 136** ; *La reine Elizabeth* : **GBP 194** – LONDRES, 4 déc. 1926 : *Henry, prince de Galles* : **GBP 214** – LONDRES, 9 oct. 1928 : *Edward Dering* : **GBP 231** – PARIS, 28 nov. 1934 : *Le pape Alexandre III recevant à Venise la soumission de l'empereur Frédéric*, pl. et lav. de bistre : **FRF 405** – LONDRES, 16 avr. 1937 : *Portrait de femme* : **GBP 304** ; *Mary, reine d'Écosse* : **GBP 420** – LONDRES, 18 nov. 1938 : *Un gentilhomme* : **GBP 367** ; *Lady Arabella Stuart* : **GBP 220** – LONDRES, 27 juil. 1945 : *Portrait de femme* : **GBP 483** – MARSEILLE, 23 avr. 1949 : *Portrait de sir Jonathan Trelawney en 1599*, attr. : **FRF 72 000** – LONDRES, 19 jan. 1951 : *Portrait de la reine Elizabeth* : **GBP 231** – NEW YORK, 5 juin 1979 : *Un piqueur vu de dos*, craies noire et rouge reh. de blanc (18x12) : **USD 2 000** – LONDRES, 25 mars 1982 : *Le repos pendant la fuite en Égypte*, pl. et lav./trait de craie noire (47x37,9) : **GBP 1 800** – LONDRES, 3 juil. 1984 : *Le couronnement de la Vierge avec saint Laurent, Pierre et Paul, et le martyre de saint Laurent*, pl. et lav. de brun, craie noire et reh. de blanc (57,3x42,7) : **GBP 90 000** – NEW YORK, 16 jan. 1985 : *Allègorie de la Prudence*, pl. et lav./trait de craie noire (30,2x19,3) : **USD 4 200** – PARIS, 13 nov. 1986 : *Personnage drapé, assis, tenant un livre*, sanguine (27,5x17,5) : **FRF 16 000** – PARIS, 1er juil. 1987 : *Allégorie de la Justice dans une niche*, pl. et encre brune, lav. brun/mise au carreau à la pierre noire (35,7x17,5) : **FRF 60 000** – LONDRES, 8 juil. 1987 : *Hommes pêchant dans une rivière*, h/t (192x162) : **GBP 225 000** – NEW YORK, 11 jan. 1990 : *La Foi et l'Espérance*, lav. et encre brune (18,1x41,7) : **USD 2 530 000** ; *L'adoration des bergers (recto) ; Étude de trois bergers (verso)*, lav. et encre avec reh. blanc (recto) : **USD 159 500** – LONDRES, 2 juil. 1990 : *Vierge à l'enfant et Saint Jean Baptiste*, encre et lav./craie rouge (16x13,5) : **GBP 5 280** – NEW YORK, 8 jan. 1991 : *Projet de décor pour un monument mural avec des figures allégoriques*, encre avec reh. de blanc (26,8x20,1) : **USD 7 700** – LONDRES, 2 juil. 1991 : *Petit garçon agenouillé devant un crucifix (recto) ; Personnage accroupi avec un adolescent (verso)*, craies noire et rouge (recto) : **GBP 12 100** – NEW YORK, 14 jan. 1992 : *Figure allégorique assise tenant un livre avec d'autres figures au fond*, encre et lav. (22,3x16,8) : **USD 9 900** – LONDRES, 7 juil. 1992 : *La soumission de l'Empereur Frédéric Barberousse au Pape Alexandre III*, craie noire, encre et lav./pap. huilé (52,8x45,9) : **GBP 5 500** – NEW YORK, 13 jan. 1993 : *Deux femmes assises regardant vers les cieux l'une levant un bras*, craies noire et rouge (20,2x24,4) : **USD 6 600** – MONACO, 20 juin 1994 : *Portrait d'un homme portant un chapeau – autoportrait*, craies noire et blanche (11x7,6) : **FRF 55 500** – PARIS, 20 oct. 1994 : *Portrait d'un écclésiastique*, cr. noir et sanguine (11,2x8,5) : **FRF 22 000** – NEW YORK, 10 jan. 1996 : *Portrait d'un adolescent en buste*, craies noire brune et rouge sur pap. chamois (12x8,8) : **USD 14 950** – LONDRES, 2 juil. 1996 : *La procession votive de saint Grégoire pour lutter contre la peste*, craie noire, encre et lav. (47x26,1) : **GBP 41 100** – NEW YORK, 29 jan. 1997 : *Une partie du dôme de Santa Maria del Fiore avec des saints et des anges en élévation, certains portant les instruments de la passion*, pl. et encre brune/craie noire (47,5x41) : **USD 10 350**.

ZUCCARO Guido

Né le 7 octobre 1876 à Udine. Mort en 1944 à Bassano del Grappa. XXe siècle. Italien.

Peintre, peintre verrier, miniaturiste.

Il fut élève de l'Académie Brera de Milan.

MUSÉES : BERGAME : *Conversation entre Medusa et Teresa* – MILAN (Gal. d'Art mod.) : *Matinée d'octobre*.

VENTES PUBLIQUES : ROME, 4 déc. 1990 : *Portrait de femme*, h/t (55x61,5) : **ITL 3 200 000**.

ZUCCARO Marco

XVIe-XVIIe siècles. Actif à Otrante de 1598 à 1619. Italien.

Peintre.

Il peignit pour la cathédrale et des églises de Biella.

ZUCCARO Ottaviano

XVIe siècle. Actif à San Angelo in Vado. Italien.

Peintre.

Père de Federico et de Taddeo Zuccaro. Il a peint une fresque *Madone, l'Enfant et des saints* dans l'église Saint-Étienne de Candelara en 1555.

ZUCCARO Taddeo ou **Zuccari, Zucchero**

Né le 1er septembre 1529 à San Angelo in Vado. Mort le 1er ou 2 septembre 1566 à Rome. XVIe siècle. Italien.

Peintre d'histoire, sujets religieux, mythologiques, allégoriques, portraits, dessinateur.

Fils d'Ottavio et frère aîné de Federico Zuccaro. D'abord, élève de son père, il étudia ensuite avec Pompeo da Fano, et à peine âgé de quatorze ans, alla à Rome poursuivre ses études. Recommandé par Daniele di Por à Vitto, Taddeo fit dans l'atelier de celui-ci, un apprentissage de quatre ans et, vers 1547, fut chargé par son maître de peindre en grisaille des sujets emblématiques sur la façade du Palazzo Mattei. Ce travail lui valut la protection du duc d'Urbin, qui le chargea de peindre une série de fresques dans la cathédrale d'Urbin. Après avoir exécuté d'autres travaux à Pesaro, il revint à Rome, et fut successivement employé par les papes Jules III et Paul IV, à la décoration du Vatican. Vers 1556, il décore de scènes mythologiques des salles de la Villa Giulia, en collaboration avec P. Fontana. Le cardinal Farnèse le chargea d'exécuter les peintures de sa villa à Caprarola. Taddeo exécuta ce travail, en collaboration avec son jeune frère Federico. Le travail qu'il exécuta au Palais Farnèse se fit sous la direction spirituelle d'Annibale Caro qui lui dicta le cycle allégorique. Il donna alors toute la mesure de son imagination et de sa possibilité de créer un art tout à fait irréaliste.

L'art des deux frères appartient à un maniérisme savant mais finissant. Il mourut fort jeune, épuisé, assure la tradition, par suite de son ardeur au travail et par d'autres excès. Il fut enterré au Panthéon à côté de Raphaël. Voir aussi Zuccaro (Federico) pour les prix.

MUSÉES : CHAMBÉRY : *Portrait du jeune Ramirez* – FLORENCE (Gal. roy.) : *Diane – L'artiste* – FLORENCE (Pitti) : *Sainte Marie-Madeleine portée au ciel* – GLASGOW : *Sainte Catherine et saint Jacques d'Espagne* – ROME (Borghèse) : *Christ mort* – ROME (Doria Pamphili) : *Saint Paul sur le chemin de Damas – Conversion de saint Paul*.

VENTES PUBLIQUES : PARIS, 1776 : *L'adoration des bergers*, pl. et bistre : **FRF 480** – PARIS, 1779 : *Jésus et le paralytique* : **FRF 90** – PARIS, 1864 : *Le couronnement de la Vierge* : **FRF 610** – PARIS, 25 fév. 1924 : *Portrait de jeune homme*, pierre noire et sanguine : **FRF 2 300** – PARIS, 20-21 avr. 1932 : *Les joueurs de quilles*, dess. aux cr. de coul. : **FRF 2 300** – PARIS, 9 juin 1949 : *Michel-Ange, présentant ses œuvres au pape Jules II*, pl. et sépia : **FRF 1 800** – PARIS, 8 nov. 1950 : *Ermite en prière entouré de suppliants*, sanguine et cr. noir : **FRF 4 000** – ROME, 11 juin 1973 : *La Vierge et l'Enfant avec cinq saints personnages* : **ITL 5 500 000** – LONDRES, 28 juin 1979 : *Joseph et la femme de Putiphar*, pl. et lav. reh. de blanc/pap. bleu (13,2x11,3) : **GBP 4 500** – LONDRES, 18 nov. 1982 : *Personnage agenouillé*, sanguine, deux études (24x28,1) : **GBP 4 800** – NEW YORK, 10 juin 1983 : *La Flagellation*, h/t (31x46,5) : **USD 3 500** – LONDRES, 13 déc. 1984 : *Junon*, craie noire, pl. et lav. (25,5x13,4) : **GBP 10 000** – LONDRES, 2 juil. 1985 : *Femme debout et draperie*, sanguine, pl. et lav. reh. de blanc (recto) et craies rouge et noire, pl. et lav. (verso), dess. double face, études (27,1x20,4) : **GBP 6 000** – LONDRES, 30 juin 1986 : *Deux figures allégoriques*, pl. et lav./traces de craie noire (15,4x22) : **GBP 3 000** – MONTE-CARLO, 20 juin 1987 : *Personnage féminin assis près d'un autel*, pl. et lav. reh. de blanc/pierre noire (25,9x32,4) : **FRF 360 000** – NEW YORK, 11 jan. 1990 : *Le Dieu du fleuve*, lav. et encre brune avec reh. de blanc/craie noire/pap. bleu (20,2x28,6) : **USD 137 500** – NEW YORK, 12 jan. 1994 : *Alexandre le Grand tranchant le nœud gordien*, encre et lav. rouge, de forme ovale (22,4x38,9) : **USD 28 750** – NEW YORK, 10 jan. 1996 : *Anges volant dans le ciel, étude pour l'ange apparaissant à Saint Joseph*, encre et lav. avec reh. de blanc/pap. bleu (22x28,3) : **USD 178 500** – LONDRES, 3 juil. 1996 : *Femme assise tenant un enfant*, sanguine (29,1x23) : **GBP 106 000**.

ZUCCAROLI Natale

Né en 1864 à Pergola. XIXe-XXe siècles. Italien.

Peintre de figures.

Il fut élève d'E. Ximenes.

ZUCCATI Adeodato

XVIe siècle. Travaillant à Bologne vers 1590. Italien.

Peintre de fleurs.

ZUCCATI Arminio

Mort le 21 janvier 1606 à Venise. XVIe siècle. Italien.

Peintre et mosaïste.
Fils de Valerio Zucca. Il exécuta des mosaïques dans la cathédrale Saint-Marc, dans les églises San Pietro di Castello et Saint-Sébastien de Venise. Le Musée de Trévise conserve de lui *Modèle de Mosaïque* d'après *Bassano*, et le Musée Correr de Venise, *Le crucifié*.

ZUCCATI Francesco ou **Zuccato**
Mort entre octobre 1572 et 1577 à Venise. XVIe siècle. Italien.
Peintre et mosaïste.
Fils et probablement élève de Sebastiano Zuccati. Il est difficile de distinguer son œuvre de celle de son frère Valerio. On cite d'eux, à Venise notamment *Saint Marc en habits pontificaux*, mosaïque au-dessus de la porte principale de l'église Saint-Marc; *La Crucifixion* et *Mise au tombeau*, mosaïques de la façade principale de Saint-Marc; *La Résurrection de Lazare, L'Assomption de la Vierge, Les quatre évangélistes, Les huit prophètes, Les anges et les docteurs de l'Église*, mosaïques de l'intérieur de l'église Saint-Marc; *Le Christ, La Vierge Marie, L'Apocalypse* (1579), mosaïques de la voûte de la sacristie de Saint-Marc.

ZUCCATI Sebastiano
Mort le 30 septembre 1527 à Venise. XVIe siècle. Italien.
Peintre et mosaïste.
Le Musée Correr, à Venise, conserve de lui *Saint Sébastien et un donateur à genoux*, et l'Albertina de Vienne, *Saint Sébastien*. On dit qu'il donna à Tiziano Vecelli ses premières leçons de dessin. Ses fils Francesco et Valerio, furent mosaïstes.

ZUCCATI Valerio
Mort peu avant le 22 février 1577 à Venise. XVIe siècle. Italien.
Peintre et mosaïste.
Assistant de son frère Francesco Zuccati. Le Musée Correr, à Venise, conserve de lui une mosaïque *Madone avec saint Paul et saint Marc*.

ZUCCHERELLI Francesco. Voir **ZUCCARELLI**

ZUCCHERI Giampietro. Voir **ZUCCARI**

ZUCCHERO Federico et **Taddeo**. Voir **ZUCCARO**

ZUCCHETTI Alessandro
Né le 29 janvier 1830 à Pérouse. Mort en 1898 à Todi. XIXe siècle. Italien.
Peintre.
Élève des Académies de Pérouse et de Rome. Il travailla pour la cathédrale de Pérouse.

ZUCCHETTI Filippo
Mort en 1712 à Rome. XVIIIe siècle. Actif à Rieti. Italien.
Peintre.
Il peignit des tableaux d'autel pour des églises de Rome.

ZUCCHI. Voir aussi **ZUCCO**

ZUCCHI Andrea
Né le 9 janvier 1679 à Venise. Mort en 1740 à Dresde (?). XVIIIe siècle. Italien.
Peintre de décors, graveur au burin et à l'eau-forte.
Il fut un brillant peintre de décors; en 1736, il alla à Dresde en cette qualité. Il a gravé des sujets religieux et des sujets d'histoire, d'après les meilleurs peintres de Venise. On lui doit aussi des costumes.

ZUCCHI Antonio. Voir aussi **ZUCCHI Marcantonio**

ZUCCHI Antonio Pietro Francesco
Né le 1er mai 1726 à Venise. Mort le 26 décembre 1795 à Rome. XVIIIe siècle. Italien.
Peintre d'histoire, compositions mythologiques, sujets de genre, architectures, graveur, dessinateur. Tendance néoclassique.
Fils de Francesco Zucchi et élève de son oncle Carlo. Il travailla aussi la peinture d'histoire avec Fontebasso et Amigoni. En compagnie des frères Adam, il parcourut l'Italie, de 1750 à 1760. Il alla ensuite à Londres, où il exposa de 1770 à 1784 et fut nommé associé à la Royal Academy à cette première date. En 1781, il épousa Angelica Kauffmann et avec elle partit pour Rome, où il acheva sa vie.
Durant son séjour en Italie, il dessina les monuments anciens et les ruines. À Londres, il décora plusieurs habitations de la noblesse anglaise, peignant des plafonds, notamment à Oslerbey Park, à Caen Wood, à Luton House. Il collabora avec sa femme à la décoration du Home House de Londres construit par Robert Adam. Issu de la tradition vénitienne, son *Chemin de Croix* de 1756 atteste l'influence de Guardi, Antonio Zucchi rejoignit le courant européen du néoclassicisme.
Ventes Publiques : Londres, 29 nov. 1983 : *Capriccio* 1770, pl. et lav. reh. de blanc (49,8x63,8) : **GBP 1 600** – Milan, 21 avr. 1986 : *Projet de plafond*, pl. et lav. de coul. (23,5x37,2) : **ITL 1 600 000** – Rome, 13 déc. 1988 : *Ruines antiques avec Alexandre le Grand ordonnant de déposer les œuvres d'Homère dans le tombeau d'Achille*, h/t (106x123) : **ITL 32 000 000** – Milan, 12 juin 1989 : *Vénus et Vulcain ; Vénus et Mars*, h/t, deux pendants (chaque 69,5x126) : **ITL 12 500 000** – Londres, 3 avr. 1992 : *Hebe*, h/pap./t. (45x35,3) : **GBP 770** – New York, 13 jan. 1993 : *Distractions paysannes dans une cour de ferme ; Romains préparant un sacrifice devant la statue d'une déesse* 1794, encre et reh. de blanc, une paire (chaque 29x40,6) : **USD 4 888** – New York, 11 jan. 1994 : *Intérieur d'une rotonde avec des musiciens sur un balcon et des personnages au parterre*, encre et lav./pap. brun (33,8x28) : **USD 2 990** – Rome, 31 mai 1994 : *Épisode de l'Histoire antique : Enée et Didon* : **ITL 23 570 000** – Londres, 16-17 avr. 1997 : *Personnages près de ruines romaines dans un paysage*, pl. et encre noire et aquar., une paire, de forme ovale (30x39,2) : **GBP 4 140** – New York, 22 mai 1997 : *Scène portuaire aux ruines classiques*, h/t, trois pièces (chaque 73,7x99,7) : **USD 37 950.**

ZUCCHI Aristotile
XVIe siècle. Travaillant à Parme de 1531 à 1543. Italien.
Sculpteur sur bois et architecte.
Père de Giovanni Francesco Zucchi.

ZUCCHI Carlo I
Né en 1682 à Venise. Mort le 9 mars 1767 à Venise. XVIIIe siècle. Italien.
Graveur d'armoiries et d'architectures.
Élève et assistant de son frère Andrea Zucchi. Il grava des vues de Venise.

ZUCCHI Carlo II
Né en 1728 à Venise. Mort en 1795. XVIIIe siècle. Italien.
Peintre de décors de théâtre.
Fils d'Andrea et frère de Francesco Zucchi. Il semble s'être uniquement consacré à la peinture de théâtre.

ZUCCHI Caterina
XVIIIe siècle. Active à Venise. Italienne.
Graveur.
Fille de Francesco Zucchi II.

ZUCCHI Francesco, appelé aussi **del Zucca**
Né vers 1562 à Florence (Toscane). Mort le 21 novembre 1622 à Rome. XVIe-XVIIe siècles. Italien.
Peintre de fleurs et fruits, mosaïste.
Il est le frère de Jacopo Zucchi. Il peignit surtout des fleurs et des fruits et il exécuta des mosaïques dans la coupole de Saint-Pierre de Rome.

ZUCCHI Francesco
Né en 1692 à Venise. Mort le 13 octobre 1764 à Venise. XVIIIe siècle. Italien.
Graveur, dessinateur de paysages.
Fils d'Andrea Zucchi, il fut son élève. Il grava au burin et à la manière noire, et fut appelé à Dresde pour collaborer à la gravure des œuvres de la célèbre galerie.
Ventes Publiques : Monaco, 22 juin 1991 : *Le front de mer à Palerme*, craie rouge, encre brune et lav. gris (14,7x36,1) : **FRF 57 720.**

ZUCCHI Giacomo
XVe siècle. Travaillant à Parme en 1475. Italien.
Sculpteur sur bois et architecte.

ZUCCHI Giovanni Francesco
XVIe siècle. Italien.
Sculpteur sur bois.
Fils d'Aristotile Zucchi. Il sculpta les buffets d'orgues de la cathédrale de Parme et de la Steccata de 1531 à 1543.

ZUCCHI Giuseppe Carlo
Né en 1721 à Venise. Mort le 3 novembre 1805 à Venise. XVIIIe siècle. Italien.
Graveur au burin et à l'eau-forte.
Élève de Francesco Zucchi II. Il grava d'après Angelica Kauffmann à Londres.

ZUCCHI Jacopo del, appelé aussi **del Zucca**
Né vers 1541 à Florence (Toscane). Mort en 1589 ou 1590 ou 1596 à Rome ou Florence. XVIe siècle. Italien.

Peintre de scènes mythologiques, compositions religieuses, sujets allégoriques.

Élève et collaborateur de Giorgio Vasari. Il visita Rome sous le pontificat de Grégoire XIII et y fut protégé par le cardinal Ferdinand de Médicis.

Il travailla avec Giorgio Vasari au Palazzio Vecchio de Florence. Il peignit pour Ferdinand de Médicis d'importants ouvrages à fresque, notamment en son palais de Florence, entre 1574 et 1575. On cite aussi de lui plusieurs tableaux d'autel dans les églises de Rome, notamment une *Nativité de saint Jean-Baptiste* dans l'église de San Giovanni Decollato et *La Descente du Saint-Esprit* dans l'église de San Spirito in Borgo. On mentionne de lui *Psyché et l'Amour*. C'est particulièrement à travers ce tableau que se laisse pressentir l'éclairage caravagesque. Zucchi a travaillé à l'époque du déclin des maniéristes, il semble avoir peu d'imagination dans ses sujets mythologiques et être peu à l'aise dans ses sujets religieux. Pourtant son œuvre annonçait un nouvel art allant non seulement vers Caravage, mais aussi, par certains côtés, vers Magnasco.

Musées : Rome (Gal. Borghèse) : *Psyché et l'Amour*.

Ventes Publiques : Londres, 19 avr. 1967 : *La Sainte Famille* : **GBP 4 000** – Londres, 4 juil. 1986 : *L'Annonciation*, h/pan. (48,2x37) : **GBP 50 000** – Rome, 13 avr. 1989 : *Vénus et Amour*, h/pan. (130x95) : **ITL 30 000 000** – New York, 11 jan. 1996 : *Allégorie du jugement dernier*, h/cuivre (38,1x29,2) : **USD 40 250** – Londres, 2 juil. 1997 : *La Descente de la Croix*, pl. et encre brune et lav./craie noire (33,3x23,8) : **GBP 13 800**.

ZUCCHI Lorenzo

Né le 3 octobre 1704 à Venise. Mort le 2 décembre 1779 à Dresde. XVIIIe siècle. Italien.

Graveur au burin et à l'eau-forte.

Élève de son père Andrea Zucchi. Il se fixa à Dresde en 1726 où il grava plusieurs tableaux se trouvant dans la Galerie d'Art de cette ville.

ZUCCHI Marcantonio

Né le 26 novembre 1469 à Parme. Mort en 1531 à Parme. XVe-XVIe siècles. Italien.

Sculpteur sur bois, architecte et marqueteur.

Il sculpta les stalles de l'église Saint-Jean-Baptiste à Parme.

ZUCCHINI Giovanni Battista

XVIIIe siècle. Actif à Vérone dans la première moitié du XVIIIe siècle. Italien.

Peintre.

Il a peint une *Tentation de saint Antoine* dans l'église Saint-Michel de Vérone.

ZUCCO. Voir aussi **ZUCCHI**

ZUCCO Francesco

Né vers 1570 à Bergame. Mort le 3 mai 1627 à Bergame. XVIe-XVIIe siècles. Italien.

Portraitiste.

Certains biographes le disent élève de Moroni. Il ne peut être question que de Pietro Moroni, élève de Caliari, mort en 1625. Moroni Giabollesca mourut en 1578. L'Académie Carrara, à Bergame, conserve de lui *Portrait de dame assise*, et le Musée de Berne, *Enfant princier avec un petit chien*.

Ventes Publiques : New York, 24 mars 1983 : *Portrait d'un jeune garçon*, h/t (98,5x75) : **USD 7 000**.

ZUCCOLI Lodovico

XVIe siècle. Actif à Modène au début du XVIe siècle. Italien.

Peintre.

ZUCCOLI Luigi

Né en 1815 à Milan (Lombardie). Mort le 7 janvier 1876 à Milan. XIXe siècle. Italien.

Peintre de sujets de genre.

Il fut nommé membre de l'Académie des Beaux-Arts de sa ville natale. Il vint en Angleterre en 1860 et y demeura jusqu'en 1865, exposant à la Royal Academy de Londres de 1864 à 1871. Il se fit une renommée considérable en Italie, par la peinture de scènes de la vie italienne.

Musées : Milan (Acad. Brera) : *La cocarde – Le vice du jeu – L'Angélus*.

Ventes Publiques : Londres, 26 nov. 1980 : *Les Fiançailles*, h/t (35x42) : **GBP 1 500** – Londres, 24 juin 1981 : *La Leçon de cuisine*, h/t (34,5x45) : **GBP 1 600** – Rome, 14 déc. 1983 : *Jeune fille dans un intérieur*, h/t (50x43) : **ITL 2 200 000** – Berne, 26 oct. 1988 : *Les Fiançailles*, h/t (35x42) : **CHF 18 000** – Londres, 28 oct. 1992 : *Moines mendiants recevant du vin*, h/t (38x32) : **GBP 1 320**.

ZUCCOLI Ottaviano

XVIe siècle. Actif à Mantoue en 1531. Italien.

Peintre.

ZUCCOLINI Matteo, padre. Voir **ZACCOLINI**

ZUCCOLO Leopoldo

XVIIIe siècle. Travaillant en 1793. Italien.

Peintre.

Il peignit des ornements et des illustrations de livres.

ZUCCONI Giovanni

XIVe-XVe siècles. Travaillant à Padoue en 1405. Italien.

Peintre.

ZUCCONI-GAMONDI Giovanni Lorenzo

Né à Bosco. XVIIIe siècle. Actif à la fin du XVIIIe siècle. Italien.

Peintre de paysages.

Il fut également metteur en scène.

ZUCK Szymon ou **Simon Bogumil Amadeus**. Voir **ZUG**

ZUCKER Joseph ou **Joe**

Né en 1941. XXe siècle. Américain.

Peintre, technique mixte.

En 1978, il a participé à l'exposition collective *New Image Painting*, au Whitney Museum of American Art de New York.

Ventes Publiques : New York, 16 fév. 1984 : *Mad scientist (Merlin)* 1977, aquar. (45,5x60,5) : **USD 1 500** – New York, 9 mai 1984 : *Sprinkling Can n° 5* 1980, riplex, coton et acryl./t (91,5x91,5) : **USD 6 000** – New York, 6 mai 1986 : *Eli Whitne's hound Walo* 1979, encre/pap. (76,3x111,7) : **USD 1 800** – New York, 9 nov. 1989 : *Ar, Ar* 1978, acryl., coton et rhoplex/t (190,5x305) : **USD 17 600** – New York, 21 fév. 1990 : *Oiseaux amoureux* 1972, acryl., coton et rhoplex/t (142,3x142,3) : **USD 7 700** – New York, 6 nov. 1990 : *Deux toucans* 1972, cr., feutres, graph., collage de pp et vernis/pp (25,4x25,4x2,8) : **USD 1 430** – New York, 15 fév. 1991 : *Murano's d'how* 1979, acryl., coton et rhoplex/t (152,5x243,8) : **USD 2 750** – New York, 3 mai 1994 : *Second 96 large rouleau* 1970, coton, acryl. et rhoplex/t (133,5x132) : **USD 1 840** – New York, 24 fév. 1995 : *70's dilemna* 1977, marqueurs de coul./pap. (48,3x61) : **USD 690**.

ZUDOLI Giacomo Filippo

XVIe siècle. Actif à Faenza au début du XVIe siècle. Italien.

Sculpteur.

Il travailla à Forli et à Cervia.

ZUECH Stefan

Né le 5 novembre 1877 à Brez. XXe siècle. Autrichien.

Sculpteur de monuments, statues.

Il fut élève de l'Académie des Beaux-Arts de Vienne. Il a sculpté un *Saint Virgile* dans la cathédrale de Trente et des monuments aux morts.

ZUEIL Jans, dit **Maître François**

XVIIe siècle. Travaillant à Montpellier de 1647 à 1658. Français.

Peintre.

Il peignit des portraits des conseillers de la ville de Montpellier pour l'Hôtel de Ville de 1649 à 1658.

ZUENE Nicolas Van

XVIIe siècle. Actif à Bruxelles dans la première moitié du XVIIe siècle. Éc. flamande.

Peintre.

ZUERA Pedro ou **Pere** ou **Quera**

XVe siècle. Espagnol.

Peintre.

Il a peint un retable à six panneaux dans la cathédrale d'Huesca.

ZUERKUNDEN Peter

Né en 1762. Mort le 8 août 1787 à Vienne. XVIIIe siècle. Autrichien.

Miniaturiste.

ZUG Szymon ou **Simon Bogumil Amadeus** ou **Zuck** ou **Zugk**

Né le 20 février 1733 à Merseburg. Mort le 11 août 1807 à Varsovie. XVIIIe-XIXe siècles. Allemand.

Peintre et architecte.

ZÜGEL David. Voir **ZÜGL**

ZÜGEL Heinrich Johann, parfois **von**
Né le 22 octobre 1850 à Murrhard. Mort le 30 janvier 1941 à Munich. XIXe-XXe siècles. Allemand.
Peintre de genre, paysages animés, animaux.
Il fut élève de l'École d'art à Stuttgart. En 1873 il vint à Vienne. En 1876, à Munich, il s'établit ensuite à Karlsruhe. Il fut Médaillé à Munich en 1883 et 1888, reçut une médaillé à Dresde en 1884, une mention honorable à Berlin en 1886, à Paris en 1889, à Chicago en 1893, et de nouveau à Paris médaille d'argent en 1900 à l'Exposition universelle. En 1888 membre honoraire de l'Académie de Munich. Il fut professeur de l'Académie de Munich en 1895.

Musées : Berlin : *Moutons dans un bois d'aunes – Enfant et génisse – Génisses dans une prairie ensoleillée* – Brême : *Troupeau de moutons* – Breslau, nom all. de Wroclaw : *Soleil de printemps* – Cologne : *Sous les saules* – Dresde : *Chien de berger et mouton – Le retour* – Düsseldorf : *La bergère – Retour du troupeau – Expulsé* – Francfort-sur-le-Main : *Mouton dans la neige* – Hambourg : *Troupeau de moutons* – Leipzig : *Troupeau dans le bois* – Mayence : *Jeunes bœufs dans l'eau* – Montréal : *Moutons revenant du pâturage* – Munich : *Troupeau de brebis – Chiens* – Stuttgart : *Vaches au pâturage – A l'automne – Troupeau de moutons* – Trieste : *La tombée du jour.*
Ventes Publiques : Vienne, 14 mai 1881 : *Animaux* : **FRF 798** – Paris, 18 juin 1930 : *Le retour à la bergerie* : **FRF 16 500** – New York, 10 oct. 1942 : *Jeunes bergères* : **USD 620** – New York, 17 fév. 1944 : *Moutons au pâturage* : **USD 675** – New York, 26 fév. 1947 : *Bœufs* : **USD 1 500** – Cologne, 3 nov. 1950 : *Labour* 1909 : **DEM 3 500** – Lucerne, 11 juin 1951 : *Berger et troupeau* : **CHF 1 900** – Stuttgart, 16 et 17 avr. 1953 : *Vaches* : **DEM 1 450** – Stuttgart, 19-21 mai 1953 : *Paysan avec vache et moutons* : **DEM 3 100** – Munich, 4 et 6 oct. 1961 : *Deux vaches* : **DEM 5 600** – Lucerne, 7 déc. 1963 : *Paysage avec troupeau de vaches* : **CHF 8 000** – Munich, 30 sep. et 1er oct. 1964 : *Bergère et son troupeau* : **DEM 14 000** – Cologne, 28 avr. 1965 : *Paysan menant une vache* : **DEM 9 200** – Munich, 28 et 30 sep. 1966 : *La charette renversée* : **DEM 18 000** – Munich, 28-29-30 juin 1967 : *Paysage* : **DEM 20 000** – Munich, 20 et 22 juin 1968 : *Le troupeau de moutons* : **DEM 23 500** – Cologne, 26 nov. 1970 : *Paire de bœufs attelés* : **DEM 15 000** – Cologne, 24 nov. 1971 : *Paysage d'hiver* : **DEM 26 000** – Cologne, 15 nov. 1972 : *Vaches à l'abreuvoir* : **DEM 5 500** – Cologne, 19 oct. 1973 : *Deux vaches à l'abreuvoir* : **DEM 28 000** – Stuttgart, 29 avr. 1974 : *La prairie* : **DEM 54 000** – Londres, 23 juil. 1976 : *Berger et troupeau dans un paysage boisé* 1899, h/t (122x93) : **GBP 6 500** – Stuttgart, 15 déc. 1977 : *Mon cerf*, h/t (35x46) : **DEM 18 000** – Munich, 31 mai 1979 : *Quatre têtes de moutons*, cr. (10x17) : **DEM 2 600** – Cologne, 11 juin 1979 : *Troupeau de moutons devant l'étable* 1919, h/t (70x97) : **DEM 70 000** – Londres, 26 nov. 1981 : *Moutons dans un paysage*, lav. et reh. de gche (33x45,7) : **GBP 800** – Londres, 17 juin 1982 : *Scène de labourage* 1893, gche (49,5x70) : **GBP 3 000** – Munich, 29 juin 1983 : *Troupeau au pâturage* 1896, cr. reh. de blanc (29x43,5) : **DEM 2 000** – Munich, 1er déc. 1983 : *Deux bœufs au pâturage* 1889, h/t (92x123) : **DEM 85 000** – Cologne, 20 mai 1985 : *Paysan avec son troupeau*, h/t (34,5x51) : **DEM 64 000** – Munich, 5 nov. 1986 : *Troupeau de moutons devant l'étable* 1883, h/t (46,5x67) : **DEM 250 000** – New York, 25 fév. 1988 : *Entre les palissades*, h/pan. (57,1x40,6) : **USD 143 000** – Londres, 24 juin 1988 : *Bergère et son troupeau dans un chemin ombragé*, h/t (70x56) : **GBP 20 900** – Paris, 4 mai 1988 : *Le veau à la barrière*, h/t (26x40) : **FRF 31 000** – Cologne, 15 oct. 1988 : *Berger et son troupeau dans un pâturage au clair de lune* 1909, h/t (73x73) : **DEM 110 000** – Munich, 10 mai 1989 : *Le marchand de chiens*, h/t (53x36,5) : **DEM 71 500** – Londres, 21 juin 1989 : *Troupeau de moutons au pré sous les ombrages* 1900, h/t (70,5x107) : **GBP 51 700** – New York, 23 oct. 1990 : *Bouvier menant son troupeau sur un chemin dans une île*, h/t (203,2x284,5) : **USD 99 000** – New York, 28 fév. 1991 : *La bergère et son troupeau* 1914, h/t (90,2x122,8) : **USD 77 000** – Munich, 12 juin 1991 : *Urschl le cheval blanc et roux* 1910, h/t (44,5x50,5) : **DEM 11 000** – Munich, 26-27 nov. 1991 : *Bovins noir et roux dans une prairie*, h/t (36,5x46) : **DEM 36 800** – New York, 20 fév. 1992 : *Le jeune berger*, h/t (72,4x95,3) : **USD 88 000** – Paris, 1er juil. 1992 : *Le jeune veau*, h/t (26x39,5) : **FRF 9 500** – New York, 29 oct. 1992 : *Berger et son troupeau* 1894, h/t (60,3x80,6) : **USD 35 750** – Londres, 20 mai 1993 : *Chien gardant un troupeau dans une clairière* 1883, h/t (50x69,2) : **GBP 45 500** – New York, 26 mai 1993 : *Sur le chemin haut* 1905, h/t (60,3x93,3) : **USD 20 700** – Munich, 22 juin 1993 : *Porcs dans un bois*, h/t (38x60) : **DEM 44 850** – Munich, 27 juin 1995 : *Deux vaches dans un pré* 1905, h/t (56x86) : **DEM 18 400** – Heidelberg, 11-12 avr. 1997 : *Trois moutons*, h/cart. (38,5x62) : **DEM 7 800.**

ZÜGEL Wilhelm ou **Willy**
Né le 22 juin 1876 à Munich. Mort en 1950. XXe siècle. Allemand.
Sculpteur d'animaux.
Il étudia quelque temps la peinture avec son père Heinrich Zügel ; pour la sculpture, on ne lui connaît pas de maître.
Musées : Berlin : *Pélican à sa toilette – Pélican reposant – Condor – Girafe* – Brême : *Ours jouant – Rhinocéros* – Munich (Gal. nat.) : *Aigle.*
Ventes Publiques : Cologne, 16 juin 1978 : *Perroquet*, bronze (H. 34) : **DEM 1 800** – Heidelberg, 13 oct 1979 : *Troupeau au pâturage* 1898, h/t (17x33) : **DEM 3 300** – Hambourg, 4 juin 1980 : *Pélican*, bronze (H. 15,5) : **DEM 1 600** – Cologne, 7 déc. 1983 : *Lionceau*, bronze patine brune (H. 17,6) : **DEM 2 200.**

ZÜGER Marti Léon. Voir **ZEUGER**

ZUGH Szymon ou **Simon Bogumil Amadeus**. Voir **ZUG**

ZÜGL David ou **Ziegl, Zigl, Zügel**
XVIe-XVIIe siècles. Travaillant à Hall (Tyrol) de 1587 à 1624. Autrichien.
Graveur au burin, médailleur et orfèvre.
Assistant de Peter Hartenbeck. Il grava des représentations de différentes monnaies.

ZUGNA Antonio
XVIIe siècle. Travaillant à Trente à la fin du XVIIe siècle. Italien.
Sculpteur sur bois.
Fils de Giovanni Zugna.

ZUGNA Giovanni
Né en 1607. Mort le 13 août 1682 à Trente. XVIIe siècle. Italien.
Sculpteur sur bois.
Il exécuta des sculptures dans l'église de Bozen en 1660.

ZUGNO Francesco ou **Zugni, Giugno, Zuguo**
Né vers 1559 à Brescia (Lombardie), certaines sources donnent 1574. Mort le 27 septembre 1621 à Brescia. XVIe-XVIIe siècles. Italien.
Peintre de compositions religieuses, figures, fresquiste, mosaïste.
Il fut élève de Palma le Jeune. On a dit que, inférieur pour le dessin, il surpassa ce grand maître pour la couleur. Ce fut un remarquable fresquiste. La tradition rapporte qu'il peignit fréquemment les figures dans les tableaux d'architecture de Tommasso Sandrino. On cite, notamment, de cet artiste une *Circoncision* dans l'église de S. Maria delle Grazie à Venise. On voit aussi de lui, des peintures à l'église S. Lazaro.
Ventes Publiques : Londres, 8 déc. 1967 : *La Vierge, saint Antoine et un évêque* : **GNS 1 000.**

ZUGNO Francesco ou **Zugni**
Né en 1709 à Venise. Mort en 1787 à Venise. XVIIIe siècle. Italien.
Peintre de scènes mythologiques, compositions religieuses, sujets allégoriques, portraits.
Il fut élève de G. B. Tiepolo. Il travailla pour plusieurs églises de Venise.
Musées : Wiesbaden (Gal.) : *Antoine et Cléopâtre.*
Ventes Publiques : Milan, 29 nov. 1963 : *La jeune fille au perroquet* : **ITL 650 000** – Milan, 6 mai 1971 : *La mort de Cléopâtre* : **ITL 1 700 000** – Milan, 16 mai 1974 : *Allégorie de la Poésie* : **ITL 1 500 000** – New York, 3 juin 1988 : *Antoine et Cléopâtre*, h/t (143x267,5) : **USD 70 400** – Milan, 10 juin 1988 : *Esther et Assuérus*, h/t (94x131) : **ITL 5 000 000** – Rome, 8 mars 1990 : *Le martyre de sainte Agnès*, h/t (80x41) : **ITL 42 000 000** – New York, 11 jan. 1991 : *La mort de Cléopâtre* 1750, h/t (121,4x87) : **USD 55 000** – Rome, 8 avr. 1991 : *Descente de Croix*, h/pan. (40,5x35) : **ITL 14 950 000** – Londres, 9 déc. 1992 : *Vierge à l'En-*

fant, h/t (ovale 74,3x57,3) : **GBP 11 000** – LONDRES, 21 avr. 1993 : *La Vierge*, h/t (45x34,5) : **GBP 4 600** – VENISE, 9 mars 1997 : *La probatica piscina*, h/t (94x75) : **ITL 7 000 000**.

ZUHR Hugo
Né le 25 mars 1895. Mort en 1971. XXe siècle. Actif et naturalisé en Suède. Finlandais.
Peintre de paysages. Postimpressionniste.
Élève de Carl Wilhelmson. Il obtient une bourse de voyage d'une fondation artistique, privée de Stockholm, vient à Paris et y étudie avec André Lhote et Fernand Léger. Il expose au Salon des Tuileries depuis 1929 et à Stockholm. Il subit l'influence de l'École impressionniste française.
MUSÉES : GÖTEBORG : *Paysage de la Provence*.
VENTES PUBLIQUES : STOCKHOLM, 6 avr. 1951 : *Paysage au soleil* 1931 : **SEK 1 200** – STOCKHOLM, 26 nov. 1952 : *Paysage* : **SEK 450** – STOCKHOLM, 31 mars 1971 : *Paysage d'été* : **SEK 5 900** – STOCKHOLM, 8 nov. 1972 : *Paysage d'été* : **SEK 6 000** – STOCKHOLM, 19 nov. 1983 : *Paysage* 1967, h/t (72x91) : **SEK 19 000** – STOCKHOLM, 20 avr. 1985 : *Paysage d'été*, h/t (64x80) : **SEK 15 500** – STOCKHOLM, 6 juin 1988 : *Paysage de plaine* 1960, h. (53x64) : **SEK 23 000** – STOCKHOLM, 6 déc. 1989 : *Constructions près du rivage en Grèce*, h/t (81x100) : **SEK 62 000** – STOCKHOLM, 14 juin 1990 : *Maison des gardes forestiers en hiver* 1946, h/t (46x55) : **SEK 14 000** – STOCKHOLM, 5-6 déc. 1990 : *Arbre au bord d'un lac*, h/t (35x28) : **SEK 15 500** – STOCKHOLM, 29 mai 1991 : *Paysage de plaine* 1960, h/t (53x64) : **SEK 15 500** – STOCKHOLM, 28 oct. 1991 : *Verger en Grèce* 1930, h/t (49x60) : **SEK 6 200** – STOCKHOLM, 13 avr. 1992 : *Vignoble dans une région montagneuse de Grèce*, h/t (64x80) : **SEK 9 500** – STOCKHOLM, 30 nov. 1993 : *Panorama depuis Hovs Hallar*, h/t (50x74) : **SEK 7 000**.

ZUIDEMA BROOS Jan Jacob. Voir **BROOS Jan Jacob Zuidema**

ZUIJCKER Reyer Claes. Voir **SUYCKER Arent Cornelis**

ZUILIN Jean ou **Zuelin**. Voir **SWELINCK Jan Gerrits**

ZUKA, de son vrai nom **Booyakovitch Zenaida Gurievna**
Née en 1924 à New York. XXe siècle. Depuis 1948 active en France. Américaine.
Peintre de figures, peintre de collages.
En 1948, elle arriva à Paris grâce à une bourse attribuée par une galerie de Californie. En 1988 à Paris, la fondation Mona Bismarck a organisé l'exposition *Zuka, la Révolution française – un regard américain, peintures, collages, reliefs peints*.
Elle exploite un répertoire de couleurs chatoyantes. Elle a d'abord représenté des artistes, des écrivains dans des attitudes figées. Passant ensuite à des figures de l'histoire, elle associe peinture et collage de découpes de papiers peints décorés dans des compositions narratives.
BIBLIOGR. : In : *Diction. de l'Art mod. et contemp.*, Hazan, Paris, 1992.

ZUKOWA Johann
XIXe siècle. Travaillant à Vienne de 1839 à 1840. Autrichien.
Peintre de portraits, peintre de miniatures.
Il exposa au Salon en 1839.

ZUKOWSKI. Voir aussi **JOUKOVSKI**

ZUKOWSKI Henryk
Né vers 1810 à Vilno. Mort vers 1840 à Vilno. XIXe siècle. Polonais.
Miniaturiste.

ZUKOWSKI Michal
XVIIIe siècle. Travaillant à Cracovie en 1750. Polonais.
Graveur.
Il grava des portraits, des images pieuses, des ex-libris et des frontispices.

ZULAWSKI Marek, pseudonyme : **Marek**
Né le 13 avril 1908 à Rome, de parents polonais. XXe siècle. Actif en Grande-Bretagne. Polonais.
Peintre de compositions murales.
Il habitait et travaillait à Londres. Membre de la Society of Mural Painters. Il montre ses œuvres dans des expositions en Grande-Bretagne, Pologne, Italie, Amérique, Australie, Pays-Bas et Finlande.
Il signe ses compositions : Marek. Il exécuta une grande peinture murale pour le Festival of Britain (1951) ; une autre pour le London Transport, à Laughton. Des œuvres de cet artiste figurent dans la Collection d'État et au Musée national, à Varsovie ; également dans des collections privées d'Angleterre et de France.
MUSÉES : VARSOVIE (Mus. nat.).

ZULIANI Antonio ou **Giuliani**
Né en 1686 à Oliero. Mort vers 1770. XVIIIe siècle. Italien.
Graveur au burin.
Il grava des portraits et des images pieuses.

ZULIANI Felice
Mort le 6 janvier 1834 à Venise. XIXe siècle. Italien.
Graveur au burin.
Il grava d'après de grands maîtres italiens, mais exécuta aussi des portraits.

ZULIANI Gianantonio
Né en 1760 à Venise. Mort probablement après 1831. XVIIIe-XIXe siècles. Italien.
Graveur au burin.
Il illustra une édition de Dante en 1784.

ZULIANI Giovanni
Né en 1836 à Villafranca. Mort en mai 1892 à Turin. XIXe siècle. Italien.
Peintre.
Le Musée municipal de Turin conserve de lui *Rue de Venise*.

ZULIANI Giuliano
Né vers 1730 à Venise. Mort vers 1814 à Venise. XVIIIe-XIXe siècles. Italien.
Graveur au burin.
Fils et élève d'Antonio Zuliani. Il illustra une édition de l'Arioste.

ZÜLICHDORFFER Anton Libor ou **Zillichdörfer**
Né à Prerau. XVIIIe siècle. Actif dans la première moitié du XVIIIe siècle. Autrichien.
Peintre.
Il travailla pour le prince évêque de Kremsier.

ZÜLLI Franziska
Née à Sur (sur le lac des Quatre-Cantons). XIXe siècle. Suisse.
Peintre verrier.
À l'Exposition industrielle de Lucerne figurèrent des peintures sur verre représentant : *Judith ; Hérodias ; Les trois Tell* et une *Madone*.

ZÜLLI Michaël
Né le 2 janvier 1815 à Sur (sur le lac des Quatre-Cantons). Mort le 3 mars 1836 à Munich. XIXe siècle. Suisse.
Sculpteur.
Il fut élève de l'Académie des Beaux-Arts de Munich. Aux Expositions de Lucerne de 1869 et de 1889, il exposa un *Buste de Schiller* (terre cuite). Il est aussi l'auteur d'un *Moïse* faisant partie d'une collection privée à Lucerne. Artiste de talent qui laissait présager un bel avenir.

ZÜLLICH VON ZÜLBORN Rudolf
Né le 3 juillet 1813 à Gyulafehérvar. Mort le 13 janvier 1890 au Caire. XIXe siècle. Hongrois.
Sculpteur.
Il fit ses études à Vienne et à Rome.
MUSÉES : BUDAPEST (Mus. nat.) : *Junon*.

ZULLUS DE MASAGNE
XVIIe siècle. Italien.
Peintre.
Il travailla à S. Maria del Casale, près de Brindes, en 1617.

ZULOAGA Daniel
Né en 1852 à Madrid. Mort le 30 décembre 1921 à Madrid. XIXe-XXe siècles. Espagnol.
Peintre, céramiste, orfèvre.
Il fut surtout céramiste.

ZULOAGA Elisa Elvira
Née en 1900 à Caracas. XXe siècle. Vénézuélienne.
Artiste (?).
Directrice culturelle du Ministère de l'Éducation Nationale de 1946 à 1948. Elle fit beaucoup pour le renouveau de l'art vénézuélien.

ZULOAGA Y ZABALETA Ignacio
Né le 26 juillet 1870 à Eibar (Guipuzcoa). Mort le 31 octobre 1945 à Madrid. XIXe-XXe siècles. Espagnol.

Peintre de scènes animées, figures, nus, portraits, paysages.

De famille basque, fils d'un ciseleur, descendant d'une longue lignée de céramistes et de ciseleurs, il naquit dans une petite ville qui s'élève à l'ombre du monastère de Loyola ; cet horizon austère qu'il contempla durant sa petite enfance le marqua durablement. Il aurait d'abord commencé à peindre en copiant les grands Espagnols des siècles passés, au cours d'un séjour à Madrid, Ribéra, Vélasquez, Gréco. Venu jeune à Paris, il y poursuivit ses études secondaires, puis se rendit à Rome, à peine âgé de vingt ans, où il travailla dans l'atelier du sculpteur espagnol Cipriano Folgueras. Il revint à Paris en 1890. Il semble qu'il étudia sous la direction d'Henri Gervex, qui lui aurait donc inculqué la manière claire. Il se fixa à Montmartre et se maria, en 1899, avec la sœur de Maxime Dethomas. Celui-ci l'introduisit dans le groupe symboliste, il se lia avec Gauguin et Mallarmé, également avec Degas, Rodin, Émile Bernard, Charles Cottet. Il travailla quatre ans durant, ne fréquentant aucune académie de peinture et se fortifiant seulement au contact de ses amis peintres. Il résida tantôt en Espagne, tantôt en France. De retour en Espagne, lors de la déclaration de guerre de 1914, il fut proche du mouvement littéraire *Génération 98*. En 1914, son envoi au Salon de la Société Nationale des Beaux-Arts lui valut un succès quasi unanime : *La femme au perroquet ; Portrait d'un cardinal ; Toreros de village ; Portrait de Maurice Barrès*. Mais Zuloaga peignait aussi pour lui-même ; on dit qu'il expédia sa vie durant la majeure partie de sa production à Zumaya au pays basque, une de ses résidences favorites en Espagne, dans des caisses, dont elle ne sortait plus.

Il exposa peu dans les deux pays où il vécut : en 1890, il exposa pour la première fois au Salon de Paris ; seule ensuite la Société Nationale des Beaux-Arts bénéficiait chaque année de ses envois, il en était membre depuis 1901. En plus des expositions faites à la Nationale des Beaux-Arts, on le vit à Madrid, Barcelone, Bruxelles, Berlin, Vienne, Munich, Rome, Venise, Moscou, Saint-Pétersbourg, New York, Chicago, Washington et Buenos Aires, dans des manifestations artistiques temporaires et dans quelques expositions individuelles : 1904 à Düsseldorf et 1909 New York. La France le nomma officier de la Légion d'honneur. En 1991 à Paris, le Pavillon des Arts a organisé une exposition d'un ensemble convaincant de ses œuvres.

Dans ses tout débuts parisiens, entre 1890 et 1900, ses travaux reflètent l'influence du dessin et des couleurs des Nabis, plus particulièrement d'Émile Bernard. S'il traitait déjà des sujets typiques de l'hispanité, c'était dans une « écriture », forme et fond, assez légère, toutefois sans nulle mièvrerie folklorique. Lors de son retour en Espagne, ce fut peut-être le caractère austère de la Vieille Castille qui lui fit changer radicalement sa palette pour un esprit et des tonalités plus sombres, rejoignant le sentiment tragique d'une « Espagne noire » que perpétuaient les Miguel de Unamuno, Pio Baroja et Azorin, qui donna son nom à cette *Génération 98*. En 1914, ses quatre envois au Salon de la Société Nationale des Beaux-Arts indiquaient la voie dans laquelle s'engageait définitivement son œuvre. Ses portraits assurèrent sa renommée, éventuellement touchés, surtout les portraits féminins, par une mondanité à laquelle il a dû sacrifier. Dans les mêmes années que Van Dongen, c'est souvent avec quelque sadisme qu'il peignait le *Portrait de la marquise Casati* telle que délabrée sous les couches de fard étalées sur les outrages de l'âge, ou le *Portrait de madame Escardo* d'autant plus dénudée qu'en déshabillé transparent. D'entre leur grand nombre : les portraits de *Miguel de Unamuno*, de *Ramon de Valle-Inclan*, de *Manuel de Falla*, du torero *Juan Belmonte*, certains sont souvent situés sur fond de paysage ou de ville, tel celui d'*Anna de Noailles*, ou celui de *Barrès* sur fond de la ville de Tolède. Ses paysages, de son temps négligés par la critique et l'opinion, sont de ce fait générés à partir d'un besoin profond et révèlent quelque chose de l'âme de Zuloaga dans toute son authenticité.

Se voulant le continuateur de la tradition espagnole, il a traité les sujets nationaux : courses de taureaux, gitans dans leurs chants et leurs danses, clergé sombrement mystique, et surtout, dans la partie la plus émouvante de son œuvre, la misère de la vie des paysans et des pêcheurs qu'il côtoyait à Zumaya. Zuloaga représente une Espagne austère, rude et fière, celle du Maurice Barrès de *Du sang, de la volupté et de la mort*.

Non seulement par les thèmes traditionnels, intégralement dans l'hispanité, par certains côtés sa peinture s'apparente à Vélasquez et à Zurbaran, le choix de ses sujets dans leur réalisme âpre et douloureux fait penser à Goya, mais surtout il considérait Le Greco comme « Le Dieu de la peinture » et son œuvre en est fortement influencée. Dans sa peinture, ce sont les thèmes et leur traitement psychologique qui soutiennent l'intérêt. Même si c'est « bien peint », dans une facture large et énergique, il n'y a pas de réflexion plastique et picturale délibérée, c'est « à la manière de ». La conjonction des thèmes et des influences fait de l'œuvre de Zuloaga, qui a d'emblée érigé contre l'hédonisme du réalisme impressionniste une sorte de théâtralité espagnole orgueilleuse, puis s'est tenu totalement à l'écart des options esthétiques contemporaines, une sorte de très brillante synthèse de la peinture espagnole des trois siècles passés.

■ Jacques Busse

I. Zuloaga

I. Zuloaga

Bibliogr. : Jacques Lassaigne : *La peinture espagnole de Vélasquez à Picasso*, Skira, Genève, 1952 – Thérèse Burollet, in : *Diction. univers. de l'Art et des Artistes*, Hazan, Paris, 1967 – in : *Encyclopédie des Arts Les Muses*, t. XV, Grange Batelière, Paris, 1974 – in : *L'Art du xxe siècle*, Larousse, Paris, 1991.

Musées : Berlin : *Le repas des paysans* – Brême : *L'actrice Consuelo (L'Indifférente)* – Bruxelles : *La veille de la course de taureaux* – Castres : *Portrait de Lucienne Bréval* – Madrid (Mus. esp. d'Art contemp.) : *Celestina* 1906 – *Portrait d'un Ségovian* – *Paysage basque* – Paris (Mus. nat. d'Art mod.) : *Portrait de Maurice Barrès* 1913 – *Nains* – Paris (Mus. mun. d'Art mod.) : *La naine* – *Doña Mercedes* – Stuttgart : *Marchande de thé dans les Pyrénées* – Zumaya (Mus. Zuloaga y Zabaleta).

Ventes Publiques : Paris, 13-14 mars 1919 : *Paysage d'Espagne* : **FRF 1 000** ; *Toréador* : **FRF 3 000** – Paris, 15 déc. 1941 : *Jeune Espagnole à l'éventail* : **FRF 38 000** ; *Portrait de Lolita* : **FRF 55 000** – New York, 8 et 9 jan. 1942 : *Le monastère de Maluenda* : **USD 1 400** ; *During the intermission* : **USD 3 400** – New York, 19 fév. 1942 : *Deux Femmes à un balcon* : **USD 1 750** – New York, 16 mars 1944 : *Sur le balcon* : **USD 3 250** – Paris, oct. 1945-juil. 1946 : *Espagnole à l'éventail* : **FRF 38 000** ; *Trois Espagnoles en promenade*, aquar. gchée : **FRF 33 500** – New York, 23 avr. 1958 : *La Morenita* : **USD 2 300** – Londres, 1er déc. 1961 : *Danse gitane* : **GNS 2 200** – New York, 21 mars 1963 : *Portrait d'une femme* : **USD 1 250** – Vienne, 3 juin 1964 : *Candidita, jeune Espagnole à l'éventail* : **ATS 75 000** – Paris, 7 déc. 1965 : *La marchande de fleurs* : **FRF 6 100** – Londres, 2 déc. 1966 : *La Gitane* : **GNS 1 400** – Londres, 28 juin 1968 : *L'Espagnole* : **GNS 1 300** – Paris, 30 juin 1971 : *Espagnole à la mantille* : **FRF 27 000** – Londres, 11 avr. 1972 : *Portrait d'homme* : **GNS 2 200** – Madrid, 13 déc. 1973 : *Mademoiselle Souty avec une canne* : **ESP 2 000 000** – New York, 15 oct. 1976 : *Nu* 1934, h/t (145x115) : **USD 12 000** – Paris, 15 juin 1978 : *La dame en vert*, h/t (44x30,5) : **FRF 12 000** – Barcelone, 28 fév. 1980 : *Calle de las Pasiones* 1904, h/t (202x295) : **ESP 8 600 000** – Londres, 23 sep. 1981 : *Deux jeunes Espagnoles*, h/t (61x35,5) : **GBP 3 000** – New York, 27 mai 1982 : *Augustina*, h/t (71x58) : **USD 12 500** – New York, 24 fév. 1983 : *Maja étendue à l'éventail et perroquet* 1913, h/t (130x183) : **USD 125 000** – Barcelone, 23 mai 1984 : *Portrait de jeune homme de profil sur fond de paysage*, fus. (60x43) : **ESP 160 000** – New York, 31 oct. 1985 : *Candida à l'éventail*, h/t (105,5x75) : **USD 50 000** – Monaco, 20 fév. 1988 : *Deux Élégantes espagnoles*, fus. avec reh. de blanc (60x45) : **FRF 33 300** – Londres, 22 juin 1988 : *Manola*, h/t (93x73) : **GBP 30 800** ; *Portrait d'un berger*, h/t (182x88) : **GBP 12 100** – New York, 24 oct. 1989 : *Vaste panorama de Tolède*, h/t (96,5x139,7) : **USD 341 000** – New York, 25 oct. 1989 : *Élégante jeune femme s'éventant*, h/t (95,2x68,5) : **USD 60 500** – New York, 23 mai 1991 : *Chèvres sur les remparts de Tolède*, h/t (96x141) : **USD 242 000** – Paris, 7 juin 1991 : *Portrait de Madame S. Hallysmith*, h/t (97x70,5) : **FRF 95 000** – Londres, 29 mai 1992 : *Danses gitanes sur une terrasse de Grenade*, h/t (198x200) : **GBP 242 000** – Madrid, 25 mai 1993 : *Torero*, h/t (70x70) : **ESP 2 530 000** – Londres, 17 nov. 1993 : *La Vierge de Pena à Graus*, h/t (63x75,5) : **GBP 33 350** – Londres, 17 juin 1994 : *Le Gardien de vaches*, h/t (200x120) : **GBP 27 600**

– New York, 1er nov. 1995 : *Corrida à Eibar*, h/t (200x149,9) : **USD 1 075 000** – Londres, 13 juin 1997 : *L'Alcazar de Tolède*, h/t (91,5x120,6) : **GBP 73 000**.

ZULOW Franz von

Né le 15 mars 1883 à Vienne. Mort en 1963. xxe siècle. Autrichien.

Peintre de paysages, marines, natures mortes, technique mixte, aquarelliste, graveur. Polymorphe.

Il fut élève de l'Académie des Beaux-Arts de Vienne. Il exposa au Salon de Paris à partir de 1907. Il appartint au mouvement de la Sécession viennoise.

On cite de lui des marines d'un art néo-romantique. Il semble avoir été attiré par les débuts de l'abstraction, dans ses possibilités symboliques et ornementales.

Bibliogr. : Fritz Koreny : *Franz von Zülow, Frühe Grafik 1904-1915*, Chr. Brandstätter, Vienne, 1983.

Musées : Vienne (Gal. mod.) : *Paysage près de Turmitz – Ferme en Haute-Autriche – Vaisselle.*

Ventes Publiques : Vienne, 28 mai 1974 : *Paysage* 1929 : **ATS 20 000** – Vienne, 25 juin 1976 : *La place de l'église* 1914, techn.mixte (29x35) : **ATS 9 000** – Vienne, 13 juin 1980 : *Kellergasse* 1931, h/t (73x100) : **ATS 55 000** – Vienne, 16 nov. 1982 : *Paysage d'hiver* 1934, h/t (37,5x48) : **ATS 32 000** – Vienne, 17 mai 1983 : *Paysage vu d'une fenêtre* 1903, gche et collage/pap. (37x21) : **ATS 25 000** – Vienne, 19 nov. 1984 : *Die Weise der Stadt* 1914, cr. (44x30) : **ATS 18 000** – Vienne, 4 déc. 1984 : *Speicher* 1923-1927, h/t (47x69) : **ATS 70 000** – Vienne, 12 nov. 1985 : *Paysage orageux* 1907, aquar. et pl. (24x32,3) : **ATS 24 000** – Vienne, 2 déc. 1986 : *Hansel et Gretel* 1908, pinceau et encre de Chine et aquar. (43x31,5) : **ATS 25 000** – Londres, 23 sep. 1993 : *Abstraction* 1914, bois gravé colorié à l'aquar. (23,3x17) : **GBP 2 530**.

ZUMBACH Adam, l'Ancien ou **Zum Bach**

Né vers 1580. Mort en 1648. xviie siècle. Suisse.

Peintre verrier.

Grand-père d'Adam Zumbach le Jeune. Il était actif à Zug.

ZUMBACH Adam, le Jeune

Né le 14 août 1651. Mort le 15 janvier 1693. xviie siècle. Suisse.

Peintre verrier.

Probablement élève de Michaël Müller. Il travailla pour la ville de Zug.

Musées : Zurich : *plusieurs œuvres.*

ZUMBACH Hans ou **Zum Bach**

xve siècle. Actif à Lucerne dans le second quart du xve siècle. Suisse.

Peintre, miniaturiste.

ZUMBACH Nikolaus ou **Zum Bach**

xve siècle. Actif à Lucerne dans le second quart du xve siècle. Suisse.

Peintre, miniaturiste.

Père de Hans Zumbach.

ZUMBAG DE KOESFELT Coenrad ou **Zumbach de Coesveldt**

Né en 1697 à Leyde. Mort le 15 avril 1780 à Leyde. xviiie siècle. Suisse.

Graveur, dessinateur.

Aquafortiste, il était aussi musicien et écrivain.

ZUMBO Giulio Gaetano, don ou **Zummo**

Né vers 1656 à Syracuse. Mort le 22 décembre 1701 à Paris. xviie siècle. Italien.

Sculpteur-modeleur de cire.

Il était prêtre et n'eut aucun maître. En 1998 à Paris, le musée du Louvre a consacré une exposition temporaire aux *Figures de cire* et à leur historique, technique dont le réalisme se prêtait au portrait, et à son prolongement illusionniste, voire hypnotique, avant la vogue du portrait peint.

Au crépuscule d'une tradition venue de l'Antiquité et encore vive au Quattrocento, Zumbo réalisait des groupes sculptés en cire, d'intention éducative et moralisatrice, par le biais de l'allégorie ou de l'exemplarité historique : *La Vanité de la Gloire humaine ; Le Triomphe du Temps ; Le Mal français (la syphilis) ; La Peste de Naples, 1687-1691*. Il exploita ensuite la précision anatomique de sa technique descriptive de la corruption des corps à l'intention de commandes médicales. ■ J. B.

Musées : Florence (Mus. de la Specola) : *Décomposition du corps humain au premier et au deuxième degré – La peste de Naples, 1687-1691* – Londres (Victoria and Albert Mus.) : *Adoration des bergers.*

ZUMBÜHL Jost

Originaire de Wolfenschiessen. Mort en 1826. xixe siècle. Suisse.

Sculpteur.

Il travailla à Stand.

ZUMBUSCH Kaspar Clemens Eduard

Né le 27 novembre 1830 à Herzebrock. Mort le 27 septembre 1915 à Rimsting. xixe-xxe siècles. Autrichien.

Sculpteur de monuments, bustes.

Il figura aux expositions de Paris ; il reçut une médaille de première classe en 1878 à l'Exposition Universelle. Il s'établit à Vienne où il sculpta de nombreux monuments.

Musées : Dieppe : *Portrait de Liszt* – Munster (Mus. des Beaux-Arts) : *Buste de Levin Schücking – Buste de l'architecte Gottfried Semper.*

ZUMBUSCH Ludwig von

Né le 17 juillet 1861 à Munich. Mort le 28 février 1927 à Munich. xixe-xxe siècles. Allemand.

Peintre d'histoire, scènes de genre, portraits, illustrateur. Nouveau Style.

Fils de sculpteur Kaspar von Zumbusch. Il fut élève des Académies de Vienne et Munich, de Lindenschmidt, et à Paris de William Bouguereau et Tony Robert Fleury. Il exposa à Vienne, Munich, Dresde, de 1897 à 1899.

À Munich, il fut membre de la Sécession, à laquelle le rattachait son style très typé Art Nouveau. Il a collaboré à la revue *Jugend*. Il a illustré quelques ouvrages, dont en 1900 *Notre livre de chansons* et publié des albums de ses œuvres.

Bibliogr. : Marcus Osterwalder, in : *Dictionnaire des illustrateurs 1800-1914*, Ides et Calendes, Neuchâtel, 1989.

Musées : Aix-la-Chapelle : *Dans le jardin* – Brême : *Johanna, fille du peintre* – Constance : *Peinture* – Munich : *Peinture* – Würzburg : *Jardinières.*

Ventes Publiques : Munich, 29 mai 1974 : *Mère et enfant* : **DEM 3 300** – Cologne, 26 mai 1976 : *Enfant et oiseau dans un paysage*, h/t (51,5x43,5) : **DEM 1 800** – Heidelberg, 13 oct 1979 : *Portrait de jeune femme*, h/t (49x35) : **DEM 2 850** – Munich, 29 nov. 1989 : *Tête d'enfant*, h/cart. (24x21) : **DEM 5 720** – Munich, 27 juin 1995 : *Petite fille au chien*, h/cart. (38,5x46) : **DEM 4 830**.

ZUMBUSCH Nora von, née **Exner**

Née le 3 février 1879 à Vienne. Morte le 18 février 1915 à Vienne. xxe siècle. Autrichienne.

Sculpteur, céramiste.

Elle fut élève d'Alfred Roller à Vienne. Elle exposa à Vienne en 1908.

ZUMEL Nelson

Né en 1928 à Tosende-Baltar (Ourense Galice). xxe siècle. Espagnol.

Peintre de scènes de genre, nus, portraits, intérieurs, animaux, paysages animés, paysages, paysages de montagne, paysages d'eau, marines, natures mortes, fleurs. Tendance postimpressionniste, puis expressionniste, puis abstrait-paysagiste.

Il étudie dans l'atelier du peintre paysagiste Nicanor Pinole. Depuis 1960, il vit à Madrid. Il crée, en 1996, une fondation qui porte son nom. Il expose personnellement en Espagne, 1997 à La Corogne, et en Amérique latine.

Il est l'auteur d'une importante production, traitant les sujets les plus variés, avec une prédilection pour les paysages, notamment les vues d'Espagne (Galice, Ségovie, Murcie, Andalousie, La Corogne). Son œuvre, qui se caractérise par une exaltation de la couleur pure, une violence de la touche et une rapidité d'exécution, s'illustre en deux étapes bien distinctes : une première, jusqu'en 1975, pendant laquelle il cultive une peinture réaliste, de tendance postimpressionniste ; et une seconde, période de développement croissant vers un expressionnisme tendant progressivement à un paysagisme abstrait, non exempt d'une certaine naïveté, qui gagne en matières chromatiques, dans des toiles comme *Cerca del Mar ; Oiseaux d'Europe ; Chevaux au galop*. Depuis le début des années 90, il évolue dans un domaine de la peinture où ne subsistent plus que des éléments purement plastiques sans aucun rappel de la réalité objective, et néanmoins parfaitement narratifs.

N Zumel

Bibliogr. : Divers : *El Pintor Nelson Zumel,* José N. Gonzalez, Madrid, 1993 – divers : *Nelson Zumel. L'illusion de peindre,* appareil documentaire complet, José N. Gonzalez, Madrid, 1996.
Musées : Lugo, Galice (Mus. Nelson Zumel).

ZUMELLA Giovanni
xve siècle. Actif à Vérone au début du xve siècle. Italien.
Peintre.
Il peignit des fresques dans le Vieux Château et le Palais des Scaliger en 1404.

ZUMMO Giulio Gaetano, don. Voir **ZUMBO**

ZUMPE Franz
xviiie siècle. Actif à Vienne dans la seconde moitié du xviiie siècle. Italien.
Peintre de portraits.
Il peignit des portraits des archiduchesses Christine et Josepha.

ZUMPE Johannes
Né le 24 mai 1819 à Bautzen. Mort le 5 décembre 1864 à Dresde. xixe siècle. Allemand.
Peintre d'histoire.
Élève de Veit Hans Schnorr von Carolsfeld à l'Académie de Leipzig, ensuite de Neher à Stuttgart, et de Julius Schnorr à Dresde. En 1855, il obtint une bourse de voyage à Rome, où il fit connaissance avec Cornelius. En 1864, il fut membre honoraire de l'Académie de Dresde. On cite parmi ses meilleurs ouvrages, les dessins pour les vitraux de l'abbaye de Stuttgart, un dessin : *(Le Parnasse)* pour l'Union des Arts de Leipzig et les dessins de la décoration de la Loggia de la Galerie de Dresde.
Musées : Bautzen : *L'artiste* – Dresde : *L'entrée du Christ à Jérusalem* – Goerlitz : *Psyché* – Leipzig : *Le Parnasse.*

ZUMSANDE Josef
Né en 1806 à Neuhaus. Mort le 9 septembre 1865 à Neuhaus. xixe siècle. Autrichien.
Peintre de portraits, peintre de miniatures.
Élève des Académies de Prague et de Vienne. Il exposa à Prague à partir de 1891.

ZUMSTEIN Beatus
Né en 1927 à Seeberg. Mort le 1er octobre 1984 en Suisse. xxe siècle. Actif en France. Autrichien (?).
Peintre.
Il s'établit à Paris dans les années cinquante. L'abstraction lyrique n'est pour lui qu'un passage, puis l'expression plastique tend vers une nouvelle figuration. L'abstraction chez lui est l'élement lyrique et violent, la figuration, l'élément solide et structuré, autour duquel l'œuvre est construite et organisée.

ZUMSTEIN Paul
Né le 5 octobre 1890 à Brienzwiler. xxe siècle. Suisse.
Sculpteur sur bois.
Il fit ses études à Brienz, à Genève et à Munich. Il était actif à Brienz.

ZÜND Robert
Né le 3 mai 1827 à Lucerne. Mort le 15 janvier 1909 à Lucerne. xixe siècle. Suisse.
Peintre de compositions religieuses, scènes de genre, paysages animés, paysages d'eau, paysages de montagne, aquarelliste.
Il est le plus jeune de trois garçons. Il voyagea beaucoup : visita la Suisse, une partie de l'Allemagne, fut élève à Genève de François Diday et d'Alexandre Calame et vint à Paris en 1852. Après avoir étudié sérieusement Nicolas Louis Cabat, Alexandre Decamps, François Louis Français, Constant Troyon et l'École de Barbizon, il se fixa en 1860 à Dresde pour quelques mois et retourna enfin à Lucerne. En 1896, il fut fait docteur *honoris causa* par l'université de Zurich. Puis, après une longue maladie, il mourut dans sa ville natale.
Il prit part à diverses expositions en Suisse de 1852 à 1871, obtint une médaille d'argent à l'Exposition de Berne en 1857. Il participa à celle de Vienne en 1873, à celle de Bâle en 1905, enfin à Berlin en 1906.
Ses paysages montrent un équilibre entre l'art des paysagistes classiques comme Ruysdaël ou Claude Lorrain et les peintres de l'École de Barbizon.

R. Zünd

Bibliogr. : Gérald Schurr, in : *Les Petits Maîtres de la peinture 1820-1920, valeur de demain,* Les Éditions de l'Amateur, t. V, Paris, 1981.
Musées : Aarau : *Au bord du lac de Sempach – Au lac des Quatre Cantons – Vue d'Emmetten – Groupe d'arbres près de Lucerne* – Bâle : *La moisson – Le fils perdu – Paysage des environs de Lucerne – Environs du lac des Quatre Cantons – Repos de la Sainte Famille pendant la fuite en Égypte* – Berne : *Paysage d'automne – Les disciples d'Emmaüs* – Fribourg : *Le bon Samaritain* – Lucerne : *Ferme sous des arbres* – Zurich : *La chapelle commémorative de Sempach – Forêt de chênes – Le lac de Sempach – Paysage avec troupeau de moutons.*
Ventes Publiques : Lucerne, 11 juin 1951 : *Paysage* : **CHF 3 500** – Lucerne, 16-20 juin 1953 : *Paysage de rivière ; Paysage maritime* 1850, deux pendants : **CHF 7 000** – Lucerne, 21 juin 1963 : *Paysage fluvial* : **CHF 20 000** – Lucerne, 3 déc. 1966 : *Bords de lac* : **CHF 30 000** – Lucerne, 28 nov. 1969 : *Paysage à l'église* : **CHF 5 100** – Lucerne, 12 juin 1970 : *Cerfs dans un paysage* : **CHF 31 000** – Lucerne, 18 juin 1971 : *Paysage aux environs de Lucerne* : **CHF 29 000** – Lucerne, 24 nov. 1972 : *Paysage fluvial à Meiringen* : **CHF 40 000** – Zurich, 26 avr. 1973 : *Paysage d'été* : **CHF 56 000** – Zurich, 9 nov. 1973 : *Paysage,* aquar. : **CHF 4 600** – Lucerne, 25 juin 1976 : *Vue de Lucerne,* h/t (61x81) : **CHF 30 000** – Zurich, 20 mai 1977 : *Paysage à la rivière,* h/t (76x101) : **CHF 23 000** – Zurich, 25 mai 1979 : *Une femme au bord du lac des Quatre-Cantons,* h/t (76x101) : **CFH 42 000** – Zurich, 26 mars 1981 : *Scène de moisson,* h/t (75x99,5) : **CHF 65 000** – Lucerne, 11 nov. 1983 : *Étude d'arbre* 1853, cr. : **CHF 5 000** – Lucerne, 19 mai 1983 : *Troupeau au pâturage,* h/t (61x81) : **CHF 70 000** – Lucerne, 12 nov. 1985 : *Arbre* 1887, cr. et encre grise reh. de blanc, étude (25,5x36,5) : **CHF 3 400** – Lucerne, 4 juin 1987 : *Vue du lac des Quatre-Cantons,* cr. (27x38) : **CHF 2 800** – Berne, 17 juin 1987 : *Paysage du lac des Quatre-Cantons* vers 1880, h/t (61x81) : **CHF 44 000** – Paris, 14 fév. 1990 : *Paysage suisse au chalet,* h/t (60x92) : **FRF 98 000** – Zurich, 9 juin 1993 : *Sous-bois avec un arbre creux* 1848, h/t (52x39) : **CHF 5 175** – Zurich, 24 nov. 1993 : *Paysage avec des vaches dans une prairie boisée,* h/t (61x81,5) : **CHF 80 500** – Zurich, 8 déc. 1994 : *Les environs d'Emmenbrücke,* h/t (39,5x51,5) : **CHF 17 250** – Zurich, 12 juin 1995 : *Le moulin de Rathausen,* h/t (75x101) : **CHF 182 200** – Zurich, 5 juin 1996 : *Clairière ensoleillée,* h/t (77x52) : **CHF 69 000** – Zurich, 10 déc. 1996 : *Au bord du Vierwaldstättersee,* h/t (76x100) : **CHF 46 000** – Zurich, 4 juin 1997 : *Vue sur le Bürgenstock,* h/t (61x81,5) : **CHF 55 200.**

ZÜNDT Mathis ou **Zinck, Zintt, Zyndler, Zynndt, Zynnth**
Mort le 25 février 1572. xvie siècle. Allemand.
Graveur, sculpteur sur bois et orfèvre.
On l'a souvent confondu avec Martin Zatzinger en raison de la similitude d'initiales sur leurs estampes. On est généralement d'accord pour lui attribuer la série des *Ars moriendi,* dont on voit des épreuves au British Museum à Londres.

ZUNEZ Bautista
xviiie siècle. Espagnol.
Peintre.
Il peignit pour la Chartreuse de Vall de Cristo.

ZUNIGA Evaristo de
xviiie siècle. Travaillant au Guatemala de 1712 à 1737. Guatémaltéque.
Sculpteur.
Il a sculpté *Le Christ portant la croix* dans l'église de Merced du Guatemala.

ZUNIGA Francisco
Né en 1912 ou 1913 à San José (Costa-Rica). xxe siècle. Depuis 1936 actif et depuis 1947 naturalisé au Mexique. Costaricain.
Sculpteur de monuments.
Il fit son apprentissage dans l'atelier de son père. Dès l'âge de dix-huit ans, il tailla dans la pierre une *Maternité* imposante. Attiré par le Mexique, il s'y fixa en 1936. Il travailla le dessin

avec Rodriguez Lozano et la sculpture avec Oliverio Martinez et d'autres sculpteurs. Dès 1946, il obtint l'importante commande d'un groupe de statues pour Valsequillo (Puebla). En 1947, il fut nommé professeur, et il aura pour élèves : Alberto de la Vega, Fidencio Castillo, Augusto Escobedo, Jorge Dubon, Pedro Coronel. En 1958, il obtint le Premier Prix de Sculpture de l'Institut national des Beaux-Arts.
Il a exécuté de nombreux monuments, notamment le *Monument au poète Ramon Lopez Velarde*, assemblage de bas-reliefs et de figures érigé dans la ville de Zapotecas ; *La richesse de la mer* dans le port de Veracruz ; la façade du Secrétariat des Communications ; etc. Ses sculptures sont directement intelligibles par le grand public, pourtant la simplification synthétique des formes et des volumes y est extrême ; mais il se trouve que cette rude puissance ainsi exprimée est en accord avec les caractéristiques ancestrales des arts mexicains, et peut-être même avec la morphologie indienne.

Bibliogr. : Maria-Rosa Gonzalez, in : *Nouveau diction. de la sculpt. mod.*, Hazan, Paris, 1970.
Ventes Publiques : New York, 18 mars 1972 : *Femme assise, mains jointes*, bronze : **USD 6 750** – Los Angeles, 20 nov. 1972 : *Femme assise*, aquar. et fus. : **USD 1 200** – New York, 19 oct. 1973 : *Nu penché*, bronze : **USD 11 000** – Los Angeles, 11 nov. 1974 : *La grand'mère*, aquar. : **USD 1 100** ; *La grand'mère*, terre cuite : **USD 1 800** – New York, 27 fév. 1976 : *Paysanne assise* 1972, bronze à patine verte et brune (H. 40) : **USD 5 500** – New York, 25 fév. 1976 : *Nu assis*, past. brun et fus. (66x52) : **USD 1 600** – New York, 26 mai 1977 : *Nu accroupi* 1974, past./pap. brun (48x66) : **USD 1 400** – New York, 26 mai 1977 : *Mère avec deux enfants* 1953-1954, pierre de Xoltocan (H. 85) : **USD 16 000** – Los Angeles, 26 juin 1979 : *Jeune fille assise* 1978, litho. en coul. : **USD 1 700** – New York, 18 oct 1979 : *Nu couché* 1968, fus. et cr. brun (45,7x64,2) : **USD 2 900** – Los Angeles, 16 oct 1979 : *Personnages autour d'un feu de camp* 1962, aquar. (31,7x49,5) : **USD 2 250** – New York, 11 mai 1979 : *Maternité* 1973, onyx (H. 35,5) : **USD 16 000** – New York, 20 fév. 1981 : *Femmes assises* 1974, litho. coul. (53,5x67,2) : **USD 2 300** – New York, 8 mai 1981 : *Deux femmes debout* 1971, cr. Conté noir, brun et blanc (66,3x51) : **USD 6 500** – New York, 7 mai 1981 : *Deux Femmes accroupies* 1970, aquar. et fus. (49,8x64,8) : **USD 11 500** – New York, 23 nov. 1982 : *Juchitecas platicando* 1976, bronze (H. 43,2) : **USD 22 000** – New York, 8 nov. 1984 : *Mère et enfant* 1973, litho. en coul. (50x65,4) : **USD 1 700** – New York, 31 mai 1984 : *Deux femmes assises* 1969, aquar. et craies brune et blanche (50x64,5) : **USD 8 500** – New York, 30 mai 1984 : *Femme assise* 1975, fus. et craie blanche (46,5x65) : **USD 3 000** – New York, 27 nov. 1985 : *Deux femmes debout* 1969, fus. (171x89,5) : **USD 9 000** – New York, 28 mai 1985 : *Dialogue* 1979, bronze à patine brune (182,8x101,6x114,3) : **USD 115 000** – New York, 20 mai 1986 : *Femme assise* 1973, bronze à patine brune (H. 85,1) : **USD 67 500** – New York, 25 nov. 1986 : *Nu accroupi* 1965, fus. et lav. de brun (49,6x64,8) : **USD 3 200** – New York, 22 mai 1986 : *Femme au repos* 1975, past. et craie blanche/pap. (51x64,8) : **USD 4 800** – New York, 19 mai 1987 : *Femme se coiffant* 1971, aquar. et craie brune (65x50) : **USD 6 500** – Los Angeles, 9 juin 1988 : *Deux Femmes debout*, bronze (H. 36) : **USD 16 500** ; *Trois femmes assises* 1981, fus. et past./pap. (70x99,1) : **USD 9 350** – L'Isle-Adam, 11 juin 1988 : *Trois Personnages* 1985, bronze à patine brune (H 38) : **FRF 75 000** – Paris, 3 oct. 1988 : *Femmes debout* 1984, bronze : **FRF 70 000** – New York, 21 nov. 1988 : *Trois Femmes* 1982, bronze (48,3x55,9) : **USD 33 000** ; *Femme indigène assise* 1977, bronze (H. 35,6) : **USD 13 200** – New York, 17 mai 1989 : *Trois Femmes* 1980, bronze (H. 42) : **USD 30 800** – New York, 20 nov. 1989 : *Deux Femmes* 1965, marbre (H. 34,5) : **USD 38 500** – New York, 21 nov. 1989 : *Femme assise* 1976, onyx blanc (H. 41,5) : **USD 46 200** – New York, 1er mai 1990 : *Femme se reposant* 1979, marbre blanc (H. 34, L. 87) : **USD 66 000** – New York, 19-20 nov. 1990 : *Femme assise* 1966, bronze à patine brune (H. 32) : **USD 22 000** – New York, 20-21 nov. 1990 : *Femme assise*, onyx blanc (H. 43) : **USD 93 500** – New York, 15-16 mai 1991 : *Evelia allongée* 1983, bronze à patine vert sombre (H. 89) : **USD 88 000** – New York, 15 mai 1991 : *Rosa assise sur une chaise* 1980, craie noire/pap. (69,5x50) : **USD 5 280** – New York, 19 nov. 1991 : *Silvia assise en tailleur la joue posée dans sa main* 1975, marbre noir (H. 32) : **USD 55 000** – New York, 19-20 mai 1992 : *Femme assise* 1960, bronze à patine verte (H. 102,9) : **USD 110 000** – New York, 24 nov. 1992 : *Deux Femmes* 1978, marbre noir (h. 43, L. 43, prof. 38) : **USD 66 000** – New York, 18-19 mai 1993 : *Bavardages* 1979, bronze (H. 116,8) : **USD 151 000** – New York, 17 mai 1994 : *Femme indigène debout les bras levés*, bronze (H. 194,3) : **USD 178 500** – New York, 17 nov. 1994 : *Nu endormi* 1980, fus./pap. bleu clair (69,9x100,7) : **USD 9 200** – New York, 15 mai 1996 : *Deux femmes bavardant* 1965, bronze (H. 40,6) : **USD 29 900** – Lucerne, 23 nov. 1996 : *Trois Femmes assises* 1976, fus. avec reh. de blanc/pap. brun (66x96) : **CHF 8 200** – New York, 25-26 nov. 1996 : *Maternité* 1958, bronze patine verte (H. 74,9) : **USD 48 875** – New York, 28 mai 1997 : *Nu féminin* 1963, onyx blanc (H. 29,8) : **USD 43 700** ; *Deux Femmes assises* 1965, craie coul. et past./pap. (50,2x65) : **USD 6 325** – New York, 29-30 mai 1997 : *Madre e hija sentadas* 1981-1982, bronze patine verte (58,1x65,4x44,1) : **USD 46 000** – New York, 24-25 nov. 1997 : *Portrait de Elena* 1970, bronze patine brune (H. 88,9) : **USD 74 000**.

ZUNIGA Mateo de
XVIIe siècle. Travaillant au Guatemala en 1687. Guatémaltèque.
Sculpteur.
Père d'Evaristo Zuniga de. Il sculpta des autels de style baroque dans des églises du Guatemala.

ZUNK Willibald
Né le 23 février 1902 à Klagenfurt. XXe siècle. Autrichien.
Peintre.
Il n'eut aucun maître. Il était actif à Maria Saal.
Musées : Klagenfurt (Gal. prov.) – Vienne (Albertina).

ZUNTZ-QUÉVERDO
Née entre 1774 et 1781 à Paris. XVIIIe-XIXe siècles. Française.
Graveur au burin.
Elle grava un *Portrait de l'impératrice Joséphine*. On peut penser à une parenté avec la famille de graveur Queverdo.

ZUO ZHEN ou **Tso Chên** ou **Tso Shen**
Actif sous la dynastie Qing (1644-1911). Chinois.
Peintre de paysages.

ZUPANCIC Johann. Voir **SUPPANTSCHITSCH**

ZUPANSKY Wladimir
Né le 24 septembre 1869 à Rakonitz. Mort le 20 septembre 1928 à Prague. XIXe-XXe siècles. Tchécoslovaque.
Peintre de figures, nus, peintre de décorations et d'affiches.
Il fut élève des Académies de Prague et de Vienne. Il exposa à partir de 1900. Il exécuta aussi des ex-libris et des rideaux de théâtre.
Ventes Publiques : Londres, 7 avr. 1993 : *Nu féminin dans un jardin* 1897, h/t (111x40) : **GBP 4 830**.

ZUPELLI Giovanni Maria ou **Zuppelli** ou **Cappellini**
Né à Crémone. Mort en 1538. XVe siècle. Actif à la fin du XVe siècle. Italien.
Peintre de paysages.
Cet artiste peignait des paysages dans lesquels il introduisait des sujets tirés de l'histoire sainte.

ZUPPA Anton
Né en 1897 à Split. XXe siècle. Yougoslave.
Peintre et graveur sur bois.
Il fut élève des Académies de Munich et de Zagreb.

ZUPPINGER Ernst Theodor
Né le 22 mars 1875 à Zurich ou à Hottingen. Mort en 1948 à Locarbo. XXe siècle. Suisse.
Peintre de paysages typiques, décorateur.
Il voyagea beaucoup et fut élève à l'Académie Julian, à Paris, de William Bouguereau et de Gabriel Ferrier. Il prit part à un grand nombre d'expositions suisses, à partir de 1903.
Ventes Publiques : Lucerne, 30 sep. 1988 : *Demeure rurale dans le Haut-Tessin* 1920, h/t (63x87) : **CHF 1 800** – Amsterdam, 21 avr. 1993 : *Village de montagne en Suisse* 1923, h/cart. (45,5x53,5) : **NLG 1 840**.

ZURBARAN Francisco de

Né à Fuente de Cantos (Estremadure), baptisé le 7 novembre 1598. Mort le 27 août 1664 à Madrid. XVIIe siècle. Espagnol.

Peintre de compositions religieuses, scènes mythologiques, sujets de genre, portraits.

Francisco Zurbaran est né en novembre 1598, un an avant Vélasquez, dans le village de Fuente de Cantos, dans la province de Badajoz, en Estrémadure. Son nom révèle une probable ascendance basque – comme plus tard celui de Goya. Ses parents, des paysans, l'envoient très jeune à Séville où, en 1614, il entre pour deux ans en apprentissage chez un peintre obscur, Pedro Diaz Villanueva. En 1616, il signe une *Purissima* qui révèle un tempérament déjà formé. Zurbaran n'a pas fréquenté les ateliers alors illustres de la ville, mais il semble qu'il n'avait nul besoin de ce qui s'y apprenait, de cette culture raffinée qui triomphait chez Pacheco, de cette grande tradition décorative italienne que renouvelait Roelas. Il connaissait sans doute les hommes et se trouva assez vite sur un pied d'égalité avec eux. Dès ce moment, il se liait d'amitié avec le jeune Vélasquez qui était l'espoir le plus brillant de ces milieux savants. À cette amitié de jeunesse, les hommes mûrs demeurèrent toujours fidèles, bien que dès l'origine, ils se soient engagés dans des voies différentes. Sa formation achevée, Zurbaran se retire malgré ses premiers succès – notamment la décoration de la chapelle de San Pedro de la cathédrale – du brillant monde artistique de Séville pour s'installer, en 1625, près de son village natal, dans la petite ville de Llerena, qui est au centre de la Serena, vaste plaine de pâturages. Il se marie et il a plusieurs enfants. Il continue à recevoir des commandes de Séville où sa renommée est telle, qu'en 1629, alors qu'il a à peine trente ans, la municipalité l'invite à revenir s'installer dans la ville en lui promettant tout ce qu'il pourrait souhaiter. C'est l'époque où les grands ordres religieux entreprennent dans toute l'Espagne de faire exécuter des cycles de peinture pour glorifier leur histoire. Puis, l'époque des grandes commandes fut définitivement close. On sait seulement qu'il vivait encore en 1664. Maria Luisa Caturla vient de découvrir la date de sa mort, le 27 août de cette même année. Pour de multiples raisons, œuvres *in situ*, sécurité, conservation, il fallait aller sur place, dans les édifices religieux, dans les musées, pour connaître en vrai les peintures de Zurbaran. Toutefois, certaines de ses peintures, sans qu'on le sache trop, n'étaient vraiment pas inaccessibles : sans mentionner l'ensemble capital du Musée de Grenoble, le Musée Saint-Pierre de Lyon expose un tragique *Saint François*, le confidentiel Musée de Chartres recèle une délicieuse *Sainte Lucie*. En 1988, à Paris, aux Galeries Nationales du Grand Palais, l'exceptionnelle exposition *Zurbaran* réunissait, et présentait dans des conditions particulièrement adaptées, environ soixante-dix tableaux parmi les plus importants. Un tel déploiement a permis de revoir certaines des idées communément admises jusqu'ici.

L'ensemble de Sanchez Cotan pour la chartreuse de Grenade date de 1625, celui de Carducho pour le Paular de 1628 à 1638. Zurbaran exécute pour le couvent dominicain de San Pablo les admirables peintures qui subsistent à l'église de la Magdalena à Séville ; pour le couvent de la Merced qu'on venait d'achever, les visions de Saint Pierre Nolasque. Il peint encore des scènes de la vie de Saint Bonaventure, dont deux sont au Louvre et une autre au Musée de Dresde ; l'ensemble de la chartreuse de las Cuevas, aujourd'hui au Musée de Séville avec la *Vierge protectrice des chartreux* et le *Repas de saint Hugues*. Il réalise les admirables portraits des frères mercedaires qui sont à l'Académie San Fernando et, en 1631, la grande *Apothéose de Saint Thomas d'Aquin* du Musée de Séville, qui est son œuvre la plus proche d'une composition classique traditionnelle. Sa réputation parvient jusqu'à Madrid ; c'est peut-être Vélasquez qui le signale au roi. Zurbaran est chargé d'exécuter une série de tableaux pour le nouveau palais du Buen Retiro que l'on faisait restaurer. Le thème profane qu'on lui impose pour ces peintures, les *Travaux d'Hercule*, est en contraste frappant avec sa personnalité, mais il s'y soumet avec succès. S'il faut en croire Palomino, le roi, content de lui, lui adresse un jour ces mots, qui font honneur à un souverain : « Zurbaran, peintre du roi et roi des peintres. » Zurbaran s'intitule en effet, en 1638, « peintre du roi ». Mais il n'y a aucun indice que la Cour ait fait appel une autre fois à ses services. L'artiste revient à sa vraie vocation, la peinture dévote. À partir de 1633, il entreprend son plus vaste ensemble, celui de la chartreuse de Jerez, dont proviennent les quatre tableaux du Musée de Grenoble et ceux du Musée de Cadix. Enfin il peint, en 1638-1639, le cycle du monastère de Guadalupe. Pour les scènes se trouvant sur un mur placé à contre-jour il fait appel pour la première fois aux pratiques du ténébrisme, aux violents contrastes de parties vivement illuminées se détachant sur fond sombre. Il crée un monde verdâtre troué d'éclairs, qui a le caractère d'une vision. C'est donc une œuvre gigantesque qui est accomplie en une douzaine d'années, de 1628 à 1640. Elle ne comporte pas la moindre faiblesse et il est stupéfiant qu'un artiste ait pu tenir un ton pareil avec une production aussi abondante.

À partir de 1640, Zurbaran subit une crise profonde. Devenu veuf, il se remarie, a encore de nombreux enfants et mène une vie obscure et bientôt difficile. Il doit quitter Séville et vient à Madrid où l'amitié de Vélasquez ne se démentira pas. Mais Zurbaran ne peint presque plus. Hormis diverses versions de *Saint François* et les deux grands moines dominicains du Musée de Séville, on ne lui attribue plus que des œuvres religieuses assez banales. Autant mentionner ici, puisqu'on l'attribue à la fin de la vie de Zurbaran, plutôt qu'en encombrer l'analyse stylistique de la conclusion, l'importante production de Vierges et Nativités, révélée par l'exposition de 1988, qui sont d'ailleurs bien loin de manquer de charme, dont la caractéristique principale est le remplissage de l'espace au-dessus de la Vierge par un essaim serré de têtes d'anges ailées, d'une facture totalement stéréotypée d'un tableau à l'autre et dont on peut penser qu'elles devaient être de la main de quelques aides ou apprentis. On ne peut non plus passer sous silence les représentations de très nombreuses saintes du calendrier, très probablement de commande, qui présentent la particularité d'être fort avenantes dans leurs beaux atours et de suggérer avoir été générées à partir du prototype de quelque Sainte Nitouche. Attribué à ses dernières années, le *Saint Luc devant le Crucifix* du musée du Prado de Madrid, qui passe pour un autoportrait, traduit une espèce de renonciation volontaire à tout éclat, à toute vibration, à toute vie. Zurbaran disparaît peu à peu et l'on ne trouve plus trace de son activité.

Le peintre demeure l'un des plus surprenants qui aient existé. On peut lui trouver des antécédents pour telle partie de son œuvre, mais non des maîtres. Ses natures mortes font penser à Cotan. Certaines têtes de vieillards, comme le *Saint Pierre* de Séville, le *Saint Jérôme* de Guadalupe, évoquent les figures de Ribera. Mais, en vérité, Zurbaran ne doit rien qu'à lui-même. La simplicité de sa formation a respecté son tempérament mélancolique et sauvage ; son œuvre garde un accent de rusticité. La courbe si variable de sa production indique qu'il n'a peint que pour obéir à un instinct profond. Dans les périodes de doute, il garde le silence et sa vie est marquée par de véritables retraites. Dans son œuvre, le sujet importe bien moins que le rapport qui est créé entre les formes. Les thèmes sont simples et peu nombreux et ils peuvent être repris indifféremment. Il s'agit de personnages isolés dans leur comportement, même lorsque plusieurs voisinent sur une même toile, arrêtés au point extrême de leur passion ou de leur croyance. On peut évoquer ici, révélé par l'exposition de 1988, le *Jésus dans l'atelier de Nazareth se blessant à la couronne d'épines*, daté vers 1630 donc encore de la jeunesse de Zurbaran, apparemment au Musée de Cleveland, alors que l'exposition de 1988 l'indiquait d'une collection privée. La renommée l'a choisi, c'est l'époque des commandes de ses ensembles monumentaux destinés aux communautés monastiques, et pourtant, dans le même temps, il peint cette scène familière inusitée : Jésus accuse une petite dizaine d'années, entre deux colombes et un lys dans un vase sur le devant et en arrière-plan une nature morte avec des livres, il est assis au côté de sa mère, qui coule vers lui, yeux mi-clos, un extraordinaire regard de tendresse et d'inquiétude prémonitoire, l'enfant joue, et se blesse,... avec une couronne d'épines. Dans cette peinture inattendue comme ailleurs, si forts soient les sentiments exprimés par la psychologie des visages et attitudes, ils le sont encore plus par les « correspondances » transmises par cette complexe organisation entre eux des espaces, des formes, des éclairages et des couleurs. Chaque personnage comme chaque objet doit être considéré dans son unité. Les détails ne comptent plus, ils peuvent s'effacer ; par exemple certains visages dissimulés dans l'ombre des capuchons, sans que la figure perde rien de sa puissance expressive. C'est pourquoi Zurbaran aime les longues robes monastiques, ces masses raides de blancheurs, sur lesquelles alternent les plans de lumière et d'ombre et jouent des reflets colorés. Les vêtements enveloppent le personnage d'un seul mouvement et contribuent à donner une impression d'ensemble. Sur la dominante ainsi obtenue peuvent intervenir des touches vives et contrastées. Zurbaran affectionne les couleurs claires ; les jaunes, les roses et les azurs qui conviennent aux évocations célestes, mais aussi les pourpres et les rouges violets des princes de l'Église, les verts ou les bleus vifs qui s'exaltent au voisinage du blanc. Le tableau est pour lui déjà une surface plane où des couleurs sont « en un certain ordre assemblées ». Il n'est guère d'œuvre importante de Zurbaran qui ne s'ouvre sur une architecture, d'un style dépouillé et neutre, composée uniquement, telle une véritable épure, de perspectives et d'angles, baignant dans une sorte de lumière froide de rêve. Il ne s'agit pas d'un décor comme il en abonde dans les compositions classiques depuis la Renaissance, mais, à l'écart de la composition, d'une projection élémentaire en petites dimensions du tableau. Parfois ces structures se développent, s'animant même parfois de silhouettes vivantes. On comprend alors la nécessité de cette présence qui correspond au personnage, l'explique et symbolise son univers intérieur. Cette fenêtre donne sur un monde mental. Sa découpe est volontiers insolite. Elle enclôt une réalité psychique et sa rigueur n'est pas commandée par une géométrie de la composition, comme dans les tableaux de Vermeer. Dans le portrait du Frère Gonzalo de Illesca du monastère de Guadalupe, cette scène extérieure est particulièrement développée. Elle se déroule entre deux colonnes sombres et au premier plan se détache devant une nature morte composée d'un livre et d'une pomme. Le rapprochement d'éléments aussi disparates, dans un ordre inattendu, sans que les proportions naturelles soient respectées, accentue l'impression d'étrangeté et de dépaysement. Des « correspondances » s'établissent, de nouvelles associations d'images se créent. C'est ce qui donne une valeur si particulière aux rares natures mortes de Zurbaran ; les objets, surpris dans un isolement inhabituel, sont peints dans leur nudité, avec leur puissance magique encore intacte, tout aussi présents que les personnages des compositions. Tout l'œuvre de Zurbaran affirme ainsi la prééminence des valeurs plastiques et répond à la préoccupation de donner au sentiment, à l'idée véhiculés par l'image, une forme concrète.

■ Jacques Lassaigne, J. B.

Bibliogr. : C. Vinegra : *Catalogue de l'exposition des œuvres de Zurbaran*, Musée du Prado, Madrid, 1905 – E. Tormo : *Le monastère de Guadalupe et les peintures de Zurbaran*, Madrid, 1906 – J. Cascales y Munoz : *Francisco de Zurbaran, son époque, sa vie et ses œuvres*, s. l., 1911 – H. Kehrer : *Francisco de Zurbaran*, Munich, 1918 – F. Pompey : *Zurbaran*, Madrid, 1947 – M. L. Caturla : *Bodas y obras juveniles de Zurbaran*, Grenade, 1948 – J. A. Gaya Nuno : *Zurbaran*, Barcelone, 1948 – M. L. Caturla : *Zurbaran. Catalogue de l'exposition*, Grenade, juin 1953 – M. S. Soria : *Les peintures de Zurbaran*, Londres, 1953 – Paul Guinard : *Zurbaran et les peintres espagnols de la vie monastique*, L'œil du temps, Paris, 1960 – Tiziana Frati, Mina Gregori : *L'opera completa di Zurbaran*, Flammarion, Paris, 1975 – Julian Gallego et José Gudiol Ricart : *Zurbaran : 1598-1664*, Secker & Warburg, Londres, 1977 – Julian Gallego, José Gudiol : *Zurbaran*, Cercle d'Art, Paris, 1988 – divers : Catalogue de l'exposition *Zurbaran*, Réunion des Musée Nationaux, Paris, 1988.

Musées : Aix-la-Chapelle : *Saint François d'Assise à genoux – Sainte Famille* – Amiens : *Sainte Catherine de Sienne* – Avignon : *Bohémienne – Sainte Barbe* – Barcelone (Mus. d'Art catalan) : *Sainte Cécile – Nature morte aux coings* – Barnard Castle : *Saint François d'Assise planant* – Berlin : *Saint Bonaventure et Saint Thomas d'Aquin – Jeune noble* – Besançon : *Saint François d'Assise* – Bonn : *Saint François d'Assise à genoux* – Boston (Isabella Stewart Gardner Mus.) : *Saint François d'Assise debout – Docteur de l'Université de Salamanque* – Breslau, nom all. de Wroclaw : *Jésus après la flagellation* – Budapest : *Sainte Famille – L'Immaculée Conception* – Cadix (Mus. des Beaux-Arts) : *Le Bienheureux Jean de Houghton – Ange à l'encensoir – Saint Laurent* – Chambéry : *Un moine en prière* – Chartres : *Saint François d'Assise – Sainte Lucie* – Chicago (Art Inst.) : *Le Christ en Croix* 1627 – Cleveland (Mus. of Art) : *Jésus dans l'atelier de Nazareth se blessant à la couronne d'épines* vers 1630 – Copenhague : *Fillette de cinq ans* – Detroit : *Jeune fille marchant* – Douai : *Saint François d'Assise* – Dresde : *Saint Bonaventure priant devant une couronne papale* – Dublin : *Glorification de la Vierge* – Édimbourg : *Apothéose de la Vierge* – Gênes : *Sainte Ursule – Le viatique pour l'Enfer – Sainte Euphémie* – Grenoble : *Adoration des mages – Circoncision – Annonciation – Adoration des bergers* – Guadalupe (Monastère) : *Le R. P. Fray Pedro de Cabanuelas – La Tentation de Saint Jérôme – Le R. P. Fray Gonzalo de Illescas* – Londres (Nat. Gal.) : *Saint François en méditation – Nativité ou adoration des bergers – Portrait d'une dame représentant sainte Marguerite* – Los Angeles (Norton Simon Found.) : *Nature morte aux fruits* 1633 – Lyon : *Saint François d'Assise* – Madrid (Mus. du Prado) : *Vision de saint Pierre Nolasque – Apparition de saint Pierre apôtre à saint Pierre Nolasque – Hercule séparant les deux monts Calpe et Abyla – Hercule vainqueur de Géryon – Hercule tuant le lion de Némée – Hercule domptant le Minotaure – Hercule luttant avec Antée – Hercule détournant le cours de l'Alphée – Hercule tuant l'hydre de Lerne – Hercule luttant avec le sanglier d'Erymanthe – Hercule tourmenté par le feu de la tunique du centaure Nessus – Sainte Catilda – L'Enfant Jésus endormi sur la croix* – Le Mans : *La communion de saint Jérôme* – Metz : *Portrait d'homme* – Montpellier : *L'ange Gabriel – Sainte Agathe* – Munich : *Saint François d'Assise* – New York : *La Vierge enfant – Bataille contre les Maures* – Paris (Mus. du Louvre) : *Saint Pierre Nolasque et saint Raymond de Pénafort – Sainte Apolline* 1636 – *Saint Bonaventure préside le chapitre – Saint Bonaventure sur son lit de mort* – Posen : *La Vierge du Rosaire* – Saint-Pétersbourg (Mus. de l'Ermitage) : *Enfance de la Vierge – Saint Laurent* – Séville : *La Vierge des cavernes – Saint Carmel – L'Enfant Jésus – Jésus crucifié mourant – Jésus couronnant saint Joseph – Le bienheureux Henri Suson – Apothéose de saint Thomas d'Aquin – Saint Louis Beltran – Crucifix – Saint Dominique – Saint Jérôme – Saint Grégoire – Jésus crucifié – Un saint évêque – Conférence de saint Bruno avec Urbain II pape – Un saint, évêque et martyr – Le Père éternel – Saint François d'Assise – Saint Hugues et plusieurs moines – Saint François de Borgia*, deux œuvres – *Saint Ignace de Loyola – Christ mourant*, deux œuvres, attr. – Strasbourg : *Sainte Christine – Jeune Vierge* – Tarbes : *Saint Jacques de Compostelle* – Valenciennes : *Adoration de l'enfant Jésus* – Vienne (Harrach) : *Un évêque* – Worcester : *Saint Thomas et saint Cyrille*.

Ventes Publiques : Paris, 1813 : *La Vierge en pleurs* : **FRF 300** – Paris, 1817 : *Visite de saint Joachim à sainte Elisabeth* : **FRF 1 225** – Londres, 1850 : *Adoration des bergers ; Adoration des mages*, ensemble : **FRF 42 500** – Paris, 1852 : *Le miracle du Crucifix* : **FRF 19 500** – Paris, 1867 : *L'Annonciation* : **FRF 40 000** – Londres, 1872 : *Portrait d'un jeune prince tenant le bâton du commandement* : **FRF 4 250** – Paris, 1875 : *Un pénitent gris* : **FRF 2 200** – Paris, 1900 : *Saint François d'Assise en extase* : **FRF 905** – Paris, 23 fév. 1920 : *Saint Ildefonse présente à la Vierge un jeune seigneur* : **FRF 750** – Londres, 20 avr. 1923 : *Portrait de femme* : **GBP 210** – Paris, 7 et 8 déc. 1923 : *Le martyre de saint Pierre* : **FRF 1 750** – Paris, 7 juil. 1926 : *Saint François* : **FRF 7 000** – Londres, 14 juin 1929 : *La Madeleine repentante* : **GBP 241** – Londres, 21 mai 1935 : *Tête de Sainte* : **GBP 1 150** – New York, 15 mai 1946 : *La Vierge et sainte Anne* : **USD 3 300** – Londres, 4 avr. 1962 : *L'Adoration des Rois Mages* : **GBP 1 000** – Londres, 3 juil. 1963 : *Regine Angelorum* : **GBP 8 000** – Londres, 29 oct. 1965 : *La vision de Saint François* : **GNS 21 000** – Londres, 25 nov. 1966 : *Jeune dominicain* : **GNS 4 200** – Londres, 21 juin 1968 : *Regina Angelorum* : **GNS 7 500** – Londres, 28 mars 1969 : *L'Immaculée Conception* : **GNS 11 000** – Londres, 10 déc. 1980 : *Regina Angelorum* 1661, h/t (103x82) : **GBP 38 000** – New York, 7 juin 1984 : *La mise au tombeau de Sainte Catherine sur le Mont Sinaï*, h/t (209x126) : **USD 280 000** – New York, 15 jan. 1985 : *L'Immaculée Conception*, h/t (101,5x76,2) : **USD 120 000** – Madrid, 16 déc. 1987 : *San*

Carlos Borromero, patrono de los banqueros, h/t (80x63) : **ESP 10 000 000** – New York, 15 jan. 1988 : *Frère Guillermo de Sagiano,* h/t (63,5x42,5) : **USD 24 200** – New York, 2 juin 1989 : *Saint François d'Assise recevant les stigmates,* h/t (247,5x167,5) : **USD 253 000** – New York, 10 jan. 1990 : *Le voile de Véronique,* h/t (101,6x83,2) : **USD 286 000** – New York, 11 jan. 1991 : *La Sainte Famille,* h/t (83,2x61) : **USD 110 000** ; *David avec la tête de Goliath,* h/t (190,5x105,4) : **USD 825 000** – Londres, 24 mai 1991 : *Saint François d'Assise recevant les stigmates,* h/t (247,5x167,5) : **GBP 132 000** – Londres, 29 mai 1992 : *Sainte Agnès,* h/t (140,5x106) : **GBP 159 500**.

ZURBARAN Juan de

Né en 1620. Mort en 1649. xviie siècle.

Peintre de natures mortes.

Bibliogr. : W. B. Jordan, in : Catalogue de l'exposition *La nature morte espagnole de l'Âge d'or 1600-1650,* Musée d'Art Kimbell, Fort Worth, Musée d'Art, Toledo, Ohio, 1985 – A. E. Perez Sanchez, in : *La nature morte espagnole du xviie s. à Goya,* 1987.

Ventes Publiques : Londres, 29 mai 1992 : *Figues dans une assiette d'étain,* h/t (34x42) : **GBP 88 000** – New York, 31 jan. 1997 : *Pommes dans un panier en osier avec des grenades sur une assiette en argent et fleurs dans un vase en verre,* h/t : **USD 2 862 500**.

ZURCHER Anton

Né vers 1754. Mort le 2 octobre 1837 à Utrecht. xviiie-xixe siècles. Actif à Amsterdam. Hollandais.

Dessinateur et graveur.

Son fils J. C. Zurnher, graveur, vivait en 1828.

ZURCHER Anton Frederik

Né le 15 février 1835 à Nieuwer Amstel. Mort le 14 avril 1876 à Maastricht. xixe siècle. Hollandais.

Peintre de genre, aquafortiste.

Le Musée municipal d'Amsterdam conserve de lui : *Que votre règne arrive.*

ZURCHER Frederik Willem

Né le 13 février 1835 à Nieuwer Amstel. Mort le 2 septembre 1894 à La Haye. xixe siècle. Hollandais.

Peintre de genre, scènes de chasse, paysages, paysages d'eau, graveur.

Il figura aux expositions du Salon des Artistes Français de Paris, obtenant une mention honorable en 1887.

Ventes Publiques : Londres, 21 juil. 1976 : *Paysage fluvial ; Ferme au bord d'un étang,* deux toiles (15,5x34) : **GBP 400** – Amsterdam, 11 sep. 1990 : *Rêverie d'un moment,* h/t (31,5x41,5) : **NLG 2 760** – Amsterdam, 23 avr. 1991 : *Chasseur et ses chiens,* h/t (51,5x68,5) : **NLG 2 185** – Amsterdam, 3 sep. 1996 : *Pêche en hiver* 1891, h/t (36x41) : **NLG 1 960**.

ZURCHER Hans

Né le 14 mars 1880 à Menzingen (canton de Zug). Mort en 1958. xxe siècle. Suisse.

Peintre d'histoire, de genre, de fresques et de paysages et graveur.

Il fut élève de l'École des Beaux-Arts de Lucerne et de l'Académie de Munich. De lui sont les décorations de l'Hôtel de Ville de Gersau ainsi qu'une grande fresque allégorique *(La dernière guerre)* au Musée international de la Paix à Lucerne.

Musées : Lucerne : *Portrait d'homme.*

Ventes Publiques : Lucerne, 7 nov. 1980 : *La fête du centenaire* 1932, h/t (86x69) : **CHF 2 500**.

ZÜRCHER Jakob

Né le 15 août 1834 à Sumiswald. Mort le 28 mai 1884 à Rome. xixe siècle. Suisse.

Peintre de compositions religieuses, paysages, copiste.

En 1857, il se rendit à Rome où il vécut presque toute sa vie. Dès 1875, une maladie de nerfs commença à le détourner de ses travaux et il dut se reposer pendant un an.

Ses œuvres consistent surtout en copies de tableaux célèbres de Raphaël, Rubens, etc. qu'il fit sur la commande d'amateurs et même de la reine de Wurtemberg. On a cependant de lui *Prédication aux enfants,* dans l'église Aracochi à Rome.

Ventes Publiques : Zurich, 8 déc. 1994 : *Près de Grindelwald,* h/t (46x55,5) : **CHF 1 840**.

ZURCHER Jan ou **Johan, Wilhelmus Cornelis Anton**

Né le 18 octobre 1851 à Amsterdam. Mort le 9 mars 1905 à La Haye. xixe siècle. Hollandais.

Peintre de genre, graveur.

Fils d'Anton Frederik Zurcher. Il était aussi aquafortiste et écrivain.

Musées : Amsterdam (Mus. nat.) : *Enfant endormi – Prédicateur dans la forêt.*

ZURCHER Johan Cornelis

Né en 1794 à Nieuwer Amstel. Mort le 13 février 1882 à Amsterdam. xixe siècle. Hollandais.

Graveur.

Il gravait à l'eau-forte.

ZURCHER Johan Melchior

Né le 15 octobre 1705. Mort le 22 janvier 1763. xviiie siècle. Actif à Menzingen. Suisse.

Peintre verrier.

Il fit ses études à Vienne. Il travailla à Zug de 1735 à 1757. Le Musée national de Zurich conserve des œuvres de cet artiste.

ZÜRCHER Karl Anton. Voir **ZIRCHER**

ZÜRCHER Max

Né le 7 avril 1868 à Zurich. Mort le 19 juin 1926 à Rome. xixe-xxe siècles. Suisse.

Peintre, modeleur, architecte.

Il fut élève des Académies de Dresde, de Berlin et de Paris. Il exposa à Munich à partir de 1896.

ZURCHER Wentzel von

xviie siècle. Actif à Amsterdam et à Brême de 1618 à 1682. Hollandais.

Peintre.

ZÜRCHER Xaver ou **Franz Xaver**

Né le 17 mai 1819 à Menzingen. Mort le 6 janvier 1902 à Zug. xixe siècle. Suisse.

Peintre.

Élève de l'Académie de Munich. Il peignit des tableaux d'autel pour les églises de Appenzell, de Baar, de Bellikon, Menzingen et d'Oberwil.

ZÜRCHNER Karl Anton. Voir **ZIRCHER**

ZUREICH Sebastian

xviiie siècle. Actif dans la première moitié du xviiie siècle. Suisse.

Sculpteur.

Il sculpta les épitaphes des abbés dans l'abbatiale de Rheinau de 1734 à 1735.

ZÜRICHER Bertha

Née le 20 mars 1869 à Berne. Morte en 1949. xixe-xxe siècles. Suisse.

Peintre de genre, figures, paysages, graveur.

Elle était aussi écrivain. Elle gravait sur bois.Elle a exposé à la Société Nationale des Beaux-Arts de Paris.

Musées : Berne : *Chasseur aux aguets – Dans le berceau – L'artiste – Portrait de Hans Thoma – Fleurs* – Fribourg : *Le glacier de Wenden – Jeune Valoise.*

Ventes Publiques : Berne, 12 mai 1990 : *Chalet dans la neige,* h/rés. synth. (63,5x87,5) : **CHF 1 200**.

ZÜRICHER Ulrich Wilhelm ou **Zuericher**

Né le 30 août 1877 à Berne. Mort en 1961 à Thun. xxe siècle. Suisse.

Peintre de genre, figures, portraits, paysages, graveur.

Il fit ses études artistiques à Paris de 1900 à 1905 et se perfectionna en Italie, en Hollande, en Allemagne et au Danemark. Puis il se fixa en Suisse d'où il envoya des œuvres aux Salons, à Paris de la Nationale des Beaux-Arts et d'Automne, et aux Salons de Bâle, Lausanne, Zurich et à Rome.

Musées : Berne : *L'Artiste.*

Ventes Publiques : Lucerne, 29 juin 1973 : *Le Philosophe* : **CHF 3 400** – Lucerne, 30 sep. 1988 : *Retour à la cabane de bûcheron* 1919, h/t (50x60) : **CHF 3 600**.

ZURITA Antonio

xviiie siècle. Travaillant à San Ildefonso en 1722. Espagnol.

Sculpteur sur bois.

ZURKINDEN Irène

Née en 1909 à Bâle. Morte en 1987 à Bâle. xxe siècle. Suisse.

Peintre de compositions animées, portraits, aquarelliste.

Ventes Publiques : Lucerne, 19 nov. 1977 : *Vue de Lucerne* 1937, h/t (46,5x61,5) : **CHF 11 000** – Berne, 25 oct 1979 : *Le port de Bâle* 1942, h/t (35x46) : **CHF 17 000** – Lucerne, 30 sep. 1988 : *Cocktail de 5 à 7*, encre de Chine (30x21) : **CHF 1 600** – Berne, 12 mai 1990 : *Nature morte de fleurs n° 27* 1962, aquar. (54x45) : **CHF 4 800** – Lucerne, 4 juin 1994 : *Nouvelle Année 1926*, gche/pap. (19x15,5) : **CHF 950** – Lucerne, 26 nov. 1994 : *Paysage de dunes* 1979, aquar. (18x26) : **CHF 1 600** – Lucerne, 20 mai 1995 : *Nu féminin couché sur le ventre*, h/cart. (25x17,5) : **CHF 2 200** – Zurich, 14 avr. 1997 : *Portrait de Meret Oppenheim*, h/t (55x38) : **CHF 44 850** – Zurich, 4 juin 1997 : *Autour d'un cheval* 1944, h/t (54x65) : **CHF 14 950**.

ZURLI Beltramo
Né à Baguavalle. xve siècle. Italien.
Peintre.
Il travaillait à Bagnacavallo et à Faenza en 1474, puis était actif de 1480 à 1485.

ZURMUHLEN B.
xixe siècle. Travaillant à Amsterdam de 1818 à 1831. Hollandais.
Paysagiste.

ZÜRN David
Né le 1er septembre 1665 à Olmutz (Moravie). xviie siècle. Autrichien.
Sculpteur.
Élève et fils de Franz Zürn l'Ancien. Il sculpta plusieurs statues de saints pour la campagne et pour des ponts.

ZÜRN Franz, l'Ancien
Né avant 1626. Mort le 20 février 1707 à Olmutz. xviie siècle. Autrichien.
Sculpteur.
Il travailla pour la ville et les églises d'Olmutz.

ZÜRN Franz, le Jeune
Né à Olmutz (Moravie). Mort après 1681. xviie siècle. Autrichien.
Sculpteur.
Fils de Franz Zürn l'Ancien. Il travailla pour l'église bâtie sur la Montagne Sainte près d'Olmutz.

ZÜRN Jorg ou **Georg**
Né vers 1583 à Waldsee. Mort avant 1635 à Oberlingen. xviie siècle. Allemand.
Sculpteur.
Il travailla à Uberlingen où il sculpta le maître-autel de l'église.

ZÜRN Michael
xviie-xviiie siècles. Travaillant à Olmutz de 1678 à 1700. Autrichien.
Sculpteur.
Fils de Franz Zürn l'Ancien. Il sculpta la chaire de l'église sur la Montagne Sainte près d'Olmutz.

ZÜRN Unica
Née en 1916 à Berlin-Grünewald. Morte en 1970 à Paris, par suicide. xxe siècle. Active aussi en France. Allemande.
Peintre, peintre à la gouache, peintre de collages, dessinateur. Surréaliste.
Elle était d'abord poète, publiant dans des périodiques allemands et en Suisse. En 1953, elle devint la compagne de Hans Bellmer et consacra de plus en plus son activité au dessin. Elle dut subir plusieurs internements psychiatriques pour cause de schizophrénie. Ses textes autobiographiques, *Sombre Printemps* ; *L'Homme-Jasmin* ; et ses dessins reflétaient les obsessions qui l'amenèrent au suicide.
Elle pratiqua aussi la technique du collage. Elle a surtout produit des dessins au graphisme surchargé de lignes enchevêtrées, figurant des décors imaginaires, des créatures agressives, femmes, oiseaux, insectes d'origine onirique.
Bibliogr. : José Pierre : *Le Surréalisme*, in : *Hre Gle de la peint.*, t. XXI, Rencontre, Lausanne, 1966 – José Pierre, in *Le Belvédère Mandiargues*, Galerie Artcurial, Paris, 1990 – in : *Diction. de l'Art mod. et contemp.*, Hazan, Paris, 1992.
Ventes Publiques : Düsseldorf, 27 juin 1987 : *Femmes, poissons et oiseaux* 1961, pl. et lav. (30,5x20) : **DEM 2 300** – Paris, 13 avr. 1994 : *Sans titre* 1954, encre coul. (12,8x10,5) : **FRF 8 000** – Paris, 24 mai 1996 : *Personnage surréaliste*, gche (30x24) : **FRF 7 000** – Paris, 6 nov. 1996 : *Composition* 1957, aquar. et encre/pap. (50x33,5) : **FRF 8 000**.

ZÜRNICH Josef
Né le 29 septembre 1829 à Vienne. Mort le 30 juin 1902 à Vienne. xixe siècle. Autrichien.
Peintre d'animaux, paysages, restaurateur de tableaux.
Il fut élève de l'Académie des Beaux-Arts de Vienne.
Ventes Publiques : Munich, 25 nov. 1976 : *Trois cerfs dans un paysage* vers 1880, h/pan. (26x16) : **DEM 1 500**.

ZUR STRASSEN Melchior Anton
Né le 28 décembre 1832 à Munster-en-W. Mort le 27 février 1896 à Leipzig. xixe siècle. Allemand.
Sculpteur.
Il travailla à Cologne, à Berlin et à Rome. De 1870 à 1875, il fut professeur à l'École des Beaux-Arts de Nuremberg.
Il a laissé vingt-huit médaillons de portraits à la Bibliothèque de l'Hôtel de Ville de Berlin.

ZURUNIC-CUVAJ Roksana
Née en 1902 en Bosnie. xxe siècle. Yougoslave.
Peintre.
Elle fit ses études aux Académies de Vienne, de Paris et de Rome. Elle est active à Zagreb.

ZUSCHLAG Frederik Ludvig
Né le 14 février 1759 à Jydstrup. Mort le 18 janvier 1808 à Copenhague. xviiie siècle. Danois.
Sculpteur sur pierre, sur ivoire.
Il sculpta des bustes de ses contemporains.

ZUSH, pseudonyme de **Porta Albert**
Né en 1946 à Barcelone. xxe siècle. Espagnol.
Peintre, technique mixte, créateur d'assemblages, dessinateur.
En 1968, arrêté par la police pour conduite « anticulturelle », il fut interné en hôpital psychiatrique. Il s'intéressa aux schizophrènes ; c'aurait été l'un d'eux qui inventa son pseudonyme. Il s'établit à Ibiza. De 1975 à 1977, il séjourna aux États-Unis, à New York. Depuis 1977, il partage son temps entre Barcelone et New York. Il avait été invité à la Biennale de São Paulo en 1967. Depuis 1971, il expose à Barcelone, Madrid, Ibiza, Bruxelles galerie Lanzenberg, Paris galerie Rive gauche, New York, en 1988 à Toulouse, en 1992 Paris galerie Bénamou.
Il est autodidacte en art. Il aurait eu une production expressionniste avant 1968. Après 1968, en réaction contre le régime oppressif franquiste, il a fondé le *Evrugo Mental State*, une *Petite Cosmogonie portative* aurait dit Raymond Queneau, un *Espace du dedans* aurait dit Henri Michaux, à la fois son propre état fictif, doté d'un drapeau, d'une monnaie, d'une langue, etc., et son propre état mental. Il exploite son changement d'identité dans une production artistique dont il est au même titre néodadaïste l'auteur et l'œuvre, l'auteur des œuvres et l'auteur de Zush. Sa peinture, ses dessins, livres, assemblages, photomontages sont énigmatiques, faits d'une écriture impulsive et d'images hallucinatoires. Sa production traduit cette certaine schizophrénie, probablement provoquée et contrôlée à la façon d'une sorte d'écriture automatique surréaliste. Dali avait élevé la paranoïa au rang d'une méthode d'investigation du monde des profondeurs, Zush fait de même avec la schizophrénie : figures et récits constituent le fonds culturel de *Evrugo Mental State*, les personnages sont comme anamorphosés, souvent réduits à l'indication des sources d'énergie du corps, notamment à une emblématique sexuelle, alors qu'un cerveau à l'unique œil, symbolisant le surhomme, thème constant de son œuvre, apparaît comme le témoin voyeur de son propre délire obsessionnel. ■ J. B.
Bibliogr. : In : *L'Art du xxe siècle*, Larousse, Paris, 1991 – in : *Diction. de l'Art mod. et contemp.*, Hazan, Paris, 1992 – Jean-Yves Jouannais : *Zush*, in : Art Press, n° 169, Paris, mai 1992.
Musées : Madrid (Mus. esp. d'Art contemp) – New York (Guggenheim Mus.).

ZUSTERS Reinis
Né en 1918 à Odessa (Russie). xxe siècle. Actif en Australie. Russe.
Peintre.
Il fut élève du Collège d'Arts et Techniques de Riga (Livonie), puis de l'Université de la même ville. Il se fixa en Australie en 1950, et montra un ensemble de ses œuvres à Canberra, en 1951.
Musées : Sydney.
Ventes Publiques : Sydney, 6 oct. 1976 : *Redfern-figure and temporary structure*, h/cart. (91,5x121,9) : **AUD 800** – Sydney, 20 oct. 1980 : *Paysage jaune*, h/cart. (60,5x75,5) : **AUD 900** – Sydney, 3 juil. 1989 : *L'un sans l'autre*, h/cart. (30x45) : **AUD 1 400** – Sydney, 16 oct. 1989 : *Descendant vers le port*, h/cart. (122x210) :

AUD 4 000 – LONDRES, 30 nov. 1989 : *Bateaux amarrés*, h/cart. (60,9x76,2) : **GBP 418**.

ZUSTRIS Frederik. Voir **SUSTRIS**

ZUSTRIS Lambert. Voir **SUSTRIS**

ZUTMAN Lambert I
Né à Maëstricht. Mort probablement à Liège. XVe siècle. Éc. flamande.
Sculpteur.
Il fut appelé à Liège, pour l'exécution du porche de la cathédrale de Saint-Lambert, malheureusement détruit en 1793.

ZUTMAN Lambert II ou **Soete, Suavius, Sutman, Sutteminne, Zoetman, le Doux**
XVIe siècle. Éc. flamande.
Sculpteur.
Il travaillait à Liège de 1518 à 1561. Il sculpta un autel et un *Ecce homo* pour la cathédrale Saint-Lambert de Liège.

ZUTMAN Lambert III ou **Suavius, Soete, Zoetman, le Doux,** ou par erreur **Susterman**
Né vers 1510 à Liège. Mort en 1567 ou 1575 à Francfort-sur-le-Main (?). XVIe siècle. Éc. flamande.
Peintre, graveur de sujets religieux, allégoriques, portraits.
Petit-fils de Lambert Zutman I. Élève de Lambert Lombard qui, par sa seconde femme, était son beau-frère, ce qui entretient souvent une confusion entre les deux artistes.
Il était peintre, graveur au burin et architecte, imprimeur et poète. Il fut imprimeur vers 1548, vécut à Anvers après 1554, puis alla à Francfort. Dans cette ville, il peignit et grava des portraits, des allégories et des scènes religieuses.

LS 12 LS

MUSÉES : FLORENCE (Mus. des Offices) : *Descente de croix* – WIESBADEN : *Résurrection de Lazare*.
VENTES PUBLIQUES : LONDRES, 5 déc. 1985 : *Saint Pierre et Paul guérissant l'estropé* 1553, grav./cuivre (30,9x42,5) : **GBP 2 400**.

ZUTPHEN Bernd Peter Van
Né le 16 août 1875 à Utrecht. XXe siècle. Hollandais.
Peintre.
Élève de Wz. Jos. Hoevenaar à Utrecht. Il était actif à Munich.

ZUTT Richard Adolf
Né le 25 janvier 1887 à Bâle. XXe siècle. Suisse.
Sculpteur, peintre et orfèvre.
Il fit ses études à Munich et à Florence.
MUSÉES : BUDAPEST (Mus. nat.) : *Tête d'un Romain*.

ZUTTER Jonathan
Né le 18 décembre 1928 à Monaco. XXe siècle. Français.
Peintre de figures, paysages, marines.
Il fit ses études à l'École des Beaux-Arts de Genève entre 1946 et 1948, puis à l'Académie de la Grande Chaumière de Paris et à l'Académie Royale de peinture de La Haye. Il s'installa à Marseille en 1950. Il fit de nombreuses expositions personnelles en France, mais aussi en Suisse, aux États-Unis, en Grande-Bretagne, en Australie. Il reçut le Premier Prix de la Biennale de Menton en 1953.
Peintre de marines, paysages, portraits, nus, rendus à travers une vision vaporeuse, dans des coloris recherchés.

ZUTTERE Pieter de. Voir **SUTTER**

ZUTTERMAN Guido ou **Guy** ou **Sutterman**
XVIe siècle. Actif à Bruges en 1557. Éc. flamande.
Peintre.

ZUTTERMAN Henri ou **Sutterman**
XVIe siècle. Éc. flamande.
Peintre.
Il était actif à Bruges en 1563.

ZUTTERMAN Jean
XVIe siècle. Actif à Bruges de 1525 à 1550. Éc. flamande.
Peintre.
Il eut pour élèves Edmond Lervey en 1516 et Martin Parentyn en 1518.

ZUURBIER Jacobus ou **Suurbier**
XVIIIe siècle. Travaillant à Amsterdam. Hollandais.
Graveur au burin.
Fils de Nicolaes Zuurbier.

ZUURBIER Nicolaes ou **Suuerbier**
Né à Hambourg. Mort en 1753 à Amsterdam. XVIIIe siècle. Hollandais.
Graveur au burin.
Père de Jacobus Zuurbier.

ZUVELA Gorki
Né en 1946 à Split. XXe siècle. Yougoslave.
Sculpteur d'environnements.
Plasticien, il a choisi pour option l'intervention dans l'ambiance urbaine, élaborant son activité sur les bases du mouvement de la « nouvelle tendance ». Plastique pratiquée à partir de matériaux nouveaux. Ce mode de formulation offre la possibilité de nombreuses transformations permanentes de l'objet et de l'espace, incluant la participation active du spectateur.

ZU WENG ou **Tsu-Wêng** ou **Tsou-Weng**
XIIe-XIIIe siècles. Chinois.
Peintre.
Il était probablement actif à la fin de la dynastie des Song du Sud (1127-1279). Moine peintre que le *Kundaikan Sayûchoki* japonais classe parmi les peintres de la dynastie ultérieure des Yuan.
MUSÉES : TOKYO : *Budai marchant avec son sac*, attr.

ZUYLEN Hendrick Van ou **Suylen**
XVIIe siècle. Travaillant à Utrecht de 1613 à 1646. Hollandais.
Peintre.
Élève de Nic. Dierhoudt à Utrecht.

ZUYLEN Jan Hendricksz
XVIIe siècle. Actif à Utrecht. Hollandais.
Peintre.
Le Musée d'Utrecht conserve de lui *Nature morte*.

ZVEREV Anatoli ou **Anatolyi**
Né en 1933 à Moscou. Mort en 1986 à Moscou. XXe siècle. Russe.
Peintre de compositions à personnages, figures, portraits, natures mortes, peintre à la gouache, aquarelliste, technique mixte. Expressionniste.
Il travaillait à Moscou. Il peint depuis son enfance et entre à l'École des Beaux-Arts où il ne reste que six mois, chassé pour avoir peint un nu au dos d'un portrait de Staline qu'il avait décroché du mur. Il fut membre créateur de l'École Lianozovo. Il participa en 1957 à l'Atelier international d'Arts plastiques du VIe Festival mondial de la Jeunesse ; et à de nombreuses expositions collectives, à Moscou, Nijni-Novgorod, Vladivostok, Riga, New York, San Francisco, Copenhague, Berlin, Vienne, Venise, Londres, Grenoble, Paris, etc. Il se produisait aussi dans des expositions personnelles, dont : à Paris, galerie Motte en 1964 ; Genève, galerie Motte en 1965 ; Denver en 1983 ; Moscou en 1984 ; New York Art Gallery, 1986 ; Moscou Maison de la Culture Méridien, 1987 ; Moscou Fondation de la Culture, 1989 ; Moscou Collections du Musée Pouchkine, 1994.
Il a une production très abondante de peintures, de gouaches, d'aquarelles et de dessins. Il est considéré comme un Fauve parmi les peintres non conformistes de Moscou. Il peint avec n'importe quoi sur n'importe quoi, en mélangeant matières et techniques au gré de son inspiration. Il fait beaucoup de portraits et d'autoportraits. Sa technique variait selon les thèmes. S'il a peint des sujets dans une technique volontairement post-impressionniste, ses portraits et compositions ressortissent à l'expressionnisme, par une facture rapide et une sensibilité exacerbée, par exemple son *Christ* de la vente parisienne du 14 mai 1990, tragique évocation du crucifié dans un paysage escarpé, sous un ciel tumultueux envahi de corbeaux, ou encore les portraits de la série *Natacha*, peints dans une technique totalement allusive, une écriture déchirée, un chaos de couleurs, dont l'observation, l'identification, réclame une véritable collaboration active de la part du spectateur. ■ J. B.
VENTES PUBLIQUES : PARIS, 7 nov. 1988 : *Composition impressionniste* 1984, h/t (47,5x76) : **FRF 5 000** ; *Visages* 1986, h/t (108x57) : **FRF 6 500** – PARIS, 14 mai 1990 : *Don Quichotte et Sancho Pansa* 1976, gche et aquar./pap. (42x62) : **FRF 4 100** ; *Portrait de jeune fille* 1976, gche et aquar./pap. (62x43) : **FRF 7 000** – PARIS, 16 juin 1991 : *Antonina*, h. et gche/pap. (43x38) : **FRF 9 500** – PARIS, 5 juil. 1991 : *Nature morte aux bouteilles* 1984, h/t (34x50) : **FRF 11 000**.

ZVERINA Franz Bohumir
Né le 4 février 1835 à Hrotowitz. Mort le 28 décembre 1908 à Vienne. XIXe-XXe siècles. Tchécoslovaque.
Peintre, dessinateur.
Il fut élève de l'Académie des Beaux-Arts de Prague. Il exposa à Vienne en 1892, à Prague en 1898.

Il peignit des vues des Balkans.
Musées : Brunn – Prague.

ZVEZDOTCHETOV Kostia Viktorovitch ou **Constantin**
Né en 1958 à Moscou. xxe siècle. Russe.
Peintre de compositions à personnages.
Il travaillait dans un collectif d'artistes non-conformes et, à la fin des années soixante-dix, participa à la création du groupe d'action *Amanite tue-mouches*. Lui et ses camarades furent soudainement appelés à leur service militaire et envoyés dans les contrées reculées. Il regagna Moscou en 1985.
Il réagissait alors contre l'oppression institutionnelle en se créant une sorte de mythologie personnelle. Furieux que, Russe, il ne pût rien connaître du vaste monde, il se créa le *Pays des nègres blancs*, où règne l'ordre le plus absurde. Au cours de la libéralisation générale successive à la chute du communisme stalinien, le mouvement « sot » (sorte de Pop'art russe) participe, avec ses moyens plastiques, au grand mouvement de déconstruction des mythes soviétiques, « désémentisation » des anciens sigles et slogans.
Bibliogr. : In : *L'Art au pays des soviets, 1963-1988*, in : *Les Cahiers du Musée national d'art moderne*, n° 26, Paris, hiver 1988.

ZVIRBULIS Janis
Né le 3 mai 1905 à Zelli (près de Bauni). xxe siècle. Letton.
Peintre.
Il fut élève de Tillberg à l'Académie des Beaux-Arts de Riga.
Musées : Riga (Mus. nat.).

ZVIRBULIS Juris
Né en 1944. xxe siècle. Letton.
Peintre. Figuratif ornemental.
En 1970, il termina l'École Rozental de Riga. Depuis 1966, il expose à Riga, Liepaja, aux États-Unis.
Ses peintures, composées d'objets très disparates, ont la luxuriance colorée des anciens décors des Ballets Russes.

ZWAANHALS D.
Né le 20 novembre 1862 à Flessingue. xixe-xxe siècles. Hollandais.
Peintre de paysages.

ZWACK Michael
Né en 1949 à New York. xxe siècle.
Peintre de paysages, technique mixte.
Il s'inscrit dans un mouvement de renouveau du paysage américain, dans lequel chacun des artistes représente un certain point de vue personnel. Michael Zwack opte pour le point de vue documentaire et naturaliste. Il choisit des sujets dépouillés, dépourvus de toute narration. Un titre parmi d'autres, comme *Histoire du monde*, exprime sa volonté de revenir au primordial. Il utilise une technique de transfert photographique d'images sur papier ou toile émulsionnés. Il retravaille ensuite ces images à la peinture, en accentuant le dépouillement et le flou d'un ailleurs perdu. Ses peintures finissent par ressembler à des négatifs photographiques, c'est-à-dire à une négation.
Bibliogr. : Robert G. Edelman : *La peinture de paysages américaine*, in : Art Press, n° 156, Paris, mars 1991.
Ventes Publiques : New York, 1er nov. 1994 : *Policeman* 1980, craies de coul. et fus./pap. (134,6x77,5) : **USD 1 265** – New York, 19 nov. 1996 : *Sans titre* 1981, craies de coul. et h. de lin/pap.

ZWAEN Willim up De. Voir **ZWANNE**

ZWAERDECROON Bernardus ou **Swaerdecroon**
Né vers 1617 à Utrecht. Mort en octobre 1654 à Utrecht. xviie siècle. Hollandais.
Peintre de portraits.
Élève à Utrecht de 1630 à 1632. Il épousa en 1644 Wilhelmina Zwaerdecroon et mourut pauvre. On cite de lui : *François Leydecker* et *Digna de Maets, sa femme* (à Amsterdam), *Portrait d'une veuve juive* (à Rotterdam) et *Deux enfants habillés en bergers* (à Utrecht).

Ventes Publiques : Londres, 18 mai 1979 : *Portrait présumé de Jonkheer de Bruyn*, h/pan., de forme ovale (71,5x59) : **GBP 1 200**.

ZWAERT Hendrick de. Voir **ZWART**

ZWAGERS. Voir **SWAGERS**

ZWAHLEN Abraham André
Né le 13 mars 1830 à Genève. Mort le 9 octobre 1903 à Veyrier. xixe siècle. Suisse.
Peintre.
Élève à Paris de Couture, il se perfectionna à Rome, où il vécut treize ans. Il prit part aux expositions suisses de 1847 à 1889. Le Musée Rath, de Genève, conserve de lui *Repos en Italie*, et le Musée de Neuchâtel, *Jeune bergère de la Brie*.
Ventes Publiques : Berne, 7 mai 1981 : *Le Repos du moissonneur*, h/t (74x51) : **CHF 4 500**.

ZWAHLEN Christian
Né en 1904 à Berne. xxe siècle. Suisse.
Peintre de paysages, fleurs.
Il fut élève de René Guinand et de Louise Artus à Genève.

ZWAN Kazimierz
Né en 1792. Mort en 1858 à Varsovie. xixe siècle. Polonais.
Peintre de paysages, scènes militaires.
Musées : Posen : *Paysage avec bétail* – Varsovie : *Paysage de forêt*.

ZWANNE Willim up De ou **Zwaen**
xve siècle. Actif à Bruges en 1468. Éc. flamande.
Peintre.

ZWART. Voir aussi **SWART**

ZWART Albert Gerrits. Voir **SWART**

ZWART Arie, pour **Adrianus Johannes**
Né en 1903. Mort en 1981. xxe siècle. Hollandais.
Peintre de paysages animés, marines, paysages d'eau.
Ventes Publiques : Amsterdam, 16 nov. 1988 : *Dans les flaques à Nieukoop*, h/t (50x65) : **NLG 1 840** – Amsterdam, 19 sept. 1989 : *Maisons et moulin à vent le long de la rivière*, h/t (40x81) : **NLG 1 725** – Amsterdam, 5-6 fév. 1991 : *Paysanne se promenant sur le sentier le long de la rivière*, h/t (40,5x60,5) : **NLG 1 035** – Amsterdam, 17 sep. 1991 : *Sur un étang vers Vinkeveen*, h/t (40x80) : **NLG 2 070** – Amsterdam, 5-6 nov. 1991 : *Bateaux dans un port* 1938, h/t (48,5x69) : **NLG 2 300** – Amsterdam, 24 sep. 1992 : *Le pont de l'écluse près de Oudewater*, h/t (50x60) : **NLG 1 840** – Amsterdam, 3 nov. 1992 : *Près de l'étang de Vinkeveen*, h/t (38,5x59) : **NLG 1 035** – Amsterdam, 11 fév. 1993 : *Le pont de Kaisersgracht à Amsterdam*, h/t (60x70) : **NLG 2 070** – Amsterdam, 19 oct. 1993 : *Paysage fluvial avec un pêcheur dans une barque*, h/t (60x50,5) : **NLG 4 370** – Amsterdam, 8 fév. 1994 : *Bûcherons dans un bois*, h/t (60x80,5) : **NLG 4 025** – Amsterdam, 19 avr. 1994 : *Paysage de polder*, h/t (41x59) : **NLG 1 150** – Amsterdam, 18 juin 1996 : *L'église de Nootdorp*, h/t (35x50,5) : **NLG 1 380**.

ZWART Cristianus Hendrikus de. Voir **SWART Christianus de**

ZWART Hendrick de ou **Die** ou **Sverte** ou **Zwaert**
xvie siècle. Actif à Gouda dans la première moitié du xvie siècle. Hollandais.
Dessinateur.
Il dessina le projet d'une grille pour la cathédrale d'Utrecht.

ZWART Petrus ou **Piet, Pieter, Henricus Anton** (?) **de**
Né le 29 février 1880 à La Haye. Mort en 1967. xxe siècle. Hollandais.
Peintre de figures, paysages, marines, graveur.
Frère de Wilhelmus H. P. J. de Zwart. Il fut élève de l'Académie des Beaux-Arts de La Haye. Il était aussi aquafortiste.
Musées : La Haye (Mus. mun.) : *Femme endormie*.
Ventes Publiques : Cologne, 25 juin 1976 : *Scène de port*, h/t (60x80) : **DEM 2 700**.

ZWART Piet
Né en 1885 à Zaandijk. Mort en 1977 à Leidschendam. xxe siècle. Hollandais.
Dessinateur graphiste, typographe, affichiste. Néo-plasticiste.
De 1902 à 1907, il fut élève de l'École des Arts et Métiers d'Amsterdam ; en 1913, de l'École technique de Delft. En 1919, il entra en contact avec les artistes et architectes du groupe De Stijl. Après 1921, il fut professeur à l'École des Beaux-Arts de Rotterdam. En 1931, il séjourna au Bauhaus de Dessau.
Ses premières réalisations typographiques datent de 1921. Il a été aussi concepteur de mobilier.
Bibliogr. : In : *Diction. de l'Art mod. et contemp.*, Hazan, Paris, 1992.

ZWART Willem
Né le 7 décembre 1867 à Warfum. Mort en 1931. XIXe-XXe siècles. Hollandais.
Peintre, lithographe.
Il fut élève de l'Académie des Beaux-Arts de Groningue. Il travailla à La Haye, à Amsterdam et à Arnhem.

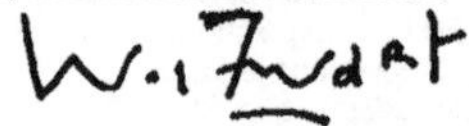

ZWART Willemus ou **Wilhelmus Hendricus Petrus Johannes de**
Né le 16 mai 1862 à La Haye. Mort le 11 décembre 1931 à La Haye. XIXe-XXe siècles. Hollandais.
Peintre de sujets religieux, scènes de genre, paysages animés, figures typiques, animaux, natures mortes, fleurs, aquarelliste, graveur.
Il fut élève de l'Académie des Beaux-Arts de La Haye et de Jacob Maris. Il figura aux Expositions de Paris. Il y obtint la Mention honorable en 1889 à l'Exposition universelle. Il fut aussi aquafortiste.
Musées : Amsterdam (Mus. mun.) : *Dans le polder – Géraniums – Coucher du soleil – Pont à La Haye – Nature morte* – Amsterdam (Mus. nat.) : *Le bois de La Haye – Dans la grange – Rue à Paris – Pommes – La voiture à foin – Quatre scènes bibliques – Crucifiement – Destruction de Sodome et Gomorrhe – Le déluge – L'ange tombé – Tête d'étude* – Amsterdam (Rijksmuseum) – Belgrade : *L'étable à vaches* – Dordrecht : *Le marché au bétail à Hilversum – Fleurs – Cerises indiennes* – La Haye (Mus. Mesdag) : *Hiver – Pluie d'orage* – La Haye (Mus. mun.) : *La Porte Saint-Denis à Paris – Nature morte avec pot – Jeune fille habillée en kimono – Tête d'une paysanne et treize autres peintures* – Montréal : *Paysage* – Rotterdam (Mus. Boymans) : *Vue d'une ville.*
Ventes Publiques : Londres, 6 avr. 1923 : *La charrette* : **GBP 10** – Londres, 25 avr. 1924 : *Troupeau sur les dunes* : **GBP 14** – Amsterdam, 27 avr. 1976 : *Paysage d'hiver avec patineurs*, h/pan. (19,5x15) : **NLG 8 200** – Amsterdam, 27 avr. 1976 : *Scène de marché*, aquar. (46x59) : **NLG 16 500** – Amsterdam, 31 oct. 1977 : *Troupeau dans un paysage*, h/t (43,5x66) : **NLG 10 000** – Amsterdam, 28 nov. 1978 : *La cour de ferme*, aquar. (36,5x52) : **NLG 7 200** – Amsterdam, 15 mai 1979 : *La station des fiacres*, aquar. (23x29) : **NLG 2 700** – Amsterdam, 24 avr 1979 : *Jeune fille assise dans la prairie*, h/t mar. (25x34,3) : **NLG 21 000** – Amsterdam, 15 mai 1984 : *Jeune Espagnole à la cigarette* 1909, h/pan. (47,5x26,5) : **NLG 12 500** – Amsterdam, 16 nov. 1988 : *Marché aux bestiaux dans une ville*, aquar./pap. (40x60) : **NLG 8 050** – Londres, 7 juin 1989 : *Nature morte avec un cactus*, h/t (59x48) : **GBP 2 640** – Amsterdam, 19 sep. 1989 : *Vaches dans une prairie près d'une mare avec des habitations derrière une digue au fond*, h/pan. (28,5x38) : **NLG 4 830** – Amsterdam, 25 avr. 1990 : *Cour de ferme*, h/pan. (34,5x24) : **NLG 4 025** – Amsterdam, 2 mai 1990 : *Anémones*, h/t (64,5x46) : **NLG 27 600** – Amsterdam, 5 juin 1990 : *Sur la plage*, h/pan. (14x36) : **NLG 29 900** – Amsterdam, 12 déc. 1990 : *Nature morte avec une bouteille et des pommes dans une assiette d'étain*, h/t (68x56,5) : **NLG 7 475** – Amsterdam, 24 avr. 1991 : *Personnages élégants prenant le thé dans un parc en été*, h/t (26,5x47) : **NLG 29 900** – New York, 21 mai 1991 : *La laitière*, aquar./cart. (17,8x29,2) : **USD 1 650** – Amsterdam, 5-6 nov. 1991 : *Attelage sur la Loosduinseweg à La Haye*, h/t (54x98,5) : **NLG 78 200** – Amsterdam, 18 fév. 1992 : *Paysage avec une ferme*, h/pan. (29,5x114,5) : **NLG 2 185** – Amsterdam, 22 avr. 1992 : *Bétail dans une cour de ferme*, h/pan. (33,5x48,5) : **NLG 13 800** – Amsterdam, 24 sep. 1992 : *Mésanges*, h. et past./cart. (57x31) : **NLG 1 495** – Amsterdam, 14 sep. 1993 : *Au café*, h/pan. (37,5x25,5) : **NLG 8 050** – Lokeren, 28 mai 1994 : *Rue enneigée*, h/t (45x32,5) : **BEF 80 000** – Amsterdam, 11 avr. 1995 : *Vaches dans une prairie*, h/t (45x68) : **NLG 8 850** – Amsterdam, 2 juil. 1997 : *Un ramasseur de bois*, h/t (35x46) : **NLG 6 919**.

ZWARTEN Claes de
XVe siècle. Actif à Ypres. Éc. flamande.
Peintre.
Il travaillait à Bruges, en 1468, pour Charles de Bourgogne.

ZWEDER
XVe siècle. Travaillant à Haarlem de 1429 à 1435. Hollandais.
Peintre.

ZWEECKER Johann Baptist ou **Zwecker**
Né le 18 septembre 1814 à Francfort-sur-le-Main. Mort le 10 janvier 1876 à Londres. XIXe siècle. Allemand.
Peintre d'histoire, illustrateur et aquafortiste.
Élève de l'Institut Stadel. Il continua ses études à Düsseldorf. Il vint à Londres, et y fut surtout illustrateur.
Bibliogr. : Marcus Osterwalder, in : *Dictionnaire des illustrateurs 1800-1914*, Ides et Calendes, Neuchâtel, 1989.
Ventes Publiques : New York, 29 mai 1980 : *Le départ pour la chasse* 1854, h/t mar./isor. (64x76) : **USD 5 000** – Cologne, 24 juin 1983 : *Amazone à la chasse au faucon* 1857, h/t (74x65) : **DEM 8 000**.

ZWEEP Douwe Jan Van der
Né le 10 avril 1890 à Utrecht. Mort en 1975. XXe siècle. Hollandais.
Peintre de compositions animées, figures, paysages typiques, graveur.
Ventes Publiques : Amsterdam, 29 oct. 1980 : *Portrait cubiste*, h/cart. (77x41,5) : **NLG 2 200** – Amsterdam, 10 avr. 1989 : *Nœud ferroviaire*, h/t (38x48) : **NLG 2 300** – Amsterdam, 13 déc. 1990 : *Sans titre*, h/t (89x63,5) : **NLG 5 750** – Amsterdam, 5-6 fév. 1991 : *Portrait de jeune femme*, h/t (68x50,5) : **NLG 1 150** – Amsterdam, 17 sep. 1991 : *Paysage hollandais avec des fermes, un moulin et une charrette attelée*, craie noire/pap. (54x79) : **NLG 1 840** – Amsterdam, 21 mai 1992 : *Sans titre*, h/pap./cart. (56x63,5) : **NLG 1 035** – Amsterdam, 9 déc. 1992 : *Ferme (recto) ; Fermiers avec un porc (verso)* : **NLG 2 300** – Amsterdam, 26 mai 1993 : *Autoportrait* 1923, cr. et aquar./pap. (39,5x33) : **NLG 1 265** – Amsterdam, 31 mai 1995 : *Une ferme*, h/t (47x55,5) : **NLG 2 950** – Amsterdam, 5 juin 1996 : *L'usine*, h/t (70x40) : **NLG 1 380** – Amsterdam, 19-20 fév. 1997 : *Composition*, h/t/cart. (51x40) : **NLG 3 690** – Amsterdam, 2-3 juin 1997 : *Kop* 1931, cr./pap. (40,5x32) : **NLG 3 540**.

ZWEER Cornelis. Voir **SWEER**

ZWEERTVAGHER Berthelemeus
XVe siècle. Travaillant à Bruges de 1411 à 1433. Éc. flamande.
Peintre verrier.

ZWEERTVAGHER Pieter
XIVe siècle. Travaillant à Bruges en 1398. Éc. flamande.
Peintre verrier.

ZWEIDORFF Frederik Ludvig Christian
Né le 24 mai 1816 à Aalborg. Mort le 12 mars 1865 à Roskilde. XIXe siècle. Danois.
Peintre.
Élève de l'Académie de Copenhague. Il exposa dans cette ville de 1836 à 1844. Le Musée de Frederiksborg conserve de lui *Portrait du ministre Frederik Moltke* et *Paysage*.

ZWEIFEL Vincenz
Né en 1824 à Kaltbrunn. XIXe siècle. Suisse.
Peintre de paysages.

ZWEIG
XVIIIe siècle. Travaillant à Vienne en 1777. Autrichien.
Miniaturiste.
Il peignit deux portraits de l'empereur *Joseph II d'Autriche*.

ZWENGAUER Anton
Né le 11 octobre 1810 à Munich. Mort le 13 juin 1884 à Munich. XIXe siècle. Allemand.
Peintre de sujets de genre, paysages, paysages de montagne.
Il fut élève de Cornelius. Peintre de la cour, il fut conservateur de la galerie à Schleissheim, en 1853 ; conservateur de la Pinacothèque à Munich, en 1869.
Il a peint surtout des sites des montagnes de Bavière et du sud du Tyrol. Réputé pour ses couchers de soleil, qui paraissent aujourd'hui d'un sentimentalisme facile, on peut préférer dans son œuvre des peintures moins ambitieuses dans leurs petites dimensions, études de paysages non dénuées de fraîcheur ni de solidité.

Musées : Bâle : *Coucher de soleil dans les montagnes de Bavière* – Breslau, nom all. de Wroclaw : *Marais* – Leipzig : *Cerf au lac après le coucher du soleil* – Munich : *Environs de marais* – *Le mur des bénédictins dans les hautes montagnes de Bavière.*
Ventes Publiques : Berlin, 2 juil. 1970 : *Paysage à la chaumière* : **DEM 3 700** – Munich, 25 nov. 1976 : *Paysage de montagne* 1842, h/t (63,5x85) : **DEM 4 200** – New York, 18 juin 1982 : *La cour de ferme au crépuscule*, h/t (39,5x89,5) : **USD 3 200** – Zurich, 18 nov. 1983 : *Paysage* 1832, h/t (30,5x42) : **CHF 3 000** – Cologne, 15 oct. 1988 : *Vue partielle de Watzmann dans les environs de Obersee* 1862, h/t (68x98) : **DEM 1 500** – Londres, 6 juin 1990 : *Le retour du pêcheur* 1883, h/t (83x68) : **GBP 1 540**.

ZWENIG Alexander
XVIIIe siècle. Actif au milieu du XVIIIe siècle. Autrichien.
Sculpteur.
Il travailla pour les églises de Seltschach, de Göriach et d'Arnoldstein.

ZWETAEV Yuri
Né vers 1949. XXe siècle. Russe.
Peintre de compositions animées. Tendance fantastique.
En 1996 à Paris, la galerie Guiter a montré un ensemble de ses peintures.
Sur des petits formats, d'une technique lisse et minutieuse, il peint des foules de personnages à têtes d'oiseaux qui se livrent à des occupations fébriles et parfois licencieuses, dans une agitation à la Jérôme Bosch.

ZWETTLER Josef Friedrich
Né en 1768 à Prague. XVIIIe siècle. Autrichien.
Peintre de paysages, lithographe.
Élève de l'Académie de Prague. Il grava les portraits de généraux autrichiens.

ZWEYER Andreas ou **Zwyer**
Né en 1549 à Schwyz. Mort le 5 janvier 1616 à Fahr-sur-la-Limmat. XVIe-XVIIe siècles. Suisse.
Peintre.
Il fut prêtre et travailla pour l'abbaye de Fahr.

ZWEYGOT. Voir **ZWIGOTT**

ZWICHE
Né en 1684. Mort en 1767. XVIIIe siècle. Britannique.
Miniaturiste.
Il étudia avec Boit en Angleterre.

ZWICKLE Hubert von
Né le 11 février 1875 à Salzbourg. XXe siècle. Actif à Vienne. Autrichien.
Peintre de figures, graveur.
Élève de l'École des Arts décoratifs de Vienne.
Ventes Publiques : Londres, 19 mars 1993 : *Ève* 1924, h/t (56x135) : **GBP 2 875**.

ZWID
XVe siècle. Actif à Zurich. Suisse.
Peintre.
Il a peint une *Assomption* pour l'abbaye de Fraumunster de Zurich en 1461.

ZWIETEN Cornelis Van. Voir **SWIETEN**

ZWIETER Claude
XVe siècle. Travaillant à Fribourg dans la seconde moitié du XVe siècle. Suisse.
Peintre verrier.
Il travailla pour l'Hôtel de Ville de Fribourg.

ZWIGOTT Hans ou **Zwiegott, Zwiegett, Zweygot, Zwygott**
Mort le 15 mars 1618 à Graz. XVIIe siècle. Autrichien.
Médailleur, orfèvre.
Il grava des médailles à l'effigie de l'abbé d'Admont, *Johann Hoffmann*.

ZWIGOTT Johann Baptist
Mort le 18 juin 1706 à Graz. XVIIe siècle. Autrichien.
Peintre.

ZWIGOTT Johann Joachim
Mort le 16 juin 1676 à Graz. XVIIe siècle. Autrichien.
Peintre.

ZWIGOTT Paul I
Mort le 2 août 1621 à Graz. XVIe-XVIIe siècles. Autrichien.
Peintre.
Fils de Hans Zwigott.

ZWIGOTT Paul II
XVIIe siècle. Autrichien.
Peintre.
Il travaillait à Graz en 1648.

ZWIGTMAN Cornelis
Né en 1782 à Heerenhock. XIXe siècle. Hollandais.
Peintre.
Son fils Marinus Zwigtman, fut aussi peintre.

ZWILLER Marie Augustin
Né le 10 juillet 1850 à Didenheim (Haut-Rhin). Mort en 1939. XIXe-XXe siècles. Français.
Peintre de genre, scènes et figures typiques, nus, portraits, natures mortes.
Il fut d'abord dessinateur industriel, puis professeur de dessin à Mulhouse. Venu à Paris, il y fut élève de Gustave Boulanger et Jules Lefebvre. Il exposa au Salon des Artistes Français à partir de 1882 ; mention honorable en 1888 ; médaillé en 1892 et 1896 ; médaille de bronze en 1900, à l'Exposition universelle ; chevalier de la Légion d'honneur en 1910 ; sociétaire Hors-Concours ; membre du Comité et du Jury. Il fonda l'Exposition de Peinture et de Sculpture de l'Automobile-Club, qu'il présida jusqu'en 1914.
Il a peint de nombreux portraits, nus, et surtout de nombreuses scènes de la vie alsacienne.
Musées : Cahors : *Jeune Alsacienne* – Dijon : *Jeune fille* – Mulhouse : *Un régal* – *Leçon de modelage à l'institution alsacienne des jeunes aveugles d'Illzach* – *Hommage à Henner* – *Jules Siegfried* – *Auguste Dollfus-Loew* – *Les nymphes d'Alsace* – Strasbourg : *Les Remords de l'ivrogne*.
Ventes Publiques : Paris, 5 au 10 mai 1906 : *Jeune Alsacienne* : **FRF 112** – Paris, 3 et 4 mars 1926 : *La nymphe à la marguerite* : **FRF 1 020** – Paris, 22 fév. 1936 : *Apothéose de Victor Hugo* : **FRF 620** – Paris, 23 juin 1943 : *La jeune fille blonde* : **FRF 6 000** – Paris, 5 jan. 1945 : *Femme nue* : **FRF 5 000** – Paris, 9 déc. 1946 : *Les joueurs de cartes* : **FRF 10 000** ; *Femme nue couchée* : **FRF 9 500** – Paris, 19 mars 1951 : *La lettre* : **FRF 7 100** – Perpignan, 8 nov. 1972 : *Les Nymphes d'Alsace* : **FRF 4 200** – Cologne, 23 juin 1974 : *Rêverie* : **DEM 2 200** – Versailles, 24 oct. 1976 : *Femme assise au buste nu*, h/t (54x65) : **FRF 5 200** – Paris, 27 fév. 1984 : *Portrait de Madame Zwiller*, h/t (55x46) : **FRF 13 200** – Saint-Dié, 12 fév. 1989 : *Jeune femme de trois quarts au chapeau rouge* (35x27) : **FRF 17 000** – Versailles, 19 nov. 1989 : *Nature morte aux fruits*, h/cart. (24x32,5) : **FRF 14 500** ; *Nu de dos*, h/t (55x38) : **FRF 18 000** – Saint-Dié, 11 fév. 1990 : *Nature morte aux pommes et poire* (24x32,5) : **FRF 13 000** – Paris, 4 mars 1992 : *Modèle au drap rouge*, h/t (26x35) : **FRF 22 000** – Paris, 26 juin 1995 : *Femme nue allongée*, h/pan. (15,5x33) : **FRF 5 500**.

ZWILLING Antony
Né le 13 mars 1875 à Marseille (Bouches-du-Rhône). XXe siècle. Français.
Peintre.
Il fut élève de Latruffe-Colomb. Il exposait à Paris, au Salon des Artistes Français depuis 1896.

ZWINGER
XIXe siècle. Français.
Peintre de portraits, paysages.
Il exposa au Salon entre 1824 et 1831.

ZWINGER Gustave Philippe
Né le 3 janvier 1779 à Nuremberg. Mort le 15 janvier 1819 à Nuremberg. XIXe siècle. Allemand.
Peintre, lithographe et graveur à l'eau-forte.
Élève de Füger. Il a gravé des portraits et des sujets de genre. Le Musée germanique de Nuremberg possède de lui, *L'artiste et sa famille* (dessin) et plusieurs estampes.

ZWINGER Hans. Voir **SPYSER**

ZWINGER Jean Baptiste Ignace
Né en 1787 à Paris. XIXe siècle. Français.
Peintre sur porcelaine et lithographe.
Élève de Leguay. Il travailla pour la Manufacture de Sèvres de 1811 à 1825. Il peignit des paysages suisses.

ZWINNER. Voir **ELECTUS,** frère

ZWINTSCHER Oskar
Né le 2 mai 1870 à Leipzig. Mort le 12 février 1916 à Dresde. XIXe-XXe siècles. Allemand.

Peintre de compositions allégoriques, figures, portraits, paysages.

Il fut élève de l'Académie des Beaux-Arts de Leipzig, de Ferdinand W. Pauwels à l'Académie de Dresde, ainsi que de Simon Polde (?). Il fut nommé professeur à l'Académie de Dresde. Il était aussi poète.

Musées : Brême : *L'artiste* – Chemnitz : *Or et nacre* – *L'artiste avec la mort et le sablier* – *La fiancée de l'artiste* – Dresde : *La joie de la marche* – *L'écrivain Ottomar Enking* – *Toits rouges* – *La femme de l'artiste* – Düsseldorf : *Portrait d'une dame* – Leipzig : *Entre la parure et la chanson* – Wiesbaden : *Portrait du docteur Ferdinand Gregori* – Wuppertal : *Mélodie*.

Ventes Publiques : Cologne, 22 oct. 1982 : *Grand'père assis au pied du lit de son petit-fils malade* 1893, h/t (144x173) : **DEM 8 000** – Munich, 10 mai 1989 : *La jeune fille aux narcisses* 1907, h/t (61x40) : **DEM 96 800**.

ZWIRN Matthias

Né à Rotenbach. xviie siècle. Travaillant à Berne de 1641 à 1668. Suisse.

Peintre verrier.

Il travailla pour la ville de Berne. Le Musée de cette ville conserve de nombreux vitraux peints par cet artiste.

ZWOBADA Jacques Charles

Né le 6 août 1900 à Neuilly-sur-Seine (Hauts-de-Seine). Mort en 1967 à Fontenay-aux-Roses (Hauts-de-Seine). xxe siècle. Français.

Sculpteur, peintre de cartons de tapisseries.

Il ne fut élève d'Injalbert et de Bouchard, à l'École des Beaux-Arts de Paris, que pendant six mois. Il poursuivit seul sa formation. La découverte de l'œuvre de Rodin fut alors déterminante pour son évolution, d'un réalisme de tradition à une libération lyrique de la forme, comme en témoigne le *Monument à André Caplet*, que lui commanda la Ville du Havre dès 1926. En 1927, il fut reçu Premier Grand Prix de Rome.

Dans les années trente, il délaissa presque complètement la sculpture, à la suite de quelque amertume. Il continua à dessiner, d'autant qu'ayant accepté un poste de professeur de dessin justement, d'abord à l'École des Arts Appliqués, à l'Académie de la Grande Chaumière, à l'Académie Julian, enfin, en 1948, à l'École des Beaux-Arts de Caracas. Revenu en France en 1950, une rencontre d'ordre intime, qu'il faut bien évoquer sous peine de ne rien comprendre à l'évolution brutale de sa carrière, lui redonne l'élan nécessaire pour se remettre à la sculpture, mais dans une toute autre direction. La mort de sa femme, en 1956, fut le dernier bouleversement dans cette vie d'un romantique introverti. Peu de temps avant cette mort imprévisible, ils avaient acheté un terrain à Mentana, près de Rome, où ils pensaient vivre ensemble. Zwobada dédia alors ce terrain au tombeau de sa femme et presque toutes les sculptures qu'il créa ensuite étaient destinées à constituer cette sorte d'ensemble funéraire, ou plutôt à ce mémorial. En 1962, il fut nommé professeur à l'École des Beaux-Arts de Paris.

Depuis 1921, il expose régulièrement au Salon des Artistes Français, dont il obtiendra la médaille d'or en 1937. Depuis 1953, il exposait au Salon de La Jeune Sculpture. Zwobada exposait aussi au Salon de Mai depuis 1959, qui lui rendit un hommage en 1968. En 1969, une exposition rétrospective lui fut consacrée au Musée Rodin à Paris. En 1995 à Paris, le Musée Bourdelle a exposé un ensemble de dessins et sculptures sous le titre de *Jacques Zwobada – l'érotique abstraite*.

De 1933 datent deux de ses œuvres capitales de cette époque d'interprétation lyrique de la réalité : la *Porte du Cimetière de Belfort*, organisation rythmique des creux et des pleins dans l'espace du monument, et le *Monument à Bolivar*, commandé par la ville de Quito. Pendant la suite des années trente et quarante, il multiplie des dessins au fusain ou à la sépia, dont le nu féminin reste le thème dominant, à la suite de Maillol, Despiau, Malfray. Lorsqu'il revint à la sculpture, se rapprochant de Stahly ou de Étienne-Martin, il se libère totalement de toute référence à la réalité et crée désormais une sculpture d'effusion, pur jeu lyrique de formes pleines et de vides se succédant fébrilement à travers l'espace comme flammes figées dans le minéral : ainsi de *La danse* de 1952, soit qu'il modèle la glaise qui sera ensuite coulée en bronze, soit qu'il taille la pierre.

Dans le *Campo santo Mentana* dédié à sa femme, les sculptures s'organisent en demi-cercle : *Le couple*, de 1956, située en arrière, *La chevauchée nocturne*, de 1957, placée à l'entrée, aux formes déchiquetées et dispersées à travers l'espace, traduction abstraite d'une ballade allemande romantique, *Le roi des aulnes* de Goethe, ou *Les morts chevauchent vite* d'un poème de Schiller ; au centre : *La verticale*, de 1960. Au long du demi-cercle : *Les lutteurs*, de 1953 ; *Orphée*, de 1954 ; des deux côtés de l'allée de cyprès qui conduit au tombeau : des bustes, des colonnes votives, des reliefs. Enfin, en 1967, il y ajoutera *Orphée et Eurydice*, dont la symbolique est claire. Dans les dernières années de sa vie, il créa quelques terres cuites : *Tellus, Géa, Cybèle, Demeter*. Il eut encore quelques commandes de monuments : un haut-relief pour le lycée de Pau, en 1959 ; une mosaïque pour le paquebot France, en 1961 ; un marbre pour l'École d'Ingénieurs de Caucriauville, en 1967 : une mosaïque pour la façade de la Faculté des Lettres de Rennes, en 1967.

En 1969, l'exposition qui lui fut consacrée au Musée Rodin à Paris plaçait ses propres sculptures auprès de *L'Âge d'Airain* et de *L'Homme qui marche*, qui lui avaient un jour montré le chemin de la liberté et permis d'oser être un lyrique dans une époque qui l'est peu. ■ J. B.

Bibliogr. : Frank Elgar, in : *Diction. univers. de l'Art et des Artistes*, Hazan, Paris, 1967 – Frank Elgar, in : *Nouveau diction. de la sculpt. mod.*, Hazan, Paris, 1970 – in : *Encyclopédie des Arts Les Muses*, Grange Batelière, Paris, 1974.

Ventes Publiques : Paris, oct. 1945-juil. 1946 : *Modèle accroupi* 1943, cr. : **FRF 3 500** – Versailles, 18 juin 1981 : *Femme nue étendue* vers 1950, bronze à patine brune (L. 25) : **FRF 5 400**.

ZWOL H. Van

xviiie siècle. Actif à Delft. Hollandais.

Sculpteur.

Il a sculpté le tombeau de *Hugo Grotius* dans la Nouvelle Église de Delft.

ZWÖLFBOTT Bernhard

xviie siècle. Travaillant à Vienne dans la seconde moitié du xviie siècle. Autrichien.

Peintre.

Frère de Johann Zwölfbott.

ZWÖLFBOTT Johann

xviie siècle. Travaillant à Vienne dans la seconde moitié du xviie siècle. Autrichien.

Peintre.

Frère de Bernhard Zwölfbott.

ZWOLL Joachim Van. Voir **SCHWOLL**

ZWOLLE Jean de ou **Zwoll** ou **Zwoett**, dit aussi **Maître I. A. M. de Zwolle, Jean de Cologne**, ou **le Maître** à **la Navette**

xve siècle. Allemand.

Peintre, graveur.

Rien ne paraît moins certain que ce qui a été dit et écrit sur le ou les graveurs désignés sous ce nom. Bartsch identifie cet artiste avec le graveur dit « Le maître à la navette », et l'appelle Zwott. D'autres auteurs le nomment J. Auker von Zwoll. Une troisième théorie conteste l'appellation de « maître à la navette », affirmant que l'objet pris jusqu'ici pour une navette serait en réalité un brunissoir d'orfèvre le « maître à la navette » serait « le maître au brunissoir », et par conséquent orfèvre en même temps que graveur. Le nom de J. Auker, est aujourd'hui généralement rejeté. Passavant suppose que le vrai nom de cet artiste serait Johannes de Colonia, se fondant sur ce que le style du graveur en question paraît formé à l'école des Van Eyck et s'appuyant sur une ancienne chronique allemande des environs de Zwolle, laquelle mentionne un jeune moine, peintre et graveur du nom de Jean de Cologne. Les lettres I. A. M. qui marquent généralement les estampes de cet artiste se liraient *Johannes Aurifater Monachus*. Cette opinion est appuyée par celle du Dr Willshire dans son ouvrage *Catalogue of German and Flamisch Peints in the British Museum*. Par contre Nagler combat cette supposition. Le British Museum conserve dix-sept pièces de cet artiste. Passavant lui attribue aussi trois œuvres peintes : une *Adoration des rois*, au Musée de Berlin, *Les Israélites ramassant la manne*, au Musée du Louvre à Paris et un *Mariage de la Vierge*, à Madrid.

Musées : Berlin : *Adoration des rois* – Madrid (Prado) : *Mariage de la Vierge* – Paris (Mus. du Louvre) : *Les Israélites ramassant la manne*.

ZWONOWSKI Zacharyasz

xviie siècle. Travaillant à Cracovie de 1626 à 1639. Polonais.

Peintre.

Élève et imitateur de T. Dollabella.

ZWYER Andreas. Voir **ZWEYER**

ZWYGOTT. Voir **ZWIGOTT**

ZYDERVELD Willem
Né vers 1796 à Amsterdam. Mort le 24 décembre 1846 à Amsterdam. XIXe siècle. Hollandais.
Peintre de genre.
Le Musée de Haarlem conserve de lui : *Oldenbarnevelt offrant à Arent Fabritius une coupe en argent.*

ZYGLINSHI Franciszek
Né en 1816 à Cracovie. Mort le 28 janvier 1849 à Cracovie. XIXe siècle. Polonais.
Peintre et poète.
Il fit ses études, à Cracovie à l'École des Beaux-Arts, avec Sztatler. Il se rendit ensuite, à Vienne, où il travailla dans les musées. En 1848, il retourna à Cracovie. Ses œuvres se trouvent à Vienne, à Cracovie et à Posen. Il peignit des portraits et des scènes religieuses.

ZYGMUNT III WAGA. Voir **SIEGMUND III**, roi de Pologne

ZYGRO, pseudonyme de **Grocholski Zigmunt**
Né en 1905 à Pokutynce (Pologne). XXe siècle. Depuis 1948 actif et en 1958 naturalisé en Argentine. Polonais.
Peintre, graveur.
En 1935, une bourse lui permit un séjour à Rome et à Paris. Utilisant l'Isorel comme support, il a pu considérablement étendre les possibilités de la gravure, notamment en ce qui concerne la polychromie et surtout le format, atteignant à la dimension d'intégrations à l'architecture. Il a donné le nom de « zygrographie » à cette nouvelle technique. Il montre ses gravures dans des manifestations collectives internationales : Biennale de San Paolo au Brésil, « Xylon IV » en Allemagne, etc, ainsi que dans de nombreuses expositions personnelles.
Il a édité plusieurs albums de ses gravures. Entre autres critiques, Pierre Restany et Roger Van Gindertael ont écrit à son propos.

ZYK Aleksander. Voir **ZYW**

ZYL B. Van ou **Syl**
XVIIIe siècle. Hollandais.
Graveur au burin.

ZYL Dirk Van I ou **Thierry** ou **Zijl**
XVIe siècle. Hollandais.
Peintre verrier.
Il était actif à Utrecht de 1550 à 1562. Il fit trois vitraux à l'église Saint-Jean à Gouda.

ZYL Dirk II ou **Zyll**
XVIIe siècle. Hollandais.
Peintre de sujets religieux.
Il travaillait à Utrecht dans la première moitié du XVIIe siècle.

ZYL Gerard Pietersz Van ou **Cyl, Zyll**, dit **Gerards Geraers** ou **le Petit Van Dyck**
Né vers 1607 à Haarlem ou à Leyde ou à Amsterdam. Mort en 1665, enterré à Amsterdam le 19 décembre 1665. XVIIe siècle. Hollandais.
Peintre de scènes mythologiques, compositions religieuses, sujets de genre, portraits, intérieurs.
Il fut élève de Jan Pynas à Amsterdam vers 1629. Il travailla à Londres, de 1639 à 1641, et se lia d'amitié avec Van Dyck. Ensuite, on le retrouva à Amsterdam.
Il peignait des assemblées, si prisées jusqu'au XVIIIe siècle qu'elles étaient payées alors plus que les œuvres de Vermeer. Après le XVIIIe siècle, on oublia jusqu'à son existence et ses œuvres reçurent des attributions diverses.

Musées : Bonn : *Compagnie joyeuse* – Brest : *Personnages jouant aux cartes* – Brunswick : *Portrait* – La Haye (Mus. mun.) : *Le concert* – *Compagnie faisant de la musique* – Kassel : *Dame donnant l'aumône* – Magdebourg : *Joueurs de jaquet* – Mayence : *Catharina Mommers* – Würzburg : *Compagnie.*
Ventes Publiques : Paris, 1876 : *Sujet mythologique* : **FRF 840** – Paris, 1880 : *Chevaux* : **FRF 19 100** – Paris, 1890 : *Intérieurs, deux pendants* : **FRF 800** – Paris, 29 et 30 avr. 1920 : *Le concert après le repas* : **FRF 2 600** – Paris, 6 mars 1942 : *La partie galante* : **FRF 35 000** – Londres, 13 nov. 1963 : *Jeune femme jouant du luth* : **GBP 500** – Vienne, 21 sep. 1971 : *L'heure de musique* : **ATS 30 000** – Cologne, 6 juin 1973 : *L'heure de musique* : **DEM 14 000** – Zurich, 20 mai 1977 : *L'heure de musique*, h/t (46x57) : **CHF 6 800** – New York, 12 mars 1980 : *Voyageurs à la fontaine* 1631, h/pan. (51x35,3) : **USD 8 500** – Londres, 22 oct. 1982 : *Élégants personnages faisant de la musique dans un intérieur*, h/t (38,1x45,7) : **GBP 4 500** – Paris, 30 jan. 1989 : *Le festin d'Esther et Assuerus*, h/pan. parqueté (82x66) : **FRF 28 000** – Paris, 27 mars 1996 : *Le joueur de violon ; La joueuse de luth*, h/t, une paire (chaque 105x85) : **FRF 270 000** – New York, 16 oct. 1997 : *Dames et gentilshommes faisant de la musique dans un intérieur*, h/t (38,1x45,7) : **USD 42 550.**

ZYL Jan I ou **Zijl**
XVIe siècle. Hollandais.
Peintre verrier.
Il travaillait à Utrecht de 1521 à 1551. Il exécuta des vitraux pour l'église Saint-Jean de Gouda.

ZYL Jan II ou **Zijl**
XVIIe siècle. Hollandais.
Peintre verrier.
Il était actif à Utrecht de 1621 à 1631. Il exécuta des vitraux pour les églises Saint-Jérôme et Saint-Nicolas d'Utrecht.

ZYL Lambertus ou **Zijl Lambert**
Né en 1866 à Kralingen. Mort en 1947. XIXe-XXe siècles. Hollandais.
Sculpteur.
Élève de l'École des Arts décoratifs d'Amsterdam. Il était actif à Amsterdam. Il sculpta des figurines.
Ventes Publiques : New York, 7 juin 1984 : *Big skull n° 2* 1964, bronze (81,3x113x50,8) : **USD 3 100** – Amsterdam, 22 mai 1990 : *Un âne*, bronze (H. 13,2) : **NLG 2 760** – Amsterdam, 12 déc. 1990 : *Femme faisant la lessive* 1920, bronze (H. 33) : **NLG 14 950** – Amsterdam, 14 juin 1994 : *Forgeron* 1933, bronze (H. 25) : **NLG 4 025.**

ZYL Reyer ou **Zijl**
Mort en août 1614 à Utrecht. XVIIe siècle. Hollandais.
Peintre verrier.
Il exécuta des vitraux pour l'église Saint-Jacob d'Utrecht.

ZYL Roelof Van ou **Seyl, Syl, Zeyl, Ziel, Zijl**
Mort après 1628. XVIe-XVIIe siècles. Hollandais.
Peintre verrier.
Membre de la gilde en 1611. On cite de lui les volets de l'orgue de Saint-Jacques à Utrecht, ville où il était actif.
Ventes Publiques : Amsterdam, 29 nov. 1988 : *Vanité, courtisane chantant accompagnée par un jeune joueur de luth tandis qu'un homme approche avec une conque*, h/t (148,7x186) : **NLG 13 800.**

ZYLINSKI Andrew
Né en 1869 à Zaile. XIXe-XXe siècles. Lituanien.
Peintre de genre, portraits.
Il fut élève de Wojciech Guerson à Varsovie, soit à l'École de Dessin de la ville, soit dans sa propre école.
Musées : La Nouvelle Orléans : *Les labours.*

ZYLL. Voir aussi **VERZYLL** et **ZYL**

ZYLL Engelbert Van
XVIIe siècle. Éc. flamande.
Sculpteur.
Il sculpta des statues pour les confréries d'Oudenarde et de Gand.

ZYLL Reyer Van. Voir **SYLL**

ZYLVELT Adam ou **Anton** ou **Anthony Van** ou **Sylevelt** ou **Sylvelt**
Né vers 1640 à Amsterdam. XVIIe siècle. Hollandais.
Dessinateur et graveur au burin.
Imitateur habile de Jan Visscher. On cite, notamment de lui une série de marines, d'après Johannes Lingelbach. Il a aussi gravé des portraits.

ZYMBRECHT Mathias. Voir **ZIMPRECHT**

ZYNDLER Mathias ou **Zynndt, Zynnth**. Voir **ZÜNDT Mathis**

ZYPE Abraham Van de
XVIIe siècle. Actif à Haarlem en 1634. Hollandais.
Peintre.

ZYPEN Guilijn Peter Van der. Voir **ZEEPEN**

ZYSSET Ernest
Né le 7 avril 1887 à Reconvilier. XXe siècle. Suisse.
Sculpteur.
Il fut élève de Henrich Wadere à Munich. Il fut lui-même professeur à Bienne.

ZYSSET Jakob
XVIIe siècle. Actif à Berne. Suisse.
Peintre verrier.
Il travailla pour l'église de Kirchdorf, près de Berne, vers 1680.

ZYSSET Philippe Aurèle
Né en 1889 à Chaux-de-Fonnier. XXe siècle. Suisse.
Peintre de sujets religieux, portraits, paysages.
Professeur à l'École d'Art de Genève, Zysset était peintre de portraits, de paysages surtout jurassiens, mais aussi d'allégories religieuses, telles que *La Foi, l'Espérance et la Charité*. Sa technique a évolué d'un naturalisme postimpressionniste à une expression liée au fantastique.
VENTES PUBLIQUES : BERNE, 22 oct. 1976 : *Paysage montagneux*, h/t (67x84) : CHF 2 000.

ZYTTOW Miguel. Voir **ZITTOZ**

ZYW Aleksander
Né le 29 août 1905 à Lida. Mort le 17 septembre 1995 à Castagneto Carducci (Italie). XXe siècle. Depuis environ 1945 actif en Grande-Bretagne. Polonais.
Peintre de figures, paysages.
Il fit d'abord des études à l'Académie des Beaux-Arts de Varsovie de 1926 à 1932, puis voyagea en Dalmatie, en Italie, en Grèce. En 1934 il s'installe à Paris et y demeure jusqu'en 1939, rejoint l'armée polonaise pendant la guerre, puis arrive en Grande-Bretagne où il s'installe. Il avait fait sa première exposition à Varsovie en 1936. Il a exposé ensuite à plusieurs reprises à Édimbourg où il vécut jusqu'en 1970, à Londres, Milan, Paris. Il passe les vingt-cinq dernières années de sa vie en Italie, tout près de son fils Michael (peintre lui aussi), et continue jusqu'à sa mort à travailler dans son atelier.
D'abord paysagiste et peintre de figures, sans doute identique à Aleksander Zyk, dont on cite de ses œuvres inspirées par l'actualité : *Existentialistes, Bombe atomique, Exode des Européens*, sa peinture a évolué vers l'abstraction, une abstraction encore très marquée par la réalité extérieure dont il veut trouver des équivalences colorées.
BIBLIOGR. : Gianni Cavazzini : catalogue de l'exposition *Aleksander Zyw, opere 1949-1988*, Parma, Palazzetto Eucherio Sanvitale, Electa, 1988 – Flavio Caroli : catalogue de l'exposition *Aleksander Zyw, il ritorno sul Garda*, Desenzano del Garda, Galleria Civica di Palazzo Todeschini, Electa, 1993.
MUSÉES : LONDRES (Tate Gal.) : *Lumières* 1957.

ZYW Michael
Né le 14 janvier 1951 à Édimbourg. XXe siècle. Depuis 1979 actif en Italie. Britannique.
Peintre. Tendance abstraite.
Après des études de biochimie à Oxford, il fréquente les écoles des Beaux-Arts de Florence et de Paris. Il expose pour la première fois en 1978 à la mairie du premier arrondissement de Paris, et depuis dans diverses galeries en Écosse, Angleterre, Italie, France, Allemagne.
Ses compositions partent de l'observation de la nature, paysages ou éléments végétaux isolés qu'il utilise comme bases à des variations très colorées, où le motif originel se dissout presque dans un jeu abstrait.

MAÎTRES ANONYMES
connus par un monogramme ou des initiales commençant par Z

Z. Z. K.
XVIIe siècle.
Marque d'un sculpteur sur ivoire.
Cité d'après Ris-Paquot.

Z Z K

Bibliographie générale

La rédaction de chacune des milliers de notices qui composent le présent dictionnaire (presque 200 000), résultant de la consultation de sources multiples, diverses et appropriées, la mention en est donnée pour chaque notice circonstanciée dans sa rubrique bibliographique, qui comporte aussi l'indication des ouvrages de référence.
Toutefois, en dehors des monographies, de très nombreux ouvrages généraux ont constitué, au cours des éditions successives du dictionnaire, un fonds de documentation, dont il est encore intéressant de citer une sélection, notamment des plus récents :

1960. Les Nouveaux Réalistes, Catalogue d'exposition, Musée d'Art Moderne de la Ville de Paris, Paris-Musées et la Société des Amis du Musée d'Art Moderne de la Ville de Paris, 1986.

60 artistes nés après 60. Œuvres du Fonds national d'art contemporain, Catalogue d'exposition, Centre National des Arts Plastiques, Paris, 1997.

Abstraction Création 1931-1936, Catalogue d'exposition, Musée d'Art Moderne de la Ville de Paris, 1978.

Abstractions provisoires, Catalogue d'exposition, sous la direction de Eric de Chassey et Camille Morineau, Musée d'Art Moderne, Saint-Etienne, 1997.

L'Amérique de la Dépression. Artistes engagés des années 30, Catalogue d'exposition, Musée-Galerie de la Seita, Paris, 1996.

Les Années cinquante, Catalogue d'exposition, Éditions du Centre Georges Pompidou, Paris, 1988.

Les Années romantiques. La peinture française, 1815-1850, Catalogue d'exposition, Réunion des musées nationaux, Paris, 1995.

Les Années trente en Europe. Le temps menaçant, Catalogue d'exposition, Paris Musées, Flammarion, Paris, 1997.

Apollinaire (Guillaume), *Méditations esthétiques. Les peintres cubistes*, Figuière, Paris, 1913.

Ardenne (Paul), *Art. L'Âge contemporain. Une histoire des arts plastiques à la fin du* XX*e* *siècle*, Éditions du Regard, Paris, 1997.

L'Art au pays des soviets, 1963-1988, Les Cahiers du Musée National d'Art Moderne, Paris, 1988.

L'Art conceptuel, une perspective, Catalogue d'exposition, Musée d'Art Moderne de la Ville de Paris, 1989.

Art d'Amérique latine 1911-1968, Catalogue d'exposition, Éditions du Centre Georges Pompidou, Paris, 1992.

L'Art du XX*e* *siècle, Dictionnaire de peinture et de sculpture*, Larousse, Paris, 1991.

L'Art minimal I et *L'Art minimal II*, Catalogues d'expositions, Capc Musée d'Art contemporain, Bordeaux, 1985-1986.

Art Prices Current, 25 vol., Maggs Bros, Londres, 1921-1947.

L'Art russe, des Scythes à nos jours, trésors des musées soviétiques, Catalogue d'exposition, Galeries Nationales du Grand Palais, Paris, 1967-1968.

Babic (L.), *Les Peintres croates de l'impressionnisme jusqu'à nos jours*, Zagreb, 1929.

Bailly-Herzberg (Janine), *L'Eau-Forte de peintre au* XIX*e* *siècle*, 2 vol., Société des Aquafortistes, Léonce Laget, Paris, 1972.

Baudelaire (Charles), *L'Art romantique ; Curiosités esthétiques*, in *Œuvres complètes*, Gallimard (La Pléiade), Paris, 1954.

Le Bauhaus, Catalogue d'exposition, Musées National et Municipal d'Art Moderne, Paris, 1969.

Bayon (Damian), Pontual (Robert), *La Peinture de l'Amérique latine au* XX*e* *siècle*, Mengès, Paris, 1990.

Bazin (Germain), *Histoire de la peinture (peinture classique, peinture moderne)*, 2 vol., Hypérion, Paris, s. d.

Bellier de La Chavignerie, *Dictionnaire général des artistes de l'école française*, 3 vol., Renouard, Paris, 1882-1887.

Berenson (Bernard), *Les Peintres italiens de la Renaissance*, Paris, 1953.

Bihalji-Merin (Oto), *Les Peintres naïfs*, Delpire, Paris, s. d.

Blanc (Charles), *Histoire des peintres de toutes les écoles*, 14 vol., Renouard, Paris, 1863-1876.

Blum (A.), *Histoire générale de l'art*, Quillet, Paris, 1924.

Bode (W.), *Die Meister der holländischen und flamischen Malerschulen*, Leipzig, 1921.

Breton (André), *Le Surréalisme et la peinture*, Brentano's, New York, 1945.

Brion (Marcel), *La Peinture allemande*, Tisné, Paris, 1959.

Brulliot (F.), *Dictionnaire des monogrammes, marques figurées, lettres initiales, noms abrégés, etc. avec lesquels les peintres, dessinateurs, graveurs et sculpteurs ont désigné leurs noms*, 3 vol., Cotta, Munich, 1832-1834.

Bryan's dictionary, 5 vol., Londres, 1903.

Cabanne (Pierre), Restany (Pierre), *L'Avant-Garde au* XX*e* *siècle*, André Balland, Paris, 1969.

Cahill (James), *La Peinture chinoise*, Skira, Genève, 1960.

Castleman (Riva), *A Century of Artists Books*, The Museum of Modern Art, New York, 1994.

Celant (Germano), *The European Iceberg. Creativity in Germany and Italy today*, Art Gallery of Ontario (Toronto), Mazzota (Milan), 1985.

Chadwick (Whitney), *Women, Art and Society*, Thames and Hudson, Londres, 1996.

Cien años de pintura en España y Portugal (1830-1930), 11 vol., Antiqvaria, Madrid, 1988-1993.

Cinquante ans de peinture tchécoslovaque, 1918-1968, Catalogue d'exposition, Musées de Tchécoslovaquie, 1968.

Clair (Jean), *L'Art en France en 1972*, Éditions du Chêne, Paris, 1972.

Claudel (Paul), *L'Œil écoute*, Paris, 1946.

La Collection du Musée national d'Art moderne, Éditions du Centre Georges Pompidou, 1986.

La Collection du Musée national d'Art moderne. Acquisitions 1986-1996, Éditions du Centre Georges Pompidou, Paris, 1996.

Coquiot (Gustave), *Les Indépendants (1884-1920)*, Ollendorff, Paris, 1920.

Courthion (Pierre), *L'Art indépendant*, Albin Michel, Paris, 1958.

Creating Australia, 200 Years of Art, 1788-1988, Catalogue d'exposition, Art Gallery of South Australia, Adelaide, 1988.

Crowe (J. A.), Cavalcaselle (G. B.), *A History of Painting in Italy*, 6 vol., Londres, 1903-1914.

Cummings (P), *Dictionary of Contemporary American Artists*, St-Martin's Press, New York, 1971.

Dachy (Marc), *Dada et les dadaïsmes. Rapport sur l'anéantissement de l'ancienne beauté*, coll. Folio essais, Gallimard, Paris, 1994.

Daval (J. L.), *Histoire de la peinture abstraite*, Hazan, Paris, 1988.

De Bonnard à Baselitz. Dix ans d'enrichissements du Cabinet des Estampes 1978-1988, Catalogue d'exposition, Bibliothèque nationale, Paris, 1992.

Delteil (L.), *Manuel de l'amateur d'estampes du* XVIIIe siècle, Dorbon, Paris, 1910.

Delteil (L.), *Manuel de l'amateur d'estampes des* XIXe *et* XXe *siècles*, 4 vol., Dorbon, Paris, 1925-1926.

Denis (M.), *Histoire de l'art religieux*, Flammarion, Paris, 1939.

Descriptive and Illustrated Catalogue of the Painting in the National Palace Museum, Taipei, 1967.

Deverin (E.), *Dessins de littérateurs*, Jouve, Paris, 1926.

Dezallier d'Argenville (A.-J.), *Abrégé de la vie des plus fameux peintres*.

Dictionnaire biographique illustré des artistes en Belgique depuis 1830, Arto, Bruxelles, 1987.

Dictionnaire de la peinture moderne, Hazan, Paris, 1955.

Dictionnaire de la sculpture occidentale du Moyen Âge à nos jours, Larousse, Paris, 1992.

Dictionnaire universel de l'art et des artistes, 3 vol., Hazan, Paris, 1967.

Dictionnaire universel de la peinture, 6 vol., Le Robert, Paris, 1975.

Dictionnaire de l'art moderne et contemporain, Hazan, Paris, 1992.

Dimier (Louis), *Histoire de la peinture française au* XVIe *siècle*, Edition française d'art, Marseille, s. d.

Dimier (L.), Réau (Louis), *Histoire de la peinture française des origines au* XVIIIe *siècle*, 5 vol., Van Oest, Paris, 1925-1927.

Divald (C.), *Histoire de l'art hongrois*, Budapest, 1927.

Dorival (Bernard), *Les Étapes de la peinture contemporaine*, 3 vol., Gallimard, Paris, 1943-1945.

Dorival (Bernard), *Les Peintres du* XXe *siècle*, Tisné, Paris, 1957.

Dorival (Bernard), (sous la direction de) : *Peintres contemporains*, Mazenod, Paris, 1964.

Dos Santos (R.), *L'Art portugais*, Paris, 1953.

Duchartre (P.-L.), Saulnier (R.), *L'Imagerie populaire française du* XVe *siècle au Second Empire*, Librairie de France, Paris, 1925.

Du Colombier (Pierre), *Histoire de l'art*, Fayard, Paris, 1942.

Duplessis (G.), *Histoire de la gravure en Italie, en Espagne, en Allemagne, dans les Pays-Bas, en Angleterre et en France suivie d'indications pour former une collection d'estampes*, Hachette, Paris, 1880.

Écritures dans la peinture, Catalogue d'exposition, 2 vol., Centre National des Arts Plastiques, Villa Arson, Nice, 1984.

Encyclopédie des arts *Les Muses*, 15 vol., Grange Batelière, Paris, 1969-1974.

L'Expressionnisme en Allemagne 1905-1914, Catalogue d'exposition, Musée d'Art Moderne de la Ville de Paris, 1993.

Faure (Élie), *Histoire de l'art - L'Esprit des formes*, 5 vol., Crès, Paris, 1924-1927.

Le Fauvisme français et les débuts de l'expressionnisme allemand, Catalogue d'exposition, Musée National d'Art Moderne, Paris, 1966.

Focillon (Henri), *La Peinture au* XIXe *siècle (le retour à l'antique, le romantisme)*, Laurens, Paris, 1927.

Focillon (Henri), *La Peinture,* XIXe *et* XXe *siècles, du réalisme à nos jours*, Laurens, Paris, 1928.

Fontainas (A.), Vauxcelles (L.), Gromort (G.), Mourey (G.), *Histoire générale de l'art français de la Révolution à nos jours*, 3 vol., Librairie de France, Paris, 1922.

Fosca (François), *Histoire de la peinture suisse*, Pierre Cailler, Genève, vers 1950.

Francastel (P.), *Nouveau dessin, nouvelle peinture, l'école de Paris*, Librairie de Médicis, Paris, s. d.

Franchino (V.), *L'Arte in Polonia*, Milan, 1928.

Frèches-Hory (Claire), Terrasse (Antoine), *Les Nabis*, Flammarion, Paris, 1990.

Fromentin (E.), *Les Maîtres d'autrefois*, Plon, Paris, 1876.

German Art of the late 80's, Catalogue d'exposition, Dumont Buchverlag, Cologne, 1988.

Gillet (Louis), *La Peinture française, Moyen Âge et Renaissance*, Paris, 1928.

Gillet (Louis), *La Peinture,* XVIIe *et* XVIIIe *siècles*, Laurens, Paris, 1913.

Gintz (Claude), *Ailleurs et autrement*, J. Chambon, 1993.

Gonse (L.), *L'Art japonais*, 2 vol., Quantin, Paris, 1883.

Haesaerts (Paul), *Histoire de la peinture moderne en Flandre*, L'Arcade, Bruxelles, 1960.

Harambourg (Lydia), *L'École de Paris 1945-1965. Dictionnaire des peintres*, Ides et Calendes, Neuchâtel, 1993.

Harrison (Charles), Wood (Paul), *Art in theory 1900-1990*, Blackwell Publishers, Oxford et Cambridge, 1993.

Hautecoeur (Louis), *Les Primitifs italiens*, Paris, 1931.

Histoire générale de la peinture, 28 vol., Rencontre, Lausanne, 1967.

Histoire de la peinture et de la sculpture en Belgique de 1830 à 1930, Van Oest, Paris, 1930.

Hourticq (Louis), *La Peinture, des origines au* XIXe *siècle*, Laurens, Paris, 1926.

Huisman (Georges), *Histoire générale de l'art*, 4 vol., Quillet, Paris, 1938.

Humbert (Agnès), *Les Nabis et leur époque*, Pierre Cailler, Genève, 1954.

Huyghe (René), *La Peinture française du* XIVe *au* XVIIe *siècle*, Calavas, Paris, s. d.

Huyghe (René), *La Peinture française, les contemporains*, Tisné, Paris, 1945.

Huyghe (René), Bazin (Germain), *Histoire de l'art contemporain*, Paris, 1934.

Huysmans (J.-K.), *L'Art moderne*, Charpentier, Paris, 1883.

Huysmans (J.-K.), *Certains*, Plon, Paris, 1938.

Index to Japanese Painters, 5e édit., Society of Friends of Eastern Art, Tokyo, 1970.

Jakovsky (A.), *La Peinture naïve*, Paris, 1949.

Jamot (P.), *La Peinture en France*, Plon, Paris, 1934.

Jianou (Ionel), (sous la direction de) : *Les Artistes Roumains en Occident*, American Romanian Academy of Arts and Sciences, Los Angeles, 1986.

Jorga (N.), Bals (G.), *Histoire de l'art roumain*, Paris, 1922.

Kawakito (M.), *Contemporary Japanese Prints*, Kodansha, Tokyo, 1967.

Keyser (E. de), *La Sculpture contemporaine en Belgique*, Laconti, Bruxelles, 1972.

Kiai Tseu-Yan Houa Tchouan, *Encyclopédie de la peinture chinoise*, Laurens, Paris, 1918.

Kuhn (A.), *Die Polnische Kunst von 1800 bis zur Gegenwart*, Berlin 1930.

Kung (D.), *The Contemporary Artists in Japan*, East and West Press, Honolulu, 1966.

Lami (S.), *Dictionnaire des sculpteurs de l'école française*, 8 vol., Champion, Paris, 1898-1921.

Lassaigne (Jacques), *La Peinture espagnole de Vélasquez à Picasso*, 2 vol., Skira, Genève, 1952-1953.

Lassaigne (Jacques), Delevoy (Robert), *La Peinture flamande*, 2 vol., Skira, Genève, 1957-1958.

Lassaigne (Jacques), Argan (G.-C.), *Le Quinzième Siècle, de Van Eyck à Botticelli*, Skira, Genève, 1955.

Le Blanc (Ch.), *Manuel de l'amateur d'estampes*, Bouillon, Paris, 1854-1890.

Lemoine (Serge), *Art constructif*, Éditions du Centre Georges Pompidou, Paris, 1992.

Lespinasse (P.), *La Peinture suédoise contemporaine*, Alcan, Paris, 1928.

Leymarie (Jean), *La Peinture hollandaise*, Skira, Genève, 1956.

Liban, le regard des peintres, 200 ans de peinture libanaise, Catalogue d'exposition, Institut du Monde Arabe, Paris, 1989.

Lion-Goldschmidt (D.), *L'Art chinois*, Garnier, Paris, 1931.

Lugt (F.), *Les Marques de collections de dessins et d'estampes avec les notices historiques sur les collectionneurs, les collections, les ventes, les marchands et éditeurs*, Vereenigde Drukkerijen, Amsterdam, 1921.

Madsen (K.), *Künstens Historie i Danmark*, Copenhague, 1901-1907.

Mâle (Émile), *L'Art religieux en France*, 4 vol., Colin, Paris, 1898-1932.

Mâle (Émile), *Histoire générale de l'art*, 2 vol., Flammarion, Paris, vers 1930.

Malraux (André), *Les Voix du silence*, Gallimard, Paris, 1951.

Mander (K. Van), *Het Schilder-Boek...'t Leven der vermaerde Doorluchtige Schilders des Onden ende Nieuwen Tydts*, J. Pieters Wachter, Amsterdam, 1618.

Mantz (P.), Merson (O.), *La Peinture française du IXe au XVIIIe siècle*, 2 vol., Quantin, Paris, s. d.

Marcadé (Jean-Paul), *L'Avant-Garde russe*, coll. Tout l'art, Flammarion, Paris, 1995.

Matéjcek (A.), Wirth (Z.), *L'Art tchèque contemporain*, Prague, 1921.

Mayoux (Jean-Jacques), *La Peinture anglaise de Hogarth aux préraphaélites*, Skira, Genève, 1974.

Meir-Graefe (J.), *Entwicklungsgeschichte der Modernen Kunst*, 3 vol., Berlin, 1915.

Mertens (P.), *La Jeune Peinture belge*, Laconti, Bruxelles, 1975.

Michel (A.), *Histoire de l'art*, 18 vol., Colin, Paris, 1905-1929.

Mille ans d'art en Pologne, Catalogue d'exposition, Musée du Petit Palais, Paris, 1969.

Millet (Catherine), *L'Art contemporain en France*, Flammarion, Paris, 1987, 1998.

Millet (Catherine), *Le critique d'art s'expose*, J. Chambon, 1995.

Mireur (H.), *Dictionnaire des ventes d'art faites en France et à l'étranger pendant les XVIIIe et XIXe siècles*, 7 vol., de Vincenti, Paris, 1911-1927.

Monod (Luc), *Manuel de l'amateur de livres illustrés modernes 1875-1975*, 2 vol., Ides et Calendes, Neuchâtel, 1992.

The Museum of Modern Art. The History and the Collection, Abrams, New York, 1984.

Nagler (G. K.), *Die Monogrammisten und diejenigen bekannten und unbekannten Künstler aller Schulen*, 5 vol., G. Hirth's Verlag, München, 1919.

Nagler (G. K.), *Neues Allgemeines Künstler Lexicon*.

Nemeth (Lajos), *Moderne Ungarische Kunst*, Corvina, Budapest, 1969.

Nouveau Dictionnaire de la sculpture moderne, Hazan, Paris, 1970.

Opresco (G.), *La Peinture roumaine contemporaine*, Iris, Berne, 1944.

Osterwalder (Marcus), *Dictionnaire des illustrateurs 1800-1914*, Ides et Calendes, Neuchâtel, 1989.

Pagano (J.-L.), *Historia del Arte Argentino*, Édition de l'Amateur, Buenos Aires, 1944.

Paine (R.-T.), Soper (A.), *The Art and Architecture of Japan*, Penguin, Londres, 1960.

Paris Moscou, 1900-1930, Catalogue d'exposition, Éditions du Centre Georges Pompidou, Paris, 1979.

Parsy (Paul-Hervé), *Art minimal*, Éditions du Centre Georges Pompidou, Paris, 1992.

La Peinture italienne au XVIIIe siècle, Catalogue d'exposition, Musée du Petit Palais, Paris, 1960.

Peintures modernes, Catalogue de l'exposition internationale de l'Organisation des Nations Unies pour l'Éducation, la Science et la Culture (Unesco), Paris, 1946.

Peinture moderne polonaise, sources, recherches, Catalogue d'exposition, Musée Galliéra, Paris, 1969.

La Peinture romantique anglaise et les préraphaélites, Catalogue d'exposition, Musée du Petit Palais, Paris, 1972.

Peter (A.), *Histoire de l'art hongrois*, 2 vol., Budapest, 1930.

Picard (Ch.), *La Sculpture antique*, 2 vol., Paris, 1923-1926.

Pleynet (Marcelin), *Les États-Unis de la peinture*, Seuil, Paris, 1986.

Pleynet (Marcelin), Ragon (Michel), *L'Art abstrait 1970-1987*, Maeght, Paris, 1989.

Popper (F.), *L'Art cinétique*, Gauthier-Villars, Paris, 1970.

Propylaen-Kunstgeschichte, 17 vol., Propylaën Verlag, Berlin, 1923-1930.

Prown (Jules David), Rose (Barbara), *La Peinture américaine de la période coloniale à nos jours*, Skira, Genève, 1969.

Puyvelde (L. Van), *Les Primitifs flamands*, Hypérion, Paris, 1941.

Ragon (Michel), *Vingt-cinq ans d'art vivant*, Casterman, Paris, 1969.

Ragon (Michel), *Journal de l'art abstrait*, Skira, Genève, 1992.

Raynal (Maurice), *Anthologie de la peinture en France de 1906 à nos jours*, Montaigne, Paris, 1927.

Raynal (Maurice), *De Goya à Gauguin*, in : *Les Grands Siècles de la peinture : le XIXe*, Skira, Genève, 1951.

Raynal (Maurice), sous la direction de ... : *Histoire de la peinture moderne, 1850-1950*, 3 vol., Skira, Genève, 1949-1951.

Réau (Louis), *Histoire universelle des arts des temps primitifs jusqu'à nos jours*, 4 vol., Colin, Paris, 1930-1939.

Reinach (S.), *Répertoire de la statuaire grecque et romaine*, 4 vol., Paris, 1906-1909.

Restany (P.), *Les Nouveaux Réalistes*, Planète, Paris, 1968.

Ris-Paquot, *Dictionnaire des monogrammes*, 2 vol., Paris, s. d.

Robert (G.), *L'Art au Québec depuis 1940*, La Presse, Ottawa, 1973.

Robert-Dumesnil, Duplessis (G.), Baudicour (P. de), *Le Peintre-Graveur français ou Catalogue raisonné des estampes gravées par les peintres et les dessinateurs de l'école française*, 13 vol., Warée, Huzard et Rapilly, Paris, 1835-1871.

Romdahl, Roosval, *Svensk Konsthistoria*, Stockholm, 1913.

Rooses (M.), *Les Peintres néerlandais du XIXe siècle*, May, Paris, s.d.

Salmon (André), *L'Art vivant*, Crès, Paris, 1920.

Schurr (Gérald), *1820-1920 : Les Petits Maîtres de la peinture, valeur de demain*, 7 vol., les éditions de l'amateur, Paris, 1969-1989.

Semin (Didier), *L'Arte Povera*, Éditions du Centre Georges Pompidou, Paris, 1992.

Seuphor (Michel), *L'Art abstrait, ses origines, ses premiers maîtres*, Maeght, Paris, 1950.

Seuphor (Michel), *Dictionnaire de la peinture abstraite*, Hazan, Paris, 1957.

Seuphor (Michel), Ragon (Michel), *La Peinture abstraite*, 4 vol., Maeght, Paris, 1974.

Seuphor (Michel), *La Sculpture de ce siècle (dictionnaire de la sculpture moderne)*, Griffon, Neuchâtel, 1959.

Sickman (L.), Soper (A.), *The Art and Architecture of China*, Penguin, Londres, 1960.

Signac (P.), *D'Eugène Delacroix au néo-impressionnisme*, Floury, Paris, 1911.

Sirèn (O.), *Histoire de la peinture chinoise*, 2 vol., Van Oest, Paris, 1934-1935.

Sirèn (O.), *La Sculpture chinoise du Ve au XIVe siècle*, 5 vol., Van Oest, Paris, 1925-1926.

Sirèn (O.), *Chinese Painting. Leading Masters and Principles*, Ronald Press, Londres, 1956-1958.

Siret (A.), *Dictionnaire historique et raisonné des peintres de toutes les écoles depuis l'origine de la peinture jusqu'à nos jours*, 2 vol., De Nobele, Paris, 1924.

Sterling (Charles), *Les Peintres primitifs*, Nathan, Paris, s. d.

Sterling (Charles), *Le XVIe siècle*, Tisné, Paris, s. d.

Stöter-Bender (Jutta), *L'Art contemporain dans les pays du Tiers-Monde*, L'Harmattan, Paris, 1995.

Sullivan (Michael), *Chinese Art in the Twentieth Century*, Faber and Faber, Londres, 1959.

Swann (P.C.), *La Peinture chinoise*, Tisné, Paris, 1958.

Taft (L.), *American Sculpture*, New York, 1930.

Taine (H.), *Philosophie de l'art*, 2 vol., Hachette, Paris, 1913.

Thieme (U.), Becker (F.), *Allgemeines Lexikon der bildenden Künstler von der Antike bis zur Gegenwart*, 37 vol., Engelmann, Leipzig, 1907-1951.

Townsend (W.), *Canadian Art Today*, Studio International Edition, New York, 1970.

Treter M., *La Peinture polonaise contemporaine*, Paris, 1930.

Tronche (Anne), *L'Art actuel en France*, Balland, Paris, 1973.

Une histoire parallèle 1960-1990, Catalogue d'exposition, Éditions du Centre Georges Pompidou, Paris, 1993.

Vanderpyl, *Peintres de mon époque*, Stock, Paris, 1931.

Vanzype (G.), *L'Art belge du XIXe siècle*, Van Oest, Paris, 1923.

Vasari (Giorgio), *Les Vies des plus excellents peintres, sculpteurs et architectes*, 2 vol., Dorbon aîné, Paris, 1926.

Venturi (Lionello), *Les Archives de l'impressionnisme*, 2 vol., Durand-Ruel, Paris et New York, 1939.

Venturi (Lionello), *Peintres modernes*, Albin Michel, Paris, 1941.

Venturi (Lionello), *La Peinture italienne*, 3 vol., Skira, Genève, 1950-1952.

Viau (G.), *La Peinture moderne au Canada français*, Ministère des Affaires Culturelles, Québec, 1964.

Vidalenc (G.), *L'Art marocain*, Alcan, Paris, s.d.

Vidalenc (G.), *L'Art norvégien*, Alcan, Paris, s.d.

Vidalenc (G.), *L'Art suédois*, Alcan, Paris, s.d.

Vienne 1880-1938. L'Apocalypse joyeuse, Catalogue d'exposition, sous la direction de Jean Clair, Éditions du Centre Georges Pompidou, Paris, 1986.

Vingt-cinq ans d'art en France 1960-1985, Larousse, Paris, 1986.

Wantellet (Maurice), *Deux siècles et plus de peinture dauphinoise*, M. Wantellet, Grenoble, 1987.

Wheeler (Daniel), *L'Art du XXe siècle de 1945 à nos jours*, Flammarion, Paris, 1992.

Wurzbach (A. von), *Niederländisches Künstlerlexikon*, 3 vol., Vienne, 1906-1911.

Yonezawa (Y.), Kawakita (M.), *Arts of China. Painting in Chinese Museums, New Collections*, Kodansha, Tokyo, 1970.

Zervos (Ch.), *Histoire de l'art contemporain*, Cahiers d'art, Paris, 1938.

UN PEU D'HISTOIRE...

La première édition du « Dictionnaire critique et documentaire des peintres, sculpteurs, dessinateurs et graveurs de tous les temps et de tous les pays » comportait trois volumes, publiés entre 1911 et 1923.

Emmanuel Bénézit (1854-1920) avait rassemblé un groupe de spécialistes de l'art, tant français qu'étrangers dont les travaux, joints aux siens et à ceux des membres de sa famille qui l'assistaient dans sa tâche, permettaient déjà aux professionnels et aux amateurs de disposer d'un outil efficace de recherche.

Les éditions Gründ avaient dès 1920 pris la suite de leurs confrères Roger et Chernoviz, qui n'avaient pu poursuivre la publication d'une œuvre dont la lourdeur du financement excédait leurs moyens.

Elles se préoccupèrent, dès la fin de la Seconde Guerre mondiale, d'actualiser et de compléter l'ouvrage, avec le concours des héritiers d'Emmanuel Bénézit : le peintre Emmanuel-Charles Bénézit, Marguerite Proton de la Chapelle – qui avaient déjà collaboré à la première édition –, Henri Bénézit et Suzanne Boucheny.

C'est ainsi que vit le jour la deuxième édition, en huit volumes, du Dictionnaire, entre 1948 et 1955.

L'équipe rédactionnelle rassemblée par l'éditeur et les héritiers d'Emmanuel Bénézit poursuivirent ce travail jusqu'à la publication, en 1976, de la troisième édition, qui cette fois comportait dix volumes. L'ensemble de la famille Bénézit s'associa à cette œuvre collective.

Cette troisième édition devait apporter à l'œuvre désormais connue dans le monde entier sous le simple nom de Bénézit une diffusion élargie et un renom accru.

La présente édition, la quatrième, comporte quatorze volumes de 960 pages : c'est dire à quel point les révisions, les remaniements, les additions, ont été nombreux, et justifiés tant par le foisonnement de l'actualité artistique que par les découvertes des historiens d'art.

REMERCIEMENTS

Outre les très nombreux intervenants ponctuels, dont les noms figurent en signature des notices dont ils sont responsables, cette nouvelle édition du Dictionnaire Bénézit a été réalisée par des spécialistes ayant assuré des périodes prolongées de collaboration :

Jacques Busse, rédacteur en chef, assisté de Béatrice Asselin, Radhia Ben Taieb, Sandrine Delcluze-Vézinat, Christophe Dorny, Claire Forgeot, Sylvie Garrec, Luc-Edouard Gonot, Antoine Gründ, Annie Jolain-Pagès, Laurence Lehoux, Annick Macbeth, Florence Maillet, Monique Marcaillou.

L'informatique nécessaire à cette édition a été mise en place par François Coutrot et Jean-Jacques Marlhioud.

Avec le précieux concours des historiens et critiques d'art suivants :
Jean Agamemnon, Arsène Alexandre, J. P. Argul, Marius Audin, Jacques Bacri, A. de Baroncelli, René Barotte, Joseph Barrière, G. Barry, Pierre Basset, Marcelle Berr de Turique, M. Besinovich, Claire Bochet, Dott. Rossana Bossaglia, Jean Bouret, A. de Brahm, Blanche van Buren, Luis Caballero, Henri Cachin, Jean Cassou, Judith Cladel, René Creux, Alfred Daber, Robert Delevoy, Max Dellis, René Demeurisse, Joseph Denis, Joële Despas, C. Dillet, Dolly van Dongen, Bernard Dorival, Mme M. G. Dortu, Michel Duffet, Edmond Duguet, Jean Dupuy, Durand-Gréville, Pierre Faveton, Louis Ferrand, André Frémont, Stanislas Fumet, Charles Garibaldi, E. Gautheron, Maximilien Gauthier, Danièle Giraudy, André Girodie, Maurice Gobin, André Granger, J.R. Guérard, Jean-Jacques Guilloux, Paul Guth, André Hancy, Elisabeth Hardouin-Fugier, Hervé Hofer, Daniel Huisman, Georges Huisman, Philippe Huisman, Frantz Jourdain, Daniel-Henry Kahnweiler, Tristan Klingsor, Charles Kunstler, M. Lacroix, Jean-Baptiste de La Faille, Jacques de La Frégonnière, Jacques Lassaigne, Robert Lebel, Yves Lebert, Charles Le Goffic, Gustaf Lindgren, Fr. Lupi, E. Manganel, Pierre Mariana-Mauroy, Anna Mark, Charles Martyne, Marie Mathelin, Frank McEwen, Jean Miller, Pierre Miquel, Alain Montandon, R. Peyre, Edmond Pilon, Chanoine Porée, Andras Rac, Claude Rameau-Robin, René Ranson, Louis Réau, Robert Rebufa, John Rewald, Sylvie Robin, Claude Roger-Marx, André Salmon, Robert Schmit, Germain Seligman, Carlo Steiner, Charles Terrasse, Marie-José Thévenin, Ragna Thiis Stang, Pierre-André Touttain, C. Tulpinck, Octave Uzanne, Marius Vachon, Léon Vérane, Waldemar-George, Wladimir Weidlé, H. Wescher-Kauert, Robert Wraight, E. Zarnowska, Edmond-H. Zeger-Viallet.

De nombreux conservateurs de musées, bibliothécaires, documentalistes, experts et commissaires-priseurs, libraires, chercheurs doivent également être remerciés ici pour leur collaboration.

Achevé d'imprimer en mars 1999
sur les presses de l'imprimerie Hérissey à Évreux (Eure)

N° d'imprimeur : 82139
Imprimé en France